Engelsk-Dansk
Ordbog

GYLDENDALS RØDE ORDBØGER

MINI

Engelsk-Dansk/Dansk-Engelsk
Tysk-Dansk/Dansk-Tysk
Fransk-Dansk/Dansk-Fransk
Spansk-Dansk/Dansk-Spansk
Italiensk-Dansk/Dansk-Italiensk
Svensk-Dansk/Dansk-Svensk
Norsk-Dansk/Dansk-Norsk

MEDIUM

Engelsk-Dansk/Dansk-Engelsk
Tysk-Dansk/Dansk-Tysk

RØDE

Dansk-Engelsk
Engelsk-Dansk
Dansk-Engelsk *Undervisning*
Institutionsnavne Dansk-Engelsk
Min første røde ordbog – Engelsk

Dansk-Tysk
Tysk-Dansk
Dansk-Tysk *Undervisning*

Dansk-Fransk
Fransk-Dansk

Dansk-Spansk
Spansk-Dansk

Dansk-Italiensk
Italiensk-Dansk

Dansk-Hollandsk
Hollandsk-Dansk

Dansk-Russisk
Russisk-Dansk

Dansk-Latin
Latin-Dansk

Oldgræsk-Dansk, *Berg*
Persisk-Dansk
Svensk-Dansk

Retskrivning
Dansk-Dansk
Min egen danskordbog
Fremmedord
Dansk Etymologisk Ordbog
Dansk Sprogbrug
Talemåder i dansk
Dansk udtale
Danske stednavne
Storbyens Stednavne

STORE

Dansk-Engelsk, *Vinterberg & Bodelsen*
Engelsk-Dansk, *Kjærulff Nielsen*

Tysk-Dansk

Spansk-Dansk, *Bratli*

Dansk Fremmedordbog
Latinsk-Dansk
Polsk-Dansk
Svensk-Dansk

FAGORDBØGER

Dansk-Tysk Erhverv
Engelsk-Dansk Erhverv
Dansk-Spansk Erhverv

Dansk-Engelsk Juridisk
Engelsk-Dansk Juridisk
Dansk-Tysk Juridisk
Tysk-Dansk Juridisk
Dansk-Spansk Juridisk

Medicinsk Ordbog
Medicinsk-Odontologisk
  Dansk-Engelsk/Engelsk-Dansk

ELEKTRONISKE

Dansk-Engelsk/Engelsk-Dansk
Dansk-Tysk/Tysk-Dansk
Dansk-Fransk/Fransk-Dansk

Engelsk-Dansk/Dansk-Engelsk, *medium*
Tysk-Dansk/Dansk-Tysk, *medium*

Dansk-Engelsk, *Vinterberg & Bodelsen*
Engelsk-Dansk, *Kjærulff Nielsen*

Medicinsk-Odontologisk
  Dansk-Engelsk/Engelsk-Dansk

Spansk Erhverv
  Dansk-Spansk/Spansk-Dansk

Dansk Fremmedordbog

Engelsk-Dansk Ordbog

Af JENS AXELSEN

Sproglig konsulent W. Glyn Jones

13. UDGAVE

5. OPLAG

GYLDENDAL

Engelsk-Dansk Ordbog
Gyldendals Røde Ordbøger
13. udgave, 5. oplag

© 2003 by
Gyldendalske Boghandel, Nordisk Forlag A/S,
Copenhagen

Bogen er sat med Melior hos Viborg Maskinsætteri
og trykt hos Korotan, Ljubljana
Grafisk form: Austin Grandjean

Printed in Slovenia 2008
ISBN 978-87-00-34158-6

www.gyldendalordbog.dk

Forord

Nærværende 13. udgave af ordbogen har gennemgået en omfattende revision. Opstillingen er ændret og gjort mere overskuelig. Artiklerne er brudt op, og hver ordklasse har fået sin egen artikel. Betydningerne er desuden blevet nummereret inden for artiklerne, så det er lettere at finde frem til den man søger.

Indholdet er ligeledes revideret, forældede ord og udtryk er fjernet og endvidere er en hel del navnestof udgået. Der er tilføjet nyere ord og udtryk, som i overensstemmelse med bogens almene sigte hovedsagelig er hentet fra det almene sprog, men der er også medtaget en del fagord som kan træffes uden for rent faglige sammenhæng.

Jeg skylder tak til Arne Hamburger, tidligere Dansk Sprognævn, lektor Flemming Olsen for talrige gode citater, Leif Uldam, der har sendt mig nyttige forslag til suppleringer og forbedringer, og til professor emeritus W. Glyn Jones, Norwich, for besvarelse af mange spørgsmål. En særlig tak til Dorthe Stage, der har forberedt manuskript fra bogstav O og frem, og til Lotte Follin, Gyldendals Ordbogsredaktion, for megen praktisk hjælp, herunder udarbejdelse af Vejledning i ordbogens brug.

Nærum, juli 2003

Jens Axelsen

I 2.-4. oplag er der foretaget ca. 20 rettelser.

Vejledning i bogens brug

Et opslagsord og de efterfølgende oplysninger og oversættelser kaldes en ordbogsartikel. En ordbogsartikel indeholder mange oplysninger på kun lidt plads, og det er derfor en god ide at sætte sig ind i, hvordan de forskellige oplysninger præsenteres for at få mest muligt ud af ordbogen. Ordbogens forskellige elementer gennemgås nedenfor, så vidt muligt i den rækkefølge de optræder i ordbogen. En ordbogsartikel vil dog kun sjældent rumme alle oplysningstyperne på en gang.

Opslagsord og grammatiske oplysninger

Opslagsordene
står strengt alfabetisk og med fed skrift til venstre i spalten. Ordene skal normalt slås op i grundformen, fx skal betydningen af *tonier* (som i eksemplet *he moved to a tonier district*) udledes af oversættelserne i artiklen **tony**. Bøjningsformer med selvstændig betydning står dog på alfabetisk plads (fx **arms**, **growing**, **lost**, **worse**), og der er så henvist fra grundformen.

Stavningen er britisk engelsk, og amerikanske staveformer er kun medtaget, hvis de adskiller sig fra generelle forskelle som fx *-er* for *-re* (*theater/theatre*) eller *-or* for *-our* (*color/colour*). Eksempler på dette er *ax* og *pretense*.

Nogle opslagsord efterfølges af et hævet tal, fx

leaf¹

Det hævede tal betyder, at der er flere artikler med samme stavemåde. Det kan der være tre årsager til:
1. De har forskellig udtale (fx **row**).
2. De har forskellig bøjning (fx verbet **shine**).
3. De tilhører forskellige ordklasser (fx **like**).

Udtale
angives i skarp parentes:

leaf¹ [li:f]

Man kan se, hvordan tegnene udtales i afsnittet Lydskrift. Udtalen er britisk engelsk, og visse amerikanske varianter er angivet, se Lydskrift.

Ordklasse
står i kursiv, fx

leaf¹ [li:f] *sb.*

6

Bøjning	anføres i kursiv i en parentes, hvis den er uregelmæssig, fx
	leaf[1] [li:f] *sb.* (*pl. leaves* [li:vz])
	Uregelmæssige verbers bøjning findes bag i bogen.

Oversættelser og eksempler

Oversættelser	står i ordinær skrift, og hvis der er mere end en, adskilles de med betydningsnumre, semikolon eller komma.
Betydningsnumre	står i fed skrift, og angiver en væsentlig betydningsforskel.
Semikolon	angiver en mindre forskel.
Komma	angiver en ringe eller slet ingen betydningsforskel mellem oversættelserne:

> **improve** [im'pru:v] *vb.* **1.** forbedre; (*metode, teknik også*) udvikle; **2.** (*uden objekt*) bedres, blive bedre (*fx his health is improving*); (*om person også*) forbedre sig; gøre fremskridt.

Skarp parentes	står omkring definitioner eller forklaringer af opslagsordet. De bruges typisk om begreber, der ikke har et direkte dansk sidestykke eller en dansk benævnelse, fx

> **Inauguration Day** *sb.* (*am.*) [*nyvalgt præsidents tiltrædelsesdag, 20. januar*].

Oplysninger i skarp parentes kan også stå efter en oversættelse som nærmere forklaring, fx

> **tautology** [tɔː'tɔlədʒi] *sb.* tautologi [*overflødig gentagelse, dobbeltkonfekt*].

Parentes før oversættelse	indeholder oplysninger på dansk om den pågældende betydning, fx

> **impractical** [im'præktikl] *adj.* **1.** (*om person*) upraktisk; **2.** (*om ting, metode etc.*) upraktisk; uanvendelig ...

Oplysningerne angiver typisk syntaktiske forhold, emneområde, stilleje, fagområde, regionale forskelle etc. Disse gives ofte i forkortet form og står beskrevet nærmere i Tegn og Forkortelser.

F, S og T	Enkelte oplysninger om stilleje kan stå uden parentes, nemlig disse tre forkortelser: F = formelt sprog S = slang T = talesprog
Parentes efter oversættelser	der starter med *fx*, indeholder engelske eksempler på brug af opslagsordet i netop denne betydning. Eksemplerne står i kursiv og er udvalgt, så de viser typisk brug af ordet, både i konstruktion (såsom objekt og præposition) og sammenhæng (såsom hyppige kollokationer), fx

> **impregnable** ... uindtagelig (*fx fortress*); utilgængelig (*fx mountains*) ...

Parentes efter oversættelse	kan også indeholde præpositioner, opslagsordet hyppigt forekommer sammen med. De engelske står først i kursiv, og de danske oversættelser står dernæst i ordinær skrift, fx

> **impressed** ... **1.** imponeret (*by/with* af/over); **2.** indpræget (*in* i); ...

Store bogstaver (A., B. ...)	med fed skrift opdeler store artikler, når opslagsordet har flere, meget forskellige, hovedbetydninger, der hver især har flere underbetydninger, fx

> **issue**[1]... **A. 1.** problem ... **2.** oplag ... **3.** hæfte ... **4.** udgave ... **5.** nummer ... **6.** børn ... **7.** resultat;
> **B.** (*om handling*) **1.** udlevering ... **2.** udsendelse ... **3.** udstedelse ... **4.** udgivelse ... **5.** udlån ... **6.** udløb ...

Henvisninger

=	bruges, når opslagsordet eller en betydning af ordet er lig med et andet opslagsord, og alle oplysninger derfor kan findes der, fx

impractical ... **3.** (*især am.*) = *impracticable.*

se	bruges, når oplysningerne til en betydning eller en særlig konstruktion med opslagsordet skal findes et andet sted, fx

in[2] ... *be in for//on//with* se *in*[3].

se også	bruges, når man kan finde supplerende oplysninger i en anden artikel, fx

imprint[2] ... (se også *imprinted*)...

jf.	bruges som henvisning til nært beslægtede ord, fx afledninger, hvor betydningsinddelingen er den samme, fx **inaccessibility** ... (jf. *inaccessible*)
Tal i henvisninger	kan være hævede og angiver så, hvilket af flere ensstavede opslagsord der henvises til. Tal der ikke er hævede, henviser til betydningsnummer i den nævnte artikel, fx jf. *balloon¹ 1*

Faste udtryk og vendinger

☐	Firkanten angiver begyndelsen på afsnittet med faste udtryk og vendinger. Disse er placeret efter følgende principper: <u>verbum med substantivobjekt</u> under substantivet, fx *lose one's head* under **head**¹ <u>verbum med præposition/adverbium</u> under verbet, fx *go in for* under **go**² <u>adjektiv + substantiv</u> under adjektivet, fx *fast friends* under **fast**², medmindre det er en fast forbindelse, fx **fast food**, som findes på alfabetisk plads. I tilfælde, der ikke falder ind under ovenstående, anbringes udtrykket under det første karakteristiske ord, fx *what is sauce for the goose is sauce for the gander* under **sauce**.
~	Tegnet kaldes tilde og erstatter opslagsordet i eksempler og udtryk, fx i artiklen **inaccessible**: *the place is ~ by car*
-	Bindestreg erstatter opslagsordet i bøjet form, altså når det efterfølges af en endelse eller indgår i en sammensætning, fx i artiklen **improve**: *he -s on acquaintance*
Konstruktionsmønstre (ofte med tegnet +)	gives til udtryk, der bruges sammen med ganske bestemte konstruktioner, fx *-ing*-form. Fx i artiklen **idea**: *with the ~ of + -ing* med tanke på at hvor der kan stå forskellige verber på bindestregens plads, fx *with the idea of doing* med tanke på at gøre. Bemærk, at bindestregen i disse tilfælde ikke erstatter opslagsordet.

Fed skrift	bruges i afsnittet med faste udtryk og vendinger til at fremhæve ord, så man lettere finder det udtryk, man søger, fx i artiklen **indulge**: ~ **in**
Små bogstaver (a., b. ...)	med fed skrift bruges i afsnittet med faste udtryk og vendinger til at adskille forskellige betydninger af et udtryk, fx **inflict** ... ~ *sth on sby* **a.** tilføje en noget ... **b.** plage en med noget ...
Skarp parentes	efter firkant indeholder oplysninger i kursiv, som opdeler afsnittet med faste udtryk og vendinger i mindre afsnit med beslægtede konstruktioner, fx af typen opslagsord + præposition: [*med præp.*]
/ og //	bruges til at angive flere muligheder i en formulering. Enkelt skråstreg bruges, hvis valgmulighederne betyder det samme, fx i artiklen **ill**: *it will go* ~ *with him* det vil gå ham galt/ilde Dobbelt skråstreg bruges, hvis de forskellige formuleringer ikke betyder det samme, fx i artiklen **imperceptible**: næsten usynlig//uhørlig
...	angiver, at noget er udeladt eller skal indsættes af brugeren.

Lydskrift

(Udtalebetegnelsen står i skarp parentes [ ]).

[']   betegner tryk (accent); det sættes **foran** den stærke (accentuerede) stavelses begyndelse, fx *city* ['siti] med tryk på første stavelse, *insist* [in'sist] med tryk på anden stavelse.

[:]   betegner at den foregående lyd er lang; fx *seat* [si:t], medens *sit* [sit] udtales med kort vokal.

[a:]   som i *far* [fa:r], *father* [fa:ðə].

[ai]   som i *eye* [ai].

[au]   som i *how* [hau].

[æ]   som i *hat* [hæt].

[b]   som i *bed* [bed], *ebb* [eb].

[d]   som i *do* [du:], *bed* [bed].

[dʒ]   som i *judge* [dʒʌdʒ], *join* [dʒɔin].

[ð]   som i *then* [ðen].

[θ]   som i *thin* [θin].

[e]   som i *let* [let].

[ei]   som i *hate* [heit].

[ə:]   som i *hurt* [hə:t], *her* [hə:].

[ə]   som i *inner* ['inə], *about* [ə'baut], *hear* [hiə], *poor* [puə], *area* ['ɛəriə].

[f]   som i *find* [faind].

[g]   som i *get* [get].

[h]   som i *hat* [hæt].

[i:]   som i *feel* [fi:l].

[i]   som i *fill* [fil].

[iə]   som i *hear, here* [hiə].

[j]   som i *you* [ju:].

[k]   som i *can* [kæn].

[x]   som i *loch* [lɔx].

[l]   som i *let* [let], *ell* [el].

[m]   som i *man* [mæn].

[n]   som i *not* [nɔt].

[ŋ]   som i *singer* [siŋə], *finger* [fiŋgə].

[əu]   som i *no* [nəu].

[ɔi]   som i *boy* [bɔi].

[p]   som i *pea* [pi:].

[r]   som i *red* [red], *area* ['ɛəriə].

[s]   som i *sit* [sit].

[ʃ]   som i *she* [ʃi:].

[tʃ]   som i *chin* [tʃin].

[t]   som i *tin* [tin].

[uː]   som i *fool* [fuːl].

[u]   som i *full* [ful].

[uə]   som i *tour* [tuə].

[v]   som i *vivid* ['vivid].

[w]   som i *we* [wiː].

[z]   som i *rise* [raiz], *zeal* [ziːl].

[ʒ]   som i *measure* ['meʒə].

[ɛə]   som i *hair* [hɛə], *area* ['ɛəriə].

[ɔː]   som i *caught* [kɔːt], *court* [kɔːt].

[ɔ]   som i *cot* [kɔt].

[ʌ]   som i *cut* [kʌt].

( )   omslutter tegn for lyd, som kan medtages eller udelades fx *empty* ['em(p)ti].

(ː)   angiver vaklende længde, fx *room* [ru(ː)m] med langt eller kort [u].

[fr]   betegner, at ordet udtales som på fransk.

Amerikanske udtalevarianter er anført, hvor det drejer sig om enkelttilfælde, fx [iː] i *leisure,* hvor britisk engelsk har [e], [həˈræs] for *harass,* hvor britisk engelsk har [ˈhærəs], mens gennemgående træk som udtalen af *r* efter vokal som i *cart,* udeladelse af [j] foran [uː] som i *student, duty, new,* udtalen [ou] hvor britisk engelsk har [əu], og udtalen af a som [æ] hvor britisk engelsk har [aː] som i *pass* kun er angivet i decideret amerikansk engelske ord.

Tegn og forkortelser

~ erstatter opslagsord
ɔ: det vil sige
F formelt sprog
S slang
T daglig tale
/ står mellem ensbetydende muligheder
// står mellem forskellige muligheder
® indregistreret varemærke
adj. adjektiv, tillægsord
adv. adverbium, biord
agr. landbrug
alfab. alfabetisk
alm. almindelig(t)
am. amerikansk
anat. anatomi
arkit. arkitektur, bygningskunst
arkæol. arkæologi
assur. forsikringsvæsen
astr. astronomi
austr. australsk

bibl. biblioteksvæsen
biol. biologi
bl.a. blandt andet
bogb. bogbinderi
bot. botanik

cf. sammenlign

dial. dialekt
d.s. det samme

egl. egentlig
el. eller
elek. elektricitet
eng. engelsk
Engl. England
etc. og så videre, og lignende

fig. figurligt, i overført betydning

film. filmkunst, filmteknik
filos. filosofi
fk. forkortelse (for)
flyv. flyvning
fon. fonetik
forb. forbindelse(r)
forsk. forskellige
forst. forstvæsen
foto. fotografi
fr. fransk
fx for eksempel
fys. fysik
fysiol. fysiologi

geogr. geografi
geol. geologi
geom. geometri
glds. gammeldags
gram. grammatik
gymn. gymnastik

her. heraldik
hist. historisk

i alm. i almindelighed
inf. infinitiv, navneform
interj. interjektion, udråbsord
it informationsteknologi

jernb. jernbaneudtryk
jur. jura
jf. jævnfør

kat. katolsk
kem. kemi
komp. komparativ, højere grad
konj. konjunktion, bindeord

lat. latin
lign. lignende
litt. litterært

mar. maritimt, søfart

mat.	matematik	teol.	teologi
med.	lægevidenskab	tidl.	tidligere
mek.	mekanik, maskiner	tlf.	telefoni
merk.	merkantilt, handel	tv	fjernsyn
meteor.	meteorologi	typ.	typografisk
mht.	med hensyn til		
mil.	militært	vb.	verbum, udsagnsord
min.	mineralogi	vet.	veterinært, dyrlægevæsen
mods.	i modsætning til	vulg.	vulgært
mus.	musik		
myt.	mytologi	zo.	zoologi

ndf. nedenfor
neds. nedsættende

økon. økonomi

o.l. og lignende
omtr. omtrent
osv. og så videre
ovf. ovenfor

parl. parlamentsvæsen
perf. perfektum, førnutid
pf. ptc. perfektum participium, kort
tillægsform
pl. pluralis, flertal
poet. digterisk
pol. politik
pron. pronomen, stedord
præp. præposition, forholdsord
præs. præsens, nutid
præt. præteritum, datid
psyk. psykologi

radio. radioudtryk
rel. religiøst

sb. substantiv, navneord
sby *somebody*
sg. singularis, ental
sms. sammensætning(er)
sociol. sociologi
sprogv. sprogvidenskab
spøg. spøgende
sth. *something*
sup. superlativ, højeste grad
sydafr. sydafrikansk

tandl. tandlægevæsen
teat. teater
tekn. teknik

Anvendt litteratur

Listen er ikke udtømmende og omfatter kun de bøger, jeg mest har haft nytte af. Jeg har derudover fundet oplysninger i en lang række andre ordbøger, især specialordbøger, i kataloger, telefonbøger, aviser, tidsskrifter, skønlitterære værker og på internettet.

ORDBØGER
Cambridge International Dictionary of English, Cambridge 1995
The New Oxford Dictionary of English, Oxford 1998
Macmillan English Dictionary, Oxford 2002
Merriam-Webster Collegiate Dictionary, Tenth Edition, Springfield, Mass. 1993
Webster New World Dictionary, Third College Edition, New York 1994
Politikens Engelsk-Dansk Ordbog, København 1999
Munksgaards Engelsk-Dansk Ordbog, København 1996
Nudansk Ordbog med etymologi, København 1999
Annemette Lyng Svensson: Engelsk-Dansk Økonomisk Ordbog, 4. udgave, København 2000
Clausens Tekniske Ordbøger engelsk-dansk, 2. udgave, København 1996

IDIOMATIK
Cambridge International Dictionary of Idioms, Cambridge 1998
Longman Dictionary of Idioms, Harlow 1998
Cambridge International Dictionary of Phrasal Verbs, Cambridge 1997
Oxford Dictionary of Phrasal Verbs, Oxford 1993

KULTUR
Adrian Room: An A to Z of British Life, Oxford 1990
Alice Duchak: A-Z of Modern America, London and New York 1999
Oxford Guide to British and American Culture, Oxford 1999
The New York Public Library Book of Popular America, New York 1994

A

A¹ [ei].

A² *fork. f.* ampere.

A 1 [ei'wʌn] *adj.* første klasses.

a [ə, *(betonet)* ei], **an** [ən, *(betonet)* æn] *art.* **1.** en, et; *(i enkelte udtryk)* én, ét *(fx at a blow* med ét slag); **2.** om *(fx five pounds a day* fem pund om dagen); pr. *(fx £10 a ton)*;
□ *two at a time* **a.** to på en gang; **b.** to ad gangen.

a. *fork. f.* **1.** *ante* før; **2.** *arrive*; **3.** *arriving.*

AA *fork. f.* **1.** *Alcoholics Anonymous*; **2.** *Automobile Association.*

AAA *fork. f. American Automobile Association.*

aardvark ['a:dva:k] *sb.* (zo.) jordsvin.

aardwolf ['a:dwulf] *sb.* (zo.) jordulv; dværghyæne.

aargh [a:] *interj.* øv! åh!

Aaron ['ɛərən] *(i Biblen)* Aron.

Aaron's beard *sb.* (bot.) sarons rose.

Aaron's rod *sb.* (bot.) kongelys.

AB *fork. f.* **1.** *able-bodied (seaman)*; **2.** *(am.) Bachelor of Arts.*

aback [ə'bæk] *adv.:* lay ~ *(mar.)* bakke; *taken* ~ forbløffet, overrumplet.

abacus ['æbəkəs] *sb.* **1.** kugleramme; **2.** *(arkit.)* abacus *[kapitælplade på søjle].*

abaft¹ [ə'ba:ft] *adv.* *(mar.)* ter(ude).

abaft² [ə'ba:ft] *præp.* *(mar.)* agten for; (se også *beam¹*).

abandon¹ [ə'bænd(ə)n] *sb.* løssluppenhed;
□ *with* ~ løssluppent; hæmningsløst.

abandon² [ə'bænd(ə)n] *vb.* (se også *abandoned*) **1.** *(sted, person)* forlade *(fx one's house; one's wife)*; **2.** *(ting)* efterlade *(fx one's car)*; **3.** *(forehavende, tanke)* opgive *(fx a plan; hope; an idea)*; **4.** *(sportskamp)* aflyse *(fx a football match)*; **5.** *(neds.)* svigte *(fx one's ideals; one's cause)*;
□ ~ *oneself to* hengive sig til *(fx vice, despair)*; give sig hen i; ~ *ship* gå i bådene, gå fra borde *[ved forlis]*; ~ *ship!* alle mand fra borde!; (se også *hope¹*).

abandoned [ə'bænd(ə)nd] *adj.* (jf. *abandon²*) **1.** forladt *(fx house)*; **2.** efterladt *(fx car)*; **3.** opgivet; **4.** aflyst; **5.** løssluppen *(fx way of life)*; hæmningsløs; **6.** *(mht. moral)* ryggesløs, lastefuld.

abandonment [ə'bænd(ə)nmənt] *sb.* (jf. *abandon²*) **1.** det at forlade; **2.** opgivelse *(fx of a plan; of an idea)*; **3.** aflysning *(fx of a football match)*; **4.** svigten *(fx his* ~ *of her)*.

abase [ə'beis] *vb.* F nedværdige, ydmyge; fornedre;
□ ~ *oneself before* ydmyge sig over for.

abasement [ə'beismənt] *sb.* F fornedrelse, ydmygelse.

abashed [ə'bæʃt] *adj.* skamfuld, flov; forlegen.

abate [ə'beit] *vb.* F **1.** (for)mindske; dæmpe; **2.** *(om pris)* nedsætte, slå af på; **3.** *(om gene)* bekæmpe; **4.** *(jur.)* ophæve, bringe til ophør; **5.** *(uden objekt)* mindskes, aftage; *(om vind)* løje af.

abatement [ə'beitmənt] *sb.* (jf. *abate*) **1.** formindskelse; dæmpning; **2.** *(om pris)* nedsættelse; afslag; **3.** bekæmpelse; **4.** *(jur.)* ophævelse.

abattoir ['æbətwa:] *sb.* slagteri.

abbacy ['æbəsi] *sb.* abbedværdighed.

abbatial [ə'beiʃ(ə)l] *adj.* **1.** abbed-; abbedisse-; **2.** abbedi-.

abbess ['æbes] *sb.* abbedisse.

abbey ['æbi] *sb.* abbedi *[kloster; klosterkirke]*;
□ *the Abbey = Westminster Abbey.*

abbot ['æbət] *sb.* abbed.

abbr. *fork. f. abbreviation.*

abbreviate [ə'bri:vieit] *vb.* forkorte.

abbreviation [əbri:vi'eiʃn] *sb.* forkortelse.

ABC [ei:bi:'si:] *sb.* **1.** abc; **2.** *(fig.)* grundbegreber.

abdicate ['æbdikeit] *vb.* **1.** *(om regent)* abdicere, frasige sig tronen; **2.** *(med objekt)* frasige sig *(fx all responsibility)*; give afkald på *(fx a right)*.

abdication [æbdi'keiʃn] *sb.* (jf. *abdicate*) **1.** abdikation, (tron)frasigelse.; **2.** frasigelse; afkald.

abdomen ['æbdəmen, -mən,

æb'dəumən] *sb.* **1.** underliv; underkrop; bug; **2.** *(hos insekter)* bagkrop.

abdominal [æb'dɔmin(ə)l] *adj.* underlivs- *(fx operation)*; mave-, bug- *(fx muscle)*.

abdominal cavity *sb.* bughule.

abdominals [æb'dɔmin(ə)lz] *sb. pl.* mavemuskler, bugmuskler.

abduct [æb'dʌkt] *vb.* bortføre.

abduction [æb'dʌkʃn] *sb.* bortførelse.

abductor [æb'dʌktə] *sb.* bortfører.

abeam [ə'bi:m] *adv.* *(mar.)* tværs.

abele [ə'bi:l] *sb.* *(bot.)* sølvpoppel.

Aberdeen [æbə'di:n]: ~ *(terrier)* ruhåret skotsk terrier.

Aberdonian¹ [æbə'dəuniən] *sb.* indbygger i Aberdeen.

Aberdonian² [æbə'dəunjəni] *adj.* Aberdeen-; fra Aberdeen.

aberrant [æb'er(ə)nt] *adj.* F afvigende, abnorm.

aberration [æbə'reiʃn] *sb.* **1.** afvigelse (fra normen); **2.** vildfarelse; fejltrin; **3.** *(it)* fejl; **4.** *(astr., fys.)* aberration [ɔ: afvigelse fra banen];
□ *in a moment of* ~ i et øjebliks sindsforvirring; *mental* ~ sindsforvirring.

abet [ə'bet] *vb.* tilskynde til; være medskyldig/meddelagtig i; (se også *aid²*).

abettor [ə'betə] *sb.* **1.** tilskynder; medskyldig; **2.** hjælper.

abeyance [ə'beiəns] *sb.:* *be in* ~ være stillet i bero, stå hen, hvile.

abhor [əb'hɔ:] *vb.* afsky.

abhorrence [əb'hɔr(ə)ns] *sb.* F afsky *(of* for);
□ *have an* ~ *for sth, hold sth in* ~ nære afsky for noget.

abhorrent [əb'hɔr(ə)nt] *adj.* F afskyelig *(to* for).

abidance [ə'baid(ə)ns] *sb.* (glds.) **1.** forbliven; **2.** fastholdelse *(by* af); **3.** afventen;
□ ~ *by the rules* overholdelse af reglerne.

abide [ə'baid] *vb.* (se også *abiding*) **1.** (glds.) bo; opholde sig; dvæle; **2.** (glds.) afvente *(fx the course of events* begivenhedernes gang);
□ *cannot* ~ kan ikke fordrage/ holde ud/udstå; ~ *by* **a.** stå ved *(fx a promise)*; **b.** rette sig efter *(fx*

a decision; *the rules*); ~ **with** forblive hos.

abiding [əˈbaidiŋ] *adj.* blivende, varig.

ability [əˈbiləti] *sb.* **1.** evne (*to* til at); **2.** dygtighed;
□ *to the best of my* ~ efter bedste evne; så godt jeg kan.

abject [ˈæbdʒekt] *adj.* **1.** (*om forhold*) ynkelig (*fx failure*); ussel (*fx poverty*); uværdig, sølle (*fx conditions*); **2.** (*om følelse*) fuldstændig, total; **3.** (*om person*) ydmyg (*fx apology*); krybende; foragtelig;
□ ~ *despair* håbløs fortvivlelse; ~ *terror* sanseløs rædsel.

abjure [əbˈdʒuə] *vb.* afsværge; opgive.

ablative [ˈæblətiv] *sb.* (*gram.*) ablativ.

ablaze [əˈbleiz] *adj.*: *be* ~ **a.** stå i flammer, stå i lys lue (*fx the house was* ~); **b.** stråle; *be* ~ *with* **a.** stråle af (*fx light*); **b.** (*fig.*) gløde af, flamme af (*fx enthusiasm*); *set* ~ sætte i brand.

able [ˈeibl] *adj.* dygtig;
□ ~ *to* i stand til at; *be* ~ *to* (*også*) kunne.

able-bodied [eiblˈbɔdid] *adj.* (sund og) rask, rask og rørig.

ablution [əˈbluːʃn] *sb.* **1.** (*rel.*) (rituel) afvaskning, tvætning;
2. (*spøg.*) bad;
□ *-s* (*mil.* T) vaskerum; badebygning; *perform one's -s* (*spøg.*) tvætte sit legeme, tage bad.

ably [ˈeibli] *adv.* dygtigt.

ABM *fork. f. anti-ballistic missile.*

abnegate [ˈæbnigeit] *vb.* F give afkald på.

abnegation [æbniˈgeiʃn] *sb.* F afkald; selvfornægtelse.

abnormal [æbˈnɔːm(ə)l] *adj.* abnorm.

abnormality [æbnɔːˈmæləti] *sb.* abnormitet.

Abo [ˈæbəu] *sb.* (*austr.* S, *neds.*) australneger.

aboard¹ [əˈbɔːd] *adv.* om bord; op i toget//bussen.

aboard² [əˈbɔːd] *præp.* om bord på/i; op i.

abode [əˈbəud] *sb.* **1.** (F *el. spøg.*) bolig (*fx my humble* ~); **2.** (*jur.*) bopæl (*fx of no fixed* ~);
□ *take up one's* ~ (*spøg.*) opslå sit paulun; tage bolig.

abolish [əˈbɔliʃ] *vb.* afskaffe (*fx slavery*); ophæve (*fx restrictions*).

abolition [æbəˈliʃn] *sb.* afskaffelse; ophævelse.

abolitionist [æbəˈliʃ(ə)nist] *sb.* abolitionist [ɔ: *modstander af dødsstraf//af slaveriet i USA*].

A-bomb [ˈeibɔm] *sb.* atombombe.

abominable [əˈbɔminəbl] *adj.* afskyelig;
□ *the Abominable Snowman* den afskyelige snemand.

abominate [əˈbɔmineit] *vb.* F afsky.

abomination [əbɔmiˈneiʃn] *sb.* F **1.** (*følelse*) afsky (*of* for); væmmelse (*of* ved); **2.** (*ting*) vederstyggelighed, pestilens;
□ *it is an* ~ (*også*) det er afskyeligt; *hold sth in* ~ nære afsky for noget.

Aboriginal¹ [æbəˈridʒən(ə)l] *sb.* aboriginer, uraustralier.

Aboriginal² [æbəˈridʒən(ə)l] *adj.* vedrørende uraustralierne; indfødt.

aboriginal [æbəˈridʒən(ə)l] *adj.* oprindelig (*fx people*); indfødt; (se også *Aboriginal*).

Aborigine [æbəˈridʒəni:] *sb.* (*austr.*) uraustralier.

aborning [əˈbɔːniŋ] *adj.* (*am.*) ved at blive til, ved at udvikle sig;
□ *die* ~ blive kvalt i fødslen.

abort¹ [əˈbɔːt] *sb.* **1.** mislykket togt; afbrudt (raket)opsendelse; **2.** afbrydelse.

abort² [əˈbɔːt] *vb.* **1.** abortere, få abort; **2.** (*om foretagende*) slå fejl, ikke blive til noget; **3.** (*med objekt*) afbryde (*fx a pregnancy; a takeoff; a program*); aflyse (*fx a flight*); **4.** (*foster*) abortere (*fx a foetus*); abortere med (*fx she -ed their first child*).

abortion [əˈbɔːʃn] *sb.* **1.** abort; **2.** (T: *om foretagende*) mislykket forsøg; fiasko; **3.** (*ting*) misfoster.

abortionist [əˈbɔːʃ(ə)nist] *sb.* **1.** [*en som foretager svangerskabsafbrydelser*]; **2.** (*neds.*) se *backstreet abortionist.*

abortive [əˈbɔːtiv] *adj.* F mislykket; fejlslagen.

abound [əˈbaund] *vb.* findes i overflod;
□ ~ *in/with* være rig på; vrimle med.

about¹ [əˈbaut] *adv.* **1.** (*om bevægelse*) om, omkring, rundt (*fx run* ~); **2.** (*om placering*) rundt omkring, her og der (*fx lying* ~ *on the floor*); **3.** T omtrent (*fx it is* ~ *right*); ved at være (*fx I'm* ~ *tired of all that*);
□ *be* ~ kunne fås (*fx not until there is more petrol* ~); *there is a lot of flu* ~ der er meget influenza blandt folk; *be* (*up and*) ~ være oppe; være på benene; *be somewhere* ~ være et eller andet sted i nærheden; *that's* ~ *it* (*jf.* 3) så er vi ved at være der; så er vi ved at være færdige; *be* ~ *to* lige skulle til at; *I'm not* ~ *to* jeg agter ikke at

(*fx give up*).

about² [əˈbaut] *præp.* **1.** om, omkring (*fx with a sash* ~ *her waist*); **2.** omkring i/på (*fx walk* ~ *the streets*); **3.** (*om emne, anledning*) om (*fx tell me* ~ *it*); angående; i anledning af; **4.** (*om egenskab, præg*) ved (*fx there is something* ~ *him that I don't like*); **5.** (*om noget man har med*) hos; på (*fx I have no money* ~ *me*); **6.** (*om tilnærmelsesvis angivelse*) cirka, omkring (*fx* ~ *a hundred*);
□ *be* ~ handle om; dreje sig om; *that's* ~ *it* se *about¹*.

about-face [əbautˈfeis], **about-turn** [əbautˈtɔːn] *sb.* **1.** omkringvending; **2.** (*fig.*) kovending.

above¹ [əˈbʌv] *adj.* ovennævnt; ovenstående; ovenanført (*fx the* ~ *address*);
□ *the* ~ *illustration* illustrationen ovenfor.

above² [əˈbʌv] *adv.* **1.** ovenover (*fx the shelf* ~; *the room* ~); (*i hus også*) ovenpå (*fx the family* ~); **2.** (*i tekst*) ovenfor (*fx as mentioned* ~); **3.** (*over jorden*) på himlen (*fx the stars* ~); i//til himlen (*fx the Lord* ~);
□ *10 per cent and* ~ 10 procent og derover; *from* ~ ovenfra; oppefra.

above³ [əˈbʌv] *præp.* **1.** over; oven over; **2.** (*om mængde etc.*) over (*fx* ~ *50 kg*; ~ *30 degrees*); mere end; **3.** (*fig.*) hævet over (*fx the rules, lying; criticism, suspicion*);
□ ~ *all* frem for alt; *it is* ~ *me* T det går over min forstand; ~ *oneself* **a.** indbildsk; **b.** højt oppe, overstadig.

aboveboard [əbʌvˈbɔːd] *adj.* T ærlig, regulær.

above-mentioned [əbʌvˈmenʃnd] *adj.* ovennævnt.

abrade [əˈbreid] *vb.* F slide af; skrabe af.

abrasion [əˈbreiʒ(ə)n] *sb.* **1.** hudafskrabning; **2.** afslidning; **3.** slid [*på tænder*].

abrasive¹ [əˈbreisiv] *sb.* slibemiddel, slibepulver.

abrasive² [əˈbreisiv] *adj.* **1.** slibende, slibe-; ru; **2.** (*om person*) stødende, ubehagelig; ufordragelig; **3.** (*om lyde*) skurrende;
□ ~ *relationship* forhold præget af gnidninger; *the music was* ~ *to his ears* musikken skurrede ham i ørene.

abreact [æbriˈækt] *vb.* (*psyk.*) afreagere.

abreast [əˈbrest] *adv.* ved siden af hinanden (*fx walk two* ~);
□ *overtake three* ~ overhale i tredje position; ~ *of* **a.** på højde

med; **b.** (*fig.*) ajour med; *keep ~ of the times* holde sig ajour; følge med tiden.

abridge [ə'brɪdʒ] *vb.* **1.** forkorte (*fx a play*); **2.** (*rettighed etc.*) begrænse, gøre indgreb i.

abridgment [ə'brɪdʒmənt] *sb.* **1.** forkortelse; **2.** begrænsning.

abroad [ə'brɔːd] *adv.* **1.** i//til udlandet, udenlands; **2.** (*glds. el. litt.*) (ude) blandt folk; (*om rygte etc.*) i omløb;

□ *at home and ~* ude og hjemme; *from ~* fra udlandet; *the near ~* det nære udland.

abrogate ['æbrəgeit] *vb.* F ophæve (*fx a law*); afskaffe.

abrogation [æbrə'geiʃn] *sb.* F ophævelse; afskaffelse.

abrupt [ə'brʌpt] *adj.* **1.** brat, pludselig (*fx change*); abrupt; **2.** (*om person*) studs, brysk, kort for hovedet; **3.** (*om stil*) springende, usammenhængende; **4.** (*om skråning*) stejl, brat.

ABS [eibiː'es] *fork. f. anti-lock braking system* blokeringsfri bremser.

abscess ['æbses] *sb.* byld; (*fagl.*) absces.

abscond [əb'skɔnd] *vb.* F flygte, rømme;

□ *~ with* løbe bort med (*fx one's boyfriend*); stikke af med (*fx the cash*).

abseil[1] ['æbsail] *sb.* rappel, nedfiring.

abseil[2] ['æbsail] *vb.* fire sig ned.

absence ['æbs(ə)ns] *sb.* fravær; udeblivelse;

□ *in John's ~* når//mens John ikke er til stede; *~ of* mangel på (*fx proof*); *~ of mind* åndsfraværelse; *in the ~ of* da der mangler/savnes; (se også *conspicuous*).

absent[1] ['æbs(ə)nt] *adj.* **1.** fraværende; væk, borte; **2.** åndsfraværende, distræt;

□ *be ~ from* **a.** være borte fra; **b.** ikke findes på//i.

absent[2] [æb'sent] *vb.: ~ oneself* F **a.** holde sig væk (*from* fra); udeblive (*from* fra); være fraværende (*from* fra); **b.** absentere sig, fjerne sig.

absent[3] ['æbs(ə)nt] *præp.* (*am.* F) uden; hvis ... ikke findes.

absentee [æbs(ə)n'tiː] *sb.* **1.** fraværende (*fx there were a lot of -s*); **2.** (*mil.*) absentant; **3.** (*foran sb.*) fraværende (*fx an ~ father*).

absentee ballot *sb.* (*am.*) brevstemme;

□ *vote by ~* stemme pr. brev.

absenteeism [æbs(ə)n'tiːizm] *sb.* forsømmelser; (ulovligt) fravær; T

pjækkeri.

absentee landlord *sb.* [*husejer der ikke bor på ejendommen (og forsømmer den)*].

absent-minded [æbsnt'maindid] *adj.* åndsfraværende, distræt.

absent-mindedness [æbs(ə)nt'maindidnəs] *sb.* åndsfraværelse, distraktion.

absinthe ['æbsinθ] *sb.* absint.

absolute[1] ['æbsəl(j)uːt] *sb.* absolut (*fx the four -s*).

absolute[2] ['æbsəl(j)uːt] *adj.* **1.** absolut (*fx majority; truth; the ~ minimum*); fuldstændig, ubetinget (*fx trust; promise; assurance*); **2.** (*om noget der ikke kan forandres*) uomstødelig (*fx fact; proof*); **3.** (*forstærkende*) ren (*fx fool; genius; beginner; nonsense*); komplet (*fx fool*); **4.** (*om regent*) enevældig; uindskrænket; **5.** (*gram.*) absolut.

absolutely ['æbsəl(j)uːtli] *adv.* **1.** absolut; aldeles, fuldstændig, komplet; ubetinget; **2.** (*bekræftende svar*) ja, absolut; ja, helt bestemt; **3.** (*foran nægtelse*) absolut, aldeles, overhovedet (*fx ~ not; ~ nothing*).

absolute zero *sb.* det absolutte nulpunkt.

absolution [æbsə'l(j)uːʃn] *sb.* (*rel.*) absolution, syndsforladelse.

absolutism ['æbsəl(j)uːtizm] *sb.* absolutisme, enevælde.

absolve [əb'zɔlv] *vb.* **1.** frikende (*from/of* for); **2.** (*rel.*) give syndsforladelse (*of* for); give absolution.

absorb [əb'zɔːb, əb'sɔːb] *vb.* (se også *absorbed, absorbing*) **1.** absorbere; optage (*into* i, *fx sugar is -ed into the bloodstream; plants ~ carbon dioxide*); (*især væske, også*) opsuge; suge til sig; **2.** (*i en større helhed*) optage (*into* i); indlemme; **3.** (*immigranter*) indsluse; integrere; **4.** (*tid, penge, plads, opmærksomhed*) optage, lægge beslag på; **5.** (*meddelelse etc.*) optage, tilegne sig; fordøje; **6.** (*påvirkning*) tage imod; **7.** (*stød, lyd*) opfange, optage, dæmpe.

absorbed [əb'zɔːbd, əb'sɔːbd] *adj.: ~ in/by* optaget af, fordybet i; opslugt af; *-ed in thought* i dybe tanker.

absorbency [əb'zɔːb(ə)nsi, əb'sɔː-] *sb.* sugeevne.

absorbent [əb'zɔːb(ə)nt, əb'sɔː-] *adj.* absorberende; vandsugende.

absorbent cotton *sb.* (syge)vat.

absorbing [əb'zɔːbiŋ, əb'sɔː-] *adj.* fængslende, spændende;

□ *of ~ interest* af altopslugende interesse.

absorption [əb'zɔːpʃn, əb'sɔː-] *sb.* **1.** absorption; optagelse; opsugning; **2.** (*i en større helhed*) optagelse (*into* i); indlemmelse; **3.** (*om immigranter*) indslusning; integrering; **4.** (*om stød*) opfangning, dæmpning; **5.** (*interesse*) optagethed (*in* af); opslugthed.

absorption centre *sb.* (*for indvandrere*) indslusningscenter.

absquatulate [æb'skwɔtʃuleit] *vb.* T stikke af.

abstain [əb'stein] *vb.* (*ved afstemning*) afholde sig fra at stemme;

□ *~ from* afholde sig fra; afstå fra.

abstainer [əb'steinə] *sb.* **1.** afholdsmand; **2.** en der ikke stemmer.

abstemious [əb'stiːmiəs] *adj.* F mådeholden; afholdende.

abstention [əb'stenʃn] *sb.* **1.** F afholdenhed; **2.** (*ved afstemning*) [*undladelse af at stemme*];

□ *with 20 -s* mens tyve afholdt sig fra at stemme.

abstinence ['æbstinəns] *sb.* afholdenhed.

abstinent ['æbstinənt] *adj.* afholdende.

abstract[1] ['æbstrækt] *sb.* **1.** resumé, sammendrag; referat; **2.** abstrakt kunstværk; **3.** abstrakt begreb;

□ *in the ~* rent abstrakt; *an ~ of the accounts* et kontoudtog.

abstract[2] ['æbstrækt] *adj.* abstrakt (*fx art*).

abstract[3] [æb'strækt] *vb.* (se også *abstracted*) **1.** resumere, sammendrage; referere; **2.** T tilvende sig [ɔ: *stjæle*];

□ *~ from* F fjerne fra; tage fra.

abstracted [æb'stræktid] *adj.* (*om person*) adspredt, åndsfraværende.

abstraction [æb'strækʃn] *sb.* **1.** abstraktion; **2.** åndsfraværelse; **3.** F fjernelse; **4.** (*om kunstværk*) abstrakt kunstværk.

abstruse [æb'struːs] *adj.* dunkel, uforståelig.

absurd [əb'səːd] *adj.* **1.** absurd, urimelig, meningsløs; **2.** tåbelig; latterlig.

absurdist [əb'səːdist] *adj.* absurdistisk.

absurdity [əb'səːdəti] *sb.* **1.** absurditet, urimelighed, meningsløshed; **2.** tåbelighed; latterlighed;

□ *the ~ of the suspicion* det urimelige i mistanken.

ABTA *fork. f. Association of British Travel Agents* (*svarer til*) Rejsegarantifonden.

abundance [ə'bʌnd(ə)ns] *sb.* overflod (*of* af); rigdom (*of* på); rigelighed.

abundant [ə'bʌnd(ə)nt] *adj.* rigelig;

□ ~ *in* rig på.

abundantly [ə'bʌnd(ə)ntli] *adv*. **1.** i rigelig mængde; rigt (*fx illustrated*); **2.** til overflod (*fx it is ~ clear*).

abuse¹ [ə'bju:s] *sb*. **1.** (*af person*) mishandling (*fx child ~*); misbrug (*fx sexual ~*); **2.** (*af ting*) misbrug (*of af, fx trust, one's power; alcohol ~*); **3.** (*verbal*) grovheder, skældsord, fornærmelser; □ *a term of* ~ et skældsord; *-s* uheldige forhold; misligheder; krænkelser (*fx human rights -s*).

abuse² [ə'bju:z] *vb*. (*jf. abuse*¹) **1.** (*person*) mishandle; (*seksuelt*) misbruge; **2.** (*verbalt*) skælde ud; overfuse; overdænge med skældsord; **3.** (*ting*) misbruge (*fx his trust; drugs*).

abuser [ə'bju:zə] *sb*. (*jf. abuse*²) **1.** mishandler; misbruger; **2.** misbruger.

abusive [ə'bju:siv] *adj*. **1.** (*fysisk*) grov (*to/towards* mod/over for); voldelig; **2.** (*verbalt*) grov (*to* mod/over for); fornærmelig; fuld af grovheder (*fx an ~ letter*); □ ~ *expressions*, ~ *language* grovheder, fornærmelser.

abut [ə'bʌt] *vb*. støde op til; □ ~ *on* = *abut*.

abutment [ə'bʌtmənt] *sb*. (*af bro*) landfag; landfæste.

abuzz [ə'bʌz] *adj*.: *be* ~ *with* summe af.

abysmal [ə'bizm(ə)l] *adj*. **1.** elendig, rædselsfuld, ubeskrivelig (dårlig); **2.** afgrundsdyb, bundløs (*fx ignorance; poverty*).

abyss [ə'bis] *sb*. afgrund.

abyssal *adj*. dybhavs-, abyssal.

AC *fork. f. alternating current*.

a/c *fork. f*. **1.** *account*; **2.** *air conditioning*.

acacia [ə'keiʃə] *sb*. (*bot.*) akacie.

academe ['ækədi:m] *sb*. F den akademiske verden.

academia [ækə'di:miə] *sb*. universitetsverdenen; forskningen.

academic¹ [ækə'demik] *sb*. akademiker [ɔ: *universitetsansat*]; universitetslærer; forsker.

academic² [ækə'demik] *adj*. **1.** (*mht. fag*) faglig (*fx standards; qualifications*); **2.** (*mht. universiteter etc.*) akademisk, universitets-; **3.** (*mods. praktisk*) akademisk, teoretisk; **4.** (*om person*) boglig, bogligt begavet.

academician [əkædə'miʃn] *sb*. medlem af et akademi [*især af the Royal Academy*].

academy [ə'kædəmi] *sb*. akademi.

ACAS ['eikəs] *fork. f. Advisory Conciliation and Arbitration Ser-*

vice [*en forligsinstitution*].

accede [ək'si:d] *vb*.: ~ *to* F **a.** gå ind på, tiltræde (*fx sby's proposal*); imødekomme, efterkomme (*fx a request*); **b.** (*aftale, parti etc.*) tilslutte sig (*fx a treaty; a party*); tiltræde; **c.** (*embede etc.*) overtage (*fx an estate*); tiltræde (*fx an office*); ~ *to the throne* arve tronen.

accelerate [ək'seləreit, æk-] *vb*. **1.** (*med objekt*) fremskynde; sætte fart i, forøge hastigheden af; **2.** (*uden objekt*) blive hurtigere, tage fart; (*især om bil el. bilist*) accelerere, sætte farten op.

acceleration [ækselə'reiʃn] *sb*. **1.** fremskyndelse; **2.** stigning (*fx in the divorce rate*); forøgelse; stigende fart; **3.** (*bils*) acceleration, accelerationsevne; **4.** (*fys.*) acceleration.

accelerator [æk'seləreitə] *sb*. **1.** (*i bil*) speeder, gaspedal; **2.** (*fys.*) accelerator.

accelerator card *sb*. (*it*) acceleratorkort; hjælpeprocessor.

accent¹ ['æks(ə)nt] *sb*. **1.** accent (*fx speak with a foreign ~*); tonefald (*fx with an impeccable English ~*); **2.** (*tegn*) accent (*fx acute ~; grave ~*); **3.** (*fon.*) accent, betoning, tryk (*fx the ~ is on the first syllable*); **4.** (*fig.*) vægt, hovedvægt (*on* på).

accent² [æk'sent, æk-] *vb*. **1.** (*fon.*) lægge trykket på, betone; **2.** (*fig.*) betone, lægge vægt på; understrege, fremhæve, accentuere.

accented [æk'sentid, æk-] *adj*. **1.** med accent, præget af accent (*fx ~ English*); **2.** (*fon.*) trykstærk.

accentuate [æk'sentʃueit, æk-] *vb*. fremhæve, betone, accentuere.

accentuation [æksentʃu'eiʃn, æk-] *sb*. fremhævelse, betoning, accentuering.

accept [æk'sept, æk-] *vb*. (se også *accepted*) **1.** acceptere (*fx credit cards; a cheque; a transplant; the telephone -s only 10p coins*); tage imod (*fx a present; his apology; I don't ~ orders from him*); **2.** (*indbydelse, tilbud*) acceptere, sige ja til (*fx an invitation; an offer*); **3.** (*forslag etc.*) acceptere, godkende, gå med til (*fx a proposal; a plan*); **4.** (*udsagn, forhold*) acceptere, godtage, tro på (*fx his excuse; that it is true*); **5.** (*som medlem; på kursus etc.*) optage (*fx ~ him as a full member*); **6.** (*noget ubehageligt*) finde sig i (*fx the noise; a wage reduction*); **7.** (*uden objekt*) sige ja; □ ~ *a bill* (*merk.*) acceptere en veksel; ~ *the blame//the respon-*

sibility tage/påtage sig skylden// ansvaret; ~ *him into the family* optage ham i familien; ~ *to do it* sige ja til at gøre det; gå med til at gøre det.

acceptability [ækseptə'biləti] *sb*. acceptabilitet; antagelighed.

acceptable [ək'septəbl] *adj*. **1.** tilladelig; **2.** (*om kvalitet*) acceptabel; antagelig; **3.** (*om gave etc.*) kærkommen, velkommen; □ *it is ~ to them* de kan acceptere/godtage det.

acceptance [ək'sept(ə)ns] *sb*. **1.** accept; godkendelse; tilslutning; **2.** modtagelse; **3.** anerkendelse; **4.** (*som medlem el. på kursus etc.*) optagelse; **5.** (*merk.*) vekselaccept; accepteret veksel; □ *gain* ~ (*jf. 1*) blive anerkendt, vinde tilslutning (*fx a theory that is gaining ~*).

accepted [ək'septid, æk-] *adj*. almindelig anerkendt (*fx the ~ custom*).

access¹ ['ækses] *sb*. **1.** adgang (*to* til, *fx a building; a person; information*); **2.** (*til skilsmissebørn*) samkvemsret, samværsret (*to* med); **3.** (*vej etc.*) tilkørsel, vej (*to* til); **4.** (*med. etc.*) anfald (*of af, fx of a disease; of anger*); **5.** (*it*) tilgang (*to* til); □ *easy of* ~ let tilgængelig; let at få i tale; *gain* ~ få adgang (*to* til); ~ *only* (*på færdselsskilt, svarer til*) ærindekørsel tilladt; (*se også works access*).

access² ['ækses] *vb*. få//skaffe sig adgang til; □ *the place is -ed by* man kommer til stedet ad.

accessary [ək'ses(ə)ri] se *accessory*.

access balcony *sb*. altangang.

access course *sb*. adgangskursus, forberedelseskursus [*til universitetsstudium*].

accessibility [əksesə'biləti] *sb*. **1.** tilgængelighed; **2.** modtagelighed.

accessible [ək'sesəbl] *adj*. tilgængelig, lettilgængelig (*to* for); □ ~ *to* (*også*) modtagelig for (*fx reason*).

accession [ək'seʃn] *sb*. **1.** tilgang (*fx of new members*); nyerhvervelse; **2.** (*bibl.*) accession, tilvækst; **3.** (*om traktat, embede*) tiltrædelse (*to* af, *fx a convention, an office*); overtagelse (*to* af, *fx power; an office*); □ ~ *to the throne* tronbestigelse.

accessories [ək'sesəriz] *sb. pl*. tilbehør; (*ekstra*)udstyr.

accessorize [ək'sesəraiz] *vb*. (*især am.*) udstyre med tilbehør;

□ *-d with a belt* med et bælte som tilbehør.

accessory[1] [ək'sesəri] *sb.* **1.** tilbehør; **2.** (*jur.*) medskyldig (*to* i); (se også *fact: after the* ~, *before the* ~).

accessory[2] [ək'sesəri] *adj.* **1.** underordnet; bi-; ekstra-; **2.** (*jur.*) (med)delagtig, medskyldig (*to* i).

access road *sb.* adgangsvej; tilkørselsvej.

access time *sb.* (*it*) accesstid, adgangstid.

accidence ['æksid(ə)ns] *sb.* (*gram.*) formlære.

accident ['æksid(ə)nt] *sb.* **1.** uheld; (*alvorligere*) ulykke, ulykkestilfælde; **2.** (*om noget ikke-planlagt*) tilfælde, tilfældighed (*fx it's no* ~ *that I am here today*); **3.** (*filos.*) accidens; tilfældig egenskab; □ *-s will happen* det er hvad der kan ske; *it was an* ~ *waiting to happen* (*omtr.*) det 'måtte ende galt; *have an* ~ **a.** komme galt af sted; (*alvorligere, også*) komme ud for en ulykke; **b.** (*om baby*) gøre sig våd//snavset; [*med præp.*] *by* ~ ved et tilfælde// uheld, tilfældigt, tilfældigvis; *it was more by* ~ *than design* (*omtr.*) lykken var bedre end forstanden; *be in an* ~ være ude for en ulykke.

accidental [æksi'dent(ə)l] *adj.* **1.** tilfældig (*fx meeting*); **2.** uvæsentlig; □ ~ *death* død forårsaget af et ulykkestilfælde.

accidentally [æksi'dent(ə)li] *adv.* tilfældigt; ved et tilfælde; ved et uheld; □ *do it* ~ *on purpose* få det til at tage sig ud som et uheld; *he dropped it,* ~ *on purpose* han "kom til at" tabe den.

accidentals [æksi'dent(ə)lz] *sb. pl.* (*mus.*) løse fortegn.

accident-prone ['æksid(ə)ntprəun] *adj.*: *he is* ~ han kommer altid galt af sted; han er en ulykkesfugl.

acclaim[1] [ə'kleim] *sb.* F **1.** bifald, hyldest; **2.** anerkendelse (*fx receive international* ~).

acclaim[2] [ə'kleim] *vb.* (se også *acclaimed*) F **1.** hilse med bifaldsråb; tiljuble; **2.** hylde (*fx she was -ed as our greatest modern poet*); hylde som (*fx he was -ed king*).

acclaimed [ə'kleimd] *adj.* F anerkendt; rost.

acclamation [æklə'meiʃn] *sb.* F bifald; bifaldsråb; □ *elected by* ~ valgt med akklamation.

acclimate [ə'klaimət] *vb.* (*am.*) =

acclimatize.

acclimatization [əklaimətai'zeiʃn] *sb.* akklimatisering.

acclimatize [ə'klaimətaiz] *vb.* F akklimatisere sig (*fx he needs some time to* ~); □ ~ (*oneself*) *to, get -d to* akklimatisere sig til; vænne sig til (*fx the heat*).

accolade [ækə'leid] *sb.* **1.** anerkendelse; hyldest; hædersbevisning; **2.** (*ved udnævnelse til ridder*) akkolade, ridderslag; **3.** (*mus.*) akkolade, klamme.

accommodate [ə'kɔmədeit] *vb.* (se også *accommodating*) **1.** (*person: med plads til at bo*) give husly; skaffe husrum/logi; indlogere; indkvartere; **2.** (*om kapacitet*) have plads til; (*om hotel etc. også*) huse; **3.** (F: *forhold etc.*) tage højde for, tage hensyn til (*fx their needs; the facts*); **4.** (F: ønske etc.) imødekomme (*fx their wishes*); rette sig efter; **5.** (*person: med fornødenhed*) hjælpe, imødekomme, gøre en tjeneste; **6.** (*om øjnene*) akkommodere; □ ~ (*oneself*) *to* F tilpasse sig (til) (*fx changing conditions*); ~ *sby with* **a.** give en; forsyne en med; **b.** (*med penge*) hjælpe en med, forstrække en med; låne en.

accommodating *adj.* medgørlig; imødekommende.

accommodation [əkɔmə'deiʃn] *sb.* **1.** (*til overnatning*) plads (*fx we have not* ~ *for so many people*); husly; (*nat*)logi; indkvartering; (*til at bo i*) bolig(er), beboelse; (*fx i fly*) (sidde)plads; **2.** (*mar.*) aptering; køjeplads; **3.** (*om øjet*) akkommodation; **4.** F forlig; **5.** (*penge*) (kortfristet) lån; **6.** (cf. *accommodating*) imødekommenhed; forekommenhed; **7.** (*am.*) = *train.*

accommodation address *sb.* dækadresse.

accommodation bill *sb.* låneveksel, tjenesteveksel.

accommodation ladder *sb.* (*mar.*) falderebstrappe.

accommodations [əkɔmə'deiʃnz] *sb. pl.* se *accommodation 1.*

accommodation train *sb.* (*am.*) bumletog; lokaltog.

accompaniment [ə'kʌmpənimənt] *sb.* **1.** tilbehør; **2.** (*mus.*) akkompagnement.

accompanist [ə'kʌmpənist] *sb.* (*mus.*) akkompagnatør.

accompany [ə'kʌmpəni] *vb.* **1.** ledsage; 'følge med; **2.** (*mus.*) akkompagnere.

accomplice [ə'kɔmplis] *sb.* med-

skyldig (*in, of* i);

□ *be an* ~ *of* (*også*) være i ledtog med.

accomplish [ə'kɔmpliʃ] *vb.* (se også *accomplished*) gennemføre; nå, opnå; udrette; F fuldbyrde.

accomplished [ə'kɔmpliʃt] *adj.* **1.** mesterlig (*fx musician*); **2.** (*let glds.*) dannet, kultiveret (*fx young lady*); **3.** (*jf. accomplish*) fuldendt; gennemført; □ *an* ~ *fact* en fuldbyrdet kendsgerning.

accomplishment [ə'kɔmpliʃmənt] *sb.* **1.** (*handling*) gennemførelse, fuldendelse; F fuldbyrdelse; **2.** (*resultat*) bedrift; **3.** (*især i pl.*) selskabeligt talent; færdighed; □ *-s* **a.** resultater; **b.** (*glds.*) selskabelige talenter; færdigheder.

accord[1] [ə'kɔ:d] *sb.* aftale (*fx a peace* ~); □ *be in* ~ stemme overens, harmonere; *in* ~ *with* i overensstemmelse med; *of one's own* ~ af egen drift, af sig selv; uopfordret; *with one* ~ enstemmigt; alle som en.

accord[2] [ə'kɔ:d] *vb.* F tilstå, tildele, lade få; □ ~ *with* harmonere med, stemme (overens) med.

accordance [ə'kɔ:d(ə)ns] *sb.*: *in* ~ *with* i overensstemmelse med.

according [ə'kɔ:diŋ] *adv.*: ~ *as* alt efter som (*fx temperature varies* ~ *as you go up or down*); ~ *to* **a.** (*om udsagn*) ifølge (*fx* ~ *to this author*); **b.** (*om handling*) efter (*fx play* ~ *to the rules*); **c.** (*om ændring*) (alt) efter (*fx the temperature varies* ~ *to the altitude*); *the Gospel* ~ *to Saint John* johannesevangeliet; ~ *to plan* planmæssig.

accordingly [ə'kɔ:diŋli] *adv.* **1.** derfor, følgelig, altså; **2.** i overensstemmelse dermed//hermed, derefter (*fx act* ~).

accordion [ə'kɔ:diən] *sb.* (træk)harmonika.

accordion wall *sb.* foldevæg.

accost [ə'kɔst] *vb.* F antaste, tiltale (*fx be -ed by a stranger*).

account[1] [ə'kaunt] *sb.* **1.** beretning (*of* om); redegørelse (*of* for); fremstilling (*of* af); (*med grunde*) forklaring (*of* på); **2.** (*merk.: i bank, forretning*) konto (*with, at* hos); **3.** (*merk.: aftager*) (fast) kunde (*fx one of our largest -s*); □ *-s* regnskab (*fx keep detailed -s*); [*med vb.* (+ *præp.*)] **bring/call to** ~ se ndf.: (*bring/call/hold*) *to* ~; **give** *an* ~ **of** give en redegørelse for; give en forklaring på; *give a* *good* ~ *of oneself* klare sig godt; komme godt fra det; **hold to** ~ se ndf.: *(bring/call/hold) to* ~; **open** *an* ~ åbne en konto; **render** *an* ~ *of* gøre/aflægge regnskab for, gøre rede for *(to over for)*; **settle** *an* ~ afgøre et mellemværende; *settle -s* gøre regnskabet op; **settle** *-s with* gøre op med; *have an* ~ *to settle with sby* have et mellemværende med en; **square** *-s with* gøre op med; **take** ~ *of* se ndf.: *(take) into* ~; **turn to** ~ udnytte; drage fordel af; (se også *doctor*[2]); [*med præp.*] **as per** ~ ifølge regning; **by** *all -s* efter alt at dømme; *by his own* ~ efter hvad han selv sagde; *take* **into** ~ tage i betragtning, tage hensyn til, regne med; *of no* ~ uden betydning; ligegyldig; *of little* ~ uden større betydning; ret ligegyldig; (se også *statement*); **on** *his* ~ på hans vegne *(fx I was scared on his ~)*; for hans skyld; *on joint* ~ *(merk.)* for fælles regning; a meta; *on no* ~, *not on any* ~ under ingen omstændigheder; *on one's own* ~ **a.** for egen regning; **b.** for sin egen skyld; **c.** af//for sig selv; *on that* ~ **a.** af den grund; **b.** i den henseende; *pay on* ~ betale a conto; betale i afdrag; *on* ~ *of* på grund af; **out of** ~ se *leave*[2]; *bring/call/hold* **to** ~ kræve til regnskab; drage til ansvar; *turn to* ~ **a.** drage fordel af; gøre brug af; **b.** udnytte; *turn to good* ~ gøre god brug af.

account[2] [ə'kaunt] *vb.* F regne for, betragte som *(fx he was -ed a genius)*;
□ ~ *for* **a.** gøre rede for; forklare *(fx he must ~ for his conduct)*; **b.** stå til regnskab for; aflægge regnskab for; **c.** dække, tegne sig for, udgøre *(fx 12 p.c. of the oil supplies)*; **d.** T tage sig af; gøre det af med *(fx three enemy aircraft)*; *there is no -ing for taste* om smagen kan man ikke diskutere.

accountability [əkauntə'biləti] *sb.* **1.** ansvarlighed; **2.** *(merk.)* regnskabspligt.

accountable [ə'kauntəbl] *adj.* **1.** ansvarlig; **2.** *(merk.)* regnskabspligtig;
□ *be* ~ *for* (1, *også*) skulle stå til regnskab for; kunne drages til ansvar for.

accountancy [ə'kauntənsi] *sb.* **1.** regnskabsvæsen; bogholderi; **2.** revisorvirksomhed; revision.

accountant [ə'kauntənt] *sb.* **1.** regnskabsfører; bogholder; **2.** revisor.

account current *sb.* kontokurant, anfordringskonto.

account executive *sb.* *(merk.)* **1.** kundechef; **2.** *(på reklamebureau)* kontaktchef.

account manager *sb.* = *account executive.*

accounts manager *sb.* regnskabschef.

accoutrements [ə'ku:t(r)əmənts] *sb. pl.* *(glds.; spøg.)* udrustning, udstyr.

accreditation [əkredi'teiʃn] *sb.* **1.** officiel anerkendelse; godkendelse; **2.** *(om diplomat)* akkreditering.

accredited *adj.* **1.** officielt anerkendt; godkendt; **2.** *(om diplomat etc.)* akkrediteret;
□ *be* ~ *with* få æren for.

accretion [ə'kri:ʃn] *sb.* F **1.** tilføjelse; **2.** *(proces)* tilvækst, gradvis forøgelse.

accrue [ə'kru:] *vb.* **1.** opsamle, akkumulere; **2.** *(rente)* tilskrive; **3.** *(i regnskabsvæsen)* periodisere; **4.** *(uden objekt, jf. 1)* opsamles, akkumuleres; *(jf. 2)* blive tilskrevet, løbe på;
□ *-d expenses* skyldige udgifter; *-d interest* påløbne renter; ~ *to* tilfalde.

accumulate [ə'kju:mjuleit] *vb.* **1.** hobe sig op, samles; vokse; **2.** *(med objekt)* akkumulere, dynge sammen; samle.

accumulation [əkju:mju'leiʃn] *sb.* **1.** *(handling)* (ind)samling; ophobning; akkumulation; **2.** *(resultat)* ophobning; dynge, bunke.

accumulative [ə'kju:mjulətiv] *adj.* voksende, akkumulerende, kumulativ.

accumulator [ə'kju:mjuleitə] *sb.* **1.** akkumulator; **2.** *(ved indsats på hestevæddeløb)* [system ifølge hvilket gevinster fra et løb overføres til indsats i andre]; **3.** *(it)* sumværk.

accuracy ['ækjurəsi] *sb.* **1.** nøjagtighed, præcision; **2.** *(om våben)* træfsikkerhed; **3.** *(egenskab)* omhu, akkuratesse.

accurate ['ækjurət] *adj.* **1.** nøjagtig; præcis; **2.** *(om person)* omhyggelig; **3.** *(om våben)* træfsikker; *(om kast)* præcis.

accursed [ə'kə:sid, ə'kə:st] *adj.* **1.** *(glds.)* forbandet; nederdrægtig; **2.** *(litt.)* forbandet, ramt af en forbandelse.

accusation [ækju'zeiʃn] *sb.* anklage, beskyldning;
□ *a word of* ~ et anklagende ord.

accusative [ə'kju:zətiv] *sb.* *(gram.)* akkusativ.

accusatory [ə'kju:zət(ə)ri] *adj.* anklagende.

accuse [ə'kju:z] *vb.* beskylde, anklage *(of for)*;
□ *the -d* *(jur.)* anklagede; *stand -d of* være under anklage for.

accuser [ə'kju:zə] *sb.* anklager.

accustom [ə'kʌstəm] *vb.*: ~ *to* vænne til.

accustomed [ə'kʌstəmd] *adj.* sædvanlig, vant;
□ *be* ~ *to* + *-ing* være vant til at; pleje at *(fx he is* ~ *to walking home)*; *become* ~ *to* blive vant til, vænne sig til.

AC/DC [eisi'di:si:] *sb.* S biseksuel; lidt til begge sider.

ace[1] [eis] *sb.* **1.** *(i kortspil)* es; *(i terningspil, domino)* ener; **2.** (T: *om person)* stjerne; førsteklasses spiller//racerkører *etc.*; fremragende jagerflyver, flyveres; **3.** *(i tennis)* servees;
□ *be an* ~ *at* være fremragende til *(fx tennis); the* ~ *of diamonds// hearts etc.* ruder//hjerter *etc.* es; **within** *an* ~ *of* meget nær ved (at); på nippet til (at); *within an* ~ *of death* i yderste livsfare; [*med vb.*] **have** *an* ~ *in the hole/up one's sleeve* S *(fig.)* have en trumf i baghånden; **hold** *all the -s* have alle fordelene; have fat i den lange ende; **play** *one's* ~ spille sit stærkeste kort, spille sit trumfkort.

ace[2] [eis] *adj.* *(glds.* S) førsteklasses, fremragende; stjerne- *(fx reporter)*.

acerbic [ə'sə:bik] *adj.* F *(fig.)* skarp, ætsende, bidende; bitter.

acerbity [ə'sə:bəti] *sb.* F skarphed; skarpt/bittert vid.

acetate ['æsəteit] *sb.* *(kem.)* acetat.

acetic [ə'si:tik] *adj.* *(kem.)* eddike-.

acetic acid *sb.* *(kem.)* eddikesyre.

acetone ['æsitəun] *sb.* acetone.

acetylene [ə'setili:n] *sb.* acetylen.

acetylsalicylic [æsitailsæli'silik] *adj.*: ~ *acid* acetylsalisylsyre.

ache[1] [eik] *sb.* **1.** smerte; **2.** *(i sms)* -pine *(fx stomach* ~*)*; -smerter *(fx backache)*; smerter i *(fx neck* ~*)*;
□ *-s and pains* smerter her og der; værk.

ache[2] [eik] *vb.* (se også *aching, achingly)* **1.** have ondt; være øm *(fx I -d all over)*; **2.** *(om legemsdel)* gøre ondt; *(glds. el. spøg.)* værke;
□ *my head//stomach etc. -s* jeg har ondt i hovedet//maven *etc.*; jeg har hovedpine//mavepine *etc.*; *my heart -d* det gjorde mig inderlig ondt; *be aching* **for** længes (inderligt) efter; *be aching* **to** brænde efter at; T være helt syg efter at.

achievable [ə'tʃi:vəbl] *adj.* opnåelig.

achieve [ə'tʃi:v] *vb.* **1.** præstere; udføre; udrette (*fx he worked hard, but -d nothing*); gennemføre (*fx what one set out to do*); **2.** (*mål*) opnå (*fx success*); nå (*fx one's aim*); **3.** (*am.*) klare sig tilfredsstillende; have succes.

achievement [ə'tʃi:vmənt] *sb.* **1.** præstation (*fx a remarkable ~*); bedrift; **2.** resultat (*fx the -s of modern science*); **3.** (*jf. achieve*) udførelse; gennemførelse; opnåelse.

achievement test *sb.* færdighedsprøve; kundskabsprøve.

achiever [ə'tʃi:və] *sb.* en der præsterer noget;
□ *high* ~ en der præsterer meget; en der har et højt præstationsniveau; *low* ~ en der har et lavt præstationsniveau; (*i skole også*) en der har svært ved det.

Achilles [ə'kili:z] (*myt.*) Akilleus.

Achilles heel *sb.* akilleshæl.

Achilles tendon *sb.* (*anat.*) akillessene.

aching ['eikiŋ] *adj.* (se også *ache*²) smertende; øm (*fx muscles*).

achingly ['eikiŋli] *adv.* F (*fig.*) så det (næsten) gør ondt; usigelig (*fx beautiful*); ubeskrivelig (*fx slow*).

achy ['eiki] *adj.* T øm;
□ *I'm* ~ *all over* jeg har ondt over det hele.

acid¹ ['æsid] *sb.* **1.** (*kem.*) syre; **2.** S syre, lsd.

acid² ['æsid] *adj.* **1.** (*om smag*) sur; syrlig (*fx drops*); **2.** (*fig.*) sur, syrlig (*fx face, remark*); (*stærkere*) skarp (*fx wit*); bidende, ætsende (*fx criticism*); **3.** (*kem.*) sur; syreholdig; syre- (*fx bath*).

acidhead ['æsidhed] *sb.* S syrehoved; lsd-misbruger.

acidic [ə'sidik] *adj.* (*kem.*) sur.

acidify [ə'sidifai] *vb.* (*kem.*) **1.** omdanne til syre; **2.** (*uden objekt*) omdannes til syre.

acidity [ə'sidəti] *sb.* surhed; syrlighed;
□ ~ *of the stomach* for meget mavesyre.

acidproof ['æsidpru:f] *adj.* syrefast.

acid rain *sb.* syreregn, sur regn.

acid test *sb.* **1.** syreprøve; **2.** (*fig.*) afgørende prøve; lakmusprøve.

ack-ack ['ækæk] *sb.* (*mil.*) **1.** luftværnsild; **2.** luftværnsartilleri.

acknowledge [ək'nɔlidʒ] *vb.* F **1.** erkende (*fx they have -d the problem*); indrømme (*fx a mistake; that it is the case*); vedkende sig (*fx the signature*); **2.** (*mods. afvise*) anerkende (*fx the truth of what he says; the new government*); **3.** (*meddelelse*) anerkende/

bekræfte modtagelsen af (*fx a letter*); takke for; **4.** (*bifald, kompliment*) kvittere for, takke for; **5.** (*person*) hilse på, nikke til; **6.** (*it*) kvittere.

acknowledgement, acknowledgment [ək'nɔlidʒmənt] *sb.* (jf. *acknowledge*) **1.** erkendelse, indrømmelse; **2.** anerkendelse; **3.** bekræftelsesbrev, takkebrev; **4.** kvittering for modtagelsen, tak; **5.** hilsen, nik; **6.** (*it*) kvittering; **7.** (*ting*) takkegave, erkendtlighed;
□ *-s* (*i forord til bog*) tak; *in* ~ *of* som tak for.

ACM *fork. f. Air Chief Marshal.*

acme ['ækmi] *sb.* F højdepunkt (*fx of his career*); toppunkt (*fx of perfection*).

acne ['ækni] *sb.* (*med.*) acne; filipenser.

acolyte ['ækəlait] *sb.* **1.** F følgesvend, hjælper; **2.** (*rel.*) messetjener.

aconite ['ækənait] *sb.* (*bot.*) stormhat; (se også *winter aconite*).

acorn ['eikɔ:n] *sb.* (*bot.*) agern.

acoustic¹ [ə'ku:stik] *sb.* akustik.

acoustic² [ə'ku:stik] *adj.* akustisk (*fx signal; guitar*).

acoustical [ə'ku:stikl] *adj.* akustisk.

acoustics [ə'ku:stiks] *sb.* akustik.

acquaint [ə'kweint] *vb.*: ~ *sby with* F gøre én bekendt med; meddele én (*fx the facts*); ~ *oneself with* (F: *et emne*) gøre sig bekendt med; sætte sig ind i; (se også *acquainted*).

acquaintance [ə'kweint(ə)ns] *sb.* **1.** (*person*) bekendt (*fx friends and -s*); bekendtskab (*fx a casual ~*); **2.** (F: *med emne etc.*) kendskab (*with* til); **3.** (F: *med person*) bekendtskab (*with* med);
□ *a man of his* ~ F en mand fra hans bekendtskabskreds; en af hans bekendte; *make sby's* ~ lære en at kende; stifte bekendtskab med en; (se også *improve (on)*).

acquaintanceship [ə'kweint(ə)nsʃip] *sb.* F bekendtskab (*with* med).

acquainted [ə'kweintid] *adj.*: *be* ~ F kende hinanden (*fx we are not ~*); *get/become* ~ F lære hinanden at kende; *be* ~ *with* F **a.** (*person*) kende; **b.** (*emne*) være inde i; kende; *become* ~ *with sby* F stifte bekendtskab med en, lære en at kende; *make oneself* ~ *with* (F: *et emne*) gøre sig bekendt med; sætte sig ind i.

acquiesce [ækwi'es] *vb.* F indvillige; føje sig; gå med til det;
□ ~ *in/to* indvillige i, gå med til; finde sig i, affinde sig med; F ak-

kviescere ved.

acquiescence [ækwi'es(ə)ns] *sb.* indvilligelse; samtykke.

acquiescent [ækwi'esnt] *adj.* føjelig.

acquire [ə'kwaiə] *vb.* (se også *acquired*) **1.** få (*fx a taste for wine*); opnå (*fx fame*); (*vane*) tillægge sig; **2.** (*sprog*) lære, tilegne sig; **3.** (*ting, ved køb*) erhverve (*fx a painting*); **4.** (*merk.: selskab*) opkøbe, overtage.

acquired [ə'kwaiəd] *adj.* (*biol.; med.*) erhvervet (*fx disease; characteristic egenskab*).

acquired blindness *sb.* senblindhed.

acquired deafness *sb.* døvblevenhed.

acquired immune deficiency syndrome *sb.* aids.

acquired taste *sb.*: *it is an* ~ det er noget man skal vænne sig til/lære at synes om.

acquirer [ə'kwaiərə] *sb.* køber; (*af selskab*) opkøber, overtager.

acquisition [ækwi'ziʃn] *sb.* **1.** (*om handling & ting*) erhvervelse, anskaffelse; **2.** (*i rumfart*) genetablering af radiokontakt; **3.** (*af færdighed*) tilegnelse; **4.** (*merk., af selskab*) opkøb, overtagelse;
□ *he is a valuable* ~ *to the firm* han er en gevinst for firmaet.

acquisitive [ə'kwizitiv] *adj.* bjærgsom; begærlig.

acquit [ə'kwit] *vb.* (*jur.*) frikende, frifinde;
□ *be -ted* (*også*) klare frisag; ~ *oneself well//ill* skille sig godt// dårligt fra det.

acquittal [ə'kwit(ə)l] *sb.* frikendelse, frifindelse.

acre ['eikə] *sb.* [flademål = ca. 0,4 hektar, 4047 m^2].

acreage ['eikəridʒ] *sb.* **1.** areal [ɔ: i *acres*]; **2.** (*en gårds*) jordtilliggende.

acrid ['ækrid] *adj.* skarp (*fx smell; taste*); stikkende; besk; kras.

acrimonious [ækri'məuniəs] *adj.* F skarp, bitter (*fx dispute*); hadsk.

acrimony ['ækriməni] *sb.* F (*fig.*) skarphed, bitterhed, hadskhed.

acrobat ['ækrəbæt] *sb.* akrobat.

acrobatic [ækrə'bætik] *adj.* akrobatisk.

acrobatics *sb. pl.* akrobatiske øvelser//numre; akrobatik.

acronym ['ækrənim] *sb.* akronym, initialord [dannet af forbogstaver, som *fx NATO*].

across¹ [ə'krɔs] *adv.* **1.** over (*fx we swam ~; he sawed the board ~; take the food ~ to him*); **2.** ovre, (ovre) på den anden side (*fx they* *were soon* ~); **3.** (*om mål*) bred (*fx the river is a mile* ~); fra side til side; i tværmål; **4.** (*i krydsords-opgave*) vandret;

□ ~ *from* over for (*fx park* ~ *from the station*); (se også *come¹, get* (*etc.*)).

across² [əˈkrɔs] *præp.* **1.** over (*fx a bridge* ~ *the river*); tværs over, hen over (*fx walk* ~ *the floor*); (*område også*) tværs igennem (*fx the desert*); **2.** (*om udbredelse*) over hele (*fx* ~ *Europe*; ~ *the political spectrum*); **3.** (*om placering*) på den anden side af (*fx the house* ~ *the road*); (se også *board¹*).

across-the-board [əkrɔsðəˈbɔːd] *adj.* generel.

acrylic [əˈkrilik] *adj.* akryl- (*fx fibre; paint*).

acrylics [əˈkriliks] *sb. pl.* akrylfarver; akrylmaling.

act¹ [ækt] *sb.* **1.** F handling (*fx a brave* ~); gerning; **2.** (*parl.*) lov; **3.** (*teat.*) akt; **4.** (*i cirkusprogram etc.*) nummer; **5.** (*fig.*) komediespil, nummer (*fx don't take him seriously, it is all an* ~);

□ *clean up one's* ~ forbedre sig; holde sin sti ren; *put on an* ~ spille komedie; *a hard/tough* ~ *to follow* T svær at komme/følge efter; (se også *get* (*together*), *smarten* (*up*));

[*med præp.*] *caught in* the very ~ grebet på fersk gerning; *in the* ~ *of* i færd med at (*fx in the* ~ *of stealing*); *get in on* the ~ S komme med; få del i rovet; [*med: of*] ~ *of aggression* angreb, overfald; fredsbrud; *the Acts of the Apostles* (*i Biblen*) Apostlenes gerninger; *Act of Congress* (*am.*) (forbunds)lov; ~ *of faith* handling der skal vise ens tro; *do it as an* ~ *of faith* gøre det i blind tro; ~ *of God* force majeure; forhold man ikke er herre over; *Act of Parliament* lov; ~ *of terrorism* terrorhandling; ~ *of war* krigshandling; ~ *of worship* andagt.

act² [ækt] *vb.* (*også acting*) **1.** handle (*fx we must* ~ *at once// quickly*); tage affære, skride ind (*fx the police -ed quickly*); **2.** (*om medicin etc.*) virke (*fx the drug -ed quickly*); **3.** (*om adfærd*) optræde, opføre sig (*fx suspiciously; foolishly; like a child*); **4.** (*om påtaget adfærd*) stille sig an, spille (*fx* ~ *astonished*); **5.** (*teat.*) spille (*fx a part; the part of Hamlet*); fremstille (på scenen); (*uden objekt*) optræde, spille (*fx in a play*);

□ *he is merely -ing (a part)* han spiller bare komedie; ~ *as interpreter* fungere som tolk; ~ *the* spille (*fx martyr, fool*); (se også *goat*);

[*med præp., adv.*] ~ *for sby* handle på éns vegne; repræsentere én; ~ *on* indvirke på; ~ *on sby's advice* handle efter éns råd; ~ *on sby's behalf* handle/optræde på éns vegne, repræsentere én; ~ *on the principle that* handle efter det princip at; ~ *out* a. omsætte i handling; føre ud i livet (*fx one's fantasies*); gennemspille; levendegøre; **b.** (*psyk.*) udleve; ~ *up* **a.** (*om ting*) drille, gøre knuder; **b.** (*om barn*) spille op, skabe sig, optræde; ~ *up to* handle i overensstemmelse med (*fx one's ideals*); efterleve; svare til.

actable [ˈæktəbl] *adj.* som kan opføres/spilles.

acting¹ [ˈæktiŋ] *sb.* skuespilkunst; □ *do some* ~ optræde som skuespiller; *get into* ~ blive skuespiller.

acting² [ˈæktiŋ] *adj.* fungerende, konstitueret (*fx manager; headmaster*).

acting area *sb.* (*teat.*) spilleplads.

action [ˈækʃn] *sb.* **1.** handling (*fx it is time for* ~; *criticize his -s*); **2.** (*af legemsdel etc.*) bevægelse (*fx a small wrist* ~); **3.** (*af mekanisme*) virkemåde, funktion (*fx of a pump*); **4.** (*af kemisk stof*) (ind)virkning (*on* på, *fx the* ~ *of a drug on the nervous system*); påvirkning; **5.** (*i apparat: mekanik*) mekanisme, bevægelige dele (*fx of a piano; of a gun*); **6.** (*mus. om klaver*) anslag (*fx a heavy* ~); **7.** (*i roman, teaterstykke etc.*) handling (*fx the* ~ *takes place in France*); **8.** (*livlig, fx i film*) action (*fx the film has a lot of* ~); **9.** (*jur.*) sagsanlæg, søgsmål; retssag, proces; **10.** (*mil.*) kamp; aktion, træfning; slag; (se også *missing*); **11.** (*i arbejdskamp*) (faglig) aktion; strejke;

□ ~! (*ved filmoptagelse*) værsgo begynd! *a piece/slice of the* ~ **a.** del i fornøjelsen; **b.** en andel i rovet; *-s speak louder than words* handling er bedre end ord;

[*med vb.*] *bring* an ~ *against* anlægge sag mod; *take* ~ skride til handling; tage affære, skride ind; (se også *suit²*);

[*med vb.+ præp.*] *bring into* ~ tage i brug; sætte ind; *go into* ~ **a.** gå i gang; gå i aktion; **b.** (*mil.*) gå i kamp; *put into* ~ sætte i værk, iværksætte, gennemføre (*fx*

a plan, a policy); *put out of* ~ **a.** sætte ud af funktion; **b.** (*modstander*) sætte ud af spillet, gøre ukampdygtig.

actionable [ˈækʃ(ə)nəbl] *adj.* (*jur.*) som kan gøres til genstand for sagsanlæg; som kan indbringes for domstolene.

action replay *sb.* (*tv*) gentagelse af scene [*især i langsom gengivelse*]; □ *show an* ~ *of it* vise det i langsom gengivelse.

action stations *sb. pl.* (*kommando*) **1.** (*mar.*) klart skib! **2.** (*mil.*) klar til kamp!

activate [ˈæktiveit] *vb.* **1.** aktivere, sætte i gang, starte; **2.** (*fys.*) gøre radioaktiv.

activated carbon *sb.* aktivt kul.

active [ˈæktiv] *adj.* **1.** aktiv, virksom; **2.** (*mods. sløv*) aktiv, energisk; livlig, rask; **3.** (*fys.*) radioaktiv; **4.** (*gram.*) aktiv; □ *the* ~ (*voice*) (*gram.*) aktiv, handleform.

active duty *sb.* (*am.*) = *active service*.

active list *sb.:* *on the* ~ (*mil.*) i aktiv tjeneste.

active service *sb.* (*mil.*) aktiv tjeneste; krigstjeneste.

activism [ˈæktivizm] *sb.* aktivisme.

activist [ˈæktivist] *sb.* aktivist.

activity [ækˈtivəti] *sb.* aktivitet; virksomhed;

□ *activities* **a.** aktivitet(er); virksomhed; **b.** beskæftigelse, sysler (*fx spare time activities*); **c.** arrangementer.

act of ... *sb.* se *act¹*.

actor [ˈæktə] *sb.* skuespiller.

actress [ˈæktrəs] *sb.* skuespillerinde.

actual [ˈæktʃuəl] *adj.* **1.** (*mods. forventet, tænkt etc.*) virkelig (*fx the* ~ *cost//number//result*); faktisk; reel; **2.** (*mods. forberedende, foreløbig etc.*) egentlig (*fx when you do the* ~ *work*);

□ *in* ~ *fact* faktisk; *his* ~ *words* hans egne ord.

actuality [æktʃuˈæləti] *sb.* virkelighed;

□ *actualities* realiteter; *in* ~ faktisk, i realiteten.

actualize [ˈæktʃuəlaiz] *vb.* F aktualisere; virkeliggøre.

actually [ˈæktʃuəli] *adv.* **1.** faktisk; **2.** egentlig (*fx what did he* ~ *do?*); **3.** (*overrasket*) minsandten (*fx he* ~ *paid me for it!*);

□ *not* ~ ikke ligefrem (*fx he didn't* ~ *promise to do it*).

actuarial [æktʃuˈɛəriəl] *adj.* aktuar-; aktuarmæssig.

actuary [ˈæktʃuəri] *sb.* aktuar,

forsikringsmatematiker.
actuate ['æktʃueit] *vb.* **1.** (*maskine etc.*) sætte i gang; **2.** (*sprængladning*) påvirke, detonere; (*fx mine*) aktivere, udløse; **3.** (F: *person*) drive (*fx -d by altruism*); tilskynde.
acuity [ə'kju:əti] *sb.* F **1.** (*om syn, hørelse*) skarphed; **2.** (*åndelig*) skarpsindighed.
acumen ['ækjumən, -men, (*am.*) ə'kju:men] *sb.* skarpsindighed, kløgt; dygtighed.
acupuncture ['ækjupʌŋ(k)tʃə] *sb.* akupunktur.
acupuncturist [ækju'pʌŋ(k)tʃərist] *sb.* akupunktør.
acute [ə'kju:t] *adj.* **1.** (*om noget ubehageligt*) alvorlig (*fx difficulties*; *shortage*); heftig, voldsom (*fx pain*); dyb (*fx concern*; *embarrassment*); **2.** (*om sygdom*) akut (*fx illness*); **3.** (*om sanser*) skarp, fin; **4.** (*om intellekt*) skarp (*fx intelligence, judgment*); skarpsindig (*fx analysis*).
acute accent *sb.* (*sprogv.*) accent aigu.
acute angle *sb.* (*geom.*) spids vinkel.
acutely [ə'kju:tli] *adv.* **1.** voldsomt; heftigt, stærkt (*fx feel it ~*); dybt (*fx embarrassing*); yderst (*fx uncomfortable*); **2.** (*om sygdom*) akut (*fx ill*);
□ *be ~ aware of* være fuldt ud klar over; *be ~ conscious of it* være sig det fuldt bevidst.
AD ['ænəu 'dɔminai] *fork. f.*
1. *Anno Domini* e. Kr.; efter Kristi fødsel; F i det Herrens år; **2.** *air defence*; **3.** *art director.*
ad [æd] *fork. f. advertisement*; (se også *small ads*).
adage ['ædidʒ] *sb.* (*let glds.*) ordsprog; talemåde, mundheld.
Adam ['ædəm] Adam;
□ *I don't know him from ~* jeg kender ham slet ikke; jeg aner ikke hvem han er.
adamant ['ædəmənt] *adj.: be ~* være ubøjelig, ikke lade sig rokke (*about, in* med hensyn til, hvad angår//angik); *be ~ that* være fast besluttet på at; holde stejlt på at.
adamantly ['ædəməntli] *adv.: be ~ opposed to* være en absolut/urokkelig modstander af, være absolut imod.
Adam's apple [ædəmz'æpl] *sb.* adamsæble.
adapt [ə'dæpt] *vb.* (se også *adapted*) **1.** (*ting*) tilpasse (*to* til); afpasse, indrette (*to* efter); **2.** (*lokale*) indrette (*for* til); **3.** (*litterært værk etc.*) bearbejde (*from* efter);

omarbejde (*for* til); tilrettelægge (*for* for); **4.** (*uden objekt*) tilpasse sig (*to* til); indrette sig (*to* efter).
adaptability [ədæptə'biləti] *sb.*
1. anvendelighed til flere formål; **2.** (*om person*) tilpasningsevne.
adaptable [ə'dæptəbl] *adj.* **1.** som kan tilpasses; anvendelig til flere formål; **2.** (*om person*) som kan tilpasse sig, fleksibel.
adaptation [ædæp'teiʃn] *sb.* **1.** tilpasning; **2.** (*af litterært værk*) omarbejdelse; bearbejdelse.
adapted [ə'dæptid] *adj.* egnet (*for* til).
adapter [ə'dæptə] *sb.* **1.** (*elek.*) adapter [*fx til at forbinde trebenet stik med tobenet*]; **2.** (*tekn.*) tilpasningsstykke; mellemstykke; **3.** (*om person*) bearbejder, tilrettelægger.
adaptive [ə'dæptiv] *adj.* F tilpasningsdygtig; som kan tilpasse sig; fleksibel.
adaptor *sb.* se *adapter.*
ADC *fork. f. Aide-de-Camp* adjudant.
add [æd] *vb.* (se også *added*) **1.** tilføje; **2.** (*til hus etc.*) bygge til; **3.** (*ingrediens*) komme i, tilsætte (*fx ~ more water*); **4.** (*egenskab*) tilføre mere, give mere (*fx it -s flavour*); **5.** (*tal*) lægge sammen, addere;
□ *I might ~* kunne jeg lige tilføje; [*med præp.& adv.*] ~ *in* a. tilføje; **b.** (*ingrediens*) komme i, tilsætte; *~ on* a. føje til; **b.** (*bygning*) bygge til; **c.** (*beløb*) lægge til, lægge på; *~ to* a. forøge (*fx it -s to the cost// the pleasure*); **b.** udbygge, udvide (*fx the house*); *~ sth to ...* **a.** føje noget til ... (*fx ~ a postscript to the letter*); **b.** bygge noget til (*fx ~ a wing to the house*); **c.** (*ingrediens*) komme noget i (*fx ~ milk to the sauce*); **d.** (*tal*) lægge noget til; (se også *insult*[1]); ~ *up* **a.** lægge sammen, **b.** summere sig op; **c.** (*fig.*) stemme; hænge (rigtigt) sammen, give mening (*fx it doesn't ~ up*); ~ *up to* a. blive tilsammen, beløbe sig til; **b.** (*fig.*) betyde.
added *adj.* yderligere (*fx an ~ pleasure*); ekstra;
□ *~ to this* desuden, yderligere; hertil kommer.
added bonus *sb.* ekstra gode; tilgift.
addendum [ə'dendəm] *sb.* (*pl.* addenda [-də]) tilføjelse; tillæg.
adder ['ædə] *sb.* (*zo.*) hugorm.
adder's tongue *sb.* (*bot.*) slangetunge.
addict ['ædikt] *sb.* narkoman; mis-

bruger (*fx heroin ~*);
□ *he is a football ~* han er fodboldtosset; *morphia ~* morfinist; *television ~* fjernsynsnarkoman.
addicted [ə'diktid] *adj.: ~ to* **a.** forfalden til (*fx drink*); misbruger af (*fx drugs*); afhængig af (*fx nicotine*); **b.** (*fig.*) forfalden til, helt tosset med (*fx video games*).
addiction [ə'dikʃn] *sb.* **1.** forfaldenhed (*to* til); **2.** (*om narkotika*) afhængighed (*to* af).
addictive [ə'diktiv] *adj.* som skaber afhængighed, afhængighedsskabende; vanedannende;
□ *be an ~ personality* have let ved at blive afhængig.
addition [ə'diʃn] *sb.* **1.** tilføjelse; tillæg; **2.** (*til hus*) tilbygning; **3.** (*i regning*) addition;
□ *in ~* desuden; *in ~ to* foruden; *an ~ to the family* en familieforøgelse.
additional [ə'diʃn(ə)l] *adj.* ekstra; yderligere, ny (*fx problems*);
□ *~ expenditure* merudgift; ~ *tax* ekstraskat.
additionally [ə'diʃn(ə)li] *adv.* desuden, derudover, yderligere.
additive ['æditiv] *sb.* tilsætningsstof, additiv.
addle ['ædl] *vb.* (*især spøg.*) forvirre.
addled ['ædld] *adj.* **1.** (*om person*) forvirret, omtåget; **2.** (*om hjerne*) ødelagt; **3.** (*om æg*) rådden.
add-on ['ædɔn] *sb.* **1.** ekstraudstyr; **2.** (*am.*) ekstrabeløb, tillæg.
address[1] [ə'dres, (*am.*) 'ædres] *sb.*
1. adresse; **2.** F tale; **3.** (*let glds.*) behændighed; takt;
□ *of no fixed ~* (jf. *1*) uden fast bopæl; *pay one's -es to her* (*glds.*) gøre kur til hende; gøre hende sin opvartning.
address[2] [ə'dres] *vb.* **1.** (*brev etc.*) adressere (*to* til); **2.** (*person*) henvende sig til, tiltale; **3.** (F: *forsamling*) tale til (*fx a meeting*);
4. (*sag*) tage fat på (*fx a problem*);
□ *~ him as Your Grace* tiltale/titulere ham "Your Grace"; ~ *to* **a.** se: *1*; **b.** henvende til (*fx ~ some words to him; the book is -ed primarily to teachers*); rette til (*fx ~ complaints to the manager*); *~ oneself to* **a.** henvende sig til (*fx the chairman*); **b.** give sig i kast med; tage fat på (*fx a task*).
address book *sb.* adressebog.
addressee [ædre'si:] *sb.* adressat.
adduce [ə'dju:s] *vb.* F anføre (*fx as evidence*); påberåbe sig.
adenoidal [ædə'nɔid(ə)l] *adj.* snøvlende.
adenoids ['ædənɔidz] *sb. pl.* (*med.*)

adenoide vegetationer, polypper.

adept¹ ['ædept] *sb.* mester, ekspert (*at, in* i).

adept² [æ'dept] *adj.* dygtig; □ *be ~ at* + -*ing* være en mester i at.

adequacy ['ædəkwəsi] *sb.* tilstrækkelighed.

adequate ['ædəkwət] *adj.* **1.** (*om mængde*) tilstrækkelig; **2.** (*om andet*) passende (*fx home*); tilfredsstillende; dækkende (*fx definition*).

adhere [əd'hiə] *vb.*: ~ *to* **a.** (*noget vedtaget*) holde fast ved (*fx a plan; one's principles*); **b.** (*regel etc.*) overholde, rette sig efter (*fx the rules*); holde sig til (*fx the text*); **c.** (*person(er)*) tilslutte sig, støtte (*fx a party*); **d.** (*ting: klistre*) hænge fast ved; klæbe ved, klæbe til.

adherence [əd'hiərəns] *sb.* F overholdelse (*to* af, *fx the rules*).

adherent¹ [əd'hiərənt] *sb.* F tilhænger.

adherent² [əd'hiərənt] *adj.* F klæbende.

adhesion [əd'hi:ʒ(ə)n] *sb.* **1.** fastklæben; **2.** klæbeevne; **3.** (*med.*) sammenvoksning; □ -*s* (*med.*) adhærencer.

adhesive¹ [ad'hi:siv] *sb.* klæbestof; klæbemasse.

adhesive² [əd'hi:siv] *adj.* klæbende.

adhesive tape *sb.* klæbestrimmel.

ad hoc [æd 'hɔk] *adj.* (*lat.*) ad hoc, dannet//lavet til dette formål; særlig.

ADI *fork. f. acceptable daily intake* højest tilladte daglige dosis.

adieu [ə'dju:] *interj.* (*glds.; litt.*) farvel.

ad infinitum [æd infi'naitəm] *adv.* (*lat.*) i det uendelige.

adios [ædi'ɔs] *interj.* (*især am.*) farvel.

adipose ['ædipəus] *adj.* **1.** fed, fedladen; **2.** fedt- (*fx tissue* væv).

adjacent [ə'dʒeis(ə)nt] *adj.* F nærliggende (*fx villages*); tilstødende; nabo- (*fx unit*); □ *be ~* støde op til hinanden; *be ~ to* støde op til.

adjacent angles *sb. pl.* (*geom.*) nabovinkler.

adjectival [ædʒek'taiv(ə)l] *adj.* (*gram.*) adjektivisk.

adjective ['ædʒektiv] *sb.* adjektiv, tillægsord.

adjoin [ə'dʒɔin] *vb.* **1.** støde op til, grænse til; **2.** (*uden objekt*) støde op til hinanden.

adjoining [ə'dʒɔiniŋ] *adj.* tilgrænsende, tilstødende; nabo-.

adjourn [ə'dʒə:n] *vb.* **1.** suspendere, hæve; (hæve og) udsætte (*fx the meeting until Tuesday; the trial for a week*); **2.** (*uden objekt*) hæve mødet; holde pause; □ -*ed game* (*i skak*) hængeparti; [*med præp.*] ~ *for lunch* holde frokostpause; ~ *to* (*spøg. el.* F) forlægge residensen til; begive sig til (*fx the drawing room*).

adjournment [ə'dʒə:nmənt] *sb.* udsættelse.

adjudge [ə'dʒʌdʒ] *vb.*: *be* -*d* (*to be*) **a.** (*jur.*) blive kendt (*fx guilty*); blive erklæret (*fx bankrupt*); **b.** F blive regnet for (at være), blive erklæret (*fx the tour was* -*d a success*).

adjudicate [ə'dʒu:dikeit] *vb.* F **1.** pådømme; fælde/afsige dom i (*fx a dispute*); afgøre; **2.** (*uden objekt: ved konkurrence*) være dommer; □ ~ *between* dømme mellem; ~ *on* afgive kendelse om, afgøre.

adjudication [ədʒu:di'keiʃn] *sb.* F pådømmelse, påkendelse; afgørelse.

adjudicator [ə'dʒu:dikeitə] *sb.* **1.** dommer; **2.** (*ved konkurrence*) dommer, bedømmer.

adjunct ['ædʒʌŋ(k)t] *sb.* **1.** tilbehør; supplement; **2.** (*gram.*) adverbial; biled.

adjure [ə'dʒuə] *vb.* **1.** besværge; bønfalde; **2.** (*jur.*) pålægge; beordre.

adjust [ə'dʒʌst] *vb.* **1.** tilpasse, justere; indrette (*to* efter, *fx ~ one's behaviour to the surroundings*); tillempe (*to* efter); **2.** (*instrument etc.*) indstille (*fx a telescope; a television*); stille på (*fx a screw*); **3.** (*påklædning*) ordne, rette på (*fx one's skirt; one's tie*); bringe i orden (*fx please ~ your dress before leaving*); **4.** (*assur.: om skade*) vurdere; taksere; **5.** (*uden objekt: om øjne*) akkommodere, vænne sig til lyset//mørket; □ ~ *to* **a.** (*med objekt*) = 1; **b.** (*uden objekt*) tilpasse sig efter; indrette sig efter; finde sig til rette i; ~ *oneself to* se: ~ *to* **b.**

adjustable [ə'dʒʌstəbl] *adj.* indstillelig, stilbar, regulerbar.

adjustable spanner *sb.* skiftenøgle, svensknøgle.

adjustment [ə'dʒʌstmənt] *sb.* (jf. *adjust*) **1.** tilpasning; **2.** tillempning; **3.** indstilling, justering, korrektion, regulering; **4.** ordning; **5.** (*assur.*) vurdering (*af skade*).

adjutant ['ædʒut(ə)nt] *sb.* **1.** (*mil.*) adjudant; **2.** (*zo.*) marabustork.

ADL *fork. f. activity//activities of*

daily living almindelig daglig livsførelse.

ad lib [æd'lib] *adv.* improviseret.

ad-lib¹ [æd'lib] *sb.* improvisation.

ad-lib² [æd'lib] *adj.* improviseret.

ad-lib³ [æd'lib] *vb.* improvisere.

adman ['ædmæn] *sb.* (*pl. admen* ['ædmen]) T reklamemand.

admin ['ædmin] *fork. f. administration (1).*

administer [əd'ministə] *vb.* **1.** administrere; forvalte; **2.** F give, tildele (*fx a blow*); yde (*fx help*); **3.** (*med.*) give, indgive (*fx medicine*); **4.** (*rel.*) uddele (*fx the sacrament*); □ ~ *an oath to sby* lade en aflægge ed; (se også *justice, rite*).

administration [ədmini'streiʃn] *sb.* **1.** administration; forvaltning; **2.** (*af firma*) ledelse; **3.** F tildeling (*fx of a blow*); **4.** (*af medicin*) indgivelse; **5.** (*jur.: af bo*) bobehandling; skifte; **6.** (*især am.*) regering, ministerium; (*præsidents etc.*) embedsperiode; □ *the ~ of justice* retsplejen, rettens pleje.

administrative [əd'ministrətiv] *adj.* administrativ; administrations- (*fx costs*); forvaltnings-.

administrator [əd'ministreitə] *sb.* **1.** administrator; **2.** (*jur.*) skifterettens medhjælper; bobestyrer.

admirable ['ædm(ə)rəbl] *adj.* beundringsværdig; fortræffelig.

admiral ['ædm(ə)rəl] *sb.* admiral.

Admiralty ['ædm(ə)rəlti] *sb.*: *the ~* **a.** [*centraladministrationens hovedkvarter i Whitehall*]; **b.** (*glds.*) marineministeriet.

admiration [ædmə'reiʃn] *sb.* beundring (*of* for).

admire [əd'maiə] *vb.* beundre.

admirer [əd'maiərə] *sb.* beundrer; (*kvindes også*) tilbeder (*fx she has a secret ~*).

admissibility [ədmisə'biləti] *sb.* (jf. *admissible*) tilstedelighed, tilladelighed.

admissible [əd'misəbl] *adj.* (*jur.: om bevismateriale*) tilstedelig, tilladelig.

admission [əd'miʃn] *sb.* (jf. *admit*) **1.** adgang; **2.** optagelse (*to* på, i); **3.** indlæggelse (*to* på); **4.** indrømmelse; **5.** (*betaling*) entré (*fx ~ £3*); □ *pay (for)* ~ betale entré.

admission fee *sb.* entré [ɔ: *betaling*].

admit [əd'mit] *vb.* **1.** lade komme ind; give adgang; lukke ind; **2.** (*i organisation, skole etc.*) optage (*to* på, i); **3.** (*på hospital*) indlægge (*to* på); **4.** (*noget ubehageligt*) ind-

rømme (*fx that one is mistaken*);
□ *children not -ted* forbudt for
børn; ~ *of* tillade; give plads for;
~ *to* (*jf. 4*) indrømme; (se også *defeat¹*).

admittance [əd'mit(ə)ns] *sb.* adgang;
□ *no* ~ adgang forbudt.

admittedly [əd'mitidli] *adv.* **1.** man
må indrømme at (*fx* ~, *he is no
fool*); **2.** (*ved forbehold*) ganske
vist (*fx he is* ~ *rich but ...*); utvivlsomt.

admixture [əd'mikstʃə] *sb.* F
1. blanding; **2.** tilsætning; iblanding (*fx pure Indian without any
~ of white blood*).

admonish [əd'mɔniʃ] *vb.* F **1.** formane (*to* til at, *fx* ~ *him to be
careful*); **2.** (*for fejl*) irettesætte;
□ ~ *him for being late* irettesætte
ham fordi han kom//kommer for
sent.

admonishment [əd'mɔniʃmənt] *sb.*
(jf. *admonish*) F **1.** formaning;
2. irettesættelse.

admonition [ædmə'niʃn] *sb.* F se
admonishment.

admonitory [əd'mɔnit(ə)ri] *adj.* F
1. formanende; **2.** advarende.

ad nauseam [æd'nɔːsiəm, -ziəm]
adv. til ulidelighed; til bevidstløshed.

ado [ə'duː] *sb.* postyr, ståhej;
□ *much* ~ *about nothing* stor ståhej for ingenting; *without more/
further* ~ uden videre.

adobe [ə'dəubi] *sb.* ubrændt soltørret mursten.

adolescence [ædə'les(ə)ns] *sb.* ungdom, ungdomstid; teenagetid; pubertet.

adolescent¹ [ædə'les(ə)nt] *sb.* halvvoksen dreng//pige; ung mand//
pige; teenager.

adolescent² [ædə'les(ə)nt] *adj.*
1. halvvoksen; ung; pubertets-;
2. (*neds.*) umoden (*fx behaviour*);
ungdommelig.

adopt [ə'dɔpt] *vb.* (se også *adopted*)
1. (*barn*) adoptere; **2.** (*metode etc.*)
indføre, tage op (*fx new methods*);
tage i brug (*fx a new weapon*); optage (*fx new words in the language*); **3.** (*tro, overbevisning*)
slutte sig til (*fx an opinion; a new
religion*); **4.** (*adfærd etc.*) lægge
sig 'til (*fx an accent; mannerisms*); **5.** (F: *stilling, holdning,*)
indtage (*fx a tragic pose; a neutral
attitude*); **6.** (*bosted*) vælge (*fx a
new country*); **7.** (*parl.*) godkende
(*fx a report*); antage; vedtage (*fx a
resolution*);
□ ~ *sby as a candidate* vælge en
til kandidat; ~ *a tone* anslå en

tone.

adopted [ə'dɔptid] *adj.* adoptiv- (*fx
child, daughter, son*);
□ *his* ~ *country* det land han
havde valgt at bo i, hans nye land.

adopter [ə'dɔptə] *sb.* adoptant.

adoption [ə'dɔpʃn] *sb.* (jf. *adopt*)
1. adoption; **2.** indførelse, optagelse; **3.** antagelse; **4.** indtagelse;
5. valg; **6.** (*parl.*) godkendelse; antagelse; vedtagelse;
□ *give up for* ~ (*jf. 1*) bortadoptere.

adoptive [ə'dɔptiv] *adj.* adoptiv-
(*fx father, mother*).

adorable [ə'dɔːrəbl] *adj.* yndig,
henrivende.

adoration [ædɔː'reiʃn] *sb.* **1.** tilbedelse; forgudelse; **2.** (*rel.*) tilbedelse.

adore [ə'dɔː] *vb.* **1.** (*person*) tilbede;
forgude (*fx she -s her son*);
2. (*rel.*) tilbede; **3.** (T: *ting*) elske
(*fx bananas*); finde henrivende (*fx
I* ~ *your new dress*); være vild
med.

adoring [ə'dɔːriŋ] *adj.* beundrende,
tilbedende.

adorn [ə'dɔːn] *vb.* F smykke, pryde
(*with* med); være en pryd for.

adornment [ə'dɔːnmənt] *sb.* **1.** udsmykning; pynt; **2.** forskønnelse.

adrenal gland [ə'driːn(ə)lglænd]
sb. (*anat.*) binyre.

adrenalin [ə'drenəlin] *sb.* adrenalin.

Adriatic [eidri'ætik, æd-]: *the* ~
(*geogr.*) Adriaterhavet.

adrift [ə'drift] *adj.* **1.** i drift; drivende rundt, drivende for vind og
vejr; **2.** (*fig.*) overladt til sig selv;
□ *be* ~ **a.** (*1, også*) drive rundt;
b. (*2, også*) hverken vide ud eller
ind; *be* ~ *of* (*i sport*) være bagefter; *cast* ~ se ndf.: *turn* ~; *come* ~,
go ~ gå fra, gå løs (*fx the stitching
has come/gone* ~); *the plan went*
~ T der gik kludder i planen; *turn*
~ (*fig.*) jage ud i verden; lade sejle
sin egen sø; overlade til sig selv.

adroit [ə'drɔit] *adj.* dygtig, behændig (*at* til); smidig.

adulation [ædju'leiʃn] *sb.* grov//
overdreven smiger.

adulatory [ædju'leit(ə)ri, 'æd-] *adj.*
smigrende; slesk.

adult¹ ['ædʌlt, (*især am.*) ə'dʌlt] *sb.*
1. voksen, voksent menneske;
2. (*om dyr*) fuldt udvokset/udviklet individ;
□ *for -s only* forbudt for børn.

adult² ['ædʌlt, (*især am.*) ə'dʌlt]
adj. **1.** voksen; **2.** (*om dyr*) fuldt
udvokset, fuldt udviklet, fuldvoksen; **3.** (*om litteratur, film*) kun for
voksne; (halv)pornografisk;

□ *be* ~ *about it* behandle det på
en moden måde.

adulterate [ə'dʌltəreit] *vb.* **1.** (*fødemidler*) forfalske, blande op;
2. (*væske*) blande op, spæde op,
fortynde.

adulteration [ədʌltə'reiʃn] *sb.* vareforfalskning.

adulterer [ə'dʌlt(ə)rə] *sb.* (*glds.*)
ægteskabsbryder; horkarl.

adulteress [ə'dʌlt(ə)rəs] *sb.* (*glds.*)
kvinde der er skyldig i ægteskabsbrud; horkvinde.

adulterous [ə'dʌlt(ə)rəs] *adj.* **1.** (*om
person*) skyldig i ægteskabsbrud;
utro; **2.** (*om forhold*) uægteskabelig (*fx have an* ~ *relationship
with sby*).

adultery [ə'dʌlt(ə)ri] *sb.* utroskab,
ægteskabsbrud; (*glds.*) hor.

adulthood [ə'dʌlthud, 'ædʌlthud]
sb. voksenalder; voksentilværelse.

adumbrate ['ædʌmbreit] *vb.* F
1. varsle om, lade ane (*fx a coming storm*); **2.** skitsere, give udkast
til.

adumbration [ædʌm'breiʃn] *sb.*
1. antydning, forvarsel (*fx -s of
things to come*); **2.** skitse, udkast.

adv. fork. f. **1.** *advanced*; **2.** (*gram.*)
adverb; adverbial; **3.** *advertisement*.

ad valorem [ædvə'lɔːrem] *adj.* efter
værdi; værdi-.

ad valorem duty *sb.* værditold.

advance¹ [əd'vɑːns] *sb.* **1.** fremskridt (*fx -s in science*); forbedring (*on* i forhold til); **2.** (*om bevægelse*) fremtrængen (*fx of the
flood waters*); **3.** (*mil.*) fremrykning (*on* mod); fremstød; **4.** (*mht.
stilling*) avancement, forfremmelse; **5.** (*penge*) forskud (*on* på);
forskudsbetaling; lån, udlån;
6. (*mht. niveau*) stigning [*i priser
etc.*]; (*mht. løn også*) tillæg (*fx a
£12 a week* ~);
□ *-s* (*seksuelle*) tilnærmelser (*fx
she rejected his -s*); *any* ~ *on
three hundred?* (*ved auktion*) tre
hundrede er budt, ingen højere?
in ~ **a.** på forhånd; i forvejen;
b. forskudsvis; *in* ~ *of* **a.** foran;
b. (*om tid*) før, forud for.

advance² [əd'vɑːns] *adj.* (se også
på alfabetisk plads) forhånds-, på
forhånd, forudgående (*fx warning*).

advance³ [əd'vɑːns] *vb.* (se også *advanced*) **A.** (*uden objekt*) **1.** bevæge sig fremad, avancere (*fx the
fire//the flood water -d rapidly*);
2. (*mil.*) rykke frem, avancere (*on*
mod); **3.** (*fig.*) gå fremad, gøre
fremskridt; **4.** (*mht. stilling*) avancere; **5.** (*om priser*) stige;

B. (*med objekt*) **1.** (*pris*) forhøje; **2.** (*penge*) betale som forskud; betale forskudsvis; **3.** (*person*) forstrække med; låne; **4.** (*synspunkt*) føre/bringe frem; fremføre, fremsætte (*fx an opinion; a theory*); **5.** (*mht. tid*) rykke frem (*fx the date of the meeting*); fremskynde (*fx the ageing process*); **6.** (*sag*) fremme, fremhjælpe (*fx trade and industry*).

advance booking *sb.* forudbestilling; forhåndsreservering; forsalg.

advance copy *sb.* **1.** (*typ.*) fortryk, rentryk; **2.** forhåndseksemplar.

advanced [əd'va:nst] *adj.* **1.** avanceret (*fx system*); højtudviklet (*fx country*); **2.** (*om stadium etc.*) fremskreden (*fx in an ~ state of decay; at an ~ age*); fremrykket; **3.** (*i uddannelse*) viderekommen; **4.** (*om kursus etc.*) for viderekomne, udvidet (*fx an ~ course*); videregående (*fx training*); **5.** (*mil.*) fremskudt (*fx combat; positions*);
□ ~ *in age/years, of ~ years* alderstegen; til års; ~ *students* ældre studerende, viderekomne.

advanced guard *sb.* = *advance guard.*

advance directive *sb.* (*am.*) livstestamente.

advanced level *sb.* se *A level.*

advance guard *sb.* (*mil.*) fortrop, forspids; fremskudt sikringsled; (*glds.*) avantgarde.

advance man *sb.* (*pl. advance men*) (*især am.*) [*agent som sendes i forvejen for at forberede politikers ankomst*].

advancement [əd'va:nsmənt] *sb.* **1.** fremme, ophjælpning; **2.** (*mht. stilling*) forfremmelse; avancement; **3.** (*jur.*) arveforskud.

advance party *sb.* (*mil.*) forkommando; forspids.

advance point *sb.* (*mil.*) forpatrulje.

advantage [əd'va:ntidʒ] *sb.* **1.** fordel (*in, of* ved; *over* frem for); fortrin (*over* frem for); **2.** (*tennis*) fordel;
□ -s *and disadvantages* fordele og ulemper; *to his ~* fordelagtigt for ham; *to best ~* mest fordelagtigt; med størst fordel; i det fordelagtigste lys; *sell to ~* sælge med fordel;
[*med vb.+ præp.*] *have the ~ of* (*glds.*) være gunstigere stillet end; *you have the ~ of me* (ɔ: når man møder nogen) jeg har desværre ikke fornøjelsen (at kende Deres navn); *have an ~ over* have et forspring for; *take ~ of* **a.** benytte

sig af, udnytte (*fx the facilities*); **b.** (*neds.*) udnytte; (*person også*) snyde; (*pige også*) forføre; **turn it to** ~ drage fordel af det.

advantageous [ædvən'teidʒəs] *adj.* fordelagtig.

Advent ['ædvənt] *sb.* (*rel.*) advent.

advent ['ædvənt] *sb.* **F 1.** komme; fremkomst; **2.** (*litt.*) ankomst.

Advent calendar *sb.* julekalender.

Adventist ['ædvəntist] *sb.* adventist.

adventitious [ædven'tiʃəs] *adj.* **F** som tilfældigt kommer til; tilfældig;
□ ~ *bud* (*bot.*) adventivknop.

Advent Sunday *sb.* første søndag i advent.

adventure [əd'ventʃə] *sb.* **1.** eventyr, spændende oplevelse; **2.** spænding; **3.** (*merk.*) spekulation;
□ *spirit of* ~ eventyrlyst.

adventure game *sb.* eventyrspil [*på video*].

adventure playground *sb.* legeplads [*med legeredskaber*].

adventurer [əd'ventʃ(ə)rə] *sb.* **1.** eventyrer; vovehals; **2.** (*neds.*) lykkeridder; **3.** (*merk.*) spekulant.

adventuress [əd'ventʃ(ə)rəs] *sb.* eventyrerske.

adventurism [əd'ventʃ(ə)rizm] *sb.* eventyrpolitik.

adventurist[1] [əd'ventʃ(ə)rist] *sb.* eventyrer.

adventurist[2] [əd'ventʃ(ə)rist] *adj.* dumdristig.

adventurous [əd'ventʃ(ə)rəs] *adj.* **1.** (*om person*) dristig (*fx businessman*); eventyrlysten; som går nye veje; **2.** (*om forhold*) eventyrlig, spændende (*fx life*).

adverb ['ædvə:b] *sb.* (*gram.*) adverbium, biord.

adverbial[1] [əd'və:biəl] *sb.* (*gram.*) adverbial.

adverbial[2] [əd'və:biəl] *adj.* (*gram.*) adverbiel.

adversarial [ædvə'sɛəriəl] *adj.* **F** som rummer en modsætning; modsætningsfyldt; konfliktfyldt.

adversary ['ædvəs(ə)ri] *sb.* **1.** modstander; fjende; **2.** (*i sport*) modstander, modspiller.

adverse ['ædvə:s] *adj.* som er imod; ugunstig (*fx weather conditions*); uheldig (*fx effect*); negativ (*fx publicity, reaction*);
□ ~ *effect* (*om medicin også*) (uønsket) bivirkning.

adversity [əd'və:səti] *sb.* modgang; ulykke.

advert ['ædvə:t] *sb.* **T 1.** annonce; **2.** (*fig.*) reklame (*fx it was a bad ~ for the school*);

□ *the* -s (*i tv.*) reklamerne.

advertise ['ædvətaiz] *vb.* (se også *advertising*) **1.** (*vare*) gøre reklame for, reklamere for (*fx a product*); indrykke en annonce for, avertere til salg (*fx one's car*); **2.** (*oplysning*) bekendtgøre, meddele (*fx it will be later than -d*); **3.** (*stilling*) opslå; **4.** (*fig.*) gøre opmærksom på; (*egenskab*) signalere; **5.** (*uden objekt*) avertere, annoncere (*fx in a newspaper*); reklamere;
□ ~ *for* **a.** avertere efter; **b.** (*noget man har mistet*) efterlyse; ~ *the fact that* gøre opmærksom på at.

advertisement [əd'və:tizmənt, (*am.*) 'ædvərtaizmənt] *sb.* **1.** annonce; **F** avertissement; (*i tv*) reklame; **2.** (*fig.*) reklame (*fx it is not a good ~ for the school*); **3.** (*handling*) avertering; annoncering.

advertiser ['ædvətaizə] *sb.* annoncør.

advertising[1] ['ædvətaizin] *sb.* **1.** (*handling*) reklame; avertering; annoncering; **2.** (*generelt*) annoncer, reklamer; **3.** (*merk.*) reklamebranchen;
□ *truth in* ~ ærlig reklame.

advertising[2] ['ædvətaizin] *adj.* reklame- (*fx campaign*).

advertising agency *sb.* reklamebureau; annoncebureau.

advertising strip *sb.* (*om bog*) reklamebanderole; **T** mavebælte.

advertorial [advə'tɔ:riəl] *sb.* tekstreklame.

advice [əd'vais] *sb.* **1.** råd; **2.** (*merk.*) advis;
□ -s efterretninger; *as per* ~ (*merk.*) som adviseret; ifølge advis; *ask sby's* ~ spørge én til råds; *a piece/bit of* ~ et råd; *letter of* ~ (*merk.*) advisbrev; *take sby's* ~ følge éns råd; *take* ~, *take legal* ~ rådføre sig med sin advokat; søge advokatbistand; *take medical* ~ søge lægehjælp.

advice column *sb.* (*am.*) læserbrevkasse.

advice note *sb.* (*merk.*) følgeseddel.

advisability [ədvaizə'biləti] *sb.* tilrådelighed.

advisable [əd'vaizəbl] *adj.* tilrådelig.

advise [əd'vaiz] *vb.* **1.** råde (*to* til at); tilråde, anbefale (*to* at); **2.** (*om ekspert*) rådgive (*on* om, *fx money matters*); **3.** (*højtstående person*) være rådgiver for (*fx the President*); **4.** (**F**, *især merk.*) underrette, oplyse (*of* om); advisere (*of* om);
□ ~ *against it* fraråde det; *as* -d (*merk.*) som adviseret; ifølge ad-

vis; *be -d* (*også*) tage imod råd; *you are -d to wait* F det tilrådes at De venter; ~ *with* (*am.*) rådføre sig med.

advisedly [əd'vaizidli] *adv.* med fuldt overlæg; med vilje; F med velberåd hu.

advisement [əd'vaizmənt] *sb.*: *take it under* ~ (*am.* F) tage det op til overvejelse, tage det under overvejelse.

adviser [əd'vaizə] *sb.* **1.** rådgiver; konsulent (*fx legal* (juridisk) ~); **2.** (*på skole etc.*) studievejleder.

advisory[1] [əd'vais(ə)ri] *sb.* (*am.: fra myndighed*) advarsel; melding.

advisory[2] [əd'vaiz(ə)ri] *adj.* rådgivende.

advocacy ['ædvəkəsi] *sb.* F **1.** forsvar, kamp (*of* for); støtte (*of* til); **2.** (*jur.*) procedure.

advocacy group *sb.* (*am., omtr.*) interessegruppe, lobby.

advocate[1] ['ædvəkət] *sb.* **1.** (*for en sag*) forkæmper, fortaler (*of* for); **2.** (*for en gruppe*) talsmand, fortaler (*for* for); **3.** (*jur.*) advokat.

advocate[2] ['ædvəkeit] *vb.* være/gøre sig til talsmand for; være fortaler for, forfægte.

adz [ædz] (*am.*) = *adze*.

adze [ædz] *sb.* skarøkse.

A&E *fork. f. accident and emergency department* skadestue.

Aegean [i:'dʒi:ən] *adj.: the* ~ *Sea* (*geogr.*) Det ægæiske Hav.

aegis ['i:dʒis] *sb.: under the* ~ *of the UN* under protektion af FN; i FN's regi; under FN's auspicier.

aeolian [i:'əuliən] *adj.* (*geol.*) æolisk, vind- (*fx deposition; erosion; transport*).

aeolian harp *sb.* æolsharpe.

aeolian sand *sb.* (*geol.*) flyvesand.

aeon ['i:ən, 'i:ɔn] *sb.* æon, evighed.

aerate ['ɛəreit] *vb.* **1.** gennemlufte (*fx the soil*); **2.** ilte (*fx the blood*); **3.** (*væske*) tilsætte kulsyre; gøre mousserende;
□ *-d bread* kulsyrehævet brød; *-d water* kulsyreholdigt vand; mineralvand.

aerial[1] ['ɛəriəl] *sb.* antenne.

aerial[2] ['ɛəriəl] *adj.* luft- (*fx combat; photograph; root*); fra luften (*fx spraying*).

aerialist ['ɛəriəlist] *sb.* (*især am.*) luftakrobat.

aerial ropeway *sb.* tovbane, svævebane.

aerie ['ɛəri] *sb.* (*især am.*) = *eyrie*.

aerobatics [ɛərə'bætiks] *sb.* kunstflyvning, luftakrobatik.

aerobic [ɛə'rəubik] *adj.* **1.** (*jf. aerobics*) aerobic-; **2.** (*biol.*) aerob, iltkrævende.

aerobics [ɛə'rəubiks] *sb.* aerobic [*et træningsprogram*].

aerobraking ['ɛərə(u)breikiŋ] *sb.* (*i rumfart*) [*udnyttelse af atmosfærens bremsevirkning*].

aerodrome ['ɛərədrəum] *sb.* (*let glds.*) flyveplads.

aerodynamic [ɛərə(u)dai'næmik] *adj.* aerodynamisk.

aerodynamics [ɛərə(u)dai'næmiks] *sb.* aerodynamik.

aerofoil ['ɛərə(u)fɔil] *sb.* bæreplan.

aeronautical [ɛərə(u)'nɔ:tikl] *adj.* aeronautisk; flyve-.

aeronautics [ɛərə(u)'nɔ:tiks] *sb.* aeronautik; flyvning, luftfart.

aeroplane ['ɛərəplein] *sb.* flyvemaskine, fly.

aerosol ['ɛərə(u)sɔl] *sb.* spraydåse.

aerospace ['ɛərə(u)speis] *sb.*
1. atmosfæren og det ydre rum;
2. (rum)flyvning.

aerospace company *sb.* [*firma der fremstiller rumfartøjer el. fly*].

aerospace industry *sb.* rumflyvningsindustri; flyvemaskineindustri.

aesthete ['i:sθi:t, (*am.*) 'es-] *sb.* æstetiker.

aesthetic [i:s'θetik] *adj.* æstetisk.

aesthetics [i:s'θetiks] *sb.* æstetik.

aetiology [i:ti'ɔlədʒi] *sb.* ætiologi [*læren om sygdommes opståen*].

afar [ə'fa:] *adv.* (*litt.*) fjernt, langt borte;
□ *from* ~ langt borte fra; på afstand.

affability [æfə'biləti] *sb.* F venlighed, elskværdighed; imødekommenhed.

affable ['æfəbl] *adj.* venlig, elskværdig; imødekommende.

affair [ə'fɛə] *sb.* **1.** anliggende (*fx that is a private* ~; *the internal -s of a country*); sag (*fx that is my* ~; *meddle in other peoples' -s*); **2.** (*om noget uheldigt*) affære, sag (*fx the Watergate* ~); **3.** (*mere ubestemt*) foretagende (*fx it was a boring* ~); historie (*fx a ridiculous* ~); **4.** (T: *om ting*) tingest; sag (*fx her dress was a skimpy red* ~); **5.** (*erotisk*) kærlighedshistorie; kærlighedsaffære (*fx he had an* ~ *with her*); forhold (*with* til); □ *-s* (*jf. 1 også*) forhold (*fx an expert in German -s*; *his financial -s*).

affect [ə'fekt] *vb.* (se også *affected, affecting*) **1.** ramme (*fx -ed by the strike*); berøre (*fx it -ed his whole life*); påvirke (*fx his decision*); virke på; **2.** (*følelsesmæssigt*) bevæge, røre (*fx it -ed him deeply*); **3.** (*om sygdom*) angribe, ramme (*fx the disease only -s cattle*); gå

ud over (*fx it will* ~ *your health*); **4.** (F, *især neds.*) foretrække; ynde, dyrke (*fx he -s those colours*); anlægge (*fx an upper class accent*); **5.** (*litt.: falskt*) foregive (*fx interest*); □ ~ *ignorance* simulere uvidende.

affectation [æfek'teiʃn] *sb.* (*neds.*) affektation; skaberi, krukkeri; påtaget væsen; □ *with an* ~ *of kindness* med påtaget venlighed.

affected [ə'fektid] *adj.* **1.** (*neds.; glds.*) affekteret, skabagtig, krukket; **2.** (*jf. affect 1*) berørt, ramt (*fx the worst* ~ *areas*); påvirket; **3.** (*jf. affect 2*) bevæget, rørt (*fx deeply* ~); **4.** (*jf. affect 3*) angreben (*fx the* ~ *part*).

affecting [ə'fektiŋ] *adj.* F bevægende (*fx sight*).

affection [ə'fekʃn] *sb.* hengivenhed; ømhed; (*stærkere*) kærlighed; □ *-s* hengivenhed; ømme/kærlige følelser.

affectionate [ə'fekʃ(ə)nət] *adj.* kærlig; hengiven.

affective [ə'fektiv] *adj.* (*psyk.*) affektiv, følelsesmæssig; følelses-.

affianced [ə'faiənst] *adj.* (*litt.*) forlovet, trolovet.

affidavit [æfi'deivit] *sb.* beediget skriftlig erklæring.

affiliate[1] [ə'filiət] *sb.* **1.** søsterselskab; associeret selskab; **2.** søsterorganisation; tilknyttet organisation; medlemsorganisation; □ *be an* ~ *of the university* være tilknyttet universitetet.

affiliate[2] [ə'filieit] *vb.*: ~ *to/with*, ~ *oneself to/with* tilslutte sig; tilknytte sig; slutte sig til; ~ *with* (*am.* F) blive tilknyttet; *-d to/with* tilknyttet (*fx a college -d to/with the university*).

affiliation [əfili'eiʃn] *sb.* **1.** tilknytning (*with* til); **2.** tilhørsforhold (*fx their political -s*); **3.** (*psyk.*) kontakt (*fx need of* ~ kontaktbehov).

affinity [ə'finəti] *sb.* **1.** beslægtethed, åndsslægtskab (*between* mellem; *with* med); **2.** lighed (*between* mellem; *with* med); **3.** (*følelse*) (naturlig) sympati (*for* for); samhørighedsfølelse (*for, with* med); **4.** (*bot.; zo.; sprogv.*) slægtskab; **5.** (*gennem ægteskab*) svogerskab; **6.** (*kem.*) affinitet.

affirm [ə'fə:m] *vb.* F **1.** erklære (*that* at); forsikre; **2.** (*noget man har udtalt; et rygte*) bekræfte (*fx one's intention; one's commitment*); hævde (*fx one's right*); **3.** (*jur.*) erklære på tro og love; **4.** (*jur.: en dom*) stadfæste.

affirmation [æfə'meiʃn] *sb.* (jf. *affirm*) **1.** erklæring; forsikring; **2.** bekræftelse; hævde (*fx one's right*); **3.** (*jur.*) højtidelig erklæring i stedet for ed; **4.** (*jur.: af dom*) stadfæstelse.

affirmative [ə'fɔːmətiv] *adj.* F bekræftende;
□ *answer in the* ~ svare bekræftende.

affirmative action *sb.* (*am.*) positiv særbehandling.

affix[1] ['æfiks] *sb.* (*gram.*) affiks [*forstavelse el. endelse*].

affix[2] [ə'fiks] *vb.* F sætte på; vedhæfte; tilføje; (*frimærke*) påklæbe, sætte på;
□ ~ *one's signature to* skrive under på; sætte sin underskrift under.

afflict [ə'flikt] *vb.* F hjemsøge, plage; ramme.

affliction [ə'flikʃn] *sb.* lidelse; plage.

affluence ['æfluəns] *sb.* F velstand.

affluent ['æfluənt] *adj.* velstående, velhavende;
□ *the* ~ *society* overflodssamfundet.

afford [ə'fɔːd] *vb.* F yde, give (*fx shade; an opportunity to do sth*);
□ *cannot* ~ **a.** (*økonomisk*) har ikke råd til (*fx a new car; to buy a new car*); kan ikke tillade sig; **b.** (*tid, plads*) kan ikke afse (*fx he cannot* ~ *the time to go there; we cannot* ~ *the space to print it*); **c.** (*andet*) kan ikke tillade sig (*fx to fail another exam*); *he cannot* ~ *to* (c, *også*) det går ikke at han (*fx wait too long* venter for længe).

affordability [əfɔːdə'biləti] *sb.* økonomisk mulighed; overkommelighed.

affordable [ə'fɔːdəbl] *adj.* økonomisk mulig; som man har råd til; overkommelig (*fx price*).

afforestation [əfɒri'steiʃn] *sb.* skovplantning, skovrejsning.

affray [ə'frei] *sb.* F slagsmål; (*jur.*) forstyrrelse af den offentlige orden.

affront[1] [ə'frʌnt] *sb.* F fornærmelse (*to* mod, *fx him*); krænkelse (*to* af, *fx our religion*).

affront[2] [ə'frʌnt] *vb.* fornærme, krænke;
□ *-ed at/by* fornærmet over, stødt over.

Afghan[1] ['æfgæn] *sb.* **1.** (*person*) afghaner; **2.** (*sprog*) afghansk.

Afghan[2] ['æfgæn] *adj.* afghansk.

afghan ['æfgæn] *sb.* (*am.*) slumretæppe.

Afghan hound, afghan hound *sb.*

afghansk mynde.

aficionado [əfiʃiə'naːdəu] *sb.* beundrer; elsker, ivrig dyrker (*of* af, *fx opera*).

afield [ə'fiːld] *adv.: far* ~ langt bort//borte; *further/farther* ~ længere bort//borte.

afire [ə'faiə] *adj.* i brand;
□ *set sth* ~ stikke noget i brand; sætte ild på noget; *be* ~ *with* (*fig., litt.*) være optændt af, gløde af, flamme af (*fx enthusiasm*).

AFL *fork. f. American Federation of Labour.*

aflame [ə'fleim] *adj.: be* ~ (*litt.*) stå i lys lue; *be* ~ *with* **a.** være strålende oplyst med (*fx Christmas lights*); flamme af (*fx autumn colours*); **b.** (*om person*) være optændt af (*fx anger*); brænde af, gløde af.

A flat *sb.* (*mus.*) as.

afloat [ə'fləut] *adj.* **1.** (*mar.*) flot; flydende; **2.** drivende om (*fx* ~ *on a raft*); **3.** til søs (*fx a holiday* ~);
□ *be* ~ **a.** drive om; **b.** (*om rygte*) være i omløb; *keep/stay* ~ (*også fig.*) holde sig oven vande; *keep the firm* ~ holde firmaet gående.

afoot [ə'fut] *adj.* (*fig.*) på færde; under forberedelse; i gære (*fx there is something* ~).

afore [ə'fɔː] *adv.* (*glds.*) foran; før.

aforementioned [ə'fɔːmenʃnd], **aforesaid** [ə'fɔːsed] *adj.: the* ~ F førnævnte; bemeldte.

afoul [ə'faul] *adj.: run* ~ *of* (*am.*) se *foul*[2] (*fall foul of*).

afraid [ə'freid] *adj.* bange (*of* for; *to//that* for at);
□ *I am* ~ (*også*) desværre (*fx I'm* ~ *I can't help you*); jeg beklager; *be* ~ *for* være ængstelig for, være bekymret for (*fx I am* ~ *for him// his safety*).

afresh [ə'freʃ] *adv.* på ny, igen.

Africa ['æfrikə] Afrika.

African[1] ['æfrikən] *sb.* afrikaner.

African[2] ['æfrikən] *adj.* afrikansk.

African American *sb.* (*am.*) sort amerikaner.

African marigold *sb.* (*bot.*) fløjlsblomst.

African violet *sb.* (*bot.*) usambaraviol.

Afrikaans [æfri'kaːns] *sb.* afrikaans [*boernes sprog*].

Afrikaner [æfri'kaːnə] *sb.* (*sydafr.*) afrikaaner, boer [*hvid, især af hollandsk afstamning*].

Afro ['æfrəu] *sb.* afrofrisure.

Afro-American[1] [æfrəuə'merikən] *sb.* afroamerikaner.

Afro-American[2] [æfrəuə'merikən] *adj.* afroamerikansk.

Afro-Asian [æfrəu'eiʃn, -'eiʒn] *adj.*

afro-asiatisk.

Afro haircut, Afro hairstyle *sb.* afrofrisure.

aft[1] [aːft] *adj.* (*mar.*) agter- (*fx cabin*).

aft[2] [aːft] *adv.* agter; agterude; agterud (*fx walk* ~).

after[1] ['aːftə] *adj.* (*litt.*) senere (*fx in* ~ *years*);
□ *in* ~ *times* senere hen.

after[2] ['aːftə] *konj.* efter at (*fx I came* ~ *he had gone*).

after[3] ['aːftə] *præp.* **1.** efter; bag efter; **2.** (*om noget man vil have*) ude efter (*fx what is he* ~? *he is* ~ *my job*); **3.** (*om rangfølge*) næst efter (*fx* ~ *John, he is the best player*); **4.** (*om tidspunkt; især am.*) over (*fx* ~ *six;* ~ *midnight*);
□ *they were* ~ *making coffee* (*irsk*) de havde lavet kaffe; ~ *all* se *all*[2].

afterbirth ['aːftəbɛːθ] *sb.* efterbyrd.

aftercare ['aːftəkɛə] *sb.* **1.** (*med.*) efterbehandling; **2.** (*mht. kriminelle*) resocialisering; efterværn.

after-dinner speech [aːftə'dinəspiːtʃ] *sb.* (*svarer til*) bordtale.

aftereffect ['aːftərifekt] *sb.* eftervirkning.

afterglow ['aːftəgləu] *sb.* **1.** aftenrøde; **2.** (*elektronik*) efterglød; **3.** (*fig.*) eftervirkning, efterfølgende opstemthed.

after-hours [aːftər'auəz] *adj.* som finder sted efter forretningstiden// efter lukketid.

after-hours trading *sb.* efterbørs.

afterlife ['aːftəlaif] *sb.* liv efter døden.

aftermath ['aːftəmæθ, -maːθ] *sb.* **1.** eftervirkning; følger; **2.** (*agr.*) efterslæt;
□ *in the* ~ *of the war* i krigens kølvand.

aftermost ['aːftəməust] *adj.* agterst.

afternoon [aːftə'nuːn] *sb.* eftermiddag;
□ *in the* ~ om eftermiddagen; *this* ~ **a.** (*nu*) i eftermiddag; **b.** (*om den der er gået*) i eftermiddags.

afternoons [aːftə'nuːnz, (*am.*) æftər-] *adv.* (*især am.*) om eftermiddagen.

afterpains ['aːftəpeinz] *sb. pl.* efterveer.

afters ['aːftəz] *sb. pl.* T dessert.

after-school [aːftə'skuːl] *adj.* som finder sted efter skoletid; fritids-.

aftershave ['aːftəʃeiv] *sb.* barbersprit.

aftershock ['aːftəʃɔk] *sb.* **1.** efterskælv [*mindre jordskælv efter et større*]; **2.** (*fig.*) rystelse, eftervirkning.

afterthought ['aːftəθɔːt] *sb.* **1.** senere indskydelse, tilføjelse;

2. (*om barn*) efternøler.
afterward ['æftərwərd] *adv.* (*am.*) = *afterwards.*
afterwards ['ɑːftəwədz] *adv.* bagefter; senere;
□ *shortly/soon* ~ kort (tid) efter, snart efter.
afterword ['ɑːftəwɔːd] *sb.* efterskrift.
Aga ['ɑːgə] *sb.* (stort) komfur.
again [ə'gen, ə'gein] *adv.* **1.** igen;
2. (*ved tilføjelse*) desuden (*fx and* ~, *you must not forget that* ...);
3. (*ved modsætning*) på den anden side (*fx he might, but* ~, *he might not*);
□ ~ *and* ~ den ene gang efter den anden; atter og atter; *as many* ~ lige så mange til; *as much* ~ dobbelt så meget; *half as much* ~ halvanden gang så meget; *never* ~ aldrig mere; *what's that* ~? hvad skal nu det betyde? *what was your name* ~? hvad var det nu dit navn var? hvad var det nu du hed?; (se også *now, over[2], then*).
against [ə'genst, ə'geinst] *præp.* **1.** mod, imod; **2.** (*om forberedelse*) med henblik på (*fx buy preserves* ~ *the winter*); **3.** (*om kontrast*) på baggrund af (*fx it looks good* ~ *the white wall*); **4.** (*ved sammenligning*) i forhold til;
□ *as* ~ sammenlignet med; *put a cross* ~ *his name* sætte kryds ved hans navn.
agape[1] ['ægəpi] *sb.* agape [*det oldkristne kærlighedsmåltid*].
agape[2] [ə'geip] *adj.: with his mouth* ~ med åben mund, måbende.
agaric ['ægərik, ə'gærik] *sb.* (*bot.*) bladsvamp; paddehat; (se også *fly agaric, carbon agaric*).
Aga saga *sb.* [*roman om middelklassekvinders liv på landet*].
agate ['ægət] *sb.* agat [*en smykkesten*].
age[1] [eidʒ] *sb.* **1.** alder; alderstrin, **2.** (*hist. etc.: periode*) tidsalder, tid (*fx the Age of Johnson; the modern* ~); (*i sms*) -alder (*fx the Stone Age; the Atomic Age*); **3.** (*geol.*) -tid (*fx the Ice Age*); **4.** (*T: lang tid*) evighed (*fx I waited what seemed an* ~);
□ *it is -s since I saw him* jeg har ikke set ham i umindelige tider; *the present* ~ nutiden; (se også *great, consent[1], criminal responsibility*);
[*med vb.*] *act* your ~!, *be* your ~! lad være med at opføre dig som et pattebarn! *he is* my ~ han er på

min alder; *what* ~ *is he?* hvor gammel er han? *look* one's ~ se lige så gammel ud som man er; *she does not look her* ~ **a.** hun holder sig godt; **b.** hun ser yngre ud end hun er;
[*med præp.*] *at* your ~ i din alder; *at the* ~ *of ten* i en alder af ti år; *of* ~ myndig (*fx be of* ~); *of an* ~ lige gamle; *of my* ~ på min alder; *come of* ~ **a.** blive myndig; **b.** (*fig.*) modne; *65 years of* ~ 65 år gammel; *the spirit of the* ~ tidsånden; *under* ~ umyndig; mindreårig.
age[2] [eidʒ] *vb.* (se også *ageing[2]*) **1.** blive gammel//ældre, ældes (*fx he had -d*); **2.** (*om drik etc.*) modne; lagres; **3.** (*med objekt*) gøre ældre, få til at se ældre ud (*fx his beard -s him*); **4.** (*drik etc.*) modne, lagre.
aged[1] [eidʒd] *adj.:* ~ *twenty* 20 år gammel.
aged[2] ['eidʒid] *adj.* (meget) gammel (*fx an* ~ *man*); (F *el. spøg.*) alderstegen;
□ *the* ~ de gamle, de ældre; gamle//ældre mennesker.
age group *sb.* aldersklasse, aldersgruppe; alderstrin.
ageing[1] ['eidʒiŋ] *sb.* det at blive gammel; aldring; ældning.
ageing[2] ['eidʒiŋ] *adj.* aldrende.
ageism ['eidʒizm] *sb.* diskrimination mod ældre, aldersdiskrimination.
ageist ['eidʒist] *adj.* aldersdiskriminerende.
ageless ['eidʒləs] *adj.* tidløs.
age limit *sb.* aldersgrænse.
agency ['eidʒ(ə)nsi] *sb.* **1.** (*billet-, rejse-, telegram-*) bureau; **2.** (*merk.*) agentur, repræsentation; **3.** (*officielt, regerings-*) styrelse, kontor; (*også om FN*) organ; **4.** (*privat*) organisation;
□ *through/by the* ~ *of sby* F ved ens mellemkomst; gennem en; *through/by the* ~ *of sth* F ved nogets indvirkning/påvirkning/kraft (*fx through the* ~ *of water*).
agenda [ə'dʒendə] *sb.* dagsorden;
□ *set the* ~ (*fig.*) sætte dagsordenen.
agent ['eidʒ(ə)nt] *sb.* **1.** repræsentant; befuldmægtiget; (*merk. også*) agent; **2.** (*for kunstner & om spion*) agent; (se også *land agent 2*); **3.** (*jur.*) mandatar; **4.** (*kem.: i sms.*) middel (*fx cleaning* ~; *raising* ~); præparat;
□ *a free* ~ se *free[1]*; *be the* ~ *of* (*også*) være årsagen til (*fx his success*).
agent provocateur ['æʒɒn

prɒvɒkə'tə:] *sb.* (*pl. agents provocateurs* ['æʒɒn prɒvɒkə'tə:]) agent provocateur; politispion.
age-old [eidʒ'əuld] *adj.* ældgammel.
agglomerate [ə'glɒmərət], **agglomeration** [əglɒmə'reiʃn] *sb.* sammenhobning, dynge.
aggrandizement [ə'grændizmənt] *sb.* (*især neds.*) **1.** forherligelse, skamros; **2.** (*i omfang*) udvidelse, forøgelse (*fx territorial* ~).
aggravate ['ægrəveit] *vb.* **1.** (*situation*) forværre; **2.** (T: *person*) ærgre; irritere.
aggravated ['ægrəveitid] *adj.* (*jur.*) skærpet; under skærpende omstændigheder; grov (*fx assault*).
aggravating ['ægrəveitiŋ] *adj.* **1.** skærpende (*fx circumstances*); **2.** T ærgerlig, irriterende.
aggravation [ægrə'veiʃn] *sb.* **1.** forværrelse; skærpelse; **2.** T ærgrelse, irritation; **3.** T provokation; aggression.
aggregate[1] ['ægrigət] *sb.* **1.** samlet masse; totalsum; **2.** (*i sport*) samlet score; **3.** (*til beton*) tilslag; **4.** (*geol.*) aggregat;
□ *in (the)* ~, *on* ~ alt i alt; sammenlagt.
aggregate[2] ['ægrigət] *adj.* samlet, total.
aggregate[3] ['ægrigeit] *vb.* beløbe sig til; udgøre i alt (*fx the armies -d one million*);
□ *be -d* blive sammenlagt, blive taget under ét.
aggregation [ægri'geiʃn] *sb.* sammenlægning.
aggression [ə'greʃn] *sb.* aggression; (se også *act[1]*).
aggressive [ə'gresiv] *adj.* **1.** (*mods. fredelig*) aggressiv, angrebslysten; **2.** (*mods. tilbageholdende*) aggressiv, pågående; udæskende; **3.** (*om stil*) aggressiv; offensiv (*fx campaign; tactics*).
aggressiveness *sb.* (jf. *aggressive*) **1.** aggressivitet, angrebslyst; **2.** pågåenhed; **3.** offensiv stil.
aggressor [ə'gresə] *sb.* aggressor; angriber;
□ *the* ~ (*også*) den angribende part.
aggrieved [ə'griːvd] *adj.* forurettet, krænket, brøstholden (*at over*; *that over at*).
aggro ['ægrəu] *sb.* S **1.** ballade; bøvl; **2.** vold, aggression; provokation.
aghast [ə'gɑːst] *adj.* F forfærdet.
agile ['ædʒail, (*am.*) 'ædʒl] *adj.* **1.** rask, hurtig; adræt, behændig; **2.** (*i tankegang*) livlig, kvik.
agility [ə'dʒiləti] *sb.* (cf. *agile*)

1. raskhed, hurtighed; adræthed, behændighed; **2.** livlighed, kvikhed.

aging ['eidʒiŋ] (*am.*; *austr.*) = *ageing.*

agism ['eidʒizm] *sb.* (*am.*; *austr.*) = *ageism.*

agitate ['ædʒiteit] *vb.* **1.** agitere, propagandere (*for* for); **2.** (*person*) forurolige, gøre nervøs; ophidse; **3.** (F: *væske*) ryste; sætte i bevægelse (*fx the wind -s the sea*).

agitated ['ædʒiteitid] *adj.* (*om person*) urolig, nervøs, oprevet (*about* over); ophidset (*about* over).

agitation [ædʒi'teiʃn] *sb.* (jf. *agitate*) **1.** agitation; **2.** nervøsitet, uro; ophidselse; **3.** bevægelse.

agitator ['ædʒiteitə] *sb.* **1.** (*person*) agitator; **2.** (*redskab*) omrører, røreværk; **3.** (*i vaskemaskine*) tromle, vaskestol.

agitprop ['ædʒitprɔp] *sb.* [*brug af kunst til propaganda*].

aglet ['æglit] *sb.* dup [*på snor etc.*].

agley [ə'gli:] *adj.* (*skotsk*) skævt; galt;
□ *gang* ~ gå galt.

aglow [ə'gləu] *adj.* (*litt.*) glødende;
□ *be* ~ *with* gløde af.

AGM fork. f. *annual general meeting.*

agnail ['ægneil] *sb.* neglerod.

agnostic[1] [æg'nɔstik] *sb.* agnostiker.

agnostic[2] [æg'nɔstik] *adj.* agnostisk.

agnosticism [æg'nɔstisizm] *sb.* agnosticisme.

ago [ə'gəu] *adv.* for ... siden;
□ *long* ~ for længe siden; *as long* ~ *as 1960* allerede i 1960.

agog [ə'gɔg] *adj.* spændt (*for* på);
□ ~ *with* bristefærdig af (*fx curiosity, expectation*); *be* ~ *with rumours* svirre af rygter.

agonize ['ægənaiz] *vb.*: ~ *over/ about* kæmpe med, bryde sit hoved med, have store kvaler med (at finde ud af).

agonized ['ægənaizd] *adj.* forpint.

agonizing ['ægənaiziŋ] *adj.* **1.** pinefuld, kvalfuld (*fx death*); **2.** (*fig.*) sindsoprivende (*fx scene*); **3.** (*om afgørelse, valg*) uhyre vanskelig, smertefuld.

agony ['ægəni] *sb.* **1.** voldsom smerte; pine, kval; **2.** dødskamp;
□ *an* ~ *of joy* heftig glæde; *pile on the* ~ T smøre tykt på; udmale alle rædslerne; *prolong the* ~ trække pinen ud; *suffer agonies* se ndf.: *be in agonies*;
[*med: in*] *be in* ~, *be in agonies of pain* lide frygtelige smerter; *be in*

agonies of guilt lide under den frygteligste skyldfølelse; *be in agonies of seasickness* lide alle søsygens kvaler.

agony aunt *sb.* (kvindelig) brevkasseredaktør.

agony column *sb.* læserbrevkasse [*til personlige spørgsmål*].

agoraphobia [ægərə'fəubiə] *sb.* agorafobi, pladsangst.

agoraphobic[1] [ægərə'fəubik] *sb.* agorafobiker [*en der lider af pladsangst*].

agoraphobic[2] [ægərə'fəubik] *adj.* agorafob.

agrarian [ə'grɛəriən] *adj.* agrarisk, landbrugs-.

agree [ə'gri:] *vb.* (se også *agreed*) **1.** være enig(e) (*fx I don't* ~); blive enig(e); enes (*fx they never seem to* ~); **2.** (*mht. forslag, ønske*) samtykke, indvillige (*fx I proposed a meeting, and they -d*); **3.** (*om to ting*) stemme overens, passe sammen; **4.** (*ved direkte tale*) sige samtykkende; indrømme (*fx "You're absolutely right", -d John*); **5.** (*med objekt*) godkende (*fx the proposal; the budget*); **6.** (*om flere*) blive enige om (*fx a price*);
□ *I couldn't* ~ *more* jeg er helt enig; *I think you will* ~ *that* jeg tror du vil indrømme/give mig ret i at;
[*med præp.& adv.*] ~ *about*, ~ *on* blive enige om; ~ *on a day* (*også*) aftale en dag; ~ *to* a. indvillige i, gå ind på (*fx the proposal*); samtykke i (at); erklære sig villig til (at); **b.** (+ *inf.*) samtykke i at, erklære sig villig til at (*fx* ~ *to do it*); *let us* ~ *to differ/disagree* lad os være enige om at hver beholder sin mening; ~ *with* **a.** (*en person*) være enig med (*fx I* ~ *with you*); **b.** (*et forhold*) være enig i (*fx* ~ *with every word he said*; ~ *with what he did*); **c.** (*en anden beretning etc.*) stemme overens med, være i overensstemmelse med (*fx his account does not* ~ *with hers*); **d.** (*gram.*) rette sig efter (*fx the verb -s with the subject in number*; *the place seems to* ~ *with him* han har åbenbart godt af at være på stedet; *smoking//the food does not* ~ *with him* han kan ikke tåle at ryge//tåle maden.

agreeable [ə'griəbl] *adj.* **1.** (*om persons væsen*) behagelig (*fx companion*); elskværdig (*to* mod, over for); **2.** (F: *villig, enig etc.*) indforstået (*to* med); **3.** (*om oplevelse etc.*) behagelig (*fx surprise*);
□ *a solution that is* ~ *to all* F en

løsning som alle kan gå ind for.

agreeably [ə'griəbli] *adv.* behageligt (*fx surprised*).

agreed [ə'gri:d] *adj.* **1.** enig (*on* om; *that* om at); **2.** aftalt (*fx the* ~ *price*);
□ *it is generally* ~ *that* der er almindelig enighed om at.

agreement [ə'gri:ment] *sb.* **1.** (*mellem personer*) enighed (*fx there was general* ~ *that ...* (om at...)); **2.** (*resultat*) aftale; overenskomst; **3.** (*af beslutning*) godkendelse (*to* af); samtykke (*fx we must get his* ~); **4.** (*mellem to beretninger etc.*) overensstemmelse; **5.** (*gram.*) kongruens;
□ *be in* ~ *with* **a.** være enig med (*fx him*); **b.** være enig i (*fx the proposal*); **c.** være i overensstemmelse med; *reach* ~ nå til enighed; *come to/reach an* ~ nå til en aftale; komme til en ordning.

agribusiness ['ægribiznis] *sb.* **1.** landbrugsindustri; **2.** landbrugsfirma.

agricultural [ægri'kʌltʃ(ə)r(ə)l] *adj.* landbrugs-.

agriculturalist [ægri'kʌltʃ(ə)rəlist] *sb.* = *agriculturist.*

agriculture ['ægrikʌltʃə] *sb.* landbrug.

agriculturist [ægri'kʌltʃərist] *sb.* landmand, landbruger.

agrimony ['ægriməni] *sb.* (*bot.*) agermåne.

agroforestry [ægrəu'fɔrəstri] *sb.* skovlandbrug.

agronomic [ægrə'nɔmik] *adj.* agronomisk.

agronomics [agrə'nɔmiks] *sb.* landbrugsøkonomi.

agronomist [ə'grɔnəmist] *sb.* agronom.

agronomy [æ'grɔnəmi] *sb.* agronomi; landbrugsvidenskab.

aground [ə'graund] *adv.* på grund;
□ *run* ~ **a.** gå på grund, grundstøde; **b.** (*fig.*) køre fast.

ah [a:] *interj.* åh! ah!

aha [a:'ha:] *interj.* aha!

ahead [ə'hed] *adv.* **1.** foran (*fx he brought Arsenal* ~); forud; **2.** forude (*fx* ~ *we saw a river; the road* ~); **3.** (*om bevægelse*) fremad (*fx move* ~); **4.** (*før andre*) i forvejen (*fx send her* ~); (se også *go*[3], *look*[2]);
□ *the years* ~ de kommende år; ~ *of* **a.** foran; **b.** før; forud for (*fx one's time*); (se også *schedule, time*[1]).

ahem [m'm] *interj.* hm!

ahold [ə'hould] *adv.*: *get* ~ *of* (*am.*) få fat i; *get* ~ *of oneself* (*am.*) komme sig [*efter forskrækkelse*].

ahoy [ə'hɔi] *interj.* ohøj! halløj!

AI *fork. f. artificial intelligence.*

AID *fork. f. artificial insemination by donor.*

aid[1] [eid] *sb.* **1.** hjælp; bistand; **2.** (*om ting*) hjælpemiddel; **3.** (*om person*) hjælper; □ *in* ~ *of* til fordel for, til støtte for; *what is that in* ~ *of?* T hvad skal det gøre godt for? *come to sby's* ~ komme en til hjælp; *with the* ~ *of* ved hjælp af; *without the* ~ *of* **a.** uden hjælp fra; **b.** uden brug af.

aid[2] [eid] *vb.* **1.** hjælpe; stå bi; **2.** støtte; fremme; □ ~ *and abet* bistå (ved); være meddelagtig/medskyldig (i); *-ed and abetted by* i ledtog med.

aide [eid] *sb.* medhjælper, assistent; medarbejder; (se også *aide-de-camp*).

aide-de-camp [eid də 'ka:mp, fr.] *sb.* (*pl.* aides-de-camp [eid-, eidz-]) adjudant [*hos kongen el. en general*].

aid post *sb.* (*mil.*) forbindeplads.

AIDS, Aids [eidz] *fork. f. acquired immune deficiency syndrome*; (se også *full-blown*).

aid worker *sb.* nødhjælparbejder.

ail [eil] *vb.*: *what -s ...* (*spøg.*) hvad er der i vejen med ...; hvad plager ...; *what -s him?* (*også*) hvad går der af ham?; (se også *ailing*).

aileron ['eilərɔn] *sb.* (*flyv.*) balanceklap, vingeklap.

ailing ['eilin] *adj.* **1.** skrantende; hensygnende; **2.** (*om person*) svagelig; syg [*uden at blive bedre*]; □ *be* ~ skrante, være syg.

ailment ['eilmənt] *sb.* sygdom; lidelse.

aim[1] [eim] *sb.* **1.** sigte, formål, hensigt (*of* med, *fx the* ~ *of the conference*); mål (*fx his* ~ *in life*); **2.** (*med våben*) sigte (*fx his* ~ *was accurate*); □ *take* ~ lægge an; sigte (*at* efter); (*am. også*) skyde (*at* på); *with the* ~ *of -ing* i den hensigt at, med det formål at.

aim[2] [eim] *vb.* (*med våben*) sigte (*fx he cannot* ~ *straight*); □ ~ *at* **a.** stræbe efter (*fx the world record*); sigte mod, stile efter (*fx a leading position*); **b.** (*med våben*) sigte efter (*fx his legs*); **c.** (*våben, slag, kamera etc.*) rette mod (*fx* ~ *a gun//a kick//a blow at sby*); ~ *a stone at him* kaste en sten efter ham; *be -ed at* **a.** være beregnet for; være rettet mod (*fx the campaign is -ed at young people*); **b.** (*om bemærkning*) være møntet på; *be -ed at -ing* have til

formål at; ~ *for* **a.** (*om mål for kørsel etc.*) køre//gå *etc.* efter/i retning af, sætte kurs efter (*fx let's* ~ *for Stratford*); **b.** se ovf.: ~ *at*; ~ *to* **a.** stræbe efter at; stile efter at; tilstræbe at; **b.** have til formål at; *I* ~ *to* jeg har til hensigt at, det er min hensigt at.

aimless ['eimləs] *adj.* formålsløs; planløs.

ain't [eint] *fork. f.* T *am not, is not, are not, has not, have not.*

air[1] [ɛə] *sb.* **1.** luft; **2.** (*vind*) luftning, brise (*fx a light* ~); **3.** (*i ansigtet etc.*) mine (*fx an* ~ *of innocence//triumph* en uskyldig// triumferende mine); udtryk; holdning; **4.** (*glds.*) melodi; □ *-s* (*and graces*) affektation, skaberi, krukkeri; falbelader (*fx she is full of -s and graces*); [*med vb.*] *that's beating the* ~ det er kun et slag i luften; *clear the* ~ rense luften; *give oneself -s (and graces),* *put on -s (and graces)* gøre sig vigtig, være fin på den; *put on an* ~ *of innocence* anlægge en uskyldig mine; sætte en uskyldig mine op; *take the* ~ (*let glds.*) trække frisk luft, lufte sig; [*med præp.*] *go by* ~ rejse med fly; *it is in the* ~ det ligger i luften; *fire into the* ~ skyde op i luften; *into thin* ~ se *thin*[1]; *go off the* ~ holde op med at sende, standse udsendelsen; *be floating/treading/walking on* ~ være helt oppe i skyerne [ɔ: *af lykke*]; være i den syvende himmel; svæve på en lyserød sky; *go on the* ~ **a.** begynde at sende; **b.** blive udsendt i radio//tv; komme 'på; *out of thin* ~ se *thin*[1]; *out of the* ~ se *pluck*[2]; *my plans are still up in the* ~ mine planer er endnu svævende.

air[2] [ɛə] *vb.* **1.** (*rum*) lufte ud i; **2.** (*tøj, sengetøj, hund*) lufte; **3.** (*tanker*) lufte (*fx one's opinions*); komme med, diske op med (*fx theories*); give luft (for) (*fx a grievance*); (*neds.*) vigte sig med, skilte med (*fx one's knowledge*); **4.** (*am.: i radio, tv*) udsende.

airbag ['ɛəbæg] *sb.* (*i bil*) airbag; sikkerhedspude.

airbase ['ɛəbeis] *sb.* luftbase, fly(ve)base, flyvestation.

airbed ['ɛəbed] *sb.* luftmadras.

air bladder *sb.* **1.** luftblære; **2.** (*hos fisk*) svømmeblære.

airborne ['ɛəbɔ:n] *adj.* luftbåren; □ *be* ~ være i luften; *become* ~ lette.

air brake *sb.* **1.** trykluftbremse;

2. (*flyv.*) bremseklap.

airbrick ['ɛəbrik] *sb.* ventilationssten.

air bridge *sb.* luftbro [*i lufthavn, fra fly til finger*].

airbrush[1] ['ɛəbrʌʃ] *sb.* **1.** luftpensel; luftbørste; **2.** (*foto.*) retouchepistol.

airbrush[2] ['ɛəbrʌʃ] *vb.* (*foto.*) retouchere.

air chief marshal *sb.* (*i RAF omtr.*) general.

air commodore *sb.* (*i RAF omtr.*) oberst.

air-conditioned ['ɛəkəndiʃnd] *adj.* luftkonditioneret.

air-conditioner ['ɛəkəndiʃnə] *sb.* luftkonditioneringsanlæg, klimaanlæg.

air-conditioning ['ɛəkəndiʃniŋ] *sb.* luftkonditionering, aircondition.

air cover *sb.* (*mil.*) **1.** flyverskjul; **2.** (*ved operation*) flyverbeskyttelse.

aircraft ['ɛəkra:ft] *sb.* (*pl.* aircraft) flyvemaskine, fly; luftfartøj.

aircraft carrier *sb.* hangarskib.

aircraftman ['ɛəkra:tmən] *sb.* (*pl.* -men [-mən]) menig i flyvevåbnet.

aircrew ['ɛəkru:] *sb.* flybesætning.

airdrop[1] ['ɛədrɔp] *sb.* nedkastning fra luften.

airdrop[2] ['ɛədrɔp] *vb.* nedkaste fra luften.

air duct *sb.* luftkanal, ventilationskanal, luftaftræk.

Airedale ['ɛədeil] *sb.* airedaleterrier.

airfare ['ɛəfɛə] *sb.* pris for en flybillet; fly(billet)takst.

airfield ['ɛəfi:ld] *sb.* flyveplads.

air force *sb.* luftvåben, flyvevåben.

airframe ['ɛəfreim] *sb.* flyvemaskineskrog.

air freshener ['ɛəfreʃnə] *sb.* [(*beholder med*) *stof som udsender en behagelig duft*]; duftblok.

airgun ['ɛəgʌn] *sb.* luftbøsse.

airhead ['ɛəhed] *sb.* tåbe; (*om pige*) tomhjernet gås.

air hostess *sb.* stewardesse.

air house *sb.* boblehal.

airily ['ɛərili] *adv.* flot, henkastet.

airing ['ɛəriŋ] *sb.* **1.** udluftning; **2.** (*i radio, tv; især am.*) udsendelse; □ *get an* ~ (*om emne*) blive omtalt, blive drøftet; *give an* ~ **a.** (*sted*) lufte ud i (*fx give the room an* ~); **b.** (*emne*) omtale, drøfte (*fx we'll give the paln an* ~ *at the next meeting*); *give one's views an* ~ lufte sine synspunkter; *take an* ~ få lidt frisk luft [ɔ: *gå en tur*].

airing cupboard *sb.* tørreskab.

A *airless*

airless ['ɛələs] *adj.* **1.** indestængt, beklumret; **2.** vindstille.

airletter ['ɛəletə] *sb.* aerogram.

airlift[1] ['ɛəlift] *sb.* luftbro.

airlift[2] ['ɛəlift] *vb.* transportere via en luftbro.

air line *sb.* (*am.*) fugleflugtslinje.

airline ['ɛəlain] *sb.* flyselskab.

airliner ['ɛəlainə] *sb.* rutefly, rutemaskine.

airlock ['ɛələk] *sb.* **1.** (*til passage*) luftsluse; **2.** (*blokering, fx i rør*) luftsæk.

airmail ['ɛəmeil] *sb.* luftpost.

airman ['ɛəmən] *sb.* (*pl.* airmen ['ɛəmən]) **1.** menig i flyvevåbnet; **2.** flyver.

air marshal *sb.* (*i RAF omtr.*) generalløjtnant.

Air Ministry *sb.* luftfartsministerium.

air officer *sb.* [*officer i RAF med rang over group captain*].

air piracy *sb.* flybortførelse(r).

airplane ['ɛərplein] *sb.* (*am.*) flyvemaskine, fly.

air pocket *sb.* lufthul.

airport ['ɛəpɔ:t] *sb.* lufthavn.

air raid *sb.* luftangreb, flyangreb.

air-raid shelter *sb.* beskyttelsesrum, tilflugtsrum.

air-raid warning *sb.* flyvervarsling; luftalarm.

airship ['ɛəʃip] *sb.* luftskib.

airshow ['ɛəʃəu] *sb.* flyveopvisning.

airsick ['ɛəsik] *adj.* luftsyg.

airsickness ['ɛəsiknəs] *sb.* luftsyge.

airspace ['ɛəspeis] *sb.* luftrum.

airspeed ['ɛəspi:d] *sb.* (*flyv.*) flyvehastighed.

airspeed indicator *sb.* (*flyv.*) fartmåler.

air strike *sb.* (*mil.*) luftangreb; bombardement.

airstrip ['ɛəstrip] *sb.* provisorisk start- og landingsbane.

air support *sb.* flystøtte.

airtight ['ɛətait] *adj.* lufttæt.

airtime ['ɛətaim] *sb.* (*radio., tv*) sendetid.

air-to-air [ɛətu'ɛə] *adj.:* ~ *missile* luft til luft-raket.

air-to-ground [ɛətə'graund] *adj.:* ~ *missile* luft til jord-raket.

air traffic control *sb.* flyveledelse.

air traffic controller *sb.* flyveleder.

air vice marshal *sb.* (*i RAF omtr.*) generalmajor.

airwaves ['ɛəweivz] *sb. pl.* radiobølger;
□ *over the* ~ gennem æteren.

airway ['ɛəwei] *sb.* **1.** (*flyv.*) luftrute, flyrute; **2.** (*i mine*) ventilationsskakt;
□ -*s* (*fysiol.*) luftveje.

airwoman ['ɛəwumən] *sb.* (*pl.* air-women ['ɛewimin]) **1.** kvindelig menig i flyvevåbnet; **2.** kvindelig flyver.

airworthy ['ɛəwə:ði] *adj.* (*flyv.*) flyvedygtig, luftdygtig.

airy ['ɛəri] *adj.* **1.** (*om sted, rum, påklædning*) luftig; **2.** (*om persons væsen*) sorgløs, letsindig; flot, nonchalant; **3.** (*om optræden: elegant etc.*) let, yndefuld (*fx tread*); **4.** (*om planer etc.*) luftig, virkelighedsfjern (*fx plans*); henkastet (*fx promises*);
□ ~ *notions* fantastiske ideer.

airy-fairy [ɛəri'fɛəri] *adj.* (T: *neds.*) fantastisk; virkelighedsfjern; fritsvævende.

aisle [ail] *sb.* **1.** (*i teater, bus, jernbanekupé, fly, supermarked*) gang, midtergang; **2.** (*i kirke*) midtergang; **3.** (*del af kirke*) sideskib;
□ *take her down the* ~ føre hende ned ad/op ad kirkegulvet [ɔ: *blive gift med hende*]; *walk down the* ~ gå ned ad/op ad kirkegulvet [ɔ: *blive gift*]; *have them rolling in the* -*s* T få dem til at falde om af grin.

aitch [eitʃ] *sb.* h [ɔ: *bogstavet*];
□ *drop one's* -*es* ikke udtale h i begyndelsen af ord [ɔ: *tale udannet*].

aitchbone ['eitʃbəun] *sb.* (*på kvæg*) nøgleben.

Aix-la-Chapelle [eiksla:ʃæ'pel, eks-] (*geogr.*) Aachen.

ajar [ə'dʒa:] *adv.* (*om dør*) på klem.

AK *fork. f.* Alaska.

aka [eikei'ei] *fork. f. also known as* alias; også kaldet.

akimbo [ə'kimbəu] *adv.:* (*with*) *arms* ~ med hænderne i siden.

akin [ə'kin] *adj.* F beslægtet (*to* med).

AL, Ala. *fork. f.* Alabama.

Alabama [ælə'bæmə].

alabaster [æləbæstə, -'ba:stə] *sb.* alabast.

alack [ə'læk] *interj.* (*glds.*) ak;
□ ~ *and alas* ak og ve.

alacrity [ə'lækrəti] *sb.* F beredvillighed; hurtighed;
□ *with* ~ beredvilligt; hurtigt; ivrigt.

alarm[1] [ə'la:m] *sb.* **1.** (*følelse*) ængstelse, uro, bekymring; skræk; **2.** (*advarsel*) alarm (*fx false* -*s*); **3.** (*apparat*) alarm (*fx burglar* ~; *fire* ~); **4.** (*ur*) vækkeur; **5.** (*i ur*) vækker;
□ *raise/sound/give the* ~ **a.** slå alarm; **b.** (*ved at råbe*) gøre anskrig; *set the* ~ *for 7 o'clock* (*jf.* 4) sætte vækkeuret til at ringe kl. 7.

alarm[2] [ə'la:m] *vb.* (se også alarmed, alarming) forurolige,

ængste; forskrække, opskræmme.

alarm bell *sb.* alarmklokke;
□ *it rang* -*s, it set the* -*s ringing* det fik alarmklokkerne til at ringe.

alarm call *sb.* (telefon)vækning.

alarm clock *sb.* vækkeur.

alarmed [ə'la:md] *adj.* foruroliget, urolig (*at* over; *to* over at); betænkelig; opskræmt.

alarming [ə'la:miŋ] *adj.* foruroligende, urovækkende, alarmerende; skræmmende.

alarmist[1] [ə'la:mist] *sb.* ulykkesprofet; sortseer.

alarmist[2] [ə'la:mist] *adj.* unødigt pessimistisk; unødigt opskræmmende; som maler fanden på væggen.

alarum [ə'lærəm, -'la:-, -'lɛə-] *sb.:* -*s and excursions* (*glds.*) larm og spektakel; hurlumhej.

alas [ə'læs, ə'la:s] *interj.* ak; desværre.

Alaska [ə'læskə].

Albania [æl'beiniə] (*geogr.*) Albanien.

Albanian[1] [æl'beiniən] *sb.* **1.** (*person*) albaner; **2.** (*sprog*) albansk.

Albanian[2] [æl'beiniən] *adj.* albansk.

albatross ['ælbətrɔs] *sb.* **1.** (*zo.*) albatros; **2.** (*fig. omtr.*) møllesten om halsen.

albeit [ɔ:l'bi:it] *adv.* F endskønt, omend; ihvorvel.

albert ['ælbət] *sb.* kort urkæde.

Albert Hall *sb.* [*stor hal i London til koncerter etc.*].

albino [æl'bi:nəu, (*am.*) æl'bainou] *sb.* albino.

Albion ['ælbiən] (*poet.*) Albion [ɔ: *England*].

album ['ælbəm] *sb.* album [*også om pladeudgivelse*].

albumen, albumin ['ælbjumin, (*am.*) æl'bju:min] *sb.* albumin, æggehvidestof.

albuminous [æl'bju:minəs] *adj.* æggehvidestofholdig.

alchemist ['ælkəmist] *sb.* alkymist, guldmager.

alchemy ['ælkəmi] *sb.* **1.** alkymi, guldmageri; **2.** (*fig.*) magi, magisk metode.

alcohol ['ælkəhɔl] *sb.* alkohol.

alcoholic[1] [ælkə'hɔlik] *sb.* alkoholiker.

alcoholic[2] [ælkə'hɔlik] *adj.* alkoholisk (*fx drink*); alkoholholdig.

alcoholism ['ælkəhɔlizm] *sb.* alkoholisme.

alcoholometer [ælkəhə'lɔmitə] *sb.* alkometer [*til måling af alkoholindhold*].

alcopop ['ælkəupɔp] *sb.* alkopop [*spiritusholdigt sodavand*].

alcove ['ælkəuv] *sb.* **1.** niche; **2.** (*bibl.*) reolniche; **3.** (*i have*) lysthus.

alder ['ɔːldə] *sb.* el, elletræ; □ *common* ~ rødel.

alder buckthorn *sb.* (*bot.*) tørstetræ.

alderman ['ɔːldəmən] *sb.* (*pl. -men* [-mən]) **1.** (*før 1974*) rådmand [*valgt af de andre medlemmer*]; **2.** (*am.*) byrådsmedlem.

ale [eil] *sb.* øl; (se også *ginger ale, real ale*).

alec, aleck ['ælik] *sb.* se *smart aleck*.

alehouse ['eilhaus] *sb.* (*glds.* T) værtshus, ølstue.

alert[1] [ə'ləːt] *sb.* **1.** alarm; **2.** (*for indsats*) alarmberedskab; **3.** (*mil.*) alarm; varsel; beredskab; **4.** (*ved flyangreb*) luftalarm, flyvervarsling; □ *on* ~ i alarmberedskab; *on the* ~ årvågen, på sin post; *be on the* ~ *for* være på udkig efter; holde udkig efter.

alert[2] [ə'ləːt] *adj.* årvågen; opmærksom; □ *keep* ~ være på sin post; *be* ~ *to* være opmærksom på.

alert[3] [ə'ləːt] *vb.*: ~ *sby to* gøre en opmærksom på.

Aleutian [ə'luːʃn] *adj.*: the ~ *Islands* (*geogr.*) Aleuterne.

A level ['eilev(ə)l] *sb.* [*højeste afsluttende skoleksamen i England i et enkelt fag*].

alevin ['ælivin] *sb.* (*zo.*) lakseyngel.

alewife ['eilwaif] *sb.* (*zo.*) flodsild; majsild.

alfalfa [æl'fælfə] *sb.* (*bot.*) lucerne.

Alf Garnett [ælf'gaːnət] [*typen på en supernationalistisk racist*].

alfilaria [ælfilə'riːə] *sb.* (*bot.; am.*) hejrenæb.

alfresco[1] [æl'freskəu] *adj.* frilufts-; udendørs.

alfresco[2] [æl'freskəu] *adv.* i fri luft; udendørs.

algae ['ældʒiː, 'ælgiː, 'ælgai] *sb. pl.* (*bot.*) alger.

algal ['ælgəl] *adj.* alge-.

algal bloom *sb.* algeopblomstring.

algebra ['ældʒibrə] *sb.* algebra [*ɔ: bogstavregning*].

algebraic [ældʒi'breiik] *adj.* algebraisk.

Algeria [æl'dʒiəriə] (*geogr.*) Algeriet.

Algerian[1] [æl'dʒiəriən] *sb.* algerier.

Algerian[2] [æl'dʒiəriən] *adj.* algerisk.

Algiers [æl'dʒiəz] (*geogr.*) Algier.

algorithm ['ælgəriðm] *sb.* algoritme.

alias[1] ['eiliəs, -æs] *sb.* påtaget navn, dæknavn.

alias[2] ['eiliəs, -æs] *adv.* alias, også kaldet.

alibi ['ælibai] *sb.* **1.** alibi; **2.** T undskyldning (*for* for, *fx what is your* ~ *for being late?*).

Alice band ['ælisbænd] *sb.* hårbånd.

alien[1] ['eiliən] *sb.* **1.** udlænding; **2.** rumvæsen.

alien[2] ['eiliən] *adj.* **1.** udenlandsk; fremmed; **2.** (*fig.*) fremmed (*to* for); fremmedartet.

alienable ['eiliənəbl] *adj.* (*jur.*) afhændelig.

alienate ['eiliəneit] *vb.* **1.** støde fra sig; **2.** (*jur.: om ejendom*) afhænde; overdrage; □ ~ *them* (*også*) lægge sig ud med dem; ~ *him from* fremmedgøre ham for, gøre ham fremmed for; stemme ham ugunstigt/fjendtligt over for.

alienation [eiliə'neiʃn] *sb.* **1.** det at støde fra sig; **2.** fremmedgørelse; **3.** (*jur.*) afhændelse, overdragelse; □ ~ *from* **a.** fremmedgørelse over for; **b.** det at være//blive fremmed for.

alienist ['eiliənist] *sb.* (*am.*) psykiater; retspsykiater.

alight[1] [ə'lait] *adj.*: *be* ~ **a.** brænde, være tændt; **b.** brænde, stå i brand, stå i flammer; *be* ~ *with* stråle af; tindre af; *the curtains caught* ~ der gik ild i gardinerne; *set* ~ antænde, sætte ild til, stikke i brand.

alight[2] [ə'lait] *vb.* F stige ned; stige af, stige af bussen//hesten; stige ud (af toget//af vognen); □ ~ *from* stige ned fra; stige ud af; ~ *on* **a.** dale ned på; **b.** (*om fugl*) sætte sig på (*fx a twig*); **c.** (*om person: finde tilfældigt*) slå ned på, falde over; *his eyes -ed on* hans blik faldt på.

align [ə'lain] *vb.* **1.** stille på linje; **2.** rette ind, justere (*with* efter); **3.** (*om bilhjul*) spore; □ *be -ed* stå på linje//række; ~ *oneself with them* stille sig på deres side; slutte sig til dem.

alignment [ə'lainmənt] *sb.* **1.** opstilling på linje; placering; position; **2.** (*fig.*) gruppering (*fx the* ~ *of the European powers*); fælles optræden (*fx a Danish-Swedish* ~); tilhørsforhold; tilknytning; **3.** (*tekn.*) retten ind; opretning; indstilling; **4.** (*af hjul*) sporing; **5.** (*fx af vej, jernbane*) linjeføring; □ *in* ~ *with* på linje med; *out of* ~ ikke på linje; *the wheels are out of* ~ hjulene sporer ikke.

alike[1] [ə'laik] *adj.* ens (*fx they are* ~); □ *look* ~ se ens ud, ligne hinanden.

alike[2] [ə'laik] *adv.* på samme måde, ens (*fx think* ~); □ *young and old* ~ både unge og gamle, unge såvel som gamle; unge og gamle i samme grad.

alimentary [æli'ment(ə)ri] *adj.* nærings-.

alimentary canal *sb.* (*fysiol.*) fordøjelseskanal.

alimony ['æliməni] *sb.* underholdsbidrag [*til fraskilt hustru*]; ægtefællebidrag.

alive [ə'laiv] *adj.* **1.** i live (*fx he is still* ~; *keep him* ~); levende (*fx feel* ~); **2.** (*fig.*) levende, fuld af liv (*fx young people are so* ~); □ *be* ~ *and kicking* være spillevende; *he is* ~ *and well* han lever og har det godt; *be* ~ *to* være klar over; være opmærksom på (*fx a problem*); *be* ~ *with* vrimle af, myldre med; [*med vb.*] *bring* ~ gøre levende, sætte liv i; *come* ~ blive levende, få liv; *keep* ~ holde sig i live; *look* ~! skynd dig nu lidt! se at få lidt fart på!

alkali ['ælkəlai] *sb.* (*kem.*) alkali, base.

alkaline ['ælkəlain] *adj.* (*kem.*) alkalisk, basisk.

alkalinity [ælkə'liniti] *sb.* (*kem.*) alkalitet.

alkie, alky ['ælki] *sb.* S alkoholiker.

all[1] [ɔːl] *adj.* **1.** al, alt (*fx* ~ *the bread*); (*pl.*) alle; **2.** (*om tid*) hele (*fx* ~ *the time*; ~ *my life*; ~ *day*); □ *of* ~ ... (*om noget overraskende*) lige netop (*fx John, of* ~ *people*); tænk engang (*fx he went to Belfast, of* ~ *places* (tænk engang, han ...)); (se også *first*[3], *last*[3]).

all[2] [ɔːl] *pron.* **1.** alt, det hele (*fx is that* ~?); alt sammen; (*pl.*) alle (*fx four men,* ~ *dressed alike*); alle sammen (*fx they are* ~ *here*); **2.** (*i sport*) a (*fx* 15 ~ a 15); □ *tell him what it is* ~ *about* fortælle ham hvad det drejer sig om/går ud på; *and* ~ og det hele; (se også *one*[3]); ~ *but a.* alle//alt undtagen, alle andre//alt andet end; **b.** næsten (*fx I am* ~ *but certain of it*; *he all* ~ *collapsed*); *it was* ~ *he could do to* ... det var lige alt det at han kunne ... (*fx lift the stone*); ~ *of* (*især am.*) hele (*fx* ~ *of two million dollars*); ~ *of it* det hele; ~ *of us* vi alle; os alle sammen; ~ *one* se *all*[3]; *one's* ~ alt hvad man ejer//kan (*fx lose one's*

A *all*

~; *put one's ~ into the game*); ~
that a. alt hvad (der) (*fx ~ that is
mine is yours*); **b.** alt det; *it was
not so bad as ~ that* så slemt var
det nu heller ikke; *and ~ that* og
alt det der;
[*efter præp.*] *above ~* frem for alt;
after ~ **a.** alligevel (*fx he did
come after ~*); dog; **b.** når alt
kommer til alt, jo (*fx after ~, he is
only a boy*); *at ~* i det hele taget;
overhovedet (*fx if you go there at
~*); *not at ~* **a.** slet ikke, aldeles
ikke; på ingen måde; **b.** (*svar på
tak*) å jeg be'r; det var så lidt;
nothing at ~ ikke noget/intet som
helst; slet intet, slet ikke noget;
for ~ trods (*fx for ~ her efforts,
she could still fail*); *for ~ I do*
trods alt hvad jeg gør; hvad jeg
end gør; (se også *care²*, *know²*); *for
~ that* **a.** trods alt; alligevel;
b. ikke desto mindre (*fx for ~
that, you should have done it*); *in
~* i alt; *~ in ~* alt i alt; *she was ~
in ~ to him* hun var hans et og
alt.

all³ [ɔːl] *adv.* helt (*fx he is ~
alone*); lutter (*fx she was ~ ears//
smiles*);
□ *it is ~ one* det kommer ud på
et; *it is ~ one to me* det er mig
ganske det samme; *~ the better//
worse* så meget desto bedre//
værre; *~ the same* se *same*; (se
også *set²*);
[*med præp.& adv.*] *~ along* hele
tiden (*fx I knew it ~ along*); *~ at
once* lige på én gang; *~ but* se
all²; *I am ~ for staying* jeg synes
absolut vi skal blive; jeg vil aller-
helst blive; *~ in* **a.** alt iberegnet
(*fx the prices quoted are ~ in*);
b. T udmattet; dødtræt; *~ out* **a.** i
fuld fart (*fx the boat is going ~
out*); for fuld kraft; **b.** (*i kricket*)
(efter at) alle 10 gærder er tabt; *go
~ out for* T gå 100% ind for; sætte
alt ind på; *go ~ out to* gøre sit
yderste for at; sætte alt ind på at;
T stå på hovedet for at; *~ over*
a. forbi (*fx it is ~ over with him*);
b. over det hele; alle vegne; **c.** helt
igennem; *he is his father ~ over*
han er faderen op ad dage; *he was
trembling ~ over* han rystede over
hele kroppen; *it is John ~ over*
hvor det ligner John; *~ over the
world* over hele verden; *she is ~
over him* S hun er helt væk i
ham; *~ round* **a.** hele vejen rundt;
på alle punkter; i enhver hense-
ende (*fx it was a disaster ~
round*); **b.** hele vejen rundt; til
alle (*fx drinks ~ round*); *he is ~
there* T han er vaks; *~ through*

hele tiden; *he is not ~ there* T
han er ikke rigtig vel forvaret; *~
too* se *too*;
it is ~ up with him han er færdig;
det er ude med ham.
all- (*forstavelse*) **1.** som kun består
af (*fx an ~ figure telephone num-
ber*); ren (*fx an ~ girls school; ~
wool*); **2.** alt- (*fx ~ consuming; ~
embracing*).
allay [əˈlei] *vb.* F lindre, dulme (*fx
the pain*); mildne, dæmpe (*fx his
anger*);
□ *~ his doubt//suspicion* bortvejre
hans tvivl//mistanke; *~ their fears*
berolige dem; *~ his hunger* stille
hans sult.
all clear *sb.* afblæsning af flyver-
varsel; afvarsling;
□ *give the ~* (*fig.*) give grønt lys
for; *sound the ~* **a.** afblæse flyver-
varsel; **b.** (*fig.*) afblæse en konflikt
etc.
allcomers [ˈɔːlkʌməz] *sb. pl.* alle
der melder sig.
allegation [æləˈgeiʃn] *sb.* påstand
(*of* om); beskyldning (*of* om, for).
allege [əˈledʒ] *vb.* F **1.** hævde, på-
stå; **2.** anføre, gøre gældende; på-
beråbe sig.
alleged [əˈledʒd] *adj.* påstået (*fx
the ~ crime*).
allegedly [əˈledʒidli] *adv.* angive-
ligt.
allegiance [əˈliːdʒ(ə)ns] *sb.* F tro-
skab; loyalitet [*mod fyrste, parti,
tro etc.*].
allegorical [æləˈgɔrik(ə)l] *adj.* alle-
gorisk.
allegory [ˈæləgəri] *sb.* allegori.
alleluia [æləˈluːjə] *interj.* halleluja.
Allen [ˈælən].
Allen key *sb.* unbraconøgle.
Allen screw *sb.* skrue med seks-
kantet kærv.
Allen wrench *sb.* = *Allen key.*
allergic [əˈləːdʒik] *adj.* allergisk (*to*
over for);
□ *be ~ to* (T: *fig.*) ikke kunne for-
drage.
allergist [ˈælədʒist] *sb.* (*med.*) aller-
golog.
allergy [ˈælədʒi] *sb.* **1.** allergi (*to*
over for); **2.** (T: *fig.*) afsky (*to* for).
alleviate [əˈliːvieit] *vb.* F lette, lin-
dre.
alleviation [əliːviˈeiʃn] *sb.* lettelse,
lindring.
alley [ˈæli] *sb.* **1.** smøge, gyde,
stræde; **2.** (*i have, park*) allé; gang
[*mellem træer el. buske*]; (se også
bowling alley);
□ *that is up/down his ~* (*am.,
austr.; fig.*) det er lige noget for
ham.
alley cat *sb.* (*am.* S) **1.** herreløs/

vild kat, baggårdskat; **2.** pige der
lever frit.
alleyway [ˈæliwei] *sb.* se *alley*.
All Fools' Day *sb.* 1. april.
alliance [əˈlaiəns] *sb.* **1.** alliance,
forbund; **2.** F giftermål; **3.** (*fig.*)
slægtskab, affinitet (*between* mel-
lem);
□ *in ~ with* allieret med; i for-
bund med; sammen med.
allied [ˈælaid, əˈlaid] *adj.* **1.** allieret
(*to* med); **2.** beslægtet (*to* med);
3. F forbundet, kombineret (*to,
with* med).
alligator [ˈæligeitə] *sb.* (*zo.*) alliga-
tor.
all-important [ɔːlimˈpɔːtənt] *adj.* af
den største vigtighed.
all-in [ɔːlˈin] *adj.* med alt indbefat-
tet/iberegnet (*fx ~ price*); (se også
all³ (*all in, b*)).
all-inclusive [ɔːlinˈkluːsiv] *adj.*
med alt indbefattet.
all-in-one [ɔːlinˈwʌn] *adj.* **1.** i ét;
2. (*om beklædning*) ud i ét.
all-in wrestling *sb.* fribrydning.
allis shad [ˈælisʃæd] *sb.* (*zo.*) maj-
sild.
alliteration [əlitəˈreiʃn] *sb.* allitte-
ration, bogstavrim.
alliterative [əˈlitərətiv] *adj.* allitte-
rerende, med bogstavrim.
all-nighter [ɔːlˈnaitə] *sb.* **1.** [*fore-
stilling//koncert etc. der varer hele
natten*]; **2.** natcafe.
allocate [ˈæləkeit] *vb.* tildele, be-
vilge.
allocation [æləˈkeiʃn] *sb.* tildeling,
bevilling.
allot [əˈlɔt] *vb.* tildele.
allotment [əˈlɔtmənt] *sb.* **1.** (jf. *allot*)
tildeling; del; **2.** (*jordstykke*) kolo-
nihave.
all-out [ɔːlˈaut] *adj.* fuldstændig;
total (*fx war*); ubetinget (*fx sup-
port*);
□ *make an ~ effort to* anstrenge
sig af alle kræfter for at; (se også
all³ (*all out*)).
allow [əˈlau] *vb.* **1.** tillade; give
mulighed for, muliggøre (*fx it will
~ more effective planning*); **2.** (*i
(forhånds)beregning*) beregne,
regne med, afsætte (*fx ~ an hour
for changing trains*); trække fra (*fx
~ 5 per cent for cash payment*);
3. (*person; se også ndf.: ~ to*)
give, lade få (*fx ~ him credit//ac-
cess; ~ him £50 for expenses*);
4. (*om tid*) give frist (*fx ~ him un-
til Thursday*); **5.** (*et sted hen*) lade
komme//gå//rejse ... (*fx ~ them
home//in//through*);
□ *be -ed* **a.** have lov til; få lov til
(*fx he was -ed to go; why has this
been -ed to continue?*); **b.** få lov til

at komme ind; få//have adgang (*fx journalists were not -ed*); ~ *me!* lad mig!, må jeg (hjælpe Dem)? (*let glds.*) med forlov! ~ *sby to* **a.** tillade en at, lade en (*fx ~ them to pass*); **b.** gøre det muligt for en at (*fx it will ~ more people to stay on in education*); ~ *that* F indrømme at (*fx it was a mistake*); [*med præp.*] ~ *for* (*jf. 5*) tage hensyn til; tage i betragtning; regne med; *-ing for* (*også*) når man tager hensyn til; når man medregner// fraregner; ~ *of* F tillade.
allowable [ə'lauəbl] *adj.* **1.** tilladelig; **2.** tilladt (*fx deductions*); **3.** (*mht. skat*) fradragsberettiget (*fx expenses*).
allowance [ə'lauəns] *sb.*
1. (*mængde*) ration (*fx a duty-free ~*); portion; tildeling; **2.** (*beløb man får*) tilskud (*fx child ~*); -penge (*fx housekeeping ~, daily ~, weekly ~*); godtgørelse, tillæg (*fx uniform ~*); (*til at leve for*) understøttelse, hjælp (*fx they gave him an ~ while he was at university*); penge man får hjemmefra (*fx he could hardly live on his ~*); **3.** (*beløb man trækker fra*) fradrag; (*merk. også*) dekort; rabat; **4.** (*i sport omtr.*) handicap; forspring; **5.** (*am.*) lommepenge; □ *make ~ for* **a.** tage hensyn til; tage i betragtning; regne med; **b.** (*person*) bære over med; tage hensyn til.
alloy[1] ['æləi] *sb.* legering; blanding.
alloy[2] [ə'ləi, 'æləi] *vb.* **1.** blande; legere; **2.** (*fig.*) gøre skår i, forringe.
all-purpose [ɔ:l'pɔ:pəs] *adj.* anvendelig til alle//mange formål; universal-.
all right[1] [ɔ:l'rait] *adj.* **1.** all right; **2.** i orden, god nok (*fx is the tea ~?*); **3.** (*om person*) helt rigtig; (*mht. helbred*) rask, frisk; **4.** (*forbeholden bedømmelse*) meget god (*fx it was ~, nothing special*); □ *~!* **a.** (*svar*) all right! godt! fint! udmærket! så er det en aftale! **b.** (*modstræbende*) jaja da! all right! **c.** (*indledende*) all right! (*fx ~ John, you can go now*); nå! ja! *~?* er du med? er det en aftale? er det i orden? *be ~* (*ikke syg, også*) have det godt; *it was ~* (*jf. 4, også*) det kunne gå an; *it's/that's ~* **a.** (*svar på tak*) å jeg be'r; det var så lidt; **b.** (*svar på undskyldning*) det gør ikke noget; *I am ~* **a.** (*efter et fald etc.*) jeg er ikke kommet noget til; **b.** (*ved bordet*) tak, jeg kan ikke mere; *will you be ~?* (*også*) kan

du klare dig? *it was ~* (*jf. 4, også*) det kunne gå an; *it is ~ with me* det er i orden med mig; for mig gerne; (*se også bit*[1]).
all right[2] [ɔ:l'rait] *adv.* **1.** ganske rigtigt, helt sikkert (*fx it's a nice place ~*); **2.** uden problemer (*fx did you get home ~?*); **3.** meget godt (*fx he's doing ~*); □ *it was him ~* (*jf. 1, også*) det 'var ham.
all-round [ɔ:l'raund] *adj.* alsidig, dygtig på alle//mange områder; allround; universal-.
all-rounder [ɔ:l'raundə] *sb.* alsidig person.
All Saints' Day allehelgensdag [*1. november*].
all-seater [ɔ:l'si:tə] *adj.* (*om stadion*) uden ståpladser.
allseed ['ɔ:lsi:d] *sb.* (*bot.*) **1.** tusindfrø; **2.** mangefrøet gåsefod.
allspice ['ɔ:lspais] *sb.* (*bot.*) allehånde.
all-terrain vehicle [ɔ:ltərein'viəkl, -'vi:-] *sb.* [*lille terrængående køretøj med brede hjul*].
all-time [ɔ:l'taim] *adj.* T enestående; alle tiders; □ *an ~ low* bundrekord; *be at an ~ low* være lavere end nogensinde.
allude [ə'lu:d] *vb.*: ~ *to* F hentyde til; antyde.
allure [ə'ljuə] *sb.* tiltrækning; charme.
allurement [ə'ljuəmənt] *sb.* **1.** tiltrækning; **2.** tillokkelse, fristelse.
alluring [ə'ljuəriŋ] *adj.* tillokkende, dragende; besnærende, forførerisk.
allusion [ə'lu:ʒ(ə)n] *sb.* hentydning, allusion; □ *make ~ to* hentyde til; komme med hentydninger til.
allusive [ə'lu:siv] *adj.* F fuld af hentydninger.
alluvial [ə'lu:vjəl] *adj.* (*geol.*) alluvial, som er aflejret af vand.
alluvium [ə'lu:vjəm] *sb.* (*geol.*) alluvialdannelse, alluvium.
all-weather [ɔ:l'weðə] *adj.* som kan bruges under alle vejrforhold.
ally[1] ['ælai] *sb.* forbundsfælle; allieret.
ally[2] ['ælai] *vb.*: ~ *oneself to/with* alliere sig med; (*se også allied*).
alma mater [ælmə'ma:tə] *sb.* F alma mater, universitet.
almanac ['ɔ:lmənæk] *sb.* almanak; årbog.
almighty [ɔ:l'maiti] *adj.* **1.** almægtig; **2.** S mægtig, gevaldig; □ *the Almighty* den almægtige [*o: Gud*]; *God/Christ ~!* du almægtige!

almond ['a:mənd] *sb.* **1.** mandel; **2.** mandeltræ.
almond paste *sb.* mandelmasse; marcipanmasse.
almost ['ɔ:lməust] *adv.* næsten.
alms [a:mz] *sb. pl.* (*glds.*) almisse.
almshouse ['a:mzhaus] *sb.* (*glds.*) fattigstiftelse.
aloe ['æləu] *sb.* (*bot.*) aloe.
aloft [ə'lɔft] *adv.* (*litt.*) højt; i vejret (*fx hold the flag ~*); til vejrs; □ *go ~* (*mar.*) gå til vejrs; gå til tops.
alone [ə'ləun] *adj.* **1.** alene; ene; **2.** ensom (*fx feel ~*); □ *we are not ~ in thinking that ...* vi er ikke ene om at mene at ..., vi er ikke de eneste der mener at ...; [*med vb.*] *go it ~* klare sig selv; gå enegang; *leave/let ~* lade være (i fred); holde sig fra; *we had better leave/let well ~* vi må hellere lade det være som det er; det er godt nok som det er; *let ~* (*også: om yderligere begrænsning*) endsige, for slet ikke at tale om, endnu mindre (*fx he can't even walk, ~ alone run*); *stand ~* **a.** stå alene [*o: uden venner*]; **b.** være enestående.
along[1] [ə'lɔŋ] *adv.* **1.** af sted; **2.** frem; **3.** med (*fx take him ~*); □ *~ of* T på grund af; desformedelst; *~ with* sammen med; med; (*se også all*[3], *come*[1], *get*, *go*[3]).
along[2] [ə'lɔŋ] *præp.* langs, langs med (*fx the road*); ned ad, op ad, hen ad.
alongside[1] [əlɔŋ'said] *adv.* ved siden af; langs siden; □ *come/go ~* (*mar.*) lægge 'til; ~ *of* ved siden af, langs siden af; side om side med.
alongside[2] [əlɔŋ'said] *præp.* **1.** ved siden af; langs; **2.** ved siden af; sideløbende med.
aloof [ə'lu:f] *adv.* (*om person*) fjern; reserveret, tilknappet, afmålt; □ *hold (oneself)/keep ~* holde sig for sig selv; holde sig (fornemt) tilbage; *stand ~* holde sig på afstand; holde sig udenfor; *stand from* holde sig uden for.
aloofness [ə'lu:fnəs] *sb.* fjernhed; reserverthed, tilknappethed, afmålthed; distance.
aloud [ə'laud] *adv.* højt (*fx read ~, think ~*).
alpaca [æl'pækə] *sb.* **1.** (*dyr*) alpaka; **2.** (*uld*) alpaka(uld).
alpha ['ælfə] *sb.* alfa [*græsk bogstav; højeste karakter*].
alphabet ['ælfəbet] *sb.* alfabet.
alphabetical [ælfə'betik(ə)l] *adj.* alfabetisk.

alphabet soup *sb.* sammensurium af forbogstaver/forkortelser.

alpine, Alpine ['ælpain] *adj.* alpe-; alpin (*fx flora*).

alpines ['ælpainz] *sb. pl.* alpine planter.

already [ɔ:l'redi] *adv.* allerede.

Alsatian [æl'seiʃn] *sb.* schæferhund.

also ['ɔ:lsəu] *adv.* også.

also-ran ['ɔ:lsəuræn] *sb.* **1.** [*hest// konkurrencedeltager der ikke blev placeret*]; **2.** (*fig.*) ubetydelighed, nul.

altar ['ɔ:ltə, 'ɔltə] *sb.* alter.

altar cloth *sb.* alterdug.

altarpiece ['ɔ:ltəpi:s, 'ɔl-] *sb.* altertavle.

altar rail *sb.* alterskranke.

alter ['ɔ:ltə, 'ɔltə] *vb.* **1.** forandre, ændre; **2.** (*dyr, am.*) sterilisere; kastrere; **3.** (*uden objekt*) forandre sig.

alteration [ɔ:ltə'reiʃn, ɔl-] *sb.* forandring.

altercation [ɔ:ltə'keiʃn, ɔl-] *sb.* skænderi; trætte.

alter ego [æltə'ri:gəu, ɔl-, ɔ:l-] *sb.* alter ego, andet jeg.

alternate[1] [ɔ:l'tə:nət, ɔl-] *sb.* (*am.*) stedfortræder, suppleant.

alternate[2] [ɔ:l'tə:nət, ɔl-] *adj.* **1.** vekslende; skiftevis (*fx ~ optimism and despair*); **2.** alternativ, anden (*fx route; view*); □ ~ *on ~ days//nights* hver anden dag//aften.

alternate[3] ['ɔ:ltəneit, 'ɔl-] *vb.* **1.** veksle (*between* mellem; *with* med); **2.** (*med objekt*) lade veksle (*with* med); skifte/veksle mellem (*fx ~ pipe and cigar*).

alternately [ɔ:l'tə:nətli, ɔl-] *adv.* skiftevis.

alternating current [ɔ:ltəneitiŋ'kʌrənt] *sb.* (*elek.*) vekselstrøm.

alternation [ɔ:ltə'neiʃn, ɔl-] *sb.* vekslen, skiften; □ ~ *of generations* generationsskifte.

alternative[1] [ɔ:l'tə:nətiv, ɔl-] *sb.* alternativ; □ *there was no ~ left to us but to* vi havde ingen anden udvej end at; *an ~ to* en anden mulighed end.

alternative[2] [ɔ:l'tə:nətiv, ɔl-] *adj.* **1.** alternativ, anden (*fx an ~ plan*); **2.** (*mods. traditionel*) alternativ (*fx medicine*).

alternator ['ɔ:ltəneitə, 'ɔl-] *sb.* (*elek.*) vekselstrømsgenerator.

although [ɔ:l'ðəu] *konj.* selvom, skønt.

altimeter ['æltimi:tə, (*am.*) æl'timətər] *sb.* højdemåler.

altitude ['æltitju:d] *sb.* højde.

alto ['æltəu] *sb.* (*mus.*) alt(stemme); altsanger.

altogether [ɔ:ltə'geðə] *adv.* **1.** (*ved vb.*) helt (*fx stop ~; prohibit it ~*); **2.** (*foran adj.*) aldeles, fuldstændig (*fx wrong*); (se også ndf.: *not ~*); **3.** (*foran sammenfatning*) alt i alt (*fx ~, it was a success*); i det hele taget; **4.** (*om slutsum*) alt i alt; □ *in the ~* (*let glds.* T) splitternøgen; i adamskostume; *not ~* (*foran adj.*) ikke helt, ikke ganske (*fx different; sure*).

alto-relievo [æltəuri'li:vəu] *sb.* haut-relief.

altruism ['æltruizm] *sb.* altruisme, uegennytte.

altruist ['æltruist] *sb.* altruist.

altruistic [æltru'istik] *adj.* altruistisk, uegennyttig.

alum[1] ['æləm] *sb.* alun.

alum[2] [ə'lʌm] *sb.* (*am.*) = *alumna, alumnus.*

aluminium [ælju'minjəm] *sb.* aluminium.

aluminum [ə'lu:minəm] *sb.* (*am.*) aluminium.

alumna [ə'lʌmnə] *sb.* (*pl. -e* [-ni:]) (*am.*) (kvindelig) kandidat/gammel elev.

alumnus [ə'lʌmnəs] *sb.* (*pl. alumni* [-nai]) (*am.*) gammel elev; kandidat.

always ['ɔ:lweiz, 'ɔ:lwəz] *adv.* altid.

Alzheimer's (disease) ['æltshaiməz (di'zi:z)] *sb.* (*med.*) Alzheimers sygdom.

am [(ə)m, (*betonet*) æm] *1. pers. sg. præs. af be*[1].

a.m. [ei'em] *fork. f. ante meridiem* om morgenen, om formiddagen.

A. & M. *fork. f.* (*Hymns*) *Ancient and Modern* [*en salmebog*].

amalgam [ə'mælgəm] *sb.* **1.** sammensmeltning; forening; blanding; **2.** (*kem.; tandl.*) amalgam.

amalgamate [ə'mælgəmeit] *vb.* **1.** lægge sammen; fusionere; **2.** (*uden objekt*) smelte sammen; fusionere; **3.** (*kem.*) amalgamere.

amalgamation [əmælgə'meiʃn] *sb.* **1.** sammenlægning; sammensmeltning; fusion; **2.** (*kem.*) amalgamering.

amass [ə'mæs] *vb.* samle, dynge sammen.

amateur ['æmətə] *sb.* **1.** amatør; **2.** (*neds.*) amatør, dilettant.

amateurish [æmə'tə:riʃ] *adj.* (*neds.*) amatøragtig, dilettantisk.

amateurism ['æmətə:rizm] *sb.* (*i sport*) det at være amatør [*mods. professionalisme*].

amatory ['æmət(ə)ri] *adj.* (*litt.*) ero-

tisk; elskovs-.

amaze [ə'meiz] *vb.* forbavse; forbløffe.

amazement [ə'meizmənt] *sb.* forbavselse; forbløffelse.

Amazon ['æməz(ə)n] *sb.* (*myt.& fig.*) amazone; □ *the ~* Amazonfloden.

Amazonian [æmə'zəuniən] *adj.* **1.** amazoneagtig; **2.** (*myt.*) amazone- (*fx queen*).

ambassador [æm'bæsədə] *sb.* ambassadør.

ambassadorial [æmbæsə'dɔ:riəl] *adj.* ambassadør- (*fx post, rank*).

amber ['æmbə] *sb.* **1.** rav; **2.** (*om farve*) ravgult; gyldenbrunt; **3.** (*om trafiklys*) gult.

ambergris ['æmbəgri:s] *sb.* ambra.

amberjack ['æmbədʒæk] *sb.* (*zo.*) ravfisk.

ambidextrous [æmbi'dekstrəs] *adj.* ambidekstral, lige god til at bruge højre og venstre hånd.

ambience ['æmbiəns, fr.] *sb.* (*litt.*) stemning; atmosfære.

ambient ['æmbiənt] *adj.* omgivende (*fx temperature*).

ambiguity [æmbi'gjuiti] *sb.* **1.** flertydighed, dobbelttydighed; **2.** uklarhed; dunkelhed.

ambiguous [æm'bigjuəs] *adj.* **1.** flertydig, dobbelttydig; **2.** uklar; forblommet; dunkel; □ ~ *feelings* modstridende følelser.

ambiophony [æmbi'ɔfəni] *sb.* ambiofoni [*4-dimensional stereofoni*].

ambit ['æmbit] *sb.* F **1.** omkreds; **2.** område; □ *fall within the ~ of* høre/falde ind under.

ambition [æm'biʃn] *sb.* **1.** ambition, ærgerrighed (*fx lack of ~*); **2.** ambition; mål (*fx his ~ in life*); □ *have -s to* have ambitioner om at.

ambitious [æm'biʃəs] *adj.* **1.** (*om person*) ambitiøs, ærgerrig; **2.** (*om forehavende*) ambitiøs, dristig (*fx plan; project*); □ *an ~ goal* et højt mål; *be ~ for sby* være ambitiøs på ens vegne.

ambivalence [æm'bivələns] *sb.* **1.** ambivalens; **2.** vaklen, vaklende holdning; usikkerhed.

ambivalent [æm'bivələnt] *adj.* **1.** ambivalent; **2.** vaklende, usikker.

amble[1] ['æmbl] *sb.* **1.** lunten, slentren; **2.** slentretur; **3.** (*om hest*) pasgang.

amble[2] ['æmbl] *vb.* **1.** lunte, slentre; **2.** (*om hest*) gå i pasgang.

ambrosia [æm'brəuziə] *sb.* **1.** (*myt.*)

ambrosia [*gudernes føde*]; **2.** (*fig.*) guddommeligt lækkeri; **3.** (*am.*) [*dessert af appelsiner og reven kokos*].
ambulance ['æmbjuləns] *sb.* ambulance.
ambulanceman ['æmbjulənsmæn] *sb.* (*pl.* -men [-men]) (*omtr.*) redder.
ambulatory [æmbju'leit(ə)ri, 'æmbjuleit(ə)ri] *adj.* **1.** gående; (om)vandrende; **2.** (*med.*: *om patient*) oppegående; (*om behandling*) ambulant.
ambush[1] ['æmbuʃ] *sb.* **1.** bagholdsangreb; **2.** baghold; □ *lie in* ~ ligge i baghold; ligge på lur.
ambush[2] ['æmbuʃ] *vb.* **1.** lokke i baghold; **2.** angribe fra baghold; □ *be -ed* falde i baghold.
ameba *sb.* (*am.*) = *amoeba*.
archeological *adj.* (*etc.*) (*især am.*) = *archaeological* (*etc.*).
ameliorate [ə'mi:ljəreit] *vb.* F forbedre, bedre på.
amelioration [əmi:ljə'reiʃn] *sb.* F forbedring.
amen [a:'men, ei'men] *interj.* amen.
amenable [ə'mi:nəbl] *adj.* **1.** medgørlig, føjelig; **2.** lydhør; □ ~ *to* modtagelig for, tilgængelig for (*fx reason* fornuft); lydhør over for.
amend [ə'mend] *vb.* **1.** (*tekst*) ændre, rette (*to* til); **2.** (*lov*) ændre (*fx the constitution*).
amendment [ə'mendmənt] *sb.* **1.** forbedring; **2.** (*i tekst*) ændring, rettelse; **3.** (*mht. lov*) ændring; tilføjelse, tillæg; ændringsforslag; **4.** (*am.*) forfatningsændring.
amends [ə'mendz] *sb. pl.*: *make* ~ give erstatning; give oprejsning; *make* ~ *for it* gøre det godt igen.
amenities [ə'mi:nitiz] *sb. pl.* **1.** behageligheder (*fx the* ~ *of town life*); goder; **2.** (*ting etc.*) faciliteter, indretninger; bekvemmeligheder.
amenity bed *sb.* [*seng for patient der betaler for opholdet*].
America [ə'merikə] (*geogr.*) Amerika.
American[1] [ə'merikən] *sb.* amerikaner.
American[2] [ə'merikən] *adj.* amerikansk.
American football *sb.* amerikansk fodbold [*rugby-lignende spil*].
American Indian[1] *sb.* indianer.
American Indian[2] *adj.* indiansk.
Americanism [ə'merikənizm] *sb.* **1.** (*sprogv.*) amerikanisme, amerikansk udtryk; **2.** amerikanskhed.

Americanization [əmerikənai-'zeiʃn] *sb.* amerikanisering.
Americanize [ə'merikənaiz] *vb.* amerikanisere.
American organ *sb.* harmonium [*med sugebælg*].
American Revolution *sb.*: *the* ~ (*hist.*) Den amerikanske Frihedskrig.
Amerindian[1] [æmə'rindiən] *sb.* indianer.
Amerindian[2] [æmə'rindiən] *adj.* indiansk.
amethyst ['æməθist] *sb.* ametyst [*en smykkesten*].
amiability [eimiə'biləti] *sb.* elskværdighed.
amiable ['eimiəbl] *adj.* elskværdig.
amicable ['æmikəbl] *adj.* venskabelig; fredelig (*fx solution*).
amicably ['æmikəbli] *adv.* fredeligt; i mindelighed (*fx settle the dispute* ~).
amid [ə'mid] *præp.* F **1.** under (*fx* ~ *laughter*); **2.** midt i, midt iblandt.
amidships [ə'midʃips] *adv.* (*mar.*) midtskibs.
amidst [ə'midst] *præp.* se *amid*.
amino acid [ə'mi:nəuæsid] *sb.* (*kem.*) aminosyre.
amir [ə'miə] *sb.* emir.
amiss[1] [ə'mis] *adj.* forkert, galt; □ *there's something* ~ (*også*) der er noget i vejen.
amiss[2] [ə'mis] *adv.* forkert, galt; □ *come* ~ **a.** være ubelejligt; **b.** gå galt; *it would not come/ go* ~ det ville ikke være af vejen; *take it* ~ tage det ilde op.
amity ['æməti] *sb.* F venskabeligt forhold; □ *in* ~ i fred og fordragelighed.
ammeter ['æmitə] *sb.* (*elek.*) amperemeter.
ammo ['æməu] *sb.* (*mil.*) T ammunition.
ammonia [ə'məuniə] *sb.* **1.** (*kem.*) ammoniak; **2.** (*brugt til rengøring etc.*) salmiakspiritus.
ammunition [æmju'niʃn] *sb.* ammunition.
amnesia [æm'ni:ziə] *sb.* hukommelsestab.
amnesiac[1] [æm'ni:ziæk] *sb.* person der lider af hukommelsestab.
amnesiac[2] [æm'ni:ziæk] *adj.* lidende af hukommelsestab.
amnesty ['æmnəsti] *sb.* amnesti.
amniocentesis [æmniəusen'ti:sis] *sb.* (*pl.* -teses [-'ti:si:z]) fostervandsprøve.
amniotic [æmni'ɔtik] *adj.*: ~ *fluid* fostervand.
amoeba [ə'mi:bə] *sb.* (*pl.* -s/-e [-bi]) amøbe.

amok [ə'mɔk, ə'mʌk] *adv.*: *run* ~ gå amok.
among [ə'mʌŋ] *præp.* mellem, blandt; □ *they have not £50* ~ *them* de har ikke £50 tilsammen; ~ *themselves* indbyrdes (*fx they fight// quarrel* ~ *themselves*).
amongst [ə'mʌŋst] *præp.* F = *among*.
amoral [ei'mɔrəl] *adj.* amoralsk.
amorality [eimə'ræləti] *sb.* amoralskhed.
amorous ['æm(ə)rəs] *adj.* erotisk, elskovs-, kærligheds- (*fx adventures; poem*).
amorphous [ə'mɔ:fəs] *adj.* **1.** amorf [*uden bestemt form*]; **2.** (*fig.*) ustruktureret; ubestemmelig (*fx mass*); forvirret, kaotisk.
amortization [əmɔ:ti'zeiʃn] *sb.* amortisering, amortisation, tilbagebetaling.
amortize [ə'mɔ:taiz] *vb.* amortisere; betale tilbage, betale ud.
amount[1] [ə'maunt] *sb.* **1.** mængde; **2.** (*penge*) beløb, sum; □ *any* ~ *of* ... masser af ...; så mange//meget ... det skal være; *this* ~ *of confidence* denne store fortrolighed; *a certain* ~ *of courage* et vist mod.
amount[2] [ə'maunt] *vb.*: ~ *to* **a.** beløbe sig til; løbe op til; **b.** (*fig.*) (næsten) være det samme som; være ensbetydende med; betyde; *it -s to the same thing* det kommer ud på ét; *it does not* ~ *to much* det betyder ikke ret meget; det er uden større betydning.
amour [ə'muə, æ'muə] *sb.* (*glds.*) kærlighedsaffære, kærlighedseventyr.
amour-propre [fr] *sb.* selvrespekt, selvagtelse, selvfølelse.
amp *fork. f.* **1.** *ampere*; **2.** T *amplifier*.
amperage ['æmpəridʒ] *sb.* (*elek.*) strømstyrke.
ampere ['æmpɛə] *sb.* (*elek.*) ampere.
ampersand ['æmpəsænd] *sb.* et-tegn [*& = og*].
amphetamine [æm'fetəmi:n] *sb.* amfetamin.
amphibian [æm'fibiən] *sb.* **1.** (*zo.*) amfibie, padde; **2.** amfibiekøretøj; amfibiefly; (*mil.*) amfibietank; amfibielandingsfartøj.
amphibious [æm'fibiəs] *adj.* amfibisk; amfibie-.
amphitheatre ['æmfiθiətə] *sb.* amfiteater.
amphora ['æmfərə] *sb.* (*pl.* -s/-e [-ri:]) amfora [*krukke med to hanke*].

ample ['æmpl] *adj.* **1.** fuldt ud tilstrækkelig, rigelig (*fx you have ~ time*); **2.** (*mht. omfang*) stor; (*om klædningsstykke, grænse*) vid; **3.** (*om person*) fyldig; (*spøg.*) yppig.

amplification [æmplifi'keiʃn] *sb.* **1.** (*især om lyd & elek.*) forstærkning; **2.** (*fig.*) forstærkelse; **3.** (*om tekst*) udvidelse, uddybelse.

amplifier ['æmplifaiə] *sb.* forstærker.

amplify ['æmplifai] *vb.* **1.** (*især lyd*) forstærke; **2.** (*fig.*) forøge, forstærke (*fx feelings; one's fear*); **3.** (*tekst, redegørelse*) udvide, uddybe, supplere; gøre udførligere.

amplitude ['æmplitju:d] *sb.* **1.** (*elek., fys.*) amplitude, svingningsbredde; **2.** (*fig.*) udstrækning, vidde; bredde; rummelighed.

ampoule ['æmpu:l] *sb.* ampul.

amputate ['æmpjuteit] *vb.* amputere.

amputation [æmpju'teiʃn] *sb.* amputation.

amputee [æmpju'ti:] *sb.* amputationspatient; amputeret (*fx arm ~; leg ~*).

amuck [ə'mʌk] = *amok.*

amulet ['æmjulət] *sb.* amulet.

amuse [ə'mju:z] *vb.* **1.** more; **2.** underholde; (*se også amused, amusing*);
□ *~ oneself* **a.** more sig (*by + ing* med at, *fx watching the traffic*); **b.** underholde sig (*fx while waiting*).

amused [ə'mju:zd] *adj.* fornøjet;
□ *with an ~ expression* (*også*) med et udtryk som om han//hun morede sig; *she was not ~* hun fandt det ikke morsomt; *keep them ~* underholde dem; holde dem beskæftiget.

amusement [ə'mju:zmənt] *sb.* **1.** morskab; **2.** underholdning;
□ *-s* **a.** fornøjelser, adspredelser (*fx people had few -s in those days*); **b.** (*i forlystelsespark*) forlystelser; *for* my own *~* for min egen fornøjelses skyld; *in ~* smilende; fornøjet; *much to their ~* til stor morskab/moro for dem; *with ~* = *in ~*.

amusement arcade *sb.* spillehal.

amusement park *sb.* (*især am.*) forlystelsespark, tivoli.

amusing [ə'mju:ziŋ] *adj.* morsom, underholdende.

an [ən, (*betonet*) æn] *art.* en, et; (*se a*).

anabolic steroids [ænəbɔlik 'steroidz, -'stiə-] *sb. pl.* anabolske steroider [*brugt til doping af sportsfolk*].

anachronism [ə'nækrənizm] *sb.* anakronisme.

anachronistic [ənækrə'nistik] *adj.* anakronistisk [*som ikke passer ind i tiden*].

anaconda [ænə'kɔndə] *sb.* (*zo.*) anakonda; vandkvælerslange.

anaemia [ə'ni:miə] *sb.* anæmi, blodmangel.

anaemic [ə'ni:mik] *adj.* **1.** (*med.*) anæmisk, som lider af blodmangel; **2.** (*fig.*) blodløs, bleg, intetsigende.

anaerobic [ænə'rəubik] *adj.* (*biol.*) anaerob [ɔ: *ikke iltkrævende*].

anaesthesia [ænis'θi:ziə] *sb.* bedøvelse; (*fagl.*) anæstesi.

anaesthetic [ænis'θetik] *sb.* bedøvelsesmiddel;
□ *be under an ~* være bedøvet; være i narkose.

anaesthetist [æ'ni:sθətist] *sb.* **1.** narkoselæge; **2.** (*am.*) narkotisør; narkosesygeplejerske.

anaesthetize [æ'ni:sθətaiz] *vb.* give narkose, bedøve.

anagram ['ænəgræm] *sb.* anagram [*ord fremkommet ved omflytning af bogstaverne i et andet ord, fx mean og name*].

anal ['ein(ə)l] *adj.* anal; ende-tarms-.

analgesic¹ [æn(ə)l'dʒi:zik] *sb.* smertestillende middel.

analgesic² [æn(ə)l'dʒi:zik] *adj.* smertestillende.

analog ['ænələg] (*am.& it*) = *analogue.*

analogous [ə'næləgəs] *adj.* analog (*to* med); parallel (*to* med); tilsvarende.

analogue¹ ['ænələg] *sb.* sidestykke, parallel.

analogue² ['ænələg] *adj.* (*it: mods. digital*) analog.

analogy [ə'nælədʒi] *sb.* analogi;
□ *by ~ with, on the ~ of* i analogi med.

analyse ['ænəlaiz] *vb.* analysere.

analysis [ə'næləsis] *sb.* (*pl. analyses* [-si:z]) analyse;
□ *in the last/final ~* i sidste instans.

analyst ['ænəlist] *sb.* **1.** analytiker; **2.** (*med.; psyk.*) psykoanalytiker; **3.** (*pol. etc.*) kommentator; **4.** (*it*) systemanalytiker.

analytic [ænə'litik], **analytical** [ænə'litik(ə)l] *adj.* analytisk.

anarchic [æ'na:kik] *adj.* anarkistisk; lovløs.

anarchism ['ænəkizm] *sb.* anarkisme.

anarchist¹ ['ænəkist] *sb.* anarkist.

anarchist² ['ænəkist] *adj.* anarkistisk; lovløs.

anarchistic [ænə'kistik] *adj.* anarkistisk.

anarchy ['ænəki] *sb.* anarki.

anathema [ə'næθəmə] *sb.*: *it was ~ to them* de ville ikke have noget med det at gøre; det var dem en pestilens.

anatomical [ænə'tɔmik(ə)l] *adj.* anatomisk.

anatomist [ə'nætəmist] *sb.* anatom.

anatomize [ə'nætəmaiz] *vb.* (F, *fig.*) dissekere.

anatomy [ə'nætəmi] *sb.* **1.** anatomi; **2.** (*fig.*) indgående analyse, kortlægning; **3.** (*spøg.*) anatomi, legeme.

ANC *fork. f. African National Congress.*

ancestor ['ænsestə] *sb.* stamfader;
□ *-s* forfædre, aner.

ancestral [æn'sestr(ə)l] *adj.* fædrene; familie- (*fx estate*); ane- (*fx portrait*).

ancestry ['ænsəstri] *sb.* **1.** forfædre, aner; **2.** slægt, herkomst.

anchor¹ ['æŋkə] *sb.* **1.** anker; **2.** (*fig.*) (vigtigste) støtte; fast holdepunkt; hovedhjørnesten (*fx the treaty is the ~ of our foreign policy*); **3.** se *anchorman*;
□ *be/lay/ride at ~* ligge for anker; *drop (the) ~* kaste anker; ankre op; *weigh ~* lette anker.

anchor² ['æŋkə] *vb.* **1.** forankre; **2.** (*fig.*) fæstne, binde, befæste; **3.** (*program: i radio., tv; især am.*) være studievært for, præsentere; **4.** (*uden objekt, om skib*) ankre op.

anchorage ['æŋkəridʒ] *sb.* **1.** (*mar.*) ankerplads; **2.** (*fig.*) forankring.

anchorite ['æŋkərait] *sb.* eremit, eneboer.

anchorman ['æŋkəmæn] *sb.* (*pl. anchormen* [-men]) **1.** (*i sport*) ankermand; **2.** (*radio., tv: især am.*) studievært, programvært.

anchorwoman ['æŋkəwumən] *sb.* (*pl. -women* [-wimin]) se *anchorman 2.*

anchovy ['æntʃəvi, (*am.*) æn'tʃouvi] *sb.* (*zo.*) ansjos.

ancient ['einʃnt] *adj.* **1.** ældgammel; fra gammel tid (*fx an ~ tradition*); **2.** T ældgammel, oldnordisk;
□ *~ Greece//Rome* det gamle Grækenland//Rom; antikken; *the -s* de gamle [ɔ: *oldtidens mennesker el. forfattere*].

ancient history *sb.* oldtidens historie; oldtidshistorie;
□ *that is ~ now* (*fig.*) det er en gammel historie.

ancient lights *sb. pl.* (*jur.*) vinduesret.

ancient monument *sb.* fredet fortidsminde.

ancient world *sb.*: *the* ~ den antikke verden; antikken.

ancillary [æn'siləri, (*am.*) 'ænsəleri] *adj.* **1.** hjælpe- (*fx equipment, science*); støtte-; **2.** ekstra (*fx staff*); supplerende; **3.** underordnet (*fx role*); □ *be* ~ *to* supplere.

and [ən(d), (*betonet*) ænd] *konj.* og; samt; □ *there are books* ~ *books* bøger og bøger er to ting.

Andalusia [ændə'lu:ziə] (*geogr.*) Andalusien.

Andes ['ændi:z]: *the* ~ (*geogr.*) Andesbjergene.

Andrew ['ændru:] (*i biblen: apostel*) Andreas.

androgynous [æn'drɔdʒinəs] *adj.* **1.** androgyn [*uden udpræget mandligt el. kvindeligt præg*]; **2.** (*biol.*) hermafroditisk; tvekønnet.

androgyny [æn'drɔdʒəni] *sb.* (jf. *androgynous 1*) androgyni.

android ['ændrɔid] *sb.* (*i science fiction*) androide [*menneskeligende robot*].

Andy ['ændi] [*forkortet form af Andrew*].

Andy Capp [ændi 'kæp] (*tegneseriefigur*) Kasket Karl.

anecdotal [ænik'dəut(ə)l] *adj.* **1.** anekdotisk (*fx style*); **2.** ikke-systematisk (*fx evidence; report*).

anecdote ['ænikdəut] *sb.* anekdote.

anemia *sb.*, **anemic** *adj.* (*især am.*) = *anaemia, anaemic.*

anemone [ə'neməni] *sb.* (*bot.*) anemone.

anesthesia (*etc.*) se *anaesthesia* (*etc*).

anew [ə'nju:] *adv.* F på ny.

angel ['eindʒ(ə)l] *sb.* **1.** engel; **2.** (T: *især teat.*) financier; □ *be on the side of the -s* være på den rigtige side; gøre det rigtige; *-s on horseback* [*ristet brød med østers svøbt i bacon*].

angel dust *sb.* phencyclidin [*narkotisk middel*].

angelfish ['eindʒ(ə)lfiʃ] *sb.* (*zo.*) havengel.

angelic [æn'dʒelik] *adj.* **1.** engle- (*fx choir*); **2.** (*fig.*) englelig; englelagtig.

angelica [æn'dʒelikə] *sb.* **1.** (*bot.*) kvan; angelik; **2.** kandiseret angelikstængel.

anger ['æŋgə] *sb.* vrede.

anger ['æŋgə] *vb.* gøre vred, ophidse.

angina pectoris [ændʒainə 'pektəris] *sb.* (*med.*) angina pectoris, hjertekrampe.

angle ['æŋgl] *sb.* **1.** vinkel; **2.** (*fig.*) vinkel, synsvinkel; □ *at an* ~ skævt, skråt; *at an* ~ *of 30 degrees* i en vinkel på 35 grader; (se også *right angle*).

angle ['æŋgl] *vb.* **1.** stille skråt; hælde; **2.** (*fig.*) give en bestemt drejning; vinkle, dreje (*fx news*); □ *-d at* (*om tekst, blad*) beregnet på; ~ *for* (*fig., neds.*) fiske efter, angle efter.

angle bracket *sb.* trekantet parentes; vinkelparentes.

angle iron *sb.* vinkeljern.

anglepoise® ['æŋglpɔiz] *sb.* arkitektlampe.

angler ['æŋglə] *sb.* **1.** fisker [*som fisker med snøre*]; lystfisker; **2.** se *anglerfish.*

anglerfish ['æŋgləfiʃ] *sb.* (*zo.*) havtaske, bredflab.

Anglican ['æŋglikən] *sb.* (*rel.*) anglikaner [*medlem af den engelske statskirke*].

Anglican ['æŋglikən] *adj.* (*rel.*) anglikansk.

Anglicanism ['æŋglikənizm] *sb.* (*rel.*) anglikanisme.

anglicism ['æŋglisizm] *sb.* (*sprogv.*) anglicisme, engelsk udtryk.

anglicize ['æŋglisaiz] *vb.* anglisere, gøre engelsk.

Anglo ['æŋglou] *sb.* [*amerikaner af engelsk//nordeuropæisk oprindelse*].

Anglo- ['æŋglə(u)] (*forstavelse*) engelsk- (*fx* ~*-Danish;* ~*-Irish*).

Anglo-Catholic [æŋglə(u)'kæθəlik] *sb.* anglokatolik [*som tilhører en højkirkelig retning i den engelske statskirke*].

Anglo-Catholic [æŋglə(u)'kæθəlik] *adj.* anglokatolsk.

anglophile ['æŋglə(u)fail] *sb.* anglofil, engelskvenlig person.

anglophile ['æŋglə(u)fail] *adj.* anglofil, engelskvenlig.

anglophone ['æŋglə(u)feun] *sb.* engelsktalende/engelsksproget person.

anglophone ['æŋglə(u)feun] *adj.* anglofon, engelsktalende, engelsksproget.

Anglo-Saxon [æŋglə(u)'sæks(ə)n] *sb.* **1.** angelsakser; **2.** (*sprogv.*) angelsaksisk, oldengelsk.

Anglo-Saxon ['æŋglə(u)'sæksn] *adj.* **1.** angelsaksisk; **2.** (*sprogv.*) angelsaksisk, oldengelsk.

angora [æŋ'gɔːrə] *sb.* **1.** angorauld; **2.** angoragarn; **3.** (*i sms.*) angora- (*fx cat; rabbit*).

angry ['æŋgri] *adj.* **1.** vred (*at, about over; with* på); **2.** (*om sår*) betændt; **3.** (*litt.*) truende (*fx clouds*).

angst [æŋgst, (*am.*) a:ŋ(k)st] *sb.* angst.

anguish ['æŋgwiʃ] *sb.* kval, pine, smerte; □ *in* ~ forpint; *be in* ~ (*også*) lide frygtelige kvaler.

anguished ['æŋgwiʃt] *adj.* forpint.

angular ['æŋgjulə] *adj.* **1.** kantet; med skarpe kanter; **2.** (*om person*) kantet; benet; knoklet.

angularity [æŋgju'lærəti] *sb.* kantethed.

animadversion [ænimæd'və:ʃn, (*am.*) -ʒn] *sb.* F kritik; dadel.

animal ['ænim(ə)l] *sb.* dyr.

animal ['ænim(ə)l] *adj.* **1.** dyre- (*fx psychology*); dyrisk (*fx food*); **2.** (*fra dyr*) animalsk (*fx oil; products*); **3.** (*som dyr*) instinktiv (*fx attraction*); primitiv (*fx needs*).

animal husbandry *sb.* husdyrbrug.

animal kingdom *sb.*: *the* ~ dyreriget.

animal magnetism *sb.* **1.** elementær tiltrækningskraft [*på det modsatte køn*]; **2.** (*glds.*) dyrisk magnetisme.

animal spirits *sb. pl.* livsglæde.

animate ['ænimət] *adj.* levende.

animate ['ænimeit] *vb.* (se også *animated*) sætte liv i; oplive; gøre levende.

animated ['ænimeitid] *adj.* livlig, animeret, ivrig (*fx discussion*); levende.

animated cartoon *sb.* tegnefilm.

animated film *sb.* trickfilm; dukkefilm; tegnefilm.

animation [æni'meiʃn] *sb.* **1.** livlighed; liv; **2.** (*proces*) animering, animation; **3.** = *animated film*; □ *with* ~ livligt, engageret.

animator ['ænimeitə] *sb.* fremstiller af trickfilm//dukkefilm; tegnefilmskaber.

animism ['ænimizm] *sb.* (*rel.*) animisme, åndetro.

animosity [æni'mɔsəti] *sb.* fjendskab; had.

animus ['æniməs] *sb.* **1.** uvilje; animositet; **2.** (*jur.*) motiv.

anise ['ænis] *sb.* (*bot.*) anis.

aniseed ['ænisi:d] *sb.* anisfrø.

anisette [æni'zet] *sb.* anislikør.

ankle ['æŋkl] *sb.* ankel.

anklet ['æŋklət] *sb.* **1.** ankelring; **2.** (*am.*) ankelsok.

annals ['æn(ə)lz] *sb. pl.* F årbøger; annaler.

anneal [ə'ni:l] *vb.* udgløde; afhærde.

annex ['æneks] *sb.* (*am.*) = *annexe.*

annex [æ'neks] *vb.* **1.** vedføje; vedlægge; **2.** (*land*) annektere; indlemme (*to* i).

annexation [ænek'seiʃn] *sb.* indlemmelse, annektering, anneksion.

annexe ['æneks] *sb.* **1.** anneks, tilbygning; **2.** (*til skrivelse etc.*) bilag; **3.** (*til lov etc.*) tilføjelse; tillæg.

annihilate [ə'naiəleit] *vb.* **1.** tilintetgøre; **2.** (T: *besejre*) jorde.

annihilation [ənaiə'leiʃn] *sb.* tilintetgørelse.

anniversary [æni'vɔːsri] *sb.* **1.** årsdag; jubilæum; **2.** (*for bryllup*) bryllupsdag; **3.** (*fejring*) fest [*på årsdagen*];
□ *25th* ~ femogtyveårsjubilæum.

annotate ['ænəteit] *vb.* kommentere.

annotated ['ænəteitid] *adj.* kommenteret, annoteret (*fx bibliography; edition*); med noter.

annotation [ænə'teiʃn] *sb.* **1.** kommentering; **2.** note; kommentar.

announce [ə'nauns] *vb.* **1.** (*officielt*) bekendtgøre, meddele; F kundgøre, forkynde; (*i højttaler etc.*) meddele; **2.** (*i radio*) annoncere; være speaker, speake; **3.** (*gæst, tog etc.*) melde.

announcement [ə'naunsmənt] *sb.* (jf. *announce*) **1.** bekendtgørelse; meddelelse; F kundgørelse; forkyndelse; **2.** (*i radio*) annoncering; **3.** melding.

announcer [ə'naunsə] *sb.* (*radio.; tv*) speaker.

annoy [ə'nɔi] *vb.* **1.** irritere, ærgre; **2.** genere; plage; forulempe.

annoyance [ə'nɔiəns] *sb.* **1.** ærgrelse, irritation; **2.** plage; (*svagere*) irritationsmoment.

annoyed [ə'nɔid] *adj.* ærgerlig, irriteret (*at* over; *with* på); misfornøjet.

annual[1] ['ænjuəl] *sb.* **1.** årbog; årsskrift; **2.** (*bot.*) etårig plante.

annual[2] ['ænjuəl] *adj.* **1.** årlig (*fx sale; yield* udbytte); års- (*fx consumption* forbrug; *report* beretning; *subscription* kontingent); **2.** (*bot.*) etårig.

annual general meeting *sb.* ordinær generalforsamling.

annualized ['ænjuəlaizd] *adj.* på årsbasis.

annual report *sb.* årsberetning.

annual ring *sb.* årring.

annuity [ə'njuiti] *sb.* livrente; årsydelse.

annul [ə'nʌl] *vb.* ophæve, erklære ugyldig; annullere.

annulment [ə'nʌlmənt] *sb.* ophævelse; annullering.

Annunciation [ənʌnsi'eiʃn] *sb.: the* ~ Mariæ bebudelsesdag [*25. marts*].

annunciator [ə'nʌnsieitə] *sb.* nummertavle; signaltavle.

anode ['ænəud] *sb.* (*elek.*) anode, positiv pol.

anodyne[1] ['ænədain] *sb.* **1.** smertestillende middel; **2.** (*fig.*) lindring, trøst.

anodyne[2] ['ænədain] *adj.* (*neds.*) uskadelig, indholdsløs, søvndyssende.

anoint [ə'nɔint] *vb.* **1.** salve; **2.** (*fig.*) udpege, give sin velsignelse.

anomalous [ə'nɔmələs] *adj.* F afvigende, abnorm.

anomaly [ə'nɔməli] *sb.* F anomali, afvigelse.

anon [ə'nɔn] *adv.* (*glds.*) straks; snart;
□ *ever and* ~ hvert øjeblik.

anon. *fork. f. anonymous.*

anonymity [ænə'niməti] *sb.* anonymitet.

anonymous [ə'nɔniməs] *adj.* anonym.

anopheles [ə'nɔfəliːz] *sb.* (*pl. d.s.*) malariamyg.

anorak ['ænəræk] *sb.* **1.** anorak; **2.** T nørd; dødbider.

anoraky ['ænəræki] *adj.* T nørdet.

anorectic [ænə'rektik] = *anorexic.*

anorexia [ænə'reksiə] *sb.* (*med.*) anorexi, (nervøs) spisevægring.

anorexic[1] *sb.* anorektiker.

anorexic[2] *adj.* anorektisk, som lider af anorexi.

another [ə'nʌðə] *adj.* **1.** en anden, et andet; **2.** (*ekstra*) en ny, et nyt; en//et til; endnu en//et; **3.** (*som ligner*) en ny (*fx he is* ~ *Charles Darwino*); et nyt (*fx it could be* ~ *Vietnam*);
□ *one after* ~ den ene efter den anden; *you are* ~ det er du også; (*svar på skældsord*) det kan du selv være; *ask me* ~ T det aner jeg ikke; *many* ~ *battle* F mange flere slag; *one* ~ hinanden; *one ... or* ~ en eller anden ....

ansaphone® ['aːnsəfəun] *sb.* telefonsvarer.

anserine ['ænsərain] *adj.* gåseagtig.

answer[1] ['aːnsə] *sb.* **1.** svar (*to* på); **2.** (*til opgave*) besvarelse, løsning; (*til regneopgave*) facit; **3.** (*til problem*) løsning (*to* på, *fx the problem; there are no easy -s*);
□ *he knows all the -s* han kan det hele; *in* ~ *to* som svar på.

answer[2] ['aːnsə] *vb.* **1.** svare; **2.** (*brev, spørgsmål*) svare på, besvare; **3.** (*beskrivelse, forventning etc.*) svare til; **4.** (*formål*) passe for; passe til, egne sig til; **5.** (*tlf.*) tage (*fx the phone is ringing, will you* ~ *it, please?*);
□ ~ *an advertisement* svare/re-flektere på en annonce; ~ *the bell/door* lukke op; ~ *the helm* lystre roret; ~ *the telephone* tage telefonen;
[*med præp., adv.*] ~ *back* svare igen; ~ *for* **a.** (*penge*) stå til regnskab for; **b.** (*handling*) stå til ansvar/regnskab for (*fx one's foolish behaviour*); **c.** (*person*) svare for, indestå for; ~ *to* **a.** (*person*) stå til regnskab for (*fx I don't have to* ~ *to anyone*); **b.** (*ting*) reagere på, lystre (*fx the rudder*); ~ *to the description* svare til beskrivelsen; ~ *to the name of* lyde navnet.

answerable ['aːns(ə)rəbl] *adj.* ansvarlig (*for* for; *to* over for).

answering machine *sb.* telefonsvarer.

answerphone ['aːnsəfəun] *sb.* telefonsvarer.

ant [ænt] *sb.* myre;
□ *have -s in one's pants* være nervøs//utålmodig; sidde som på nåle.

antacid [ænt'æsid] *adj.* syreneutraliserende;
□ ~ *tablet* tablet mod for meget mavesyre.

antagonism [æn'tægənizm] *sb.* modsætningsforhold, fjendskab (*between* mellem); fjendtlig indstilling (*to, towards* over for).

antagonist [æn'tægənist] *sb.* modstander.

antagonistic [æntægə'nistik] *adj.* fjendtlig indstillet (*to, towards* over for).

antagonize [æn'tægənaiz] *vb.* **1.** støde fra sig; gøre fjendtligt indstillet; **2.** (*am.*) modarbejde; modvirke.

Antarctic [ænt'aːktik]: *the* ~ Antarktis, sydpolarområdet.

antarctic [ænt'aːktik] *adj.* antarktisk; sydpolar; sydpols-.

Antarctic Circle *sb.: the* ~ den sydlige polarkreds.

ante[1] ['ænti] *sb.* (*i kortspil*) indsats, indskud;
□ *raise/up the* ~ **a.** forhøje indsatsen; **b.** (*fig.*) sætte prisen op.

ante[2] ['ænti] *vb.: ~ up* (*am.*) betale, punge ud med, bidrage med.

anteater ['ænti:tə] *sb.* (*zo.*) myresluger;
□ *lesser* ~ tamandua.

antebellum [ænti'beləm] *adj.* (*am.*) fra før borgerkrigen [*1861-65*].

antecedent[1] [ænti'si:d(ə)nt] *sb.* F **1.** (*om person el. ting*) forgænger; forløber; **2.** (*gram.*) korrelat [*det hvortil et pronomen henviser*];
□ *-s* forfædre, aner.

antecedent[2] [ænti'si:d(ə)nt] *adj.* F forudgående; tidligere (*to* end).

antechamber ['æntitʃeimbə] *sb.* forværelse.

antedate [ænti'deit] *vb.* **1.** gå forud for; foregribe; **2.** antedatere, tilbagedatere.

antediluvian [æntidi'lu:viən] *adj.* **1.** antediluviansk, fra før syndfloden; **2.** (*spøg.*) oldnordisk; antikveret.

antelope ['æntiləup] *sb.* (*zo.*) antilope.

antenatal[1] [ænti'neit(ə)l] *sb.* T graviditetsundersøgelse.

antenatal[2] ['æntineit(ə)l] *adj.* som ligger forud for fødselen.

antenatal classes *sb. pl.* fødselsforberedelseskursus.

antenatal clinic *sb.* svangreambulatorium.

antenna [æn'tenə] *sb.* (*pl.* *-e* [-ni:]) **1.** (*zo.*) følehorn; **2.** (*am., radio.*) antenne;
□ *-e* (*fig.*) antenner; (fingerspids)fornemmelse.

antepenultimate [æntipi'nʌltimət] *adj.* F tredjesidste.

anterior [æn'tiəriə] *adj.* **1.** (*anat.*) foran liggende, forrest; **2.** (F: *om tid*) foregående; tidligere (*to* end).

anteroom ['æntirum] *sb.* **1.** forværelse; F forgemak; **2.** (*mil.*) [*dagligstue i officersmesse*].

anthem ['ænθəm] *sb.* **1.** slagsang; **2.** (*højtidelig*) hymne; (se også *national anthem*); **3.** (*rel.*) kirkesang, korsang.

anther ['ænθə] *sb.* (*bot.*) støvknap.

anthill ['ænthil] *sb.* myretue.

anthologize [æn'θɒlədʒaiz] *vb.* medtage i en antologi.

anthology [æn'θɒlədʒi] *sb.* antologi.

anthracite ['ænθrəsait] *sb.* antracit [*særlig ren slags kul*].

anthrax ['ænθræks] *sb.* (*vet.*) miltbrand.

anthropoid[1] ['ænθrəpɔid] *sb.* menneskeabe.

anthropoid[2] ['ænθrəpɔid] *adj.* **1.** menneskelignende; **2.** abeagtig.

anthropological [ænθrəpə'lɒdʒik(ə)l] *adj.* antropologisk.

anthropologist [ænθrə'pɒlədʒist] *sb.* antropolog.

anthropology [ænθrə'pɒlədʒi] *sb.* antropologi.

anthropomorphic [ænθrəpə'mɔ:fik] *adj.* antropomorfistisk [ɔ: *som tillægger dyr etc. menneskelige egenskaber*].

anthropomorphism [ænθrəpə'mɔ:fizm] *sb.* antropomorfisme [ɔ: *det at tillægge dyr etc. menneskelige egenskaber*].

antiabortionist [æntiə'bɔ:ʃ(ə)nist] *sb.* abortmodstander.

antiaircraft [ænti'ɛəkra:ft] *adj.* luftværns- (*fx battery; fire; gun; missile*).

antiballistic [æntibə'listik] *adj.*: ~ *missile* antiraket-raket.

antibiotic [æntibai'ɔtik] *sb.* antibiotikum [*bakteriedræbende middel*].

antibody ['æntibɒdi] *sb.* (*med.*) antistof.

Antichrist ['æntikraist] *sb.* Antikrist.

anticipate [æn'tisipeit] *vb.* (se også *anticipated*) **1.** (*før det sker*) forudse, forvente, imødese, regne med (*fx difficulties; a lot of visitors*); **2.** (*før det bliver udtalt*) foregribe (*fx his wishes; a theory*); komme i forkøbet; (forudse og) imødegå (*fx an argument*); **3.** (*person komme i forkøbet* (*fx one's opponent*); **4.** (F: *før man har det*) bruge på forskud (*fx an inheritance*); tage forskud på.

anticipated [æn'tisipeitid] *adj.* forventet;
□ *the eagerly ~ event* den med spænding imødesete begivenhed; *long ~* længe ventet.

anticipation [æntisi'peiʃn] *sb.* **1.** forventning; **2.** foregribelse;
□ *in ~* på forhånd; *in eager ~* i spændt forventning; *in ~ of* i forventning om.

anticipatory [æntisi'peit(ə)ri] *adj.* F **1.** forhånds-; **2.** forventningsfuld.

anticlimactic [æntklai'mæktik] *adj.* der virker som et antiklimaks.

anticlimax [ænti'klaimæks] *sb.* antiklimaks.

anticlockwise [ænti'klɔkwaiz] *adv.* mod uret [ɔ: *mod urviserens bevægelsesretning*].

anticoagulant [æntikəu'ægjulənt] *sb.* middel som forhindrer koagulering; blodfortyndende middel.

antics ['æntiks] *sb. pl.* tossestreger, narrestreger; krumspring.

anticyclone [ænti'saiklɔun] *sb.* (*meteor.*) anticyklon, højtryk.

antidepressant [æntidi'pres(ə)nt] *sb.* antidepressivt middel.

antidim [ænti'dim] *adj.* antidug-.

antidote ['æntidəut] *sb.* modgift;
□ *an ~ to* et middel mod.

antifreeze ['æntifri:z] *sb.* frostvæske, kølervæske.

antigen ['æntidʒən, -dʒen] *sb.* antigen [*stof der producerer antistoffer*].

antihistamine [ænti'histəmin] *sb.* antihistamin.

antiknock [ænti'nɔk] *sb.* [*middel der modvirker bankning i motor*].

Antilles [æn'tili:z] *pl.*: the ~ (*geogr.*) Antillerne.

antilock [ænti'lɔk] *adj.* blokeringsfri.

antimatter ['æntimætə] *sb.* (*fys.*) antistof.

antimony ['æntiməni] *sb.* (*kem.*) antimon.

antipathetic [æntipə'θetik] *adj.* antipatisk, fjendtligt indstillet.

antipathy [æn'tipəθi] *sb.* antipati, modvilje.

antipersonnel [æntipə:s(ə)'nel] *adj.*: ~ *bomb* (*mil.*) sprængstykkebombe; ~ *mine* antipersonelmine.

Antipodean[1] [æntipə'di:ən] *sb.* antipode; person fra den anden side af jordkloden [*spøg. om australier el. newzealænder*].

Antipodean[2] [æntipə'di:ən] *adj.* som bor på den anden side af jordkloden; fra Australasien [*Australien og New Zealand*].

Antipodes [æn'tipədi:z] *sb. pl.*: the ~ antipoderne [*spøg. om Australien og New Zealand*].

antiquarian[1] [ænti'kwɛəriən] *sb.* oldgransker; antikvitetskyndig.

antiquarian[2] [ænti'kwɛəriən] *adj.* **1.** (*om bog*) antikvarisk (og sjælden); **2.** (*om person*) oldkyndig.

antiquarian bookseller *sb.* antikvarboghandler [*som handler med sjældne bøger*].

antiquary ['æntikwəri] se *antiquarian*[1].

antiquated ['æntikweitid] *adj.* antikveret, forældet.

antique[1] [æn'ti:k] *sb.* antikvitet.

antique[2] [æn'ti:k] *adj.* **1.** antik; **2.** gammeldags.

antiquity [æn'tikwəti] *sb.* **1.** høj alder; **2.** (*tidsperiode*) oldtiden, antikken;
□ *antiquities* oldsager; fortidsminder; *classical ~* den klassiske oldtid.

anti-Semite [ænti'si:mait, -'sem-] *sb.* antisemit.

anti-Semitic [æntisi'mitik] *adj.* antisemitisk.

anti-Semitism [ænti'semitizm] *sb.* antisemitisme.

antiseptic[1] [ænti'septik] *sb.* antiseptisk middel.

antiseptic[2] [ænti'septik] *adj.* **1.** antiseptisk, bakteriedræbende; **2.** (*fig.*) klinisk; karakterløs; kønsløs, fersk.

antisocial [ænti'səuʃ(ə)l] *adj.* asocial; samfundsfjendtlig.

antistatic [ænti'stætik] *adj.* antistatisk, som modvirker statisk elektricitet.

antitank [ænti'tæŋk] *adj.* (*mil.*) antitank-, panserværns-.

antithesis [æn'tiθəsis] *sb.* (*pl.* *-theses* [-θəsi:z]) modsætning (*of,* *to* til); antitese.

antithetical [ænti'θetik(ə)l] *adj.* modstridende, uforenelig; □ *be ~ to* stride imod, være uforenelig med.

antlers ['æntləz] *sb. pl.* gevir.

ant lion *sb.* (*zo.*) myreløve.

antonym ['æntənim] *sb.* antonym, ord med modsat betydning.

antsy ['æntsi] *adj.* (*am.* T) **1.** nervøs, urolig, rastløs; **2.** pirrelig, gnaven.

Antwerp ['æntwə:p] (*geogr.*) Antwerpen.

anus ['einəs] *sb.* anus; endetarmsåbning; (*hos fisk*) gat.

anvil ['ænvil] *sb.* ambolt.

anxiety [æŋ'zaiəti] *sb.* **1.** bekymring (*about* for, *fx the future*); ængstelse (*about* for); uro (*about* over); **2.** (*stærkt ønske*) iver (*for* efter; *to* efter at); **3.** (*psyk.*) angst.

anxious ['æŋ(k)ʃəs] *adj.* **1.** ængstelig, bekymret, urolig (*about* for); **2.** ivrig (*for* efter); □ ~ *to* **a.** ivrig efter at, opsat på at; **b.** spændt på at.

any[1] ['eni] *adj.* **1.** nogen//noget (som helst); **2.** (*en vilkårlig//et vilkårligt*) hvilken//hvilket som helst; enhver//ethvert; □ *responsible for ~ consequences* ansvarlig for eventuelle følger; (se også *old, time*[1]).

any[2] ['eni] *adv.*: ~ *longer* længere; ~ *more* mere; *not* ~ ikke spor (*fx he is not ~ the wiser; it is not ~ different*); *it did not snow ~ yesterday* (*især am.*) det sneede (slet) ikke i går.

anybody ['enibɔdi] *pron.* **1.** nogen; **2.** enhver (*fx ~ could do that*); hvem som helst; □ *not ~* ikke nogen; ingen.

anyhow ['enihow] *adv.* **1.** se *anyway*; **2.** på bedste beskub; skødesløst, tilfældigt (*fx the work was done ~*).

any one *adj.* en (hvilken som helst) enkelt.

anyone ['eniwʌn] *pron.* se *anybody*.

anything ['eniθiŋ] *pron.* **1.** noget; **2.** hvad som helst, alt (*fx ~ between 5 and 25*); □ *I wouldn't do it for ~* jeg ville ikke gøre det under nogen omstændigheder; *if ~* se *if*; *like ~* af al kraft; så det står efter (*fx work like ~*); *swear like ~* bande som en tyrk; *is she ~ like her mother?* ligner hun overhovedet/på nogen måde sin mor? *not ~* se *nothing*; (se også *but*[3]).

anyway ['eniwei] *adv.* **1.** i hvert fald (*fx he is honest, ~*); **2.** (*om*

modsætning) under alle omstændigheder; alligevel (*fx I know you don't like it, but you'll have to do it ~*); **3.** (*når man beder om nærmere forklaring*) egentlig (*fx what did he want, ~?*); **4.** (*indledende*) nå, men (*fx ~, you're not coming?*).

anyways ['eniweiz] *adv.* (*am.*) = *anyway*.

anywhere ['eniwɛə] *adv.* **1.** nogen steder; nogetsteds; **2.** hvor som helst; alle vegne, overalt; □ *not ~* se *nowhere*.

anywise ['eniwaiz] *adv.* (*am.*) overhovedet; på nogen måde.

AOB, a.o.b. [eiəu'bi:] *fork. f. any other business* (på dagsorden) eventuelt.

A-OK, A-okay [eiou'kei] *adj.* (*am.*) helt i orden; absolut o.k.

aorta [ei'ɔ:tə] *sb.* (*anat.*) aorta, den store pulsåre.

AP *fork. f. Associated Press.*

apace [ə'peis] *adv.* (*glds. el. litt.*) hurtigt, rask.

apart [ə'pa:t] *adv.* **1.** fra hinanden (*fx live//be far ~; keep them ~; with one's feet wide ~; three metres ~*); adskilt (*fx live ~*); **2.** (*om særtilfælde*) særlig, for sig selv (*fx they belong to a race ~; he is a case ~*); **3.** (*om undtagelse*) bortset fra (*fx these things ~, he has acquitted himself well*); □ ~ *from* **a.** et lille stykke fra (*fx he stood ~ from the others*); **b.** bortset fra; *he lives in a world ~* han lever i en helt anden verden; (se også *world*); *he stood ~ viewed* ~ betragtet hver for sig; (se også *come, fall*[2], *pole*[1], *stand*[2], *take*[2] (*etc.*)).

apartheid [ə'pa:theit, -hait] *sb.* (*hist.*) apartheid [*sydafrikansk racediskrimination*].

apartment [ə'pa:tmənt] *sb.* (*am.*) lejlighed; □ *-s a.* (*møbleret*) lejlighed; **b.** (*fornemme*) gemakker (*fx the Royal Apartments*).

apartment house *sb.* (*am.*) beboelsesejendom, boligblok.

apathetic [æpə'θetik] *adj.* apatisk, sløv, ligeglad.

apathy ['æpəθi] *sb.* apati, sløvhed, ligegladhed.

ape[1] [eip] *sb.* **1.** (*zo.*) (menneske)abe; **2.** (*fig.*) efteraber; □ *go ~* (*am.* S) gå amok, blive stiktosset; *go ~ over* blive vildt ophidset af.

ape[2] [eip] *vb.* efterabe.

APEC, Apec *fork. f. Asia Pacific Economic Cooperation.*

Apennines ['æpinainz] *sb. pl.: the* ~ (*geogr.*) Apenninerne.

aperitif [əperi'ti:f] *sb.* aperitif.

aperture ['æpətʃ(u)ə] *sb.* åbning; hul.

apex ['eipeks] *sb.* (*pl. -es/apices* ['eipisi:z]) **1.** top; **2.** (*geom.*) toppunkt.

Apex ticket *sb.* (*fork. f. advance purchase excursion*) rabatbillet [*som skal bestilles i forvejen*].

aphasia [æ'feiziə] *sb.* (*med.*) afasi.

aphasic [ə'feizik] *adj.* afatisk.

aphid ['eifid] *sb.* (*zo.*) bladlus.

aphorism ['æfərizm] *sb.* aforisme.

aphrodisiac[1] [æfrə'diziæk] *sb.* pirringsmiddel, elskovsmiddel.

aphrodisiac[2] [æfrə'diziæk] *adj.* seksuelt opstemmende.

apiary ['eipiəri] *sb.* bigård.

apiece [ə'pi:s] *adv.* **1.** pr. styk; **2.** til hver person, hver.

aplenty [ə'plenti] *adv.* (*litt.*) i mængde.

aplomb [ə'plɔm] *sb.* sikkerhed (i optræden); aplomb.

apocalypse [ə'pɔkəlips] *sb.* undergang; verdenskatastrofe; □ *the Apocalypse* (*i biblen*) Johannes' Åbenbaring.

apocalyptic [əpɔkə'liptik] *adj.* apokalyptisk; undergangs- (*fx vision*); som spår om katastrofe/undergang.

apocryphal [ə'pɔkrif(ə)l] *adj.* F **1.** apokryf; af tvivlsom oprindelse; opdigtet; **2.** (*om bibelsk skrift*) apokryf.

apogee ['æpədʒi:] *sb.* højdepunkt.

apolitical [æpə'litik(ə)l] *adj.* apolitisk; uinteresseret i politik; uden forbindelse med politik, upolitisk.

apologetic [əpɔlə'dʒetik] *adj.* undskyldende; □ *be ~ about* være fuld af undskyldninger over; være meget ked af.

apologia [æpə'ləudʒiə] *sb.* F apologi; forsvar; forsvarstale.

apologist [ə'pɔlədʒist] *sb.* **1.** forsvarer; **2.** (*for kristendommen*) apologet.

apologize [ə'pɔlədʒaiz] *vb.* sige undskyld; bede om undskyldning (*for* for).

apology [ə'pɔlədʒi] *sb.* **1.** undskyldning; **2.** = *apologia*; □ *an ~ for* noget der skulle//skal forestille (*fx an excuse; a tie* (slips)); *offer/make one's apologies* F undskylde sig, sige undskyld; *I make no apologies for* jeg føler ikke noget behov for at undskylde (*fx what I did*); *send one's apologies* sende afbud.

apoplectic [æpə'plektik] *adj.*

1. (*spøg.*) ustyrlig rasende;
2. (*med., især glds.*) apoplektisk.
apoplexy ['æpəpleksi] *sb.* **1.** F raseri; **2.** (*glds. med.*) apopleksi.
aport [ə'pɔːt] *adv.* (*mar.*) til//om bagbord.
apostasy [ə'pɔstəsi] *sb.* frafald.
apostate [ə'pɔsteit] *sb.* F apostat, frafalden.
apostle [ə'pɔsl] *sb.* apostel.
apostolic [æpə'stɔlik] *adj.* apostolisk, apostolsk.
apostrophe [ə'pɔstrəfi] *sb.* **1.** apostrof; **2.** (*i litteratur*) apostrofe, direkte henvendelse.
apothecary [ə'pɔθəkəri] *sb.* (*glds.*) apoteker.
apotheosis [əpɔθi'əusis] *sb.* (*pl. -oses* [-'əusi:z]) F **1.** højdepunkt (*fx the ~ of chivalry; it reached its ~*); **2.** (*af person*) ophøjelse, forherligelse;
□ *be the ~ of* (*også*) være idealet/ indbegrebet af.
appal [ə'pɔːl] *vb.* forfærde; (se også *appalled, appalling*).
Appalachian [æpə'leitʃn] *adj.: the ~ Mountains* (*geogr.*) Appalacherne.
appalled [ə'pɔːld] *adj.* forfærdet (*at over*).
appalling [ə'pɔːliŋ] *adj.* **1.** forfærdende; **2.** T rædselsfuld.
apparatus [æpə'reitəs] *sb.* **1.** apparatur, apparater; instrumenter, instrumentsamling; (*enkelt*) apparat; **2.** (*gymn.*) (gymnastik)redskab; **3.** (*pol.*) apparat (*fx the government's ~ of control*); organisation (*fx a bureaucratic ~*); **4.** (*fysiol., i sms*) -system, -organer (*fx breathing ~ åndedræts-; digestive ~ fordøjelses-*).
apparel [ə'pær(ə)l] *sb.* **1.** F beklædning (*fx sports ~*); klæder; **2.** (F: *fig.*) klædning; klædedragt; dragt; **3.** (*am.*) tøj (*fx children's ~*);
□ *wrap in the ~ of* (*fig.*) iklæde.
apparent [ə'pær(ə)nt] *adj.* **1.** (*især efter vb.*) åbenbar, tydelig (*fx it was ~ to all of them*); **2.** (*kun foran sb.: mods. reel*) tilsyneladende (*fx the ~ cause*);
□ *for no ~ reason* uden påviselig grund; *as is ~ from* som det fremgår af.
apparently [ə'pær(ə)ntli] *adv.* **1.** (ɔ: *det ser sådan ud*) tilsyneladende (*fx an ~ motiveless attack*); åbenbart; **2.** (ɔ: *det passer nok ikke*) åbenbart (*fx I thought they were married, but ~ they are not*);
□ *~, he has given up* (*jf. 1, også*) det ser ud til/lader til at han har opgivet.
apparition [æpə'riʃn] *sb.* F syn;

spøgelse, genfærd.
appeal[1] [ə'piːl] *sb.* **1.** appel (*for om, fx help; to til, fx his finer feelings*); (indtrængende) opfordring (*for til, fx unity; to til//om at, fx an ~ to the public to help the police*); bøn (*for om, fx help*); henvendelse; **2.** (*for at få penge til et godt formål*) indsamling; **3.** (*om virkning*) tiltrækning (*fx it has lost its ~*); **4.** (*jur.*) appel, anke;
□ *the film has a wide ~* (*jf. 3*) filmen henvender sig til et stort publikum; *launch an ~* (*jf. 2*) starte en indsamling; *lodge an ~ against* (*jf. 4*) appellere, anke (*fx the sentence; the conviction*); (se også *lie*[2] (*to*)).
appeal[2] [ə'piːl] *vb.* (se også *appealing*) **1.** appellere (*to til//om at, fx ~ to them to give information; ~ to his better nature; ~ to reason; for om, fx ~ to them for help*); bede (*for om, fx advice*); bønfalde (*for om, fx mercy*); **2.** (*am.*) = *~ against*;
□ *~ against a judgment* appellere en dom; *~ to* (*også*) **a.** henvise til, påberåbe sig; **b.** tiltale (*fx if the plan -s to you*); interessere (*fx the subject -s to me*); does *it ~ to you? (jf. b, også*) kan du lide det? synes du om det?; (se også *country*).
appealing [ə'piːliŋ] *adj.* **1.** tiltrækkende, indbydende; **2.** bønfaldende (*fx an ~ glance*).
appeals tribunal *sb.* ankenævn.
appear [ə'piə] *vb.* **1.** synes (at være) (*fx it -s unlikely; it is not as easy as it -s*); lader til at være (*fx she -s to be his sister*); forekomme (*fx he -s happy enough; it -s to me that he is right*); **2.** (*om noget man tilstræber*) virke (*fx he did his best to ~ calm*); fremstå som (*fx he is anxious to ~ a gentleman*); (*et sted*) vise sig, dukke op, møde op (*fx he didn't ~ till the next day*); **4.** (*jur.*) møde (*fx ~ in court; he -s for the defendant*); **5.** (*om skuespiller etc.*) optræde (*fx in a film// play*); (se også *television*); **6.** (*om ting*) dukke op (*fx a new problem -ed*); komme frem (*fx flowers that ~ in the spring*); vise sig (*fx when the first symptoms ~*); komme til syne, dukke frem (*fx the ship -ed on the horizon*); **7.** (*om bog*) udkomme; **8.** (*om oplysning*) stå (*fx his name -s in the list; the news -ed on the front page*);
□ *it -s from his letter that ... det fremgår af hans brev at ....*
appearance [ə'piər(ə)ns] *sb.* (*jf. appear*) **1.** udseende (*fx it changed*

the whole ~ of the room); **2.** (*især pl, se ndf.*) skin; **3.** tilstedekomst; opdukken; fremmøde; **4.** møde (*for retten*); **5.** optræden; **6.** tilsynekomst; opdukken; **7.** udgivelse; **8.** fremkomst (*fx the ~ of these allegations in the press*);
□ *in ~* af udseende; *make one's ~* træde ind; (lige) vise sig; komme til stede (for en kort bemærkning); *put in an ~* vise sig, komme til stede, møde op;
[*udtryk med pl.*] *-s are against him* han har skinnet imod sig; *-s are deceptive* skinnet bedrager; *by/to all -s* efter alt at dømme; *keep up -s* bevare skinnet; *for the sake of -s* for et syns skyld; *save -s* redde skinnet.
appease [ə'piːz] *vb.* F **1.** pacificere (*fx an angry man*); formilde; **2.** (*neds.*) give efter for (*fx the dictator*); tilfredsstille (*fx he only did it to ~ his critics*).
appeasement [ə'piːzmənt] *sb.* (se *appease*) F **1.** pacificering; formildelse; **2.** given efter; eftergivenhed; tilfredsstillelse;
□ *policy of ~* eftergivenhedspolitik.
appellate [ə'pelət] *adj.: ~ court* appeldomstol.
appellation [æpə'leiʃn] *sb.* F benævnelse.
append [ə'pend] *vb.* F tilføje; vedhæfte, vedlægge.
appendage [ə'pendidʒ] *sb.* F vedhæng; tilbehør.
appendectomy [æpən'dektəmi] *sb.* (*med.*) blindtarmsoperation, fjernelse af blindtarmen.
appendicitis [əpendə'saitis] *sb.* (*med.*) blindtarmsbetændelse.
appendix [ə'pendiks] *sb.* (*pl. appendices* [-disi:z]/-es) **1.** (*i bog*) appendiks, tillæg; **2.** (*anat.*) blindtarm.
appertain [æpə'tein] *vb.: ~ to* F **a.** høre (med) til; **b.** vedrøre.
appetite ['æpətait] *sb.* **1.** (*efter mad*) appetit; madlyst; **2.** (*efter andet*) begær, lyst (*fx sexual ~*);
□ *~ for* **a.** appetit på; **b.** begær efter; (se også *edge*[1]).
appetizer ['æpətaizə] *sb.* appetitvækker.
appetizing ['æpətaiziŋ] *adj.* **1.** (*om mad*) appetitvækkende; appetitlig; indbydende; **2.** (*fig.*) tillokkende (*fx it does not sound very ~*).
applaud [ə'plɔːd] *vb.* **1.** klappe, applaudere; **2.** (*med objekt*) klappe ad, applaudere; **3.** F rose, prise; billige (*fx their decision*).
applause [ə'plɔːz] *sb.* bifald, applaus.

45

apple ['æpl] *sb.* æble;
□ *the* ~ *of his eye* hans øjesten;
the ~ *of discord* stridens æble.
applecart ['æplka:t] *sb.*: *upset sby's*
~ spolere/vælte ens planer.
apple dumpling *sb.* indbagt æble.
apple fritters *sb. pl.* [æblesnitter
indbagt i pandekagedej].
applejack ['æpldʒæk] *sb.* (*især
am.*) æblebrændevin.
apple pie *sb.* æblepie;
□ *as American as* ~ traditionelt//
typisk amerikansk, ærkeameri-
kansk.
apple-pie [æpl'pai] *adj.* (*am.*) tra-
ditionelt//typisk amerikansk; ær-
keamerikansk.
apple-pie bed *sb.* seng der er låset
[ɔ: med lagen lagt dobbelt så man
ikke kan få benene strakt ud].
apple-pie order *sb.*: *in* ~ (*glds.*) i
mønstergyldig orden; i den skøn-
neste orden.
apple-polisher ['æplpɔliʃər] *sb.*
(*am.*) fedteprins; spytslikker,
fedterøv.
apple-polishing ['æplpɔliʃiŋ] *sb.*
(*am.*) fedteri; spytslikkeri.
apple sauce *sb.* **1.** æblemos;
2. (*am.*) vrøvl.
applet ['æplət] *sb.* (*it*) lille applika-
tion; siplet program.
appliance [ə'plaiəns] *sb.* **1.** indret-
ning, anordning; apparat (*fx elec-
tric -s*); maskine (*fx household -s*);
redskab; instrument (*fx surgical
-s*); **2.** (jf. *apply* 3) anvendelse,
brug.
applicable [ə'plikəbl, 'æp-] *adj.* an-
vendelig; relevant.
applicant ['æplikənt] *sb.* ansøger.
application [æpli'keiʃn] *sb.* **1.** an-
søgning (*for om; to* (+ *inf.*) om at);
henvendelse; **2.** (*af regel, bestem-
melse etc.*) anvendelse (*to* på); re-
levans (*to* for); **3.** (*af crem, farve,
på flade*) påføring; påsmøring;
4. (*mht. arbejde*) flid; **5.** (*edb*) se
application program;
□ *on* ~ *to* ved henvendelse til.
application form *sb.* **1.** ansøgnings-
blanket; **2.** indmeldelsesblanket.
application program *sb.* (*it*) appli-
kation, brugerprogram.
applied [ə'plaid] *adj.* anvendt (*fx
science*).
applied art *sb.* kunstindustri.
appliqué [ə'pli:kei, (*am.*) æplə'kei]
sb. applikation.
appliquéd [ə'pli:keid, (*am.*)
æplə'keid] *adj.* applikeret.
apply [ə'plai] *vb.* (se også *applied*)
1. ansøge (*for* om; *to a job; to* +
inf. om at, *fx* ~ *to join an organ-
ization*); henvende sig (*fx you
need not* ~); **2.** (*om regel, bestem-*

melse) gælde (*fx the rule does not*
~ *in this case*); **3.** (*med objekt: re-
gel, bestemmelse etc.*) bruge, an-
vende (*fx a principle; a rule*);
4. (*creme, farve etc., på en flade*)
påføre; påsmøre (*fx* ~ *the suntan
cream//the paint evenly*);
□ ~ *the brake* F bruge bremsen; ~
a dressing anlægge en forbinding;
~ *a match* sætte en tændstik til;
[*med: to*] ~ *to* a. ansøge (*for om,
fx* ~ *to the company for a job*);
henvende sig til (*for om, fx* ~ *to
them for help;* ~ *to the local au-
thority*); **b.** (*om regel, bestem-
melse*) passe på; gælde for (*fx
rules that* ~ *to vehicles*); **c.** (*med
objekt: regel, bestemmelse*) bruge/
anvende på (*fx you cannot* ~ *the
rule to this case*); **d.** (*benævnelse*)
bruge/anvende om; ~ *one's mind/
oneself to* arbejde flittigt med;
koncentrere sig om; lægge sig ef-
ter.
appoint [ə'pɔint] *vb.* (se også *ap-
pointed*) **1.** (*person*) ansætte (*to* i,
fx ~ *sby to a post*); udnævne (*as*
til); udnævne til (*fx he was -ed
ambassador*); **2.** (*jur.*) beskikke;
3. (*udvalg*) nedsætte (*fx a com-
mittee*); **4.** (F: *tidspunkt*) be-
stemme, fastsætte, aftale (*fx let us
~ a day to meet again*).
appointed [ə'pɔintid] *adj.* **1.** (*om
tid, sted*) aftalt, fastsat (*fx at the* ~
time); **2.** (*om hus, rum*) udstyret,
indrettet (*fx the kitchen was
beautifully* ~);
□ ~ *guardian* (*jur.*) beskikket
værge.
appointee [əpɔin'ti:] *sb.* F ansat (*fx
new -s*); udnævnt.
appointment [ə'pɔintmənt] *sb.*
1. ansættelse; udnævnelse (*as* til);
2. (*som man ansættes i/udnævnes
til*) stilling (*as* som, *fx he will take
up* (tiltræde) *his* ~ *as adviser to
the President*); **3.** (*jur.*) beskik-
kelse; **4.** (*af udvalg*) nedsættelse;
5. (F: *af tidspunkt*) bestemmelse;
fastsættelse; **6.** (*om at komme*) af-
tale (*with/to see* med); (*hos læge
etc.*) tid (*to see/with* hos, *fx I have
an* ~ *to see my doctor/with my
doctor at two o'clock*);
□ *-s* udstyr; *by* ~ efter aftale; *by* ~
to Her Majesty the Queen tobac-
conist etc. kgl. hofleverandør;
make an ~ **a.** (jf. *1*) foretage en
ansættelse//udnævnelse; **b.** (jf. *6*)
træffe en aftale (*with* med); få en
tid (*with* hos).
apportion [ə'pɔ:ʃn] *vb.* fordele (*fx
the money//blame among them*);
tildele;
□ ~ *blame to them* tillægge dem

noget af skylden.
apportionment [ə'pɔ:ʃnmənt] *sb.*
fordeling; tildeling; tillæggelse.
apposite ['æpəzit] *adj.* F passende
(*fx comparison*); vel anbragt (*fx
quotation*); træffende, rammende
(*fx remark*).
appraisal [ə'preiz(ə)l] *sb.* F vurde-
ring; taksering.
appraise [ə'preiz] *vb.* F vurdere;
taksere.
appraiser [ə'preizə] *sb.* vurderings-
mand; taksator.
appreciable [ə'pri:ʃəbl] *adj.* mærk-
bar, kendelig; betragtelig.
appreciate [ə'pri:ʃieit] *vb.* **1.** (forstå
at) værdsætte, have sans for (*fx
good food*); goutere; **2.** (*hjælp,
tjeneste etc.*) påskønne (*fx I* ~
your kindness); sætte pris på;
være taknemlig for; **3.** (*situation,
problem etc.*) indse, forstå (*fx the
difficulty of it; that it is difficult*);
have forståelse for; være på det
rene med; **4.** (*merk.*) stige i værdi.
appreciation [əpri:ʃi'eiʃn] *sb.* (jf.
appreciate) **1.** værdsættelse (*of af*);
forståelse (*of for, fx* ~ *of poetry;
musical* ~ musikforståelse); sans
(*of* for); **2.** påskønnelse (*of, for* af);
taknemlighed (*of, for* for); **3.** for-
ståelse (*of* for); **4.** (*merk.*) værdi-
stigning.
appreciative [ə'pri:ʃətiv] *adj.* aner-
kendende (*fx smile*); taknemlig (*fx
audience*);
□ *be* ~ *of* være taknemlig for, på-
skønne.
apprehend [æpri'hend] *vb.* F
1. (*mistænkt*) pågribe, arrestere;
2. (*med forstanden*) fatte, begribe.
apprehension [æpri'henʃn] *sb.* (jf.
apprehend) **1.** pågribelse, arresta-
tion; **2.** forståelse, opfattelse; op-
fattelsesevne; **3.** (*om følelse*) æng-
stelse;
□ *-s* bange anelser.
apprehensive [æpri'hensiv] *adj.*
bange, ængstelig (*about* for, med
hensyn til); bekymret (*about, for*
for, *fx his safety; the future*).
apprentice[1] [ə'prentis] *sb.* lærling;
elev.
apprentice[2] [ə'prentis] *vb.* sætte i
lære (*to* hos).
apprenticeship [ə'prentisʃip] *sb.*
1. lære; mesterlære; **2.** (*om tid*) læ-
retid;
□ *serve one's* ~ stå i lære; udstå
sin læretid.
apprise [ə'praiz] *vb.*: ~ *of* F under-
rette om.
appro *fork. f.* **1.** *approbation;*
2. *approval.*
□ *on* ~ **a.** på prøve; **b.** til gennem-
syn.

approach[1] [əˈprəutʃ] *sb.* **1.** komme (*fx the ~ of winter*); **2.** (*til et sted*) adgang, vej (*to til*); tilkørselsvej (*to til, fx a motorway*); tilkørsel (*to til*); **3.** (*over for opgave, problem*) metode, fremgangsmåde; indfaldsvinkel; **4.** (*flyv.*) indflyvning (*to til*);
□ -*es* **a.** adgangsveje; (*til by også*) indfaldsveje; **b.** (*til person*) tilnærmelser;
[*med: to*] ~ *to* **a.** se: *2, 4*; **b.** (*jf. 3*) måde at gribe an på (*fx his ~ to the problem*); **c.** (*mental*) stilling til, holdning til; *the closest/nearest ~ to* det nærmeste man kan komme (*fx an apology; the truth*); *make an ~ to* **a.** nærme sig; **b.** henvende sig til.

approach[2] [əˈprəutʃ] *vb.* (se også *approaching*) **1.** (*sted*) nærme sig (*fx the house; the highest level*); komme nærmere til; **2.** (*opgave, problem*) gribe an (*fx I do not know how to ~ the problem*); **3.** (*person: med anmodning*) henvende sig til (*for, about* angående; *fx ~ the bank for a loan*); **4.** (*uden objekt*) nærme sig (*fx we saw the train -ing*); komme/rykke nærmere (*fx Christmas was -ing*).

approachable [əˈprəutʃəbl] *adj.* **1.** (*om sted*) tilgængelig; **2.** (*om person*) elskværdig; omgængelig.

approaching [əˈprəutʃiŋ] *adj.* (*om begivenhed, tidspunkt*) forestående; (*glds.*) tilstundende.

approach road *sb.* indfaldsvej.

approbation [æprəˈbeiʃn] *sb.* F godkendelse; samtykke; billigelse.

appropriate[1] [əˈprəupriət] *adj.* passende; egnet; F behørig;
□ *be ~ to/for* passe (sig) for; egne sig for.

appropriate[2] [əˈprəuprieit] *vb.* F **1.** tilegne sig, tilvende sig, annektere (*fx land; property*); **2.** (*penge: om virksomhed*) reservere, hensætte; **3.** (*om myndighed*) bevilge.

appropriation [əprəupriˈeiʃn] *sb.* (jf. *appropriate*[2]) F **1.** tilegnelse, tilvenden sigapt, annektering, beslaglæggelse; **2.** henlæggelse; **3.** bevilling.

approval [əˈpruːv(ə)l] *sb.* **1.** billigelse, bifald; godkendelse, velsignelse (*fx he gave his ~*); **2.** (*officiel*) godkendelse;
□ *on ~* på prøve; til gennemsyn;
[*med vb.*] *give it one's seal/stamp of ~, put one's seal/stamp of ~ on it* give det et blåt stempel, blåstemple det, godkende det; *meet with ~* vinde bifald; *nod one's ~* nikke bifaldende.

approval rating *sb.* popularitetstal.

approve [əˈpruːv] *vb.* bifalde; godkende;
□ -*d by the authorities* godkendt af myndighederne; ~ *of* **a.** (*handling*) = ~; **b.** (*person*) synes om, kunne lide.

approved [əˈpruːvd] *adj.* **1.** almindelig anerkendt; **2.** officielt godkendt; statsanerkendt.

approved school *sb.* (*glds.*) ungdomshjem [*for ungdomskriminelle*].

approximate[1] [əˈprɔksimət] *adj.* omtrentlig.

approximate[2] [əˈprɔksimeit] *vb.* F nærme sig; komme nær til.

approximately [əˈprɔksimətli] *adv.* omtrent; tilnærmelsesvis.

approximation [əprɔksiˈmeiʃn] *sb.* tilnærmelse.

appurtenances [əˈpəːtinənsiz] *sb. pl.* **1.** (F *el. spøg.*) tilbehør, udstyr; **2.** (*jur.*) tilhørende rettigheder.

Apr. *fork. f. April.*

apres-ski[1] [æpreiˈskiː] *sb.* afterskiing [*aftenunderholdning på skisportsted*].

apres-ski[2] [æpreiˈskiː] *adj.* efter skiløb.

apricot [ˈeiprikɔt, (*am.*) ˈæprikɔt] *sb.* **1.** abrikos; **2.** (*om farve*) abrikosfarve; (*foran sb.*) abrikosfarvet.

April [ˈeipr(ə)l] *sb.* april.

April fool *sb.* aprilsnar.

April Fool's Day *sb.* **1.** april.

apron [ˈeiprən] *sb.* **1.** forklæde; **2.** (*skomagers*) skødeskind; **3.** (*på vogn*) forlæder; **4.** (*flyv.*) forplads [*foran hangarer*]; **5.** (*tekn.*) transportbånd; **6.** (*på bord, stol*) sarg; **7.** (*teat.*) forscene.

apron string *sb.* forklædebånd;
□ *be tied to her -s* (*fig.*) hænge i skørterne på hende; være domineret af hende.

apropos [æprəˈpəu] *adj.* tilpas; passende; belejlig;
□ ~ *of* apropos, angående; ~ *of nothing* umotiveret.

apse [æps] *sb.* (*arkit.*) apsis.

apt [æpt] *adj.* **1.** passende, velegnet; **2.** (*om person*) dygtig (*fx pupil*); **3.** (*om bemærkning, beskrivelse*) træffende, rammende;
□ *be ~ at + -ing* F være dygtig til at (*fx at programming*); *be ~ to* være tilbøjelig til at (*fx forget*); *he is ~ to come tonight* (*am.*) han kommer sandsynligvis i aften.

aptitude [ˈæptitjuːd] *sb.*: ~ *for sth* **a.** talent for noget, særlig evne til noget; **b.** anlæg for noget; ~ *for languages* sprognemme; *have an ~ for learning* være lærenem.

aptitude test *sb.* egnethedsprøve.

aquaculture [ˈækwəkʌltʃə] *sb.*

akvakultur [*opdræt af fisk og dyrkning af vandplanter*].

aqualung [ˈækwəlʌŋ] *sb.* [*iltapparat for undervandssvømmere*].

aquamarine [ækwəməˈriːn] *sb.* **1.** (*sten*) akvamarin; **2.** (*farve*) akvamarinblå.

aquaplane[1] [ˈækwəplein] *sb.* surfbræt [*trukket af speedbåd*].

aquaplane[2] [ˈækwəplein] *vb.* **1.** surfe [*efter speedbåd*]; **2.** (*om bil på våd vej*) miste kontakten med vejbanen.

aquaplaning [ˈækwəpleiniŋ] *sb.* (*om bil på våd vej*) akvaplaning.

aquarium [əˈkwɛəriəm] *sb.* (*pl. -s/ aquaria* [-iə]) akvarium.

Aquarius [əˈkwɛəriəs] *sb.* (*astr.*) Vandmanden.
□ *I am an ~* jeg er vandmand.

aquatic [əˈkwætik] *adj.* vand- (*fx plant*).

aqueduct [ˈækwidʌkt] *sb.* akvædukt, vandledning.

aqueous [ˈeikwiəs] *adj.* **1.** vandholdig; **2.** (*kem.*) vandig (*fx solution*).

aquiline [ˈækwilain] *adj.* ørne-.

Arab[1] [ˈærəb] *sb.* araber.

Arab[2] [ˈærəb] *adj.* arabisk (*fx countries*).

arabesque [ærəˈbesk] *sb.* arabesk.

Arabia [əˈreibiə] Arabien.

Arabian [əˈreibiən] *adj.* arabisk (*fx the ~ Desert; the ~ Peninsula*).

Arabian Nights *sb.* (*fortællinger*) Tusind og én Nat.

Arabic[1] [ˈærəbik] *sb.* (*sprog*) arabisk.

Arabic[2] [ˈærəbik] *adj.* arabisk (*fx letters*).

Arabic numeral *sb.* arabertal.

arable [ˈærəbl] *adj.* dyrkbar, dyrkelig (*fx land*).

arable crops *sb. pl.* korn og rodfrugter.

arable farming *sb.* agerbrug.

Aragon [ˈærəgən] (*geogr.*) Aragonien.

arbiter [ˈɑːbitə] *sb.* dommer (*fx moral ~*); opmand;
□ ~ *of fashion* modekonge; ~ *of taste* smagsdommer.

arbitrage [ˈɑːbitridʒ] *sb.* (*merk.*) arbitrageforretninger; valutahandel.

arbitrageur [ɑːbitrɑːˈʒəː] *sb.* **1.** arbitragør; valutahandler; **2.** spekulant.

arbitrary [ˈɑːbitrəri] *adj.* **1.** arbitrær, vilkårlig (*fx decision*); **2.** egenmægtig, enerådende (*fx ruler*).

arbitrate [ˈɑːbitreit] *vb.* **1.** mægle, dømme (*between* mellem); **2.** (*om sag*) (lade) afgøre ved voldgift (*fx a dispute*).

arbitration [ɑːbiˈtreiʃn] *sb.* voldgift.

arbitrator ['a:bitreitə] *sb.* voldgiftsmand, voldgiftsdommer; forligsmand.

arbor ['a:bə] *sb.* **1.** aksel; **2.** (*på drejebænk etc.*) dorn; **3.** (*am.*) = *arbour.*

arboreal [a:'bɔ:riəl] *adj.* som lever på/i træer; træ-.

arboretum [a:bə'ri:təm] *sb.* arboret, forstbotanisk have.

arbor vitae [a:bə'vaiti:] *sb.* (*bot.*) tuja.

arbour ['a:bə] *sb.* løvhytte; lysthus.

arc [a:k] *sb.* bue.

arcade [a:'keid] *sb.* **1.** arkade, buegang; **2.** (*med forretninger*) overdækket butiksgade; **3.** se *amusement arcade.*

arcade game *sb.* computerspil [*i spillehal*].

arcane [a:'kein] *adj.* F hemmelig; mystisk.

arch[1] [a:tʃ] *sb.* **1.** bue; hvælving; **2.** (*del af fod*) svang; (se også *fallen arches*).

arch[2] [a:tʃ] *adj.* drilsk, drillende, polisk; bedrevidende.

arch[3] [a:tʃ] *vb.* **1.** runde, krumme (*fx one's back*); **2.** hvælve sig (*fx the ceiling -ing overhead; the trees -ed over the river*); bue sig; □ *the cat -es its back* katten skyder ryg; ~ *one's eyebrows* hæve øjenbrynene.

arch- [a:tʃ] ærke- (*fx enemy; liar*).

archaean [a:'ki:ən] *adj.* (*geol.*) arkæisk.

archaean rock *sb.* (*geol.*) urfjeld.

archaeological [a:kiə'lɔdʒikl] *adj.* arkæologisk.

archaeologist [a:ki'ɔlədʒist] *sb.* arkæolog.

archaeology [a:ki'ɔlədʒi] *sb.* arkæologi.

archaic [a:'keiik] *adj.* gammeldags; forældet; (*især om stil*) arkaisk.

archaism ['a:keiizm] *sb.* arkaisme, gammeldags//forældet udtryk.

archangel ['a:keindʒ(ə)l] *sb.* ærkeengel; (se også *yellow archangel*).

archbishop ['a:tʃbiʃəp] *sb.* ærkebiskop.

archbishopric ['a:tʃbiʃəprik] *sb.* **1.** ærkebispedømme; **2.** ærkebispetid.

archdeacon ['a:tʃdi:k(ə)n] *sb.* [*gejstlig embedsmand, i rang nærmest under biskop*].

archdiocese [a:tʃ'daiəsis] *sb.* (*pl. -s* [-'daiəsi:z, -'daiəsisiz]) ærkebispedømme.

archduke ['a:tʃdju:k] *sb.* ærkehertug.

arched [a:tʃt] *adj.* buet.

archer ['a:tʃə] *sb.* bueskytte.

archery ['a:tʃəri] *sb.* bueskydning.

archetypal [a:ki'taip(ə)l] *adj.* arketypisk.

archetype ['a:kitaip] *sb.* **1.** grundtype, prototype; **2.** typisk eksempel (*of* på); **3.** (*psyk.*) arketype.

archetypical [a:ki'tipik(ə)l] *adj.* arketypisk.

archiepiscopal [a:kii'piskəp(ə)l] *adj.* ærkebispe-.

archipelago [a:ki'peləgəu] *sb.* **1.** øgruppe; **2.** øhav.

architect ['a:kitekt] *sb.* **1.** arkitekt; **2.** (*fig.*) skaber; □ *the ~ of* (*jf. 2, også*) ophavsmanden til; manden bag.

architectural [a:ki'tektʃ(ə)rəl] *adj.* arkitektonisk.

architecture ['a:kitektʃə] *sb.* **1.** arkitektur, bygningskunst; **2.** (*it*) arkitektur, opbygning.

archival [a:'kaiv(ə)l] *adj.* arkiv-.

archive[1] ['a:kaiv] *sb.* arkiv.

archive[2] ['a:kaiv] *vb.* arkivere.

archives ['a:kaivz] *sb. pl.* arkiv.

archivist ['a:kivist] *sb.* arkivar.

arch support *sb.* indlæg [*i sko*].

archway ['a:tʃwei] *sb.* **1.** porthvælving; **2.** buegang.

arc lamp *sb.* buelampe.

arc light *sb.* buelys.

Arctic ['a:ktik] *the ~* Arktis; de arktiske egne; nordpolsområdet.

arctic[1] ['arktik] *sb.* (*am.*) galochestøvle.

arctic[2] ['a:ktik] *adj.* arktisk; polar-; nordpols- (*fx expedition*).

Arctic Circle *sb.: the ~* den nordlige polarkreds.

arctic fox *sb.* (*zo.*) polarræv.

arctic hare *sb.* (*zo.*) polarhare.

Arctic Ocean *sb.: the ~* (*geogr.*) Ishavet.

arctic tern *sb.* (*zo.*) havterne.

Ardennes [a:'denz] *sb. pl.: the ~* Ardennerne.

ardent ['a:d(ə)nt] *adj.* **1.** glødende, begejstret (*fx supporter*); ivrig, passioneret (*fx sportsman* jæger; *theatregoer*); **2.** (*litt.*) brændende (*fx love*); lidenskabelig, fyrig (*fx lover*).

ardent spirits *sb. pl.* spirituosa.

ardour ['a:də] *sb.* varme; iver, glød, begejstring; fyrighed.

arduous ['a:djuəs] *adj.* besværlig, anstrengende, slidsom (*fx work*).

are [ə, (*betonet*) a:] *pl. & 2. pers. sg. præs. af* be[1].

area ['ɛəriə] *sb.* **1.** område; egn (*fx a mountainous ~*); (*på landet også*) distrikt (*fx a rural ~*); (*af by*) kvarter; **2.** (*mål*) areal (*fx an ~ of 500 square kilometres*); **3.** (*fig.*) område, felt (*fx that's not my ~*); **4.** (*arkit.: foran hus*) [*forsænket*

area code *sb.* (*tlf., am.*) områdenummer.

area manager *sb.* (*merk.*) områdechef.

area steps *sb. pl.* trappe ned til køkkenet.

areca ['ærikə] *sb.: ~ palm* (*bot.*) betel(nød)palme.

arena [ə'ri:nə] *sb.* (*også fig.*) arena.

argent ['a:dʒ(ə)nt] *adj.* (*her.*) sølv-; sølvhvid.

Argentina [a:dʒən'ti:nə] *sb.* Argentina.

Argentine[1] ['a:dʒ(ə)ntain] *sb.* argentiner; □ *the ~* Argentina.

Argentine[2] ['a:dʒ(ə)ntain] *adj.* argentinsk.

Argentinian [a:g(ə)n'tiniən] se *Argentine.*

Argie ['a:dʒi] (T: *især neds.*) = *Argentine.*

argot ['a:gəu] *sb.* argot; slang.

arguable ['a:gjuəbl] *adj.* **1.** rimelig, som kan forsvares (*fx an ~ theory*); **2.** F diskutabel, tvivlsom, som kan diskuteres (*fx there are some ~ points*); □ *it is ~ that* (*jf. 1*) det kan (med nogen ret) hævdes at; *it is ~ whether* (*jf. 2*) det er tvivlsomt om.

arguably ['a:gjuəbli] *adv.* muligvis; vel nok, velsagtens; □ *~, he is right* det kan (med nogen ret) hævdes at han har ret.

argue ['a:gju:] *vb.* **1.** drøfte, diskutere (*with* med; *about, over* om); **2.** (*heftigt*) skændes (*with* med; *about, over* om); **3.** (*i diskussion*) argumentere (*against* imod; *for, in favour of* for; *from* ud fra, *fx the text*); **4.** (F: *om ting, forhold*) vise, vidne om (*that* at, *fx the result -s that we should wait; this action -s great courage*); være tegn på (*that* at); □ *~ that* **a.** (*om person*) anføre at, hævde at, gøre gældende at (*fx he -d that it was impossible*); **b.** (*om ting, forhold*) se: 4; [*med præp.& adv.*] *~ him into doing it* få ham (overtalt) til at gøre det; *~ sth out* diskutere noget til bunds; *~ him out of it* få ham fra det; *don't ~ with me* lad være med at sige mig imod; *nobody would ~ with that* det kan der ikke være to meninger om.

argument ['a:gjumənt] *sb.* **1.** diskussion, drøftelse (*with* med; *about, over* om); **2.** (*heftig*) skænderi (*with* med; *about, over* om); strid; **3.** (*i diskussion etc.*) argument (*for/in favour of* for; *against* imod); begrundelse; **4.** (*til bog, stykke*) indholdsoversigt; resumé; **5.** (*mat.*; *it*) argument; □ *let us assume, for the sake of ~, that ...* lad os gøre det tankeeksperiment at ...; *accept it without ~* acceptere det uden videre.

argumentation [a:gjumen'teiʃn] *sb.* F bevisførelse; argumentation.

argumentative [a:gju'mentətiv] *adj.* (*neds.*) stridbar; kværulantisk.

argy-bargy [a:dʒi'ba:dʒi] *sb.* T (ævl og) kævl; skænderi, klammeri.

aria ['a:riə] *sb.* (*mus.*) arie.

arid ['ærid] *adj.* **1.** tør, udtørret; regnfattig; **2.** (*fig.*) kedsommelig; åndsforladt, åndløs; □ *~ years* (*fig.*) magre år.

aridity [æ'ridəti] *sb.* **1.** tørhed; **2.** åndsløshed.

Aries ['ɛəri:z] *sb.* (*astr.*) Vædderen; □ *I am an ~* jeg er vædder.

aright [ə'rait] *adv.* (*glds. el. litt.*) rigtigt, ret.

arise [ə'raiz] *vb.* (*arose, arisen*) **1.** dukke op, melde sig (*fx if the problem -s*); opstå (*fx if a new situation -s; new species arose*); fremkomme; **2.** (*om person, glds. el. litt.*) stå 'op; rejse sig; □ *~ from* **a.** komme af, være et resultat af (*fx the problem arose from poor communication*); **b.** stige op af (*fx strange smells arose from the pond*); **c.** (F: *om person*) rejse sig fra (*fx a chair*); **d.** (F: *om noget højt*) rejse/hæve sig fra.

arisen [ə'riz(ə)n] *præt. ptc. af arise.*

aristocracy [æri'stɔkrəsi] *sb.* aristokrati.

aristocrat ['æristəkræt, (*am.*) ə'ris-] *sb.* aristokrat.

aristocratic [æristə'krætik] *adj.* aristokratisk.

arithmetic[1] [ə'riθmətik] *sb.* regning; □ *the ~* **a.** udregningen (*fx do the ~; there is something wrong with the ~*); **b.** tallene (*fx the budgetary ~*); **c.** forholdene (*fx the ~ of power in the Middle East*).

arithmetic[2] [æriθ'metik] *adj.* = *arithmetical.*

arithmetical [æriθ'metikl] *adj.* regne- (*fx problem* stykke); aritmetisk.

arithmetic progression *sb.* differensrække (*fx 1, 3, 5, 7*).

Ariz. *fork. f. Arizona.*

Arizona [æri'zəunə].

ark [a:k] *sb.* (*Noahs, pagtens*) ark; □ *it has come out of the ~, it went out with the ~* T det er forhistorisk.

Ark. *fork. f. Arkansas.*

Arkansas ['a:kənsɔ:, a:'kænsəs].

arm[1] [a:m] *sb.* (se også *arms*) **1.** (*anat.*) arm; **2.** (*på tøj*) ærme; **3.** (*på stol*) armlæn; **4.** (*af land*) tange; **5.** (*af hav*) gren, bugt; (*af flod*) arm; **6.** (*af organisation*) afdeling; **7.** (*mil.*) våbenart, våben; **8.** (*her.*) våbenskjold, våben; våbenmærke; □ *as long as one's ~* (*fig.*) kilometerlang; så lang som et ondt år; (se også *arm's length*); *child/infant in -s* spædbarn; skødebarn; *when he was still a child//an infant in -s* før han havde lært at gå; *in the ~* se *shot[1]*; [*med vb.*] *chance one's ~* (*fig.*) løbe en stor risiko; *cost an ~ and a leg* se *cost[2]*; *put the ~ on* T lægge pres på; *take sby's ~* tage en under armen; *twist sby's ~* (*også fig.*) vride armen om på en.

arm[2] [a:m] *vb.* (se også *armed*) **1.** bevæbne; væbne; **2.** (*fig.*) udruste (*fx -ed with statistics*); forsyne; **3.** (*uden objekt*) gribe til våben; ruste sig.

armada [a:'ma:də] *sb.*: *the Spanish ~* (*hist.*) den spanske armada.

armadillo [a:mə'diləu] *sb.* (*zo.*) bæltedyr.

Armageddon [a:mə'ged(ə)n] *sb.* **1.** (*i biblen*) Harmagedon [*scenen for det sidste slag mellem Gud og de sataniske magter*]; **2.** (*fig.*) altødelæggende katastrofe; verdens undergang; ragnarok.

armament ['a:məmənt] *sb.* **1.** (*flys, skibs etc.*) bevæbning, udrustning, armering; **2.** (*lands*) krigsmagt, kampstyrke; **3.** (*krigsforberedelse*) oprustning; □ *-s* **a.** krigsudrustning; **b.** krigsmagt.

armaments industry *sb.* rustningsindustri.

armature ['a:mətjuə, -tʃə] *sb.* (*elek.*) anker [*i dynamo, til magnet*].

armband ['a:mbænd] *sb.* armbind; □ *-s* (*til svømning*) svømmevinger.

armchair ['a:mtʃɛə] *sb.* **1.** armstol; lænestol; **2.** (*i sms., fig.*) skrivebords- (*fx strategist; dramatist*); □ *~ politician* politisk kandestøber.

armed [a:md] *adj.* **1.** bevæbnet (*fx robber*); **2.** væbnet (*fx conflict; forces; neutrality; resistance*).

Armenia [a:'mi:niə] (*geogr.*) Armenien.

Armenian[1] [a:'mi:niən] *sb.* **1.** (*person*) armenier; **2.** (*sprog*) armensk.

Armenian[2] [a:'mi:niən] *adj.* armensk.

armful ['a:mf(u)l] *sb.* favnfuld.

armhole ['a:mhəul] *sb.* ærmegab.

armistice ['a:mistis] *sb.* våbenstilstand.

Armistice Day *sb.* [*årsdagen for våbenstilstanden 11. november 1918*].

armload ['a:mləud] *sb.* favnfuld.

armlock ['a:mlɔk] *sb.* **1.** føregreb; **2.** (*i brydning*) backhammer.

armour ['a:mə] *sb.* **1.** (*mar., mil., zo.*) panser; **2.** (*mil.: våbenart*) kampvogne; panserstyrker; **3.** (*elek.*) armering; **4.** (*hist.*) rustning.

armoured ['a:məd] *adj.* **1.** (*om køretøj, skib*) pansret; panser- (*fx train; vehicle*); **2.** (*mil.: om våbenart*) panser- (*fx division; troops*); **3.** (*elek. etc.*) armeret.

armoured personnel carrier *sb.* (*mil.*) pansret mandskabsvogn.

armourer ['a:m(ə)rə] *sb.* **1.** (*mil.*) bøssemager; våbenmekaniker; **2.** (*som fremstiller våben*) våbenfabrikant; **3.** (*hist.*) våbensmed.

armour-plated ['a:məpleitid] *adj.* pansret.

armoury ['a:məri] *sb.* **1.** (*beholdning*) arsenal; **2.** (*til opbevaring*) arsenal; tøjhus; **3.** (*am.: til fremstilling*) våbenfabrik; våbenværksted.

armpit ['a:mpit] *sb.* armhule.

armrest ['a:mrest] *sb.* armlæn.

arms [a:mz] *sb. pl.* våben (*fx carry ~; sell ~ to a country*); □ *reverse ~* (*mil.*) vende geværet med kolben skråt opad; *sling ~!* (*mil.*) gevær over skulder! *take up ~* gribe til våben; [*med præp.*] *in ~* væbnet; kampberedt; *a call to ~* se *call[1]*; *under ~* under våben; under fanerne; *up in ~* (*fig.*) **a.** kampberedt; i krigshumør; **b.** rasende; i harnisk; **c.** i oprør; oprørsk.

arm's length *sb.* armslængde; □ *hold the photo at ~* holde billedet ud fra sig i strakt arm; *keep him at ~* holde ham på tilbørlig afstand; holde ham tre skridt fra livet.

arm's-length ['a:mzleŋθ] *adj.* på afstand (*fx ~ negotiations*); armslængde-.

arms race *sb.* våbenkapløb, kaprustning.

arm twisting *sb.* armvridning.

arm wrestling *sb.* „lægge arm"; armbrydning.

army ['a:mi] *sb.* **1.** hær; armé; **2.** (*fig.*) hær; hærskare.

army chaplain *sb.* feltpræst.

aroma [ə'rəumə] *sb.* aroma, duft.

aromatherapy [ərəumə'θerəpi] *sb.* aromaterapi [ɔ: *behandling ved* hjælp af dufte].

aromatic [ærə'mætik] *adj.* aromatisk.

arose [ə'rəuz] *præt. af* arise.

around[1] [ə'raund] *adv.* **1.** rundt omkring (*fx sit ~ on the floor*); **2.** i nærheden (*fx couldn't see anyone ~*); **3.** (*om bevægelse*) rundt; omkring (*fx run ~; turn ~*); om; **4.** (*til et sted*) hen, over (*fx come ~ and see us*);
□ *all ~* hele vejen rundt; *be ~* være i nærheden; være til stede, være der; kunne fås; *he has been ~* han har været ude at se sig om; han har prøvet lidt af hvert; *he is the wisest man ~* han er den klogeste der findes; (se også *hang*[2], *move*[2] (*etc.*)).

around[2] [ə'raund] *præp.* **1.** omkring, rundt om (*fx run ~ the tower*); om (*fx ~ the waist*); **2.** (*inde i*) omkring i//på (*fx walk ~ the room//the castle*); **3.** (*ved omtrentlig angivelse*) i nærheden af; omkring (*fx five pounds; midnight*).

arousal [ə'rauz(ə)l] *sb.* **1.** opstemthed (*fx sexual ~*); ophidselse; **2.** vakthed, beredskab, parathedstilstand; (*psyk.*) arousal.

arouse [ə'rauz] *vb.* **1.** (*en sovende*) vække (*fx from sleep* af søvne); **2.** (*en følelse*) vække (*fx interest; sympathy*); fremkalde; **3.** (*seksuelt*) pirre, vække lyst hos;
□ *be -d* blive seksuelt opstemt.

arr *fork. f.* **1.** arrived; **2.** (*mus.*) arranged.

arraign [ə'rein] *vb.* **1.** (*jur.*) fremstille for retten [*og rejse sigtelse mod*]; **2.** (*litt.*) kræve til regnskab; fordømme.

arraignment [ə'reinmənt] *sb.* (*jur.*) fremstilling for retten; tiltalerejsning.

arrange [ə'rein(d)ʒ] *vb.* **1.** (*ting*) ordne (*fx the books on the shelves*); bringe i orden; arrangere (*fx flowers in a vase*); opstille (*fx chairs*); **2.** (*begivenhed*) arrangere, bringe i stand (*fx a trip to France; a meeting*); aftale, fastsætte, bestemme (*fx a meeting*); **3.** (*program etc.*) opstille, lægge (*fx a programme; a timetable*); **4.** (*mus.*) bearbejde, arrangere, udsætte (*for* for);
□ *I'll ~ to be there* jeg skal sørge for at være der;
[*med præp.*] *~ about* **a.** sørge for; **b.** træffe aftale om; *~ for* **a.** = *~ about*; **b.** se 4; *I'll ~ for the car to be there* jeg skal sørge for at vognen er der; *~ with sby about/for sth* træffe aftale med en om noget; aftale noget med en.

arrangement [ə'rein(d)ʒmənt] *sb.* **1.** ordning; arrangement; opstilling; (se også *flower arrangement*); **2.** aftale; overenskomst; **3.** (*om skyldner*) akkord (*fx make an ~ with one's creditors*); **4.** (*mus.*) bearbejdelse, udsættelse, arrangement; **5.** (*ting*) apparat; anordning;
□ *-s* foranstaltninger; forberedelser; *make -s* træffe aftale (*to* om at); *make -s for* gøre/træffe forberedelser til;
by ~ efter aftale (*with* med); *come to an ~* blive enige, nå til en overenskomst, indgå forlig (*over* om); *make an ~* træffe aftale (*to* om at).

arranger [ə'reindʒə] *sb.* **1.** ordner; arrangør; **2.** (*mus.*) bearbejder.

arrant ['ær(ə)nt] *adj.* ærke-; topmålt (*fx hypocrite*); notorisk;
□ *~ nonsense* noget forfærdeligt/elendigt sludder.

array [ə'rei] *sb.* **1.** (*imponerende*) række//opbud//samling (*fx of film stars*); (*af ting også*) (imponerende) opstilling/udstilling (*fx of food*); batteri (*fx of microphones*); **2.** (*af antenner, solfangere*) gruppe; (*af antenner også*) system; **3.** (*it*) sæt; **4.** (*mat.*) tabelopstilling; **5.** (*hist.*) orden; slagorden; **6.** (*poet.*) klædedragt; dragt;
□ *in fine ~* **a.** prægtigt klædt; **b.** (*fig.*) i fin stand.

arrayed [ə'reid] *adj.* F opstillet, grupperet, ordnet;
□ *be ~ against them* have samlet sig imod dem; stå over for dem i en samlet front; *~ in* klædt i (*fx silk*); iført, iklædt (*fx all one's finery*).

arrears [ə'riəz] *sb. pl.* restance;
□ *in ~* bagud (*fx he is in ~ with his work; paid in ~*); *~ of correspondence* ubesvarede breve; *~ of work* ugjort arbejde.

arrest[1] [ə'rest] *sb.* **1.** (*af person*) arrestation, anholdelse; **2.** (*af ejendele*) arrest; beslaglæggelse; **3.** F standsning (*fx ~ of emotional development*); (se også *cardiac arrest*);
□ *put under ~* arrestere; (se også *warrant*[1]).

arrest[2] [ə'rest] *vb.* **1.** (*person*) arrestere, anholde; **2.** (*ejendele*) beslaglægge; gøre arrest i; **3.** F standse (*fx inflation; a disease*);
□ *~ sby's attention* F tiltrække sig ens opmærksomhed; *suffering from -ed development* udviklingshæmmet.

arresting [ə'restiŋ] *adj.* fængslende; interessant.

arrest warrant *sb.* arrestordre.

arrival [ə'raiv(ə)l] *sb.* **1.** ankomst (*at, in* til, *fx at the hospital; in Denmark*); komme (*fx the ~ of the New Year*); **2.** (*i stilling*) tiltræden; **3.** (*om ting etc.*) indførelse (*fx the ~ of television*); **4.** (*om tidspunkt*) indtræffen, komme (*fx the ~ of spring*);
□ *the last ~* den sidste der kom, den sidst ankomne; *he was a late ~* han kom sent; *a new ~* **a.** (*jf. 1*) en nyankommen; **b.** (*jf. 2*) en nyansat.

arrive [ə'raiv] *vb.* **1.** ankomme, komme, indtræffe (*fx his wife -d the next day*); indfinde sig; **2.** (*om tidspunkt*) komme, indtræffe;
□ *he has -d* T han har fået succes; *~ at//in* ankomme til, komme til, nå til; *~ at a decision* komme frem til/nå til en afgørelse; *~ on the 4.30 (train)* komme med toget 4.30.

arriviste [æri'vi:st] *sb.* stræber; opkomling.

arrogance ['ærəgəns] *sb.* arrogance, overlegenhed; hovmod.

arrogant ['ærəgənt] *adj.* arrogant, overlegen; hovmodig.

arrogate ['ærəgeit] *vb.*: *~ to oneself* F tiltage sig (*fx a privilege; the right to decide*); tilrane sig, tilrive sig (*fx power*).

arrow ['ærəu] *sb.* pil; (se også *straight*[2]).

arrowhead ['ærəuhed] *sb.* pilespids.

arrowroot ['ærəuru:t] *sb.* salep.

arse[1] [a:s] *sb.* (*vulg.*) røv; (se også *ass*);
□ *my ~!* rend mig i røven! *~ over tit/tip* hovedkulds; med røven i vejret;
[*med vb.*] *cover one's ~* beskytte sig selv, sikre sig; *get off your ~!, get your ~ in gear!* se at få lettet røven! *kiss ~* være røvslikker; *kiss my ~!* op i røven! rend mig i røven! *he doesn't know his ~ from his elbow* han har ikke en skid forstand på noget; *lick sby's ~* slikke en i røven; *move/shift your ~!* skrub af! *sit on one's ~* sidde på sin flade røv [*og ikke bestille noget*]; *work one's ~ off* arbejde røven ud af bukserne.

arse[2] [a:s] *vb.*: *~ about* (*vulg.*) fjolle rundt; nosse rundt.

arsehole ['a:shəul] *sb.* (*vulg.*) røvhul.

arsenal ['a:s(ə)n(ə)l] *sb.* arsenal.

arsenic ['a:s(ə)nik] *sb.* **1.** (*gift*) arsenik; **2.** (*grundstof*) arsen.

arson ['a:s(ə)n] *sb.* brandstiftelse, ildspåsættelse.

arsonist ['a:s(ə)nist] *sb.* pyroman,

brandstifter.

art[1] [a:t] *sb.* (se også *arts*) **1.** kunst; **2.** kunstart; kunstform; **3.** kunstfærdighed;
□ *she has got cooking down to a fine* ~ hun har udviklet madlavning til en hel kunst; (se også *state*[1]).

art[2] [a:t] *vb.*: *thou* ~ (*glds.*) du er.

art director *sb.* (*film.*) scenograf.

artefact ['a:tifækt] *sb.* **1.** (*arkæol.*) artefakt; kulturgenstand; **2.** (*biol. etc.*) artefakt.

arterial [a:'tiəriəl] *adj.* arterie-.

arterial road *sb.* hovedvej; hovedfærdselsåre.

arteriosclerosis [a:tiəriəusklə'rəusis] *sb.* (*med.*) arteriosklerose, åreforkalkning.

artery ['a:təri] *sb.* **1.** (*anat.*) arterie, pulsåre; **2.** (*vej*) stor trafikåre, hovedfærdselsåre.

artful ['a:tf(u)l] *adj.* **1.** listig, snu, udspekuleret; **2.** F behændig, elegant, kunstfærdig.

artful dodger *sb.* [en der er god til at sno sig ud af en klemme; navn på en person i Dickens' Oliver Twist].

art house *sb.* [biograf der viser kunstneriske film].

arthritic[1] [a:'θritik] *sb.* gigtpatient.

arthritic[2] [a:'θritik] *adj.* (*med.*) **1.** artritis, som lider af artritis; **2.** artritisk; gigt- (*fx swelling knude*).

arthritis [a:'θraitis] *sb.* (*med.*) **1.** artritis, ledbetændelse; **2.** leddegigt.

artic [a:'tik] *fork. f. articulated lorry.*

artichoke ['a:titʃəuk] *sb.* (*bot.*) **1.** artiskok; **2.** jordskok [= *Jerusalem artichoke*].

article ['a:tikl] *sb.* **1.** (*i avis etc.*) artikel; **2.** (F: *ting*) genstand; **3.** (*merk.*) artikel, vare; (se også *genuine*); **4.** (*i dokument, kontrakt etc.*) artikel; punkt; paragraf; **5.** (*gram.*) artikel, kendeord;
□ *-s* (*også*) kontrakt; *be doing -s, be in -s* (*jur., omtr.*) arbejde som advokatfuldmægtig; *sign -s* (*mar.*) tage hyre;
[*med: of*] *-s of apprenticeship* lærebrev; lærekontrakt; *-s of association (of a company)* aktieselskabsvedtægter; ~ *of clothing* beklædningsgenstand; ~ *of faith* **a.** trosartikel, trossætning; **b.** (*fig.*) noget man tror fuldt og fast på.

articled ['a:tikld] *adj.* som står i lære (*to* hos).

articulacy [a:'tikjuləsi] *sb.* velformulerethed, veltalenhed.

articulate[1] [a:'tikjulət] *adj.* **1.** (*om person*) velformuleret, velartikule-

ret, veltalende; **2.** (*anat.; bot.*) med led, leddet, leddelt.

articulate[2] [a:'tikjuleit] *vb.* **1.** (*lyd, ord*) udtale (tydeligt); artikulere; **2.** (*tanke, følelse*) formulere; udtrykke; **3.** (*anat.*) forbinde med led, ledforbinde.

articulated [a:'tikjuleitid] *adj.* (*om køretøj*) led-; med anhænger.

articulated bus *sb.* ledbus.

articulated lorry *sb.* sættevogn [*med sættevognstraktor*]; sættevognstog.

articulation [a:tikju'leiʃn] *sb.* (jf. *articulate*[2]) **1.** tydelig udtale; (*fon.*) artikulation; **2.** formulering; **3.** (*anat.*) ledforbindelse; led.

artifact ['a:tifækt] *sb.* (*am.*) = *artefact.*

artifice ['a:tifis] *sb.* F kunstgreb; list, kneb.

artificer [a:'tifisə] *sb.* (*glds. mil.*) håndværker; våbenmekaniker.

artificial [a:ti'fiʃ(ə)l] *adj.* **1.** kunstig (*fx flower, intelligence; respiration* åndedræt); kunst- (*fx fibre; silk*); **2.** (*neds.*) kunstlet, påtaget (*fx smile*).

artificial insemination *sb.* kunstig sædoverføring, kunstig befrugtning, insemination.

artificial intelligence *sb.* kunstig intelligens.

artificiality [a:tifiʃi'æləti] *sb.* **1.** kunstighed; **2.** (*neds.*) kunstlethed, forlorenhed.

artillery [a:'tiləri] *sb.* (*mil.*) artilleri.

artilleryman [a:'tilərimæn] *sb.* (*pl.* -*men* [-men]) artillerist.

artisan [a:ti'zæn, 'a:ti-, (*am.*) 'a:tizn] *sb.* (*glds.*) håndværker.

artist ['a:tist] *sb.* kunstner.

artiste [a:'ti:st] *sb.* **1.** kunstner (*fx a cabaret* ~); **2.** (*i cirkus*) artist.

artistic [a:'tistik] *sb.* kunstnerisk; artistisk.

artistry ['a:tistri] *sb.* kunstnerisk dygtighed.

artless ['a:tləs] *adj.* **1.** ukunstlet, naturlig; **2.** troskyldig, naiv.

art paper *sb.* kunsttrykpapir.

arts [a:ts] *sb. pl.* **1.** kunstarter, kunstformer; kunster; **2.** (*om fag*) humanistiske fag;
□ *the* ~ **a.** (jf. *1*) kunsten (*fx more money is needed for the* ~); **b.** (jf. *2*) de humanistiske fag, humaniora; åndsvidenskaberne; ~ *and crafts* kunsthåndværk; design; *the* ~ *and sciences* kunst og videnskab; (se også *fine arts, visual arts*).

arts faculty *sb.* humanistisk fakultet.

artsy ['a:tsi] *adj.* = *arty.*

artsy-craftsy [a:tsi'kra:ftsi] *adj.* = *arty-crafty.*

artsy-fartsy [a:tsi'fa:tsi] *adj.* = *arty-farty.*

artwork ['a:twɔ:k] *sb.* illustrationsmateriale; illustrationer.

arty ['a:ti] *adj.* T (forskruet) kunstnerisk, kunst'nerisk; kunstlet, krukket.

arty-crafty [a:ti'kra:fti] *adj.* T **1.** interesseret i kunsthåndværk; **2.** (*om møbel etc.*) mere dekorativ end praktisk.

arty-farty [a:ti'fa:ti] *adj.* S forlorent-kunstnerisk; som gerne vil give sig ud for at være kunstnerisk interesseret.

arum ['ɛərəm] *sb.* (*bot.*) dansk ingefær, aronsstav.

arum lily *sb.* (*bot.*) kalla.

as [əz, (*betonet*) æz] *konj.* **1.** (*om måde*) ligesom; som (*fx do as I do*); **2.** (*ved sammenligning*) (lige)så; (se ndf.: *as ... as*); **3.** (*om tid*) imens, da (*fx we watched him as he came nearer*); idet (*fx I saw him as he entered*); efterhånden som (*fx as he gets older*); **4.** (*om grund*) da (*fx as it was getting late, we decided to go home*); **5.** (*om funktion*) som (*fx he acted as headmaster*); i egenskab af; **6.** (*om eksempel*) se *such* (*as*);
□ *as ... as* så ... som (*fx as cold as ice*); *as if, as though* som om; *it is not as if/as though* det er ikke fordi; *as if to* som for at; (se også *much*[2], *per, so, such, well*[4], *yet*); [*med vb.*] *old as I am* så gammel jeg er; skønt jeg er gammel; *as is* i den stand som den forefindes; *as it is* **a.** som forholdene er; **b.** allerede; i forvejen (*fx it is bad enough as it is*); *as it were* så at sige; *as it were to meet them* som for at møde dem; *as you were!* (*kommando*) om igen!
[*med præp.*] *as for* hvad angår; *as for me* for min part; hvad mig angår; *as from* fra ... at regne (*fx it began as from May 1.*); *as in* **a.** som (det der er) i (*fx a as in hat; Houston as in Texas*); **b.** det vil sige (*fx funny as in amusing*); *as of* July 1. (pr.) 1. juli; *as per* ifølge; i henhold til (*fx as per agreement* aftale; *instruction*); *as to* hvad angår; med hensyn til.

ASA *fork. f. American Standards Association.*

asafoetida [æsə'fetidə] *sb.* (*bot.*) dyvelsdræk.

asap, ASAP [eiesei'pi:, 'eisæp] *fork. f. as soon as possible.*

asbestos [æs'bestɔs, æz-] *sb.* asbest.

asbestosis [æsbes'təusis, æz-] *sb.*

(*med.*) asbestose.

ascend [ə'send] *vb.* **1.** gå/stige op ad (*fx the stairs; a ladder*); klatre op ad; **2.** (*om mål*) gå//stige//klatre op på; bestige (*fx a mountain; the throne*); **3.** (*uden objekt*) stige (op); hæve sig;
□ ~ *to* F **a.** stige op til (*fx the surface*); **b.** føre op til (*fx stairs -ing to the doors*); **c.** nå (*fx a top position*); **d.** hæve sig op til.

ascendancy [ə'send(ə)nsi] *sb.* F magt, herredømme;
□ *gain* ~ *over* få overtaget over; *be in the* ~ *over* have overtaget over.

ascendant[1] [ə'send(ə)nt] *sb.* (*i astrologi, genealogi*) ascendent;
□ *be in the* ~ **a.** være på vej op/frem/til magten; **b.** være ved magten.

ascendant[2] [ə'send(ə)nt] *adj.*
1. overlegen, dominerende; **2.** opstigende, opgående.

ascension [ə'senʃn] *sb.* **1.** opstigen; **2.** (*rel.*) himmelfart.

Ascension Day *sb.* Kristi Himmelfartsdag.

ascent [ə'sent] *sb.* **1.** bestigning (*fx of a mountain*); **2.** (*om bevægelse*) opstigning, opgang (*fx the slow* ~ *of the elevator*); **3.** (*fig.*) opstigen, opstigning (*fx his rapid* ~ *to power*); **4.** (*i terrænet*) skråning (*fx a steep* ~); stigning;
□ ~ *of sap* (*bot.*) saftstigning; ~ *to heaven* himmelfart.

ascertain [æsə'tein] *vb.* **1.** konstatere; forvisse sig om (*fx that it can be done*); **2.** skaffe sig at vide, få rede på (*fx whether a piece of news is true*).

ascetic[1] [ə'setik] *sb.* asket.

ascetic[2] [ə'setik] *adj.* asketisk.

asceticism [ə'setisizm] *sb.* askese.

ASCII ['æski] *fork. f.* (*it*) *American standard code for information interchange*.

ascorbic acid [əskɔ:bik'æsid] *sb.* ascorbinsyre.

Ascot ['æskət] *sb.* [*hestevæddeløb på Ascot Heath*].

ascot ['æskət] *sb.* (*am.*) (silke)halstørklæde.

ascribe [ə'skraib] *vb.*: ~ *to* F tilskrive, tillægge.

ASEAN, Asean ['æsiən] *fork. f. Association of South East Asian Nations.*

aseptic [æ'septik] *adj.* aseptisk, bakteriefri; (*også fig.*) steril.

asexual [æ'sekʃuəl] *adj.* kønsløs; ukønnet.

asexual reproduction *sb.* ukønnet formering.

ash[1] [æʃ] *sb.* (*bot.*) asketræ, ask.

ash[2] [æʃ] *sb.* aske (*fx volcanic* ~);

(se også *ashes*).

ashamed [ə'ʃeimd] *adj.* flov (*of over*); skamfuld;
□ *be* ~ (*også*) skamme sig (*of over*); *be* ~ *to* genere sig ved at; skamme sig over/ved at.

ash can *sb.* (*am.; glds.*) skraldespand.

ashen ['æʃn] *adj.* askegrå.

Ashes ['æʃiz] *sb. pl.: the* ~ [*sejr i kricketkamp mellem England og Australien*]; *bring back/recover the* ~ få revanche over Australien.

ashes ['æʃiz] *sb. pl.* aske;
□ ~ *to* ~, *dust to dust* af jord er du kommen, til jord skal du blive; (se også *sackcloth*).

ashlar ['æʃlə] *sb.* kvadersten.

ashore [ə'ʃɔ:] *adv.* i land;
□ *run* ~ løbe på grund; sætte på grund.

ashtray ['æʃtrei] *sb.* askebæger.

Ash Wednesday *sb.* askeonsdag.

Asia ['eiʃə, 'eiʒə] Asien.

Asia Minor Lilleasien.

Asian[1] ['eiʃn, 'eiʒn] *sb.* asiat.

Asian[2] ['eiʃn, 'eiʒn] *adj.* asiatisk.

Asiatic [eiʃi'ætik, eiʒi-] *adj.* (*glds.*) asiatisk.

aside[1] [ə'said] *sb.* **1.** sidebemærkning; **2.** digression; **3.** (*teat.*) afsides replik.

aside[2] [ə'said] *adv.* til side;
□ ~ *from* (*am.*) bortset fra; (se også *lay*[3], *leave*[2], *put, set, stand*[2]).

asinine ['æsinain] *adj.* æselagtig; dum, stupid.

ask [a:sk] *vb.* (se også *asking*)
1. spørge (*fx don't* ~); **2.** (*med objekt*) spørge (*fx* ~ *your father*); **3.** (*oplysning, tilladelse*) spørge om (*fx* ~ *permission;* ~ (*him*) *his name*); bede om (*fx permission*); **4.** (*pris, løn*) forlange (*fx* ~ £500 *for the book*); **5.** (*af person: forvente*) forlange, kræve (*fx* ~ *you* ~ *too much of him; that is -ing too much*); **6.** (*på besøg etc.*) invitere (*fx* ~ *him to dinner;* ~ *her out*); bede; indbyde;
□ ~ *a question* stille et spørgsmål; [*med pron.*] *don't* ~ *me* det må du ikke spørge 'mig om; *if you* ~ *me* T hvis du vil høre min mening; hvis du spørger mig; *I* ~ *you!* hvad 'mener du! hvad gi'r du mig!; (se også *another*);
[*med præp.& adv.*] ~ *after* spørge til (*fx sby's health*); ~ *around* se ndf.: ~ *round;* ~ *sby back* invitere en igen [*efter selv at være inviteret*]; ~ *for* **a.** bede om (*fx help*); **b.** (*person, sted*) spørge efter; (*i telefon*) bede om (at tale med); **c.** (*forvente*) forlange (*fx who*

could ~ *for more?*); *you have been -ing for it* du har selv været ude om det; den kunne du have undgået; (se også *moon*[1]); ~ *round* spørge sig for; forhøre sig (rundt omkring); ~ *sby round* T invitere en på besøg; ~ *to* bede om at (*fx he -ed to see the manager*); ~ *sby to* bede en om at (*fx* ~ *him to do it*).

askance [ə'skæns] *adv.: look* ~ *at* (*fig.*) nære mistillid til; se mistænksomt på; betragte med mistænksomme blikke.

askew [ə'skju:] *adv.* skævt; på skrå.

asking ['a:skiŋ] *sb.: get it for the* ~ få det uden videre; *that's* ~! det siger jeg ikke!

asking price *sb.* prisforlangende; prisidé.

aslant[1] [ə'sla:nt] *adv.* på skrå; på sned.

aslant[2] [ə'sla:nt] *præp.* skråt hen over.

asleep [ə'sli:p] *adj.: be* ~ *sove; fall* ~ falde i søvn; *be fast/sound* ~ sove dybt; *fall fast* ~ falde i en dyb søvn.

A/S level *fork. f. advanced supplementary level* [*højniveau ved GSE*].

ASM *fork. f.* **1.** (*mil.*) *Air-to-Surface Missile;* **2.** (*teat.*) *Assistant Stage Manager.*

asp [æsp] *sb.* (*zo.*) ægyptisk brilleslange.

asparagus [ə'spærəgəs] *sb.* (*bot.*) asparges.

aspect ['æspekt] *sb.* **1.** aspekt, side (*fx all -s of the problem*); **2.** (F: *om måde at se på*) synspunkt, synsvinkel (*fx consider it from every* ~); **3.** (F: *om person*) udseende (*fx of melancholy* ~; *of foreign* ~); fremtoning; **4.** (*astr.*) aspekt; **5.** (*gram.*) aspekt; **6.** (*om hus etc.*, F) beliggenhed;
□ *have a southern* ~ (*jf.* 6) vende mod syd.

aspen ['æsp(ə)n] *sb.* (*bot.*) asp; bævreasp.

asperity [ə'sperəti] *sb.* F barskhed; strenghed; skarphed.

aspersions [ə'spə:ʃnz, (*am.*) -ʒ(ə)nz] *sb. pl.: cast* ~ *on* tale nedsættende om, bagtale, bagvaske.

asphalt[1] ['æsfælt] *sb.* asfalt.

asphalt[2] ['æsfælt] *vb.* asfaltere.

asphyxiate [æs'fiksieit, əs-] *vb.* F kvæle.

asphyxiation [æsfiksi'eiʃn, əs-] *sb.* F kvælning; iltmangel.

aspic ['æspik] *sb.* aspic, kødgelé, sky.

aspirant [ə'spaiərənt, 'æspirənt] *sb.: an* ~ *to* F en der stræber/stiler efter (*fx honours; the presidency*).

aspiration [æspə'reiʃn] *sb.* aspiration; stræben, tragten.

aspirational [æspə'reiʃn(ə)l] *adj.* **1.** (*om person*) se *aspiring;* **2.** (*om vare*) som har snobværdi.

aspire [ə'spaiə] *vb.:* ~ *to* stræbe efter; tragte efter; (se også *aspiring*).

aspirin® ['æspərin] *sb.* aspirin.

aspiring [ə'spaiəriŋ] *adj.* fremadstræbende, opadstræbende; med aspirationer.

ass[1] [æs] *sb.* **1.** (*dyr*) æsel; **2.** (*person*) fjols, fæ, kvaj; **3.** (*am. vulg.: legemsdel*) røv (*fx a kick in the* ~); **4.** (*am. vulg.: sex*) fisse (*fx he was out looking for* ~);
□ *bust one's* ~ (*jf. 3*) slide sin røv i laser; *kick* ~ **a.** være stor i slaget; spille med musklerne; vise sin magt; **b.** have det skidesjovt; *kick sby's* ~ (*jf. 3*) **a.** sparke en i røven; **b.** (*fig.: besejre*) give én en røvfuld; *make an* ~ *of oneself* kvaje sig; *a piece of* ~ **a.** et pigebarn; et godt skår; **b.** et knald; (se også *arse*[1]*: cover//kiss//lick*).

ass[2] [æs] *vb.:* ~ *around* fjolle rundt.

assail [ə'seil] *vb.* **1.** angribe, overfalde, gå løs på; **2.** (*om larm, lugt*) ramme (med voldsom kraft), slå imod;
□ *be -ed by/with* **a.** blive bombarderet med (*fx letters; questions*); blive overøst med (*fx insults*); **b.** (*følelse*) blive grebet/naget af (*fx doubts*).

assailant [ə'seilənt] *sb.* angriber.

assassin [ə'sæsin] *sb.* morder, snigmorder; attentatmand.

assassinate [ə'sæsineit] *vb.* myrde, snigmyrde; begå attentat mod.

assassination [əsæsi'neiʃn] *sb.* mord, snigmord; attentat.

assault[1] [ə'sɔːlt] *sb.* **1.** overfald (*fx sexual -s on women*); (se også *indecent*); **2.** (*fig.*) voldsomt angreb (*against* på); **3.** (*mil.*) stormangreb; storm;
□ ~ *and battery* (*jur.*) voldeligt overfald; vold; *carry by* ~ tage med storm; *an* ~ *on* **a.** et angreb på; **b.** (*et onde*) et fremstød mod (*fx poverty; sexism*); **c.** (*en udfordring, opgave*) forsøg på at besejre/klare (*fx Mount Everest; a backlog of work*).

assault[2] [ə'sɔːlt] *vb.* **1.** overfalde, øve vold mod; voldtage; **2.** (*fig.*) angribe voldsomt; overfalde; **3.** (*mil.*) angribe; storme.

assault course *sb.* (*mil.*) kamptræningsbane.

assay[1] [ə'sei] *sb.* **1.** analyse, prøve;

2. (*om metal*) finhedsanalyse, probering; **3.** (*kem.*) styrkebestemmelse; **4.** (*biol.*) koncentrationsbestemmelse.

assay[2] [ə'sei] *vb.* **1.** analysere, prøve; **2.** (*om metal, fx guld*) probere.

assayer [ə'seiə] *sb.* guardejn [*som kontrollerer ædle metallers lødighed*].

assemblage [ə'semblidʒ] *sb.* F **1.** samling; **2.** (*personer*) forsamling; **3.** (*af enkeltdele til maskine etc.*) samling, montering.

assemble [ə'sembl] *vb.* **1.** (*om personer*) samles, forsamle sig; **2.** (*med objekt*) samle; (*personer også*) sammenkalde; **3.** (*enkeltdele til maskine etc.*) samle, montere; **4.** (*it*) assemblere; oversætte.

assembler [ə'semblə] *sb.* **1.** (*person*) montør; **2.** (*it*) assembler; oversætter, oversættelsesprogram.

assembly [ə'sembli] *sb.* **1.** forsamling; **2.** samling; møde; **3.** (*i skole omtr.*) morgensang; **4.** (*om maskine etc.*) samling, montage; **5.** (*it*) assemblering; oversættelse; **6.** (*mil.*) samlingssignal;
□ *House of Assembly* lovgivende forsamling; andetkammer.

assembly area *sb.* (*mil.*) beredskabsområde.

assembly line *sb.* samlebånd.

assemblyman [ə'semblimən] *sb.* (*pl. -men* [-mən]) (*am.*) [*medlem af lovgivende forsamling i enkeltstat*].

assembly plant *sb.* samlefabrik.

assembly room *sb.* **1.** festsal; mødesal; **2.** (*tekn.*) samleværksted;
□ *-s* (*også*) selskabslokaler.

assembly shop *sb.* samleværksted.

assemblywoman [ə'sembliwumən] *sb.* (*pl. -women* [-wimin]) (*am.*) [*kvindeligt medlem af lovgivende forsamling i enkeltstat*].

assent[1] [ə'sent] *sb.* F samtykke; godkendelse, accept;
□ *by general* ~ efter alles mening; alle er enige om at ...; *a nod of* ~ et bifaldende nik; *give one's* ~ *to* se *assent*[2] (*to*); (se også *royal assent*).

assent[2] [ə'sent] *vb.* F samtykke;
□ ~ *to* samtykke i; gå ind på (*fx a proposal*); godkende, acceptere.

assert [ə'sɔːt] *vb.* **1.** F hævde, påstå; **2.** (*rettighed*) forfægte, forsvare; **3.** (*myndighed*) hævde (*fx one's authority*); udøve (*fx discipline*);
□ ~ *itself* gøre sig gældende; ~ *oneself* hævde sig, gøre sig gældende; være selvhævdende.

assertion [ə'sɔːʃn] *sb.* **1.** påstand (*that* om at); **2.** (*jf. assert 1*) hæv-

delse; **3.** (*jf. assert 2*) forfægtelse, forsvar; **4.** (*jf. assert 3*) hævdelse, udøvelse.

assertive [ə'sɔːtiv] *adj.* selvsikker; assertiv; kategorisk (*fx statement; tone*).

assertiveness [ə'sɔːtivnəs] *sb.* selvsikkerhed; assertion.

assertiveness training *sb.* assertionstræning.

assess [ə'ses] *vb.* **1.** vurdere (*fx the consequences; his ability*); **2.** (*i penge*) vurdere, taksere (*fx the damage*) (*at* til); **3.** (*skat etc.*) bestemme, fastsætte, ansætte (*at* til);
□ *be -ed at* blive beskattet med.

assessment *sb.* (*jf. assess*) **1.** vurdering; **2.** vurdering; værdiansættelse; taksering; **3.** fastsættelse; (*skatte*)ansættelse; ligning; **4.** (*beløb*) skat.

assessor [ə'sesə] *sb.* **1.** (*mht. skat*) ligningsmand; **2.** (*ved eksamen etc.*) bedømmer; **3.** (*assur.*) vurderingsmand; **4.** (*jur.*) sagkyndig bisidder/meddommer.

asset ['æset] *sb.* (*fig.*) aktiv; fordel;
□ *-s* **a.** aktiver, fordele; gode sider; **b.** (*merk.*) aktiver, værdier; *-s and liabilities* aktiver og passiver.

asset-stripper ['æsətstripə] *sb.* (*merk.*) selskabstømmer.

asset-stripping ['æsətstripiŋ] *sb.* (*merk.*) selskabstømning.

asseverate [æ'sevəreit] *vb.* forsikre højtideligt, bedyre.

asshole ['æshoul] *sb.* (*am. vulg.*) røvhul.

assiduity [æsi'djuiti] *sb.* (*jf. assiduous*) **1.** stadig flid; ihærdighed; **2.** omhu; samvittighedsfuldhed.

assiduous [ə'sidjuəs] *adj.* **1.** (*som bliver ved*) flittig; ihærdig; **2.** (*som passer på*) omhyggelig; samvittighedsfuld.

assign [ə'sain] *vb.* **1.** (*tid*) bestemme, fastsætte (*fx a day for the meeting*); **2.** (*tidsrum*) afsætte (*fx two hours for the job*); **3.** (*person*) udpege (*to* til//til at, *fx* ~ *him to the job;* ~ *them to do it*); **4.** (*til rådighed*) tildele (*fx we were each -ed an adviser; he was -ed a car for his personal use*); **5.** (*lektie etc.*) give 'for (*fx* ~ *them work to do at home*); **6.** (*forklaring*) angive (*fx a reason for the problem; a motive for the crime*);
□ ~ *to* **a.** se ovf.: *2;* **b.** tillægge (*fx a value to each letter; the importance -ed to it*); **c.** (*opgave, hverv*) tildele; overdrage; pålægge; **d.** (*mil.*) underlægge; ~ *the task to him* (*også*) sætte 'ham på opgaven; *be -ed to* (*om person, mil. etc.*) blive udkommanderet til;

blive beordret til tjeneste ved.
assignation [æsig'neiʃn] *sb.* aftale
om at mødes; stævnemøde.
assignment [ə'sainmənt] *sb.* (jf. *as-
sign*) **1.** bestemmelse, fastsættelse;
2. udpegning; **3.** overdragelse; an-
visning; tildeling; **4.** (*til at udføre*)
opgave; **5.** (*i skole*) lektie; **6.** (*af
fordring*) transport, overdragelse;
forskrivning (*fx of sby's salary*).
assimilate [ə'simileit] *vb.* **1.** optage
(i sig); **2.** (*kundskaber, færdighe-
der*) tilegne sig; **3.** (*uden objekt*)
assimilere sig (*into* med, *fx an-
other community*); **4.** (*am.*) blive
optaget i samfundet.
assimilation [əsimi'leiʃn] *sb.* opta-
gelse, assimilering.
assist[1] [ə'sist] *sb.* **1.** (*am.*) hjælp;
håndsrækning; **2.** (*i sport*) assist;
målgivende pasning/aflevering.
assist[2] [ə'sist] *vb.* F hjælpe; assi-
stere;
□ ~ *in* assistere ved; hjælpe til
med; ~ *sby in* + -*ing* hjælpe en
med at (*fx* ~ *the police in tracing
the culprit*); *he is -ing the police
in/with their inquiries* han tilba-
geholdes af politiet.
assistance [ə'sist(ə)ns] *sb.* hjælp;
bistand; assistance;
□ *lend* ~ yde hjælp; *be of* ~ være
til hjælp; *come to sby's* ~ komme
en til hjælp.
assistant[1] [ə'sist(ə)nt] *sb.* **1.** hjæl-
per; medhjælper; assistent; **2.** (*i
forretning*) ekspedient.
assistant[2] [ə'sist(ə)nt] *adj.* hjæl-
pende; assisterende; vice-.
assistant professor *sb.* (*am., svarer
til*) adjunkt [*ved universitet*].
Assoc. *fork. f.* **1.** *association*; **2.** *as-
sociated.*
associate[1] [ə'səuʃiət] *sb.* kollega,
partner; medarbejder; arbejdskam-
merat.
associate[2] [ə'seuʃiət] *adj.* (*tilknyt-
tet, men af lavere rang*) med- (*fx
director; editor*).
associate[3] [ə'seuʃieit] *vb.* **1.** for-
binde; **2.** forene;
□ ~ *with* **a.** forbinde med, associ-
ere med; knytte til ... i tankerne;
b. omgås; *be -d with* (*også*) være
tilknyttet; ~ *oneself with* slutte
sig til.
associate professor *sb.* (*am. svarer
til*) (universitets)lektor; docent.
association [əsəusi'eiʃn] *sb.* **1.** (*af
personer*) forening; sammenslut-
ning; selskab; **2.** (*med organisa-
tion etc.*) forbindelse (*with* med);
tilknytning (*with* til); **3.** (*i tanken*)
association (*with* til, *fx* it has -*s
with his childhood*); tankeforbin-
delse;

□ *in* ~ *with* **a.** i forbindelse med,
sammen med; **b.** i samarbejde
med; (*se også article, memoran-
dum*).
association football *sb.* fodbold
[*den i Danmark alm. form*].
associative [ə'səuʃətiv] *adj.* som er
forbundet dermed, som knytter
sig dertil.
assonance ['æsənəns] *sb.* assonans,
halvrim.
assorted [ə'sɔ:tid] *adj.* assorteret; af
forskellig slags; diverse; blandet
(*fx* ~ *chocolates*); (*se også ill-as-
sorted*).
assortment [ə'sɔ:tmənt] *sb.* udvalg,
samling; sortiment.
asst *fork. f. assistant.*
assuage [ə'sweidʒ] *vb.* (*litt.*) **1.** (*fø-
lelse*) lindre, dulme (*fx his grief;
the pain*); dæmpe (*fx his anger;
his fear; his guilt*); **2.** (*behov*) til-
fredsstille, stille (*fx his hunger;
his thirst*).
assume [ə'sju:m] *vb.* **1.** antage, for-
mode (*fx he is -d to be rich; I -d
that he was honest*); **2.** (*tænkt til-
fælde*) forudsætte, antage (*fx if we
~ the truth of his statement*);
sætte (*fx let's ~ that he wins*);
3. (*magt, ansvar*) overtage (*fx con-
trol of the town*); tage, gribe (*fx
power*); påtage sig (*fx an obliga-
tion; responsibility for sth*);
4. (*egenskab*) antage (*fx enormous
importance; frightening propor-
tions*); **5.** (*noget falsk*) antage (*fx a
different name*); foregive, simu-
lere (*fx -d indifference*); give sig
skin af (*fx piety*); anlægge (*fx a
disguise; an air of indifference* en
ligegyldig mine);
□ ~ *office* tiltræde sit embede; ~
the worst tro det værste.
assumed name *sb.* påtaget navn.
assuming [ə'sju:miŋ] *konj.* hvis vi
antager at (*fx* ~ *he is innocent ...*);
□ ~ *that ...* hvis vi antager at ....
assumption [ə'sʌmpʃn] *sb.* (jf. *as-
sume*) **1.** antagelse; formodning (*fx
this is a mere* ~); **2.** forudsætning;
3. overtagelse (*fx of power*); **4.** an-
tagelse;
□ *the Assumption* (*rel.*) Marias op-
tagelse i himlen; *on the* ~ *that* ud
fra den forudsætning at.
assurance [ə'ʃuərəns] *sb.* **1.** forsik-
ring (*of* om; *that* om at); tilsagn;
garanti; **2.** (*hos person*) selvtillid,
sikkerhed; (*neds.*) selvsikkerhed;
suffisance; **3.** (*assur.*) (livs)forsik-
ring.
assure [ə'ʃuə] *vb.* (*se også assured*)
1. forsikre (*that at, fx it will be all
right; I ~ you!*); overbevise (*that
om at*); **2.** sikre, garantere (*fx does

hard work* ~ *success?*); **3.** (*assur.*)
forsikre, assurere;
□ ~ *sby of* forsikre//overbevise en
om; ~ *oneself of* sikre sig; forvisse
sig om.
assured [ə'ʃuəd] *adj.* **1.** sikret (*fx
her future is* ~); sikker (*fx an* ~
income); **2.** (*om person*) sikker;
(*neds.*) selvsikker;
□ *be* ~ *of* **a.** være sikret//garante-
ret (*fx a place*); **b.** være forvisset
om (*fx their loyalty*); *rest* ~*!* vær
vis på det! *you can rest* ~ *that* du
kan være vis på/forvisset om at.
assuredly [ə'ʃuəridli] *adv.* (helt) be-
stemt; helt sikkert.
aster ['æstə] *sb.* (*bot.*) asters.
asterisk[1] ['æstərisk] *sb.* (*typ.*)
stjerne.
asterisk[2] ['æstərisk] *vb.* (*typ.*) sætte
stjerne ved, markere med en
stjerne.
astern [ə'stə:n] *adv.* (*mar.*) **1.** agter,
agterude; **2.** (*om bevægelse*) agter,
agterud; bak (*fx full steam* ~);
□ *go* ~ bakke.
asteroid ['æstərɔid] *sb.* (*astr.*) aste-
roide, småplanet.
asthenic [æs'θenik] *adj.* **1.** astenisk,
svækket; **2.** (*psyk.*) astenisk, spin-
kel og ranglet.
asthma ['æsmə, (*am.*) 'æzmə] *sb.*
astma.
asthmatic[1] [æs'mætik] *sb.* astmati-
ker.
asthmatic[2] [æs'mætik] *adj.* astma-
tisk.
astigmatic [æstig'mætik] *adj.*
1. (*om linse*) astigmatisk; **2.** (*om
øje*) med bygningsfejl.
astigmatism [æ'stigmətizm] *sb.*
bygningsfejl [*i øjet*].
astir [ə'stə:] *adj.* (*glds. el. litt.*) på
benene;
□ *the town was* ~ der var opstan-
delse/røre i byen.
astonish [ə'stɔniʃ] *vb.* forbavse,
overraske, forbløffe.
astonishment [ə'stɔniʃmənt] *sb.* for-
bavselse, overraskelse, forbløf-
felse.
astound [ə'staund] *vb.* forbløffe;
lamslå.
astrakhan [æstrə'kæn, 'æstrə-] *sb.*
astrakan [*sort krøllet lamme-
skind*].
astral ['æstr(ə)l] *adj.* **1.** F stjerne-;
stjerneformig; **2.** (*i spiritisme*)
astral- (*fx body*).
astray [ə'strei] *adv.:* *go* ~ **a.** fare
vild; **b.** (*moralsk*) komme på af-
veje; **c.** (*om brev etc.*) gå tabt; *lead
~* **a.** føre på vildspor; **b.** (*moralsk*)
forlede, føre på afveje; forføre.
astride[1] [ə'straid] *adv.* overskrævs;
skrævende.

astride[2] [ə'straid] *præp.* over-skrævs på; skrævende over.

astringency [ə'strindʒ(ə)nsi] *sb.*
1. skarphed; 2. bitterhed; bitter smag.

astringent[1] [ə'strindʒ(ə)nt] *sb.* astringerende middel.

astringent[2] [əs'trindʒ(ə)nt] *adj.*
1. (*med.*) astringerende, sammen-snerpende; 2. (F: *om smag*) skarp; bitter; 3. (*fig.*) skarp (*fx attack; criticism*); bidende (*fx satire; wit*).

astrodome ['æstrədəum] *sb.* (*flyv.*) observationskuppel.

astrologer [ə'strolədʒə] *sb.* astrolog, stjernetyder.

astrological [æstrə'lodʒik(ə)l] *adj.* astrologisk.

astrology [ə'strolədʒi] *sb.* astrologi, stjernetydning.

astronaut ['æstrənɔ:t] *sb.* astronaut, rumpilot.

astronautics [æstrə'nɔ:tiks] *sb.* astronautik, rumfartsteknik, rum-fartsvidenskab.

astronomer [ə'stronəmə] *sb.* astro-nom.

astronomical [æstrə'nomik(ə)l] *adj.*
1. astronomisk (*fx observations*);
2. (*fig.*) astronomisk, svimlende (*fx price; sums*).

astronomy [ə'stronəmi] *sb.* astro-nomi.

astrophysicist [æstrə(u)'fizisist] *sb.* astrofysiker.

astrophysics [æstrə(u)'fiziks] *sb.* astrofysik.

Astroturf® ['æstrə(u)tə:f] *sb.* kunst-græsbelægning.

astute [ə'stju:t] *adj.* kløgtig, dreven; snu.

asunder [ə'sʌndə] *adv.* 1. F fra hin-anden (*fx tear ~*); i stykker, itu;
2. (*glds.*) adskilt.

asylum [ə'sailəm] *sb.* 1. asyl (*fx ask for political ~*); 2. (*sted*) fristed; tilflugtssted; 3. (*glds.*) institution; sindssygeanstalt.

asymmetric [eisi'metrik, æ-],
asymmetrical [eisi'metrik(ə)l, æ-] *adj.* asymmetrisk.

asymmetric bars *sb. pl.* (*gymn.*) forskudt barre.

asymmetry [æ'simətri, ei-] *sb.* asymmetri.

asymptomatic [eisimtə'mætik] *adj.* (*med.*) asymptomatisk, symptom-fri.

asymptote ['æsimtəut] *sb.* (*mat.*) asymptote.

at [ət, (*betonet*) æt] *præp.* 1. (*om sted, tid*) i/på/ved (*fx at Brighton//at the hotel//at his side; at that moment//at that time//at breakfast*); 2. (*om klokkeslæt*) klokken (*fx at four*); 3. (*om ret-*

ning) hen imod (*fx run at*); på (*fx look at*); (*fig.*) ad (*fx laugh at*); over (*fx angry at, astonished at*);
4. (*om tilstand*) i (*fx at war; at a gallop*); 5. (*om pris, køb og salg*) til (*fx at a low price; buy at £10 and sell at £30*); 6. (*om opgave*) til (*fx he is good//an expert at that*);
□ *at my uncle's* hos min onkel; *at it again!* tag fat igen! på'en igen! *he is at it again* nu er han min-sandten i gang igen; *at that* se *that*[1]; *what* are you at now? hvad har I nu for? *where it's at* (*let glds.* T) hvad det drejer sig om; hvad det går ud på; (se også *arrive, look*[2] (etc.)).

atavism ['ætəvizm] *sb.* atavisme [ɔ: *genopdukken af forsvundne egen-skaber fra fjern forfader*].

atavistic [ætə'vistik] *adj.* (jf. *atav-ism*) atavistisk.

ATC *fork. f. air traffic control.*

at character *sb.* (*it*) snabel-a.

ate [et, eit] *præt. af eat.*

atelier [ə'teliei] *sb.* atelier.

atheism ['eiθiizm] *sb.* ateisme.

atheist ['eiθiist] *sb.* ateist.

atheistic [eiθi'istik] *adj.* ateistisk.

Athenian[1] [ə'θi:niən] *sb.* athener, athenienser.

Athenian[2] [ə'θi:niən] *adj.* athensk, atheniensisk.

Athens ['æθinz, 'æθ(ə)nz] Athen.

athlete ['æθli:t] *sb.* atlet; gymnast; sportsmand.

athlete's foot *sb.* (*med.*) fodsvamp.

athletic [æθ'letik] *adj.* 1. atletik-; idræts-; sports- (*fx activities; feat præstation*); sportslig; 2. (*om per-son*) atletisk (*fx figure*); sportsstræ-net.

athleticism [æθ'letisizm] *sb.* adræt-hed.

athletics [æθ'letiks] *sb.* atletik; idræt.

at-home [ət'həum] *sb.* åbent hus; modtagelsesdag.

athwart [ə'θwɔ:t] *præp.* 1. tværs over; 2. på tværs af; 3. (*mar.*) tværs for//af//på.

atishoo ['ætiʃu:] *interj.* atju.

Atlantic [ət'læntik] *adj.* atlantisk;
□ *the ~* (*Ocean*) Atlanterhavet; Atlanten.

Atlantic butterfish *sb.* (*zo.*) dollar-fisk.

Atlanticist [at'læntisist] *sb.* atlanti-ker.

atlas ['ætləs] *sb.* atlas.

ATM *fork. f. automated teller ma-chine* (*am.*) kontantautomat.

atmosphere ['ætməsfiə] *sb.* 1. atmo-sfære; 2. (*fig.*) stemning, atmo-sfære.

atmospheric [ætməs'ferik] *adj.*
1. atmosfærisk; 2. (*fig.*) stemnings-fuld (*fx place*);
□ *~ pressure* lufttryk.

atmospherics [ætməs'feriks] *sb. pl.*
1. stemningsskabende elementer;
2. (*fys.; radio.*) atmosfæriske for-styrrelser.

atoll ['ætɔl] *sb.* atol [*ringformet ko-ralø*].

atom ['ætəm] *sb.* atom;
□ *not an ~ of sense* ikke en smule/den mindste fornuft; *not an ~ of truth* ikke skygge af sand-hed.

atom bomb *sb.* atombombe.

atomic [ə'tomik] *adj.* atomar; atom- (*fx bomb; war; weapon; weight*).

atomism ['ætəmizm] *sb.* atomisme.

atomizer ['ætəmaizə] *sb.* forstøver.

atonal [ei'təun(ə)l, æ-] *adj.* atonal.

atone [ə'təun] *vb.* gøre afbigt;
□ *~ for* bøde for; sone; gøre godt igen.

atonement [ə'təunmənt] *sb.* soning.

atonic [æ'tonik] *adj.* 1. (*med.*) ato-nisk, slap; 2. (*fon.*) ubetonet.

atop [ə'tɔp] *præp.* (*am. el.* F) oven på.

atrium ['eitriəm] *sb.* 1. (*i hotel, stor-magasin*) hal [*gennem flere etager, med glastag*]; 2. (*i moderne hus*) atriumgård; 3. (*hist.*) atrium;
4. (*anat.: i hjerte*) forkammer.

atrocious [ə'trəuʃəs] *adj.* 1. besti-alsk (*fx crime*); grusom; oprø-rende; 2. T gyselig, rædselsfuld (*fx film*); modbydelig (*fx weather*).

atrocity [ə'trosəti] *sb.* grusomhed; ugerning; overgreb (*fx the atro-cities committed by the troops*).

atrocity propaganda *sb.* rædsels-propaganda.

atrophy[1] ['ætrəfi] *sb.* 1. atrofi, hen-fald, svind; 2. (*fig.*) svækkelse, forfald.

atrophy[2] ['ætrəfi] *vb.* 1. atrofiere, henfalde, svinde; 2. (*fig.*) svæk-kes; sygne hen.

atropine ['ætrəpin] *sb.* (*kem.*) atro-pin.

att. *fork. f. attention* [*på brev: ret-tet til, behandles af*].

attaboy ['ætəbɔi] *interj.* T bravo! godt gået!

attach [ə'tætʃ] *vb.* (se også *attached*)
1. fastgøre, fæstne (*to* til); 2. (*ap-parat etc.*) forbinde, tilkoble, til-slutte; 3. (F: *i brev*) vedlægge, vedføje; 4. (*person*) tilknytte (midlertidigt); attachere; 5. (*jur.: person*) anholde; (*ting*) beslag-lægge; gøre udlæg i (*fx wages*);
6. (*mil.*) underlægge;
□ *~ to a.* (jf. 1, også) sætte//lime//klæbe//binde *etc.* på (*fx ~ a label*

A *attaché*

to the box); hæfte ved (*fx ~ a photo to the application*); **b.** (*jf. 2*) forbinde med, koble til, tilslutte til (*fx ~ a printer to the computer*); **c.** (*fig.*) knytte til (*fx ~ conditions to the agreement*); hæfte på (*fx ~ a name to it*); **d.** (*person*) tilknytte; **e.** (*mil.*) underlægge; **f.** (*uden objekt*) hænge ved, klæbe ved; knytte sig til, være forbundet med (*fx great responsibility//honour -es to the job*); følge med; **g.** (*kem.*) binde til (*fx hydrogen atoms ~ to the carbon atoms*); ~ *importance/significance to it* tillægge det betydning; *no blame -es to him* der kan ikke rettes bebrejdelser mod ham; ~ *oneself to* slutte sig til; knytte sig til.
attaché [ə'tæʃei, (*am.*) ətæ'ʃei] *sb.* attaché.
attaché case *sb.* attachétaske.
attached [ə'tætʃt] *adj.* vedføjet, vedhæftet (*fx the ~ instructions*); □ *be ~ to* **a.** knytte sig til (*fx a proviso is ~ to the contract*); være forbundet med; **b.** (*om person*) være tilknyttet (*fx a firm*); være attacheret; **c.** (*mil.*) være underlagt; *be ~ to sby* være knyttet til en; være en hengiven; (se også *string¹*).
attachment [ə'tætʃmənt] *sb.* **1.** (*jf. attach (1, 2)*) fastgørelse, befæstelse; forbindelse, tilkobling, tilslutning; **2.** (*til person*) forbindelse (*fx form a close ~ to sby*); bånd; tilknytning (*fx his ~ to the peace movement*); **3.** (*følelse*) hengivenhed, sympati; **4.** (*jur.: om person*) anholdelse; (*om ting*) beslaglæggelse, udlæg; arrest [*i fordringer*]; **5.** (*til maskine etc.*) ekstraudstyr, tilbehør; **6.** (*it*) vedhæftet fil; vedlagt fil; □ *be on ~ to* (*om person*) være udlånt til; være afgivet til; være udstationeret hos.
attack¹ [ə'tæk] *sb.* **1.** angreb; **2.** (*voldeligt*) overfald; **3.** (*med.*) anfald (*fx a heart ~*); tilfælde; **4.** (*mil.*) angreb; **5.** (*mus.*) indsats, ansats; **6.** (*i sport*) angreb; angrebsspillere; (*egenskab*) angrebslyst; □ *be/come under ~ from sby* blive angrebet af en.
attack² [ə'tæk] *vb.* **1.** angribe; **2.** (*voldeligt*) overfalde; **3.** (*opgave etc.*) gå i gang med; tage fat på.
attacker [ə'tækə] *sb.* **1.** angriber; **2.** (*voldsforbryder*) overfaldsmand.
attain [ə'tein] *vb.* F **1.** nå (*fx one's goal; a target; retirement age*); **2.** opnå (*fx perfection*);

□ ~ *to* nå; opnå.
attainable [ə'teinəbl] *adj.* opnåelig.
attainment [ə'teinmənt] *sb.* F **1.** (*jf. attain*) opnåelse; **2.** (*det opnåede*) resultat, bedrift (*fx his scientific -s*); **3.** (*i skole etc.*) standpunkt; **4.** (*hos person*) talent, evne, færdighed (*fx a man of many -s*).
attempt¹ [ə'tem(p)t] *sb.* **1.** forsøg (*at* på; *to* på at); **2.** (*ved eksamen*) besvarelse [*af eksamensopgave*]; □ *an ~ on his life* et attentat på ham; *make an ~ on a record* prøve at slå en rekord; angribe en rekord.
attempt² [ə'em(p)t] *vb.* **1.** prøve, forsøge; **2.** (*om bjerg*) prøve at bestige.
attempted [ə'tem(p)tid] *adj.* (*i sms.*) -forsøg (*fx ~ murder* mordforsøg; ~ *robbery*; ~ *suicide*).
attend [ə'tend] *vb.* **1.** (*begivenhed etc.*) overvære, deltage i (*fx a meeting; a funeral*); **2.** (*undervisning*) gå til, følge (*fx language classes; lectures*); **3.** (*institution*) gå i (*fx school; church*); gå på (*fx college*); **4.** (F: *fornem person*) ledsage, følge; **5.** (F: *patient etc.*) pleje, passe; (*om læge*) tilse; behandle; **6.** (F: *om ledsagende omstændighed*) følge 'med (*fx the publicity which -s a political career*); 'komme af (*fx the consequences which ~ this decision*); **7.** (*uden objekt*) være til stede (*at* ved, *fx a meeting*); **8.** (*i undervisning etc.*) være opmærksom, høre 'efter; □ *-ed by* (*jf. 6*) ledsaget af, forbundet med; ~ *on* (*jf. 4*) **a.** (*patient*) passe, pleje; (*om læge*) tilse; behandle; **b.** (*fornem person*) opvarte (*fx the king*); ~ *to* **a.** lægge mærke til; høre 'efter (*fx what I say*); **b.** (*sag, person*) tage sig af; **c.** (*kunde*) ekspedere, betjene; *are you being -ed to?* bliver De ekspederet? *-ed with* se ovf.: *-ed by*.
attendance [ə'tend(ə)ns] *sb.* **1.** deltagelse (*at* i, *fx ~ at lectures is compulsory*); tilstedeværelse (*at* ved); **2.** (*om antal*) deltagertal; fremmøde; (*fx på museum*) besøgstal; (*fx ved sportskamp*) tilskuertal; **3.** (*af kunde etc.*) betjening; (se også *medical attendance*); □ *there was a good ~ at the meeting* mødet var godt besøgt; *a high ~* (*jf. 2*) højt deltagertal [*etc.*]; stort fremmøde; *be in ~* F **a.** være til stede; **b.** være til rådighed; *be in ~ on sby* F ledsage en, være i ens følge; være tjenstgørende hos en; *dance ~ on sby* stå på pinde for en.
attendance allowance *sb.* (*svarer*

til) plejetilskud.
attendant¹ [ə'tendənt] *sb.* **1.** opsynsmand, vagt, betjent; billetkontrollør; (*i museum*) kustode; **2.** (*for fornem person*) medlem af følge; ledsager; □ *the -s* (*også*) **a.** betjeningen; **b.** følget.
attendant² [ə'tend(ə)nt] *adj.* **1.** (*om person*) tilstedeværende; tjenstgørende; **2.** (*om ledsagefænomen*) ledsagende (*fx circumstances*); medfølgende; □ *the disadvantages ~ on it* de ulemper der er forbundet med det.
attendee [æten'di:] *sb.* deltager.
attention [ə'tenʃn] *sb.* **1.** opmærksomhed (*fx attract ~; have his undivided ~*); **2.** (*jf. attend 4*) betjening; **3.** (*jf. attend 5; om patient*) pasning; pleje; (*læges*) behandling; □ *-s* **a.** opmærksomheder; **b.** (*neds.*) efterstræbelser; *pay one's -s to* gøre kur til; ~! **a.** (*mil.*) ret! **b.** (*i klasse etc.*) hør efter! ~ *please!* **a.** må jeg bede om et øjebliks opmærksomhed! **b.** (*i højttaler*) hallo hallo! [*med vb.*] *call/direct/draw sby's ~ to* henlede ens opmærksomhed på; *direct one's ~ to* rette sin opmærksomhed mod; *call ~ to* henlede opmærksomheden på; *give ~ to* tage sig af; *need ~* **a.** trænge til et eftersyn; trænge til reparation; **b.** trænge til behandling; *pay ~* høre efter; *pay ~ to* **a.** lægge mærke til; være opmærksom på; hæfte sig ved; **b.** lytte til (*fx his advice*); **c.** (*person*) vise opmærksomhed; *you should pay more ~ to your work* du må koncentrere dig mere om dit arbejde; *pay no ~ to* **a.** ikke tage notits af; **b.** ikke tage sig af; [*med præp.*] *stand at ~* (*mil.*) stå ret; *for the ~ of* rettet til; behandles af; *bring to sby's ~* henlede ens opmærksomhed på; *stand to ~* (*mil.*) indtage retstilling.
attention span *sb.* (*psyk.*) opmærksomhedsspændvidde.
attentive [ə'tentiv] *adj.* **1.** opmærksom (*to* på); nærværende; vågen (*fx an ~ audience*); **2.** (*om egenskab*) påpasselig; omhyggelig; **3.** (*over for person*) omsorgsfuld (*to* over for); (*svagere*) høflig (*to* over for).
attenuate [ə'tenjueit] *vb.* F **1.** (af)svække (*fx a virus; a vaccine*); **2.** fortynde; **3.** (*elek.*) dæmpe.
attenuation [ətenju'eiʃn] *sb.* F

1. (af)svækkelse; **2.** fortynding;
3. (*elek.*) dæmpning.
attest [ə'test] *vb.* bevidne, bære
vidnesbyrd om; bekræfte;
□ ~ *to* **a.** bevidne, bære vidnes-
byrd om; **b.** attestere.
attestation [æte'steiʃn] *sb.* **1.** vid-
nesbyrd; bekræftelse; **2.** atteste-
ring.
attic ['ætik] *sb.* loftskammer, kvist-
værelse; pulterkammer;
□ *in the* ~ på kvisten.
attire [ə'taiə] *sb.* F klæder, dragt;
påklædning.
attired [ə'taiəd] *adj.* klædt.
attitude ['ætitjuːd] *sb.* **1.** indstilling
(*to(wards)* til); holdning; stilling,
standpunkt; **2.** T holdning (*fx a*
person with ~); (*neds.*) selvsikker-
hed; **3.** (F: *legemlig*) stilling;
4. (*psyk.*) attitude;
□ *change in/of* ~ holdningsæn-
dring; *strike an* ~ stille sig i posi-
tur; *take the* ~ *that* have den ind-
stilling/holdning at.
attitudinal [æti'tjuːdin(ə)l] *adj.*
holdningsmæssig; holdnings- (*fx*
change).
attitudinize [æti'tjuːdinaiz] *vb.*
stille sig an; opføre sig affekteret.
attorney [ə'tɔːni] *sb.* (*jur.*) **1.** befuld-
mægtiget; **2.** (*am.*) advokat;
□ *power of* ~ fuldmagt.
Attorney General *sb.* **1.** (*i Eng.*) [*re-
geringens øverste juridiske rådgi-
ver*]; (*omtr.*) kammeradvokat; (*kan*
gengives) kronjurist; **2.** (*am.*,
omtr.) justitsminister, rigsadvokat.
attract [ə'trækt] *vb.* **1.** tiltrække;
2. (*opmærksomhed etc.*) tiltrække
sig; vække (*fx attention; criticism;*
sympathy); **3.** (*tilskuere, støtte*)
samle (*fx huge crowds*); få (*fx sup-
port*); tiltrække (*fx investments*).
attraction [ə'trækʃn] *sb.* **1.** (*mag-
nets*) tiltrækning, tiltræknings-
kraft; **2.** (*fig.*) tiltrækning, tillok-
kelse (*of* ved); tiltrækkende egen-
skab; **3.** (*for turister etc.*) attrak-
tion;
□ *the chief* ~ *of the day* dagens
hovedattraktion/clou.
attractive [ə'træktiv] *adj.* **1.** tiltræk-
kende, attraktiv (*fx place*); tilta-
lende; fristende (*fx offer; the sal-
ary is* ~); tillokkende (*fx not a*
very ~ *prospect*); charmerende (*fx*
flat); **2.** (*om person*) tiltrækkende
(*fx woman*); indtagende, charme-
rende;
□ *an* ~ *offer* (*også*) et fordelagtigt
tilbud.
attributable [e'tribjutəbl] *adj.: be* ~
to kunne tilskrives; skyldes.
attribute[1] ['ætribjuːt] *sb.* egenskab;
attribut.

attribute[2] [ə'tribju(ː)t] *vb.: ~ to* til-
skrive, tillægge.
attribution [ætri'bjuːʃn] *sb.* til-
skrivning; tillæggelse.
attributive [ə'tribjutiv] *adj.* (*gram.*)
attributiv.
attrition [ə'triʃn] *sb.* **1.** slid; ned-
slidning; (*fig. også*) udhuling (*fx*
of women's rights); **2.** (*am.: om*
personale) (reduktion ved) natur-
lig afgang; **3.** (*geol.*) slid; **4.** (*mil.*)
opslidning, nedslidning; forbrug;
□ *war of* ~ opslidningskrig; ud-
mattelseskrig.
attuned [ə'tjuːnd] *adj.: be* ~ *to*
a. være afstemt efter; være indstil-
let på; være vænnet til; **b.** have
sans for.
ATV *fork. f. all-terrain vehicle.*
atypical [ei'tipik(ə)l] *adj.* atypisk.
aubergine ['əubəʒiːn] *sb.* (*bot.*) au-
bergine.
aubretia [ɔː'briːʃə] *sb.* (*bot.*) aubre-
tia, blåpude.
auburn ['ɔːbən] *adj.* rødbrun; ka-
stanjebrun.
auction[1] [ɔːkʃn] *sb.* auktion;
□ *be up for* ~ være på auktion;
put up for ~ sætte til auktion.
auction[2] ['ɔːkʃn] *vb.* sælge ved auk-
tion; bortauktionere.
auction bridge *sb.* auktionsbridge.
auctioneer [ɔːkʃə'niə] *sb.* auktions-
leder; auktionarius.
audacious [ɔː'deiʃəs] *adj.* **1.** dristig,
forvoven; **2.** (*neds.*) fræk, skam-
løs.
audacity [ɔː'dæsəti] *sb.* **1.** dristig-
hed, vovemod; **2.** (*neds.*) frækhed,
skamløshed.
audible ['ɔːdəbl] *adj.* hørlig; tyde-
lig.
audience ['ɔːdiəns] *sb.* **1.** publi-
kum; tilhørere/tilskuere; **2.** (*ra-
dio.*) lyttere; **3.** (*tv*) seere; **4.** (*for-
fatters*) publikum; læsere; **5.** (*hos*
kongelig etc.) audiens; foretræde;
□ *right of* ~ (*jur.*) møderet; *have*
an ~ *with* komme i audiens hos;
få foretræde for.
audio[1] ['ɔːdiəu] *sb.* **1.** lyd [*i lydop-
tagelse*]; **2.** (*film.,; tv*) lydside.
audio[2] ['ɔːdiəu] *adj.* audio-; lyd-
(*fx tape; track*).
audio typist *sb.* [*sekretær der*
skriver efter diktafon].
audio-visual [ɔːdiəu'viʒuəl] *adj.: ~*
aids audiovisuelle hjælpemidler.
audit[1] ['ɔːdit] *sb.* **1.** (*af regnskab*)
revision; **2.** (*af andet*) grundig
gennemgang, analyse, kontrol.
audit[2] ['ɔːdit] *vb.* **1.** revidere;
2. (*am.: forelæsninger*) hospitere
ved, følge som gæst.
audition[1] [ɔː'diʃn] *sb.* (*teat. etc.*)
prøve [*før engagement*]; audition;

(*mus.*) forespilning; (*for sanger*)
foresyngning; (*i radio*) mikrofon-
prøve.
audition[2] [ɔː'diʃn] *vb.* **1.** lade af-
lægge prøve; prøve; lade spille//
synge 'for; **2.** (*uden objekt*) af-
lægge prøve; spille 'for; synge 'for.
auditor ['ɔːditə] *sb.* revisor.
auditorium [ɔːdi'tɔːriəm] *sb.* (*pl. -s/*
auditoria [-riə]) **1.** tilhørerplads;
tilskuerplads, tilskuerrum;
2. (*am.*) sal [*fx koncertsal, teater-
sal*]; hal.
auditory ['ɔːdit(ə)ri] *adj.* høre- (*fx*
nerve).
au fait [əu'fei] *adj.: be* ~ *with* være
bekendt med; være fuldstændigt
informeret om.
Aug. *fork. f. August.*
auger ['ɔːgə] *sb.* (snegle)bor; jord-
bor.
aught [ɔːt] *pron.* (*glds. el. dial.*) no-
get;
□ *for* ~ *I know/care* jeg er da lige-
glad.
augment [ɔːg'ment] *vb.* F forøge; (se
også *augmented*).
augmentation [ɔːgmen'teiʃn] *sb.* F
forøgelse.
augmented [ɔːg'mentid] *adj.* (*mus.*)
forstørret (*fx interval; fourth*).
augur[1] ['ɔːgə] *sb.* (*hist.*) augur [*som*
i Rom tog varsler af fugle].
augur[2] ['ɔːgə] *vb.* F varsle;
□ *it -s well//ill for us* det varsler
godt//ilde for os; det et et godt//
dårligt tegn.
augury ['ɔːgjuri] *sb.* F varsel.
August ['ɔːgəst] *sb.* august (måned).
august [ɔː'gʌst] *adj.* F ophøjet; ære-
frygtindgydende.
auk [ɔːk] *sb.* (*zo.*): *great* ~ gejrfugl;
little ~ søkonge.
auld [ɔːld] *adj.* (*skotsk*) gammel.
auld lang syne [ɔːldlæŋθ'sain] *sb.*
(*skotsk*) de gode gamle tider; de
skønne svundne dage [*titel på*
sang af Robert Burns; synges kl.
12 nytårsaften].
aunt [aːnt] *sb.* tante; faster//moster.
Auntie ['aːnti] *sb.* [*øgenavn for BBC*].
auntie ['aːnti] *sb.* T tante.
Aunt Sally *sb.* **1.** [*et spil hvor man*
kaster til måls efter et træhoved];
2. (*fig.*) skydeskive.
aunty = *auntie*.
au pair [əu'pɛə] *sb.* au pair-pige.
aura ['ɔːrə] *sb.* aura; udstråling.
aural ['ɔːr(ə)l] *adj.* øre-; høre-; lyd-
lig, lyd- (*fx effects*).
aural comprehension *sb.* (*i sprog-
undervisning*) lytte-forståelse.
aureole ['ɔːriəul] *sb.* (*litt.*) glorie.
aurora australis [ərɔːrɔː'streilis] *sb.*
sydpolarlys.
aurora borealis [ərɔːrəbɔːri'eilis]

sb. nordpolarlys.
auspices ['ɔːspisiz] *sb. pl.: under his* ~ F under hans auspicier; under protektion af ham; i hans regi.
auspicious [ɔːˈspiʃəs] *adj.* F heldig (*fx date*); lovende (*fx beginning*); gunstig;
□ *be* ~ (*også*) love godt.
Aussie[1] ['ɔzi] *sb.* S australier.
Aussie[2] ['ɔzi] *adj.* S australsk.
austere [ɔˈstiə] *adj.* **1.** (*om person*) streng; barsk; **2.** (*om livsførelse*) streng, strengt nøjsom, spartansk; **3.** (*om udseende, stil*) enkel; streng; spartansk; **4.** (*om økonomisk politik*) stram.
austerity [ɔˈsterəti] *sb.* (jf. *austere*) **1.** strenghed; barskhed; **2.** strenghed; spartanskhed; **3.** streng enkelhed, spartanskhed; **4.** (*pol.*) stram økonomisk politik; økonomisk stramning; spareforanstaltning.
austerity budget *sb.* skrabet budget.
austerity measures *sb. pl.* spareforanstaltninger.
austerity programme *sb.* spareprogram.
Australasia [ɔstrəlˈeiʒə] (*geogr.*) Australasien.
Australia [ɔˈstreiliə] (*geogr.*) Australien.
Australian[1] [ɔˈstreiliən] *sb.* australier.
Australian[2] [ɔˈstreiliən] *adj.* australsk.
Austria ['ɔstriə] (*geogr.*) Østrig.
Austrian[1] ['ɔstriən] *sb.* østriger.
Austrian[2] ['ɔstriən] *adj.* østrigsk.
authentic [ɔːˈθentik] *adj.* **1.** (*mods. falsk*) ægte (*fx signature; an* ~ *Rembrandt painting*); autentisk; uforfalsket; **2.** (*om oplysning*) pålidelig (*fx account; news*); autentisk (*fx details*); **3.** (*om efterligning*) som ser helt ægte ud;
□ *be equally* ~ (*jur.*) have samme gyldighed; *the* ~ *words of the prophet* profetens egne ord.
authenticate [ɔːˈθentikeit] *vb.* **1.** (*kunstværk etc.*) bekræfte ægtheden af, erklære for ægte (*fx antiques; a signature*); **2.** (*ved bevis*) fastslå/bevise ægtheden af (*fx a document*); **3.** (*udsagn, påstand etc.*) dokumentere.
authenticity [ɔːθenˈtisəti] *sb.* **1.** ægthed; **2.** (*om oplysning*) pålidelighed.
author[1] ['ɔːθə] *sb.* **1.** forfatter; **2.** F ophavsmand (*of* til, *fx the idea; the plan; our troubles*); skaber (*of* af).
author[2] ['ɔːθə] *vb.* **1.** være forfatter til; **2.** F være ophavsmand til; for-

midle, bringe i stand.
authoress ['ɔːθərəs] *sb.* (*glds.*) forfatterinde.
authorial [ɔːˈθɔːriəl] *adj.* forfatter-.
authoritarian[1] [ɔːθɔriˈtɛəriən] *sb.* autoritær person.
authoritarian[2] [ɔːθɔriˈtɛəriən] *adj.* autoritær; diktatorisk.
authoritarianism [ɔːθɔriˈtɛəriənizm] *sb.* autoritarisme; autoritære principper.
authoritative [ɔːˈθɔritətiv] *adj.* **1.** (*om person*) som har autoritet; myndig, bydende; **2.** (*om oplysning etc.*) autoritativ; pålidelig, velunderbygget; (*fra myndighed*) officiel (*fx declaration; report*).
authority [ɔːˈθɔrəti] *sb.* **1.** (*officiel instans*) myndighed; (*i sms.*) -væsen; -myndighed; **2.** (*ret, tilladelse*) fuldmagt (*to* til at, *fx give him* ~ *to act on your behalf*); bemyndigelse (*to* til at); **3.** (*egenskab*) autoritet, myndighed; **4.** (*person*) autoritet (*on* vedrørende/hvad angår); ekspert (*on* i); **5.** (*for oplysning*) kilde; hjemmel;
□ *the authorities* myndighederne, autoriteterne; *exceed one's* ~ overskride sin kompetence; *have* ~ *over* have magt over; [*med præp.*] *by* ~ ifølge fuldmagt; efter bemyndigelse; *a person in* ~ en der har noget at sige; en myndighedsperson; *I have it on his* ~ jeg har det fra ham; *on good* ~ fra pålidelig kilde.
authorization [ɔːθəraiˈzeiʃn] *sb.* (jf. *authorize*) **1.** bemyndigelse (*to* til at); fuldmagt (*to* til at); **2.** godkendelse.
authorize ['ɔːθəraiz] *vb.* bemyndige (*to* til at); give fuldmagt (*to* til at).
authorship ['ɔːθəʃip] *sb.* **1.** forfattervirksomhed; **2.** forfatterskab (*of* til);
□ *of unknown* ~ hvis forfatter er ukendt; af ukendt oprindelse.
autism ['ɔːtizm] *sb.* autisme.
autistic [ɔːˈtistik] *adj.* autistisk.
auto ['ɔːtəu] *sb.* (*glds. am.*) bil.
autobiographical [ɔːtəbaiəˈgræfikl] *adj.* selvbiografisk.
autobiography [ɔːtəbaiˈɔgrəfi] *sb.* selvbiografi.
autocade ['ɔːtə(u)keid] *sb.* (*am.*) bilkortege.
autocracy [ɔːˈtɔkrəsi] *sb.* **1.** autokrati, enevælde; diktatur; **2.** (*stat*) enevældigt styret stat; diktaturstat.
autocrat ['ɔːtəkræt] *sb.* autokrat, enehersker; diktator.
autocratic [ɔːtəˈkrætik] *adj.* autokratisk, enevældig; diktatorisk.
autocross ['ɔːtə(u)krɔs] *sb.* bilter-

rænløb.
Autocue® ['ɔːtə(u)kjuː] *sb.* [*tv-speakers rulletekst*]; teleprompter.
autofocus ['ɔːtəfəukəs] *sb.* (*foto.*) autofokus; automatisk skarphedsinstilling.
autograph[1] ['ɔːtəgraːf, -græf] *sb.* **1.** autograf; **2.** egenhændigt manuskript.
autograph[2] ['ɔːtəgraːf, -græf] *adj.* egenhændig, egenhændigt skrevet (*fx document, letter*).
autograph[3] ['ɔːtəgraːf, -græf] *vb.* signere, skrive sit navn på.
autolysis [ɔːˈtɔlisis] *sb.* autolyse, „selvfordøjelse" [*nedbrydning af celler og væv ved deres egne enzymer*].
autolyzed ['ɔːtəlaizd] *adj.* nedbrudt ved autolyse.
Automat® ['ɔːtəmæt] *sb.* (*glds. am.*) automatcafé.
automated ['ɔːtəmeitid] *adj.* automatiseret.
automated teller machine *sb.* (*am.*) kontantautomat.
automatic[1] [ɔːtəˈmætik] *sb.* **1.** automatisk pistol//riffel; **2.** bil med automatgear.
automatic[2] [ɔːtəˈmætik] *adj.* **1.** automatisk (*fx pistol; washing machine*); **2.** (*om handling*) automatisk, ubevidst; spontan; **3.** (*om straf etc.*) ganske automatisk, som følger helt af sig selv/uden videre.
automatic pilot *sb.* = *autopilot*.
automatic ticket machine *sb.* billetautomat.
automatic transmission *sb.* automatgear.
automation [ɔːtəˈmeiʃn] *sb.* automatisering.
automaton [ɔːˈtɔmət(ə)n] *sb.* (*pl. -s/ automata* [-tə]) robot.
automobile ['ɔːtəmə(u)biːl] *sb.* (*især am.*) bil, automobil.
automotive [ɔːtəˈməutiv] *adj.* automobil-, bil- (*fx industry*).
autonomous [ɔːˈtɔnəməs] *adj.* **1.** autonom, selvstyrende, uafhængig; **2.** (*om person*) uafhængig, selvstændig.
autonomy [ɔːˈtɔnəmi] *sb.* **1.** autonomi, selvstyre, selvstændighed; **2.** (*om person*) uafhængighed (*from* af); selvstændighed.
autopilot ['ɔːtəpailət] *sb.* automatpilot;
□ *be on* ~ (*også fig.*) være på automatpilot.
autopsy ['ɔːtəpsi] *sb.* obduktion.
autosuggestion [ɔːtə(u)səˈdʒestʃn] *sb.* selvsuggestion.
autumn ['ɔːtəm] *sb.* efterår.
autumnal [ɔːˈtʌmn(ə)l] *adj.* efter-

års-; efterårsagtig.
autumnal equinox *sb.* efterårs-jævndøgn.
auxiliary[1] [ɔːgˈziliəri] *sb.* **1.** hjælper; **2.** (*gram.*) hjælpeverbum; □ *auxiliaries* hjælpetropper.
auxiliary[2] [ɔːgˈziliəri] *adj.* hjælpe-; reserve-.
avail[1] [əˈveil] *sb.*: *of/to little//no* ~ til liden//ingen nytte; *without* ~ uden held; forgæves.
avail[2] [əˈveil] *vb.* (*glds.*) nytte, gavne, hjælpe (*fx it -s you nothing*); □ ~ *oneself of* benytte sig af.
availability [əveiləˈbiləti] *sb.* tilgængelighed.
available [əˈveiləbl] *adj.* **1.** til rådighed (*fx the amount of money* ~); tilgængelig (*fx the best* ~ *information*); **2.** (*om værelse*) disponibel, ledig (*fx the only* ~ *room*); **3.** (*om person*) fri, ledig; disponibel (*fx all* ~ *officers*); til stede; (*ikke gift el. forlovet*) ledig på markedet; □ *be* ~ **a.** (*også*) kunne fås (*fx the dress is* ~ *in larger sizes*); **b.** gælde (*fx the ticket is* ~ *for a month*); *the minister was not* ~ *for comment* vi har ikke kunnet få en kommentar fra ministeren.
avalanche [ˈævəlɑːnʃ] *sb.* **1.** sneskred, lavine; **2.** (*fig.*) lavine; (pludselig) strøm (*fx of reproaches*); syndflod.
avant-garde[1] [ævɔŋˈgɑːd] *sb.* avant-garde.
avant-garde[2] [ævɔŋˈgɑːd] *adj.* avantgardistisk.
avarice [ˈævəris] *sb.* F griskhed, begærlighed, havesyge; □ *rich beyond the dreams of* ~ ufattelig rig.
avaricious [ævəˈriʃəs] *adj.* F grisk, begærlig, havesyg.
Ave[1] [æv] *fork. f. avenue.*
Ave[2] [ˈɑːvi] *sb.* (*rel.*) ave.
avenge [əˈven(d)ʒ] *vb.* hævne.
avenger [əˈven(d)ʒə] *sb.* hævner.
avens [ˈævənz] *sb.* (*bot.*) nellikerod; (se også *mountain avens*, *wood avens*).
avenue [ˈævənjuː] *sb.* **1.** (bred) gade; (*med træer*) allé; (*især am.*) boulevard; **2.** (*fig.*) vej (*fx to prosperity* (velstand); *new -s for industry*); fremgangsmåde; □ *explore every* ~ ikke lade noget middel uforsøgt; undersøge alle muligheder.
aver [əˈvəː] *vb.* F erklære; forsikre; hævde.
average[1] [ˈævə(ə)ridʒ] *sb.* **1.** gennemsnit; middeltal; **2.** (*mar.*) havari; dispache [*opgørelse af tab*

ved havari];
□ *above//below* ~ over//under gennemsnittet; over//under middel; *an* ~ *of* i gennemsnit (*fx I spend an* ~ *of £15*; *it takes an* ~ *of 5 hours*); *on* ~ **a.** i gennemsnit, gennemsnitligt; **b.** i almindelighed, i det store og hele, stort set; *strike an* ~ (*jf. 1*) finde gennemsnittet; tage middeltallet.
average[2] [ˈævə(ə)ridʒ] *adj.* **1.** gennemsnits- (*fx the* ~ *age*); middel- (*fx of* ~ *height*); gennemsnitlig; **2.** almindelig (*fx the* ~ *citizen*); normal; typisk; **3.** (*mar.*) havari-.
average[3] [ˈævə(ə)ridʒ] *vb.* **1.** være/udgøre/blive i gennemsnit; **2.** få//tjene//køre//udføre i gennemsnit; **3.** finde/beregne gennemsnittet af; □ ~ *out* a. udlignes, udjævnes; **b.** (*med objekt*) finde/beregne gennemsnittet af; ~ *out at* blive i gennemsnit.
averagely [ˈævə(ə)ridʒli] *adv.* jævnt godt; nogenlunde.
averment [əˈvəːmənt] *sb.* F erklæring; påstand.
averse [əˈvəːs] *adj.*: ~ *to + -ing* (stærkt) utilbøjelig/uvillig til at; *be* ~ *to* (*også*) (absolut) ikke bryde sig om; *he is not* ~ *to* han har (absolut) ikke noget imod; han går ikke af vejen for.
aversion [əˈvəːʃn, (*am.*) -ʒn] *sb.* aversion, uvilje (*to* mod); afsky (*to* for).
avert [əˈvəːt] *vb.* **1.** afvende, forhindre (*fx a disaster*); afværge, afbøde (*fx a blow*); **2.** (*i en anden retning*) vende bort (*fx one's gaze*; *one's eyes*); bortlede (*fx sby's suspicion*); aflede (*fx their thoughts*).
aviary [ˈeiviəri] *sb.* voliere, flyvebur.
aviation [eiviˈeiʃn] *sb.* **1.** flyvning; luftfart; **2.** (*am.*) militærfly.
aviator [ˈeivieitə] *sb.* (*glds.*) aviatiker, flyver, pilot.
avid [ˈævid] *adj.* ivrig (*fx collector*; *reader*); □ *be* ~ *for* være ivrig efter at få/opnå; være begærlig efter.
avidity [əˈvidəti] *sb.* **1.** iver; **2.** begærlighed.
avionics [eiviˈɔniks] *sb.* flyelektronik.
avitaminosis [ævitəmiˈnəusis] *sb.* (*pl. -noses* [-ˈnəusiːz]) (*med.*) avitaminose, vitaminmangelsygdom.
avocado [ævəˈkɑːdəu] *sb.* (*bot.*) avocado.
avocation [ævəˈkeiʃn] *sb.* F bibeskæftigelse; fritidsinteresse.
avocet [ˈævəset] *sb.* (*zo.*) klyde.
avoid [əˈvɔid] *vb.* **1.** undgå; (se også

plague[1]); **2.** (*jur.*) gøre ugyldig; omstøde; ophæve.
avoidable [əˈvɔidəbl] *adj.* **1.** som kan//kunne undgås; **2.** (*assur.*) påregnelig; **3.** (*jur.*) omstødelig.
avoidance [əˈvɔid(ə)ns] *sb.* **1.** undgåelse; **2.** (*jur.*) omstødelse; ophævelse.
avoirdupois [ævədəˈpɔiz] *sb.* **1.** handelsvægt; **2.** korpulence, fedme.
avow [əˈvau] *vb.* F erklære åbent; tilstå; vedkende sig.
avowal [əˈvauəl] *sb.* åben erklæring; tilståelse.
avowed [əˈvaud] *adj.* erklæret (*fx their* ~ *aim*).
avowedly [əˈvauidli] *adv.* åbent; uforbeholdent.
avuncular [əˈvʌŋkjulə] *adj.* F **1.** onkelagtig; alfaderlig; **2.** onkel-; som onkel (*fx his* ~ *privilege*).
await [əˈweit] *vb.* F **1.** (*om person*) afvente (*fx their arrival*; *his orders*; *the result*); **2.** (*om ting*) vente (*fx a nasty surprise -ed us*).
awake[1] [əˈweik] *adj.* vågen (*fx lie* ~; *keep* ~);
□ *be* ~ *to* have blik for; have en vågen sans for; være klar over (*fx he is* ~ *to his own interest*); (se også *wide*[3]).
awake[2] [əˈweik] *vb.* (*awoke, awoken*; (*am. også*) *-d, -d*) (*litt.*) **1.** vække; **2.** (*uden objekt*) vågne; □ ~ *to* (*fig.*) blive klar over, få øjnene op for (*fx one's responsibilities*).
awaken [əˈweik(ə)n] *vb.* (*litt.*) **1.** vække; **2.** (*uden objekt*) vågne; □ ~ *to* se *awake*[2]; ~ *sby to* (*fig.*) gøre én bevidst om.
awakening [əˈweik(ə)niŋ] *sb.* (*fig.*) opvågnen (*fx of national consciousness*); gryende bevidsthed (*fx her sexual* ~); (se også *rude*).
award[1] [əˈwɔːd] *sb.* **1.** tildeling (*fx of a scholarship*); **2.** (*noget som tildeles*) pris (*for* for); præmie; belønning (*fx a bravery* ~); **3.** (*pengesum*) beløb (som tilkendes), erstatning (*fx an* ~ *of £500 to each of the victims*); **4.** (*mht. løn*) lønforhøjelse; **5.** (*til studier*) stipendium; **6.** (*jur.*) kendelse; voldgiftskendelse.
award[2] [əˈwɔːd] *vb.* **1.** tildele (*fx* ~ *sby a travel grant//a medal*); **2.** (*jur.*) tilkende (*fx* ~ *sby damages*).
aware [əˈwɛə] *adj.* **1.** vidende (*of* om; *that* om at); **2.** bevidst (*fx politically* ~; *sexually* ~);
□ *not as far as I am* ~ ikke så vidt jeg ved; *be* ~ *of* vide, være bevidst om, være klar over; *I am* ~

that jeg ved (godt) at; jeg er klar over at.

awareness [ə'wɛənəs] *sb.* **1.** opmærksomhed; **2.** bevidsthed (*of* om).

awash [ə'wɔʃ] *adj.* **1.** overskyllet af vand; **2.** (*mar.*) i vandskorpen; □ *be* ~ flyde af vand (*fx the floor was* ~); *be* ~ *with* **a.** flyde af (*fx the street was* ~ *with petrol*); **b.** (*fig.*) svømme i; være oversvømmet af (*fx rumours*); være overfyldt af.

away[1] [ə'wei] *sb.* = *away match*.

away[2] [ə'wei] *adv.* **1.** væk, bort// borte (*fx walk//keep* ~ *from the place*); **2.** (*i sport*) på udebane (*fx they won 2-0* ~); **3.** (*forstærkende*) løs (*fx fire* ~); af alle kræfter (*fx work* ~); **4.** (*om tid*) ude i fremtiden (*fx many years* ~); □ *the exam is six weeks* ~ der er seks uger til eksamen; *right/ straight* ~ se *straight away*; (se også *do*[3], *fall*[2], *far, get, make*[2], *put*).

away match *sb.* udekamp, kamp på udebane.

away win *sb.* udesejr, sejr på udebane.

awe[1] [ɔ:] *sb.* ærefrygt; □ *stand in* ~ *of sby* nære ærefrygt for en; frygte en.

awe[2] [ɔ:] *vb.* indgyde ærefrygt; imponere; skræmme (*fx they were -d into submission*).

awed [ɔ:d] *adj.* ærbødig; fuld af ærefrygt; □ *be* ~ *by* nære ærefrygt for; være imponeret af.

aweigh [ə'wei] *adv.* (*mar.: om anker*) let.

awe-inspiring ['ɔ:inspaiəriŋ] *adj.* ærefrygtindgydende; respektindgydende; imponerende, overvældende.

awesome ['ɔ:səm] *adj.* **1.** = *awe-inspiring*; **2.** (*am.*) ærbødig; **3.** (*især am.* S) fantastisk, formidabel.

awestricken ['ɔ:strik(ə)n], **awestruck** ['ɔ:strʌk] *adj.* fyldt af ærefrygt; rædselsslagen.

awful ['ɔ:f(u)l] *adj.* **1.** frygtelig; forfærdelig; **2.** T frygtelig, forfærdelig, skrækkelig; **3.** (*litt.*) frygtindgydende; ærefrygtindgydende.

awfully ['ɔ:fuli] *adv.* **1.** frygteligt; forfærdeligt; **2.** T vældig (*fx he is* ~ *nice*); gevaldig; □ *thanks* ~ tusind tak.

awhile [ə'wail] *adv.* lidt; F en stund.

awkward ['ɔ:kwəd] *adv.* **1.** (*om bevægelse*) kejtet, akavet (*fx gesture*); klodset; **2.** (*om ting*) uhåndterlig; akavet, ubekvem (*fx*

it was ~ *to carry*); klodset (*fx tool*); **3.** (*om opgave, arbejde*) besværlig (*fx climb*); ubehagelig (*fx exam paper*); kedelig; **4.** (*om person*) besværlig (*fx don't be so* ~); firkantet; **5.** (*om følelse*) forlegen, genert (*fx I felt* ~); flov; **6.** (*om noget der gør én flov*) pinlig (*fx silence; situation*); flov (*fx situation*); ubelejlig (*fx question*); □ *the* ~ *age* lømmelalderen; tøsealderen; ~ *customer* besværlig fyr; farlig modstander.

awl [ɔ:l] *sb.* syl.

awn [ɔ:n] *sb.* (*bot.*) stak [*som på byg*].

awning ['ɔ:niŋ] *sb.* solsejl; markise.

awoke [ə'wouk] *præt. af awake*[2].

awoken [ə'wouk(ə)n] *præt. ptc. af awake*[2].

AWOL *fork. f. absent without leave* rømmet; □ *go* ~ T stikke af.

awry [ə'rai] *adv.* skævt.

aw-shucks[1] [ɔ:'ʃʌks] *adj.* (*am.* T) naivt beskeden.

aw-shucks[2] [ɔ:'ʃʌks] *interj.* (*am.* T) årh hvad [ɔ: *det er da ikke noget særligt*].

ax (*am.*) = *axe*.

axe[1] [æks] *sb.* økse; □ *apply the* ~ bruge sparekniven; *face the* ~ risikere at blive ramt af sparekniven; *get the* ~ blive sparet væk; (*om person også*) blive fyret; *he has an* ~ *to grind* T han vil mele sin egen kage; han vil hyppe sine egne kartofler.

axe[2] [æks] *vb.* **1.** tilhugge med økse; **2.** (*fig.*) nedskære drastisk; spare væk.

axial ['æksiəl] *adj.* aksial; akse-.

axiom ['æksiəm] *sb.* aksiom, grundsætning; selvindlysende sandhed.

axiomatic [æksiə'mætik] *adj.* aksiomatisk; umiddelbart indlysende.

axis ['æksis] *sb.* (*pl. axes* ['æksi:z]) akse.

axle ['æksl] *sb.* aksel; hjulaksel.

ay se *aye*.

ayah ['aiə] *sb.* indisk barnepige.

ayatollah [aiə'tɔlə] *sb.* ayatollah; □ *the* ~ *regime* præstestyret.

aye[1] [ai] *sb.* **1.** ja; **2.** jastemme; □ *the -s have it* forslaget er vedtaget.

aye[2] [ai] *interj.* (*skotsk*) ja; □ ~ ~, *sir!* (*mar.*) javel.

aye[3] [ai, ei] *adv.* (*glds. el. poet.*) stedse; bestandig.

aye-aye ['aiai] *sb.* (*zo.*) fingerdyr.

Azores [ə'zɔ:z, (*am.*) 'eizɔrz] *sb. pl.: the* ~ (*geogr.*) Azorerne.

Aztec[1] ['æztek] *sb.* aztek.

Aztec[2] ['æztek] *adj.* aztekisk.

azure[1] ['æʒə] *sb.* azur, himmelblåt.

azure[2] ['æʒə] *adj.* azurblå, himmelblå.

B

B¹ [bi:].
B² (*mus.*) h.
b *fork. f.* billion milliard; (*glds.*) billion.
b. *fork. f.* born født.
BA *fork. f.* **1.** *Bachelor of Arts*; **2.** *British Academy*; **3.** *British Association*.
baa¹ [ba:] *sb.* brægen.
baa² [ba:] *vb.* bræge.
baa³ [ba:] *interj.* mæh.
baa-lamb ['ba:læm] *sb.* mælam.
baas [ba:s] *sb.* (*sydafr. glds.*) herre.
babble¹ ['bæbl] *sb.* (jf. *babble*²) **1.** plapren; **2.** snakken, mumlen; **3.** vrøvl, pladder; **4.** pludren (*fx her childish* ~; *the* ~ *of the brook*).
babble² ['bæbl] *vb.* **1.** (*hurtigt, uforståeligt*) plapre; **2.** (*utydeligt*) snakke, mumle (*fx in one's sleep*); **3.** (*indholdsløst*) vrøvle, pladre; **4.** (*om børn el. bæk*) pludre.
babe [beib] *sb.* **1.** (*am.* T) pige; sild; (*i tiltale*) skat; **2.** (*glds.*) (spædt) barn (*fx a new-born* ~).
babe in arms *sb.* (*litt.*) spædbarn.
babel ['beibl] *sb.* babylonisk forvirring; forvirret snakken.
baboon [bə'bu:n] *sb.* (*zo.*) bavian.
babushka [bə'bu:ʃkə, bæ-] *sb.* **1.** (*i Rusland*) gammel kone, bedstemor; **2.** (*am.*) hovedtørklæde.
baby¹ ['beibi] *sb.* **1.** spædbarn; baby; **2.** (*neds.*) pattebarn (*fx don't be such a* ~); **3.** (*fig.*) kælebarn (*fx that project is John's* ~); **4.** (*am.* T) pige; sild; (*i tiltale*) skat;
□ *the* ~ *of the family* familiens Benjamin/yngste; *I was left holding the* ~ T det var mig der kom til at hænge på den; jeg sad tilbage med smerten; (se også *change*²).
baby² ['beibi] *vb.* **1.** behandle som et pattebarn; **2.** forkæle.
baby blues *sb. pl.* **1.** fødselsdepression; **2.** blå øjne.
baby boom *sb.* opsving i fødselstallet [*især 1945-52*].
baby boomer *sb.* en fra de store årgange.
Baby-bouncer® ['beibibaunsə] *sb.* hoppegynge.
baby buggy *sb.* **1.** klapvogn; **2.** (*am.*

T) barnevogn.
baby carriage *sb.* (*am.*) barnevogn.
baby doll *sb.* S pigebarn.
baby fat *sb.* (*am.*) hvalpefedt.
baby grand *sb.* kabinetflygel.
Baby-Gro® ['beibigrəu] *sb.* [*slags kravledragt*].
babyhood ['beibihud] *sb.* tidligste barndom.
babyish ['beibiiʃ] *adj.* barnlig; babyagtig; barnagtig.
baby's breath *sb.* (*bot.*) gipsurt.
baby shower *sb.* [*pakkefest for vordende moder*].
babysit ['beibisit] *vb.* **1.** være babysitter; **2.** (*med objekt*) være babysitter for; passe.
babysitter ['beibisitə] *sb.* **1.** babysitter; **2.** (*am.*) dagplejemor.
baby snatcher *sb.* barnerøver.
baby talk *sb.* babysprog.
baby tooth *sb.* (*pl. baby teeth* ['beibiti:θ]) mælketand.
baby walker *sb.* gangstativ.
baccalaureate [bækə'lɔ:riət] *sb.* [*studentereksamen*].
bacchanal ['bækən(ə)l] *sb.* (*litt.*) bakkanal; drikkelag.
baccy ['bæki] *sb.* T tobak.
bach¹ [bætʃ] *sb.* **1.** (*am.* T) ungkarl; ugift; **2.** (*austr.*) sommerhus [*ved kysten*].
bach² [bætʃ] *vb.* (*am.* T) leve som ugift.
bachelor ['bætʃ(ə)lə] *sb.* **1.** ungkarl; **2.** (*universitetsgrad*) bachelor.
bachelor flat *sb.* etværelses lejlighed; ungkarlelejlighed.
bachelor girl *sb.* [*ugift selverhvervende kvinde*].
bachelor party *sb.* (*am.*) polterabend.
bacillus [bə'siləs] *sb.* (*pl. bacilli* [-lai]) bacille.
back¹ [bæk] *sb.* **1.** bagside (*fx of a house*; *of a piece of paper*); **2.** bagende (*fx of a car*); bageste//inderste del; **3.** (*af person, dyr, bog, hånd*) ryg; **4.** (*af stol, sofa etc.*) ryg, ryglæn; **5.** (*i fodbold etc.*) back;
□ *at the* ~ *of*, break the ~ *of* se: *ndf.*; *the* ~ *of one's* **hand** håndryggen; *I know the area like the* ~ *of my hand* jeg kender området ud og ind/som min egen bukse-

lomme; *the* ~ *of the* **neck** nakken; *he is talking through the* ~ *of his neck* S han vrøvler; han ved ikke hvad han taler om;
[*med vb.*] *break* one's ~
a. brække ryggen; **b.** (*fig.*) pukle løs; *break his* ~ (*fig.*) overanstrenge ham; *break the* ~ *of* (*fig.*) få bugt med; *break the* ~ *of a job* få det værste (af arbejdet) overstået; *get off his* ~ T lade ham være (i fred); *get his* ~ *up* gøre ham gal i hovedet; *he puts his* ~ *into it* han lægger kræfterne i; *put his* ~ *up* = *get his* **scratch** *my* ~ ... se *scratch*²; *be glad to see the* ~ *of* være glad for at slippe af med; *turn* one's ~ *on sby* vende en ryggen; *when his* ~ *was turned* når han vendte ryggen til; *watch* one's ~ kigge sig over skulderen [ɔ: passe på angreb fra ryggen]; [*med præp.*] *at the* ~ bagest; bagtil; *at the* ~ *of* **a.** bag(est) i (*fx the book*; *the bus*; *the cupboard*); **b.** bag(ved) (*fx the house*); *it has been at the* ~ *of my mind* det har ligget mig i baghovedet; (se også *beyond*¹); *at the* ~ *of his mind he knew that there was something wrong* han havde en uklar fornemmelse af at der var noget galt; *go behind his* ~ se *go*³; *in* ~ *of* (*am.*) bag i; *in the* ~ *of my mind* se ovf.; *at the* ~ *of my mind*; *I got it/it fell off the* ~ *of a lorry* (*svarer til*) jeg købte det af en ukendt mand [ɔ: det er stjålet]; *live off the -s of* snylte på; *be on sby's* ~ T være på nakken af en; *on the* ~ *of* bag på (*fx an envelope*; *a postage stamp*); *out the* ~, *round the* ~ (*of the house*) om(me) bag ved (huset); ~ *to front* omvendt (*fx wear a cap* ~ *to front*); *she knows her part* ~ *to front* hun kan sin rolle forfra og bagfra/ud og ind; *with* one's ~ *to/towards sby* med ryggen til en (*fx he was standing with his back towards me*); *sit with* one's ~ *to the engine* køre baglæns [ɔ: i tog]; *our seats were* **towards** *the* ~ *of the theatre* vores pladser var bag i teateret.
back² [bæk] *adj.* **1.** bag- (*fx gar-*

61

B back

den); **2.** (*om betaling*) ubetalt; som man er i restance med (*fx taxes*); **3.** (*om tidsskrift etc.*) gammel (*fx volume* årgang); (se også *back number*).

back[3] [bæk] *vb.* **A.** **1.** (*køretøj*) bakke (*fx ~ the car into the garage*); **2.** (*person, foretagende*) støtte (*fx the plan*); bakke op (om); hjælpe (*fx his friends -ed him*); **3.** (*ved væddeløb: hest, person*) holde på; **4.** (*ting*) beklæde på bagsiden (*fx a photo -ed with cardboard*); **5.** (*om baggrund*) ligge bag ved (*fx mountains ~ the town*);
B. (*uden objekt*) **1.** (*med køretøj*) bakke (*fx into the garage*); køre baglæns; **2.** (*med hest*) rykke; **3.** (*i båd*) skodde (med årerne); **4.** (*om vinden*) dreje [*i modsat retning af solen*];
□ *~ the wrong horse* holde på den forkerte hest; (se også *water*[1]); [*med præp.& adv.*] *~ away*
a. trække sig baglæns væk, vige tilbage (*from* fra); **b.** (*fig.*) bakke ud (*from* af, *fx a plan*); *~ down* bakke ud (*on* af); trække i land; opgive; *~ off* **a.** trække sig/vige tilbage; **b.** opgive (*fx a demand*); *~ off!* T hold dig væk! la' vær' med at blande dig! *~ off from* opgive, ikke stå ved (*fx a promise*); *~ on to* vende tilbage til til; støde op til; *~ out of* trække sig ud af; bakke ud af (*fx an undertaking*); *~ up* **a.** støtte, bakke op (om) (*fx he has no one to ~ him up*); hjælpe; **b.** (*udsagn*) underbygge (*fx a theory*); **c.** (*idé, plan*) følge op; **d.** (*it*) lave sikkerhedskopi; **e.** (*om bil etc.*) bakke; **f.** (*om trafik*) danne kø, holde i kø; **g.** (*typ.*) trykke på bagsiden, vidertrykke; *be -ed up* holde i kø; *the sink is -ed up* vasken er blokeret; *~ up by/with* følge op med.
back[4] [bæk] *adv.* **1.** tilbage (*fx come ~; call sby ~*); **2.** (*om gentagelse*) igen (*fx come ~; if anybody hits me, I hit ~*); **3.** (*om tid*) for ... siden (*fx some years ~*); **4.** (*om bopæl*) hjemme (*fx ~ in England*); □ *~ and forth* frem og tilbage; *third floor ~* tredje sal til gården; *three stops ~* for tre stoppesteder siden; *he is just ~ from London* han er lige kommet hjem fra London; *~ of the house* (*am.*) bag ved huset; (se også *answer*[2], *far*[2], *go*[3] (*etc.*)).
backache ['bækeik] *sb.* ondt i ryggen.
backbencher [bæk'bentʃə] *sb.* (*parl.*) menigt partimedlem.

back benches *sb. pl.* (*parl.*) de bageste bænke [*hvor de menige partmedlemmer sidder*].
backbiting ['bækbaitiŋ] *sb.* bagtalelse, ondskabsfuld sladder.
backboard ['bækbɔːd] *sb.* **1.** bagklædning; **2.** (*på vogn*) bagsmæk(ke); **3.** (*i basketball*) målplade.
backbone ['bækbəun] *sb.* **1.** rygrad, rygsøjle; **2.** (*fig.*) rygrad (*fx the ~ of the organization; he has no ~*); □ *have ~* (*også*) have ben i næsen; *have hår på brystet*; *to the ~* helt igennem; til fingerspidserne.
backbreaking ['bækbreikiŋ] *adj.* meget anstrengende, opslidende.
back burner *sb.*: *put on the ~* sætte i anden række; stille i bero; sætte på vågeblus.
back catalogue *sb.* tidligere udgivelser.
backchat ['bæktʃæt] *sb.* svaren igen; næsvist svar, næsvished.
backcloth ['bækklɔθ] *sb.* (*teat.*) bagtæppe;
□ *against a ~ of* (*fig.*) på baggrund af; midt i.
backcomb ['bækkəum] *vb.* toupere.
back copy *sb.* gammelt nummer [*af blad*].
back country *sb.* (*am.*) [*område langt væk fra by*];
□ *move into the ~* flytte langt ud på landet.
backdate ['bækdeit] *vb.* **1.** antedatere; baguddatere; **2.** (*lov, bestemmelse*) give tilbagevirkende kraft; □ *-d to* med tilbagevirkende kraft fra (*fx a wage increase -d to Jan. 1.*).
back door *sb.* bagdør;
□ *through/by the ~* (*fig.*) ad bagdøren; ad bagvejen.
backdoor [bæk'dɔː] *adj.* hemmelig; underhånds-; fordækt (*fx intrigues*).
backdrop ['bækdrɔp] *sb.* = *backcloth*.
backer ['bækə] *sb.* **1.** hjælper, støtte; **2.** (*økon.*) bagmand; kapitalindskyder; **3.** (*ved væddeløb*) [*person der holder på en hest*].
backfill ['bækfil] *vb.* (*arkæol.: en udgravning*) kaste til igen.
backfire[1] ['bækfaiə] *sb.* **1.** (*om motor*) knald; tilbageslag; **2.** (*i lydpotte*) gnisttænding.
backfire[2] [bæk'faiə] *vb.* **1.** (*om motor*) knalde; **2.** (*fig. om plan*) give bagslag; have modsat virkning; slå fejl.
back formation *sb.* (*sprogv.*) subtraktionsdannelse.
back four *sb.* (*i fodbold*) firbackslinjen [*de to centerforsvarere og*

to backer].
backgammon [bæk'gæmən] *sb.* backgammon.
background ['bækgraund] *sb.* **1.** baggrund; **2.** (*persons*) baggrund, miljø; uddannelse; forudsætninger (*fx he has the right ~ for the job*); **3.** (*lydeffekt i film etc.*) kontentum;
□ *against a ~ of* **a.** mod en baggrund af; **b.** (*fig.*) på baggrund af (*fx threats of war*); *have a ~ in* være uddannet inden for (*fx publishing*); have erfaringer med.
background count *sb.* (*i atomfysik*) baggrundstælling.
background music *sb.* (*film.*) underlægningsmusik.
backhand ['bækhænd] *sb.* (*i tennis etc.*) baghånd; baghåndsslag.
backhanded [bæk'hændid] *adj.* **1.** med bagsiden af hånden (*fx a ~ blow*); **2.** (*i tennis etc.*) baghånds- (*fx stroke*); **3.** (*om kompliment*) bagvendt; tvivlsom;
□ *in a ~ way* på en indirekte//tvetydig måde.
backhander ['bækhændə] *sb.* **1.** slag med bagsiden af hånden; **2.** (*i boksning*) stød med bagsiden af handsken; **3.** (*i tennis etc.*) baghåndsslag; **4.** T bagholdsangreb; **5.** S bestikkelse, smørelse.
backing ['bækiŋ] *sb.* **1.** støtte; opbakning; **2.** (*på møbel etc.*) bagklædning; **3.** (*foto.*) bagsidebelægning; **4.** (*mus.*) akkompagnement; **5.** (*økon.*) dækning.
backing group *sb.* (*mus.*) backinggruppe.
back issue *sb.* gammelt nummer [*af blad*].
backlash ['bæklæʃ] *sb.* **1.** modreaktion (*against* imod); voldsom reaktion; tilbageslag; **2.** (*tekn.*) spillerum; slør; dødgang.
backless ['bækləs] *adj.* (*om kjole*) stærkt nedringet i ryggen, rygfri.
backlist ['bæklist] *sb.* (*forlags*) lagerliste; backlist.
backlit ['bæklit] *adj.* (*teat. etc.*) med baglys.
backlog ['bæklɔg] *sb.* **1.** efterslæb; pukkel; arbejde som venter på at blive gjort; **2.** (*am.*) stor brændeknude som ligger bag i pejsen; □ *a ~ of orders* uudførte/uekspederede/resterende ordrer.
back number *sb.* **1.** (*af avis etc.*) gammelt nummer; **2.** (T, *fig.*) [*en// noget tiden er løbet fra*];
□ *he is a ~* tiden er løbet fra ham; han følger ikke med tiden; han er passé.
backpack[1] ['bækpæk] *sb.* rygsæk.
backpack[2] ['bækpæk] *vb.* rejse

med rygsæk.

backpacker ['bækpækə] *sb.* rygsækturist.

back passage *sb.* endetarm.

back pay *sb.* forfalden løn; efterbetaling.

backpedal [bæk'ped(ə)l] *vb.*
1. træde baglæns; bremse; 2. (*fig.*) hale i land; skifte mening; 3. (*mht. løfte*) bakke ud; løbe fra sit ord.

back room *sb.* baglokale [*også fig. om sted hvor hemmeligt arbejde foregår*].

backroom boys *sb. pl.* [*videnskabsmænd der udfører hemmeligt forskningsarbejde; politikere (etc.) der arbejder bag kulisserne*].

backroom deal *sb.* hemmelig aftale; underhåndsaftale.

back saw *sb.* (*især am.*) listesav.

backscratcher ['bækskrætʃə] *sb.*
1. kløpind; 2. [*en der yder tjenester mod forventet gengæld*].

back seat *sb.* bagsæde;
□ *take a* ~ T holde sig i baggrunden; holde en lav profil.

back-seat driver *sb.* 1. [*en der altid er fuld af gode råd*]; 2. (*i bil*) [*passager der giver føreren gode råd om hvordan han skal køre*].

backside [bæk'said] *sb.* T bagdel, ende, rumpe;
□ *get off your* ~! T let rumpen! [ɔ: *kom i gang*]; *sit on one's* ~ T sidde på sin flade.

back slang *sb.* [*form for slang hvor ordene udtales bagfra*].

backslapping[1] ['bækslæpiŋ] *sb.* (kammeratlige) dunk i ryggen; kammeratlighed; jovialitet.

backslapping[2] ['bækslæpiŋ] *adj.* kammeratlig; jovial.

backslash ['bækslæʃ] *sb.* (*it*) omvendt skråstreg.

backslide ['bækslaid] *vb.* få tilbagefald, falde 'i; komme på gale veje igen;
□ ~ *on* løbe fra (*fx a promise*).

backslider ['bækslaidə] *sb.* frafalden.

backsliding ['bækslaidiŋ] *sb.* tilbagefald.

backspace[1] ['bækspeis] *sb.* 1. tilbagerykning; 2. = *backspace key*; 3. (*it*) tilbageryktegn.

backspace[2] [bæk'speis] *vb.* rykke tilbage.

backspace key *sb.* (*it*) tilbagetast; rettelsestast.

backstage [bæk'steidʒ] *adv.* 1. bag scenen; 2. (*fig.*) bag kulisserne (*fx* ~ *negotiations*).

backstairs[1] [bæk'stɛəz] *sb. pl.* bagtrappe; køkkentrappe.

backstairs[2] [bæk'stɛəz] *adj.* T indirekte, hemmelig (*fx influence*); køkkentrappe- (*fx gossip*).

backstay ['bækstei] *sb.* (*mar.*) bardun; agterstag.

backstitch ['bækstitʃ] *sb.* stikkesting.

backstop[1] ['bækstɔp] *sb.* 1. (*i boldspil*) bagstopper; (*am.* T) griber; 2. (*ved målskydning*) skydevold; 3. (*fig.*) værn (*against* mod).

backstop[2] ['bækstɔp] *vb.* 1. være bagstopper for; 2. (*fig.*) støtte, hjælpe.

backstreet *sb.* baggade; sidegade.

backstreet abortionist *sb.* [*en der udfører ulovlige aborter*]; kvaksalver.

backstroke ['bækstrəuk] *sb.* 1. rygsvømning; 2. (*i konkurrencesvømning*) rygcrawl;
□ *do (the)* ~ svømme rygsvømning//rygcrawl.

back talk *sb.* (*am.*) = *backchat*.

back tax *sb.* ubetalt skat.

back-to-[1]**back** [bæktə'bæk] *sb.* [*rækkehuse (i arbejderkvarter) bygget med bagsiden tæt op mod hinanden*].

back-to-[2]**back** [bæktə'bæk] *adv.* lige efter hinanden; i træk.

backtrack ['bæktræk] *vb.* 1. gå samme vej tilbage; 2. (*i redegørelse etc.*) gå tilbage (til noget tidligere sagt); 3. (*mht. standpunkt*) trække i land;
□ ~ *on/from* tage i sig igen; tilbagekalde; løbe fra.

back-up[1] ['bækʌp] *sb.* 1. støtte; 2. (*om udstyr etc.*) reserve; erstatning, afløser; 3. (*it*) sikkerhedskopiering; (*kopi*) sikkerhedskopi, backup; 4. (*am.: i trafik*) bilkø; trafikprop.

back-up[2] ['bækʌp] *adj.* 1. reserve-; 2. (*i it*) backup-, sikkerheds-.

back-up light *sb.* (*am.: på bil*) baklygte.

back vowel *sb.* (*fon.*) bagtungevokal.

backward[1] ['bækwəd] *adj.* 1. baglæns (*fx somersault*); tilbage; bagud; 2. (*om land, samfund*) tilbagestående; 3. (*glds. om barn*) retarderet, evnesvag;
□ ~ *in* tilbageholdende med at; *a* ~ *glance* et blik tilbage; *without a* ~ *glance* uden at se sig tilbage; *a* ~ *step* a. et skridt tilbage; b. (*fig.*) et tilbageskridt.

backward[2] ['bækwəd] *adv.* (*am.*) = *backwards*.

backwardation [bækwə'deiʃn] *sb.* (*merk.*) deport.

backward-looking ['bækwədlukiŋ] *adj.* gammeldags; antikveret.

backwardness ['bækwədnəs] *sb.* tilbageståendehed; gammeldags indstilling; konservatisme.

backwards ['bækwədz] *adv.* 1. tilbage, bagud (*fx look* ~); 2. baglæns (*fx walk* ~; *count* ~); 3. i den forkerte rækkefølge (*fx do it* ~); 4. omvendt (*fx her skirt was on* ~);
□ ~ *and forwards* frem og tilbage; *a step* ~ a. et skridt tilbage; b. (*fig.*) et tilbageskridt; (se også *know*[2], *lean*[3] (*over*)).

backwards-compatible [bækwədzkəm'pætibl] *adj.* (*it*) som er kompatibel med tidligere versioner.

backwash ['bækwɔʃ] *sb.* 1. tilbagestrømmende bølge; tilbagegående strøm; tilbageslag (af bølge; 2. (*efter skib*) agterbølge; (*efter fly*) slipstrøm; 3. (*fig.*) ubehagelige eftervirkninger; efterdønninger.

backwater ['bækwɔ:tə] *sb.* 1. (*sted med*) stillestående vand; 2. (*fig.*) sted hvor der ikke sker noget/hvor verden står stille; (*fjernt sted*) fjern provins; afkrog; (*ubetydeligt*) ravnekrog.

backwoods ['bækwudz] *sb. pl.* fjerntliggende tyndtbefolket egn;
□ *in the* ~ langt ude på landet; ude på bøhlandet.

backwoodsman ['bækwudzmən] *sb.* (*pl.* -men [-mən]) 1. (*am.* T) bondeknold; 2. (*parl.* T) [*overhusmedlem som sjældent deltager i møderne*].

backyard [bæk'ja:d] *sb.* 1. baggård; 2. (*am.*) baghave;
□ *in one's own* ~ på ens eget område; lige hvor man bor; *not in my* ~! ikke her hos mig!

bacon ['beik(ə)n] *sb.* bacon;
□ *bring home the* ~ T klare den; klare ærterne; *save one's* ~ slippe fra det uden tab; redde skindet; beholde skindet på næsen.

bacteria [bæk'tiəriə] *pl. af bacterium*.

bacterial [bæk'tiəriəl] *adj.* bakterie-; bakteriel.

bacteriological [bæktiəriə'lɔdʒikl] *adj.* bakteriologisk.

bacteriologist [bæktiəri'ɔlədʒist] *sb.* bakteriolog.

bacteriology [bæktiəri'ɔlədʒi] *sb.* bakteriologi.

bacterium [bæk'tiəriəm] *sb.* (*pl. bacteria* [-riə]) bakterie.

bad [bæd] *adj.* (*worse, worst*) (se også *worse*[1], *worst*[1]) 1. dårlig; 2. (*om person*) ond, slet; (*mere* T) slem (*fx the* ~ *boys*); 3. (*om barn*) uartig; 4. (*om legemsdel*) dårlig (*fx back; heart; leg*); syg; 5. (*om noget ubehageligt*) slem (*fx acci-*

dent; *headache*; *mistake*); grim;
6. (*om madvarer*) dårlig, fordærvet (*fx meat*); rådden (*fx apple*; egg);
□ *be ~ at* være dårlig til; *be ~ for* være skadelig for; *it is ~ for you* (*også*) du har ikke godt af det; *feel ~ se feel²*; *go ~* blive fordærvet; *not ~* se ndf.: *not too ~*; *too ~!* (*ironisk*) det er bare ærgerligt! *not too ~* ikke dårlig; ikke værst; ikke så dårlig endda; *that's too ~* **a.** (*medfølende*) det var synd; det var da kedeligt/en skam; **b.** (*forarget*) det er for dårligt/galt; [*med præp.*] *go from ~ to worse* blive værre og værre; *be in ~ with* S være på kant med; *be £50 to the ~* have tabt £50; *go to the ~* gå i hundene;
[*med sb.; se også på alfabetisk plads*] *a ~ cheque* en dækningsløs check; *~ debts* usikre/uerholdelige fordringer; *a ~ egg/hat* (*glds.* S) en skidt fyr; en slubbert; *~ language* **a.** skældsord; **b.** uartige ord; eder; *a ~ lot* se ovf.: *a ~ egg*; *~ luck* uheld; ulykke; *~ luck!* der var du uheldig! *a piece of ~ luck* et uheld; *~ taste* dårlig smag; *it leaves a ~ taste in the/one's mouth* det giver en dårlig smmag i munden; (se også *book¹*, *faith*, *form¹*, *grace¹*, *penny*, *way¹* (*in a bad way*)).

badass ['bædæs] *sb.* (*am.* S) slagsbror; dum skid.

bad blood *sb.*: *there is ~ between them* der er kold luft mellem dem; *make ~ between them* sætte ondt blod mellem dem.

bad breath *sb.* dårlig ånde.

baddie ['bædi] *sb.* (*i fortælling*, T) skurk; (se også *goodie*).

bade [bæd] *præt. af bid³*.

bad form *sb.*: *it is ~* (*let glds.*) det er uhøfligt/uopdragent; det er ikke god tone; det kan man ikke.

badge [bædʒ] *sb.* **1.** skilt (*fx at the conference they wore -s with their names on*); mærke; emblem;
2. (*med slogan etc.*) badge;
3. (*tegn på rang*) gradstegn; distinktion; (se også *police badge*);
4. (*spejders*) duelighedstegn;
5. (*fig.*) tegn (*of* på); kendetegn (*of* for);
□ *a ~ of* (*fig.*) et tegn på (*fx owning a big car was a ~ of success*); et kendetegn for; *a ~ of honour* et æresbevisning.

badger¹ ['bædʒə] *sb.* **1.** grævling;
2. (*pensel*) grævlingehårspensel;
3. (*til fiskeri*) grævlingehårsflue.

badger² ['bædʒə] *vb.* plage (*to om at, fx ~ him to come along*);

□ *he -ed her into coming* han plagede hende så længe at hun gik med.

badinage ['bædina:ʒ] *sb.* (*litt.*) godmodigt drilleri; spøg, skæmt.

badlands ['bædlændz] *sb. pl.* (*geogr.*) badlands [*ørkenområder fremkaldt af regnerosion*].

badly ['bædli] *adv.* **1.** dårligt; slet;
2. (*om skadevirkning*) hårdt (*fx affected*; *wounded*); slemt (*fx hurt*); **3.** (*om ønske, behov*) stærkt; hårdt;
□ *it hurts ~* det gør meget ondt; *want ~* have et stærkt ønske om; *he is ~ off* **a.** det går skidt med ham; **b.** (*økonomisk*) han sidder dårligt i det; *be ~ off for* trænge hårdt/stærkt til.

badminton ['bædmintən] *sb.*
1. badminton; **2.** [*sommerdrik af rødvin og sodavand*].

bad-mouth ['bædmauθ, -mauð] *vb.* (*især am.*) rakke ned på.

badness ['bædnəs] *sb.* (*moralsk*) slethed; ondskab.

bad-tempered ['bædtempəd] *adj.*
1. (*om person*) opfarende; galsindet; **2.** (*om handling*) arrig (*fx scowl*; *discussion*).

baffle¹ ['bæfl] *sb.* **1.** skærm; skærmplade; **2.** (*i højttaler*) højttalerskærm; lydskærm; **3.** (*ved vej*) lydvold.

baffle² ['bæfl] *vb.* (se også *baffling*) forvirre, forbløffe;
□ *-d* (*også*) i vildrede; *it -d me, I was -d by it* jeg kunne ikke finde ud af det; jeg kunne ikke forklare det; jeg stod uforstående over for det; *it -s description* trodse enhver beskrivelse.

bafflement ['bæflmənt] *sb.* forvirring, forbløffelse.

baffling ['bæfliŋ] *adj.* forvirrende; uforklarlig; uløselig;
□ *~ wind* skiftende vind.

bag¹ [bæg] *sb.* **1.** pose; (*større*) sæk;
2. (*med hank(e)*) taske; håndtaske; (*større*) kuffert; **3.** (*ved jagt*) jagtudbytte; **4.** (*neds. om kvinde*) kælling; gimpe;
□ *~ and baggage* med pik og pak; med alt sit habengut; *what's his ~?* (*let glds.* S) **a.** hvad er han? **b.** hvad kan han bedst lide? *it is not his ~* det er ikke hans kop te; *be left holding the ~* se *baby*; *in the ~* S sikker; „hjemme"; *-s under one's eyes* poser under øjnene; (se også *mixed bag*);
[*med: of*] *be a ~ of bones* kun være skind og ben; *a ~ of nerves* T et nervebundt; *his ~ of tricks* hans særlige virkemidler; hans arsenal; *the whole ~ of tricks* T hele

molevitten/balladen/historien.

bag² [bæg] *vb.* **1.** komme i en pose//poser; komme i sæk(ke);
2. T få fat i, snuppe; stikke til sig;
3. (*om jæger*) skyde, nedlægge;
4. (*om tøj*) pose;
□ *his trousers ~ (out) at the back* han har hængerøv i bukserne; *his trousers ~ (out) at the knees* han har knæ i bukserne; *~ up* se ovf.: *1*.

bagasse [bə'gæs] *sb.* bagasse, udpressede sukkerrør.

bagatelle [bægə'tel] *sb.* **1.** bagatel; småting; **2.** fortunaspil.

bagel ['beig(ə)l] *sb.* (*am.*) bagel [*ringformet stykke morgenbrød*].

baggage ['bægidʒ] *sb.* **1.** (*især am.& flyv.*) bagage; **2.** (*mil.*) tros;
3. (*glds., spøg.*) tøs (*fx an impudent ~*); (se også *bag¹*).

baggage handler *sb.* (*flyv.*) bagagearbejder.

baggage reclaim *sb.* bagageudlevering.

bagger ['bægə] *sb.* (*am.*) [*en der i et supermarked hjælper kunder med at lægge deres indkøb i pose*].

baggy ['bægi] *adj.* poset;
□ *his trousers were ~ at the knees* han havde knæ i bukserne.

bag lady *sb.* posedame.

bagman ['bægmən] *sb.* (*pl.* -men [-mən]) **1.** (*neds.*) handelsrejsende;
2. (*am.* S) [*gangsters mellemmand/pengeopkræver*]; **3.** (*austr.*) vagabond, bums.

bagpipe ['bægpaip] *adj.* sække-pibe-.

bagpipes ['bægpaips] *sb. pl.* sække-pibe;
□ *a set of ~* en sækkepibe.

bags¹ [bægz] *sb. pl.* **1.** kufferter; bagage; **2.** T (*vide*) bukser;
□ *~ of* S masser af; *have ~ under one's eyes* have poser under øjnene; *pack one's ~* pakke sammen [o: og forlade stedet].

bags² [bægz] *vb.* (*børnesprog*) sige helle for;
□ *~ I that cake!* helle for den kage!

bag snatch *sb.* tasketyveri.

bag snatcher *sb.* tasketyv, taskerøver.

bah [ba:] *interj.* (*glds.*) pyt!, snak!

Bahamas [bə'ha:məz] *sb. pl.*: *the ~* (*geogr.*) Bahamaøerne.

Bahamian¹ [bə'heimiən] *sb.* bahamaner.

Bahamian² [bə'heimiən] *adj.* bahamansk.

bail¹ [beil] *sb.* kaution; (se også *bails*);
□ *out on ~* løsladt mod kaution;
[*med vb.*] *grant ~, release on ~*

løslade mod kaution; *jump/skip*
~ udeblive fra retssag når man er
løsladt mod kaution; *go/put up/
stand ~ for* stille kaution for.
bail[2] [beil] *vb.* (*mar.*) øse;
□ ~ *out* **a.** (*jur.*) stille kaution for;
b. (*mar.*) øse læns; **c.** T redde [*fra
fallit; ud af en knibe*]; **d.** (*flyv.*)
springe ud med faldskærm; ~ *out
of* (*am.*) trække sig ud af.
bailer ['beilə] *sb.* øsekar.
bailiff ['beilif] *sb.* **1.** (*jur.*) foged;
2. (*på gods etc.*) forvalter; **3.** (*am.*)
retsbetjent.
bailiwick ['beiliwik] *sb.* **1.** (*fogeds*)
retskreds, jurisdiktion; **2.** (T: *per-
sons*) område; interesseområde.
bailout ['beilaut] *sb.* (*især am.*)
økonomisk redningsaktion.
bails [beilz] *sb. pl.* overliggere [*på
kricketgærde*].
bain-marie [bænmə'ri:] *sb.* (*i mad-
lavning*) vandbad.
bairn [bɛən] *sb.* (*dial. , især skotsk*)
barn.
bait[1] [beit] *sb.* **1.** (*til fisk*) madding;
2. (*i fælde*) lokkemad; **3.** (*fig.*) lok-
kemad;
□ *rise to the* ~ (*ved provokation*)
lade sig drille; hoppe på den;
swallow/take the ~ (*ved tilbud*)
bide på krogen.
bait[2] [beit] *vb.* **1.** (*krog*) sætte mad-
ding på; **2.** (*fælde*) lægge lokke-
mad i; **3.** (*person*) drille, irritere;
plage, forfølge; **4.** (*bjørn, med
hunde*) hidse.
baize [beiz] *sb.* [*grøn filt, på spille-
bord el. billard*].
bake[1] [beik] *sb.* **1.** ovnret; **2.** [*sam-
menkomst med servering af ovn-
retter*]; (*se også clambake*).
bake[2] [beik] *vb.* (se også *baking*)
1. (*mad*) bage; stege; **2.** (*ler*)
brænde (*fx bricks, tiles*);
□ *the cake is baking* kagen er i ov-
nen; kagen er ved at blive bagt.
baked Alaska *sb.* [*kage med is i
marengs*].
baked beans *sb. pl.* [*hvide bønner i
tomatsauce*].
bakehouse ['beikhaus] *sb.* bageri.
Bakelite® ['beikəlait] *sb.* bakelit.
baker ['beikə] *sb.* bager.
baker's ['beikəz] *sb.* (*pl. bakers'*
['beikəz]) bagerforretning.
baker's dozen *sb.* (*glds.*) tretten.
bakery ['beikəri] *sb.* **1.** bageri;
2. bagerforretning.
bakeware ['beikwɛə] *sb.* bage-
forme.
baking ['beikiŋ] *adj.* bagende varm;
□ *I was baking* (*fig.*) jeg var ved at
blive stegt.
baking powder *sb.* bagepulver.
baking sheet *sb.* bageplade; bage-

plader.
baking soda *sb.* natriumbikarbo-
nat, tvekulsurt natron.
baking tin *sb.* bageform.
baking tray *sb.* bageplade.
bakkie ['bæki] *sb.* (*sydafr.*) lille va-
revogn, pickup.
baksheesh ['bækʃi:ʃ] *sb.* T bakh-
schisch [*gave til tiggere, drikke-
penge, bestikkelse*].
balaclava [bælə'kla:və] *sb.* elefant-
hue.
balalaika [bælə'laikə] *sb.* (*mus.*)
balalajka.
balance[1] ['bæləns] *sb.* **1.** balance,
ligevægt; **2.** (*apparat*) vægt; **3.** (*af
penge, gæld*) restbeløb (*fx pay the
~*); **4.** (*på konto*) saldo; **5.** (*fig.*)
rest (*fx the ~ of my holiday*); **6.** (*i
et ur*) uro;
□ *the ~ in our favour* vort tilgode-
havende;
[*med vb.*] *he holds the* ~ afgørel-
sen ligger i hans hånd; (se også
ndf.: ~ *of power*); *keep one's* ~
holde balancen; *lose one's bal-
ance* tabe/miste balancen; *redress
the* ~ genoprette balancen; *shift
the* ~ se ndf.: *tip the* ~; *strike a* ~
a. trække en balance; **b.** (*fig.*)
finde en mellemvej//mellempro-
portional (*between* mellem); *tip/
tilt the* ~ (*fig.*) forrykke balancen;
gøre udslaget; *tip/tilt the* ~ *in
their favour* forrykke balancen til
fordel for dem; få det til at falde
ud til deres fordel;
[*med præp.*] *be/hang in the* ~
være uafgjort; være på vippen;
henstå i det uvisse; *off* ~ **a.** ude
af balance; **b.** (*merk.*) uden for ba-
lancen; *knock//throw sby off* ~
a. få en til at miste balancen;
b. (*fig.*) gøre en usikker; *on* ~ alt i
alt; stort set;
[+ *of*] ~ *of* payments betalingsba-
lance; *hold the* ~ *of power* være
tungen på vægtskålen; ~ *of power*
magtbalance; *the* ~ *of probability*
det mest sandsynlige; ~ *of trade*
handelsbalance.
balance[2] ['bæləns] *vb.* (se også *bal-
anced*) **1.** balancere (*fx on one leg*);
2. (*med objekt*) balancere med (*fx
he -ed a glass on his nose*);
3. (*fig.*) skabe ligevægt i (*fx the
economy*); holde/bringe i lige-
vægt; **4.** (*to hensyn*) veje op mod
hinanden (*fx ~ home and career*);
5. (*budget*) få til at balancere;
6. (*merk.: regnskab*) afslutte, gøre
op;
□ ~ *oneself* balancere;
[*med adv.& præp.*] ~ *against*
(af)veje mod (*fx ~ the advantages
against the risks*); veje op mod; ~

out **a.** balancere (*fx his accounts
-ed out*); **b.** opveje hinanden (*fx
the advantages and disadvan-
tages* ~ *out*); ~ *up* **a.** = ~ *out*;
b. veje op mod hinanden (*fx* ~ *up
the advantages and disadvan-
tages*); ~ *with* afbalancere med
(*fx* ~ *spicy dishes with mild
ones*); afstemme med.
balanced ['bælənst] *adj.* **1.** afbalan-
ceret (*fx reporting; judgment*); vel-
afvejet; **2.** (*om person*) velafbalan-
ceret; ligevægtig;
□ *a* ~ *budget* et regnskab der ba-
lancerer; *a* ~ *diet* alsidig kost.
balance of ... *sb.* se *balance*[1].
balance sheet *sb.* statusopgørelse;
status; balance;
□ *off* ~ uden for balancen.
balancing act *sb.* balanceakt, ba-
lancekunst.
balcony ['bælkəni] *sb.* altan; bal-
kon.
bald [bɔːld] *adj.* **1.** (*om person,
fugl*) skaldet; **2.** (*om sted*) nøgen,
bar; **3.** (*om udsagn*) utilsløret; li-
gefrem; ubesmykket (*fx a* ~ *state-
ment of the facts*); **4.** (*om stil*) far-
veløs; kedelig; tør;
□ *as* ~ *as a coot* så skaldet som et
pillet æg, pilskaldet; *in* ~ *terms*
sagt ligeud; *a* ~ *tyre* T et nedslidt
dæk.
baldachin ['bɔːldəkin] *sb.* baldakin;
tronhimmel.
bald eagle *sb.* (*am. zo.*) hvidhove-
det havørn.
balderdash ['bɔːldədæʃ] *sb.* (*glds.*)
vås, sniksnak.
bald-head ['bɔːldhed] *sb.* skalde-
pande.
bald-headed ['bɔːldhedid] *adj.*
skaldet;
□ *go at it* ~ T gå på med krum
hals; *go ~ into* T kaste sig ud i.
balding ['bɔːldiŋ] *adj.* ved at blive
skaldet, tyndhåret.
baldly ['bɔːldli] *adv.* uden omsvøb;
ligeud.
bale[1] [beil] *sb.* (*merk. etc.*) balle.
bale[2] [beil] *vb.* pakke/presse i bal-
ler;
□ ~ *out* se *bail*[2].
Balearic [bæli'ærik] *adj.: the* ~ *Is-
lands* (*geogr.*) Balearerne.
baleen [bə'li:n] *sb.* hvalbarde; fi-
skeben [*i korset*].
baleful ['beilf(u)l] *adj.* (*litt.*) **1.** ond,
olm (*fx look*); **2.** fordærvelig, ska-
delig.
balk[1] [bɔːk] *sb.* **1.** (*svær*) bjælke;
2. hindring; **3.** (*agr.*) agerren.
balk[2] [bɔːk] *vb.* **1.** hindre; krydse
(*fx his plans*); skuffe (*fx his
hopes*); **2.** (*uden objekt*) stoppe
op, nægte at fortsætte; (*om hest*)

refusere;

□ ~ *at a.* (*fig.*) stejle over (*fx the price*); **b.** vægre sig ved (*fx making a speech*); *the horse -ed at the fence* hesten refuserede; ~ *of* snyde for.

Balkanization [bɔːlkənaiˈzeiʃn] *sb.* balkanisering.

Balkans [ˈbɔːlkənz] *sb. pl.: the* ~ (*geogr.*) Balkan.

balky [ˈbɔːki] *adj.* stædig; genstridig.

ball¹ [bɔːl] *sb.* (se også *balls*) **1.** (*om form; projektil*) kugle; **2.** (*af garn*) nøgle; **3.** (*i boldspil*) bold; **4.** (*i kroket*) kugle; **5.** (*i billard*) bal; **6.** (*fest med dans*) bal;

□ ~ *of the eye* øjeæble; ~ *of the foot* fodbalde; ~ *of the thumb* tommelfingerbalde; *the whole* ~ *of wax* (*am.* T) hele balladen; [*med vb.*] *be on the* ~ T være vaks; være på dupperne; *they let us carry the* ~ (*am.* T) de lod os stå med sorteper; *drop the* ~ T svigte sit ansvar; *the* ~ *is in your court* (*fig.*) det er dig der har udspillet; bolden ligger på din banehalvdel; *get on the* ~*!* T vågn op! se at komme i gang! *have a* ~ T have det mægtig sjovt; *have a lot on the* ~ se ovf.: be on the ~; *play* ~ (*fig.*) samarbejde; være samarbejdsvillig; *get/set/start the* ~ *rolling* få gang i sagerne; *keep the* ~ *rolling* holde det//konversationen i gang.

ball² [bɔːl] *vb.* **1.** rulle sammen til en kugle; **2.** (*uden objekt*) rulle sig sammen; klumpe sig sammen; **3.** (*am. vulg.*) knalde, bolle;

□ ~ *one's fists* knytte næverne; *the snow -ed under the shoes* sneen klampede under skoene; ~ *up* **a.** se ovf.: *1, 2*; **b.** (*am.*) forkludre; *get -ed up* (*am.*) blive forvirret; komme i vildrede.

ballad [ˈbæləd] *sb.* **1.** folkevise, ballade; **2.** = *street ballad*; **3.** (*moderne*) popsang.

ball-and-socket joint [bɔːlənˈsɔkitdʒɔint] *sb.* kugleled.

ballast [ˈbæləst] *sb.* ballast.

ball bearing *sb.* kugleleje.

ball cartridge *sb.* skarp patron.

ballcock [ˈbɔːlkɔk] *sb.* svømmerventil.

ballerina [bæləˈriːnə] *sb.* ballerina, balletdanser.

ballet [ˈbælei, (*am.*) bæˈlei] *sb.* ballet.

balletic [bəˈletik] *adj.* balletagtig.

ball game *sb.* **1.** boldspil; **2.** (*am.*) baseballkamp;

□ *that is a different/another* ~ T det er en helt anden historie; det

er noget helt andet.

ballgown [ˈbɔːlgaun] *sb.* balkjole.

ballistic [bəˈlistik] *adj.* **1.** ballistisk; **2.** T edderspændt;

□ *go* ~ T blive edderspændt, ryge helt op i loftet [*af raseri*].

ballistic missile *sb.* ballistisk missil; raket(våben).

ballistics [bəˈlistiks] *sb.* ballistik.

ball lightning *sb.* kuglelyn.

ballocks [ˈbɔlɔks] = *bollocks*.

balloon¹ [bəˈluːn] *sb.* **1.** ballon; **2.** (*i tegneserie*) (tale)boble; **3.** (*glas*) ballonglas, cognacsglas; **4.** (*i boldspil*) høj bold;

□ *when the* ~ *goes up* T når det går løs; (se også *lead balloon*).

balloon² [bəˈluːn] *vb.* **1.** svulme op; blive udspilet; **2.** (*fig.*) vokse stærkt; ryge i vejret; **3.** (jf. *balloon¹ 1*) stige op i ballon; rejse med ballon.

balloon angioplasty *sb.* (*med.*) ballonudvidelse [*af kranspulsåre*].

ballooning [bəˈluːniŋ] *sb.* ballonfart, ballonflyvning.

balloonist [bəˈluːnist] *sb.* ballonfører, luftskipper.

balloon tyre *sb.* ballondæk.

ballot¹ [ˈbælət] *sb.* **1.** (hemmelig/skriftlig) afstemning; urafstemning; **2.** stemmeseddel; **3.** stemmetal (*fx he got 30% of the* ~);

□ *vote by* ~ hemmelig/skriftlig afstemning; *they voted by* ~ de stemte hemmeligt/skriftligt.

ballot² [ˈbælət] *vb.* foretage (hemmelig/skriftlig) afstemning blandt, holde urafstemning blandt (*fx the members*).

ballot box *sb.* valgurne.

ballot paper *sb.* stemmeseddel.

ballot rigging *sb.* valgsvindel, valgfusk.

ballpark [ˈbɔːlpaːk] *sb.* (*am.*) baseballstadion;

□ *be in the* ~ (T, *om person*) være med i legen; *he is not in the same* ~ *as* (*am.*) han kan ikke måle sig med; han er slet ikke på højde med; *that is in the (right)* ~ (T, *om talangivelse*) det er omtrent rigtig; det er noget i den retning; *that is a new* ~ T det er noget helt nyt.

ballpark figure *sb.* (*især am.*) anslået tal, slag på tasken.

ballplayer [ˈbɔːlpleiə] *sb.* (*am.*) baseballspiller.

ballpoint [ˈbɔːlpɔint] *sb.* kuglepen.

ballpoint pen *sb.* kuglepen.

ballroom [ˈbɔːlrum] *sb.* balsal.

ballroom dancing *sb.* selskabsdans.

balls¹ [bɔːlz] *sb. pl.* (*vulg.*) **1.** nosser; **2.** (*om mod*) nosser, hår på

brystet; **3.** (*om udsagn*) bavl, ævl, bræk;

□ *have* ~ have nosser; være et mandfolk; *have sby by the* ~ have krammet på en; *make a* ~ *of* spolere, forkludre; ~ *to you!* jeg vil skide på jer//dig.

balls² [bɔːlz] *vb.:* ~ *up* (*vulg.*) spolere, forkludre.

balls-up [ˈbɔːlzʌp] *sb.* (*vulg.*) rod, forvirring;

□ *make a* ~ *of* forkludre, spolere.

ballsy [ˈbɔːlsi] *adj.* (*am.* S) **1.** skrap, hård; **2.** modig, frisk.

bally [ˈbæli] *adj.* (*glds.* S) pokkers, fordømt.

ballyhoo [ˈbælihuː] *sb.* (T, *neds.*) **1.** ståhej, postyr, ballade; **2.** reklamebrøl.

balm [baːm] *sb.* **1.** balsam; **2.** (*fig.*) balsam; lindring; **3.** (*bot.*) hjertensfryd, citronmelisse.

Balmoral [bælˈmɔrəl] [*kongeligt slot i Skotland*].

balmy [ˈbaːmi] *adj.* balsamisk (*fx weather*).

baloney [bəˈləuni] *sb.* (*især am.*, T) vrøvl; humbug.

balsa [ˈbɔːlsə, ˈbɔlsə] *sb.* balsatræ.

balsam [ˈbɔːlsəm] *sb.* **1.** balsam; **2.** balsamharpiks; **3.** (*bot.*) balsamin.

balsam fir *sb.* (*bot.*) balsamgran.

balsamic [bɔːlˈsæmik] *adj.* balsamisk.

Baltic [ˈbɔːltik] *adj.: the* ~, *the* ~ *Sea* Østersøen.

Baltimore oriole [ˈbɔːltimɔːrɔrioul] *sb.* (*am. zo.*) Baltimoretrupial.

baluster [ˈbæləstə] *sb.* baluster;

□ *-s* (*også*) rækværk.

balustrade [bæləˈstreid] *sb.* balustrade, rækværk.

bamboo [bæmˈbuː] *sb.* bambus.

bamboozle [bæmˈbuːzl] *vb.* forvirre; narre, løbe om hjørner med, tage ved næsen.

ban¹ [bæn] *sb.* forbud (*on* mod).

ban² [bæn] *vb.* forbyde;

□ *be -ned from* + *ing* have//få forbud mod at; *be -ned from driving* blive fradømt kørekortet; *be -ned* (*sydafr. hist.*) [*have forbud mod at deltage i møder, skrive og bevæge sig frit*].

banal [bəˈnaːl, bəˈnæl] *adj.* banal.

banality [bəˈnæləti] *sb.* banalitet.

banana [bəˈnaːnə, -ˈnæn-] *sb.* banan.

bananas [bəˈnaːnəz, -ˈnæn-] *adj.* T skør;

□ *go* ~ T **a.** (*rasende*) gå agurk, gå amok; **b.** (*skør*) blive vanvittig.

banana skin *sb.* **1.** bananskræl; **2.** (*fig.: mulighed for at dumme sig*) spinatbed;

□ *slip on a* ~ **a.** glide i en banan-
skræl; **b.** (*fig.*) dumme sig; træde i
spinaten.
band[1] [bænd] *sb.* **1.** (*om personer*)
skare, flok (*fx a small* ~ *of enthu-
siasts*); (*neds.*) bande (*fx of crimi-
nals*); **2.** (*mus.*) band (*fx jazz* ~);
gruppe (*fx rock* ~); orkester (*fx
brass* ~; *dance* ~; *jazz* ~);
3. (*rundt om noget*) bånd; (se også
elastic band, rubber band); **4.** (*af
metal, am.: til ringmærkning*)
ring; (se også *wedding band*); **5.** (*i
tøj*) linning; **6.** (*som danner kon-
trast*) stribe (*fx of colour, of light*);
7. (*tekn.*) drivrem; **8.** (*på cigar*)
mavebælte; **9.** (*på bogryg*) bind;
10. (*af nærliggende værdier etc.*)
område (*fx frequency* ~); trin,
klasse (*fx tax* ~); gruppe (*fx in-
come* ~); (*mht. bølgelængde*)
bånd (*fx the 40 metre* ~); **12.** (*i
skole, omtr.*) intelligensgruppe, ni-
veau;
□ *to beat the* ~ T så det står//stod
efter; *that beats the* ~*!* T det var
dog den stiveste! jeg har dog al-
drig hørt så galt.
band[2] [bænd] *vb.* **1.** lægge/binde
bånd om; **2.** inddele i grupper;
opdele; **3.** (*i skole omtr.*) niveau-
dele; **4.** (*am.: fugl*) ringmærke;
□ ~ *together* slutte sig sammen;
danne en gruppe.
bandage[1] ['bændidʒ] *sb.* bind, ban-
dage; forbinding.
bandage[2] ['bændidʒ] *vb.* forbinde.
Band-Aid® ['bændeid] *sb.* hæfte-
plaster [*med gaze*].
Band-Aid solution *sb.* (*fig.*) lappe-
løsning.
bandanna [bæn'dænə] *sb.* hals-
klud; bandana [*broget tørklæde*].
bandbox ['bændbɔks] *sb.* hatte-
æske; papæske.
band conveyor *sb.* transportbånd.
bandeau ['bændəu] *sb.* (*pl. -x* [-z])
(hår)bånd; pandebånd.
banded ['bændid] *adj.* stribet.
banderole ['bændərəul] *sb.* **1.** ma-
stevimpel; **2.** (*hist.*) lansefane.
bandicoot ['bændiku:t] *sb.* (*zo.*)
punggrævling.
banding ['bændiŋ] *sb.* (*i skole,
omtr.*) niveaudeling [*inddeling i
tre grupper efter intelligens*].
bandit ['bændit] *sb.* bandit; røver.
banditry ['bænditri] *sb.* røveruvæ-
sen; lovløshed.
bandleader ['bændli:də] *sb.* orke-
sterleder; dirigent.
bandmaster ['bændma:stə] *sb.* diri-
gent; kapelmester.
bandoleer, bandolier [bændə'liə]
sb. patronbælte.
band saw *sb.* båndsav.

bandsman ['bændzmən] *sb.* (*pl.
-men* [-mən]) orkestermedlem
[*især i blæserorkester*]; militær-
musiker.
bandstand ['bændstænd] *sb.* mu-
siktribune.
bandwagon ['bændwægən] *sb.*
[*smykket vogn i optog, til orke-
ster*];
□ *jump on/climb on/get on the* ~
T springe på vognen [ɔ: *slutte sig
til den sejrende part*].
bandwidth ['bændwidθ] *sb.* bånd-
bredde;
□ *I'm out of* ~ (T: *fig.*) jeg kan ikke
klare mere.
bandy ['bændi] *vb.* udveksle (*fx ac-
cusations*);
□ ~ *about* (*fig.*) **a.** slå/slynge om
sig med (*fx generalizations*); kaste
ind i diskussionen (*fx several fig-
ures were bandied about*); **b.** for-
tælle videre, udsprede (*fx ru-
mours*); *she had her name ban-
died about* hun blev genstand for
sladder; *folk snakkede om hende*;
~ *words with* (*glds.*) mundhugges
med.
bandy-legged [bændi'legd] *adj.*
hjulbenet.
bandy legs [bændi'legz] *sb. pl.*
hjulben.
bane [bein] *sb.* ulykke, forbandelse
(*fx it was the* ~ *of his life*).
baneberry ['beinbəri] *sb.* (*bot.*) dru-
emunke.
baneful ['beinfəl] *adj.* (*litt.*) skade-
lig.
bang[1] [bæŋ] *sb.* (se også *bangs*)
1. (*lyd*) knald, brag; **2.** (*stød*) slag,
gok (*fx a* ~ *on* (i) *the head*);
3. (*vulg.: samleje*) knald;
□ *get a* ~ *out of* (*am.* T) have me-
get fornøjelse/sjov af; *with a* ~
med et brag; *go (off) with a* ~ T
være en bragende succes.
bang[2] [bæŋ] *vb.* **1.** banke, hamre
(*fx on sth*); knalde (*fx the engine//
the fireworks -ed*); **2.** (*om noget
der lukker*) smække (*fx doors
were -ing*); **3.** (*med objekt: et sted
hen*) smække ned, knalde ned (*fx
she -ed the plate on the table*);
4. (*dør, vindue*) smække i, knalde
i (*fx the door, the window*);
smække med, knalde med (*fx the
door*); **5.** (*legemsdel*) slå, støde (*fx
one's head; one's knee*); **6.** (*vulg.:
have samleje med*) knalde, bolle;
□ ~ *about* T **a.** larme rundt (*fx
she was -ing about in the kit-
chen*); **b.** rasle rundt (*fx the things
in the case were -ing about*);
c. (*med objekt*) behandle vold-
somt; mishandle; skramle med; ~
against a tree brase/ramle ind i/

imod et træ; ~ *one's head against
the door* knalde hovedet mod dø-
ren; ~ *around* **a.** T drive rundt;
b. se ovf.: ~ *about*; ~ *down the
telephone* knalde røret på; ~
down the lid smække/knalde låget
i; ~ *down the plate on the table*
smække/knalde tallerkenen ned
på bordet; ~ *into* se ovf.: ~
against; ~ *on the door//the table*
banke/hamre på døren//i bordet;
~ *one's head on a beam* knalde
hovedet ind i en bjælke; ~ *on
about* ævle/kværne løs om; ~ *out*
a. (*på klaver, skrivemaskine*)
hamre; **b.** (*en vare, på fabrik*)
sprøjte ud; ~ *the door shut/to*
knalde døren i; (se også *door*); ~
up **a.** spærre/bure inde; **b.** (*am.*)
molestere, ramponere; ~ *up a girl*
(*vulg.*) bolle en pige tyk.
bang[3] [bæŋ] *adv.* **1.** lige (*fx* ~ *in
the middle*; ~ *on time*); **2.** helt (*fx
* ~ *up to date*); (se også *bang-on*).
bang[4] [bæŋ] *interj.* bang; bum;
□ *go* ~ sige bang/bum; eksplo-
dere; ~ *goes my holiday!* der røg
min ferie!
banger ['bæŋə] *sb.* T **1.** pølse;
2. (*om bil*) gammel smadrekasse;
3. (*om fyrværkeri*) kanonslag.
Bangladeshi[1] [bæŋglə'deʃi, ba:ŋ-]
sb. bangladesher.
Bangladeshi[2] [bæŋglə'deʃi, ba:ŋ-]
adj. bangladeshisk.
bangle ['bæŋgl] *sb.* armring; ankel-
ring.
bang-on ['bæŋɔn] *adj.* T lige i øjet
[ɔ: *helt rigtig*].
bangs [bæŋz] *sb. pl.* (*am.*) pande-
hår.
bang-up ['bæŋʌp] *adj.* (*am.* S) før-
steklasses, prima.
banish ['bæniʃ] *vb.* **1.** forvise (*to* til,
*fx he was -ed to Siberia; the chil-
dren were -ed to their rooms*); ud-
vise; forjage; fordrive; **2.** (*af lan-
det*) landsforvise; **3.** (*fig.*) udrydde
(*fx a disease*); **4.** (*tanker*) bortjage;
fortrænge; udelukke;
□ ~ *from* **a.** udvise af (*fx England;
the library*); forvise fra (*fx he was
-ed from, the Court*); **b.** udelukke
fra (*fx* ~ *him from politics*).
banishment ['bæniʃmənt] *sb.* (jf.
banish) **1.** forvisning; udvisning;
fordrivelse; **2.** landsforvisning;
3. udryddelse; **4.** fortrængning.
banister ['bænistə] *sb.*, **banisters**
['bænistəz] *sb. pl.* (trappe)gelæn-
der.
banjax ['bændʒæks] *vb.* (*irsk*) spo-
lere.
banjo ['bændʒəu] *sb.* banjo.
bank[1] [bæŋk] *sb.* **1.** (*pengeinstitut*)
bank; **2.** (*organ- etc.*) bank (*fx*

blood ~; *sperm* ~); (*om andet*) beholdning (*fx of old documents*); **3.** (*i terræn*) vold (*fx -s of snow along the road; -s of earth between the fields*); dige; banke; skråning; **4.** (*ved sø, vandløb*) bred; **5.** (*sky-, tåge-; sand-*) banke; **6.** (*af ting, fx kontakter, lys, maskiner*) række; batteri; **7.** (*flyv.*) krængning; **8.** (*i vejkurve*) hældning; **9.** (*i minedrift*) [*jordområdet omkring en skaktmunding*]; **10.** (*hist.: i galej*) rorbænk;
□ *break the* ~ sprænge banken; *it won't break the* ~ den er ikke så dyr; *den vil ikke ruinere dig//os etc.; the river burst its -s* floden gik over sine bredder.
bank[2] [bæŋk] *vb.* **1.** (*penge: i bank*) sætte ind; sætte i banken; **2.** T tjene; indkassere; **3.** (*flyv.*) krænge;
□ ~ *at* se ndf.: ~ *with*; ~ *on* stole på; ~ *up* **a.** hobe sig op (*fx the snow -ed up*); **b.** (*med objekt*) ophobe; dynge op, dynge sammen (*fx the storm had -ed up the snow*); **c.** (*vandløb*) inddæmme, opdæmme; **d.** (*fyr*) bakke op; *I* ~ *with Barclay's* jeg bruger Barclay's bank.
bankable ['bæŋkəbl] *adj.* **1.** som kan godtages//garanteres af en bank; **2.** (*fig.*) solid, sikker; pålidelig, som er til at stole på (*fx promise*); **3.** (*om filmskuespiller etc.*) som sælger billetter; som giver profit.
bank account *sb.* bankkonto.
bank balance *sb.* indestående (i banken).
bank bill *sb.* **1.** bankveksel; **2.** (*am.*) pengeseddel.
bank card *sb.* **1.** id-kort [*til checkkonto*]; **2.** (*am.*) kreditkort [*udstedt af en bank*].
bank charge *sb.* bankgebyr.
bank clerk *sb.* bankassistent.
bank deposit *sb.* bankindskud.
bank draft *sb.* bankcheck, bankanvisning, banktratte.
banker ['bæŋkə] *sb.* **1.** bankier; bankforbindelse; **2.** bankdirektør; **3.** (*ved spil*) bankør; **4.** (*stenhuggers*) huggebænk; **5.** (*mar.*) [*fiskefartøj der fisker på New Foundland-bankerne*].
banker's draft *sb.* = *bank draft.*
bank holiday *sb.* **1.** almindelig fridag [*vedtaget af parlamentet*]; **2.** (*i USA*) [*dag hvor bankerne officielt beordres lukket*].
banking[1] ['bæŋkiŋ] *sb.* **1.** bankvæsen, bankvirksomhed; **2.** bankforretninger; **3.** (*flyv.*) krængning.
banking[2] ['bæŋkiŋ] *adj.* **1.** bank-

(*fx day; firm; secrecy*); **2.** bankier- (*fx firm*).
banknote ['bæŋknəut] *sb.* pengeseddel.
bank rate *sb.* diskonto.
bankroll[1] ['bæŋkrəul] *sb.* (*især am.*) midler; kapital.
bankroll[2] ['bæŋkrəul] *vb.* (*især am.*) finansiere.
bankrupt[1] ['bæŋkrʌpt] *sb.* konkursramt; fallent;
□ *be declared a* ~ blive erklæret konkurs.
bankrupt[2] ['bæŋkrʌpt] *adj.* (*jur.*) konkurs, fallit; (*ikke-fagligt*) bankerot;
□ ~ *of* (*fig.*) blottet for (*fx intelligence*); *morally* ~ blottet for moral; *go* ~ gå konkurs/fallit/bankerot.
bankrupt[3] ['bæŋkrʌpt] *vb.* ruinere.
bankruptcy ['bæŋkrəp(t)si] *sb.* (*jur.*) konkurs, fallit; (*ikke-fagligt*) bankerot;
□ *file a petition in* ~ indgive konkursbegæring; *moral* ~ (*fig.*) fuldstændig mangel på moral.
bankruptcy petition *sb.* (*jur.*) konkursbegæring.
bank statement *sb.* kontoudskrift [*fra banken*].
bank vole *sb.* (*zo.*) rødmus.
banner[1] ['bænə] *sb.* banner;
□ *under the* ~ *of* **a.** i ...s regi; **b.** (*fig.*) under slagordet.
banner[2] ['bænə] *adj.* (*am.*) vældig fin; fremragende; rekord- (*fx a* ~ *year for the corporation*).
banner headline *sb.* kæmpeoverskrift; flerspaltet overskrift.
bannister *sb.* = *banister.*
bannock ['bænək] *sb.* (*skotsk*) [*byg-el. havrekage*].
banns [bænz] *sb. pl.* lysning [*til ægteskab*];
□ *call/publish the* ~ lyse til ægteskab; *they had their* ~ *called* der blev lyst for dem.
banquet[1] ['bæŋkwit] *sb.* banket; festmiddag.
banquet[2] ['bæŋkwit] *vb.* give festmiddag for; beværte.
banqueting hall ['bæŋkwitiŋhɔ:l] *sb.* festsal.
banquette [bæŋ'ket] *sb.* **1.** polstret bænk; **2.** (*glds. mil.*) banket [*standplads for skytter bag et brystværn*].
banshee ['bænʃi:, bæn'ʃi:] *sb.* (*irsk*) [*kvindelig ånd hvis uhyggelige skrig varsler død*].
bantam ['bæntəm] *sb.* **1.** dværghøne; **2.** (*fig.*) lille hidsig fyr; lille kamphane.
bantamweight ['bæntəmweit] *sb.* **1.** bantamvægt; **2.** (*person*) ban-

tamvægter.
banter[1] ['bæntə] *sb.* godmodigt drilleri.
banter[2] ['bæntə] *vb.* **1.** spøge; **2.** spøge med hinanden; smådrille hinanden;
□ ~ *with* spøge med; smådrille.
banyan ['bænjən] *sb.* (*bot.*) baniantræ.
baobab ['beiəbæb] *sb.* (*bot.*) baobabtræ, abebrødtræ.
BAOR *fork. f.* British Army of the Rhine.
bap [bæp] *sb.* [*blød bolle*].
baptism ['bæptizm] *sb.* dåb;
□ ~ *of fire* ilddåb.
baptismal [bæp'tizm(ə)l] *adj.* dåbs-; døbe-.
Baptist ['bæptist] *sb.* (*rel.*) baptist;
□ *St. John the* ~ Johannes Døberen.
baptistery ['bæptistri] *sb.* **1.** dåbskapel; **2.** (*hos baptister*) dåbsbassin.
baptize [bæp'taiz] *vb.* døbe.
bar[1] [ba:] *sb.* **1.** (*i hotel etc.*) bar; **2.** (*især am.*) bar, værtshus, beværtning; **3.** (*i værtshus etc.*) bar; disk; skænk; **4.** (*jur.*) (rets)skranke; **5.** (*der spærrer*) bom; skranke; **6.** (*aflangt stykke metal*) stang (*fx an iron* ~); (*af ædelmetal*) barre (*fx a gold* ~); **7.** (*for vindue, bur*) tremme, stang; **8.** (*af chokolade, sæbe*) stykke; (*af chokolade også*) plade; **9.** (*i elektrisk varmeovn*) varmetråd; varmelegeme; **10.** (*i fodboldmål*) overligger; **11.** (*i havet*) revle; barre; **12.** (*it: på skærm*) bjælke, linje; (*se også scroll bar*); **13.** (*her.: til orden*) bjælke; **14.** (*meteor.*) bar; **15.** (*mus.*) taktstreg; takt;
□ *the Bar* advokatstanden; *be called to the Bar* blive *barrister*; (*se: barrister*); *be admitted to the Bar* (*am.*) blive advokat; *behind* **-s** bag tremmer [ɔ: *i fængsel*]; *put sby behind* **-s** sætte en i fængsel, bure en inde; *place a* ~ *on* nedlægger forbud mod; *a* ~ *to* en hindring for.
bar[2] [ba:] *vb.* (*se også barred*) **1.** (*dør*) blokere, spærre; (*med slå*) stænge, skyde slåen for; **2.** (*vej*) blokere, spærre; (*se også way*[1]); **3.** (*jur.*) forhindre; afskære;
□ ~ *from* udelukke fra (*fx membership*); forbyde adgang til; ~ *from -ing* forhindre i at.
bar[3] [ba:] *præp.* undtagen;
□ ~ *one* på én nær; ~ *none* uden undtagelse.
barb [ba:b] *sb.* **1.** (*på en fiskekrog, på en pil*) modhage; **2.** (*fig.*) giftighed, spydighed; **3.** (*på fisk etc.*)

skæg; **4.** (*på fjer*) stråle.
Barbadian[1] [ba:'beidiən] *sb.* barba-
dier.
Barbadian[2] [ba:'beidiən] *adj.* bar-
badisk.
barbarian [ba:'bɛəriən] *sb.* barbar.
barbaric [ba:'bærik] *adj.* barbarisk.
barbarism ['ba:bərizm] *sb.* barbari.
barbarity [ba:'bærəti] *sb.* **1.** barbari,
grusomhed; **2.** (*handling*) barba-
risk handling, grusomhed.
barbarous ['ba:b(ə)rəs] *adj.* barba-
risk.
barbastelle [ba:bə'stel] *sb.* (*zo.*)
bredøre; bredøret flagermus.
barbecue[1] ['ba:bikju:] *sb.* **1.** have-
grill; **2.** grillselskab; grillfest;
3. (*am.*) helstegt dyr;
□ *have a* ~ holde grillselskab/
grillfest; grille.
barbecue[2] ['ba:bikju:] *vb.* grillstege,
grille; spidstege.
barbecue sauce *sb.* grillsovs.
barbed [ba:bd] *adj.* **1.** forsynet med
modhager; **2.** (*fig.*) skarp, bidende;
sårende.
barbed wire *sb.* pigtråd.
barbell ['ba:bel] *sb.* vægtstang [*til
vægtløftning*].
barber ['ba:bə] *sb.* barber, frisør.
barberry ['ba:bəri] *sb.* (*bot.*) berbe-
ris.
barber's ['ba:bəz] *sb.* (*pl. barbers'*)
barbersalon, frisørsalon.
barbershop ['ba:bəʃɔp] *sb.* **1.** (*am.*)
barbersalon, frisørsalon; **2.** (*mus.*)
barbershop.
barber's itch *sb.* skægpest.
barber's pole *sb.* barberskilt, frisør-
skilt [*en stribet stang*].
barber's rash *sb.* skægpest.
barbet ['ba:bət] *sb.* (*zo.*) skægfugl.
Barbican ['ba:bikən] *sb.*: *the* ~
(*Centre*) [*stort kulturhus i London
med teater, biografer, koncertsal
etc.*].
barbican ['ba:bikən] *sb.* porttårn;
portbefæstning.
barbie ['ba:bi] *sb.* (*austr.*) = barbe-
cue.
barbiturate [ba:'bitʃurət] *sb.* barbi-
tursyrederivat [*sovemiddel; bero-
ligende middel*].
bar chart *sb.* søjlediagram.
bar code *sb.* stregkode.
bard [ba:d] *sb.* barde, skjald;
□ *the Bard* [*Shakespeare*].
bare[1] [bɛə] *adj.* **1.** bar (*fx feet;
arms; floors*); nøgen (*fx feet; light
bulb; walls; branches*); **2.** (*om ter-
ræn*) ubevokset; nøgen (*fx rocks*);
3. (*om værelse, skab, hylde*) tom
(*of for, fx furniture*); **4.** (*uden no-
get andet*) ren (*fx the* ~ *facts; the*
~ *essentials*); blot (*fx the* ~ *idea*);
□ *lay* ~ **a.** blotlægge, afdække;

b. (*fig.*) blotlægge, afsløre, røbe (*fx
one's feelings*); *with one's* ~
hands med de bare hænder/næ-
ver; ~ *of* (*jf. 3, også*) blottet for; ~
wire (glat) ståltråd;
[*med art.*+ *sb.*] *a* ~ **a.** en svag (*fx
possibility, chance*); en kneben (*fx
majority*); **b.** (*fremhævende*) kun,
så lidt som, sølle (*fx a* ~ *1%*); *the*
~ *bones* det grundlæggende;
skelettet; det allermest nødvendi-
ge; *the -st chance* den mindste
chance; *the* ~ *minimum* kun et
minimum; det absolutte mini-
mum; *the* ~ *necessities* det aller-
mest nødvendige.
bare[2] [bɛə] *vb.* **1.** blotte (*fx one's
head; one's chest*); **2.** (*fig.*) lægge
blot, blotlægge (*fx one's feelings*);
□ ~ *one's soul* blotlægge sin sjæl;
udøse sit hjerte; (*neds.*) krænge
sin sjæl ud; (se også *tooth*).
bareback[1] ['bɛəbæk] *adj.* som rider
uden sadel/på usadlet hest.
bareback[2] ['bɛəbæk] *adv.*: *ride* ~
ride uden sadel, ride på usadlet
hest.
barefaced ['bɛəfeist] *adj.* fræk;
skamløs (*fx lie, impudence*); util-
sløret (*fx impudence*).
barefoot[1] ['bɛəfut] *adj.* barfodet.
barefoot[2] ['bɛəfut] *adv.* barfodet.
bareheaded[1] ['bɛəhedid] *adj.* bar-
hovedet.
bareheaded[2] ['bɛəhedid] *adv.* bar-
hovedet.
barely ['bɛəli] *adv.* **1.** kun lige ak-
kurat (*fx her feet* ~ *touched the
floor*); knap nok (*fx he could* ~
stand); med nød og næppe (*fx it
was* ~ *avoided*); **2.** (*om lille
mængde*) knap nok (*fx he was* ~
12 years old); **3.** (*cf. bare*[1]) bart;
nøgent; sparsomt (*fx furnished*);
□ ~ ... *before* næsten ikke/dårligt
nok ... før (*fx he* ~ *paused before
he jumped into the water*); næppe
... før.
barf[1] [ba:f] *vb.* (T: *især am.*)
brække sig.
barf[2] [ba:f] *interj.* (T: *især am.*)
bvadr.
barf bag *sb.* (T: *især am.*) bræk-
pose.
barfly ['ba:flai] *sb.* (*am.* T) stam-
gæst [*i barer*].
bargain[1] ['ba:gin] *sb.* **1.** godt køb,
god forretning (*fx it is a* ~ *at that
price*); (*i butik også*) tilbud; **2.** af-
tale (*fx a* ~ *was finally reached*);
□ *make the best of a bad* ~ tage
besværlighederne med et smil;
gøre gode miner til slet spil; *in/
into the* ~ oven i købet;
[*med vb.*] *drive a* ~ slå en handel

af; *drive a hard* ~ **a.** være en hård
forhandler; sælge sig dyrt;
b. presse en aftale//handel igen-
nem; *that is a* ~ **a.** (*jf. 1 også*) det
er røverkøb; **b.** (*jf. 2 også*) det er et
ord; *a* ~ *is a* ~ bordet fanger;
keep one's side/part/end of the ~
overholde sin del af aftalen; *make
a* ~, *strike a* ~ slå en handel af;
nå til en aftale.
bargain[2] ['ba:gin] *vb.* forhandle
(*with* med; *for, over* om); købslå
(*with* med; *for, over* om); (*om pris
også*, T) prutte om prisen (*fx al-
ways try to* ~); slå en handel af;
□ *I'll* ~ *that* ... (*am.*) jeg skal ga-
rantere for at ...;
[*med præp.& adv.*] ~ *away* sælge
(*fx one's freedom*); bytte væk (på
ufordelagtige betingelser); ~ *for*,
~ *on* vente, være indstillet på,
regne med (*fx I got more than I
-ed for*).
bargain basement *sb.* kælder med
billige tilbud; discountafdeling.
bargain-basement ['ba:gin-
beismənt] *adj.* **1.** tilbuds-,
discount- (*fx price*); **2.** (*fig.: billig
og dårlig*) discount-, andenrangs
(*fx musical*).
bargain counter *sb.* tilbudsdisk,
disk med billige tilbud.
bargaining chip ['ba:gəniŋtʃip] *sb.*
= bargaining counter.
bargaining counter ['ba:gəniŋ-
kauntə] *sb.* forhandlingsobjekt,
bytteobjekt; forhandlingskort.
bargaining position ['ba:gəniŋ-
pəziʃn] *sb.* forhandlingsposition.
bargain price *sb.* tilbudspris, ned-
sat pris.
barge[1] [ba:dʒ] *sb.* **1.** pram, laste-
pram; **2.** (*til beboelse*) husbåd, ka-
nalferiebåd; **3.** (*i flåden*) chefscha-
lup.
barge[2] [ba:dʒ] *vb.*: ~ *in* **a.** mase
(sig) ind; **b.** (*i samtale*) bryde ind,
afbryde; ~ *into* **a.** mase (sig) ind i,
komme brasende ind i; **b.** (*om
sammenstød*) støde/brase ind i,
kollidere med; ~ *past//through*
mase sig forbi//igennem.
bargeboard ['ba:dʒbɔ:d] *sb.* (*arkit.*)
vindskede.
bargee [ba:'dʒi:] *sb.* prammand,
pramfører.
barge pole *sb.* bådstage;
□ *I would not touch it with a* ~ T
jeg vil ikke røre ved det med en
ildtang.
bar graph *sb.* (*am.*) søjlediagram.
baritone ['bæritəun] *sb.* (*mus.*) ba-
ryton.
barium ['bɛəriəm] *sb.* (*kem.*) ba-
rium.
barium meal *sb.* (*med.*) barytgrød.

bark¹ [ba:k] *sb.* **1.** (*på træ*) bark;
2. (*mar.*) bark; **3.** (*poet.*) snekke;
fartøj; **4.** (*hunds*) gøen;
□ *his ~ is worse than his bite* han
er ikke så slem som han lader;
han har det mest i munden.
bark² [ba:k] *vb.* **1.** (*om hund*) gø;
bjæffe; (se også *tree*); **2.** (*om per-
son*) råbe (i en skarp tone), brøle
(*at ad*); bjæffe; **3.** (*am.*) gøre re-
klame for (ved at råbe); **4.** (*træ*) af-
barke; **5.** (*legemsdel*) skrabe (hu-
den af) (*fx one's knee*); **6.** (*læder*)
garve.
barkeeper ['ba:ki:pə] *sb.* (*am.*)
1. værtshusholder; vært; **2.** barten-
der.
barker ['ba:kə] *sb.* rekommandør;
udråber [*på marked etc.*].
barking ['ba:kiŋ], **barking mad** *adj.*
T skrupskør.
barley ['ba:li] *sb.* byg.
barley sugar *sb.* maltbolsje.
barley water *sb.* [*bygafkog med
appelsin- el. citronsaft*].
barmaid ['ba:meid] *sb.* barpige;
servitrice.
barman ['ba:mən] *sb.* (*pl. '-men*
[-mən]) bartender.
bar mitzvah [ba:'mitsvə] *sb.* [*jødisk
indvielsesceremoni for dreng når
han bliver 13 år*].
barmy ['ba:mi] *adj.* S tosset, skør.
barn [ba:n] *sb.* **1.** lade; **2.** (*neds. om
hus*) kasse; skur; **3.** (*am.*) lade;
stald; (se også *carbarn*).
□ *were you born in a ~?* (*spøg.,
sagt når en glemmer at lukke dø-
ren*) har I sæk for hjemme?
barnacle ['ba:nəkl] *sb.* **1.** (*zo.*) rur;
2. (*fig.*) burre [*person som man
ikke kan ryste af sig*].
barnacle goose *sb.* (*zo.*) bramgås.
barn burner *sb.* (*am.*) sensation.
barn dance *sb.* (*am.*) komsammen
med folkedans.
barn door *sb.* **1.** ladeport; **2.** (*film.,
tv*) læbe [ɔ: *skærm*].
barney ['ba:ni] *sb.* S højrøstet
skænderi.
barn owl *sb.* (*zo.*) slørugle.
barnstorm ['ba:nstɔ:m] *vb.* (*især
am., om skuespiller, valgkandi-
dat*) tage på turné.
barnstormer ['ba:nstɔ:mə] *sb.* (*især
am.*) **1.** omrejsende skuespiller;
2. politiker på valgturné.
barnstorming ['ba:nstɔ:miŋ] *adj.*
forrygende.
barnyard¹ ['ba:nja:d] *sb.* gårds-
plads; indhegnet plads ved lade.
barnyard² ['barnjard] *adj.* (*am.*)
grovkornet, saftig (*fx humour*).
barnyard grass *sb.* (*bot.*) hane-
spore.
barograph ['bærəgra:f] *sb.* barograf

[*til registrering af lufttryk*].
barometer [bə'rɔmitə] *sb.* barome-
ter.
barometric [bærə'metrik] *adj.* baro-
metrisk, barometer-.
baron ['bær(ə)n] *sb.* **1.** baron [*lav-
este engelske adelsrang*]; **2.** (*fig.*)
storfabrikant, magnat, baron.
baronage ['bærənidʒ] *sb.* baron-
stand; baroner.
baroness ['bærənəs] *sb.* baronesse.
baronet ['bærənət] *sb.* baronet [*høj-
este grad af gentry*].
baronetcy ['bærənətsi] *sb.* baro-
netrang.
baronial [bə'rəuniəl] *adj.* **1.** baron-;
2. (*om bygning*) statelig, pompøs.
barony ['bærəni] *sb.* **1.** baroni;
2. barons rang.
baroque¹ [bə'rɔk, bə'rəuk] *sb.* ba-
rok.
baroque² [bə'rɔk, bə'rəuk] *adj.* ba-
rok.
barouche [bə'ru:ʃ] *sb.* [*firhjulet ka-
lechevogn*].
barrack ['bæræk] *vb.* komme med
tilråb til, huje ad.
barracking ['bærəkiŋ] *sb.* hujen;
tilråb.
barrack room *sb.* (*mil.*) belæg-
ningsstue.
barrack-room lawyer *sb.* Karl
Smart.
barracks ['bærəks] *sb.* (*pl. d.s.*) ka-
serne; (se også *confined*).
barracouta [bærə'ku:tə] *sb.* (*zo.*)
[*art slangemakrel*].
barracuda [bærə'ku:də] *sb.* (*zo.*)
barracuda [*en rovfisk*].
barrage ['bæra:ʒ, (*am.*) bə'ra:(d)ʒ]
sb. **1.** (*mil.*) spærreild; **2.** (*ved pas-
sage*) spærring (*fx a mine ~*);
3. (*over flod*) dæmning; **4.** (*jf. 1,
fig.*) syndflod, byge, regn (*fx of
protests; of questions*).
barrage balloon *sb.* spærreballon.
barraged [bə'ra:(d)ʒd] *adj.: be ~ by*
(*am.*) blive bombarderet med (*fx
complaints; questions*).
barred [ba:d] *adj.* **1.** stribet; **2.** (*om
vej etc.*) spærret; **3.** (*om vindue
etc.*) tilgitret;
□ *be ~ from* være udelukket fra;
(se også *hold¹*).
barrel¹ ['bær(ə)l] *sb.* **1.** (*beholder*)
tønde; fad; fustage; **2.** (*af metal*)
tønde, tromle; **3.** (*mål for olie*)
tønde [*ca. 159 l.*]; **4.** (*i maskine*)
cylinder; valse; **5.** (*af gevær*) løb,
pibe; **6.** (*fx af hest*) krop;
□ *give sby both -s* give én en or-
dentlig omgang; give en det glatte
lag; *not a ~ of laughs/fun* T ikke
til at dø af grin over; *scrape the
(bottom of the) ~* T skrabe bun-
den;

[*med præp.*] *cash on the ~* (*am.*)
kontant betaling; penge på bordet
[ɔ: *ingen kredit*]; *be over a ~* T
være i klemme; *have sby over a ~*
T have krammet på en.
barrel² ['bær(ə)l] *vb.* **1.** (*øl etc.*)
lægge/komme i tønde(r); fylde på
fad(e); **2.** (*am.* T) fare, ræse (*fx
away; down the street the street*);
□ *~ along* (*am.* T) fare af sted.
barrel-chested ['bær(ə)ltʃestid] *adj.*
med tøndebryst.
barrelhead ['bær(ə)lhed] *sb.* enden
af en tønde;
□ *on the ~* se *barrel¹* (*on the ~*).
barrel organ *sb.* lirekasse.
barrel vault *sb.* (*arkit.*) tøndehvæl-
ving.
barren ['bær(ə)n] *adj.* **1.** gold,
ufrugtbar; **2.** (*om landskab*) gold,
øde;
□ *~ of* blottet for.
barrens ['bær(ə)nz] *sb. pl.* (*am.*)
øde//ufrugtbare områder.
barrette [bə'ret] *sb.* (*am.*) hår-
spænde.
barricade¹ ['bærikeid, bæri'keid]
sb. barrikade;
□ *go to the -s* (*fig.*) gå på barrika-
derne.
barricade² ['bærikeid, bæri'keid]
vb. barrikadere;
□ *~ oneself* forskanse sig.
barrier ['bæriə] *sb.* **1.** afspærring
(*fx the crowd broke through the
police -s*); (*indendørs også*)
skranke; (*også naturlig*) barriere;
(se også *crash barrier, heat barrier,
sound barrier*); **2.** (*jernb.: på sta-
tion*) perronindgang [*med billet-
kontrol*]; **3.** (*jernb.: ved overskæ-
ring*) bom; **4.** (*fig.: som spærrer*)
barriere (*between* mellem, *fx
people*); skel (*fx social -s; lan-
guage ~*); **5.** (*som vanskeliggør*)
hindring (*to* for, *fx progress*);
6. (*om bestemt niveau*) barriere,
grænse (*fx the 10 per cent ~*).
barrier cream *sb.* kemisk handske.
barring ['ba:riŋ] *præp.: ~ acci-
dents* hvis der ikke indtræffer
uheld; medmindre der indtræffer
uheld.
barrio ['bæriou] *sb.* (*am.*) spansk
kvarter [*i by*].
barrister ['bæristə] *sb.* advokat
[*som procederer sager ved de høj-
ere domstole*].
barroom ['ba:rru:m, -rum] *sb.* (*am.*)
bar; værtshus.
barrow ['bærəu] *sb.* **1.** trækvogn; se
også *wheelbarrow*; **2.** (*arkæol.*)
gravhøj; kæmpehøj.
barrow boy *sb.* gadesælger.
bar stool *sb.* barstol.
Bart *fork. f.* Baronet.

bartender ['ba:tendə] *sb.* bartender.
barter[1] ['ba:tə] *sb.* **1.** tuskhandel; byttehandel; **2.** ting der gives i bytte; bytteobjekt.
barter[2] ['ba:tə] *vb.* **1.** drive tuskhandel; lave byttehandel (*with* med; *for* for at få); **2.** bytte (*for* for, *fx one's watch for a bicycle*); □ ~ *away* sælge for billigt (*fx one's freedom*); *The Bartered Bride* (*mus.*) Den solgte Brud.
Bartholomew [ba:'θɔləmju:] Bartholomæus.
baryta [bə'raitə] *sb.* (*kem.*) baryt.
barytone ['bæritəun] *sb.* baryton.
basal ['beis(ə)l] *adj.* basal; grund-.
basal metabolic rate *sb.* basalstofskifte, standardstofskifte.
basalt ['bæsɔ:lt, (*am.*) bə'sɔ:lt] *sb.* basalt.
bascule ['bæskju:l] *sb.* broklap.
bascule bridge *sb.* klapbro.
base[1] [beis] *sb.* **1.** nederste del; fundament (*fx of a building*); fod (*fx at the* ~ *of the cliff*); bund (*fx of a box*); **2.** (*for maskine, skinne, glas*) fod; **3.** (*for søjle, statue, møbel*) fodstykke, sokkel, fod; **4.** (*fig.*) basis, grundlag; udgangspunkt; **5.** (*i blanding*) grundsubstans; hovedbestanddel; (*af maling*) basis; **6.** (*for pudder*) underlag; **7.** (*elekt.*) basis; **8.** (*geom.*) grundflade; grundlinje; **9.** (*gram.*) rod; basis; **10.** (*kem.*) base; **11.** (*mat.*) grundtal; **12.** (*mil., i baseball & fig.*) base; □ *off* ~ (*fig., am.*) galt afmarcheret; på vildspor; (se også *first base*).
base[2] [beis] *adj.* **1.** (*litt.*) lav (*fx motive; action*); ussel; primitiv (*fx instincts*); **2.** (*om mønt*) underlødig; falsk.
base[3] [beis] *vb.* basere (*on* på, *fx* ~ *taxation on income*); (se også *based*).
baseball ['beisbɔ:l] *sb.* baseball.
baseboard ['beisbɔ:d] *sb.* (*am.*) fodpanel; fodstykke.
based [beist] *adj.* med basis (*in* i); □ *-based* (*i sms.*) **a.** baseret på, -baseret (*fx computer-*~); **b.** (*om person*) med bopæl i, med hjemsted i (*fx a London-*~ *writer*); **c.** (*om organisation*) med basis i, med hovedkontor i (*fx a London-*~ *company*).
Basedow's disease [ba:zidəuz di'zi:z] *sb.* (*med.*) den basedowske syge.
base jumping *sb.* [faldskærmsudspring fra højt sted, *fx* skyskraber].
baseless ['beisləs] *adj.* grundløs; ubegrundet.
baseline ['beislain] *sb.* **1.** (*i sport*)

baglinje; **2.** (*fig.*) grundlag, udgangspunkt.
basement ['beismənt] *sb.* **1.** kælderetage; **2.** (*geol.*) grundfjeld.
base metal *sb.* uædelt metal.
base rate *sb.* (*banks*) grundlagsrente [som har erstattet den officielle diskonto i England].
bash[1] [bæʃ] *sb.* T **1.** fest, gilde; **2.** slag, gok (*fx on* (i) *the head*); □ *have a* ~ *at* T forsøge sig med/i.
bash[2] [bæʃ] *vb.* **1.** T slå, tæve; **2.** (*om enkelt slag*) knalde, pande, gokke; **3.** (*fig.*) rakke ned på; □ ~ *away at a.* mase på med (*fx one's homework*); **b.** hamre/tæve løs på (*fx a typewriter*); ~ *the door* **down** smadre døren; ~ *in* slå i stykker; knuse; ~ *into* drøne/smadre ind i; ~ *on* mase 'på, mase videre; ~ *out* fabrikere på stribe; sprøjte ud; ~ *up* gennemtæve.
-basher [bæʃə] (*andetled af sb.*) en der tæver løs på ...; en der er ude efter ....
bashful ['bæʃf(u)l] *adj.* genert; undselig.
bashing ['bæʃiŋ] *sb.* **1.** overfald; **2.** (*fig.*) angreb.
basic ['beisik] *adj.* **1.** basal (*fx needs*); grundlæggende, grund- (*fx principle*); fundamental; **2.** (*om udgangspunkt*) grund- (*fx pay; price; salary; type*); **3.** (*om udstyr etc.*) elementær; enkel, primitiv (*fx equipment*); skrabet (*fx car*); **4.** (*kem.*) basisk; □ *be* ~ *to* **a.** ligge til grund for; **b.** være uundværlig for.
basically ['beisik(ə)li] *adv.* egentlig, i grunden, faktisk; dybest set.
basic research *sb.* grundforskning.
basics ['beisiks] *sb. pl.* **1.** grundlæggende principper; basale færdigheder; **2.** (*om ting*) nødvendige ting; basale fornødenheder; □ *get back to* ~ komme tilbage til det grundlæggende/til det væsentlige; *the* ~ *of* (*også*) det grundlæggende i.
basil ['bæz(ə)l] *sb.* (*bot.*) basilikum.
basilica [bə'zilikə] *sb.* basilika; □ *St Peter's Basilica* Peterskirken.
basilisk ['bæzilisk] *sb.* (*myt.*) basilisk [fabeldyr].
basin ['beis(ə)n] *sb.* **1.** (*til mad*) fad; skål; **2.** (*til vask*) vandfad; (*fast*) (*vaske*)kumme; **3.** (*til skibe*) (*havne*)bassin; **4.** (*geol.: af flod*) bækken.
basis ['beisis] *sb.* (*pl. bases* ['beisi:z]) basis; grundlag.
basis point *sb.* (*økon.*) basispoint [0,01%].
bask [ba:sk] *vb.* **1.** dase; varme sig

(*fx in the sun*); sole sig; **2.** (*fig.*) sole sig (*fx in their admiration*).
basket ['ba:skit] *sb.* **1.** kurv; **2.** (*til luftballon*) ballonkurv; gondol; □ *the pick of the* ~ det bedste; *make/shoot a* ~ score (*i basketball*).
basketball ['ba:skitbɔ:l] *sb.* basketball.
basket case *sb.* T **1.** (*om land, firma*) fallitbo; **2.** (*om person*) nervevrag; håbløst tilfælde.
basketry ['ba:skitri], **basketwork** ['ba:skitwə:k] *sb.* kurvefletning, kurvemagerarbejde.
basking shark *sb.* (*zo.*) brugde [art haj].
Basle [ba:l] (*geogr.*) Basel.
Basque[1] [bæsk, ba:sk] *sb.* **1.** (*person*) basker; **2.** (*sprog*) baskisk.
Basque[2] [bæsk, ba:sk] *adj.* baskisk.
basque [bæsk, ba:sk] *sb.* **1.** stramt kjoleliv; **2.** (*på kjole el. damejakke*) skød.
bas-relief [ba:ri'li:f, bæs-] *sb.* basrelief.
bass[1] [beis] *sb.* (*mus.*) bas.
bass[2] [bæs] *sb.* **1.** (*zo.*) bars; (se også *sea bass*); **2.** (*bot.*) bast.
bass clef [beis'klef] *sb.* (*mus.*) f-nøgle; basnøgle.
bass drum [beis'drʌm] *sb.* (*mus.*) stortromme.
basset hound ['bæsət haund] *sb.* (*zo.*) basset.
bass guitar [beisgi'ta:] *sb.* (*mus.*) basguitar.
bassinet [bæsi'net] *sb.* kurvevugge; kurvebarnevogn.
bassist ['beisist] *sb.* (*mus.*) bassist.
basso ['bæsəu] *sb.* (*mus.*) **1.** bassanger; **2.** basstemme.
bassoon [bə'su:n] *sb.* (*mus.*) fagot.
bassoonist [bə'su:nist] *sb.* (*mus.*) fagottist.
bass viol [beis'vaiəl] *sb.* **1.** viola da gamba; **2.** (*am.*) kontrabas.
basswood ['bæswud] *sb.* (*bot.*) amerikansk lind.
bast [bæst] *sb.* bast.
bastard ['bæstəd] *sb.* **1.** (*vulg.; neds.*) dumt svin; skiderik; **2.** (*vulg.; spøg.*) fyr (*fx the poor* ~); ka'l (*fx a lucky* ~); stodder; **3.** (*vulg.: om problem etc.*) fandens besværligt/ubehageligt problem/spørgsmål/arbejde; **4.** (*glds.*) uægte barn; bastard, horeunge; □ *a lucky* ~ (*jf. 2, også*) et heldigt svin; *it's a* ~ (*jf. 3, også*) det er skidesvært; det er fandens ubehageligt; *a* ~ *son* (*jf. 4, også*) en uægte søn.
bastardized ['ba:stədaizd, 'bæs-] *adj.* F korrumperet, forringet (*fx*

version of the play).

baste [beist] *vb.* **1.** (*steg*) dryppe; **2.** (*i syning*) ri; rimpe; **3.** T banke, prygle.

baster ['beistə] *sb.* køkkenpipette.

bastinado[1] [bæsti'neidəu] *sb.* bastonnade [*prygl under fodsålerne*].

bastinado[2] [bæsti'na:dəu] *vb.* give bastonnade.

bastion ['bæstiən] *sb.* **1.** (*i fæstningsværk*) bastion; **2.** (*fig.*, F) højborg;
□ *the last ~ of imperialism* imperialismens sidste skanse.

bat[1] [bæt] *sb.* **1.** boldtræ; (*til bordtennis, kricket*) bat; **2.** (*kricketspiller*) slår (*fx he is a good ~*); **3.** (*harlekins*) briks; **4.** (*zo.*) flagermus; **5.** T slag, rap; **6.** (T: *om kvinde*) se *old bat*; **7.** S fart, tempo; **8.** S druktur;
□ *do sth off one's own ~* gøre noget på egen hånd; *right off the ~* (*am.*) lige med det samme; øjeblikkelig; *on the ~* S ude på bumle; på druk; *like a ~ out of hell* S for fuldt drøn; som om fanden er i hælene på en; *play a straight ~* **a.** krybe/knibe udenom; **b.** (*glds.*) spille ærligt spil; (se også *belfry, blind*[2]).

bat[2] [bæt] *vb.* **1.** slå; **2.** (*i kricket, baseball*) være inde som slår; (*i kricket også*) være ved gærdet;
□ *~ one's eyes/eyelids* blinke (koket) med øjnene; *without -ting an eyelid* uden at blinke; uden at fortrække en mine;
[*med præp.& adv.*] *~ around* T diskutere; snakke frem og tilbage om; *~ the flies away* vifte fluerne væk; *go (in) to ~ for* (*fig.*) bistå; forsvare.

batata [bə'ta:tə] *sb.* batat, sød kartoffel.

batch[1] [bætʃ] *sb.* **1.** bunke; portion; **2.** (*af varer*) sending; parti; **3.** (*i produktion*) serie; **4.** (*it*) gruppe, batch; **5.** (*om personer*) hold (*fx of students*); gruppe; flok; **6.** (*så mange brød/kager som bages på én gang*) bagning, bægt; **7.** = *bach*[1].

batch[2] [bætʃ] *vb.* **1.** ordne gruppevis/portionsvis; **2.** = *bach*[2].

batch processing *sb.* (*it*) gruppekørsel, batchkørsel.

bated ['beitid] *adj.*: *with ~ breath* med tilbageholdt åndedræt.

bath[1] [ba:θ] *sb.* (*pl.* -*s* [ba:ðz]) **1.** bad (*i badekar*); **2.** (*beholder*) badekar; **3.** (*rum, især am.*) badeværelse; **4.** (*bygning*) se *baths*;
□ *run a ~* fylde vand i badekarret; *I'll run you a hot ~* jeg gør et

varmt bad parat til dig; *take a ~* **a.** tage bad, gå i bad; **b.** (*am.* T) tabe en masse penge; *take an early ~* **a.** holde op før tiden; **b.** (*om spiller*) blive vist ud.

bath[2] [ba:θ] *vb.* **1.** tage bad, gå i bad; **2.** (*med objekt*) give bad, bade (*fx a baby*).

bath bun *sb.* [*sød bolle med krydderier og korender*].

Bath chair, bath chair *sb.* (*glds.*) rullestol.

bath cube *sb.* badesalt.

bathe[1] [beið] *sb.* (*glds.*) bad [*ved strand*].

bathe[2] [beið] *vb.* **1.** (F el. am.: *vaske sig*) tage bad, gå i bad; **2.** (*ved strand*) bade, gå i vandet; **3.** (*med objekt,: om legemsdel etc.*; F el. am. *om person*) bade (*fx one's eyes, a wound; a baby*);
□ *-d in* **a.** badet i (*fx sunshine; sweat*); **b.** (*følelse*) indhyllet i, omgivet af (*fx love; trust*).

bathhouse ['ba:θhaus] *sb.* badeanstalt.

bathing ['beiðiŋ] *sb.* badning.

bathing cap *sb.* (*glds.*) badehætte.

bathing costume *sb.* (*glds.*) badedragt.

bathing hut *sb.* badehus.

bathing machine *sb.* (*glds.*) badevogn.

bathing suit *sb.* (*glds.*) badedragt.

bathing trunks *sb. pl.* (*glds.*) badebukser.

bathos ['beiθɔs] *sb.* antiklimaks.

bathrobe ['ba:θrəub] *sb.* **1.** badekåbe; **2.** (*am.*) slåbrok.

bathroom ['ba:θru:m, -rum] *sb.* **1.** badeværelse; **2.** (*am.*) toilet.

bathroom suite *sb.* komplet sæt badeværelseinventar [ɔ: *kar, vaskekumme, toilet*].

baths [ba:ðz] *sb.* (*sg. el. pl.*) badeanstalt (*fx an old Roman ~*); svømmehal.

bath sheet *sb.* badelagen.

bath towel *sb.* badehåndklæde.

bathtub ['bæθtʌb] *sb.* (*am.*) badekar.

bathysphere ['bæθisfiə] *sb.* dykkerkugle.

batik ['bætik, (*am.*) bə'ti:k] *sb.* (voks)batik.

batiste [bæ'ti:st] *sb.* batist [*slags stof*].

batman ['bætmən] *sb.* (*pl.* -men [-mən]) (*mil.*) oppasser.

baton ['bætɔn, -t(ə)n, (*am.*) bə'ta:n] *sb.* **1.** (*mus.*) taktstok; **2.** (*ved optog/march*) tamburmajorstav; **3.** (*politiets*) politistav; **4.** (*mil.*) marskalstav; **5.** (*ved stafetløb*) depeche [ɔ: *stav*];
□ *pass on the ~ to* (*fig.*) give an-

svaret videre til; *pick up/take the ~* (*fig.*) tage opgaven op.

baton charge *sb.* fremrykning med trukne stave.

baton round *sb.* plastikkugle.

bats [bæts] *adj.* tosset, skør; (se også *belfry*).

batsman ['bætsmən] *sb.* (*pl.* -men [-mən]) (*i kricket*) slår, gærdespiller.

battalion [bə'tæljən] *sb.* **1.** (*mil.*) bataljon; **2.** (*fig.*) kompagni, hærskare.

batten[1] ['bæt(ə)n] *sb.* **1.** planke; (*fx i tag, gulv*) lægte; (*på revledør*) revle; **2.** (*teat.*: *til tæppe*) tæppestang; (*til belysning*) rive; **3.** (*mar.*: *i sejl*) sejlpind; (*til luge*) skalkningsliste.

batten[2] ['bæt(ə)n] *vb.* fastgøre; sikre med tværlister; (se også *hatch*[1]);
□ *~ on* mæske sig på bekostning af; leve højt på.

batter[1] ['bætə] *sb.* **1.** (*i baseball*) slår; **2.** (*dej*) pandekagedej; beignetdej (*fx a semiliquid ~ of milk, flour and eggs*); **3.** (*om mur*) hældning;
□ *on the ~* S ude og bumle; på druk.

batter[2] ['bætə] *vb.* (se også *battered*) **1.** (*person*) slå, banke (*fx ~ him unconscious*); slå/tæve/tæske løs på; **2.** (*barn, kone*) tæve; mishandle; **3.** (*ting*) banke (*fx ~ the steaks flat*); banke/hamre løs på; **4.** (*om uvejr*) ramme, piske; **5.** (*om mur*) skråne;
□ *~ him about* mishandle ham; *~ the door down* slå døren ind; *~ the wall down* vælte muren, bryde muren ned; *~ his skull in* slå hjerneskallen ind på ham; *~ on the door* hamre/buldre på døren.

battered ['bætəd] *adj.* **1.** ramponeret (*fx car*); medtaget; **2.** (*om person*) mishandlet, forslået (*fx baby; her ~ body was found in a ditch*); voldsramt (*fx wife*); **3.** (*i madlavning*) indbagt.

battering ['bætəriŋ] *sb.* mishandling;
□ *take a ~* T (*om nederlag*) blive banket eftertrykkeligt, blive jordet.

battering ram *sb.* **1.** rambuk; **2.** (*hist.*: *til belejring*) murbrækker.

battery ['bætəri] *sb.* **1.** batteri, samling, gruppe (*fx a ~ of experts*); (*af ting også*) sæt; **2.** (*elek.*) batteri; (*i bil også*) akkumulator; **3.** (*agr.*) række bure til fjerkræ; række båse til opfedning af kvæg; **4.** (*mil.*) batteri; **5.** (*jur.*) se *assault*[1] (*assault and battery*);

□ ~ *of tests* testbatteri; række af prøver.

battery calf *sb.* tremmekalv.

battery charger *sb.* batterioplader.

battery chick *sb.* fabrikskylling; burkylling.

battery farm *sb.* hønseri med burhøns.

battery hen *sb.* burhøne.

batting ['bætiŋ] *sb.* **1.** (*i kricket*) gærdespil; **2.** (*i baseball*) færdighed i at slå; **3.** (*til quiltning etc.*) pladevat.

battle[1] ['bætl] *sb.* **1.** (*i krig*) slag (*fx an important* ~); **2.** (*generelt*) kamp (*fx wounded in* ~; *their fear before* ~); **3.** (*fig.*) kamp (*fx against crime//cancer; between good and evil*); **4.** (*enkelt*) kamp (*for om, fx a* ~ *for the leadership*); opgør; slagsmål (*fx personal* -s; *a legal* (juridisk) ~);

□ *that is half the* ~ det er et vigtigt skridt; det er det der tæller; så er meget vundet; *that is only half the* ~ det er kun et skridt på vejen; (se også *losing battle*);

[*med: of*] *the Battle of* **a.** slaget ved (*fx Hastings, Waterloo*); **b.** slaget om (*fx the Atlantic, Britain*); *the Battle of Copenhagen* slaget på Reden; *a* ~ *of wills* en kamp på viljestyrke; *a* ~ *of wits* en kamp om hvem der er den klogeste;

[*med vb.*] *deliver a* ~ levere et slag; *do* ~ kæmpe; slås; *fight a* ~ udkæmpe et slag; *give* ~ **a.** udkæmpe slag; **b.** tage kampen op; *join* ~ begynde kampen; indlede slag; *join* ~ *with* tage kampen op med; gå i kamp med.

battle[2] ['bætl] *vb.* **1.** kæmpe (*against* mod; *with* med); **2.** (*med objekt, især am.*) bekæmpe (*fx crime*); kæmpe mod;

□ ~ *it out* **a.** kæmpe, slås, dyste (*with* med); **b.** afgøre det ved kamp; T slås om det.

battleaxe ['bætlæks] *sb.* **1.** stridsøkse; **2.** (*neds. om kvinde*) rappenskralde, havgasse.

battle cruiser *sb.* slagkrydser.

battle cry *sb.* **1.** krigsråb; **2.** (*fig.*) kampråb; parole.

battledore ['bætldɔ:] *sb.* **1.** fjerboldketsjer; **2.** (*glds.: til tøjvask*) banketræ;

□ ~ *and shuttlecock* fjerboldspil.

battledress ['bætldres] *sb.* battledress, hverdagsuniform.

battle fatigue *sb.* (*glds.*) = *combat fatigue.*

battlefield ['bætlfi:ld] *sb.* se *battleground.*

battleground ['bætlgraund] *sb.*

1. slagmark; **2.** (*emne*) stridsspørgsmål (*fx bedtime was a* ~).

battle lines *sb. pl.*: *the* ~ *are drawn* fronterne er trukket op; banen er kridtet op.

battlements ['bætlmənts] *sb.* brystværn med murtinder; kamtakket murkrone;

□ -s kamtakker; murtinder.

battle piece *sb.* slagmaleri.

battle royal *sb.* **1.** almindeligt slagsmål; forrygende skænderi; **2.** (*om konkurrence*) [*slagsmål mellem flere, hvor den sidste mand i ringen bliver vinder*].

battleship ['bætlʃip] *sb.* slagskib.

battue [bæ'tu:] *sb.* **1.** klapjagt; **2.** (*fig.*) nedslagtning.

batty ['bæti] *adj.* T tosset, småskør.

bauble ['bɔ:bl] *sb.* **1.** stykke værdiløst nips; billigt smykke; **2.** (*til juletræ*) kugle; **3.** (*glds.*) narrebriks;

□ -s værdiløst stads; flitterstads.

baud [bɔ:d] *sb.* (*it*) baud [*måleenhed for transmissionshastighed*].

baulk [bɔ:k] se *balk.*

baulky ['bɔ:ki] *adj.* se *balky.*

bauxite ['bɔ:ksait] *sb.* (*min.*) bauxit.

Bavaria [bə'vɛəriə] (*geogr.*) Bayern.

Bavarian[1] [bə'vɛəriən] *sb.* **1.** (*person*) bayrer; **2.** (*dialekt*) bayersk.

Bavarian[2] [bə'vɛəriən] *adj.* bayersk.

bawd [bɔ:d] *sb.* (*glds.*) bordelværtinde.

bawdy ['bɔ:di] *adj.* (*glds.*) sjofel, slibrig, utugtig.

bawdy house *sb.* (*glds.*) bordel.

bawl [bɔ:l] *vb.* **1.** (*råbe*) brøle, skrige; **2.** (*om barn: græde*) skråle, vræle;

□ ~ *sby out* T skælde en huden fuld; ~ *one's eyes out* tudbrøle.

bay[1] [bei] *sb.* **1.** rum; afdeling; (*fx til parkering*) bås; **2.** (*arkit.*) karnap; **3.** (*afdeling af bygning, bro etc.*) fag; **4.** (*bibl.*) reolniche; **5.** (*bot.*) laurbærtræ; laurbær; **6.** (*geogr.*) (hav)bugt; **7.** (*hest*) rødbrun hest, fuks; **8.** (*hunds*) gøen, glammen;

□ -s (*jf. 5, også*) laurbærkrans; *be at* ~ være trængt op i en krog; være hårdt trængt; *keep/hold sby//sth at* ~ holde én/noget fra livet.

bay[2] [bei] *adj.* (*om hest*) rødbrun, fuksrød.

bay[3] [bei] *vb.* gø, glamme, halse;

□ *be -ing for* (*fig.*) være ude efter, forlange, kræve; (*se også blood*[1]).

bay leaf *sb.* laurbærblad.

bayonet[1] ['beiənət] *sb.* bajonet.

bayonet[2] ['beiənət] *vb.* angribe/stikke med bajonet.

bayonet socket *sb.* bajonetfatning.

bayou ['baiju:] *sb.* sumpet flodarm [*i det sydlige USA*].

bay window *sb.* **1.** karnapvindue; **2.** (*am.* S) tyk mave; udhængsskab.

bazaar [bə'za:] *sb.* (*i Østen & velgørenheds-*) basar.

bazoo [bə'zu:] *sb.* (*am.* S) mund, flab.

bazooka [bə'zu:kə] *sb.* (*mil.*) bazooka, raketstyr.

BB *fork. f.* **1.** *Boys' Brigade*; **2.** (*på blyant*) *double black*; **3.** (*am.*) [*en størrelse hagl til haglbøsse el. luftbøsse*].

B&B *fork. f. bed and breakfast*; (se *bed*[1]).

BBC *fork. f. British Broadcasting Corporation.*

BBS *fork. f. bulletin board system* elektronisk opslagstavle.

BC *fork. f.* **1.** *before Christ*; **2.** *British Columbia*; **3.** *British Council.*

BCE *fork. f. before the Common Era* f.v.t., før vor tidsregning.

be[1] [bi, (betonet) bi:] *vb.* (*was// were, been*) (se også *been, being*)

A. **1.** være; **2.** blive (*fx will he be here long?*); **3.** foreligge (*fx there is a mistake*); **4.** (*om begivenhed*) ske; finde sted (*fx when will the wedding be?*); **5.** F være 'til (*fx she is no more*); eksistere (*fx it has long ceased to be*); **6.** T være på wc (*fx have you been today?*); **7.** (*om tidsrum*) vare (*fx it was long before he came*); **8.** (*om pris*) koste (*fx how much is this?*);

B. **1.** (+ *præt. ptc.*) være; blive (*fx this was done; he was disappointed//hurt//shocked when he heard it*); **2.** (*foran inf.*) skulle (*fx where am I to sit?*); **3.** (+ *-ing-form*) være ved at; være i færd med at (*fx I am reading* jeg er i færd med at læse, jeg sidder// ligger (etc.) og læser);

□ *can//may//will be* se *can*[2], *may*[2], *will*[2]; *it was not to be* det skulle ikke så være; *he was not to be found* han var ikke til at finde; *you are not to go there* I må ikke gå derhen; *is to* skal (*fx the wedding is to take place tomorrow; what are we to do? you are to stay here*); *that is to say* det vil sige; *that* is det vil sige; (se også *down*[2], *here, how*[2], *about*[1], *for*[2], *in*[3] (etc.)).

be[2] [bi:] *præs. konjunktiv af be*[1] (*fx so be it!* lad det så være!).

beach[1] [bi:tʃ] *sb.* strand; strandbred.

beach[2] [bi:tʃ] *vb.* **1.** sætte på land; hale i land (*fx a boat*); **2.** strande

B beach ball

(fx a -ed whale).

beach ball *sb.* badebold.

beach buggy *sb.* beachbuggy [*lille åben bil med brede dæk*].

beach bum *sb.* T [*en der ligger og driver hele dagen ved stranden*].

beach chair *sb.* (*am.*) liggestol.

beachcomber ['biːtʃkəʊmə] *sb.* 1. [*en der samler ting på stranden*]; 2. (*på Stillehavsøerne*) (hvid) dagdriver.

beachfront ['biːtʃfrʌnt] *adj.* (*am.*) som ligger lige ned til stranden, strand- (*fx a ~ house*).

beachhead ['biːtʃhed] *sb.* (*mil.*) brohoved.

beachwear ['biːtʃwɛə] *sb.* strandtøj.

beacon ['biːk(ə)n] *sb.* 1. sømærke; båke; fyr; 2. (*flyv.*) luftfyr; (*radio ~*) radiofyr; 3. (*glds.*) bavn; 4. (*fig.*) eksempel; forbillede; □ *a ~ of hope* et lysende håb; (se også *Belisha beacon*).

bead [biːd] *sb.* 1. (*af træ, glas*) perle; 2. (*af væske, fx sved, fedt*) perle, dråbe; 3. (*på gevær etc.*) sigtekorn; 4. (*på cykeldæk*) vulst; □ *draw a ~ on* (*især am.*) sigte på; *tell one's -s* (*rel.*, *glds.*) læse sin rosenkrans.

beaded ['biːdid] *adj.* (jf. *bead 1*) perlebesat; □ *~ with sweat* (jf. *bead 2*) drivende af sved.

beading ['biːdiŋ] *sb.* 1. (*på møbel etc.*) perleprofil; 2. (*på tøj*) perlebesætning.

beadle ['biːdl] *sb.* (*glds.*) kirketjener.

beady ['biːdi] *adj.* (*om øjne, neds.*) små og skinnende//stikkende; □ *keep a ~ eye on* holde skarpt øje med; holde et vågent øje med.

beagle ['biːgl] *sb.* beagle [*hunderace; som Nuser i "Radiserne"*]; □ *the Beagle Boys* (*i Anders And*) bjørnebanden.

beak [biːk] *sb.* 1. (*fugls etc.*) næb; 2. T krum//spids næse; „horn"; 3. (*glds.* T) øvrighedsperson; rektor; dommer; 4. (*hist.: på skib*) snabel.

beaker ['biːkə] *sb.* 1. bæger; 2. (*kem.*) bægerglas.

beam¹ [biːm] *sb.* 1. (*af træ, jern, beton*) bjælke; 2. (*af lys etc.*) stråle; 3. (*fra billygte, projektør etc.*) lyskegle; (se også *dipped beam, full beam, high beam, main beam*); 4. (*på vægt*) stang; 5. (*mar.*) dæksbjælke; (*mål*) dæksbredde (*fx a ~ of 16 feet*); 6. (*gymn. & i væv*) bom; 7. (*ansigtsudtryk*) bredt/strålende smil; □ *kick the ~* blive den lille; [*med præp.*] *abaft the ~* (*mar.*)

agten for tværs; *broad in the ~* (*om person*) bred over hofterne; *off ~* a. ude af kurs; b. (*fig.*) helt ved siden af; galt afmarcheret; på vildspor; *on the ~* a. på ret kurs; b. (*fig.*) på ret kurs; i orden.

beam² [biːm] *vb.* 1. stråle; skinne (*fx the sun -ed down on us*); 2. (*radio., tv etc.*) sende [*i en bestemt retning*]; 3. (*om person*) smile stort (*at* til); □ *~ sby down//up* (*i science fiction*) sende en ned/op elektronisk; beame en ned//op; *~ on* smile huldsaligt til; *~ with delight* stråle af glæde.

beam-ends *sb. pl.: on its ~* (*mar.*) på siden; krængende over; *on one's ~* (*glds.*) i pengevanskeligheder; på knæene.

Beamer ['biːmə] *sb.* (T: *om bil*) BMW.

beaming ['biːmiŋ] *adj.* med et strålende smil.

bean¹ [biːn] *sb.* 1. bønne; 2. (*am.* S) hoved, knold; □ *full of -s* a. livlig; med fut i; b. (*am.* S) helt ved siden af; fuld af vrøvl; (se også *hill*); *I haven't a ~* jeg ejer ikke en rød øre; *know one's -s* (*am.* S) kunne sit kram; *he doesn't know -s about it* (*am.* S) han har ikke begreb skabt om det; *spill the -s* T sladre, snakke over sig; plapre ud med hemmeligheden.

bean² [biːn] *vb.* (*især am.* S) slå/gokke oven i hovedet.

bean bag *sb.* 1. (*til leg*) ærtepose; 2. (*til at sidde på*) sækkestol.

bean counter *sb.* (*neds. om en der kun ser på pengene*) bogholder.

beanery ['biːnəri] *sb.* (*am.*) billig restaurant.

beanfeast ['biːnfiːst] *sb.* T fest, gilde.

bean goose *sb.* (*zo.*) sædgås.

beanie ['biːni] *sb.* (*am.*) lille rund hue, kalot.

beano ['biːnəʊ] *sb.* se *beanfeast*.

beanpole ['biːnpəʊl] *sb.* (T, *spøg. om høj person*) bønnestage.

bean sprouts *sb. pl.* bønnespirer.

bear¹ ['bɛə] *sb.* 1. bjørn; 2. (*neds. om grov person*) bøffel; 3. (*merk.*) baissespekulant, baissist; □ *like a ~ with a sore head* ædende ond; gal som en tysker; *loaded for ~* (*am.* S) startklar; forberedt på alt.

bear² ['bɛə] *vb.* (*bore, borne*) 1. F bære (*fx ~ weapons; four men bore the coffin; the houses bore the marks of the fighting; ~ the responsibility*); (*transportere også*) bringe, føre (*fx ships bore immi-*

grants to the USA*); 2. (*vægten af noget*) bære (*fx four pillars bore the roof*); støtte, holde oppe; 3. (*om træ, plante*) bære (*fx fruit; flowers*); 4. (*vanskeligheder etc.*) bære (*fx she bore her fate well*); 5. (*med nægtelse*) udholde (*fx he could not ~ the suspense*); tåle (*fx it does not ~ repetition*); 6. (*følelse*) nære (*fx ~ sby friendship// ill-will*); (se også *grudge*); 7. (*barn*) føde (*fx she bore him a son*); bringe til verden; (se også *born*); 8. (*kurs*) styre (*fx ~ south*); holde (*fx ~ left past the cemetery*); □ *bring to ~* se *bring; ~ oneself* (*litt.*) føre sig; opføre sig, optræde; [*med sb.*] *~ the costs* bære/betale/ udrede omkostningerne; (se også *brunt, company, grudge¹, hand¹, interest¹, mind¹, relationship, resemblance, witness¹*);

[*med præp.& adv.*] *~ away* a. dreje af; b. (*mar.*) falde (af); *~ down* a. F slå ned (*fx all resistance*); kue, betvinge; b. (*am.*) gøre sig store anstrengelser; tage ordentligt fat; *~ down on* a. styre hen imod, styre lige løs på; b. slå ned på, bekæmpe (*fx inflation*); c. tynge ned på; *it was borne in on me that* det gik op for mig at; *~ off* (*mar.*) a. holde klar af; b. holde klar af land; *~ on* F a. have indflydelse på; b. angå, have forbindelse med; *~ hard on them* ramme dem hårdt; *~ out* støtte; bekræfte; *~ sby out* bekræfte ens ord; *~ up* holde humøret/modet oppe; holde ud; ikke fortvivle (*against* over for); *~ with* bære over med.

bear³ [bɛə] *vb.* (*-ed, -ed*) 1. baisse; tvinge børskursen ned; 2. (*med objekt*) drive baissespekulation i (*fx a stock*).

bearable ['bɛərəbl] *adj.* udholdelig.

bearberry ['bɛəbəri] *sb.* (*bot.*) melbærris.

beard¹ [biəd] *sb.* 1. (*hage- & på aks*) skæg; 2. (*am.* S: *i spil*) stråmand; □ *grow a ~* lade skægget stå; anlægge skæg.

beard² [biəd] *vb.* trodse; udfordre; (se også *lion*).

bearded ['biədid] *adj.* 1. skægget; 2. (*bot.*) stakket.

bearer ['bɛərə] *sb.* 1. (*på ekspedition etc.*) bærer; 2. (*af budskab etc.*) overbringer; 3. (*af titel etc.*) indehaver; 4. (*af værdipapir etc.*) ihændehaver; 5. (*af kiste*) ligbærer; 6. (*glds., i Indien*) personlig tjener; □ *the tree is a good ~* træet bærer

godt; *per* ~ pr. bud.
bearer bond *sb.* (*merk.*) ihændehaverobligation.
bearer share *sb.* (*merk.*) ihændehaveraktie.
bear garden *sb.* (*fig.*) gedemarked; rabaldermøde;
□ *the place was a* ~ (*også*) der var vild opstandelse.
bear hug *sb.* kæmpeknus.
bearing ['bɛəriŋ] *sb.* (se også *bearings*) **1.** (*persons*) holdning; fremtræden; optræden; **2.** (*mar. etc.*) pejling; position; **3.** (*tekn.: af maskine*) leje; **4.** (*her.*) skjoldfigur;
□ *it is beyond* ~ det er ikke til at holde ud; *have no* ~ *on* ikke have nogen betydning/relevans for; ikke have nogen forbindelse med; ikke have noget at gøre med; *take a* ~ pejle (*on* efter).
bearings ['bɛəriŋz] *sb. pl.* (*tekn.*) ophæng; lejer; kugler;
□ *discuss the question in all its* ~ drøfte spørgsmålet fra alle sider; *find/get one's* ~ orientere sig; *lose one's* ~ miste orienteringen.
bearish ['bɛəriʃ] *adj.* **1.** bjørneagtig; kluntet, plump; **2.** (*merk.: om marked*) baissepræget, præget af spekulation i faldende kurser; med faldende tendens; (*om forventning*) pessimistisk.
bear market *sb.* (*merk.*) baissemarked.
bear operation *sb.* (*merk.*) baisseforretning.
bearskin ['bɛəskin] *sb.* **1.** bjørneskind; **2.** (*mil.*) bjørneskindshue.
beast [bi:st] *sb.* **1.** (*især litt.*) (vildt) dyr; **2.** (*fig., glds.* T) udyr; vilddyr; (*spøg., fx til barn*) bæst, skarn; **3.** (*spøg.: med adj.*) skabning, tingest (*fx a rare* ~; *an unpredictable* ~);
□ *the* ~ *in him* dyret/det dyriske i ham; ~ *of burden* lastdyr; ~ *of prey* rovdyr.
beastly *adj.* (*glds.* T) **1.** modbydelig, afskyelig, rædsom (*fx weather*); **2.** (*om person*) led, modbydelig;
□ ~ *cold* modbydelig koldt; ~ *drunk* fuld som et svin.
beat¹ [bi:t] *sb.* **1.** slag (*fx heart -s; the rhythmic* ~ *of the waves*); banken; (*musiks*) rytme (*fx tap one's foot to the* ~ *of the music*); **2.** (*mus.*) taktdel, slag (*fx four -s to a bar*); (*dirigents*) taktslag; **3.** (*politibetjents etc.*) område; distrikt; **4.** (*jagtområde*) såt; **5.** (*am.* S: *journalistisk*) scoop, kup; solohistorie;
□ *the* ~ *of the drum* lyden af trommen; trommeslaget;

[*med vb.*] *my heart* **missed** *a* ~ (ɔ: *af bevægelse, overraskelse, svarer til*) mit hjerte holdt næsten op med at slå; *without missing a* ~ lige på stedet; uden at tøve et øjeblik;
[*med præp.*] *it is* **off** *my* ~ (*jf. 3, fig.*) det er noget jeg ikke rigtig kender til; *on the* ~ (*jf. 3*) ude på sin runde.
beat² [bi:t] *adj.* S udmattet; udkørt; slået ud.
beat³ [bi:t] *præt. af beat⁴.*
beat⁴ [bi:t] *vb.* (beat, beaten) **1.** banke (*fx a carpet*); slå på (*fx a drum*); (se også *drum¹*); **2.** (*i madlavning*) piske (*fx eggs; cream*); **3.** (*korporligt*) slå, banke, tæske (*fx* ~ *sby with a stick;* ~ *sby to death*); (se også *daylights*); **4.** (*modstander, i konkurrence, kamp*) slå, besejre, overvinde (*fx the enemy*); **5.** (*tidsfrist, vanskeligheder*) komme før (*fx a deadline; the rush*); undgå (*fx the traffic problems*); (se også *clock¹*); **6.** (T: *om egenskab*) (kunne) slå; overgå; **7.** (*uden objekt*) banke (*fx his heart was -ing like mad*); slå (*fx his heart ceased to* ~; *a fly was -ing against the window*); (*stærkere*) piske (*fx the rain was -ing against the windows//on the roof*); **8.** (*mar.*) krydse op mod vinden;
□ *you can't* ~ *...* (*jf. 5*) der er ikke noget bedre end ...; (se også *hollow²*);
[*med sb.*] *the bird* ~ *its wings* fuglen slog med vingerne; ~ *a path through* rydde en sti gennem; ~ *a wood (for game)* klappe en skov af; afdrive en skov; (se også *air¹, brain¹, breast¹, meat, retreat¹, time¹*);
[*med pron.*] *that -s* **everything***!* S det var dog den stiveste! ~ *it* T stikke af, forsvinde; skrubbe af; *can you* ~ *it!* T hvad giver du mig! kan du slå den! *that -s* **me** det fatter/begriber jeg ikke; det går over min forstand; ~ *off*
a. slå (*fx one's rivals*); **b.** slå tilbage (*fx an attack*); **c.** holde væk

(*fx the dogs with a stick*); ~ *out*
a. (*metal*) udhamre (*fx gold*);
b. (*bule*) rette ud; **c.** (*ild*) slukke;
d. (*am.* S: *person*) slå, jorde [ɔ: *besejre*]; ~ *out the dust from* banke støvet ud af; ~ *out a rhythm//tune* hamre en rytme//melodi; ~ *him to it* komme ham i forkøbet; ~ *up* (T: *person*) gennembanke, gennemtæve; ~ *up game* klappe vildt op; ~ *up on* (*am.*) = ~ *up*.
beatable ['bi:təbl] *adj.: he is* ~ han kan slås/besejres.
beat box *sb.* (*mus.*) rytmeboks.
beat cop *sb.* (*am.*) gadebetjent.
beaten¹ ['bi:t(ə)n] *præt. ptc. af beat⁴.*
beaten² ['bi:t(ə)n] *adj.* **1.** (*om metal*) hamret, drevet (*fx gold; silver*); **2.** (*om jord*) fasttrampet (*fx path*);
□ ~ *gold* (*også*) bladguld; *the* ~ *track/path* den slagne (lande)vej; *off the* ~ *track/path* **a.** uden for// langt fra alfarvej; **b.** (*fig.*) særpræget.
beaten-up ['bi:t(ə)nʌp] *adj.* se *beat-up.*
beater ['bi:tə] *sb.* **1.** (*i madlavning*) piskeris, hjulpisker; **2.** (*til rengøring*) tæppebanker; **3.** (*ved jagt*) klapper; **4.** (*am.* S: *om bil*) smadrekasse, spand.
beatific [bi:ə'tifik] *adj.* (*litt.*) lyksalig; salig (*fx smile*).
beatify [bi'ætifai] *vb.* **1.** lyksaliggøre; **2.** (*led i helgenkåring*) beatificere; erklære for salig.
beating ['bi:tiŋ] *sb.* **1.** bank, omgang klø, afklapsning; T lag tæsk (*fx give him a* ~); **2.** nederlag; bank;
□ *take a* ~ **a.** få en nedtur; **b.** (*i konkurrence*) få bank; *they took a* ~ (*også*) det gik hårdt ud over dem; *he////the record will take some* ~ han//rekorden bliver ikke nem at slå.
beatitude [bi'ætitju:d] *sb.* lyksalighed;
□ *the -s* (*i Biblen*) saligprisningerne.
beat-up ['bi:tʌp] *adj.* T nedslidt, ramponeret, medtaget.
beau [bəu] *sb.* (*pl. -x/-s* [bəuz]) (*glds.*) **1.** (*især am.*) beundrer; ven, kæreste; **2.** laps, modeherre.
beaut¹ [bju:t] *sb.* (*austr.* T) pragteksemplar.
beaut² [bju:t] *adj.* (*austr.* T) skøn, herlig.
beauteous ['bju:tiəs] *adj.* (*poet.*) skøn.
beautician [bju:'tiʃn] *sb.* indehaver af skønhedssalon; skønhedsekspert; kosmetolog.

beautification [bju:tifi'keiʃn] *sb.* forskønnelse.

beautiful ['bju:təf(u)l] *adj.* smuk, skøn, dejlig;

□ *the ~ people* de smukke og de rige.

beautify ['bju:tifai] *vb.* forskønne; smykke.

beauty ['bju:ti] *sb.* **1.** (*egenskab*) skønhed; **2.** (*kvinde*) skønhed; **3.** (*ting*) pragteksemplar;

□ *it is a ~* (*også*) den er fantastisk; *~ is only skin-deep* man skal ikke skue hunden på hårene; *that is the ~ of it* det er netop det fine ved det.

beauty contest *sb.* skønhedskonkurrence.

beauty mark *sb.* (*am.*) skønhedsplet.

beauty parlour *sb.* (*am.*) skønhedsklinik, skønhedssalon.

beauty sleep *sb.* (*spøg.*) skøhedssøvn [*søvnen før midnat*].

beauty spot *sb.* **1.** naturskønt sted; **2.** (*på huden*) skønhedsplet.

beaver[1] ['bi:və] *sb.* **1.** (*zo.*) bæver; **2.** (*skind*) bæverskind; **3.** (*glds. stof*) biber; **4.** (*vulg.*) mis, kusse; **5.** (*glds.: mand med fuldskæg*) skægabe; **6.** (*hist.: på hjelm*) visir; (se også *eager beaver*).

beaver[2] ['bi:və] *vb.:* ~ *away* T morakke, pukle, knokle (*at* med).

beaverboard ['bi:vərbɔ:rd] *sb.* (*am.*) fiberplade.

bebop ['bi:bɔp] *sb.* (*mus.*) bebop.

becalmed [bi'ka:md] *adj.:* be ~
a. (*mar.*) ligge for vindstille;
b. (*fig.*) være gået i stå.

became [bi'keim] *vb. præt. af become.*

because [bi'kɔ(:)z] *konj.* fordi;
□ ~ *of* på grund af.

beck [bek] *sb.* (*dial.*) bæk;
□ *be at sby's ~ and call* hoppe og springe for en; stå på pinde for en.

becket ['bekit] *sb.* (*mar.*) hundsvot; bærestrop.

beckon ['bek(ə)n] *vb.* **1.** vinke ad, gøre tegn til; **2.** (*fig.*) drage, virke dragende på, lokke (*fx the attractions of the city -ed him*); **3.** (ɔ: *i fremtiden*) vinke/vente forude;
□ ~ *to her* gøre tegn til hende, vinke til hende; *the constable -ed her to his car* betjenten vinkede hende hen til sin vogn; ~ *her to come nearer* (*jf. 1*) gøre tegn til hende om at komme nærmere; vinke hende hen til sig.

become [bi'kʌm] *vb.* (*became, become*) **1.** blive (*fx ~ a doctor, ~ known; what has ~ of him?*);
2. (F: *om tøj*) klæde (*fx that dress*

-s her); **3.** (F: *om opførsel etc.*) passe/anstå sig for (*fx it does not ~ a man in his position*); (se også *ill*[3]).

becoming [bi'kʌmiŋ] *adj.* (*glds.*) **1.** (*jf. become 2*) klædelig; **2.** (*jf. become 3*) passende.

becquerel [bekə'rel] *sb.* becquerel [*måleenhed for radioaktivitet*].

bed[1] [bed] *sb.* **1.** (*møbel*) seng; (*sted hvor man ligger, også*) leje; **2.** (*i hotel, hospital: om antal*) sengeplads, seng (*fx the hotel has 150 -s*); **3.** (*i have*) bed (*fx rose ~*); **4.** (*geol.*) lag (*fx of clay*); leje (*fx of coal*); **5.** (*for flod*) leje; flodseng; **6.** (*i havet*) banke (*fx oyster ~; mussel ~*); (*sea ~*) havbund; **7.** (*til støtte, fx for maskine, vej*) fundament; underlag; **8.** (*tekn.: af drejebænk etc.*) vange; **9.** (*i madlavning*) bund, leje, underlag (*fx served on a ~ of rice*);
□ ~ *and board* **a.** kost og logi;
b. (*glds.*) bord og seng [ɔ: ægteskabeligt forhold]; ~ *and breakfast* **a.** værelse med morgenmad;
b. sted hvor man kan få værelse med morgenmad; pensionat; *keep one's ~* holde sengen; *make a ~* rede en seng; *he has made his ~, so he must lie on it* han kommer til at ligge som han har redet; (se også *change*[2]);

a ~ of nails **a.** (*fakirs*) et leje af søm; **b.** (*fig.*) i hård omgang; *life is not a ~ of roses* livet er ingen dans på roser; livet er ikke lutter lagkage;
[*med præp.*] *in* ~ **a.** i (sin) seng (*fx he is in ~*); **b.** (*seksuelt*) i sengen (*fx he is good in ~*); *be ill in* ~ ligge syg; *in* ~ *with* **a.** i seng med; **b.** (*fig., neds.*) engageret med, 'i med; *get into bed with* **a.** komme i seng med; **b.** (*fig., neds.*) komme 'i med; *get out of* ~ *on the wrong side* få det forkerte ben først ud af sengen; *go to* ~ gå i seng; *put to* ~ **a.** (*om barn*) lægge i seng; **b.** (*fig.*) færdiggøre; (*om bog, avis*) gøre trykfærdig, lade gå i trykken; *take to one's* ~ (*om en syg, let glds.*) lægge sig i sengen, lægge sig syg; *be brought to* ~ *of* (*glds.*) blive forløst med; nedkomme med.

bed[2] [bed] *vb.* **1.** (*blomst etc.*) plante i bed, plante ud; **2.** (*litt.*) sove med, dyrke elskov med, gå i seng med;
□ ~ *down* **a.** lave et leje til (*fx a horse*); **b.** (*om person*) slå sig ned for natten (*fx in a field*); *-ded in* fæstnet i; lagt i (*fx bricks are -ded in mortar*); ~ *out* plante ud.

bed and breakfast *sb.* se *bed*[1].

bedaubed [bi'dɔ:bd] *adj.: -ed with* oversmurt med.

bedazzled [bi'dæzld] *adj.* (*litt.*) blændet, overvældet; forblindet.

bedbug ['bedbʌg] *sb.* (*zo.*) væggelus.

bedchamber ['bedtʃeimbə] *sb.* F sovekammer; sovegemak.

bed chart *sb.* (*med.*) sengetavle.

bedclothes ['bedklouðz] *sb. pl.* sengetøj.

beddable ['bedəbl] *adj.* **1.** lige til at gå i seng med; **2.** let at komme i seng med.

bedding ['bediŋ] *sb.* **1.** sengetøj; **2.** (*for dyr*) strøelse; **3.** (*til støtte etc.*) underlag; **4.** (*geol.*) lagdeling; lejring.

bedding plant *sb.* udplantningsplante.

bedecked [bi'dekt] *adj.:* ~ *with* pyntet med, (*ud*)smykket med.

bedevilled [bi'dev(ə)ld] *adj.:* ~ *by* plaget af.

bedew [bi'dju:] *vb.* (*litt.*) dugge.

bedfast ['bedfæst] *adj.* (*am.*) sengeliggende.

bedfellow ['bedfelou] *sb.* **1.** sovekammerat, sengekammerat; **2.** (*fig.*) forbundsfælle.

bedhead ['bedhed] *sb.* hovedgærde.

bedizened [bi'daizn̩d] *vb.* (*glds.*) udmajet.

bedjacket ['beddʒækit] *sb.* sengetrøje.

bedlam ['bedləm] *sb.* **1.** kaos; **2.** (*glds.*) galeanstalt; dårekiste;
□ *it was ~* alt var kaos; det var som et galehus.

bed linen *sb.* sengelinned.

Bedouin[1] ['beduin] *sb.* beduin.

Bedouin[2] ['beduin] *adj.* beduin-.

bedpan ['bedpæn] *sb.* bækken.

bedplate ['bedpleit] *sb.* (*til maskine*) fundamentplade.

bedpost ['bedpoust] *sb.* sengestolpe;
□ *between you and me and the ~* mellem os sagt.

bedraggled [bi'drægld] *adj.* **1.** sjasket, afrakket; **2.** (*ikke ren*) snusket; (+ *våd*) tilsølet.

bedridden ['bedrid(ə)n] *adj.* sengeliggende; lænket til sengen.

bedrock ['bedrɔk] *sb.* **1.** grundfjeld; **2.** (*fig.*) fundament, grundvold;
□ *get down to* ~ (*fig.*) komme til det væsentlige.

bedroll ['bedroul] *sb.* (*især am.*) sammenrullet sengetøj//tæppe//sovepose.

bedroom ['bedrum, -ru:m] *sb.* soveværelse.

bedroom community *sb.* (*am.*) soveby.

bedroom eyes *sb. pl.* T sovekammerøjne; liderligt blik.

bedside ['bedsaid] *sb.* sengekant; □ *at her* ~ ved hendes seng.

bedside manner *sb.*: *his* ~ hans måde at tage patienterne på.

bedside story *sb.* godnathistorie.

bedside table *sb.* sengebord, natbord.

bedsit ['bedsit] *sb.* = *bedsitter.*

bedsitter ['bedsitə] *sb.* sove- og opholdsværelse; etværelses lejlighed.

bedsore ['bedsɔ:] *sb.* liggesår.

bedspread ['bedspred] *sb.* sengetæppe.

bedstead ['bedsted] *sb.* sengeramme; sengested.

bedstraw ['bedstrɔ:] *sb.* (*bot.*) snerre.

bedtime ['bedtaim] *sb.* sengetid.

bedtime story *sb.* godnathistorie.

bedwetter ['bedwetə] *sb.* sengevæder.

bedwetting ['bedwetiŋ] *sb.* sengevædning.

bee [bi:] *sb.* **1.** (*zo.*) bi; **2.** (*am., i sms.*) -sammenkomst; -aften (*fx sewing bee*); -konkurrence (*fx a spelling* ~);
□ *have a* ~ *in one's bonnet* T have en fiks idé; have en prik (*about* med); *be the -'s knees* T være det helt store.

Beeb [bi:b] *sb.* (*spøg.*) BBC.

bee bread *sb.* bibrød.

beech [bi:tʃ] *sb.* (*bot.*) bøg; bøgetræ.

beech marten *sb.* (*zo.*) husmår.

beechmast ['bi:tʃma:st] *sb.* bog, bøgeolden.

beechnut ['bi:tʃnʌt] *sb.* bog.

bee-eater ['bi:i:tə] *sb.* (*zo.*) biæder.

beef[1] [bi:f] *sb.* **1.** oksekød; **2.** T muskler; styrke; **3.** (*fig.*) kød (*in* på, *fx there wasn't much* ~ *in the report*); **4.** (*pl. beeves*) oksekrop; **5.** S beklagelse (*about* over); protest.

beef[2] [bi:f] *vb.* (*am.*) mukke, gøre vrøvl, brokke sig (*about* over); □ ~ *up* forstærke; styrke.

beefburger ['bi:fbə:gə] *sb.* hamburger; bøfsandwich.

beefcake ['bi:fkeik] *sb.* **1.** muskelsvulmende mænd; muskelsvulmende mand, muskelbundt; **2.** [*fotografi af 1*].

beef cattle *sb.* kødkvæg.

Beefeater ['bi:fi:tə] *sb.* [*opsynsmand i Tower*].

beefsteak ['bi:fsteik] *sb.* bøf.

beef tea *sb.* bouillon.

beefy ['bi:fi] *adj.* T kødfuld; muskuløs.

beehive ['bi:haiv] *sb.* **1.** bikube;

2. [*højt opsat//touperet frisure af form som en rund bikube*].

beekeeper ['bi:ki:pə] *sb.* biavler.

beekeeping ['bi:ki:piŋ] *sb.* biavl.

beeline ['bi:lain] *sb.* lige linje; □ *make a* ~ *for* styre lige hen imod.

been [bi(:)n] *præt. ptc. af be*[1]; □ *have you* ~ *today?* har du været på wc//potte i dag? *has he* ~ *today?* har han været her idag? *he has* ~ *and* han har gået hen og (*fx broken his leg*); *he has* ~ *and gone and done it* nu har han gået hen og ødelagt det hele.

beep[1] [bi:p] *sb.* **1.** bip, dut; **2.** (*bils*) dyt.

beep[2] [bi:p] *vb.* **1.** bippe, dutte; **2.** (*bil*) dytte; □ ~ *the horn* bruge hornet, dytte.

beeper [bi:pə] *sb.* bipper; personsøger.

beer [biə] *sb.* øl; □ *life is not all* ~ *and skittles* livet er ikke lutter lagkage; (se også *small beer*).

beer belly, beer gut *sb.* ølmave.

beer mat *sb.* ølbrik.

beery ['biəri] *adj.* øllet; ølstinkende.

beestings ['bi:stiŋz] *sb. pl.* råmælk.

beeswax[1] ['bi:zwæks] *sb.* bivoks.

beeswax[2] ['bi:zwæks] *vb.* bone.

beet [bi:t] *sb.* **1.** (*bot.*) bede, roe; (se også *sugar beet*); **2.** (*am.*) rødbede.

beet harvester *sb.* roeoptager.

beetle[1] ['bi:tl] *sb.* **1.** (*zo.*) bille; **2.** (*redskab*) kølle; **3.** (*især am.*) asfaltboble [*folkevogn*].

beetle[2] ['bi:tl] *vb.* **1.** rage frem; **2.** T pile, fistre; □ ~ *off* T fistre af; ~ *over* **a.** hænge ud over; **b.** (*fig.*) hænge truende over; hænge over hovedet på.

beetle-browed ['bi:tlbraud] *adj.* med buskede øjenbryn.

beetle brows *sb. pl.* buskede øjenbryn.

beetle crushers *sb. pl.* brandspande [ɔ: *store støvler*].

beet-lifting ['bi:tliftiŋ] *sb.* (*agr.*) roeoptagning.

beetling ['bi:tliŋ] *adj.* fremspringende; ludende.

beetroot ['bi:tru:t] *sb.* (*bot.*) rødbede.

beet sugar *sb.* roesukker.

beeves [bi:vz] *pl. af beef*[1] 4.

beezer ['bi:zə] *sb.* (*glds.* S) gynter, tud [ɔ: *næse*].

befall [bi'fɔ:l] *vb.* (*befell, befallen*) (*litt.*) **1.** tilstøde, vederfares; overgå, ramme (*fx the fate that befell him*); **2.** (*uden objekt*) ske, hænde.

befit [bi'fit] *vb.* F passe for; sømme sig for.

befogged [bi'fɔgd] *adj.* forvirret, omtåget.

before[1] [bi'fɔ:] *adv.* **1.** (*om tid*) før (*fx I have never seen him* ~; *the night* ~; *the week* ~); **2.** (*om rækkefølge*) foran, i forvejen (*fx go* ~).

before[2] [bi'fɔ:] *konj.* inden, før (*fx* ~ *he came*); førend.

before[3] [bi'fɔ:] *præp.* **1.** (*om tid*) før (*fx* ~ *breakfast; he came* ~ *me*); **2.** (F: *om fremtid*) foran (*fx you have your whole life* ~ *you; the task* ~ *us*); **3.** (*om sted*) foran (*fx they stopped* ~ *the gate*); **4.** (F: *om placering*) over for (*fx* ~ *a large crowd*); i nærværelse af (*fx don't use that sort of language* ~ *the children*); **5.** (*om myndighed*) for (*fx a judge; the court; the committee*); **6.** (*om rang, rækkefølge*) forud for, frem for (*fx work came before family*).

beforehand [bi'fɔ:hænd] *adv.* på forhånd; i forvejen.

befoul [bi'faul] *vb.* besudle; tilsmudse.

befriend [bi'frend] *vb.* være venlig mod, optræde som ven over for.

befuddled [bi'fʌdld] *adj.* omtåget.

beg [beg] *vb.* **1.** tigge (*fx he -ged on the streets*); **2.** (*med objekt*) bede (indtrængende) om, tigge (og bede) om, trygle om (*fx forgiveness*);
□ *it is going (a)begging* (T, *fig.*) ingen vil have det; *there is a cake going (a)begging* vil ingen forbarme sig over den kage? *these jobs won't go (a)begging long* der bliver rift om disse stillinger; (se også *leave*[1], *pardon*[1], *question*); [*med præp.& adv.*] ~ *for* **a.** tigge (og bede) om, bede indtrængende om (*fx mercy*; ~ *her for another chance*); **b.** (*mad, penge*) tigge om; ~ *from* tigge af, tigge hos (*fx he didn't like to* ~ *from his neighbours; can I* ~ *a cigarette from you?*); ~ *of* sby to do sth bede en om at gøre noget; ~ *off* bede sig fritaget; bede sig undskyldt; *I* ~ *to* ... F jeg tillader mig at ... (*fx I* ~ *to observe that this is not the case*); (se også *differ*); ~ *sby to* bede en indtrængende om at, tigge (og bede) en om at (*fx he -ged her to stay*).

began [bi'gæn] *præt. af begin.*

beget [bi'get] *vb.* (*begot, begotten*) **1.** F skabe; afføde; **2.** (*glds.*) avle.

begetter [bi'getə] *sb.* ophav; skaber.

beggar[1] ['begə] *sb.* **1.** tigger; **2.** (T: *spøg.*) stodder;
□ *you cheeky//lazy* ~ din frække//

dovne ka'l; *you lucky* ~ dit heldige asen; *poor little* ~ stakkels lille fyr.

beggar[2] ['begə] *vb.* F ruinere; bringe til tiggerstaven;
□ *it -s belief* det er fuldstændig utroligt; *it -s description* det overgår enhver beskrivelse.

beggarly *adj.* (*glds.*) ussel, sølle.

beggary ['begəri] *sb.: reduce sby to* ~ F bringe en til tiggerstaven.

begging bowl *sb.* tiggerskål;
□ *hold out a* ~ tigge om hjælp.

begging letter *sb.* tiggerbrev.

begin [bi'gin] *vb.* (*began, begun*) **1.** begynde; **2.** (*med objekt*) begynde; begynde på;
□ ~ *by* + *-ing* begynde at (*fx* ~ *talking*);
[*med præp.& adv.*] ~ *again* begynde forfra; ~ *at* **a.** begynde ved; **b.** begynde med (*fx the beginning*); ~ *by* + *-ing* begynde med at (*fx we* ~ *by learning the letters*); ~ *to* begynde at (*fx he began to cry*); *cannot* ~ *to* kan overhovedet ikke (*fx I cannot* ~ *to understand* ...; *you cannot* ~ *to imagine* ...); *they don't* ~ *to compare* de kan overhovedet ikke sammenlignes; ~ *with* begynde med (*fx a song*); *to* ~ *with* **a.** til at begynde med; **b.** (*i opremnsning*) for det første.

beginner [bi'ginə] *sb.* begynder;
□ *-'s luck* begynderheld.

beginning[1] [bi'giniŋ] *sb.* begyndelse;
□ *-s* **a.** oprindelse (*fx the city had its -s in Rpman times*); **b.** (*persons, firmas*) start; baggrund (*fx his humble -s*); *the -s of* begyndelsen til (*fx a headache*).

beginning[2] [bi'giniŋ] *adj.* begyndende;
□ *a* ~ *teacher* en lærer der lige er begyndt at virke.

begone [bi'gɔn] *interj.* (*glds., poet.*) bort! forsvind!

begonia [bi'gəuniə] *sb.* (*bot.*) begonie.

begot [bi'gɔt] *præt. af beget.*

begotten [bi'gɔtn] *præt. ptc. af beget.*

begrimed [bi'graimd] *adj.* beskidt.

begrudge [bi'grʌdʒ] *vb.* **1.** (*noget en anden har*) misunde; ikke unde; **2.** (*noget man skal*) ærgre sig over (*fx they -d every minute they had to stay*);
□ ~ *doing it* ærgre sig over at skulle gøre det (*fx fx paying so much for it*); gøre det modvilligt/modstræbende; *I don't* ~ *him the job* jeg under ham gerne stillingen.

begrudgingly [bi'grʌdʒiŋli] *adv.*

modvilligt; modstræbende.

beguile [bi'gail] *vb.* F charmere, fortrylle; fængsle;
□ ~ *into* narre/forlede til at.

beguiling [bi'gailiŋ] *adj.* **1.** charmerende, fortryllende; **2.** lokkende, forførende; bestikkende (*fx argument*).

beguine [bə'gi:n] *sb.* [*rumba-lignende dans*].

begun [bi'gʌn] *præt. ptc. af begin.*

behalf [bi'ha:f] *sb.: on his* ~ **a.** på hans vegne; **b.** for hans skyld; *in his* ~ (*am.*) = *on his* ~.

behave [bi'heiv] *vb.* **1.** opføre sig (*fx badly; like an idiot*); **2.** opføre sig ordentligt (*fx his mother told him to* ~); dy sig;
□ ~ *oneself* = 2; *ill/badly -d* uopdragen; *well -d* velopdragen.

behaviour [bi'heiviə] *sb.* **1.** opførsel, optræden; **2.** (*psyk.*) adfærd;
□ *be on one's best* ~ gøre sig umage for at opføre sig pænt; vise sig fra sin bedste side.

behavioural [bi'heiviərəl] *adj.* adfærds- (*fx problems; science; therapy*).

behavioural scientist *sb.* adfærdsforsker.

behaviourism [bi'heiviərizm] *sb.* (*psyk.*) adfærdspsykologi; behaviorisme.

behead [bi'hed] *vb.* halshugge.

beheld [bi'held] *præt. & præt. ptc. af behold.*

behemoth [bi'hi:mɔθ] *sb.* (*litt.*) **1.** monster, uhyre; **2.** (*fig., fx om organisation*) monstrum, uhyre, mastodont.

behest [bi'hest] *sb.: at his* ~ (*litt.*) på hans foranledning; på hans bud/befaling.

behind[1] [bi'haind] *sb.* T bagdel, ende.

behind[2] [bi'haind] *adv.* tilbage (*fx stay* ~); bagefter (*fx he is far* ~); bagpå; bagtil; (*se også fall*[2], *get, leave*[2] (*etc.*));
□ *from* ~ bagfra.

behind[3] [bi'haind] *præp.* bag; bag ved; bag efter; efter (*fx close the door* ~ *you*);
□ *be* ~ *sby* **a.** stå tilbage for en; **b.** stå bag ved en, bakke en op; *what is* ~ *his refusal?* hvad ligger der bag hans afslag?; (*se også from, put, get (etc.*)).

behindhand [bi'haindhænd] *adv.* F bagefter, bagud (*with* med).

behold [bi'həuld] *vb.* (*beheld, beheld*) (*glds. el. litt.*) se, skue; betragte; (*se også lo*).

beholden [bi'həuld(ə)n] *adj.: be* ~ *to sby* F stå i taknemlighedsgæld til en, være en tak skyldig.

beholder [bi'həuldə] *sb.* (*glds.*) beskuer; tilskuer;
□ *it is in the eye of the* ~ det afhænger af hvem der ser på det.

behoove [bi'hu:v] *sb.* (*am.*) = *behove.*

behove [bi'həuv] *vb.: it -s you to* (*glds. el. F*) det vil være passende for dig at; det sømmer sig for dig at; (*se også ill*[3]).

beige [beiʒ] *adj.* beige; drapfarvet.

being[1] ['bi:iŋ] *sb.* **1.** væsen (*fx a living* ~); **2.** væren; eksistens;
□ *in* ~ eksisterende; *bring/call into* ~ skabe; fremkalde; *come into* ~ blive 'til; opstå.

being[2] ['bi:iŋ] *adj.: for the time* ~ foreløbig; for øjeblikket; F for nærværende.

bejasus [bi'dʒeizəs] *interj.* (*irsk*) = *bejesus.*

bejesus [bi'dʒi:zəs] *interj.* kors!
□ *beat/knock the* ~ *out of sby* tæske en sønder og sammen; *it scared the* ~ *out of me* det var ved at skræmme livet af mig; det skræmte mig fra vid og sans.

bejewelled [bi'dʒuːəld] *adj.* **1.** juvelbesat; **2.** (*om person*) juvelsmykket, juvelbehængt.

belabour [bi'leibə] *vb.* **1.** (*emne etc.*) træde rundt i; tærske langhalm på; **2.** (*glds.*) slå løs på; **3.** (*verbalt*) overfuse.

Belarus [belə'ruːs] (*geogr.*) Hviderusland.

belated [bi'leitid] *adj.* forsinket; lovlig sen; som har ladet vente på sig.

belay [bi'lei] *vb.* gøre/surre fast; sikre [*med reb*];
□ ~! (*mar.* S) hold inde!

belaying pin [bi'leiiŋpin] *sb.* (*mar.*) kofilnagle.

belch[1] [beltʃ] *sb.* ræb; bøvs.

belch[2] [beltʃ] *vb.* **1.** (*om person*) ræbe, bøvse; **2.** (*om skorsten etc.*) udspy (*fx smoke*); **3.** (*om røg etc.*) vælte ud (*fx smoke -ed from the chimney*).

beldam(e) ['beldəm] *sb.* (*glds.*) gammel heks; gammel kælling.

beleaguered [bi'liːgəd] *adj.* **1.** F trængt; hårdt trængt; plaget; **2.** (*mil.*, F) belejret.

belemnite ['beləmnait] *sb.* vættelys; belemnit.

belfry ['belfri] *sb.* klokketårn;
□ *have bats in the* ~ S have rotter på loftet; have knald i låget.

Belgian[1] ['beldʒ(ə)n] *sb.* belgier.

Belgian[2] ['beldʒ(ə)n] *adj.* belgisk.

Belgium ['beldʒəm] (*geogr.*) Belgien.

Belgrade [bel'greid, (*især am.*) 'belgreid] (*geogr.*) Beograd.

Belgravia [bel'greiviə] [*fornemt kvarter i Londons West End*].
belie [bi'lai] *vb.* F **1.** give et forkert indtryk af, ikke passe til (*fx her youthful looks -d her age*); **2.** (*udsagn, løfte etc.*) modsige, dementere; gøre til løgn.
belief [bi'li:f] *sb.* **1.** tro (*in* på, *fx in God; in personal liberty*); **2.** opfattelse (*fx the widespread//traditional//false ~ that ...*); overbevisning (*fx it is my firm ~ that ...*);
□ *-s* **a.** anskuelser (*fx his political -s*); **b.** (*rel.*) tro (*fx Christian// Buddhist -s*); ~ *in* **a.** se: *1*; **b.** tiltro til, tillid til (*fx it has shaken their ~ in the police*); *my ~ is that* det er min opfattelse at; jeg tror at; [*med præp.*] *it is* **beyond** ~ det er utroligt; *contrary to popular ~'* i modsætning til den populære opfattelse; stik imod hvad folk tror; *to the best of my ~* efter min bedste overbevisning.
believable [bi'li:vəbl] *adj.* trolig; troværdig.
believe [bi'li:v] *vb.* tro (*that* at); tro på (*that* at, *fx it is true; I don't ~ him//his story*);
□ ~ *it or not* tro det om du vil; *I can't ~ how* jeg kan ikke forstå hvordan; *is -d to* be menes at være; *make ~ se make²; would you ~ it!* er det ikke utroligt! [*med:*] ~ *in* **a.** tro på (*fx God; ghosts; miracles*); **b.** (*person*) tro på; have tillid til (*fx I ~ in you*); **c.** (*idé, metode etc.*) være en tilhænger af (*fx I don't ~ in reading in bed*); gå ind for; synes det er rigtigt.
believer [bi'li:və] *sb.* troende; □ *he is a firm/great ~ in* han er en stor tilhænger af; han tror fuldt og fast på (*fx herbal medicine*).
Belisha beacon [bəli:ʃə'bi:k(ə)n] *sb.* fodgængerrappelsin [*der markerer fodgængerovergang*].
belittle [bi'litl] *vb.* forkleje; nedvurdere; bagatellisere.
Belizean¹ [be'li:ziən] *sb.* belizer.
Belizean² [be'li:ziən] *adj.* belizisk.
bell¹ [bel] *sb.* **1.** klokke; **2.** (*lille, fx på seletøj*) bjælde; **3.** (*mar.*) glas; halvtime;
□ *-s and whistles* ekstraudstyr; dikkedarer; *with -s on* (*am.* T) helt sikkert; også i den grad; (se også *clear¹*, *sound²*);
[*med vb.*] *give sby a ~* T ringe en op; *that rings a ~* T det minder mig om noget; det får mig til at tænke på noget; *does that ring a ~?* (*også*) siger det dig noget? *it rings my ~* (*især am.* T) det er lige noget for mig; *he had his ~ rung*

(*am.* T) han fik et ordentligt gok i hovedet; *ring the ~* **a.** ringe med klokken; **b.** ringe på klokken; ringe 'på; **c.** (*am.* S) have held med sig; få sejren i hus; *saved by the ~* **a.** (*ved boksekamp*) reddet af gongongen; **b.** (*fig.*) reddet i sidste øjeblik/på målstregen; (se også *answer²*).
bell² [bel] *vb.* hænge bjælde på; □ ~ *the cat* påtage sig en farlig opgave til fælles bedste; vove pelsen for de andre.
belladonna [belə'dɔnə] *sb.* **1.** (*bot.*) galnebær; **2.** (*stof*) belladonna.
bell-bottoms ['belbɔtəmz] *sb. pl.* bukser med svaj.
bellboy ['belbɔi] *sb.* piccolo.
bell buoy *sb.* (*mar.*) klokkebøje.
belle [bel] *sb.* (*glds.*) skønhed; □ *the ~ of the ball* ballets dronning.
bell founder *sb.* klokkestøber.
bellhop ['belhɔp] *sb.* (*am.*) piccolo.
bellicose ['belikəus] *adj.* (*litt.*) krigerisk; stridbar.
bellicosity [beli'kɔsəti] *sb.* stridbarhed.
belligerence [bə'lidʒər(ə)ns] *sb.* **1.** stridbarhed; **2.** F krigstilstand.
belligerency [bə'lidʒər(ə)nsi] *sb.* = *belligerence*.
belligerent¹ [bə'lidʒər(ə)nt] *sb.* krigsførende magt.
belligerent² [bə'lidʒər(ə)nt] *adj.* **1.** krigerisk; stridbar; **2.** F krigsførende (*fx countries*).
bell jar *sb.* glasklokke.
bellow¹ ['beləu] *sb.* brøl.
bellow² ['beləu] *vb.* brøle.
bellows ['beləuz] *sb.* blæsebælg.
bell pull *sb.* klokkestreng.
bell push *sb.* knap [*til dørklokke*].
bell ringer *sb.* **1.** [*deltager i klokkeringning som hobby*]; **2.** [*en der optræder med handbells*]; **3.** S en der stemmer dørklokker; trappeartist.
bellwether ['belweðə] *sb.* **1.** klokkefår; **2.** (*fig.*) anfører; **3.** (*am. fig.*) indikator;
□ *be a ~* (*jf. 3*) være retningsgivende; være et signal/fingerpeg.
belly¹ ['beli] *sb.* **1.** T mave; (*neds.*) vom; **2.** (*på dyr*) bug; **3.** (*på violin*) dæk; bryst; **4.** (*på fly*) underside;
□ *go ~ up* T gå rabundus; gå bankerot.
belly² ['beli] *vb.* (*om sejl*) bugne; svulme.
bellyache¹ ['belieik] *sb.* T mavepine; mavekneb.
bellyache² ['belieik] *vb.* T brokke sig.
belly button *sb.* (*børnesprog*)

navle.
belly dancer *sb.* mavedanserinde.
belly flop *sb.* **1.** (*ved udspring*) maveplaster; **2.** (*flyv.*) mavelanding;
□ *take a ~* falde pladask på maven.
bellyful ['beliful] *sb.*: *get a ~* T få mere end nok.
belly landing *sb.* (*flyv.*) mavelanding.
belly laugh *sb.* skraldende latter.
belong [bi'lɔŋ] *vb.* høre til, høre hjemme; have sin plads;
□ ~ *in* høre til i, høre hjemme i; ~ *to* **a.** tilhøre; **b.** (*tidsalder*) høre til i, høre hjemme i; **c.** (*forening etc*) være medlem af; ~ *together* høre sammen; ~ *under* **a.** have sin plads under (*fx the shoes ~ under the bed*); **b.** (*fig.*) henhøre under.
belongings [bi'lɔŋiŋz] *sb. pl.* ejendele; sager.
Belorussia [belə(u)'rʌʃə] Hviderusland.
Belorussian¹ [belə(u)'rʌʃn] *sb.* **1.** (*person*) hviderusser; **2.** (*sprog*) hviderussisk.
Belorussian² [belə(u)'rʌʃn] *adj.* hviderussisk.
beloved¹ [bi'lʌvd] *præt. ptc.* elsket, afholdt (*fx ~ by all*).
beloved² [bi'lʌvid] *adj.* elsket (*fx his ~ wife; my ~*).
below¹ [bi'ləu] *adv.* **1.** nedenunder (*fx he lives ~*); nedenfor (*fx in the valley ~*); **2.** (*i tekst*) nedenfor (*fx see ~*); **3.** (*mar.*) under dæk;
□ *here ~* (*glds. el. poet.*) her på jorden; ~ *in the valley* nede i dalen; *mentioned ~* nedennævnt.
below² [bi'ləu] *præp.* under; neden under; neden for;
□ *it is ~ him* det er under hans værdighed.
belt¹ [belt] *sb.* **1.** bælte; livrem; **2.** (*af land, by*) bælte; område (*fx commuter ~*); **3.** (*farvand*) bælt; **4.** (*tekn.*) drivrem; (*i transportør*) bånd; **5.** (*mil.: til maskingevær*) patronbånd; **6.** (*am.* T *drik*) drink; slurk;
□ ~ *and braces* seler og livrem; *fasten one's ~* spænde sikkerhedsbæltet; *give sby/sth a ~* S give en/noget et ordentligt gok; *tighten one's ~* (*også fig.*) spænde livremmen ind; [*med præp.*] *hit* **below** *the ~* slå under bæltestedet; *have* **under** *one's ~* **a.** (*om mad*) have sat til livs; **b.** (*om drik*) have hældt i sig, have stukket under vesten; **c.** (*om andet end mad*) have fået, have opnået (*fx a prize*); have præsteret (*fx several victories*); have tegnet sig for.

belt[2] [belt] *vb.* **1.** spænde (bæltet på) (*fx one's coat*); **2.** T slå, pande, gokke; **3.** (T: *om bevægelse*) fare, drøne; **4.** (*am.* T) bælle; **5.** (*glds.*) omgjorde;
□ ~ *out* **a.** udspy (*fx heat*); **b.** (*sang*) skråle; (*musik*) fyre af; ~ *up* T **a.** spænde sikkerhedsselen; **b.** holde mund, klappe i.

belter ['beltə] *sb.* T **1.** (*om ting*) pragteksemplar; **2.** (*om sang*) skrålesang; **3.** (*om person*) fin fyr; □ *she is a* ~ (*også*) hun er førsteklasses.

belting ['beltiŋ] *sb.* **1.** materiale til bælter//drivremme; **2.** bælter; **3.** remme, remtøj;
□ *a* ~ T en gang klø; et lag tæsk.

belt punch *sb.* hultang.

beltway ['beltwei] *sb.* (*am.*) ringvej; omfartsvej;
□ *the Beltway* (*am.: i Washington DC*) [*ringvej inden for hvilken den herskende klasse bor*].

beluga [bə'lu:gə] *sb.* (*zo.*) **1.** (*hval*) hvidhval; **2.** (*stør*) huse.

belvedere ['belvədiə] *sb.* udsigtstårn [*på taget*].

BEM *fork. f. British Empire Medal.*

bemoan [bi'məʊn] *vb.* F klage over;
□ ~ *one's fate* begræde sin skæbne.

bemused [bi'mju:zd] *adj.* **1.** forvirret; uforstående; **2.** åndsfraværende.

bench[1] [ben(t)ʃ] *sb.* **1.** bænk; **2.** (*til at arbejde ved*) arbejdsbænk, arbejdsbord; **3.** (*snedkers*) høvlebænk; **4.** (*i sport*) reservebænk; udvisningsbænk; **5.** (*parl.*) se *back benches, front bench*;
□ *the* ~ (*i retssal*) dommersædet; dommeren/dommerne; *be on the* ~ **a.** beklæde dommersædet; **b.** (*i sport*) være reserve; *be appointed to the* ~ blive dommer.

bench[2] [ben(t)ʃ] *vb.* **1.** (*hund*) udstille; **2.** (*am.: spiller*) udvise.

bencher ['ben(t)ʃə] *sb.* [*ledende medlem af en af the Inns of Court*].

benchmark[1] ['ben(t)ʃma:k] *sb.* **1.** referencepunkt; sammenligningsgrundlag, målestok, norm, standard; **2.** (*i landmåling*) højdefikspunkt; vandstandsmærke; **3.** (*it*) benchmarkprogram, testprogram, ydeevneprogram.

benchmark[2] ['ben(t)ʃma:k] *adj.* normgivende; som skaber præcedens; toneangivende (*fx bond obligation*); benchmark- (*fx interest rate*).

benchmark[3] ['ben(t)ʃma:k] *vb.* **1.** (*am.*) analysere, vurdere (*against* i forhold til); **2.** (*compu-*

ter) teste, afprøve [*ved hjælp af et benchmarkprogram*].

bench press *sb.* (*i vægtløftning*) stem fra liggende stilling.

bench-press ['ben(t)ʃpres] *vb.* stemme op fra liggende stilling.

bend[1] [bend] *sb.* (se også *bends*) **1.** bøjning; krumning; bugtning; **2.** (*i vej*) kurve; vejsving; **3.** (*mar.*) stik;
□ *round the* ~ **a.** rundt i svinget (*fx he sped round the* ~); **b.** T skør; *drive sby round the* ~ T drive en til vanvid; *go round the* ~ T blive skør.

bend[2] [bend] *vb.* (bent, bent) **1.** (*legemsdel*) bøje (*fx one's head; one's legs*); **2.** (*ting*) bøje; (*især fagligt*) bukke (*fx a piece of wire, a bar of iron*); **3.** (*sandheden etc.*) lave lidt om på, pynte på (*fx the facts*); **4.** (*regel*) tage lemfældigt på, se stort på, omgå (*fx the rules*); **5.** (*give retning*) rette (*fx one's steps towards a place*); **6.** (*mar.: sejl*) binde; underslå; **7.** (*uden objekt*) bøje sig (*fx she was -ing over the cradle; the branch bent*); krumme; dreje, svinge (*fx the road -s to the right*);
□ *catch sby -ing* T overrumple en; ~ *over backwards* se *lean*[3]; ~ *to his will* bøje sig for hans vilje; ~ *one's efforts/energies/oneself to* sætte al sin energi ind på; (se også *bow*[2]*, ear*[1]*, elbow*[1]*, knee, mind*[1]*, thought*).

bended ['bendid] *adj.*: *on* ~ *knees* (*glds.*) knælende; inderligt bedende; på sine knæ.

bender ['bendə] *sb.* S **1.** druktur; **2.** bøsse (*homoseksuel*);
□ *go on a* ~ gå på druk.

bends [bendz] *sb. pl.*: *the* ~ dykkersyge, dekompressionssyge.

bendy ['bendi] *adj.* **1.** bøjelig (*fx straw*); blød (*fx toy*); **2.** (*om vej*) snoet.

bendy bus *sb.* ledbus.

beneath[1] [bi'ni:θ] *adv.* nedenunder; nedenfor; (se også *from*).

beneath[2] [bi'ni:θ] *præp.* (*litt.*) under (*fx sit* ~ *a tree; have firm ground* ~ *one's feet*); neden under; neden for (*fx they met* ~ *the statue*); (se også *from*);
□ ~ *contempt* F under al kritik; ~ *one* F under ens værdighed; *marry* ~ *one* F gifte sig under sin stand.

Benedictine [beni'diktin, -ti:n] *sb.* **1.** (*rel.*) benediktinermunk; **2.** (*likør*) benediktinerlikør; D.O.M.

benediction [beni'dikʃn] *sb.* velsignelse.

benefaction [beni'fækʃn] *sb.* F do-

nation, gave.

benefactor ['benifæktə] *sb.* velgører.

benefactress ['benifæktrəs] *sb.* velgørerinde.

benefice ['benifis] *sb.* præstekald.

beneficence [bi'nefis(ə)ns] *sb.* godgørenhed.

beneficent [bi'nefis(ə)nt] *adj.* godgørende.

beneficial [beni'fiʃ(ə)l] *adj.* gavnlig.

beneficiary [beni'fiʃəri] *sb.* **1.** (*jur.*) modtager; **2.** (*mht. testamente*) arving; **3.** (*mht. forsikring*) begunstiget;
□ *be a* ~ *of* F nyde godt af.

benefit[1] ['benifit] *sb.* **1.** fordel (*of* ved, *fx the many -s of a college education*); nytte, gavn (*from* af, *fx get much* ~ *from it*); **2.** (*fra det offentlige*) ydelse; hjælp; understøttelse (*fx unemployment* ~ arbejdsløsheds-); **3.** (*teat.*) beneficeforestilling, velgørenhedsforestilling;
□ *-s* ekstra goder ud over løn; frynsegoder; *give him the* ~ *of the doubt* lade tvivlen komme ham til gode; *have the* ~ *of* kunne nyde godt af; have nydt godt af (*fx a college education*);
[*med præp.*] *for the* ~ *of* til gavn for; til bedste for; *of* ~ *to sby* til gavn/nytte for en; til ens fordel; *be on* ~ være på støtten; *to sby's* ~ *= of* ~ *to sby*; *with the* ~ *of modern technology* med de fordele moderne teknik giver; (se også *hindsight*); *without the* ~ *of* uden at kunne nyde//have nydt godt af.

benefit[2] ['benifit] *vb.* nytte; gavne;
□ ~ *by/from* have nytte af; nyde godt af.

benefit match *sb.* [*kamp hvor entréindtægten tilfalder en spiller*]; velgørenhedskamp.

benefit performance *sb.* = *benefit*[1] 3.

benevolence [bi'nevələns] *sb.* **1.** velvilje; **2.** godgørenhed, velgørenhed.

benevolent [bi'nevələnt] *adj.* **1.** velvillig; **2.** godgørende.

Bengal [beŋ'gɔ:l] (*geogr.*) Bengalen.

Bengali[1] [beŋ'gɔ:li] *sb.* **1.** (*person*) bengaler; **2.** (*sprog*) bengali.

Bengali[2] [beŋ'gɔ:li] *adj.* bengalsk.

benighted [bi'naitid] *adj.* **1.** (*litt.*) uoplyst; uvidende; **2.** (*glds.*) overrasket af mørket.

benign [bi'nain] *adj.* **1.** (*om person, klima*) mild; venlig; **2.** (*om forhold*) gunstig; **3.** (*med.: om svulst*) godartet; **4.** (*om stof, sygdom*) harmløs;

□ ~ *neglect* venlig ligegyldighed.
benignant [bi'nignənt] *adj.* se *benign.*
benignity [bi'nignəti] *sb.* **1.** mildhed; venlighed; **2.** (*med.*) godartethed.
benison ['beniz(ə)n] *sb.* (*poet.*) velsignelse.
bennet ['benit] *sb.* (*bot.*) febernellikerod.
benny ['beni] *sb.* (*am.* S) overfrakke.
bent[1] [bent] *sb.* **1.** evne, talent, anlæg (*for* for); **2.** tilbøjelighed, indstilling; **3.** (*bot.*) hvene;
□ *to the top of one's* ~ af yderste evne; af hjertens lyst.
bent[2] [bent] *præt.* & *præt. ptc. af bend.*
bent[3] [bent] *adj.* **1.** bøjet; **2.** (*om person*) krumbøjet; **3.** (T: *fig.*) uhæderlig; korrupt; **4.** (*glds., neds.*) homoseksuel, pervers;
□ ~ *double* krummet sammen; ~ *on doing it* opsat på at gøre det; fast besluttet på at gøre det.
bent grass *sb.* (*bot.*) (krybende) hvene.
bentwood ['bentwud] *sb.* **1.** formspændt træ; **2.** (*foran sb.*) formspændt.
benumbed [bi'nʌmd] *adj.* **1.** F lammet; stivnet; **2.** (*af kulde*) valen, „død".
benzene ['benzi:n] *sb.* (*kem.*) benzol.
benzine ['benzi:n] *sb.* rensebenzin.
benzoin ['benzəuin] *sb.* benzoeharpiks.
bequeath [bi'kwi:ð] *vb.* F **1.** testamentere; **2.** (*fig.*) lade gå i arv til.
bequest [bi'kwest] *sb.* F testamentarisk gave; arv [*ifølge testamente*].
berate [bi'reit] *vb.* F skælde ud.
Berber ['bə:bə] *sb.* **1.** (*person*) berber; **2.** (*sprog*) berbersprog.
bereaved [bi'ri:vd] *adj.* (*ved dødsfald*) efterladt;
□ *the* ~ de (sørgende) efterladte.
bereavement *sb.* (*ved nærståendes død*) (smerteligt) tab;
□ *owing to* ~ på grund af dødsfald.
bereft [bi'reft] *adj.*: ~ *of* berøvet, uden (*fx* ~ *of hope*); blottet for; *be* ~ *of speech* være berøvet talens brug; have mistet mælet.
beret ['berei, (*am.*) bə'rei] *sb.* baskerhue; baret.
berg [bə:g] *sb.* isbjerg.
beriberi [beri'beri] *sb.* (*med.*) beriberi.
berk [bɛ:k] *sb.* T fjols, fæ.
Berks [ba:ks] *fork. f. Berkshire.*
berm ['bə:m] *sb.* banket [ɔ: *forhøj-*

ning]; sandvold, jordvold [*som tankspærring*].
Bermudas [bə'm(j)u:dəz] *sb. pl.*: *the* (*geogr.*) Bermudaøerne.
Bermuda shorts [bə:mju:də'ʃɔ:ts] *sb. pl.* bermudashorts.
berry ['beri] *sb.* **1.** bær; **2.** kaffebønne; (se også *brown*[2]); **3.** (*zo.*) fiskeæg.
berserk ['bə:sə:k] *sb.* bersærk;
□ *go* ~ gå bersærk, få bersærkergang; blive helt vild.
berserk fury, berserk rage *sb.* bersærkergang.
berth[1] [bə:θ] *sb.* **1.** køje, køjeplads; **2.** (*for skib, båd*) liggeplads, ankerplads, kajplads; (*for færge*) leje; **3.** T plads; stilling;
□ *give a wide* ~ **a.** gå langt uden om; holde sig langt væk fra; **b.** (*mar.*) holde godt klar af.
berth[2] [bə:θ] *vb.* **1.** skaffe soveplads til; **2.** (*mar.*) lægge til, fortøje.
beryl ['beril] *sb.* beryl; akvamarin [*en smykkesten*].
beseech [bi'si:tʃ] *vb.* (*besought, besought*) F bede indstændigt, bønfalde, trygle.
beset [bi'set] *adj.*: ~ *with/by* fuld af (*fx dangers*); plaget af (*fx fear; problems*); ~ *with/by difficulties* forbundet med store vanskeligheder.
besetting [bi'setiŋ] *præs. ptc.* som truer/plager (*fx the problems* ~ *the country*).
besetting sin *sb.* skødesynd.
beside [bi'said] *præp.* ved siden af; ved;
□ *be* ~ *oneself* være ude af sig selv; *it is* ~ *the point* det kommer ikke sagen ved.
besides[1] [bi'saidz] *adv.* desuden.
besides[2] [bi'saidz] *præp.* foruden.
besiege [bi'si:dʒ] *vb.* (*mil.*) belejre; (se også *besieged*).
besieged [bi'si:dʒ] *adj.* **1.** belejret; **2.** (*fig.*) hårdt trængt;
□ ~ *by* (*fig.*) omringet af (*fx journalists*); ~ *with* (*fig.*) bestormet med (*fx letters; requests; telephone calls*).
besmeared [bi'smiəd] *adj.* F **1.** tilsmurt, oversmurt (*fx with oil*); **2.** (*fig.*) tilsmudset, tilsvinet (*fx his reputation was* ~ *by their accusations*).
besmirch [bi'smə:tʃ] *vb.* (*litt.*) plette; besudle.
besom ['bi:z(ə)m] *sb.* riskost.
besotted [bi'sɔtid] *adj.*: *be* ~ *with* være helt forgabt i.
besought [bi'sɔ:t] *præt.* & *præt. ptc. af beseech.*
bespangled [bi'spæŋgld] *adj.*: ~ *with* (*litt.*) oversået med, besat

med [*pailletter etc.*].
bespattered [bi'spætəd] *vb.*: ~ *with* overstænket med.
bespeak [bi'spi:k] *vb.* (*bespoke, bespoken*) (*glds. el. litt.*) **1.** tyde på; vidne om; **2.** bestille; reservere; (se også *bespoke*[2]).
bespectacled [bi'spektəkld] *adj.* F bebrillet.
bespoke[1] [bi'spəuk] *præt. ptc. af bespeak.*
bespoke[2] [bi'spəuk] *adj.* F syet efter mål, skræddersyet.
bespoke bootmaker *sb.* F håndskomager.
bespoke department *sb.* F bestillingsafdeling [*i ekviperingsforretning*].
bespoke tailor *sb.* F skrædder [*der syr efter mål*].
bespoke tailoring *sb.* F syning efter mål.
Bess [bes] *fork. f. Elizabeth.*
best[1] [best] *adj.* bedst;
□ *all the* ~! de bedste ønsker! *as* ~ *they could* så godt de nu kunne/formåede; efter bedste evne; *one's* ~ **a.** sit bedste (*fx do one's* ~); **b.** sit bedste tøj (*fx dressed in one's* ~); *the* ~ *part of* **a.** det meste af; **b.** det bedste ved; [*med vb.*] *get the* ~ *of it = have the* ~ *of it;* **have** *the* ~ *of it* gå af med sejren; **look** *one's* ~ se strålende ud; **make** *the* ~ *of* benytte på bedste måde; få det mest mulige ud af, udnytte (*fx one's talents*); *make the* ~ *of one's way* skynde sig alt hvad man kan; *make the* ~ *of a bad job* prøve at få det bedst mulige ud af situationen (selvom det er gået skævt); tage det med godt humør; [*med præp.*] *at* ~ i bedste fald; i det højeste; *be at one's* ~ være bedst; være på toppen; yde sit bedste; *it was all* **for** *the* ~ alt føjede sig til det bedste; *I did it all for the* ~ jeg gjorde det i bedste mening; (se også *motive*); **to** *the* ~ *of my ability* efter bedste evne; *to the* ~ *of my knowledge* så vidt jeg ved; *to the* ~ *of my memory/recollection* så vidt jeg husker; *he can still dance* **with** *the* ~ (*of them*) han danser stadig så godt som nogen.
best[2] [best] *vb.* få overtaget over; overvinde.
best[3] [best] *adv.* bedst (*fx that suits me* ~);
□ *as* ~ *I can* så godt jeg kan; *it is* ~ *avoided* det skal man helst undgå; *you had* ~ *confess* du må hellere tilstå; du gør klogest i at tilstå; *like* ~ holde mest af; synes

bedst om; (se også *hated, love*[2]).

bestial ['bestiəl] *adj.* bestialsk; dyrisk.

bestiality [besti'æliti] *sb.* **1.** bestialitet; dyriskhed; **2.** seksuel omgang med dyr.

bestiary ['bestiəri] *sb.* dyrebog [*med dyrefabler*].

bestir [bi'stə:] *vb.:* ~ *oneself* F **a.** røre på sig; tage fat; komme i gang; **b.** tage affære.

best man *sb.* forlover [*for brudgommen*].

bestow [bi'stəu] *vb.:* ~ *sth on sby* F give/skænke en noget; overdrage noget til en.

bestowal [bi'stəuəl] *sb.* overdragelse.

bestrew [bi'stru:] *vb.* (-*ed, -ed/-n*) (*litt.*) **1.** bestrø (*with* med); **2.** ligge strøet over (*fx papers -ed the streets*).

bestride [bi'straid] *vb.* (*bestrode, bestridden*) (*litt.*) **1.** sidde overskrævs på; **2.** skræve over; spænde over; **3.** (*fig.*) dominere.

best seller *sb.* bestseller; salgssucces.

best-selling [best'seliŋ] *adj.* som sælger godt.

bet[1] [bet] *sb.* **1.** væddemål; **2.** indsats; **3.** T bud, gæt (*fx my* ~ *is that he will do it*);
□ *all -s are off* alle muligheder står åbne; *it is a good/safe* ~ *that* det er højst sandsynligt at; *he is a good/safe* ~ *for re-election/to be re-elected* det er højst sandsynligt at han bliver genvalgt; *it is your best/safest* ~ det er det sikreste/klogeste; *your best/safest* ~ *is to* du gør klogest i at;
[*med vb.*] *hedge one's -s* spille på flere heste; dække sig ind; gardere sig; *make a* ~ *with* indgå et væddemål med, vædde med; *place/put a* ~ *on* spille på; holde på.

bet[2] [bet] *vb.* (*bet, bet*) **1.** vædde (*with* med; *about, on* om); **2.** (*med objekt: penge*) holde, sætte (*fx £10 on a horse*);
□ *I* ~/*I'll* ~ (*that*) *he won't come* jeg tør vædde på at han ikke kommer; *I* ~/*I'll* ~ *you did!/were etc.!* T ja, det kan jeg godt forestille mig! *I wouldn't* ~ *on it, don't* ~ *on it* det ville jeg ikke regne med; *they are -ting that* de regner med at; *you* ~ det kan du bande på; *do you want to* ~? T skal vi vædde?

beta ['bi:tə, (*am.*) 'beitə] *sb.* beta [*græsk bogstav; næsthøjeste karakter*].

beta blocker *sb.* (*med.*) betablokker.

betake [bi'teik] *vb.* (*betook, -n*): ~ *oneself to* (*glds. el. litt.*) **a.** begive sig til; **b.** ty til; søge tilflugt hos.

betcha, betcher ['betʃə]: *you* ~ (*af: you may bet your life upon it*; *am.* T) ja det kan du bande på.

betel ['bi:t(ə)l] *sb.* (*bot.*) betel.

bete noire [bet'nwa:] *sb.*: *it is my* ~ det er min skræk; det er det værste jeg ved.

bethel ['beθ(ə)l] *sb.* **1.** missionshus; **2.** sømandskirke.

Bethlehem ['beθlihem] Betlehem; (se også *star of Bethlehem*).

betide [bi'taid] *vb.* (*litt.*) times, hænde; (se også *woe*).

betimes [bi'taimz] *adv.* (*litt.*) **1.** i tide, betids; **2.** tidligt; **3.** snart.

betoken [bi'təuk(ə)n] *vb.* (*litt.*) **1.** vise, vidne om; **2.** varsle.

betray [bi'trei] *vb.* **1.** (*til fjenden*) forråde; **2.** (*person, ideal etc.*) svigte (*fx a girl; one's principles*); **3.** (*hemmelighed; følelser*) røbe; afsløre.

betrayal [bi'treiəl] *sb.* (jf. *betray*) **1.** forræderi; **2.** svigten; svigt; **3.** røben; afsløring.

betrothal [bi'trəuð(ə)l] *sb.* (*glds.*) trolovelse; forlovelse.

betrothed [bi'trəuðd] *adj.* trolovet.

better[1] ['betə] *sb.* (jf. *bet*[2]) en der vædder;
□ *one's -s* (*glds.*, jf. *better*[2]) ens overmænd.

better[2] ['betə] *adj.* (*komp. af good*[2]) **1.** bedre; **2.** (*af to*) bedst;
□ *for* ~ *or worse* **a.** på godt og ondt; **b.** (*i vielsesritualet*) i medgang og modgang; *a change for the* ~ en forandring til det bedre; *he//it has seen* ~ *days* han//den har kendt bedre dage; *my* ~ *half* min bedre halvdel; *no* ~ *than* ikke andet/mere end; (se også ndf.: *is no* ~ *than*);
[*med vb.*] *be* ~ (*om patient*) have det bedre; *you are* ~ *...-ing* du må hellere ... (*fx you are* ~ *taking it easy than hurrying along like that*); *be the* ~ *for* it have godt af det; *be* ~ *off* være bedre stillet; *be £100* ~ *off* have £100 mere; *you would be* ~ *off ...-ing* du må hellere ...; *be* ~ *than one's word* gøre mere end man har lovet; *he is no* ~ *than he should be* han hører ikke til vorherres bedste børn; *she is no* ~ *than she should be* (*også*) hun er løs på tråden; *get the* ~ *of* **a.** besejre; få overtaget over; **b.** løbe af med (*fx his kind heart got the* ~ *of him*).

better[3] ['betə] *vb.* **1.** forbedre (*fx relations with them*); **2.** overgå (*fx the record has never been -ed*);
□ ~ *oneself* forbedre sine kår.

better[4] ['betə] *adv.* bedre; (*af to*) bedst;
□ *you* ~ T = *you had* ~; *he* ~ *not* T = *he had* ~ *not*; ~ *than* (*am.* T) mere end (*fx* ~ *than 50 years ago*);
[*med vb.*] *you would* **do** ~ *to* du gør klogest i at; *go one* ~ *than* T overgå, overtrumfe; *you* **had** ~ *go* du må hellere gå, du gør bedst i at gå; *he had* ~ *not* han gør klogest i at lade være; det kan han lige vove på; *like* ~ synes bedre om; holde mere af; *think* ~ *of it* ombestemme sig; betænke sig; komme på bedre/andre tanker; (se også *kiss*[2]).

betterment ['betəmənt] *sb.* F forbedring.

better-to-do [betətə'du:] *adj.* bedrestillet.

betting ['betiŋ] *sb.* spil [*på heste etc.*]; væddemål;
□ *the* ~ *is that* det er højst sandsynligt at; *what's the* ~ *that* T jeg tør vædde på at (*fx she'll forget*).

betting shop *sb.* indskudsbod.

between [bi'twi:n] *præp.* imellem, mellem;
□ ~ *them* **a.** i forening; ved fælles hjælp; **b.** tilsammen (*fx they had £50* ~ *them*); ~ *ourselves,* ~ *you and me* mellem os sagt; ~ *you and me and the gatepost/bedpost/lamppost* (*spøg.*) = ~ *you and me*; *it is just* ~ *us two* det bliver mellem os.

betweentimes [bi'twi:ntaimz], **betweenwhiles** [bi'twi:nwailz] *adv.* af og til; indimellem.

betwixt [bi'twikst] *adv.* (*glds.*) imellem;
□ ~ *and between* (*sådan*) midt imellem; lidt af hvert.

bevel ['bev(ə)l] *sb.* **1.** skråkant; affasning; smig; **2.** (*værktøj*) smigvinkel; smigstok.

bevel gear *sb.* konisk tandhjul.

bevelled ['bevəld] *adj.* **1.** affaset; smigskåret; **2.** facetslebet (*fx glass; mirror*);
□ ~ *edge* fas; skråkant.

bevel pinion *sb.* (*i bil*) spidshjul.

beverage ['bevəridʒ] *sb.* F drik;
□ *-s* drikkevarer.

bevvy ['bevi] *sb.* T drink.

bevy ['bevi] *sb.* (*især spøg.*) flok, sværm.

bewail [bi'weil] *vb.* (*litt.*) begræde; jamre over.

beware [bi'wɛə] *vb.* vogte sig (*of* for);
□ ~*!* pas på! ~ *of the dog* pas på hunden; ~ *of + -ing* pas på med at.

Bewick's swan [bju:iks'swɔn] *sb.*

(*zo.*) pibesvane.

bewilder [bi'wildə] *vb.* forvirre.

bewildered [bi'wildəd] *adj.* fortumlet; forvirret; desorienteret.

bewildering [bi'wildəriŋ] *adj.*
1. forvirrende; **2.** (*om mængde*) overvældende, uoverskuelig.

bewilderment [bi'wildəmənt] *sb.* forvirring.

bewitch [bi'witʃ] *vb.* **1.** forhekse; **2.** (*fig.*) fortrylle, betage, tryllebinde.

beyond[1] [bi'jɔnd] *adv.* **1.** (*om grænse, spærring*) på den anden side (*fx inside its borders and ~*); F hinsides; **2.** (*om tid*) længere end (*fx up to the year 2010 and ~*); videre;
□ *the ~* det hinsidige; *live at the back of of ~* bo uden for lands lov og ret.

beyond[2] [bi'jɔnd] *præp.* **1.** (*om grænse, spærring*) på den anden side af (*fx the mountains*); over (*fx pass ~ this line*); længere end (*fx he cannot see ~ his own interests*); F hinsides; **2.** (*om tid*) over (*fx live ~ the age of 90*); (*om dato*) ud over (*fx continue ~ this date*); senere end; **3.** (*om tal, mængde*) (ud) over (*fx ~ that price; I know nothing ~ what I have told you*); mere end; **4.** (*om niveau*) højere end (*fx ~ the rank of sergeant*); **5.** (*om rækkevidde*) ud over; uden for (*rækkevidden af*) (*fx circumstances ~ our control; ~ his reach*); **6.** (*om punkt, stadium*) ude over (*fx he is ~ caring*); F hinsides;
□ *it is ~ me* det går over min forstand.

bezique [bi'zi:k] *sb.* bezique [*et kortspil*].

B flat *sb.* (*mus.*) b.

bhang [bæŋ] *sb.* indisk hamp.

biannual [bai'ænjuəl] *adj.* halvårlig.

bias[1] ['baiəs] *sb.* **1.** partiskhed (*fx he accused the media of ~*); ensidighed; forudindtagethed (*against* imod; *in favour of/towards* for); **2.** (*mht. emne, synspunkt*) tilbøjelighed (*towards* til, *fx radical views*); hældning (*towards* mod); forkærlighed (*towards* for); **3.** (*i statistik*) systematisk fejl; **4.** (*om stof*) skråkant;
□ *cut the material on the ~* klippe stoffet skråt/på skrå; *with a ~ towards* (*også*) med særlig vægt på.

bias[2] ['baiəs] *vb.* påvirke (*fx we must ~ him in our favour*); (se også *biassed*).

bias binding *sb.* skråbånd.

biased *adj.* = *biassed*.

biassed ['baiəst] *adj.* partisk; ensidig; forudindtaget (*against* imod; *in favour of/towards* for);
□ *be ~ towards* (*også*) være til fordel for.

bias strip *sb.* skråbånd, skråstrimmel.

bias tape *sb.* (*am.*) = *bias binding*.

biathlon [bai'æθlɔn] *sb.* biatlon; skiskydning.

bib[1] [bib] *sb.* **1.** hagesmæk; **2.** (*på forklæde, overalls*) smæk; **3.** (*i sport*) (*ærmeløs*) bluse; **4.** (*zo.*) skægtorsk;
□ *~ (and brace) overalls* smækbukser; *in one's best ~ and tucker* i sit stiveste puds.

bib[2] [bib] *vb.* (*glds.*) pimpe.

bibelot ['bi:bləu] *sb.* **1.** nipsgenstand; **2.** miniaturebog.

Bible ['baibl] *sb.* bibel.

Bible-basher ['baiblbæʃə] *sb.* se *Bible-thumper*.

Bible-bashing ['baiblbæʃiŋ] se *Bible-thumping*.

Bible Belt *sb.: the ~* (*am.*) [*område i det sydlige og centrale USA med stærk religiøstet*].

Bible-thumper ['baiblθʌmpə] *sb.*
1. dommedagsprædikant; **2.** fundamentalist.

Bible-thumping[1] ['baiblθʌmpiŋ] *sb.* stærk religiøs propaganda.

Bible-thumping[2] ['baiblθʌmpiŋ] *adj.* som holder dommedagsprædikener; fanatisk; fundamentalistisk.

biblical ['biblik(ə)l] *adj.* bibelsk;
□ *of ~ proportions* af vældigt omfang; *in the ~ sense* **a.** i bibelsk betydning; **b.** (*eufemistisk*) i seksuel betydning.

bibliographic [bibliə'græfik] *adj.* bibliografisk.

bibliography [bibli'ɔgrəfi] *sb.* bibliografi.

bibliomania [bibliə'meiniə] *sb.* bibliomani; boggalskab.

bibliomaniac [bibliə'meiniæk] *sb.* biblioman, fanatisk bogsamler.

bibliophile ['bibliəfail] *sb.* bibliofil, bogelsker.

bibulous ['bibjuləs] *adj.* (F: *spøg.*) drikfældig.

bicameral [bai'kæm(ə)rəl] *adj.* (*parl.*) tokammer-; med to kamre.

bicarb ['baika:b] *sb.* T natron.

bicarbonate [bai'ka:bənət] *sb.* (*kem.*) bikarbonat;
□ *~ of soda* natriumbikarbonat, natron.

bicentenary [baisen'ti:nəri, (*am.*) baisen'tenəri, bai'sentəneri] *sb.* tohundredårsdag.

bicentennial [baisən'teniəl] *sb.* (*især am.*) = *bicentenary*.

biceps ['baiseps] *sb.* (*pl. biceps*) biceps [*muskel i overarmen*].

bicker ['bikə] *vb.* mundhugges; småskændes.

bickering ['bikəriŋ] *sb.* mundhuggeri; skænderier.

bicky ['biki] *sb.* (*barnesprog*) kage [ɔ: *biscuit*].

bicoastal [bai'kəust(ə)l] *adj.* (*am.*) som pendler mellem øst- og vestkysten af USA.

bicycle ['baisikl] *sb.* cykel;
□ *push a ~* trække en cykel; *ride a ~* cykle; køre på cykel.

bicycle clips *sb. pl.* cykelklemmer.

bicycle race *sb.* cykelløb.

bicycle shop *sb.* **1.** cykelforretning; **2.** cykelværksted.

bicycle stand *sb.* cykelstativ.

bicyclist ['baisiklist] *sb.* cyklist.

bid[1] [bid] *sb.* **1.** forsøg, bestræbelse (*for* på at opnå; *to* på at); **2.** (*ved auktion, salg*) bud; **3.** (*i kortspil*) melding;
□ *make a ~ for* **a.** give et bud på; **b.** gøre en indsats for at opnå; søge at vinde (*fx sympathy; independence*); *make a ~ for power* gribe efter magten; *no ~* (*i bridge*) pas; *say no ~* melde pas.

bid[2] [bid] *vb.* (*bid, bid*) **1.** (*ved auktion, salg*) byde; **2.** (*ved licitation*) give tilbud; **3.** (*i kortspil*) melde;
□ *~ for* **a.** (*ved auktion*) byde på (*fx he could not afford to ~ for the vase*); **b.** (*ved licitation*) (af)give tilbud på, søge at vinde/få (*fx a contract*); **c.** (*fig.*) søge at opnå/få, være ude efter (*fx a place on the team*); **d.** (*om pris*) byde ... for (*fx he ~ £5,000 for the painting*).

bid[3] [bid] *vb.* (*bid/bade, bid/bidden*) (*glds. el. litt.*) **1.** byde; befale (*fx he did as I bade him*); **2.** bede (*fx he bade me enter*); indbyde;
□ *~ them goodbye, ~ goodbye to them* sige farvel til dem; *~ welcome* byde velkommen; (se også *defiance, fair*[3]).

biddable ['bidəbl] *adj.* **1.** medgørlig, føjelig; lydig; **2.** (*i bridge*) meldbar.

bidden ['bid(ə)n] *præt. ptc.* af *bid*[3].

bidder ['bidə] *sb.* **1.** en der byder; **2.** (*i kortspil*) melder;
□ *the highest ~* den højestbydende.

bidding ['bidiŋ] *sb.* **1.** (*jf. bid*[2]) bud; det at byde; **2.** (*i kortspil*) melding; **3.** (*jf. bid*[3]) anmodning; befaling;
□ *the ~* (*ved auktion*) buddene (*fx the ~ starts at £10,000*); *the ~ was slow* buddene faldt langsomt;

at his ~ (*jf. 3*) på hans anmodning/bud/befaling; *do his* ~ (*jf. 3*) adlyde hans befaling; gøre som han siger.

biddy ['bidi] *sb.* kælling.

bide [baid] *vb.*: ~ *one's time* vente på det rette øjeblik; vente på sin chance.

bidet ['bi:dei] *sb.* bidet, sædebadekar.

bid price *sb.* (*merk.*) køberkurs, købskurs.

bield ['bi:ld] *sb.* (*skotsk*) læskur, læhytte.

biennial[1] [bai'eniəl] *sb.* (*bot.*) toårig plante.

biennial[2] [bai'eniəl] *adj.* **1.** som sker hvert andet år; **2.** (*bot.*) toårig.

bier [biə] *sb.* ligbåre, båre.

biff[1] [bif] *sb.* (*glds.* T) slag; gok (*fx a* ~ *in the eye*).

biff[2] [bif] *vb.* (*glds.* T) slå; gokke.

bifocal [bai'fəuk(ə)l] *adj.* bifokal, dobbeltslebet.

bifocals [bai'fəuk(ə)lz] *sb. pl.* briller med dobbeltslebne glas.

bifurcate[1] ['baifə:kət, -keit] *adj.* spaltet i to grene; togrenet; gaffeldelt.

bifurcate[2] ['baifə:keit] *vb.* spalte sig/dele sig i to grene.

bifurcation [baifə:'keiʃn] *sb.* **1.** gaffeldeling; gaffelgren; **2.** vejgaffel.

big [big] *adj.* **1.** stor; **2.** (*om person*) tyk, svær, kraftig; **3.** (*fig.*, T) vigtig, betydningsfuld;
□ *what's the* ~ *idea?* hvad er meningen? *make a* ~ *thing (out) of* gøre et stort nummer ud af; *in a* ~ *way* **a.** flot (*fx live in a* ~ *way*); **b.** grundigt; så det forslår; ~ *words* fine/svære ord; se også: *big band* (*etc.* på alfabetisk plads); [*med vb.*] *come over* ~ T være en kæmpesucces; *make it* ~ T have succes; *talk* ~ T prale; *think* ~ T tænke stort; sætte sig høje mål; [+ *præp.*] *grow too* ~ *for* one's *clothes* vokse fra sit tøj; *he is too* ~ *for his boots/breeches* T han er stor på den; han er indbildsk; *be* ~ *in* T have en fremtrædende plads i; spille en vigtig rolle i; *that was* ~ *of him* (T: *iron.*) næh hvor var det flot gjort; *be* ~ *on* T være meget interesseret i; vide meget om; *be* ~ *with* T have masser af.

bigamist ['bigəmist] *sb.* bigamist.

bigamy ['bigəmi] *sb.* bigami.

Big Apple *sb.* [*New York*].

big band *sb.* (*mus.*) bigband.

big bang theory *sb.* [*teori om at universet begyndte med en kæmpeeksplosion*].

Big Ben *sb.* [*klokketårnet//klokken på Parlamentsbygningen i London*].

Big Ben *sb.* [*klokketårnet på Parlamentet i London*].

Big Board *sb.* (*am.* T) [*New Yorks børs*].

big boys *sb. pl.*: *the* ~ T de tunge drenge.

big brother *sb.* storebror.

big bucks *sb. pl.* (*am.* T) se *big money*.

big bug *sb.* T = *bigwig*.

big business *sb.* storkapitalen.

big C *sb.* kræft [ɔ: cancer].

big cheese *sb.* T = *bigwig*.

big deal *sb.* T (*som udbrud, iron.*) og hvad så? vorherre bevares!
□ *it was a* ~ *for* det var meget vigtigt for; *make a* ~ *out of* gøre et stort nummer ud af; *no* ~ ikke noget særligt; ikke noget at tale om.

Big Dipper *sb.*: *the* ~ (*am. astr.*) Den store Bjørn, Karlsvognen.

big dipper *sb.* rutsjebane.

big E *sb.*: *give sby the* ~ S afvise en, give en et spark.

big fish *sb.* T (*fig.*) stor kanon; (*om forbryder*) stor fisk;
□ *be a* ~ *in a small pond* T [*være betydningsfuld i en lille kreds*].

Bigfoot ['bigfut] *sb.* (*pl. -feet* [-fi:t]) se *Sasquatch*.

big game *sb.* storvildt.

biggie ['bigi] *sb.* **1.** T succes; hit; **2.** (*person*) stor kanon.

big head *sb.* T vigtigper, overlegen stodder; Karl Smart.

big-headed ['bighedid] *adj.* indbildsk; opblæst.

big-hearted ['bigha:tid] *adj.* storsindet.

big hitter *sb.* stor succes.

bighorn ['bighɔ:n] *sb.* (*zo.*) bjergfår [*i Rocky Mountains*].

big house *sb.* (*am.* S) fængsel.

bight [bait] *sb.* **1.** (*af tov*) bugt; bugtning; **2.** (*geogr.*) havbugt.

big money *sb.* store penge; kæmpebeløb.

bigmouth ['bigmauθ] *sb.* **1.** en der ikke kan holde mund; **2.** pralhals.

big noise *sb.* = *bigwig*.

bigot ['bigət] *sb.* blind tilhænger; fanatiker.

bigoted ['bigətid] *adj.* **1.** snæversynet; intolerant; **2.** blindt troende; fanatisk.

bigotry ['bigətri] *sb.* **1.** snæversyn; intolerance; **2.** blind tro; fanatisme.

big science *sb.* udgiftstung forskning.

big screen *sb.* se *screen*[1].

big shot *sb.* = *bigwig*.

big stick *sb.*: *use the* ~ (*fig.*) svinge pisken; bruge magt.

big-ticket ['bigtikət] *adj.* (*am.* T) som koster mange penge.

big time[1] *sb.* se *time*[1].

big time[2] *adv.* for alvor; stort.

big-time ['bigtaim] *adj.* succesrig; top-.

big toe *sb.* storetå.

big top *sb.* cirkustelt.

big way *sb.*: *in a* ~ se *way*[1].

big wheel *sb.* **1.** pariserhjul; **2.** (*am.* T) = *bigwig*.

big wheel *sb.* **1.** pariserhjul; **2.** (*person*) = *bigwig*.

bigwig ['bigwig] *sb.* T vigtig person; stor kanon; topfigur;
□ *the -s* (*også*) spidserne; de høje herrer.

bijou ['bi:ʒu:] *adj.* lille og charmerende//elegant.

bike[1] [baik] *sb.* T **1.** cykel; **2.** motorcykel;
□ *on your* ~! S skrub af!

bike[2] [baik] *vb.* T **1.** cykle; **2.** køre på motorcykel.

biker ['baikə] *sb.* **1.** medlem af motorcykelklub; rocker; **2.** motorcyklist; **3.** cyklist.

bikini [bi'ki:ni] *sb.* bikini.

bikini briefs *sb. pl.* bikinitrusser.

bikky *sb.* = *bicky*.

bilateral [bai'læt(ə)rəl] *adj.* bilateral, tosidet.

bilberry ['bilbəri] *sb.* (*bot.*) blåbær.

bile [bail] *sb.* **1.** galde; **2.** (*fig.*) galde, vrede.

bilge [bildʒ] *sb.* **1.** (*mar.*: *overgangen mellem bund og sider*) kiming; **2.** (*mar.*: *hvor bundvandet samler sig*) sump; **3.** (*glds.* T) vrøvl, vås; **4.** = *bilge water*.

bilge keel *sb.* (*mar.*) slingrekøl, kimingkøl.

bilge water *sb.* (*mar.*) bundvand.

bilharziosis [bilha:zi'əusis] *sb.* (*med.*) sneglefeber.

biliary ['biliəri] *adj.* galde- (*fx calculus* sten).

bilingual [bai'liŋgw(ə)l] *adj.* tosproget.

bilingualism [bai'liŋgwəlizm] *sb.* tosprogethed.

bilious ['biliəs] *adj.* **1.** (*om farve,* F) uappetitlig, modbydelig; **2.** (*litt.*) galdesyg; **3.** (*fig.*) mavesur.

bilk [bilk] *vb.* (T, *især am.*) snyde;
□ ~ (*out*) *of* snyde for; franarre.

Bill [bil] (*kælenavn for*) William;
□ *the (Old)* ~ T [*politiet*].

bill[1] [bil] *sb.* **1.** regning (*for på, fx* £55); **2.** (*især am.*) (penge)seddel; **3.** (*parl.*) lovforslag; **4.** (*reklame*) plakat; (se også *handbill*); **5.** (*for koncert, teaterstykke etc.*) plakat; program; **6.** (*merk.*: gældsbrev) veksel; **7.** (*zo.*: F *el. fagl.*) næb;

□ [*med vb.*] *fill/fit the* ~ opfylde betingelserne/kravene; gøre fyldest; være brugbar; *foot the* ~ **a.** (*jf. 1*) betale regningen; betale hvad det koster; **b.** (*fig.*) betale gildet; *head/top the* ~ (*jf. 5*) være hovedattraktion; stå øverst på plakaten//rollelisten; *keep the play on the* ~ (*jf. 5*) holde stykket på plakaten; *pay a* ~ **a.** (*jf. 1*) betale en regning; **b.** (*jf. 6*) se ovf.: *clear a* ~; *run up -s* stifte gæld; *top the* ~ se ovf.: *head the* ~;
[*med: of*] ~ *of clearance* klareringsbevis; ~ *of exchange* (*merk.*) veksel; ~ *of fare* (*glds.*) spiseseddel; ~ *of goods* (*am.*) varesending; *sell sby a* ~ *of goods* (*am.*) tage en ved næsen; ~ *of health* (*mar.*) sundhedspas, sundhedsattest, karantænepas; *give sby a clean* ~ *of health* erklære en for sund og rask; *give sth a clean* ~ *of health* erklære noget for at være i orden; ~ *of lading* (*mar.; merk.*) konnossement; ~ *of quantities* (*ved byggeri*) mængdefortegnelse; ~ *of rights* borgerrettighedslov; *the Bill of Rights* (*hist.*) **a.** [*lov som sikrede englænderne en fri forfatning efter Stuarternes fordrivelse 1687*]; **b.** [*tillæg til den amerikanske grundlov omhandlende den enkeltes rettigheder 1791*]; ~ *of sale* **a.** løsøreskøde; **b.** skibsskøde.
bill² [bil] *vb.* **1.** sende regning til; give regning; **2.** (*teat. etc.*) sætte på plakaten//programmet; **3.** (*om duer*) næbbes;
□ ~ *and coo* (*jf. 3*) kysses og kæle for hinanden; ~ *as* (*jf. 2*) annoncere som; lancere som; *be -ed* (*også*) stå på plakaten//programmet.
billboard ['bilbɔ:d] *sb.* (*især am.*) plakattavle.
bill broker *sb.* (*merk.*) vekselmægler.
billet¹ ['bilit] *sb.* **1.** brændestykke; **2.** (*af metal*) barre; **3.** (*mil.*) kvarter; indkvartering;
□ *in -s* indkvarteret; i kantonnement.
billet² ['bilit] *vb.* (*mil.*) indkvartere;
□ ~ *on* indkvartere hos.
billet-doux [bilei'du:] *sb.* (*spøg. el. litt.*) billet doux; kærlighedsbrev.
billfish ['bilfiʃ] *sb.* (*zo.*) spydfisk; sejlfisk.
billfold ['bilfəuld] *sb.* (*am.*) tegnebog.
billhook ['bilhuk] *sb.* beskærekniv.
billiards ['biliədz] *sb.* billard.
billing ['bilɪŋ] *sb.* **1.** avertering, reklame; **2.** (*merk.*) debitering; fakturering; **3.** (*teat. etc.*) placering

på plakaten//programmet;
□ *get top* ~ blive sat øverst på plakaten//programmet.
billingsgate ['bilɪŋzgeit] *sb.* (*glds.*) groft sprog [ɔ: *som en rejekællings*]; skældsord.
billion ['biljən] *talord* **1.** milliard; **2.** (*glds.*) billion.
billionaire [biljə'nɛə] *sb.* milliardær.
bill of ... *sb.* se *bill¹*.
billow¹ ['biləu] *sb.* **1.** bølgende// svulmende masse; sky (*fx of smoke; of dust*); **2.** (*glds.*) (stor) bølge.
billow² ['biləu] *vb.* **1.** (*om røg*) strømme (og brede sig langsomt), bølge, vælte (*fx smoke -ed out of the window*); **2.** (*om tøj etc.*) flagre, blafre, bølge (*fx his cloak -ed behind him*); svulme, bugne (*fx -ing sails*);
□ ~ *into* (*fig.*) svulme op til at blive.
billowing ['biləuɪŋ] *adj.* bølgende; svulmende.
billposter ['bilpəustə] *sb.* plakatopklæber.
billsticker ['bilstikə] *sb.* plakatopklæber.
Billy ['bili] [*kælenavn for William*].
billy ['bili] *sb.* **1.** = *billycan*; **2.** = *billy club*; **3.** = *billy goat*.
billycan ['bilikæn] *sb.* (*austr.*) kogekar.
billy club *sb.* (*am.*) (politi)stav.
billy goat *sb.* gedebuk.
billy-o ['biliəu] *sb.*: *like* ~ (*glds.* S) som død og helvede.
biltong ['biltɔŋ] *sb.* (*sydafr.*) [*strimler af tørret kød*].
bimbette [bim'bet] *sb.* S ung *bimbo.*
bimbo ['bimbəu] *sb.* T (tomhjernet) dulle; sild.
bimonthly [bai'mʌnθli] *adj.* **1.** som sker//udkommer hver anden måned; **2.** som sker//udkommer to gange om måneden.
bin¹ [bin] *sb.* **1.** kasse (*fx bread* ~); beholder (*fx compost* ~); bøtte; **2.** affaldsspand; (se også *dustbin*);
□ *consign to the* ~ = *bin².*
bin² [bin] *vb.* kassere, smide væk.
binary ['bainəri] *adj.* **1.** binær; dobbelt; **2.** (*med to ingredienser*) to-komponent-; **3.** (*om talsystem*) binær.
binary code *sb.* (*it*) binær kode.
binary star *sb.* (*astr.*) dobbeltstjerne.
bin bag *sb.* = *bin liner.*
bind¹ [baind] *sb.* T dilemma; kattepine;
□ *in a* ~ i knibe; *it is a* ~ *to* det er møgirriterende at; (se også *double*

bind).
bind² [baind] *vb.* (*bound, bound*) (se også *bound³*) **1.** binde; **2.** (*sår*) forbinde; **3.** (*bog*) indbinde; **4.** (*i madlavning, om blanding*) få til at hænge sammen, binde sammen; **5.** (*tæppe, tøj etc.*) kante; **6.** (*om mad, medicin*) give hård mave; virke forstoppende; **7.** (*jur.*) forpligte (*to* til at); binde;
□ *his signature -s the company* (*jf. 7*) han tegner selskabet; ~ *sby over* (*jur.*) give en tilhold (*to* om at); ~ *off* (*am., i strikning*) lukke af; ~ *up* forbinde.
binder ['baində] *sb.* **1.** (*til papirer*) bind (*fx ring* ~); mappe; omslag; **2.** (*fx til maling*) bindemiddel; **3.** (*person*) bogbinder; **4.** (*am. jur.*) midlertidig aftale; **5.** (*på cigar*) omblad; **6.** (*glds. agr.*) selvbinder.
binding¹ ['baindɪŋ] *sb.* **1.** (*om bog*) indbinding; bind; bogbind; **2.** (*til at kante stof med*) kantebånd; **3.** (*til ski*) binding.
binding² ['baindɪŋ] *adj.* bindende (*on* for, *fx their decision is not* ~ *on the government; a* ~ *promise*).
bindweed ['baindwi:d] *sb.* (*bot.*) snerle.
bing [biŋ] *sb.* (*skotsk*) affaldsdynge [*især: ved mine*].
binge¹ [bin(d)ʒ] *sb.* T orgie (*fx drinking//eating//shopping* ~);
□ *go on a (drinking)* ~ gå på druk.
binge² [bin(d)ʒ] *vb.* slå sig løs, skeje ud; æde//drikke ukontrolleret;
□ ~ *on* fylde sig med (*fx chocolates*).
binge-eating ['bin(d)ʒi:tɪŋ] *sb.* ukontrolleret æderi.
binger ['bin(d)ʒə] *sb.* grovæder; en der får ædeflip.
bingo¹ ['biŋgəu] *sb.* bingo; bankospil.
bingo² ['biŋgəu] *interj.* bingo!
bin liner *sb.* [*plastikpose til at sætte inden i affaldsspand*]; affaldspose.
binman ['binmən] *sb.* (*pl. -men* [-mən]) se *dustman.*
binnacle ['binəkl] *sb.* (*mar.*) nathus; kompashus.
binocular [b(a)i'nɔkjulə] *adj.* binokulær, til//med begge øjne.
binoculars [bai'nɔkjuləz] *sb. pl.* (dobbelt)kikkert.
binomial [bai'nəumiəl] *sb.* (*mat.*) toleddet størrelse.
bint [bint] *sb.* S pigebarn, finke.
binturong [bin'tjuərɔŋ] *sb.* (*zo.*) bjørnekat.
biochemical [baiə(u)'kemik(ə)l] *adj.* biokemisk.
biochemist [baiə(u)'kemist] *sb.* bio-

kemiker.
biochemistry [baiə(u)'kemistri] *sb.*
biokemi.
biodegradable [baiə(u)di'greidəbl]
adj. biologisk nedbrydelig, bio-
nedbrydelig.
biodiversity [baiəudai'və:səti] *sb.*
biodiversitet, biologisk mangfol-
dighed.
bioengineered [baiəuendʒi'niəd]
adj. genmanipuleret, gensplejset.
bioengineering [baiəuendʒi'niəriŋ]
sb. **1.** (*brug af kunstige organer
etc.*) medikoteknik; **2.** (*biol.*) gen-
manipulation, gensplejsning.
biographer [bai'ɔgrəfə] *sb.* biograf
[ɔ: *levnedsskildrer*].
biographical [baiə(u)'græfik(ə)l]
adj. biografisk.
biography [bai'ɔgrəfi] *sb.* biografi.
biological [baiə(u)'lɔdʒik(ə)l] *adj.*
biologisk (*fx process; research;
parents*).
biological clock *sb.* biologisk ur;
indre ur.
biological control *sb.* biologisk be-
kæmpelse.
biological warfare *sb.* biologisk
krigsførelse.
biologist [bai'ɔlədʒist] *sb.* biolog.
biology [bai'ɔlədʒi] *sb.* biologi.
biomass ['baiəumæs] *sb.* biomasse.
bionic [bai'ɔnik] *adj.* **1.** (*om person
i fremtidsroman*) bionisk [*som har
indbygget elektroniske funktio-
ner*]; **2.** (*spøg.*) overmenneskelig,
overmenneskelig stærk, med over-
menneskelige evner.
biopic ['baiəupik] *sb.* biografisk
film.
biopiracy [baiə(u)'pairəsi] *sb.* [*brug
af dyre- el. plantegener uden juri-
disk ret*].
biopsy ['baiɔpsi] *sb.* (*med.*) biopsi
[*undersøgelse af vævsprøve fra
levende væv*].
bioscope ['baiəskəup] *sb.* (*Sydafr.*)
biograf.
biosphere ['baiə(u)sfiə] *sb.* bio-
sfære.
biotech ['baiə(u)tek] *fork. f. bio-
technology.*
biotechnology ['baiəuteknɔlədʒi]
sb. bioteknik [*udnyttelse af biolo-
giske processer i industrien*].
bioweapons ['baiə(u)wepənz] *sb.
pl.* biologiske våben.
bipartisan [baipə'ti'zæn, bai'pa:ti-
zæn] *adj.* toparti-; fra begge par-
tier.
bipartite [bai'pa:tait] *adj.* **F 1.** to-
delt; **2.** tosidig.
biped ['baiped] *sb.* (*biol.*) tobenet
dyr.
biplane ['baiplein] *sb.* (*glds. flyv.*)
todækker; biplan.

bipolar [bai'pəulə] *adj.* **F 1.** bipolar,
topolet; **2.** (*om maniodepressiv*)
som svinger i begge retninger;
3. (*fig.*) delt i to modsatte blokke.
birch[1] [bə:tʃ] *sb.* (*bot.*) birk;
□ *the ~* (*glds.*) **a.** prygl; **b.** prygle-
straf.
birch[2] [bə:tʃ] *vb.* prygle, give prygl;
□ *be -ed* få prygl; *they ought to be
-ed* de skulle have prygl.
bird [bə:d] *sb.* **1.** fugl; **2.** (T: *om
pige*) sild, finke; **3.** (*glds.: om
mand*) fyr (*fx an odd ~*); (*om
kvinde*) kone (*fx a tough old ~*);
(se også ndf.: *the old ~*);
□ (*strictly*) *for the -s* T ligegyldigt;
*hen i vejret; a ~ in the hand is
worth two in the bush* en fugl i
hånden er bedre end ti på taget; *-s
of a feather flock together* krage
søger mage; *they are -s of a
feather* de er to alen af ét stykke;
~ of ... se: *på alfabetisk plads;*
[*med adj.*] *the early ~* se *early
bird; a little ~ told me that ...* jeg
har hørt en lille fugl synge om at
...; *the old ~* (*om kvinde*) det
gamle liv; *a game old ~* en frisk
gammel en; *a rare ~* en sjælden
fugl, en sjældenhed;
[*med vb.*] *do ~* (*glds.* S) sidde den
af; sidde inde; *get the ~* (*glds.* T:
om optrædende) blive pebet ud;
give him *the ~* **a.** S give ham fin-
geren; **b.** (*glds.* T) pibe ham ud;
kill two *-s with one stone* slå to
fluer med et smæk; *tell* him *about
the -s and the bees* (*spøg.*) fortæl-
le ham om blomsterne og bierne
[ɔ: *hvor de små børn kommer fra*].
bird banding *sb.* (*am.*) ringmærk-
ning.
bird-brained ['bə:dbreined] *adj.*
tomhjernet; med kyllingehjerne.
birdcage ['bə:dkeidʒ] *sb.* fuglebur.
bird call *sb.* **1.** fuglefløjt; **2.** lokke-
fløjte.
bird cherry *sb.* (*bot.*) hægebær.
bird droppings *sb. pl.* fugleekskre-
menter; fugleklatter.
birdhouse ['bə:dhaus] *sb.* (*am.*) re-
dekasse.
birdie ['bə:di] *sb.* **1.** T pipfugl; **2.** (*i
golf*) [*et slag under par*].
bird of paradise *sb.* (*zo.*) paradis-
fugle.
bird of passsage *sb.* **1.** (*glds.*) træk-
fugl; **2.** (*litt.*) flygtig gæst.
bird of prey *sb.* rovfugl.
bird ringing *sb.* ringmærkning.
bird sanctuary *sb.* fuglereservat.
birdseed ['bə:dsi:d] *sb.* fuglefrø.
bird's eye *sb.* fugleøje.
bird's eye maple *sb.* (*bot.*) fugleøje-
træ.
bird's eye view *sb.: a ~ of the cas-*

tle slottet set i fugleperspektiv/fra
luften; *get a ~ of the situation* få
et overblik over situationen.
bird's foot trefoil *sb.* (*bot.*) kællin-
getand.
birdshot ['bə:dʃɔt] *sb.* fuglehagl.
bird's nest *sb.* fuglerede.
bird's-nesting ['bə:dznestiŋ] *sb.: go
~ plyndre* fuglereder.
bird table *sb.* fuglebræt, foderbræt.
bird-watcher ['bə:dwɔtʃə] *sb.* fugle-
kigger; fuglekender.
bird-watching ['bə:dwɔtʃiŋ] *sb.* fug-
lekiggeri, fugleiagttagelse, fugle-
studier.
birefringence [bairi'frindʒ(ə)ns] *sb.*
(*fys.*) dobbeltbrydning.
birefringent [bairi'frindʒ(ə)nt] *adj.*
(*fys.*) dobbeltbrydende.
biretta [bə'retə] *sb.* (*kat.*) firkantet
hat.
birl [bə:l] *vb.* **1.** (*skotsk*) snurre
(rundt); dreje//hvirvle rundt;
2. (*am.*: *tømmerstok*) dreje rundt
(med fødderne);
□ *my head was -ing* det snurrede i
mit hoved.
birling ['bə:liŋ] *sb.* (*am.*) = *logroll-
ing 3.*
Biro, biro® ['bairəu] *sb.* kuglepen.
birth [bə:θ] *sb.* **1.** fødsel; **2.** (*socialt*)
herkomst; **3.** (*fig.*) tilblivelse, op-
ståen;
□ *by ~* af fødsel (*fx German by
~*); *give ~* nedkomme, føde; *give
~ to* **a.** føde; **b.** (*fig.*) afføde; frem-
kalde; *a man of ~* en mand af for-
nem herkomst; *of low ~* af ringe
herkomst; *of noble ~* af fornem
herkomst; **F** af ædel byrd.
birth certificate *sb.* fødselsattest.
birth control *sb.* fødselskontrol;
børnebegrænsning.
birthday ['bə:θdei] *sb.* fødselsdag.
Birthday Honours *sb. pl.* [*titler etc
uddelt på monarkens officielle
fødselsdag*].
birthday suit *sb.: in one's ~* (*glds.*
T) i adamskostume.
birthing ['bə:θiŋ] *adj.* føde- (*fx
chair; pool* bassin).
birthmark ['bə:θma:k] *sb.* moder-
mærke.
birth mother *sb.* biologisk mor.
birth parents *sb. pl.* biologiske for-
ældre.
birthplace ['bə:θpleis] *sb.* fødested.
birth rate *sb.* fødselsprocent; fød-
selstal.
birthright ['bə:θrait] *sb.* medfødt
rettighed; umistelig ret; (*bibelsk
el. fig.*) førstefødselsret.
birthwort ['bə:θwə:t] *sb.* (*bot.*) slan-
gerod.
Biscay ['biskei]: *the Bay of ~* (*ge-
ogr.*) Biscayabugten, Biscayen,

den Biscayiske Bugt.

biscuit ['biskit] *sb.* **1.** kiks; biskuit; (*især hjemmebagt*) småkage; **2.** (*am.*) kuvertbrød; bolle; **3.** (*i keramik*) biskuit [*hårdtbrændt uglaseret porcelæn//keramik*]; **4.** (*farve*) beige; □ *that takes the* ~ T det slår alt.

bisect [bai'sekt, 'baisekt] *vb.* halvere; skære/dele i to dele; gennemskære.

bisexual [bai'sekʃuəl] *adj.* **1.** biseksuel; **2.** (*zo.*) tvekønnet.

bisexuality [baisekʃu'æləti] *sb.* **1.** biseksualitet; **2.** (*zo.*) tvekønnethed.

bishop ['biʃəp] *sb.* **1.** biskop; **2.** (*i skak*) løber.

bishopric ['biʃəprik] *sb.* **1.** (*område*) bispedømme; **2.** (*embede*) bispeembede, bispestol.

bismuth ['bizməθ] *sb.* (*kem.*) bismut, vismut.

bison ['bais(ə)n] *sb.* (*pl. d.s.*) (*zo.*) bison.

bisque [bisk] *sb.* **1.** (*madlavning*) bisque, skaldyrssuppe, hummersuppe; **2.** (*i kroket*) ekstra slag; **3.** = biscuit 3.

bistort ['bistɔ:t] *sb.* (*bot.*) slangeurt.

bistre ['bistə] *sb.* sodfarve; mørkebrunt.

bistro ['bistrəu] *sb.* bistro; lille restaurant.

bit[1] [bit] *sb.* **1.** bid; stykke; stump (*fx -s of paper*); **2.** (*af puslespil*) brik; **3.** (*på nøgle*) kam; **4.** (*af skærende værktøj*) skær; æg; (*af bor*) spids; borekrone; **5.** (*af skruetrækker*) klinge; **6.** (*til borsving*) bor; **7.** (*om penge; glds.*) mønt, stykke (*fx a threepenny//sixpenny* ~); **8.** (*am., glds.*) 12½ cent; **9.** (*it*) bit; **10.** T pigebarn, nummer, sag; **11.** (*til hest*) bidsel; □ ~ *by* ~ lidt efter lidt; *every* ~ helt; fuldt ud (*fx this is every* ~ *as good as that*); *every* ~ *as good* (*også*) akkurat lige så god; [*med pl.*] **-s** *a.* stumper; **b.** (*teat.*) småroller; *-s and pieces/bobs* forskellige ting og sager; *to -s* i stumper og stykker; [*med art.*] *a* ~ *a.* lidt; en (lille) smule; et (lille) stykke; **b.** (*om tid*) lidt, et lille stykke tid; *for a* ~ lidt, et lille stykke tid (*fx he is going away for a* ~); *in a* ~ om lidt (*fx I'll be back in a* ~); *a* ~ *much* lidt rigeligt; lige skrapt nok; *not a* ~ (*of it*) slet ikke, ikke spor; *quite a* ~ **a.** en hel del; **b.** et godt stykke tid; *a* ~ *of all right* S **a.** helt fint; **b.** (*om person*) skøn sild; flot fyr; *the* ... ~ (*neds.*) den del der har med ... at gøre, alt det

halløj med ... (*fx I like my job, but not the management* ~); [*med vb.*] *chomp/chafe at* the ~ se *chomp*; *do* one's ~ gøre sit; *take the* ~ *between one's teeth* **a.** løbe løbsk; **b.** kaste sig ud i det; (se også *side*[1]).

bit[2] [bit] *præt. af* bite.

bitch[1] [bitʃ] *sb.* **1.** (*skældsord*) møgkælling, strigle; **2.** S beklagelse; protest; **3.** (*hund etc*) hunhund, tæve; □ *it is a* ~ S **a.** det er noget værre lort; **b.** det er møgsvært.

bitch[2] [bitʃ] *vb.:* ~ *about* **a.** brokke sig over; **b.** (*person*) komme med ondskabsfulde bemærkninger om; rakke ned på.

bitchy ['bitʃi] *adj.* ondskabsfuld.

bite[1] [bait] *sb.* **1.** (*stykke*) bid, mundfuld; **2.** (*af hund, slange etc. & ved fiskeri*) bid; **3.** (*af insekt*) stik; **4.** (*fig.*) bid (*fx the satire has no* ~); **5.** (*i luften, af frost*) snert; □ *another/a second* ~ *of the cherry* en chance til; *it has* ~ (*jf. 3*) der er bid i den; *take a* ~ ~ *out of* (*am., fig.*) tage en bid af, gøre indhug i; *a* ~ *to eat* en bid mad, lidt at spise.

bite[2] [bait] *vb.* (*bit, bitten*) (se også *biting, bitten*) **1.** (*med tænder*) bide; **2.** (*om insekt*) stikke; **3.** (*om fisk*) bide på krogen, bide 'på; **4.** (*om syre*) ætse; **5.** (*om fodtøj, bildæk: på overflade*) tage fat; **6.** (*om følelse*) svie, brænde; **7.** (*fig. om foranstaltning, krise*) gøre ondt; **8.** (*fig.: tilbud*) bide 'på; □ *what is biting you?* hvad går der af dig? *it is a case of the biter being bit* han er blevet fanget i sit eget garn; *once bitten twice shy* brændt barn skyer ilden; (se også *bullet, dust*[1], *hand*[1], *lip, tongue*[1] (*etc.*)); [*med præp.& adv.*] ~ *back* **a.** (*om ytring*) bide i sig; **b.** (*på kritik etc.*) svare igen, give igen; ~ *into* skære (sig) ind i//ned i (*fx the handcuffs bit into his wrists*); ~ *off* bide af; ~ *off more than one can chew* tage munden for fuld; slå større brød op end man kan bage; (se også *head*[1], *tongue*[1]).

bite-size ['baitsaiz] *adj.* = bite-sized.

bite-sized ['baitsaizd] *adj.* **1.** som lige passer til en mundfuld; **2.** (*fig.*) af en overkommelig størrelse.

biting ['baitiŋ] *adj.* **1.** bidende, isnende (*fx wind; satire*); **2.** (*om insekt*) stikkende; **3.** (*fig.*) bidende (*fx remark; satire*); sviende (*fx criticism*).

biting midge *sb.* (*zo.*) mitte.

bitmap ['bitmæp] *sb.* (*it*) bitmap, punktmatriks.

bit part *sb.* (*teat.*) lille rolle, birolle.

bitt [bit] *sb.* (*mar.*) pullert.

bitten ['bit(ə)n] *præt. ptc. af bite*[2]; □ *once* ~ *twice shy* (*svarer til*) brændt barn skyr ilden.

bitter[1] ['bitə] *sb.* (*øltype*) bitter; (se også *bitters*).

bitter[2] ['bitə] *adj.* **1.** (*om smag*) bitter; **2.** (*om kulde, vind*) bidende; **3.** (*fig.*) bitter (*about* over, *fx what he had said; a* ~ *disappointment; a* ~ *experience*); (*om strid også*) forbitret; □ *a* ~ *blow* (*fig.*) et hårdt slag.

bittercress ['bitəkres] *sb.* (*bot.*) springklap.

bitter-ender [bitər'endə] *sb.* (*især sydafr.*) en der bliver ved til den bitre ende; en der ikke giver op; hård negl.

bitterling ['bitəliŋ] *sb.* (*zo.*) blåfisk.

bitterly ['bitəli] *adv.* **1.** bittert (*fx "He refused", he said* ~); **2.** (*om intensitet*) bittert (*fx disappointed*); voldsomt (*fx critical*); indædt (*fx opposed to the plan; fight* ~); **3.** (*om kulde*) bitterlig.

bittern ['bitən] *sb.* (*zo.*) rørdrum; □ *little* ~ dværghejre.

bitter orange *sb.* pomerans.

bitters ['bitəz] *sb. pl.* (mave)bitter; angostura.

bitty ['biti] *adj.* T brudstykkeagtig, fragmentarisk; usammenhængende.

bitumen [bi'tju:min] *sb.* bitumen [*asfalt*].

bituminous [bi'tju:minəs] *adj.* bituminøs; bitumenholdig; □ ~ *coal* fede kul.

bivalve ['baivælv] *sb.* toskallet skaldyr; musling.

bivouac[1] ['bivuæk] *sb.* bivuak.

bivouac[2] ['bivuæk] *vb.* bivuakere.

biweekly[1] [bai'wi:kli] *sb.* blad som udkommer hver fjortende dag//to gang om ugen.

biweekly[2] [bai'wi:kli] *adj.* som finder sted/udkommer hver fjortende dag//to gange om ugen.

biweekly[3] [bai'wi:kli] *adv.* **1.** hver fjortende dag; **2.** to gange om ugen.

biz [biz] *sb.* T = business; □ *the* ~ = show business.

bizarre [bi'za:] *adj.* bizar, sælsom.

blab [blæb] *vb.* T **1.** sladre, plapre (*about* om; *to* til); **2.** (*med objekt*) plapre ud med, røbe.

blabber ['blæbə] *vb.* T ævle, kværne.

blabbermouth ['blæbəmauθ] *sb.* T

B black

snakkehoved, sludrebøtte.

black[1] [blæk] *sb.* sort (*fx use more* ~; *dressed in* ~; *there were many -s in the town*);
□ *in the* ~ **a.** i mørket; **b.** (*økonomisk*) med overskud; *in* ~ *and white* sort på hvidt; skriftligt; på tryk; *see things in* ~ *and white* se alting sort-hvidt; (se også *black and white*).

black[2] [blæk] *adj.* **1.** sort; **2.** (*fig.*) sort, mørk (*fx say*); dyster (*fx mood*); **3.** (*om arbejde*) blokaderamt; **4.** (*litt.*) skændig, ond (*fx deed*);
□ ~ *and blue* forslået; gul og grøn; ~ *in the face* mørkerød i hovedet [*af anstrengelse, vrede etc.*]; *he gave me a* ~ *look, he looked* ~ *at me* han skulede til mig; (se også *book*[1]).

black[3] [blæk] *vb.* **1.** sværte; **2.** (*i arbejdskonflikt*) blokere;
□ ~ *sby's eye* give en et blåt øje; ~ *out* **a.** mørk(e)lægge (*fx the house*); **b.** (*i tekst etc.*) slette, strege ud, censurere væk; **c.** (*uden objekt: om person*) miste bevidstheden//synet et øjeblik; **d.** (*teat.*) lave blackout; slukke alt lys på scenen; *be -ed out* **a.** (*om tv*) gå i sort; **b.** (*om nyhed*) blive mørk(e)lagt; *he -ed out* (ɔ: *kunne ikke huske*) der gik en klap ned; han gik i sort; ~ *out the memory of it* fortrænge det.

blackamoor ['blækəmuə] *sb.* (*glds.*) morian, neger.

black and tan *sb.* **1.** [*art terrier som er sort og brun*]; **2.** [*drik som består af en blanding af porter og bitter*].

Black and Tans *sb. pl.* (*hist.*) [*engelsk styrke sendt til Irland for at kue Sinn Fein; klædt i kaki med sort hovedtøj*].

black and white *sb.* **1.** sort-hvid tegning; **2.** (*foto.*) sort-hvid kopi; (se også *black*[1]).

black-and-white [blækən'wait] *adj.* sort-hvid.

black art *sb.*: *the* ~ den sorte kunst.

black-backed gull [blækbækt'gʌl] *sb.* (*zo.*) se *great black-backed gull, lesser black-backed gull*.

blackball ['blækbɔːl] *vb.* (*i klub*) nægte at optage; afvise.

black bear *sb.* (*zo.*) amerikansk sort bjørn; baribal.

black beetle *sb.* T kakerlak.

blackberry ['blækb(ə)ri] *sb.* (*bot.*) brombær.

blackberrying ['blækberiiŋ] *sb.*: *go* ~ plukke brombær.

blackbird ['blækbɔːd] *sb.* (*zo.*) sol-

sort.

blackboard ['blækbɔːd] *sb.* sort tavle; vægtavle.

black books *sb. pl.*: *be in sby's -s* se *book*[1].

black box *sb.* (*flyv.*) „sort kasse"; (se *flight recorder*).

black bryony *sb.* (*bot.*) fedtrod.

blackbuck ['blækbʌk] *sb.* (*zo.*) hjorteantilope.

black cab *sb.* autiriseret txi.

blackcap ['blækkæp] *sb.* (*zo.*) munk.

blackcock ['blækkɔk] *sb.* (*zo.*) urhane.

Black Country *sb.*: *the* ~ kuldistrikterne [*i England*].

blackcurrant [blæk'kʌr(ə)nt] *sb.* (*bot.*) solbær.

Black Death *sb.*: *the* ~ (*hist.*) den sorte død [*pest der hærgede i middelalderen*].

black dog *sb.* T nedtrykthed; depression.

black economy *sb.* undergrundsøkonomi.

blacken ['blæk(ə)n] *vb.* **1.** sværte (*fx -ed by smoke*); **2.** (*fig.*) sværte, svine til (*fx sby's name*); bagvaske.

black eye *sb.* blåt øje.

black-eyed Susan [blækaid'suːz(ə)n] *sb.* (*bot.*) solhat.

blackfellow ['blækfeləu] *sb.* (*neds.*) australneger.

blackfish ['blækfiʃ] *sb.* (*zo.*) sortfisk.

black flag *sb.* sørøverflag.

blackfly ['blækflai] *sb.* (*zo.*) **1.** kvægmyg; **2.** (*bladlus*) bedelus.

Blackfoot ['blækfut] *sb.* sortfodsindianer.

Black Forest *sb.* (*geogr.*) Schwarzwald.

Black Friar *sb.* (*rel.*) dominikaner; sortebroder.

black frost *sb.* barfrost.

black grouse *sb.* (*pl. d.s.*) (*zo.*) urfugl.

blackguard ['blægaːd, -gəd] *sb.* (*glds.*) slyngel, sjover.

black guillemot *sb.* (*zo.*) tejst.

blackhead ['blækhed] *sb.* hudorm.

black-headed gull [blækhedid'gʌl] *sb.* (*zo.*) hættemåge.

black hole *sb.* (*astr.*) sort hul.

black ice *sb.* [*gennemsigtigt lag af is på vejbane*].

blacking ['blækiŋ] *sb.* sværte.

blackjack ['blækdʒæk] *sb.* **1.** (*slags hasardspil, omtr.*) halvtolv; **2.** (*am.; om våben*) [*kort gummiknippel med metal*]; totenschlæger; **3.** (*hist.*) sørøverflag.

blacklead [blæk'led] *sb.* grafit.

blackleg ['blækleg] *sb.* strejkebry-

der, skruebrækker.

black letter *sb.* gotisk skrift.

blacklist[1] ['blæklist] *sb.* sortliste.

blacklist[2] ['blæklist] *vb.* sortliste.

black magic *sb.* sort magi.

blackmail[1] ['blækmeil] *sb.* **1.** pengeafpresning; **2.** afpresning (*fx emotional* ~).

blackmail[2] ['blækmeil] *vb.* afpresse [*penge*]; presse (*into -ing* til at).

blackmailer ['blækmeilə] *sb.* afpresser; pengeafpresser.

Black Maria *sb.* (*glds.* T: *sort vogn til fangetransport, svarede til*) salatfadet.

black mark *sb.* sort stempel; negativ påtegning [*ved ens navn*]; (*i skole*) anmærkning.

black market *sb.* sortbørs;
□ *on the* ~ på den sorte børs.

black marketeer [blækmaːkə'tiə] *sb.* sortbørshaj.

blackout ['blækaut] *sb.* **1.** (*mil.*) mørk(e)lægning; **2.** (*elek.*) strømafbrydelse, strømsvigt; **3.** (*med.*) blackout, midlertidig bevidstløshed; **4.** (*teat.*) blackout; **5.** (*tv*) sort skærm; (se også *news blackout*).

black pudding *sb.* blodpølse.

Black Rod *sb.*: *Gentleman Usher of the* ~ [*kongelig overceremonimester i Overhuset, med en sort embedsstav*].

black rust *sb.* (*bot.*: *plantesygdom*) sortrust.

blackshirt ['blækʃəːt] *sb.* sortskjorte (ɔ: *fascist*).

blacksmith ['blæksmiθ] *sb.* grovsmed.

black spot *sb.* (*fig.*) sort plet.

black spruce *sb.* (*bot.*) sortgran.

blackthorn ['blækθɔːn] *sb.* (*bot.*) slåen.

black tie *sb.* **1.** sort slips; **2.** (*om påklædning, fx på indbydelse*) smoking.

black-tie [blæk'tai] *adj.* (*om middag etc.*) hvor der bæres smoking og lang kjole.

blacktop ['blæktɔp] *sb.* (*am.*) = *tarmac*.

black widow *sb.* (*zo.*) sort enke [*giftig edderkop*].

bladder ['blædə] *sb.* blære.

bladder campion *sb.* (*bot.*) bæresmelde.

bladdernose ['blædənəuz] *sb.* (*zo.*) se *hooded seal*.

bladderwort ['blædəwəːt] *sb.* (*bot.*) blærerod.

bladderwrack ['blædəræk] *sb.* (*bot.*) blæretang.

blade [bleid] *sb.* **1.** (*på kniv, sav*) blad, klinge; (*på økse*) blad; (*på sværd*) klinge; **2.** (*på græs*) blad, strå; **3.** (*på åre*) blad; **4.** (*på skøjte*) klinge; **5.** (*tekn.*: *på propel, rotor*) vinge; (*i turbine også*) skovl; **6.** (*glds.* T) galant fyr.

blag[1] [blæg] *sb.* T røveri, røverisk overfald.

blag[2] [blæg] *vb.* T **1.** hugge; røve; **2.** fuppe, snyde (*fx* ~ *one's way in*); **3.** snakke//platte/snyde sig til.

blah[1] [bla:] *sb.* T højtravende vås; □ ~ ~ bla-bla; *the -s* (*am.*) kedsomhed; sløvhed; nedtrykthed.

blah[2] [bla:] *adj.* (*am.* T) **1.** uinteressant; intetsigende; **2.** træt; sløv.

blah-blah ['bla:bla:] *interj.* bla-bla.

blame[1] [bleim] *sb.* skyld; □ put/lay/place/pin the ~ on sby skyde skylden på en; give en skylden (*for* for); take the ~ påtage sig skylden; (se også *small*[2]).

blame[2] [bleim] *vb.* give skylden; bebrejde; □ I don't ~ him det kan jeg ikke fortænke ham i; det bebrejder jeg ham ikke; ~ him for it give ham skylden for det; bebrejde ham det; ~ it on him give ham skylden for det; who is to ~? hvem har skylden? he has only himself to ~ det kan han kun takke sig selv for.

blameless ['bleimləs] *adj.* F uangribelig; udadlelig, dadelfri; □ a ~ life et ulasteligt liv; not entirely ~ ikke helt uden skyld.

blameworthy ['bleimwɔ:ði] *adj.* F angribelig, dadelværdig.

blanch [bla:nʃ] *vb.* **1.** blegne; **2.** (*gøre hvid*) blege; **3.** (*om grønsager*) blanchere; □ ~ almonds smutte mandler; ~ at (*fig.*) blive forskrækket over.

blancmange [blə'mɔn(d)ʒ] *sb.* (*dessert, omtr.*) budding.

blanco ['blæŋkəu] *vb.* (*mil.*) pibe [*gøre remtøj hvidt med pibepulver*].

bland [blænd] *adj.* (*neds.*) **1.** intetsigende; ligegyldig, uinteressant; karakterløs; **2.** (*om mad*) kedelig, intetsigende; □ it is ~ (*jf.* 2) det smager som tungen ud af vinduet.

blandishments ['blændiʃmənts] *sb. pl.* smiger; lokketoner.

blandly ['blændli] *adv.* ganske roligt; uforstyrreligt; upåvirket.

blank[1] [blæŋk] *sb.* (se også *blanks*) **1.** tom plads; (*i formular også*) rubrik; **2.** (*i tekst*) tom/åben plads; **3.** (*fig.*) tomrum (*fx his death left a* ~); **4.** (*i stedet for noget udeladt*) [*skrives som en streg, fx* 189- = *eighteen ninety* ~ atten hundrede nogle og halvfems]; (*i stedet for ed*) nok sagt; **5.** (*i lotteri*) nitte; **6.** (*i edb*) blanktegn; **7.** (*mil.*) løs

patron; **8.** (*tekn.*) råemne; (*rundt, udstanset*) blanket; **9.** (*am.*) formular; blanket; □ I drew a ~ (T: *fig.*) jeg trak en nitte; jeg fandt ikke noget; in ~ in blanco; my mind is a (perfect) ~ jeg er helt tom i hovedet.

blank[2] [blæŋk] *adj.* **1.** tom (*fx TV screen; wall*); **2.** (*om papir*) blank, tom (*fx page*); ubeskrevet (*fx sheet of paper*); (*blanket, skema*) uudfyldt; **3.** (*om lydbånd*) uindspillet; **4.** (*fig.*) tom, indholdsløs (*fx future*); **5.** (*om ansigtsudtryk etc.*) tom, udtryksløs; uforstående (*fx he looked* ~); **6.** (*understregende*) ren (og skær) (*fx stupidity*); fuldstændig; **7.** (*arkit.*) blind, blændet (*fx window*); **8.** (*mil.*: *om ammunition*) løs (*fx cartridge; shot*); □ my mind went ~ jeg blev helt tom i hovedet; der gik en klap ned; a ~ refusal et blankt afslag.

blank[3] [blæŋk] *vb.* **1.** T ignorere; give en kold skulder; **2.** (*am., i sport*) ikke lade score; tromle ned; **3.** (*uden objekt*) blive helt tom i hovedet; □ ~ off (*om åbning*) afblænde; ~ out a. (*om tekst*) dække; strege ud [*så det ikke kan læses*]; **b.** (*med maling*) male over; **c.** (*om minde, følelse etc.*) fortrænge; **d.** (*typ.*) udfylde med blindmateriale; I -ed (out) (*jf.* 3, *også*) der gik en klap ned.

blank character *sb.* (*it*) blanktegn, mellemrumstegn.

blank cheque *sb.* blankocheck; □ give sby a ~ (*fig.*) give én carte blance/frie hænder.

blanket[1] ['blæŋkit] *sb.* **1.** (*til seng etc.*) tæppe; **2.** (*fig.*) tæppe (*fx of snow*); dække; dyne (*fx of fog*); **3.** (*typ.*) (tryk)dug; □ born on the wrong side of the ~ født uden for ægteskab; (se også secrecy, wet blanket).

blanket[2] ['blæŋkit] *adj.* almindelig, generel (*fx ban* forbud); altomfattende.

blanket[3] ['blæŋkit] *vb.* **1.** lægge over; tildække, indhylle; dække fuldstændigt (*fx -ed with snow*); **2.** (*fig.*) udelukke, kvæle (*fx discussion*).

blanket term *sb.* fællesbetegnelse.

blankety[1] ['blæŋkiti] *sb.*, **blankety-blank** *sb.* noksagt (*fx that old* ~) [*brugt i stedet for ord man ikke vil nævne*].

blankety[2] ['blæŋkiti] *adj.*, **blankety-blank** *adj.* (*kan gengives*) f- (*fx that* ~ *car won't start*).

blankly ['blæŋkli] *adv.* tomt, uforstående (*fx he stared* ~ *at me*).

blanks [blæŋks] *sb. pl.* **1.** (*typ.*) blindmateriale; **2.** (*mil.*) løse patroner.

blank verse *sb.* blankvers [*femfodede, jambiske, urimede*].

blare[1] [blɛə] *sb.* **1.** larmen; drønen; **2.** (*om trompet*) gjalden, skingren, skratten; **3.** (*om sirene*) hyl(en).

blare[2] ['blɛə] *vb.* **1.** larme; drøne; **2.** (*om trompet*) gjalde, skingre, skratte; **3.** (*om sirene*) hyle.

blarney[1] ['bla:ni] *sb.* **1.** indsmigrende snak; smisken; smiger; **2.** sludder, pølsesnak.

blarney[2] ['bla:ni] *vb.* smigre.

Blarney Stone *sb.*: he has kissed the ~ han har et godt snakketøj.

blasé ['bla:zei, (*især am.*) bla:'zei] *adj.* blaseret, blasert (*about* med hensyn til. når det gælder, *fx food*).

blaspheme [blæs'fi:m] *vb.* **1.** være blasfemisk, tale gudsbespotteligt; **2.** (*glds.*) bande og sværge.

blasphemous ['blæsfiməs] *adj.* blasfemisk; (guds)bespottelig.

blasphemy ['blæsfimi] *sb.* blasfemi; gudsbespottelse; □ blasphemies (*glds.*) eder og forbandelser; it is a ~ det er blasfemisk.

blast[1] [bla:st] *sb.* **1.** eksplosion; **2.** (*af luft*) luftstrøm (*fx an icy* ~ hit us); vindstød; **3.** (*fra eksplosion*) trykbølge; **4.** (*om skydevåben*) skud; affyring; **5.** (*lyd*) drøn, gjalden, **6.** (*i blæseinstrument*) stød; trut; **7.** (*i sport*) scoring; **8.** (T: *kritik*) voldsomt angreb; opsang, balle; **9.** (*am.* T) sjov, skæg; gilde; □ (at) full ~ for fuldt drøn; for fuld udblæsning; a ~ from the past (*fx om melodi*) en gammel kending.

blast[2] [bla:st] *vb.* **1.** hærge, ødelægge (*fx -ed by repeated bombings*); **2.** (*med sprængstof*) sprænge (*fx rocks; a tunnel through the mountain*); **3.** (*med skydevåben*) skyde; **4.** (*luft*) blæse (*fx cold air over sth*); (*vand*) sprøjte; **5.** (*om lyd*) drøne, brage; **6.** (*i blæseinstrument*) trutte; **7.** (*om bold*) skyde, drøne (*fx the ball into the net*); **8.** (T: *kritisere*) angribe voldsomt; kritisere sønder og sammen, give det glatte lag, gennemhegle; **9.** (F: *om plante*) svide (*fx flowers*); □ ~!, ~ it! pokkers også! fandens også; ~ his hopes tilintetgøre hans håb; ~ one's horn trude/ trutte i hornet, bruge hornet; [*med adv.*] ~ away a. (*med sprængstof*) bortsprænge; **b.** (*med* skydevåben) fyre løs; **c.** (*om lyd*) drøne (løs) (*fx the guns were -ing away; the radio was -ing away*); ~ **off** (*om raket*) blive opsendt; ~ **out a.** (*om højttaler*) drøne løs med (*fx rock music*); **b.** (*om eksplosion*) sprænge (*fx a hole in the ground*); blæse ud (*fx the explosion -ed out all the windows*).

blasted *adj.* **1.** (*let glds.* T) forbandet; fandens; **2.** (*litt., om landskab*) hærget; øde; **3.** (*am.* S) fuld, pløret.

blast furnace *sb.* højovn.

blasting gelatin *sb.* gelatinedynamit; sprænggelatine.

blast-off ['blɑ:stɔf] *sb.* (raket)start.

blat [blæt] *vb.* (*am.* T) **1.** bræge; **2.** snakke (løs), plapre; (*med objekt*) plapre ud med; **3.** fare, drøne.

blatant ['bleit(ə)nt] *adj.* åbenbar, grov, skamløs (*fx lie*).

blather[1] ['blæðə] *sb.* T vrøvl, ævl.

blather[2] ['blæðə] *vb.* T vrøvle, ævle, kværne.

blatherskite ['blæðəskait] *sb.* (*især am.*) vrøvlehoved.

blaze[1] [bleiz] *sb.* (se også *blazes*) **1.** (voldsom) ildebrand; flammehav; **2.** (*lys*) strålende skær; flammende lys; **3.** (*forst.*) mærke [*på træ etc.*]; **4.** (*på hest*) hvid plet, blis;

□ *in a* ~ i lys lue; [*med: of*] *a* ~ **of** *colour* en farvepragt, et farveflor; *a* ~ *of fury* et raserianfald; *end one's career in a* ~ *of glory* sætte et flot punktum for sin karriere; *a* ~ *of lights* et lyshav; *in a* ~ *of publicity/attention* i fuld offentlighed; under stor offentlig opmærksomhed.

blaze[2] [bleiz] *vb.* (se også *blazing*) **1.** flamme; blusse; **2.** (*om lys*) lyse, skinne, stråle; **3.** (*med objekt: nyhed*) bekendtgøre vidt og bredt; udbasunere; **4.** (*forst.: træer*) mærke;

□ ~ *a trail* se *trail*[1]; [*med præp.& adv.*] ~ *abroad* udbasunere; ~ *away* fyre løs, plaffe løs; ~ *away!* klem på! *indignation -d in her eyes* hendes øjne lynede af harme; ~ *out* fare op (*at over for*); ~ *up* **a.** flamme op, blusse op; **b.** (*om person*) fare op; ~ *with* **a.** stråle af (*fx colour*); **b.** flamme af (*fx his eyes were blazing with anger*).

blazer ['bleizə] *sb.* (*jakke*) blazer.

blazes ['bleiziz] *sb. pl.* (*glds.* T) pokker; fanden;

□ *go to* ~ gå pokker/fanden i vold; *like* ~ som bare pokker/fanden; *what the* ~*?* hvad pokker/fanden?

blazing ['bleiziŋ] *adj.* flammende (*fx fire; eyes; fury*);

□ *with guns* ~ skydende vildt omkring sig; ~ *heat* brændende varme; *a* ~ *row* et forrygende skænderi.

blazing star *sb.* (*bot.*) pragtskær.

blazoned ['bleiz(ə)nd] *adj.* se *emblazoned*;

□ ~ *across the front page* smækket ud over forsiden.

bleach[1] [bli:tʃ] *sb.* blegemiddel.

bleach[2] [bli:tʃ] *vb.* **1.** blege; affarve; **2.** (*uden objekt*) bleges.

bleachers ['bli:tʃəz] *sb. pl.* (*især am.*) billige pladser.

bleak[1] [bli:k] *sb.* (*zo.*) løje [*en fisk*].

bleak[2] [bli:k] *adj.* trist; trøstesløs; dyster.

bleary ['bliəri] *adj.* mat, sløret; sløv.

bleary-eyed [bliəri'aid] *adj.* **1.** med matte/slørede/sløve øjne; **2.** (*søvnig*) klatøjet.

bleat[1] [bli:t] *sb.* (jf. *bleat*[2]) **1.** brægen; brølen; **2.** klynken; jamren, jammer.

bleat[2] [bli:t] *vb.* **1.** (*om får, ged*) bræge; (*om kalv*) brøle; **2.** (*om person*) klynke, jamre (*about over*).

bleb [bleb] *sb.* **1.** blegn; **2.** blære.

bled [bled] *præt.* & *præt. ptc. af bleed.*

bleed [bli:d] *vb.* (*bled, bled*) **1.** bløde; **2.** (*glds. med.*) årelade, tappe blod af; **3.** (T: *for penge*) flå, plukke, blokke; **4.** (*bogb.*) beskære for stærkt/for hårdt; forskære; **5.** (*om farve*) løbe ud; **6.** (*radiator, ved ventil*) lufte ud, lukke luft ud af;

□ ~ *sby white/dry* plyndre en for alt hvad han har; klæde en af til skindet.

bleeder *sb.* **1.** (*med.*) bløder; **2.** S skiderik, skid; (*ikke-neds.*) fyr.

bleeding[1] ['bli:diŋ] *sb.* **1.** blødning; **2.** (*glds. med.*) åreladning.

bleeding[2] ['bli:diŋ] *adj.* **1.** blødende; **2.** (S, *især glds.; også adv.*) fandens, satans; forbandet.

bleeding heart *sb.* **1.** (*bot.*) hjerteblomst, løjtnantshjerter; **2.** (*fig.*) sentimentalt medfølende/øllebrødsbarmhjertig person, pladderhumanist.

bleep[1] [bli:p] *sb.* **1.** (*signal*) bip; dut; **2.** T = *bleeper.*

bleep[2] [bli:p] *vb.* **1.** bippe; dutte; **2.** (*med objekt: person,* T) bippe, kalde [*med personsøger*];

□ ~ *out* (*på tv: ed, groft udtryk*) erstatte med et bip.

bleeper ['bli:pə] *sb.* T bipper, personsøger.

blemish[1] ['blemiʃ] *sb.* **1.** plet; **2.** lille fejl, skønhedsfejl; brist; **3.** (*fig.*) plet;

□ *without* ~ (*også*) lydefri.

blemish[2] ['blemiʃ] *vb.* sætte en plet på, skade (*fx his reputation*); skæmme;

□ *a -ed skin* uren hud.

blench [blen(t)ʃ] *vb.* (*litt.*) gyse tilbage, vige tilbage (*at for*).

blend[1] [blend] *sb.* **1.** blanding, miks; **2.** (*sprogv.*) se *portmanteau word.*

blend[2] [blend] *vb.* **1.** blande, mikse; **2.** forene; **3.** (*uden objekt*) blandes; smelte sammen; **4.** (*fig.*) stå godt til hinanden;

□ ~ *in* passe til omgivelserne; ~ *in with,* ~ *into* **a.** falde/passe sammen med, falde i med; smelte sammen med; **b.** (*om person*) passe sammen med (*fx the others*); passe ind i (*fx the group*); ~ *together* se: **4.**

blender ['blendə] *sb.* (*husholdningsmaskine*) blender.

blenny ['bleni] *sb.* (*zo.*) **1.** slimfisk; tangkvabbe; **2.** se *eelpout.*

bless [bles] *vb.* (-*ed/blest*, -*ed/blest*) velsigne; (se også *blessed*);

□ ~ *oneself* (*glds.*) slå kors for sig; *he has not got a penny to* ~ *himself with* han ejer ikke en rød øre; ~ *him!* (*glds.* T) Gud velsigne ham! ~ *me!, God* ~ *my soul!* (*glds.* T) Gud fri mig vel! ih, du store! ~ *you!* (*til en der nyser*) prosit!

blessed[1] [blest] *adj.* velsignet;

□ *well, I'm* ~ (*glds.* T) Gud fri mig vel! ih, du store! *I'll be* ~ *if* (*glds.* T) pokker tage mig om; *be* ~ *with* være velsignet med; være udstyret med.

blessed[2] ['blesid] *adj.* **1.** velsignet; (*især bibelsk*) salig (*fx* ~ *are the meek*); **2.** T forbistret (*fx kick that* ~ *cat out!*); **3.** [*jovialt fyldord*];

□ *the whole* ~ *day* (jf. **3**) hele den udslagne dag.

blessedness ['blesidnəs] *sb.* lyksalighed; (se også *single*[2]).

blessing ['blesiŋ] *sb.* velsignelse;

□ *it was a* ~ *that* det var en Guds lykke/velsignelse at; *it was a* ~ *in disguise* det var held i uheld; *it is a mixed* ~ det er et tvivlsomt gode; det er både godt og ondt; [*med vb.*] *ask a* ~ (*ved måltid*) bede bordbøn; *count one's -s* (*omtr.*) se på de lyse sider; *give one's* ~ *to sth* godkende noget; give noget sin velsignelse.

blest *præt.* & *præt. ptc. af bless.*

blether ['bleðə] = *blather.*

blew [blu:] *præt. af blow*[2].

blewit(s) ['blu:it(s)] *sb.* (*bot.*) bleg
hekseringridderhat.
blight[1] [blait] *sb.* **1.** (*om forskellige
sygdomme på planter*) skimmel;
pletsyge; meldug; rust; brand;
2. (*fig.*) ødelæggelse, fordærv;
skamplet;
□ *cast a ~ on* ødelægge, spolere;
cast a ~ on his life forbitre hans
tilværelse.
blight[2] [blait] *vb.* **1.** spolere (*fx his
hopes*; *his career*); ødelægge (*fx
his life*); **2.** (*om frost*) svide.
blighter ['blaitə] *sb.* (*glds.* T)
1. (*neds.*) stodder; (*om barn*)
møgunge; **2.** (*positivt*) rad (*fx
you lucky ~*).
Blighty ['blaiti] *sb.* (*glds. mil.* S)
1. hjemmet; England; **2.** (*i første
verdenskrig*) [*sår som bevirkede
hjemrejse til England*].
blimey ['blaimi] *interj.* (T, *omtr.*)
gudfader bevares.
blimp [blimp] *sb.* **1.** lille luftskib;
2. spærreballon; **3.** (*film.*) blimp
[*lydtæt boks*]; **4.** se *Colonel Blimp*.
blimpish ['blimpiʃ] *adj.* stokkon-
servativ, snæversynet og chauvi-
nistisk; (jf. *Colonel Blimp*).
blind[1] [blaind] *sb.* **1.** (*for vindue*)
rullegardin; (se også *venetian
blind*); **2.** (*foran butiksvindue etc.*)
markise; **3.** (*fig.*) skalkeskjul,
dække; **4.** (*am.*) skjul; **5.** (*glds.* T)
druktur;
□ *do sth as/for a ~* gøre noget for
at lede en på vildspor.
blind[2] [blaind] *adj.* **1.** blind (*to for,
fx his faults*); **2.** (*om vejsving etc.*)
med dårlige oversigtsforhold;
skjult (*fx bend*; *turning*); **3.** (*om
dør, vindue*) blændet, blind;
□ (*as*) ~ *as a bat* så blind som en
muldvarp; ~ *in one eye* blind på
det ene øje; ~ *with tears* blændet
af tårer;
[*med sb.*] ~ *area* død vinkel; *not
a ~ bit of ...* ikke den/det fjerneste
... (*fx difference*); *turn a ~ eye*
lukke øjnene for det; *turn a ~ eye
to* (*også*) se gennem fingre med; *a
~ wall* en mur/væg uden vinduer
og døre.
blind[3] [blaind] *vb.* (se også *blind-
ing*) **1.** blinde; gøre blind; **2.** (*kort-
varigt*) blænde (*fx the sun -ed her;
-ed by tears*);
□ ~ *sby* **to** (*fig.*) gøre en blind for
(*fx the facts*); ~ *sby* **with** *science*
(*fig.*) fuppe/forvirre en med en
masse lærde ord; (se også *eff*).
blind alley *sb.* (*fig.*) blindgade;
blindgyde.
blind date *sb.* (*am.*) **1.** [(*stævne*)-
*møde mellem to der ikke kender
hinanden*]; **2.** [*en man træffer*

ved et sådant stævne-
møde].
blind drunk *adj.* døddrukken.
blinder ['blaində] *sb.* T (*i sport,*)
fremragende præstation, toppræ-
station.
blinders ['blaindəz] *sb. pl.* (*am.*)
skyklapper.
blind flying *sb.* blindflyvning.
blindfold[1] ['blaindfəuld] *sb.* bind
for øjnene.
blindfold[2] ['blaindfəuld] *vb.* binde
for øjnene.
blindfold[3] ['blainfəuld] *adv.* med
bind for øjnene;
□ *I could do that ~* det kunne jeg
gør med bind for øjnene/i blinde.
blinding ['blindiŋ] *adj.* **1.** blæn-
dende (*fx light*; *snow*); **2.** (*fig.*)
pludselig og lysende klar (*fx reve-
lation*; *realization*); **3.** (*om smerte*)
skærende; **4.** (*om præstation*) su-
perflot (*fx he scored a ~ goal*);
□ *a ~ headache* en dundrende ho-
vedpine.
blindingly ['blaindiŋli] *adv.*: ~ *ob-
vious* fuldstændig indlysende.
blind man's buff [blaindmænz'bʌf]
sb. blindebuk.
blind pig *sb.* (*am.*) smugkro.
blind side *sb.*: *one's ~* den side
hvor man har dårligt udsyn; ens
svage side.
blindside ['blaindsaid] *vb.* (*am.* T)
1. (*bil*) køre ind i siden på; ramme
i siden; **2.** (*person*) overrumple;
komme bag på;
□ *be -d* blive ført bag lyset.
blind spot *sb.* **1.** (*fx når man kører*)
blind vinkel; **2.** (*fig.*) blindt punkt;
□ *the ~* (*i øjet*) den blinde plet.
blind stamping *sb.* (*bogb.*) blind-
prægning, blindtryk.
blind stitch *sb.* usynlige sting.
blind tiger *sb.* (*am.*) smugkro.
blind tooling *sb.* se *blind stamping*.
blindworm ['blaindwə:m] *sb.* (*zo.*)
stålorm.
blink[1] [bliŋk] *sb.* **1.** blink; **2.** glimt;
□ *in the ~ of an eye* i løbet af et
øjeblik; *on the ~* (T: *om maskine*)
i uorden; *without a ~* uden at for-
trække en mine.
blink[2] [bliŋk] *vb.* **1.** blinke (*at* til);
2. (*fx i stærkt lys*) misse med øj-
nene; **3.** (*om lys*) blinke;
□ *try to ~ back one's tears* prøve
at holde tårerne tilbage [*ved at
blinke med øjnene*]; *he did not
even ~* han fortrak ikke en mine;
~ *one's eyes* blinke med øjnene;
*without -ing an eye/eyelid/eye-
lash* uden at fortrække en mine;
there is no -ing the fact that man
kan ikke lukke øjnene for at/se
bort fra at; ~ *on* begynde at blinke

(*fx a warning light -ed on*).
blinker ['bliŋkər] *sb.* (*am.*) blink-
lys.
blinkered ['bliŋkəd] *adj.* **1.** (*om
hest*) med skyklapper; **2.** (*fig.*)
snæversynet; enøjet;
□ *be ~* (*jf. 2*) gå med skyklapper
på.
blinkers ['bliŋkəz] *sb. pl.* **1.** (*til
hest & fig.*) skyklapper; **2.** (*på bil*)
blinklys; **3.** T beskyttelsesbriller.
blinking ['bliŋkiŋ] *adj.* (*glds.* S)
fordømt, fandens (*fx a ~ nui-
sance*).
blinks [bliŋks] *sb.* (*bot.*) stor
vandarve.
blintz(e) [blin(t)z] *sb.* [*tynd pan-
dekage med fyld*].
blip[1] [blip] *sb.* **1.** (*på radarskærm
etc.*) glimt; **2.** (*lyd*) bip; **3.** (*uregel-
mæssighed*) hik.
blip[2] [blip] *vb.* **1.** (*om lyd*) bippe;
2. (*på lydbånd*) (slette og) erstatte
med et bip (*fx ~ the swearwords*).
bliss [blis] *sb.* lykke; lyksalighed.
blissed-out ['blistaut] *adj.* T over-
eksponeret; ekstatisk; euforisk.
blissful ['blisf(u)l] *adj.* lykkelig;
herlig (*fx a ~ week*); lyksalig;
□ ~ *ignorance* lykkelig uviden-
hed.
blister[1] ['blistə] *sb.* **1.** (*på huden*)
vable, blase; blære; (*i munden*)
blegn; **2.** (*på maling*) blære;
3. (*flyv.*) blisterrum; **4.** (*glds.* T)
led fyr.
blister[2] ['blistə] *vb.* **1.** (*om hud*)
hæve sig i vabler, danne vabler;
2. (*om maling*) danne blærer;
3. (*med objekt*) give vabler på (*fx
it -s the skin*).
blister gas *sb.* (*mil.*) blistergas.
blistering *adj.* **1.** (*om varme*) glo-
ende, stegende, brændende;
2. (*om kritik*) svidende; ætsende;
□ *at a ~ pace* i rasende fart.
blister pack *sb.* boblepakning.
blithe [blaið] *adj.* **1.** (*neds.*) ube-
kymret; ligeglad; **2.** (*glds. el. litt.*)
sorgløs; fornøjet.
blithering ['bliðəriŋ] *adj.*: *a ~ idiot*
(*glds.* T) en komplet idiot.
Blitz [blits] *sb.*: *the ~* Blitzen [*de
tyske luftangreb på England i
1940-41*].
blitz[1] [blits] *sb.* **1.** pludselig aktivi-
tet; kampagne; **2.** (*mil.*) lynangreb;
□ *have a ~ on* T gå i gang med;
tage kraftigt fat på.
blitz[2] [blits] *vb.* **1.** bombe; **2.** (T: *i
konkurrence*) jorde; **3.** se *blitz*[1]
(*have a ~ on*).
blitzkrieg ['blitskri:g] *sb.* **1.** lynkrig;
2. (*fig.*) lynangreb.
blizzard ['blizəd] *sb.* **1.** snestorm;
2. (*am.* T: *om mængde*) byge, la-

B *bloated*

vine (*fx of new products*).
bloated ['bləutid] *adj.* **1.** opsvulmet; **2.** (*af mad*) oppustet; **3.** (*fig.:* om organisation) oppustet, overdimensioneret.
bloater ['bləutə] *sb.* saltet og røget sild.
blob [blɔb] *sb.* dråbe (*fx of paint*); klat (*fx of paint; of jam; his face was a vague ~*);
□ *score a ~* T ikke score nogen point.
bloc [blɔk] *sb.* (*pol.*) blok.
block[1] [blɔk] *sb.* **1.** (*tegne-, motor-, i hejseværk, af tekst etc.*) blok; **2.** (*stykke*) blok (*fx of ice; of marble*); klods; **3.** (*legetøj*) byggeklods; billedklods; **4.** (*af chokolade*) plade; **5.** (*bygning*) karré; hus (*fx office ~*); (*med lejligheder*) beboelsesejendom; etagehus; boligblok; **6.** (*mellem gader*) huskarré, husblok; **7.** (*som spærrer*) spærring; prop (*fx a ~ in the waterpipe*); hindring (*to for*); trafikstandsning; **8.** (*psyk.*) blokering; **9.** (*typ.*) kliché;
□ *a ~ of shares* en aktiepost; *knock his ~ off* S slå hovedet ned i maven på ham;
[*med pl.*] *the -s* startblokkene; *put the -s on* sætte en stopper for; *two -s from here* (*am.*) to gader herfra; [*med præp*] *he lives* **around** *the ~* (*am.*) han bor henne om hjørnet; *he has been around the ~ (a few times)* (*am.*) han er en erfaren mand; han har prøvet lidt af hvert; ham kan man ikke løbe om hjørner med; **on** *the ~* **a.** (*am.*) på auktion, under hammeren; **b.** (*hist.*) på skafottet; *put one's head/neck on the ~* stikke snuden frem; vove pelsen; *go* **to** *the ~* **a.** (*am.: på auktion*) komme under hammeren; **b.** (*hist.*) bestige skafottet; (*se også chip*[1]).
block[2] [blɔk] *vb.* **1.** blokere, spærre (*fx the road*); **2.** (*rør, afløb*) stoppe; **3.** (*passage*) spærre for (*fx his exit*); **4.** (*bold, stød*) stoppe; **5.** (*fig.*) blokere for (*fx imports; his promotion; a proposal*); lægge hindringer i vejen for (*fx the plan*); forhindre (*fx the attempt*); **6.** (*it: tekst*) markere som blok;
□ *~ the light* spærre for lyset; *~ sby's view* spærre for ens udsigt/udsyn; *~ sby's way* spærre vejen for en;
[*med adv.*] *~* **in** (*især am.*) **a.** skitsere; **b.** indføje; **c.** (*med farve*) udfylde; **d.** (*hul etc.*) stoppe til; lukke; afspærre; **e.** (*ved parkering*) lukke/spærre inde; **f.** (*teat.*) arrangere; *~* **off a.** afspærre; stoppe til;

b. (*dør, vindue*) blænde; *~* **out a.** (*lys, udsigt*) spærre for; **b.** (*tanke, følelse*) lukke ude af sine tanker; lade være med at tænke på; fortrænge; **c.** (*am.*) gøre udkast til; skitsere; **d.** (*typ.*) afdække; *~* **up a.** blokere; **b.** (*bil*) klodse op; **c.** (*uden objekt*) blive blokeret, stoppe til (*fx the drain//my nose keeps -ing up*).
blockade[1] [blɔ'keid] *sb.* blokade; blokering;
□ *lift//run the ~* hæve//bryde blokaden.
blockade[2] [blɔ'keid] *vb.* blokere; etablere blokade mod.
blockage ['blɔkidʒ] *sb.* **1.** (*af rør etc.*) blokering, tilstopning; **2.** (*i rør etc.*) prop, spærring.
blockboard ['blɔkbɔːd] *sb.* (*blokklimet*) møbelplade.
block booking *sb.* [*samlet bestilling af et større antal billetter*].
blockbuster ['blɔkbʌstə] *sb.* **1.** (T: om bog, film) kæmpesucces; **2.** (*mil.*) karrébombe.
blockbusting ['blɔkbʌstiŋ] *adj.* (T: om bog, film) som er blevet en kæmpesucces.
block capitals *sb. pl.* blokbogstaver.
block diagram *sb.* blokdiagram.
block grant *sb.* bloktilskud.
blockhead ['blɔkhed] *sb.* T dumrian, tåbe.
blockhouse ['blɔkhaus] *sb.* **1.** (*mil.*) bunker; **2.** (*am., glds.*) blokhus.
blocking ['blɔkiŋ] *sb.* **1.** blokering; **2.** (*edb*) blokning; **3.** (*teat.*) arrangement.
blockish ['blɔkiʃ] *adj.* **1.** tung; klodset; **2.** (*om person*) dum; stædig.
block letters *sb. pl.* blokbogstaver.
block release *sb.* [*periodevis frihed til efteruddannelse*].
block vote *sb.* [*samlet stemmeafgivning på en gruppes vegne*].
bloke [bləuk] *sb.* T fyr, gut, ka'l.
blokeish ['bləukiʃ] *adj.* T maskulin, demonstrativt mandig.
blond [blɔnd] *adj.* **1.** blond, lyshåret; **2.** (*om hår*) lys.
blonde[1] [blɔnd] *sb.* blondine.
blonde[2] [blɔnd] *adj.* blond, lyshåret.
blood[1] [blʌd] *sb.* **1.** blod; **2.** (*om afstamning*) blod (*fx there is German ~ in his veins*); slægt, byrd (*fx of noble ~*); **3.** (*glds.* T) laps; flottenheimer;
□ *~ and guts* (*fx på film*) blodig vold; *his ~ was up* hans blod var kommet i kog; han var gal i hovedet; *new/fresh ~* (*fig.*) nyt/frisk blod; *young ~* **a.** nyt blod; **b.** se: ovf.: 3; (*se også bad*);

[*med vb.*] *it is like* **getting** *~ out of a stone* **a.** (*han vil ikke fortælle noget*) det er som at tale til en væg; **b.** (*han vil ikke ud med penge*) det er som at ville klippe hår af en skaldet; *it is like getting ~ out of a turnip* (*am.*) = *it is like getting ~ out of a stone*; *let ~* årelade; *it made his ~ boil* det bragte hans blod i kog; *it made my ~ freeze/run cold* det fik blodet til at stivne/fryse til is i mine årer; det fik det til at løbe mig koldt ned ad ryggen; *scent ~* (*fig.*) lugte blod; *shed/spill ~* udgyde blod; *taste ~* (*fig.*) få blod på tanden; (*se også stir*[2]);
[*med præp.*] *he is* **after** *your ~* han vil dig til livs; *related* **by** *~* blodsbeslægtet; *it is in their ~* det ligger dem i blodet; *in cold ~* med koldt blod; *they are out for/baying for ~* de vil se blod [ɔ: vil have nogen straffet].
blood[2] [blʌd] *vb.* **1.** (*jagthund*) lade smage blod for første gang; **2.** (*fig.*) lade få sine første erfaringer (*fx a young player*); (*soldater*) lade få kamperfaring.
blood alcohol level *sb.* (*svarer til*) spirituspromille.
blood-and-thunder [blʌdən'θʌndə] *adj.* melodramatisk, bloddryppende, rabalder- (*fx play; film*).
blood bank *sb.* blodbank.
bloodbath ['blʌdbɑːθ] *sb.* blodbad, massakre.
blood brother *sb.* edsbroder, blodsbroder.
blood count *sb.* (*med.*) blodtælling.
blood-curdling ['blʌdkəːdliŋ] *adj.* som får ens blod til at isne; hårrejsende, grufuld.
blood feud *sb.* blodfejde.
blood group *sb.* blodtype.
blood heat *sb.* normal legemstemperatur.
bloodhound ['blʌdhaund] *sb.* blodhund.
bloodied ['blʌdid] *adj.* blodig (*fx hands*); indsmurt i blod;
□ *be ~* **a.** få blod på sig; blive indsmurt i blod; **b.** (*fig.*) blive hårdt ramt (*by af*).
bloodless ['blʌdləs] *adj.* **1.** ublodig (*fx coup*); uden blodsudgydelse; **2.** (*om ansigt*) ligbleg; **3.** (*om person, adfærd*) kold, lidenskabsløs.
bloodletting ['blʌdletiŋ] *sb.* **1.** myrderi, blodsudgydelse; **2.** (*fig.*) bitter indbyrdes strid; bittert opgør; **3.** (*glds. med.*) åreladning.
bloodline ['blʌdlain] *sb.* afstamning, herkomst; slægtslinje.
blood lust *sb.* blodtørst; blodrus.
blood money *sb.* (*neds.*) **1.** (*erstat-*

ning) mandebod; **2.** (*betaling for mord*) blodpenge.

blood orange *sb.* blodappelsin.

blood poisoning *sb.* blodforgiftning.

blood pressure *sb.* blodtryk; □ *high* ~ for højt blodtryk; *low* ~ for lavt blodtryk.

blood-red [blʌd'red] *adj.* blodrød.

blood relation *sb.* kødelig slægtning; blodsbeslægtet.

blood sample *sb.* blodprøve.

bloodshed ['blʌdʃed] *sb.* blodsudgydelse.

bloodshot ['blʌdʃɔt] *adj.* blodskudt, blodsprængt (*fx eyes*).

blood sports *sb. pl.* jagt [*især rævejagt*].

bloodstain ['blʌdsteɪn] *sb.* blodplet.

bloodstained ['blʌdsteɪnd] *adj.* blodig; blodplettet.

bloodstock ['blʌdstɔk] *sb.* fuldblodsheste; raceheste.

bloodstone ['blʌdstəʊn] *sb.* (*min.*) blodsten, hæmatit.

bloodstream ['blʌdstriːm] *sb.* blodstrøm, blodcirkulation; □ *directly into the* ~ direkte ind i blodet.

bloodsucker ['blʌdsʌkə] *sb.* **1.** (*zo.*) blodsuger; **2.** (T: *fig.*) snylter.

blood test *sb.* blodprøve.

bloodthirsty ['blʌdθəːsti] *adj.* blodtørstig.

blood type *sb.* (*især am.*) blodtype.

blood vessel *sb.* blodkar; □ *burst a* ~ sprænge et blodkar; *don't burst a* ~*!* (*spøg.*) hids dig ned!

bloody[1] ['blʌdi] *adj.* **1.** blodig (*fx battle*); **2.** (S: *som ed*) fandens, satans, helvedes (*fx a* ~ *nuisance*); sateme; skide- (*fx* ~ *good*); **3.** (*forstærkende; også adv.*) faneme (*fx he is a* ~ *genius* han er faneme et geni; *it is* ~ *awful/marvellous* det er faneme rædselsfuldt/pragtfuldt); □ ~ *fool* kraftidiot; ~ *hell!* satans også! *what the* ~ *hell* ... hvad satan ....

bloody[2] ['blʌdi] *vb.* (se også *bloodied*) gøre blodig; slå til blods (*fx he fell and bloodied his knee*); □ ~ *his nose* **a.** give ham en blodtud; **b.** (*fig.*) give ham en ordentlig en over snuden; **c.** (*i konkurrence*) nedgøre ham, jorde ham.

bloody-minded [blʌdi'maɪndid] *adj.* T kontrær, genstridig; stædig.

bloody murder *sb.* (*am.*) = *blue murder*.

bloody nose *sb.* blodtud; □ *give him a* ~ se *bloody*[2] (*bloody his nose*).

bloom[1] [bluːm] *sb.* **1.** (*især litt.*) blomst; **2.** (*tid*) blomstring; **3.** (*om hud*) rødme; glød; (*også om person*) friskhed (*fx youthful* ~); **4.** (*på druer, blommer etc.*: voksagtigt overtræk) dug; **5.** (*fx af alger*) opblomstring; pludselig vækst; **6.** (*tekn.*: *af jern*) blok; □ *be in* ~ blomstre; *be in full* ~ stå i fuldt flor; *in the* ~ *of youth* (*litt.*) i ungdommens vår; *come into* ~ springe ud; *the* ~ *of health* (*litt.*) sundhedens roser; *the* ~ *is off the rose* (*am.*) glansen er gået af det.

bloom[2] [bluːm] *vb.* **1.** blomstre; **2.** (*fig.*) blomstre op.

bloomer ['bluːmə] *sb.* **1.** (*glds.* T) bommert; **2.** [*slags franskbrød*]; □ *be a late* ~ **a.** (*om plante*) blomstre sent; **b.** (*om person*) være sent udviklet.

bloomers ['bluːməz] *sb. pl.* **1.** (*glds.*) vide dameunderbukser; **2.** (*hist.*) mamelukker.

blooming ['bluːmɪŋ] *adj.* **1.** pokkers; **2.** (*om person*) blomstrende; □ *in* ~ *health* (*jf.* 2) struttende af sundhed; *it's a* ~ *shame* (*jf.* 1) det er sgu' en skam.

Bloomsbury ['bluːmzb(ə)ri] [*kvarter i London*].

Bloomsbury Group *sb.* [*kreds af forfattere der samlede sig om Virginia Woolf i Bloomsbury*].

blooper ['bluːpə] *sb.* (*am.* T) fejl, bommert.

blossom[1] ['blɔs(ə)m] *sb.* (*især om frugttræ*) blomst; □ *be in* ~ være i blomst, blomstre; *come into* ~ springe ud.

blossom[2] ['blɔs(ə)m] *vb.* **1.** (*især om frugttræ*) blomstre; **2.** (*fig.*) blomstre; blomstre op; folde sig ud; □ ~ *into* udvikle sig til; ~ *out* se:

blot[1] [blɔt] *sb.* **1.** klat (*fx an ink* ~); **2.** (*fig.*) plet (*on* på, *fx his reputation*); skamplet; □ *it is a* ~ *on the landscape* det pynter absolut ikke i landskabet; det er en skændsel.

blot[2] [blɔt] *vb.* **1.** trykke af med trækpapir (*fx a page*); duppe (*fx excess lipstick*); **2.** (*snavse til*) klatte; plette; **3.** (*fig.*) sætte en plet på; (se også *copybook*[1]); □ ~ *out* **a.** spærre for, skjule (*fx the sun*); **b.** male over; smøre over med blæk; **c.** (*af hukommelsen*) fortrænge; glemme.

blotch [blɔtʃ] *sb.* plet; skjold.

blotched [blɔtʃt], **blotchy** ['blɔtʃi] *adj.* plettet; skjoldet.

blotter ['blɔtə] *sb.* **1.** skriveunderlag; stykke trækpapir; **2.** (*am.*)

(*politi*)rapportbog.

blotting pad *sb.* skriveunderlag.

blotting paper *sb.* trækpapir.

blotto ['blɔtəu] *adj.* (*glds.* S) kanonfuld; døddrukken.

blouse [blauz] *sb.* bluse.

blouson ['bluːzɔn] *sb.* blouson.

blow[1] [bləu] *sb.* **1.** slag; (*i boksning også*) stød; **2.** (*fig.*) slag (*to* for, *fx it came as a terrible* ~ *to him*); **3.** (*i fløjte etc.*) stød (*on* i); **4.** (*om vind*) blæst; pust; □ [*med vb.*] *cushion the* ~ **a.** afbøde slaget; **b.** (*fig.*) afbøde virkningen; gøre det mindre hårdt; *get a* ~ *in* få sat et stød ind; få placeret et stød; *get a* ~ *in for* (*fig.*) få slået et slag for; *give one's nose a good* ~, *have a good* ~ pudse næsen grundigt; *soften the* ~ **a.** se ovf.: *cushion the* ~; **b.** (*om trist meddelelse*) fortælle det skånsomt; *strike a* ~ *at* 'slå efter; rette et slag mod; *strike a* ~ *for* slå et slag for; (se også *deal*[3], *deliver*, *exchange*[2], *stop*[2]); [*med præp.*] *at a* ~ med ét slag; *in full* ~ (*glds.*) i fuldt flor; *come/fall to* -*s* komme i slagsmål, komme op at slås; *without a* ~ uden sværdslag.

blow[2] [bləu] *vb.* (*blew*, *blown*) (se også *blown*[2]) **A.** (*uden objekt*) **1.** blæse; **2.** (*med munden*) puste (*fx he took a deep breath and blew*); **3.** (*om fløjte etc.*) lyde (*fx the whistle blew*; *the siren blew*); **4.** (*om elektrisk prop*; *om dæk etc.*) springe; **5.** T stikke af; **6.** (T: *spille musik*) trykke den af; **7.** (*glds. el. litt.*: *om plante*) springe ud; blomstre; **B.** (*med objekt*) **1.** (*om vinden*) blæse (*fx the gale blew down a TV aerial*); **2.** (*med munden*) puste (*fx the dust off the book*); blæse (*fx smoke rings*; *bubbles*); puste på; **3.** (*instrument*) blæse på//i (*fx a trumpet*; *a whistle*); støde i; **4.** (*om eksplosion*) sprænge; **5.** (T: *om penge*) brænde af, lade ryge (*fx he blew the whole sum on a dinner*); **6.** (S: *om chance*) spolere, ødelægge; **7.** (*am.* S) komme væk fra; **8.** (*vulg.*: *seksuelt*) slikke af, sutte af; □ ~ (*it*)! så for pokker! *they blew it* de spolerede chancen; de ødelagde det hele; *well, I'll be* -*ed!*, ~ *me!* (*glds.* T) det var som pokker! ~ *the expense, expense be* -*ed* blæse være med udgifterne; *oh* ~ *that!* blæse være med det! ~ *a tyre* punktere; (se også *cover*[1], *fuse*[1], *gasket*, *hot*[1], *kiss*[1], *lid*,

mind[1], *nose[1]*, *raspberry*, *top[1]*, *trumpet[1]*, *whistle[1]*);
[*med præp., adv.*] ~ *apart*
a. sprænge i stykker; **b.** (*fig.: idé etc.*) skyde ned; ~ *away* **a.** blæse væk (*fx his hat blew away; the wind blew it away*); **b.** (*ved eksplosion*) sprænge bort; **c.** (*am.* T) overvælde; **d.** (*am.* T: *besejre*) slå eftertrykkeligt, jorde; **e.** (*am.* S) plaffe ned;
~ *in* T falde ind, kigge indenfor; komme dumpende;
~ *off* **a.** se ovf.: ~ *away*; **b.** (T: *spøg., vulg.*) slå en skid, skyde med skarpt; **c.** (*am.* T) aflyse; **d.** (*am.* T) lade hånt om; ignorere; (se også *steam[1]*);
~ *out* **a.** blæse ud; puste ud (*fx a candle*); **b.** (*om dæk etc.*) punktere; springe; **c.** (*person: skuffe*) brænde af; **d.** (*am.* S) slå, jorde; ~ *oneself out* puste sig op; *the gale blew itself out* stormen lagde sig; *the storm blew itself out* uvejret drev over; ~ *out one's brains* skyde sig en kugle for panden;
~ *over* **a.** (*om uvejr*) drive over; **b.** (*om krise etc.*) drive/gå over; fortage sig; høre op; **c.** (*ved vindens kraft*) blæse ned, vælte (*fx our tent blew over; the wind blew our tent over*);
~ *up* **a.** (*også fig.: af raseri*) eksplodere, springe/ryge i luften; **b.** (*om krise etc.*) opstå, bryde løs; **c.** (*med objekt*) sprænge (i luften); **d.** (*cykelslange etc.*) pumpe op; (*med munden*) puste op (*fx a balloon*); **e.** (*foto.*) opkopiere; forstørre; **f.** (*fig.*) puste op, overdrive, gøre for meget ud af (*fx a problem*); (se også *proportion*); **g.** T fare i flint; eksplodere af raseri; *a storm blew up* det trak sammen til uvejr; ~ *up in one's face* (*om planer etc.*) ryge i luften.
blow-by-blow [bləubai'bləu] *adj.*: *give a* ~ *account of sth* T fortælle/skildre noget i alle enkelheder/til mindste detalje.
blow-dry ['bləudrai] *vb.* føntørre.
blow-dryer ['bləudraiə] *sb.* føntørrer.
blower ['bləuə] *sb.* **1.** blæser; ventilator; **2.** (*glds.* T) telefon.
blowfly ['bləuflai] *sb.* (*zo.*) spyflue.
blowgun ['bləugʌn] *sb.* pusterør.
blowhard ['bləuha:d] *sb.* T pralhals; skryder.
blowhole ['bləuhəul] *sb.* **1.** lufthul; **2.** (*hvals*) blæsehul; **3.** (*i isen*) åndehul; fiskehul.
blow job *sb.* (*vulg.*) afslikning, afsutning; oralsex.
blowlamp ['bləulæmp] *sb.* blæse-

lampe.
blown[1] [bləun] *præt. ptc. af blow[2].*
blown[2] [bləun] *adj.* **1.** forpustet; **2.** (*om blomst*) helt udsprunget.
blown upon *adj.* **1.** belagt med spy; flueplettet; **2.** (*fig.*) plettet; besudlet.
blow-out ['bləuaut] *sb.* **1.** T ædegilde; **2.** (*af dæk etc.*) punktering; **3.** (*af sikring*) sprængning; **4.** (*af olie, gas*) udblæsning; **5.** (*am.* T) let sejr.
blowpipe ['bləupaip] *sb.* **1.** (*våben*) pusterør; **2.** (*ved lodning*) loddepistol; **3.** (*til glas*) glasblæserpibe, glaspusterrør.
blowsy ['blauzi] *adj.* = *blowzy.*
blowtorch ['bləutɔ:tʃ] *sb.* (*am.*) blæselampe.
blow-up ['bləuʌp] *sb.* **1.** (*foto.*) forstørrelse; **2.** T raserianfald, eksplosion; **3.** T voldsomt skænderi.
blowy ['bləui] *adj.* T blæsende.
blowzy ['blauzi] *adj.* (*om kvinde*) tyk og grov; rødblisset; uordentlig; sjusket klædt.
BLT *fork. f. bacon, lettuce and tomato sandwich.*
blub *vb.* tude, flæbe.
blubber[1] ['blʌbə] *sb.* hvalspæk.
blubber[2] ['blʌbə] *vb.* T tudbrøle, flæbe; hulke.
bludge [blʌdʒ] *vb.* (*austr.*) nasse sig til; bomme.
bludgeon[1] ['blʌdʒ(ə)n] *sb.* knippel.
bludgeon[2] ['blʌdʒ(ə)n] *vb.* slå med en knippel; banke, tæske; □ ~ *sby into + -ing* (*fig.*) tvinge en til at.
blue[1] [blu:] *sb.* **1.** (*farve*) blåt; blå farve; **2.** (*ved Oxford//Cambridge*) [*en der har repræsenteret universitetet ved en sportskamp*]; □ *-s* (*i jazzmusik*) blues; *the -s* tungsindighed; dårligt humør; *out of the* ~ ganske uventet; som et lyn fra en klar himmel; (se også *bolt[1]*).
blue[2] [blu:] *adj.* **1.** blå; **2.** (T: *om stemning*) nedtrykt, trist, melankolsk; **3.** (T: *om film, bog etc., især glds.*) uartig, sjofel; pornografisk; **4.** (T: *pol.*) konservativ, tilhørende torypartiet;
□ ~ *in the face* se *face[1]*; *once in a* ~ *moon* en sjælden gang; så godt som aldrig; (se også *blue book, blue cheese* (*etc. på alfabetisk plads*) *funk*).
blue[3] [blu:] *vb.* gøre blå; blåne.
blue baby *sb.* blåt barn.
Bluebeard ['blu:biəd] (*i eventyr*) blåskæg.
bluebell ['blu:bel] *sb.* (*bot.*) **1.** klokkehyacint; **2.** (*skotsk*) blåklokke.
blueberry ['blu:b(ə)ri] *sb.* (*bot.*) blå-

bær.
bluebird ['blu:bə:d] *sb.* (*zo.*) hyttesanger.
blue-blooded ['blu:blʌdid] *adj.* adelig, som har blåt blod i årerne.
blue book *sb.* **1.** (*officiel beretning*) blåbog; **2.** (*am.*) brugtbilskatalog; **3.** (*am.: ved eksamen*) eksamenshæfte; **4.** (*am.: over fremtrædende offentlige personer*) blå bog.
bluebottle ['blu:bɔtl] *sb.* **1.** (*zo.*) spyflue; **2.** (*bot.*) kornblomst.
blue cheese *sb.* blåskimmelost.
blue chip *sb.* sikkert (børs)papir.
blue-chip [blu:'tʃip] *adj.* førsteklasses.
blue collar workers *sb. pl.* (*fabriks*)arbejdere [*mods. funktionærer*].
blue-eyed boy [blu:'aid'bɔi] *sb.* (T: *neds.*) yndling, kæledægge; protegé.
bluefish ['blu:fiʃ] *sb.* (*zo.*) pomatomide; blåbars.
blue funk *sb.* se *blue[2].*
bluegrass ['blu:gra:s] *sb.* **1.** rapgræs; **2.** (*am.*) bluegrass [*art folkemusik*].
blue gum *sb.* (*bot.*) febernelliketræ.
blue helmet *sb.* FN-soldat.
bluejacket ['blu:dʒækit] *sb.* T sømand [*i flåden*].
bluejay ['blu:dʒei] *sb.* (*am. zo.*) blåskade.
blue murder *sb.: cry/scream/ shout/yell* ~ *skrige op; hyle og skrige; råbe gevalt.*
bluenose ['blu:nəuz] *sb.* (*am.*) **1.** streng moralist; **2.** person fra Nova Scotia.
blue pages *sb. pl.* (*am.: i telefonbog*) [*sider med numre på offentlige myndigheder*].
blue-pencil [blu:'pens(ə)l] *vb.* stryge, slette.
Blue Peter *sb.* (*mar.*) blå Peter; afsejlingsflag.
blueprint ['blu:print] *sb.* **1.** blåtryk; lystryk; **2.** (*fig.*) (gennemarbejdet) plan; rettesnor.
blue riband *sb.* = *blue ribbon.*
blue ribbon *sb.* blåt bånd [*tegn for hosebåndsordenen; højeste udmærkelse på et el. andet område; førstepræmie*].
blue-ribbon [blu:'ribən] *adj.* (*am.*) udsøgt; af højeste kvalitet.
blue rinse *sb.* blåskylning [*til gråt hår*].
blue-rinse [blu:'rins] *adj.* (*om ældre dame*) med blåskyllet hår; borgerlig, konservativ.
blues [blu:z] *sb. pl.* se *blue[1].*
blue shark *sb.* (*zo.*) blåhaj.
blue-sky [blu:'skai] *adj.* **1.** frit i luften svævende; rent teoretisk;

2. (*merk.*) usikker.
bluestocking ['blu:stɔkiŋ] *sb.* (*glds.*) blåstrømpe [*kvindelig intellektuel*].
bluestone ['blu:stəun] *sb.* blåsten; kobbervitriol.
blue streak *sb.*: *like a ~* (*am.* S) i rasende fart; deruda'.
bluesy ['blu:zi] *adj.* (*mus.*) bluesagtig.
bluethroat ['blu:θrəut] *sb.* (*zo.*) blåhals.
blue tit *sb.* (*zo.*) blåmejse.
bluff¹ [blʌf] *sb.* **1.** bluff; fup, svindel; **2.** (*ved kyst*) skrænt, klint, brink;
□ *call his ~* afsløre hans bluffnummer; vise at han bluffer.
bluff² [blʌf] *adj.* **1.** (*om person*) djærv, bramfri; barsk; **2.** (*om skrænt; om skibsstævn*) bred og stejl.
bluff³ [blʌf] *vb.* bluffe; narre, snyde;
□ *~ it out* redde sig ud af det ved bluff.
bluff-bowed ['blʌfbaud] *adj.* (*mar.*) bredbovet.
bluish ['blu(:)iʃ] *adj.* blålig.
blunder¹ ['blʌndə] *sb.* bommert, brøler.
blunder² ['blʌndə] *vb.* (se også *blundering*) **1.** lave en brøler; dumme sig; **2.** (*om gang*) tumle;
□ *~ along* famle sig frem; tumle af sted; *~ into* **a.** tumle imod (*fx a table*); buse ind i; **b.** forvilde sig ind i (*fx enemy territory*); **c.** rode sig ind/ud i (*fx war*); *~ out* buse ud med; *~ through* klare sig igennem på bedste beskub.
blunderbuss ['blʌndəbʌs] *sb.* **1.** (*glds. gevær*) muskedonner; **2.** (*am.*) klodrian.
blunderer ['blʌndərə] *sb.* klodrian.
blundering ['blʌndəriŋ] *adj.* klodset.
blunt¹ [blʌnt] *adj.* **1.** (*om kniv etc.*) sløv; **2.** (*mods. spids*) stump; **3.** (*om person*) ligefrem; brysk, studs.
blunt² [blʌnt] *vb.* sløve; dæmpe (*fx his enthusiasm*).
bluntly ['blʌntli] *adv.* (*om udtryksform*) ligefremt, rent ud, uden omsvøb;
□ *to put it ~* for at sige det rent ud/lige ud; rent ud sagt.
blur¹ [blə:] *sb.* **1.** tåge; uklarhed; **2.** sløret plet, klat (*fx his face was a ~*).
blur² [blə:] *vb.* (se også *blurred*) **1.** (*om det man ser, om blik, om minde*) blive uklar; sløres; udviskes; **2.** (*om farve*) løbe ud (*fx the ink had -red*); løbe sammen;

3. (*med objekt*) sløre; udviske (*fx the distinction//difference between ...*); **4.** (*farve etc.*) tvære ud.
blurb [blə:b] *sb.* **1.** reklametekst; **2.** (*på bog*) klaptekst; bagsidetekst.
blurred [blə:d] *adj.* **1.** uklar, uskarp; sløret, udvisket; **2.** (*skillelinje, grænse*) udvisket, udflydende, diffus; **3.** (*foto.*) uskarp.
blurt [blə:t] *vb.*: *~ out* buse ud med; *he -ed out the question* spørgsmålet røg ham ud af munden.
blush¹ [blʌʃ] *sb.* rødme; rødmen;
□ *at first ~* ved første øjekast; *save/spare sby's -es* ikke ville sætte en i forlegenhed, dække over en, skåne en; *spare my -es!* (*sagt når man bliver rost*) du gør mig helt flov! skån mig!
blush² [blʌʃ] *vb.* rødme; blive rød; (se også *scarlet²*).
blusher ['blʌʃə] *sb.* (*kosmetik*) rouge.
bluster¹ ['blʌstə] *sb.* **1.** råben op, kæften op; **2.** brovten; **3.** trusler.
bluster² ['blʌstə] *vb.* **1.** buldre; råbe op, bralre op; **2.** brovte; **3.** true; **4.** (*om vind, bølger*) bruse; suse.
blusterer ['blʌstərə] *sb.* bulderbasse.
blustering ['blʌstəriŋ] *adj.* **1.** som råber op, højrøstet; (*pralende*) brovtende; **2.** (*om vejr*) se *blustery*.
blustery ['blʌstəri] *adj.* stormfuld.
Blu-Tack® *sb.* [*plastisk masse til at klæbe ting op på væg med*].
Blvd *fork. f.* Boulevard.
BMA *fork. f.* British Medical Association.
BMI *fork. f. body mass index.*
BMX *fork. f.* **1.** *bicycle motocross* cykelcross; **2.** motocrosscykel.
bn *fork. f.* billion.
BO *fork. f. body odour.*
bo [bəu] *interj.* se *boo³*.
boa ['bəuə] *sb.* **1.** (*zo.*) = *boa constrictor*; **2.** (*krave*) feather boa.
boa constrictor ['bəuəkənstriktə] *sb.* (*zo.*) kongeboa.
boak *vb.* se *boke*.
boar [bɔ:] *sb.* (*zo.*) **1.** vildsvin; **2.** orne.
board¹ [bɔ:d] *sb.* (se også *boards*) **1.** bræt (*fx nail a ~ across the window; chess ~; surf ~*); **2.** (*materiale, fx bogb.*) pap; **3.** (*personer*) bestyrelse; kommission; råd; **4.** (*til meddelelser*) opslagstavle; **5.** (*til udspring*) vippe; **6.** (*side af bogbind*) perm (*fx front ~; back ~*); **7.** (*it*) printplade; **8.** (*radio.*) kontrolbord; **9.** (*for logerende etc.*) kost, pension;

□ *~ and lodging* kost og logi; *~ of directors* (*i aktieselskab*) bestyrelse; *sweep the ~* vinde det hele; stryge hele gevinsten;
[*med præp.*] *above ~* regulært; åbent og ærligt; *across the ~* over hele linjen, generelt, over en bank; *go by the ~* **a.** ryge i vasken, blive opgivet; **b.** (*glds. mar.*) falde over bord; *on ~* om bord; *take on ~* T **a.** overveje, tage i betragtning (*fx their opinion*); **b.** acceptere (*fx a proposal*); **c.** forstå (*fx a message*); **d.** tage ansvaret for, tage hånd om (*fx a problem*); påtage sig (*fx a job; responsibility*); **e.** (*mar.*) tage om bord.
board² [bɔ:d] *vb.* **1.** (*skib, fly*) gå om bord i; (*tog, fly*) stige op i; **2.** (*mar.: fjendtligt skib*) entre, borde; **3.** (*elev, studerende etc.*) have på kost; **4.** (*uden objekt: på kostskole*) bo (og få kost) (*at the school på skolen*);
□ *the flight is -ing* ombordstigning er begyndt;
[*med præp.& adv.*] *~ out* sætte i pleje; *~ over/up* (*fx vindue*) blænde; slå brædder for; *~ with* være på kost hos; være i pension hos.
boarder ['bɔ:də] *sb.* **1.** pensionær, logerende; **2.** kostelev; **3.** (*mar.*) entregast.
board exam *sb.* (*am.*) **1.** officiel eksamen [*for at få ret til at praktisere*]; **2.** (*til universitet*) adgangsprøve.
board game *sb.* brætspil.
boarding ['bɔ:diŋ] *sb.* **1.** (*i byggeri*) brædder; bræddebeklædning; **2.** (*i skib, fly*) ombordstigning; (*i tog*) indstigning; **3.** (*om elev*) det at være i kost, indlogering.
boarding card *sb.* (*flyv.*) boardingkort, boardingpas.
boarding house *sb.* pensionat.
boarding kennel *sb.* hundepension.
boarding pass *sb.* (*flyv.*) se *boarding card*.
boarding school *sb.* kostskole.
boardroom ['bɔ:dru:m, -rum] *sb.* direktionskontor.
boards [bɔ:dz] *sb. pl.* (*i byggeri*) brædder;
□ *in ~* (*bogb.*) i papbind; *the ~* **a.** (*teat.*) de skrå brædder; **b.** (*i ishockey*) banden; *tread/walk the ~* (*teat.*) optræde på de skrå brædder/på scenen.
boardwalk ['bɔ:dwɔ:k] *sb.* (*am.*) **1.** strandpromenade [*af brædder*]; **2.** (*fx over blød grund*) gangbro.
boast¹ [bəust] *sb.* praleri;
□ *it wasn't an idle/empty ~* det

var ikke tomt praleri; *it is their proud ~ that ... det er deres stolthed at ....*

boast² [bəust] *vb.* **1.** prale (*about/of* af/med; *that* af at/med at); **2.** (*om noget man er stolt af*) kunne rose sig af (at have) (*fx the town -s a new library*); kunne prale af/opvise.

boaster ['bəustə] *sb.* pralhans, pralhals.

boastful ['bəustf(u)l] *adj.* pralende, brovtende.

boat [bəut] *sb.* **1.** båd; **2.** skib; (se også *gravy boat*);

□ *burn one's -s* (*fig.*) brænde sine skibe; *miss the ~* (*fig.*) forspilde sin chance; forpasse lejligheden; *we have missed the ~* (*også*) toget er kørt; *push the ~ out* (*fig.*) flotte sig, øse penge ud; holde stor fest; *rock the ~* **a.** vippe med båden; **b.** (*fig.* T) forstyrre freden; skabe uro; lave brok i foretagendet.

boat drill *sb.* (*mar.*) redningsøvelse.

boater ['bəutə] *sb.* (flad) stråhat.

boathook ['bəuthuk] *sb.* bådshage.

boathouse ['bəuthaus] *sb.* bådehus, bådeskur.

boating ['bəutiŋ] *sb.* **1.** sejlads; **2.** roning;

□ *go ~* tage ud at sejle//ro.

boatload ['bəutləud] *sb.* **1.** skibsladning; **2.** (*af mennesker*) bådfuld; **3.** (T: *fig.*) hoben, mængde.

boatman ['bəutmən] *sb.* (*pl. -men* [-mən]) **1.** bådfører; færgemand; **2.** bådudlejer.

boat people *sb. pl.* bådflygtninge.

boat race *sb.* kaproning;

□ *the Boat Race* [*årlig kaproning mellem universiteterne i Oxford og Cambridge*].

boatswain ['bəusn] *sb.* (*mar.*) bådsmand.

boat train *sb.* bådtog [*tog der har forbindelse med skib*].

boatyard ['bəutja:d] *sb.* bådeværft.

Bob [bɔb] [*kælenavn for Robert*];

□ *-'s your uncle!* T alt i orden! så er den klaret! så er den hjemme!

bob¹ [bɔb] *sb.* **1.** ryk; **2.** (*med hovedet*) nik; **3.** (*nejen*) kniks; **4.** (*frisure*) bobbet hår; **5.** (*til pendul, lodline*) lod; **6.** ((*pl. bob*); glds. T) shilling [*som svarer til 5 pence*].

bob² [bɔb] *vb.* **1.** bevæge sig//dukke op og ned; hoppe; **2.** (*om nejen*) knikse; **3.** (*med objekt*) rykke op og ned; **4.** (*hår*) klippe kort, bobbe;

□ *~ one's head* nikke; [*med præp.& adv.*] *~ down* dukke ned; *~ for eels* tatte ål; *~ up* dukke op; *~ up and down* **a.** be-

væge sig/dukke/hoppe op og ned; **b.** (*om båd*) vippe (op og ned), vugge.

bobbed [bɔbd] *adj.* (*om hår*) bobbet; kortklippet; pageklippet.

bobbin ['bɔbin] *sb.* **1.** spole; rulle; **2.** (*til knipling*) kniplepind.

bobble¹ ['bɔbl] *sb.* **1.** lille pompon; kvast; **2.** (*am.* T) smutter, kikser.

bobble² ['bɔbl] *vb.* **1.** (*am.* T) kludre med; forkludre; **2.** (*i sport*) kikse.

bobble hat *sb.* strikket hue med kvast.

Bobby ['bɔbi] [*kælenavn for Robert*].

bobby ['bɔbi] *sb.* (*glds.* T) politibetjent.

bobby pin *sb.* (*am.*) hårklemme.

bobby socks, bobby sox *sb. pl.* (*am.*) ankelsokker.

bobcat ['bɔbkæt] *sb.* (*zo.*) rødlos.

bobolink ['bɔbəliŋk] *sb.* (*zo.; am.*) risstær.

bobskate ['bɔbskeit] *sb.* skøjte med to jern [*til børn*].

bobsled ['bɔbsled] *sb.* (*am.*) = *bobsleigh*.

bobsleigh ['bɔbslei] *sb.* bobslæde.

bobtail ['bɔbteil] *sb.* **1.** kuperet hale; **2.** hest//hund med kuperet hale; (se også *ragtag*).

bobwhite ['bɔbwait] *sb.* (*am. zo.*) trævagtel; virginsk vagtel.

Boche [bɔʃ] *sb.* (*glds.* S) tysk soldat, tysker.

bod [bɔd] *sb.* T **1.** fyr, gut, stodder; **2.** (*am.*) krop.

bodacious [bou'deiʃəs] *adj.* (*am.* T) formidabel.

bode [bəud] *vb.*: *it -s ill* det varsler ilde; det lover ikke godt; *it -s well* det lover godt; det tegner godt.

bodega [bɔ'deigə] *sb.* (*am.*) (spansk) fødevarebutik.

bodge [bɔdʒ] *vb.* T forkludre.

bodice ['bɔdis] *sb.* **1.** kjoleliv; **2.** (*undertøj*) underliv.

bodice-ripper ['bɔdisripə] *sb.* T [*erotisk romantisk fortælling fra gamle dage*].

bodily¹ ['bɔdili] *adj.* legemlig; fysisk (*fx needs*); legems- (*fx fluids; functions*).

bodily² ['bɔdili] *adv.* **1.** i ét stykke; samlet; fuldstændigt; **2.** korporligt.

bodily harm *sb.* legemsbeskadigelse; (se også *grievous bodily harm*).

bodkin ['bɔdkin] *sb.* **1.** trækkenål; **2.** (*typ.*) ål [*syllignende værktøj*].

Bodleian [bɔd'liən] *adj.*: *the ~ Library* [*det største bibliotek i Oxford*].

body¹ ['bɔdi] *sb.* **A. 1.** legeme; (se *foreign body, heavenly body*);

2. (*af menneske*) legeme; krop; (*død*) lig; **3.** (*personer*) gruppe; forsamling (*fx legislative ~; representative*); korps; (*i organisation etc.*) organ (*fx advisory ~; decision-making bodies* besluttende organer); institution; **4.** (*af ting, oplysninger etc.*) (samlet) masse; samling (*fx a large ~ of data//information*); (se også ndf.: *~ of*);
B. (*om den vigtigste del*) **1.** hovedpart; hoveddel; hovedmasse; **2.** (*af træ*) stamme; **3.** (*af skib*) skrog; **4.** (*af fly*) krop; **5.** (*af vogn*) fading; **6.** (*af bil*) karosseri; **7.** (*af bog, dukument*) tekst [*mods. appendiks, tillæg etc.*]; **8.** (*typ.*) kegle; **9.** (*tekn.: af hane, ventil*) hus; **10.** (*af kjole*) (kjole)liv; **11.** (*til porcelæn*) (porcelæns)masse; (*om keramik*) skærv [*mods. glasur*];
C. (*om egenskab*) **1.** stof; substans; **2.** (*om materiale*) tæthed; **3.** (*om farve*) dækkeevne; **4.** (*om vin; om hår*) fylde, fyldighed;

□ *a ~* (*skotsk*) man; en; nogen; *~ and soul* **a.** sjæl og legeme;
b. (*adv.*) helt og holdent; med liv og sjæl; *just keep ~ and soul together* lige akkurat opretholde livet; hutle sig igennem; *only enough to keep ~ and soul together* (*også*) lige nok til dagen og vejen;
[*med: of*] *~ of evidence* bevismateriale; *~ of laws* lovsamling; *~ of water* vandområde; *~ of troops* troppestyrke;
[*med præp.*] *in a ~* samlet; i samlet flok; i sluttet trop; *in the ~ of ... inde i selve ...; heir of the ~* livsarving; *over my dead ~!* det bliver over mit lig!

body² ['bɔdi] *vb.*: *~ forth* legemliggøre; forme.

body armour *sb.* skudsikker vest.

body art *sb.* **1.** kropsbårne smykker; **2.** kunstnerisk kropsmaling.

body bag *sb.* (*mil.*) ligpose.

body blow *sb.* **1.** (*i boksning*) træffer; hårdt stød; **2.** (*fig.*) hårdt slag (*to/for* for); skud for boven.

body builder *sb.* **1.** bodybuilder; **2.** karrosserimager.

body-check ['bɔditʃek] *vb.* (*i ishockey*) tackle med kroppen.

body clock *sb.* indre ur; biologisk ur.

body colour *sb.* dækfarve; grundfarve; dominerende farve.

body count *sb.* tabstal.

body factory *sb.* karrosserifabrik.

bodyguard ['bɔdiga:d] *sb.* livvagt.

body language *sb.* kropssprog.

body odour *sb.* kropslugt; svedlugt; armsved.

body politic *sb.* F stat; statslegeme.
body search *sb.* kropsvisitation.
body shop *sb.* karrosseriværksted; pladesmed.
body stocking *sb.* bodystocking; (*omtr.*) trikot.
bodysuit [ˈbɔdisuːt] *sb.* [*tætsiddende (gymnastik)dragt*]; (*omtr.*) trikot.
body text *sb.* (*typ.*) brødtekst.
body type *sb.* (*typ.*) brødskrift; ordinær.
bodywork [ˈbɔdiwəːk] *sb.* karrosseri.
Boer [ˈbəuə, buə, bɔː] *sb.* boer [*i Sydafrika*].
boerewors [ˈbuːrəvɔs] *sb.* (*sydafr.*) pølse.
boff [bɔf] *vb.* (*am.* T) bolle med, knalde.
boffin [ˈbɔfin] *sb.* T ekspert; videnskabsmand, forsker.
bog[1] [bɔg] *sb.* **1.** mose; sump; **2.** T lokum.
bog[2] [bɔg] *vb.*: ~ *down, be -ged down* gå i stå (*fx work//the attack -ged down*); køre fast.
bog asphodel *sb.* (*bot.*) benbræk.
bogbean [ˈbɔgbiːn] *sb.* (*bot.*) bukkeblad.
bogey [ˈbəugi] *sb.* **1.** skræmmebillede; **2.** (T: *i næsen*) bussemand; **3.** (*i golf*) én over par; □ *the* ~ *of inflation* inflationsspøgelset.
bog-eyed [ˈbɔgaid] *adj.* tung i hovedet; sløj; klatøjet.
boggle [ˈbɔgl] *vb.* blive forfærdet; □ ~ *at* stejle over; vige tilbage for; trykke sig ved; *the mind -s* det svimler for én.
boggy [ˈbɔgi] *adj.* sumpet.
bogie [ˈbəugi] *sb.* (*jernb.*) bogie, understel.
bog iron ore *sb.* myremalm.
bog myrtle *sb.* (*bot.*) pors.
bog oak *sb.* moseeg.
bog roll *sb.* T rulle toiletpapir, lokumsrulle.
bog standard *adj.* (T: *neds.*) ordinær, banal.
bogtrotter [ˈbɔgtrɔtə] *sb.* (*neds.*) irer.
bogus [ˈbəugəs] *adj.* uægte, falsk; forloren; humbug(s)-.
Bohemia [bə(u)ˈhiːmiə] (*geogr.*) Bøhmen.
Bohemian[1] [bə(u)ˈhiːmiən] *sb.* (*geogr.*) bøhmer.
Bohemian[2] [bəˈhiːmiən] *adj.* **1.** (*geogr.*) bøhmisk; **2.** (*kunstnerisk etc.*) bohemeagtig.

bohemian[1] [bə(u)ˈhiːmiən] *sb.* boheme.
bohemian[2] [bə(u)ˈhiːmiən] *sb.* bohemeagtig.
bohemianism [bəˈhiːmiənizm] *sb.* bohemeliv.
boil[1] [bɔil] *sb.* **1.** (jf. *boil*[2]) kog; **2.** (*med.*) byld; □ *go off the* ~ **a.** gå af kog; **b.** (*fig.*) kølnes; tabe interessen; **c.** (*i sport*) falde af på den; *be on the* ~ **a.** være i kog; **b.** (*fig.: ophidset*) være på kogepunktet; **c.** (*om aktivitet*) være i fuld sving; **d.** (*om sportsmand*) være på toppen; *bring//come to the* ~ bringe// komme i kog.
boil[2] [bɔil] *vb.* **1.** koge; **2.** (*fig.*) koge (*with af, fx he was -ing with rage; the -ing sea*); syde (*with af*); □ *go and* ~ *your (ugly) head* T du kan rende og hoppe; ~ *a kettle* koge en kedel vand; *put sth on to* ~ sætte noget over (*fx a pan; potatoes*); [*med præp.& adv.*] ~ *away* koge væk; ~ *down* **a.** koge ind; **b.** (*fig.*) fortætte; sammentrænge; *it all -s down to* T det hele indskrænker sig til, det hele kan reduceres til; *kernen i sagen er;* ~ *over* (*også fig.*) koge over; ~ *over into* ... (*fig.*) koge over og blive til ...; ~ *up* **a.** koge, bringe i kog (*fx some water*); koge op (*fx* ~ *the stock up every day*); **b.** (*fig.*) vokse frem; bryde ud.
boiled sweet *sb.* bolsje.
boiler [ˈbɔilə] *sb.* **1.** fyrkedel; **2.** varmtvandsbeholder; **3.** (*til dampmaskine*) dampkedel; **4.** (*mad*) suppehøne.
boilerplate [ˈbɔiləpleit] *sb.* **1.** (*til kedler*) kedelplade; **2.** (*it*) standardtekst; **3.** (*am.*) faste vendinger, standardudtryk; **4.** (*neds.*) fraser, klicheer, almindeligheder.
boiler suit *sb.* kedeldragt.
boiling [ˈbɔiliŋ] *adj.* **1.** kogende (*with af, fx rage;* ~ *water*); **2.** kogende/gloende/stegende varm; □ ~ *hot* = 2.
boiling point *sb.* kogepunkt; kogepunktet (*fx reach* ~; *heat to* ~).
boisterous [ˈbɔist(ə)rəs] *adj.* støjende; højrøstet.
boke [bəuk] *vb.* (*skotsk*) brække sig.
boko [ˈbəukəu] *sb.* S næse, tud.
bold [bəuld] *adj.* **1.** modig, dristig; **2.** (*mods. tilbageholdende*) frimodig, dristig (*fx he was feeling* ~); (*neds.*) fræk; **3.** (*om farve, mønster*) kraftig, tydelig (*fx stripes*); dristig (*fx with a few* ~ *strokes of his brush*); **4.** (*typ.*) halvfed;

□ *as* ~ *as brass* fræk som en slagterhund; *make/be so* ~ *as to* driste sig til at.
boldface[1] [ˈbəuldfeis] *sb.* (*typ.*) fedt; halvfedt.
boldface[2] [ˈbəuldfeis] *adj.* (*typ.*) fed; halvfed.
bole [bəul] *sb.* (*fagl. el. litt.*) (træ)stamme, bul.
bolero[1] [ˈbɔlərəu, bəˈlɛərəu] *sb.* bolero [*kort dametrøje*].
bolero[2] [bəˈlɛərəu] *sb.* bolero [*spansk dans*].
bolide [ˈbəulaid] *sb.* (kæmpe)meteor, ildkugle.
boll [bəul] *sb.* (*bot.*) frøkapsel [*især af bomuld, hør*].
bollard [ˈbɔləd] *sb.* **1.** pæl; **2.** (*på gade*) betonpæl [*til afspærring*]; hellefyr; **3.** (*mar.*) fortøjningspæl, pullert.
bollix [ˈbɔliks] *vb.*: ~ *up* (*am.* S) forkludre, lave koks i; spolere.
bollocking [ˈbɔləkiŋ] *sb.* (*vulg.*) skideballe.
bollocks[1] [ˈbɔləks] *sb. pl.* (*vulg.*) **1.** nosser; **2.** ævl, fis, pis.
bollocks[2] [ˈbɔləks] *vb.*: ~ *up* (*vulg.*) se *bollix* (*up*).
bollocks[3] [ˈbɔləks] *interj.* (*vulg.*) **1.** fis! pis! **2.** (*ærgerligt*) fandens også!
boll weevil *sb.* (*am.*) bomuldssnudebille.
bologna [bəˈləunjə] *sb.* (*am.*) [*slags spegepølse*].
boloney [bəˈləuni] = *baloney*.
bolo tie *sb.* (*am.*) lædersnor [*brugt i stedet for slips*].
Bolshevik[1] [ˈbɔlʃəvik] *sb.* bolsjevik.
Bolshevik[2] [ˈbɔlʃəvik] *adj.* bolsjevikisk.
Bolshevism [ˈbɔlʃəvizm] *sb.* bolsjevisme.
Bolshie, Bolshy [ˈbɔlʃi] *sb.* T = *Bolshevik*.
bolshie, bolshie [ˈbɔlʃi] *adj.* T kværulantisk, kontrær, besværlig.
bolster[1] [ˈbɔlstə] *sb.* pølle; langpude.
bolster[2] [ˈbəulstə] *vb.* **1.** støtte (*fx the economy*); styrke, stive af (*fx their morale*); **2.** øge (*fx one's earnings*); forbedre (*fx their image*); □ ~ *up* = *bolster*.
bolt[1] [bəult] *sb.* **1.** (*til møtrik; til klatring*) bolt; **2.** (*for dør, vindue*) slå; rigel; **3.** (*i gevær*) bundstykke; **4.** (*til armbrøst*) bolt, pil; **5.** (*af tøj, tapet*) rulle; □ *a* ~ *from the blue* et lyn fra en klar himmel; *make a* ~ *for* styrte hen til (*fx the door*); *make a* ~ *for it* stikke af; styrte af sted; ~ *of lightning* lyn; *have shot one's* ~ have udrettet hvad man kan; have

B *bolt*

opbrugt sit krudt; have udspillet sin rolle.

bolt[2] [bəult] *vb.* **1.** (*med bolt*) bolte (*fx together; on; to the floor*); **2.** (*dør, vindue*) sætte slå for; **3.** (*mad*) sluge (uden at tygge); hugge i sig; **4.** (*om flugt*) fare forskrækket frem//ud//af sted; styrte frem//ud//af sted; stikke af; (*om hest*) løbe løbsk; **5.** (*om plante*) gå i frø;
□ ~ *down* **a.** bolte fast til gulvet; **b.** se: *3.*

bolt cutter *sb.* boltsaks.

bolt-hole ['bəulthəul] *sb.* tilflugtssted; fristed.

bolt rope *sb.* (*mar.*) ligline [*i kanten af sejl*].

bolt upright *adj.* lige; ret op og ned (*fx sit* ~).

bolus ['bəuləs] *sb.* (*med.*) stor pille.

bomb[1] [bɔm] *sb.* **1.** bombe; **2.** (*am.* T) dundrende fiasko;
□ *go down a* ~ T blive en stor succes; *go like a* ~ T **a.** (*om bil etc.*) ræse af sted; **b.** (*om fest etc.*) gå strygende; *make a* ~ T skovle penge ind; (*se også cost*[2]).

bomb[2] [bɔm] *vb.* **1.** bombe; bombardere; **2.** (T: *i bil etc.*) ræse; **3.** (*am.: i konkurrence*) slå, jorde; **4.** (T: *om bog, film etc.*) falde med et brag; **5.** (*am.: ved eksamen*) dumpe med et brag;
□ ~ *off* T fare//stryge af sted; ~ *out* udbombe.

bombard [bɔm'ba:d] *vb.* (*også fig.*) bombardere.

bombardier [bɔmbə'diə] *sb.* **1.** (*mil.*) artillerikorporal; **2.** (*am. flyv.*) bombekaster.

bombardment [bɔm'ba:dmənt] *sb.* bombardement.

bombast ['bɔmbæst] *sb.* F svulstighed; falsk patos.

bombastic [bɔm'bæstik] *adj.* svulstig; bombastisk.

bomb bay *sb.* (*flyv.*) bomberum.

bomb disposal *sb.* bomberydning.

bomb disposal expert *sb.* sprængningsekspert.

bomb disposal squad, bomb disposal unit *sb.* sprængningskommando.

bombed [bɔmd] *adj.* **1.** bombet; **2.** T dødrukken; skæv.

bombed-out [bɔmd'aut] *adj.* udbombet.

bomber ['bɔmə] *sb.* **1.** (*flyv.*) bombefly(vemaskine); bombemaskine; **2.** (*person*) bombemand; bombekaster.

bomber jacket *sb.* [*kort tætsiddende vindjakke el. læderjakke*].

bombproof ['bɔmpru:f] *adj.* bombesikker.

bomb scare *sb.* bombetrussel.

bombshell ['bɔmʃel] *sb.* (*fig.*) bombe;
□ *drop a* ~ lade en bombe springe.

bomb site *sb.* bombetomt.

bona fide[1] [bəunə'faidi] *adj.* virkelig; ægte; seriøs.

bona fide[2] [bəunə'faidi] *adv.* bona fide; i god tro.

bona fides [bəunə'faidiz] *sb.* reelle hensigter; troværdighed; oprigtighed.

bonanza [bə'nænzə] *sb.* **1.** rig indtægtskilde, guldgrube (*for* for); **2.** overdådigt udbud (af) (*fx a film* ~); festfyrværkeri (af); **3.** (*foran sb.*) rig (*fx year*); lønnende.

bonbon ['bɔnbɔn] *sb.* bonbon, bolsje.

bonce [bɔns] *sb.* S hoved; knold.

bond[1] [bɔnd] *sb.* (*se også bonds*) **1.** tæt forbindelse; bånd; **2.** (*værdipapir*) obligation; **3.** (*am.*) kautionsforsikring; (*for løsladt*) kaution; **4.** (*fagl.*) klæbning; limning; **5.** (*kem.*) binding; **6.** (*arkit.*) (mur)forbandt;
□ *goods in* ~ varer på frilager; *redeem a* ~ indfri en obligation.

bond[2] [bɔnd] *vb.* (*se også bonded*) **1.** knytte sammen; **2.** (*fagl.*) binde; klæbe sammen; **3.** (*uden objekt*) hænge//klæbe sammen sammen; **4.** (*om personer*) få et tæt forhold til hinanden;
□ ~ *together* **a.** (*om personer*) knytte sig til hinanden; **b.** (*om ting*) hænge sammen; ~ *with* **a.** (*om person*) knytte sig til; **b.** (*om ting*) hænge sammen med.

bondage ['bɔndidʒ] *sb.* **1.** F bundethed; **2.** (*litt.*) trældom; **3.** (*seksuel*) bondage;
□ *be in* ~ *to* (*jf. 1, fig.*) være bundet af (*fx poverty; superstition*); være i ...s vold.

bonded ['bɔndid] *adj.* **1.** kautionsforsikret; **2.** (*om varer*) på frilager.

bonded warehouse *sb.* frilager [*bygning under toldvæsenets bevogtning*].

bondholder ['bɔndhəuldə] *sb.* obligationsejer.

bonding ['bɔndiŋ] *sb.* **1.** det at skabe tætte bånd//tæt forbindelse [*fx mellem mor og barn*]; **2.** kammeratskab, fællesskabsfølelse; **3.** (*kem.*) binding.

bonds [bɔndz] *sb. pl.* **1.** bånd (*fx* ~ *of friendship*); **2.** lænker (*fx in* ~; *the* ~ *of slavery*).

bone[1] [bəun] *sb.* **1.** knogle; ben; **2.** (*til hund*) kødben; **3.** (*materiale*) ben; **4.** (*glds.: i korset*) korsetstiver, fiskebensstiver;

□ *-s* **a.** knogler; skelet; **b.** S terninger; **c.** (*mus.*) kastagnetter; *the bare -s* det allernødtøftigste; rudimenterne; *I feel it in my -s* jeg har det på fornemmelsen; *no -s are broken* der er ingen skade sket; *make no -s about it* **a.** ikke nære betænkeligheder ved det; gøre det uden videre; **b.** ikke lægge skjul på det; sige det lige ud; (*se også contention, dry*[2], *pick*[2]); [*med præp.*] *it is bred in the* ~ det er i kødet båret; det er medfødt; det ligger en i blodet; (*se også feel*[2]); *off the* ~ udbenet; *on the* ~ med ben; *close/near to the* ~ T for tæt på; lige på stregen; *cut the costs to the* ~ nedskære omkostningerne drastisk; skære lige ind til benet; *I was chilled/frozen to the* ~ kulden gik mig til marv og ben; (*se også finger*[1]).

bone[2] [bəun] *vb.* udbene (*fx fish*); tage benene ud af;
□ ~ *up for an exam* læse op til en eksamen; ~ *up on* T sætte sig ind i; (*til eksamen*) repetere, læse op; terpe.

bone china *sb.* benporcelæn.

bone-dry [bəun'drai] *adj.* knastør.

bonehead ['bəunhed] *sb.* S fæhoved, tåbe.

bone idle *adj.* T luddoven.

bone marrow *sb.* knoglemarv.

bone meal *sb.* benmel.

boner ['bəunə] *sb.* (*am.* S) **1.** bommert, brøler; **2.** stiverik.

boneshaker ['bəunʃeikə] *sb.* T **1.** (*bil*) smadderkasse; **2.** (*cykel*) skærveknuser.

bonfire ['bɔnfaiə] *sb.* bål;
□ *make a* ~ *of* brænde af.

Bonfire Night *sb.* [5. november].

bong [bɔŋ] *sb.* **1.** S hashpibe; **2.** (*lyd af klokke*) dong.

bongo ['bɔŋgəu] *sb.* (*mus.*) bongotromme.

bonham ['bɔnəm] *sb.* (*irsk*) smågris.

bonhomie ['bɔnɔmi:] *sb.* F gemytlighed.

bonk[1] [bɔŋk] *sb.* T **1.** (*slag*) gok; **2.** (*samleje*) knald.

bonk[2] [bɔŋk] *vb.* (*jf. bonk*[1]) T **1.** gokke; **2.** bolle, knalde.

bonkers ['bɔŋkəz] *adj.* T skør i bolden.

bon mot [bɔn'məu] *sb.* bonmot; vittig bemærkning.

bonne bouche [bɔn'bu:ʃ] *sb.* lækkerbisken; rosinen i pølseenden.

bonnet ['bɔnit] *sb.* **1.** (*på bil*) kølerhjelm, motorhjelm; **2.** (*på skorsten*) røgfang; **3.** (*til baby & glds. til dame*) kyse; **4.** (*skotsk*) hue.

bonnet macaque, bonnet monkey

sb. (*zo.*) hueabe.

bonny ['bɔni] *adj.* (*skotsk*) køn; sød.

bonsai ['bɔnsai] *sb.* (*pl. d.s.*) **1.** bonsai, dværgtræ; **2.** (*kunsten*) bonsai.

bonus ['bəunəs] *sb.* (*til løn*) bonus; gratiale; (se også *added bonus*).

bony ['bəuni] *adj.* **1.** (*om person el. legemsdel*) benet; knoklet; **2.** (*om fisk*) fuld af ben; **3.** (*om materiale*) ben- (*fx plate*).

boo[1] [bu:] *sb.* buhråb, fyråb (*fx he was greeted by -s*); (se også *boo*[3]);
□ *-s* (*også*) hujen; piben.

boo[2] [bu:] *vb.* **1.** råbe buh/øv, buhe, huje; **2.** (*med objekt*) råbe buh/øv til;
□ *~ sby off (the stage//pitch etc.)* pibe en ud.

boo[3] [bu:] *interj.* **1.** (*udtryk for mishag*) buh, øv; **2.** (*for at skræmme*) bø;
□ *he wouldn't say ~ to a goose* T han er et skikkeligt pjok; *you never said ~ about* (*am.*) du sagde ikke et ord/muk om.

boob[1] [bu:b] *sb.* S **1.** bommert, brøler; **2.** (*am.*) fjog, fjols;
□ *-s* bryster, patter, babser.

boob[2] [bu:b] *vb.* T kludre i det; jokke i det; kvaje sig.

boo-boo ['bu:bu:] *sb.* T **1.** bommert; **2.** (*am.*) skramme.

boob tube *sb.* [*stramtsiddende skulderfri bluse*];
□ *the ~* (*am.* T) tossekassen [ɔ: *tv*].

booby ['bu:bi] *sb.* **1.** (*glds.* T) klodrian; fjog; **2.** (*zo.*) sule.

booby hatch *sb.* (*am.* T) tosseanstalt.

booby prize *sb.* [*præmie givet for sjov til den der klarer sig dårligst*]; (*omtr.*) trøstpræmie.

booby trap *sb.* **1.** (*mil.*) luremine; dødsfælde; **2.** (*glds.*, *fx spand vand oven på dør*) fælde; ubehagelig overraskelse.

booby-trap ['bu:bitræp] *vb.* **1.** (*mil.*) lureminere; **2.** (*glds.*) skjule en ubehagelig overraskelse i//på.

boodle ['bu:dl] *sb.* S penge [*især stjålne el. til bestikkelse*].

booger ['bugə] *sb.* (*am.*) **1.** bussemand; **2.** stodder.

boogie ['bugi, 'bu:gi] *vb.* **1.** (*glds.* T) danse [*til popmusik*]; **2.** (*am.*) stikke af.

boogie-woogie [bugi'wugi, bu:gi-'wu:gi] *sb.* boogie-woogie [*jazzstil*].

book[1] [buk] *sb.* **1.** bog; **2.** hæfte (*fx of stamps; of tickets*); **3.** (*mus.: til opera*) tekst, libretto;
□ *-s a.* (*merk.*) regnskabsbøger; **b.** (*for forening etc.*) medlemsfor-

tegnelse; **c.** (*for agent etc.*) kartotek, „stald" (*fx of a model agency*); *on the -s etc.* se: *ndf.*;
the ~ (*i bridge: seks stik*) bogen; *the Book* Bibelen; *kiss the Book* kysse Biblen [*ved edsaflæggelse i retten*]; *swear on the Book* aflægge ed;
[*med vb.*] *close the -s* afslutte regnskabet; *close the ~ on it* lægge det bag sig; lade det være glemt; *cook the -s* pynte på/forfalske/fuske med regnskaberne; *suit one's ~* passe i ens kram; *throw the ~ at him* T **a.** idømme ham lovens strengeste straf; **b.** (*fig.*) skælde ham huden fuld;
[*med præp.& adv.*] *by the ~* korrekt; efter reglerne; *in the ~* i telefonbogen; *in my ~* T efter min mening; *be in sby's bad/black -s* være i unåde hos en; *be in sby's good -s* være i kridthuset hos en; *read sby like a ~* læse en som en åben bog; *be on the -s a.* stå i medlemsfortegnelsen/kartoteket; **b.** (*hos firma*) være ansat; **c.** (*merk.*) være bogført; stå opført i bøgerne; *be on the -s of* (*om model etc. også*) være i stald hos; *take a leaf out of sby's ~* følge ens eksempel; tage eksempel efter en; *bring sby to ~* kræve en til regnskab/ansvar; *without ~* **a.** efter hukommelsen; **b.** uden beføjelse.

book[2] [buk] *vb.* **1.** bestille plads// billet (*fx we had better ~ early*); løse billet (*fx ~ here!*); **2.** (*med objekt: billet*) bestille, reservere, booke (*fx rooms; seats; a table*); **3.** bestille billet til (*fx a flight; a holiday*); **4.** (*optrædende, foredragsholder etc.*) træffe aftale med; engagere; **5.** (*om politiet*) notere; skrive rapport om; **6.** (*i fodbold*) give en advarsel;
□ *fully -ed* se *booked up*;
[*med præp.& adv.*] *~ in* **a.** indskrive sig, tjekke ind, booke ind (*fx at a hotel*); **b.** (*med objekt*) indskrive, tjekke ind, booke ind (*fx the guests*); *~ sby on* a train reservere plads til en på et tog; *~ up* bestille billet//værelse; (se også *booked up*).

bookable ['bukəbl] *adj.* (*om billet etc.*) som kan (forud)bestilles.

bookable offence *sb.* (*i fodbold*) [*overtrædelse som man har fået en advarsel for*].

bookbinder ['bukbaində] *sb.* bogbinder.

bookbinding ['bukbaindiŋ] *sb.* bogbinding, bogbinderi.

bookcase ['bukkeis] *sb.* bogreol;

(*lukket*) bogskab.

booked up ['buktʌp] *adj.* **1.** (*om teater, koncert etc.*) udsolgt; **2.** (*om hotel*) optaget, fuldt; **3.** (*om person*) som ikke har nogen ledig tid, fuldt optaget.

bookend ['bukend] *sb.* bogstøtte.

bookie ['buki] *sb.* T bookmaker.

booking clerk *sb.* billetsælger; billettør.

booking office *sb.* billetkontor.

bookish ['bukiʃ] *adj.* (*neds.*) **1.** (*om person*) optaget af bøger; boglærd; pedantisk; **2.** (*om stil*) boglig; præget af bogsprog.

bookkeeper ['bukki:pə] *sb.* bogholder; regnskabsfører.

bookkeeping ['bukki:piŋ] *sb.* bogholderi; bogføring.

booklet ['buklət] *sb.* brochure; hæfte; pjece.

bookmaker ['bukmeikə] *sb.* bookmaker.

bookmaking ['bukmeikiŋ] *sb.* bookmakervirksomhed.

bookmark ['bukma:k] *sb.* bogmærke.

bookmobile ['bukməbi:l] *sb.* (*am.*) bogbus.

book plate *sb.* ekslibris [*ejermærke i bog*].

bookrest ['bukrest] *sb.* læsestativ, læseklap.

bookseller ['bukselə] *sb.* boghandler.

bookshop ['bukʃɔp] *sb.* boghandel.

bookstall ['bukstɔ:l] *sb.* **1.** bog- og aviskiosk [*på station, i lufthavn*]; **2.** (*på marked*) bogbod.

book stock *sb.* (*bibl.*) bogbestand.

bookstore ['bukstɔ:r] *sb.* (*am.*) boghandel.

book token *sb.* gavekort til bog//bøger.

book value *sb.* (*merk.*) bogført værdi.

bookworm ['bukwə:m] *sb.* bogorm, læsehest.

boom[1] [bu:m] *sb.* **1.** (*merk., økon.*) højkonjunktur; opsving; boom; **2.** (*fig.*) boom (*fx in popularity*); **3.** (*mar.: til sejl*) bom; **4.** (*på kran*) bom, udligger; **5.** (*tv, film.: til mikrofon*) boom, giraf; **6.** (*i vandet: ved olieudslip*) flydespærring, spærrebom; **7.** (*lyd*) brag, drøn, bulder; rungen; **8.** (*om stemme*) gjalden;
□ *lower the ~ on* (*am.* S) **a.** slå ud; **b.** straffe; **c.** sætte på plads, skælde ud.

boom[2] [bu:m] *vb.* **1.** (*merk., økon.*) tage et opsving; stige voldsomt; blomstre; **2.** (*om lyd*) drøne; buldre; runge; dundre; **3.** (*om stemme*) gjalde.

boom box sb. (am. T) ghettoblaster.
boomer ['bu:mə] sb. se baby boo-mer.
boomerang[1] ['bu:məræŋ] sb. boo-merang.
boomerang[2] ['bu:məræŋ] vb. ramme en selv; giver bagslag.
boom town sb. by med gang i; vækstcentrum.
boon [bu:n] sb. velsignelse; velger-ning.
boon companion sb.: his ~ (litt.) hans bonkammerat.
boondocks ['bu:ndɔks] sb. pl.: the ~ (am. T) bøhlandet; en udørk; in the ~ (også) der hvor kragerne vender.
boondoggle[1] ['bu:ndɔgl] sb. (am. T) 1. unyttigt nørkleri; molboarbejde; 2. dyrt og unyttigt foretagende [især for offentlige midler].
boondoggle[2] ['bu:ndɔgl] vb. (am. T) nørkle; nusse; gøre overflødigt ar-bejde.
boonies ['bu:niz] sb. pl. (am. S) = boondocks.
boor [buə] sb. tølper, bøffel, stud.
boorish ['buəriʃ] adj. ubehøvlet, tølperagtig, studet.
boost[1] [bu:st] sb. 1. opmuntring; løft (fx give a ~ to their morale); 2. stigning (fx in exports); □ give sby a ~ up (am.) hjælpe en op, løfte en op.
boost[2] [bu:st] vb. 1. sætte skub i (fx the economy); øge (fx sales); sætte i vejret; 2. styrke (fx their morale); 3. gøre reklame for (fx a new pro-duct); hjælpe op; 4. (am. S) stjæle [i butik];
□ ~ sby up hjælpe en op, løfte en op.
booster ['bu:stə] sb. 1. igangsætter; 2. (til missil) startraket, starttrin, løfteraket; 3. (elek.) booster, spæn-dingsforhøjer; 4. (med.) booster [indsprøjtning til forstærkning af tidligere opnået immunitet]; 5. (am.) begejstret tilhænger; re-klamemager; 6. (am. S) butikstyv.
booster cushion, **booster seat** sb. barnesæde [til bil].
boot[1] [bu:t] sb. 1. støvle; 2. T spark (fx a ~ in the stomach); 3. (i bil) bagagerum;
□ the ~ is on the other foot/leg (fig.) rollerne er byttet om; bladet har vendt sig; die in one's -s, die with one's -s on (fig.) dø stående; dø kæmpende; to ~ oven i købet; tilmed; (se også heart (sinks), shake[2] (in));
[med vb.] fill sby's -s tage arven op efter en; fill one's -s T rage til sig; get/be given the ~ T få spar-ket; blive fyret; hang up one's -s T

trække sig tilbage, tage sin afsked; lick sby's -s slikke én op ad ryg-gen; krybe for en; put the ~ in T **a.** sparke til en der ligger ned; give en et æselspark; **b.** blive grov, skrue bissen på; put/stick the ~ into T være grov over for; trampe på.
boot[2] [bu:t] vb. 1. T sparke; 2. (it) boote; starte op;
□ ~ out smide ud; fyre.
boot camp sb. 1. (am., mil. S) træ-ningslejr for rekrutter, rekrut-skole; 2. [opdragelseslejr for ung-domskriminelle].
booted eagle sb. (zo.) dværgørn.
bootee [bu:'ti:, 'bu:ti] sb. 1. (til baby) strikket støvle; 2. (til vok-sen) støvlet; lammeskindskamik.
boot fair sb. se boot sale.
booth [bu:ð] sb. 1. (telefon-, stemme)boks; 2. (i restaurant) bås; 3. (på marked) bod, markedsbod.
bootie sb. (am.) = bootee.
bootjack ['bu:tdʒæk] sb. støvle-knægt.
bootlace ['bu:tleis] sb. snørebånd.
bootleg[1] ['bu:tleg] sb. 1. (mus.) pi-ratoptagelse; piratkopi; 2. (it) pi-ratkopi.
bootleg[2] ['bu:tleg] adj. 1. smugler- (fx whisky); 2. (mus.; it) pirat- (fx recording; software).
bootleg[3] ['bu:tleg] vb. 1. handle med smuglersprit; 2. (mus.) lave// forhandle piratkopi(er) af.
bootlegger ['bu:tlegə] sb. 1. sprit-smugler; 2. en der laver//forhand-ler piratkopier.
bootless ['bu:tləs] adj. (glds.) unyt-tig; frugtesløs.
bootlicker ['bu:tlikə] sb. spytslik-ker.
boot sale sb. [salg af brugte ting fra bils bagagerum]; loppemarked.
bootstrap[1] ['bu:tstræp] sb. 1. støv-lestrop; 2. (it) bootstrap, opstart-program;
□ pull oneself up by one's (own) -s (fig.) hive sig selv op ved hårene; klare sig ved egen hjælp.
bootstrap[2] ['bu:tstræp] adj. selv-hjulpen;
□ by the ~ method ved egen hjælp.
boot tree sb. 1. skostiver; 2. (fagl.) støvleblok, læst.
booty ['bu:ti] sb. bytte.
booze[1] [bu:z] sb. T sprut;
□ be on the ~ være på druk.
booze[2] [bu:z] vb. T bumle, svire; drikke sig fuld.
boozed [bu:zd] adj. T fuld, pløret.
boozer ['bu:zə] sb. T 1. (person) fulderik, drukkenbolt; 2. (sted) værtshus; pub.

booze-up ['bu:zʌp] sb. T drikke-gilde; drukfest.
boozy ['bu:zi] adj. T fordrukken; omtåget.
bop[1] [bɔp] sb. 1. T dans; 2. (mus.) bebop; 3. (slag) gok (fx on the head).
bop[2] [bɔp] vb. T 1. danse; 2. gokke (fx on the head).
bo-peep [bəu'pi:p] sb. titteleg; borte - tit-tit.
boracic [bə'ræsik] adj. se boric.
borage ['bɔridʒ] sb. (bot.) hjul-krone.
borax ['bɔ:ræks] sb. (kem.) boraks.
bordello [bɔ:'deləu] sb. (litt.) bor-del.
border[1] ['bɔ:də] sb. 1. grænse; 2. grænseområde; (se også Bor-ders); 3. (fx af sø) kant, rand; 4. (på tøj) bort; bræmme; 5. (i have etc.) rabat; (smalt blom-ster)bed; 6. (typ.) ramme.
border[2] ['bɔ:də] vb. 1. ligge/grænse op til (fx our country -s Germany); 2. ligge langs; kante;
□ ~ on **a.** grænse op til; **b.** (fig.) grænse til, nærme sig, tangere (fx it -s on insanity); -ed with indfat-tet af.
borderers ['bɔ:dərəz] sb. pl. græn-sebefolkning [især på grænsen mellem England og Skotland].
borderland ['bɔ:dəlænd] sb. (litt. el. fig.) grænseområde.
borderline ['bɔ:dəlain] sb. grænse, skillelinje.
borderline case sb. 1. grænsetil-fælde; 2. (psyk.) grænsepsykose.
Borders ['bɔ:dəz] sb. pl.: the ~ [grænseområdet mellem England og Skotland].
bore[1] [bɔ:] sb. 1. (jf. bore[2] 2) boring; (bore)hul; 2. (i rør) indvendig dia-meter; 3. (i skydevåben) kaliber; (af skydevåben) (indvendigt) løb; 4. (i hav) flodbølge; tidevands-bølge;
□ he is a ~ han er dødkedelig at høre på; han snakker hele tiden om det samme; it's a ~ **a.** det er dødkedeligt; **b.** det er ærgerligt; **c.** det er en plage.
bore[2] [bɔ:] vb. (se også bored, bor-ing) 1. (person) kede; plage; 2. (hul) bore (fx a tunnel); udbore.
bore[3] [bɔ:] præt. af bear[2].
bored [bɔ:d] adj. som keder sig;
□ be ~ kede sig; be ~ stiff/to death/to tears være ved at kede sig ihjel; be ~ with være led og ked af; he was getting ~ with it det begyndte at kede ham; look ~ se ud til at kede sig.
boredom ['bɔ:dəm] sb. kedsomhed.
borehole ['bɔ:həul] sb. borehul.

borer ['bɔːrə] *sb.* **1.** boreapparat, bor; **2.** (*zo.*) borende insekt.
boric ['bɔːrik] *adj.* (*kem.*) bor-; □ ~ *acid* borsyre.
boring ['bɔːriŋ] *adj.* kedelig; kedsommelig.
born [bɔːn] *adj.* født (*of* af); □ *be* ~ **a.** blive født (*fx he was* ~ *in 1990*); komme til verden; **b.** (*fig.*) blive 'til; opstå; *be* ~ *of/ out of* udspringe af; *there is one* ~ *every minute* den sidste idiot er ikke født endnu; *he was a* ~ *teacher* han var den fødte lærer; ~ *and bred* født og båret; *he is a Dane* ~ *and bred* han er født og opvokset i Danmark; *in all my* ~ *days I have never the like of it* aldrig i mine livskabte dage har jeg set noget lignende; (se også *manner*).
born-again ['bɔːnəgein] *adj.* **1.** (*rel.*) åndeligt genfødt; **2.** (*fig.*) nyomvendt.
borne [bɔːn] *præt. ptc. af bear²*.
boron ['bɔːrɔn] *sb.* (*kem.*) bor.
borough ['bʌrə, (*am.*) 'bəːrou] *sb.* **1.** købstad; **2.** [*administrativ del af London*]; **3.** (*am.:* i nogle stater) kommune.
borrow ['bɔrəu] *vb.* låne; □ ~ *from* **a.** låne af (*fx money//a camera from sby*); **b.** låne fra (*fx an idea from sby; the word is -ed from French*).
borrower ['bɔrəuə] *sb.* låntager; låner.
borrowing ['bɔrəuiŋ] *sb.* lån.
borrowing powers *sb. pl.* (*merk*) lånebemyndigelse.
borrowing requirement *sb.* (*økon.*) lånebehov; finansieringsbehov.
borstal ['bɔːst(ə)l] *sb.* (*glds.*) [*form for ungdomsfængsel*].
boscage ['bɔskidʒ] *sb.* krat; skovlandskab.
bosh [bɔʃ] *sb.* (*glds.*) vrøvl; ævl.
Bosnia ['bɔzniə] (*geogr.*) Bosnien.
Bosnian¹ ['bɔzniən] *sb.* bosnier.
Bosnian² ['bɔzniən] *adj.* bosnisk.
bosom ['buzəm] *sb.* (F *el. litt.*) barm; bryst; □ *in the* ~ *of one's family* i familiens skød; *take to one's* ~ tage til sit hjerte.
bosom friend *sb.* hjerteven.
bosomy ['buzəmi] *adj.* barmfager, barmsvær.
boss¹ [bɔs] *sb.* **1.** (T: *om person*) chef; mester; **2.** (*for parti*) diktatorisk partileder; partiboss; **3.** (*ornament*) knop; **4.** (*arkit.*) bosse; **5.** (*hist., på skjold*) bukkel; knap; **6.** (*fx på skibsskrue*) nav; □ *be the* ~ (*jf. 1*) (*også*) være den der bestemmer.

boss² [bɔs] *adj.* (*am.* T) mægtig god.
boss³ [bɔs] *vb.* herse med, regere med, dirigere rundt med; bestemme over; □ ~ *about/around* = ~; ~ *the show* stå for det hele.
boss-eyed ['bɔsaid] *adj.* T skeløjet.
boss shot *sb.* T forbier, fejlskud.
bossy ['bɔsi] *adj.* dominerende, kommanderende, diktatorisk.
bosun ['bəus(ə)n] *sb.* = boatswain.
bot [bɔt] *sb.* (*it*) søgerobot.
botanical [bə'tænik(ə)l] *adj.* botanisk.
botanicals [bə'tænik(ə)lz] *sb. pl.* naturpræparater.
botanist ['bɔtənist] *sb.* botaniker.
botanize ['bɔtənaiz] *vb.* botanisere.
botany ['bɔtəni] *sb.* botanik.
Botany wool *sb.* (*austr.*) merinould.
botch¹ [bɔtʃ] *sb.* T makværk; □ *make a* ~ *of* forkludre.
botch² [bɔtʃ] *vb.* sløse med; forkludre.
botch-up ['bɔtʃʌp] *sb.* se botch¹.
botfly ['bɔtflai] *sb.* (*zo.*) bremse.
both [bəuθ] *pron.* begge; begge to; □ ~ ... *and* både ... og; ~ *of them* begge to; (se også *way¹* (*have it both ways*).
bother¹ ['bɔðə] *sb.* (se også *bother³*) besvær, vrøvl, bøvl (*with* med); □ *be a* ~ **a.** være besværligt/irriterende; **b.** (*især om person*) være til besvær/ulejlighed; *it's no* ~ det er ikke spor ulejlighed; det er ikke noget at tale om; *go to the* ~ *of + -ing* gøre sig den ulejlighed at; *have a spot of* ~ *with* have lidt vrøvl med.
bother² ['bɔðə] *vb.* (se også *bothered*) **1.** genere (*fx does it* ~ *you? his knee was -ing him*); plage; bekymre; **2.** (*i arbejde, fred*) forstyrre, ulejlige (*fx sorry to* ~ *you*); **3.** (*uden objekt*) bekymre sig (*about* om); spekulere (*about* over, på); □ *don't* ~! gør dig ingen ulejlighed! T det skal du ikke spekulere på! *it doesn't* ~ *me if* jeg er ligeglad om; ~ *to* gøre sig den ulejlighed at (*fx has anyone ever -ed to tell him?*); *not* ~ *to* ikke gide; [*med præp.*] ~ *about* **a.** se ovf.: *2*; **b.** se ndf.: ~ *with*; ~ *with* have ulejlighed/besvær med; *we don't* ~ *with that* (*også*) det gider vi ikke; *we don't* ~ *with the police* (*også*) vi ulejliger ikke politiet; (se også *head¹*).
bother³ ['bɔðə] *interj.* (*glds.*) pokkers også! forbistret!
botheration [bɔðə'reiʃn] *sb.* (*glds.*)

mas, besvær, vrøvl; (se også *bother³*).
bothered ['bɔðəd] *adj.* bekymret; □ *I can't be* ~ jeg gider ikke (*to do it* gøre det); *I'm not* ~ det generer mig ikke; jeg er ligeglad; (se også *hot* (*and bothered*)).
bothersome ['bɔðəsəm] *adj.* (*glds.*) besværlig; irriterende; plagsom.
Bothnia ['bɔθniə] se *gulf*.
bothy ['bɔθi] *sb.* (*skotsk*) hytte.
bo tree ['bəutriː] *sb.* (*bot.*) det hellige figentræ, tempelfigentræ.
bottle¹ ['bɔtl] *sb.* **1.** flaske; **2.** (*til baby*) sutteflaske; **3.** (*med.*) kolbe; uringlas; **4.** T mod; gåpåmod; selvtillid; □ *bring up on the* ~ opflaske; *hit the* ~ T (begynde at) drikke; slå sig på flasken; *spin the* ~ [*snurre en flaske rundt midt i en kreds og se hvem den peger på*].
bottle² ['bɔtl] *vb.* **1.** fylde på flasker; aftappe; **2.** (*frugt*) henkoge; **3.** T bombardere med flasker; □ ~ *it*, ~ *out* T tabe modet, få kolde fødder; springe 'fra; ~ *up* tilbageholde; gemme på; *-d up* indestængt (*fx fury*).
bottle bank *sb.* flaskecontainer.
bottle blond *adj.* (*om blond hår*) der ser ud som om det er afbleget.
bottled ['bɔtld] *adj.* flaske- (*fx beer, gas*); på flaske (*fx* ~ *water*).
bottle-feed ['bɔtlfiːd] *vb.* give flaske.
bottle green *adj.* flaskegrøn.
bottleneck ['bɔtlnek] *sb.* (*også fig.*) flaskehals.
bottlenose dolphin [bɔtlnəuz'dɔlfin] *sb.* (*zo.*) øresvin.
bottlenosed whale [bɔtlnəuzd'weil] *sb.* (*zo.*) døgling.
bottle opener *sb.* oplukker, kapselåbner.
bottle party *sb.* sammenskudsgilde.
bottler ['bɔtlə] *sb.* **1.** tapperi; **2.** (*austr.*) pragteksemplar.
bottle store *sb.* (*sydafr.*) vinhandler; spiritusforretning.
bottom¹ ['bɔt(ə)m] *sb.* **1.** bund; **2.** (*nederst*) fod (*fx of the hill; of the stairs*); **3.** (*fjernest*) bageste del, nederste del; **4.** (*af stol*) sæde; **5.** (*på menneske*) bagdel; ende; **6.** (*mar.*) bund; (last)skib; □ *-s* (*til pyjamas, træningsdragt:*) bukser; *be* ~ *of* være nederst i (*fx the League*); *be* ~ *of the class* være den dårligste i klassen; *-s up!* (*glds.* T) skål! drik ud! [*med vb.*] *the* ~ *dropped out of the market* markedet brød sammen; kurserne faldt katastrofalt;

B bottom

knock the ~ out of få til at bryde sammen; strike ~ gå på grund; touch ~ **a.** bunde; **b.** (mar.) røre/tage bunden/grunden; **c.** (fig.) nå bunden; sætte bundrekord; [med præp.] **at** ~ i sin grund, dybest set; at the ~ på bunden, nederst; start at the ~ begynde fra bunden; be **at** the ~ **of** (ɔ: være årsag til) ligge til grund for; (se også pile¹); at the ~ of the garden bag/bagest i haven; at the ~ of the page nederst på siden; at the ~ of the street nederst på gaden; he is at the ~ of this det er ham der står bag; **from** the ~ of my heart af hele mit hjerte; get **to** the ~ of (fig.) komme til bunds i; **with plain** -s (om bukser) uden opslag.

bottom² ['bɔt(ə)m] adj. lavest (fx price); nederst (fx step trin; the ~ half); underst (fx card); sidst.

bottom³ ['bɔt(ə)m] vb.: ~ out nå det laveste punkt; nå bunden [og begynde at stige igen].

bottom dollar sb.: one's ~ ens sidste dollar; alt hvad man ejer; you can bet your ~ on that (fig.) T det kan du lige regne med; det er helt sikkert.

bottom drawer sb. **1.** nederste skuffe; **2.** (fig., glds.) (nederste) kommodeskuffe [til opbevaring af brudeudstyr].

bottom gear sb. laveste gear.

bottomland ['bɔt(ə)mlænd] sb. gammel søbund; gammel flodbund.

bottomless ['bɔt(ə)mləs] adj. **1.** bundløs; **2.** (uden bukser) nøgen; □ a ~ pit (fig.) et bundløst kar.

bottomless pit sb. **1.** bundløst hul; **2.** uudtømmeligt forråd; □ the ~ (i biblen) svovlpølen.

bottom line sb. **1.** (i regnskab) slutresultat; bundlinje; **2.** (i handel) minimumskrav; □ the ~ (fig.) sagens kerne; den afgørende faktor; det springende punkt.

bottom-up [bɔt(ə)m'ʌp] adj. [som begynder nedefra; som begynder med detaljerne].

botty ['bɔti] sb. T ende; hale.

botulism ['bɔtjulizm] sb. (med.) pølseforgiftning.

boudoir ['bu:dwa:] sb. (glds.) boudoir.

bouffant [fr] adj. (om hår) fyldig, touperet.

bougainvillea [bu:g(ə)n'viliə] sb. (bot.) bougainvillea.

bough [bau] sb. gren.

bought [bɔ:t] præt. & præt. ptc. af buy².

bouillon ['bu:jɔn] sb. bouillon.

boulder ['bəuldə] sb. kampesten; (geol.) blok.

boulevard ['bu:ləva:d] sb. boulevard.

bounce¹ [bauns] sb. **1.** spring; hop; (bolds også) tilbagepring, opspring; **2.** (egenskab) elasticitet; springkraft; **3.** (T: om person) livlighed; energi; **4.** (merk.) pludselig kursstigning; prishop.

bounce² [bauns] vb. (se også bouncing) **1.** springe; hoppe; (om bold også) springe tilbage//op; **2.** (om check) blive afvist [af banken, som dækningsløs]; **3.** (om e-mail) [blive returneret på grund af fejl i adressen]; **4.** S smide ud; □ ~ the ball lade bolden springe tilbage; [med præp.& adv.] ~ ideas **around** afprøve ideer; ~ **back** (fig.) rette sig hurtigt; komme over det; ~ **into** the room komme farende/springende ind; be -d into doing it blive presset/kuppet til at gøre det; ~ **off** (om lyd, lys) blive kastet tilbage af; ~ an idea off sby afprøve en idé på en; få éns mening om en idé; ~ a baby **on** one's knee lade et barn ride ranke.

bouncer ['baunsə] sb. (T: i restaurant etc.) udsmider; dørmand.

bouncing ['baunsiŋ] adj. (om baby) kraftig; struttende af sundhed.

bouncy ['baunsi] adj. **1.** fjedrende; elastisk; **2.** (fig.) livlig (fx tune).

bouncy castle sb. hoppeborg.

bound¹ [baund] sb. **1.** grænse; skranke; **2.** spring; hop; □ -s grænser (fx their enthusiasm knew no -s); it is out of -s det er forbudt område; set -s to sætte grænser for, begrænse; (se også possibility).

bound² [baund] præt. & præt. ptc. af bind²; (se også bound³).

bound³ [baund] adj. (jf. bind²) **1.** bundet; **2.** (om bog) indbundet; □ I'll be ~ (glds.) det er jeg sikker på; homeward ~ for hjemgående; på hjemvejen; where are you ~? hvor er du på vej hen? [med præp.& adv.] ~ **for** på vej til; bestemt for; med kurs mod; be ~ **over** (jur.) få et tilhold (to om at); be ~ **to a.** (+ sb.) være knyttet til; være nøjr forbundet med; **b.** (+ inf.) være nødt til at (fx admit it); være forpligtet til at; (am. T) være fast besluttet på at (fx I am ~ to go if I can); I am ~ to say jeg er nødt til at sige; he is ~ to come han kommer ganske bestemt; it was ~ to happen det måtte ske;

be ~ **up in a.** (om penge etc.) være bundet i; **b.** (om person) være optaget/opslugt af; gå helt op i; **c.** = ~ up with; be ~ **up with** hænge sammen med; være uløseligt forbundet med.

bound⁴ [baund] vb. **1.** springe, hoppe; **2.** afgrænse; □ be -ed by **a.** F være afgrænset af; være omgivet af; **b.** (fig.) være begrænset af.

boundary ['baund(ə)ri] sb. grænse.

bounden ['baundən] adj.: my ~ duty (glds. el. spøg.) min simple pligt.

bounder ['baundə] sb. (glds.) tarvelig fyr; sjover.

boundless ['baundləs] adj. grænseløs.

bounteous ['bauntiəs] adj. (litt.) **1.** (om person) meget gavmild; **2.** (om mængde) rigelig, rundelig.

bountiful ['bauntif(u)l] adj. **1.** (om mængde) rigelig; rundelig; **2.** (om person) gavmild; **3.** (om tid, område) frugtbar; rig.

bounty ['baunti] sb. **1.** dusør, belønning; **2.** (litt.) gavmildhed; **3.** (rigelig) gave (fx the bounties of nature).

bounty hunter sb. dusørjæger.

bouquet [bu'kei] sb. **1.** blomsterbuket; **2.** (om vin) bouquet; duft.

bourbon ['bə:bən] sb. bourbon(whisky) [majswhisky].

bourgeois¹ ['buəʒwa:] sb. (pl. d.s.) spidsborger; person af middelklassen.

bourgeois² ['buəʒwa:] adj. **1.** (neds.) (spids)borgerlig, småborgerlig; **2.** (pol.) borgerlig [mods. socialistisk].

bourgeoisie [buəʒwa:'zi:] sb. **1.** borgerskab; middelklasse; **2.** (pol.) bourgeoisie [den besiddende klase].

bourn [bɔ:n, buən] sb. **1.** (dial.) bæk; vandløb; **2.** (litt.) grænse; mål.

bourne = bourn 2.

bout [baut] sb. **1.** omgang; udbrud (fx of violence); (se også drinking bout); **2.** (om sygdom etc.) anfald (fx of fever; of depression; of homesickness); **3.** (i boksning, brydning) kamp.

boutique [bu'ti:k] sb. modebutik; boutique.

bovine ['bəuvain] adj. **1.** okse-; ko-; kvæg-; **2.** (fig.) sløv; stupid, dum.

Bovril® ['bɔvril] [kødekstrakt].

bovver ['bɔvə] sb. S ballade; slagsmål.

bovver boots sb. pl. [kraftige sømbeslåede støvler].

bovver boy sb. ballademager, bølle.

bow[1] [bau] *sb.* **1.** (*hilsen*) buk; hovedbøjning; **2.** (*mar.*) bov; □ *a shot across the* ~ **a.** et advarselsskud; (*glds.*) et skud for boven; **b.** (*fig.*) et advarselssignal, en advarsel; *a low* ~ se *low*[2]; [*med vb.*] *give a* ~ bukke; *make one's* ~ **a.** debutere; **b.** (*glds.*) trække sig tilbage, takke af; *take a* ~ (*om optrædende*) kvittere for bifaldet med et buk; *blive fremkaldt; Jack Jones take a* ~ (*ved rosende omtale*) det gælder ikke mindst Jack Jones.

bow[2] [bəu] *sb.* **1.** (*våben & mus.*) bue; **2.** (*på saks*) øje; **3.** (*på (snøre)bånd, snor etc.*) sløjfe; □ *bend a* ~ spænde en bue; *draw the long* ~ overdrive; (se også *string*[1]).

bow[3] [bau] *vb.* (se også *bowed*[1]) bukke; nikke; hilse; □ ~ *and scrape* bukke og skrabe; [*med sb.*] ~ *one's agreement* nikke samtykkende; ~ *one' head* bøje hovedet; ~ *one's thanks* bøje hovedet/bukke til tak; [*med adv.*] ~ **down** bukke/bøje sig dybt; ~ *down to* bøje sig for; ~ *out* trække sig tilbage/ud; ~ *sby out* følge en (bukkende) ud; ~ *to* **a.** bukke for; **b.** (*fig.*) bøje sig for (*fx pressure; the inevitable; his wishes*); *give efter for* (*fx the terrorists*); ~ *sby to the door* følge en (bukkende) til døren.

bow[4] [bəu] *vb.* (*mus.*) bruge buen.

Bow Bells [bəu'belz] [*klokkerne i kirken St Mary-le-Bow i London*]; □ *he is born within the sound of* ~ han er en ægte londoner.

bowdlerize ['baudləraiz] *vb.* (*neds., om bog etc.*) rense [*for hvad man synes er anstødeligt*]; beskære.

bowed[1] [baud] *adj.* bøjet; foroverbøjet; □ *be* ~ (*down*) *by* være tynget/knuget af (*fx one's sins*); *with shoulders* ~ ludende.

bowed[2] [bəud] *adj.* buet (*fx a table with* ~ *legs*); krum.

bowel ['bauəl] *sb.* tarm; (se også *bowels*).

bowel movement *sb.* afføring.

bowels ['bauəlz] *sb. pl.* **1.** tarme; indvolde; **2.** (*glds. el. spøg.*) indre (*fx in the* ~ *of the castle*); □ *the* ~ *of the earth* jordens indre/skød; *have your* ~ *moved?* har De haft afføring?

bower ['bauə] *sb.* (*litt.*) **1.** løvhytte, lysthus; **2.** hytte; **3.** kammer, jomfrubur; **4.** (*mar.*) sværanker; bovanker.

bower anchor *sb.* se *bower 4*.

bowerbird ['bauəbə:d] *sb.* (*zo.*) løv-

hyttefugl.

bowfin ['bəufin] *sb.* (*zo.*) amia.

bowie knife ['bəuinaif] *sb.* bowiekniv [*lang jagtkniv*].

bowing ['bəuiŋ] *sb.* (*mus.*) bueføring.

Bowl [bəul] *sb.* (*i navne*) stadion.

bowl[1] [bəul] *sb.* **1.** (*til mad*) skål (*fx fruit* ~; *sugar* ~); **2.** (*til suppe*) terrin; **3.** (*til punch*) bowle, bolle; **4.** (*til vand*) balje (*fx washing-up* ~); **5.** (*til at vaske sig*) vandfad; **6.** (*af toilet*) kumme; **7.** (*af pibe*) hoved; **8.** (*af ske*) skeblad; **9.** (*til spillet bowls*) kugle; **10.** (*i amerikansk fodbold*) turnering.

bowl[2] [bəul] *vb.* **1.** trille; rulle; **2.** spille *bowls*; **3.** (*i kricket*) kaste; **4.** (*i bil, båd*) ræse, suse; □ ~ *sby out* **a.** (*i kricket*) 'kaste' én ud; **b.** (*fig.*) sætte én ud af spillet; ~ *over* **a.** vælte; skubbe omkuld; **b.** T forbløffe, overvælde, tage med storm.

bowlegged ['bəulegd] *adj.* hjulbenet.

bowler ['bəulə] *sb.* **1.** (*i kricket*) kaster; **2.** (*hat*) bowlerhat, bowler.

bowline ['bəulin] *sb.* (*mar.*) **1.** (*på sejl*) bugline; **2.** (*knob*) pælestik.

bowling ['bəuliŋ] *sb.* **1.** (*spil*) bowling; **2.** (*i kricket*) kasten.

bowling alley *sb.* bowlinghal.

bowling green *sb.* [*plæne til bowls*].

bowls [bəulz] *sb.* bowls [*spil der ligner boccia*].

bowman ['bəumən] *sb.* (*pl.* -men [-mən]) bueskytte.

bowsaw ['bəusɔ:] *sb.* svejfsav.

bowser ['bauzə] *sb.* **1.** tankvogn; benzinvogn [*med flybenzin*]; **2.** (*austr.*) benzinstander.

bowshot ['bəuʃɔt] *sb.* pileskud; □ *within* ~ inden for et pileskuds afstand.

bowsie ['bauzi] *sb.* (*irsk*) dumt svin.

bowsprit ['bəusprit] *sb.* (*mar.*) bovspryd.

Bow Street [bəu'stri:t] *sb.* [*gade i London med en politiret*].

Bow Street Runner *sb.* (*glds.*) opdagelsesbetjent.

bowstring ['bəustriŋ] *sb.* buestreng.

bow tie [bəu'tai] *sb.* (*slips*) butterfly; sløjfe.

bow wave [bau'weiv] *sb.* (*mar.*) bovbølge.

bow window [bəu'windəu] *sb.* buet karnapvindue.

bow-wow [bau'wau] *sb.* vovvov, vovhund, vovse.

box[1] [bɔks] *sb.* **1.** kasse; æske; skrin (*fx jewel* ~); **2.** (*teat. & på stadion*) loge; **3.** (*i stald*) bås; **4.** (*i*

retssal: til vidne) vidneskranke; (*til nævninge*) nævningeaflukke; **5.** (*post-, telefon-*) boks; **6.** (*til skildvagt*) skilderhus; **7.** (*til jagt*) jagthytte; **8.** (*til bog*) kassette; **9.** (*til sportsmand*) skridtbeskytter; **10.** (*i baseball*) [*afmærket felt på bane til slåer, kaster etc.*]; **11.** (*bot.*) buksbom; **12.** (*tekn.*) kasse; bøsning; **13.** (*typ.: indrammet felt*) kasse; ramme; rubrik; **14.** (*glds.: på hestevogn*) buk; kuskesæde; **15.** (*am.* S, *vulg.*) kusse; **16.** se *box junction*; □ (*write/apply*) ~ *103* (*i annonce*) billet mrk. 103; *a* ~ *on the ear* (*glds.*) en ørefigen, en på siden af hovedet, en på kassen; *be out of one's* ~ være fuld//skæv; [*med: the*] *the* ~ **a.** (*tv*) kukkassen; **b.** (*i fodbold*) straffesparksfeltet; *put him in the* ~ (*jur.*) føre ham som vidne; *come out of the* ~ komme i gang; komme ud; *you can use it out of the* ~ man kan bruge den med det samme/uden videre; *think outside the* ~ tænke kreativt.

box[2] [bɔks] *vb.* **1.** lægge//pakke i æske//kasse; **2.** (*om sport*) bokse; (*med objekt*) bokse med; □ ~ *sby's ears* (*glds.*) give én en ørefigen/en lussing/et par på kassen; (se også *compass*); [*med adv.*] ~ *in* spærre inde; „klemme"; „trænge op i en krog"; ~ *up* **a.** putte i en æske; **b.** spærre inde.

boxcar ['bɔkska:] *sb.* (*am.*) lukket godsvogn.

boxed [bɔkst] *adj.* i æske; i boks; (*om bøger, plader*) i kassette.

box end wrench *sb.* (*am.*) stjernenøgle.

boxer ['bɔksə] *sb.* bokser; □ *-s = boxer shorts.*

boxer shorts *sb. pl.* boksershorts.

boxing ['bɔksiŋ] *sb.* boksning.

Boxing Day *sb.* [*første hverdag efter juledag*]; **2.** juledag.

boxing glove *sb.* boksehandske.

boxing ring *sb.* boksering.

box junction *sb.* [*vejkryds med gule striber, hvor man ikke kører ud før der er klar bane*].

box kite *sb.* kassedrage.

box lunch *sb.* (*am.*) madpakke [*i æske*].

box number *sb.* (*hos avis*) billetmærke.

box office *sb.* **1.** billetkontor; **2.** billetindtægter; □ *it is good* ~ det trækker folk til; *a* ~ *success/hit* en kassesucces.

box pleat *sb.* wienerlæg.

box room *sb.* pulterkammer.

B *box score*

box score *sb.* (*am.*) [*resumé af sportskamp*].
box spanner *sb.* topnøgle.
boxthorn ['bɔksθɔːn] *sb.* (*bot.*) bukketorn.
boxwood ['bɔkswud] *sb.* (*bot.*) buksbom.
boxy ['bɔksi] *adj.* (*neds.*) firkantet; kasseagtig.
boy [bɔi] *sb.* **1.** dreng; **2.** T fyr; gut; knægt; **3.** (*glds.*) indfødt tjener; □ *oh ~!* (*især am.*, T) ih du store! tak ska' du ha'; *the -s* gutterne (*fx a night out with the -s*); *the -s in blue* [ɔ: *politiet*]; *he is one of the -s* han er en frisk fyr; han er en af vore egne; *-s will be -s* drenge er drenge.
boycott[1] ['bɔikɔt] *sb.* boykot.
boycott[2] ['bɔikɔt] *vb.* boykotte.
boyfriend ['bɔifrend] *sb.* kæreste.
boyhood ['bɔihud] *sb.* **1.** drengeår; barndom; **2.** (*i sms.*) fra drengeårene (*fx my ~ hero*); drenge- (*fx dream*).
boyish ['bɔiiʃ] *adj.* drenget.
boy racer *sb.* ung motorbølle.
Boys' Brigade *sb.* (*svarer til*) Frivilligt Drengeforbund.
boy scout *sb.* spejder, drengespejder;
□ *the -s* (*også*) spejderbevægelsen.
boysenberry ['bɔis(ə)nberi] *sb.* (*bot.*) boysenbær [*krydsning mellem brombær og hindbær*].
bozo ['bəuzəu] *sb.* T fjols, skvadderhoved.
BP *fork. f.* **1.** *British Petroleum*; **2.** (*med.*) *blood pressure*; **3.** (*i datering*) *before the present era*.
bpi *fork. f. bits per inch.*
bps *fork. f. bits per second.*
BR *fork. f. British Rail* de britiske statsbaner.
Br. *fork. f.* **1.** *British*; **2.** *Brother*.
bra [brɑː] *sb.* brystholder, bh.
braai[1] [brai] *sb.* = *braaivleis*.
braai[2] [brai] *vb.* (*sydafr.*) grille.
braaivleis ['braifleis] *sb.* (*sydafr.*) grillfest; udflugt med grillstegning.
brace[1] [breis] *sb.* (*se også braces*) **1.** stiver; støtte; **2.** (*til tænder*) bøjle; **3.** (*med.: til ben, arm*) skinne; (*til krop*) støttekorset; (*til ryg*) rygholder; **4.** (*typ.*) klamme, tuborg; **5.** (*til bor*) borsving; **6.** (*af hunde, vildt, pistoler* (*pl. d.s.*)) par; **7.** (*mar.*) bras.
brace[2] [breis] *vb.* (*se også bracing*) **1.** støtte; understøtte; stive af; **2.** (*knæ, skulder*) spænde; □ *~ oneself against* presse sig op mod; *~ one's back//feet against* stemme ryggen//fødderne imod; *~ for* spænde kroppen som forbere-

delse til (*fx a crash*); *~ oneself for* forberede sig på, belave sig på; *be -d for* være forberedt på, være belavet på; *~ oneself to* tage sig sammen til at; *~ up* **a.** stramme sig op; være tapper; **b.** (*mar.*) brase ind.
bracelet ['breislət] *sb.* armbånd.
bracer ['breisə] *sb.* T opstrammer.
braces ['breisiz] *sb. pl.* **1.** seler; **2.** (*am.: til tænder*) bøjle; (*til ben*) benskinne.
bracing ['breisiŋ] *adj.* forfriskende; opkvikkende; styrkende.
bracken ['bræk(ə)n] *sb.* ørnebregne(r); bregnekrat.
bracket[1] ['brækit] *sb.* **1.** (*typ. etc.*) parentes; (*se også angle bracket, curly bracket, square bracket*); **2.** (*ved inddeling*) gruppe, kategori; klasse (*fx all price -s; the higher income -s*); **3.** (*i mur, til støtte*) konsol; støtte; arm; (*for hylde*) knægt; **4.** (*mil.: ved skydning*) gaffel.
bracket[2] ['brækit] *vb.* **1.** sætte i parentes/klammer; **2.** sammenstille; gruppere; **3.** (*mil.: om mål*) gafle sig ind på;
□ *~ together* sidestille, slå sammen; *~ with* **a.** slå sammen med; **b.** sidestille med, slå i hartkorn med.
bracket lamp *sb.* lampet.
brackish ['brækiʃ] *adj.*: *~ water* brakvand.
brad [bræd] *sb.* dykker [ɔ: søm].
bradawl ['brædɔːl] *sb.* platbor.
brae [brei] *sb.* (*skotsk*) bakke; skrænt.
brag [bræg] *vb.* prale (*about* af, med; *that* af at, med at).
braggadocio [brægə'dəutʃiəu] *sb.* (*litt.*) praleri; opblæsthed; storagtighed.
braggart ['brægət] *sb.* (*glds.*) pralhals.
Brahman ['brɑːmən] = *Brahmin*.
Brahmin ['brɑːmin] *sb.* **1.** bramin, brahman [*medlem af den højeste hindukaste*]; **2.** (*am.*) aristokrat [*især fra New England*]; **3.** (*zo.*) = zebu.
braid[1] [breid] *sb.* **1.** (*på kjole etc.*) kantebånd, bort; **2.** (*på møbel, gardin*) snor; **3.** (*på uniform*) tresse (*fx gold ~*); snor; galon; **4.** (*am.*) fletning.
braid[2] [breid] *adj.* (*skotsk*) bred.
braid[3] [breid] *vb.* **1.** (*om tøj*) besætte med kantebånd, pynte; **2.** (*til reb, snor*) sno; **3.** (*am.: hår*) flette (*fx one's hair*).
brail [breil] *sb.* (*mar.*) givtov [*til gaffelsejl*].
Braille [breil] *sb.* punktskrift; blin-

deskrift.
brain[1] [brein] *sb.* hjerne; (se også *brains*);
□ *have (got) cars on the ~* have biler på hjernen; *rack one's ~* se *brains; turn sby's ~* gøre en helt tosset; sætte en fluer i hovedet.
brain[2] [brein] *vb.* **1.** T give er ordentlig gok i hovedet; **2.** (*dyr*) slå for panden (*fx an ox*);
□ *I'll ~ you if you do it* (*spøg.*) jeg slår hovedet ned i maven på dig hvis du gør det.
brainbox ['breinbɔks] *sb.* (*glds.* T) geni.
brain bucket *sb.* T snublekyse [ɔ: styrthjelm].
brainchild ['breintʃaild] *sb.*: *that is his ~* det er hans opfindelse/idé.
brain damage *sb.* hjerneskade.
brain-damaged *adj.* hjerneskadet.
brain dead *adj.* hjernedød.
brain deadth *sb.* hjernedød.
brain drain *sb.* forskerflugt.
brainless ['breinləs] *adj.* torskedum; tykhovedet; komplet tåbelig.
brainpan ['breinpæn] *sb.* (*am.*) hjerneskal; pandeskal.
brainpower ['breinpauə] *sb.* **1.** (*lands*) intelligens; **2.** (*persons*) tænkeevne.
brains [breinz] *sb. pl.* **1.** hjerne; **2.** (*fig.*) hjerne (*fx he has got ~; the ~ behind the scheme*); hoved (*fx use your ~*); forstand;
□ *bash sby's ~ in, beat sby's ~ out* T smadre hovedet på en; *blow one's//his ~ out* skyde sig//ham en kugle gennem hovedet; *cudgel/ puzzle/rack one's ~* lægge hovedet i blød, bryde sit hoved/sin hjerne; *pick sby's ~* T udnytte ens viden; stjæle ens ideer.
brainstorm[1] ['breinstɔːm] *sb.* **1.** pludseligt vanvid; **2.** se *brainstorming*; **3.** (*am.*) se *brainwave 1.*
brainstorm[2] ['breinstɔːm] *vb.* holde summemøde, fremlægge en mængde ideer.
brainstorming ['breinstɔːmiŋ] *sb.* summemøde; brainstorm.
brain teaser *sb.* svær opgave, hård nød.
brain trust *sb.* (*am.*) hjernetrust; ekspertgruppe.
brain truster ['breintrʌstə] *sb.* (*am.*) medlem af en *brain trust*.
brainwash ['breinwɔʃ] *vb.* hjernevaske.
brainwave ['breinweiv] *sb.* **1.** lys idé; pludseligt lyst indfald; **2.** (*med.*) hjernepotentialsvingning.
brainy ['breini] *adj.* intelligent, begavet.
braise [breiz] *vb.* grydestege.

brake¹ [breik] *sb.* **1.** (*på vogn*)
bremse; **2.** (*bot.*) ørnebregne;
3. (*glds. el. litt.*) krat; **4.** (*til behandling af hør*) hørbryder;
□ *put a//the ~ on* (*jf. 1, fig.*)
bremse, dæmpe, holde igen på (*fx public spending*).
brake² [breik] *vb.* bremse.
brake block *sb.* bremseklods.
brake disc *sb.* bremseskive.
brake fluid *sb.* bremsevæske.
brake lining *sb.* bremsebelægning.
brake pad *sb.* bremseklods.
brake shoe *sb.* bremsebakke, bremsesko.
bramble ['bræmbl] *sb.* **1.** brombærbusk; **2.** (*især skotsk*) brombær.
brambling ['bræmbliŋ] *sb.* (*zo.*)
kvækerfinke.
bran [bræn] *sb.* klid.
branch¹ [bra:n(t)ʃ] *sb.* **1.** gren;
2. (*af firma*) afdeling, filial; **3.** (*af fag*) område; **4.** (*af familie*) gren;
5. (*af offentlig tjeneste*) gren, tjenestegren, afdeling; **6.** (*af landets styrelse*) magt (*fx the executive// judicial//legislative ~*); **7.** (*am.: af flod*) arm; biflod; **8.** (*i edb*) forgrening, gren.
branch² [bra:n(t)ʃ] *vb.* **1.** (*om træ, busk*) skyde grene; **2.** (*om vej*)
dele sig;
□ *~ off* **a.** bøje af, dreje af; **b.** (*om vej*) dele sig, forgrene sig; **c.** (*fra større vej*) gå ud fra (*fx lanes -ed off the main road*); *~ off from* dreje væk fra; *~ off into* **a.** dreje af og fortsætte ind i (*fx they -ed off into the wood*); **b.** (*om samtale*) gå over til; *~ out* **a.** skyde grene; **b.** udvide [*sit virkefelt*]; *~ out from* gå videre fra; *~ out into* gå over til.
branchial ['bræŋkiəl] *adj.* (*zo.*)
gælle- (*fx cleft* spalte).
branch line *sb.* (*jernb.*) sidebane;
lokalbane.
branch manager *sb.* filialbestyrer.
brand¹ [brænd] *sb.* **1.** (*merk.*)
mærke; fabrikat; **2.** (*agr.& hist.*)
brændemærke; **3.** (*fig.*) brændemærke, skamplet; stempel;
4. (*stykke træ*) brand;
□ *~ of* (*jf. 1, fig.*) form for (*fx his ~ of humour*); udgave af (*fx their ~ of socialism*); slags.
brand² [brænd] *vb.* **1.** (*kvæg*) brændemærke; **2.** (*fig.*) stemple som (*fx ~ him a liar*);
□ *~ as* stemple som.
branded goods *sb. pl.* mærkevarer.
brandied ['brændid] *adj.* nedlagt i//blandet med brandy.
branding ['brændiŋ] *sb.* (*merk.*)
[*det at sælge et produkt//gøre et produkt kendt under et bestemt*

mærke].
branding iron *sb.* brændejern.
brandish ['brændiʃ] *vb.* svinge,
svinge med, true med (*fx a sword*).
brand leader *sb.* førende mærke.
brandling ['brændliŋ] *sb.* (*zo.*)
brandorm.
brand loyalty *sb.* (*merk.*) mærkeloyalitet.
brand name *sb.* (*merk.*) mærkenavn, produktnavn, varemærke.
brand-new [brænd'nju:] *adj.* splinterny.
brandy ['brændi] *sb.* brandy; brændevin; cognac.
brandy butter *sb.* [*tyk sauce af brandy, smør og sukker, til desserter*].
brandy snap *sb.* ingefærkiks [*af form som en rulle*].
brant [brænt] *sb.* (*am.*) = brent goose.
brash¹ [bræʃ] *sb.* **1.** isstykker; sjapis; **2.** (*hæk*)afklip; **3.** skærver; stenbrokker.
brash² [bræʃ] *adj.* **1.** (*om person*)
fræk, pågående, fremfusende; højrøstet; **2.** (*om farve*) skrigende;
3. (*om ting*) pågående, anmassende (*fx s:*building).
brass [bra:s] *sb.* **1.** (*metal*) messing; (*glds.*) malm; **2.** (*ting*) messingtøj; messingsager; **3.** (*til seletøj*) seletøjsbeslag; **4.** (*fx i kirke*) messingplade; mindeplade, mindetavle;
5. (*mus.*) messingblæsere; **6.** (T: om personer) se *top brass*;
7. (*glds.* T) penge, gysser;
□ *have the ~ to* være så fræk at;
(se også *bold, top brass*).
brassard ['bræsa:d] *sb.* armbind.
brass band *sb.* hornorkester.
brassed off [bra:st'ɔf] *adj.* irriteret og skuffet;
□ *~ off with* dødtræt af; led og ked af.
brasserie ['bræsəri] *sb.* café.
brass hat *sb.* (*mil.* T) højtstående officer.
brassie ['bra:si] *sb.* brassie, messingbeslået golfkølle.
brassière ['bræziə, -siə, (*am.*)
brə'ziər] *sb.* brystholder.
brass knuckles *sb. pl.* T knojern.
brass monkey weather *sb.* S hundekoldt vejr.
brass neck *sb.*: *have a ~* T være utrolig fræk.
brass rubbing *sb.* **1.** [*gnidebillede af messingmindeplade*]; **2.** [*det at lave gnidebilleder af messingmindeplader*].
brass tacks *sb. pl.*: *get down to ~* S komme til sagen; tage fat på realiteterne.

brassy ['bra:si] *adj.* **1.** (*om lyd*)
skinger; skrattende; **2.** (*om kvinde*) fræk, pågående; højrøstet;
3. (*om farve*) messinggul.
brat [bræt] *sb.* (*neds.*) **1.** unge;
2. møgunge.
brat pack *sb.* (*om filmstjerner etc.*)
unge løver.
bravado [brə'va:dəu] *sb.* udfordrende optræden [*især: der dækker over frygt*].
brave¹ [breiv] *sb.* (*glds.*) indianerkriger.
brave² [breiv] *adj.* **1.** modig, tapper (*fx soldier*); **2.** (*om barn*) tapper (*fx she was a ~ little girl*); **3.** (*om handling*) modig (*fx decision*);
4. (*poet., litt.*) prægtig, skøn;
□ *put a ~ face on it* lade som ingenting; lade uanfægtet.
brave³ [breiv] *vb.* trodse, byde trods;
□ *~ it out* stå det igennem med oprejst pande; ikke lade sig mærke med noget.
brave new world *sb.* fagre ny verden.
bravery ['breiv(ə)ri] *sb.* mod, tapperhed.
bravo¹ ['bra:vəu] *sb.* **1.** (*glds.*) bravoråb; **2.** (*ved stavning, fx over radio*) B; **3.** (*litt.*) bandit.
bravo² ['bra:vəu] *interj.* (*glds.*)
bravo.
bravura [brə'vuərə] *sb.* (*litt.*) bravur (*fx with ~*);
□ *he gave a ~ performance* han klarede det med bravur.
braw [brɔ:] *adj.* (*skotsk*) fin, flot.
brawl¹ [brɔ:l] *sb.* (*larmende*) slagsmål; klammeri; (*højrøstet*) skænderi; (*se også* drunken).
brawl² [brɔ:l] *vb.* slås; skændes.
brawler ['brɔ:lə] *sb.* slagsbroder;
spektakelmager.
brawn [brɔ:n] *sb.* **1.** muskelkraft;
(*svære*) muskler; **2.** (*mad*) grisesylte.
brawny ['brɔ:ni] *adj.* kraftig; muskuløs.
bray¹ [brei] *sb.* **1.** (*æsels*) skryden;
2. (*persons*) skrål.
bray² [brei] *vb.* **1.** (*om æsel*)
skryde; **2.** (*om person*) skråle.
braze [breiz] *vb.* slaglodde.
brazen¹ ['breiz(ə)n] *adj.* **1.** fræk;
skamløs; **2.** (*poet.*) messing-,
malm-; messinggul.
brazen² ['breiz(ə)n] *vb.*: *~ it out* lade som ingenting; klare sig igennem ved frækhed.
brazier ['breiziə] *sb.* **1.** kulbækken,
varmebækken; **2.** (*am.*) grill;
3. (*håndværker*) gørtler.
Brazil [brə'zil] *sb.* **1.** (*geogr.*) Brasilien; **2.** (*forst.*) rødtræ.

B *Brazilian*

Brazilian[1] [brə'ziliən] *sb.* brasilianer.

Brazilian[2] ['brə'ziliən] *adj.* brasiliansk.

Brazilian rosewood *sb.* palisander.

Brazil nut *sb.* paranød.

Brazil wood *sb.* = *Brazil 2.*

BRB *fork. f.* be right back.

BRCS *fork. f. British Red Cross Society.*

breach[1] [bri:tʃ] *sb.* **1.** brud (*of* på, *fx etiquette*); **2.** (*af bestemmelse*) overtrædelse (*of* af, *fx the rules*); **3.** (F: *i forhold*) uoverensstemmelse, kløft (*between* mellem, *fx our countries*); (*endeligt*) brud; **4.** (*mil.,* F) breche;
□ *step into the* ~ (*spøg.*) træde til; komme til hjælp//undsætning; [*med: of*] *be in* ~ *of* bryde; overtræde (*fx the rules*); ~ *of contract* kontraktbrud; ~ *of discipline* brud på disciplinen; disciplinær forseelse; ~ *of the peace* forstyrrelse af den offentlige orden; ~ *of promise* brud på ægteskabsløfte; hævet forlovelse; ~ *of security* overtrædelse af sikkerhedsbestemmelserne; situation hvor sikkerheden er ibtagt i fare.

breach[2] [bri:tʃ] *vb.* **1.** bryde (*fx an agreement; a promise*); **2.** (*lov, regel*) overtræde; **3.** (*spærring*) trænge igennem, gennembryde; **4.** (*mil.*) skyde breche i;
□ ~ *security* overtræde sikkerhedsbestemmelserne; bringe sikkerheden i fare.

bread [bred] *sb.* **1.** brød; **2.** (*glds.* S) penge;
□ *earn one's* ~ T tjene til føden; *know on which side one's* ~ *is buttered* kende sin egen fordel; vide hvad der tjener én bedst; *butter both sides of one's* ~ *have to indtægter; have one's* ~ *buttered on both sides* være særdeles velstillet.

bread and butter *sb.* **1.** smørrebrød [*uden pålæg*]; **2.** (*fig.*) levebrød;
□ *quarrel with one's* ~ beklage sig over ulemperne ved sit levebrød.

bread-and-butter [bred(ə)n'bʌtə] *adj.* **1.** som gøres for at tjene til føden; **2.** (*fig.*) grundlæggende; elementær (*fx problems*); **3.** som man altid kan regne med; fast (*fx repertoire*);
□ ~ *product* brødartikel [ɔ: vare som går godt]; ~ *study* brødstudium.

bread-and-butter letter *sb.* takkebrev [*for gæstfrihed*].

bread and circuses *sb.* brød og skuespil.

bread and milk *sb.* brødstumper i varm mælk; „vovvovsuppe".

bread and scrape *sb.* brød med skrabet smør.

breadbasket ['bredba:skit] *sb.* **1.** brødkurv; **2.** (*fig.: område*) kornkammer; **3.** T mave.

bread bin *sb.* brødkasse.

breadboard ['bredbɔ:d] *sb.* skærebræt.

breadcrumbs ['bredkrʌmz] *sb. pl.* **1.** brødkrummer; **2.** (*til panering*) rasp.

breaded ['bredid] *adj.* paneret.

breadfruit ['bredfru:t] *sb.* (*pl.* *breadfruit/-s*) brødfrugt.

breadline ['bredlain] *sb.* **1.** fattigdomsgrænse; eksistensminimum; **2.** (*am.*) [*kø af fattige der venter på at få gratis mad*];
□ *be on the* ~ leve på et eksistensminimum.

breadth [bredθ] *sb.* bredde;
□ ~ *of mind* frisindethed; ~ *and breadth* se *length.*

breadthways ['bredθweiz] *adv.* i bredden.

breadwinner ['bredwinə] *sb.* forsørger, familieforsørger.

break[1] [breik] *sb.* **1.** brud (*in* på, *fx a waterpipe; with* med, *fx the past, tradition*); **2.** (*i aktivitet*) afbrydelse; standsning; pause; **3.** (*til hvil*) pause; (*i skole*) frikvarter; (*længere*) lille ferie; **4.** T chance; **5.** (*i vejret*) omslag; (*i skyer*) opklaring; **6.** (*i tennis*) break; servegennembrud; **7.** (*typ.*) linjeudgang; **8.** (*i billard etc.*) serie;
□ *the* ~ *of day* (*litt.*) daggry; *a lucky* ~ et held; (*se også clean*[2]*, even*[2]*);*
[*med vb.*] *give sby a* ~ **a.** lade en få lidt fred; **b.** hjælpe en; *give me a* ~*!* T **a.** (*vantro*) årh hold op! årh la' vær'! **b.** (*irriteret*) så er det godt! hold så op! *have a bad* ~ sidde i uheld; have modgang; *have a lucky* ~ sidde i held; have medvind; *make a* ~ *for it* T stikke af; *take a* ~ holde pause.

break[2] [breik] *vb.* (*broke, broken*) (se også *broken*) **A.** (*med objekt*) **1.** brække (*fx a leg*); brække over, knække (*fx a stick*); bryde (*fx one's chains*); slå i stykker, knuse (*fx a glass; a window*); ødelægge (*fx the camera*); **2.** (*fig.*) knuse, få til at briste (*fx his heart*); **3.** (*person*) nedbryde, knække (*fx they never broke him*); **4.** (*økonomisk*) ruinere; ødelægge; sprænge (*fx the bank*); **5.** (*om forandring*) bryde (*fx the cycle of violence; the silence*); **6.** (*forbindelse; rejse*) afbryde (*fx their links with him; the journey*); **7.** (*aftale, besatem-*

melse) bryde (*fx an agreement; a contract; the law; a promise*); **8.** (*stød, fald*) afbøde; **9.** (*hest*) skole; ride til; tæmme; **10.** (*mil.*) degradere; **11.** (*kode*) bryde, knække, forcere; **12.** (*kampagne, valgkamp*) åbne; begynde (*fx the campaign*); **13.** (*am.: penge*) veksle; slå i stykker (*fx a dollar*);
B. (*uden objekt*) **1.** springe, briste (*fx the rope broke*); brække, knække (*fx the branch broke*); gå itu/i stykker (*fx the vase broke*); (*om apparat, maskine*) gå i stykker (*fx the toaster broke*); **2.** (*om stemme: af bevægelse*) knække over; (*drengs, i puberteten*) gå i overgang; **3.** (*om vejr*) slå om; **4.** (*om uvejr*) bryde løs; **5.** (*om skyer, mørke*) sprede sig; forsvinde; **6.** (*i arbejde*) holde pause (*fx* ~ *for lunch*);
□ *the dawn/day was -ing* dagen var ved at bryde frem; dagen/det gryede; ~ *even* **a.** klare sig uden tab eller gevinst; **b.** få regnskabet til at balancere; få sine udgifter dækket; ~ *free/loose* komme fri, gøre sig fri (*from* af); rive sig løs; ~ *a record* slå en rekord; *the wave broke* bølgen slog over; (se også *bank, cover*[1]*, deadlock, ground*[1]*, habit, mould*[1]*, news, step*[1] *(etc.));*
[*med præp., adv.*] *the waves broke against the shore* bølgerne slog/brødes mod kysten; ~ *away* **a.** komme fri, gøre sig fri (*from* af); rive sig løs; **b.** løbe væk; bryde ud;
~ *down* **a.** (*også kem.*) nedbryde; **b.** (*forhindring*) bryde ned; smadre (*fx the door*); **c.** (*modstand*) bryde; **d.** (*oplysninger, tal etc.*) opdele i grupper; analysere; specificere; **e.** (*uden objekt, jf. d*) lade sig opdele i grupper; lade sig analysere//specificere; **f.** (*om maskine; om forhandlinger; om person*) bryde sammen; **g.** (*om foretagende*) mislykkes; slå fejl;
~ *in* **a.** (*hest etc.*) tæmme, dressere, skole; **b.** (*sko*) gå 'til; **c.** (*pibe*) ryge 'til; **d.** (*uden objekt*) bryde ind; ~ *the door in* slå døren ind; ~ *in on* afbryde, bryde ind i (*fx a conversation*); forstyrre;
~ *into* **a.** bryde ind i (*fx a house; a computer system*); **b.** (*fig.*) tage hul på (*fx a new packet of butter; a five-pound note*); **c.** (*forstyrrende*) gøre indgreb i (*fx his leisure time; their emergency supplies*); **d.** (*om ytring*) bryde ud i (*fx loud cheers*); **e.** (*om gangart*) slå over i (*fx a gallop*); ~ *into a*

run sætte i løb; ~ *into three pieces* brække i tre stykker; ~ *into a sweat* begynde at svede; komme til at svede;
~ *off* a. afbryde (*fx talks with them*); **b.** brække af, knække af (*fx a piece of chocolate*); **c.** (*uden objekt*) brække af, the wing broke off; knække af; **d.** (*når man taler*) bryde af; **e.** (*i arbejde*) holde pause; ~ *off the engagement with him* hæve forlovelsen med ham; *they have broken it off* de har gjort det forbi [ɔ: *hævet forlovelsen*];
~ *out* a. bryde ud (*fx war//a fire broke out*); **b.** bryde frem (*fx sweat broke out on his forehead*); **c.** (*fig.*) gøre sig fri; **d.** (*med objekt*) tage hul på, begynde at bruge (*fx the wine*); **e.** (*ytring*) udbryde; ~ *out in* a sweat begynde at svede, komme til at svede; ~ *out in a cold sweat* (T: *fig.*) svede angstens sved; ~ *out in a rage* blive rasende; ~ *out in tears* briste i gråd; (se også *rash¹*); ~ *out of* a. bryde ud af (*fx a prison*); **b.** frigøre sig fra (*fx one's upbringing*);
~ *through* a. bryde igennem; **b.** (*om kunstner*) få et gennembrud; slå igennem;
~ *up* a. slå i stykker (*fx the waves broke up the ship*); **b.** splitte (*fx the war broke up many families*); opløse (*fx a meeting*); **c.** (*bil, skib: som ikke skal bruges mere*) hugge op; **d.** (*slagsmål*) afbryde; **e.** (*uden objekt*) gå i stykker; gå fra hinanden (*fx the plane broke up in mid-air*); **f.** (*om personer*) dele sig (*fx into smaller groups*); **g.** (*om personer*) skilles, gå fra hinanden (*fx the band decided to ~ up*); (*om par også*) slå op; **h.** (*om skyer*) spredes; **i.** (*om forsamling*) opløses (*fx the party//the meeting broke up*); **j.** (*om skole*) slutte af; **k.** (*om forhold*) gå i stykker; **l.** (*om person*) bryde sammen; **m.** (*om vejr*) slå om; **n.** (*om lyd i radio, telefon*) forsvinde; *the frost had broken up* frosten var gået af jorden; ~ *up with* bryde med (*fx one's boy friend*);
~ *with* bryde med (*fx the Party; tradition*).
breakable ['breikəbl] *adj.* skrøbelig.
breakables ['breikəblz] *sb. pl.* skrøbelige sager.
breakage ['breikidʒ] *sb.* **1.** beskadigelse; brud; (*merk.*) brækage; **2.** skade (*fx all ~ must be paid for*).
breakaway¹ ['breikəwei] *sb.* **1.** løs-

rivelse; brud; **2.** (*i fodbold*) angreb; udbrud; **3.** (*i cykelløb*) udbrud.
breakaway² ['breikəwei] *adj.* udbryder- (*fx group*); løsrivelses-.
breakdancing ['breikda:nsiŋ] *sb.* breakdance.
breakdown ['breikdaun] *sb.*
1. sammenbrud (*fx of talks*); (se også *nervous breakdown*); **2.** (*om ægteskab*) forlis; **3.** (*tekn.*) motorstop; maskinskade; havari; **4.** (*kem. etc.*) nedbrydning; **5.** (*om oplysninger, fx tal i statistik*) analyse; opdeling i grupper; specificering (*fx of the expenses*).
breakdown gang *sb.* hjælpemandskab [*ved togulykke*].
breakdown lorry, breakdown truck *sb.* kranvogn.
breaker ['breikə] *sb.* **1.** (*for heste*) berider; **2.** (*bølge*) brodsø; (se også *car breaker, circuit breaker*).
breakeven ['breiki:vən] *sb.* (*merk.*) punkt hvor regnskabet balancerer; ligevægtspunkt; nulpunkt.
breakfast¹ ['brekfəst] *sb.* morgenmad.
breakfast² ['brekfəst] *vb.* F spise morgenmad.
break-in ['breikin] *sb.* indbrud.
breaking point *sb.* **1.** bristepunkt(et); **2.** (*tekn.*) brudgrænse.
break line *sb.* (*typ.*) linjeudgang; udgangslinje.
breakneck ['breiknek] *adj.* (*om fart*) halsbrækkende.
breakout ['breikaut] *sb.* **1.** (*fra fængsel*) fangeflugt; **2.** (*ved konference*) mindre gruppe; undergruppe; **3.** (*af sygdom & mil.*) udbrud.
breakthrough ['breikθru:] *sb.* gennembrud.
break-up ['breikʌp] *sb.* **1.** (*af parforhold*) opløsning; sammenbrud; **2.** (*af organisation etc.: i mindre dele*) opdeling.
breakwater ['breikwɔ:tə] *sb.* **1.** bølgebryder; **2.** (*ved havn*) mole.
bream [bri:m] *sb.* (*pl. bream/-s*) (*zo.*) brasen [*en fisk*].
breast¹ [brest] *sb.* bryst;
□ *beat one's ~* a. slå sig for brystet; vise heftig anger [*for et syns skyld*]; **b.** rase (demonstrativt); (se også *clean²*).
breast² [brest] *vb.* **1.** trodse (*fx the waves*); kæmpe sig igennem (*fx a crisis*); **2.** arbejde sig op over (*fx a hill*); (se også *tape¹*).
breast-beating ['brestbi:tiŋ] *sb.* **1.** demonstrativ anger//vrede; **2.** (selvretfærdigt) slåen sig for brystet.
breastbone ['brestbəun] *sb.* bryst-

ben.
breast-feed ['brestfi:d] *vb.* amme, give bryst;
□ *breast-fed baby* brystbarn.
breast-feeding ['brestfi:diŋ] *sb.* amning; brysternæring.
breast-high [brest'hai] *adj.* i brysthøjde; op til brystet.
breast milk *sb.* modermælk.
breastpin ['brestpin] *sb.* brystnål.
breastplate ['brestpleit] *sb.* brystharnisk.
breaststroke ['breststrəuk] *sb.* brystsvømning;
□ *do (the) ~* svømme brystsvømning.
breath [breθ] *sb.* **1.** vejrtrækning; åndedræt; åndedrag; **2.** (*luft*) ånde (*fx his ~ smelled of garlic*); **3.** (*vind*) luftning;
□ *a ~ of* en smule, en antydning af (*fx common sense*); *there wasn't a ~ of air* der rørte sig ikke en vind; *a ~ of fresh air* (*fig.*) et frisk pust; *take a ~ of fresh air* få en mundfuld frisk luft; *a ~ of wind* et vindpust; en luftning; ~ *of life* livsbetingelse;
[*med vb.*] *catch one's ~* **a.** snappe efter vejret; **b.** få vejret igen; *draw ~* trække vejret; *draw a deep ~, draw 'in one's ~* trække vejret dybt; tage en dyb indånding; *draw one's last ~* drage sit sidste suk; *get one's ~ back* få vejret igen; *hold one's ~* holde vejret; *don't hold your ~* T det skal du ikke regne med; *lose one's ~* miste vejret, miste pusten; *recover one's ~* få vejret igen; *save one's ~* spare sine ord; tie stille; *take ~* puste (ud); trække vejret, få vejret (*fx we paused to take ~*); *take away one's ~* tage vejret fra en; få en til at tabe vejret; *take a deep ~* se *ovt.: draw a deep ~*; *waste one's ~* spilde sit krudt/sine ord;
[*med præp.& adv.*] *fight for ~* hive efter vejret; *gasp for ~* gispe efter vejret; *in the same ~* i samme åndedrag (*fx he corrected himself in the same ~*); *a waste of ~* spildte ord; (se også *short², shortness*); *out of ~* forpustet; åndeløs; *under one's ~* sagte; dæmpet; halvhøjt; (se også *bated*).
breathable ['bri:ðəbl] *adj.* **1.** (*om tøj*) som huden kan ånde i; **2.** (*om luft*) som man kan ånde i.
breathalyze ['breθəlaiz] *vb.* prøve med spritballon.
breathalyzer ['breθəlaizə] *sb.* alkometer; spritballon [*til spiritusprøve*].
breathe [bri:ð] *vb.* **1.** trække vejret; ånde; **2.** (*som hvil*) puste ud; hvile

lidt; **3.** (*om vinden*) lufte; **4.** (*med objekt*) indånde (*fx the fresh air*); **5.** (*hest*) lade puste ud; **6.** (*vin*) ilte; **7.** (*litt.*) fremhviske;
□ ~ *one's last* drage sit sidste suk; (se også *neck¹, relief¹* (*a sigh of relief*));
[*med præp.& adv.*] *not* ~ *a word about it* ikke mæle et ord om det; ~ *again* (*fig.*) ånde lettet op; ~ *in* ånde ind; ~ *new life into* puste nyt liv i; ~ *out* ånde ud.
breather ['bri:ðə] *sb.* pause, hvil (*fx take a ~*); (se også *heavy breather*).
breathing ['bri:ðiŋ] *sb.* vejrtrækning; åndedræt.
breathing exercise *sb.* åndedrætsøvelse.
breathing hole *sb.* åndehul [*i isen*].
breathing space *sb.* pusterum.
breathless ['breθləs] *adj.* **1.** (*om person*) forpustet, stakåndet; **2.** (*fig.*) åndeløs (*fx excitement*); som tager vejret fra en (*fx at a ~ pace*); **3.** (*om sted*) indelukket; beklumret;
□ ~ *with* åndeløs af (*fx excitement*).
breathtaking ['breθteikiŋ] *adj.* som tager vejret fra en (*fx speed*); betagende (*fx view*).
breath test *sb.* alkotest; ballonprøve.
breathy ['breθi] *adj.* (*om stemme*) luftblandet; hæs.
bred [bred] *præt. & præt. ptc. af breed.*
breech birth *sb.* = *breech delivery.*
breechblock ['bri:tʃblɔk] *sb.* (*mil., på kanon*) bundstykke.
breech delivery *sb.* (*med.*) sædefødsel.
breeches ['britʃiz] *sb. pl.* **1.** (*glds.*) knæbukser; **2.** se *riding breeches*; □ *the wife wears the* ~ det er konen der har bukserne på; (se også *big*).
breeches buoy *sb.* (*mar.*) redningsstol.
breeching ['britʃiŋ] *sb.* bagrem; omgang [*i seletøj*].
breechloader ['bri:tʃləudə] *sb.* (*mil.*) baglader.
breed¹ [bri:d] *sb.* **1.** (*af dyr*) race (*fx of dog; of sheep*); **2.** (*af plante*) art; **3.** (*fig.: om person,*) race (*fx they are a dying ~*); type (*fx a new ~ of director*); **4.** (*fig.: om ting*) slags; art.
breed² [bri:d] *vb.* (*bred, bred*) **1.** (*dyr*) avle, opdrætte; **2.** (*planter*) avle, dyrke; **3.** (*noget negativt: forårsage*) skabe (*fx discontent; distrust*); frembringe; **4.** (*uden objekt, om dyr*) yngle; formere sig, forplante sig;

□ ~ *true* give konstant afkom; [*med præp.& adv.*] *be bred for* være opdraget til; ~ *in the bone* se *bone¹; be bred to* være opdraget//uddannet til at; *bred to the law* uddannet som jurist; (se også *born*).
breeder ['bri:də] *sb.* **1.** (*af planter*) avler; dyrker; **2.** (*af dyr*) avler; opdrætter.
breeder reactor *sb.* (*fys.*) formeringsreaktor.
breeding ['bri:diŋ] *sb.* **1.** (*af planter*) avl, dyrkning; **2.** (*af dyr*) avl, opdræt; **3.** (*om*) ynglen; formering, forplantning; **4.** (*glds. om egenskab*) dannelse, gode manerer, pli.
breeding ground *sb.* **1.** grobund (*fx for crime*); udklækningssted (*fx for young rebels*); **2.** (*dyrs*) yngleplads.
breeze¹ [bri:z] *sb.* **1.** (*vind*) brise; **2.** (*på Beauforts skala*) se *fresh breeze 2, gentle breeze 2, light breeze 2, moderate breeze, strong breeze*; **3.** (*af kul*) smuld; affaldskul; **4.** (*fra ovn*) slagger;
□ *it's a* ~ T det er en let sag; det er ingenting; *shoot the* ~ *with* S snakke med, sludre med.
breeze² [bri:z] *vb.* T komme uden videre; komme slentrende//dumpende//farende (*fx in; into the room*);
□ ~ *through sth* stryge igennem noget; klare noget så let som ingenting.
breeze block *sb.* slaggebetonplade.
breezy ['bri:zi] *adj.* **1.** (*om vejr*) luftig, med frisk vind; **2.** (*om person*) frisk, rask, gemytlig; **3.** (*om andet*) frisk, livlig.
brent goose *sb.* (*zo.*) knortegås.
brethren ['breðrən] *sb. pl.* (*glds., især rel.*) brødre.
Breton¹ ['bret(ə)n] *sb.* **1.** (*person*) bretoner; **2.** (*sprog*) bretonsk.
Breton² ['bret(ə)n] *adj.* bretonsk [ɔ: *fra Bretagne*].
breviary ['bri:viəri] *sb.* (*rel.*) breviar, bønnebog.
brevier [brə'viə] *sb.* (*typ.*) petit.
brevity ['brevəti] *sb.* (jf. *brief²*) **1.** korthed; **2.** kortfattethed; korthed.
brew¹ [bru:] *sb.* **1.** bryg; **2.** (*fig.*) blanding; sammenkog.
brew² [bru:] *vb.* **1.** (*øl*) brygge; **2.** (*te, kaffe*) brygge, lave; **3.** (*uden objekt, om te*) trække;
□ *be -ing* **a.** (*om uvejr*) være ved at trække op, være i anmarch; **b.** (*fig.*) være i gære; være under opsejling (*fx there is trouble -ing*); *mischief is -ing* der er ugler i mo-

sen; ~ *up* T lave te; *be -ing up* **a.** se ovf.: *be -ing, b*); **b.** (*om person*) være ved at sætte i gang; pønse på.
brewer ['bru:ə] *sb.* brygger.
brewery ['bru:əri] *sb.* bryggeri.
brew-up ['bru:ʌp] *sb.* (T, *omtr.=*) tepause.
briar ['braiə] *sb.* **1.** (*bot.*) vild rose; tornebusk; **2.** (*til piber*) bruyere; **3.** (*pibe*) bruyerepibe; shagpibe.
bribe¹ [braib] *sb.* **1.** bestikkelse; **2.** (*fig.*) lokkemiddel.
bribe² [braib] *vb.* **1.** bestikke; **2.** (*fig.*) købe (*fx ~ the child to go to bed*).
bribery ['braibəri] *sb.* bestikkelse.
bric-a-brac ['brikəbræk] *sb.* nips.
brick¹ [brik] *sb.* **1.** mursten; **2.** (*materiale*) tegl (*fx built of ~*); **3.** (*stykke*) blok; klump (*fx of ice-cream*); **4.** (*legetøj*) (bygge)klods; □ *you are a* ~ (*glds.* T) du er en knop/sveske; *drop a* ~ S begå en bommert; *træde i spinaten*; *invest in -s and mortar* sætte sine penge i mursten [ɔ: *i fast ejendom*]; *make -s without straw* [*arbejde uden tilstrækkelige hjælpemidler*]; *shit a* ~, *shit -s* (am. S, *svarer til*) skide små grønne grise [ɔ: *af skræk*]; (se også *ton*).
brick² [brik] *vb.:* ~ *in*, ~ *up* mure til; blænde; ~ *off* spærre af med en mur.
brickbats ['brikbæts] *sb. pl.* **1.** skrap kritik; ubehageligheder; **2.** murbrokker; kasteskyts.
brick-built ['brikbilt] *adj.* grundmuret.
brickie ['briki] *sb.* T murer.
bricklayer ['brikleiə] *sb.* murer.
bricklaying ['brikleiiŋ] *sb.* murerarbejde.
brick wall *sb.* murstensvæg; murstensmur;
□ *come up against/hit a* ~, *bang one's head against a* ~, *run one's head against/into a* ~ løbe/rende panden mod en mur; *it was like banging one's head against a* ~ (*svarer til*) det var som at slå i en dyne.
brickwork ['brikwə:k] *sb.* murværk.
brickyard ['brikja:d] *sb.* teglværk.
bridal ['braid(ə)l] *adj.* brude- (*fx gown; suite*); bryllups-.
bridal shower *sb.* (*am.*) [*gavefest for en der skal giftes*].
bridal veil *sb.* (*også bot.*) brudeslør.
bride [braid] *sb.* brud.
bridegroom ['braidgru:m, -grum] *sb.* brudgom.
bridesmaid ['braidzmeid] *sb.* bru-

depige.
bride-to-be [braidtə'bi:] *sb.* vordende brud.
bridewell ['braidwəl] *sb.* (*glds.*) tugthus; fængsel.
bridge[1] [bridʒ] *sb.* **1.** bro; **2.** (*fig.*) bro; forbindelse; bindeled;
3. (*mar.*) kommandobro, bro;
4. (*på violin etc.*) stol; **5.** (*på briller*) næsestykke; **6.** (*anat.*) næseryg; **7.** (*i billard*) maskine;
8. (*elek.*) målebro; **9.** (*tandl.*) bro;
10. (*kortspil*) bridge;
□ *burn one's -s* (*fig.*) brænde/ bryde alle broer bag sig; *cross a ~* gå over en bro, passere en bro; *don't cross the ~ till you get to it* man skal ikke tage sorgerne på forskud; (se også *water*[1]).
bridge[2] [bridʒ] *vb.* **1.** bygge bro over (*fx a channel*); **2.** (*fig.*) slå bro over (*fx the gap; their differences* (uenighed)); udfylde (*fx the pause*).
bridgehead ['bridʒhed] *sb.* (*mil.*) brohoved.
bridgework ['bridʒwə:k] *sb.* **1.** brobygning; **2.** (*tandl.*) bro; broarbejde.
bridging loan *sb.* mellemfinansieringslån.
bridle[1] ['braidl] *sb.* hovedtøj; tøjle, trense.
bridle[2] ['braidl] *vb.* **1.** (*en hest*) lægge hovedtøj på; **2.** (*fig.: beherske*) tøjle (*fx one's tongue*); **3.** (*om person*) stejle (*at over*); slå med nakken, knejse; blive stram i ansigtet.
bridle path *sb.* ridesti.
bridleway ['braidlwei] *sb.* ridesti.
bridoon [bri'du:n] *sb.* trense; bridon.
brief[1] [bri:f] *sb.* (se også *briefs*) **1.** instruks; opgave; **2.** (*jur.*) resumé; instruktionsskrivelse [*udarbejdet af the solicitor til brug for the barrister*]; (*for barrister*; jf. *briefless*) opgave, sag; **3.** T advokat; **4.** (*rel.*) pavebrev, paveligt brev; **5.** (*am.*) kort oversigt, sammenfatning;
□ *hold no ~ for* ikke se det som sin opgave at støtte//forsvare; *in* **a.** (*ved udsagn*) kort sagt (*fx in ~, it is impossible; it is, in ~, impossible*); **b.** (*om sammendrag*) i korte træk, i sammendrag (*fx the report in ~*); *the news in ~* nyhedsoversigt.
brief[2] [bri:f] *adj.* **1.** (*om varighed*) kort, kortvarig (*fx visit*); **2.** (*om udsagn*) kort, kortfattet (*fx description; statement*); **3.** (*om person*) kortfattet; fåmælt; **4.** (*om tøj*) meget kort, stumpet;
□ *be ~* udtrykke sig kort; fatte sig

i korthed.
brief[3] [bri:f] *vb.* **1.** give instruktioner; orientere, briefe, underrrette;
2. (*jur.: barrister*) engagere;
□ *~ him on/about the matter* sætte ham ind i sagen.
briefcase ['bri:fkeis] *sb.* dokumentmappe, mappe.
briefing ['bri:fiŋ] *sb.* **1.** instruktion; orientering; briefing; **2.** instruktionsmøde.
briefless ['bri:fləs] *adj.: a ~ barrister* en *barrister* der ikke har noget at bestille.
briefly ['bri:fli] *adv.* **1.** kort; i korte træk; **2.** (*om tid*) kortvarigt, et kort stykke tid; **3.** (*sætningsadv.*) kort sagt.
briefs [bri:fs] *sb. pl.* trusser.
brier ['braiə] se *briar*.
brig [brig] *sb.* **1.** (*mar.*) brig; **2.** (*am. mil.*) fængsel [*på flådefartøj el. i forlægning*].
brigade [bri'geid] *sb.* (*mil. el. spøg.*) brigade.
brigadier [brigə'diə] *sb.* (*mil.*) brigadegeneral.
brigadier general *sb.* (*am.*) = *brigadier.*
brigand ['brigənd] *sb.* (*litt.*) røver.
brigantine ['brigəntain] *sb.* (*mar.*) brigantine [*tomastet skib*].
bright [brait] *adj.* **1.** (*mods. mørk*) lys (*fx room*); (*om vejr*) klar (*fx day*); **2.** (*som udsender//reflekterer lys*) strålende (*fx eyes*); funklende (*fx eyes; stars*); blank;
3. (*om person*) opvakt, kvik, begavet; **4.** (*mods. trist*) munter;
5. (*om indfald*) lys (*fx idea*).
6. (*om farve*) klar, knald- (*fx blue, yellow*); **7.** (*om fremtid*) lys, strålende (*fx prospects*);
□ *~ red* knaldrød, højrød; [*med sb.*] *be as ~ as a button* være meget kvik; *for the sake of our ~ eyes* for vore blå øjnes skyld; *be as ~ as a new penny* stråle som en nyslået toskilling; *he is not on the ~ side* han har ikke opfundet krudtet; *look on the ~ side* se det fra den lyse side; se lyst på tingene.
brighten ['brait(ə)n] *vb.* **1.** gøre lysere; **2.** (*om lys, farve*) lyse op i (*fx the fire -ed the room; some flowers would ~ up the room*);
3. (*uden objekt*) blive lysere (*fx the sky//the prospects -ed*); **4.** (*om vejr*) klare op; **5.** (*om person*) lyse op, live op (*fx his face -ed*);
□ *~ up* = ~.
bright-eyed ['braitaid] *adj.* klarøjet; med strålende øjne.
bright spark *sb.* (T, om person, især ironisk) lyst hoved.

brightwork ['braitwə:k] *sb.* (*mar.*) poleret metal; poleret og ferniseret træværk.
brill[1] [bril] *sb.* (*zo.*) slethvarre.
brill[2] [bril] *adj.* (*fork. f. brilliant*) (*glds.* T) fint! fedt!
brillant[1] ['briliənt] *sb.* brillant [*diamant*].
brilliant[2] ['briliənt] *adj.* **1.** strålende (*fx sunshine*); skinnende; funklende; **2.** (*om person, præstation*) glimrende, fremragende (*fx scientist; performance*); strålende (*fx career*); (*om person også*) højt begavet; **3.** T mægtig god (*fx book*); mægtig fin.
brilliance ['briliəns] *sb.* **1.** strålende lys (*fx the ~ of the sun*); glans (*fx of a diamond*); **2.** fremragende evner/begavelse/dygtighed.
brilliantine [briliən'ti:n] *sb.* (*glds.: til håret*) brillantine.
Brillo pad® ['briloupæd] *sb.* metalsvamp.
brim[1] [brim] *sb.* **1.** (*af kop etc.*) rand (*fx fill the glass to the ~*); kant; **2.** (*på hat*) skygge;
□ *full to the ~* **a.** fyldt til randen; **b.** (*fig.*) fyldt til bristepunktet; ved at flyde/strømme over af (*fx joy*).
brim[2] [brim] *vb.* være fyldt til randen, flyde/strømme over;
□ *~ (over) with* **a.** flyde/strømme over af; **b.** strutte af (*fx health*); være sprængfyldt af (*fx energy; enthusiasm; self-confidence*); *-ming over with mirth* overstrømmende munter; *her eyes were -ming (over) with tears* hendes øjne var fulde/blanke af tårer.
brimful ['brimf(u)l] *adj.* fuld til randen (*with* af); overfyldt (*with* af); T smækfuld (*with* af, *fx energy*).
brimstone ['brimstəun, -stən] *sb.* (*glds.*) svovl.
brimstone butterfly *sb.* (*zo.*) citronsommerfugl.
brindled ['brindld] *adj.* spættet; stribet.
brine [brain] *sb.* (*til præservering*) saltlage;
□ *the ~* det salte hav.
bring [briŋ] *vb.* (*brought, brought*) **1.** bringe (*fx what brought you here?*); **2.** (*om bevægelse*) tage, føre (*fx he took his hand up to his face*); **3.** (*med sig*) tage med, bringe med; medbringe, have med; **4.** (*til én*) bringe, hente (*fx ~ me a glass of water*); **5.** (*penge*) indbringe (*fx the sale brought him £50,000*); **6.** (*følge, virkning*) bringe (*fx happiness*); føre med sig, medføre (*fx Fascism brought disaster*);

□ ~ *an action against* se *action*; ~ *charges* se *charge*[1];

[*med inf.*] *I cannot* ~ *myself* **to** *do it* jeg kan ikke få mig selv til at gøre det; ~ *to bear* bruge, anvende; sætte ind (*on* over for, mod); ~ *one's influence to bear* gøre sin indflydelse gældende; ~ *to pass* se *pass*[2];

[*med præp.& adv.*] ~ **about** forårsage, bevirke, fremkalde; bringe i stand;

~ **along** a. = 2; **b.** (*am.*) hjælpe frem;

~ **around** se ndf.: ~ *round*;

~ **back** a. bringe tilbage; **b.** genindføre (*fx the death penalty*); **c.** (*minde etc.*) få til at huske/tænke på (*fx the old days*); vække (*fx old memories*);

~ **down** a. rive ned (*fx power lines*); **b.** (*fig.*) vælte (*fx the government*); **c.** (*med skydevåben*) skyde ned (*fx enemy aircraft*); **d.** (*på jagt*) nedlægge (*fx a buck*); **e.** (*fly*) lande; **f.** (*niveau, mængde*) sænke (*fx prices*); **g.** (*fig.*) ydmyge; (se også *house*[1])

~ **forth** a. F fremkalde, forårsage (*fx criticism*); **b.** (*glds.*) føde;

~ **forward** a. fremskynde, rykke frem, lægge tidligere (*fx a meeting*); **b.** (*forslag*) fremsætte, fremlægge; **c.** (*i regnskab*) overføre; ~ **home** se *home*[4];

~ **in** a. (*lov*) indføre; **b.** (*penge*) indbringe; **c.** (*emne*) bringe på bane; **d.** (*person, i diskussion*) inddrage; **e.** (*person, til hjælp*) tilkalde, indkalde (*fx a team of experts*); **f.** (*en mistænkt, om politiet*) tage med på stationen; (se også *verdict*); ~ **in on** inddrage i;

~ **into** se *contact*[1];

~ **off** a. klare, lykkes med; gennemføre; **b.** (*mar.: nødstedt*) redde; *he brought it off* (*også*) det lykkedes for ham;

~ **on** a. foranledige, fremkalde (*fx a heart attack*); **b.** hjælpe frem, give et skub; *he has brought it on himself* det har han selv været ude om; (se også *shame*[1]);

~ **out** a. bringe frem; finde frem; **b.** (*ytring*) få frem (*fx he could not* ~ *out a word*); **c.** (*egenskab*) få frem, kalde på (*fx it brought out the best in him*); **d.** (*vare*) udsende, sende på markedet, lancere (*fx a new model*); **e.** (*publikation*) udsende, udgive (*fx a pamphlet*); **f.** (*blomst*) få til at udfolde sig/springe ud; **g.** (*egenskab*) kalde på, kalde frem (*fx it brought out the best//worst in him*); **h.** (*person*) få til at folde sig ud; **i.** (*kort*)

spille ud (*fx the ace*); **j.** (*sag, smag*) understrege, fremhæve (*fx an important point*; *a particular flavour*); ~ *her out* **a.** få hende til at folde sig ud; **b.** (*glds.*) indføre hende i selskabslivet; ~ *sby* **out in** (*hudlidelse*) give én (*fx a rash; spots*);

~ **over** a. hente over; **b.** omvende (*to* til);

~ **round** a. (*en bevidstløs*) bringe til sig selv igen, bringe til bevidsthed; **b.** (*en tvivlende*) få til at skifte mening, omstemme, overtale; **c.** (*skib, båd*) vende; ~ *my car round* kør min vogn frem; ~ **round to** a. (ɔ: *et emne*) lede hen på; **b.** (ɔ: *et synspunkt*) overbevise om rigtigheden af; overtale til at gå ind for;

~ *sby* **through** an *illness//a danger (etc.)* redde a en igennem en sygdom//en fare (*etc.*);

~ **to** a. bringe til sig selv igen, bringe til bevidsthed; **b.** (*mar.*) standse; dreje bi; *it brought my bill to £24* det bragte/fik min regning op på £24;

~ **under** kue; undertrykke;

~ **up** a. bringe op; **b.** (*barn*) opdrage; **c.** (*sigtet*) fremstille i retten (*fx they were brought up for causing a disturbance*); **d.** (*emne*) bringe på bane; **e.** (*mad etc.*) kaste op; **f.** (*mar.*) ankre op; ~ *sby* **up against** konfrontere en med (*fx the realities*); ~ *sby* **up before** the *court* fremstille en i retten; ~ *sby* **up on** *charges of* stille en for retten anklaget for; *be brought up on* (*om barn*) blive opflasket med; (se også *short*[4]).

bring-and-buy sale [briŋən'baiseil] *sb.* pakkefest.

brink [briŋk] *sb.* **1.** kant, rand; **2.** (*litt.*) brink;
□ *on the* ~ *of war* på randen til krig; *on the* ~ *of tears* på grådens rand.

brinkmanship ['briŋkmənʃip] *sb.* (*pol.*) [*den kunst at balancere på randen af krig*]; balancegang; leg med ilden.

briny ['braini] *adj.* salt;
□ *the* ~ (*litt.*) det salte hav.

briquette [bri'ket] *sb.* briket.

brisk [brisk] *adj.* **1.** livlig, rask; **2.** (*om person*) rask; handlekraftig; **3.** (*om vejr, vind*) frisk.

brisket ['briskit] *sb.* spidsbryst; tykbryst.

bristle[1] ['brisl] *sb.* **1.** stift hår; **2.** skægstub; **3.** børstehår;
□ **-s** a. (*på børste*) børstehår; **b.** (*på dyr*) børster.

bristle[2] ['brisl] *vb.* **1.** (*om hår*) rejse

sig; stritte; **2.** (*om dyr el. person*) rejse børster (*fx the cat -d; his remark made her* ~);

□ ~ *at* blive oprørt/rasende over; ~ *with* være fuld af (*fx difficulties*); vrimle med (*fx people*); stritte af (*fx the roof -d with antennae*); *bristling with guns* spækket med kanoner; *he -d with indignation* han fnøs af harme.

bristle worm *sb.* (*zo.*) børsteorm.

bristly ['brisli] *adj.* med børster/skægstubbe; strittende; stikkende.

bristols ['brist(ə)lz] *sb. pl.* S bryster, babser, patter.

Brit [brit] *sb.* T brite.

Britain ['brit(ə)n] Storbritannien.

Britannia [bri'tæniə] [*hjelmklædt kvinde som symbol på Storbritannien*].

Britannia metal *sb.* britanniametal.

Britannic [bri'tænik] *adj.* (*glds.*) britisk.

British ['britiʃ] *adj.* britisk; (*mindre korrekt*) engelsk (*fx the* ~ *Navy*); □ *the* ~ briterne; englænderne.

Britisher ['britiʃə] *sb.* (*am.* T) brite, englænder.

British Rail *sb.* de britiske statsbaner.

British warm *sb.* [*kort tyk militærfrakke*].

Briton ['brit(ə)n] *sb.* F brite, englænder.

Brittany ['brit(ə)ni] (*geogr.*) Bretagne.

brittle[1] ['britl] *sb.* hård nougat; karamel.

brittle[2] ['britl] *adj.* **1.** skør (*fx bones*); skrøbelig; sprød; **2.** (*om forhold, situation*) skrøbelig (*fx peace*); **3.** (*om person*) [*aggressiv men sensibel*]; **4.** (*om lyd*) markeret, skarp; **5.** (*om stemme*) sprød, skælvende; **6.** (*litt.: om smil, latter*) kold, hjerteløs;
□ *he has a* ~ *temper* han har et iltert temperament; han er opfarende.

brittle bone disease *sb.* knogleskørhed.

broach ['brəutʃ] *vb.* **1.** (*emne*) bringe på bane; **2.** (*fad el. anker*) stikke an; **3.** (*flaske etc.*; F el. *spøg.*) tage hul på; begynde at bruge af;
□ ~ *to* (*mar.*) komme til at ligge tværs i søen.

broad[1] [brɔːd] *sb.* (*am. vulg.* S) kvindfolk; dulle.

broad[2] [brɔːd] *adj.* **1.** bred; **2.** (*om ords betydning*) vid; **3.** (*om dialekt, accent*) bred, tyk; **4.** (*om humor*) grov, vulgær;
□ *it is as* ~ *as it is long* (*fig.*) det er hip som hap; *in* ~ *daylight* ved

højlys dag; *a ~ hint* et tydeligt vink; et vink med en vognstang; *in ~ outline* i grove/store træk.

broadband¹ ['brɔːdbænd] *sb.* bredbånd.

broadband² ['brɔːdbænd] *adj.* bredbånds- (*fx network; technology*).

broad bean *sb.* (*bot.*) hestebønne.

broadbilled sandpiper [brɔːdbild'sæn(d)paipə] *sb.* (*zo.*) kærløber.

broadcast¹ ['brɔːdkaːst] *sb.* (*radio.*; *tv*) udsendelse.

broadcast² ['brɔːdkaːst] *adj.* radio-; tv- (*fx journalist*).

broadcast³ ['brɔːdkaːst] *vb.* (*d.s./-ed, d.s./-ed*) **1.** (*radio.*; *tv*) udsende, sende; **2.** (*om person*) optræde//tale i radio; optræde i tv; **3.** (T: *nyhed etc.*) forkynde vidt og bredt, udbasunere; **4.** (*agr.*) bredså.

broadcaster ['brɔːdkaːstə] *sb.* radiomedarbejder; tv-medarbejder; en der optræder i radio//tv.

broadcasting ['brɔːdkaːstiŋ] *sb.* **1.** udsendelse; transmission; **2.** radio, tv.

Broad Church *sb.* [frisindet retning i den engelske kirke].

broadcloth ['brɔːdklɔθ] *sb.* [fint klæde].

broaden ['brɔːd(ə)n] *vb.* **1.** gøre bred//bredere; udvide; **2.** blive bred//bredere; udvide sig; □ *~ one's mind* udvide sin horisont; *~ out* = *~*.

broad-gauge [brɔːd'geidʒ] *adj.* bredsporet.

broadly ['brɔːdli] *adv.* **1.** bredt (*fx define the term ~*; *smile//grin ~*); **2.** i det store og hele; stort set; i store træk; □ *hint ~ that* give et tydeligt vink om at; *~ speaking* = 2; *the proposal was ~ welcomed* forslaget blev hilst velkommen over en bred front/vidt og bredt.

broadly-based ['brɔːdlibeist] *adj.* alsidig (*fx education*); vidtfavnende.

broad-minded [brɔːd'maindid] *adj.* tolerant; frisindet.

broad-mindedness [brɔːd'maindidnəs] *sb.* tolerance; frisind; frisindethed.

Broadmoor ['brɔːdmɔː] [anstalt for sindssyge kriminelle].

broadness ['brɔːdnəs] *sb.* bredde.

broadsheet ['brɔːdʃiːt] *sb.* **1.** avis i helt format [mods. *tabloid*]; seriøs avis; **2.** løbeseddel [kun trykt på den ene side]; **3.** (*glds.*) flyveblad; skillingstryk.

broadside¹ ['brɔːdsaid] *sb.* **1.** (*an-*

greb) bredside; salve; **2.** (*hist. mar.*) bredside; **3.** (*typ.*) = *broadsheet 2*; □ *fire a ~ at sby* (*jf. 1*) give en det glatte lag.

broadside² ['brɔːdsaid] *vb.* (*am.*) ramme i siden; brase ind i siden på.

broadside³ ['brɔːdsaid] *adv.*: *hit ~* ramme i siden; *~ to* (*mar.*) med bredsiden til.

broadside ballad *sb.* skillingsvise.

broad-spectrum [brɔːd'spektrəm] *adj.* bredspektret.

broadsword ['brɔːdsɔːd] *sb.* (*hist.*) slagsværd.

broadtail ['brɔːdteil] *sb.* **1.** (*zo.*) karakulfår; **2.** (*pelsværk*) persianer; (*af ufødt lam*) breitschwanz.

Broadway ['brɔːdwei] (*am.*) [teatergade//teaterkvarter i New York]; (se også *off-Broadway*).

brocade [brə'keid] *sb.* brokade.

broccoli ['brɔkəli] *sb.* (*bot.*) broccoli.

brochure ['brəuʃuə] *sb.* brochure; pjece.

brocket ['brɔkət] *sb.* spidshjort.

brogue [brəug] *sb.* **1.** (*accent*) dialektudtale; (*især*) irsk//skotsk udtale; **2.** (*fodtøj*) golfsko.

broil [brɔil] *vb.* (*am.*) = *grill² 1*.

broiler *sb.* (*am.*) **1.** stegekylling [op til *1,14 kg's vægt*]; **2.** (*i komfur*) stegerist; grill; **3.** (*om vejr*) stegende varm dag.

broke¹ [brəuk] *præt. af break²*.

broke² [brəuk] *adj.* T flad [ɔ: *uden penge*];
□ *go ~* gå ned, krakke; *be stony/dead/flat ~* være flad som en fregne; ikke eje fem flade ører; *go for ~* T give den hele armen; sætte alt på ét bræt.

broken¹ ['brəuk(ə)n] *præt. ptc. af break²*.

broken² ['brəuk(ə)n] *adj.* **1.** brækket (*fx leg*); knækket; brudt (*fx chains*); knust (*fx biscuit*); **2.** (*om løfte, aftale*) brudt; **3.** (*om apparat etc.*) i uorden; i stykker; **4.** (*om talesprog*) gebrokken (*fx in ~ English//Danish*); **5.** (*om parforhold*) opløst (*fx engagement; marriage*); **6.** (*litt.*: *om person*) brudt, nedbrudt; knækket; **7.** (*om hvile*) urolig (*fx night; sleep*); afbrudt;
□ *if it isn't ~ why mend/fix it?* lad det bare være, det er godt nok som det er;
[med *sb.*] *~ bottles* flaskeskår; *~ glass* glasskår; *~ ground* ujævnt/kuperet terræn; *~ heads* brodne pander; *a ~ heart* et knust hjerte; *~ home* opløst/brudt hjem; *~ line* punkteret//stiplet linje; *a ~ reed*

a. et knækket rør; **b.** (*fig.*) et svagt led; en dårlig hjælper; *~ weather* ustadigt vejr.

broken-down [brəuk(ə)n'daun] *adj.* nedslidt; slidt op, udtjent; brudt sammen;
□ *~ material* henfaldsprodukt.

broken-hearted [brəuk(ə)n'haːtid] *adj.* sønderknust; utrøstelig.

brokenly ['brəuk(ə)nli] *adv.* afbrudt; stødvis.

broken wind *sb.* se *heaves*.

broken-winded [brəuk(ə)n'windid] *adj.* **1.** stakåndet; **2.** (*om hest*) engbrystet.

broker¹ ['brəukə] *sb.* **1.** (*med varer*) mægler, kommissionær; **2.** se *stockbroker*; **3.** se *insurance broker*.

broker² ['brəukə] *vb.* være mellemmand ved, formidle.

brokerage ['brəukəridʒ] *sb.* **1.** (*betaling*) mæglerprovision, kurtage; **2.** (*aktivitet*) mæglervirksomhed; **3.** (*firma*) mæglerfirma.

brolly ['brɔli] *sb.* T paraply.

brome grass *sb.* (*bot.*) hejre.

bromide ['brəumaid] *sb.* **1.** (*kem.*) bromid; **2.** (*glds. om udsagn*) banalitet, floskel, kliché; fortærsket udtryk.

bromide paper *sb.* (*foto.*) bromsølvpapir.

bromine ['brəumiː)n] *sb.* (*kem.*) brom.

bronc [brɔŋk] *sb.* (*am.* T) = *bronco*.

bronchi ['brɔŋkai] *sb. pl.* (*anat.*) bronkier.

bronchitis [brɔŋ'kaitis] *sb.* (*med.*) bronkitis.

bronco ['brɔŋkou] *sb.* (*am.*) vild// halvtæmmet hest.

broncobuster ['brɔŋkoubʌstər] *sb.* (*am.*) hestetæmmer.

Bronx cheer [brɔŋks'tʃiər] *sb.* (*am.* S) = *raspberry 2*.

bronze [brɔnz] *sb.* **1.** bronze; **2.** bronzefigur, bronzestatue; **3.** bronzemedalje; **4.** bronzefarve.

bronzed [brɔnzd] *adj.* **1.** bronzefarvet; solbrun, solbrændt; **2.** (*malet*) bronzeret.

bronze handshake *sb.* T (beskeden) afskedigelsesløn.

bronze medal *sb.* bronzemedalje.

bronze medallist *sb.* bronzemedaljevinder.

broo [bruː] *sb.*: *on the ~* (*skotsk*) på arbejdsløshedsunderstøttelse.

brooch [brəutʃ] *sb.* broche.

brood¹ [bruːd] *sb.* **1.** (*fugls*) kuld; unger; **2.** (*spøg. om børn*) afkom, unger, kuld.

brood² [bruːd] *adj.* **1.** ruge- (*fx hen*); **2.** avls-.

brood³ [bruːd] *vb.* ruge;

B brooder

□ ~ *about,* ~ *on* se: ~ *over a);* ~ *over* **a.** (*om person*) gruble over, spekulere over (*fx why it happened*); ruge over (*fx the tragic events*); **b.** (*om mørke, stilhed*) ruge over.
brooder ['bru:də] *sb.* **1.** grubler; **2.** (*agr.*) rugemaskine.
brooding ['bru:diŋ] *adj.* **1.** rugende; **2.** (*om person*) grublende; tungsindig; **3.** (*litt.*) mørk, dyster; truende;
□ *a* ~ *silence* (*også*) en knugende tavshed.
brood mare *sb.* følhoppe.
broody ['bru:di] *adj.* **1.** (*om høne*) liggegal, liggesyg; skruk; **2.** (*om person*) grublende; som går og ruger over noget; **3.** (*om kvinde: som gerne vil have et barn*) liggesyg.
brook[1] [bruk] *sb.* bæk.
brook[2] [bruk] *vb.* F tåle, finde sig i.
brooklet ['bruklət] *sb.* lille bæk.
brooklime ['bruklaim] *sb.* (*bot.*) tykbladet ærenpris.
brookweed ['brukwi:d] *sb.* (*bot.*) samel.
broom [bru:m, brum] *sb.* **1.** fejekost; **2.** (*bot.*) gyvel;
□ *a new* ~ *sweeps clean* nye koste fejer bedst.
broomrape ['bru:mreip, 'brum-] *sb.* (*bot.*) gyvelkvæler.
broomstick ['bru:mstik, 'brum-] *sb.* **1.** riskost; **2.** (*som heks rider på*) kosteskaft.
Bros. [brɔs, brɔz] *sb.* (*i firmanavn*) Brdr. [ɔ: *brødrene*];
□ *Smith Bros. & Co.* Brdr. Smith & Co.
broth [brɔθ] *sb.* **1.** (*som tilsætning*) kraftsuppe; **2.** (*til bakteriedyrkning*) bouillon; kødafkog; **3.** (*glds.*) (styrkende) kødsuppe;
□ *a* ~ *of a boy* (T, *især irsk*) en rask fyr; (se også *cook*[1]).
brothel ['brɔθ(ə)l] *sb.* bordel.
brother ['brʌðə] *sb.* **1.** (*også rel.*) broder; **2.** kollega (*fx* ~ *officer* officerskollega).
brotherhood ['brʌðəhud] *sb.* **1.** broderskab; fællesskab; kammeratskab; **2.** (*organisation*) forening, broderskab; **3.** (*følelse*) broderfølelse.
brother in arms *sb.* krigskammerat.
brother-in-law ['brʌð(ə)rinlɔ:] *sb.* (*pl. brothers-in-law*) svoger.
brotherly ['brʌðəli] *adj.* broderlig.
brougham ['bru:əm, bru:m] *sb.* (*glds.*) kupé [*enspændervogn med åbent kuskesæde; også som om tidlig bil*].
brought [brɔ:t] *præt. & præt. ptc. af* bring.

brouhaha ['bru:ha:ha:] *sb.* ballade, ståhej, postyr.
brow [brau] *sb.* **1.** pande; **2.** (*eyebrow*) bryn; **3.** (*af bakke*) top; bakkekam;
□ *-s* øjenbryn (*fx his -s lifted in surprise*); *contract/knit one's -s, wrinkle one's* ~ rynke panden; *the* ~ *of the hill* toppen af bakken; bakkekammen.
browbeat ['braubi:t] *vb.* hundse med, herse med; tromle ned, intimidere;
□ ~ *sby into* + *-ing* true en til at.
brown[1] [braun] *sb.* brunt; brun farve.
brown[2] [braun] *adj.* brun;
□ *(as)* ~ *as a berry* stærkt solbrændt; (*glds.*) brun som en neger; (se også ndf.: *brown ale, brown bag, brown bread* (*etc*)).
brown[3] [braun] *vb.* **1.** brune; **2.** (*uden objekt*) blive brun, brune; (se også *browned off*).
brown ale *sb.* mørkt øl.
brown bag *sb.* (*am.*) [*brun papirspose til madpakke*].
brown-bag ['braunbæg] *vb.* (*am.*) have madpakke med (på arbejde) i en brun papirspose; spise medbragt mad.
brown bread *sb.* brød af usigtet hvedemel; grovbrød.
brown coal *sb.* brunkul.
browned off ['braundɔf] *adj.* (*let glds.* T) træt af det hele;
□ *be -ed off with* være træt af; være ked af.
brownfield ['braunfi:ld] *adj.* (*om jord*) [*som tidligere har været bebygget//byggemodnet*].
brown goods *sb. pl.* [*radio, tv, båndoptagere, computere etc.*].
Brownie ['brauni], **Brownie Guide** *sb.* blåmejse [*pigespejder*].
brownie ['brauni] *sb.* **1.** [*chokoladekage med nødder*]; **2.** (*myt.*) alf; nisse.
brownie point *sb.* (T: *spøg.*) pluspoint, billigt point [*for god gerning; for fedteri*].
browning ['brauniŋ] *sb.* madkulør.
brownish ['brauniʃ] *adj.* brunlig.
brownnose[1] ['braunnəuz] *sb.* (*vulg.*) røvslikker, fedterøv.
brownnose[2] ['braunnəuz] *vb.* (*vulg.*) slikke i røven; slikke op og ned ad ryggen, fedte for.
brownnosing ['braunnəuziŋ] *sb.* røvslikkeri, fedteri.
brownout ['braunaut] *sb.* (*især am.*) (delvis) strømafbrydelse.
brown paper *sb.* indpakningspapir.
brown rat *sb.* (*zo.*) vandrerotte, brun rotte.

brown rice *sb.* brune ris, upolerede ris.
brownstone ['braunstəun] *sb.* (*am.*) **1.** rødbrun sandsten; **2.** patricierhus [*beklædt med rød sandsten*].
brown study *sb.: in a* ~ (*glds.*) i dybe tanker; i sine egne tanker.
brown sugar *sb.* råsukker.
brown trout *sb.* (*zo.*) bækørred.
browse [brauz] *vb.* **1.** (*i forretning*) kigge rundt, gå og snuse, ose, gå på opdagelse; **2.** (*i blad, bog*) kigge løseligt (*in* i); bladre (*in/ through* i); **3.** (*internettet*) søge i/på; **4.** (*hjemmeside*) slå op på; **5.** (*om dyr*) afgnave unge spirer; græsse;
□ ~ *around* **a.** kigge rundt; **b.** kigge rundt i.
browser ['brauzə] *sb.* **1.** (*i butik*) en der bare kigger rundt; oser; **2.** (*it*) browser.
Bruges [bru:ʒ] (*geogr.*) Brügge.
bruise[1] [bru:z] *sb.* **1.** (*på kroppen*) mærke af slag; blå plet, blåt mærke; **2.** (*på frugt*) mærke efter stød; blød plet.
bruise[2] [bru:z] *vb.* (se også *bruised*) **1.** (*legemsdel*) slå, støde; **2.** (*frugt*) støde, beskadige; **3.** (*fx korn*) knuse, støde; **4.** (*uden objekt*) få en blåt mærke (*fx I* ~ *easily*); **5.** (*om frugt*) blive stødt (*fx apples* ~ *easily*); blive beskadiget;
□ ~ *his ego* såre hans forfængelighed.
bruised [bru:zd] *adj.* **1.** (*om person*) forslået, skrammet (*fx a* ~ *knee*); medtaget; **2.** (*om frugt*) stødt, beskadiget; **3.** (*fig.*) såret, stødt, krænket (*by af*).
bruiser ['bru:zə] *sb.* **1.** (T *neds.*) bøffel; grov ka'l; **2.** (*i diskussion*) tromler; bulderbasse; **3.** professionel bokser.
bruising[1] ['bru:ziŋ] *sb.* blå mærker, skrammer; **2.** (*på frugt*) bløde pletter; **3.** (*fig.*) hårde stød, bank.
bruising[2] ['bru:ziŋ] *adj.* heftig, forbitret.
bruit [bru:t] *vb.:* ~ *about* (F el. *spøg.*) udsprede; gøre bekendt.
Brum [brʌm] T Birmingham.
Brummagem ['brʌmədʒəm] *adj.* **1.** birminghamsk; **2.** tarvelig, billig; uægte.
Brummie[1] ['brʌmi] *sb.* [*person fra Birmingham*].
Brummie[2] ['brʌmi] *adj.* fra Birmingham.
brunch [brʌn(t)ʃ] *sb.* [*måltid der gør det ud for breakfast og lunch*].
brunette [bru:'net] *sb.* brunette.
brunt [brʌnt] *sb.: bear/take the* ~ tage det værste stød; *they bore/ took the* ~ *of it* det gik hårdest ud

over dem.

brush¹ [brʌʃ] *sb.* **1.** børste; **2.** (*til maling*) pensel; kost; **3.** (*berøring*) strejf, let berøring (*fx the ~ of her hand//her lips*); **4.** (*fig.: ubehageligt, farligt*) kort møde (*with med, fx a ~ with death*); **5.** (*med person*) uoverensstemmelse, sammenstød (*with* med); **6.** (*især am.: bevoksning*) krat, tykning, underskov; **7.** (*rævs hale*) lunte; **8.** (*mus.: til tromme*) visker; □ *give sth a ~* børste noget; børste noget af; *have a ~ with the law* (*jf. 4*) komme på tværs af loven.

brush² [brʌʃ] *vb.* (se også *brushed*) **1.** børste (*fx one's hair back*); **2.** (*med hånden*) stryge (*fx she -ed the hair away from her eyes*); **3.** (*bagværk etc.*) pensle; **4.** (*om let berøring*) strejfe; **5.** (*om hurtig bevægelse*) stryge, fare (*fx into the room*);
□ *~ against* strejfe; *~ aside* (*fig.*) feje til side, feje af; *~ away* **a.** børste af; **b.** (*tåre, flue*) viske bort; **c.** = *~ aside*; *~ by* fare/ stryge forbi; *~ down* børste af; børste ren; *~ off* **a.** = *~ down*; **b.** (*person*) affærdige, vise af; **c.** (*indvending, kritik*) feje af, feje til side; *~ past* fare/stryge forbi; strejfe i forbifarten; *~ up* **a.** pudse op; gøre lidt i stand; **b.** genopfriske; *~ up on* genopfriske.

brushed [brʌʃt] *adj.* (*om stof*) opkradset.

brush fire *sb.* **1.** brand i krat//underskov; **2.** lokal krig.

brush-off ['brʌʃɔf] *sb.* afvisning; □ *give sby the ~* feje en af.

brushstroke ['brʌʃstrəuk] *sb.* penselstrøg.

brush-up ['brʌʃʌp] *sb.* **1.** afbørstning; **2.** genopfriskning; □ *give a ~* **a.** børste af; **b.** genopfriske.

brushwood ['brʌʃwud] *sb.* kvasbrænde, kvas.

brushwork ['brʌʃwə:k] *sb.* malemåde; penselføring.

brusque [brusk, brʌsk] *adj.* brysk; studs; affejende.

Brussels ['brʌs(ə)lz] Bruxelles, Bryssel.

Brussels carpet *sb.* brysselertæppe.

Brussels sprout, brussels sprout *sb.* rosenkål.

brutal ['bru:t(ə)l] *adj.* **1.** brutal; barsk (*fx honesty; truth*); skånselsløs (*fx the ~ morning light*); **2.** (*om person*) brutal, grov, rå; **3.** (*om handlemåde*) brutal (*fx attack*); grusom (*fx her ~ death; a ~ war*).

brutalism ['bru:təlizm] *sb.* (*arkit.*)

brutalisme.

brutality [bru:'tæləti] *sb.* brutalitet, grovhed.

brutalize ['bru:təlaiz] *vb.* **1.** forrå, brutalisere; **2.** behandle brutalt; mishandle.

brute¹ [bru:t] *sb.* **1.** brutal fyr; udyr, umenneske; **2.** (*svagere,* T) bæst; **3.** (*om dyr*) dyr, bæst.

brute² [bru:t] *adj.* dyrisk, brutal (*fx struggle*); rå (*fx strength*); □ *~ facts* hårde kendsgerninger; *~ force* (rå) magt (*fx use ~ force*).

brutish ['bru:tiʃ] *adj.* (*litt.*) **1.** dyrisk; **2.** grov, rå.

bryony ['braiəni] *sb.* (*bot.*) galdebær; (se også *black bryony*).

BS *fork. f.* **1.** *British Standard*; **2.** (*am.*) *Bachelor of Science*; **3.** (*am. vulg.*) *bullshit*.

BSc [bi:es'si:] *fork. f. Bachelor of Science.*

BSE *fork. f. bovine spongiform encephalopathy* kogalskab.

BSI *fork. f. British Standards Institution.*

BST *fork. f. British Summer Time.*

BT *fork. f. British Telecommunications.*

Bt *fork. f. Baronet.*

BTA *fork. f. British Tourist Authority.*

BTW *fork. f. by the way.*

bubble¹ ['bʌbl] *sb.* **1.** boble; **2.** (*bygning*) boblehal; **3.** (*i tegneserie*) talebobble; □ *the ~ burst* gassen gik af ballonen; boblen sprang; *a ~ of* en voksende følelse af (*fx hysteria; optimism*).

bubble² ['bʌbl] *vb.* **1.** boble; **2.** (*fig.*) sprudle; □ *~ (over) with* (*fig.*) sprudle/ strømme over af; være sprængfyldt med.

bubble and squeak *sb.* [hakket kål og kartoffelmos stegt med kødstykker]; (*omtr.*) biksemad.

bubble bath *sb.* skumbad.

bubble-brained ['bʌblbreind] *adj.* se *bubble-headed.*

bubble car *sb.* kabinescooter.

bubble gum *sb.* ballontyggegummi.

bubble-headed ['bʌblhedid] *adj.* (*am.*) tåbelig, tomhjernet.

bubble memory *sb.* (*it*) boblelager.

bubble wrap *sb.* bobleplast.

bubbling ['bʌbliŋ] *adj.* sprudlende; overstrømmende.

bubbly¹ ['bʌbli] *sb.* T skum, champagne.

bubbly² ['bʌbli] *adj.* **1.** boblende; **2.** (*om person*) livlig; livsglad.

bubo ['bju:bəu] *sb.* (*pl. -es*) byld [*i armhulen el. lysken*].

bubonic [bju'bɔnik] *adj.:* *~ plague*

byldepest.

buccaneer [bʌkə'niə] *sb.* **1.** sørøver, fribytter; **2.** (*fig.*) smart forretningsmand; eventyrer.

buccaneering [bʌkə'niəriŋ] *adj.* (*om forretningsmand*) uortodoks; smart; eventyrlysten.

Bucharest ['bju:kərest] (*geogr.*) Bukarest.

buck¹ [bʌk] *sb.* **1.** han [*fx af hjort, hare, kanin*]; (*af rådyr*) buk; (*af dådyr*) dåhjort; **2.** (*sydafr.*) antilope; **3.** (*am.* T) dollar; **4.** (*glds. am.* T, *om person*) smart ung fyr; (*neds.*) ung sort; **5.** (*hist. el. litt.*) kavaler; modeherre;
□ *big -s* (*am.* T) masser af penge; *get more bang for the ~* (*am.* T) få mere for pengene; *make a ~, make a few -s* (*am.* T) tjene nogle penge; *make a fast/quick ~* (*am.* T) tjene nogle hurtige penge; *pass the ~ to sby* T lade sorteper/aben gå videre til én; *the ~ stops with him* T det er ham der har ansvaret.

buck² [bʌk] *vb.* **1.** (*om hest*) gøre bukkespring; **2.** (*om person*) stritte imod; sætte sig op imod (*fx the system*); □ *~ the trend* gå imod strømmen; [*med præp.& adv.*] *~ against* (*am.*) angribe pludseligt; kaste sig imod; *~ off* kaste af; *~ up* T kvikke op, sætte fut i (*fx try and ~ him up*); *~ up!* **a.** se: *up your ideas*; **b.** (*glds.*) få fart på! *~ up your ideas!* T tag dig sammen!

buck-and-wing [bʌkən'wiŋ] *sb.* (*am., hist.*) [*stepdans*].

buckaroo [bʌkə'ru:, 'bʌk-] *sb.* (*am.*) cowboy.

buckbean ['bʌkbi:n] *sb.* (*bot.*) bukkeblad.

bucket¹ ['bʌkit] *sb.* **1.** spand; **2.** (*mar.*) pøs; **3.** (*på gravemaskine*) skovl, grab; **4.** (*til vin*) vinkøler;
□ *cry/weep -s* T græde i stride strømme; *it came down in -s* T det øsede/høvlede ned; *he sweated -s* T sveden haglede ned ad ham; *-s of* T spandevis af; *kick the ~* S kradse af; tage billetten; (se også *drop¹*).

bucket² ['bʌkit] *vb.* fare, ræse; □ *it was -ing down* T det øsede/ høvlede ned.

bucketful ['bʌkitful] *sb.* spandfuld; □ *by the ~* T i spandevis.

bucket seat *sb.* (buet) enkeltsæde.

bucket shop *sb.* T **1.** rejsebureau der sælger billige flybilletter; discountrejsebureau; **2.** sidegadevekselerers kontor.

buckeye ['bʌkai] *sb.* (*am. bot.*) he-

buckeye **B**

113

stekastanje.

Buckingham Palace [bʌkiŋəm'pæ-lis] *sb.* [*dronningens residens i London*].

buckle¹ ['bʌkl] *sb.* spænde.

buckle² ['bʌkl] *vb.* **1.** spænde (*fx a belt*); **2.** (*plade etc.*) bule, slå buler i; krumme; **3.** (*uden objekt*) kunne spændes (*fx the bag -s at the side*); **4.** (*om plade etc.*) slå sig; krumme sig, krølle sig; bule ud, slå buler; **5.** (*under vægt*) give efter; **6.** (*om cykelhjul; om ben*) exe; **7.** (*om søjle*) knække ud; □ ~ *down to* T tage alvorligt fat på; ~ *under* give efter (*to* for); ~ *up* T spænde sikkerhedsbæltet.

buckled ['bʌkld] *adj.* med spænde//spænder.

buckler ['bʌklə] *sb.* (*hist.*) (lille rundt) skjold.

buck naked *adj.* (*am.* T) splitternøgen.

buck-passing ['bʌkpa:siŋ] *sb.* [*det at lade sorteper gå videre; det at sende aben videre*].

buckram ['bʌkrəm] *sb.* stivlærred.

Bucks *fork. f.* Buckinghamshire.

Buck's Fizz *sb.* [*champagne med appelsinsaft*].

buckshee ['bʌkʃi:] *adj.* (*glds.*) T gratis.

buckshot ['bʌkʃɔt] *sb.* dyrehagl.

buckskin ['bʌkskin] *sb.* hjorteskind.

buck teeth *sb. pl.* udstående tænder; hestetænder.

buckthorn ['bʌkθɔ:n] *sb.* (*bot.*) vrietorn.

buckwheat ['bʌkwi:t] *sb.* boghvede.

bucolic [bju'kɔlik] *adj.* (*litt.*) hyrde-; landlig.

bud¹ [bʌd] *sb.* **1.** knop; **2.** (*am.* T) = *buddy*; □ *be in* ~ stå i knop; *nip sth in the* ~ kvæle noget i fødselen; *come into* ~ sætte knopper, knoppes.

bud² [bʌd] *vb.* **1.** sætte knopper; knoppes; **2.** (*ved podning*) okulere.

Buddhism ['budizm] *sb.* (*rel.*) buddhisme.

Buddhist¹ ['budist] *sb.* (*rel.*) buddhist.

Buddhist² ['budist] *adj.* (*rel.*) buddhistisk.

budding ['bʌdiŋ] *adj.* **1.** spirende; vordende; **2.** kommende, under udvikling (*fx ~ export markets*); □ ~ *author* (*også*) forfatterspire.

buddy¹ ['bʌdi] *sb.* (*am.* T) **1.** kammerat; makker; **2.** [*hjælper for en der er alvorligt syg, især aidspatient*].

buddy² ['bʌdi] *vb.*: ~ *with* (*am.* T) blive kammerat med.

buddy-buddy ['bʌdibʌdi] *adj.*: *get* ~ *with* (*neds.*) blive særlig fine venner med.

budge [bʌdʒ] *vb.* **1.** flytte sig (*from* fra); røre sig ud af stedet (*fx the car wouldn't* ~); **2.** (*fra et standpunkt*) vige, rokke sig; **3.** (*med objekt, jf. 1*) få til at flytte sig; rokke ud af stedet (*fx they could not* ~ *the stone*); **4.** (*jf. 2*) få til at vige/rokke sig (*fx they could not* ~ *him*); □ *he would not* ~ (*an inch*) (*jf. 2*) han var ikke til at rokke; han rokkede sig ikke af stedet; han veg ikke en tomme; ~ *up!* ryk dig//jer lidt! giv plads!

budgerigar ['bʌdʒəriga:] *sb.* (*zo.*) undulat.

budget¹ ['bʌdʒit] *sb.* budget; □ *the Budget* (*parl.*) finanslovforslaget; finansloven; *be on/within* ~ holde sig inden for budgettet; *be over* ~ have overskredet/sprængt budgettet; *be under* ~ have brugt//kostet mindre end budgetteret.

budget² ['bʌdʒit] *adj.* billig; økonomi-.

budget³ ['bʌdʒit] *vb.* **1.** lægge budget; **2.** (*om beløb*) budgettere med (*fx £5 million for repairs*); □ ~ *for* budgettere med, kalkulere med (*fx 50,000 visitors*).

budget account *sb.* budgetkonto, familiekonto.

budgetary ['bʌdʒət(ə)ri] *adj.* budgetmæssig.

budgie ['bʌdʒi] *sb.* T undulat.

buff¹ [bʌf] *sb.* **1.** (*farve*) brungult; **2.** (T: *person,*) ivrig dyrker/tilhænger [*af en sport etc.*]; fan; (*i sms. også*) -elsker (*fx film* ~; *wine* ~); **3.** (*materiale*) bøffellæder; **4.** (*til polering*) polerskive, polerhjul; (*til negle*) neglepølle; □ *in the* ~ T splitternøgen; i det bare skind; *strip to the* ~ klæde sig af til skindet.

buff² [bʌf] *adj.* brungul.

buff³ [bʌf] *vb.* polere; pudse.

buffalo¹ ['bʌfələu] *sb.* (*pl. -es/d.s.*) (*zo.*) **1.** bøffel; **2.** bison.

buffalo² ['bʌfələu] *vb.* (*am.*) bringe ud af det; forvirre.

buffer¹ ['bʌfə] *sb.* **1.** stødpude; **2.** (*jernb., kem., radio.*) buffer; puffer; **3.** (*it*) bufferhukommelse; bufferlager; **4.** (*person*) se *old buffer*.

buffer² ['bʌfə] *vb.* være en stødpude (*against* mod); afbøde.

buffer state *sb.* stødpudestat.

buffer zone *sb.* stødpudezone.

buffet¹ ['bʌfit] *sb.* puf, stød; slag.

buffet² ['bufei, (*am.*) bə'fei] *sb.* **1.** (*måltid*) tag-selv bord; buffet; **2.** (*på jernbane- el. busstation*) cafeteria; **3.** (*i tog*) se *buffet car*; **4.** (*glds. møbel*) buffet; skænk.

buffet³ ['bʌfit] *vb.* puffe, støde; slå løs på; slå mod (*fx the wind -ed the tent*); □ *be -ed by* **a.** (*om fartøj*) blive kastet omkring af; blive omtumlet af; **b.** (*fig.*) blive ramt gentagne gange af.

buffet car ['bufeika:] *sb.* (*jernb.*) [*vogn hvor der kan købes mad*]; buffetvogn, spisevogn.

buffet supper ['bufeisʌpə] *sb.* stående souper.

buffoon [bə'fu:n] *sb.* (*glds.*) bajads, klovn, nar.

buffoonery [bə'fu:nəri] *sb.* (*glds.*) narrestreger, tossestreger, klovnerier.

bug¹ [bʌg] *sb.* **1.** T bakterie, bacille; sygdom; **2.** (T, *fig.*) dille, mani; **3.** (*til aflytning*) skjult mikrofon; **4.** (*am. & i edb*) fejl [*i maskine etc.*]; programfejl; **5.** (T: *især am.*) insekt; kryb; (se også *bedbug*, *snug*², *true bug*).

bug² [bʌg] *vb.* **1.** aflytte [*ved hjælp af skjult mikrofon*]; **2.** (*sted*) anbringe aflytningsudstyr i; skjule mikrofon(er) i; **3.** T genere, irritere.

bugaboo ['bʌgəbu:] *sb.* (*am.*) skræmmebillede; bussemand.

bugbear ['bʌgbɛə] *sb.* plage.

bug-eyed ['bʌgaid] *adj.* med udstående øjne.

bugger¹ ['bʌgə] *sb.* **1.** (*vulg.*) fyr (*fx the poor* ~); (*neds.*) stodder, skid (*fx the silly* ~); **2.** (*jur.*) sodomit; homoseksuel; □ *it's a* ~ (*vulg.*) det er noget lort; det er helvedes svært.

bugger² ['bʌgə] *vb.* **1.** (*vulg.*) røvpule; **2.** (*jur.*) have analt samleje med; □ ~!, ~ *it!* satans osse! ~ *me!* det var som satan!; (se også *bugger-all*); [*med adv.*] ~ *about* **a.** fjumre rundt, lalle rundt, nosse rundt; **b.** (*med objekt*) lave fis med, holde for nar; ~ *off!* gå ad helvede til! ~ *up* spolere.

bugger-all [bʌgə'rɔ:l] *pron.* ikke spor; ikke en skid.

buggered ['bʌgəd] *adj.* (*vulg.*) **1.** dødtræt, smadret; **2.** spoleret, ødelagt; □ *well, I'm* ~! det var som satan! *I'm/I'll be* ~ *if I do!* gu' vil jeg ej! *I'm* ~ *if I undersatand* jeg forstår fanme ikke; *be* ~ (*også om per-*

son) være på den.

buggery ['bʌgəri] *sb.* (*jur.*) analsex; sodomi;

□ *like* ~ (*vulg.*) som bare fanden.

buggy[1] ['bʌgi] *sb.* **1.** lille åben bil/vogn (*fx a golf* ~); **2.** (*til barn*) se *baby buggy*; **3.** (*glds.*) enspændervogn.

buggy[2] ['bʌgi] *adj.* **1.** fuld af væggetøj; **2.** fuld af fejl; **3.** (*am.* T) gal, sindssyg.

bughouse[1] ['bʌghaus] *sb.* (*am.* S) galeanstalt.

bughouse[2] ['bʌghaus] *adj.* (*am.* S) skør; tosset.

bugle[1] ['bju:gl] *sb.* **1.** signalhorn; **2.** (*til pynt på tøj*) aflang glasperle//jetperle; **3.** (*bot.*) læbeløs.

bugle[2] ['bju:gl] *vb.* blæse i signalhorn.

bugle call *sb.* hornsignal.

bugler ['bju:glə] *sb.* hornblæser.

bugleweed ['bju:glwi:d] *sb.* (*am.*) = *bugle*[1] 3.

bugloss ['bju:glɔs] *sb.* (*bot.*) oksetunge.

bugs [bʌgz] *adj.* (*am.* S) skør.

build[1] [bild] *sb.* **1.** opbygning; form; **2.** (*persons*) legemsbygning; skikkelse (*fx of slim* ~);

□ *of slight* ~ (*jf.* 2) spinkel af bygning, spinkelt bygget.

build[2] [bild] *vb.* (*built, built*) **1.** bygge, opføre (*fx a house*); **2.** (*fig.*) opbygge (*fx an organization; self-confidence*); skabe (*fx trust*); **3.** (*om fart, pres*) se ndf.: ~ *up g*);

□ ~ *in* indbygge; ~ *into* indbygge i; ~ *on* **a.** bygge til (*fx an extension*); **b.** bygge på (*fx the success they have had so far*); **c.** stole på (*fx can we* ~ *on his promise?*); ~ *over* bebygge; ~ *up* **a.** opbygge; **b.** (*fig.*) styrke (*fx one's health*); **c.** (*ved omtale*) indarbejde; opreklamere; **d.** (*åbning*) mure til (*fx a door; a window*); **e.** (*område, sted*) bebygge; omgive med bygninger; **f.** (*mil.*) samle tropper og materiel; **g.** (*uden objekt*) gradvis øges; tage til; vokse lidt efter lidt; (*om trafik også*) blive tættere; ~ *him up* opreklamere ham; skabe hans ry; ~ *up for* (*i sport*) forberede sig til; træne til; ~ *up to* forberede; lægge op til.

builder ['bildə] *sb.* **1.** bygningsentreprenør; bygmester; **2.** bygningshåndværker; **3.** (*i sms.*) -bygger (*fx boatbuilder*).

builders' merchant *sb.* leverandør af bygningsartikler.

building ['bildiŋ] *sb.* **1.** bygning; hus; **2.** (*handling*) byggeri; bygning.

building block *sb.* **1.** (*legetøj*) byggeklods; **2.** (*fig.*) byggesten.

building owner *sb.* bygherre.

building site *sb.* byggeplads.

building society *sb.* boligfinansieringsinstitut.

building surveyor *sb.* (*omtr.*) bygningsinspektør; tilsynsførende.

building trade *sb.* byggefag.

build-up ['bildʌp] *sb.* **1.** opbygning; gradvis vækst; **2.** forberedelse; gradvis stigning; **3.** (*ved omtale*) opreklamering; forhåndsreklame.

built [bilt] *præt.* & *præt. ptc.* af *build*[2].

built-in [bilt'in] *adj.* **1.** indbygget (*fx cupboard*); **2.** (*fig.*) indbygget; iboende.

built-up [bilt'ʌp] *adj.* bebygget;

□ ~ *area* område med bymæssig bebyggelse.

bulb [bʌlb] *sb.* **1.** (*elek.*) pære; **2.** (*i gartneri*) løg, blomsterløg; (*fx krokus-*) knold; **3.** (*med luft, til at trykke på*) ballon; **4.** (*på termometer*) kugle.

bulbous ['bʌlbəs] *adj.* **1.** løgformet; **2.** kugleformet;

□ ~ *leg* (*på møbel*) kugleben; ~ *nose* kartoffelnæse.

bulbul ['bulbul] *sb.* persisk nattergal.

Bulgaria [bʌl'gɛəriə] (*geogr.*) Bulgarien.

Bulgarian[1] [bʌl'gɛəriən] *sb.* **1.** (*person*) bulgarer; **2.** (*sprog*) bulgarsk.

Bulgarian[2] [bʌl'gɛəriən] *adj.* bulgarsk.

bulge[1] [bʌldʒ] *sb.* **1.** bule; udbulning; **2.** (*på kroppen*) bule; ophovnet sted; **3.** (*fig.*) (midlertidig) stigning, boom (*fx in spending; in sales*); **4.** (*mil.*) frontfremspring; bugt [*i frontlinje*];

□ *the* ~ (*in the birth-rate*) de store årgange.

bulge[2] [bʌldʒ] *vb.* (se også *bulging*) **1.** bule ud; bulne ud; danne en bule; **2.** svulme (*fx the veins on his neck -d*); **3.** (*efter slag*) hovne op;

□ *his eyes -d* hans øjne stod ud af hovedet; ~ *out* bulne ud; bule ud; ~ *with* være propfuld/stuvende fuld af.

bulging ['bʌldʒiŋ] *adj.* **1.** svulmende (*fx muscles*); **2.** propfuld (*fx bag; pockets*);

□ ~ *eyes* udstående øjne.

bulimia [bu:'limiə] *sb.* (*med.*) bulimi [*sygelig trang til at spise*].

bulimic[1] [bu:'limik] *sb.* (*med.*) bulimiker, bulimipatient.

bulimic[2] [bu:'limik] *adj.* (*med.*) bulimisk.

bulk[1] [bʌlk] *sb.* **1.** størrelse (*fx the*

sheer ~ *of the bags*); omfang; **2.** stor masse, stort omfang; størrelse (*fx despite its* ~ *the car is easy to handle*); **3.** (*persons*) korpus; **4.** (*i mad*) fyldstof; **5.** (*mar.*) last, ladning;

□ *break* ~ (*mar.*) begynde at losse; *in* ~ **a.** løst; ikke i emballage; **b.** en gros; i store partier; *grow in* ~ tiltage i omfang; *the* ~ *of* hovedparten af, størstedelen af; *the* ~ *of the shares* aktiemajoriteten.

bulk[2] [bʌlk] *vb.:* ~ *large* F indtage en fremtrædende plads; ~ *out* fylde ud; få til at fylde mere; ~ *up* **a.** tage på i vægt; udvikle sine muskler; **b.** = ~ *out.*

bulk buying *sb.* køb i store partier; storkøb.

bulk cargo *sb.* (*mar.*) bulkladning, massegods.

bulk carrier *sb.* (*mar.*) bulkcarrier, massegodsskib.

bulkhead ['bʌlkhed] *sb.* (*mar., flyv.*) skot.

bulk price *sb.* partipris.

bulky ['bʌlki] *adj.* **1.** stor (og tung), omfangsrig; **2.** uhåndterlig;

□ ~ *refuse* storskrald.

bull[1] [bul] *sb.* **1.** tyr; (*af elefant*) han; **2.** (*på børsen*) haussespekulant, haussist [*der spekulerer i stigende kurser*]; **3.** (*rel.*) (pavelig) bulle; **4.** (*ved målskydning*) plet; pletskud; **5.** (*især am.* T) ævl, øregas; **6.** (*am.* S) stridser; detektiv; **7.** (*mil.* S) (overdreven) pudsning/rengøring (*etc.*); militærpedanteri;

□ *like a* ~ *in a china shop* som en elefant i en porcelænsbutik; *take the* ~ *by the horns* tage tyren ved hornene; (se også *Irish bull*).

bull[2] [bul] *vb.* (jf. *bull*[1] 7) (*mil.* S) pudse.

bullace ['bulis] *sb.* (*bot.*) kræge.

bull bar *sb.* (*på bil*) kængurugitter.

bulldog ['buldɔg] *sb.* **1.** buldog; **2.** (*ved Oxford & Cambridge universitet,* T) ordensbetjent.

bulldog clip *sb.* buldogklemme [*kraftig papirklemme*].

bulldoze ['buldəuz] *vb.* **1.** (*bygning*) rydde, rive ned; **2.** (*grund*) rydde, planere; **3.** (T: *person*) tvinge, tryne, tromle; **4.** (T: *om person*) mase sig ind;

□ ~ *through* gennemtvinge; gennemtrumfe.

bulldozer ['buldəuzə] *sb.* bulldozer; rydningstraktor.

bull dyke *sb.* mandhaftig lebber.

bullet ['bulit] *sb.* **1.** kugle; projektil; **2.** se *bullet point;*

□ *bite the* ~ **a.** sluge kamelen; bide i det sure æble; **b.** tage det som en mand; *get the* ~ S blive fyret; *stop a ~ (mil.* S) komme i vejen for en kugle [ɔ: *blive ramt*].

bullet-headed [bulit'hedid] *adj.* rundhovedet.

bulletin ['bulətin] *sb.* **1.** se *news bulletin;* **2.** *(officiel)* bulletin, officiel meddelelse; **3.** *(forenings, firmas)* nyhedsbrev.

bulletin board *sb.* opslagstavle.

bullet point *sb. (typ.)* fedt punkt *[foran hver linje i opremsning].*

bulletproof ['bulitpru:f] *adj.* skudsikker *(fx glass).*

bulletproof vest *sb.* skudsikker vest.

bullet wound *sb.* skudsår.

bullfight ['bulfait] *sb.* tyrefægtning.

bullfighter ['bulfaitə] *sb.* tyrefægter.

bullfinch ['bulfin(t)ʃ] *sb.* **1.** *(zo.)* dompap; **2.** *(beplantning)* høj hæk *[med grøft ved siden af].*

bullfrog ['bulfrɔg] *sb. (zo.)* oksefrø.

bullheaded [bul'hedid] *adj. (neds.)* stædig, stivnakket, stejl.

bullhorn ['bulhɔ:n] *sb. (am.)* råber *[med forstærker];* megafon.

bullion ['buliən] *sb.* umøntet guld// sølv;
□ *gold in ~* guld i barrer.

bullish ['buliʃ] *adj.* **1.** (jf. *bull[1] 2)* haussepræget, præget af spekulation i stigende kurser *(fx the market is ~);* **2.** *(om person)* optimistisk *(about* med hensyn til); **3.** (jf. *bull[1] 1)* tyreagtig; stædig, aggressiv.

bull market *sb.* (jf. *bull[1] 2)* haussemarked.

bull-necked [bul'nekt] *adj.* med tyrenakke.

bullock ['buløk] *sb. (zo.)* stud.

bull operator *sb.* (jf. *bull[1] 2)* haussespekulant.

bullpen ['bulpen] *sb. (am.)* **1.** tyrefold; **2.** *(i baseball)* [øvelsesbane for kastere]; **3.** *(i ret)* [celle hvor fanger venter før de skal i retten].

bullring ['bulriŋ] *sb.* tyrefægtningsarena.

bullroarer ['bulrɔ:rə] *sb.* brummer *[stykke træ i en snor].*

bull run *sb. (merk.)* hausseperiode.

bull session *sb. (am.* T) mandemøde.

bull's-eye ['bulzai] *sb.* **1.** *(i skydeskive)* centrum; **2.** *(ved målskydning)* pletskud; **3.** *(bolsje, omtr.)* bismarcksklump; **4.** *(glds. mar.)* skibsvindue; koøje;
□ *hit the ~* T ramme plet.

bullshit[1] ['bulʃit] *sb. (vulg.)* øregas, bræk, ævl, pis.

bullshit[2] ['bulʃit] *vb. (vulg.)* ævle;
□ *~ sby* fylde en med ævl/øregas; lave fis med en.

bull terrier *sb.* bullterrier.

bullwhip ['bulwip] *sb.* lang kraftig pisk.

bully[1] ['buli] *sb.* mobber, tyran; bølle, bisse, voldsmand.

bully[2] ['buli] *adj.: ~ for you! (ironisk)* bravo! godt klaret! hvor er du dygtig!

bully[3] ['buli] *vb.* **1.** mobbe, tyrannisere; **2.** behandle brutalt; terrorisere; herse med;
□ *~ sby into -ing* tvinge/tyrannisere/skræmme en til at.

bully boy *sb.* T bølle, bisse, voldsmand.

bully pulpit *sb. (am.)* [fremtrædende stilling som giver en lejlighed til at lufte sine synspunkter].

bullyrag ['buliræg] *vb. (am.* T) **1.** tyrannisere; herse med; **2.** plage, mobbe.

bulrush ['bulrʌʃ] *sb. (bot.)* **1.** kogleaks; **2.** dunhammer; **3.** *(bibelsk)* papyrus.

bulwark ['bulwək] *sb.* **1.** vold; bastion; **2.** *(fig.)* bolværk, værn *(against* mod);
□ *-s (mar.)* skanseklædning.

bum[1] [bʌm] *sb.* T **1.** *(skældsord)* skvadderhoved; dagdriver; nasser; **2.** *(ivrig dyrker)* fan *(fx a dance ~);* **3.** *(legemsdel)* bagdel, rumpe; **4.** *(især am.)* vagabond, bums;
□ *go on the ~* **a.** drive om, vagabondere; **b.** nasse, tigge; *sit on one's ~* sidde på sin flade *[og ikke bestille noget]; put -s on seats (teat.* S) sælge billetter; skæppe i kassen; (se også *bum's rush).*

bum[2] [bʌm] *adj.* T dårlig, elendig.

bum[3] [bʌm] *vb.* bomme *(fx a cigarette);* tigge; nasse sig til;
□ *~ about/around* drive omkring; vagabondere; *~ a cigarette off sby* bomme en for en cigaret, bomme en cigaret fra en; *~ money off sby* slå en for penge; *~ out (am.* T) **a.** tage humøret fra; irritere; **b.** fuppe.

bum bag *sb.* bæltepung; bæltetaske; mavetaske.

bumbailiff ['bʌmbeilif] *sb. (hist.)* (pante)foged;
□ *~ about* fumle rundt; tumle rundt.

bumble ['bʌmbl] *vb.* (se også *bumbling)* **1.** kludre, fumle; **2.** vrøvle; tale sort; **3.** *(om insekt)* summe.

bumblebee ['bʌmblbi:] *sb. (zo.)* humlebi.

bumblepuppy ['bʌmblpʌpi] *sb.* stangtennis.

bumbling ['bʌmbliŋ] *adj.* fjumret, kluntet.

bumboat ['bʌmbəut] *sb. (mar.)*

bombåd, kadrejerbåd.

bumf [bʌmf] *sb.* T **1.** *(neds.)* (overflødige//kedsommelige) papirer; **2.** *(glds.)* toiletpapir.

bummed out [bʌmd'aut] *adj. (am.* T) nedtrykt, nede; skuffet.

bummer ['bʌmə] *sb.* T **1.** skuffelse; fiasko, flop, fuser; **2.** *(mht. narkotika)* nedtur; dårligt trip; **3.** *(am.)* vagabond; drivert.

bump[1] [bʌmp] *sb.* **1.** stød, bump *(fx I felt a ~);* slag; **2.** *(i vej; i hovedet)* bule; **3.** *(lyd)* bump *(fx I heard a ~);* **4.** *(med bil)* let sammenstød; bagatel;
□ *with a ~* **a.** med et bump; **b.** *(fig.)* med et brag *(fx they came down to earth with a ~);* (se også *locality).*

bump[2] [bʌmp] *vb.* **1.** støde *(fx one's head on sth);* **2.** *(uden objekt: om køretøj)* skumple, skrumple, bumpe; **3.** *(om skib)* hugge;
□ *be -ed* **a.** *(flyv.)* [ikke få sin reserverede plads på grund af overbooking];* **b.** *(am.)* få sit job hugget;
[*med præp.& adv.]* *~ along*
a. humpe af sted; fortsætte i samme skure; **b.** *(om køretøj)* skumple af sted; *~ into* **a.** støde/ ramle ind i *(fx a lamp post);* **b.** *(fig.* T) støde på, ramle ind i *(fx an old friend); ~ off* T rydde af vejen, ekspedere; myrde; *~ up* forøge, sætte i vejret; *be -ed up (am.)* blive forfremmet; *~ up against* støde ind i *(fx a problem).*

bumper[1] ['bʌmpə] *sb.* **1.** *(på bil)* kofanger; **2.** *(glds.: af drik)* svingende fuldt glas; **3.** *(austr.)* smøg;
□ *~ to ~* kofanger ved kofanger; klos op ad hinanden.

bumper[2] ['bʌmpə] *adj.* usædvanlig god//rig//stor; rekord- *(fx harvest; year);* kæmpe(stor) *(fx profit).*

bumper car *sb. (forlystelse i tivoli)* radiobil.

bumper sticker *sb. (am.)* klistermærke *[til at klæbe på kofanger].*

bumph [bʌmf] *sb.* = *bumf.*

bumpkin ['bʌm(p)kin] *sb.* bondeknold.

bumptious ['bʌm(p)ʃəs] *adj.* skidtvigtig; indbildsk.

bumpy ['bʌmpi] *adj.* **1.** *(om vej)* ujævn; knoldet; **2.** *(fig.)* hvor det både går op og ned;
□ *we had a ~ ride//flight* vi blev rystet godt på turen.

bum rap *sb. (am.* T) ufortjent straf//kritik.

bum's rush *sb.: give sby the ~* T smide en ud; give én et spark.

bum steer *sb. (am.* T) vildledende oplysninger//råd.

bum-sucker ['bʌmsʌkə] *sb.* S røv-slikker; fedterøv.

bun [bʌn] *sb.* **1.** (*brød*) bolle; **2.** (*kage*) [*rund kage med glasur*]; **3.** (*hår*) knude, knold; **4.** (*am.* S) (*ende*)balle;
□ *-s* (*jf. 3*) bagdel, ende; *have a ~ in the oven* (*glds.* T) have stær i kassen [ɔ: *være gravid*].

bunch[1] [bʌn(t)ʃ] *sb.* **1.** bundt (*fx of radishes*); **2.** (*bananer, druer*) klase; **3.** (*blomster*) buket; **4.** (*nøgler*) knippe, bundt; **5.** (T: *personer*) flok; (*neds.*) samling, bande (*fx they are a ~ of criminals*);
□ *-es* (*frisure*) rottehaler; *a ~ of* (*am.*) en mængde; en hel masse; *the best/the pick of the ~* den bedste af dem alle sammen.

bunch[2] [bʌn(t)ʃ] *vb.* **1.** (*om personer*) samles; klumpe sig sammen; **2.** (*om tøj*) lægge sig i folder; **3.** (*med objekt*) samle (i et bundt); bundte; **4.** (*fx papir*) krølle sammen til en kugle;
□ *~ one's hand* knytte hånden; *~ together* = 1; *~ up* **a.** = 1; **b.** = 2.

bunco ['bʌŋkəʊ] *vb.* (*am.* S) snyde [*især i kortspil*].

buncombe ['bʌŋkəm] *sb.* = *bunkum*.

bundle[1] ['bʌndl] *sb.* **1.** bundt (*fx of letters; of newspapers*); **2.** (*af brænde, hø*) knippe; **3.** (*uformelig, fx af tøj*) bylt; **4.** (*it*) [*pakke som sælges samlet*];
□ *a ~ of* (*fig.*) en mængde, en masse; *a ~ of energy* et energibundt; *he is a ~ of fun* han er fuld af sjov; *it hasn't been a ~ of fun/laughs* det har ikke været særlig sjovt; *a ~ of joy* [*en baby*]; *a ~ of nerves* et nervebundt; *it cost a ~* T det kostede en bondegård/en formue; *not go a ~ on* T ikke være vild med; *make a ~* T tjene tykt; score kassen.

bundle[2] ['bʌndl] *vb.* **1.** bylte sammen; **2.** stoppe (*fx clothes into a drawer; sby into a taxi*);
□ *~ off* sende i huj og hast (*fx ~ him off to school*); *~ out* **a.** jage væk; kaste ud; **b.** sende//komme af sted i en fart; *~ him through the door* skubbe ham gennem/ud ad døren; *~ up* **a.** bundte//bylte sammen; **b.** (*i varmt tøj*) hylle/pakke ind; **c.** (*uden objekt*) hylle sig ind.

bundled ['bʌndld] *adj.* (*it, om program*) [*som sælges sammen med en computer*].

bundling ['bʌndlɪŋ] *sb.* (*it*) [*det at sælge programmer sammen med computer for samme pris*].

bunfight ['bʌnfaɪt] *sb.* teslabberas; støjende (og tætpakket) komsam-

men.

bung[1] [bʌŋ] *sb.* **1.** prop; **2.** (*til fad, tønde*) spuns; **3.** T bestikkelse.

bung[2] [bʌŋ] *vb.* **1.** T smide (*fx ~ some coins in the machine; ~ it to me*); **2.** (*flaske etc.*) proppe til; **3.** (*fad, tønde*) spunse; **4.** (T: *person*) bestikke;
□ *~ up* T stoppe til, blokere; *-ed up* T **a.** tilstoppet; tillukket; **b.** (*om person*) stoppet i næsen; snotforkølet; **c.** (*am.*) mishandlet; ramponeret.

bungalow ['bʌŋgələʊ] *sb.* bungalow.

bunged up *adj.* se *bung*[2].

bungee ['bʌndʒi] *sb.* plastovertrukket gummistrop [*til at fastgøre bagage med*].

bungee jumping *sb.* elastikspring.

bunghole ['bʌŋhəʊl] *sb.* **1.** spunshul; **2.** (*am.* S) røvhul.

bungle[1] ['bʌŋgl] *sb.* **1.** kludder, makværk; **2.** bommert, brøler.

bungle[2] ['bʌŋgl] *vb.* **1.** forkludre; **2.** kludre i det.

bungled ['bʌŋgld] *adj.* forkludret, mislykket.

bungler ['bʌŋglə] *sb.* kludderhoved, klodrian.

bunion ['bʌnjən] *sb.* betændt hævelse [*på storetåen*]; knyst.

bunk[1] [bʌŋk] *sb.* **1.** køje; **2.** (*glds.* T) vås, snak;
□ *do a ~* S stikke af, fordufte [*i al hemmelighed*].

bunk[2] [bʌŋk] *vb.* T gå til køjs, sove;
□ *~ off* S **a.** stikke af, fordufte; **b.** (*fra skole*) pjække.

bunk bed *sb.* køjeseng, etageseng.

bunker[1] ['bʌŋkə] *sb.* **1.** kulkasse; **2.** (*mil.*) bunker; **3.** (*i golf*) bunker, sandgrav.

bunker[2] ['bʌŋkə] *vb.* **1.** (*mar.*) tage olie//kul ind; bunkre; **2.** (*i golf*) slå bolden i bunker.

bunkhouse ['bʌŋkhaʊs] *sb.* skur med køjer.

bunkum ['bʌŋkəm] *sb.* (*glds.* T) vrøvl, vås, nonsens.

bunk-up ['bʌŋkʌp] *sb.* **1.** T håndsrækning; hjælp til at komme op; **2.** (*vulg.*) hurtigt knald.

bunny ['bʌni] *sb.* **1.** (*barnesprog*) kanin; **2.** [*natklubværtinde i kaninkostume*].

Bunsen burner [bʌns(ə)n'bɜːnə] *sb.* (*kem.*) bunsenbrænder.

bunt [bʌnt] *sb.* **1.** (*bot.*) stinkbrand; **2.** (*mar.*) bug [*af sejl*].

bunting ['bʌntɪŋ] *sb.* **1.** (*til udsmykning*) flagguirlande; **2.** (*stof*) flagdug; **3.** (*zo.*) værling.

buoy[1] [bɔi, (*am. også*) 'buːi] *sb.* (*mar.*) bøje.

buoy[2] [bɔi, (*am. også*) 'buːi] *vb.*

1. holde flydende, holde oppe; **2.** (*person*) opmuntre; **3.** (*mar.*) afmærke med bøje(r);
□ *~ up* se ovf.: *1, 2*.

buoyage ['bɔiidʒ] *sb.* farvandsafmærkning.

buoyancy ['bɔiənsi] *sb.* **1.** (*tings, båds*) flydeevne; **2.** (*i væske*) opdrift; **3.** (*hos person*) evne til at holde sig oppe; livsmod, optimisme, ukuelighed; **4.** (*om stemning*) lethed, livlighed; **5.** (*merk.: i økonomien*) stigende tendens; stærk fremgang.

buoyant ['bɔiənt] *adj.* **1.** (*om ting, båd*) som flyder ovenpå; **2.** (*om væske*) som bærer oppe; **3.** (*om person*) optimistisk; livsglad; **4.** (*merk.: om økonomi*) stigende; i stærk fremgang.

BUPA *fork. f. British United Provident Association* [*et sygeforsikringsselskab*].

buppie ['bʌpi] *sb.* T sort *yuppie*.

bur [bɜː] *sb.* (*bot.*) burre; (se også *burr 4, burr 5*).

Burberry® ['bɜːbəri] *sb.* **1.** vandtæt stof; **2.** burberryfrakke.

burble[1] ['bɜːbl] *sb.* (*jf. burble*[2]) **1.** klukken, rislen; **2.** pludren, mumlen; **3.** plapren, kværnen.

burble[2] ['bɜːbl] *vb.* **1.** (*om vand*) klukke, risle; **2.** (*om bæk*) pludre, mumle; **3.** (*om person*) plapre, kværne [*uforståeligt*].

burbot ['bɜːbət] *sb.* (*zo.*) ferskvandskvabbe, ålekvabbe.

burden[1] ['bɜːd(ə)n] *sb.* **1.** byrde; **2.** (*mar.*) drægtighed; **3.** (*i sang*) omkvæd;
□ *the ~ of* hovedindholdet af; *~ of proof* bevisbyrde; (se også *tax burden*); *place a heavy ~ on* (*fig.*) hvile tungt på.

burden[2] ['bɜːd(ə)n] *vb.* bebyrde, belemre (*with* med);
□ *-ed with* **a.** belæsset med; **b.** (*fig.*) tynget af.

burdensome ['bɜːd(ə)nsəm] *adj.* F tyngende; byrdefuld.

burdock ['bɜːdɔk] *sb.* (*bot.*) burre.

bureau ['bjʊərəʊ] *sb.* (*pl. -x/-s* [-z]) **1.** bureau; kontor; **2.** (*især am.*) regeringskontor; afdeling; **3.** (*møbel*) chatol; **4.** (*am.*) kommode;
□ *the Bureau* (*am.*) FBI.

bureaucracy [bju'rɔkrəsi] *sb.* bureaukrati.

bureaucrat ['bjʊərəkræt] *sb.* bureaukrat.

bureaucratic [bjʊərə'krætik] *adj.* bureaukratisk.

burelage [fr.] *sb.* (*i filateli*) bundtryk.

burette [bju'ret] *sb.* måleglas.

burg [bɜːg] *sb.* (*am.* T) by.

B burgee

burgee ['bə:dʒi:] *sb.* (*mar.*) lille splitflag; klubstander.
burgeon ['bə:dʒ(ə)n] *vb.* (*litt.*) skyde op/frem; vokse//brede sig hurtigt.
burgeoning ['bə:dʒəniŋ] *adj.* (*litt.*) hastigt voksende; som udvikler sig hurtigt.
burger ['bə:gə] *sb.* (*mad*) burger.
burgh ['bʌrə] *sb.* (*skotsk*) købstad.
burgher ['bə:gə] *sb.* (*glds.; spøg.*) borger; bedsteborger.
burglar ['bə:glə] *sb.* indbrudstyv.
burglar alarm *sb.* tyverialarm.
burglarize ['bə:gləraiz] *vb.* (*am.*) = burgle.
burglary ['bə:gləri] *sb.* indbrud; indbrudstyveri.
burgle ['bə:gl] *vb.* lave/begå indbrud i, bryde ind i;
□ *he has been -d* han har haft indbrud; *the house has been -d* der har været indbrud i huset.
burgomaster ['bə:gəma:stə] *sb.* borgmester [*i Skandinavien, Tyskland el. Holland*].
Burgundy ['bə:gəndi] *sb.* (*geogr.*) Bourgogne.
burgundy ['bə:gəndi] *sb.* **1.** (*vin*) bourgogne; **2.** (*farve*) bourgognerødt.
burial ['beriəl] *sb.* begravelse.
burial chamber *sb.* gravkammer.
burial ground *sb.* begravelsesplads; kirkegård.
burial mound *sb.* gravhøj.
burial service *sb.* begravelsesritual.
burin ['bjuərin] *sb.* gravstikke [*til gravering*].
burk [bɛ:k] *sb.* T fjols, fæ.
burke [bə:k] *vb.* **1.** dysse ned; henlægge; sylte; **2.** gå/vige uden om; undgå; **3.** (*glds.*) kværke;
□ ~ *at* vige tilbage for; stejle over.
burl [bə:l] *sb.* **1.** (*på træ*) maser; maserknude; **2.** (*materiale*) masret finer; **3.** (*i uld*) noppe;
□ *give it a* ~ (*austr.* T) gøre et forsøg.
burlap ['bə:læp] *sb.* (*am.*) hessian; sækkelærred.
burlesque[1] [bə:'lesk] *sb.* **1.** parodi; **2.** (*am.*) varietéforestilling [*især med striptease*].
burlesque[2] [bə:'lesk] *vb.* parodiere; karikere.
burly ['bə:li] *adj.* svær, kraftig; stor og stærk.
burn[1] [bə:n] *sb.* **1.** brandsår; forbrænding; **2.** brandplet; brændt sted; **3.** (*skotsk*) bæk; strøm.
burn[2] [bə:n] *vb.* (*burnt, burnt; især am.*) -ed, -ed) **1.** brænde; **2.** (*brændsel: om person*) fyre med (*fx oil; coal*); **3.** (*om apparat etc.*) bruge (*fx the heater -s both*

gas and oil); **4.** (*affald, hus etc.*) brænde 'af (*fx rubbish*); **5.** (*mad*) brænde 'på; **6.** (*om solen*) skolde; **7.** T snyde; **8.** (*uden objekt*) brænde; **9.** (*om mad*) brænde 'på; **10.** (*om person, hud*) blive skoldet, blive forbrændt af solen (*fx my skin -s easily*); **11.** (*om bil etc.*) ræse (*fx along; through the streets*);
□ *be -ing* **a.** (*om bygning*) brænde; stå i brand; **b.** (*om lys*) brænde; være tændt; *he was -ing to know* han brændte efter at få det at vide; *be/get burnt* **a.** blive dårligt behandlet; **b.** (*økonomisk*) brænde fingrene; blive snydt; (*se også boat, ear*[1], *finger*[1] (*etc.*));
[*med præp.& adv.*] ~ **down** brænde ned; ~ **off** **a.** brænde væk (*fx paint*); **b.** forbrænde (*fx calories*); ~ **out** **a.** brænde ud; **b.** (*om maskine*) brænde sammen; **c.** (*om lyspære*) brænde over; ~ **oneself** *out* blive udbrændt; slide sig op; ~ *sby out* gøre en hjemløs [*ved brand*]; *be burnt* **to** *death* brænde ihjel; *be burnt to the ground* brænde ned til grunden; ~ **up** **a.** brænde; brænde op; **b.** forbrænde, bruge (*fx a lot of fuel*); **c.** (*om ild*) flamme op; **d.** (*fig.*) blive//gøre rasende; *be -ing* **with** *curiosity* brænde af nysgerrighed; *be -ing with enthusiasm* gløde af begejstring.
burner ['bə:nə] *sb.* blus [*på komfur*]; (*se også back burner, front burner*).
burnet ['bə:nit] *sb.* **1.** (*bot.*) kvæsurt; **2.** (*zo.*) køllesværmer.
burnet rose *sb.* (*bot.*) pimpinellerose.
burning glass *sb.* brændglas.
burnish ['bə:niʃ] *vb.* **1.** polere; **2.** (*fig.*) pynte på, forbedre.
burnished ['bə:niʃt] *adj.* blankpoleret.
burnout ['bə:naut] *sb.* **1.** (*om person: tilstand*) udbrændthed; **2.** (*am. S: person*) narkovrag; **3.** (*am. S: med bil*) dækafbrænding; **4.** (*i raket etc.*) drivstofslut.
burnt [bə:nt] *præt. & præt. ptc. af burn*[2].
burnt offering *sb.* **1.** (*rel.*) brændoffer; **2.** (*spøg.*) mad der er brændt på.
burnt-out [bə:nt'aut] *adj.* (*også fig.*) udbrændt.
burp[1] [bə:p] *sb.* bøvs.
burp[2] [bə:p] *vb.* bøvse;
□ ~ *the baby* få den lille til at bøvse.
burp gun *sb.* (*am.* S) maskinpistol.
burr [bə:] *sb.* **1.** (*på plante*) burre;

2. (*på træ*) knude; udvækst; **3.** (*på hjortetak*) rose; **4.** (*på kant*) grat; **5.** (*tandl.*) bor; **6.** (*fon.*) [*tungerodssnurren på r*];
□ *speak with a* ~ (*jf. 6*) snurre på r'erne.
burro ['bʌrou] *sb.* (*am.*) lille (pak)æsel.
burrow[1] ['bʌrəu] *sb.* hule; gang [*gravet af dyr, fx kaniner*].
burrow[2] ['bʌrəu] *vb.* **1.** grave; **2.** grave sig, bore sig (*into* ind i; *through* gennem; *under* ned under); **3.** (*med hænderne*) rode (*through* gennem);
□ ~ *into* (*fig.: undersøge*) dykke ned i, kulegrave; udforske.
bursar ['bə:sə] *sb.* **1.** regnskabsfører; **2.** (*ved universitet*) kvæstor; **3.** (*skotsk*) stipendiat.
bursary ['bə:s(ə)ri] *sb.* **1.** stipendium; **2.** (*jf. bursar 1*) regnskabskontor; **3.** (*jf. bursar 2*) kvæstur.
burst[1] [bə:st] *sb.* **1.** revne, brud (*fx in a water pipe*); sprængning; **2.** (*lyd*) eksplosion; brag; **3.** (*fra maskinpistol*) byge; salve;
□ *a* ~ *of* et udbrud af (*fx activity, applause, laughter*); et anfald af (*fx energy, rage; temper hidsighed*); *a* ~ *of colour* en farveeksplosion; *a* ~ *of speed* en spurt; *a* ~ *of thunder* et tordenbrag; **in** *-s* stødvis; rykvis; i sæt.
burst[2] [bə:st] *vb.* (burst, burst) (*se også bursting*) **1.** revne (*fx the balloon* ~; *eat till you* ~); springe (*fx the balloon* ~; *a water pipe has* ~); briste (*fx a blood vessel* ~);
2. (*ved eksplosion*) eksplodere, springe (*fx the bomb* ~); sprænges; **3.** (*om uvejr*) bryde løs;
4. (*med objekt*) sprænge (*fx he* ~ *a blood vessel*); få til at revne;
5. (*it, om endeløs bane*) skille ad;
□ ~ *a balloon* knalde en ballon; ~ *open* (*om dør, låg*) springe op; (*se også bank*[1]);
[*med præp.& adv.*] ~ **in** komme farende/styrtende ind; brase ind; ~ **in on a.** komme farende/styrtende ind til (*fx she* ~ *in on me*); **b.** (*komme farende og*) afbryde (*fx their conversation; the meeting*); ~ **into** *leaf*//*flower* springe ud; ~ *into tears*//*laughter* briste i gråd// latter; ~ *into flames* bryde i brand; ~ *into life* pludselig gå i gang; ~ *into song* bryde ud i sang; ~ *into the room* komme farende/ styrtende ind i værelset, brase ind i værelset; ~ **on** (to) *the scene* pludselig dukke op/gøre sin entré; ~ **out a.** komme farende/styrtende ud; styrte ud (*of* af, *fx the room*); **b.** (*om ytring*) udbryde; ~

out crying//laughing briste i gråd// latter; ~ *up* gå i stykker; ramle; *it suddenly ~ upon me* det gik pludselig op for mig; ~ *one's sides with laughing* være ved at revne af grin; (se også *bursting*).

bursting ['bə:stiŋ] *adj.*: *be ~ (at the seams)* (om *lokale etc.*) være propfuld; være fyldt til bristepunktet; *I am ~* T jeg skal tisse lige med det samme; *he was ~ to* han kunne slet ikke vente med at (*fx tell them; go to the loo*); *be ~ with* **a.** være propfuld af (*fx the wardrobe was ~ with clothes*); **b.** (om *person*) strutte af (*fx energy; health*); være fyldt til randen med; **c.** (om *følelse*) være ved at revne af (*fx pride*); være ved at eksplodere af (*fx anger*).

burton ['bə:t(ə)n] *sb.*: *go for a ~* (*glds.* T) **a.** gå i vasken, blive ødelagt; **b.** blive dræbt.

bury ['beri] *vb.* **1.** begrave; **2.** (*følelse, erindring*) fortrænge; undertrykke; begrave (*fx buried deep inside his subconscious*); □ *~ in* (*noget spidst*) bore ned i/ ind i (*fx the dog buried its teeth in my arm*); *~ itself in* bore sig ned i/ind i (*fx the bullet had buried itself in the wall*); *~ oneself in* **a.** begrave sig i (*fx one's work*); **b.** (*bog etc.*) fordybe sig i; (se også *hatchet, head¹*).

burying beetle *sb.* (*zo.*) ådselgraver.

bus¹ [bʌs] *sb.* **1.** bus; **2.** (*især am.*) rutebil; **3.** (*it*) bus; □ *miss the ~* (*fig.*) forspilde sin chance; forpasse lejligheden; *we have missed the ~* (*også*) toget er kørt.

bus² [bʌs] *vb.* **1.** køre med bus; **2.** (*med objekt*) transportere med bus; **3.** (*am.*: *som led i raceintegration*) transportere (børn) med bus til en anden skole; **4.** (*am.*: *på restaurant*) rydde 'af.

busboy ['bʌsbɔi] *sb.* (*am.*: *i restaurant*) afrydder.

busby ['bʌzbi] *sb.* T bjørneskindshue.

bush¹ [buʃ] *sb.* **1.** busk; **2.** buskads; krat; **3.** (*i Australien & Afrika*) kratskov; skov med underskov; **4.** (om *hår*) manke; **5.** (*vulg.*) dusk; **6.** (*tekn.*) bøsning; □ *good wine needs no ~* en god vare anbefaler sig selv; *beat about the ~* komme med udflugter/udenomssnak; bruge omsvøb; *he did not beat about the ~* han gik lige til sagen; *take to the ~* (*austr.*) flygte ud i kratskoven [*og leve som forbryder*].

bush² [buʃ] *vb.*: *~ a bearing* ind-

sætte en bøsning i et leje.

bushbaby ['buʃbeibi] *sb.* se *galago*.

bushbuck ['buʃbʌk] *sb.* (*zo.*) skriftantilope.

bushed [buʃt] *adj.* T **1.** udmattet, flad; **2.** (*austr.*) faret vild; forvirret, desorienteret.

bushel¹ ['buʃ(ə)l] *sb.* skæppe [= *36,35 liter*]; (se også *light¹*).

bushel² ['buʃ(ə)l] *vb.* (*am.*) lappe, reparere; omsy.

bush fire *sb.* skovbrand.

bushing ['buʃiŋ] *sb.* (*tekn.*) bøsning.

Bushman ['buʃmən] *sb.* (*pl.* -men [-mən]) buskmand.

bushman [buʃmən] *sb.* (*pl.* -men [-mən]) (*austr.*) skovmand; nybygger.

bushpig ['buʃpig] *sb.* (*zo.*) penselsvin.

bushranger ['buʃreindʒə] *sb.* **1.** (*austr.*) hård forretningsmand; grisk person; **2.** (*glds. austr.*) [*røver der levede i ødemarken*]; **3.** (*am.*) pioner, nybygger.

bush telegraph *sb.* jungletelegraf, jungletrommer.

bushwalker ['buʃwɔːkə] *sb.* (*austr.*) trekker.

bushwalking ['buʃwɔːkiŋ] *sb.* (*austr.*) vandretur.

bushwhack ['buʃwæk] *vb.* (*am.*) **1.** overfalde fra baghold; falde i ryggen; **2.** rydde en sti i tæt skov; møjsommeligt bane sig vej.

bushy ['buʃi] *adj.* busket.

busily ['bizili] *adv.* ihærdigt; energisk; □ *be ~ engaged in + -ing* være travlt beskæftiget med at.

business ['biznəs] *sb.* **1.** (*merk.*) handel; handelsvirksomhed; forretninger; **2.** (*personer*) kunder (*fx new ~; attract ~*); **3.** (*enkelt virksomhed*) forretning (*fx he sold the ~*); virksomhed; **4.** (*generelt*) forretningslivet; erhvervslivet; **5.** (*enkelt område*) branche (*fx the fashion ~; the advertising ~*); **6.** (*enkelt persons erhverv*) profession; bestilling (*fx what is your ~?*); **7.** (*som skal udføres*) arbejde (*fx ~ before pleasure; unfinished ~*); forretninger (*fx current ~ løbende f.; daily ~*); (*i bestemt anledning*) ærinde (*fx my ~ here*); **8.** (*som er pålagt en*) hverv; opgave (*fx his ~ in life*); pligt; **9.** (*som vedrører en*) sag (*fx it is the manager's ~ to see to that; that is my/his ~* det er min/hans egen sag); **10.** (*som skal behandles*) sager (*fx ~ before the committee; unfinished ~*); **11.** (*mere ubestemt*) affære (*fx it is a costly

~*); sag (*fx it is a serious ~*); historie (*fx it is a strange//nasty ~*); besværlig sag (*fx what a ~!*); **12.** (*teat.*) spil [ɔː *ud over replikker*]; **13.** T afføring; bæ;
□ *any other ~* (*på dagsorden*) eventuelt; *it is ~ as usual* alt fortsætter som det plejer; *he has no ~ to/+ -ing* han har ingen ret til at; han har ikke noget at gøre med at; *it is no ~ of yours* det kommer ikke dig ved; *like nobody's ~* T lynhurtigt; som en drøm; *he is the ~* T han er den bedste; *the ~ of the day* dagsordenen; *the whole ~* T hele historien (*fx I'm tired of the whole ~*); *what is your ~ here?* hvad skal du her? *it is none of your ~* det kommer ikke dig ved;
[*med vb.*] *do ~* T lave pølser; lave stort; *do the ~* **a.** klare sagen; gøre hvad der skal gøres; **b.** T bolle; *do ~ with* handle med; gøre forretninger med; arbejde sammen med; *make it one's ~ to* **a.** sætte sig for at; se det som sin opgave at; **b.** sørge for at; *he means ~* T han mener det alvorligt; *mind your own ~!* pas dig selv!
[*med (vb. +) præp.*] *go about one's ~* passe sine egne sager; *send sby about his ~* afvise én; bede en passe sig selv; *get down to ~* T komme til sagen; *in ~* i forretningslivet, i erhvervslivet (*fx a career in ~*); *be in ~* være i gang; drive forretning; *then you are in ~* så kan du godt tage fat; *be back in ~* være i gang igen; *keep/stay in ~,* *be kept in ~* klare sig, holde den gående; *be in the ~ of + -ing* beskæftige sig med at; give sig af med at; *go into ~* blive forretningsmand; *a good stroke of ~* en god forretning; *on ~* i forretninger; *he is here on lawful ~* han er her i lovligt ærinde; *go out of ~* lukke forretningen; *put sby out of ~* få en til at give op; ødelægge ens forretning.

business card *sb.* visitkort.

business cycle *sb.* se *trade cycle*.

business day *sb.* (*am.*) arbejdsdag.

business double *sb.* (*i bridge*) forretningsdobling.

business end *sb.* T [*den ende (af værktøj etc.) man bruger til arbejdet*]; □ *the ~ of the gun* geværløbet; *the ~ end of the nail* sømmets spids; *the ~ of the vacuum cleaner* den ende man suger med.

business hours *sb. pl.* kontortid; ekspeditionstid; åbningstid.

businesslike ['biznislaik] *adj.*

1. forretningsmæssig; **2.** (*som får noget fra hånden*) praktisk, effektiv; **3.** (*uden omsvøb*) saglig, nøgtern.

businessman ['biznismæn, -mən] *sb.* (*pl.* -*men* [-mən]) forretningsmand.

business people *sb. pl.* forretningsfolk.

business suit *sb.* jakkesæt.

businesswoman ['biznəswumən] *sb.* (*pl.* -*women* [-wimin]) forretningskvinde.

busing ['bʌsiŋ] *sb.* (*am.*) **1.** buskørsel; **2.** [*transport af elever til fjernereliggende skole for at fremme racemæssig lighed*]; tvungen skolebusordning.

busk [bʌsk] *vb.* optræde på gaden; □ ~ *it* T gøre det så godt man kan.

busker ['bʌskə] *sb.* gademusikant, gårdmusikant; gadegøgler.

bus lane *sb.* busbane.

busload ['bʌsləud] *sb.* busfuld.

busman ['bʌsmən, -mæn] *sb.* (*pl.* busmen [-mən]) buschauffør.

busman's holiday *sb.* (*glds.*) [*ferie/fritid hvor man laver samme slags arbejde som man plejer*].

bus pass *sb.* frikort til bus [*for pensionister*]; pensionistkort; (*spøg.*) mimrekort.

buss[1] [bʌs] *sb.* (*am.* T) kys.

buss[2] [bʌs] *vb.* (*am.* T) kysse.

bus shelter *sb.* læskur.

bussing *sb.* = *busing*.

bus station *sb.* busterminal.

bus stop *sb.* busstoppested.

bust[1] [bʌst] *sb.* **1.** (*skulptur*) buste; **2.** (*kvindes*) buste, barm; **3.** (T: *om politiet*) razzia; arrestation; **4.** (*am.* T) fiasko, flop; (*økonomisk*) nedtur; fallit; **5.** (*am.* T: *slag*) gok; □ *go on the* ~ svire; gå på druktur.

bust[2] [bʌst] *adj.* T **1.** ødelagt, kaput; **2.** (*økonomisk*) falleret, som er gået konkurs; (*om person*) flad [ɔ: *uden penge*]; □ *go* ~ gå ned; gå fallit.

bust[3] [bʌst] *vb.* **1.** ødelægge, smadre; **2.** (*foretagende*) sætte en stopper for, opløse; knuse; **3.** (*om politi*) lave razzia i, storme; **4.** (*person*) tage, arrestere; **5.** (*mil.* S) degradere; **6.** (*am.*) ruinere; **7.** (*am.* T) gokke; □ ~ *one's arm* brække armen; ~ *a record* slå en rekord; (se også *ass*[1]); ~ *out* (*am.* S) bryde ud; ~ *up* **a.** = *2, 3,4*; **b.** (*om par, gruppe*) gå fra hinanden [*efter skænderi*].

bustard ['bʌstəd] *sb.* (*zo.*): *great* ~ stortrappe; *little* ~ dværgtrappe.

buster ['bʌstə] *sb.* (T, *i tiltale*) brormand; du dèr.

bustier ['bʌstiei] *sb.* [*tætsiddende stropløs overdel*].

bustle[1] ['bʌsl] *sb.* **1.** travlhed, tummel; **2.** (*glds.: i damekjole*) tournure.

bustle[2] ['bʌsl] *vb.* (se også *bustling*) **1.** have travlt; skynde sig; komme farende (*fx she -d in*); **2.** (*med objekt*) genne (*fx she -d them into the kitchen*); □ ~ *about* fare (geskæftigt) omkring; fistre rundt.

bustling ['bʌsliŋ] *adj.* travl; (*om person også*) geskæftig; □ *be* ~ *with* myldre af (*fx people*); summe af (*fx activity*).

bust-up ['bʌstʌp] *sb.* T **1.** voldsomt skænderi; opgør; **2.** slagsmål; **3.** afslutning; sammenbrud; (*om ægteskab*) forlis.

busty ['bʌsti] *adj.* T barmsvær.

busy[1] ['bizi] *adj.* **1.** (*om person*) travl (*fx he is a very* ~ *man*); optaget (*with, in, at* af); beskæftiget (*with, in, at* med); **2.** (*neds.*) emsig, geskæftig; **3.** (*om periode*) travl (*fx time; day*); **4.** (*om sted*) fyldt (*fx room*); **5.** (*om gade*) befærdet; **6.** (*om billede*) gnidret; overfyldt; **7.** (*tlf.*) optaget; □ *be* ~ (*jf. 1*) have travlt; *be* ~ + *ing sth* have travlt med at (*fx he is* ~ *packing*); være optaget af at (*fx worrying*); *get* ~ **a.** gå i gang; tage affære; **b.** (*am.* S) bolle; *keep sby* ~ holde en i ånde.

busy[2] ['bizi] *vb.*: ~ *oneself* have travlt (*fx she busied herself in the kitchen*); ~ *oneself with* beskæftige sig med; have travlt med.

busybody ['bizibɔdi] *sb.* T geskæftig/emsig person; en der blander sig i andres sager.

busy Lizzie *sb.* (*bot.*) flittiglise.

busyness ['bizinəs] *sb.* travlhed; (se også *business*).

busy signal *sb.* (*tlf.*) optagettone.

busywork ['biziwə:k] *sb.* (*am.*) [*noget der skal holde én beskæftiget*].

but[1] [bət, (*betonet*) bʌt] *adv.* F kun, blot (*fx* ~ *an hour ago; I can* ~ *ask; this is* ~ *one of the possibilities*); bare; □ *if I had* ~ *known* havde jeg blot/bare vidst det; *to name* ~ *one* for blot/bare at nævne én.

but[2] [bət, bʌt] *konj.* **1.** men (*fx I like him,* ~ *I wouldn't marry him; it is good,* ~ *not outstanding*); **2.** (*overrasket*) jamen (*fx* ~ *that is not true!* ~ *why?*); **3.** (F: *efter nægtelse*) uden (at), undtagen (*fx he never speaks* ~ *she contradicts him*); som ikke (*fx not a man* ~ *would*); □ *no* -*s!* ikke noget med "men"! ~

then he was ill men det er ikke så mærkeligt, for han var syg; ~ *then again* men på den anden side; [+ *inf.*] *we can* ~ *guess* F vi kan kun gætte; *I cannot* ~ F jeg kan ikke andet end, jeg kan ikke lade være at (*fx I cannot* ~ *regret that I did not meet him*); *he does nothing* ~ *complain* han bestiller ikke andet end at beklage sig.

but[3] [bət, bʌt] *præp.* **1.** undtagen (*fx everyone* ~ *him*); **2.** (*efter nægtelse*) anden//andet end (*fx no one* ~ *him; we got nothing* ~ *bread*); □ *all* ~ se *all*[2]; *he is anything* ~ *naive* han er alt andet end naiv; ~ *for* **a.** uden; hvis det ikke havde været for (*fx* ~ *for him;* ~ *for his help*); **b.** (*om det der mangler*) på nær (*fx it was finished* ~, *for a few adjustments*); *the last* ~ *one* den næstsidste; *the last* ~ *two* den tredjesidste; *none* ~ ingen anden end; kun; *not* ~ *what* T (*end*)skønt; *nothing* ~ ikke/intet andet end; kun; ~ *that* **a.** at ... ikke (*fx I am not such a fool* ~ *that I understand you*); **b.** hvis ikke; medmindre (*fx she would have fallen* ~ *that he caught (havde grebet) her*); *I don't doubt* ~ *that he* jeg tvivler ikke om at han.

butane ['bju:tein] *sb.* butan.

butch[1] [butʃ] *sb.* T **1.** stor tamp; hård negl; **2.** mandhaftig kvinde.

butch[2] [butʃ] *adj.* T **1.** (*om kvinde*) mandhaftig; **2.** (*om mand*) overdrevent mandig.

butcher[1] ['butʃə] *sb.* **1.** slagter; **2.** (*fig.*) slagter, bøddel.

butcher[2] ['butʃə] *vb.* **1.** (*dyr*) slagte; **2.** (*personer*) nedslagte; **3.** (*fx kunstværk*) mishandle, ødelægge.

butcher bird *sb.* (*zo.*) tornskade.

butcher's ['butʃəz] *sb.* (*pl.* butchers'*) slagterforretning; □ *have a* ~ *at* T kigge på.

butcher's broom *sb.* (*bot.*) musetorn.

butcher's meat *sb.* kød [*mods. fisk og fjerkræ*].

butchery ['butʃəri] *sb.* **1.** (*af mennesker*) nedslagtning; **2.** (*af kød*) udskæring og forarbejdning; **3.** (*sted*) slagteri.

butler ['bʌtlə] *sb.* butler, hushovmester.

butt[1] [bʌt] *sb.* (se også *butts*) **1.** (*ved skiveskydning*) skydevold; **2.** (*beholder*) tønde; fad; **3.** (*af redskab*) skaft; **4.** (*af gevær*) kolbe; **5.** (*af træstamme*) rodende; rodstok; **6.** (*samling af planker etc.*) stød; **7.** (T: *af cigar, cigaret*) skod; **8.** (*af*

lys) lysestump; **9.** (*am.* T) ende, bagdel, rumpe; **10.** (jf. *butt²* 2) stød (med hornene);
□ *be the* ~ *of* væreskydeskive/mål for (*fx their jokes*); *get your* ~ *out of//over here!* (*am.* T) se så og få lettet røven!
butt² [bʌt] *vb.* **1.** (*person*) støde [*med hovedet*]; nikke en skalle; **2.** (*om dyr*) stange; **3.** (*planker etc.*) stødsamle;
□ ~ *against* rende lige imod/ind i; ~ *one's head against* støde/ rende hovedet imod; ~ *in* T bryde ind; blande sig; mase sig på; ~ *in on* mase sig ind på; afbryde; *into* ~ se ovf.: ~ *against*; ~ *out* (*am.* T) skrubbe af; blande sig udenom; ~ *up against* støde op til.
butte [bju:t] *sb.* (*am. geol.*) plateaubjerg.
butt end *sb.* se *butt¹* (4, 7, 8).
butter¹ [ˈbʌtə] *sb.* smør;
□ *she looks as if* ~ *would not melt in her mouth* hun ser så lammefrom ud.
butter² [ˈbʌtə] *vb.* smøre smør på;
□ ~ *up* T smigre; sleske for; smøre om munden; (se også *bread, parsnip*).
butter bean *sb.* smørbønne.
butter boat *sb.* smørnæb.
butterbur [ˈbʌtəbə:] *sb.* (*bot.*) hestehov.
buttercream [ˈbʌtəkri:m] *sb.* smørcreme.
buttercup [ˈbʌtəkʌp] *sb.* (*bot.*) ranunkel; smørblomst.
butterfat [ˈbʌtəfæt] *sb.* smørfedt.
butterfingered [ˈbʌtəfiŋgəd] *adj.* T fummelfingret.
butterfingers [ˈbʌtəfiŋgəz] *sb.* (*pl. d.s.*) T kludderhoved, klodrian.
butterfish [ˈbʌtəfiʃ] *sb.* (*zo.*)
1. tangspræl; **2.** smørfisk; (se også *Atlantic butterfish*).
butterfly [ˈbʌtəflai] *sb.* **1.** (*zo.*) sommerfugl; **2.** (*fig. om person*) en der flagrer omkring; **3.** (*svømning*) butterfly;
□ *have butterflies in the stomach* T have sommerfugle i maven; *break a* ~ *on a wheel* (svarer til) skyde gråspurve med kanoner.
butterfly nut *sb.* vingemøtrik.
butterfly orchid *sb.* (*bot.*) gøgelilje.
buttermilk [ˈbʌtəmilk] *sb.* kærnemælk.
butterscotch [ˈbʌtəskɔtʃ] *sb.* karamel.
butterwort [ˈbʌtəwə:t] *sb.* (*bot.*) vibefedt.
buttery¹ [ˈbʌtəri] *sb.* [proviantrum i colleges, hvor der kan købes brød, smør etc.].
buttery² [ˈbʌtəri] *adj.* med masser

af smør.
butt hinge *sb.* bladhængsel.
buttock [ˈbʌtək] *sb.* balde.
buttocks [ˈbʌtəks] *sb. pl.* bagdel, ende.
button¹ [ˈbʌt(ə)n] *sb.* **1.** knap; **2.** (*it*) knap, trykknap; **3.** (*på kårde*) dup; **4.** (*am.*) emblem; (*med slogan*) badge; **5.** (*glds.* T) døjt (*fx it is not worth a* ~; *I don't care a* ~ *about it*);
□ *press the* ~ **a.** trykke på knappen; **b.** T gå i gang; *press/push sby's -s* **a.** få en til at reagere; gøre en gal i hovedet; **b.** vække ens lyster; *at the press/push/touch of a* ~ så let som ingenting; *on the* ~ (*am.* S) **a.** nøjagtig, præcis (*fx at ten o'clock on the* ~); **b.** lige i øjet [ɔ: *helt rigtig*]; (se også *bright*).
button² [ˈbʌt(ə)n] *vb.* **1.** knappe; **2.** (*uden objekt*) knappes (*fx the dress -s down the back*);
□ ~ *down* (*am.* T) få præcis rede på; ~ *it!* T klap i! ~ *up* **a.** knappe (til); lukke; **b.** T gøre færdig.
button-down [ˈbʌt(ə)nˈdaun] *adj.* **1.** til at knappe fast; **2.** (*om flip*) button-down; **3.** (*om skjorte*) med button-down flip.
buttoned-up [ˈbʌtəndʌp] *adj.* (T, *om person*) tilknappet; fåmælt; indesluttet.
buttonhole¹ [ˈbʌt(ə)nhəul] *sb.* **1.** knaphul; **2.** knaphulsblomst.
buttonhole² [ˈbʌt(ə)nhəul] *vb.* hage sig fast i, slå en klo i; opholde med snak.
button mushroom *sb.* [lille champignon].
button nose *sb.* lille rund næse.
button-through [ˈbʌtənθru:] *adj.* gennemknappet.
buttress¹ [ˈbʌtrəs] *sb.* (*arkit.*) stræbepille; støttepille.
buttress² [ˈbʌtrəs] *vb.* F **1.** støtte; afstive; **2.** (*fig.*) underbygge; understøtte;
□ ~ *up* = ~.
butts [bʌts] *sb. pl.* (*til skydning*) **1.** mål; skydeskive; **2.** skydebane.
butty [ˈbʌti] *sb.* T (stykke) mad; sandwich.
butyric [bju:ˈtirik] *adj.:* ~ *acid* smørsyre.
buxom [ˈbʌksəm] *adj.* buttet; fyldig, frodig, yppig.
buy¹ [bai] *sb.:* *a good* ~ et godt køb.
buy² [bai] *vb.* (*bought, bought*) **1.** købe (*with* for; *from/off* af); **2.** (T: *fig.*) tro på, godtage; hoppe på, købe (*fx I don't* ~ *that*);
□ *the best car money can* ~ den bedste bil der kan fås for penge; *£100 will* ~ *you* ... for £100 kan

du få/købe ...; ~ *it*, ~ *the farm* (*am.* S) blive dræbt; tage billetten; [*med præp.& adv.*] ~ *in* **a.** opkøbe; **b.** (*ved auktion*) købe tilbage; ~ *into* **a.** købe sig ind i (*fx a firm*); **b.** T gå 'med på; ~ *sby off* bestikke en, købe sig fri for en; ~ *him off* (*også*) betale sig fra det; ~ *sth off him* købe noget af ham; ~ *out* **a.** (*fx af firma*) købe ud; **b.** (*fra militærtjeneste*) købe fri; ~ *up* købe op, opkøbe.
buy-back [ˈbaibæk] *sb.* (*merk.*) **1.** tilbagekøb; **2.** tilbagekøbsaftale.
buyer [ˈbaiə] *sb.* **1.** køber; **2.** (*i firma*) indkøber; disponent; (se også *chief buyer*).
buy-in [ˈbaiin] *sb.* (*merk.*) virksomhedsovertagelse [hvor de der overtager firmaet kommer udefra].
buy-out [ˈbaiaut] *sb.* (*merk.*) virksomhedsovertagelse [hvor firmaets ledelse eller ansatte overtager det].
buzz¹ [bʌz] *sb.* **1.** summen (*fx of bees*; *of voices*); summelyd; **2.** (*om stemning*) sus, fart; **3.** T rygte; **4.** (*am.* T) beruset fornemmelse;
□ *the* ~ *is that* T rygtet siger at; sladderen/jungletrommerne går om at; *I get a* ~ *from/out of it* = *it gives me a* ~; *give him a* ~ T ringe ham op; slå på tråden; *it gives me a* ~ T jeg nyder det; det er mig en fryd; jeg bliver helt forisk/høj af det.
buzz² [bʌz] *vb.* **1.** (*lyd*) summe; **2.** (*bevægelse*) svirre; **3.** (T: *tlf.*) ringe til; **4.** (T: *med klokke/summer*) ringe på (*fx the stewardess*); **5.** (T: *flyv.*) flyve tæt op til//lavt ned over [*for at chikanere*];
□ ~ *about/around* **a.** (*om insekt*) svirre omkring/rundt (i); **b.** (*om personer*) fare omkring/rundt (i); **c.** (*om tanker*) fare/svirre rundt i (*fx crazy ideas were -ing around my head*); ~ *off* stikke af; ~ *off!* skrub af! *be -ing* **with** summe af (*fx activity*); *my head was -ing with what she had heard* det hun havde hørt svirrede rundt i hovedet på hende.
buzzard [ˈbʌzəd] *sb.* (*zo.*) **1.** musvåge; **2.** (*am.*) grib; **3.** (*om person*) bæst; djævel.
buzzer [ˈbʌzə] *sb.* summer; brummer.
buzz saw *sb.* (*am.*) rundsav.
buzzword [ˈbʌzwə:d] *sb.* modeord; fint fagord til at imponere med; slagord.
BVDs [bi:vi:ˈdi:z] *sb. pl.* (*am.* S) sæt undertøj; combination.
b/w *fork. f. black and white*

B by

sort-hvid.

by¹ [bai] *præp*. **1.** (*i passiv, om den handlende*) af (*fx built by; written by; a novcel by Dickens; a painting by Rembrandt*); **2.** (*om middel*) ved (*fx by the help of God; by lamp light*); ved hjælp af; **3.** (*om transportmiddel*) med, per (*fx by boat//car//railway*); **4.** (*om meddelelsesmiddel*) per (*fx by letter// post//radio//telephone//e-mail*); **5.** (*om norm, standard*) efter (*fx may I set my watch by yours? never judge by appearances*); **6.** (*om afkom*) med (*fx he has two children by his first wife*); (*om afstamning, ved dyreavl*) efter (*fx a black filly by this stallion*); **7.** (*om rute*) ad (*fx I came by the road//by a different route*); over (*fx by the fields*); gennem (*fx by Oxford Street*); **8.** (*om passage*) forbi (*fx walk//drive by sby*); **9.** (*om placering*) ved (*fx by the roadside; sit by the fire*); hos (*fx come and sit by me*); **10.** (*om tidsfrist*) senest, inden, til (*fx you must be here by nine o'clock*); **11.** (*om tidspunkt*) ved (*fx by midnight*); da det blev (*fx by mid-afternoon*); da man nåede til (*fx by five o'clock*); (se også *now, then²*, *time¹*); **12.** (*om forøgelse el. formindskelse & ved regning*) med (*fx raise//cut the wage by 10 per cent; multiply//divide by 10*); **13.** (*om gradvis fremadskriden*) for (*fx one by one; foot by foot; bit by bit*); (se også *little²*); **14.** (*om det man holder i*) ved, i (*fx take/catch/lead her by the arm; hold the photo by the corner*); **15.** (*mar.*) til (*fx north by east*);

□ *by the by(e)* (*glds.*) i parentes bemærket; apropos; for resten; *by twos and threes* to og tre ad gangen; *six metres by three metres* seks meter lang og tre meter bred; 6×3 meter; *by the dozen//metre// million* i dusinvis//metervis//millionvis; *by the day//month* for en dag//måned ad gangen.

by² [bai] *adv*. **1.** til side, hen, bort (*fx lay by, put by*); **2.** forbi (*fx a man went by*);

□ *by and by* (*glds.*) **a.** snart, om lidt; **b.** efterhånden, siden; *by and large* i det store og hele; alt i alt.

by-blow ['baibləu] *sb*. uægte barn.

by-catch ['baikætʃ] *sb*. (*ved fiskeri*) bifangst.

bye¹ [bai] *sb.: have a ~* (*i sportskonkurrence*) gå direkte videre [*fordi der ikke er nogen modstander*].

bye² [bai] *interj*. T farvel; hej.

bye-bye [bai'bai] *interj*. T farvel, hej;

□ *go ~* (*am.* T) **a.** sige farvel; **b.** gå en tur; *go to ~/-s* (*babysprog*) gå i seng; visselulle.

by-election ['baiilekʃn] *sb*. suppleringsvalg.

Byelorussia [bielǝu'rʌʃǝ] (*geogr.*) Hviderusland.

Byelorussian¹ [bielǝu'rʌʃn] *sb*. **1.** (*person*) hviderusser; **2.** (*sprog*) hviderussisk.

Byelorussian² [bielǝu'rʌʃn] *adj*. hviderussisk.

bygone ['baigɔn] *adj*. svunden, forbigangen (*fx a ~ age*);

□ *let -s be -s* lade fortiden hvile; lade det være glemt.

bylaw ['bailɔ:] *sb*. **1.** lokallov; vedtægt; **2.** (*forenings, selskabs*) vedtægt; statut.

by-line ['bailain] *sb*. **1.** (*i avis etc.*) forfatterangivelse [*over artikel*]; **2.** (*i fodbold*) målstreg.

by-liner ['bailainǝ] *sb*. fast medarbejder.

BYOB *fork. f. bring your own booze/bottle* tag selv drikkevarer med.

bypass¹ ['baipa:s] *sb*. **1.** omfartsvej; omkørselsvej; **2.** (*tekn.*) omløbsledning; **3.** (*med.*) bypassoperation; bypass.

bypass² ['baipa:s] *vb*. **1.** køre uden om; **2.** (*om vej*) lede uden om; **3.** (*fig.*) gå uden om; ikke tage hensyn til; **4.** (*med.*) lede uden om; føre uden om.

bypath ['baipa:θ] *sb*. = *byway*.

byplay ['baiplei] *sb*. (*teat.; film.*) stumt spil; mindre vigtigt optrin [*der foregår parallelt med et andet*].

by-plot ['baiplɔt] *sb*. sidehandling.

by-product ['baiprɔdʌkt] *sb*. **1.** biprodukt; **2.** (*fig.*) følge.

byre ['baiǝ] *sb*. (*glds. el. litt.*) kostald.

byroad ['bairǝud] *sb*. sidevej.

bystander ['baistændǝ] *sb*. tilskuer; □ *the -s* de omkringstående.

bystreet ['baistri:t] *sb*. sidegade.

byte *sb*. (*it*) byte, oktet [ɔ: *8 bits*].

byway ['baiwei] *sb*. sidevej; bivej; □ *the -s of* (*fig.*) de mindre kendte områder af.

byword ['baiwɔ:d] *sb*. **1.** slagord; stående udtryk; yndlingsudtryk; motto; **2.** (*fig.*) fabel (*fx he was a ~ in the village*);

□ *be a ~ for* **a.** være ensbetydende med; **b.** være kendt for; **c.** (*neds.*) være berygtet for.

Byzantine¹ [bi'zæntain] *sb*. byzantiner.

Byzantine² [bi'zæntain] *adj*. **1.** by-zantinsk; **2.** (*fig.*) se *byzantine*.

byzantine [bi'zæntain] *adj*. snørklet, indviklet, labyrintisk.

Byzantium [bi'zæntiǝm] *proprium* (*hist.*) Byzans.

C

C¹ [si:].

C² *fork. f.* **1.** *Celsius*; **2.** *Conservative*; **3.** (*i SMS-besked*) [*see, fx C U later*].

c. *fork. f.* **1.** *cent*; **2.** *century*; **3.** *chapter*; **4.** *circa*; **5.** *cubic*.

ca. *fork. f. circa*.

cab [kæb] *sb.* **1.** taxi; hyrevogn; **2.** (*i bil, tog*) førerhus, førerkabine; **3.** (*glds.*) (heste)drosche.

cabal [kə'bæl] *sb.* klike; fraktion.

cabaret ['kæbərei, (*am.*) kæbə'rei] *sb.* **1.** (*underholdning*) kabaret; **2.** (*sted*) varieté.

cabbage ['kæbidʒ] *sb.* **1.** kål; **2.** kålhoved; **3.** (*neds. om person,*) grønsag; hjælpeløst vrag; **4.** (*am.* T) penge, sedler.

cabbage rose *sb.* (*bot.*) centifolierose; provinsrose.

cabbage white *sb.* (*zo.*) kålsommerfugl.

cabbie, cabby ['kæbi] *sb.* T **1.** taxichauffør; **2.** (*glds.*) droschekusk, hyrekusk.

caber ['keibə] *sb.* (*skotsk*) svær tømmerstok [*brugt i kastekonkurrence*].

cabin ['kæbin] *sb.* **1.** (*på skib*) kahyt; lukaf; **2.** (*i fly*) kabine; **3.** (*om hus*) hytte.

cabin boy *sb.* (*mar.*) kahytsdreng.

cabin class *sb.* (*mar.*) kahytsklasse [*mellem 1. klasse og turistklasse*].

cabin crew *sb.* (*flyv.*) kabinepersonale.

cabin cruiser *sb.* (*mar.*) langtursbåd [*motorbåd med kahyt*].

cabinet ['kæbinət] *sb.* **1.** skab; **2.** (*til radio, tv*) kabinet; **3.** (*parl.*) kabinet [*ministerråd bestående af de vigtigste ministre*]; **4.** (*foto.*) kabinetsfotografi; **5.** (*glds. om rum*) kabinet, kammer.

cabinetmaker ['kæbinətmeikə] *sb.* møbelsnedker.

cabin fever *sb.* mørkepip.

cable¹ ['keibl] *sb.* **1.** (*elek.; tlf.; tv*) kabel; ledning; **2.** (*tov*) kabel, trosse, wire; **3.** (*mar.*) ankerkæde; **4.** (*mar.: længdemål*) kabellængde; **5.** (*glds.*) kabeltelegram.

cable² ['keibl] *vb.* (*glds.*) **1.** telegrafere [*pr. kabel*]; **2.** (*med objekt*) telegrafere til;
□ *be -d* få kabel-tv.

cable car *sb.* **1.** kabine [*til svævebane*]; **2.** vogn [*til kabelbane*].

cablegram ['keiblgræm] *sb.* (kabel)telegram.

cable-laid ['keiblleid] *adj.* (*mar.*) kabelslået.

cable railway *sb.* kabelbane.

cablese [kei'bli:z] *sb.* T telegramstil.

cable stitch *sb.* kabelstrikning.

cable television *sb.* kabel-tv.

cableway ['keiblwei] *sb.* tovbane, svævebane.

cabling ['keibliŋ] *sb.* **1.** kabler; **2.** kabelføring.

cabman ['kæbmən] *sb.* (*pl. -men* [-mən]) **1.** taxichauffør; **2.** (*glds.*) droschekusk.

caboodle [kə'bu:dl] *sb.*: *the whole ~* T hele molevitten.

caboose [kə'bu:s] *sb.* **1.** (*am. jernb.*) tjenestevogn; tjenestekupé; **2.** (*glds. mar.*) kabys.

cabriolet ['kæbriəlei] *sb.* cabriolet [*vogn med kaleche*].

cabstand ['kæbstænd] *sb.* (*am.*) **1.** taxiholdeplads; **2.** (*glds.*) droscheholdeplads.

caca ['ka:ka:] *sb.* (*am.* T) bæ.

ca'canny [kɔ:'kæni, ka:-] *sb.* (*glds.*) arbejd-langsomt politik.

cacao [kə'ka:əu] *sb.* **1.** kakaobønne; **2.** kakaotræ.

cachalot ['kæʃələt] *sb.* (*zo.*) kaskelot.

cache¹ [kæʃ] *sb.* **1.** (skjult) depot, (skjult) forråd; **2.** gemmested; **3.** (*it*) cache.

cache² [kæʃ] *vb.* **1.** lægge i depot; **2.** gemme væk.

cachepot ['kæʃpəu, -pɔt] *sb.* urtepotteskjuler.

cachet ['kæʃei, (*am.*) kæ'ʃei] *sb.* **1.** fornemt præg; prestige; anseelse; **2.** særpræg; blåt stempel; **3.** (*til medicin*) kapsel [*til medicin med en ubehagelig smag*]; oblat(kapsel).

cachinnation [kæki'neiʃn] *sb.* (*litt.*) skoggerlatter.

cack-handed [kæk'hændid] *adj.* T kejtet, kluntet.

cackle¹ ['kækl] *sb.* (jf. *cackle²*) **1.** skadefro grin, gnæggen; **2.** (*hønes*) kaglen;
□ *cut the ~!* hold op med det sludder!

cackle² ['kækl] *vb.* **1.** grine skadefro; gnægge; **2.** kagle, knevre, sludre; **3.** (*om høne*) kagle.

cacophonous [kə'kɔfənəs, kæ-] *adj.* kakofonisk, larmende, ildelydende.

cacophony [kə'kɔfəni, kæ-] *sb.* kakofoni; disharmonisk/forvirret larm.

cactus ['kæktəs] *sb.* (*pl. cacti* ['kæktai]/-*es*) kaktus.

CAD *fork. f. computer-aided design*.

cad [kæd] *sb.* (*glds.*) sjover, sjuft, tarvelig fyr.

cadaver [kə'dævə, -'dei-, -'da:-] *sb.* (F, *især med.*) lig.

cadaveric [kə'dævərik] *adj.*: *~ kidney* kadavernyre; nekronyre.

cadaverous [kə'dævərəs] *adj.* F ligbleg; dødningeagtig; udtæret.

caddie¹ ['kædi] *sb.* caddie [*golfspillers hjælper som bærer køller*].

caddie² ['kædi] *vb.* være caddie.

caddis fly ['kædis'lai] *sb.* (*zo.*) vårflue.

caddy ['kædi] *sb.* **1.** tedåse; **2.** = *caddie¹*.

cadence ['keid(ə)ns] *sb.* **1.** (F: *om stemme*) tonegang; **2.** (*mus.: afslutning*) kadence; **3.** rytme.

cadenza [kə'denzə] *sb.* (*mus.: solists*) kadence.

cadet [kə'det] *sb.* **1.** (*mil., mar., flyv.*) kadet; officerselev; **2.** (*i politiet*) elev; **3.** (*glds.: i familie*) yngre søn; yngre gren.

cadge [kædʒ] *vb.* **1.** tigge; **2.** (*med objekt*) bomme [*from, off* af]; tigge/nasse sig til.

cadger ['kædʒə] *sb.* (*glds.* T) tigger, snylter, nasser.

cadmium ['kædmiəm] *sb.* (*kem.*) kadmium.

cadre ['ka:də, 'keidə, -drə, (*am.*) 'kædrei, -dri:] *sb.* **1.** hold; korps; **2.** (*pol.*) kadre.

caecum ['si:kəm] *sb.* (*pl. caeca* ['si:kə]) blindtarm.

Caesarean [si'zɛəriən] *sb.* (*med.*) kejsersnit.

cafard [kæ'fa:] *sb.* nedtrykthed, kuller.

café ['kæfei, (*am.*) kæ'fei] *sb.* **1.** frokostrestaurant; kaffebar//tesalon;

123

C cafeteria

café [*NB uden spiritusbevilling*];
2. (*am.*) bar; **3.** (*sydafr.*) kiosk.
cafeteria [kæfə'tiəriə] *sb.* cafeteria.
cafetière [kæfə'tiɛə] *sb.* stempel-
kande.
caff [kæf] *sb.* T = *café*.
caffeine ['kæfi:n, (*am.*) kæ'fi:n] *sb.*
koffein.
caftan ['kæftæn] *sb.* kaftan.
cage [keidʒ] *sb.* **1.** bur; **2.** elevator-
stol;
□ *rattle sby's* ~ (*spøg.*) **a.** provo-
kere en; **b.** gøre en nervøs.
cage aerial, cage antenna *sb.* ruse-
antenne.
cage bird *sb.* stuefugl.
caged [keidʒd] *adj.* i bur; inde-
spærret.
caged bird *sb.* burfugl.
cagey ['keidʒi] *adj.* T hemmelig-
hedsfuld (*about* med hensyn til);
forbeholden; forsigtig.
cagoule [kə'gu:l] *sb.* nylonanorak.
cahoots [kə'hu:ts] *sb.*: *in* ~ sam-
mensvorne; *in* ~ *with* i ledtog
med.
caiman ['keimən] *sb.* (*zo.*) kajman;
alligator.
Cain [kein] (*i biblen*) Kain;
□ *raise* ~ T lave ballade.
Cairene¹ ['kairi:n] *sb.* kairoer.
Cairene² ['kairi:n] *adj.* kairosk.
cairn [kɛən] *sb.* **1.** stendynge;
varde; **2.** (*hund*) cairnterrier.
cairngorm ['kɛəngɔ:m] *sb.* røgfarvet
kvarts.
Cairo ['kaiərəu] Kairo.
caisson [kə'su:n, 'keis(ə)n] *sb.*
1. sænkekasse; **2.** (*glds. mil.*) am-
munitionsvogn.
caisson disease *sb.* dykkersyge.
cajole [kə'dʒəul] *vb.* lokke [*ved at
snakke godt for*];
□ ~ *into* + *-ing* lokke/besnakke/
overtale til at.
cajolery [kə'dʒəul(ə)ri] *sb.* lokken;
snakken godt for.
Cajun¹ ['keidʒən] *sb.* (*am.: folke-
gruppe i Louisiana; sprog*) cajun.
Cajun² ['keidʒən] *adj.* (*om koge-
kunst & musik*) cajun.
cake¹ [keik] *sb.* kage; (se også *fish-
cake*);
□ ~ *of soap* stykke sæbe; *a piece
of* ~ T en let sag; *get a slice/share
of the* ~ (*fig.*) få sin del af kagen;
you cannot have your ~ *and eat
it* man kan ikke både blæse og
have mel i munden; *take the* ~
(*især am.*) bære prisen; overgå alt;
(se også *hot cakes*).
cake² [keik] *vb.* klumpe (sammen);
størkne, stivne;
□ *his shoes were -d with mud,
mud -d on his shoes* mudderet
sad i kager på hans sko.

cake mix *sb.* kagemiks.
cake slice *sb.* kagespade.
cake tin *sb.* **1.** kagedåse; **2.** kage-
form.
cakewalk ['keikwɔ:k] *sb.* **1.** (*am.*) T
let sag; **2.** (*glds.*) cakewalkdans.
Cal. *fork. f. California.*
calabash ['kæləbæʃ] *sb.* **1.** (*bot.*) fla-
skegræskar; **2.** (*beholder; musikin-
strument*) kalabas.
calaboose [kælə'bu:s] *sb.* (*am.* T)
fængsel.
calamitous [kə'læmitəs] *adj.* F
ulykkelig; katastrofal.
calamity [kə'læməti] *sb.* F ulykke;
katastrofe.
calcification [kælsifi'keiʃn] *sb.* for-
kalkning.
calcified ['kælsifaid] *adj.* forkalket.
calcine ['kælsain] *vb.* udgløde.
calcium ['kælsiəm] *sb.* (*kem.*) kal-
cium, kalk.
calculable ['kælkjuləbl] *adj.* bereg-
nelig; overskuelig.
calculate ['kælkjuleit] *vb.* (se også
calculated, calculating) **1.** beregne;
regne ud; **2.** (*om skøn*) vurdere,
beregne (*fx the consequences*);
3. (*am.* T) antage, tro;
□ ~ *as/at* beregne til; ~ *on* regne
med.
calculated ['kælkjuleitid] *adj.*
1. beregnet; **2.** velberegnet; be-
vidst (*fx insolence; attempt*);
□ *take a* ~ *risk* tage en chance ud
fra en nøje overvejelse; ~ *to* **a.** be-
regnet på at; **b.** egnet til at; som
sikkert vil (*fx a promise* ~ *to win
votes*); *not* ~ *to* ikke egnet til at,
som næppe vil.
calculating ['kælkjuleitiŋ] *adj.* be-
regnende.
calculation [kælkju'leiʃn] *sb.* **1.** ud-
regning; kalkulation, kalkule;
2. (*fig.*) beregning.
calculator ['kælkjuleitə] *sb.* regne-
maskine; lommeregner.
calculus ['kælkjuləs] *sb.* (*pl. cal-
culi* [-lai]/-*es*) **1.** (*mat., i sms.*)
-regning (*fx differential* ~; *inte-
gral* ~); **2.** (*generelt*) regnemetode;
matematisk fremgangsmåde;
3. (*med.*) sten [ɔ: *nyresten, galde-
sten*].
caldron ['kɔ:ldr(ə)n] *sb.* (*am.*) =
cauldron.
Caledonia [kæli'dəuniə] (*især
poet.*) Skotland.
Caledonian¹ [kæli'dəuniən] *sb.*
(*litt. el. spøg.*) skotte.
Caledonian² [kæli'dəunjən] *adj.*
1. skotsk; **2.** (*geol.*) kaledonisk.
Caledonian Market [*loppemarked
i London*].
calendar ['kæləndə] *sb.* kalender.
calender¹ ['kæləndə] *sb.* **1.** (*til tøj*)

(kalander)presse; glattemaskine;
2. (*til papir*) glittemaskine.
calender² ['kæləndə] *vb.* **1.** (*tøj*)
presse; **2.** (*papir*) blanke, glitte.
calf [ka:f] *sb.* (*pl. calves* [ka:vz])
1. kalv; **2.** (*af elefant, hval*) unge;
3. (*del af ben*) læg; **4.** (*til bogbind,
sko*) kalveskind;
□ *in* ~ (*om ko etc.*) drægtig.
calf-length ['ka:fleŋθ] *adj.* som går
til midt på læggen; halvlang.
calf love *sb.* barneforelskelse; ung-
domsforelskelse.
calibrate ['kælibreit] *vb.* (*målein-
strument*) kalibrere; justere; ind-
stille.
calibration [kæli'breiʃn] *sb.* **1.** kali-
brering; justering; **2.** måling.
calibre ['kælibə] *sb.* **1.** kvalitet (*fx
research of high* ~); kaliber;
2. (*om person*) format; kaliber (*fx
a man of his* ~); **3.** (*om skydevå-
ben*) kaliber.
calico¹ ['kælikəu] *sb.* **1.** kaliko
[*hvidt, tæt, lærredsvævet bom-
uldstøj*]; **2.** (*am.: mønstret*) kattun;
sirts.
calico² ['kælikəu] *adj.* (*am.*) broget.
Calif. *fork. f. California.*
California [kæli'fɔ:niə] (*geogr.*) Ca-
lifornien.
Californian¹ [kæli'fɔ:niən] *sb.* cali-
fornier.
Californian² [kæli'fɔ:niən] *adj.* ca-
lifornisk.
California poppy *sb.* (*bot.*) guld-
valmue.
calipers *sb. pl.* (*am.*) = *callipers*.
caliph ['kælif] *sb.* (*hist.*) kalif.
caliphate ['kælifət] *sb.* (*hist.*) kali-
fat.
calisthenics *sb.* (*am.*) = *callisthe-
nics*.
calk [kɔ:k] *vb.* (*am.*) **1.** (*hestesko*)
skærpe, brodde; **2.** se *caulk*.
CALL *fork. f. computer-assisted
language learning.*
call¹ [kɔ:l] *sb.* **1.** råb; **2.** (*dyrs*) lyd;
kalden; **3.** (*fugls*) skrig; sang;
4. (*af horn etc.*) signal, toner;
5. (*flyv.*) udkald; **6.** (*tlf.*) opring-
ning, opkald; samtale; **7.** (*i kort-
spil*) melding; **8.** (*til hjælp etc.*)
indkaldelse; **9.** (*hos nogen*) kort
besøg; visit; **10.** (*i en sag*) afgø-
relse; valg (*fx it is your* ~; *a diffi-
cult* ~);
□ *a close* ~ se *close³*; *it is any-
body's* ~ det er ikke godt at vide;
[*med vb.*] *give sby a* ~ **a.** vække
en (*fx give me a* ~ *at 8*); **b.** (*tlf.*)
ringe til en, ringe en op; *give an
actor a* ~ (*teat.*) fremkalde en
skuespiller; *make a* ~ **a.** (*tlf.*) fo-
retage en opringning, ringe, ringe
op; **b.** (*jf. 11*) aflægge (en) visit;

make the ~ træffe afgørelsen; **pay**
a ~ **a.** aflægge visit; **b.** T gå på wc;
take a ~ (tlf.) tage imod en op-
ringning, tage telefonen; he took
five -s (teat.) han blev fremkaldt 5
gange;
[med (vb. +) præp.& adv.] ~ **for**
a. råb om (fx a ~ for help); **b.** op-
fordring til (fx a ~ for tougher
laws); **c.** (flyv.) udkald til (fx this
is the last ~ for flight BZ15 to ...);
there is no ~ for **a.** der er ikke
brug/behov for; **b.** der er ikke no-
gen efterspørgsel efter; there is no
~ for you to se ndf.: you have no ~
to; beyond the ~ **of** duty ud over
hvad pligten kræver; the ~ of na-
ture naturlig trang [ɔ: til afføring
etc.]; obey the ~ of nature træde
af på naturens vegne; the ~ of the
sea havets dragen/kalden; feel the
~ of drages mod; they have many
-s **on** their time der er mange ting
der optager deres tid; have first ~
on se first[1]; make a ~ on stille
krav til; lægge beslag på (fx his
time); pay a ~ **on** aflægge visit
hos; ~ **to a.** opfordring til at (fx a
~ to all members to participate);
b. kald til at (fx feel a ~ to be-
come a nun); kaldelse til at; a ~
to action en opfordring til at tage
affære; a ~ to arms en opfordring
til at passe på; et råb om vagt i ge-
vær; you have no ~ to do it **a.** du
behøver slet ikke gøre det; der er
slet ingen grund til at du skulle
gøre det; **b.** det har du ikke noget
at gøre med;
[med præp.] place **of** ~ (mar.) an-
løbssted; (se også port of call); be
on ~ **a.** have vagt; være i bered-
skab; være klar til at rykke ud;
b. (merk.) skulle tilbagebetales//
tilbageleveres på anfordring;
within ~ inden for hørevidde.
call[2] ['kɔ:l] vb. **A.** (med objekt)
1. råbe (fx she -ed his name);
2. (person) kalde på, råbe på; (for
at standse) råbe an; **3.** (en so-
vende) vække; **4.** (tlf.) ringe op (fx
~ me tomorrow); telefonere til,
ringe til; **5.** (til hjælp) tilkalde,
ringe efter (fx a doctor); alarmere
(fx the police); **6.** (møde) indkalde
til; sammenkalde; **7.** (+ omsagns-
led: om benævnelse, navn) kalde
(fx they -ed him a traitor; I ~ it
stupid; ~ me John); **8.** (i kortspil)
melde; (se også bluff[1], day, elec-
tion, name[1], shot[1], tune[1] (etc.));
B. (uden objekt) **1.** råbe; kalde;
2. (om fugl) skrige; fløjte; **3.** (tlf.)
ringe, ringe op, telefonere; **4.** (om
visit) komme på besøg, aflægge (et
kort) besøg, høre ind; henvende

sig;
☐ **be** -ed (også) hedde (fx he is -ed
John); our flight was -ed (flyv.) der
blev kaldt ud til vores fly; be -ed
as a witness/to give evidence
blive indkaldt som vidne; be/feel
-ed to føle sig kaldet til at;
[med præp.& adv.] ~ **about** for-
høre sig om;
~ **around** (am.) ringe rundt;
~ **at a.** besøge; aflægge visit i;
b. (mar.) anløbe; **c.** (jernb.)
standse ved;
~ **back a.** kalde tilbage, tilbage-
kalde; **b.** (tlf.) ringe op igen; (med
objekt) ringe tilbage til; **c.** (om be-
søg) komme igen;
~ **by** T kigge ind;
~ **down a.** nedkalde (fx the wrath
of God); **b.** (am.) skælde ud;
~ **for a.** spørge efter; **b.** råbe på;
c. (komme og) hente (fx I'll ~ for
you at eight o'clock); **d.** (til hjælp)
tilkalde (fx an ambulance);
e. (især pol.) forlange, kræve (fx
reform; his resignation); to be left
till -ed for poste restante; not -ed
for ganske unødvendig;
~ **forth** F fremkalde (fx a storm of
protest);
~ **in a.** kalde ind; indkalde; **b.** (til
hjælp) tilkalde (fx the police);
sende bud efter; **c.** (tilbage) tilba-
gekalde (fx an army's outposts);
(mønter og sedler) inddrage;
d. (gæld etc.) indkræve; opsige;
hjemkalde; **e.** (om besøg) kigge in-
denfor; **f.** (radio-, tv: til program)
ringe ind; **g.** (til arbejde) ringe be-
sked; ~ in sick melde sig syg [pr.
telefon];
~ **into** se existence, question[1];
~ **off a.** aflyse (fx a meeting); af-
blæse (fx a strike); **b.** (forlovelse)
hæve; **c.** (hund, F) kalde tilbage;
you can ~ off your/the dogs now
T nu kan du godt holde op med at
kritisere/skælde ud;
~ **on a.** besøge; **b.** kalde på, til-
kalde (fx outside help); påkalde;
c. (F: egenskab) opbyde (fx all
one's strength); **d.** (i skole) høre;
~ **on** sby **to** opfordre en til at (fx
~ on him to help); ~ on him to
address us/speak (etc.) give ham
ordet;
~ **out a.** råbe; **b.** (mil. etc.) ud-
kommandere; **c.** (til hjælp) til-
kalde (fx the fire brigade); **d.** (ar-
bejdere: om fagforening) beordre
til at gå i strejke;
~ **round** kigge indenfor;
~ **to** råbe til; (se også account[1],
mind[1]);
~ **up a.** (mil. & om spiller) ind-
kalde; **b.** (tlf.: især am.) ringe op;

(over radio) kalde; **c.** (ånder etc.)
fremmane; **d.** (minder & på it)
kalde frem (fx memories; the fig-
ures on your computer).
call box sb. **1.** telefonboks; **2.** (ved
vej, især am.) nødtelefon.
call boy sb. **1.** piccolo; **2.** S mand-
lig prostitueret [der kan kontaktes
pr. telefon].
caller ['kɔ:lə] sb. besøgende; gæst;
☐ the ~ (tlf.) den der ringer op,
den opkaldende.
caller ID sb. (tlf.) nummerviser
[viser nummeret på den opkal-
dende].
call girl sb. callgirl [prostitueret
der kan kontaktes pr. telefon].
calligraphy [kə'ligrəfi] sb. kalli-
grafi; skønskrift.
call-in ['kɔ:linə] sb. (am.) =
phone-in.
calling ['kɔ:liŋ] sb. **1.** (trang) kald
(fx feel a ~ to become a priest);
2. (F: om arbejde) kald (fx nursing
was regarded as a ~); **3.** (fugls)
skrig; sang; kalden; **4.** (i bridge)
meldinger.
calling card sb. (am.) **1.** visitkort;
2. = phonecard.
call-in show ['kɔ:linʃou] sb. (am.)
telefonprogram.
callipers ['kælipəz] sb. pl. **1.** (med.)
benskinner; **2.** se inside callipers,
outside callipers.
callisthenics [kælis'θeniks] sb. pl.
[lette legemsøvelser].
call loan sb. = call money.
callmaker ['kɔ:lmeikə] sb. (tlf.)
nummersender.
call money sb. anfordringslån.
call number sb. (bibl.) signatur [på
bog].
call option sb. (merk.) købsoption.
callosity [kə'lɔsəti, kæ-] sb. = callus
1.
callous ['kæləs] adj. hjerteløs, uføl-
som, følelseskold; afstumpet.
calloused ['kæləst] adj. med hård
hud; fortykket; (om hånd også)
barket.
call-out ['kɔ:laut] sb. husbesøg,
hjemmebesøg.
call-over ['kɔ:ləuvə] sb. (glds.)
navneopråb.
callow ['kæləu] adj. uerfaren; umo-
den;
☐ ~ youth grønskolling; grøn
dreng.
call point sb. (til brandalarm)
alarmtryk, brandtryk.
call sign sb. (radio.) kaldesignal.
call slip sb. (bibl.) bestillingssed-
del.
call-up ['kɔ:lʌp] sb. **1.** (mil.) indkal-
delse; **2.** (til sportshold) udta-
gelse.

C call-up papers

call-up papers *sb. pl.* (*mil.*) indkaldelsesordre.

callus ['kæləs] *sb.* 1. hård hud; fortykkelse; 2. (*forst.*) kallus [*erstatningsvæv*].

call waiting *sb.* (*tlf.*) banke-på funktion.

calm[1] [ka:m] *sb.* 1. ro; fred; 2. (*om person*) ro; sindsro; 3. (*mar.*) vindstille; havblik;
□ *the ~ before the storm* stilhed før stormen.

calm[2] [ka:m] *adj.* 1. rolig; 2. (*om vejr*) stille; (se også *millpond*).

calm[3] [ka:m] *vb.* 1. (*person*) berolige; 2. (*situation etc.*) lægge en dæmper på; 3. (*smerte etc.*) lindre, dulme; 4. (*uden objekt, om vind, hav*) lægge sig;
□ *~ down* a. blive rolig; falde til ro; b. (*med objekt*) berolige; få til at falde til ro.

calmness ['ka:mnəs] *sb.* (jf. *calm*[2]) 1. ro; 2. stilhed.

Calor gas® ['kælǝgæs] *sb.* flaskegas.

caloric [kǝ'lɔ:rik] *adj.* kalorie-.

calorie ['kælǝri] *sb.* kalorie.

calorific [kælǝ'rifik] *adj.* 1. varme-; varmegivende; 2. (*om madvarer*) kalorie-; kalorieholdig.

calorific content *sb.* kalorieindhold.

calorific value *sb.* brændværdi, varmeværdi.

calorimeter [kælǝ'rimitǝ] *sb.* kalorimeter.

caltrop ['kæltrɒp] *sb.* 1. partisansøm; 2. (*glds.*) fodangel.

calumet ['kæljumet] *sb.* (indiansk) fredspibe.

calumniate [kǝ'lʌmnieit] *vb.* bagtale, bagvaske.

calumniator [kǝ'lʌmnieitǝ] *sb.* bagtaler.

calumny ['kælǝmni] *sb.* bagtalelse, bagvaskelse.

Calvary ['kælvǝri] *sb.* (*bibelsk*) Golgata.

calve [ka:v] *vb.* kælve.

calves [ka:vz] *pl. af calf.*

Calvinism ['kælvinizm] *sb.* (*rel.*) calvinisme [*streng protestantisk retnng*].

Calvinist[1] ['kælvinist] *sb.* (*rel.*) calvinist.

Calvinist[2] ['kælvinist] *adj.* (*rel.*) calvinistisk.

calypso [kǝ'lipsǝu] *sb.* (*mus.*) calypso.

calyx ['keiliks] *sb.* (*pl. calyces* ['keilisi:z]/-*es*) (*bot.*) bæger.

CAM *fork. f. computer-aided manufacture.*

cam [kæm] *sb.* (*tekn.*) kam; knast [*på hjul*].

camaraderie [kæmǝ'ra:dǝri] *sb.*

kammeratlighed; samhørighed.

camber ['kæmbǝ] *sb.* 1. (*af vej*) opadrundet profil; oprunding; 2. (*på bil*) hjulstyrt; forhjulenes hældning udefter; 3. (*mar.*) (af)runding, dækskurve.

Cambodia [kæm'bǝudiǝ] Cambodja.

Cambodian[1] [kæm'bǝudiǝn] *sb.* cambodjaner.

Cambodian[2] [kæm'bǝudiǝn] *adj.* cambodjansk.

Cambrian ['kæmbriǝn] *adj.* (*geol.*) kambrisk.

cambric ['kæmbrik, 'keim-] *sb.* kammerdug.

Cambridgeshire ['keimbridʒǝ].

Cambs. [kæmbz] *fork. f. Cambridgeshire.*

camcorder ['kæmkɔ:dǝ] *sb.* videokamera [*med lydoptagelse*].

came [keim] 1. *præt. af come*[1]; 2. *sg. af cames.*

camel ['kæm(ǝ)l] *sb.* (*zo.*) kamel;
□ *break the -'s back* (*svarer til*) få bægeret til at flyde over; (se også *straw*).

cameleer [kæmi'liǝ] *sb.* kameldriver; kamelrytter.

camellia [kǝ'mi:liǝ] *sb.* (*bot.*) kamelia.

Camelot ['kæmǝlɒt] (*myt.*) [*kong Arthurs slot*].

cameo ['kæmiǝu] *sb.* 1. (*smykke*) kamé [*relief i ædelsten*]; 2. (*litterært*) skitse; kort scene; 3. (*teat.*) lille prægnant rolle; karakterstudie.

camera ['kæm(ǝ)rǝ] *sb.* (*foto.*) kamera;
□ *in ~* (*jur.*) for lukkede døre; *off ~* (*film.*; *tv*) for slukket kamera; når der ikke er optagelse; *on ~* (*film.*; *tv*) for åbent kamera; under optagelse.

cameraman ['kæm(ǝ)rǝmæn] *sb.* (*pl. -men* [-men]) (*film.*, *tv*) kameramand; fotograf.

camera-ready ['kæm(ǝ)rǝredi] *adj.* (*typ.*) reproklar.

camera-shy ['kæm(ǝ)rǝʃai] *adj.* som ikke bryder sig om at blive fotograferet.

camerawork ['kæm(ǝ)rǝwǝ:k] *sb.* (*film.*) fotografering; kameraføring.

cames [keimz] *sb. pl.* blyindfatning [*om vinduesruder*].

camiknickers ['kæminikǝz, kæmi-'nikǝz] *sb. pl.* combination [*dameundertøj*].

camisole ['kæmisǝul] *sb.* undertrøje, underliv.

camomile ['kæmǝmail] *sb.* kamille.

camomile tea *sb.* kamillete.

camouflage[1] ['kæmufla:ʒ] *sb.* 1. camouflage; 2. (*mil.*) sløring.

camouflage[2] ['kæmufla:ʒ] *vb.* 1. camouflere; tilsløre; 2. (*mil.*) sløre.

camp[1] [kæmp] *sb.* 1. (*også fig.*) lejr; 2. (*mil.*) lejr, forlægning; 3. T camp [*ironisk forkærlighed for det banale, vulgære, naivt opstyltede*]; banalitet; naiv opstyltethed;
□ *break/strike ~* bryde lejren; *bryde op*; *pitch ~* slå lejr; *have a foot in each ~/both -s* (*fig.*) have en fod i hver lejr.

camp[2] [kæmp] *adj.* camp; affekteret, krukket, opstyltet; kvindagtig; bøsset.

camp[3] [kæmp] *vb.* 1. slå lejr; 2. ligge i lejr; 3. campere;
□ *~ out* campere; *~ it up* (*teat.* T) overspille; være krukket/skabagtig//kvindagtig.

campaign[1] [kæm'pein] *sb.* 1. kampagne (*against* mod; *for* (til fordel) for; *to* for at); 2. (*mil.*) felttog; kampagne.

campaign[2] [kæm'pein] *vb.* 1. føre en kampagne (*against* mod; *for* for; *to* for at); 2. deltage i en kampagne.

campaigner [kæm'peinǝ] *sb.* [*en der fører en kampagne*]; aktivist; forkæmper (*for* for);
□ *an old ~* en gammel rotte, en veteran.

campaign manager *sb.* kampagneleder.

campaign poster *sb.* valgplakat.

campanile [kæmpǝ'ni:li] *sb.* kampanile, fritstående klokketårn.

campanology [kæmpǝ'nɒlǝdʒi] *sb.* 1. klokkeringning; 2. læren om klokkeringning.

camp bed *sb.* feltseng.

camp chair *sb.* feltstol.

Camp David [*den amerikanske præsidents officielle landsted i Maryland*].

camper ['kæmpǝ] *sb.* 1. (*person*) campist; 2. (*bil*) autocamper, campingbil;
□ *happy ~* T glad sjæl.

camper van *sb. = camper* 2.

campfire ['kæmpfaiǝ] *sb.* lejrbål.

camp follower *sb.* 1. medløber; 2. (*især glds.*) [*civilist der følger med en hær*]; (*pige*) soldatertøs.

campground ['kæmpgraund] *sb.* (*am.*) *= campsite.*

camphor ['kæmfǝ] *sb.* (*kem.*) kamfer.

camping ['kæmpiŋ] *sb.* camping; lejrliv.

camping ground *sb. = campsite.*

camping site *sb. = campsite.*

campion ['kæmpiǝn] *sb.* (*bot.*) pragtstjerne.

camp meeting *sb.* (*am.*) religiøst friluftsmøde; bibelcamping.

campsite ['kæmpsait] *sb.* **1.** (*for campingvogne etc.*) camping-plads; **2.** (*am.*) lejrplads, teltplads.
camp stool *sb.* feltstol; klapstol.
campus ['kæmpəs] *sb.* campus [*universitets//skoles område*].
campy ['kæmpi] *adj.* = *camp²*.
camshaft ['kæmʃa:ft] *sb.* (*tekn.*) knastaksel.
can¹ [kæn] *sb.* **1.** dåse; **2.** (*med hank og tud*) kande (*fx oil* ~); dunk (*fx petrol* ~); **3.** (*am.* T) bag-del, ende (*fx fall on one's* ~); □ *a* ~ *of worms* (en kilde til) en uendelig række af problemer; en hvepserede;
[*med: the*] *the* ~ (*am.* T) **a.** spjæl-det, skyggen (*fx five years in the* ~); **b.** lokum (*fx go to the* ~); *carry the* ~ T **a.** tage ansvaret; **b.** få skylden; få balladen; *get off the* ~ *se pot¹*; *in the* ~ T **a.** hjemme; i hus; **b.** (*film.*) i kas-sen.
can² [kæn] *vb.* (se også *canned*)
1. komme på dåse; konservere; **2.** (*am.*) kassere; opgive; **3.** (*am.* T) fyre; smide ud;
□ ~ *it!* (*am.* T) hold op! klap i!
can³ [kən, (*betonet*) kæn] *vb.* (*præt. could*) **1.** kan (*fx he* ~ *speak four languages; it can be serious*); **2.** (*om tilladelse,* T) må gerne (*fx you* ~ *go now*); **3.** (*i spørgsmål*) kan (*fx* ~ *I help you?* ~ *you tell me where he is?*); må have lov til, må (*fx* ~ *I go now?*);
□ *as* ~ *be* som det er muligt; *no* ~ *do* T det går ikke.
Canadian¹ [kə'neidiən] *sb.* cana-dier.
Canadian² [kə'neidiən] *adj.* cana-disk.
canal [kə'næl] *sb.* kanal.
canalize ['kænəlaiz] *vb.* **1.** kanali-sere; **2.** (*fig.*) kanalisere; lede; **3.** (*om flod*) forvandle til en kanal.
canapé ['kænəpei] *sb.* canapé.
canard ['kæna:d, kæ'na:d] *sb.* F avisand; skrøne.
Canaries [kə'nɛəriz] *pl.: the* ~ De kanariske Øer.
canary [kə'nɛəri] *sb.* kanariefugl.
canary creeper *sb.* (*bot.*) sommer-fuglekarse.
canary grass *sb.* (*bot.*) kanariegræs.
cancel¹ ['kæns(ə)l] *sb.* **1.** (*typ.*) om-trykt blad; **2.** = *cancellation 5*.
cancel² [kæns(ə)l] *vb.* **1.** (*noget planlagt*) aflyse (*fx a visit, a meet-ing; a train, a flight*); **2.** (*bestil-ling*) annullere; afbestille (*fx a theatre ticket; a newspaper*); (*abonnement også*) opsige; **3.** (*af-tale*) annullere, ophæve (*fx a con-tract*); opsige; **4.** (*gæld*) eftergive;

5. (*frimærke*) stemple; **6.** (*brøk*) forkorte; **7.** (*i tekst*) strege ud, stryge, slette;
□ ~ *the appointment* sende afbud; ~ *out* udligne, opveje (*fx the loss -s out the gain*); *it -s out* det går lige op.
cancellation [kænsə'leiʃn] *sb.* (jf. *cancel²*) **1.** (*af noget planlagt*) af-lysning; **2.** (*af bestilling*) annulle-ring; afbestilling; opsigelse; **3.** (*af aftale*) annullering, ophævelse; opsigelse; **4.** (*af gæld*) eftergivelse; **5.** (*af frimærke*) stempling; (*på fri-mærke*) afstempling; stempel; **6.** (*af brøk*) forkortelse; **7.** (*i tekst*) udstregning, strygning, sletning.
Cancer ['kænsə] *sb.* (*astr.*) Krebsen; □ *I am a* ~ jeg er krebs; *the Tropic of* ~ Krebsens vendekreds.
cancer ['kænsə] *sb.* **1.** (*med.*) kræft; **2.** (*fig.*) kræftskade; kræft.
cancerous ['kæns(ə)rəs] *adj.* kræft-; kræftagtig.
cancer stick *sb.* T kræftpind, ligki-stesøm [ɔ: *cigaret*].
candelabra [kændə'la:brə] *sb.* (*pl. -s*), **candelabrum** [kændə'la:brəm] *sb.* (*pl. candelabra* [-brə]) kandela-ber; flerarmet lysestage.
candid ['kændid] *adj.* oprigtig, åben, ærlig (*with* over for);
□ ~ *picture,* ~ *shot* (foto.) **a.** na-turligt billede; billede som ikke er instrueret; **b.** [*billede som er taget uden at den fotograferede ved det*].
candidacy ['kændidəsi] *sb.* kandi-datur.
candidate ['kændideit, -dət] *sb.* **1.** (*ved eksamen*) kandidat; **2.** (*til stilling*) kandidat, ansøger, aspi-rant; **3.** (*som man måske vælger*) emne (*for* til).
candidature ['kændidətʃə] *sb.* F kandidatur.
Candid Camera *sb.* (*tv*) skjult ka-mera.
candied ['kændid] *adj.* kandiseret.
candied peel *sb.* sukat.
candle¹ ['kændl] *sb.* lys [*af stearin etc.*];
□ *burn the* ~ *at both ends* brænde sit lys i begge ender; ødsle med/øde sine kræfter; *can't hold a* ~ *to* kan slet ikke måle sig med; er slet ikke på højde med; (se også *game¹*).
candle² ['kændl] *vb.* (æg) gennem-lyse.
candle end *sb.* lysestump.
candlelight ['kændllait] *sb.* le-vende lys.
candlelit ['kændllit] *adj.* med le-vende lys.
Candlemas ['kændlmæs, -məs] *sb.*

kyndelmisse [*2. februar*].
candlepower ['kændlpauə] *sb.* (*om lysstyrkeenhed*) lys (*fx a fifty* ~ *bulb*).
candlestick ['kændlstik] *sb.* lyse-stage.
candlewick ['kændlwik] *sb.* [*blødt bomuldsstof*]; (*omtr.*) frotté.
can-do ['kændu:] *adj.* T handle-kraftig, energisk; effektiv.
candour ['kændə] *sb.* oprigtighed, åbenhed, ærlighed.
candy ['kændi] *sb.* **1.** kandis; **2.** (*am.*) bolsjer; slik;
□ *like taking* ~ *from a baby* så let som ingenting.
candy ass *sb.* (*am.* S) skvat; vatpik.
candyfloss ['kændiflɔs] *sb.* sukker-vat.
candy store *sb.* (*am.*) chokolade-forretning; T slikbutik.
candy-striped ['kændistraipt] *adj.* bolsjestribet.
candytuft ['kænditʌft] *sb.* (*bot.*) iberis.
cane¹ [kein] *sb.* **1.** (*materiale*) rør; spanskrør; **2.** (*til sukkerproduk-tion*) sukkerrør; **3.** (*til støtte*) stok; **4.** (*til plante*) blomsterpind; **5.** (*til straf*) spanskrør;
□ *get the* ~ (*glds.*) få af spanskrø-ret.
cane² [kein] *vb.* slå, prygle [*med spanskrør*].
cane chair *sb.* kurvestol; rørstol.
cane furniture *sb.* kurvemøbler.
cane sugar *sb.* rørsukker.
canine¹ ['keinain] *adj.* **1.** hjørne-tand; **2.** hund.
canine² ['keinain] *adj.* hunde-.
canine tooth *sb.* hjørnetand.
caning ['keiniŋ] *sb.* (omgang) prygl.
canister ['kænistə] *sb.* **1.** (*til kaffe, te etc.*) dåse; **2.** (*til gas*) cylinder; **3.** (*til olie, benzin*) kanister [ɔ: *dunk*]; **4.** se *canister shot*.
canister shot *sb.* (*glds. mil.*) kar-dæsk [*projektil med små kugler i*].
canker ['kæŋkə] *sb.* **1.** (*litt.*) kræft-skade; ødelæggende indflydelse; pest; **2.** (*bot.*) kræft; kræftsår; **3.** (*hos kat*) ørekræft.
cannabis ['kænəbis] *sb.* **1.** (*bot.*) cannabis; indisk hamp; **2.** (*stof*) hash.
canned [kænd] *adj.* **1.** dåse- (*fx food; peaches*); på dåse; **2.** S fuld.
canned laughter *sb.* dåselatter.
canned meat *sb.* kødkonserves.
canned music *sb.* mekanisk musik.
cannery ['kænəri] *sb.* konservesfa-brik.
cannibal ['kænib(ə)l] *sb.* kannibal; menneskeæder.
cannibalism ['kænib(ə)lizm] *sb.*

C *cannibalistic*

kannibalisme; menneskeæderi.
cannibalistic ['kænibəlistik] *adj.*
kannibalsk.
cannibalize ['kænibəlaiz] *vb.*
1. (*kasseret maskine, bil etc.*)
slagte [*adskille og anvende delene
som reservedele*]; **2.** (*merk.: andet
produkt*) tage salget fra; opsluge.
cannon[1] ['kænən] *sb.* (*pl. d.s./-s*)
1. (*hist.*) kanon; (se også *loose can-
non*); **2.** (*mil.*) maskinkanon; **3.** (*i
billard*) karambolage.
cannon[2] ['kænən] *vb.* (*i billard*) ka-
rambolere;
□ ~ *into* brase ind i.
cannonade[1] [kænə'neid] *sb.* kano-
nade.
cannonade[2] [kænə'neid] *vb.* skyde
med kanoner.
cannon ball *sb.* kanonkugle.
cannon bone *sb.* (*på hest*) forpibe.
cannon fodder *sb.* kanonføde.
cannot ['kænɔt] *vb.* kan ikke;
□ ~ *but* se *but*[2]; ~ *help* se *help*[2].
canny ['kæni] *adj.* **1.** snu, snedig;
forsigtig; **2.** (*skotsk*) behagelig;
god; (se også *ca'canny*).
canoe[1] [kə'nu:] *sb.* **1.** kano; **2.** ka-
jak.
canoe[2] [kə'nu:] *vb.* sejle i kano//ka-
jak.
canon ['kænən] *sb.* **1.** F lov; for-
skrift; regel; **2.** (*rel.*) kirkelov;
3. (*bibelsk*) kanon, kanoniske
skrifter; **4.** (*i forfatterskab*) værker
der anerkendes som ægte (*fx the
Chaucer* ~); **5.** (*mønstergyldige
værker*) kanon; **6.** (*person*) kan-
nik; domherre; **7.** (*mus.*) kanon.
canonical [kə'nɔnik(ə)l] *adj.* (*rel.*)
kanonisk, kirkeretlig;
□ ~ *hours* kanoniske tider.
canonicals [kə'nɔnik(ə)lz] *sb. pl.*
(*rel.*) ornat.
canonize ['kænənaiz] *vb.* (*rel.*) ka-
nonisere, erklære for helgen.
canon law *sb.* (*rel.*) kanonisk ret,
kirkeret.
canoodle [kə'nu:dl] *vb.* (*glds.* T;
spøg.) kæle, kissemisse; kysse og
kramme hinanden.
can opener *sb.* dåseåbner.
canopy ['kænəpi] *sb.* **1.** baldakin;
(*over trone*) tronhimmel; (*over
seng*) sengehimmel; **2.** (*over dør*)
udhæng; **3.** (*uden for restaurant
etc.*) baldakin; **4.** (*over perron*)
perrontag; **5.** (*om træer*) løvtag;
(*forst.*) kronetag; **6.** (*af en fald-
skærm*) skærm; **7.** (*over cockpit*)
tag.
cant[1] [kænt] *sb.* **1.** floskler; tomme
fraser; **2.** (*religiøst*) hyklerisk tale,
fromme talemåder; **3.** (*bestemt
gruppes*) fagjargon; **4.** (*fagl.*) hæld-
ning; skrå kant.

cant[2] [kænt] *vb.* (jf. *cant*[1] 4) give en
hældning; hælde; vippe over på
siden.
can't [ka:nt] *fork. f. cannot.*
Cantab ['kæntæb] *fork. f. Cam-
bridge.*
cantaloupe ['kæntəlu:p, (*am.*)
-loup] *sb.* (*bot.*) kantalupmelon.
cantankerous [kæn'tæŋkərəs] *adj.*
krakilsk; kværulantisk.
cantata [kæn'ta:tə] *sb.* (*mus.*) kan-
tate.
canteen [kæn'ti:n] *sb.* **1.** kantine;
frokoststue; **2.** æske med bestik;
3. (*især mil.*) feltflaske.
canter[1] ['kæntə] *sb.* kanter, let ga-
lop [*gangart mellem trav og ga-
lop*];
□ *at/in a* ~ **a.** i let galop; **b.** (*fig.*)
ubesværet; *win at/in a* ~ vinde en
let sejr.
canter[2] ['kæntə] *vb.* **1.** løbe//ride i
kort galop; **2.** lade løbe i kort ga-
lop.
Canterbury ['kæntəb(ə)ri] [*engelsk
domkirkeby og ærkebispesæde*].
Canterbury bell *sb.* (*bot.*) marie-
klokke.
cant hook *sb.* tømmerhage; vende-
krog.
canticle ['kæntikl] *sb.* salme [*om
visse stykker af Prayer Book*];
□ *the Canticles* (*bibelsk*) Salomons
Højsang.
cantilever ['kæntilivə] *sb.* **1.** udlig-
ger [ɔ: *som kun er understøttet i
den ene ende*]; **2.** (*fra mur*) kon-
sol.
cantilever beam *sb.* gerberdrager.
cantilever bridge *sb.* **1.** cantilever-
bro; **2.** (*mil.*) gerberbro.
cantilevered ['kæntiliːvəd] *adj.* ud-
hængende; fritbærende.
canto ['kæntəu] *sb.* sang [ɔ: *del af
længere digt*].
canton ['kæntən] *sb.* kanton [*i
Schweiz*].
Cantonese[1] [kæntə'ni:z] *sb.* **1.** (*per-
son*) kantoneser; **2.** (*sprog*) kanto-
nesisk.
Cantonese[2] [kæntə'ni:z] *adj.* kanto-
nesisk.
cantonment [kæn'tu:nmənt, (*am.*)
-'toun-] *sb.* (*mil., især glds.*) (mili-
tær)lejr.
Canuck [kə'nʌk] *sb.* (*am.* T, *neds.*)
(fransk-)canadier.
Canute [kə'nju:t] (*hist.*) Knud (den
Store); [*Kong Knud nævnes ofte
med hentydning til en anekdote,
ifølge hvilken han troede han
havde magt til at standse tidevan-
det, fx a Canute-like attempt*].
canvas ['kænvəs] *sb.* **1.** (*til tøj & ta-
sker; til maleri*) lærred; **2.** (*til sejl*)
sejldug; **3.** (*til telte*) teltdug;

□ *the* ~ (*i boksning*) kanvassen;
under ~ **a.** i lejr; i telt(e);
b. (*mar.*) under sejl.
canvass[1] ['kænvəs] *sb.* agitation (*fx
a door-to-door* ~); arbejde for ens
kandidatur.
canvass[2] ['kænvəs] *vb.* **1.** under-
søge (*fx local opinion*); foretage
rundspørge blandt (*fx local peo-
ple*); **2.** (*pol.*) agitere (*for* for);
drive husagitation; T stemme dør-
klokker; hverve stemmer (blandt);
3. (*merk.*) sælge ved dørene; tegne
annoncer; T stemme dørklokker;
4. (*idé, plan*) lægge frem til dis-
kussion (*fx a plan*);
□ *be -sed* blive drøftet grundigt; ~
support prøve at vinde støtte (*for*
for).
canvasser ['kænvəsə] *sb.* **1.** (*pol.*)
stemmehverver; agitator; **2.** (*for
annoncer etc.*) (annonce)agent.
canyon ['kænjən] *sb.* canyon; dyb
fjeldkløft; dyb flodseng.
caoutchouc ['kautʃuk] *sb.* kautsjuk.
CAP *fork. f. common agricultural
policy.*
cap[1] [kæp] *sb.* **1.** (*hovedbeklæd-
ning*) hue; hætte (*fx shower* ~;
bathing ~); **2.** (*fx til uniform*) ka-
sket; **3.** (*til tjenestepige, sygeple-
jerske etc.*) kappe; **4.** (*på tand, til
fyldepen etc.*) hætte; **5.** (*til at
lukke med*) dæksel; låg; **6.** (*til fla-
ske*) kapsel; **7.** (*maksimum*) loft;
8. (*i boldspil*) landsholdsspiller;
(se også ndf.: *receive a* ~); **9.** (*til le-
getøjspistol*) knaldhætte; **10.** (*litt.*)
af bjerg, bølge) top; **11.** (*bot., af
svamp*) hat; **12.** (*med.*) pessar;
13. (*mil.*) fænghætte; **14.** (*mar.*)
æselhoved;
□ ~ *and bells* narrehue; ~ *and
gown* akademisk dragt; ~ *in hand*
ydmygt; med hatten i hånden;
[*med vb.*] *impose a* ~ *on* lægge
loft over; *receive/win a* ~ (*jf. 8*)
komme på landsholdet; spille
landskamp; *she set her* ~ *at/for
him* (*glds.*) hun lagde an på ham;
(se også *fit*[3]).
cap[2] [kæp] *vb.* **1.** sætte kronen/
slutstenen på (*fx one's career*);
krone; **2.** (*vits etc.*) overgå; **3.** (*ud-
gifter*) lægge loft over; begrænse;
4. (*cap*[1] 4,5,6) sætte hætte//
kapsel//dæksel på;
□ ~ *anecdotes* søge at overgå hin-
anden i at fortælle historier; *to* ~
it all T oven i købet; for at gøre
målet fuldt;
[*med: -ped*] *be -ped* **a.** (*jf. 3*) få
lagt loft over; **b.** (*i boldspil*) spille
landskamp; komme på landshol-
det; *be -ped with* være dækket af
(*fx the mountain was -ped with*

mist); *-ped with snow* sneklædt; med sne på toppen.
capability [keipə'biləti] *sb.* **1.** evne (*to/of* + *-ing* til at); kapacitet; **2.** (*mil.*) styrke; □ *capabilities* muligheder; evner; *it is beyond his capabilites* det overstiger hans evner.
capable ['keipəbl] *adj.* dygtig; kompetent; □ ~ *of* i stand til (*fx he is ~ of anything*).
capacious [kə'peiʃəs] *adj.* F rummelig.
capacitance [kə'pæsit(ə)ns] *sb.* (*elek.*) kapacitet.
capacitor [kə'pæsitə] *sb.* (*elek.*) kondensator.
capacity [kə'pæsəti] *sb.* **1.** evne (*for* til; *to* til at, *fx inspire trust*); dygtighed; kompetence; **2.** (*om maskine, computer etc.*) kapacitet; ydeevne; **3.** (*om fabrik*) produktionskapacitet; **4.** (*om beholder*) evne til at rumme/optage; rumindhold, volumen, rumfang; **5.** (*om sal, bygning*) antal pladser; **6.** (*jur.*) habilitet; **7.** (*mar.*) drægtighed; □ *his ~ for alcohol* den mængde spiritus han kan drikke; *his ~ for work* den mængde arbejde han kan præstere; hans arbejdsevne; *a seating ~ of 2500* 2500 siddepladser; *storage ~* lagerplads; (se også *mental capacity*); [*med præp.*] *work at ~* arbejde for fuld kraft; *it is beyond his ~* det overstiger hans evner; *in an advisory ~* F i en rådgivende funktion; *in an official ~* F i embeds medfør; *in his/her private ~* som privatperson; *in his/her ~ as* F i sin egenskab af; *filled/full to ~* helt fyldt; fyldt til sidste plads; *produce//work to ~* producere//arbejde for fuld kraft.
capacity audience, capacity crowd *sb.* fuldtalligt publikum; fuldt hus.
cap-a-pie [kæpə'pi:] *adv.*: *armed ~* (*glds.*) væbnet fra top til tå; væbnet til tænderne.
caparison [kə'pæris(ə)n] *sb.* sadeldækken; skaberak.
cape [keip] *sb.* **1.** cape, slag; slængkappe; **2.** (*geogr.*) forbjerg; □ *the Cape* Kap det gode Håb.
cape jasmine *sb.* (*bot.*) gardenia.
caper[1] ['keipə] *sb.* **1.** bukkespring; hop; **2.** T nummer; **3.** (*krydderi*) kapers; **4.** (*bot.*) kapersbusk; □ *-s* narrestreger; *cut -s* **a.** hoppe, springe; **b.** lave narrestreger.
caper[2] ['keipə] *vb.* (*litt.*) danse, hoppe, springe [*af glæde*].

capercaillie, capercailzie [kæpə'keilji, -'keili] *sb.* (*zo.*) tjur.
Cape Town Kapstaden.
Cape Verde [keip've:d] Kap Verde; □ *the ~ Islands* De kapverdiske Øer.
cap gun *sb.* knaldhættepistol.
capillarity [kæpi'lærəti] *sb.* (*fysiol.*) hårrørsvirkning.
capillary[1] [kə'piləri, (*am.*) 'kæpəleri] *sb.* (*anat.*) kapillær; hårkar.
capillary[2] [kə'piləri] *adj.* (*anat.*; *fysiol.*) kapillær-; hårkar-.
capillary action *sb.* (*fysiol.*) hårrørsvirkning.
capital[1] ['kæpit(ə)l] *sb.* **1.** (*by*) hovedstad; **2.** (*økon.*) kapital; formue; **3.** (*arkit.*) kapitæl [*på søjle*]; **4.** (*typ.*) *capital letter*; □ *in -s* med store bogstaver; med versaler; *small -s* (*typ.*) kapitæler; *make ~ out of* slå mønt af, udnytte til sin egen fordel.
capital[2] ['kæpit(ə)l] *adj.* **1.** hoved-; vigtigst; **2.** (*om bogstav*) stort (*fx a ~ A; Conservative with a ~ C*); **3.** (*merk.*) kapital- (*fx flight*); **4.** (*glds.* T) fortræffelig; storartet.
capital asset *sb.* **1.** anlægsaktiv; **2.** kapitalaktiv.
capital crime *sb.* forbrydelse som straffes med døden.
capital expenditure *sb.* anlægsudgifter.
capital flow *sb.* kapitalstrøm.
capital gains tax *sb.* kapitalvindingsskat; kapitalindkomstskat.
capital goods *sb. pl.* kapitalgoder; produktionsmidler.
capital-intensive *adj.* kapitalintensiv; kapitalkrævende.
capitalism ['kæpitəlizm, kə'pi-] *sb.* kapitalisme.
capitalist[1] ['kæpitəlist, kə'pi-] *sb.* kapitalist.
capitalist[2] ['kæpitəlist, kə'pi-] *adj.* kapitalistisk.
capitalistic [kæpitə'listik] *adj.* kapitalistisk.
capitalization [kæpitəlai'zeiʃn, kə'pi-] *sb.* **1.** (*økon.*) kapitalisering; **2.** (*typ.*) brugen af stort bogstav/store bogstaver.
capitalize ['kæpitəlaiz, kə'pi-] *vb.* **1.** (*økon.*) kapitalisere; **2.** (*typ.*) skrive med stort bogstav/store bogstaver; □ ~ *on* (*fig.*) udnytte til sin fordel; drage fordel/nytte af.
capital letter *sb.* (*typ.*) stort bogstav; versal.
capital levy *sb.* engangsskat; formueafgift.
capital offence *sb.* se *capital crime*.
capital punishment *sb.* dødsstraf.
capitation [kæpi'teiʃn] *sb.* **1.** skat

på hver enkelt person; kopskat; **2.** = *capitation fee*.
capitation fee *sb.* betaling/gebyr pr. person//pr. elev.
capitation grant *sb.* tilskud pr. person//pr. elev.
Capitol ['kæpit(ə)l] **1.** (*am.*) [*kongresbygningen i Washington*]; **2.** (*hist.*) Kapitolium [*i Rom*].
capitol ['kæpit(ə)l] *sb.* (*am.*) parlamentsbygning.
Capitol Hill *sb.* (*am.*) **1.** [*området omkring Capitol i Washington*]; **2.** (*fig.*) [*Kongressen*].
capitulate [kə'pitjuleit] *vb.* kapitulere.
capitulation [kəpitju'leiʃn] *sb.* kapitulation.
cap'n ['kæpn] *sb.* (T: *i tiltale*) skipper [ɔ: *captain*].
capo ['kæpou] *sb.* (*am.*) mafiabos.
capon ['keipən] *sb.* kapun [*kastreret hane*].
capped [kæpt] *adj.* se *cap*[2].
capping ['kæpiŋ] *sb.* [*det at lægge loft over skat etc.*].
cap pistol *sb.* knaldhættepistol.
caprice [kə'pri:s] *sb.* F **1.** grille, lune, kaprice; **2.** lunefuldhed.
capricious [kə'priʃəs] *adj.* F lunefuld; kapriciøs.
Capricorn ['kæprikɔ:n] *sb.* (*astr.*) Stenbukken; □ *I am a ~* jeg er stenbuk; *the Tropic of ~* Stenbukkens vendekreds.
capriole ['kæpriəul] *sb.* kapriol; bukkespring.
caps [kæps] *sb. pl.* store bogstaver, versaler.
capsicum ['kæpsikəm] *sb.* (*bot.*) spansk peber.
capsize [kæp'saiz, (*am.*) 'kæpsaiz] *vb.* **1.** kæntre, kuldsejle; **2.** (*med objekt*) få til at kæntre/kuldsejle; **3.** (*fig.*) vælte.
capstan ['kæpstən] *sb.* **1.** (*mar.*) gangspil; spil [*med lodret aksel*]; **2.** (*i båndoptager*) kapstanaksel.
capstone ['kæpstəun] *sb.* dæksten.
capsule ['kæpsju:l, (*am.*) 'kæpsəl] *sb.* **1.** kapsel; **2.** (*i rumfart*) rumkapsel.
Capt. fork. f. *Captain*.
captain[1] ['kæptin] *sb.* **1.** (*mil.*) kaptajn; **2.** (*mar.*) kaptajn; skibsfører; **3.** (*søofficersrang*) kommandør; **4.** (*flyv.*) luftkaptajn; **5.** (*am.: i politiet, omtr.*) politikommissær; **6.** (*i sport*) anfører; holdkaptajn; **7.** (*fig.*) anfører; leder; førstemand; □ ~ *of horse* ritmester; ~ *of industry* storfabrikant, industrimagnat.
captain[2] ['kæptin] *vb.* være kaptajn/anfører for; stå i spidsen for,

lede.
captaincy ['kæptinsi] *sb.* **1.** kaptajnsstilling; kaptajnsrang; **2.** (*i sport*) stilling som anfører; førerskab, ledelse.
caption¹ ['kæpʃn] *sb.* **1.** (*til billede*) tekst; billedtekst; **2.** (*i tv*) skilt; **3.** (*jur.: på dokument*) overskrift.
caption² ['kæpʃn] *vb.* forsyne med tekst [*etc.* (jf. *caption¹*)].
captious ['kæpʃəs] *adj.* F småligt kritisk; kværulerende.
captivate ['kæptiveit] *vb.* **1.** fængsle, fascinere; **2.** (*om person*) betage, fortrylle.
captivating ['kæptiveitiŋ] *adj.* **1.** fængslende, fascinerende; **2.** (*om person*) indtagende, fortryllende, bedårende.
captive¹ ['kæptiv] *sb.* fange; □ *hold sby* ~ holde en fanget/i fangenskab/indespærret; *take sby* ~ tage en til fange.
captive² ['kæptiv] *adj.* fanget, indespærret.
captive audience *sb.* tvungne/tvangsindlagte tilhørere/tilskuere.
captive balloon *sb.* standballon.
captive market *sb.* kontrolleret marked.
captivity [kæp'tivəti] *sb.* fangenskab.
captor ['kæptə] *sb.: his* ~ den der tog ham til fange.
capture¹ ['kæptʃə] *sb.* **1.** (*af person*) tilfangetagelse; **2.** (*af sted etc*) erobring, indtagelse; **3.** (*af skib: som prise*) opbringning; **4.** (*det tagne*) bytte; fangst; **5.** (*it*) fangst.
capture² ['kæptʃə] *vb.* **1.** (*person*) tage til fange; fange; **2.** (*dyr*) fange; indfange; **3.** (*sted, ting*) erobre (*fx an enemy tank; territory; a market; 60% of the vote*); indtage (*fx a town; a position*); **4.** (*skib: som prise*) opbringe; **5.** (*i skab*) slå; **6.** (*stemning etc.*) indfange, fange (*fx the atmosphere of the occasion*); **7.** (*på foto, film*) fastholde (*fx* ~ *the scene on film*); □ ~ *sby's attention//interest* fange ens opmærksomhed//interesse; ~ *sby's imagination* tale til ens fantasi.
Capuchin ['kæpjutʃin] *sb.* (*rel.*) capuchinermunk.
capuchin ['kæpjutʃin] *sb.* **1.** (*zo.*) kapucinerabe; **2.** (*glds.*) kåbe med hætte.
capybara [kæpi'ba:rə] *sb.* (*zo.*) flodsvin, kapivar.
car [ka:] *sb.* **1.** bil, vogn; **2.** (*til elevator*) elevatorstol; **3.** (*på luftballon*) gondol; kurv; **4.** (*jernb., am.*) waggon, jernbanevogn; **5.** (*jernb.: i sms.*) -vogn (*fx dining* ~).

caracal ['kærəkæl] *sb.* (*zo.*) ørkenlos.
caracara [kærə'kærə] *sb.* (*zo.*) gribbefalk.
carafe [kə'ræf] *sb.* karaffel.
caramel ['kærəmel, -m(ə)l] *sb.* karamel.
caramelize ['kærəmələiz, -mel-] *vb.* **1.** (*om sukker*) karamellisere; **2.** (*med objekt: mad*) sukkerbrune.
carapace ['kærəpeis] *sb.* **1.** (*zo.*) (ryg)skjold; **2.** (*litt.*) skjold, værn, panser.
carat ['kærət] *sb.* karat.
caravan ['kærəvæn] *sb.* **1.** beboelsesvogn; **2.** (*biltrukket*) campingvogn; **3.** (*glds., hestetrukket*) gøglervogn; sigøjnervogn; **4.** (*i Østen*) karavane.
caravanette [kærəvə'net] *sb.* autocamper.
caravanner ['kærəvænə] *sb.* campist.
caravanning ['kærəvæniŋ] *sb.* camping; campering.
caravan park *sb.* campingplads.
caravanserai [kærə'vænsərai] *sb.* karavanserai [ɔ: herberg].
caravan site *sb.* campingplads.
caraway ['kærəwei] *sb.* (*bot.*) kommen.
carbarn ['ka:ba:n] *sb.* (*am.*) (bus)garage; sporvognsremise.
carbide ['ka:baid] *sb.* (*kem.*) karbid.
carbine ['ka:bain] *sb.* (*mil.*) karabin.
carbohydrate [ka:bəu'haidreit] *sb.* (*kem.*) kulhydrat.
carbolic acid [ka:bɔlik'æsid] *sb.* karbolsyre.
car bomb *sb.* bilbombe.
carbon ['ka:b(ə)n] *sb.* **1.** kulstof; **2.** (*ved maskinskrivning: papir*) karbonpapir; **3.** (*ark, stykke*) gennemslag; **4.** (*i buelampe*) kulstift.
carbon agaric *sb.* (*bot.*) kulflammehat.
carbonate ['ka:bənət] *sb.* (*kem.*) karbonat.
carbonated ['ka:bəneitid] *adj.* (*om drik*) kulsyreholdig; med brus; □ ~ *water* (hvid) sodavand, danskvand.
carbon black *sb.* kønrøg.
carbon copy *sb.* **1.** (*af brev etc.*) gennemslag; kopi; **2.** (*fig.*) tro kopi; □ *be a* ~ *of sby* være ens udtrykte billede; være som snydt ud af næsen på en.
carbon dating *sb.* kulstofdatering.
carbon dioxide *sb.* (*kem.*) kuldioxid, kultveilte.
carbon emissions *sb. pl.* kuldioxi-

dudledning.
carbonic [ka:'bɔnik] *adj.:* ~ *acid* kulsyre.
carbonized ['ka:bənaizd] *adj.* forkullet.
carbon monoxide *sb.* (*kem.*) karbonmonoxid, kulilte.
carbon paper *sb.* karbonpapir; gennemslagspapir.
carbon tax *sb.* CO2-afgift.
car boot sale *sb.* = *boot sale*.
carborundum [ka:bə'rʌndəm] *sb.* karborundum [*slibemiddel*].
carboy ['ka:bɔi] *sb.* syreballon.
car breaker *sb.* autoophugger.
carbs [ka:bz] *sb. pl.* **1.** kulhydrater; **2.** kulhydratholdige fødevarer.
carbuncle ['ka:bʌŋkl] *sb.* **1.** brandbyld; byld; **2.** (*ædelsten*) karfunkel.
carburettor ['ka:bjuretə] *sb.* karburator.
carcase ['ka:kəs] *sb.* = *carcass*.
carcass ['ka:kəs] *sb.* **1.** død krop; ådsel; kadaver; **2.** (*i slagteri*) slagtekrop; **3.** (*spøg. el. neds. om krop*) kadaver; **4.** (*rest*) skelet (*fx of a bombed house; of a burnt-out car*); **5.** (*mar.*) skibsskrog; **6.** (*arkit.: af hus*) råhus; **7.** (*af møbel*) skrog; **8.** (*i bildæk*) karkasse.
carcass meat *sb.* frisk kød [*mods. konserves*].
car chase *sb.* biljagt.
carcinogen [ka:'sinədʒən] *sb.* (*med.*) kræftfremkaldende stof.
carcinogenic [ka:sinə'dʒenik] *adj.* (*med.*) kræftfremkaldende.
carcinoma [ka:si'nəumə] *sb.* (*med.*) karcinom; kræft [*i epitelvæv*]; kræftsvulst.
card¹ [ka:d] *sb.* **1.** kort; **2.** (*materiale*) karton (*fx a piece of* ~); **3.** (*ved væddeløb, sportskamp*) program; **4.** (*glds.* T) original; sjov fyr; **5.** (*til uld*) karte; □ *have a* ~ *up one's sleeve* have noget i baghånden; have noget oppe i ærmet; *be shown the red// yellow* ~ få det røde//gule kort; (se også *wild card*); [*med vb.* + *-s*] *get one's -s* T blive fyret; *give him his -s* T fyre ham; *hand in one's -s* T søge sin afsked; *hold all the -s* have alle fordelene; *hold/keep/play one's -s close to one's chest* holde kortene tæt til kroppen; være hemmelighedsfuld; ikke røbe noget; *put/lay (all) one's -s on the table* lægge kortene på bordet; *I can put down my -s* jeg kan lægge kortene op; (se også *stack²*); [*med præp.* + *-s*] *lucky at -s* heldig i spil; *tell fortunes by -s* spå i kort; *it is in the -s* (*am.*) = *it is on*

the -s; it is **on** the -s det ligger i kortene; det er sandsynligt.
card[2] [ka:d] *vb.* karte [*uld*].
cardamom [ˈka:dəməm] *sb.* kardemomme.
cardan joint [ˈka:d(ə)ndʒɔint, -dæn-] *sb.* kardanled.
cardboard [ˈka:dbɔ:d] *sb.* karton; (*tykkere*) pap.
cardboard character *sb.* papfigur.
cardboard city *sb.* [*område i by hvor hjemløse bor i papkasser*].
card-carrying [ˈka:dkæriiŋ] *adj.* som har medlemskort; aktiv.
card catalogue *sb.* (*bibl.*) kartotek.
cardholder [ˈka:dhəuldə] *sb.* kortindehaver.
cardiac[1] [ˈka:diæk] *sb.* (*med.* T) hjertepatient.
cardiac[2] [ˈka:diæk] *adj.* hjerte-.
cardiac arrest *sb.* (*med.*) hjertestop.
cardigan [ˈka:dig(ə)n] *sb.* cardigan.
cardinal[1] [ˈka:dinl(ə)l] *sb.* **1.** (*zo.; rel.*) kardinal; **2.** = *cardinal number*.
cardinal[2] [ˈka:dinl(ə)l] *adj.* vigtigst, afgørende, hoved- (*fx rule*).
cardinal number *sb.* grundtal; mængdetal.
cardinal point *sb.* **1.** (*på kompas*) hovedstreg; **2.** (*fig.*) hovedpunkt, kardinalpunkt.
cardinal sin *sb.* dødssynd.
cardinal virtue *sb.* kardinaldyd.
card index *sb.* kartotek.
cardiologist [ka:diˈɔlədʒist] *sb.* (*med.*) kardiolog, hjertelæge.
cardiology [ka:diˈɔlədʒi] *sb.* (*med.*) kardiologi [*læren om hjertesygdomme*].
cardiopulmonary [ka-:diəuˈpʌlmənəri] *adj.* hjerte-lunge.
cardiovascular [ka:diəuˈvæskjulə] *adj.* hjerte-kar-.
card phone *sb.* korttelefon.
cardsharp [ˈka:dʃa:p] *sb.* falskspiller.
cardsharper [ˈka:dʃa:pə] *sb.* falskspiller.
card swipe *sb.* kortaflæser, kortlæsemaskine [*som kreditkort føres igennem ved betaling*].
card table *sb.* spillebord.
card vote *sb.* [*stemme afgivet gennem delegeret*].
care[1] [kɛə] *sb.* **1.** (*med arbejde*) omhu; omhyggelighed; **2.** (*det at tage sig af*) pasning (*fx they shared the ~ of the children*); omsorg; pleje (*fx the ~ of the elderly; skin ~*); **3.** (*det at passe på*) varetægt (*fx safe in the ~ of her grandparents*); beskyttelse; **4.** (*litt.*) bekymring (*fx without a ~ in the world*); sorg;

□ ~ *of* (*på brev, forkortet: c/o*) adr(esse); ~ *of the skin* hudpleje; [*med vb.*] **have** *a* ~*!* (*glds.*) pas nu godt på! **take** ~ **a.** være forsigtig; passe på; **b.** (*som afskedshilsen*) pas godt på dig selv! *take* ~ *that* sørge for at; **take into** ~ (*om barn*) anbringe under forsorg; anbringe uden for hjemmet; (*i en familie*) sætte i pleje; **take** ~ *of* **a.** sørge for, tage sig af (*fx the children; the house*); passe (*fx one's garden*); **b.** passe på (*fx take good* ~ *of your son*); **c.** (*hverv etc.*) sørge for (*fx the arrangements; the food*); ordne, klare; *take* ~ *with* være omhyggelig med (*fx one's spelling*); [*med præp.*] **in** ~ (*om barn*) under forsorg; anbragt uden for hjemmet; (*hos en familie*) i pleje; *in the* ~ *of sby* i ens varetægt; under ens beskyttelse; **with** ~ **a.** med omhu, omhyggeligt (*fx plan it with great* ~); **b.** forsigtigt (*fx drive with* ~); (*handle*) *with* ~*!* (*på pakke*) forsigtigt!
care[2] [kɛə] *vb.*: *I couldn't* ~ *less* jeg er revnende/bedøvende ligeglad; *I don't* ~ jeg er ligeglad; *I don't* ~ *a damn/straw* jeg er revnende/bedøvende ligeglad; *I don't* ~ *if I do* T det kunne jeg godt tænke mig; det vil jeg gerne; *he can stay here for all I* ~ for min skyld kan han godt blive her; lad ham bare blive her, jeg er da ligeglad; *he -s a lot* det bekymrer/optager ham meget; *see if I* ~*!* jeg er da ligeglad! *who -s?* og hva' så? [*med præp.& adv.*] ~ *about* være interesseret i; bekymre sig om (*fx the environment*); *much 'you* ~ *about it* som om du brød dig det mindste om det; det bryder du dig jo ikke spor om; *not* ~ *about* være ligeglad med; ~ *for* **a.** tage sig af; bekymre sig om; drage omsorg for; **b.** holde af (*fx he really -d for her*); **c.** (*ting*) passe på (*fx one's clothes*); *I don't much* ~ *for* F jeg bryder mig ikke særlig meget om; *would you* ~ *for a drink?* F kunne du tænke dig en drink? ~ *to* **a.** have lyst til at, gide; **b.** bryde sig om (*fx longer than I* ~ *to remember*); **c.** F ønske at (*fx he did not* ~ *to comment; would you* ~ *to sit down?*); *would somebody* ~ *to tell me* er der nogen der vil være så venlig at fortælle mig.
care assistant *sb.* (*svarer til*) social- og sundhedsassistent.
careen [kəˈri:n] *vb.* **1.** (*især am.*) fare; slingre; **2.** (*om skib*) krænge over; **3.** (*skib: for reparation*) køl-

hale.
career[1] [kəˈriə] *sb.* **1.** arbejde, erhverv (*fx choose a* ~); levevej; **2.** (*som man følger/har fulgt*) karriere (*fx it ruined his* ~; *at the end of a distinguished* ~); løbebane;
□ *make a* ~ *out of sth* **a.** gøre til sin levevej (*fx make a* ~ *out of teaching*); **b.** (*fig., ironisk*) gøre noget til sit speciale (*fx he seems to be making a* ~ *out of wrecking cars*).
career[2] [kəˈriə] *vb.* ræse; fare (*vildt*) (*fx the car -ed down the road*).
career break *sb.* arbejdspause.
careerism [kəˈriərizm] *sb.* karrierejag.
careerist[1] [kəˈriərist] *sb.* stræber; karrieremager.
careerist[2] [kəˈriərist] *adj.* ærgerrig, ambitiøs; opadstræbende.
careers guidance *sb.* erhvervsvejledning.
careers master *sb.* erhvervsvejleder [*på skole*].
career woman *sb.* karrierekvinde.
carefree [ˈkɛəfri:] *adj.* sorgløs.
careful [ˈkɛəf(u)l] *adj.* **1.** omhyggelig (*fx worker*); grundig (*fx study; after* ~ *consideration*); **2.** (*om handling*) forsigtig (*fx* ~ *driving; a few* ~ *steps*); **3.** (*med penge*) påpasselig;
□ *be* ~*!* pas på! *be* ~ *about/of* **a.** være omhyggelig med; **b.** være forsigtig med; passe på med; **c.** passe på, skåne; *be* ~ *to* sørge for at; *be* ~ *what//where ...* være forsigtig med/passe på med hvad// hvor ...; *be* ~ *with* være forsigtig med; passe på med; *be* ~ *with money* passe på pengene; være påholdende.
care giver *sb.* (*især am.*) = *carer*.
care label *sb.* behandlingsetiket [*på tøj*]; vaskeanvisning.
careless [ˈkɛələs] *adj.* **1.** sjusket, sløset, skødesløs; uforsigtig (*fx driving*); ubetænksom (*fx remark*); **2.** (*om arbejde*) sjusket; **3.** (*litt., om adfærd*) ligegyldig, nonchalant (*fx a* ~ *shrug*); **4.** (*glds.*) sorgløs, ubekymret;
□ *be* ~ *of* være ligeglad med (*fx one's own safety; one's health*); *it was* ~ *of me* det var uforsigtigt/ ubetænksomt af mig (*fx to leave the door open*); *be* ~ *with money* være letsindig i pengesager.
carer [ˈkɛərə] *sb.* omsorgsperson [*der passer børn el. syge og ældre*];
□ *be the* ~ *of* være den der tager sig af (*fx the children; an elderly*

C caress

relative).

caress[1] [kə'res] *sb.* kærtegn.

caress[2] [kə'res] *vb.* kæle for; kærtegne.

caret ['kærət] *sb.* (*typ.*) [*korrekturtegn der markerer at noget skal indføjes*].

caretaker ['kɛəteikə] *sb.* **1.** (*i fabrik etc.*) portner; opsynsmand; **2.** (*i boligkompleks*) vicevært; **3.** (*som ser efter et hus mens ejeren er væk*) opsynsmand; **4.** (*i skole*) skolebetjent; pedel; **5.** (*am.*) se *carer*.

caretaker government *sb.* forretningsministerium.

care workers *sb. pl.* plejepersonale.

careworn ['kɛəwɔ:n] *adj.* forgræmmet.

carfare ['ka:fɛə] *sb.* (*am.*) billetpris; takst.

cargo ['ka:gəu] *sb.* (*pl. -es*) ladning, last.

cargo plane *sb.* fragtfly.

Caribbean[1] [kæri'bi:ən] *sb.* caribier;

□ *the* ~ **a.** Caribien; **b.** Det caribiske Hav.

Caribbean[2] [kæri'bi:ən] *adj.* caribisk.

caribou ['kæribu:] *sb.* (*am.*) caribou, nordamerikansk rensdyr.

caricature[1] ['kærikətʃuə] *sb.* karikatur.

caricature[2] ['kærikətʃuə] *vb.* karikere.

caricaturist ['kærikətʃuərist] *sb.* karikaturtegner.

caries ['kɛəriz, (*am.*) 'kæri:z] *sb.* caries [*huller i tænderne*].

carillon [kə'riljən, 'kæriljən, (*am.*) 'kærələn] *sb.* klokkespil.

caring ['kɛəriŋ] *adj.* omsorgsfuld (*fx father; husband*); medfølende; medmenneskelig;

□ *the* ~ *professions* [*stillinger der involverer omsorg for mennesker, fx sygepleje, socialforsorg*].

Carinthia [kə'rinθiə] (*geogr.*) Kärnten [*i Østrig*].

carious ['kɛəriəs] *adj.* angreben af caries, cariøs; hul [*om tand*].

carjacking ['ka:dʒækiŋ] *sb.* (*især am.*) overfald på folk i deres bil; bilrøveri.

carline ['ka:lin] *sb.*: ~ *thistle* (*bot.*) bakketidsel.

carload ['ka:ləud] *sb.* **1.** (*af passagerer*) vognfuld, bilfuld; **2.** (*af ting*) vognlæs.

carminative ['ka:minətiv] *sb.* (*med.*) vinddrivende middel.

carmine ['ka:main] *sb.* karminrødt.

carnage ['ka:nidʒ] *sb.* **1.** blodbad, myrderi, massakre; **2.** blodsudgy-

delse.

carnal ['ka:n(ə)l] *adj.* F kødelig (*fx desires*); sanselig.

carnal knowledge *sb.* (*glds. jur.*) kønslig omgang.

carnation [ka:'neiʃn] *sb.* **1.** (*bot.*) (have)nellike; **2.** (*om farve*) kødfarve.

Carnegie Hall [ka:nəgi'hɔ:l] *sb.* [*koncertsal i New York*].

carnelian [kə'ni:liən] *sb.* (*min.*) karneol.

carnet ['ka:nei] *sb.* billethæfte.

carnival ['ka:niv(ə)l] *sb.* **1.** karneval; folkefest; **2.** (*am.*) omrejsende tivoli//cirkus;

□ *a* ~ *of* (*fig.*) et orgie af (*fx colour; violence*).

carnival novelties *sb. pl.* festartikler.

carnivore ['ka:nivɔ:] *sb.* **1.** kødædende dyr; kødæder; **2.** (*bot.*) kødædende/insektædende plante; **3.** (*spøg. om person*) kødæder.

carnivorous [ka:'niv(ə)rəs] *adj.* kødædende; (*om plante også*) insektædende.

carob ['kærəb] *sb.* (*bot.*) **1.** johannesbrødtræ; **2.** (*frugt*) johannesbrød.

carol[1] ['kær(ə)l] *sb.* glædessang; julesang.

carol[2] ['kær(ə)l] *vb.* **1.** synge muntert; **2.** synge julesange.

carolers ['kærelərz] *sb. pl.* (*am.*) = *carol singers*.

Carolina [kærə'lainə].

carolling ['kærəliŋ] *sb.* [*det at gå fra hus til hus og synge julesange for at samle penge ind til velgørenhed*].

carol singers *sb. pl.* gruppe der går fra hus og synger julesange; (cf. *carolling*).

carol singing *sb.* se *carolling*.

carom ['kærəm] (*am.*) = *cannon* (*i billard*).

carotid artery [kərɔtid'a:təri] *sb.* (*anat.*) halspulsåre.

carousal [kə'rauz(ə)l] *sb.* (*især litt.*) drikkelag.

carouse [kə'rauz] *vb.* (*især litt.*) svire; drikke.

carousel [kærə'sel] *sb.* **1.** (*flyv.*) bagagebånd; **2.** (*am.*) karrusel.

carp[1] [ka:p] *sb.* (*zo.*) karpe.

carp[2] [ka:p] *vb.*: ~ *about* brokke sig over; ~ *at* kritisere småligt; hakke på.

carpal ['ka:p(ə)l] *adj.*: ~ *bone* (*anat.*) håndrodsknogle.

car park *sb.* **1.** parkeringsplads; **2.** parkeringshus.

Carpathians [ka:'peiθiənz] *pl.*: *the* ~ (*geogr.*) Karpaterne.

carpenter ['ka:pəntə] *sb.* tømrer.

carpenter bee *sb.* (*zo.*) tømrerbi.

carpenter's bench *sb.* høvlebænk.

carpenter's square *sb.* tømrervinkel.

carpentry ['ka:pəntri] *sb.* **1.** tømrerhåndværk; **2.** tømrerarbejde.

carpet[1] ['ka:pit] *sb.* gulvtæppe, tæppe;

□ *be on the* ~ (*let glds.* T) få en balle; blive skældt ud; *sweep/brush it under the* ~ (*fig.*) feje det ind under gulvtæppet; (se også *red carpet*).

carpet[2] ['ka:pit] *vb.* (se også *carpeted*) **1.** lægge tæppe på; **2.** (T: *person*) give en balle; skælde ud.

carpetbag ['ka:pitbæg] *sb.* vadsæk.

carpetbagger ['ka:pitbægə] *sb.* (*am.*) **1.** [*en fremmed der optræder som valgkandidat*]; politisk lykkeridder; **2.** (*hist.*) [*nordstatsmand i sydstaterne efter borgerkrigen*].

carpet beetle *sb.* (*zo.*) pelsklanner.

carpet bombing *sb.* tæppebombning.

carpeted ['ka:pitid] *adj.* tæppebelagt;

□ ~ *with* (*litt.*) dækket med et tykt tæppe af (*fx flowers*).

carpeting ['ka:pitiŋ] *sb.* **1.** gulvtæppestof; **2.** tæpper.

carpet slipper *sb.* tøjsko, kludesko, sutsko.

carpet sweeper *sb.* tæppefejemaskine.

car phone *sb.* biltelefon.

car pool *sb.* **1.** (*firmas, forenings*) vognpark [*til brug for de ansatte// medlemmerne*]; **2.** (*især am.*) samkørselsordning; samkørselsgruppe.

car-pool ['ka:pu:l] *vb.* køre i samme bil; samkøre.

carport ['ka:pɔ:t] *sb.* carport.

carrel ['kærəl] *sb.* (*bibl.*) studierum.

carriage ['kæridʒ] *sb.* **1.** (*glds.: hestetrukken vogn*); **2.** (*jernb.*) personvogn; **3.** (*aktivitet*) transport, befordring, forsendelse; **4.** (*betaling*) fragt; **5.** (F: *af kroppen*) holdning; **6.** (*mil.*) = *gun carriage*; **7.** (*del af maskine*) slæde; **8.** (*af skrivemaskine*) vogn, slæde;

□ ~ *and pair* (jf. 1) tospænder.

carriage bolt *sb.* bræddebolt.

carriage forward *adj.* fragten betales af modtageren.

carriage-free, carriage paid *adj.* franko leveret; fragtfrit [*fragten er betalt af afsenderen*].

carriageway ['kæridʒwei] *sb.* kørebane.

carrier ['kæriə] *sb.* **1.** (*firma*) fragtmand; vognmand; transportfirma;

2. (*flyv.*) flyselskab, luftfartssel-skab; **3.** (*person*) bærer; overbrin-ger; **4.** (*glds.*) vognmandskusk; **5.** (*til varer*) bærepose; **6.** (*på cykel*) bagagebærer; **7.** (*mar.*) hangarskib; **8.** (*med.*) smittebærer; **9.** (*mil.*) transportkøretøj; (se også *personnel carrier*).
carrier bag *sb.* bærepose.
carrier pigeon *sb.* brevdue.
carrier wave *sb.* (*radio.*) bære-bølge.
carrion ['kæriən] *sb.* ådsel, ådsler.
carrion beetle *sb.* (*zo.*) ådselbille.
carrion crow *sb.* (*zo.*) sortkrage.
carrion flower *sb.* (*bot.*) dødninge-blomst; ådselblomst.
carrot ['kærət] *sb.* (*også fig.*) gule-rod;
□ *-s* (T, *neds. om rødhåret person*) rødtop; ~ *and stick* (*fig., svarer til*) gulerod og pisk/stok.
carroty ['kærəti] *adj.* rødhåret.
carry ['kæri] *vb.* **1.** bære; bære på (*fx a heavy burden*); **2.** føre (med sig) (*fx insects* ~ *pollen from plant to plant; cables* ~ *electricity*); medføre (*fx a message*); **3.** (*om person: på sig*) gå med (*fx a gun; a watch*); **4.** (*varer, passagerer etc.*) transportere, medføre (*fx a plane -ing 300 passengers*); (*om skib også*) sejle med (*vare, om butik*) føre (*fx we don't* ~ *that kind of goods*); **6.** (*i avis, radio. tv*) bringe (*fx a story*); **7.** (*med.: sygdom*) overføre (*fx the disease is carried by insects*); **8.** (*glds. om kvinde*) være gravid med, vente (*fx while she was -ing John*); **9.** (*om betydningsfuld person, fig.*) bære (*fx she carried the whole play*); lede, være den drivende kraft i (*fx an organization*); **10.** (*bringe, fig.*) føre (*fx* ~ *sby through a crisis;* ~ *it one step further*); **11.** (*om virkning, også jur.*) medføre (*fx a risk; treason carried the death sentence*); **12.** (*mil.& fig.: indtage*) erobre; tage (med storm); **13.** (*om rækkevidde af skyts, lyd, stemme*) række, nå; **14.** (*parl. etc.*) føre igennem; sætte igennem; vedtage (*fx a Bill* et lovforslag); **15.** (*tal i regnskab*) overføre; **16.** (*am., ved valg*) vinde (*fx a state*); **17.** (*mus.: et parti*) udføre, synge; (*en stemme*) dække;
□ *hard/difficult to* ~ svær at vur-dere; ~ *two* (*i regning*) to i mente; ~ *oneself* **a.** føre sig; **b.** opføre sig; (se også *can[1], conviction, day, guarantee[1], torch[1], weight[1]*) [*med præp., adv.*] ~ *about with one* bære rundt på;

~ *along* (*fig.*) føre med; rive med (*fx their enthusiasm carried him along*);
~ *away* føre med, rive med (*fx the river carried the bridge away*); *be carried away* (*fig.*) blive revet med (*fx by the excitement*);
~ *back* (*i regnskab*) tilbageføre; *it carried me back to* (*fig.*) det bragte mig tilbage til (*fx my childhood*);
~ *all before* one overvinde al modstand; gå fra sejr til sejr;
~ *it too far* drive det for vidt; overdrive det;
~ *forward* (*i bogføring*) transpor-tere; overføre;
~ *into effect* se *effect[1]*;
~ *off* **a.** bortføre; **b.** (*om sygdom etc.*) bortrive; **c.** (*præmie*) vinde, løbe af med (*fx a prize; most of the medals*); **d.** (*noget vanskeligt*) lykkes med, klare (*fx a role*); ~ *it off* klare det;
~ *on* **a.** føre (*fx a conversation*); **b.** drive (*fx a business*); **c.** fort-sætte (*fx the discussion;* ~ *on!*); viderefore (*fx a tradition*); **d.** T tage på vej; ~ *on with* **a.** fortsætte med (*fx an activity*); klare sig med (*fx the old tv*); **b.** (*let glds.* T) have en affære med; ligge 'i med;
~ *out* udføre (*fx an order*); gen-nemføre; ~ *out one's threat* gøre alvor af sin trussel;
~ *over* **a.** overføre (*from* fra; *to, into* til); **b.** viderefore (*from* fra);
~ *through* **a.** (*opgave*) gennem-føre; **b.** (*person*) hjælpe igennem; bringe frelst gennem;
~ *to* føre til (*fx it carried him to the top of his profession*); (se også *extreme[1]*).
carryall ['kæriɔ:l] *sb.* (*am.*) **1.** stor lærredstaske, rejsetaske; **2.** [*lukket bil med sæder over for hinanden på langs*]; **3.** (*glds.*) let firhjulet vogn.
carrycot ['kærikɔt] *sb.* babylift.
carrying capacity *sb.* lasteevne.
carryings-on [kæriiŋz'ɔn] *sb. pl.* T upassende//forstyrrende opførsel; fjasen.
carrying trade *sb.* godstransport; (*mar.*) fragtfart.
carry-on ['kæriɔn] *sb.* T **1.** ballade; **2.** = *carryings-on;* **3.** (*flyv.*) håndta-ske [*som man kan have med som håndbagage*].
carry-on baggage *sb.* (*flyv.*) hånd-bagage.
carryout ['kæriaut] (*am., skotsk*) = *takeaway.*
carry-over ['kæriəuvə] *sb.* **1.** videre-førelse; bevarelse [*af noget for-ældet*]; relikt; **2.** (*merk.*) overfør-

sel; **3.** (*til næste side i regnskab*) transport.
car-sharing ['ka:ʃɛəriŋ] *sb.* samkør-sel.
carsick ['ka:sik] *adj.* køresyg.
cart[1] [ka:t] *sb.* **1.** arbejdsvogn; vogn; **2.** (*glds.: tohjulet*) kærre; **3.** (*håndtrukken*) trækvogn; (*til salg af frugt*) frugtvogn; **4.** (*am.*) (*lille elektrisk*) vogn; **5.** (*am.: i su-permarked*) indkøbsvogn; □ *in the* ~ T i knibe, godt oppe at køre; *put the* ~ *before the horse* vende tingene på hovedet.
cart[2] [ka:t] *vb.* **1.** transportere på vogn; fragte; **2.** T slæbe, hale; □ ~ *off* føre væk; slæbe i fængsel.
cartage ['ka:tidʒ] *sb.* kørsel.
carte blanche [ka:t'bla:nʃ] *sb.* carte blanche (*to* til at) [ɔ: *fuldstændig frihed*].
cartel [ka:'tel] *sb.* (*merk.*) kartel.
carter ['ka:tə] *sb.* fragtmand, vogn-mand.
Cartesian [ka:'ti:ziən] *adj.* kartesi-ansk (*vedr. filosoffen Descartes*).
Carthage ['ka:θidʒ] (*hist.*) Kartago.
carthorse ['ka:θɔ:s] *sb.* arbejds-hest.
Carthusian[1] [ka:'θ(j)u:ziən] *sb.* **1.** (*rel.*) karteuser(munk); **2.** [*elev fra Charterhouse School*].
Carthusian[2] [ka:'θ(j)u:ziən] *adj.* **1.** (*rel.*) karteusisk, karteuser-; **2.** fra *Charterhouse School.*
cartilage ['ka:tilidʒ] *sb.* brusk.
cartilaginous [ka:ti'lædʒinəs] *adj.* bruskagtig.
cartload ['ka:tləud] *sb.* vognlæs.
cartographer [ka:'tɔgrəfə] *sb.* karto-graf, korttegner.
carton ['ka:tən] *sb.* **1.** karton (*fx of cigarettes; of milk*); **2.** (*især am.*) papkasse, papæske; flyttekasse.
cartoon [ka:'tu:n] *sb.* **1.** (*i avis etc.*) vittighedstegning; bladkarikatur; **2.** (*række billeder*) tegneserie; **3.** (*film.*) tegnefilm; **4.** (*til maleri etc.*) udkast, karton.
cartoon character *sb.* tegneseriefi-gur.
cartoonist [ka:'tu:nist] *sb.* **1.** blad-tegner; karikaturtegner; vittig-hedstegner; **2.** tegneserietegner.
cartouche [ka:'tu:ʃ] *sb.* kartouche [*ornament i rammeform*].
cartridge ['ka:tridʒ] *sb.* **1.** (*til sky-devåben*) patron; **2.** (*til kopimas-kine etc.*) (blæk)patron; **3.** (*foto.*) kassette.
cartridge case *sb.* patronhylster.
cartridge paper *sb.* karduspapir.
cartwheel[1] ['ka:twi:l] *sb.* **1.** vogn-hjul; **2.** (*gymn.*) vejrmølle; □ *turn -s* = *cartwheel[2].*
cartwheel[2] ['ka:twi:l] *vb.* **1.** vende

mølle; slå vejrmøller; **2.** (*om ting*) trille rundt og rundt.
car valet *sb.* se *valet¹ 3.*
carve [ka:v] *vb.* (se også *carved*) **1.** udskære; skære, snitte (*fx one's name on a tree*); **2.** (*med mejsel, økse*) udhugge; hugge; **3.** (*kød*) skære (*fx a slice; the beef into slices*); **4.** (*steg etc.: før servering*) skære 'for (*fx the goose; the chicken*); **5.** (*fig.*) skabe (*fx a career; he -d himself a place in history*); □ ~ **from** a. skære//hugge i (*fx oak; stone*); **b.** skære//hugge ud af (*fx a single block*); ~ **the block into** a head skære//hugge et hoved ud af blokken; ~ **out** (*fig.*) skabe (*fx a reputation for oneself*); ~ **up** a. (*kød*) skære ud; skære i stykker; **b.** (*land*) dele op; **c.** (T: *person*) angribe med kniv; flænse; **d.** (T: *i bil*) køre tæt ind foran, skære ind foran.
carved [ka:vd] *adj.* **1.** (*om træ*) udskåret (*fx oak*); **2.** (*om sten*) (ud)hugget.
carvel-built ['ka:vəlbilt] *adj.* (*mar.*) kravelbygget.
carver ['ka:və] *sb.* **1.** billedskærer; **2.** (*af kød*) forskærer; **3.** (*redskab*) forskærerkniv.
carvery ['ka:vəri] *sb.* [*restaurant med selvvalg af kød (der udskæres til én) og grønsager, til fast pris*].
carving ['ka:viŋ] *sb.* **1.** (*i træ*) billedskæring; (*i sten*) billedhuggerkunst; **2.** (*det udskårne: i træ*) udskåret arbejde; udskæring; billedskærerarbejde; (*i sten*) billedhuggerarbejde.
carving knife *sb.* forskærerkniv.
cascade¹ [kæs'keid] *sb.* **1.** (*litt.*) vandfald; kaskade; **2.** (*fig.*) kaskade (*fx -s of laughter*); strøm (*fx of mail*); (*litt.*) brus (*fx a ~ of golden hair*).
cascade² [kæs'keid] *vb.* **1.** (*om vand*) strømme; bruse; **2.** (*fig.*) komme strømmende/vældende (*fx the money kept cascading in*).
case¹ [keis] *sb.* **A.** (*tilfælde etc.*) **1.** tilfælde (*fx in my ~; a ~ of mistaken identity*); **2.** (*som undersøges, behandles*) sag (*fx investigate a murder ~; the social worker in charge of his ~*); **3.** (*jur.*) retssag, sag (*fx a criminal ~; he lost the ~*); **4.** (*i procedure; se også ndf.*) beviser (*against* mod; *for* for); (*i debat*) argumenter (*against* mod; *for* for, *fx the ~ against//for corporal punishment in schools*); **5.** (*med.*) tilfælde (*fx a ~ of malaria*); patient (*fx most of the -s were children*); **6.** (*gram.*)

kasus; **7.** (*psyk.*) case;
B. (*beholder etc.*) **1.** kasse (*fx a ~ of wine//whisky; a packing ~*); æske (*fx a cigarette ~*); skrin (*fx a jewel ~*); **2.** (*til beskyttelse*) hylster; etui, foderal (*fx a spectacle ~*); **3.** (*til pude*) betræk; **4.** (*til bog*) kassette; **5.** (*bogb.*) løst bogbind; **6.** (*fx til dør*) karm; **7.** (*i museum*) montre; **8.** (*typ.*) sættekasse; **9.** (*til tøj*) kuffert;
□ *a//the* ~ *in point* se *point¹*; *a ~ of* a. et tilfælde af [*cf. 1*]; **b.** et spørgsmål om (*fx it is a ~ of trying again and again*);
[*jf. 4*] *the* ~ *against* det der taler imod; (se også ndf.: ~ *out a case* ...); *the* ~ *for* det der taler for ...; argumenterne for ...; *there is a strong* ~ *for it* der er meget der taler for det; (se også ndf.: ~ *out a case* ...);
[*med vb*] *get off my* ~! T lad mig være (i fred)! *he has a strong* ~ han står stærkt; *that is the* ~ det er sandt; det er tilfældet; *if that is the* ~ hvis det er tilfældet; i så fald; *it is the* ~ *that* det forholder sig sådan at; *that is our* ~ *my lord* (*jur.*) hermed indlader jeg sagen til doms; *make out a* ~ *against* skaffe beviser mod; *make out a* ~ *for* finde argumenter for; finde alt det der taler for; *as the* ~ *may be* a. alt efter omstændighederne; **b.** eventuelt; *meet the* ~ være tilstrækkeligt; *will £50 meet the* ~? kan £50 gøre det? *that won't meet my* ~ det er jeg ikke hjulpet med; det forslår ikke; *put the* ~ fremstille/forklare sagen (*fx to the Minister; he put the case very clearly*); *put the* ~ *before* (ɔ: *til afgørelse*) forelægge sagen for (*fx the committee*); *I rest my* ~, *my* ~ *rests* (*jur.*) jeg har afsluttet min bevisførelse; *state one's* ~ fremføre/ forklare sin sag;
[*med præp.*] *on a* ~ *by* ~ *basis* fra sag til sag; *in* ~ for det tilfælde at (*fx take your umbrella in* ~ *it should rain*); *just in* ~ for alle tilfældes skyld; *in any* ~ a. i alt fald, i hvert fald; **b.** (*foran supplerende oplysning*) under alle omstændigheder; desuden; *in no* ~ under ingen omstændigheder; *he is in no better* ~ han er ikke bedre stillet; *in that* ~ i så fald; *in this* ~ i dette tilfælde; *in* ~ *of* i tilfælde af (*fx in* ~ *of fire, ring the alarm bell*); *in the* ~ *of* hvad angår; *be on sby's* ~ T være ude efter en hele tiden; *he is on the* ~ han tager sig af det.
case² [keis] *vb.* (se også *cased*) (T:

om indbrudstyv) udspionere; undersøge nøje; rekognoscere i.
cased [keist] *adj.* **1.** i etui (*fx a ~ pair of pistols*); **2.** (*om bog*) indbundet;
□ ~ *in* a. beklædt med; overtrukket med; **b.** indesluttet i.
caseharden ['keisha:d(ə)n] *vb.*
1. gøre hård (på overfladen); hærde; (*fagl.*) indsatshærde; **2.** (*fig.*) forhærde.
case history *sb.* **1.** journal, sagsmappe; **2.** (*med.*) sygehistorie; sygejournal.
casein ['keisi:in] *sb.* kasein, ostestof.
case knife *sb.* **1.** (*am.*) bordkniv; **2.** (*glds.*) skedekniv.
case law *sb.* (*jur.*) retspraksis [*ret baseret på tidligere retsafgørelser*].
caseload ['keisləud] *sb.* arbejdsbyrde [ɔ: *antal sager man skal behandle*].
casement ['keismənt] *sb.* **1.** (sidehængt) vindue; **2.** vinduesramme [*om rude*].
case study *sb.* casestudie [*detaljeret studie af afgrænset tilfælde*].
casework ['keiswə:k] *sb.* socialrådgivning; sagsbehandling.
caseworker ['keiswə:kə] *sb.* socialrådgiver; sagsbehandler.
cash¹ [kæʃ] *sb.* rede penge; kontanter;
□ ~ *down, by/in* ~ kontant; ~ *on delivery* pr. efterkrav; (se også *strapped*).
cash² [kæʃ] *vb.* (*check*) indløse; hæve;
□ ~ *in* a. indløse; hæve; **b.** (*forsikring*) ophæve; ~ *in one's chips* (T: *dø*) stille træskoene; ~ *in on* slå mønt af; udnytte; ~ *up* gøre kassen op.
cash-and-carry [kæʃən'kæri] *sb.* [*forretning hvor varer sælges i store kvanta mod kontant og uden udbringning*]; storkøb; engrosudsalg.
cashback ['kæʃbæk] *sb.* **1.** [*beløb man får udbetalt kontant på kreditkort ud over hvad man har købt for*]; **2.** [*rabat man får udbetalt kontant*].
cash book *sb.* kassebog.
cash box *sb.* pengekasse.
cash card *sb.* hævekort.
cash cow *sb.* (*merk.*) pengemaskine, malkeko.
cash crops *sb. pl.* [*afgrøder der dyrkes med salg for øje*].
cash desk *sb.* kasse [*i forretning*].
cash dispenser *sb.* kontantautomat.
cashew [kæ'ʃu:] *sb.* (*bot.*) **1.** (*træ*)

akajutræ; **2.** (*nød*) cashewnød, elefantlus.

cash flow *sb.* (*økon.*) pengestrøm; likviditet.

cash-free ['kæʃfri:] *adj.* kontantløs.

cashier [kæ'ʃiə] *sb.* kasserer; (*i forretning også*) kassedame.

cashiered [kæ'ʃiəd] *vb.*: be ~ (*mil.*) blive afskediget i unåde.

cash machine *sb.* kontantautomat.

cashmere ['kæʃmiə] *sb.* cashmereuld.

cashpoint ['kæʃpɔint] *sb.* kontantautomat.

cash register *sb.* kasseapparat.

cash-strapped ['kæʃstræpt] *adj.* ølonomisk trængt; betrængt.

casing ['keisiŋ] *sb.* **1.** beklædning; kappe; **2.** (*ved boring*) udforing, foringsrør; **3.** (*af bildæk*) kasse; (se også *case¹* (B 2, 3, 4, 5)).

casings ['keisiŋz] *sb. pl.* pølseskind; tarme.

casino [kətsi:nəu] *sb.* spillekasino.

cask [ka:sk] *sb.* **1.** fad (*fx of beer; of sherry*); tønde; anker; **2.** (*mindre*) fustage; **3.** (*til smør*) drittel.

cask beer *sb.* [*øl lagret i og serveret fra fad på traditionel vis*]; (cf. *keg beer*).

cask-conditioned ['ka:skkəndiʃnd] *adj.* (*om øl*) færdiggæret på fadet.

casket ['ka:skit] *sb.* **1.** (*litt.*) (smykke)skrin; **2.** (*am.*) ligkiste.

Caspian ['kæspiən] *adj.*: the ~ Sea (*geogr.*) Det kaspiske Hav.

casque [kæsk] *sb.* (*glds.*) hjelm.

Cassandra [kə'sændrə] *sb.* **1.** (*myt.*) Kassandra [*trojansk prinsesse med spådomsevne*]; **2.** (*fig.*) [*ulykkesprofet som ingen hører på*].

cassava [kə'sa:və] *sb.* (*plante; produkt*) kassava, maniok.

casserole¹ ['kæsərəul] *sb.* **1.** ildfast fad; serveringsgryde; **2.** (*ret*) sammenkogt ret; gryderet; (*i sms.*) -gryde (*fx beef* ~; *lamb* ~).

casserole² ['kæsərəul] *vb.* lave gryderet af.

cassette [kə'set] *sb.* kassette.

cassette player *sb.* kassettebåndafspiller.

cassette recorder *sb.* kassettebåndoptager.

Cassiopeia [kæsiə'pi:ə] **1.** (*myt.*) Kassiopeia; **2.** (*astr.*) Cassiopeia.

cassock ['kæsək] *sb.* præstekjole.

cassowary ['kæsəwɛəri] *sb.* (*zo.*) kasuar.

cast¹ [ka:st] *sb.* **1.** kast; **2.** afstøbning (*fx a bronze* ~ *of a statue*); **3.** (*til brækket arm etc.*) gipsbandage; **4.** (*om øje*) skelen (*fx in one eye* på det ene øje); **5.** (*teat.*) rollebesætning; medvirkende; **6.** (*zo.*) (ugle)gylp; **7.** (*om hud, hår*) skær

(*fx a silvery* ~); anstrøg; **8.** (*fig. om udseende*) præg (*fx a masculine* ~); □ ~ *of the lead* (*mar.*; jf. *lead²*) lodskud [*udkastning af loddet*]; ~ *of mind* holdning; indstilling (*fx a philosophical* ~ *of mind*); tankegang (*fx a military* ~ *of mind*).

cast² [ka:st] *vb.* (*cast, cast*) **1.** (*metal etc.*) støbe; **2.** (*om dyr: fx takker, pels*) fælde, afkaste; **3.** (*med fiskestang*) kaste; **4.** (*teat.*: *skuespiller*) udvælge til, give [*en rolle*]; (*stykke*) fordele/besætte rollerne i; **5.** (F *el. litt.*) kaste (*fx a glance at a sth; him into prison*); (se også *aspersions, doubt, light¹* (*etc.*));

□ *be* ~ *as* **a.** (*jf. 4*) få tildelt rollen som; **b.** (*fig.*) fremstille som; ~ *a shoe* (*om hest*) tabe en sko; (se også *horoscope, net¹, vote¹*); [*med præp., adv.*] ~ *about/around for* lede (ihærdigt) efter (*fx a reply*); ~ *aside* F **a.** (*spøg.*) kassere, skille sig af med (*fx an old coat*); **b.** lægge bort; opgive (*fx a project*); *be* ~ *away* (lide skibbrud og) blive skyllet op; blive efterladt (*fx on a desert island*); ~ *back to* se *mind¹*; *be* ~ *down* være nedslået; være modfalden; ~ *him for* a role udvælge ham til en rolle; tildele ham en rolle; ~ *off* **a.** befri sig for; gøre sig fri af; **b.** (*person*) kassere (*fx a lover*); lade sejle sin egen sø; **c.** (*påklædning*) tage af i en fart, smide; **d.** (*mar.*) kaste los; **e.** (*i strikketøj*) lukke af; **f.** (*typ.*) beregne hvor meget et manuskript vil fylde; ~ *on* (*i strikketøj, om masker*) slå op; ~ *out* F forjage; forstøde.

castanets [kæstə'nets] *sb. pl.* (*mus.*) kastagnetter.

castaway ['ka:stəwei] *sb.* skibbruden.

caste [ka:st] *sb.* **1.** kaste; **2.** kastesystem;

□ *lose* ~ **a.** blive udstødt af sin kaste; **b.** synke i social anseelse.

castellated ['kæsteleitid] *adj.* kreneleret, kamtakket; med murtinder.

castellated nut *sb.* kronemøtrik.

caster ['ka:stə] *sb.* **1.** støber; støbemaskine; **2.** se *castor*.

caster sugar *sb.* = *castor sugar*.

castigate ['kæstigeit] *vb.* F gennemhegle, hudflette [*kritisere skarpt*].

castigation [kæsti'geiʃn] *sb.* (*jf. castigate*) gennemhegling, hudfletning.

Castile [kæs'ti:l] (*geogr.*) Castilien.

Castilian¹ [kæ'stiliən] *sb.* **1.** (*person*) castilianer; **2.** (*sprog*) castili-

ansk.

Castilian² [kæ'stiliən] *adj.* castiliansk.

casting ['ka:stiŋ] *sb.* **1.** støbning; **2.** (*det støbte*) afstøbning; stykke støbegods; **3.** (*teat.*) rollefordeling; rollebesætning.

casting couch *sb.*: use the ~ (*teat. S*) [*gå i seng med instruktøren for at få en rolle*].

casting director *sb.* (*film., teat., tv*) [*person der forestå rollebesætningen til film// stykke*]; caster.

casting vote *sb.* afgørende stemme.

cast iron *sb.* støbejern.

cast-iron [ka:st'aiən] *adj.* **1.** støbejerns-; **2.** (*fig.*) absolut sikker (*fx guarantee*); uangribelig, skudsikker, vandtæt (*fx alibi*); fast, urokkelig (*fx decision*).

castle¹ ['ka:sl] *sb.* **1.** (befæstet) slot, borg; **2.** (*i skak*) tårn;

□ *-s in the air, -s in Spain* luftkasteller.

castle² ['ka:sl] *vb.* (*i skak*) rokere.

castle nut *sb.* kronemøtrik.

cast list *sb.* (*teat.*) rolleliste.

cast-off ['ka:stɔf] *adj.* aflagt; kasseret.

cast-offs ['ka:stɔfs] *sb. pl.* aflagt tøj.

castor ['ka:stə] *sb.* **1.** hjul; møbelrulle; **2.** (*til sukker*) strødåse; **3.** (*til peber*) peberbøsse.

castor oil *sb.* amerikansk olie.

castor sugar *sb.* strøsukker; fint melis.

castrate [kæ'streit, (*am.*) 'kæstreit] *vb.* kastrere.

castration [kæ'streiʃn] *sb.* kastrering, kastration.

castrato [kæ'stra:təu] *sb.* (*mus.; hist.*) kastratsanger.

casual¹ ['kæʒuəl] *sb.* løsarbejder; (se også *casuals*).

casual² ['kæʒuəl] *adj.* **1.** tilfældig (*fx meeting; observer*); henkastet (*fx remark*); flygtig; **2.** (*om indstilling, holdning*) skødesløs (*fx attitude*); nonchalant, sorgløs; overfladisk; ligegyldig (*fx air mine*); (*om stil*) formløs; (*især om påklædning*) uformel; afslappet; **4.** (*om ansættelse, forbindelse*) tilfældig, løs (*fx relationship; job*); midlertidig, løst ansat, løs- (*fx worker*);

□ *be* ~ *about* (*jf. 2*) være skødesløs med; tage let på; ~ *sex* tilfældige/løse seksuelle forhold.

casualize ['kæʒuəlaiz] *vb.* ansætte midlertidigt.

casuals ['kæʒuəlz] *sb. pl.* **1.** hyttesko; **2.** fritidstøj.

casual shoe *sb.* hyttesko.

casualty ['kæʒuəlti] *sb.* **1.** (*ved ulykke*) tilskadekommen, offer;

C casualty clearing station

2. (*mil.*) død//såret; **3.** (*i hospital*) skadestue;
□ *casualties* (*mil.*) tab; døde og sårede; *be a* ~ (*mil.*) blive skrevet på tabslisten; *be a* ~ *of* (*fig.*) være et offer for.
casualty clearing station *sb.* (*mil.*) felthospital.
casualty collecting post *sb.* (*mil.*) hovedforbindeplads.
casualty department *sb.* skadestue.
casualty list *sb.* (*mil.*) tabsliste.
casualty ward *sb.* skadestue.
casuistry *sb.* F sofisteri; spidsfindighed.
CAT *fork. f. computer-aided/assisted teaching//testing//trading// translation.*
cat¹ [kæt] *sb.* **1.** kat; **2.** S fyr; **3.** (*mar.*) (anker)kat; (*glds.*) nihalet kat;
□ *when the cat's away, the mice will play* når katten er ude spiller musene på bordet; *it is raining -s and dogs* (*glds.*) det styrter ned; det regner skomagerdrenge ned; (se også *curiosity*);
[*med vb.*] *look like something the* ~ **brought/dragged in** se herrens ud; *see which way the* ~ **jumps** se hvad vej vinden blæser; *afvente begivenhedernes gang; enough to make a* ~ **laugh** uhyre grinagtig; *let the* ~ **out of** *the bag* slippe katten ud af sækken; plumpe ud med hemmeligheden; *a* ~ *may look at a king* [ɔ: selv den ringeste har sine rettigheder]; **play** ~ *and mouse* lege katten efter musen; *put the* ~ *among the pigeons* sætte en havkat i hyttefadet; skabe røre i andedammen; lave rav i den; (se også *bell²*, *room¹*).
cat² *fork. f. catalytic converter.*
cat³ [kæt] *vb.* **1.** (*mar.*) katte (anker); **2.** (*am.* S) være ude efter en pige; prøve at få steg på gaflen.
cataclysm [ˈkætəklizm] *sb.* F **1.** naturkatastrofe; **2.** voldsom omvæltning.
cataclysmic [kætəˈklizmik] *adj.* F voldsom; katastrofal.
catacomb [ˈkætəkuːm] *sb.* katakombe.
catafalque [ˈkætəfælk] *sb.* katafalk [ɔ: forhøjning til kiste].
Catalan¹ [ˈkætələn] *sb.* **1.** (*person*) catalonier; **2.** (*sprog*) catalansk.
Catalan² [ˈkætələn] *adj.* **1.** (*vedr. landet*) catalonsk, catalansk; **2.** (*vedr. sproget*) catalansk.
catalogue¹ [ˈkætələɡ] *sb.* **1.** katalog; fortegnelse; **2.** postordrekatalog; **3.** (*fig.*) liste; opregning;
□ ~ *of sins//crimes* synderegister.
catalogue² [ˈkætələɡ] *vb.* **1.** katalo-

gisere; **2.** opregne.
Catalonia [kætəˈləuniə] (*geogr.*) Catalonien.
catalyse [ˈkætəlaiz] *vb.* **1.** (*kem.*) katalysere; **2.** (*fig.*) udløse; fremkalde.
catalysis [kəˈtælisis] *sb.* (*kem.*) katalyse.
catalyst [ˈkætəlist] *sb.* (*kem.& fig.*) katalysator.
catalytic [kætəˈlitik] *adj.* **1.** (*kem.*) katalytisk; **2.** (*fig.*) befordrende; fremmende.
catalytic converter *sb.* katalysator [*i biludstødning*].
catalyze *vb.* (*am.*) = *catalyse.*
catamaran [kætəməˈræn] *sb.* (*mar.*) katamaran.
catapult¹ [ˈkætəpʌlt] *sb.* **1.** slangebøsse; **2.** (*flyv.*) katapult; **3.** (*mil. hist.*) katapult, kastemaskine; blide.
catapult² [ˈkætəpʌlt] *vb.* **1.** slynge; kaste; **2.** (*uden objekt*) fare (gennem luften), flyve.
cataract [ˈkætərækt] *sb.* **1.** (*med.*) grå stær; **2.** (*litt.*) vandfald; rivende strøm, fos;
□ *black* ~ (*med.*) sort stær.
catarrh [kəˈtaː] *sb.* snue; katar.
catastrophe [kəˈtæstrəfi] *sb.* katastrofe.
catastrophic [kætəˈstrɔfik] *adj.* katastrofal.
catatonic [kætəˈtɔnik] *adj.* T stiv og ubevægelig.
catbird [ˈkætbəːd] *sb.* (*am. zo.*) kattedrossel.
catbird seat *sb.*: *be in the* ~ (*am.* T) være på den grønne gren; være ovenpå.
cat burglar *sb.* klatretyv.
catcall¹ [ˈkætkɔːl] *sb.* **1.** (*efter en pige*) pift; fløjten; **2.** (*udtryk for mishag*) piften; piben;
□ *-s* (*jf.* 2) pibekoncert.
catcall² [ˈkætkɔːl] *vb.* (*jf. catcall¹*) **1.** pifte, fløjte (*at* efter); **2.** pifte, pibe.
catch¹ [kætʃ] *sb.* **1.** greb; griben; **2.** (*i fiskeri*) fangst; **3.** (*leg*) tagfat; **4.** (*om skjult problem*) hage (*fx the* ~ *is* ...); se også ndf.: *a* ~ *in it*; **5.** (*til dør, vindue*) krog; **6.** (*fx til taske*) (snap)lås; **7.** (*tekn.*) pal; spærhage; **8.** (*mus.*) kanon;
□ *a good* ~ (*glds.* T: *om person*) et godt bytte, et godt parti;
[*med præp.*] *a* ~ *in one's breath* et gisp; en snappen efter vejret; *there was a* ~ *in his voice* hans stemme skælvede/knækkede over; *the question has a* ~ *in it* spørgsmålet indeholder en fælde; *there is a* ~ *in it* (*også*) der er noget lumskeri ved det; der stikker no-

get under.
catch² [kætʃ] *vb.* (*caught, caught*) (se også *catching*) **A.** (*med objekt*) **1.** gribe (*fx a ball*); opfange (*fx the light; the drops; the crumbs*); opsamle (*fx rainwater*); **2.** (*legemsdel & om vinden*) tage, gribe fat i (*fx his arm; the wind caught his hat*); **3.** (*flygtning, bytte*) fange (*fx a criminal; fish; rabbits*); (*forbryder også*) pågribe; **4.** (*i noget forkert*) gribe (+ *-ing* i at, *fx him cheating;* ~ *oneself feeling lost*); overraske; **5.** (*noget flygtigt*) få (*fx a glimpse of sth*); fange (*fx their attention*); indfange (*fx the mood of the assembly*); **6.** (T: *film, udstilling etc.*) se; (*udstiliing, radioprogram etc.*) høre; **7.** (*person: få talt med*) få fat i (*fx I caught her before she left*); **8.** (*noget sagt*) opfange, opfatte, få fat i (*fx I caught a few remarks; I did not* ~ *what he said*); **9.** (*sygdom, følelse*) få, blive smittet af (*fx influenza; his enthusiasm*); **10.** (*befordringsmiddel*) tage; (*i tide*) nå, komme med (*fx the train*); **11.** (*især: med kraft*) ramme (*fx the stone//the blow caught him on the jaw; the light caught his face*); slå (*fx he caught his head on the corner of the table*);
B. (*uden objekt*) **1.** gribe fat; blive hængende (fast) (*fx his foot caught in a hole; her dress caught on a nail*); komme i klemme; **2.** (*om mad*) brænde på; **3.** (*om ild*) fænge; **4.** (*i baseball*) være griber;
□ *it* få en omgang; *you'll* ~ *it good and proper!* du kan tro der vanker! ~ *me (doing it)!* T jeg skal ikke nyde noget! du kan tro jeg kan nære mig!
[*med sb.*] *the lock has caught* døren er gået i baglås; se også *breath, cold¹, death, eye¹, fire¹, pants, short⁴, sight¹;*
[*med præp., adv.*] ~ *at sth* gribe efter noget; (se også *straw*); ~ *sby at sth* gribe en i noget; *be caught between* blive fanget mellem; (se også *rock*); ~ *sby by the arm// sleeve* gribe en i armen//ærmet; ~ *on a.* slå an; blive populær; **b.** (*om person*) forstå det; blive klar over det; ~ *on to* få fat i; forstå; ~ *sby out a.* (*i kricket*) gribe en ud; **b.** (*fig.*) gribe en i en fejl; *be caught out* (*også*) komme i klemme; ~ *up a.* snappe (*fx he caught up his hat and rushed out*); **b.** hæfte op (*fx one's skirt*); **c.** nå op (*fx wait for her to* ~ *up*); **d.** afbryde; *be caught up in* blive

indviklet/fanget i; ~ **up on a.** indhente; **b.** komme ajour med; ~ **up with a.** indhente; **b.** komme ajour med (*fx the news*); **c.** (*forbryder*) fange; pågribe; *the lack of sleep caught up with her* hun begyndte at kunne mærke mangelen på søvn.

catch 22 *sb.* umulig situation [*som der ikke er nogen vej ud af*]; uløseligt dilemma.

catch-all[1] ['kætʃɔ:l] *sb.* fællesbetegnelse; universalbenævnelse; generel bestemmelse.

catch-all[2] ['kætʃɔ:l] *adj.* altomfattende; generel.

catch-as-catch-can [kætʃəzkætʃ'kæn] *sb.* fribrydning.

catcher ['kætʃə] *sb.* **1.** fanger; **2.** (*i baseball*) griber.

catchfly ['kætʃflai] *sb.* (*bot.*) limurt.

catching ['kætʃiŋ] *adj.* **1.** (*om sygdom*) smitsom; **2.** (*fig.*) smittende (*fx enthusiasm*); **3.** (*om melodi*) iørefaldende.

catchment area ['kætʃməntɛəriə] *sb.* **1.** afvandingsområde; **2.** (*for hospital, skole*) distrikt; opland.

catchphrase ['kætʃfreiz] *sb.* slagord.

catchword ['kætʃwɔ:d] *sb.* **1.** slagord; **2.** (*typ.*) klummetitel; **3.** (*typ. hist.*) kustode [ɔ: *næste sides begyndelsesord forneden på en side*].

catchy ['kætʃi] *adj.* **1.** let at huske, iøjnefaldende; **2.** (*om melodi*) iørefaldende.

catechism ['kætəkizm] *sb.* katekismus [*spørgsmål og svar til indlæring af troens grundsætninger*].

catechize ['kætəkaiz] *vb.* katekisere; udspørge.

categorical [kætə'gɔrik(ə)l] *adj.* kategorisk.

categorize ['kætəgəraiz] *vb.* klassificere; gruppere.

category ['kætəg(ə)ri] *sb.* kategori, gruppe, klasse.

catenated ['kætineitid] *adj.* sammenkædet.

cater ['keitə] *vb.* skaffe mad; levere fødevarer;
□ ~ **for a.** servere mad for (*fx I'll be -ing for 12 tonight*); levere mad til; (*om hotel etc. også*) tage imod (*fx coach parties cannot be -ed for*); **b.** sørge for (*fx their needs*); **c.** være beregnet for (*fx children*); henvende sig til; appellere til; ~ **to** imødekomme; søge at tilfredsstille (*fx the demands of the masses; her every whim*).

catercornered ['kætəkɔ:rnərd] *adv.*: ~ *from* (*am.*) diagonalt modsat; skråt over for.

caterer ['keitərə] *sb.* **1.** (*firma*) [*leverandør af mad til selskaber etc.*]; diner transportablefirma; **2.** (*person*) [*indehaver af diner transportablefirma*]; restauratør.

catering ['keit(ə)riŋ] *sb.* levering af mad til selskaber *etc.*; restaurationsvirksomhed.

catering staff *sb.* restaurationspersonale.

caterpillar ['kætəpilə] *sb.* **1.** larve; kålorm; **2.** (*på traktor etc*) larvebånd.

caterpillar treads *sb. pl.* larvefødder; bælter.

caterwaul[1] ['kætəwɔ:l] *sb.* kattehyl; kattemusik.

caterwaul[2] ['kætəwɔ:l] *vb.* **1.** lave kattemusik; **2.** (*om person*) jamre højlydt, hyle.

catfish ['kætfiʃ] *sb.* (*zo.*) **1.** malle; **2.** havkat.

cat flap *sb.* kattelem.

catgut ['kætgʌt] *sb.* catgut, tarmstreng.

catharsis [kə'θɑ:sis] *sb.* (*litt.*) katarsis; renselse.

cathartic [kə'θɑ:tik] *adj.* (*litt.*) katartisk; rensende.

cathead ['kæthed] *sb.* (*mar.*) katdavid.

cathedral [kə'θi:drəl] *sb.* katedral, domkirke.

catherine wheel ['kæθrinwi:l] *sb.* sol [*i fyrværkeri*].

catheter ['kæθitə] *sb.* (*med.*) kateter.

catheterize ['kæθitəraiz] *vb.* (*med.*) kateterisere; indføre et kateter i.

cathode ['kæθəud] *sb.* katode; negativ pol.

cathode-ray tube *sb.* katoderør; billedrør.

Catholic[1] ['kæθəlik] *sb.* katolik.

Catholic[2] ['kæθəlik] *adj.* katolsk.

catholic *adj.* (F: *om smag*) alsidig; vidtfavnende.

Catholicism [kə'θɔlisizm] *sb.* katolicisme.

catholicity [kæθə'lisiti] *sb.* alsidighed.

cathouse ['kæthaus] *sb.* (*am.* S) bordel.

catkin ['kætkin] *sb.* (*bot.*) rakle; „gæsling".

catlike ['kætlaik] *adj.* katteagtig.

cat litter *sb.* kattegrus.

catmint ['kætmint] *sb.* (*bot.*) katteurt.

catnap ['kætnæp] *sb.*: *get a* ~ T få (sig) en på øjet; få en lille lur.

catnip ['kætnip] *sb.* (*am.*) = *catmint*.

cat-of-nine-tails [kætə'nainteilz] *sb.* (*mar.; hist.*) nihalet kat; tamp.

cat's cradle *sb.* [*leg med snor*].

catseye ['kætsai] *sb.* katteøje; reflektor i vejbane.

cat's eye *sb.* (*min.*) katteøjesafir.

cat's-paw *sb.* **1.** (*knob*) kstok) krængestik; **2.** (*på vandet*) kattepote, vindkrusning; **3.** (*glds. om person*) redskab;
□ *make a* ~ *of sby* (*jf. 3*) lade en rage kastanjerne ud af ilden for sig.

cat's pyjamas *sb.* (*am.*) = *cat's whiskers*.

cat's-tail ['kætsteil] *sb.* (*bot.*) **1.** dunhammer; **2.** = *cat's-tail grass*.

cat's-tail grass *sb.* (*bot.*) rottehale.

catsuit ['kætsu:t] *sb.* [*tætsiddende hel (ski)dragt*].

catsup ['kætsəp] *sb.* (*am.*) ketchup.

cat's whisker *sb.* [*metaltråd i krystaldetektor*].

cat's whiskers *sb. pl.*: *it's the* ~ T det er mægtig fint.

cattery ['kæt(ə)ri] *sb.* kattepension.

cattish ['kætiʃ] *adj.* = *catty*.

cattle ['kætl] *sb.* kvæg; kreaturer; (se også *head*[1] (*of*)).

cattle cake *sb.* foderkage.

cattle grid *sb.* kreaturrist.

cattle guard *sb.* (*am.*) = *cattle grid*.

cattle lifter *sb.* (*am.*) kvægtyv.

cattleman ['kætlmən] *sb.* (*pl.* -*men* [-mən]) (*am.*) **1.** kvægavler; **2.** røgter.

cattle prod *sb.* kvægstav [*til at drive kvæg frem med*].

cattle rustler *sb.* (*am.*) kvægtyv.

cattle show *sb.* dyrskue.

cattle truck *sb.* (*jernb.*) kreaturvogn.

catty ['kæti] *adj.* **1.** katteagtig; **2.** (*fig.*) ondskabsfuld; giftig; sladderagtig.

CATV *fork. f. cable television*.

catwalk ['kætwɔ:k] *sb.* **1.** smal gangbro; **2.** (*ved modeshow*) podie; **3.** (*mar.*) løbebro.

Caucasian[1] [kɔ:'keiziən, (*am.*) -ʒ(ə)n] *sb.* **1.** hvid; **2.** (*person fra Kaukasus*) kaukasier.

Caucasian[2] [kɔ:'keiziən, (*am.*) -ʒ(ə)n] *adj.* **1.** hvid; tilhørende den hvide race; **2.** (*fra Kaukasus*) kaukasisk.

Caucasus ['kɔ:kəsəs] (*geogr.*) Kaukasus.

caucus[1] ['kɔ:kəs] *sb.* **1.** (møde af lille gruppe ledende folk; **2.** (*am.*) partimøde [*i lovgivende forsamling*]; opstillingsmøde; **3.** (*am.: personer*) (diktatorisk) partibestyrelse.

caucus[2] ['kɔ:kəs] *vb.* (*am.*) holde opstillingsmøde//partimøde.

caught [kɔ:t] *præt. & præt. ptc. af catch*[2].

C cauldron

cauldron ['kɔ:ldrən] *sb.* **1.** (*glds. el. litt.*) stor gryde; **2.** (*fig.*) heksekedel.

cauliflower ['kɔliflauə] *sb.* blomkål.

caulk[1] [kɔ:k] *sb.* (jf. *caulk*[2]) **1.** tætningsmateriale; **2.** værk.

caulk[2] [kɔ:k] *vb.* **1.** (*vindue*) tætte, tætne; kitte; **2.** (*mar.*) kalfatre.

causal ['kɔ:z(ə)l] *adj.* F kausal; □ ~ *relation* årsagssammenhæng.

causality [kɔ:'zæləti] *sb.* F kausalitet, årsagssammenhæng.

causation [kɔ:'zeiʃn] *sb.* **1.** forårsagen, bevirken (*of* af); **2.** årsagsforhold.

causative ['kɔ:zətiv] *adj.* **1.** F årsagsmæssig, role; udløsende (*fx factor*); **2.** (*sprogv.*) kausativ.

cause[1] [kɔ:z] *sb.* **1.** årsag, grund (*of* til, *fx the ~ of the accident*); **2.** (*til følelse*) grund, anledning (*for* til, *fx concern*; *to* til at, *fx be proud*); **3.** (*som man går ind for*) sag (*fx the ~ of liberty*); □ *in/for a good ~* for en god sag; i en god sags tjeneste; *a lost ~* et håbløst foretagende; *make common ~ with* gøre fælles sag med; *show ~* (*jur.*) begrunde; godtgøre; anføre skellig grund.

cause[2] [kɔ:z] *vb.* forårsage, være årsag til (*fx an accident*); fremkalde (*fx an earthquake*; *dissatisfaction*; *problems*); forvolde; volde (*fx ~ him problems*); □ ~ *it to happen* bevirke at det sker, få det til at ske; ~ *sby to leave* få en til at gå.

cause célèbre [kɔ:zsə'lebrə] *sb.* opsigtsvækkende sag; skandalesag.

causeless ['kɔ:zləs] *adj.* ubegrundet.

causeway ['kɔ:zwei] *sb.* [*vej anlagt på dæmning; hævet vej//sti over fugtig bund*].

caustic ['kɔ:stik] *adj.* **1.** kaustisk; ætsende; **2.** (*fig.*) ætsende, bidende; skarp.

caustic soda *sb.* kaustisk soda, ætsnatron.

cauterization [kɔ:tərai'zeiʃn] *sb.* kauterisation, udbrænding, ætsning.

cauterize ['kɔ:təraiz] *vb.* kauterisere, udbrænde, ætse.

caution[1] ['kɔ:ʃn] *sb.* **1.** forsigtighed (*fx execise ~*; *treat the information with ~*); varsomhed; **2.** (*især fra politi el. i sport*) advarsel (*fx he was given a ~*); **3.** (*ved anholdelse*) [*oplysning til den anholdte om at alt hvad han//hun siger kan blive forelagt i retten*]; □ *a word of ~* et advarende ord; et godt råd; *he is a ~* T han er til at dø af grin over.

caution[2] ['kɔ:ʃn] *vb.* **1.** advare (*against* imod; *that* om at); tilråde (*to* at); **2.** (*jur.*) [*gøre (en anholdt) opmærksom på at alt hvad han// hun siger kan blive forelagt i retten*]; □ *he was -ed* (*også*) han fik en advarsel.

cautionary ['kɔ:ʃən(ə)ri] *adj.* advarende.

cautionary tale *sb.* eksempel til skræk og advarsel; advarende eksempel.

cautious ['kɔ:ʃəs] *adj.* forsigtig; varsom.

cavalcade [kæv(ə)l'keid] *sb.* **1.** kavalkade; optog; procession; **2.** (*fig.*) kavalkade; lang række.

Cavalier [kævə'liə] *sb.* (*eng. hist.*) [*tilhænger af kongen i borgerkrigen i 1600-tallet*].

cavalier[1] [kævə'liə] *sb.* (*glds.*) **1.** rytter; **2.** ridder; kavaler.

cavalier[2] [kævə'liə] *adj.* nonchalant; overlegen; (lidt for) flot.

cavalry ['kæv(ə)lri] *sb.* kavaleri.

cavalryman ['kævəlrimən] *sb.* (*pl.* -men [-mən]) kavalerist.

cave[1] [keiv] *sb.* hule; grotte.

cave[2] [keiv] *vb.* udforske huler; □ ~ *in* **a.** (*fx om tag*) falde/synke/ styrte sammen; **b.** (T: *fig.*) give efter (*to* for); bryde sammen, kollapse.

caveat ['keiviæt] *sb.* **1.** F advarsel; **2.** (*jur.*) protest.

caveat emptor [kæviæt'emptɔ:] *sb.* [*køber har undersøgelsespligt*].

cave-in ['keivin] *sb.* sammenstyrtning.

caveman ['keivmæn] *sb.* (*pl.* -men [-men]) **1.** hulebeboer; **2.** (*om nutidig mand*) primitivt menneske, vildmand, barbar.

caver ['keivə] *sb.* huleforsker.

cavern ['kævən] *sb.* (stor, dyb) hule.

cavernous ['kævənəs] *adj.* huleagtig; som ligner en stor hule; stor og hvælvet.

caviar ['kævia:] *sb.* kaviar; □ ~ *to the general* kaviar for hoben.

cavil[1] ['kæv(i)l] *sb.* F smålig kritik; skumleri; indvending.

cavil[2] ['kæv(i)l] *vb.* F komme med smålig kritik; komme med urimelige indvendinger (*at* imod); kværulere.

caving ['keiviŋ] *sb.* huleforskning [*som sport*].

cavity ['kævəti] *sb.* **1.** hulrum; hulhed; hule; **2.** (*i tand*) hul; (*fagl.*) kavitet.

cavity wall *sb.* hulmur.

cavort [kə'vɔ:t] *vb.* boltre sig, tumle

sig; hoppe omkring.

caw[1] [kɔ:] *sb.* ravneskrig; krageskrig; skrig; skræppen.

caw[2] [kɔ:] *vb.* skrige [*som en ravn el. krage*]; skræppe.

cayenne pepper [keien'pepə] *sb.* cayennepeber.

cayman ['keimən] *sb.* kajman; alligator.

CB *fork. f.* **1.** *Citizens' Band*; **2.** (*orden*) *Companion of the Bath*; **3.** (*mil.*) *confined to barracks*.

CBE *fork. f. Commander of the Order of the British Empire.*

CBI *fork. f. Confederation of British Industry.*

CBS *fork. f.* (*am.*) *Columbia Broadcasting System.*

cc *fork. f.* **1.** *cubic centimetre(s)*; **2.** *carbon copy* (*på brev*) kopi til.

C.C. *fork. f.* **1.** *County Council(lor)*; **2.** *cricket club.*

CCS *fork. f. Casualty Clearing Station.*

CCTV *fork. f. closed-circuit television.*

CD *fork. f.* **1.** *compact disc*; **2.** *civil defence.*

CD burner *sb.* cd-brænder.

C double flat *sb.* (*mus.*) ceses.

CD player *sb.* cd-afspiller, cd-spiller.

Cdr *fork. f. commander.*

CD-R *fork. f. compact disc recordable.*

CD-ROM *fork. f. compact disc read-only memory.*

CD-RW *fork. f. compact disc rewritable* cd som kan genbruges.

CD writer *sb.* cd-brænder.

CE *fork. f.* **1.** *Church of England*; **2.** *Civil Engineer.*

cease[1] [si:s] *sb.*: *without ~* uden ophør.

cease[2] [si:s] *vb.* **1.** ophøre (*fx hostilites had -d*); holde op, standse; **2.** (*med objekt*) ophøre med (*fx it had -d to exist*); standse (*fx operations*); holde op med; □ ~ *fire* holde inde med/indstille skydningen.

ceasefire ['si:sfaiə] *sb.* våbenhvile; våbenstilstand.

ceaseless ['si:sləs] *adj.* uophørlig; uafladelig.

cedar ['si:də] *sb.* **1.** (*bot.*) ceder; **2.** (*materiale*) cedertræ.

cede [si:d] *vb.* F afstå, afgive (*fx territory*).

cedilla [si'dilə] *sb.* cedille [*som i* ç].

ceil [si:l] *vb.* (*am.*) lægge loft over.

ceilidh ['keili] *sb.* (*skotsk, irsk*) [*improviseret underholdning med folkemusik, sang og dans*].

ceiling ['si:liŋ] *sb.* **1.** loft; **2.** (*fig.*)

138

loft (*on* over, *fx wages*); **3.** (*flyv.*) stigehøjde, tophøjde; **4.** (*meteor.*) skyhøjde; **5.** (*mar.*) garnering, inderklædning;

□ *go through/hit the* ~ **a.** (*om priser*) stige helt vanvittigt; **b.** (*om person*) ryge helt op i loftet [ɔ: *blive vred*]; *impose a* ~ *on* (*jf.* 2) lægge loft over.

ceiling price *sb.* maksimalpris.

celandine ['seləndain] *sb.* (*bot.*) se *lesser celandine, greater celandine.*

celeb [si'leb] *sb.* T = *celebrity.*

celebrate ['selibreit] *vb.* (se også *celebrated*) **1.** fejre; højtideligholde; (*fødselsdag også*) holde; **2.** (*uden objekt*) feste, holde fest; **3.** F prise;

□ ~ *mass* (*rel.*) celebrere/holde/læse messe.

celebrated ['selibreitid] *adj.* berømt.

celebration [seli'breiʃn] *sb.* **1.** fest; festlighed (*fx New Year -s*); **2.** (*handling*) fejring; højtideligholdelse; **3.** F lovprisning.

celebratory [seli'breit(ə)ri] *adj.* fest- (*fx dinner*);

□ *have a* ~ *drink* tage en drink på det/for at fejre det.

celebrity [si'lebriti] *sb.* **1.** (*person*) kendt person; berømthed; notabilitet; **2.** (*ry*) berømmelse.

celeriac [si'leriæk] *sb.* (*bot.*) (knold)selleri.

celerity [si'leriti] *sb.* F hurtighed; hastighed.

celery ['seləri] *sb.* (*bot.*) (blad)selleri.

celesta [si'lestə] *sb.* (*mus.*) celeste.

celestial [sə'lestiəl] *adj.* **1.** (*litt.*) himmel- (*fx body* legeme; *globe*); **2.** (*rosende*) himmelsk (*fx beauty*); □ *the Celestial Empire* Det himmelske Rige [ɔ: *Kina*].

celibacy ['selibəsi] *sb.* cølibat.

celibate[1] ['selibət] *sb.* en der lever i cølibat, ugift person.

celibate[2] ['selibət] *adj.* som lever i cølibat, ugift.

cell [sel] *sb.* (*biol., it, rum, personer*) celle.

cellar ['selə] *sb.* kælder; (se også *salt cellar*).

cellist ['tʃelist] *sb.* (*mus.*) cellist.

cellmate ['selmeit] *sb.* cellekammerat.

cello ['tʃeləu] *sb.* (*mus.*) cello, violoncel.

cellophane ['seləfein] *sb.* cellofan.

cellphone ['selfəun] *sb.* (*især am.*) mobiltelefon.

cellular ['seljulə] *adj.* celle- (*fx tissue* væv).

cellular phone *sb.* mobiltelefon.

cellulite ['seljulait] *sb.* cellulit, appelsinhud.

celluloid ['seljulɔid] *sb.* celluloid.

cellulose ['seljuləus] *sb.* cellulose.

Celsius ['selsiəs] *sb.* celsius.

Celt [kelt, selt] *sb.* kelter.

Celtic ['keltik, 'seltik] *adj.* keltisk.

Celtic fringe *sb.*: *the* ~ [*Skotland, Irland og Wales*].

cement[1] [si'ment] *sb.* **1.** cement; **2.** bindemiddel; **3.** (*fig.*) bånd (*fx the* ~ *that held the nation together*).

cement[2] [si'ment] *vb.* **1.** cementere; dække med cement; **2.** sammenkitte; **3.** (*fig.*) styrke, befæste; cementere (*fx their friendship*).

cement mixer *sb.* cementblander.

cemetery ['semitri] *sb.* kirkegård [*ikke ved kirke*]; begravelsesplads (*fx a military* ~).

cenotaph ['senətɑːf] *sb.* krigsmindesmærke [*for soldater og søfolk der ligger begravet andetsteds*]; □ *the Cenotaph* [*mindesmærke i Whitehall for verdenskrigenes faldne*].

censer ['sensə] *sb.* røgelseskar.

censor[1] ['sensə] *sb.* censor.

censor[2] ['sensə] *vb.* **1.** (*kontrollere*) censurere; **2.** (*sted i bog etc.*) stryge (*fx bad language*).

censorious [sen'sɔːriəs] *adj.* F kritisk, fordømmende; dømmesyg.

censorship ['sensəʃip] *sb.* censur.

censure[1] ['senʃə] *sb.* F stærk kritik; □ *vote of* ~ mistillidsvotum.

censure[2] ['senʃə] *vb.* F kritisere kraftigt; fordømme.

censure motion *sb.* (*parl.*) mistillidsforslag.

census ['sensəs] *sb.* folketælling; tælling (*fx a traffic* ~).

census paper *sb.* mandtalsliste; folketællingsskema.

census taker *sb.* [*indsamler af mandtalslister ved folketælling*].

cent [sent] *sb.* (*mønt*) cent; □ *not one red* ~ ikke en eneste cent/øre; *put/throw in one's two -s* (*worth*) (*am.* T) komme med sin mening.

centaur ['sentɔː] *sb.* (*myt.*) kentaur.

centaury ['sentɔːri] *sb.* (*bot.*) tusindgylden.

centenarian [senti'nɛəriən] *sb.* hundredårig.

centenary [sen'tiːnəri, (*am.*) 'sentəneri, sen'tenəri] *sb.* hundredårsdag; hundredårsfest; hundredårsjubilæum.

centennial [sen'teniəl] *sb.* (*især am.*) = *centenary.*

centigrade ['sentigreid] *adj.* (*glds.*) celsius.

centigramme ['sentigræm] *adj.*

centigram.

centilitre ['sentiliːtə] *sb.* centiliter.

centimetre ['sentimiːtə] *sb.* centimeter.

centipede ['sentipiːd] *sb.* (*zo.*) skolopender.

central ['sentr(ə)l] *adj.* **1.** central (*fx location; control*); central- (*fx bank; committee; government;* ~ *Asia*); **2.** (*om betydning*) central (*fx role*);

□ *a* ~ *courtyard* en gård i midten; en centralt placeret gård; ~ *London* det centrale London; midten af London.

Central America (*geogr.*) Mellemamerika.

central heating *sb.* centralvarme.

centralism ['sentrəlizm] *sb.* centralisme.

centralist[1] ['sentrəlist] *sb.* centralist.

centralist[2] ['sentrəlist] *adj.* centralistisk.

centrality [sen'træləti] *sb.* centralitet; central stilling//placering//betydning.

centralization [sentrəlai'zeiʃn] *sb.* centralisering.

centralize ['sentrəlaiz] *vb.* centralisere.

central processing unit *sb.* (*it*) centralenhed.

central processor *sb.* (*it*) centralenhed.

central reservation *sb.* midterrabat.

centre[1] ['sentə] *sb.* **1.** centrum, midtpunkt; **2.** (*sted*) centrum; midte (*fx the* ~ *of the room// table//town*); **3.** (*bygning*) center (*fx leisure//shopping* ~); **4.** (*i chokolade*) fyld; **5.** (*i sport: med bolden etc.*) centring; **6.** (*spiller*) midtbanespiller;

□ *be the* ~ *of attention* være midtpunkt; (se også *gravity*);

[*med præp.*] *at/in the* ~ *of* i centrum af; midt i; *left//right of* ~ til venstre//højre for midten; *off* ~ **a.** ikke centreret; **b.** (*fig.*) ude i periferien; ukonventionel.

centre[2] ['sentə] *vb.* (se også *centred*) centrere (*fx the design on the cloth; the heading on the page*);

□ ~ *around/on/rounnd* (*om aktivitet, interesse*) samle sig om, koncentrere sig om (*fx the celebrations will* ~ *around the palace; their efforts -d on finishing the project; the discussion -d round on this question*).

centre bit *sb.* centrumsbor.

centreboard ['sentəbɔːd] *sb.* (*mar.*) sænkekøl.

centred ['sentəd] *adj.* (*om person*)

rolig, fattet;
□ *be -d in* (*om placering*) være koncentreret i; være samlet i.
centrefold ['sentəfəuld] *sb.* (*i blad*) **1.** (foldeud)midtersider; **2.** billede på midtersider; foldeudpige.
centre parting *sb.* midterskilning.
centrepiece ['sentəpi:s] *sb.* **1.** hovedattraktion; vigtigste punkt; **2.** (*til pynt*) bordopsats; borddekoration.
centre punch *sb.* (*tekn.*) kørner.
centre spread *sb.* (*i blad*) midteropslag.
centre stage *sb.* **1.** (*teat.*) midten af scenen; **2.** (*fig.*) midtpunkt; centrum for opmærksomhed;
□ *be at* ~ **a.** stå midt på scenen; **b.** (*fig.*) være i centrum; *take* ~ (*fig.*) komme i centrum; blive midtpunkt.
centrifugal [sen'trifjug(ə)l, sen-tri'fju:g((ə)l] *adj.* centrifugal [*midtpunktsflyende*].
centrifugal force *sb.* centrifugalkraft.
centrifuge ['sentrifju:dʒ] *sb.* centrifuge.
centripetal [sen'tripit(ə)l] *adj.* centripetal [*midtpunktssøgende*].
centrist[1] ['sentrist] *sb.* (*pol.*) centrist [*centrumspolitiker*].
centrist[2] ['sentrist] *adj.* (*pol.*) centristisk.
century ['sentʃuri, -əri] *sb.* **1.** århundrede; (se også *turn*[1] (*of*)); **2.** (*i kricket*) hundrede points.
century plant *sb.* (*bot.*) agave.
CEO *fork. f. Chief Executive Officer* administrerende direktør.
ceramic [si'ræmik] *adj.* keramisk.
ceramics [si'ræmiks] *sb.* keramik.
cere [siə] *sb.* (*zo.*) vokshud.
cereal ['siəriəl] *sb.* **1.** korn; kornsort; **2.** (*til morgenmad*) [*corn-flakes eller lignende morgenmadsprodukt*].
cerebellum [serə'beləm] *sb.* (*anat.*) lillehjerne(n).
cerebral ['serəbrəl] *adj.* **1.** (*med.*) hjerne- (*fx haemorrhage* bløddning); cerebral; **2.** (*om person*) intellektuel. '
cerebral palsy *sb.* (*med.*) spastisk lammelse; (*fagl.*) cerebral parese.
cerebration [seri'breiʃn] *sb.* (F *el. spøg.*) hjernevirksomhed.
cerebrum ['seribrəm, sə'ribrəm] *sb.* (*pl. -bra* [-brə]/*-s*) (*anat.*) storhjerne(n).
ceremonial[1] [seri'məuniəl] *sb.* **1.** (*sæt af regler*) ceremoniel; **2.** F = *ceremony*.
ceremonial[2] [seri'məuniəl] *adj.* ceremoniel.
ceremonious [seri'məuniəs] *adj.*

ceremoniel; formel, højtidelig.
ceremony ['seriməni] *sb.* **1.** (*rel. etc.*) ceremoni; **2.** (*handlinger etc. der indgår heri*) ceremoniel; formaliteter (*fx with due* ~); **3.** (*mht. optræden*) højtidelighed;
□ *stand on* ~ (*jf. 2*) holde på formerne; *without* ~ (*jf. 2*) uden videre.
cert [sə:t] *sb.*: *it's a* (*dead*) ~, *it's an absolute* ~ det er stensikkert; *a dead* ~ (*også*) en sikker vinder.
cert. *fork. f.* **1.** *certificate*; **2.** *certified.*
certain ['sə:t(ə)n] *adj.* **1.** sikker (*fx* ~ *knowledge; one thing is* ~; *I'm not absolutely* ~); **2.** (*om noget man ikke vil definere nærmere*) vis (*fx for* ~ *reasons;* ~ *people*); bestemt (*fx on* ~ *days; seen in a* ~ *light*);
□ *a* ~ en vis (*fx a* ~ *John Brown; a* ~ *person; a* ~ *amount; he felt a* ~ *bitterness*); et vist; *I cannot say for* ~ jeg kan ikke sige det bestemt/ med sikkerhed; *I feel* ~ *that* jeg føler mig sikker på/overbevist om at; *it is* ~ *that* det er (helt) sikkert at;
[*med præp.& adv.*] ~ *about* se: ~ *of a*); ~ *of* **a.** sikker på, vis på; **b.** (+ *sb. pl.*) F visse af (*fx* ~ *of the criticisms were justified*); *make* ~ *of* sikre sig; forvisse sig om; *he is* ~ *to* come han kommer helt sikkert; det er (helt) sikkert at han kommer.
certainly ['sə:t(ə)nli] *adv.* **1.** helt sikkert (*fx he will* ~ *be late*); bestemt (*fx it is* ~ *not easy*); **2.** (*med efterfølgende but*) ganske vist (*fx the situation is* ~ *serious, but there is still hope*);
□ ~! **a.** (*udtryk for enighed*) ja vist; ja bestemt; **b.** (*svar på anmodning*) ja værsgo; ~ *not* **a.** (*udtryk for uenighed*) nej bestemt/absolut/aldeles ikke (*fx* ("I suppose you're going to pay him") "~ not!"*); **b.** (*udtryk for enighed*) nej naturligvis (*fx* ("You're not going to see him, I hope") "No, ~ not!"*); vist ikke; **c.** (*svar på anmodning*) ikke tale om; vel må du/I etc. ej.
certainty ['sə:t(ə)nti] *sb.* **1.** sikkerhed (*fx I knew with absolute* ~ *that he was lying*); vished; bestemthed; **2.** noget der er sikkert; sikker ting (*fx there are few certainties in life*);
□ *it is a* ~ det er helt sikkert; *for a* ~ helt sikkert; *there are no certainties* der er intet der er sikkert.
certifiable [sə:ti'faiəbl] *adj.* **1.** som skal indberettes til myndighe-

derne (*fx a* ~ *disease*); som kan/ skal attesteres; **2.** (*om person*) psykisk syg; **3.** (T: *spøg.*) skrupskør; moden til indlæggelse.
certificate [sə'tifikət] *sb.* **1.** attest (*fx birth* ~; *doctor's* ~; *marriage* ~); bevis; **2.** (*mht uddannelse*) eksamensbevis; kursusbevis; diplom; (*bevis på bestået prøve*) certifikat; □ ~ *of baptism* (*am.*) dåbsattest; ~ *of origin* oprindelsescertifikat.
certificated [sə'tifikeitid] *adj.* eksamineret, med eksamensbevis; officielt godkendt, autoriseret.
certification [sə:tifi'keiʃn] *sb.* **1.** attestering; attest; **2.** det at erklære for sindssyg.
certified ['sə:tifaid] *adj.* (*am.*) = *certificated*.
certified copy *sb.* bekræftet afskrift.
certified mail *sb.* (*am.*) anbefalet post.
certified public accountant *sb.* (*am.*) statsautoriseret revisor.
certify ['sə:tifai] *vb.* (se også *certified*) **1.** bevidne; bekræfte; attestere; **2.** (*person*) erklære for sindssyg;
□ *this is to* ~ herved bevidnes; *I* ~ *this to be a true copy* afskriftens rigtighed bevidnes.
certitude ['sə:titju:d] *sb.* F vished.
cerulean [si'ru:liən] *adj.* (*litt.*) himmelblå.
cerulean blue *sb.* ceruleanblåt.
cervical ['sə:vik(ə)l] *adj.* (*med.*) **1.** hals- (*fx vertebra* hvirvel); **2.** livmoderhals- (*fx cancer*).
cervical smear *sb.* (*med.*) celleprøve fra livmoderhalsen.
cervix ['sə:viks] *sb.* (*pl. cervices* ['sə:visi:z]/*-es*) (*med.*) livmoderhals.
cessation [se'seiʃn] *sb.* F ophør; standsning.
cession ['seʃn] *sb.* F afståelse; afgivelse.
cesspit ['sespit] *sb.* se *cesspool*.
cesspool ['sespu:l] *sb.* **1.** (*i kloak*) slamkiste; sivebrønd; **2.** (*til kloak*) nedløbsbrønd; **3.** (*fig.*) sump; □ ~ *of iniquity* lastens hule.
cetaceans [si'teiʃnz] *sb. pl.* (*zo.*) hvaler.
cetologist [si'tɔlədʒist] *sb.* hvalforsker.
cetology [si'tɔlədʒi] *sb.* cetologi, læren om hvalerne, hvalforskning.
cf. *fork. f. confer* jævnfør, sammenlign.
cfi *fork. f. cost, freight and insurance.*
C flat *sb.* (*mus.*) ces.
CFO *fork. f. chief financial officer*

økonomidirektør.

CH *fork. f. Companion of Honour.*

ch. *fork. f. chapter.*

cha-cha-cha [ˈtʃaːtʃaːˈtʃaː] *sb.* cha-cha-cha [*en dans*].

Chad [tʃæd] (*geogr.*) Tchad.

chad [tʃæd] *sb.* [*papirstump som hullemaskine trykker ud*].

Chadian [ˈtʃædiən] *sb.* tchader.

Chadian² [ˈtʃædiən] *adj.* tchadisk.

chador [ˈtjaːdɔː] *sb.* = *chuddar.*

chafe [tʃeif] *vb.* **1.** gnide (for at varme) (*fx he -d my hands*); **2.** (*ubehageligt*) gnave (*fx the collar -s the horse's neck*); gnide mod (og gøre øm), skrabe mod (*fx the shorts -d my thighs*); **3.** (*mar.*) skamfile; **4.** (*uden objekt: om hud*) blive øm [*af noget der gnaver el. gnider*]; **5.** (*om person*) være utålmodig//irriteret//ophidset; rase (*against, at* imod);
□ ~ *at the bit* se *chomp* (*at the bit*).

chafer [ˈtʃeifə] *sb.* (*zo.*) torbist.

chaff¹ [tʃaːf] *sb.* **1.** avner; hakkelse; (se også *wheat*); **2.** (*glds.* T) (godmodigt) drilleri;
□ *separate/sort the wheat/grain from the* ~ skille klinten fra hveden; skille fårene fra bukkene.

chaff² [tʃaːf] *vb.* (*glds.* T) drille (*about* med).

chaffer [ˈtʃæfə] *vb.* tinge; købslå.

chaffinch [ˈtʃæfin(t)ʃ] *sb.* (*zo.*) bogfinke.

chafing dish [ˈtʃeifiŋdiʃ] *sb.* fyrfad.

chagrin [ˈʃægrin, (*am.*) ʃəˈgrin] *sb.* F ærgrelse; krænkelse.

chagrined [ˈʃægrind, (*am.*) ʃəˈgrind] *adj.* F ærgerlig; krænket.

chain¹ [tʃein] *sb.* **1.** kæde, lænke (*fx a gold* ~); **2.** (*til fange, til hund*) lænke; **3.** (*mar.*) kæde, kætting;
□ *-s* **a.** lænker; **b.** (*fig.*) lænker, bånd; *a* ~ *of* en kæde/række af (*fx islands; events*); *in -s* (*om fange*) lænket;
in a ~ (*ved huskøb*) [*afhængig af at sælger har købt et andet hus etc.*]; *the* ~ *of command* kommandovejen; *a -'s weakest link ...* se *measure¹.*

chain² [tʃein] *vb.* lænke (*to* til);
□ ~ *up* lænke; lænke fast.

chain armour *sb.* ringbrynje.

chain gang *sb.* [*hold af sammenlænkede fanger*].

chain letter *sb.* kædebrev.

chain locker *sb.* (*mar.*) ankerkæderum, kædekasse, kædebrønd.

chain mail *sb.* ringbrynje.

chain pump *sb.* øseværk; kædepumpe.

chain reaction *sb.* (*fys.; fig.*) kæde-

reaktion.

chain saw *sb.* kædesav.

chain-smoker [ˈtʃeinsməukə] *sb.* kæderyger.

chain stitch *sb.* **1.** (*i broderi*) kædesting; **2.** (*i hækling*) luftmaske.

chain store *sb.* kædeforretning.

chain-wire fence [ˈtʃeinwaiəfenc] *sb.* (*am.*) ståltrådshegn [*af hønsetråd*].

chair¹ [tʃɛə] *sb.* **1.** stol; **2.** (*ved universitetet*) lærestol, professorat; **3.** (*ved møde*) dirigent, ordstyrer; **4.** (*i udvalg, kommission, bestyrelse etc.*) formand; **5.** (*jur.*) dom.mersæde; **6.** (*jernb.*) skinnestol; **7.** (*glds.*) bærestol;
□ *the* ~ (*am.*) den elektriske stol; *get the* ~ (*am.*) blive henrettet; *hold a* ~ (*jf. 2*) indehave/beklæde et professorat; *be in the* ~, *take the* ~ **a.** (*jf. 3*) være dirigent; føre forsædet; **b.** (*jf. 4*) overtage formandsposten; *take a* ~ (*jf. 1*) tage plads; sætte sig.

chair² [tʃɛə] *vb.* **1.** (*møde*) være dirigent/ordstyrer ved; lede; **2.** (*udvalg*) være formand for; **3.** (*person*) bære i guldstol;
□ *-ed by X* med X som dirigent// formand.

chairlift [ˈtʃɛəlift] *sb.* stolelift; tovbane [*med åbne sæder*].

chairman [ˈtʃɛəmən] *sb.* (*pl. -men* [-mən]) **1.** (*ved møde*) dirigent, ordstyrer, mødeleder; **2.** (*for bestyrelse, udvalg etc.*) formand.

chairmanship [ˈtʃɛəmənʃip] *sb.* (jf. *chairman*) **1.** dirigentstilling; **2.** formandspost.

chairperson [ˈtʃɛəpəːs(ə)n] *sb.* se *chairman.*

chairwoman [ˈtʃɛəwumən] *sb.* (*pl. -women* [-wimin]) (jf. *chairman*) kvindelig dirigent//formand.

chaise [ʃeiz] *sb.* **1.** (*glds.*) tohjulet åben vogn; **2.** (*am.*) = *sunlounger.*

chaise longue [ʃeizˈlɔŋ] *sb.* **1.** chaiselong; **2.** (*am.*) se *sunlounger.*

chalet [ˈʃælei, (*am.*) ʃæˈlei] *sb.* **1.** svejtserhytte; alpehytte; sæterhytte; **2.** (*i ferielejr*) hytte; feriehus.

chalice [ˈtʃælis] *sb.* **1.** (*rel.*) kalk; **2.** (*glds.*) bæger.

chalk¹ [tʃɔːk] *sb.* **1.** (*min.*) kridt, skrivekridt; kalk (*fx* ~ *cliffs*); **2.** (*enkelt stykke*) stykke kridt;
□ *by a long* ~ se *long¹*; *be like* ~ *and cheese, be as different as* ~ *and/from cheese* T være vidt forskellige; være som nat og dag.

chalk² [tʃɔːk] *vb.* **1.** skrive//markere med kridt; **2.** mærke med kridt;
□ ~ *out* skitsere; ridse op; ~ *up* **a.** notere (*fx a victory*); opnå,

vinde (*fx a championship*); **b.** score (*fx a goal*); *he will* ~ *that up against you* det vil han huske dig for; ~ *up to* **a.** skrive for (*fx* ~ *the drinks up to me*); **b.** tilskrive (*fx* ~ *it up to bad luck*).

chalkboard [ˈtʃɔːkbɔːd] *sb.* (*am.*) = *blackboard.*

chalk pit *sb.* kridtbrud.

chalky [ˈtʃɔːki] *adj.* **1.** kridtholdig; kalkholdig (*fx soil*); **2.** kridtagtig; **3.** dækket af kridtstøv, fuld af kridt (*fx fingers*).

challenge¹ [ˈtʃælin(d)ʒ] *sb.* **1.** udfordring; **2.** (*mht. værdien, sandheden af noget*) anfægtelse, dragen i tvivl (*to af, fx it was a* ~ *to his authority*); **3.** (*jur.*) indsigelse, protest; **4.** (*mil., om vagtpost*) anråben;
□ *face a* ~ stå over for en udfordring; *pose/present a* ~ *to sth* drage noget i tvivl, rejse tvivl om noget (*fx accepted views*); sætte spørgsmålstegn ved noget; *rise to the* ~ tage udfordringen op; *throw down a* ~ *to sby* stille én over for en udfordring; udfordre én.

challenge² [ˈtʃælin(d)ʒ] *vb.* **1.** udfordre (*to* til//til at); **2.** drage i tvivl, rejse tvivl om, sætte spørgsmålstegn ved, anfægte (*fx his authority; his findings*); angribe (*fx their rights*); **3.** (*jur.*) gøre indsigelse mod, bestride; (*nævning*) udskyde, forkaste; **4.** (*om vagtpost, politimand etc.*) råbe an.

challenged [ˈʃæləndʒd] *adj.* udfordret; [*politisk korrekt eufemisme for handicappet*].

challenger [ˈʃæləndʒə] *sb.* udfordrer.

chamber [ˈtʃeimbə] *sb.* (se også *chambers*) **1.** kammer; rum; **2.** (*til møder etc.*) mødesal; **3.** (*del af parlament*) kammer (*fx a two-~ parliament*); **4.** (*anat., tekn.*) kammer [*fx i skydevåben*]; **5.** T natpotte; **6.** (*glds.*) sovekammer.

chamberlain [ˈtʃeimbəlin] *sb.* kammerherre.

chambermaid [ˈtʃeimbəmeid] *sb.* stuepige.

chamber music *sb.* kammermusik.

chamber of commerce *sb.* handelskammer.

chamber of horrors *sb.* rædselskabinet.

chamber pot *sb.* natpotte, potte.

chambers [ˈʃeimbəz] *sb. pl.* **1.** dommerkontor; **2.** advokatkontor; **3.** (*glds.*) ungkarlelejlighed.

chameleon [kəˈmiːliən] *sb.* (*zo.*) kamæleon.

chamfer¹ [ˈtʃæmfə] *sb.* skråkant; (skrå)fas; rejfning.

chamfer² ['tʃæmfə] *vb.* affase; rejfe;
□ *-ed* (*også*) tilspidset.
chamois¹ ['ʃæmwaː, (*am.*) 'ʃæmi]
sb. (*pl. d.s.*) (*zo.*) gemse.
chamois² ['ʃæmi] *sb.* vaskeskind.
chamois leather *sb.* vaskeskind.
chamomile ['kæməmail] *sb.* = *ca-
momile.*
champ¹ [tʃæmp] *sb.* T champion;
mester.
champ² [tʃæmp] *vb.* se *chomp.*
champagne [ʃæm'pein] *sb.* cham-
pagne.
champagne socialist *sb.* (*svarer til*)
kystbanesocialist.
champers ['ʃæmpəz] *sb.* T cham-
pagne, champus.
champion¹ ['tʃæmpiən] *sb.* **1.** (*i
sport*) mester (*fx Olympic ~*);
champion; **2.** (*for en sag*) forkæm-
per (*of* for, *fx free speech*);
3. (*hist.*) ridder.
champion² ['tʃæmpiən] *adj.* første-
klasses; mester-.
champion³ ['tʃæmpiən] *vb.* for-
svare, kæmpe for (*fx human
rights*).
championship ['tʃæmpiənʃip] *sb.*
1. mesterskab; titel; **2.** (*konkur-
rence*) mesterskab (*fx the world
-s*); **3.** (*for en sag*) forsvar (*of* for).
chance¹ [tʃaːns] *sb.* **1.** tilfælde (*fx a
lucky ~*); tilfældighed; **2.** (*gene-
relt*) tilfældet (*fx ~ threw us to-
gether*, *a victim of ~*); **3.** (*gunstig*)
mulighed, chance (*of* for, *fx suc-
cess*; *that* for at, *fx he will suc-
ceed*); **4.** (*sandsynlig*) udsigt (*of*
til; *that* til at); udsigter; **5.** (*til no-
get*) lejlighed (*to* til at, *fx see her*);
□ *the -s are that they will win* der
er en chance for at de vinder; de
vinder nok; *a ~ to* en chance/mu-
lighed for at; en lejlighed til at; (se
*også even², main², fighting
chance*);
[*med vb.*] *fancy* one's *-s* tro på
sine chancer; *give a ~* give en
chance/mulighed (*fx give him a
~! the show gives a ~ for the
public to see the new products*);
given the ~ hvis du//jeg etc. fik
chancen; *he doesn't stand a ~*
han har ikke en chance; *take a ~*,
take -s tage chancer; *take one's/
the ~* tage/gribe chancen;
[*med præp.*] *by ~* tilfældigt, ved
et tilfælde (*fx I met him by ~*); *by
any ~* tilfældigvis (*fx do you
know where he is by any ~?*); *be
in with a ~* T have en chance;
game of ~ se *game¹*; *on the ~
that* for det tilfældes skyld at; *on
the off ~ that* i det svage håb at;
leave it to ~ lade tilfældet råde;
leave nothing to ~ ikke overlade

noget til tilfældet.
chance² [tʃaːns] *adj.* tilfældig (*fx
discovery*; *meeting*);
□ *~ custom* strøgkunder.
chance³ [tʃaːns] *vb.* risikere, vove
(*fx I -d a shot*);
□ *~ one's arm/luck* tage chancen,
vove det ene øje; *~ it* tage risi-
koen/chancen; lade stå til; *I'll call
him an old fool and ~ it* jeg vil
kalde ham en gammel nar og tage
følgerne; *I -d to meet him* F jeg
mødte ham tilfældigt; det traf sig
sådan at jeg mødte ham; *~ upon*
F støde på.
chancel ['tʃaːns(ə)l] *sb.* kor [*del af
kirke*].
chancellery ['tʃaːns(ə)ləri] *sb.*
1. kanslerkontor; **2.** kanslervær-
dighed; **3.** (*især am.*) ambassade-
kontor.
chancellor ['tʃaːns(ə)lə] *sb.* **1.** kans-
ler; **2.** (*am.*) universitetsrektor;
3. (*i Engl.*) nominel universitets-
rektor [*en ærespost*]; **4.** = *Chancel-
lor of the Exchequer*; **5.** (*rel.*)
stiftsfuldmægtig.
Chancellor of the Exchequer *sb.*
(*svarer til*) finansminister.
chancellorship ['tʃaːns(ə)ləʃip] *sb.*
(jf. *chancellor*) **1.** kanslerembede;
2. rektorat; **3.** finansministerem-
bede.
chancer ['tʃaːnsə] *sb.* T en der tager
chancer.
Chancery ['tʃaːns(ə)ri] *sb.* kansler-
retten [*afdeling af the High Court
of Justice*].
chancery ['tʃaːsəri] *sb.* (*jur.*) billig-
hedsret;
□ *in ~* (*fig. & om bokser hvis
hoved er under modstanderens
arm*) i klemme.
chancre ['ʃæŋkə] *sb.* (*med.*) chan-
ker [*sår fra kønssygdom*].
chancy ['tʃaːnsi] *adj.* **1.** T tilfældig,
vilkårlig; uberegnelig; **2.** usikker;
risikabel.
chandelier [ʃændə'liə] *sb.* lyse-
krone.
chandler ['tʃaːndlə] *sb.* **1.** se *ship
chandler*; **2.** (*glds.*) høker.
change¹ [tʃein(d)ʒ] *sb.* **1.** foran-
dring, ændring (*fx in the situa-
tion*; *great -s*); (*fuldstændig*) for-
vandling (*fx it was a complete ~*);
2. (*i ensformighed*) forandring, af-
veksling (*fx you need a ~*);
3. (*med noget andet*) udskiftning;
skifte (*fx a ~ of government*);
4. (*af tøj*) omklædning; (*om tøjet*)
skiftetøj; **5.** (*af bus, tog*) omstig-
ning; togskifte; **6.** (*af penge*) om-
veksling; **7.** (*ved køb*) byttepenge;
8. (*mønter*) småpenge; **9.** (*om må-
nen*) måneskifte;

□ *for a ~* til en forandring, til en
afveksling; for en gangs skyld;
[*med: of*] *a ~ of clothes* skiftetøj;
a ~ of course en kursændring; *~
of life* (*kvinders*) overgangsalder;
~ of scene **a.** (*teat.*) sceneskift;
b. (*fig.*) luftforandring; *a ~ of un-
derwear* et (rent) sæt undertøj;
three -s of water tre hold vand; (se
også *heart, scene*);
[*med vb.*(+ *præp.*)] *get no ~ out
of sby* (*fig.*) T ikke få noget ud af
en; ikke komme nogen vegne med
en; *give no ~* (*fig.*) ikke røbe no-
get; ikke give sig; (se også *short²*);
give ~ for veksle, give tilbage på
(*fx a five-pound note*); *have ~ for*
kunne veksle, kunne give tilbage
på (*fx a ten-pound note*); *it makes
a ~* det er da altid en forandring/
afveksling; *ring the -s* (*fig.*) skabe
variation, prøve noget nyt; *take
your ~ out of that!* kan du give
igen på den! kan du stikke den!
kom så igen!
change² [tʃein(d)ʒ] *vb.* **A.** (*med
objekt*) **1.** forandre, ændre; (*fuld-
stændigt*) forvandle (*into* til);
2. (*få/sætte noget andet i stedet*)
skifte (*fx trains*; *one's clothes*;
one's shirt; *one's job*; *a tyre*); ud-
skifte (*fx the curtains*); **3.** (*indkøbt
vare*) bytte (*for* til, *fx ~ the gloves
for a smaller size*); ombytte (*for*
med); **4.** (*penge*) veksle;
B. (*uden objekt*) **1.** forandre sig,
ændre sig; **2.** veksle, skifte; **3.** (*tøj*)
klæde sig om; skifte tøj; skifte;
4. (*befordringsmiddel*) skifte; stige
om; **5.** (*om vinden*) slå om;
□ *~ the baby* skifte ble på den
lille; give den lille tørt på; *~ the
beds* skifte sengelinned; lægge
rent på sengene; *~ ends* (*i bold-
spil*) bytte bane; *~ the subject*
skifte (samtale)emne; se også
*hand¹, horse¹, mind¹, step¹, tack¹,
tune¹*;
[*med adv.& præp.*] *~ down//up*
skifte til lavere//højere gear; *~
into* **a.** forandre sig til; ændre sig
til; forvandle sig til; **b.** (*om tøj*)
skifte til; **c.** (*med objekt*) forandre
til; ændre til; **d.** (*penge*) veksle til;
~ over **a.** skifte om (*from* fra);
b. (*om to personer*) bytte plads;
c. (*med objekt*) bytte banehalvdel; *~
over to* (*også*) gå over til; *~ round*
bytte plads; *~ the furniture round*
flytte om på møblerne.
'Change [tʃein(d)ʒ] *sb.* børs;
□ *on ~* på børsen.
changeable ['tʃein(d)ʒəbl] *adj.* for-
anderlig; (*om vejr også*) ustadig.
changeless ['tʃein(d)ʒləs] *adj.* (*litt.*)
uforanderlig.

changeling ['tʃein(d)ʒliŋ] *sb.* skifting.

changeover ['tʃein(d)ʒəuvə] *sb.*
1. overgang [*til andet system*]; omstilling (*to* til); **2.** (*i stafetløb*) skifte; **3.** (*i boldspil*) det at bytte banehalvdel.

changing room *sb.* omklædningsrum.

channel[1] ['tʃæn(ə)l] *sb.* **1.** (*for vand*) kanal; **2.** (*i lufthavn, for told*) udgang (*fx the green//red* ~); **3.** (*mar.*) sejlrende; **4.** (*radio., tv*) kanal; **5.** (*fig.*) kanal (*fx through diplomatic//official* -s); vej; □ *the Channel* (*geogr.*) Kanalen [*mellem England og Frankrig*]; *through the usual* -s ad de sædvanlige kanaler.

channel[2] ['tʃæn(ə)l] *vb.* kanalisere; lede; (se også *channelled*).

channel-hop ['tʃæn(ə)lhɔp] *vb.* (*tv, T*) zappe [*fra kanal til kanal*].

channelled ['tʃænəld] *adj.* **1.** riflet; **2.** (*om søjle*) kanneleret.

channel-surf ['tʃæn(ə)lsə:f] *vb.* (*tv, T: især am.*) zappe [*fra kanal til kanal*].

channel-surfing ['tʃæn(ə)lsə:fiŋ] *sb.* (*tv, T: især am.*) zapning [*fra kanal til kanal*].

chant[1] [tʃa:nt] *sb.* **1.** taktfaste råb, taktfast råben [*fra folkemængde*]; **2.** (*mus.*) sang (*fx Gregorian* ~); **3.** (*rel., i den anglikanske kirke*) [*enstonig fremsigen af Davids salmer*]; (*omtr.*) messen; **4.** (*tekst*) salme [*som fremsiges på denne måde*].

chant[2] [tʃa:nt] *vb.* **1.** (*om folkemængde*) danne talekor; råbe taktfast i kor; **2.** (*rel.*) messe (*fx a psalm; a prayer*); synge.

chanterelle [tʃæntə'rel] *sb.* (*bot.*) kantarel.

chanticleer [tʃænti'kliə] *sb.* (*poet.*) hane.

chantry ['tʃa:ntri] *sb.* kapel til sjælemesse.

chanty ['ʃænti] *sb.* (*især am.*) = *shanty* 2.

chaology [kei'ɔlədʒi] *sb.* kaosteori.

chaos ['keiɔs] *sb.* kaos.

chaotic [kei'ɔtik] *adj.* kaotisk.

chap[1] [tʃæp] *sb.* **1.** (*i huden*) sprække, revne; **2.** (*glds.* T) fyr; rad (*fx a lucky* ~).

chap[2] [tʃæp] *vb.* (*om hud*) revne, blive sprukken.

chap. *fork. f. chapter.*

chaparrel [ʃæpə'ræl] *sb.* (*am.*) tæt (ege)krat; krat af dværgeg.

chapbook ['tʃæpbuk] *sb.* (*hist.*) folkebog; skillingstryk.

chapel ['tʃæp(ə)l] *sb.* **1.** [*kirke for menighed uden for statskirken, fx*

metodistkirke, baptistkirke]; **2.** [*kirke knyttet til en institution, fx hospitalskirke, fængselskirke*]; (*på slot*) slotskirke, slotskapel; **3.** (*del af kirke*) kapel; **4.** [*sammenslutning af typografer//journalister på en arbejdsplads*]; (*omtr.*) personaleklub; □ *go to* ~ (*jf. 1*) gå til gudstjeneste i et *chapel.*

chapel of ease *sb.* annekskirke.

chapel of rest *sb.* (lig)kapel.

chaperone[1] ['ʃæpərəun] *sb.* **1.** (*glds.: for ung pige*) chaperone; anstandsdame; **2.** (*am.*) [*ældre person som ledsager unge mennesker til selskab for at sikre at alt går ordentligt til*].

chaperone[2] ['ʃæpərəun] *vb.* ledsage [*som anstandsdame*].

chaplain ['tʃæplin] *sb.* præst [*ved en institution, fx feltpræst, fængselspræst, skibspræst, slotspræst*].

chaplaincy ['tʃæplinsi] *sb.* **1.** [*kontor//kirke for en chaplain*]; **2.** [*stilling som chaplain*].

chaplet ['tʃæplit] *sb.* **1.** krans [*om hovedet*]; **2.** perlekrans; **3.** (*rel.*) rosenkrans.

chapped [tʃæpt] *adj.* (*om hud*) sprukken, revnet.

chappy ['tʃæpi] *sb.* = *chap*[1] *2.*

chaps [tʃæps] *sb. pl.* (*am.: til cowboy*) læderbukser, lædergamacher.

chapter ['tʃæptə] *sb.* **1.** kapitel (*fx of a book; of his life*); **2.** (*rel.: ved domkirke*) domkapitel; **3.** (*for munke- el. nonneorden*) ordenskapitel; **4.** (*af forening, især am.*) lokalafdeling; □ *give* ~ *and verse* (*fig.*) give nøjagtig kildehenvisning; give dokumentation; *a* ~ *of accidents* en række af ulykker.

chapter house *sb.* **1.** (*rel.*) kapitelhus; **2.** (*am.*) klubhus; mødehus.

char[1] [tʃa:] *sb.* **1.** (*zo.*) fjeldørred; (*am.*) søørred; **2.** (*glds.* T: *om person*) rengøringskone; **3.** (*glds.* T) te.

char[2] [tʃa:] *vb.* **1.** forkulle; svide; **2.** (*glds.* T) (gå ud og) gøre rent.

charabanc ['ʃærəbæŋ] *sb.* (*glds.*) turistbil.

character ['kæriktə] *sb.* **1.** karakter, natur, art (*fx problems of a different* ~); beskaffenhed; præg; **2.** (*om specielt træk*) særpræg, ejendommelighed; (*især biol.*) egenskab (*fx hereditary* -s); **3.** (*hos person*) karakter, karakterfasthed, viljestyrke; fast karakter; **4.** (*om person*) personlighed (*fx a noble* ~; *a public* ~); **5.** (*særpræget*) original (*fx he is quite a* ~); **6.** (*i bog, skuespil etc.*) person, figur; rolle;

7. (*let glds.*) omdømme; rygte (*fx a woman of good* ~; *an attack on his* ~); **8.** (*glds.: udtalelse*) skudsmål, vidnesbyrd (*fx he gave the servant a good* ~); **9.** (*i skrift*) skrifttegn; bogstav (*fx Greek* -s); tegn; **10.** (*it*) tegn; karakter; **11.** (*typ.*) type; skriftsnit; □ *with a* ~ *of its own* særpræget; [*med præp.*] *in* ~ **a.** i stilen; **b.** i rollen; som passer til personen; *act in* ~ blive i rollen; *he is a man of* ~ han har en fast karakter; *judge of* ~ se *judge*[1]; *of good* ~ (*jf. 7*) med uplettet rygte; *out of* ~ **a.** ikke i stilen; **b.** som ikke passer til rollen//personen; *act out of* ~ falde ud af rollen.

character actor *sb.* (*teat.*) karakterskuespiller.

character assassination *sb.* systematisk nedrakning, karaktermord.

character disorder *sb.* (*psyk.*) karakterdefekt.

characteristic[1] [kærikta'ristik] *sb.* **1.** ejendommelighed (*fx a family* ~); særpræg; kendetegn (*of* for); **2.** (*fys.*) karakteristik.

characteristic[2] [kærikta'ristik] *adj.* karakteristisk, betegnende (*of* for).

characterization [kæriktərai'zeiʃn] *sb.* **1.** karakteristik (*fx that is not a fair* ~); beskrivelse; **2.** (*forfatters*) karakterskildring.

characterize ['kæriktəraiz] *vb.* **1.** karakterisere, beskrive, betegne (*as* som); **2.** (F: *om særpræg*) karakterisere, kendetegne, præge.

character part *sb.* (*teat.*) karakterrolle.

character reference *sb.* (*ved jobansøgning*) udtalelse; anbefaling.

charade [ʃə'ra:d, (*am.*) ʃə'reid] *sb.* (*neds.*) paradeforestilling, komediespil; tom ceremoni.

charades [ʃə'ra:dz, (*am.*) ʃə'reidz] *sb. pl.* ordsprogsleg; stavelsesgåde; □ *do* ~ lege ordsprogsleg.

charcoal ['tʃa:kəul] *sb.* trækul.

chard [tʃa:d] *sb.* (*bot.*) sølvbede.

charge[1] [tʃa:dʒ] *sb.* **1.** (*for ydelse*) pris (*fx what's your* ~?); betaling (*fx there is no extra* ~ *for this*); gebyr (*fx bank* -s); takst; afgift (*fx telephone* -s); **2.** (*som rettes mod en*) beskyldning (*of* for, *fx racism*; *that* for at); **3.** (*jur.*) sigtelse; tiltale (*fx he was released without* ~); anklage; **4.** (F: *som man har ansvar for*) person i ens varetægt; plejebarn; protegé; **5.** (*i skydevåben & elek.*) ladning; **6.** (*fig.*) følelsesladethed; **7.** (*mil. etc. & af dyr*) angreb; **8.** (*glds. el.* F: *som lægges en på sinde*) pålæg, formaning;

C charge

(*rel.*) hyrdebrev; **9.** (*jur.: til næv-ninge*) retsbelæring; **10.** (*her.*) våbenmærke;

□ *the ~ was* (*jf. 3*) anklagen lød på;

[*med vb. (+ præp.*)] *bring -s* rejse tiltale; *drop the ~* (T: *jur.*) frafalde sigtelsen; *get a ~ out of* få stor fornøjelse ud af; *have ~ of* have opsyn med, passe (*fx the children*); *make a ~ against* **a.** (*jf. 5*) rette en beskyldning mod; **b.** (*jf. 7*) angribe; *make a ~ of £50* forlange (en betaling af/en pris på/et gebyr på) £50; *make the ~ that* (*jf. 5*) fremsætte den beskyldning at; *prefere/press -s* **a.** indgive anmeldelse; **b.** (*om politiet*) rejse tiltale; *reverse the ~/-s* (*tlf.*) lade modtageren betale for samtalen; *sound the ~* (*jf. 7*) blæse til angreb; *take ~ of* **a.** påtage sig at passe (på), tage sig af (*fx the children; the keys*); **b.** overtage ledelsen af (*fx the office*);

[*med præp.*] *at his ~* på hans bekostning; *be in ~* have ledelsen; have kommandoen; *give sby in ~* overgive en til politiet; lade en anholde; *in ~ of* **a.** under bevogtning//opsyn//ledelse af (*fx children in ~ of a nurse*); **b.** som har opsyn med (*fx a nurse in ~ of children*); *be in ~ of* (*også*) **a.** lede; **b.** passe; have ansvaret for; *free of ~* (*jf. 1*) gratis; (*merk.*) uden beregning; *on the ~ of murder* sigtet//anklaget for mord; *return to the ~* **a.** forny angrebet; **b.** (*fig.*) komme igen; vende frygtelig tilbage; *under my ~* i min varetægt; som jeg har ansvaret for; *without ~* **a.** (*jf. 1*) gratis; (*merk.*) uden beregning; **b.** (*jur.*) uden at blive sigtet, uden at der blev rejst sigtelse (*fx he was released without ~*).

charge² [tʃɑːdʒ] *vb.* (se også *charged*) **1.** (*betaling*) tage, forlange (som betaling); (*merk. også*) beregne; **2.** (*am.: vare*) betale med kort; **3.** (*person*) beskylde (*with* for); **4.** (*jur.*) sigte (*with* for); anklage (*with* for); **5.** (*skydevåben*) lade (*fx a revolver*); **6.** (*elek.*) oplade (*fx a battery*); **7.** (*mil. etc. & om dyr*) angribe, storme; storme løs på; **8.** (*uden objekt*) angribe, gå til angreb (*fx the bull -d*); **9.** (*om hurtig bevægelse*) storme (*fx into the room; up the stairs*);

□ *~ sby to* (*glds. el.* F) pålægge en at, formane en til at (*fx he -d her to be careful*);

[*med sb.*] *~ a book* (*bibl.*) notere et udlån; *~ your glasses* F fyld je-

res glas; *~ the jury* give retsbelæring til nævningerne; *~ sby £20* tage £20 af en; afkræve en £20; [*med præp.& adv.*] *~ about* fare/storme rundt; *~ the goods to him/his account* skrive varerne på hans konto; debitere ham for varerne; *~ up* (*elek.*) oplade; *~ sby with sth* **a.** se ovf.: 2; **b.** (*glds. el.* F) overdrage/betro en noget; *be -d with + -ing* få til opgave at.

chargeable [ˈtʃɑːdʒəbl] *adj.* F **1.** som der skal betales for; **2.** som der skal svares skat af, skattepligtig; **3.** som skal betales (*upon* af); **4.** (*jur.*) som der kan rejses sigtelse for;

□ *~ to his account* som skal debiteres hans konto.

charge account *sb.* (*am.*) (kunde)konto.

charge card *sb.* **1.** kontokort; **2.** (*am.*) kreditkort.

charged [tʃɑːdʒd] *adj.* **1.** (*fys.*) elektrisk ladet; **2.** (*fig.*) ladet med spænding; følelsesladet; sprængfarlig.

chargé d'affaires [ʃɑːʒeidæˈfɛə] *sb.* chargé d'affaires.

charge hand *sb.* (*omtr.*) arbejdsformand [*der rangerer lige under en foreman*].

charge nurse *sb.* mandlig afdelingssygeplejerske.

charge plate *sb.* kontoplade.

charger [ˈtʃɑːdʒə] *sb.* **1.** (*elek.*) ladeaggregat, opladningsaggregat, oplader; **2.** (*glds.: ridders*) stridshest; **3.** (*glds.*) fad;

□ *demand his head on a ~* forlange hans hoved på et fad.

charge sheet *sb.* [*liste over sigtelser*].

char-grilled [ˈtʃɑːgrild] *adj.* [*grillstegt ved høj varme*].

Charing Cross [tʃæriŋˈkrɔs] *sb.* [*gadekryds og jernbanestation midt i London*].

Charing Cross Road *sb.* [*boghandlergade i London*].

chariot [ˈtʃæriət] *sb.* **1.** (*glds.*) let herskabsvogn; **2.** (*hist.*) stridsvogn.

charioteer [tʃæriəˈtiə] *sb.* (*hist.*) vognstyrer.

charisma [kəˈrizmə] *sb.* **1.** karisma; stærk personlig udstråling; evne til at vinde mennesker for sig; **2.** (*teol.*) karisma; nådegave.

charismatic [kæriz'mætik] *adj.* karismatisk; som har udstråling; som har evne til at vinde mennesker for sig.

charitable [ˈtʃæritəbl] *adj.* **1.** velgørenheds- (*fx bazaar; performance*); velgørende (*fx organiza-*

tion); godgørende; **2.** (*mods. streng*) velvillig, overbærende, mild; **3.** (*rel.*) næstekærlig; barmhjertig;

□ *put a ~ interpretation on it* udlægge det//optage det i den bedste mening; fortolke det velvilligt; *have ~ status* være godkendt som en velgørende institution.

charity [ˈtʃæriti] *sb.* **1.** velgørende institution (*fx recognized as a ~*); **2.** (*generelt*) velgørende institutioner (*fx work for ~*); **3.** (*hjælp til trængende*) velgørenhed (*fx the money goes to ~*); godgørenhed; **4.** (*penge*) hjælp fra velgørenhed (*fx live on ~*); (*neds.*) almisse; almisser (*fx he was too proud to accept what he regarded as ~*); **5.** (*rel.*) kærlighed (*fx faith, hope and ~*); næstekærlighed; barmhjertighed; **6.** (*mods. strenghed*) overbærenhed, mildhed;

□ *~ begins at home* (*omtr.=*) hvad du evner kast af i de nærmeste krav.

charity shop *sb.* genbrugsbutik.

charivari [ʃɑːriˈvɑːri] *sb.* **1.** spektakel; kattemusik; **2.** (*til nygifte el. som hån*) serenade med rabaldermusik.

charlady [ˈtʃɑːleidi] *sb.* rengøringsdame.

charlatan [ˈʃɑːlət(ə)n] *sb.* F charlatan, svindler, fidusmager.

Charlemagne [ˈʃɑːləmein] (*hist.*) Karl den Store.

Charles [tʃɑːlz] Charles; (*hist.*) Karl (*fx King ~ I*).

Charley [ˈtʃɑːli] [*form af Charles*].

charley *sb. = charlie*.

charley horse *sb.* (*am.* T) muskelkrampe; stivhed i muskel.

Charlie [ˈtʃɑːli] [*form af Charles*]; (se også *Mr. Charlie*).

charlie [ˈtʃɑːli] *sb.* **1.** (*glds.* T) fjols; **2.** S kokain;

□ *-s* S bryster, babser.

charlock [ˈtʃɑːlɔk] *sb.* (*bot.*) agersennep.

charlotte [ˈʃɑːlət] *sb.: apple ~* (*omtr.=*) æblekage.

charm¹ [tʃɑːm] *sb.* **1.** (*egenskab*) charme; elskværdighed; **2.** (*ved ting*) tillokkelse (*fx the hidden -s of the city*); tiltrækning; charme; **3.** (*magisk ting*) amulet; **4.** (*på armbånd*) charm; **5.** (*om magi*) magisk handling, trylleri; **6.** (*ord*) trylleformular; besværgelse;

□ *her -s* (*glds.*) hendes ynder; *it worked like a ~* det gik fint; det havde en mirakuløs virkning; *turn/switch on the ~* skrue charmen på; udfolde al sin charme.

charm² [tʃɑːm] *vb.* (se også *char-*

med, charming) **1.** henrykke (*fx the book has -ed children all over the world*); fortrylle; **2.** (*bevidst*) charmere; **3.** (*om magi*) trylle (*fx ~ a wart away*);
□ ~ *sby into doing it* lokke en til at gøre det (ved at bruge sin charme); ~ *money out of/from sby* lokke penge ud af en (ved at bruge sin charme); ~ *one's way into* komme ind i ved hjælp af sin charme.

charmed [tʃɑːmd] *adj.* (*litt.*) fortryllet (*fx atmosphere; place*);
□ ~*!* **a.** (*glds., ved præsentation*) mig en glæde! **b.** (*ironisk*) meget elskværdigt! tak for venligheden! *I shall be ~ to* det skal være mig en stor glæde at; ~ *circle* eksklusiv kreds; klike; *he has/bears a ~ life* han er usårlig.

charmer [ˈtʃɑːmə] *sb.* fortryllende person; charmetrold; charmør; (se også *snake charmer*).

charming *adj.* **1.** charmerende; **2.** yndig, henrivende, fortryllende (*fx children; little cottage*);
□ ~*!* (*ironisk*) hvor charmerende/elskværdigt!

charmless [ˈtʃɑːmləs] *adj.* ucharmerende.

charm offensive *sb.* charmeoffensiv (*against* over for).

charnel house [ˈtʃɑːn(ə)lhaus] *sb.* lighus; benhus.

charred [ˈtʃɑːd] *adj.* forkullet.

chart¹ [tʃɑːt] *sb.* **1.** diagram; grafisk fremstilling; kurve (*fx temperature ~*); (se også *wallchart*); **2.** (*mar.*) søkort; **3.** (*geol.; meteor.*) kort (*fx weather ~*);
□ *the* -s hitlisterne.

chart² [tʃɑːt] *vb.* **1.** kortlægge; **2.** (*som illustration*) vise [*i et diagram*]; **3.** (*fig.*) beskrive, kortlægge; **4.** (*hvad der skal gøres*) planlægge (*fx a campaign*); opridse; **5.** (*vej*) udstikke (*fx a way forward; a new course*); **6.** (*om plade el. musiker*) komme på hitlisten.

charter¹ [ˈtʃɑːtə] *sb.* **1.** (*som tildeler rettigheder*) charter; rettighedsbrev; frihedsbrev; **2.** (*til by*) købstadsprivilegier; **3.** (*for institution etc.*) stiftelsesbrev; fundats; **4.** (*særlig tilladelse*) privilegium (*to* til at, *fx print Bibles*); **5.** (*mar.; flyv.*) chartring; befragtning; **6.** (*med turister*) charterfly; chartret skib//bus;
□ *the UN Charter* FN-pagten; *it is a ~ for* (*fig., neds.*) det er et frihedsbrev for; T det giver frit slag for (*fx vandals*).

charter² [ˈtʃɑːtə] *vb.* **1.** (*mar.; flyv.*)

chartre (*fx an aeroplane*); befragte; **2.** T hyre (*fx a car*); **3.** (*by, institution*) give købstadsprivilegier//frihedsbrev//privilegium til.

chartered [ˈtʃɑːtəd] *adj.* (*om person*) autoriseret.

chartered accountant *sb.* statsautoriseret revisor.

chartered surveyor *sb.* landinspektør.

charterer [ˈtʃɑːtərə] *sb.* befragter.

charter flight *sb.* charterflyvning.

charter member *sb.* (*især am.*) oprindeligt medlem; medstifter [*af forening*].

charter party *sb.* befragtningskontrakt; certeparti.

chart-topping [ˈtʃɑːttɔpiŋ] *adj.* som står øverst på hitlisten.

charwoman [ˈtʃɑːwumən] *sb.* (*pl. -women* [-wimin]) (*glds.*) rengøringskone.

chary [ˈtʃɛəri] *adj.* (*let glds.*) forsigtig (*of* med); varsom (*of* med).

chase¹ [tʃeis] *sb.* **1.** jagt; forfølgelse; **2.** (*glds.*) bytte;
□ *the ~* jagtsporten; *the ~ for* (*fig.*) jagten på; *cut to the ~* T skære igennem; komme til sagen; *give ~* optage forfølgelsen.

chase² [tʃeis] *vb.* **1.** jage, forfølge, jagte (*fx the robbers*); **2.** rende efter, jagte (*fx girls*); **3.** (*ting*) jagte, være ude efter (*fx the few jobs there are*); jage efter; **4.** (*et sted hen*) drive, jage (*fx away; out; off one's land*); fordrive (*fx from power*); **5.** (*i metal*) ciselere, drive; punsle; **6.** (*uden objekt*) fare (*fx around; down the motorway*);
□ ~ *after* = 3; ~ *down* **a.** opspore; **b.** (*am.*) (jagte og) få fat i; ~ *up* T **a.** prøve at få fat på; støve op (*fx information*); **b.** følge op på (*fx the matter*); **c.** (*person*) komme 'efter, gå i kødet på (*fx if he doesn't pay I'll ~ him up*).

chaser [ˈtʃeisə] *sb.* **1.** T drik til at skylle efter med; **2.** (*tekn.*) gevindstål; **3.** (*person*) ciselør; **4.** (*film*) B-film.

chasm [kæzm] *sb.* **1.** (dyb) kløft; **2.** (*fig.*) svælg, afgrund (*between* mellem, *fx rich and poor*).

chassis [ˈʃæsi, (*am. også*) ˈʃæsi] *sb.* (*pl. chassis* [ˈʃæsiz]) chassis, understel.

chaste [tʃeist] *adj.* (*glds. el. litt.*) **1.** kysk, ærbar; ren; **2.** (*om stil*) enkel.

chasten [ˈtʃeis(ə)n] *vb.* F lægge en dæmper på; gøre mere afdæmpet// forsigtig//ydmyg.

chastened [ˈtʃeis(ə)nd] *adj.* F (mere) afdæmpet; ydmyg.

chastening [ˈtʃeis(ə)niŋ] *adj.* F af

svalende; neddæmpende.

chastise [tʃæsˈtaiz] *vb.* **1.** F irettesætte//kritisere skarpt, tage kraftigt i skole; **2.** (*glds.*) tugte, revse.

chastisement [tʃæˈstaizmənt, ˈtʃæstizmənt] *sb.* **1.** F skarp irettesættelse; **2.** (*glds.*) tugtelse, revselse.

chastity [ˈtʃæstəti] *sb.* **1.** kyskhed, ærbarhed; renhed; **2.** (*om stil*) enkelhed.

chasuble [ˈtʃæzjubl] *sb.* messehagel.

chat¹ [tʃæt] *sb.* snak, sludder.

chat² [tʃæt] *vb.* **1.** snakke, sludre (*to, with* med); slå en sludder af; **2.** (*på internettet*) chatte;
□ ~ *up* T **a.** snakke med for at skabe kontakt; lægge an på; flirte med; **b.** snakke godt for; prøve at overtale.

chatelaine [ˈʃætəlein] *sb.* (*glds.*) slotsfrue, borgfrue.

chat group *sb.* (*på internettet*) chatgruppe.

chatline [ˈtʃætlain] *sb.* (*tlf.; svarer til*) træfpunkt.

chat room *sb.* (*på internettet*) chatsted.

chat show *sb.* se *talk show*.

chat site *sb.* chatsted.

chattel [ˈtʃæt(ə)l] *sb.* (*glds.*) **1.** personlig ejendel (*fx he treated her like a ~*); **2.** (*jur.*) formuegenstand;
□ *-s* ejendele; løsøre.

chatter¹ [ˈtʃætə] *sb.* (jf. *chatter²*) **1.** snakken; plapren; pludren; **2.** kvidren; skræppen; **3.** klapren, hakken.

chatter² [ˈtʃætə] *vb.* **1.** (*om person*) snakke løs, lade munden løbe; plapre; pludre; **2.** (*om fugl*) kvidre; (*om krage etc.*) skræppe; **3.** (*om tænder, maskine*) klapre, hakke.

chatterbox [ˈtʃætəbɔks] *sb.* T sludrechatol, sludrebøtte.

chattering classes [ˈtʃætəriŋklɑːsiz] *sb. pl.*: *the ~* meningsmagerne.

chattery [ˈtʃætəri] *adj.* **1.** = *chatty*; **2.** som indbyder til snak.

chatty [ˈtʃæti] *adj.* snaksom, snakkesalig.

chat-up line [tʃætʌplain] *sb.* indledningsreplik [*som skal skabe kontakt*].

chauffeur¹ [ˈʃəufə] *sb.* chauffør; privatchauffør.

chauffeur² [ˈʃəufə] *vb.* være chauffør for; køre.

chauvinism [ˈʃəuvinizm] *sb.* **1.** chauvinisme [*krigerisk nationalisme*]; **2.** mandschauvinisme.

chauvinist¹ [ˈʃəuvinist] *sb.* **1.** chauvinist; **2.** mandschauvinist.

chauvinist² [ˈʃəuvinist] *adj.* se

chauvinistic.
chauvinistic [ʃəuvi'nistik] *adj.*
1. chauvinistisk; 2. mandschauvinistisk.
chaw[1] [tʃɔ:] *sb.* (*am.* T) skrå.
chaw[2] [tʃɔ:] *vb.*: ~ *tobacco* (*am.* T) skrå.
cheap [tʃi:p] *adj.* 1. billig;
2. (*neds.*) billig; tarvelig; 3. (*am.*, *neds. om person*) nærig; fornæret;
□ *it is* ~ *and nasty* det er noget billigt skidt; ~ *at any price,* ~ *at half the price* T rigeligt pengene værd; *he felt* ~ han følte sig flov; han skammede sig; *hold* ~ ringeagte; *during the war life was* ~ under krigen regnedes menneskeliv ikke for noget; *make oneself (too)* ~ udsætte sig for foragt; *on the* ~ billigt.
cheapen ['tʃi:p(ə)n] *vb.* 1. (*ting*) forringe værdien af; gøre billig/tarvelig; forsimple; 2. (*person*) nedværdige; trække ned; 3. (*vare*) nedsætte prisen på.
cheapie ['tʃi:pi] *adj.* se *cheapo.*
cheapjack[1] ['tʃi:pdʒæk] *sb.* bissekræmmer.
cheapjack[2] ['tʃi:pdʒæk] *adj.* (*især am.*) billig, tarvelig.
cheapo ['tʃi:pəu] *adj.* T billig, tarvelig.
cheap shot *sb.* tarvelig bemærkning.
cheapskate ['tʃi:pskeit] *sb.* T fedtsyl, gnier.
cheat[1] [tʃi:t] *sb.* 1. (*person*) snyder, bedrager; 2. (*handling*) snyderi, bedrageri.
cheat[2] ['ʃi:t] *vb.* snyde, bedrage;
□ ~ *death* narre døden;
[*med præp.*] ~ *at cards* snyde i kortspil; ~ *on* sby bedrage en; være en utro; ~ *on tax* (*am.*) snyde i skat; ~ sby **(out) of** sth **a.** franarre en noget; **b.** snyde en for noget.
cheater ['tʃi:tə] *sb.* (*især am.*) snyder; svindler.
cheat sheet *sb.* (*it*) huskeliste [*med de almindeligste kommandoer til et program*].
Chechnya ['tʃetʃnjə] (*geogr.*) Tjetjenien.
Chechnyan[1] ['tʃetʃniən] *sb.* tjetjener.
Chechnyan[2] ['tʃetʃniən] *adj.* tjetjensk.
check[1] [tʃek] *sb.* 1. tjek; eftersyn (*fx give the car a* ~); kontrol; 2. (*som hæmmer*) hindring (*to* for, *fx progress*); standsning (*to* i); 3. (*mønster*) ternet mønster; ternet stof;
4. (*fx i træ*) revne, sprække; 5. (*til garderobe, især am.*) garderobenummer; (*for bagage*) garantised-

del; **6.** (*på restaurant, især am.*) regning; bon; **7.** (*ved kontrol, am.*) kontrolmærke, hak; **8.** (*betalingsmiddel, am.*) check; **9.** (*i skak*) skak!
□ *hand in one's -s* S tage billetten [ɔ: *dø*]; *hold/keep in* ~ styre, bremse; holde i tømme, holde i skak; *keep a* ~ *on* **a.** tjekke, kontrollere; **b.** = *hold/keep in* ~; *run a* ~ *on* tjekke (*fx the suspects*).
check[2] [tʃek] *vb.* 1. (*fx oplysning*) tjekke, efterse, kontrollere; 2. (*på liste etc.*) afkrydse; hakke 'af;
3. (*handling, proces*) bremse (*fx the spread of a disease; corruption*; ~ *him in the middle of a protest*); holde tilbage, hindre; standse; 4. (*i skakspil*) byde skak;
5. (*tøj*) aflevere i garderoben;
6. (*bagage*) indskrive; 7. (*glds.* T) irettesætte;
□ ~ *oneself* tage sig i det;
[*med præp.& adv.*] ~ *against* sammenholde med; ~ *for* undersøge for, tjekke for; ~ *in* **a.** (*på hotel, i lufthavn*) tjekke ind; indskrive sig; **b.** (*med objekt*) indskrive; **c.** (*am.: bibl.*) notere tilbagelevering; ~ *into* **a.** (*hotel*) indskrive sig påp; **b.** (*emne, sag*) undersøge nærmere; ~ *off* afkrydse; tjekke af; ~ *on* se 'efter; kontrollere; ~ *out* **a.** (*fra hotel*) tjekke ud; betale og rejse; **b.** (*om oplysning etc.*) passe; stemme; **c.** (*am.: i forretning*) betale (ved kassen);
d. (*am.* T) gå; tage af sted; **e.** (*am.* S) stille træskoene [ɔ: *dø*]; **f.** (*am.: bibl.*) notere et udlån; **g.** (*med objekt: bog*) tjekke 'af til noteret; **h.** (*person, apparat etc.*) gå 'efter; tjekke, afkontrollere; **i.** T se på; ~ *over,* ~ *through* gå 'efter (*for* for, med henblik på, *fx mistakes*); tjekke; afkontrollere; ~ *the baggage through to* få bagagen sendt direkte til; ~ *up* kontrollere 'efter; ~ *up an account* stemme et regnskab af; ~ *up on* afkontrollere (*fx the story; him*); efterprøve; (*person også*) tage oplysninger på; ~ *with* **a.** forhøre sig hos (*fx one's lawyer*); **b.** (*am.*) passe/stemme med (*fx what he said*).
checkbook ['tʃekbuk] *sb.* (*am.*) checkhæfte.
checkbook journalism *sb.* (*am.*) = *cheque-book journalism.*
checkbox ['tʃekbɔks] *sb.* (*it*) afkrydsningsfelt.
check card *sb.* (*am.*) betalingskort.
checked [tʃekt] *adj.* ternet.
checker ['tʃekə] *sb.* 1. kontrollør;
2. (*am.*) dambrik; 3. (*am.: i supermarked*) kasseassistent; kasse-

dame.
checkerboard ['ʃekəbɔːrd] *sb.* (*am.*) dambræt.
checkers ['tʃekərz] *sb. pl.* (*am.*) damspil.
check-in ['tʃekin] *sb.* 1. indskrivning; indtjekning; 2. (*flyv.*) check-in [*sted i lufthavn hvor man tjekker ind*].
checking account *sb.* (*am.*) checkkonto.
check list *sb.* 1. (kontrol)liste; huskeliste; 2. (*i bog*) bibliografi; bogliste.
checkmate[1] ['tʃekmeit] *sb.* 1. (*i skak*) mat; 2. (*fig.*) nederlag.
checkmate[2] ['tʃekmeit] *vb.* 1. (*i skak*) gøre/sætte skakmat; 2. (*fig.*) tilføje et nederlag; gøre/sætte skakmat.
checkout ['tʃekaut] *sb.* 1. (*på hotel*) afregningstidspunkt; 2. (*i supermarked*) kasse; 3. (*handling*) efterprøvning; kontrol.
checkpoint ['tʃekpɔint] *sb.* kontrolsted; kontrolpost.
checkroom ['tʃekrum] *sb.* (*am.*) garderobe.
check-up ['tʃekʌp] *sb.* undersøgelse [*hos læge, tandlæge*]; eftersyn.
cheddar ['tʃedə] *sb.* cheddarost.
cheek[1] [tʃi:k] *sb.* 1. (*anat.*) kind;
2. (T: *på enden*) balde; 3. T frækhed; flabethed;
□ ~ *by jowl* side om side; tæt op ad hinanden; ~ *to* ~ kind mod kind; *turn the other* ~ vende den anden kind til.
cheek[2] [tʃi:k] *vb.* være fræk/flabet over for.
cheek pouch *sb.* (*zo.*) kæbepose.
cheeky ['tʃi:ki] *adj.* fræk, uforskammet; flabet.
cheep[1] [tʃi:p] *sb.* pippen.
cheep[2] [tʃi:p] *vb.* pippe.
cheer[1] [tʃiə] *sb.* (se også *cheers*)
1. bifaldsråb; hurraråb; hurra (*fx three -s for John*); 2. (*am.*) hepperim; slogan [*brugt ved sportskamp*]; 3. (*glds. el. litt.*) opmuntring (*fx there was some* ~ *for them in the news*); 4. (*ved fest*) mad og drikke (*fx the Christmas* ~);
□ *be of good* ~ (*glds.*) være ved godt mod; være munter.
cheer[2] [tʃiə] *vb.* 1. opmuntre;
2. råbe hurra for, tiljuble; 3. (*uden objekt*) råbe hurra;
□ ~ *on* heppe op; opmuntre; tilskynde ved tilråb; ~ *up* **a.** få nyt mod; blive i bedre humør; **b.** (*med objekt: sted*) live op; **c.** (*person*) opmuntre; sætte humør i; ~ *up!* op med humøret!

cheerful ['tʃiəf(u)l] *adj.* **1.** glad, munter; fornøjet; **2.** (*om sted etc.*) munter, lys (*fx colours*); venlig.

cheerfully ['tʃiəf(u)li] *adj.* **1.** glad, muntert (*fx whistle* ~); fornøjet; **2.** (*trods modgang*) med godt humør (*fx bear a defeat* ~); **3.** (*trods fare*) uden videre (*fx he* ~ *ignored their warning*); **4.** (*om noget man føler sig fristet til*) gladelig, med glæde (*fx I could* ~ *have kicked him*).

cheering ['tʃiəriŋ] *sb.* hurraråb; bifald.

cheerio ['tʃiəri'əu] *interj.* T hej; farvel.

cheerleader ['tʃiəli:də] *sb.* **1.** (*am.: ved sportskampe etc.*) leder af heppekor; hepper; **2.** (*fig.*) begejstret fortaler.

cheerless ['tʃiələs] *adj.* trist; glædesløs; trøstesløs.

cheers [tʃiəz] *interj.* T **1.** skål; **2.** farvel; hej; **3.** tak.

cheery ['tʃiəri] *adj.* munter.

cheese[1] [tʃi:z] *sb.* ost; □ *a big* ~ T en stor kanon; *the big* ~ T bossen; *hard/tough* ~ (*glds.* T) surt show.

cheese[2] [tʃi:z] *vb.:* ~ *it!* (*am.* T) pas på! stik af! ~ *sby off* T irritere en; gøre en gal i hovedet; (se også *cheesed-off*).

cheeseboard ['tʃi:zbɔ:d] *sb.* ostebræt; osteanretning.

cheeseburger ['tʃi:zbə:gə] *sb.* cheeseburger [*burger med ost*].

cheesecake ['tʃi:zkeik] *sb.* **1.** kvarkkage, ostekage; **2.** (*glds. am.* S) pinupbillede.

cheesecloth ['tʃi:zklɔθ] *sb.* ostelærred.

cheesed-off ['tʃi:zdɔf] *adj.* T utilfreds; sur; gal i hovedet.

cheese head *sb.* (*på skrue*) cylinderhoved.

cheesemonger ['tʃi:zmʌŋgə] *sb.* ostehandler.

cheeseparing[1] ['tʃi:zpɛəriŋ] *sb.* nærighed, fedtethed, fornærethed.

cheeseparing[2] ['tʃi:zpɛəriŋ] *adj.* nærig, fedtet, fornæret.

cheese plant *sb.* (*bot.*) fingerfilodendron.

cheese spread *sb.* smøreost.

cheese straw *sb.* ostestang; ostepind.

cheesy ['tʃi:zi] *adj.* **1.** osteagtig; som smager af ost; **2.** T som lugter af fodsved; sur (*fx toes; socks*); **3.** (*især am.* T) billig; lurvet; tarvelig; smagløs; □ *a* ~ *smile* et uægte smil.

cheetah ['tʃi:tə] *sb.* (*zo.*) gepard.

chef [ʃef] *sb.* køkkenchef.

Chelsea ['tʃelsi] [*fashionabelt kunstnerkvarter i London*].

Chelsea bun *sb.* rosinsnegl.

chemical ['kemik(ə)l] *adj.* kemisk.

chemicals ['kemik(ə)lz] *sb. pl.* kemikalier.

chemise [ʃə'mi:z] *sb.* (*glds.*) chemise; særk.

chemisette [ʃemi'zet] *sb.* chemisette; underbluse.

chemist ['kemist] *sb.* **1.** kemiker; **2.** apoteker; **3.** (*forretning*) apotek.

chemistry ['kemistri] *sb.* kemi.

chemist's ['kemists] *sb.* (*pl. chemists'*) apotek.

chemotherapy [ki:məu'θerəpi] *sb.* (*med.*) kemoterapi.

cheque [tʃek] *sb.* check (*for* på); (se også *blank cheque*).

cheque account *sb.* checkkonto.

cheque book *sb.* checkhæfte.

cheque-book journalism *sb.* [*sensationsjournalistik der skaffer nyheder ved betaling*].

cheque card *sb.* [*legitimationskort for indehaver af checkkonto, med angivelse af maksimumbeløb*].

chequer ['tʃekə] *sb.* ternet mønster.

chequerboard ['tʃekəbɔ:d] *sb.* dambræt.

chequered ['tʃekəd] *adj.* **1.** ternet; **2.** (*fig.*) broget; afvekslende; □ *a* ~ *career* en omtumlet tilværelse.

Chequers ['tʃekəz] [*den britiske premierministers officielle landsted i Buckinghamshire*].

cherish ['tʃeriʃ] *vb.* **1.** værdsætte; sætte pris på; sætte højt (*fx a few books; a few friends*); **2.** (*for ikke at miste det*) værne om (*fx old traditions; one's independence*); hæge om; **3.** (*person*) passe og pleje; bære på hænder; **4.** (*følelser*) nære, være opfyldt af (*fx hopes,' hatred*).

cherished [tʃeriʃt] *adj.* værdsat, skattet; højtelsket; dyrebar (*fx memory*); □ *his most* ~ *possession* hans kæreste eje.

cheroot [ʃə'ru:t] *sb.* cerut.

cherry[1] ['tʃeri] *sb.* **1.** kirsebær; **2.** (*træ*) kirsebærtræ; **3.** (*farve*) kirsebærrødt; **4.** T mødom; uskyld; □ *have/get another/a second bite at the* ~ få en chance til; prøve en gang til; gøre et nyt forsøg; *the* ~ *on the cake* det bedste af det hele.

cherry[2] ['tʃeri] *adj.* kirsebærrødt.

cherry brandy *sb.* kirsebærlikør.

cherrypick ['tʃeripik] *vb.* **1.** udsøge sig; **2.** (*uden objekt*) udsøge sig det/de bedste; skumme fløden.

cherry picker *sb.* [*lastbil med kurv der kan løftes op*].

chert [tʃə:t] *sb.* (*geol.*) hvidflint.

cherub ['tʃerəb] *sb.* **1.** ((*pl. -s/-im*)) kerub; engel; basunengel; **2.** T ((*pl. -s*)) englebarn.

cherubic [tʃə'ru:bik] *adj.* kerubagtig; buttet.

chervil ['tʃə:vil] *sb.* (*bot.*) kørvel.

Cheshire ['tʃeʃə]: *grin like a* ~ *cat* (*omtr.*) grine som en flækket træsko.

chess [tʃes] *sb.* skak; □ *a game of* ~ et parti skak.

chessboard ['tʃesbɔ:d] *sb.* skakbræt.

chessman ['tʃesmæn, -mən] *sb.* (*pl. -men* [-men, -mən]) skakbrik.

chest [tʃest] *sb.* **1.** kiste (*fx treasure* ~); kasse; **2.** (*anat.*) bryst; brystkasse; □ *beat one's* ~ se *breast*[1]; ~ *of drawers* kommode; dragkiste; *expand/throw out one's* ~ skyde brystet frem; *get it off one's* ~ lette sit hjerte; *close to one's* ~ se *card*[1].

chesterfield ['tʃestəfi:ld] *sb.* **1.** chesterfieldsofa; **2.** lang overfrakke.

chestnut[1] ['tʃesnʌt] *sb.* **1.** (*bot.*) kastanje; **2.** (*træ*) kastanjetræ; **3.** (*farve*) kastanjebrunt; **4.** (*hest*) kastanjebrun hest; fuks; □ *an old/hoary* ~ en ældgammel vittighed/historie; gammel traver; *pull the -s out of the fire for sby* rage kastanjerne ud af ilden for en.

chestnut[2] ['tʃesnʌt] *adj.* kastanjebrun.

chest of drawers *sb.* kommode; dragkiste.

chesty ['tʃesti] *adj.* **1.** tilbøjelig til at hoste; brystsvag; **2.** (*om kvinde*) med store bryster; (*spøg.*) barmsvær, barmfager; **3.** (*am.*) selvbevidst; hoven, indbildsk; □ *a* ~ *cough* en hoste der kommer helt nede fra brystet.

cheval-de-frise [ʃəvældə'fri:z] *sb.* (*mil.*) spansk rytter [*pigtrådskors*].

cheval glass [ʃə'vælgla:s] *sb.* toiletspejl; drejespejl.

cheviot ['tʃeviət] *sb.* (*klæde*) cheviot.

Chevrolet ['ʃevrəlei, (*am.*) ʃevrə'lei] *sb.* [*bilmærke*].

chevron ['ʃevrən] *sb.* **1.** sparre, v-formet mærke; **2.** (*mil.*) vinkel.

chevrotain ['ʃevrətein] *sb.* (*zo.*) dværghjort.

Chevy ['ʃevi] *sb.* (*am.* T) Chevrolet.

chevy ['tʃevi] *vb.* = *chivvy*.

chew[1] [tʃu:] *sb.* **1.** tygning; **2.** tyggebolsje; **3.** (*til hund*) tyggeben; □ *after a couple of -s* (*jf. 1*) når man har//da han havde tygget på det et par gange.

chew[2] [tʃu:] *vb.* **1.** tygge; gumle;

2. (*med objekt*) tygge (*fx one's food*); tygge på, gumle på (*fx a piece of bread*; *one's pencil*); □ ~ *one's fingernails* bide negle [*af nervøsitet*]; ~ *gum* tygge tyggegummi; ~ *one's lips* bide sig i læben; ~ *tobacco* skrå; (*se også bite²* (*off*) *cud*, *fat¹*, *rag¹*); [*med præp.& adv.*] ~ *on* (*også fig.*) tygge på; ~ *out* (*am.* T) give en skideballe; ~ *over* (*fig.*, T) **a.** tygge på; **b.** gennemdrøfte; ~ *up* **a.** tygge i stykker; sønderdele; **b.** T ødelægge.

chewing gum *sb.* tyggegummi.

chewy ['tʃuːi] *adj.* som man skal tygge meget på; sej.

chiaroscuro [kiaːrəˈskuərəu] *sb.* clair-obscur.

chic¹ [ʃiːk] *sb.* fikshed, elegance.

chic² [ʃiːk] *adj.* fiks, elegant; chik.

chicane [ʃiˈkein] *sb.* (*på væddeløbsbane*; *i vej*) s-formet sving.

chicanery [ʃiˈkeinəri] *sb.* F kneb; sofisteri.

chicano [tʃiˈkɑːnəu] *sb.* meksikansk-amerikaner.

chichi ['ʃiːʃi] *adj.* T overpyntet, oversmart; prætentiøs.

chick [tʃik] *sb.* **1.** kylling; **2.** T pigebarn, sild, finke.

chickadee [tʃikəˈdiː] *sb.* (*am.* zo.) mejse.

chicken¹ ['tʃikin] *sb.* **1.** kylling; **2.** (*som mad*) kylling; høne; **3.** T tøsedreng; bangebuks, kujon; □ *it is a* ~ *and egg question/problem* (det er som med ægget og hønen) det er ikke til at vide hvad der er årsag og hvad der er virkning; *count one's -s before they are hatched* sælge skindet før bjørnen er skudt; *run/rush around like a headless* ~ T fare forvirret rundt; *play* ~ [*se hvem der tør blive ved længst*].

chicken² ['tʃikin] *adj.* T fej, bange.

chicken³ ['tʃikin] *vb.*: ~ *out* T få kolde fødder; bakke ud.

chicken and egg *adj.* se *chicken¹*.

chicken farm *sb.* hønseri.

chicken farmer *sb.* hønseavler.

chicken feed *sb.* **1.** kyllingefoder; **2.** (T: *om penge*) pebernødder, småpenge; småting.

chicken-fried steak *sb.* (*am.*) [*panerede og friturestegte skiver af oksekød*].

chicken-hearted [tʃikinˈhɑːtid] *adj.* forsagt; bange; fej.

chickenpox ['tʃikinpɔks] *sb.* (*med.*) skoldkopper.

chicken run *sb.* hønsegård.

chickenshit¹ ['tʃikinʃit] *sb.* (*am. vulg.*) = *chicken¹ 3.*

chickenshit² ['tʃikinʃit] *adj.* (*am.*

vulg.) skidebange; fej.

chicken wire *sb.* hønsenet.

chickpea ['tʃikpiː] *sb.* kikært.

chickweed ['tʃikwiːd] *sb.* (*bot.*) fuglegræs.

chico ['tʃiːkou] *sb.* (*am.* T) fyr, knægt.

chicory ['tʃikəri] *sb.* **1.** cikorie; **2.** (*am.*) julesalat.

chide [tʃaid] *vb.* (*-d, -d*; (*glds.*) *chid, chidden*) (*glds. el.* F) **1.** irettesætte; skænde på, skælde ud; **2.** (*uden objekt*) skænde, skælde ud.

chief¹ [tʃiːf] *sb.* **1.** overhoved; anfører; (*for stamme, klan*) høvding (*fx too many -s and not enough Indians*); **2.** (*for organisation etc.*) leder; chef; □ ~ *of police* (*am.*) politimester; ~ *of staff* stabschef.

chief² [tʃiːf] *adj.* **1.** vigtigst; hoved-; over-; **2.** først; højest; øverst; ledende; □ *his* ~ *competitor* hans nærmeste konkurrent.

chief accountant *sb.* regnskabschef; hovedbogholder.

chief buyer *sb.* indkøbschef.

chief constable *sb.* politimester; politidirektør.

chief engineer *sb.* (*mar.*) maskinchef.

chief executive *sb.* **1.** (*merk.*) administrerende direktør; **2.** (*i by*) kommunaldirektør; **3.** (*i stat*) regeringsleder; □ *the Chief Executive* (*am.*) præsidenten.

chief executive officer *sb.* administrerende direktør.

chief inspector *sb.* politiassistent; kriminalassistent [*af 1. grad*].

Chief Justice *sb.* retspræsident.

chiefly ['tʃiːfli] *adv.* først og fremmest; hovedsagelig, især.

chief rabbi *sb.* overrabiner.

Chief Scout *sb.* spejderchef.

chief superintendent *sb.* politiinspektør.

chieftain ['tʃiːftən] *sb.* høvding.

chiffchaff ['tʃiftʃæf] *sb.* (*zo.*) gransanger.

chiffon ['ʃifɔn] *sb.* chiffon.

chigger ['tʃigə] *sb.* **1.** (*zo.*) sandloppe; **2.** (*am.*) augustmide.

chignon ['ʃiːnjɔn, -jɔːn] *sb.* nakkeknude; opsat nakkehår.

chigoe ['tʃigəu] *sb.* se *chigger 1.*

chilblain ['tʃilblein] *sb.* frostknude; frost [*i fingrene, tæerne*].

child [tʃaild] *sb.* (*pl.* children ['tʃildrən]) **1.** barn; **2.** (*fig.*) produkt (*fx a* ~ *of his imagination*); □ *from a* ~ fra barndommen af; *have -ren* **a.** have børn; **b.** få børn;

the ~ *is father to/of the man* [den voksnes karaktertræk findes allerede hos barnet]; (*great*) *with* ~ (*glds.*) frugtsommelig; *get her with* ~ besvangre hende; gøre hende gravid; (se også *arm¹*).

child abuse *sb.* misbrug af børn; børnemishandling.

childbearing ['tʃaildbɛəriŋ] *sb.* det at føde børn; barnefødsler; □ *be past* ~ være for gammel til at kunne få børn; *of* ~ *age* i den fødedygtige alder.

child benefit *sb.* børnetilskud.

childbirth ['tʃaildbəːθ] *sb.* fødsel; □ *die in* ~ dø i barselsseng.

childcare ['tʃaildkɛə] *sb.* børneforsorg.

childhood ['tʃaildhud] *sb.* barndom; (se også *second childhood*).

childish ['tʃaildiʃ] *adj.* **1.** barnlig (*fx enthusiasm*); **2.** (*neds.*) barnagtig, barnlig (*fx behaviour*).

childless ['tʃaildləs] *adj.* barnløs.

childlike ['tʃaildlaik] *adj.* barnlig (*fx innocence; trust*).

childminder ['tʃaildmaində] *sb.* dagplejemor.

childminding ['tʃaildmaindiŋ] *sb.* børnepasning.

child molester *sb.* en der misbruger børn; børnelokker.

child prodigy *sb.* vidunderbarn.

childproof¹ ['tʃaildpruːf] *adj.* børnesikker; pillesikker.

childproof² ['tʃaildpruːf] *vb.* børnesikre.

children ['tʃildrən] *pl. af* child.

children's disease *sb.* børnesygdom.

child's play ['tʃaildzplei] *sb.* (T: *fig.*) børneleg; barnemad; legeværk.

child support *sb.* børnepenge.

Chile ['tʃili] Chile.

Chilean¹ ['tʃiliən] *sb.* chilener.

Chilean² ['tʃiliən] *adj.* chilensk.

Chile saltpetre *sb.* chilesalpeter.

chill¹ [tʃil] *sb.* **1.** iskulde; **2.** (*sygdom*) (let) forkølelse; **3.** (*ved sygdom*) kulderystelse; **4.** kuldegysning; **5.** (*i forhold*) kølighed (*fx in relations between the two countries*); □ *cast/throw a* ~ *over* lægge en dæmper på; nedstemme; *catch a* ~ blive forkølet; *it sent a* ~ *down my spine* det fik det til at løbe mig koldt ned ad ryggen; *it sent a* ~ *through me* det gav mig kuldegysninger; *take the* ~ *off* kuldslå; temperere.

chill² [tʃil] *adj.* iskold.

chill³ [tʃil] *vb.* **1.** afkøle; gøre iskold; **2.** (*om person*) få til at fryse; isne; **3.** (*fig.*) skræmme;

isne; **4.** (*forhold*) nedkøle;
5. (*tekn.*) hærde; **6.** (*uden objekt*)
køle af; blive iskold; **7.** (T *om person, fig.*) slappe af;
□ ~ *out* = 4; *it -ed me to the bone*
det fik mit blod til at isne [ɔ: *af frygt*].
chill casting *sb.* kokilstøbning.
chiller ['tʃilə] *sb.* **1.** køleskab; køledisk; **2.** se *spine-chiller*.
chilli ['tʃili] *sb.* chilipeber.
chilling ['tʃiliŋ] *adj.* isnende; skræmmende.
chilly ['tʃili] *adj.* **1.** kølig; råkold; **2.** (*fig.*) kølig.
Chiltern Hundreds
[tʃiltən'hʌndrədz] *sb. pl.:* apply for the ~ (*om parlamentsmedlem*) opgive sit sæde i underhuset.
chime[1] [tʃaim] *sb.* **1.** klang, ringen; **2.** klokke;
□ *-s a.* [*sæt af afstemte klokker*]; **b.** [*dørklokke i form af klokkespil*]; *in* ~ i harmoni.
chime[2] [tʃaim] *vb.* **1.** ringe [*som et klokkespil*]; **2.** (*om ur*) slå;
□ ~ *in* falde ind [*i en samtale*]; ~ *in with* **a.** bidrage med; **b.** = ~ *with*; ~ *with* stemme med; harmonere med (*fx his plans* ~ *(in) with mine*).
chimera [kai'miərə, ki'miərə] *sb.*
1. fantasifoster, kimære; hjernespind; **2.** (*myt.*) kimære.
chimerical [kai'merikl] *adj.* F uvirkelig; indbildt.
chimney ['tʃimni] *sb.* **1.** skorsten; **2.** (*til petroleumslampe*) lampeglas; **3.** (*i klippe*) krater; klipperevne.
chimney breast *sb.* [*fremspringende skorstensparti ved kamin*]; kaminfremspring.
chimneypiece ['tʃimnipi:s] *sb.* kamingesims; kaminhylde.
chimney pot *sb.* skorstenspibe.
chimney stack *sb.* **1.** fabriksskorsten; **2.** [*skorsten med gruppe af skorstenspiber*].
chimney sweep *sb.* skorstensfejer.
chimp [tʃimp] *sb.* T = *chimpanzee*.
chimpanzee [tʃimpən'zi:, -pæn-] *sb.* (*zo.*) chimpanse.
chin[1] [tʃin] *sb.* hage;
□ *keep your* ~ *up!* T op med humøret; *take it on the* ~ T tage det som en mand; tage det med oprejst pande.
chin[2] [tʃin] *vb.* (*am.* T) snakke, sludre;
□ ~ *oneself* hæve sig op i armene [*så hagen når op til hænderne*].
China ['tʃainə] Kina.
china ['tʃainə] *sb.* **1.** porcelæn; **2.** S makker.
Chinaman ['tʃainəmən] *sb.* (*pl.*

-men [-mən]) (*neds.*) kineser.
Chinatown ['tʃainətaun] *sb.* kineserkvarter.
chinch [tʃintʃ] *sb.* (*zo.*) væggelus.
chinchilla [tʃin'tʃilə] *sb.* (*zo.*) chinchilla, haremus.
chin-chin ['tʃintʃin] *interj.* (*glds.* T) skål.
chine [tʃain] *sb.* **1.** (*på dur*) rygben; kam; **2.** (*i terrænet*) højderyg; bakkekam; **3.** (*især ved Bournemouth*) kløft.
Chinese[1] [tʃai'ni:z] *sb.* (*pl. d.s.*)
1. (*person*) kineser; **2.** (*sprog*) kinesisk.
Chinese[2] [tʃai'ni:z] *adj.* kinesisk.
Chinese chequers *sb. pl.* kinaskak.
Chinese lantern *sb.* **1.** kinesisk lygte; **2.** (*bot.*) jødekirsebær.
Chinese white *sb.* zinkhvidt.
Chink [tʃiŋk] *sb.* (*neds.; vulg.*) kineser.
chink[1] [tʃiŋk] *sb.* **1.** sprække (*fx in the curtains*); **2.** (*lyd*) klirren (*fx of glasses*);
□ *a* ~ *in his armour* (*fig.*) et svagt punkt; *a* ~ *of doubt* en anelse tvivl; *a* ~ *of light* **a.** en tynd lysstribe; **b.** (*fig.*) et svagt lys; en lille opmuntring.
chink[2] [tʃiŋk] *vb.* **1.** klirre; **2.** klirre med;
□ ~ *glasses with* klinke med.
chinless ['tʃinləs] *adj.* **1.** uden hage; med vigende hage; **2.** (T: *fig.*) slatten; fej;
□ ~ *wonder* tomhjernet overklasseløg.
chino ['tʃi:nəu] *sb.* kakistof;
□ *-s* kakibukser.
chinstrap ['tʃinstræp] *sb.* hagerem.
chintz [tʃints] *sb.* chintz; sirts [*et bomuldsstof*].
chintzy ['tʃintsi] *adj.* **1.** chintzagtig; **2.** (*am.* T: *om ting*) billig; prangende; **3.** (*am.* T: *om person*) nærig, fedtet.
chin-up ['tʃinʌp] *sb.* (*am.*) armhævning.
chinwag[1] ['tʃinwæg] *sb.* T sludder, snak.
chinwag[2] ['tʃinwæg] *vb.* T sludre; snakke.
chip[1] [tʃip] *sb.* (se også *chips*)
1. (*lille stykke*) flis; splint; spån; **2.** (*i porcelæn, glas etc.*) skår (*fx a glass with a* ~ *in its rim*); hak; **3.** (*i (kort)spil*) jeton; (se også *bargaining chip*); **4.** (*i elektronik*) chip;
□ *he is a* ~ *off the old block* han er faderen op ad dage; *have a* ~ *on one's shoulder* T hele tiden være på vagt [*fordi man føler sig miskendt*]; være nærtagende; lide af et mindreværdskompleks.

chip[2] [tʃip] *vb.* **1.** hugge (*fx the block to the required shape*) [ɔ: med små stykker ad gangen]; **2.** (*i kanten*) slå en flis af (*fx a front tooth*); slå skår i, lave hak i (*fx a plate; a glass*); **3.** (*maling etc.*) få til at skalle af (*fx she had -ped her nail varnish*); **4.** (*kartoffel*) strimle; **5.** (*bold*) sparke//slå højt op, chippe; **6.** (*uden objekt*) blive skåret; **7.** (*om maling etc.*) skalle af;
□ ~ *away at* **a.** hugge/hakke små stykker af; **b.** (*fig.*) underminere; ~ *in* **a.** blande sig i samtalen; indskyde en bemærkning; **b.** bidrage (*with* med, *fx £50*); **c.** (*om flere*) skyde sammen; slå sig sammen (om) (*fx* ~ *in to buy a bottle of whisky*); ~ *off* **a.** hugge//brække af i små stykker; **b.** (*om maling*) skalle af.
chipboard ['tʃipbɔ:d] *sb.* spånplade.
chipmunk ['tʃipmʌŋk] *sb.* (*am. zo.*) jordegern.
chip pan *sb.* friituregryde [*til pommes frites*].
chipped [tʃipt] *adj.* (*om porcelæn, glas*) skåret.
chipped beef *sb.* (*am.*) [*tynde skiver røget tørret oksekød*].
Chippendale ['tʃipəndeil] *sb.* [*en møbelstil fra 1700-tallet*].
chipper ['tʃipə] *adj.* (*glds.* T) glad, munter; kvik, kry.
chippings ['tʃipiŋz] *sb. pl.* stenflis.
chippolata [tʃipə'la:tə] *sb.* [*lille tynd pølse*].
chippy[1] ['tʃipi] *sb.* **1.** T fish-and-chip forretning; **2.** T tømrer; **3.** (*am.* S) gadepige.
chippy[2] ['tʃipi] *adj.* aggressiv; irritabel, nærtagende.
chips [tʃips] *sb. pl.* **1.** pommes frites; **2.** (*am.*) chips, franske kartofler;
□ *cash/pass in one's* ~ S tage billetten; dø; *when the* ~ *are down* når det kommer til stykket; når det virkelig gælder; *let the* ~ *fall where they may* lad det gå som det kan; *have had your -s* T **a.** være ude af spillet; **b.** være ved at dø.
chip shop *sb.* grillbar.
chiromancy ['kairəmænsi] *sb.* kiromanti, kunsten at spå i hånden.
chiropodist [ki'rɔpədist, 'ʃi-] *sb.* fodterapeut.
chiropody [ki'rɔpədi, 'ʃi-] *sb.* fodpleje.
chiropractic [kairə(u)'præktik] *sb.* kiropraktik.
chiropractor [kairə(u)'præktə] *sb.* kiropraktor.

chirp¹ [tʃəːp] *sb.* pip; kvidder.
chirp² [tʃəːp] *vb.* kvidre; pippe.
chirpy ['tʃəːpi] *adj.* munter; livlig.
chirrup ['tʃirəp] *vb.* kvidre.
chisel¹ ['tʃiz(ə)l] *sb.* 1. (*til sten*) mejsel; 2. (*til træ*) stemmejern.
chisel² ['tʃiz(ə)l] *vb.* (se også *chiselled*) 1. (jf. *chisel¹*) mejsle; stemme; 2. (*am.* T) snyde (*out of* for); bedrage; svindle; nasse;
□ ~ *in* (*am.* T) møve sig ind.
chiselled ['tʃiz(ə)ld] *adj.* mejslet; markeret (*fx features* træk).
chiseller ['tʃiz(ə)lə] *sb.* T snyder; bedrager; nasser.
chit [tʃit] *sb.* 1. seddel; note;
2. kvittering [*fx for mad el. drikkevarer nydt på kredit*]; skyldseddel; 3. (*glds.; neds.*) pigebarn; tøs;
□ *a* ~ *of a girl* (jf. 3) en stump pigebarn.
chit-chat¹ ['tʃittʃæt] *sb.* T småsnak.
chit-chat² ['tʃittʃæt] *vb.* T småsnakke.
chitin ['kaitin] *sb.* (*biol.*) kitin.
chiton ['kaitɔn] *sb.* 1. (*zo.*) skallus;
2. (*hist.*) chiton [*underkjortel*].
chitter ['tʃitə] *vb.* 1. kvidre;
2. (*skotsk*) ryste af kulde, hutre.
chitterlings ['tʃitəliŋz] *sb. pl.* (*omtr.=*) finker.
chitty ['tʃiti] *sb.* = *chit* (1, 2).
chivalric ['ʃiv(ə)lrik, (*am.*) ʃi'vælrik] *adj.* (*hist.*: vedrørende riddertiden*) ridderlig; ridder- (*fx ideals*).
chivalrous ['ʃivəlrəs] *adj.* (*om mand*) ridderlig; chevaleresk.
chivalry ['ʃivəlri] *sb.* 1. (jf. *chivalrous*) ridderlighed; 2. (*hist.*) riddervæsen; ridderskab; (*personer*) riddere;
□ *the age of* ~ riddertiden.
chives [tʃaivz] *sb. pl.* (*bot.*) purløg.
chivvy ['tʃivi] *vb.* T jage/koste/herse med;
□ ~ *sby along/up* skynde på en, sætte fut i en; ~ *him into doing it* pirke til ham indtil han gør det; drive ham til at gøre det.
chivy ['tʃivi] *vb.* = *chivvy*.
chloric ['klɔːrik] *adj.* klor-.
chloride ['klɔːraid] *sb.* klorid.
chlorinated ['klɔːrineitid] *adj.* kloret; tilsat klor (*fx* ~ *water*).
chlorine ['klɔːriːn] *sb.* klor.
chloroform¹ ['klɔrəfɔːm] *sb.* kloroform.
chloroform² ['klɔrəfɔːm] *vb.* kloroformere.
chlorophyll ['klɔrəfil, (*især am.*) 'klɔː-] *sb.* klorofyl; bladgrønt.
choc [tʃɔk], **choccy** [tʃɔki] *sb.* T chokolade.
choc ice *sb.* is med chokoladeovertræk.

chock¹ [tʃɔk] *sb.* 1. (*under hjul*) bremseklods; kile; 2. (*til opklodsning*) klods; 3. (*mar.*) klys.
chock² [tʃɔk] *vb.* 1. fastkile;
2. klodse op.
chock-a-block [tʃɔkə'blɔk] *adj.* T tæt pakket; propfuld.
chock-full [tʃɔk'ful] *adj.* propfuld.
chocoholic [tʃɔkə'hɔlik] *sb.* T chokoladenarkoman.
chocolate¹ ['tʃɔk(ə)lət] *sb.* chokolade [*også om drik*];
□ -*s* (fyldte) chokolader.
chocolate² ['tʃɔk(ə)lət] *adj.* chokolade-; chokoladebrun.
chocolate-box ['tʃɔk(ə)lətbɔks] *adj.* sødladen; glansbilledagtig; postkort-.
choice¹ [tʃɔis] *sb.* 1. valg; 2. (*om man kan vælge fra*) udvalg (*fx a wide* ~ *of wines*);
□ *there isn't much* ~ der er ikke meget at vælge mellem; *there are three//several* -*s* der er tre//flere ting at vælge mellem;
[*med vb.*] *give sby a* ~ give en lov til at vælge; *have a* ~ kunne vælge; *have a* ~ *of* have valgt mellem; *I have no* ~ *in the matter* jeg har intet valg; *make one's* ~ træffe sit valg; vælge;
[*med præp.*] *by* ~ fordi man selv har valgt det; *I do not live here by* ~ jeg bor ikke her fordi jeg helst vil; *for* ~ helst; *spoilt for* ~ se *spoil²*; *of one's* ~ som man selv vælger//har valgt.
choice² [tʃɔis] *adj.* udsøgt.
choir ['kwaiə] *sb.* 1. sangkor;
2. (*del af kirke*) kor.
choirmaster ['kwaiəmaːstə] *sb.* korleder, kordirigent.
choir organ *sb.* kororgel.
choir stalls *sb. pl.* korstole.
choke¹ [tʃəuk] *sb.* (*i bil*) choker.
choke² [tʃəuk] *vb.* (se også *choked*) 1. kvæle; 2. (*ved direkte tale*) sige med halvkvalt stemme (*fx "Don't go!" she* -*d*); 3. (*uden objekt*) være ved at kvæles; 4. (T: *i sport*) tabe modet; opgive;
□ ~ *back* undertrykke; bide i sig (*fx one's anger*); ~ *down* a. (*mad*) tvinge ned; b. se ovf.: ~ *back*; ~ *sby off* lukke munden på en; bide en af; ~ *sth off* standse noget; afskære noget; ~ *on sth* a. være ved at kvæles i noget, kløjs i noget (*fx a fish bone*); b. (*af forbløffelse*) være ved at få noget i den gale hals (*fx he nearly* -*d on his coffee when he heard the news*); ~ *to death* (*uden objekt*) dø af kvælning (*fx the baby* -*d to death*); he -*d her to death* han kvalte hende; ~ *up* a. stoppe; tilstoppe; blokere

(*fx cars and trucks* -*d the streets*);
b. (*uden objekt; af bevægelse*) få en klump i halsen; c. kvæle; *her voice* -*d with* emotion hun kunne næsten ikke få ordene frem på grund af bevægelse.
choke chain *sb.* kvælerhalsbånd.
choke coil *sb.* (*elek.*) dæmpespole.
choke collar *sb.* = *choke chain.*
choked [tʃəukt] *adj.* 1. halvkvalt, grådkvalt (*fx in a* ~ *voice*); 2. T rasende (*about* over); helt ude af det;
□ *be* ~ *with* (*om passage*) være blokeret af (*fx the streets were* ~ *with traffic*).
choker ['tʃəukə] *sb.* 1. tætsiddende perlehalsbånd; 2. præsteflip;
3. (*glds.: høj flip*) fadermorder.
chok(e)y ['tʃəuki] *sb.* (*glds.* T) fængsel;
□ *in* ~ i spjældet.
choler ['kɔlə] *sb.* 1. (*hist.*) galde;
2. (*poet.*) vrede.
cholera ['kɔlərə] *sb.* (*med.*) kolera.
choleric ['kɔlərik, kɔ'lerik] *adj.* kolerisk; hidsig, opfarende.
cholesterol [kə'lestərɔl] *sb.* (*med.*) kolesterol.
chomp [tʃɔmp] *vb.* T 1. (*uden objekt*) tygge, gumle (*on* på);
2. (*fig.*) skære tænder (*fx with rage*); stampe af utålmodighed;
3. (*med objekt*) tygge på, gumle på (*fx one's breakfast*);
□ ~ *the bit* (*om hest*) gumle (utålmodigt) på bidslet; ~ *at the bit* (*fig.*) være utålmodig efter at komme i gang; dirre af utålmodighed.
choose [tʃuːz] *vb.* (*chose, chosen*) (se også *chosen*) 1. vælge; udvælge; 2. have lyst (*fx I'll stay as long as I* ~); finde for godt; 3. (+ *inf.*) foretrække, vælge, beslutte (*fx he chose to go*);
□ ~ *sby as* spokesman vælge en til talsmand; ~ *between* vælge mellem; *there is not much to* ~ *between them* de er to alen af et stykke; de har ikke noget at lade hinanden høre; det er hip som hap; *I cannot* ~ *but* jeg kan ikke andet end; ~ *to* se ovf.: 3; ~ *sby to be* se ovf.: ~ *sby as.*
choosy ['tʃuːzi] *adj.* T kræsen.
chop¹ [tʃɔp] *sb.* (se også *chops*)
1. hug; slag; 2. (*kød*) kotelet;
□ *be for the* ~ T a. (*om institution etc.*) stå for at skulle nedlægges;
b. (*om person*) stå for at skulle fyres; *get the* ~ T a. få sin bekomst; blive dræbt; b. blive nedlagt;
c. blive fyret; *give sby the* ~ T a. dræbe en; b. fyre en; *it is not much* ~ (*austr.* T) det er der ikke

meget ved.

chop[2] [tʃɔp] *vb.* **1.** hugge; **2.** hakke (*fx -ped parsley; -ped almonds*); **3.** (T: *beløb*) skære ned (*by* med, *fx 70%*); **4.** (*pweson*) give håndkantslag;
□ ~ *and change* hele tiden skifte mening; (se også *logic*); [*med præp., adv.*] ~ *about* (*om vinden*) pludselig vende sig; ~ *down* **a.** (*træ etc.*) hugge om; fælde; **b.** (*modstander, i boldspil*) vælte, fælde; ~ *off* hugge af; ~ *round* = ~ *about*; ~ *up* hugge i småstykker; hakke.

chophouse ['tʃɔphaus] *sb.* værtshus; (billig) restaurant.

chopper ['tʃɔpə] *sb.* (se også *choppers*) **1.** økse; **2.** (*slagters*) kødøkse; **3.** (*fig.*) sparekniv; **4.** T helikopter; **5.** T motorcykel [*med højt styr*]; „kværn"; **6.** (*am.*) maskinpistol; **7.** (*vulg.*) pik, jern; **8.** (*agr.*) hakkelsemaskine.

choppers ['tʃɔpəz] *sb. pl.* T tænder.

chopping block ['tʃɔpiŋblɔk] *sb.* huggeblok.

chopping board ['tʃɔpiŋbɔːd] *sb.* hakkebræt.

choppy ['tʃɔpi] *adj.* (*om havet*) krap.

chops [tʃɔps] *sb. pl.* mund; kæbe; kinder;
□ *lick one's* ~ slikke sig om munden.

chopsticks ['tʃɔpstiks] *sb. pl.* **1.** spisepinde; **2.** (*musikstykke*) prinsesse toben.

chop suey [tʃɔp'suːi] *sb.* chopsuey [*amerikansk sammenkogt ret af kød og grønsager*].

choral ['kɔːrəl] *adj.* kor- (*fx singing*).

chorale [kɔ'rɑːl] *sb.* **1.** (*mus.*) koral; salmemelodi; **2.** (*am.*) kor.

chord [kɔːd] *sb.* **1.** (*mus.*) akkord; **2.** (*geom.*) korde; **3.** (*poet.*) streng; □ *strike/touch a* ~ **a.** (*mus.*) anslå en akkord; **b.** (*fig.*) anslå en streng; vække genklang, møde forståelse (*with* hos); *vocal -s* se *vocal cords*.

chore [tʃɔː] *sb.* **1.** kedeligt arbejde som 'skal gøres; kedelig pligt; **2.** stykke husligt arbejde; huslig pligt; **3.** ubehageligt arbejde.

choreograph ['kɔriəgrɑːf] *vb.* koreografere.

choreographed ['kɔriəgrɑːft] *adj.* (*fig.*) indstuderet, arrangeret, planlagt.

choreographer [kɔri'ɔgrəfə] *sb.* koreograf.

choreography [kɔri'ɔgrəfi] *sb.* koreografi.

chorister ['kɔristə] *sb.* korsanger [*i kirkekor*]; kordreng.

chortle[1] ['tʃɔːtl] *sb.* kluklatter.

chortle[2] ['tʃɔːtl] *vb.* le [*især drilagtigt el. triumferende*]; klukle.

chorus[1] ['kɔːrəs] *sb.* **1.** kor; **2.** (*mus.*) korværk; **3.** (*del af sang*) omkvæd.

chorus[2] ['kɔːrəs] *vb.* synge//råbe i kor.

chose [tʃəuz] *præt. af choose.*

chosen ['tʃəuz(ə)n] *præt. ptc. af choose;*
□ *the* ~ *few* de få udvalgte.

chough [tʃʌf] *sb.* (*zo.*) alpekrage.

choux pastry [ʃuː'peistri] *sb.* vandbakkelsesdej.

chow [tʃau] *sb.* **1.** (*hunderace*) chow-chow; **2.** (*am.* T) mad.

CHP *fork. f. combined heat and power* kraftvarme.

chrism [krizm] *sb.* (*rel.*) den hellige olie.

Christ [kraist] Kristus;
□ ~*!* du store gud! *before* ~ før Kristi fødsel.

christen ['kris(ə)n] *vb.* **1.** døbe; **2.** (T: *fig.*) indvie.

Christendom ['kris(ə)ndəm] *sb.* kristenheden.

christening ['kris(ə)niŋ] *sb.* dåb.

Christian[1] ['kristʃn, -tiən] *sb.* kristen.

Christian[2] ['kristʃn, -tiən] *adj.* **1.** kristen; kristelig; **2.** T venlig; ordentlig; pæn (*fx it wasn't very* ~ *of him*).

Christianity [kristi'ænəti] *sb.* kristendom.

Christian name *sb.* fornavn.

Christmas ['krisməs] *sb.* jul.

Christmas cake *sb.* [*plumkage med marcipanovertræk og glasur*].

Christmas carol *sb.* julesang.

Christmas Day *sb.* første juledag.

Christmas Eve *sb.* juleaften; juleaftensdag.

Christmas pudding *sb.* plumbudding.

Christmas rose *sb.* (*bot.*) julerose.

Christmas stocking *sb.* [*strømpe som hænges op ved kaminen juleaften til at komme julegaver i*].

Christmassy ['krisməsi] *adj.* julet; juleagtig.

Christ's Hospital [*kendt public school*].

chromatic [krə'mætik] *adj.* (*mus.*) kromatisk (*fx scale*).

chrome [krəum] *sb.* krom.

chrome yellow *sb.* kromgult.

chromic ['krəumik] *adj.*: ~ *acid* (*kem.*) kromsyre.

chromium ['krəumiəm] *sb.* (*kem.*) krom.

chromium-plated ['krəumiəmpleitid] *adj.* forkromet.

chromosomal [krəumə'səum(ə)l]
adj. kromosom-.

chromosome ['krəuməsəum] *sb.* kromosom.

chronic ['krɔnik] *adj.* **1.** kronisk; **2.** (*om dårlig vane*) uforbederlig (*fx he is a* ~ *liar//smoker*); **3.** T forfærdelig; rædsom, dødssyg.

chronicle[1] ['krɔnikl] *sb.* **1.** beretning; **2.** (*hist.*) krønike;
□ *the Chronicles* Krønikernes bog [*i biblen*].

chronicle[2] ['krɔnikl] *vb.* berette om; skildre.

chronicler ['krɔniklə] *sb.* krønikeskriver.

chronological [krɔnə'lɔdʒikl] *adj.* kronologisk.

chronological age *sb.* levealder; (jf. *mental age*).

chronology [krə'nɔlədʒi] *sb.* **1.** kronologi, tidsfølge; **2.** kronologisk oversigt/fortegnelse; tidstavle.

chronometer [krə'nɔmitə] *sb.* kronometer.

chrysalis ['krisəlis] *sb.* (*zo.*) puppe.

chrysanthemum [kri'sænθəməm] *sb.* (*bot.*) krysantemum.

Chrysler ['kraizlə, (*am.*)' kraislər] *sb.* [*bilmærke*].

chub [tʃʌb] *sb.* (*zo.*) døbel [*en karpefisk*].

chubby ['tʃʌbi] *adj.* buttet, rund.

chuck[1] [tʃʌk] *sb.* **1.** (*på drejebænk*) patron; **2.** (*oksekød*) melleskært; **3.** (*kærtegn*) dik [*under hagen*]; **4.** (T, *især dial.*) skat, snut;
□ *give day the* ~ (*glds.* T) **a.** fyre en; jage en bort; **b.** (*kæreste*) droppe en, slå op med en.

chuck[2] [tʃʌk] *vb.* T **1.** smide, kaste; **2.** opgive, kvitte (*fx one's job*); **3.** (*om kærtegn*) dikke under hagen; **4.** (*om lyd*) klukke; **5.** (*kæreste, let glds.*) droppe, slå op med; □ ~ *it!* (*glds.*) hold op med det! [*med præp.& adv.*] ~ *money about* slå om sig med penge; ~ *away* **a.** smide væk, kassere; **b.** (*penge*) ødsle væk, formøble; **c.** (*chance*) forspilde; ~ *in* **a.** opgive; **b.** give med i købet; ~ *out* **a.** smide ud; **b.** (*forslag etc.*) forkaste; ~ *sby under the chin* dikke en under hagen; ~ *up* **a.** opgive; **b.** kaste op.

chucker-out [tʃʌkər'aut] *sb.* T udsmider.

chuckle[1] ['tʃʌkl] *sb.* kluklatter; indvendig latter.

chuckle[2] ['tʃʌkl] *vb.* småle, le sagte, klukle; le indvendigt; (*triumferende*) godte sig (*at* over).

chucklehead ['tʃʌklhed] *sb.* T dumrian.

chuck rib *sb.* (*kødudskæring*) tykkam.

C chuck wagon

chuck wagon sb. (am.) køkkenvogn.

chuddar ['tʃʌdə] sb. chador [muslimsk kvindedragt der dækker hele kroppen].

chuffed [tʃʌft] adj. T henrykt (about, with over).

chug[1] [tʃʌg] sb. tøffen; dunken.

chug[2] [tʃʌg] vb. 1. tøffe; dunke; 2. (am.) = chugalug.

chugalug ['tʃʌgəlʌg] vb. (am. T) tømme i ét drag.

chug-chug ['tʃʌgtʃʌg] sb. = chug[1].

chum[1] [tʃʌm] sb. (glds. T) ven; kammerat.

chum[2] [tʃʌm] vb.: ~ up (glds. T) blive gode venner (with med); finde sammen.

chummy ['tʃʌmi] adj. T kammeratlig; fortrolig.

chump [tʃʌmp] sb. 1. tyk ende; klump; 2. (kødudskæring) hoftestykke; 3. (glds. T) tykhovedet person; fæ;
□ off one's ~ T tosset, skør.

chump change sb. (am. T) småpenge, pebernødder.

chunk[1] [tʃʌŋk] sb. 1. stort stykke, tyk klump (fx of ice); 2. (af brød) humpel; tyk skive; 3. (af kød) luns; 4. T gevaldigt stykke, god bid.

chunk[2] [tʃʌŋk] vb. (am.) smælde.

chunky ['tʃʌŋki] adj. 1. (om person) firskåren, kraftig; 2. (om ting) tyk (fx novel); svær, tung (fx bracelet); 3. (om tøj) tyk og varm (fx sweater); 4. (om mad) med store stykker i (fx marmalade).

Chunnel ['tʃʌn(ə)l] sb.: the ~ Kanaltunnelen [mellem England og Frankrig].

chunter ['tʃʌntə] vb. T 1. mumle vredt; brokke sig, mukke; 2. rumle.

church [tʃəːtʃ] sb. 1. kirke; 2. gudstjeneste (fx before//after ~; what time does ~ begin?);
□ be at ~ være i kirke; go to ~ gå i kirke; go into/enter the Church (fig.) blive præst.

churchgoer ['tʃəːtʃgəuə] sb. kirkegænger.

churchman ['tʃəːtʃmən] sb. (pl. -men [-mən]) gejstlig.

church mouse sb.: as poor as a ~ så fattig som en kirkerotte.

church register sb. kirkebog.

church school sb. [skole med tilskud fra og særlig tilknytning til den engelske statskirke].

church service sb. gudstjeneste.

churchwarden ['tʃəːtʃwɔːd(ə)n] sb. 1. kirkeværge; 2. lang kridtpibe.

churchy ['tʃəːtʃi] adj. (T, neds.) hellig.

churchyard ['tʃəːtʃjaːd] sb. kirkegård.

churl [tʃəːl] sb. tølper.

churlish ['tʃəːliʃ] adj. grov, ubehøvlet; tølperagtig.

churn[1] [tʃəːn] sb. 1. smørkærne; 2. mælkejunge.

churn[2] [tʃəːn] vb. 1. piske op; (se også ndf.: ~ up); 2. (smør) kærne; 3. (uden objekt: om vand) hvirvle rundt, male rundt; 4. (merk.) drive kurtagerytteri;
□ my stomach//mind was -ing det kørte rundt i maven//i hovedet på mig;
[med adv.] ~ about rode rundt; ~ out fabrikere på stribe/på samlebånd; sprøjte ud; ~ up a. køre op, rode op (fx a heavy truck had -ed up the road); b. piske op (fx the fish -ed up the water).

chute [ʃuːt] sb. 1. slisk; skrå rende; 2. (til affald) affaldsskakt, nedstyrtningsskakt; 3. (forlystelse) rutsjebane; 4. T faldskærm.

chutney ['tʃʌtni] sb. chutney [stærkt krydret syltetøj af ferske frugter].

chutzpah ['hutzpaː] sb. dristighed; frejdighed; frækhed.

CI fork. f. Channel Islands.

CIA fork. f. (am.) Central Intelligence Agency.

ciabatta [tʃəˈbætə, -ˈbaːtə] sb. ciabattabrød.

ciao [tʃau] interj. T hej.

cicada [siˈkaːdə] sb. (zo.) cikade.

cicatrice ['sikətris], **cicatrix** ['sikətriks] sb. (pl. cicatrices [sikəˈtraisiːz]) ar; mærke.

cicely ['sisili] sb. se sweet cicely.

CID fork. f. Criminal Investigation Department.

cider ['saidə] sb. 1. cider, æblevin; 2. (am.) æblemost.

c. i. f., CIF fork. f. cost, insurance, freight cif; frit leveret [omkostninger, assurance og fragt betalt].

cig [sig] sb. T smøg, cigaret.

cigar [siˈgaː] sb. cigar.

cigar case sb. cigaretui.

cigar cutter sb. cigarklipper.

cigarette [sigəˈret, (am.) ˈsigəret] sb. cigaret.

cigarette end sb. cigaretstump.

cigarette holder sb. cigaretrør.

cigar holder sb. cigarrør.

ciggy ['sigi] sb. T smøg, cigaret.

cilia ['siliə] sb. pl. 1. øjenhår; 2. (bot.) randhår; fimrehår; svingtråde.

C.-in-C. [siːinˈsiː] fork. f. Commander-in-Chief.

cinch[1] [sintʃ] sb. (am.) 1. sadelgjord; 2. T sikkert tag;
□ that's a ~ T a. det er ligetil, det

er en let sag; **b.** det er helt sikkert.

cinch[2] [sintʃ] vb. (am.) 1. sikre; få en klemme på; få sikkert tag i; 2. (rem) stramme; spænde stramt.

cinchona [siŋˈkəunə] sb. (bot.) kinatræ.

cinchona bark sb. kinabark.

cincture ['siŋktʃə] sb. (poet.) bælte.

cinder block sb. (am.) = breeze block.

Cinderella [sindəˈrelə] 1. Askepot; 2. (adj. fig.) forsømt, overset; som ingen tager sig af;
□ the ~ services det mindst eftertragtede arbejde (fx inden for socialforsorgen).

cinders ['sindəz] sb. pl. slagger.

cinder track sb. slaggebane.

cine[1] ['sini] sb. = cinecamera.

cine[2] ['sini] fork. f. cinema (i sms.) biograf-; films-.

cinecamera ['siniˌkæmərə] sb. smalfilmskamera.

cine film ['sinifilm] sb. smalfilm.

cinema ['sinəmə, -maː] sb. 1. biograf; 2. film; filmindustri (fx British ~);
□ the ~ filmen; filmkunsten; go to the ~ gå i biografen.

cinema organ sb. kinoorgel.

cinematic [sinəˈmætik] adj. filmisk; films-.

cinematograph [sinəˈmætəgraːf] sb. (glds.) filmsapparat [ɔ: fremviser].

cinematographer [sinəməˈtɔgrəfə] sb. filmfotograf.

cinematographic [sinəmætəˈgræfik] adj. filmisk.

cinematography [sinəməˈtɔgrəfi] sb. filmkunst.

cinerarium [sinəˈrɛəriəm] sb. urneniche.

cinerary ['sinərəri] adj.: ~ urn (grav)urne.

cinnabar ['sinəbaː] sb. cinnober [mineral; rød farve].

cinnamon ['sinəmən] sb. 1. kanel; 2. (farve) kanelbrunt.

cinque [siŋk] sb. femmer [om kort og terning].

cinquefoil ['siŋkfɔil] sb. (bot.) (krybende) potentil.

CIO fork. f. Congress of Industrial Organizations [en amerikansk fagforeningssammenslutning].

cion ['saiən] (am.) = scion.

cipher[1] ['saifə] sb. 1. chifferskrift, kode; 2. kodet meddelelse; 3. nøgle til chifferskrift; 4. (om person) ubetydelighed, nul; redskab.

cipher[2] ['saifə] vb. omsætte til chifferskrift/kode.

circa ['səːkə] præp. F cirka, omtrent.

circadian [səːˈkeidiən] adj. (biol.)

døgn- (*fx rhythm*).
Circassian[1] [sə:'kæsiən] *sb.* **1.** (*person*) tjerkesser; **2.** (*sprog*) tjerkessisk.
Circassian[2] [sə:'kæsiən] *adj.* tjerkessisk.
circle[1] ['sə:kl] *sb.* **1.** cirkel; ring; **2.** (*om opstilling*) cirkel, kreds, rundkreds (*fx stand in a ~*); **3.** (*om personer*) kreds (*fx a small ~ of friends*; *literary -s*); **4.** (*teat.*) balkon; etage;
□ *come full ~* komme tilbage til sit udgangspunkt; (se også *vicious circle*);
[*med: in*] *argue in a ~* gøre sig skyldig i en cirkelslutning; *go round in a ~/in -s* **T** gå i ring; ikke komme nogen vegne; *run round in -s* **T** løbe forvirret rundt [*uden at få udrettet noget*].
circle[2] ['sə:kl] *vb.* **1.** kredse (*fx the plane -d for an hour*); cirkulere; bevæge sig i en kreds; **2.** (*med objekt*) kredse om; gå rundt om (*fx the dog -d him*); omkredse; **3.** (*på papir*) tegne en cirkel om (*fx the correct answer*);
□ *~ around* **a.** kredse om;
b. danne en kreds om, omkredse.
circlet ['sə:klit] *sb.* **1.** lille cirkel; ring; **2.** krans.
circs [sə:ks] *fork. f. circumstances*.
circuit ['sə:kit] *sb.* **1.** rundrejse; rundtur; runde; **2.** [*række af arrangementer//træf//foredrag*]; **3.** (*i sport*) [*række af konkurrencer// turneringer*]; **4.** (*jur.*) retsrejse, tingrejse [*ɔ: en dommers rejse i sit distrikt for at holde ret*]; retskreds; **5.** (*elek.*) strømkreds; kredsløb; (se også *short circuit*); **6.** (*teat. etc.*) kæde af teatre//biografer [*under samme ledelse*]; **7.** (*til væddeløb*) væddeløbsbane, ring;
□ *break the ~* afbryde strømmen; *make a ~ of* gå en runde i//på (*fx the camp; the city walls*); gå hele vejen rundt i//på; *be on ~* (*om dommer*) være på retsrejse; *be on the ... ~* [*være en af de kendte der er fast deltager//gæst ved bestemte anledninger*]; *be on the cocktail ~* være fast gæst ved cocktailselskaber; *be on the tennis ~* være fast deltager i tennisturneringer; (se også *lecture circuit*).
circuit board *sb.* (*it*) printkort.
circuit breaker *sb.* (*elek.*) afbryder.
circuitous [sə(:)'kju(:)itəs] *adj.* **F** **1.** (*om rute*) kroget; indirekte; **2.** (*om udsagn*) ikke ligefrem; fuld af omsvøb (*fx explanation*);
□ *~ path//road//route* omvej.
circuitry ['sə:kitri] *sb.* (*elek.*) system af kredsløb.

circuit training *sb.* [*træning af forskellige øvelser i rækkefølge*].
circular[1] ['sə:kjulə] *sb.* **1.** (*officiel*) cirkulære; rundskrivelse; **2.** (*til reklame*) reklamebrochure, reklame.
circular[2] ['sə:kjulə] *adj.* **1.** (*om form*) cirkelrund (*fx hole*); cirkulær; kredsformig; **2.** (*om bevægelse*) rund- (*fx journey; tour*); rundt (i en ring) (*fx a ~ walk*); **3.** (*om tænkning*) cirkel- (*fx argument* slutning); som kører i ring.
circular file *sb.* (*spøg.*) papirkurv [*til lodret arkivering*];
□ *put it in the ~* arkivere det lodret.
circularity [sə:kju'lærəti] *sb.* **1.** cirkelform; **2.** cirkelslutninger.
circularize ['sə:kjuləraiz] *vb.* sende cirkulære(r) til;
□ *~ the members* (*også*) rundsende en skrivelse til medlemmerne.
circular letter *sb.* rundskrivelse; cirkulære.
circular railway *sb.* ringbane.
circular saw *sb.* rundsav.
circulate ['sə:kjuleit] *vb.* **1.** cirkulere, gå rundt (*fx you should ~ among the guests*); **2.** (*i lukket system*) cirkulere, løbe rundt; sprede sig (*fx the odours -d throughout the house*); **3.** (*om rygte*) cirkulere, brede sig, gå rundt, være i omløb; **4.** (*med objekt*) lade cirkulere; lade gå rundt; sende rundt; **5.** (*skrivelse*) rundsende; **6.** (*rygte*) udsprede, bringe/sætte i omløb;
□ *circulating library* **a.** lejebibliotek; **b.** (*am.*) udlånsbibliotek.
circulating library *sb.* **1.** lejebibliotek; **2.** (*am.*) udlånsbibliotek.
circulation [sə:kju'leiʃn] *sb.* **1.** cirkulation; **2.** (*om avis, ugeblad etc.*) oplag; udbredelse; **3.** (*om penge*) omløb; **4.** (*bibl.*) udlån; **5.** (*fysiol.*) kredsløb; blodomløb;
□ *be in ~* være i omløb; *be out of ~* **a.** (*om penge*) ikke være i omløb; **b.** (*om person*) ikke være ude blandt folk; *keep sby out of ~* holde en borte fra offentligheden [*ɔ: i fængsel*].
circulatory [sə:kju'leit(ə)ri, 'sə:kjulət(ə)ri] *adj.* (*fysiol.*) kredsløbs-.
circumcise ['sə:kəmsaiz] *vb.* omskære.
circumcision [sə:kəm'siʒ(ə)n] *sb.* omskærelse.
circumference [sə'kʌmf(ə)rəns] *sb.* **1.** omkreds (*fx the earth's ~; 5 metres in ~*); **2.** (*cirkels*) periferi; **3.** (*af område*) udkant (*fx the ~ of the park*); periferi; kant.

circumflex ['sə:kəmfleks] *sb.* cirkumfleks; accent circonflexe [*som fx over e: ê*].
circumlocution [sə:kəmlə'kju:ʃn] *sb.* **F** (*vidtløftig*) omskrivning; omsvøb.
circumnavigate [sə:kəm'nævigeit] *vb.* **F** omsejle, sejle rundt om.
circumnavigation [sə:kəmnævi-'geiʃn] *sb.* **F** omsejling; jordomsejling.
circumnavigator [sə:kəm'nævigeitə] *sb.* **F** (jord)omsejler.
circumscribe ['sə:kəmskraib] *vb.* **1.** indskrænke; begrænse; **2.** (*geom.*) omskrive.
circumscription [sə:kəm'skripʃn] *sb.* (jf. *circumscribe*) **1.** begrænsning; indskrænkning; **2.** omskrivning; **3.** (*på mønt etc.*) omskrift.
circumspect ['sə:kəmspekt] *adj.* **F** forsigtig, varsom (*about* med).
circumspection [sə:kəm'spekʃn] *sb.* forsigtighed, varsomhed; omtanke.
circumstance ['sə:kəmst(ə)ns, -sta:ns, -stæns] *sb.* **1.** omstændighed, forhold; detalje; **2.** (*generelt*) omstændighederne, tilfældet;
□ *compelled by force of ~* tvunget af omstændighederne;
-s **a.** omstændigheder, forhold; **b.** (*økonomiske*) formueomstændigheder; kår (*fx strained -s* trange kår); *-s alter cases* alt er relativt; *in/under the -s* under de forhåndenværende omstændigheder; *in/under no -s* under ingen omstændigheder.
circumstanced ['sə:kəmstənst] *adj.* stillet, situeret;
□ *~ as I was* sådan som jeg var stillet; *be awkwardly ~* være i en ubehagelig situation.
circumstantial [sə:kəm'stænʃ(ə)l] *adj.* **1.** detaljeret (*fx description*); **2.** som ligger i omstændighederne (*fx the reasons for this are ~*).
circumstantial evidence *sb.* (*jur.*) indirekte beviser; indicier; indiciebevis.
circumvent [sə:kəm'vent] *vb.* **F** omgå.
circumvention [sə:kəmvenʃn] *sb.* **F** omgåelse.
circus ['sə:kəs] *sb.* **1.** cirkus; **2.** (*i en by*) runddel; rund plads (*fx Oxford ~, Piccadilly ~*).
cirque [sə:k] *sb.* (*geol.*) cirkusdal, botn.
cirrhosis [si'rəusis] *sb.* (*med.*) skrumpning;
□ *~ of the liver* skrumpelever.
cirrocumulus [sirəu'ku:mjuləs] *sb.* makrelskyer.
cirrostratus [sirəu'stra:təs] *sb.* slør-

C *cirrus*

skyer.

cirrus ['sirəs] *sb.* cirrus, fjerskyer.

CIS *fork. f. the Commonwealth of Independent States* SNG [*afløseren til Sovjetunionen*].

cissy ['sisi] *sb.* T tøsedreng.

cist [sist] *sb.* (*arkæol.*) gravkiste; hellekiste.

Cistercian[1] [si'stə:ʃn] *sb.* (*rel.*) cistercienser(munk).

Cistercian[2] [si'stə:ʃn] *adj.* (*rel.*) cistercienser- (*fx monk; Order*); cisterciensisk.

cistern ['sistən] *sb.* cisterne.

citadel ['sitəd(ə)l, -del] *sb.* **1.** citadel [*kastel, fæstning*]; **2.** (*fig.; litt.*) højborg.

citation [sai'teiʃn] *sb.* **1.** (*i videnskabeligt værk*) citat; citering, henvisning; **2.** (*mil.*) omtale i dagsbefaling. **3.** (*ved tildeling af hædersbevisning*) begrundelse; **4.** (*am. jur.*) tilsigelse, indkaldelse, indstævning.

cite[1] [sait] *sb.* (*am.* T) se *citation* 4.

cite[2] [sait] *vb.* **1.** citere; anføre [*som argument el. bevis*]; **2.** (*am. jur.*) tilsige, indkalde, indstævne; □ *be -d* (*mil.*) blive nævnt i dagsbefalingen.

citified ['sitifaid] *adj.* (*neds.*) bypræget.

citizen ['sitiz(ə)n] *sb.* **1.** (*i by*) borger (*fx the -s of London*); beboer; **2.** (*i stat*) statsborger (*fx he became an American* ~); □ ~ *of the world* kosmopolit; verdensborger.

citizenry ['sitiz(ə)nri] *sb.* F **1.** borgerskab, borgere; **2.** (*i stat*) statsborgere.

Citizens' Advice Bureau *sb.* [*frivilligt drevet rådgivningskontor for private borgere*].

Citizens' Band *sb.* [*radiofrekvenser til brug for private, især brugt af lastbilchauffører*].

citizenship ['sitiz(ə)nʃip] *sb.* **1.** statsborgerskab; indfødsret; **2.** borgerpligt (*fx a sense of* ~); samfundssind.

citric acid [sitrik'æsid] *sb.* citronsyre.

citril ['sitril] *sb.* (*zo.*) citronsisken.

citrus ['sitrəs] *sb.* **1.** citrustræ; **2.** (*i sms.*) citrus- (*fx fruit*).

cittern ['sitə:n] *sb.* (*mus.*) [*ældre, lut-lignende strengeinstrument*].

city ['siti] *sb.* (stor) by; □ *the City* **a.** City [*det indre London; forretningskvarteret der*]; **b.** Londons finansverden.

city council *sb.* byråd; kommunalbestyrelse.

city councillor *sb.* byrådsmedlem.

city desk *sb.* (*på avis*) **1.** erhvervs-

---

redaktion; **2.** (*am.*) lokalredaktion.

city editor *sb.* (*på avis*) **1.** redaktør af erhvervsstoffet; **2.** (*am.*) lokalredaktør.

city fathers *sb. pl.: the* ~ byens vise fædre, byrådet.

city hall *sb.* (*am.*) rådhus.

city page *sb.* (*i avis*) erhvervsside, børsside.

cityscape ['sitiskeip] *sb.* **1.** parti fra en by, prospekt; **2.** bys udseende, bybillede.

city slicker *sb.* [*smart fyr fra byen*].

city technology college *sb.* (*omtr.*) højere teknisk uddannelse; teknisk gymnasium.

civet ['sivit] *sb.* **1.** (*zo.*) desmerkat; **2.** (*duftstof*) zibet.

civic ['sivik] *adj.* **1.** by- (*fx orchestra*); kommunal; officiel (*fx reception*); **2.** (*som vedrører borgerne*) borger- (*fx duty; virtues*); samfunds-; borgerlig.

civic center *sb.* (*am.*) kulturhus.

civic centre *sb.* **1.** rådhus; kommunal administrationsbygning; **2.** [*bycentrum hvor de offentlige bygninger ligger*].

civics ['siviks] *sb. pl.* samfundslære.

civil ['siv(ə)l] *adj.* **1.** borger-; borgerlig; **2.** (*mods. militær, politi*) civil; **3.** (*om optræden*) høflig.

civil aviation *sb.* trafikflyvning.

civil defence *sb.* civilforsvar.

civil disobedience *sb.* borgerlig ulydighed; passiv modstand.

civil engineer *sb.* bygningsingeniør.

civil engineering *sb.* **1.** bygningsingeniørarbejde; **2.** bygningsingeniørvidenskab.

civilian[1] [si'viliən] *sb.* civil person; civilist.

civilian[2] [si'viliən] *adj.* civil.

civilianize [si'viliənaiz] *vb.* gøre civil; give civil status.

civility [si'viləti] *sb.* høflighed.

civilization [sivilai'zeiʃn] *sb.* kultur; civilisation.

civilize ['sivilaiz] *vb.* **1.** civilisere; **2.** (*person*) opdrage; gøre kultiveret.

civilized ['sivilaizd] *adj.* **1.** civiliseret; **2.** kultiveret; høflig; dannet.

civil law *sb.* borgerlig ret.

civil liberties *sb. pl.* frihedsrettigheder.

Civil List *sb.* civilliste [*årpenge/apanage til den kongelige familie*].

civil marriage *sb.* borgelig vielse.

civil rights *sb. pl.* borgerrettigheder.

civil servant *sb.* statstjenestemand; regeringsembedsmand.

Civil Service *sb.: the* ~ (*omtr.*) civiletaterne; statsadministrationen.

civil war *sb.* borgerkrig.

civvies ['siviz] *sb. pl.* T civilt tøj.

civvy ['sivi] *sb.* (*mil.* T) civilist.

civvy street *sb.* (*glds.* T) det civile liv.

cl *fork. f. centilitre.*

clack[1] [klæk] *sb.* klapren.

clack[2] [klæk] *vb.* klapre.

clad [klæd] *adj.* (F *el. litt.*) klædt (*fx* ~ *in white*).

cladding ['klædiŋ] *sb.* beklædning; facadebeklædning.

claim[1] [kleim] *sb.* **1.** påstand (*that* om at/at, *fx his* ~ *that he was the owner*); **2.** (*om påstået ret*) krav (*to* på, *fx the Throne; a territory*); fordring (*to* på); **3.** (*jur.*) påstand; krav (*for* om, *fx damages*); (*i konkursbo*) fordring; **4.** (*som man indgiver*) ansøgning (*for* om, *fx Social Security benefits; political asylum; your* ~ *should reach us no later than ...*); krav (*for* om, *fx higher wages; compensation*); **5.** (*assur.*) skadeanmeldelse; skade; krav; (se også *no-claims bonus*); **6.** (*ved guldgravning etc.*) (grube)lod;

□ *his only* ~ *to fame* (*især spøg.*) det eneste han har gjort sig bemærket ved;

[*med vb.*] *jump a* ~ (*glds. am.*) sætte sig i besiddelse af jord som en anden har fået tildelt; *make a* ~ fremsætte en påstand (*fx some of the -s that were made were absurd*); *stake a* ~ **a.** (*jf.* 6) afmærke og gøre krav på et jordareal; **b.** (*fig.*) gøre krav gældende;

[*med vb.* + *præp.*& *adv.*] *have a* ~ *on/to* have krav på (*fx on him//his attention; to respect*); *lay* ~ *to* F fremsætte krav om; gøre krav/fordring på (*fx a territory*); *make -s about* komme med påstande om; *make a* ~ *on one's insurance* anmelde en skade til sin forsikring; *I make no* ~ *to be* jeg giver mig ikke ud for at være, jeg gør ikke fordring på at være, jeg prætenderer ikke at være (*fx an expert*); *put in a* ~ *for* stille/rejse krav om.

claim[2] [kleim] *vb.* **1.** hævde, påstå (*that//to* at, *fx the company -s that it is not responsible for the damage; he -s to have seen the missing letter*); (*jur. også*) gøre gældende; (+ *sb.*, se også *ndf.*) påstå at have (*fx a high success rate; a large membership*); **2.** (*som sin ret*) forlange, kræve (*fx one's rights; one's money back*); gøre krav/fordring på (*fx sby's attention*); (*jur.*) kræve, gøre krav på;

3. (*understøttelse etc*) søge om (*fx unemployment benefit; compensation*); søge (*fx political asylum*); **4.** (*hvad der tilhører en*) afhente (*fx a lost child; lost property; a prize*); **5.** (*i sport*) vinde (*fx a title; a prize*);
□ ~ *damages* (*jur.*) gøre erstatningskrav gældende; ~ *sby's life* F koste en livet; ~ *a record* (*jf.* 5) sætte en rekord; *she -ed sexual harassment* hun påstod at have været udsat for sexchikane; ~ *victory* hævde at man har vundet; (se også *kinship, responsibility*);
[*med præp.& adv.*] ~ **for a.** kræve; **b.** søge om; ~ *on one's insurance* anmelde en skade til sin forsikring; *I don't ~ to be* jeg giver mig ikke ud for at være, jeg gør ikke fordring på at være, jeg prætenderer ikke at være (*fx an expert*).
claimant ['kleimənt] *sb.* **1.** fordringshaver; **2.** (*mht. understøttelse*) bistandsmodtager; dagpengemodtager.
claims adjuster *sb.* skadestaksator; dispachør.
clairvoyance [klɛə'vɔiəns] *sb.* clairvoyance, synskhed.
clairvoyant[1] [klɛə'vɔiənt] *sb.* clairvoyant; synsk person.
clairvoyant[2] [klɛə'vɔiənt] *adj.* clairvoyant, synsk.
clam[1] [klæm] *sb.* **1.** (*zo.*) (spiselig) musling [*om forskellige arter*]; **2.** (*am.* T) en der er stum som en østers; dødbider;
□ *shut up like a* ~ T klappe i.
clam[2] [klæm] *vb.* samle muslinger;
□ ~ *up* T klappe i.
clambake ['klæmbeik] *sb.* (*am.*) skovtur; strandtur [*hvor der koges muslinger*].
clamber[1] ['klæmbə] *sb.* klatretur.
clamber[2] ['klæmbə] *vb.* klatre, klavre; kravle.
clammy ['klæmi] *adj.* **1.** klam, fugtig, klistret; **2.** (*om luft*) ubehageligt fugtig; fugtigkold.
clamorous ['klæmərəs] *adj.* **1.** skrigende, larmende (*fx crowd*); højrøstet; **2.** højlydt (*fx protest*).
clamour[1] ['klæmə] *sb.* **1.** råb (*for om, fx vengeance*); skrig; larmen; **2.** (*udtryk for utilfredshed*) højrøstet misfornøjelse; højlydt protest; ramaskrig.
clamour[2] ['klæmə] *vb.* råbe op; larme;
□ ~ *against* protestere højlydt mod; ~ *for* råbe på.
clamp[1] [klæmp] *sb.* **1.** skruetvinge; **2.** (*fx på slange*) klemme; spændebøjle; **3.** (*på ulovligt parkeret bil*) parkeringsklampe; hjul-

spærre; **4.** (*agr.*) kule (*fx potato* ~).
clamp[2] [klæmp] *vb.* **1.** spænde (fast); **2.** klemme (fast); presse (*fx the telephone to one's ear*); **3.** (*ulovligt parkeret bil*) spænde parkeringsklampe på;
□ ~ *down on* slå hårdt//hårdere ned på (*fx tax dodgers*); gribe kraftigt ind over for/mod; sætte en stopper for.
clampdown ['klæmpdaun] *sb.* pludselig stramning af kursen// bestemmelserne; energisk indgreb (*on over for/mod, fx tax evasion*).
clan [klæn] *sb.* klan.
clandestine [klæn'destin, 'klændəstin, -stain] *adj.* F hemmelig.
clang[1] [klæŋ] *sb.* klingen; drønen; metalklang.
clang[2] [klæŋ] *vb.* klinge; drøne [*med metalklang*];
□ ~ *the bells* ringe drønende med klokkerne; *the door -ed shut* døren faldt i med et drøn.
clanger ['klæŋə] *sb.* (T: *uheldig bemærkning*) bommert, brøler;
□ *drop a* ~ lave en bommert/brøler; træde i spinaten.
clangorous ['klæŋərəs] *adj.* drønende; klingende.
clangour ['klæŋə] *sb.* (*især litt.*) metalklang; drøn.
clank[1] [klæŋk] *sb.* raslen; skramlen; klirren.
clank[2] [klæŋk] *vb.* rasle; skramle; klirre.
clannish ['klæniʃ] *adj.* (*neds.*) med stærkt sammenhold; sammenspist.
clannishness ['klæniʃnəs] *sb.* (*neds.*) familiesammenhold; sammenspisthed.
clansman ['klænzmən] *sb.* (*pl.* -men [-mən]) klanmedlem.
clap[1] [klæp] *sb.* **1.** (*på skulderen*) klap; **2.** klappen, bifald; **3.** (*glds.* T) gonorré;
□ *give sby a* ~ (*jf.* 2) klappe ad en; ~ *of thunder* tordenskrald; *a* ~ *on the back* et (venskabeligt) dunk i ryggen.
clap[2] [klæp] *vb.* **1.** klappe (*fx ~ him on the shoulder*); **2.** (*om bifald*) klappe; (*med objekt*) klappe ad (*fx him; his performance*); **3.** (*ting*) sætte [*hårdt og energisk*]; smække (*fx one's hat on*); **4.** (*fig.*, T) lægge; smække (*fx a higher tax on cigarettes*);
□ ~ *sby in jail* sætte//smide en i fængsel; ~ *sby on the back* give en et (venskabeligt) dunk i ryggen;
[*med sb.*] ~ *eyes on* **a.** se for sine øjne; **b.** få øje på; ~ *one's hands*

klappe i hænderne; ~ *one's hand to one's forehead* slå sig på panden (*i fortvivlelse*); ~ *hold of* snuppe.
clapboard ['klæpbɔːd] *sb.* (*am.*) **1.** (*til hus*) (bræt til) klinkbeklædning; klinkstillet bræt; **2.** (*film.*) klaptræ.
clapboard house *sb.* (*am.*) klinkbeklædt hus.
clapometer [klæ'pɔmitə] *sb.* bifaldsmåler.
clapped-out [klæpt'aut] *adj.* T slidt op; nedslidt.
clapper ['klæpə] *sb.* (*i klokke*) knebel;
□ *they ran like the -s* T de løb som om fanden var i hælene på dem; de løb som død og helvede.
clapperboard ['klæpəbɔːd] *sb. pl.* (*film.*) klaptræ.
claptrap ['klæptræp] *sb.* T tomme fraser; højtravende sludder.
claret ['klærət] *sb.* **1.** rødvin [*især bordeaux*]; **2.** (*farve*) vinrødt.
claret cup *sb.* [*isafkølet rødvin med lemon juice, spiritus etc.*].
clarification [klærifi'keiʃn] *sb.* **1.** F klargørelse, tydeliggørelse; præcisering; afklaring; **2.** (*af væske*) klaring.
clarify ['klærifai] *vb.* **1.** (F: *sag, forhold*) gøre klarere (*fx the matter*); klargøre, tydeliggøre, præcisere (*fx one's views*); afklare (*fx the legal position*); **2.** (*væske etc.*) klare.
clarinet [klæri'net] *sb.* (*mus.*) klarinet.
clarinettist [klæri'netist] *sb.* (*mus.*) klarinettist.
clarion ['klæriən] *sb.* (*mus., hist.*) clarino [*trompet med høj, lys klang*].
clarion call *sb.* (*fig.*) kraftig appel.
clarity ['klærəti] *sb.* **1.** klarhed; **2.** (*om væske*) klarhed, renhed.
clash[1] [klæʃ] *sb.* **1.** sammenstød (*fx between the police and demonstrators*); **2.** (*i sport*) kamp, møde; **3.** (*fig.*) konflikt (*fx ~ of interests* interessekonflikt; ~ *of loyalties*); **4.** (*tidsmæssig*) sammenfald; **5.** (*om farver*) skrigende modsætning; **6.** (*om lyd*) klirren;
□ ~ *of cultures* kultursammenstød; ~ *of opinions/views* meningsuoverensstemmelse.
clash[2] [klæʃ] *vb.* **1.** støde sammen; tørne sammen; **2.** (*i sport*) mødes; **3.** (*fig.*) kollidere; **4.** (*om lyd*) klirre;
□ *the colours* ~ farverne passer ikke sammen; farverne skriger mod hinanden;
~ *with* **a.** støde/tørne sammen med, slås med (*fx the police*); **b.** (*i*

C clasp

sport) kæmpe mod, møde; **c.** (*fig.*) kollidere med (*fx their views*); **d.** (*tidsmæssigt*) falde sammen med (*fx her party -es with my birthday*); **e.** (*om farver*) ikke passe til; stå i skrigende modsætning til.

clasp[1] [kla:sp] *sb.* **1.** (*med hånden*) fast greb (*fx hold his hand in a firm ~*); håndtryk; (*med armene*) omfavnelse; **2.** (*til at lukke//holde fast med*) spænde; hægte; (*på perlekæde etc.*) lås.

clasp[2] [kla:sp] *vb.* **1.** gribe fast om, knuge (*fx his hand*); holde fast; gribe fat om (*fx one's knees*); **2.** lukke med spænde;
□ *~ hands* trykke hinandens hænder; *~ one's hands* folde hænderne;
[*med præp.*] *he -ed her* **in** *his arms* han omfavnede hende; han tog hende i sine arme; han trykkede hende til sit bryst; *she -ed the child* **to** *her* hun trykkede/knugede barnet ind til sig.

clasp knife *sb.* foldekniv.

class[1] [kla:s] *sb.* **1.** (*i samfund & om kategori*) klasse; **2.** (*i undervisning*) klasse; hold; **3.** (*periode*) undervisningstime; time (*fx he was late for a ~*; *a ~ in French*); **4.** (*række timer*) kursus (*fx a ~ in photography at night school*); **5.** (*ved universitetseksamen*) (hoved)karakter (*fx obtain a first ~* få førstekarakter); **6.** (*am.: om studenter*) årgang;
□ *-es* **a.** undervisning (*fx I've got -es all afternoon*); **b.** (*generelt*) undervisningen (*fx -es have been cancelled today*; *he never attends -es*); *he goes to/takes -es in French* han går til timer i fransk; han går til franskundervisning;
no *~* T ringe; tarvelig; *it has got ~* T det er stil over det; det er fornemt; *he takes the ~ in French* han underviser/har klassen i fransk;
[*med præp.*] **in** *~* **a.** i timen (*fx sleep in ~*; *talk in ~*); **b.** i/på klassen (*fx go through the text in ~*); *in a ~ by itself//oneself, in a ~ of its//one's own* noget helt for sig selv; enestående; i særklasse; *in a different ~ from, not in the same ~ as* i en helt anden klasse end; langt bedre end; *go* **to** *a ~ in French* gå til undervisning i fransk.

class[2] [kla:s] *adj.* T førsteklasses; fornem.

class[3] [kla:s] *vb.* klassificere.

class action lawsuit *sb.* (*am. jur.*) kollektivt søgsmål.

class-conscious ['kla:skɔnʃəs] *adj.* klassebevidst.

class distinction *sb.* klasseforskel.

classic[1] ['klæsik] *sb.* klassiker; (se også *classics*).

classic[2] ['klæsik] *adj.* klassisk (*fx example*; *film*; *style*).

classical ['klæsik(ə)l] *adj.* klassisk (*fx ballet*; *music*; *languages*).

classicism ['klæsisizm] *sb.* klassicisme.

classicist ['klæsisist] *sb.* **1.** (*videnskabsmand*) klassisk filolog; **2.** (*kunstner*) klassicist.

classics ['klæsiks] *sb. pl.* **1.** (*i skole*) de klassiske sprog; **2.** (*universitetsfag*) klassisk filologi.

classification [klæsifi'keiʃn] *sb.* klassifikation.

classified ['klæsifaid] *adj.* **1.** (*om dokument = hemmelig*) klassificeret; **2.** (*jf. classify*) klassificeret; systematisk.

classified ad, classified advertisement *sb.* rubrikannonce.

classified directory *sb.* (*tlf.*) fagbog.

classifieds ['klæsifaidz] *sb. pl.* rubrikannoncer.

classify ['klæsifai] *vb.* klassificere (*as* som); inddele i klasser; systematisere.

classmate ['kla:smeit] *sb.* klassekammerat.

classroom ['kla:sru:m, -rum] *sb.* klasseværelse.

classy ['kla:si] *adj.* T fin, fornem; stilfuld.

clatter[1] ['klætə] *sb.* (*jf. clatter*[2]) **1.** klapren; klirren; raslen; skramlen; **2.** buldren; **3.** (*om snak*) plapren.

clatter[2] ['klætə] *vb.* **1.** klapre; klirre; rasle; skramle; **2.** (*et sted hen*) buldre (*fx down//up the stairs*); **3.** (*med objekt*) klapre med; klirre med; rasle med; skramle med (*fx dishes*).

clause [klɔ:z] *sb.* **1.** (*afsnit, fx i lov*) paragraf; **2.** (*bestemmelse*) klausul; **3.** (*gram.*) sætning; (se også *main clause, relative clause, subordinate clause*).

claustrophobia [klɔ:strə'fəubiə, klɔs-] *sb.* (*psyk.*) klaustrofobi.

claustrophobic [klɔ:strə'fəubik, klɔs-] *sb.* (*psyk.*) klaustrofobisk [*som lider af///fremkalder klaustrofobi*].

clave [kleiv] (*glds.*) *præt. af cleave.*

clavichord ['klævikɔ:d] *sb.* (*mus.*) klavikord.

clavicle ['klævikl] *sb.* (*anat.*) nøgleben, kraveben.

claw[1] [klɔ:] *sb.* klo.

claw[2] [klɔ:] *vb.* **1.** kradse, rive, flå; **2.** gribe, fægte (med kløerne//hæn-

derne) (*at, for* efter);
□ *~ back* **a.** (*penge*) få ind igen; **b.** (*om staten*) tage tilbage i skat// afgifter; inddrage; **c.** (*stilling etc.*) få tilbage; erobre tilbage; *~ one's way* **a.** kravle ved at hage sig fast med hænderne (*fx up a ladder*); **b.** (*fig.*) kæmpe sig (*fx to the top*).

claw feet *sb. pl.* løvefødder [*på møbler*].

claw hammer *sb.* kløfthammer.

clay [klei] *sb.* **1.** ler; lerjord; **2.** (*på tennisbane*) grus.

clayey ['kleii] *adj.* leret.

claymore ['kleimɔ:] *sb.* (*hist.*) [*skotsk tveægget sværd*].

clay pigeon *sb.* lerdue [*til skydeøvelse*].

clay pipe *sb.* kridtpibe.

clean[1] [kli:n] *sb.* rengøring (*fx give the room a ~*).

clean[2] [kli:n] *adj.* **1.** ren; **2.** (*om egenskab*) renlig; **3.** (*om person: moralsk*) uplettet; T som ikke har gjort noget ulovligt; som ikke har tyvekoster//narko på sig; **4.** (*om narkoman*) stoffri; **5.** (*om udsagn, opførsel*) pæn, anstændig; **6.** (*om kamp*) fair, ærlig; **7.** (*om form*) ren; velformet; regelmæssig; glat; **8.** (*om bevægelse*) behændig; **9.** (*om slag*) velrettet; **10.** (*typ.: om korrektur*) (næsten) fri for fejl; trykfærdig; **11.** (*am.* T) pengeløs; blanket af;
□ (*as*) *~ as a new pin//a whistle* fuldstændig ren; som blæst; *come ~* S gå til bekendelse; *keep it ~* S ikke blive sjofel;
[*med sb.*] *a ~ bill of health* se *bill*[1]; *a ~ break* **a.** et fuldstændigt brud; **b.** (*med.*) et ukompliceret brud; *make a ~ break* viske tavlen ren; begynde på en frisk; *make a ~ breast of it* gå til bekendelse; *~ copy* renskrift; *a ~ record* et uplettet rygte; *they had a ~ sheet* (*i fodbold*) der var ikke scoret imod dem; *start with a ~ sheet/slate* begynde på en frisk; slå en streg over fortidens synder; *make a ~ sweep* **a.** gøre rent bord; fjerne alt rub og stub; begynde på en frisk; **b.** vinde det hele.

clean[3] [kli:n] *vb.* **1.** rense (*fx a fish*); **2.** (*fjerne snavs*) rense (*fx one's nails*; *clothes*); pudse (*fx silver plate, windows*); børste (*fx one's teeth*); vaske (*fx the car*); **3.** (*værelse, hus*) gøre rent i;
□ [*med adv.*] *~ down* rense grundigt; vaske ned (*fx the walls*); *~ off* rense af, fjerne (*fx stains*); *~ out* **a.** gøre rent i; **b.** tømme; rydde; *~ sby out* T blanke en af;

~ *up* **a.** rydde op; **b.** (*med objekt*) rydde op i; bringe i orden; **c.** (*person*) gøre ren; vaske; **d.** (*fig.*) rense ud i; **e.** (*mil.*) rense [*et erobret terræn for fjender*]; **f.** T tjene (*fx a fortune*); indkassere; (se også *act¹*).
clean⁴ [kli:n] *adv.* **1.** rent; **2.** T fuldstændigt, helt (*fx he had ~ forgotten it*); lige (*fx ~ in the eye; ~ through his hand*);
□ *he jumped ~ over the hedge* han sprang over hækken uden så meget som at røre den.
clean and jerk *sb.* (*i vægtløftning*) stød.
clean-cut ['kli:nkʌt] *adj.* velplejet; ren og pæn.
cleaner ['kli:nə] *sb.* (se også *cleaners*) **1.** rengøringsassistent; **2.** (*middel*) rengøringsmiddel; rensevæske; **3.** (*maskine etc.*) rengøringsmaskine; renseredskab; (se også *pipe cleaner, vacuum cleaner*).
cleaners ['kli:nəz] *sb. pl.* renseri;
□ *be taken to the ~* (T: *fig.*)
a. blive snydt så vandet driver af én; blive blanket af; **b.** (*om nederlag*) få bank, blive jordet.
cleaning ['kli:niŋ] *sb.* rengøring.
cleaning lady *sb.* rengøringsdame.
cleanliness ['klenlinəs] *sb.* renlighed;
□ *~ is next to godliness* (*omtr.*) renlighed er en god ting.
cleanly¹ ['klenli] *adj.* (*glds.*) renlig.
cleanly² ['kli:nli] *adv.* **1.** rent; **2.** ordentligt, fair; **3.** se *clean⁴* 2.
cleanse [klenz] *vb.* rense (*of* for).
cleanser ['klenzə] *sb.* **1.** rengøringsmiddel; **2.** (*kosmetik*) rensecreme.
clean-shaven [kli:n'ʃeiv(ə)n] *adj.* glatbarberet.
clean-up ['kli:nʌp] *sb.* **1.** rengøring; **2.** (*fig.*) oprydning; udrensning; **3.** (*am.* T) kæmpefortjeneste.
clear¹ [kliə] *adj.* **1.** klar (*fx sky; light; fire; eyes*); **2.** (*om lyd*) klar, lys (*fx note, voice*); **3.** (*om tekst, udsagn, billede*) klar, tydelig (*fx statement; message; meaning; picture*); **4.** (*om passage, sted*) klar (*fx he road is ~*); fri (*fx keep the exit ~*); ryddet (*fx leave one's desk ~*); **5.** (*om mængde, antal*) hel (*fx six ~ days//weeks*); netto (*fx profit*); **6.** (*om hud*) ren, uplettet;
□ (*as*) *~ as a bell/as crystal/as daylight* fuldstændig klart; klart som dagen; krystalklart; (*as*) *~ as mud* (T: *spøg.*) klart som blæk [ɔ: uforståeligt]; *in ~* (om meddelelse) i klart sprog;
[*med sb.*] *a ~ case of* et oplagt tilfælde af; *a ~ conscience* en ren samvittighed; *have a ~ head* være

klar i hovedet; *~ skin* ren hud; [*med vb.*] *be ~ about/on* være helt klar over; *I was ~ about it* (også) det stod mig klart; *be in the ~*
a. være ude af vanskelighederne; **b.** være renset [*for beskyldning etc.*]; have klaret frisag; *I was ~ in my mind* det stod mig klart; *be ~ of* **a.** (*på afstand af*) være klar/fri af; være væk fra; være ude af; **b.** (*i konkurrence*) være foran (*fx he was 5 points//3 seconds ~ of the others*); **c.** (*ryddet for*) være fri for (*fx the road was ~ of traffic; he was ~ of debt*); være renset for (*fx suspicion*); *be ~ that* være helt klar over at; være sikker på at; *is that ~?* er det forstået? *get it ~* få det på det rene; *make oneself ~* udtrykke sig klart/tydeligt; (se også *clear³*).
clear² [kliə] *vb.* **A.** (*med objekt*) **1.** rydde (*fx snow; land; mines; the road; one's desk*); tømme (*fx a cupboard; a pillarbox* en postkasse); **2.** (*for urenhed, smuds*) rense (*fx one's name; it -ed the air*); **3.** (*forhindring*) gå fri af (*fx the car -ed the tree*); klare (*fx a hurdle; an obstacle*); tage; **4.** (*noget som forelægges*) godkende (*fx the report*); **5.** (*mht. told*) (told)klarere, fortolde (*fx goods*); **6.** (*merk.*) sælge ud, realisere (*fx one's stock* sit lager); **7.** (*penge*) tjene netto; **8.** (*check*) cleare; **9.** (*sag*) opklare; **10.** (*bold, i fodbold*) sparke væk; klare; **11.** (*it*) slette (*fx the memory*);
B. (*uden objekt*) **1.** klare op (*fx the weather//his face -ed*); **2.** (*om tåge*) lette; **3.** (*om sted*) blive tømt (*fx the hall -ed quickly*); **4.** (*om væske*) klares, blive klar; **5.** (*om check*) blive clearet;
□ *be -ed* **a.** (*af myndighed*) blive godkendt (*for* til); **b.** (*især jur.*) blive renset (*of* for, *fx suspicion; the charge*); blive frikendt (*of* for, *fx murder*); *be -ed for take-off* (*flyv.*) få starttilladelse;
[*med sb.*] *~ a debt* afbetale en gæld; *~ one's head/mind* blive klar i hovedet; *~ a suit* (*i bridge*) spille en farve god; *~ the way for* bane vejen for; (se også *bill, table¹, throat*);
[*med præp.& adv.*] *~ away*
a. rydde væk; **b.** (*uden objekt*) tage ud af bordet; **c.** stikke af, forsvinde; **d.** se ndf.: *~ off b; the car -ed the tree by centimetres* bilen var kun nogle centimeter fra at ramme træet; *~ the dishes from the table* tage tallerknerne ud af bordet; *~ of* **a.** rydde for (*fx ~ the*

road of snow); tømme for (*fx the room had been -ed of his things*); **b.** rense for (*fx ~ the room of smoke; ~ him of suspicion*); befri for; (se også *mind¹*); *~ off* **a.** (*gæld etc.*) betale ud; **b.** T stikke af, forsvinde; *~ off!* se ndf.: *~ out! ~ out*
a. (*sted*) rydde ud i (*fx the cupboard*); **b.** (*ting*) smide ud; **c.** (*person: for penge*) blanke af; **d.** (T: *uden objekt*) stikke af, forsvinde; *~ out!* skrub af! skrid! *~ up*
a. klare op (*fx it is -ing up*); **b.** rydde op; **c.** (*om sygdom*) blive kureret; forsvinde; **d.** (*med objekt*) rydde op i, ordne; tømme; **e.** opklare (*fx the mystery; a misunderstanding*); **f.** (*sygdom*) kurere; *~ it with* him få hans godkendelse; aftale det med ham.
clear³ [kliə] *adv.* helt, fuldstændigt, lige (*fx it went ~ through the room*);
□ *~ of* klar af; væk fra; *keep/stay/ steer ~ of* holde sig klar af; undgå.
clearance ['kliərəns] *sb.* **1.** rydning; tømning; fjernelse; **2.** (*af hus*) nedrivning; (*af slumkvarter*) sanering; **3.** (*mht. told*) klarering; toldbehandling; (se også *bill¹*); **4.** (*fra myndighed*) tilladelse; **5.** (*mellem ting*) mellemrum; luft; spillerum; **6.** (*under bro*) fri højde; fri profil; **7.** (*tekn.*) frigang; slør.
clearance sale *sb.* udsalg; (*især*) ophørsudsalg.
clear-cut [kliə'kʌt] *adj.* klar (*fx objective*); skarp (*fx distinction*);
□ *a ~ profile* en skarpskåren profil.
clear-headed ['kliəhedid] *adj.* klarhovedet; klar i hovedet.
clearing ['kliəriŋ] *sb.* **1.** (*i skov*) lysning; rydning; **2.** (*merk.*) clearing; afregning.
clearing house *sb.* clearingkontor; clearingcentral.
clearly ['kliəli] *adv.* **1.** klart; tydeligt; **2.** (*sætningsadv.*) tydeligvis (*fx he ~ didn't know what to answer*).
clear-out ['kliəraut] *sb.* oprydning; rydning.
clear-sighted [kliə'saitid] *adj.* klarsynet.
clearstory *sb.* (*am.*) = *clerestory*.
clear-up ['kliərʌp] *sb.* **1.** oprydning; **2.** (*af forbrydelse*) opklaring.
clear-up rate *sb.* opklaringsprocent.
clearway ['kliəwei] *sb.* [*vej med stopforbud*].
cleat [kli:t] *sb.* **1.** (*mar.*) kile; (*til fastgøring af reb*) klampe; **2.** (*på støvle*) søm, knop, dup.

C cleavage

cleavage ['kli:vidʒ] *sb.* **1.** F splittelse (*fx a ~ in a political party*); **2.** T fordybning mellem bryster; kavalergang; **3.** (*geol.*) kløvning; spaltning; (*af mineral*) spaltelighed.

cleavage face *sb.* (*geol.*) spalteflade.

cleave¹ [kli:v] *vb.* (-*d, -d*): ~ *to* (F *el. litt.*) **a.** holde sig tæt til; **b.** holde fast ved.

cleave² [kli:v] *vb.* (*clove/cleft/-d, cloven/cleft/-d*) **1.** kløve, spalte; **2.** (*uden objekt*) spalte sig; dele sig.

cleaver ['kli:və] *sb.* (*slagters*) flækkekniv.

cleavers ['kli:vəz] *sb.* (*bot.*) burresnerre.

clef [klef] *sb.* (*mus.*) nøgle.

cleft¹ [kleft] *sb.* kløft; spalte.

cleft² [kleft] *præt. & præt. ptc. af* cleave².

cleft chin *sb.* kløftet hage.

cleft palate *sb.* ganespalte.

cleft stick *sb.: in a ~* i knibe.

clematis ['klemətis] *sb.* (*bot.*) klematis.

clemency ['klemənsi] *sb.* F mildhed, skånsel; mild straf (*fx appeal for ~*).

clement ['klemənt] *adj.* F mild.

clementine ['klementain] *sb.* (*frugt*) klementin.

clench [klenʃ] *vb.* knuge; gribe hårdt fast i;
□ ~ *one's fist* knytte næven; ~ *one's teeth* bide tænderne sammen.

Cleopatra [kliə'pætrə] (*hist.*) Kleopatra.

clerestory ['kliəstəri] *sb.* (*arkit., i kirke*) klerestorium [*lysgalleri over triforium*].

clergy ['klə:dʒi] *sb.* **1.** gejstlighed; **2.** (*personer*) gejstlige (*fx 30 ~*).

clergyman ['klə:dʒimən] *sb.* (*pl. -men* [-mən]) gejstlig; præst.

cleric ['klerik] *sb.* F gejstlig.

clerical ['klerik(ə)l] *adj.* **1.** kontor- (*fx staff; work*); **2.** (*rel.*) gejstlig.

clerical collar *sb.* præsteflip.

clerical error *sb.* skrivefejl.

clerk¹ [klɑ:k, (*am.*) klə:rk] *sb.*
1. kontorassistent; **2.** (*i ret*) sekretær; skriver; **3.** (*am.: i forretning*) ekspedient; (*i hotel*) portier; **4.** F gejstlig; præst;
□ ~ *in holy orders* gejstlig; præst.

clerk² [klɑ:k, (*am.*) klə:rk] *vb.*
1. gøre kontorarbejde; **2.** (*am.*) arbejde som ekspedient; **3.** (*med.: patient*) skrive journal på;
□ ~ *in = 3.*

clerk of works *sb.* bygningskonduktør.

clever ['klevə] *adj.* **1.** klog; intelligent; begavet; **2.** (*let neds.*) dygtig (*fx he was a ~ lawyer and was acquitted*); smart; **3.** (*om ting*) fiks (*fx experiment; a ~ little gadget*); dygtigt lavet, ferm (*fx novel*); smart (*fx plan*);
□ ~ *at* (*ikke neds.*) dygtig til (*fx she is ~ at physics*); *too ~ by half* (*jf. 2*) lidt for dygtig [ɔ: *glad for at vise hvor klog man er*]; *he is a shade too ~ for me* (*jf. 2*) han er mig et nummer for smart; *it wasn't too ~ to ...* T det var ikke særlig smart at ...; *be ~ with one's hands* kunne bruge sine hænder; være fiks på fingrene; *don't try and get ~ with me!* du skal ikke prøve at spille smart over for mig!

clever-clever [klevə'klevə] *adj.* oversmart.

clever clogs, clever dick *sb.: he is a ~* T han er så pokkers klog.

clevis ['kli:vis] *sb.* (*tekn.*) **1.** gaffelbolt; **2.** trækbøjle.

clew [klu:] *sb.* **1.** nøgle; **2.** (*mar., til sejl*) skødbarm.

cliché ['kli:ʃei] *sb.* kliché.

clichéd ['kli:ʃeid] *adj.* forslidt; fuld af klicheer.

click¹ [klik] *sb.* **1.** klik; **2.** (*fx med tungen*) smæld.

click² [klik] *vb.* **1.** (*om lyd*) smække; klikke; klapre; **2.** (T: *blive klart*) falde på plads, falde i hak (*fx it suddenly -ed*); **3.** (T: *om to mennesker*) passe godt sammen; finde ud af det; **4.** (*med objekt*) smække med; slå smæld med; (*se også finger¹, heel¹, tongue¹*); **5.** (*it*) klikke på;
□ [*med præp.*] ~ *into* place falde på plads [*med et klik*]; falde i hak; ~ *off* the light slukke lyset; ~ *on* (*it*) 'klikke på; ~ *on the light* tænde lyset; ~ *with* T komme godt ud af det med; finde sammen med.

clickable ['klikəbl] *adj.* (*it*) som man kan klikke på.

click beetle *sb.* (*zo.*) smælder.

click rate *sb.* (*på website*) antal besøg.

client ['klaiənt] *sb.* **1.** klient; kunde; **2.** (*bibl.*) låner.

clientele [kli:ɔn'tel, -a:n-, fr., (*am.*) klaiən'tel] *sb.* klientel, klienter; kundekreds, kunder.

client-server [klaiənt'sə:və] *adj.* (*it*) klientserver-.

cliff [klif] *sb.* klippeskrænt [*mod havet*]; klint.

cliff-hanger ['klifhæŋə] *sb.* [*spændende sted i fortsat roman el. film, hvor udfaldet er uvist*]; (*også fig.*) gyser.

cliff-hanging ['klifhæŋiŋ] *adj.* åndeløst spændende.

climacteric¹ [klai'mæktərik] *sb.*
1. afgørende/kritisk periode; vendepunkt; **2.** (*med.*) klimakterium, overgangsalder.

climacteric² [klai'mæktərik] *adj.*
1. afgørende, kritisk; **2.** (*med.*) klimakterie-; i overgangsalderen.

climactic [klai'mæktik] *adj.* som repræsenterer et højdepunkt.

climate ['klaimət] *sb.* **1.** klima; **2.** egn, himmelstrøg (*fx move to a warmer ~*); egne; **3.** (*fig.*) klima (*fx the political ~*); stemning; atmosfære;
□ *the economic ~* de økonomiske forhold; *the ~ of opinion* stemningen; den almindelige indstilling; *the ~ of taste* den herskende smag.

climatic [klai'mætik] *adj.* klimatisk.

climatologist [klaimə'tɔlədʒist] *sb.* klimatolog.

climatology [klaimə'tɔlədʒi] *sb.* klimatologi.

climax¹ ['klaimæks] *sb.* **1.** klimaks, højdepunkt; **2.** (*seksuelt*) klimaks, orgasme.

climax² ['klaimæks] *vb.* **1.** nå sit højdepunkt; **2.** nå klimaks, få orgasme.

climb¹ [klaim] *sb.* **1.** klatretur; opstigning; (*i bjergbestigning også*) rute (*fx the hardest ~*); **2.** (*flyv.& fig.*) stigning; (*se også rate¹*).

climb² [klaim] *vb.* **1.** klatre (*fx onto the roof; over the fence; an ivy was -ing over the walls*); **2.** (*ind i//ud af snæver plads*) kravle (*fx into//out of the car//the front seat; the baby had -ed out of his cot*); **3.** (*flyv. & om solen*) stige (*fx the sun -ed higher*); **4.** (*fig.*) stige (*fx prices have been -ing*); stige op; **5.** (*med objekt*) klatre op ad//på//i (*fx a ladder; a hill; a tree*); gå op ad (*fx the stairs*); bestige (*fx a mountain*);
□ ~ *down* **a.** klatre//gå ned; **b.** (*fig.*) trække i land; stikke piben ind; **c.** (*med objekt*) klatre ned ad (*fx the ladder*); gå ned ad (*fx the stairs*); *go -ing* tage på bjergbestigning; *he was -ing the walls* T han var ude af sig selv; han var ved at gå ud af sit gode skind (*with af, fx anger; boredom; frustration*).

climb-down ['klaimdaun] *sb.* tilbagetog.

climber ['klaimə] *sb.* **1.** klatrer; bjergbestiger; **2.** (*fig.*) stræber; **3.** (*bot.*) klatreplante.

climbing ['klaimiŋ] *sb.* klatring; bjergbestigning.

climbing frame *sb.* klatrestativ.
climes [klaimz] *sb. pl. (litt. el. spøg.)* himmelstrøg; egne.
clinch[1] [klinʃ] *sb.* **1.** (*i boksning*) clinch; **2.** (*fig.*) tæt omfavnelse.
clinch[2] [klinʃ] *vb.* **1.** afgøre endeligt (*fx a deal*); slå fast (*fx the victory*); **2.** (*uden objekt: i boksning*) gå i clinch; **3.** (*om to*) omfavne hinanden;
□ *that -ed it for me* det afgjorde sagen for mig; ~ *a nail* vegne et søm [ɔ: *slå spidsen til siden*].
clincher ['klinʃə] *sb.* afgørende argument; afgørende bevis.
cline [klain] *sb.* glidende skala.
cling [kliŋ] *vb.* (*clung, clung*) **1.** holde fast; **2.** hænge fast; klæbe; □ ~ *on* holde fast; ~ *to* **a.** holde fast ved (*fx the door handle*; *a belief*); **b.** (*heftigt, angst*) klynge/klamre sig til (*fx the boy clung to his mother, she clung to the hope that he was still alive*; ~ *to power*); **c.** (*om ting*) hænge fast ved; klæbe til; *our clothes clung to us* vores tøj sad tæt på/klæbede til kroppen; ~ *together* klynge/klamre sig til hinanden.
cling film *sb.* husholdningsfilm.
clinging ['kliŋiŋ] *adj.* **1.** (*om person*) som klynger sig til en; klæbende; uselvstændig; **2.** (*om tøj*) stramtsiddende, tætsiddende; som klæber til kroppen.
clingy ['kliŋi] *adj.* = *clinging.*
clinic ['klinik] *sb.* **1.** (*sted*) klinik; **2.** (*undervisning*) klinik, klinisk undervisning; **3.** (*am.*) kursus; konference;
□ *hold a* ~ **a.** (*om læge*) have konsultation; **b.** (*som undervisning*) have klinik; **c.** (*om parlamentsmedlem*) have modtagelse [*i sin valgkreds*].
clinical ['klinik(ə)l] *adj.* klinisk.
clinical thermometer *sb.* lægetermometer.
clinician [kli'niʃn] *sb.* (*med.*) kliniker.
clink[1] [kliŋk] *sb.* klirren; raslen; □ *in (the)* ~ T i spjældet [ɔ: *i fængsel*].
clink[2] [kliŋk] *vb.* **1.** klirre; (*om metal også*) rasle; **2.** (*med objekt*) klirre med; rasle med; □ ~ *glasses* klinke; skåle [*ved at klinke*].
clinker ['kliŋkə] *sb.* **1.** (*af kul*) slagge; **2.** (*hårdtbrændt mursten*) klinke.
clinker-built [kliŋkə'bilt] *adj.* (*mar.*) klinkbygget.
clinometer [klai'nɔmitə] *sb.* (*landmålers*) klinometer, faldmåler.
clip[1] [klip] *sb.* **1.** klemme (*fx cable*

~); **2.** (*til hår*) hårklemme; **3.** (*til papir*) clips; **4.** (*til bukseben*) cykelspænde; **5.** (*på slange*) spændebøjle; **6.** (*mil.: til patroner*) laderamme; **7.** (*med saks*) klipning (*fx give his hair//the hedge a* ~); **8.** (*stykke, fra film, lydbånd*) klip; □ *at a fast* ~ T i rasende fart; *a* ~ *round the ear/earhole* T en på siden af hovedet; en lussing.
clip[2] [klip] *vb.* **1.** klemme sammen; **2.** sætte fast med klemme//spænde; **3.** (*med saks*) klippe (*fx a hedge*; *his hair*; *a ticket*); **4.** (*vinge*) stække; **5.** (*mønt etc.*) beklippe; **6.** (*fra avis*) klippe ud, sakse; **7.** (*om berøring*) ramme, strejfe (*fx the car -ped the edge of the kerb*); **8.** (T, *især am.*) fare (af sted); ræse;
□ ~ *the wings of the bird* stække fuglens vinger; stække fuglen; ~ *his wings* (*fig.*) stække hans vinger [ɔ: *begrænse hans muligheder*]; ~ *one's words* afsnubbe ordene; [*med præp.& adv.*] ~ *two seconds off the record* kappe to sekunder af rekorden; ~ *him round the ears/earhol* give ham en på siden af hovedet/en lussing; ~ *on* **a.** sætte på (med klemme//spænde) (*fx earrings*; *a brooch*); **b.** (*uden objekt*) kunne sættes på med klemme//spænde; ~ *together* sætte sammen med en clips//med clips; clipse sammen.
clip art *sb.* (*it*) clipart [*færdige tegninger//symboler der kan kopieres ind i et dokument*].
clipboard ['klipbɔ:d] *sb.* **1.** clipboard [*skriveplade med papirklemme*]; **2.** (*it*) udklipsholder.
clip-clop ['klipklɔp] *sb.* klip-klap.
clip joint *sb.* (*glds.* T) [*natklub etc. der tager overpriser*].
clip-on ['klipɔn] *adj.* som kan klipses på.
clip-ons ['klipɔnz] *sb. pl.* forsatssolbriller [*til at klipse på almindelige briller*].
clipped [klipt] *adj.* **1.** klippet (*fx hedge*); studset (*fx moustache*); trimmet; **2.** (*om måde at tale på, omtr.*) afsnubbet; staccato.
clipper ['klipə] *sb.* **1.** klipper; møntklipper; **2.** (*mar., flyv.*) klipper.
clippers ['klipəz] *sb. pl.* saks; negleklipper.
clippie ['klipi] *sb.* T kvindelig buskonduktør.
clipping ['klipiŋ] *sb.* **1.** klipning; **2.** afklippet stykke; stump; **3.** (*fra avis etc.*) udklip;
□ *-s* (*jf.* 2 *også*) afklip.
clique [kli:k, (*am. også*) klik] *sb.*

klike.
cliquey ['kli:ki], **cliquish** ['kli:kiʃ] *adj.* tilbøjelig til at danne kliker.
cliquishness ['kli:kiʃnəs], **cliquism** ['kli:kizm] *sb.* klikevæsen.
clitoral ['klitərəl] *adj.* klitoris-.
clitoridectomy [klitəri'dektəmi] *sb.* fjernelse af klitoris; kvindelig omskærelse.
clitoris ['klitəris] *sb.* (*anat.*) klitoris.
cloak[1] [kləuk] *sb.* **1.** kappe; **2.** (*litt.*) dække, tæppe (*fx a* ~ *of snow*); **3.** (*fig.*) skalkeskjul; påskud; □ *under the* ~ *of darkness* i ly af mørket; *under the* ~ *of friendship* under venskabs maske; *under a* ~ *of mist* indhyllet i tåge; *under a* ~ *of secrecy* i al hemmelighed; *cover it with the* ~ *of charity* dække/skjule det med kærlighedens kåbe.
cloak[2] [kləuk] *vb.* **1.** dække, skjule; **2.** (*fig.*) dække over; tilsløre; □ ~ *oneself* dække sig med en kappe; ~ *oneself in* hylle sig i; *-ed in mist//mystery* indhyllet i tåge//mystik.
cloak-and-dagger [kləukən'dægə] *adj.* **1.** hemmelighedsfuld; **2.** melodramatisk; □ ~ *novel* røverroman; spionroman.
cloakroom ['kləukrum, -ru:m] *sb.* **1.** (*teat., jernb. etc.*) garderobe; **2.** toilet.
cloakroom ticket *sb.* garderobenummer.
clobber[1] ['klɔbə] *sb.* T tøj, kluns; habengut; ragelse.
clobber[2] ['klɔbə] *vb.* T **1.** slå; banke, tæve; **2.** (*i konkurrence*) banke, jorde; **3.** (*fig.*) ramme (*fx the bad weather -ed their sales*); □ ~ *him one* stikke ham en på skrinet.
cloche [klɔʃ] *sb.* **1.** (*i havebrug*) dyrkningsklokke; solfanger; **2.** (*glds.*) klokkehat.
cloche hat *sb.* = *cloche 2.*
clock[1] [klɔk] *sb.* **1.** ur; klokke; **2.** ansigt, fjæs; **3.** (*i fabrik*) kontrolur; **4.** (*i bil*) kilometertæller; (*til fartmåling*) speedometer; **5.** (*i taxi*) taxameter; **6.** (*mønster på strømpe*) pil;
□ *it is two o'clock* klokken er to; (*se også o'clock*); *beat the* ~ blive færdig på under den fastsatte tid; *punch the* ~ (*am.*) **a.** stemple ind og ud; **b.** (*fig.*) ave et almindeligt kedeligt job; *put/set/turn the* ~ *back* **a.** stille uret tilbage; **b.** (*fig.*) skrue tiden tilbage; *put/set/turn the* ~ *forward* **a.** stille uret frem; **b.** (*fig.*) tænke sig frem i tiden;

C clock

watch the ~ hele tiden holde øje med uret [*for at se om tiden snart er gået*];

[*med præp.*] run **against** *the* ~ løbe på tid; (se også *race¹*); **around** *the* ~ = *round the* ~; *work against the* ~ (*fig.*) arbejde om kap med uret; *a car with 50,000 km* **on** *the* ~ en bil der har gået/kørt 50.000 km; **round** *the* ~ døgnet rundt; *sleep the* ~ *round* sove døgnet rundt.

clock² [klɔk] *vb.* **1.** (*i sport*) tage tid på (*fx a runner*); registrere; **2.** (*om løber*) blive noteret for/opnå en tid på; **3.** (*om bil*) gå, køre (*fx the car can* ~ *150*); **4.** (*om fart*) måle til (*fx the police -ed him doing 150*); **5.** T se; bemærke; holde øje med;

□ ~ *a car* T dreje kilometertælleren tilbage på en bil; ~ *him one* T stikke ham en på skrinet; [*med præp.& adv.*] *be -ed* **at** få noteret en tid på; ~ *in* **a.** (*på arbejdsplads*) stemple ind; **b.** T møde på arbejde; ~ *in at* (*om sang, plade etc.*) vare; ~ *off* = ~ *out*; ~ *on* = ~ *in*; ~ *out* **a.** (*på arbejdsplads*) stemple ud; **b.** T holde fyraften, gå hjem; ~ *up* nå op på (*fx four gold medals; ten victories*); notere; tegne sig for.

clock rate, clock speed *sb.* (*it*) klokfrekvens.

clock watcher *sb.* [*arbejder der tit ser på uret og længes efter arbejdstidens ophør*].

clockwise ['klɔkwaiz] *adv.* med uret; med solen.

clockwork ['klɔkwə:k] *sb.* **1.** urværk; **2.** (*i legetøj*) fjedermotor; □ *everything went like* ~ alting gik som det var smurt/som efter en snor; (*as*) *regular as* ~ præcis som et urværk; ~ *toys* mekanisk legetøj.

clod [klɔd] *sb.* **1.** klump; jord-klump; **2.** (*om person*) fjols, fjog.

cloddish ['klɔdiʃ] *adj.* dum, fjoget.

clodhopper ['klɔdhɔpə] *sb.* (*glds.*) klodsmajor, bondeknold; □ *-s* (*spøg.*) store sko; brand-spande.

clog¹ [klɔg] *sb.* træsko; □ *pop one's -s* T stille træskoene [ɔ: dø].

clog² [klɔg] *vb.* tilstoppe, blokere (*fx the pipes got -ged*); □ ~ *up* **a.** = *clog*; **b.** (*uden objekt*) blive tilstoppet, blive blokeret.

cloister¹ ['klɔistə] *sb.* **1.** kloster-gang; buegang; søjlegang [*mod indre gård*]; **2.** (*litt.*) kloster.

cloister² ['klɔistə] *vb.* (*litt.*) sætte i kloster;

□ ~ *oneself* (*fig.*) mure sig inde.

cloistered ['klɔistəd] *adj.* (*fig.*) af-sondret; beskyttet.

clone¹ [kləun] *sb.* **1.** (*biol.*) klon; **2.** (*fig.*) klon; kopi; efterligning.

clone² [kləun] *vb.* klone.

clonk¹ [klɔŋk] *sb.* dunk.

clonk² [klɔŋk] *vb.* dunke.

clop¹ [klɔp] *sb.* klapren.

clop² [klɔp] *vb.* klapre.

close¹ [kləus] *sb.* **1.** lukket plads; indhegning; **2.** domkirkeplads; **3.** (*i gadenavn*) [*lukket gade/vej i boligkvarter*].

close² [kləuz] *sb.* (jf. *close⁴*) slut-ning (*fx towards the* ~ *of the 20th century*); afslutning (*fx bring the meeting to a* ~);

□ *draw towards its* ~ nærme sig en afslutning; gå på hæld.

close³ [kləus] *adj.* **1.** (*om afstand*) tæt, nær (*to* ved); **2.** (*om forbindelse*) tæt, nær (*fx friend; contact; relationship; relative* slægtning); **3.** (*om arbejde*) nøje (*fx scrutiny*); grundig, omhyggelig (*fx investigation*); nøjagtig (*fx translation*); **4.** (*om fange, hemmelighed*) om-hyggeligt bevogtet; **5.** (*om luft*) lummer, trykkende; beklumret; **6.** (*om person: ikke åben*) inde-sluttet, tilbageholdende; (*med penge*) påholdende, nærig; **7.** (*om penge*) knap, vanskelig at skaffe; **8.** (*om konkurrence*) næsten jævn-byrdig (*fx fight*);

□ *they became very* ~ de fik et nært/tæt forhold til hinanden; de kom til at stå hinanden nær; *keep sth* ~ holde noget hemmeligt; *too* ~ *for comfort* se *comfort¹*; [*med sb.*] *it was a* ~ *call* se ndf.: *it was a* ~ *shave; keep a* ~ *eye/ watch on* holde et vågent øje med; *hold skarpt opsyn med; at* ~ *range* på nært hold; *there is a* ~ *resemblance between them* de lig-ner hinanden meget; *a* ~ *shave* en tæt barbering; *he had a* ~ *shave* han undslap med nød og næppe; der var bud efter ham; *it was a* ~ *shave/thing/call* (*også*) det var nær gået galt; det var tæt på; det var på et hængende hår; ~ *work* arbejde som man skal have tæt på øjnene; (se også *quarters*);

[*med præp.& adv.*] ~ *by* nær ved, tæt ved; ~ *on* i nærheden af, lige ved; ~ *to* nær ved, tæt ved, tæt på; *be* ~ *to* (*person*) have en tæt forhold til (*fx one's mother*); *be* ~ *to tears* være nær ved at græde; *be* ~ *to sby* stå en nær; *be* ~ *to* + *-ing* være nær ved/tæt på/lige ved at (*fx giving up*); *come* ~ *to* nærme sig (*fx it comes* ~ *to insolence*);

(se også *bone¹, home¹, wind¹*); ~ *up* tæt på.

close⁴ [kləuz] *vb.* **1.** lukke (i) (*fx the door; a book*); **2.** (*passage*) lukke, afspærre (*fx a road*); **3.** (*forløb*) afslutte, slutte (*fx a meeting; a speech*); bringe til ende; **4.** (*it*) lukke ned; slutte; **5.** (*uden objekt*) lukke (*fx the door//the of-fice -d*); lukke sig (*fx the door//his hand -d*); **6.** (*om forløb*) slutte (*fx the meeting -d*); **7.** (*om kæm-pende*) gå løs på hinanden;

□ ~ *an account* afslutte en konto; (se også *book¹, rank¹, umbrella*);

[*med præp.& adv.*] ~ **down** **a.** lukke; **b.** (*it*) lukke ned; **c.** (*uden objekt*) lukke (*fx the fac-tory -d down*); indstille virksom-heden; **d.** (*om tv, radio.*) lukke ned; ~ *in* **a.** nærme sig, rykke helt tæt på; **b.** (*om mørke etc.*) falde på, sænke sig; *the days are clos-ing in* dagene bliver kortere; ~ *in on sby* nærme sig en fra alle sider; omringe en; *the net is closing in on him* nettet er ved at lukke sig om ham; ~ *off* **a.** lukke; afspærre (*fx a street*); **b.** standse, afslutte (*fx the conversation*); ~ *out* **a.** af-slutte, bringe til ophør; **b.** (*am.*) lukke; **c.** (*am. om butik*) holde op-hørsudsalg; (*med objekt*) sælge ud; ~ **round** **a.** lukke sig om; **b.** = ~ *in on; the net is closing round him* nettet er ved at trække sig sammen om ham; ~ *up* **a.** lukke (*fx the house; I'll* ~ *up*); **b.** (*om række, især mil.*) slutte op; rykke sammen; **c.** (*om person: ikke ville tale*) lukke til; **d.** (*typ.*) knibe; **e.** (*om sår; om blomst*) lukke sig; ~ *up on* nærme sig, rykke nær-mere til; ~ *with* **a.** komme over-ens med; **b.** gå ind på, antage (*fx an offer*); **c.** gå løs på, komme i håndgemæng med.

close combat *sb.* (*mil.*) nærkamp; håndgemæng.

close-cropped [kləus'krɔpt] *adj.* tætklippet; kortklippet.

closed [kləuzd] *adj.* **1.** lukket (*fx door; society*); **2.** sluttet (*fx circle*); (se også *mind¹*).

closed circuit *sb.* lukket kredsløb.

closed-circuit television [kləuzdsə:kittelə'viʒ(ə)n] *sb.* in-ternt fjernsyn.

closed-door [kləuʒd'dɔ:] *adj.* for lukkede døre.

close-down ['kləuzdaun] *sb.* luk-ning.

closed season *sb.* (*am.*) fredings-tid.

closed shop *sb.* [*virksomhed der er bundet af eksklusivaftale, ɔ: kun*]

beskæftiger fagorganiserede arbejdere].
close-fisted [kləus'fistid] *adj.* påholdende, nærig.
close-fitting [kləus'fitiŋ] *adj.* tætsiddende, stramtsiddende.
close-grained [kləus'greind] *adj.*
1. (*om træ*) finåret; 2. (*om læder*) fintnarvet.
close-hauled [kləus'hɔːld] *adj.* (*mar.*) bidevind.
close-knit [kləus'nit] *adj.* (*fig.*) fast sammentømret.
close-lipped [kləus'lipt] *adj.* forbeholden, tilknappet; tavs.
closely ['kləusli] *adv.* 1. tæt (*fx ~ followed by a policeman; it is ~ linked with our system; we work ~ with each another*); 2. nøje (*fx examine it ~*);
□ *resemble it ~* ligne det meget; være tæt på det.
close-minded [kləus'maindid] *adj.*: *be ~* have en forudfattet mening; ikke være åben for andre muligheder.
close-mouthed [kləus'mauθd] *adj.* tillukket; tavs.
closeness ['kləusnəs] *sb.* 1. nærhed; 2. (*om luft*) lummerhed; beklumrethed; 3. (*mellem mennesker*) nært/tæt forhold.
close-out ['klouzaut] *sb.* (*am.*)
1. udsalg; 2. udsalgsvare.
close quarters *sb. pl.* se *quarters.*
close-run [kləus'rʌn] *adj.* næsten jævnbyrdig;
□ *a ~ race* et tæt løb.
close season *sb.* 1. fredningstid;
2. (*i engelsk fodbold*) perioden mellem to sæsoner [*maj til august*].
close-set [kləus'set] *adj.* tætsiddende.
close-shaven [kləus'ʃeiv(ə)n] *adj.* glatbarberet.
closet[1] ['klɔzit] *sb.* 1. (*am.*) skab;
2. (*glds. el. am.*) opbevaringsrum; kammer;
□ *come out of the ~* (*fig.*) komme ud af skabet; springe ud; (se også *skeleton*).
closet[2] ['klɔzit] *adj.* som ikke har givet sig til kende; hemmelig; skabs- (*fx homosexual; liberal; alcoholic*).
closet[3] ['klɔzit] *vb.*: *~ oneself* lukke sig inde (*fx in one's room*); *be -ed with* holde hemmelig rådslagning med.
closet play *sb.* læsedrama.
close-up ['kləusʌp] *sb.* nærbillede.
closing ['kləuziŋ] *adj.* afsluttende (*fx remarks*).
closing date *sb.*: *the ~ is July 1.* (*for ansøgning, svarer til*) ansøg-

ningsfristen udløber 1. juli.
closing price *sb.* (*merk.*) slutkurs.
closing time *sb.* lukketid.
closure ['kləuʒə] *sb.* 1. lukning (*fx of a hospital*); 2. afslutning (*fx of a debate*); 3. (*ting til at lukke med*) lukke; låg; (*på flaske*) kapsel; 4. (*fon.*) lukke; 5. (*parl.*) [*afslutning af underhusdebat fremtvunget ved afstemning*].
clot[1] [klɔt] *sb.* 1. størknet masse; klump; 2. (*glds.* T) fjols, fæ.
clot[2] [klɔt] *vb.* (se også *clotted*) klumpe sig sammen; (*fx om mælk*) løbe sammen; (*især om blod*) størkne.
cloth [klɔθ] *sb.* (se også *clothes*)
1. klæde; vævet stof; 2. (*lille stykke*) klud (*fx dust ~*); 3. (*til bord*) dug; 4. (*til hest*) dækken; 5. (*til bogbind*) shirting; lærred; 6. (*teat.*) tæppe;
□ *the ~* (*litt.*) den gejstlige stand; *a man of the ~* (*især spøg.*) en gejstlig; en præst.
cloth binding *sb.* (*bogb.*) shirtingsbind; lærredsbind.
cloth cap *sb.* blød kasket.
cloth-cap ['klɔθkæp] *adj.* arbejder-.
clothe [kləuð] *vb.* holde med tøj; (se også *clothed*).
cloth-eared [klɔθ'iəd] *adj.* T tunghør; døv; sløv.
clothed [kləuðd] *adj.* klædt; påklædt (*fx fully ~; half ~*);
□ *~ in* a. klædt i (*fx black*); b. (*fig.*) dækket af.
clothes [kləuðz] *sb. pl.* 1. tøj; klæder; 2. sengetøj.
clothes basket *sb.* vasketøjskurv.
clothes brush *sb.* klædebørste.
clothes hanger *sb.* bøjle [*til tøj*].
clothes horse *sb.* 1. tørrestativ;
2. (*neds. om person*) tøjstativ.
clothes line *sb.* tøjsnor, tørresnor.
clothes moth *sb.* (*zo.*) møl.
clothes peg *sb.* tøjklemme.
clothespin ['kləuðzpin] *sb.* (*am.*) tøjklemme.
clothing ['kləuðiŋ] *sb.* F klæder; tøj;
□ *article/item of ~* beklædningsgenstand; (se også *protective clothing*).
clotted [klɔtid] *adj.* 1. klumpet;
2. (*om blod*) størknet, levret;
□ *his hair was ~ with blood* hans hår var sammenklistret af blod.
clotted cream *sb.* [*tyk fløde skummet af kogt mælk*].
cloud[1] [klaud] *sb.* 1. sky; 2. (*generelt*) skyer (*fx more ~; a sky completely free of ~*); 3. (*af insekter*) sværm, sky;
□ *cast a ~ over* (*fig.*) kaste en skygge over; *every ~ has a silver*

lining oven over skyerne er himlen altid blå; *be in the -s, have one's head in the -s* (*fig.*) svæve oppe i skyerne [ɔ: være verdensfjern]; (se også *cloud nine*); *under a ~* a. mistænkt; b. i unåde.
cloud[2] [klaud] *vb.* 1. (*om glas*) blive dugget, dugge til; 2. (*om væske*) blive uklar; 3. (*mht. stemning*) blive mørk (*fx his eyes//face -ed*); 4. (*med objekt: glas*) gøre dugget; 5. (*væske*) gøre uklar; 6. (*fig.*) gøre uklar, forstyrre (*fx one's judgment*); 7. (*mht. stemning*) formørke (*fx the outlook; his face; the events*);
□ *~ one's view* forhindre en i at se klart; (se også *issue*[1]);
[*med præp.& adv.*] *~ over* a. blive overtrukket; b. (*om ansigt*) blive formørket; *his face -ed over* (*også*) der gik en skygge over hans ansigt; *~ up* (*om væske*) gøre//blive uklar; *her eyes -ed with tears* hendes øjne blev blændet af tårer.
cloudberry ['klaudb(ə)ri] *sb.* (*bot.*) multebær.
cloudburst ['klaudbəːst] *sb.* skybrud.
cloud chamber *sb.* (*fys.*) tågekammer.
cloud-cuckooland [klaud'kukuːlænd] *sb.* T drømmeverden; drømmeland.
cloudless ['klaudləs] *adj.* skyfri.
cloud nine *sb.*: *on ~* (*let glds.* T) i den syvende himmel.
cloudy ['klaudi] *adj.* 1. overskyet;
2. (*om væske, dømmekraft*) uklar.
clout[1] [klaut] *sb.* T 1. lussing; en på frakken; 2. (*fig.*) slagkraft; (politisk) indflydelse.
clout[2] [klaut] *vb.* T slå hårdt; lange en ud.
clout nail *sb.* (*tag*)papsøm.
clove[1] [kləuv] *sb.* (*bot.*) kryddernellike;
□ *a ~ of garlic* et fed hvidløg.
clove[2] [kləuv] *præt. af cleave.*
clove hitch *sb.* (*mar.*) dobbelt halvstik.
cloven ['kləuv(ə)n] *præt. ptc. af cleave.*
cloven hoof *sb.* spaltet klov;
□ *show the ~* (*fig.*) stikke hestehoven frem.
cloven-hoofed [kləuv(ə)n'huːft] *adj.* med spaltet klov;
□ *~ animal* klovdyr.
clove pink *sb.* (*bot.*) havenellike.
clover ['kləuvə] *sb.* (*bot.*) kløver;
□ *be in ~* T have det som blommen i et æg; være på den grønne gren.
cloverleaf ['kləuvəliːf] *sb.* 1. kløver-

blad; **2.** (*ved vej; især am.*) kløver-bladsudfletning.

clown[1] [klaun] *sb.* **1.** klovn; **2.** (T: *neds.*) nar; **3.** (*glds.*) bonde, bondeknold.

clown[2] [klaun] *vb.* klovne.

clownish ['klauniʃ] *adj.* **1.** klovnagtig; **2.** (*glds.*) bondsk.

cloy ['klɔi] *vb.* blive vammel.

cloying ['klɔiiŋ] *adj.* vammel.

cloze test ['klɔuztest] *sb.* (*i sprog-undervisning*) udfyldningsopgave [*prøve som består i indsætning af udeladte ord i en længere tekst*].

club[1] [klʌb] *sb.* **1.** kølle; **2.** (*i kort-spil*) klør (*fx his last ~*); **3.** (*forening etc.*) klub; **4.** = *nightclub*; □ *-s* (*kortfarven*) klør (*fx -s are trumps*); *the four of -s* klør fire; *be in the ~* (*glds.* T) være gravid; *welcome to the ~, join the ~* det er vi nogle stykker der har prøvet; det kender vi godt.

club[2] [klʌb] *vb.* slå med en kølle; □ *~ together* slå sig sammen; skyde (penge) sammen; T splejse.

clubbable ['klʌbəbl] *adj.* T der egner sig som klubmedlem; omgængelig; selskabelig.

clubber ['klʌbə] *sb.* en der kan lide at gå i byen.

clubbing ['klʌbiŋ] *sb.*: *go ~* gå i byen; gå på natklub.

club class *sb.* (*flyv.*) [*klasse mellem turistklasse og business class*].

club foot *sb.* klumpfod.

clubland ['klʌblænd] *sb.* [*forlystelseskvarter med de bedste natklubber*].

clubmoss ['klʌbmɔs] *sb.* (*bot.*) ulvefod.

clubrush ['klʌbrʌʃ] *sb.* (*bot.*) kogleaks; dunhammer.

club sandwich *sb.* (*am.*) tredækkersandwich [*med kylling//kalkun, tomat og salat*].

club soda *sb.* (*am.*) (hvid) sodavand.

club strip *sb.* klubfarve.

cluck[1] [klʌk] *sb.* **1.** (*hønes*) kluk; **2.** (*persons: positivt*) medfølende smæk med tungen [ɔː ts ts]; **3.** (*am.* T) fjols, tåbe; □ *~ around* pylre om; *~ over* **a.** pylre om; **b.** ryste på hovedet af.

cluck[2] [klʌk] *vb.* **1.** (*om høne*) klukke; **2.** (*om person: positivt*) udtrykke sympati//bekymring; smække medfølende med tungen [ɔː ts ts]; **3.** (*negativt, svarer til*) ryste på hovedet; □ *~ around* vimse emsigt rundt; *~ over* udtrykke bekymring over; ryste på hovedet af.

clue[1] [kluː] *sb.* **1.** spor; holdepunkt;

fingerpeg; (*i politiundersøgelse også*) indicium; **2.** (*i krydsord*) nøgleord; forklaring; □ *give a ~ to* lede på sporet af; *not have a ~ about* ikke ane noget om; ikke have begreb om; *the police are without a ~* politiet står på bar bund.

clue[2] [kluː] *vb.*: *~ in/up* T informere (*on* om).

clued-up ['kluːdʌp] *adj.* T velinformeret.

clueless ['kluːləs] *adj.* T komplet uvidende (*about* om).

clump[1] [klʌmp] *sb.* **1.** (*af træer etc.*) klynge, gruppe; **2.** (*masse*) klump (*fx of earth*); klods; **3.** (*på sko*) tyk ekstra sål; **4.** (*lyd*) dunk; trampen.

clump[2] [klʌmp] *vb.* jokke tungt; trampe (*fx down the stairs*); □ *~ together* klumpe sig sammen.

clumsy ['klʌmzi] *adj.* klodset.

clung [klʌŋ] *præt. & præt. ptc. af* cling.

clunk[1] [klʌŋk] *sb.* bump.

clunk[2] [klʌŋk] *vb.* bumpe.

clunker ['klʌŋkə] *sb.* (*am.* T) gammelt bras; (*om bil*) gammel spand; skrotbunke.

clunky ['klʌŋki] *adj.* T **1.** klodset, klumpet; **2.** gammeldags, forældet.

cluster[1] ['klʌstə] *sb.* **1.** klynge; **2.** (*af frugter*) klase (*fx of berries*); **3.** (*astr.*) hob (*fx of galaxies; of stars*).

cluster[2] ['klʌstə] *vb.* samle sig i klynge; flokkes; □ *be -ed* **a.** stå//ligge//vokse i klynge; **b.** vokse//hænge i klaser.

cluster bomb *sb.* klyngebombe.

cluster pine *sb.* (*bot.*) strandfyr.

clutch[1] [klʌtʃ] *sb.* **1.** (hårdt) greb; tag; **2.** (*i bil*) kobling; **3.** (*hønes: om æg*) redefuld; (*om kyllinger*) kuld; **4.** (*litt.: om antal*) håndfuld; □ *-es* (*fig.*) kløer (*fx escape the -es of the secret police*); *get into sby's -es* (*fig.*) komme i kløerne på en; *engage/let in the ~* (*jf.* 2) koble til; slippe koblingen.

clutch[2] [klʌtʃ] *vb.* gribe//holde (hårdt) fat i; hage sig fast i; klynge sig til (*fx his arm*); □ *~ at* gribe efter; klynge sig til; *~ at a straw* (*fig.*) gribe efter et halmstrå; *he -ed the phone to his ear* han holdt telefonen tæt ind til øret.

clutch bag *sb.* [*lille håndtaske uden hank*]; kuverttaske.

clutch pedal *sb.* koblingspedal; □ *release the ~* slippe koblingen.

clutter[1] ['klʌtə] *sb.* **1.** rod, virvar; **2.** (*ting*) ting der fylder op; skram-

mel, ragelse.

clutter[2] ['klʌtə] *vb.* (stå og) fylde op i//på.

cluttered ['klʌtəd] *adj.* rodet (*fx desk*); tætpakket (*fx room*); overfyldt; □ *the room was all ~ up with cushions* stuen flød med puder.

cm *fork. f. centimetre(s).*

Cmdr *fork. f. commander.*

CMG *fork. f. Companion of the Order of St. Michael and St. George.*

CNN *fork. f. Cable News Network* [*en tv-nyhedsstation*].

CO *fork. f.* **1.** *commanding officer*; **2.** *conscientious objector*; **3.** *cleaning operative* rengøringsassistent.

Co. [kəu] *fork. f.* **1.** *company*; **2.** *county.*

c/o *fork. f. care of.*

coach[1] [kəutʃ] *sb.* **1.** (*i sport*) træner; instruktør; **2.** (*privat lærer*) manuduktør; **3.** (*for skuespiller*) personinstruktør; (*til opera*) repetitør; **4.** (*køretøj*) turistbus; rutebil; **5.** (*glds.: hestevogn*) karet; (*jernb.*) passagervogn; **6.** (*hist.: rejsevogn*) diligence, dagvogn; **7.** (*am. flyv.*) turistklasse; **8.** (*am. om bil*) [*lille lukket todørs bil*]; □ *a ~ and four* en firspændervogn; *drive a ~ and horses through* undergrave, torpedere.

coach[2] [kəutʃ] *vb.* **1.** (*i fag*) manuducere; **2.** (*i sport*) træne; **3.** (*skuespiller*) instruere; **4.** (*om transport*) køre i bus; **5.** (*hist.*) rejse med diligence.

coachbuilder ['kəutʃbildə] *sb.* karetmager.

coaching ['kəutʃiŋ] *sb.* (jf. *coach*[2]) **1.** manuduktion; **2.** træning; **3.** personinstruktion.

coachload ['kəutʃləud] *sb.* busfuld.

coachman ['kəutʃmən] *sb.* (*pl.* -men [-mən]) kusk.

coach station *sb.* rutebilstation.

coachwork ['kəutʃwɔːk] *sb.* karrosseri.

coagulate [kəu'ægjuleit] *vb.* **1.** løbe sammen; (*især om blod*) koagulere, størkne; **2.** (*med objekt*) få til at løbe sammen/koagulere/størkne.

coagulation [kəuægju'leiʃn] *sb.* koagulering.

coal [kəul] *sb.* kul; □ *carry/take -s to Newcastle* (*svarer til*) give bagerbørn hvedebrød; *haul sby over the -s* skælde en ud; give en en overhaling/balle/røffel; (se også *heap*[2]).

coal bunker *sb.* **1.** kulbeholder; kulkasse; **2.** (*mar.*) kulbunker.

coalesce [kəuə'les] *vb.* F vokse

sammen; forene sig; smelte sammen.

coalface ['kəulfeis] *sb.* [*det sted hvor brydningen foregår*].

coalfield ['kəulfi:ld] *sb.* kuldistrikt.

coalfish ['kəulfiʃ] *sb.* (*zo.*) sej.

coalition [kəuə'liʃn] *sb.* koalition; forbund.

coalition government *sb.* samlingsregering.

coal mine *sb.* kulmine.

coal miner *sb.* minearbejder.

coal oil *sb.* (*am.*) **1.** råolie; **2.** petroleum.

coal scuttle *sb.* kulspand; kulkasse.

coal tar *sb.* stenkulstjære; kultjære.

coal tit *sb.* (*zo.*) sortmejse.

coaming ['kəumiŋ] *sb.* (*mar.*) lugekarm.

coarse [kɔ:s] *adj.* **1.** grov (*fx cloth*; *sand*); **2.** (*om person*) grov, rå, plump.

coarse-grained *adj.* **1.** grovkornet; **2.** (*om læder*) groftnarvet; stornarvet; **3.** (*om træ*) grovåret; **4.** (*om tøj*) groftvævet.

coarsen ['kɔ:s(ə)n] *vb.* **1.** gøre grov, forgrove; **2.** (*uden objekt*) blive grov, forgroves.

coast¹ [kəust] *sb.* **1.** kyst; **2.** (*am.*) kælkebakke; **3.** (*am.*) glidetur; kælketur;

□ *the Coast* (*am.*) Stillehavskysten; *the ~ is clear* (*fig.*) kysten er klar; der er fri bane; *~ to ~* fra kyst til kyst; over hele landet.

coast² [kəust] *vb.* **1.** stryge af sted; køre ned ad bakke; (*i bil også*) køre i frigear; **2.** (*på cykel*) holde frihjul, køre på frihjul; **3.** (*fig.: med lethed*) stryge (af sted) (*fx he -ed through school*); **4.** (*fig.: dovent*) køre på frihjul; **5.** (*mar.*) sejle langs kysten; sejle i kystfart.

coastal [kəustl] *adj.* kyst-.

coastal trade *sb.* kystfart, indenrigsfart.

coaster ['kəustə] *sb.* **1.** kystfartøj; **2.** (*på bord*) glasbakke; flaskebakke; **3.** (*am.*) kælk; legevogn; **4.** (*am.: forlystelse*) rutsjebane.

coaster brake *sb.* baghjulsbremse.

coastguard ['kəustga:d] *sb.* kystvagt;

□ *-s* (*også*) kystpoliti.

coat¹ [kəut] *sb.* **1.** frakke; (*dameogså*) kåbe (*fx fur ~*); **2.** (*glds.: til jakkesæt*) jakke; **3.** (*læges etc.*) kittel; **4.** (*af maling, cement, puds etc.*) lag; **5.** (*af chokolade*) overtræk; **6.** (*dyrs*) pels; skind;

□ *a ~ of paint* en gang/et lag maling; *cut one's ~ according to one's cloth* sætte tæring efter næring; *trail one's ~* (*fig.*) være udæskende; (*se også dust²*).

coat² [kəut] *vb.* **1.** belægge; dække; (*især: med chokolade*) overtrække; (*med hinde, imprægnering*) coate; **2.** (*med tøj*) beklæde; **3.** (*med maling*) stryge over.

coat check *sb.* (*am.*) garderobe [*med tilsyn*].

coated ['kəutid] *adj.* **1.** overtrukket; dækket; **2.** (*om tunge*) belagt.

coated paper *sb.* bestrøget/glittet papir.

coatee ['kəuti:] *sb.* kort jakke.

coat hanger *sb.* bøjle [*til tøj*].

coati ['kəuti] *sb.* (*zo.*) næsebjørn.

coating ['kəutiŋ] *sb.* **1.** lag; belægning; (*tynd*) hinde; (*især af chokolade*) overtræk; **2.** (*stof*) frakkestof.

coat of arms *sb.* våben; våbenskjold.

coat of mail *sb.* ringbrynje; panserskjorte.

coat-tails ['kəutteilz] *sb. pl.* frakkeskøder;

□ *on his ~* ved hjælp af hans succes//indflydelse; *the President's ~* præsidenteffekten; *ride on his ~* støtte sig til ham; blive trukket med af ham.

co-author¹ ['kəuɔ:θə] *sb.* medforfatter.

co-author² ['kəuɔ:θə] *vb.* være medforfatter på.

coax [kəuks] *vb.* **1.** lokke; prøve at overtale; snakke godt for; **2.** (*maskine, apparat*) lirke;

□ *~ sby into doing sth* lokke/overtale en til at gøre noget; *out of sth* tale en fra noget; *~ information out of sby* lokke/liste/lirke oplysninger ud af en.

cob [kɔb] *sb.* **1.** (*bot.*) majskolbe; **2.** se *cobnut*; **3.** (*brød*) lille rundt brød; **4.** (*zo.*) hansvane; **5.** (*hest*) [*lille stærk hest*]; **6.** (*af kul*) klump.

cobalt ['kəubɔ:lt, -bɔlt] *sb.* **1.** (*metal*) kobolt; **2.** (*farve*) koboltblå.

cobber ['kɔbə] *sb.* (*austr.* T) hyggelig snak, sludder.

cobble¹ ['kɔbl] *sb.* = *cobblestone*.

cobble² ['kɔbl] *vb.* (*glds.: sko*) lappe, flikke;

□ *~ together, ~ up* flikke sammen.

cobbled ['kɔbld] *adj.* brolagt [*med toppede brosten*].

cobbler ['kɔblə] *sb.* (*se også cobblers*) **1.** isdrik (*fx sherry ~*); kold punch; **2.** (*glds.*) skoflikker, lappeskomager; fusker; (*se også last¹*); **3.** (*am.*) [*slags frugtpie*].

cobblers ['kɔbləz] *sb.* **S 1.** ævl, vrøvl; **2.** (*vulg.*) nosser.

cobblestone ['kɔblstəun] *sb.* **1.** håndsten; rullesten; **2.** (*til brolægning*) toppet brosten.

coble ['kəubl] *sb.* fladbundet båd.

cobnut ['kɔbnʌt] *sb.* lambertsnød [*art stor hasselnød*].

cobra ['kəubrə, 'kɔbrə] *sb.* (*zo.*) brilleslange, kobra.

cobweb ['kɔbweb] *sb.* spindelvæv; □ *blow/brush/clear away the -s* (*fig.*) give én energien tilbage; vække de sjunkne livsånder.

cocaine [kə'kein] *sb.* kokain.

coccyx ['kɔksiks] *sb.* (*pl. coccyges* [kɔk'saidʒi:z]) (*anat.*) haleben.

cochineal [kɔtʃi'ni:(ə)l] *sb.* kochenille [*insekt; rødt farvestof*].

cochlea ['kɔkliə] *sb.* (*pl. -e* ['kɔkliai]) (*anat.*) ørets sneglegang.

cock¹ [kɔk] *sb.* **1.** (*zo.*) hane; (*om andre fugle*) han; **2.** (*på tag*) vejrhane; **3.** (*på gevær, på vandrør etc.*) hane; (*se også half-cock*); **4. S** sludder, ævl; **5.** (*vulg.*) pik; □ *that ~ won't fight* den går ikke; der bliver ingen bukser af det skind; *old ~!* (*glds.*) gamle dreng! *the ~ of the walk* (*glds.*) manden for det hele; den dominerende person.

cock² [kɔk] *vb.* **1.** (*skydevåben*) spænde hanen på; tage ladegreb på; **2.** (*øjne, ører*) vende, dreje (*at mod*);

□ *~ up* (*vulg.*) forkludre; lave kludder i;

[*med sb.*] *~ one's ears* spidse ører; *~ one's eye at* skotte/skæve til; kigge på; *~ one's hat* sætte hatten på snur; *~ its leg* (*om hund*) løfte ben; *~ one's nose* stikke næsen i sky; (*se også snook*).

cockade [kə'keid] *sb.* kokarde.

cock-a-doodle-doo [kɔkədu:dl'du:] *interj.* kykliky.

cock-a-hoop [kɔkə'hu:p] *adj.* T triumferende, hoverende, kry; □ *be ~* (*også*) stikke næsen i sky.

cockalorum [kɔkə'lɔ:rəm] *sb.* lille vigtigprås.

cockamamy [kɔkə'meimi] *adj.* (*am.* T) latterlig; utrolig.

cock and bull story *sb.* røverhistorie; skrøne.

cockatoo [kɔkə'tu:] *sb.* (*zo.*) kakadue.

cockatrice ['kɔkətrais, -tris] *sb.* basilisk [*fabeldyr*].

cockboat ['kɔkbəut] *sb.* jolle.

cockchafer ['kɔktʃeifə] *sb.* (*zo.*) oldenborre.

cocked hat ['kɔkt'hæt] *sb.* trekantet hat;

□ *knock sby into a ~* **a.** vinde stort over en; **b.** være tusind gange bedre end en; *he can knock all other novelists into a ~* han kan skrive alle andre romanforfattere sønder og sammen.

C cockerel

cockerel ['kɔk(ə)rəl] sb. hanekylling.

cockeyed ['kɔkaid] adj. T 1. skæv; 2. tosset; umulig (fx plan); 3. fuld; skæv af druk; 4. skeløjet.

cock fight sb. hanekamp.

cockle[1] ['kɔkl] sb. (zo.) hjertemusling;
□ it warms the -s of one's heart (spøg.) det varmer en om hjerterødderne.

cockle[2] ['kɔkl] vb. (om papir) blive rynket; slå buler.

cockleshell ['kɔklʃel] sb. 1. muslingeskal [af hjertemusling]; 2. (om båd) nøddeskal; 3. (hist.) ibsskal.

cockney ['kɔkni] sb. 1. cockney [londoner fra Østlondon]; 2. cockneydialekt.

cockpit ['kɔkpit] sb. 1. hanekampplads; 2. krigsskueplads; kampplads; 3. (flyv.) cockpit, førerkabine; 4. (mar.) cockpit; 5. (i racerbil) førerkabine.

cockroach ['kɔkrəutʃ] sb. (zo.) kakerlak.

cockscomb ['kɔkskəum] sb. (zo., bot.) hanekam.

cocksure [kɔk'ʃuə, -'ʃɔː] adj. T selvsikker; skråsikker.

cocktail ['kɔkteil] sb. 1. cocktail; 2. (fig.) cocktail, blanding.

cocktail lounge sb. (omtr.) bar.

cocktail shaker sb. cocktailryster, shaker.

cocktail stick sb. pindemadspind.

cocktail table sb. (am.) sofabord.

cock-tease ['kɔkti:z], cock-teaser ['kɔkti:zə] sb. (vulg.) narrefisse.

cock-up ['kɔkʌp] sb. (vulg.) kludder, koks;
□ the film is a total ~ filmen er noget elendigt makværk.

cocky ['kɔki] adj. T (skidt)vigtig, kæphøj; selvtilfreds.

cocoa ['kəukəu] sb. kakao.

coconut ['kəukənʌt] sb. kokosnød.

coconut matting sb. kokostæppe.

coconut milk sb. kokosmælk.

coconut palm sb. kokospalme.

coconut shy sb. [forlystelse hvor man skal prøve at ramme en kokosnød på en stang med en bold].

cocoon [kə'ku:n] sb. 1. (zo.) kokon [puppehylster]; 2. (fig.) beskyttende dække; 3. (fig., neds.) isolerende dække, svøb.

cocooned [kə'ku:nd] adj. 1. indhyllet; svøbt (fx in a sleeping bag); 2. (neds.) pakket ind i vat; isoleret; beskyttet, skærmet (against/from imod).

COD fork. f. 1. Concise Oxford Dictionary; 2. cash on delivery kontant ved levering, pr. efterkrav.

cod[1] [kɔd] sb. 1. (zo.) torsk; 2. T parodi; 3. (glds. T) vrøvl.

cod[2] [kɔd] adj. parodisk; lavet for sjov.

cod[3] [kɔd] vb. parodiere; gøre grin med.

coda ['kəudə] sb. 1. (mus.) coda; 2. (fig.) slutning.

coddle ['kɔdl] vb. 1. forkæle; pylre om; 2. (æg) koge let [i vand, lige under kogepunktet].

code[1] [kəud] sb. 1. kode; 2. (jur.) kodeks, lovbog, lovsamling; 3. (fig.) kodeks, regler, love;
□ ~ of conduct//ethics etiske regler; ~ of honour æresbegreber.

code[2] [kəud] vb. kode; omsætte til kode.

coded ['kəudid] adj. kodet (fx message); kode- (fx language).

codeine ['kəudi:n] sb. (med.) kodein.

code name sb. dæknavn.

codfish ['kɔdfiʃ] sb. (zo.) torsk.

codger ['kɔdʒə] sb. (neds. el. spøg.) gammel stabejs/støder/knark; gammel særling.

codicil ['kɔdisil] sb. (jur.) kodicil [tillægsbestemmelse i testamente].

codification [kɔdifi'keiʃn] sb. kodificering, kodifikation.

codify ['kɔdifai] vb. (om love, bestemmelser) kodificere [samle og ordne].

coding ['kəudiŋ] sb. 1. kodning; 2. (mht. skat) trækprocent.

codling ['kɔdliŋ] sb. ung torsk.

codling moth sb. (zo.) æblevikler.

cod-liver oil [kɔdlivər'ɔil] sb. (torske)levertran.

codpiecee ['kɔdpi:s] sb. (hist.) skampose, skamkapsel [til at dække kønsorganerne].

codswallop ['kɔdzwɔləp] sb. S sludder, bavl.

co-ed[1] ['kəued] sb. (am. S) [kvindelig studerende ved college for begge køn].

co-ed[2] ['kəued] adj. = co-educational.

co-education [kəuedju'keiʃn] sb. fællesundervisning [for begge køn].

co-educational adj. for begge køn; fælles- (fx school).

coefficient [kəui'fiʃnt] sb. (mat.) koefficient.

coerce [kəu'ə:s] vb. F tvinge.

coercion [kəu'ə:ʃn] sb. F tvang.

coercive [kəu'ə:siv] adj. tvangs- (fx measure foranstaltning; methods).

coeval [kəu'i:vl] adj. samtidig (with med); jævnaldrende.

coexist [kəuig'zist] vb. sameksistere, være til på samme tid; bestå sammen.

coexistence ['kəuig'zistəns] sb. sa-

meksistens; koeksistens.

C of E fork. f. Church of England.

coffee ['kɔfi] sb. kaffe.

coffee bean sb. kaffebønne.

coffee grinder sb. kaffekværn.

coffee grounds sb. pl. kaffegrums.

coffee house sb. cafe.

coffee klatsch sb. (am.) kaffeslabberas.

coffee maker sb. (vacuum ~) kaffekolbe; (filter ~) kaffemaskine; (espresso ~) espressokande.

coffee mill sb. kaffemølle, kaffekværn.

coffee morning sb. [morgenkaffekomsammen til indsamling af penge].

coffee pot sb. kaffekande.

coffee shop sb. kafferestaurant; (fx i stormagasin) cafeteria.

coffee table sb. sofabord.

coffee-table book sb. [stor, dyr illustreret bog].

coffee tumbler sb. kaffekrus med låg [til at drikke af mens man kører bil].

coffer ['kɔfə] sb. 1. pengekiste; 2. (arkit.: i loft) kassette; □ -s (fig.) kasse, midler.

cofferdam ['kɔfədæm] vb. kofferdam; sænkekasse.

coffin ['kɔfin] sb. ligkiste; (se også nail[1]).

coffin nail sb. ligkistesøm [også = cigaret].

coffin ship sb. (mar.) plimsoller, dødssejler.

cog [kɔg] sb. 1. (på tandhjul) tand; 2. (i snedkeri) tap; 3. (mar.; hist.) kogge;
□ a ~ in a machine, a ~ in the wheel (fig.) et lille hjul i et stort maskineri.

cogency ['kəudʒ(ə)nsi] sb. (F: om argument,) slagkraft; overbevisende karakter.

cogent ['kəudʒ(ə)nt] adj. F slagkraftig, overbevisende (fx argument); □ ~ reasons tvingende grunde.

cogitate ['kɔdʒiteit] vb. (F el. spøg.) tænke dybt, gruble (about, on over).

cogitation [kɔdʒi'teiʃn] sb. (F el. spøg.) tænken; grublen; overvejelse.

cognac ['kɔnjæk, 'kəu-] sb. cognac.

cognate[1] ['kɔgneit] sb. 1. (jur.) slægtning; 2. (sprogv.) beslægtet ord; beslægtet sprog.

cognate[2] ['kɔgneit] adj. (sprogv.: om ord el. sprog) beslægtet (with med).

cognition [kɔg'niʃn] sb. (filos.) kognition; erkendelse.

cognitive ['kɔgnitiv] adj. (filos.) kognitiv; erkendelses-.

collaboration C

cognizance ['kɔgniz(ə)ns] *sb.* kundskab, kendskab (*fx bring it to their* ~);
□ *take* ~ *of* (F *el. jur.*) bemærke, tage hensyn til, inddrage i sine overvejelser.
cognizant ['kɔgniz(ə)nt] *adj.*: ~ *of* F bekendt med, vidende om.
cognomen [kɔg'nəumən] *sb.* F tilnavn; øgenavn.
cognoscenti [kɔgnə'ʃenti(:)] *sb.* kendere.
cogwheel ['kɔgwi:l] *sb.* tandhjul.
cohabit [kəu'hæbit] *vb.* leve sammen; leve papirløst.
cohabitant [kəu'hæbit(ə)nt], **cohabitee** [kəuhæbi'ti:] *sb.* samlever.
cohabitation [kəuhæbi'teiʃn] *sb.* samliv; papirløst ægteskab.
cohere [kəu'hiə] *vb.* F hænge (logisk) sammen.
coherence [kəu'hiərəns] *sb.* (logisk) sammenhæng.
coherent [kəu'hiərənt] *adj.* (logisk) sammenhængende.
cohesion [kəu'hi:ʒ(ə)n] *sb.* 1. sammenhæng; 2. (*fys.*) kohæsion; sammenhængskraft.
cohesive [kəu'hi:siv] *adj.* 1. sammenhængende; 2. (*fys.*) kohæsiv.
cohort ['kəuhɔ:t] *sb.* 1. kohorte; gruppe; 2. (*i statistik*) fødselsårgang; generation; aldersgruppe; 3. (*am. neds.*) kumpan;
□ *his -s* (jf. 3) hans slæng.
coif [kɔif] *sb.* 1. tætsluttende hue// hætte; 2. (*hist.*) hjelmhue.
coiffed [kwa:ft, kwʌft] *adj.* (*om hår, især spøg.*) sat op; smukt arrangeret.
coiffeur [kwa:'fə:, kwʌ-] *sb.* frisør.
coiffure [kwa:'fjuə, kwʌ-] *sb.* F frisure.
coign [kɔin] *sb.*: ~ *of vantage* fordelagtig stilling; sted hvorfra man har godt overblik.
coil[1] [kɔil] *sb.* 1. spiral; rulle; 2. (*enkelt snoning*) ring; 3. (*slanges*) bugt; 4. (*om tov*) rulle; (*mar.*) kvejl; bugt; 5. (*elek.*) spole; (*i bil også*) tændspole; 6. (*svangerskabshindrende*) spiral;
□ *-s* a. (*om frisure*) frikadeller; b. (*fig.*) net; bånd.
coil[2] [kɔil] *vb.* (se også *coiled*) 1. sno; rulle sammen; vinde op i spiral(form); lægge sammen i ringe; 2. (*om tov*) rinke op; (*mar.*) kvejle; skyde op; 3. (*uden objekt*) sno sig (*round* om(kring)); rulle sig sammen.
coil aerial *sb.* rammeantenne.
coiled [kɔild] *adj.* 1. snoet (*fx flex* ledning); 2. sammenrullet (*fx snake*); 3. (*om fjeder*) spændt; 4. spiral- (*fx spring*).

coiled pottery *sb.* båndkeramik.
coil spring *sb.* spiralfjeder.
coin[1] [kɔin] *sb.* mønt;
□ *the other side of the* ~ den anden side af sagen; *two sides of the same* ~ to sider af samme sag; (se også *pay*[2] (*back*)).
coin[2] [kɔin] *vb.* 1. (*ord, udtryk*) danne, skabe; lave, opfinde (*fx a new word*); 2. (*mønt*) præge; 3. (*metal*) udmønte;
□ ~ *it in*, ~ *money* T tjene store penge; skovle penge ind; (se også *phrase*[1]).
coinage ['kɔinidʒ] *sb.* 1. (*om ord og udtryk*) nydannelse; opfindelse; 2. (*om penge*) mønt, mønter; møntsystem (*fx decimal* ~); 3. (jf. *coin*[2] 2) møntprægning; 4. (*af metal*) udmøntning.
coin box *sb.* mønttelefon.
coin changer *sb.* møntgiver.
coincide [kəuin'said] *vb.* falde sammen (*with* med); træffe sammen.
coincidence [kəu'insid(ə)ns] *sb.* (tilfældigt) sammentræf; sammenfald;
□ *by* ~ ved et tilfælde; tilfældigvis; *it was pure/sheer* ~ det var et rent tilfælde; *the long arm of* ~ tilfældets spil.
coincident [kəu'insid(ə)nt] *adj.* F 1. (*mht. tid*) sammentræffende, samtidig (*fx birth times*); 2. (*mht. indhold*) overensstemmende, sammenfaldende (*fx views*).
coincidental [kəuinsi'dent(ə)l] *adj.* tilfældig.
coincidentally [kəuinsi'dent(ə)li] *adv.* tilfældigvis.
coiner ['kɔinə] *sb.* 1. (*af ord, udtryk*) skaber, opfinder; 2. (*hist.*) falskmøntner.
coir [kɔiə] *sb.* kokosbast; kokostaver.
coir carpet *sb.* kokostæppe.
coir rope *sb.* græstov.
coital ['kəuit(ə)l, 'kɔit(ə)l] *adj.* samleje-.
coitus ['kəuitəs, 'kɔitəs] *sb.* coitus, samleje.
Coke [kəuk] *sb.* coca-cola.
coke [kəuk] *sb.* 1. koks; 2. T kokain; 3. = *Coke*.
coked [kəukt], **coked-up** [kəukt'ʌp] *adj.* (*am.* S) høj af kokain.
cokey ['kəuki] *sb.* S kokainist; narkoman.
Col fork. f. 1. *Colonel*; 2. (*am.*) *Colorado*.
col[1] [kɔl] *sb.* 1. (*geol.*) sadel; 2. (*meteor.*) sadelområde.
col[2] fork. f. *column*.
cola ['kəulə] *sb.* cola.
colander ['kʌləndə] *sb.* dørslag.

cold[1] [kəuld] *sb.* 1. kulde; 2. forkølelse; snue;
□ *catch (a)* ~ forkøle sig, blive forkølet; (se også *death*); *a* ~ *in the head/nose* snue; *bring in from the* ~ lukke ind i varmen; *be left out in the* ~ (*fig.*) være sat udenfor, være hægtet af; være ude i den kolde sne.
cold[2] [kəuld] *adj.* 1. kold; 2. (*ikke nervøs*) koldblodig, rolig; 3. S bevidstløs;
□ *I am* ~ jeg fryser; *have sby* ~ T have krammet på en; *it leaves me* ~ det rør mig ikke; *give sby the* ~ *shoulder* vise én en kold skulder; *be in a* ~ *sweat* svede angstens sved; (se også *water*[1]).
cold bag *sb.* køletaske.
cold-blooded [kəuld'blʌdid] *adj.* 1. kold, følelsesløs; brutal (*fx murder*); 2. (*om dyr*) koldblodet.
cold call *sb.* 1. [uanmodet opringning fra sælger]; 2. uanmeldt salgsbesøg.
cold-call ['kəuldkɔ:l] *vb.* 1. [ringe op med telefonsalg for øje]; 2. besøge uanmeldt.
cold calling *sb.* 1. telefonsalg; 2. dørsalg.
cold comfort *sb.* dårlig/mager trøst.
cold cream *sb.* coldcream.
cold cuts *sb. pl.* afskåret pålæg.
cold fish *sb.* (*om person*) kold skid.
cold frame *sb.* (*i havebrug*) kold bænk.
cold front *sb.* (*meteor.*) koldfront.
cold-shoulder [kəuld'ʃəuldə] *vb.*: ~ *sby* vise én en kold skulder.
cold snap *sb.* pludselig og kort frostperiode.
cold sore *sb.* forkølelsessår.
cold storage *sb.* 1. opbevaring i kølerum; 2. kølehus;
□ *put in* ~ (*fig.*) lægge på is.
cold turkey *sb.* S kold tyrker [abstinenser efter pludseligt stop for narkotika].
cold war *sb.* kold krig.
cold wave *sb.* 1. (*meteor.*) kuldebølge; 2. (*til hår*) koldpermanent.
coleslaw ['kəulslɔ:] *sb.* kålsalat.
coley ['kəuli] *sb.* (*zo.*) sej.
colic ['kɔlik] *sb.* kolik; mavekrampe.
colicky ['kɔliki] *adj.* som lider af kolik.
colitis [kɔ'laitis] *sb.* tyktarmsbetændelse.
collaborate [kə'læbəreit] *vb.* 1. samarbejde (*with* med; *on* om); 2. (*neds.*) samarbejde med fjenden.
collaboration [kəlæbə'reiʃn] *sb.* 1. samarbejde; 2. (*neds.*) samarbejde med fjenden.

C collaborationist

collaborationist[1]
[kəlæbəˈreiʃ(ə)nist] sb. se collaborator.

collaborationist[2]
[kəlæbəˈreiʃ(ə)nist] adj. (neds.) samarbejds-; som samarbejder med fjenden.

collaborator [kəˈlæbəreitə] sb. (neds.) samarbejdsmand; kollaboratør.

collage [kɔˈlaːʒ, ˈkɔ-] sb. collage, kollage.

collapse[1] [kəˈlæps] sb. 1. sammenstyrtning; sammenbrud; 2. fiasko.

collapse[2] [kəˈlæps] vb. 1. falde/synke/styrte sammen (fx the building -d; the roof -d); (under pres også) bryde sammen (fx the sofa//the chair -d under his weight); 2. (om lunge) klappe sammen; 3. (fig.) falde sammen, bryde sammen (fx the market -d; his whole world -d); (om foretagende også) falde til jorden, kollapse; forlise; 4. (om priser) styrtdykke; 5. (om person) synke om (fx he -d on the bed); synke sammen (fx he -d in his chair); (især med.) kollabere; (besvime også) kollapse; 6. (om nervøst sammenbrud) bryde sammen; 7. (om møbler etc.) være til at klappe sammen.

collapsible [kəˈlæpsəbl] adj. sammenklappelig; sammenfoldelig.

collar[1] [ˈkɔlə] sb. 1. (på tøj) krave; (især på skjorte) flip; 2. (til hund etc. & om smykke) halsbånd; 3. (til orden etc.) ordenskæde; 4. (på seletøj) kumte; 5. (mek.) ring; 6. (på bolt) bryst; 7. (zo.) bånd af afvigende farve) halsring; 8. (kød) rullesteg; 9. (udskæring af svin) nakkekam; 10. (T: om politiet) arrestation, fangst; □ hot under the ~ T gal i skralden.

collar[2] [ˈkɔlə] vb. T 1. gribe//få fat i; hage sig fast i [og snakke til]; 2. (T: om politiet) arrestere, snuppe; 3. (T: stjæle) hugge.

collar beam sb. hanebjælke.

collarbone [ˈkɔləbəun] sb. (anat.) kraveben.

collards [ˈkɔlədz] sb. pl. grønkål.

collared [ˈkɔləd] adj. (zo.) med halsring.

collared dove sb. (zo.) tyrkerdue.

collarette [kɔləˈret] sb. lille damekrave.

collate [kɔˈleit] vb. 1. sammenligne; konferere; 2. (manuskripter, udgaver etc.) kollationere; 3. (om kopimaskine) sortere, ordne, samle [ark i rækkefølge]; 4. (præst) kalde [til et embede].

collateral[1] [kɔˈlæt(ə)rəl] sb. 1. yderligere sikkerhed; kaution; håndpant; 2. slægtning i sidelinje.

collateral[2] [kɔˈlæt(ə)rəl] adj. 1. underordnet; bi- (fx circumstance; meaning); side-; 2. (om slægtskab) i sidelinje.

collateral damage sb. (mil.) følgeskadevirkninger [ɔ: civile tab].

collateral loan sb. lån mod kaution.

collation [kəˈleiʃn] sb. (jf. collate) 1. sammenligning; 2. kollationering; 3. sortering, ordning, samling; 4. (mad) let måltid; kold anretning.

colleague [ˈkɔliːg] sb. kollega.

collect[1] [ˈkɔlekt] sb. (rel.) kollekt; (kort) bøn [til særlige lejligheder].

collect[2] [kəˈlekt] vb. 1. samle (fx firewood); samle sammen; indsamle (fx information); samle ind; opsamle (fx rain water); 2. (som hobby) samle på (fx antiques; stamps); 3. (nogen//noget der venter) afhente (fx theatre tickets; children from school); 4. (penge) samle ind; 5. (gæld) opkræve, indkassere, inddrive; 6. (strøm) aftage; 7. (varme) opsamle (fx solar heat); 8. (uden objekt) samle sig (fx a crowd -ed; dust had -ed on the books);
□ ~ oneself samle sig; sunde sig; ~ for (jf. 4) samle ind til; ~ up samle sammen.

collect[3] [kəˈlekt] adv.: call him ~ (am. tlf.) ringe til ham og lade ham betale samtalen.

collectable[1] [kəˈlektəbl] sb. samlerobjekt.

collectable[2] [kəˈlektəbl] adj. som er værd at samle på.

collect call [kəˈlektkɔːl] sb. (am. tlf.) samtale som betales af modtageren.

collected [kəˈlektid] adj. fattet; rolig.

collectible [kəˈlektibl] = collectable.

collection [kəˈlekʃn] sb. (jf. collect[2]) 1. indsamling; opsamling; 2. det at samle, samlen; 3. afhentning; 4. opkrævning; inkasso; inddrivelse; 5. aftagning; 6. opsamling; 7. (af postkasse) tømning; 8. (af skrald) afhentning; 9. (det der er samlet, bunke) ansamling (fx of dust); 10. (genstande; litteratur) samling (fx of antiques, of stamps; of poems); 11. (modedesigners) kollektion.

collection box sb. indsamlingsbøsse.

collective[1] [kəˈlektiv] sb. kollektiv.

collective[2] [kəˈlektiv] adj. 1. samlet, fælles (fx effort; protest); kollektiv (fx responsibility); 2. (om benævnelse) fælles- (fx term).

collective bargaining sb. overenskomstforhandlinger [mellem fagforeninger og arbejdsgivere].

collective farm sb. kollektivbrug.

collectivism [kəˈlektivizm] sb. kollektivisme.

collectivist [kəˈlektivist] adj. kollektivistisk.

collectivization [kəlektivaiˈzeiʃn] sb. kollektiviserering.

collectivize [kəˈlektivaiz] vb. kollektivisere.

collector [kəˈlektə] sb. 1. samler (fx of antiques); 2. (af penge) indsamler; 3. (af gæld) inkassator; opkræver; 4. (af solvarme) solfanger; 5. (elek.) strømaftager;
□ ~ of customs toldforvalter; ~ of taxes skatteopkræver.

collector's item [kəˈlektəzaitəm] sb. samlerobjekt.

colleen [ˈkɔliːn, kɔˈliːn] sb. (irsk) pige.

college [ˈkɔlidʒ] sb. 1. [i navne på nogle public schools, fx Eton College]; 2. [undervisningssted der giver videregående undervisning inden for bestemt fag, fx art ~, business ~, naval ~]; [kan i nogle tilfælde gengives) institut, læreanstalt; 3. (ved universitet) [selvstændig del af universitet fx University College, London]; 4. (ved Oxford og Cambridge) kollegium; 5. (forsamling) kollegium; 6. (am.) [universitet der giver undervisning op til bachelorniveau].

college of education sb. seminarium.

college of higher education sb. [mindre undervisningsinstitution der giver videregående tekniske uddannelser].

collegian [kəˈliːdʒ(ə)n] sb. medlem af et kollegium.

collegiate [kəˈliːdʒiət] adj. 1. kollegie- (fx life); universitets-; 2. som hører til et college (fx a ~ theatre); 3. (om universitet) som består af kollegier.

collide [kəˈlaid] vb. støde sammen, kollidere.

collie [ˈkɔli] sb. collie, (skotsk) hyrdehund.

collier [ˈkɔliə] sb. 1. (kul)minearbejder; 2. kulbåd.

colliery [ˈkɔljəri] sb. kulmine.

collision [kəˈliʒ(ə)n] sb. sammenstød, kollision.

collision course sb. kollisionskurs.

collocate[1] [ˈkɔləkət] sb. (sprogv.) [ord som hyppigt forekommer sammen med et andet ord].

collocate[2] [ˈkɔlekeit] vb.: ~ with

(*om ord*) kunne forbindes med (idiomatisk).

collocation [kɔlə'keiʃn] *sb.* sammenstilling af ord [*som passer sammen idiomatisk*]; ordforbindelse.

collop ['kɔləp] *sb.* skive [*af kød el. stegeflæsk*].

colloquial [kə'ləukwiəl] *adj.* (*sprogv.*) kollokvial; som hører til dagligsproget; som bruges i daglig tale.

colloquialism [kə'ləukwiəlizm] *sb.* (*sprogv.*) udtryk fra daglig tale.

colloquially [kə'ləukwiəli] *adv.* (*sprogv.*) i daglig tale.

colloquy ['kɔləkwi] *sb.* F samtale.

collotype ['kɔlətaip] *sb.* lystryk.

collude [kə'lu:d] *vb.* være i hemmelig forståelse (*with* med); samarbejde hemmeligt;
□ ~ *with* (*også*) spille under dække med; være i ledtog med.

collusion [kə'lu:ʒ(ə)n] *sb.* hemmelig forståelse; aftalt spil.

collusive [kə'lu:siv] *adj.* aftalt i hemmelighed.

collywobbles ['kɔliwɔblz] *sb. pl.* (*spøg.*, T) rumlen i maven; (nervøs) mavepine.

Colo. *fork. f. Colorado.*

colocynth ['kɔləsinθ] *sb.* (*bot.*) kolokvint [*tropisk plante af græskarfamilien*].

Cologne [kə'ləun] (*geogr.*) Køln.

cologne *sb.* eau de Cologne.

colon ['kəulən] *sb.* **1.** (*skilletegn*) kolon; **2.** (*anat.*) tyktarm.

colonel ['kɔ:nl] *sb.* oberst; [*i USA også ren høflighedstitel*].

Colonel Blimp *sb.* [*gammel, stokkonservativ, snæversynet og chauvinistisk hugaf*].

colonelcy ['kɔ:nlsi] *sb.* (*mil.*) **1.** oberstrang; **2.** oberststilling.

colonial[1] [kə'ləuniəl] *sb.* **1.** [*indbygger i (engelsk) koloni*]; **2.** (*am.*) hus i kolonistil.

colonial[2] [kə'ləuniəl] *adj.* **1.** koloni- (*fx power*); **2.** (*neds.*) kolonialistisk (*fx mentality*); **3.** (*am. om stil*) fra kolonitiden [ɔ: *før løsrivelsen fra England*].

colonialism [kə'ləuniəlizm] *sb.* kolonialisme.

colonialist[1] [kə'ləuniəlist] *sb.* kolonialist.

colonialist[2] [kə'ləuniəlist] *adj.* kolonialistisk.

colonic[1] [kə(u)'lɔnik] *sb.* tarmudskylning.

colonic[2] [kə(u)'lɔnik] *adj.* tyktarms-;
□ ~ *irrigation* tarmudskylning.

colonist ['kɔlənist] *sb.* kolonist; nybygger.

colonization [kɔlənai'zeiʃn] *sb.* kolonisering.

colonize ['kɔlənaiz] *vb.* **1.** kolonisere; **2.** bosætte sig som kolonist.

colonizer ['kɔlənaizə] *sb.* kolonisator.

colonnade [kɔlə'neid] *sb.* søjlegang; kolonnade.

colony ['kɔləni] *sb.* koloni.

Colorado [kɔlə'ra:dəu].

Colorado beetle *sb.* (*zo.*) coloradobille.

coloration [kʌlə'reiʃn] *sb.* farvetegning; farve(r).

coloratura [kɔlərə'tuərə] *sb.* (*mus.*) koloratur.

colossal [kə'lɔs(ə)l] *adj.* kolossal.

colossus [kə'lɔsəs] *sb.* (*pl. colossi* [-sai]/-*es*) kolos.

colour[1] ['kʌlə] *sb.* (se også *colours*) **1.** farve; kulør; **2.** (*i ansigtet*) kulør (*fx she has got some ~ in her face now*); farve (*fx it will put some ~ in her cheeks*); (*af skam*) rødme; **3.** (*om race*) farve, hudfarve;
□ *off* ~ se *off-colour*; *under* ~ *under påskud af*;
[*med vb.*] *add* (*some*) ~ *to* sætte kulør på; *give/lend* ~ *to* gøre sandsynlig; *give a false* ~ *to* forvanske; *lose* ~ blive bleg; *I have not seen the* ~ *of his money* jeg har ikke set en øre fra ham.

colour[2] ['kʌlə] *vb.* (se også *coloured*) **1.** farve (*fx one's hair red*); **2.** (*billede etc.*) kolorere; farvelægge; **3.** (*fig.: forvanske; præge*) farve (*fx sby's opinion*); **4.** (*uden objekt*) rødme;
□ ~ *in* farvelægge; ~ *up* rødme.

colourable ['kʌlərəbl] *adj.* **1.** plausibel; antagelig; bestikkende; **2.** falsk.

colourant ['kʌlərənt] *sb.* farve, farvestof.

colour bar *sb.* raceskel.

colour-blind ['kʌləblaind] *adj.* farveblind.

colour box *sb.* malerkasse.

colour-coordinated ['kʌləkəu:dineitid] *adj.* med afstemte farver.

coloured ['kʌləd] *adj.* farvet; kulørt (*fx light*).

coloureds ['kʌlədz] *sb. pl.* **1.** (*glds.*; *neds.*) farvede (folk); **2.** (*sydafr.*) [*folk af blandingsrace*];
□ *the -s* (*om vasketøj*) det kulørte.

colour fast *adj.* farveægte.

colourful ['kʌləf(u)l] *adj.* **1.** farvestrålende, broget (*fx clothes*); **2.** (*fig.*) broget (*fx career; life; past*); farverig (*fx language*); spændende (*fx story*); **3.** (*om person*) farverig; livlig.

colouring ['kʌləriŋ] *sb.* **1.** farvelægning; **2.** farve; **3.** (*fig.*) anstrøg, ko-

lorit (*fx give it an oriental ~*); **4.** (*persons*) hår- og hudfarve; teint; lød; **5.** (*til mad*) kulør.

colouring book *sb.* malebog.

colourize ['kʌləraiz] *vb.* (*sort-hvid film*) farvelægge.

colourless ['kʌlələs] *adj.* farveløs.

colour prejudice *sb.* racefordomme.

colours ['kʌləz] *sb. pl.* **1.** (*sportsholds etc.*) farver; **2.** (*nations etc.*) flag; **3.** (*mil.*) fane;
□ *with flying* ~ se *flying colours*; [*med vb.*] *get one's* ~ komme på (universitets) førstehold; *join the* ~ melde sig under fanerne; *nail one's* ~ *to the mast* fastholde sit standpunkt; ikke ville give sig; ikke ville kapitulere; *nail one's* ~ *to sby's mast* åbenlyst tage parti for en; åbenlyst støtte en; *sail under false* ~ sejle under falsk flag; føre/tone falsk flag; *show one's* ~ **a.** tone flag; **b.** (*fig.*) bekende kulør; *show one's true* ~ vise sit sande ansigt; vise sig i sin sande skikkelse; *stick to one's* ~ holde fanen højt; være tro mod sin overbevisning.

colour scheme *sb.* farvesammensætning; farvevalg; farveholdning.

colour supplement *sb.* farvetillæg [*til (søndags)avis*].

colour vision *sb.* farveopfattelse; farvesyn.

colporteur [kɔlpɔ'tə:] *sb.* kolportør.

colt [kəult] *sb.* ung hest, plag.

coltish ['kəultiʃ] *adj.* sprælsk og kluntet.

coltsfoot ['kəultsfut] *sb.* (*bot.*) følfod.

columbarium [kɔləm'bɛəriəm] *sb.* (*pl. columbaria* [-riə]) urnehal.

columbine ['kɔləmbain] *sb.* (*bot.*) akeleje.

column ['kɔləm] *sb.* **1.** søjle; **2.** (*typ.*) spalte; klumme; **3.** (*i avis*) spalte; (*fast kommentar også*) klumme; **4.** (*mil. etc.*) kolonne.

columnist ['kɔləmnist] *sb.* (*i avis*) redaktør af fast spalte; klummeskriver.

coma ['kəumə] *sb.* **1.** coma, dyb bevidstløshed; **2.** (*astr.*) coma [*tågemasse om komets kerne*]; **3.** (*bot.*) bladdusk; frøuld;
□ *fall into a* ~ (*jf. 1*) gå i koma.

comatose ['kəumətəus] *adj.* dybt bevidstløs; (*fagl.*) comatøs.

comb[1] [kəum] *sb.* **1.** kam; **2.** se *honeycomb*[1] **1.**

comb[2] [kəum] *vb.* **1.** rede; kæmme; **2.** (*fig.*) gennemsøge grundigt, finkæmme (*fx the police -ed the town for the murderer*); gennemtrawle;

C *combat*

□ ~ *out* **a.** rede ud; **b.** finkæmme; **c.** (*fig.*) sortere fra; skille fra; ~ *through* gennemsøge omhyggeligt.
combat[1] ['kɔmbæt] *sb.* kamp.
combat[2] ['kɔmbæt, kəm'bæt] *vb.* bekæmpe.
combatant[1] ['kɔmbət(ə)nt, (*am.* *også*) kəm'bæt(ə)nt] *sb.* kombattant; kæmpende.
combatant[2] ['kɔmbət(ə)nt, (*am.* *også*) kəm'bæt(ə)nt] *adj.* kæmpende.
combat dress *sb.* (*mil.*) kampdragt; kampuniform.
combat fatigue *sb.* (*med.*) kamptræthed; krigsneurose.
combative ['kɔmbətiv, (*am. også*) kəm'bætiv] *adj.* kamplysten, krigerisk, aggressiv;
□ *in a* ~ *mood* i krigshumør.
combe [ku:m] *sb.* dal.
comber ['kəumə] *sb.* **1.** kartemaskine; **2.** brodsø.
combination [kɔmbi'neiʃn] *sb.*
1. kombination, forbindelse; forening; **2.** (*til lås*) kombination, kode; **3.** (*køretøj*) motorcykel med sidevogn;
□ *in* ~ *with* i forening med; *(a pair of)* *-s* (*glds. undertøj*) combination.
combination lock *sb.* kombinationslås, kodelås.
combination pliers *sb. pl.* universaltang.
combine[1] ['kɔmbain] *sb.* **1.** (*agr.*) mejetærsker; **2.** (*merk.*) sammenslutning; syndikat, trust, koncern; konsortium.
combine[2] [kəm'bain] *vb.* (se også *combined*) **1.** kombinere, forbinde, forene (*with* med); **2.** (*uden objekt*) slutte sig sammen; forene sig; **3.** (*kem.*) forbinde sig (*with* med).
combined [kəm'baind] *adj.* **1.** kombineret, i forening (*with* med); på én gang; **2.** fælles (*fx efforts*); **3.** tilsammen (*fx more than all the others* ~).
combine harvester *sb.* (*agr.*) mejetærsker.
combings ['kəumiŋz] *sb. pl.* afredt hår.
combining form *sb.* (*gram.*) sammensætningsled.
combo ['kɔmbəu] *sb.* (*mus.*) [*mindre jazzorkester på 3-8 mand*]; gruppe.
comb-out ['kəumaut] *sb.* finkæmning.
combustible [kəm'bʌstəbl] *adj.* **1.** brændbar; let antændelig; **2.** (*fig.*) let fængelig; let at ophidse.
combustion [kəm'bʌstʃn] *sb.* forbrænding.
combustion chamber *sb.* forbrændingskammer.
come[1] [kʌm] *vb.* (*came, come*)
1. komme; **2.** (*til et sted*) komme, ankomme; **3.** (*om begivenhed*) ske (*fx* ~ *what may* ske hvad der vil); gå 'til; **4.** (*om vare*) fås (*fx they* ~ *in a variety of colours*); **5.** (+ *adj.*) udvikle sig; blive (*fx it will* ~ *all right in the end*); **6.** (*vulg.: seksuelt*) komme, få orgasme; **7.** (*med objekt: om rolle*) spille, agere (*fx* ~ *the great man*);
□ *come!* hør! *come! come!* nå nå! små slag!;
he is as clever as they ~ han er noget så klog; han er noget af det klogeste; *how* ~? **a.** hvordan kan 'det være? **b.** (+ *sætning*) hvordan kan det være at (*fx how* ~ *you're late?*); ~ *it over* T dominere; ~ *it strong* T overdrive; *in days to* ~ i fremtiden; *the life to* ~ livet efter døden; *the years to* ~ de kommende år; (se også *home*[1]); [*med adv., præp.*] ~ *about* **a.** hænde, ske; gå til (*fx it came about in this way*); **b.** (*mar.*) vende;
~ *across* **a.** støde på, møde; **b.** (*om indhold, mening*) blive forstået; **c.** (T: *om penge*) punge ud, hoste op med pengene; **d.** (S: *seksuelt*) give efter [*og gå i seng med en*]; ~ *across badly//well* (*om person*) gøre et dårligt//godt indtryk; ~ *across as* gøre indtryk af at være, virke som; ~ *across with* T 'komme med, levere;
~ *again!* T hva'? om igen! [ɔ: *sig det igen*];
~ *along* komme; vise sig, komme frem; ~ *along!* kom så! kom med! *how is he coming along?* hvordan går det med ham?;
~ *apart* gå fra hinanden; gå itu, gå i stykker; ~ *apart at the seams* (*fig.*, T) gå op i sømmene/limningen;
~ *around* se ndf.: ~ *round*;
~ *at* **a.** få fat på (*fx the true facts*); **b.** (*person*) gå løs på, angribe (*fx he came at me*); **c.** (*sag*) tage fat på (*fx* ~ *at it from a different angle*);
~ *away* falde af, gå af (*fx the handle came away*); *we came away with the impression that* da vi gik havde vi det indtryk at;
~ *back* **a.** komme tilbage; **b.** (*om mode; om person*) vende tilbage; blive populær igen; **c.** (*især am.* T) svare igen; replicere; *it all came back to me* jeg huskede det hele;

~ *between* komme imellem, skille (ad) (*fx we won't let that* ~ *between us*); ~ *between him and his sleep* forhindre ham i at få sin nattesøvn;
~ *by* **a.** komme forbi; **b.** få fat på (*fx it is difficult to* ~ *by*);
~ *down* **a.** komme ned; **b.** (*om ting*) vælte (*fx the tree//the bookcase came down*); falde ned (*fx the shelf//the plane came down*); **c.** (*om pris*) falde; **d.** (*om tradition*) blive overleveret; ~ *down handsomely* ordentlig flotte sig; punge ud; *he has* ~ *down in the world* det er gået tilbage for ham;
~ *down on* **a.** overfalde; skælde ud; **b.** (T: *penge*) forlange; *he came down on their side* han besluttede sig til at støtte dem; han sluttede sig til deres parti; (se også *ton*); ~ *down to* **a.** indskrænke sig til; **b.** gå i arv til; *he came down to + -ing* han sank så dybt at han; *when it -s down to* når det drejer sig om; *when it -s* **down to it** når det kommer til stykket; i den sidste ende; ~ *down with* **a.** (*penge*) betale; **b.** (*sygdom*) få, blive smittet med;
~ *for* komme efter; hente;
~ *forth* (F *el. spøg.*) melde sig; ~ *forth with* (F *el. spøg.*) fremkomme med;
~ *forward* **a.** komme frem; **b.** (*om person: til tjeneste*) melde sig, tilbyde sig; **c.** (*om emne: til drøftelse*) blive rejst;
it -s strangely from him det lyder mærkeligt i hans mund;
~ *in* **a.** komme; **b.** ankomme; **c.** (*om tøj etc.*) blive mode, komme på mode; **d.** (*ved væddeløb*) slutte; komme i mål; **e.** (*parl.: om parti*) komme til magten; **f.** (*om frugt etc.*) blive moden; **g.** (*om tidevand*) stige; *it came in handy/useful* det kom lige tilpas; det kom til nytte; *where do I* ~ *in?* hvad skal jeg lave? hvad er min opgave? *where does the fun* ~ *in?* hvad morsomt er der ved det? ~ *in for* **a.** blive udsat for (*fx criticism*); **b.** få; *I came in for a share* der faldt noget af til mig; ~ *in on* være med i; deltage i; (se også *ground floor*);
~ *into* **a.** (*sted*) komme ind i (*fx a room*); **b.** (*fig.*) indgå i (*fx the calculations*); **c.** (*ejendom*) arve (*fx a fortune*); ~ *into being* opstå; (se også *force*[1], *head*[1], *money, own*[1], *world*); ~ *into it* indgå i det; have noget med det/sagen at gøre (*fx money doesn't* ~ *into it*);
~ *of* **a.** komme af; **b.** nedstamme

fra; *nothing came of it* der blev
ikke noget af det;
~ **off** a. falde af, gå af (*fx the han-
dle came off*); **b.** (T: *om begiven-
hed*) foregå; finde sted (*fx when
does the marriage ~ off?*); **c.** (T:
om person) slippe fra det; klare
sig (*fx she came off best*); **d.** (*om
forehavende*) falde ud [*godt el.
dårligt*]; lykkes (*fx it nearly came
off*); **e.** (*medicin etc.*) holde op
med at tage; *it didn't ~ off* det
lykkedes ikke; det blev ikke til
noget; *she would have ~ off
worse* det ville have gået hende
værre; ~ *off it!* **a.** hold op med
det! **b.** hold op med at spille vig-
tig! ~ *off on* smitte af på;
~ **on** a. begynde, melde sig;
b. (*især om årstid*) nærme sig;
c. (*om person, foretagende*) gøre
fremskridt, udvikle sig; **d.** (T: *om
pige*) få menstruation; **e.** (*am.*)
gøre indtryk af at være (*fx ~ on
tough//sincere*); (prøve at) virke
...; **f.** (*teat.*) gøre sin entré; **g.** (*jur.*)
komme 'for (*fx the case -s on next
Thursday*); **h.** (*om plante*) trives;
i. (*om maskine etc.*) gå i gang;
j. (*med objekt*) finde, støde på (*fx
we vame on a dead body lying in
the ditch*); ~ *on!* **a.** skynd dig!
kom så! **b.** (*vantro*) åh la' vær'!
c. (*bønfaldende*) å hva'! **d.** (*trø-
stende*) nå nå'! ~ *on, don't argue*
(*også*) lad nu være med at skæn-
des; *you're coming on!* du kom-
mer dig [ɔ: *gør fremskridt*]; *I've
got a cold coming on* jeg er ved at
blive forkølet; *how is the building
work coming on?* (*jf. c*) hvordan
går det med byggeriet? ~ *on to*
a. (*om emne*) komme (frem) til;
b. (*am.*) lægge an på;
~ **out** a. komme ud; **b.** komme
frem (*fx the stars came out*);
c. (*om nyhed, oplysning*) komme
frem (*fx the truth came out*); blive
bekendt; (*fx om eksamensresultat*)
blive offentliggjort; **d.** (*om bog,
blad*) udkomme; **e.** (*bot.& fig. om
bøsse*) springe ud; **f.** (*om kabale,
regnestykke*) gå op; **g.** (*i billede,
skulptur*) fremstå (*fx every detail
-s out clearly*); kunne ses; **h.** (*på
foto*) blive (*fx she//her dress came
out really well*); **i.** (*om foto*) blive
til noget (*fx two of my pictures
didn't ~ out*); **j.** (*om hår*) falde af;
k. (T: *om arbejdere*) strejke, ned-
lægge arbejdet; **l.** (*glds.: om ung
pige*) debutere i selskabslivet; ~
out No. 1 komme ind som nr. 1; ~
out against kritisere, angribe; ~
out at (*om beløb*) 'blive til; ~ *out
in* få (*fx pimples; spots udslæt*);

(se også *wash¹*); ~ *out of* komme
ud af; være resultatet af (*fx what
came out of your work?*); ~ *out
with* T **a.** (*udtalelse*) komme frem
med, fyre af; **b.** (*uforvarende*)
plumpe ud med; **c.** (*merk.: vare*)
udsende;
~ **over** (*om fornemmelse*) pludse-
lig blive (*fx dizzy; faint; shy*);
what's ~ over him? hvad går der
af ham? ~ *over as* (*om person*)
a. virke (*fx pompous*); **b.** (+ *sb.*)
virke som (*fx a capable person*);
~ **round** a. (*efter besvimelse*)
komme til sig selv, komme til be-
vidsthed; **b.** (*efter sygdom*)
komme til sig selv; **c.** (*efter overvejelse*)
komme på bedre tanker; **d.** (*efter
pres*) lade sig overtale; **e.** (*om vin-
den*) vende sig; ~ *round here!*
kom herom! ~ *round some time!*
kig indenfor engang! *Christmas
soon came round again* snart stod
julen atter for døren; ~ *round to*
+ *-ing* fået taget sig sammen til at
(*fx writing to him*);
~ **through** a. (*om følelse etc.*)
skinne igennem, kunne mærkes;
b. (*om stemme, lyd*) gå igennem;
c. (*overstå sygdom, eksamen*)
klare sig; **d.** (*rel.*) blive frelst [ɔ:
omvendt]; *the call came through*
(*tlf.*) samtalen gik igennem; han//
jeg *etc.* fik forbindelse;
~ **to** a. komme til sig selv igen;
b. (*ved sammentælling*) beløbe
sig til (*fx the bill came to £27*); **c.** (*om
resultat*) falde ud, ende; *he had it
coming to him* han var selv ude
om det; *we all have to ~ to it* det
kommer for os alle sammen; ~ *to
oneself* komme til sig selv; blive
sig selv igen; *it -s to something*
det står sløjt til (*fx when you can't
even remember your wife's birth-
day*); ~ *to that* for den sags skyld;
når alt kommer til alt; *has it ~ to
this?* er det kommet 'så vidt? er
det blevet 'så galt? *when it -s to
cooking* når det drejer sig om at
lave mad; (se også *grief, harm¹,
nothing (etc.)*);
~ **under** a. (*administrativt*) være
underlagt; **b.** (*om kategori*) falde
ind under;
~ **up** a. komme op; **b.** (*om
chance, problem*) dukke op;
c. (*om emne i diskussion*) blive
rejst; **d.** (*om nummer i lotteri etc.*)
komme ud (*fx his ticket came
out*); blive udtrukket; (se også
number¹); **e.** (*om sol, måne*) stå
op; (*om stjerner*) komme frem;
f. (*om retssag*) komme for; ~ *up
against* støde på; komme ud for;
~ *up for auction* komme på auk-

tion; ~ *up for election* komme på
valg; ~ *up for sale* blive udbudt
til salg; ~ *up on the pools* vinde i
tipning; ~ *up to* nå op til; stå på
højde med; nå; ~ *up with* a. ind-
hente, nå; **b.** (*forslag etc.*) komme
frem med (*fx a plan*); **c.** (*bidrag*)
komme med, bidrage med, levere;
~ **upon** F træffe på; (*tilfældigt*)
finde; falde over;
~ **within** komme inden for (*fx
earshot; sight*).
come² [kʌm] *præt. ptc. af come¹.*
come-at-able [kʌm'ætəbl] *adj.* T
omgængelig; let at få i tale; let til-
gængelig.
comeback ['kʌmbæk] *sb.* **1.** come-
back; tilbagevenden; **2.** rapt svar;
svar på tiltale;
□ *make a ~* få et comeback; *there
is no ~* **a.** der er ingen mulighed
for at få erstatning//gøre krav gæl-
dende; **b.** der er ingen mulighed
for at gøre gengæld//få hævn.
comedian [kə'mi:diən] *sb.* **1.** komi-
ker; entertainer; **2.** (*ironisk*) klovn
(*fx he is the class ~*).
comedo ['kɔmidəu] *sb.* hudorm.
come-down ['kʌmdaun] *sb.* **1.** tilba-
geskridt; nedtur; ydmygelse;
2. skuffelse.
comedy ['kɔmidi] *sb.* **1.** komedie;
2. komik;
□ *the ~ of the situation* det komi-
ske ved situationen; ~ *of manners*
sædekomedie.
comely ['kʌmli] *adj.* køn; tækkelig;
net.
come-on ['kʌmɔn] *sb.* T **1.** invita-
tion til flirt; **2.** (*merk.*) lokkevare;
□ *give sby the ~* lægge an på en.
comer ['kʌmə] *sb.* (*am.* T) en der er
på vej op; en der er fut i;
□ *all -s* alle der kommer/melder
sig/indfinder sig; *the first ~* den
først ankomne.
comestibles [kʌ'mestiblz] *sb. pl.* (F
el. spøg.) madvarer.
comet ['kɔmit] *sb.* komet.
come-uppance [kʌm'ʌp(ə)ns] *sb.*:
get one's ~ T få sin velfortjente
straf; få løn som forskyldt.
comfort¹ ['kʌmfət] *sb.* **1.** trøst;
2. (*legemligt*) velbefindende, vel-
være; **3.** (*mht. indretning etc.*)
hygge (*fx they lit a fire, more for
~ than for heat*); bekvemmelig-
hed, behagelighed, komfort;
4. (*mht. penge*) økonomisk tryg-
hed;
□ *-s* behageligheder, bekvemmelig-
heder; (se også *creature comforts*);
*derive ~ from, draw ~ from, take
~ from* finde/hente trøst i; trøste
sig med; *too big//close etc. for ~*
for stor//nær *etc.* til at man er rig-

C comfort

tig tryg ved det; ubehageligt stor// nær *etc.*

comfort[2] ['kʌmfət] *vb.* trøste; opmuntre, oplive.

comfortable ['kʌmf(ə)təbl] *adj.*
1. (*om møbel*) bekvem, magelig (*fx chair*); komfortabel; **2.** (*om påklædning*) bekvem, behagelig; **3.** (*om bolig*) komfortabel (*fx flat*); hyggelig (*fx room*); **4.** (*om løn*) pæn, god (*fx income*); **5.** (*om arbejde etc.*) god, tryg (*fx job; life*); **6.** (*om stilling i konkurrence etc.*) pæn, komfortabel (*fx lead; majority*); **7.** (*om person*) veltilpas; □ *be* ~ (*også*) **a.** sidde//ligge godt; **b.** (*om patient*) have det nogenlunde godt; **c.** (*økon.*) sidde godt i det; *be* ~ *with* være tryg ved; *make oneself* ~ gøre sig det behageligt; hygge sig.

comfortably ['kʌmf(ə)təbli] *adv.*
1. bekvemt; behageligt; komfortabelt; mageligt; **2.** (*om indretning*) hyggeligt (*fx furnished*); **3.** (*om arbejde, opgave*) let, mageligt (*fx we can manage that* ~); □ *be* ~ *off* være velstillet, sidde godt i det; *sit* ~ sidde godt/behageligt.

comforter ['kʌmfətə] *sb.* **1.** (*person*) trøster; **2.** (*til barn*) sut; **3.** (*glds.*) uldent halstørklæde; **4.** (*am.*) vattæppe; vatteret sengetæppe.

comfort food *sb.* hyggemad; slik [*etc.*].

comforting ['kʌmfətiŋ] *adj.* trøsterig; opmuntrende, oplivende.

comfortless ['kʌmfətləs] *adj.* uden hygge; uhyggelig, trøstesløs.

comfort station *sb.* (*am.* F) (offentligt) toilet.

comfrey ['kʌmfri] *sb.* (*bot.*) kulsukker.

comfy ['kʌmfi] *adj.* T = *comfortable* (*også*).

comic[1] ['kɔmik] *sb.* **1.** tegneseriehæfte; **2.** (*person*) komiker; □ *-s* (*også*) tegneserier.

comic[2] ['kɔmik] *adj.* **1.** komisk (*fx actor; opera; song*); **2.** humoristisk (*fx writer*).

comical ['kɔmik(ə)l] *adj.* komisk; pudsig.

comic book *sb.* (*am.*) tegneseriehæfte.

comic paper *sb.* [*tillæg til avis, med tegneserier*].

comic strip *sb.* tegneserie.

coming[1] ['kʌmiŋ] *sb.* komme; □ *-s and goings* kommen og gåen; ~ *of age* **a.** (*jur.*) opnåelse af myndighedsalder; det at blive myndig; **b.** (*fig.*) det at blive voksen//moden; (se også *Second Coming*).

coming[2] ['kʌmiŋ] *adj.* kommende;

tilkommende; □ ~ *in* (*om post, varer*) indgående; ~ *out* udgående.

coming man *sb.* vordende leder// stjerne *etc.*

comity ['kɔmiti] *sb.* høflighed; □ ~ *of nations* venskabelig forståelse mellem nationerne.

comma ['kɔmə] *sb.* komma.

command[1] [kə'ma:nd] *sb.* **1.** befaling, ordre, kommando; (se også *wish*[1]); **2.** (*it*) kommando; **3.** (*mil.*) kommando (*fx under his* ~); **4.** (*gruppe officerer der leder*) kommando; (se *high command*); **5.** (*tropper*) kampstyrke; □ ~ *of* **a.** herredømme over (*fx the sea; oneself*); **b.** rådighed over; **c.** (*sprog*) beherskelse af (*fx he has a good* ~ *of English*); *have* ~ *of* **a.** beherske (*fx the situation*); **b.** (*mil.; mar.*) have kommandoen over (*fx a ship*); *take* ~ *of* **a.** overtage ledelsen af (*fx the campaign*); **b.** (*mil.*) overtage kommandoen over (*fx a regiment*); [*med præp.*] *at* ~ på kommando; *at sby's* ~ **a.** til ens rådighed/disposition, som man råder over (*fx all the money at my* ~); **b.** på ens befaling/bud; *by sby's* ~ = *at sby's* ~, *b*; *in* ~ kommanderende (*fx the officer in* ~); *be in* ~ have// føre kommandoen (*fx who is in* ~ *here?*); (se også *chain*[1]).

command[2] [kə'ma:nd] *vb.* **1.** befale; kommandere; byde; påbyde (*fx silence*); **2.** (*mil.; mar.*) have kommandoen over (*fx a division*); føre; **3.** (*fig.*) beherske (*fx one's temper*); **4.** (*mht. beliggenhed*) beherske (*fx a position from which the artillery -ed the town*); dominere; have udsigt over; **5.** (*løn*) have ret til; kunne kræve (*fx a high salary*); **6.** (*pris*) opnå (*fx a good price*); **7.** (*følelse*) vække, indgyde (*fx respect; admiration*); nyde (*fx respect*); **8.** (*penge etc.*) råde over (*fx unlimited capital; a majority*).

commandant ['kɔməndænt] *sb.* kommandant; chef.

command economy *sb.* (*økon.*) kommandoøkonomi.

commandeer [kɔmən'diə] *vb.* beslaglægge, rekvirere, udskrive.

commander [kə'ma:ndə] *sb.*
1. (*mil.*) chef, fører; **2.** (*glds.*) feltherre; hærfører; **3.** (*i politiet*) chefpolitiinspektør; (*i kriminalpolitiet*) chefkriminalinspektør; **4.** (*mar.*) orlogskaptajn; **5.** (*af en orden*) kommandør; □ ~ *senior grade* (*mar.*) kommandørkaptajn.

commander-in-chief [kəma:ndərin-'tʃi:f] *sb.* øverstbefalende.

commanding [kə'ma:ndiŋ] *adj.*
1. bydende (*fx voice; manner*); dominerende, myndig; **2.** (*om beliggenhed*) dominerende; **3.** (*om forspring*) overlegen.

commanding officer *sb.* (*mil.*) chef.

command line *sb.* (*it*) kommandolinje.

commandment [kə'ma:ndmənt] *sb.* bud; □ *the ten* -s de ti bud.

commando [kə'ma:ndəu] *sb.* **1.** særlig uddannet angrebsstyrke; kommando; **2.** jægersoldat.

command paper *sb.* (*parl.*) [*dokument udgivet af regeringen til forelæggelse for parlamentet*].

command performance *sb.* (*teat.*) [*privat forestilling for kongehuset*].

command post *sb.* (*mil.*) **1.** kommandostation; **2.** (*for artilleri*) skydecentral.

commemorate [kə'meməreit] *vb.* mindes; fejre.

commemoration [kəmemə'reiʃn] *sb.* mindefest; □ *in* ~ *of* til minde om.

commemorative[1] [kə'mem(ə)rətiv] *sb.* = *commemorative stamp.*

commemorative[2] [kə'mem(ə)rətiv] *adj.* minde- (*fx service* gudstjeneste); erindrings-; til erindring (*of* om).

commemorative plaque *sb.* mindetavle, mindeplade.

commemorative stamp *sb.* særfrimærke; erindringsmærke.

commemorative tablet *sb.* = *commemorative plaque.*

commence [kə'mens] *vb.* F begynde; påbegynde.

commencement [kə'mensmənt] *sb.* F **1.** begyndelse; påbegyndelse; **2.** (*am.: efter eksamen*) afslutningshøjtidelighed; dimissionsfest.

commend [kə'mend] *vb.* F **1.** rose (*for* for); prise; **2.** anbefale; □ *it has much//little to* ~ *it* der er meget//ikke meget godt at sige om det; ~ *to* **a.** anbefale (*fx I* ~ *it to you as a good precaution*); **b.** (*glds.*) overgive, betro (*fx I* ~ *the children//the money to you*); *it does not* ~ *itself to me* det tiltaler mig ikke.

commendable [kə'mendəbl] *adj.*
1. prisværdig (*fx with* ~ *speed*); **2.** værd at anbefale.

commendation [kɔmen'deiʃn] *sb.* F **1.** ros, lovord; **2.** påskønnelse; belønning.

commendatory [kə'mendət(ə)ri]

adj. **1.** rosende; **2.** anbefalende.
commensurate [kə'menʃərət] *adj.*:
be ~ with stå i et rimeligt forhold
til; svare til (*fx his success was
not ~ with his efforts*).
comment[1] ['kɔment] *sb.* kommen-
tar (*about, on* til); bemærkning
(*about, on* til); (se også *fair com-
ment*).
comment[2] ['kɔment] *vb.*: *~ on* ud-
tale sig om; omtale; komme med
bemærkninger til; *~ that* udtale/
bemærke at; *he refused to ~* han
havde ingen kommentarer; han
ville ikke udtale sig.
commentary ['kɔmənt(ə)ri] *sb.*
1. kommentar (*on* til); **2.** (*generelt*)
kommentarer (*fx political ~*);
3. (*film.*) speakerkommentar; led-
sagende tekst; speak; **4.** (*radio.;
tv*) speakertekst; reportage.
commentate ['kɔmənteit] *vb.* (*ra-
dio., tv*) referere;
□ *~ on* referere.
commentator ['kɔmənteitə] *sb.*
kommentator; radioreporter, tv-re-
porter.
commerce ['kɔməs] *sb.* **1.** handel;
2. (*glds.*) omgang, samkvem.
commercial[1] [kə'mə:ʃ(ə)l] *sb.* (*ra-
dio.; tv*) reklameudsendelse.
commercial[2] [kə'mə:ʃ(ə)l] *adj.*
1. handels- (*fx company; policy;
school; treaty* traktat); **2.** (*mere ge-
nerelt*) erhvervs- (*fx geography;
law, lawyer*); **3.** (*for at tjene
penge*) erhvervs- (*fx aviation*); er-
hvervsmæssig (*fx exploitation of
forests; occupation*); kommerciel
(*fx radio; success*); **4.** (*neds.:
mods. kunstnerisk*) kommerciel
(*fx the band has become too ~*);
□ *put to ~ use* udnytte erhvervs-
mæssigt.
commercial art *sb.* reklamegrafik;
industriel grafik.
commercial at *sb.* (*it*) snabel-a.
commercial break *sb.* pause til re-
klamer; reklameblok.
commercial designer *sb.* grafisk
designer.
commercialize [kə'mə:ʃəlaiz] *vb.*
kommercialisere; udnytte er-
hvervsmæssigt;
□ *it has become -d* der er gået for-
retning i det.
commercial paper *sb.* (*merk.*) kort-
fristet omsætningspapir.
commercial TV *sb.* reklamefjern-
syn.
commie ['kɔmi] *sb.* (*glds.* S, *neds.;
især am.*) kommunist.
comminute ['kɔminju:t] *vb.* findele;
□ *-d fracture* (*med.*) splintbrud.
comminution [kɔmi'nju:ʃn] *sb.* fin-
deling.

commiserate [kə'mizəreit] *vb.*: *~
with sby* udtrykke sin medfølelse
med en; udtrykke sin deltagelse
for en.
commiseration [kəmizə'reiʃn] *sb.*
(udtryk for) medfølelse/deltagelse.
commissar [kɔmi'sa:] *sb.* (*glds.*)
kommissær [*i Sovjet*].
commissariat [kɔmi'sɛəriət] *sb.*
(*mil.*) intendantur; forsyningstje-
neste.
commissary ['kɔmisəri] *sb.* (*am.*)
udsalg, kantine [*i lejr etc.*].
commission[1] [kə'miʃn] *sb.*
1. (*kunstnerisk etc.*) bestilling (*for
på, fx a ~ for a portrait*); hverv,
opgave; **2.** (*merk.*) provision (*on
af, fx get a 10% ~ on sales;
charge a 1% ~ on foreign
cheques*); kommission; **3.** (*perso-
ner:*) kommission; udvalg; **4.** (*mil.*)
officersudnævnelse; officersbestal-
ling; **5.** (F: *om forbrydelse*) for-
øvelse (*fx the ~ of a crime*);
□ *get a ~* (jf. **4**) blive officer;
[*med præp.*] *ship in ~* udrustet
skib; tjenstdygtigt skib; *put a ship
in(to) ~* **a.** indsætte et skib i far-
ten; **b.** hejse kommando; *have
goods on ~* have varer i kommis-
sion; *out of ~* ude af drift; i uor-
den; i stykker; *ship out of ~* skib
der har strøget kommando; oplagt
skib.
commission[2] [kə'miʃn] *vb.* (se også
commissioned) **1.** (*person*) give/
overdrage et hverv//en opgave; af-
give en bestilling til; (se ndf.: *be
-ed to*); **2.** (*opgave*) afgive bestil-
ling på, bestille (*fx an article; a
portrait*); **3.** (*skib*) indsætte i far-
ten; udruste; **4.** (*maskine, anlæg*)
indkøre;
□ *be -ed to* få til opgave at (*fx
manage the project*); blive bestilt
til at (*fx paint a portrait*); *be -ed
to write an article//paint a por-
trait* (*også*) få bestilling på en arti-
kel//et portræt.
commission agent *sb.* kommissio-
nær.
commissionaire [kəmiʃə'nɛə] *sb.*
(uniformeret) dørvogter; portier.
commissioned [kə'miʃ(ə)nd] *adj.*: *~
officer* officer; *be ~* (*mil.*) blive
udnævnt [ɔ: *til officer*]; få bestal-
ling; *be ~ to* se *commission*[2].
commissioner [kə'miʃ(ə)nə] *sb.*
1. kommissær; **2.** kommissions-
medlem; kommitteret; **3.** (*i Frel-
sens Hær*) kommandør;
□ *~ of police* (*omtr.*) politidirek-
tør; *assistant ~ of police* (*omtr.*)
politiinspektør.
commit [kə'mit] *vb.* (se også *com-
mitted*) **1.** (*forbrydelse etc.*) begå

(*fx murder, an error*); forøve;
2. (*person*) forpligte, binde (*to* til);
3. (*penge*) forpligte sig til at yde;
□ *~ oneself* **a.** forpligte sig, binde
sig; **b.** tage stilling; udtale sig; *you
ought to be -ted!* du burde tvangs-
indlægges!
[*med præp.*] *~ for trial* sætte un-
der tiltale; *~ to the flames* kaste
på ilden, brænde; *~ to memory*
memorere; indprente i sin hu-
kommelse; *~ a poem to memory*
lære et digt udenad; *~ to paper,
~ to writing* skrive ned; bringe på
papiret; sætte på prent; *~ oneself
to* forpligte/binde sig til (*fx a cer-
tain course*); påtage sig; *be -ted to
a mental hospital* blive tvangsind-
lagt på et psykiatrisk hospital; *be
-ted to prison* blive fængslet.
commitment [kə'mitmənt] *sb.*
1. forpligtelse; engagement;
2. løfte, tilsagn (*to* om); **3.** (*især
am.*) forpligtelse til at bidrage
med/stille til rådighed (*fx ~ of
money and time*); **4.** (*fig.*) engage-
ment (*to* i).
committal [kə'mit(ə)l] *sb.* **1.** (*jur.*)
fængsling; **2.** (*med.*) tvangsind-
læggelse; **3.** (*af afdød*) jordfæ-
stelse, begravelse.
committed [kə'mitid] *adj.* forplig-
tet; engageret;
□ *be ~ to* se *commit*.
committee [kə'miti] *sb.* **1.** udvalg;
komité; **2.** (*i forening*) bestyrelse;
forretningsudvalg; **3.** (*ved kapsej-
lads*) dommerkomité;
□ *the House goes into ~* (*parl.*)
tinget konstituerer sig som ud-
valg.
commode [kə'məud] *sb.* **1.** toilet-
stol; (*glds.*) natstol; **2.** (*am.*) toilet;
(*glds.*) servante; **3.** (*hist.*) kom-
mode.
commodious [kə'məudies] *adj.* F
rummelig.
commodity [kə'mɔditi] *sb.* (*merk.*)
vare; råvare.
commodore ['kɔmədɔ:] *sb.* (*mar.*)
1. flotilleadmiral; **2.** eskadrechef.
common[1] ['kɔmən] *sb.* fælled; over-
drev; (se også *commons*).
common[2] ['kɔmən] *adj.* **1.** alminde-
lig, sædvanlig; **2.** (*som flere har*)
fælles (*to* for, *fx problems that are
~ to all of us; our ~ ancestor*);
3. (*neds.*) simpel, tarvelig; **4.** (*om
rang*) menig;
□ *in ~* tilfælles; *in ~ with* **a.** til-
fælles med; **b.** lige som; *~ or gar-
den* se *common-or-garden; out of
the ~* ud over det almindelige;
ualmindelig;
[*med sb.*] *~ courtesy* almindelig
høflighed; *the ~ good* det fælles

bedste; *that is ~ ground* (*fig.*) det er vi enige om; der kan vi mødes; *it is ~ knowledge* det er almindelig kendt; (se også *cause¹*).

commonality [kɔmə'næləti] *sb.*
1. fællesskab; sammenfald; **2.** se *commonalty*.

commonalty ['kɔmənlti] *sb.: the ~* (*hist.*) de ikke-adelige; borgerstanden; den jævne befolkning, almuen.

common cold *sb.* forkølelse.

common denominator *sb.* fællesnævner.

commoner ['kɔmənə] *sb.* borgerlig.

common gender *sb.* (*gram.*) fælleskøn.

common ground *sb.* se *ground¹*.

common law *sb.* (*jur.*) sædvaneret.

common-law marriage *sb.* papirløst ægteskab [*som anerkendes efter sædvaneretten på grund af regelmæssigt og almindelig kendt samliv*].

commonly ['kɔmənli] *adv.* sædvanligvis.

Common Market *sb.: the ~* Fællesmarkedet.

common measure *sb.* **1.** fælles mål; **2.** (*mus.*) lige takt.

common newt *sb.* (*zo.*) lille salamander.

common noun *sb.* (*gram.*) fællesnavn [*mods.* egennavn].

common-or-garden [kɔmənɔ:'ga:d(ə)n] *adj.* ganske almindelig.

commonplace¹ ['kɔmənpleis] *sb.*
1. almindelighed (*fx exchange -s*); **2.** (*neds.*) banalitet, floskel.

commonplace² ['kɔmənpleis] *adj.*
1. hverdagsagtig; **2.** (*neds.*) banal, fortærsket.

common room *sb.* fællesrum; samlingsstue;
□ *senior ~* lærerværelse; *junior ~* elevers//studenters opholdsstue.

commons ['kɔmənz] *sb. pl.*
1. (*glds.*) kost; **2.** (*am.*) frokoststue; spisesal [*i college*]; **3.** (*om jord*) fællesjord, fælled; fælleseje; □ *on short ~* (*glds.*) på smalkost; *the ~* (*hist.*) de borgrlige; borgerstanden; *the (House of) Commons* (*parl.*) Underhuset.

common sense *sb.* (almindelig) sund fornuft.

common time *sb.* (*mus.*) lige takt.

common touch *sb.: the ~* folkelighed; *have the ~* have evne til at omgås almindelige mennesker; være folkelig.

commonwealth ['kɔmənwelθ] *sb.*
1. stat; republik; **2.** statssamfund; □ *the ~ of letters* (*fig.*) den lærde republik;

the Commonwealth **a.** det britiske statsamfund; **b.** (*hist.*) republikken [*under Cromwell*]; *the British Commonwealth of Nations* det britiske statssamfund; *the Commonwealth of Australia* Australien; *the Commonwealth of Independent States* SNG [*afløseren til Sovjetunionen*].

commotion [kə'məuʃn] *sb.* røre, opstandelse, tumult, postyr.

communal ['kɔmjun(ə)l, kə'mju:n(ə)l] *adj.* **1.** fælles; **2.** offentlig;
□ *~ violence* vold mellem samfundsgrupper.

communally ['kɔmjun(ə)li, kə'mju:n(ə)li] *adv.* i fællesskab.

commune¹ ['kɔmju:n] *sb.* **1.** kollektiv; storfamilie; **2.** (*uden for England*) kommune.

commune² [kə'mju:n] *vb.* (*am.*) gå til alters;
□ *~ with* **a.** føre en fortrolig samtale med; **b.** være ét med (*fx nature*).

communicable [kə'mju:nikəbl] *adj.*
1. som kan meddeles (videre); **2.** (*om sygdom*) smitsom.

communicant [kə'mju:nikənt] *sb.* altergænger, nadvergæst.

communicate [kə'mju:nikeit] *vb.*
1. meddele (*to* til, *fx ~ the decision to them*); formidle (*to* til, *fx ~ knowledge to the pupils*); **2.** (*følelse*) videregive (*fx one's enthusiasm//fear*); **3.** (*varme, bevægelse, sygdom*) overføre; **4.** (*uden objekt*) kommunikere (*with* med); **5.** (*rel.*) gå til alters;
□ *be -d to* (*om sygdom*) blive overført til; *~ itself to* brede sig til; *~ with* (*også*) **a.** meddele sig til; (sam)tale med; **b.** (*om værelse etc.*) stå i forbindelse med (*fx my room -s with the kitchen*).

communication [kɔmju:ni'keiʃn] *sb.* (se også *communications*)
1. kommunikation; **2.** forbindelse (*fx road and rail -s*); **3.** samfærdsel; **4.** F meddelelse;
□ *means of ~* **a.** (*jf.* 3) samfærdselsmiddel//-midler; **b.** (*jf.* 4) meddelelsesmiddel//-midler.

communication cord *sb.* (*jernb., omtr.*) nødbremsegreb.

communications [kɔmju:ni'keiʃnz] *sb. pl.* (*mil.*) **1.** signaltjeneste; **2.** signalmidler; (se også *line¹*).

communicative [kə'mju:nikətiv] *adj.* meddelsom.

communicator [kə'mju:nikeitə] *sb.: be a good ~* være god til at kommunikere; være god til at få sit budskab igennem; være en god formidler.

communion [kə'mju:njən] *sb.*
1. fællesskab (*with* med); forbindelse (*with* med); samkvem (*with* med); **2.** (kirke)samfund; **3.** (*rel.*) nadver; altergang;
□ *~ of souls* åndeligt fællesskab; *hold ~ with* rådføre sig med; *hold ~ with oneself* tænke/grunde dybt; *receive/go to ~* gå til alters.

communion table *sb.* nadverbord.

communiqué [kə'mju:nikei] *sb.* kommuniké.

communism ['kɔmjunizm] *sb.* kommunisme.

communist¹ ['kɔmjunist] *sb.* kommunist.

communist² ['kɔmjunist] *adj.* kommunistisk.

communistic [kɔmju'nistik] *adj.* kommunistisk.

community [kə'mju:niti] *sb.*
1. samfund; lokalsamfund; **2.** (*national, religiøs*) befolknings)ruppe; koloni (*fx the Danish ~ in Paris; the Jewish ~ in Prague*); **3.** fællesskab (*fx a sense of ~; ~ of interests* interessefællesskab);
□ *the ~* samfundet; *the Community* Fællesmarkedet; *the international ~* verdenssamfundet; *the local ~* lokalsamfundet.

community centre *sb.* kulturcenter.

community chest *sb.* (*am.*) [*privat indsamlet fond til sociale aktiviteter*]; velfærdsfond.

community home *sb.* [*børne- og ungdomshjem*].

community policing *sb.* nærpoliti.

community radio *sb.* nærradio.

community service *sb.* (*jur.*) samfundstjeneste [*i stedet for straf*].

community singing *sb.* fællessang.

commutable [kə'mju:təbl] *adj.*
1. (*om sted*) inden for pendlerafstand; **2.** (*om togtur*) som egner sig til pendling; **3.** (*om straf*) som kan nedsættes.

commutation [kɔmju'teiʃn] *sb.*
1. forandring; ombytning; **2.** (*jur.: om straf*) forvandling; nedsættelse; **3.** (*sprogv.*) kommutation;
□ *~ of tithes* tiendeafløsning.

commutation ticket *sb.* (*am.*) abonnementskort; togkort; buskort.

commutator ['kɔmjuteitə] *sb.* (*elek.*) kommutator; strømvender.

commute¹ [kə'mju:t] *sb.* (*især am.*) daglig rejse; pendling.

commute² [kə'mju:t] *vb.* **1.** pendle [*mellem hjem og arbejde*]; **2.** (*med objekt*) ombytte (*into* med, *fx a life insurance into an annuity*); forandre (*into* til); **3.** F forvandle (*into* til, *fx a base metal into gold*); **4.** (*jur.: straf*) forvandle (*to*

til, *fx a death sentence to life imprisonment*); nedsætte;
□ ~ *tithes* afløse tiende.
commuter [kə'mju:tə] *sb.* pendler.
commuter belt *sb.* nærtrafikområde.
commuter traffic *sb.* nærtrafik.
commuting [kə'mju:tiŋ] *sb.* (*om trafik*) pendling.
comp [kɔmp] *fork. f.* **1.** *competition*; **2.** T *comprehensive school*; **3.** (*mus.*) *accompaniment*; **4.** (*am.*) *complimentary ticket* fribillet.
compact[1] ['kɔmpækt] *sb.* **1.** (*til pudder*) (lille) pudderdåse; **2.** (*am.*) mellemklassebil; **3.** F aftale, overenskomst; pagt.
compact[2] [kəm'pækt] *adj.* **1.** tæt (pakket); fast; kompakt, sammentrængt, komprimeret; **2.** (*om meddelelse*) kortfattet; **3.** (*om person*) tæt, tætbygget.
compact[3] [kəm'pækt] *vb.* sammenpresse; sammentrænge; komprimere.
compact camera *sb.* (*foto.*) kompaktkamera.
compact disc *sb.* compactdisk, cd.
compact disc player *sb.* cd-afspiller.
compactor [kəm'pæktə] *sb.* komprimeringsmaskine [*til affald*].
companion [kəm'pænjən] *sb.* **1.** (*person*) ledsager; kammerat; **2.** (*glds.*) selskabsdame [*for ældre dame*]; **3.** (*bog*) håndbog; **4.** (*glds.*: *om ting*) pendant; **5.** (*af orden*) ridder;
□ ~ *in crime* medskyldig; *-s in misfortune* lidelsesfæller.
companionable [kəm'pænjənəbl] *adj.* omgængelig; selskabelig;
□ *they sat in ~ silence* de hyggede sig i tavshed.
companion-in-arms [kəmpænjənin'a:mz] *sb.* våbenfælle; soldaterkammerat.
companion ladder *sb.* (*mar.*) kahytstrappe.
companionship [kəm'pænjənʃip] *sb.* **1.** kammeratskab; **2.** selskab (*fx I missed their ~*).
companionway [kəmpænjənwei] *sb.* (*mar.*) kahytstrappe; kahytsnedgang.
company ['kʌmpəni] *sb.* **1.** selskab; **2.** T gæster//en gæst (*fx expect ~*); **3.** (*merk.*) (handels)selskab; aktieselskab; virksomhed; (*i firmanavn; fork. Co.*) kompagni (*fx J.Brown & Co.*); **4.** (*mil.*) kompagni; **5.** (*af spejdere*) trop; **6.** (*teat.*) trup, ensemble; (*opera, ballet*) kompagni; **7.** se *ship's company*;

□ *he is good//bad* han er sjov//kedelig at være sammen med; *be in ~* være sammen med andre; *in the ~ of* i selskab med, sammen med; *he came in ~ with us* han kom sammen med os; *get into bad ~* komme i dårligt selskab; *present ~ excepted* de tilstedeværende undtaget;
[*med vb.*] *bear sby ~* se ndf.: *keep sby ~*; *have ~* T have gæster//en gæst; *keep sby ~* holde én med selskab; *the ~ he keeps* de mennesker han omgås; *keep ~ with* omgås; *part ~* skilles; gå hver sin vej; *part ~ with* **a.** skilles fra; tage afsked med; **b.** være uenig med.
company car *sb.* firmabil.
company commander *sb.* (*mil.*) kompagnichef.
company law *sb.* (*jur.*) selskabsret.
company man *sb.* (*pl. company men*) firmaets mand [*som er helt på firmaets side*].
company secretary *sb.* bestyrelsessekretær, direktionssekretær [*oftest jurist*].
comparability [kɔmpərə'biləti] *sb.* sammenlignelighed.
comparable ['kɔmp(ə)rəbl] *adj.* **1.** sammenlignelig; **2.** tilsvarende;
□ *it is ~ with* det kan sammenlignes med.
comparative[1] [kəm'pærətiv] *sb.*: *the ~* (*gram.*) komparativ; højere grad.
comparative[2] [kəm'pærətiv] *adj.* **1.** relativ (*fx in ~ safety*); forholdsvis; **2.** forholdsmæssig (*fx a ~ rise*); **3.** (*jf. compare*[2] *1*) sammenlignende, komparativ (*fx a ~ study*); **4.** (*gram.*) komparativ; komparativisk.
comparatively [kəm'pærətivli] *adv.* forholdsvis.
compare[1] [kəm'pɛə] *sb.*: *beyond ~* (*litt.*) uforlignelig.
compare[2] [kəm'pɛə] *vb.* **1.** sammenligne (*to, with* med); (se også note[1]); **2.** (*gram.*) komparere; gradbøje;
□ *-d to* se ndf.: *-d with*; *~ with* kunne sammenlignes med, kunne måle sig med; *it -s favourably with mine* den kan godt stå mål med min; *-d with* **a.** sammenlignet med, i sammenligning med; **b.** (*om kontrast*) imod (*fx it is nothing -d with/to what I saw*).
comparison [kəm'pæris(ə)n] *sb.* **1.** sammenligning; **2.** (*gram.*) komparation, gradbøjning;
□ *beyond all ~* uforlignelig; *there is no ~ between A and B* A og B kan overhovedet ikke sammenlignes; *by/in ~* i sammenligning

(*with* med); *bear/stand ~ with* tåle sammenligning med; *draw a ~* drage en sammenligning.
compartment [kəm'pa:tmənt] *sb.* **1.** rum (*fx watertight ~*; *a secret ~*); afdeling; aflukke; **2.** (*jernb.*) kupé; **3.** (*del af flade*) felt.
compartmentalize [kɔmpa:t'ment(ə)laiz] *vb.* inddele i adskilte rum//afdelinger.
compass ['kʌmpəs] *sb.* (se også *compasses*) **1.** (*instrument*) kompas; **2.** (F *el. litt.*) omfang; rækkevidde (*fx beyond//within his ~*); begrænsning; rammer (*fx beyond// within the ~ of this book*);
□ *box the ~* **a.** (*mar.*) læse kompasstregerne efter orden; **b.** (*fig.*) komme hele kompasset rundt.
compass card *sb.* kompasrose.
compasses ['kʌmpəsiz] *sb. pl.* passer [*til at tegne cirkler med*];
□ *a pair of ~* en passer.
compassion [kəm'pæʃn] *sb.* medfølelse (*for/on* med); medlidenhed (*for/on* med);
□ *have/take ~ on* forbarme sig over; *with ~* (*også*) medfølende.
compassionate [kəm'pæʃnət] *adj.* medfølende; medlidende;
□ *on ~ grounds* af humanitære grunde.
compassionate leave *sb.* [*orlov på grund af dødsfald i familien etc*].
compass plane *sb.* skibshøvl, krumhøvl.
compass saw *sb.* stiksav.
compatibility [kɔmpætə'biləti] *sb.* **1.** forenelighed; **2.** (*mht. blod*) forligelighed; **3.** (*it*) kompatibilitet.
compatible [kəm'pætəbl] *adj.* **1.** forenelig (*with* med); **2.** (*mht. blod*) forligelig; **3.** (*it etc.*) kompatibel; som kan passe//anvendes sammen;
□ *be ~ with* (*om person*) kunne leve sammen med; passe sammen med.
compatriot [kəm'pætriət, (*am.*) kəm'peitriət] *sb.* landsmand.
compeer [kəm'piə] *sb.* ligemand.
compel [kəm'pel] *vb.* **1.** tvinge (*to* til at); **2.** fremtvinge, nødvendiggøre (*fx a change in policy*); **3.** tiltvinge sig (*fx obedience*);
□ *~ sby's attention* fængsle ens opmærksomhed; *~ sby's respect* aftvinge én respekt; *feel -led to* føle sig tvunget til at; se sig nødsaget til at.
compelling [kəm'peliŋ] *adj.* **1.** tvingende (*fx argument; reason*); overbevisende (*fx argument; evidence*); **2.** uimodståelig (*fx temptation*); **3.** (*om film, bog*) uhyre fængslende, som ikke er til at løs-

C compendious

rive sig fra.

compendious [kəm'pendiəs] *adj.* (omfattende men) kortfattet; sammentrængt.

compendium [kəm'pendiəm] *sb.* 1. kompendium; kortfattet lærebog; håndbog; 2. [æske med forskellige brætspil].

compensate ['kɔmpənseit] *vb.:* ~ *for* a. opveje (*fx her enthusiasm -d for her lack of experience*); b. (*psyk.*) kompensere for; ~ *sby for* erstatte en, give en erstatning for, godtgøre en (*fx a loss*); holde en skadesløs for (*fx loss of earnings*); *to* ~ *for* at opveje det; som kompensation; til gengæld.

compensation [kɔmpən'seiʃn] *sb.* 1. erstatning; godtgørelse; kompensation; 2. (*psyk.*) kompensation; 3. (*am.*) løn;
□ *-s* (*også*) gode sider (*of* ved, *fx one of the -s of living here; it has its -s*); *be* ~ *for* (*også*) opveje; *in* ~ som kompensation; for at opveje det; til gengæld; *pay* ~ *in full* yde fuld erstatning.

compensatory [kəm'pensət(ə)ri] *adj.* 1. erstatnings-; 2. som kompensation.

compère[1] ['kɔmpɛə] *sb.* konferencier; (*radio.*, *tv også*) programvært.

compère[2] ['kɔmpɛə] *vb.* være konferencier//programvært for.

compete [kəm'pi:t] *vb.* 1. konkurrere (*for* om; *to* om at; *with/ against* med); 2. deltage (*in* i).

competence ['kɔmpət(ə)ns] *sb.* 1. dygtighed; kvalifikationer; kompetence; 2. (*jur.*) habilitet; 3. (*sprogv.*) kompetens.

competency ['kɔmpət(ə)nsi] *sb.* se *competence.*

competent ['kɔmpət(ə)nt] *adj.* 1. kvalificeret (*to* til at); dygtig; kompetent; 2. (*jur.*) habil (*fx witness*).

competition [kɔmpə'tiʃn] *sb.* konkurrence (*for* om);
□ *the* ~ konkurrenterne; (*merk.* også) de konkurrerende produkter.

competitive [kəm'petitiv] *adj.* 1. konkurrence- (*fx advantage*); konkurrencemæssig; 2. (*om pris, produkt*) konkurrencedygtig (*fx price*); 3. (*om marked, virksomhed*) konkurrencepræget (*fx market; acting is very* ~); 4. (*om person*) opsat på at konkurrere; aggressiv;
□ ~ *edge* konkurrencefordel; ~ *spirit* kappelyst.

competitor [kəm'petitə] *sb.* 1. konkurrent; 2. (*i sportskonkurrence*)

deltager.

compilation [kɔmpi'leiʃn] *sb.* kompilation; samlerarbejde; uddrag [*af forskellige bøger*].

compile [kəm'pail] *vb.* 1. samle; kompilere; sammensætte, sammenstille; udarbejde (*fx an index et register; a list*); 2. (*it*) kompilere, oversætte.

compiler [kəm'pailə] *sb.* 1. kompilator; udgiver; 2. (*it*) kompilator, oversætter.

complacence [kəm'pleis(ə)ns], **complacency** [kəm'pleis(ə)nsi] *sb.* selvtilfredshed.

complacent [kəm'pleis(ə)nt] *adj.* selvtilfreds; selvbehagelig; selvglad.

complain [kəm'plein] *vb.* 1. beklage sig, klage (*about* over); 2. (*formelt*) klage (*about* over; *to* til, *fx* ~ *about the noise to the police*); 3. (*merk.*) reklamere, klage (*about* over);
□ ~ *of* a. F klage over, besvære sig over; b. (*lidelse*) klage over (*fx a pain in the back*).

complainant [kəm'pleinənt] *sb.* (*jur.*) sagsøger.

complaint [kəm'pleint] *sb.* 1. klage (*about* over); 2. (*med.*) lidelse, sygdom; 3. (*merk.*) reklamation; 4. (*jur.*) klageskrift; 5. (*am. jur.*) stævning;
□ *file/lodge/make a* ~ *against sby* indgive klage over en; indklage en; *I have no -s to make* jeg har ikke noget at klage over.

complaisance [kəm'pleiz(ə)ns] *sb.* forekommenhed, imødekommenhed; elskværdighed.

complaisant [kəm'pleiz(ə)nt] *adj.* forekommende, imødekommende; elskværdig.

complected [kəm'plektid] *adj.* (*am.: i sms.*) -hudet, -lødet (*fx dark-*~).

complement[1] ['kɔmplimənt] *sb.* 1. komplement; noget der supplerer/udfylder; 2. (*gram.*) prædikativ, omsagnsled; komplement; 3. (*mat.; mil.*) komplementærmængde; 4. (*mar.*) (fuldstændig) bemanding, besætning; 5. (*mil.*) (fuld) styrke; (*i kampvogn*) besætning.

complement[2] ['kɔmpliment] *vb.* supplere; komplettere; udfylde;
□ ~ *each other* supplere hinanden; passe/stå godt til hinanden.

complementary [kɔmpli'ment(ə)ri] *adj.* 1. komplementær; supplerende; udfyldende; 2. (*om behandling*) alternativ (*fx medicine; therapy*);
□ *be* ~ supplere hinanden.

complementary angles *sb. pl.* komplementvinkler.

complementary colour *sb.* komplementærfarve.

complete[1] [kəm'pli:t] *adj.* 1. komplet, fuldstændig (*fx list; dinner service; have* ~ *control; it came as a* ~ *surprise*); 2. hel (*fx it filled a* ~ *book*); 3. (*ført til ende*) færdig (*fx the work is* ~); tilendebragt; fuldført; 4. (*især spøg.*) fuldkommen, fuldendt (*fx he is the* ~ *footballer*);
□ ~ *with* med tilhørende; ~ *works* samlede værker.

complete[2] [kəm'pli:t] *vb.* 1. (*arbejde, opgave etc.*) fuldende, fuldføre; gøre færdig, afslutte; gennemføre (*fx a course*); 2. (*noget mangelfuldt*) komplettere, fuldstændiggøre; fuldføre (*fx a sentence*); 3. (*skema, formular*) udfylde (*fx a form*); 4. (*handel*) afslutte;
□ ~ *one's twentieth year* fylde tyve år.

completion [kəm'pli:ʃn] *sb.* (jf. *complete*[2]) 1. fuldstændiggørelse; 2. fuldendelse, fuldførelse; færdiggørelse, afslutning; gennemførelse; 3. udfyldning; 4. (*merk.*) afslutning [*af en handel*]; (*ved ejendomshandel*) overtagelse;
□ *day of* ~ a. skæringsdag; b. (*ved ejendomshandel*) overtagelsesdag.

complex[1] ['kɔmpleks] *sb.* 1. kompleks; sammensat hele; 2. (*af bygninger*) kompleks; 3. (*psyk.*) kompleks;
□ *have a* ~ *about* have komplekser over (*fx one's height*); T have et kompleks med (*fx spiders*).

complex[2] ['kɔmpleks, (*am.*) kəm'pleks] *adj.* 1. indviklet; kompliceret; 2. kompleks, sammensat.

complexion [kəm'plekʃn] *sb.* 1. (*persons*) ansigtsfarve; hudfarve; teint; 2. (F: *om ting*) karakter; 3. (*pol.*) partifarve, afskygning; anskuelse (*fx MPs of all -s*);
□ *put a different//new* ~ *on the matter* stille sagen i et andet//nyt lys.

complexity [kəm'pleksəti] *sb.* kompleksitet, indviklet beskaffenhed, indviklethed;
□ *complexities* indviklede forhold//bestemmelser [*etc.*].

compliance [kəm'plaiəns] *sb.* 1. indvilligelse (*with* i); overholdelse (*with* af); 2. (*neds.*) eftergivenhed; føjelighed;
□ *in* ~ *with* i overensstemmelse med; forenelig med.

compliant [kəm'plaiənt] *adj.* føjelig; eftergivende;

174

comprise **C**

□ *be* ~ *with* være i overensstemmelse med; være forenelig med.
complicate ['kɔmplikeit] *vb.* komplicere, gøre kompliceret/indviklet.
complicated ['kɔmplikeitid] *adj.* kompliceret, indviklet.
complication [kɔmpli'keiʃn] *sb.* **1.** forvikling; komplikation; **2.** (*med.*) komplikation.
complicity [kəm'plisəti] *sb.* medskyldighed; meddelagtighed; (se også *fact* (*after*//*before the fact*)).
compliment[1] ['kɔmplimənt] *sb.* **1.** kompliment; **2.** høflighed (*to* mod, *fx it will be a* ~ *to her to dress up properly*);
□ *pay sby a* ~ give en en kompliment; komplimentere en; *return the* ~ **a.** gengælde komplimenten; **b.** (*om noget negativt*) give igen med samme mønt;
[*med -s*] *Mr. Smith's -s and would you ...* F jeg skal hilse fra hr. Smith og spørge om De ville ...; *-s of the season* (*på kort*) de bedste jule-og nytårsønsker; *(give) my -s to your father* F hils din fader (fra mig); *(present) my -s to the chef!* (*spøg.*) det er en god kok I har!
with the -s of the management med venlig hilsen fra direktionen [*ledsagehilsen til gave*].
compliment[2] ['kɔmpliment] *vb.* komplimentere (*on* for); lykønske (*on* med).
complimentary [kɔmpli'ment(ə)ri] *adj.* **1.** positiv, rosende (*fx remark*); smigrende; **2.** (*om noget man får*) gratis (*fx drink*); fri- (*fx copy* eksemplar; *ticket*);
□ *be* ~ *about* (*jf. 1*) udtale sig rosende om.
compliments slip *sb.* [*trykt seddel med firmanavn i stedet for følgeskrivelse*].
comply [kəm'plai] *vb.* give efter, rette sig efter ordren//bestemmelsen// ... (*fx he refused to* ~); indvillige, samtykke;
□ ~ *with* **a.** (*ordre*) rette sig efter, efterkomme; **b.** (*anmodning*) gå ind på, efterkomme, imødekomme, opfylde (*fx his requests; his wishes*); **c.** (*bestemmelse*) overholde, følge (*fx regulations*).
component[1] [kəm'pəunənt] *sb.* komponent, bestanddel, del, element.
component[2] [kəm'pəunənt] *adj.* som er en (bestand)del af; del-.
component parts *sb. pl.* bestanddele.
comport [kəm'pɔ:t] *vb.*: ~ *oneself* F opføre sig; optræde (*fx he -ed himself with dignity*).

compose [kəm'pəuz] *vb.* (se også *composed*) **1.** F sammensætte; komponere; arrangere (*fx a picture*); **2.** (F: *tekst*) udarbejde; (*især om litteratur*) forfatte, digte; **3.** (*mus.*) komponere; **4.** (*typ.*) sætte; **5.** (*om del af helhed*) udgøre (*fx they* ~ *30% of the population*); danne;
□ ~ *a difference* (F el. *glds.*) bilægge en strid; ~ *oneself* fatte sig; ~ *one's features* lægge ansigtet i de rette folder; ~ *one's thoughts* bringe orden i sine tanker.
composed [kəm'pəuzd] *adj.* fattet, rolig;
□ *be* ~ *of* være sammensat af; bestå af.
composer [kəm'pəuzə] *sb.* komponist.
composing room *sb.* (*typ.*) sætteri.
composing stick *sb.* (*typ.*) vinkelhage.
composite[1] ['kɔmpəzit] *sb.* **1.** sammensætning; **2.** kompositmateriale; syntetisk materiale; **3.** (*bot.*) kurvblomst.
composite[2] ['kɔmpəzit] *adj.* **1.** sammensat; **2.** (*bot.*) kurvblomstret.
composite photo *sb.* (*am.*) = identikit picture.
composition [kɔmpə'ziʃn] *sb.* **1.** komposition; arrangement; **2.** sammensætning (*fx of a team*); **3.** (*af tekst*) udarbejdelse; **4.** (*i skole, let glds.*) (fri)stil; fri skriftlig fremstilling; **5.** (*om litteratur*) værk; skrift; **6.** (*mus.*) komposition; **7.** (*især jur.*) forlig; overenskomst; ordning; **8.** (*ved konkurs*) akkord; **9.** (*typ.*) sætning; **10.** (*gram.*) dannelse af sammensætninger.
compositor [kəm'pɔzitə] *sb.* (*typ.*) sætter.
compos mentis ['kɔmpəs 'mentis] *adj.* (*jur.*) ved sin fornufts fulde brug.
compost[1] ['kɔmpɔst] *sb.* kompost.
compost[2] ['kɔmpɔst] *vb.* **1.** kompostere; **2.** gøde med kompost.
composure [kəm'pəuʒə] *sb.* ro, fatning.
compote ['kɔmpɔt, -pəut] *sb.* kompot.
compound[1] ['kɔmpaund] *sb.* **1.** blanding; sammensætning; **2.** (*gram.*) sammensat ord, sammensætning, kompositum; **3.** (*kem.*) forbindelse (*fx water is a* ~ *of oxygen and hydrogen*); **4.** (*beboelse*) [indhegnet område med beboelseshuse]; (*omtr.*) kompleks; lejr.
compound[2] ['kɔmpaund] *adj.* sammensat (*fx word; leaf*).

compound[3] [kəm'paund] *vb.* **1.** forstørre, øge (*fx the problem; the difficulties*); forværre (*fx an error*); **2.** (*bestanddele*) sammensætte; blande; **3.** (*sag*) afgøre i mindelighed;
□ ~ *a felony* (*jur.*) lade sig bestikke til ikke at forfølge en forbrydelse;
[*med præp.*] ~ *for* indgå forlig om; få en ordning med hensyn til; *-ed of* sammensat af, bestående af, som er en blanding af; ~ *with one's creditors* få en akkord i stand/akkordere med sine kreditorer.
compound eye *sb.* (*zo.*) facetøje.
compound fracture *sb.* (*med.*) kompliceret brud; åbent brud.
compound interest *sb.* rentes rente.
comprehend [kɔmpri'hend] *vb.* F **1.** forstå; (*især med nægtelse*) begribe, fatte (*fx I don't/can't* ~ *why he did it*); **2.** indbefatte; omfatte.
comprehensible [kɔmpri'hensəbl] *adj.* forståelig, begribelig.
comprehension [kɔmpri'henʃn] *sb.* **1.** opfattelse; forståelse; **2.** fatteevne;
□ *it is beyond/it passes my* ~ det går over min forstand; det overstiger min fatteevne.
comprehensive[1] [kɔmpri'hensiv] *sb.* = comprehensive school.
comprehensive[2] [kɔmpri'hensiv] *adj.* **1.** omfattende; vidtfavnende, vidtspændende; **2.** hvori alt er indbefattet, hvor det hele er med; **3.** [*vedrørende comprehensive school*].
comprehensive insurance *sb.* kombineret forsikring.
comprehensive school *sb.* enhedsskole, udelt skole [*for elever i alderen 11 til 18*].
compress[1] ['kɔmpres] *sb.* (*med.*) omslag (*fx a cold*//*hot* ~); kompres.
compress[2] [kəm'pres] *vb.* **1.** presse sammen, komprimere; **2.** (*tekst*) sammentrænge, komprimere (*into* til).
compressed air *sb.* komprimeret luft; trykluft.
compression [kəm'preʃn] *sb.* **1.** sammentrykning, sammenpresning; **2.** (*tekn.*) kompression.
compressive strength [kəmpresiv-'streŋθ] *sb.* trykstyrke, trykbrudstyrke.
compressor [kəm'presə] *sb.* (*tekn.*) kompressor.
comprise [kəm'praiz] *vb.* **1.** indbefatte, omfatte; **2.** udgøre; danne;
□ *be -d of* bestå af.

C compromise

compromise[1] ['kɔmprəmaiz] *sb.* kompromis; overenskomst; forlig.
compromise[2] ['kɔmprəmaiz] *vb.*
1. gå på kompromis, indgå et forlig (*with* med); gøre indrømmelser; **2.** (*neds.*) gå på akkord (*with* med, *fx one's beliefs; one's principles*); **3.** (*med objekt*) kompromittere (*fx oneself; one's reputation*); **4.** (*mht. risiko*) bringe i fare (*fx one's chances; one's troops*);
□ ~ *on* **a.** indgå kompromis om (*fx safety*); **b.** enes om (*fx a price; £65*).
comptroller [kən'trəulə] *sb.* revisionschef; økonomichef.
compulsion [kəm'pʌlʃn] *sb.*
1. tvang; **2.** (*psyk.*) kompulsion; kompulsiv trang; tvangshandling; tvangstanke.
compulsive [kəm'pʌlsiv] *adj.*
1. (*især psyk.*) tvangs-, kompulsiv; **2.** (*om bog, film etc.*) som man ikke kan løsrive sig fra.
compulsive eater *sb.* trøstespiser.
compulsory [kəm'pʌls(ə)ri] *adj.* tvungen (*fx military service*); obligatorisk (*fx some subjects are* ~).
compulsory education *sb.* skolepligt.
compulsory insurance *sb.* lovpligtig forsikring.
compulsory pilotage *sb.* (*mar.*) lodspligt, lodstvang.
compulsory purchase *sb.*, **compulsory sale** *sb.* (*jur.*) ekspropriation.
compunction [kəm'pʌŋ(k)ʃn] *sb.* F samvittighedsnag; stik af anger.
computable [kəm'pju:təbl, 'kɔmpju-] *adj.* beregnelig.
computation [kɔmpju'teiʃn] *sb.* beregning; udregning.
computational [kɔmpju'teiʃn(ə)l] *adj.* computer-; data-.
computational linguistics *sb.* datalingvistik.
compute [kəm'pju:t] *vb.* F beregne; udregne.
computer [kəm'pju:tə] *sb.* computer, datamaskine, datamat.
computer-aided [kəm'pju:tə(r)eidid], **computer-assisted** [kəm'pju:tə(r)əsistid] *adj.* computerstøttet.
computer game *sb.* computerspil.
computerize [kəm'pju:təraiz] *vb.*
1. lade udføre pr. computer, lægge ind på en computer; **2.** lade styre af en computer, datamatisere.
computerized [kəm'pju:təraizd] *adj.* **1.** datamatiseret; datastyret; **2.** (*om information*) som ligger på en computer.
computer-literate [kəm'pju:t-əlitərət] *adj.* som kan bruge en computer; computerkyndig.
computer science *sb.* datalogi.
computer studies *sb. pl.* datalære.
comrade ['kɔmreid, -rəd, (*am.*) -ræd] *sb.* kammerat.
Con [kɔn] *fork. f.* **1.** *Conservative*; **2.** *Constable*.
con[1] [kɔn] *sb.* **1.** bondefangerkneb; svindelnummer, fupnummer; **2.** T = *convict*; **3.** (*fork. f. contra*) se *pro*[1].
con[2] [kɔn] *vb.* **1.** snyde [*ved hjælp af bondefangerkneb*]; fuppe; narre (*into* + *-ing* til at); **2.** (*glds.*) studere nøje//grundigt; læse omhyggeligt; lære udenad (*fx a lesson*);
□ ~ *over* = 2.
con-artist ['kɔna:tist] *sb.* bondefanger.
concatenation [kɔnkæti'neiʃn] *sb.* F sammenkædning; kæde, række (*fx a strange* ~ *of events*).
concave [kɔn'keiv, 'kɔn-] *adj.* konkav [*o: indadbuet*]; hul.
concave lens *sb.* spredelinse.
concave mirror *sb.* hulspejl.
concavity [kɔn'kæviti, kɔŋ-] *sb.* hulhed; konkavitet.
conceal [kən'si:l] *vb.* skjule; holde hemmelig.
concealed lighting *sb.* indirekte belysning.
concealment *sb.* **1.** skjul; **2.** hemmeligholdelse; fortielse.
concede [kən'si:d] *vb.* **1.** indrømme (*fx that he is right*); **2.** (*krav etc.*) gå ind på (*fx their demands*); tillade (*fx reforms*); **3.** (*i sport: mål*) lade gå ind; (*sejr*) opgive, give afkald på;
□ ~ *defeat* erkende sit nederlag; indrømme at man har tabt; ~ *sth to sby* **a.** lade en få noget (*fx ~ two goals to them*); **b.** bevilge/tilstå/indrømme en noget (*fx a right*).
conceit [kən'si:t] *sb.* **1.** indbildskhed; **2.** (*i litteratur*) søgt sammenligning//åndrighed; originalt indfald;
□ *in one's own* ~ efter sin egen mening; i egen indbildning; *out of* ~ *with* ikke (længere) tilfreds med.
conceited [kən'si:tid] *adj.* indbildsk;
□ ~ *about* vigtig af.
conceivable [kən'si:vəbl] *adj.* tænkelig; mulig.
conceivably [kən'si:vəbli] *adv.* muligvis; (*efter nægtelse*) på nogen mulig måde (*fx I can't see how it could* ~ *work*).
conceive [kən'si:v] *vb.* **1.** fatte, forstå, forestille sig (*that* at; *how* hvordan); **2.** (*idé*) finde på, undfange; udtænke (*fx a plan*); **3.** (*om kvinde*) undfange;
□ ~ *as* opfatte som; ~ *of* **a.** opfatte (*as* som); **b.** forestille sig.
concentrate[1] ['kɔns(ə)ntreit] *sb.* koncentrat;
□ *-s* (*agr.*) kraftfoder.
concentrate[2] ['kɔns(ə)ntreit] *vb.*
1. koncentrere; **2.** (*uden objekt*) koncentrere sig (*on* om); samle sig (*on* om);
□ *it -s one's mind* det får en til at samle tankerne/tænke klart.
concentration [kɔns(ə)n'treiʃn] *sb.* **1.** koncentration; **2.** (*mil.*) koncentration; samling; **3.** (*kem.*) koncentration.
concentration area *sb.* (*mil.*) samleområde; opmarchområde.
concentration camp *sb.* koncentrationslejr.
concentric [kɔn'sentrik] *adj.* koncentrisk.
concept ['kɔnsept] *sb.* **1.** (*også filos.*) begreb; **2.** T idé; **3.** (*især merk.*) koncept; design; model; udformning.
conception [kən'sepʃn] *sb.* (jf. *conceive*) **1.** forestilling (*of* om); opfattelse (*of* af); idé, begreb (*of* om); **2.** udtænkning (*of* af, *fx a plan*); **3.** undfangelse; befrugtning; (se også *immaculate*).
conceptual [kən'septʃuəl] *adj.* forestillings-; begrebsmæssig.
conceptualize [kən'septʃuəlaiz] *vb.* danne sig et begreb/en forestilling om; forestille sig.
concern[1] [kən'sə:n] *sb.* **1.** sag (*fx that is your own* ~); anliggende, affære (*fx the -s of the middle classes*); (*som man skal tage sig af, også*) ansvar (*fx it is not my* ~); **2.** (*som man er optaget af*) interesse (*fx their sole* ~); **3.** (*følelse*) bekymring; ængstelse; **4.** (*merk.*) forretning, firma; foretagende, virksomhed; (*større*) koncern; (se også *going concern*); **5.** (*i foretagende*) andel (*fx he has a* ~ *in the business*);
□ *be of* ~ *to* være af betydning for; være vigtig for; *it is a cause of* ~ det volder bekymring; det er bekymrende; *his main* ~ **a.** (*jf. 2*) hans hovedinteresse; **b.** (*jf. 3*) hans største bekymring; *the whole* ~ hele historien; hele redeligheden;
[*med præp.& adv.*] ~ *about*, ~ *for* bekymring på grund af/for; *it is no* ~ *of mine* det er ikke mit ansvar; det kommer mig ved; *what* ~ *is it of yours?* hvad kommer det dig ved? ~ *over* = ~ *about*; *his* ~ *to* hans optagethed af

at; hans bestræbelse på at (*fx appear sophisticated*); ~ **with** optagethed af; *have no* ~ *with* ikke have noget at gøre med.

concern[2] [kənˈsəːn] *vb.* (se også *concerned, concerning*) **1.** angå, vedkomme (*fx it does not* ~ *you at all*); **2.** bekymre; □ ~ *oneself with* interessere sig for; give sig af med.

concerned [kənˈsəːnd] *adj.* **1.** bekymret (*fx a* ~ *mother; he has a* ~ *look*); **2.** (*efterstillet*) impliceret, involveret, interesseret (*fx the people* ~); □ *everyone* ~ alle de implicerede; alle der har (haft) med sagen at gøre; *the firm* ~ vedkommende firma; det pågældende firma; *those* ~ de pågældende; [*med: as far*] **as far** *as I am* ~ efter min mening; *as far as the school is* ~ hvad skolen angår; [*med præp.& adv.*] *be* ~ **about/for** være bekymret på grund af/for; *be* ~ *in* **a.** være interesseret i; **b.** være impliceret/involveret i; have (noget) at gøre med (*fx he was* ~ *in the robbery*); *be* ~ **to** være bekymret over at; *we are* ~ *to* (*også*) det ligger os på sinde at (*fx keep them informed*); *be* ~ **with a.** dreje sig om; have at gøre med; **b.** (*om person*) være optaget af; beskæftige sig med (*fx he is* ~ *with computers*).

concerning *præp.* angående; hvad angår; med hensyn til.

concert [ˈkɔnsət] *sb.* **1.** (*mus.*) koncert; **2.** F harmoni; overensstemmelse; forståelse; □ *in* ~ **a.** (*mus.*) ved en koncert; under optræden; **b.** F i fællesskab; samlet; *in* ~ *with* i samråd//forståelse//fællesskab med.

concerted [kənˈsəːtid] *adj.* **1.** fælles; som sker i fællesskab; samlet (*fx attack*); **2.** (*mus.*) udsat for flere stemmer//instrumenter; □ ~ *action* samlet optræden; fælleslesaktion; *a* ~ *effort* en energisk bestræbelse; en kraftanstrengelse.

concert grand *sb.* (*mus.*) koncertflygel.

concertina [kɔnsəˈtiːnə] *sb.* (*mus.*) concertina.

concertmaster [ˈkɔnsətmɑːstə] *sb.* (*mus., am.*) koncertmester; førsteviolinist.

concerto [kənˈtʃɔːtəu] *sb.* (*mus.*) koncert (*fx piano* ~; *violin* ~).

concert pitch *sb.* (*mus.*) kammertone; □ *at* ~ (*fig.*) helt klar, helt parat; i topform.

concession [kənˈseʃn] *sb.* **1.** ind-

rømmelse; **2.** (*i pris*) nedslag; **3.** (*i skat*) skattelettelse; **4.** (*rettighed*) koncession, bevilling.

concessionaire [kənseʃəˈnɛə] *sb.* koncessionshaver.

concessionary [kənˈseʃ(ə)nəri] *adj.* (*om pris*) nedsat, med rabat [*for pensionister, studerende etc.*].

concessive [kənˈsesiv] *adj.* indrømmende.

conch [kɔntʃ, kɔŋk] *sb.* konkylie.

conchie [ˈkɔnʃi] *sb.* **1.** (S: *fork. f. conscientious objector*) militærnægter; **2.** (*austr.* T) morakker.

conciliate [kənˈsilieit] *vb.* F **1.** formilde; vinde (for sig); **2.** mægle (*fx in a dispute; between them*).

conciliation [kənsiliˈeiʃn] *sb.* F mægling.

conciliation board *sb.* forligskommission.

conciliation officer *sb.* forligsmand.

conciliator [kənˈsilieitə] *sb.* mægler; formidler; fredsstifter.

conciliatory [kənˈsiliət(ə)ri] *adj.* forsonende (*fx gesture*); forsonlig (*fx tone; smile*).

concise [kənˈsais] *adj.* kortfattet, koncis.

conclave [ˈkɔnkleiv] *sb.* konklave; fortroligt møde.

conclude [kənˈkluːd] *vb.* **1.** afslutte, slutte, ende; **2.** (*logisk*) slutte (*from* af); drage en slutning; **3.** (*handel, aftale*) afslutte (*fx an agreement*); indgå (*fx a ceasefire; a deal*).

conclusion [kənˈkluːʒ(ə)n] *sb.* **1.** afslutning, slutning, ende; **2.** (*logisk*) konklusion, slutning; □ *in* ~ sluttelig; til sidst; (se også *foregone*); [*med vb.*] *draw a* ~ drage en slutning (*from* af); *draw to a* ~ nærme sig sin afslutning; gå på hæld; *jump/leap to* -s drage forhastede slutninger; *try* -s *with* F prøve kræfter med; tage det op med.

conclusive [kənˈkluːsiv] *adj.* afgørende.

concoct [kənˈkɔkt] *vb.* **1.** lave/mikse/bikse sammen (*fx a dish en ret*); **2.** (*fig.*) finde på, opdigte (*fx an excuse*); brygge sammen; udklække, udtænke (*fx a plan*).

concoction [kənˈkɔkʃn] *sb.* (*jf. concoct*) **1.** blanding, sammensætning; (*også om mad*) rodsammen; (*om drik*) bryg; **2.** påfund; opdigtet historie.

concomitant[1] [kənˈkɔmit(ə)nt] *sb.* F ledsagende omstændighed; ledsagefænomen; □ *be a* ~ *of* følge med (*fx tubercu-*

losis *is often a* ~ *of poverty*).

concomitant[2] [kənˈkɔmit(ə)nt] *adj.* F ledsagende; samtidig (*with* med).

concord [ˈkɔŋkɔːd] *sb.* **1.** enighed; sammenhold; **2.** overensstemmelse; samklang, harmoni; **3.** (*gram.*) kongruens.

concordance[1] [kənˈkɔːd(ə)ns] *sb.* **1.** overensstemmelse (*between* mellem; *with* med); **2.** (*fortegnelse over ordforråd*) konkordans (*to* til, *fx Keats; a* ~ *of the Bible*).

concordance[2] [kənˈkɔːd(ə)ns] *vb.* lave konkordans til.

concordant [kənˈkɔːd(ə)nt] *adj.* overensstemmende (*with* med).

concordat [kɔnˈkɔːdæt] *sb.* konkordat [*overenskomst*].

concourse [ˈkɔŋkɔːs] *sb.* **1.** gennemgangsareal; forhal; banegårdshal; hal i lufthavn; **2.** (*udenfor*) forplads; banegårdsplads; **3.** (F: *mennesker*) skare, vrimmel; forsamling; **4.** (*handling*) sammenløb; tilstrømning; **5.** (*am.*) bred vej; plads [*hvor veje løber sammen*].

concrescence [kənˈkres(ə)ns] *sb.* sammenvoksning.

concrete[1] [ˈkɔŋkriːt] *sb.* **1.** beton; **2.** (*gram.*) konkret; tingsnavn; □ *set/cast/embedded in* ~ (*fig.*) endelig fastlagt.

concrete[2] [ˈkɔŋkriːt] *adj.* konkret.

concrete[3] [ˈkɔŋkriːt] *vb.* støbe [*i beton*]; betonstøbe; udstøbe [*med beton*]; □ ~ *over* dække med beton.

concrete[4] [kənˈkriːt] *vb.* gøre konkret, konkretisere.

concrete jungle *sb.* betonhelvede.

concrete mixer *sb.* betonblandemaskine.

concrete noun *sb.* (*gram.*) konkret; tingsnavn.

concretion [kənˈkriːʃn] *sb.* **1.** fast masse; **2.** størkning.

concubine [ˈkɔŋkjubain] *sb.* (*hist.*) konkubine, medhustru.

concupiscence [kənˈkjuːpis(ə)ns] *sb.* (*glds. el. litt.*) lystenhed.

concupiscent [kənˈkjuːpis(ə)nt] *adj.* (*glds. el. litt.*) lysten.

concur [kənˈkəː] *vb.* F **1.** være enig, erklære sig enig, samtykke (*that* i at); (*om flere: indbyrdes*) være enige (*that* om at); **2.** (*om begivenheder*) indtræffe samtidig; falde sammen; □ ~ *in* være enig(e) i; ~ *with* **a.** (*person*) være enig(e) med; **b.** (*beslutning*) være enig(e) i (*fx we* ~ *with this recommendation*); **c.** (*jf. 2*) falde sammen med.

concurrence [kənˈkʌrəns] *sb.* (*jf. concur*) F **1.** enighed; samtykke, bifald, tilslutning; **2.** sammentræf, sammenfald; **3.** samvirken; medvirken.

concurrent [kən'kʌr(ə)nt] *adj.* (jf. *concur*) **1.** samstemmende; enig; **2.** samtidig; sideløbende; **3.** samvirkende; medvirkende; **4.** (*om linjer*) konvergerende, der går mod samme punkt.

concussed [kən'kʌst] *adj.* som har hjernerystelse.

concussion [kən'kʌʃn] *sb.* hjernerystelse.

condemn [kən'dem] *vb.* (se også *condemned*) **1.** (*moralsk*) fordømme; **2.** (*jur.& fig.*) dømme (*to* til//til at); **3.** (*hus*) kondemnere; □ *the doctors had -ed him* han var opgivet af lægerne.

condemnation [kɔndəm'neiʃn] *sb.* (jf. *condemn*) **1.** fordømmelse; **2.** domfældelse; **3.** kondemnering.

condemnatory [kən'demnət(ə)ri] *adj.* fordømmende.

condemned [kən'demd] *adj.* **1.** (*om person*) dødsdømt; **2.** (*om hus*) kondemneret; □ ~ *to* (*også fig.*) **a.** dømt til (*fx death; an afternoon alone*); **b.** dømt til at (*fx sit alone all afternoon*).

condemned cell *sb.* dødscelle.

condensation [kɔndən'seiʃn] *sb.* **1.** (*på rude etc.*) kondens, kondensvand; **2.** (*kem.*) kondensation, fortætning; **3.** (*af tekst*) sammentrængning, koncentrat.

condense [kən'dens] *vb.* **1.** (*tekst*) koncentrere, sammentrænge (*into* til); **2.** (*kem.*) kondensere, fortætte; **3.** (*uden objekt,*) kondensere sig, fortættes.

condensed milk [kəndenst'milk] *sb.* kondenseret mælk.

condenser [kən'densə] *sb.* fortætter, kondensator.

condescend [kɔndi'send] *vb.:* ~ *to* **a.** være nedladende over for (*fx don't* ~ *to her*); **b.** (*især spøg.*) nedlade sig til at (*fx will you* ~ *to come?*).

condescending [kɔndi'sendiŋ] *adj.* nedladende.

condescension [kɔndi'senʃn] *sb.* nedladenhed.

condign [kən'dain] *adj.* F velfortjent, passende (*fx punishment*).

condiment ['kɔndimənt] *sb.* F krydderi [*som forhøjer velsmagen, fx salt, peber, sennep*].

condition[1] [kən'diʃn] *sb.* **1.** betingelse (*for, of* for, *fx it is a* ~ *for the loan//of his release*); vilkår; **2.** (*om syg person:*) tilstand (*fx her* ~ *is improving*); **3.** (*især i sport*) kondition, form (*fx in peak* ~ *i topform*); **4.** (*med.*) sygdom, lidelse (*fx a heart* ~); **5.** (F: *som man lever under*) leveforhold, kår (*fx improve the* ~ *of people in rural communities*); **6.** (*glds.: i samfundet*) stand (*fx people of humble* ~);
□ **-s a.** (jf. *1*) betingelser (*for* for, *fx there were strict -s for entering the country; the -s in the contract*); **b.** (*som hersker*) betingelser (*for* for, *fx successful learning; the economic -s*); forhold (*fx working -s; weather -s*); omstændigheder; vilkår; *people of all -s* (jf. *7*) folk af alle lag;
[*med præp.*] *in good* ~ **a.** (*om person*) ved godt helbred; **b.** (*især i sport*) i god kondition, i god form; **c.** (*om ting*) i god stand (*fx the car is in good* ~); *in a miserable* ~ i en ynkelig forfatning; *he is in a serious* ~ hans tilstand er alvorlig; *they are living in terrible -s* de lever under frygtelige forhold; *in no* ~ *to* ikke i stand til at; *in that* ~ i den tilstand; i den forfatning (*fx you can't drive in that* ~); *on* ~ *that* på den betingelse at; forudsat at; *on no* ~ under ingen omstændigheder; *out of* ~ i dårlig form; ikke helt rask; *under the -s of the contract* ifølge kontraktens betingelser; *under difficult -s* under vanskelige forhold/ betingelser (*fx the experiment was carried out under very difficult -s*); *under existing -s* sådan som forholdene er//var.

condition[2] [kən'diʃn] *vb.* **1.** bringe i god stand; **2.** (*hår, hud*) pleje; **3.** (*legemligt*) træne op, bringe i form; **4.** (*psyk.*) indgive betingede reflekser; tilpasse;
□ **-ed by** betinget af; bestemt af.

conditional [kən'diʃn(ə)l] *adj.* betinget;
□ ~ *on* betinget af.

conditional clause *sb.* (*gram.*) betingelsesbisætning.

conditional discharge *sb.* (*jur.*) betinget dom.

conditionally [kən'diʃn(ə)li] *adv.* på visse betingelser; med visse forbehold.

conditioned reflex *sb.* (*psyk.*) betinget refleks.

conditioner [kən'diʃnə] *sb.* hårbalsam.

condo ['kɔndou] *sb.* (*am.*) = *condominium*.

condole [kən'dəul] *vb.:* ~ *with sby* kondolere en.

condolence [kən'dəuləns] *sb.* kondolence;
□ *express/offer one's -s to sby*

kondolere en.

condom ['kɔndəm] *sb.* kondom, præservativ.

condominium [kɔndə'miniəm] *sb.* (*am.*) **1.** hus med ejerlejligheder; **2.** ejerlejlighed.

condone [kən'dəun] *vb.* **1.** tolerere, acceptere, lade gå upåtalt hen; **2.** godkende.

condor ['kɔndɔ:] *sb.* (*zo.*) kondor.

conduce [kən'dju:s] *vb.:* ~ *to* bidrage til.

conducive [kən'dju:siv] *adj.* gavnlig, gunstig, inspirerende (*fx a* ~ *atmosphere for studying*);
□ *be* ~ *to* **a.** bidrage til; **b.** være gunstig for, inspirere til.

conduct[1] ['kɔndʌkt] *sb.* (jf. *conduct*[2]) **1.** ledelse (*fx of the war; the meeting*); **2.** udførelse (*fx of an experiment*); organisering (*fx of free elections*); **3.** (jf. *conduct oneself*) opførsel, optræden; handlemåde.

conduct[2] [kən'dʌkt] *vb.* **1.** lede (*fx a meeting*); **2.** (*forsøg etc.*) udføre (*fx an experiment*), foretage (*fx an interview; an investigation*); organisere (*fx a campaign; one's life*); **3.** (F: *person*) føre, ledsage (*fx sby to his seat*); **4.** (*fys.; elek.*) lede; **5.** (*mus.*) dirigere;
□ ~ *oneself* opføre sig, optræde; (se også *service*[1]).

conductance [kən'dʌkt(ə)ns] *sb.* (*fys.; elek.*) ledeevne; konduktans.

conducted tour *sb.* **1.** omvisning; **2.** selskabsrejse.

conduction [kən'dʌkʃn] *sb.* (*fys.*) ledning.

conductive [kən'dʌktiv] *adj.* (*fys.*) ledende.

conductivity [kɔndək'tiviti] *sb.* (*fys.*) ledeevne.

conductor [kən'dʌktə] *sb.* **1.** leder (*fx* ~ *of an expedition*); fører; **2.** (*på bus, tog*) konduktør; **3.** (*mus.*) dirigent; **4.** (*fys.*) leder; (se også *lightning conductor*).

conduct sheet *sb.* (*mil.*) straffeblad.

conduit ['kɔndjuit, 'kɔndit] *sb.* **1.** vandledning; rør(ledning); kanal; **2.** (*elek.*) (lednings)rør.

cone[1] [kəun] *sb.* **1.** kegle; **2.** (*af papir, fx til bolsjer*) kræmmerhus; **3.** (*til is*) vaffel; **4.** (*bot.*) kogle; **5.** (*i øjet*) tap(celle); **6.** (*til afmærkning*) kegle.

cone[2] [kəun] *vb.:* *be -d* (*flyv.*) blive indfanget af (fjendtlige) lyskastere; ~ *off* (*fx om vejbane*) afspærre med kegler.

coney ['kəuni] *sb.* = *cony*.

confab ['kɔnfæb] *sb.* T snak, passiar.

confection [kən'fekʃn] *sb.* **1.** kondi-

torkage; (indviklet) dessert;
(stykke) konfekt; **2.** (*fig. om ting*)
overpyntet//overlæsset sag.
confectioner [kən'fekʃnə] *sb.*
1. konfekturehandler; **2.** sukkerva-
refabrikant; **3.** konditor.
confectioner's [kən'fekʃnəz] *sb.* (*pl.*
confectioners' [kən'fekʃnəz]) kon-
fektureforretning, chokoladefor-
retning.
confectioner's sugar *sb.* (*am.*) flor-
melis.
confectionery [kən'fekʃn(ə)ri] *sb.*
1. konfekture; konditorvarer;
2. (*firma*) konfekturehandler; kon-
ditori.
Confederacy [kən'fed(ə)rəsi] *sb.*:
the ~ (*am. hist.: i borgerkrigen*)
Sydstaterne.
confederacy [kən'fed(ə)rəsi] *sb.*
1. forbund; statsforbund; edsfor-
bund; **2.** (*neds.*) sammensvær-
gelse.
Confederate[1] [kən'fed(ə)rət] *sb.*
(*am. hist.: i borgerkrigen*) syd-
statsmand.
Confederate[2] [kən'fed(ə)rət] *adj.*
(*am. hist.: i borgerkrigen*) syd-
stats-.
confederate[1] [kən'fed(ə)rət] *sb.* for-
bundsfælle; medskyldig.
confederate[2] [kən'fed(ə)rət] *adj.*
forbundet; forbunds-.
confederate[3] [kən'fedəreit] *vb.*
1. forbinde; **2.** slutte forbund.
confederation [kənfedə'reiʃn] *sb.*
forbund;
□ *the Confederation of British In-*
dustry (*svarer til*) Industrirådet.
confer [kən'fə:] *vb.* konferere,
rådslå (*with* med);
□ ~ *on* overdrage til; give,
skænke; ~ *an honour on sby* til-
dele en en æresbevisning.
conferee [kɔnfə'ri:] *sb.* konference-
deltager.
conference ['kɔnf(ə)rəns] *sb.* konfe-
rence; kongres; møde.
conference call *sb.* (*tlf.*) telefon-
møde.
conference organiser *sb.* kongres-
service.
confess [kən'fes] *vb.* **1.** (*forbry-*
delse) tilstå (*fx a crime; he -ed*
that he had stolen the money); be-
kende; **2.** (*modstræbende*) tilstå,
indrømme (*fx I must/have to* ~
that I was sceptical at first);
3. (*rel.*) skrifte; **4.** (*rel.: med*
objekt) tage til skrifte;
□ ~ *to* tilstå (*fx* ~ *to a crime*); ~
to having ... tilstå at man har ...; ~
to sby tilstå over for en (*fx* ~ *to*
the police).
confession [kən'feʃn] *sb.* (jf. *con-*
fess) **1.** tilståelse, bekendelse;

2. tilståelse, indrømmelse;
3. skriftemål; skrifte; **4.** trosbeken-
delse.
confessional [kən'feʃn(ə)l] *sb.* (*rel.*)
skriftestol.
confessor [kən'fesə] *sb.* (*rel.*) skrif-
tefader.
confetti [kən'feti] *sb.* konfetti.
confidant ['kɔnfidænt] *sb.* fortrolig
ven.
confidante ['kɔnfidænt] *sb.* fortro-
lig veninde.
confide [kən'faid] *vb.* betro;
□ ~ *in* **a.** stole på, have tillid til
(*fx I can* ~ *in him*); **b.** betro sig
til; *he -d that he was ill* han betro-
ede mig//dem *etc.* at han var syg;
~ *sth to sby* betro en noget, betro
noget til en (*fx he -d his secret to*
me).
confidence ['kɔnfid(ə)ns] *sb.* **1.** til-
lid (*in* til, *fx have* ~ *in him*); tiltro
(*in* til); **2.** (*mht. egne evner*) selv-
tillid; **3.** (*mht. fremtiden*) tillids-
fuldhed, fortrøstning; **4.** (*det man*
betror) fortrolig meddelelse; be-
troelse (*fx I don't want to listen to*
his -s);
□ *get/win sby's* ~ vinde ens for-
trolighed; *have* ~ *that* have tiltro
til at; være overbevist om at; *lose*
sby's ~ miste ens fortrolighed;
place/put ~ *in* fæste lid til; sætte
sin lid til; have tillid til;
[*med præp.*] *in* (*strict*) ~ i al for-
trolighed; *be in sby's* ~ have ens
fortrolighed; *take sby into one's* ~
betro sig til en; skænke en sin for-
trolighed; *vote of* ~ tillidsvotum;
vote of no ~ mistillidsvotum; *I*
can say with ~ *that* ... jeg kan
sige med sikkerhed at ...; (se også
vote[1]).
confidence-building
['kɔnfid(ə)nsbildiŋ] *adj.* tillids-
skabende.
confidence trick *sb.* bondefanger-
kneb.
confidence trickster *sb.* bondefan-
ger.
confident ['kɔnfid(ə)nt] *adj.*
1. (*mht. egne evner*) selvtillids-
fuld; selvsikker (*fx smile*); sikker;
2. (*mht. fremtiden*) tillidsfuld, for-
trøstningsfuld (*about* med hensyn
til);
□ ~ *in* (jf. *1*) sikker på; ~ *of* sto-
lende på; i tillid til; *be* ~ *of* være
sikker på; være overbevist om; *be*
~ *that* være sikker på at; være
overbevist om at.
confidential [kɔnfi'denʃl] *adj.*
1. (*om meddelelse*) fortrolig (*fx in-*
formation; message; tone); **2.** (*om*
opførsel) hemmelighedsfuld;
3. (*om person*) betroet (*fx ser-*

vant);
□ ~ *agent* hemmelig agent; ~
message (*også*) underhåndsmed-
delelse.
confidentiality [kɔnfi'den(t)ʃi'æləti]
sb. tavshedspligt.
configuration [kənfigju'reiʃn] *sb.*
1. F form; sammensætning; stil-
ling; **2.** (*astr., it, kem.*) konfigura-
tion; **3.** (*psyk.*) gestalt.
configure [kən'figə] *vb.* (*it etc.*) kon-
figurere.
confine [kən'fain] *vb.* **1.** begrænse,
indskrænke (*to* til); **2.** indespærre;
holde fangen.
confined [kən'faind] *adj.* begræn-
set; snæver (*fx space*);
□ *be* ~ (*glds. om kvinde*) ligge i
barselseng; nedkomme; *she is*
about to be ~ (*glds.*) hun venter
sin nedkomst;
be ~ *to* (*på grund af sygdom*)
være bundet til, være lænket til
(*fx a wheelchair; one's bed*); *be* ~
to one's bed (*også*) være sengelig-
gende; *be* ~ *to one's room* måtte
holde sig inde; ~ *to barracks*
(*mil.*) i kvarterarrest.
confinement [kən'fainmənt] *sb.*
1. indespærring; fangenskab; (se
også *solitary confinement*); **2.** (*om*
kvinde) barsel; nedkomst;
□ ~ *to barracks* (*mil.*) kvarterar-
rest.
confines ['kɔnfainz] *sb. pl.* grænser.
confirm [kən'fə:m] *vb.* (se også *con-*
firmed) **1.** bestyrke (*fx a suspi-*
cion); bekræfte (*fx* ~ *him in his*
decision); befæste (*fx his position*
as the leader; his faith in God);
2. (*oplysning, meddelelse*) be-
kræfte (*fx a rumour; that it is*
true); **3.** (*jur.*) stadfæste; **4.** (*ejen-*
dom) endeligt overdrage; **5.** (*rel.*)
konfirmere;
□ ~ *him as the leader* befæste
hans stilling som leder.
confirmation [kɔnfə'meiʃn] *sb.* (jf.
confirm) **1.** bestyrkelse; befæstelse;
2. bekræftelse; **3.** (*jur.*) stadfæ-
stelse; **4.** (*af ejendom*) endelig
overdragelse; **5.** (*rel.*) konfirma-
tion.
confirmed [kən'fə:md] *adj.* uforbe-
derlig (*fx alcoholic*); inkarneret
(*fx bachelor*); passioneret (*fx*
smoker).
confiscate ['kɔnfiskeit] *vb.* konfi-
skere, beslaglægge.
confiscation [kɔnfis'keiʃn] *sb.* kon-
fiskation, beslaglæggelse.
conflagration [kɔnflə'greiʃn] *sb.*
storbrand; kæmpebrand.
conflate [kən'fleit] *vb.* indarbejde i
hinanden; sammenarbejde; slå
sammen.

C conflict

conflict[1] ['kɔnflikt] sb. **1.** konflikt; **2.** (F: mellem lande etc.) kamp (fx armed ~); strid; konflikt; □ be in ~ stride mod hinanden; be in ~ with være i strid/modstrid med, stride mod; come into ~ with komme i modstrid med; komme i konflikt med (fx the law).

conflict[2] [kən'flikt] vb. **1.** støde sammen; **2.** være i modstrid med hinanden, stride mod hinanden; □ ~ with **a.** støde sammen med; **b.** være i strid/modstrid med, stride mod.

conflicting [kən'fliktiŋ] adj. modstridende.

confluence ['kɔnfluəns] sb. **1.** (om floder) sammenløb; sammenstrømning; **2.** (fig.) sammenfald (fx of events); forening.

confluent ['kɔnfluənt] adj. sammenflydende.

conform [kən'fɔ:m] vb. tilpasse sig; □ ~ to a. (om person) tilpasse sig efter/til; rette sig efter; **b.** (om ting: til lov, regel) være i overensstemmelse med; passe til; ~ with = ~ to b.

conformation [kɔnfɔ:'meiʃn] sb. **1.** form; skikkelse, bygning; **2.** opbygning; struktur.

conformism [kən'fɔ:mizm] sb. konformisme; ensrettethed.

conformist[1] [kən'fɔ:mist] sb. **1.** konformist, konventionel person; **2.** (rel. især hist.) konformist [tilhænger af den engelske statskirke].

conformist[2] [kən'fɔ:mist] adj. konform, konventionel, tilpasset.

conformity [kən'fɔ:məti] sb. **1.** konformitet; tilpassethed; konventionalitet; **2.** (rel. især hist.) [tilslutning til den engelske statskirke]; □ ~ to F overensstemmelse med; in ~ with F i overensstemmelse med.

confound [kən'faund] vb. (se også confounded) **1.** forvirre; forbløffe; **2.** F gøre til skamme (fx expectations); tilintetgøre (fx plans); □ ~ it! (glds.) gid pokker havde det! pokkers også! be -ed with F blive blandet sammen/forvekslet med.

confounded [kən'faundid] adj. (glds. ed) forbistret (fx a ~ long time).

confrère ['kɔnfrɛə] sb. kollega.

confront [kən'frʌnt] vb. stå over for (fx each other; fundamental questions); stå angsit til ansigt med (fx death); (fig. også) se i øjnene (fx one's fears); □ the crisis//problem//task which

now -s us den krise//det problem// den opgave som vi nu står over for; [med præp.] be -ed by = be -ed with; ~ sby with konfrontere en med (fx the truth); be -ed with stå over for (fx a TV camera; an armed robber; a problem).

confrontation [kɔnfrʌn'teiʃn] sb. konfrontation.

Confucius [kən'fju:ʃiəs] Kungfutse.

confuse [kən'fju:z] vb. **1.** forvirre; **2.** (to ting//personer) forveksle (with med, fx ~ him with his brother; ~ cause and effect); blande sammen; □ ~ the issue komplicere sagerne; sløre billedet.

confused [kən'fju:zd] adj. **1.** forvirret; **2.** rodet.

confusedly [kən'fju:zidli] adv. forvirret.

confusion [kən'fju:ʒ(ə)n] sb. **1.** forvirring (about/over med hensyn til, fx the number of guests); uklarhed; **2.** (af ting) forvirret blanding; rod; **3.** (af personer) tumult; tummel; **4.** (jf. confuse 2) forveksling; sammenblanding; □ throw sby into ~ gøre en forvirret, bringe en ud af fatning; throw sth into ~ skabe kaos i noget.

confutation [kɔnfju:'teiʃn] sb. F gendrivelse.

confute [kən'fju:t] vb. F **1.** (påstand) gendrive, modbevise; **2.** (person) bringe til tavshed.

conga[1] ['kɔŋgə] sb. **1.** [en dans hvor deltagerne bevæger sig i gåsegang]; **2.** congatromme.

conga[2] ['kɔŋgə] vb. danse conga.

congeal [kən'dʒi:l] vb. størkne; stivne.

congenial [kən'dʒi:niəl] adj. **1.** F (ånds)beslægtet; sympatisk (fx society); **2.** som man kan lide, som passer til ens temperament og indstilling (fx work).

congenital [kən'dʒenit(ə)l] adj. medfødt (fx disease).

conger ['kɔŋgə], **conger eel** sb. (zo.) havål.

congeries [kən'dʒiəri:z] sb. virvar; forvirret blanding.

congested [kən'dʒestid] adj. **1.** (om sted) overfyldt (fx road); overbefolket (fx area); **2.** (om legemsdel, F) blodoverfyldt; blokeret.

congestion [kən'dʒestʃn] sb. (jf. congested) **1.** overfyldning; trængsel; **2.** kongestion; blodtilstrømning; □ traffic ~ trafikprop.

conglomerate[1] [kən'glɔmərət] sb. **1.** blandet masse; konglomerat; **2.** (geol.) konglomerat; **3.** (merk.) kæmpekoncern.

conglomerate[2] [kən'glɔmərət] adj. uensartet sammensat.

conglomerate[3] [kən'glɔmereit] vb. sammenhobe(s); samle(s) til en uensartet masse.

conglomeration [kənglɔmə'reiʃn] sb. sammenhobning; konglomerat.

Congo snake ['kɔŋgəusneik] sb. slangepadde.

congratulate [kən'grætjuleit] vb. lykønske, gratulere (on med).

congratulation [kəngrætju'leiʃn] sb. lykønskning; □ -s! tillykke! (on med).

congratulatory [kəngrætʃu'leit(ə)ri, (am.) kən'grætʃələtɔri] adj. lykønsknings-.

congregate ['kɔŋgrigeit] vb. samle sig.

congregation [kɔŋgri'geiʃn] sb. menighed; forsamling.

Congregationalism [kɔŋgri'geiʃnəlizm] sb. (rel.) kongregationalisme [kirkelig retning der gør de enkelte menigheder uafhængige].

Congress [kɔŋgres, (am.) -grəs] sb. (am.) kongressen [parlamentet i Washington].

congress ['kɔŋgres, (am.) -grəs] sb. **1.** møde; kongres; **2.** F elskovsmøde.

congressional [kɔŋ'greʃn(ə)l] adj. kongres- (fx debate).

congressional district sb. (am.) valgkreds [ved valg til Repræsentanternes Hus].

congressman ['kɔŋgrəsmən] sb. (pl. -men [-mən]) (am.) kongresmedlem; medlem af Repræsentanternes Hus.

congresswoman ['kɔŋgrəswumən] sb. (pl. -women [-wimin]) (am.) kvindeligt kongresmedlem; kvindeligt medlem af Repræsentanternes Hus.

congruence ['kɔŋgruəns] sb. overensstemmelse; kongruens.

congruent ['kɔŋgruənt] adj. overensstemmende; kongruent.

congruity [kɔŋ'gru:əti] sb. overensstemmelse.

congruous ['kɔŋgruəs] adj.: ~ with **a.** passende til; **b.** overensstemmende med.

conical ['kɔnik(ə)l] adj. konisk, kegleformig; kegle- (fx shape).

conics ['kɔniks] sb. læren om keglesnit.

conic section sb. (geom.) keglesnit.

conifer ['kɔnifə, 'kəu-] sb. (bot.) nåletræ.

coniferous [kəu'nif(ə)rəs] adj. koglebærende; nåletræs-; □ ~ forest nåleskov.

conjectural [kən'dʒektʃ(ə)r(ə)l] adj. F baseret på gisning.

conjecture[1] [kən'dʒektʃə] *sb.* F
1. gætning; gisning; **2.** (*generelt*)
gisninger, gætterier; gætteri (*fx it
is pure* ~; *there has been a lot of*
~ *about it*); **3.** (*i tekstkritik*) konjektur.
conjecture[2] [kən'dʒektʃə] *vb.* F
1. gætte; **2.** (*med objekt*) gætte sig
til; formode;
□ ~ *that* gætte på at.
conjoin [kən'dʒɔin] *vb.* F forbinde;
kombinere.
conjoint [kən'dʒɔint] *adj.* F forenet.
conjugal ['kɔndʒug(ə)l] *adj.* ægteskabelig (*fx happiness*).
conjugate ['kɔndʒugeit] *vb.* (*gram.,
om verbum*) **1.** konjugere, bøje;
2. (*uden objekt*) konjugeres, bøjes.
conjugation [kɔndʒu'geiʃn] *vb.*
(*gram.*) konjugation, (verbal)bøjning.
conjunction [kən'dʒʌŋ(k)ʃn] *sb.* F
1. forbindelse, forening; sammentræf; **2.** (*gram.*) konjunktion, bindeord.
conjunctiva [kɔndʒʌŋ(k)'taivə] *sb.*
(*anat.*) øjets bindehinde.
conjunctivitis [kɔndʒʌŋ(k)ti'vaitis]
sb. (*med.*) konjunktivitis [*betændelse i øjets bindehinde*].
conjuncture [kən'dʒʌŋ(k)tʃə] *sb.*
1. sammentræf (*af omstændigheder*); **2.** forhold; situation.
conjure ['kʌndʒə] *vb.* **1.** lave tryllekunster, trylle; **2.** (*med objekt*)
fremtrylle, trylle frem (*from* af);
trylle (*fx a rabbit out of a top
hat*);
□ ~ *up* **a.** fremtrylle, trylle frem;
b. (*ånder, syner*) fremmane; *a
name to* ~ *with* et navn der betyder noget; et kendt navn.
conjurer ['kʌndʒərə] *sb.* tryllekunstner.
conjuring trick ['kʌndʒəriŋtrik] *sb.*
tryllekunst.
conjuror *sb.* = *conjurer.*
conk[1] [kɔŋk] *sb.* S næse, tud.
conk[2] [kɔŋk] *vb.* **1.** (S: *person*)
gokke i nødden, slå ud; **2.** (*am.:
kruset hår*) gøre glat [*ved kemisk
behandling*];
□ ~ *out* **a.** (*om motor etc.*) bryde
sammen; gå i stå; svigte; **b.** (*om
person*) gå ud som et lys.
conker ['kɔŋkə] *sb.* T kastanje.
conkers ['kɔŋkəz] *sb.* [*leg med kastanjer i snor, hvor det gælder om
at slå modstanderens kastanje
itu*].
conman ['kɔnmæn] *sb.* (*pl. conmen*
['kɔnmen]) T bondefanger; plattenslager; fupmager.
Conn. *fork. f.* Connecticut.
connect [kən'nekt] *vb.* (se også *connected*) **1.** forbinde; **2.** (*elek. etc.*)

tilslutte; **3.** (*tlf.*) stille ind;
4. (*uden objekt*) være forbundet;
5. (*om to mennesker*) kunne godt
sammen;
□ ~ *to* (*jf. 2*) **a.** stille ind til;
b. (*apparat*) forbinde med; tilslutte; ~ *up* tilslutte; ~ *with*
a. (*jf. 1*) sætte i forbindelse med;
b. (*jf. 2*) være forbundet med, stå i
forbindelse med; **c.** (*om tog etc.*)
korrespondere med, have forbindelse med; **d.** (*om person*) føle
samhørighed/(åndeligt) slægtskab
med; kunne sammen med.
connected [kə'nektid] *adj.* **1.** forbundet; tilsluttet; **2.** sammenhængende (*fx a* ~ *whole*);
□ *be well* ~ have gode forbindelser; (se også *highly*); ~ *to* **a.** forbundet med; tilsluttet; **b.** beslægtet med; *be* ~ *with* være forbundet med; have forbindelse med.
connectedly [kə'nektidli] *adv.* i
sammenhæng.
Connecticut [kə'netikət].
connecting rod *sb.* (*tekn.*) forbindelsesstang; plejlstang.
connection [kən'nekʃn] *sb.* **1.** forbindelse (*between* mellem;
with/to med); sammenhæng
(*with/to* med; *between* mellem);
tilknytning (*with/to* til); **2.** (*elek.*)
tilslutning; forbindelse; **3.** (*jernb.,
tlf. etc.*) forbindelse; **4.** (*merk.*)
kundekreds;
□ *-s* **a.** forbindelser; **b.** (*personer*)
forbindelser; familie, slægtninge.
connective[1] [kə'nektiv] *sb.* (*gram.*)
bindeord.
connective[2] [kə'nektiv] *adj.* forbindende.
connective tissue *sb.* (*anat.*) bindevæv.
connect time *sb.* (*it*) tilslutningstid.
connexion *sb.* se *connection.*
conning tower ['kɔniŋtauə] *sb.*
(*mar.*) kommandotårn.
conniption [kə'nipʃn] *sb.* (*am.* S)
hysterisk anfald; raserianfald;
□ *go into -s* få et hysterisk anfald;
få et raserianfald.
connivance [kə'naiv(ə)ns] *sb.*: ~ *at*
det at se igennem fingre med;
with the ~ *of Smith* i hemmelig
forståelse med Smith; med Smith
som medvider.
connive [kə'naiv] *vb.*: ~ *at* se igennem fingre med; ~ *with* stå i hemmelig forbindelse med; rotte sig
sammen med.
connoisseur [kɔnə'sə:] *sb.* kender;
kunstkender.
connotation [kɔnə'teiʃn] *sb.* konnotation, bibetydning, bibegreb.
connote [kə'nəut] *vb.* have bibetydning af; betyde.

connubial [kə'nju:biəl] *adj.* F ægteskabelig.
conquer ['kɔŋkə] *vb.* **1.** (*sted*) erobre; **2.** (*modstander*) besejre;
3. (*uden objekt*) sejre.
conqueror ['kɔŋkərə] *sb.* erobrer;
sejrherre.
conquest ['kɔŋkwest] *sb.* **1.** erobring; **2.** sejr;
□ *make a* ~ *of* vinde (for sig); *by
right of* ~ med erobrerens ret; *the
Conquest* se *Norman Conquest.*
consanguinity [kɔnsæŋ'gwinəti] *sb.*
blodsslægtskab.
conscience [kɔnʃns] *sb.* samvittighed;
□ *in all* ~ med rimelighed; *in
good* ~ (*am.*) = *in all* ~; *freedom/
liberty of* ~ (*omtr.*) religionsfrihed; trosfrihed; *a matter of* ~ en
samvittighedssag.
conscience clause *sb.* (*især am.*)
[*bestemmelse der giver ret til fritagelse af samvittighedsgrunde*].
conscience money *sb.* [*penge der
indbetales for at lette samvittigheden, især med hensyn til tidligere
begået skattesnyderi*].
conscience-stricken
['kɔnʃnsstrik(ə)n] *adj.* brødebetynget;
□ *be* ~ have samvittighedsnag.
conscientious [kɔnʃi'enʃəs] *adj.*
1. samvittighedsfuld; **2.** samvittigheds- (*fx on* ~ *grounds*).
conscientious objector *sb.* militærnægter.
conscious ['kɔnʃəs] *adj.* **1.** bevidst
(*fx effort; memory*); **2.** (*om person*) bevidst, ved bevidsthed;
□ *be* ~ *of sth* være klar over noget; være bevidst om noget; være
sig noget bevidst; *be* ~ *that* være
klar over at; være bevidst om at.
consciousness ['kɔnʃəsnəs] *sb.* bevidsthed;
□ *lose* ~ miste bevidstheden; *recover/regain* ~ komme til bevidsthed; komme til sig selv.
consciousness raising *sb.* bevidstgørelse.
conscript[1] ['kɔnskript] *sb.* værnepligtig, indkaldt.
conscript[2] [kən'skript] *vb.* udskrive, indkalde [*til militærtjeneste*].
conscription [kən'skripʃn] *sb.* værnepligt; udskrivning.
consecrate ['kɔnsikreit] *vb.* (*rel.*)
indvie;
□ ~ *to* F vie til, hellige (*fx his life
was -d to the service of his country*).
consecration [kɔnsi'kreiʃn] *sb.* indvielse.
consecutive [kən'sekjutiv] *adj.* på

hinanden følgende; sammenhængende;
□ *ten ~ days* ti dage i træk.
consecutive clause *sb.* (*gram.*) følgebisætning.
consecutively [kən'sekjutivli] *adv.* efter hinanden, fortløbende.
consensus [kən'sensəs] *sb.* **1.** konsensus, samstemmighed, enighed; **2.** samstemmende mening.
consent[1] [kən'sent] *sb.* samtykke (*fx the parents gave their ~ to the marriage*); godkendelse;
□ *the age of ~* den seksuelle lavalder; *by common ~* **a.** ved/efter fælles overenskomst; **b.** enstemmigt (*fx he was elected by common ~*); **c.** (*indledende*) alle er enige om at (*fx by common ~ he is the best*); *by general ~ = by common ~, b*); *by mutual ~ = by common ~, a*).
consent[2] [kən'sent] *vb.:* *~ to*
a. samtykke i; give sit samtykke til (*fx the parents -ed to the marriage*); **b.** indvillige i (*fx the divorce*); gå med til; gå ind på (*fx the conditions*); **c.** finde sig i; *~ to do it* indvillige i/gå med til at at gøre det.
consenting adult *sb.* en voksen person som selv er gået med til det [ɔ: *til et seksuelt forhold*].
consequence ['kɔnsikwəns] *sb.* følge, konsekvens (*of* af);
□ *in ~* som følge deraf, følgelig; *in ~ of* som følge af; *of ~* vigtig; *of no ~* uden betydning; *take/suffer the -s* tage følgerne.
consequent ['kɔnsikwənt] *adj.* (deraf) følgende.
consequential [kɔnsi'kwenʃ(ə)l] *adj.* **1.** (deraf) følgende; **2.** vigtig, betydningsfuld.
consequential damage *sb.* følgeskade.
consequential loss *sb.* følgeskade; driftstab.
consequential loss insurance *sb.* driftstabsforsikring.
consequently ['kɔnsikwentli] *adv.* følgelig; altså.
conservancy [kən'sɔ:v(ə)nsi] *sb.* **1.** tilsynsråd; **2.** fredningsnævn; **3.** fredning.
conservation [kɔnsə'veiʃn] *sb.* **1.** bevarelse, bevaring; fredning; **2.** (*af ressourcer*) rationel udnyttelse (*of* af, *fx fishery resources*); besparelse (*fx energy ~*).
conservation area *sb.* fredet område.
conservationist [kɔnsə'veiʃnist] *sb.* tilhænger af naturfredning; bevaringstilhænger; miljøaktivist.
conservatism [kən'sɔ:vətizm] *sb.*

konservatisme.
Conservative[1] [kən'sɔ:vətiv] *sb.* (*pol.*) konservativ.
Conservative[2] [kən'sɔ:vətiv] *adj.* (*pol.*) konservativ.
conservative [kən'sɔ:vətiv] *adj.* **1.** konservativ; **2.** (*om skøn*) forsigtig;
□ *on/at a ~ estimate* efter et forsigtigt skøn.
conservatoire [kən'sɔ:vətwa:] *sb.* musikkonservatorium.
conservator ['kɔnsəveitə] *sb.* **1.** bevarer (*fx ~ of the peace*); beskytter; **2.** (*på museum*) konservator; **3.** (*am.*) værge.
conservatory [kən'sɔ:vət(ə)ri] *sb.* **1.** vinterhave; **2.** (*am.*) musikkonservatorium.
conserve[1] ['kɔnsə:v] *sb.* syltetøj.
conserve[2] [kən'sɔ:v] *vb.* **1.** bevare (*fx one's health; historic buildings*); **2.** (*ressource*) spare på (*fx one's energy; electricity*); **3.** (*frugt*) sylte.
consider [kən'sidə] *vb.* (se også *considered, considering*) **1.** overveje, tænke over (*fx a problem*); **2.** (*omstændighed*) betænke, tage i betragtning (*fx we must ~ his youth*); **3.** (*person*) tage hensyn til (*fx he never -s others*); være hensynsfuld over for; **4.** (*med omsagnsled*) anse for (*fx I -ed him (to be) a fool*); holde for; **5.** (F: *med blikket*) betragte; **6.** (*uden objekt*) tænke sig om; betænke sig;
□ *~ + -ing* (*jf. 1*) overveje at (*fx we are -ing buying a house*); *~ that* **a.** mene at (*fx we ~ that he is right*); finde at; **b.** (*jf. 2*) tage i betragtning at (*fx they may be of a different opinion*); *~ whether* overveje om.
considerable [kən'sid(ə)rəbl] *adj.* anselig, betydelig (*fx a ~ amount*).
considerate [kən'sid(ə)rət] *adj.* hensynsfuld.
consideration [kənsidə'reiʃn] *sb.* **1.** overvejelse, betænkning (*fx after some ~*); **2.** betragtning, hensyn (*fx economic -s*); **3.** (*over for andre*) hensyn, hensynsfuldhed (*for over for, fx he never shows much ~ for her feelings*); **4.** (*glds. el. spøg.*) betaling, vederlag (*fx for a small ~*);
□ *in ~ of* **a.** i betragtning af; **b.** som belønning for; som vederlag for; *take into ~* **a.** tage under overvejelse; **b.** tage i betragtning; *of little ~* (*glds.*) af ringe betydning; *of no ~* (*glds.*) uden betydning; *out of ~ for* af hensyn til; *under ~* under overvejelse.

considered [kən'sidəd] *adj.* velovervejet (*fx opinion; response*);
□ *all things ~* ret beset; når alt tages i betragtning; når alt kommer til alt; *highly ~* højt værdsat.
considering [kən'sid(ə)riŋ] *præp.* **1.** i betragtning af (*fx ~ his age; ~ that he is so young*); **2.** T efter omstændighederne (*fx that's not so bad, ~*); alt taget i betragtning.
consign [kən'sain] *vb.* F (*merk.*) sende, konsignere;
□ *~ to* **a.** overgive til (*fx his body//the books to the flames*); overlade til, forvise til; lade gå i (*fx the wastepaper basket*); (se også *oblivion*); **b.** (*noget ubehageligt*) dømme til (*fx years of poverty*); *be -ed to* henslæbe sin tilværelse i (*fx poverty; prison*); *it has been -ed to history* det er gået over i historien.
consignee [kɔnsai'ni:] *sb.* modtager, konsignatar.
consignment [kən'sainmənt] *sb.* (*merk.*) **1.** (*varemængde*) sending, parti; **2.** (*af varer, gods*) forsendelse;
□ *on ~* i konsignation.
consignment note *sb.* følgeseddel, fragtbrev.
consignor [kən'sainə] *sb.* afsender, konsignant.
consist [kən'sist] *vb.:* *~ in* bestå i; *~ of* bestå af; *~ with* (*glds.*) stemme overens med.
consistency [kən'sist(ə)nsi] *sb.* **1.** ensartethed; pålidelighed; **2.** (*i tankegang, metode*) konsekvens, konsistens; overensstemmelse; **3.** (*især af væske*) konsistens (*fx of the sauce//paint; of the dough*); fasthed.
consistent [kən'sist(ə)nt] *adj.* **1.** ensartet; pålidelig; konstant; **2.** (*om tankegang, metode*) konsekvent; konsistent;
□ *~ with* forenelig med; overensstemmende med; *be ~ with* (*også*) stemme med.
consolation [kɔnsə'leiʃn] *sb.* trøst.
consolation prize *sb.* trøstpræmie.
consolatory [kən'sɔlət(ə)ri] *adj.* trøstende.
console[1] ['kɔnsəul] *sb.* **1.** (*elek. etc.*) kontrolbord; reguleringspult; **2.** (*it*) konsol; **3.** (*arkit.*) konsol; **4.** (*til orgel*) spillebord; **5.** (*til radio, tv*) (større) skab [på ben].
console[2] [kən'səul] *vb.* trøste.
console table *sb.* konsol(bord).
consolidate [kən'sɔlideit] *vb.* **1.** konsolidere, befæste, styrke (*fx the firm's position; their relationship*); sikre; **2.** forene, slå sammen, sammenlægge (*fx their activities*);

3. (*uden objekt*) antage fast form, blive fast.

consolidated accounts *sb. pl.* koncernregnskab.

consolidated act *sb.* lovbekendtgørelse [*som slår flere love sammen til én*].

consolidated annuities *sb. pl.* [*langfristede fastforrentede statsobligationer*].

Consolidated Fund *sb.* [*den britiske regerings konto i Bank of England hvortil skatteindtægterne indgår og hvoraf statens udgifter betales*].

consolidation [kənsɔliˈdeiʃn] *sb.* **1.** konsolidering; befæstelse; styrkelse; **2.** forening; sammenlægning.

consols [kənˈsɔlz] *sb. pl.* = *consolidated annuities*.

consommeé [kənˈsɔmei, (*am.*) ˈkɔnsəmei, kɔnsəˈmei] *sb.* consommé, (klar) kødsuppe.

consonance [ˈkɔnsənəns] *sb.* **1.** F overensstemmelse (*between* mellem); **2.** (*mus.*) konsonans; □ *in* ~ *with* F i overensstemmelse/ samklang med.

consonant[1] [ˈkɔnsənənt] *sb.* (*fon.*) konsonant, medlyd.

consonant[2] [ˈkɔnsənənt] *adj.* overensstemmende; □ ~ *with* (*også*) der passer til; der harmonerer/stemmer overens med.

consort[1] [ˈkɔnsɔːt] *sb.* **1.** F ægtefælle; gemal; gemalinde; **2.** (*mar.*) ledsageskib; **3.** (*mus.*) ensemble [*især: som spiller renæssancemusik*].

consort[2] [kənˈsɔːt] *vb.*: ~ *with* **a.** omgås, færdes blandt [ɔ: *nogen man finder upassende*]; **b.** (*glds.*) stemme overens med, passe sammen med.

consortium [kənˈsɔːtiəm] *sb.* (*merk.*) konsortium.

conspectus [kənˈspektəs] *sb.* F kort oversigt, resumé.

conspicuous [kənˈspikjuəs] *adj.* tydelig, iøjnefaldende; fremtrædende (*fx play a* ~ *role*); □ *make oneself* ~ gøre sig bemærket; *be* ~ *by one's absence* glimre ved sit fravær.

conspiracy [kənˈspirəsi] *sb.* sammensværgelse; □ *a* ~ *of silence* et fortielsessystem, en tavshedens sammensværgelse.

conspirator [kənˈspirətə] *sb.* sammensvoren; konspirator.

conspiratorial [kənspirəˈtɔːriəl] *adj.* konspiratorisk; medvidende.

conspire [kənˈspaiə] *vb.* **1.** sam-

mensværge sig, rotte sig sammen (*against* imod); **2.** (*fig.*: *om forhold, omstændigheder*) sammensværge sig (*against* imod, *fx she felt that everything had -d against her*); virke sammen, forene sig.

constable [ˈkʌnstəbl] *sb.* **1.** politibetjent; **2.** (*på borg*) kommandant.

constabulary [kənˈstæbjuləri] *sb.* politikorps.

Constance [ˈkɔnst(ə)ns] (*geogr.*) Konstanz; □ *Lake of* ~ Bodensøen.

constancy [ˈkɔnst(ə)nsi] *sb.* **1.** bestandighed; **2.** (*om person*) standhaftighed, trofasthed.

constant[1] [ˈkɔnst(ə)nt] *sb.* konstant (størrelse).

constant[2] [ˈkɔnst(ə)nt] *adj.* **1.** konstant, uforandret (*fx speed; temperature*); **2.** stadig (*fx threat*); bestandig; **3.** (*om person*) trofast (*fx a* ~ *friend*); standhaftig; stabil.

Constantinople [kɔnstænti'nəupl] (*hist.*; *geogr.*) Konstantinopel.

constantly [ˈkɔnst(ə)ntli] *adv.* stadig, bestandig.

constellation [kɔnstəˈleiʃn] *sb.* **1.** (*astr.*) konstellation, stjernebillede; **2.** (*fig.*) konstellation, sammensætning, kombination; **3.** (*spøg.*: *af berømtheder*) strålende forsamling.

consternation [kɔnstəˈneiʃn] *sb.* bestyrtelse.

constipated [ˈkɔnstipeitid] *adj.*: *be* ~ have forstoppelse.

constipation [kɔnstiˈpeiʃn] *sb.* forstoppelse.

constituency [kənˈstitjuənsi] *sb.* **1.** (*parl.*) valgkreds; vælgere; **2.** (*fig.*) støttekreds; bagland.

constituent[1] [kənˈstitjuənt] *sb.* **1.** (*parl.*) vælger; **2.** (*del af et hele*) bestanddel.

constituent[2] [kənˈstitjuənt] *adj.* (*foran sb.*) som indgår i ..., som ... består af; □ *the* ~ *members* de medlemmer som udgør organisationen.

constituent assembly *sb.* grundlovgivende forsamling.

constituent parts *sb. pl.* bestanddele.

constitute [ˈkɔnstitjuːt] *vb.* (se også *constituted*) **1.** udgøre (*fx women* ~ *10% of the assembly; the 50 states that* ~ *the USA*); **2.** (F: *betragtes som*) udgøre, være (*fx it -s a serious threat*).

constituted [ˈkɔnstitjuːtid] *adj.* **1.** udnævnt; **2.** (*om udvalg*) nedsat; **3.** (*om persons beskaffenhed*) indrettet (*fx I am so* ~ *that I need very little sleep*); □ *divinely* ~ indstiftet af Gud.

constitution [kɔnstiˈtjuːʃn] *sb.* **1.** (*persons*) legemsbeskaffenhed; konstitution (*fx he has a poor* ~); (*psyk.*) psykisk konstitution; **2.** (*om andet end person*) beskaffenhed (*fx the genetic* ~ *of the species*); indretning; sammensætning; struktur; **3.** (*jur.*) konstitution; (stats)forfatning; grundlov.

constitutional[1] [kɔnstiˈtjuːʃ(ə)n(ə)l] *sb.* (*glds.*; *spøg.*) spadseretur for sundhedens skyld; motion.

constitutional[2] [kɔnstiˈtjuːʃ(ə)n(ə)l] *adj.* **1.** konstitutionel; medfødt (*fx weakness*); **2.** (*jur.*) konstitutionel, forfatningsmæssig; forfatnings- (*fx amendment* ændring; *law* ret).

constitutional formula *sb.* (*kem.*) konstitutionsformel.

constitutionality [kɔnstitjuːʃəˈnæliti] *sb.* F forfatningsmæssighed.

constitutional state *sb.* retsstat.

constrain [kənˈstrein] *vb.* begrænse, indskrænke.

constrained [kənˈstreind] *adj.* **1.** begrænset, indskrænket; **2.** (*om optræden*) genert, tvungen, ufri; □ *feel* ~ *to* føle sig tvunget til at.

constraint [kənˈstreint] *sb.* **1.** indskrænkning, begrænsning, restriktion; **2.** (*om person*) ufrihed, hæmmethed; generthed; □ *under* ~ under tvang.

constrict [kənˈstrikt] *vb.* (se også *constricted*) **1.** trække sammen; sammensnøre; indsnøre; **2.** (*fig.*) begrænse (*fx it -s their lives*); hæmme; **3.** (*uden objekt*) trække sig sammen; snøre sig sammen (*fx his throat -ed*); □ *it -s your movements* det hæmmer ens bevægelse.

constricted [kənˈstriktid] *adj.* **1.** sammentrukket; sammensnøret (*fx his throat felt* ~); **2.** (*fig.*) snæver; begrænset; hæmmet.

constriction [kənˈstrikʃn] *sb.* **1.** sammentrækning; sammensnøring; **2.** (*fig.*) begrænsning, indskrænkning (*fx of activities*); □ ~ *of the chest* trykken for brystet.

constrictor [kənˈstriktə] *sb.* **1.** (*zo.*) kvælerslange; **2.** (*anat.*) sammentrækkende muskel.

construct[1] [ˈkɔnstrʌkt] *sb.* F **1.** begreb; (tanke)konstruktion; **2.** (*ting*) konstruktion.

construct[2] [kənˈstrʌkt] *vb.* **1.** (*bygning etc.*) opføre; bygge (*fx a bridge*); konstruere; **2.** (*fig.*) sammensætte; opbygge (*fx an empire; a system*); opstille (*fx a theory*); konstruere (*fx a sentence*).

construction [kənˈstrʌkʃn] *sb.* **1.** (jf. *construct*) opførelse (*fx the hotel*

C constructional

was under ~); bygning (*fx boat* ~); konstruktion; udførelse; **2.** (*om industri*) byggeri (*fx he wants a job in* ~); **3.** (*fig.*) sammensætning; opbygning (*fx of a system*); opstilling (*fx of a theory*); konstruktion (*fx sentence* ~); **4.** (*jf. construe*) fortolkning, udlægning; forklaring; mening; □ *put a good* ~ *on sth* (*jf. 4*) udlægge noget på en gunstig måde; optage noget i en god mening.

constructional [kən'strʌkʃn(ə)l] *adj.* bygnings-; konstruktions-.

construction industry *sb.* byggeindustri.

constructive [kən'strʌktiv] *adj.* konstruktiv (*fx criticism; talks*); positiv (*fx proposal*).

constructor [kən'strʌktə] *sb.* konstruktør.

construe [kən'stru:] *vb.* fortolke, udlægge (*as* som); opfatte (*as* som).

consul ['kɔnsəl] *sb.* konsul.

consular ['kɔnsjulə] *adj.* konsulær; til konsulatet hørende; konsulats- (*fx office*).

consulate ['kɔnsjulət] *sb.* konsulat.

consul general *sb.* generalkonsul.

consulship ['kɔnsəlʃip] *sb.* konsulembede; konsulat.

consult [kən'sʌlt] *vb.* (se også *consulting*) **1.** (*person*) rådføre sig med, konsultere (*fx a doctor*); rådspørge, spørge til råds, spørge om råd (*fx a friend*); spørge (*fx without -ing him*); **2.** (*bog*) slå op i, se efter i (*fx a dictionary*); **3.** (*landkort, ur*) se på; **4.** (*uden objekt*) rådslå, holde rådslagning; □ ~ *a doctor* (*også*) søge læge; ~ *his feelings* tage hensyn til hans følelser; ~ *with* rådføre sig med; konferere med; høre (*fx the parties involved*).

consultancy [kən'sʌlt(ə)nsi] *sb.* **1.** rådgivning; **2.** (*firma*) konsulentvirksomhed, konsulentfirma; **3.** (*på hospital*) overlægestilling.

consultant [kən'sʌlt(ə)nt] *sb.* **1.** konsulent; **2.** (*med.*) speciallæge; (*på hospital*) overlæge.

consultation [kɔnsəl'teiʃn] *sb.* **1.** rådslagning, drøftelse (*fx after* ~ *with our partners*); samråd; **2.** (*af person*) rådspørgning; **3.** (*hos læge etc.*) konsultation; **4.** (*i bog*) opslag, reference; □ *in* ~ *with* i samråd med; *without* ~ *with them* uden drøftelse med dem; uden at høre dem.

consultation paper *sb.* debatoplæg.

consultative [kən'sʌltətiv] *adj.* **1.** rådgivende; **2.** (*om folkeafstemning*) vejledende.

consulting [kən'sʌltiŋ] *adj.* rådgivende (*fx architect*).

consulting room *sb.* konsultationsværelse.

consumable[1] [kən'sju:məbl] *sb.* forbrugsvare; konsumvare.

consumable[2] [kən'sju:məbl] *adj.* som forbruges hurtigt; som kasseres efter brugen.

consume [kən'sju:m] *vb.* (se også *consuming*) **1.** forbruge; opbruge; **2.** (*om ild*) fortære; **3.** (*fødevarer*) indtage; konsumere, fortære; spise, drikke; □ *be -d with/by* (*fig.*) fortæres af (*fx hatred*); brænde af (*fx curiosity*); nages af (*fx envy; guilt*); være opslugt af (*fx grief*).

consumer [kən'sju:mə] *sb.* forbruger; konsument.

consumer durables *sb. pl.* varige forbrugsgoder.

consumer goods *sb. pl.* forbrugsvarer; forbrugsgoder.

consumerism [kən'sju:mərizm] *sb.* **1.** forbrugerbeskyttelse; **2.** (*neds.*) forbrugerisme, forbrugermentalitet.

consumerist [kən'sju:mərist] *sb.* forbrugeraktivist.

consumer price index *sb.* (*am.*) forbrugerprisindeks.

consumer research *sb.* forbrugerundersøgelser.

consuming [kən'sju:miŋ] *adj.* altopslugende, altfortærende (*fx passion*).

consummate[1] [kən'sʌmət] *adj.* F fuldendt; fuldendt dygtig; □ ~ *skill* overlegen dygtighed.

consummate[2] ['kɔnsəmeit] *vb.* **1.** (*jur., om ægteskab*) fuldbyrde; **2.** (F, *om aftale*) afslutte.

consummation [kɔnsə'meiʃn] *sb.* (cf. *consummate*[2]) **1.** fuldbyrdelse; **2.** afslutning; fuldendelse.

consumption [kən'sʌm(p)ʃn] *sb.* **1.** forbrug; **2.** (*om fødevarer*) indtagelse; fortæring, konsumering; **3.** (*glds. med.*) tæring [ɔ: *tuberkulose*]; □ *for domestic* ~ (*fig.*) til hjemmebrug; *unfit for human* ~ uegnet til menneskeføde.

consumptive[1] [kən'sʌm(p)tiv] *sb.* (*glds. med.*) tuberkulosepatient.

consumptive[2] [kən'sʌm(p)tiv] *adj.* (*glds. med.*) svindsottig; tuberkuløs.

contact[1] ['kɔntækt] *sb.* **1.** kontakt; berøring; forbindelse; **2.** (*mil.*) føling; kampføling; **3.** (*person*) kontakt, forbindelse; kontaktperson; **4.** (*med.*) mulig smittebærer; □ *break* ~ (*elek.*) afbryde strømmen; *be in* ~ *with* **a.** være i for-

bindelse/kontakt med; **b.** (*mil.*) have føling med; *bring into* ~ *with* bringe/sætte i forbindelse med; *come into* ~ *with* **a.** komme i berøring/kontakt med; **b.** (*mil.*) få føling med; *lose* ~ *with* miste forbindelsen/kontakten med; *make* ~ *with* etablere kontakt med; sætte sig i forbindelse med.

contact[2] ['kɔntækt, (*am. også*) kən'tækt] *vb.* kontakte; sætte sig i//få forbindelse med.

contact flight *sb.* flyvning ved hjælp af jordsigt.

contact lens *sb.* (*med.*) kontaktlinse.

contact man *sb.* (*pl.* contact men) kontaktmand; mellemmand.

contact number *sb.* (*tlf.*) nummer man kan ringe til.

contact print *sb.* (*fot.*) kontaktkopi.

contagion [kən'teidʒ(ə)n] *sb.* smitte.

contagious [kən'teidʒəs] *adj.* **1.** (*om sygdom*) smitsom; **2.** (*fig.*) smittende (*fx laugh; enthusiasm*).

contain [kən'tein] *vb.* **1.** indeholde, rumme; **2.** (*følelse*) holde i tømme, beherske (*fx one's anger*); **3.** (*mil.& fig.*) dæmme op for (*fx an attack; inflation*); bringe under kontrol; standse; inddæmme; □ ~ *the enemy* binde fjenden; ~ *oneself* beherske sig, styre sig; *thirty -s six* seks går op i tredive.

container [kən'teinə] *sb.* **1.** beholder; **2.** (*til fragt*) container.

containerize [kən'teinəraiz] *vb.* containerisere.

containment [kən'teinmənt] *sb.* **1.** det at bringe under kontrol; standsning; **2.** (*pol.*) inddæmning; □ *policy of* ~ inddæmningspolitik.

contaminant [kən'tæminənt] *sb.* forurenende stof.

contaminate [kən'tæmineit] *vb.* **1.** forurene (*fx -d by radioactivity*); **2.** (*fig.*) besmitte.

contamination [kəntæmi'neiʃn] *sb.* **1.** forurening; **2.** (*fig.*) besmittelse; **3.** (*sprogv.*) kontamination; sammenblanding.

contd. *fork. f.* continued fortsættes; vend; fortsat.

contemplate ['kɔntempleit] *vb.* **1.** overveje (*fx one's future*); tænke over (*fx the meaning of life*); **2.** (*fremtidig handling*) have i sinde (+ *-ing* at, *fx going abroad*); påtænke (*fx retirement*); **3.** (*litt.*) betragte, beskue (*fx oneself in a mirror*); □ *too awful to* ~ alt for forfærdelig at tænke på.

contemplation [kɔntem'pleiʃn] *sb.*

1. overvejelse; betragtning; **2.** betragtning, beskuelse (*of* af);
□ *have in* ~ påtænke, have under overvejelse; *lost in* ~ hensunket i grublerier.
contemplative [kən'templətiv, 'kɔntempleitiv] *adj.* kontemplativ, tænksom; dybsindig.
contemporaneous [kəntempə'reiniəs] *adj.* samtidig.
contemporary[1] [kən'tempərəri] *sb.*
1. samtidig (*fx Shakespeare and his contemporaries*); **2.** (*mht. alder*) jævnaldrende;
□ *be a* ~ *of* være samtidig//jævnaldrende med.
contemporary[2] [kən'tempərəri] *adj.*
1. nutids-, moderne (*fx art; music*); (*om person*) nulevende; **2.** samtidig (*fx* ~ *sources tell a different story*);
□ ~ *with* samtidig med.
contempt [kən'tem(p)t] *sb.* **1.** foragt; **2.** (*jur.*) foragt for retten;
□ *beneath* ~ under lavmålet; under al kritik; *hold in* ~ nære foragt for; ringeagte; ~ *of court* (*jur.*) foragt for retten.
contemptible [kən'tem(p)təbl] *adj.* foragtelig, ussel, elendig.
contemptuous [kən'təm(p)tjuəs] *adj.* hånlig.
contend [kən'tend] *vb.* F **1.** påstå, hævde (*that* at); **2.** (*som argument*) anføre;
□ *the -ing parties* de stridende parter;
[*med præp.*] ~ *against* kæmpe med; ~ *for* kæmpe om, kappes om; ~ *with* **a.** (*person*) kæmpe med, kappes med; **b.** (*problem*) kæmpe med, døje med.
contender [kən'tendə] *sb.* **1.** deltager [*i konkurrence*]; **2.** konkurrent; kandidat (*for* til, *fx the nomination*); **3.** (*i boksning*) udfordrer.
content[1] ['kɔntent] *sb.* indhold; (se også *contents*).
content[2] [kən'tent] *sb.* tilfredshed;
□ *to his heart's* ~ så meget han lyster; af hjertens lyst; af et godt hjerte.
content[3] [kən'tent] *adj.* **1.** tilfreds; **2.** (*ved afstemning i Overhuset*) ja;
□ *he was* ~ *to* det var nok for ham at; han var tilfreds med at; *be* ~ *with* være tilfreds med; nøjes med.
content[4] [kən'tent] *vb.* tilfredsstille;
□ ~ *oneself with* lade sig nøje med; nøjes med.
contented [kən'tentid] *adj.* tilfreds (*fx smile*).
contention [kən'tenʃn] *sb.* **1.** strid

(*fx it was a source of* ~); **2.** (jf. *contend*) påstand (*fx my* ~ *is this* ...);
□ *be in* ~ *for* være med i konkurrencen om; *bone of* ~ stridens æble.
contentious [kən'tenʃəs] *adj.* **1.** (*om person*) stridbar, trættekær; **2.** (*om sag*) omstridt, kontroversiel;
□ ~ *issue* stridsspørgsmål.
contentment [kən'tentmənt] *sb.* tilfredshed; tilfredsstillelse (*fx find* ~ *in living alone*).
contents ['kɔntents] *sb. pl.* **1.** indhold; **2.** (*assur.*) indbo; effekter.
contest[1] ['kɔntest] *sb.* **1.** konkurrence (*fx beauty* ~); **2.** strid (*between* mellem); styrkeprøve; **3.** (*pol.*) kamp (*for* om); valgslag; kampvalg;
□ *the presidential* ~ kampen om præsidentposten.
contest[2] [kən'test] *vb.* **1.** (*påstand, afgørelse*) bestride; anfægte, rejse tvivl om; **2.** (*i konkurrence, valg*) konkurrere om; kæmpe for;
□ ~ *an election* (*om parti*) opstille en modkandidat ved et valg; *a -ed election* **a.** et kampvalg; **b.** (*am.*) [*et valg hvis gyldighed bestrides*].
contestant [kən'testənt] *sb.* **1.** konkurrencedeltager; **2.** (*ved valg*) modkandidat; **3.** (*am.*) [*en der bestrider et valgs gyldighed*];
□ *the -s* (*også*) de stridende parter.
context ['kɔntekst] *sb.* **1.** sammenhæng; kontekst; **2.** baggrund (*fx the historical* ~);
□ *in* ~ i (den rette) sammenhæng; *in the* ~ *of* i sammenhæng/forbindelse med; *som led i*; *quote it out of* ~ citere det uden for sin sammenhæng; lave citatfusk.
contextual [kən'tekstjuəl] *adj.* F som vedrører//fremgår af sammenhængen.
contextualize [kən'tekstjuəlaiz] *vb.* F sætte ind i en//den rette sammenhæng.
contiguity [kɔnti'gju:əti] *sb.* **1.** berøring; **2.** nærhed.
contiguous [kən'tigjuəs] *adj.* F tilstødende; som støder op til/grænser til hinanden;
□ *be* ~ *with/to* støde op til, grænse til.
continent[1] ['kɔntinənt] *sb.* kontinent, fastland; verdensdel;
□ *the Continent* (*i Eng.*) Europas fastland, Europa.
continent[2] ['kɔntinənt] *adj.*
1. (*med.*) kontinent [ɔ: som kan holde urin og afføring tilbage]; **2.** (*glds.*) mådeholden; afholdende, kysk.
continental[1] [kɔnti'nent(ə)l] *sb.* ud-

lænding [ɔ: fra det europæiske fastland].
continental[2] [kɔnti'nent(ə)l] *adj.*
1. fastlands-; kontinental; **2.** (*i Eng.*) fra det europæiske fastland; udenlandsk.
continental breakfast *sb.* [*morgenmad bestående af kaffe/te og rundstykker, mods. English breakfast*].
continental drift *sb.* (*geol.*) kontinentaldrift.
continental shelf *sb.* (*geol.*) kontinentalsokkel.
continental slope *sb.* (*geol.*) kontinentalskråning.
Continental System *sb.:* *the* ~ (*hist.*) fastlandsspærringen [*under Napoleonskrigene*].
contingency [kən'tindʒ(ə)nsi] *sb.* mulighed, (uforudset) tilfælde, eventualitet (*fx I am ready for all possible contingencies*);
□ *contingencies* (*i regnskab*) uforudsete udgifter.
contingency plan *sb.* plan for påkommende tilfælde; beredskabsplan.
contingent[1] [kən'tindʒ(ə)nt] *sb.*
1. gruppe (af deltagere); kontingent; **2.** (*af politi*) politistyrke; **3.** (*mil.*) troppekontingent.
contingent[2] [kən'tindʒ(ə)nt] *adj.* tilfældig;
□ *be* ~ *on* være afhængig/betinget af; afhænge af.
continual [kən'tinjuəl] *adj.* **1.** vedvarende, bestandig (*fx safeguarding*); **2.** (*især om noget ubehageligt*) stadig, uafladelig (*fx attacks; interruptions*).
continuance [kən'tinjuəns] *sb.*
1. fortsættelse (*fx the* ~ *of the human species*); **2.** forbliven (*fx his* ~ *in office*); **3.** vedvaren;
□ *during the* ~ *of the war* så længe krigen varer//varede.
continuation [kəntinju'eiʃn] *sb.* fortsættelse.
continue [kən'tinju] *vb.* **1.** fortsætte (*fx they -d the investigation*); blive ved med; **2.** (*uden objekt*) fortsætte (*fx the investigation -d*); blive ved;
□ ~ *as* fortsætte som; ~ + *-ing* fortsætte med at, blive ved med at (*fx he -d working*); *to be -d* fortsættes (i næste nummer); ~ *to* fortsætte med at, blive ved med at (*fx fight*); ~ *to be* blive ved med at være (*fx chairman*); *he -s to be ill* han er stadig syg; ~ *with* fortsætte (med) (*fx one's studies*); blive ved med.
continuing education *sb.* (*am.*) = *further education*.

C continuity

continuity [kɔnti'nju(:)əti] sb.
1. sammenhæng; kontinuitet;
2. (til film) drejebog; (se også continuity girl); 3. (radio.) manuskript.

continuity girl sb. (ved film) scripter.

continuous [kən'tinjuəs] adj.
1. vedvarende, stadig (fx noise); fortsat, kontinuerlig; uafbrudt (fx performance forestilling); 2. (om linje) fuldt optrukket.

continuous assessment sb. løbende evaluering.

continuous-form paper [kəntinjuəs'fɔːmpeipə] sb. papir i endeløse baner.

continuous stationery sb. (typ.) endeløse formularer.

continuum [kən'tinjuəm] sb. (pl. continua [kən'tinjuə]/-s) kontinuum; sammenhængende hele// række.

contort [kən'tɔːt] sb. 1. forvride, fordreje; 2. (uden objekt) blive forvredet/fordrejet, fortrække sig (fx his face -ed with pain).

contorted [kən'tɔːtid] adj. 1. forvreden (fx limbs); fordrejet, fortrukket; 2. (fig.) forvrænget, fordrejet (fx version of the truth).

contortion [kən'tɔːʃn] sb. 1. forvridning; kropsvridning; 2. (fig.) kompliceret manøvre.

contortionist [kən'tɔːʃ(ə)nist] sb. slangemenneske, kontorsionist.

contour ['kɔntuə] sb. 1. kontur, omrids; 2. (på kort) højdekurve.

contoured ['kɔntuəd] adj. afrundet; tilpasset.

contour feather sb. (zo.) dækfjer.

contour line sb. (på kort) højdekurve.

contour map sb. højdekort [med højdekurver].

contra ['kɔntrə] præp. imod.

contraband¹ ['kɔntrəbænd] sb. smuglergods; kontrabande;
□ ~ of war krigskontrabande.

contraband² ['kɔntrəbænd] adj. ulovlig, forbudt; smugler- (fx goods).

contraception [kɔntrə'sepʃn] sb. antikonception, svangerskabsforebyggelse.

contraceptive¹ [kɔntrə'septiv] sb. (svangerskabs)forebyggende middel; præservativ.

contraceptive² [kɔntrə'septiv] adj. antikonceptionel; (svangerskabs)forebyggende.

contraceptive pill sb. p-pille.

contraceptive sheath sb. kondom, præservativ.

contract¹ ['kɔntrækt] sb. 1. kontrakt, aftale; overenskomst; 2. (om byggeri, leverance etc.) entreprise; 3. (i bridge) kontrakt; 4. T aftale om lejemord;
□ award/give sby the ~ for sth (jf. 2) give en noget i entreprise; make the/one's ~ (jf. 3) holde kontrakten; win the ~ (jf. 2) få entreprisen; win the ~ for sth (jf. 2) få noget i entreprise.

contract² [kən'trækt] vb. 1. trække sig sammen (fx the muscle -ed; metal -s when it cools); forkortes; snøre sig sammen (fx his throat/ heart -ed); indsnævres; 2. (med objekt) trække sammen; forkorte; indsnævre, 3. (fig.) begrænse, indskrænke (fx expenses); 4. (sygdom) pådrage sig; 5. (aftale) bringe i stand, slutte (fx ~ an alliance with a foreign country); 6. (sprogv.) sammentrække;
□ credit is -ing kreditten strammes; ~ a debt pådrage sig en gæld; indgå en gældsforpligtelse; ~ debts stifte gæld; ~ bad habits lægge sig dårlige vaner til; ~ a marriage (glds.) indgå ægteskab; the -ing parties de kontraherende parter, kontrahenterne; (se også brow);
[med præp.& adv.] the job he was -ed for det arbejde han havde kontrakt på; ~ in tilslutte sig; ~ out a. trække sig ud; b. (arbejde) udlicitere (to til); ~ to slutte/ skrive kontrakt om at; ~ with slutte/skrive kontrakt med (fx ~ with them to make a film); kontrahere med.

contract bridge sb. kontraktbridge.

contraction [kən'trækʃn] sb. 1. (cf. contract² 2) sammentrækning (fx muscular -s); forkortning; indsnævring; 2. (fig.) begrænsning, indskrænkning (fx of expenses); 3. (om sygdom) pådragelse; 4. (om gæld) stiftelse; 5. (sprogv.) sammentrækning; 6. (ved fødsel) ve.

contract note sb. slutseddel.

contractor [kən'træktə] sb. 1. kontrahent; entreprenør; leverandør; 2. (anat.) sammentrækkende muskel.

contractual [kən'træktʃuəl] adj. kontraktlig, kontraktmæssig (fx obligation).

contradict [kɔntrə'dikt] vb. 1. (person) modsige; 2. (udsagn) modsige; stride imod, være i modstrid med.

contradiction [kɔntrə'dikʃn] sb. (jf. contradict) 1. modsigelse; 2. modsigelse; uoverensstemmelse;
□ ~ in terms selvmodsigelse.

contradictory [kɔntrə'dikt(ə)ri] adj. modstridende; uforenlig.

contraflow ['kɔntrəfləu] sb. (ved motorvejsreparation) [trafik i begge retninger i samme bane]; modkørende trafik.

contrail ['kɔntreil] sb. (flyv.) kondensstribe.

contraindication [kɔntrəindi'keiʃn] sb. (med.) kontraindikation [som taler imod at bruge en bestemt behandling].

contralto [kən'træltəu] sb. (mus.) kontraalt.

contraption [kən'træpʃn] sb. (mærkelig) indretning; tingest; himstregims.

contrapuntal [kɔntrə'pʌnt(ə)l] adj. (mus.) kontrapunktisk.

contrarian¹ [kən'trɛəriən] sb. F [en som altid er på tværs]; Rasmus Modsat.

contrarian² [kən'trɛəriən] adj. F som går imod den almindelige mening; kontrær.

contrariwise ['kɔntrəriwaiz] adv. 1. omvendt; modsat; 2. tværtimod.

contrary¹ ['kɔntrəri] sb.: the ~ det modsatte; quite the ~ tværtimod; [med præp.] go by contraries a. være stik imod hvad man venter; b. (om ting i drøm) betyde det modsatte; on the ~ tværtimod; examples//evidence to the ~ eksempler//beviser på det modsatte; assurances to the ~ forsikringer om det modsatte.

contrary² ['kɔntrəri] adj. modsat (fx information);
□ ~ to modsat (fx ~ to public opinion; ~ to what you may think); be ~ to stride imod, være i strid med.

contrary³ [kən'trɛəri] adj. vrangvillig; kontrær.

contrast¹ ['kɔntraːst] sb. kontrast; modsætning;
□ by/in ~ modsætningsvis; i modsætning hertil; (be) in ~ to (stå) i modsætning til.

contrast² [kən'traːst] vb. 1. sammenligne, stille op over for hinanden (fx ~ their two styles); 2. (uden objekt) stå i/danne modsætning til hinanden (fx their two styles ~);
□ ~ with a. stille i modsætning til; b. sammenligne med; c. (uden objekt) stå i/danne modsætning til; stå i/danne kontrast til; kontrastere med/mod.

contravene [kɔntrə'viːn] vb. 1. (om person) handle imod, overtræde (fx the regulations); 2. (om handling) være i strid med.

contravention [kɔntrə'venʃn] sb. 1. overtrædelse; 2. (mod)strid;

□ *in* ~ *of the regulations* i strid med bestemmelserne.

contretemps ['kɔːntrətaːŋ] *sb.* **1.** (kedeligt//pinligt) uheld; **2.** uoverensstemmelse, (lille) sammenstød (*with* med).

contribute [kən'tribjuːt, 'kɔntribjuːt] *vb.* **1.** bidrage; **2.** (*være med i arbejde*) medvirke, hjælpe 'til; **3.** (*med objekt*) bidrage med (*fx he had something to* ~); give (*fx money*); yde; levere (*fx troops and equipment*);
□ ~ *to* **a.** bidrage til, betale til (*fx charity*); **b.** hjælpe til i (*fx the family business*); **c.** bidrage til, medvirke til (*fx his downfall*); ~ *to a newspaper* skrive artikler til/skrive i en avis.

contribution [kɔntri'bjuːʃn] *sb.* bidrag.

contributor [kən'tribjutə] *sb.* **1.** bidragyder; **2.** (*ved blad*) medarbejder.

contributory [kən'tribjut(ə)ri] *adj.* bidragende; medvirkende (*fx cause; factor*).

contributory negligence *sb.* (*jur.*) egen skyld.

contributory pension scheme *sb.* [*pensionsordning med bidrag både fra arbejdsgiver og ansat*].

contrite ['kɔntrait] *adj.* (F el. *litt.*) angerfuld, brødebetynget; sønderknust [*af anger*].

contrition [kən'triʃn] *sb.* anger; sønderknuselse.

contrivance [kən'traiv(ə)ns] *sb.* **1.** påfund, påhit; **2.** (*ting*) opfindelse; indretning; anordning;
□ *it is a* ~ (*også*) det er noget de har fundet på/udtænkt; det er en snedig plan.

contrive [kən'traiv] *vb.* **1.** udtænke, opfinde, finde på; **2.** planlægge, arrangere;
□ ~ *to* finde middel til at; sørge for at; *he -d to* (*også ironisk*) det lykkedes ham at.

contrived [kən'traivd] *adj.* unaturlig, kunstig; konstrueret.

control[1] [kən'trəul] *sb.* **1.** magt, herredømme, kontrol (*over, of* over); **2.** (*mht. vækst, udvikling*) kontrol, regulering (*fx price* ~); styring (*fx of public expenditure*); **3.** (*mht. følelser*) selvbeherskelse (*fx it took a lot of* ~); **4.** (*mht. omfang*) begrænsning (*fx arms* ~); **5.** (*af skadedyr etc.*) bekæmpelse (*fx biological* ~; *crime* ~); **6.** (*for at se om noget er i orden*) kontrol, eftersyn (*fx passport* ~); **7.** (*i orienteringsløb*) post; **8.** (*for hemmelig agent*) føringsofficer; **9.** (*til apparat etc.*) betjeningshåndtag;

knap (*fx volume* ~);
□ *-s* **a.** betjeningshåndtag; **b.** (*flyv.; mar.*) styregrejer; **c.** (*økon.; pol.*) restriktioner (*on* over for); **d.** (*ved forsøg*) kontrolgruppe;
[*med vb.*] *gain* ~ *of* få magten over/i; *lose* ~ **a.** (*jf. 1*) miste herredømmet (*of* over, *fx one's car*); **b.** (*jf. 3*) miste selvbeherskelsen; *take* ~ overtage kontrollen/magten;
[*med præp.*] **beyond** *our* ~ se ndf.: *out of our* ~; *be in* ~ **a.** (*jf. 1*) have magten (*of* over); **b.** (*jf. 3*) have styr på sig selv; *be in* ~ *of* (*også*) have magt over/styr på; *it is out of our* ~ vi er ikke herre over det; *get out of* ~ løbe løbsk; *outside our* ~ se ovf.: *out of our* ~; *under* ~ under kontrol.

control[2] [kən'trəul] *vb.* (se også *controlled*) **1.** styre, kontrollere, beherske; **2.** (*mht. vækst*) kontrollere, regulere (*fx prices; wages*); **3.** (*mht. omfang*) begrænse (*fx the number of visitors*); **4.** (*skadedyr etc.*) bekæmpe.

control column *sb.* (*flyv.*) styrepind.

control cubicle *sb.* (*radio.*) kontrolrum.

control freak *sb.* [*en der er besat af at skulle have styr på alting*].

controlled [kən'trəuld] *adj.* **1.** kontrolleret (*fx state-*~); **2.** reguleret (*fx price-*~); **3.** (*om produkt*) underkastet restriktioner (*fx this drug is* ~); (*omtr.*) forbudt; **4.** (*mht. drift*) styret (*fx computer-*~); **5.** (*om person*) behersket.

controlled press *sb.* ensrettet presse.

controlled zone *sb.* område med parkometre.

controller [kən'trəulə] *sb.* **1.** leder, chef; direktør; **2.** F økonomichef; **3.** (*elek.*) strømfordeler.

controlling interest [kɔntrəuliŋ'intrəst] *sb.* aktiemajoritet, bestemmende indflydelse.

control panel *sb.* kontroltavle, betjeningstavle, styrepult.

control tag *sb.* alarmbrik.

controversial [kɔntrə'vəːʃ(ə)l] *adj.* **1.** kontroversiel, omstridt (*fx book; issue*); **2.** polemisk (*fx speech; book*).

controversialist [kɔntrə'vəːʃ(ə)list] *sb.* polemiker.

controversy ['kɔntrəvəːsi, kən'trɔvəsi, (*am. kun*) 'kɔn-] *sb.* strid; heftig uenighed, skarp meningsudveksling; (*især i avis, tidsskrift*) polemik.

contumacious [kɔntju'meiʃəs] *adj.* F ulydig [*mod retten*]; halsstarrig.

contumely ['kɔntjuməli] *sb.* (*glds.*) hån; forhånelse.

contuse [kən'tjuːz] *vb.* kvæste.

contusion [kən'tjuːʒ(ə)n] *sb.* kvæstelse; (*fagl.*) kontusion.

conundrum [kə'nʌndrəm] *sb.* F gåde.

conurbation [kɔnəː'beiʃn] *sb.* bydannelse [ɔ: *storby opstået ved sammensmeltning af flere byer*]; byområde.

convalesce [kɔnvə'les] *vb.* rekreere sig; (hvile ud for at) komme sig; være på rekreation.

convalescence [kɔnvə'les(ə)ns] *sb.* F rekonvalescens; rekreation.

convalescent[1] [kɔnvə'les(ə)nt] *sb.* rekonvalescent.

convalescent[2] [kɔnvə'les(ə)nt] *adj.* som er ved at komme sig.

convalescent home *sb.* rekreationshjem.

convection [kən'vekʃn] *sb.* konvektion, varmestrømning.

convector [kən'vektə] *sb.* konvektor [*varmeovn der opvarmer ved konvektion*].

convene [kən'viːn] *vb.* **1.** sammenkalde (*fx a meeting*); indkalde; **2.** (*uden objekt*) samles, komme sammen.

convener [kən'viːnə] *sb.* **1.** mødeindkalder; **2.** (*på arbejdsplads*) fællestillidsmand.

convenience [kən'viːniəns] *sb.* **1.** bekvemmelighed; **2.** behagelighed (*fx it is a* ~ *for us*); **3.** se *public convenience*;
□ *modern -s* moderne bekvemmeligheder;
[*med præp.*] *at your* ~ F når det passer Dem; ved lejlighed; *at your earliest* ~ snarest belejligt; *for* ~, *for -'s sake* for bekvemmelighedens skyld; af bekvemmelighedshensyn; (se også *flag*[1], *marriage*).

convenience food *sb.* delvis tilberedte madvarer; færdigretter [*frosne el. på dåse*]; ovnklare//grydeklare retter.

convenience goods *pl.* (*merk.*) dagligvarer [ɔ: *forbrugsvarer som købes refleksmæssigt*].

convenience store *sb.* (*især am.*) døgnkiosk.

convenient [kən'viːniənt] *adj.* **1.** bekvem, praktisk; **2.** (*om tidspunkt*) passende, belejlig; **3.** (*neds.*) bekvem, nem (*fx excuse*).

convenor [kən'viːnə] *sb.* = *convener*.

convent ['kɔnvənt] *sb.*
1. (nonne)kloster; **2.** klosterskole;
□ *enter a* ~ gå i kloster.

convention [kən'venʃn] *sb.* **1.** konvention, sædvane (*fx it is a* ~ *that*

...); skik og brug (*fx ~ dictates that ...*); **2.** (*organisations*) møde; kongres (*fx a party ~*); **3.** (*især mellem stater*) aftale; konvention (*fx a ~ on human rights*);
□ *by ~* (*jf. 1*) efter skik og brug.

conventional [kən'venʃn(ə)l] *adj.* **1.** (*om person*) konventionel; bundet af skik og brug; **2.** (*om metode*) hævdvunden; traditionel; **3.** (*om ting*) konventionel (*fx ~ weapons mods.* atomvåben); almindelig (*fx a ~ oven mods.* mikrobølgeovn);
□ *the ~ wisdom* se *wisdom*.

conventionality [kənvenʃ(ə)'næləti] *sb.* fastholden af det konventionelle.

conventioneer [kənvenʃ(ə)'niə] *sb.* (*am.*) kongresdeltager.

convent school *sb.* klosterskole.

converge [kən'və:dʒ] *vb.* **1.** (*om linjer*) løbe sammen; konvergere; **2.** (*om personer etc.*) samle sig; mødes; **3.** (*om synspunkter etc.*) nærme sig til hinanden;
□ *~ on the town* (nærme sig fra forskellige retninger og) mødes/samle sig i byen.

convergence [kən'və:dʒ(ə)ns] *sb.* konvergens; sammenløb; det at nærme sig til hinanden.

convergent [kən'və:dʒ(ə)nt] *adj.* sammenløbende; konvergerende; som nærmer sig til hinanden.

conversant [kən'və:s(ə)nt] *adj.:* ~ *with* F bekendt med, fortrolig med.

conversation [kɔnvə'seiʃn] *sb.* samtale; F konversation;
□ *bring the ~ round to* lede samtalen hen på; *carry on a ~* føre en samtale; *make ~* konversere; *strike up a ~ with* indlede en samtale med.

conversational [kɔnvə'seiʃn(ə)l] *adj.* **1.** konversations-, samtale-; **2.** (*om stil*) uformel; dagligdags;
□ *learn ~ English* lære engelsk dagligsprog.

conversationalist [kɔnvə'seiʃn(ə)list] *sb.* konversationstalent.

conversation piece *sb.* **1.** ting der giver anledning til samtale; samtaleemne; **2.** (*i kunst*) genrebillede.

converse[1] ['kɔnvə:s] *sb.* **1.** F omvendt forhold; **2.** (*mat.*) konverst udsagn, omvendt sætning;
□ *the ~* det omvendte.

converse[2] ['kɔnvə:s] *adj.* F omvendt.

converse[3] [kən'və:s] *vb.* F konversere, samtale (*with* med);
□ *~ with* (*også*) underholde sig

med.

conversion [kən'və:ʃn, (*am.*) -ʒn] *sb.* (jf. *convert*) **1.** forvandling (*into* til, *fx of a desert into a garden*); **2.** (*fys. & om stof*) omdannelse (*into* til, *fx of solar energy into electricity; of sugar into starch*); **3.** (*af hus, skib etc.*) ombygning (*into* til); **4.** (*af produktion*) omstilling, omlægning; **5.** (*ved beregning & merk.*) omregning (*fx of inches into centimetres*); omsætning, konvertering (*into* til, *fx dollars*); (*af valuta også*) omveksling; **6.** (*jur.*) (uretmæssig) tilegnelse; (se også *fraudulent conversion*); **7.** (*rel.& fig.*) omvendelse.

conversion table *sb.* omregningstabel.

convert[1] ['kɔnvə:t] *sb.* konvertit.

convert[2] [kən'və:t] *vb.* **1.** forvandle (*into* til, *fx a desert into a garden, a defeat into a victory*); lave om (*fx rags into paper*); **2.** (*stof & fys.*) omdanne (*into* til, *fx sugar into starch; energy into heat*); **3.** (*bygning, skib etc.*) ombygge (*into* til); **4.** (*produktion*) omstille; omlægge; **5.** (*ved beregning & merk.*) omregne; omsætte, konvertere (*into* til, *fx inches into centimetres; shares into cash*); (*valuta også*) omveksle (*fx pounds into dollars*); **6.** (*jur.*) tilvende sig; **7.** (*rel.*) omvende (*to* til); **8.** (*i rugby*) sparke mål efter et *try*; **9.** (*uden objekt*) (kunne) forvandles//omdannes//ombygges [*etc.*]; konvertere; **10.** (*rel.*) blive omvendt.

converter [kən'və:tə] *sb.* **1.** (*elek.*) omformer; **2.** (*it*) omsætter; **3.** = *catalytic converter*.

convertibility [kənvə:tə'biləti] *sb.* (*økon. om valuta*) konvertibilitet.

convertible[1] [kən'və:təbl] *sb.* **1.** (*bil med kaleche*) convertible, cabriolet; **2.** (*merk.*) konvertibelt værdipapir.

convertible[2] [kən'və:təbl] *adj.* **1.** (jf. *convert*[2]) som kan forvandles//omdannes *etc.*; **2.** (*merk.*) konvertibel, omvekslelig, ombyttelig, omsættelig; **3.** (*om bil*) med kaleche;
□ *~ into gold* guldindløselig.

convex ['kɔnveks] *adj.* konveks [ɔ: udadbuet].

convey [kən'vei] *vb.* **1.** give (*fx an idea, an impression*); bibringe, fremføre; **2.** (*budskab*) overbringe (*fx a message; one's apologies*); **3.** (*indhold*) udtrykke (*fx one's meaning*); gengive; tilkendegive (*fx one's views; he tried to ~ to me that ...*); **4.** (F: *person, gods*

etc.) transportere, befordre; føre; bringe; overføre; **5.** (*jur.: fast ejendom*) overdrage, tilskøde;
□ *it does not ~ anything to me* det siger mig ikke noget.

conveyance [kən'veiəns] *sb.* **1.** F befordring, transport; overførsel; overlevering; **2.** (*glds. el. litt.*) befordringsmiddel, transportmiddel; køretøj; **3.** (*jur.: af fast ejendom*) overdragelse, tilskødning; **4.** (*dokument*) skøde.

conveyancer [kən'veiənsə] *sb.* [*advokat med speciale i overdragelse af fast ejendom*].

conveyancing [kən'veiənsiŋ] *sb.* ejendomskøb og -salg [*inklusive udfærdigelse af tilhørende dokumenter, fx skødeskrivning*].

conveyer *sb.* = *conveyor*.

conveyor [kən'veiə] *sb.* transportbånd; transportør.

conveyor belt *sb.* = *conveyor*.

convict[1] ['kɔnvikt] *sb.* straffefange; strafafsoner.

convict[2] [kən'vikt] *vb.* kende skyldig (*of* i); domfælde;
□ *previously -ed* tidligere straffet.

conviction [kən'vikʃn] *sb.* **1.** overbevisning; mening; (se også *courage*); **2.** (*jur.*) domfældelse;
□ *carry ~* (*jf. 1*) virke overbevisende; *have previous -s* (*jf. 2*) være tidligere dømt/straffet (*for* for); *he had no previous -s* han var ikke tidligere straffet.

convince [kən'vins] *vb.* overbevise.

convivial [kən'viviəl] *adj.* F **1.** (*om person*) selskabelig; **2.** (*om stemning*) gemytlig, hyggelig; lystig.

convocation [kɔnvə'keiʃn] *sb.* F **1.** sammenkaldelse; **2.** forsamling, møde; **3.** (*rel.*) kirkemøde; gejstlig synode.

convoke [kən'vəuk] *vb.* sammenkalde.

convoluted ['kɔnvəlu:tid] *adj.* **1.** indviklet; snørklet; **2.** F snoet.

convolution [kɔnvə'lu:ʃn] *sb.* **1.** snoning, vinding; snirkel; **2.** komplikation;
□ *-s* (*jf. 2*) krummelurer; *cerebral -s* hjernevindinger.

convolvulus [kən'vɔlvjuləs] *sb.* (*bot.*) snerle.

convoy[1] ['kɔnvɔi] *sb.* (*af skibe el. køretøjer*) konvoj.

convoy[2] ['kɔnvɔi] *vb.* transportere i konvoj.

convulse [kən'vʌls] *vb.* **1.** have//få krampetrækninger; fortrække sig (*fx his face -d*); **2.** (*med objekt*) fremkalde krampetrækninger hos; ryste (*fx the cough -d his body*); **3.** (*fig.*) bringe i oprør;
□ *be -d with laughter* vride sig af

latter.
convulsion [kən'vʌlʃn] *sb.* krampe-
trækning;
□ *-s* (*fig.*) rystelser; *-s of laughter*
latterkrampe; krampelatter.
convulsive [kən'vʌlsiv] *adj.* kramp-
agtig.
cony ['kəuni] *sb.* (*glds.*) **1.** kanin;
2. kaninskind.
coo[1] [ku:] *vb.* **1.** (*om due*) kurre;
2. (*om person*) kurre; tale kælent;
3. (*om baby*) pludre; (se også *bill*[2]).
coo[2] [ku:] *interj.* ih! orv! næh!
cook[1] [kuk] *sb.* kok; kokkepige;
□ *be a good ~* være god til at lave
mad; *too many -s spoil the broth*
mange kokke fordærver maden.
cook[2] [kuk] *vb.* (se også *cooked*)
1. (*måltid*) tilberede; lave;
2. (*madvarer*) koge (*fx ~ vegeta-
bles*; *let the vegetables//fish ~ for
15 minutes*); stege; **3.** (*fig.*) forfal-
ske, pynte på, fuske med (*fx the
evidence*); lave fusk med; (se også
book[1]); **4.** (*am.*) gå fint; klare sig
fint;
□ *something big was -ing* der var
noget stort i gære; (se også *goose*[1]);
~ up **a.** brygge sammen (*fx a
story*; *an excuse*); **b.** (*måltid*)
bikse sammen; **c.** (*madvarer*)
koge.
cookbook ['kukbuk] *sb.* (*am.*) koge-
bog.
cooked [kukt] *adj.* kogt; tilberedt;
□ *a ~ breakfast* engelsk morgen-
mad [med bacon og æg, pølse
etc.]; *I'm ~* T det er sket med mig.
cooker ['kukə] *sb.* **1.** komfur;
2. madæble.
cookery ['kukəri] *sb.* kogekunst;
madlavning.
cookery book *sb.* kogebog.
cookhouse ['kukhaus] *sb.* lejrkøk-
ken; (*mil.*) feltkøkken; (*mar.*) ka-
bys.
cookie ['kuki] *sb.* **1.** (*am.*) småkage;
2. (*skotsk*) bolle; **3.** S (*sød*) pige,
sild; fyr;
□ *that's the way the ~ crumbles*
sådan går det her i livet; sådan er
det nu engang; *a tough ~* en hård
banan, en hård negl; en barsk fyr//
dame.
cookie cutter *sb.* (*am.*) kagespore.
cookie jar *sb.*: *with one's hands in
the ~* (*fig., am.*) med fingrene i
klejnekassen.
cookie pusher *sb.* **1.** (*am.* S) skvat;
spytslikker; **2.** [en der ikke be-
stiller andet end at rende til kaffe-
selskaber].
cookie sheet *sb.* (*am.*) bageplade.
cooking[1] ['kukiŋ] *sb.* madlavning.
cooking[2] ['kukiŋ] *adj.* mad- (*fx
apple*; *sherry*).

cooking fat *sb.* klaret.
cooking oil *sb.* spiseolie.
cooking top *sb.* (*am.*) bordkomfur.
cookware ['kukwɛə] *sb.* køkken-
grej.
cool[1] [ku:l] *sb.* kølighed;
□ *blow one's ~* (*am.* T) = *lose
one's ~*; *keep one's ~* T bevare
fatningen; tage det køligt; *lose
one's ~* T tabe fatningen; tabe ho-
vedet, gå fra snøvsen.
cool[2] [ku:l] *adj.* **1.** (*om temperatur*)
kølig; sval; afkølet; **2.** (*om person*)
rolig; koldsindig; **3.** (*om optræ-
den, mods. venlig*) kølig (*fx recep-
tion*); **4.** (T: *om udseende, optræ-
den*) tjekket (*fx they think it is ~
to smoke*); **5.** (*især am.* T) fed,
skøn, sej (*fx ~!*);
□ *be ~ about it* tage det køligt;
(*as*) *~ as a cucumber* kold og ro-
lig; *a ~ customer* T en fræk fyr; *a
~ hundred* T ikke mindre end
hundrede; hele hundrede; *keep ~*
holde hovedet koldt; *play it ~* op-
træde helt roligt; ikke lade sig
mærke med noget.
cool[3] [ku:l] *vb.* **1.** køle, køle af;
(af)svale; **2.** (*uden objekt*) kølne;
blive kølig; køle af; afsvales;
3. (*om person*) køle af; blive rolig;
□ *~ down/off = ~*; *~ it* T tage det
køligt; tage den med ro; hidse sig
ned; (se også *heel*[1]).
coolant ['ku:lənt] *sb.* kølevæske.
cooler ['ku:lə] *sb.* **1.** køletaske;
2. kølebeholder; (*til vin*) vinkøler;
(*til smør*) smørkøler; **3.** (*drik*) sva-
ledrik; **4.** (*am.*) køleskab;
□ *in the ~* S i spjældet, i skyggen.
coolheaded ['ku:lhedid] *adj.* kold-
blodig; besindig.
coolie ['ku:li] *sb.* (*glds.*) kuli.
cooling-off period [ku:liŋ'ɔfpiəriəd]
sb. fortrydelsesfrist, fortrydelses-
periode; betænkningstid.
cooling tower *sb.* køletårn.
coolly ['ku:lli] *adv.* **1.** køligt; **2.** ro-
ligt, koldblodigt; **3.** T frækt.
coolness ['ku:lnəs] *sb.* **1.** kølighed;
2. koldsindighed; koldblodighed;
3. T ugenerthed, frækhed;
□ *there is a ~ between them* (*fig.*)
der er kold luft imellem dem.
coomb [ku:m] *sb.* dal.
coon [ku:n] *sb.* **1.** vaskebjørn;
2. (*vulg.* S, *neds.*) neger.
coop[1] [ku:p] *sb.* hønsebur; kanin-
bur.
coop[2] [ku:p] *vb.* indespærre;
□ *~ in, ~ up* indespærre.
co-op [kəu'ɔp] *sb.* T brugs (ɔ: *brugs-
forening*).
cooper ['ku:pə] *sb.* (*glds.*) bødker.
cooperate [kəu'ɔpəreit] *vb.* **1.** sam-
arbejde (*with* med; *on* om; *in* +

-ing om at); **2.** medvirke (*fx they
refused to ~*).
cooperation [kəuɔpə'reiʃn] *sb.*
1. samarbejde; kooperation;
2. medvirken;
□ *in ~ with* i samarbejde med.
cooperative[1] [kəu'ɔp(ə)rətiv] *sb.* an-
delsforetagende.
cooperative[2] [kəu'ɔp(ə)rətiv] *adj.*
1. samvirkende; medvirkende;
2. (*om person*) samarbejdsvillig
(*fx you are not very ~*); **3.** (*om fo-
retagende*) andels- (*fx bakery*;
dairy; *movement*).
cooperative society *sb.* andelssel-
skab; brugsforening.
co-opt [kəu'ɔpt] *vb.* **1.** (*om komité,
nævn etc.*) supplere sig med;
2. (*medlem*) indvælge (*into* i); op-
tage (*into* i); **3.** (*ting*) overtage, til-
vende sig.
co-optation [kəuɔp'teiʃn] *sb.* selv-
supplering.
coordinate[1] [kəu'ɔ:dinət] *sb.* (*mat.*)
koordinat;
□ *-s* (*merk.*) tøj der matcher.
coordinate[2] [kəu'ɔ:dineit] *vb.* **1.** ko-
ordinere; samordne; **2.** (*merk.: om
beklædning*) passe til, matche.
coordinated [kəu'ɔ:dineitid] *adj.*
1. koordineret; **2.** (*om beklæd-
ning*) som matcher (*fx ~ shirt and
tie*).
coordinating [kəu'ɔ:dineitiŋ] *adj.*:
~ conjunction (*gram.*) sideord-
ningskonjunktion.
coordination [kəuɔ:di'neiʃn] *sb.* ko-
ordination; koordinering; samord-
ning.
coot [ku:t] *sb.* **1.** (*zo.*) blishøne; (se
også *bald*); **2.** (*am.* T) fjols.
cootie ['ku:ti] *sb.* (*am.* T) lus.
cop[1] [kɔp] *sb.* **1.** T strisser (ɔ: *politi-
betjent*); **2.** (jf. *cop*[2] *2*) anholdelse,
pågribelse; fangst;
□ *it is a fair ~* (*spøg. omtr.*) jeg
overgiver mig frivilligt; jeg giver
fortabt; *it's not much//no ~* T der
er ikke meget//ikke noget ved det.
cop[2] [kɔp] *vb.* T **1.** tage (fat i);
2. (*om politiet*) anholde, pågribe;
fange; **3.** (*noget ubehageligt*) få,
skaffe sig på halsen (*fx a lot of
trouble*); **4.** (*narko*) få fat i, skaffe,
købe (*fx heroin*);
□ *~ a feel* (*især am.*) gramse på
en; *~ hold of* tage (fat i); *~ it* **a.** få
en ordentlig omgang; **b.** blive
knaldet (ɔ: *straffet*); **c.** blive slået
ihjel, få en kugle; *~ out* T stå af;
bakke ud; krybe udenom; *~ a
plea* (*am.*) lave en studehandel
med politiet; tilstå for at slippe
billigere.
copacetic [kəupə'setik] *adj.* (*am.* T)
glimrende; helt i orden.

C *copal*

copal ['kəup(ə)l] *sb.* kopal [*slags harpiks*].

copartner [kəu'pa:tnə] *sb.* deltager; medejer; kompagnon.

copartnership [kəu'pa:tnəʃip] *sb.* kompagniskab.

cope[1] [kəup] *sb.* (*rel.*) korkåbe.

cope[2] [kəup] *vb.* klare den (*fx he couldn't ~*);
□ *~ with* magte; klare (*fx he could ~ with any situation*); hamle op med.

copeck ['kəupek] *sb.* kopek [*russisk mønt*].

Copenhagen [kəup(ə)n'heigən] København.

Copenhagen blue *sb.* lys blå farve.

copier ['kɔpiə] *sb.* kopimaskine.

copilot ['kəupailət] *sb.* andenpilot.

coping ['kəupiŋ] *sb.* afdækning [*af mur*]; murtag.

coping saw *sb.* dekupørsav.

coping stone *sb.* dæksten.

copious ['kəupiəs] *adj.* rigelig (*fx amounts of wine*); righoldig (*fx collection*); fyldig (*fx notes*).

copiously ['kəupiəsli] *adv.* rigeligt (*fx drink ~*); fyldigt; rigt (*fx ~ illustrated*).

cop-out ['kɔpaut] *sb.* T påskud, udflugt, undskyldning; måde at slippe udenom på.

copper[1] ['kɔpə] *sb.* 1. (*metal*) kobber; 2. (T: *betjent*) strisser; 3. (T: *mønt*) kobbermønt; 4. (*zo.*: *sommerfugl*) lille ildfugl; 5. (*glds.*) kobberkedel; vaskekedel, gruekedel.

copper[2] ['kɔpə] *adj.* kobberfarvet.

copper[3] ['kɔpə] *vb.* beklæde med kobber, forkobre.

copperas ['kɔpərəs] *sb.* ferrosulfat; jernvitriol.

copper beech *sb.* (*bot.*) blodbøg.

copper-bottomed [kɔpə'bɔtəmd] *adj.* 1. (*glds.*) kobberforhudet; 2. (*fig.*) T solid; stensikker.

copper handshake *sb.* (beskeden) afskedigelsesløn.

copperhead ['kɔpəhed] *sb.* (*am. zo.*) kobberhoved [*en giftslange*].

copperplate ['kɔpəpleit] *sb.* 1. kalligrafisk skrift, skønskrift; 2. kobberplade; 3. (*billede*) kobberstik.

copperplate printing *sb.* kobbertrykning.

coppersmith ['kɔpəsmiθ] *sb.* kobbersmed.

coppice[1] ['kɔpis] *sb.* krat, underskov.

coppice[2] ['kɔpis] *vb.* rodstævne.

copra ['kɔprə] *sb.* kopra [*tørrede kokoskerner*].

copse [kɔps] = *coppice*.

cop shop *sb.* T politistation.

Copt [kɔpt] *sb.* kopter.

copter ['kɔptə] *sb.* T helikopter.

Coptic[1] ['kɔptik] *sb.* (*sprog*) koptisk.

Coptic[2] ['kɔptik] *adj.* koptisk.

copulate ['kɔpjuleit] *vb.* parre sig, kopulere.

copulation [kɔpju'leiʃn] *sb.* parring, kopulering.

copy[1] ['kɔpi] *sb.* 1. (*mods. original*) kopi, efterligning; 2. (*af tekst*) kopi, genpart; afskrift; (*med karbonpapir*) gennemslag; 3. (*om bog, avis etc.*) eksemplar; 4. (*foto.*) kopi; 5. (*typ.*) manuskript; 6. (T: *i avis*) stof (*fx murders are always good ~*).

copy[2] ['kɔpi] *vb.* 1. kopiere; efterligne; 2. (*om tekst*) kopiere, skrive af;
□ *~ down* skrive ned; *~ from/off* skrive af efter; *~ out* kopiere; skrive af.

copybook[1] ['kɔpibuk] *sb.* skrivebog [*med forskrifter*];
□ *blot one's ~* (*fig.*) spolere sit gode navn og rygte; begå en fadæse.

copybook[2] ['kɔpibuk] *adj.* 1. forbilledlig (*fx performance*); lige efter bogen; 2. (*neds.*) banal, fortærsket (*fx maxim*).

copyboy ['kɔpibɔi] *sb.* (*am.*) redaktionsbud.

copycat[1] ['kɔpikæt] *sb.* (*især børnesprog*) efteraber; abekat.

copycat[2] ['kɔpikæt] *adj.* 1. efterlignet, kopieret, kopi-; 2. (*om forbrydelse*) [*identisk med tidligere begået*].

copydesk ['kɔpidesk] *sb.* (*am.*) [*del af redaktionssekretariat hvor manuskripter rettes til*].

copy-edit ['kɔpiedit] *vb.* tilrette/ trimme manuskripter.

copy editor *sb.* 1. (*på avis*) [*redaktionssekretær der tilretter/trimmer manuskripter*]; 2. (*på forlag*) manuskriptredaktør.

copyhold ['kɔpihəuld] *sb.* (*hist. jur.*) 1. arvefæste; 2. arvefæstegård.

copyholder ['kɔpihəuldə] *sb.* 1. (*hist. jur.*) arvefæster; 2. (*typ.*) manuskriptholder; tenakel.

copyist ['kɔpiist] *sb.* 1. afskriver; 2. plagiator.

copyright ['kɔpirait] *sb.* copyright, ophavsret; forfatterret, forlagsret.

copyright deposit *sb.* (*bibl.*) pligtaflevering.

copyrighted ['kɔpiraitid] *adj.* beskyttet ved copyright.

copywriter ['kɔpiraitə] *sb.* (reklame)tekstforfatter.

coquetry ['kɔkitri] *sb.* koketteri.

coquette [kɔ'ket] *sb.* kokette.

coquettish [kɔ'ketiʃ] *adj.* koket.

cor [kɔ:] *interj.* T guud! næh! orv!

coracle ['kɔrəkl] *sb.* [*lille båd bygget af vidjer beklædt med skind*].

coral[1] ['kɔr(ə)l] *sb.* 1. koral; 2. koraldyr.

coral[2] ['kɔr(ə)l] *adj.* 1. koralrød; 2. koral- (*fx necklace; reef*).

coralline ['kɔrəlain] *sb.* (*bot.*) koralmos.

cor anglais [kɔ:rɔŋ'glei, fr.] *sb.* (*pl. d.s.*) (*mus.*) engelskhorn.

corbel ['kɔ:b(ə)l] *sb.* (*arkit.*) konsol [ɔ: *fremspring i mur til støtte, fx for bue*]; konsolsten, kragsten.

cord[1] [kɔ:d] *sb.* (se også *cords*) 1. (kraftig) snor; 2. (*elek.; tlf.*) ledning; 3. (*mål for brænde*) favn; 4. (*stof*) jernbanefløjl;
□ *cut the ~* (*fig.*) skære navlestrengen over; (se også *spinal cord, umbilical cord, vocal cords*).

cord[2] [kɔ:d] *adj.* fløjls- (*fx jacket; suit*).

cordage ['kɔ:didʒ] *sb.* (*mar.*) tovværk.

corded ['kɔ:did] *adj.* 1. (*om stof*) ribbet; 2. (*om muskel*) svulmende; 3. (*om apparat*) med ledning.

cordial[1] ['kɔ:diəl, (*am.*) 'kɔ:dʒəl] *sb.* 1. frugtdrik [*lavet af koncentrat*]; 2. (*medicin*) tonikum; hjertestyrkning.

cordial[2] ['kɔ:diəl, (*am.*) 'kɔ:dʒəl] *adj.* 1. venskabelig, hjertelig (*fx welcome*); 2. (*om følelse*) inderlig, dybtfølt (*fx loathing*).

cordiality [kɔ:di'æləti] *sb.* venskabelighed; hjertelighed.

cordite ['kɔ:dait] *sb.* cordit [*røgfrit krudt*].

cordless ['kɔ:dləs] *adj.* trådløs (*fx phone*); batteri- (*fx shaver*).

cordon[1] ['kɔ:d(ə)n] *sb.* 1. afspærring; kæde; 2. (*arkit.*) kordongesims; 3. (*i havebrug*) snortræ [*frugttræ med kun én gren*];
□ *throw a ~ around the place* lægge en afspærring om stedet; spærre stedet af.

cordon[2] [kɔ:d(ə)n] *vb.*: *~ off* afspærre.

cordon bleu *adj.* af fineste gastronomiske kvalitet.

cords [kɔ:dz] *sb. pl.* fløjlsbukser.

corduroy ['kɔ:dərɔi] *sb.* jernbanefløjl; korduroy.

CORE *fork. f.* (*am.*) *Congress of Racial Equality*.

core[1] [kɔ:] *sb.* 1. det inderste; inderste del; kerne (*fx reactor ~; the ~ of the city bykernen*); 2. (*fig.*) kerne (*fx a ~ of truth; go straight to the ~ of the problem*); 3. (*af frugt*) kernehus; 4. (*af Jorden, af reaktor*) kerne; 5. (*af tov*) kalv, sjæl; **6.** (*af elek. kabel*) kore; **7.** (*ved støbning*) støbekerne; **8.** (*ved boring*) borekerne; □ *at the* ~ i sin kerne/grund; inderst inde; *it is at the* ~ *of the problem* det er kernen i problemet; *to the* ~ helt igennem (*fx Conservative to the* ~); helt ind til marven; *rotten to the* ~ pilrådden; *shaken to the* ~ rystet i sin sjæls inderste.

core[2] [kɔ:] *adj.* kerne-; hoved-; central; (se også *core subject, core time*).

core[3] [kɔ:] *vb.* udkerne; tage kernehuset ud af.

co-religionist [kəuri'lidʒənist] *sb.* trosfælle.

corer ['kɔ:rə] *sb.* kernehusudstikker [*til frugt*].

co-respondent ['kəurispɔndənt] *sb.* (*jur.*: *i skilsmissesag*) medindstævnt.

core subject *sb.* fællesfag.

core time *sb.* fikstid [*mods. flekstid*].

corgi ['kɔ:gi] *sb.* welsh corgi [*hunderace*].

coriander [kɔri'ændə] *sb.* (*bot. & krydderi*) koriander.

Corinth ['kɔrinθ] Korinth.

Corinthian[1] [kə'rinθiən] *sb.* korinter.

Corinthian[2] [kə'rinθiən] *adj.* korintisk.

cork[1] [kɔ:k] *sb.* **1.** kork; **2.** (*til flaske etc.*) prop; **3.** (*ved fiskeri*) korkflåd.

cork[2] [kɔ:k] *vb.* **1.** proppe til; sætte prop i; **2.** sværte//tegne med prop; □ ~ *up* **a.** = **1**; **b.** (*fig., om følelser*) undertrykke; gemme på.

corkage ['kɔ:kidʒ] *sb.* proppenge.

corked [kɔ:kt] *adj.* **1.** tilproppet; **2.** (*om vin*) som smager af prop.

corker ['kɔ:kə] *sb.*: *it//he was a* ~ (*glds.* T) det//han var helt fantastisk.

corking ['kɔ:kiŋ] *adj.* (*glds.* T) glimrende; herlig.

corkscrew ['kɔ:kskru:] *sb.* proptrækker.

corkscrew curls *sb. pl.* proptrækkerkrøller.

corkscrew stairs *sb. pl.* vindeltrappe.

corky ['kɔ:ki] *adj.* **1.** korkagtig; **2.** = *corked* **2**.

corm [kɔ:m] *sb.* (*bot.*) stængelknold.

cormorant ['kɔ:mərənt] *sb.* (*zo.*) skarv, ålekrage.

corn [kɔ:n] *sb.* **1.** korn; sæd; **2.** (*især am.*) majs; (se også *corn-on-the-cob*); **3.** (*am.* T) banalitet(er); sentimentalt pladder;

sødsuppe; **4.** (*på tæerne*) ligtorn; □ *pop* ~ (*am.*) poppe popcorn.

cornball[1] ['kɔ:nbɔ:l] *sb.* (*am.*) naiv og sentimental person.

cornball[2] ['kɔ:nbɔ:l] *adj.* (*am.*) = *corny*.

cornbread ['kɔ:nbred] *sb.* majsbrød.

corncob ['kɔ:nkɔb] *sb.* majskolbe.

corncob pipe *sb.* majspibe.

corncockle ['kɔ:nkɔkl] *sb.* (*bot.*) klinte.

corncrake ['kɔ:nkreik] *sb.* (*zo.*) engsnarre.

cornea ['kɔ:niə] *sb.* (*anat.*) hornhinde.

corned [kɔ:nd] *adj.* saltet, sprængt (*fx ham*).

corned beef *sb.* **1.** [presset og saltet oksekød i dåse]; **2.** (*am.*) [saltet oksekød krydret med hvidløg, peber og nelliker].

cornelian [kɔ:'ni:liən] *sb.* (*min.*) karneol.

corner[1] ['kɔ:nə] *sb.* **1.** hjørne; **2.** (*i rum*) hjørne, krog (*fx sit in a* ~); **3.** (*om fjernt sted*) afkrog (*fx a distant/far* ~ *of the world*); **4.** (*i fodbold*) hjørnespark; **5.** (*merk.*) spekulationsopkøb, corner; □ ~ *of the eye* øjenkrog; ~ *of the mouth* mundvig; *the four* -s *of the world/earth* de fire verdenshjørner; [*med vb.*] *cut a* ~ skyde genvej; *cut* -s T (*prøve at*) slippe nemt om ved det; *fight one's* ~ kæmpe for/forsvare sin sag; *have one's* -s *rubbed off* få kanterne slebet af; *turn the* ~ **a.** dreje om hjørnet; **b.** (*fig.*) komme over det værste; gå bedre tider i møde; [*med præp.*] *be in a (tight)* ~ være i knibe; *put in the* ~ sætte i skammekrogen; *drive sby into a* ~ (*fig.*) trænge en op i en krog; *paint/back/box oneself into a* ~ (*fig.*) bringe sig i en umulig situation; *male sig op i et hjørne; *round the* ~ (rundt) om hjørnet (*fx he disappeared round the* ~); *be just round the* ~ (*fig.*) være lige forestående, være lige om hjørnet.

corner[2] ['kɔ:nə] *vb.* **1.** trænge op i et hjørne/en krog; **2.** (*og snakke med*) lægge beslag på (*fx he -ed me for 15 minutes*); **3.** (*om bil*) køre om hjørnet//hjørner; tage et hjørne; **4.** (*merk.*) opkøbe [*og kontrollere markedet i*]; lave corner i.

corner shop *sb.* lille lokal butik; nærbutik; lille biks; □ -s småbutikker.

cornerstone ['kɔ:nəstəun] *sb.* **1.** hjørnesten; **2.** (*fig.*) hovedhjørnesten.

cornet ['kɔ:nit] *sb.* **1.** (*til is*) vaffel; **2.** (*af papir*) kræmmerhus; **3.** (*mus.*) kornet.

cornettist ['kɔ:nitist] *sb.* (*mus.*) kornettist.

corn-fed ['kɔ:nfed] *adj.* **1.** kornfedet; **2.** (*am.*) buttet, trivelig; **3.** (*am.*) landlig, provinsiel.

cornfield ['kɔ:nfi:ld] *sb.* kornmark.

cornflour ['kɔ:nflauə] *sb.* majsmel.

cornflower ['kɔ:nflauə] *sb.* **1.** (*bot.*) kornblomst; **2.** (*farve*) kornblå.

cornice ['kɔ:nis] *sb.* **1.** karnis; gesims; **2.** (*am.: over gardin*) korniche, stilkappe.

Cornish ['kɔ:niʃ] *adj.* som hører til Cornwall; kornisk.

Cornish pasty *sb.* [pie med kød og grønsager].

corn meal *sb.* majsmel.

corn-on-the-cob *sb.* (*om ret*) kogte majskolber.

corn pone *sb.* (*am.*) majsbrød.

cornstarch ['kɔrnsta:rtʃ] *sb.* (*am.*) = *cornflour*.

cornucopia [kɔ:nju'kəupjə] *sb.* **1.** overflødighedshorn; **2.** (*fig.*) overflod, overdådighed (*fx a* ~ *of food*).

corny ['kɔ:ni] *adj.* T fortærsket; banal; sentimental.

corollary [kə'rɔləri, (*am.*) 'kɔrələri] *sb.* F logisk konsekvens, naturlig følge; resultat.

corona [kə'rəunə] *sb.* (*pl. -e* [-ni:]) **1.** (*astr.; elek.*) korona; **2.** (*bot.*) bikrone.

coronary ['kɔrən(ə)ri] *sb.* = *coronary thrombosis*.

coronary artery *sb.* (*anat.*) kranspulsåre; (*fagl.*) koronararterie.

coronary thrombosis *sb.* (*med.*) blodprop i kranspulsåre; (*fagl.*) koronartrombose.

coronation [kɔrə'neiʃn] *sb.* kroning.

coroner ['kɔrənə] *sb.* [embedsmand som afholder ligsyn ved mistænkelige dødsfald].

coroner's inquest *sb.* (*retsligt*) ligsyn.

coronet ['kɔrənit] *sb.* adelskrone; □ *ducal* ~ hertugkrone; *earl's* ~ grevekrone.

Corp *fork. f.* **1.** *Corporal*; **2.** *Corporation*.

corpora ['kɔ:pərə] *pl. af corpus*.

corporal[1] ['kɔ:p(ə)r(ə)l] *sb.* (*mil.*) korporal.

corporal[2] ['kɔ:p(ə)r(ə)l] *adj.* legemlig, kropslig; korporlig.

corporal punishment *sb.* korporlig straf; fysisk afstraffelse.

corporate ['kɔ:p(ə)rət] *adj.* **1.** fælles (*fx responsibility*); samlet; forenet [*i en korporation*]; **2.** (*om stat*) korporativ; **3.** (*merk.*) virksom-

C *corporate body*

heds- (*fx executive* leder; *identity*); selskabs- (*fx right*); koncern- (*fx control; language; management*).
corporate body *sb.* juridisk person.
corporate culture *sb.* virksomhedskultur.
corporate raider *sb.* selskabsraider; børshaj.
corporation [kɔːpəˈreiʃn] *sb.*
1. (*merk.*) selskab, virksomhed; koncern; (*am.*) aktieselskab; **2.** (*jur.*) juridisk person; **3.** (*i by*) kommunalbestyrelse; **4.** (*glds.* T, *spøg.*) borgmestermave.
corporation tax *sb.* selskabsskat.
corporeal [kɔːˈpɔːriəl] *adj.* F **1.** legemlig; **2.** håndgribelig, materiel.
corps [kɔː] *sb.* (*pl. corps* [kɔːz]) korps.
corpse [kɔːps] *sb.* lig.
corpulence [ˈkɔːpjuləns] *sb.* korpulence.
corpulent [ˈkɔːpjulənt] *adj.* korpulent, kraftig, svær.
corpus [ˈkɔːpəs] *sb.* (*pl. corpora* [ˈkɔːpərə]) (*sprogv.*) korpus, tekstsamling.
corpuscle [ˈkɔːpʌsl] *sb.* (*fysiol.*) blodlegeme.
corral[1] [kəˈraːl] *sb.* (*især am.*) **1.** indhegning til kvæg//heste; kvægfold, hestefold; fangstfold; **2.** (*hist.*) vognborg.
corral[2] [kəˈraːl] *vb.* (*især am.*) **1.** drive ind i en indhegning; drive sammen; **2.** T få fat i, fange; samle; kapre (*fx votes*).
correct[1] [kəˈrekt] *adj.* **1.** (*mods. forkert*) rigtig, korrekt; **2.** (*om påklædning, optræden*) korrekt; □ *you are* ~ du har ret; *you were* ~ *in* + *-ing/to* du gjorde rigtigt i at.
correct[2] [kəˈrekt] *vb.* **1.** rette; korrigere; **2.** (*defekt*) afhjælpe; bøde på; modvirke; **3.** (*instrument*) indstille rigtigt, justere; □ ~ *me if am wrong* ret mig hvis jeg tager fejl; (*svarer til*) hvis jeg ikke taget meget fejl; *I stand -ed* jeg indrømmer min fejl.
correction [kəˈrekʃn] *sb.* **1.** rettelse; korrektion; **2.** (*am. el. glds.*) straf; □ *house of* ~ forbedringshus; *I speak under* ~ jeg siger det med al mulig reservation.
correctional [kəˈrekʃn(ə)l] *adj.* (*am.* F) straffe-; fængsels- (*fx staff*).
correction fluid *sb.* retteblæk, rettelak; T kvajeblæk.
correctitude [kəˈrektitjuːd] *sb.* korrekthed.
corrective[1] [kəˈrektiv] *sb.* F korrektiv (*to* til).
corrective[2] [kəˈrektiv] *adj.* F ret-

tende, korrigerende; forbedrende.
correlate [ˈkɔrəleit] *vb.* **1.** stå i forbindelse med hinanden, hænge sammen; **2.** (*med objekt*) koordinere (*fx two courses of study*); □ *be -d = 1;* ~ *with* **a.** stå i forbindelse med, hænge sammen med; **b.** (*med objekt*) sætte i forbindelse med, bringe i sammenhæng med.
correlation [kɔrəˈleiʃn] *sb.* F gensidigt forhold, korrelation (*between* mellem); sammenhæng (*with* med).
correlative[1] [kəˈrelətiv] *sb.*: *be a* ~ *of* være korrelat til; være forbundet med, hænge sammen med.
correlative[2] [kəˈrelətiv] *adj.*: *be* ~ *to* være forbundet med, hænge sammen med.
correspond [kɔrəˈspɔnd] *vb.* (*se også corresponding*) **1.** (*om personer*) korrespondere; veksle breve; **2.** (*om ting*) svare til hinanden (*fx the two descriptions* ~); □ ~ *to* svare til; ~ *with* **a.** korrespondere med, brevveksle med; **b.** stemme overens med, harmonere med, passe til.
correspondence [kɔrəˈspɔndəns] *sb.* **1.** korrespondance, brevveksling (*with* med); **2.** (*det skrevne*) korrespondance, breve (*fx he didn't mention it in his* ~); **3.** (*mellem ting*) overensstemmelse (*between* mellem); korrespondance.
correspondence column *sb.* (*i avis*) læserbrevsspalte.
correspondence course *sb.* korrespondancekursus.
correspondent [kɔrəˈspɔnd(ə)nt] *sb.* **1.** brevskriver (*fx I am not a very good* ~); (*til avis*) læserbrevsskribent; **2.** (*journalist*) korrespondent; medarbejder.
corresponding [kɔrətˈspɔndiŋ] *adj.* tilsvarende.
corridor [ˈkɔridɔː] *sb.* **1.** gang, korridor; **2.** (*geogr.*) korridor.
corrigenda [kɔriˈdʒendə] *sb. pl.* rettelser.
corroborate [kəˈrɔbəreit] *vb.* F bekræfte.
corroboration [kərɔbəˈreiʃn] *sb.* bekræftelse.
corroborative [kəˈrɔbərətiv] *adj.* bekræftende.
corrode [kəˈrəud] *vb.* **1.** (*især om metal*) korrodere, tæres, ruste; **2.** (*med objekt*) ætse, tære, korrodere; **3.** (*fig., litt.*) nedbryde, undergrave (*fx ideals*).
corrosion [kəˈrəuʒ(ə)n] *sb.* ætsning, tæring, korrosion.
corrosive [kəˈrəusiv] *adj.* **1.** ætsende, tærende; **2.** (*fig.*) nedbrydende, undergravende; ætsende.

corrugated [ˈkɔrəgeitid] *adj.* rynket; riflet.
corrugated cardboard *sb.* bølgepap.
corrugated iron *sb.* bølgeblik.
corrupt[1] [kəˈrʌpt] *adj.* **1.** (*om person*) bestikkelig, korrupt, korrumperet; (*moralsk*) moralsk fordærvet; **2.** (*om andet*) rådden (*fx the whole system is* ~); fordærvet; **3.** (*om tekst*) forvansket, korrumperet; **4.** (*it: om program*) beskadiget; ødelagt; □ ~ *practices* bestikkelse.
corrupt[2] [kəˈrʌpt] *vb.* **1.** (*person*) bestikke, korrumpere; (*moralsk*) demoralisere; **2.** (*andet*) fordærve, ødelægge (*fx their taste*); **3.** (*tekst*) forvanske; **4.** (*it*) beskadige (*fx a -ed file*); ødelægge (*fx -ed data*); □ *evil communications* ~ *good manners* slet selskab fordærver gode sæder.
corruptible [kəˈrʌptəbl] *adj.* **1.** forgængelig; (*især glds., bibelsk*) forkrænkelig; **2.** (*om person*) bestikkelig.
corruption [kəˈrʌpʃn] *sb.* **1.** moralsk fordærv; **2.** (*om person*) bestikkelse, korruption; **3.** (*om tekst*) forvanskning; forfalskning; **4.** (*især glds., bibelsk*) forkrænkelighed.
corsage [kɔːˈsaːʒ] *sb.* **1.** brystbuket; **2.** kjoleliv.
corsair [ˈkɔːsɛə] *sb.* (*glds.*) **1.** sørøver, korsar; **2.** sørøverskib.
corselette [ˈkɔːs(ə)lət] *sb.* korselet.
corset [ˈkɔːsət] *sb.* korset.
corsetry [ˈkɔːsətri] *sb.* **1.** korsetfabrikation; **2.** korsetter.
Corsica [ˈkɔːsikə] Korsika.
Corsican[1] [ˈkɔːsikən] *sb.* korsikaner.
Corsican[2] [ˈkɔːsikən] *adj.* korsikansk.
cortege [kɔːˈteiʒ] *sb.* **1.** optog, kortege; **2.** (*ved begravelse*) ligtog.
cortex [ˈkɔːteks] *sb.* (*pl. cortices* [ˈkɔːtisiːz]) bark.
cortisone [ˈkɔːtizəun] *sb.* (*med.*) cortisone.
coruscating [ˈkɔrəskeitiŋ] *adj.* **1.** funklende (*fx wit*); gnistrende; **2.** glimtende.
corvée [ˈkɔːvei] *sb.* (*hist.*) hoveriarbejde.
corvette [kɔːˈvet] *sb.* (*mar.*) korvet.
cos[1] [kɔs] *sb.* (*bot.*) bindsalat.
cos[2] *konj.* T = *because*.
cos[3] *fork. f.* cosine.
cosh[1] [kɔʃ] *sb.* S [*kort gummiknippel med metal*]; totenschlæger.
cosh[2] [kɔʃ] *vb.* slå ned.
cosignatory [kəuˈsignət(ə)ri] *sb.* medunderskriver.

cosine [ˈkəusain] *sb.* (*mat.*) kosinus.
cos lettuce *sb.* (*bot.*) bindsalat.
cosmetic [kɔzˈmetik] *adj.* 1. kosmetisk; forskønnende; 2. (*neds.*) kosmetisk, rent dekorativ.
cosmetic case *sb.* (*am.*) beautyboks.
cosmetics [kɔzˈmetiks] *sb. pl.* kosmetik.
cosmetic surgery *sb.* kosmetisk kirurgi; plastikkirurgi.
cosmic [ˈkɔzmik] *adj.* 1. kosmisk; som vedrører//tilhører verdensaltet; 2. (*fig.*) vældig, uhyre (*fx of ~ proportions*).
cosmic rays *sb. pl.* kosmiske stråler.
cosmology [kɔzˈmɔlədʒi] *sb.* kosmologi, lære//teori om universets oprindelse og beskaffenhed.
cosmonaut [ˈkɔzmənɔ:t] *sb.* kosmonaut, (russisk) rumpilot.
cosmopolitan[1] [kɔzməuˈpɔlit(ə)n] *sb.* kosmopolit, verdensborger.
cosmopolitan[2] [kɔzməuˈpɔlit(ə)n] *adj.* kosmopolitisk.
cosmos [ˈkɔzmɔs] *sb.* kosmos, verdensaltet.
Cossack [ˈkɔsæk] *sb.* kosak.
cosset [ˈkɔsit] *vb.* forkæle.
cost[1] [kɔst] *sb.* (se også *costs*) 1. omkostning; udgift; 2. (*fig.*) omkostning;
□ *count the ~* beregne omkostningerne; veje for og imod; tage alle forhold i betragtning;
[*med præp.*] **at** ~ for fremstillingsprisen; til kostpris; til indkøbspris; *at any* ~ for enhver pris; *at no extra* ~ uden ekstra udgift; **at** *a* ~ *of* **a.** til en pris af; **b.** med et tab på; *at the* ~ *of* på bekostning af; *at great* ~ *of life* med tab af mange menneskeliv; *I know it* **to** *my* ~ det har jeg fået at føle; jeg ved det af bitter erfaring; (se også *cost of living*).
cost[2] [kɔst] *vb.* (*cost, cost*) koste; □ *it'll* ~ *you* det bliver dyrt; *it ~ me dear* det kom mig dyrt at stå; *it -s an arm and a leg/a bomb/the earth/a packet* det koster det hvide ud af øjnene; det koster en bondegård/en formue.
cost[3] [kɔst] *vb.* (*-ed, -ed*) 1. beregne omkostninger; lave kalkule; 2. (*med objekt*) beregne omkostningerne ved; omkostningsberegne.
cost accountant *sb.* driftsbogholder; regnskabschef.
cost accounting *sb.* omkostningsberegning; kalkule.
costal [ˈkɔst(ə)l] *adj.* (*anat.*) ribbens-.

co-star[1] [ˈkəusta:] *sb.* medspiller [*i en anden hovedrolle*];
□ *-s* hovedrolleindehavere.
co-star[2] [ˈkəusta:] *vb.* have ... i hovedrollerne;
□ ~ *with sby* optræde sammen med en i en hovedrolle.
Costa Rican[1] [kɔstətˈri:kən] *sb.* costaricaner.
Costa Rican[2] [kɔstətˈri:kən] *adj.* costaricansk.
cost-benefit analysis [kɔstˈbenifitənælisis] *sb.* (*pl. ... analyses* [-ənælisi:z]) rentabilitetsberegning; cost-benefit-analyse; samfundsøkonomisk analyse.
cost-effective [kɔstiˈfektiv] *adj.* omkostningseffektiv; rentabel.
costermonger [ˈkɔstəmʌŋgə] *sb.* (*glds.*) gadehandler [*især med frugt*].
costing [ˈkɔstiŋ] *sb.* overslag over udgifter; omkostningsberegning; kalkulation.
costive [ˈkɔstiv] *adj.* træg.
costly [ˈkɔstli] *adj.* kostbar; dyr.
costmary [ˈkɔstmɛəri] *sb.* (*bot.*) rejnfan.
cost of living [kɔstəvˈliviŋ] *sb.* leveomkostninger.
cost-of-living allowance *sb.* dyrtidstillæg.
cost-of-living index *sb.* forbrugerprisindeks.
cost price *sb.* fremstillingspris; kostpris.
costs [kɔsts] *sb. pl.* 1. omkostninger; 2. (*jur.*) sagsomkostninger;
□ *at all* ~ for enhver pris.
costume [ˈkɔstju:m] *sb.* 1. dragt (*fx national* ~); 2. (*skuespillers etc.*) kostume.
costume drama *sb.* [*stykke hvor skuespillerne bærer historiske kostumer*].
costume jewellery *sb.* bijouteri.
costumier [kɔˈstju:miə] *sb.* 1. kostumier; teaterskrædder; 2. (*firma*) karnevalsgarderobe [*som udlejer kostumer*].
cosy[1] [ˈkəuzi] *sb.* 1. tevarmer, tehætte; 2. æggevarmer.
cosy[2] [ˈkəuzi] *adj.* 1. hyggelig; lun; behagelig; 2. (*om forhold*) hyggelig; (*neds.*) sammenspist, indspist; 3. (*om indstilling*) ubekymret, sorgløs; selvtilfreds; 4. (*om handel*) til gensidig fordel; lidt for fordelagtig.
cosy[3] [ˈkəuzi] *vb.*: ~ *up to* T **a.** putte sig ind til; **b.** indynde sig hos; fedte/sleske for.
cot[1] [kɔt] *sb.* 1. barneseng; tremmeseng; 2. (*am.*) feltseng, lejrseng; 3. (*til kvæg etc.*) fold; læskur; sti.
cot[2] *fork. f.* cotangent.

cotangent [kəuˈtændʒ(ə)nt] *sb.* kotangens.
cot death *sb.* vuggedød.
coterie [ˈkəutəri] *sb.* klike.
coterminous [kəuˈtə:minəs] *adj.* som har samme udstrækning/grænser.
cottage [ˈkɔtidʒ] *sb.* 1. lille hus [*på landet*]; feriehus; hytte; 2. arbejderbolig; 3. S offentligt toilet [*hvor bøsser mødes*];
□ *love in a* ~ kærlighed og kildevand.
cottage cheese *sb.* hytteost.
cottage industry *sb.* hjemmeindustri.
cottage loaf *sb.* [*rundt brød med et mindre rundt brød ovenpå*].
cottage pie *sb.* = shepherd's pie.
cottager [ˈkɔtidʒə] *sb.* (*glds.*) [*en der bor i en cottage*]; husmand.
cottaging [ˈkɔtidʒiŋ] *sb.* S [*tilfældig homoseksuel forbindelse på offentligt toilet*].
cotter pin *sb.* split.
cotton[1] [ˈkɔt(ə)n] *sb.* 1. bomuld; 2. bomuldstøj; 3. bomuldstråd; 4. (*am.*) vat.
cotton[2] [ˈkɔt(ə)n] *vb.*: ~ *on* T fatte det, begribe det (*fx it took me a while to* ~ *on*); ~ *on to* T fatte, begribe; *he -ed on to it* (*også*) det gik op for ham; ~ *to* (*am.* T) **a.** føle sig tiltrukket af, synes godt om; **b.** = ~ *on to.*
cotton bud *sb.* vatpind.
cotton candy *sb.* (*am.*) = candy-floss.
cotton gin *sb.* (*i tekstilfabrikation*) bomuldsegreneringsmaskine.
cotton grass *sb.* (*bot.*) kæruld.
cotton mill *sb.* 1. bomuldsspinderi; 2. bomuldsvæveri.
cotton-picking [ˈkɔt(ə)npikiŋ] *adj.* (*am.* S) pokkers.
cottontail [ˈkɔt(ə)nteil] *sb.* (*am. zo.*) [*art vildkanin*].
cotton waste *sb.* bomuldsaffald; tvist.
cottonwood [ˈkɔt(ə)nwud] *sb.* balsampoppel.
cotton wool *sb.* 1. vat; 2. (*am.*) råbomuld;
□ *wrap sby up in* ~ (*fig.*) pakke en ind i vat.
cotyledon [kɔtiˈli:dən] *sb.* (*bot.*) kimblad.
couch[1] [kautʃ] *sb.* 1. (*møbel*) ottoman; sofa; 2. (*hos læge*) leje, briks.
couch[2] [kautʃ] *vb.* (se også *couched*) 1. udtrykke, formulere (*fx in diplomatic language*); affatte; 2. (*litt.*) lægge sig, lejre sig.
couchant [ˈkautʃnt] *adj.* (*her.*) hvilende.

C couched

couched [kautʃt] *adj.* liggende;
□ *be ~ in* være affattet i, være udtrykt/formuleret i (*fx general terms*).
couchette [kuːˈʃet] *sb.* (*jernb.*) liggeplads [*i liggevogn*].
couchette car *sb.* liggevogn.
couch grass *sb.* (*bot.*) kvikgræs.
couch potato *sb.* sofakartoffel [*som ligger på sofaen og ser tv*]; sløv paddde; tv-narkoman.
cougar [ˈkuːgə] *sb.* (*zo.*) kuguar, puma.
cough[1] [kɔf] *sb.* hoste.
cough[2] [kɔf] *vb.* hoste;
□ *~ up* **a.** hoste op (*fx blood*);
b. (T: *penge*) hoste op med, rykke ud med; **c.** (T: *uden objekt*) hoste op med/rykke ud med pengene, punge ud; *~ it up!* T ud med sproget! spyt ud!
cough drop *sb.* (*især am.*) = *cough sweet.*
cough mixture *sb.* hostesaft.
cough sweet *sb.* hostebolsje; hostepastil.
cough syrup *sb.* hostesaft.
could [kəd, (*betonet*) kud] *præt. af* can.
coulis [ˈkuːli] *sb.* (*i madlavning*) coulis [*tynd puré af frugt el. grønsager*].
coulter [ˈkəultə] *sb.* plovjern, langjern.
council [ˈkauns(ə)l] *sb.* **1.** råd; rådsforsamling; **2.** (*i lokalt selvstyre*) kommunalbestyrelse, byråd; (*i county*) amtsråd; **3.** (*rel.*) kirkeforsamling; koncilium.
council flat *sb.* kommunal lejlighed.
council house *sb.* kommunal bolig.
councillor [ˈkaunsilə] *sb.* (jf. *council 2*) byrådsmedlem, kommunalbestyrelsesmedlem; (*i county council*) amtsrådsmedlem.
councilman [ˈkauns(ə)lmən] *sb.* (*pl.* -men [-mən]) (*am.*) = *councillor.*
council tax *sb.* kommuneskat [*beregnet efter ejendomsværdi*].
councilwoman [ˈkauns(ə)lwumən] *sb.* (*pl.* -women [-wimin]) (*am.*) = *councillor.*
counsel[1] [ˈkauns(ə)l] *sb.* **1.** (*litt.*) råd (*fx give good ~*); **2.** (*person, pl. counsel*) advokat; juridisk konsulent;
□ *Queen's/King's Counsel* (jur.) [*titel hvis indehaver optræder som Counsel for the Crown,*]; *Counsel for the Crown, Counsel for the Prosecution* anklager [*i kriminalsager*]; *Counsel for the Defence* forsvarer [*i kriminalsager*]; *Counsel for the Defendant* den sagsøgtes advokat; *Counsel for the Plain-*

tiff sagsøgerens advokat; *~ of despair* fortvivlet udvej; *~ of perfection* (omtr.=) uopnåeligt ideal; [*med vb.*] *keep one's own ~* holde tand for tunge; *saner -s will prevail* (*omtr.=*) man vil komme på bedre tanker; fornuften vil sejre; *take ~* holde rådslagning; *take ~ from sby* følge ens råd; *take ~ with sby* rådføre sig med en.
counsel[2] [ˈkauns(ə)l] *vb.* **1.** give råd, rådgive (*on* om); råde; **2.** tilråde.
counselling [ˈkauns(ə)liŋ] *sb.*
1. rådgivning; **2.** (*efter voldsom oplevelse*) kriserådgivning, krisehjælp.
counsellor [ˈkaunsələ] *sb.* **1.** vejleder; rådgiver; **2.** (*am.; irsk*) advokat; **3.** (*på ambassade*) ambassaderåd.
count[1] [kaunt] *sb.* **1.** optælling; tælling; **2.** (*resultat; i sms.*) tal (*fx pollen ~*); **3.** (*i boksning*) tælling; **4.** (*jur.*) anklagepunkt (*fx the ~ was dropped* (frafaldet)); **5.** (*i diskussion*) punkt (*fx I disagree with you on several -s*); **6.** (*adelstitel: om ikke-engelske forhold*) greve;
□ *keep ~ of* holde tal på; holde rede på; *lose ~* løbe sur i det; *I have lost ~ of them* jeg kan ikke holde tal på dem mere; *I had lost ~ of the time* tiden var løbet fra mig; *take the ~* (jf. *3*) blive talt ud; *take a ~ of eight* (jf. *3*) tage tælling til otte;
[*med præp.*] *be out for the ~* **a.** (jf. *3*) være slået helt ud; **b.** T være helt bevidstløs [ɔ: *sove dybt*]; *he went down for a ~ of eight* (jf. *3*) han tog tælling til otte; *hold your breath for a ~ of five* hold vejret mens jeg//du tæller til fem; *on all -s* på alle punkter; *acquitted on all -s* frifundet for alle anklagepunkter; *indicted on two -s of murder* anklaget for to tilfælde af mord; *on the ~ of three* når jeg har talt til tre.
count[2] [kaunt] *vb.* **1.** tælle, tælle op (*fx ~ the votes*); **2.** (*til et tal*) tælle til (*fx ~ 20*); **3.** (*om vurdering, med omsagnsled* F) anse for, regne for (*fx ~ oneself fortunate; ~ the meeting a success*); **4.** (*uden objekt*) tælle (*fx learn to ~*); **5.** (*om person, forhold*) have betydning, betyde noget (*fx that does not ~*); veje; tælle (*fx every penny -s*); komme i betragtning;
□ *~ as* **a.** regne for, anse for (*fx they ~ it as one of the greatest events in world history*); **b.** (*uden objekt*) regnes for (*fx this book -s as a masterpiece*); gælde for/som;

you can ~ yourself lucky du kan prise dig lykkelig (*fx that you did not meet him*); *stand up and be -ed* (fig.) bekende kulør; (se også *chicken*[1], *nose*[1]);
[*med præp.& adv.*] *~ it against him* lægge ham det til last; lade det komme ham til skade; *~ among* **a.** regne blandt; **b.** (*uden objekt*) være blandt (*fx he does not ~ among my friends*); *~ down* tælle ned; *~ for* **a.** betyde (*fx it -s for nothing*); **b.** gælde for; **c.** regne for, anse for; *~ in* medregne; tælle med; *~ me in* jeg vil gerne være med; *~ off* dele ind (ved at tælle højt); *~ off by threes!* del ind til tre! *~ on* gøre regning på; regne med; *~ out* **a.** tælle op [*langsomt og besværligt*]; **b.** tælle ud [*i boksning*]; **c.** lade ude af betragtning; *~ out the House* [*hæve mødet (i Underhuset) som ikke beslutningsdygtigt*]; *~ me out* jeg vil ikke være med; hold mig udenfor; *~ over* tælle efter; *~ towards* tælle med i/til, regnes med til; *~ up* tælle op, tælle sammen; *~ upon* se ovf.: *~ on.*
countable [ˈkauntəbl] *adj.* tællelig.
countdown [ˈkauntdaun] *sb.* nedtælling [*ved raketaffyring*].
countenance[1] [ˈkauntənəns] *sb.* F **1.** ansigt; **2.** ansigtsudtryk, mine; **3.** støtte; billigelse;
□ *change ~* skifte farve; *give ~ to* støtte, give støtte til; billige, gå med til; opmuntre; *keep one's ~* bevare fatningen; lade være med at le; *lend ~ to = give ~ to*; *lose ~* tabe fatningen; *put sby out of ~* bringe en ud af fatning.
countenance[2] [ˈkauntənəns] *vb.* F støtte; billige, tolerere; gå med til (*fx I will not ~ the use of force*).
counter[1] [ˈkauntə] *sb.* **1.** (*i butik etc.*) disk; skranke; **2.** (*am.: i køkken*) køkkenbord; **3.** (*ved spil*) jeton; spillemønt; (se også *bargaining counter*); **4.** (cf. *count*[2] *1*) tæller; tælleværk; **5.** (jf. *counter*[2] *1*) modforanstaltning (*to* mod); imødegåelse (*to* af); svar (*to* på, *fx as a ~ to their growing influence*); **6.** (*i boksning*) kontrastød, modstød; **7.** (*mar.*) gilling;
□ *over the ~* (*om medicin*) uden recept; i håndkøb; *under the ~* **a.** under disken; **b.** under hånden; hemmeligt.
counter[2] [ˈkauntə] *vb.* **1.** imødegå, svare på (*fx an argument; criticism*); **2.** (*foran direkte tale*) svare, replicere; **3.** (*problem*) imødegå, afhjælpe; (*uheldig virkning*) mod-

virke (*fx coffeine -s tiredness*);
4. (*uden objekt*) svare igen (*fx he
-ed by saying that ...*); **5.** (*i boks-
ning*) slå kontra.
counter³ ['kauntə] *adv.* modsat;
imod;
□ ~ *to* imod (*fx act* ~ *to one's in-
structions*); *run* ~ *to* være i mod-
strid med, være stik imod.
counteract [kauntə'rækt] *vb.* mod-
virke.
counteractive [kauntə'ræktiv] *adj.*
modvirkende.
counterargument ['kauntərə-
:gjumənt] *sb.* modargument.
counterattack¹ ['kauntərətæk] *sb.*
modangreb.
counterattack² ['kauntərətæk] *vb.*
foretage modangreb.
counterattraction ['kauntər-
ətrækʃn] *sb.* konkurrerende attrak-
tion.
counterbalance¹ ['kauntəbæləns]
sb. modvægt.
counterbalance² [kauntə'bæləns]
vb. opveje.
counterblast ['kauntəbla:st] *sb.*
modstød; kraftig imødegåelse.
countercharge ['kauntətʃa:dʒ] *sb.*
modbeskyldning; modangreb.
counterclaim¹ ['kauntəkleim] *sb.*
modkrav.
counterclaim² ['kauntəkleim] *vb.*
stille modkrav.
counterclockwise [kauntə'klɔk-
waiz] *adv.* (*am.*) mod uret [ɔ: *mod
urviserens bevægelsesretning*].
counterespionage [kauntər'e-
spiəna:ʒ] *sb.* kontraspionage.
counterfeit¹ ['kauntəfit] *sb.* for-
falskning; efterligning.
counterfeit² ['kauntəfit] *adj.* forfal-
sket; eftergjort.
counterfeit³ ['kauntəfit] *vb.* **1.** for-
falske; efterlave; efterligne; **2.** (*fø-
lelse*) foregive, hykle.
counterfoil ['kauntəfɔil] *sb.* talon [*i
checkhæfte*].
counterintelligence [kauntərin'te-
lidʒəns] *sb.* kontraspionage.
counterman ['kauntəmən] *sb.* (*pl.
-men* [-mən]) **1.** buffist; **2.** ekspedi-
ent.
countermand [kauntə'ma:nd] *vb.*
1. tilbagekalde (*fx an order*);
2. (*vare*) afbestille;
□ ~ *the order* (*også*) give kontra-
ordre.
countermeasure ['kauntəmeʒə] *sb.*
modtræk; modforanstaltning.
countermove ['kauntəmu:v] *sb.*
1. modtræk; **2.** (*mil.*) modstød.
counterpane ['kauntəpein] *sb.* sen-
getæppe.
counterpart ['kauntəpa:t] *sb.*
1. (*person*) modstykke; kollega;

2. (*ting*) modstykke, sidestykke,
pendant; **3.** (*jur.*) genpart.
counterpoint ['kauntəpɔint] *sb.*
1. kontrast (*to* til); **2.** (*mus.*) kon-
trapunkt.
counterpoise¹ ['kauntəpɔiz] *sb.* F
modvægt.
counterpoise² ['kauntəpɔiz] *vb.* F
opveje.
counterproductive [kauntəprə'dʌk-
tiv] *adj.* som har den stik mod-
satte virkning; kontraproduktiv;
□ *be* ~ (*også*) give bagslag; virke
stik modsat.
counterrevolution [kauntərev-
ə'lu:ʃn] *sb.* kontrarevolution; mod-
revolution.
counterrevolutionary
[kauntərevə'lu:ʃn(ə)ri] *adj.* kontra-
revolutionær.
countershaft ['kauntəʃa:ft] *sb.*
(*tekn.*) mellemaksel; forlagsaksel.
countersign¹ ['kauntəsain] *sb.*
(*mil.*) **1.** anden del af kendeord [ɔ:
til identifikation]; **2.** (*glds.*) felt-
råb, løsen.
countersign² ['kauntəsain] *vb.* kon-
trasignere, medunderskrive.
countersunk ['kauntəsʌŋk] *adj.*
(*om skrue etc.*) forsænket.
countertenor [kauntə'tenə] *sb.*
(*mus.*) kontratenor.
countervailing ['kauntəveiliŋ] *adj.*
som danner modvægt, som opve-
jer; som går i den modsatte ret-
ning.
countervailing duty *sb.* udlig-
ningstold.
counterweight¹ ['kauntəweit] *sb.*
kontravægt.
counterweight² ['kauntəweit] *vb.*
opveje.
countess ['kauntəs] *sb.* **1.** [*en earl's
el. count's hustru*]; **2.** (*om
ikke-engelske forhold*) grevinde.
counting ['kauntiŋ] *præp.* inklu-
sive, medregnet.
counting frame *sb.* kugleramme.
counting house *sb.* (*hist.*) boghol-
deri, regnskabsafdeling.
countless ['kauntləs] *adj.* utallig,
talløs.
count noun *sb.* (*gram.*) tælleligt
substantiv.
countrified ['kʌntrifaid] *adj.* land-
lig, bondsk.
country ['kʌntri] *sb.* **1.** land; **2.** egn
(*fx mountainous* ~; *Shakespeare*
~); **3.** terræn (*fx unknown* ~; *hilly*
~); landskab (*fx rolling* ~);
□ *across* ~ **a.** gennem terrænet;
b. tværs gennem landet; *line of* ~
se *line*¹; the ~ **a.** landet [*mods.
byen*]; **b.** befolkningen; vælgerne;
in the ~ på landet; *into the* ~ ud
på landet; *go/appeal to the* ~ ud-

skrive valg.
country and western *sb.* (*mus.*)
country og western [*musikform
fra sydstaterne i USA*]; country og
western-musik.
country club *sb.* [*eksklusiv sports-
klub el. selskabelig klub på lan-
det*].
country cousin *sb.* gudsord fra lan-
det; slægtning ude fra bøhlandet.
country dancing *sb.* folkedans.
country house *sb.* landsted.
countryman ['kʌntrimən] *sb.* (*pl.
-men* [-mən]/*-people* [-pi:pl])
1. landboer; landmand; **2.** (*fra
samme land*) landsmand.
country seat *sb.* (større) landsted.
countryside ['kʌntrisaid] *sb.*
1. landskab, natur (*fx the beauty
of the English* ~; *there is some
beautiful* ~ *around Cambridge*);
2. egn (*fx in this* ~ *her på egnen*);
□ *in the* ~ (*også*) på landet.
countrywide¹ [kʌntri'waid] *adj.*
landsomfattende, landsdækkende.
countrywide² [kʌntri'waid] *adv.*
over hele landet.
countrywoman ['kʌntriwumən] *sb.*
(*pl. -women* [-wimin]) **1.** landboer,
landbokvinde; bondekone; **2.** (*fra
samme land*) landsmand.
county¹ ['kaunti] *sb.* **1.** grevskab;
(*svarer omtr. til*) amt; **2.** (*am.*) amt
[*underinddeling af state*]; **3.** de
højere samfundslag, godsejerfami-
lierne [*i et county*].
county² ['kaunti] *adj.* **1.** amts-;
2. som tilhører//vedrører//er ty-
pisk for de højere samfundslag/
godsejerfamilierne.
county council *sb.* (*svarer omtr. til*)
amtsråd.
county court *sb.* [*lokal civil dom-
stol*].
county fair *sb.* (*am.*) dyrskue.
county family *sb.* godsejerfamilie;
herremandsfamilie.
county school *sb.* (*omtr.*) kommu-
neskole.
county seat *sb.* (*am.*) = *county
town.*
county town *sb.* hovedbyen i et
county.
coup [ku:] *sb.* kup.
coup de grâce [fr.] *sb.* nådestød.
coup de main [fr.] *sb.* overrump-
ling.
coup d'état [fr.] *sb.* statskup.
coupé ['ku:pei, (*am.*) ku:'pei] *sb.*
kupé [*lukket topersoners bil*].
couple¹ ['kʌpl] *sb.* **1.** par; **2.** (*perso-
ner*) par; ægtepar; **3.** (*to jag-
thunde: pl. couple*; rem til to jagt-
hunde) kobbel; **4.** (*fys.*) kraftpar;
□ *in -s* parvis; to og to.
couple² ['kʌpl] *vb.* **1.** koble sam-

men; **2.** (*elek.*) tilslutte; **3.** (*glds.*) parre sig; kopulere;

□ ~ *up* koble sammen (*to* med); tilkoble; *-d with* forbundet med, forenet med.

coupler ['kʌplə] *sb.* kobling.

couplet ['kʌplət] *sb.* kuplet [*to rimede verslinjer*].

coupling ['kʌpliŋ] *sb.* **1.** kobling; **2.** forening; (*også om musiknumre*) sammensætning; **3.** (*elek.*) sammenkobling; **4.** (*glds.*) parring.

coupon ['ku:pɔn] *sb.* **1.** kupon; **2.** (*ved rationering*) rationeringsmærke; **3.** (*skotsk, irsk*) ansigt.

courage ['kʌridʒ] *sb.* mod; tapperhed;

□ *get up* ~ se ndf.: *pluck up* ~; *have the* ~ *of one's convictions/opinions* have sine meningers mod; *pluck up* ~ samle mod; *tage mod til sig*; *pluck up/summon the* ~ *to ask him* samle mod til at spørge ham; *screw up one's* ~ skyde hjertet op i livet; *take* ~ fatte mod; *take one's* ~ *in both hands* tage mod til sig; skyde hjertet op i livet.

courageous [kə'reidʒəs] *adj.* modig; tapper.

courier[1] ['kuriə] *sb.* **1.** (*for rejsebureau*) rejseleder; guide; **2.** (*som bringer pakker etc. ud*) bud; **3.** (*budbringer*) kurer.

courier[2] ['kuriə] *vb.* sende med bud//kurer.

course[1] [kɔ:s] *sb.* **1.** gang (*fx the* ~ *of events//of history//of justice//of life*); forløb; **2.** (*om himmellegeme, strøm*) bane (*fx the planets in their -s*; *change the* ~ *of the lava*); **3.** (*flods, vejs*) forløb (*fx a twisted* ~; *change the* ~ *of the river*); **4.** (*mar., flyv.& fig.*) kurs; **5.** (*mht. handling*) fremgangsmåde, vej (*fx several -s are open to us*); **6.** (*i undervisning*) kursus (*in i, fx flower arrangement*); **7.** (*mere omfattende*) uddannelse; studium (*fx it is a three-year* ~); **8.** (*af forelæsninger*) forelæsningsrække (*on om, over, fx modern English history*); **9.** (*række bøger*) lærebogssystem; **10.** (*del af måltid*) ret; **11.** (*arkit.*) (mur)skifte; løb; **12.** (*med.*) række behandlinger; kur;

□ ~ *of action* fremgangsmåde; *in the* ~ *of nature* efter naturens gang/orden;

[*med vb.*] *lay a* ~ *for* sætte kurs mod/efter; *hold its* ~ holde kursen; *run its* ~ se ndf.: *take its* ~; *run off its* ~ se *run*[2]; *shape a* ~ *for* sætte kurs mod/efter; *stay the*

~ holde ud; blive ved; stå distancen; *the law must take its* ~ retten må gå sin gang;

[*med præp.*] *in due* ~ se *due*; *in* ~ *of construction* under bygning; *in the* ~ *of* i løbet af; under; *in the* ~ *of time* i tidens løb; *in the natural/normal* ~ *of events/things* hvis det går som det skal; hvis det går normalt; *of* ~ selvfølgelig; (se også *change*[1], *matter*[1]); *off* ~ ude af kurs; *on* ~ på ret kurs; *be on* ~ *for* være på vej til.

course[2] [kɔ:s] *vb.* **1.** løbe (*fx tears were coursing down his cheeks*); **2.** (*om blodet*) rulle; **3.** (*ved jagt*) jage, forfølge [*med mynder*];

□ ~ *for* drive jagt på [*med mynder*].

coursebook ['kɔ:sbuk] *sb.* lærebog.

courser ['kɔ:sə] *sb.* **1.** (*litt.*) hest, ganger; **2.** (*zo.*) ørkenløber.

coursework ['kɔ:swə:k] *sb.* [*hjemmeopgaver etc. der tæller til den endelige eksamen*].

coursing ['kɔ:siŋ] *sb.* jagt [*med benyttelse af mynder*].

court[1] [kɔ:t] *sb.* **1.** (*jur.*) ret, domstol; **2.** (*lokale*) retssal; **3.** (*plads mellem huse*) gårdsplads, gård; (*i gadenavn, omtr.*) plads; **4.** (*til tennis, squash etc.*) bane; **5.** (*fyrstes*) hof; residens;

□ *a higher//lower* ~ (*jur.*) en højere//lavere instans; *hold a* ~ holde hof; *make/pay (one's)* ~ *to sby* gøre kur til én; ~ *of ...* se: på alfabetisk plads;

[*med præp.*] *at* ~ ved hoffet; (se også *friend*); *before the* ~ for retten; *in* ~ i retten; *in the* ~ i retssalen; *in an open* ~ i åbent retsmøde; *in your* ~ se *ball*[1]; *bring/take into* ~ bringe for retten; *out of* ~ **a.** (*jur.*) se ndf.: *settle ... out of* ~; **b.** (*fig.*) umulig, uantagelig; *laugh him out of* ~ gøre ham fuldstændig til grin; *put oneself out of* ~ forspilde sin ret til at blive hørt; *settle out of* ~ indgå udenretsligt forlig; *settle the case out of* ~ (*også*) ordne sagen i mindelighed; *go to* ~ gå rettens vej.

court[2] [kɔ:t] *vb.* **1.** (*person*) bejle til; gøre sine hoser grønne hos (*fx the boss*); **2.** (*glds.: kvinde*) gøre kur til, bejle til; **3.** (*noget man ønsker*) søge at vinde/opnå (*fx their support; publicity*); angle efter (*fx applause*); **4.** (*noget ubehageligt*) indbyde til (*fx ridicule*); udsætte sig for (*fx unpopularity*);

□ *be -ing* (om par, glds.) komme sammen; *a -ing couple* et forelsket par; et elskende par; ~ *defeat* berede sig et nederlag; ~ *disaster*

udfordre skæbnen.

court card *sb.* billedkort.

court circular *sb.* hofnyheder.

courteous ['kə:tjəs] *adj.* høflig.

courtesan [kɔ:tə'zæn, (am.) 'kɔrtəzən] *sb.* kurtisane, skøge.

courtesy ['kə:təsi] *sb.* høflighed;

□ *courtesies* høfligheder, artigheder [ɔ: *høflige bemærkninger*); (*by*) ~ *of* **a.** ved imødekommenhed fra; skænket//betalt af; **b.** takket være; med hjælp fra.

courtesy call *sb.* høflighedsvisit.

courtesy light *sb.* (*i bil*) automatisk kabinelys.

courtesy title *sb.* ærestitel.

courthouse ['kɔ:thaus] *sb.* (*især am.*) retsbygning; domhus.

courtier ['kɔ:tiə] *sb.* hofmand.

courtly ['kɔ:tli] *adj.* (*litt.*) høflig, artig, beleven.

court-martial[1] [kɔ:t'ma:ʃ(ə)l] *sb.* krigsret.

court-martial[2] [kɔ:t'ma:ʃ(ə)l] *vb.* stille for en krigsret.

court of inquiry *sb.* undersøgelseskommission.

court of justice, court of law *sb.* ret, domstol.

Court of Session *sb.* (*skotsk jur.*) højesteret [*i civile sager*].

court order *sb.* (*jur.*) retskendelse.

courtroom ['kɔ:trum] *sb.* retslokale.

courtship ['kɔ:tʃip] *sb.* **1.** bejlen; kurmageri; T kæresteri; **2.** (*periode*) forelskelsestid; **3.** (*dyrs*) parringsadfærd, parringsleg.

court shoes *sb. pl.* pumps.

courtyard ['kɔ:tja:d] *sb.* gård; gårdsplads.

courtyard house *sb.* atriumhus.

couscous ['ku:sku:s] *sb.* (*i madlavning*) couscous.

cousin ['kʌz(ə)n] *sb.* **1.** fætter//kusine; **2.** (*mere ubestemt*) slægtning;

□ *first* ~ kødelig fætter//kusine; *first* ~ *once removed* **a.** forældres fætter//kusine. **b.** fætters//kusines barn; *first* ~ *twice removed* fætters//kusines barnebarn; *second* ~ halvfætter//halvkusine; *a* ~ *of mine//hers etc.* en fætter//kusine til mig//hende etc.

couturier [fr.] *sb.* modeskaber, modedesigner.

cove [kəuv] *sb.* **1.** bugt; vig; **2.** (*glds.* S) fyr (*fx he is a queer* ~).

coven ['kʌv(ə)n] *sb.* forsamling af hekse [*som holder møder*].

covenant ['kʌvənənt] *sb.* **1.** overenskomst; **2.** (*jur.*) kontrakt; **3.** (*i kontrakt*) bestemmelse; klausul; **4.** (*rel.*) pagt;

□ *the Ark of the Covenant* pagtens

ark.

Covent Garden [ˈkɒv(ə)nt ˈɡɑːd(ə)n] *sb.* **1.** [*opera i London*]; **2.** (*hist.*) [*grønt- og blomstermarked i London*].

Coventry [ˈkɒv(ə)ntri, ˈkʌv-] [*by i Midtengland*]; □ *send sby to* ~ fryse en ud; udelukke en fra kammeratskab.

cover[1] [ˈkʌvə] *sb.* **1.** dækning; beskyttelse; ly; **2.** (*mil.*) dækning; (se også *air cover*); **3.** (*for vildt*) skjul, skjulested; krat, tykning; **4.** (*til at lægge over//beskytte*) dække; afdækning; **5.** (*over hul, til beholder*) låg; (*over brønd, kloak*) dæksel; **6.** (*på pude, over computer, skrivemaskine, stol etc.*) (løst) betræk; **7.** (*bord-, senge-*) tæppe; (se også *covers*); **8.** (*til bog, hæfte, forsendelse, papirer*) omslag; **9.** (*af magasin*) omslag; forside (*fx there was a picture of him on the* ~ *of "Time"*); **10.** (*til plade*) (plade)omslag, pladehylster; **11.** (*mht. forsikring*) dækning; **12.** (*for spion*) falsk identitet; dækidentitet; **13.** (*ved bord i restaurant*) kuvert; **14.** (*agr.*) bedækning; **15.** (*bogb.*) perm (*fx front* ~, *back* ~); (se også *covers*); **16.** (*mus.*) nyindspilning (*fx of a popular song*); □ *as a* ~ *for* for at dække over; som camouflage for; som et skalkeskjul for; *blow sby's* ~ (*jf. 11*) afsløre en; *break* ~ **a.** (*om vildt*) springe frem; **b.** (*om fugl*) flyve op; *-s were laid for ten* der var dækket til ti; *take* ~ søge dækning; søge ly (*from the storm for uvejret*); [*med præp.*] *run for* ~ løbe i dækning; *from* ~ *to* (*jf. 15*) fra første til sidste side; fra ende til anden; *get under* ~ gå i dækning; *under* ~ *of* under dække af; i ly af (*fx darkness*); *under* ~ *of friendship* under venskabs maske; *under plain* ~ (*svarer til*) diskret forsendelse; *under the same* ~ i samme konvolut; *under separate* ~ separat, særskilt.

cover[2] [ˈkʌvə] *vb.* (se også *covered*) **1.** dække; dække til (*fx they -ed me with a blanket*); tildække; **2.** (*møbel etc.*) betrække; **3.** (*følelse etc.*) skjule; dække over (*fx he tried to* ~ *his confusion*); **4.** (*om bestemmelse, beretning, også journalistisk*) dække (*fx the new regulations* ~ *all such cases; the book -s the whole subject;* ~ *the President's journey*); omfatte (*fx the period -ed by these statistics*); **5.** (*om betaling, forsikring*) dække (*fx* ~ *the expenses; the in-*surance *-s the loss*); **6.** (*mil. & med våben*) dække (*fx* ~ *the retreat;* ~ *him with a revolver*); **7.** (*i sport*) dække op; **8.** (*om tid*) strække sig over; **9.** (*om distance*) tilbagelægge (*fx we have -ed 50 miles*); **10.** (*i kortspil*) stikke; **11.** (*mus., om populært nummer*) indspille på ny; **12.** (*agr. om dyr*) bedække; □ *the amount is -ed* der er dækning for beløbet; ~ *eggs* ligge på æg; ~ *a wide field* (*fig.*) spænde vidt; *the loan was -ed many times* lånet blev overtegnet mange gange; [*med præp.*] ~ *against* forsikre mod (*fx are you -ed against theft?*); dække mod (*fx the insurance -s you against theft*); ~ *oneself against* dække sig ind over for (*fx doctors want to* ~ *themselves against negligence claims*); ~ *for* **a.** (*fraværende*) vikariere for; træde ind i stedet for; **b.** (*snyder*) dække over; ~ *in* dække til; *-ed in snow* dækket med sne; ~ *oneself in* se *glory*[1]; ~ *up* **a.** dække til; **b.** (*fig.*) dække over; skjule; tilsløre; mørklægge; **c.** (*uden objekt: om person*) dække sig til; tage mere tøj på; ~ *up for* dække over; ~ *oneself with* se *glory*[1]; *-ed with snow* dækket med sne.

coverage [ˈkʌvərɪdʒ] *sb.* **1.** dækning; **2.** (*i medierne*) dækning; presseomtale; reportage; **3.** (*radio. & om reklame*) dækningsområde; **4.** (*assur.*) forsikringsdækning.

coveralls [ˈkʌvərɔːlz] *sb. pl.* (*am.*) kedeldragt.

cover charge *sb.* (*på restaurant*) kuvertafgift.

cover crop *sb.* (*agr.*) dækafgrøde.

covered [ˈkʌvəd] *adj.* **1.** dækket; tildækket; **2.** (*med tag*) overdækket (*fx veranda*); **3.** (*glds.*) med hat; □ *remain* ~ (*glds.*) beholde hatten på.

covered dish *sb.* lågfad.

covered wagon *sb.* prærievogn.

cover girl *sb.* forsidepige.

covering [ˈkʌvərɪŋ] *sb.* dække; lag (*fx a thin* ~ *of snow*).

covering board *sb.* (*mar.*) skandæk.

covering letter *sb.* følgeskrivelse.

coverlet [ˈkʌvələt] *sb.* sengetæppe.

covers [ˈkʌvəz] *sb. pl.* (*på seng*) sengetøj; □ *in hard* ~ (*om bog*) indbunden.

cover story *sb.* **1.** (*i magasin*) historie som vedrører forsidebilledet; **2.** (*for spion etc.*) dækhistorie.

covert[1] [ˈkʌvət, (*am.*) ˈkouvərt] *sb.* skjul, skjulested; krat, tykning.

covert[2] [ˈkʌvət, ˈkouvəːt, (*am.*)]
ˈkouvərt] *adj.* skjult, hemmelig.

covert coat *sb.* let frakke.

cover-up [ˈkʌvərʌp] *sb.* dækken over; tilsløring; mørklægning.

cover version *sb.* (*mus.: af populært nummer*) nyindspilning.

covet [ˈkʌvət] *vb.* F begære; hige/ tragte efter; attrå.

coveted [ˈkʌvətid] *adj.* eftertragtet.

covetous [ˈkʌvətəs] *adj.* begærlig (*of efter*).

covetousness [ˈkʌvətəsnəs] *sb.* begærlighed; (*dødssynd*) griskhed.

covey [ˈkʌvi] *sb.* flok.

cow[1] [kau] *sb.* **1.** ko; **2.** (*af elefant, næsehorn, hval etc.*) hun; **3.** (*skældsord*) kælling (*fx that silly* ~*!*); □ *till the -s come home* T i det uendelige; i al evighed; *have a* ~ (*am.* T) få et føl [ɔ: blive rasende].

cow[2] [kau] *vb.* kue, kujonere; □ *-ed by* **a.** kuet af; skræmt af (*fx their threats*); **b.** trykket af, overvældet af (*fx his forceful personality*); ~ *sby into silence* tvinge/ skræmme en til at tie.

coward [ˈkauəd] *sb.* kujon, kryster.

cowardice [ˈkauədis] *sb.* fejhed.

cowardly [ˈkauədli] *adj.* fej, kujonagtig.

cowardy custard *sb.* (*i børnesprog*) bangebuks.

cowbane [ˈkaubein] *sb.* (*bot.*) gifttyde.

cowberry [ˈkaubəri] *sb.* (*bot.*) tyttebær.

cowboy [ˈkaubɔi] *sb.* **1.** cowboy; **2.** (*merk.* T) hensynsløs/udygtig forretningsmand; pirat; klamphugger; fidusmager.

cowcatcher [ˈkaukætʃə] *sb.* (*jernb. am.*) kofanger, banerømmer.

cower [ˈkauə] *vb.* krybe sammen; dukke sig.

cowherd [ˈkauhəːd] *sb.* fodermester; (*glds.*) hyrde.

cowhide [ˈkauhaid] *sb.* **1.** oksehud; **2.** pisk [*lavet af oksehud*].

cowhouse [ˈkauhaus] *sb.* kostald.

cowl [kaul] *sb.* **1.** munkehætte; munkekutte [*med hætte*]; **2.** (*på skorsten*) røghætte; **3.** (*i bil*) torpedo; **4.** = *cowling*.

cowlick [ˈkaulik] *sb.* strittende hårtot; hvirvel i håret.

cowling [ˈkauliŋ] *sb.* (*flyv.*) motorhjelm, motorkappe.

cowman [ˈkaumən, -mæn] *sb.* (*pl. -men* [-mən, -men]) **1.** fodermester; **2.** (*am.*) kvægejer.

co-worker [kəuˈwəːkə] *sb.* medarbejder.

cow parsley *sb.* (*bot.*) vild kørvel.

cow parsnip *sb.* (*bot.*) bjørneklo.

cowpat [ˈkaupæt] *sb.* kokasse, ko-

C cowpoke

kage.

cowpoke ['kaupouk] *sb.* (*am.* T) cowboy.

cowpox ['kaupɔks] *sb.* (*med.*) kokopper.

cowpuncher ['kaupʌn(t)ʃər] *sb.* (*am.* T) cowboy.

cowrie, cowry ['kauri] *sb.* (*zo.*) porcelænssnegl.

co-write ['kəurait] *vb.* samarbejde om, skrive i fællesskab.

cowshed ['kauʃed] *sb.* kostald.

cowslip ['kauslip] *sb.* (*bot.*) kodriver.

cox[1] [kɔks] *sb.* styrmand [*i kaproningsbåd*].

cox[2] [kɔks] *vb.* **1.** være styrmand [*i en kaproningsbåd*]; **2.** (*med objekt*) være styrmand i, styre.

coxcomb ['kɔkskəum] *sb.* (*glds.*) laps; spradebasse, nar.

coxcombry ['kɔkskəmri] *sb.* (*glds.*) naragtighed.

coxless ['kɔksləs] *adj.* (*om kaproningsbåd*) uden styrmand.

coxswain ['kɔkswein, 'kɔks(ə)n] *sb.* **1.** styrmand [*i kaproningsbåd*]; **2.** (*mar.*) [*underofficer*].

coy [kɔi] *adj.* **1.** (*om kvinde*) koket; påtaget genert/undselig; knibsk; **2.** (*mht. at udtale sig*) tilbageholdende;
□ *be* ~ *about* (*jf.* 2) være uvillig til at udtale sig om (*fx he was* ~ *about his intentions*).

coyote ['kɔiəut(i), 'kai-, (*am.*) 'kaiout(i)] *sb.* (*zo.*) prærieulv.

coypu ['kɔipu:] *sb.* (*zo.*) bæverrotte, sumpbæver.

cozen ['kʌz(ə)n] *vb.* (*litt.*) narre, bedrage.

cozy (*am.*) = *cosy.*

cp. *fork. f. compare.*

c.p. *fork. f. candlepower.*

CPA *fork. f.* (*am.*) *certified public accountant.*

CPR *fork. f. cardiopulmonary resuscitation* hjertemassage og kunstigt åndedræt.

cps *fork. f.* **1.** *cycles per second*; **2.** (*it*) *characters per second.*

CPU *fork. f.* (*it*) *central processing unit.*

Crab [kræb] *sb.*: *the* ~ (*astr.*) Krebsen [*stjernebillede*].

crab [kræb] *sb.* **1.** (*zo.*) krabbe; **2.** (*zo.: insekt*) fladlus; **3.** (*bot.*) = *crab apple*; **4.** (*am.* T) gnavpotte;
□ *catch a* ~ fange en ugle [*under roning*]; (se også *edible crab*).

crab apple *sb.* (*bot.*) skovæble, vildt æble.

crabbed ['kræbid, kræbd] *adj.* (*glds.*) **1.** = *crabby*; **2.** (*om skrift*) gnidret.

crabby ['kræbi] *adj.* T gnaven;

knarvorn; vranten.

crabgrass ['kræbgrɑːs] *sb.* (*am. bot.*) fingeraks, blodhirse.

crab louse *sb.* (*pl. crab lice*) (*zo.*) fladlus.

crack[1] [kræk] *sb.* **1.** (*lyd*) knald, smæld (*fx of a gun; of a whip*); knæk (*fx his knee gave a* ~); (*højere*) brag (*fx of thunder*); **2.** (*åbning*) sprække (*fx in the curtains; between two rocks*); **3.** (*om brud, også fig.*) revne (*fx in the glass; in the ice*); sprække; **4.** (T: *bemærkning*) spydighed; vittighed; **5.** (S: *narko*) crack;
□ *the* ~ (*irsk*) hygge; sjov; *have a* ~ *at* forsøge sig med; *have a* ~ *at* + *-ing* gøre et forsøg på at; *open the door//window a* ~ åbne døren//vinduet på klem; (se også *paper*[3] (*over*));
[+ *præp.*] *there was a* ~ *in his voice* hans stemme knækkede over; *there were -s in the facade* facaden var krakeleret; *-s appeared in the facade* facaden begyndte at krakelere; *at the* ~ *of dawn* ved daggry; *till the* ~ *of doom* til dommedagsbasunen lyder; (se også *whip*[1]); *a* ~ *on/over the head* et slag/en oven i hovedet.

crack[2] [kræk] *adj.* førsteklasses; elite- (*fx regiment, team*);
□ ~ *shot* mesterskytte.

crack[3] [kræk] *vb.* (se også *cracked, cracking*) A. **1.** revne, sprække; **2.** (*helt*) knække, briste; **3.** (*om overflade*) krakelere; **4.** (*om lyd*) knalde, smælde; knække; (*højere*) brage (*fx thunder -ed*); **5.** (*om stemme*) knække over (*with af, fx her voice -ed with emotion*); **6.** (*om drengestemme*) gå i overgang; **7.** (*om person*) bryde sammen (*fx he -ed during interrogation*);
B. (*med objekt*) **1.** få til at revne, knække (*fx nuts*); knuse (*fx a stone -ed the glass*); sprænge; **2.** (*æg*) slå hul på, knække; slå ud (*into i, fx into a frying pan*); **3.** (*legemsdel*) slå (*hårdt*), knalde (*fx one's head against a wall*); **4.** (*problem etc.*) løse; opklare; **5.** (*kode*) bryde, knække; **6.** (*olie etc.*) krakke;
□ ~ *a bottle* knække halsen på en flaske; ~ *one's fingers/knuckles* knække med fingrene; (se også *joke*[1], *nut*[1], *whip*[1]);
[*med præp.& adv.*] ~ *down on* slå hårdt ned på; ~ *on with* mase videre med; ~ *sby over the head* slå én (*hårdt*) i hovedet; ~ *up*
a. gå i stykker; **b.** bryde sammen;

c. T skraldgrine; ~ *sby up* skamrose en; hæve en til skyerne; *it is not all it's -ed up to be* det er ikke så vidunderligt som man vil gøre det til.

crack-brained ['krækbreind] *adj.* T skrupskør.

crackdown ['krækdaun] *sb.* se *clampdown.*

cracked [krækt] *adj.* **1.** revnet; **2.** (*om hud, om stemme etc.*) sprukken (*fx lips; voice; bell*); **3.** (T: *om person*) tosset, skør.

Cracker ['krækər] *sb.* (*am.*) [*person fra Georgia el. Florida*].

cracker ['krækə] *sb.* **1.** (*på juletræ etc.*) knallert; (se også *firecracker*); **2.** (*madvare*) sprød kiks; **3.** (*let glds.* T) køn pige; godte; **4.** (*am.* T, *neds.*) [*fattig hvid fra Sydstaterne*];
□ *it's a* ~ T den er mægtig god; den er i top.

cracker-barrel ['krækərbærəl] *adj.* (*am.*) jævn, folkelig; hjemmestrikket.

crackerjack[1] ['krækədʒæk] *sb.* (*især am.*) [*en//noget der er mægtig god(t)*].

crackerjack[2] ['krækədʒæk] *adj.* (*især am.*) fin-fin; mægtig god; helt i top.

crackers ['krækəz] *adj.* T skør, tosset.

cracking ['krækiŋ] *adj.* T mægtig god, kanon;
□ *at a* ~ *pace* i lynende fart; *get* ~ komme i gang; tage fat.

crackle[1] ['krækl] *sb.* **1.** knitren; **2.** krakeleret overflade.

crackle[2] ['krækl] *vb.* knitre; knase.

crackling ['krækliŋ] *sb.* **1.** (*lyd*) knitren; **2.** (*på flæskesteg*) sprød svær; **3.** (*vulg. om pige*) godt skår.

cracklings ['krækliŋz] *sb. pl.* fedtegrever.

cracknel ['krækn(ə)l] *sb.* [*tyk sprød kiks*].

crackpot ['krækpɔt] *sb.* skør rad.

crack-up ['krækʌp] *sb.* **1.** sammenbrud; **2.** bilsammenstød.

cradle[1] ['kreidl] *sb.* **1.** (*til barn & fig.*) vugge (*fx the* ~ *of civilization*); **2.** (*til arbejder*) hængestillads; **3.** (*til sejlbåd*) bedding; ophalervogn; **4.** (*til hospitalsseng*) sengekrone; **5.** (*til telefon*) gaffel; **6.** (*glds. agr.: på le*) mejered;
□ *from the* ~ *to the grave* fra vugge til grav; *rob the* ~ (*am., spøg.*) begå barnerov [ɔ: *have et forhold til en meget yngre*].

cradle[2] ['kreidl] *vb.* **1.** holde (*forsigtigt*) om; **2.** (*telefon*) lægge på.

cradle robber *sb.* (*am.*) = *baby snatcher.*

cradle snatcher sb. = baby snatcher.

craft[1] [kra:ft] sb. **1.** fag (fx the ~ of boat building); håndværk; kunst (fx the ~ of writing); (se også arts); **2.** (evne) dygtighed, færdighed; **3.** (neds.) list; bedrageri; □ the Craft frimurerne.

craft[2] [kra:ft] sb. (pl. d.s.) **1.** (mar.) fartøj; **2.** (flyv.) fly; **3.** (til rumflyvning) rumfartøj, rumskib.

craft[3] [kra:ft] vb. udforme; forarbejde (fx beautifully -ed).

craftsman ['kra:ftsmən] sb. (pl. -men [-mən]) **1.** fagmand; håndværker; **2.** kunsthåndværker.

craftsmanship ['kra:ftsmənʃip] sb. **1.** håndværksmæssig dygtighed; **2.** håndværksmæssig udførelse; □ an excellent piece of ~ et fint stykke arbejde.

crafty ['kra:fti] adj. listig; snedig.

crag [kræg] sb. ujævn og stejl klippe.

craggy ['krægi] adj. **1.** (om landskab) klippefyldt; **2.** (om klippe) ujævn; stejl; **3.** (om ansigt) markeret, skarpskåret; barsk.

crake [kreik] sb. (zo.) rørvagtel.

cram [kræm] vb. (se også crammed) **1.** stoppe, proppe (fx clothes into a suitcase; food into one's mouth; the children into the back seat); stuve, presse, klemme; **2.** (fig.) proppe [med kundskaber]; manuducere; **3.** (uden objekt: om personer) presse sig, mase (fx into the car); **4.** (læse energisk) terpe; **5.** (spise) fylde sig; proppe sig; □ ~ for an exam læse op/terpe til en eksamen; ~ a hat on smække en hat på hovedet; ~ with stoppe/ proppe fuld af (fx one's bag with clothes; one's head with facts).

cram-full ['kræmful] adj. propfuld.

crammed [kræmd] adj. propfuld (with af); stuvende fuld (fx the theatre was ~); overfyldt.

cramp[1] [kræmp] sb. **1.** (med.) krampe; **2.** (i snedkeri) skruetvinge; **3.** (fig.) hindring; indskrænkning.

cramp[2] [kræmp] vb. **1.** hæmme, lægge bånd på; indskrænke; **2.** få krampe; □ it -ed his style T det hæmmede ham.

cramped [kræmpt] adj. **1.** trang, snæver; **2.** (om skrift) gnidret; □ we are ~ for space det kniber med pladsen.

crampon ['kræmpən] sb. (på støvle) klatrejern; isbrod.

cranberry ['krænbəri] sb. (bot.) tranebær.

crane[1] [krein] sb. **1.** kran; **2.** (zo.)

trane.

crane[2] [krein] vb. strække hals [for at komme til at se]; □ ~ one's neck strække hals.

crane fly sb. (zo.) stankelben.

cranesbill ['kreinzbil] sb. (bot.) storkenæb.

cranial ['kreiniəl] adj. kranie-.

cranium ['kreiniəm] sb. (pl. crania ['kreiniə]/-s) kranium, hjerneskal.

crank[1] [kræŋk] sb. **1.** (om person) særling; skør rad; en der går helt op i én ting (fx a health-food ~); **2.** (am.) T sur stodder; **3.** (i mekanik) krumtap; **4.** (til at starte motor) håndsving, startsving.

crank[2] [kræŋk] vb. **1.** dreje på håndsving; **2.** (med objekt: bil, maskine) starte med håndsving; □ ~ out (neds., T) fabrikere på stribe; sprøjte ud; ~ up a. starte med håndsving; **b.** T sætte op, øge; sætte fart i; **c.** (S: narko) sprøjte sig med.

crankcase ['kræŋkkeis] sb. krumtaphus.

cranked [kræŋkt] adj. (tekn.) forkrøppet.

crankshaft ['kræŋkʃa:ft] sb. krumtapaksel.

cranky ['kræŋki] adj. **1.** forskruet, skør; sær, excentrisk; **2.** (am.) T sur, tvær; **3.** (om maskine) skrøbelig, gebrækkelig.

cranny ['kræni] sb. revne, sprække.

crap[1] [kræp] sb. (se også craps) S **1.** skidt, lort; **2.** (om ytring) sludder, ævl, pis; □ have/take a ~ skide; a load of ~ noget lort//ævl.

crap[2] [kræp] vb. S skide.

crape [kreip] sb. (glds.) sørgeflor.

crappy ['kræpi] adj. S lorte- (fx film; novel).

craps [kræps] sb. pl. (am.) [et terningespil]; □ shoot ~ rafle; spille terninger.

crash[1] [kræʃ] sb. **1.** (ulykke: om bil) sammenstød; **2.** (om fly) flystyrt; **3.** (lyd) brag; **4.** (merk.) krak; **5.** (it) nedbrud.

crash[2] [kræʃ] vb. **1.** (om lyd) brage (fx the cymbals -ed; the door -ed against the wall); **2.** (om bil) forulykke; (om biler) støde sammen; **3.** (om fly) styrte (ned); forulykke; **4.** (om bygningsværk) styrte sammen (fx the walls -ed); **5.** (om firma etc.) krakke; **6.** (it) bryde ned; gå ned; **7.** T sove (primitivt); overnatte (fx he -ed on the floor in a sleeping bag; ~ with a friend); **8.** (mase sig, køre, falde) brase (into ind i; through gennem); **9.** (med objekt: bil) forulykke

med; **10.** (motorcykel, fly etc.) styrte med; knuse, smadre; **11.** (T fest) komme uindbudt til; trænge sig ind i; gå ind til uden at betale (fx ~ a dance); □ ~ one's way mase sig frem; [med adv.] ~ about larme rundt; ~ down falde/styrte (med et brag); brase ned; he -ed his fist down on the table han hamrede næven i bordet; ~ out falde i søvn [pludseligt]; gå ud (som et lys).

crash[3] [kræʃ] adj. forceret (fx a ~ programme to produce missiles); lyn-.

crash barrier sb. autoværn.

crash course sb. lynkursus.

crash-dive[1] ['kræʃdaiv] sb. (ubåd) brat dykning.

crash-dive[2] ['kræʃdaiv] vb. (om ubåd) dykke brat.

crash helmet sb. styrthjelm.

crash-land ['kræʃlænd] vb. nødlande.

crash-landing ['kræʃlændiŋ] sb. nødlanding, katastrofelanding.

crass [kræs] adj. tykhovedet; stupid.

crate[1] [kreit] sb. **1.** pakkasse; tremmekasse; kasse til flasker; **2.** (T: neds. om bil) smadderkasse, gammel spand.

crate[2] [kreit] vb. pakke ned i en kasse.

crater ['kreitə] sb. **1.** krater; **2.** bombekrater; granathul.

cravat [krə'væt] sb. tørklæde [båret om halsen til åbenstående skjorte].

crave [kreiv] vb. tørste efter (fx love; a cigarette); hige efter, sukke efter; have stærk trang til; □ ~ for = crave.

craven ['kreiv(ə)n] adj. F fej, krysteragtig.

craving ['kreiviŋ] sb. stærk længsel (for efter); stærk//ubetvingelig lyst (for til).

crawfish ['krɔ:fiʃ] sb. (pl. d.s./-es) (især am.) krebs.

crawl[1] [krɔ:l] sb. **1.** kravlen; kryben; **2.** (svømning) crawl; □ at a ~ i sneglefart.

crawl[2] [krɔ:l] vb. **1.** kravle; krybe; **2.** snegle sig af sted; **3.** (svømme) crawle; □ make one's flesh/skin ~ få en til at gyse; give en myrekryb; ~ to T krybe for, sleske for; be -ing with myldre af, vrimle med.

crawler ['krɔ:lə] sb. **1.** kryb; **2.** (T: person) spytslikker; **3.** (køretøj) larvefodstraktor, bæltetraktor; □ be a ~ (om baby) være på kravlestadiet.

crawlers ['krɔ:ləz] sb. pl. kravledragt.

crawl space *sb.* krybekælder.

crayfish ['kreifiʃ] *sb.* (*pl. d.s./-es*) (*zo.*) krebs.

crayon[1] ['kreiɔn] *sb.* **1.** farveblyant; (*kunstners*) oliekridt; pastelstift; **2.** kridttegning.

crayon[2] ['kreiɔn] *vb.* (jf. *crayon*[1] *1*) tegne med farveblyant//oliekridt// pastelstift.

craze [kreiz] *sb.* mani (*for* med); mode; dille; □ *it's the latest ~, it's all the ~* det er sidste skrig.

crazed [kreizd] *adj.* **1.** forrykt; **2.** (*om glasur*) krakeleret.

crazy[1] ['kreizi] *sb.* (*am.* S) tosse.

crazy[2] ['kreizi] *adj.* vanvittig (*fx ~ with pain*); skør; tosset (*fx football-~*); □ *~ about* helt vild med; *it drives me ~* det driver mig til vanvid; *like ~* T helt vildt.

crazy bone *sb.* (*am.*) snurreben.

crazy pavement *sb.* belægning med brudfliser.

crazy quilt *sb.* (*am.*) patchworktæppe [*uden mønster*].

creak[1] [kri:k] *sb.* knirken; knagen.

creak[2] [kri:k] *vb.* knirke; knage.

creaky ['kri:ki] *adj.* **1.** knirkende (*fx door, voice*); **2.** (*fig.*) knirkende (*fx system*); vakkelvorn (*fx economy*).

cream[1] [kri:m] *sb.* **1.** fløde; **2.** creme; □ *the ~ of* det bedste af; det fineste af; blomsten af; *~ of tartar* se: ndf.

cream[2] [kri:m] *adj.* flødefarvet.

cream[3] [kri:m] *vb.* **1.** røre til en creme; **2.** (*am.*) besejre fuldstændigt, jorde; □ *-ed potatoes* kartoffelmos; *~ off* **a.** udvælge (*fx the best candidates*); **b.** tage, tilvende sig (*fx a large part of the profits*).

cream cheese *sb.* flødeost.

cream-coloured ['kri:mkʌləd] *adj.* cremefarvet; flødefarvet.

cream cracker *sb.* ostekiks.

creamer ['kri:mə] *sb.* **1.** flødepulver; **2.** (*am.*) flødekande.

creamery ['kri:məri] *sb.* mejeri.

cream of tartar *sb.* vinsten.

cream puff *sb.* (*kage*) [*skal af butterdej el. vandbakkelse med creme el. flødeskum*]; flødebolle.

cream separator *sb.* centrifuge.

cream tea *sb.* [*te og scones med syltetøj & clotted cream*].

creamy ['kri:mi] *adj.* flødeagtig; (*om konsistens også*) cremet.

crease[1] [kri:s] *sb.* **1.** (*i tøj, papir*) fold; **2.** (*i bukser*) pressefold (*fx sharp//knife-edge -s*); **3.** (*i ansig-*

tet) rynke; □ *the ~* (*i kricket*) [*linje der markerer slåerens plads*].

crease[2] [kri:s] *vb.* **1.** folde; krølle; **2.** (*bukser*) presse; **3.** (*am.: om skud*) strejfe; □ *~ up* T **a.** bukke sammen af grin; **b.** få til at bukke sammen af grin.

creased ['kri:st] *adj.* krøllet.

crease-resistant ['kri:srizistənt] *adj.* krølfri.

create [kri'eit] *vb.* **1.** skabe (*fx God -d the world; ~ a new language*); frembringe; **2.** (*kunstnerisk*) kreere (*fx a fashion; a part* en rolle); **3.** (*især: noget negativt*) skabe (*fx confusion; difficulties; problems; trouble*); fremkalde; vække (*fx a sensation*); **4.** (*stilling etc.*) skabe (*fx she -d a job for herself*); oprette (*fx new jobs; a newly -d organization*); **5.** (*person*) udnævne (til) (*fx ~ him a baronet*); (se også *peer*[1]); **6.** (*uden objekt, glds.* T) skabe sig; tage på veje.

creation [kri'eiʃn] *sb.* (*handling;* jf. *create*) **1.** skabelse; frembringelse; **2.** kreering; **3.** skabelse; fremkaldelse; **4.** skabelse; oprettelse; **5.** udnævnelse; **6.** (*noget man har skabt*) frembringelse; værk; **7.** (*i mode*) kreation; model; **8.** (*litt.*) verden (*fx the wonders of ~*); Guds skaberværk; □ *the Creation* verdens skabelse; *since ~* siden verdens skabelse; (se også *lord*[1]).

creationism [kri'eiʃ(ə)nizm] *sb.* kreationisme [*troen på at verden er skabt af Gud*].

creationist [kri'eiʃ(ə)nist] *sb.* kreationist [*som mener at verden er skabt af Gud*].

creative [kri'eitiv] *adj.* kreativ, skabende.

creative accounting *sb.* kreativ bogføring, kreativ regnskabsføring.

creativity [kriei'tivəti] *sb.* kreativitet, skabende evne.

creator [kri'eitə] *sb.* skaber.

creature ['kri:tʃə] *sb.* **1.** skabning, dyr (*fx birds and other -s*); væsen (*fx living -s; -s from outer space*); **2.** (*person*) menneske, skabning (*fx he is an strange ~; she is a lovely ~*); **3.** (*fig., neds.*) redskab, kreatur; slave; □ *poor ~* arme stakkel.

creature comforts *sb. pl.* materielle goder; de gode ting i livet.

crèche [kreiʃ] *sb.* **1.** vuggestue; **2.** (*am.*) julekrybbe.

cred [kred] *sb.* T status; troværdighed; respekt; (se også *street credi-*

bility).

credence ['kri:d(ə)ns] *sb.* F tro; tiltro; □ *give ~ to* **a.** fæste lid til, tro på (*fx a story; a theory*); **b.** = *lend ~ to*; *lend ~ to* gøre troværdig.

credentials [kri'denʃ(ə)lz] *sb. pl.* **1.** kvalifikationer; forudsætninger; baggrund; **2.** (*diplomats*) akkreditiver; legitimationsskrivelser.

credibility [kredi'biləti] *sb.* troværdighed; (se også *street credibility*).

credibility gap *sb.* troværdighedskløft.

credible ['kredəbl] *adj.* troværdig (*fx witness; story*).

credit[1] ['kredit] *sb.* (se også *credits*) **1.** anerkendelse; ære (*fx he got the ~ for it; he does his family ~*); **2.** (*merk.*) kredit (*fx have unlimited ~*); (se også *letter of credit*); **3.** (*på college*) point [*for gennemført kursus som led i et studium*]; □ *~ where ~ is due* ære den som æres bør;

[*med vb.+ præp.*] *give* him *~ for* tiltro ham (*fx better judgment than that*); *give* him *~ for being honest* tro om ham at han er ærlig; *give ~ to* fæste lid til, tro på (*fx a story*); *it is a ~ to* him det gør ham ære; *he is a ~ to his profession* han er en pryd for sin stand; *take the ~ for* it tage æren for det;

[*med præp.*] *the account is in ~* der er penge på kontoen; *on ~* på kredit; *to his ~, he admitted his mistake* det tjener ham til ære at han indrømmede sin fejl; *he has three books to his ~* han har fået skrevet tre bøger; *stand to the ~ of an account* indestå på en konto.

credit[2] ['kredit] *vb.* **1.** tro (på) (*fx he refused to ~ what he heard*); skænke tiltro; **2.** (*merk.*) kreditere; □ *~ an amount to sby, ~ sby with an amount* kreditere en for et beløb; *~ sby with sth* **a.** tiltro en noget; **b.** give en æren for noget.

creditable ['kreditəbl] *adj.* **1.** (*om præstation*) hæderlig (*fx attempt*); al ære værd; **2.** (*om handling*) anerkendelsesværdig; □ *that is ~ to him* det gør ham ære.

credit card *sb.* kreditkort.

credit note *sb.* kreditnota.

creditor ['kreditə] *sb.* kreditor.

credit rating *sb.* kreditvurdering; kreditværdighedsbedømmelse.

credit rating agency *sb.* kreditoplysningsbureau.

credits ['kredits] *sb. pl.* (*film., tv*) kredittekster [*med tak til bidra-*

gydere etc.]; fortekster//eftertekster.

credit squeeze sb. kreditstramning.

credit titles sb. pl. se credits.

creditworthy ['kreditwɔ:ði] adj. kreditværdig.

credo ['kri:dəu] sb. F credo; overbevisning.

credulity [kri'dju:ləti] sb. lettroenhed.

credulous ['kredjuləs] adj. lettroende.

creed [kri:d] sb. 1. tro; overbevisning; 2. (rel.) trosbekendelse; □ the Creed trosbekendelsen.

creek [kri:k] sb. 1. vig; bugt; 2. (am.) å; bæk; □ up the ~ T a. i knibe; 'på den; b. galt afmarcheret.

creel [kri:l] sb. fiskekurv.

creep[1] [kri:p] sb. 1. (T: om person) led ka'l, lort; fedterøv; 2. (bevægelse) kryben; 3. (om beton) krybning; 4. (om skinne) vandring; □ it gives me the -s det giver mig myrekryb; jeg får myrekryb af det.

creep[2] [kri:p] vb. (crept, crept) (se også creeping) 1. krybe; 2. (ubemærket) liste sig, snige sig (fx in; out; up the stairs); 3. (om skinne etc.) vandre; 4. (om plante) krybe; □ make one's flesh ~ få en til at gyse; give en myrekryb; [med adv.] ~ along (fx om trafik) snegle sig af sted; an error has crept in der har indsneget sig en fejl; ~ up (fig.) krybe i vejret (fx costs have crept up); ~ up on liste/snige sig ind på.

creeper ['kri:pə] sb. (bot.) slyngplante; (se også Virginia creeper); □ -s T gummisko.

creeping ['kri:piŋ] adj. 1. krybende; 2. (fig.) snigende (fx fear).

creepy ['kri:pi] adj. uhyggelig; til at få myrekryb af.

creepy-crawly [kri:pi'krɔ:li] sb. kryb; □ creepy-crawlies kryb, kravl; insekter.

cremate [kri'meit, (am.) 'krimeit] vb. kremere, brænde.

cremation [kri'meiʃn] sb. kremering, (lig)brænding.

crematorium [kremə'tɔ:riəm] sb. (pl. -ria [-riə]/-s) krematorium.

creme de menthe [fr.] sb. pebermyntelikør.

crenellated ['krenileitid] adj. (hist.; arkit.) kreneleret, takket; med skydeskår.

Creole[1] ['kri:əul] sb. 1. (person) kreol, kreoler; 2. (sprog) kreolsprog.

Creole[2] ['kri:əul] adj. kreolsk; kreoler-.

creosote ['kriəsəut] sb. kreosot [tjærereolie som bruges til træimprægnering].

crêpe ['kreip] sb. 1. (stof) crepe, krep; 2. (mad) (tynd) pandekage; 3. = crêpe rubber.

crêpe paper sb. crepepair.

crêpe rubber sb. rågummi [til skosåler].

crepitate ['krepiteit] vb. knitre.

crepitation [krepi'teiʃn] sb. knitren.

crept [krept] præt. & præt. ptc. af creep[2].

crepuscular [kri'pʌskjulə] adj. tusmørke-; skumrings-; halvmørk.

Crescent ['kres(ə)nt] sb. (i gadenavn) [halvmåneformet plads// gade//husrække].

crescent ['kres(ə)nt] sb. 1. halvmåne; 2. (bagværk) horn; 3. se Crescent.

cress [kres] sb. (bot.) karse.

crest[1] [krest] sb. 1. (på fugl) top; fjerdusk; kam; 2. (på hjelm) fjerbusk; kam; 3. (af bakke, bølge) top; kam; 4. (her.: over et våbenskjold) hjelmtegn; 5. (her.: på brevpapir, porcelæn etc.) våbenmærke; □ be/ride on the ~ of a wave (fig.) være på toppen.

crest[2] [krest] vb. nå op til toppen af (fx the hill).

crested adj. 1. (om brevpapir etc.) med våbenmærke; 2. (om fugl etc.) toppet.

crested lark sb. (zo.) toplærke.

crested newt sb. (zo.) stor vandsalamander.

crested tit sb. (zo.) topmejse.

crestfallen ['krestfɔ:lən] adj. modfalden; slukøret.

cretaceous [kri'teiʃəs] adj. kridt-.

Crete [kri:t] sb. (geogr.) Kreta.

cretin ['kretin] sb. 1. (med.) kretiner; 2. T idiot.

cretinous ['kretinəs] adj. T tåbelig.

crevasse [krə'væs] sb. gletsjerspalte.

crevice ['krevis] sb. sprække.

crew[1] [kru:] sb. 1. (mar., flyv.) mandskab, besætning; 2. (på kapsejler) gast; gaster; 3. (som arbejder sammen) hold (fx film ~); 4. (T: neds.) flok, bande.

crew[2] [kru:] vb. bemande; □ ~ for (på kapsejler) være gast for.

crew cut sb. karsehår; □ with ~ (også) plysset; karseklippet.

crewel ['kru:əl] sb. konturtråd.

crew neck sb. rund hals [på sweater, T-shirt].

crib[1] [krib] sb. 1. krybbe; 2. (ju-

leudsmykning) julekrybbe; 3. (am.: til barn) tremmeseng; kravleseng; 4. (am.: til beboelse) (lille) hus, hytte; lille værelse; 5. T plagiat; (i skole) snydeoversættelse; 6. = cribbage.

crib[2] [krib] vb. skrive af (from efter); (i skolen, ved eksamen, også) snyde.

cribbage ['kribidʒ] sb. puk [et kortspil].

crib death sb. (am.) vuggedød.

crick[1] [krik] sb. hold [i nakken]; forvridning.

crick[2] [krik] vb. forstrække; forvride.

cricket[1] ['krikit] sb. (sport) kricket; □ it is not ~ (T: fig.) det er ikke ærligt spil; det er ikke fair.

cricket[2] ['krikit] sb. (zo.) fårekylling.

cricketer ['krikitə] sb. kricketspiller.

cricketing ['krikitiŋ] adj. kricket-.

crier ['kraiə] sb. udråber.

crikey ['kraiki] interj. (glds. S) ih du store! død og kritte!

crime [kraim] sb. 1. forbrydelse; 2. (generelt) kriminalitet (fx an increase in ~); □ it would be a ~ to T det ville være synd og skam at; ~ of passion (omtr.) jalousimord; (se også scene).

Crimea [krai'miə]: the ~ Krim.

Crimean [krai'miən] adj. krim-; krimsk.

crime fiction sb. kriminalromaner.

crime prevention officer sb. kriminalkonsulent.

crime rate sb. kriminalitet.

crime sheet sb. generalieblad; (mil.) straffeblad.

criminal[1] ['kriminəl] sb. forbryder; kriminel.

criminal[2] ['kriminəl] adj. 1. forbryderisk; kriminel; 2. straffe- (fx case).

criminal court sb. kriminalret.

criminal damage sb. hærværk.

Criminal Investigation Department sb. (svarer til) kriminalpolitiet.

criminality [krimi'næliti] sb. kriminalitet; forbryderiskhed.

criminalize ['kriminəlaiz] vb. kriminalisere.

criminal justice sb. strafferet; strafferetspleje.

criminal law sb. strafferet.

criminal record sb. generalieblad; straffeattest; □ have a ~ være tidligere straffet; have no ~ være ustraffet, have en ren straffeattest.

criminal responsibility sb.: the age

C *criminologist*

of ~ den kriminelle lavalder [*under hvilken man ikke kan straffes*].

criminologist [krimi'nɔlədʒist] *sb.* kriminolog.

criminology [krimi'nɔlədʒi] *sb.* kriminologi.

crimp [krimp] *vb.* **1.** folde, lave folder i (*fx the edge of a pie*); kreppe; **2.** (*hår*) krølle; lave bølger i; **3.** (*am.*) hindre; besværliggøre.

crimson¹ ['krimz(ə)n] *sb.* karmoisinrødt; højrødt.

crimson² ['krimz(ə)n] *adj.* karmoisinrød; højrød.
□ *go* ~ rødme dybt.

cringe [krin(d)ʒ] *vb.* **1.** (*af frygt*) krybe sammen; vige tilbage; **2.** (*af forlegenhed*) krumme tæer (*at over*);
□ ~ *with embarrassment* vride sig af forlegenhed; krumme tæer.

cringe-making ['krin(d)ʒmeikiŋ] *adj.* tåkrummendse.

cringle ['kriŋgl] *sb.* (*mar.*) øje [*af tovværk*].

crinkle¹ ['kriŋkl] *sb.* rynke; fold; krusning.

crinkle² ['kriŋkl] *vb.* **1.** rynke; krølle; kruse; **2.** (*uden objekt*) rynkes; krølle; kruse sig;
□ ~ *one's nose* rynke/krølle næsen; ~ *up* = *crinkle*.

crinkly ['kriŋkli] *adj.* rynket (*fx face*); krøllet; kruset (*fx hair*).

crinoline ['krinəlin] *sb.* **1.** stivskørt; **2.** (*glds.*) krinoline.

crip [krip] *sb.* (*am.* S) krøbling.

cripes [kraips] *interj.* (*glds.* S) gudfader bevares.

cripple¹ ['kripl] *sb.* krøbling; invalid.

cripple² ['kripl] *vb.* (*se også crippled, crippling*) **1.** gøre til krøbling; lemlæste; **2.** (*fig.*) lamme; gøre magtesløs; **3.** (*om fly,skib*) gøre manøvreudygtig.

crippled ['kripld] *adj.* **1.** invalideret, gjort til krøbling; **2.** (*om fly, skib*) havareret.

crippling ['kripliŋ] *adj.* **1.** (*om sygdom*) invaliderende; **2.** (*fig.*) lammende (*fx blow*).

crisis ['kraisis] *sb.* (*pl. crises* ['kraisi:z]) krise.

crisp¹ [krisp] *sb.* (*am.*) = *crumble¹*.

crisp² [krisp] *adj.* **1.** (*om mad*) sprød (*fx bacon; lettuce*); knasende; **2.** (*om sne, blade*) knitrende; **3.** (*om vejr*) klar, skarp (*fx air*); **4.** (*om tøj, papir*) glat, knitrende (*fx sheet*); **5.** (*om ytring*) spids (*fx reply*); **6.** (*om væsen*) kort og knap, kontant (*fx manner*).

crisp³ [krisp] *vb.* gøre//blive sprød.

crispbread ['krispbred] *sb.* knæk-
bröd.

crisps [krisps] *sb. pl.* franske kartofler.

crispy ['krispi] *adj.* (*om mad*) sprød, knasende.

criss-cross¹ ['kriskrɔs] *adj.* krydsende; som går på kryds og tværs.

criss-cross² ['kriskrɔs] *vb.* **1.** rejse// køre//gå på kryds og tværs af (*fx the country*); **2.** (*uden objekt*) gå på kryds og tværs af hinanden (*fx the streets -ed*);
□ *-ed with railway lines* med jernbanespor der går//gik på kryds og tværs.

criss-cross³ ['kriskrɔs] *adv.* på kryds og tværs.

criterion [krai'tiəriən] *sb.* (*pl. criteria* [-riə]) kriterium; kendemærke; målestok.

critic ['kritik] *sb.* **1.** kritiker (*fx he is his own worst* ~); **2.** (*ved blad*) kritiker, anmelder (*fx music* ~; *film* ~).

critical ['kritik(ə)l] *adj.* **1.** kritisk (*of* over for); **2.** (*mht. betydning*) kritisk, afgørende (*fx moment; factor*); **3.** (*mht. risiko*) betænkelig; farlig (*fx situation*);
□ *in a* ~ *condition* (*om patient*) i livsfare.

critically ['kritik(ə)li] *adv.* (*jf. critical*) **1.** kritisk; **2.** kritisk; afgørende (*fx important*); på afgørende måde; **3.** betænkeligt (*fx reserves are* ~ *low*); farligt; **4.** (*om sygdom etc.*) livsfarligt (*fx ill, injured*);
□ ~ *acclaimed* rost af kritikerne.

critical mass *sb.* **1.** (*i atomfysik*) kritisk masse; **2.** (*fig.*) kritisk masse, afgørende mængde [ɔ: *for at noget kan lykkes*].

criticism ['kritisizm] *sb.* kritik;
□ *be above/beyond* ~ være hævet over kritik; *be beneath* ~ være under al kritik.

criticize ['kritisaiz] *vb.* kritisere.

critique¹ [kri'ti:k] *sb.* **1.** kritisk artikel//essay; (udførlig) anmeldelse; **2.** (*filos.*) kritik (*fx Kant's Critique of Pure Reason*).

critique² [kri'ti:k] *vb.* bedømme/ behandle kritisk.

critter ['kritə] *sb.* (*am.* T) = *creature*.

croak¹ [krəuk] *sb.* **1.** kvækken; **2.** (*om ravn etc.*) skrigen; hæst skrig; **3.** (*om stemme*) hæs klang.

croak² [krəuk] *vb.* **1.** (*om frø*) kvække; **2.** (*om ravn etc.*) skrige hæst; **3.** (*om person*) kvække, sige med hæs røst; **4.** (*let glds.* S) dø, krepere; **5.** (*med objekt, jf.* 4) slå ihjel, ekspedere.

croaky ['krəuki] *adj.* (*om stemme*) kvækkende; hæs, rusten.

Croat ['krəuæt] *sb.* kroat.

Croatia [krəu'eiʃə] Kroatien.

Croatian¹ [krəu'eiʃn] *sb.* **1.** kroat; **2.** (*sprog*) kroatisk.

Croatian² [krəu'eiʃn] *adj.* kroatisk.

croc [krɔk] *sb.* T = *crocodile*.

crochet¹ ['krəuʃei, (*am.*) krou'ʃei] *sb.* hækling; (se også *double crochet*).

crochet² ['krəuʃei, (*am.*) krou'ʃei] *vb.* hækle.

crochet hook *sb.* hæklenål.

crock [krɔk] *sb.* (*glds.*) **1.** lerkrukke; lerpotte; **2.** potteskår; **3.** se ndf.: *old* ~;
□ *it is a* ~ (*of shit*) (*am.* S) det er noget ævl/pis; *a* ~ *of gold* **a.** en krukke fuld af guld [*som står for enden af en regnbue*]; **b.** (*fig.*) en rig indtægtskilde; *old* ~ **a.** (*om person*) gammel støder, gammelt skrog; **b.** (*om bil*) gammel smadderkasse, vrag.

crockery ['krɔkəri] *sb.* porcelæn, service.

crocks [krɔks] *sb. pl.* (*glds.* S) postelin, service.

crocodile ['krɔkədail] *sb.* **1.** krokodille; **2.** T lang hale af børn som går to og to; lang række.

crocodile tears *sb. pl.* krokodilletårer.

crocus ['krəukəs] *sb.* (*bot.*) krokus.

Croesus ['kri:səs] *sb.* (*myt.& fig.*) Krøsus [*rigmand*].

croft [krɔft] *sb.* (*skotsk*) **1.** (forpagtet) husmandssted; **2.** toft.

crofter ['krɔftə] *sb.* (*skotsk*) husmand; forpagter.

cromlech ['krɔmlek] *sb.* stendysse.

crone [krəun] *sb.* (*glds. el. litt.*) gammel kælling/kone.

crony ['krəuni] *sb.* (*neds.*) gammel ven, bonkammerat; kammesjuk.

cronyism ['krəuniizm] *sb.* (*neds.*) kammerateri, sammenspisthed [ɔ: *udnævnelse af gamle venner til høje stillinger uden hensyn til kvalifikationer*].

crook¹ [kruk] *sb.* **1.** hage; krog; **2.** (*hyrdes*) hyrdestav; (*biskops*) krumstav; **3.** T svindler; forbryder;
□ *in the* ~ *of one's arm* under sin bøjede arm, under armen (*fx he carried the dog in the* ~ *of his arm*); *on the* ~ T uærligt.

crook² [kruk] *adj.* (*austr.* T) syg; dårlig.

crook³ [kruk] *vb.* (*glds.*) krumme; bøje; (se også *elbow¹*).

crooked ['krukid] *adj.* **1.** krum; skæv (*fx teeth; grin*); kroget (*fx tree*); **2.** (*fig.*) uhæderlig; uærlig;
□ *be* ~ *on* (*austr.*) **a.** være sur på; **b.** ikke kunne fordrage.

croon[1] [kru:n] *sb.* nynnen; smæg-
tende/sentimental sang.
croon[2] [kru:n] *vb.* **1.** nynne;
croone; synge smægtende;
2. (*sige*) kurre; mumle.
crooner ['kru:nə] *sb.* crooner; re-
frainsanger.
crop[1] [krɔp] *sb.* **1.** (*agr.*) høst; af-
grøde; **2.** (*om frisure*) kortklippet
hår; **3.** (*til hest*) ridepisk; **4.** (*hos
fugle*) kro;
□ *a ~ of* T **a.** en samling (*fx
books*); en mængde (*fx problems*);
b. (*fx studerende*) et hold; en år-
gang; *a thick ~ of hair* en tyk
manke.
crop[2] [krɔp] *vb.* **1.** (*hår*) klippe
kort; **2.** (*foto.*) beskære; **3.** (*agr.*)
beplante; tilså (*fx ~ a field with
wheat*); **4.** (*afgrøde*) høste;
5. (*græs etc.*) afgræsse, afgnave;
6. (*uden objekt*) give afgrøde;
□ *~ up* dukke op; vise sig.
crop failure *sb.* misvækst.
cropper ['krɔpə] *sb.*: *come a ~*
a. falde (tungt); styrte; **b.** have fia-
sko; (*om projekt etc.*) gå i vasken.
crop rotation *sb.* (*agr.*) vekseldrift.
croquet[1] ['krəukei, (*am.*) krou'kei]
sb. **1.** kroket; **2.** krokade.
croquet[2] ['krəukei, (*am.*) krou'kei]
vb. krokere.
croquette [krɔ'ket] *sb.* (*i madlav-
ning*) kroket.
crosier ['krəuʒə] *sb.* bispestav,
krumstav.
cross[1] [krɔs] *sb.* **1.** kryds; kors;
2. (*rel., fig. & om ordenstegn*) kors
(*fx Jesus died on the ~; it is a ~ I
have to bear; the Victoria Cross*);
3. (*ved avl*) krydsning; bastard;
4. (*i fodbold*) krydsaflevering;
□ *a ~ between* **a.** en krydsning
mellem (*fx a mule is a ~ between
a horse and an ass*); **b.** (*fig.*) en
mellemting mellem.
cross[2] [krɔs] *adj.* (*om person*) sur,
gnaven, arrig (*about, at* over; *that*
over at; *with* på); tvær;
□ *as ~ as two sticks* sur og tvær;
eddikesur.
cross[3] [krɔs] *vb.* **1.** krydse, gå
(tværs) over (*fx the street; the
field*); passere (*fx the border; the
finishing line*); køre//ride *etc.*
over/igennem; **2.** (*farvand*) sejle
over (*fx the Channel; the Atlan-
tic*); sætte over (*fx a river*); **3.** (*gå
på tværs af*) skære; krydse (*fx the
road -ed the river*); **4.** (*arme, ben*)
lægge over kors; **5.** (*bold*) lægge
ind over; **6.** (*ansigt*) glide hen
over (*fx a smile -ed his face*);
7. (*check*) crosse; **8.** (*fig.*) komme
på tværs af (*fx no one dared ~
him*); modarbejde; **9.** (*biol.*)

krydse (*with* med); **10.** (*om linjer,
veje, breve*) krydse hinanden;
□ *~ oneself* gøre korsets tegn for
sig;
[*med sb.*] *~ one's t's* **a.** sætte stre-
ger gennem t'erne; **b.** (*fig.*) være
pertentlig; (se også *bridge*[1], *finger*[1],
floor[1], *heart, line*[1], *mind*[1], *path,
sword*);
[*med præp.& adv.*] *be -ed in love*
lide skuffelse i kærlighed; *~ off*
strege ud; stryge; *~ out* strege
over; *~ over* **a.** gå over (*fx look
both ways before you ~ over; we
-ed over the road*); **b.** sejle over,
tage over (*fx ~ over to England*);
sætte over; **c.** (*fig.*) gå over (*fx he
-ed over to the Conservatives*); *~
up* narre, snyde.
crossbar ['krɔsbɑ:] *sb.* **1.** (*i fodbold-
mål*) overligger; **2.** (*på cykel*)
stang.
cross bench *sb.* [*plads i Overhuset
for uafhængige medlemmer*].
crossbill ['krɔsbil] *sb.* (*zo.*) lille
korsnæb.
crossbones ['krɔsbəunz] *sb. pl.*
korslagte knogler [*i piratflag*].
cross-border [krɔs'bɔ:də] *adj.* på
tværs af en grænse; grænseover-
skridende.
cross-border shopping *sb.* grænse-
handel.
crossbow ['krɔsbəu] *sb.* armbrøst.
crossbreed[1] ['krɔsbri:d] *sb.* kryds-
ning; blandingsrace.
crossbreed[2] ['krɔsbri:d] *vb.*
1. krydse; **2.** krydse hinanden.
cross-check ['krɔstʃek] *vb.* kryds-
tjekke; krydsrevidere.
cross-country[1] [krɔs'kʌntri] *sb.* (*om
skiløb*) langrend.
cross-country[2] [krɔs'kʌntri] *adj.*
1. tværs gennem landet; **2.** gen-
nem terrænet; terrængående (*fx
vehicle*).
cross-country race *sb.* terrænløb.
cross-country skiing *sb.*,
croos-country ski race *sb.* lang-
rend.
cross-cultural [krɔs'kʌltʃər(ə)l] *adj.*
tværkulturel.
cross-current ['krɔskʌrənt] *sb.*
tværstrømning;
□ *-s* (*fig.*) krydsende strømninger.
crosscut ['krɔskʌt] *sb.* (*i film*)
krydsklip.
crosscut saw *sb.* skovsav.
cross-dress [krɔs'dres] *vb.* gå med
det modsatte køns tøj.
cross-dresser [krɔs'dresə] *sb.* en
som går i det modsatte køns tøj;
transvestit.
cross-examination [krɔsigzæmi-
'neiʃn] *sb.* **1.** (*jur.*) kontraafhøring
[*o: afhøring af modpartens vidne*];

2. (*om grundig afhøring*) krydsfor-
hør.
cross-examine [krɔsig'zæmin] *vb.*
(cf. *cross-examination*) **1.** underka-
ste kontraafhøring; **2.** krydsfor-
høre.
cross-eyed ['krɔsaid] *adj.* skeløjet.
cross-fade *vb.* (*film.*) overtone.
cross-fertilize [krɔs'fə:təlaiz] *vb.*
krydsbestøve.
crossfire ['krɔsfaiə] *sb.* krydsild.
cross-frontier [krɔs'frʌntiə] *adj.* på
tværs af en (lande)grænse; græn-
seoverskridende.
cross-grained ['krɔsgreind] *adj.*
1. (*om træ*) tværløbet, rundløbet;
2. (*fig.*) umedgørlig, kontrær.
cross hairs *sb. pl.* trådkors [*i kik-
kertsigte*].
cross-hatched ['krɔshætʃt] *adj.*
krydsskraveret.
cross-hatching ['krɔshætʃtiŋ] *sb.*
krydsskravering.
cross head *sb.* **1.** (*i maskine*) kryds-
hoved; **2.** (*i skrue*) krydskærv;
3. (*i avis*) underrubrik.
crossing ['krɔsiŋ] *sb.* **1.** (*mar.*) over-
fart; **2.** (*over gade*) fodgængerover-
gang; **3.** (*af veje*) korsvej;
4. (*jernb.*) overskæring; **5.** (*ved
grænse*) grænseovergang.
cross-legged ['krɔslegd] *adv.* med
benene over kors; i skrædderstil-
ling.
crossover ['krɔsəuvə] *sb.* **1.** kryds-
ning, blanding [*af flere stilarter*];
mellemform; **2.** (*sted*) overgangs-
sted; overgang.
cross-party [krɔs'pɑ:ti] *adj.* tværpo-
litisk.
crosspiece ['krɔspi:s] *sb.* tvær-
stykke; tværbjælke.
cross-purposes [krɔs'pə:pəsiz] *sb.
pl.*: *be at ~* **a.** misforstå hinanden;
b. komme til at modvirke hinan-
den; være uenige; *we are talking
at ~* vi taler forbi hinanden; du
taler i øst og jeg i vest.
cross-question [krɔs'kwestʃn] *vb.*
krydsforhøre.
cross-reference [krɔs'ref(ə)rəns] *sb.*
krydshenvisning.
crossroads ['krɔsrəudʃ] *sb.* (*pl. d.s.*)
vejkryds; korsvej;
□ *be at a ~* (*fig.*) befinde sig ved
en korsvej; stå på skillevejen.
cross-ruff[1] [krɔs'rʌf] *sb.* (*i kortspil*)
krydstrumfning.
cross-ruff[2] [krɔs'rʌf] *vb.* (*i kortspil*)
krydstrumfe.
cross section *sb.* tværsnit.
cross stitch *sb.* korssting.
crosstalk ['krɔstɔ:k] *sb.* **1.** hurtigt
replikskifte; hurtig humoristisk
dialog; **2.** (*tlf.; radio.*) krydstale.
crosstrees ['krɔstri:z] *sb. pl.* (*mar.*)

tværsaling; salingshorn [*tværstang på masten*].

crosswalk ['krɔswɔ:k] *sb.* (*am.*) fodgængerovergang.

crosswind ['krɔswind] *sb.* sidevind.

crosswise ['krɔswaiz] *adv.* over kors; på tværs.

crossword ['krɔswə:d] *sb.* krydsord, krydsogtværsopgave.

crossword puzzle *sb.* = crossword.

crotch [krɔtʃ] *sb.* (*del af kroppen el. af bukser*) skridt.

crotchet ['krɔtʃit] *sb.* **1.** (*mus.*) fjerdedelsnode; **2.** (*hos person*) sær idé, grille.

crotchety ['krɔtʃiti] *adj.* vranten.

crouch[1] [krautʃ] *sb.* sammenkrøben//foroverbøjet stilling.

crouch[2] [krautʃ] *vb.* **1.** krybe sammen; sidde//ligge sammenkrøbet; sætte sig//sidde på hug; **2.** (*om dyr*) ligge på spring; ligge på lur; □ ~ *down* = *crouch*; ~ *over* læne sig ind over; sidde sammenkrøbet ved.

croup [kru:p] *sb.* **1.** (*med.*) strubehoste; **2.** kryds [*på en hest*].

croupier ['kru:piə] *sb.* croupier [*ved roulettespil*].

crow[1] [krəu] *sb.* (*zo.*) krage; □ *as the* ~ *flies* i fugleflugtslinje; *eat* ~ (*am.* T) ydmyge sig; krybe til korset.

crow[2] [krəu] *vb.* (*crew/-ed, -ed*) **1.** (*om hane*) gale; **2.** (*om person, neds.*) hovere, triumfere; **3.** (*om lille barn*) pludre fornøjet; juble; □ ~ *about*, ~ *over* T **a.** prale af, brovte af; **b.** hovere over.

crowbar ['krəuba:] *sb.* koben, brækjern.

crowberry ['krəubəri] *sb.* (*bot.*) revling, sortbær.

crowd[1] [kraud] *sb.* **1.** menneskemængde, folkemængde; skare, flok; **2.** (*ved sportsbegivenhed*) tilskuere (*fx a football* ~); **3.** (T: *venner am.*) kreds, kor, slæng; **4.** (*af ting*) mængde; □ *thee was a* ~ **a.** (*også*) der var opløb; **b.** (ɔ: *tæt*) der var trængsel; *collect a* ~ samle opløb; *he might pass in a* ~ han er ikke værre end så mange andre; *the* ~ mængden, hoben, den brede hob; *stand out in a* ~ skille sig ud fra mængden; *follow/go with/move with the* ~ (*fig.*) følge med strømmen.

crowd[2] [kraud] *vb.* (se også *crowded*) **1.** (*sted*) fylde (til trængsel) (*fx thousands of people -ed the streets*); **2.** (*person*) mase (sig) ind på (*fx don't* ~ *her*); **3.** (*am.*) presse [*med for mange krav el. spørgsmål*]; lægge pres på;

4. (*uden objekt*) stimle sammen, flokkes, trænges (*fx about/round the car*); □ ~ *into* trænge/mase (sig) ind i (*fx the hall*); ~ *in on* trænge sig ind på; ~ *out* trænge/skubbe ud/ til side; fortrænge.

crowded ['kraudid] *adj.* **1.** (over)fyldt (*with* af, *fx tourists*); tæt pakket; **2.** (*med beboere*) overbefolket (*fx city*); **3.** (*med begivenheder etc.*) begivenhedsrig (*fx life*); fuld (*fx agenda*).

crowd-pleaser ['kraudpli:zə] *sb.* en//noget publikum kan lide; sikker succes.

crowd-puller ['kraudpulə] *sb.* tiløbsstykke.

crowfoot ['kraufut] *sb.* (*pl. -s*) **1.** (*bot.*) ranunkel; **2.** (*mar.*) hanefod.

crown[1] [kraun] *sb.* **1.** (*konge-, træ-, tand- etc.*) krone; **2.** (*af andet*) top (*fx of a mountain*); **3.** (*af hat*) puld; **4.** (*af hoved*) isse; **5.** (*i sport*) mesterskab; **6.** (*især glds.*) [*mønt til en værdi af 25 pence*]; **7.** (*litt.*) krans (*fx laurel* ~); □ *the Crown* **a.** kronen, kongemagten; staten, det offentlige; **b.** (*jur.*) anklagemyndigheden; (se også *counsel*[1]).

crown[2] [kraun] *vb.* **1.** (*hersker*) krone; **2.** (*vinder*) kranse; **3.** (*sted*) krone; omkranse; **4.** (*begivenhedsrække*) sætte kronen på; danne højdepunktet af (*fx the evening*); afslutte (*fx one's career*); (se også *crowning*); **5.** (*i damspil: brik*) gøre til dam; **6.** (*tandl.: tand*) sætte krone på; **7.** T slå oven i hovedet;
□ *to* ~ *it all he ...* det bedste//værste af det hele var at han ....

Crown Colony *sb.* kronkoloni.

Crown Court *sb.* [*domstol over magistrate's court*].

crown imperial *sb.* (*bot.*) kejserkrone.

crowning ['krauniŋ] *adj.*: *the* ~ *glory* det flotteste; højdepunktet; pragtstykket; *the* ~ *touch* prikken over i'et; kronen på værket; højdepunktet.

crown jewels *sb. pl.* **1.** kronjuveler; **2.** S klunker; nosser.

crown prince *sb.* kronprins.

crown princess *sb.* **1.** kronprinsesse; **2.** tronfølger.

crow's feet ['krəuzfi:t] *sb. pl.* rynker ved øjnene; smilerynker.

crow's nest ['krəuznest] *sb.* (*mar.*) udkigstønde.

crozier ['krəuʒə] *sb.* bispestav; krumstav.

crucial ['kru:ʃ(ə)l] *adj.* **1.** afgørende

(*fx at the* ~ *moment*); yderst vigtig; **2.** S fantastisk.

crucian ['kru:ʃn] *sb.*, **crucian carp** *sb.* (*zo.*) karusse.

crucible ['kru:sibl] *sb.* **1.** smeltedigel; **2.** (*fig., litt.*) ildprøve.

cruciferous [kru:'sifərəs] *adj.* (*bot.*) korsblomstret.

crucifix ['kru:sifiks] *sb.* krucifiks.

crucifixion [krusi'fikʃn] *sb.* korsfæstelse.

cruciform ['kru:sifɔ:m] *adj.* F korsformet, korsdannet.

crucify ['kru:sifai] *vb.* **1.** korsfæste; **2.** (T: *fig.*) flå levende (*fx he'll* ~ *you if he finds you here*); (*kritisere*) sable ned.

crud [krʌd] *sb.* T **1.** klistret stads; **2.** ævl; **3.** (*om person*) lort, skiderik; **4.** (*am.*) ubestemt sygdom; onde.

cruddy ['krʌdi] *adj.* lortet; elendig; møg-.

crude[1] [kru:d] *sb.* (*merk.*) råolie.

crude[2] [kru:d] *adj.* **1.** (*om ord, handling*) plump (*fx joke*); anstødelig (*fx gesture*); grov, rå; **2.** (*om metode, mål*) grov; **3.** (*om forarbejdning*) groft lavet; primitiv (*fx tool; hut*); **4.** (*om tanker, ideer*) umoden, ufordøjet; ufærdig, vag (*fx idea*); naiv (*fx book*); **5.** (*om materiale, råstof: ubehandlet*) rå- (*fx copper, oil, sugar*); **6.** (*om statistik*) grov; summarisk (*fx birth rate; death rate*);
□ ~ *facts* nøgne kendsgerninger.

crudeness ['kru:dnis] *sb.* (jf. *crude*[2] 1) plumphed; anstødelighedhed; grovhed.

crude oil *sb.* råolie.

crudity ['kru:diti] *sb.* se *crudeness*.

cruel ['kruəl] *adj.* **1.** (*uden medfølelse*) grusom; ubarmhjertig; **2.** (*fig.*) ubarmhjertig (*fx wind; winter*); frygtelig; forfærdelig.

cruelty ['kruəlti] *sb.* grusomhed; ubarmhjertighed.

cruet ['kru:it] *sb.* **1.** [*beholder til salt//peber//olie//eddike*]; **2.** (*am.*) flakon [*til olie og eddike*].

cruet set *sb.* salt og pebersæt//olie og eddikesæt.

cruet stand *sb.* platmenage [*med salt, peber, olie, eddike*].

cruise[1] [kru:z] *sb.* krydstogt; (*i sejlbåd også*) sejltur.

cruise[2] [kru:z] *vb.* **1.** være/tage på krydstogt//sejltur; krydse rundt, sejle rundt; **2.** (*om fly, skib, bil*) flyve//sejle//køre med konstant fart; (*om bil også*) køre rundt i ro og mag; **3.** S være på udkig efter en sexpartner; **4.** (*med objekt, jf.* 1) krydse/sejle rundt i/på;
□ ~ *to victory* vinde med lethed.

cruise control *sb. (i bil)* fartpilot.
cruise missile *sb. (mil.)* krydsermissil.
cruiser ['kru:zə] *sb.* **1.** *(krigsskib)* krydser; **2.** *(motorbåd med kahyt)* langtursbåd; **3.** *(am.: politibil)* patruljevogn.
cruiserweight ['kru:zəweit] *sb.* let sværvægt.
cruising altitude *sb. (flyv.)* marchhøjde.
cruising speed *sb. (flyv.)* marchhastighed.
cruller ['krʌlə] *sb. (am.; omtr.)* klejne.
crumb[1] [krʌm] *sb.* **1.** krumme; brødsmule; **2.** *(fig.)* smule; **3.** *(am. S)* dum skid.
crumb[2] [krʌm] *vb.* vende i rasp.
crumble[1] ['krʌmbl] *sb. [dessert med frugt og raspblanding]; (apple ~ omtr.)* æblekage.
crumble[2] ['krʌmbl] *vb.* **1.** smuldre; **2.** *(om murværk, klippe)* smuldre, forvitre; **3.** *(fig.)* smuldre *(fx support for the government began to ~)*; forfalde; gå i opløsning; **4.** *(om person)* bryde sammen; □ *~ away = 3;* (se også *cookie*).
crumbly[1] ['krʌmbli] *sb.* S oldsag, mumie.
crumbly[2] ['krʌmbli] *adj.* sprød; som let smuldrer.
crumbs [krʌmz] *interj.* S orv! for pokker!
crummy ['krʌmi] *adj.* S luset; elendig.
crumpet ['krʌmpit] *sb.* **1.** *[slags tebrød];* **2.** *(vulg. om piger)* kørvel; sild; □ *barmy on the ~* skør i knolden.
crumple ['krʌmpl] *vb.* **1.** krølle; krølle sammen; **2.** *(uden objekt: om person)* synke sammen; falde om; **3.** *(om ansigt)* få et forkert udtryk; □ *~ up* **a.** krølle sammen; **b.** *(uden objekt: om person)* synke sammen; **c.** *(om modstand, organisation)* bryde sammen.
crumple zone *sb. (i bil)* stødabsorberende zone.
crunch[1] [krʌn(t)ʃ] *sb.* **1.** knasen; **2.** T økonomisk klemme; □ *the ~* T det kritiske punkt; det afgørende øjeblik; *when it comes to the ~* når det kommer til stykket; når det virkelig gælder.
crunch[2] [krʌn(t)ʃ] *vb.* knase.
crupper ['krʌpə] *sb.* rumperem.
crusade[1] [kru:'seid] *sb.* **1.** kampagne *(fx a ~ against crime);* felttog; **2.** *(hist.)* korstog.
crusade[2] [kru:'seid] *vb.* **1.** deltage i en kampagne/et felttog; **2.** *(hist.)* være//drage på korstog;

□ *~ against//for* føre en kampagne imod//for.
crusader [kru:'seidə] *sb.* **1.** en der fører en kampagne; **2.** *(hist.)* korsfarer.
crush[1] [krʌʃ] *sb.* **1.** *(af mennesker)* trængsel; **2.** T forelskelse *(fx a schoolgirl ~);* **3.** *[drik af frisk frugtsaft, lige presset ud];* □ *have a ~ on sby* T være varm på en, være skudt i en.
crush[2] [krʌʃ] *vb.* (se også *crushed, crushing*) **1.** presse sammen, krølle sammen *(fx a beer can);* **2.** *(til småstykker)* knuse; støde *(into til, fx a pill into powder);* **3.** *(tøj)* krølle; **4.** *(person)* presse, mase *(fx against the wall);* **5.** *(modstand etc.)* slå ned, knuse *(fx a rebellion; all opposition);* **6.** *(åndeligt)* slå ud *(fx her death had completely -ed him);* □ *~ in* **a.** trykke ind; **b.** mase ind; *~ out* **a.** presse ud *(fx juice);* **b.** mase ud *(fx a cigarette);* *~ up* knuse; støde; pulverisere.
crush barrier *sb.* afspærring *[mod folkemængde].*
crushed [krʌʃt] *adj.* **1.** sammenpresset, sammenkrøllet; **2.** knust *(fx ice);* **3.** *(om tøj)* krøllet; □ *be ~ against* være//blive presset/mast op imod *(fx a fence); be ~ by* være//blive helt knust af, være//blive helt slået ud af *(fx criticism).*
crushed velvet *sb.* nervøst fløjl.
crushing ['krʌʃiŋ] *adj.* knusende *(fx blow; defeat).*
crushingly ['krʌʃiŋli] *adv. (fig., neds.)* sindsoprivende *(fx bad; tedious).*
crust[1] [krʌst] *sb.* **1.** skorpe; **2.** *(på pie)* (dej)låg; **3.** *(af vin)* bundfald, depot; **4.** S frækhed; □ *earn a ~* tjene til livets ophold.
crust[2] [krʌst] *vb.* (se også *crusted*) **1.** overtrække med skorpe; **2.** *(uden objekt)* sætte skorpe; **3.** *(om vin)* afsætte bundfald/depot.
crustacean [krʌ'steiʃn] *sb.* krebsdyr, skaldyr.
crusted ['krʌstid] *adj.* **1.** med skorpe; **2.** *(om vin)* som har afsat bundfald; gammel; □ *~ with (jf. 1)* med en skorpe af *(fx dirt).*
crusty ['krʌsti] *adj.* **1.** med (sprød) skorpe; **2.** *(især om ældre)* knarvorn, vranten.
crutch [krʌtʃ] *sb.* **1.** krykke; **2.** = *crotch.*
crux [krʌks] *sb.* vanskelighed; vanskeligt punkt; □ *the ~ of the matter* sagens

kerne.
cry[1] [krai] *sb.* **1.** udbrud *(fx of anger; of surprise);* (højere) skrig *(fx of horror);* **2.** *(med ord)* råb *(for om, fx a ~ for help);* udråb; **3.** *(især babys)* gråd; **4.** *(dyrs)* skrig *(fx the ~ of a seagull);* (hunds) halsen; □ *have a good ~* få sig en ordentlig grædetur; græde ud; *much ~ and little wool* viel Geschrei und wenig Wolle; stor ståhej for ingenting; (se også *far*[1], *full*[1]).
cry[2] [krai] *vb.* (se også *crying*) **1.** *(med tårer)* græde *(about over);* **2.** *(med ord)* råbe, skrige; *(pludseligt)* udbryde; **3.** *(uartikuleret)* skrige; **4.** *(om gadesælger)* råbe med; □ *fall a-crying* stikke i at græde; *~ wolf* se *wolf*[1]; [med *præp.& adv.*] *~ down (glds. T)* rakke ned på; *~ for* **a.** råbe// skrige på; **b.** græde for (at få); (se også *moon*[1]); *~ off* melde fra; trække sig tilbage *(from fra); ~ off a deal* annullere en handel; *~ out* **a.** råbe højt; **b.** skrige, udstøde et skrig; *~ one's eyes/heart out* græde øjnene ud af hovedet; *~ out against* protestere højlydt imod; *~ out for (fig.)* råbe på, kræve; *for -ing out loud!* T for pokker! hold da helt op! åh hold kæft! *~ over* græde over; (se også *spilt); ~ up* rose, hæve til skyerne; opreklamere.
crybaby ['kraibeibi] *sb.* flæbehoved; tudesøren.
crying ['kraiiŋ] *adj. (fig.)* himmelråbende, skrigende *(fx need behov);* □ *a ~ shame* synd og skam.
crypt [kript] *sb.* krypt *[under kirke];* gravhvælving.
cryptic ['kriptik] *adj.* kryptisk, gådefuld *(fx remark).*
cryptogram ['kriptəgræm] *sb.* kryptogram, kodet meddelelse.
cryptography [krip'tɔgrəfi] *sb.* kryptografi.
crystal[1] ['krist(ə)l] *sb.* **1.** krystal; **2.** *(materiale)* krystal, krystalglas; **3.** *(i prismekrone)* prisme; **4.** *(til ur)* urglas.
crystal[2] ['krist(ə)l] *adj.* **1.** krystal-; **2.** krystalklar *(fx water).*
crystal ball *sb.* krystalkugle.
crystal clear *adj. (også fig.)* krystalklar.
crystal gazing *sb. [spåen ved hjælp af en krystalkugle].*
crystalline ['kristəlain] *adj.* **1.** krystalinsk; **2.** *(litt.)* krystalklar.
crystalline lens *sb. (i øjet)* krystallinse.

C crystallization

crystallization [kristəlai'zeiʃn] sb. krystallisation, krystallisering.
crystallize ['kristəlaiz] vb. 1. (kem.) (ud)krystallisere sig, krystallisere, danne krystaller; 2. (fig.) udkrystallisere sig, tage fast form; 3. (med objekt) krystallisere.
crystallized fruit sb. kandiseret frugt.
crystallography [kristə'lɔgrəfi] sb. krystallografi; krystallære.
crystal set sb. (glds. radio) krystalapparat.
CS fork. f. 1. Civil Service; 2. chartered surveyor.
CS gas sb. tåregas.
ct fork. f. 1. cent; 2. carat.
ctrl fork. f. control [tast på computertastatur].
Cttee fork. f. committee.
CU fork. f. Cambridge University.
cub [kʌb] sb. 1. unge [især af ræv, ulv, løve, tiger, bjørn]; hvalp; 2. (spejder) ulveunge; (se også Cubs); 3. = cub reporter.
cubage ['kju:bidʒ] sb. kubikindhold.
Cuban¹ ['kju:bən] sb. cubaner.
Cuban² ['kju:bən] adj. cubansk.
Cuban heel sb. officershæl.
cubbyhole ['kʌbihəul] sb. lille rum; hummer.
cube¹ [kju:b] sb. 1. kubus; terning; 2. (mat.) kubiktal, tredje potens [af et tal];
□ the ~ of 4 4 i tredje (potens); a ~ of soap//sugar et stykke sæbe//sukker.
cube² [kju:b] vb. 1. (mad) skære ud i terninger; 2. (mat.) finde kubiktallet af, opløfte til tredje potens; □ x -d x i tredje (potens).
cube root sb. (mat.) kubikrod.
cubic ['kju:bik] adj. 1. kubik- (fx centimetre, metre); 2. (om form) kubisk, terningeformet.
cubic content sb. kubikindhold.
cubic equation sb. (mat.) tredjegradsligning.
cubicle ['kju:bikl] sb. 1. lille rum, aflukke; 2. (til omklædning) omklædningsrum; 3. (i tøjforretning) prøverum; 4. (til bad) brusekabine, badekabine; 5. (til at sove i) sovekabine.
cubism ['kju:bizm] sb. kubisme.
cubist¹ ['kju:bist] sb. kubist.
cubist² ['kju:bist] adj. kubistisk.
cub master sb. ulveleder.
cub reporter sb. journalistspire.
Cubs, cubs [kʌbz] sb. pl.: go to ~ gå til ulvemøde.
cub scout sb. ulveunge [ɔ: spejder].
cuckold¹ ['kʌkəuld] sb. (glds.) hanrej.
cuckold² ['kʌkəuld] vb. (glds.) gøre

til hanrej.
cuckoo¹ ['kuku:] sb. (zo.) gøg; □ a ~ in the nest (fig.) en gøgeunge.
cuckoo² ['kuku:] adj. T tosset, skør.
cuckoo clock sb. kukur.
cuckooflower ['kuku:flauə] sb. (bot.) engkarse.
cuckoo pint sb. (bot.) dansk ingefær, aronsstav.
cuckoo spit sb. gøgespyt [hvidt skum på planter, fra skumcikaden].
cucumber ['kju:kəmbə] sb. (bot.) agurk; (se også cool²).
cud [kʌd] sb.: chew the ~ a. tygge drøv; b. T overveje.
cuddle¹ ['kʌdl] sb. omfavnelse, knus, kram.
cuddle² ['kʌdl] vb. 1. holde om, holde ind til sig (fx he -d the baby); 2. omfavne, knuse; kramme (fx he -d the girls); 3. (uden objekt) omfavne/kramme hinanden (fx they were kissing and cuddling);
□ ~ together trykke sig/putte sig ind til hinanden; ~ up to trykke sig/putte sig ind til.
cuddlesome ['kʌdlsəm] adj. = cuddly.
cuddly ['kʌdli] adj. lige til at knuse [ɔ: omfavne]; kær.
cuddly toys sb. pl. tøjdyr, krammedyr.
cudgel¹ ['kʌdʒ(ə)l] sb. knippel; □ take up the -s for sby gå i brechen for en; tale/forsvare ens sag.
cudgel² ['kʌdʒ(ə)l] vb. prygle; (se også brain¹).
cudweed ['kʌdwi:d] sb. (bot.) (vild) evighedsblomst.
cue¹ [kju:] sb. 1. (teat.) stikord; (til scenepersonale) signal; 2. (mus.) stiknode; 3. (fig.) vink, tegn (for til; to til at); 4. (i billard) kø;
□ as if on ~ som efter aftale; right on ~ lige i det rette øjeblik; take one's ~ from sby tage eksempel efter en; efterligne en.
cue² [kju:] vb. give stikord til.
cuff¹ [kʌf] sb. 1. (på ærme, am. også på bukser) opslag; 2. (på skjorte) manchet;
□ -s T = handcuffs; off the ~ på stående fod; improviseret; uforberedt; on the ~ (am. S) på kredit.
cuff² [kʌf] sb. (let) slag; dask; klaps.
cuff³ [kʌf] vb. 1. (jf. cuff¹) give håndjern på; 2. (jf. cuff²) slå; daske; klapse; 3. T = handcuff.
cuff links sb. pl. manchetknapper.
cuirass [kwi'ræs] sb. (hist.) kyras.
cuisine [kwi'zi:n] sb. 1. køkken (fx French ~); kogekunst; 2. mad (fx

they offer excellent ~); 3. madlavning.
cul-de-sac ['kuldə'sæk, fr.] sb. F 1. blind gade; lukket/blind vej; 2. (fig.) blindgade, blindgyde; noget der ingenting fører til.
culinary ['kʌlinəri] adj. kulinarisk (fx delights); som hører til kogekunsten; mad-;
□ ~ skills færdigheder i kogekunsten.
cull [kʌl] vb. 1. udvælge (omhyggeligt) (from af, blandt); udsøge; samle; plukke; 2. (svage dyr i en bestand) udrense; bortskyde.
cullender ['kʌləndə] sb. dørslag.
cullet ['kʌlit] sb. glasskår, affaldsglas [til omsmeltning].
culm [kʌlm] sb. (bot.) stængel.
culminate ['kʌlmineit] vb. kulminere (in i).
culmination [kʌlmi'neiʃn] sb. kulmination.
culottes [kju'lɔts] sb. pl. buksenederdel.
culpability [kʌlpə'biləti] sb. F strafværdighed.
culpable ['kʌlpəbl] adj. 1. skyldig (for i); ansvarlig (for for); 2. (jur.) strafværdig; kriminel.
culpable negligence sb. (jur.) grov uagtsomhed.
culprit ['kʌlprit] sb.: the ~ a. den skyldige, gerningsmanden; b. (spøg.) synderen, misdæderen, den formastelige; c. (mht. problem) årsagen.
cult [kʌlt] sb. 1. (rel.) kult (fx a Satan-worshipping ~); kultus; dyrkelse (fx the ~ of Shiva); 2. (fig.) kult (fx the fitness ~); dyrkelse; □ ~ of personality personkult, persondyrkelse.
cultivable ['kʌltivəbl] adj. som kan dyrkes; dyrkbar.
cultivate ['kʌltiveit] vb. 1. (jord: anvende) opdyrke; dyrke; 2. (jord: behandle) kultivere; 3. (afgrøde) dyrke; 4. (fig.) dyrke (fx his friendship; contacts); udvikle (fx a positive attitude; an air of indifference); 5. F udvikle, uddanne, forædle (fx their minds);
□ ~ a moustache anlægge overskæg.
cultivated ['kʌltiveitid] adj. 1. (om person) kultiveret, dannet; 2. (om jord) opdyrket (fx area); (behandlet) kultiveret; 3. (om plante) dyrket (fx mushroom); kultur- (fx plant; variety).
cultivation [kʌlti'veiʃn] sb. dyrkning.
cultivator ['kʌltiveitə] sb. 1. (redskab) kultivator; 2. (person) dyrker.

cultural ['kʌltʃər(ə)l] *adj.* kultur-(*fx heritage; imperialism; centre*); kulturel.

culture[1] ['kʌltʃə] *sb.* kultur.

culture[2] ['kʌltʃə] *vb.* dyrke.

cultured ['kʌltʃəd] *adj.* kultiveret; dannet.

cultured pearl *sb.* kulturperle.

culture gap *sb.* kulturkløft.

culture shock *sb.* kulturchok.

culture vulture *sb.* kultursnob.

culvert ['kʌlvət] *sb.* **1.** stenkiste [*under vej*]; gennemløb; **2.** (*til kabler etc*) rør.

cum[1] [kʌm] *sb.* (*vulg.*) sæd.

cum[2] [kʌm] *vb.* (*vulg.*) komme, få orgasme.

cum[3] [kʌm] *præp.* (*i sms.*) og, kombineret med (*fx a gardener-cum-chauffeur; a study-cum-bedroom*).

Cumberland sausage ['kʌmbələndsɔsidʒ] *sb.* (*omtr.*) medisterpølse.

cumbersome ['kʌmbəsəm] *adj.* besværlig; uhåndterlig.

cum div. *fork. f.* cum dividend iberegnet dividenden.

cumin ['kju:min] *sb.* (*bot.*) spidskommen.

cummerbund ['kʌməbʌnd] *sb.* skærf [*om livet*].

cumulative ['kju:mjulətiv] *adj.* kumulativ; akkumulerende; som hober sig op; som vinder i styrke.

cumulative dividend *sb.* kumulativ dividende.

cumulative evidence *sb.* [*vidnesbyrd der (alle sammen) peger i samme retning*].

cumulus ['kju:mjuləs] *sb.* cumulus, klodeskyer.

cuneiform[1] ['kju:nifɔ:m] *sb.* (*hist.*) kileskrift.

cuneiform[2] ['kju:nifɔ:m] *adj.* **1.** kiledannet; **2.** (*hist.*) kileskrifts-.

cuneiform characters *sb. pl.,* **cuneiform script** *sb.* kileskrift.

cunning[1] ['kʌniŋ] *sb.* snedighed; udspekulerthed.

cunning[2] ['kʌniŋ] *adj.* **1.** snedig; udspekuleret; **2.** sjov, sød, nuttet.

cunt [kʌnt] *sb.* (*vulg.*) **1.** fisse; kusse; **2.** (*skældsord om person*) skiderik.

cup[1] [kʌp] *sb.* **1.** kop; bæger; **2.** (*i sport:* præmie) pokal; **3.** (*kamp*) pokalkamp; **4.** (*til bh*) skål; **5.** (*rel.*) kalk; **6.** (*bot.*) blomsterbæger; **7.** (*drik*) kold punch; **8.** (*am.*) skridtbeskytter; **9.** (*glds. med.*) kop [*til kopsætning*];
□ *a ~ and saucer* et par kopper; *be in one's -s* (*glds.* T) være beruset; *he is not my ~ of tea* han er ikke min kop te, han er ikke mit

nummer.

cup[2] [kʌp] *vb.* **1.** hule [*hånden*]; **2.** (*glds. med.*) kopsætte;
□ *he -ped the match against the wind* han skærmede tændstikken mod vinden med sin hule hånd; *~ one's hands around sth, ~ sth in one's hands* holde om noget med hænderne; *~ one's hands around one's mouth* holde hænderne for munden som en tragt [ɔ: *for at forstærke lyden*]; *~ one's hand to one's ear* holde hånden bag øret [ɔ: *for at høre bedre*].

cupboard ['kʌbəd] *sb.* skab; (se også *skeleton*).

cupboard love *sb.* [*kærlighed som man simulerer for at opnå en fordel*]; madkæresteri.

cup-cake ['kʌpkeik] *sb.* (*am.*) se *fairy cake.*

Cupid ['kju:pid] (*myt.*) Cupido, Amor.

cupid ['kju:pid] *sb.* amorin.

cupidity [kju'pidəti] *sb.* begærlighed.

Cupid's bow [kju:pidz'bəu] *sb.* amorbue.

cupola ['kju:pələ] *sb.* kuppel.

cuppa ['kʌpə] *sb.* T = *cup of tea.*

cup tie *sb.* pokalkamp.

cur [kə:] *sb.* (*glds.*) **1.** (*hund*) køter; **2.** (*person*) sjover.

curable ['kjuərəbl] *adj.* helbredelig.

curaçao [kjuərə'səu] *sb.* curacao; likør.

curacy ['kjuərəsi] *sb.* kapellanembede.

curare [kju'ra:ri] *sb.* kurare [*giftstof*].

curassow [kjuərə'səu] *sb.* (*zo.*) hokko [*en fugl*].

curate[1] ['kjuərət] *sb.* kapellan.

curate[2] [kjuəreit] *vb.* (*am.*) **1.** (*museum, samling*) være direktør//inspektør for; **2.** (*udstilling*) være arrangør af.

curate's egg [kjuərəts'eg] *sb.: like the ~* [*elendig men med enkelte lyspunkter; delvis mislykket; af blandet kvalitet*].

curative ['kjuərətiv] *adj.* helbredende; lægende.

curator [kjuə'reitə] *sb.* **1.** museumsinspektør; museumsdirektør; **2.** udstillingsarrangør, kurator.

curb[1] [kə:b] *sb.* **1.** bremse (*fx on inflation*); hindring; **2.** (*til hest*) stangbid; tøjle; **3.** (*am.*) kantsten [*eng.:* kerb];
□ *put a ~ on = curb*[2].

curb[2] [kə:b] *vb.* **1.** holde i tømme; tøjle, styre (*fx one's passions*); **2.** bremse (*fx inflation*); dæmpe; holde nede; **3.** (*hest*) tøjle.

curb market *sb.* (*am.*) efterbørs; (jf.

kerb *market*).

curbstone *sb.* (*am.*) kantsten [*eng.:* kerbstone].

curcuma ['kə:kjumə] *sb.* (*bot.*) gurkemejerod.

curd [kə:d] *sb.* ostemasse; skørost; sammenløbet mælk.

curdle ['kə:dl] *vb.* **1.** løbe sammen; størkne, stivne, koagulere; **2.** (*med objekt*) lade løbe sammen; få til at stivne/koagulere;
□ *it made my blod ~, it -d my blood* (*fig.*) det fik mit blod til at stivne/isne.

cure[1] [kjuə] *sb.* **1.** (*helbredelse*) kur (*for* mod); **2.** (*ved misbrug*) afvænning; **3.** (*af cement, plastic*) hærdning; **4.** (*præsts*) sogn; embede;
□ *~ of souls* (*rel.*) sjælesorg.

cure[2] [kjuə] *vb.* **1.** (*sygdom*) kurere, helbrede; **2.** (*person: for sygdom*) kurere (*of* for); helbrede (*of* for); **3.** (*person: for vane*) kurere (*of* for, *fx a bad habit*); (*ved misbrug*) afvænne (*of* fra, *fx ~ him of taking cocaine*); **4.** (*problem*) afhjælpe; få bugt med, standse (*fx inflation*); **5.** (*madvarer*) konservere; (*med salt*) salte; nedsalte; **6.** (*ost*) lagre; **7.** (*hø, tobak*) tørre; **8.** (*skind*) berede; behandle; **9.** (*cement, plastic*) hærde; **10.** (*gummi*) vulkanisere.

cure-all ['kjuərɔ:l] *sb.* universalmiddel.

curettage [kju(ə)'retidʒ] *sb.* (*med.*) udskrabning.

curette[1] [kju'ret] *sb.* (*med.*) curette [*til udskrabning*].

curette[2] [kju'ret] *vb.* (*med.*) udskrabe.

curfew ['kə:fju:] *sb.* udgangsforbud; spærretid.

curio ['kjuəriəu] *sb.* kuriositet.

curiosity [kjuəri'ɔsəti] *sb.* **1.** nysgerrighed; videbegærlighed; **2.** (*om ting*) sjældenhed; raritet; kuriositet;
□ *~ killed the cat* [*siges til en der spørger om noget der ikke vedkommer ham*]; du skal ikke være så nysgerrig; det ku' du li' at vide.

curious ['kjuəriəs] *adj.* **1.** nysgerrig (*to* efter at); videbegærlig; interesseret (*about* i); **2.** (*om ting, forhold*) mærkelig, mærkværdig, besynderlig; **3.** (*i katalog, om bøger*) erotisk.

curiously ['kjuəriəsli] *adv.* (jf. *curious*) **1.** nysgerrigt; **2.** mærkeligt, mærkværdigt; påfaldende, meget (*fx he was ~ silent*); **3.** (*som sætningsadv.*) mærkeligt nok (*fx ~, he did not say a word*).

curl[1] [kə:l] *sb.* **1.** krølle; **2.** (*generelt*) krøl, krøller (*fx her hair lost* *its* ~);

□ *a* ~ *of the lips* et hånligt smil; *a* ~ *of smoke* rose røgen snoede sig op.

curl² [kə:l] *vb.* **1.** krølle (*fx* ~ *one's hair*); **2.** (*uden objekt: om hår*) krølle (*fx her hair -s naturally*); **3.** (*i spiral; ud og ind*) sno sig (*fx smoke -ed up the chimney; the river -s through the valley*); **4.** se ndf.: ~ *up*; **5.** (*om læber*) kruse sig; **6.** (*i sport*) spille curling;

□ *make sby's hair* ~ (*fig., svarer til*) få ens hår til at rejse sig; ~ *one's legs under one* trække benene op under sig; ~ *one's moustache* sno sit overskæg; ~ *one's toes* krumme tæer; *make sby's toes* ~ (*fig.*) få en til at krumme tæer;

[*med præp.& adv.*] ~ *into a ball* rulle sig sammen til en kugle; *his lips -ed into a smile* hans læber krusede sig til et smil; ~ *up* **a.** rulle sig sammen (*fx the cat lay -ed up*); **b.** (*om person*) rulle sig sammen (*fx she -ed up in bed*); ligge//sidde med knæene trukket op; **c.** (*voldsomt*) krumme sig sammen (*with* af, *fx laughter; pain*); **d.** (*om papir, blad etc.*) krølle sig sammen; *it makes me* ~ *up* T det giver mig kvalme.

curler ['kə:lə] *sb.* **1.** (*til hår*) curler; **2.** (*i sport*) curlingspiller.

curlew ['kə:lju:] *sb.* (*zo.*) stor regnspove.

curlew sandpiper *sb.* (*zo.*) krumnæbbet ryle.

curlicue ['kə:likju:] *sb.* snirkel; krusedulle.

curling ['kə:liŋ] *sb.* (*sport*) curling.

curling tongs *sb. pl.* krøllejern.

curly ['kə:li] *adj.* krøllet.

curly bracket *sb.* klamme, tuborg.

curly kale *sb.* grønkål.

curmudgeon [kə:'mʌdʒ(ə)n] *sb.* (*glds.*) gnavpotte; krakiler.

curmudgeonly [kə:'mʌdʒ(ə)nli] *adj.* gnaven; krakilsk.

currant ['kʌr(ə)nt] *sb.* (*bot.*) korend; (se også *blackcurrant, redcurrant, white currant*).

currency ['kʌr(ə)nsi] *sb.* **1.** valuta; penge, mønt (*fx in foreign* ~); **2.** (*det at være gyldig*) gangbarhed; **3.** (*det at være kendt*) udbredelse; **4.** (*merk.*) løbetid (*fx of a bill* veksel); gyldighedsperiode; □ *enjoy/have* ~ være udbredt, være almindelig kendt; *gain* ~ vinde udbredelse; blive almindelig kendt.

current¹ ['kʌr(ə)nt] *sb.* **1.** (*i vand, luft; elek.*) strøm; **2.** (*fig.*) strømning, bølge (*fx of nationalism*);

tendens; retning.

current² ['kʌr(ə)nt] *adj.* **1.** nuværende (*fx his* ~ *girlfriend*); aktuel (*fx events*); indeværende (*fx year, month*); løbende (*fx expenses*); **2.** (*om penge*) gangbar, gyldig, gældende (*fx coin*); **3.** (*fig.*) gængs (*fx phrase*); almindelig udbredt.

current account *sb.* **1.** anfordringskonto, checkkonto, kontokurant; **2.** (*økon.*) løbende poster.

current affairs *sb. pl.* aktuelle begivenheder.

currently ['kʌr(ə)ntli] *adv.* for øjeblikket, for tiden; løbende.

curriculum [kə'rikjuləm] *sb.* **1.** undervisningsplan; læseplan; studieplan; **2.** pensum.

curriculum vitae [kərikjuləm'vi:tai, -'vaiti:] *sb.* curriculum vitae, cv, CV [*personlige data, biografiske oplysninger*].

curried ['kʌrid] *adj.* i karry (*fx* ~ *eggs*; ~ *veal*).

currish ['kə:riʃ] *adj.* køteragtig; bidsk.

curry¹ ['kʌri] *sb.* karryret.

curry² ['kʌri] *vb.* **1.** (*mad*) tilberede med karry; lave en karryret af; **2.** (*hest*) strigle; □ ~ *favour* se *favour¹*.

currycomb ['kʌrikəum] *sb.* strigle.

curry powder *sb.* karry.

curse¹ [kə:s] *sb.* **1.** forbandelse (*fx it has been the* ~ *of my life*); **2.** (*om kraftudtryk*) ed (*fx with a* ~, *he pushed her away*); □ *there is a* ~ *on the house* der hviler en forbandelse over huset; *put a* ~ *on sby, put sby under a* ~ nedkalde en forbandelse over en; *the* ~ (*glds.* T) menstruation.

curse² [kə:s] *vb.* (se også *cursed*) **1.** bande; **2.** (*person*) bande ad (*fx he -d her*); **3.** (*ting etc.*) bande over, forbande (*fx he -d his stupidity*); **4.** (*ved magi*) forbande; □ ~ *you!* (*glds.*) gid fanden havde dig!

cursed ['kə:sid] *adj.* **1.** ramt af en forbandelse; **2.** (*glds.* ed) forbandet, forbistret; □ *be* ~ *with* (have at) trækkes med.

cursive ['kə:siv] *adj.* (*om håndskrift*) sammenhængende.

cursor ['kə:sə] *sb.* (*it*) markør.

cursory ['kə:səri] *adj.* hastig, flygtig; løselig.

curt [kə:t] *adj.* studs (*fx answer*); kort, afmålt.

curtail [kə:'teil] *vb.* afkorte; nedsætte; indskrænke, begrænse.

curtailment [kə:'teilmənt] *sb.* afkortning; nedsættelse; indskrænkning, begrænsning.

curtain¹ ['kə:t(ə)n] *sb.* **1.** gardin; (*am. især*) netgardin; **2.** (*for dør, om seng etc.*) forhæng (*fx shower* ~); **3.** (*teat.*) tæppe; tæppefald; □ *the final* ~ det sidste tæppefald; afslutningen; *give sby a* ~ (*teat.*) fremkalde en; *ring down//up the* ~ *on* (*også fig.*) lade tæppet gå ned//op for (*fx the first act; an epoch in our history*); *take a* ~ (*teat.*) blive fremkaldt; [+ *præp.*] *it is -s for* him S det er sket/nat med ham; han er færdig; *a* ~ *of* (*fig.*) et tykt tæppe af (*fx mist; smoke*); ~ *of fire* (*mil.*) spærreild; *draw a* ~ *over* (*fig.*) skjule; tie stille med.

curtain² ['kə:t(ə)n] *vb.* udstyre med gardiner; □ ~ *off* skille fra ved et forhæng.

curtain call *sb.* (*teat.*) fremkaldelse.

curtain lecture *sb.* (*glds.*) gardinpræken.

curtain rail *sb.* gardinstang.

curtain raiser *sb.* **1.** (*teat.*) forspil [*kort indledende skuespil*]; **2.** (*fig.*) indledning, optakt, forberedelse.

curtain wall *sb.* **1.** ikke-bærende ydermur; **2.** (*i borg*) ringmur.

curtsey¹ ['kə:tsi] *sb.* nejen; □ *drop/make/bob a* ~ *to* neje for.

curtsey² ['kə:tsi] *vb.* neje.

curtsy *sb.* = *curtsey*.

curvaceous [kə:'veiʃəs] *adj.* T velskabt, veldrejet.

curvature ['kə:vətʃə] *sb.* krumning; □ ~ *of the spine* (*med.*) rygskævhed.

curve¹ [kə:v] *sb.* **1.** krumning; kurve; bue; **2.** (*i vej*) vejsving, kurve; **3.** (*am.*) fupnummer; **4.** (*am., i baseball*) = *curve ball*; □ *her ample -s* hendes yppige former; *throw sby a* ~ (*am.* S) **a.** fuppe én, føre én bag lyset; **b.** tage fusen på én, give én en ubehagelig overraskelse.

curve² [kə:v] *vb.* **1.** krumme sig; bue; **2.** bøje; □ ~ *through the air* flyve i en bue.

curve ball *sb.* (*am.; i baseball*) skruet bold.

curved [kə:vd] *adj.* buet; krum.

curvy ['kə:vi] *adj.* **1.** buet; krum; **2.** (*om kvinde*) = *curvaceous*.

cushion¹ ['kuʃn] *sb.* **1.** hynde; pude; **2.** (*til beskyttelse*) pude, polstring; **3.** (*fig.*) stødpude; **4.** (*i billard*) bande.

cushion² ['kuʃn] *vb.* **1.** (*mod stød*) polstre; beskytte (*from* mod); **2.** (*fald, slag*) afbøde; udligne; opfange, dæmpe; (se også *blow¹*).

cushy ['kuʃi] *adj.* (T: *neds.*) mage-

lig; let; behagelig;
□ ~ *job* (*også*) loppetjans.
cusp [kʌsp] *sb.* **1.** spids; **2.** (*månens*) horn;
□ *on the* ~ *of* på overgangen til; på nippet til.
cuspidor ['kʌspidɔ:] *sb.* (*am.*) spyttebakke.
cuss[1] [kʌs] *sb.* **1.** fyr; ka'l; **2.** ed;
□ *I don't give a* ~ det giver jeg pokker i.
cuss[2] [kʌs] *vb.* (*glds.*) bande.
cussed ['kʌsid] *adj.* (*glds.*) krakilsk; stædig.
custard ['kʌstəd] *sb.* (*omtr.=*) cremesovs; (se også *cowardy custard*).
custard pie *sb.* (*i komisk nummer*) lagkage [*brugt som kasteskyts*].
custodial [kə'stəudiəl] *adj.* **1.** (*mht. fængsel*) forvarings-; bevogtnings- (*fx staff*); **2.** (*om behandling*) som mere drejer sig om opbevaring end om helbredelse.
custodial parent *sb.* forældremyndighedsindehaver.
custodial sentence *sb.* frihedsstraf.
custodian [kə'stəudiən] *sb.* **1.** tilsynsførende; (*i hus*) inspektør; (*i museum*) kustode; **2.** (*fig.*) vogter (*fx of public morals*).
custody ['kʌstədi] *sb.* **1.** forvaring; arrest; **2.** (*for børn*) forældremyndighed (*fx he has the* ~ *of his child*);
□ *in* ~ i forvaring; (se også *remand*[2]); *in sby's* ~ i ens varetægt; *take into* ~ anholde; varetægtsfængsle.
custom[1] ['kʌstəm] *sb.* (se også *customs*) **1.** (*generel*) skik (*fx an ancient//strange* ~); sædvane (*fx contrary to* ~); kutyme; **2.** (*persons*) vane, sædvane; **3.** (*merk.*) søgning;
□ *withdraw one's* ~ *from* F holde op med at handle hos.
custom[2] ['kʌstəm] *adj.* lavet på bestilling; (*om tøj også*) syet efter mål (*fx* ~ *clothes*).
customary ['kʌstəməri] *adj.* sædvanlig; almindelig.
custom-built [kʌstəm'bilt] *adj.* specialbygget; specialfremstillet.
customer ['kʌstəmə] *sb.* **1.** kunde; **2.** T fyr, type (*fx an odd//tough//ugly* ~).
customize ['kʌstəmaiz] *vb.* udforme//tilpasse efter ønske; lave på bestilling; specialfremstille.
custom-made [kʌstəm'meid] *adj.* lavet på bestilling; specialfremstillet.
customs ['kʌstəmz] *sb. pl.* **1.** toldvæsen; **2.** (*i lufthavn etc.*) told(en) (*fx go through* ~).
customs duty *sb.* told.

customs examination *sb.* toldeftersyn.
customs officer *sb.* tolder, toldbetjent.
cut[1] [kʌt] *sb.* **1.** (*med kniv*) snit; **2.** (*i fægtning*) hug; **3.** (*med pisk*) slag; **4.** (*sår, mærke*) snit; snitsår; skramme; **5.** (*bemærkning*) hib; snert; **6.** (*af kød*) stykke; udskæring; **7.** (*billede*) træsnit; stik; **8.** (*på musikplade*) skæring; **9.** (*om tøj*) snit; **10.** (*af hår*) klipning; **11.** (*for at formindske*) nedsættelse; nedskæring; beskæring; **12.** (*i tekst*) forkortelse; udeladelse; strygning; **13.** (*i film*) klip; klipning; **14.** (*i kortspil*) aftagning; **15.** T andel [*i bytte*];
□ *be a* ~ *above* være en tak bedre end; *be a* ~ *above the average* hæve sig over gennemsnittet; ~ *and thrust* **a.** hug og stød; **b.** (*fig.*) skarp meningsudveksling.
cut[2] [kʌt] *vb.* (*cut, cut*) **1.** skære; snitte; **2.** (*med saks*) klippe; **3.** (*med økse*) hugge; **4.** (*med sav*) save (*af//over//op*); **5.** (*træer*) fælde; **6.** (*græs*) slå; **7.** (*korn*) meje; **8.** (*i form*) skære//hugge//klippe *etc.* til; **9.** (*tøj*) tilskære; **10.** (*glas*) slibe; **11.** (*film.*) klippe; **12.** (*for at mindske*) nedsætte (*fx the price*); nedskære, reducere (*fx the costs*); beskære; **13.** (*tekst*) forkorte; stryge i (*fx a speech*); **14.** (*bogb., foto. & planter*) beskære; **15.** (*forsyning*) afbryde (*fx water supply*); **16.** (*i kortspil*) tage af; **17.** (*i sport: bold*) snitte; **18.** (*plade*) indspille; **19.** (*om linjer*) skære; krydse; **20.** (*pligt*) skulke fra (*fx school; lessons*); pjække fra (*fx a meeting; a lecture*); stikke af fra (*fx work*); **21.** (*am.* T) dele byttet;
□ ~ *and come again!* der er mere hvor det kom fra! ~ *and paste* **a.** klippe og klistre; **b.** (*it*) klippe ud og indsætte; ~ *and run* stikke af fra det hele; *they* ~ *him dead* de hilste ikke på ham; de lod fuldstændig som om han var luft; ~ *it fine* lige akkurat nå det//klare den; ~ *both ways* se *way*[1]; (se også *loose*[1], *short*[4]);
[*med adv., præp.*] ~ *across* **a.** gå tværs over (*fx the field*); **b.** (*fig.*) gå å tværs af (*fx party lines*); ~ *at* **a.** skære i; **b.** hugge efter; ~ *away* **a.** skære væk//løs//fri; **b.** hugge væk; ~ *back* **a.** skære ned (på); **b.** (*plante*) skære tilbage; beskære; **c.** (*i film*) gribe tilbage; indskyde tidligere begivenheder (i handlingen); ~ *back on* (*am.*) = ~ *down*

on;
~ *down* **a.** (*træ*) fælde; **b.** (*person*) skyde ned, meje ned; **c.** F bortrive (*fx* ~ *down in his youth*); **d.** (*udgift, forbrug etc.*) nedskære; nedsætte; indskrænke; **e.** (*tekst*) beskære, forkorte; ~ *down on* skære ned på; ~ *down to* (*i handel, om pris*) få ned på (*fx I* ~ *him down to £5 for the vase*); ~ *sby down to size* skære en ned; sætte en på plads;
~ *for deal* (*i kortspil*) trække om hvem der skal give; ~ *for partners* (*i kortspil*) trække om makkerskab;
~ *in* **a.** (*i samtale*) falde ind; afbryde; **b.** (*i dans*) bryde ind [*og danse videre med en andens partner*]; **c.** (*om bil*) skære ind efter overhaling; ~ *sby in* T lade en være med, lade en få en andel; ~ *into* **a.** begynde at skære af (*fx a cake*); **b.** (*i samtale*) falde ind i; bryde ind i;
~ *off* **a.** hugge//skære//klippe 'af; **b.** (*vej*) afskære (*fx his retreat*); **c.** (*forsyning*) afbryde (*fx electricity*); lukke for; standse leveringen af; **d.** (*tlf.*) afbryde; **e.** (*om døden*) bortrive; *be* ~ *off* (*også*) **a.** blive isoleret; blive afskåret fra omverdenen; **b.** få afskåret tilbagetog; ~ *him off with a shilling* gøre ham arveløs; (se også *nose*[1]);
~ *out* **a.** hugge//skære//klippe ud; **b.** (*del af tekst*) skære væk; fjerne; stryge; **c.** (*tøj*) tilskære; klippe; **d.** (*radio.; station*) udskille; **e.** (*rival*) fortrænge; slå ud; stikke ud; **f.** (*noget man gør el. siger*) holde op med (*fx all that rubbish*); **g.** (*mad, tobak etc.*) holde op med at spise/drikke/bruge (*fx chocolate; whisky*); lægge på hylden (*fx you must* ~ *tobacco right out*); **h.** (*maskine, motor*) slå fra; **i.** (*uden objekt: om maskine*) falde ud; **j.** (*am.* T) stikke af; ~ *it out!* **a.** hold så op! **b.** hold mund! *you will have your work* ~ *out for you* du får fuldt op at gøre; du får mere end nok at bestille; det er næsten mere end du kan overkomme; *be* ~ *out for* egne sig til; være skabt til; ~ *sby out of sth* holde en ude fra noget;
~ *to* se *piece*[1], *ribbon, shred*[1];
~ *up* **a.** skære//hugge//klippe i stykker; **b.** T beskadige; såre; **c.** (*især am.*) kritisere skarpt; sable ned, nedgøre; **d.** (*am.* S) lave skæg, lave ballade; *be* ~ *up* **a.** T blive såret/medtaget; blive forskåret; **b.** (*mentalt*) blive//være chokeret/rystet; *he was* ~ *up by it*

C cut

(også) det tog stærkt på ham; han var helt knust over det; ~ up rough T blive gal i hovedet; blive grov; tage på vej; ~ up well efterlade sig en smuk formue.

cut[3] [kʌt] præt. & præt. ptc. af cut[2].

cut[4] [kʌt] adj. 1. (jf. cut[2]) skåret, klippet, fældet ... etc.; 2. T fuld, pløret;
□ ~ flowers afskårne blomster.

cut-and-dried [kʌtən'draid] adj. fiks og færdig (fx solution); klappet og klar; endelig afgjort (fx the result is not ~).

cutaway ['kʌtəwei] sb. 1. (film.) [indsat klip der ikke hænger sammen med hovedhandlingen]; 2. (am.) jaket.

cutaway coat sb. = cutaway 2.

cutaway shot sb. = cutaway 1.

cutback ['kʌtbæk] sb. 1. nedskæring; 2. (film.) tilbageklip.

cute [kju:t] adj. 1. nysselig; nuttet; sød; 2. (am. T) fiks; sexet; 3. (am. neds.) lidt for smart;
□ don't be ~ with me! (jf. 3) du skal ikke spille Karl Smart over for mig.

cutesy ['kju:tsi] adj. (am. T, neds.) oversød; pyssenysset.

cut glass sb. slebet glas.

cuticle ['kju:tikl] sb. neglebånd.

cutie ['kju:ti] sb. (am. T) sød pige.

cutlass ['kʌtləs] sb. (glds. våben) huggert.

cutlery ['kʌtləri] sb. bestik [ɔ: skeer, gafler, knive].

cutlet ['kʌtlət] sb. kotelet.

cutoff ['kʌtɔf] sb. 1. skæringspunkt; 2. afbrydelse (fx of supplies); standsning, ophør; 3. (am.) genvej.

cutoff date sb. sidste frist; skæringsdato.

cutoff point sb. skæringspunkt; ophørstidspunkt.

cutoffs ['kʌtɔfs] sb. pl. cowboybukser med afskårne ben.

cutout ['kʌtaut] sb. 1. (af karton) udstanset figur; papfigur; 2. (dukke) pålædningsdukke; udklipsfigur; 3. (elek.) afbryder.

cut price sb. stærkt nedsat pris.

cut-price [kʌt'prais] adj. lavpris-; discount-.

cut-rate adj. = cut-price.

cutter ['kʌtə] sb. 1. (af tøj) tilskærer; 2. (af film) filmklipper; 3. (redskab) klippemaskine; kniv; (se også bolt cutter, glass cutter, wire cutter); 4. (tekn.) fræser; 5. (mar.) kutter; 6. (am.) kane.

cut-throat[1] ['kʌtθrəut] sb. 1. = cut-throat razor; 2. (glds.) morder; 3. (am. zo.) cutthroat ørred.

cut-throat[2] ['kʌtθrəut] adj. skånselsløs, hensynsløs (fx competition).

cut-throat razor sb. barberkniv, ragekniv.

cutting[1] ['kʌtiŋ] sb. 1. afklip; strimmel; 2. (fra avis) (avis)udklip; 3. (af plante) stikling; 4. (handling) skæren; huggen; saven; 5. (af træ) hugst, skovning, fældning; 6. (af græs etc.) slåning; 7. (af tøj) klipning, tilskæring; 8. (film.) klipning; redigering; 9. (jernb. etc.) gennemskæring.

cutting[2] ['kʌtiŋ] adj. 1. skærende; (tekn.) skære- (fx flame); 2. (om bemærkning) skarp, bidende; 3. (om vind) bidende kold.

cutting copy sb. (film.) arbejdskopi.

cutting edge sb. 1. (på værktøj) æg; skær; 2. (fig.) fordel;
□ at the ~ (fig.) i forreste linje, helt fremme; be at the ~ of (fig.) være på forkant med.

cutting-edge [kʌtiŋ'edʒ] adj. nyest; mest avanceret (fx technology).

cutting nippers sb. pl. bidetang.

cutting pliers sb. pl. bidetang.

cutting room sb. (film.) klipperum.

cuttlefish ['kʌtlfiʃ] sb. blæksprutte.

cutup ['kʌtʌp] sb. (am.) ballademager; klovn.

CV fork. f. curriculum vitae.

cwt ['hʌndridweit] fork. f. hundredweight.

cyanide ['saiənaid] sb. (kem.) 1. cyanid; 2. (forbindelse med kalium) cyankalium.

cybercafe ['saibəkæfei] sb. datastue.

cybernetics [saibə'netiks] sb. kybernetik.

cyberspace ['saibəspeis] sb. cyberspace [det imaginære rum der udgøres af databanker og netværk].

cyborg ['saibɔːg] sb. (i science fiction) cyborg [af cybernetic organism; person der har fået indbygget mekaniske/elektroniske dele].

cyclamen ['sikləmən] sb. (pl. d.s.) 1. (bot.) alpeviol; 2. (farve) cyklamen.

cycle[1] ['saikl] sb. 1. (køretøj) cykel; (am. også) motorcykel; 2. (kredsløb) cyklus, kredsløb (fx the ~ in nature); 3. (elek.) periode; 4. (maskines) arbejdsgang; 5. (i vaskemaskine) program; 6. (i kunst) cyklus (fx of poems; of songs); serie; 7. (merk.) se trade cycle;
□ ~ of operations se ovf.: 4; -s per second hertz.

cycle[2] ['saikl] vb. cykle.

cycle lane, cycle path sb. cykelsti.

cycle race sb. cykelløb.

cycle rack sb. cykelstativ.

cycle way sb. cykelsti.

cyclic ['saiklik] adj. = cyclical.

cyclical ['siklik(ə)l] adj. cyklisk; periodisk.

cyclist ['saiklist] sb. cyklist.

cyclometer [sai'klɔmitə] sb. kilometertæller.

cyclone ['saikləun] sb. cyklon; hvirvelstorm.

cyclopedia [saiklə'pi:diə] sb. encyklopædi.

Cyclops ['saiklɔps] sb. (pl. Cyclopes [sai'kləupi:z]/-es) (myt.) kyklop.

cyclotron ['saiklətrɔn] sb. (fys.) cyklotron.

cygnet ['signit] sb. (zo.) svaneunge.

cylinder ['silində] sb. 1. cylinder; 2. (i maskine) valse; tromle; rulle; 3. (til gas) gasflaske; stålflaske; 4. (i revolver) tromle.

cylindrical [si'lindrik(ə)l] adj. cylindrisk.

cymbal ['simb(ə)l] sb. (mus.) bækken.

Cymric[1] ['kimrik] sb. (sprog) kymrisk, walisisk.

Cymric[2] ['kimrik] adj. kymrisk, walisisk.

Cymru ['kʌmri] Wales.

cynic ['sinik] sb. kyniker.

cynical ['sinik(ə)l] adj. kynisk.

cynicism ['sinisizm] sb. kynisme.

cynosure ['sainəsjuə, (am.) -ʃur] (litt.) midtpunkt (fx he was the ~ of all eyes).

cypher ['saifə] sb. = cipher.

cypress ['saiprəs] sb. (bot.) cypres.

Cypriot[1] ['sipriət] sb. cypriot.

Cypriot[2] ['sipriət] adj. cypriotisk.

Cyprus ['saiprəs] Cypern.

Cyrillic[1] [si'rilik] sb. det kyrilliske alfabet [som bruges i russisk og andre slaviske sprog].

Cyrillic[2] [si'rilik] adj. kyrillisk.

cyst [sist] sb. (med.) cyste; blære.

cystic ['sistik] adj. (med.) 1. cystisk; 2. blære-; galde-.

cystic fibrosis sb. (med.) cystisk fibrose.

cystitis [sis'taitis] sb. (med.) blærebetændelse.

cytogenesis [saitə'dʒenəsis] sb. celledannelse.

cytology [sai'tɔlədʒi] sb. cellelære.

cytoplasm ['saitəplæzm] sb. celleslim.

czar [za:] sb. = tsar.

Czech[1] [tʃek] sb. 1. (person) tjekker; 2. (sprog) tjekkisk.

Czech[2] [tʃek] adj. tjekkisk.

Czechoslovak[1] [tʃekə'sləuvæk] sb. (hist.) tjekkoslovak.

Czechoslovak[2] [tʃekə'sləuvæk] adj.

(*hist.*) tjekkoslovakisk.
Czechoslovakia [tʃekəslə'vækiə]
(*geogr.*, *hist.*) Tjekkoslovakiet.
Czech Republic *sb.: the* ~ Tjek-
kiet.

D

D [di:].
d- *fork. f. damn.*
d. *fork. f.* **1.** (*før 1971*) tegn for
penny, pence (*fx 5d.* 5 pence);
2. *date*; **3.** *daughter*; **4.** *died.*
'd *fork. f. had, would.*
DA *fork. f.* (*am.*) *District Attorney.*
dab[1] [dæb] *sb.* **1.** klat (*fx of butter;*
of paint); stænk; **2.** (*med hånden*)
let slag, klap; **3.** (*zo.*) ising, slette;
□ *-s* T fingeraftryk.
dab[2] [dæb] *vb.* **1.** duppe (*fx iodine*
on a cut; perfume behind one's
ears); **2.** tørre forsigtigt, klappe.
dabble ['dæbl] *vb.* pjaske/plaske
med (*fx one's feet in the water*);
□ ~ *in/with* fuske med; give sig
lidt af med (*fx* ~ *in politics;* ~
with drugs).
dabbler ['dæblə] *sb.* amatør; fusker.
dabchick ['dæbtʃik] *sb.* (*zo.*)
1. (lille) lappedykker; **2.** (*am.*) tyk-
næbbet lappedykker.
dab hand *sb.: be a* ~ *at* T være
dygtig/skrap til; være en mester i
(*fx he is a* ~ *at tennis*).
dace [deis] *sb.* (*zo.*) strømskalle.
dachshund ['dæks(ə)nd, 'dæks-
hund] *sb.* gravhund, grævlinge-
hund.
dacoit [də'kɔit] *sb.* røver [*i Indien*].
dad [dæd], **daddy** [dæd] *sb.* T far.
daddy longlegs [dædi'lɔŋlegz] *sb.*
(*pl. d.s.*) (*zo.*) **1.** stankelben;
2. (*am.*) mejer.
dado ['deidəu] *sb.* **1.** (*på væg*)
brystpanel; **2.** (*af søjle*) sokkel-
flade.
daffodil ['dæfədil] *sb.* (*bot.*) påske-
lilje; narcis.
daffy ['dæfi] *adj.* T skør.
daft [da:ft] *adj.* dum, tosset, fjollet.
dag [dæg] *sb.* (*austr.* S) kedeligt
løg, hængehoved.
dagger ['dægə] *sb.* **1.** daggert;
2. (*typ.*) kors;
□ *they are at -s drawn* der er krig
på kniven mellem dem; *he looked*
-s at me han sendte mig et ra-
sende/hadefuldt blik; han havde
mord i blikket.
daggerboard ['dægəbɔ:d] *sb.* (*mar.*)
stiksværd.
dago ['deigəu] *sb.* (*am., neds.*) spa-
nier; portugiser; italiener.
daguerreotype [də'gerətaip] *sb.* da-

guerreotypi [*tidligt fotografit*].
dahlia ['deiliə] *sb.* (*bot.*) dahlia,
georgine.
Dail Eireann [doil'ɛərən] [*underhu-
set i den irske republiks parla-
ment*].
daily[1] ['deili] *sb.* **1.** dagblad;
2. (*glds.*) hushjælp, rengørings-
hjælp.
daily[2] ['deili] *adj.* daglig.
daily dozen *sb.* (*glds.*) daglige mo-
tionsøvelser, morgengymnastik.
daily life *sb.* dagligliv, hverdagsliv,
dagligdag.
daily press *sb.* dagspresse.
dainty[1] ['deinti] *sb.* lækkerbisken;
delikatesse.
dainty[2] ['deinti] *adj.* **1.** yndig; ele-
gant; nydelig; **2.** (*om mad*) læk-
ker; **3.** (*neds.*) kræsen.
daiquiri ['daikəri] *sb.* (*am.*) [*cock-
tail af rom, citronsaft, sukker og
is*].
dairy ['dɛəri] *sb.* **1.** mejeri; **2.** (*bu-
tik*) mælkeudsalg; **3.** = *dairy prod-
ucts*; **4.** (*am.*) = *dairy farm.*
dairy cattle *sb.* malkekvæg.
dairy farm *sb.* mælkeproducent.
dairymaid ['dɛərimeid] *sb.* (*glds.*)
mejerske.
dairyman ['dɛərimən] *sb.* (*pl. -men*
[-mən]) **1.** mejerist; **2.** mejeriejer;
mejeribestyrer; **3.** mælkehandler.
dairy products *sb. pl.* mejeripro-
dukter, mælkeprodukter.
dais [deis] *sb.* tribune, estrade, po-
dium.
daisy ['deizi] *sb.* (*bot.*) **1.** tusind-
fryd, bellis; **2.** hvid okseøje;
3. (*am.*) pragteksemplar;
□ *be pushing up daisies* T være
død og begravet; (*se også fresh*).
daisy chain *sb.* **1.** [*blomsterkrans
af bellis*]; **2.** S gruppesex.
daisy-cutter ['deizikʌtə] *sb.* **1.** (S
om bold) jordstryger; **2.** (*mil.*)
[*fragmentationsbombe der øde-
lægger vegetationen for at rydde
til en helikopterlandingsplads*].
daisy wheel *sb.* skrivehjul [*til elek-
trisk skrivemaskine*].
dale [deil] *sb.* (*dial. el. poet.*) dal.
dalek ['da:lek] *sb.* [*robot i tv-serie*].
dalliance ['dæliəns] *sb.* **1.** fjas,
pjank; (*glds.*) ganten; **2.** (*fig.*) over-
fladisk beskæftigelse (*with* med);

legen, flirt (*with* med, *fx Com-
munism*).
dally ['dæli] *vb.* (*glds.*) smøle;
drysse;
□ ~ *with* **a.** (*en af modsat køn*)
fjase med, pjanke med; (*glds.*)
gantes med; **b.** (*beskæftige sig
overfladisk med*) lege med (*fx his
affections; an idea*).
Dalmatia [dæl'meiʃiə] Dalmatien.
Dalmatian [dæl'meiʃn] *sb.* (*hund*)
dalmatiner.
dalmatic [dæl'mætik] *sb.* dalma-
tika [*katolsk messehagel; kro-
ningsdragt*].
daltonism ['dɔ:ltənizm] *sb.* (*med.*)
farveblindhed [*især rød-grøn*].
dam[1] [dæm] *sb.* **1.** dæmning; dige;
2. (*om dyr*) moder;
□ *the devil and his* ~ fanden og
hans oldemor.
dam[2] [dæm] *vb.* inddige, ind-
dæmme; bygge dæmning over (*fx
a river*);
□ ~ *up* **a.** (*vand*) dæmme op for;
b. (*følelser*) tilbageholde, stænge
inde.
damage[1] ['dæmidʒ] *sb.* skade; (se
også *damages*);
□ *do* ~ *to sth* tilføje noget skade,
volde skade på noget (*fx the
building*); skade noget (*fx his re-
putation*); *the* ~ *is done* skaden er
sket; *what's the* ~? (*spøg.* T) hvor
meget skal jeg bløde? [ɔ: *betale*].
damage[2] ['dæmidʒ] *vb.* (se også
damaging) beskadige (*fx the buil-
ding*); skade (*fx his reputation*).
damages ['dæmidʒiz] *sb. pl.*
skadeserstatning;
□ *action for* ~ erstatningssag;
claim for ~ erstatningskrav; (se
også *liable*).
damaging ['dæmidʒiŋ] *adj.* skade-
lig; belastende.
damask[1] ['dæməsk] *sb.* damask.
damask[2] ['dæməsk] *adj.* **1.** da-
mask-, damaskvævet; **2.** (*poet.,
litt.*) rosenrød.
damask[3] ['dæməsk] *vb.* damascere.
damask rose *sb.* (*bot.*) damascener-
rose.
Dame [deim] *sb.* [*en ærestitel*].
dame [deim] *sb.* **1.** (*teat.*) = *panto-
mime dame*; **2.** (*am.* S: *glds.*)
kvindemenneske; dame.

dame school *sb.* (*glds.*) pogeskole.
dame's-violet *sb.* (*bot.*) aften-stjerne.
dammit *interj.* pokkers/fandens også;
□ *as near as* ~ så godt som.
damn[1] [dæm] *sb.*: *I don't care/give a* ~ jeg er revnende ligeglad; *I don't give a* ~ *about it* jeg giver pokker/fanden i det; *not worth a* ~ ikke en skid værd.
damn[2] [dæm] *adj.* = *damned.*
damn[3] [dæm] *vb.* (se også *damned*)
1. fordømme (*fx Government policy*); 2. (*kunstværk*) forkaste; give en kølig modtagelse (*fx his novel was -ed by the critics*); 3. (*med eder*) forbande; 4. (*rel.*) fordømme; dømme til evig fortabelse;
□ ~*!* så for pokker/fanden! pokkers/fandens også; *be -ed* se *damned;* ~ *it!* pokkers/fandens også!; (se også *dammit*); ~ *John!* gid pokker/fanden havde John! *not a* ~ *thing* ikke en spor; ~ *sth with faint praise* [rose noget så forbeholdent at det virker som kritik].
damn[4] [dæm] *adv.* pokkers, fandens (*fx it was* ~ *silly; I am* ~ *busy*); (*svarer ofte til*) sgu, faneme (*fx it was* ~ *good* det var sgu/faneme godt; *you know* ~ *well that ...* du ved sgu/faneme godt at ...);
□ ~ *all* S ikke spor; ikke en skid; *you've* ~ *well got to* det bliver du sgu/faneme nødt til.
damnable ['dæmnəbl] *adj.* (*glds.*) fordømt, forbandet, bandsat.
damnation [dæm'neiʃn] *sb.* (*rel.*) fordømmelse, fortabelse;
□ ~*!* (*glds.*) så sku' da fanden stå i det!
damnatory ['dæmnət(ə)ri] *adj.* fordømmende; fældende.
damned [dæmd] *adj.* **1.** fordømt, pokkers; fandens; **2.** (*rel.*) fordømt, fortabt;
□ *well, I'll be* ~*!* det var som pokker/fanden! *I'll be* ~ *if I do* jeg gider faneme ikke; *you're* ~ *if you do and* ~ *if you don't* du bliver kritiseret lige meget hvad du gør.
damnedest ['dæmdist] *adj.*: *the* ~ *thing* T det mest fantastiske; *do one's* ~ T gøre sit yderste; *try one's* ~ T prøve af al magt.
damning ['dæmiŋ] *adj.* **1.** fældende (*fx evidence*); **2.** fordømmende, tilintetgørende (*fx remarks*).
Damocles ['dæməkli:z] Damokles;
□ *sword of* ~ damoklessværd [noget der hænger truende over ens hoved].
damp[1] [dæmp] *sb.* fugtighed; fugt.
damp[2] [dæmp] *adj.* fugtig; klam.

damp[3] [dæmp] *vb.* **1.** fugte; **2.** dæmpe;
□ ~ *down* a. dæmpe (*fx the fire*); (*ved brand også*) slukke efter; **b.** lægge en dæmper på (*fx their ardour*); ~ *off* (*om plante*) gå ud [på grund af kimskimmel]; drukne.
damp course *sb.* fugtisoleringslag [*i mur*]; fugtspærre.
dampen ['dæmpən] *vb.* **1.** fugte; **2.** (*fig.*) dæmpe, lægge en dæmper på (*fx their enthusiasm*);
□ ~ *sby's spirits* tage modet fra en.
damper ['dæmpə] *sb.* **1.** (*mus.*) sordin; (*i klaver*) dæmper; **2.** (*i skorsten*) spjæld; røglem; **3.** (*på bil*) støddæmper;
□ *put a* ~ *on* (*fig.*) lægge en dæmper på.
damp-proof[1] ['dæmppru:f] *adj.* fugttæt.
damp-proof[2] ['dæmppru:f] *vb.* fugtisolere.
damp-proof course *sb.* = *damp course.*
damp squib *sb.* fuser, flop.
damsel ['dæmz(ə)l] *sb.* (*glds. el. litt.*) mø, ungmø; jomfru.
damsel fly *sb.* (*zo.*) vandnymfe.
damson[1] ['dæmz(ə)n] *sb.* (*bot.*) kræge.
damson[2] ['dæmz(ə)n] *adj.* blomme-farvet.
Danaids [dæ'neiidz] *sb. pl.* (*myt.*) danaider.
dance[1] [da:ns] *sb.* **1.** dans; **2.** bal;
□ *lead the* ~ føre op; *lead sby a merry* ~ gøre det broget for en; give en en masse besvær.
dance[2] [da:ns] *vb.* danse; (se også *attendance, song, tune*[1]).
dance hall *sb.* danseetablissement; dansesal.
dancer ['da:nsə] *sb.* danser; danserinde;
□ *the -s* de dansende.
dance studio *sb.* danseskole.
dancing ['da:nsiŋ] *sb.* dansen; dans.
D and C *fork. f.* dilation and curettage (*med.*) udskrabning.
d and d *fork. f.* drunk and disorderly.
dandelion ['dændilaiən] *sb.* (*bot.*) fandens mælkebøtte; løvetand.
dander ['dændə] *sb.*: *get sby's* ~ *up* (*glds.* S) gøre en gal i hovedet.
dandified ['dændifaid] *adj.* lapset.
dandle ['dændl] *vb.*: ~ *a child on one's knee* (*glds.*) lade et barn ride ranke.
dandruff ['dændrʌf] *sb.* skæl [*i hovedbunden*].
dandy[1] ['dændi] *sb.* (*især glds.*)

laps; modeherre.
dandy[2] ['dændi] *adj.* (*am.* T, *glds.*) storartet; glimrende.
dandy brush *sb.* kardæsk [*børste til hest*].
Dane [dein] *sb.* dansker; (se også *Great Dane*).
Danelaw ['deinlɔ:] *sb.* (*hist.*) Danelagen [*område af England koloniseret af danskere i vikingetiden*].
danger ['dein(d)ʒə] *sb.* fare;
□ *in* ~ *of* i fare for; *out of* ~ uden for fare.
danger money *sb.* faretillæg.
dangerous ['dein(d)ʒrəs] *adj.* farlig.
dangle ['dæŋgl] *vb.* **1.** dingle; hænge (og dingle); **2.** (*med objekt*) lade dingle; dingle med; **3.** (*fig.*) holde frem [*som lokkemiddel*]; friste med, lokke med;
□ *keep sby dangling* holde en hen, lade en svæve i uvished.
Danish[1] ['deiniʃ] *sb.* **1.** (*sprog*) dansk; **2.** (T *el. am.*) = *Danish pastry.*
Danish[2] ['deiniʃ] *adj.* dansk.
Danish pastry *sb.* (*omtr.*) wiener-brød.
dank [dæŋk] *adj.* klam; kold og våd.
Danube ['dænju:b]: *the* ~ (*geogr.*) Donau.
dap [dæp] *vb.* dyppefiske.
dapper ['dæpə] *adj.* pyntelig; fiks; net; sirlig.
dappled ['dæpld] *adj.* spættet.
dapple grey[1] *sb.* (*hest*) gråskimmel.
dapple grey[2] *adj.* gråskimlet.
Darby and Joan ['da:bi ən 'dʒəun] *sb.* [*gammelt ægtepar der stadig er lige forelskede*].
Dardanelles [da:də'nelz] *sb. pl.*: *the* ~ (*geogr.*) Dardanellerne.
dare[1] [dɛə] *sb.* udfordring;
□ *as/for a* ~ for at vise at man tør; *on a* ~ (*am.*) = *as a* ~.
dare[2] [dɛə] *vb.* (-*d, -d*; (*glds.*) *durst, -d*) **1.** turde (*fx I did not* ~ *to do it*); vove (*fx how* ~ *you!*); driste sig til; **2.** (*person*) udfordre; **3.** (*glds. el. litt.*) trodse;
□ *I* ~ *say* a. sikkert, nok (*fx I* ~ *say you know*); velsagtens (*fx you tried, I* ~ *say*); **b.** jeg tror nok at (*fx I* ~ *say he will come*); *don't you* ~*!* det kan du lige vove på! *don't you* ~ *to do that* du kan understå dig i at gøre det; ~ *sby to do sth* [udfordre en til at gøre noget ved at påstå at han ikke tør]; *I* ~ *you to deny it* nægt det hvis du tør.
daredevil[1] ['dɛədev(ə)l] *sb.* himmelhund; vovehals.
daredevil[2] ['dɛədev(ə)l] *adj.* dumdristig.

D darg

darg [dɑːg] sb. (skotsk el. austr.) stykke arbejde; dagværk.

daring[1] ['dɛəriŋ] sb. dristighed.

daring[2] ['dɛəriŋ] adj. dristig.

dark[1] [dɑːk] sb. **1.** mørke; **2.** (i maleri) mørk farve;
□ afraid of the ~ mørkeræd; after/before ~ efter/før mørkets frembrud;
be **in the** ~ about svæve i uvidenhed om, ikke vide noget om, ikke kende til; keep sby in the ~ holde en i uvidenhed; holde en udenfor; (se også leap[1], shot[1], stab[1]).

dark[2] [dɑːk] adj. **1.** mørk; **2.** (som man ikke forstår) mørk, dunkel; hemmelighedsfuld; **3.** (som gør en bange) mørk, skummel, dyster;
□ ~ deeds mørkets gerninger; keep sth ~ holde noget skjult/hemmeligt; look on the ~ side of things se sort på det.

Dark Ages sb. pl.: the ~ den mørke middelalder.

darken ['dɑːk(ə)n] vb. **1.** formørkes (fx the sky//his face darkened); **2.** (med objekt) formørke; gøre mørkere; mørkne;
□ never ~ my doors again (litt.) sæt aldrig dine ben over min dørtærskel igen.

darkened ['dɑːk(ə)nd] adj. uden lys, mørk (fx house; room).

dark horse sb. (om person) ukendt størrelse [som pludselig får succes]; ubeskrevet blad; sort hest.

darkie ['dɑːki] sb. (glds. S, neds.) neger.

darkling[1] ['dɑːkliŋ] adj. (poet.) mørk.

darkling[2] ['dɑːkliŋ] adv. i mørke.

darkness ['dɑːknəs] sb. **1.** mørke; **2.** dunkelhed;
□ deeds of ~ mørkets gerninger; the Prince of ~ mørkets fyrste [ɔ: Djævelen].

darkroom ['dɑːkrum, -ruːm] sb. (foto.) mørkekammer.

darky sb. = darkie.

darling[1] ['dɑːliŋ] sb. **1.** yndling; øjesten; **2.** (i tiltale) min ven; skat; elskede;
□ he is such a ~ han er så sød; han er en skat; be a ~ and ... vær så sød at ...; the ~ of fortune lykkens yndling.

darling[2] ['dɑːliŋ] adj. sød, kær; henrivende.

darn[1] [dɑːn] sb. stopning.

darn[2] [dɑːn] vb. stoppe (fx socks).

darn[3] [dɑːn] adj. T se damned.

darned [dɑːnd] adj. (især am. T) = damned.

darnel ['dɑːn(ə)l] sb. (bot.) giftig rajgræs.

darning ['dɑːniŋ] sb. **1.** stopning;
2. stoppetøj.

darning needle sb. **1.** stoppenål; **2.** (am. zo.) guldsmed.

dart[1] [dɑːt] sb. (se også darts) **1.** kastepil, dart; **2.** (fra våben, fx pusterør) pil (fx a poisoned ~); **3.** (i tøj) indsnit; spidslæg;
□ make a ~ for styrte/fare hen imod//hen til.

dart[2] [dɑːt] vb. **1.** fare, styrte (fx forward; into the room); **2.** (med objekt) kaste (fx he -ed a glance over his shoulder);
□ she -ed a glance at him, her eyes -ed to him hun kastede/sendte ham et hastigt blik/øjekast.

dartboard ['dɑːtbɔːd] sb. skive [til darts].

darter ['dɑːtə] sb. (zo.) slangehalsfugl.

Dartmoor ['dɑːtmɔː, -muə] [øde hedelandskab i Devon hvor der ligger et fængsel].

darts [dɑːts] sb. pl. dart, pilespil.

dash[1] [dæʃ] sb. **1.** stænk, skvæt (fx coffee with a ~ of brandy); lille tilsætning; **2.** (af egenskab) let anstrøg (fx of mystery); stænk, snert; **3.** (bevægelse) styrten, faren; ræs (fx a mad ~ to the airport); **4.** (typ. etc.) tankestreg; **5.** (i morsealfabet) streg; **6.** (i bil) instrumentbræt; **7.** (am.: i sport) sprint; **8.** (glds.: om egenskab) fart, liv; raskhed, verve, dristighed;
□ in a ~ i forrygende fart; cut a ~ (glds.) gøre en god figur; gøre sig; make a ~ for styrte/fare hen imod//hen til.

dash[2] [dæʃ] vb. **1.** slynge (og knuse) (fx the waves -ed the ship against the rocks); slå, knuse (fx he -ed the glass against the wall); sønderslå; **2.** (håb etc.) tilintetgøre, knuse; **3.** (om bevægelse) fare, styrte (fx around; into the room);
□ I must ~! jeg må ile! ~ it! (glds. T) gid pokker havde det!
[med præp.& adv.] ~ **against**
a. slynge imod [se 1]; **b.** slå imod (fx rain -ed against the windows); ~ **away** a tear viske/stryge en tåre bort; ~ **off** a. kradse ned i en fart (fx a letter); (sjusket) jaske af; **b.** (jf. 4) fare af sted; a landscape -ed with sunlight et landskab med spredte solstrejf.

dashboard ['dæʃbɔːd] sb. **1.** (i bil, fly) instrumentbræt; **2.** (glds.) (på hestekøretøj) forsmæk(ke).

dashed [dæʃt] adv. (glds. T) pokkers, vældig (fx ~ decent of him).

dashiki [dəˈʃiːki] sb. [løs, stærkt farvet bluse].

dashing ['dæʃiŋ] adj. (glds.) flot; rask.

dastard ['dæstəd] sb. (glds. el. spøg.) kryster; usselryg.

dastardly ['dæstədli] adj. (glds. el. spøg.) fej, krysteragtig; ussel, lumpen, nedrig.

DAT fork. f. digital audio tape.

data ['deitə] sb. (sg. el. pl.) data.

data bank sb. **1.** databank; samling af data; **2.** (glds.) = database.

database ['deitəbeis] sb. (it) database.

data capture sb. (it) datafangst.

data processing sb. (it) databehandling.

data protection sb. (it) datasikring.

data set sb. (it) datasæt, datamængde.

data terminal sb. (it) dataterminal.

date[1] [deit] sb. **1.** dato; **2.** årstal (fx an important ~ in English history; what are his -s?); **3.** (på mønt, dokument etc.) datering; **4.** (for kunstværk, bygning etc.) tid, periode; **5.** (T: om at mødes) aftale; stævnemøde; **6.** (især am.) en man har aftalt at mødes med; en man kommer sammen med/går ud med; **7.** (mus.; teat.) engagement;
□ no ~ (om bog) uden år; (se også blind date, even[2]);
[med præp.] **at** a later ~ på et senere tidspunkt; **out of** ~ umoderne, gammeldags; forældet, ikke længere gyldig; be **out on** a ~ være ude med en; go out on a ~ gå ud med en; **to** ~ til dato; **up to** ~ **a.** moderne; tidssvarende; **b.** opdateret, ajourført; bring sth up to ~ opdatere noget, føre noget ajour; keep sth up to ~ sørge for at noget er opdateret/ajourført.

date[2] [deit] sb. (bot.) daddel(palme).

date[3] [deit] vb. **1.** datere, skrive dato på; **2.** (arkæol. etc.) datere, tidsfæste, tidsbestemme; **3.** T gå af mode; blive forældet; (med objekt) vise at man er gammel (fx that dress//word -s you); **4.** (især am. T) aftale (stævne)møde med; komme sammen med, gå ud med; invitere ud; (uden objekt) komme sammen, gå (ud) med hinanden (fx they have been dating for years);
□ ~ **back to** gå helt tilbage til; ~ **from** datere sig fra, skrive sig fra.

dated ['deitid] adj. T forældet, umoderne.

dateless ['deitləs] adj. **1.** tidløs; **2.** (om dokument etc.) udateret.

Date Line sb. datolinje.

dateline ['deitlain] sb. (i avis, brev) linje med datering.

date palm *sb.* daddelpalme.
date rape *sb.* [*voldtægt begået mod én man har inviteret ud*].
date stamp *sb.* datostempel.
dating agency *sb.* kontaktbureau.
dating service *sb.* (*am.*) = *dating agency.*
dative ['deitiv] *sb.* (*gram.*) dativ.
datum ['deitəm] *sb.* (*pl.* data) kendsgerning; faktum.
daub[1] [dɔːb] *sb.* **1.** oversmøring; smøreri; **2.** (*om billede*) smøreri; klatmaleri; **3.** se *wattle and daub.*
daub[2] [dɔːb] *vb.* smøre (*fx mud all over one's face*);
□ ~ *on* smøre på (*fx* ~ *the paint on;* ~ *graffiti on the walls*); ~ *with* oversmøre med (*fx mud; paint*).
dauber ['dɔːbə] *sb.* klatmaler.
daughter ['dɔːtə] *sb.* datter.
daughter-in-law ['dɔːtərinlɔː] *sb.* (*pl.* daughters-in-law) svigerdatter.
daunt [dɔːnt] *vb.* skræmme; gøre bange.
daunted ['dɔːntid] *adj.* skræmt; overvældet;
□ *nothing* ~ uforfærdet, ufortrøden.
daunting ['dɔːntiŋ] *adj.* skræmmende; overvældende; enorm.
dauntless ['dɔːntləs] *adj.* (*litt.*) uforfærdet.
davenport ['dævnpɔːt] *sb.* **1.** skrivepult; **2.** (*am.*) overpolstret (sove)sofa.
davit ['dævit] *sb.* (*mar.*) jollebom; david.
daw [dɔː] *sb.* (*zo.*) allike.
dawdle ['dɔːdl] *vb.* smøle; spilde tiden; drive;
□ ~ *over* **a.** smøle med; **b.** (*drik*) sidde og hænge over (*fx a cup of coffee; a glass of beer*).
dawdler ['dɔːdlə] *sb.* smøl; drys.
dawn[1] [dɔːn] *sb.* **1.** daggry; **2.** (*fig.*) gry; (første) begyndelse; (se også *hour*).
dawn[2] [dɔːn] *vb.* **1.** begynde, bryde frem (*fx the day was* -*ing; a new age has* -*ed*); (*om dag også, litt.*) gry; **2.** (*om nyhed etc.*) komme frem, blive klar (*fx the truth about him* -*ed*);
□ *it/the light* -*ed on him* det gik op for ham.
dawn raid *sb.* **1.** politirazzia [*udført ved daggry*]; **2.** (*fig.*) uanmeldt besøg; **3.** (*merk.*) [*pludseligt forsøg på overtagelse af bestemmende aktiepost*].
day [dei] *sb.* **1.** dag; døgn; **2.** tid (*fx my* ~ *is done* (forbi)); **3.** vejr (*fx it was a beautiful* ~; *what sort of a* ~ *is it?*);

□ *if he's a* ~ *se if;* ~ *in,* ~ *out* dag ud og dag ind; *that's all in a/the* -*'s work* det må man tage med; det er vi så vant til; (se også *early*[1], *end*[1], *fine*[2], *judgement, reckoning*);
[*med pron.*] *any* ~ når som helst; *it is not his/my etc.* ~ det er ikke en af hans//mine *etc.* heldige dage; *it made my* ~, *in my* ~ se: ndf.; *some* ~ en dag; på et eller andet tidspunkt; *these* -*s* for tiden, for øjeblikket; i disse dage; (se også ndf.: *one of* ...); *those were the* -*s!* det var tider!; (se også *other, week*);
[*med: the*] *that'll be the* ~ det vil jeg se før jeg tror det; ... *of the* ~ den tids ... (*fx the standards// fashion etc. of the* ~); *the Government of the* ~ **a.** den daværende regering; **b.** den til enhver tid siddende regering; (se også *officer*); *the* ~ *is ours* sejren er vor; *carry// lose the* ~ se: ndf.;
[*med vb.*] *call it a* ~ lade det være nok/godt for i dag; holde fyraften; *carry the* ~ vinde sejr; *it has had its* ~ det er passé; *lose the* ~ tabe slaget; forspilde sejren; *make a* ~ *of it* **a.** få en dag ud af det; **b.** fortsætte hele dagen; *it made my* ~ T det kastede glans over//reddede dagen for mig; *name the* ~ bestemme bryllupsdagen; *win the* ~ vinde slaget; sejre; (se også *better*[2] (*seen better* -*s*));
[*med præp.& adv.*] *by* ~ om dagen (*fx we work by* ~); ~ *by* ~ dag for dag; hver dag; *for* -*s* i dagevis; (*rather*) *late in the* ~ (*fig.*) noget sent; lovlig sent; *in my* ~ i min tid; *in this* ~ *and age* nu til dags; *in* -*s of old* i gamle dage; i fordums tid; *one of these* -*s* **a.** en skønne dag; en af dagene; en dag; en gang i fremtiden; *it was just one of those* -*s* det var en rigtig tychobrahesdag; (se også *end*[1]); *ten years ago to the* ~ for nøjagtig ti år siden, for ti år siden på dagen; *to this* ~ til den dag i dag.
daybed ['deibed] *sb.* (*am.*) sovesofa.
day boarder *sb.* kostelev.
daybook ['deibuk] *sb.* **1.** kassekladde, journal; **2.** (*am.*) dagbog.
day boy *sb.* dagelev.
daybreak ['deibreik] *sb.* daggry.
day care *sb.* **1.** pasning om dagen; dagpleje; **2.** (*am.*) daginstitution.
day-care centre *sb.* daginstitution.
daydream[1] ['deidriːm] *sb.* drømmeri; dagdrøm.
daydream[2] ['deidriːm] *vb.* dag-

drømme.
day girl *sb.* dagelev.
Day-Glo, Dayglo® ['deiglou] *adj.* (*om farve*) selvlysende.
day labour *sb.* arbejde der betales pr. dag.
day labourer *sb.* daglejer.
daylight ['deilait] *sb.* (se også *daylights*) **1.** dagslys; **2.** daggry (*fx get up before* ~);
□ *by* ~, *in* ~ ved dagslys; *in broad* ~ **a.** ved højlys dag; **b.** (*fig.*) i fuld offentlighed; *let* ~ *into the affair* lade sagen komme frem for offentligheden; *let the* ~ *into sby* skyde en; stikke en ned; *we began to see* ~ (*fig.*) det begyndte at lysne.
daylight robbery *sb.* T uforskammet høj pris; optrækkeri.
daylights ['deilaits] *sb. pl.*: *beat/ knock the (living)* ~ *out of sby* tæve en sønder og sammen; *frighten/scare the (living)* ~ *out of sby* skræmme livet af en.
daylight saving time *sb.* (*am.*) sommertid.
day lily *sb.* (*bot.*) daglilje.
day nursery *sb.* **1.** vuggestue; **2.** (*glds.*) børneværelse.
day pupil *sb.* dagelev.
day release *sb.* [*betalt arbejdsfrihed til uddannelse*].
day return *sb.* endagsbillet; billig endagsreturbillet.
day room *sb.* (*i hospital*) dagligstue, opholdsstue.
day shift *sb.* daghold.
day surgery *sb.* (*med.*) sammedagskirurgi.
daytime ['deitaim] *sb.* dag;
□ *in/during the* ~ om dagen; mens det er dag; i dagtimerne.
day-to-day [deitə'dei] *adj.* daglig, rutinemæssig (*fx duty; work*).
day trader *sb.* daghandler [*der køber og sælger det samme papir samme dag*]; hjemmespekulant.
day trip *sb.* endagstur.
day tripper *sb.* endagsturist.
daze[1] [deiz] *sb.*: *in a* ~ se *dazed.*
daze[2] [deiz] *vb.* forvirre; gøre fortumlet.
dazed [deizd] *adj.* ør, omtåget, fortumlet; tummelumsk.
dazzle[1] ['dæzl] *sb.* blændende lys// glans.
dazzle[2] ['dæzl] *vb.* (*også fig.*) blænde.
dazzling ['dæzliŋ] *adj.* (*også fig.*) blændende.
dB *fork. f.* decibel.
DBMS *fork. f. database management system.*
DBS *fork. f. direct broadcasting by satellite.*
DC *fork. f.* **1.** *District of Columbia;*

D DCI

2. *District Commissioner*;
3. (*elek.*) *direct current*.

DCI *fork. f. Detective Chief Inspector.*

DCL *fork. f. Doctor of Civil Law* dr. jur.

DCM *fork. f. Distinguished Conduct Medal.*

DD *fork. f. Doctor of Divinity* dr. theol.

d-d *fork. f. damned.*

D-Day ['di:dei] *sb.* **1.** (*mil. hist.*) D-dag [*6. juni 1944, dagen for den allierede landgang i Normandiet*]; **2.** (*fig.*) [*den dag en vigtig begivenhed skal finde sted*]; „den store dag".

DEA *fork. f.* (*am.*) *Drug Enforcement Administration/Agency* narkopolitiet.

deaccession [di:ək'seʃn] *vb.* (*om museum etc.*) [*sælge ud af kunstgenstande etc. for at skaffe midler til driften*].

deacon ['di:k(ə)n] *sb.* (*rel.*) [*underordnet gejstlig*].

deaconess ['di:kənəs] *sb.* diakonisse.

deactivate [di'æktiveit] *vb.* **1.** (*bombe etc.*) inaktivere, uskadeliggøre; **2.** (*kem.*) inaktivere; **3.** (*apparat*) slå fra (*fx the alarm*).

dead[1] [ded] *adj.* **1.** død (*fx he is ~; their buried their ~*); livløs; **2.** (*fig.*) død (*fx capital; languages; things; the battery//phone//radio is ~; the place is totally ~ at night*); **3.** (*om lyd*) klangløs (*fx voice*); dump (*fx thud*); **4.** (*merk.*) mat, flov (*fx market*);
□ *~ and gone* død og borte; (*as*) *~ as the/a dodo* død som en sild; komplet forældet; (*as*) *~ as a doornail* stendød; (*as*) *~ as mutton* dødsens kedsommelig; [*med sb.*] *~ calm* havblik; *a ~ failure* en komplet fiasko; *~ leaves* visne blade; *a ~ match* en brugt/afbrændt tændstik; *~ silence* fuldstændig/dødlignende tavshed; *come to a ~ stop* gå helt i stå; (*se også body, horse*[1] (*& på alfabetisk plads*)); [*med vb.*] *I wouldn't be caught/ seen ~ in that dress* jeg kan ikke forestille mig noget værre end den kjole; *drop ~* falde død om; *drop ~!* T skrub af! *feel ~* føle sig fuldstændig udmattet/smadret; *stop ~* standse brat; (*se også cut*[2]); [*med præp.+ sb.*] *be ~ in the water* være mislykket, være en fiasko; være kørt fast; *at ~ of night* i nattens mulm og mørke; *in the ~ of winter* midt om vinteren; *~ on one's feet* dødtræt; *have sby ~ to*

rights (*am.*) have grebet en på fersk gerning; have krammet på en; *~ to the world* T **a.** fuldstændig bevidstløs//udmattet; **b.** døddrukken; (se også *neck*[1]).

dead[2] [ded] *adv.* **1.** lige; stik (*fx ~ against*); **2.** (T: *forstærkende*) død- (*fx boring; drunk; easy*); smadder-; fuldstændig (*fx right*); (se også *broke*[2]);
□ *~ ahead* (*mar.*) ret forude; [*med sb.*] *~ calm* blikstille; *~ straight* snorlige; *~ on* T (lige) præcis; lige i øjet; *~ on time* lige på minuttet.

dead-alive [dedə'laiv] *adj.* kedelig; sløv.

deadbeat[1] ['dedbi:t] *sb.* (*am.* T) **1.** drivert; snylter; **2.** dårlig betaler.

deadbeat[2] ['dedbi:t] *adj.* (*am.* T) som ikke betaler.

dead-beat [ded'bi:t] *adj.* dødtræt.

deadbeat dad *sb.* (*am.* T) [*far der ikke betaler børnebidrag*].

dead bolt *sb.* (*am.*) = *mortise lock*.

dead centre *sb.* (*i motor etc.*) dødpunkt;
□ *hit the ~* ramme præcis i centrum.

dead cert *sb.* se *cert*.

dead drop *sb.* død postkasse.

dead duck *sb.* T død sild.

deaden ['ded(ə)n] *vb.* (se også *deadening*) dæmpe (*fx the noise*); formindske; (*om smerte*) døve.

dead end *sb.* **1.** blind gade; lukket/ blind vej; **2.** (*fig.*) blindgade, blindgyde; noget der ingenting fører til.

dead-end job *sb.* blindgade, blindgyde.

deadening ['ded(ə)niŋ] *adj.* sløvende (*fx effect; routine*).

deadeye ['dedai] *sb.* (*mar.*) jomfru [*rund træklods med tre huller*].

deadfall ['dedfɔ:l] *sb.* **1.** [*fælde med en vægt der falder ned og dræber byttet*]; **2.** [*vildnis af faldne træer*].

dead hand *sb.* (*fig.*) tung/dræbende hånd (*fx the ~ of state control*).

deadhead[1] ['dedhed] *sb.* **1.** skvadderhoved; dødbider; **2.** vissen blomst; **3.** (*am.*) gratist.

deadhead[2] ['dedhed] *vb.* pille/ nippe visne blomster af (*fx the roses*).

dead heat *sb.* dødt løb.

dead letter *sb.* **1.** lov som ingen længere overholder; lov som kun eksisterer på papiret; **2.** uanbringeligt brev.

deadline ['dedlain] *sb.* deadline, afleveringsfrist;
□ *meet the ~* overholde fristen.

deadlock ['dedlɔk] *sb.* fastlåst situation;
□ *be at a ~* være kørt fast, være fastlåst, være gået i hårdknude; *break/resolve the ~* løse op for forhandlingerne//situationen; *reach/come to a ~* (*om forhandlinger*) gå i hårdknude; gå i baglås; køre fast.

deadlocked ['dedlɔkt] *adj.* fastlåst;
□ *be ~* være kørt fast, være gået i baglås/hårdknude.

dead loss *sb.* rent tab;
□ *it was a ~* (*også*) det var den rene tilsætning; *he was a ~* han var håbløs/umulig.

deadly[1] ['dedli] *adj.* **1.** dødelig, dødbringende (*fx weapon*); **2.** (*om person*) uforsonlig, dræbende (*fx look; voice*); **3.** (*om situation*) ødelæggende; **4.** T dødkedelig, dræbende kedsommelig (*fx party*); **5.** (*i sport: god til at ramme*) dræbende;
□ *in ~ earnest* i ramme alvor, dødsens alvorligt.

deadly[2] ['dedli] *adv.* (*forstærkende*) død- (*fx dull; pale*); dødsens (*fx dull; serious*).

deadly enemies *sb. pl.* dødsfjender.

deadly nightshade *sb.* (*bot.*) galnebær; belladonna.

deadly sin *sb.* (*bot.*) dødssynd.

dead man *sb.* (*pl. dead men*) T tom flaske;
□ *be a ~* være dødsens; *wait for dead men's shoes* [*vente på at en skal dø for at kunne overtage hans stilling*].

dead man's float *sb.* (*am.*) [*det at flyde i vandet med ansigtet nedad*].

dead man's handle *sb.* dødmandsknap [*i elek. tog*].

dead march *sb.* sørgemarch.

deadness ['dednəs] *sb.* livløshed.

dead nettle *sb.* (*bot.*) døvnælde.

deadpan ['dedpæn] *adj.* fuldkommen udtryksløs (*fx face*); gravalvorlig;
□ *~ face* (*også*) pokeransigt.

dead reckoning *sb.* (*mar.*) bestik;
□ *longitude by ~* længde ifølge bestik; *navigate by ~* sejle på bestikket.

dead ringer *sb.*: *A is a ~ for B* A ligner B på en prik.

Dead Sea *sb.*: *the ~* (*geogr.*) Det døde Hav.

dead set *sb.*: *make a ~ at* lægge kraftigt an på.

dead time *sb.* spildtid.

dead water *sb.* (*især am.*) dødvande.

deadweight ['dedweit] *sb.* **1.** tung

216

og uhåndterlig byrde; **2.** (*fig.&
mar.*) dødvægt.

dead wood *sb.* **1.** overflødig ar-
bejdskraft; overflødigt materiale;
2. (*mar.*) opklodsningstræ; død-
træ.

deaf [def] *adj.* døv (*to* for);
□ ~ *as a post* stokdøv; *fall on* ~
ears, turn a ~ *ear* se *ear*[1].

deafen ['def(ə)n] *vb.* gøre døv.

deafened ['def(ə)nd] *adj.* døvble-
ven.

deafening ['def(ə)niŋ] *adj.* øredø-
vende.

deaf-mute [def'mju:t] *sb.* (*især
neds.*) døvstum.

deafness ['defnəs] *sb.* døvhed.

deal[1] [di:l] *sb.* **1.** forretning, han-
del; aftale; (*merk. også*) tilbud;
2. (*i kortspil*) kortgivning; tur til
at give kort (*fx it is my* ~); (se også
cut[2] (*for*)); **3.** T behandling;
4. (*am.* T) historie, affære (*fx din-
ner was an informal* ~); (se også
big deal); **5.** (*om træ*) fyrretræ; fyr-
replanke;
□ *it's a* ~*!* så er det en aftale! *do/
make/strike a* ~ *with* slå en han-
del af med; *put through a* ~ af-
slutte en forretning/handel;
[*med adj.*] *a good* ~ (*merk.*) en
god forretning; et godt tilbud; *a
good/great* ~ en stor mængde,
meget; *a hard/raw* ~ en grov//
uretfærdig behandling; *he has
had a hard/raw* ~ (*også*) han er
forfordelt af skæbnen; (se også
square[2]).

deal[2] [di:l] *adj.* fyrretræs-.

deal[3] [di:l] *vb.* (*dealt, dealt*) **1.** (*i
kortspil*) give, give kort; **2.** (*merk.*)
handle; gøre forretninger; **3.** (S:
narko, stoffer) handle med; sælge;
□ ~ *sby a blow* **a.** give en et slag;
F tildele en et slag; **b.** (*fig.*) være
et hårdt slag for en; ~ *sby a fatal/
crippling blow* (*fig.*) være et død-
bringende/ødelæggende slag for
en;
[*med præp.*] ~ *in* **a.** handle med,
sælge (*fx cars*); forhandle; **b.** (*fig.*)
beskæftige sig med; ~ *out* **a.** ud-
dele; **b.** holde udenfor; springe
over; **c.** (*om straf*) tildele; give; ~
him out of the scheme holde ham
uden for foretagendet; ~ *with*
a. (*merk.*) handle med (*fx a firm*);
b. (*sag*) tage sig af, behandle (*fx
complaints*); **c.** (*emne, i film, bog,
tale*) omhandle, behandle; **d.** (*ne-
gativ følelse; vanskelighed*) klare
(*fx one's fear, a crisis*); **e.** (*person*)
behandle (*fx justly with him*);
he is easy//difficult to ~ *with* han
er let//svær at have med at gøre;
how shall we ~ *with the matter?*

(*også*) hvordan skal vi gribe sagen
an?

dealer ['di:lə] *sb.* **1.** forhandler;
handlende; (*i sms.*) -handler (*fx
antiques* ~; *car* ~); **2.** (*med vær-
dipapier*) børshandler, fondshand-
ler; (*med valuta*) dealer; **3.** (*i kort-
spil*) kortgiver.

dealership ['di:ləʃip] *sb.* (*merk.:
om bilmærke*) **1.** (*ret til at handle
med*) forhandling; **2.** (*firma*) for-
handler.

dealfish ['di:lfiʃ] *sb.* (*zo.*) vågmær.

dealing ['di:liŋ] *sb.* (se også *deal-
ings*) **1.** handel (*in hade, fx shares*);
2. optræden; handelmåde;
□ *fair/honest/plain* ~ ærlighed.

dealings ['di:liŋz] *sb. pl.* **1.** (forret-
nings)forbindelse; **2.** optræden;
handelmåde;
□ *reliable in all his* ~ pålidelig i
al sin færd; *have* ~ *with*
a. (*merk.*) gøre forretninger med;
have forbindelse med; **b.** (*privat*)
omgås; *I advise you to have no* ~
with him jeg råder dig til ikke at
have noget med ham at gøre.

dealt [delt] *præt. & præt. ptc. af
deal*[3].

dean [di:n] *sb.* **1.** (*ved fakultet*) de-
kan; **2.** (*ved domkirke*) dom-
provst; **3.** se *rural dean*; **4.** (*am.*)
doyen.

deanery ['di:nəri] *sb.* **1.** provsteem-
bede; **2.** provstebolig; **3.** (*område*)
provsti.

dear[1] [diə] *sb.* (*i tiltale*) skat; min
ven (*fx yes,* ~);
□ *she's a* ~ hun er sød; *(hand me
the scissors), there's/that's a* ~ ...
så er du sød/rar; *she is an old* ~
hun er en sød/elskelig gammel
dame.

dear[2] [diə] *adj.* **1.** kær; sød; **2.** (*om
pris*) dyr; kostbar;
□ *my -est wish//hope* mit inderlig-
ste ønske//håb; *oh* ~*!,* ~ *me!,* ~,
~*!* (ja)men kære! men dog! *it is* ~
to me det betyder meget for mig;
F det er mig dyrebart.

dear[3] [diə] *adv.* dyrt (*fx sell* ~); (se
også *cost*[2]).

dearie *sb.* se *deary*.

Dear John *sb.* T [*brev fra kæreste
hvori hun slår op med én*]; af-
skedsbrev.

dearly ['diəli] *adv.* **1.** dyrt (*fx he'll
pay* ~ *for it*); **2.** inderligt;
□ *love him* ~ elske ham højt.

dearth [də:θ] *sb.:* ~ *of* mangel på;
knaphed på; *time of* ~ dyrtid.

deary ['diəri] *sb.* (*glds.*) kære ven;
elskede.

death [deθ] *sb.* **1.** død; **2.** dødsfald
(*fx a* ~ *in the family; there have
been five -s*); **3.** (*generelt*) døden

(*fx* ~ *comes to everybody; beauti-
ful even in* ~);
□ *catch one's* ~ (*of cold*) få en ge-
neralforkølelse; *die a/the* ~ (*fig.*)
a. efterhånden holde op, gå i sin
mor igen; **b.** blive en fiasko; *meet
one's* ~ finde døden;
the ~ *of sth* enden/afslutningen
på noget (*fx of her hopes*); nogets
endeligt (*fx of the rain forest*); *it
will be the* ~ *of me* (*fig.*) det tager
livet af mig; *it was the* ~ *of him*
han tog sin død over det;
[*med præp.*] *be in at the* ~
a. være til stede når hundene
dræber ræven; **b.** (*fig.*) se hvordan
det ender; være til stede i det af-
gørende øjeblik; *at -'s door* på
gravens rand; ved dødens tærskel;
to ~ **a.** ihjel (*fx burn to* ~); *starve
to* ~); **b.** (*fig.*) til døde (*fx be bored
to* ~); *do sby to* ~ dræbe en; *do
sth to* ~ (*fig.*) slide noget op, ride
noget til døde (*fx a subject*);
frightened to ~ dødsens forskræk-
ket; *put to* ~ dræbe; henrette;
scare them to ~ T skræmme livet
af dem; *scared to* ~ T stiv af
skræk; *skræmt til døde; sick to* ~
of led og ked af; *work oneself to* ~
slide sig halvt ihjel; *wounded to*
~ dødeligt såret; *a fight to the* ~
en kamp på liv og død; *fight to
the* ~ kæmpe til det sidste.

deathbed ['deθbed] *sb.* dødsleje.

death blow *sb.* dødsstød.

death camp *sb.* dødslejr.

death cap *sb.* (*bot.*) løgknoldet
fluesvamp.

death-dealing ['deθdi:liŋ] *adj.* død-
bringende.

death duty *sb.* (*glds.*) arveafgift.

death knell *sb.* dødsklokke;
□ *sound the* ~ *of/for* (*fig.*) betyde
døden for.

deathless ['deθləs] *adj.* (*litt. el.
spøg.*) uforgængelig; udødelig.

deathly[1] ['deθli] *adj.* dødlignende
(*fx silence; stillness*).

deathly[2] ['deθli] *adv.* dødsens (*fx
afraid; dull; tired*);
□ ~ *cold* isnende kold; ~ *pale* lig-
bleg.

death mask *sb.* dødsmaske.

death penalty *sb.* dødsstraf.

death rate *sb.* dødelighed, dødelig-
hedsprocent.

death rattle *sb.* dødsrallen.

death row *sb.* dødsgangen; døds-
cellerne [*i et fængsel*].

death sentence *sb.* dødsdom.

death's head *sb.* dødningehoved.

death squad *sb.* dødspatrulje.

death throes *sb. pl.* **1.** dødskamp;
2. (*fig.*) dødskamp, sidste krampe-
trækninger.

death toll *sb.* antal af dødsofre; dødstal.

death trap *sb.* dødsfælde.

death warrant *sb.* (*også fig.*) dødsdom.

deathwatch ['deθwɔtʃ] *sb.*: ~ *beetle* (*zo.*) dødningeur.

deb [deb] *fork. f. débutante.*

debacle, débâcle [dei'ba:kl] *sb.* fuldstændig fiasko; sammenbrud, opløsning.

debag [di:'bæg] *vb.* S trække bukserne af.

debar [di'ba:] *vb.* udelukke (*from* fra).

debark [di'ba:k] *vb.* **1.** (*træ*) afbarke; **2.** se *disembark.*

debase [di'beis] *vb.* **1.** F forringe (kvaliteten af); forsimple; forfladige; **2.** (*ord*) udvande; □ ~ *the coinage* (*hist.*) forringe landets mønt.

debasement [di'beismənt] *sb.* (jf. *debase*) **1.** forringelse; forsimpling; forfladigelse; **2.** udvanding.

debatable [di'beitəbl] *adj.* **1.** (*usikker*) diskutabel, omtvistelig; **2.** (*som diskuteres*) omstridt.

debate¹ [di'beit] *sb.* **1.** drøftelse; diskussion; **2.** (*formel, fx i parlament*) debat.

debate² [di'beit] *vb.* **1.** drøfte; diskutere; **2.** (*formelt*) debattere; **3.** (*i sit indre*) overveje (*fx what to do; whether to stay*).

debater [di'beitə] *sb.* debattør.

debating society [di'beitiŋsəsaiəti] *sb.* diskussionsklub.

debauched [di'bɔ:tʃt] *adj.* (*glds.*) udsvævende; fordærvet; umoralsk.

debauchee [debɔ:'tʃi:] *sb.* udsvævende person.

debauchery [di'bɔ:tʃəri] *sb.* udsvævelser.

debenture [di'bentʃə] *sb.* (*merk.*) (partial)obligation; selskabsobligation.

debenture holder *sb.* obligationsejer.

debilitate [di'biliteit] *vb.* F svække, afkræfte; udmarve.

debilitating [di'biliteitiŋ] *adj.* F svækkende, afkræftende; udmarvende.

debilitation [dibili'teiʃn] *sb.* F svækkelse, afkræftelse.

debility [di'biləti] *sb.* F svaghed.

debit¹ ['debit] *sb.* debet; debetpostering; □ *the account is in* ~ der er underskud på kontoen; *place it to the* ~ *of his account* debitere hans konto for det.

debit² ['debit] *vb.* debitere; □ ~ *him with it* debitere ham for det.

debit card *sb.* betalingskort.

debonair [debə'nɛə] *adj.* (*let glds.*) elegant, charmerende og selvsikker; munter.

debouch [di'bautʃ] *vb.*: ~ *into* (*om vandløb*) munde ud i; ~ *from* (*mil.*) rykke ud i åbent terræn fra.

debrief [di:'bri:f] *vb.* udspørge, afhøre; samle oplysninger fra; □ *be -ed* (*også*) aflægge rapport.

debris ['debri:, 'dei-] *sb.* **1.** stumper, rester; (mur)brokker; ruiner; affald; **2.** (*geol.*) [*løse klippestykker etc. ved foden af et bjerg*].

debt [det] *sb.* **1.** (*til en*) gæld; **2.** (*hos en*) (udestående) fordring, tilgodehavende; □ *be in* ~ skylde penge væk; være forgældet; *be in sby's* ~ (*fig.*) stå i gæld til en; *fall/get/run into* ~ komme/sætte sig i gæld; ~ *of gratitude* taknemmelighedsgæld; ~ *of honour* æresgæld; *pay the* ~ *of nature* dø; (se også *contract²*).

debt collector *sb.* inkassator.

debtor ['detə] *sb.* debitor; skyldner.

debug [di:'bʌg] *vb.* T **1.** (*værelse etc.*) fjerne skjulte mikrofoner fra; **2.** (*edb-program*) rette fejl i; T afluse.

debugger [di:'bʌgə] *sb.* (*it*) afprøvningsprogram, fejlfindingsprogram.

debunk [di:bʌŋk] *vb.* T **1.** pille glorien af; pille ned af piedestalen; **2.** (*falsk antagelse*) afsløre; vise hulheden i; skyde ned.

debur [di:'bə:] *vb.* (*tekn.*) afgrate.

debus [di:'bʌs] *vb.* (*mil.*) stige ud [*af motorkøretøj*]; sidde af.

debut¹ ['deibju:, 'debju:, (*am. også*) dei'bju:] *sb.* debut; første optræden.

debut² ['deibju:, 'debju:, (*am. også*) dei'bju:] *vb.* debutere; optræde for første gang.

débutante ['debjuta:nt] *sb.* (*glds.*) [*ung pige der for første gang optræder i selskabslivet*].

Dec. *fork. f. December.*

decade ['dekeid] *sb.* **1.** tiår; årti; **2.** (*elek.*) dekade.

decadence ['dekəd(ə)ns] *sb.* dekadence; forfald.

decadent ['dekəd(ə)nt] *adj.* dekadent; som er i tilbagegang/forfald.

decaf ['di:kæf] T = *decaffeinated.*

decaffeinated¹ [di:'kæfineitəd] *sb.* koffeinfri kaffe.

decaffeinated² [di:'kæfineitəd] *adj.* koffeinfri.

decal ['di:kæl, di'kæl] *sb.* (*am.*) overføringsbillede; overføringsetiket.

decalcify [di:'kælsifai] *vb.* afkalke.

Decalogue ['dekəlɔg] *sb.*: *the* ~ (*i biblen*) de ti bud.

decamp [di'kæmp] *vb.* T stikke af, forsvinde [*pludseligt og ubemærket*]; fordufte.

decant [di'kænt] *vb.* **1.** omhælde (*into* på); dekantere; **2.** T flytte, overføre (*into* til).

decantation [di:kæn'teiʃn] *sb.* omhældning; dekantering.

decanter [di'kæntə] *sb.* karaffel.

decapitate [di'kæpiteit] *vb.* F halshugge.

decapitation [dikæpi'teiʃn] *sb.* F halshugning.

decarbonize [di:'ka:bənaiz] *vb.* afkulle; befri for kulstof.

decathlete [di'kæθli:t] *sb.* (*i sport*) tikæmper.

decathlon [di'kæθlɔn] *sb.* (*i sport*) tikamp.

decay¹ [di'kei] *sb.* **1.** forfald (*fx of a building*); **2.** (*fig.*) forfald, opløsning (*fx moral* ~); svækkelse; **3.** (*biol. etc.*) forrådnelse (*fx of wood*); nedbrydning (*fx of plastic; of teeth*); **4.** (*fys.*: *om radioaktivitet*) henfald; □ *fall into* ~ (*om hus*) gå i forfald, forfalde.

decay² [di'kei] *vb.* **1.** (*biol. etc.*) rådne (bort); nedbrydes; gå i opløsning; (*med objekt*) få til at forrådne/gå i opløsning; nedbryde; **2.** (*om hus etc.*) forfalde; **3.** (*fig.*) forfalde, opløses, gå i opløsning; svækkes; **4.** (*fys.*) henfalde; □ *-ed tooth* hul tand.

decease [di'si:s] *sb.* F død; bortgang.

deceased [di'si:st] *adj.* F afdød; □ *the* ~ (den) afdøde.

deceit [di'si:t] *sb.* **1.** (*generelt*) bedrageri, svig; **2.** (*enkelt tilfælde*) bedrageri, bedrag, svindelnummer; **3.** (*egenskab*) bedrageriskhed, svigefuldhed, falskhed.

deceitful [di'si:tf(u)l] *adj.* bedragerisk, svigefuld; uærlig, falsk; (*også om udsagn*) løgnagtig (*fx report*).

deceive [di'si:v] *vb.* bedrage; narre; □ *be -d by* (*også*) lade sig narre af; ~ *them into thinking that* ... narre dem til at tro at ...; ~ *oneself* narre sig selv.

deceiver [di'si:və] *sb.* bedrager.

decelerate [di:'seləreit] *vb.* nedsætte hastigheden; sagtne farten.

December [di'sembə] *sb.* december.

decency ['di:s(ə)nsi] *sb.* (vel)anstændighed; sømmelighed; □ *have the* ~ *to apologize* have så meget sømmelighedsfølelse at man siger undskyld; *observe the decencies* (*glds.*) iagttage/rette sig efter reglerne for god opførsel;

[*med præp.*] *offence **against** public* ~ blufærdighedskrænkelse; *for -'s sake* af sømmelighedshensyn; *for skams skyld; in (common)* ~ anstændigvis; for skams skyld; *I cannot in* ~ *do it* jeg kan ikke være bekendt at gøre det; *sense of* ~ anstændighedsfølelse, sømmelighedsfølelse.

decennial [di'seniəl] *adj.* tiårs-; som indtræffer hvert 10. år; tiårsdag.

decent [di:s(ə)nt] *adj.* **1.** (*om opførsel, påklædning*) anstændig (*fx behaviour, clothes*); sømmelig, passende (*fx after a* ~ *interval*); **2.** (*om person*) pæn, anstændig (*fx a* ~ *young girl;* ~ *people*); flink (*fx he is a* ~ *chap*); **3.** (*om kvalitet*) pæn, ordentlig (*fx weather; funeral; I haven't got a* ~ *pair of shoes*); hæderlig, tilfredsstillende, rimelig (*fx result*);
□ *be* ~ (T: *spøg.*) være påklædt; *it was very* ~ *of him* det var vældig pænt af ham; *do the* ~ *thing and ... have så meget anstændighedsfølelse/sømmelighedsfølelse at man ....*

decently ['di:s(ə)ntli] *adv.* **1.** anstændig, pænt, ordentligt (*fx treat them* ~); **2.** anstændigt, sømmeligt (*fx dress* ~); **3.** (*sætningsadv.*) anstændigvis (*fx he couldn't* ~ *leave already*).

decentralization [di:sentrəlai-'zeiʃn] *sb.* decentralisering.

decentralize [di:'sentrəlaiz] *vb.* decentralisere.

deception [di'sepʃn] *sb.* bedrageri; bedrag.

deceptive [di'septiv] *adj.* vildledende; skuffende.

dechristianise [di:'kristʃənaiz] *vb.* afkristne.

decibel ['desibel] *sb.* decibel [*måleenhed for lydstyrke, strøm, spænding*].

decide [di'said] *vb.* (se også *decided*) **1.** bestemme, beslutte; **2.** (*sag, forhold*) afgøre (*fx that -d the matter/his fate; the goal that -d the match*); **3.** (*jur. etc.: uenighed*) afgøre (*fx will you* ~ *the matter for us?*); træffe afgørelse i/om; (*jur. også*) pådømme; **4.** (*uden objekt*) bestemme sig, beslutte sig;
□ ~ *against sth* beslutte sig til ikke at gøre noget; ~ *between* vælge imellem; ~ *on* bestemme/beslutte sig for; *that -d him* det fik ham til at bestemme sig; *he -d that* han besluttede sig til at; han kom til det resultat at; ~ *to* beslutte at; bestemme/beslutte sig til

at/for at; vælge at.

decided [di'saidid] *adj.* F **1.** afgjort (*fx advantage*); **2.** bestemt (*fx opinions*).

decidedly [di'saididli] *adv.* afgjort (*fx he is* ~ *better*); bestemt; klart.

decider [di'saidə] *sb.* (*i sport*) **1.** afgørende kamp; **2.** afgørende mål.

deciduous [di'sidjuəs] *adj.* (*bot.*) løvfældende.

deciduous tooth *sb.* mælketand.

decimal[1] ['desəm(ə)l] *sb.* **1.** decimalbrøk; **2.** decimal;
□ *correct to four -s* med fire decimalers nøjagtighed; *three* ~ *five (= 3.5)* (*svarer til*) tre komma fem.

decimal[2] ['desəm(ə)l] *adj.* decimal-;
□ *go* ~ gå over til decimalsystemet.

decimal arithmetic *sb.* decimalregning.

decimal currency *sb.* [*møntsystem baseret på decimalsystemet*].

decimal fraction *sb.* decimalbrøk.

decimalization [desiməlai'zeiʃn] *sb.* **1.** overgang til decimalsystemet; **2.** inddeling efter decimalsystemet.

decimalize ['desiməlaiz] *vb.* **1.** gå over til decimalsystemet; **2.** inddele efter decimalsystemet.

decimal place *sb.*: *calculate to four -s* beregne med fire decimaler; *correct to four -s* med fire decimalers nøjagtighed.

decimal point *sb.* (*svarer til*) komma foran decimalbrøk [*decimalbrøk skrives fx 3.5 og læses three point five*].

decimate ['desimeit] *vb.* **1.** decimere, tynde ud blandt, reducere stærkt; **2.** (*hist.*) decimere, borttage hver tiende af.

decimation [desi'meiʃn] *sb.* decimering; udtynding.

decimetre ['desimi:tə] *sb.* decimeter.

decipher [di'saifə] *vb.* dechifrere, tyde.

decision [di'siʒ(ə)n] *sb.* **1.** beslutning; afgørelse; bestemmelse; **2.** (*jur.*) afgørelse; kendelse; **3.** (*egenskab*) beslutsomhed;
□ *make a* ~ træffe en afgørelse/beslutning/bestemmelse.

decision-maker [di'siʒ(ə)nmeikə] *sb.* beslutningstager.

decision-making [di'siʒ(ə)nmeikiŋ] *sb.* det at træffe beslutninger/afgørelser/bestemmelser; beslutningsproces.

decision-making bodies *sb. pl.* besluttende organer.

decisive [di'saisiv] *adj.* **1.** afgørende (*fx battle*); **2.** (*om egenskab*)

beslutsom, fast, bestemt.

deck[1] [dek] *sb.* **1.** (*mar.*) dæk; skibsdæk; **2.** (*af bro*) dæk; **3.** (*i bus*) etage; **4.** (*på pladespiller*) pladetallerken; **5.** se *tape deck*; **6.** (*am.: i hus*) etage; **7.** (*am.: på hus*) træveranda, solveranda; **8.** (*især am.: spillekort*) spil kort;
□ *clear the -s* gøre klart skib; *hit the* ~ T falde om; gå i gulvet; (se også *stack*[2]);
[*med præp.*] **below** *-s* under dækket; i kahytten; **on** ~ **a.** på dækket; **b.** (*am.*) parat til at tage fat.

deck[2] [dek] *vb.* **1.** smykke, pynte (*fx -ed with flags*); **2.** S slå ned, slå i gulvet;
□ ~ *out* smykke, pynte.

deckchair ['dektʃɛə] *sb.* liggestol, dækstol.

deckhand ['dekhænd] *sb.* (*mar.*) dæksmatros;
□ *-s* dæksbesætning.

deckhouse ['dekhaus] *sb.* (*mar.*) dækshus; ruf.

deckle ['dekl] *sb.* (*i papirfabrikation*) arkform.

deckle edge *sb.* bøttekant [*ujævn kant på håndgjort papir*].

deck passenger *sb.* (*mar.*) dækspassager.

declaim [di'kleim] *vb.* F **1.** (*fremsige*) deklamere; **2.** (*meddele højlydt*) forkynde;
□ ~ *about sth* udbrede sig om noget med høj røst; ~ *against* protestere kraftigt mod; ivre mod.

declamation [deklə'meiʃn] *sb.* **1.** deklamation; **2.** højlydt protest.

declamatory [di'klæmət(ə)ri] *adj.* deklamatorisk; retorisk.

declaration [deklə'reiʃn] *sb.* **1.** erklæring; **2.** (*mht. told*) tolddeklaration; **3.** (*i kortspil*) melding; **4.** (*i kricket*) lukning;
□ *the Declaration of Independence* (*am. hist.*) uafhængighedserklæringen; ~ *of intent* hensigtserklæring; ~ *of war* krigserklæring.

declare [di'klɛə] *vb.* **1.** erklære, udtale (*that at*); **2.** (*officielt*) bekendtgøre (*fx one's intention*); **3.** (+ *omsagnsled*) erklære for (*fx* ~ *the exhibition open;* ~ *him a liar//the winner*); **4.** (*til skattevæsnet*) opgive (*fx income which he had not -d (to the tax authorities)*); **5.** (*til fortoldning*) deklarere, angive; fortolde; **6.** (*i kortspil*) melde; **7.** (*i kricket*) lukke;
□ ~ *against//for* tage parti imod// for; *well, I* ~ ! (*glds.*) det må jeg sige! *have you anything to* ~? har De noget der skal fortoldes? ~ *oneself* **a.** sige sin mening; afsløre sit sande væsen; **b.** erklære sig (*fx*

D *declarer*

~ *oneself (to be) bankrupt)*; ~ *sby to be* erklære en for (*fx a liar*); (se også *war*).

declarer [di'klɛərə] *sb.* (*i kortspil*) spilfører.

déclassé [dei'klæsei] *adj.* deklasseret.

declassed [di:'kla:st] *adj.*: *be* ~ blive deklasseret.

declassify [di:'klæsifai] *vb.* frigive [*klassificeret/hemmeligt dokument*].

declension [di'klenʃn] *sb.* (*gram.*) deklination, bøjning (*fx of a noun*).

declination [dekli'neiʃn] *sb.* 1. (*astr.*) deklination; 2. (*kompassets*) misvisning; deklination; 3. (*am.* F) afslag.

decline¹ [di'klain] *sb.* 1. (*mht. omfang*) nedgang, tilbagegang (*fx in the number of unemployed*); fald (*fx in prices*); 2. (*mht. kvalitet*) tilbagegang (*fx industrial//economic* ~); forfald;
□ *in* ~, *on the* ~ **a.** i aftagen/dalen; **b.** på retur; i forfald; *fall into* ~ gå i forfald.

decline² [di'klain] *vb.* 1. (*mht. omfang*) falde (*fx the number of unemployed//industrial output has -d*); aftage; dale; gå tilbage (*fx his popularity -d*); 2. (*mht. kvalitet*) gå tilbage, svækkes (*fx his health began to* ~); forringes (*fx standards have -d*); 3. (F: *tilbud, opfordring*) sige nej tak til, afslå (*fx an invitation; an offer*); undslå sig for, nægte (*fx he -d to do it*); (*uden objekt*) sige nej tak; 4. (*gram.*) deklinere, bøje (*fx a noun*).

declining years [diklainiŋ'jiəz] *sb. pl.* 1. (*persons*) sidste år; 2. (*fig.*) nedgangstid.

declivity [di'klivəti] *sb.* skråning.

declutch [di:'klʌtʃ] *vb.* koble ud.

decoction [di'kɔkʃn] *sb.* afkog, ekstrakt; dekokt.

decode [di:'kəud] *vb.* afkode.

decoder [di:'kəudə] *sb.* (*tv etc.*) dekoder.

decoke [di:'kəuk] *vb.* T afkulle.

décolletage [deikɔl'ta:ʒ] *sb.* dekolletage, brystudskæring.

décolleté(e) [dei'kɔltei, (*am.*) deikəl'tei] *adj.* dekolleteret, nedringet.

decolourization [di:kʌlərai'zeiʃn] *sb.* affarvning.

decolourize [di:'kʌləraiz] *vb.* affarve.

decommission [di:kə'miʃn] *vb.* 1. tage ud af drift; lukke; 2. (*skib*) tage ud af tjeneste, lægge op; ophugge; 3. (*våben*) aflevere.

decompose [di:kəm'pəuz] *vb.* 1. gå i opløsning; rådne; 2. (*kem.*) nedbrydes; 3. (*med objekt*) opløse; 4. (*kem.*) nedbryde.

decomposed [di:kəm'pəuzd] *adj.* opløst; forrådnet; (*også kem.*) nedbrudt.

decomposition [di:kɔmpə'ziʃn] *sb.* 1. opløsning; forrådnelse; 2. (*kem.*) nedbrydning.

decompress [di:kəm'pres] *vb.* 1. formindske (luft)trykket på; 2. (*data*) dekomprimere, pakke ud.

decompression [di:kəm'preʃn] *sb.* dekompression [*ophævelse af tryk*].

decompression chamber *sb.* dekompressionstank [*for dykkere*].

decongestant [di:kən'dʒestənt] *sb.* (*med.*) [*middel der skaber passage i luftvejene*].

deconstruction [di:kən'strʌkʃn] *sb.* (*i litteratur*) dekonstruktion.

decontaminate [di:kən'tæmineit] *vb.* 1. rense [*for gas, for radioaktivt støv etc.*]; 2. (*for smitstof*) desinficere.

decontamination [di:kəntæmi-'neiʃn] *sb.* 1. rensning [*for giftgas, radioaktivt støv etc.*]; 2. (*for smitstof*) desinfektion.

decontrol [di:kən'trəul] *vb.* 1. ophæve kontrollen med (*fx prices*); 2. (*vej etc.*) ophæve hastighedsbegrænsningen for.

décor ['deikɔ:, 'de-, (*am.*) dei'kɔ:r] *sb.* 1. udstyr; indretning; 2. (*teat.*) dekorationer.

decorate ['dekəreit] *vb.* 1. pynte (*fx the Christmas tree*); udsmykke; dekorere; 2. (*værelse, hus*) male og tapetsere; gøre/sætte i stand; 3. (*mil.*) dekorere (*fx he was -d for bravery*).

Decorated ['dekəreitid] *adj.* [*om en stil i engelsk gotik fra 14. årh.*].

decoration [dekə'reiʃn] *sb.* (jf. *decorate*) 1. pyntning; udsmykning; dekorering; 2. (*af værelse, hus*) indretning; istandsættelse [ɔ: malen og tapetseren]; 3. (*ting*) pynt; 4. (*mil.*) dekoration, udmærkelsestegn; medalje.

decorative ['dek(ə)rətiv] *adj.* 1. (*som pynter*) dekorativ; 2. (*som skal pynte*) dekorations-, udsmyknings-.

decorator ['dekəreitə] *sb.* 1. maler og tapetserer; 2. (*især am.*) indretningsarkitekt; boligkonsulent; indendørsarkitekt.

decorous ['dekərəs] *adj.* sømmelig, passende.

decorum [di'kɔ:rəm] *sb.* F sømmelighed; anstand (*fx behave with* ~).

decouple [di:'kʌpl] *vb.* 1. adskille; 2. (*tekn.*) frakoble; afkoble.

decoy¹ ['di:kɔi] *sb.* 1. lokkemiddel; lokkemad; 2. [*middel til at aflede opmærksomheden*]; 3. (*ved jagt etc.*) lokkefugl; 4. (*person*) lokkedue (*fx she was used as a* ~).

decoy² [di'kɔi] *vb.* lokke.

decrease¹ ['di:kri:s] *sb.* 1. aftagen; formindskelse; nedgang, fald (*fx a* ~ *in the population*); 2. (*på strikketøj*) indtagning.

decrease² [di'kri:s] *vb.* 1. aftage (*fx interest in the project -d*); formindskes; blive mindre, falde (*fx the number of applicants has -d*); 2. (*i strikning*) tage ind; 3. (*med objekt*) formindske; gøre mindre.

decree¹ [di'kri:] *sb.* F 1. dekret; forordning; 2. (*jur.*) dom;
□ *a* ~ *of fate* skæbnens bestemmelse.

decree² [di'kri:] *vb.* forordne; bestemme.

decree absolute *sb.* (*jur.*) endelig skilsmissedom.

decree nisi [dikri:'naisai] *sb.* (*jur.*) foreløbig skilsmissedom.

decrepit [di'krepit] *adj.* 1. faldefærdig (*fx house*); 2. (*om person*) affældig.

decrepitude [di'krepitju:d] *sb.* 1. faldefærdighed; 2. (*om person*) affældighed.

decrial [di'kraiəl] *sb.* nedrakning; højrøstet fordømmelse.

decriminalization [di:kriminəlai-'zeiʃn] *sb.* afkriminalisering.

decriminalize [di:'kriminəlaiz] *vb.* afkriminalisering.

decry [di'krai] *vb.* F 1. tale nedsættende om, kritisere (*fx a scheme*); 2. fordømme (*fx human rights abuses*).

dedicate ['dedikeit] *vb.* (se også *dedicated*) 1. vie (*fx one's life// oneself to a cause*); 2. (*bygning etc.*) indvie (*fx a new bridge*);
□ ~ *to* (*om bog etc.*) tilegne (*fx he -d the book to his wife*).

dedicated ['dedikeitid] *adj.* 1. (*om person*) som går ind for sin sag; idealistisk; ivrig, begejstret (*fx sportsman; Marxist*); 2. (*mht. arbejde*) som går helt op i sit arbejde; pålidelig, pligttro, pligtopfyldende; 3. (*om udstyr*) beregnet til et bestemt formål; 4. (*it*) dedikeret;
□ ~ *Conservatives* trofaste konservative; *be* ~ *to* **a.** være helliget (*fx his Saturdays were* ~ *to gardening*); **b.** være indviet til (*fx the church is* ~ *to St Paul*).

dedication [dedi'keiʃn] *sb.* 1. (*om*

kirke) indvielse; **2.** (*i bog*) dedika-
tion, tilegnelse; **3.** (jf. *dedicated 1*)
begejstring; **4.** (jf. *dedicated 2*)
pligttroskab.
deduce [di'dju:s] *vb.* slutte (*that
at*);
□ ~ *from* slutte af; udlede af.
deducible [di'dju:səbl] *adj.* F som
kan sluttes/udledes.
deduct [di'dʌkt] *sb.* fradrage,
trække fra.
deductible [di'dʌktəbl] *adj.* fra-
dragsberettiget.
deduction [di'dʌkʃn] *sb.* **1.** (jf. *de-
duce*) slutning (*from* af); **2.** (jf. *de-
duct*) fradrag.
deductive [di'dʌktiv] *adj.* deduk-
tiv.
deed [di:d] *sb.* **1.** gerning (*fx evil
-s*); handling; **2.** (*rosende*) dåd; be-
drift; **3.** (*jur.*) aktstykke; doku-
ment; (*ved hussalg*) skøde;
□ *in* ~ i gerning; af gavn; ~ *of
conveyance* skøde; ~ *of gift* gave-
brev; (se også *will¹*).
deed poll ['di:dpəul] *sb.* (*jur.*) ensi-
digt dokument;
□ *change one's name by* ~ få nav-
neforandring ved øvrighedsbevis.
deejay ['di:dʒei] *sb.* (jf. *DJ*) T plade-
vender.
deem [di:m] *vb.* betragte som, anse
for.
deep¹ [di:p] *sb.*: *-s* dybder; *the* ~
(*litt.*) havets dyb.
deep² [di:p] *adj.* **1.** (*også fig. & om
tone*) dyb (*fx lake; wound; sigh;
sleep; admiration; voice*); **2.** (*om
lag*) dyb, høj (*fx snow*); **3.** (*fig.*)
dyb; **4.** (*om farve*) dyb; mørk;
5. (*om tone*) dyb; **6.** (*om tekst etc.*)
dybsindig (*fx book; conversation*);
7. (*om person*) dybttænkende;
uudgrundelig; T ikke til at greje;
□ *he is a* ~ *one* T han er ikke så-
dan at blive klog på; han er en
snedig rad; *they were standing
three* ~ de stod i tre lag/rækker
bag hinanden; (se også *water¹*); *the*
~ *end* den dybe afdeling [*af
svømmebassin*]; *throw sby//jump
in at the* ~ *end* (*fig.*) smide én//
kaste sig på hovedet ud i det; *go
off the* ~ *end* T blive ophidset;
himle op; tage den store tur; (se
også *breath, water¹*); *be* ~ *in* være
fordybet i (*fx conversation*); ~ *in
debt* i dyb gæld; stærkt forgældet;
~ *in thought* i dybe tanker; (se
også *deep³*).
deep³ [di:p] *adv.* dybt;
□ ~ *down* **a.** dybt nede; **b.** (*fig.*)
inderst inde (*fx* ~ *down he knew
it was wrong*); ~ *in* dybt nede i
(*fx his pockets*); dybt/langt inde//
ude i (*fx the wood; the moun-*

tains); ~ *into* the wood dybt/langt
ind i skoven; ~ *inside* his half
langt inde på hans banehalvdel.
deepen ['di:p(ə)n] *vb.* **1.** blive dy-
bere; **2.** (*med objekt*) gøre dybere;
uddybe (*fx one's knowledge; one's
understanding*).
deepening ['di:p(ə)niŋ] *adj.* som
bliver dybere og dybere; voksende
(*fx despair*).
deep freeze *sb.* fryser; fryseboks.
deep-fried [di:p'fraid] *adj.* friture-
stegt.
deep-frozen [di:p'frəuz(ə)n] *adj.*
dybfrossen.
deep-laid [di:p'leid] *adj.* snedigt
udtænkt.
deep-rooted [di:p'ru:tid] *adj.* dybt
rodfæstet; indgroet.
deep-sea [di:p'si:] *adj.* dybhavs- (*fx
fish*).
deep-sea fishing *sb.* højsøfiskeri.
deep-seated [di:p'si:tid] *adj.*
1. dybtliggende (*fx tumour; prob-
lem*); **2.** indgroet (*fx fear*); rodfæ-
stet.
deep-set [di:p'set] *adj.* dybtlig-
gende (*fx eyes*).
deep-six [di:p'siks] *vb.* (*am.* S)
smide væk; skaffe af vejen; de-
struere.
Deep South *sb.*: *the* ~ (*am.*) [*Geor-
gia, Alabama, Mississippi, Louisi-
ana*].
deer [diə] *sb.* (*pl. d.s.*) hjort; dyr [*af
hjorteslægten*]; (se også *red deer*).
deerhound ['diəhaund] *sb.* skotsk
dyrehund.
deerskin ['diəskin] *sb.* hjorteskind.
deerstalker ['diəstɔ:kə] *sb.* **1.** [*hue
med skygge for og bag, som Sher-
lock Holmes'*]; **2.** (*person*) pyrsch-
jæger.
deerstalking ['diəstɔ:kiŋ] *sb.*
pyrschjagt [*på hjorte*].
de-escalate [di:'eskəleit] *vb.* tage af;
formindskes gradvis; nedtrappe.
de-escalation [di:eskə'leiʃn] *sb.*
gradvis formindskelse; nedtrap-
ning.
def [def] *adj.* S fin; fed.
deface [di'feis] *vb.* **1.** skrive//male
på (*fx a wall; a book; a banknote*);
overmale, oversmøre; skamfere;
ødelægge; **2.** (*noget skrevet*) gøre
ulæselig, udviske.
defacement [di'feismənt] *sb.* beska-
digelse; skamfering; overmaling;
ødelæggelse.
de facto¹ [di:'fæktəu] *sb.* papirløs
ægtefælle; samlever.
de facto² [di:'fæktəu] *adj.* de facto;
faktisk.
defamation [defə'meiʃn] *sb.* F ære-
krænkelse; bagvaskelse; injurier.
defamatory [di'fæmət(ə)ri] *adj.* F

ærekrænkende; injurierende.
defame [di'feim] *vb.* F bagvaske;
smæde.
defamer [di'feimə] *sb.* æreskænder.
defatted [di:'fætid] *adj.* affedtet.
default¹ [di'fɔ:lt] *sb.* **1.** forsøm-
melse; **2.** (*mht. betaling*) mislig-
holdelse (*on* af, *fx loan repay-
ments*); **3.** (*jur.*) udeblivelse [*fra
retten*]; **4.** (*it*) default; standard-
indstilling; standardværdi, nor-
malværdi;
□ *go by* ~ udeblive [*og derfor
blive tilsidesat*]; *judgment by* ~
udeblivelsesdom; *win by* ~ vinde
uden kamp [*fordi modstanderen
ikke møder op*]; *in* ~ *of* af mangel
på.
default² [di'fɔ:lt] *vb.* **1.** ikke op-
fylde en pligt; **2.** (*jur. & i sport*)
udeblive [*og derved tabe*];
□ ~ *on* misligholde (*fx a loan*); ~
to (*it*) automatisk indstille på.
defaulter [di'fɔ:ltə] *sb.* **1.** [*en der
ikke overholder en forpligtelse*];
2. (*merk.*) dårlig betaler; **3.** (*jur.*)
en der ikke møder [*i retten*];
4. (*med.*) [*patient der afbryder en
kur*]; **5.** (*mil.*) [*soldat der har be-
gået en militær forseelse*].
default value *sb.* (*i edb*) normal-
værdi.
defeasance [di'fi:z(ə)ns] *sb.* (*jur.*)
ophævelse; annullering; omstø-
delse.
defeasible [di'fi:zibl] *adj.* (*jur.*) som
kan ophæves; omstødelig.
defeat¹ [di'fi:t] *sb.* **1.** nederlag;
2. (*parl.: af lovforslag*) forkastelse;
□ *admit* ~ give fortabt; (se også
jaws).
defeat² [di'fi:t] *vb.* **1.** vinde over,
slå, besejre; **2.** (*forehavende*) for-
purre (*fx his plans*); **3.** (*parl.: lov-
forslag*) nedstemme, forkaste;
□ *it -s me* **a.** (*om opgave, problem*)
det overstiger mine evner; **b.** (*om
udsagn, tekst*) det går over mit ho-
ved/min forstand; ~ *one's own
end* modarbejde sin hensigt; ~
sby's hopes tilintetgøre ens for-
håbninger.
defeatism [di'fi:tizm] *sb.* defai-
tisme.
defeatist¹ [di'fi:tist] *sb.* defaitist; en
der opgiver på forhånd.
defeatist² [di'fi:tist] *vb.* defaitistisk,
opgivende.
defecate ['defikeit] *sb.* F have affø-
ring.
defecation [defi'keiʃn] *sb.* F affø-
ring.
defect¹ [di'fekt] *sb.* **1.** mangel,
brist, defekt; **2.** fejl.
defect² [di'fekt] *vb.* **1.** (*om politisk
flygtning*) hoppe af; **2.** (*om tilhæn-*

ger) falde fra.

defection [di'fekʃn] *sb.* (jf. *defect²*) 1. afhopning; 2. frafald.

defective [di'fektiv] *adj.* 1. mangelfuld; defekt, fejlbehæftet; med fejl (*fx goods*); 2. (*gram.*) defektiv, ufuldstændig (*fx verb*).

defector [di'fektə] *sb.* afhopper; overløber.

defence [di'fens] *sb.* 1. forsvar; 2. (*jur.*) forsvar; defensorat; 3. (*i kortspil*) modspil;

□ *-s a.* forsvarsmidler, forsvar; **b.** (*volde etc.*) forsvarsværker; ~ *against* forsvar mod, værn mod; ~ *of* forsvar for; [*med præp.*] *appear for* the ~ møde som forsvarer; *a witness for the* ~ et vidne som forsvaret har indkaldt; (se også *counsel¹*); *in* ~ *of* til forsvar for; *come to sby's* ~ gå i brechen for en, forsvare en; komme en til undsætning.

defenceless [di'fensləs] *adj.* forsvarsløs.

defence mechanism *sb.* (*psyk.*) forsvarsmekanisme.

defend [di'fend] *vb.* forsvare (*from* imod).

defendant [di'fendənt] *sb.* (*jur.*) 1. (*i civilsag*) (den) sagsøgte; (se også *counsel¹*); 2. (*i mindre kriminalsag*) (den) tiltalte.

defender [di'fendə] *sb.* forsvarer.

defense [di'fens, (*især i sport*) 'di:fens] *sb.* (*am.*) = *defence*.

defensible [di'fensəbl] *adj.* som kan forsvares; forsvarlig (*fx morally* ~).

defensive¹ [di'fensiv] *sb.: the* ~ defensiven; *be on the* ~ være parat til at forsvare sig; være i defensiven.

defensive² [di'fensiv] *adj.* forsvars-; defensiv.

defer [di'fə:] *vb.* 1. udsætte; opsætte; (se også *deferred*); 2. (*am. mil.: en værnepligtig*) give udsættelse;

□ ~ *to* bøje sig for (*fx I* ~ *to your opinion*); underkaste sig.

deference ['def(ə)rəns] *sb.* F agtelse; ærbødighed;

□ *in* ~ *to* af hensyn til; *pay* ~ *to* vise agtelse//ærbødighed for; *with all due* ~ *to* med al respekt for.

deferential [defə'renʃ(ə)l] *adj.* ærbødig.

deferment [di'fə:mənt] *sb.*, **deferral** [di'fə:rəl] *sb.* udsættelse, opsættelse.

deferred [di'fə:d] *adj.* udsat; udskudt; opsat.

deferred annuity *sb.* opsat livrente.

deferred payment *sb.* udskudt be-

---

taling; kredit.

deferred shares *sb. pl.* [*aktier der først giver dividende når dividenden af selskabets øvrige aktier har nået et vist beløb*].

defiance [di'faiəns] *sb.* trods; opsætsighed;

□ *in* ~ *of* **a.** til trods for; **b.** stik imod; i opsætsighed mod.

defiant [di'faiənt] *adj.* trodsig; udfordrende.

deficiency [di'fiʃnsi] *sb.* 1. mangel (*in* ved, *fx the plan*); ufuldkommenhed; 2. (*mht. mængde, omfang*) mangel (*of/in* på, *fx of books on the subject; in material resources; vitamin* ~); (se også *mental deficiency*); 3. (*økon.*) underskud.

deficiency disease *sb.* (*med.*) mangelsygdom.

deficient [di'fiʃnt] *adj.* mangelfuld; utilstrækkelig;

□ *be* ~ *in* mangle; være fattig på; ~ *in vitamins* vitaminfattig; (se også *mentally deficient*).

deficit ['defisit] *sb.* deficit; underskud.

defile¹ ['di:fail] *sb.* F snævert bjergpas; slugt.

defile² [di'fail] *vb.* F 1. besudle, tilsmudse, forurene; 2. (*noget helligt*) skænde, vanhellige (*fx a tomb*).

defilement [di'failmənt] *sb.* 1. besudling, tilsmudsning, forurening; 2. (*af noget helligt*) vanhelligelse.

definable [di'fainəbl] *adj.* som kan defineres/bestemmes; definerbar.

define [di'fain] *vb.* 1. (*begreb*) definere (*fx a word*); afgrænse; 2. (*hvad noget er*) forklare; angive (*fx their obligations*); 3. (*nøjere*) præcisere; 4. (*egenskaber*) karakterisere;

□ *be clearly -d against* aftegne sig skarpt mod (*fx the sky*).

definite ['definit] *adj.* 1. bestemt (*fx answer*); endelig, definitiv (*fx plans*); afgjort; 2. tydelig (*fx smell of gas; improvement; change; proof*); klar; afgjort (*fx advantage; improvement*);

□ *he was* ~ *about it* han sagde det helt klart.

definite article *sb.* (*gram.*) bestemt artikel/kendeord.

definitely ['definitli] *adv.* 1. endeligt; definitivt; helt sikkert; 2. (T: *understregende*) helt bestemt! afgjort! absolut!

definition [defi'niʃn] *sb.* 1. (*om ordlyd*) definition (*of* af, på, *fx a* ~ *of intelligence*); bestemmelse (*of* af); 2. (*om handling*) definering, bestemmelse (*of* af); 3. (*foto.*;

---

tv) skarphed;

□ *by* ~ per definition.

definitive [di'finitiv] *adj.* definitiv; afgørende; endelig.

definitive stamps *sb. pl.* dagligmærker.

deflate [di'fleit] *vb.* (se også *deflated*) 1. svække (*fx their ambition*); nedsætte; 2. (*person*) gøre mindre opblæst; pille ned; 3. (*økon.*) nedbringe priserne; skabe deflation; 4. (*noget der er pumpet op*) lukke/slippe luft(en) ud af (*fx a tyre*); (*ballon også*) lukke/slippe gas(sen) ud af; 5. (*uden objekt*) klappe sammen (*fx the dinghy -d*);

□ *it -d* (jf. 4, også) luften//gassen gik ud af det (*fx the life jacket// the balloon -d*); ~ *the economy* begrænse inflationen.

deflated [di'fleitid] *adj.* (*om person*) nedgjort; flad.

deflation [di'fleiʃn] *sb.* (*økon.*) deflation; prisfald.

deflationary [di'fleiʃn(ə)ri] *adj.* deflatorisk; inflationsbegrænsende.

deflect [di'flekt] *vb.* 1. afbøje (*fx rays*); give en anden retning (*fx a ball*); 2. (*fig.*) aflede, afværge (*fx criticism*); 3. (*uden objekt*) bøje af; 4. (*om viser*) slå ud;

□ ~ *attention from* aflede opmærksomheden fra; ~ *sby from* + *-ing* få en fra at; hindre en i at; *the ball -ed off from his leg* bolden ramte hans ben og ændrede retning.

deflection [di'flekʃn] *sb.* 1. afbøjning; 2. afvigelse; retningsændring; 3. (*af viser*) udslag.

defloration [di:flɔ:'reiʃn] *sb.* deflorering [*sprængning af jomfruhinden*].

deflower [di:'flauə] *vb.* F deflorere;

□ ~ *her* (også) tage hendes jomfrudom.

defog [di:'fɔg] *vb.* (*am.*) = *demist*.

defoliant [di:'fəuliənt] *sb.* afløvningsmiddel.

defoliate [di:'fəulieit] *vb.* afløve.

deforest [di:'fɔrist] *vb.* rydde for skov/træer.

deforestation [di:fɔres'teiʃn] *sb.* skovrydning.

deform [di'fɔ:m] *vb.* (se også *deformed*) 1. deformere; misdanne; 2. (*uden objekt*) deformeres.

deformation [di:fɔ:'meiʃn] *sb.* deformering; misdannelse.

deformed [di'fɔ:md] *adj.* misdannet; vanskabt; deform.

deformity [di'fɔ:məti] *sb.* misdannelse; vanskabthed; deformitet.

defraud [di'frɔ:d] *vb.* besvige, bedrage (*of* for).

defray [di'frei] *vb.* F 1. (*udgifter*) afholde, bestride; 2. (*omkostninger*) dække.

defrock [di:'frɔk] *vb.* (*præst*) fradømme kjole og krave.

defrost [di:'frɔst] *vb.* 1. (*køleskab*) afrime, afise; 2. (*madvarer, også uden objekt*) tø op.

deft [deft] *adj.* 1. (*om person, også fig.*) behændig; 2. (*med hænderne*) fingernem; fiks på fingrene; 3. (*om bevægelse*) kvik, rask.

defunct [di'fʌŋkt] *adj.* 1. (F *el. spøg.*) afdød, hedengangen, hensovet; 2. (*om institution etc.*) nedlagt;
□ *be* ~ (*1 også, spøg.*) have opgivet ånden.

defuse [di:'fju:z] *vb.* 1. desarmere (*fx a bomb*); uskadeliggøre; 2. (*fig.*) tage sprængstoffet ud af, afdramatisere (*fx the situation*); dæmpe (*fx their anger//fears; the tension*).

defy [di'fai] *vb.* trodse (*fx him; his wishes; a ban* et forbud); lade hånt om (*fx public opinion; social conventions*);
□ *I* ~ *you to do it* gør det hvis du tør//kan;
[*med sb.*] ~ *analysis//belief//definition* være umulig at analysere//tro på//definere; ~ *one's age/the years* ikke være præget af sin alder; lade hånt om sin alder; ~ *all attempts to* modstå alle forsøg på at; (se også *description*).

deg. *fork. f.* degree(s).

degauss [di:'gaus] *vb.* afmagnetisere.

degeneracy [di'dʒen(ə)rəsi] *sb.* degeneration; den egenskab at være degenereret.

degenerate[1] [di'dʒen(ə)rət] *sb.* degenereret individ.

degenerate[2] [di'dʒen(ə)rət] *adj.* F degenereret; gået i forfald.

degenerate[3] [di'dʒen(ə)reit] *vb.* 1. degenerere; gå i forfald; 2. udarte (*into* til).

degeneration [didʒenə'reiʃn] *sb.* 1. degeneration; forfald; 2. udartning.

degenerative [di'dʒen(ə)rətiv] *adj.* degenerativ; degenerations-.

degenerative disease *sb.* [*langsomt fremadskridende uhelbredelig sygdom*].

degradable [di'greidəbl] *adj.* (*kem.*) nedbrydelig.

degradation [degrə'deiʃən] *sb.* (jf. *degrade*) 1. nedværdigelse; fornedrelse; 2. forringelse, nedslidning (*fx of the environment*); skade; ødelæggelse; 3. (*kem.*) nedbrydning.

degrade [di'greid] *vb.* 1. (*person*) nedværdige; fornedre; 2. (F: *ting*) forringe; skade (*fx the environment*); ødelægge (*fx the rain forest*); 3. (*kem.*) nedbryde; 4. (*kem.: uden objekt*) nedbrydes.

degrading [di'greidiŋ] *adj.* nedværdigende.

degree [di'gri:] *sb.* 1. (*på skala; om mål, omfang; gram.*) grad; 2. (*akademisk*) universitetsgrad; (universitets)eksamen (*fx she has a ~ from Oxford*); 3. (*glds.*) rang, stand;
□ *a (certain)* ~ *of, some* ~ *of* et vist mål af, en vis (*fx optimism, tolerance*); (se også *latitude, longitude*);
[*med præp.*] *by* -*s* gradvis; lidt efter lidt; *people of high* ~ (*glds.*) folk af fornem stand; standspersoner; *people of low* ~ (*glds.*) simple folk; *to a* ~, *to some/a certain* ~ til en vis grad (*fx this is true to a* ~); *snobbish to a* ~ (*glds.*) uhyre snobbet; *to a high* ~ i høj grad; *to the last* ~ i højeste grad.

dehumanize [di:'hju:mənaiz] *vb.* umenneskeliggøre.

dehydrate [di:'haidreit] *vb.* dehydrere; tørre.

de-ice [di:'ais] *vb.* afise.

de-icer [di:'aisə] *sb.* afisningsanordning.

deification [di:ifi'keiʃn] *sb.* guddommeliggørelse.

deify ['di:ifai] *vb.* 1. gøre til gud; 2. dyrke som en gud.

deign [dein] *vb.:* ~ *to* nedlade sig til at.

deity ['deiəti, (*især am.*) 'di:iti] *sb.* F guddom.

déjà vue [deiʒa:'vu:] *sb.* (*psyk.*) deja-vu [*følelse af at man har oplevet noget før*];
□ *the film had a sense of* ~ filmen virkede som noget man har set før.

dejected [di'dʒektid] *adj.* nedslået, nedtrykt, modløs.

dejection [di'dʒekʃn] *sb.* nedtrykthed, modløshed.

de jure [di:'dʒuəri] *adj.* de jure [*efter loven*].

dekko ['dekəu] *sb.:* take *a* ~ (*glds. S*) kigge (*at* på).

Del. *fork. f.* Delaware.

Delaware ['deləwɛə].

delay[1] [di'lei] *sb.* (jf. *delay*[2]) 1. udsættelse; 2. forsinkelse; 3. ventetid;
□ *without* ~ ufortøvet, straks.

delay[2] [di'lei] *vb.* (se også *delayed, delaying*) 1. udsætte (*fx a meeting*); 2. forsinke (*fx the plane was -ed an hour*); opholde (*fx try to* ~

him until I'm ready); 3. (*uden objekt*) tøve; vente;
□ ~ *doing it* vente med at gøre det.

delayed [di'leid] *adj.* forsinket (*fx train; reaction*).

delayed action bomb *sb.* tidsindstillet bombe.

delayering [di:'leiəriŋ] *sb.* det at gøre strukturer fladere.

delaying [di'leiiŋ] *adj.* henholdende, opsættende.

delaying action *sb.* 1. forsinkelsesmanøvre; 2. (*mil.*) henholdende kamp.

delectable [di'lektəbl] *adj.* 1. liflig, herlig (*fx wine*); 2. (*litt.: om person*) yndig, dejlig.

delectation [di:lek'teiʃn] *sb.: for the* ~ *of* (F *el. spøg.*) til fornøjelse for.

delegate[1] ['deligət] *sb.* delegeret; repræsentant; befuldmægtiget.

delegate[2] ['deligeit] *vb.* 1. (*opgave*) overdrage, delegere (*to* til, *fx* ~ *the task to him*); uddelegere (*fx duties; routine tasks*); 2. (*som tillidssag*) betro (*to* til, *fx the power* -*d to him*);
□ *be* -*d to* (*om person*) **a.** få overdraget at; **b.** (*spøg.*) blive betroet til at (*fx look after the children*); **c.** (*som udsending*) blive delegeret til at (*fx represent them at the conference*).

delegation [deli'geiʃn] *sb.* 1. (*personer*) delegation; delegerede; 2. (jf. *delegate*[2] 1) overdragelse, delegering (*fx of responsibility*); uddelegering.

delete [di'li:t] *vb.* slette, stryge, lade udgå.

deleterious [deli'tiəriəs] *adj.* F skadelig (*fx effect*).

deletion [di'li:ʃn] *sb.* strygning, sletning, udeladelse.

deli ['deli] *sb.* = delicatessen.

deliberate[1] [di'libərət] *adj.* 1. velovervejet, gennemtænkt (*fx decision*); 2. (*om krænkelse etc.*) overlagt, bevidst, tilsigtet (*fx insult*); 3. (*om bevægelse etc.*) langsom, sindig, rolig.

deliberate[2] [di'libəreit] *vb.* 1. overveje; 2. (*om flere*) rådslå; 3. (*om jury, ret*) votere; 4. (*med objekt*) drøfte.

deliberately [di'libərətli] *adv.* 1. bevidst; med vilje, med fuldt overlæg; 2. (*om bevægelse etc.*) langsomt; sindigt; roligt;
□ *the fire was started* ~ branden var påsat.

deliberation [dilibə'reiʃn] *sb.* (jf. *deliberate*[2]) 1. overvejelse; 2. drøftelse; rådslagning; 3. (*jurys, rets*)

D *delicacy*

votering;

□ *with* ~ langsomt; sindigt; roligt.

delicacy ['delikəsi] *sb.* **1.** sarthed (*fx the ~ of a rose*); skrøbelighed; **2.** (*om personlig egenskab*) finfølelse; takt; **3.** (*om problem, situation*) vanskelighed; delikat beskaffenhed; **4.** (*om mad*) delikatesse; lækkerbisken;

□ *delicacies* (*også*) kræs; lækkerier; ~ *of feeling* finfølelse.

delicate ['delikət] *adj.* **1.** fin (*fx scent*); sart (*fx colours*); **2.** (*om legemsbygning*) fin (*fx hands*); spinkel (*fx fingers*); **3.** (*om styrke, holdbarhed*) skrøbelig (*fx china; health*); svagelig (*fx child*); sart (*fx skin*); **4.** (*om egenskab*) fintfølende, taktfuld; (*om optræden også*) hensynsfuld; **5.** (*om sag, problem*) vanskelig, delikat, ømtålelig (*fx situation; question*); **6.** (*om mad*) delikat, lækker;

□ *a ~ balance* en hårfin/skrøbelig balance; *in a ~ condition* (*glds.*) i (lykkelige) omstændigheder.

delicatessen [delikə'tes(ə)n] *sb.* delikatesseforretning, charcuteri.

delicious [di'liʃəs] *adj.* **1.** (*om mad*) meget lækker (*fx meal; cake*); liflig (*fx taste; smell of coffee*); **2.** (*om andet, især humor*) herlig (*fx feeling; irony*).

delight[1] [di'lait] *sb.* **1.** (*følelse*) (stor) glæde; henrykkelse, fryd (*fx the girls squealed with/in* (af) ~); **2.** (*kilde til glæde*) fornøjelse (*fx it is a ~ to listen to her*); fryd;

□ *take (a) ~ in* finde fornøjelse i; nyde; *the -s of* glæderne/fornøjelserne ved; *to my great ~* til min store glæde.

delight[2] [di'lait] *vb.* glæde; fryde;

□ *~ in* glæde/fryde sig over.

delighted [di'laitid] *adj.* glad; henrykt; lykkelig;

□ *~!* (*svar på tak*) det har været mig en fornøjelse! *he will be ~ to come* det vil være ham en stor glæde at komme; *be ~ with* være lykkelig/henrykt over.

delightful [di'laitf(u)l] *adj.* **1.** dejlig, herlig; **2.** fornøjelig, interessant (*fx a ~ evening*); **3.** (*om person*) yndig, indtagende (*fx young lady*).

Delilah [di'lailə] (*i biblen*) Dalila.

delimit [di:'limit] *vb.* F afgrænse; sætte grænser for (*fx his powers*).

delimitation [dilimi'teiʃn] *sb.* afgrænsning.

delineate [di'linieit] *vb.* **1.** F skildre (*fx characters*); beskrive; **2.** (*grænse*) afstikke; markere.

delineation [dilini'eiʃn] *sb.* (jf. *delineate*) **1.** F skildring, beskrivelse;

2. afstikning; markering.

delinquency [di'liŋkwənsi] *sb.* **1.** (*generelt*) kriminalitet; (se også *juvenile delinquency*); **2.** (*enkelt*) forseelse; lovovertrædelse; **3.** (*am.*) forfalden gæld; ubetalt skat.

delinquent[1] [di'liŋkwənt] *sb.* lovovertræder; (se også *juvenile delinquent*).

delinquent[2] [di'liŋkwənt] *vb.* **1.** som forser sig; med kriminelle tilbøjeligheder; **2.** (*am.*) som er i restance.

deliquescent [deli'kwes(ə)nt] *adj.* henflydende.

delirious [di'liriəs] *adj.* **1.** (*om patient*) uklar; **2.** (*om beruset*) deliristisk, delirisk; **3.** (*af glæde*) ekstatisk; ude af sig selv (*with* af);

□ *be ~* (*også*) **a.** fantasere; tale i vildelse; **b.** være i ekstase.

delirium [di'liriəm] *sb.* **1.** fantaseren; vildelse; **2.** (*om beruset*) delirium; **3.** (*stemning*) ekstatisk opstemthed.

delirium tremens [diliriəm'tri:menz] *sb.* delirium tremens [*drankergalskab*].

deliver [di'livə] *vb.* **1.** aflevere (*to* til, *fx a message to sby*); overlevere, overbringe; indlevere; **2.** (*officielt*) overgive (*fx the prisoner was -ed unharmed to the British authorities*); udlevere; **3.** (*varer*) levere; **4.** (*til modtagerens adresse, fx mad*) udbringe; **5.** (*post*) omdele, ombære, udbringe; **6.** (*noget man er forpligtet til*) levere (*fx the basic services*); **7.** (*fødende*) forløse; **8.** (*barn*) tage imod; (*om kvinde*) nedkomme med; **9.** (*tale, foredrag*) holde (*fx a lecture; a sermon; a speech*); **10.** (*jur.*) afsige (*fx a judgment; a ruling; a verdict*); **11.** (F *el. litt.*: *nødstedt*) redde (*from* fra); **12.** (F *el. litt. fange*) udfri (*from* af, *fx captivity*); befri; **13.** (*uden objekt*) opfylde forventningerne; opfylde sit løfte; levere varen;

□ *stand and ~!* (*glds.*) pengene eller livet! *~ a blow* rette/føre et slag (*to* mod); *~ votes* skaffe stemmer; (se også *battle*[1], *goods*);

[*med præp.*] *~ from* se ovf.: **9;** *~ us from evil* (*bibelsk*) fri os fra det onde; *~ oneself of* an opinion udtale/fremføre en mening; *be -ed of a child* F nedkomme/blive forløst med et barn; *~ into* overgive i//til (*fx the child into her arms//her care*); *~ on* one's promise opfylde sit løfte; *~ over, ~ up* overgive (*to* til, *fx the castle to the enemy*); udlevere (*to* til, *fx one's passport to the police*).

deliverables [di'liv(ə)rəblz] *sb. pl.* varer som kan leveres.

deliverance [di'liv(ə)rəns] *sb.* F **1.** (jf. *deliver* 11) redning; **2.** (*11*) udfrielse; befrielse.

deliverer [di'liv(ə)rə] *sb.* F befrier; frelser.

delivery [di'liv(ə)ri] *sb.* (jf. *deliver*) **1.** aflevering; overlevering, overgivelse; indlevering; **2.** (*officielt*) overgivelse; udlevering; **3.** (*af varer*) levering; (*om leveret vare*) leverance (*fx a large ~ of fresh milk*); **4.** (*til modtagerens adresse*) udbringning; **5.** (*af post*) ombæring (*fx there is only one ~ a day*); omdeling; udbringning; **6.** (*af noget man er forpligtet til*) levering; **7.** (*fødendes*) nedkomst; fødsel; **8.** (*af foredrag etc.*) fremførelse; (*skuespillers*) foredrag; **9.** (F *el. litt.*) redning; udfrielse; befrielse; **10.** (*i sport*) kast; aflevering; kasteteknik; **11.** (*af missil*) fremføring;

□ *take ~ of* (*merk.*) aftage.

delivery note *sb.* (*merk.*) følgeseddel.

delivery room *sb.* fødestue.

delivery van *sb.* varevogn.

delivery vehicle *sb.* (*i rumfart etc.*) fremføringsmiddel.

dell [del] *sb.* lille dal.

delouse [di:'laus, -'lauz] *vb.* afluse.

delphinium [del'finiəm] *sb.* (*bot.*) ridderspore.

delta ['deltə] *sb.* delta.

delude [di'lu:d, di'lju:d] *vb.* vildlede, føre bag lyset; narre (*into* + *-ing* til at, *fx believing sth*).

deluge[1] ['delju:dʒ] *sb.* **1.** styrtregn, skybrud; **2.** oversvømmelse; **3.** (*om mængde*) syndflod (*fx of complaints*); flom;

□ *the Deluge* (*bibelsk*) Syndfloden.

deluge[2] ['delju:dʒ] *vb.* oversvømme.

delusion [di'lu:ʒ(ə)n] *sb.* **1.** illusion, vildfarelse, vrangforestilling; **2.** (*handling*) vildledning; (*af sig selv*) selvbedrag; **3.** (*psyk.*) vrangforestilling;

□ *be/labour under the ~ that* have det fejlagtige indtryk at; svæve i den vildfarelse at; *-s of grandeur* overdrevne forestillinger om sin egen betydning; storhedsvanvid.

delusive [di'lu:siv] *adj.* falsk, skuffende.

de luxe [di'lʌks] *adj.* luksuriøs; luksus- (*fx hotel*).

delve [delv] *vb.* **1.** undersøge, granske; **2.** (*glds. el. litt.*) grave;

□ *~ deeper* gå dybere ned; *~ for* lede grundigt efter; *~ into*

a. dykke ned i (*fx one's pocket*);
b. (*sag*) granske, fordybe sig i, kulegrave (*fx a problem*).
Dem. *fork. f.* (*am.*) *Democrat.*
demagnetization [di:mægnitai-'zeiʃn] *sb.* afmagnetisering.
demagnetize [di:'mægnitaiz] *vb.* afmagnetisere.
demagogic [demə'gɔgik, -dʒik] *adj.* demagogisk.
demagogue ['demәgɔg] *sb.* demagog [ɔ: *folkeforfører*].
demagoguery [demә'gɔgәri, 'demә-] *sb.*, **demagogy** ['demәgɔgi, -dʒi] *sb.* demagogi [ɔ: *folkeforførelse*].
demand[1] [di'ma:nd] *sb.* **1.** krav (*that*//*to* om at, *fx to be consulted; the -s of his job were too great*); **2.** (*især merk.*, *økon.*) efterspørgsel (*for* efter);
□ *meet a* ~ tilfredsstille et behov; *reduce one's -s* slå af/slække på kravene/fordringerne;
~ *for* krav om (*fx a pay increase*); *-s on* krav til, fordringer til; *make -s on* stille krav/fordringer til; *he has many -s on his purse* han har store udgifter; *it makes great -s on my time* det er meget tidkrævende;
[*med præp.*] *it is much in* ~, *it is in great* ~ det er meget efterspurgt; der er rift om det; *on* ~
a. på forlangende; **b.** (*om udbetaling*) på anfordring; **c.** (*om veksel*) ved sigt.
demand[2] [di'ma:nd] *vb.* (se også *demanding*) **1.** kræve (*fx an explanation*); forlange (*that*//*to* at, *fx I* ~ *to see the manager*); **2.** (*om sag, forhold*) kræve, fordre (*fx a task that -ed great patience*); gøre krav/fordring på (*fx respect; one's attention*); **3.** (*ved direkte tale*) spørge (*fx "What are you doing here?" he -ed*).
demanding [di'ma:ndiŋ] *sb.* **1.** (*om person*) krævende, fordringsfuld; **2.** (*om opgave*) krævende.
demand note *sb.* **1.** skatteopkrævning; **2.** anfordringsbevis.
demand pull *sb.* (*økon.*) efterspørgselspres.
demarcate ['di:ma:keit] *vb.* F afgrænse.
demarcation [di:ma:'keiʃn] *sb.*
1. afgrænsning; grænsedragning; **2.** grænse (*between* mellem); **3.** (*på arbejdsplads*) faggrænse; □ *line of* ~ demarkationslinje; grænselinje.
demarcation dispute *sb.* faggrænsestrid.
demean [di'mi:n] *vb.* nedværdige; fornedre;
□ ~ *oneself* **a.** nedværdige sig;

b. (*glds.*) opføre sig, optræde (*fx* ~ *oneself honourably*).
demeanour [di'mi:nə] *sb.* optræden, adfærd; holdning.
demented [di'mentid] *adj.* **1.** afsindig, vanvittig; **2.** (*med.*) dement.
dementia [di'menʃə] *sb.* (*med.*) demens.
demerara [demə'rɛәrə] *sb.* demerarasukker.
demerge [di:'mə:dʒ] *vb.* **1.** (*koncern*) opsplitte i mindre enheder; **2.** (*fusion*) opløse.
demerger [di:'mə:dʒə] *sb.* **1.** (*af koncern*) opsplitning i mindre enheder; **2.** (*af fusion*) opløsning.
demerit [di:'merit] *sb.* **1.** F fejl, mangel; **2.** (*am.*) anmærkning; strafpoint;
□ *merits and -s* fortrin og mangler (*of* ved).
demesne [di'mein] *sb.* **1.** (*til gods*) jordtilliggende; **2.** (*jur.*) selvejendom;
□ *hold in* ~ besidde som selvejer; *state* ~ statsejendom.
demigod ['demigɔd] *sb.* halvgud.
demijohn ['demidʒɔn] *sb.* syreballon; stor kurveflaske.
demilitarization [di:militərai'zeiʃn] *sb.* demilitarisering.
demilitarize ['di:'militəraiz] *vb.* demilitarisere, afmilitarisere.
demise [di'maiz] *sb.* F **1.** (*persons*) død; bortgang; **2.** (*institutions etc.*) død, ophør (*fx of a newspaper*); forsvinden.
demist [di:'mist] *vb.* fjerne dug fra [*forrude*].
demister [di:'mistə] *sb.* (*i bil, til rude*) blæser.
demitasse ['demitæs] *sb.* mokkakop.
demiurge ['di:miə:dʒ] *sb.* verdensskaber.
demo ['deməu] *sb.* **1.** T demonstration; **2.** (*mus.*) demo, demonstrationsbånd; **3.** (*it*) demo, demonstrationsprogram.
demob [di:'mɔb] *vb.* T = *demobilize.*
demobilization [di:məubilai'zeiʃn] *sb.* hjemsendelse, demobilisering.
demobilize [di:'məubilaiz] *vb.* hjemsende, demobilisere.
democracy [di'mɔkrəsi] *sb.* demokrati.
Democrat ['deməkræt] *sb.* (*am.*) demokrat.
democrat ['deməkræt] *sb.* demokrat.
democratic [deməu'krætik] *adj.* demokratisk.
democratize [di'mɔkrətaiz] *vb.* demokratisere.
démodé [dei'məudei] *adj.* umo-

derne.
demographer [di'mɔgrəfə] *sb.* demograf.
demographic[1] [dimɔ'græfik] *sb.* (*merk.*) befolkningsgruppe [*som man ønsker at sælge til*]; målgruppe.
demographic[2] [dimɔ'græfik] *adj.* demografisk.
demography [di'mɔgrəfi] *sb.* demografi.
demoiselle [demwa:'zel] *sb.* **1.** (*zo.*) jomfrutrane; **2.** (*glds.*) frøken.
demoiselle crane *sb.* (*zo.*) jomfrutrane.
demolish [di'mɔliʃ] *vb.* **1.** (*bygningsværk*) nedrive; sløjfe; **2.** (*argument, idé etc.*) skyde ned; pille fra hinanden; **3.** (T: *mad*) sætte til livs; **4.** (*modstander*) jorde.
demolition [demə'liʃn] *sb.* **1.** (*af bygning*) nedrivning; sløjfning; **2.** (*af argument*) nedskydning; **3.** (*af modstander*) jording.
demolition derby *sb.* [*løb med gamle biler, der kører ind i hinanden indtil der kun er én tilbage*].
demolition squad *sb.* (*mil.*) sprængningskommando; rydningshold.
demon[1] ['di:mən] *sb.* **1.** dæmon; ond ånd; djævel; **2.** (*fig.*) djævel; □ *he works like a* ~, *he is a* ~ *for work* han er en ren djævel til at arbejde.
demon[2] ['di:mən] *adj.* djævelsk god.
demon drink *sb.*: *the* ~ spiritusdjævelen.
demonetize [di:'mʌnitaiz] *vb.* (*penge*) sætte ud af kurs.
demoniacal [di:mə'naiək(ə)l] *adj.* F **1.** djævelsk; bestialsk (*fx cruelty; murder*); **2.** ustyrlig, tøjlesløs.
demonic [di:'mɔnik] *adj.* **1.** dæmonisk (*fx forces*); **2.** (*om person*) dæmonisk, diabolsk (*fx laughter; gleam in one's eye*); djævleblændt (*fx energy*);
□ ~ *possession* djævlebesættelse.
demonology [di:mə'nɔlədʒi] *sb.* dæmonologi, læren om dæmoner/djævle.
demonstrable [di'mɔnstrəbl, 'demən-] *adj.* beviselig, påviselig.
demonstrate ['demənstreit] *vb.* **1.** (*forhold, sag*) bevise (*that* at); påvise (*fx the connection between smoking and lung cancer*); **2.** (*fremgangsmåde, vare etc.*) demonstrere (*fx how it is done; a new vacuum cleaner*); forevise; **3.** (*evne, følelse etc.*) vise (*fx one's musical talents; affection for sby; a complete lack of understanding*); demonstrere, tilkendegive

(*fx one's dissatisfaction*); **4.** (*uden objekt*) demonstrere (*against* imod; *in favour of* for).

demonstration [demən'streiʃn] *sb.* (cf. *demonstrate*) **1.** bevisførelse; påvisning (*of* af); bevis (*of* for); **2.** demonstration (*of* af); forevisning; **3.** F tilkendegivelse [*af stemning etc.*]; demonstration; **4.** demonstration (*fx the students held a* ~).

demonstrative[1] [di'mɔnstrətiv] *sb.* (*gram.*) demonstrativt pronomen, påpegende stedord.

demonstrative[2] [di'mɔnstrətiv] *adj.* **1.** (*om person*) som viser sine følelser; åben, umiddelbar; **2.** (F: *om materiale, bevis*) afgørende (*fx evidence*); **3.** (*gram.*) demonstrativ, påpegende;
□ *be* ~ *of* F bevise; påvise.

demonstrator ['demənstreitə] *sb.* **1.** (*som deltager i demonstration*) demonstrant; **2.** (*som demonstrerer varer: mandlig*) demonstrator; (*kvindelig*) demonstratrice; **3.** (*som underviser*) (undervisnings)assistent.

demoralize [di'mɔrəlaiz] *vb.* demoralisere.

demote [di'məut] *vb.*: *be -d* **a.** blive degraderet; **b.** (*om sportshold*) blive rykket ned.

demotic [di'mɔtik] *adj.* folkelig.

demotion [di'məuʃn] *sb.* (jf. *demote*) **1.** degradering; **2.** nedrykning.

demotivate [di:'məutiveit] *vb.* tage motivationen/lysten fra.

demur[1] [di'mə:] *sb.*: *without* ~ uden protest/betænkelighed/tøven.

demur[2] [di'mə:] *vb.* gøre indsigelse (*to* mod); nære betænkeligheder; tøve.

demure [di'mjuə] *adj.* ærbar, dydig, artig, koket.

demurrage [di'mʌridʒ] *sb.* (*mar.*) overliggedagspenge.

demurrer [di'mʌrə] *sb.* (*jur.*) indsigelse.

demystify [di:'mistifai] *vb.* afmystificere.

demythologize [di:mi'θɔlədʒaiz] *vb.* afmytologisere.

den [den] *sb.* **1.** (*dyrs*) hule; **2.** (*værelse, samlingssted*) hule; **3.** (*am.*) ulvepatrulje;
□ *a* ~ *of* et tilholdssted for; *a* ~ *of thieves/robbers* en røverrede; *a* ~ *of iniquity/vice* (*spøg.*) en lastens hule.

denationalize [di:'næʃnəlaiz] *vb.* denationalisere, ophæve nationaliseringen af.

dendrology [den'drɔlədʒi] *sb.* den-

drologi, læren om træerne.

dengue ['deŋgi] *sb.* (*med.*) denguefeber [*en tropesygdom*].

deniable [di'naiəbl] *adj.* **1.** som kan benægtes; **2.** (*am.*) som man kan nægte kendskab til.

denial [di'naiəl] *sb.* **1.** benægtelse; nægtelse; **2.** (*officiel erklæring*) dementi; **3.** (*det ikke at ville vedkende sig, også psyk.*) fornægtelse (*fx Peter's* ~ *of Christ*); **4.** (*det ikke at ville give*) forholdelse, nægtelse (*fx* ~ *of human rights*);
□ *be in* ~ nægte at se sandheden i øjnene; lukke øjnene for kendsgerningerne; fornægte det.

denigrate ['denigreit] *vb.* tale nedsættende om; rakke ned på, sværte til.

denim ['denim] *sb.* denim, cowboystof;
□ *-s* cowboybukser, jeans.

denizen ['deniz(ə)n] *sb.* (*litt. el. spøg.*) beboer.

Denmark ['denma:k] Danmark.

denomination [dinɔmi'neiʃn] *sb.* **1.** (*rel.*) trosretning; sekt; **2.** (*af pengeseddel etc.*) pålydende værdi; **3.** F benævnelse (*fx liar is the right* ~ *for him*); klasse; kategori.

denominational [dinɔmi'neiʃn(ə)l] *adj.* hørende til en trosretning/ sekt (*fx a* ~ *school*).

denominator [di'nɔmineitə] *sb.* (*i brøk*) nævner.

denotation [denə'teiʃn] *sb.* (*ords*) betydning, begreb [*mods. connotation*].

denote [di'nəut] *vb.* **1.** betegne; **2.** være tegn på, tyde på.

denouement [dei'nu:mɔŋ] *sb.* (*i roman, drama*) afsløring; opklaring; (*gådens*) løsning.

denounce [di'nauns] *vb.* **1.** fordømme; **2.** (*til politi etc.*) angive (*to* til);
□ ~ *as* stemple som, fordømme som; ~ *a treaty* opsige en traktat.

dense [dens] *adj.* **1.** tæt (*fx fog*; *forest*); **2.** (*fys. etc.*) kompakt (*fx mass*); **3.** (*om tekst*) tæt pakket, tæt; **4.** (T: *om person*) dum, tykhovedet;
□ ~ *ignorance* tyk uvidenhed; ~ *negative* (*foto.*) tæt negativ.

density ['densəti] *sb.* **1.** tæthed; **2.** (*fys.*) densitet, massefylde, massetæthed.

dent[1] [dent] *sb.* bule; fordybning;
□ *make/put a* ~ *in* **a.** lave en bule i; **b.** (*fig.*) svække (*fx his enthusiasm*); mindske; gøre indhug i (*fx his savings*); **c.** = *make a* ~ *on*; *make a* ~ *on* indvirke på; sætte sig spor i.

dent[2] [dent] *vb.* **1.** lave en bule i; **2.** (*fig.*) gøre skår i, svække (*fx his enthusiasm*; *his popularity*);
□ ~ *his pride* give hans stolthed et knæk.

dental[1] ['dent(ə)l] *sb.* (*fon.*) dental, tandlyd.

dental[2] ['dent(ə)l] *adj.* dental; tand- (*fx clinic*; *treatment*); tandlæge-.

dental floss *sb.* tandtråd.

dental hygienist *sb.* tandplejer.

dental mechanic *sb.* tandtekniker.

dental nurse *sb.* klinikassistent.

dental surgeon *sb.* F tandlæge.

dental surgery *sb.* tandlægeklinik.

dental technician *sb.* tandtekniker.

dentifrice ['dentifris] *sb.* tandpulver; tandpasta.

dentist ['dentist] *sb.* tandlæge.

dentistry ['dentistri] *sb.* **1.** tandlægefaget; **2.** tandlægevidenskab.

dentures ['dentʃəz] *sb. pl.* (tand)protese; gebis.

denuclearized [di:'nju:kliəraizd] *adj.* atomvåbenfri.

denudation [di:nju'deiʃn] *sb.* **1.** blottelse; **2.** (*geol.*) denudation, nedbrydning.

denude [di'nju:d] *vb.* lægge blot; gøre nøgen; lægge øde;
□ ~ *of* blotte for, ribbe for; fratage, berøve.

denunciation [dinʌnsi'eiʃn] *sb.* (jf. *denounce*) **1.** fordømmelse; **2.** angivelse; **3.** (*af traktat*) opsigelse.

deny [di'nai] *vb.* **1.** nægte (*fx knowledge of the plan*); benægte; afvise, bestride (*fx his allegations*); **2.** (*mil.*) forhindre i at benytte; afskære fra; (*angreb*) afvise, afslå; **3.** (*officielt*) dementere; afkræfte (*fx he would neither confirm nor* ~ *the reports*); **4.** (*noget man har*) fornægte (*fx one's true feelings*; *one's faith*; *one's family*); **5.** (*noget man giver*) nægte (*fx she was denied access*; *he denies her nothing*);
□ ~ *oneself* nægte sig, undvære (*fx he denied himself even the necessaries of life*); ~ *oneself to callers* nægte sig hjemme; (*se også no*[2]).

deodar ['di:ədɑ:] *sb.* (*bot.*) indisk ceder.

deodorant [di:'əudərənt] *sb.* deodorant.

deodorize [di:'əudəraiz] *vb.* befri for lugt, gøre lugtfri; desodorisere.

DEP *fork. f.* **1.** *Department of Employment and Productivity*; **2.** (*am.*) *Department of Environmental Protection*.

dep *fork. f.* **1.** (*om tog etc.*) *departs*, *departure*; **2.** *deputy*.

depart [di'pa:t] *vb.* **1.** (*om tog, fly etc.*) afgå (*for* til; *from* fra); **2.** (*om person*) rejse; afrejse (*from* fra); **3.** (*fra stilling*) gå af; trække sig tilbage (*from* fra);
☐ ~ *a job* (*am.*) = ~ *from a job*; ~ *this life/this earth/this world* (*glds.*) forlade denne verden; afgå ved døden; ~ *from* (*ikke følge*) afvige fra (*fx the text; the plan*); ~ *from a job* (*også*) forlade en stilling.

departed [di'pa:tid] *adj.* afdød (*fx a dear* ~ *relative*);
☐ *the* ~ **a.** (den) afdøde; **b.** de afdøde.

department [di'pa:tmənt] *sb.* **1.** (*fx af firma*) afdeling; **2.** (*regeringskontor*) departement; ministerium; **3.** (*ved universitet, svarer til*) institut; faggruppe, fagområde; **4.** (T: *som man beskæftiger sig med*) område, felt (*fx that is not my* ~); **5.** (T: *som man har ansvar for*) afdeling (*fx fixing the door is your* ~);
☐ *in the* ... ~ (*spøg.*) hvad ... angår (*fx he is a bit lacking in the brains* ~).

departmental [dipa:t'ment(ə)l] *adj.* (jf. *department*) **1.** afdelings- (*fx head; meeting*); **2.** ministeriel (*fx budget*); **3.** institut- (*fx library*).

departmentalize [di:pa:t'ment(ə)laiz] *vb.* opdele i afdelinger.

department store *sb.* stormagasin; varehus.

departure [di'pa:tʃə] *sb.* **1.** (*om tog, fly etc.*) afgang; **2.** (*om rejsende*) afrejse; **3.** (*om ansat*) afgang; tilbagetræden (*from* fra); **4.** (*om medlem*) udtræden (*from* af); **5.** (*om handling*) afvigelse (*from* fra, *fx from practice; from the rules; from tradition*);
☐ *-s* (*også*) afgående tog/skibe/fly/busser; *next* ~ næste afgående skib/tog *etc.*; *a new* ~ et nybrud; noget ganske nyt; en skelsættende/epokegørende begivenhed.

departure platform *sb.* afgangsperron.

depend [di'pend] *vb.*: *it (all) -s* det kommer an på omstændighederne; ~ *on* **a.** afhænge af, komme an på, bero på (*fx it all -s on how you look at it*); **b.** være afhængig af (*fx children* ~ *on their parents*; *the country -s heavily on foreign aid*); **c.** stole på (*fx he is not a man to be -ed on*); regne med (*fx don't* ~ *on his help*); ~ *upon it!* det kan du stole på! *the school does not* ~ *on him* skolen står og falder ikke med ham; (se

ognetwork *depending*); ~ **on** ... **for** være afhængig af ... for at få (*fx children* ~ *on their parents for their material needs*; *many fishermen* ~ *on this fish for their livelihood*); *he -s on his pen for a living* han er henvist til at leve af sin pen; *she -s completely on him for her happiness* hele hendes lykke afhænger af ham.

dependable [di'pendəbl] *adj.* **1.** pålidelig; **2.** (*om maskine etc.*) driftssikker.

dependant [di'pendənt] *sb.* [*person som er afhængig af/forsørges af en; person man har forsørgerpligt over for*];
☐ *-s* pårørende (*fx houses for servicemen and their -s*).

dependence [di'pendəns] *sb.* **1.** afhængighed (*on* af); **2.** tillid (*on* til).

dependency [di'pendənsi] *sb.* **1.** underordnet land; biland; lydland; **2.** (*om person: af stoffer*) afhængighed (*on* af, *fx his* ~ *on his mother; drug//alcohol* ~).

dependent [di'pendənt] *adj.* afhængig (*on* af);
☐ ~ *children* (*omtr.*) uforsørgede børn; ~ *clause* bisætning.

depending [di'pendiŋ] *adj.*: ~ *on* afhængigt af; alt efter (*fx* ~ *on who you ask*).

depersonalize [di:'pə:s(ə)nəlaiz] *vb.* **1.** gøre upersonlig (*fx* ~ *war*); **2.** (*person*) berøve sin/deres personlighed/identitet (*fx* ~ *women*).

depict [di'pikt] *vb.* **1.** male, afbilde; **2.** (*i ord*) skildre.

depiction [di'pikʃn] *sb.* **1.** afbildning; **2.** (*i ord*) skildring.

depilate ['depileit] *vb.* fjerne hår fra.

depilatory[1] [de'pilət(ə)ri] *sb.* hårfjerningsmiddel.

depilatory[2] [de'pilət(ə)ri] *adj.* hårfjernende.

deplane [di:'plein] *vb.* stige ud af flyvemaskine.

deplete [di'pli:t] *vb.* F **1.** mindske, reducere (*fx the Earth's resources*); **2.** tømme, opbruge (*fx oil reserves*);
☐ ~ *the ozone layer* nedbryde ozonlaget.

depleted [di'pli:tid] *adj.* F **1.** mindsket, reduceret; **2.** svækket;
☐ ~ *uranium* depleteret/forarmet uran.

depletion [di'pli:ʃn] *sb.* F **1.** formindskelse, reduktion; **2.** tømning.

deplorable [di'plɔ:rəbl] *adj.* F (*yderst*) beklagelig (*fx it is* ~ *that* ...); sørgelig; elendig (*fx under* ~

conditions); jammerlig.

deplore [di'plɔ:] *vb.* F beklage (dybt) (*fx what has happened*); tage stærkt afstand fra (*fx violence*).

deploy [di'plɔi] *vb.* **1.** anvende, udnytte (*fx one's skills; one's talents; one's resources*); benytte sig af (*fx a powerful argument*); **2.** (*mil.: tropper*) indsætte; (*fx FN-styrke*) udsende; (*bringe i stilling*) opstille; opmarchere; (*i bredden*) deployere, udfolde; sprede; **3.** (*våben*) opstille (*fx missiles*); indsætte.

deployment [di'plɔimənt] *sb.* (cf. *deploy*) **1.** anvendelse; udnyttelse; benyttelse; **2.** (*mil.*) indsættelse (*fx of troops*); udsendelse; opstilling; opmarch; (*i bredden*) deployering, udfoldning; spredning; **3.** (*af våben*) opstilling (*of* af, *fx missiles*); indsættelse.

depoliticize [di:pə'litisaiz] *vb.* afpolitisere.

deponent [di'pəunənt] *sb.* **1.** deponent verbum; **2.** (*jur.*) vidne; **3.** [*en som afgiver beediget skriftlig erklæring*].

depopulate [di:'pɔpjuleit] *vb.* affolke.

depopulation [di:pɔpju'leiʃn] *sb.* affolkning.

deport [di'pɔ:t] *vb.* deportere, udvise;
☐ ~ *oneself* (*glds.*) **a.** opføre sig; **b.** forholde sig.

deportation [di:pɔ:'teiʃn] *sb.* deportation; udvisning.

deportee [di:pɔ:'ti:] *sb.* udvist.

deportment [di'pɔ:tmənt] *sb.* F optræden, opførsel; holdning.

depose [di'pəuz] *vb.* **1.** (*regent, leder*) afsætte; **2.** (*jur.*) afgive forklaring [*under ed*]; vidne;
☐ ~ *to* bevidne.

deposit[1] [di'pɔzit] *sb.* **1.** (*i bank*) indskud; indestående; **2.** (*ved leje*) depositum (*for* on, *fx a flat*); **3.** (*fx for flaske*) pant (*on* for); **4.** (*ved køb*) udbetaling (*på* on, *fx a house*); **5.** (*for valgkandidat*) depositum [*som mistes hvis kandidaten ikke opnår en vis procentdel af stemmerne*]; **6.** (*geol.*) aflejring; forekomst, leje (*fx iron ore -s*); **7.** (*kem. etc.*) bundfald; **8.** (*på museum, bibliotek*) depotlån.

deposit[2] [di'pɔzit] *vb.* **1.** anbringe; aflevere; **2.** (*passager*) sætte af; **3.** (*æg*) lægge; **4.** (*til opbevaring etc.*) deponere (*fx valuables in the hotel safe*); **5.** (*penge i bank*) indskyde, indsætte (*in an account* på en konto);
☐ *be -ed* **a.** (*geol.*) blive aflejret;

b. (*kem.*) blive afsat; bundfælde sig.

deposit account *sb.* indlånskonto.

depositary [di'pɔzit(ə)ri] *sb.* depositar; en der modtager noget i forvaring.

deposition [depə'ziʃn] *sb.* **1.** (*af hersker, leder*) afsættelse; **2.** (*jur.*) (beediget skriftligt) vidneudsagn; **3.** (*geol.*) aflejring, sedimentation; **4.** (*kem.*) afsætning;

□ *the Deposition* (*i kunst*) nedtagelsen af korset.

depositor [di'pɔzitə] *sb.* indlåner, indskyder [*i bank*].

depository [di'pɔzit(ə)ri] *sb.* **1.** opbevaringssted (*fx the* ~ *for the crown jewels*); **2.** depot; magasin (*fx a furniture* ~).

depot ['depəu] *sb.* **1.** depot (*fx a weapons* ~); lager; **2.** (*for busser*) garage; **3.** (*for sporvogne*) remise; **4.** (*mil.: for regiment*) hovedkvarter; (*for rekrutter*) etablissement for grunduddannelse; **5.** (*am.*) jernbanestation; rutebilstation.

depravation [deprə'veiʃn] *sb.* depravation; moralsk fordærv; lastefuldhed.

deprave [di'preiv] *vb.* depravere, fordærve, demoralisere;

□ ~ *them* (*også*) undergrave/nedbryde deres moral.

depraved [di'preivd] *adj.* depraveret, moralsk fordærvet.

depravity [di'prævəti] *sb.* moralsk fordærv.

deprecate ['deprikeit] *vb.* **1.** misbillige, ikke synes om; **2.** frabede sig; **3.** = *depreciate 3*;

□ ~ *hasty action* sætte sig imod overilede handlinger.

deprecating ['deprikeitiŋ] *adj.* **1.** misbilligende; **2.** afværgende.

deprecation [depri'keiʃn] *sb.* misbilligelse.

deprecatory ['deprikət(ə)ri] *adj.* = *deprecating*.

depreciate [di'pri:ʃieit] *vb.* **1.** (*merk.: i regnskab*) nedskrive, afskrive; **2.** (*valuta*) devaluere, nedskrive; **3.** (F: *i omtale*) nedvurdere, tale nedsættende om; undervurdere; **4.** (*uden objekt*) falde/tabe i værdi.

depreciation [dipri:ʃi'eiʃn] *sb.* **1.** værdiforringelse; **2.** (*merk.: i regnskab*) nedskrivning, afskrivning; **3.** (*af valuta*) nedskrivning, devaluering; **4.** (F: *i omtale*) nedvurdering; undervurdering.

depreciation account *sb.* afskrivningskonto.

depredations [deprə'deiʃnz] *sb. pl.* ødelæggelser; hærgen.

depress [di'pres] *vb.* (se også *de-*

pressed) **1.** (*person*) gøre nedtrykt, virke nedslående på, deprimere; **2.** (*merk.*) trykke, sænke (*fx prices; wages*); svække (*fx the economy; the market*); **3.** (F: *med hånd el. fod*) trykke ned (*fx a button; a lever*); (*med foden også*) træde på (*fx the accelerator; the brake*).

depressant[1] [di'pres(ə)nt] *sb.* nedstemmende middel; middel som gør en deprimeret.

depressant[2] [di'pres(ə)nt] *adj.* nedstemmende.

depressed [di'prest] *adj.* **1.** (*om person*) nedtrykt; deprimeret; **2.** (*økon.*) kriseramt (*fx area*); **3.** (*merk.: om marked*) vigende, trykket; **4.** (*om sted*) som er trykket ned; forsænket.

depression [di'preʃn] *sb.* **1.** (*om person*) nedtrykthed; (*med.*) depression; **2.** (*om sted*) sænkning, fordybning; **3.** (*merk.*) lavkonjunktur, erhvervskrise; krisetid; **4.** (*meteor.*) lavtryk; lavtryksområde; **5.** (jf. *depress 3*) nedtrykning.

depressive[1] [di'presiv] *sb.* depressiv person.

depressive[2] [di'presiv] *adj.* depressiv.

deprivation [depri'veiʃn] *sb.* **1.** nød, forarmelse; afsavn; tab; **2.** (jf. *deprive*) berøvelse (*fx sleep* ~).

deprive [di'praiv] *vb.*: ~ *sby of sth* berøve/fratage en noget.

deprived *adj.* **1.** som lider afsavn, nødlidende; dårligt stillet; **2.** (*om barn*) underprivilegeret; **3.** (*om område*) præget af social nød; forfordelt;

□ *culturally* ~ kulturfattig.

deprogram [di:'prəugræm] *vb.*: ~ *sby* [påvirke en til at komme tilbage til almindeligt liv efter hjernevask].

dept. *fork. f. department.*

depth [depθ] *sb.* dybde; (*indefter også*) bredde (*fx the* ~ *of a shelf*); □ ~ *of feeling* dybe følelser; *with* ~ *of feeling* dybtfølt; ~ *of field* (*foto.*) dybdeskarphed; *his* ~ *of knowledge* hans dybe kendskab; [*i pl.*] *-s* **a.** dybder (*fx at -s below 1,000 metres; he has hidden -s*); **b.** dyb (*fx vanish into the -s; in the -s of the ocean* i havets dyb); (se også ndf.: *in the -s of*); *plumb the -s* (*fig.: mht. kvalitet*) skrabe bunden; *plumb the -s of* (*fig.*) **a.** nå det laveste niveau af (*fx bad taste*); **b.** (ɔ: *for at forstå*) trænge til bunds i (*fx the bank fraud*); *plumb the -s of despair//misery*

(*fig.*) opleve den dybeste fortvivlelse//elendighed;

[*med præp.*] **beyond** *one's* ~ se ndf.: *out of one's* ~; **in** ~ i dybden; indgående, dybtgående; *defence in* ~ (*mil.*) dybdeforsvar; *in the* ~*/-s of the countryside* langt ude på landet; *in the* ~*/-s of a crisis* midt i en krise; *in the* ~*/-s of the forest* langt/dybt inde i skoven; *in the* ~*/-s of night//winter* midt om natten//vinteren; *in the* ~*/-s of the ocean* dybt nede i havet; i havets dyb; *be* **out of** *one's* ~ (*også fig.*) være længere ude end man kan bunde; *how could you sink* **to** *such a* ~? (*fig.*) hvor kunne du synke så dybt? *stirred to the -s* dybt rørt.

depth charge *sb.* dybdebombe.

deputation [depju'teiʃn] *sb.* deputation.

depute [di'pju:t] *vb.* F give fuldmagt; overdrage.

deputize ['depjutaiz] *vb.* vikariere, fungere som stedfortræder (*for* for).

deputy ['depjuti] *sb.* **1.** stedfortræder; **2.** (*parl.*) deputeret; **3.** (*foran sb*) stedfortrædende; vice- (*fx manager; mayor; minister*); næst- (*fx chairman*); under- (*fx manager*);

□ ~ *superintendent* afdelingslæge.

deracinated [di'ræsineitid] *adj.* fordrevet; rodløs.

derail [di'reil] *vb.* afspore.

derailment [di'reilmənt] *sb.* afsporing.

deranged [di'rein(d)ʒd] *adj.* forstyrret, sindsforvirret; sindssyg.

derangement [di'rein(d)ʒmənt] *sb.* (*glds.*) forstyrrelse, sindsforvirring; sindssyge.

deration [di:'ræʃn] *vb.* ophæve rationeringen af; frigive (*fx petrol has been -ed*).

Derby ['da:bi] [*by i Mellemengland*];

□ *the* ~ derbyløbet [*hestevæddeløb ved Epsom*].

derby ['da:bi, (*am.*) 'dərbi] *sb.* bowlerhat; (se også *local derby*).

deregulate [di:'regjuleit] *vb.* afskaffe reguleringen af; ophæve kontrollen med; liberalisere.

deregulation [di:regju'leiʃn] *sb.* afskaffelse af regulering; ophævelse af kontrol; liberalisering.

derelict[1] ['derilikt] *sb.* **1.** forladt ejendom; **2.** (*skib*) dødt skib, herreløst vrag; **3.** (*person*) fortabt eksistens; menneskevrag.

derelict[2] ['derilikt] *adj.* forladt, herreløs; forfalden;

□ ~ *farm* ødegård.

dereliction [deri'likʃn] *sb.* **1.** forsømmelse; svigten (*fx of responsibility*); 2. (*om ejendom*) forladthed; det at ligge øde hen; forfald; □ ~ *of duty* pligtforsømmelse.

derestrict [di:ri'strikt] *vb.* ophæve restriktioner for.

derestricted [di:ri'striktid] *adj.* (*om vej*) uden særlig fartbegrænsning [*ud over den generelle*].

deride [di'raid] *vb.* le hånligt ad; håne, spotte.

derider [di'raidə] *sb.* spotter.

de rigueur [dəri'gə:] *adj.* de rigueur, obligatorisk.

derision [di'riʒ(ə)n] *sb.* spot, hån; □ *shouts of* ~ spottende/hånlige tilråb.

derisive [di'raisiv] *adj.* hånlig, spottende (*fx laugh*); ironisk.

derisory [di'rais(ə)ri] *adj.* 1. (*om beløb*) latterlig; 2. = *derisive*.

derivation [deri'veiʃn] *sb.* 1. udledning; 2. (*sprogv.*) afledning, derivation; (*ord*) afledning, derivat; 3. (*i sproghistorie*) afstamning, oprindelse (*fx a word of Latin* ~).

derivative[1] [di'rivətiv] *sb.* 1. (*sprogv.*) afledning, derivat; 2. (*kem.*) derivat.

derivative[2] [di'rivətiv] *adj.* 1. afledt; 2. (*neds. om kunst*) uoriginal, imitativ, epigonagtig, kopieret efter andre.

derive [di'raiv] *vb.* opnå, få; forskaffe sig;
□ ~ *from* **a.** stamme fra (*fx the word -s from Latin*); **b.** (*kem.*) være afledt af; **c.** (*med objekt, F*) få ... af/fra (*fx* ~ *pleasure from one's studies*; ~ *power from waterfalls*); hente ... fra (*fx he has -d most of his concepts from Freud*); **d.** (*i logik etc.*) udlede af; ~ *advantage/benefit/profit from* drage fordel af; (*se også comfort*[1]); *be -d from* = ~ *from: a, b*.

dermatitis [də:mə'taitis] *sb.* dermatitis, hudbetændelse.

dermatologist [də:mə'tɔlədʒist] *sb.* dermatolog, hudspecialist.

dermatology [də:mə'tɔlədʒi] *sb.* dermatologi, læren om hudsygdomme.

derogate ['derəgeit] *vb.* F nedvurdere; forklejne;
□ ~ *from* **a.** = *derogate*; **b.** begrænse, indsnævre (*fx a right*); **c.** afvige fra.

derogation [derə'geiʃn] *sb.* F 1. nedvurdering; forklejnelse; 2. afvigelse (*from* fra).

derogatory [di'rɔgət(ə)ri] *adj.* nedsættende.

derrick ['derik] *sb.* 1. (*mar.*) lossebom; ladebom; svingbom; 2. (*ved olieboring*) boretårn.

derring-do [deriŋ'du:] *sb.* (*glds. el. spøg.*) dristighed, vovemod; □ *act/deed/feat of* ~ bedrift; heltedåd, heltegerning.

derringer ['derin(d)ʒə] *sb.* (*am.*) lommepistol.

derv [də:v] *sb.* dieselolie [*til biler*].

dervish ['də:viʃ] *sb.* dervish [*muslimsk munk der udfører rituelle danse*].

DES *fork. f. Department of Education and Science.*

desalinate [di:'sælineit] *vb.* afsalte.

desalination [di:sæli'neiʃn] *sb.* afsaltning.

descale [di:'skeil] *vb.* fjerne kalkbelægning//kedelsten fra.

descaler [di:'skeilə] *sb.* kalkfjerner, afkalker.

descant[1] ['deskænt] *sb.* 1. diskant, overstemme; 2. (*poet.*) melodi; sang.

descant[2] [di'skænt] *vb.*: ~ *on* udbrede sig om; tale vidt og bredt om.

descant recorder *sb.* (*mus.*) sopranblokfløjte.

descend [di'send] *vb.* F 1. gå ned ad (*fx the stairs*); 2. (*uden objekt*) gå ned (*fx we -ed to the cellar; the plane began to* ~); stige ned (*fx from a railway carriage*); 3. (*om rytter*) stige af; 4. (*om terræn etc.*) skråne ned (*fx the field -ed to the river*);
□ *darkness//night -ed* mørket sænkede sig/faldt på; *in -ing order* i nedadgående rækkefølge;
[*med præp.*] ~ *from* **a.** gå//stige ned fra; **b.** nedstamme fra; *be -ed from* nedstamme fra; ~ *into* (*fig.*) synke ned i (*fx chaos; barbarism*); udarte til; ~ *on* **a.** T holde sit indtog i (*fx the band -ed on London*); komme anstigende til; invadere; **b.** falde over; kaste sig over; angribe (*fx the police -ed on the house*); **c.** gribe (*fx a feeling of despair -ed on us*); sænke sig over (*fx silence -ed on the room*); ~ *to* **a.** gå//stige//skråne ned til; **b.** (*handlemåde*) nedværdige sig til//til at (*fx to that sort of behaviour; to steal*); **c.** (*om arv*) gå i arv til; overgå til (*fx the property -ed to him*); ~ *upon* = ~ *on*.

descendant [di'send(ə)nt] *sb.* efterkommer (*of* af).

descent [di'sent] *sb.* 1. (*også flyv.*) nedstigning; 2. (*fx på bakke*) skråning; 3. (*vej*) vej ned, nedgang; 4. (*jf. descend on, b*) overfald (*on* på); (*fjendes*) indfald; 5. (*jf. descend from, b*) herkomst; afstamning;
□ *of noble* ~ af adelig byrd; ~ *into*

(*fig.*) nedsynken i (*fx barbarism*).

describe [di'skraib] *vb.* 1. beskrive; 2. (*F el. glds.: figur*) beskrive (*fx an arc; a circle*);
□ ~ *as* betegne som, kalde.

description [di'skripʃn] *sb.* 1. beskrivelse; (*af efterlyst person*) signalement; 2. beskaffenhed, art, slags (*fx goods of every* ~);
□ *beyond* ~ ubeskrivelig (*fx weary beyond* ~); *be beyond* ~, *defy* ~ **a.** unddrage sig beskrivelse, være umulig at beskrive (*fx her beauty defies* ~); **b.** (*om noget negativt*) trodse enhver beskrivelse (*fx the chaos on the roads defy* ~).

descriptive [di'skriptiv] *adj.* beskrivende; deskriptiv.

descry [di'skrai] *vb.* (*glds. el. litt.*) opdage, øjne.

desecrate ['desikreit] *vb.* skænde, vanhellige, profanere.

desecration [desi'kreiʃn] *sb.* vanhelligelse, profanering.

desegregate [di:'segrigeit] *vb.* ophæve raceadskillelse i (*fx a school*).

desegregation [di:segri'geiʃn] *sb.* ophævelse af raceadskillelse.

deselect [di:sə'lekt] *vb.* 1. (*parl.: kandidat*) ikke genopstille; 2. (*it*) fravælge; fjerne markering.

desensitizeaf [di:'sensitaiz] *vb.* gøre ufølsom; (*med.*) desensibilisere.

desert[1] ['dezət] *sb.* (*se også deserts*) 1. ørken; 2. (*fig.*) udørk (*fx a cultural* ~); ødemark; ørken.

desert[2] ['dezət] *adj.* ørken-; øde.

desert[3] [di'zə:t] *vb.* 1. (*sted*) forlade; 2. (*person*) forlade; svigte (*fx her husband had -ed her*); 3. (*noget man har støttet*) svigte; flygte fra; 4. (*om held, dygtighed*) svigte (*fx his luck had -ed him*); 5. (*jur.*) unddrage sig/ophæve samlivet med; 6. (*uden objekt*) falde 'fra (*fx many of our voters have -ed*); 7. (*mil.*) desertere;
□ ~ *to the enemy* gå over til fjenden.

deserted [di'zə:tid] *adj.* forladt; øde (*fx street*); øde og forladt.

deserter [di'ze:tə] *sb.* (*mil.*) desertør; overløber.

desertification [dezətifi'keiʃn] *sb.* ørkendannelse.

desertion [di'zə:ʃn] *sb.* 1. svigten; 2. flugt; frafald; 3. (*jur.*) unddragelse/ophævelse af samlivet; 4. (*mil.*) desertion, desertering.

desert island *sb.* øde ø.

deserts [di'zə:ts] *sb. pl.*: *get one's (just)* ~ få løn som forslyldt; få hvad man har fortjent.

deserve [di'zə:v] *vb.* fortjene;

D *deservedly*

□ ~ *better* fortjene bedre/en bedre skæbne; *they ~ everything they get* de får hvad de har fortjent; ~ *well of one's country* have gjort sig fortjent af fædrelandet.
deservedly [di'zə:vidli] *adv.* fortjent; med rette.
deserving [di'zə:viŋ] *adj.* fortjenstfuld;

□ ~ *poor* værdige trængende.
deshabillé [deizæ'bi:ei] *sb.* i negligé.
desiccant ['desikənt] *sb.* tørremiddel.
desiccated ['desikeitid] *adj.* **1.** tørret *(fx coconut)*; **2.** udtørret *(fx skin; flowers)*.
desiccation [desi'keiʃn] *sb.* udtørring.
desideratum [dizidə'reitəm] *sb.* (*pl.* desiderata [-'reitə]) noget ønskeligt; ønske; ønskemål.
design¹ [di'zain] *sb.* **1.** tegning *(for til, fx a new house)*; **2.** *(til dekoration)* mønster *(fx a floral/abstract/geometric ~ on a blouse)*; udsmykning; **3.** *(generelt)* design, formgivning *(fx study ~)*; **4.** *(for bestemt ting: form)* design, udformning *(fx of a kettle)*; konstruktion; **5.** *(om forehavende)* plan *(to om at, fx to have him arrested)*; hensigt *(in + -ing med at, fx is there some ~ in inviting him here?)*; **6.** *(neds.)* anslag *(on, against* mod)*;
□ *by* ~ med vilje; med hensigt; bevidst; (se også *fortune)*; *have -s on* være ude efter *(fx sby's money// job//wife)*; *they had -s on his life* de stræbte ham efter livet.
design² [di'zain] *vb.* (se også *designing*) **1.** *(bygning)* lave tegninger til; tegne; **2.** *(ting)* designe, formgive; konstruere; **3.** *(forehavende)* planlægge *(fx a course)*; udtænke;
□ *he -s to (også)* det er hans mening at;
be -ed for være beregnet for *(fx the school is -ed for gifted children)*; *be -ed to* **a.** være beregnet til at *(fx make it easier)*; **b.** være bestemt/udset til at *(fx this room is -ed to be my study)*.
designate¹ ['dezignət] *adj.* designeret *(fx the Secretary General ~)* [ɔ: *udpeget]*.
designate² ['dezigneit] *vb.* **1.** udpege *(fx one's own successor)*; udse; **2.** *(på kort, plan etc.)* betegne, angive *(fx these crosses ~ the entrances)*; **3.** *(officielt)* erklære for *(fx ~ the building (as) a historic monument; ~ the whole area (as) a disaster area)*; **4.** *(område, til bestemt brug)* udlægge

som *(fx the area is -d (as) a park)*;
□ *-d (også)* (dertil) bestemt *(fx in -d areas; at -d times)*;
~ *as* **a.** *(jf. 1)* udpege til *(fx ~ him as leader of the expedition)*; udse til *(fx the rooms were -d as offices)*; **b.** *(jf. 2)* betegne som; **c.** se: *3; -d for* beregnet for/til; *-d to* udpeget til at *(fx lead the expedition)*; *-d to be* = *-d as, a)*.
designation [dezig'neiʃn] *sb.* **1.** betegnelse, benævnelse; **2.** udpegning.
designedly [di'zainidli] *adv.* med forsæt.
designer [di'zainə] *sb.* tegner; designer; formgiver.
designer clothes *sb. pl.* mærketøj, mærkevarer.
designer drug *sb.* designerdrug *[syntetisk fremstillet narkotikum]*.
designer label *sb.* tøjmærke.
designer stubble *sb.* *[ubarberet look]*.
designing [di'zainiŋ] *adj.* lumsk; beregnende; intrigant.
desirability [dizaiərə'biləti] *sb.* **1.** ønskelighed; ønskværdighed; **2.** *(om person)* tiltrækning.
desirable [di'zaiərəbl] *adj.* F **1.** ønskelig; ønskværdig; **2.** *(om boligområde)* attraktiv; **3.** *(om person)* tiltrækkende *(fx she had never looked more ~)*; attråværdig;
□ *it is ~ that (jf. 1, også)* det ville være en fordel at.
desire¹ [di'zaiə] *sb.* **1.** ønske *(for om; to om at)*; lyst *(for til; to til at, fx she had no ~ to become a housewife)*; **2.** *(seksuelt)* begær *(for efter)*; lyst;
□ *his heart's ~* hans inderligste ønske.
desire² [di'zaiə] *vb.* **1.** ønske; **2.** *(seksuelt)* føle begær efter, begære; **3.** *(glds.)* anmode, bede *(to om at)*;
□ *the -d effect* den ønskede virkning; *if -d* hvis det ønskes; *leave much to be -d* lade meget tilbage at ønske.
desirous [di'zaiərəs] *adj.: be ~ of* ønske, være ivrig efter at få/opnå *(fx peace)*.
desist [di'zist] *vb.* holde op;
□ ~ *from* afholde sig fra, afstå fra; holde op med.
desk [desk] *sb.* **1.** skrivebord; arbejdsbord; **2.** *(i klasseværelse)* pult; *(til læreren)* kateder; **3.** *(i hotel, bank)* skranke; **4.** *(på avis: i sms)* redaktion *(fx the sports ~)*.
desk clerk *sb. (am.)* portier.
desk copy *sb.* frieksemplar; *(af skolebog)* lærereksemplar.
desk organizer *sb.* se *desk tidy*.

desk sergeant *sb.* tjenstgørende overbetjent.
desk tidy *sb.* *[kasse med rum til kuglepenne, clips etc.]*.
desktop¹ ['desktɔp] *sb.* **1.** bordplade *[på skrivebord etc.]*; **2.** *(it)* baggrund *[i skærmbillede]*.
desktop² ['desktɔp] *adj.* bord-; desktop- *(fx computer)*.
desktop publishing *sb.* desktoppublishing *[fremstilling af bøger og tryksager ved hjælp af computer og printer]*.
desolate¹ ['desələt] *adj.* **1.** *(om sted)* ubeboet, øde; trøstesløs; **2.** *(om person)* ensom, (ene og) forladt; ulykkelig, fortvivlet.
desolate² ['desəleit] *vb.* **1.** *(sted)* hærge; lægge øde; **2.** *(litt.: om person)* gøre ulykkelig/fortvivlet.
desolated ['desəleitid] *adj.* ulykkelig, fortvivlet.
desolating ['desəleitiŋ] *adj.* fortvivlende; trøstesløs.
desolation [desə'leiʃn] *sb.* **1.** *(om sted)* trøstesløshed; **2.** *(om person)* forladthed; ensomhed; fortvivlelse.
despair¹ [di'spɛə] *sb.* fortvivlelse;
□ *be the ~ of sby* bringe en til fortvivlelse.
despair² [di'spɛə] *vb.* fortvivle, blive fortvivlet *(at, over* over)*; opgive håbet;
□ ~ *of* opgive håbet om.
despairing [di'spɛəriŋ] *adj.* fortvivlet.
despatch [di'spætʃ] = *dispatch*.
desperado [despə'ra:dəu] *sb.* (*pl.* -es/-s) *(glds.)* desperado; en der er drevet til det yderste; samvittighedsløs skurk.
desperate ['despərət] *adj.* **1.** *(om handling)* desperat, fortvivlet *(fx attempt; effort; plea for help; struggle)*; **2.** *(om person)* desperat, forvivlet *(fx her ~ parents)*; *(farlig)* desperat, hensynsløs *(fx criminal)*; **3.** *(om situation)* fortvivlet *(fx situation)*; håbløs, fortvivlende *(fx shortage of food; poverty)*;
□ *be ~ for sth* ønske noget brændende; være vild efter noget; *be ~ to* ønske brændende at; være vild efter at; *be in a ~ hurry* have rasende travlt; *a ~ remedy (omtr.)* en fortvivlelsens udvej; ~ *diseases have ~ remedies* med ondt skal ondt fordrives.
desperation [despə'reiʃn] *sb.* fortvivlelse; desperation.
despicable [di'spikəbl, 'despikəbl] *adj.* foragtelig.
despise [di'spaiz] *vb.* foragte.
despite [di'spait] *præp.* trods; til trods for;

□ ~ *oneself* mod sin vilje.
despoil [di'spɔil] *vb.* F **1.** ødelægge (*fx the environment*); **2.** (*stjæle fra*) plyndre (*of* for).
despoliation [dispəuli'eiʃn] *sb.* **1.** ødelæggelse; **2.** plyndring.
despondency [di'spɔnd(ə)nsi] *vb.* modløshed.
despondent [di'spɔnd(ə)nt] *adj.* modløs; opgivende.
despot ['despɔt] *sb.* despot; tyran.
despotic [de'spɔtik] *adj.* despotisk; tyrannisk.
despotism ['despətizm] *sb.* despoti; tyranni.
desquamation [deskwə'meiʃn] *sb.* (*med.*) afskalning.
des res [dez'rez] *fork. f.* (T: *spøg.*) *desirable residence* attraktiv bolig.
dessert [di'zə:t] *sb.* dessert.
dessert spoon *sb.* dessertske.
dessert wine *sb.* dessertvin, hedvin.
destabilization [di:steibilai'zeiʃn] *sb.* destabilisering.
destabilize [di:'steibəlaiz] *vb.* destabilisere, gøre ustabil.
destination [desti'neiʃn] *sb.* bestemmelsessted; (*for rejsende også*) rejsemål; destination.
destined ['destind] *adj.:* ~ *for* **a.** (*om formål*) bestemt til (*fx the money was* ~ *for charity*); **b.** (*om bestemmelsessted*) bestemt for (*fx goods* ~ *for the USA*); **c.** (*mar.; flyv.*) med kurs mod; *the train is* ~ *for Hull* toget kører til Hull; *he was* ~ *for great things* han var bestemt (af skæbnen) til at blive noget stort; *it was* ~ *that we should meet* skæbnen ville at vi skulle mødes; ~ *to* (af skæbnen) bestemt til at (*fx become a musician*); *they were* ~ *to meet again* skæbnen ville at de skulle mødes igen; *a plan* ~ *to fail* en plan der var dømt til at mislykkes.
destiny ['destini] *sb.* **1.** skæbne (*fx master of one's own* ~); **2.** (*generelt*) skæbne (*fx believe in* ~).
destitute ['destitju:t] *adj.* F uden midler til at opretholde livet; subsistensløs; nødlidende;
□ ~ *of* blottet for.
destitution [desti'tju:ʃn] *sb.* fattigdom; armod; nød.
destroy [di'strɔi] *vb.* **1.** ødelægge (*fx the house was -ed by a bomb*); tilintetgøre (*fx a document; the evidence*); **2.** (*fig.*) ødelægge (*fx his career, his happiness, his life*); nedbryde (*fx discipline*); **3.** (*modstander*) jorde, knuse; **4.** (*mil.*) nedkæmpe (*fx the enemy*); **5.** (*dyr*) aflive, slå ned;

□ *she was utterly -ed* (*fig.*) hun var helt knust.
destroyer [di'strɔiə] *sb.* **1.** ødelægger; **2.** (*mar.*) torpedojager; destroyer.
destruct[1] [di'strʌkt] *sb.* tilintetgørelse, ødelæggelse [*fx af raket efter afskydningen*].
destruct[2] [di'strʌkt] *vb.* tilintetgøre, ødelægge.
destructible [di'strʌktəbl] *adj.* forgængelig; som kan ødelægges/tilintetgøres.
destruction [di'strʌkʃn] *sb.* **1.** ødelæggelse; tilintetgørelse; undergang; **2.** (*af dyr*) aflivning.
destructive [di'strʌktiv] *adj.* destruktiv; ødelæggende; nedbrydende.
destructive destillation *sb.* (*kem.*) tørdestillation.
destructor [di'strʌktə] *sb.* forbrændingsovn.
desuetude [di'sju:itju:d, 'deswitju:d] *sb.* F ophør; gåen af brug;
□ *fall into* ~ gå af brug.
desultory ['des(ə)lt(ə)ri] *adj.* F planløs (*fx reading*); springende; tilfældig.
detach [di'tætʃ] *vb.* (se også *detached*) **1.** tage af; løsgøre; rive af; **2.** (*person: til særlig opgave*) detachere; udtage; (*mil.*) afgive;
□ ~ *from* skille fra; tage af; løsgøre fra; ~ *oneself from* frigøre sig fra.
detachable [di'tætʃəbl] *adj.* aftagelig; løs.
detached [di'tætʃt] *adj.* **1.** uinteresseret, uengageret (*fx she seemed a bit* ~); **2.** upartisk, objektiv, uhildet (*fx observer; view*);
□ *remain* ~ *from* ikke involvere sig i.
detached house *sb.* fritliggende hus; enkelthus; villa.
detachment [di'tætʃmənt] *sb.* **1.** (*om holdning*) distance (*fx professional* ~); **2.** (*mil.: personer*) detachement; afdeling.
detail[1] ['di:teil, (*am.*) di'teil] *sb.* **1.** enkelthed, detalje; **2.** (*generelt*) detaljer (*fx his attention to* ~); **3.** (*mil.*) [*soldater afgivet til særskilt tjeneste*]; arbejdshold, sjak; afdeling;
□ *in* ~ punkt for punkt; i enkeltheder/detaljer; omstændeligt, indgående; *go/enter into* ~/*-s* gå i enkeltheder/detaljer.
detail[2] ['di:teil, (*am.*) di'teil] *vb.* (se også *detailed*) **1.** specificere, redegøre for i detaljer; berette indgående om; (*neds.*) fortælle omstændeligt; **2.** (*mil.*) afgive; udtage, beordre [*til særlig opgave*].

detailed ['di:teild, (*am.*) di'teild] *adj.* udførlig, detaljeret; (*neds.*) omstændelig.
detain [di'tein] *vb.* **1.** tilbageholde; anholde; internere; **2.** (*på hospital*) indlægge; **3.** (*i skole*) lade sidde efter; **4.** F opholde, sinke (*fx I won't* ~ *you any longer*).
detainee [ditei'ni:] *sb.* interneret [*især af politiske grunde*].
detect [di'tekt] *vb.* **1.** opdage; opspore; (*forbrydelse også*) opklare; **2.** (*med sanserne*) opfange (*fx sounds that cannot be -ed by the human ear*); **3.** (*kemisk el. fysisk*) påvise (*fx alcohol in the blood*); **4.** (*noget næsten umærkeligt*) ane (*fx a note of sarcasm in his voice; a certain sadness in his face*);
□ ~ *sby in sth* gribe en i noget.
detection [di'tekʃn] *sb.* **1.** opdagelse; påvisning; **2.** (*af forbrydelse*) opklaring.
detection rate *sb.* opklaringsprocent.
detective [di'tektiv] *sb.* kriminalbetjent; opdager; detektiv.
detective chief inspector *sb.* vicekriminalkommissær.
detective chief superintendent *sb.* kriminalinspektør.
detective commander *sb.* chefkriminalinspektør.
detective novel *sb.* kriminalroman, detektivroman.
detective sergeant *sb.* kriminalassistent.
detective superintendent *sb.* kriminalkommissær.
detector [di'tektə] *sb.* detektor.
detente [dei'ta:nt] *sb.* (*pol.*) afspænding.
detention [di'tenʃn] *sb.* (cf. *detain*) **1.** tilbageholdelse; anholdelse; **2.** indlæggelse; **3.** eftersidning.
detention centre *sb.* [*institution til midlertidig internering*].
deter [di'tə:] *vb.* afskrække.
detergent[1] [di'tə:dʒ(ə)nt] *sb.* rensemiddel; rengøringsmiddel; syntetisk vaskemiddel//opvaskemiddel.
detergent[2] [di'tə:dʒ(ə)nt] *adj.* rensende.
deteriorate [di'tiəriəreit] *vb.* forringes, blive dårligere/værre; forværres.
deterioration [ditiəriə'reiʃn] *sb.* forringelse; forværring.
determinant [di'tə:minənt] *sb.* F bestemmende faktor.
determinate [di'tə:minət] *adj.* F bestemt.
determination [ditə:mi'neiʃən] *sb.* **1.** (*egenskab*) bestemthed, fasthed, beslutsomhed; målbevidsthed; **2.** (*handling, jf. determine*) be-

stemmelse; afgørelse; fastsættelse.

determine [di'tə:min] *vb.* (se også *determined*) **1.** bestemme, afgøre (*fx have a right to ~ one's own future*); **2.** (*et faktum*) bestemme, konstatere (*fx the alcohol percentage*; *what really happened*); fastslå; **3.** F beslutte;
□ *~ on* beslutte sig for.

determined [di'tə:mind] *adj.* beslutsom; målbevidst;
□ *~ to* fast besluttet på at.

determiner [di:'tə:minə] *sb.* (*gram.*) determinator [*bestemmelsesord*].

determinism [di'tə:minizm] *sb.* (*filos.*) determinisme.

determinist[1] [di'tə:minist] *sb.* (*filos.*) determinist.

determinist[2] [di'tə:minist] *adj.* (*filos.*) deterministisk.

deterministic [ditə:mi'nistik] *adj.* (*filos.*) deterministisk.

deterrence [di'ter(ə)ns] *sb.* afskrækkelse.

deterrent[1] [di'ter(ə)nt] *sb.* **1.** afskrækkelsesmiddel; **2.** afskrækkelsesvåben.

deterrent[2] [di'ter(ə)nt] *adj.* afskrækkende; afskrækkelses-.

detest [di'test] *vb.* afsky; hade.

detestable [di'testəbl] *adj.* afskyelig.

detestation [di:tes'teiʃən] *sb.* afsky (*of* for).

dethrone [di'θrəun] *vb.* detronisere, støde fra tronen; afsætte.

dethronement [di'θrəunmənt] *sb.* detronisering; afsættelse.

detonate ['detəneit] *vb.* **1.** detonere, eksplodere; **2.** (*med objekt*) få til at/lade eksplodere; sprænge; udløse.

detonation [detə'neiʃn] *sb.* F **1.** detonation; eksplosion; sprængning; **2.** (*lyd*) brag.

detonator ['detəneitə] *sb.* **1.** detonator; tændladning; **2.** (*jernb.*) knaldsignal.

detour[1] ['di:tuə] *sb.* **1.** omvej; afstikker; **2.** (*am.*) omkørsel.

detour[2] ['di:tuə] *vb.* køre en omvej; gøre en afstikker.

detox[1] [di:'tɔks] *sb.* T afgiftning; (*for alkohol*) afrusning.

detox[2] [di:'tɔks] *vb.* afgifte; (*for alkohol*) afruse.

detox clinic *sb.* afvænningsklinik.

detoxification [di:tɔksifi'keiʃn] *sb.* afgiftning; (*for alkohol*) afrusning.

detoxification centre *sb.* afrusningsklinik.

detoxify [di:'tɔksifai] *vb.* afgifte; (*for alkohol*) afruse.

detract [di'trækt] *vb.*: *~ from* nedsætte, svække, forringe; *~ attention from* bortlede opmærksomhe-

---

den fra.

detractor [di'træktə] *sb.* bagtaler; bagvasker; kritiker;
□ *he has many -s* der er mange der taler nedsættende om ham.

detrain [di:'trein] *vb.* **1.** stige ud af tog; **2.** (*med objekt*) lade stige ud af tog; udlosse af tog.

detriment ['detrimənt] *sb.*: *to the ~ of* til skade for; *without ~ to* uden skade for.

detrimental [detri'ment(ə)l] *adj.* skadelig (*to* for).

detritus [di'traitəs] *sb.* **1.** (*geol.*) forvitringsprodukt(er); forvitringsgrus; **2.** (*fig.*) rester; affald.

de trop [də'trəu] *adj.* (F el. spøg.) uvelkommen; i vejen, til ulejlighed;
□ *feel ~* føle sig tilovers.

deuce [dju:s] *sb.* **1.** (*i spil*) toer; **2.** (*i tennis*) lige; 40-40;
□ *how//what//where the ~* (*glds. T*) hvordan//hvad//hvor pokker; *a ~ of a …* (*glds. T*) en pokkers ….

deuced [dju:st] *adj.* (*glds. T*) pokkers.

Deuteronomy [dju:tə'rɔnəmi] *sb.* (*i Biblen*) femte Mosebog.

devaluation [di:vælju'eiʃn] *sb.* devaluering.

devalue [di:'vælju:] *vb.* **1.** (*økon.*) devaluere; nedskrive; **2.** (*fig.*) nedvurdere.

devastate ['devəsteit] *vb.* ødelægge; hærge.

devastated *adj.* **1.** ødelagt; **2.** (*om person*) fortvivlet; helt slået ud; knust.

devastating ['devəsteitiŋ] *adj.*
1. (*alt*)ødelæggende (*fx explosion*; *effect*); **2.** (*fig.*) rystende (*fx news*); frygtelig; overvældende; **3.** (*glds. T*) fantastisk, forrygende, overvældende;
□ *a ~ blow* et knusende/tilintetgørende slag; *~ criticism* sønderlemmende kritik.

devastation [devə'steiʃn] *sb.*
1. ødelæggelse; hærgen; **2.** fortvivlelse.

develop [di'veləp] *vb.* **1.** (efterhånden) få (*fx a taste for sth*; *measles*; *engine trouble*); **2.** (*mht. omfang*) udbygge (*fx an organization*; *a system*); udvide (*fx a business*); udvikle (*fx one's muscles*); **3.** (*teori*, *metode*) udvikle (*fx a technique*; *a new method*); **4.** (*tankerr*) videreføre, udvikle (*fx his original idea*); **5.** (*midler*) udnytte (*fx the resources of a country*); **6.** (*grundareal*) byggemodne; udstykke; (udstykke og) bebygge; **7.** (*mat.*) udfolde; **8.** (*mil.*) gruppere [*til kamp*]; **9.** (*foto.*) fremkalde;

---

10. (*uden objekt*) udvikle sig (*fx she is developing rapidly*); (*om problem etc.*) opstå (*fx a row has -ed about the financing*; *cracks -ed in the wall*);
□ *be -ing a cold* være ved at blive forkølet; *~ into* **a.** udvikle sig til: **b.** (*med objekt*) udbygge til; forvandle til (*fx ~ the firm into a multi-national company*).

developer [di'veləpə] *sb.* **1.** (*af ejendom*) entreprenør; (*neds.*) byggespekulant; **2.** (*af teori*) skaber; **3.** (*foto.*) fremkalder(væske);
□ *he is a late ~* han er sent udviklet; *one of the -s of this product* en af dem der har været med til at udvikle dette produkt.

developing country *sb.* udviklingsland; uland.

development [di'veləpmənt] *sb.*
1. opståen; **2.** udvikling (*fx of a child*; *there has been a significant ~ in the case*); **3.** erhvervelse; **4.** (*mht. omfang*) udvikling; udbygning; udvidelse; **5.** (*af teori*, *metode*) udvikling; **6.** (*af tanker*) videreførelse; **7.** (*af midler*) udnyttelse; **8.** (*af grundareal*) byggemodning; udstykning; (udstykning og) bebyggelse; (*om det der er bygget*) bebyggelse; **9.** (*mat.*) udfoldning; **10.** (*foto.*) fremkaldelse; **11.** (*mus.*) gennemføring; (*i sonate*) gennemføringsdel.

developmental [diveləp'ment(ə)l] *adj.* udviklings- (*fx process*; *psychology*).

development area *sb.* udviklingsområde.

deviance ['di:viəns] *sb.* afvigelse.

deviant[1] ['di:viənt] *sb.* afviger (*fx sexual ~*).

deviant[2] ['di:viənt] *adj.* afvigende.

deviate ['di:vieit] *vb.* **1.** afvige (*from* fra); **2.** (*mar.*) deviere.

deviation [di:vi'eiʃn] *sb.* **1.** afvigelse (*from* fra, *fx the norm*); **2.** (*i statistik*) afvigelse (*fx standard ~*); **3.** (*mar.*: *kompassets*) deviation.

deviationist [di:vi'eiʃ(ə)nist] *sb.* afviger [*fra partilinjen*].

device [di'vais] *sb.* **1.** (*mekanisk*) indretning, anordning; apparat, mekanisme; **2.** (*mil. etc.*) bombe; **3.** (*noget udtænkt*) påfund; opfindelse; **4.** (*til at opnå noget*) plan; list; **5.** (*her.*) devise, valgsprog;
□ *leave him to his own -s* lade ham sejle sin egen sø; lade ham klare sig selv.

devil[1] [dev(ə)l] *sb.* **1.** djævel; **2.** T fyr, ka'l (*fx lucky ~*); djævel (*fx poor ~*); **3.** (*glds.*) volontør; ulønnet assistent//advokatfuldmægtig;

□ *-s on horseback* [*ristet brød med svesker rullet ind i bacon*]; *be a ~ and ...* blæs på det hele og ...; *he is a bit of a ~* T han er en fræk fyr; han er en værre en; *a ~ of a* T en/et fandens (*fx nuisance*; *problem*); *a ~ of a fellow* en fandens ka'l; *I had a ~ of a job/the -'s own job to persuade him* det var fandens besværligt at få ham overtalt; *the ~* djævelen; *the -'s own job* se: *ovf.*; *better the ~ you know (than the devil you don't)* man ved hvad man har (men ikke hvad man får); *between the ~ and the deep (blue) sea* som en lus mellem to negle; i et dilemma; *how*/*what*/*where the ~* hvordan//hvad//hvor fanden; *like the ~* som bare fanden; [*med vb.*] *give the ~ his due* ret skal være ret; man kan også gøre (et) skarn uret; *go to the ~!* (*glds.*) gå pokker i vold! *the ~ looks after his own* fanden hytter sine; *there'll be the ~ to pay* (*glds.*) så er fanden løs; der bliver en fandens ballade; *play the ~ with* ødelægge; rasere; gøre kål på; *speak*/*talk of the ~ (and you'll see his tail/horns)* når man taler om solen så skinner den.

devil[2] [dev(ə)l] *vb.* **1.** tilberede med kraftig krydring; **2.** (*am.* T) plage; **3.** (*glds.*; jf. *devil*[1] *3*) arbejde som volontør *etc.*

devilfish ['devlfiʃ] *sb.* (*zo.*) djævlerokke.

devilish ['dev(ə)liʃ] *adj.* **1.** djævelsk (*fx tortures*); **2.** djævelsk besværlig; pokkers, forbandet.

devil-may-care [dev(ə)lmei'kɛə] *adj.* fandenivoldsk; ligeglad.

devilment ['devlmənt] *sb.* (*glds.*) drilagtighed; kådhed, vildskab.

devil ray *sb.* (*zo.*) djævlerokke.

devilry ['devlri] *sb.* se *devilment*.

devil's advocate *sb.* **1.** (*hist.*) advocatus diaboli, djævelens advokat [*som fremfører alle de negative sider*]; **2.** (*i en diskussion*) [*en der bevidst indtager et upopulært standpunkt*].

devil's bit *sb.* (*bot.*) djævelsbid.

devious ['di:viəs] *adj.* **1.** (*om person, metode*) lusket; **2.** (*om vej*) snørklet (*fx route*); □ *~ means* uærlige midler; krogveje; *by ~ paths* ad omveje.

devise [di'vaiz] *vb.* **1.** udtænke; opfinde, finde på; **2.** (*jur.*) testamentere.

devoid [di'vɔid] *adj.*: *~ of* F blottet for; *~ of sense* meningsløs.

devolution [di:və'lu:ʃn] *sb.* **1.** dele-

gering [*af myndighed, beføjelser til et underordnet organ, fx fra parlament til regionalstyre*]; decentralisering; hjemmestyre; **2.** (*jur.*) overgang (*on* til); overdragelse; **3.** (*biol.*) degeneration.

devolve [di'vɔlv] *vb.* overdrage, delegere (*to* til, *fx power to regional governments*); □ *~ to* **a.** se: *ovf*; **b.** = *~ (up)on*; *~ (up)on* **a.** tilfalde, overgå til (*fx his duties -d on a colleague*); **b.** (*jur.*) overgå til; gå i arv til.

Devonian[1] [de'vəuniən] *sb.* **1.** indbygger i Devonshire; **2.** (*geol.*) devon.

Devonian[2] [de'vəuniən] *adj.* devonisk; som hører til Devonshire.

devote [di'vəut] *vb.*: *~ to* hellige (til) (*fx ~ more of one's time to one's family*); vie til (*fx one's life to art*//*to working for peace*); ofre på (*fx she -d all her time to her studies*); *~ all one's energy to* sætte al sin kraft ind på.

devoted [di'vəutid] *adj.* **1.** hengiven (*fx husband*); **2.** ivrig, passioneret (*fx bridge player*); begejstret (*fx fan*); □ *~ to* helliget (*fx a concert entirely ~ to the works of Grieg*); *be ~ to* være meget optaget af (*fx a cause*; *one's garden*); *be ~ to sby* være en hengiven; *they are still ~ to one another* de holder stadig meget af hinanden.

devotee [devə'ti:] *sb.* **1.** ivrig/begejstret tilhænger; elsker (*of* af); **2.** (*rel.*) tilhænger (*fx of the Hare Krishna movement*); □ *bridge ~* passioneret bridgespiller.

devotion [di'vəuʃn] *sb.* **1.** hengivenhed; **2.** (*rel.*) fromhed; gudsfrygt; □ *-s* andagtsøvelser; andagt; *~ to* **a.** hengivenhed for; kærlighed til; **b.** brændende optagethed af (*fx a cause*); *his ~ to football* hans fodboldentusiasme; *~ to duty* pligttroskab.

devotional [di'vəuʃn(ə)l] *adj.* religiøs (*fx literature*; *music*; *pictures*); andagts- (*fx book*); opbyggelig; (*let glds.*) gudelig.

devour [di'vauə] *vb.* (se også *devouring*) **1.** sluge (*fx one's dinner*; *he was -ed by a lion*); F opæde (*fx the revolution -s its children*); **2.** (*om ild*) fortære; **3.** (*tekst*) sluge (*fx a novel*); □ *-ed by* (*fig.*) fortæret af (*fx jealousy*; *hatred*); overvældet af (*fx anxiety*); *he -ed her with his eyes* han slugte hende med øjnene.

devouring [di'vauəriŋ] *adj.* fortæ-

rende (*fx passion*); altopslugende.

devout [di'vaut] *adj.* **1.** (*rel.*) from (*fx Catholic*; *Muslim*); gudfrygtig; **2.** (*som tror på en sag*) overbevist (*fx Marxist*); ivrig (*fx supporter*); **3.** (*dybtfølt*) inderlig (*fx prayer*, *hope*).

dew[1] [dju:] *sb.* dug.

dew[2] [dju:] *vb.* dugge.

dewberry ['dju:b(ə)ri] *sb.* (*bot.*) korbær.

dewclaw ['dju:klɔ:] *sb.* vildklo; femte (overtallig) klo.

dewdrop ['dju:drɔp] *sb.* dugdråbe.

dewlap ['dju:læp] *sb.* **1.** løs hud under halsen; (*hos person, spøg.*) pludderkød; **2.** (*hos kvæg*) doglæp, doglap.

dewy ['dju:i] *adj.* **1.** (*litt.*) dugget, dugvåd; **2.** (*fig.*) dugfrisk.

dewy-eyed [dju:i'aid] *adj.* blåøjet, troskyldig, naiv.

dexterity [deks'terəti] *sb.* **1.** (finger)færdighed, fingernemhed, behændighed; dygtighed; **2.** (*mental*) hurtig opfattelsesevne, kvikhed.

dexterous ['dekst(ə)rəs] *adj.* **1.** fingerfærdig, fingernem; behændig; øvet; **2.** (*mentalt*) hurtig i opfattelsen, kvik.

dextral ['dekstrəl] *adj.* **1.** højrehåndet; **2.** (*zo.*) højrevendt; højresnoet.

dextrorotatory [dekstrə'rəutət(ə)ri] *adj.* (*kem.*) højredrejende.

dextrose ['dekstrəus] *sb.* dekstrose; druesukker.

dextrous *adj.* = *dexterous*.

DF *fork. f.* **1.** *Defender of the Faith*; **2.** *direction finder*.

DFC *fork. f. Distinguished Flying Cross.*

D flat *sb.* (*mus.*) des.

DFM *fork. f. Distinguished Flying Medal.*

dhoti ['dəuti] *sb.* lændeklæde [*brugt af hinduer*].

dhow [dau] *sb.* dhow [*en- el. tomastet arabisk fartøj*].

diabetes [daiə'bi:ti:z] *sb.* (*med.*) sukkersyge.

diabetic[1] [daiə'betik] *sb.* (*med.*) diabetiker, sukkersygepatient.

diabetic[2] [daiə'betik] *adj.* **1.** (*med.*) sukkersyge-; **2.** diabetiker- (*fx chocolate*).

diabolic [daiə'bɔlik] *adj.* djævelsk.

diabolical [daiə'bɔlik(ə)l] *adj.* **1.** djævelsk (*fx cruelty*; *cunning*); diabolsk; **2.** T rædselsfuld.

diabolo [di'æbələu] *sb.* djævlespil.

diachronic [daiə'krɔnik] *adj.* diakronisk [*som tager hensyn til det historiske forløb*].

diacritic [daiə'kritik] *sb.* diakritisk

D *diadem*

tegn [*som angiver et bogstavs udtale, fx prik, accent*].

diadem ['daiədem] *sb.* diadem.

diagnose ['daiəgnəuz] *vb.* diagnosticere; stille en diagnose for.

diagnosis [daiəg'nəusis] *sb.* (*pl. diagnoses* [-si:z]) diagnose.

diagnostic [daiəg'nɔstik] *adj.* diagnostisk.

diagnostic program *sb.* (*it*) diagnoseprogram, fejlfindingsprogram.

diagonal[1] [dai'ægən(ə)l] *sb.* diagonal.

diagonal[2] [dai'ægən(ə)l] *adj.* diagonal.

diagram ['daiəgræm] *sb.* diagram; skematisk tegning, skema; figur.

diagrammatic [daiəgrə'mætik] *adj.* diagrammatisk; skematisk.

dial[1] ['daiəl] *sb.* 1. (*på ur*) urskive; 2. (*på instrument*) skive; skala; 3. (*på apparat, radio etc.*) indstillingsknap; 4. (*tlf., glds.*) nummerskive; 5. S ansigt, fjæs.

dial[2] ['daiəl] *vb.* (*tlf.: et nummer*) dreje; kalde op; (*på trykknaptelefon*) trykke, taste.

dialect ['daiəlekt] *sb.* (*sprogv.*) dialekt.

dialectal [daiə'lekt(ə)l] *adj.* (*sprogv.*) dialektal; dialekt- (*fx differences*).

dialectic [daiə'lektik] *sb.* (*filos.*) dialektik.

dialectical [daiə'lektik(ə)l] *adj.* (*filos.*) dialektisk; som hører til dialektikken.

dialectical materialism *sb.* dialektisk materialisme.

dialectics [daiə'lektiks] *sb.* (*filos.*) dialektik.

dialling code *sb.* (*tlf.*) områdenummer.

dialling tone *sb.* (*tlf.*) klartone.

dialogue ['daiəlɔg] *sb.* 1. dialog; samtale; 2. (*teat.; film. etc.*) dialog; replikskifte; replikker.

dial tone *sb.* (*tlf., am.*) klartone.

dial-up ['daiəlʌp] *adj.* opkalds-; opkoblet.

dialysis [dai'ælisis] *sb.* (*pl. dialyses* [-si:z]) (*kem.*) dialyse.

diamanté [daiə'mɔntei, -'mænti] *sb.* glasdiamanter.

diameter [dai'æmitə] *sb.* diameter, tværmål.

diametrical [daiə'metrik(ə)l] *adj.* 1. (*geom.*) diametrisk; 2. diametral (*fx opposite* modsætning).

diametrically [daiə'metrik(ə)li] *adv.* diametralt (*fx different; opposed//opposite* modsat).

diamond ['daiəmənd] *sb.* 1. diamant; 2. (*figur*) rombe; 3. (*i kortspil*) ruder (*fx his last* ~); 4. (*i baseball*) diamantstykket [*inderste*

del af banen*];
□ *it is* ~ *cut* ~ de er lige stærke//gode//dygtige; *a* ~ *in the rough* se *rough diamond*;
-s a. diamanter, diamantsmykker;
b. (*i kortspil*) ruder (*fx -s are trumps*); *the king of -s* ruder konge; *the four of -s* ruder fire; *black -s* sorte diamanter; stenkul.

diamond bird *sb.* (*zo.*) diamantfugl.

diamond cutter *sb.* diamantsliber.

diamond jubilee *sb.* 60-årsdag.

diamond wedding *sb.* diamantbryllup.

diaper[1] ['daiəpə] *sb.* 1. rudet mønster; 2. [(*håndklæde)stof med rombeformet/rudet mønster*]; 3. (*am.*) ble.

diaper[2] ['daiəpə] *vb.* 1. [*forsyne med rudet mønster*]; 2. (*am.*) give ble på.

diaphanous [dai'æfənəs] *adj.* (*litt.*) gennemsigtig.

diaphragm ['daiəfræm] *sb.* 1. (*anat.*) mellemgulv; 2. (*i telefon etc.*) membran; 3. (*foto.*) blænder; 4. (*med.*) pessar.

diarist ['daiərist] *sb.* dagbogsforfatter.

diarrhoea [daiə'riə, -'ri:ə] *sb.* diarré.

diary ['daiəri] *sb.* 1. lommebog; lommekalender; 2. dagbog;
□ *keep a* ~ (*jf.* 2) føre dagbog (*of* over).

diatribe ['daiətraib] *sb.* heftigt udfald; voldsom kritik; stridsskrift.

dibber ['dibə] *sb.* = *dibble*[1].

dibble[1] ['dibl] *sb.* plantepind, plantestok.

dibble[2] ['dibl] *vb.* lave huller//plante med plantepind.

dibs [dibz] *sb. pl.* S gysser, kugler [ɔ: *penge*];
□ *get* ~ *on* (*am.*) få førsteret til; få lov til at væge først af; *have* ~ *on* (*am. børnesprog*) have sagt helle for.

dice[1] [dais] *sb.* (*pl. dice*) 1. terning; 2. terningspil;
□ *load the* ~ forfalske terningerne; *loaded* ~ falske terninger; *play with loaded* ~ (*fig.*) snyde [*ved at have en skjult fordel*]; *the* ~ *were loaded against him* (*fig.*) han var dårligt stillet; han havde ikke mange chancer; *no* ~! (*am.* S) ikke tale om!

dice[2] [dais] (*glds.*) *pl. af die*[1] 4.

dice[3] [dais] *vb.* 1. rafle; 2. (*mad*) skære i terninger (*fx -d carrots*);
□ ~ *with death* lege med døden.

dicebox ['daisbɔks] *sb.* raflebæger.

dicey ['daisi] *adj.* T risikabel; usikker.

dichotomy [dai'kɔtəmi] *sb.* F 1. opdeling i to grupper; tvedeling; 2. modsætning (*between* imellem);
□ *classification by* ~ todelt klassifikation.

Dick [dik] (*kortform af*) *Richard.*

dick [dik] *sb.* 1. (*vulg.*) pik; 2. (*vulg. om person*) skvadderhoved; lort; 3. (*am.* S) detektiv, opdager;
□ *you don't know* ~ *about it* (*am.* T) det ved du ikke en skid om.

dickens ['dikinz] *sb.* (*glds.* T: *i ed*) pokker, fanden.

dicker ['dikə] *vb.* 1. (*neds.: småligt*) skændes; handle; 2. (*om pris*) tinge, prutte.

dickey[1] ['diki] *sb.* 1. (*beklædning*) klipfisk, løst skjortebryst; snydebluse; 2. (*glds.: i bil*) åbent bagsæde; 3. (*hist.: på hestekøretøj*) kuskesæde.

dickey[2] ['diki] *adj.* S sløj; dårlig; svag.

dickhead ['dikhed] *sb.* S skvadderhoved, idiot.

dicky = *dickey.*

dicky bird *sb.* T pipfugl;
□ *not a* ~ ikke spor.

dicky bow [-bəu] *sb.* T = *bow tie.*

dicta *pl. af dictum.*

Dictaphone® ['diktəfəun] *sb.* diktafon.

dictate[1] ['dikteit] *sb.* diktat; bud (*fx the -s of conscience*).

dictate[2] [dik'teit, (*am.*) 'dikteit] *vb.* 1. (*til nedskrivning*) diktere; 2. (*beordre, nødvendiggøre*) diktere (*fx they -d the terms; common sense -s that we should do it*); bestemme.

dictation [dik'teiʃn] *sb.* diktat;
□ *from* ~ efter diktat.

dictator [dik'teitə] *sb.* diktator.

dictatorial [diktə'tɔ:riəl] *adj.* diktatorisk.

dictatorship [dik'teitəʃip] *sb.* diktatur.

diction ['dikʃn] *sb.* 1. diktion, udtale, foredrag; 2. ordvalg, udtryksmåde (*fx poetic* ~).

dictionary ['dikʃn(ə)ri] *sb.* 1. (*for sprog*) ordbog; 2. (*for andet*) ordbog (*fx* ~ *of quotations*); leksikon (*fx* ~ *of architecture*); håndbog.

dictum ['diktəm] *sb.* (*pl. dicta* ['diktə]) 1. (*autoritativ*) udtalelse, erklæring; 2. (*klog*) maksime; sentens.

did [did] *præt. af do*[3].

didactic [d(a)i'dæktik] *adj.* 1. didaktisk, belærende; 2. (F: *neds. om person*) belærende; docerende;
□ ~ *poem* læredigt.

didactics [dai'dæktiks] *sb.* didaktik.

diddle ['didl] *vb.* **1.** T snyde, fuppe; **2.** (*am.*) drysse tiden væk; **3.** (*am.* S) bolle;
□ ~ *sby out of sth* snyde en for noget; narre noget fra en; ~ *with* (*am.*) lege med; fuske med; give sig lidt af med.

diddly ['didli] *sb.* (*am.* T) ikke spor.

dido ['daidəu] *sb.* (*am.* T) nummer; trick.

didy ['didi] *sb.* ble.

die¹ [dai] *sb.* **1.** prægestempel; matrice; **2.** (*til mønter*) møntstempel; **3.** (*til gevind*) skruebakke; gevindskærer; **4.** (*glds.* (*pl. dice*)) terning;
□ *the* ~ *is cast* terningerne er kastet.

die² [dai] *vb.* **1.** dø; **2.** (*om lyd, lys*) dø hen; **3.** (*om plante*) dø, visne, gå ud; **4.** (T: *om maskine etc.*) gå i stå;
□ *be dying* **a.** være ved at dø, ligge for døden; **b.** (T: *fig.*) være ved at dø (*fx from the heat* af varme); *be dying for//of//to* se: *ndf.; I nearly -d!* T jeg var ved at dø! *never say* ~*!* frisk mod!; (se også *death*); [*med præp.& adv.*] ~ *away* dø hen (*fx the noise died away*); ~ *back* (*om plante*) visne ned; ~ *by* *one's own hand* dø for egen hånd; ~ *by the sword* falde for sværdet; (*bibelsk*) omkomme ved sværdet; ~ *down* stilne af; ebbe ud; *be to* ~ *for* T være fantastisk god (*fx their ice creams are to* ~ *for*); *be dying for* længes efter; være helt syg efter (*fx a drink*); ~ *hard* (*fig.*) være sejlivet; være svær at få bugt med; ~ *in the last ditch* se *last²;* (se også *boot, sleep¹*); ~ *of* dø af (*fx cancer; grief*); *be dying of* være ved at dø/gå 'til af (*fx boredom; curiosity*); ~ *off* dø en efter en; dø bort; ~ *out* uddø, dø ud; *be dying to* længes efter at, være ved at dø af længsel efter at.

die-cast ['daika:st] *vb.* matricestøbe.

diehard¹ ['daiha:d] *sb.* **1.** stivstikker; stivnakke; **2.** (*pol.*) stokkonservativ; ærkereaktionær.

diehard² ['daiha:d] *adj.* stokkonservativ; ærkereaktionær;
□ ~ *Communist* betonkommunist.

diesel ['di:z(ə)l] *sb.* **1.** dieselolie; **2.** dieselmotor; **3.** dieseltog.

diesel engine *sb.* dieselmotor.

diesel oil *sb.* dieselolie.

diesinker ['daisiŋkə] *sb.* stempelskærer.

diet¹ ['daiət] *sb.* **1.** kost (*fx exercise*

and (*a*) *proper* ~ *will help*); føde; **2.** (*med begrænsninger, fx med.*) diæt; **3.** (*for at tabe sig*) slankekur (*fx he started a* ~); **4.** (*hist.*) rigsdag; landdag;
□ *be on a* ~ **a.** (*jf. 2*) være på diæt, holde diæt; **b.** (*jf 3*) være på slankekur; *be fed on a* ~ *of* (*fig.; neds.*) blive spist af med, blive fyldt/stopfodret med (*fx pop songs and television*).

diet² ['daiət] *adj.* (*om fødevarer*) med lavt kalorieindhold.

diet³ ['daiət] *vb.* **1.** holde diæt; **2.** være på slankekur; **3.** (*med objekt*) sætte på diæt.

dietary ['daiət(ə)ri] *adj.* kost- (*fx habits; changes; fibre*); diæt-.

dieter ['daiətə] *sb.* en der (tit) er på slankekur.

dietetic [daii'tetik] *adj.* (*am.* F) med lavt kalorieindhold.

dietetics [daiə'tetiks] *sb.* diætetik.

dietician [daiə'tiʃn] *sb.* diætist.

differ ['difə] *vb.* **1.** være forskellig(e); afvige (*from* fra); **2.** (*mht. mening*) være uenig(e) (*from, with* med);
□ ~ *from* (*jf. 1, også*) adskille sig fra; *I beg to* ~ jeg tillader mig at være af en anden mening; jeg er ikke enig; (se også *agree* (*to differ*)).

difference ['dif(ə)rəns] *sb.* **1.** forskel (*between* imellem); **2.** forskellighed (*fx their* ~ *from one another*); **3.** (*mht. omfang*) forskel; difference (*fx the* ~ *is 517*); afvigelse; **4.** (*mht. mening*) uenighed; strid; mellemværende;
□ *with a* ~ speciel; anderledes; ~ *of opinion* meningsforskel; forskel i opfattelse; *same* ~*!* det kommer ud på ét! (*spøg.*) forskellen er ens! [*med vb.*] *make a* ~ *between them* gøre forskel på dem [ɔ: være uretfærdig]; *it makes a* ~ *what one eats* det gør en forskel/det betyder noget hvad man spiser; *that makes all the* ~ det gør en stor forskel; det er noget helt andet; *it makes no* ~ det gør ingen forskel, det gør ikke noget; det kommer ud på ét; *settle a* ~ afgøre et mellemværende; bilægge en strid; *split the* ~ mødes på halvvejen; indgå kompromis; (se også *know², tell*).

different ['dif(ə)rənt] *adj.* **1.** forskellig (*from* fra); anderledes (*from* end); **2.** (*noget for sig*) speciel, særpræget, anderledes; **3.** (*foran sb.*) forskellig (*fx many* ~ *types; in* ~ *countries*); **4.** (*ny*) anden (*fx she wore a* ~ *hat; she has a* ~ *job now*);

□ ~ *than* (*især am.*) forskellig fra, anderledes end; *that is* ~ det er noget andet/en anden sag; (se også *chalk¹*).

differential¹ [difə'renʃ(ə)l] *sb.* **1.** forskel; **2.** lønforskel; prisforskel; **3.** (*tekn.*) differentiale.

differential² [difə'renʃ(ə)l] *adj.* forskels-; differentieret.

differential calculus *sb.* (*mat.*) differentialregning.

differential gear *sb.* (*tekn.*) differentiale.

differentiate [difə'renʃieit] *vb.* **1.** differentiere; **2.** (*uden objekt*) differentieres;
□ ~ *between* **a.** skelne imellem (*fx fantasy and reality*); **b.** gøre forskel på (*fx the pupils*); ~ *from* **a.** skelne fra (*fx fantasy from reality*); **b.** adskille fra (*fx that which -s our products from others*).

differentiation [difərenʃi'eiʃn] *sb.* **1.** differentiering; sondren; skelnen; **2.** adskillelse.

difficult ['difik(ə)lt] *adj.* **1.** (*om opgave etc.*) vanskelig, svær; **2.** (*om person*) vanskelig, besværlig.

difficulty ['difik(ə)lti] *sb.* vanskelighed; sværhed;
□ *have* ~ + *-ing, have* ~ *in* + *-ing* have bevær med at; have svært ved at (*fx* (*in*) *understanding it*); *make/raise difficulties* komme med indvendinger; gøre knuder; [*med præp.*] *be in difficulties/difficulty* være i (*økonomiske*) vanskeligheder; have problemer; *get into* ~ få problemer/besvær; komme i forlegenhed; *with* ~ med besvær.

diffidence ['difid(ə)ns] *sb.* forsagthed, mangel på selvtillid; tilbageholdenhed; beskedenhed.

diffident ['difid(ə)nt] *adj.* forsagt, tilbageholdende, som mangler selvtillid; beskeden; frygtsom.

diffraction [di'frækʃn] *sb.* diffraktion, (*af*)bøjning [*af lysstråle*].

diffuse¹ [di'fju:s] *adj.* **1.** spredt (*fx light*); diffus; **2.** (*om udtryksmåde*) diffus, vidtløftig; uklar.

diffuse² [di'fju:z] *vb.* F **1.** udbrede (*fx knowledge*); sprede; **2.** (*uden objekt*) brede sig (*fx the warmth -d through my limbs*); sprede sig; **3.** (*fys.*) diffundere;
□ ~ *the tension* mindske/lette spændingen.

diffusion [di'fju:ʒ(ə)n] *sb.* **1.** spredning; udbredelse; **2.** (*fys.*) diffusion.

dig¹ [dig] *sb.* (se også *digs*) **1.** stød, puf; **2.** (*bemærkning*) hib (*at* til); **3.** (*arkæol.*) udgravning;
□ *have a* ~ *at sby* give en et hib;

stikke til en; (se også *rib¹*).
dig² [dig] *vb.* (*dug, dug*) **1.** grave
(*fx a hole; a tunnel; the garden*);
2. (*arkæol.*) udgrave; **3.** (*glds.* T)
forstå; kunne lide; **4.** (*am.*) be-
mærke; **5.** (*uden objekt*) grave;
6. (*am.* T) slide, morakke;
□ ~ *deep* (*fig.*) gå grundigt til
værks; ~ *deep into* se *pocket¹*;
[*med præp., adv.*] ~ *around* lede
rundt omkring; ~ *for* grave efter;
~ *in* a. grave ned; **b.** (*om soldat*)
grave sig ned; **c.** (*fig.*) se ndf.: ~ *in
one's heels*; ~ *in!* T gå i gang! tag
fat! [ɔ: *opfordring til at spise*]; ~
in the spurs hugge sporerne i; ~
in one's heels/toes gøre sej mod-
stand; sætte hælene i; (kridte sko-
ene og) stå fast; ~ *oneself in*
a. (*mil.*) grave sig ned; **b.** (*fig.*) for-
skanse sig; stå fast; **c.** gå i gang;
(se også *rib¹*); ~ *into* a. grave sig
ned i; **b.** (*om ting*) gnave sig ind i
(*fx the seat belt was -ging into his
shoulder*); **c.** (*penge*) gøre indhug
i, tage hul på (*fx one's savings*);
d. (*mad, arbejde*) kaste sig over;
e. (*med hånden*) stikke hånden
ned i, dykke ned i (*fx she dug
into her handbag*); (se også
pocket¹); **f.** (*med objekt*) stikke
ned i (*fx ~ one's hands into one's
pockets*); ~ *one's nails into* sætte
neglene i; ~ *out* grave frem; ~
over gennemgrave; ~ *up* a. grave
frem; grave op; **b.** (*sted, vej*) grave
op (*fx the road*).
digest¹ ['daidʒest] *sb.* **1.** oversigt,
sammendrag; **2.** [*tidsskrift med
sammendrag//oversigtsartikler*].
digest² [dai'dʒest, di-] *vb.* **1.** (*føde*)
fordøje, optage; (*uden objekt*)
blive fordøjet; **2.** (*oplysninger*)
fatte; tilegne sig; **3.** (*noget vanske-
ligt*) gennemtænke; fordøje;
4. (*materiale*) ordne; bringe i sy-
stem.
digestible [dai'dʒestəbl, di-] *adj.*
1. (*om mad*) fordøjelig; letfordøj-
elig; **2.** (*fig.: om tekst, oplysning*)
letfordøjelig.
digestion [dai'dʒestʃn, di-] *sb.*
1. fordøjelse; **2.** (*af tekst, oplys-
ning*) forståelse; tilegnelse; **3.** (*af
kloakslam*) udrådning.
digestive¹ [dai'dʒestiv, di-] *sb.*
1. [*middel som fremmer fordøjel-
sen*]; **2.** [*kiks af usigtet mel*].
digestive² [dai'dʒestiv, di-] *adj.*
1. fordøjelses- (*fx system; trouble*);
2. fordøjelsesfremmende; god for
fordøjelsen.
digger ['digə] *sb.* **1.** gravemaskine;
2. guldgraver; **3.** (*austr.* T, *i tiltale*)
kammerat; soldat.
digger wasp *sb.* (*zo.*) graveveps.

diggings ['digiŋz] *sb. pl.* **1.** udgrav-
ning; **2.** udgravet materiale:
3. (*glds.* T) logi, bolig.
digit ['didʒit] *sb.* **1.** encifret tal; cif-
fer (*fx the number 1997 contains
four -s*); **2.** F tå; finger.
digital ['didʒit(ə)l] *adj.* digital (*fx
audio tape; recording; display*).
digital clock *sb.* digitalur.
digitalis [didʒi'teilis] *sb.* (*bot.*) fin-
gerbøl; digitalis.
digital socks *sb. pl.* sokker med
„tæer" i.
digitigrade ['didʒitigreid] *sb.* (*zo.*)
tågænger.
digitization [didʒitai'zeiʃn] *sb.* di-
gitalisering.
digitize ['didʒitaiz] *vb.* digitalisere.
dignified ['dignifaid] *adj.* værdig.
dignify ['dignifai] *vb.* **1.** beære; ka-
ste glans over (*fx the Queen's
presence dignified the occasion*);
2. (*i omtale*) ophøje (*fx don't ~
that wreck by calling it a car*);
hædre; give et fint navn.
dignitary ['dignit(ə)ri] *sb.* fornem
person; rangsperson; dignitar;
□ *dignitaries* (*også*) notabiliteter.
dignity ['dignəti] *sb.* værdighed;
□ ~ *on one's dignity* holde på
værdigheden.
digress [dai'gres] *vb.* komme væk
fra/forlade emnet; gøre et side-
spring;
□ ~ *from* komme/gå væk fra, for-
lade.
digression [dai'greʃn] *sb.* digres-
sion; afvigelse fra emnet; side-
spring; sidebemærkning.
digs [digz] *sb. pl.* (*glds.* T) logi, bo-
lig.
dike [daik] *sb.* se *dyke*.
diktat ['diktæt] *sb.* diktat [ɔ: *ordre*].
dilapidated [di'læpideitid] *adj.*
forfalden, forsømt, medtaget.
dilapidation [dilæpi'deiʃn] *sb.* for-
fald.
dilatation [dailei'teiʃn, -lə-] *sb.*
(*med.*) udvidelse;
□ ~ *and curettage* (*med.*) udskrab-
ning.
dilate [dai'leit, (*am.*) 'daileit] *vb.*
1. udspile (*fx one's nostrils*); ud-
vide; **2.** (*uden objekt*) udvide sig
(*fx the pupils of his eyes -d in the
dark*);
□ ~ *on* F udbrede sig om; tale vidt
og bredt om.
dilation [dai'leiʃn] *sb.* udvidelse.
dilatory ['dilət(ə)ri] *adj.* F sendræg-
tig, nølende; forhalings- (*fx pol-
icy; tactics*).
dildo ['dildəu] *sb.* dildo [*penisat-
trap*].
dilemma [dai'lemə, di-] *sb.* di-
lemma.

dilettante [dilə'tænti, (*am.*) -'taːn-]
sb. (*pl. -s/dilettanti* [-ti]) F dilet-
tant, amatør.
dilettantism [dili'tæntizm] *sb.* di-
lettanteri.
diligence ['dilidʒəns] *sb.* **1.** flid;
omhu; **2.** (*hist.:* dagvogn) dili-
gence.
diligent ['dilidʒənt] *adj.* flittig; om-
hyggelig (*in* med).
dill [dil] *sb.* (*bot.*) dild.
dill pickle *sb.* agurkesalat med
dild.
dilly-dally ['dilidæli] *vb.* (*glds.* T)
1. tøve, vakle; **2.** smøle.
diluent ['diljuənt] *sb.* fortyndings-
middel; fortynder.
dilute¹ [dai'l(j)uːt] *adj.* fortyndet.
dilute² [dai'l(j)uːt] *vb.* **1.** fortynde;
spæde op; **2.** (*fig.*) svække, ud-
vande; udtynde; **3.** (*uden objekt*)
kunne fortyndes.
dilution [d(a)i'l(j)uːʃn] *sb.* **1.** for-
tynding; opspædning; opblan-
ding; **2.** (*fig.*) svækkelse; udvan-
ding; udtynding.
dim¹ [dim] *adj.* **1.** (*om lys*) mat,
svag; **2.** (*om sted*) dunkel (*fx cor-
ner*); **3.** (*om skikkelse, omrids*)
utydelig, sløret; **4.** (*om erindring*)
tåget, uklar, utydelig; **5.** (*om frem-
tidsudsigter*) trist, sløj; **6.** (*litt.:* om
syn) svag; **7.** (T: *om person*) dum,
sløv;
□ *in the ~ and distant past* i en
fjern fortid; *take a ~ view of* se
view¹.
dim² [dim] *vb.* A. **1.** (*lys*) dæmpe;
afblænde; **2.** (*billygte*) blænde
ned; **3.** (*øjne*) sløre (*fx eyes -med
with tears*); **4.** (*erindring, følelse,
håb*) svække; **5.** (*fremtidsudsigt*)
forringe;
B. (*uden objekt*) **1.** blive mat,
dæmpes; **2.** sløres; **3.** svækkes;
4. (*om erindring*) fortone sig;
5. (*om fremtidsudsigt*) forringes.
dime [daim] *sb.* (*am.*) ticent;
□ *they are a ~ a dozen* T dem går
der tretten på dusinet af; dem kan
man fodre svin med; *turn on a ~*
T vende på en tallerken.
dime novel *sb.* (*am.*) knaldroman.
dimension¹ [dai'menʃn] *sb.* dimen-
sion;
□ *-s* a. dimensioner; **b.** (*fig.*) om-
fang (*fx the -s of the problem*).
dimension² [dai'menʃn] *vb.* dimen-
sionere.
diminish [di'miniʃ] *vb.* **1.** formind-
ske; reducere; gøre mindre;
2. (*fig.*) reducere, forklejne (*fx his
achievements*); **3.** (*uden objekt*)
formindskes; blive mindre;
□ *the law of -ing returns* det afta-
gende udbyttes lov.

diminution [dimiˈnjuːʃn] *sb.* formindskelse; reduktion.
diminutive[1] [diˈminjutiv] *sb.* (*sprogv.*) **1.** diminutiv, formindskelsesord; **2.** diminutivendelse; **3.** kortform (*fx Jim is a ~ of James*).
diminutive[2] [diˈminjutiv] *adj.* diminutiv; meget lille.
dimity [ˈdimity] *sb.* [*tætvævet stribet el. ternet bomuldsstof*].
dimmer [ˈdimə] *sb.* **1.** lysdæmper; **2.** (*am.*) kørelys; □ *-s* parkeringslys.
dimmer switch *sb.* **1.** = *dimmer*; **2.** (*i bil*) nedblændingskontakt.
dimple [ˈdimpl] *sb.* **1.** lille fordybning; **2.** (*i ansigt*) smilehul; hagekløft.
dimpled [ˈdimpld] *adj.*, **dimply** [ˈdimpli] *adj.* **1.** med små fordybninger; **2.** (*om ansigt*) med smilehuller; **3.** (*om vand*) kruset.
dimwit [ˈdimwit] *sb.* fjols, tåbe.
dim-witted [ˈdimwitid] *adj.* dum, tåbelig.
din[1] [din] *sb.* larm, spektakel; drøn, bulder.
din[2] [din] *vb.* larme; drøne, buldre; □ *~ it into him/his ears* banke det ind i hovedet på ham.
dine [dain] *vb.* **1.** spise til middag; **2.** (*med objekt*) invitere på middag; servere middag for; (se også *wine*[2]);
□ *~ off/on roast goose* få gåsesteg til middag; *~ out* spise (til middag) ude; *~ out on* (*spøg.*) få middagsinvitationer på grund af [ɔ: så man kan fortælle om det].
diner [ˈdainə] *sb.* **1.** middagsgæst; **2.** (*jernb.*) spisevogn; **3.** (*am.*) billigt spisested.
dinette [daiˈnet] *sb.* **1.** spisekrog; **2.** (*am.*) møblement til spisekrog.
dingbat [ˈdiŋbæt] *sb.* (*am.* S) skør kule; fjog;
□ *have the -s* (*austr.*) have delirium.
ding-dong [ˈdiŋdɔŋ] *sb.* **1.** (*lyd af klokke*) dingdang; **2.** T forrygende slagsmål//skænderi; **3.** (*am.* T) fjog;
□ *~ fight* **a.** meget jævnbyrdig kamp; **b.** forrygende slagsmål.
dinghy [ˈdiŋi, ˈdiŋgi] *sb.* jolle; gummibåd.
dingo [ˈdiŋgəu] *sb.* (*pl. -es*) (*zo.*; *austr.*) dingo, vild hund.
dingus [ˈdiŋəs] *sb.* (*am.* T) tingest.
dingy [ˈdin(d)ʒi] *adj.* **1.** snusket, snavset; mørk, trist; **2.** (*om tøj*) lurvet, snusket.
dining [ˈdainiŋ] *adj.* spise- (*fx car; room; table*).
dining car *sb.* (*jernb.*) spisevogn.

dining hall *sb.* spisesal; kantine.
dink [diŋk] *fork. f. double income no kids* [en af et velhavende ægtepar uden børn].
dinkum [ˈdiŋkəm] *adj.* (*austr.*) ægte, rigtig.
dinky[1] [ˈdiŋki] *sb.* = *dink*.
dinky[2] [ˈdiŋki] *adj.* **1.** T sød; fiks; **2.** (*am.*) lille; luset.
dinner [ˈdinə] *sb.* **1.** middag; middagsmad; **2.** festmiddag.
dinner dance *sb.* [*middag med dans bagefter*].
dinner jacket *sb.* smoking.
dinner mat *sb.* dækkeserviet.
dinner party *sb.* middagsselskab.
dinner service *sb.* spisestel.
dinner time *sb.* spisetid; middagstid.
dinosaur [ˈdainəsɔː] *sb.* dinosaurus, dinosaur.
dint [dint] *sb.* mærke (*af slag el. stød*); hak; bule;
□ *by ~ of* (*glds.*) ved hjælp af.
diocesan [daiˈɔsis(ə)n] *adj.* stifts-.
diocese [ˈdaiəsis] *sb.* stift; bispedømme.
diode [ˈdaiəud] *sb.* (*elek.*) diode.
dioptre [daiˈɔptə] *sb.* dioptri [*enhed for linsestyrke*].
dioxin [daiˈɔksin] *sb.* dioxin.
dip[1] [dip] *sb.* **1.** (*i væske*) neddypning, dyp (*fx a ~ in hot water will kill the insects*); **2.** (*bad*) dukkert; **3.** (*om niveau*) fald (*fx in prices; in popularity*); dyk; **4.** (*i terræn*) hældning, fald; sænkning, lavning; **5.** (*mad*) dip, sovs til at dyppe i; **6.** (*fys.*) magnetnålens inklination; (se også *sheep dip*).
dip[2] [dip] *vb.* **1.** sænke (*the colours* fanen); **2.** (*i væske*) dyppe (*in, into* i, *fx a brush in paint; one's finger into the water; a piece of bread into the soup*); **3.** (*lys*) støbe [*ved at dyppe en væge i talg*]; **4.** (*uden objekt*) synke (*fx the boat -ped slightly under his weight*); **5.** (*om solen*) synke, gå ned; **6.** (*om terræn*) sænke sig, falde, hælde; skråne (*fx the road -s*); **7.** (*om fugl: i luften*) dykke; **8.** (*i omfang*) falde, tage et dyk (*fx unemployment//his popularity has -ped*);
□ *~ the flag* kippe med flaget; *~ one's head* nikke med hovedet; *~ the (head)lights* blænde ned; *~ sheep* vaske får [*for at fjerne utøj*]; *~ one's wings* (*flyv.*) tippe med vingerne;
[*med præp.*] *~ 'in* (*om mad*) tage noget; *~ into* **a.** se: *1*; **b.** dykke ned i, stikke hånden ned i (*fx one's briefcase; a box of chocolates*); **c.** stikke fingeren i (*fx a jam*

jar); **d.** (*penge*) bruge af (*fx one's savings; the party funds*); **e.** (*bog, emne*) kigge i (*fx a book*); se lidt på; beskæftige sig overfladisk med; *~ into one's purse* (*fig.*) gøre et greb i lommen; *~ one's hand into* stikke hånden ned i.
Dip. *fork. f. diploma.*
diphtheria [difˈθiəriə] *sb.* (*med.*) difteritis, difteri.
diphthong [ˈdifθɔŋ] *sb.* (*fon.*) diftong, tvelyd.
diploma [diˈpləumə] *sb.* diplom; eksamensbevis, afgangsbevis.
diplomacy [diˈpləuməsi] *sb.* (*også fig.*) diplomati.
diplomat [ˈdipləmæt] *sb.* diplomat.
diplomatic [dipləˈmætik] *adj.* (*også fig.*) diplomatisk.
diplomatic bag *sb.* diplomatpost.
diplomatic corps *sb.*: *the ~* det diplomatiske korps.
diplomatic service *sb.*: *the ~* udenrigstjenesten, diplomatiet.
dipped beam *sb.* nærlys.
dipped candle *sb.* dyppet lys; tællelys.
dipped (head)lights *sb. pl.* nærlys.
dipper [ˈdipə] *sb.* **1.** øse; **2.** (*zo.*) vandstær; (se også *big dipper*, *Big Dipper*, *Little Dipper*).
dippy [ˈdipi] *adj.* T skør, tosset.
dipso [ˈdipsəu] *sb.* T alkoholiker.
dipsomania [dipsəˈmeiniə] *sb.* dipsomani; periodisk forfaldenhed til drik; alkoholisme.
dipsomaniac [dipsəˈmeiniæk] *adj.* dipsoman; kvartalsdranker; alkoholiker.
dipstick [ˈdipstik] *sb.* (*olie-stands*)målepind; pejlstok.
dip switch *sb.* nedblændingskontakt; nær- og fjernlysomskifter.
dire [ˈdaiə] *adj.* **1.** frygtelig; alvorlig; sørgelig; (*glds.*, *poet.*) svar; **2.** T rædsom; „dødssyg“;
□ *out of ~ necessity* tvunget af den hårde nød; *in ~ straits* i en alvorlig knibe; i svar nød.
direct[1] [diˈrekt, dai-] *adj.* **1.** (*om rute, vej*) direkte; lige; **2.** (*om forbindelse*) direkte, umiddelbar (*fx access; connection*); **3.** (*om persons væsen*) ligefrem;
□ *be a ~ descendant of* være en direkte efterkommer af; nedstamme i lige linje fra; *the ~ opposite of* det stik modsatte af; *in ~ proportion/ratio to* i ligefremt forhold til; ligefremt proportional med.
direct[2] [diˈrekt, dai-] *vb.* **1.** lede (*fx the work*); dirigere; **2.** (*brev*) adressere; **3.** (*film, teaterstykke*) instruere; **4.** (*musik, orkester*) dirigere;

D direct

□ ~ to//that give ordre til at, befale at;

[med præp.] ~ **against** rette mod (fx the assassination attempt was -ed against the dictator); ~ **at** **a.** rette mod (fx he -ed the beam of light at the wall; she -ed her anger/sarcasm at him); **b.** henvende til (fx the book is -ed at the younger generation); ~ **to a.** rette mod; (se også attention); **b.** henvende til (fx ~ one's remarks to sby; the question was -ed to me); **c.** vise//fortælle//anvise vejen til (fx could you ~ me to the manager's office, please?); ~ **towards** **a.** rette mod (fx ~ one's effort towards sth); **b.** styre mod (fx ~ one's steps towards the house).

direct [di'rekt, dai-] adv. direkte.

direct action sb. aktioner [i stedet for forhandling].

direct current sb. (elek.) jævnstrøm.

direct debit sb. direkte debitering; (svarer til) betalingsservice.

direct dialling sb. (tlf.) selvvalg.

direct hit sb. fuldtræffer.

direction [di'rekʃn, dai-] sb. **1.** (mod noget) retning (fx change ~; a step in the right ~); **2.** (af noget) ledelse (fx his ~ of the project); styring; **3.** (film.; teat.) instruktion;

□ **-s** anvisning(er); vejledning; -s for use brugsanvisning; give him the -s to her house fortælle ham hvordan han kommer/finder vej til hendes hus.

directional [di'rekʃn(ə)l, dai-] adj. **1.** retningsangivende; som viser retningen; **2.** (fig.) toneangivende (fx fashion shop); **3.** (elek.) retnings- (fx aerial; microphone).

direction finder sb. pejlapparat.

direction finding sb. pejling.

directionless [di'rekʃnləs, dai-] adj. retningsløs; uden mål.

directive [di'rektiv, dai-] sb. direktiv.

directly[1] [di'rektli, dai-] adv. **1.** (om sted) lige, direkte (fx ~ above my head); **2.** (om tid) umiddelbart (fx ~ after lunch); **3.** (glds.) straks; om et øjeblik.

directly[2] [di'rektli, dai-] konj. så snart; straks da.

direct mail sb. direct mail [udsendelse af adresserede reklamer].

direct marketing sb. direct marketing, direkte markedsføring.

director [di'rektə, dai-] sb. **1.** leder; direktør; **2.** (af film etc.) instruktør; **3.** (merk.) bestyrelsesmedlem; **4.** (mil.) retter.

directorate [di'rekt(ə)rət, dai-] sb.

1. (i ministerium etc.) direktorat; **2.** (merk.) direktion.

director general sb. generaldirektør.

directorial [direk'tɔ:riəl, dai-] adj. (jf. director) **1.** ledelses- (fx responsibility); direktør-; **2.** instruktør- (fx debut).

Director of Public Prosecutions sb. (svarer til) rigsadvokat.

director's chair sb. instruktørstol.

directorship [di'rektəʃip, dai-] sb. **1.** bestyrelsespost; **2.** direktørstilling.

directory [di'rekt(ə)ri, dai-, də-] sb. **1.** adressebog; vejviser; **2.** (tlf.) telefonbog; **3.** (it) bibliotek.

directory assistance sb. (am.) = directory enquiries.

directory enquiries sb. (tlf., svarer til) nummeroplysningen.

directrix [d(a)i'rektriks] sb. (mat.) ledelinje; ledekurve.

direct speech sb. (gram.) direkte tale.

dirge [də:dʒ] sb. klagesang; sørgesang.

dirigible ['diridʒəbl] sb. styrbart luftskib.

dirk [də:k] sb. (skotsk) dolk.

dirt [də:t] sb. **1.** snavs, skidt; **2.** (især am.) jord; **3.** (ved udvaskning af guld) grus; **4.** T sladder; **5.** T snavs, skidt; (se også dog dirt);

□ dig up ~ on T finde noget sladder om; dish the ~ on T rakke ned på, svine til; do sby ~, do the ~ on sby T se dirty (do the dirty); eat ~ lade sig byde hvad som helst; hit the ~ T falde om, gå i gulvet; treat sby like ~ behandle en sjofelt/som skidt.

dirt cheap adj. smadderbillig.

dirt road sb. (am.) jordvej; markvej.

dirt track sb. **1.** jordvej; **2.** (til motorcykelvæddeløb) slaggebane.

dirty[1] ['də:ti] adj. **1.** snavset (fx fingers); beskidt; **2.** (om handlemåde) beskidt (fx trick); tarvelig, gemen; **3.** (foran skældsord) beskidt (fx you ~ liar!); **4.** (mht. sex) sjofel (fx story; joke); fræk (fx postcard); porno- (fx magazine); **5.** (om atomvåben) som fremkalder radioaktiv forurening (fx bomb); **6.** (om farve) grumset- (fx grey; green); mellem- (fx blond);

□ do the ~ on sby behandle en sjofelt, lave en svinestreg mod en; snyde en; play ~ bruge beskidte kneb;

[med sb.] a ~ look et arrigt/olmt blik; a ~ old man en gammel gris; a ~ trick (jf. 2, også) en svine-

streg; ~ weather stormvejr; ~ weekend weekend med sin elsker//elskerinde; ~ word (fig.) uartigt ord; fy-ord; ~ work lumskeri; do his ~ work for him gøre det beskidte arbejde for ham; (se også linen).

dirty[2] ['də:ti] vb. gøre snavset; snavse/svine til;

□ ~ one's hands få snavsede hænder.

dis [dis] vb. se diss.

disability [disə'biləti] sb. **1.** handicap; **2.** (jur.) inhabilitet.

disable [dis'eibl] vb. **1.** (person) invalidere; handicappe; **2.** (apparat, system) sætte ud af funktion; afbryde (fx a burglar alarm); **3.** (mil.) gøre ukampdygtig; uskadeliggøre;

□ ~ him from doing it sætte ham ud af stand til at gøre det.

disabled [dis'eibld] adj. **1.** handicappet; **2.** (mil.) ukampdygtig; ubrugelig;

□ ~ soldier krigsinvalid.

disablement [dis'eiblmənt] sb. **1.** invalidering; **2.** erhvervsudygtighed; invaliditet; **3.** (mil.) ukampdygtighed.

disabuse [disə'bju:z] vb. F bringe/ rive ud af vildfarelse;

□ ~ of befri for.

disadvantage[1] [disəd'va:ntidʒ] sb. ulempe (of ved, fx the -s of the plan); mangel;

□ at a ~ uheldigt/ugunstigt stillet; put/place sby at a ~ stille en ringere; to sby's ~ til skade for en.

disadvantage[2] [disəd'va:ntidʒ] vb. være til skade for; skade; stille ringere.

disadvantaged [disəd'va:ntidʒd] adj. underprivilegeret; ugunstigt stillet (fx children).

disadvantageous [disədva:n- 'teidʒəs] adj. ufordelagtig.

disaffected [disə'fektid] adj. utilfreds, misfornøjet; fjendtligt indstillet.

disaffection [disə'fekʃn] sb. utilfredshed; misfornøjelse; oprørsånd.

disagree [disə'gri:] vb. **1.** (om person) være uenig (with med, fx him; with i, fx his decision); **2.** (om forhold) ikke stemme overens (with med);

□ ~ about/over være uenige om; lobster -s with me jeg kan ikke tåle hummer; jeg bliver dårlig af hummer.

disagreeable [disə'gri:əbl] adj. ubehagelig.

disagreement [disə'gri:mənt] sb. (jf. disagree) **1.** uenighed; uoverensstemmelse; strid; **2.** uoverensstemmelse.

disallow [disə'lau] *vb.* **1.** forkaste, afvise (*fx sby's testimony*); nægte at acceptere; **2.** (*i fodbold*) annullere, underkende (*fx a goal*).

disappear [disə'piə] *vb.* forsvinde; (se også *thin¹* (*air*) *trace¹*).

disappearance [disə'piərəns] *sb.* forsvinden.

disappoint [disə'pɔint] *vb.* skuffe.

disappointed [disə'pɔintid] *adj.* skuffet (*at/about* over, *fx the result*; *in/with* over, *fx him*; *that, to* over at).

disappointment [disə'pɔintmənt] *sb.* skuffelse.

disapprobation [disæprə'beiʃn] *sb.* F misbilligelse.

disapproval [disə'pru:v(ə)l] *sb.* misbilligelse.

disapprove [disə'pru:v] *vb.:* ~ *of* misbillige; være imod.

disarm [dis'a:m] *vb.* **1.** afvæbne; **2.** (*bombe etc.*) desarmere; uskadeliggøre; **3.** (*uden objekt*) nedlægge våbnene; aflevere sine våben; (*om land*) nedruste, afruste.

disarmament [dis'a:məmənt] *sb.* nedrustning, afrustning.

disarming [dis'a:miŋ] *adj.* afvæbnende (*fx smile*).

disarrange [disə'rein(d)ʒ] *vb.* F bringe i uorden.

disarrangement [disə'rein(d)ʒmənt] *sb.* uorden; forvirring.

disarray [disə'rei] *sb.* F **1.** forstyrrelse, forvirring; **2.** uorden; □ *in* ~ **a.** forstyrret, forvirret, kaotisk; i vild forvirring (*fx the meeting ended in* ~); **b.** rodet til, i ét rod.

disassemble [disə'sembl] *vb.* demontere, skille ad.

disassociate [disə'səuʃieit] *vb.:* ~ *from* adskille fra; ~ *oneself from* distancere sig fra, tage afstand fra.

disaster [di'za:stə] *sb.* ulykke; katastrofe.

disastrous [di'za:strəs] *adj.* ulykkelig; katastrofal.

disavow [disə'vau] *vb.* F **1.** fralægge sig ansvaret for (*fx the use of violence*); **2.** lægge afstand til; nægte at vedkende sig, fornægte (*fx one's past*; *any connection with them*).

disavowal [disə'vauəl] *sb.* **1.** fralæggelse af ansvar; **2.** fornægtelse.

disband [dis'bænd] *vb.* **1.** opløse; nedlægge; **2.** (*uden objekt*) opløse sig.

disbandment [dis'bændmənt] *sb.* opløsning; nedlæggelse.

disbar [dis'ba:] *vb.:* ~ *sby* fratage én advokatbestallingen.

disbelief [disbi'li:f] *sb.* vantro; tvivl.

disbelieve [disbi'li:v] *vb.* ikke tro på (*fx the evidence*); vægre sig ved at tro på; tvivle på; □ ~ *in* ikke tro på (*fx astrology*).

disbeliever [disbi'li:və] *sb.* ikke-troende, vantro.

disburden [dis'bə:dn] *vb.:* ~ *of* F lette for.

disburse [dis'bə:s] *vb.* F udbetale.

disbursement [dis'bə:smənt] *sb.* F **1.** udbetaling; **2.** (*jur.*) udlæg; **3.** (*am.*) uddele.

disc [disk] *sb.* **1.** (rund) skive; plade; **2.** (*it*) se *disk*; **3.** (*glds.*) grammofonplade; **4.** (*anat.*) discus; □ *slip a* ~ få diskusprolaps; (se også *slipped disc*).

discard¹ ['diska:d] *sb.* **1.** kasseret// kasserede ting; **2.** (*i kortspil*) afkast.

discard² [dis'ka:d] *vb.* **1.** (*noget ubrugeligt*) skille sig af med; kassere; kaste bort; **2.** (*i kortspil*) kaste af, smide; **3.** (*fig.*) kassere; opgive (*fx a theory*); lade falde; □ ~ *hearts* (*jf.* 2) kaste af i hjerter.

disc brake *sb.* skivebremse.

discern [di'sə:n, di'zə:n] *vb.* F **1.** se, skelne, skimte (*fx I could just* ~ *a figure*); **2.** opdage (*fx a new trend*); opfatte (*fx the difference*).

discernible [di'sə:nəbl, -'zə:n-] *adj.* F skelnelig; registrerbar.

discerning [di'sə:niŋ, -'zə:n-] *adj.* F **1.** kritisk, kræsen (*fx palate*; *customers*); **2.** skarpsindig (*fx the* ~ *reader*).

discernment [di'sə:nmənt, -'zə:n-] *sb.* F dømmekraft; skarpsindighed.

discharge¹ ['distʃa:dʒ, dis'tʃa:dʒ] *sb.* (jf. *discharge²*) **A.** (*om person*) **1.** (*fra stilling*) afskedigelse; **2.** (*fra hospital*) udskrivning; **3.** (*fra fængsel*) løsladelse; frigivelse; (se også *conditional discharge*); **4.** (*mil.*) hjemsendelse; **5.** (*mar.*) afmønstring; **6.** (*jur.*) frigørelse; fritagelse;
B. (*om andet*) **1.** (*af spildevand etc.*) udledning; udtømmelse; udsendelse; udstrømning; udløb; **2.** (*af forpligtelse*) udførelse (*fx of one's duties*); opfyldelse; **3.** (*af gæld*) betaling; **4.** (*af våben*) affyring; afskydning; salve; **5.** (*elek.*) afladning; udladning; **6.** (*mar.*) losning; **7.** (*med.*) udsondring; afsondring; udflåd; □ *the* ~ *of one's office* ens embedsførelse.

discharge² [dis'tʃa:dʒ] *vb.* **A.** (*person*) **1.** (*ansat*) afskedige; **2.** (*pati-*

ent) udskrive; **3.** (*fange*) løslade; frigive; **4.** (*mil.*) hjemsende; **5.** (*mar.*) afmønstre; **6.** (*jur.:* mht. gæld, forpligtelse) frigøre (*from* for); fritage (*from* for);
B. (*andet*) **1.** (*spildevand etc.*) udlede (*fx the factory -s its waste into the river*); (*i havet også*) udtømme (*fx oil*); (*i atmosfæren*) udsende (*fx smoke*); **2.** (*forpligtelse, hverv*) udføre (*fx one's duties*); opfylde; **3.** (*gæld*) betale; **4.** (*våben, projektil*) affyre (*fx a gun*); afskyde (*fx an arrow*); **5.** (*elek.*) udlade; aflade; **6.** (*mar.*) losse (*fx a ship*; *cargo*); **7.** (*med.*) afsondre; udskille (*fx pus*);
C. (*uden objekt*) **1.** (*jf. B 1*) blive udledt//udtømt//udsendt; strømme ud (*fx the oil -d into the sea*); **2.** (*jf. B 4*) blive skudt af; **3.** (*jf. B 5, om batteri*) blive afladt; **4.** (*jf. B 6*) losse (*fx ships waiting to* ~); **5.** (*jf. B 7, om sår*) væske; (*om øje, næse*) løbe.

discharge pipe *sb.* udløbsrør; spildevandsrør.

disc harrow *sb.* (*agr.*) tallerkenharve.

disciple [di'saipl] *sb.* discipel.

disciplinarian [disipli'nɛəriən] *sb.:* *a strict* ~ en der er tilhænger af// holder streng disciplin.

disciplinary ['disiplin(ə)ri, disi'plin(ə)ri, (*am.*) 'disiplineri] *adj.* disciplinær.

discipline¹ ['disiplin] *sb.* (*orden; fag etc.*) disciplin; (se også *breach*).

discipline² ['disiplin] *vb.* **1.** disciplinere; holde i tømme; **2.** straffe; □ *be -d* (*også*) få en irettesættelse; få en disciplinærstraf; ~ *oneself to* opdrage sig selv til at.

disciplined ['disiplind] *adj.* disciplineret.

disc jockey *sb.* T discjockey; pladevender.

disclaim [dis'kleim] *vb.* F **1.** afvise/ ikke anerkende at man har; benægte; **2.** (*jur.*) frasige sig; (*gæld*) fragå; (*arv*) give afkald på; □ ~ *any knowledge of* benægte ethvert kendskab til; ~ *responsibility for* fralægge sig ansvaret for.

disclaimer [dis'kleimə] *sb.* **1.** [*erklæring hvori man fralægger sig ansvaret*]; ansvarsfraskrivelse; **2.** (*mht. noget man skal have sagt*) dementi; berigtigelse; **3.** (*jur.*) gældsfragåelse; arveafkald.

disclose [dis'kləuz] *vb.* **1.** oplyse, offentliggøre, fremlægge (*fx the price*; *the terms*); meddele; **2.** (*noget hemmeligt*) åbenbare, afsløre (*fx one's plans; one's identity*); røbe (*fx a secret; one's intentions*).

disclosure [dis'kləuʒə] *sb.* **1.** oplysning, offentliggørelse, fremlæggelse; **2.** (*af noget hemmeligt*) afsløring; åbenbarelse.

disco ['diskəu] *sb.* T = *discotheque*.

discography [dis'kɔgrəfi] *sb.* diskografi, fortegnelse over indspilninger.

discoloration [diskʌlə'reiʃn] *sb.* misfarvning; plet; skjold.

discolour [dis'kʌlə] *vb.* **1.** misfarve; plette; **2.** (*uden objekt*) misfarves, blive misfarvet; blive skjoldet.

discolouration [diskʌlə'reiʃn] *sb.* = *discoloration*.

discombobulate [diskəm'bɔbjuleit] *vb.* T forvirre; lave koks i.

discomfit [dis'kʌmfit] *vb.*: ~ *sby* F **a.** gøre én forlegen; bringe en ud af fatning; **b.** genere en; sætte en i forlegenhed; forpurre ens planer.

discomfiture [dis'kʌmfitʃə] *sb.* F forlegenhed; ubehag.

discomfort[1] [dis'kʌmfət] *sb.* ubehag; gene.

discomfort[2] [dis'kʌmfət] *vb.* genere; volde ubehag.

discommode [diskə'məud] *vb.* F genere, besvære.

discompose [diskəm'pəuz] *vb.* F forurolige; forstyrre; bringe ud af fatning.

discomposure [diskəm'pəuʒə] *sb.* F uro; mangel på fatning; sindsoprør.

disconcert [diskən'sə:t] *vb.* gøre forlegen; forvirre; bringe ud af fatning; forurolige.

disconcerted [diskən'sə:tid] *adj.* forvirret, befippet, forlegen; foruroliget.

disconcerting [diskən'sə:tiŋ] *adj.* forvirrende; desorienterende; foruroligende; forbløffende.

disconnect [diskə'nekt] *vb.* **1.** afbryde (*fx the telephone; the ignition*); **2.** (*forsyning*) lukke for (*fx they have -ed our gas//electricity*) [ɔ: på grund af manglende betaling*]; **3.** (*elektrisk apparat*) koble fra; slukke for; **4.** (*ledninger*) sætte ud af forbindelse, tage fra hinanden;
□ ~ *from* adskille fra.

disconnected [diskə'nektid] *adj.* **1.** usammenhængende; **2.** (*tlf.*) afbrudt.

disconnection [diskə'nekʃn] *sb.* (cf. *disconnect*) **1.** afbrydelse; **2.** afbrydelse af leverance, lukning; **3.** frakobling;
□ ~ *from* adskillelse fra.

disconsolate [dis'kɔnsələt] *adj.*

1. utrøstelig; **2.** ulykkelig, fortvivlet.

discontent[1] [diskən'tent] *sb.* misfornøjelse; utilfredshed;
□ *the -s* de misfornøjede; de utilfredse.

discontent[2] [diskən'tent] *adj.* misfornøjet; utilfreds.

discontented [diskən'tentid] *adj.* misfornøjet; utilfreds.

discontinuance [diskən'tinjuəns] *sb.*, **discontinuation** [diskəntinju'eiʃn] *sb.* F afbrydelse; ophør.

discontinue [diskən'tinju:] *vb.* (se også *discontinued*) **1.** ophøre med, indstille (*fx one's visits*); standse; **2.** (*forbindelse, leverance*) afbryde (*fx the connection with sby*); inddrage (*fx a grant*); **3.** (*abonnement*) sige af, opsige; **4.** (*institution etc.*) lade gå ind (*fx a newspaper*); nedlægge (*fx a railway line; a bus route*); **5.** (*med.*) seponere (*fx a drug; a treatment*);
□ *be -d* (*merk.: om vare*) udgå.

discontinued [diskən'tinju:d] *adj.* (*merk.*) udgået.

discontinuity [diskənti'nju:iti] *sb.* F diskontinuitet; mangel på sammenhæng; afbrydelse.

discontinuous [diskən'tinjuəs] *adj.* usammenhængende; afbrudt.

discord ['diskɔ:d] *sb.* **1.** uoverensstemmelse; strid; splid; **2.** (*mus.*) disharmoni; dissonans.

discordant [dis'kɔ:d(ə)nt] *adj.* **1.** uoverensstemmende; **2.** disharmonisk; skurrende;
□ *strike a* ~ *note* (*fig.*) virke malplaceret.

discotheque ['diskətek] *sb.* diskotek.

discount[1] ['diskaunt] *sb.* rabat; fradrag; afslag [*i pris*];
□ *at a* ~ **a.** til nedsat pris; med rabat; **b.** (*om værdipapir*) under pari; *be at a* ~ (*fig.*) stå i lav kurs; *sell at a* ~ (*om værdipapir*) sælge til underkurs; ~ *for quantity* mængderabat.

discount[2] [dis'kaunt] *vb.* **1.** (*forhold, tanke*) se bort fra, ikke tage hensyn til; lade ude af betragtning (*fx that possibility may be -ed*); trække fra (*fx you will have to* ~ *much of what he says about her*); **2.** (*fremtidig begivenhed*) forud-diskontere; **3.** (*vare*) nedsætte; give rabat på; udbyde//sælge til nedsat pris; **4.** (*pris*) nedsætte; **5.** (*beløb, procent*) fradrage; **6.** (*veksel*) diskontere.

discount card *sb.* [*kort som giver ret til rabat*].

discountenance [dis'kauntənəns] *vb.* modarbejde; misbillige; tage

afstand fra (*fx the Government -d the plan*);
□ *be -d* (*om person*) blive bragt ud af fatning.

discounter [dis'kauntə] *sb.* discountforretning; lavprisforretning.

discount house *sb.* **1.** diskontobank; **2.** se *discounter*.

discount rate *sb.* diskonto.

discount store *sb.* discountbutik; lavprisbutik.

discourage [dis'kʌridʒ] *vb.* (se også *discouraging*) **1.** (*person*) tage modet fra; gøre modløs; **2.** (*handling*) søge at hindre; modvirke;
□ *be -d* (*også*) miste modet; ~ *him from* doing it søge at hindre ham i at gøre det; råde/få ham fra det.

discouragement [dis'kʌridʒmənt] *sb.* **1.** modløshed; **2.** modstand (*fx active* ~); **3.** [*ting/forhold som virker nedslående*].

discouraging [dis'kʌridʒiŋ] *adj.* nedslående.

discourse[1] ['diskɔ:s] *sb.* F **1.** afhandling (*on* om); (*mundtlig*) foredrag (*on* om); prædiken; **2.** (*generelt*) samtale; debat; kommunikation; **3.** (*måde at udtrykke sig på*) udtryksform (*fx obscure* ~; *allusive* ~; *scientific* ~); fremstilling; **4.** (*sprogv.*) diskurs; tekst.

discourse[2] [dis'kɔ:s] *vb.*: ~ *on* holde foredrag om; tale (*længe*) om; afhandle; ~ *with* samtale med.

discourteous [dis'kə:tjəs] *adj.* uhøflig.

discourtesy [dis'kə:təsi] *sb.* uhøflighed.

discover [dis'kʌvə] *vb.* **1.** opdage (*fx an unknown country; a plot; the pleasures of living in the country*); **2.** finde (*fx a body in the library*); **3.** (*glds.*) åbenbare; vise; røbe;
□ *John is -ed seated before an open fire* (*teat.*) da tæppet går op ses John siddende ....

discovered [dis'kʌvəd] *adj.*: ~ *check* afdækkerskak.

discoverer [dis'kʌv(ə)rə] *sb.* opdager [*fx af nyt land*].

discovery [dis'kʌv(ə)ri] *sb.* **1.** opdagelse (*fx the* ~ *of America*); **2.** fund (*fx the* ~ *of a body in the library*); **3.** (*jur.*) fremlæggelse.

discredit[1] [dis'kredit] *sb.* **1.** miskredit; **2.** skam, skændsel (*fx it is a* ~ *to the country*);
□ *bring* ~ *on* bringe i miskredit; bringe i vanry; *throw* ~ *on* svække tilliden til; så tvivl om; *know sth to sby's* ~ vide noget ufordelagtigt om en.

discredit[2] [dis'kredit] *vb.* (se også

discredited) **1.** (*person*) miskreditere, bringe i miskredit (*fx him; his policy*); **2.** (*påstand etc.*) så tvivl om (*fx a theory; the evidence*).

discreditable [dis'kreditəbl] *adj.* F beskæmmende, vanærende.

discredited [dis'kreditid] *adj.* miskrediteret, som er kommet i miskredit; vanæret.

discreet [dis'kri:t] *adj.* **1.** (*ikke opsigtsvækkende*) diskret; forsigtig (*fx enquiries*); taktfuld (*fx silence*); **2.** (*ikke åbenmundet*) diskret.

discrepancy [dis'krep(ə)nsi] *sb.* F uoverensstemmelse (*between* imellem); forskel.

discrepant [dis'krep(ə)nt] *adj.* uoverensstemmende; modstridende.

discrete [dis'kri:t] *adj.* F adskilt; særskilt.

discretion [dis'kreʃn] *sb.* **1.** skøn (*fx it is left to his* ~); **2.** (*evne*) skønsomhed; klogskab; **3.** (jf. *discreet 1*) diskretion; takt (*fx treat the information with* ~); forsigtighed; **4.** (jf. *discreet 2*) diskretion (*fx I rely on your* ~);
□ ~ *is the better part of valour* forsigtighed er en borgmesterdyd; *use one's* ~ handle efter skøn/pr. konduite;
[*med præp.*] *at* ~ efter skøn; efter behag (*fx payment at* ~); *surrender at* ~ overgive sig på nåde og unåde; *come to/arrive at years of* ~ komme til skelsår og alder; *within* one's ~ efter eget skøn.

discretionary [dis'kreʃn(ə)ri] *adj.* efter skøn; skønsmæssig.

discretionary power *sb.* bemyndigelse til at handle efter eget skøn; uindskrænket myndighed;
□ *have large -s* have vide beføjelser.

discriminate [dis'krimineit] *vb.* skelne (*between* imellem);
□ ~ *against sby* udsætte en for forskelsbehandling; diskriminere en; stille en ringere; ~ *one from the other* skelne den ene fra den anden; ~ *in favour of sby* give en positiv særbehandling; stille en bedre.

discriminating [dis'krimineitiŋ] *adj.* indsigtsfuld; kritisk (*fx customer*); fintmærkende; kræsen (*fx taste*).

discrimination [diskrimi'neiʃn] *sb.* **1.** skelnen (*between* imellem, *fx right and wrong*); sondring; **2.** (*neds.*) forskelsbehandling (*against* af); diskrimination (*against* af/imod); **3.** (*evne*) skelneevne, evne til at skelne; døm-

mekraft, skønsomhed, kritisk sans (*fx show* ~);
□ ~ *in favour of sby* positiv diskrimination/særbehandling af en.

discriminatory [dis'kriminət(ə)ri] *adj.* diskriminerende.

discursive [dis'kə:siv] *adj.* (F: om *stil*) springende, vidtløftig.

discus ['diskəs] *sb.* (*i sport*) diskos;
□ *the* ~ diskoskast.

discuss [dis'kʌs] *vb.* **1.** (*om flere*) diskutere, drøfte, debattere; **2.** (*om enkeltperson, i foredrag el. på tryk*) gøre rede for, behandle, diskutere.

discussion [dis'kʌʃn] *sb.* (jf. *discuss*) **1.** diskussion, drøftelse, debat; **2.** behandling; diskussion;
□ *be up for* ~ blive diskuteret, være til debat; *it is not up for* ~ det er/står ikke til diskussion, det er/står ikke til debat.

discussion paper *sb.* diskussionsoplæg, debatoplæg.

disdain[1] [dis'dein] *sb.* F foragt; ringeagt.

disdain[2] [dis'dein] *vb.* F **1.** foragte; **2.** (*tilbud etc.*) afvise med foragt; forsmå;
□ ~ *to do it* finde det under sin værdighed at gøre det.

disdainful [dis'deinf(u)l] *adj.* ringeagtende; hånlig;
□ *be* ~ *of* = *disdain*[2].

disease [di'zi:z] *sb.* sygdom.

diseased [di'zi:zd] *adj.* **1.** syg; angreben [*af sygdom*]; **2.** (*fig.*) syg; sygelig (*fx imagination*).

diseconomy [disi'kənəmi] *sb.* omkostningsstigning;
□ *diseconomies of scale* stordriftsulemper.

disembark [disim'ba:k] *vb.* F **1.** (*fra tog etc.*) stige af; **2.** (*mar.; flyv.*) gå fra borde.

disembarkation [disemba:'keiʃn] *sb.* **1.** udstigning; **2.** (*mar.*) landgang.

disembodied [disim'bɔdid] *adj.* **1.** ulegemlig; frigjort fra legemet; **2.** som ikke sidder på en krop (*fx a* ~ *head*);
□ *a* ~ *voice* (*omtr.*) en spøgelsesagtig stemme.

disembowel [disim'bauəl] *vb.* sprætte maven op på; tage indvoldene ud af.

disenchanted [disin'tʃa:ntid] *adj.* desillusioneret; skuffet (*with* over);
□ *be* ~ *with* (*også*) have mistet troen på.

disenchantment [disin'tʃa:ntmənt] *sb.* desillusion; skuffelse (*with* over).

disenfranchise [disin'fræn(t)ʃaiz]

vb. fratage stemmeretten.

disenfranchisement [disin'fræntʃizmənt] *sb.* fratagelse af stemmeret.

disengage [disin'geidʒ] *vb.* (se også *disengaged*) **1.** gøre fri (*from* af, *fx she -d herself from his embrace*); frigøre, løse (*from* fra); befri (*from* fra, for); **2.** (*tekn.*) udløse [*kobling*]; koble fra; **3.** (*mil.*) frigøre sig;
□ ~ *the clutch* (*i bil*) koble ud.

disengaged [disin'geidʒd] *adj.* fri, ledig, ikke optaget;
□ ~ *from* frigjort fra.

disengagement [disin'geidʒmənt] *sb.* **1.** befrielse (*from* for); frigørelse (*from* for, fra); frihed (*from* for); **2.** (*mil.*) frigørelse; afbrydelse af kontakt; troppeadskillelse.

disentangle [disin'tæŋgl] *vb.* **1.** (*noget sammenfiltret*) udrede; rede ud (*fx the threads*); bringe i orden; **2.** (*noget//nogen der hænger fast*) vikle løs (*from* af, fra, *fx* ~ *oneself from a rose bush*); frigøre (*from* fra, *fx they must* ~ *themselves from the past*); **3.** (*to ting der hænger sammen*) adskille, skille (*from* fra, *fx truth from lies; myth from reality*).

disentanglement [disin'tæŋglmənt] *sb.* (jf. *disentangle*) **1.** udredning; **2.** befrielse; **3.** adskillelse.

disequilibrium [dise:kwi'libriəm] *sb.* uligevægt; manglende balance.

disestablish [disi'stæbliʃ] *vb.*: ~ *the Church* F adskille stat og kirke.

disfavour [dis'feivə] *sb.* F mishag (*fx look at it//him with* ~); misbilligelse;
□ *be in* ~ *with* være i unåde hos; *fall into* ~ falde i unåde.

disfigure [dis'figə] *vb.* (jf. *disfigurement*) **1.** (*person*) vansire, skamfere; **2.** (*fx landskab*) skæmme.

disfigurement [dis'figəmənt] *sb.* **1.** vansiring; **2.** plet.

disfranchise [dis'fræn(t)ʃaiz] *vb.* se *disenfranchise*.

disgorge [dis'gɔ:dʒ] *vb.* **1.** udspy (*fx lava*); **2.** (*føde*) gylpe op; **3.** (*mennesker: om bus etc.*) slippe ud; **4.** (*penge*) give tilbage; udlevere; (*spøg.*) (modstræbende) give fra sig;
□ ~ *into* (*om flod*) udmunde i.

disgrace[1] [dis'greis] *sb.* skændsel (*fx it is a* ~*!*); vanære;
□ *be in* ~ være i unåde; *be a* ~ *to one's family* være en skamplet på familien;
[*med vb.*] **bring** ~ *upon* bringe skam/vanære over; **fall into** ~ falde i unåde; **suffer** *the* ~ *of*

D *disgrace*

being thrown out lide den tort at blive smidt ud.

disgrace[2] [dis'greis] *vb.* bringe skam over; vanære;

□ ~ *oneself* (*også*) blamere sig.

disgraced [dis'greist] *adj.* vanæret; skandaliseret; beskæmmet;

□ *feel* ~ (*også*) skamme sig.

disgraceful [dis'greisf(ə)l] *adj.* skammelig; uværdig; vanærende; skandaløs.

disgruntled [dis'grʌntld] *adj.* misfornøjet (*with* over); utilfreds; gnaven.

disguise[1] [dis'gaiz] *sb.* forklædning;

□ *in* ~ **a.** forklædt; maskeret; **b.** (*fig.*) maskeret; camoufleret (*fx a tax increase in* ~); skjult; (se også *blessing*); *in the* ~ *of* forklædt som; *throw off one's* ~ lægge forklædningen; kaste masken.

disguise[2] [dis'gaiz] *vb.* **1.** forklæde (*as som*); maskere (*as som*); **2.** (*fig.*) camouflere; tilsløre (*fx how bad it is*); skjule (*fx badly -d satisfaction*);

□ ~ *one's voice* fordreje sin stemme.

disgust[1] [dis'gʌst] *sb.* **1.** afsky (*at for*); væmmelse, modbydelighed, lede (*at ved*); **2.** forargelse;

□ *much to his* ~ til hans store forargelse.

disgust[2] [dis'gʌst] *vb.* (se også *disgusted, disgusting*) **1.** frastøde, fremkalde væmmelse hos; **2.** (*moralsk*) forarge; **3.** (*fysisk*) give kvalme;

□ *it -ed me* (*jf. 1, også*) jeg væmmedes ved det.

disgusted [dis'gʌstid] *adj.* **1.** frastødt (*at/with* af); led (*at/with* ved); **2.** (*moralsk*) forarget (*at/with* over);

□ *be* ~ (*også*) **a.** væmmes (*at/with* ved); føle afsky (*at/with* for); **b.** (*fysisk*) få kvalme (*by* af, *fx the smell of decay*).

disgustedly [dis'gʌstidli] *adv.* **1.** med væmmelse; med afsky; **2.** (*moralsk*) forarget;

□ *look* ~ *at* betragte med afsky// forargelse.

disgusting [dis'gʌstiŋ] *adj.* **1.** modbydelig, væmmelig, frastødende; **2.** (*moralsk*) forargelig; uanstændig.

dish[1] [diʃ] *sb.* **1.** fad; skål; (*mindre*) asiet; **2.** (*del af måltid*) ret (*fx a* ~ *of meat and potatoes*); **3.** S sød pige//flot fyr; **4.** = *dish antenna*;

□ *-es* service; porcelæn og bestik (*fx there were dirty -es on the kitchen counter*); *do/wash the -es*

vaske op; *dry the -es* tørre af.

dish[2] [diʃ] *vb.* (*glds.* T) gøre kål på; ødelægge;

□ ~ *it back* T give igen med samme mønt; svare igen; ~ *the dirt on* se *dirt*; ~ *out* **a.** dele ud, uddele; **b.** (*mad*) øse op; servere; **c.** T smide om sig med; ~ *it out* T være grov; ~ *up* **a.** (*mad*) rette an; servere; **b.** (*fig.*) præsentere; køre frem med; diske op med.

dish antenna *sb.* parabol(antenne).

disharmonious [disha:'məuniəs] *adj.* disharmonisk.

disharmony [dis'ha:məni] *sb.* disharmoni, uoverensstemmelse.

dishcloth ['diʃklɔθ] *sb.* **1.** karklud; **2.** viskestykke.

dish drainer *sb.* opvaskestativ.

dishearten [dis'ha:t(ə)n] *vb.* tage modet fra; gøre modløs.

disheartened [dis'ha:t(ə)nd] *adj.* forsagt; modløs.

disheartening [dis'ha:t(ə)niŋ] *adj.* nedslående.

dished [diʃt] *adj.* **1.** konkav; **2.** (*om hjul*) med styrt; **3.** T slået; „færdig".

dishevelled [di'ʃev(ə)ld] *adj.* **1.** (*om person*) uordentlig, forpjusket; med tøjet i uorden; **2.** (*om hår*) pjusket, uredt; **3.** (*om tøj*) krøllet.

dish liquid *sb.* (*am*) opvaskemiddel.

dish mat *sb.* bordskåner.

dishonest [dis'ɔnist, diz-] *adj.* uærlig; uhæderlig.

dishonesty [dis'ɔnisti, diz-] *adj.* uærlighed; uhæderlighed.

dishonour[1] [dis'ɔnə, diz-] *sb.* F vanære.

dishonour[2] [dis'ɔnə, diz-] *vb.* F **1.** vanære; **2.** (*løfte, aftale*) svigte; **3.** (*merk.*) ikke betale; ikke honorere (*en veksel*).

dishonourable [dis'ɔn(ə)rəbl, diz-] *adj.* **1.** (*om handling*) vanærende; **2.** (*om person*) uhæderlig.

dishpan ['diʃpæn] *sb.* (*am.*) opvaskebalje.

dishrag ['diʃræg] *sb.* karklud.

dish towel *sb.* viskestykke.

dishwasher ['diʃwɔʃə] *sb.* **1.** (*maskine*) opvaskemaskine; **2.** (*person*) opvasker; tallerkenvasker.

dishwater ['diʃwɔ:tə] *sb.* opvaskevand.

dishy ['diʃi] *adj.* S lækker; smart; laber.

disillusion[1] [disi'lu:ʒ(ə)n, -lju:-] *sb.* desillusionering.

disillusion[2] [disi'lu:ʒ(ə)n, -lju:-] *vb.* desillusionere; berøve illusioner.

disillusioned [disi'lu:ʒ(ə)nd] *adj.* desillusioneret, skuffet (*with* over);

□ *be* ~ *with* (*også*) have mistet sine illusioner om.

disillusionment [disi'lu:ʒ(ə)nmənt, -lju:-] *sb.* desillusionering.

disincentive [disin'sentiv] *sb.* F hæmsko; dæmper; motivationshæmmende forhold.

disinclination [disinkli'neiʃn] *sb.* utilbøjelighed, ulyst (*to* til at).

disinclined *adj.* utilbøjelig (*to* til at);

□ *be* ~ *to do it* (*også*) ikke have lyst til at gøre det.

disinfect [disin'fekt] *vb.* desinficere.

disinfectant [disin'fektənt] *sb.* desinfektionsmiddel.

disinfection [disin'fekʃn] *sb.* desinfektion.

disinflation [disin'fleiʃn] *sb.* begrænsning af inflation.

disinflationary [disin'fleiʃn(ə)ri] *adj.* inflationsbegrænsende.

disinformation [disinfɔ:'meiʃn] *sb.* misinformation.

disingenuity [disindʒi'nju:iti] *sb.* uoprigtighed; uærlighed; uvederhæftighed; falskhed.

disingenuous [disin'dʒenjuəs] *adj.* uoprigtig; uærlig, uvederhæftig; falsk.

disinherit [disin'herit] *vb.* gøre arveløs.

disintegrate [dis'intigreit] *vb.* **1.** gå i opløsning, falde fra hinanden (*fx the Empire//the organization -d*); **2.** (*om ting*) gå i stumper og stykker (*fx the aeroplane -d*); splintres; **3.** (*fig.*) smuldre (*fx the project -d; morale was disintegrating*); gå i opløsning, falde fra hinanden; **4.** (*om person*) bryde sammen.

disintegration [disinti'greiʃn] *sb.* (jf. *disintegrate*) **1.** opløsning; **2.** splintring; **3.** smuldren; **4.** sammenbrud.

disinter [disin'tə:] *vb.* **1.** (*lig*) grave op; **2.** (*fig.*) grave frem (*fx facts about his life*); bringe for dagen.

disinterest [dis'intrəst] *sb.* **1.** upartiskhed, neutralitet; objektivitet; **2.** T mangel på interesse (*in* for).

disinterested [dis'intrəstid] *adj.* **1.** upartisk, neutral; objektiv; **2.** T uinteresseret (*in* i).

disinterment [disin'tə:mənt] *sb.* opgravning.

disinvestment [disin'vestmənt] *sb.* (*merk.*) negativ investering; nedbringelse af investering.

disjointed [dis'dʒɔintid] *adj.* **1.** usammenhængende (*fx story*); **2.** (*om system etc.*) som er ved at falde fra hinanden.

disjunctive [dis'dʒʌŋ(k)tiv] *adj.*

1. adskillende; adskilt; **2.** (*gram.*) disjunktiv (*fx conjunction*).

disk [disk] *sb.* **1.** (*it*) disk; diskette; **2.** (*am.*) = *disc.*

disk drive *sb.* (*it*) diskdrev; diskettedrev.

diskette [dis'ket] *sb.* (*it*) diskette.

dislike[1] [dis'laik] *sb.* modvilje, antipati (*of/for* mod); ubehag (*of/for* ved); uvilje; ulyst; □ have a ~ *of/for* (*også*) ikke kunne lide, ikke bryde sig om; take a ~ *to* få modvilje/antipati mod; få noget imod; (se også *like*[1]).

dislike[2] [dis'laik] *vb.* ikke kunne lide, ikke bryde sig om; have noget imod.

disliked [dis'laikt] *adj.* upopulær; ilde lidt.

dislocate ['dislәkeit] *vb.* **1.** vride af led, forvride (*fx one's arm; one's knee; one's shoulder*); **2.** (*fig.*) bringe forstyrrelse i (*fx traffic was -d by the snow*); få til at bryde sammen.

dislocation [dislә'keiʃn] *sb.* (jf. *dislocate*) **1.** forvridning; **2.** forstyrrelse; sammenbrud.

dislodge [dis'lɔdʒ] *vb.* **1.** (*ting*) flytte; rykke//skubbe løs, løsne (*fx the earthquake -d huge boulders*); **2.** (*person*) fortrænge (*fx from first place*); fordrive; fjerne, afsætte; **3.** (*vildt*) opjage; **4.** (*mil.*: *fjenden*) fordrive, kaste.

disloyal [dis'lɔiәl] *adj.* illoyal (*to* imod).

disloyalty [dis'lɔiәlti] *sb.* illoyalitet.

dismal ['dizm(ә)l] *adj.* **1.** (*om person, stemning*) dyster (*fx expression*); trist; bedrøvelig, sørgelig; **2.** (*om andet*) dyster (*fx outlook*); skummel, mørk (*fx weather*); **3.** (T: *om kvalitet*) elendig, jammerlig (*fx performance*); ynkelig (*fx failure*).

dismantle [dis'mæntl] *vb.* **1.** (*maskine etc.*) demontere; skille ad; **2.** (*fig.*) nedlægge (*fx the welfare state*); ophæve, afskaffe (*fx apartheid*); afvikle; **3.** (*mar.*) afrigge, aftakle.

dismast [dis'ma:st] *vb.* (*mar.*) afmaste.

dismay [dis'mei] *sb.* F forfærdelse, bestyrtelse; modløshed, fortvivlelse.

dismayed [dis'meid] *adj.* forfærdet, bestyrtet; fortvivlet.

dismember [dis'membә] *vb.* **1.** (*krop*) skære//hugge lemmerne af, partere; lemlæste; **2.** (*land, organisation*) dele, opdele; opløse; □ his -ed body (*omtr.*) hans mishandlede lig.

dismemberment [dis'membәmәnt] *sb.* **1.** partering; lemlæstelse; **2.** deling, opdeling; opløsning.

dismiss [dis'mis] *vb.* **1.** sende bort//ud; lade gå; (*fra undervisning*) give fri (*fx the teacher -ed the class*); **2.** (*fra stilling*) afskedige; fjerne; **3.** (*tanke, emne etc.*) affærdige (*fx the subject*); afvise; opgive, slå af hovedet (*fx all thoughts of revenge*); ikke ville tænke på, skyde fra sig (*fx the idea; the problem*); **4.** (*jur.*: *en sag*) afvise; hæve; □ ~! (*mil.*) træd af! ~ *sby as useless* afskrive en som ubrugelig; ~ *it from* one's *mind/thoughts* slå det ud af hovedet.

dismissal [dis'misl] *sb.* (jf. *dismiss*) **1.** bortsendelse; **2.** afskedigelse; fjernelse; **3.** afærdigelse; afvisning; opgivelse; **4.** (*jur.*) afvisning.

dismissive [dis'misiv] *adj.* afvisende; afærdigende.

dismount [dis'maunt] *vb.* F **1.** stå af cyklen; stå 'af; **2.** (*fra hest*) stige af hesten; stige 'af; (*mil.*) sidde 'af; **3.** (*med objekt*) demontere.

disobedience [disә'bi:diәns] *sb.* ulydighed.

disobedient [disә'bi:diәnt] *adj.* ulydig (*to* imod).

disobey [disә'bei] *vb.* **1.** være ulydig mod; ikke adlyde; **2.** (*uden objekt*) være ulydig.

disobliging [disә'blaidʒiŋ] *adj.* F modvillig; vrangvillig; usamarbejdsvillig.

disorder [dis'ɔ:dә] *sb.* **1.** uorden (*fx he hates ~*); rod, forvirring, kaos; **2.** (*offentlig*) uro; urolighed, optøjer; **3.** (*med.*) forstyrrelse (*fx eating ~*); (mindre alvorlig) sygdom (*fx blood ~*); □ be in ~ (jf. 1) være i vild uorden/forvirring; ligge i ét rod (*fx the room was in ~*).

disordered [dis'ɔ:dәd] *adj.* **1.** uordentlig, rodet; **2.** (*om hår*) pjusket; **3.** (*om søvn*) urolig; **4.** (*med.*) syg (*fx mind*); □ mentally ~ mentalt forstyrret; psykisk syg.

disorderly [dis'ɔ:dәli] *adj.* F **1.** uordentlig; rodet (*fx room*); kaotisk; **2.** (*om personer*) urolig, larmende, oprørt, uregerlig (*fx crowd*); □ charged with being drunk and ~ tiltalt for beruselse og gadeuorden.

disorderly conduct *sb.* gadeuorden.

disorderly house *sb.* (*jur.*) bordel.

disorganization [disɔ:gәnai'zeiʃn] *sb.* desorganisation; mangel på organisation;

□ in a state of ~ = *disorganized 1.*

disorganized [dis'ɔ:gәnaizd] *adj.* **1.** desorganiseret; rodet; kaotisk; **2.** (*om person*) uorganiseret, usystematisk; uden styr på tingene.

disorient [dis'ɔ:riәnt] *vb.* desorientere; forvirre; □ be -ed (*også*) miste orienteringen.

disorientate [dis'ɔ:riәnteit] *vb.* = *disorient.*

disorientation [disɔ:riәn'teiʃn] *sb.* desorientering; forvirring.

disown [dis'әun] *vb.* nægte at vedkende sig/anerkende; slå hånden af (*fx one's daughter*); fornægte; (*glds.*) forskyde, forstøde.

disparage [dis'pæridʒ] *vb.* tale nedsættende om; nedvurdere, forklejne, nedgøre.

disparagement [dis'pæridʒmәnt] *sb.* F nedvurdering; forklejnelse.

disparaging [dis'pæridʒiŋ] *adj.* nedsættende (*fx make ~ remarks about sby*); foragtelig; □ be ~ of = *disparage.*

disparate ['dispәrәt] *adj.* F **1.** uensartet (*fx nation*); uhomogen; **2.** (*om flere ting*) helt forskellige (*fx cultures*); væsensforskellige, usammenlignelige (*fx ideas*); uforenelige.

disparity [dis'pærәti] *sb.* ulighed; forskel (*fx ~ in age*).

dispassionate [dis'pæʃnәt] *adj.* lidenskabsløs; rolig; upartisk.

dispatch[1] [di'spætʃ] *sb.* **1.** (*af personer*) udsendelse (*fx of a peacekeeping force*); **2.** (*af brev, varer*) afsendelse; ekspedition; **3.** (*meddelelse etc.*) depeche; melding; rapport; **4.** (*til avis*) beretning, telegram; **5.** (*aflivning*) drab; henrettelse; □ mentioned in -es (*mil.*) nævnt i dagsbefalingen; with ~ (*glds.*) hurtigt.

dispatch[2] [di'spætʃ] *vb.* **1.** (*person*) sende (*fx a messenger*); **2.** (*brev, varer*) afsende (*fx a telegram*); ekspedere; **3.** (*glds.*: *opgave*) få ordnet/få fra hånden i en fart (*fx an unpleasant job*); få ekspederet; **4.** (*spøg.*: *mad*) klare, ordne (*fx he -ed the pizza without any trouble*); **5.** (*glds. el. spøg.*: *dræbe*) gøre det af med, ekspedere.

dispatch box *sb.* dokumentskrin.

dispatch rider *sb.* **1.** (*mil.*) motorordonnans; **2.** (*merk.*) motorcykelbud.

dispel [dis'pel] *vb.* **1.** afkræfte, slå en pæl igennem, dementere (*fx a rumour; a myth*); **2.** (*følelse*) fordrive (*fx his dejection*); **3.** (*frygt*) fjerne, bortvejre.

D dispensable

dispensable [dis'pensəbl] *adj.* undværlig.

dispensary [dis'pens(ə)ri] *sb.* **1.** hospitalsapotek; **2.** (*i apotek*) officin, receptur.

dispensation [dispen'seiʃn] *sb.* F **1.** administration, forvaltning; system (*fx under the new* ~); **2.** fritagelse (*from* for, *fx military service*); dispensation; særlig tilladelse; **3.** (jf. *dispense 1*) uddeling; fordeling; □ *divine* ~ (*glds.*) en guddommelig tilskikkelse.

dispense [dis'pens] *vb.* **1.** uddele; fordele; **2.** (*medicin*) tillave, tilberede; udlevere; **3.** (*om automat*) levere, give fra sig (*fx soap*); □ ~ *from* fritage for; ~ *with* **a.** undvære, klare sig uden (*fx his help*); **b.** afskaffe, gå bort fra (*fx this procedure*); **c.** se bort fra (*fx formalities*); dispensere fra (*fx a rule*); fravige.

dispenser [dis'pensə] *sb.* **1.** uddeler; **2.** (*i apotek*) farmaceut; **3.** (*til sæbe etc.*) dispenser; automat; holder.

dispensing optician *sb.* [*optiker der fremstiller brilleglas efter recept*].

dispersal [di'spə:s(ə)l] *sb.* spredning.

dispersant [di'spə:s(ə)nt] *sb.* opløsningsmiddel [*til olie*].

disperse [di'spə:s] *vb.* **1.** sprede (*fx the crowd; the clouds*); opløse (*fx the crowd; the oil*); **2.** (*uden objekt*) sprede sig, spredes (*fx the crowd//the clouds began to* ~); **3.** (*om tåge*) lette.

dispersed [di'spə:st] *adj.* spredt.

dispersion [di'spə:ʃn, (*am.*) -ʒn] *sb.* **1.** F spredning; **2.** (*om lys*) dispersion; farvespredning; □ *cone of* ~ (*mil.*) spredningskegle.

dispirited [di'spiritid] *adj.* forstemt, nedslået, modløs.

dispiriting [di'spiritiŋ] *adj.* nedslående.

displace [dis'pleis] *vb.* fortrænge (*fx English -d their native dialect; she -d her sister in her mother's affections*); fordrive; træde i stedet for; □ *be -d* **a.** (*om ting*) forskubbe/forskyde sig; **b.** (*om person*) blive fordrevet; blive tvangsforflyttet.

displaced person *sb.* fordreven// tvangsforflyttet person; flygtning.

displacement [dis'pleismənt] *sb.* **1.** flytning; forskydning (*fx of the coast line*); **2.** (jf. *displace*) fortrængning; **3.** (*om person*) fordrivelse; **4.** (*mar.*) deplacement;

5. (*mil.*) stillingsskifte; **6.** (*tekn.*) se *piston displacement*.

displacement activity *sb.* overspringshandling.

display[1] [dis'plei] *sb.* **1.** opvisning (*fx a gymnastic//aerobatic* ~); **2.** (*af ting*) udstilling; **3.** (*af rigdom*) stillen til skue, praleri; **4.** (*på instrument*) display; **5.** (*it*) skærm; **6.** (*på skærm*) skærmbillede, visning; **7.** (*typ.*) fremhævelse; **8.** (*zo.*) [*ritualiseret adfærd*];
□ *a* ~ *of* det at vise/lægge for dagen; et tegn på (*fx affection; concern*); *a* ~ *of temper* en temperamentsudfoldelse; *make a* ~ *of* (*neds.*) prale med; stille til skue; *be on* ~ være udstillet; *put on* ~ udstille.

display[2] [dis'plei] *vb.* **1.** udstille (*fx old porcelain*); fremvise, vise (*fx one's medals*); sætte op (*fx an ad on the notice board; a sign in the window*); **2.** (*egenskab etc.*) udfolde (*fx great activity*); lægge for dagen; vise (*fx one's feelings; great courage*); **3.** (*neds.*) stille til skue; **4.** (*it*) vise; **5.** (*typ.*) fremhæve.

display aria *sb.* (*mus.*) bravurarie.

display cabinet *sb.* vitrine.

display type *sb.* (*typ.*) accidensskrift.

display unit *sb.* dataskærm.

displease [dis'pli:z] *vb.* mishage; irritere.

displeased [dis'pli:zd] *adj.* misfornøjet; utilfreds.

displeasing [dis'pli:ziŋ] *adj.* ubehagelig.

displeasure [dis'pleʒə] *sb.* misfornøjelse, mishag, utilfredshed; ærgrelse.

disport [di'spɔ:t] *vb.:* ~ *oneself* (*glds. el. spøg.*) muntre sig; tumle sig.

disposable [dis'spəuzəbl] *adj.* (se også *disposables*) **1.** som kan kasseres efter brugen; engangs- (*fx bottle*); **2.** (*økon.: om aktiver*) disponibel; afhændelig.

disposable income *sb.* disponibel indtægt.

disposables [dis'pəuzəblz] *sb. pl.* engangsting, engangsbleer, engangsemballage etc.

disposal [di'spəuz(ə)l] *sb.* **1.** (*af affald*) bortskaffelse; **2.** (*merk.*) overdragelse; afhændelse, salg; **3.** F ordning; anbringelse; opstilling (*fx of troops*); **4.** (*am.*) affaldskværn;
□ *at sby's* ~ til ens disposition/rådighed; *have sth at one's* ~ (*også*) have rådighed over noget.

dispose [di'spəuz] *vb.* (se også *disposed*) **1.** F ordne; anbringe, opstille (*fx he -d them in a circle*); **2.** (*litt.*) råde, herske;
□ *man proposes, God -s* mennesket spår, Gud rå'r; ~ *sby to* gøre en tilbøjelig til at/stemt for at; [med: *of*] ~ *of* **a.** (*ejendele*) afhænde, sælge; skille sig af med; **b.** (*noget ubrugeligt*) skaffe sig af med; kassere, smide ud; **c.** (*affald*) bortskaffe; **d.** (*modstander: i konkurrence*) ordne, blive færdig med; **e.** (F el. spøg.) gøre det af med, ekspedere [ɔ: *dræbe*]; **f.** (F: *sag*) færdigbehandle, ekspedere, afslutte; (*problem*) klare, ordne, få ud af verden; (*tvivl*) fjerne; (*kritik, argument, indvending*) imødegå; **g.** (T: *mad*) guffe i sig; (*drikke*) hælde i sig; **h.** (*hjælpemidler, penge etc.*) disponere/råde over (*fx a large income*).

disposed [di'spəuzd] *adj.* indstillet, sindet (*fx friendly* ~);
□ *are you* ~ *for a walk?* har du lyst til at gå en tur? *be* ~ *to* være tilbøjelig/villig til at (*fx help sby*); *well/favourably* **towards** velvilligt/gunstigt stemt over for.

disposition [dispə'ziʃn] *sb.* **1.** (*persons*) natur (*fx a selfish* ~); gemyt (*fx a happy* ~); temperament; **2.** (jf. *dispose 1*) ordning, fordeling; opstilling, anbringelse, placering; **3.** (*af ejendele*) afhændelse; **4.** (*jur.*) overdragelse; **5.** (*glds.*) bestemmelse (*fx a* ~ *of fate*); **6.** rådighed (*of* over);
□ *at sby's* ~ til ens disposition/rådighed; *a* ~ **to** en tilbøjelighed til//til at (*fx to jealousy; to change one's mind*).

dispossess [dispə'zes] *vb.* fordrive, forjage; sætte ud [*af hus*];
□ ~ *of* fratage, berøve.

dispossessed [dispə'zest] *adj.* berøvet alt hvad man ejer; hjemløs.

dispossession [dispə'zeʃn] *sb.* fordrivelse; berøvelse, fratagelse.

disproof [dis'pru:f] *sb.* F **1.** gendrivelse; **2.** modbevis.

disproportion [disprə'pɔ:ʃn] *sb.* F misforhold.

disproportionate [disprə'pɔ:ʃnət] *adj.* uforholdsmæssig; urimelig;
□ *it is* ~ *to* det står ikke i forhold til.

disprove [dis'pru:v] *vb.* modbevise (*fx a theory*); gendrive; afkræfte (*fx a rumour*).

disputable [dis'pju:təbl, 'dispjutəbl] *adj.* diskutabel, omtvistelig.

disputation [dispju'teiʃn] *sb.* (F el. *glds.*) debat; ordstrid; disput.

disputatious [dispju'teiʃəs] *adj.* (F *el. glds.*) trættekær.

dispute[1] [dis'pju:t, 'dispju:t] *sb.* strid (*with* med; *over* om, *fx a ~ with the management over pay*); stridighed (*fx border -s*); uenighed; (*især om arbejdsforhold også*) konflikt (*fx a labour ~*); □ *beyond* (*all*) *~* uimodsigelig, ubestridelig, indiskutabel; *in ~* (*om forhold*) omtvistet; *the amount in ~* det beløb sagen/striden drejer sig om; *the point in ~* stridspunktet; *be in ~ with* (*om personer*) ligge i strid med; være i konflikt med; *that is open to ~* det kan man strides om; *without ~ = beyond ~*.

dispute[2] [dis'pju:t] *vb.* (se også *disputed*) 1. (*rigtigheden af noget*) bestride (*fx the allegations; that he is responsible*); sætte spørgsmålstegn ved (*fx the official unemployment figures; whether it is true*); 2. (*retten til noget*) kæmpe om, strides om (*fx fishing rights*); □ *~ every inch of ground* forsvare hver tomme jord; yde hårdnakket modstand.

disputed [dis'pju:tid] *adj.* omstridt.

disqualification [diskwɔlifi'keiʃn] *sb.* 1. diskvalificering; diskvalifikation; 2. (*jur.*) inhabilitet.

disqualify [dis'kwɔlifai] *vb.* 1. diskvalificere; 2. gøre uegnet (*for* til, *fx military service*); 3. (*jur.*) gøre inhabil;
□ *he was disqualified from driving* han mistede/fik frakendt kørekortet.

disquiet[1] [dis'kwaiət] *sb.* F uro.

disquiet[2] [dis'kwaiət] *vb.* forurolige.

disquisition [diskwi'ziʃn] *sb.* F (indgående) redegørelse (*on* for); afhandling (*on* om); undersøgelse.

disregard[1] [disri'ga:d] *sb.* ignoreren (*of* af); ligegyldighed (*for* over for, for).

disregard[2] [disri'ga:d] *vb.* ignorere, lade ude af betragtning, se bort fra; lade hånt om.

disrepair [disri'pɛə] *sb.*: *in ~* (*om hus*) forfaldent; *fall into ~* forfalde, gå i forfald.

disreputable [dis'repjutəbl] *adj.* 1. berygtet (*fx person; place*); tvivlsom; 2. (*om handling*) uanstændig (*fx behaviour*); 3. (*om tøj*) afrakket, rædsom, håbløs.

disrepute [disri'pju:t] *sb.*: *be in ~* have et dårligt ry på sig; være berygtet; *bring sby into ~* bringe en i miskredit; give en et dårligt ry; *fall into ~* blive berygtet; komme i miskredit.

disrespect [disri'spekt] *sb.* respektløshed; uærbødighed;
□ *~ for* (*også*) mangel på respekt for; *no ~ to ...* med al respekt for ...; ikke et ondt ord om ....

disrespectful [disri'spektf(u)l] *adj.* respektløs; uærbødig.

disrobe [dis'rəub] *vb.* 1. (F *el. spøg.*) afføre sig sit tøj; klæde sig af; 2. (*med objekt*) afklæde.

disrupt [dis'rʌpt] *vb.* afbryde (*fx telephone services*); forstyrre, bringe forstyrrelse i (*fx a meeting*); skabe kaos i, få til at bryde sammen (*fx the city's transport system*); få til at gå i opløsning (*fx family life*).

disruption [dis'rʌpʃn] *sb.* (jf. *disrupt*) afbrydelse; forstyrrelse; sammenbrud; opløsning.

disruptive [dis'rʌptiv] *adj.* opløsende; ødelæggende; nedbrydende (*fx forces*).

diss [dis] *vb.* (*især am.* T) afvise; ikke respektere; være fræk over for.

dissatisfaction [dis(s)ætis'fækʃn] *sb.* utilfredshed; misfornøjelse.

dissatisfied [di(s)'sætisfaid] *adj.* utilfreds; misfornøjet.

dissave [dis'seiv] *vb.* bruge af sin kapital.

dissaving [dis'seiviŋ] *sb.* nedsparing.

dissect [di'sekt] *vb.* dissekere.

dissection [di'sekʃn] *sb.* dissektion.

dissemble [di'sembl] *vb.* (*litt.*) 1. forstille sig, hykle; 2. (*med objekt*) skjule (*fx one's anger*).

disseminate [di'semineit] *vb.* F udbrede (*fx information*).

disseminated sclerosis *sb.* (*med.*) dissemineret sklerose.

dissemination [disemi'neiʃn] *sb.* F udbredelse (*fx of knowledge*).

dissension [di'senʃn] *sb.* F splid; uenighed.

dissent[1] [di'sent] *sb.* 1. meningsforskel; uenighed (*from this view* i dette synspunkt); afvigende mening; 2. (*rel.*) [afvigelse fra statskirken]; 3. (*jur.*) dissens.

dissent[2] [di'sent] *vb.* 1. være af en anden mening; 2. (*rel.*) afvige fra statskirken; være dissenter;
□ *~ from* a. være uenig i; b. afvige fra; *a -ing voice* en der går imod.

dissenter [di'sentə] *sb.* 1. en som har en anden mening; en anderledestænkende; 2. (*rel. hist.*) dissenter [som har en fra den herskende kirke afvigende tro].

dissertation [disə'teiʃn] *sb.* afhandling; disputats.

disservice [dis'sə:vis] *sb.* bjørnetjeneste; dårlig tjeneste;

□ *do a ~ to* (*også*) skade; *of ~ to* skadelig for.

dissidence ['disid(ə)ns] *sb.* uenighed.

dissident[1] ['disid(ə)nt] *sb.* 1. en der har en anden opfattelse; en anderledestænkende; 2. (*pol.*, *i diktatur*) systemkritiker.

dissident[2] ['disid(ə)nt] *adj.* 1. som har en anden opfattelse; med afvigende mening; anderledestænkende; 2. (*i diktatur*) systemkritisk;
□ *a ~ group* (jf. 1, *også*) en mindretalsgruppe (*fx a ~ group within the IRA*).

dissimilar [di'similə] *adj.* uens, forskellig;
□ *not ~ to X* ikke ulig X, ikke forskellig fra X.

dissimilarity [disimi'lærəti] *sb.* ulighed.

dissimulate [di'simjuleit] *vb.* F 1. forstille sig; hykle; 2. (*med objekt*) skjule (*fx one's true feelings*).

dissimulation [disimju'leiʃn] *sb.* F forstillelse; hykleri.

dissipate ['disipeit] *vb.* F 1. sprede (*fx an oil spill*); opløse, få til at forsvinde; 2. (*tid, penge*) ødsle bort, sløse bort; 3. (*uden objekt*) sprede sig; forsvinde (*fx his enthusiasm had -d*); opløses.

dissipated ['disipeitid] *adj.* F udsvævende; (*om person også*) hærget.

dissipation [disi'peiʃn] *sb.* F 1. spredning; opløsning; 2. (*af tid, penge*) bortødslen; 3. (*om livsførelse*) udsvævelser; udskejelser (*fx sexual ~*).

dissociate [di'səuʃieit] *vb.* 1. skille, adskille (*from* fra, *fx emotion from reason*); holde ude (fra hinanden) (*fx it is difficult to ~ those ideas*); 2. (*kem.*) dissociere, spalte;
□ *~ oneself from* tage afstand fra (*fx I want to ~ myself from what has just been said*); distancere sig fra (*fx him; his views*).

dissociation [disəusi'eiʃn] *sb.* 1. adskillelse; skelnen; 2. afstandtagen; 3. (*kem.*) dissociation.

dissolute ['disəl(j)u:t] *adj.* udsvævende.

dissoluteness ['disəl(j)u:tnəs] *sb.* udsvævelser.

dissolution [disə'l(j)u:ʃn] *sb.* 1. (*fysisk & fig.*) opløsning (*fx of the body; of family life*); nedbrydning; 2. (*af forbindelse, institution*) ophævelse, opløsning (*fx of a marriage; of a firm*); 3. (*af parlament*) hjemsendelse.

D dissolve

dissolve¹ [di'zɔlv] *sb.* (*film.*) overtoning.

dissolve² [di'zɔlv] *vb.* **1.** opløse; **2.** (*uden objekt*) opløse sig; **3.** (*om følelse*) smelte bort, forsvinde; **4.** (*i film*) overtone;

□ *be -d* **a.** (*om forbindelse, institution etc.*) blive ophævet (*fx the marriage was -d*); blive opløst; **b.** (*om parlament*) blive hjemsendt; ~ *in(to) laughter//tears* bryde ud i latter//gråd.

dissonance ['disənəns] *sb.* **1.** (*mus.*) dissonans; **2.** (F, *fig.*) uoverensstemmelse (*between* imellem).

dissonant ['disənənt] *adj.* **1.** (*mus.*) dissonantisk; **2.** disharmonisk; skurrende; **3.** (F, *fig.*) uoverensstemmende (*from* med).

dissuade [di'sweid] *vb.*: ~ *him from it* F fraråde ham det; få/tale ham fra det; ~ *him from doing it* (*også*) råde/overtale ham til ikke at gøre det.

dissuasion [di'swei3(ə)n] *sb.* F fraråden; det at overtale til at lade være.

distaff ['dista:f] *sb.* håndten.

distaff side *sb.*: *the* ~ (*i genealogi*) spindesiden.

distance¹ ['dist(ə)ns] *sb.* **1.** afstand (*between* imellem, *fx London and Hull; the* ~ *from London to Hull*); distance; **2.** (*fig.*) afstand (*between* imellem, *fx the emotional* ~ *between them*); fjernhed; **3.** (*stykke*) distance, strækning;

□ *a short* ~ et lille stykke vej; *some* ~ et stykke vej; [*med vb.*] *go the* ~ stå distancen; *keep one's* ~ **a.** holde afstand [*fx til forankørende*]; **b.** (*fig.*) holde sig på afstand; holde sig tilbage; *put* ~ *between* (*jf. 2*) lægge afstand mellem;

[*med præp.*] *at a* ~ **a.** i nogen afstand, noget borte; **b.** på afstand (*fx it looks beautiful at a* ~); *keep sby at a* ~ holde én på afstand; *from a* ~ på lang afstand (*fx he watched it from a* ~); langt borte fra (*fx the sound came from a* ~); *from a* ~ *of 100 metres//40 years* på 100 meters//40 års afstand; *in the* ~ i det fjerne; *within* ... ~ så nær at man kan ... derhen (*fx within driving//spitting//walking* ~); *within hailing* ~ på præjehold.

distance² ['dist(ə)ns] *vb.*: ~ *from* holde langt væk fra (*fx she tried to* ~ *him from the other children*); ~ *oneself from* distancere sig fra, lægge afstand til (*fx him; his views*).

distance learning *sb.* fjernstudium.

distant ['dist(ə)nt] *adj.* **1.** fjern (*fx a*

~ *country; a* ~ *relation;* ~ *times*); langt borte (*fx a* ~ *country*); **2.** (*om persons væsen*) reserveret, kølig, afmålt (*fx a* ~ *manner*); **3.** (*ikke nærværende*) fjern (*fx there was a* ~ *look in his eyes*).

distantly ['dist(ə)ntli] *adv.* (*jf. distant*) **1.** langt borte (*fx a bomb exploded* ~); langt ude (*fx he is* ~ *related to me*); **2.** forbeholdent, afmålt, køligt (*fx he nodded* ~); **3.** åndsfraværende; **4.** vagt (*fx remember sth* ~).

distaste [dis'teist] *sb.* afsmag (*for* for); ulyst (*for* til); modvilje (*for* mod); ubehag, lede (*for* ved).

distasteful [dis'teistf(u)l] *adj.* ubehagelig; modbydelig; (*fig. også*) usmagelig.

distemper [di'stempə] *sb.* **1.** hundesyge; **2.** limfarve.

distend [di'stend] *vb.* **1.** udspile (*fx one's cheeks; the sail was -ed*); **2.** (*uden objekt*) udspiles; svulme op (*fx his stomach -ed*).

distended [dis'tendid] *adj.* udspilet, opsvulmet (*fx stomach*).

distension [dis'tenʃn] *sb.* udspiling; opsvulmen.

distil [di'stil] *vb.* **1.** destillere; **2.** (*fig.*) uddestillere; uddrage.

distillation [disti'leiʃn] *sb.* **1.** destillation; **2.** udtræk; uddrag.

distiller [di'stilə] *sb.* whiskyfabrikant; spritfabrikant.

distillery [di'stiləri] *sb.* destilleri; whiskyfabrik; spritfabrik.

distinct [di'stiŋ(k)t] *adj.* **1.** tydelig, klar (*fx pronunciation; outlines; memory*); **2.** (*understregende*) afgjort, udpræget (*fx difference*); udtrykkelig (*fx promise*); **3.** (*indbyrdes*) forskellig; tydeligt adskilt; særskilt (*fx two* ~ *objects; two* ~ *spheres of activity*);

□ ~ *from* forskellig fra; tydeligt adskilt fra; *as* ~ *from* til forskel fra; i modsætning til.

distinction [di'stiŋ(k)ʃn] *sb.* **1.** forskel (*between* mellem, *fx domestic and foreign policy; class* ~); **2.** (*handling*) skelnen, sondring, distinktion (*between* mellem); **3.** (*egenskab*) fortræffelighed (*fx nobody doubts his* ~ *as a scientist*); **4.** (*som gives*) udmærkelse (*fx academic -s; the highest* ~ *ever given*); æresbevisning; **5.** (*eksamenskarakter*) udmærkelse;

□ *a writer//scientist of* ~ en fremragende forfatter//videnskabsmand; *a* ~ *without a difference* en kun tilsyneladende forskel; [*med vb.*] *achieve* ~ udmærke sig; *draw/make a* ~ *between* foretage en sondring/distinktion mellem

(*fx two synonyms*); skelne mellem; *have the* ~ *of* + -*ing* nyde den ære at (*fx being received at Court*).

distinctive [di'stiŋ(k)tiv] *adj.* karakteristisk (*fx the* ~ *smell of garlic*); særegen, særlig; distinktiv.

distinctly [di'stiŋ(k)tli] *adv.* (*jf. distinct*) **1.** tydeligt, klart; **2.** udtrykkeligt (*fx I* ~ *said so*); afgjort, absolut.

distinguish [di'stingwiʃ] *vb.* (se også *distinguished*) **1.** skelne (*between* mellem, *fx different colours//scents; right and wrong; he could* ~ *even minute differences*); sondre (*between* mellem); kende// se//høre forskel (*between* på, *fx the two sisters; a banjo and a mandolin*); **2.** (F: *noget utydeligt*) skelne (*fx distant things; a faint sound*); skimte (*fx a light in the distance*);

□ ~ *from* **a.** adskille fra (*fx that which -es human beings from animals; his clothes did not* ~ *him from the others*); **b.** (*jf. 1*) skelne fra (*fx* ~ *Spanish from Portuguese;* ~ *right from wrong*); ~ *oneself* udmærke sig.

distinguishable [di'stingwiʃəbl] *adj.* som kan skelnes//opfattes; skelnelig; hørlig//synlig; mærkbar; □ *be* ~ *from* kunne skelnes fra.

distinguished [di'stingwiʃt] *adj.* **1.** (*om person*) anset, fremtrædende, meget anerkendt (*fx writer*); **2.** (*om præstation*) fremragende (*fx performance*); fornem (*fx career*); **3.** (*om udseende*) distingveret (*fx gentleman*); □ *be* ~ *by* udmærke sig ved; være kendetegnet ved, kunne kendes på.

distinguishing [di'stingwiʃiŋ] *adj.*: ~ *feature/mark* særligt kendetegn.

distort [di'stɔ:t] *vb.* **1.** fordreje (*fx one's face; his face was -ed with* (af) *rage*); forvrænge (*fx the mirror -ed his features*); **2.** (*fig.*) fordreje, forvanske (*fx his meaning; his words*); forvrænge (*fx his words; the report gives a -ed impression of what actually happened*); **3.** (*tekn.*) forvride; kaste; (*uden objekt*) blive forvreden; deformeres; **4.** (*signal, lyd, billede*) forvrænge.

distortion [di'stɔ:ʃn] *sb.* (*jf. distort*) **1.** fordrejning; forvrængning; **2.** fordrejning, forvanskning; forvrængning; **3.** forvridning; kastning; deformation; **4.** forvrængning.

distract [di'strækt] *vb.* (se også *dis-*

tracted, distracting) **1.** (person) distrahere, forstyrre; **2.** (opmærksomhed) bortlede, aflede (fx it -ed my attention);
□ it -ed attention **from** det bortledte/afledte opmærksomheden fra (fx the economic crisis); ~ sby from forstyrre en i (fx the music -ed him from his homework).
distracted [di'stræktid] adj. distraheret, forstyrret; adspredt, urolig.
distracting [di'stræktiŋ] adj. distraherende; forstyrrende.
distraction [di'stræk∫n] sb. **1.** (jf. distract) distraheren; forstyrrelse; afbrydelse (from i); **2.** (til underholdning) adspredelse (fx there are many -s for the students); **3.** (mental) sindsforvirring;
□ be a ~ **from** a. (jf. 1) bringe forstyrrelse i, forstyrre en i; **b.** (jf. 2) bringe adspredelse i; **to** ~ til vanvid (fx bore//drive//love sby to ~).
distrain [di'strein] vb. (jur.) udpante [for lejerestance];
□ ~ upon gøre/foretage udlæg i.
distraint [di'streint] sb. (jur.) = distress[1] 4.
distrait [di'strei] adj. distræt.
distraught [di'strɔ:t] adj. **1.** oprevet, fortvivlet; **2.** (glds.) vanvittig, forrykt.
distress[1] [di'stres] sb. **1.** (materiel) nød (fx the ~ caused by the war); **2.** (åndelig) sorg (fx he caused his parents great ~); smerte, bekymring; **3.** (F: legemlig) lidelse, kval; **4.** (jur.) udpantning; udlæg;
□ in ~ **a.** (jf. 1) i nød; nødstedt; **b.** (jf. 2) fortvivlet, ulykkelig, ude af sig selv; **c.** (om skib) i vanskeligheder; i havsnød; levy a ~ on (jf. 4) **a.** gøre/foretage udlæg i; **b.** (person) udpante.
distress[2] [di'stres] vb. (se også distressed, distressing) **1.** bedrøve, volde sorg//smerte//bekymring; **2.** gøre ulykkelig; pine, nage; **3.** (jur.) pante.
distress call sb. nødsignal.
distressed [di'strest] adj. **1.** (materielt) nødstedt; kriseramt; **2.** (åndeligt) fortvivlet, ulykkelig, ude af sig selv.
distressed area sb. kriseramt område.
distressful [di'stresf(u)l] adj. se distressing.
distressing [di'stresiŋ] adj. **1.** (fysisk) udmattende; **2.** (åndeligt) smertelig, pinefuld; bekymrende; deprimerende.
distress rocket sb. nødraket.
distribute [dis'tribju:t, 'distri-] vb. (se også distributed) **1.** uddele, dele ud (to til, fx food and blankets to

the refugees; among blandt/til, fx money among the poor); omdele; **2.** (til begrænset kreds) fordele (among blandt, fx the money among one's children); **3.** (varer) distribuere; forhandle; **4.** (film) udleje; **5.** F sprede (fx the wind -s the pollen); **6.** (typ.: sats) lægge af; **7.** (jur.: i bo) udlodde;
□ ~ over (jf. 5) sprede over; fordele over.
distributed [di'stributid, 'distribju-:tid] adj. **1.** (om forekomst) udbredt; fordelt; **2.** (it) distribueret.
distribution [distri'bju:∫n] sb. (jf. distribute) **1.** uddeling; omdeling; **2.** fordeling; **3.** (af varer) distribution; forhandling; **4.** (af film) distribution, udlejning; **5.** F spredning; **6.** (typ.) aflægning; **7.** (jur.) udlodning; **8.** (af post) ombæring; **9.** (om forekomst, fx bot., zo.) udbredelse (fx of a disease); fordeling (fx of wealth); **10.** (i logik) distribution.
distributional [distri'bju:∫n(ə)l] adj. fordelingsmæssig; fordelings-.
distribution company sb. filmudlejningsselskab.
distributive [dis'tribjutiv] adj. **1.** (merk.) distributions- (fx costs); **2.** (i logik, gram.) distributiv.
distributive trade sb. (merk.) distributionsled.
distributor [dis'tribjutə] sb. **1.** (merk.) distributør; forhandler; **2.** (af film) distributør, udlejer, udlejningsselskab; **3.** (i bil) strømfordeler.
district ['distrikt] sb. **1.** område, distrikt, egn; **2.** (administrativ enhed, omtr.) distrikt; kommune; (af by) bydel; **3.** (am.: ved valg) valgkreds.
district attorney sb. (am.) distriktsadvokat [lokal folkevalgt statsadvokat].
district heating sb. fjernvarme.
district nurse sb. hjemmesygeplejerske.
distrust[1] [dis'trʌst] sb. mistro; mistillid (of til).
distrust[2] [dis'trʌst] vb. nære mistillid til; ikke tro/stole på; mistro.
distrustful [dis'trʌstf(u)l] adj. mistroisk;
□ be ~ of = distrust[2].
disturb [di'stə:b] vb. (se også disturbed, disturbing) **1.** forstyrre (fx don't ~ him, he's working; ~ the tranquillity); afbryde; (se også peace); **2.** (mentalt) bekymre, forurolige (fx the news -ed them); **3.** (mht. placering) flytte om på (fx the papers); røre (ved) (fx don't ~ the screw).

disturbance [di'stə:b(ə)ns] sb. **1.** forstyrrelse; **2.** (offentlig) uroligheder, optøjer; tumult; (enkelt) episode (fx a minor ~); **3.** (med.) forstyrrelse (fx circulatory ~ (kredsløbs-)); lidelse.
disturbed [di'stə:bd] adj. **1.** urolig, bekymret, foruroliget (by over; that//to over at); **2.** (om patient) mentalt forstyrret; **3.** (om ting) bragt i uorden, flyttet rundt (fx my papers had been ~); **4.** (om situation, periode) urolig (fx times; sleep);
□ a ~ background et belastet miljø.
disturbing [di'stə:biŋ] adj. foruroligende.
disunited [disju'naitid] adj. splittet.
disunity [dis'ju:niti] sb. uenighed; splittelse.
disuse [dis'ju:s] sb. det ikke at blive brugt; manglende brug;
□ rusty from ~ rusten af ikke at blive brugt; fall into ~ gå af brug.
disused [dis'ju:zd] adj. som ikke bruges mere; nedlagt (fx mine; railway line).
disyllabic [disi'læbik] adj. tostavelses-.
ditch[1] [dit∫] sb. grøft; (se også last[3]).
ditch[2] [dit∫] vb. T **1.** kassere (fx one's old shoes); droppe, skrotte (fx plans); skaffe sig af med; **2.** (sin kæreste) droppe; **3.** (flyv.) nødlande på havet.
ditchwater ['dit∫wɔ:tə] sb. (stillestående) grøftevand; (se også dull[1]).
dither[1] ['diðə] sb.: be all of a ~ T være helt ude af det; være i vildrede.
dither[2] ['diðə] vb. T tøve; vakle frem og tilbage.
ditherer ['diðərə] sb.: be a ~ være vægelsindet.
dithering ['diðəriŋ] sb. (it) nuanceændring, gråtoneændring.
ditsy ['ditsi] adj. (am. S) tomhjernet; skør, fjollet, pjattet.
ditto ['ditəu] adv. ditto; det samme.
ditty ['diti] sb. vise.
ditty bag sb., **ditty box** sb. (mar.) [lille pose//æske til sysager og andre småting].
ditz ['dits] sb. (am. T) tomhjernet/tanketom person; forvirret hoved.
ditzy ['ditsi] adj. se ditsy.
diuretic[1] [daiju'retik] sb. urindrivende/vanddrivende middel.
diuretic[2] [daiju'retik] adj. urindrivende, vanddrivende.
diurnal [dai'ə:n(ə)l] adj. **1.** dag-, dags-; daglig (fx rhythm); **2.** (om

D *diva*

dyr) aktiv om dagen.

diva ['di:və] *sb.* diva, primadonna.

divan [di'væn, 'daivæn] *sb.* **1.** divan; **2.** briks.

dive[1] [daiv] *sb.* **1.** *(ud i vandet)* udspring; **2.** *(ned under vandet)* dykning; **3.** *(flyv. & om fugl)* styrtdykning; styrtdyk; **4.** *(om priser etc.)* styrtdyk; **5.** (T: *værtshus)* beværtning, bule, snask;
□ *make a ~* springe ud, lave et hovedspring; *make a ~ for//into* se *dive²* 4; *take a ~* **a.** *(om priser etc.)* styrtdykke; **b.** *(i boksning)* lade sig falde som om man er ramt.

dive[2] [daiv] *vb.* (-d, -d; *(am. også)* dove, -d) **1.** *(ud i vandet)* springe ud; **2.** *(ned under vandet)* dykke (ned); **3.** *(flyv., om fugl & om priser etc.)* styrtdykke; **4.** *(om pludselig bevægelse)* kaste sig *(for* efter, *fx the goalkeeper -d for the ball; under* ned under, *fx the table);* springe, fare;
□ ~ *for* se: 4; ~ *for cover* kaste sig i dækning; ~ *into* **a.** kaste sig indi//ud i *(fx a taxi; sexual relationships);* **b.** T stikke hånden ned i, gribe ned i *(fx one's pocket; one's bag);* **c.** kaste sig over, dykke ned i *(fx a subject).*

dive-bomb ['daivbɔm] *vb.* bombardere ved hjælp af styrtbombemaskiner.

dive bomber *sb. (mil. flyv.)* styrtbombemaskine, styrtbomber.

diver ['daivə] *sb.* **1.** *(ned under vandet)* dykker; **2.** *(ud i vandet)* udspringer; **3.** *(zo.: fugl)* lom;
□ *great northern ~ (zo.)* islom.

diverge [d(a)i'və:dʒ] *vb.* **1.** gå til forskellige sider, gå i hver sin retning *(fx our paths -d);* **2.** *(fig.)* afvige fra hinanden *(fx our interests//objectives -d);* divergere;
□ ~ *from* **a.** gå i en anden retning end, afvige fra *(fx the course);* dreje af fra; **b.** *(fig.)* afvige fra *(fx his opinion);* skille sig ud fra *(fx when man -d from the apes).*

divergence [d(a)i'və:dʒ(ə)ns] *sb.* divergens; afvigelse.

divergent [dai'və:dʒ(ə)nt] *adj.* divergerende; afvigende.

divers ['daivə(:)z] *adj. (glds.)* **1.** flere, adskillige; **2.** forskellige, diverse.

diverse [dai'və:s, 'daivə:s] *adj.* forskellig; forskelligartet; helt anderledes.

diversification [daivə:sifi'keiʃn] *sb.* (jf. *diversify)* **1.** variation; afveksling; forskellighed; **2.** *(merk.)* spredning; udvidelse (af sortimentet); diversifikation.

diversify [dai'və:sifai] *vb.* **1.** variere; gøre afvekslende/forskelligartet; **2.** *(merk.)* sprede; udvide *(uden objekt)* udvide sortimentet; diversificere; **3.** *(om arter)* udvikle sig forskelligt.

diversion [d(a)i'və:ʃn, *(am.)* -ʒn] *sb.* **1.** afledning *(fx of water);* omlægning *(fx of a railway line);* **2.** *(et andet sted hen)* omdirigering *(fx of a ship; of funds);* **3.** *(på vej)* omkørsel; **4.** F fornøjelse; adspredelse; **5.** *(mil.& fig.)* afledning *(fx of suspicion);* afledningsmanøvre.

diversionary [di'və:ʃn(ə)ri, *(am.)* -ʒ(ə)neri] *adj.* afledende; aflednings-.

diversionary attack *sb. (mil.)* afledningsangreb, skinangreb.

diversity [dai'və:siti, *(især am.)* di-] *sb.* **1.** forskellighed; variation; mangfoldighed; **2.** bredt spektrum *(fx of views);* bredt udvalg.

divert [dai'və:t, *(især am.)* di-] *sb.* **1.** aflede *(fx water);* omlægge; **2.** *(et andet sted hen, også om penge)* omdirigere *(fx the ambulance to another hospital; our flight was -ed to Stansted);* **3.** *(trafik)* omlede; **4.** *(telefonsamtale)* stille om; viderestille; **5.** *(opmærksomhed etc.)* aflede, bortlede *(from* fra, *fx his attention// thoughts from the problem; suspicion from him).*

diverting [dai'və:tiŋ, *(især am.)* di-] *adj. (glds.)* underholdende, fornøjelig, morsom.

Dives ['daivi:z] *(bibelsk)* den rige mand *[i lignelsen om Lazarus].*

divest [dai'vest, *(især am.)* di-] *vb.:*
~ *of (glds. el. spøg.)* afføre *(fx ~ her of her coat);* *be -ed of* **a.** blive berøvet *(fx its meaning; one's power);* **b.** blive befriet for; ~ *oneself of* **a.** *(glds. el. spøg.)* afføre sig, aflægge *(fx one's clothes);* **b.** F frigøre sig for, skille sig af med *(fx one's business interests);* give fra sig, opgive *(fx one's privileges).*

divi ['divi] *sb.* T = *divvy.*

divide[1] [di'vaid] *sb.* **1.** kløft *(fx between rich and poor);* splittelse; **2.** skel; skillelinje; **3.** *(am.)* vandskel; (se også *great divide).*

divide[2] [di'vaid] *vb.* **1.** dele *(among, between* mellem; *with* med, *fx we'll ~ the costs among/ between us//with them);* **2.** *(i flere dele)* dele *(into* i, *fx ~ the cake into four parts);* inddele *(into* i, *fx ~ them into groups);* **3.** *(om grænse etc.)* skille *(fx the border that -s Norway and//from Sweden);* **4.** *(om uenighed)* dele, splitte *(fx the Conservative party);*
5. *(i regning)* dele, dividere; **6.** *(uden objekt)* dele sig; **7.** *(parl.)* stemme;
□ ~ *the House (parl.)* lade foretage afstemning i Underhuset; *[med præp.& adv.] -d against itself* i splid med sig selv; F splidagtig med sig selv *(fx a house ~ against itself);* ~ *by* (jf. 5) dele/dividere med *(fx ~ 10 by 2);* *10 -s by 2* 2 går op i 10; ~ *in half* dele i to halvdele, dele halvt over; ~ *into* se: *2;* ~ *off* skille 'fra; ~ *up*
a. dele ind *(fx into four sectors);* **b.** dele op *(fx the property).*

divided highway *sb. (am.)* = *dual carriageway.*

dividend ['dividend] *sb.* **1.** *(merk.)* dividende; **2.** *(mat.)* dividend; **3.** *(fig.)* fordel;
□ *cum ~* cum dividende; dividende inkluderet; *ex ~* eksklusive dividende; *pay -s (fig.)* give udbytte/bonus, betale sig.

divider [di'vaidə] *sb.* rumdeler.

dividers [di'vaidəz] *sb. pl. (geom.)* (stik)passer;
□ *a pair of ~* en passer.

dividing line *sb.* skillelinje; grænse.

divination [divi'neiʃn] *sb.* **1.** spådomskunst; **2.** spådom; **3.** gæt.

divine[1] [di'vain] *sb. (glds.)* gejstlig; teolog.

divine[2] [di'vain] *adj.* **1.** guddommelig; **2.** *(glds.* T) vidunderlig, guddommelig; gudbenådet.

divine[3] [di'vain] *vb.* **1.** ane; gætte; **2.** spå; **3.** vise vand *[ved hjælp af en ønskekvistkvist].*

diviner [di'vainə] *sb.* vandviser *[som finder vand ved hjælp af en pilekvist].*

divine service *sb.* gudstjeneste.

diving ['daiviŋ] *sb.* **1.** dykning; **2.** udspring.

diving beetle *sb.: great ~ (zo.)* stor vandkalv.

diving bell *sb.* dykkerklokke.

diving board *sb.* vippe *[til udspring].*

divining [di'vainiŋ] *sb.* vandvisning *[ved hjælp af pilekvist].*

divining rod *sb.* pilekvist, ønskekvist *[til at vise vand].*

divinity [di'vinəti] *sb.* **1.** *(egenskab)* guddommelighed *(fx the ~ of Christ);* **2.** *(væsen)* guddom; **3.** *(glds.:* lære) teologi; *(skolefag)* religion, kristendomskundskab;
□ *Doctor of Divinity* dr. theol.

divisible [di'vizəbl] *adj.* delelig.

division [di'viʒ(ə)n] *sb.* (jf. *divide)* **1.** deling; **2.** inddeling; opdeling; **3.** skel; skillevæg; **4.** uenighed; splittelse, splid; kløft; **5.** *(mat.)* division; **6.** (*af stor virksomhed, af ministerium*) afdeling; division; **7.** (*mil. & i sport*) division; **8.** (*parl.*) afstemning;

□ ~ *of labour* arbejdsdeling.

divisional [di'viʒ(ə)n(ə)l] *adj.* divisions-; afdelings-.

division lobby *sb.* (*i Underhuset*) afstemningskorridor.

divisive [di'vaisiv] *adj.* som skaber splittelse/uenighed/splid;

□ ~ *policy* splittelsespolitik.

divisor [di'vaizə] *sb.* (*mat.*) divisor.

divorce[1] [di'vɔːs] *sb.* **1.** skilsmisse; (se også *file*[2] (*for*)); **2.** (*fig.*) adskillelse (*between* mellem).

divorce[2] [di'vɔːs] *vb.* **1.** lade sig skille fra (*fx one's wife*); **2.** (*fig.*) skille, adskille (*from* fra);

□ *be -d from* (*jf. 2, også*) være uden forbindelse med (*fx reality*).

divorcee [divɔː'siː] *sb.* fraskilt.

divorce petition *sb.* (*jur.*) skilsmissebegæring.

divot ['divət] *sb.* [*stump græstørv flået op af golfkølle el. hestehov*].

divulge [dai'vʌl(d)ʒ, (*især am.*) di-] *vb.* røbe; afsløre.

divvy[1] ['divi] *sb.* **T 1.** dividende; andel; **2.** (*om person*) fjols.

divvy[2] ['divi] *vb.*: ~ *up* **T** dele.

Dixie ['diksi] *sb.* (*am.*) sydstaterne.

dixie ['diksi] *sb.* (*mil.*) kogekar.

DIY[1] *fork. f.* do-it-yourself.

DIY[2] [di:ai'wai] *sb.* **1.** [*reparationer, malerarbejde etc. i huset som man selv udfører*]; **2.** [*materialer til dette*].

DIY centre *sb.* byggemarked.

DIY kit *sb.* samlesæt, byggesæt.

dizzy[1] ['dizi] *adj.* **1.** svimmel; ør; **2.** (*som gør svimmel*) svimlende (*fx height; pace*); **3. S** dum; fjoget; fjumret.

dizzy[2] ['dizi] *vb.* gøre svimmel.

dizzying ['diziiŋ] *adj.* **1.** svimlende (*fx pace, speed*); **2.** komplet forvirrende, overvældende (*fx choice of goods*).

DJ *fork. f.* **1.** disc jockey; **2.** dinner jacket.

dl. *fork. f.* decilitre(s).

D.Litt. *fork. f.* Doctor of Letters.

DM *fork. f.* Doctor of Medicine.

dm. *fork. f.* decimetre(s).

DMV *fork. f.* (*am.*) Department of Motor Vehicles (*omtr.*) motorkontoret.

d-n *fork. f.* damn.

DNA [di:en'ei] *fork. f.* deoxyribonucleic acid.

DNA fingerprinting *sb.* [*bestemmelse af genetisk fingeraftryk*].

D-notice ['di:nəutis] *sb.* [*henstilling fra regeringen til engelske nyhedsmedier om at undlade omtale af en sag af sikkerhedshensyn*].

do[1] [duː] *sb.* **1. T** fest, gilde; **2.** (*glds.*) svindelnummer; svindel, fup; **3.** (*am.*) = *hairdo*;

□ *dos and don'ts* hvad man må og ikke må; *it's a poor* ~ **T** det er for dårligt; (se også *fair dos*).

do[2] [dəu] *sb.* (*mus.*) do.

do[3] [du, də, (*betonet*) duː] *vb.* (*3. pers. sg. præs.* does, *did, done*) (se også *done*) **A.** (*med objekt*) **1.** gøre (*fx do one's best; do harm//good*); bestille (*fx he has got nothing to do; what does your father do?* (ɔ: som erhverv); *what are you doing here?*); udrette; **2.** (*om resultat*) yde, præstere (*fx he did good work*); udføre (*fx repairs; a portrait*); lave (*fx 10 photocopies*); sælge (*fx the pub only does food at lunchtime; they do travel insurance*); have (*fx the hotel doesn't do single rooms*); **3.** (*det nødvendige*) ordne (*fx the flowers; the washing-up*); gøre i stand (*fx a room*); passe (*fx the garden*); (se også *dish*[1], *homework, justice, lesson, sum*[1]); **4.** (*hår, seng*) rede; **5.** (*mad*) tilberede; stege, koge; (*fuldstændigt*) gennemstege, gennemkoge, stege//koge færdig (*fx see if the pie is done*); **6.** (*fag, værk, forfatter*) studere, læse (*fx he is doing German; we did Hamlet/Dickens*); **7.** (*som turist*) bese, se seværdighederne i, „gøre"; **8.** (*hastighed, strækning*) køre (*fx 90 miles an hour; 20,000 km; 20 km to the litre* (på literen)); tilbagelægge (*fx do a mile a minute*); (*om skib*) sejle (*fx the katamaran will do 35 knots*); **9.** (*teat.: stykke*) spille, opføre (*fx they are doing Hamlet next week*); (*rolle*) spille; **10.** (*person, måde at tale på*) imitere (*fx Chaplin; Scottish*); spille, give rollen som (*fx do the host*); **11.** (*fængselsstraf*) sidde (*fx he did five years for robbery*); **12. T** ødelægge, spolere (*fx now you've done it*); **13. T** snyde (*fx I have been done!*); **14. T** tæve, banke (*fx give it me or I'll do you!*); **15. T** slå ihjel (*fx one day I'll do him!*); **16.** (*vulg.*) gå i seng med, knalde, bolle.

B. (*uden objekt*) **1.** gøre (*fx do as I do*); handle; **2.** (*om opførsel*) gå an, gå (*fx it doesn't do to criticize him*); passe; **3.** (*om persons forhold*) leve, have det (*fx how are you doing?*); klare sig (*fx he did badly at school*); (se også *fine*[4])

C. (*som hjælpevb.*) **1.** (*i negative og spørgende udsagn*) [*uoversat, : fx he did not see me; do you*

speak English?*]; **2.** (*understregende*) endelig (*fx do come!*); virkelig (*fx I do think he is crying*); **3.** (*som erstatningsvb.*) gøre (*fx he earns more than you do*; (*did you see him?*) *I did* ja jeg gjorde);

□ *be up and doing* være i fuld sving;

[*jf. C 1*] *don't!* lad være! *no you don't!* du kan tro nej! *do we dress for dinner?* skal vi klæde om til middag?

[*jf. C 2*] *do come!* (*også*) tag nu og kom! å, kom nu! *I do like your father* jeg kan så godt lide din far; [*jf. C 3: efterhængt*] *you like him, don't you?* du kan godt lide ham, ikke?/ikke sandt? *you don't like him, do you?* du kan ikke lide ham, (kan du) vel?/kan du?

[*med: will*] **will** *do* **a.** gå an, gå (*fx that won't do*); **b.** være nok (*fx that will do for me*); *that will do!*, *that does it!* så er det nok!, så er det godt! (ɔ: *hold op!*]; *that will* ~ *do* det kan slet ikke gå an; *this will do for him* (*også*) det er (godt) nok til ham;

[*med præp.& adv.*] *do about* gøre ved (*fx what are you going to do about it?*);

do away with **a.** afskaffe (*fx the House of Lords*); **b.** (*dyr*) aflive (*fx a cat*); **c.** (*person*) rydde af vejen; *do away with oneself* tage livet af sig;

do down **T a.** nedgøre; **b.** holde nede, dukke, tryne;

do for **a.** føre hus for; **b. T** gøre det af med, gøre en ende på; ødelægge; *what can I do for you?* hvad kan jeg gøre for dig? kan jeg hjælpe dig? *what do you do for water here?* **T** hvor får I vand fra her? *do badly//well for sth* **T** have for lidt//rigeligt af noget; *he did all right/well for himself* **T** det gik ham godt, han klarede sig godt [ɔ: økonomisk]; (se også *done*); *will do for* se: *ovf.*;

do in **S** slå ihjel, gøre det af med, tage livet af (*fx ten years of this would do me in*); *do oneself in* tage livet af sig; (se også *done*); *do sth into Danish* oversætte noget til dansk;

do out **T a.** gøre rent, gøre rent i (*fx a room*); **b.** feje (*fx the yard*); **c.** gøre i orden, gøre orden i, rydde op i (*fx a cupboard*); *do sby out of* **T** snyde en for (*fx a trip to the USA; one's inheritance*); *do over* **a.** (*handling*) gøre om, gentage; **b.** (*værelse etc.*) gøre i stand, male og tapetsere; **c.** (**T:** *hus*) lave indbrud i og gennemrode; **d.** (*person*) gennembanke, gennemtæve;

do **to** gøre ved (*fx what have you done to the child?*); (se også *death*);

do **up** **a.** pudse op, istandsætte, modernisere (*fx a bathroom*; *an old farmhouse*); fikse op (på); pynte på (*fx the front of the house*); **b.** pakke ind (*fx some books*); **c.** knappe (*fx one's jacket*); lukke (*fx a zip-fastener*); binde (*fx one's shoelaces*); hægte; **d.** (*uden objekt*) kunne knappes// lukkes//hægtes (*fx the skirt does up at the back*); *do up one's hair* sætte sit hår; sætte håret op; *do oneself up* pynte sig;

do **well** se *well*[4];

do **with a.** gøre af (*fx what* (hvor) *did you do with my keys?*); **b.** stille op med (*fx what are we to do with him? she can't do anything with that child of hers*); **c.** nøjes med (*fx can you do with a glass of water?*); *have/be to do with* have at gøre med; *what did you do* **with yourself?** hvad bestilte du? hvordan fik du tiden til at gå? *could do with* kunne godt trænge til, trænger til (*fx I could do with a helping hand; her hair could do with a shampoo*); *I could do with a cup of tea* jeg kunne godt tænke mig en kop te; *do* **without** klare sig uden; undvære.

DOA *fork. f. dead on arrival.*

DOB *fork. f. date of birth.*

dob ['dɔb] *vb.* (*austr.*) sladre om; angive, stikke.

doc [dɔk] *sb.* (*am.* T) doktor.

docent [dou'sent, 'dous(ə)nt] *sb.* (*am.*) **1.** docent; **2.** (*på museum*) frivillig omviser.

docile ['dəusail, (*am.*) 'dɔsl] *adj.* **1.** føjelig, medgørlig; **2.** lærvillig.

docility [də'siləti, (*am.*) do'siləti] *sb.* **1.** føjelighed, medgørlighed; **2.** lærvillighed.

dock[1] [dɔk] *sb.* **1.** dok; **2.** (*am.*) kaj, anløbsbro; (*til lastbil*) læsserampe; **3.** (*i retslokale*) anklagebænk; **4.** (*bot.*) skræppe; **5.** (*zo.*) hale [*bortset fra hårene*]; kuperet hale; □ **-s** havn (*fx he works at* (på) *the -s*); *be in* ~ **a.** (*om skib*) være i dok; **b.** (*om bil*) være på værksted; *be in the* ~ (*jf. 3*) sidde på anklagebænken.

dock[2] [dɔk] *vb.* **1.** (*om skib: for losning/ladning*) gå i havn, gå til kaj; **2.** (*for reparation*) dokke, gå i dok; **3.** (*med objekt: skib, jf. 1*) lade gå i havn, lade gå til kaj; **4.** (*jf. 2*) dokke, sætte i dok; **5.** (*beløb: i løn*

etc.) trække fra (*fx* ~ *£15 from his pay*); **6.** (*løn*) beskære (*fx* ~ *their pay by 20%*); **7.** (*hale*) studse; kupere; **8.** (*rumskibe*) sammenkoble.

docker ['dɔkə] *sb.* havnearbejder; dokarbejder.

Dockers ['dɔkəz] *sb. pl.* (*am.*) [*kakibukser*].

docket[1] ['dɔkit] *sb.* **1.** (*til gods*) mærkeseddel; indholdsangivelse; **2.** (*af dom el. protokol*) uddrag; **3.** (*am.*) retsliste; dagsorden; huskeliste.

docket[2] ['dɔkit] *vb.* **1.** (*gods*) skrive indholdsangivelse på; mærke, sætte mærkeseddel på; **2.** (*dokument*) gøre uddrag af; **3.** (*am.*) indbringe for retten.

dockland ['dɔklənd, -lænd] *sb.* havnekvarter; dokområde.

dock worker *sb.* havnearbejder.

dockyard ['dɔkja:d] *sb.* værft.

doctor[1] ['dɔktə] *sb.* **1.** læge; doktor; **2.** (*om akademisk grad*) doktor (*fx* ~ *of philosophy*); □ *-s disagree* de lærde er uenige; *just what the* ~ *ordered* (*fig.*) lige hvad der skulle til; *be under the* ~ være under lægebehandling.

doctor[2] ['dɔktə] *vb.* **1.** forfalske (*fx a report*); lave fusk med; **2.** (*føde, drik*) forgifte (*drik også*) blande op med spiritus;

□ ~ *the accounts* pynte på/ sminke/fifle med regnskaberne; *be -ed* (*også*) **a.** (*om maskine*) blive repareret; **b.** (*om dyr*) blive kastreret.

doctoral ['dɔktər(ə)l] *adj.* doktor-.

doctorate ['dɔktərət] *sb.* doktorgrad.

doctrinaire [dɔktri'nɛə] *adj.* (F: *neds.*) doktrinær, dogmatisk.

doctrinal [dɔk'train(ə)l, 'dɔktrin(ə)l] *adj.* F lære-; tros- (*fx dispute*).

doctrine ['dɔktrin] *sb.* **1.** (*enkelt*) doktrin; læresætning, trossætning; dogme; **2.** (*generelt*) lære; dogmatik.

docudrama ['dɔkjudra:mə] *sb.* dokudrama; dokumentarspil.

document[1] ['dɔkjumənt] *sb.* dokument.

document[2] ['dɔkjument] *vb.* dokumentere.

documentary[1] [dɔkju'ment(ə)ri] *sb.* **1.** dokumentarfilm; **2.** (*radio.*; *tv*) dokumentarprogram.

documentary[2] [dɔkju'ment(ə)ri] *adj.* dokumentarisk.

documentary credit *sb.* (*merk.*) remburs.

documentary evidence *sb.* (*jur.*) skriftligt bevismateriale.

documentation [dɔkjumen'teiʃn]

sb. dokumentation.

docusoap ['dɔkju:səup] *sb.* (*tv*) [*række udsendelser der følger en gruppe menneskers liv*].

DOD *fork. f.* (*am.*) *Department of Defense.*

dodder[1] ['dɔdə] *sb.* (*bot.*) (hør)silke.

dodder[2] ['dɔdə] *vb.* (T: *om ældre*) stavre, rokke, trisse.

dodderer ['dɔdərə] *sb.* T gammelt nussehoved; gammel støder.

doddering ['dɔdəriŋ] *adj.*: *a* ~ *old man* T se *dodderer*.

doddery ['dɔdəri] *adj.* T rystende, affældig; senil.

doddle ['dɔdl] *sb.* T let opgave, smal sag.

dodecaphonic [dəudekə'fɔnik] *adj.* (*mus.*) tolvtone-.

dodge[1] [dɔdʒ] *sb.* kneb; fidus (*fx tax* ~).

dodge[2] [dɔdʒ] *vb.* **1.** springe til side; springe, smutte (*fx behind a pillar*); **2.** (*med objekt*) springe til side for, undgå (*fx a car coming towards him*); **3.** (*fig.*) vige uden om (*fx a question*); snyde sig fra (*fx military service; paying a fine*); □ ~ *the fare* snyde for betalingen [ɔː *af en billet*]; ~ *tax* snyde i skat.

dodgem ['dɔdʒəm] *sb.* = *bumper car.*

dodger ['dɔdʒə] *sb.* **1.** snyder (*fx tax* ~); (se også *draft dodger*); **2.** (*mar.*) læsejl; **3.** (*am.*) reklameseddel; majskage.

dodgy ['dɔdʒi] *adj.* T **1.** (*om person, handling*) lusket; **2.** (*om foretagende*) usikker, risikabel; kilden; **3.** (*om kvalitet*) sløj, ringe; □ *a* ~ *heart*//*knee* et svagt hjerte// knæ.

dodo ['dəudəu] *sb.* **1.** (*zo.*) dronte [*uddød fugl*]; (se også *dead*[1]); **2.** T tåbe.

DOE *fork. f. Department of the Environment.*

doe [dəu] *sb.* (*zo.*) då; hunkanin; hunhare.

doek [duk] *sb.* (*Sydafr.*) hovedtørklæde [*brugt af gifte kvinder*].

doer ['du(:)ə] *sb.* **1.** gerningsmand; **2.** handlingens mand (*fx he is a* ~*, not a dreamer*).

does [dəz, (*betonet*) dʌz] **3.** *pers. sg. præs. af do*[3].

doeskin ['dəuskin] *sb.* dådyrskind.

doesn't ['dʌznt] *fork. f. does not.*

doff [dɔf] *vb.* (*glds. el. litt.*) tage af (*fx one's hat; one's coat*).

dog[1] [dɔg] *sb.* **1.** hund; **2.** (*af ulv, ræv*) han; **3.** (*om person*) rad (*fx a lazy*//*lucky*//*sly* ~); (*neds.*) slambert; **4.** (*tekn.*) klo; (på høvlebænk) stopklods; (på drejebænk) medbringer; **5.** se *firedog*; **6.** (*vulg. om kvinde*) kedelig cigar; **7.** (*am. S*) fiasko, flop;

□ *every ~ has its day* enhver får sin chance; *a ~ in the manger* [en der ikke engang under andre noget som han ikke selv kan bruge]; *you cannot teach an old ~ new tricks* man kan ikke lære en gammel hund nye kunster; (se også *hair*);

[*pl.*] **-s** (*am. S*) fødder; *the -s* hundevæddeløb; *go to the -s* gå i hundene; *let sleeping -s lie* (*omtr.*) ikke rippe op i noget/i fortiden; *throw to the -s* **a.** kassere; **b.** ofre [for at redde sig selv]; kaste for løverne;

[*genitiv*] **-'s** *breakfast/dinner* roderi; rodebutik; sammensurium; *he hasn't got a -'s chance* han har ikke skygge af chance; *dressed up like a -'s dinner* T majet ud, overpyntet; *lead a -'s life* føre et hundeliv; *lead him a -'s life* gøre ham livet surt; plage livet af ham; [*med vb.*] *it is a case of ~ eat ~* det er alles kamp mod alle; *~ does not eat ~* den ene ravn hakker ikke øjet ud på den anden; *give a ~ a bad name and hang him* [der hænger altid noget ved når man bagtaler en]; *put on (the) ~* spille vigtig, blære sig; *turn ~ on* (*austr.* T) angive, stikke.

dog² [dɔg] *vb.* **1.** følge/rende i hælene på; forfølge; **2.** (*tekn.*) fastholde med en klo;

□ *~ sby's (foot)steps = 1.*

dogberry ['dɔgberi] *sb.* (*bot.*) [frugt af kornel].

dog biscuit *sb.* hundekiks.

dogcart ['dɔgka:t] *sb.* (*især glds.*) dogcart [let tohjulet jagtvogn].

dog collar *sb.* **1.** hundehalsbånd; **2.** T præsteflip.

dog dirt *sb.* T hundebæ.

doge [dəuʒ] *sb.* (*hist.*) doge.

dog-eared ['dɔgiəd] *adj.* (*om bog*) med æselører.

dog-end ['dɔgend] *sb.* **1.** T cigaretstump; skod; **2.** kedelig rest.

dogface ['dɔgfeis] *sb.* (*am. mil.* S) knoldesparker, fodtusse.

dogfight ['dɔgfait] *sb.* **1.** (*arrangeret*) hundekamp; **2.** (*fig.*) hundeslagsmål; **3.** (*mil.*) luftkamp, luftduel.

dogfish ['dɔgfiʃ] *sb.* (*zo.*) **1.** rødhaj; **2.** (*spiny ~*) pighaj.

dogged ['dɔgid] *adj.* stædig, vedholdende; ihærdig.

doggerel ['dɔg(ə)rəl] *sb.* **1.** (*i litteratur*) [uregelmæssige vers med komisk indhold]; (*omtr.*) knittelvers; **2.** (*neds.*) dårlige vers, rimeri.

doggie ['dɔgi] *sb.* T vovse.

doggo ['dɔgəu] *adv.*: *lie ~* (*glds.*) ligge tot; holde sig skjult; ikke tiltrække sig opmærksomhed.

doggone ['dɔgɔn] *adj.* (*am. S*) forbistret, fordømt, forbandet.

doggy¹ ['dɔgi] *sb.* T vovse.

doggy² ['dɔgi] *adj.* **1.** hundeagtig; hunde-; **2.** som holder af hunde.

doggy bag *sb.* (*på restaurant*) hundepose [pose til madrester til hunden].

doggy paddle *sb.* hundesvømning.

dog handler *sb.* hundefører.

doghouse ['dɔghaus] *sb.* **1.** (*am.*) hundehus; **2.** (*mar.*) dækshus; ruf; □ *in the ~* T i unåde.

dog lead ['dɔgli:d] *sb.* hundesnor.

dogleg ['dɔgleg] *sb.* **1.** skarp kurve; knæk; **2.** (*flyv.*) pludselig kursændring; skarp drejning.

dogma ['dɔgmə] *sb.* dogme, trossætning.

dogmatic [dɔg'mætik] *adj.* dogmatisk.

dogmatism ['dɔgmətizm] *sb.* dogmatisme.

dogmatist ['dɔgmətist] *sb.* dogmatiker.

do-gooder [du:'gudə] *sb.* [velmenende men overivrig hjælper].

dog paddle *sb.* (*am.*) hundesvømning.

dog rose *sb.* (*bot.*) hunderose.

dogsbody ['dɔgzbɔdi] *sb.* S [en der gør det kedelige arbejde]; slave; stikirenddreng.

dog's breakfast *sb.* (*etc.*) se *dog¹*.

dog's mercury *sb.* (*bot.*) bingelurt.

dogstail ['dɔgzteil] *sb.* (*bot.*) kamgræs.

Dog Star *sb.* (*astr.*) Sirius; Hundestjernen.

dog tag *sb.* **1.** hundetegn; **2.** (*mil.*) identitetsmærke; T hundetegn.

dog-tired [dɔg'taiəd] *adj.* dødtræt.

dogtooth ['dɔgtu:θ] *sb.* (*mønster*) (lille) hanefjed.

dogtrot ['dɔgtrɔt] *sb.* luntetrav.

dog violet *sb.* (*bot.*) hundeviol; kratviol.

dogwatch ['dɔgwɔtʃ] *sb.* (*mar.*) [vagt fra kl. 16-18 el. 18-20].

dogwood ['dɔgwud] *sb.* (*bot.*) kornel.

DoH *fork. f. Department of Health.*

doh [dəu] *sb.* (*mus.*) do.

doily ['dɔili] *sb.* **1.** (*under kage*) kagepapir; kageserviet; **2.** (*til at stille vaser etc. på*) bordskåner, flakonserviet; **3.** (*mellem tallerkner*) mellemlægsserviet.

doing ['du(:)iŋ] *sb.* handling; værk (*fx it is his ~*);

□ *it takes a lot of ~* det er ikke så ligetil; det er ikke nogen let sag;

-s a. gerninger, meriter, udfoldelser (*fx the magazine reports on the -s of film stars*); **b.** (*ting*) dimser, dippedutter; remedier; *dogs' -s* hundehømhømmer.

do-it-yourself [du:itjə'self] *adj.* gør det selv-; (se også *DIY²*).

doldrums ['dɔldrəmz] *sb. pl.*: *the ~* (*geogr.*) kalmebæltet [ɔ: det stille bælte omkring ækvator]; *be in the ~* (*fig.*) **a.** befindes sig i et dødvande; ikke komme nogen vegne; ligge stille; **b.** (*om person*) være i dårligt humør; være nedtrykt.

dole¹ [dəul] *sb.*: *be on the ~* få arbejdsløshedsunderstøttelse; T være på støtten.

dole² [dəul] *vb.*: *~ out* dele ud, fordele.

doleful ['dəulful] *adj.* **1.** bedrøvet, sorgfuld (*fx expression*); **2.** bedrøvelig, sørgelig (*fx consequences*).

dole queue *sb.*: *the ~* arbejdsløshedskøen (*fx another 17,000 have joined the ~*).

doll¹ [dɔl] *sb.* **1.** dukke; **2.** S sød pige; „sild".

doll² [dɔl] *vb.*: *~ up* pynte (sig); maje sig ud; *be -ed up* (*også*) være i sit stiveste puds.

dollar ['dɔlə] *sb.* dollar.

dollhouse ['dɔlhaus] *sb.* (*am.*) dukkehus.

dollop ['dɔləp] *sb.* klump; klat (*fx of whipped cream*); portion.

doll's house *sb.* dukkehus.

Dolly ['dɔli] [kælenavn for *Dorothy*].

dolly¹ ['dɔli] *sb.* **1.** dukke; **2.** = *dolly bird*; **3.** (*film.*) dolly, kameravogn; **4.** (*tekn.*: *ved nitning*) modholder.

dolly² ['dɔli] *vb.*: *~ in//out* (*film.*) køre kameraet frem//tilbage.

dolly bird *sb.* (*glds.* T) „laber larve"; „lækker steg".

dolly mixture *sb.* (*omtr.*) bridgeblanding.

dolman ['dɔlmən] *sb.* dolman [tyrkisk kjortel; husartrøje; damekåbe].

dolmen ['dɔlmən] *sb.* (*arkæol.*) stendysse.

dolorous ['dɔlərəs, (*am.*) 'doul-] *adj.* (*poet.*) sørgelig; bedrøvelig, melankolsk.

dolour ['dɔlə, (*am.*) 'doulə] *sb.* (*poet.*) sorg, kvide.

dolphin ['dɔlfin] *sb.* **1.** (*zo.*) delfin; **2.** = *dolphinfish*; **3.** (*mar.*) duc d'albe [ɔ: knippe af nedrammede pæle til fortøjning].

dolphinfish ['dɔlfinfiʃ] *sb.* (*zo.*) guldmakrel.

dolphin striker *sb.* (*mar.*) pyntenetstok.

D dolt

dolt [dəult] *sb.* (*glds.* T) dumrian, tåbe.
doltish ['dəultiʃ] *adj.* (*glds.* T) dum; klodset.
domain [də'mein] *sb.* domæne.
dome [dəum] *sb.* kuppel.
domed [dəumd] *adj.* kuplet; hvælvet.
Domesday Book ['du:mzdeibuk] *sb.* (*hist.*) [*Englands jordebog fra 1086, udarbejdet på Vilhelm Erobrerens befaling*].
domestic[1] [də'mestik] *sb.* **1.** = *domestic help*; **2.** T = *domestic dispute*; **3.** (*am. merk.*) nationalt produkt.
domestic[2] [də'mestik] *adj.* **1.** huslig (*fx duties; bliss* lykke); hjemlig; hus-; **2.** (*om dyr*) tam; **3.** (*inden for et land*) indre (*fx affairs* anliggender); intern; indenrigs- (*fx flight; trade*); indenlandsk;
□ *he is* ~ han er et hjemmemenneske; *be in* ~ *service* (*glds.*) være ude at tjene; være i huset; ~ *utensils* husgeråd.
domestic animal *sb.* husdyr.
domestic appliances *sb. pl.* husholdningsmaskiner.
domesticate [də'mestikeit] *vb.*
1. (*om dyr*) tæmme; gøre til husdyr; **2.** (*spøg. om person*) gøre huslig.
domesticated *adj.* **1.** (*om person*) huslig; **2.** (*om dyr*) tam.
domestication [dəmesti'keiʃn] *sb.*
1. tilknytning til hjemmet; **2.** (*om dyr*) tæmning (*fx suited for* ~); **3.** tamhed.
domestic dispute *sb.* husspektakler.
domestic help *sb.* rengøringshjælp.
domestic industry *sb.* **1.** hjemmeindustri; **2.** husflid.
domesticity [dəume'stisəti] *sb.*
1. familieliv; hjemmeliv (*fx a scene of happy* ~); **2.** kærlighed til hjemmet; **3.** huslighed; **4.** (*om dyr*) tamhed;
□ *domesticities* hjemlige//huslige sager; hjemlige//huslige problemer.
domestic market *sb.* (*merk.*) hjemmemarked.
domestic pig *sb.* tamsvin.
domestic science *sb.* (*glds.*) husholdningslære; hjemkundskab.
domestic service *sb.*: *be in* ~ (*glds.*) være i huset; være ude at tjene.
domestic waste *sb.* husholdningsaffald.
domicile ['dɔmisail, -sil] *sb.* **1.** (F *el. jur.*) domicil, hjemsted; fast bopæl; **2.** (*am.*) bopæl.
domiciled ['dɔmisaild, -sild] *adj.*

(*merk.*: *om veksel*) domicileret;
□ *be* ~ *in* **a.** (F *el. jur.*) have hjemsted/fast bopæl i; **b.** (*am.*) bo i.
domiciliary [dɔmi'siliəri] *adj.* (*jur.*) i hjemmet; i eget hjem.
dominance ['dɔminəns] *sb.* **1.** dominerende stilling (*fx of the market* på markedet); dominans; **2.** herredømme (*fx of the sea* på havet; *of the air* i luften; *military* ~); **3.** (*biol.*) dominans.
dominant[1] ['dɔminənt] *sb.* (*mus.*) dominant.
dominant[2] ['dɔminənt] *adj.* **1.** dominerende (*fx position*); herskende; fremherskende; **2.** (*biol.*) dominant, dominerende.
dominate ['dɔmineit] *vb.* **1.** dominere; beherske; **2.** (*om bygning etc.*) dominere, rage op over;
□ ~ *over* = dominate.
domination [dɔmi'neiʃn] *sb.* herredømme.
dominatrix [dɔmi'neitriks] *sb.* (*pl.* -*es*/-*trices* [-'trisi:z]) dominerende kvinde [*i sadomasochistisk forhold*].
dominee ['dɔmini:] *sb.* (*Sydafr.*) præst.
domineering [dɔmi'niəriŋ] *adj.* dominerende; herskesyg; tyrannisk.
Dominican[1] [də'minik(ə)n] *sb.* dominikaner.
Dominican[2] [də'minik(ə)n] *adj.* dominikansk.
Dominican Republic Dominikanske Republik.
dominie ['dɔmini] *sb.* **1.** (*skotsk*) skolelærer; **2.** (*am.*) præst; (*i tiltale*) hr. pastor.
dominion [də'minjən] *sb.* **1.** F herredømme, magt (*over* over); **2.** (*land*) besiddelse; **3.** (*glds.*: *i det britiske imperium*) dominion [*selvstyrende landområde*].
domino ['dɔminəu] *sb.* (se også *dominoes*) **1.** dominobrik; **2.** (*maskeradedragt*) domino; halvmaske.
domino effect *sb.* dominoeffekt.
dominoes ['dɔminəuz] *sb.* (*spil*) domino.
don[1] [dɔn] *sb.* **1.** (*ældre*) universitetslærer [*især i Oxford og Cambridge*]; **2.** spanier; don.
don[2] [dɔn] *vb.* F tage på, iføre sig.
Donald ['dɔn(ə)ld]: ~ *Duck* Anders And.
donate [də(u)'neit, (*am.*) 'douneit] *vb.* **1.** (*til velgørenhed*) give; donere, skænke; **2.** (*organ*) give.
donation [də(u)'neiʃn] *sb.* **1.** gave; bidrag; donation; **2.** bortgivelse.
done[1] [dʌn] *præt. ptc. af do*[3].
done[2] [dʌn] *adj.* **1.** gjort; afsluttet, færdig (*fx the work is* ~); forbi (*fx*

the day is ~); **2.** (*om mad*) færdig, (færdig)kogt; (*om brød etc.*) (færdig)bagt; (*om kød*) (færdig)stegt (*fx the meat is* ~); gennemstegt (*fx a well-* ~ *chop*); **3.** T udmattet;
□ ~*!* det er et ord/en aftale! *well begun is* **half** ~ godt begyndt er halvt fuldendt; **have** ~ se *have*[2];
it is **not** ~ det kan man ikke [ɔ: *det strider mod god tone*]; *it's the* ~ **thing** det hører til god tone; *it's not the* ~ *thing* det kan man ikke; (se også *undone*);
[*med præp.& adv.*] *be hard* ~ **by** T få en dårlig//grov//uretfærdig/urimelig behandling; *do as you would be* ~ *by* gør mod andre som du vil have at andre skal gøre mod dig; *he is* ~ **for** han er færdig, det er sket/ude med ham; han har fået sit knæk; ~ *in* udmattet; ~ *to* *a turn*/*a nicety* tilpas stegt; ~ *up* **a.** udmattet, færdig, ødelagt; **b.** stadset op, majet ud; **c.** stærkt sminket; (*over and*) ~ *with* overstået; *get*//*have* ~ *with it* **a.** blive// være færdig med det; **b.** få det overstået.
done deal *sb.* afgjort sag.
donee [dəu'ni:] *sb.* **1.** gavemodtager; **2.** (*jur.*) person der har fuldmagt, fuldmægtig.
doner kebab [dɔnəki'bæb] *sb.* [*pitabrød med lammekød og salat*].
dong [dɔŋ] *sb.* (*am.* S) tissemand.
donga ['dɔŋgə] *sb.* (*sydafr.*) regnkløft.
dongle ['dɔŋgl] *sb.* (*it*) dongle, kopibeskyttelsesnøgle.
donjon ['dɔndʒən] *sb.* borgtårn.
Don Juan [dɔn'dʒu(:)ən, (*am.*) dɔn'wa:n] *sb.* don juan.
donkey ['dɔŋki] *sb.* æsel; (se også *hind leg, donkey's years*).
donkey engine *sb.* (*mar.*) donkeymaskine [*hjælpemaskine der bruges ved ladning og losning*].
donkey jacket *sb.* [*tyk vind- og vandtæt arbejdsjakke*].
donkeyman ['dʌnkimən] *sb.* (*pl.* -*men* [-mən]) donkeymand [*som passer donkeymaskine*].
donkey's years *sb.* umindelig tider (*fx it has been here for* ~); en evighed;
□ *I have not seen him for* ~ det er en evighed siden jeg har set ham.
donkey work *sb.* slavearbejde, slæb;
□ *do the* ~ tage slæbet; gøre det grove.
donnish ['dɔniʃ] *adj.* (cf. *don*[1]) professoragtig; akademisk.
donnybrook ['dɔnibruk] *sb.* (*am.*)
1. almindeligt slagsmål; **2.** spektakel; ballade.

donor ['dəunə] *sb.* donor; giver.

do-nothing ['du:nʌθiŋ] *sb.* T dag-driver.

don't [dəunt] **1.** (*fork. f.*) *do not*; **2.** (*sb.*) forbud.

donut *sb.* = *doughnut.*

doodad ['du:dæd] *sb.* (*am.*) **1.** = *doodah*; **2.** nipsgenstand.

doodah ['du:da:] *sb.* T dims, dinge-not, himstregims; □ *all of a* ~ helt fra snøvsen; helt rundt på gulvet.

doodle[1] ['du:dl] *sb.* kruseduller.

doodle[2] ['du:dl] *vb.* sidde og tegne kruseduller [*mens man keder sig*].

doodlebug ['du:dlbʌg] *sb.* **1.** (*hist.: under 2. verdenskrig*) flyvende bombe; **2.** (*am. zo.*) myreløve-larve.

doo-doo ['du:du:] *sb.* (*am.* T) bæ; lort; □ *be in deep* ~ være i alvorlige vanskeligheder; være ude at skide.

doolally [du:'læli] *adj.* T skør, fra forstanden.

doom[1] [du:m] *sb.* **1.** undergang; ulykke; død; **2.** (*glds.*) dom; dom-medag; □ ~ *and gloom* (*omtr.*) jammer og elendighed; *impending* ~ truende ulykke; *prophet of* ~ ulykkespro-fet; *till the crack of* ~ (*jf. 2*) til dommedagsbasunen lyder.

doom[2] [du:m] *vb.* dømme; for-dømme.

doomed [du:md] *adj.* dømt til at mislykkes, dødsdømt (*fx the pro-ject was* ~ *from the start*); □ ~ *to* dømt til//til at.

doomsayer ['du:mseiə] *sb.*, **doom-watcher** ['du:mwɔtʃə] *sb.* domme-dagsprofet; ulykkesprofet.

doomsday ['du:mzdei] *sb.* domme-dag.

Doomsday Book *sb.* se *Domesday Book.*

doomster ['du:mstə] *sb.* = *doom-sayer.*

door [dɔ:] *sb.* dør; □ *two -s away* T to huse herfra; *next* ~ se *next door*; *a* ~ *to suc-cess* en vej til succes; [*med vb.*] *open the* ~ *to* (*fig.*) åbne døren for; *shut the* ~ *on* (*fig.*) lukke døren for; *shut/slam/bang in sby's face, shut/slam the door on sby* smække døren i for næsen af en; (se også *answer*[2], *stable door*); [*med præp.*] *at the* ~ ved døren (*fx there is somebody at the* ~); *knock at the* ~ banke på døren; *lay it at his* ~ **a.** tilskrive ham det (*fx the change must be laid at his* ~); **b.** (*om noget negativt*) skyde

ham det i skoene; give ham skyl-den for det; *the fault lies wholly at my* ~ skylden ligger helt og holdent hos mig; (se også *death*); *get one's foot in the door* se *foot*[1]; *out of* -s ude, udendørs, i det fri; ~ *to* ~ fra dør til dør; *see sby to the* ~ følge en ud; *within* -s inden døre.

doorcase ['dɔ:keis] *sb.* dørkarm.

doorframe ['dɔ:freim] *sb.* dørkarm.

doorjamb ['dɔ:rdʒæmb] *sb.* (*am.*) = *doorpost.*

doorkeeper ['dɔ:ki:pə] *sb.* portner; dørvogter.

doorknob ['dɔ:nɔb] *sb.* (rundt) dør-håndtag/dørgreb.

doorknocker ['dɔ:nɔkə] *sb.* dør-hammer.

doorman ['dɔ:mən] *sb.* (*pl.* -*men* [-mən]) **1.** portner; **2.** (*ved hotel*) portier; **3.** (*ved natklub etc.*) dør-mand.

doormat ['dɔ:mæt] *sb.* **1.** dørmåtte; **2.** (T: *om person*) dørmåtte; en der finder sig i alt.

doornail ['dɔ:neil] *sb.* se *dead*[1].

doorpost ['dɔ:pəust] *sb.* dørstolpe.

doorprize ['dɔ:rpraiz] *sb.* (*am.: ved forestilling*) [præmie som man vinder på sin billet].

doorstep[1] ['dɔ:step] *sb.* **1.** trappe-sten [*uden for huset*]; **2.** (T: *af brød*) humpel; □ *on one's* ~ lige foran ens dør, lige uden for døren.

doorstep[2] ['dɔ:step] *vb.* (*om jour-nalist*) belejre [ɔ: *et offer*]; □ *go -ping* (*om politiker*) stemme dørklokker.

doorstop ['dɔ:stɔp], **doorstopper** ['dɔ:stɔpə] *sb.* **1.** dørstopper; **2.** (*om tyk bog*) mursten.

doorway ['dɔ:wei] *sb.* **1.** døråbning; **2.** indgang (*fx tramps slept in -s*); □ *stand in the* ~ stå i døren.

dope[1] [dəup] *sb.* T **1.** stoffer, narko; **2.** (*i sport*) dopingmiddel; **3.** (*om oplysninger*) staldtips, fortrolige oplysninger (*on om*); **4.** (*om per-son*) fjols; **5.** (*tyktflydende væske*) smørelse; **6.** (*flyv.*) dope; lak; **7.** (*i benzin*) tilsætningsstof; □ *that's the* ~! T det er det vi skal ha' frem!

dope[2] [dəup] *vb.* T **1.** bedøve; **2.** (*i sport etc.*) dope (*fx a racehorse*); **3.** (*mad, drik*) komme noget bedø-vende i; **4.** (*flade*) lakere; over-stryge; □ ~ *out* (*am.*) regne ud, finde ud af.

doped up ['dəuptʌp] *adj.* bedøvet af narko.

dopester ['dəupstər] *sb.* (*am.*) **1.** (*ved valg, omtr.*) valgprofet; **2.** (*i*

sport) [*en der har staldtips*].

dope test *sb.* dopingprøve.

dopey ['dəupi] *adj.* **1.** døsig; sløv, halvt bedøvet; **2.** T dum; tåbelig.

dor [dɔ:] *sb.* (*zo.*) skarnbasse.

dorbeetle ['dɔ:bi:tl] *sb.* (*zo.*) skarn-basse.

Dorian[1] ['dɔ:riən] *sb.* (*hist.*) dorier.

Dorian[2] ['dɔ:riən] *adj.* (*hist.*) do-risk.

Doric[1] ['dɔrik] *sb.* **1.** dorisk; **2.** bon-demål.

Doric[2] ['dɔ:rik] *adj.* (*arkit.; sprogv.*) dorisk (*fx column; dialect*).

dork [dɔ:k] *sb.* (*am.* S) fjog; sær-ling; nørd.

dorkish ['dɔ:kiʃ] *adj.*, **dorky** ['dɔ:ki] *adj.* S fjoget; nørdet.

dorm [dɔ:m] *sb.* (T: *fork. f. dormi-tory*) sovesal.

dormancy ['dɔ:mənsi] *sb.* **1.** dvale(tilstand); **2.** (*om plante*) hviletilstand.

dormant ['dɔ:mənt] *adj.* **1.** slum-rende; hvilende; **2.** (*om dyr*) i dvale; **3.** (*bot.*) hvilende; i hvile-tilstand; **4.** (*om vulkan*) inaktiv; □ *lie* ~ ligge i dvale; ~ *bud* (*jf. 3*) sovende øje; ~ *partner* (*merk.*) passiv kompagnon.

dormer ['dɔ:mə] *sb.* (fremsprin-gende) tagvindue; kvistvindue.

dormer window *sb.* = *dormer.*

dormice ['dɔ:mais] *pl.* af *dor-mouse.*

dormitory ['dɔ:mit(ə)ri] *sb.* **1.** sove-sal; **2.** (*am.*) kollegium [*hvor stu-derende/elever bor*]; **3.** (*by*) so-veby.

dormitory suburb *sb.*, **dormitory town** *sb.* soveby.

Dormobile® ['dɔ:məbi:l] *sb.* [*en type autocamper*].

dormouse ['dɔ:maus] *sb.* (*pl. dor-mice* ['dɔ:mais]) hasselmus; (*om arten*) syvsover.

dorp [dɔ:p] *sb.* (*Sydafr.*) landsby; by.

dorsal ['dɔ:s(ə)l] *adj.* ryg-.

dorsal fin *sb.* rygfinne.

dory ['dɔ:ri] *sb.* **1.** dory [*lille flad-bundet robåd*]; **2.** (*zo.*) sanktpe-tersfisk.

dosage ['dəusidʒ] *sb.* **1.** dosis; **2.** dosering.

dose[1] [dəus] *sb.* **1.** dosis; **2.** (T: *fig.*) dosis, portion, gang (*fx a* ~ *of flat-tery*); □ *give sby a* ~ S smitte en med gonorré; *like a* ~ *of salts* T lyn-hurtigt; (se også *medicine*).

dose[2] [dəus] *vb.*: ~ *with* fylde med, give en stor dosis (*fx* ~ *him with aspirins*); ~ *oneself with* fylde sig med, tage en stor dosis (*fx aspir-ins*).

D *dosemeter*

dosemeter ['dəusmi:tə] *sb.* = *dosimeter.*

dosh [dɔʃ] *sb.* S penge.

dosimeter [dəu'simitə] *sb.* dosimeter [*til måling af radioaktivitet*].

doss[1] [dɔs] *sb.*: *it's a* ~ T det er så let som ingenting.

doss[2] [dɔs] *vb.* T (lægge sig til at) sove primitivt//tilfældige steder//på gulvet//på gaden; □ ~ *about/around* daske rundt; ~ *down* = doss.

dosser ['dɔsə] *sb.* bums; subsistensløs [*der sover i parker etc.*].

dosshouse ['dɔshaus] *sb.* S billigt logihus/herberg, natherberg [*især: for subsistensløse*].

dossier ['dɔsiei] *sb.* **1.** dossier; sagsakter; sag; **2.** (*kriminels*) generalieblad.

dost [dʌst] (*glds.*) *2. pers. sg. præs. af do*[3].

dot[1] [dɔt] *sb.* **1.** prik; punkt; **2.** (*i e-postadresse*) punktum; □ *on* the ~ T lige præcis; lige på minutten; *in the year* ~ T i syttenhundredehvidkål; *since the year* ~ T fra tidernes morgen.

dot[2] [dɔt] *vb.* (se også *dotted*) **1.** danne prikker på, prikke (*fx raindrops -ted his shirt*); **2.** (*bogstav*) sætte prik over (*fx one's i's*); **3.** (*mus.*) punktere; **4.** (*område*) være spredt over//rundt i (*fx small towns* ~ *the landscape*); □ *people -ted the fields* rundt omkring på markerne så man folk; ~ *him one* S lange ham en ud; ~ *the/one's i's and cross the/one's t's* **a.** sætte prik over i'erne og streg gennem t'erne; **b.** (*fig.*) være meget nøjagtig/omhyggelig; **c.** (*neds.*) være pedantisk.

dotage ['dəutidʒ] *sb.*: *in one's* ~ (*glds., spøg.*) gammel og svækket; *be in one's* ~ (*også*) gå i barndom.

dot.com. [dɔt'kɔm] *sb.* [*firma som sælger via internettet*].

dote [dəut] *vb.*: ~ (*up*)*on* forgude.

doth [dʌθ] (*glds.*) *3. pers. sg. præs. af do*[3].

doting ['dəutiŋ] *adj.* (blindt) tilbedende.

dot matrix printer *sb.* (*it*) matrixprinter.

dotted ['dɔtid] *adj.* **1.** prikket; **2.** (*om linje*) punkteret; □ ~ *around the garden* spredt rundt om i haven; ~ *with houses* med huse her og der.

dotted line *sb.* punkteret linje; □ *sign on the* ~ (*fig.*) skrive under uden videre; acceptere blankt.

dotterel ['dɔt(ə)rəl] *sb.* (*zo.*) pomeransfugl.

dottle ['dɔtl] *sb.* klump pibeud-

krads.

dotty ['dɔti] *adj.* T småtosset; skør; □ ~ *about* tosset/skør med.

double[1] [dʌbl] *sb.* (se også *doubles*) **1.** (*person*) dobbeltgænger; **2.** (*teat.*) [*skuespiller der har to roller i samme stykke*]; **3.** (*teat.*: *som kan træde ind i stedet for en anden*) dubleant; **4.** (*film.*) stand-in; **5.** (*om mængde*) det dobbelte (*fx he paid* ~); **6.** (*drink*) dobbelt; **7.** (*på hotel etc.*) dobbeltværelse; **8.** (*i løb*) brat drejning; **9.** (*i bridge*) dobling; **10.** (*i totalisatorspil*) dobbeltvæddemål; □ *at the* ~ (*glds.* T) så hurtigt som muligt; i løb; i fuldt firspring; *on the* ~ (*am.*) = *at the* ~.

double[2] [dʌbl] *adj.* **1.** dobbelt (*fx meaning; ration; a* ~ *whisky*); dobbelt- (*fx agent; wedding; life*); **2.** (*foran tal*) [*betyder at tallet gentages, fx two, double four, six, five: 24465*]; **3.** (*om blomst*) fyldt; dobbelt; □ ~ *or quits* kvit eller dobbelt; ~ *the* det dobbelte af, det//den dobbelte (*fx* ~ *the amount;* ~ *the salary*).

double[3] [dʌbl] *vb.* **1.** fordoble (*fx the profit*); **2.** (*om papir, stof*) lægge dobbelt; bøje/bukke om; **3.** (*mar.*) sejle rundt om, runde (*fx Cape Horn*); **4.** (*i kortspil*) doble; **5.** (*teat.*) dublere; **6.** (*uden objekt*) fordobles (*fx the profit has -d*); **7.** (*om bevægelse*) løbe i stor fart; **8.** (*mil.*) gå i hurtigmarch; □ ~ *one's fists* (*am.*) knytte næverne; ~ *the parts of A and B* (*teat.*) både spille rollen som A og som B [*i samme stykke*]; [*med adv.*] ~ *as* **a.** (*teat.*: *en rolle*) dublere; **b.** (*om ting, person*) også blive brugt/fungere som (*fx the printer -s as a photo copier; the farmer -s as a fireman*); ~ *back* **a.** bøje om; bukke om (*fx the bed sheets*); **b.** (*om person*) (pludselig) vende om og gå samme vej tilbage; ~ *in* bøje ind; ~ *up* **a.** = 2; **b.** (*om person: af smerte*) krumme sig sammen; (*af latter også*) knække sammen; **c.** (T: *om to*) dele værelse//kontor//lejlighed; ~ *sby up* (*jf. b.*) få en til at krumme sig sammen//knække sammen; ~ *up as* = ~ *as;* ~ *up with* (*jf. c.*) dele værelse *etc.* med.

double[4] ['dʌbl] *adv.* dobbelt (*fx see* ~; *that counts* ~); □ ~ *bend* ~ krumme sig sammen; *fold* ~ lægge dobbelt; bukke sammen; *ride* ~ ride to på en hest.

double act *sb.* (*teat.*) **1.** komisk nummer med to optrædende;

2. komisk par.

double-barrelled [dʌbl'bær(ə)ld] *adj.* **1.** (*om skydevåben*) dobbeltløbet; **2.** (*om plan etc.*) som består af to dele; med dobbelt formål.

double-barrelled name *sb.* toleddet navn [*med bindestreg*].

double bass [dʌbl'beis] *sb.* (*mus.*) kontrabas.

double bill *sb.* (*teat.*) dobbeltforestilling.

double bind *sb.* dilemma; umulig situation [*som skaffer en ubehagelighed lige meget hvad man gør*].

double bluff *sb.* [*det at bluffe ved at fortælle sandheden og regne med ikke at blive troet*].

double boiler *sb.* vandbadsgryde.

double-book [dʌbl'buk] *vb.* (*om billet, værelse etc.*) sælge/reservere to gange.

double-breasted [dʌbl'brestid] *adj.* (*om jakke*) toradet.

double-check [dʌbl'tʃek] *vb.* tjekke en ekstra gang, dobbelttjekke.

double-click ['dʌblklik] *vb.* (*it*) dobbeltklikke.

double cream *sb.* (*omtr.*) piskefløde.

double crochet *sb.* fastmaske.

double-cross[1] [dʌbl'krɔs] *sb.* svindelnummer; snyderi; forræderi.

double-cross[2] [dʌbl'krɔs] *vb.* snyde; forråde.

double-dealing [dʌbl'di:liŋ] *sb.* dobbeltspil.

double-decker [dʌbl'dekə] *sb.* **1.** toetages bus, todækker, dobbeltdækker; **2.** (*om sandwich*) todækker [*med to lag*].

double-digit [dʌbl'didʒit] *adj.* tocifret.

double-dip[1] [dʌbl'dip] *sb.* (*am.*) isvaffel med to kugler.

double-dip[2] [dʌbl'dip] *vb.* (*am.*) have to indtægter; få både pension og løn fra det offentlige.

double dipper *sb.* (*am.*) [*en der både får pension og løn fra det offentlige*].

double Dutch *sb.* T volapyk, kaudervælsk.

double-dyed [dʌbl'daid] *adj.* **1.** farvet to gange; **2.** ærke- (*fx scoundrel*).

double-edged [dʌbl'edʒd] *adj.* **1.** tveægget; **2.** (*om udsagn*) dobbeltbundet; tvetydig.

double-edged sword *sb.* (*også fig.*) tveægget sværd.

double ender [dʌbl'endə] *sb.* (*mar.*) spidsgatter.

double entendre [fr] *sb.* tvetydighed.

double entry *sb.* dobbelt bogholderi.

double-faced [dʌblˈfeist] *adj.*
1. (*om ur*) med to skiver; **2.** (*om person*) falsk.

double fault *sb.* (*i tennis*) dobbelt-fejl.

double feature *sb.* (*i biograf*) dob-beltprogram.

double figures *sb. pl.*: *in* ~ (*om be-løb*) tocifret.

double glazing *sb.* dobbelte vin-duer [ɔ: *med to lag glas*].

doubleheader [dʌblˈhedə] *sb.*
1. (*jernb.*) tog trukket af to loko-motiver; **2.** (*am.*) program med to (baseball)kampe.

double helix *sb.* dobbeltspiral.

double jeopardy *sb.* (*jur.*) [*det at blive stillet for retten to gange for samme lovovertrædelse*].

double-jointed [dʌblˈdʒɔintid] *adj.*
[*med led som kan bevæges i begge retninger*]; leddeløs.

double-page spread [dʌblpeid-ʒˈspred] *sb.* illustration//artikel over et helt opslag; tosidesan-nonce.

double-park [dʒblˈpaːk] *vb.* par-kere i anden position.

double-quick [dʌblˈkwik] *adv.* T lynhurtigt, i lyntempo.

doubles [ˈdʌblz] *sb. pl.* (*i tennis, badminton*) double.

doublespeak [ˈdʌblspiːk] *sb.* = *doubletalk.*

double spread = *double-page spread.*

double standards *sb. pl.* dobbelt-moral.

doublet [ˈdʌblit] *sb.* **1.** (*sprogv.*) du-blet; **2.** (*glds.*) vams.

double take *sb.* forsinket reaktion; □ *do a* ~ kigge en ekstra gang.

doubletalk [ˈdʌbltɔːk] *sb.* [*det at tale med to tunger*]; dobbelttydig tale;
□ *use* ~ udtrykke sig dobbeltty-digt; mene det modsatte af hvad man siger.

doublethink [ˈdʌblθiŋk] *sb.* dob-bellttænkning [ɔ: *nære to modstri-dende opfattelser på én gang*].

doubletree [ˈdʌbltriː] *sb.* (*på heste-vogn*) hammel.

doubly [ˈdʌbli] *adv.* dobbelt.

doubt¹ [daut] *sb.* tvivl (*about* om); betænkelighed (*about* ved);
□ *no* ~ uden tvivl, utvivlsomt, sikkert; *cast/throw* ~ *on it* så tvivl om det; drage det i tvivl; *have -s about* være i tvivl om; nære be-tænkeligheder ved;
[*med præp.*] *beyond* ~ hævet over enhver tvivl; *beyond reason-able* ~ (*jur.*) uden for enhver ri-melig tvivl; *be in* ~ **a.** (*om per-*

son) være i tvivl; **b.** (*om sag*) være tvivlsom (*fx the outcome is still in* ~); *open to* ~ tvivlsom; *without (a)* ~ ganske givet.

doubt² [daut] *vb.* **1.** tvivle på (*fx him; his word; the value of such investigations*); betvivle; **2.** (*uden objekt, især rel.*) tvivle.

doubter [ˈdautə] *sb.* tvivler.

doubtful [ˈdautf(u)l] *adj.* **1.** (*om person*) tvivlende; usikker (*about* på); tvivlrådig (*fx her expression was* ~); tvivlende; **2.** (*om forhold*) tvivlsom (*fx advantage; of* ~ *quality*); problematisk;
□ *I am* ~ jeg tvivler, jeg er i tvivl; *be* ~ *about* (*også*) være i tvivl om; *it is* ~ *whether* det er tvivlsomt om; ~ *debts* usikre fordringer; *in* ~ *taste* temmelig smagløs.

doubting Thomas [dautiŋˈtɔməs] *sb.* vantro Thomas; skeptiker.

doubtless [ˈdautləs] *adv.* uden tvivl, utvivlsomt.

douce [duːs] *adj.* (*især skotsk*) ro-lig, sindig; stilfærdig.

douche¹ [duːʃ] *sb.* **1.** styrtebad; douche; **2.** (*med.*) udskylning.

douche² [duːʃ] *vb.* **1.** tage styrte-bad; **2.** (*med.*) bruge udskylning; skylle ud.

dough [dəu] *sb.* **1.** dej; **2.** (*glds.* S) penge, gysser.

doughboy [ˈdoubɔi] *sb.* (*am.* T) fod-tusse.

doughnut [ˈdəunʌt] *sb.* (*omtr.*) ber-linerpfannkuchen.

doughty [ˈdauti] *adj.* (*glds.*) tapper; brav.

doughy [ˈdəui] *adj.* dejagtig; klæg.

Douglas fir [dʌgləsˈfəː] *sb.* (*bot.*) douglasgran.

dour [duə] *adj.* **1.** (*om person*) mørk, dyster; streng; **2.** (*om an-det*) sej (*fx resistance*); stædig; indædt (*fx anger*).

douse [daus] *vb.* **1.** (*med væske*) overhælde, overøse (*fx him//the car with petrol*); sjaske til; **2.** (*ild*) hælde vand på; overøse med vand; **3.** (*lys*) slukke; **4.** (*mar.: sejl*) bjærge.

dove¹ [dʌv] *sb.* (*også fig.*) due; (se også *collared dove*).

dove² [douv] (*am.*) *præt. af dive².*

dovecot(e) [ˈdʌvkɔt] *sb.* dueslag;
□ *flutter the -s* sætte sindene i be-vægelse; lave røre i andedammen.

Dover sole [dəuvəˈsəul] *sb.* tunge [*en fisk*].

dovetail¹ [ˈdʌvteil] *sb.* (*i snedkeri*)
1. (*samling*) sinkeforbindelse, sinkning; **2.** (*tap*) sinke.

dovetail² [ˈdʌvteil] *vb.* **1.** (*træ*) sinke (sammen); **2.** (*uden objekt: fig.*) passe sammen;

□ ~ *into* passe nøjagtigt ind i.

dovish [ˈdʌviʃ] *adj.* dueagtig, fred-sommelig.

Dow [dau] *sb.*: *the* ~ = *Dow Jones Index.*

dowager [ˈdauədʒə] *sb.* **1.** rig for-nem enke; **2.** T statelig ældre dame.

dowdy [ˈdaudi] *adj.* **1.** (*om på-klædning*) umoderne, gammel-dags; smagløs; **2.** (*om kvinde*) dår-ligt//smagløst//gammeldags klædt.

dowel [ˈdauəl] *sb.* **1.** dyvel; tap; **2.** (*tekn.*) styrepind; styrestift.

dower [ˈdauə] *sb.* enkelod; enke-sæde.

Dow Jones Index [daudʒəunzˈin-deks] *sb.* [*aktieindeks på børsen i New York*].

down¹ [daun] *sb.* (se også *downs*)
1. dun; fnug; **2.** (*psykisk,* T) nedtur (*fx coming home was a* ~);
□ *have a* ~ *on sby* være på nak-ken af en; have et horn i siden på en.

down² [daun] *adj.* **1.** (*om elevator, trappe*) nedadgående; **2.** (*om tog*) udgående; (der kører) ud af byen; (*om perron*) for tog der kører ud af byen; **3.** (*om person*) nedtrykt, langt nede; **4.** (*om computer*) gået ned; nede; ude af funktion;
5. (*især i sport:*) bagefter (*fx they are two goals* ~); **6.** (*om vare etc.*) faldet (i pris) (*fx bread is* ~);
□ *down!* (*til hund*) dæk! ~ *and out* **a.** slået ud; **b.** færdig; ruineret; **c.** subsistensløs; *two* ~ *and three to go* to færdige og tre tilbage;
[*med præp., adv.*] *be* ~ *on sby* være på nakken af en; have et horn i siden på en; (se også *luck¹, paper¹*); *be* ~ *to* skyldes (*fx the problem//mistake is* ~ *to him*); *it is* ~ *to you* T det bestemmer du; det er op til dig; *I am* ~ *to my last pound/litre* jeg har kun et pund/en liter tilbage; *be* ~ *with influenza* ligge syg af influenza.

down³ [daun] *vb.* **1.** (*person*) slå ned; **2.** (*fly*) skyde ned; **3.** (*drik*) skylle ned, hælde i sig (*fx a glass of beer*); **4.** (*am.: i sport*) slå, be-sejre;
□ ~ *tools* nedlægge arbejdet; gå i strejke.

down⁴ [daun] *adv.* **1.** ned//nede (*fx fall* ~; *he lives* ~ *by the river*); (*om bevægelse også*) nedad (*fx they were climbing* ~); **2.** (*i kryds-ordsopgave*) lodret; **3.** (*merk.*) i udbetaling; på bordet; kontant;
□ *be* ~ *on//to//with* se *down²; cash* ~ kontant; *up and* ~ op og ned; frem og tilbage; (se også *boil², come¹, go³, let²* (etc.));

D down

[med præp.& adv.] ~ **from** a. (om tid) lige fra; **b.** (om sted) (bort) fra; ~ **there** der ned(e); ~ **to** lige til (fx ~ to the time of Elizabeth; from the manager right ~ to the gateman); (se også ground¹); ~ **under** på den anden side af jorden [i Australien etc.].

down⁵ [daun] præp. **1.** ned ad (fx the stairs); ned igennem (fx the tunnel; the ages); **2.** nede ad (fx two miles ~ the river); nede i (fx be ~ a mineshaft); **3.** T hen i// henne i (fx go//be ~ the pub); □ ~ the street (også) hen//henne ad gaden.

down-and-¹out [daunən'aut] sb. subsistensløs.

down-and-²out [daunən'aut] adj. se down².

down at heel adj. se heel¹.

downbeat¹ ['daunbi:t] sb. (mus.) nedslag.

downbeat² ['daunbi:t] adj. **1.** T afdæmpet; behersket; afslappet; **2.** (om sindsstemning) nedtrykt, pessimistisk.

downcast ['daunka:st] adj. **1.** F nedslået, modløs; **2.** (om øjne) nedslagne.

downdraught ['daundra:ft] sb. nedslag [af røg, i skorsten].

downer ['daunə] sb. T **1.** [noget der er nedslående]; trist oplevelse; **2.** (medicin) beroligende middel; barbitursyrepræparat; □ be on a ~ (jf. 1) have en nedtur.

downfall ['daunfɔ:l] sb. **1.** fald (fx of the government); **2.** undergang (fx alcohol was his ~).

downgrade¹ ['daungreid] sb. **1.** (især am.) skråning (nedad); faldende strækning; **2.** (jernb.) fald; □ on the ~ i nedgang; for nedadgående; på retur; he//the firm was on the ~ (også) det gik ned ad bakke for ham//firmaet.

downgrade² ['daungreid] vb. **1.** (stilling) nedklassificere, anbringe i en lavere klasse; nednormere; **2.** (person) degradere; **3.** (opgave) nedprioritere; **4.** (i fremstilling) nedvurdere; forklejne.

downhaul ['daunhɔ:l] sb. (mar.) nedhaler.

downhearted ['daunha:tid] adj. modfalden, mismodig.

downhill¹ [daun'hil] sb. (i skiløb) styrtløb.

downhill² [daun'hil] adj. hældende, skrånende, nedadgående; (som går) ned ad bakke; □ it is ~ from now on (efter besværligheder) fra nu af vil det gå strygende.

downhill³ [daun'hil] adv. ned ad bakke; □ he's going ~ fast (fig.) det går hurtigt ned ad bakke med ham.

down-home ['daunhoum] adj. (am.) jævn, ligefrem.

downie ['dauni] sb. = downer 2.

Downing Street ['dauniŋstri:t] **1.** [gade i London med premierministerens bolig]; **2.** [den britiske premierminister]; **3.** [den britiske regering].

downland ['daunlænd] sb. bakket landskab [i Sydengland].

downlead ['daunli:d] sb. nedføringstråd.

download [daun'ləud] vb. (it) downloade, overføre til sin egen computer.

downmarket¹ [daun'ma:kit] adj. som henvender sig til jævne mennesker; billig.

downmarket² [daun'ma:kit] adv. mod den billige ende af markedet.

down payment sb. (merk.) udbetaling.

downpipe ['daunpaip] sb. nedløbsrør; faldrør.

downplay [daun'plei] vb. bagatellisere; nedtone; gå let hen over.

downpour ['daunpɔ:] sb. skylregn, styrtregn; regnskyl.

downright¹ ['daunrait] adj. fuldkommen, komplet, ren (fx nonsense).

downright² ['daunrait] adv. direkte, ligefrem (fx he was ~ rude).

downriver [daun'rivə] adv. = downstream.

Downs [daunz] sb. pl.: the ~ [højdedrag i Sydengland].

downs [daunz] sb. pl. (se også up¹) **1.** nedgangstider; **2.** triste begivenheder; **3.** (persons) nedture; **4.** se Downs.

downside ['daunsaid] sb. bagside; □ the ~ of bagsiden ved.

downsize ['daunsaiz] vb. (især am.) reducere, skære ned, slanke.

downspout ['daunspaut] sb. (am.) = downpipe.

Down's syndrome ['daunzsindrəum] sb. (med.) Downs syndrom [kaldtes tidligere mongolisme].

downstage [daun'steidʒ] adv. (teat.: på scene) i//hen imod forgrunden.

downstairs¹ [daun'stɛəz] adj. **1.** nedenunder (fx a ~ room); **2.** i stueetagen; □ the ~ den nederste etage, underetagen, stueetagen; de nedre etager.

downstairs² [daun'stɛəz] adv. ned ad trappen, ned; nedenunder (fx

go ~).

downstream [daun'stri:m] adv. **1.** med strømmen; ned ad floden; **2.** nede ad floden.

downstroke ['daunstrəuk] sb. nedstreg.

downswing ['daunswiŋ] sb. = downturn.

downtime ['dauntaim] sb. [tidsrum hvor en maskine er ude af drift]; dødtid, stilstandstid.

down-to-earth [dauntu'ə:θ] adj. nøgtern, realistisk; jordnær.

down-to-the-wire [dauntəðə'waiə] adj. til sidste sekund; ikke afgjort før i sidste øjeblik.

downtown¹ [daun'taun] adj. (især am.) i midtbyen, i centrum; i forretningskvarteret; (i New York) sydlig.

downtown² [daun'taun] adv. (især am.) ind til//inde i byen/centrum/ forretningskvarteret; (i New York) sydpå.

downtrend ['dauntrend] sb. (merk.) nedadgående/faldende tendens; nedgang.

downtrodden ['dauntrɔd(ə)n] adj. undertrykt, underkuet; forkuet.

downturn ['dauntə:n] sb. (merk.) (konjunktur)nedgang, tilbagegang, afmatning.

downward¹ ['daunwəd] adj. nedadgående.

downward² ['daunwəd] adv. (især am.) = downwards.

downwards ['daunwədz] adv. nedad; nedefter.

downwash ['daunwɔʃ] sb. (flyv.) nedadgående vind/strømning.

downwind [daun'wind] adv. (mar.) med vinden; i vindens retning.

downy ['dauni] adj. **1.** dunet; dunblød; **2.** S listig; snu.

dowry ['dauəri] sb. medgift.

dowse [dauz] vb. **1.** vise vand//mineraler etc. [ved hjælp af en ønskekvist]; **2.** søge med en ønskekvist; **3.** = douse.

dowser ['dauzə] sb. vandviser.

dowsing rod ['dauziŋrɔd] sb. ønskekvist.

doxology [dɔk'sɔlədʒi] sb. lovprisning; lovsang.

doxy ['dɔksi] sb. (glds.) **1.** elskerinde; **2.** tøs; dulle.

doyen ['dɔiən] sb. doyen; alderspræsident; ældste medlem.

doyley ['dɔili] sb. = doily.

doz. fork. f. dozen.

doze¹ [dəuz] sb. blund; lur; døs.

doze² [dəuz] vb. **1.** blunde; småsove; tage sig en lur; døse; **2.** rydde; planere [med bulldozer]; □ ~ off (jf. 1) døse hen, falde hen.

dozen ['dʌz(ə)n] sb. **1.** dusin;

2. (*som rundt tal*) en halv snes; □ *by the* ~, *in their -s* i dusinvis; *-s of times* dusinvis/snesevis af gange; (se også *half²*, *nineteen*, *six²*).
dozenth ['dʌz(ə)nθ] *adj.* tolvte; □ *for the* ~ *time* for (hundrede og) syttende gang.
dozer ['dəuzə] *sb.* = *bulldozer.*
dozy ['dəuzi] *adj.* **1.** døsig; **2.** T sløv, dum.
DP *fork. f.* **1.** *displaced person;* **2.** *data processing.*
dpi *fork. f.* (*it*) *dots per inch.*
DPP *fork. f. Director of Public Prosecutions.*
Dr *fork. f. Doctor.*
drab¹ [dræb] *sb.* **1.** (*farve*) drap [*gråbrun farve*]; **2.** (*tøj*) gråbrunt klæde; **3.** (*glds. om kvinde*) sjuske; skøge; **4.** se *dribs.*
drab² [dræb] *adj.* **1.** trist; ensformig; hverdagsgrå; **2.** (*om farve*) drapfarvet; gråbrun.
drachma ['drækmə] *sb.* drakme.
draconian [drei'kəunjən] *adj.* drakonisk; meget streng.
draft¹ [dra:ft] *sb.* **1.** (*skriftlig*) udkast, kladde, koncept; **2.** (*tegnet*) skitse, udkast; grundrids, plan; **3.** (*merk.*) tratte, veksel; (se også *bank draft*); **4.** (*mar.*) dybgående; **5.** (*am.*) se *draught;* □ *the* ~ (*am.*) **a.** T almindelig værnepligt; indkaldelse (*fx avoid the* ~); **b.** det indkaldte mandskab.
draft² [dra:ft] *adj.* skitse- (*fx plan; proposal*); udkast til (*fx agreement*); -udkast (*fx* ~ *treaty* traktatudkast); forslag til; -forslag (*fx* ~ *budget* finanslovs-; ~ *resolution* beslutnings-).
draft³ [dra:ft] *vb.* **1.** (*noget skriftligt*) lave udkast/kladde til; koncipere; sætte op; **2.** (*tegning*) skitsere, tegne; **3.** (*am. mil.*) indkalde; □ *be -ed in* blive indkaldt [*til særlig opgave*]; ~ *into* indkalde til (*fx the army*).
draft board *sb.* (*am.*) udskrivningskommission.
draft card *sb.* (*am.*) indkaldelsesordre.
draft dodger *sb.* (*am., neds.*) [*en der unddrager sig militærtjeneste*].
draftee [dræf'ti:] *sb.* (*am.*) værnepligtig, indkaldt.
draftsman ['dra:ftsmən] *sb.* (*pl.* *-men* [-mən]) **1.** koncipist [*der udfærdiger juridisk dokument*]; **2.** (*am.*) = *draughtsman.*
drag¹ [dræg] *sb.* **1.** slæben; slæbning; **2.** (T: *ved varietéoptræden*) [*kvindetøj båret af mand*]; **3.** (S: *ved rygning*) sug, hiv (*on* af, *fx*

give me a ~ *on that!*); **4.** (*mar.: til eftersøgning af druknet*) vod; dræg; **5.** (*ved jagt*) slæb [*til at frembringe kunstigt spor*]; **6.** (*flyv.*) luftmodstand; **7.** (*am.* S) gade; □ *in* ~ (*jf.* 2) i kvindetøj; [*med vb.*] *be a* ~ T være dødkedelig/dødssyg (*fx that record is a* ~; *doing sums is a* ~); *be a* ~ *on* være en hæmsko for (*fx his career*); være en klods om benet på; *have a* ~ S have et ord at skulle have sagt [ɔ: have indflydelse]; *take a* ~ *on* S tage en sug/hiv af (*fx a cigarette*).
drag² [dræg] *vb.* **1.** trække; hale; slæbe; **2.** (*ved eftersøgning*) trække vod i (*fx the river*); **3.** (*om tid, forestilling*) gå trægt; slæbe/snegle sig af sted; **4.** (*it*) trække; □ ~ *oneself* slæbe sig (*fx out, away*); *the affair -s* sagen trækker ud; *the brakes* ~ bremserne slæber på; (se også *foot¹, heel¹*); [*med præp.& adv.*] ~ *sby* **down a.** trække en med ned; trække en med sig i faldet; **b.** (*psykisk*) gøre en nedtrykt; ~ *it in* (*fig.: om emne*) trække det ind ved hårene; ~ *the police in* blande politiet ind i det; ~ *him into* it blande ham ind i det; ~ *it into the conversation//the discussion* = ~ *it in;* ~ *sby off* trække/hale/slæbe af sted med en; ~ *on* slæbe sig hen; trække ud, trække i langdrag (*fx the talks//the war -ged on*); ~ *out* se ovf.: ~ *on;* ~ *it out* trække det ud; trække det i langdrag; ~ *it out of them* hale det ud af dem; ~ *sby through* the mud søle/svine en til; (se også *name¹*); ~ *up* T **a.** (*emne*) trække frem; **b.** (*spøg.: barn*) give en dårlig/tilfældig opdragelse.
drag-and-drop [drægən'drɔp] *vb.* (*it*) trække og slippe.
draggled ['drægld] *adj.* (*litt.*) jasket.
draggy ['drægi] *adj.* T dødkedelig, dødssyg.
dragnet ['drægnet] *sb.* **1.** slæbevod, slæbegarn; **2.** (*fig. om politiet*) eftersøgning (*for* efter); klapjagt (*for* på).
dragoman ['drægəmən] *sb.* orientalsk tolk//fører.
dragon ['dræg(ə)n] *sb.* drage.
dragonfly ['dræg(ə)nflai] *sb.* (*zo.*) guldsmed.
dragon tree *sb.* (*bot.*) drageblodstræ.
dragoon¹ [drə'gu:n] *sb.* dragon.
dragoon² [drə'gu:n] *vb.:* ~ *sby into* + *-ing* tvinge/tyrannisere en til at.
drag queen *sb.* mand i kvindetøj; transvestit.

dragrace ['drægreis] *sb.* accelerationskonkurrence.
drag rope *sb.* slæbetov [*til ballon*].
drag show *sb.* dragshow [*optræden af mænd i kvindetøj*].
dragster ['drægstə] *sb.* dragster [*bil//motorcykel bygget til dragrace*].
drain¹ [drein] *sb.* **1.** afløb; afløbsrør; **2.** (*fra tagrende*) nedløbsrør; **3.** (*til afvanding*) drænrør; **4.** (*i vej*) kloakrør; **5.** (*i sår*) dræn; □ *go down the* ~ T **a.** forsvinde; gå til spilde; **b.** (*merk.*) gå fallit; gå rabundus; *be a* ~ *on* tære stærkt på (*fx his strength*).
drain² [drein] *vb.* **1.** (*vand*) lede væk; **2.** (*ressourcer*) tære på (*fx his income; his energy*); **3.** (*sø etc.*) tørlægge; udtørre; **4.** (*land*) dræne, afvande; **5.** (*kogt mad*) lade vandet løbe fra (*fx rice; pasta; potatoes*); **6.** (*beholder*) tømme (*fx one's glass*); **7.** (*person*) udmatte; **8.** (*uden objekt: om vand*) flyde bort; løbe af; **9.** (*om opvask*) tørre; □ *be -ed* (*om penge etc.*) blive opbrugt; ~ *sby's energy* tære på ens energi, tappe en for energi; [*med præp.& adv.*] ~ *away* **a.** (*om vand*) løbe af; løbe væk; **b.** (*fig.*) ebbe ud (*fx the tension -ed away; his life was -ing away*); the blood/colour *-ed from* his face han blev ligbleg; *be -ed of* blive//være tappet for (*fx energy*); his face was *-ed of colour* han var//blev ligbleg; ~ *off* (*om væske*) lade løbe af.
drainage ['dreinidʒ] *sb.* **1.** bortledning [*af vand*]; **2.** (*af område*) dræning; afvanding; **3.** (*rør*) afløb (*fx mud clogged up the* ~); kloaksystem; **4.** (*vand*) kloakvand; spildevand; dræningsvand.
drained [dreind] *adj.* (*om person*) udmattet.
draining ['dreinin] *adj.* (*om arbejde*) udmattende, opslidende.
draining board *sb.* afløbsbakke, opvaskebakke.
drainpipe ['dreinpaip] *sb.* se *drain¹* 1; □ *-s* S snævre bukser.
drake [dreik] *sb.* **1.** andrik; **2.** (*insekt*) døgnflue; **3.** (*i fiskeri*) flue.
dram [dræm] *sb.* (*skotsk*) lille whisky, dram.
drama ['dra:mə] *sb.* drama.
dramatic [drə'mætik] *adj.* **1.** (*teat.*) dramatisk; drama-; teater- (*fx society*); **2.** (*om person,*) teatralsk; **3.** (*om forandring*) dramatisk, pludselig, overraskende (*fx change; development; increase*); **4.** (*om begivenhed*) dramatisk, op-

sigtsvækkende, sensationel (*fx escape*).

dramatic art *sb.* skuespilkunst.

dramatics [drə'mætiks] *sb. pl.*
1. teater (*fx amateur* ~); dramatik;
2. (*fig.*) teatralsk optræden, teatralskhed; skaberi.

dramatis personae [dræmətis pə:'səunai] *sb. pl.* F de optrædende personer; personliste.

dramatist ['dræmətist] *sb.* dramatiker, skuespilforfatter.

dramatization [dræmətai'zeiʃn] *sb.* dramatisering.

dramatize ['dræmətaiz] *vb.* **1.** dramatisere; **2.** (*fig.*; *neds.*) overdramatisere.

dramaturge ['dræmətə:dʒ] *sb.*
1. (*ved teater*) dramaturg; **2.** = *dramatist*.

dramaturgy ['dræmətə:dʒi] *sb.* dramaturgi.

drank [dræŋk] *præt. af drink²*.

drape¹ [dreip] *sb.* **1.** (*måde noget hænger på*) fald (*fx the ~ of a gown*); **2.** (*med.: ved operation*) steril afdækning; afdæknings-stykke;
□ **-s a.** folder; **b.** (*teat.*) tæppe;
c. (*am.*) gardin(er); forhæng.

drape² [dreip] *vb.* **1.** drapere (*fx a shawl round one's shoulders*);
2. (*legemsdel*) lægge skødesløst, slænge (*fx she -d her arm over the back of the chair*);
□ *be -d in* være (ind)hyllet i (*fx a towel; the American flag*); ~ *oneself* slænge sig (*fx across a sofa*).

draper ['dreipə] *sb.* (*glds.*) manufakturhandler.

draper's ['dreipəz] *sb.* (*pl. drapers'*) manufakturforretning.

drapery ['dreipəri] *sb.* **1.** draperi; folderigt gevandt; **2.** forhæng;
3. (*glds.*) (gardin)stoffer; manufakturvarer;
□ *draperies* draperier; gardiner.

drapes *sb. pl.* se *drape¹*.

drastic ['dræstik] *adj.* **1.** drastisk, radikal (*fx measures; reforms*);
2. kraftigt virkende (*fx remedy*).

drat [dræt] *interj.* (*glds.* T) så for pokker! pokkers også!
□ ~ *him!* gid pokker havde ham!

draught [dra:ft] *sb.* (se også *draft*, *draughts*) **1.** træk; trækvind; gennemtræk; **2.** (*af drik*) slurk; **3.** (*til damspil*) dambrik; **4.** (*mar.*) dybgående; **5.** (*glds. el. litt.*) drik (*fx a sleeping* ~); mikstur; **6.** (*i fiskeri*) fiskedræt; fangst;
□ *feel the* ~ (*fig.*) komme i (økonomiske) vanskeligheder; føle sig truet; *at a* ~ i ét drag; *beer on* ~ fadøl.

draughtboard ['dra:ftbɔ:d] *sb.* dam-

bræt.

draught excluder *sb.* tætningsliste.

draught horse *sb.* trækhest; arbejdshest.

draughts [dra:fts] *sb. pl.* damspil.

draughtsman ['dra:ftsmən] *sb.* (*pl. -men* [-mən]) **1.** teknisk tegner;
2. tegner;
□ *he is a good* ~ han tegner godt.

draughtsmanship ['dra:ftsmənʃip] *sb.* tegnekunst.

draughty ['dra:fti] *adj.: a* ~ *room* et værelse hvor det trækker; et værelse med gennemtræk.

draw¹ [drɔ:] *sb.* **1.** lodtrækning;
2. (*i lotteri*) trækning (*fx the first// last* ~); **3.** (*forestilling etc.*) trækplaster; (*teat.*) kassestykke; **4.** (*i sport*) uafgjort kamp; uafgjort spil;
5. (*i skak*) remis; **6.** (*am.*) sug, drag (*on af, fx a pipe*);
□ *it's all in the luck of the* ~ (*fig.*) det er rent lotteri(spil); *beat him on the* ~ (*am.*) **a.** skyde først;
b. (*fig.*) komme ham i forkøbet;
quick on the ~ **a.** hurtig til at trække sin revolver; **b.** (*fig.*) hurtig på aftrækkeren; hurtig i vendingen.

draw² [drɔ:] *vb.* (*drew, drawn*)
1. trække (*fx he drew me aside*); trække op//ud (*fx a cork; a tooth*);
2. (*køretøj; våben*) trække (*fx a cart -n by a horse; he drew a gun// knife*); **3.** (*tæppe*) trække for//fra; trække ned; (se også *curtain*);
4. (*obligation & i lodtrækning*) udtrække (*fx the winner; the winning ticket*); **5.** (*person*) tiltrække (*fx the accident drew a large crowd*); drage (*fx she felt -n towards him*); lokke (*to til at, fx* ~ *him to say silly things;* ~ *him away from his work*); **6.** (*reaktion*) fremkalde (*fx applause; it drew indignant protests from them*);
7. (*logisk slutning etc.*) drage (*from af, fx* ~ *a conclusion from it;* ~ *the consequences*); udlede (*from af, fx a moral from the story*); **8.** (*væske*) tappe (*from af, fx wine from a cask; water from a tap;* ~ *him a glass of beer*); (*vand også*) hente (*from i//op af, fx water from a well*); **9.** (*penge*) hæve (*from i//på, fx cash from a cash machine; money from a bank account;* ~ *one's wages//pension*);
10. (*billede*) tegne (*fx picture of sth*); **11.** (*fjerkræ: i madlavning*) udtage indvoldene af (*fx a chicken*); **12.** (*terræn: ved jagt*) afsøge;
13. (*farvand: i fiskeri*) trække vod i; **14.** (*mar.: om skib*) stikke, have et dybgående af; **15.** (*merk.*) trække, trassere (*fx a bill, a*

cheque); **16.** (*uden objekt, jf. 10*) tegne (*fx she -s well*); **17.** (*i sport, spil*) spille uafgjort (*fx Arsenal and Chelsea drew 3-3*); **18.** (*om transportmiddel*) køre (*fx the train drew into//out of the railway station*);
□ *he refused to be -n* **a.** han ville ikke røbe noget; han ville ikke udtale sig; jeg//de *etc.* fik ikke noget ud af ham; **b.** han lod sig ikke provokere; (se også *attention, blank¹, breath, fire¹, mild, level², tear¹*);
[*med præp., adv.*] ~ *apart* (*fig.*) glide fra hinanden;
~ *away* **a.** trække væk; **b.** (*uden objekt*) køre af sted; **c.** (*fra person*) trække sig væk (*from* fra); **d.** (*i væddeløb*) øge sit forspring;
~ *back* **a.** trække tilbage; **b.** (*uden objekt*) trække sig tilbage;
~ *down* **a.** trække ned (*fx the curtain*); **b.** (*ɔ: over sit hoved*) pådrage sig (*fx his anger*); **c.** (*reaktion*) fremkalde (*fx it drew down a storm of protest*);
~ *for partners* trække om hvem der skal være makkere;
~ *from* **a.** hente fra (*fx* ~ *strength from sth*); (se også *comfort¹, inspiration*); **b.** se ovf.: *5, 6, 7, 8, 9;* ~ *from nature* tegne efter naturen;
~ *in* **a.** trække ind; **b.** (*i affære, konflikt, krig*) inddrage; *the days are -ing in* dagene bliver kortere; (se også *breath*);
~ *into* **a.** inddrage i (*fx* ~ *them into the conflict*); **b.** se ovf.: *17;*
~ *near* nærme sig;
~ *off* **a.** fjerne sig; trække sig tilbage/væk; **b.** (*væske*) aftappe;
c. (F: *tøj*) trække af (*fx one's gloves*);
~ *on* **a.** (*ved rygning*) tage et drag af (*fx one's cigar*); **b.** (*mht. penge*) 'trække på (*fx you may* ~ *on me for £200*); **c.** (*fig.*) 'trække på (*fx one's experience*); øse af (*fx his extensive knowledge*); bruge som kilde, benytte (*fx he has -n on old manuscripts*); **d.** (*uden objekt: om tidsrum*) nærme sig sin afslutning (*fx winter is -ing on*); ~ *sby on* **a.** lokke en videre; **b.** provokere en; ~ *sth on* (*tøj*) trække noget 'på (*fx stockings; gloves*);
~ *out* **a.** trække frem (*fx a handkerchief*); **b.** (*ɔ: væk*) trække ud (*fx a nail et søm*); **c.** (*mht. længde*) trække ud (*fx a meeting; a vowel*); **d.** (*penge*) hæve; **e.** (*oplysninger etc.*) hale ud (*of af, fx* ~ *a confession out of sby*); få frem; ~ *sby out* få en til at udtale sig; få en på gled; *the days are -ing out* dagene

bliver længere;
be drawn **to** føle tiltrukket af;
blive draget mod; ~ *to a conclusion* se *conclusion*;
~ **up a.** flytte nærmere//rykke hen (*fx one's chair*); **b.** (*dokument etc.*) sætte op, affatte (*fx a contract*); udfærdige, udkaste (*fx a plan*); opstille (*fx a list*); **c.** (*uden objekt*) stille op (*fx the troops drew up on the drill ground*);
d. (*om køretøj*) standse (*fx the car drew up in front of the house*); ~ *oneself up* rette sig op/i vejret.
drawback ['drɔ:bæk] *sb.* **1.** ulempe, skyggeside (*to* ved); minus, mangel; **2.** (*merk.*) toldgodtgørelse [*ved eksport af importerede varer*].
drawbridge ['drɔ:bridʒ] *sb.* vindebro.
drawee [drɔ:'i:] *sb.* trassat [ɔ: vekselbetaler].
drawer[1] ['drɔ:] *sb.* skuffe; (se også *drawers, chest (of drawers) bottom drawer, top drawer*).
drawer[2] ['drɔ:ə] *sb.* **1.** tegner; **2.** (*merk.*) trassent [ɔ: vekseludsteder];
□ ~ *of a cheque* (*også*) checkudsteder; *refer to* ~ (*påtegning på check*) ingen dækning.
drawers ['drɔ:z] *sb. pl.* (*glds.*) underbenklæder.
drawing ['drɔ:iŋ] *sb.* **1.** tegning; **2.** trækning; udtrækning;
□ -*s* (*også*) indtægter; *out of* ~ fortegnet.
drawing board *sb.* tegnebræt;
□ *still on the* ~ (*fig.*) på tegnebordsstadiet; *go back to the* ~ (*fig.*) begynde forfra; prøve en gang til.
drawing card *sb.* (*am.*) trækplaster [*fig.*].
drawing paper *sb.* tegnepapir.
drawing pin *sb.* tegnestift.
drawing room *sb.* (*glds.*) dagligstue; salon.
drawknife ['drɔ:naif] *sb.* båndkniv.
drawl[1] [drɔ:l] *sb.* dræven.
drawl[2] [drɔ:l] *vb.* dræve; tale//sige drævende.
drawn[1] [drɔ:n] *præt. ptc. af draw*[2].
drawn[2] [drɔ:n] *adj.* **1.** (*om person*) anspændt; forpint; **2.** (*om ansigt*) stram; fortrukket.
drawn butter *sb.* (*am.*) klaret smør.
drawn butter sauce *sb.* (*am.*) opbagt sovs.
drawn-out ['drɔ:naut] *adj.* langtrukken.
drawn thread work *sb.*, **drawn work** *sb.* udtrækssyning.
drawstring ['drɔ:striŋ] *sb.* snor [*i løbegang*]; snorelukning.

dray [drei] *sb.* **1.** flad arbejdsvogn; ladvogn; ølvogn; **2.** (*austr.*) tohjulet vogn.
drayhorse ['dreihɔ:s] *sb.* svær arbejdshest; bryggerhest.
drayman ['dreimən] *sb.* (*pl.* -*men* [-mən]) ølkusk.
dread[1] [dred] *sb.* skræk, rædsel (*of* for).
dread[2] [dred] *adj.* **1.** (*litt.*) frygtelig; frygtet; **2.** (*glds.*) ærefrygtindgydende.
dread[3] [dred] *vb.* frygte;
□ ~ + -*ing* grue for at (*fx seeing him again*); *I* ~ *to think ...* jeg gruer/gyser ved tanken om, jeg tør ikke tænke på (*fx I* ~ *to think what will happen to him*).
dreaded ['dredid] *adj.* = *dread*[2] 1.
dreadful ['dredf(u)l] *adj.* frygtelig, forfærdelig (*fx accident; mistake; weather*); (T *også*) skrækkelig, gyselig; (se også *penny dreadful*).
dreadlocks ['dredlɔks] *sb. pl.* rastafarihår, rastafrisure [*lange sammenfiltrede hårlokker båret af rastafarier*].
dreadnought ['drednɔ:t] *sb.* (*mar.*) dreadnought [*panserskibstype*].
dream[1] [dri:m] *sb.* drøm;
□ *beyond my wildest* -*s* langt mere end jeg har//havde turdet håbe; *never in my wildest* -*s* ikke i mine vildeste drømme/min vildeste fantasi; *the house of my* -*s* mit drømmehus.
dream[2] [dri:m] *vb.* (*dreamt* [dremt]/-*ed, dreamt*/-*ed*) drømme;
□ ~ *up* finde på, fantasere sig til.
dreamer ['dri:mə] *sb.* drømmer.
dreamland ['dri:mlænd] *sb.* **1.** drømmeland; **2.** eventyrverden.
dreamt [dremt] *præt. & præt. ptc. af dream*.
dream ticket *sb.* ideel kombination.
dreamy ['dri:mi] *adj.* **1.** drømmende (*fx expression; smile*); **2.** (*om person*) sværmerisk; verdensfjern; **3.** (*fig*) drømmeagtig (*fx music*); **4.** T pragtfuld, vidunderlig (*fx he is* ~*!*); som en drøm.
dreary ['driəri] *adj.* kedelig, trist, trøstesløs.
dredge[1] [dredʒ] *sb.* **1.** (*til fiskeri, eftersøgning*) skrabevod; skraber; **2.** (*anker*) dræg; **3.** (*til gravning*) gravemaskine; **4.** (*til opmudring*) muddermaskine.
dredge[2] [dredʒ] *vb.* **1.** (*i fiskeri*) skrabe; **2.** (*i eftersøgning*) trække vod i (*fx a lake*); **3.** (*for uddybning*) mudre op, opmudre, oprense (*fx a harbour; a canal*); **4.** (*sukker, mel*) drysse;
□ ~ *for oysters* skrabe østers; ~

the lake for his body trække vod i søen for at finde hans lig; ~ *sugar over* strø sukker på; ~ *up* (*fig.*) bringe frem, grave frem; ~ *the meat with flour* drysse mel over kødet.
dredger ['dredʒə] *sb.* (*mar.*) opmudringsfartøj, muddermaskine.
dree [dri:] *vb.* (*skotsk*) tåle, udholde;
□ ~ *one's weird* finde sig i sin skæbne.
dregs [dregz] *sb. pl.* bundfald; (*i kaffe*) grums; (*i vin*) bærme;
□ *drink/drain to the* ~ tømme til bunden; *the* ~ *of society* samfundets bærme/udskud.
dreich [driχ] *adj.* (*skotsk*) trist.
drench [dren(t)ʃ] *vb.* **1.** gøre drivvåd/dyngvåd; gennemvæde; **2.** (*agr.*) give medicin ind gennem et rør;
□ ~ *sby to the skin* gøre en våd til skindet.
drenched [dren(t)ʃt] *adj.* dyngvåd, drivvåd, gennemblødt.
dress[1] [dres] *sb.* **1.** (*til kvinde, pige*) kjole; **2.** (*generelt*) påklædning, tøj; dragt (*fx in traditional* ~); (se også *evening dress, fancy dress, full dress, morning dress*).
dress[2] [dres] *adj.* selskabs- (*fx shoes*); galla-; (se også *dress shirt, dress uniform*).
dress[3] [dres] *vb.* (se også *dressed*) **1.** klæde sig på, tage tøj på (*fx wait while I* ~); **2.** (*generelt*) klæde sig (*fx she always* -*es with taste*); **3.** (*med objekt: person*) klæde på, give tøj på (*fx a child*); **4.** (*i madlavning: kød etc.*) rense (*fx fish*); afpudse; **5.** (*salat*) komme dressing på; **6.** (*sår*) forbinde; behandle; **7.** (*hår*) sætte; **8.** (*butiksvindue*) pynte; **9.** (*hest*) strigle; **10.** (*hør*) hegle; **11.** (*jord*) gøde; **12.** (*træ, busk*) beskære; **13.** (*mil.*) rette ind (*fx* ~ *left//right!* ret ind til venstre//højre); **14.** (*skind, huder*) berede; **15.** (*sten*) tilhugge; **16.** (*stof*) appretere; **17.** (*træ*) tilhøvle; afrette; afpudse;
□ ~ *ship* (*mar.*) flage over toppene/ræerne;
[*med adv.*] ~ *down* tage noget enkelt tøj på; tage hverdagstøj på; ~ *sby down* (*glds.*) skælde en ud; give en en omgang/en røffel; ~ *for dinner* klæde sig om til middag; ~ *out* pynte;
~ *up* **a.** tage fint tøj på (*fx for a party*); pynte sig; **b.** (*om børn el. til karneval*) klæde sig ud; **c.** (*med objekt: person*) pynte; klæde fint på; give fint tøj på; **d.** (*fig.: forskønne*) pynte på; camouflere (*as*

D dressage

som); **e.** (*udvide*) brodere på;
*there I was - all -ed up and no-
where to go* der stod jeg med alle
mine talenter.
dressage ['dresa:ʒ, (*am.*) dre'sa:ʒ]
sb. skoleridning; dressur.
dress circle *sb.* (*teat.*) balkon; 1.
etage.
dress coat *sb.* herrekjole.
dressed [drest] *adj.* **1.** klædt (*fx
elegantly ~*; *~ in black*);
2. (*mods. nøgen*) påklædt; **3.** (*om
salat*) med dressing;
□ *~ to kill* se *kill²*; *~ up* **a.** i fint
tøj; i selskabstøj; **b.** udklædt; *~ up
as* **a.** klædt ud som; **b.** (*fig.*) for-
klædt som, camoufleret som; (se
også *nine¹*).
dresser ['dresə] *sb.* **1.** (*teat.*) påklæ-
der; **2.** (*med.*) kirurgs assistent;
3. (*møbel*) [køkkenskab med tal-
lerkenrække foroven]; **4.** (*am.*) toi-
letbord; **5.** (*tekn.*) afretter;
□ *she is a smart ~* hun klæder sig
smart.
dress form *sb.* gine [*til kjolesy-
ning*].
dressing ['dresiŋ] *sb.* **1.** (*til sår*) for-
binding; bandage; **2.** (*til salat*)
dressing; **3.** (*am.: i stegt fugl*) fyld;
4. (*agr.*) gødning; **5.** (*stivemiddel i
stof*) appretur; **6.** (*mil.*) retning (*fx
correct ~*).
dressing case *sb.* lille toilettaske.
dressing-down [dresiŋ'daun] *sb.*
(*glds.* T) omgang, overhaling, røf-
fel, opsang.
dressing gown *sb.* slåbrok.
dressing room *sb.* **1.** påklædnings-
værelse; **2.** (*teat.*) (skuespiller)gar-
derobe.
dressing station *sb.* (*mil.*) forbinde-
plads.
dressing table *sb.* toiletbord.
dressmaker ['dresmeikə] *sb.* dame-
skrædder.
dressmaking ['dresmeikiŋ] *sb.* da-
meskrædderi; kjolesyning.
dress preserver *sb.* ærmeblad.
dress rehearsal *sb.* (*teat.*& *fig.*) ge-
neralprøve.
dress sense *sb.* tøjsans, sans for tøj.
dress shield *sb.* ærmeblad.
dress shirt *sb.* **1.** smokingskjorte,
kjoleskjorte; skjorte med stiv flip;
2. (*am.*) manchetskjorte.
dress uniform *sb.* (*mil.*) gallauni-
form; messeuniform.
dressy ['dresi] *adj.* **1.** (*om tøj*) fin;
elegant; til selskabsbrug; **2.** (*om
selskab*) fin; hvor man bruger sel-
skabstøj; **3.** (*om person*) tøjglad,
lapset.
drew [dru:] *præt. af draw²*.
dribble¹ ['dribl] *sb.* **1.** dryp; stænk;
2. (*fra munden*) savl; **3.** (*i bold-
spil*) driblen.
dribble² ['dribl] *vb.* **1.** dryppe; pi-
ble; **2.** (*fra munden*) savle; **3.** (*om
personer*) gå//komme klatvis, sive
(*fx they -d away from the square*);
4. (*i boldspil*) drible.
driblet ['driblət] *sb.* **1.** dryp; **2.** lille
smule;
□ *by -s* i små portioner; dråbevis;
drypvis.
dribs [dribz] *sb. pl.*: *by/in ~ and
drabs* i små portioner; i småbid-
der; drypvis.
dried [draid] *adj.* tørret (*fx fruit*).
dried milk *sb.* tørmælk.
drier¹ ['draiə] *sb.* se *dryer*.
drier² ['draiə] *adj. komp. af dry*.
drift¹ [drift] *sb.* **1.** driven; gliden;
(se også *wage drift*); **2.** (*fig.*) ret-
ning; tendens; **3.** (*i udsagn*) tanke-
gang; mening (*fx the ~ of the
speech*); **4.** (*af visne blade*) sam-
mendrevet dynge; **5.** (*af sne*) sne-
drive; **6.** (*geol.*) moræne; **7.** (*mar.,
flyv.*) afdrift; **8.** (*i motorsport*) kon-
trolleret udskridning; **9.** (*i mine*)
minegang, stolle; **10.** (*tekn.*) dorn
[*til at udvide et hul med*];
□ *I didn't get the ~ of what he
said* (*jf. 3, også*) jeg forstod ikke
hvor han ville hen.
drift² [drift] *vb.* **1.** drive (*fx clouds
-ed across the sky*); glide; **2.** (*på
vand*) drive, flyde (*fx the boat -ed
down the river*); glide; blive ført;
3. (*om sne*) fyge sammen; danne
driver; **4.** (*om lyd*) lyde (*fx
music//voices -ed down the hall*);
5. (T: *om person*) slentre;
□ *let things ~* lade stå til;
[*med adv.*] *~ along* (*om person*)
slentre gennem tilværelsen; *~
apart* (*om mennesker*) glide fra
hinanden; *~ away* **a.** drive bort
(*fx the smoke -ed away*); **b.** (*om
mennesker*) sive bort; langsomt
forsvinde; *~ into* crime komme
ud i kriminalitet; *~ into sleep* = *~
off to sleep*; *~ off* **a.** = *~ away*;
b. = *~ off to sleep*; *~ off to sleep*
falde hen, døse hen; glide umær-
keligt ind i søvnen; *~ with the
tide* se *tide¹*.
drifter ['driftə] *sb.* **1.** dagdriver;
flakke [ɔ: *der tit skifter arbejds-
sted*]; **2.** (*i fiskeri*) drivgarnsfisker.
drift ice *sb.* drivis.
drift net *sb.* drivgarn.
driftwood ['driftwud] *sb.* drivtøm-
mer.
drill¹ [dril] *sb.* **1.** (*tekn.; tandl.*)
bor; boremaskine; **2.** (*agr.*) radså-
maskine; rad, fure; **3.** (*mil.*) ekser-
cits; **4.** (*fig.*) mekanisk indøvelse;
terperi; **5.** (*enkelt*) øvelse; **6.** (*stof*)
drejl;

□ *the ~* (*glds.* T) den rigtige frem-
gangsmåde (*fx what's the ~ for
filling in this form?*).
drill² [dril] *vb.* **1.** bore; **2.** (*mil.*) ek-
sercere; **3.** (*med objekt*) eksercere
med; **4.** (*fig.*) indøve (*in i, fx the
use of the past tense*);
□ *~ him full of holes* gennem-
hulle ham; *~ sth into sby* banke/
terpe noget ind i hovedet på en.
drill ground *sb.* (*mil.*) eksercer-
plads, øvelsesplads.
drilling rig *sb.* **1.** borerig; **2.** bore-
platform.
drily ['draili] *adv.* tørt.
drink¹ [driŋk] *sb.* **1.** drik (*fx a ~ of
water; tea is his favourite ~*);
2. (*spiritusholdig*) drink (*fx would
you like a ~?*); **3.** (*generelt*) spiri-
tus (*fx too much ~ is bad for
you*); **4.** (*det at drikke*) drikkeri;
druk;
□ *food and ~* mad og drikke;
have/take a ~ få sig en drink/et
glas; *the ~* (*flyv.*, S) havet;
[*med præp.*] *the worse for ~* se
worse¹; *be in ~* have drukket (for
meget); *in the ~* S i „baljen"; i
vandet; *take to ~* (*glds.*) slå sig på
flasken.
drink² [driŋk] *vb.* (*drank, drunk*)
drikke (*fx the animals come here
to ~*; *~ water//tea; he -s*);
□ *~ down* skylle ned (*fx he drank
it down in one gulp*); *~ in* (*fig.*)
a. sluge (*fx every word*); **b.** ind-
suge (*fx the special atmosphere*);
~ off = *~ down*; *~ out of* drikke
af (*fx a glass*); *~ to* drikke på (*fx
the success of the project*); *~ to
sby* **a.** skåle med en; hilse på en
[*med glasset*]; **b.** drikke ens skål;
~ up **a.** drikke op (*fx ~ up your
milk*); **b.** (*uden objekt*) drikke ud
(*fx we'd better ~ up and leave*);
(se også *stupor*).
drinkable ['driŋkəbl] *adj.* **1.** (*om
vand: ikke fordærvet*) drikkelig;
2. (*om drik: god*) værd at drikke.
drinkables ['driŋkəblz] *sb. pl.* drik-
kevarer.
drink-driver [driŋk'draivə] *sb.*
spritbilist.
drink-driving [driŋk'draiviŋ] *sb.*
spirituskørsel, spritkørsel.
drinker ['driŋkə] *sb.* **1.** (*især i sms.*)
drikker (*fx a ~ of tea; a tea//beer
~*); **2.** dranker.
drinking bout *sb.* anfald af drik-
keri; drukultur; periode med drik-
keri.
drinking fountain *sb.* drikke-
kumme.
drinking problem *sb.* (*am.*) alko-
holproblem.
drinking water *sb.* drikkevand.

drinks cupboard *sb.* barskab.
drip[1] [drip] *sb.* **1.** dryp; dræbe;
2. (*arkit.*) vandnæse; gesims;
3. (*med.*) drop; **4.** (T: *om person*)
kedeligt drys; tørvetriller; skvat.
drip[2] [drip] *vb.* dryppe; (se også
dripping[2]).
drip-dry[1] [drip'drai] *adj.* som skal
dryptørre, strygefri.
drip-dry[2] ['dripdrai] *vb.* dryptørre.
drip feed *sb.* **1.** (*med.*) drop;
2. (*smøring*) dryptilførsel.
drip-feed ['dripfi:d] *vb.* **1.** (*med.*)
tilføre næring ved hjælp af drop;
2. (*tekn.*) smøre ved hjælp af
dryptilførsel.
dripping[1] ['dripiŋ] *sb.* **1.** dryppen;
2. [*fedt og saft der drypper fra
kød under stegning*]; stegefedt;
□ ~ *from the eaves* tagdryp.
dripping[2] ['dripiŋ] *adj.* dryppende
(*with af, fx sweat*); drivvåd;
□ ~ *with* (*fig., spøg.*) fuld af; over-
hængt med (*fx gold, jewels*); dri-
vende af (*fx a voice* ~ *with sar-
casm*).
dripping[3] ['dripiŋ] *adv.*: ~ *wet* dri-
vende våd, drivvåd.
drippy ['dripi] *adj.* T **1.** (*om per-
son*) vattet; **2.** (*om bog, sang*) sen-
timental.
dripstone ['dripstəun] *sb.* **1.** (*geol.*)
drypsten; **2.** (*arkit.*) vandnæse;
drypkant.
drive[1] [draiv] *sb.* **1.** køretur (*fx a
long* ~); kørsel (*fx an hour's* ~);
2. (*til hus*) indkørsel; **3.** (*egen-
skab*) energi, handlekraft, initia-
tiv, gåpåmod, drive; **4.** (*psyk.*)
drift (*fx sexual* ~); **5.** (*mil.*) frem-
stød; **6.** (*merk. etc.*) fremstød (*fx
an export* ~); kampagne (*fx econ-
omy* ~ (spare-)); **7.** (*i kricket, golf,
tennis*) slag fremefter; hårdt (fladt)
slag; drive; **8.** (*i kortspil*) turne-
ring (*fx a whist* ~); **9.** (*tekn.*)
kraftoverføring; træk (*fx
four-wheel* ~); **10.** (*it*) drev.
drive[2] [draiv] *vb.* (*drove, driven*)
(se også *driven*) **1.** (*bil etc.*) køre (*fx
a van; the car into the garage; a
child to school*); køre i (*fx a red
sports car*); køre bil (*fx can you*
~?); **2.** (*med magt: person, dyr*)
drive (*fx the soldiers out of the
town; the cows into the field*);
3. (*søm*) slå; **4.** (*bold*) slå; (*i fod-
bold*) sparke; **5.** (*pæl*) ramme ned;
6. (*tunnel etc.*) grave; føre (*fx a
tunnel through a hill*); **7.** (*ma-
skine*) drive (*fx -n by steam*);
8. (*uden objekt*) køre (*fx to Lon-
don*); **9.** (*om sne, regn*) slå, piske
(*fx against the window*); drive;
10. (*om blæst*) fare;
□ *he can be led but not -n, he is*

easier led than -n han skal tages
med det gode; ~ *sby crazy/mad*
drive én til vanvid; (se også *bar-
gain*[1]);
[*med præp., adv.*] *what are you
driving at?* hvad er det du sigter/
hentyder til? hvad mener du med
det? hvor vil du hen med det? *let*
~ *at* lange ud efter; gå løs på; ~
away drive væk (*fx the sun drove
away the clouds*); jage væk (*fx he
drove them away from his estate;
~ the customers away*); fordrive,
forjage (*fx dark thoughts; sorrow*);
~ *down* presse ned (*fx prices*); ~
it into his head banke det ind i
hovedet på ham; (se også *corner*[1]);
~ *sby out* drive/jage en ud; ~ *him
out of his mind* drive ham til van-
vid; ~ *off* **a.** = ~ *away*; **b.** drive/
jage på flugt; **c.** (*uden objekt*) køre
væk; ~ *up* **a.** køre frem; **b.** (*med
objekt*) drive i vejret (*fx prices*);
(se også *home*[4], *wall*).
drive-by ['draivbai] *sb.* = drive-by
shooting.
drive-by shooting *sb.* (*am.*) [*skud-
drab udført fra en forbikørende
vogn*].
drive-in ['draivin] *sb.* drive-in [*fri-
luftsbiograf//restaurant etc. for bi-
lister i vogn*].
drivel[1] ['driv(ə)l] *sb.* ævl, vrøvl,
vås.
drivel[2] [driv(ə)l] *vb.* vrøvle, ævle.
drivelling ['driv(ə)liŋ] *adj.*: *a* ~
idiot en komplet tåbe.
driven[1] ['driv(ə)n] *præt. ptc. af
drive*[2].
driven[2] ['driv(ə)n] *adj.* (*om person*)
drevet af ambition; fuldstændig
målrettet;
□ *white as the* ~ *snow* hvid som
nyfalden sne; (se også *pure*).
driver ['draivə] *sb.* **1.** (*i bil*) fører;
chauffør; (*generelt*) bilist; **2.** (*i tog*)
lokomotivfører, lokofører;
3. (*tekn.*) drivværk; drivhjul; **4.** (*i
golf*) driver; **5.** (*it*) driver, drivpro-
gram.
driver's license *sb.* (*am.*) = driving
licence.
driver's seat *sb.* (*am.*) = driving
seat.
drive shaft *sb.* (*tekn.*) drivaksel.
driveway ['draivwei] *sb.* (*am.*) ind-
kørsel.
driving belt *sb.* drivrem.
driving instructor *sb.* kørelærer.
driving lesson *sb.* køretime.
driving licence *sb.* kørekort; F fø-
rerbevis.
driving school *sb.* køreskole.
driving seat *sb.* førersæde;
□ *be in the* ~ (*fig.*) være den der
bestemmer; have overtaget.

driving shaft *sb.* drivaksel.
driving test *sb.* køreprøve.
driving wheel *sb.* drivhjul.
drizzle[1] ['drizl] *sb.* **1.** støvregn; fin-
regn; **2.** (jf. *drizzle*[2] *2*) stænk.
drizzle[2] ['drizl] *vb.* **1.** støvregne;
småregne; **2.** (*væske på mad*)
stænke (*fx olive oil over the
salad*).
drizzly ['drizli] *adj.* med støvregn.
drogue [drəug] *sb.* **1.** (*flyv. etc.*)
slæbemål; **2.** vindpose.
drogue parachute *sb.* bremsefald-
skærm.
droll [drəul] *adj.* (*glds. el. spøg.*)
morsom; komisk, pudsig, løjerlig.
drollery ['drəul(ə)ri] *sb.* (*glds.*)
1. morsomhed; pudsighed, løjer-
lighed; **2.** morsomheder.
dromedary ['drɔmədəri, 'drʌm-] *sb.*
(*zo.*) dromedar.
drone[1] [drəun] *sb.* **1.** (*bi*) drone;
2. (*person*) dagdriver, drivert;
3. (*lyd*) summen (*fx of flies*);
brummen, snurren; **4.** (*tale*) mo-
noton tale, dræven; monoton
stemme; monoton lyd (*fx the* ~ *of
his voice*); **5.** (*mus.*) bordun;
6. (*sækkepibe*) baspibe med bor-
duntone; **7.** (*flyv.*) drone, førerløst
fly.
drone[2] [drəun] *vb.* **1.** summe,
brumme, snurre; **2.** (*om person*)
tale//sige monotont; kværne;
□ ~ *on* kværne løs.
drone fly *sb.* (*zo.*) dyndflue.
drongo ['drɔŋgəu] *sb.* **1.** (*zo.*)
drongo [*en fugl*]; **2.** (*austr.* T) tåbe
klodrian.
droningly ['drəuniŋli] *adv.* mono-
tont; drævende.
drool[1] [dru:l] *sb.* savl.
drool[2] [dru:l] *vb.* savle;
□ ~ *over* (*fig.*) være helt væk i;
falde i svime over.
droop[1] [dru:p] *sb.* hængen; luden;
slaphed.
droop[2] [dru:p] *vb.* synke (*fx his
eyelids -ed*); hænge (ned); hænge
slapt (ned) (*fx the flowers -ed; her
breasts -ed*); lude;
□ *his spirits -ed* hans humør//mod
sank.
droopy ['dru:pi] *adj.* **1.** slapt ned-
hængende (*fx moustache*); slatten;
2. (*om person*) slap; mismodig;
hængeøret.
drop[1] [drɔp] *sb.* **1.** (*af væske*)
dråbe; dryp; **2.** (*slik*) bolsje; drops;
3. (*smykke*) ørelok; **4.** (cf. *drop*[2] *1*)
fald (*fx the* ~ *of the curtain*); **5.** (*i
niveau, højde*) fald (*fx in tempera-
ture*); nedgang (*fx in wages*); **6.** (*i
terrænet*) stejl skråning; **7.** (*af-
stand*) faldhøjde, fald (*fx a* ~ *of
100 feet*); **8.** (*fra fly*) nedkastning;

D drop

9. (*med faldskærm*) udspring;
10. (*teat.*) mellemaktstæppe;
11. (*for nøglehul & tlf.*) klap;
12. (*på galge*) faldlem; **13.** T skjulested for tyvekoster; **14.** (*am.*)
brevkasse; **15.** (*for agent*) død
brevkasse;

□ *a* ~ *too much* en tår over tørsten; *a* ~ *in* the bucket/ocean en
dråbe i havet; *at the* ~ *of a hat*
a. straks, på stedet; uden videre;
b. ved den mindste foranledning;
get/have the ~ *on* (*am.*) have
overtaget over.

drop² [drɔp] *vb.* **A.** (*med objekt*)
1. lade falde (*fx the curtain, a remark*); sænke (*fx the bucket into
the water*); **2.** (*person, ting, fra bil*)
sætte af (*fx you can* ~ *me here;* ~
my suitcase at the station); **3.** (*fra
fly*) nedkaste (*fx supplies*); kaste
(*fx bombs*); **4.** (*noget man har
holdt fast i*) slippe (taget i); give
slip på; smide (*fx* ~ *everything
and come over here*); **5.** (*ved et
uheld*) tabe (*fx he -ped the vase*);
miste; **6.** (*i tekst etc.*) udelade (*fx
a letter* et bogstav); **7.** (*sag, tanke
etc.*) opgive (*fx you had better* ~
the matter//the idea//the case);
holde op med, skippe; lade falde;
8. (*ven, kæreste etc.*) slå hånden
af; droppe (*fx an acquaintance*);
9. (*brev etc.*) sende (*fx* ~ *me a
postcard*); **10.** (*dyr: ved jagt*)
skyde ned (*fx a bird*); **11.** (*unge:
om dyr*) føde; kaste; **12.** (*i sport*)
tabe (*fx a set*);
B. (*uden objekt*) **1.** falde; **2.** (*om
væske*) dryppe; **3.** (*om person*)
falde, dumpe; lade sig falde (*fx* ~
from a window); synke, dumpe
ned (*fx into a chair*); falde/segne/
synke om (*fx* ~ *with* (af) *tiredness*); **4.** (*om mængde*) falde, tage
af, aftage (*fx sales//profits -ped*);
5. (*i sport*) rykke ned (*fx from second to third place*); **6.** (*om vind*)
løje af; lægge sig;
□ ~ *dead* se *dead¹*; ~ *it!* **a.** hold
op (med det)! **b.** (*til en hund*) læg
det! *ready to* ~ segnefærdig; (se
også *fly¹, jaw¹, pin¹*);
[*med sb.*] ~ *the subject* forlade
emnet; lade emnet falde; ~ *one's
trousers* lade bukserne falde ned;
trække bukserne ned; ~ *one's
voice* sænke stemmen; (se også
*aitch, anchor¹, brick¹, charge¹,
clanger, hint¹, line¹*);
[*med præp., adv.*] ~ *away* **a.** (*om
terræn*) skråne nedefter; **b.** se ndf.:
~ *off a*); ~ *back,* ~ *behind*
a. sakke agterud; **b.** (*med vilje*)
falde tilbage; ~ *behind the others*
falde tilbage; lade de andre gå//

køre *etc.* i forvejen; ~ *by* se ndf.: ~
in; ~ *down* se ndf.: ~ *downstream;*
~ *down on* skælde ud; overfalde;
~ *downstream* føres med strømmen; *he was -ped from the team*
han blev sat af holdet; ~ *in* T
kigge indenfor; drysse ind, se ind,
dumpe ind (*on* til); ~ *off* T **a.** aftage, tage af, falde, synke; **b.** falde
hen; falde i søvn; **c.** sætte af (*fx* ~
me off at the station); **d.** falde af
(*fx his hat -ped off*); (se også *fly¹*
(*like flies*)); ~ *out* **a.** (*af konkurrence etc.*) trække sig ud; glide
ud; **b.** (*fra studium*) gå/falde/
springe fra, opgive; **c.** (*generelt*)
melde sig ud af samfundet; ~ *out
of* trække sig ud af (*fx politics*); ~
out of sight forsvinde; (se også *bottom¹*); ~ *through* (*fig.*) falde til
jorden; *he -ped his voice/his voice
-ped to a whisper* hans stemme
sænkede sig til en hvisken.
drop curtain *sb.* (*teat.*) tæppe.
drop-dead ['drɔpded] *adv.:* ~ *gorgeous* T dødlækker, tæskelækker.
drop-down menu ['drɔpdaun-
menju:] *sb.* (*it*) rullemenu.
drop-forge ['drɔpfɔ:dʒ] *vb.* sænk-
smede.
drop hammer *sb.* faldhammer.
drop-in ['drɔpin] *adj.* hvor man
bare kan komme.
drop-in centre *sb.* (*omtr.*) være-
sted; uformelt dagcenter.
dropkick¹ ['drɔpkik] *sb.* (*i rugby*)
dropspark.
dropkick² ['drɔpkik] *vb.* (*i rugby*)
lave et dropspark.
drop leaf *sb.* klap [*på klapbord*].
droplet ['drɔplət] *sb.* lille dråbe;
spytpartikel.
dropout ['drɔpaut] *sb.* **1.** [*student//
elev der ikke fuldfører uddannelsen*]; **2.** [*en der melder sig ud af
samfundet*]; social taber; **3.** (*i edb*)
udfald.
dropout rate *sb.* frafaldsprocent.
dropper ['drɔpə] *sb.* (*med.*) dråbe-
tæller, pipette.
droppings ['drɔpiŋz] *sb. pl.* ekskre-
menter, gødning; (*fra fugle også*)
fugleklatter.
drop scene *sb.* (*teat.*) mellemakts-
tæppe.
drop shot *sb.* (*i tennis*) stopbold
[*kort bold lige over nettet*].
dropsical ['drɔpsik(ə)l] *adj.* (*glds.
med.*) vattersot(t)ig.
dropsy ['drɔpsi] *sb.* (*glds. med.*)
vattersot.
dross [drɔs] *sb.* **1.** affald; **2.** (*af metal*) slagger; **3.** (*litt., fig.*) bras,
møg, juks.
drought [draut] *sb.* **1.** tørke;
2. (*glds.*) tørst.

droughty ['drauti] *adj.* tørkeramt.
drove¹ [drəuv] *sb.* **1.** (*af kvæg*)
drift; **2.** (*fig.*) flok;
□ *in (their) -s* (*jf. 2*) i hobetal, i
massevis, i stimer.
drove² [drəuv] *vb.* drive [*kvæg*].
drove³ [drəuv] *præt. af drive².*
drover ['drəuvə] *sb.* kvægdriver;
kvæghandler.
droves [drəuvz] *sb. pl.* se *drove¹.*
drown [draun] *vb.* **1.** drukne;
2. (*lyd*) overdøve;
□ *be -ing in* (*fig.*) være ved at
drukne i; *the revolution was -ed
in blood* revolutionen blev kvalt i
blod; ~ *out = drown 2.*
drowse [drauz] *vb.* **1.** døse; halv-
sove; **2.** (*med objekt*) gøre døsig.
drowsy ['drauzi] *adj.* **1.** døsig, søv-
nig; **2.** søvndyssende.
drub [drʌb] *vb.* banke, prygle, tæ-
ske.
drubbing ['drʌbiŋ] *sb.* T omgang
bank/klø; lag tæsk.
drudge¹ [drʌdʒ] *sb.* slider, slave.
drudge² [drʌdʒ] *vb.* slide og slæbe.
drudgery ['drʌdʒ(ə)ri] *sb.* slid og
slæb; hårdt og ensformigt arbejde,
slavearbejde.
drug¹ [drʌg] *sb.* **1.** medicin; læge-
middel; **2.** narkotisk middel;
□ *-s a.* medicinalvarer; medicin
(*fx pain killing -s*); **b.** (*narko*) stof-
fer; *be on -s, take -s* **a.** få/spise
medicin (*fx for high blood pressure*); **b.** være på stoffer; *be a* ~
on the market være usælgelig.
drug² [drʌg] *vb.* **1.** (*person, dyr*) be-
døve; give medicin; **2.** (*mad, drik*)
blande med et bedøvende stof//
med gift; forgifte.
drug abuse *sb.* stofmisbrug.
drug addict *sb.* narkoman; stofmis-
bruger.
drug addiction *sb.* afhængighed af
stoffer, narkomani; stofmisbrug.
drug baron *sb.* T narkobagmand.
drug dealer *sb.* narkohandler.
drugged [drʌgd] *adj.* T **1.** medici-
neret; bedøvet; **2.** bedøvet af stof-
fer; skæv.
drugget ['drʌgit] *sb.* **1.** [*uldent stof
til gulvtæpper*]; **2.** løber; tæppe-
skåner.
druggie ['drʌgi] *sb.* S narkoman.
druggist ['drʌgist] *sb.* (*am.& skotsk*)
apoteker.
druggy *sb.* = *druggie.*
druglord ['drʌglɔ:d] *sb.* T narko-
bagmand; narkobaron.
drug mule *sb.* se *mule 2.*
drug peddler *sb.* (*glds.*) narko-
handler, pusher.
drugs squad *sb.* narkotikapoliti.
drugstore ['drʌgstɔ:] *sb.* (*am.*) [*for-
retning der foruden medicin også*

dub **D**

sælger fx fødevarer, legetøj, parfume].

drug trafficker *sb.* narkohandler.

drug trafficking *sb.* narkohandel.

drug user *sb.* stofbruger.

druid ['druːid] *sb.* (*hist.*) druide [*keltisk præst*].

drum[1] [drʌm] *sb.* **1.** (*mus.*) tromme; **2.** (*beholder, fx til olie*) tønde [*af jern*]; tromle; **3.** (*i maskine*) cylinder; valse; **4.** (*i vaskemaskine*) tromle; **5.** (*til reb, kabel, slange*) tromle; **6.** (*anat.*) trommehinde; **7.** (*lyd*) trommen; klapren; □ **-s** (*mus.*) **a.** trommesæt; **b.** (*i orkester*) slagtøj; *beat the* ~ slå på tromme; *the* ~ *beat* trommen lød; (se også *roll*[2]).

drum[2] [drʌm] *vb.* **1.** tromme; **2.** (*om hove*) klapre; □ ~ *one's fingers* tromme med fingrene; [*med præp.& adv.*] ~ *sth into sby/ sby's head* banke noget ind i hovedet på en; ~ *out of* smide ud af (*fx a club*); ~ *up* **a.** samle (*fx support*); skabe; skaffe til veje; **b.** (*især om personer*) tromme sammen.

drumbeat ['drʌmbiːt] *sb.* **1.** trommeslag; trommehvirvel; **2.** (*am. fig.*) trommeild.

drum brake *sb.* tromlebremse.

drumfire ['drʌmfaiə] *sb.* trommeild.

drumhead ['drʌmhed] *sb.* trommeskind.

drumhead court-martial *sb.* standret.

drum kit *sb.* trommesæt.

drum major *sb.* tamburmajor; regimentstambur.

drum majorette *sb.* **1.** kvindelig tamburmajor [*for pigegarde*]; **2.** [*pige der er ekspert i at lave kunster med tamburmajorstav*].

drummer ['drʌmə] *sb.* **1.** trommeslager; **2.** (*am.*) handelsrejsende.

drum roll *sb.* trommehvirvel.

drum set *sb.* (*am.*) = drum kit.

drumstick ['drʌmstik] *sb.* **1.** trommestik; **2.** T (*stegt*) kyllingelår/hønselår.

drunk[1] [drʌŋk] *sb.* T **1.** beruser, fulderik, drukkenbolt; **2.** druktur.

drunk[2] [drʌŋk] *præt. ptc. af* drink[2].

drunk[3] [drʌŋk] *adj.* fuld, beruset; □ (*as*) ~ *as a lord/newt/owl* fuld som en allike; hønefuld; *get* ~ drikke sig fuld; ~ *with* (*fig.*) beruset af (*fx power, success*); ~ *with delight* ovenud henrykt; (se også *disorderly*).

drunkard ['drʌŋkəd] *sb.* dranker.

drunken ['drʌŋkən] *adj.* (*foran sb*)

1. fuld; beruset; **2.** fordrukken, drikfældig; □ ~ *brawl* fuldemandsslagsmål; ~ *driving* = drink-driving; ~ *orgy* drikkeorgie; (se også *stupor*).

drunkenness ['drʌŋkənnəs] *sb.* **1.** fuldskab; **2.** drikfældighed.

drunk tank *sb.* (*am.* T) detention.

drupe [druːp] *sb.* (*bot.*) stenfrugt.

druthers ['drʌðərz] *sb.*: *if I had my* ~ (*am.* T) hvis jeg selv kunne vælge.

dry[1] [drai] *sb.* **1.** (*austr.*) ørkenområde; **2.** (*am.*) [*tilhænger af spiritusforbud*].

dry[2] [drai] *adj.* **1.** (*også om vin*) tør; **2.** (*om flod, brønd*) udtørret; tørlagt; **3.** (*fig.*: *om tekst etc.*) tør (*fx facts*); **4.** (*om humor*) spids, skarp; tør; **5.** (*om malkeko*) gold; **6.** (*om et område*) tørlagt [o: *med spiritusforbud*]; **7.** (*om person: tørstig*) tør i halsen; (*som ikke drikker*) tørlagt; **8.** (*am.*) [*som er tilhænger af spiritusforbud*]; □ *the* ~ (*austr.*) tørketiden; (*as*) ~ *as a bone* knastør [o: *uden fugt*]; (*as*) ~ *as dust* knastør [o: *kedelig*]; *run* ~ løbe tør; slippe op; (se også *suck*[2]); [*med sb.*] ~ *bread* bart brød; ~ *cough* tør hoste; *there wasn't a* ~ *eye in the house* (*ironisk*) ikke et øje var tørt; ~ *voice* lidenskabsløs/tonløs stemme; ~ *work* arbejde man bliver tørstig af.

dry[3] [drai] *vb.* **1.** tørre; (se også *dish*[1]); **2.** (*teat.* S) gå i stå, glemme sin replik; □ ~ *off* tørre; ~ *out* **a.** tørre; tørre ud (*fx it dries out your skin*); **b.** (T: *om alkoholiker, stofmisbruger*) gå på afvænning; blive afvænnet; ~ *up* **a.** tørre ind, blive tør; **b.** (*om sø, flod etc.*) tørre ud; **c.** (*om kilde*) løbe tør; **d.** (*om forsyning etc.*) høre op, slippe op (*fx money has dried up*); **e.** (*om person: i tale*) gå i stå; (*om skuespiller også*) glemme sin replik; **f.** (*ved opvask*) tørre af; ~ *up*! T hold mund!

dryad ['draiæd, -əd] *sb.* (*myt.*) dryade, skovnymfe.

dry battery *sb.* tørbatteri.

dry cell *sb.* tørelement.

dry-clean [drai'kliːn] *vb.* rense kemisk; □ *have sth -ed* sende noget til kemisk rensning.

dry cleaner's *sb.* (*pl. dry-cleaners'*) renseri.

dry cleaning *sb.* **1.** kemisk rensning; **2.** rensetøj.

dry dock *sb.* (*mar.*) tørdok.

dryer ['draiə] *sb.* **1.** tørremiddel;

2. (*til tøj*) tørretumbler; **3.** (*til hår*) hårtørrer; tørrehjelm; (se også *grain dryer*).

dry-eyed [drai'aid] *adj.*: *he was* ~ han græd ikke; *look* ~ *at* (*ironisk*) græde tørre tårer over.

dry goods *sb. pl.* (*am.*) manufakturvarer.

dry ice *sb.* tøris.

dry land *sb.*: *on* ~ på tørt land; på landjorden.

drypoint ['draipɔint] *sb.* **1.** koldnål; **2.** koldnålsstik; koldnålsradering; **3.** koldnålsarbejde.

dry rot *sb.* svamp [*i hus, i træ*].

dry run *sb.* prøve; afprøvning; generalprøve.

drysalter ['draisɔːltə] *sb.* (*glds.*) materialist; farvehandler.

dry-shod [drai'ʃɔd] *adj.* (*litt.*) tørskoet.

dry-stone wall [draistəun'wɔːl] *sb.* tørmur; tørtbygget mur [o: *uden mørtel*].

dry wall *sb.* (*am.*) = dry-stone wall.

DSC *fork. f.* Distinguished Service Cross.

DSc *fork. f.* Doctor of Science.

DSM *fork. f.* Distinguished Service Medal.

DSO *fork. f.* Distinguished Service Order.

DSS *fork. f.* Department of Social Security.

DST *fork. f.* Daylight Saving Time.

DTI *fork. f.* Department of Trade and Industry.

DT's *sb. pl.*: *have the* ~ (*fork. f.* delirium tremens*) have delirium.

dual[1] ['djuəl] *sb.* (*gram.*) dualis.

dual[2] ['djuəl] *adj.* dobbelt [o: *bestående af to adskilte dele*].

dual carriageway *sb.* vej med midterrabat.

dual controls *sb. pl.* **1.** (*i bil*) dobbeltkommando; **2.** (*flyv.*) dobbeltstyring.

dualism ['djuəlizm] *sb.* dualisme; dobbelthed.

duality [dju'æliti] *sb.* dualitet; dobbelthed.

dual-purpose [djuːəl'pəːpəs] *adj.* med to funktioner, som er beregnet til to formål; som kan bruges på to måder, kombineret.

dual tyres *sb. pl.* tvillingringe.

dual wheels *sb. pl.* tvillinghjul.

dub[1] [dʌb] *sb.* (*am.*) klodrian, fjumrehoved.

dub[2] [dʌb] *vb.* **1.** (*person*) give tilnavnet//øgenavnet, kalde (*fx they -bed her 'the Iron Lady'*); give øgenavnet (*fx they -bed him 'Fatty'*); **2.** (*film: i andet sprog*) eftersynkronisere (*into* til, *fx Danish*); **3.** (*musik, lydeffekter*) dubbe,

263

D *dubbin*

lægge ind; **4.** (*lydspor*) køre sammen; **5.** (*lyd- el. videobånd*) overspille, kopiere; **6.** (*litt.*) slå til ridder; **7.** (*læder*) indsmøre med fedt.
dubbin ['dʌbin] *sb.* læderfedt; fedtsværte.
dubiety [dju:'baiəti] *sb.* **1.** tvivl; **2.** tvivlsomhed.
dubious ['dju:biəs] *adj.* **1.** tvivlsom (*fx claim, neighbourhood, character; I had the ~ honour/pleasure/privilege of being ...*); **2.** (*om person*) tvivlende; tvivlrådig; usikker;
□ *be ~ about* **a.** tvivle på (*fx his promise*); **b.** være i tvivl om (*fx what to do*).
ducal [dju:k(ə)l] *adj.* hertugelig.
ducat ['dʌkət] *sb.* (*hist.*) dukat.
duchess ['dʌtʃəs] *sb.* hertuginde.
duchy ['dʌtʃi] *sb.* hertugdømme.
duck[1] [dʌk] *sb.* **1.** and; **2.** (T: *i tiltale til person*) skat, snut; **3.** (*i kricket*) nul points; **4.** (*mil.*) amfibielandingsfartøj; **5.** (*tekstil*) ravndug; bomuldslærred;
□ *-s* **a.** ravndugsbukser; **b.** (*i tiltale*) = 2; (se også *dead duck, lame duck, sitting duck*);
[*med vb.*] *play -s and drakes* **a.** slå smut; **b.** optræde uansvarligt//hensynsløst; skalte og valte (*with* med); *he takes to it like a ~ to water* det går som en leg for ham; (se også *water*[1]).
duck[2] [dʌk] *vb.* **1.** dukke sig; (*et sted hen*) smutte (*fx through the door*); **2.** (*i vand*) dykke; **3.** (*med objekt: person*) dukke, give en dukkert; **4.** (*slag etc.*) dukke sig for, undvige; **5.** (*ansvar, pligt*) smyge sig/smutte/vige udenom;
□ *~ one's head* dukke hovedet; [*med præp.& adv.*] *~ down* dukke sig; *~ into* **a.** (*sted*) smutte ind i (*fx a doorway*); **b.** (*vand*) dykke ned i (*fx the lake*); *~ out* **a.** smutte væk; **b.** trække sig; springe 'fra; *~ out of* **a.** smyge sig udenom; **b.** trække sig fra; undgå.
duckbilled ['dʌkbild] *adj.*: *~ platypus* (zo.) = *platypus*.
duckboard ['dʌkbɔ:d] *sb.* gangbræt [*på sumpet jord el. i skyttegrav*].
duckling ['dʌkliŋ] *sb.* ælling.
duck's arse haircut *sb.* anderumpefrisure.
duck's egg *sb.* **1.** andeæg; **2.** (*i kricket*) nul point.
duckweed ['dʌkwi:d] *sb.* (bot.) andemad.
ducky[1] ['dʌki] *sb.* skat, snut.
ducky[2] ['dʌki] *adj.* (*glds. am.* T) sød, nuttet.
duct [dʌkt] *sb.* **1.** kanal, rør, ledning; **2.** (*anat.*) kanal (*fx tear ~*);

(udførsels)gang.
ductile ['dʌktail, (*am.*) 'dʌktl] *adj.* **1.** (*om metal*) bearbejdelig; smidig; sej; (*som kan trækkes ud*) strækbar; **2.** (*om person*) let påvirkelig; føjelig.
ductless ['dʌktləs] *adj.*: *~ glands* (*anat.*) endokrine/lukkede kirtler.
dud[1] [dʌd] *sb.* T **1.** (*ueksploderet bombe etc.*) forsager, blindgænger; **2.** (*noget mislykket*) fuser, fiasko; forbier;
□ *duds* tøj, klude, kluns.
dud[2] [dʌd] *adj.* T **1.** dårlig; ubrugelig; i uorden; **2.** (*om check*) dækningsløs.
dude [d(j)u:d] *sb.* (*am.*) **1.** smart fyr; laps; **2.** fyr, gut; **3.** (*glds.*) bybo [*der bor/holder ferie på landet*].
dude ranch *sb.* (*am.*) [*ranch indrettet for turister*].
dudgeon ['dʌdʒ(ə)n] *sb.*: *in high ~* stærkt fortørnet.
due[1] [dju:] *sb.* ret, hvad der tilkommer en (*fx it is his ~*);
□ *-s* kontingent;
to give him his ~, he did his best ret skal være ret, han gjorde sit bedste; han gjorde sit bedste, det må man lade ham; *give everyone his ~* svare enhver sit; *pay one's -s* (*fig.*) betale hvad det koster [ɔ: *for at få succes*].
due[2] [dju:] *adj.* **1.** passende, tilbørlig; behørig (*fx with ~ care//diligence* (omhu)); **2.** skyldig (*fx the amount ~*); forfalden (til betaling);
□ *in ~ course, at the ~ time* i rette tid; når tiden er inde; *with all ~ respect* se *respect*[1]; *be ~* **a.** forventes at komme//ankomme; forventes at blive offentliggjort (*fx the results are ~ next week*); **b.** = *fall ~*; *fall ~* forfalde (til betaling);
[*med præp.*] *he is ~ for* promotion han står for tur til at blive forfremmet; *~ to* **a.** som tilkommer, som man skylder (*fx treat him with the respect ~ to a senior colleague*); **b.** på grund af, som følge af (*fx ~ to circumstances beyond our control*); *be ~ to* **a.** skyldes (*fx it is ~ to his help*); være en følge af; **b.** tilkomme (*fx the holiday that is ~ to him*); *the money that is ~ to him* de penge han har til gode; de penge man skylder ham; *thanks are ~ to Mr Jones* jeg//vi er hr Jones tak skyldig.
due[3] [dju:] *adv.* stik (*fx ~ north*).
due date *sb.* forfaldsdag; betalingsdag.
duel[1] ['dju:əl] *sb.* **1.** kamp; strid;

duel; **2.** (*hist.*) duel; tvekamp.
duel[2] ['dju:əl] *vb.* **1.** kappes; strides; **2.** duellere.
duellist ['dju:əlist] *sb.* duellant.
duenna [dju'enə] *sb.* duenna; anstandsdame.
due process *sb.* (*am. jur.*) behørig// forsvarlig rettergang.
duet [dju'et] *sb.* (*mus.*) duet.
duff[1] [dʌf] *sb.* **1.** melbudding; **2.** (*am.*) bagdel, ende;
□ *be up the ~* S have brød i ovnen [ɔ: *være gravid*].
duff[2] [dʌf] *adj.* ubrugelig; elendig.
duff[3] [dʌf] *vb.* (*i golf*) forkludre [*et slag*];
□ *~ up* S gennemtæve, gennembanke.
duffel ['dʌfl] *sb.* **1.** (*stof*) dyffel; **2.** = *duffel bag, duffel coat*; **3.** (*am.*) sportsudstyr.
duffel bag *sb.* køjesæk; posetaske.
duffel coat *sb.* duffelcoat.
duffer ['dʌfə] *sb.* (*glds.*) dumrian; klodrian, kludderhoved (*at* til).
duffle *sb.* = *duffel*.
dug[1] [dʌg] *sb.* patte; pattevorte; yver.
dug[2] [dʌg] *præt. & præt. ptc. af dig*[2].
dugout ['dʌgaut] *sb.* **1.** (*mil.*) dækningsrum; beskyttelsesrum; **2.** (*på stadion*) udskiftningsbænk; spillerbænk [*forsænket ved sidelinjen*]; **3.** [*kano lavet af udhulet træstamme*]; stammebåd.
duiker ['daikə] *sb.* (zo.) dykantilope; dværgantilope.
duke[1] [dju:k] *sb.* hertug [*højeste engelske adelsrang*];
□ *-s* S næver.
duke[2] [dju:k] *vb.*: *~ it out* slås om det.
dukedom ['dju:kdəm] *sb.* **1.** hertugdømme; **2.** hertugværdighed, hertugrang.
dulcet ['dʌlsit] *adj.* (*litt. el. spøg.*) blid, liflig, melodiøs;
□ *his ~ tones* (*spøg.*) hans blide røst.
dulcimer ['dʌlsimə] *sb.* (*mus.*) hakkebræt [*glds. musikinstrument*].
dull[1] [dʌl] *adj.* **1.** kedelig, trist; **2.** (*om farve, pels, øjne*) mat; glansløs; **3.** (*om vejr*) mørk, tung; **4.** (*om lyd*) dump (*fx boom; thud*); **5.** (*om følelse*) dump (*fx pain*); **6.** (*om person*) sløv, dum; **7.** (*merk.*) træg, mat (*fx market*); **8.** (*let glds.: om kniv*) sløv, stump; □ (*as*) *~ as ditchwater* dødkedelig.
dull[2] [dʌl] *vb.* **1.** sløve; **2.** (*smerte*) dulme; **3.** (*uden objekt*) sløves.
dullard ['dʌləd] *sb.* (*glds.*) dumrian, drog, dosmer.
dulse [dʌls] *sb.* (bot.) spiselig tang.

duly ['dju:li] *adv.* **1.** på rette måde; rigtigt (*fx* ~ *received*); **2.** på tilbørlig/behørig vis; behørigt (*fx he was* ~ *grateful*); **3.** (*om tid*) i rette tid, rettidigt.

dumb¹ [dʌm] *adj.* **1.** stum; **2.** (*litt.*) målløs (*fx in* ~ *amazement*); tavs (*fx in* ~ *misery*); (se også *strike²*); **3.** (*om dyr*) umælende; **4.** (T: *især am.*) dum (*fx blonde*; *idea*).

dumb² [dʌm] *vb.* (*litt.*) gøre stum; □ ~ *down* (T: *især am.*) gøre forståelig selv for mindre begavede; udvande; sænke niveauet i.

dumb-bells ['dʌmbelz] *sb. pl.* håndvægte.

dumbfounded [dʌm'faundid] *adj.* forbløffet; målløs; lamslået.

dumbing-down [dʌmiŋ'daun] *sb.* udvanding; niveausænkning.

dumbo ['dʌmbəu] *sb.* S fjols, tåbe.

dumb show *sb.* pantomime; stumt spil.

dumbstruck ['dʌmstrʌk] *adj.* = *dumbfounded*.

dumb terminal *sb.* (*it*) dum/uintelligent terminal [*almindelig dataskærm*].

dumbwaiter [dʌm'weitə] *sb.* **1.** køkkenelevator; madelevator; **2.** (*bord*) lille serveringsbord; (*glds.*) stumtjener.

dum-dum ['dʌmdʌm] *sb.* dumdumkugle.

dummy¹ ['dʌmi] *sb.* **1.** (*til tøj: i udstillingsvindue*) vinduesmannequin; (*skrædders*) gine; **2.** (*bugtalers*) dukke; **3.** (*i kortspil*) blind makker; **4.** (*om person uden indflydelse*) topfigur; **5.** (T: *især am.*) tåbe; **6.** (*ting*) attrap (*fx it is not a real gun, it is only a* ~); **7.** (*af bog*) dummy; prøvebog, prøvebind; (*på hylde*) blindbog; **8.** (*til paryk*) parykblok, skabilkenhoved; **9.** (*it*) dummy; **10.** (*til barn*) narresut.

dummy² ['dʌmi] *adj.* fingeret, skin- (*fx minefield*); attrap- (*fx rifle*).

dummy³ ['dʌmi] *vb.:* ~ *up* (*am.* S) klappe i.

dummy ammunition *sb.* (*mil.*) blind ammunition.

dummy cartridge *sb.* (*mil.*) øvelsespatron.

dummy hand *sb.* (*i kortspil*) blind makker.

dummy run *sb.* prøve; generalprøve; prøvekørsel.

dump¹ [dʌmp] *sb.* (se også *dumps*) **1.** losseplads; **2.** (*mil.*) (fritliggende, midlertidigt) depot; **3.** (*it*) dump [*udskrift af internt lager*]; **4.** (T: *neds., om by etc.*) hul; (*beværtning*) bule; □ *take a* ~ (*am. vulg.*) lægge en

lort, skide.

dump² [dʌmp] *vb.* **1.** læsse af; vælte af; smide (*fx he -ed the bags on the table*); efterlade (*fx one's car*); **2.** (*noget ubrugeligt*) kassere; **3.** (*i havet*) dumpe (*fx* ~ *nerve gas in the sea*); **4.** (T: *person*) droppe; **5.** (*merk.*: *vare*) sælge til underpris/dumpingpris (*on a market på et marked*); dumpe; **6.** (*it*) gemme; □ ~ *on* (*am.* S) kritisere; rakke ned på.

dumper ['dʌmpə] *sb.* lastvogn med vippelad.

dumper truck *sb.* = *dumper*.

dumping ['dʌmpiŋ] *sb.* (jf. *dump²*) **1.** aflæsning; **2.** (*i havet*) dumpning; **3.** (*merk.*) dumping.

dumping ground, **dumpiong site** *sb.* losseplads.

dumpling ['dʌmpliŋ] *sb.* **1.** melbolle; indbagt æble; **2.** (T: *om person*) bolle; tyksak.

dumps [dʌmps] *sb. pl.: in the* ~ nedtrykt, deprimeret.

Dumpster® ['dʌmpstə] *sb.* (*am.*) affaldscontainer.

dump truck *sb.* (*am.*) = *dumper*.

dumpy ['dʌmpi] *adj.* **1.** lille og tyk; **2.** (*am.* T) snusket.

dun¹ [dʌn] *sb.* **1.** gråbrun farve; **2.** (*glds.*) rykkerbrev; (*person*) [*inddriver af gæld*].

dun² [dʌn] *adj.* gråbrun; mørkebrun; mørk.

dun³ [dʌn] *vb.* rykke (for betaling).

dunce [dʌns] *sb.* **1.** dumrian; fæ; tosse; **2.** (*glds.: i en klasse*) fuks.

dunce's cap *sb.* (*hist.*) narrehue, dosmerhue [*brugt som straf for dovne børn*].

dunderhead ['dʌndəhed] *sb.* (*glds.* T) dosmer, fæhoved, dumrian.

dune [dju:n] *sb.* klit; sandbanke.

dung [dʌŋ] *sb.* møg, gødning.

dungaree [dʌŋgə'ri:] *sb.* [*groft kaliko*].

dungarees [dʌŋgə'ri:z] *sb. pl.* **1.** overall, smækbukser; **2.** (*am.*) cowboybukser, arbejdsbukser.

dung beetle *sb.* (*zo.*) skarnbasse.

dungeon ['dʌndʒən] *sb.* underjordisk fangehul [*i en borg*].

dunghill ['dʌŋhil] *sb.* mødding.

dunk [dʌŋk] *vb.* **1.** dyppe; **2.** sætte i vand; **3.** (*am.*) dykke; **4.** (*i basketball*) score med hopskud [ɔ: *bolden kastes i ovenfra*].

Dunkirk [dʌn'kɜ:k] (*geogr.; hist.*) Dunkerque [*fransk havn hvorfra britiske tropper blev evakueret i 1940*].

dunk shot *sb.* (*i basketball*) hopskud.

dunlin ['dʌnlin] *sb.* (*zo.*) almindelig ryle.

dunnage ['dʌnidʒ] *sb.* (*mar.*) **1.** garnering [*underlag under lasten el. beskyttende materiale mellem indladet gods*]; (*træ*) stuvholt; **2.** T bagage.

dunno [d(ə)'nəu] T = (*I*) *don't know.*

dunnock ['dʌnək] *sb.* (*zo.*) jernspurv.

dunt [dʌnt] *sb.* (*am., skotsk*) slag, rap.

duo ['dju(:)əu] *sb.* (*mus. etc.*) duo.

duodecimal [djuəu'desim(ə)l] *adj.:* ~ *system* tolvtalsystem.

duodenal [djuə(u)'di:n(ə)l] *adj.* (*anat.*) vedrørende tolvfingertarmen.

duodenal ulcer *sb.* (*med.*) sår på tolvfingertarmen.

duodenum [djuə(u)'di:nəm] *sb.* (*anat.*) tolvfingertarm.

dupe¹ [dju:p] *sb.* godtroende fjols.

dupe² [dju:p] *vb.* narre, snyde, føre bag lyset, tage ved næsen.

duplex¹ ['dju:pleks, (*am.*) 'du:-] *sb.* (*am.*) **1.** lejlighed i to etager; **2.** tofamilieshus.

duplex² ['dju:pleks] *adj.* **1.** dobbelt; todelt; **2.** (*om datatransmission*) i begge retninger; tovejs-, dupleks-.

duplex apartment *sb.* = *duplex¹* **1.**

duplicate¹ ['dju:plikət] *sb.* **1.** kopi (*fx of a key*); **2.** gentagelse (*fx of a success*; *of an experiment*); **3.** (*af dokument*) kopi, genpart; □ *in* ~ i duplo.

duplicate² ['dju:plikət] *adj.* **1.** kopieret, kopi- (*fx key*); **2.** dobbelt.

duplicate³ ['dju:plikeit] *vb.* **1.** kopiere; **2.** (*dokument, skrivelse*) tage genpart af; kopiere, mangfoldiggøre; (*på duplikator*) duplikere; **3.** (F: *én gang til*) gentage (*fx a success*; *an experiment*); **4.** (F: *arbejde*) gøre to gange [*især: unødvendigt*].

duplication [dju:pli'keiʃn] *sb.* (jf. *duplicate²*) **1.** kopiering; **2.** kopiering, mangfoldiggørelse; duplikering; **3.** gentagelse; **4.** dobbeltarbejde.

duplicator ['dju:plikeitə] *sb.* duplikator.

duplicitous [dju:'plisitəs] *adj.* F falsk, uoprigtig, løgnagtig.

duplicity [dju:'plisəti] *sb.* F falskhed, uoprigtighed, løgnagtighed; dobbeltspil.

durability [djuərə'biləti] *sb.* (jf. *durable*) **1.** holdbarhed; slidsstyrke; **2.** varighed.

durable ['djuərəbl] *adj.* **1.** holdbar, slidstærk (*fx material*); **2.** varig (*fx peace*).

durables ['djuərəblz] *sb. pl.* (*merk.*) varige forbrugsgoder.

durance ['djuərəns] *sb.* (*glds. el. litt.*) fangenskab.

duration [dju(ə)'reiʃn] *sb.* F varighed (*fx of three years'* ~);
□ *for the* ~ *of sth* så længe noget varer (*fx for the* ~ *of your holiday*); *for the* ~ **a.** indtil videre; **b.** (*glds.*) så længe krigen varede// varer.

duress [dju'res] *sb.* (*jur.*) (voldelig) tvang;
□ *under* ~ under tvang.

Durex® ['djuəreks] *sb.* (*pl. Durex*) **1.** (*kondom*]; **2.** (*am.; austr.*) [*tape, klisterbånd*].

during ['djuəriŋ] *præp.* **1.** under (*fx my absence; his visit; the war*); i (*fx office hours; the holidays*); om (*fx work* ~ *the night; sleep* ~ *the winter*); **2.** i løbet af (*fx some time* ~ *the weekend; several times* ~ *the night*).

durra ['dʌrə] *sb.* (*bot.*) durra; indisk hirse.

durst [də:st] (*glds.*) *præt. af dare²*.

dusk [dʌsk] *sb.* **1.** (*tidspunkt*) skumring; **2.** (*belysning*) tusmørke; halvmørke;
□ *at* ~ når det bliver/blev mørkt, når mørket falder/faldt på; F i skumringen; ~ *was falling* det var ved at blive mørkt; mørket faldt på.

dusky ['dʌski] *adj.* (*litt.*) **1.** dunkel, mørk; **2.** (*om person, glds.*) mørkhudet, mørklødet.

dust¹ [dʌst] *sb.* støv;
□ *bite the* ~ bide i græsset; afgå ved døden; *kick up/make/raise a* ~ T lave spektakel; lave ballade; *we couldn't see him for* ~ T han fjernede sig skyndsomt; han stak af i en fart; *when the* ~ *had settled* (*fig.*) da bølgerne havde lagt sig; da der var faldet ro over gemytterne; *let the* ~ *settle* lade tingene falde til ro; *throw* ~ *in sby's eyes* stikke én blår i øjnene.

dust² [dʌst] *vb.* **1.** (*møbler etc.*) støve af; **2.** (*med mel, sukker*) drysse, strø (*fx a cake with icing sugar*); **3.** (*med insektpudder*) pudre;
□ ~ *sby's coat/jacket (for him)* gennembanke en; ~ *down,* ~ *off* **a.** (*tøj*) børste//banke støvet af (*fx one's coat*); **b.** (*fig.*) støve af (*fx an old project*); ~ *oneself down/off* **a.** børste/banke støvet af sig; **b.** (*fig.*) komme på benene igen.

dustbin ['dʌstbin] *sb.* affaldsspand; skraldebøtte.

dust bowl *sb.* [ørkenområde skabt ved erosion el. udpining af jorden].

dustcart ['dʌstka:t] *sb.* skralde-vogn.

dust cover *sb.* **1.** (*am.*) = *dust jacket*; **2.** = *dust sheet*.

dust devil *sb.* støvhvirvel.

duster ['dʌstə] *sb.* **1.** støveklud; **2.** (*til insektpudder*) strødåse; pudderblæser; **3.** (*am.*) housecoat; kittel.

dust jacket *sb.* (*på bog*) smudsomslag.

dustman ['dʌstmən] *sb.* (*pl. -men* [-mən]) skraldemand.

dustpan ['dʌstpæn] *sb.* fejebakke.

dust sheet *sb.* møbelovertræk.

dust shot *sb.* spurvehagl.

dust-up ['dʌstʌp] *sb.* T ballade; slagsmål; skænderi.

dust wrapper *sb.* = *dust jacket*.

dusty ['dʌsti] *adj.* støvet;
□ ~ *answer* brysk svar; *not so* ~ (*glds.* T) ikke dårlig; ikke værst.

Dutch¹ [dʌtʃ] *sb.* (*sprog*) hollandsk;
□ *the* ~ hollænderne; *in* ~ (*am.* S) i knibe; i unåde; *that beats the* ~ (*am.*) S det overgår alt.

Dutch² [dʌtʃ] *adj.* hollandsk;
□ *go* ~ deles om udgifterne.

Dutch barn *sb.* (*agr.*) staklade.

Dutch cap *sb.* pessar.

Dutch courage *sb.: get up* ~ drikke sig mod til.

Dutch door *sb.* (*am.*) halvdør.

Dutch elm disease *sb.* elmesyge.

Dutch hoe *sb.* skuffejern.

Dutchman ['dʌtʃmən] *sb.* (*pl. -men* [-mən]) hollænder;
□ *... or I'm a* ~ ellers må du kalde mig Mads.

Dutch oven *sb.* (*am.*) stegegryde.

Dutch treat *sb.* sammenskudsgilde.

Dutch uncle *sb.: talk to sby like a* ~ (*am.* T) holde en formaningstale til en.

dutiable ['dju:tjəbl] *adj.* toldpligtig; afgiftspligtig.

dutiful ['dju:tif(u)l] *adj.* **1.** lydig, pligtopfyldende (*fx daughter*); **2.** (*som forventes*) pligtskyldig (*fx applause*).

duty ['dju:ti] *sb.* **1.** pligt; opgave; **2.** (*som betales*) afgift; (*ved indførsel*) told;
□ *do* ~ *for* gøre det ud for, tjene som (*fx the log did* ~ *for a chair*); [*med præp.*] *report for* ~ melde sig til tjeneste; (se også *fit²*); *exempt from* ~ fritage for tjeneste; *be off* ~ ikke have tjeneste; have fri; *when he is off* ~ (*også*) uden for tjenestetiden; *be on* ~ have tjeneste; *officer on* ~ vagthavende officer.

duty-bound [dju:ti'baund] *adj.:* ~ *to* F forpligtet til at.

duty-free [dju:ti'fri:] *adj.* toldfri.

duty-frees [dju:ti'fri:z] *sb. pl.* told-fri varer.

duvet ['d(j)u:vei, (*am.*) du:'vei] *sb.* dyne; duntæppe, vattæppe.

DVD *fork. f. digital videodisc.*

DVD drive *sb.* dvd-drev.

DVD player *sb.* dvd-afspiller.

dwarf¹ [dwɔ:f] *sb.* (*pl. -s/dwarves* [dwɔ:vz]) dværg.

dwarf² [dwɔ:f] *vb.* **1.** rage højt op over; **2.** (*plante*) hindre i væksten; forkrøble; trykke;
□ *be -ed by* **a.** se lille ud ved siden af; **b.** (*fig.*) blive overskygget/stillet i skyggen af.

dwarfish ['dwɔ:fiʃ] *adj.* dværgagtig.

dwarfism ['dwɔ:fizm] *sb.* (*med.*) dværgvækst.

dweeb [dwi:b] *sb.* (*am.* S) kedeligt løg; skvat.

dwell [dwel] *vb.* (*dwelt, dwelt*) F bo;
□ ~ *on* dvæle ved; opholde sig ved (*fx we have dwelt too long on this subject*); udbrede sig om.

dweller ['dwelə] *sb.* beboer (*fx cave* ~).

dwelling ['dweliŋ] *sb.* F bolig.

dwelling house *sb.* (*jur.*) beboelseshus.

dwelling place *sb.* bolig; bopæl.

dwelt [dwelt] *præt. & præt. ptc. af dwell.*

DWI *fork. f.* (*am.*) *driving while intoxicated.*

dwindle ['dwindl] *vb.* mindskes, svinde ind; svinde (*fx hope -d; his dwindling authority*).

dwt *fork. f.* **1.** *pennyweight*; **2.** (*mar.*) *deadweight.*

dye¹ [dai] *sb.* **1.** farve; **2.** farvestof;
□ *a scoundrel of the deepest* ~ en ærkeslyngel.

dye² [dai] *vb.* **1.** farve; **2.** (*uden objekt*) tage mod farve (*fx it -s well*).

dyed-in-the-wool [daidinðə'wul] *adj.* gennemført, vaskeægte, fuldblods; ærke- (*fx conservative*).

dyer ['daiə] *sb.* farver.

dyer's greenweed *sb.* (*bot.*) farvevisse.

dyer's rocket *sb.* (*bot.*) farvereseda.

dying¹ ['daiiŋ] *sb.* død.

dying² ['daiiŋ] *adj.* **1.** døende; **2.** (*om ytring, tid*) sidste (*fx his* ~ *words//wish; his* ~ *moments*); **3.** (*fig.*) uddøende (*fx tradition*); **4.** (*om glød*) hendøende (*fx embers*);
□ *to my* ~ *day* til min dødsdag; *be* ~ *for* T længes efter; være (helt) syg efter; *be* ~ *to* T være syg efter at.

dyke¹ [daik] *sb.* **1.** (*mod oversvømmelse*) dige; dæmning; **2.** (*til afvanding*) grav; grøft; **3.** (*geol.*)

gang; **4.** S lesbisk kvinde; lebber.
dyke[2] [daik] *vb.* inddige; ind-
dæmme.
dynamic[1] [dai'næmik] *sb.* driv-
kraft; dynamik.
dynamic[2] [dai'næmik] *adj.* dyna-
misk.
dynamics [dai'næmiks] *sb.* dyna-
mik.
dynamism [dai'næmizm] *sb.* dyna-
mik.
dynamite[1] ['dainəmait] *sb.* **1.** dyna-
mit; **2.** (*fig.*) sprængstof (*fx poli-
tical* ~);
□ *it was pure* ~ T det var meget
spændende.
dynamite[2] ['dainəmait] *vb.*
sprænge med dynamit.
dynamo ['dainəməu] *sb.* **1.** dy-
namo; **2.** (*om person*) energi-
bundt.
dynast ['dinæst, 'dai-] *sb.* hersker;
dynast.
dynastic [dai'næstik, 'di-] *adj.* dy-
nastisk.
dynasty ['dinəsti, (*også am.*) 'dai-]
sb. dynasti.
dysentery ['dis(ə)ntri] *sb.* dysen-
teri.
dysfunction [dis'fʌŋ(k)ʃn] *sb.* dys-
funktion, funktionsforstyrrelse,
funktionssvigt.
dyslexia [dis'leksiə] *sb.* dysleksi,
ordblindhed.
dyslexic [dis'leksik] *adj.* ordblind.
dyspepsia [dis'pepsiə] *sb.* (*med.*)
dyspepsi; fordøjelsesbesvær.
dyspeptic[1] [dis'peptik] *sb.* dyspep-
tiker.
dyspeptic[2] [dis'peptik] *adj.*
dyspeptisk.
dyspnoea [dis'(p)niə] *sb.* (*med.*)
åndenød.
dysthymia [dis'θimiə] *sb.* (*med.*)
tungsindighed, let depression.
dystrophy ['distrəfi] *sb.* (*med.*) dy-
strofi; (se også *muscular dy-
strophy*).

E

E¹ [i:].

E² *fork. f.* **1.** *east, eastern;* **2.** (S: *om narko*) *ecstasy.*

each [i:tʃ] *pron.* hver; hver især; hver enkelt;

□ ~ *and every* hver eneste; *they cost 6p.* ~ de koster 6 pence stykket/pr. styk; ~ *for all and all for* ~ én for alle og alle for én.

each other *pron.* hinanden; F hverandre.

each way *adv.: bet on a horse* ~ se *way¹.*

eager ['i:gə] *adj.* **1.** ivrig; **2.** spændt (*fx expectation*);

□ ~ *for* ivrig efter at få; begærlig efter (*fx news*); ~ *to* ivrig efter at, opsat på at (*fx begin*); forhippet på at.

eager beaver *sb.* T morakker.

eagerness ['i:gənəs] *sb.* iver.

eagle ['i:gl] *sb.* **1.** (*zo.*) ørn; **2.** (*i golf*) to under par; **3.** (*am. glds.*) guldtidollar.

eagle eye *sb.* skarpt blik; falkeblik; □ *keep an* ~ *on* holde skarpt øje med.

eagle-eyed ['i:glaid] *adj.* som har falkeblik; skarpsynet.

eagle owl *sb.* (*zo.*) den store hornugle.

eaglet ['i:glət] *sb.* ung ørn.

ear¹ [iə] *sb.* **1.** øre; **2.** (*på krukke*) hank; **3.** (*mus.*) gehør; **4.** (*bot.*) aks; **5.** (*am. bot.*) majskolbe;

□ *be all -s* være lutter øre; [*med vb.*] *bend sby's* ~ tude en ørerne fulde; *were your -s burning last night?* ringede det ikke for dine ører i går aftes? *give* ~ *to* høre på; høre efter; *I had his* ~ jeg fandt et villigt øre hos ham; han lyttede gerne til mig; *have/keep one's* ~ *to the ground* (*svarer til*) have fingeren på pulsen; have antennerne ud; *have an* ~ *for music* have gehør, have musikalsk sans; *lend an* ~ låne én øre, lytte; *turn a deaf* ~ vende det døve øre til; (se også *flap²* (*up*) *pin²* (*back*)); [*med præp.*] *bring a storm about one's* ~ *-s* rejse en storm af kritik; (se også *fall²*); *go in at* one ~ *and out at the other* gå ind ad det ene øre og ud af det andet; *play by* ~ spille efter gehør; *play it by* ~

(*fig.*) improvisere; ekstemporere; *set them by the -s* bringe dem i totterne på hinanden; *a word in sby's* ~ et ord i fortrolighed; *fall on sby's -s* ramme/nå ens øre (*fx a strange sound fell on our -s*); *his words fell on deaf -s* han talte for døve øren; *throw sby out on his* ~ smide en ud på hovedet; *up to the -s* til op over begge ører; (se også *head¹, music*).

ear² [iə] *vb.* sætte aks.

earache ['iəreik] *sb.* ørepine.

eardrum ['iədrʌm] *sb.* trommehinde.

eared [iəd] *adj.* **1.** med øre(r); **2.** (*bot.*) med aks.

eared seal *sb.* (*zo.*) øresæl.

earflap ['iəflæp] *sb.* øreklap.

earful ['iəf(u)l] *sb.* T opsang, overhaling.

earl [ə:l] *sb.* jarl [*tredjehøjeste engelske adelsrang, under marquess og over viscount*].

earldom ['ə:ldəm] *sb.* [*en earl's rang, titel el. gods*].

earlobe ['iələub] *sb.* øreflip.

early¹ ['ə:li] *adj.* **1.** tidlig; **2.** tidligt på den (*fx you are* ~ *today*); for tidlig; **3.** tidligt moden, tidlig (*fx fruit*); **4.** snarlig (*fx he asked for an* ~ *meeting*); **5.** første, indledende (*fx the* ~ *chapters of a book*);

□ *in* ~ *April* i begyndelsen af april; ~ *bird* se *early bird; the* ~ *church* oldkirken; *at your earliest convenience* snarest belejligt; *at an* ~ *date* i nær fremtid; *his* ~ *days* = *his* ~ *life; it is* ~ *days yet* det er endnu for tidligt; *der er tid nok endnu; his* ~ *dream* hans ungdomsdrøm; ~ *hours* se *hour; his* ~ *life* hans ungdom.

early² ['ə:li] *adv.* **1.** tidligt; **2.** for tidligt;

□ *as* ~ *as May* allerede i maj; ~ *in* i begyndelsen af (*fx the season; May*).

early bird *sb.* (*spøg.*) en der kommer tidligt; morgenmand;

□ *the* ~ *catches the worm* (*omtr.*) morgenstund har guld i mund.

early closing day *sb.* [*dag i ugen hvor forretninger etc. lukker tidligt*].

Early English *sb.* (*arkit.*) tidlig engelsk spidsbuestil [ɔ: *gotik*].

early leaver *sb.* **1.** [*elev der ikke fuldfører*]; **2.** [*pensionsforsikret der ophæver forsikringen*].

early retirement *sb.* (*omtr.*) førtidspensionering.

early riser *sb.* morgenmand.

early warning system *sb.* radarvarslingssystem.

earmark¹ ['iəma:k] *sb.* **1.** øremærke [*på husdyr*]; **2.** kendetegn.

earmark² ['iəma:k] *vb.* **1.** (*husdyr*) mærke øret på; øremærke; **2.** (*fig.*) sætte til side, hensætte, øremærke (*for* til); bestemme, udse (*for* til).

earmuffs ['iəmʌfs] *sb. pl.* ørevarmere.

earn [ə:n] *vb.* **1.** (*penge: om person, land*) tjene (*from* på, *fx* ~ *millions of pounds from exports*); **2.** (*om transaktion etc.*) indbringe (*fx it will* ~ *you £1,000 a year*); **3.** (*noget man er berettiget til*) fortjene, gøre sig fortjent til (*fx a rest; a holiday*); opnå, vinde (*fx fame*); erhverve (*fx a reputation for efficiency*); skaffe (*fx it -ed him the nickname of "Fatty"*).

earned income *sb.* arbejdsindkomst.

earner ['ə:nə] *sb.* **1.** den der tjener penge (*fx the woman is the sole* ~ *in the family*); lønmodtager; **2.** indtægtskilde (*fx tobacco is an important foreign currency* ~);

□ *a nice little* ~ T en god fidus, en guldgrube.

earnest¹ ['ə:nist] *sb.* **1.** F pant; bevis (*of* på, *fx as an* ~ *of his good intentions*); forsmag (*of* på, *fx an* ~ *of future favours*); **2.** (*mods. spøg.*) alvor;

□ *in* ~ for alvor; *are you in* ~? er det dit alvor? *in good/dead* ~ i/ for ramme alvor.

earnest² ['ə:nist] *adj.* alvorlig; ivrig (*fx in* ~ *conversation*); seriøs (*fx an* ~ *student*).

earnest money *sb.* penge på hånden.

earnestness ['ə:nistnəs] *sb.* alvor; alvorlighed.

earning capacity *sb.* indtjeningsevne.

earnings ['ə:niŋz] *sb. pl.* fortjene-

ste; indtjening; indtægt (*fx export* ~); (*persons også*) indkomst.
earnings-related ['ə:niŋzreleitid] *adj.* indtægtsbestemt.
earphones ['iəfəunz] *sb. pl.* hovedtelefoner.
earpiece ['iəpi:s] *sb.* **1.** høretelefon; **2.** (*til at sætte i øret*) øresnegl; **3.** (*på briller*) brillestang [*der går ned bag øret*].
earplug ['iəplʌg] *sb.* øreprop.
earring ['iəriŋ] *sb.* øre(n)ring.
earshot ['iəʃɔt] *sb.* hørevidde; □ *out of//within* ~ uden for//inden for hørevidde.
ear-splitting ['iəsplitiŋ] *adj.* øresønderrivende.
earstud ['iəstʌd] *sb.* ørestikke.
Earth *sb.* = *earth[1] 3.*
earth[1] [ə:θ] *sb.* **1.** (*materiale*) jord, muld (*fx a handful of* ~); **2.** (*sted*) jorden (*fx the happiest man on* ~); **3.** (*planeten*) Jorden, jorden (*fx Earth looks incredibly beautiful from space*); **4.** (*elek.*) jordforbindelse; **5.** (*rævs, grævlings*) hule; hi; rævegrav//grævlingegrav; □ *the* ~ **a.** jorden (*fx the* ~ *shook*); (se også *face[1]*); **b.** en masse penge; en formue; en bondegård (*fx I paid the* ~ *for it; they charged me the* ~); (se også *cost[2]*); *it is not the* ~ det er ikke alverden; *the* ~ *moved* (*spøg.*) [*om enestående seksuel oplevelse*]; [*med præp.*] *come back to* ~ (*fig.*) komme ned på jorden igen; *down to* ~ jordbunden; nøgtern; *come down to* ~ = *come back to* ~; *on* ~ på jorden, i verden (*fx the happiest man on* ~); *how//what// where on* ~? hvordan//hvad//hvor i al verden? *no reason on* ~ overhovedet ingen grund; *feel like nothing on* ~ T have det elendigt; *look like nothing on* ~ T se herrens ud; *go to* ~ smutte ind i sin hule; *run to* ~ **a.** (*fx en ræv*) drive ind i dens hule; **b.** (*fig.*) opspore; få endelig opklaret; **c.** (*uden objekt*) = *go to* ~.
earth[2] [ə:θ] *vb.* **1.** (*elek.*) jordforbinde, jorde; **2.** (*fx om ræv*) drive ind i dens hule; **3.** (*uden objekt: om ræv*) søge ind i sin hule; □ ~ *up* (*plante*) hyppe.
earthbound ['ə:θbaund] *adj.* **1.** som er nødt til at blive på jorden; **2.** (*fig.*) jordbunden; prosaisk; **3.** (*om rumskib*) med kurs mod jorden.
earth closet *sb.* tørkloset.
earthen ['ə:θ(ə)n] *adj.* **1.** jord- (*fx floor*); **2.** ler- (*fx pot*).
earthenware[1] ['ə:θ(ə)nwɛə] *sb.* lertøj.

earthenware[2] ['ə:θ(ə)nwɛə] *adj.* lertøjs-, ler-.
earth lead ['ə:θ'li:d] *sb.* jordledning.
earthling ['ə:θliŋ] *sb.* jordboer.
earthly ['ə:θli] *adj.* jordisk; □ *no* ~ ikke den ringeste/fjerneste/mindste (*fx chance; reason; use*); *of no* ~ *use* (*også*) til ingen verdens nytte; *not an* ~ T ikke gnist/skygge af chance; *an* ~ *paradise* et paradis på jorden; *what* ~ *reason* hvad i alverden kan der være for en grund.
earth mover *sb.* svær gravemaskine; maskine til jordflytning.
earthnut ['ə:θnʌt] *sb.* (*bot.*) **1.** svinenød; **2.** = peanut.
earthquake ['ə:θkweik] *sb.* jordskælv.
earth sciences *sb. pl.* [*videnskaberne om jorden og dens beskaffenhed: geologi, oceanografi, meteorologi*].
earthstar ['ə:θsta:] *sb.* (*bot.*) stjernebold.
earthward ['ə:θwəd] *adv.*, **earthwards** ['ə:θwədz] *adv.* mod jorden.
earthwork ['ə:θwə:k] *sb.* **1.** jordvold, fæstningsvold; **2.** jordarbejde.
earthworm ['ə:θwə:m] *sb.* (*zo.*) regnorm.
earthy ['ə:θi] *adj.* **1.** jordagtig; **2.** (*om person*) bramfri; grov, upoleret.
ear trumpet *sb.* (*glds.*) hørerør.
earwax ['iəwæks] *sb.* ørevoks.
earwig[1] ['iəwig] *sb.* (*zo.*) ørentvist.
earwig[2] ['iəwig] *vb.* lure, lytte.
ease[1] [i:z] *sb.* **1.** lethed; **2.** (*om tilværelse*) behagelighed; bekvemmelighed, magelighed; **3.** (*om væsen*) tvangfrihed, utvungenhed; ugenerthed; **4.** (*om tøj*) rummelighed; vidde; □ *at* ~ **a.** i ro (og mag); bekvemt; **b.** (*mil.*) rør; *be at (one's)* ~ befinde sig godt; være veltilpas; være afslappet; *ill at* ~ ilde til mode; *put sby at* ~ berolige en; få en til at slappe af; *stand at* ~ (*mil.*) stå rør; stå i rørstilling; *a life of* ~ en ubekymret tilværelse; *with* ~ med lethed; ubesværet.
ease[2] [i:z] *vb.* **1.** lette (*fx one's mind; the situation; the pressure*); **2.** (*spænding etc.*) mindske; **3.** (*noget stramt*) løsne, slappe; **4.** (*smerte*) lindre; **5.** (*et sted hen*) lempe, manøvrere (*fx* ~ *the piano into place*); **6.** (*mar.*) fire på, slække; □ ~ *off* **a.** (*mar.*) fire [*på reb, sejl*]; slække af; **b.** (*båd*) skubbe fra land; **c.** (*uden objekt*) mindskes,

tage af, stilne af; **d.** T slappe af, tage den mere med ro; ~ *off on sby* ikke være så skrap mod en, behandle en mere lempeligt; ~ *him out of his job* T lige så stille få ham væk fra sin stilling; ~ *up* **a.** rykke sammen; **b.** = ~ *off c), d)*; ~ *up on* **a.** spare på; **b.** = ~ *off on*.
easel ['i:z(ə)l] *sb.* staffeli.
easement ['i:zmənt] *sb.* (*jur.*) servitut.
easily ['i:zili] *adv.* med lethed; let; sagtens; langt (*fx he is* ~ *the strongest of the boys*); □ ~ *learned//repaired etc.* let/nem at lære//reparere *etc.*
easiness ['i:zinəs] *sb.* (cf. *easy*) ro, behagelighed *etc.*
East [i:st] *sb.: the* ~ **a.** Østen; Østerland; orienten; **b.** (*am.*) øststaterne; **c.** (*hist.: i Europa*) østlandene; *in the* ~ *of England* i det østlige England, i Østengland.
east[1] [i:st] *sb.* øst; □ ~ *by north* øst til nord.
east[2] [i:st] *adj.* østlig; øst-.
east[3] [i:st] *adv.* mod øst; østpå; □ ~ *of* øst for.
eastbound ['i:stbaund] *adj.* østgående; mod øst.
East End *sb.: the* ~ [*den østlige (fattigere) del af London*].
East Ender ['i:st'endə] *sb.* [*indbygger i East End*].
Easter ['i:stə] *sb.* påske.
Easter Day *sb.* påskedag.
Easter Eve *sb.* påskelørdag.
Easter Island (*geogr.*) Påskeøen.
easterly ['i:stəli] *adj.* østlig.
Easter Monday *sb.* anden påskedag.
eastern ['i:stən] *adj.* **1.** østlig; **2.** østerlandsk.
Eastern Church *sb.: the* ~ den ortodokse kirke.
Eastern Empire *sb.: the* ~ (*hist.*) det østromerske rige.
easterner ['i:stənə] *sb.* **1.** østerlænding; **2.** østeuropæer; **3.** (*am.*) østamerikaner.
Easter Sunday *sb.* påskedag.
East Indies [i:st'indiz] *sb. pl.: the* ~ Ostindien.
eastward ['i:stwəd] *adj.* østlig.
eastward[2] ['i:stwəd] *adv.* = *eastwards*.
eastwards ['i:stwədz] *adv.* østpå, mod øst.
easy[1] ['i:zi] *adj.* **1.** let, nem (*fx task*); ligetil; **2.** (*mods. anstrengende*) behagelig, magelig (*fx pace*); rolig; bekvem; **3.** (*om person: tilstand*) rolig, tryg, veltilpas; **4.** (*om persons karakter*) medgørlig, føjelig; **5.** (*om optræden*) fri, utvungen, afslappet, naturlig (*fx*

manner); **6.** (*neds.*) løs, slap (*fx morals*); **7.** (*om kvinde*) løs på tråden;

□ ~ *on the ear//eye* behagelig/dejlig at høre på//se på; *over* ~ *se over-easy*;

[*med sb.*; *se også på alfabetisk plads*] ~ *circumstances* gode kår; ~ *game* S et let offer; *honours (are)* ~ T (*i bridge*) honnørerne er fordelte; ~ *majority* stort flertal; *an* ~ *mark* (*am.* T) et let offer; ~ *meat* et let offer; ~ *money* let tjente penge; *on* ~ *terms* på moderate/lempelige betingelser; *an* ~ *touch* se *soft* (*touch*); *a lady of* ~ *virtue* (*glds. el. spøg.*) en letlevende dame.

easy² ['i:zi] *adv.* let;

□ ~ *come,* ~ *go* hvad der kommer let går let; ~ *does it!* tag det roligt! små slag! *go* ~ *on* **a.** spare på; holde igen på; **b.** ikke være for hård ved; *rest* ~ være rolig; *take it* ~ tage den med ro; *take life* ~ tage sig livet let.

easy chair *sb.* lænestol.

easy-going [i:zi'gəuiŋ] *adj.* sorgløs; afslappet; som tager sig tingene let.

easy money *sb.* **1.** lettjente penge; **2.** (*merk.*) billige penge.

easy over *adj.* (*om spejlæg*) vendt.

easy-peasy ['i:zipi:zi] *adj.* T pærelet.

easy street *sb.*: *be in* ~ T sidde godt i det; ligge lunt i svinget.

eat¹ [i:t] *vb.* (*eat/ate, eaten*)
1. spise; æde; **2.** (*vulg.*) slikke af; □ *don't* ~ *me!* æd mig ikke! godt ord igen! *what's -ing you?* (*am.*) hvad går der af dig?; (se også *crow¹, dirt, horse¹, humble pie, word¹*);

[*med præp.& adv.*] ~ *away at* gnave (sig) ind i (*fx the sea is -ing away at the coast*); ~ *into* **a.** (*om syre*) ætse; **b.** (*penge*) gøre indhug i; tære på (*fx one's capital*); **c.** (*tid*) lægge (mere og mere) beslag på; ~ *one's head off* T æde sig en pukkel til; ikke gøre gavn for føden; ~ *sby's head off* S bide ad en; skælde en ud; ~ *one's heart out* ruge over sine sorger; græmme sig; lide i stilhed; ~ *sby out of house and home* spise en ud af huset; *have sby eating out of your hand* (*fig.*) få en til at spise af hånden; have krammet på en; ~ *up* **a.** spise op; **b.** (*fig.*) bruge op; *-en up with* fortæret af (*fx jealousy*); tynget af (*fx guilt*); ved at gå til af (*fx curiosity*).

eat² [et] *præt. af eat.*

eatable ['i:təbl] *adj.* spiselig.

eatables ['i:təblz] *sb. pl.* madvarer.

eaten ['i:t(ə)n] *præt. ptc. af eat.*

eater ['i:tə] *sb.* T spiseæble;
□ *be a slow//big* ~ spise langsomt//meget.

eatery ['i:təri] *sb.* (*am.*) spisested.

eating apple ['i:tiŋæpl] *sb.* spiseæble.

eating disorder ['i:tiŋdisɔːdə] *sb.* (*med.*) spiseforstyrrelse.

eats [i:ts] *sb. pl.* S mad; ædelse.

eau-de-Cologne [əudəkə'ləun] *sb.* eau de Cologne.

eau-de-vie [əudə'vi:] *sb.* brandy; brændevin.

eaves [i:vz] *sb. pl.* tagudhæng; tagskæg.

eavesdrop ['i:vzdrɔp] *vb.* lytte; lure;
□ ~ *on* **a.** lytte (hemmeligt) til; **b.** (*med lytteudstyr*) aflytte (*fx their conversation*).

eavesdropper ['i:vzdrɔpə] *sb.* en der lytter; lurer.

ebb¹ [eb] *sb.* **1.** ebbe, lavvande; **2.** (*fig.*) nedgang;
□ ~ *and flow* **a.** ebbe og flod; **b.** (*fig.*) opgang og nedgang; *at a low* ~ langt nede; i forfald; *our party was at a low* ~ vort parti var i stærk tilbagegang; det så sørgeligt ud for vort parti.

ebb² [eb] *vb.* **1.** (*om tidevand*) falde, synke; trække sig tilbage; **2.** (*fig.*) ebbe ud; gå tilbage, aftage, synke; svinde (*fx -ing strength*);
□ ~ *away* = *ebb 2.*

ebb tide *sb.* ebbe, ebbetid.

Ebonics [e'bɔniks] *sb.* [*variant af engelsk som tales af afroamerikanere*].

ebonite ['ebənait] *sb.* ebonit.

ebony¹ ['ebəni] *sb.* ibenholt.

ebony² ['ebəni] *adj.* sort som ibenholt.

ebullience ['ibʌliəns] *sb.* livlighed; sprudlende/strålende humør.

ebullient [i'bʌliənt] *adj.* livlig, sprudlende; overstadig; i strålende humør.

ebullition [ebə'liʃn] *sb.* **1.** (*kem.*) kogning; opkogning; **2.** (*fig.*) opbrusen; udbrud.

eccentric¹ [ik'sentrik] *sb.* **1.** (*om person*) excentriker, original, særling; **2.** (*tekn.*) excentrisk skive.

eccentric² [ik'sentrik] *adj.* **1.** (*om person*) excentrisk, besynderlig, sær; **2.** (*tekn.*) excentrisk.

eccentricity [eksen'trisiti] *sb.*
1. (*persons*) excentricitet, særhed; **2.** (*tekn.*) excentricitet.

Ecclesiastes [ikli:zi'æsti:z] *sb.* (*i Biblen*) Prædikerens bog.

ecclesiastic [ikli:zi'æstik] *sb.* gejstlig; præst.

ecclesiastical [ikli:zi'æstik(ə)l] *adj.* gejstlig; kirke- (*fx history*).

echelon ['eʃələn] *sb.* **1.** (*mil.: formation*) echelon [*trinvis forskudt opstilling*]; trappeformation; **2.** (*mil.: taktisk*) led; **3.** (*mil.: mht. kommando*) niveau; **4.** (*i organisation*) trin, grad, lag;
□ *in the higher/upper -s* på de højere niveauer//trin; højere oppe i hierarkiet.

echidna [e'kidnə] *sb.* (*zo.*) myrepindsvin.

echo¹ ['ekəu] *sb.* (*pl. -es*) ekko; genlyd;
□ *find an* ~ *in* (*fig.*) finde genklang i; *-es of* (*fig.*) mindelser om; *to the* ~ så det giver//gav genlyd, så det runger//rungede.

echo² ['ekəu] *vb.* (*3. pers. sg. præs. -es, -ed, -ed*) **1.** genlyde; runge (*fx their cheers -ed through the hall*); give genlyd; **2.** (*med objekt: lyd*) kaste tilbage (*fx the valley -ed his song*); **3.** (*fig.*) gentage (*fx his words*); (*farve*) matche;
□ ~ *back* kaste tilbage; ~ *with* genlyde//runge af (*fx the hall -ed with cheers//shots*).

echo chamber *sb.* ekkorum.

echoic [e'kəuik] *adj.* (*fon.*) lydefterlignende, lydmalende.

echo sounder *sb.* (*mar.*) ekkolod.

éclair ['eiklɛə] *sb.* eclair [*vandbakkelse med cremefyld og chokoladeglasur*].

eclectic¹ [i'klektik] *sb.* eklektiker.

eclectic² [i'klektik] *adj.* eklektisk; udvælgende, sammensat [*fra forskellige kilder*].

eclecticism [i'klektisizm] *sb.* eklekticisme.

eclipse¹ [i'klips] *sb.* **1.** formørkelse; **2.** (*fig.*) tilbagegang, fordunkling.

eclipse² [i'klips] *vb.* **1.** formørke; **2.** (*fig.*) fordunkle, stille i skygge; overskygge; overgå.

ecliptic [i'kliptik] *sb.* (*astr.*) ekliptika [*jordens bane om solen*].

eco- ['i:kəu, (*am.*) 'ekou] (*forstavelse*) miljø- (*fx ecoconscious; ecodisaster; ecofriendly*); øko-.

ecocide ['i:kəusaid, (*am.*) 'ekou-] *sb.* (*generel*) ødelæggelse af miljøet.

ecological [i:kə'lɔdʒikl, ekə-] *sb.* økologisk; miljømæssig.

ecologist [i'kɔlədʒist] *sb.* **1.** økolog; **2.** miljøforkæmper.

ecology [i'kɔlədʒi] *sb.* økologi.

e-commerce ['i:kɔmə:s] *sb.* elektronisk handel, e-handel [*ɔ: over internettet*].

economic [i:kə'nɔmik, ek-] *adj.*
1. økonomisk; **2.** (*om fremgangsmåde etc.*) økonomisk, rentabel;

□ *be* ~ *with* økonomisere med.
economical [i:kə'nɔmik(ə)l, ek-] *adj.* **1.** økonomisk; **2.** (*om person*) økonomisk, sparsommelig.
economics [i:kə'nɔmiks, ek-] *sb.* økonomi; nationaløkonomi.
economist [i'kɔnəmist] *sb.* økonom.
economize [i'kɔnəmaiz] *vb.* økonomisere, være sparsommelig (*on* med);
□ ~ *on* (*også*) holde hus med.
economy [i'kɔnəmi] *sb.* **1.** økonomi; **2.** sparsommelighed; **3.** besparelse;
□ *make economies* foretage//indføre besparelser; *economies of scale* stordriftfordele.
economy drive *sb.* sparekampagne.
ecosystem ['i:kəusistem, (*am.*) 'ekou-] *sb.* økosystem.
ecstasy ['ekstəsi] *sb.* **1.** henrykkelse; begejstring; ekstase; **2.** (*rel.*) ekstase; **3.** (*narko*) ecstasy;
□ *be in ecstasies* være vildt begejstret (*over* for); være i den syvende himmel; være ekstatisk; *go into ecstasies over* falde i henrykkelse over; blive vildt begejstret for.
ecstatic [ik'stætik] *adj.* **1.** ekstatisk; henrykt; vildt begejstret; **2.** (*rel.*) ekstatisk.
ECT *fork. f. electroconvulsive therapy.*
ECU [ei'k(j)u:] *sb.*, **ecu** *sb.* (*fork. f. European Currency Unit*) ecu.
Ecuadorian[1] [ekwə'dɔ:riən] *sb.* ecuadorianer.
Ecuadorian[2] [ekwə'dɔ:riən] *adj.* ecuadoriansk.
ecumenical [i:kju'menik(ə)l] *adj.* økumenisk, fælleskirkelig.
eczema ['eksimə, -zimə] *sb.* (*med.*) eksem, udslæt.
eczematous [ek'semətəs, -'zem-] *adj.* eksematøs.
ed. *fork. f.* **1.** *edited;* **2.** *edition;* **3.** *editor.*
eddy[1] ['edi] *sb.* hvirvel; strømhvirvel.
eddy[2] ['edi] *vb.* hvirvle rundt.
edelweiss ['eid(ə)lvais] *sb.* (*bot.*) edelweiss.
edema *sb.* = *oedema.*
Eden ['i:d(ə)n] *sb.* **1.** Eden; Edens have; **2.** (*fig.*) paradis (*fx a lost* ~).
edentate [i'denteit] *sb.* (*zo.*) gumler.
edge[1] [edʒ] *sb.* **1.** kant; rand; **2.** (*af område*) udkant (*fx of a forest; of a village;* (*af skov også*) skovbryn; **3.** (*af kniv etc.*) æg; skær; **4.** (*på en bog*) snit; **5.** (*fig.*) rand (*fx brought to the* ~ *of war*); **6.** (*i stemme, udsagn*) skarphed; snert; **7.** (*i konkurrence*) (lille) forspring;

fordel;
□ *have rough -s* **a.** (*om person*) have kanter; **b.** (*om præstation*) have enkelte skønhedsfejl; *an* ~ *of bitterness* et anstrøg af bitterhed;
[*med: on*] *be on* ~ **a.** være irritabel; være nervøs; **b.** være ivrig (*to* efter at); *his nerves were on* ~ hans nerver stod på højkant; *set sby's nerves on* ~ gå en på nerverne; *set sby's teeth on* ~ **a.** få det til at hvine i tænderne på en; **b.** (*fig.*) gå en på nerverne; *on the* ~ *of* **a.** på kanten af (*fx the cliff*); **b.** i udkanten af (*fx the village; the forest*); **c.** (*fig.*) på randen af (*fx collapse; tears* (gråd)); *on the* ~ *of one's seat/chair* (*fig.*) åndeløs af spænding; fuldstændig opslugt;
[*med vb.+ præp.*] *give an* ~ *to* skærpe (*fx one's appetite*); gøre mere intens; *give the (sharp/rough)* ~ *of one's tongue to sby* skælde en ud; give en det glatte lag; *his tone got an* ~ *to it* hans tone blev skarp; *have the* ~ *on/over* **a.** have et forspring for; være (lidt) foran; have en fordel frem for; **b.** have overtaget over; *put an* ~ *on* hvæsse; skærpe; *take the* ~ *off* **a.** sløve; **b.** tage brodden af; *take the* ~ *off the appetite* stille den værste sult.
edge[2] [edʒ] *vb.* **1.** (*uden om, langs*) kante (*with* med); sætte kant på; **2.** (*i en bestemt retning*) skubbe lidt efter lidt, trænge (*fx* ~ *him off the road*); rykke; lempe; manøvrere, kante (*fx* ~ *the cupboard into the corner*); **3.** (*uden objekt*) rykke (*fx in, out*); (*om person også*) kante sig, liste sig (*fx he -d into the room*);
□ ~ *one's way through the crowd* trænge sig frem gennem mængden; ~ *on* ægge; ~ *sby out* **a.** fortrænge en; **b.** vinde knebent over en.
edge tool *sb.* skærende værktøj.
edge trimmer *sb.* **1.** (*til græs*) græstrimmer; **2.** (*tekn.*) snitfræser.
edgeways ['edʒweiz] *adv.* på højkant; på siden, sidelæns;
□ *I could not get a word in* ~ jeg kunne ikke få et ord indført.
edgewise ['edʒweiz] *adv.* (*am.*) = *edgeways.*
edging ['edʒiŋ] *sb.* rand; kant; indfatning; (*på tøj*) bort.
edgy ['edʒi] *adj.* **1.** T nervøs; pirrelig, irritabel; **2.** (*om udtryksform*) skarp.
edible ['edəbl] *adj.* spiselig.
edible crab *sb.* (*zo.*) taskekrabbe.
edible frog *sb.* (*zo.*) grøn frø.

edible snail *sb.* (*zo.*) vinbjergsnegl.
edict ['i:dikt] *sb.* edikt; forordning.
edification [edifi'keiʃn] *sb.* (F *el. spøg.*) opbyggelse.
edifice ['edifis] *sb.* F bygning, bygningsværk.
edify ['edifai] *vb.* (F *el. spøg.*) virke opbyggeligt på.
edifying *adj.* (F *el. spøg.*) opbyggelig;
□ *not very* ~ (*også*) ikke særlig opløftende.
edit ['edit] *vb.* **1.** redigere; (*bog også*) være redaktør på; (*blad også*) være redaktør for; **2.** (*film*) klippe; **3.** (*it*) editere, redigere;
□ ~ *out* stryge, fjerne.
edition [i'diʃn] *sb.* **1.** udgave; **2.** (*antal eksemplarer trykt*) oplag (*fx an* ~ *of 20,000*).
editor ['editə] *sb.* **1.** redaktør; **2.** (*film.*) klipper; redigeringstekniker; **3.** (*it*) editor, redigeringsprogram.
editorial[1] [edi'tɔ:riəl] *sb.* ledende artikel.
editorial[2] [edi'tɔ:riəl] *adj.* redaktionel; redaktions-.
editorialize [edi'tɔ:riəlaiz] *vb.* [*komme med personlige synspunkter i en nyhedsreportage*].
editorial office *sb.* redaktionskontor, redaktion.
editorial staff[f] *sb.* redaktion, redaktionspersonale.
editorship ['editəʃip] *sb.* redaktørpost;
□ *under the* ~ *of* under redaktion af.
EDP *fork. f. electronic data processing.*
educable ['edjukəbl] *adj.* som kan opdrages.
educate ['edjukeit] *vb.* (se også *educated*) **1.** undervise; uddanne; **2.** lade undervise//uddanne (*fx* ~ *one's child privately*); **3.** (*i bestemt færdighed*) oplære (*in* i; *to* i at); optræne; **4.** (*generelt*) opdrage, bibringe noget dannelse (*fx she never stopped trying to* ~ *me*);
□ ~ *about/on* belære om; informere om (*fx the dangers of drug-taking*); ~ *one's taste* udvikle sin smag;
be -d **a.** blive undervist, få sin skoleuddannelse (*fx at a school in France; at Manchester Grammar School*); **b.** (*især om højere uddannelse*) få sin uddannelse, blive uddannet (*fx at Oxford*).
educated ['edjukeitid] *adj.* (bogligt) dannet; uddannet (*fx highly* ~).
educated guess *sb.* kvalificeret gæt.
education [edju'keiʃn] *sb.* **1.** uddannelse (*fx an academic* ~; *a*

classical ~; *he hasn't had an* ~); undervisning; **2.** (*i bestemt fær-dighed*) oplæring; **3.** (*om bestemt emne*) oplysning (*fx health* ~); **4.** (*fag*) pædagogik; **5.** (*generel*) dannelse;

□ *it is quite an* ~ *to listen to him* det er ligefrem opdragende/berigende at høre på ham.

educational [edju'keiʃn(ə)l] *adj.* **1.** undervisnings- (*fx system*); **2.** uddannelsesmæssig (*fx opportunities*; *qualifications*); **3.** belærende; pædagogisk (*fx work*; *toys*); **4.** (*fig.*) lærerig (*fx experience*); oplysende; berigende.

educationalist [edju'keiʃn(ə)list] *sb.*, **educationist** [edju'keiʃnist] *sb.* F pædagog.

educative ['edjukeitiv] *adj.* opdragende; belærende; udviklende.

educator ['edjukeitə] *sb.* (*især am.*) pædagog; lærer; underviser.

Edwardian [ed'wɔːdiən] *adj.* edwardiansk [*som hører til Edward VII's tid, 1901-10*].

EEG *fork. f. electroencephalogram.*

eejit ['iːdʒit] *sb.* (*irsk* S) idiot.

eek [iːk] *interj.* (*spøg.*) iih; åh [*udtryk for forskrækkelse*].

eel [iːl] *sb.* (*zo.*) ål;

□ *as slippery as an* ~ glat som en ål.

eelgrass ['iːlgraːs] *sb.* (*bot.*) bændeltang.

eelpout ['iːlpaut] *sb.* (*zo.*) ålekvabbe.

eel trap *sb.* åleruse.

e'en [iːn] *adv.* (*poet.*) = *even* [4].

e'er [ɛə] *adv.* (*poet.*) = *ever.*

eerie ['iəri] *adj.* uhyggelig (*fx calm*; *feeling*); sælsom (*fx noise*); spøgelsesagtig (*fx sight*).

Eeyore ['iːɔː] Æsel [*i Peter Plys*].

eff [ef] *vb.:* ~ *and blind* S bande og sværge; ~ *off!* S skrub af! [*NB eufemisme for fuck, ɔ: f-*]; (se også *effing*).

efface [i'feis] *vb.* udviske (*fx the inscription had been -d*); udslette (*fx the memory of her*);

□ ~ *oneself* være selvudslettende.

effacement [i'feismənt] *sb.* udslettelse.

effect [1] [i'fekt] *sb.* effekt, virkning (*fx cause and* ~; *his words had little* ~);

□ *-s* **a.** virkninger, følger (*of af, fx the -s of too little sleep*); **b.** (*især jur.*) ejendele; effekter; løsøre; **c.** (*film.*) effekter; specialeffekter; *no -s* (*påtegning på check*) ingen dækning;

[*med vb.*] *give* ~ *to* (*bestemmelse etc.*) lade træde i kraft; *take* ~ **a.** gøre sin virkning, virke (*fx the*

medicine began to take ~); **b.** (*om bestemmelse etc.*) træde i kraft; gælde;

[*med præp.*] *for* ~ for effektens skyld; *in* ~ **a.** faktisk; i virkeligheden; **b.** gældende; i kraft; *bring/carry/put into* ~ **a.** gennemføre, virkeliggøre, effektuere (*fx the plan*); **b.** se ovf.: *give* ~ *to*; *come/go into* ~ træde i kraft, gælde; *of no* ~ uden virkning; til ingen nytte; *to good* ~ med god virkning; *to that* ~ desangående; gående ud på det; *or words to that* ~ eller noget i den retning; *a remark to the* ~ *that* en bemærkning om at/gående ud på at; *with* ~ *from* med virkning fra.

effect [2] [i'fekt] *vb.* bevirke, fremkalde (*fx a change*); **2.** bringe i stand (*fx a reconciliation*); gennemføre; effektuere;

□ ~ *an insurance* tegne en forsikring; ~ *a purchase* afslutte et køb.

effective [1] [i'fektiv] *sb.:* *-s* (*mil.*) kampdygtige tropper.

effective [2] [i'fektiv] *adj.* **1.** effektiv; virkningsfuld (*fx remedy*); **2.** reel, faktisk (*fx under their* ~ *control*); □ *be* ~ træde i kraft; *be* ~ *from* have virkning fra; *be in* ~ *control* have den reelle/egentlige magt.

effectual [i'fektʃuəl] *adj.* **1.** virkningsfuld (*fx remedy*); effektiv; **2.** (*jur.*) gyldig; i kraft; □ *be* ~ (*også*) gøre sin virkning.

effeminacy [i'feminəsi] *sb.* (*neds.*) kvindagtighed.

effeminate [i'feminət] *adj.* (*neds.*) feminin; kvindagtig.

effervesce [efə'ves] *vb.* **1.** (*om drik*) bruse, boble, perle, mousere; **2.** (*om person*) sprudle; være overstadig.

effervescence [efə'ves(ə)ns] *sb.* **1.** brusen; mouseren; **2.** (*om person*) livlighed, sprudlen; overstadighed.

effervescent [efə'ves(ə)nt] *adj.* **1.** (*om drik*) brusende; skummende; mousserende; **2.** (*om person*) livlig, sprudlende; overstadig.

effete [e'fiːt] *adj.* **1.** udlevet; udtjent; **2.** kraftløs, svag.

efficacious [efi'keiʃəs] *adj.* effektiv, virkningsfuld (*fx cure*).

efficacy ['efikəsi] *sb.* virkningsfuldhed.

efficiency [i'fiʃnsi] *sb.* **1.** effektivitet; ydeevne; **2.** (*tekn.*) virkningsgrad, nyttevirkning; (*maskines*) ydeevne; **3.** (*om person*) dygtighed; effektivitet.

efficiency expert *sb.* rationaliseringsekspert.

efficiency saving *sb.* rationaliseringsgevinst.

efficient [i'fiʃnt] *adj.* **1.** effektiv; ydedygtig; virkningsfuld; **2.** (*om person*) effektiv; dygtig.

efficient cause *sb.* (*filos.*) virkende/umiddelbar årsag.

effigy ['efidʒi] *sb.* **1.** (tredimensionelt) billede; statue; **2.** [*primitiv fremstilling af (offentlig) person som folk hader*];

□ *in* ~ in effigie; *burn//hang him in* ~ brænde//hænge en dukke af ham.

effing ['efiŋ] *adj.* (*eufemisme for fucking, ɔ: f-ing*) fandens (*fx an* ~ *nuisance*);

□ ~ *and blinding* banden og sværgen.

effloresce [eflɔː'res] *vb.* **1.** udfolde sig; **2.** (*kem.: om salt*) forvitre; **3.** (*om mursalpeter*) udblomstre.

efflorescence [eflɔː'res(ə)ns] *sb.* **1.** (op)blomstring; **2.** (*kem.*) forvitring; **3.** (*om salpeter på mur*) udblomstring; **4.** (*med.*) udslæt.

effluent ['efluənt] *sb.* spildevand; udledning (*fx industrial -s*).

effluvium [e'fluːviəm] *sb.* (*pl. effluvia* [e'fluːviə]) uddunstning; dunst; udslip.

efflux ['eflʌks] *sb.* udstrømning.

effort ['efət] *sb.* **1.** anstrengelse (*fx without any* ~); **2.** (*for at nå et resultat*) bestræbelse; forsøg (*to på* at); (*især fælles*) indsats (*fx their war* ~); **3.** (*om hvad der kommer ud af det*) præstation (*fx it was a good* ~); **4.** (*især ironisk*) (ånds)produkt;

□ *it was an* ~ det var hårdt arbejde; det var et slid; *make an* ~ **a.** gøre en kraftanstrengelse; gøre sig umage (*to for at*); **b.** yde en indsats (*to for at*); *put all one's -s into* lægge alle sine kræfter i; *with an* ~ med en kraftanstrengelse; *it was worth the* ~ det var umagen værd.

effortless ['efətləs] *adj.* ubesværet; let;

□ *with* ~ *ease* med legende lethed.

effrontery [e'frʌntəri] *sb.* F uforskammethed; frækhed.

effulgence [i'fʌldʒ(ə)ns] *sb.* (*litt.*) glans.

effulgent [i'fʌldʒ(ə)nt] *adj.* F strålende; skinnende.

effusion [i'fjuːʒ(ə)n] *sb.* **1.** udstrømning; **2.** (*med.*) væskeudtrædning; blodudtrædning; **3.** (*litt.: af følelse*) (heftig) udladning;

□ *-s* (ɔ: *skriftlige*) udgydelser.

effusive [i'fjuːsiv] *adj.* overstrømmende.

EFL *fork. f. English as a Foreign Language.*

E flat *sb.* (*mus.*) es.

eft [eft] *sb.* (*zo.*) stor salamander.

EFTA *fork. f. European Free Trade Association.*

EFTPOS *fork. f. electronic funds transfer at point of sale* elektronisk betaling i forretninger.

e.g. [i:'dʒi:] *fork. f. exempli gratia* for eksempel.

egad [i'gæd] *interj.* (*glds.*) min tro!

egalitarian[1] [igæli'tɛəriən] *sb.* tilhænger af *egalitarianism.*

egalitarian[2] [igæli'tɛəriən] *adj.* egalitær; ligheds-.

egalitarianism [igæli'tɛəriənizm] *sb.* egalitarisme; lighedsprincippet, tro på at alle mennesker er lige.

egg[1] [eg] *sb.* æg;
□ *have ~ on one's face* (*fig.*)
a. være til grin; **b.** være flov; *lay an ~* (*am.* S) gøre fiasko; *put all one's -s in one basket* (*fig., omtr.*) sætte alt på ét bræt; *walk on -s* (*fig.*) gå på kattepoter; (se også *goose*[1], *grandmother, sure*[1]).

egg[2] [eg] *vb.:* ~ *on* ægge; tilskynde.

egg beater *sb.* hjulpisker.

egg cup *sb.* æggebæger.

egg flip *sb.* = *eggnog.*

egghead ['eghed] *sb.* T æg(ge)hoved, intellektuel.

eggnog ['egnɔg] *sb.* æggepunch; æggetoddy; æggeøl.

eggplant ['egplænt] *sb.* (*am.*) aubergine.

eggshell ['egʃel] *sb.* æggeskal.

egg slicer *sb.* æggedeler.

egg timer *sb.* æggekoger, æggeur.

egg whisk *sb.* piskeris.

egg white *sb.* æggehvide.

egg yolk *sb.* æggeblomme.

eglantine ['eglantain] *sb.* (*bot.*) æblerose.

ego ['i:gəu, 'egəu] *sb.* jeg.

egocentric[1] [i:gəu'sentrik, eg-] *sb.* egocentriker, egocentrisk person.

egocentric[2] [i:gəu'sentrik, eg-] *adj.* egocentrisk, selvoptaget.

egocentricity [i:gəusen'trisiti, eg-] *sb.* egocentricitet, selvoptagethed.

egoism ['i:gəuizm, eg-] *sb.* egoisme.

egoist ['i:gəuist, 'eg-] *sb.* egoist.

egoistic [i:gəu'istik, eg-] *adj.* egoistisk.

egomania [i:gəu'meiniə, eg-] *sb.* egomani, sygelig selvoptagethed, jegdyrkelse.

egomaniac [i:gəu'meiniæk, eg-] *sb.* egoman, sygeligt selvoptaget person.

egotism ['egə(u)tizm, 'i:g-] *sb.* selvoptagethed; indbildskhed; egoisme.

egotist ['egə(u)tist, 'i:g-] *sb.* selvoptaget//indbildsk person; egoist.

egotistical [egə(u)'tistik(ə)l, i:g-] *adj.* selvoptaget, egocentrisk; egoistisk.

ego trip *sb.* egotrip.

egregious [i'gri:dʒiəs] *adj.* F **1.** topmålt, enestående (*fx folly*); frygtelig (*fx error*); ærke- (*fx idiot*); **2.** (*ironisk*) fortræffelig.

egress ['i:gres] *sb.* udgang.

egret ['i:gret] *sb.* hejre;
□ *large ~* sølvhejre; *little ~* silkehejre.

Egypt ['i:dʒipt] Egypten, Ægypten.

Egyptian[1] [i'dʒipʃn] *sb.* egypter, ægypter.

Egyptian[2] [i'dʒipʃn] *adj.* egyptisk, ægyptisk.

Egyptian mongoose *sb.* (*zo.*) faraorotte.

Egyptian vulture *sb.* (*zo.*) ådselgrib.

egyptologist [i:dʒip'tɔlədʒist] *sb.* egyptolog, ægyptolog.

egyptology [i:dʒip'tɔlədʒi] *sb.* egyptologi, ægyptologi.

eh [ei] *interj.* T **1.** hvad? **2.** ikke sandt?

eider ['aidə] *sb.* **1.** (*zo.*) edderfugl; **2.** edderdun.

eider down *sb.* edderdun.

eiderdown ['aidədaun] *sb.* dyne.

eider duck *sb.* (*zo.*) edderfugl.

eidolon [ai'doulən] *sb.* (*am.*) idol; idealbillede.

eight[1] [eit] *sb.* **1.** ottetal; **2.** (*spillekort; båd*) otter;
□ *the Eights* [*kaproningerne med otteårede både mellem kollegierne i Oxford og Cambridge*]; *he has had one over the ~* S han har fået lidt for meget [*o: at drikke*]; han har fået en tår over tørsten; *the ~ of hearts//clubs etc.* hjerter//klør *etc.* otte.

eight[2] [eit] *talord* otte.

eighteen [ei'ti:n] *talord* atten.

eighteenth[1] [ei'ti:nθ] *sb.* attendedel.

eighteenth[2] [ei'ti:nθ] *adj.* attende.

eighth[1] [eitθ] *sb.* **1.** ottendedel; **2.** (*i rækkefølge*) nummer otte.

eighth[2] [eitθ] *adj.* ottende.

eighthly ['eitθli] *adv.* for det ottende.

eightieth[1] ['eitiəθ] *sb.* firsindstyvendedel.

eightieth[2] ['eitiəθ] *adj.* firsindstyvende.

eighty ['eiti] *talord* firs, firsindstyve; otti;
□ *in the eighties* i firserne.

Eire ['ɛərə] Irland [*det officielle navn for republikken 1937-1949*].

eisteddfod [ai'stedfəd] *sb.* [*walli-*

sisk digter- og musikerstævne].

either[1] ['aiðə, (*am.*) 'i:ðər] *pron.*
1. den ene eller den anden//det ene eller det andet (*fx people of ~ sex; cheque or credit card - you can use ~*); hvilken som helst (*fx ~ of the two boys may have done it*); begge (*fx there are houses on ~ side; at ~ end of the hall; clothes that can be worn by ~ sex*); den ene (*fx ~ of them*);
2. (*efter nægtelse*) nogen (*fx I found no trace of ~ of them*);
□ *in ~ case* i begge tilfælde; *on ~ side of the table* a. på hver sin side af bordet; **b.** på begge sider af bordet; ~ *way* se *way*[1].

either[2] ['aiðə, (*am.*) 'i:ðər] *konj.:* either ... or **a.** enten ... eller; **b.** (*efter nægtelse*) hverken ... eller (*fx there was no trace of ~ John or his brother*); *not ... either* heller ikke (*fx he doesn't know ~*).

either way *adv.* **1.** på begge måder; **2.** under alle omstændigheder.

ejaculate [i'dʒækjuleit] *vb.* **1.** (*fysiol.*) ejakulere [*o: have sædafgang*]; **2.** (*glds.*) udbryde.

ejaculation [idʒækju'leiʃn] *sb.*
1. (*fysiol.*) ejakulation, sædafgang; **2.** (*glds.*) udbrud.

eject [i'dʒekt] *vb.* **1.** kaste ud; udslynge (*fx the volcano -ed rocks*); udsende (*fx sparks*); udspy;
2. (*bånd, diskette*) udkaste;
3. (*person*) smide ud (*from af, fx the hecklers were -ed from the hall*); bortvise (*from fra*); **4.** (*fra embede*) afsætte; **5.** (*om pilot*) lade sig skyde ud med katapultsæde.

ejection [i'dʒekʃn] *sb.* (*jf. eject*)
1. udkastning; **2.** udsmidning; bortvisning; **3.** afsættelse.

ejection seat *sb.* (*flyv.*) katapultsæde.

ejector [i'dʒektə] *sb.* (*mil.; tekn.*) udkaster.

ejector seat *sb.* = *ejection seat.*

eke [i:k] *vb.:* ~ *out* strække; få til at slå 'til; ~ *out a living/an existence* slå//hutle sig igennem, klare sig; møjsommeligt tjene til livets ophold.

el [el] *sb.* (*am.*) L.

elaborate[1] [i'læb(ə)rət] *adj.* **1.** detaljeret, udførlig, minutiøs (*fx plan*); **2.** fuldendt, udsøgt (*fx dinner*); **3.** (*om tøj*) kunstfærdig, kompliceret (*fx design*); **4.** (*neds.*) omstændelig (*fx ceremony*).

elaborate[2] [i'læbəreit] *vb.* **1.** udarbejde, udforme (*fx a plan; a policy; a theory*); **2.** (*nøjere*) udvikle nærmere, uddybe (*fx an idea*); udføre i detaljer; **3.** (*uden objekt*) gå

i detaljer (*fx he refused to* ~);
□ ~ *on = 2.*

elaboration [ilæbə'reiʃn] *sb.* **1.** udarbejdelse; udformning; **2.** nærmere udarbejdelse; uddybning.

elan [ei'la:n] *sb.* elan, fart, flugt, begejstring.

eland ['i:lənd] *sb.* (*zo.*) elsdyrantilope.

elapse [i'læps] *vb.* (*om tid*) forløbe, gå (hen).

elastic[1] [i'læstik] *sb.* elastik.

elastic[2] [i'læstik] *adj.* **1.** elastisk; smidig; **2.** (*fig.*) elastisk (*fx interpretation*; *demand* efterspørgsel); rummelig (*fx definition*); fleksibel (*fx rules*).

elasticated [i'læstikeitid] *adj.* (*om tøj*) med elastik; stretch-.

elastic band *sb.* elastik, gummibånd.

elasticity [ilæ'stisiti] *sb.* elasticitet.

elated [i'leitid] *adj.* opstemt, opløftet; jublende glad.

elation [i'leiʃn] *sb.* glæde; opstemthed.

Elbe [elb]: *the* ~ (*geogr.*) Elben.

elbow[1] ['elbəu] *sb.* **1.** albue; **2.** (*på rør*) bøjning, knæ, vinkel;
□ *bend/crook one's* ~, *lift the* ~ (*glds.* T) bøje armen [ɔ: *drikke*]; *give sby the* ~ T kassere en; fyre en på grāt papir; *rub -s with* (*am.*) = *shoulder*[1] (*rub shoulders with*); [*med præp.& adv.*] *be at one's* ~ være ved hånden; være ved ens side; *out at -s* med huller på albuerne; lurvet, forhutlet; *be up to the -s in work* have hænderne fulde.

elbow[2] ['elbəu] *vb.* skubbe, puffe (*fx* ~ *him aside/out of the way*); albue;
□ ~ *one's way* albue/mase/skubbe sig frem.

elbow grease *sb.* T knofedt; hårdt arbejde.

elbow room *sb.* albuerum; plads til at røre sig.

elder[1] ['eldə] *sb.* **1.** ældre person; **2.** (*i kirkesamfund etc.*) ældste; **3.** (*bot.*) hyld;
□ *one's -s* de der er ældre end en selv.

elder[2] ['eldə] *adj.* ældre; (*af to*) ældst.

elderberry ['eldəberi] *sb.* (*bot.*) **1.** (*vækst*) hyld, hyldetræ, hyldebusk; **2.** (*frugt*) hyldebær.

elderly ['eldəli] *adj.* **1.** ældre; **2.** (*om ting*) gammeldags, antikveret, bedaget.

elder statesman *sb.* [*erfaren afgået politiker hvis råd man stadig lytter til*].

eldest ['eldist] *adj.* ældst.

eldorado [eldə'ra:dəu] *sb.* eldorado.

eldritch ['eldritʃ] *adj.* spøgelsesagtig; uhyggelig.

e-learning ['i:lə:niŋ] *sb.* [*det at lære via internettet*].

elecampane [elikæm'pein] *sb.* (*bot.*) alant, ellensrod.

elect[1] [i'lekt] *adj.* udvalgt;
□ *the bride* ~ den udkårne; *president* ~ tiltrædende/designeret præsident [*præsident der er valgt men endnu ikke tiltrådt*].

elect[2] [i'lekt] *vb.* **1.** vælge (*fx a new president*); **2.** (+ *omsagnsled*) vælge til (*fx* ~ *him president*);
□ ~ *to* F vælge at, foretrække at; beslutte sig til at (*fx he -ed to go home*).

election [i'lekʃn] *sb.* valg;
□ *call an* ~ udskrive valg; *fight an* ~ føre valgkamp; udkæmpe en valgkamp; *be up for* ~ være på valg; være opstillet.

electioneering [ilekʃə'niəriŋ] *sb.* valgagitation, valgkamp; valgkampagne.

election rigging *sb.* valgsvindel, valgfusk.

elective[1] [i'lektiv] *sb.* (*am.*) valgfrit fag, tilvalgsfag.

elective[2] [i'lektiv] *adj.* **1.** (*om stilling*) som besættes ved valg (*fx office*); **2.** (*om person*) som vælges ved afstemning, valgt (*fx member*); **3.** (*om forsamling*) valg- (*fx body*); **4.** (*om fag*) valgfri; **5.** (*med.: om operation*) elektiv; som man vælger at få foretaget;
□ ~ *monarchy* valgrige.

Elector [i'lektə] *sb.* (*hist.*) kurfyrste.

elector [i'lektə] *sb.* **1.** vælger; **2.** (*am.*) valgmand [*medlem af valgmandsforsamling ved præsidentvalg*].

electoral [i'lektr(ə)l] *adj.* **1.** valg- (*fx system*; *reform*); **2.** vælger-.

electoral college *sb.* (*am.*) valgmandsforsamling [*som vælger præsidenten*].

electoral pact *sb.* (*pol.*) listeforbund.

electoral register *sb.* (*pol.*) valgliste.

Electorate [i'lekt(ə)rət] *sb.* (*hist.*) kurfyrstendømme.

electorate [i'lekt(ə)rət] *sb.* vælgerkorps, vælgerbefolkning; vælgere.

electric [i'lektrik] *adj.* **1.** elektrisk (*fx current*; *light*; *chair*; *eel*; *fence*; *kettle*; *guitar*); el- (*fx fence*; *kettle*; *guitar*); **2.** (*fig.*) elektrisk, ladet med elektricitet (*fx the atmosphere in the hall was* ~).

electrical [i'lektrik(ə)l] *adj.* elektrisk.

electrical engineer *sb.* elektroingeniør.

electric blanket *sb.* varmetæppe.

electric blue *sb.* stålblå.

electric fire *sb.*, **electric heater** *sb.* (elektrisk) varmeovn.

electrician [ilek'triʃn] *sb.* elektriker.

electricity [ilek'trisəti] *sb.* elektricitet.

electric organ *sb.* **1.** (*mus.*) elorgel; **2.** (*zo.*) elektrisk organ.

electrification [ilektrifi'keiʃn] *sb.* elektrificering; indførelse af elektrisk drift.

electrify [i'lektrifai] *vb.* **1.** elektrificere; indføre elektrisk drift på (*fx a railway*); **2.** (*fig.*) elektrisere, elektrificere; opildne;
□ *an -ing effect* en elektrificerende/elektriserende virkning.

electro [i'lektrəu] *fork. f.* **1.** *electroplate*; **2.** *electrotype*.

electrocardiogram [ilektrəu'ka:diəgræm] *sb.* (*med.*) elektrokardiogram.

electroconvulsive [ilektrəukən'vʌlsiv] *adj.*: ~ *therapy* elektrochokbehandling, elektrostimulation.

electrocuted [i'lektrəkju:tid] *adj.*: *be* ~ **a.** blive dræbt ved elektrisk stød; **b.** blive henrettet i den elektriske stol.

electrocution [ilektrə'kju:ʃn] *sb.* henrettelse i den elektriske stol.

electrode [i'lektrəud] *sb.* elektrode.

electroencephalogram [ilektrəuen'sefələgræm] *sb.* (*med.*) elektroencefalogram.

electrologist [ilek'trolədʒist] *sb.* [*plastikkirurg der fjerner hårvækst etc. ved elektrisk behandling*].

electrolysis [ilek'trolisis] *sb.* elektrolyse [*også om hårfjerning, bortoperation af modermærker etc. ved elektrisk behandling*].

electrolyte [i'lektrəlait] *sb.* elektrolyt.

electromagnet [ilektrəu'mægnit] *sb.* elektromagnet.

electromagnetic [ilektrə(u)mæg'netik] *adj.* elektromagnetisk.

electromagnetism [ilektrəu'mægnitizm] *sb.* elektromagnetisme.

electromotive [ilektrəu'məutiv] *adj.*: ~ *force* elektromotorisk kraft.

electron [i'lektron] *sb.* elektron.

electronic [ilek'tronik] *adj.* elektronisk.

electronic data processing *sb.* elektronisk databehandling.

electronic mail *sb.* se e-mail.

electronics [ilek'troniks] *sb.* elektronik.

electronic tag *sb.* **1.** (*på vare*)

elocutionary **E**

alarmbrik; **2.** (*på person*) elektronisk fodlænke.

electroplate[1] [i'lektrəpleit] *sb.* forsølvede genstande; plet.

electroplate[2] [i'lektrəpleit] *vb.* (elektro)plettere, galvanisere, forsølve.

electrotype [i'lektrətaip] *sb.* elektrotypi.

eleemosynary [elii:'mɔsinəri] *adj.* F **1.** almisse-; fattig-; **2.** som lever af almisser; **3.** godgørende, velgørenheds-.

elegance ['eligəns] *sb.* elegance; smagfuldhed.

elegant ['eligənt] *adj.* **1.** elegant; smagfuld; **2.** (*om teori etc.*) elegant (*fx solution*); **3.** (*am.* T) glimrende; storartet.

elegiac [eli'dʒaiək] *adj.* elegisk; klagende.

elegy ['elidʒi] *sb.* elegi; klagesang; sørgedigt.

element ['elimənt] *sb.* **1.** element, bestanddel; **2.** (*kem.*) grundstof; **3.** (*fx i elkedel*) varmelegeme; □ **-s a.** begyndelsesgrunde (*fx teach them the -s of physics*); **b.** (*personer*) elementer (*fx criminal -s*); **c.** (*naturkræfter*) elementer; *the fury of the -s* elementernes rasen; *be in one's* ~ være i sit rette element; være i sit es; *an* ~ *of* et element af (*fx there was an* ~ *of egoism in his love*); *an* ~ *of danger//risk* et faremoment//risikomoment; *there is an* ~ *of truth in it* der er noget sandt i det.

elemental [eli'ment(ə)l] *adj.* **1.** (*litt.*) primitiv, enkel; **2.** (*kem.*) usammensat.

elementary [eli'mentəri] *adj.* **1.** elementær; grundlæggende; **2.** (*om opgave*) simpel, enkel.

elementary particle *sb.* elementarpartikel.

elementary school *sb.* (*am.*) underskole, grundskole.

elephant ['elifənt] *sb.* (*zo.*) elefant; (se også *white elephant*).

elephant bull *sb.* hanelefant.
elephant calf *sb.* elefantunge.
elephant cow *sb.* hunelefant.

elephantine [eli'fæntain] *adj.* **1.** elefantagtig; kæmpemæssig; **2.** kluntet, klodset.

elevate ['eliveit] *vb.* (se også *elevated*) **1.** F hæve, løfte; **2.** (*mht. status*) ophøje; forfremme; **3.** (*mht. sindsstemning*) gøre munter; bringe i løftet stemning; **4.** (*med.: mht. blodet*) forhøje (*fx the cholesterol level; the blood pressure*); **5.** (*mil.: kanon*) elevere; □ *be -d to* blive forfremmet til (*fx*

Secretary of State); (se også *peerage*).

elevated ['eliveitid] *adj.* **1.** højtliggende (*fx area*); hævet; **2.** (*mht. status*) ophøjet (*fx his* ~ *position*); **3.** (*mht. stil*) høj; **4.** (*mht. sindsstemning*) munter, opstemt; i løftet stemning.

elevated railway *sb.* højbane.

elevation [eli'veiʃn] *sb.* F **1.** (*mht. status*) ophøjelse; forfremmelse; **2.** (*i terræn*) hævning; **3.** (*over havets overflade*) højde; **4.** (*mil.*) elevation, højderetning; **5.** (*arkit.*) opstalt; facadetegning.

elevator ['eliveitə] *sb.* **1.** (*fx til korn*) transportør; **2.** (*am.*) elevator; **3.** (*am.: til opbevaring af korn*) kornsilo; **4.** (*flyv.*) højderor; **5.** (*anat.*) løftemuskel.

eleven[1] [i'lev(ə)n] *sb.* **1.** ellevetal; **2.** ellever; **3.** (*i sport*) hold [på 11 spillere].

eleven[2] [i'lev(ə)n] *talord* elleve.

eleven-plus [ilev(ə)n'plʌs] *sb.* [nu afskaffet engelsk eksamen ved overgangen fra primary til secondary school].

elevenses [i'lev(ə)nziz] *sb. pl.* T formiddagskaffe//-te.

eleventh[1] [i'lev(ə)nθ] *sb.* ellevtedel.

eleventh[2] [i'lev(ə)nθ] *adj.* ellevte; □ *at the* ~ *hour* i den ellevte time.

elf [elf] *sb.* (*pl. elves* [elvz]) alf; nisse.

elfin ['elfin] *adj.* alfeagtig; let; fin.

Elgin Marbles [elgin'ma:blz] *sb. pl.: the* ~ (græske marmorværker, som Lord Elgin bragte til England, nu i British Museum; især:) Parthenonfrisen.

elicit [i'lisit] *vb.* **1.** få frem, bringe for dagen (*fx the truth*); lokke frem (*fx a reply*); **2.** fremkalde (*fx a protest*); □ ~ *a promise from sby* aflokke en et løfte.

elide [i'laid] *vb.* **1.** (*lyd, stavelse: i udtalen*) elidere, udelade; **2.** (*skelnen, forskel*) se bort fra, lade ude af betragtning; **3.** (*forskellige ting*) slå sammen (*fx he -d this memory with another event*); **4.** (*uden objekt*) falde sammen (*fx the two things -d in his mind*).

eligibility [elidʒə'biləti] *sb.* (jf. *eligible*) **1.** berettigelse; kvalifikation; **2.** valgbarhed; **3.** attråværdighed.

eligible ['elidʒəbl] *adj.* **1.** berettiget (*for til, fx benefits; to til at*); kvalificeret (*for til; to til at*); **2.** (*om valgkandidat*) valgbar (*for til, fx the presidency*); **3.** (*om ægteskabskandidat*) attråværdig; passende; som er et godt/passende parti;

□ *be* ~ *for inclusion//admission etc.* (jf. *1 også*) kunne medtages// optages *etc.*; *be* ~ *to vote* være stemmeberettiget; *find an* ~ *young man* (jf. *3*) finde et passende parti.

Elijah [i'laidʒə] (*bibelsk: om profeten*) Elias.

eliminate [i'limineit] *vb.* **1.** fjerne (*fx trade barriers*); afskaffe (*fx inflation*); **2.** (*af sine overvejelser*) udelukke (*fx the possibility that ...*); eliminere; lade ude af betragtning; **3.** (S: *en modstander*) rydde af vejen, ekspedere; □ *be -d* (*i sport: af konkurrence*) udgå, blive slået ud.

elimination [ilimi'neiʃn] *sb.* (jf. *eliminate*) **1.** fjernelse; afskaffelse; **2.** udelukkelse; eliminering; □ *by a process of* ~ ved udelukkelsesmetoden.

elimination heat *sb.* udskilningsløb.

elimination tournament *sb.* (*am.*) cupturnering.

eliminator [i'limineitə] *sb.* (*i sport*) udskilningskonkurrence.

elision [i'liʒ(ə)n] *sb.* **1.** (*i udtale*) elision; udeladelse; **2.** (*i tekst*) strygning, udeladelse.

elite [i'li:t] *sb.* elite.

elitism [i'li:tizm] *sb.* elitisme; elitedyrkelse.

elitist[1] [i'li:tist] *sb.* tilhænger af elitisme.

elitist[2] [ei'li:tist] *adj.* elitær.

elixir [i'liksə] *sb.* (*litt.*) **1.** eliksir; mirakelmedicin; **2.** livseliksir.

Elizabethan[1] [ilizə'bi:θən] *sb.* elisabethaner.

Elizabethan[2] [ilizə'bi:θən] *adj.* elisabethansk [fra *Elizabeth I's* tid: *1558-1603*].

elk [elk] *sb.* **1.** elg, elsdyr; **2.** (*am.*) wapitihjort [art kronhjort].

ell [el] *sb.* **1.** (*am.*) L; vinkel; vinkelbygning; **2.** (*glds.*) [længdemål, ca. *112 cm*]; (se også *inch*[1]).

ellipse [i'lips] *sb.* (*geom.*) ellipse.

ellipsis [i'lipsis] *sb.* (*pl. ellipses* [-si:z]) (*sprogv.*) ellipse, udeladelse.

elliptic [i'liptik] *adj.* (*geom.*) elliptisk, ellipseformet.

elliptical [i'liptik(ə)l] *adj.* **1.** (*om stil*) elliptisk, ufuldstændig, fuld af udeladelser; (*omtr.*) kryptisk (*fx remark*); **2.** = *elliptic*.

elm [elm] *sb.* (*bot.*) elm.

elocution [elə'kju:ʃn] *sb.* **1.** talekunst, veltalenhed; **2.** (*måde at tale på*) foredrag, sprogbehandling.

elocutionary [elə'kju:ʃn(ə)ri] *adj.* som vedrører udtalen//foredraget.

275

E *elongate*

elongate ['i:lɒŋgeit] *vb.* F **1.** forlænge; (*i udtale*) trække ud; **2.** (*uden objekt, bot.*) blive længere, blive langstrakt.

elongation [i:lɒŋ'geiʃn] *sb.* **1.** forlængelse; **2.** (*astr.*) elongation; vinkelafstand.

elope [i'ləup] *vb.* løbe bort [*for at gifte sig mod forældrenes vilje*]; □ she *-d* hun løb bort med sin elskede.

elopement [i'ləupmənt] *sb.* (jf. *elope*) flugt.

eloquence ['eləkwəns] *sb.* veltalenhed.

eloquent ['eləkwənt] *adj.* **1.** veltalende; **2.** (*fig.*) udtryksfuld, sigende.

else [els] *adv.* **1.** ellers; (se også *or*); **2.** (*efter ubestemt pron.*) anden// andet//andre; ellers;

□ *anyone* ~ **a.** nogen anden, ellers nogen; **b.** en hvilken som helst anden; *nothing* ~ intet andet; *nowhere* ~ intet andet sted; *someone* ~ en anden; *somewhere* ~ et andet sted; *what* ~ hvad andet, hvad ellers; *who* ~ hvem andre, hvem ellers.

elsewhere [els'wɛə, (*am.*) 'elswɛər] *adv.* andetsteds; et andet sted; et andet sted hen (*fx go* ~).

Elsinore ['elsinɔ:, elsi'nɔ:] Helsingør.

ELT *fork. f. English Language Teaching.*

elucidate [i'lu:sideit] *vb.* forklare, belyse, tydeliggøre.

elucidation [ilu:si'deiʃn] *sb.* forklaring, belysning, tydeliggørelse.

elude [i'lu:d] *vb.* F **1.** (*forfølger*) undvige, undslippe; slippe fra, smutte fra; **2.** (*fare*) undgå; **3.** (*forpligtelse*) unddrage sig; **4.** (*bestemmelse, lov*) omgå;

□ *it -s definition* det unddrager sig definition;

it -d me **a.** (*noget sagt*) jeg fik ikke rigtig fat på det; **b.** (*noget man vil huske*) jeg kunne ikke komme i tanke om det; **c.** (*noget man ønsker*) det lykkedes mig ikke at opnå det (*fx success -d me*); *sleep -d me* søvnen blev borte.

elusive [i'lu:siv] *adj.* **1.** flygtig, vanskelig at få fat på; vanskelig at finde; vanskelig at holde fast; **2.** (*om begivenhed*) vanskelig at huske; **3.** (*om noget man ønsker*) vanskelig at opnå (*fx success*).

elver ['elvə] *sb.* (*zo.*) glasål.

elves [elvz] *pl. af elf.*

Elysian [i'liziən] *adj.* **1.** (*myt.*) elysisk, elysæisk; **2.** (*fig.*) himmelsk, paradisisk.

'em [əm] *pron.* (*kort form af them*)

dem.

emaciated [i'meiʃieitid] *adj.* mager; udtæret.

emaciation [imeisi'eiʃn] *sb.* magerhed; udtæret tilstand.

e-mail[1] ['i:meil] *sb.* **1.** elektronisk post, e-post, e-mail; **2.** (*meddelelse*) e-mail (*fx he sent me an* ~).

e-mail[2] ['i:meil] *vb.* sende e-mail til, maile.

emanate ['eməneit] *vb.* F udstråle (*fx sympathy*);

□ ~ *from* **a.** strømme ud fra; udstråle fra; **b.** (*om luftart*) sive ud fra; **c.** (*fig.*) udgå fra; udspringe fra; hidrøre fra.

emanation [emə'neiʃn] *sb.* F **1.** udstrømmen; udstråling; emanation; **2.** (*af luftart*) udsiven (*fx of gas*).

emancipate [i'mænsipeit] *vb.* F **1.** frigive (*fx slaves*); **2.** frigøre; emancipere.

emancipated [i'mænsipeitid] *adj.* F emanciperet; frigjort.

emancipation [imænsi'peiʃn] *sb.* F **1.** frigivelse; **2.** frigørelse; emancipation.

emancipator [i'mænsipeitə] *sb.* befrier;

□ *the Great Emancipator* [*Abraham Lincoln, amerikansk præsident 1861-65*].

emasculate [i'mæskjuleit] *vb.* **1.** svække; afsvække; berøve sin kraft; **2.** (*fagligt*) kastrere.

emasculated [i'mæskjuleitid] *adj.* **1.** kraftesløs, afkræftet; umandig; **2.** kastreret.

emasculation [imæskju'leiʃn] *sb.* **1.** svækkelse; **2.** kastrering.

embalm [im'ba:m] *vb.* **1.** balsamere; **2.** (*fig.*) værne om, bevare frisk i erindringen; **3.** (*poet.*) fylde med vellugt.

embalmment [im'ba:mmənt] *sb.* balsamering.

embankment [im'bæŋkmənt] *sb.* **1.** (*ved vandløb*) vold; dige; **2.** (*til vej, jernbane*) dæmning; skråning, dossering;

□ *the Embankment* [*gade i London langs Themsen*].

embargo[1] [im'ba:gəu] *sb.* (*pl. -es*) embargo; forbud (*fx an import// export* ~); blokade (*fx an arms* ~).

embargo[2] [im'ba:gəu] *vb.* **1.** lægge embargo på; belægge med embargo; **2.** udstede forbud mod, forbyde.

embark [im'ba:k] *vb.* **1.** indskibe; tage om bord (*fx the ship -ed passengers and cargo*); **2.** (*uden objekt*) indskibe sig; gå om bord;

□ ~ *on/upon* gå i gang/i lag med (*fx a new project*); indlade sig på,

kaste sig ud i (*fx a dangerous venture*).

embarkation [imba:'keiʃn] *sb.* indskibning.

embarrass [im'bærəs] *vb.* **1.** gøre forlegen/flov/genert; **2.** (*offentlig person, organisation*) sætte i forlegenhed, bringe i vanskeligheder, skabe problemer for, belaste.

embarrassed [im'bærəst] *adj.* flov, genert, forlegen;

□ *be* ~ (ɔ: *økonomisk*) være i forlegenhed, være i vanskeligheder; ~ *silence* pinlig tavshed.

embarrassing [im'bærəsiŋ] *adj.* flov (*fx situation*); pinlig (*fx situation; question; remark*).

embarrassment [im'bærəsmənt] *sb.* **1.** (*som man føler*) flovhed, generthed, forlegenhed; **2.** (*som man møder*) vanskelighed; problem;

□ *be an* ~ *to sby* være et problem/en belastning for en; sætte en i forlegenhed.

embassy ['embəsi] *sb.* ambassade.

embattled [im'bætld] *adj.* **1.** (*fx om by*) belejret; **2.** (*om person*) trængt, betrængt (*fx Minister; government*); **3.** (*om tårn etc.*) med murtinder.

embed [im'bed] *vb.* **1.** lægge helt ned i; indkapsle; indlejre; **2.** (*tekn.*) indstøbe; nedstøbe; □ ~ *itself in* sætte sig fast i, bore sig ind i.

embedded [im'bedid] *adj.*: ~ *in* **a.** indsluttet/indlejret/begravet i; **b.** (*gram.; it*) indlejret i; **c.** (*tekn.*) indstøbt i; **d.** (*om følelse, indstilling*) forankret i; rodfæstet i; *it is* ~ *in my recollection* det står præget i min erindring.

embellish [im'beliʃ] *vb.* **1.** forskønne, dekorere, udsmykke; pryde; **2.** (*historie*) pynte på, brodere på.

embellishment [im'beliʃmənt] *sb.* (jf. *embellish*) **1.** forskønnelse; udsmykning; prydelse; **2.** det pynte/brodere på.

ember days *sb. pl.* [*faste- og bededage i den romersk-katolske kirke*]; tamperdage.

embers ['embəz] *sb. pl.* **1.** (ulmende) gløder; **2.** (*fig.*) sidste rester, sidste gløder.

embezzle [im'bezl] *vb.* **1.** tilvende sig, forgribe sig på [*betroede midler*]; **2.** (*uden objekt*) begå underslæb/kassesvig.

embezzlement [im'bezlmənt] *sb.* underslæb, kassesvig; misbrug af betroede midler.

embezzler [im'bezlə] *sb.* en som begår underslæb; kassebedrager;

T kassebedrøver.
embitter [im'bitə] *vb.* gøre bitter;
□ *it -ed his life* det forbitrede tilværelsen for ham.
emblazoned [im'bleiz(ə)nd] *adj.*
dekoreret (*with* med); prydet (*with* med); malet (i strålende farver) (*on* på).
emblazonment [im'bleiz(ə)nmənt]
sb. våbenmaleri; heraldisk udsmykning.
emblem ['embləm] *sb.* 1. symbol (*of* for, *fx national ~* nationalsymbol); 2. (*for tanke, egenskab*) symbol (*of* på, *fx the rose is an ~ of love*); sindbillede (*of* på).
emblematic [embli'mætik] *adj.* F sindbilledlig; symbolsk;
□ *be ~ of* være et symbol/billede på; være et synligt udtryk for.
embodiment [im'bɔdimənt] *sb.* legemliggørelse, inkarnation (*of* af); personifikation (*of* af); indbegreb (*of* af); konkret udtryk (*of* for);
□ *the ~ of courage//evil* det personificerede mod//den personificerede ondskab.
embody [im'bɔdi] *vb.* 1. (*tanke*) udtrykke, give konkret udtryk/form, udforme (*fx he embodied his ideas in a memorandum*); nedlægge (*fx the principles embodied in the treaty*); indarbejde; 2. (*element*) indeholde, rumme (*fx the latest model embodies many new features*); 3. (*i større helhed*) indarbejde (*fx his proposals in the plan*); 4. (*egenskab*) legemliggøre, personificere, være indbegrebet af.
embolden [im'bəuld(ə)n] *vb.* F give mod, opildne.
embolism ['embəlizm] *sb.* (*med.*) emboli; blodprop.
embossed [im'bɔst] *adj.* 1. (*i metal*) præget (*i relief*); drevet; 2. (*i papir, pap*) præget; presset.
embossed printing *sb.* prægetryk, prægning; ophøjet tryk, relieftryk.
embouchure [ɔmbu'ʃuə] *sb.* (*mus.*) 1. (*musikers*) embouchure; mundstilling, læbestilling; 2. (*på blæseinstrument*) mundstykke.
embrace[1] [im'breis] *sb.* omfavnelse; favntag;
□ *locked in an ~* tæt omslynget.
embrace[2] [im'breis] *vb.* 1. (*person*) omfavne, tage i sine arme; 2. (F: *tilbud*) antage, (ivrigt) tage imod (*fx an offer*); gribe (*fx an opportunity*); 3. (F: *tanke, idé*) tage til sig; (ivrigt) tage op (*fx a cause*); 4. (F: *bevægelse, tro*) slutte sig til (*fx a religion*); 5. (F: *i større helhed*) omfatte, indbefatte (*fx a word which -s many concepts*); spænde

over; 6. (*uden objekt: om personer*) omfavne hinanden (*fx they -d*).
embrasure [im'breiʒə] *sb.* 1. (*arkit.*) lysning, smig [*vindues-* el. *døråbning der er bredere indadtil end udadtil*]; 2. (*til kanon i brystværn*) skydeskår.
embrocation [embrə'keiʃn] *sb.* liniment, salve.
embroider [im'brɔidə] *vb.* 1. brodere; 2. (*historie*) brodere på, pynte på.
embroidery [im'brɔid(ə)ri] *sb.* broderi.
embroil [im'brɔil, em-] *vb.*: *~ in* inddrage i, trække ind i (*fx he was -ed in their quarrels*); indvikle i; *get -ed with* komme i strid med.
embryo[1] ['embriəu] *sb.* 1. foster; embryo; 2. (*bot.*) kim, spire; 3. (*fig.*) spire (*of* til, *fx a new idea*);
□ *in ~* (*fig.*) i sin vorden; på begyndelsesstadiet, på foreløbigt stadium; ved at blive udviklet (*fx his plans are still in ~*).
embryo[2] ['embriəu] *adj.* (*fig.*) uudviklet; spirende; kommende.
embryologist [embri'ɔlədʒist] *sb.* embryolog.
embryology [embri'ɔlədʒi] *sb.* embryologi.
embryonic [embri'ɔnik] *adj.* 1. (*biol.*) foster-, embryonisk; 2. (*fig.*) på begyndelsesstadiet (*fx plan*); uudviklet.
embus [im'bʌs] *vb.* (*mil.*) sidde 'op i motorkøretøj.
emcee ['emsi:] *sb.* (*am.: MC*) se *master of ceremonies*.
emend [i'mend] *vb.* (*tekst*) rette.
emendation [i:men'deiʃn] *sb.* (*tekst*)rettelse.
emerald[1] ['em(ə)rəld] *sb.* 1. smaragd; 2. (*farve*) smaragdgrønt.
emerald[2] ['em(ə)rəld] *adj.* smaragdgrøn.
Emerald Isle *sb.*: *the ~* den smaragdgrønne ø [*ɔ: Irland*].
emerge [i'mɔ:dʒ] *vb.* 1. (*fra skjul etc.*) dukke frem, komme ud (*from* fra/af, *fx the bushes*); dukke op (*from* fra/af, *fx the sea*); komme til syne; 2. (*fra ukendthed*) dukke op (*fx a new film star has -d*); blive kendt; træde frem på scenen; 3. (*om forhold etc.*) opstå, vise sig (*fx a new problem -d*); blive 'til; 4. (*efter undersøgelse*) komme frem (*fx the truth -d*); vise sig, fremgå (*fx it has -d that he knew about the affair*);
□ *~ as* fremstå som; blive kendt som; *~ from* a. se: *1*; b. (*fig.: vanskelighed etc.*) komme ud af (*fx she -d from the affair without a stain on her character*); klare sig igennem.
emergence [i'mɔ:dʒ(ə)ns] *sb.* (jf. *emerge*) 1. opdukken; tilsynekomst; 2. opdukken; fremkomst; 3. opståen; tilblivelse; 4. fremkomst.
emergency[1] [i'mɔ:dʒ(ə)nsi] *sb.* 1. nødsituation; kritisk situation; 2. (*am. med.*) skadestue;
□ *in case of ~*, *in an ~* (jf. *1*, også) i nødstilfælde; (se også *state*[1]).
emergency[2] [i'mɔ:dʒ(ə)nsi] *adj.* 1. nød- (*fx supplies; landing; lighting* belysning); reserve- (*fx stairs; store* lager); 2. krise- (*fx legislation; meeting*); haste- (*fx meeting; appointment*).
emergency brake *sb.* 1. (*i tog*) nødbremse; 2. (*am., i bil*) håndbremse.
emergency exit *sb.* nødudgang, reserveudgang.
emergency measure *sb.* nødforanstaltning; beredskabsforanstaltning.
emergency powers *sb. pl.* ekstraordinære beføjelser.
emergency room *sb.* (*am.*) skadestue.
emergency services *sb. pl.* [*politi, brandvæsen, redningskorps*].
emergent [i'mɔ:dʒ(ə)nt] *adj.* opdukkende, ny (*fx democracies; talents*); som opstår;
□ *~ from* som opstår som følge af (*fx political issues ~ from war*).
emeritus [i'meritəs] *adj.*: *~ professor* professor emeritus [*tildeles en afgået professor som en ærestitel*].
emersion [i'mɔ:ʃn, (*am.*) -ʒn] *sb.* 1. tilsynekomst; 2. (*astr.*) emersion [*fremdukken efter formørkelse*].
emery ['eməri] *sb.* smergel.
emery board *sb.* sandfil [*til at file negle med*].
emery cloth *sb.* smergellærred.
emery paper *sb.* smergelpapir.
emetic[1] [i'metik] *sb.* (*med.*) brækmiddel.
emetic[2] [i'metik] *adj.* (*med.*) som fremkalder opkastning.
emigrant ['emigrənt] *sb.* emigrant, udvandrer.
emigrate ['emigreit] *vb.* emigrere, udvandre.
emigration [emi'greiʃn] *sb.* emigration, udvandring.
emigré ['emigrei] *sb.* politisk flygtning, emigrant.
eminence ['eminəns] *sb.* 1. stor anseelse, berømmelse (*fx she won ~ as an actress*); 2. (*om stilling*) høj værdighed; fremtrædende posi-

tion; **3.** (*kardinals titel*) eminence, højærværdighed (*fx Your Eminence*); **4.** (*litt.*) højdedrag, højde; forhøjning.

éminence grise [fr.] *sb.* grå eminence.

eminent ['eminənt] *adj.* **1.** (*om person: mht. berømthed*) fremtrædende (*fx scientist*); prominent, velkendt; **2.** (*mht. evner*) fremragende; betydelig; **3.** (*om egenskab*) ganske særlig, bemærkelsesværdig.

eminently ['eminəntli] *adv.* ganske særlig, i fremragende grad; særdeles, yderst (*fx sensible*).

emir [e'miə] *sb.* emir.

emirate ['emərət] *sb.* emirat.

emissary ['emis(ə)ri] *sb.* udsending; repræsentant.

emission [i'miʃn] *sb.* **1.** (*fys.*) udledning, afgivelse, emission (*fx of carbon dioxide*); udsendelse, udstråling (*fx of heat*); **2.** (*af værdipapirer*) udstedelse.

emit [i'mit] *vb.* **1.** (*fys.*) udlede (*fx sulphur dioxide*); afgive; udsende, udstråle (*fx light*); **2.** (*lyd*) udsende (*fx a scream; a whistle*); ytre, give fra sig; **3.** (*værdipapirer*) udstede (*fx paper money*).

emollient[1] [i'mɔliənt] *sb.* F blødgørende middel [*til hud*].

emollient[2] [i'mɔliənt] *adj.* F **1.** blødgørende; **2.** (*fig.*) udglattende, diplomatisk, kompromissøgende.

emolument [i'mɔljumənt] *sb.* F honorar, vederlag, betaling.

emote [i'məut] *vb.* (*om skuespiller*) give overdrevent udtryk for følelser; sjæle.

emotion [i'məuʃn] *sb.* **1.** (*generelt*) følelser (*fx he never shows ~*); **2.** (*enkelt*) følelse (*fx -s like hatred, anger, sadness and happiness*); **3.** (*stærk*) sindsbevægelse; (*nær gråd*) rørelse, bevægelse (*fx he was overcome by/with ~*); □ *with ~* (*jf. 3, også*) rørt, bevæget.

emotional [i'məuʃn(ə)l] *adj.* **1.** følelses-; følelsesmæssig (*fx needs*); **2.** (*om emne, tale etc.*) følelsesladet (*fx plea* appel; *issue*); følelsesbetonet (*fx music*); **3.** (*om person*) følelsesbetonet, emotionel; letpåvirkelig; følsom; □ *an ~ person* (*jf. 3, også*) et følelsesmenneske, et stemningsmenneske; *become ~* blive rørt/bevæget.

emotionalism [i'məuʃn(ə)lizm] *sb.* følelsesbetonethed; følelelsesfuldhed.

emotionalist [i'məuʃn(ə)list] *sb.* følelsesmenneske; stemningsmen-

neske.

emotionless [i'məuʃnləs] *adj.* ufølsom; udtryksløs.

emotive [i'məutiv] *adj.* **1.** følelsesladet; følelsesbetonet; som taler til følelserne; **2.** følelsesmæssig.

empanel *vb.* = *impanel.*

empathic [em'pæθik] *adj.* indfølende.

empathize ['empəθaiz] *vb.*: *~ with sby* leve sig ind i ens følelser.

empathy ['empəθi] *sb.* indføling; indlevelse.

empennage [em'penidʒ, (*am.*) a:mpə'na:ʒ] *sb.* (*flyv.*) haleparti.

emperor ['emp(ə)rə] *sb.* kejser.

emphasis ['emfəsis] *sb.* (*pl. emphases* ['emfəsi:z]) **1.** vægt (*fx they placed/put* (lagde) *great ~ on combating unemployment*); **2.** (*i udtale*) emfase, eftertryk, betoning.

emphasize ['emfəsaiz] *vb.* **1.** lægge vægt på, pointere; understrege, fremhæve; **2.** (*i udtale*) betone.

emphatic [im'fætik] *adj.* **1.** eftertrykkelig, bestemt, kategorisk (*fx denial*); emfatisk; **2.** (*om handling*) eftertrykkelig, overbevisende (*fx victory*); □ *he was ~ that* han erklærede kategorisk at.

emphatically [im'fætik(ə)li] *adv.* eftertrykkeligt, bestemt, kategorisk.

emphysema [emfi'si:mə] *sb.* (*med.*) emfysem [*luftansamling i lungevæv*].

Empire ['empaiə] *sb.* (*om stil*) empire; □ *the ~* (*hist.*) det britiske verdensrige.

empire ['empaiə] *sb.* **1.** rige (*fx the Roman ~*); imperium; kejserdømme; **2.** (*fig.*) imperium (*fx a business ~*); **3.** (*pol.*) overherredømme.

empire builder *sb.* imperiebygger.

Empire State *sb.* (*am.*) [*staten New York*].

empirical [em'pirik(ə)l] *adj.* empirisk, erfaringsmæssig.

empiricism [em'pirisizm] *sb.* (*filos.*) empirisme, erfaringsfilosofi.

emplacement [im'pleismənt] *sb.* **1.** stilling, placering; **2.** (*mil.*) kanonstilling.

emplane [im'plein] *vb.* gå//tage om bord i et fly.

employ[1] [im'plɔi] *sb.*: *in sby's ~* (F el. glds.) i ens brød; ansat hos en.

employ[2] [im'plɔi] *vb.* **1.** (*personale*) beskæftige, have ansat (*fx the firm -s 250 people*); **2.** (*ny person*) ansætte, antage, engagere (*fx I had to ~ two more people*); **3.** (*tid,*

metode, materiale) bruge, anvende, benytte (*fx a method; one's energy; that is the way he -s his spare time*); □ *be -ed* være ansat/beskæftiget (*fx he is -ed in a bank*); *be -ed in + -ing* være beskæftiget med at; være optaget af at (*fx studying the notice board*).

employable [im'plɔiəbl] *adj.* anvendelig.

employee [im'plɔii:, emplɔi'i:] *sb.* ansat, medarbejder; arbejdstager; arbejder//funktionær; □ *be an ~ of* være ansat i/ved; *-s* (*også*) personale.

employer [im'plɔiə] *sb.* arbejdsgiver.

employment [im'plɔimənt] *sb.* **1.** (*generelt*) beskæftigelse (*fx full ~; a fall in the rate of ~*); **2.** (*enkelt persons*) beskæftigelse, arbejde (*fx persons seeking ~; find ~; be in ~*); job; **3.** (*af arbejdskraft*) ansættelse; beskæftigelse; **4.** (*af metode*) anvendelse; □ *be in ~* (*jf. 2, også*) være beskæftiget.

employment agency *sb.* privat arbejdsformidlingskontor.

employment office *sb.* offentligt arbejdsformidlingskontor.

emporium [em'pɔ:riəm] *sb.* **1.** (*glds. el. spøg.*) stormagasin, varehus; **2.** (*glds.*) marked; handelscentrum.

empower [im'pauə] *vb.* **1.** F bemyndige (*to* til at); **2.** (*især: befolkningsgruppe*) give (mere) magt til, styrke (*fx women; the blacks; the poor*).

empowerment [im'pauəmənt] *sb.* (jf. *empower*) **1.** bemyndigelse; **2.** styrkelse.

empress ['emprəs] *sb.* kejserinde.

empties ['em(p)tiz] *sb. pl.* tom emballage; tomme flasker//glas//kasser *etc.*; tomt returgods.

empty[1] ['em(p)ti] *adj.* tom (*fx bottle; threat; promise; life*); □ *~ of* **a.** tom for (*fx the room was ~ of furniture*); **b.** (*fig.*) blottet for, uden (*fx words ~ of meaning*); (se også *stomach*).

empty[2] ['em(p)ti] *vb.* **1.** tømme (*of* for); tømme ud; **2.** (*uden objekt*) tømmes (*fx the hall emptied quickly*); blive tom (*of* for); □ *~ into* **a.** tømme ud i (*fx ~ the (contents of the) drawer into a bag*); hælde ud i (*fx the contents into a bag; the soup into a pot*); **b.** (*uden objekt: om vandløb*) løbe/munde ud i, strømme ud i (*fx the river empties into the sea*); *~ out* **a.** tømme (*fx one's* pockets); **b.** hælde ud (*fx the contents of the drawer*).

empty-handed [em(p)ti'hændid] *adj.* tomhændet.

empty-headed [em(p)ti'hedid] *adj.* tomhjernet.

empyreal [empai'riəl] *adj.* himmelsk.

empyrean [empai'ri:ən] *sb.* **1.** (*teol.*) ildhimlen; den højeste himmel; **2.** (*poet. el. litt.*) himlen.

EMS *fork. f. European Monetary System.*

EMU *fork. f. economic and monetary union.*

emu ['i:mju:] *sb.* (*zo.*) emu [*australsk fugl*].

emulate ['emjuleit] *vb.* **F 1.** efterligne, imitere; **2.** (*it*) emulere; **3.** (*for at overgå*) kappes med, konkurrere med; søge at overgå.

emulation [emju'leiʃn] *sb.* (jf. *emulate*) **F 1.** efterligning; **2.** emulering; **3.** kappestrid; konkurrence.

emulator ['emjuleitə] *sb.* **F 1.** efterligner; **2.** (*it*) emulator; **3.** konkurrent; rival.

emulous ['emjuləs] *adj.* **F** kappelysten;
□ *be* ~ *of* **a.** søge at overgå (*fx one's rivals*); **b.** stræbe/tragte efter (*fx fame*).

emulsifier [i'mʌlsifaiə] *sb.* emulgator.

emulsify [i'mʌlsifai] *vb.* emulgere.

emulsion [i'mʌlʃn] *sb.* emulsion.

enable [i'neibl] *vb.* **1. F** muliggøre, åbne mulighed for (*fx an understanding of the possibilities*); **2.** (*it*) aktivere;
□ ~ *sby to* sætte en i stand til at, gøre det muligt for en at, tillade en at (*fx the money -d him to travel*).

enabling [i'neibliŋ] *adj.* som åbner for nye muligheder.

enabling act *sb.* (*jur.*) bemyndigelseslov.

enact [i'nækt] *vb.* **1.** (*jur.*) forordne, bestemme (*that* at); **2.** (*parl.: forslag etc.*) give lovskraft; (*lov*) vedtage; **3.** (*teat.*) opføre, spille;
□ *be -ed* finde sted; udspille sig.

enactment [i'næktmənt] *sb.* (jf. *enact*) **1.** (*jur.*) forordning; lov; **2.** (*parl.*) vedtagelse; **3.** (*teat.*) opførelse; gennemspilning.

enamel¹ [i'næm(ə)l] *sb.* **1.** emalje; **2.** (*maling*) (emalje)lak.

enamel² [i'næm(ə)l] *vb.* **1.** emaljere; **2.** lakere.

enamoured [i'næməd] *adj.*: ~ *of* **F a.** betaget af, begejstret for (*fx he is not* ~ *of London*); **b.** (*person*) forelsket i.

en bloc [ɔm'blɔk] *adv.* en bloc,

samlet, under ét.

encamp [in'kæmp] *vb.* slå lejr;
□ *be -ed* ligge i lejr; være lejret.

encampment [in'kæmpmənt] *sb.* lejr.

encapsulate [en'kæpsjuleit] *vb.* samle; sammenfatte.

encase [in'keis] *vb.* **1.** lukke inde, indeslutte, indkapsle; **2.** (*i beholder*) anbringe (*fx the chemical waste is -d in metal cans*); **3.** (*i beton*) indstøbe (*fx the nuclear waste is -d in concrete*); **4.** (*i murværk*) indemure.

encaustic [en'kɔ:stik] *adj.* enkaustisk.

encaustic painting *sb.* enkaustisk maleri; voksmaleri.

encaustic tile *sb.* [*flise med indbrændt dekoration*].

enceinte¹ [fr., a:n'sænt] *sb.* (*glds. mil.*) enceinte.

enceinte² [fr., a:n'sænt] *adj.* (*glds.*) gravid; frugtsommelig.

encephalitis [ensefə'laitis] *sb.* (*med.*) hjernebetændelse.

enchant [in'tʃa:nt] *vb.* (se også *enchanting*) **1.** fortrylle; betage, begejstre; **2.** (*i eventyr*) fortrylle (*fx an -ed castle*); forhekse;
□ *-ed with/by* betaget af; henrykt/ begejstret over.

enchanter [in'tʃa:ntə] *sb.* (*litt.*) **1.** troldmand; **2.** (*fig.*) fortryllende person.

enchanter's nightshade *sb.* (*bot.*) steffensurt.

enchanting [in'tʃa:ntiŋ] *adj.* fortryllende; henrivende; bedårende.

enchantment [in'tʃa:ntmənt] *sb.* **1.** fortryllelse; **2.** trylleri; trolddom.

enchantress [in'tʃa:ntrəs] *sb.* (*litt.*) **1.** troldkvinde; **2.** (*fig.*) fortryllende kvinde; forførerske.

encircle [in'sə:kl] *vb.* omringe (*fx -d by the enemy*); indeslutte; omgive (*fx -d by a wall*);
□ *-d by* (*også*) omkranset af.

encirclement [in'sə:klmənt] *sb.* omringning; indeslutning.

en clair [fr.] *adv.* (*om telegram*) i klart sprog.

enclave ['enkleiv] *sb.* enklave.

enclose [in'kləuz] *vb.* **1.** omgive (*fx a high hedge -d the garden*); **2.** (*i brev*) vedlægge; **3.** (*hist.: fællesjord*) indhegne; udskifte.

enclosed [in'kləuzd] *adj.* lukket (*fx space*);
□ ~ *with* omgivet af; indsluttet af.

enclosure [in'kləuʒə] *sb.* **1.** indhegning, indelukke; indhegnet plads, indhegnet//afspærret område; **2.** (*i brev*) indlæg, bilag; **3.** (*hist.*) [*ind-*

hegning af fællesjord for at gøre den til privateje].

Enclosure Movement *sb.*: the ~ (*hist. omtr.*) udskiftningen.

encode [en'kəud] *vb.* **1.** omsætte til kodesprog, kryptere; **2.** indkode; **3.** (*biol.*) kode.

encomium [en'kəumiəm] *sb.* (*pl. -mia* [-miə]/*-s*) **F** lovtale; lovprisning.

encompass [in'kʌmpəs] *vb.* **1.** omfatte, indbefatte, spænde over (*fx the study -es a wide range of subjects*); **2.** (*område*) omfatte (*fx the territory -es moorland and hills*).

encore¹ ['ɔŋkɔ:] *sb.* ekstranummer, dacaponummer.

encore² ['ɔŋkɔ:] *vb.* **1.** forlange da capo; **2.** give som dacaponummer.

encore³ ['ɔŋkɔ:] *interj.* da capo! ekstranummer!

encounter¹ [in'kauntə] *sb.* **1.** (tilfældigt) møde; sammentræf; **2.** (*voldeligt*) kamp; træfning; **3.** (*mil.*) sammenstød; **4.** (*fig.*) kort møde;
□ *close* ~ nær berøring; nærkontakt.

encounter² [in'kauntə] *vb.* **1.** (*person*) træffe, møde, støde på; **2.** (*problem, vanskelighed*) støde på/ind i (*fx strong resistance*); komme ud for.

encourage [in'kʌridʒ] *vb.* **1.** (*person*) opmuntre; indgyde mod; **2.** (*aktivitet*) støtte, hjælpe frem, ophjælpe, fremme (*fx a trade*); tilskynde til (*fx investment in shares*); befordre (*fx debate*);
□ ~ *sby to* tilskynde en til at, anspore en til at; tilråde en at (*fx lose weight*).

encouragement [in'kʌridʒmənt] *sb.* (jf. *encourage*) **1.** opmuntring; **2.** støtte; fremme; tilskyndelse; befordring.

encouraging [in'kʌridʒiŋ] *adj.* opmuntrende.

encroach [in'krəutʃ] *vb.*: ~ *on* **a.** gøre indgreb i (*fx their rights*); **b.** trænge sig ind på (*fx their territory*); **c.** tage mere og mere af (*fx the sea is -ing on the coast*).

encroachment [in'krəutʃmənt] *sb.* **1.** indgreb (*on* i); krænkelse (*on* af); overgreb (*on* på); **2.** uretmæssig indtrængen (*on* i).

encrust [in'krʌst] *vb.* overtrække/ belægge (som) med en skorpe; (se også *encrusted*).

encrustation [inkrʌ'steiʃn] *sb.* **1.** skorpedannelse; **2.** skorpe, belægning; **3.** (*arkit.*) (mur)beklædning.

encrusted [in'krʌstid] *adj.* belagt (*with* med); besat (*with* med, *fx*

E encrypt

jewels); (*i sms.*) -besat (*fx ring-~ fingers*); -dækket, -klædt (*fx snow-~ mountains*);
□ ~ *with* (*også*) dækket af; beklædt med; *thickly* ~ *with mud* med en tyk skorpe af mudder.

encrypt [en'kript] *vb.* kryptere, omsætte til kode.

encryption [en'kripʃn] *sb.* kryptering, omsætning til kode.

encumbered [in'kʌmbəd] *adj.*: ~ *with/by* **a.** bebyrdet med, tynget af (*fx heavy suitcases*; *debts*); **b.** (*noget påtvunget*) belemret med (*fx their children*); **c.** (*noget generende*) plaget af (*fx too many rules*); **d.** (*om påklædning etc.*) hæmmet af (*fx a heavy skirt*); **e.** (*jur.*: *om ejendom*) behæftet med (*fx debt*).

encumbrance [in'kʌmbrəns] *sb.*
1. byrde; hindring; hæmsko; klods om benet; **2.** (*jur.*: *på ejendom*) gæld; behæftelse;
□ *-s* (F *el. spøg.*: *om familie*) påhæng.

encyclical [en'siklik(ə)l] *sb.* encyklika, pavelig rundskrivelse.

encyclopedia [ensaiklə'pi:diə] *sb.* encyklopædi; leksikon.

encyclopedic [ensaiklə'pi:dik] *adj.* encyklopædisk; omfattende (*fx knowledge*).

end¹ [end] *sb.* **1.** ende; slutning (*fx of the war*; *of the year*); afslutning; ophør; **2.** (*af ting*) ende (*fx of the table*; *both -s of the spectrum*); **3.** (*spids*) spids (*fx of a finger*; *cut the* ~ *of a cigar*); **4.** (*lille*) stump (*fx of a pencil*; *of a cigarette*; *of a cigar*); **5.** (*af foretagende*) afdeling (*fx the London* ~ *of the firm*); del (*fx his* ~ *of the job*); **6.** (F: *for handling*) formål (*fx he used the money for his own -s*); mål (*fx gain* (*nå*) *one's* ~); hensigt; øjemed; **7.** (*i sport*: *del af bane*) banehalvdel; **8.** (*litt.*: *persons*) endeligt, død (*fx he came to* (*fik*) *a sad* ~);
□ *an* ~ *in itself* et mål i sig selv; *there is an* ~ (*of it*) dermed punktum; dermed basta; *the* ~ *justifies the means* hensigten helliger midlet; *make (both) -s meet* få enderne til at mødes, få det til at løbe rundt; få sine indtægter til at slå til;
[*med : no, the*] *no* ~ T umådelig, uhyre, gevaldig (*fx no* ~ *disappointed*); *no* ~ *of* masser af, en uendelig masse; *no* ~ *of a fine chap* en vældig flink fyr; *there was no* ~ *to* der var ingen ende på; *that is the* ~! det er dog det værste! jeg har aldrig kendt noget

lignende!
[*med: the + of*] *such was the* ~ *of* John således endte/døde John; *hear the* ~ *of* se: *ndf.*; *the* ~ *of the line* se *ndf.*: *the* ~ *of the road*; *the* ~ *of the rainbow* [ɔ: *hvor lykken venter*]; *the* ~ *of the road* vejs ende; slutningen på det hele; *they have reached the* ~ *of the road* nu kan de ikke komme længere; nu kan de ikke mere; *the* ~ *of the world* verdens undergang; *that is not the* ~ *of the world* verden går ikke under af den grund; (se også *tether¹*);
[*med vb.+ præp., adv.*] *get/have one's* ~ *away with* S gå i seng med; ligge 'i med; *you will never hear the* ~ *of it* det kommer du til at høre for længe; du får ikke lov at dø i synden; *keep one's* ~ *up* T hævde sig, klare sig; ikke lade sig gå på; holde den gående [*trods modgang*]; *make an* ~ *of* gøre en ende på; gøre kål på; *play both -s against the middle* (*am.*) spille dem ud mod hinanden; *put an* ~ *to* **a.** gøre ende på; sætte en stopper for; **b.** gøre det af med; *put an* ~ *to oneself* tage sig eget liv;
[*med præp., adv.*] *be at an* ~ være til ende, være forbi; *at this* ~ **a.** i/ ved denne ende; **b.** her; *at a loose* ~, *at loose -s* se *loose end*; *at the* ~ *of the book* bag i bogen; *at the* ~ *of the day* (*fig.*) til syvende og sidst; når alt kommer til alt; når det kommer til stykket; *he was at the* ~ *of his patience* det var (ved at være) slut med hans tålmodighed; *for this* ~ se *ndf.*: *to this* ~; *in the* ~ **a.** til sidst; **b.** til syvende og sidst; trods alt; *go off the deep* ~ se *deep²*; *on* ~ **a.** på højkant; **b.** (*om tid*) i træk; *for hours//days on* ~ flere timer//dage i træk; *stand on* ~ **a.** stå på enden; stå på højkant; **b.** (*om håret*) stritte; rejse sig; ~ *to* ~ i forlængelse af hinanden; *to this* ~ i denne hensigt; med dette formål; F i dette øjemed; (se også *means*); *come to an* ~ få ende; ophøre; *all good things come to an* ~ det gode varer ikke evigt; *world without* ~ (*rel.*) fra evighed til evighed.

end² [end] *vb.* **1.** ende, slutte, ophøre; **2.** (*med objekt*) afslutte, slutte, gøre ende på, bringe til ophør;
□ *all's well that -s well* når enden er god er alting godt; ~ *it all* T gøre en ende på det hele; tage livet af sig; *the genius to* ~ *them all* alle tiders største geni; det

største geni der har eksisteret; *the war to* ~ *war* den krig der skulle gøre en ende på alle krige;
[*forb. med præp.*] ~ *by* + *-ing* ende med at; ~ *in* ende med (*fx the marriage -ed in divorce*); ~ *in smoke* gå op i røg; ikke blive til noget; ~ *off* afslutte, slutte; ~ *up* ende (*fx after a long journey we -ed up in London*); (*især om noget negativt*) havne (*fx in prison*; *in the ditch*); *he -ed up* + *-ing* (*om noget uventet*) det endte med at han (*fx he -ed up paying for everybody*); ~ *up with* ende med; *he-ed up with an alcohol problem* det endte med at han fik et alkoholproblem; *to* ~ *up with* som afslutning; til slut; ~ *with* slutte med (*fx a song*).

endanger [in'dein(d)ʒə] *vb.* bringe i fare; udsætte for fare; sætte på spil.

endangered [in'dein(d)ʒəd] *adj.* truet (*fx species*).

endear [in'diə] *vb.*: ~ *oneself to* gøre sig vellidt//elsket af; gøre sig populær hos; *he -ed himself to them* han vandt deres hengivenhed.

endearing [in'diəriŋ] *adj.* vindende; indtagende; elskelig.

endearment [in'diəmənt] *sb.* udtryk for/bevis på kærlighed; kærtegn;
□ *terms of* ~ kæleord; søde ord.

endeavour¹ [in'devə] *sb.* F **1.** bestræbelse, anstrengelse (*fx in spite of all our -s*); forsøg; **2.** (*generelt*) stræben (*fx human* ~).

endeavour² [in'devə] *vb.*: ~ *to* F bestræbe sig på/for at; anstrenge sig for at; søge at.

endemic [en'demik] *adj.* **1.** (*med.*; *biol.*) endemisk [*knyttet til en bestemt egn*]; **2.** (*fig.*) indgroet, rodfæstet.

endgame ['endgeim] *sb.* slutspil.

ending ['endiŋ] *sb.* **1.** slutning (*fx happy* ~); afslutning; **2.** (*gram.*) endelse.

endive ['endiv, (*am.*) 'endaiv] *sb.* (*bot.*) **1.** endivie; **2.** (*am.*) julesalat.

endless ['endləs] *adj.* endeløs; uendelig.

endless belt *sb.* transportbånd.

endmost ['endməust] *adj.* fjernest.

endocrine ['endəkrain] *adj.* (*om kirtel*) endokrin, med indre sekretion.

end-of-terrace [endəv'terəs] *sb.* enderækkehus.

endogamy [en'dɔgəmi] *sb.* giftermål inden for stammen, indgifte.

endorphine [en'dɔ:fin] *sb.* (*fysiol.*) endorfin.

endorse [in'dɔːs] *vb.* **1.** endossere, skrive bag på (*fx a cheque*); påtegne; **2.** (*fig.*) godkende, tiltræde (*fx their recommendations*); give sin tilslutning til, støtte;
□ ~ *a driving licence* give et kørekort en påtegning [ɔː *om en færdselsforseelse*].
endorsee [endɔː'siː] *sb.* endossat.
endorsement [in'dɔːsmənt] *sb.* (jf. *endorse*) **1.** endossement; endossering; påtegning; **2.** godkendelse; støtte; tilslutning; **3.** (*i annonce*) anbefaling; **4.** (*i kørekort*) påtegning om færdselsforseelse.
endorser [in'dɔːsə] *sb.* endossent.
endow [in'dau] *vb.* bevilge/donere penge til; skænke legatsum til; betænke;
□ ~ *with* skænke; udstyre med; *-ed with* begavet med (*fx great talents*); udrustet med.
endowment [in'daumənt] *sb.* **1.** dotation, gave; legat; **2.** fond; pengemidler;
□ *-s* (*persons*) evner, talenter; begavelse.
endowment insurance *sb.* livsforsikring med udbetaling i levende live; kapitalforsikring.
endpaper ['endpeipə] *sb.* (*i bog*) forsatsblad; forsatspapir.
endplay[1] ['endplei] *sb.* (*i bridge*) slutspil.
endplay[2] ['endplei] *vb.* (*i bridge*) slutspille.
end product *sb.* **1.** slutprodukt; **2.** (*fig.*) slutresultat.
endue [in'djuː] *vb.*: ~ *with* (*poet. el. litt.*) skænke; udstyre med.
endurable [in'djuərəbl] *adj.* udholdelig.
endurance [in'djuərəns] *sb.* udholdenhed;
□ *beyond/past* ~ ikke til at bære/holde ud; uudholdelig.
endure [in'djuə] *vb.* **1.** udholde, tåle; døje, gennemgå; **2.** (*uden objekt*) holde ud, vare (*fx as long as her love -s*); blive stående, leve (*fx his work//name will* ~).
enduring [in'djuəriŋ] *adj.* varig, blivende.
end user *sb.* **1.** (*af produkt, fx it*) slutbruger; **2.** (*fx mht. våbenkøb*) modtager, modtagerland; endelig destination.
endways ['endweiz] *adv.*, **endwise** ['endwaiz] *adv.* **1.** på enden, på højkant, oprejst; **2.** med enden/den smalle side fremad; **3.** ende mod ende, på langs.
ENE *fork. f. east-north-east.*
enema ['enimə] *sb.* (*med.*) lavement.
enemy[1] ['enimi] *sb.* fjende;

□ *make enemies* få/skaffe sig fjender; *make an* ~ *of sby* gøre en til sin fjende; *he is his own worst* ~ han er værst ved sig selv.
enemy[2] ['enimi] *adj.* fjendtlig (*fx attack*; *ships*; *property*); fjendens (*fx behind* ~ *lines*).
energetic [enə'dʒetik] *adj.* energisk, handlekraftig.
energize ['enədʒaiz] *vb.* (*person*) fylde med begejstring; sætte liv i; styrke;
□ *be -d by* (*om motor etc.*) få strøm/kraft fra.
energy ['enədʒi] *sb.* energi, kraft;
□ *apply/bend/devote/direct/turn one's energies (in)to* sætte al sin energi/alle sine kræfter ind på, bruge al sin energi/alle sine kræfter på; *put* ~ *into* lægge energi i.
energy audit *sb.* (*svarer til*) varmesyn.
energy conservation *sb.* energibesparelse.
energy efficiency *sb.* effektiv energiudnyttelse.
energy efficient *adj.* som udnytter energien effektivt; energirigtig.
enervated ['enəveitid] *adj.* F svækket, afkræftet, kraftløs, udmattet.
enervation [enə'veiʃn] *sb.* svækkelse, afkræftelse.
enfeebled [in'fiːbld] *adj.* F svækket, afkræftet.
enfeeblement [in'fiːblmənt] *sb.* svækkelse, afkræftelse.
enfeoff [in'fiːf, in'fef] *vb.* (*hist.*) forlene; give som len.
enfeoffment [in'fefmənt] *sb.* (*hist.*) **1.** forlening; **2.** lensbrev.
enfilade[1] [enfi'leid] *sb.* (*mil.*) flankerende ild; sidebestrygning.
enfilade[2] [enfi'leid] *vb.* (*mil.*) beskyde i længderetningen; beskyde i flanken.
enfold [in'fəuld] *vb.* (*litt.*) **1.** indhylle; omslutte; **2.** (*med armene*) omfavne;
□ ~ *in one's arms* tage/slutte i sine arme; trykke ind til sig.
enforce [in'fɔːs] *vb.* (*se også enforced*) **1.** fremtvinge (*fx obedience*); gennemtvinge, sætte igennem (*fx they have power to* ~ *their decisions*); **2.** (*lov, bestemmelse*) håndhæve (*fx discipline*); **3.** (*argument etc.*) underbygge, bestyrke;
□ ~ *a judgment* (tvangs)fuldbyrde en dom; ~ *it on them* påtvinge dem det.
enforceable [in'fɔːsəbl] *adj.* som kan håndhæves.
enforced [in'fɔːst] *adj.* tvungen; påtvungen; ufrivillig.
enforcement [in'fɔːsmənt] *sb.*

1. fremtvingelse; gennemtvingelse; **2.** (*af lov, bestemmelse*) håndhævelse.
enfranchise [in'fræntʃaiz] *vb.* give stemmeret;
□ *be -d* få stemmeret.
enfranchisement [in'fræntʃizmənt] *sb.* tildeling af stemmeret.
ENG *fork. f. electronic news gathering.*
engage [in'geidʒ] *vb.* (*se også engaged, engaging*) F **1.** (*person, opmærksomhed, interesse*) optage, beskæftige (*fx the game -d the children all afternoon*); lægge beslag på (*fx his attention*); **2.** (*person: til at arbejde for sig*) engagere, antage, ansætte (*fx a servant*; *sby as a guide*); **3.** (*mil.*) engagere, søge kontakt med, optage kampen med, angribe (*fx we -d the enemy at once*); **4.** (*tekn.*) gribe ind i; (*tandhjul*) bringe i indgreb, koble til; (*kobling*) rykke ind; (*koblingspedal i bil*) slippe; (*se også clutch*[1], *gear*[1]); **5.** (*glds.*) bestille, reservere (*fx a seat in the theatre*; *a room in a hotel*); hyre (*fx a taxi*);
□ ~ *his sympathy//support* vinde hans sympati//støtte;
[*med præp., adv.*] ~ *for* garantere; indestå for; ~ *in* **a.** give sig af med, beskæftige sig med (*fx writing*; *politics*); tage del i; **b.** indlade sig på (*fx negotiations*); ~ *sby in conversation* indlede en samtale med en; komme i samtale med en; ~ *to* (+ *inf.*) forpligte sig til at (*fx pay £5,000*); påtage sig at; ~ *with* **a.** (*om tandhjul*) gribe ind i; **b.** (*mil.*) indlade sig i kamp med.
engaged [in'geidʒd] *adj.* **1.** (*om person, telefon, toilet, plads*) optaget (*fx I cannot come because I am* ~; *is this seat* ~*?*); **2.** (*i en sag*) engageret; **3.** (*om par*) forlovet (*to* med); **4.** (*tekn.*) i indgreb;
□ *be* ~ *in/on* være optaget af; være beskæftiget med; være i gang med; *be* ~ *to* være forlovet med.
engaged tone *sb.* (*tlf.*) optagettone.
engagement [in'geidʒmənt] *sb.* **1.** aftale; **2.** (*til at optræde*) engagement; **3.** (*til at arbejde*) ansættelse; **4.** (*pars*) forlovelse; **5.** (*mil.*) kontakt (med fjenden); træfning; slag; **6.** (*tekn.*) indgreb; indgriben; tilkobling;
□ ~ *in* (jf. *engage 1*) engagement i, optagethed af; *I have a previous/ prior* ~ jeg har en anden aftale; (*se også rule*[1]).
engagement book *sb.* mødekalender.

engagement ring *sb.* forlovelsesring.

engaging [in'geidʒiŋ] *adj.* vindende; indtagende, charmerende.

engender [in'dʒendə] *vb.* fremkalde, skabe, vække.

engine ['endʒin] *sb.* **1.** maskine; motor; **2.** (*jernb.*) lokomotiv; **3.** se *fire engine.*

engine block *sb.* motorblok.

engine driver *sb.* lokomotivfører.

engineer[1] [endʒi'niə, in-] *sb.*
1. (*med højere uddannelse*) ingeniør; **2.** (*faglært*) tekniker; montør; mekaniker; **3.** (*som passer maskine, fx mar.*) maskinmester; (*med kortere uddannelse*) maskinist; **4.** (*mil.*) ingeniørsoldat; **5.** (*am.*) lokomotivfører; **6.** (*fig.*) ophavsmand (*of* til); skaber (*of* af); □ *the Engineers* (*mil.*) ingeniørtropperne.

engineer[2] [endʒi'niə, in-] *vb.*
1. ordne/få gennemført [*med list og lempe*]; bringe i stand (*fx a meeting between them*); arrangere, iscenesætte (*fx his downfall*); **2.** (*ingeniørarbejde*) bygge (*fx they -ed the tunnel*); konstruere.

engineered [endʒi'niəd, in-] *adj.*
1. konstrueret; bygget; **2.** (*genetisk*) genmanipuleret (*fx plant; food*).

engineering[1] [endʒi'niəriŋ, in-] *sb.*
1. ingeniørarbejde; ingeniørvirksomhed; **2.** (*fag*) ingeniørvidenskab (*fx study* ~); **3.** (*jf. engineer*[2] *1*) manøvreren; **4.** (*genetisk & om adfærd*) manipulation.

engineering[2] [indʒi'niəriŋ] *adj.* ingeniørmæssig; ingeniør- (*fx firm*).

engine room *sb.* (*mar.*) maskinrum.

engine warmer *sb.* bilvarmer.

English[1] ['iŋgliʃ] *sb.* (*sprog*) engelsk; (se også *plain*[2]);
□ *the* ~ englænderne.

English[2] ['iŋgliʃ] *adj.* engelsk.

English bond *sb.* (*i mur*) blokforbandt.

English breakfast *sb.* engelsk morgenmad [*med bacon og æg etc.*].

English horn *sb.* (*mus., am.*) engelskhorn.

Englishman ['iŋgliʃmən] *sb.* (*pl. -men* [-mən]) englænder.

English maple *sb.* (*am. bot.*) navr.

Englishwoman ['iŋgliʃwumən] *sb.* (*pl. -women* [-wimin]) englænderinde.

engorged [in'gɔːdʒd] *adj.* opsvulmet; overfyldt (*fx with blood*).

engram ['eŋgræm] *sb.* (*psyk.*) engram, hukommelsesspor.

engrave [in'greiv] *vb.* **1.** gravere, indgravere (*on* i, *fx his name on the ring//on the glass*); **2.** (*i sten*)

indhugge (*fx a name on a tombstone*); **3.** (*typ.*) gravere, stikke;
□ *it remains -d on/in my memory* det står præget/mejslet i min erindring.

engraver [in'greivə] *sb.* gravør.

engraving [in'greiviŋ] *sb.* **1.** gravering; gravørkunst; **2.** (*billede*) gravering; stik.

engross [in'grəus] *vb.* **1.** lægge beslag på, optage; **2.** (*jur.*) renskrive; opsætte i lovmæssig form.

engrossed [in'grəust] *adj.*: ~ *in/by/ with* optaget af, fordybet i, opslugt af; *he was deeply* ~ han var helt opslugt.

engrossing [in'grəusiŋ] *adj.* betagende, fængslende; altopslugende.

engrossment [in'grəusmənt] *sb.* (*jur.*) renskrift; renskrevet dokument.

engulf [in'gʌlf] *vb.* opsluge;
□ *-ed by/in snow* begravet i sne; *-ed in flames* omspændt af flammer.

enhance [in'haːns] *vb.* forøge, forstærke, forhøje; forbedre; forskønne (*fx disfigured rather than -d by an ornament*).

enhancement [in'haːnsmənt] *sb.* forøgelse; forstærkning; forhøjelse; forbedring; forskønnelse.

enhancer [in'haːnsə] *sb.* [*anordning//stof der virker forstærkende/ forbedrende*].

enigma [i'nigmə] *sb.* gåde.

enigmatic [enig'mætik] *adj.* gådefuld.

enjoin [in'dʒɔin] *vb.* F påbyde (*fx silence*); foreskrive;
□ ~ *sby from sth* forbyde en noget; ~ *sth on sby* pålægge en noget (*fx a duty*); indskærpe en noget; ~ *sby to do sth* pålægge/påbyde en at gøre noget.

enjoy [in'dʒɔi] *vb.* **1.** nyde (*fx one's dinner; the music*); glæde sig over; **2.** (*underholdning etc.*) synes godt om (*fx did you* ~ *the film?*); more sig over; **3.** (*privilegium etc.*) have (*fx a good income*); kunne glæde sig ved (*fx good health*);
□ ~*!* T god fornøjelse! ~ *oneself* more sig; befinde sig godt.

enjoyable [in'dʒɔiəbl] *adj.* **1.** morsom; fornøjelig; **2.** behagelig; dejlig, hyggelig (*fx we had an* ~ *evening*).

enjoyment [in'dʒɔimənt] *sb.* **1.** nydelse; **2.** glæde (*of* ved, *fx the beauty of the landscape*); fornøjelse (*of* ved, *fx his* ~ *of the film; those are his chief* -*s*);
□ *take* ~ *in* finde fornøjelse i; glæde sig ved.

enlarge [in'laːdʒ] *vb.* **1.** forstørre; udvide (*fx the European Union*); forøge, udbygge (*fx a collection*); **2.** (*foto.*) forstørre; **3.** (*uden objekt*) forstørres; udvide sig;
□ ~ *on* F gå nærmere ind på, uddybe, forklare nærmere.

enlargement [in'laːdʒmənt] *sb.* **1.** (*jf. enlarge*) forstørrelse, udvidelse; forøgelse, udbygning; **2.** (*foto.*) forstørrelse.

enlarger [in'laːdʒə] *sb.* (*foto.*) forstørrelsesapparat.

enlighten [in'lait(ə)n] *vb.* oplyse.

enlightened [in'lait(ə)nd] *adj.* oplyst; velinformeret.

enlightenment [in'lait(ə)nmənt] *sb.* oplysning;
□ *the (Age of) Enlightenment* (*hist.*) Oplysningstiden.

enlist [in'list] *vb.* **1.** (*mil.*) hverve, indrullere; **2.** (*fig.*) vinde, sikre sig (*fx his aid*); **3.** (*uden objekt*) lade sig hverve; melde sig som soldat; **4.** (*fig.*) melde sig [*som tilhænger*];
□ ~ *him in a good cause* vinde ham for en god sag; *-ed men* menige og underofficerer.

enlistment [in'listmənt] *sb.* hvervning, indrullering.

enliven [in'laiv(ə)n] *vb.* **1.** live op; sætte liv i; sætte kulør på; **2.** (*person*) opmuntre.

enmeshed [in'meʃt] *adj.*: ~ *in*
a. viklet ind i, fanget i (*fx a net*);
b. (*fig.*) inddraget i, involveret i (*fx an affair*).

enmity ['enməti] *sb.* fjendskab.

ennoble [i'nəubl] *vb.* F **1.** adle; **2.** forædle; ophøje.

ennui [fr., aː'nwiː] *sb.* livslede; tungsind; melankoli.

enormity [i'nɔːmiti] *sb.* F **1.** (*omfang*) kæmpemæssighed, vældigt/ uhyre omfang (*fx the* ~ *of the task//problem//disaster*); **2.** (*af noget forkasteligt*) uhyrlighed (*fx the* ~ *of the crime//mistake*); afskyelighed; **3.** (*handling*) forbrydelse (*fx the enormities of the Hitler regime*); udåd;
□ *we did not realize the* ~ *of the task* (*også*) vi var ikke klar over hvor uhyre stor en opgave det var.

enormous [i'nɔːməs] *adj.* enorm, vældig; kæmpemæssig, uhyre; umådelig.

enough[1] [i'nʌf] *adj.* ... nok, tilstrækkelig med (*fx* ~ *money* penge nok, tilstrækkelig med penge).

enough[2] [i'nʌf] *pron.* nok, tilstrækkelig;
□ ~ *and to spare* mere end nok; ~ *is* ~*!*, ~ *of that!* så er det nok! så er det godt! ~ *said!* så er den ikke

længere! nok om det!; (se også *feast*).

enough[3] [i'nʌf] *adv.* **1.** nok (*fx old ~; warm ~*); tilstrækkelig ... (*fx old ~* tilstrækkelig gammel); **2.** (*nedtonende*) ret ..., forholdsvis ... (*fx a common ~ name* et ret/forholdsvis almindeligt navn); ganske ... (*fx a nice ~ fellow*); □ *that is not good ~* det er ikke godt nok; det kan du ikke være bekendt; *jauntily ~* nok så kækt; *little ~* ikke ret meget; *he was unfortunate ~ to* han var så uheldig at; *he knows well ~ that* han ved meget godt at; *she sings well ~* hun synger såmænd meget godt; (se også *sure*[1]); [+ *inf.*] *be good ~ to tell us ...* (*glds.*) vær så god at sige os ...; *near//large ~ for me to to see it* så nær//stor at jeg kunne se den.

enquire [in'kwaiə] *vb.* (se også *enquiring*) **1.** spørge, forespørge, forhøre sig (*about//whether* om); **2.** (*med objekt*) spørge om (*fx his name*; *the way*); □ *~ after sby* spørge til en; *~ for* spørge efter; *~ into* undersøge; efterforske; *~ of sby* spørge en.

enquirer [in'kwaiərə] *sb.* spørger; forespørger.

enquiring [in'kwaiəriŋ] *adj.* spørgende (*fx glance*; *expression*); □ *have an ~ mind* være videbegærlig.

enquiry [in'kwaiəri, (*am. også*) 'iŋkwəri] *sb.* **1.** forespørgsel (*fx on ~ we learned that ...*); henvendelse; **2.** (*officiel*) undersøgelse, efterforskning; □ *"Enquiries"* „oplysningen"; *make enquiries* **a.** indhente oplysninger; forhøre sig; **b.** (*jf. 2*) anstille efterforskninger; *he is helping the police with their enquiries* (*svarer til*) han tilbageholdes af politiet.

enquiry agent *sb.* privatdetektiv.

enrage [in'reidʒ] *vb.* gøre rasende, ophidse.

enraged [in'reidʒd] *adj.* rasende (*at, by* over, *fx the new law*; *at* på, *fx the Minister*); ophidset (*at, by* over).

enraptured [in'ræptʃəd] *adj.* (*litt.*) henrevet, betaget.

enrich [in'ritʃ] *vb.* berige; □ *-ed uranium* beriget uran; *~ oneself* berige sig.

enrichment [in'ritʃmənt] *sb.* berigelse.

enrol [in'rəul] *vb.* **1.** indskrive sig (*fx as a member*); indmelde sig; tilmelde sig; indtegne sig (*fx for/in/on a course* til et kursus//stu-

dium); **2.** (*mil.*) melde sig til tjeneste; **3.** (*med objekt*) indskrive, indmelde (*fx a child in a school*); tilmelde; indtegne.

enrolment [in'rəulmənt] *sb.* **1.** indskrivning; indmeldelse; tilmelding; indtegning; **2.** antal indskrevne/tilmeldte/indtegnede; antal deltagere; tilgang.

en route [ɔ:ŋ'ru:t] *adv.* undervejs; på vej (*for* til).

ensconce [in'skɔns] *vb.*: *~ oneself* (*litt. el. spøg.*) **a.** anbringe sig; sætte sig tilrette; **b.** (*som beskyttelse*) forskanse sig (*fx behind a newspaper*).

ensconced [in'skɔnst] *adj.* (*litt. el. spøg.*) solidt anbragt.

ensemble [fr., ɔn'sɔmbl] *sb.* **1.** (*mus.*) ensemble, gruppe; sammenspil; **2.** (*beklædningsstykker af samme stof*) ensemble, sæt; **3.** F ensemble; hele; samling.

enshrined [in'ʃraind] *adj.*: *be ~ in* F **a.** være opbevaret i [ɔ: som et relikvie]; være gemt i; **b.** (*fig.*) være nedlagt i, være sikret i (*fx the constitution*).

enshroud [in'ʃraud] *vb.* (*litt.*) indhylle.

ensign ['ensain, (*mar.& am.*) 'ensn] *sb.* **1.** (*mar.*) nationalitetsflag; **2.** (*hist. mil.*) fanebærer; **3.** (*am. mar., omtr.*) søløjtnant [*laveste officersgrad i flåden*]; **4.** (*am. mil.*) emblem [*der viser rang*].

ensile [in'sail] *vb.* ensilere.

enslave [in'sleiv] *vb.* **1.** gøre til slave; **2.** (*fig.*, F) slavebinde; underkue.

enslavement [in'sleivmənt] *sb.* **1.** det at gøre til slave; **2.** (*fig.*, F) slavebinding, slaveri; underkuelse.

ensnare [in'snɛə] *vb.* fange [(*som*) *i en snare*].

ensue [in'sju:] *vb.* F følge (*from* af).

ensuing [in'sju:iŋ] *adj.* F **1.** (*om tid*) følgende (*fx the ~ months*); **2.** (*om resultat*) efterfølgende, påfølgende.

en suite[1] [ɔn'swi:t] *sb.* tilstødende badeværelse.

en suite[2] [ɔn'swi:t] *adj.* (*om badeværelse*) tilstødende.

ensure [in'ʃuə] *vb.* **1.** sikre (*fx ~ them a place in the finals*); **2.** sikre sig (*fx he -d that it was done*).

ENT *fork. f.* (*med.*) *ear, nose and throat*.

entail[1] [in'teil] *sb.* (*jur.*) fideikommis; stamgods.

entail[2] [in'teil] *vb.* **1.** medføre, nødvendiggøre (*fx it will ~ great expense*); indebære, betyde;

2. (*jur.*) gøre til fideikommis; testamentere som stamgods.

entangle [in'tæŋgl] *vb.*: *~ in* **a.** vikle ind i, filtre ind i (*fx the bird -d itself in the net*); fange i; **b.** (*fig.*) vikle ind i (*fx ~ them in endless disputes*); rode ind i; *be// become -d in* **a.** være//blive viklet/filtret ind i, være//blive fanget i; **b.** (*fig.*) være//blive blandet/viklet/rodet ind i.

entanglement [in'tæŋglmənt] *sb.* **1.** forvikling, vanskelighed, komplikation; **2.** (*mil.*) spærring (*fx a barbed wire ~*); **3.** (*seksuel*) uheldig forbindelse; affære (*fx a romantic ~*); **4.** (*jf. entangle*) indvikling; sammenfiltring.

entente [ɔn'tɔnt] *sb.* entente; venskabelig forståelse [*mellem stater*]; uformel alliance.

enter ['entə] *vb.* **1.** (*sted*) gå//komme//træde ind i (*fx a room*); køre ind i (*fx a tunnel*); sejle ind i (*fx a harbour*); rejse ind i (*fx a country*); trænge ind i (*fx the bullet -ed his lung*; *he -ed her*); **2.** (*tidsperiode, foretagende*) gå ind i (*fx politics*; *the war*; *a new phase*; *the final stage*; *the conflict has -ed its third week*); træde ind i (*fx a new phase*; *the war*); **3.** (*institution*) indmelde/indtegne/indskrive sig i//til (*fx a school*); lade sig indskrive ved (*fx a university*); indtræde i (*fx the European Union*; *a firm*); **4.** (*konkurrence*) melde sig til, melde sig som deltager i (*fx the competition*); gå ind i (*fx they have all -ed the race*); **5.** (*deltager*) indmelde, melde ind (*fx a pupil at (i) a school*); tilmelde (*fx a horse for* (til) *a race*); indtegne; indskrive; **6.** (*oplysning, i bog, fortegnelse*) skrive (op/ind) (*fx his name in the list*); indføre (*fx a sum in an account book*); (*jur.*) registrere, indgive, (lade) føre til protokols (*fx a protest*); **7.** (*it: i computer*) taste ind (*fx a command*); **8.** (*uden objekt*) gå//komme//træde ind; køre//sejle//rejse ind; trænge ind; □ *~ Hamlet* (*i sceneanvisning*) Hamlet (kommer) ind; [*med sb.*] *it never -ed my head/mind* det faldt mig overhovedet ikke ind; *~ the labour market* komme ud på arbejdsmarkedet; *when she -ed his life* da hun kom ind i hans liv; (se også *convent, monastery*); [*med præp.*] *~ (one's name) for* melde sig til (*fx an exam*); melde sig som deltager i (*fx a race*); indtegne sig til; *~ a horse for* se ovf.:

5; ~ **into a.** forstå, sætte sig ind i (*fx his feelings*); tage del i; **b.** indtræde i (*fx one's rights; matrimony* ægtestanden); **c.** (*aftale*) indgå (*fx a treaty; an agreement*); **d.** F påbegynde, indlede (*fx negotiations*); indlade sig i (*fx negotiations; conversation*); *that doesn't* ~ *into it* **a.** det indgår ikke i det (*fx that didn't* ~ *into their calculations*); **b.** det har ikke noget med det/sagen at gøre (*fx money doesn't* ~ *into it*); (se også *detail*); ~ *it into the computer* taste det ind; ~ *it into one's diary* indføre det/skrive det i sin dagbog; ~ *on/* **upon a.** tage fat på, begynde på (*fx a career*); **b.** (*jur.*) overtage, tage i besiddelse; ~ *upon one's duties* (*også*) tiltræde embedet; ~ **up** indføre, indskrive, notere.

enteric [en'terik] *adj.* tarm-.

enteric fever *sb.* (*med.*) tyfus.

enteritis [entə'raitis] *sb.* (*med.*) tarmkatar.

enter key *sb.* (*it*) returtast.

enterprise ['entəpraiz] *sb.* **1.** foretagende (*fx it is a dangerous* ~); **2.** (*merk.*) foretagende, virksomhed, firma, bedrift; **3.** (*egenskab*) foretagsomhed, virkelyst (*fx he was full of* ~); initiativ; (se også *free enterprise*).

enterprising ['entəpraiziŋ] *adj.* foretagsom; initiativrig.

entertain [entə'tein] *vb.* (se også *entertaining*) **1.** underholde; more; **2.** (*selskabeligt*) beværte; vise gæstfrihed mod; **3.** (F: *forslag*) tage under overvejelse; reflektere på (*fx I cannot* ~ *the proposal*); **4.** (*tanke*) nære (*fx a hope; doubts*); **5.** (*uden objekt*) have gæster;
□ *they* ~ *quite a lot* **a.** de har megen selskabelighed; de har tit gæster; **b.** (*som led i deres arbejde*) de har meget repræsentation.

entertainer [entə'teinə] *sb.* entertainer; optrædende; varietékunstner.

entertaining[1] [entə'teiniŋ] *sb.* **1.** selskabelighed; beværtning; **2.** (*som led i arbejde*) repræsentation.

entertaining[2] [entə'teiniŋ] *adj.* morsom; underholdende.

entertainment [entə'teinmənt] *sb.* **1.** underholdning; **2.** F forestilling (*fx theatrical* -*s*); **3.** se *entertaining*[1].

entertainment allowance *sb.* repræsentationstillæg.

enthral [in'θrɔ:l] *vb.* betage, fængsle, tryllebinde.

enthrone [in'θrəun] *vb.* F **1.** sætte på tronen; (*også om biskop*) ind-

sætte; **2.** (*fig.*) sætte i højsædet; knæsætte;
□ *be* -*d* (ɔ: *sidde*) trone; -*d in the heart of* højt elsket af.

enthronement [in'θrəunmənt] *sb.* (jf. *enthrone*) **1.** indsættelse; **2.** knæsættelse.

enthuse [in'θju:z] *vb.* T **1.** sige begejstret (*fx "It's wonderful!" she* -*d*); **2.** begejstre;
□ *be* -*d by* være begejstret over; ~ *about/over* tale begejstret om; ~ falde i henrykkelse over.

enthusiasm [in'θju:ziæzm] *sb.* **1.** entusiasme, begejstring, henrykkelse; **2.** mani, lidenskab (*fx his latest* ~).

enthusiast [in'θju:ziæst] *sb.* **1.** entusiast; begejstret person; **2.** (*glds. rel.*) sværmer.

enthusiastic [inθju:zi'æstik] *adj.* entusiastisk; begejstret (*about* for, over); henrykt.

enthusiastically [inθju:zi'æstik(ə)li] *adv.* entusiastisk, begejstret, med begejstring.

entice [in'tais] *vb.* lokke, friste, forlede.

enticement *sb.* lokkemiddel; fristelse, tillokkelse.

entire[1] [in'taiə] *sb.* (*i filateli*) helsag [*kuvert//kort med frimærke*].

entire[2] [in'taiə] *adj.* **1.** hel (*fx the* ~ *day*); **2.** fuldstændig; fuldkommen (*fx I am in* ~ *agreement*).

entirely [in'taiəli] *adv.* helt, fuldstændig, ganske; udelukkende.

entirety [in'taiəti] *sb.*: *in its* ~ F i sin helhed.

entitle [in'taitl] *vb.*: ~ *sby to* berettige én til//til at, give én ret til//til at.

entitled [in'taitld] *adj.* (*om bog etc.*) med titlen (*fx a book* ~ *"Love in August"*);
□ ~ *to* berettiget til//til at.

entitlement [in'taitlmənt] *sb.* **1.** berettigelse; ret (*to* til, *fx child benefit*); **2.** [*offentlig ydelse man er berettiget til*].

entity ['entiti] *sb.* F **1.** entitet, størrelse, enhed; genstand; **2.** eksistens.

entomb [in'tu:m] *vb.* **1.** begrave, dække til; **2.** (*en død*) begrave, gravlægge.

entomologist [entə'mɔlədʒist] *sb.* entomolog, insektforsker.

entomology [entə'mɔlədʒi] *sb.* entomologi, læren om insekter.

entourage [ɔntu'ra:ʒ] *sb.* omgivelser; følge; ledsagere;
□ *his* ~ (*også*) de mennesker han omgiver//omgav sig med.

entr'acte ['ɔntrækt, fr.] *sb.* **1.** mellemakt; **2.** mellemaktsmusik.

entrails ['entreilz] *sb. pl.* indvolde.

entrance[1] ['entrəns] *sb.* **A.** (*sted*) **1.** indgang (*fx the room has a private* ~; *there are two* -*s*); dør; (se også *entrance hall*); **2.** (*til hus*) port; (*for biler også*) indkørsel; **3.** (*mar.*) indsejling; indløb; **B.** (*handling,*) **1.** (jf. *enter 1*) det at komme//gå ind; indtræden (*into* i); indrejse (*into* i); (*mar.*) indsejling (*into* i); **2.** (*teat.& fig.*) entré (*into* på, *fx the political scene*); **3.** (*mht. embede*) tiltrædelse (*into/ upon* af); **4.** (*til kursus etc.*) indmeldelse; indtegning; indskrivning; **5.** (*til konkurrence*) tilmelding (*for* til);
C. 1. (*betaling*) entré (*fx pay one's* ~); **2.** (*tilladelse, mulighed*) adgang (*fx he was refused* ~; ~ *is by the side door*, ~ *is free*);
□ *force an* ~ tiltvinge sig adgang (*into* til); *gain* ~ skaffe sig adgang (*to* til); få adgang (*to* til); *make an* ~ **a.** holde sit indtog; gøre sin entré; **b.** (*teat.*) gøre sin entré.

entrance[2] [in'tra:ns] *vb.* henrykke, henrive, betage; (se også *entranced, entrancing*).

entranced [in'tra:nst] *adj.* henrevet, betaget; fortryllet, tryllebundet.

entrance examination *sb.* adgangseksamen.

entrance fee *sb.* **1.** (*til forestilling*) entré [ɔ: *betaling*); **2.** (*ved tilmelding etc.*) indskrivningsgebyr; indmeldelsesgebyr.

entrance hall *sb.* vestibule, forhal, hall.

entrancing [in'tra:nsiŋ] *adj.* betagende; fortryllende.

entrant ['entrənt] *sb.* F **1.** nyt medlem; **2.** en der søger optagelse; **3.** (*i konkurrence etc.*) deltager.

entrap [in'træp] *vb.* **1.** lokke i en fælde; lægge en fælde for; **2.** fange [*i en fælde*]; **3.** (*jur.*) tilskynde til forbrydelse;
□ ~ *into* + -*ing* narre//lokke//forlede til at (*fx he was* -*ped into stealing the painting*).

entrapment [in'træpmənt] *sb.* [*det at lokke i en fælde//lægge en fælde for én*]; (*jur. omtr.*) tilskyndelse til forbrydelse.

entreat [in'tri:t] *vb.* bede (indtrængende); bønfalde (*fx they* -*ed him to show mercy*); trygle;
□ ~ *sth of sby* bede/bønfalde/ trygle en om noget.

entreaty [in'tri:ti] *sb.* bøn; bønfaldelse;
□ *a look of* ~ et bønligt blik.

entrée ['ɔntrei] *sb.* **1.** hovedret; F mellemret; **2.** adgang (*into/to* til,

fx the best circles).
entrench [in'trenʃ] *vb.* (se også *entrenched*) **1.** grundfæste, forankre, konsolidere, sikre; **2.** (*mil.*) forskanse sig; grave sig ned;
□ ~ *oneself* **a.** grave sig ned; **b.** (*fig.*) etablere sig; bide sig fast (*fx inflation had -ed itself*); befæste sin stilling.
entrenched [in'trenʃt] *adj.* **1.** etableret, fast forankret (*fx dictator*); grundfæstet (*fx right*); **2.** (*hos person*) rodfæstet; indgroet (*fx attitude; habit*); urokkelig (*fx view*); **3.** (*spøg.*) forskanset (*fx behind a newspaper*).
entrenching tool [in'trenʃiŋtu:l] *sb.* (*mil.*) (fodfolks)spade.
entrenchment [in'trenʃmənt] *sb.* **1.** (*mil.*) forskansning; fæstningsanlæg; skanse; skyttegrave; **2.** (jf. *entrench*) grundfæstelse, forankring; konsolidering, sikring.
entrepot ['ɔntrəpəu] *sb.* **1.** oplagsplads, oplagssted; transitlager; **2.** transithavn.
entrepreneur [ɔntrəprə'nə:] *sb.* **1.** dristig forretningsmand, spekulant; iværksætter; **2.** impresario, koncertarrangør.
entrepreneurial [ɔntrəprə'nə:riəl] *adj.* driftig, foretagsom;
□ ~ *spirit* iværksætterånd.
entrepreneurship [ɔntrəprə'nə:ʃip] *sb.* driftighed, foretagsomhed.
entresol ['ɔntrəsɔl] *sb.* mezzaninetage.
entropy ['entrəpi] *sb.* (*fys.*) entropi.
entrust [in'trʌst] *vb.* betro; overlade;
□ ~ *it to him* betro ham det; overlade det til ham; ~ *him with it* overdrage ham ansvaret for det.
entry ['entri] *sb.* **A. 1.** (*sted*) indgang (*to* til, *fx the* ~ *to the park*); **2.** (*mulighed for at komme ind*) adgang (*to* til, *fx the lorry blocked my* ~ *to the village*);
B. (*handling*, cf. *enter*) **1.** det at komme//gå *etc.* ind; indtræden (*into* i, *fx the war; the European Union*); indkørsel; indsejling; indrejse (*into* i); ankomst (*into* til); indtog (*into* i, *fx the general's* ~ *into the city*); indtrængen (*into* i); **2.** (*teat.*) entré [*på scenen*]; **3.** (*af embede*) tiltrædelse (*into/upon* af); **4.** (*i kortspil*) indgang; **5.** (*til kursus etc.*) indmeldelse (*fx at a school*); indtegning; indskrivning; optagelse; **6.** (*til konkurrence*) tilmelding (*for* til); **7.** (*i bog*) indskrivning, indførsel; registrering; (*i protokol*) protokollering; **8.** (*i regnskab*) postering; **9.** (*it*) indtastning; **10.** (*om skib, til told*)

toldangivelse;
C. (*noget der er skrevet ind*) **1.** notat; notits; (*i protokol*) protokollat; (*i bog, register, it etc.*) indførsel; **2.** (*i regnskab*) post, postering; **3.** (*i ordbog, leksikon*) artikel; **4.** (*ved konkurrence etc.*) fortegnelse over anmeldte deltagere; anmeldt deltager//hest *etc.*;
D. 1. (*ved prisopgave etc.*) besvarelse; **2.** (*i bridge*) indgangskort; **3.** (*mus.*) indsats;
□ *no* ~ indkørsel forbudt; *bookkeeping by double* ~ dobbelt bogholderi; *force an* ~ tiltvinge sig adgang (*into* til); *gain* ~ skaffe sig adgang til (*to* til); *make an* ~ *in a book//a diary* notere i en bog//en dagbog; *make one's* ~ **a.** holde sit indtog; **b.** (*teat.*) gøre sin entré.
entry form *sb.* tilmeldingsblanket.
entryism ['entriizm] *sb.* (*pol.*) infiltration [*af politisk parti*].
entryist ['entriist] *sb.* (*pol.*) infiltrator, indtrænger.
entry permit *sb.* indrejsetilladelse.
entryphone ['entrifəun] *sb.* dørtelefon.
entryway ['entriwei] *sb.* (*am.*) gang, korridor.
entwine [in'twain] *vb.* **1.** flette// sno//væve sammen; **2.** (*uden objekt*) flette//sno sig sammen; væve sig ind i hinanden.
entwined [en'twaind] *adj.* **1.** sammenflettet; sammenvævet; sammensnoet; **2.** (*om to mennesker*) tæt omslynget;
□ ~ *in* flettet ind i.
enumerate [i'nju:məreit] *vb.* **1.** opregne; **2.** optælle.
enumeration [inju:mə'reiʃn] *sb.* **1.** opregning; **2.** optælling.
enunciate [i'nʌnsieit] *vb.* F **1.** udtale, artikulere (*fx* ~ *a word clearly*); **2.** (*tanke, idé*) fremstille, redegøre for (*fx one's views*); formulere (*fx a new theory*); **3.** (*vidt og bredt*) forkynde (*fx the Lord's wisdom*).
enunciation [inʌnsi'eiʃn] *sb.* (jf. *enunciate*) F **1.** udtale, artikulation; **2.** fremstilling, redegørelse; formulering; **3.** forkyndelse.
envelop [in'veləp] *vb.* **1.** indhylle (*fx -ed in a cloak//in smoke//in mystery*); omslutte; **2.** (*mil.*) omringe; omfatte;
□ *-ed in flames* omspændt af flammer.
envelope ['envələup] *sb.* **1.** (*til brev*) konvolut, kuvert; **2.** (*om noget*) hylster; dække; **3.** (*til ballon*) ballonhylster; **4.** (*mat.*) indhyllingskurve.
envelopment [in'veləpmənt] *sb.*

1. indhylning; **2.** (*mil.*) omringning; omfatning.
enviable ['enviəbl] *adj.* misundelsesværdig.
envious ['enviəs] *adj.* misundelig (*of* på);
□ *be* ~ *of his success* misunde ham hans succes.
environment [in'vairənmənt] *sb.* omgivelser; miljø; leveforhold;
□ *the* ~ miljøet.
environmental [invairən'ment(ə)l] *adj.* miljø- (*fx issue*); miljømæssig; miljøbestemt.
environmentalism [invairən'mentəlizm] *sb.* miljøbevidsthed.
environmentalist [invairən'mentəlist] *sb.* miljøforkæmper; miljøaktivist.
environs [in'vairənz, 'environz] *sb. pl.* F omgivelser, omegn.
envisage [in'vizidʒ] *vb.* **1.** forestille sig (*fx I can't* ~ *anyone doing that*); se for sig; **2.** (*i fremtiden*) forudse; regne med (*fx when do you* ~ *finishing the task?*).
envision [in'viʒ(ə)n] *vb.* (*am.*) = *envisage.*
envoy ['envɔi] *sb.* **1.** udsending; repræsentant; **2.** (*i diplomatiet*) envoyé; gesandt.
envy[1] ['envi] *sb.* misundelse;
□ *their welfare state is the* ~ *of the world* hele verden misunder dem deres velfærdsstat.
envy[2] ['envi] *vb.* misunde.
enzyme ['enzaim] *sb.* (*kem.*) enzym.
Eocene ['i:əsi:n] *adj.* (*geol.*) eocæn.
E. & O.E. *fork. f.* errors and omissions excepted.
eolian *adj.* (*især am.*) = *aeolian.*
eon *sb.* (*am.*) = *aeon.*
EP *fork. f.* extended-play; (*sb.*) maxisingle.
epaulet *sb.* (*am.*) = *epaulette.*
epaulette ['epəlet] *sb.* epaulette [*skulderdistinktion (med frynser) på gallauniform*].
épée ['epei, 'ei-, (*am.*) e'pei] *sb.* (*i fægtesport*) kårde.
epergne [i'pə:n] *sb.* bordopsats.
ephemera [i'fem(ə)rə] *sb. pl.* samlerobjekter [*som oprindelig er hverdagsting, fx postkort, eller kun til en bestemt anledning*].
ephemeral[1] [i'fem(ə)rəl] *sb.* (*bot.*) [*plante som lever meget kort*].
ephemeral[2] [i'fem(ə)rəl] *adj.* **1.** flygtig; kortvarig; **2.** (*bot.*) som lever meget kort.
epic[1] ['epik] *sb.* **1.** (*hist.*) epos, heltedigt; **2.** (*film.*) storfilm; **3.** (*bog*) kæmpeværk.
epic[2] ['epik] *adj.* **1.** episk; **2.** (*fig.*) vældig, storslået, monumental.

E *epicene*

epicene ['episi:n] *adj.* **1.** som hører til begge køn; uden udpræget kønskarakter; kønsløs; **2.** feminin, kvindagtig.

epicentre ['episentə] *sb.* epicentrum [*jordskælvs centrum på jordoverfladen*].

epicure ['epikjuə] *sb.* (*litt.*) gourmet, feinschmecker.

epicurean[1] [epikju'riən] *sb.* F epikuræer, nydelsesmenneske.

epicurean[2] [epikju'riən] *adj.* F epikuræisk, nydelsessyg.

epidemic[1] [epi'demik] *sb.* epidemi.

epidemic[2] [epi'demik] *adj.* epidemisk.

epidermis [epi'də:mis] *sb.* (*anat.*) epidermis, overhud.

epidural[1] [epi'djuərəl] *sb.* (*med.*) epiduralbedøvelse, epiduralblokade; „rygmarvsbedøvelse“.

epidural[2] [epi'djuərəl] *adj.* (*anat.*) epidural;
□ ~ *anaesthesia* = *epidural*[1].

epiglottis [epi'glotis] *sb.* epiglottis, strubelåg.

epigone ['epigəun] *sb.* epigon [*efterligner*].

epigram ['epigræm] *sb.* epigram; fyndord.

epigrammatic [epigrə'mætik] *adj.* epigrammatisk, fyndig, kort og vittig.

epigraph ['epigra:f] *sb.* **1.** indskrift; **2.** (*i begyndelsen af bog el. kapitel*) motto.

epilation [epi'leiʃn] *sb.* hårfjerning.

epilepsy ['epilepsi] *sb.* (*med.*) epilepsi.

epileptic[1] [epi'leptik] *sb.* epileptiker.

epileptic[2] [epi'leptik] *adj.* epileptisk.

epilogue ['epilog] *sb.* **1.** (*teat.*) epilog; slutningstale; **2.** (*i bog*) epilog, efterskrift.

epinephrine [e'pinəfrin, -i:n] *sb.* adrenalin.

Epiphany [i'pifəni] *sb.* helligtrekongersdag.

epiphany [i'pifəni] *sb.* (*fig.*) indblik i tingenes inderste væsen; åbenbaring.

episcopal [i'piskəp(ə)l] *adj.* episkopal, biskoppelig, bispe-;
□ *the Episcopal Church* (*am.; skotsk*) den episkopale (ɔ: anglikanske) kirke.

Episcopalian[1] [ipiskə'peiliən] *sb.* medlem af episkopal kirke.

Episcopalian[2] [ipiskə'peiliən] *adj.* episkopal; som vedrører den episkopale kirke; (se *episcopal*).

episode ['episəud] *sb.* **1.** episode; hændelse; **2.** (*af tv-serie*) afsnit, episode; **3.** (*med.: af sygdom*) anfald, angreb; tilfælde.

episodic [epi'sodik] *adj.* F **1.** episodisk, forbigående, kortvarig; **2.** (*om fortællestil*) episodisk, bestående af små forløb; brudstykkeagtig.

epistemology [epistə'molədʒi] *sb.* erkendelsesteori.

epistle [i'pisl] *sb.* **1.** epistel, brev, skrivelse; **2.** (*i biblen*) epistel, apostelbrev.

epistolary [i'pist(ə)ləri] *adj.* F brev- (*fx novel*); i brevform.

epitaph ['epita:f] *sb.* gravskrift; epitaf, epitafium.

epithalamium [epiθə'leimiəm] *sb.* bryllupsdigt.

epithet ['epiθet] *sb.* **1.** epitet; (fast) tilnavn, prædikat; **2.** nedsættende betegnelse; skældsord.

epitome [i'pitəmi] *sb.: the ~ of* indbegrebet af (*fx it//she was the ~ of elegance*).

epitomize [i'pitəmaiz] *vb.* **1.** være indbegrebet af; **2.** (*glds.*) resumere, sammenfatte.

epoch ['i:pɔk, (*am.*) 'epək] *sb.* epoke, æra;
□ *mark a new ~ in* sætte skel i; indlede en ny epoke i.

epoch-making ['i:pɔkmeikiŋ] *adj.* epokegørende, skelsættende.

eponymous [i'pɔniməs] *adj.* F **1.** (*om person*) som har givet navn til et værk; **2.** (*om ting*) som har fået navn efter en person;
□ *the ~ hero* titelhelten.

epos ['epɔs] *sb.* epos, heltedigt.

epoxy[1] [i'pɔksi] *sb.* epoxy, epoxyharpiks.

epoxy[2] [i'pɔksi] *vb.* (*am.* T) lime med epoxy.

epoxy resin *sb.* epoxyharpiks.

Epsom ['epsəm]: ~ *salt(s)* engelsk salt.

equability [ekwə'biləti] *sb.* (jf. *equable*) **1.** ro, ligevægtighed; **2.** ensartethed.

equable ['ekwəbl] *adj.* **1.** (*om person*) rolig, ligevægtig; **2.** (*om klima*) ensartet.

equal[1] ['i:kw(ə)l] *sb.* ligemand (*fx the first among -s*); jævnbyrdig;
□ *he is your ~ in strength* han er lige så stærk som du; *he has no ~* han har ikke sin lige; han er uovertruffen; *without ~* uden sidestykke.

equal[2] ['i:kw(ə)l] *adj.* **1.** lige (*fx all men are ~; ~ rights*); jævnbyrdig (*fx an ~ fight*); **2.** ens, samme (*fx of ~ height; with ~ ease*); lige stor (*fx of ~ importance*);
□ *other things being ~* alt andet lige; *the votes are ~* stemmerne står lige;

[*med sb.*] *on an ~ footing* på lige fod; ~ *opportunities,* ~ *opportunity* ligestilling; ~ *pay* ligeløn; *on ~ terms* på lige fod;
[*med præp.*] *they are ~ in ability//intelligence* de er lige dygtige//intelligente; *all citizens are ~ in law* alle borgere er lige for loven; ~ *to* a. (*mængde*) lig med (*fx 16 ounces are ~ to one pound*); svarende til; b. (*person*) på højde med; jævnbyrdig med; *be ~ to* (*opgave*) kunne klare/magte (*fx the job*); have kræfter til, kunne overkomme (*fx he was ~ to anything*); *be ~ to a task//the situation* være en opgave//situationen voksen; *it was ~ to my expectations* det svarede til mine forventninger.

equal[3] ['i:kw(ə)l] *vb.* **1.** være lig med, være (*fx 16 ounces ~ one pound; 3 plus 3 -s 6*); svare til; **2.** kunne måle sig med (*fx no one -s him in strength*); komme på højde med, komme op på (*fx last year's output*);
□ ~ *a record* tangere en rekord; *he -s you in strength* han er lige så stærk som du.

equality [i'kwɔləti] *sb.* **1.** lighed; **2.** ligestilling (*fx between the sexes*); **3.** jævnbyrdighed;
□ ~ *of rights* ligeberettigelse.

equalization [i:kwɔlai'zeiʃn] *sb.* (jf. *equalize*) **1.** ligestillelse, sidestilling; **2.** udjævning; udligning; regulering; **3.** udligning.

equalization fund *sb.* udligningsfond.

equalize ['i:kwəlaiz] *vb.* **1.** (*mht. omfang*) gøre ensartet, ligestille, sidestille (*fx the rights of husbands and wives*); **2.** (*forskelle*) udligne (*fx the pressure*); udjævne; regulere; **3.** (*i fodbold etc.*) udligne;
□ ~ *the workload among them* fordele arbejdsbyrden ligeligt mellem dem.

equalizer ['i:kwəlaizə] *sb.* **1.** udlignende faktor; **2.** (*i fodbold etc.*) udlignende mål//point; **3.** (*elekt*) forvrængningsudligner; **4.** (*am.* S) pistol.

equally ['i:kw(ə)li] *adj.* **1.** lige (*fx treat all people ~; they are ~ clever*); i samme grad; **2.** ligeligt (*fx divide it ~ between them*); **3.** lige så (*fx it is ~ important*); **4.** (*sætningsadv.,* F) ligeledes, samtidig (*fx but ~, we should care for the others*).

equal sign *sb.* (*am.*) = *equals sign*.

equals sign *sb.* lighedstegn.

equanimity [ekwə'niməti] *sb.*

sindsro, sindsligevægt.

equate [i'kweit] *vb*.: ~ *to* svare til; være det samme som; ~ *with* sætte lig med; sidestille med; sætte lighedstegn mellem; ~ *it with* (*også*) få det til at stemme med (*fx I cannot ~ your statement with his*); bringe det i overensstemmelse med (*fx I want to ~ the expense with the income*).

equation [i'kwei3(ə)n, -ʃn] *sb*. **1.** (*mat*.) ligning; **2.** (jf. *equate*) ligestillelse, sidestilling (*with* med); □ *the* ~ (*fig*.) problemet, sammenhængen; *come into/enter the* ~ indgå i regnestykket/beregningen (*fx money also came into the* ~); blive taget i betragtning (*fx the cost hardly entered the* ~).

equator [i'kweitə] *sb*.: *the* ~ ækvator.

equatorial [ekwə'tɔ:riəl] *adj*. ækvatorial.

equerry ['ekwəri, i'kweri] *sb*. (*ved hoffet*) **1.** (*omtr*.) adjudant; **2.** (*hist*.) (hof)staldmester.

equestrian[1] [i'kwestriən] *sb*. **1.** rytter; **2.** (*i cirkus*) berider; kunstrytter.

equestrian[2] [i'kwestriən] *adj*. ride-; rytter-.

equestrianism [i'kwestriənizm] *sb*. **1.** ridning, ridesport; **2.** ridekunst.

equestrian statue *sb*. rytterstatue.

equidistant [i:kwi'distənt] *adj*. i// med samme afstand; □ ~ *from* lige langt fra.

equilateral [i:kwi'læt(ə)rəl] *adj*. ligesidet (*fx triangle*).

equilibrium [i:kwi'libriəm] *sb*. ligevægt.

equine ['ekwain] *adj*. heste-; hesteagtig.

equinoctial [i:kwi'nɔkʃ(ə)l] *adj*. jævndøgns- (*fx gale storm*); ækvinoktial.

equinox ['i:kwinɔks] *sb*. jævndøgn.

equip [i'kwip] *vb*. **1.** udstyre, udruste (*with* med, *fx pistols; warm clothes*); indrette (*fx a hospital*); **2.** (*fig*.) udruste (*for* til, *fx a job in industry; with* med, *fx the necessary skills*); forberede (*for* til); T klæde på (*for* til); □ ~ *to* (*fig*.) udruste til at, sætte i stand til at (*fx deal with these problems*); T klæde på til at.

equipment [i'kwipmənt] *sb*. **1.** (*ting*) udstyr, udrustning; materiel, grej, hjælpemidler; **2.** (*handling*) udstyrelse, udrustning.

equitable ['ekwitəbl] *adj*. F retfærdig, rimelig (*fx distribution of wealth*); upartisk.

equities ['ekwitiz] *sb. pl*. (*merk*.) stamaktier, ordinære aktier.

Equity ['ekwiti] *sb*. (*i Engl*.) [*skuespillernes fagforening*].

equity ['ekwiti] *sb*. F **1.** retfærdighed, rimelighed; **2.** (*jur*.) billighedsret; **3.** (*i fast ejendom*) friværdi (*fx negative* ~); **4.** (*i selskab*) aktiekapital, egenkapital; (se også *equities*).

equity shares *sb. pl*. = *equities*.

equivalence [i'kwivələns] *sb*. ækvivalens; lige værdi; lige gyldighed.

equivalent[1] [i'kwivələnt] *sb*. **1.** ækvivalent; noget tilsvarende; modsvarighed; modstykke (*of* til); **2.** (*sprogv*.) ækvivalent; ensbetydende ord, tilsvarende udtryk; **3.** (*merk*.) ækvivalent; tilsvarende beløb//mængde; □ *money or its* ~ penge eller penges værdi; *the* ~ *of* hvad der svarer til (*fx the party suffered the* ~ *of a heart attack*).

equivalent[2] [i'kwivələnt] *adj*. **1.** tilsvarende (*fx amount; period; value*); ækvivalent; af samme værdi//størrelse; **2.** (*sprogv*.) ensbetydende; ækvivalent; □ *be* ~ *to* **a.** svare til; **b.** være ensbetydende med.

equivocal [i'kwivək(ə)l] *adj*. tvetydig, dobbelttydig; uklar; □ *he was* ~ *about it* han udtalte sig noget svævende om det.

equivocate [i'kwivəkeit] *vb*. udtrykke sig på en tvetydig måde; komme med udflugter, svare undvigende, krybe udenom; □ ~ *about it* udtale sig noget svævende om det.

equivocation [ikwivə'keiʃn] *sb*. det at komme med udflugter; tvetydig udtryksmåde; spidsfindigheder; udenomssnak.

ER *fork. f*. **1.** *Elizabeth Regina* dronning Elizabeth; **2.** (*am*.) *emergency room* skadestue.

er [ə:] *interj*. øh, æh.

era ['iərə] *sb*. **1.** æra, periode, tidsalder, epoke; **2.** tidsregning (*fx the beginning of the Christian* ~).

eradicate [i'rædikeit] *vb*. udrydde; rykke op med rode.

eradication [irædi'keiʃn] *sb*. udryddelse; oprykning med rode.

erase [i'reiz, (*am*.) i'reis] *vb*. **1.** slette, fjerne (*fx graffiti*); radere bort; kradse ud; **2.** (*med viskelæder & på tavle*, F *el. am*.) viske ud; **3.** (*lydbånd; it*) slette; **4.** (*fig*.) udviske (*fx the memory of sth*); udslette, slette (*fx the last vestiges*).

erase head *sb*. (*på båndoptager*) slettehoved.

eraser [i'reizə] *sb*. **1.** (F *el. am*.) viskelæder; **2.** (*til tavle*) tavlesvamp.

erasure [i'rei3ə] *sb*. F **1.** udviskning; udslettelse; **2.** (*sted*) sletning, udradering; udraderet sted.

ere[1] [ɛə] *konj*. (*glds*.) før, førend, inden (*fx* ~ *he came*).

ere[2] [ɛə] *præp*. (*glds*.) før, inden; □ ~ *long* inden længe, snart; ~ *now* før.

erect[1] [i'rekt] *adj*. F **1.** oprejst, opret; rank; **2.** (*om hår, brystvorte*) strittende (*fx with hair* ~); **3.** (*om penis*) erigeret, opsvulmet.

erect[2] [i'rekt] *vb*. F **1.** (*bygningsværk etc*.) opføre (*fx a wall; barricades*); rejse (*fx a statue; a tent*); opsætte (*fx a memorial*); **2.** (*fig*.) oprette (*fx the welfare state*); opbygge (*fx a system*); opstille (*fx a theory*); **3.** (*uden objekt: om penis*) erigeres.

erectile [i'rektail] *adj*. **1.** som kan rejses; som kan rejse sig; **2.** (*om væv*) erektil.

erection [i'rekʃn] *sb*. (jf. *erect*) **1.** opførelse, bygning, rejsning, opsætning; **2.** (*spøg*.) bygningsværk; **3.** (*fig*.) oprettelse; opbygning; opstilling; **4.** (*fysiol*.) erektion, rejsning.

erg [ə:g] *sb*. erg [*måleenhed for arbejde og energi*].

ergo ['ə:gəu] *adv*. ergo, altså.

ergonomics [ə:gə'nɔmiks] *sb*. ergonomi.

ergot ['ə:gət] *sb*. (*bot*.) meldrøje [*svamp på korn*].

ergotism ['ə:gətizm] *sb*. meldrøjeforgiftning.

Erin ['erin, 'iərin] (*glds. el. litt*.) Erin [*Irland*].

erk [ə:k] *sb*. S menig; rekrut [*i flyvevåbnet*].

ermine ['ə:min] *sb*. **1.** (*pelsværk*) hermelin; hermelinskind; **2.** dommerværdighed.

ERNIE *fork. f. electronic random number indicator equipment* [*computer der udtrækker vindende præmieobligationsnumre*].

Ernie *fork. f. Ernest*.

erode [i'rəud] *vb*. **1.** erodere, afslide; **2.** (*fig*.) nedbryde, undergrave; (*værdi*) udhule; **3.** (*uden objekt*) eroderes, afslides; **4.** (jf. *2*) nedbrydes, undergraves; (*om værdi*) udhules.

erogenous [i'rɔdʒinəs] *adj*. erogen.

erosion [i'rəuʒ(ə)n] *sb*. (jf. *erode*) **1.** erosion (*fx soil* ~); afslidning; **2.** (*fig*.) nedbrydning, undergravning; udhuling (*fx of purchasing power*).

erotic [i'rɔtik] *adj*. erotisk.

erotica [i'rɔtikə] *sb*. erotika [*erotisk litteratur//kunst*].

eroticism [i'rɔtisizm] *sb*. **1.** erotik;

2. (*om bog, film, kunst*) erotisk karakter.

erotomaniac [irəutə'meiniæk] *sb.* erotoman.

err [əː] *vb.* **1.** tage fejl; fejle, begå en fejl; **2.** (*glds.*) fare vild; komme på afveje;

□ ~ *on the side of caution* være for forsigtig; ~ *on the right side* være yderst påpasselig.

errand ['erənd] *sb.* ærinde;

□ *go on/run an* ~ gå et ærinde.

errand boy *sb.* (*glds.*) bydreng.

errant ['erənt] *adj.* (F *el. spøg.*) vildfaren; som er kommet på afveje; fejlende;

□ ~ *husband* utro ægtemand; (se også *knight-errant*).

errata [i'reitə] *sb.* **1.** (*pl. af erratum*) fejl; **2.** (*i bog*) trykfejlsliste.

erratic [i'rætik] *adj.* **1.** uberegnelig, excentrisk (*fx behaviour*); tilfældig; **2.** uregelmæssig (*fx attendance*); slingrende (*fx course*); ujævn.

erratic block *sb.* (*geol.*) erratisk blok, vandreblok.

erroneous [i'rəunjəs] *adj.* fejlagtig, urigtig.

error ['erə] *sb.* **1.** fejl; **2.** (*som man begår*) fejl; fejltagelse;

□ *-s and omissions excepted* med forbehold for fejl og mangler; *in* ~ ved en fejltagelse (*fx I took your coat in* ~); *you are in* ~ De tager fejl; ~ *of judgment* fejlbedømmelse; fejlskøn; *see the* ~ *of one's ways* (*spøg.*) indse sine vildfarelser.

error message *sb.* (*it*) fejlmeddelelse, fejlmelding.

ersatz ['eəzæts, 'əː-] *adj.* **1.** erstatnings- (*fx coffee*); **2.** (*fig.*) kunstig, uægte (*fx emotion*); forloren.

Erse [əːs] *sb.* gælisk [*skotsk & irsk*].

erst [əːst] *adv.* (*glds.*) forhen, fordum.

erstwhile[1] ['əːstwail] *adj.* F fordums.

erstwhile[2] ['əːstwail] *adv.* F forhen, fordum.

eructation [irʌk'teiʃn] *sb.* **1.** opstød; ræben; **2.** (*om vulkan*) [*udspyelse af dampe etc.*].

erudite ['erudait] *adj.* F lærd.

erudition [eru'diʃn] *sb.* F lærdom.

erupt [i'rʌpt] *vb.* **1.** (*om vulkan*) komme i udbrud; **2.** (*fra vulkan*) vælte ud (*fx lava -ed from the crater*); **3.** (*om vold, kampe*) bryde ud (*fx a riot -ed in the inner city*); **4.** (*med.: om eksem*) slå ud; **5.** (*om tand*) bryde frem;

□ *my back -ed in red spots* røde pletter slog ud på min ryg; *the neighbourhood -ed in(to) riots* der

udbrød uroligheder i kvarteret; ~ *into* (*om person*) bryde ud i (*fx laughter*); eksplodere af (*fx rage*).

eruption [i'rʌpʃən] *sb.* **1.** udbrud; frembrud; **2.** (*med.*) udslæt; **3.** (*om tand*) frembrud;

□ *an* ~ *of laughter* et latteranfald; *an* ~ *of violence* en bølge af vold.

erysipelas [eri'sipiləs] *sb.* (*med.*) rosen.

ESA *fork. f. European Space Agency.*

escalate ['eskəleit] *vb.* **1.** eskalere, optrappes; udvikle sig/stige gradvis; **2.** (*med objekt*) eskalere, optrappe; øge gradvis.

escalation [eskə'leiʃn] *sb.* eskalering, optrapning; gradvis stigning/forøgelse.

escalator ['eskəleitə] *sb.* rulletrappe, eskalator.

escallop ['eskələp, es'kæləp] se *scallop.*

escalope ['eskələp, es'kæləp] *sb.* escalope, schnitzel.

escapade [eskə'peid] *sb.* eskapade; tossestreg.

escape[1] [i'skeip] *sb.* **1.** flugt; undvigelse, rømning; **2.** (*fra fare, ulykke etc.*) redning; (se også *narrow*[1]); **3.** (*fx af gas*) udslip; læk; udstrømning; **4.** (*fig.*) virkelighedsflugt; afledning; middel til at flygte fra virkeligheden//hverdagen; **5.** (*bot.*) forvildet plante;

□ *there is no* ~ *from it* **a.** det kan man ikke slippe for; **b.** det er ikke til at komme udenom; (se også *fire escape*).

escape[2] [i'skeip] *vb.* **1.** flygte (*fx several prisoners have -d*); undvige, rømme; undslippe; slippe væk; **2.** (*fra fare, ulykke etc.*) slippe fra det (*fx he -d with a broken knee*); redde sig, redde livet; **3.** (*om gas etc.*) slippe ud, strømme ud, løbe ud; **4.** (*om kulturplante*) forvilde sig; **5.** (*med objekt: fare, ulykke etc.*) undgå (*fx danger; death; serious injury*); slippe godt fra (*fx danger*); **6.** (*straf*) slippe for (*fx a fine; punishment*);

□ *he -d alive* han slap fra det med livet; *it -s me* jeg kan ikke huske det (*fx the name//date -s me*); *it -d me* **a.** det undgik min opmærksomhed; jeg bemærkede det ikke (*fx the irony -d me*); **b.** (*om ytring*) det slap mig ud af munden (*fx a cry -d me*); *it -d my attention/notice* se ovf.: *it -d me* **a**); *there is no escaping the fact that* man kan ikke komme bort fra/uden om at; *a cry -d his lips* der undslap ham et skrig.

escape artist *sb.* (*især am.*) udbryderkonge.

escape clause *sb.* forbeholdsklausul; sikkerhedsklausul; undtagelsesbestemmelse.

escapee [iskei'piː] *sb.* flygtning; undvegen fange.

escape hatch *sb.* nødluge.

escape key *sb.* (*it*) annulleringstast.

escapement [i'skeipmənt] *sb.* (*i ur*) gang.

escape route *sb.* flugtvej.

escape velocity *sb.* (*rakets*) undvigelseshastighed.

escape wheel *sb.* (*i ur*) ankerhjul.

escapism [i'skeipizm] *sb.* eskapisme; virkelighedsflugt.

escapist[1] [i'skeipist] *sb.* eskapist; en der flygter fra virkeligheden.

escapist[2] [i'skeipist] *adj.* eskapistisk.

escapologist [eskə'pɔlədʒist] *sb.* udbryderkonge.

escarpment [i'ska:pmənt] *sb.* brat skråning.

eschatology [eskə'tɔlədʒi] *sb.* (*teol.*) eskatologi [*læren om de sidste ting*].

eschew [is'tʃuː] *vb.* undgå; sky.

escort[1] ['eskɔːt] *sb.* **1.** eskorte; (bevæbnet) følge; **2.** (*dames, fx til selskab*) ledsager; kavaler; **3.** (*betalt pige*) eskortpige.

escort[2] [i'skɔːt] *vb.* ledsage, eskortere.

escritoire [eskri'twaː] *sb.* chatol; sekretær.

escrow ['eskrəu] *sb.* (*jur.*) betinget kontrakt [*deponeret hos tredjemand*];

□ *in* ~ deponeret.

escrow account *sb.* spærrret konto.

escutcheon [i'skʌtʃn] *sb.* **1.** våbenskjold, våben; **2.** (*uden om nøglehul*) nøgleskilt; beslag;

□ *a blot on his* ~ en plet på hans ære.

ESE *fork. f. east-south-east.*

Eskimo[1] ['eskiməu] *sb.* eskimo.

Eskimo[2] ['eskiməu] *adj.* eskimoisk.

Eskimo roll *sb.* grønlændervending.

ESL *fork. f. English as a second language* engelsk som andetsprog.

ESN *fork. f. educationally subnormal.*

esophagus *sb.* (*am.*) = *oesophagus.*

esoteric [esə'terik] *adj.* esoterisk, kun forståelig for de indviede.

ESP *fork. f.* **1.** *extrasensory perception*; **2.** *English for specific purposes* engelsk fagsprog.

esp *fork. f. especially.*

espalier [i'spæliə] *sb.* **1.** espaliertræ; **2.** espalier.

especial [i'speʃ(ə)l] *adj.* særlig,

speciel.

especially [i'speʃ(ə)li] *adv.* særligt, specielt, især.

Esperanto [espə'ræntəu] *sb.* esperanto [*et kunstsprog*].

espionage ['espiənɑ:ʒ] *sb.* spionage.

esplanade [esplə'neid] *sb.* (*glds.*) esplanade; promenade.

espousal [i'spauz(ə)l] *sb.* antagelse [*af en sag*]; tilslutning (*of* til); støtte (*of* til).

espouse [i'spauz] *vb.* gøre sig til talsmand for, gå ind for, støtte; vie sine kræfter til (*fx a cause*).

espresso [es'presəu] *sb.* espresso(kaffe).

esprit ['espri:] *sb.* livlighed; vid, esprit.

esprit de corps [fr.] *sb.* korpsånd.

espy [i'spai] *vb.* (F *el.* glds.) få øje på, opdage; blive var.

Esq. [i'skwaiə] *fork. f. Esquire* Hr. (*fx T. Brown ~ Hr. T. Brown*) [*på brev; glds. el.* F].

esquire [i'skwaiə, (*am.*) 'eskwaiər] *sb.* (*glds.*) væbner; (se også *Esq.*).

essay[1] ['esei] *sb.* **1.** essay; afhandling; **2.** (*i skole*) stil; **3.** F forsøg.

essay[2] [e'sei] *vb.* F forsøge.

essayist ['eseiist] *sb.* essayist, essayforfatter.

essence ['es(ə)ns] *sb.* **1.** essens, hovedindhold, kerne, substans; **2.** (*smagsstof*) essens; ekstrakt; □ *in* ~ F **a.** i sit inderste væsen; dybest set; **b.** i det væsentlige; i al væsentlighed; *of the* ~ F af afgørende betydning.

essential [i'senʃ(ə)l] *adj.* **1.** essentiel, afgørende; absolut nødvendig (*fx his support is* ~); uundværlig, livsvigtig; **2.** grundlæggende, fundamental, egentlig (*fx the* ~ *weakness of the plan*); væsentlig.

essentially [i'senʃ(ə)li] *adv.* **1.** i sit inderste væsen, i bund og grund (*fx he was* ~ *a pacifist*); **2.** grundlæggende, i alt væsentligt (*fx* ~, *this is correct; it is* ~ *correct*); □ ~ *different* væsensforskellig.

essential oil *sb.* æterisk olie.

essentials [i'senʃ(ə)lz] *sb. pl.* **1.** hovedpunkter; væsentlige forudsætninger; **2.** (*ting*) absolut nødvendige ting; □ *in all* ~ i alt væsentligt.

establish [i'stæbliʃ] *vb.* (se også *established*) F **1.** (*organisation, institution etc.*) oprette (*fx a new state; a bank*); anlægge (*fx a colony*); etablere (*fx a branch in another town*); stifte (*fx a party*); **2.** (*tilstand*) tilvejebringe, skabe (*fx law and order*); etablere (*fx a blockade; a boycott; contact with them*); oprette (*fx diplomatic rela-*

tions with them); **3.** (*teori, bestemmelse*) opstille (*fx a theory*); fastsætte (*fx rules*); **4.** (*noget eksisterende*) befæste (*fx their authority; one's reputation*); grundfæste (*fx one's position*); slå fast (*fx a principle*); **5.** (*forhold, sag*) fastslå (*fx the cause of death; his identity*); konstatere (*fx the presence of arsenic in the body*); **6.** (*sandheden af noget*) godtgøre, bevise (*fx one's innocence; that it is a forgery*); **7.** (*i kortspil*) rejse (*fx two -d clubs*); (se også *suit*[1]); **8.** (*person: i stilling etc.*) indsætte (*fx* ~ *him as governor*); installere; etablere (*fx* ~ *him in business*); □ ~ *a name for oneself* skabe sig et navn; ~ *oneself* **a.** slå sig ned; bosætte sig (*fx in a new house*); **b.** (*om forretningsdrivende*) etablere sig; nedsætte sig; ~ *oneself as* **a.** slå sit navn fast som (*fx a leading authority*); **b.** (*jf. b)*) nedsætte sig som (*fx a consultant*).

established [i'stæbliʃt] *adj.* **1.** (*om person, firma*) (almindelig) anerkendt (*fx author*); etableret (*fx a well-~ firm*); **2.** (*om regel, skik*) fast (*fx rule*); fastslået, grundfæstet, hævdvunden (*fx customs*); □ *the* ~ *order* den herskende/bestående orden, de bestående forhold; samfundsordenen.

established church *sb.* statskirke.

establishment [i'stæbliʃmənt] *sb.* **A. 1.** institution; organisation; **2.** (*merk.*) etablissement; forretning, virksomhed, foretagende; **3.** (*privat*) hus, husholdning; **B.** (*personer*) **1.** (*merk.*) personale; **2.** (*privat*) husstand; **3.** (*mil. etc.*) styrke; personel; **C.** (*handling;* cf. *establish*) **1.** oprettelse (*fx of a state*); etablering; anlæggelse; stiftelse (*fx of a party*); **2.** tilvejebringelse (*fx of law and order*); etablering; skabelse; oprettelse; **3.** opstilling; fastsættelse (*fx of rules*); **4.** befæstelse (*fx of their authority*); **5.** konstatering (*fx of his identity*); **6.** godtgørelse; **7.** indsættelse; etablering; nedsættelse; □ *the* ~, *the Establishment* [de personer der udøver indflydelse i samfundets førende institutioner: erhvervslivet, aristokratiet, hæren, kirken*]; (*omtr.=*) det etablerede samfundssystem; de ledende kredse (*fx the literary//medical* ~).

estate [i'steit] *sb.* **1.** (*på landet*) gods, ejendom (*fx he has a large* ~ *in Shropshire*); **2.** (*i by*) boligkompleks; boligområde, bolig-

kvarter; bebyggelse, byggeri; **3.** (*bil*) stationcar; **4.** (*jur.*) bo; formue; **5.** (*glds.*) stand; □ *the three -s of the realm* de tre rigsstænder; *the third* ~ tredjestand; *the fourth* ~ pressen; (se også *real estate*).

estate agent *sb.* ejendomsmægler.

estate car *sb.* stationcar.

esteem[1] [i'sti:m, e-] *sb.* F **1.** agtelse; respekt; **2.** anseelse (*fx their public* ~ *has never been lower*); □ *hold in high* ~ sætte stor pris på; nære stor agtelse for; højagte; *be held in high* ~ være meget respekteret, være højt anset; *he fell// rose in my* ~ **a.** han steg i min agtelse; **b.** se *estimation*.

esteem[2] [i'sti:m, e-] *vb.* **1.** værdsætte, agte, estimere; **2.** (*glds.*) regne for, anse for (*fx* ~ *it an honour*; ~ *him reliable*).

esteemed [i'sti:md, e-] *adj.* anset, respekteret.

esthete (*etc.*) (*am.*) = *aesthete* (*etc.*).

estimable ['estiməbl] *adj.* F agtværdig; fortræffelig.

estimate[1] ['estimət] *sb.* **1.** skøn (*of* over, *fx his chances*); vurdering, bedømmelse (*of* af, *fx his chances*); **2.** (*af værdi, omfang*) skøn, overslag (*of* over, *fx the cost*); beregning; **3.** (*fx til auktion*) vurdering; **4.** (*ved sandsynlighedsberegning*) estimat; **5.** (*mht. pris for arbejde*) tilbud; prisoverslag; □ *form an* ~ *of* danne sig et skøn over, skønne om/over; *on a rough* ~ efter et løst skøn; skønsmæssigt.

estimate[2] ['estimeit] *vb.* **1.** vurdere, bedømme (*fx his chances; the effect*); **2.** (*værdi, omfang*) vurdere (*fx the distance; the value of the painting*); skønne om/over (*fx the distance; the number of trees; how many trees there are*); skønne (*fx that the job will take a week*); beregne, gøre//give et overslag over (*fx the cost*); ansætte, anslå (*at* til, *fx* ~ *the value at £5,000*); **3.** (*ved sandsynlighedsberegning*) estimere.

estimation [esti'meiʃn] *sb.* vurdering, bedømmelse; skøn, overslag (*of* over); beregning; □ *in* my ~ efter mit skøn; efter min vurdering; *he came down/fell in* my ~ han faldt i min agtelse; *he went up/rose in* my ~ han steg i min agtelse.

Estonia [es'təuniə] (*geogr.*) Estland.

Estonian[1] [es'təuniən] *sb.* **1.** ester; **2.** (*sprog*) estisk.

Estonian[2] [es'təuniən] *adj.* estisk.

estop [i'stɔp] *vb.:* ~ *from* + *-ing*

E estranged

(*jur.*) afskære fra at.

estranged [i'strein(d)ʒd] *adj.* F
1. fremmedgjort; som man ikke
længere har forbindelse med;
2. (*om ægtefælle*) frasepareret; fra-
skilt;
□ *they have become* ~ forholdet
mellem dem er kølnet; *be* ~ *from*
a. stå i et køligt forhold til; ikke
længere have forbindelse med;
b. (*socialt, arbejdsmæssigt*) være
kommet på afstand af; være ud-
stødt af.

estrangement [i'strein(d)ʒmənt] *sb.*
F køligt forhold (*fx between two
countries*); afstand; misstemning.

estrogen *sb.* (*am.*) = oestrogen.

estuary ['estjuəri] *sb.* flodmunding
[*bred, med tidevand*].

Estuary English *sb.* [*sydengelsk
udtale som er en blanding af
cockneydialekt og standarden-
gelsk*].

ETA *fork. f. estimated time of ar-
rival* forventet ankomsttid.

etc [et'setrə] *fork. f. et cetera* og så
videre.

etcetera [et'setrə] *adv.* og så videre.

etch [etʃ] *vb.* **1.** indridse (*fx one's
name on a window pane with a
diamond ring*); **2.** (*billede*) radere;
ætse; **3.** (*fig.*) aftegne; præge;
□ *be -ed* **against** *the sky* stå skarpt
aftegnet mod himlen; *it is -ed
in/on my mind//memory* det står
præget i mit sind//min erindring;
be -ed **with** (*litt.*) være dybt præ-
get af, bære dybe spor af (*fx his
face was -ed with grief*).

etching ['etʃiŋ] *sb.* radering.

ETE *fork. f. estimated time en
route* forventet rejsetid.

eternal [i'tə:n(ə)l] *adj.* **1.** evig (*fx
life; youth; truths*); **2.** (T: *neds.*)
evindelig (*fx his* ~ *complaints*);
evig;
□ ~ *student* evighedsstudent; *the*
~ *triangle* den evige trekant.

Eternal City *sb.: the* ~ den evige
stad [ɔ: *Rom*].

eternalize [i'tə:nəlaiz] *vb.* **1.** gøre
evig; **2.** (*person*) udødeliggøre.

eternity [i'tə:nəti] *sb.* evighed;
□ *for (all)* ~ ud i al evighed.

ether ['i:θə] *sb.* æter.

ethereal [i'θiəriəl] *adj.* æterisk;
overjordisk.

etherize ['i:θəraiz] *vb.* bedøve med
æter.

ethic ['eθik] *sb.* etik; moral.

ethical ['eθik(ə)l] *adj.* **1.** etisk;
2. (*rigtig*) etisk, moralsk rigtig (*fx
is it* ~ *to do that?*).

ethical drug *sb.* receptpligtigt læ-
gemiddel.

ethics ['eθiks] *sb.* morallære; etik.

Ethiopia [i:θi'əupiə] (*geogr.*) Etio-
pien.

Ethiopian[1] [i:θi'əupiən] *sb.* etio-
pier.

Ethiopian[2] [i:θi'əupiən] *adj.* etio-
pisk.

Ethiopic [i:θi'ɔpik] *sb.* etiopisk
[*kristent kirkesprog*].

ethnic ['eθnik] *adj.* etnisk.

ethnic cleansing *sb.* etnisk udrens-
ning.

ethnicity [eθ'nisəti] *sb.* etnicitet; et-
nisk tilhørsforhold.

ethnocentric [eθnə'sentrik] *adj.* et-
nocentrisk [*som betragter sin egen
kultur etc. som den førende*].

ethnographer [eθ'nɔgrəfə] *sb.* etno-
graf.

ethnographic [eθnə(u)'græfik] *sb.*
etnografisk.

ethnography [eθ'nɔgrəfi] *sb.* etno-
grafi.

ethnological [eθnə(u)'lɔdʒikl] *adj.*
etnologisk.

ethnologist [eθ'nɔlədʒist] *sb.* etno-
log.

ethnology [eθ'nɔlədʒi] *sb.* etnologi.

ethologist [i:'θɔlədʒist] *sb.* etolog,
adfærdsforsker.

ethology [i:'θɔlədʒi] *sb.* etologi, ad-
færdsforskning.

ethos ['i:θɔs] *sb.* etos [*moralsk
grundholdning; særpræg*].

ethyl ['eθil] *sb.* (*kem.*) ætyl.

etiolated ['i:tiəleitid] *adj.* etioleret;
afbleget og svag [*af mangel på
lys*].

etiolation [i:tiə'leiʃn] *sb.* etiolering,
bleghed.

etiology [i:ti'ɔlədʒi] *sb.* (*med.*) ætio-
logi, læren om sygdomsårsager.

etiquette ['etiket] *sb.* etikette; skik
og brug; takt og tone.

Eton ['i:t(ə)n] *sb.* **1.** [*by ved Them-
sen*]; **2.** = Eton College.

Eton College *sb.* [*berømt public
school i Eton*].

Eton crop *sb.* drengehår, drengefri-
sure.

Etonian[1] [i'təuniən] *sb.* etonianer;
elev fra Eton College.

Etonian[2] [i'təuniən] *adj.* Etonsk.

Etruscan[1] [i'trʌskən] *sb.* **1.** etru-
sker; **2.** (*sprogv.*) etruskisk.

Etruscan[2] [i'trʌskən] *adj.* etruskisk.

etymological [etimə'lɔʒik(ə)l] *adj.*
etymologisk.

etymologist [eti'mɔlədʒist] *sb.* ety-
molog.

etymology [eti'mɔlədʒi] *sb.* etymo-
logi.

EU *fork. f. European Union.*

eucalyptus [ju:kə'liptəs] *sb.* (*bot.*)
eukalyptus.

Eucharist ['ju:kərist] *sb.: the* ~
(*rel.*) nadverens sakramente.

euchre[1] ['ju:kə] *sb.* (*am.*) [*et kort-
spil*].

euchre[2] ['ju:kə] *vb.* (*am.*) overliste,
slå, narre.

Euclidean [ju:'klidiən] *adj.* eukli-
disk (*fx geometry*).

eugenic [ju:'dʒenik] *adj.* eugenisk,
racehygiejnisk.

eugenics [ju:'dʒeniks] *sb.* eugenik,
racehygiejne.

eulogist ['ju:lədʒist] *sb.* F lovpriser,
lovtaler.

eulogistic [ju:lə'dʒistik] *adj.* F lov-
prisende; (*overdrevent*) rosende.

eulogize ['ju:lədʒaiz] *vb.* F lovprise,
berømme; rose til skyerne;
□ ~ *about/over* udtale sig meget
rosende om.

eulogy ['ju:lədʒi] *sb.* **1.** F lovtale,
hyldest; lovprisning; (*overdreven*)
ros; **2.** (*am.*) mindetale.

eunuch ['ju:nək] *sb.* eunuk.

euphemism ['ju:fəmizm] *sb.* eufe-
misme, forskønnende omskriv-
ning.

euphemistic [ju:fə'mistik] *adj.* eu-
femistisk.

euphonious [ju(:)'fəuniəs] *adj.* vel-
klingende, vellydende.

euphony ['ju(:)fəni] *sb.* velklang,
vellyd.

euphoria [ju(:)'fɔ:riə] *sb.* eufori, op-
stemthed; (*overdreven*) opti-
misme; begejstring.

euphoric [ju(:)'fɔ:rik] *adj.* euforisk,
opstemt; begejstret.

Euphrates [ju(:)'freiti:z]: *the* ~
(*geogr.*) Eufrat.

Eurasia [ju(ə)'reiʒiə, (*am.*) -ʒə]
(*geogr.*) Eurasien.

Eurasian[1] [ju(ə)'reiʒ(ə)n] *sb.* eura-
sier; barn af en europæer og en
asiat.

Eurasian[2] [ju(ə)'reiʒ(ə)n] *adj.* eura-
sisk.

Euratom [ju(ə)'rætəm] *fork. f. Eu-
ropean Atomic Energy Commun-
ity* Det europæiske Atomenergi-
fællesskab.

eureka [ju(ə)'ri:kə] *interj.* heureka!
[ɔ: *jeg har fundet det*].

Euro ['juərəu] *sb.* euro.

Eurobin ['juərəubin] *sb.* [*affalds-
spand på hjul*].

Eurocheque ['juərəutʃek] *sb.* euro-
check.

Eurocrat ['juərəkræt] *sb.* eurokrat.

Eurodollar ['juərəudɔlə] *sb.* Euro-
dollar.

Europe ['juərəp] Europa.

European[1] [juərə'pi:ən] *sb.* euro-
pæer.

European[2] [juərə'pi:ən] *adj.* euro-
pæisk.

European aspen *sb.* (*bot.*) bævre-
asp.

European Commission *sb.: the ~* Europa-Kommissionen.
European Court *sb.: the ~* EF-domstolen.
European Parliament *sb.: the ~* Europa-Parlamentet.
European Union *sb.: the ~* Den europæiske Union.
Eurydice [ju'ridisi] (*myt.*) Eurydike.
Eustachian [ju:'steiʃn] *adj.: ~ tube* (*anat.*) eustakisk rør.
euthanasia [ju:θə'neiziə, (*am.*) -ʒə] *sb.* medlidenhedsdrab; aktiv dødshjælp; eutanasi.
EVA *fork. f. extravehicular activity.*
evacuate [i'vækjueit] *vb.* 1. (*personer*) evakuere; 2. (*sted*) evakuere, forlade, rømme; 3. (F: *tarmen*) udtømme; 4. (F: *uden objekt*) have afføring.
evacuation [ivækju'eiʃn] *sb.* (jf. *evacuate*) 1. evakuering; 2. rømning; 3. F udtømning; afføring.
evacuee [ivækju'i:] *sb.* evakueret (person).
evade [i'veid] *vb.* 1. undgå (*fx a blow; him; his eyes*); 2. (*forfølger etc.*) undvige; slippe fra (*fx one's enemies; one's pursuers*); 3. (*noget ubehageligt*) unddrage sig (*fx one's duty; responsibility; military service*); 4. (*spørgsmål*) vige uden om (*fx the question*); søge at komme uden om;
□ *it -d him* (*litt.*: om noget man ønsker) det lykkedes ham ikke at opnå det (*fx happiness//success -d him*); *sleep -d him* søvnen blev borte; *the words -d him* han kunne ikke finde ordene;
~ + *-ing* prøve at undgå at, prøve at slippe for at (*fx doing military service*); ~ *income tax* snyde i skat; ~ *the issue//question* (*også*) knibe/smutte udenom.
evaluate [i'væljueit] *vb.* vurdere, bedømme, evaluere.
evaluation [ivælju'eiʃn] *sb.* vurdering, bedømmelse, evaluering.
evanescent [i:və'nes(ə)nt] *adj.* F kortvarig, flygtig; (hastigt) forsvindende.
evangel [i'væn(d)ʒəl] *sb.* (*am.*) = *evangelist.*
evangelical[1] [i:væn'dʒelik(ə)l] *sb.* evangelisk kristen.
evangelical[2] [i:væn'dʒelik(ə)l] *adj.* 1. evangelisk; 2. (*fig.*) overivrig, glødende; missionerende; „hellig".
evangelicalism [i:væn'dʒelikəlizm] *sb.* [den lære at frelsen ved tro er det centrale i kristendommen].
evangelism [i'væn(d)ʒəlizm] *sb.*

forkyndelse af evangeliet; missioneren.
evangelist [i'væn(d)ʒəlist] *sb.* 1. omrejsende prædikant; missionær; 2. (*fig.*) missionær; agitator; 3. (*bibelsk*) evangelist.
evangelize [i'væn(d)ʒəlaiz] *vb.* 1. prædike evangeliet, missionere; 2. (*fig.*) missionere, propagandere; 3. (*med objekt*) prædike evangeliet for; kristne;
□ ~ *about* (jf. *2*) prædike om.
evaporate [i'væpəreit] *vb.* 1. fordampe; 2. (*fig.*) forsvinde, svinde bort; fortage sig (*fx my anger -d*); fordufte (*fx their enthusiasm -d*); 3. (*med objekt*) inddampe, kondensere (*fx milk*); lade fordampe (*fx water*).
evaporated milk [ivæpəreitid'milk] *sb.* kondenseret mælk.
evaporation [ivæpə'reiʃn] *sb.* 1. inddampning; 2. fordampning.
evasion [i'veiʒ(ə)n] *sb.* (jf. *evade*) 1. undgåelse; 2. undvigelse; 3. unddragelse; (se også *tax evasion*);
□ *-s* udflugter (*fx excuses and -s*).
evasive [i'veisiv] *adj.* undvigende; □ *he was ~ about it* han ville ikke komme nærmere ind på det.
evasive action *sb.: take ~* foretage en undvigemanøvre.
Eve [i:v] (*bibelsk*) Eva.
eve [i:v] *sb.* 1. [*aftenen//dagen før en helligdag*]; (*i sms.*) -aften, -aftensdag (*fx Christmas ~*); 2. (*poet.*) aften;
□ *on the ~ of* umiddelbart før/ foran; på tærskelen til (*fx on the ~ of an election*).
even[1] ['i:v(ə)n] *sb.* (*poet.*) aften.
even[2] ['i:v(ə)n] *adj.* 1. (*om overflade*) jævn, plan, glat (*fx surface*); flad (*fx country*); 2. (*om bevægelse etc.*) jævn (*fx motion; flow; rhythm*); ensartet (*fx level; temperature*); 3. (*om fordeling*) ligelig, lige, jævn; 4. (+ *pl.*: *om mængde, størrelse*) lige store (*fx quantities; pieces*); 5. (*om tænder*) regelmæssige; 6. (*om konkurrence etc.*) lige, jævnbyrdig (*fx match kamp*); 7. (*om sind etc.*) ligevægtig (*fx temper*); rolig (*fx voice; temper*); 8. (*om tal*) lige (*fx 2, 4 and 6 are ~ numbers; the ~ pages*);
□ *be ~* T være kvit (*fx if you give me £5 we'll be ~*); (se også *break*[2]); *be ~ with* a. være på højde med (*fx the water was ~ with the windows*); være i niveau med; b. (*fig.*) være kvit med; *get ~ with* blive kvit med; hævne sig på; *I'll be/get ~ with them!* (*også*) det skal de få betalt!

[*med sb.*] *an ~ break* en rimelig/ fair chance; en god chance; *an ~ chance* en fifty-fifty chance; ~ *date* lige dato; *of ~ date* (*jur.*) af samme dato; (se også *keel*[1]).
even[3] [i:v(ə)n] *vb.* udligne (*fx the score*);
□ ~ *out* a. udjævne, fordele jævnt (*fx the payments over the year*); b. (*uden objekt*) udjævne sig, fordele sig jævnt; ~ *up* udligne; udjævne; bringe i balance.
even[4] [i:v(ə)n] *adv.* 1. selv (*fx it was cold ~ in July*); endog (*fx it might ~ take a week*); endda; 2. (+ *adj*) endog, ja (*fx he was very kind, ~ generous*); 3. (+ *komp.*) endnu (*fx it was ~ worse*); □ *not ~, never ~* ikke engang (*fx he couldn't ~ get out of bed; not ~ when I helped him*); ikke så meget som (*fx he not/never ~ looked at me*); *don't say that, ~ in jest* det må du ikke sige, ikke engang for spøg;
[+ *konj., adv., præp.*] ~ *as* a. lige da, netop da, just da (*fx ~ as he came*); b. mens (*fx ~ as he slept, he had heard it*); ~ *as a boy* allerede som dreng; ~ *if* selv om; ~ *now* a. også nu; alligevel; b. nu i dette øjeblik; ~ *so* alligevel; ~ *then* a. allerede da; selv da; alligevel; b. endnu dengang; ~ *to* lige til (*fx ~ to his death*); ~ *though* selv om; ~ *while* endnu mens.
even-handed [i:v(ə)n'hændid] *adj.* upartisk.
evening ['i:vniŋ] *sb.* aften.
□ *this ~* i aften; *yesterday ~* i går aftes; *in the ~* om aftenen; *on the ~ of the 22nd* den 22. om aftenen.
evening classes *sb. pl.* aftenkursus, aftenskole.
evening dress *sb.* 1. selskabstøj; festdragt; 2. (*for herre*) kjole (og hvidt); 3. (*for dame*) lang kjole; aftenkjole; selskabskjole;
□ *in ~* (*også*) selskabsklædt.
evening prayers *sb. pl.* aftenandagt.
evening primrose *sb.* (*bot.*) natlys.
evening star *sb.* Venus; aftenstjerne.
evenly ['i:v(ə)nli] *adv.* (jf. *even*[2]) 1. jævnt; 2. jævnt, ensartet; 3. ligeligt (*fx distributed*); 4. jævnbyrdigt (*fx matched*); 5. roligt (*fx "No, I won't", he said ~*).
even money *sb.* fifty-fifty;
□ *it is ~ that he will win* der er en fifty-fifty chance for at han vinder.
evens ['i:v(ə)nz] *sb.* = *even money.*
evensong ['i:v(ə)nsɔŋ] *sb.* aftenandagt.
event [i'vent] *sb.* 1. begivenhed;

2. arrangement (*fx a fund-raising* ~); **3.** (*i sport*) konkurrence; løb; kamp; **4.** (*i atletik*) øvelse (*fx the high jump is his best* ~); **5.** (*glds.*) udfald; følge; resultat;
□ *at all -s, in any* ~ under alle omstændigheder; hvad der end sker; i alt fald; *in that* ~ i så fald; i det tilfælde; *in the* ~ da det kom til stykket; til (syvende og) sidst; *in the* ~ *of* i tilfælde af; (se også *unlikely, wise²*).

even-tempered ['i:v(ə)ntempəd] *adj.* rolig; ligevægtig.

eventful [i'ventf(u)l] *adj.* begivenhedsrig.

eventide ['i:v(ə)ntaid] *sb.* (*poet.*) aften, kvæld.

event organiser, events organizer *sb.* festarrangør.

eventual [i'ventʃuəl] *adj.* endelig.

eventuality [ivˌentʃu'æləti] *sb.* mulighed; eventualitet.

eventually [i'ventʃuəli] *adv.* **1.** til sidst, sluttelig; med tiden; i sidste instans; **2.** (*efter lang venten*) endelig, omsider, langt om længe.

eventuate [i'ventʃueit] *vb.* F **1.** finde sted, hænde; **2.** blive til virkelighed, komme til udførelse (*fx these plans will soon* ~);
□ ~ *ill//well* få et uheldigt//heldigt udfald/forløb; ~ *from* komme ud af (*fx did any good* ~ *from their talks?*); ~ *in* resultere i; (sluttelig) føre til (*fx the negotiations -d in an agreement*).

ever ['evə] *adv.* **1.** nogen sinde, nogensinde (*fx did you* ~ *see the like?*); **2.** (*i spørgsmål efter: who, what, where, how*) i alverden; pog (*fx what* ~ *do you mean?*); **3.** (*foran komp.*) stadig (*fx* ~ *better*); **4.** T på nogen mulig måde (*fx be as amusing as* ~ *you can*); **5.** (*am.*) alle tiders (*fx the biggest film* ~); **6.** F altid, stedse, bestandig (*fx* ~ *optimistic*);
□ *all he* ~ *does is complain* han bestiller ikke andet end at klage; *was he* ~ *proud!* (*am.* T) ih hvor var han stolt!;
~ *and anon* (*poet.*) nu og da; *for* ~, *for* ~ *and a day, for* ~ *and* ~ for bestandig, for stedse, for evigt; i al fremtid; *yours* ~ (*omtr.*) de venligste hilsner; (se også *hardly*); [*med adv., pron.*] ~ *after* lige siden; *they lived happily* ~ *after* de levede lykkeligt til deres dages ende; ~ *since* lige siden; ~ *so much* T umådelig meget; *I thank you* ~ *so much* T mange mange tak; ~ *so often* T utallige gange; *let him be* ~ *so poor* lad ham være aldrig så fattig; hvor fattig

han end er; *he is* ~ *so rich* T han er mægtig rig; ~ *such a nice man* T en vældig rar mand.

Everglades ['evəgleidz] *sb. pl.: the* ~ (*am.*) [*sumpstrækninger i Florida*].

evergreen¹ ['evəgri:n] *sb.* **1.** stedsegrøn plante; stedsegrønt træ; **2.** (*om melodi*) evergreen.

evergreen² ['evəgri:n] *adj.* **1.** stedsegrøn; **2.** (*fig.*) uforgængelig.

everlasting [evə'la:stiŋ] *adj.* **1.** evig; **2.** (*neds.*) evindelig, uendelig.

evermore [evə'mɔ:] *adv.* stedse;
□ *for* ~ for stedse, i al evighed, til evig tid.

eversion [i'və:ʃn, (*am.*) -ʒn] *sb.* (*med.*) udkrængning.

evert [i'və:t] *vb.* krænge ud.

every ['evri] *pron.* **1.** enhver//ethvert; hver//hvert; alle; **2.** (*fremhævende*) al mulig//alle mulige (*fx you have* ~ *reason to be satisfied;* ~ *effort is being made*); **3.** (*foran talord*) hver//hvert (*fx* ~ *fourth year,* ~ *third child*);
□ ~ *few days//kilometers* med få dages//kilometers mellemrum; ~ *four//five etc.* years hvert fjerde// femte *etc.* år; ~ *now and then,* ~ *once in a while,* ~ *so often* nu og da; fra tid til anden; med mellemrum; ~ *one* enhver; hver eneste; (se også *last²*); *in* ~ *way* på enhver måde; i enhver henseende; på alle måder; ~ *which way* (*am.*) hulter til bulter; *with* ~ *good wish* med alle gode ønsker; *his* ~ *word* hvert ord han siger; ~ *four years* hvert fjerde år.

everybody ['evribɔdi] *pron.* enhver; alle;
□ *it is not for* ~ (*også*) det er ikke hver mands sag.

everyday ['evridei] *adj.* **1.** hverdags-; daglig (*fx occurrence*); **2.** hverdagsagtig; dagligdags (*fx that is common and* ~ *to me*); ganske almindelig.

everyone ['evriwʌn] *pron.* enhver.

everything ['evriθiŋ] *pron.* alt; alting; det hele.

everywhere ['evriwɛə] *adv.* overalt; alle vegne; over det hele.

evict [i'vikt] *vb.* sætte ud; sætte på gaden.

eviction [i'vikʃn] *sb.* udsættelse.

evidence¹ ['evid(ə)ns] *sb.* **1.** tegn, beviser (*of* på, *fx wide-spread corruption; that* på at); vidnesbyrd (*of* om, *fx his great skill as an architect; that* om at, *fx he was a skilful architect; archaeological* ~); spor; **2.** (*jur.*) bevismateriale; beviser (*of* på, *fx his guilt*); **3.** (*forklaring afgivet i retten*) vidneforkla-

ring; vidneudsagn;
□ *give* ~ (*jf. 3*) aflægge vidneforklaring; vidne (for retten); *give/ bear* ~ *of* (*jf. 1*) vidne om; vise tegn på; (se også *circumstantial evidence, King's evidence*); [*med præp.*] *be in* ~ **a.** forekomme; være til stede; **b.** være synlig, kunne ses; gøre sig bemærket; gøre sig gældende; *he is not in* ~ (*også*) han glimrer ved sin fraværelse; *that is not accepted in* ~ det kan ikke godtages som bevismateriale; *call sby in* ~ indkalde én som vidne; *a piece of* ~ et bevis.

evidence² ['evid(ə)ns] *vb.* bevise, godtgøre.

evident ['evid(ə)nt] *adj.* tydelig, indlysende, åbenbar, evident.

evidential [evi'denʃ(ə)l] *adj.* bevismæssig; bevis-;
□ ~ *of* som viser (*fx a remark* ~ *of intelligence*).

evidentiary [evi'denʃ(ə)ri] *adj.* = *evidential.*

evidently ['evid(ə)ntli] *adv.* **1.** (ɔ: *sådan ser det ud*) øjensynligt; åbenbart; **2.** (*helt klart*) tydeligvis, åbenlyst.

evil¹ ['i:v(ə)l] *sb.* **1.** onde (*fx a necessary* ~; *social -s*); ulykke; **2.** ondskab;
□ *good and* ~ det gode og det onde; godt og ondt; *the lesser* ~, *the lesser of two -s* det mindste af to onder.

evil² ['i:v(ə)l] *adj.* (*worse, worst*) **1.** ond (*fx dictator; spirit*); **2.** ondskabsfuld (*fx tongue; woman*); **3.** dårlig (*fx example*); skadelig (*fx effect*); **4.** hæslig, modbydelig, fæl (*fx smell*);
□ *the* ~ *eye* onde øjne [*i overtro*]; *the Evil One* den Onde.

evildoer ['i:v(ə)lduə] *sb.* (*glds. el. litt.*) forbryder; misdæder; uhyre.

evil-minded [i:v(ə)l'maindid] *adj.* ondsindet; som har en lav tankegang.

evince [i'vins] *vb.* F vise, udvise (*fx courage*); tilkendegive, røbe (*fx an interest in it*).

eviscerate [i'visəreit] *vb.* **1.** tage indvoldene ud af; skære op; **2.** (*fig.*) udhule; svække; berøve saft og kraft.

evocation [evə'keiʃn] *sb.* fremkaldelse; fremmanen; levendegørelse.

evocative [i'vɔkətiv] *adj.* som fremkalder en særlig stemning; udtryksfuld, malende; suggestiv;
□ ~ *of* ... som fremmaner/fremkalder/vækker ....

evoke [i'vəuk] *vb.* F fremkalde,

vække (*fx admiration*); vække til
live (*fx memories of the past*);
fremmane.

Evolution [i:və'lu:ʃn] *sb.* (*biol.*) ud-
viklingslæren.

evolution [i:və'lu:ʃn, (*am.*) ev-
ə'lu:ʒən] *sb.* **1.** udvikling; evolu-
tion; **2.** manøvre (*fx flocks of
birds performed aerial -s*);
□ *the theory of* ~ (*biol.*) udvik-
lingslæren.

evolutionary [i:və'lu:ʃn(ə)ri] *adj.*
evolutions-; udviklings-.

evolutionism [i:və'lu:ʃ(ə)nizm] *sb.*
(*biol.*) udviklingslære.

evolutionist [i:və'lu:ʃ(ə)nist] *sb.*
(*biol.*) tilhænger af udviklingslæ-
ren.

evolve [i'vɔlv] *vb.* **1.** udvikle sig
(*into* til); **2.** (*med objekt*) udvikle;
udarbejde.

ewe [ju:] *sb.* får, moderfår.

ewe lamb *sb.* gimmerlam;
□ *his* ~ (*fig.*) hans kæreste eje.

ewer ['ju:ə] *sb.* vandkande [*til ser-
vantestel*].

ex[1] [eks] *sb.* eksmand//ekskone;
ekskæreste; eks.

ex[2] [eks] *præp.* (*merk.*) **1.** (leveret)
fra, ab (*fx* ~ *works* ab fabrik; ~
warehouse ab lager); **2.** eksklusive
(*fx* ~ *dividend* eksklusive divi-
dende).

exacerbate [eks'æsəbeit] *vb.* for-
værre (*fx the pain, the situation*);
skærpe (*fx the conflict*).

exacerbation [eksæsə'beiʃn] *sb.*
forværring; skærpelse.

exact[1] [ig'zækt] *adj.* **1.** nøjagtig (*fx
copy; description; measurements*);
præcis (*fx answer; date*); præcist
rigtig; eksakt; **2.** (*understregende*)
lige netop den//det//de (*fx the* ~
moment that they were leaving);
nøjagtig den//det//de, præcis den//
det//de (*fx the* ~ *colour I am look-
ing for*; *the* ~ *spot where it hap-
pened*);
□ *his* ~ *words* præcis de (samme)
ord han brugte; *the* ~ *amount,* ~
change aftalte/lige penge; *the* ~
opposite det stik modsatte.

exact[2] [ig'zækt] *vb.* **1.** kræve, for-
dre (*from af, fx* ~ *obedience from
one's children; a job that -s care*);
2. (*især penge*) opkræve, inddrive
(*from hos, fx* ~ *taxes from them*);
□ ~ *sth from sby* (*også*) afpresse
en noget (*fx* ~ *a promise from
him*); aftvinge en noget; ~ *a high
price* (*fig.*) kræve en høj pris; ko-
ste dyrt; ~ *revenge* tage hævn.

exacting [ig'zæktiŋ] *adj.* krævende;
streng.

exactitude [ig'zæktitju:d] *sb.* F nøj-
agtighed; præcision.

exactly [ig'zæk(t)li] *adv.* **1.** nøjag-
tig, præcis (*fx 25 centimetres; two
o'clock*; ~ *in the middle*); akkurat;
lige netop (*fx that is* ~ *what I
mean*); **2.** (*i spørgsmål, irriteret*)
egentlig (*fx what* ~ *do you
mean?*);
□ ~*!* ja netop! *not* ~ **a.** egentlig
ikke, ikke rigtigt; **b.** (*ironisk*) ikke
ligefrem, ikke just (*fx he is not* ~
intelligent).

exact science *sb.* eksakt videnskab.

exaggerate [ig'zædʒəreit] *vb.* over-
drive.

exaggeration [igzædʒə'reiʃn] *sb.*
overdrivelse.

exalt [ig'zɔ:lt] *vb.* (se også *exalted*) F
1. lovprise; berømme; **2.** ophøje
(*fx* ~ *him to the position of presi-
dent*); forfremme (*fx to the rank of
general*).

exaltation [igzɔ:l'teiʃn] *sb.* (jf. *exalt*)
1. lovprisning; **2.** ophøjelse, for-
fremmelse; **3.** (*sindsssstemning*)
opstemthed, begejstring; eksalta-
tion; løftet stemning.

exalted [ig'zɔ:ltid] *adj.* **1.** ophøjet;
fornem (*fx personage*); meget høj
(*fx style*); **2.** (*om sindsstemning*)
opstemt, begejstret; eksalteret; i
løftet stemning.

exam [ig'zæm] *sb.* T eksamen;
□ *pass/sit/take an* ~ se *examina-
tion.*

examination [igzæmi'neiʃn] *sb.* (jf.
examine) **1.** undersøgelse; efter-
syn; gennemgang; **2.** (*i undervisn-
ing etc.*) eksamen; eksamination;
3. (*jur.*) afhøring; forhør;
□ *pass an* ~ bestå en eksamen; *sit
(for) an examination* gå op//have
oppe til en eksamen; *take an* ~ gå
op til en eksamen; (se også *resit*[2]).

examination paper *sb.* eksamens-
opgave.

examine [ig'zæmin] *vb.* **1.** under-
søge (*fx a document; a problem; a
patient*); efterse; gennemgå (*fx ac-
counts*); **2.** (*ved eksamen*) eksami-
nere; **3.** (*jur.*) afhøre (*fx a witness*);
forhøre; holde forhør over;
□ *you ought to have your head -d*
du er ikke rigtig klog.

examinee [igzæmi'ni:] *sb.* eksami-
nand.

examiner [ig'zæminə] *sb.* **1.** under-
søger; sagsbehandler; **2.** (*ved ek-
saminer*) eksaminator; (*fremmed*)
censor.

example [ig'za:mpl] *sb.*
1. eksempel (*of* på); **2.** (*til efterføl-
gelse*) eksempel, forbillede (*to*
for);
□ *let this be an* ~ *to you* lad dette
være dig en advarsel/en lærestreg;
make an ~ *of sby* straffe en for at

statuere et eksempel; *set a bad* ~
være et dårligt eksempel for an-
dre; *set a good* ~ foregå andre
med et godt eksempel; *take* ~ *by
sby* tage en til forbillede;
[*med præp.*] **beyond** ~ eksempel-
løs; *for* ~ for eksempel;
eksempelvis; *without* ~ uden si-
destykke.

exasperate [ig'za:spəreit] *vb.* irri-
tere; tirre, ophidse, gøre rasende.

exasperated [ig'za:spəreitid] *adj.*
forbitret; ophidset, rasende.

exasperating [ig'za:spəreitiŋ] *adj.*
irriterende; til at fortvivle over.

exasperation [igza:spə'reiʃn] *sb.* ir-
ritation; forbitrelse, harme; ophid-
selse.

excavate ['ekskəveit] *vb.* **1.** grave
(*fx a canal; a tunnel*); **2.** (*jord*)
grave op, grave væk; **3.** (*arkæol.
etc.*) udgrave; **4.** (*fig.*) grave i (*fx
her past*).

excavation [ekskə'veiʃn] *sb.* (jf. *ex-
cavate*) **1.** gravning; **2.** opgravning,
bortgravning; **3.** udgravning.

excavator ['ekskəveitə] *sb.* **1.** grave-
maskine; gravko; **2.** (*arkæol.*) ud-
graver.

exceed [ik'si:d] *vb.* **1.** (*tal,
mængde*) overstige (*fx persons
whose incomes* ~ *£9,000; demand
-s supply*); **2.** (*forventning*) overgå
(*fx one's expectations*); **3.** (*fastsat
grænse: uberettiget*) overskride (*fx
one's powers* (beføjelser); *the
speed limit*).

exceeding [ik'si:diŋ] *adj.* **1.** (*litt.*)
overmåde stor, betydelig; usæd-
vanlig; **2.** (jf. *exceed 1*) som over-
stiger (*fx amounts* ~ *£1,000*).

exceedingly [ik'si:diŋli] *adv.* sær-
deles, overordentlig, yderst.

excel [ik'sel] *vb.* udmærke sig (*fx
~ at sport*); være fremragende
dygtig (*fx she -s as a cook*); excel-
lere, brillere;
□ ~ *oneself* overgå sig selv.

excellence ['eks(ə)ləns] *sb.* fortræf-
felighed; fortrinlighed.

Excellency ['eks(ə)lənsi] *sb.*: *His//
Your* ~ Hans//Deres Excellence.

excellent ['eks(ə)lənt] *adj.* fremra-
gende, fortræffelig, fortrinlig; ex-
cellent.

excelsior[1] [ek'selsiɔr] *sb.* (*am.*) træ-
uld.

excelsior[2] [ek'selsiɔr] *interj.* (*am.*)
højere (op).

Excelsior State *sb.* [*New York*].

except[1] [ik'sept] *vb.* undtage (*from*
fra); fritage (*from* for).

except[2] [ik'sept] *konj.* (*glds.*) und-
tagen; medmindre; uden (at).

except[3] [ik'sept] *præp.* undtagen,
bortset fra, med undtagelse af; på

... nær;

□ ~ *for* = except; ~ *that* bortset fra at.

excepting [ik'septiŋ] *præp.* = *except³*.

exception [ik'sepʃn] *sb.* undtagelse;

□ *the ~ proves the rule* undtagelsen bekræfter reglen; *an ~ to the rule* en undtagelse fra reglen; **take ~ to a.** tage anstød af; tage ilde op; misbillige; **b.** gøre indsigelse mod; **c.** tage afstand fra; **with** *the ~ of* med undtagelse af.

exceptionable [ik'sepʃnəbl] *adj.* F uheldig; stødende.

exceptional [ik'sepʃn(ə)l] *adj.* **1.** ganske særlig, ekstraordinær (*fx in ~ circumstances*); **2.** (*rosende*) usædvanlig (*fx abilities*); enestående; exceptionel.

exceptionally [ik'sepʃn(ə)li] *adv.* usædvanlig.

excerpt¹ ['eksə:pt] *sb.* uddrag, udtog, excerpt.

excerpt² [ik'sə:pt] *vb.* uddrage, excerpere.

excess¹ [ik'ses, 'ekses] *sb.* **1.** overskud (*fx ~ of imports* importoverskud); **2.** (*neds*) overmål (*fx of enthusiasm; suffering from an ~ of stress*); overflod; for stor mængde; **3.** (*mht. vægt*) overvægt; **4.** (*mht. mad og drikke*) umådeholdenhed; **5.** (*assur.*) selvrisiko [*beløb man selv skal betale*];

□ *-es* udskejelser, excesser; *the -es committed by the troops* (*også*) de overgreb tropperne gjorde sig skyldige i; *the ~ overskuddet; det overskydende, det resterende; *have **an** ~ **of** have overskud af, have for meget; **in** ~ **of** ud over (*fx some pence in ~ of the usual amount; luggage in ~ of 20 kilos*); *to* ~ i overdreven grad; umådeholdent; alt for meget (*fx he smokes to ~*); *carry it to* ~ overdrive det.

excess² ['ekses] *adj.* ekstra; overskydende; mer- (*fx consumption; expenditure*); overflødig (*fx fat*).

excess baggage *sb.* overvægtig bagage.

excess fare *sb.* (*jernb.*) (betaling for) tillægsbillet.

excessive [ik'sesiv] *adj.* usædvanlig stor//høj *etc.*, alt for stor//høj *etc.* (*fx ~ amounts of alcohol*); overdreven (*fx exercise* (motion)); umådeholden (*fx drinking*).

exchange¹ [iks'tʃein(d)ʒ] *sb.* **1.** udveksling (*fx of prisoners*); **2.** (*om studierejse*) udveksling (*fx he was in the US on an ~* (på udveksling)); **3.** (*af varer*) ombytning;

bytte; **4.** (*af penge*) (om)veksling (*fx of roubles for dollars*); **5.** (*af bemærkninger*) meningsudveksling (*fx there have been angry -s*); skænderi; **6.** (*tlf.*) central; **7.** (*penge*) valuta; **8.** (*merk.*) børs; (se også *bill¹, exchange¹*);

□ *in ~ for* i bytte for; til gengæld for; imod; ~ *of blows* slagsmål; ~ *of fire* skudveksling; (*med artilleri*) gensidig beskydning; ~ *of notes* (*i diplomati*) noteudveksling; ~ *of words* se: 5.

exchange² [iks'tʃein(d)ʒ] *vb.* **1.** udveksle (*fx letters; presents; prisoners*); bytte (*for med, fx ~ a watch for a ring; ~ clothes// houses//rings*); **2.** (*indkøbt vare*) bytte (*for til, fx ~ the shirt for one in a larger size*); ombytte (*for med*); **3.** (*penge*) veksle (*for til, fx a £10 note for pound coins*);

□ ~ *blows* slås; ~ *glances* veksle blikke; ~ *greetings* hilse på hinanden; ~ *seats* bytte plads; ~ *words* **a.** veksle ord, tale sammen; **b.** skændes.

exchangeable [iks'tʃein(d)ʒəbl] *adj.* (*om indkøbt vare*) som kan byttes.

exchange rate *sb.* valutakurs.

Exchequer [iks'tʃekə] *sb.: the ~* **a.** finanshovedkassen; statskassen; **b.** (*hist.*) finansministeriet.

excise¹ ['eksaiz, ik'saiz] *sb.* forbrugsafgift, forbrugsskat (*on* på, *fx beer*).

excise² [ik'saiz] *vb.* **1.** (*med.*) bortoperere, bortskære, fjerne; **2.** (*i tekst*) fjerne, slette.

excise duty *sb.* = *excise¹*.

excision [ik'siʒ(ə)n] *sb.* (jf. *excise²*) **1.** bortoperation, bortskæring, fjernelse; **2.** sletning, fjernelse; □ *female ~* kvindelig omskærelse.

excitability [iksaitə'biləti] *sb.* pirrelighed; nervøsitet; letbevægelighed.

excitable [ik'saitəbl] *adj.* pirrelig; nervøs; letbevægelig.

excite [ik'sait] *vb.* (se også *excited, exciting*) **1.** (*person*) bringe i sindsbevægelse; begejstre, opflamme; udfordre; **2.** (*seksuelt*) pirre, ægge, ophidse; **3.** (*følelse*, F) vække (*fx curiosity; hatred; strong feelings*); fremkalde; **4.** (*elek.*) fremkalde spænding i; magnetisere; **5.** (*nerve*) pirre, stimulere.

excited [ik'saitid] *adj.* **1.** (*positivt*) opstemt, ivrig, begejstret; (*af forventning*) spændt; **2.** (*negativt*) ophidset (*fx it is nothing to get ~ about*); **3.** (*af frygt*) urolig, nervøs; **4.** (*seksuelt*) ophidset, lysten.

excitement [ik'saitmənt] *sb.* (jf. *excited*) **1.** sindsbevægelse; opstemt-

hed, begejstring; spænding; **2.** ophidselse, affekt; **3.** uro, nervøsitet; **4.** ophidselse, lystenhed; **5.** spændende begivenhed (*fx the -s of the previous night*).

exciting [ik'saitiŋ] *adj.* **1.** spændende (*fx an ~ story*); **2.** ophidsende.

excl *fork. f.* **1.** *excluding;* **2.** *exclusive.*

exclaim [iks'kleim] *vb.* udbryde (*fx "You can't do that!" he -ed*);

□ ~ *against* F protestere højlydt mod; *she -ed in delight//horror* hun kom med et henrykt/forfærdet udbrud.

exclamation [eksklə'meiʃn] *sb.* udbrud, udråb.

exclamation mark *sb.* udråbstegn.

exclamation point *sb.* (*am.*) udråbstegn.

exclave ['ekskleiv] *sb.* eksklave; ekstraterritorialt område (*fx Berlin was an ~ of West Germany*).

exclude [iks'klu:d] *vb.* **1.** udelukke, holde ude (*from* fra, *fx political life*); **2.** (*af forening etc.*) ekskludere (*from* af); **3.** (*af skole, som straf*) bortvise (*from* fra); **4.** (*fra et sted*) holde ude (*from* fra, *fx ~ microbes from the operating room*); **5.** (*af betragtning*) udelukke, se bort fra (*fx we can ~ suicide as the cause of death; we cannot ~ the possibility that ...*); **6.** (*i bestemmelse*) undtage.

exclusion [iks'klu:ʒ(ə)n] *sb.* **1.** udelukkelse; **2.** (*af forening etc.*) eksklusion; **3.** (*af skole*) bortvisning; **4.** (*assur.*) undtagelse; indskrænkning i dækning;

□ *social ~* social udstødning; *to the ~ of* på bekostning af.

exclusive¹ [iks'klu:siv] *sb.* (*i avis etc.*) solohistorie.

exclusive² [iks'klu:siv] *adj.* **1.** eneste (*fx it is not her ~ interest*); ene- (*fx rights*); sær- (*fx privileges*); **2.** (*om sted*) eksklusiv (*fx club*); **3.** (*om avishistorie*) med eneret;

□ *for his ~ use* udelukkende til hans brug; *mutually ~* som udelukker hinanden; uforenelige; ~ *of* eksklusive; uden; fraregnet; *it is ~ to us* vi har eneret på det.

exclusively [iks'klu:sivli] *adv.* udelukkende; kun.

exclusiveness [iks'klu:sivnəs] *sb.*, **exclusivity** [eksklu'sivəti] *sb.* eksklusivitet.

excogitate [iks'kɔdʒiteit] *vb.* F udtænke, udpønse.

excommunicate [eksə'mju:nikeit] *vb.* (*rel.: om den katolske kirke*) ekskommunicere; bandlyse.

excommunication ['ekskəmju:ni-'keiʃn] *sb*. (jf. *excommunicate*) ekskommunikation; bandlysning.

excoriate [iks'kɔ:rieit] *vb*. F kritisere skånselsløst, gennemhegle, hudflette.

excoriation [ekskɔ:ri'eiʃn] *sb*. skånselsløs kritik, gennemhegling, hudfletning.

excrement ['ekskrəmənt] *sb*. ekskrementer, afføring.

excrescence [iks'kres(ə)ns] *sb*. **1.** udvækst; gevækst; **2.** (*fig*.) hæslig tilføjelse; gevækst; vildskud.

excreta [iks'kri:tə] *sb*. *pl*. udskilningsprodukter; ekskrementer; ekskreter.

excrete [iks'kri:t] *vb*. udskille, afsondre; udtømme.

excretion [iks'kri:ʃn] *sb*. **1.** udskillelse, afsondring; udtømmelse; **2.** (*produkt*) udskilningsprodukt; ekskret.

excruciating [iks'kru:ʃieitiŋ] *adj*. **1.** (*om smerte*) ulidelig (*fx back pain*); **2.** (*fig*.) pinefuld; ulidelig (*fx boredom*).

exculpate ['ekskʌlpeit] *vb*. frikende;
□ ~ *sby* (*også*) bevise ens uskyld; ~ *sby from a charge* rense en for en anklage.

exculpation [ekskʌl'peiʃn] *sb*. frikendelse.

exculpatory [iks'kʌlpət(ə)ri] *adj*. retfærdiggørende; som beviser ens uskyld.

excursion [iks'kə:ʃn, (*am*.) -ʒn] *sb*. tur; udflugt;
□ *an* ~ *into* (*fig*.) en afstikker til (*fx politics*); et forsøg med (*fx writing*).

excursionist [iks'kə:ʃnist] *sb*. deltager i udflugt; turist.

excursion ticket *sb*. (*jernb*.) billigbillet.

excusable [iks'kju:zəbl] *adj*. undskyldelig.

excuse[1] [iks'kju:s] *sb*. **1.** undskyldning; **2.** (*foregiven*) påskud;
□ *an* ~ *for* **a.** (*jf. 1*) en undskyldning for (*fx there is no* ~ *for his behaviour*); **b.** (*jf. 2*) et påskud for (*fx his headache is only an* ~ *for not working*); **c.** (*fig.*, T) noget der skal//skulle gøre det ud for, noget der skal//skulle forestille (*fx a dinner*); *an* ~ *for a novel* (*også*) noget der dårligt kan//kunne kaldes en roman; *make* -*s* komme med undskyldninger; *make one's* ~ *bede sig undskyldt; make sby's* -*s* overbringe et afbud fra en; *without* ~ (*også*) uden grund; (se også *ignorance*).

excuse[2] [iks'kju:z] *vb*. **1.** und-

skylde; **2.** (*for pligt etc*.) fritage for (*fx he was* -*d football//payment*); **3.** (*klasse, hold*) give fri (*fx she* -*d the class*);
□ ~ *me* **a.** undskyld; **b.** (*am*.) hvabehar? ~ *me coming*, ~ *my coming*, ~ *me for coming* undskyld jeg kommer; ~ *me* **from** *coming* fritag mig for at komme; *be* -*d from* blive fritaget for (*fx he was* -*d from games at school*); *be* -*d from the table* få lov til at rejse sig fra bordet; ~ **oneself** bede sig undskyldt; ~ *oneself from* bede sig fritaget for.

ex-directory [eksdi'rekt(ə)ri] *adj*. som ikke er taget med i telefonbogen.

ex-directory number *sb*. (*tlf*.) udeladt nummer; hemmeligt nummer.

exec [ig'zek] *fork. f. executive*.

execrable ['eksikrəbl] *adj*. F rædselsfuld, elendig, horribel.

execrate ['eksikreit] *vb*. (*litt*.) afsky; erklære for afskyelig.

execration [eksi'kreiʃn] *sb*. (*litt*.) forbandelse.

executable [ig'zekjutəbl] *adj*. **1.** som kan udføres (*etc*., jf. *execute*); **2.** (*it*: *om program*) eksekverbar.

executant [ig'zekjutənt] *sb*. udøvende kunstner;
□ *the* -*s* de spillende.

execute ['eksikju:t] *vb*. F **1.** udføre (*fx a job; an order; a plan; a drawing*); (*plan også*) gennemføre; **2.** (*merk*.: *ordre, bestilling*) ekspedere; effektuere; **3.** (*mus*.: *sang*) synge, foredrage; (*musikstykke*) spille; **4.** (*jur*.: *dokument*) udfærdige; underskrive; gøre retsgyldig [*ved at underskrive, forsegle etc*.]; **5.** (*jur*.: *dom*) eksekvere, fuldbyrde; **6.** (*dødsdømt*) henrette; **7.** (*it*: *program*) afvikle, udføre, eksekvere.

execution [eksi'kju:ʃn] *sb*. (jf. *execute*) **1.** udførelse; gennemførelse; **2.** ekspedition; effektuering; **3.** (*mus*.) foredrag; udførelse; teknik; **4.** (*jur*.: *af dokument*) udfærdigelse; underskrivelse; **5.** (*jur*.: *af dom*) eksekvering, fuldbyrdelse; **6.** (*af dødsdømt*) eksekution, henrettelse; **7.** (*it*) afvikling, udførelse, eksekvering;
□ *carry into* ~ bringe til udførelse; *levy* ~ (*jur*.) gøre udlæg/eksekution.

executioner [eksi'kju:ʃnə] *sb*. skarpretter, bøddel.

executive[1] [ig'zekjutiv] *sb*. **1.** (*om person*) leder, chef; (*ledende*) forretningsmand; (se også *chief exe-*

cutive); **2.** (*i organisation*) hovedbestyrelse; forretningsudvalg; ledelse;
□ *the* ~ (*jur*.) den udøvende magt.

executive[2] [ig'zekjutiv] *adj*. **1.** ledende, overordnet; leder- (*fx ability*); **2.** (*om ting*) eksklusiv, luksus- (*fx car*); **3.** (*jur*.) udøvende (*fx functions*).

executive committee *sb*. hovedbestyrelse; forretningsudvalg.

executor [ig'zekjutə] *sb*. (*jur*.: *af et testamente*) eksekutor.

executrix [ig'zekjutriks] *sb*. (*jur*.) kvindelig eksekutor.

exegesis [eksi'dʒi:sis] *sb*. (*pl. -geses* [-'dʒi:si:z]) (*rel*.) eksegese, fortolkning, udlægning.

exegetic [eksi'dʒetik] *adj*. eksegetisk, fortolkende.

exemplar [ig'zemplə] *sb*. F **1.** mønster, forbillede, ideal; **2.** typisk eksempel; repræsentant.

exemplary [ig'zempləri] *adj*. **1.** eksemplarisk, mønstergyldig; forbilledlig (*fx conduct*); **2.** (*om straf*) der tjener som en advarsel; der skal statuere et eksempel.

exemplary damages *sb. pl*. (*jur*.) se *punitive damages*.

exemplification [igzemplifi'keiʃn] *sb*. **1.** eksempel (*of på, fx they are an* ~ *of good manners*); **2.** (*handling*) eksemplificering; belysning ved eksempler.

exemplify [ig'zemplifai] *vb*. **1.** illustrere, tjene som eksempel på; være et eksempel på; **2.** eksemplificere; give eksempel//eksempler på; belyse ved et eksempel//eksempler.

exempt[1] [ig'zem(p)t] *adj*. **1.** fritaget, fri (*from for, fx taxes; stamp duty*); **2.** undtaget; som ikke falder ind under bestemmelserne.

exempt[2] [ig'zem(p)t] *vb*. fritage (*from for, fx military service*).

exemption [ig'zem(p)ʃn] *sb*. fritagelse; dispensation;
□ ~ *from duty* toldfrihed.

exequies ['eksikwiz] *sb. pl*. F begravelse.

exercise[1] ['eksəsaiz] *sb*. **1.** øvelse (*fx gymnastic* -*s; naval//military* -*s*); **2.** (*i skole*) øvelse, stil, opgave; **3.** (*klaver- etc*.) øvelse (*fx practise* -*s on the piano*); øvelsesstykke; **4.** (*rel*.) andagtsøvelse; **5.** (*fig*.) øvelse (*fx that was the object of the* ~); **6.** (*legemlig*) motion (*fx regular* ~ *is important*); **7.** (cf. *exercise*[2] 1) udøvelse; brug; anvendelse; udfoldelse;
□ -*s* (*am*.) ceremoni; *it was an* ~ *in* (jf. 5) det var en en opvisning i/ demonstration af (*fx self-control*);

E exercise

futility); take ~ (jf. 6) få motion, motionere.

exercise² ['eksəsaiz] vb. **1.** udøve (fx authority; control); bruge, bringe i anvendelse; benytte sig af (fx one's right); udfolde (fx all one's strength); udvise (fx caution); vise (fx patience); **2.** (muskel, led) træne, øve; **3.** (hest) røre; **4.** (hund) lufte; **5.** (person/tanker) optage, beskæftige (fx them; their minds deres tanker); (person også) give nok at tænke på, bekymre (fx the question still -d him); **6.** (uden objekt) få motion, motionere (fx you don't ~ enough);
□ be -d about (jf. 4) være bekymret for (fx his future).

exercise bike sb. kondicykel, motionscykel.

exercise book sb. **1.** stilebog; skrivehæfte; **2.** (med øvelser) øvebog.

exerciser ['eksəsaizə] sb. motionsapparat.

exert [ig'zə:t] vb. udøve (fx one's influence); anvende, bruge;
□ ~ all one's strength opbyde alle sine kræfter; ~ **oneself** anstrenge sig; gøre sig umage; don't ~ yourself! (også) nu må du ikke forslæbe dig! ~ oneself on his behalf prøve at gøre noget for ham.

exertion [ig'zə:ʃn] sb. **1.** (jf. exert) udøvelse; anvendelse; **2.** (jf. exert (oneself)) anstrengelse; anspændelse.

exeunt ['eksiant] vb. (teat.: i sceneanvisning) (de) går ud;
□ ~ omnes alle ud.

exfoliate [iks'fəulieit] vb. skalle af; gå af i flager.

exfoliation [iksfəuli'eiʃn] sb. afskalning.

ex gratia [eks'greiʃə] adj. frivillig; som gives pr. kulance.

exhalation [eks(h)ə'leiʃn] sb. **1.** udånding; **2.** uddunstning; dunst.

exhale [eks'heil] vb. **1.** ånde ud; **2.** uddunste; udsende.

exhaust¹ [ig'zɔ:st] sb. **1.** udblæsning; udstødning; **2.** (det udstødte) udstødningsgas; spildedamp; **3.** (på bil) udstødningsrør, udstødning;
□ open ~ fri udblæsning.

exhaust² [ig'zɔ:st] vb. (se også exhausted, exhausting) **1.** tømme (fx a well); **2.** (beholdning, forråd) opbruge (fx the ammunition; the money; one's reserves); udtømme (fx one's reserves; the earth's resources); **3.** (person) udmatte; trætte; **4.** (fig.) udtømme (fx the possibilities; a subject); gøre en ende på (fx one's enthusiasm;

one's patience);
□ ~ the soil udpine jorden; ~ of tømme for; ~ a tube of air pumpe et rør tomt for luft.

exhausted [ig'zɔ:stid] adj. **1.** (om person) udmattet, udkørt; **2.** (om forråd) opbrugt, udtømt.

exhaustible [ig'zɔ:stəbl] adj. som kan opbruges/udtømmes.

exhausting [ig'zɔ:stiŋ] adj. trættende, anstrengende, udmattende.

exhaustion [ig'zɔ:stʃn] sb. **1.** (om person) udmattelse; **2.** (om forråd) udtømmelse.

exhaustive [ig'zɔ:stiv] adj. udtømmende.

exhaust pipe sb. udstødningsrør.

exhaust steam sb. spildedamp.

exhibit¹ [ig'zibit] sb. **1.** udstillingsgenstand; nummer [i katalog]; **2.** (am.) udstilling; **3.** (jur.) [genstand der fremlægges i retten som bevismateriale]; bilag.

exhibit² [ig'zibit] vb. **1.** (på udstilling) udstille; **2.** (F: egenskab etc.) udvise (fx signs of decline//greatness); vise (fx great interest); **3.** (for at andre kan se/beundre det) vise frem (fx one's skills); demonstrere; stille til skue; **4.** (jur.) fremlægge.

exhibition [eksi'biʃn] sb. **1.** udstilling; **2.** (jf. exhibit² 3) fremvisning; demonstration; tilskuestillen; **3.** (i sport) opvisningskamp; **4.** (til studerende) stipendium [især: vundet ved konkurrence og mindre end scholarship]; **5.** (jur.) fremlæggelse;
□ make an ~ of oneself gøre sig til grin; lave skandale.

exhibitioner [eksi'biʃnə] sb. stipendiat.

exhibitionism [eksi'biʃnizm] sb. ekshibitionisme.

exhibitionist [eksi'biʃnist] sb. ekshibitionist.

exhibition match sb. opvisningskamp.

exhibitor [ig'zibitə] sb. udstiller.

exhilarate [ig'ziləreit] vb. opmuntre; oplive.

exhilarated [ig'ziləreitid] adj. **1.** munter, glad; oplivet, opstemt; **2.** (af spiritus) let beruset; animeret.

exhilarating [ig'ziləreitiŋ] adj. opmuntrende, opløftende, opkvikkende; berusende (fx experience).

exhilaration [igzilə'reiʃn] sb. **1.** opstemthed; munterhed; **2.** (af spiritus) løftet stemning.

exhort [ig'zɔ:t] vb. F tilskynde, anspore (to til at); formane.

exhortation [egzɔ:'teiʃn] sb. **1.** tilskyndelse, ansporing; formaning;

2. formaningstale.

exhortative [ig'zɔ:tətiv] adj., **exhortatory** [ig'zɔ:tət(ə)ri] adj. formanende.

exhumation [ekshju:'meiʃn] sb. F opgravning.

exhume [eks'hju:m] vb. F opgrave.

exigency ['eksidʒ(ə)nsi, ig'zi-] sb. F **1.** tvingende nødvendighed, nød; **2.** krisesituation, nødsituation;
□ exigencies krav, fordringer.

exigent ['eksidʒ(ə)nt] adj. F **1.** presserende, tvingende nødvendig; kritisk; **2.** krævende.

exiguous [ig'zigjuəs] adj. ubetydelig, ringe; sparsom, knap.

exile¹ ['eksail, 'egzail] sb. **1.** eksil, udlændighed; landflygtighed; **2.** (straf) landsforvisning; **3.** (person) en der lever i eksil; landflygtig; forvist; (se også tax exile);
□ go into ~ gå i eksil/landflygtighed.

exile² ['eksail, 'egzail] vb. forvise, landsforvise; sende i eksil.

exist [ig'zist] vb. (se også existing) **1.** være, være 'til, eksistere; findes, forefindes, foreligge; **2.** (økonomisk) leve, eksistere (on af, fx I cannot ~ on my earnings); klare sig.

existence [ig'zist(ə)ns] sb. **1.** eksistens, tilværelse, liv; **2.** eksistens, bestået (fx its very ~ was threatened);
□ justify one's ~ dokumentere/bevise sin eksistensberettigelse; in ~ eksisterende; som findes, som er til (fx it is the largest house in ~); bring/call into ~ skabe, fremkalde; come into ~ blive 'til.

existent [ig'zist(ə)nt] adj. eksisterende, bestående; foreliggende.

existential [egzi'stenʃ(ə)l] adj. eksistentiel.

existentialism [egzi'stenʃ(ə)lizm] sb. eksistentialisme.

existentialist¹ [egzi'stenʃ(ə)list] sb. eksistentialist.

existentialist² [egzi'stenʃ(ə)list] adj. eksistentialistisk.

existing [ig'zistiŋ] adj. eksisterende; forhåndenværende, aktuel; foreliggende, nuværende (fx conditions); gældende (fx laws).

exit¹ ['eksit] sb. **1.** (dør etc.) udgang; **2.** (fra motorvej) frakørsel; **3.** (persons) udtræden (from af, fx the party); afgang (from fra); **4.** (teat.) sortie; **5.** (poet.) bortgang, død; **6.** (it) udgang; exit;
□ make one's ~ gå ud; fjerne sig.

exit² ['eksit] vb. **1.** gå ud; fjerne sig; **2.** (om bil, fx på motorvej) køre 'fra; **3.** (it) gå ud (from af); slutte af; **4.** (teat.: i sceneanvisning) (han//hun) går ud; ud (*fx ~ Hamlet* Hamlet ud); **5.** (*poet.*) gå bort, dø; **6.** (*med objekt*) forlade (*fx the house*); **7.** (*it*) gå ud af.

exit line *sb.* udgangsreplik.

exit poll *sb.* [*meningsmåling blandt vælgere efter stemmeafgivning*].

exit visa *sb.* udrejsevisum.

Exodus ['eksədəs] *sb.* (*i Biblen*) anden Mosebog.

exodus ['eksədəs] *sb.* udvandring; flugt;
□ *the rural ~* flugten/afvandringen fra landet.

ex officio [eksə'fiʃiəu] *adv.* på embeds vegne; i embeds medfør.

ex officio member *sb.* født medlem.

exogamy [ek'sɔgəmi] *sb.* eksogami, ægteskab uden for stammen.

exonerate [ig'zɔnəreit] *vb.* **1.** (*mht. anklage*) frifinde, frikende, rense (*from* for); **2.** (*for ansvar, pligt*) fritage (*from* for); frigøre, løse (*from* fra).

exoneration [igzɔnə'reiʃn] *sb.* (jf. *exonerate*) **1.** frifindelse, frikendelse, renselse; **2.** fritagelse; frigørelse.

exophthalmic [eksɔf'θælmik] *adj.* (*med.*) med/ledsaget af udstående øjne.

exophthalmic goitre *sb.* Basedows sygdom.

exorbitance [ig'zɔːbit(ə)ns] *sb.* urimelighed, ubluhed; umådeholdenhed.

exorbitant [ig'zɔːbit(ə)nt] *adj.* overdreven; urimelig, ublu (*fx demand*; *price*); umådeholden;
□ *~ price* (*også*) ågerpris.

exorcise ['eksɔːsaiz] *vb.* **1.** (*ond ånd*) uddrive; besværge, mane bort; **2.** (*person, sted*) uddrive en ond ånd af (*fx a child*; *a house*); **3.** (*fig.*) få til at forsvinde (*fx an unhappy memory*).

exorcism ['eksɔːsizm] *sb.* djævleuddrivelse; åndemanen.

exorcist ['eksɔːsist] *sb.* djævleuddriver; åndemaner.

exordium [ek'sɔːdiəm, eg'zɔː-] *sb.* indledning.

exoskeleton [eksəu'skelət(ə)n] *sb.* (*zo.*) ydre skelet.

exotic [ig'zɔtik] *adj.* eksotisk; fremmedartet; udenlandsk.

exotica [ig'zɔtikə] *sb. pl.* eksotiske genstande; kuriositeter.

exotic dancer *sb.* stripteasedanser.

expand [ik'spænd] *vb.* (se også *expanded*) **A.** (*med objekt*) **1.** udvide (*fx a hole with a file*; *one's business*); (se også *chest*); **2.** (*noget sammenfoldet*) udfolde, udbrede

(*fx wings*); **3.** (*fys.: stof*) få til at udvide sig (*fx heat -s metal*);
4. (*mat.*) rækkeudvikle;
B. (*uden objekt*) **1.** vokse (*fx our trade has -ed*); (*især merk.*) ekspandere (*fx the company has -ed*); **2.** (*om noget sammenfoldet*) udfolde sig (*fx the flower -ed in the sunshine*); **3.** (*fys.*) udvide sig (*fx water -s with heat*; *the universe is -ing*); (*om metal etc. også*) strække sig; **4.** (*fig. om person*) tø op, live op, folde sig ud;
□ *~ on* gå nærmere ind på, uddybe; behandle mere udførligt.

expanded [iks'pændid] *adj.* **1.** udvidet (*fx programme*); **2.** udfoldet (*fx wings*); **3.** (*om plast*) ekspanderet, skum-; **4.** (*gram.*) udvidet (*fx present*; *preterite*; *tense*).

expanded metal *sb.* strækmetal; gitterplade.

expanded type *sb.* (*typ.*) bred skrift.

expanse [ik'spæns] *sb.* (vidtstrakt) flade; udstrækning.

expansion [ik'spænʃn] *sb.* (jf. *expand*) **1.** udvidelse; **2.** udfoldelse; udbredelse; **3.** vækst; ekspansion; **4.** (*mat.*) rækkeudvikling.

expansionary [iks'pænʃnəri] *adj.* ekspansions-; udvidelses-; ekspansiv.

expansionism [iks'pænʃnizm] *sb.* ekspansionisme, trang til udvidelse; ekspansionspolitik.

expansionist [iks'pænʃnist] *adj.* ekspansionistisk; som ønsker at udvide sit område//sin magt.

expansion slot *sb.* (*it*) udvidelsesstik.

expansive [ik'spænsiv] *sb.* **1.** vidtstrakt (*fx beaches*); omfattende (*fx changes*); **2.** (*om person*) åbenhjertig, meddelsom; **3.** (*om politik*) ekspansiv; udvidelses-.

expat [eks'pæt] *sb.* **T** = *expatriate[1]*.

expatiate [ik'speiʃieit] *vb.: ~ on* (F, neds.) udbrede sig om.

expatriate[1] [eks'pætriət] *sb.* emigrant; udlandsbrite//-dansker *etc.*

expatriate[2] [eks'pætriət] *adj.* eksil-; udlands- (*fx an ~ Dane*).

expatriate[3] [eks'pætrieit] *vb.* F forvise.

expect [ik'spekt] *vb.* **1.** vente (*fx I ~ him tomorrow*); **2.** (*at noget vil ske*) vente, regne med (*fx I ~ there will be trouble*); (*mere* F) forvente (*fx an early reply*; *an improvement*); forlange (*fx obedience*);
□ *she is -ing* **T** hun venter sig; *she is -ing a baby//twins* hun skal have en lille//tvillinger;
I ~ ... **T** jeg går ud fra/antager at

... (*fx I ~ you are tired now*); *... I ~ ...* går jeg ud fra, velsagtens (*fx they are friends of his, I ~* (de er velsagtens ...)); *~ sth of sby* forvente/forlange noget en en (*fx you ~ too much of him*); *~ better of* vente sig noget bedre/mere af; [*med inf.*] *~ to* vente/regne med at (*fx he -s to be paid for it*); *~ sby to do sth* **a.** vente/regne med/ forvente at en gør noget (*fx he -ed me to drive him home*); **b.** forlange at en gør noget (*fx I ~ you to be punctual*); *I ~ there to be trouble* jeg venter/regner med at der bliver ballade.

expectancy [ik'spekt(ə)nsi] *sb.* forventning.

expectant [ik'spekt(ə)nt] *adj.* **1.** forventningsfuld; **2.** (*om forældre*) vordende (*fx father*; *mother*); **3.** (*med.*) afventende (*fx treatment*).

expectation [ekspek'teiʃn] *sb.* forventning;
□ *have great -s* have udsigt til en stor arv; *have great -s of* vente sig meget af; *is there any ~ of him winning?* er der nogen udsigt til at han vinder? *~ of life* forventet levealder;
[*med præp.*] *against/contrary to ~* mod forventning; *beyond all ~* over al forventning; *in ~ of* i forventning om.

expectorant [ik'spektərənt] *sb.* slimløsende middel.

expectorate [ik'spektəreit] *vb.* hoste op, spytte op; spytte.

expedience [ik'spi:diəns] *sb.* = *expediency*.

expediency [ik'spi:diənsi] *sb.* hensigtsmæssighed; formålstjenlighed; hvad der er belejligt;
□ *act from ~* (*også*) handle ud fra egoistiske hensyn.

expedient[1] [ik'spi:diənt] *sb.* middel; (nød)udvej.

expedient[2] [ik'spi:diənt] *adj.* hensigtsmæssig, passende, formålstjenlig (i den givne situation); opportun; belejlig [*men mod principperne*].

expedite ['ekspədait] *vb.* F fremskynde; fremme.

expedition [ekspə'diʃn] *sb.* **1.** ekspedition; **2.** udflugt; **3.** F hurtighed.

expeditionary [ekspə'diʃn(ə)ri] *adj.* ekspeditions-.

expeditionary force *sb.* ekspeditionsstyrke; styrke der gør tjeneste uden for hjemlandet.

expeditious [ekspə'diʃəs] *adj.* F hurtig.

expel [ik'spel] *vb.* **1.** (*af landet*) udvise (*from* af, *fx* ~ *sby from the country*; ~ *an undesirable alien//a diplomat*); fordrive, forjage (*fx an invader*); **2.** (*af forening etc.*) ekskludere (*from* af, *fx he was -led from the party//club*); udstøde (*from* af); **3.** (*fra skole*) bortvise (*from* fra); **4.** (*fra universitet*) relegere; **5.** (*af kroppen*) udstøde (*from* af, *fx air from the lungs*).

expellee [ikspe'li:] *sb.* udvist, bortvist [*etc. cf. expel*].

expend [ik'spend] *vb.* **1.** bruge, anvende (*fx energy*; *money*; *time*); (*penge også*) give ud; (*tid også*) ofre; **2.** (*så der ikke er mere tilbage*) bruge, opbruge (*fx one's ammunition*).

expendable [ik'spendəbl] *adj.* **1.** (*om ting, materiale*) som kan opbruges; forbrugs-; **2.** (*om person*) undværlig; som kan ofres.

expenditure [ik'spenditʃə] *sb.* udgift(er); forbrug;
□ *private* ~ privatforbrug.

expense [ik'spens] *sb.* udgift; omkostning;
□ *at sby's* ~ **a.** for ens regning; **b.** (*fig.*) på ens bekostning (*fx they laugh//make jokes at my* ~); *at the* ~ *of* på bekostning af; *go to the* ~ *of + -ing* bruge/ofre penge på at; *put sby to* ~ sætte en i udgift.

expense account *sb.* repræsentationskonto, omkostningskonto.

expensive [ik'spensiv] *adj.* dyr; bekostelig.

experience[1] [ik'spiəriəns] *sb.* **1.** (*generelt*) erfaring (*fx based on practical* ~); erfaringen (*fx* ~ *shows that it is impossible*); erfaringer (*fx gain* (gøre/høste) ~); **2.** (*enkelt*) oplevelse (*fx an unforgettable* ~; *his -s as a policeman*);
□ *have* ~ *of* have erfaring med; *from* ~ af erfaring (*fx I speak from* ~; *I know it from bitter* ~); *learn from/by* ~ lære af erfaringen.

experience[2] [ik'spiəriəns] *vb.* **1.** opleve (*fx poverty*; *Scottish hospitality*; *a poem*; *children need to* ~ *things for themselves*); (*ydre begivenhed også*) gennemgå (*fx a period of growth*); komme ud for// være ude for (*fx great difficulty*); **2.** (*følelse*) erfare, føle, fornemme (*fx the excitement of the big city*).

experienced [ik'spiəriənst] *adj.* erfaren, rutineret, øvet.

experiential [ekspiəri'enʃ(ə)l] *adj.* erfarings-; empirisk (*fx knowledge*).

experiment[1] [ik'sperimənt] *sb.* eks-

periment, forsøg.

experiment[2] [ik'speriment] *vb.* eksperimentere (*fx he is -ing with new methods*);
□ ~ *on* lave forsøg med (*fx one's children*); ~ *on animals* lave dyreforsøg.

experimental [iksperi'ment(ə)l] *adj.* eksperimentel; forsøgsmæssig (*fx the arrangement is purely* ~); forsøgs- (*fx animal*; *result*; *at the* ~ *stage*).

experimentally [iksperi'ment(ə)li] *adv.* **1.** forsøgsvis (*fx it was done* ~); **2.** eksperimentelt; ved forsøg (*fx data obtained* ~).

experimental psychology *sb.* eksperimentalpsykologi.

experimentation [eksperimen-'teiʃn] *sb.* eksperimenteren.

expert[1] ['ekspə:t] *sb.* ekspert, specialist (*on/at/in* i); sagkyndig, fagmand;
□ *(the) -s* (*også*) sagkundskaben; *with the air//eye of an* ~ med kendermine//kenderblik.

expert[2] ['ekspə:t] *adj.* **1.** øvet (*fx eye*; *hands*); kyndig (*fx hands*; *treatment*); erfaren; **2.** sagkyndig (*fx advice*; *help*);
□ *be* ~ *at* + *-ing* være dygtig til at, være en ekspert til at.

expertise [ekspə'ti:z] *sb.* ekspertise; sagkundskab.

expert knowledge *sb.* sagkundskab.

expertly ['ekspə:tli] *adv.* kyndigt, øvet, dygtigt; behændigt.

expert opinion *sb.* **1.** sagkyndigt skøn; **2.** (*dokument*) responsum.

expert system *sb.* (*it*) ekspertsystem.

expert witness *sb.* (*jur.*) sagkyndigt vidne.

expiate ['ekspieit] *vb.* sone; gøre bod for.

expiation [ekspi'eiʃn] *sb.* soning; bod.

expiration [ekspi'reiʃn] *sb.* **1.** = *expiry*; **2.** (*litt.*) udånden, død; **3.** (*fysiol.*) udånding.

expire [ik'spaiə] *vb.* **1.** (*om dokument, periode*) udløbe (*fx the licence//contract has -d*; *the three-year period/his term of office has -d*); ophøre; **2.** (*fysiol.*) ånde ud; **3.** (*litt.*) udånde, dø.

expiry [ik'spaiəri] *sb.* udløb; ophør.

explain [ik'splein] *vb.* forklare; gøre rede for;
□ ~ *away* bortforklare; ~ *oneself* forklare sig.

explainable [ik'spleinəbl] *adj.* forklarlig.

explanation [eksplə'neiʃn] *sb.* forklaring (*for, of* på); redegørelse

(*for, of* for);
□ *his* ~ *that* hans forklaring om at.

explanatory [ik'splænət(ə)ri] *adj.* forklarende; oplysende.

expletive[1] [ik'spli:tiv] *sb.* **1.** ed, kraftudtryk; **2.** (*gram.*) fyldeord.

expletive[2] [ik'spli:tiv] *adj.* udfyldende; overflødig.

explicable ['eksplikəbl, ek'splikəbl] *adj.* forklarlig.

explicate ['eksplikeit] *vb.* **1.** udlægge, forklare; **2.** (*om teori etc.*) udvikle.

explication [ekspli'keiʃn] *sb.* (jf. *explicate*) **1.** udlægning, forklaring; **2.** udvikling.

explicative [ek'splikətiv] *adj.*, **explicatory** [ek'splikət(ə)ri] *adj.* forklarende.

explicit [ik'splisit] *adj.* **1.** åbenlys, utilsløret, direkte; udtrykkelig (*fx statement*); utvetydig (*fx admission*; *in the most* ~ *terms*); eksplicit; **2.** (*i logik & mat.*) eksplicit;
□ *be* ~ *about it* sige det lige ud; *he was quite* ~ han udtalte sig meget klart/tydeligt/åbent; *sexually* ~ **a.** som beskriver sex uden omsvøb; **b.** (*om billede*) som viser det hele.

explicitly [ik'splisitli] *adv.* tydeligt, klart; med rene ord.

explode [ik'spləud] *vb.* (se også *exploded*) **1.** eksplodere (*fx the bomb -d*; *the boiler -d*); springe; **2.** (*fig.*) stige pludseligt og voldsomt (*fx the use of heroin -d*; *the population -d*); **3.** (*om person: af raseri*) eksplodere, fare op; (*af latter*) eksplodere, briste i latter; **4.** (*med objekt*) sprænge (*fx they -d the bomb*); **5.** T vise urigtigheden af, gendrive; afsløre, punktere (*fx a myth*).

exploded [ik'spləudid] *adj.* **1.** (*om teori etc.*) forladt (*fx theory*); som man for længst har opgivet (*fx idea*); **2.** (*om illustration*) som viser enkeltdelene skilt ud fra hinanden;
□ *an* ~ *view* (jf. 2) en sprængt tegning, en sprængskitse.

exploit[1] ['eksplɔit] *sb.* dåd, bedrift.

exploit[2] [ik'splɔit] *vb.* **1.** udnytte, gøre brug af (*fx new technology*); **2.** (*neds.*) udnytte (*fx the situation*); (*økonomisk også*) udbytte (*fx workers*).

exploitable [ik'splɔitəbl] *adj.* som kan udnyttes.

exploitation [eksplɔi'teiʃn] *sb.* (jf. *exploit*) **1.** udnyttelse; **2.** udnyttelse; udbytning.

exploitative [iks'plɔitətiv] *adj.* udbyttende, som udbytter folk (*fx* ~

employers).

exploiter [iks'plɔitə] *sb.* udbytter, udsuger.

exploration [eksplə'reiʃn] *sb.* **1.** udforskning; opdagelse; **2.** undersøgelse, udforsknng; **3.** (*med.*) undersøgelse, eksploration; **4.** (*efter mineraler*) efterforskning, søgning; (*i sms.*) efterforsknings- (*fx drilling*; *licence*; *rig* borerig).

exploratory [iks'plɔːrət(ə)ri] *adj.* **1.** forsknings- (*fx expedition*); undersøgende; undersøgelses-; **2.** (*om forhandlinger etc.*) orienterende, forberedende, indledende (*fx meeting*; *talks*); **3.** (*ved søgning efter mineraler el. olie*) efterforsknings-; **4.** (*med.*) eksplorativ (*fx operation*; *surgery*).

explore [ik'splɔː] *vb.* **1.** (*land, område*) udforske, tage på opdagelsesrejse(r) i, gå på opdagelse i; **2.** (*emne, spørgsmål*) undersøge, studere, udforske; **3.** (*med fingrene*) føle, lade fingrene glide hen over//gennem (*fx her face*; *her hair*); **4.** (*med.*) undersøge, eksplorere;
□ ~ *for* (*mineraler etc.*) søge efter (*fx gold*); (*olie også*) bore efter.

explorer [ik'splɔːrə] *sb.* opdagelsesrejsende.

explosion [ik'spləuʒ(ə)n] *sb.* **1.** eksplosion, sprængning; **2.** (*fig.*) eksplosionsagtig/eksplosiv udvikling//stigning; **3.** (*af raseri, latter etc.*) udbrud, anfald; **4.** (*lyd*) eksplosion, brag, drøn.

explosive[1] [ik'spləusiv] *sb.* sprængstof; eksplosive.

explosive[2] [ik'spləusiv] *adj.* **1.** eksplosiv, sprængfarlig (*fx gas*); **2.** (*fig.*) sprængfarlig (*fx issue*); eksplosiv (*fx situation*; *temper*); **3.** (*om person*) heftig, opfarende; **4.** (*om forøgelse*) eksplosiv, eksplosionsagtig (*fx growth*); **5.** (*om lyd*) eksplosionsagtig.

explosive charge *sb.* sprænglading.

explosive device *sb.* bombe.

expo *fork. f. exposition* udstilling.

exponent [ik'spəunənt] *sb.* **1.** (*der forsvarer*) fortaler, forkæmper, talsmand (*of for, fx free trade*); **2.** (*der forklarer*) fortolker (*of af, fx Kant's philosophy*); **3.** (*der repræsenterer*) typisk repræsentant, eksponent (*of for, fx country and western*; *impressionist painting*); **4.** (*mat.*) eksponent.

exponential [ekspə'nenʃ(ə)l] *adj.* **1.** (*mat.*) eksponentiel; **2.** (*om vækst*) eksponentiel, voldsom, eksplosiv.

export[1] ['ekspɔːt] *sb.* **1.** eksport;
2. (*af varer*) eksport, udførsel; **3.** eksportvare.

export[2] [ik'spɔːt] *vb.* **1.** eksportere; **2.** (*vare*) eksportere, udføre.

exportable [ik'spɔːtəbl] *adj.* som kan eksporteres/udføres.

exportation [ekspɔː'teiʃn] *sb.* eksport; udførsel.

exporter [ik'spɔːtə] *sb.* eksportør.

expose [ik'spəuz] *vb.* (*se også exposed*) **1.** (*til beskuelse*) udstille (*fx one's wares*); fremvise (*fx the beggar -d his sores*); **2.** (*noget tildækket*) afdække, blotlægge (*fx the roots of the tree*); **3.** (*til spot*) blotte, udstille, afsløre (*fx one's ignorance*); stille blot, stille til skue; **4.** (*noget hemmeligt*) afsløre (*fx a plot*; ~ *him as a liar*); røbe, blotlægge (*fx a split in the party*); **5.** (*foto.*) eksponere;
□ ~ *a card* vise et kort; ~ *a child* udsætte et barn; ~ **oneself** (*om mand: seksuelt*) blotte sig; ~ *to* udsætte for (*fx cold*; *danger*); ~ *oneself to* **a.** udsætte sig for (*fx criticism*; *danger*); **b.** (*seksuelt*) blotte sig over for (*fx women in the park*).

exposé [eks'pəuzei, (*am.*) ekspou'zei] *sb.* **1.** (*fx i avis: af noget uheldigt*) afsløring (*of af, fx police corruption*); **2.** (*neutral*) redegørelse (*of for*); fremstilling (*of af*).

exposed [ik'spəuzd] *adj.* **1.** udsat (*fx hillside*; *position*); **2.** utildækket (*fx an ~ area of skin*; *they left only their eyes -d*); **3.** (*fig.*) udsat (*fx she felt ~ and lonely*);
□ ~ *to* udsat for (*fx strong winds*; *direct sunlight*; *infection*; *attack*).

exposition [ekspə'ziʃn] *sb.* **1.** (*af ideer, teori, problem*) fremstilling (*of af*); redegørelse (*of for*); forklaring (*of af*); **2.** (*af kunst, varer*) udstilling; **3.** (*teat.*; *mus.*) eksposition.

expositor [iks'pɔzitə] *sb.* fortolker.

expository [iks'pɔzit(ə)ri] *adj.* forklarende; fortolkende.

ex post facto [ekspəust'fæktəu] *adj.*: ~ *law* (*jur.*) lov med tilbagevirkende kraft.

expostulate [ik'spɔstjuleit] *vb.* F protestere, gøre indsigelse (*against* imod);
□ ~ **with** *sby* protestere over for en; argumentere med en; ~ **with** *sby* **about** *sth* protestere over for en over noget (*fx he -d with the waiter about the size of the bill*); gå i rette med en for noget; foreholde en noget.

expostulation [ikspɔstju'leiʃn] *sb.* F protest, indsigelse; bebrejdelse.

exposure [ik'spəuʒə] *sb.* **1.** udstilling, fremvisning (*fx of one's wares*); **2.** (*af noget tildækket*) afdækning, blotlæggelse (*fx of the roots of a tree*); **3.** (*til spot*) blottelse, udstilling, afsløring (*fx of one's ignorance*); **4.** (*af noget hemmeligt*) afsløring (*fx of a crime*); blotlæggelse (*fx foto.*) eksponering, optagelse; billede; **6.** (*i medierne*) dækning, omtale (*fx his marriage has received a lot of* ~ *in the press*); **7.** udsættelse (*to* for); udsat stilling;
□ **die of** ~ fryse ihjel; dø af kulde (og udmattelse); *the house has a southern//northern* ~ huset vender mod syd//nord; (*se også indecent exposure*).

exposure meter *sb.* (*foto.*) belysningsmåler.

expound [ik'spaund] *vb.* F **1.** fremstille, gøre rede for, forklare (*fx one's views*; *a theory*); **2.** (*tekst*) udlægge;
□ ~ *on* se ovf.: *1*.

express[1] [ik'spres] *sb.* **1.** (*jernb.*) eksprestog; **2.** (*bus*) hurtigbus; **3.** (*am.*) transportfirma; speditør;
□ *send sth by* ~ sende noget ekspres//med kurerpost.

express[2] [ik'spres] *adj.* **1.** udtrykkelig (*fx wish*); klar, tydelig; **2.** (*om befordring*) ekspres- (*fx letter*; *train*; *delivery* udbringning);
□ *he is the* ~ *image of his father* (*glds.*) han er sin faders udtrykte billede; *for/with the* ~ *purpose of* + *-ing* med det udtrykkelige formål at; i den bestemte hensigt at.

express[3] [ik'spres] *vb.* **1.** udtrykke (*fx one's meaning*); **2.** (*væske, luft*) presse ud (*fx juice -ed from grapes*); **3.** (*forsendelse*) sende ekspres; **4.** (*mat.*) angive, udtrykke;
□ ~ *oneself* udtrykke sig; *he -ed himself strongly on* han udtalte sig i skarpe vendinger om.

express[4] [ik'spres] *adv.* ekspres (*fx travel* ~).

expression [ik'spreʃn] *sb.* **1.** (*sprogligt*) udtryk, vending; **2.** (*af følelser, tanker*) udtryk (*of for, fx as an* ~ *of his love*); **3.** (*i ansigtet*) udtryk; **4.** (*mus.*) udtryksfuldhed; udtryk; foredrag; **5.** (*mat.*) udtryk;
□ *beyond* ~ ubeskrivelig, usigelig; *find* ~ *in* give sig udtryk i, vise sig i (*fx his sorrow found* ~ *in his music*); *give* ~ *to* give udtryk for (*fx one's anger*); ~ *of opinion* meningstilkendegivelse; ~ *of sympathy* sympatitilkendegivelse; *with* ~ udtryksfuldt.

expressionism [ik'spreʃnizm] *sb.* ekspressionisme.

expressionist [ik'spreʃnist] *sb.* ekspressionist.

expressionless [ik'spreʃnləs] *adj.* udtryksløs.

expressive [ik'spresiv] *adj.* udtryksfuld;
□ *be ~ of* udtrykke; give//være udtryk for.

expressway [ik'spreswei] *sb.* (*am.*) motorvej.

expropriate [ik'sprəuprieit] *vb.*
1. (*om offentlig myndighed*) ekspropriere (*fx sby's property*);
2. (*om person: ulovligt*) tilegne sig, tilvende sig (*fx Government funds*).

expropriation [iksprəupri'eiʃn] *sb.* ekspropriation, ekspropriering.

expulsion [ik'spʌlʃn] *sb.* (jf. *expel*)
1. (*af landet*) udvisning (*from* af);
fordrivelse, forjagelse (*from* fra);
2. (*af forening etc.*) eksklusion (*from* af); udstødelse (*from* af);
3. (*fra skole*) bortvisning (*from* fra); **4.** (*fra universitet*) relegering;
5. (*af kroppen*) udstødelse (*from* af).

expunge [ik'spʌn(d)ʒ] *vb.* **1.** fjerne, udrydde (*fx all opposition*); udslette (*from* af, *fx the incident from one's memory*); **2.** (*i tekst*) stryge, slette (*from* af, *fx a name from a list*); fjerne (*from* fra).

expurgate ['ekspə:geit] *vb.* (*bog*) rense for anstødelige udtryk.

expurgation [ekspə:'geiʃn] *sb.* udrensning.

exquisite ['ekskwizit, iks'kwizit] *adj.* **1.** udsøgt (*fx workmanship; taste*); fortræffelig; raffineret;
2. (*litt.: om følelse*) heftig, intens (*fx pain; joy*); stærk;
□ *an ~ ear* et fint øre.

ex-serviceman [eks'sə:vismən] *sb.* (*pl.* *-men* [-mən]) forhenværende soldat, veteran.

extant [ik'stænt, 'ekstənt] *adj.* F bevaret, i behold; eksisterende.

extemporaneous [ikstempə'reiniəs] *adj.* improviseret.

extempore [ek'stempəri] *adv.* improviseret.

extemporize [ik'stempəraiz] *vb.* improvisere.

extend [ik'stend] *vb.* (se også *extended*) **A.** (*med objekt*) **1.** (*i omfang*) udvide (*fx one's business; the boundaries; one's power*); forlænge (*fx a railway*); strække; **2.** (*i tid*) forlænge (*fx a visit*); **3.** (*arm, hånd etc.*) strække ud, række ud (*fx one's arms*); række frem (*fx one's hand*); **4.** (*reb etc. mellem to punkter*) spænde ud (*fx a rope*);
5. (F: *hjælp, tjeneste etc.*) yde (*fx a loan to sby*); vise (*fx hospital-*

ity); give (*fx an offer to sby*);
B. (*uden objekt*) **1.** (*i omfang*) strække sig, række (*fx his garden -s as far as the road*); brede sig (*fx the effects -ed further than we intended*); **2.** (*i tid*) vare (*fx from 1990 to 1999*); strække sig (*fx over a period of 10 weeks*); **3.** (*mil.*) sprede sig; formere skyttekæde;
□ ~ *oneself* anspænde sig; bruge alle sine kræfter//evner; ~ *to*
a. brede sig til (*fx the rain will ~ to all parts of the country*); **b.** omfatte (*fx the regulations do not ~ to the elderly*); **c.** overføre til; ~ *an invitation to sby* sende én en indbydelse; indbyde én.

extendable [ik'stendəbl] *adj.* som kan forlænges.

extended [ik'stendid] *adj.* **1.** (*mht. omfang*) udstrakt, vidtstrakt; udvidet; **2.** (*mht. varighed*) forlænget, udvidet (*fx news bulletin*); lang(varig), længere (*fx holiday; period*); langstrakt; **3.** (*om hånd etc.*) fremstrakt; **4.** (*am.*) omfattende, vidtstrakt;
□ *be ~* (*fig.*) få udfordringer; *be fully ~* måtte bruge alle sine kræfter//evner; *the horse was fully ~* hesten fik lov at strække ud; *with his little finger ~* med strittende lillefinger.

extended family *sb.* storfamilie.

extended order *sb.* (*mil.*) spredt orden.

extended-play [ikstendid'plei] *adj.* (*om plade*) med 45 omdrejninger i minuttet.

extension [ik'stenʃn] *sb.* **1.** (*i omfang*) udvidelse (*fx of sby's powers; of terrorist activity*); udbredelse (*fx of civil rights to this group*); **2.** (*i tid*) forlængelse; (*af frist*) henstand; **3.** (*til hus*) tilbygning; udbygning; **4.** (*fig.*) udbygning, videreførelse, videreudvikling (*fx of his ideas*); **5.** (*elek.*) forlængerledning; **6.** (*med.*) stræk; **7.** (*i logik*) ekstension, begrebsomfang; **8.** (*tlf.*) ekstraapparat; lokalnummer; **9.** se *university extension*;
□ ~ *12* (*tlf.*) lokal 12; *by* ~ i forlængelse heraf; følgelig.

extension cord *sb.* (*am.*) = *extension lead*.

extension ladder *sb.* udtræksstige.

extension lead *sb.* (*elek.*) forlængerledning.

extension table *sb.* udtræksbord.

extensive [ik'stensiv] *adj.* **1.** (*mht. areal*) udstrakt, vidtstrakt (*fx fields*); **2.** (*mht. omfang*) omfattende (*fx collection; damage; knowledge; repairs*); **3.** (*fig.*) ud-

strakt, vidtstrakt, vid (*fx powers beføjelser*); omfattende (*fx debate*); **4.** (*agr.*) ekstensiv (*fx farming drift*).

extensor [ik'stensə] *sb.* (*anat.*) strækkemuskel.

extent [ik'stent] *sb.* **1.** (*areal*) udstrækning (*fx of the desert*);
2. (*fig.*) omfang (*fx of the damage; of his knowledge*);
□ *to a certain* ~ til en vis grad; i en vis udstrækning; *to a great/large* ~ i vid udstrækning; *to some* ~ i nogen grad; *to the* ~ *of £20,000* helt op til £20.000; *to the* ~ *that* i en sådan grad at.

extenuate [ik'stenjueit] *vb.* F finde formildende omstændigheder ved; undskylde (*fx nothing can ~ his crime*).

extenuating [ik'stenjueitiŋ] *adj.*: ~ *circumstances* formildende omstændigheder.

extenuation [ikstenju'eiʃn] *sb.* formildelse; undskyldning;
□ *plead sth in* ~ fremføre noget som formildende omstændighed.

exterior[1] [ik'stiəriə] *sb.* **1.** udvendig side, ydre; eksteriør; **2.** (*persons*) ydre form; facade;
□ *on the* ~ udenpå; udvendig; *on the* ~ *of* på den udvendige side af; uden på.

exterior[2] [ik'stiəriə] *adj.* ydre; udvendig; yder- (*fx walls*);
□ ~ *to* uden for; fjernt fra.

exterminate [ek'stə:mineit] *vb.* udrydde.

extermination [ekstə:mi'neiʃn] *sb.* udryddelse.

extermination camp *sb.* udryddelseslejr; tilintetgørelseslejr.

exterminator [ek'stə:mineitə] *sb.*
1. udrydder, ødelægger, dræber;
2. (*af skadedyr*) skadedyrsbekæmper; (*af utøj*) desinfektør.

external [ik'stə:n(ə)l] *adj.* (se også *externals*) **1.** ydre; udvendig; yder- (*fx walls*); **2.** (*som kommer udefra*) ekstern (*fx student; accountant*); **3.** (*pol.*) udenrigs-;
□ ~ *evidence* ydre indicier; *for* ~ *use* til udvortes brug.

external examiner *sb.* fremmed censor.

externalize [ik'stə:nəlaiz] *vb.* (*følelse*) give udtryk for.

externals [ik'stə:n(ə)lz] *sb. pl.* det ydre (*fx we should not judge people by* ~); ydre former//ceremonier (*fx the* ~ *of religion*).

extinct [ik'stiŋkt] *adj.* **1.** (*om art*) uddød; **2.** (*om vulkan*) udslukt;
3. (*om ild*) slukket; **4.** (*om skib*) ophævet; forladt;
□ *become* ~ uddø.

extinction [ik'stiŋkʃn] *sb.* **1.** tilintetgørelse; udslettelse; **2.** (*om art*) uddøen; **3.** (*af ild*) slukning; **4.** (*af skik*) ophævelse.

extinguish [ik'stiŋgwiʃ] *vb.* **1.** (*ild, lys*) slukke; **2.** (*minde*) udslette; **3.** (*følelse*) dræbe (*fx his love for her*); **4.** (*gæld*) bringe ud af verden.

extinguisher [ik'stiŋgwiʃə] *sb.* = *fire extinguisher.*

extirpate ['ekstə:peit] *vb.* F udrydde; fjerne.

extirpation [ekstə:'peiʃn] *sb.* F udryddelse; fjernelse.

extol [iks'təul] *vb.* prise, hæve til skyerne.

extort [iks'tɔ:t] *vb.*: ~ *from*
a. (*penge*) afpresse; **b.** (*løfte*) aftvinge; **c.** (*tilståelse*) afpresse, fravriste.

extortion [iks'tɔ:ʃn] *sb.* afpresning; pengeafpresning; (*om høj pris*) optrækkeri.

extortionate [ik'stɔ:ʃnət] *adj.* hård; ublu;
□ ~ *interest* ågerrenter.

extra[1] ['ekstrə] *sb.* **1.** ekstra ting; ekstraudstyr; **2.** (*af avis*) ekstraudgave; **3.** (*mht. betaling*) ekstraudgift; tillæg; noget der betales ekstra for; **4.** (*film.; teat.*) statist;
□ *fire and light are -s* varme og lys beregnes ekstra.

extra[2] ['ekstrə] *adj.* ekstra; yderligere.

extra[3] ['ekstrə] *adv.* ekstra.

extract[1] ['ekstrækt] *sb.* **1.** (*af bog etc.*) uddrag; citat; **2.** (*af plante etc.*) ekstrakt, udtræk; essens (*fx vanilla* ~).

extract[2] [ik'strækt] *vb.* **1.** tage op/frem/ud, trække op/frem (*from* af, *fx a letter from one's pocket*); **2.** (*tand, søm etc.*) trække ud; **3.** (*oplysning: af tekst*) uddrage (*from* af, *fx the main points from the memo*); **4.** (*skrive ud*) excerpere (*from* af, fra); **5.** (*oplysning: af person*) få ud, hale ud (*from* af, *fx a confession//the necessary information from him*); **6.** (*neds.: en fordel, på en andens bekostning*) skaffe sig, sikre sig (*from* af, fra, *fx profits from the project*); **7.** (*af plante*) udpresse (*from* af, *fx oil from olives//nuts; juice from lemons*); (*ekstrakt*) udtrække (*from* af); **8.** (*mineral etc.*) udvinde (*from* af; fra, *fx oil from shale; iron ore from a site*); **9.** (*honning*) slynge; **10.** (*mat.*) uddrage (*fx the square root*);
□ ~ *pleasure from* F få glæde af; ~ *a promise from sby* (*jf. 4, også*) aftvinge én et løfte.

extraction [ik'strækʃn] *sb.* **1.** (*af tand*) udtrækning; **2.** (*af mineral etc.*) udvinding; **3.** (*stof*) ekstrakt, udtræk; **4.** (*om slægtskab*) afstamning; herkomst (*fx he is of French* ~); ekstraktion.

extraction rate *sb.* **1.** udvindingsprocent; **2.** (*agr.: om korn*) formalingsprocent.

extractor [ik'stræktə] *sb.* **1.** (*til saft etc.*) presse; **2.** (*til honning*) honningslynge; **3.** (*mil.*) (patron)udtrækker; **4.** (*tandl.*) ekstraktionstang; **5.** = *extractor fan.*

extractor fan *sb.* ventilator; udsugningsanlæg.

extracurricular [ekstrəkə'rikjulə] *adj.* som ligger uden for den egentlige undervisning; fritids- (*fx activities*).

extraditable ['ekstrədaitəbl] *adj.* (*jf. extradite*) (*om lovovertrædelse*) som falder ind under bestemmelserne om udlevering.

extradite ['ekstrədait] *vb.* (*lovovertræder*) udlevere [*til det land hvor overtrædelsen har fundet sted*].

extradition [ekstrə'diʃn] *sb.* (*jf. extradite*) udlevering.

extradition warrant *sb.* (*jur.*) udleveringsbeslutning.

extramarital [ekstrə'mærit(ə)l] *adj.* uden for ægteskabet; uægteskabelig (*fx rrelations forbindelser*).

extramural [ekstrə'mjuərəl] *adj.* **1.** som befinder sig uden for murene; **2.** som finder sted uden for institutionen; **3.** (*om undervisning*) som finder sted uden for universitetets normale undervisning; (*omtr.*) folkeuniversitets- (*fx course*).

extraneous [iks'treiniəs] *adj.* **1.** uvedkommende; irrelevant; **2.** fremmed (*fx noise*);
□ ~ *to the subject* emnet uvedkommende.

extraordinaire [ikstrɔ:di'nɛə] *adj.* eminent, enestående.

extraordinary [ik'strɔ:d(i)n(ə)ri] *adj.* **1.** usædvanlig (*fx talent; amount*); overordentlig; ekstraordinær; **2.** mærkværdig, mærkelig, ejendommelig (*fx story*); **3.** (*om møde*) ekstraordinær (*fx general meeting*).

extrapolate [ek'stræpəleit] *vb.* **1.** (*mat.*) ekstrapolere (*from* ud fra); **2.** (*fig.*) slutte, udlede (*from* af); fremskrive.

extrapolation [ikstræpə'leiʃn] *sb.* **1.** (*mat.*) ekstrapolation; **2.** (*fig.*) slutning, udledning; fremskrivning.

extrasensory [ekstrə'sensəri] *adj.* oversanselig.

extrasensory perception *sb.* ekstrasensorisk perception [*modtagelse af bevidsthedsindtryk som ikke foregår gennem de alm. sanser, fx ved clairvoyance el. telepati*].

extraterrestrial[1] [ekstrətə'restriəl] *sb.* rumvæsen.

extraterrestrial[2] [ekstrətə'restriəl] *adj.* uden for jorden; fra det ydre rum.

extra time *sb.* (*i fodbold*) forlænget spilletid.

extravagance [ik'strævəgəns] *sb.* (jf. *extravagant*) **1.** ødselhed, flothed, ekstravagance; **2.** overdådighed, ekstravagance; **3.** urimelighed; overdrivelse; **4.** fantastisk præg (*fx the* ~ *of the décor*); overspændthed; ustyrlighed; **5.** (*ting*) luksus, ekstravagance (*fx an* ~ *one can't afford*).

extravagant [ik'strævəgənt] *adj.* **1.** (*om person*) ødsel, flot, ekstravagant; **2.** (*om ting, fest etc.*) overdådig, ekstravagant; **3.** (*om påstand*) urimelig (*fx accusation*); overdreven; **4.** (*om adfærd, udførelse*) lidt for fantasifuld (*fx design*); vild, overspændt, ustyrlig.

extravaganza [ekstrævə'gænzə] *sb.* stort show; udstyrsstykke.

extravasated [ik'strævəseitid] *adj.* (*om blod*) udsivet.

extravehicular [ekstrəvə'hikjulə] *adj.* (*i rumfart*) som finder sted uden for rumfartøjet.

extravehicular activity *sb.* rumvandring; (*på månen*) månevandring.

extreme[1] [ik'stri:m] *sb.* **1.** yderpunkt; yderlighed (*fx go from one* ~ *to the other; go to -s; go to the opposite* ~); ekstrem; **2.** (*yderste*) ende/grænse (*fx at the furthest* ~ *of the field*); **3.** (*i logik*) yderbegreb;
□ *at the* ~ i værste fald; *in the* ~ yderst (*fx troublesome in the* ~); *-s meet* yderste modsætninger mødes [ɔ: *har noget til fælles*]; *carry it to -s* føre det ud i sin yderste konsekvens.

extreme[2] [ik'stri:m] *adj.* **1.** (*om placering*) yderst (*fx the* ~ *edge of the field*); **2.** (*på en skala*) yderst (*fx the* ~ *left*); ekstrem (*fx an* ~ *case;* ~ *temperatures*); **3.** (*om holdning*) yderliggående (*fx views*); radikal; **4.** (*om omfang etc.*) meget stor; den//det yderste (*fx with* ~ *caution; in* ~ *poverty*); overordentlig (*fx joy; danger; exactitude*);
□ *the* ~ *penalty of the law* lovens strengeste straf [ɔ: *dødsstraf*]; *in* ~ *old age* i sin høje alderdom; i en

E extremely

meget høj alder.

extremely [ik'stri:mli] *adv.* yderst, overordentlig, særdeles (*fx difficult*; *useful*).

extreme unction *sb.* (*rel.*; *glds.*) den sidste olie.

extremism [ik'stri:mizm] *sb.* ekstremisme.

extremist¹ [ik'stri:mist] *sb.* ekstremist.

extremist² [ik'stri:mist] *adj.* ekstremistisk.

extremities [ik'stremətiz] *sb. pl.*
1. ekstreme forhold; **2.** (*anat.*) ekstremiteter [*arme og ben*];
□ *go to* ~ gå til yderligheder.

extremity [ik'streməti] *sb.* (se også *extremities*) **1.** yderste ende; yderpunkt; **2.** (*om forhold*) ekstrem karakter; alvor;
□ *in* ~ i den yderste nød.

extricate ['ekstrikeit] *vb.* vikle ud, udfri (*from* af); befri (*from* for); få løs; hjælpe ud (*from* af);
□ ~ *oneself from* rede sig ud af (*fx a difficult situation*).

extrinsic [ek'strinsik] *adj.* **1.** ydre; **2.** udefra kommende; udefra virkende.

extrovert¹ ['ekstrəvə:t] *sb.* udadvendt person.

extrovert² ['ekstrəvə:t] *adj.* (*psyk.*) ekstroverteret, udadvendt.

extrude [ik'stru:d] *vb.* **1.** udstøde; presse ud; **2.** (*tekn.*) strengpresse.

extrusion [ik'stru:ʒn] *sb.* **1.** udstødelse; udpresning; **2.** (*tekn.*) strengpresning.

exuberance [ig'zju:bərəns] *sb.*
1. (*om person*) overstrømmende/ sprudlende humør; overstadighed; **2.** (*om bevoksning etc.*) yppighed, frodighed, fylde.

exuberant [ik'zju:bərənt] *adj.*
1. (*om person*) overstrømmende, sprudlende; overstadig; **2.** (*om bevoksning etc.*) yppig, rig, frodig.

exudation [eksju:'deiʃn] *sb.* udsivning; udsvedning; udsondring.

exude [ig'zju:d] *adj.* **1.** udsive; udsondre, udskille; (*uden objekt*) udsondres, udskilles; sive ud; **2.** (*om person*) udstråle (*fx enthusiasm*).

exult [ig'zʌlt] *vb.* juble, triumfere, hovere (*at, over* over).

exultant [ig'zʌlt(ə)nt] *adj.* jublende, triumferende, hoverende.

exultation [egzʌl'teiʃn] *sb.* jubel, triumferen, hoveren.

exurb ['eksərb] *sb.* (*am.*) (velhavende) omegnskvarter.

exuviae [ig'zju:vii:] *sb. pl.* (*zo.*) afkastet ham//hud//skal.

exuviate [ig'zju:vieit] *vb.* (*zo.*) skifte ham//hud//skal.

302

eyas ['aiəs] *sb.* ungfalk [*som opdrættes til falkejagt*]; høgeunge.

eye¹ [ai] *sb.* **1.** øje; **2.** blik; **3.** (*på nål*; *på kartoffel*; *i storm*; *mar.*: *på tov*) øje; **4.** (*til hægte*) malle; **5.** (*til krog*) øsken;
□ *the* ~ *is greater than the appetite* maven bliver mæt før øjnene; *-s front//left//right!* se lige ud//til venstre//til højre! *my* ~*!* (*glds.* T) ih, du store! *that is all my* ~ *(and Betty Martin)!* (*glds.* T) sludder og vrøvl! den må du længere ud på landet med!; (se også *black eye*, *blind²*, *bright*, *dry²*, *half²*, *public²*, *sharp²*, *sore²*);
[*med vb.*] *bat* one's *-s* se *bat²*;
blink one's *-s//an* ~ se *blink²*;
catch his ~ fange hans blik; *catch the Speaker's* ~ (*i Underhuset*) få ordet; *clap -s on* se ndf.: *set -s on*;
get one's ~ *in* træne sit boldøje;
give sby the ~ T **a.** se ndf.: *make -s at sby*; **b.** (*am.*) se vredt på en;
have an ~ *for* have blik for; have sans for; *he had only -s for her* han så ikke andre end hende; *have* one's ~ *on* **a.** have kig på, have i kikkerten; **b.** holde øje med; *have an* ~ *to* se på, skele til; (se også *main²*); *have all* one's *-s about one*, *keep* one's *-s open/ skinned/peeled* passe godt på; have øjnene med sig; have et øje på hver finger; holde skarpt udkig; *keep* one's *-s off* holde øjnene fra; *keep an/one's* ~ *on* holde øje med; *keep a sharp* ~ *on* holde skarpt øje med; *keep an* ~ *out for* være på udkig efter; *lower* one's *-s* sænke blikket; *make -s at sby* lave øjne til en, skyde til en; *meet sby's* ~ møde ens blik; *I couldn't meet his* ~ jeg kunne ikke se ham i øjnene; *there is more in this than meets the* ~ der stikker noget under; *mind your* ~*!* pas på!
open one's *-s* **a.** åbne øjnene, slå øjnene op; **b.** (*forbavset*) spærre øjnene op; *open sby's -s to* åbne ens øjne for; *make sby open his// her eyes* få en til at spærre øjnene op; *roll* one's *-s* rulle med øjnene; *roll* one's *-s at* (*fig.*) ryste på hovedet af; *run* one's ~ *over/through* lade blikket glide hen over; *see* ~ *to* ~ *with* være enig med; (se også *grieve*); *set -s on* se (for sine øjne) (*fx I have never set -s on him*);
shut one's *-s* lukke øjnene (*to* for); *strike* one's ~ falde i øjnene; *be unable to take* one's ~ *off* ikke kunne få øjnene fra; (se også *feast²*);
[*forb. med præp.*] *by* ~ på øjemål; *do sby in the* ~ T snyde en; *be*

blind in one's *left* ~ være blind på venstre øje; *that was a slap/a smack/one in the* ~ (*for me*) T det var en værre afbrænder; det var en slem lussing; *in the* ~ *of the law* set med lovens øjne; *in the* ~ *of the storm* (*fig.*) i begivenhedernes centrum; *in the* ~ *of the wind* lige imod vinden; (se også *mind¹*); *be up to the -s in debt* sidde i gæld til op over begge ører; *with an* ~ *to that* med det for øje; med henblik på det; (se også *main²*).

eye² [ai] *vb.* **1.** se på, betragte (*fx he -d me suspiciously*); mønstre; **2.** se interesseret//vurderende//begærligt på; sluge med øjnene;
□ *he -d me from head to foot* han målte mig fra øverst til nederst; ~ *up* = 1, 2.

eyeball¹ ['aibɔ:l] *sb.* øjeæble;
□ *stand* ~ *to* ~ *with sby* stå kampberedt over for en; *up to the -s* til op over begge ører.

eyeball² ['aibɔ:l] *vb.* T glo på; stirre lige i øjnene.

eyebath ['aiba:θ] *sb.* øjen(bade)glas.

eye bolt *sb.* øjebolt.

eyebright ['aibrait] *sb.* (*bot.*) øjentrøst.

eyebrow ['aibrau] *sb.* øjenbryn;
□ *raise* one's *-s* løfte/hæve øjenbrynene; *it raised a few -s* (*fig.*) det fremkaldte enkelte løftede øjenbryn.

eyecatcher ['aikætʃə] *sb.*: *it is an* ~ det falder i øjnene; det har blikfang.

eyecatching ['aikætʃiŋ] *adj.* iøjnefaldende, iøjnespringende.

eye chart *sb.* synsprøvetavle.

eyecup ['aikʌp] *sb.* (*am.*) = *eyebath*.

eyeful ['aif(u)l] *sb.* S **1.** dejligt syn; **2.** køn pige;
□ *he got an* ~ *of it* **a.** han fik set grundigt på det; **b.** han fik det lige i øjet.

eyeglass ['aigla:s] *sb.* **1.** monokel; **2.** (*i mikroskop*) okular; **3.** = *eyebath*;
□ *-es* (*am.*) briller.

eyehole ['aihəul] *sb.* **1.** øjenhule; **2.** (*am.*) = *peephole*.

eyelashes ['ailæʃiz] *sb. pl.* øjenvipper;
□ *flutter* one's ~ *at* blinke koket med øjnene til; flirte med.

eyelet ['ailət] *sb.* **1.** snørehul; **2.** (*metalforstærker*) øje; **3.** (*i håndarbejde*) hulmønster; **4.** (*i væg*) kighul.

eye level *sb.*: *at* ~ i øjenhøjde.

eyelid ['ailid] *sb.* øjenlåg; (se også *bat²*).

eyeliner ['ailainə] *sb.* eyeliner [*sminke til øjenomgivelserne*].

eye-opener ['aiəup(ə)nə] *sb.*
1. overraskelse; lærerig oplevelse;
2. (*am. omtr.*) opstrammer; mor-
genbitter;
□ *that was an* ~ *for him* (*jf. 1*) det
åbnede hans øjne; det gav ham et
nyt syn på sagen.
eyepiece ['aipi:s] *sb.* (*i mikroskop,
kikkert*) okular.
eyeshade ['aiʃeid] *sb.* øjenskærm.
eye shadow *sb.* øjenskygge.
eyeshot ['aiʃɔt] *sb.* synsvidde (*fx
out of//within* ~).
eyesight ['aisait] *sb.* syn (*fx my* ~
is failing).
eye socket *sb.* øjenhule.
eyesore ['aisɔ:] *sb.* [*noget som
støder øjet*]; skamplet, rædsel;
torn i øjet.
Eyetie[1] ['aitai] *sb.* **S** (*neds.*) italie-
ner; „spagetti".
Eyetie[2] ['aitai] *adj.* italiensk.
eye tooth *sb.* (*pl. eye teeth*) hjørne-
tand;
□ *he would give his eye teeth
for//to* **T** han ville give sin højre
arm for//for at.
eyewash ['aiwɔʃ] *sb.* **1.** øjenbade-
vand; **2.** **T** bluff; humbug.
eyewitness ['aiwitnəs] *sb.* øjen-
vidne.
eyot [eit, eiət] *sb.* lille ø; holm.
eyrie, eyry ['iəri, 'ɛəri, 'ai(ə)ri] *sb.*
rovfuglerede; ørnerede.

F

F¹ [ef].

F² *fork. f.* **1.** *Fahrenheit;* **2.** (*om blyant*) *fine;* **3.** (*elek.*) *Farad;* **4.** (*am. mil. flyv.*) *fighter.*

f *fork. f.* **1.** *folio;* **2.** *foot;* **3.** (*gram.*) *feminine;* **4.** (*møntfod*) *franc.*

f. *fork. f.* (*i henvisning*) *following.*

FA *fork. f.* **1.** *Football Association;* **2.** S *Fanny Adams.*

FAA *fork. f.* (*am.*) *Federal Aviation Administration.*

fab [fæb] *adj.,* **fabbo** ['fæbəu] *adj.* (*glds.* T) = *fabulous 1.*

fable ['feibl] *sb.* **1.** fabel; **2.** myte; sagn; **3.** (*fig.*) skrøne, myte.

fabled ['feibld] *adj.* **1.** opdigtet; **2.** vidtberømt, legendarisk; sagnomspunden, eventyrlig.

fabric ['fæbrik] *sb.* **1.** (vævet) stof (*fx woollen -s*); **2.** (*om bygning*) skelet; struktur; **3.** (*om stof*) vævning (*fx a cloth of exquisite ~*); **4.** (*fig.*) indre sammensætning; opbygning; struktur (*fx the ~ of society*).

fabricate ['fæbrikeit] *vb.* **1.** opdigte (*fx an excuse; a charge* en anklage); **2.** forfalske (*fx a document; banknotes; evidence*); **3.** (*fagligt: industriprodukt*) fremstille, fabrikere, producere.

fabrication [fæbri'keiʃn] *sb.* (jf. *fabricate*) **1.** opdigtning (*fx of excuses*); **2.** forfalskning (*fx of a signature*); **3.** fremstilling, fabrikation, produktion; **4.** (*om beretning etc.*) opspind, opdigt (*fx his evidence was pure ~*); **5.** (*om ting*) forfalskning (*fx the passport was a ~*); falskneri.

fabulist ['fæbjulist] *sb.* **1.** fabeldigter; **2.** løgner.

fabulous ['fæbjuləs] *adj.* **1.** T eventyrlig, fantastisk, fabelagtig (*fx wealth; beauty*); **2.** (*om væsener*) fabel- (*fx beasts; creatures*); sagn- (*fx heroes*).

façade [fə'sa:d] *sb.* facade.

face¹ [feis] *sb.* **1.** ansigt; (*med adj. også*) ansigtsudtryk, mine (*fx a happy//sad//serious ~*); **2.** (*af ting*) forside; yderside; **3.** (*af hus*) facade; **4.** (*af bjerg, klippe*) side, væg; **5.** (*af krystal*) flade; **6.** (*af ur*) urskive; **7.** (*på hammer, ambolt*) bane; **8.** (*typ.*) skriftsnit, skriftbil-

lede; hoved [*af type*]; **9.** T uforskammethed, frækhed;
□ *the ~ of the earth* jordens overflade (*fx disappear/vanish off the ~ of the earth*); *on the ~ of the earth* på hele jorden; *the acceptable//ugly etc. ~ of* den acceptable//hæslige *etc.* side af (*fx capitalism*); *full ~* (*om portræt*) en face; (se også *straight²*);
[*med vb.*] *his face **fell*** se *fall²*; **have** *a long ~* være lang i ansigtet; **have** *the ~ **to*** have den frækhed at (*fx say no*); **lose** *~* tabe ansigt; ***make/pull*** *a ~/-s* lave/skære ansigt/ansigter; lave en grimasse/ grimasser; *make/pull a long ~* blive lang i ansigtet; ***put*** *a bold/ brave/good ~ **on*** *it* gøre gode miner til slet spil; lade som ingenting; *that puts an entirely new ~ on the matter* det stiller sagen i et helt nyt lys; ***save*** *~* redde ansigt(et); ***set*** *one's ~ **against*** *it* sætte sig imod det; ***show*** *one's ~* vise sig; lade sig se; ***shut*** *your ~!* S hold kæft!
[*med præp.*] *hit him **across*** *the face* slå ham i ansigtet; *a shadow passed across his ~* en skygge gled hen over hans ansigt; *it was written **across/all over*** *his ~* det stod malet i hans ansigt; *laugh **in*** *sby's face* le en lige op i ansigtet; *look sby **in*** *the ~* se en i øjnene; (se også *in-the-face, blow²* (*up*), *door, stare²*); *till you are blue in the ~* T til du bliver blå i hovedet; så længe du gider; *in the ~ **of*** **a.** over for (*fx the enemy*); **b.** til trods for, trods (*fx many difficulties*); (se også *fly³*); *off one's ~* S døddrukken; (*af narko*) høj; *on the ~ **of*** *it* tilsyneladende; overfladisk set; *get **out*** *of my ~!* T fis af! lad mig være! *she told him to his ~ that ...* hun sagde ham lige op i ansigtet at ...; *~ **to*** *~ **with*** ansigt til ansigt med; *come ~ to ~ with* (*fig.*) stå over for, blive konfronteret med (*fx a serious problem*).

face² [feis] *vb.* **1.** (*om person*) stille sig ansigt til ansigt med; vende ansigtet imod, stå med front mod (*fx he -d the orchestra*); **2.** (*fig.:*

noget ubehageligt) stå over for (*fx difficulties; a serious problem*); (*og ikke vige*) se i øjnene (*fx the danger; the facts; the truth*); **3.** (*om bygning etc.: i en bestemt retning*) vende (ud) imod (*fx the house -s the park; the terrace -s south*); ligge/stå over for (*fx the houses ~ each other*); **4.** (*bygning: til pynt, beskyttelse*) beklæde (*fx a building with marble*); belægge; **5.** (*tøj*) besætte; kante; forsyne med opslag; **6.** (*tekn.*) afrette; plandreje;
□ *let's ~ it* vi kan lige så godt se det i øjnene; ærlig talt; *~ letters* vaske breve op [ɔ: lægge dem med adresserne samme vej]; *~ the question* se sagen lige i øjnene; (se også *music*);
[*i kommando*] *about ~!* omkring! *left ~!* venstre om! *right ~!* højre om!
[*med præp., adv.*] *~ **down*** kue; intimidere; byde trods; *~ **off*** konfrontere; *~ it **out*** ikke ville give sig, holde på sit; *~ **up to*** se i øjnene (*fx the danger; the situation*); acceptere uden at kny; *be -d **with*** være stillet over for; stå over for (*fx a crisis*).

face card *sb.* (*am.*) billedkort.

facecloth ['feisklɔθ] *sb.* **1.** vaskeklud; **2.** klæde (*fx a jacket of ~*).

face flannel *sb.* vaskeklud.

faceless ['feisləs] *adj.* ansigtsløs, anonym (*fx bureaucrats*).

facelift ['feislift] *sb.* ansigtsløftning.

face-off ['feis ɔf] *sb.* **1.** (*am.*) konfrontation; **2.** (*i ishockey*) [*det at pucken gives op af dommeren*].

facer ['feisə] *sb.* T **1.** en lige i synet; **2.** pludselig vanskelighed; slem overraskelse.

face-saving ['feisseiviŋ] *adj.* som skal redde ansigtet//skinnet.

facet ['fæsət] *sb.* **1.** (*af diamant*) facet; **2.** (*fig.*) facet, aspekt, side (*fx every ~ of his character//of the problem*).

faceted ['fæsətid] *vb.* facetteret.

face time *sb.* (*am.* T) [*tid man tilbringer i direkte kontakt*].

facetious [fə'si:ʃəs] *adj.* anstrengt spøgefuld.

face tissue *sb.* ansigtsserviet.
face value *sb.* pålydende værdi;
□ *accept it at its* ~ (*fig.*) tage det
for pålydende; tage det for hvad
det giver sig ud for; tage det for
gode varer.
facial[1] ['feiʃ(ə)l] *sb.* ansigtsbehand-
ling; ansigtsmassage.
facial[2] ['feiʃ(ə)l] *adj.* ansigts- (*fx
expression*; *nerve*);
□ ~ *hair* hår i ansigtet.
facile ['fæsail, (*am.*) 'fæsl] *adj.*
1. (*om argument. teori*) letkøbt,
overfladisk; **2.** (*om person*) over-
fladisk elskværdig; (*neds.*) facil;
3. (*om tekst etc.*) lettilgængelig,
(let)flydende, letbenet (*fx style*;
verse); **4.** (*om sejr, især i sport*)
let.
facilitate [fə'siliteit] *vb.* **1.** lette,
gøre lettere; **2.** formidle (*fx a
meeting between them*).
facilitation [fəsili'teiʃn] *sb.* **1.** let-
telse; **2.** formidling.
facilitator [fə'siliteitə] *sb.* mellem-
mand, mægler; formidler.
facilities [fə'silitiz] *sb. pl.* (se også
facility) **1.** muligheder (*fx special
~ for learning English//for study*);
lejlighed (*for til*); let adgang (*for
til, fx cooking; golf and tennis*);
2. (*ting, installationer*) hjælpe-
midler, udstyr (*fx a wide range of
~ is available at the sports
centre*); faciliteter; **3.** (*am.*) anlæg,
fabrik; toilet.
facility [fə'silati] *sb.* (se også *facili-
ties*) **1.** mulighed (*fx an overdraft
~*); **2.** (*på maskine etc.*) funktion;
3. (*persons*) færdighed (*fx the
pianist played with great ~*); let-
hed;
□ *have a ~ for* (*om person*) have
talent/anlæg for.
facing[1] ['feisiŋ] *sb.* **1.** (*på tøj*) be-
sætning; kantning; opslag; **2.** (*på
væg, facade etc.*) beklædning;
3. (*mil.: i eksercits*) vending.
facing[2] ['feisiŋ] *adj.* med ansigtet
mod; med front mod; vendende
mod (*fx ~ south*);
□ *east//south-~* øst//sydvendt.
facing wall *sb.* skalmur.
facsimile [fæk'simili] *sb.* faksimile.
fact [fækt] *sb.* **1.** (*mods. noget anta-
get*) kendsgerning, faktum (*fx it is
a ~*); **2.** (*led i helhed, beskrivelse
etc.*) omstændighed (*fx an import-
ant ~; the ~ that he was very
young*); faktum; forhold; **3.** (*gene-
relt*) virkelighed (*fx ~ and fic-
tion*); kendsgerninger; realiteter;
□ *and that's a ~* og sådan er det;
is that a ~? er det rigtigt? *the ~ is
that* sagen er (den) at; *the ~ re-
mains that* det står (i hvert fald)

fast at; *the -s of life* livets realite-
ter; *tell him the -s of life* fortælle
ham hvor de små børn kommer
fra;
[*med præp.*] *accessory after the
~* (*jur.*) efterfølgende medvir-
kende [*til forbrydelse*]; *complicity
after the ~* (*jur.*) efterfølgende
medvirken; *accessory before the
~* (*jur.*) oprindeligt medvirkende;
complicity before the ~ (*jur.*) for-
udgående medvirken; *I know it
for a ~* jeg ved det med sikker-
hed; *in ~* **a.** i virkeligheden; fak-
tisk; **b.** endog; ja (*fx I disliked
him, in ~ I hated him*); *a matter
of ~* en kendsgerning; en realitet;
as a matter of ~ faktisk; i virkelig-
heden; (se også *matter-of-fact*);
point of ~, question of ~ (*jur.*) re-
alitetsspørgsmål.
fact-finding ['fæktfaindiŋ] *sb.* frem-
skaffelse af oplysninger; udred-
ning.
fact-finding committee *sb.* under-
søgelseskommission.
faction ['fækʃn] *sb.* **1.** (*i parti*) frak-
tion; gruppe; klike; **2.** (*generelt,* F)
uenighed, strid, splittelse; **3.** (*litt.
etc., af fact + fiction*) faktion;
halvdokumentarisme.
factional ['fækʃnəl] *adj.* klike-; som
foregår mellem fraktioner.
factionalism ['fækʃnəlizm] *sb.*
splittelse; klikevæsen.
factious ['fækʃəs] *adj.* oprørsk;
splittet; klike-.
factitious [fæk'tiʃəs] *adj.* F kunstig;
uægte.
factoid ['fæktɔid] *sb.* [*løgn maske-
ret som kendsgerning*].
factor[1] ['fæktə] *sb.* faktor.
factor[2] ['fæktə] *vb.:* ~ *in* medregne,
indkalkulere; ~ *into* medregne i,
indregne i.
factorize ['fæktəraiz] *vb.* (*mat.*) op-
løse i faktorer.
factory ['fækt(ə)ri] *sb.* **1.** fabrik;
2. (*person, merk.*) kommissionær.
Factory Acts *sb. pl.* arbejderbe-
skyttelseslove; fabrikslovgivning.
factory farming *sb.* industrielt
landbrug.
factory floor *sb.:* on the ~ på gul-
vet.
factory gate price *sb.* fabrikspris.
factory girl *sb.* fabriksarbejderske.
factotum [fæk'təutm] *sb.* fakto-
tum; altmuligmand.
fact sheet *sb.* oplysningsblad.
factual ['fæktʃuəl] *adj.* **1.** faktuel,
saglig, nøgtern (*fx account*);
2. faktisk, virkelig (*fx case*).
faculty ['fæk(ə)lti] *sb.* **1.** evne (*fx
creative faculties*); anlæg; **2.** (*ved
universitet*) fakultet; **3.** (*am.*) læ-

rerstab, lærerkollegium;
□ *the ~* (T *især*) lægestanden;
(*mental*) *faculties* åndsevner; *he
is still in possession of all his fac-
ulties* han er stadig åndsfrisk.
fad [fæd] *sb.* **1.** (*generel*) modefæ-
nomen, dille; **2.** (*persons*) grille,
lune, mani.
faddish ['fædiʃ] *adj.* **1.** (*om person*)
besat af en idé/mani; speciel, sær;
2. (*om ting*) modepræget.
faddist ['fædist] *sb.* en der er besat
af en idé/mani; monoman person.
faddy ['fædi] *adj.* (*mht. mad*) spe-
ciel, kræsen.
fade [feid] *vb.* (se også *faded*) **1.** (*om
lys, lyd etc.*) blive svagere og sva-
gere, forsvinde lidt efter lidt;
svinde (bort) (*fx light//hope//en-
thusiasm -d*); fortone sig (*fx the
music//the memory -d*); dø hen (*fx
the noise -d*); **2.** (*om farve, stof,
billede*) falme; afbleges; blegne;
(*om blomst, skønhed også*) visne;
3. (*især om sportshold*) falde af på
den; **4.** (*med objekt*) afblege (*fx
sunlight will ~ the colours*); få til
at falme;
□ ~ *away* se ovf.: *1, 2*; ~ *from
view/sight* forsvinde ud af syne,
forsvinde i det fjerne; ~ *from the
scene/picture* glide ud af billedet;
~ *in* a. (*filmbillede*) optone;
b. (*lyd*) fade op; ~ *into the back-
ground* glide i baggrunden; ~ *out
a.* forsvinde (lidt efter lidt); ebbe
ud; **b.** (*filmbillede*) udtone;
c. (*lyd*) fade ud.
faded ['feidid] *adj.* falmet, blegnet;
visnet.
fade-in ['feidin] *sb.* (*om filmbillede
& lyd*) optoning.
fadeless ['feidləs] *adj.* **1.** farveægte,
solægte; **2.** uvisnelig.
fade-out ['feidaut] *sb.* (*om filmbil-
lede & lyd*) udtoning.
fading ['feidiŋ] *sb.* (*i radio*) fading.
faecal ['fi:k(ə)l] *adj.* fækal, ekskre-
ment-, afførings-.
faeces ['fi:si:z] *sb. pl.* afføring, eks-
krementer.
faff [fæf] *vb.:* ~ *about* lalle rundt,
fjolle rundt.
fag[1] [fæg] *sb.* **1.** T cigaret; smøg;
2. (*glds.: på kostskole*) [*mindre
elev som må opvarte ældre skole-
kammerat(er)*]; **3.** (*am.* S) bøsse-
ka'l;
□ *it's a ~* det er kedeligt//besvær-
ligt; det er et hestearbejde.
fag[2] [fæg] *vb.* T pukle; (*med
objekt*) trætte; udmatte; **2.** (jf. *fag*[1]
2) være *fag*.
fag end *sb.* **1.** sidste rest; sidste
ende; **2.** (*af cigaret etc.*) skod.
fagged (out) ['fægd(aut)] *adj.* ud-

F *faggot*

aset.

faggot, fagot ['fægət] *sb.* **1.** [*slags frikadelle af hakket lever*]; **2.** (*glds.*) brændeknippe; risbundt; **3.** (*am.* S) bøsseka'l.

Fahrenheit ['færənhait, 'fa:r-] *adj.* fahrenheit.

faience [fr., fai'a:ns] *sb.* fajance.

fail[1] [feil] *sb.* (*ved eksamen*) dumpekarakter;
□ *without ~* **a.** aldeles bestemt, helt afgjort (*fx I'll come without ~*); **b.** med usvigelig sikkerhed, uden undtagelse (*fx every day without ~*).

fail[2] [feil] *vb.* (se også *failed*, *failing*[3]) **A.** (*uden objekt*) **1.** (*om forehavende etc.*) mislykkes; slå fejl (*fx the attack -ed*; *the crop* (høsten) *-ed*); **2.** (*om mekanisme etc.*: *ikke fungere*) svigte (*fx the brake -ed*; *this method never -s*; *his courage -ed*; *his voice -ed*); (*om lys*) gå ud; **3.** (*mht. styrke*) blive svag(ere) (*fx his eyesight is -ing*); **4.** (*om person*) ikke have held med sig; **5.** (*økonomisk*) gå fallit; **6.** (*ved eksamen*) dumpe;
B. (*med objekt*) **1.** svigte (*fx don't ~ him in his need*); lade i stikken; **2.** (*eksamen, prøve*) dumpe til (*fx a test*); **3.** (*fag*) dumpe i (*fx he -ed history*); **4.** (*elev, kandidat*) lade dumpe (*fx ~ a student*);
□ *he is -ing rapidly* det går hurtigt ned ad bakke med ham; *words ~ me* jeg mangler ord; *~ in* mangle (*fx he -s in respect*); savne; *~ in one's duty* svigte sin pligt; *~ in one's object* ikke nå sit mål; *~ to* undlade at, forsømme at (*fx he -ed to let me know*); *he -ed to do it* (*også*) han gjorde det ikke; *~ to obtain* gå glip af; *he -ed to obtain the post* (*også*) det lykkedes ham ikke at få stillingen; *I ~ to see/ understand what//why etc.* (*også*) jeg kan ikke forstå ikke hvad// hvorfor *etc.*; jeg er ude at stand til at forstå hvad//hvorfor *etc.*

failed ['feild] *adj.* **1.** mislykket (*fx marriage*); fejlslagen (*fx attempt*; *policy*); **2.** (*om person*) falleret (*fx writer*).

failing[1] ['feiliŋ] *sb.* fejl, ufuldkommenhed, svaghed (*fx we all have our little -s*).

failing[2] ['feiliŋ] *adj.* **1.** svigtende (*fx eyesight*; *hearing*; *health*); **2.** (*merk.*) skrantende (*fx business*); nødlidende (*fx company*);
□ *in the ~ light* i det svindende lys.

failing[3] ['feiliŋ] *præp.* i mangel af;
□ *~ an answer* hvis der ikke kommer svar; *~ that//this//which* i

mangel heraf; ellers; i modsat fald.

fail-safe ['feilseif] *adj.* fejlsikker.

failure ['feiljə] *sb.* **1.** mislykket forsøg, nederlag (*fx he succeeded after many -s*); (*også om person*) fiasko (*fx the campaign//he was a ~*); **2.** (jf. *fail*[2]) fejlslagning, sammenbrud (*fx the ~ of the attack*); svigten (*fx of strength*; *of supplies*; *of eyesight*); **3.** (*merk.*) konkurs, fallit, krak;
□ *doomed to ~* dømt til at mislykkes;
[*med præp.& adv.*] *~ of* mangel på (*fx imagination*); *the ~ of the crops* (jf. *2*) den fejlslagne høst; *the ~ of his health* (jf. *2*) hans svigtende helbred; *~ to* undladelse/forsømmelse af at (*fx let me know*); *the reason for their ~ to appear* grunden til at de ikke kom; *his ~ to see/understand what//why etc.* hans manglende evne til at forstå hvad/hvorfor *etc.*

failure rate *sb.* dumpeprocent.

faint[1] [feint] *sb.* besvimelse, afmagt;
□ *fall into a ~* besvime, falde i afmagt.

faint[2] [feint] *adj.* **1.** svag (*fx sound*; *chance*; *attempt*; *resemblance*); **2.** (*om person*) svag, mat; afkræftet, udmattet (*from, with* af, *fx hunger*); kraftløs;
□ *I have not the -est idea* jeg har ikke den fjerneste anelse (om det); *~ heart never won fair lady* (*omtr.*) hvo intet vover intet vinder.

faint[3] [feint] *vb.* besvime (*from, with* af, *fx hunger*).

faint-hearted [feint'ha:tid] *adj.* frygtsom, forsagt;
□ *it is not for the ~* det kræver mod.

fainting fit *sb.* besvimelse.

fair[1] [fɛə] *sb.* **1.** (*salgs-, med boder*) marked; **2.** (*større; udstilling*) messe (*fx book ~*); **3.** (*med forlystelser*) (omrejsende) tivoli;
□ *a day after the ~* (*fig.*) en postgang for sent; post festum.

fair[2] [fɛə] *adj.* **1.** retfærdig, fair, reel (*fx treatment*); rimelig (*fx prices*; *share* andel); **2.** (*om størrelse, mængde*) pæn, betydelig (*fx amount*; *distance*; *number*); **3.** (*om kvalitet etc.*) (nogenlunde) god, hæderlig; antagelig, rimelig, nogenlunde; **4.** (*om hud el. hår*) lys; (*om hår også*) blond; **5.** (*glds.*) fager, skøn; **6.** T regulær, fuldkommen (*fx it was a ~ miracle*);
□ *all is ~ in love and war* i kærlighed og krig gælder alle kneb; *~*

enough! lad gå (med det)! fint nok! udmærket! all right! *fair's ~* ret skal være ret; *for ~* (*am.*) for alvor; *~ and square* ærlig; *~ to middling* nogenlunde (god) (*fx the weather is ~ to middling*); hæderlig; *through ~ and (through) foul* gennem tykt og tyndt;
[*med sb.*: *se også på alfabetisk plads*] *a ~ cop* se *cop*[1]; *~ dealing* se *dealing*; *~ fight* ærlig kamp; *by ~ means or foul* med det gode eller med det onde; *~ promises* gyldne løfter; *be on the ~ side of forty* være på den rigtige side af de fyrre; *a ~ way* et godt stykke (vej) (*fx there is still a ~ way to go*); *be in a ~ way to* være godt på vej til (at) (*fx he is in a ~ way to ruining himself*); *~ weather* godt/ fint vejr; *~ wind* gunstig vind; *~ words* smukke/fagre ord; *~ words butter no parsnips* se *butter*[2].

fair[3] [fɛə] *adv.* **1.** (jf. *fair*[2] *1*) retfærdigt, fair, reelt, rimeligt; ærligt; **2.** lige, direkte (*fx I hit him ~ on the chin*);
□ *bid ~ to* tegne til at; *fight ~* kæmpe efter reglerne; *play ~* spille ærligt spil; *you cannot say -er than that* det er virkelig alt hvad man kan forlange; (se også *write* (*out*)).

fair comment *sb.* saglig kritik;
□ *go beyond ~* overskride ytringsfrihedens grænse.

fair copy *sb.* renskrift.

fair dos [fɛə'du:z] *sb.* T rimelighed; ligelig behandling;
□ *~!* det skal gå retfærdigt til! *that's not ~* det er der ingen rimelighed i; det er uretfærdigt.

fair game *sb.* **1.** lovligt/ikke fredet vildt; **2.** (*fig.*) lovligt bytte;
□ *he is ~* (*også*) han er ikke fredet; han må altid stå for skud/ holde 'for; *politicians are considered ~* (*spøg.*) politikere må jages hele året.

fairground ['fɛəgraund] *sb.* markedsplads.

fair-haired [fɛə'hɛəd] *adj.* lyshåret.

fair-haired boy *sb.* (*am.*) yndling; protegé.

fairing ['fɛəriŋ] *sb.* **1.** strømlinjebeklædning; strømlinjeskærm; **2.** (*glds.*) markedsgave.

fairlead ['fɛəli:d] *sb.* (*mar.*) klys, skødeviser.

fairly ['fɛəli] *adv.* **1.** (jf. *fair*[2] *1*) retfærdigt (*fx he judged me ~*); fair, reelt; med rimelighed (*fx it can be ~ argued that ...*); **2.** (jf. *fair*[2] *3*) temmelig, rimelig (*fx good*; *certain*); ganske, nogenlunde, rigtig (*fx good*); **3.** (*understregende*)

306

helt, fuldstændig (*fx he was* ~ *beside himself*); (*om noget overraskende*) ligefrem (*fx he* ~ *scolded me*).

fair-minded [fɛə'maindid] *adj.* retfærdig; upartisk; retsindig.

fairness ['fɛənəs] *sb.* **1.** (jf. *fair²* 1) retfærdighed; fairness; rimelighed; **2.** (jf. *fair²* 4) lyshed; blondhed; **3.** (*glds.*) skønhed;
□ *in* ~ når man skal være retfærdig; retfærdigvis; *in* ~ *I must add* jeg skylder retfærdigheden at tilføje.

fair play *sb.* fairplay; ærligt spil, retfærdig behandling.

fair sex *sb.*: *the* ~ (*glds.*) det smukke køn.

fair trial *sb.* (*jur.*) retfærdig rettergang/proces.

fairway ['fɛəwei] *sb.* **1.** (*mar.*) sejlløb; **2.** (*i golf*) fairway.

fair-weather ['fɛəweðə] *adj.*: ~ *friend* upålidelig ven; ~ *sailing* magsvejrssejlads; ~ *sailor* bolværksmatros.

fairy ['fɛəri] *sb.* **1.** fe (*fx the good// wicked* ~); alf (*fx flower fairies*); **2.** S bøsseka'l.

fairy cake *sb.* [*lille rund kage af sukkerbrødsdej*].

fairy godmother *sb.* **1.** (*i eventyr*) god fe; **2.** (*fig.*) god fe; velgører, mæcen.

fairyland ['fɛərilænd] *sb.* eventyrland.

fairy lights *sb. pl.* kulørte lamper.

fairy ring *sb.* (*i græsbevoksning*) heksering.

fairy-ring champignon *sb.* (*bot.*) elledansbruskhat.

fairy story *sb.*, **fairy tale** *sb.* eventyr.

fait accompli [feitə'kɔmpli:] *sb.* fait accomplit, fuldbyrdet kendsgerning.

faith [feiθ] *sb.* **1.** tillid (*in* til, *fx he had no* ~ *in politicians*); tro (*in* på, *fx his blind* ~ *in their loyalty*); tiltro (*in* til); **2.** (*rel.*) tro (*fx the Muslim//Jewish//Christian//Catholic* ~; *he has lost his* ~); (*om trosretning også*) religion (*fx the Muslim//Jewish* ~);
□ *break* ~ *with* F svigte, forråde; *keep* ~ *with* F ikke svigte, holde fast ved (*fx one's ideal; one's promise*); *pin one's* ~ *on* sætte al sin lid til; tro blindt på; *place/put one's* ~ *in* sætte sin lid til;
[*med præp.*] *in bad* ~ i ond tro; mod bedre vidende; *in good* ~ i god tro; *breach of* ~ løftebrud; tillidsbrud; illoyalitet; (*se også act¹, article*).

faithful ['feiθf(u)l] *adj.* **1.** trofast (*fx*

friend; servant; dog); tro (*fx servant; friend; for long and* ~ *service*); **2.** (*om beretning*) pålidelig (*fx report; account*); **3.** (*om gengivelse*) nøjagtig (*fx translation; sound reproduction*);
□ *the* ~ **a.** de trofaste tilhængere; **b.** (*rel.*) de troende; ~ *to* trofast mod, tro mod (*fx one's friends; one's principles*); *she was* ~ *to her husband* hun var sin mand tro.

faithfully ['feiθf(u)li] *adv.* (jf. *faithful*) **1.** trofast; **2.** pålideligt; **3.** nøjagtigt;
□ *promise* ~ *love* højtideligt; love højt og helligt; *Yours* ~ (*i forretningsbrev*, F) med venlig hilsen.

faith healing *sb.* helbredelse ved bøn//ved overnaturlig kraft.

faithless ['feiθləs] *adj.* troløs, svigefuld.

fake¹ [feik] *sb.* **1.** (*om ting*) forfalskning, falskneri; fup; **2.** (*om person*) svindler, bedrager, fupmager; **3.** (*mar.*) bugt (*af en tovrulle*).

fake² [feik] *adj.* T uægte, falsk.

fake³ [feik] *vb.* **1.** (*ting*) forfalske, eftergøre (*fx antiques; a signature*); pynte på (*fx a report*); **2.** (*følelse etc.*) simulere (*fx surprise; grief; an orgasm; illness*); foregive at have (*fx a headache*); **3.** (*handling*) fingere (*fx he had -d an attack on himself*);
□ ~ *out* (*am.* T) fuppe, narre.

fakir ['feikiə] *sb.* fakir.

falafel [fə'læf(ə)l] *sb.* falafel.

falcate ['fælkeit] *adj.* (*bot.; zo.*) seglformet.

falciform ['fælsifɔ:m] *adj.* seglformet.

falcon ['fɔ:lk(ə)n, 'fɔ:k-, (*især am.*) 'fælk-] *sb.* falk.

falconer ['fɔ:lk(ə)nə, 'fɔ:k-, (*især am.*) 'fælk-] *sb.* falkoner.

falconry ['fɔ:lk(ə)nri, 'fɔ:k-, (*især am.*) 'fælk-] *sb.* **1.** falkejagt; **2.** falkeopdræt.

Falklands ['fɔ:lkləndz, 'fɔ:k-] *pl.*: *the* ~ (*geogr.*) Falklandsøerne.

fall¹ [fɔ:l] *sb.* (se også *falls*) **1.** fald; **2.** (*mht. mængde, omfang etc.*) fald, nedgang (*fx in prices; in unemployment*); **3.** (*i brydning*) brydetag; **4.** (*am.*) efterår (*fx in the* ~ *of 2001*);
□ *have a* ~ falde; *the Fall (of Man)* syndefaldet; *take a/the* ~ *for* (*am.* S) tage skylden for; ~ *of rain* nedbør; regnmængde; ~ *of snow* snefald; (se også *ride²* (*for*)).

fall² [fɔ:l] *vb.* (*fell, fallen*) **1.** falde; (*til jorden også*) falde om (*fx into the bed*); styrte (*fx the horse fell*); **2.** (*mht. mængde, omfang etc.*)

falde, synke, aftage; **3.** (*om mørke, tavshed*) sænke sig (*on* over); **4.** (+ *adj.*) blive (*fx ill; silent; vacant*); (se også *due², flat³, foul², short²*);
□ ~ *open* lukke sig op, åbne sig; [*med sb.*] *his face fell* **a.** (*af skuffelse*) han blev lang i ansigtet; **b.** (*af overraskelse*) han fik et måbende udtryk i ansigtet; *his heart fell* hans mod sank; *night fell* (jf. 3 *også*) natten faldt på; *his spirits fell* han tabte modet; *the wind fell* vinden løjede af;
[*med præp., adv.*] ~ *about* T være ved at falde om af grin; ~ *about one's ears* falde ned over hovedet på en; falde sammen om en;
~ *apart* falde fra hinanden;
~ *away* **a.** falde af; **b.** gå tilbage, blive svagere (*fx opposition//demand fell away*); være i tilbagegang; **c.** (*om tilhængere*) falde fra, svigte; **d.** (*om følelse*) gå væk, forsvinde (*fx her inhibitions fell away*); **e.** (*om terræn*) skråne (brat) nedad;
~ *back* vige tilbage; (*også mil.*) trække sig tilbage; ~ *back on* **a.** (*mil.*) trække sig tilbage til (*fx a fortress*); **b.** (*når alt andet glipper*) falde tilbage på (*fx he always had her money to* ~ *back on*);
~ *behind* **a.** sakke agterud; **b.** (*med betaling, arbejde, leverance*) komme bagefter/bagud; (*med betaling også*) komme i restance (*in* med);
~ *down* **a.** falde ned; **b.** vælte (*fx the tree fell down*); **c.** (*om bygning etc.*) styrte sammmen (*fx the house//the roof fell down*); **d.** (*om forehavende*) falde til jorden; ~ *down on* se *job¹*;
~ *for* **a.** (*person*) falde for; blive forelsket i; **b.** (*trick etc.*) falde for, hoppe på; lade sig imponere/ narre af;
~ *from grace* se *grace¹*;
~ *in* **a.** styrte sammen (*fx the roof fell in*); **b.** (*mil.*) træde an; (*med objekt*) lade træde an; **c.** (*jur., om lejemål, pension*) udløbe; ophøre; (se også *love¹*); ~ *in alongside/beside* slå følge med; ~ *in behind* slutte op bag;
~ *into* **a.** falde i (*fx the river; the problems* ~ *into three categories// groups*); **b.** (*tilstand*) falde i (*fx a trance; a deep sleep*); synke ned i (*fx a deep depression*); **c.** (*om flod*) munde ud i; ~ *into conversation//discussion with* komme i samtale//diskussion med; (se også *coma, debt, decay¹, decline¹, disgrace¹, disrepair, disrepute, disuse, line¹, place¹, step¹*);

F *fallacious*

~ **in with a.** (*person*) blive gode venner med; **b.** (*forslag, plan etc.*) tilslutte sig, gå ind på; **c.** (*synspunkt etc.*) falde sammen med; stemme overens med;
~ **off a.** se ovf.: ~ *away a, b, c*;
b. (*mar.*) falde af; (se også *log¹*);
~ **on a.** (*om begivenhed;* F *om blik*) 'falde på (*fx his birthday fell on a Monday; his eye fell on the letter*); **b.** (*om voldsmand etc.*) overfalde; falde 'over; **c.** (*om opgave*) tilfalde; **d.** (*tanke, idé*) komme på; **e.** (*mad,* F) falde 'over (*fx they fell on the bread and cheese*); ~ *on one's feet* se *foot¹*; ~ *on good//stony ground* falde i frugtbar jord//på stengrund; *he fell on hard times/evil days* der kom vanskelige/svære tider for ham; han kom i nød;
~ **out a.** falde ud (*fx his teeth fell out*); **b.** (*om hår*) falde af; **c.** (*om begivenhed,* F) hænde, gå 'til; falde ud (*fx the way things had -en out*); **d.** (*om personer*) blive uenige; blive uvenner; **e.** (*mil.*) træde af; (*med objekt*) lade træde af; ~ *out of* falde ud af (*fx he fell out of the window*); (se også *favour¹, love¹*); ~ *out with* blive uenig med; blive uvenner med;
~ **over a.** (*om person*) falde (om kuld); **b.** (*om ting*) vælte (*fx the vase fell over*); **c.** (*om computerprogram*) gå ned; ~ *over oneself* T **a.** falde over sine egne ben; **b.** (*fig.*) gøre sig alle mulige anstrengelser; lægge sig i selen; ~ *over backwards* se: ~ *over oneself b*;
~ **through** falde igennem; mislykkes; gå i vasken;
~ ''to **a.** (*glds.*) tage fat; gå i gang; (*ved måltid*) lange til fadet; **b.** (*om dør etc*) falde i, lukke sig;
'~ *to* (*om opgave*) tilfalde; '~ *to + -ing* (*glds.*) give sig til at (*fx brooding; wondering*); (se også *blow¹, ground¹*);
~ **under** falde/komme ind under; høre til; (se også *spell¹*);
~ **upon** se ovf.: ~ *on.*
fallacious [fə'leiʃəs] *adj.* fejlagtig; vildledende.
fallacy ['fæləsi] *sb.* vildfarelse; forkert antagelse; fejlslutning.
fallback¹ ['fɔ:lbæk] *sb.* reserve.
fallback² ['fɔ:lbæk] *adj.* til at falde tilbage på; reserve-.
fallen ['fɔ:l(ə)n] *præt. ptc. af fall².*
fallen arches *sb. pl.* platfodethed.
fall guy *sb.* T **1.** syndebuk; **2.** let offer.
fallible ['fæləbl] *adj.* som kan begå fejl; ikke ufejlbarlig.

falling-off [fɔ:liŋ'ɔf] *sb.* afmatning, tilbagegang (*fx in sales*).
falling-out [fɔ:liŋ'aut] *sb.* uenighed.
falling sickness *sb.* (*glds.*) faldende syge, epilepsi.
falling star *sb.* stjerneskud.
Fallopian [fæ'ləupiən] *adj.:* ~ *tube* (*anat.*) æggeleder.
fallout ['fɔ:laut] *sb.* **1.** (radioaktivt) nedfald; **2.** (*fig.*) biprodukt; følgevirkninger, efterdønninger, efterveer.
fallow¹ ['fæləu] *sb.* brak(jord); brakmark.
fallow² ['fæləu] *adj.* **1.** (*agr.*) brak; **2.** (*fig.*) uvirksom; (*om periode*) død; **3.** (*farve*) gulbrun; □ *lie* ~ ligge brak.
fallow deer *sb.* dådyr.
falls [fɔ:lz] *sb. pl.* vandfald.
false [fɔ(:)ls] *adj.* **1.** (*om oplysning etc.*) falsk, usand, urigtig; **2.** (*om ting*) falsk (*fx passport; name; identity*); kunstig (*fx teeth; eyelashes*); **3.** (*om optræden*) falsk (*fx modesty*); uægte (*fx enthusiasm; smile*); forloren; **4.** (*om person*) uærlig; utro;
□ *play sby* ~ narre en;
[*med sb.*; *se også alfabetisk*] *under* ~ *colours* se *colours*; *a* ~ *economy* en kun tilsyneladende besparelse; *a* ~ *move/step* et fejltrin; ~ *pretences* falsk foregivende.
false bottom *sb.* dobbelt bund.
falsehood ['fɔ(:)lshud] *sb.* **1.** usandhed, løgn; **2.** (*egenskab*) usandfærdighed, løgnagtighed;
□ *tell a* ~ sige en usandhed.
false imprisonment *sb.* uretmæssig frihedsberøvelse.
false keel *sb.* (*mar.*) stråkøl.
false start *sb.* **1.** tyvstart; **2.** (*fig.*) mislykket forsøg;
□ *get a* ~ (*jf. 2*) snuble i starten; komme skævt ind på det.
falsetto [fɔ:l'setəu] *sb.* (*mus.*) falset.
falsies ['fɔ(:)lsiz] *sb. pl.* T indlæg [*i brystholder*].
falsification [fɔ(:)lsifi'keiʃn] *sb.* (*jf. falsify*) **1.** forfalskning; **2.** gendrivelse.
falsify ['fɔ(:)lsifai] *vb.* **1.** forfalske; **2.** (*påstand etc.*) gendrive; **3.** (*forventning*) skuffe (*fx my hopes were falsified*); gøre til skamme.
falsity ['fɔ(:)lsiti] *sb.* F **1.** falskhed; usandhed; **2.** uvederhæftighed.
falter ['fɔ:ltə] *vb.* **1.** (*om person*) vakle, blive usikker; miste modet; **2.** (*om proces, maskine*) gå i stå; **3.** (*om gang*) vakle, snuble (*fx with -ing steps*); **4.** (*om tale*) tale tøvende, hakke i det; stamme; **5.** (*om stemme*) være usikker,

skælve;
□ ~ *an excuse* fremstamme en undskyldning.
faltering ['fɔ:lt(ə)riŋ] *adj.* usikker, famlende, tøvende; vaklende.
fame [feim] *sb.* berømmelse; ry;
□ *Lord Cardigan, of sweater* ~ Lord Cardigan, berømt på grund af sweateren.
famed [feimd] *adj.* berømt.
familial [fə'miliəl] *adj.* familie- (*fx ties*); familiemæssig (*fx from a* ~ *point of view*); familiær (*fx conflicts*).
familiar¹ [fə'miliə] *sb.* **1.** (*glds.*) fortrolig ven; gammel bekendt; **2.** (*hos heks*) tjenende ånd; dæmon.
familiar² [fə'miliə] *adj.* **1.** velkendt (*fx face; voice; surroundings; this situation was all too* ~); bekendt (*fx it sounds* ~); **2.** (*om forhold*) intim, fortrolig (*fx be on* ~ *terms*); **3.** (*neds.*) familiær; **4.** (*om stil*) uformel, utvungen;
□ *it was* ~ *to me* (*jf. 1*) det var velkendt for mig; det var mig bekendt; *be* ~ *with a.* (*jf. 1*) være bekendt med; være fortrolig med (*fx I am not* ~ *with those technical terms*); **b.** (*jf. 2*) stå på en intim/ fortrolig fod med; **c.** (*jf. 3*) være familiær over for.
familiarity [fəmili'æriti] *sb.* (*jf. familiar*) **1.** bekendthed; **2.** intimitet; **3.** familiaritet;
□ ~ *breeds contempt* [*man mister respekten for det//den man kender for godt*]; ~ *with* kendskab til; fortrolighed med.
familiarize [fə'miliəraiz] *vb.* gøre kendt;
□ ~ *oneself//sby with sth* sætte sig//en ind i noget; gøre sig//en fortrolig med noget.
family ['fæm(i)li] *sb.* **1.** (*også bot., zo., sprogv.*) familie (*fx the* ~ *next door; the cat* ~; *a* ~ *of languages*); **2.** familie, slægt (*fx my* ~ *come/comes from Ireland*); **3.** familie, slægtninge (*fx I have* ~ *in Ireland*); **4.** børn (*fx he has a wife and* ~);
□ *start a* ~ få børn; F stifte familie; *he was one of a* ~ *of ten* han havde 9 søskende;
[*med: in*] *it runs in the* ~ det ligger til familien; det er en familiesvaghed; *it has been in the* ~ *for 100 years* det har været i familiens/slægtens eje i 100 år; *that happens in the best* (*of*) *families* det sker i de bedste familier; *she is in the* ~ *way* (*glds.* T) hun er i omstændigheder; hun skal have en lille.

family allowance *sb.* (*glds.*) = *child benefit.*

family credit *sb.* familieydelse.

family doctor *sb.* praktiserende læge; huslæge.

family jewels *sb. pl.:* the ~ S familiejuvelerne [*de mandlige kønsdele*].

family man *sb.* (*pl.* ... *men*) **1.** familiefader; **2.** familiemenneske.

family name *sb.* efternavn.

family planning *sb.* familieplanlægning; børnebegrænsning.

family room *sb.* **1.** (*am.: i hus*) alrum; **2.** (*i pub*) rum til børneparkering.

family tree *sb.* stamtræ.

famine ['fæmin] *sb.* **1.** hungersnød; **2.** mangel (*fx water* ~).

famished ['fæmiʃt] *adj.* T skrupsulten;
□ *I am* ~ (*også*) jeg er ved at dø af sult.

famous ['feiməs] *adj.* **1.** berømt; **2.** (*let glds.* T) strålende (*fx victory*); fremragende, storartet;
□ ~ *last words!* (T: *omtr.*) ja den er go' med dig!

famously ['feiməsli] *adv.* **1.** notorisk; som bekendt, som man ved; **2.** (*glds.* T) fremragende, storartet (*fx we got on* ~).

fan[1] [fæn] *sb.* **1.** vifte; **2.** (*mekanisk*) roterende vifte; ventilator; blæser; **3.** (*om person*) fan, beundrer, (begejstret) tilhænger; dyrker (*fx a jazz-fan*);
□ *the shit hits the* ~ (*vulg.*) fanden er løs.

fan[2] [fæn] *vb.* **1.** vifte (*fx* ~ *oneself;* ~ *sth away*); **2.** (*ild*) puste til, få til at flamme/blusse op; **3.** (*følelse etc.*) give næring til, forstærke (*fx their fury*); ophidse til (*fx social unrest*);
□ ~ *the flame* puste til ilden; ~ *out* sprede sig/spredes (i vifteform); brede sig ud.

fanatic [fə'nætik] *sb.* fanatiker.

fanatical [fə'nætik(ə)l] *adj.* fanatisk.

fanaticism [fə'nætisizm] *sb.* fanatisme.

fan belt *sb.* ventilatorrem.

fancier ['fænsiə] *sb.* (*i sms.*) -kender, -dyrker, -elsker (*fx rose-*~); -opdrætter (*fx pigeon-*~).

fanciful ['fænsif(u)l] *adj.* fantasifuld; fantastisk.

fan club *sb.* fanklub.

fancy[1] ['fænsi] *sb.* **1.** (*litt.*) fantasi; **2.** (*glds.*) indbildning (*fx it is mere* ~); forestilling (*fx he had happy fancies of marrying an heiress*); **3.** (*person*) sværmeri; kærlighed;
□ *a passing* ~ et flygtigt lune;

[*med vb.* (+ *præp.*)] **catch** *sby's* ~ falde i ens smag; friste en; *it caught his* ~ (*også*) han fik lyst til det; **have** *a* ~ **for** have en forkærlighed for (*fx early morning walks*); **take** *sby's* ~ = *catch sby's* ~; **take** *a* ~ **to** *a.* få lyst til; **b.** (*person*) blive meget glad for; **tickle** *sby's* ~ = *catch sby's* ~.

fancy[2] ['fænsi] *adj.* **1.** smart; kunstfærdig; **2.** mønstret (*fx material stof*); mønster- (*fx weaving*); dekoreret; pyntet; **3.** (*om blomster*) broget, kulørt; **4.** (*am. om kvalitet, især mht. mad*) luksus-.

fancy[3] ['fænsi] *vb.* **1.** kunne tænke sig, have lyst til (*fx do you* ~ *a drink?*); **2.** kunne lide (*fx I don't* ~ *this place*); synes om; **3.** (*i sport*) holde med; **4.** (*litt.: noget tænkt*) tænke sig, forestille sig (*fx can you* ~ *him as a teacher?*); **5.** (*litt.: noget uvirkeligt*) tro, bilde sig ind (*fx he fancied that he heard a noise//saw a shadow*); **6.** (*person,* S) være lun på, bage på;
□ ~ *meeting you here!* tænk at man skulle træffe dig her! ~ *that!* tænk engang! ~ **oneself** bilde sig noget ind, have høje tanker om sig selv; ~ *oneself as* **a.** se sig selv som (*fx the boss*); **b.** bilde sig ind at man er, anse sig selv for at være (*fx a connoisseur*).

fancy dress *sb.* karnevalsdragt; kostume; udklædning.

fancy-dress party *sb.* karneval; kostumefest.

fancy-free [fænsi'fri:] *adj.* løs og ledig; ikke forelsket.

fancy goods *sb. pl.* galanterivarer.

fancy man *sb.* (*pl.* ... *men*) **1.** S elsker; fyr; filejs; **2.** (*glds.*) alfons.

fancy paper *sb.* dekorationspapir.

fancy woman *sb.* (*pl.* ... *women* ['wimin]) **1.** elskerinde; **2.** prostitueret.

fancywork ['fænsiwə:k] *sb.* fint håndarbejde; broderi.

fandango [fæn'dæŋgəu] *sb.* fandango [*spansk dans*].

fane [fein] *sb.* (*poet.*) helligdom, tempel.

fanfare ['fænfɛə] *sb.* **1.** fanfare; **2.** (*fig.*) stor ståhej.

fang [fæŋ] *sb.* **1.** hugtand; **2.** (*slanges*) gifttand; **3.** (*edderkops*) giftkrog; **4.** (*på værktøj*) angel.

fan heater *sb.* varmeblæser.

fanlight ['fænlait] *sb.* [*halvkredsformet vindue over dør el. vindue*].

fan mail *sb.* breve fra beundrere.

fanny[1] ['fæni] *sb.* **1.** (*vulg.*) kusse; **2.** (*am.* T) ende, bagdel.

fanny[2] ['fæni] *vb.:* ~ *about/around* T lalle rundt, fjolle rundt.

Fanny Adams *sb.:* (*sweet*) ~ S slet ingenting; nul og nix.

fanny pack *sb.* (*am.*) = *bum bag.*

fan palm *sb.* viftepalme.

fantail ['fænteil] *sb.* (*zo.*) højstjært.

fantasia [fæn'teiziə] *sb.* fantasi.

fantasist ['fæntəsist] *sb.* **1.** fantast; **2.** fabulant.

fantasize ['fæntəsaiz] *vb.* **1.** fantasere; **2.** (*med objekt*) forestille sig.

fantastic [fən'tæstik] *adj.* fantastisk; (*se også trip*[2]).

fantasy ['fæntəsi] *sb.* fantasi.

fantods ['fæntədz] *sb. pl.: it gave me the* ~ jeg blev helt forfjamsket/nervøs//kulret.

fan vaulting *sb.* (*arkit.*) viftehvælvinger.

fanzine ['fænzi:n] *sb.* fanblad.

FAO *fork. f. Food and Agriculture Organization.*

FAQ *fork. f. frequently asked question.*

far[1] [fa:] *adj.* (*farther/further, farthest/furthest*) (se også *farther*[1], *further*[1], *farthest*[1], *furthest*[1])
1. fjern (*fx from* ~ *and near; a* ~ *country*); langt borte (*fx it is not* ~); langt borte liggende; **2.** fjernest (*fx in the* ~ *corner*); **3.** (*pol.*) yderst (*fx the* ~ *Right//Left*);
□ *it is very* ~ der er meget langt (derhen);
[*med sb.*] *a* ~ **cry** *from* meget langt/fjernt fra; *from the* ~ **end** *of the room* fra den modsatte ende af værelset; *in the* ~ **north** langt mod nord; *from the* ~ *north of Scotland* fra den fjerneste nordlige ende af Skotland; *the* ~ **side** *of the horse* hestens højre side; *the* ~ *side of the moon* månens bagside.

far[2] [fa:] *adv.* (*farther/further, farthest/furthest*) (se også *farther*[2], *further*[3], *farthest*[2], *furthest*[2])
1. langt; fjernt; **2.** (*fig.*) langt, vidt (*fx now that we have come so* ~); (se også *go*[3], *gone*); **3.** (+ *komp.*) langt, meget (*fx* ~ *better;* ~ *more difficult*);
□ ~ **and** *away the best* langt den bedste; ~ *and wide* vidt og bredt (*fx spread* ~ *and wide*); nær og fjern (*fx from* ~ *and wide*); **as** ~ **as a.** indtil; lige til (*fx we walked as* ~ *as the gate*); **b.** så vidt (*fx as* ~ *as I know//remember; as* ~ *as I can see*); (se også *concerned*); **by** ~ *the best* langt den//det bedste; *too difficult by* ~ alt for vanskelig; *not by* ~ langt fra; **how** ~ ...? **a.** hvor langt/vidt (*fx how* ~ *is he prepared to go?*); **b.** i hvilken ud-

strækning/grad ...? i hvilket omfang ...? (*fx how ~ did he tell the truth?*); *so* ~ **a.** så langt; **b.** hidtil; **c.** for så vidt; *so* ~ *as* se ovf.: *as ~ as, b*; *so* ~ *as to* i den grad at; så at; *in so* ~ *as* for så vidt som; *so ~ so good* **a.** så vidt er alting i orden; **b.** det kan jeg alt sammen gå med til (men ...); ~ *too* alt for (*fx big*);

[*med præp.& adv.*] ~ *away* langt borte; ~ *back in the Middle Ages* langt tilbage i middelalderen; *few and* ~ *between* se *few*; ~ *from happy* langt fra glad, absolut ikke glad; ~ *from it!* langt fra! tværtimod! *I am ~ from wishing* ... jeg ønsker absolut ikke ...; ~ *be it from me to* jeg kunne aldrig finde på at; F det være langt fra mig at; ~ *into the night* (til) langt ud på natten; ~ *off* langt væk; (se også *far-off*); *not ~ off* se ndf.: *not ~ out*; ~ *on in the day* langt op ad dagen; ~ *on in the forties* højt oppe i fyrrerne; ~ *out* langt ude; (se også *far-out*); *not ~ out* ikke meget forkert; ikke helt ved siden af; *you are not ~ out* du tager ikke meget fejl.

farad ['færəd] *sb.* farad [*enhed for elektrisk kapacitet*].

faraway ['fa:rəwei] *adj.* fjern.

farce [fa:s] *sb.* (*teat.& fig.*) farce.

farcical ['fa:sik(ə)l] *adj.* farceagtig.

farcy ['fa:si] *sb.* snive [*hestesygdom*].

fardel [fa:d(ə)l] *sb.* (*glds.*) byrde.

fare[1] [fɛə] *sb.* **1.** billetpris, takst, betaling [*for befordring*]; **2.** (*i taxi*) passager; **3.** (*let glds.*) kost, mad (*fx traditional British ~*);

□ *collect -s* billettere; *-s, please!, any more -s?* er alle billetteret? *table of -s* taksttarif.

fare[2] [fɛə] *vb.* klare sig (*fx well; badly; how did you ~?*);

□ *I had -d well//badly* (*også*) det var gået mig godt//dårligt; *it -d well with us* (*glds.*) det gik os godt; (se også *further*[3]).

Far East *sb.:* *the* ~ Det fjerne Østen.

fare stage *sb.* takstgrænse; takstzone.

farewell[1] [fɛə'wel] *sb.* farvel.

farewell[2] ['fɛəwel] *adj.* afskeds- (*fx party*).

far-fetched [fa:'fetʃt] *adj.* søgt, anstrengt, unaturlig; usandsynlig.

far-flung [fa:'flʌŋ] *adj.* **1.** vidtstrakt (*fx empire*); omfattende; **2.** (*om sted*) fjerntliggende, fjern (*fx corner of the world*).

far-gone [fa:'gɔn] *adj.* se *gone*.

farm[1] [fa:m] *sb.* (bonde)gård; land-

brug; farm; (se også *chicken farm, fish farm, piggery, sea farm*); □ *buy the ~* se *buy*[2].

farm[2] [fa:m] *vb.* **1.** (*jord*) dyrke; **2.** (*gård*) drive; (*uden objekt*) drive landbrug; **3.** (*hist.: skat*) forpagte; bortforpagte;

□ ~ *out* **a.** (*barn*) sætte i pleje [*mod betaling*]; **b.** (*arbejde*) videregive; lade udføre af andre; få lavet ude i byen; **c.** (*hist.*) bortforpagte.

farmer ['fa:mə] *sb.* **1.** landmand; bonde; farmer; **2.** (*hist. , om skat*) forpagter.

farmhand ['fa:mhænd] *sb.* landarbejder; karl.

farmhouse ['fa:mhaus] *sb.* stuehus.

farming ['fa:miŋ] *sb.* landbrug.

farmland ['fa:mlænd] *sb.* landbrugsjord.

farmstead ['fa:msted] *sb.* bondegård.

farmyard ['fa:mja:d] *sb.* gårdsplads [*til bondegård*].

faro ['fɛərəu] *sb.* farao [*hasardspil*].

Faroe Islands ['fɛərəu'ailəndz]: *the ~, the Faroes* Færøerne.

Faroese[1] [fɛərə'i:z] *sb.* **1.** ((*pl. d.s.*)) færing; **2.** (*sprog*) færøsk.

Faroese[2] [fɛərə'i:z] *adj.* færøsk.

far-off ['fa:rɔf] *adj.* fjerntliggende; fjern;

□ ~ *days* længst forsvundne dage.

farouche [fə'ru:ʃ] *adj.* sky, genert; vild.

far-out ['fa:raut] *adj.* fjern; outreret; fantastisk.

farrago [fə'ra:gəu, -'rei-] *sb.* miskmask, rodsammen, sammensurium.

far-reaching [fa:'ri:tʃiŋ] *adj.* vidtrækkende; omfattende.

farrier ['færiə] *sb.* beslagsmed; grovsmed.

farriery ['færiəri] *sb.* **1.** dyrlægekunst; **2.** beslaglære.

farrow[1] ['færəu] *sb.* kuld grise.

farrow[2] ['færəu] *vb.* (*om so*) fare, få grise.

far-seeing [fa:'si:iŋ] *adj.* vidtskuende, fremsynet.

far-sighted [fa:'saitid] *adj.* **1.** vidtskuende, fremsynet; **2.** (*am.*) langsynet.

fart[1] [fa:t] *sb.* (*vulg.*) **1.** prut, fis; **2.** (*om person*) dum skid.

fart[2] [fa:t] *vb.* (*vulg.*) prutte, fise; slå en skid;

□ ~ *about/around* nosse rundt.

farther[1] ['fa:ðə] *adj.* (*komp. af far*[1]) længere; videre; (se også *further*[1] 2);

□ *at the ~ bank* på den anden bred.

farther[2] ['fa:ðə] *adv.* (*komp. af far*[2])

længere (*fx away*); videre; (se også *further*[3] 2).

farthest[1] ['fa:ðist] *adj.* (*sup. af far*[1]) fjernest; længst;

□ *at (the) ~* **a.** højst; **b.** senest.

farthest[2] ['fa:ðist] *adv.* (*sup. af far*[2]) fjernest; længst.

farthing ['fa:ðiŋ] *sb.* (*glds.*) **1.** kvartpenny; **2.** (*fig.*) døjt.

fascia[1] ['feiʃə, (*am.*) 'fæʃə] *sb.* **1.** (*glds.*) instrumentbræt; **2.** (*på hus*) sternbræt; **3.** (*over butik*) skiltebånd [*med butikkens navn*].

fascia[2] ['fæʃə] *sb.* (*pl. -e* [-ʃii:]) (*anat.*) fascie, bindevævshinde.

fascinate ['fæsineit] *adj.* fascinere, fængsle.

fascinated ['fæsineitid] *adj.* fascineret, betaget (*by/with* af); tryllebundet (*by/with* af).

fascinating ['fæsineitiŋ] *adj.* fascinerende, fængslende, betagende.

fascination [fæsi'neiʃn] *sb.* fascination, betagelse (*with* af).

fascine [fæ'si:n] *sb.* faskine; risknippe.

fascism ['fæʃizm] *sb.* fascisme.

fascist[1] ['fæʃist] *sb.* fascist.

fascist[2] ['fæʃist] *adj.* fascistisk.

fash[1] [fæʃ] *sb.* (*skotsk*) **1.** bekymring; **2.** plage; ærgrelse.

fash[2] [fæʃ] *vb.:* ~ *oneself* (*skotsk*) **a.** være ængstelig, bekymre sig; **b.** ærgre sig.

fashion[1] ['fæʃn] *sb.* **1.** (*mht. tøj, stil*) mode (*fx the latest ~*); **2.** (*mht. handling*) måde, manér, facon (*fx after/in* (på) *his own ~*); □ *American ~* sådan som amerikanere gør; *sailor ~* på sømandsvis; *it is the ~* det er på mode, det er moderne; *it is all the ~* det er sidste skrig; *set the ~* give tonen an; være toneangivende; [*med præp.*] *after a ~* **a.** på en vis måde; til en vis grad; **b.** sådan da (*fx she had cleaned the house, after a ~*); *he is an artist after a ~* han er en slags kunstner; *after the ~ of* i lighed med; *after the ~ of sailors* på sømandsvis; *a novel after the ~ of Dickens* en roman i Dickens' manér; *in ~* på mode; moderne; *in a ~* = *after a ~*; *be in the ~* (*glds.*) være med på moden; *come into ~* blive moderne; *a man of ~* (*glds.*) en verdensmand; en modeherre; en fin herre; *the world of ~* (*glds.*) den elegante verden; *go out of ~* gå af mode, blive umoderne.

fashion[2] ['fæʃn] *vb.* F **1.** lave, fremstille; **2.** (*fig.*) skabe, danne.

fashionable ['fæʃnəbl] *adj.* **1.** moderne, moderigtig (*fx clothes; ideas*); mode- (*fx doctor*); **2.** (*om*

persons påklædning) med på moden, moderigtig; **3.** (*om sted*) fashionabel (*fx night club*); mondæn; fin;
□ *the ~ world* den elegante verden.
fashion industry *sb.* modeindustri.
fashion parade *sb.* modeopvisning.
fashion plate *sb.* **1.** modetegning, modebillede; **2.** (*om person*) tøjstativ; modedukke.
fashion show *sb.* modeopvisning.
fast¹ [fa:st] *sb.* faste.
fast² [fa:st] *adj.* **1.** hurtig (*fx car; horse; race; film*); rask; **2.** fast (*fx grip*); **3.** (*om farve*) lysægte; vaskeægte; **4.** (*let glds., neds.*) løs på tråden; letlevende (*fx lady*); letsindig (*fx girl*); udsvævende (*fx life*);
□ *~ to light* lysægte;
[*med vb.*; *se også fast⁴*] *my watch is ~* mit ur går for stærkt; mit ur er foran; *hold ~* holde fast; *hold ~ to* holde fast ved, fastholde (*fx a principle*); *make ~* **a.** gøre fast, fastgøre (*fx make the rope ~ to a tree*); lukke forsvarligt; **b.** fortøje; *play ~ and loose with* **a.** tage let på (*fx the rules*); **b.** drive halløj med; **c.** (*glds.*) lege med (*fx her feelings*); *pull a ~ one* lave numre (*on* med);
[*med sb.*; *se også alfabetisk*] *make a ~ buck* se *buck¹*; *~ friends* svorne venner; *~ goods* ilgods; *~ liver* (*glds.*) levemand; *~ train* iltog.
fast³ [fa:st] *vb.* faste.
fast⁴ [fa:st] *adv.* **1.** hurtigt (*fx run ~*); **2.** fast (*fx stand ~*);
□ *not so ~!* tag det roligt! små slag!; (*se også asleep*);
[*med vb.*] *he goes too ~* **a.** han har for meget fart på; han kører for hurtigt; **b.** (*fig.*) han dømmer overilet; *hold//make ~* se *fast²*; *live too ~* leve for stærkt.
fastback ['fa:stbæk] *sb.* [*bil med skrånende bagparti*]
fast breeder reactor *sb.* hurtigformeringsreaktor.
fasten ['fa:s(ə)n] *vb.* **1.** fastgøre (*fx chains round his ankles*); fæstne; sætte fast (*fx a notice on the door*); hæfte (*fx papers together*); **2.** (*med skruer//søm//lim etc*) skrue//sømme//lime *etc.* fast; **3.** (*dør, vindue*) lukke; **4.** (*sele, rem*) spænde (*fx a seat belt*); **5.** (*bånd, snørebånd*) binde; **6.** (*tøj*) knappe (*fx a coat*); **7.** (*uden objekt*) kunne fastgøres; (*jf. 2*) kunne lukkes; lukke (*fx the door won't ~*); (*jf. 5*) kunne knap-

pes (*fx the shirt -s at the back*);
□ *~ on* **a.** (*person*) hage sig fast ved; klistre sig til; **b.** (*fig.*) hæfte sig ved; slå ned på (*fx a problem*); gribe; bide sig fast i; hænge sig i; *~ one's attention on* fæstne sin opmærksomhed ved; koncentrere sin opmærksomhed om; *~ the blame//crime on him* give ham skylden; hænge ham op på det/på forbrydelsen; *~ one's eyes on* fæstne blikket på; *~ on to* **a.** se: *~ on, a*; **b.** (*med tænderne*) bide sig fast i.
fastener ['fa:s(ə)nə] *sb.* (*på tøj*) lukke; (*se også snap fastener*).
fastening ['fa:s(ə)niŋ] *sb.* **1.** (*på dør, vindue, kasse etc.*) lukkemekanisme; beslag; **2.** (*på tøj*) lukke.
fast food *sb.* fastfood; [*mad der lige kan rækkes over disken, fx pølser, hamburgers, pizza, færdigretter, til hurtig opvarmning og servering*].
fast forward *sb.* fremadspoling.
fast-forward [fa:st'fɔ:wəd] *vb.* spole frem.
fastidious [fə'stidiəs] *adj.* **1.** pedantisk (*about* med, *fx how a suitcase should be packed*; *with ~ care*); pernitten, pillen (*about* med, *fx one's appearance*); **2.** (*mht. smag*) kræsen (*fx taste*); **3.** (*mht. snavs*) sart, sippet (*fx he is too ~ to change a baby's nappie*).
fasting ['fa:stiŋ] *sb.* faste.
fast lane *sb.* overhalingsbane.
□ *live in the ~* (*fig.*) leve stærkt.
fast-moving [fa:st'mu:viŋ] *adj.*
1. som bevæger sig hurtigt; **2.** (*om firma etc.*) i hastig udvikling;
3. (*om varer*) som sælges hurtigt.
fastness ['fa:stnəs] *sb.* (*jf. fast²*)
1. hurtighed; **2.** fasthed; **3.** (*om farve*) ægthed; **4.** (*litt.*) fæstning; tilflugtsstedsted, skjul.
fast track *sb.* (*fig.*) hurtig(ste) vej; genvej;
□ *jump off the ~* stå af ræset; *be on the ~* **a.** (*om person*) have fuld fart på; **b.** (*om sag*) være under hastebehandling; *be on the ~ to* styre lige imod; *put on the ~* **a.** (*sag*) sætte fart i; fremskynde; **b.** = *fast-track*.
fast-track ['fa:sttræk] *vb.* fremskynde; sætte fart i.
fat¹ [fæt] *sb.* **1.** fedt; **2.** (*til madlavning*) fedtstof;
□ *then the fat's in the fire* så er fanden løs;
[*med vb.*] *chew the ~* T (hygge)snakke; sludre; *live on/off the ~ of the land* leve flot; leve et slaraffenliv; *run to ~* lægge sig ud, blive for tyk.

fat² [fæt] *adj.* **1.** fed, tyk; **2.** (T: *indbringende*) fed (*fx contract; profit; salary*);
□ *grow ~ on* (*fig.*) blive rig på, leve fedt af;
[*med sb.*] *~ chance (of that)!* T det er der vist ikke store chancer/ ingen fare for! *a ~ lot you care* T det bryder du dig pokker om; *a ~ lot of good that's going to do* T det vil ikke gavne spor; *a ~ lot you know about it* T det aner du jo ikke spor om.
fatal ['feit(ə)l] *adj.* **1.** fatal, skæbnesvanger (*fx mistake*); ødelæggende (*fx blow*); **2.** (*som dræber*) dødbringende; dræbende (*fx a ~ shot*); dødelig (*fx his wound proved ~*);
□ *~ accident* ulykke som koster menneskeliv; dødsulykke; *it may be ~* det kan medføre døden.
fatalism ['feit(ə)lizm] *sb.* fatalisme.
fatalist¹ ['feit(ə)list] *sb.* fatalist.
fatalist² ['feit(ə)list] *adj.* fatalistisk.
fatalistic [feitə'listik] *adj.* fatalistisk.
fatality [fə'tæliti] *sb.* **1.** dødsfald; dødsoffer; **2.** (*især: i trafikken*) dødsulykke; **3.** (*om sygdom*) dødelighed; **4.** (*følelse*) skæbnebestemthed; uundgåelig skæbne.
fat cat *sb.* **1.** velhaver; indflydelsesrig person; **2.** (*pol.*) pamper.
fate [feit] *sb.* **1.** skæbne; **2.** (*bestemmende magt*) skæbnen (*fx ~ had decided otherwise*);
□ *the Fates* skæbnegudinderne; *that sealed his ~* det beseglede hans skæbne; (*se også resign (to), twist¹*).
fated ['feitid] *adj.* skæbnebestemt (*to* til at).
fateful ['feitf(u)l] *adj.* skæbnesvanger, afgørende.
fathead ['fæthed] *sb.* kødhoved, dumrian.
fatheaded ['fæthedid] *sb.* tykhovedet.
father¹ ['fa:ðə] *sb.* far, fader;
□ *like ~ like son* (*svarer til*) æblet falder ikke langt fra stammen; *~ of* fader/far til (*fx two sons*); *the ~ of psychoanalysis* psykoanalysens fader/grundlægger; (*se også child, wish¹*).
father² ['fa:ðə] *vb.* **1.** være fader til (*fx two sons*); avle; **2.** (*fig.*) fostre, være ophavsmand til (*fx a plan*);
□ *~ (up)on* **a.** udlægge som fader til; **b.** (*fig.*) tilskrive, tillægge (*fx theories -ed on Freud*); **c.** (*om bog*) tillægge forfatterskabet til; *she -ed the child on him* hun udlagde ham som barnefader.
Father Christmas *sb.* julemanden.

F *father figure*

father figure *sb.* faderskikkelse; faderfigur.

fatherhood ['fɑ:ðəhud] *sb.* faderskab.

father-in-law ['fɑ:ð(ə)rinlɔ:] *sb.* (*pl. fathers-in-law*) svigerfader.

fatherland ['fɑ:ðəlænd] *sb.* fædreland.

fatherless ['fɑ:ðələs] *adj.* faderløs.

fatherly ['fɑ:ðəli] *adj.* faderlig.

fathom[1] ['fæðəm] *sb.* favn [*længdemål: 1,828 meter*].

fathom[2] ['fæðəm] *vb.* **1.** måle dybden af (*fx the ocean*); **2.** (*fig.*) fatte, begribe (*fx I can't ~ why she did it*);
□ ~ *out* = *2.*

fathomless ['fæðəmləs] *adj.*
1. bundløs; **2.** (*fig.*) ubegribelig, uudgrundelig.

fatigue [fə'ti:g] *sb.* **1.** træthed; udmattelse; **2.** (*mil.*) [*soldaters arbejde af ikke-militær art, fx rengøring, køkkentjeneste*]; gavntjeneste; arbejdstjeneste;
□ *-s* (*mil.*) **a.** drejlstøj; øvelsesuniform; **b.** = *2.*

fatigued [fə'ti:gd] *adj.* træt; udmattet.

fatigue duty *sb.* se *fatigue 2.*

fatigue fracture *sb.* træthedsbrud.

fatigue party *sb.* (*mil.*) arbejdskommando.

fatiguing [fə'ti:giŋ] *adj.* trættende; udmattende.

fatness ['fætnəs] *sb.* fedme.

fatso ['fætsəu] *sb.* se *fatty*[1].

fatted ['fætid] *adj.* opfedet;
□ *kill the ~ calf* slagte fedekalven.

fatten ['fæt(ə)n] *vb.* **1.** fede; **2.** (*dyr*) opfede; **3.** (*uden objekt*) blive fed.

fattish ['fætiʃ] *adj.* fedladen.

fatty[1] ['fæti] *sb.* T **1.** tyksak;
2. (*øgenavn*) fede.

fatty[2] ['fæti] *adj.* **1.** fed, fedtholdig (*fx food*); **2.** fedt- (*fx acid; tissue væv*).

fatuity [fə'tju(:)iti] *sb.* tåbelighed, fjogethed; åndløshed.

fatuous ['fætjuəs, -tʃuəs] *adj.* F tåbelig, fjoget; åndløs.

fatwa ['fætwɑ:] *sb.* (*rel.*) fatwa.

faucet ['fɔ:sət] *sb.* (*am.*) vandhane.

faugh [fɔ:] *interj.* (*glds.*) føj.

fault [fɔ(:)lt] *sb.* **1.** fejl; **2.** (*geol.*) forkastning; spring;
□ *it is my* ~ det er min fejl/skyld; *find* ~ *with* **a.** kritisere (*småligt*); rakke ned på; **b.** have noget at udsætte på; brokke sig over; *he is always finding* ~ han er altid utilfreds;
[*med præp.*] *be at* ~ **a.** have skylden; **b.** være fejlagtig; **c.** være i stykker; *for all his/its -s* trods hans/dens fejl; *to a* ~ i en urime-

lig grad; ud over alle grænser; *kind//modest to a* ~ (*også*) alt for venlig//beskeden.

faultfinder ['fɔ(:)ltfaində] *sb.*
1. kværulant; smålig kritiker;
2. (*tekn.*) fejlfinder.

faultfinding[1] ['fɔ(:)ltfaindiŋ] *sb.*
1. uvenlig//smålig kritik; **2.** (*i apparat*) fejlfinding.

faultfinding[2] ['fɔ(:)ltfaindiŋ] *adj.* kværulantisk; (*småligt*) kritisk.

faultless ['fɔ(:)ltləs] *adj.* fejlfri.

faulty ['fɔ(:)lti] *adj.* **1.** defekt (*fx goods*); dårlig (*fx connection*);
2. (*om tankegang*) fejlagtig, forkert (*fx reasoning*); mangelfuld (*fx logic*).

faun [fɔ:n] *sb.* (*myt.*) faun, skovgud.

fauna ['fɔ:nə] *sb.* fauna, dyreliv.

faux pas [fəu'pɑ:] *sb.* fejltrin; fadæse, bommert.

fave [feiv] *adj.* = *favourite*[2].

favour[1] ['feivə] *sb.* **1.** gunst (*fx he gained the King's ~*); velvilje;
2. (*neds.*) protektion (*fx he got the post by ~*); partiskhed; **3.** (*handling*) tjeneste (*fx ask//owe sby a ~*); F gunstbevisning; **4.** (*mærke som bæres på tøjet*) emblem; **5.** (*am.*) lille gave [*uddelt ved fest*]; **6.** (*glds. merk.*) ærede skrivelse (*fx we have received your ~ of yesterday*);
□ *-s* (*glds.*) (erotisk) gunst (*fx he enjoyed her -s*);
[*med vb.*] *curry* ~ (*neds.*) indynde sig, indsmigre sig (*with* hos); *curry* ~ *with* (*også*) fedte for; *do sby a* ~ gøre en en tjeneste; *do me a* ~ *and* gør mig den tjeneste at, vær så venlig at (*fx stop that noise!*); *do me a* ~*!* nej, ved du nu hvad! *find* ~ *in sby's eyes* finde nåde for ens øjne; *find* ~ *with* møde velvilje hos; blive positivt modtaget af; *show* ~ *to sby* favorisere en; give en en fortrinsstilling;
[*med præp.*] *by your* ~ (*glds.*) med Deres tilladelse; *those in* ~ de der stemmer for; *be in* ~ være vellidt//populær; *in sby's* ~ **a.** til ens fordel (*fx bend the rules in his ~*); i ens favør; **b.** (*om penge*) til en (*fx a cheque in his ~*); *stand high in sby's* ~ have en høj stjerne hos én; *in* ~ *of* **a.** for (*fx be//vote in* ~ *of the plan*); **b.** til fordel for (*fx reject the offer of higher pay in* ~ *of longer holidays*); *in* ~ *of sby* **a.** for (*fx vote in* ~ *of their candidate*); **b.** se ovf.: *in sby's* ~; *be in* ~ *of* gå ind for, støtte; *I am in* ~ *of a change* (*også*) jeg er stemt for en forandring; *be in* ~ *with* være populær

hos; *out of* ~ upopulær; i unåde; *fall//grow out of* ~ *with* falde i unåde hos; *be restored* *to* ~ blive taget til nåde; *look with* ~ *on* se velvilligt på; betragte med velvilje; bifalde; *without fear or* ~ se *fear*[1].

favour[2] ['feivə] *vb.* **1.** være stemt for, gå ind for, støtte (*fx a proposal; a policy; a candidate*);
2. (*frem for noget andet*) foretrække (*fx higher taxes rather than reduced services*); (*påklædning også*) gå med (*fx dark suits*);
3. (*skabe gode betingelser for*) begunstige (*fx small businesses; the weather -ed our voyage*); **4.** (*på andres bekostning*) favorisere (*fx legislation that -s the rich*);
5. (*dårligt ben etc.*) skåne; **6.** (T: *især am.*) ligne, slægte på (*fx he -s his father*);
□ *fortune -s the brave* lykken står den kække bi; ~ *sby with sth* (F el. spøg.) beære en med noget (*fx he -ed us with a visit*); tilstå en noget (*fx the King -ed him with an audience*); være så venlig at give en/lade en få (*fx a reply; an explanation*); *Miss Brown will now* ~ *the company with a song* Frk. Brown vil nu gøre os den glæde at synge for os.

favourable ['feiv(ə)rəbl] *adj.* **1.** gunstig, fordelagtig, favorabel (*fx conditions; price*); **2.** (*om reaktion*) positiv (*fx reaction; reviews*); imødekommende (*fx answer; response*); **3.** (*om udsigt, vejr*) gunstig (*fx weather conditions*);
□ *a* ~ *impression* et postitvt/heldigt indtryk; *be* ~ *to* **a.** være fordelagtig for; **b.** (*om holdning*) være positivt indstillet over for (*fx the idea*).

favourably ['feiv(ə)rəbli] *adv.* gunstigt, positivt;
□ *A compares* ~ *with B* A er lige så god eller bedre end B.

favoured ['feivəd] *adj.* begunstiget (*fx position*); foretrukken (*fx candidate; child*).

favourite[1] ['feiv(ə)rit] *sb.* yndling, favorit; (*i sport*) favorit;
□ *be a great* ~ *with* være meget afholdt af; være populær blandt; *play -s* have favoritter; gøre forskel.

favourite[2] ['feiv(ə)rit] *adj.* yndlings- (*fx actor; colour; reading lekture*);
□ ~ *dish* livret.

favouritism ['feiv(ə)ritizm] *sb.* unfair begunstigelse, favorisering; protektion, nepotisme.

fawn[1] [fɔ:n] *sb.* dåkalv; hjortekalv;

rålam.

fawn[2] [fɔːn] *adj.* lysebrun.

fawn[3] [fɔːn] *vb.*: ~ on **a.** (*om hund*) krybe for; logre for; **b.** (*om person: underdanigt*) krybe/logre/ sleske/lefle for; ~ *over* **a.** = ~ *on* b; **b.** (*beundrende*) savle over, himle op over (*fx a baby*).

fax[1] [fæks] *sb.* (*maskine; meddelelse*) fax.

fax[2] [fæks] *sb. pl.* (T = *facts*) oplysninger.

fax[3] [fæks] *vb.* faxe.

fax machine *sb.* faxmaskine, fax.

fay [fei] *sb.* (*poet.*) fe.

faze [feiz] *vb.* T forvirre; bringe ud af fatning, hyle ud af det.

FBA *fork. f. Fellow of the British Academy.*

FBI *fork. f.* (*am.*) *Federal Bureau of Investigation* forbundspolitiet.

FC *fork. f. football club.*

FD *fork. f. fidei defensor* troens forsvarer.

FDA *fork. f.* (*am.*) *Food and Drug Administration.*

FDR *fork. f. Franklin Delano Roosevelt* [*am. præsident 1933-45*].

fealty ['fiːəlti] *sb.* **1.** troskab [*mod kongen/dronniongen*]; **2.** (*hist.*) (*vassals*) troskab; lenslydighed.

fear[1] [fiə] *sb.* frygt; skræk; angst; □ *have* -s *for* nære frygt/ængstelse for, være bekymret for; *no* ~! T ikke tale om!, nej du kan tro nej!, aldrig i livet!, gu' gør jeg ej! *my worst* -s mine værste anelser; [+ *of*] ~ *of* spiders frygt/skræk for edderkopper; ~ *of heights* højdeskræk; *there is no* ~ *of* + *-ing* der er ikke nogen fare/risiko//chance for at (*fx of his coming*); *put the* ~ *of God into him* jage ham en skræk i livet; [*med præp.*] *for* ~ *of*//*that* af frygt for//for at; *in* ~ *of one's life* i frygt/angst for sit liv; *bange for sit liv*; *without* ~ *or favour* upartisk; uden persons anseelse.

fear[2] [fiə] *vb.* frygte; være bange for; □ ~ *death* frygte døden; ~ *for* F være bekymret for; nære ængstelse for (*fx his life*); *never* ~! bare rolig!

fearful ['fiəf(u)l] *adj.* **1.** F bange (*of* for; *that* for at); ængstelig; **2.** (*glds.*) frygtelig, skrækkelig.

fearless ['fiələs] *adj.* frygtløs, uforfærdet.

fearsome ['fiəsəm] *adj.* (F el. spøg.) frygtindgydende, gruelig, drabelig.

feasibility [fiːzə'biləti] *sb.* gennemførlighed; mulighed.

feasible ['fiːzəbl] *adj.* **1.** gennemfør-

lig, realisabel (*fx plan*); mulig; gørlig; **2.** T rimelig (*fx explanation*); □ *it is* ~ (*jf.* 1, *også*) det kan lade sig gøre.

feast[1] [fiːst] *sb.* **1.** festmåltid; gilde; **2.** (*rel.*) fest, højtid; (se også *movable feast*); □ *a* ~ (*fig.*) en sand nydelse; *enough is as good as a* ~ man kan ikke mere end spise sig mæt; *a* ~ *for the eyes* et pragtfuldt syn; *a* ~ *of* (*fig.*) en overdådighed af.

feast[2] [fiːst] *vb.* **1.** holde gilde, feste; spise og drikke godt; **2.** (*med objekt*) beværte, traktere; □ ~ *on* tage for sig af, fylde sig med; gøre sig til gode med; ~ *one's eyes on sth* fryde sig ved synet af noget.

feast day *sb.* festdag; højtid; (*kat. også*) navnedag.

feat [fiːt] *sb.* **1.** bedrift, præstation; kunststykke; **2.** (*især glds.: modig*) dåd, heltegerning.

feather[1] ['feðə] *sb.* **1.** fjer; **2.** (*i jagtsprog*) fjervildt, fuglevildt; □ *a* ~ *in one's cap* en fjer i hatten [ɔ: noget at være stolt af]; *fine* -s *make fine birds* klæder skaber folk; (se også *white feather*); [*med vb.*] *make the* -s *fly, set the* -s *flying* se *fur*[1] (*make the fur fly*); *the bird ruffled its* -s fuglen brusede/pustede sig op; *ruffle sby's* -s **a.** irritere en, ærgre en; **b.** bringe en ud af det; *smooth ruffled* -s glatte ud; berolige gemytterne; *smooth his ruffled* -s få ham ned på jorden igen; berolige ham; [*med præp.*] *be in high//fine//full* ~ **a.** være i strålende humør; **b.** være i fin form; *birds of a* ~ *flock together* krage søger mage; *you could have knocked me down with a* ~ jeg var lige ved at gå bagover [*af forbavselse*].

feather[2] ['feðə] *vb.* **1.** sætte fjer på (*fx an arrow*); **2.** (*propel*) kantstille; □ ~ *the oars* skive årerne; (se også *nest*[1]).

feather bed *sb.* underdyne.

feather-bed ['feðəbed] *vb.* (*om industri*) give støtte til.

featherbedding ['feðəbediŋ] *sb.* overbemanding; [*ansættelse af overflødig arbejdskraft efter fagforeningsbestemmelse for at undgå arbejdsløshed*].

feather boa *sb.* fjerboa.

featherbrained ['feðəbreind] *adj.* (*let glds.* T) tomhjernet, tankeløs.

feather duster *sb.* fjerkost.

feathered ['feðəd] *adj.* **1.** fjerprydet (*fx hat*); **2.** fjerklædt;

□ *our* ~ *friends* de fjerklædte små [ɔ: fuglene].

featherweight ['feðəweit] *sb.* (*i boksning*) **1.** fjervægt; **2.** (*bokser*) fjervægter.

feathery ['feðəri] *adj.* **1.** fjerlignende; **2.** fjerlet.

feature[1] ['fiːtʃə] *sb.* **1.** (karakteristisk) træk; egenskab; (væsentligt) led (*fx of a system*); indslag; (*af apparat etc.*) funktion; **2.** (*i ansigt*) ansigtstræk; træk; **3.** (*i avis*) feature, specialartikel [ɔ: om særligt emne]; reportage; **4.** (*radio., tv*) featureudsendelse; **5.** (*film., glds.*) spillefilm.

feature[2] ['fiːtʃə] *vb.* (kunne) byde på; bringe [*som en særlig attraktion*]; have på programmet; vise; □ *a film featuring X* (*am.*) en film hvori X optræder i en hovedrolle; ~ *in* **a.** optræde i; spille en hovedrolle i; **b.** have en fremtrædende plads i; være et væsentligt led i.

feature film *sb.* spillefilm.

feature-length ['fiːtʃəleŋθ] *adj.* af længde som en spillefilm.

featureless ['fiːtʃələs] *adj.* uden særpræg; uinteressant; intetsigende.

Feb. *fork. f. February.*

febrile ['fiːbrail] *adj.* **1.** febrilsk, feberagtig, hektisk; **2.** (*med.*) febril.

February ['februəri] *sb.* februar.

fecal *adj.* = *faecal.*

feces *sb.* = *faeces.*

feckless ['fekləs] *adj.* uduelig; hjælpeløs; initiativløs.

fecund ['fiːkənd, 'fek-, -ʌnd] *adj.* F **1.** frugtbar; **2.** (*fig.*) frugtbar, produktiv (*fx period*); frodig (*fx imagination*).

fecundity [fi'kʌnditi] *sb.* (*jf. fecund*) **1.** frugtbarhed; **2.** frugtbarhed; produktivitet; frodighed.

Fed [fed] *sb.* (*am.*) **1.** = *Federal Reserve System*; **2.** agent for FBI; (*jf. Feds*).

fed [fed] *præt. & præt. ptc. af feed*; (se også *fed up*).

Federal ['fed(ə)rəl] *adj.* **1.** se *federal*; **2.** (*am. hist., i borgerkrigen*) nordstats-.

federal ['fed(ə)rəl] *adj.* **1.** (*om stat*) forbunds- (*fx republic; government*); føderativ, føderal; **2.** (*om politisk teori*) føderalistisk; **3.** (*am.*) forbunds- (*fx police*).

federalism ['fed(ə)rəlizm] *sb.* føderalisme.

federalist ['fed(ə)rəlist] *sb.* føderalist.

Federal Reserve System *sb.*: *the* ~ (*am.*) [*det amerikanske centralbanksystem*].

F federated

federated ['fedəreitid] *adj.* forenet; forbunds-.

federation [fedə'reiʃn] *sb.* **1.** (*stat*) føderation; forbundsstat; **2.** (*organisation*) forbund; sammenslutning.

federative ['fed(ə)rətiv] *adj.* føderativ.

fedora [fi'dɔːrə] *sb.* (*am.*) blød filthat.

Feds [fedz] *sb. pl.: the -s* (*am.*) forbundsmyndighederne; forbundspolitiet.

fed up [fed'ʌp] *adj.* træt (af det hele);
□ *I am ~* (*også*) jeg har fået nok; *~ with* træt af; led og ked af; *I am ~ with it* (*også*) det hænger mig ud af halsen.

fee [fiː] *sb.* **1.** (*til læge, advokat etc.*) betaling; honorar (*fx a doctor's ~*); salær (*fx a lawyers's ~*); **2.** (*til institution etc.*) gebyr; afgift; (*til skole*) skolepenge; (*se også admission fee, entrance fee*); **3.** (*hist.*) len; (*se også fee simple, fee tail*).

feeb [fiːb] *sb.,* **feebie** ['fiːbi] *sb.* (*am. S*) agent for FBI.

feeble ['fiːbl] *adj.* **1.** svag, mat; **2.** (*fig.*) svag (*fx argument*); tynd, elendig (*fx excuse*).

feeble-minded [fiːbl'maindid] *adj.* **1.** uintelligent, tåbelig (*fx policy*); **2.** (*glds.*) åndssvag.

feebly ['fiːbli] *adv.* (*jf. feeble*) **1.** svagt, mat; **2.** svagt, tyndt; elendigt (*fx written*); ynkeligt (*fx the dog whimpered ~*).

feed[1] [fiːd] *sb.* **1.** fodring; madning; (*babys*) amning; **2.** (*til dyr*) foder; **3.** (*glds.* T) måltid, foder (*fx we had a good ~*); portion mad; **4.** (*teat.*) [*partner der giver stikord/lægger op til en komiker*]; **5.** (*tekn.*) fødning, fremføring; tilførsel;
□ *be off one's ~* have mistet appetitten, ingen appetit have; *go off one's ~* **a.** T miste appetitten; ikke ville spise; **b.** (*om dyr*) gå fra foderet.

feed[2] [fiːd] *vb.* (*fed, fed*) **1.** fodre, give mad (*fx a dog; birds*); (*direkte ind i munden*) made; **2.** (*baby*) amme, give bryst; (*med ske*) made; **3.** (*kreaturer*) fodre, lade græsse; **4.** (*familie etc.*) ernære (*fx I have a large family to ~*); **5.** (*plante*) gøde; **6.** (*fig.*) nære, forstærke (*fx his dislike; his vanity*); **7.** (*teat.*) give stikord til; **8.** (*tekn.*) tilføre; fremføre; pålægge; (*kedel etc.*) påfylde; **9.** (*ledning, rør, snor etc.*) føre (*fx the string//the wire through a*

hole); **10.** (*med to objekter*) fodre/made med (*fx she fed him a biscuit*); (*fig.*) fodre med, fylde med (*fx they fed him a lot of lies*); **11.** (*uden objekt: om baby*) få mad; (*om dyr*) æde;
□ *~ the chickens* give hønsene; *he cannot ~ himself* han kan ikke spise selv; *many mouths to ~* mange munde at mætte; (se også *line*[1]);
[*med præp.*] *the lake is fed by two rivers* søen har tilløb fra to floder; *~ into* lægge ind i (*fx ~ the CD into the player; ~ information/a program into the computer*); putte ind i; *~ off* se: *~ on; ~ on* a. leve af; **b.** (*fig.*) hente/suge næring fra; **c.** (*med objekt*) ikke give andet end (*fx ~ the dog on biscuits*); *~ up* opfodre, opfede; (se også *fed up*).

feedback ['fiːdbæk] *sb.* **1.** (*radio*) tilbagekobling; **2.** (*fig.*) feedback, tilbagemelding, respons.

feedbag ['fiːdbæg] *sb.* (*am.*) mulepose.

feeder ['fiːdə] *sb.* **1.** biflod; **2.** (*jernb.*) sidebane, lokallinje; **3.** (*flyv.*) lokalrute; **4.** (*til baby*) sutteflaske; hagesmæk; **5.** (*til dyr*) foderautomat; **6.** (*tekn.*) fødeapparat; tilbringer; **7.** (*til kopimaskine*) arkindføring; **8.** (*elek., radio.*) fødeledning;
□ *a greedy ~* en grovæder; *a slow//small ~* en der spiser langsomt//lidt.

feeder road *sb.* tilkørselsvej.

feeder school *sb.* [*skole som er underlag for en højere skole*].

feed hole *sb.* (*til papir*) føringshul.

feeding bottle *sb.* (sutte)flaske.

feeding cup *sb.* tudekop.

feeding frenzy *sb.: they went into a ~* de kastede sig over det.

feeding ground *sb.* [*sted hvor dyr søger føde*].

feedlot ['fiːdlɔt] *sb.* [*indhegning// stald til opfodring af kvæg*].

feed pump *sb.* fødepumpe.

feedstuff ['fiːdstʌf] *sb.* foderstof.

feel[1] [fiːl] *sb.* følelse; fornemmelse (*fx the ~ of silk against one's skin*);
□ *you can tell it by the ~* du kan føle det; *smooth to the ~* glat at føle på;
[*med vb.*] *get the ~ of* vænne sig til; *let me have a ~* lad mig føle; *the material has a soft ~* stoffet er blødt at føle på//føles blødt; *the place had a cosy ~* stedet virkede hyggeligt; stedet gjorde et hyggeligt indtryk; *I didn't like the ~ of it* det føltes ubehageligt.

feel[2] [fiːl] *vb.* (*felt, felt*) **A.** **1.** føle; mærke; **2.** (*med hånden*) føle på (*fx he felt the material*); **3.** (*i sit indre*) have en fornemmelse/følelse af, have på fornemmelsen (*fx I felt that there was something wrong*); føle (*fx we ~ that he is telling the truth*); **4.** (*om opfattelse*) mene, synes (*fx I ~ that it would be wrong*);
B. **1.** (*uden objekt*) føles (*fx the air felt cold*); **2.** (*om person*) føle sig (*fx he felt tired*); (*om sindsstemning*) befinde sig; være til mode; **3.** (*for at finde vej*) famle (*fx he felt about in the dark for the door*);
□ *~ bad* **a.** (*legemligt*) have det dårligt; **b.** (*psykisk*) have dårlig samvittighed; (se også: *~ bad about (ndf.)*); *~ bad about* se: *ndf.; ~ cold* fryse; *the hall -s cold* forstuen gør et koldt indtryk//føles kold/virker kold; *the wall -s cold* væggen er kold at føle på; *do ~ free to ...* du må endelig ...; *~ good* føle sig godt tilpas; være glad; (se også: *~ good about (ndf.)*); *~ one's way* **a.** famle sig frem; føle sig for; **b.** (*fig.*) føle sig for;
[*med præp.*] *~ bad about* have dårlig samvittighed over; være ked af; have det dårligt med; *~ good about* føle sig godt tilpas ved; have det godt med; *he -s strongly about it* det ligger ham stærkt på sinde; *~ for a.* famle efter; **b.** (*person*) føle med, sympatisere med; *I ~ it in my bones* jeg har det på fornemmelsen; *~ like* **a.** have lyst til (*fx I ~ like a cup of tea*); få være i humør til; være oplagt til (*fx I don't ~ like working*); **c.** føles som (*fx it -s like velvet*); **d.** føle sig som (*fx I ~ like a man on a desert island*); (se også *new*); *she does not ~ like herself today* hun er ikke helt sig selv i dag; *~ strongly on* se ovf.: *~ strongly about; ~ out* sondere (*fx the manager; the possibility*); *~ sby up* gramse/tage på en; befamle en; *I don't ~ up to it* **a.** jeg har ikke kræfter til det; **b.** jeg har ikke rigtig mod på det; *~ with* føle med; sympatisere med.

feeler ['fiːlə] *sb.* **1.** (*zo.*) følehorn; føletråd; **2.** (*fig.*) føler (*fx peace ~*); prøveballon; **3.** (*tekn.*) føler; følelære; søger.

feelgood ['fiːlgud] *adj.* som får en til at føle sig glad; optimistisk, livsbekræftende (*fx film*).

feelgood factor *sb.* tilfredshedsgrad.

feeling[1] ['fi:liŋ] *sb.* **1.** følelse; fornemmelse; **2.** mening (*about/on* om); indstilling (*about/on* til); **3.** stemning, atmosfære (*fx the place has a ~ of history about it*); □ *bad/ill ~ misstemning; good ~ sympati; hard -s* se *hard*[2]; *-s ran high* bølgerne gik højt.

feeling[2] ['fi:liŋ] *adj.* **1.** følende; medfølende; varm; **2.** følsom.

fee-paying ['fi:peiiŋ] *adj.:* ~ *school* betalingsskole.

fee simple *sb.* (*jur.*) selveje; fri ejendom; □ *hold in ~* have fuld ejendomsret over.

feet [fi:t] *pl. af foot*[1].

fee tail *sb.* (*jur.*) [*ejendom der kun kan gå i arv til visse kategorier af arvinger*]; fideikommis; stamgods.

feign [fein] *vb.* F foregive, simulere, hykle (*fx indifference*).

feigned [feind] *adj.* **1.** F forstilt, foregiven (*fx enthusiasm*); **2.** fordrejet (*fx voice*).

feint[1] [feint] *sb.* **1.** kneb; finte, skinmanøvre; **2.** (*mil.*) skinmanøvre; skinangreb; □ *make a ~ of doing sth* lade som om man gør noget.

feint[2] [feint] *vb.* finte; lave et skinangreb.

feisty ['faisti] *adj.* **1.** energisk, viljestærk; rask, livlig; **2.** aggressiv; i krigshumør; **3.** nærtagende.

feldspar ['fel(d)spa:] *sb.* (*min.*) feldspat.

felicitate [fi'lisiteit] *vb.* (F el. spøg.) lykønske.

felicitations [filisi'teiʃnz] *sb. pl.* (F el. spøg.) lykønskninger.

felicitous [fi'lisitəs] *adj.* (F: *om udtryk*) velvalgt, heldig, træffende.

felicity [fi'lisiti] *sb.* F **1.** lykke, lyksalighed; **2.** udtryksevne; evne til at finde det rette udtryk; **3.** velvalgt udtryk.

feline[1] ['fi:lain] *sb.* F kattedyr; kat.

feline[2] ['fi:lain] *adj.* katteagtig; katte-.

fell[1] [fel] *sb.* højdedrag; hedestrækning.

fell[2] [fel] *adj.* (*poet.*) fæl, grusom, frygtelig; (se også *swoop*[1]).

fell[3] [fel] *vb.* **1.** slå ned, slå i gulvet; **2.** (*træ*) fælde, hugge om; **3.** (*i syning*) sy med sømmesting; stafere.

fell[4] [fel] *præt. af fall*[2].

fella ['felə] *sb.* S = *fellow*[1] 1.

fellah ['felə] *sb.* (*pl. fellaheen* [felə'hi:n]) ægyptisk bonde.

fellatio [fe'leiʃiəu] *sb.* fellatio [*afsutning af penis*].

fell(ed) seam *sb.* indersøm; kapsøm.

feller ['felə] *sb.* S = *fellow*[1] 1.

felling ['feliŋ] *sb.* **1.** fældning; **2.** (*i syning*) (syning med) sømmesting; staffering.

felloe ['feləu] *sb.* fælg.

fellow[1] ['feləu] *sb.* **1.** fyr; (*piges også*) kæreste; **2.** kammerat; fælle; kollega; **3.** (*af selskab etc.*) medlem; **4.** (*ved universitet*) [*kandidat som er medlem af et kollegiums lærerstab*]; **5.** (*om ting*) lige; mage; □ *a ~* (*også*) man; en anden en [= jeg]; *my dear ~* kære ven.

fellow[2] ['feləu] *adj.* med- (*fx passenger; citizen* borger; *creature* skabning; *men* mennesker).

fellow actor *sb.* medspillende.

fellow countryman *sb.* landsmand.

fellow feeling *sb.* fællesfølelse; samfølelse.

fellowship ['feləuʃip] *sb.* **1.** fællesskab; kammeratskab; **2.** forening; selskab; sammenslutning; **3.** (*ved universitet*) [*en fellow's stilling el. stipendium*].

fellow soldier *sb.* soldaterkammerat.

fellow traveller *sb.* **1.** medrejsende, rejsefælle; **2.** (*fig.: politisk*) sympatisør; medløber [*især kommunistisk*].

felly ['feli] *sb.* fælg.

felon ['felən] *sb.* forbryder.

felony ['feləni] *sb.* (*jur.*) (alvorlig) forbrydelse; misgerning [*fx mord*].

felspar ['felspa:] *sb.* = *feldspar.*

felt[1] [felt] *sb.* filt.

felt[2] [felt] *vb.* filte.

felt[3] [felt] *præt. & præt. ptc. af feel*[2].

felt-tip ['felttip] *sb.* filtpen, tusch; T tus.

felt-tip pen *sb.* = *felt-tip.*

felwort ['felwə:t] *sb.* (*bot.*) ensian.

fem *fork. f.* **1.** *female;* **2.** (*gram.*) *feminine.*

female[1] ['fi:meil] *sb.* **1.** kvinde; **2.** (*neds.*) kvindemenneske; **3.** (*zo.*) hun; **4.** (*bot.*) hunplante.

female[2] ['fi:meil] *adj.* **1.** (*om køn*) kvindelig (*fx prisoner; pilot*); **2.** (*som angår el. er typisk for kvinder*) kvinde- (*fx dress; voice*); kvindelig (*fx characteristic; values*); **3.** (*biol.*) hun- (*fx animal; flower*); □ *~ friend* veninde; *~ slave* slavinde; (se også *excision*).

female plug *sb.* (*elek.*) hunstik.

female thread *sb.* (*tekn.*) indvendigt gevind.

feminine ['feminin] *adj.* **1.** kvindelig (*fx nature; occupation; curiosity; the eternal ~*); **2.** (*positivt*) feminin (*fx a ~ blouse; she is so ~*); **3.** (*gram.*) hunkøns-, femini-

nums-.

feminine rhyme *sb.* kvindeligt rim.

femininity [femi'niniti] *sb.* kvindelighed.

feminism ['feminizm] *sb.* **1.** feminisme; **2.** kvindebevægelsen.

feminist[1] ['feminist] *adj.* feminist; kvindesagsforkæmper.

feminist[2] ['feminist] *adj.* feministisk.

feminize ['feminaiz] *vb.* gøre kvindelig.

femoral ['fem(ə)rəl] *adj.* (*anat.*) lår-.

femur ['fi:mə] *sb.* (*anat.*) lårben, lårknogle.

fen [fen] *sb.* **1.** mose; marskland; **2.** (*geol.*) kærmose.

fence[1] [fens] *sb.* **1.** hegn, indhegning; gærde; (*af brædder*) plankeværk; (*af tremmer*) stakit; **2.** (*på sav, høvl*) anlæg; **3.** (*i ridesport*) forhindring, gærde; **4.** (*glds.* S) hæler; □ *come off the ~* komme ud af busken; *mend -s* (*fig.*) T genoprette det gode forhold (*with* til); slutte fred (*with* med); *mend one's -s* se *ovf.*: *mend -s; sit on the ~* forholde sig afventende; ikke ville tage stilling; vente og se hvad vej vinden blæser.

fence[2] [fens] *vb.* **1.** (*med hegn*) indhegne; **2.** (*med kårde*) fægte; **3.** (*fig.*) komme med udflugter; omgå sandheden; **4.** (*glds.* S) være hæler; □ *~ in* **a.** indhegne, sætte hegn om; **b.** (*fig.*) spærre inde (*fx don't ~ me in*); *~ off* **a.** indhegne; **b.** adskille [*ved hegn*]; *~ with* the question vige/knibe uden om spørgsmålet; *~ with the press* svare undvigende på journalisternes spørgsmål.

fence-mending ['fensmendiŋ] *sb.* (*fig.*) genoprettelse af det gode forhold.

fence post *sb.* hegnspæl.

fencer ['fensə] *sb.* fægter.

fencing ['fensiŋ] *sb.* (jf. *fence*[2]) **1.** indhegning; hegnsmateriale; **2.** fægtning; **3.** det at knibe udenom; **4.** (*glds.* S) hæleri.

fencing wire *sb.* hegnstråd.

fend [fend] *vb.:* ~ *for oneself* klare sig selv; sørge for sig selv; ~ *off* **a.** (*slag*) afparere, afværge, afbøde; **b.** (*spørgsmål*) afparere, knibe uden om; **c.** (*person*) holde fra livet, holde sig fri af (*fx creditors*); **d.** (*mar.*) holde fri.

fender ['fendə] *sb.* **1.** kamingitter, kaminskærm; pejseskærm; **2.** (*mar.*) fender; friholt; **3.** (*jernb.*) banerømmer; **4.** (*am.: på bil, cykel*) skærm.

F *fender bender*

fender bender *sb.* (*am.* T) mindre biluheld.

fenestration [feni'streiʃn] *sb.* (*arkit.*) vinduesgruppering.

fen fire *sb.* (*myt.*) lygtemand.

Fenian ['fiːniən] *sb.* **1.** (*hist.*) fenier [*medlem af irsk revolutionær bevægelse*]; **2.** (*i Nordirland*) [*neds. betegnelse for katolik, brugt af protestanter*].

fennec ['fenik] *sb.* (*zo.*) ørkenræv.

fennel ['fen(ə)l] *sb.* (*bot.*) fennikel.

Fens [fenz] *sb. pl.*: the ~ [*lavtliggende områder i Cambridgeshire og Lincolnshire*].

fenugreek ['fenjugriːk] *sb.* (*bot.*) bukkehorn.

feral ['ferəl, 'fiə-] *adj.* **1.** (*om dyr*) vild; **2.** (*om ting, person*) vild, barbarisk; **3.** (*biol.*) forvildet.

ferment[1] ['fɔːmənt] *sb.* (F: *især politisk*) røre, uro, ophidselse, gæring.

ferment[2] [fə'ment] *vb.* **1.** (*kem.*) gære; (*med objekt*) sætte i gæring; fermentere; **2.** (F, *fig.*) gære (*fx unrest has been -ing*); (*med objekt*) ophidse til (*fx disorder*).

fermentation [fɔːmen'teiʃn] *sb.* (*kem.*) gæring.

fern [fɔːn] *sb.* (*bot.*) bregne.

fernery ['fɔːnəri] *sb.* bregnebeplantning.

ferocious [fə'rəuʃəs] *adj.* **1.** (*om dyr*) vild, blodtørstig, glubsk; **2.** (*om person*) vild, brutal, voldelig; **3.** (*om strid*) voldsom, rasende, bitter (*fx argument skænderi*); **4.** (*om følelse etc.*) rasende, indædt (*fx hatred*); voldsom (*fx headache; criticism*).

ferocity [fə'rɔsiti] *sb.* (jf. *ferocious*) **1.** vildskab, blodtørstighed, glubskhed; **2.** vildskab, brutalitet; **3.** voldsomhed, bitterhed; **4.** voldsomhed, indædthed.

ferret[1] ['ferət] *sb.* (*zo.*) fritte [*en slags ilder som bruges til rottejagt og kaninjagt*].

ferret[2] ['ferit] *vb.* drive jagt med fritte;
□ ~ about/around T støve rundt (*for efter*); ~ out opsnuse, opspore, støve op.

ferric ['ferik] *adj.* jern-; (*kem.*) ferri-.

Ferris wheel ['feriswiːl] *sb.* pariserhjul.

ferro- ['ferəu] (*i sms.*) jern- (*fx -concrete* jernbeton).

ferrous ['ferəs] *adj.* jern-; (*kem.*) ferro-.

ferruginous [fe'ruːdʒinəs] *adj.* **1.** jernholdig; **2.** rustfarvet.

ferrule ['feruːl, 'ferəl] *sb.* **1.** (*på stok*) dupsko; **2.** (*tekn.*) rørring; fe-

rul; **3.** (*på fiskestang*) samlering; samlebøsning.

ferry[1] ['feri] *sb.* **1.** færge; **2.** færgested.

ferry[2] ['feri] *vb.* **1.** færge; overføre; transportere; **2.** (*bil, fly etc.*) overføre, levere.

ferryboat ['feribəut] *sb.* færgebåd.

ferryman ['ferimən] *sb.* (*pl. -men* [-mən]) færgemand.

fertile ['fɔːtail, (*am.*) 'fɔrtl] *adj.* **1.** frugtbar; **2.** (*biol.*) fertil; forplantningsdygtig; **3.** (*om fantasi*) frodig.

fertility [fə(ː)'tiləti] *sb.* **1.** frugtbarhed; **2.** (*biol.*) fertilitet; forplantningsevne.

fertilization [fɔːt(i)lai'zeiʃn] *sb.* (jf. *fertilize*) **1.** befrugtning; **2.** bestøvning; **3.** gødskning.

fertilize ['fɔːt(i)laiz] *vb.* **1.** befrugte; **2.** (*bot.*) bestøve; **3.** (*jord*) gøre frugtbar; gøde.

fertilizer ['fɔːt(i)laizə] *sb.* gødningsmiddel; (*især:*) kunstgødning.

fervency ['fɔːv(ə)nsi] *sb.* (jf. *fervent*) glød, iver, lidenskab; inderlighed; varme.

fervent ['fɔːv(ə)nt] *adj.* F glødende, ivrig, lidenskabelig (*fx admirer*); brændende (*fx desire; hatred*); inderlig (*fx prayer*); varm.

fervid ['fɔːvid] *adj.* se *fervent*.

fervour ['fɔːvə] *sb.* se *fervency*.

fescue ['feskjuː] *sb.* (*bot.*) svingel.

fess [fes] *vb.*: ~ up (*am.* T) tilstå; ~ up! ud med sproget!

fesse [fes] *sb.* (*her.*) bjælke.

fester ['festə] *vb.* **1.** (*om sår*) blive betændt, bulne; afsondre materie; **2.** (*om følelse, problem*) gnave, nage; **3.** (*om mad*) rådne;
□ *the wound is -ing* der er (gået) betændelse i såret.

festering *adj.* **1.** betændt (*fx sore*); bullen; **2.** (*fig.*) nagende, ulmende (*fx conflict*); **3.** (*om mad*) rådnende.

festival ['festiv(ə)l] *sb.* **1.** festival, festspil; festuge; **2.** (*rel.*) højtid; helligdag; fest.

festive ['festiv] *adj.* **1.** festlig, fest-; glad, munter (*fx mood*); **2.** (*især mht. jul*) højtids-; jule-;
□ *the ~ season* juldagene, juletiden.

festivity [fe'stiviti] *adj.* **1.** feststemning, festlighed; **2.** (*enkelt*) fest, festlighed.

festoon [fe'stuːn] *sb.* **1.** guirlande; **2.** (*arkit.*) feston.

festooned [fe'stuːnd] *adj.*: be ~ with være pyntet/udsmykket/behængt med (*fx lights*).

fetal ['fiːt(ə)l] *adj.* foster- (*fx movement*);

□ *in a* ~ *position* i fosterstilling.

fetch [fetʃ] *vb.* **1.** hente; **2.** (*ved salg*) indbringe; **3.** (*glds.* T: *slag*) give; **4.** (*mar.*) nå (*fx* ~ *port*); ligge op;
□ ~ *and carry* (*om hund*) apportere; ~ *and carry for sby* hoppe og springe for en; ~ *him a box on the ear* (*glds.* T) stikke ham en lussing; ~ *a pump* spæde en pumpe; ~ *a sigh* drage et suk; [*med præp.& adv.*] ~ *about* (*mar.*) vende; ~ *tears from sby's eyes* (*glds.*) bringe tårerne frem i ens øjne; få en til at græde; ~ *up* **a.** T kaste op; **b.** (*glds.* T) ende, havne (*fx* ~ *up in jail*); **c.** (*mar.*) standse; **d.** (*am.*) opdrage.

fetching ['fetʃiŋ] *adj.* (*glds. el. spøg.*) fængslende, fortryllende, henrivende.

fête[1] [feit] *sb.* fest.

fête[2] [feit] *vb.* fejre, feste for.

feticide ['fiːtisaid] *sb.* fosterdrab.

fetid ['fetid, 'fiː-] *adj.* stinkende, ildelugtende.

fetish ['fetiʃ, 'fiː-] *sb.* (*rel.& psyk.*) fetich;
□ *have a* ~ *for sth* (*fig.*) have en forkærlighed for noget; have en mani med noget; *make a* ~ *out of sth* **a.** gøre noget til en fetich; **b.** (*fig.*) være alt for optaget af noget.

fetishism ['fetiʃizm, 'fiː-] *sb.* **1.** (*rel.*) fetichdyrkelse; **2.** (*psyk.*) fetichisme.

fetishist ['fetiʃist, 'fiː-] *sb.* fetichist.

fetlock ['fetlɔk] *sb.* (*på hest*) kode.

fetor ['fiːtə] *sb.* overvældende stank.

fetter ['fetə] *sb.* (*litt.*) fodlænke;
□ *-s* (*fig.*) lænker, bånd; tvang.

fettered ['fetəd] *adj.*: ~ *by* (*litt., fig.*) bundet af, hæmmet af, begrænset af.

fettle[1] ['fetl] *sb.*: *in fine* ~ (*glds.* T) **a.** i god stand; **b.** i fin form, veloplagt.

fettle[2] ['fetl] *vb.* fjerne grater.

fetus ['fiːtəs] *sb.* foster.

feud[1] [fjuːd] *sb.* fejde, strid.

feud[2] [fjuːd] *vb.* ligge i strid, strides (*with* med; *over* om); fejde.

feudal ['fjuːd(ə)l] *adj.* feudal; lens-.

feudalism ['fjuːd(ə)lizm] *sb.* feudalisme; feudalsystem; lenssystem, lensvæsen.

fever ['fiːvə] *sb.* feber;
□ *in a* ~ *of expectation* i feberagtig spænding.

fevered ['fiːvəd] *adj.* se *feverish*.

feverfew ['fiːvəfjuː] *sb.* (*bot.*) matrem.

fever heat *sb.* feberhede;
□ *at* ~ (*fig.*) på kogepunktet.

feverish ['fi:v(ə)riʃ] *adj.* **1.** febersyg, febril; feberhed; feber- (*fx dreams*); **2.** (*fig.*) feberagtig, febrilsk (*fx haste*).

fever pitch *sb.*: *at* ~ **a.** på højeste gear, for fuld kraft; **b.** på kogepunktet.

few [fju:] *adj.* få (*fx he has* ~ *friends*; *his* ~ *friends*; ~ *are interested*); kun få, ikke ret mange; □ *they are* ~ *and far beween* de er (få og) sjældne; der er langt imellem dem; *every* ~ *minutes* med få minutters mellemrum; *no -er than* ikke færre end; hele; [*med artikel*] *a* ~ nogle få, et par; *a good* ~, *not a* ~ temmelig mange; en hel del; *quite a* ~ en hel del; ikke så få endda; *the* ~ de få; mindretallet; *one of the next* ~ *days* en af de første dage; *the past* ~ *days* det sidste par dage.

fey [fei] *adj.* **1.** sær, excentrisk; sværmerisk; **2.** overjordisk; æterisk; **3.** clairvoyant; **4.** (*især skotsk*) dødsmærket [*og derfor unormalt opstemt el. klarsynet*].

fez [fez] *sb.* fez.

ff *fork. f.* **1.** *following pages*; **2.** (*mus.*) *fortissimo.*

F flat *sb.* (*mus.*) fes.

fiancé, fiancée [fi'a:ŋsei, (*am.*) fia:ŋ'sei] *sb.* forlovede; kæreste.

fiasco [fi'æskəu] *sb.* fiasko.

fiat ['faiət] *sb.* F ordre; befaling; magtbud.

fib[1] [fib] *sb.* T (lille) løgn, nødløgn; usandhed.

fib[2] [fib] *vb.* lyve.

fibber ['fibə] *sb.* løgnhals.

fibre ['faibə] *sb.* **1.** fiber, trævl, tråd; **2.** (*af hør etc.*) fiber, tave; **3.** (*i fødevarer*) fibre; **4.** (*fig.*) karakter, støbning (*fx he was of a different* ~); □ *with every* ~ *of one's being* af hele sin sjæl.

fibreboard ['faibəbɔ:d] *sb.* fiberplade.

fibreglass ['faibəgla:s] *sb.* **1.** glasfiber; **2.** fiberglas.

fibre optic *adj.* lysleder- (*fx cable*).

fibre optics *sb.* lysledere; lyslederteknik; glasfiberoptik.

fibre-tip ['faibətip] *sb.* = *felt-tip.*

fibrillate ['faibrileit] *vb.* (*med.*) flimre.

fibrillation [faibri'leiʃn] *sb.* (*med.*) fibrillation, flimren.

fibrous ['faibrəs] *adj.* fibrøs, trævlet, trådet; □ ~ *root* trævlerod.

fibula ['fibjulə] *sb.* (*pl. -s/-e* [-li:]) **1.** (*anat.*) lægben; **2.** (*arkæol.*) fibula [*nål*].

fickle ['fikl] *adj.* **1.** skiftende, uberegnelig, lunefuld; (*om vejr også*) ustadig; **2.** (*mht. at beslutte sig*) vægelsindet, vaklende, vankelmodig.

fiction ['fikʃn] *sb.* **1.** (*om genre*) fiktion, skønlitteratur [*eksklusive poesi og drama*]; **2.** (*om udsagn*) fiktion, opspind, opdigt.

fictional ['fikʃn(ə)l] *adj.* fiktiv, opdigtet.

fictitious [fik'tiʃəs] *adj.* **1.** (*om genre*) fiktions-, skønlitterær (*fx text*); **2.** (*om udsagn etc.*) opdigtet (*fx character*); fingeret; falsk.

fid [fid] *sb.* (*mar.*) **1.** slutholt; **2.** (*til splejsning*) ters.

fiddle[1] ['fidl] *sb.* **1.** (*mus.*, T) violin [*især til folkemusik*]; **2.** T pillearbejde, pilleri (*fx inserting a tape is a bit of a* ~); **3.** T fidus; fupnummer; (*se også tax fiddle*); **4.** (*mar.*) slingrebræt; □ *be on the* ~ T leve af at lave fiduser; *play second* ~ spille andenviolin; være nummer to, spille en underordnet rolle (*to* i forhold til); (*se også fit*[1]).

fiddle[2] ['fidl] *vb.* **1.** pille, nusse; **2.** S lave fup med; fuske/fifle med (*fx the figures*); forfalske (*fx the accounts*); **3.** (*glds.*) spille violin; □ ~ *about/around* **a.** nusse, rode, pille; **b.** fjolle rundt; ~ *about/around with* se ndf.: ~ *with;* ~ *away one's time* pjatte tiden væk; ~ *with* **a.** fingerere ved, pille ved, lege med; **b.** nørkle med, bikse med, rode med.

fiddle-faddle ['fidlfædl] *sb.* (*glds.*) sniksnak; vrøvl.

fiddler ['fidlə] *sb.* **1.** violinspiller; spillemand; **2.** T fupmager, fidusmager.

fiddler crab *sb.* (*zo.*) vinkekrabbe.

fiddlestick ['fidlstik] *sb.* T violinbue.

fiddlesticks ['fidlstiks] *interj.* (*glds.*) snak!, vås!, sludder!

fiddling[1] ['fidliŋ] *sb.* **1.** violinspil; **2.** fidusmageri; fusk.

fiddling[2] ['fidliŋ] *adj.* ubetydelig (*fx sum; details*); □ ~ *work* pillearbejde.

fiddly ['fidli] *adj.* T besværlig; indviklet; □ *it is* ~ (*også*) det er noget pillearbejde.

fidelity [fi'deliti] *sb.* **1.** troskab (*to* over for, *fx one's principles; one's wife//husband*); **2.** F nøjagtighed (*fx he reported the debate with* ~); (*mht. lydgengivelse*) høj kvalitet.

fidelity insurance *sb.* kautionsforsikring.

fidget[1] ['fidʒət] *sb.* T urolig//rastløs//febrilsk person; (*om barn*) lille uro; (*se også fidgets*).

fidget[2] ['fidʒət] *vb.* være urolig// rastløs//nervøs//febrilsk; □ ~ *about* vimse rundt; ~ *with* pille (nervøst) ved, fingerere ved, famle ved.

fidgets ['fidʒəts] *sb. pl.*: *the* ~ uro; rastløshed; nervøsitet; *have the* ~ være urolig//rastløs//nervøs; *it gave me the* ~ det gik mig på nerverne.

fidgety ['fidʒiti] *adj.* T urolig; rastløs; nervøs; febrilsk.

fiduciary [fi'dju:ʃiəri] *adj.* betroet; tillids-.

fiduciary issue *sb.* (*økon.*) udækket seddelmasse.

fiduciary loan *sb.* lån uden sikkerhedsstillelse.

fie [fai] *interj.* (*glds. el. spøg.*) fy! tvi!

fief [fi:f] *sb.* (*hist.*) len.

field[1] [fi:ld] *sb.* **1.** mark; ager; **2.** (*som man beskæftiger sig med*) område; felt (*fx that is not my* ~); **3.** (*mil.*) felt; slagmark; **4.** (*i sport*) bane (*fx football* ~); (*se også field event*); **5.** (*personer*) deltagere, spillere; felt (*fx a* ~ *of eleven*); **6.** (*ved jagt*) jagtselskab; **7.** (*i våben, flag*) felt; **8.** (*elek., fys., it*) felt; **9.** (*på skærm*) delbillede; □ *fair* ~ *and no favour* uden at gøre forskel til nogen side; [*med: of*] ~ *of battle* slagmark; ~ *of fire* skudfelt; *the* ~ *of glory* ærens mark; ~ *of vision/view* synsfelt; [*med: the*] *the* ~ **a.** (*i cykelløb etc.*) feltet (*fx he broke away from//led the* ~); **b.** (*i boldspil*) markspillerne; **c.** (*om arbejde, studier*) marken; **d.** (*mil.*) felten; [*med vb.*] *hold the* ~ holde stand; ikke lade sig slå af marken; *keep the* ~ **a.** fortsætte felttoget; **b.** holde stand; *lead the* ~ **a.** ligge i spidsen; være førende; **b.** (*fig.*) være førende på området; *play the* ~ (ɔ: *have mange forbindelser*) ikke begrænse sig; have frit slag; *take the* ~ **a.** (*også fig.*) drage i felten; rykke i marken; **b.** (*i sport*) stille op; stå i marken; [*med præp.*] *drive sby from the* ~ slå en af marken; *in the* ~ **a.** på marken; **b.** (*om studie, arbejde*) i marken (*fx studies in the* ~); **c.** (*mil.*) i felten; *on the* ~ **a.** på marken; **b.** (*mil.*) på slagmarken.

field[2] [fi:ld] *vb.* **1.** (*hold*) stille (med), sende på banen (*fx* ~ *a strong team*); **2.** (*kandidat*) opstille; **3.** (*bold*) gribe og kaste til-

bage//ind til gærdet; **4.** (*spørgsmål etc.*) klare (*fx a tough question*); **5.** (*uden objekt: i kricket, baseball etc.*) være ude; være i marken.
fieldcraft ['fi:ldkrɑ:ft] *sb.* (*mil.*) dygtighed til at færdes i//udnytte terænnet.
field day *sb.* **1.** stor//vigtig dag; **2.** (*mil.*) mønstringsdag, tropperevy; feltøvelse; **3.** (*am.*) skoleidrætsdag;
□ *have a* ~ **a.** have en af sine store dage; **b.** rigtig slå sig løs; få en dag ud af det.
fielder ['fi:ldə] *sb.* (*i kricket*) markspiller.
field event *sb.* kast- og springkonkurrence.
fieldfare ['fi:ldfɛə] *sb.* (*zo.*) sjagger.
field glasses *sb. pl.* feltkikkert.
field hospital *sb.* (*mil.*) feltlazaret.
field madder *sb.* (*bot.*) blåstjerne.
field marshal *sb.* (*mil.*) feltmarskal.
field mouse *sb.* (*zo.*) markmus; skovmus.
field mushroom *sb.* (*bot.*) markchampignon.
field of ... *sb.* se *field[1]*.
field officer *sb.* (*mil.*) [*officer af rang som major eller derover*].
fieldsman ['fi:ldzmən] *sb.* (*pl. -men* [-mən]) markspiller.
field sports *sb. pl.* friluftssport [*især ridning, jagt og fiskeri*].
fieldstone ['fi:ldstəun] *sb.* (*som byggemateriale*) kampesten; marksten; natursten.
field test *sb.* feltundersøgelse.
field-test ['fi:ldtest] *vb.* afprøve [*under virkelige betingelser*].
field trip *sb.* ekskursion.
field vole *sb.* (*zo.*) markmus.
fieldwork ['fi:ldwə:k] *sb.* feltarbejde; arbejde//studier i marken.
fiend [fi:nd] *sb.* **1.** djævel; (*om person også*) uhyre; **2.** T ivrig tilhænger (*for af, fx exercise*); (*i sms.*) -entusiast (*fx golf* ~); -fanatiker (*fx health* ~).
fiendish ['fi:ndiʃ] *adj.* djævelsk.
fierce [fiəs] *adj.* **1.** vild (*fx passion*); heftig, voldsom, rasende (*fx quarrel; resistance*); indædt; **2.** (*om vejr*) stærk (*fx cold*); voldsom (*fx storm*); **3.** (*om person*) barsk, bister (*fx look* ~); **4.** (*om dyr*) bidsk, glubsk (*fx dog*);
□ ~ *competition* skarp/skrap konkurrence; *something* ~ (*am.* T) noget så voldsomt (*fx it snowed something* ~).
fieri facias ['faiərai'feiʃiæs] *sb.* (*jur.*) udpantningsordre;
□ *sell under a writ of* ~ sælge ved tvangsauktion.
fiery ['faiəri] *adj.* (*litt.*) **1.** ild- (*fx*

ball); hed; brændende; flammende (*fx sky*); **2.** heftig, ilter (*fx temper; manner*); brændende (*fx passion*); lidenskabelig (*fx speech*);
□ *in* ~ *characters* med flammeskrift; ~ *food* stærkt krydret mad.
fiery cross *sb.* **1.** brændende kors [*symbol for Ku Klux Klan*]; **2.** (*hist.*) budstikke.
fiesta [fi'estə] *sb.* fiesta; helligdag; fest.
fi. fa. *fork. f. fieri facias.*
fife [faif] *sb.* (*mil. mus.*) pibe (*fx -s and drums*).
fifteen[1] [fif'ti:n] *sb.* (rugby)hold;
□ *the Fifteen* (*hist.*) [*jakobinsk opstand 1715*].
fifteen[2] [fif'ti:n] *talord* femten.
fifteenth[1] [fif'ti:nθ] *sb.* femtendedel.
fifteenth[2] [fif'ti:nθ] *adj.* femtende.
fifth[1] [fifθ] *sb.* **1.** femtedel; **2.** (*i rækkefølge*) nummer fem; **3.** (*i bil*) femte gear; **4.** (*mus.*) kvint.
fifth[2] [fifθ] *adj.* femte.
fifth column *sb.* femte kolonne.
fifth columnist *sb.* medlem af femte kolonne; femtekolonnemand.
fifthly ['fifθli] *adv.* for det femte.
fiftieth[1] ['fiftiəθ] *sb.* halvtredsindstyvendedel.
fiftieth[2] ['fiftiəθ] *adj.* halvtredsindstyvende.
fifty ['fifti] *talord* halvtreds, halvtredsindstyve; femti;
□ *in the fifties* i halvtredserne.
fifty-fifty[1] [fifti'fifti] *adj.* fifty-fifty;
□ *on a* ~ *basis* med det halve til hver; *a* ~ *chance* halvtreds procents chance.
fifty-fifty[2] [fifti'fifti] *adv.* fifty-fifty, lige over (*fx divide the cake* ~);
□ *I will go* ~ *with you* **a.** jeg vil dele lige med dig; **b.** jeg vil slå halv skade med dig.
fig [fig] *sb.* **1.** figen; **2.** figentræ;
□ *a* ~ *for him* (*glds.* T) blæse være med ham; *I don't care/give a* ~ *for it* (*glds.* T) jeg bryder mig ikke en døjt om det, jeg giver ikke en døjt for det; *in fine* ~ i fin form; *in full* ~ i fineste puds.
fig. *fork. f.* **1.** *figure*; **2.** *figuratively*.
fight[1] [fait] *sb.* **1.** kamp (*against* mod, *fx inflation*; *for* for/om, *fx power*; *over* om, *fx territory*); **2.** (*med næver*) slagsmål; **3.** (*mundtlig*) skænderi; **4.** (*i boksning, fodbold*) kamp; **5.** (*følelse*) kamplyst (*fx he was still full of* ~);
□ *pick a* ~ starte et skænderi, yppe kiv (*with* med); *put up a* ~ **a.** gøre modstand, sætte sig til modværge; **b.** protestere energisk;

put up a good ~ forsvare sig modigt; levere en god kamp; *show* ~ sætte sig til modværge, sætte sig på bagbenene, vise kløer; (se også *free fight*).
fight[2] [fait] *vb.* (*fought, fought*)
A. (*uden objekt*) **1.** kæmpe (*against/with* mod, med); **2.** (*med næverne*) slås (*with* med, *fx I always fought with my brother; the children were -ing in the garden*); være oppe at slås; **3.** (*mundtligt*) skændes (*with* med);
B. (*med objekt*) **1.** kæmpe mod (*fx the Germans*); **2.** (*med næverne*) slås med (*fx he fought his brother*); (*om bokser*) kæmpe mod; **3.** (*mundtligt*) skændes med (*fx each other*); **4.** (*slag etc.*) udkæmpe (*fx a duel; a battle; a war*); **5.** (*et onde*) bekæmpe (*fx inflation; racism*); **6.** (*en følelse*) kæmpe med, (prøve at) undertrykke (*fx one's fear; the impulse to run away*);
□ ~ *a battle* (*jf. B 2, også*) levere et slag; (se også *losing*); ~ *a case* føre en sag; ~ *one's way* kæmpe sig frem; (se også *corner[1], election, fire[1], seat[1], shy[2]*);
[*med præp.& adv.*] ~ *about* kæmpe//slås//skændes om; ~ *back* **a.** slå fra sig, gøre modstand; slå igen; **b.** (*følelse*) undertrykke (*fx one's anger; the impulse to run away*); ~ *back one's tears* kæmpe med gråden; ~ *one's way back to* kæmpe sig tilbage til; ~ *down* undertrykke (*fx a desire to laugh*); ~ *for* kæmpe//slås for (*fx he had to* ~ *for his job*); ~ *for breath* kæmpe for at få vejret, hive efter vejret; ~ *off* **a.** (*angreb*) slå tilbage; **b.** (*person*) (*prøve*) holde fra livet, (prøve at) holde på afstand; (*angriber*) slå på flugt; **c.** (*følelse*) = ~ *down*; **d.** (*sygdom*) få bugt med (*fx a sore throat; a cold*); bekæmpe (*fx infection*); ~ *it out* afgøre det ved kamp; slås om det; ~ *over* = ~ *about*; ~ *with* se ovf.: *A 1,2,3*.
fighter ['faitə] *sb.* **1.** en der kæmper (*fx a* ~ *against suppression*); **2.** fighter [ɔ: *en der ikke giver op*]; **3.** slagsbroder; **4.** (*flyv.*) jagerfly.
fighter-bomber ['faitəbɔmə] *sb.* (*flyv.*) jagerbomber [*stærkt bevæbnet, let bombemaskine*].
fighter pilot *sb.* jagerpilot.
fighter plane *sb.* (*flyv.*) jagerfly.
fighting ['faitiŋ] *sb.* kampe; kamphandlinger (*fx there was no* ~ *yesterday*).
fighting chance *sb.*: *there is a* ~ det kan lykkes hvis vi sætter alle

kræfter ind; det er lige akkurat muligt.

fighting cock *sb.* kamphane; □ *live like a* ~ leve overdådigt.

fighting fit *adj.* frisk som en fisk; i topform.

fighting mad *adj.* (*am.* T) edderspændt rasende.

fighting patrol *sb.* (*mil.*) kamppatrulje.

fig leaf *sb.* **1.** figenblad; **2.** (*fig.*) dække; (*nødtørftigt*) figenblad.

figment ['figmənt] *sb.*: ~ *of the imagination* fantasifoster, hjernespind, indbildning.

fig tree *sb.* (*bot.*) figentræ.

figurative ['figjurətiv] *adj.* figurlig, overført, billedlig; symbolsk; □ ~ *language* billedsprog.

figure¹ ['figə, (*am.*) 'figjər] *sb.* **1.** tal; ciffer; **2.** (*illustration i bog; geom.*) figur (*fx see* ~ *3; geometrical -s*); **3.** (*person, også hist.*) skikkelse (*fx I saw a dark* ~; *he is a well-known* ~; *the greatest -s of our time; the* ~ *of Jesus*); **4.** (*fremstilling, også i billede*) figur (*fx a porcelain* ~; *three -s in the foreground*); **5.** (*kvindes*) figur (*fx she has a good* ~); □ *double -s* tocifrede tal; [*med vb.*] *cut a depressing//poor// ridiculous* ~ gøre en trist//ynkelig//latterlig figur; *cut an interesting//unusual* ~ gøre et interessant//usædvanligt indtryk, virke interessant//usædvanlig; *keep one's* ~ bevare den slanke linje, holde sig slank; *lose one's* ~ spolere sin figur; *I cannot put a* ~ *on it* jeg kan ikke sætte tal på det; [+ *of*] *a* ~ *of* et billede på (*fx he was a* ~ *of poverty*); ~ *of eight* ottetal; *he was a* ~ *of fun* han gjorde en latterlig figur; han var til grin; *a* ~ *of speech* et billedligt udtryk; en talemåde; [*med præp.*] *he is no good at -s* han duer ikke til regning; *at a low//high* ~ til en lav//høj pris; *have a head for -s* være god til regning; *speak in -s* tale i billeder; *it runs into five -s* det kommer op på et femcifret beløb.

figure² ['figə, (*am.*) 'figjər] *vb.* **1.** afbilde; fremstille; **2.** (*am.*) beregne (*fx one's expenses*); **3.** (*am.:* + *sætning*) regne med (*fx we* ~ (*that*) *you'll want to rest*); slutte (*fx he -d* (*that*) *it was no use*) [*se også ndf.:* ~ *out*]; □ *that -s* (*am.*) **a.** det er rimeligt nok; **b.** det er hvad man kunne vente; [*med præp.& adv.*] ~ *in a* figurere i, optræde i (*fx his name -d*

in the report); indgå i (*fx that did not* ~ *in my plans*); **b.** spille en rolle i (*fx he -d prominently in the negotiations*); ~ *on* T regne med; ~ *out* T **a.** regne ud (*fx why he did it it*); **b.** (*person*) forstå, finde ud af (*fx I can't* ~ *him out*); ~ *to* oneself forestille sig.

figured ['figəd, (*am.*) 'figjərd] *adj.* mønstret (*fx silk*).

figured bass *sb.* (*mus.*) becifret bas; generalbas.

figurehead ['figəhed, (*am.*) -gjər-] *sb.* **1.** (*om person*) hansekagefigur; topfigur [*uden egentlig indflydelse*]; **2.** (*mar. hist.*) galionsfigur.

figure of ... *sb.* se *figure¹*.

figure-of-eight knot *sb.* (*mar.*) ottetalsknob, flamsk knob.

figure skate *sb.* kunstløberskøjte.

figure skater *sb.* kunst(skøjte)løber.

figure skating *sb.* kunstskøjteløb.

figurine ['figəri:n, (*am.*) figjə'ri:n] *sb.* statuette.

figwort ['figwə:t] *sb.* (*bot.*) brunrod.

Fiji ['fi:dʒi] *sb.* (*geogr.*) Fiji.

Fijian¹ [fi'dʒi:ən] *sb.* **1.** fijianer; **2.** (*sprog*) fiji.

Fijian² [fi'dʒi:ən] *adj.* fijiansk.

filament ['filəmənt] *sb.* **1.** (*tynd*) tråd; fiber; **2.** (*elek.: i glødelampe*) glødetråd; **3.** (*bot.*) støvtråd.

filature ['filətʃə] *sb.* afhaspning af silke [*fra kokonen*].

filbert ['filbət] *sb.* **1.** dyrket hassel; **2.** lambertsnød [*art stor hasselnød*].

filch [filtʃ] *vb.* T hugge; rapse.

file¹ [fail] *sb.* **A.** (*til at opbevare papirer, breve, regninger etc.*) **1.** brevordner; **2.** (*kasse*) dokumentkasse/-æske; **3.** (*til kort*) kartotekskasse/-æske; **4.** (*til løse papirer*) chartek, mappe; **5.** (*glds.*) regningskrog, spyd; **B.** (*samling af dokumenter*) **1.** arkiv; **2.** (*kort*) kartotek; **3.** (*i en bestemt sag*) sag, akter (*on vedrørende, fx fetch me the* ~ *on Mr. Jones*); dossier; sagsmappe; **4.** (*it*) fil; **C.** **1.** (*af personer som går bag hinanden*) række (*fx a* ~ *of children walked past*); **2.** (*mil.*) rode; (*se også rank¹*); **D.** (*værktøj*) fil; □ *move in single/Indian* ~ **a.** gå en og en; gå på række; gå i gåsegang; **b.** (*mil.*) gå i enkeltkolonne; *on* ~ arkiveret; i arkiv; *keep it on* ~ (*også*) opbevare det (*fx we'll keep your application on* ~); have det liggende.

file² [fail] *vb.* **1.** (*papirer*) ordne, lægge på plads; sætte i brevordner//mappe; arkivere; lægge til ak-

terne; **2.** (*ansøgning, klage; papirer til retten; til arkiv*) indgive; indlevere; **3.** (*historie, til avis; om journalist*) indsende, indtelefonere; **4.** (*med værktøj*) file; **5.** (*uden objekt: om personer*) gå en og en, gå på række, gå i gåsegang; (*mil.*) gå i enkeltkolonne; □ ~ *away* a. (*jf. 1*) arkivere; **b.** (*jf. 4*) file væk; **c.** (*jf. 5*) gå af sted i en lang række; ~ *for* indgive ansøgning om, ansøge om; ~ *for divorce* søge skilsmisse; indgive skilsmissebegæring; ~ *past* gå forbi i en lang række; F defilere forbi (*fx the mourners -d past the coffin*); ~ *through* a. (*jf. 4*) file over; **b.** (*jf. 5*) gå igennem en for en (*fx they -d through the door*).

file extension *sb.* (*it*) extension, filtypenavn.

filefish ['failfiʃ] *sb.* (*zo.*) filfisk.

file manager *sb.* (*it*) filstyrer.

filial ['filiəl] *adj.* sønlig//datterlig; barnlig.

filibuster¹ ['filibʌstə] *sb.* **1.** (*parl.*) filibuster [*obstruktion mod vedtagelsen af en lov ved hjælp af maratontaler*]; **2.** (*hist.*) fribytter, sørøver.

filibuster² ['filibʌstə] *vb.* (*parl.*) [*forhale vedtagelsen af en lov ved at holde maratontaler*].

filigree ['filigri:] *sb.* filigran.

filing cabinet ['failiŋkæbinət] *sb.* arkivskab; dokumentskab; kartotekskab.

filings ['failiŋz] *sb. pl.* filspåner.

Filipino¹ [fili'pi:nəu] *sb.* **1.** filippiner; **2.** (*sprog*) pilipino.

Filipino² [fili'pi:nəu] *adj.* filippinsk.

fill¹ [fil] *sb.* **1.** (*i byggeri*) fyld; **2.** (*af tobak*) stop; □ *drink one's* ~ drikke alt det man kan; *eat one's* ~ spise sig mæt; *have had one's* ~ have fået rigeligt (*of* af); have fået nok (*of* af).

fill² [fil] *vb.* **1.** fylde; **2.** (*plads, tanker*) optage (*fx it -ed the space available; it -ed her thoughts*); fylde (*helt op*) (*fx the old furniture -ed the garage*); **3.** (*tom plads*) udfylde (*fx a gap; a political vacuum; his place will not be easy to* ~); **4.** (*hul, pibe*) stoppe; **5.** (*tand*) plombere; **6.** (*behov*) opfylde, tilfredsstille; **7.** (*med mad*) mætte; **8.** (*embede, stilling*) besætte (*fx the vacancies*); (*om indehaver*) beklæde; bestride; **9.** (*rolle*) udføre; udfylde (*fx the role of diplomat's wife*); **10.** (*merk.: bestilling*) effektuere; ekspedere; **11.** (*am.: recept*) ekspedere;

F *filler*

12. (*uden objekt*) fyldes, blive fuld;
□ ~ *the bill* se *bill¹*; ~ *a want* afhjælpe/udfylde et savn; [*med præp.& adv.*] ~ **in** a. (*hul, revne*) fylde op; (*med jord også*) kaste til; **b.** (*med farve*) fylde ud; **c.** (*blanket etc.*) udfylde; **d.** (*oplysning*) indføre, skrive (*fx* ~ *in your address at the bottom of the form*); **e.** (*tid*) fordrive; **f.** (*person,* T) holde underrettet/ajour (*on* med); informere, orientere (*on* om); **g.** (*uden objekt: for kollega*) vikariere (*for* for); ~ **out** a. (*om person*) blive tykkere/rundere, lægge sig ud; **b.** (*om sejl*) fyldes, udspiles; **c.** (*noget skrevet*) udvide (*fx a story; a report*); **d.** (*blanket*) udfylde; ~ **up** a. (*beholder*) fylde op; fylde helt (op) (*fx the bucket; the tank*); **b.** (*plads*) fylde, optage (*fx the whole room*); **c.** (*blanket*) udfylde; **d.** (*tid*) fordrive; **e.** (*uden objekt*) fyldes, blive fuld; (*om bil*) få benzin på (*fx let's* ~ *up at the next petrol station*); *it -s you up* (*om mad*) det mætter; ~ *oneself up* (ɔ: *med mad*) fylde sig (*with* med).

filler ['filə] *sb.* **1.** fyld; **2.** fyldstof; **3.** (*til huller i væg*) spartelfarve.

fillet¹ ['filət] *sb.* **1.** (*oksekød*) filet; mørbrad; **2.** (*fisk*) filet; **3.** (*til hår*) hårbånd; pandebånd; **4.** (*på bogbind*) filet; linje.

fillet² ['filət] *vb.* filetere.

fill-in ['filin] *sb.* T vikar.

filling¹ ['filiŋ] *sb.* **1.** (*i kage, i dyne*) fyld; **2.** (*i sandwich*) pålæg; **3.** (*i tand*) plombe; **4.** (*i cigar*) indlæg; **5.** (*am.: i vævning*) skudgarn.

filling² ['filiŋ] *adj.* (*om mad*) mættende.

filling station *sb.* benzintank, tankstation.

fillip¹ ['filip] *sb.* **1.** stimulans; opstrammer; **2.** (*glds.*) knips.

fillip² ['filip] *vb.* **1.** stimulere; sætte fart i; **2.** (*glds.*) knipse.

filly ['fili] *sb.* **1.** hoppeføl; **2.** (*glds.* T) sprælsk pigebarn.

film¹ [film] *sb.* **1.** hinde; film; **2.** (*film.; foto.*) film.

film² [film] *vb.* **1.** (*optage på film*) filme (*fx the incident*); **2.** (*lave film over*) filmatisere (*fx a novel*); □ ~ *over* blive overtrukket med en hinde.

film badge *sb.* filmdosimeter [*til måling af radioaktiv bestråling*].

film director *sb.* filminstruktør.

filmic ['filmik] *adj.* filmisk.

filmset ['filmset] *vb.* (*typ.*) fotosætte.

filmy ['filmi] *adj.* **1.** (*som*) overtruk-

ket med en hinde; hindeagtig; **2.** (*om stof*) tynd, gennemsigtig.

Filofax® ['failəufæks] *sb.* planlægningskalender [*med løsblade*].

filo pastry [fi:ləu'peistri] *sb.* fillodej.

filoselle ['filəsel, filə'sel] *sb.* floretsilke.

filter¹ ['filtə] *sb.* **1.** filter; **2.** (*ved lyskurv*) grøn pil; (*bane*) svingebane.

filter² ['filtə] *vb.* **1.** filtrere; (*uden objekt*) filtreres; **2.** (*om lys, personer*) sive; **3.** (*om lyd*) trænge (igennem); **4.** (*om bil*) dreje 'fra [ɔ: væk fra hovedstrømmen]; □ ~ **in** a. (*om lyd*) trænge ind; **b.** (*om lys*) sive ind; **c.** (*om bil*) flette; ~ **out** a. (*ved hjælp af filter*) filtrere fra; **b.** (*om lyd*) trænge ud; **c.** (*om nyheder, lys*) sive ud; ~ **through** (*om nyheder*) slippe/trænge igennem.

filter light *sb.* (*ved lyskurv*) grøn pil.

filter paper *sb.* kaffefilter.

filter-tipped [filtə'tipt] *adj.* (*om cigaret*) med filter.

filth [filθ] *sb.* **1.** snavs, skidt, møg; **2.** (*fig.*) svineri; sjofelhed(er); □ *talk* ~ komme med sjofelheder.

filthy ['filθi] *adj.* **1.** snavset, beskidt; **2.** (*fig.*) svinsk; sjofel (*fx joke*); **3.** (*glds. om vejr*) modbydelig.

filtration [fil'treiʃn] *sb.* filtrering.

fin [fin] *sb.* **1.** (*på fisk*) finne; **2.** (*flyv.*) halefinne; **3.** (*mar.*) styrefinne; **4.** (*tekn.*) støbefinne; køleribbe; **5.** (*am.* S) femdollarseddel; (*se også flipper*).

finagle [fi'neigl] *vb.* T **1.** snyde, fuppe; **2.** fuppe sig til.

final¹ ['fain(ə)l] *sb.* (se også *finals*) **1.** finale; slutkamp; **2.** (*am.*) årsprøve.

final² ['fain(ə)l] *adj.* **1.** sidst (*fx a* ~ *attempt; the* ~ *chapters*); afsluttende; **2.** (*om beslutning*) endelig, afgørende; (se også *curtain¹, analysis*).

finale [fi'na:li] *sb.* (*mus. etc.*) finale.

finalist ['fain(ə)list] *sb.* finalist, finaledeltager.

finality [fai'næliti] *sb.* endegyldighed (*fx the* ~ *of death*); uigenkaldelighed; □ *speak with* ~ udtale sig definitivt; afskære al videre diskussion.

finalize ['fain(ə)laiz] *vb.* færdiggøre; afslutte.

finally ['fain(ə)li] *adv.* endelig, omsider, til sidst, til slut.

finals ['fain(ə)lz] *sb. pl.* **1.** (*ved universitet*) afsluttende eksaminer;

2. (*i sport*) afsluttende kampe, finalerunde.

finance¹ ['fainæns, fai'næns] *sb.* (se også *finances*) **1.** økonomisk forvaltning; **2.** finansiering (*fx raise* ~ *for sth*).

finance² [fai'næns] *vb.* finansiere.

finance company *sb.* finansieringsselskab.

finances ['fainænsiz, fai'nænsiz] *sb. pl.* **1.** (*persons*) økonomi, pengesager; økonomisk situation; **2.** (*offentlig myndigheds*) finanser.

financial [fai'nænʃ(ə)l] *adj.* finans- (*fx policy*); finansiel; penge-; økonomisk (*fx difficulties*).

financial year *sb.* **1.** regnskabsår; **2.** (*statens*) finansår.

financier [fai'nænsiə, (am.) finən-'siər, finæn-] *sb.* finansmand; finansier.

finback ['finbæk] *sb.* (zo.) finhval.

finch [fin(t)ʃ] *sb.* (zo.) finke.

find¹ [faind] *sb.* fund.

find² [faind] *vb.* (*found, found*) (se også *found²*) **1.** finde; **2.** (*om mening*) finde (*fx* ~ *it difficult to understand; she found him attractive*); anse for; **3.** (*hvordan noget forholder sig*) erfare, opdage (*fx I found that I had been mistaken;* ~ *him a good worker* (... at han er ...)); konstatere; **4.** (*tid, kræfter etc.*) få (*fx I can't* ~ *the time to read the book; he found the courage to protest*); (*penge*) skaffe (*fx he had to* ~ *£50,000 to pay for the house*); **5.** (*et mål*) ramme, træffe; **6.** (*jur.*) udtale (*that at, fx the court found that ...*); afgive kendelse (*that* om at); [*med adj.*] kende (*fx* ~ *sby guilty*); □ ~ *sby sth* finde noget til en (*fx I found him a good flat*); skaffe en noget (*fx* ~ *him a job*); (se også *fault, favour¹, foot¹* (*etc.*)); [*med: oneself*] ~ **oneself** a. befinde sig; **b.** opdage at man er (*fx in an impossible situation; when we woke up we found ourselves in Dover*); **c.** finde sig selv (*fx he went to the India to* ~ *himself*); *£5 a day and* ~ *yourself* £5 om dagen på egen kost; *he found himself wishing that* han greb sig i at ønske at; [*med præp.& adv.*] *the jury found* **against** *him* (*jur.*) juryens afgørelse gik ham imod; ~ **for** *the plaintiff* (*jur.*) give sagsøgeren medhold; ~ *sby* **in** træffe en hjemme; ~ *sby in sth* forsyne en med noget; *he -s me in clothes* han holder mig med tøj; *I cannot* ~ *it in myself to* jeg kan ikke få mig selv til at; (se også *heart*); ~

out a. finde ud af, opdage; **b.** (*person*) gennemskue; ~ *out for oneself* finde ud af på egen hånd.

finder ['faində] *sb.* **1.** finder; **2.** (*på kikkert*) sigtekikkert; **3.** (*foto.*) søger;

□ *-s keepers* [*den der finder noget har lov til at beholde det*].

finding ['faindiŋ] *sb.* **1.** (*efter undersøgelse*) resultat; konklusion; **2.** (*jur.*) kendelse; afgørelse.

findings ['faindiŋz] *sb. pl.* se *finding*.

fine[1] [fain] *sb.* bøde.

fine[2] [fain] *adj.* **1.** fin (*fx collection*); fremragende (*fx musician*); smuk; **2.** (*om udseende*) fin (*fx clothes*); flot; **3.** (*mindre rosende: tilfredsstillende*) fin, god nok, udmærket (*fx that's ~!*); **4.** (*ironisk*) nydelig, køn (*fx that's a ~ excuse*; *a ~ friend you have been!*); **5.** (*findelt, tynd etc.*) fin (*fx sand*; *thread*; *pen*); tynd (*fx line*; *the ~ hairs on my arms*); spids (*fx nib pen*); skarp (*fx edge æg*);

□ *it's ~ by/for me* T det er fint med mig; det passer mig fint; *you are a ~ one!* du er en køn en! [*med sb.*] *the ~ arts* de skønne kunster, (se også *art*[1]); *a ~ day* dejligt vejr; *one ~ day//morning* en skønne dag; *a ~ distinction* **a.** en meget lille forskel; **b.** en subtil distinktion; *a ~ fellow* **a.** en smuk fyr; en prægtig fyr; **b.** (*ironisk*) en net herre; ~ *gold* rent guld; guld af en nærmere fastsat lødighed; *a ~ taste* en kræsen smag; ~ *wine* ædel vin; (se også *feather*[1], *point*[1] (*not put too fine a point on it*), *print*[1]).

fine[3] [fain] *vb.* **1.** (jf. *fine*[1]) idømme en bøde; **2.** (*øl, vin*) klare; rense; **3.** (*i billard*) snitte.

fine[4] [fain] *adv.* T fint;

□ *cut it ~* se *cut*[2]; *do ~* **a.** klare sig godt (*fx he is doing ~ at school*); **b.** passe godt (*fx a sandwich will do (me) ~*); *run it ~* se *run*[2].

fine arts *sb. pl.: the ~* de skønne kunster.

fine-draw ['faindrɔ:] *vb.* sy fint sammen; kunststoppe.

fine-drawn [fain'drɔ:n] *adj.* **1.** fint tegnet (*fx features*); **2.** tynd, fin (*fx wire*); **3.** (*fig.*) hårfin (*fx distinction*).

fine-grained [fain'greind] *adj.* **1.** finkornet; **2.** (*om træ*) finåret.

fine print *sb.* se *print*[1].

finery ['fainəri] *sb.* stads, pynt.

finesse[1] [fi'nes] *sb.* **1.** raffinement (*fx her performance lacked ~*); **2.** (*i håndtering af vanskelighed*)

diplomati, behændighed; **3.** (*til at finde løsning*) list, snilde; **4.** (*i bridge*) knibning.

finesse[2] [fi'nes] *vb.* **1.** (*person*) bruge list imod; **2.** (*vanskelighed*) klare//slippe udenom ved behændighed//list; **3.** (*i bridge*) knibe.

fine-tooth comb [fain'tu:θkəum] *adj.* tættekam.

fine-tune [fain'tju:n] *vb.* finindstille; finjustere; finpudse.

fine writing *sb.* tilstræbt elegant stil.

finfoot ['finfut] *sb.* (*zo.*) amerikansk svømmerikse.

finger[1] ['fiŋgə] *sb.* **1.** finger; **2.** (*mål for spiritus*) fingersbred;

□ *he is all -s and thumbs* se *thumb*[1];

[*med vb.* (+ *præp./adv.*)] ***burn one's -s*** (*fig.*) brænde sig; ***click one's fingers*** knipse med fingrene; ***cross one's -s*** krydse fingre; ***give him the ~*** S give ham fingeren; *he **has** a ~ **in** every pie* han blander sig i alt; ***have/keep** one's ~ **on*** se *pulse*[1]; ***lay** one's ~ **on*** sætte fingeren på; udpege; *don't dare to lay a ~ on me* vov ikke at røre mig; *not **lift** a ~ **to** help sby* ikke røre/løfte en finger for at hjælpe en; ***point** the ~ **at*** anklage, hænge ud; *point the ~ of suspicion at* rette mistanken mod; ***pull** one's ~ **out*** T få fingeren ud; ***put** one's ~ **on*** sætte fingeren på, udpege; *put the ~ on* S angive, stikke; *not **raise** a ~ = not lift a ~*; ***shaking** his ~ at me* med løftet pegefinger [ɔ: formanende]; ***work** one's -s **to** the bone* knokle, slide sig halvt fordærvet; (se også *click*[2], *slip*[2] (*through*), *snap*[2] (*at*)).

finger[2] ['fiŋgə] *vb.* **1.** fingerere ved, pille ved, famle ved; føle på; **2.** (*mus.*) angive fingersætning i; **3.** S angive, stikke.

fingerboard ['fiŋgəbɔ:d] *sb.* (*mus.: på strengeinstrument*) gribebræt.

finger bowl *sb.* skylleskål.

finger buffet *sb.* tagselvbord med fingermad.

finger food *sb.* fingermad [ɔ: *mad som kan spises med fingrene*].

fingering ['fiŋgəriŋ] *sb.* (*mus.*) **1.** fingersætning; **2.** angivelse af fingersætning.

fingermark ['fiŋgəma:k] *sb.* aftryk af snavset//fedtet finger;

□ *leave -s on* sætte snavsede//fedtede fingre på.

fingernail ['fiŋgəneil] *sb.* negl.

fingerplate ['fiŋgəpleit] *sb.* dørskåner.

fingerpost ['fiŋgəpəust] *sb.* vejviser.

fingerprint[1] ['fiŋgəprint] *sb.* **1.** fin-

geraftryk; **2.** (*am.*) = *fingermark*.

fingerprint[2] ['fiŋgəprint] *vb.* tage fingeraftryk af.

fingerstall ['fiŋgəstɔ:l] *sb.* fingertut.

fingertip ['fiŋgətip] *sb.* fingerspids (*fx a gentleman to his ~s*);

□ *have it at one's ~s* have det på rede hånd; kunne det på fingrene.

finial ['fainiəl, 'fin-] *sb.* (*arkit.*) korsblomst.

finicky ['finiki] *adj.* sippet; overpertentlig, pernitten (*about* med); (*med mad*) kræsen;

□ *it is ~* (*om arbejde*) det er noget pillearbejde.

fining ['fainiŋ] *sb.* (*mht. øl, vin*) klaring.

finish[1] ['finiʃ] *sb.* **1.** slutning; afslutning; **2.** (*i sport*) slutkamp; afslutning; opløb; **3.** (*tekn.*) afretning; afpudsning; efterbehandling; **4.** (*på overflade*) overfladebehandling; (*påført*) fernis, lak; **5.** (*i tekstiler*) appretur;

□ *be in at the ~* **a.** være med når ræven dræbes; **b.** (*fig.*) være med i det afgørende øjeblik; *fight to the ~* kamp til en af parterne er slået; kamp på liv og død.

finish[2] ['finiʃ] *vb.* (se også *finished*) **1.** afslutte (*fx a speech*; *the work*; *the evening with a song*); ende (*fx he -ed his speech by thanking everybody*); gøre færdig, blive færdig med (*fx the job*); F fuldende, fuldføre; **2.** (*mad*) spise op; drikke op/ud; **3.** T (*person*) gøre det af med; **4.** (*produkt, arbejdsstykke*) færdigbehandle; færdiggøre; afrette, afpudse; **5.** (*tekstiler*) apptere; **6.** (*uden objekt*) blive færdig; slutte (af), holde op; (*om talende*) tale ud (*fx do let me ~*); (*i sport*) fuldføre; komme i mål;

□ *he -ed third* han kom ind/sluttede som nr. 3; ~ + *-ing* blive færdig med at (*fx washing the car*); [*med præp.& adv.*] ~ *off* **a.** afslutte (*fx the war*; *the discussion*); **b.** (*arbejde*) gøre færdig; fuldende; **c.** (*mad*) spise op; drikke op//ud; **d.** (T: *en modstander*) gøre det (helt) af med; **e.** (*am.* S) ekspedere, slå ihjel; *that trip nearly -ed me off!* den tur var lige ved at tage livet af mig/gøre det helt af med mig! ~ *off with* slutte af med; *to ~ off with* til slut; ~ *up* se: ~ *off b, c*; *you'll ~ up in jail* du ender/havner i et fængsel; ~ *up + -ing* ende med at (*fx be careful or you'll ~ up ruining it all*); ~ *up with = ~ off with*; ~ *with* **a.** (jf. *A 1*) afslutte/slutte/ende med; **b.** være færdig med (*fx have you -ed with my book?*); **c.** (*per-*

F finished

son) bryde med.
finished ['finiʃt] *adj.* **1.** afsluttet, færdig, forbi; **2.** (*om ting*) afpudset; færdigbehandlet; **3.** (T: *om person: ødelagt*) færdig; □ ~ *goods* færdigvarer; *the whisky is* ~ der er ikke mere whisky.
finishing line *sb.* (*ved væddeløb*) mållinje.
finishing school *sb.* pigeinstitut [*eksklusiv privat pigeskole*].
finishing touches *sb. pl.*: *put the* ~ *to it* lægge sidste hånd på værket; *give det en sidste afpudsning.*
finish line *sb.* (*ved væddeløb*) mållinje.
finite ['fainait] *adj.* **1.** begrænset; **2.** (*gram.*) finit.
fink¹ [fiŋk] *sb.* (*am.* S) lus; skiderik; (*især:*) stikker, angiver; skruebrækker.
fink² [fiŋk] *vb.*: ~ *on* (*am.* S) stikke, angive; ~ *out* (*am.* S) **a.** kokse; **b.** bakke ud, stå af.
Finland ['finlənd] Finland.
Finlandization [finlэndai'zeiʃn] *sb.* finlandisering.
Finn [fin] *sb.* finne.
finnan ['finən] *sb.*, **finnan haddock** *sb.* skotsk røget kuller.
Finnish¹ ['finiʃ] *sb.* (*sprog*) finsk.
Finnish² ['finiʃ] *adj.* finsk.
Finno-Ugric [finəu'ju:grik, -'u:g-] *adj.* (*sprogv.*) finsk-ugrisk.
fin whale *sb.* (*zo.*) finhval.
fiord [fjɔ:d, 'fi:ɔ:d] *sb.* fjord [*især norsk*].
fir [fɔ:] *sb.* (*bot.*) gran, grantræ.
fir cone *sb.* grankogle.
fire¹ ['faiə] *sb.* **1.** ild; **2.** (*i hus etc.:* ukontrolleret*) brand, ildebrand; **3.** (*som man selv bygger*) bål; **4.** (*skydning*) ild; **5.** (*fig.*) lidenskab; glød;
□ *electric* ~ elektrisk varmeovn; *where's the* ~? (T: *ironisk*) hvor brænder det?
[*med vb.*] *catch/take* ~ fænge; komme i brand; *cease* ~ indstille skydningen; *draw* ~ (*især am.*) blive udsat for kritik; *draw the* ~ (*mil.*) tiltrække fjendens ild; udsætte sig for beskydning; *fight the* ~ bekæmpe ilden; prøve at slukke branden; *fight* ~ *with* ~ give igen med samme mønt; sætte hårdt mod hårdt; *give* ~ (*jf. 4*) give ild; fyre; *hang* ~ se *hang²*; *have a* ~ have fyret; have ild i kaminen; *hold your* ~! hold inde med skydningen! *lay a* ~ lægge (brændsel) tilrette [*i kamin etc.*]; *light/make a* ~ **a.** tænde op; lægge i kakkelovnen; **b.** tænde bål; *miss* ~ se misfire; *open* ~ **a.** (*mil.*) åbne ild; **b.** (*fig.*) begynde; tage fat; *set* ~ *to*

se ndf.: *set on* ~; *start a* ~ sætte ild på; (se også *deliberately*); *strike* ~ slå gnister;
[*med præp*] *coals of* ~ se *coal*; *line of* ~ (*mil.*) ildlinje, skudlinje; *the scene of the* ~ brandstedet; *smell of* ~ brandlugt; *speed of* ~ skudhastighed; *on* ~ i brand; *we got on like a house on* ~ vi kom vældig godt ud af det; *it went like a house on* ~ det gik strygende; *set on* ~ stikke ild på; *he will never set the Thames/world on* ~ han er ikke nogen ørn; han har ikke opfundet krudtet; han kommer aldrig til at udrette noget særligt; *be under* ~ **a.** (*mil.*) være i ilden; blive beskudt; **b.** (*fig.*) måtte stå for skud; blive angrebet; (se også *smoke¹*).
fire² ['faiə] *vb.* **A.** (*med objekt*) **1.** tænde; stikke i brand; **2.** (*skydevåben*) affyre; **3.** (*keramik etc.*) brænde; **4.** (*fig.*) opildne; opflamme; **5.** T afskedige, fyre; **B.** (*uden objekt*) **1.** antændes, komme i brand; **2.** (*opvarme, skyde*) fyre; **3.** (*om skydevåben*) gå af; **4.** (*om motor*) tænde; □ *ready to* ~ (*mil.*) skudklar; [*med præp.& adv.*] ~ *at* skyde på, beskyde; ~ *away* **a.** fyre løs; **b.** (*fig.*) klemme på; **c.** snakke fra leveren; ~ *off* affyre; ~ *on* skyde på, beskyde; ~ *up* fare op, blive rasende.
fire alarm *sb.* brandalarm.
firearm ['faiəra:m] *sb.* håndskydevåben.
fireball ['faiəbɔ:l] *sb.* **1.** ildkugle; **2.** (*fig.*) krudtugle.
firebomb¹ ['faiəbɔm] *sb.* brandbombe.
firebomb² ['faiəbɔm] *vb.* sætte ild til med brandbombe(r).
firebrand ['faiəbrænd] *sb.* **1.** brand, brændende stykke træ; **2.** (*om person*) urostifter.
firebreak ['faiəbreik] *sb.* brandbælte.
firebrick ['faiəbrik] *sb.* ildfast mursten.
fire brigade *sb.* brandvæsen.
firebug ['faiəbʌg] *sb.* (*am.* T) pyroman, brandstifter.
fire control *sb.* (*mil.*) ildledelse.
firecracker ['faiəkrækə] *sb.* (*fyrværkeri*) kineser.
firecrest ['faiəkrest] *sb.* (*zo.*) rødtoppet fuglekonge.
firedamp ['faiədæmp] *sb.* grubegas.
fire department *sb.* (*am.*) brandvæsen.
firedog ['faiədɔg] *sb.* ildbuk.
fire drill *sb.* **1.** brandøvelse; **2.** ildbor [*til at frembringe ild med*].

fire-eater *sb.* **1.** ildsluger; **2.** (*glds., fig.*) slagsbroder.
fire engine *sb.* brandsprøjte.
fire escape *sb.* brandstige; brandtrappe.
fire extinguisher *sb.* ildslukningsapparat, ildslukker.
firefight ['faiəfait] *sb.* ildkamp.
fire fighter *sb.* brandmand.
fire fighting *sb.* brandslukning.
firefly ['faiəflai] *sb.* (*zo.*) ildflue.
fireguard ['faiəga:d] *sb.* **1.** kamingitter; **2.** (*am.: person*) brandvagt; **3.** (*am.: i skov*) brandbælte.
fire hose *sb.* brandslange.
firehouse ['faiəhaus] *sb.* (*am.*) brandstation.
fire hydrant *sb.* brandhane.
fire irons *sb. pl.* kaminsæt.
firelighter ['faiəlaitə] *sb.* ildtænder.
fireman ['faiəmən] *sb.* (*pl.* -men [-mən]) **1.** brandmand; **2.** (*på dampskib etc.*) fyrbøder.
fire marshal *sb.* (*am.*) brandchef.
fireplace ['faiəpleis] *sb.* **1.** kamin; **2.** ildsted.
fireplug ['faiəplʌg] *sb.* (*am.*) brandhane.
firepower ['faiəpauə] *sb.* ildkraft.
fireproof ['faiəpru:f] *adj.* **1.** brandsikker (*fx safe*); **2.** ildfast (*fx dish*).
fire-raising ['faiəreiziŋ] *sb.* brandstiftelse, ildspåsættelse.
fire sale *sb.* **1.** brandudsalg; **2.** udsalg.
fire screen *sb.* (*am.*) kamingitter.
fireside ['faiəsaid] *sb.*: *by/round the* ~ foran/ved kaminen.
fireside chat *sb.* kaminpassiar.
fire station *sb.* brandstation.
fire step *sb.* (*mil.*) skydetrin.
fire stone *sb.* ildfast sten.
firestorm ['faiəstɔ:m] *sb.* **1.** ildstorm; **2.** (*fig.*) storm (*fx of protest*).
firetrap ['faiətræp] *sb.* brandfarlig bygning, brandfælde.
fire-walking ['faiəwɔ:kiŋ] *sb.* det at gå på gløder.
firewall ['faiəwɔ:l] *sb.* **1.** brandmur; **2.** (*it*) [*sikkerhedsforanstaltning mod indbrud i systemet*]; **3.** (*i bil*) forbræt; forplade.
fire warden *sb.* (*am.*) brandfoged.
firewatcher ['faiəwɔtʃə] *sb.* brandvagt.
firewood ['faiəwud] *sb.* brænde.
firework ['faiəwɔ:k] *sb.* stykke fyrværkeri.
fireworks ['faiəwɔks] *sb. pl.* **1.** (*fest*)fyrværkeri; **2.** (*fig.*) ballade.
firing ['faiəriŋ] *sb.* **1.** antændelse; **2.** (*af skydevåben*) affyring; (*med skydevåben*) skydning; **3.** (*af person*) afskedigelse, fyring; **4.** (*af keramik etc.*) brænding.

firing line *sb.* ildlinje.
firing party *sb.* **1.** æreskompagni [*der affyrer salut ved begravelse*]; **2.** = *firing squad.*
firing pin *sb.* (*i skydevåben*) slagstift.
firing squad *sb.* henrettelsespeloton.
firing step *sb.* (*mil.*) skydetrin.
firkin ['fə:kin] *sb.* (*især hist.*: *lille tønde*) fjerding; anker [*mål: ca. 41 l*].
firm[1] [fə:m] *sb.* firma.
firm[2] [fə:m] *adj.* **1.** fast (*fx foundations*; *grip*; *belief*; *decision*; *price*); stabil; **2.** (*mods. blød*) fast (*fx mattress*); **3.** (*om person*) fast, bestemt (*with over for, fx you must be ~ with him*);
□ *hold* ~ **a.** stå fast; **b.** (*om kurs*) ligge fast;
[*med sb.*] *a* ~ *offer* et bindende tilbud; *have a* ~ *seat* sidde fast i sadlen; (*se også* ground[1]).
firm[3] [fə:m] *vb.* **1.** (*i gartneri*) fasttræde (*fx ~ the soil after planting*); (*plante*) træde jorden fast omkring; **2.** (*merk.: om kurser*) rette sig;
□ ~ *up* **a.** stramme op (*fx a sagging bustline*); styrke (*fx the muscles*); **b.** (*aftale, planer*) lægge fast; færdiggøre; **c.** (*kurs, værdi*) stabilisere.
firmament ['fə:məmənt] *sb.* firmament.
firmware ['fə:mwɛə] *sb.* (*it*) fast program [*indlagt i hukommelse*].
first[1] [fə:st] *sb.* **1.** (*i rækkefølge*) nummer et; førsteplads; **2.** (*i bil*) første gear (*fx he shifted into ~*); □ *-s* første sortering; *a* ~ **a.** første gang (*fx it was a ~ for him*); **b.** førstepræmie; **c.** (*ved eksamen*) førstekarakter.
first[2] [fə:st] *adj.* først; □ *the* ~ **a.** den//det første; **b.** de første (*fx one of the ~ to arrive*); *from the* ~ fra begyndelsen af; fra første færd; [*med sb.; se også alfabetisk*] *on the* ~ *approach of a stranger* straks når/så snart en fremmed nærmer//nærmede sig; *have* ~ *call on sth* være den første der får noget tilbudt; *at* ~ *hand* se *first hand*; *of the* ~ *importance* af største vigtighed; *in the* ~ *place* se *place*[1]; *not know the* ~ *thing about it* ikke have spor kendskab til det//forstand på det; ~ *thing in the morning* **a.** straks om morgenen; **b.** straks i morgen tidlig, som det allerførste (*fx we'll do it ~ thing in the morning*); ~ *thing tomorrow* straks i morgen tidlig,

som det allerførste (*fx come ~ thing tomorrow*); ~ *things* ~ *det vigtigste først*; *there's (got to be) a* ~ *time for everything, there's always a* ~ *time* en gang skal jo være den første.
first[3] [fə:st] *adv.* **1.** for det første; **2.** hellere (*fx he would die ~*); **3.** første gang (*fx I met him ~ at the club*);
□ ~ *come,* ~ *served* den der kommer først til mølle får først malet; ~ *and foremost* først og fremmest; ~ *and last* **a.** først og sidst; **b.** helt igennem (*fx he was ~ and last a poet*); *from* ~ *to last* fra først til sidst; ~ *or last* før eller siden; ~ *of all* **a.** allerførst; **b.** først og fremmest; ~ *off* T = *first of all*; *when* ~ så snart; straks da, lige da; *when we were* ~ *married* i begyndelsen af vort ægteskab; [*med præp.*] *at* ~ i begyndelsen; til at begynde med; *on* ~ *coming* straks/lige når han *etc.* kommer.
first aid *sb.* førstehjælp.
first aider *sb.* samarit.
first base *sb.* (*am., i baseball*) **1.** første base; **2.** første basemand; □ *he hasn't got to* ~ T han er ikke kommet nogen vegne; *it never got to* ~ T der kom aldrig rigtig noget ud af det.
firstborn ['fə:stbɔ:n] *adj.* førstefødt.
first class *sb.* **1.** første klasse; **2.** (*eksamenskarakter, omtr.*) første karakter.
first-class [fə:st'kla:s] *adj.* førsteklasses; □ *travel* ~ rejse på første klasse.
first cousin *sb.* fætter; kusine.
first-degree [fə:stdi'gri:] *adj.*: ~ *burn* (*med.*) førstegradsforbrænding; ~ *murder* (*am. jur.*) [*mord af særlig grov karakter*].
first floor *sb.* **1.** første sal; **2.** (*am.*) stueetage.
first fruits *sb. pl.* **1.** førstegrøde; **2.** (*fig.*) første resultater.
first hand *sb.*: *at* ~ på første hånd; *hear sth at* ~ få førstehåndsviden om noget.
first-hand[1] [fə:st'hænd] *adj.* førstehånds- (*fx information; knowledge*).
first-hand[2] [fə:st'hænd] *adv.* på første hånd; umiddelbart.
first lady *sb.* førstedame.
first language *sb.* modersmål.
first lieutenant *sb.* (*mil.*) premierløjtnant.
first light *sb.* daggry.
firstly ['fə:stli] *adv.* for det første.
first mate *sb.* se *first officer.*
first name *sb.* (*am.*) fornavn; □ *on* ~ *terms with* på fornavn

med.
first night *sb.* premiere.
first offender *sb.* førstegangsforbryder.
first officer *sb.* (*mar.*) førstestyrmand; næstkommanderende.
first papers *sb. pl.* (*am.*) [*erklæring om at man agter at ansøge om statsborgerskab*].
first-rate [fə:st'reit] *adj.* førsteklasses.
first refusal *sb.* forkøbsret; option; □ *have* ~ *on sth* (*også*) have noget på hånden.
first school *sb.* grundskole [*for 5- til 9-årige*].
first-string [fə:st'striŋ] *adj.* (*am.* T) **1.** (*om spiller, mods. reserve*) fast; **2.** førsteklasses.
first thing *sb.* se *first*[2].
firth [fə:θ] *sb.* (*skotsk*) fjord.
fiscal ['fisk(ə)l] *adj.* fiskal; finans-; skatte-.
fiscal year *sb.* finansår; skatteår.
fish[1] [fiʃ] *sb.* (*pl. fish/fishes*) **1.** fisk; **2.** (*ved spil*) jeton; spillemærke; **3.** T fyr (*fx he is an odd/strange/ queer ~*);
□ *all is* ~ *that comes to his net* han tager alt med; han udnytter alt til sin fordel; *that is neither* ~ *nor flesh (nor good red herring)* det er hverken fugl eller fisk; *there is plenty more/plenty of other* ~ *in the sea* (*sagt til en der er skuffet i kærlighed*) der er andre røde køer end præstens; [*med vb.*] *he drinks like a* ~ han drikker som en svamp; *feed the -es* **a.** drukne; **b.** (*kaste op af søsyge*) ofre; *feel like a* ~ *out of water* føle sig som en fisk på landjorden; ikke være i sit rette element; *have other* ~ *to fry* have andet at tage sig til; have vigtigere ting for; *it was like shooting* ~ *in a barrel* det var en ulige kamp.
fish[2] [fiʃ] *vb.* **1.** fiske; **2.** (*med objekt*) fiske i (*fx the river*); □ *go -ing* tage på fisketur; [*med præp.& adv.*] ~ *for* information/tion fiske efter oplysninger; ~ *in troubled waters* fiske i rørt vande; ~ *out* **a.** fiske op (*fx ~ a body out of the water*); **b.** hale frem (*fx he -ed a note out from his pocket*); **c.** (*flod, hav*) affiske [ɔ: *tømme for fisk*].
fishbowl ['fiʃboul] *sb.* (*am.*) guldfiskekumme.
fishcake ['fiʃkeik] *sb.* fiskefrikadelle.
fisher ['fiʃə] *sb.* (*zo.*) fiskemår.
fisherman ['fiʃəmən] *sb.* (*pl. -men* [-mən]) fisker.
fishery ['fiʃəri] *sb.* **1.** fiskeri;

2. skeplads; **3.** = *fish farm.*
fish farm *sb.* dambrug, fiskeri.
fish farming *sb.* fiskeopdræt.
fish fingers *sb. pl.* fiskestave.
fish glue *sb.* fiskelim.
fishing ['fiʃiŋ] *sb.* fiskeri.
fishing line *sb.* fiskesnøre.
fishing rod *sb.* fiskestang.
fishing tackle *sb.* fiskeredskaber, fiskegrej.
fishing village *sb.* fiskerleje, fiskerby.
fish kettle *sb.* fiskekedel.
fishmonger ['fiʃmʌŋgə] *sb.* fiske-handler.
fishplate ['fiʃpleit] *sb.* (*jernb.*) skin-nelask.
fish pond *sb.* fiskedam.
fish slice *sb.* paletspade, fiske-spade.
fish stock *sb.* fiskebestand.
fishtail[1] ['fiʃteil] *sb.* **1.** fiskehale; **2.** slingren.
fishtail[2] *vb.* **1.** (*om bil*) slingre; **2.** (*flyv.*) [reducere farten ved at svinge fra side til side].
fish tank *sb.* akvarium.
fishwife ['fiʃwaif] *sb.* (*pl.* -wives [-waivz]) (*neds.*) fiskerkælling.
fishy ['fiʃi] *adj.* **1.** fiskeagtig; fiske- (*fx smell*); **2.** T mistænkelig, for-dægtig;
□ *there's something ~ about it, it smells ~* (*jf. 2, også*) der er noget muggent ved det.
fissile ['fisail, (*am.*) 'fis(i)l] *adj.* spaltelig, spaltbar; kløvbar.
fission ['fiʃn] *sb.* **1.** (*fys.*) (atom)spaltning; fission; **2.** (*biol.*) celledeling.
fissiparous [fi'sipərəs] *adj.* (*biol.*) som formerer sig ved celledeling.
fissure ['fiʃə] *sb.* spalte; revne.
fist[1] [fist] *sb.* næve, knytnæve;
□ *make a good ~ of* T klare fint; *make a poor ~ of* T forkludre; *hand over ~* se *hand*[1].
fist[2] [fist] *vb.* tage på, gramse på.
fisticuffs ['fistikʌfs] *sb. pl.* (*glds., spøg.*) nævekamp; slagsmål.
fistula ['fistjulə] *sb.* (*med.*) fistel.
fit[1] [fit] *sb.* **1.** anfald (*fx an epilep-tic ~; a coughing ~*); tilfælde; **2.** (*om tøj*) pasform; **3.** (*tekn.*) pas-ning;
□ *have/throw a ~* (T: *jf. 1*) få en prop/et tilfælde;
[*med adj., jf. 2*] *the coat is an ex-cellent//bad ~* jakken passer/sid-der glimrende//dårligt; *there is a close ~ between A and B* F A og B passer nøje til hinanden; A og B svarer nøje til hinanden; *the coat is a tight ~* jakken sidder stramt; [+ *of, jf. 1*] *a ~ of laughter//rage* et latteranfald//raserianfald; *a ~ of*

temper//panic et anfald af hidsig-hed//panik;
[*med præp., jf. 1*] *by/in -s (and starts)* nu og da; stødvis, i ryk; *have them in -s* få dem til at vride sig af latter.
fit[2] [fit] *adj.* **1.** egnet; passende; som passer godt; **2.** (*mht. evner*) dygtig; duelig; **3.** (*mht. helbred*) i god//fin form; sund og rask;
□ *(as) ~ as a fiddle* frisk som en fisk; *as is ~ and proper* som det det sig hør og bør; *keep ~* holde sig i form; *see/think ~* finde for godt; finde det passende/formåls-tjenligt;
[*med præp.& adv.*] *be ~ for* være egnet til, egne sig til; *~ for duty* arbejdsdygtig; tjenstdygtig; *report ~ for duty* melde sig rask; *~ for a king* af bedste kvalitet; *~ for use* brugelig, brugbar; *~ to a.* egnet til at (*fx food ~ to eat*); **b.** (*lige*) ved at (*fx she worked till she was ~ to drop*); *he laughed ~ to burst* han lo så han var ved at revne; *she cried ~ to break her heart* hun græd som om hendes hjerte skulle briste; *a smell ~ to knock you down* en lugt der var ved at slå en omkuld; *~ to be tied* (*am.*) edder-spændt rasende; *I am not ~ to be seen* jeg kan ikke vise mig som jeg er; *~ to be tied* T edderspændt ra-sende.
fit[3] [fit] *vb.* (se også *fitted*) A. **1.** (*per-son*) gøre egnet/kvalificeret (*for til, fx it -ted him for his work; to til at, fx the training -ted him to work*); **2.** (*sted, ting*) udstyre (*with med, fx a room with chairs; a tool with a new handle*); indrette; **3.** (*udstyr*) anbringe, montere (*fx a sink; fog lights to* (på) *the car*); (*skab*) indbygge; (*tæppe*) lægge på, tilpasse;
B. (*om egnethed, modsvarighed*) **1.** passe til (*fx the punishment should ~ the crime; he -s the job// the description*); **2.** (*mht. stør-relse, form*) passe i (*fx the key -s the lock*); (*uden objekt*) passe, kunne være (*fx it -s into a pocket; the bag -s under the settee*); **3.** (*om tøj*) passe (*fx the coat -s me*); (*uden objekt*) passe, sidde (*fx the coat -s*);
□ *if the cap -s you, wear it* du følte dig nok truffet! *the cap -ted bemærkningen ramte; if the shoe -s you ... (am.) = if the cap -s you...; ~ like a glove* (*om tøj*) passe fuldstændigt; sidde som støbt; (se også *bill*[1]);
[*med præp.& adv.*] *~ in* **a.** passe ind (*fx that's where you ~ in*);

b. (*med objekt*) anbringe/sætte ind i (*fx he -ted the key in the lock*); **c.** (*mht. plads*) få plads til (*fx more chairs*); **d.** (*mht. tid*) få tid til (*fx a visit to the museum; the doctor can ~ you in this after-noon*); finde/afse tid til; *~ into* **a.** passe ind i; **b.** (*med objekt*) an-bringe/montere i; *~ in with* **a.** passe ind i/sammen med (*fx my plans*); **b.** (*om person*) passe sammen med (*fx she -s in well with the others*); **c.** (*med objekt*) indrette efter; *~ on* (*om tøj*) prøve (*fx here's your new coat, you had better ~ it on*); *~ out* udruste; ud-styre; (*med tøj også*) ekvipere; *~ up* **a.** (*sted*) indrette (*fx the room as an office*); **b.** (*udstyr*) anbringe (*fx a desk*); montere (*fx a lamp; a sink*); **c.** S lave falske beviser mod.
fitful ['fitf(u)l] *adj.* urolig (*fx sleep*); afbrudt, usammenhængende (*fx debate*); i ryk (*fx progress*).
fitment ['fitmənt] *sb.* tilbehør; ud-styr (*fx bathroom -s*);
□ *-s* (*også*) indbyggede skabe *etc.*
fitness ['fitnəs] *sb.* (cf. *fit*[2]) **1.** egnet-hed (*for til*); **2.** dygtighed, duelig-hed; **3.** (*legemlig*) form, kondition; kondi.
fitness centre *sb.* motionscenter; helsecenter.
fit-out ['fitaut] *sb.* indretning; ud-styrelse.
fitted ['fitid] *adj.* **1.** egnet (*for til*); **2.** (*om tøj*) figursyet; **3.** (*om lagen*) faconsyet; **4.** (*om møbel*) indbyg-get, fast (*fx cupboard*); (*om tæppe*) fast;
□ *~ with* udstyret med.
fitted kitchen *sb.* elementkøkken.
fitter ['fitə] *sb.* **1.** montør; maskinar-bejder; **2.** (*i skrædderi*) tilskærer.
fitting[1] ['fitiŋ] *sb.* **1.** (*af udstyr*) montering; udrustning; **2.** (*hos skrædder*) prøve; **3.** (*til vvs*) arma-tur; rørstykke; (se også *fittings*).
fitting[2] ['fitiŋ] *adj.* passende.
fitting room *sb.* (*hos skrædder*) prøveværelse.
fittings ['fitiŋz] *sb. pl.* armatur; fit-tings; beslag; tilbehør.
fitting shop *sb.* samleværksted.
five[1] [faiv] *sb.* **1.** femtal; **2.** (*kort*) slag i terningspil) femmer;
□ *the ~ of clubs//hearts etc.* klør// hjerter *etc.* fem; *take ~* tage en pause.
five[2] [faiv] *talord* fem.
five-and-dime [faivən'daim] *sb.*, **five-and-ten** [faivən'ten] *sb.* (*am.*) [forretning med billige ting, oprin-delig til fem el. ti cents stykket].
five-finger exercise [faivfiŋgə'eks-

əsaiz] *sb.* **1.** (*mus.*) fingerøvelse; **2.** (*fig.*) let sag; barnemad.
fivefold[1] ['faivfəuld] *adj.* femdobbelt; femfold.
fivefold[2] ['faivfəuld] *adv.* fem gange.
five o'clock shadow *sb.* [*ubarberet udseende sidst på eftermiddagen*].
fiver ['faivə] *sb.* T **1.** fempundsseddel; **2.** (*am.*) femdollarseddel.
fives [faivz] *sb.* [*slags boldspil*].
five-star [faiv'sta:] *adj.* femstjernet.
fix[1] [fiks] *sb.* **1.** (*mar., flyv.*) stedsbestemmelse; **2.** (T: om vanskelighed) knibe (*fx it was a serious ~*); **3.** (T: af narko) fix; skud; **4.** (*fig.*) stimulans, opstrammer; dosis (*of af, fx he needs a daily ~ of flattery*); **5.** (*am.* T: på problem) ordning, løsning; (se også *quick fix*);
□ *it is a ~* T det er et nummer; det er aftalt spil; *get a ~ on* T finde ud af; *be in a ~* T være i knibe; *get into a ~* T komme i knibe.
fix[2] [fiks] *vb.* (se også *fixed*) **1.** fæstne; gøre//sætte fast (*to/on* på, *fx the wall*); sætte op (*fx a shelf; a poster*); sætte på (*fx a lid*); hæfte fast; hæfte på; **2.** (*tekn.*) fastspænde; spænde op; **3.** (*tid, pris*) fastsætte (*fx a day for the meeting; the rent at* (til) *£500*); bestemme; **4.** (*foto.*) fiksere; **5.** (T: problem, hjælp) fikse, ordne, klare (*fx let me ~ that*); **6.** (*person: straffe, dræbe*) ordne (*fx I'll ~ him!*); **7.** (*noget der er i stykker*) reparere, ordne, lave; **8.** (*især am.: mad*) lave (*fx a drink*); tilberede (*fx a meal; the salad*); **9.** (*am.* T: hund, kat) kastrere; **10.** (*neds.: konkurrence, valg etc.*) lave svindel med, fikse; (*priser*) lave underhåndsaftale om; **11.** (*om narkoman*) fixe; sprøjte sig;
□ *~ bayonets!* bajonet på! *~ one's clothes* T ordne sit tøj; *~ a flat* (*am.*) lappe en punktering; *~ one's hair* T sætte sit hår; *~ its position* bestemme dets position; [*med præp.& adv.*] *~ for* him to come ordne det sådan at han kan komme; *~ on* a. bestemme sig for; b. (*med objekt*) rette mod (*fx ~ a gun//a camera on sby*); *~ one's attention//eyes on* F fæste sin opmærksomhed//sit blik på; *~ up* a. ordne, arrangere (*fx a tennis tournament*); b. (*værelse, hus*) sætte i stand; c. (*am.* T: uenighed) bilægge (*fx a quarrel*); d. (*person*) kurere; bringe på ret køl; kvikke op (*fx a cup of coffee will ~ you up*); *I can easily ~ you up for the night* jeg kan sagtens give dig

husly for natten; *~ it up* ordne sagen; *~ oneself up* nette sig; *~ up as* indrette som (*fx ~ the room up as a laboratory*); *~ up with* a. skaffe (*fx I can ~ you up with a room//a job*); b. (*partner*) sætte i forbindelse med.
fixated ['fikseitid] *adj.* fikseret (*on/ with* på); besat (*on/with* af).
fixation [fik'seiʃn] *sb.* **1.** fastgørelse; **2.** (*af tid, pris*) fastsættelse; bestemmelse; **3.** (*foto.*) fiksering; **4.** (*psyk.*) binding, fiksering.
fixative ['fiksətiv] *sb.* fiksativ; fiksermiddel.
fixed [fikst] *adj.* **1.** fast (*fx price; income*); **2.** (*om udtryk*) stift (*fx look; smile*);
□ *~ bayonets* opplantede bajonetter; *~ charges* faste udgifter.
fixed assets *sb. pl.* (*merk.*) anlægsaktiver.
fixed capital *sb.* (*merk.*) anlægskapital.
fixed costs *sb. pl.* (*merk.*) faste omkostninger, generalomkostninger.
fixed idea *sb.* fiks idé; besættelse.
fixedly ['fiksidli] *adv.* fast; stift; bestemt.
fixed star *sb.* (*astr.*) fiksstjerne.
fixed-wing aircraft *sb.* fastvingefly.
fixer ['fiksə] *sb.* **1.** (*person*) [*en der er god til at ordne tingene*]; **2.** (*foto.*) fiksermiddel.
fixings ['fiksiŋz] *sb. pl.* (*især am.: til mad*) tilbehør, garniture (*fx roast turkey and ~*).
fixity ['fiksiti] *sb.* fasthed; uforanderlighed.
fixture ['fikstʃə] *sb.* **1.** (*til hus*) fast inventar, fast tilbehør; nagelfast genstand; **2.** (*om person*) fast inventar; **3.** (*i sport*) kamp; konkurrence; fastsat tid for kamp/konkurrence.
fizz[1] [fiz] *sb.* **1.** (*i drik*) brus; **2.** T champagne, „skum".
fizz[2] [fiz] *vb.* (*om drik*) bruse, boble, moussere.
fizzle[1] ['fizl] *sb.* **1.** syden, hvislen; **2.** fiasko.
fizzle[2] ['fizl] *vb.* **1.** syde, hvisle; sprutte; **2.** = *~ out*;
□ *~ out* T mislykkes, løbe ud i sandet, fuse ud.
fizzy ['fizi] *adj.* T mousserende; med brus.
fjord [fjɔ:d] *sb.* fjord [*som i Norge*].
Fla. *fork. f. Florida.*
flab [flæb] *sb.* fedt; deller.
flabbergasted ['flæbəga:stid] *vb.* T forbløffet, lamslået, himmelfalden; paf.
flabby ['flæbi] *adj.* **1.** (*om del af kroppen*) slap, slasket; **2.** (*om person*) fedladen, lasket; **3.** (*fig.*) svag

(*fx argument*); (*om foretagende*) ineffektiv (*fx factory*); (*om karakter*) slatten.
flaccid ['flæksid] *adj.* slap, slatten.
flaccidity [flæk'siditi] *sb.* slaphed, slattenhed.
flack[1] [flæk] *sb.* **1.** (*am.*) presseagent; **2.** se *flak.*
flack[2] [flæk] *vb.* (*am.*) gøre reklame for.
fladge [flædʒ] *sb.* (S = *flagellation*) piskning; masochisme.
flag[1] [flæg] *sb.* **1.** flag; fane (*fx the red ~*); **2.** (*am.*) flagskib; **3.** (*bot.*) sværdlilje; **4.** (*fx på fortov*) flise; **5.** (*som sælges på mærkedag*) mærke; emblem; **6.** (*til at markere noget*) mærke; **7.** (*it*) flag, indikator;
□ *~ of convenience* (*mar.*) bekvemmelighedsflag; *~ of truce* parlamentærflag;
[*med vb.*] *fly the ~* vise flaget; lade flaget vaje; *a ship flying the Danish ~* et skib der sejler//sejlede under dansk flag, et skib der fører//førte dansk flag; *keep the ~ flying* holde fanen højt; *lower the ~, strike one's ~* tage flaget ned; stryge flaget; *put up/run up a ~* hejse et flag; (se også *dip*[2]).
flag[2] [flæg] *vb.* (se også *flagged*) **1.** mærke, afmærke, markere (*fx a passage that needs revision*); sætte mærke ved; **2.** (*budskab*) signalere; **3.** (*uden objekt: om opmærksomhed, energi, aktivitet*) aftage, svækkes (*fx their enthusiasm was -ging*); dø hen (*fx the conversation was -ging*); **4.** (*om person*) blive træt//mat (*fx he was beginning to ~*);
□ *his interest is -ging* han er ved at tabe interessen; *~ down* a. standse (*fx a car*); b. (*løb*) flage af.
flag captain *sb.* (*mar.*) flagkaptajn.
flag day *sb.* **1.** mærkedag [ɔ: hvor der sælges mærker i gaderne]; **2.** (*am.*) flagdag [*14. juni*].
flagellant ['flædʒələnt] *sb.* (*især rel.*) flagellant.
flagellate ['flædʒəleit] *vb.* (*især rel.*) piske.
flagellation [flædʒə'leiʃn] *sb.* (*især rel.*) piskning.
flagged [flægd] *adj.* flisebelagt.
flag lieutenant ['flægle'tenənt] *sb.* (*mar.*) flagadjudant.
flag of ... *sb.* se *flag*[1].
flagon ['flægən] *sb.* **1.** karaffel; kande; **2.** (*stor*) flaske [*til vin, cider, indeholdende 2 pints*].
flagpole ['flægpəul] *sb.* flagstang.
flagrant ['fleigrənt] *adj.* flagrant, åbenbar, skamløs.

F *flagship*

flagship ['flægʃip] *sb.* **1.** admiralskib; flagskib; **2.** (*fig.*) flagskib.
flagstaff ['flægsta:f] *sb.* flagstang.
flagstone ['flægstəun] *sb.* flise.
flag-waver ['flægweivə] *sb.* chauvinist.
flag-waving ['flægweiviŋ] *sb.* chauvinisme; hurrapatriotisme.
flail¹ [fleil] *sb.* plejl.
flail² [fleil] *vb.* **1.** (*agr.*) tærske med plejl; **2.** (*om arme*) svinge vildt; (*om ben*) spjætte; **3.** (*med objekt, jf.* 2) svinge vildt med, fægte med; (*ben*) spjætte med.
flail tank *sb.* (*mil.*) minerydningstank.
flair [flɛə] *sb.* (*mht. tøj etc.*) stil (*fx dress with ~*);
□ *have a ~ for* have flair/sans/næse for (*fx business*); have anlæg/talent for (*fx languages*).
flak [flæk] *sb.* **1.** (*mil. flyv.*) luftværnsild; **2.** (*fig.*) hård/skarp kritik;
□ *take ~* blive skarpt kritiseret; *take the ~* tage skraldet.
flake¹ [fleik] *sb.* **1.** flage (*fx the paint was coming off in -s*); gryn (*fx a ~ of oatmeal*); (*se også snowflake 1, soap flakes*); **2.** (*am.* S) original, skør kule; **3.** (*arkæol.*) flække (*fx flint ~*); **4.** (*til fisketørring*) stativ; **5.** (*mar.*) bugt [*på et tov*]; **6.** (*zo.*) gråhaj.
flake² [fleik] *vb.* **1.** (*fx om kogt fisk*) skille ad i flager; **2.** = *~ off*;
□ *~ off* skalle, skalle af; *~ out* T **a.** falde sammen af udmattelse, kollapse; flade ud; **b.** (*sove*) gå ud som et lys.
flak jacket *sb.* skudsikker vest.
flaky ['fleiki] *adj.* **1.** flaget; som består af flager; som skiller ad i flager; **2.** som skaller af; **3.** (*am.* S) sær, excentrisk, skør.
flaky pastry *sb.* butterdej.
flambée ['flɔmbei] *vb.* flambere.
flamboyance [flæm'bɔiəns] *sb.* (*jf. flamboyant²*) **1.** festlighed, farverigdom; **2.** flothed; **3.** farvepragt; prangen.
flamboyant¹ [flæm'bɔiənt] *sb.* (*bot.*) flammetræ.
flamboyant² [flæm'bɔiənt] *adj.*
1. (*om person*) festlig, farverig; **2.** (*om handling*) flot; fejende (*fx gestures*); **3.** (*især om påklædning*) farvestrålende, prangende; **4.** (*arkit.: om sengotisk stil*) flamboyant.
flame¹ [fleim] *sb.* **1.** flamme; lue; **2.** (*it*) ubehageligt e-mail svar; **3.** se *old flame;*
□ *fan the -s* (*fig.*) puste til ilden; *go down in -s* **a.** (*om fly*) styrte brændende til jorden; **b.** (*fig., fx*

om forslag) falde til jorden med et brag; *go up in -s* **a.** (*litt.*) gå op i luer; brænde ned; **b.** = *go down in -s, b; be shot down in -s* (*fig.*) blive skudt ned/afvist eftertrykkeligt.
flame² [fleim] *vb.* (*se også flaming*) **1.** (*om ild*) flamme, blusse; **2.** (*om kinder*) blusse; **3.** (*om følelse*) blusse op; **4.** (*it*) sende ubehagelig e-mail til; **5.** T skælde ud;
□ *~ out* **a.** (*om jetmotor*) svigte; **b.** (*am.* T: *om person*) gå ned; lide nederlag.
flame gun *sb.* ukrudtsbrænder.
flameout ['fleimaut] *sb.* **1.** (*flyv.: om jetmotor*) motorstop; **2.** (*am.* T) eklatant fiasko.
flameproof ['fleimpru:f] *adj.* **1.** (*om kogegrej*) ildfast; (*til ovn*) ovnfast; **2.** (*om tekstil*) flammesikker.
flame-thrower ['fleimθrəuə] *sb.* (*mil.*) flammekaster.
flaming ['fleimiŋ] *adj.* **1.** flammende, brændende; **2.** (*om kinder*) blussende; **3.** (*om skænderi, temperament*) voldsom, hidsig; **4.** (*afholdsed*) forbandet, pokkers (*fx it is a ~ nuisance*);
□ *what do you want the ~ book for?* hvad pokker vil du med den bog?
flamingo [flə'miŋgəu] *sb.* (*zo.*) flamingo.
flammable ['flæməbl] *adj.* brændbar; let antændelig, brandfarlig.
flan [flæn] *sb.* **1.** tærte [*uden låg, især med frugt, fx strawberry ~*]; åben pie; **2.** (*upræget mønt*) blanket.
Flanders ['fla:ndəz] Flandern.
Flanders poppy *sb.* Flandernvalmue [*helligt mindet om dem der døde i den første verdenskrig*].
flange [flæn(d)ʒ] *sb.* flange; fremstående kant [*fx på jernbanehjul*].
flank¹ [flæŋk] *sb.* **1.** side; flanke; **2.** (*kødudskæring*) slag; **3.** (*af bjerg, hus*) side; **4.** (*mil.*) flanke.
flank² [flæŋk] *vb.* (*se også flanked*) stå//gå//køre ved siden af (*fx bookcases ~ the bed; motorcyclists -ed the car*).
flanked [flæŋkt] *adj.: ~ by/with* flankeret af (*fx a road -ed by/with trees*).
flanker ['flæŋkə] *sb.* (*mil.*) sideværk;
□ *pull a ~* T lave et nummer.
flannel¹ ['flæn(ə)l] *sb.* (*se også flannels*) **1.** (*blødt og loddent,*) flonel; (*bomulds-, fx til bukser*) flannel; (*se også flannelette*); **2.** (*til at vaske sig med*) vaskeklud; **3.** T pladder, sludder; udenomssnak, tågesnak.

flannel² ['flæn(ə)l] *vb.* **1.** T snakke udenom, vrøvle; **2.** (*T: med objekt*) besnakke; **3.** (*jf. flannel¹:* 2) vaske (med en vaskeklud).
flannelboard ['flæn(ə)lbɔ:d] *sb.* flonelstavle.
flannelette [flæn(ə)'let] *sb.* (*bomulds*)flonel [*fx til pyjamas*].
flannelgraph ['flæn(ə)lgræf] *sb.* flannellograf, flonelstavle.
flannelled ['flæn(ə)ld] *adj.* klædt i flannelsbukser [*som fx sportsfolk*].
flannels ['flæn(ə)lz] *sb. pl.* **1.** flannelsbukser; flonelsbukser; **2.** (*am.*) flonelsundertøj.
flap¹ [flæp] *sb.* **1.** (*på lomme, konvolut, bogomslag, bord*) klap; (*se også cat flap, tent flap*); **2.** (*af tøj*) flig, snip; **3.** (*af hud*) lap; **4.** (*støj*) dask, dasken; smæk; (*i vinden*) blafren (*fx of sails*); **5.** (*med vinger*) slag; basken; **6.** (*flyv.*) flap; landingsklap, bremseklap; **7.** T forfjamskelse, panik, opstandelse;
□ *get into a ~* T blive forfjamsket// nervøs; komme helt ud af flippen.
flap² [flæp] *vb.* **1.** daske; **2.** (*i vinden*) blafre, flagre; **3.** (*om fugl: flyve*) flakse, flagre; **4.** (*med objekt*) slå med (*fx the bird -ped its wings; the fish -ped its tail; he -ped the newspaper at me*); daske med, daske; (*vinger, arme også*) baske med; (*tøjstykke også*) vifte med (*fx a towel*); (*støveklud*) ryste;
□ *~ about/around* fare forfjamsket//nervøst rundt; *~ one's arms* (*også*) fægte med armene; *his ears were -ping* han blafrede med ørene [ɔ: *for at lytte* '*med*].
flapdoodle ['flæpdu:dl] *sb.* (*glds.* T; *især am.*) vås, nonsens.
flapjack ['flæpdʒæk] *sb.* **1.** [*havregrynskage*]; **2.** (*am.*) pandekage.
flapper ['flæpə] *sb.* **1.** ung (ikke flyvefærdig) fugl; **2.** (*i 1920erne*) [*ukonventionelt forlystelsessygt pigebarn*]; backfisch.
flare¹ [flɛə] *sb.* **1.** kraftigt lysskær; flamme; **2.** (*mar.*) nødraket; nødblus; **3.** (*mil.*) signalraket; lysbombe; **4.** (*på skib*) udbugning; **5.** (*foto.*) overstråling; **6.** (*ved olieboring*) flare [(*flamme ved*) *afbrænding af uønskede gasser*]; **7.** (*i tøj*) vidde; (*se også flares*);
□ *a ~ of anger* et anfald af vrede.
flare² [flɛə] *vb.* **1.** flamme op; lyse med blændende glans; **2.** (*om flamme*) blusse op, slå op; **3.** (*om skibsside*) bue ud; (*om bov*) falde ud; **4.** (*om tøj*) blive videre nedefter; (*om skørt*) strutte; (*se også flared*);
□ *his eyes -d* hans øjne skød lyn;

his nostrils *-d* hans næsebor vibrerede/dirrede; *tempers -d* temperamenterne slog gnister; [*med præp.& adv.*] ~ *out at* (*am.*: *skælde ud*) lange ud efter; ~ *up* **a.** flamme op; **b.** (*om sygdom, konflikt*) blusse op; **c.** (*om person*) fare op, bruse op [*i vrede*].
flared [flɛəd] *adj.* (*om bukser*) med svaj; (*om skørt*) struttende.
flare path *sb.* (*flyv.*) oplyst landingsbane.
flares [flɛəz] *sb. pl.* trompetbukser, bukser med svaj.
flare-up ['flɛərʌp] *sb.* **1.** (*af sygdom, konflikt*) opblussen; **2.** (*i vrede*) opbrusen; **3.** (*mellem to parter*) sammenstød.
flash¹ [flæʃ] *sb.* **1.** lysglimt; (*i tordenvejr*) lyn; **2.** (*som signal*) blink (*fx three -es mean danger*); **3.** (*i journalistsprog*) kort nyhedsmeddelelse; **4.** (*af afvigende farve*) bånd; stribe; **5.** (*på uniform*) uniformsmærke; ærmemærke; **6.** (*i film*) glimt; **7.** (*foto.*) blitz, flash; **8.** (*om noget man ser*) glimt (*fx let me have a ~; the white ~ of a fish*); **9.** T smagløshed; **10.** (*am.*) lommelygte;
□ *as quick as a ~, in a ~* T lynhurtigt; i løbet af et sekund; [+ *præp.*] *a ~ in the pan* **a.** en engangsforestilling; **b.** (*om person*) en der har kortvarig succes; en døgnflue; *a ~ of anger* et anfald af vrede; *a ~ of brilliance* et glimt af genialitet; *a ~ of inspiration* en pludselig inspiration; *a ~ of lightning* et lyn.
flash² [flæʃ] *adj.* flot, smart; prangende.
flash³ [flæʃ] *vb.* **A.** (*uden objekt*) **1.** (*om lys*) blinke, glimte, lyne; **2.** (*om øjne*) skyde lyn; **3.** (*om hurtig bevægelse*) fare, suse (*across* hen over; *by/past* forbi, *fx pictures -ed across the screen; cars -ed by*); **4.** (*om blotter*, S) blotte sig et kort øjeblik;
B. (*med objekt*) **1.** vise i et glimt (*fx an identification card*); **2.** (*lygte*) lyse med; (*som signal*) blinke med; **3.** (*signal*) sende med blink, signalere (*fx he -ed a warning*); **4.** (*pr. telegraf etc.*) (ud)sende; **5.** T vise frem, prale med, vigte sig med; **6.** (*hustag*) inddække [*tætte med zink, bly*];
□ [*med præp.& adv.*] ~ *across* se ovf.: *A 3*; *it -d across my mind* det slog mig; det slog pludselig ned i mig; det faldt mig ind; ~ *sth around* prale med noget, vigte sig med noget; ~ *a look//smile at sby* sende en et hastigt blik//smil; *he*

-ed his headlights at me han blinkede ad mig med forlygterne; *my mind -ed back to ...* mine tanker vendte (i et glimt) tilbage til ...; *my life -ed before my eyes* mit liv passerede revy for mit indre blik; ~ *by* **a.** se ovf.: *A 3*; **b.** (*om tid*) flyve af sted; *I -ed on the solution* løsningen faldt mig ind/gik pludselig op for mig; *the picture -ed on the screen* billedet viste sig/blev vist på skærmen; ~ *a picture* **onto** *the screen* vise et billede på skærmen; ~ *past* se ovf.: ~ *by*; ~ *through* fare igennem; *-ed through* se ovf.: *-ed across; the screen -ed up a menu* der kom en menu frem på skærmen.
flashback ['flæʃbæk] *sb.* (*i film*) flashback; tilbageblik.
flashbulb ['flæʃbʌlb] *sb.* (*foto.*) blitzpære.
flash card *sb.* (*i undervisning*) [*kort der fremvises for eleverne i et kort glimt*].
flasher ['flæʃə] *sb.* **1.** S blotter; **2.** (*i bil*) blinklys; **3.** (*elek.*) blinklysregulator.
flash flood *sb.* [*pludselig voldsom oversvømmelse*].
flashgun ['flæʃgʌn] *sb.* (*foto.*) blitz.
flashing ['flæʃiŋ] *sb.* (*til tag*) inddækning.
flashing light *sb.* **1.** blinklys; **2.** (*mar.*) blinkfyr.
flash lamp *sb.* blitzlampe.
flashlight ['flæʃlait] *sb.* **1.** blinklys; **2.** (*mar.*) blinkfyr; **3.** (*foto.*) blitzlampe; **4.** (*især am.*) lommelygte.
flashpoint ['flæʃpɔint] *sb.* **1.** kritisk punkt//stadium (*fx the situation is nearing ~*); **2.** (*sted*) potentielt urocenter; krudttønde; **3.** (*kem.*) flammepunkt.
flashy ['flæʃi] *adj.* (*neds.*) prangende (*fx car*); oversmart (*fx clothes*).
flask [fla:sk] *sb.* **1.** (*varmeisoleret*) termokande; **2.** (*især til spiritus*) lommelærke; **3.** (*mil.*) feltflaske; **4.** (*kem.*) kolbe; **5.** (*til brugt atombrændsel*) transportbeholder; **6.** (*glds.*) krudthorn.
flat¹ [flæt] *sb.* (se også *flats*) **1.** lejlighed; **2.** (*mus.*) (fortegnet) b; tone med b for; **3.** (*teat.*) sætstykke; **4.** T bøjtering; punkteret dæk; **5.** (*am.: i gartneri*) (flad) plantekasse; drivkasse; **6.** (*jernb.*) åben godsvogn [*uden sidefjæle*];
□ *the* ~ **a.** fladbaneløb; **b.** den flade side (*fx the ~ of the knife*); *the ~ of the hand//sword* den flade hånd//klinge; *on the ~* i fladt terræn; på flad mark.
flat² [flæt] *adj.* **1.** flad; jævn; **2.** (*om*

nægtelse, afslag) direkte, kategorisk; **3.** (*om pris etc.*) ensartet, fast; uden forskel (*fx a ~ £50 a week increase*); (se også *flat rate*); **4.** (*neds.*) trist, kedsommelig (*fx style*); mat; flov (*fx joke*); **5.** (*om smag*) fad, flov; **6.** (*om drik*) doven (*fx beer*); **7.** (*om batteri*) flad; **8.** (*merk.: om marked*) mat; **9.** (*om lyd*) klangløs (*fx voice*); tonløs, død; **10.** (*mus.: om tonetrin*) med b for; (se også *A flat, C flat (etc.)*); **11.** (*mus.: om sang, instrument*) for lav; falsk, ikke ren; **12.** S flad [ɔ: *pengeløs*];
□ *and that's ~* og dermed basta; *be ~ on one's back* **a.** ligge fladt på ryggen; **b.** (*fig.*) være syg; ligge i sengen; *a ~ refusal* (*jf. 2, også*) et blankt afslag; (se også *flat cap, flat pack, flat race* (*etc. alfabetisk*)).
flat³ [flæt] *adv.* **1.** fladt; **2.** T totalt (*fx he turned me down ~*); **3.** (*om tid, fx i sport*) nøjagtig, præcis (*fx she can get dressed in five minutes ~*); rent (*fx he finished in two minutes ~*); **4.** (*mus.*) falsk, for lavt (*fx sing ~*);
□ ~ *broke* se *broke²*;
[*med vb.*] *fall ~* (*fig.*) falde til jorden (*fx his jokes//the attempt fell ~*); *fall ~ on* se: *ndf.*; *knock ~* slå til jorden//i gulvet; *tell sby ~ that* sige en rent ud at (*fx I told him ~ that I wouldn't*);
[*med præp.& adv.*] ~ *against* **a.** helt ind imod (*fx the ladder was standing ~ against the wall*); **b.** stik imod (*fx he acted ~ against my orders*); *fall ~ on* one's *face* falde (lige) på næsen; falde så lang man er; ~ *out* (*am.* T) **a.** af alle kræfter, for fuldt tryk (*fx work ~ out*); **b.** uden videre; direkte (*fx he told me ~ out that he wouldn't*).
flat⁴ [flæt] *vb.* (*austr.*) bo i lejlighed;
□ ~ *with* dele lejlighed med.
flatbed ['flætbed] *sb.* lad.
flatbed truck *sb.* blokvogn.
flatboat ['flætbəut] *sb.* pram.
flat cap *sb.* blød kasket.
flatcar ['flætka:] *sb.* (*am., jernb.*) fladvogn.
flat-chested [flæt'tʃestid] *adj.* fladbrystet.
flat feet *sb. pl.* platfødder.
flatfish ['flætfiʃ] *sb.* fladfisk.
flatfoot ['flætfut] *sb.* (*pl. -s/-feet* [-fi:t]) (S, *glds. el. am.*) politibetjent, stridser.
flat-footed [flæt'futid] *adj.* **1.** platfodet; **2.** T fantasiløs; **3.** (T: *om bevægelse*) klodset; **4.** (*am.*) direkte,

uforbeholden;
□ *be caught* ~ blive taget på sengen.

flatiron ['flætaiən] *sb.* strygejern.

flatlet ['flætlət] *sb.* etværelseslejlighed; ungkarlelejlighed.

flatmate ['flætmeit] *sb.* en man deler lejlighed med; bofælle.

flat nose pliers *sb. pl.* fladtang.

flat-out ['flætaut] *adj. (am.)* **1.** fuldstændig, total *(fx success);* **2.** direkte *(fx perjury).*

flat pack *sb.* møbel solgt som samlesæt; møbel man selv skal samle.

flat race *sb.* fladbaneløb.

flat rate *sb.* enhedstakst.

flat-rate [flæt'reit] *adj.* ensartet *(fx contributions; pensions);* udifferentieret.

flats [flæts] *sb. pl.* **1.** flade sumpstrækninger; **2.** lejlighedskompleks; **3.** *(især am.)* flade sko; **4.** *(teat.)* sidetæppe.

flatshare ['flætʃɛə] *sb.* bofællesskab [*i lejlighed*].

flat spin *sb. (flyv.)* fladt spin;
□ *go into a* ~ T blive helt forfjamsket; *put into a* ~ T **a.** *(person)* gøre helt forfjamsket; **b.** *(sted)* sætte på en anden ende.

flatten ['flæt(ə)n] *vb.* **1.** trykke/mase flad; slå/hamre flad *(fx a beer can; a cardboard box);* trykke/mase/ presse sammen; *(fx jord)* udjævne, udflade, afflade; *(fx papir)* glatte ud *(fx a newspaper);* **2.** *(bygning, by)* jævne med jorden; **3.** (T: *modstander)* jorde; *(også om modstand)* tromle ned, knuse *(fx opposition);* **4.** (T: *åndeligt)* tage modet fra; gøre nedslået; ydmyge; **5.** (T: *fysisk)* slå ned, slå i gulvet; slå ud; **6.** *(mus.)* sætte b for; **7.** *(uden objekt)* blive flad, udjævnes;
□ ~ *his nose* give ham en begmand;
[*med præp.& adv.*] ~ *oneself* **against** presse sig ind/op imod *(fx a wall);* ~ *out* **a.** = *1;* **b.** *(bule)* rette ud; **c.** *(flyv.)* flade ud; rette *(maskinen)* op *[efter dyk];* **d.** T bringe helt ud af det; knuse.

flatter[1] ['flætə] *sb. (smeds)* plathammer, sæthammer.

flatter[2] ['flætə] *vb.* (se også *flattering)* **1.** smigre; **2.** *(om portræt, maler)* forskønne *(fx he -s his models);* *(om portræt også)* være flatterende for; **3.** *(om tøj, farve)* klæde, være flatterende for;
□ *I* ~ *myself that* jeg smigrer mig med at; jeg drister mig til at tro at; jeg bilder mig ind at.

flatterer ['flætərə] *sb.* smigrer.

flattering ['flætəriŋ] *sb.* **1.** smig-

rende; **2.** *(om tøj, portræt etc.)* flatterende *(fx it makes a* ~ *background for her dress).*

flattery ['flætəri] *sb.* smiger.

flattie ['flæti] *sb.* T **1.** flad sko; **2.** fladbundet båd; **3.** *(glds.* T) stridser.

flattop ['flættɔp] *sb.* **1.** *(am.)* hangarskib; **2.** *(frisure)* karsehår.

flat tyre *sb.* punkteret dæk; punktering.

flatulence ['flætjuləns] *sb.* **1.** flatulens; vinde, tarmluft; **2.** *(fig.)* svulstighed.

flatulent ['flætjulənt] *sb.* **1.** som lider af flatulens/vinde; **2.** *(fig.)* svulstig.

flatus ['fleitəs] *sb.* vinde; tarmluft.

flatware ['flætwɛər] *sb. (am.)* spisebestik.

flatworm ['flætwɔ:m] *sb. (zo.)* fladorm.

flaunt [flɔ:nt] *vb.* **1.** stille til skue, vise frem; skilte med, prale med//af *(fx one's vices; one's learning);* **2.** *(am.)* lade hånt om *(fx the regulations);*
□ ~ *oneself* gøre sig 'til; være udfordrende.

flautist ['flɔ:tist] *sb.* fløjtespiller; (*i orkester)* fløjtenist.

flavour[1] ['fleivə] *sb.* **1.** aroma; velsmag; **2.** *(speciel)* smag *(fx strawberry-~);* **3.** *(som tilsættes; især am.)* smagsstof; krydderi; **4.** *(fig.)* præg *(fx an Italian* ~*);* anstrøg, skær *(fx a romantic* ~*);*
□ *it has no* ~ det smager ikke af noget;
[*med: of*] *a* ~ *of (fig.)* en (smags)prøve på, en forsmag på, et indtryk af *(fx what it is like);* *ten different -s of ice cream* ti slags is; is med ti forskellige smage; *be* ~ *of the month* være på mode; være populær *(with* hos).

flavour[2] ['fleivə] *vb.* krydre, sætte smag på.

-flavoured [-fleivəd] *adj.* med ... smag *(fx chocolate~).*

flavouring ['fleivəriŋ] *sb.* smagsstof; krydderi.

flaw [flɔ:] *sb.* **1.** *(ved ting)* defekt; skønhedsfejl; fejl; *(fx i glas, porcelæn, diamant også)* ridse; revne; **2.** *(ved plan, teori etc., hos person)* fejl, svaghed, mangel; **3.** *(litt.)* vindstød; kortvarigt uvejr;
□ *a* ~ *in sby's character* en karakterbrist hos en.

flawed [flɔ:d] *adj.* med fejl; fejlbehæftet;
□ *it is* ~ der er fejl i det; *his character is* ~ han har en karakterbrist.

flawless ['flɔ:ləs] *adj.* uden mang-

ler; fejlfri.

flax [flæks] *sb. (bot.)* hør.

flaxen ['flæks(ə)n] *adj.* **1.** af hør; **2.** *(poet.: om hår)* hørgul.

flay [flei] *vb.* **1.** flå; **2.** *(fig.)* kritisere skånselsløst, hudflette.

flea [fli:] *sb. (zo.)* loppe;
□ *send sby away with a* ~ *in his ear* **a.** affærdige én brysk; **b.** give én en skarp irettesættelse.

fleabag ['fli:bæg] *sb.* **1.** T snusket/ forhutlet person; **2.** S sovepose; **3.** *(am.)* snusket hotel.

fleabane ['fli:bein] *sb. (bot.)* bakkestjerne.

flea beetle *sb. (zo.)* jordloppe.

fleabite ['fli:bait] *sb.* **1.** loppestik; **2.** (T: *fig.)* ubetydelighed, bagatel.

fleabitten ['fli:bit(ə)n] *adj.* **1.** bidt af lopper; befængt med lopper; **2.** T lurvet; ussel.

flea collar *sb.* loppehalsbånd.

flea market *sb.* loppetorv.

fleck [flek] *sb.* **1.** *(af afvigende farve)* plet; **2.** *(af væske)* stænk *(fx of blood; of paint);* **3.** *(fx af støv)* fnug.

flecked [flekt] *adj.:* ~ *with* med pletter//stænk af.

fled [fled] *præt. & præt. ptc. af* flee.

fledged [fledʒd] *adj. (om fugl)* flyvefærdig;
□ *newly* ~ *graduates* nybagte kandidater.

fledgeling = *fledgling.*

fledgling[1] ['fledʒliŋ] *sb.* lige flyvefærdig unge.

fledgling[2] ['fledʒliŋ] *adj.* ny, spæd *(fx democracy).*

flee [fli:] *vb. (fled, fled)* **1.** flygte; **2.** *(med objekt)* flygte fra.

fleece[1] [fli:s] *sb.* **1.** *(på/fra får)* uld; **2.** *(klippet samlet af får)* uldpels; **3.** *(af kunststof)* fleece.

fleece[2] [fli:s] *vb.* plukke, flå, plyndre.

fleecy ['fli:si] *adj.* ulden; uld-; uldagtig;
□ ~ *clouds* lammeskyer; *a* ~ *sky* en himmel med lammeskyer.

fleet[1] [fli:t] *sb.* flåde;
□ ~ *of cars* **a.** *(fx firmas)* vognpark; **b.** *(som kører af sted)* lang række af biler; kortege.

fleet[2] [fli:t] *adj. (poet.)* hurtig; let; flygtig;
□ ~ *of foot* rapfodet.

fleet[3] [fli:t] *vb. (poet.)* ile af sted.

fleet-footed [fli:t'futid] *adj. (poet.)* rapfodet.

fleeting ['fli:tiŋ] *adj.* henilende; flygtig.

Fleet Street *sb.* **1.** [*gade i London hvor der engang var mange bladhuse*]; **2.** *(fig.)* pressen.

Fleming ['flemiŋ] *sb.* flamlænder.

Flemish¹ ['flemiʃ] *sb.* (*sprog*) flamsk;
□ *the* ~ flamlænderne.
Flemish² ['flemiʃ] *adj.* flamsk.
flesh¹ [fleʃ] *sb.* **1.** kød; **2.** (*af frugt*) frugtkød;
□ *in the* ~ i levende live; i virkeligheden; (se også *spirit*¹);
~ *and blood* den menneskelige natur; *more than* ~ *and blood can endure* mere end et menneske kan holde til; *his own* ~ *and blood* hans eget kød og blod; [*med: of*] *the pleasures of the* ~ sanselig lyst; kødets lyst; *demand one's pound of* ~ **a.** kræve sit skålpund kød [*Shakespeare-citat fra Merchant of Venice*];
b. ubarmhjertigt kræve en kontrakt overholdt til punkt og prikke; *go the way of all* ~ gå al kødets gang;
[*med vb.*] *add* ~ *to* se ndf.: *put* ~ *on*; *lose* ~ blive tynd, tabe sig; *press the* ~ (*især am.*) uddele håndtryk [*under politisk kampagne*]; *put on* ~ blive fed, lægge sig ud; få sul på kroppen; *put* ~ *on* (*fig.*) sætte kød på (*fx a proposal; a plan*); konkretisere; underbygge (*fx a theory*); *recover one's* ~ genvinde sit huld; (se også *crawl*¹, *creep*¹).
flesh² [fleʃ] *vb.*: ~ *out* give substans til, uddybe, sætte kød på.
fleshings ['fleʃinz] *sb. pl.* (kødfarvet) trikot.
fleshly ['fleʃli] *adj.* (*litt.*) kødelig; sanselig.
fleshpots ['fleʃpɔts] *sb. pl.* **1.** vellevned; **2.** (*spøg.*) sexetablissementer; sexshows.
flesh side *sb.* kødside [*af skind*].
flesh wound *sb.* kødsår.
fleshy ['fleʃi] *adj.* **1.** (*om person*) buttet; kraftig; **2.** (*om legemsdel, plante*) kødfuld.
fleur-de-lis [flə:də'li:] *sb.* fransk lilje.
flew [flu:] *præt. af fly*³.
flews [flu:z] *sb. pl.* hængeflab [*på hund*].
flex¹ [fleks] *sb.* (*elek.*) snor, ledning.
flex² [fleks] *vb.* **1.** bøje; strække; bevæge; (se også *muscle*¹); **2.** (*uden objekt: om led*) bøje; (*om muskel*) arbejde (*fx his muscles were -ing*).
flexibility [fleksə'biləti] *sb.* bøjelighed, smidighed, elasticitet.
flexible ['fleksəbl] *adj.* **1.** bøjelig, smidig, elastisk; **2.** (*fig.*) fleksibel (*about* med hensyn til);
□ ~ *working hours* flekstid.
flexitime ['fleksitaim] *sb.* flekstid.
flexor ['fleksə] *sb.* (*anat.*) bøjemu-

skel.
flextime ['flekstaim] *sb.* (*am.*) flekstid.
flibbertigibbet [flibəti'dʒibət] *sb.* (*glds.*) forfløjent pigebarn; (sladre)taske.
flick¹ [flik] *sb.* **1.** hurtig bevægelse; **2.** (*med pisk etc.*) svirp, rap; **3.** (*med finger*) knips; **4.** (*glds.* T) film;
□ *the -s* (*glds.* T) biografen (*fx go to* (i) *the -s*); *a* ~ *through* en hurtig gennembladning af (*fx a book*); *have a* ~ *through* blade/bladre hurtigt gennem (*fx a book*); [*med: of*] *a* ~ *of a paintbrush* et strøg med en pensel; *at the* ~ *of a switch* ved et tryk på en kontakt; *a* ~ *of its tail* et slag med halen.
flick² [flik] *vb.* **1.** (*med pludselig bevægelse*) svippe (*fx the lizard -ed out its tongue; he -ed the knife open*); **2.** (*med pisk etc.*) svirpe (*fx he -ed me with a towel*); snerte; **3.** (*med finger*) knipse; **4.** (*med hånden*) børste, feje; **5.** (*kontakt*) stille på, trykke på; **6.** (*hale, pisk*) slå med, svirpe med (*fx the horse -ed its tail*); **7.** (*uden objekt*) svippe (*fx the branch -ed up*); vippe (*fx the bird's tail -ed up and down*);
□ ~ *channels* (ɔ: på tv) zappe; [*med præp.& adv.*] ~ *away* = ~ *off a, b*; ~ *off* **a.** (*med fingeren*) knipse væk; **b.** (*med hånden*) børste/feje væk; **c.** (*elekt.*) slukke for; ~ *on* (*elekt.*) tænde for; ~ *over* (*på tv, radio*) skifte over [ɔ: *til en anden kanal*]; ~ *through* blade/bladre hurtigt gennem.
flicker¹ ['flikə] *sb.* **1.** (*af flamme*) blafren, flakken; **2.** (*af lys*) blafren, flimren, blinken; **3.** (*film.; tv*) flimmer; **4.** (*fig.*) flygtig opblussen;
□ *a* ~ *of* (*om følelse*) en antydning af (*fx alarm; joy; not a* ~ *of interest*); et glimt af (*fx fear; interest; a weak* ~ *of hope*); *a* ~ *of remorse* et stik af anger; *a* ~ *of a smile* skyggen af et smil.
flicker² ['flikə] *vb.* **1.** (*om flamme*) blafre, flakke; **2.** (*om lys*) blafre, flimre, blinke; **3.** (*om tv*) flimre; **4.** (*om øjenlåg*) sitre, dirre;
□ ~ *across* one's face (*om udtryk*) fare hen over ens ansigt (*fx a smile//a look of horror -ed across his face*); ~ *out* **a.** (*om lys*) blafre og gå ud; **b.** (*fig.*) dø ud; ~ *over* one's face se ovf.: ~ *across*; *his eyes -ed over the page* han kastede et flygtigt blik på siden; *his eyes -ed towards the bottle* han skævede til flasken; ~ *up* blusse op (*fx a faint hope -ed up and*

died away).
flick knife *sb.* springkniv.
flier *sb.* se *flyer*.
flies [flaiz] *sb. pl.* **1.** (*teat.*) loft over prosceniet; snoreloft; **2.** = *fly*¹ 3.
flight [flait] *sb.* **1.** (jf. *flee*) flugt (*from* fra); **2.** (jf. *fly*³) flyvning; flyven; flugt (*fx the* ~ *of the eagle*); **3.** (*enkelt*) flyvetur, flyrejse (*fx it is an hour's* ~); **4.** (*om rutefly*) flight, fly (*fx SAS* ~ *465 to London*); **5.** (*af fugle*) flok; (*af insekter*) sværm; **6.** (*på væddeløbsbane*) række forhindringer/hurdler; **7.** (*mil. flyv.*) halveskadrille;
□ *put to* ~ (*glds.*) jage på flugt; *take* ~ **a.** (*om fugl*) gå på vingerne; **b.** (*om person*) gribe flugten; *take to* ~ = *take* ~ *b*; [*med: of*] ~ *of capital* kapitalflugt; *a* ~ *of fancy* **a.** et fantastisk (og urealistisk) projekt; et luftkastel; **b.** (ɔ: *positivt*) et fantasifuldt projekt; *a* ~ *of stairs//steps* en trappe [*mellem to afsatser*]; et trappeløb.
flight attendant *sb.* stewardesse// steward.
flight bag *sb.* flyvekuffert, flyvetaske.
flight data recorder *sb.* = *flight recorder*.
flight deck *sb.* **1.** (*i fly*) cockpit; **2.** (*på hangarskib*) start- og landingsdæk.
flight engineer *sb.* flyvemaskinist.
flight lieutenant *sb.* (*mil. flyv., omtr.*) kaptajn.
flight recorder *sb.* (*flyv.*) [båndoptager i fly til registrering af motorfunktion etc.]; „sort boks".
flighty ['flaiti] *adj.* flyvsk, forfløjen.
flimflam¹ ['flimflæm] *sb.* T **1.** vrøvl; fine ord; **2.** snyd; fupnummer.
flimflam² ['flimflæm] *vb.* T snyde, fuppe.
flimsy¹ ['flimzi] *sb.* T **1.** gennemslagspapir; **2.** gennemslag.
flimsy² ['flimzi] *adj.* **1.** (*om ting*) spinkel (*fx chair*); skrøbelig (*fx hut*); usolid; **2.** (*om påklædning*) tynd (*fx dress; shoes*); **3.** (*om forklaring etc.*) tynd (*fx excuse; evidence*); svag, spinkel.
flinch [flin(t)ʃ] *vb.* **1.** (*af ubehag, frygt, overraskelse*) vige tilbage (*from* for, *fx an unpleasant duty*); trække sig tilbage; **2.** (*af smerte*) krympe sig, fare sammen;
□ *he -ed* (*også*) det gav et ryk i ham; ~ *from* (*også*) kvie/krympe sig ved; *without -ing* uden at blinke.
fling¹ [fliŋ] *sb.* lejlighed til at slå sig løs (*fx one final* ~ *before he returned home*);
□ *have a* ~ **a.** = *have one's* ~;

F *fling*

b. have en lille affære (*with* med); *have one's* ~ slå sig løs.

fling² [fliŋ] *vb.* (*flung, flung*) **1.** (*ting*) smide, kaste (*fx a book on the table*); kyle (*fx a vase out of the window*); **2.** (*arme, ben*) slå (*fx one's arms out*); smække (*fx one's legs up*); **3.** (*person*) slynge (*fx sby to the ground*); smide; kaste (*fx sby into prison*); **4.** (*modstander i brydekamp*) kaste; **5.** (*rytter*) kaste af (*fx the horse flung him*); **6.** (*uden objekt: glds.*) styrte, fare (*fx she flung out of the room*); (*om hest*) slå bagud; □ ~ *oneself* kaste/smide sig (*fx on the floor*); ~ *oneself at//into* se: ndf.; ~ *open* smække op; [*med præp.& adv.*] ~ *at* **a.** kaste/smide/kyle efter (*fx ~ a stone at him*); **b.** (*fig.*) udslynge mod (*fx ~ an accusation at him*); ~ *oneself at* (*om kvinde, neds.*) kaste sig i armene på; ~ *away* **a.** kaste/kyle væk; **b.** (*uden objekt: glds.*) styrte af sted; ~ *down* smide fra sig; ~ *it in his teeth* **a.** slynge ham det i ansigtet; **b.** rive ham det i næsen; ~ *oneself into* **a.** kaste/smide sig i (*fx a chair*); **b.** (*fig.*) kaste sig over (*fx a job*); ~ *off* **a.** (*tøj*) smide, flå af; **b.** (*uden objekt: glds.*) styrte af sted; ~ *one's clothes on* fare i tøjet; ~ *out* **a.** (*brugt ting: kassere*) kyle ud; **b.** (*ytring*) udslynge (*fx an assertion; insults*); **c.** (*uden objekt: om heste*) slå bagud; ~ *out of* se ovf.: 6; ~ *one's arms round sby's neck* slå armene om halsen på en; ~ *the door to* slå døren i; ~ *to the wind(s)* se *wind¹*; ~ *up one's arms in horror* løfte sine arme mod himlen i forfærdelse; (*svarer til*) korse sig, slå syv kors for sig.

flint [flint] *sb.* **1.** flint; **2.** (*i lighter*) sten; □ *skin a* ~ være meget nærig.

flintlock ['flintlɔk] *sb.* (*hist.*) **1.** flintebøsse; **2.** flintelås.

flintstone ['flintstəun] *sb.* flintesten.

flinty ['flinti] *adj.* **1.** flint-; flinthård, stenhård; **2.** (*om person*) stenhård, kold, ufølsom.

flip¹ *sb.* **1.** dask, tjat, slag; **2.** (*med finger*) knips; **3.** T lille tur, sviptur; **4.** = *eggnog*; □ *settle the dispute by the* ~ *of a coin* afgøre uenigheden ved at slå plat og krone om det; *a* ~ *through* se *flick¹*.

flip² [flip] *adj.* flabet, rapmundet, respektløs, „frisk".

flip³ [flip] *vb.* **1.** daske, tjatte, slå; smække; **2.** (*med finger*) knipse;

3. (T: *i begejstring, raseri etc.*) flippe ud; **4.** (*med mønt*) slå plat og krone; □ ~ *open* smække op; [*med sb.*] ~ *a coin* slå plat og krone; ~ *a pancake* vende en pandekage i luften; ~ *a switch* smække en kontakt ned//op; ~ *one's wig* ryge helt op i loftet (af raseri); (se også *flip²*); [*med præp.& adv.*] ~ *for* it slå plat og krone om det; ~ *sby off* (*am. S*) give en fingeren; ~ *out* (*jf. 3*) flippe ud; ~ *over* **a.** vende med et snuptag; **b.** (*pandekage*) vende i luften; **c.** (*uden objekt*) (pludselig) vende rundt, tippe rundt/over (*fx the aircraft -ped over and exploded*); **d.** (*jf. 3*) flippe ud over; ~ *over the pages of* bladre i; ~ *through* blade/bladre hurtigt gennem.

flip⁴ [flip] *interj.* pokkers også! (*fx oh* ~*, I've missed the bus*).

flip chart *sb.* (*am.*) = *flipover.*

flipflop¹ ['flipflɔp] *sb.* **1.** (*gymn.*) flikflak, baglæns saltomortale; **2.** (*fig., am.*) kovending; **3.** (*elektronik*) flipflop [*bistabil multivibrator*]; □ *-s* (T: *om sko*) klip-klapper, strandsandaler; japansandaler.

flipflop² ['flipflɔp] *vb.* **1.** (*om lyd af sko*) klapre; **2.** (*am.*) foretage en kovending; vende på en tallerken.

flipover ['flipəuvə] *sb.* flipover [*kæmpeblok på stativ, ophængt så man kan blade i den ved at vende bladene bagover*].

flippancy ['flip(ə)nsi] *sb.* (jf. *flippant*) flabethed, rapmundethed, respektløshed.

flippant ['flip(ə)nt] *adj.* flabet (*fx remark*); (*om person også*) rapmundet, respektløs.

flipper ['flipə] *sb.* (*sæls etc.*) luffe.

flippers ['flipəz] *sb. pl.* (*frømands*) svømmefødder.

flipping ['flipiŋ] *adj.* (T: *mildt bandeord*) pokkers, sørens; sgu (*fx it's* ~ *cold*).

flip side *sb.* **1.** (*af musikplade*) bagside, b-side; **2.** (*fig.*) bagside (*of* ved).

flirt¹ [flə:t] *sb.* (*person der flirter*) flirt.

flirt² [flə:t] *vb.* **1.** (*om person*) flirte (*with* med); **2.** (*om dyr*) slå med, vifte med (*fx the bird -ed its wings*); svinge (med) (*fx the horse -ed its tail*); **3.** (*uden objekt*) vimse; □ ~ *with* (*fig.*) **a.** flirte med (*fx communism*); lege med (*fx the idea*); **b.** (*om fare*) lege med (*fx death*).

flirtation [flə:'teiʃn] *sb.* **1.** flirten, flirteri; **2.** (*enkelt*) flirt.

flirtatious [flə:'teiʃəs] *adj.* flirtende.

flirty ['flə:ti] *adj.* **1.** = *flirtatious*; **2.** (*om påklædning*) sexet.

flit¹ [flit] *sb.* se *moonlight flit.*

flit² [flit] *vb.* **1.** (*om fugl etc.*) flyve; flagre; **2.** (*om person*) flyve, fare (*fx about* (omkring i) *London*); **3.** (*dial.*) [*flytte hemmeligt, om natten for at undgå at betale huslejen el. slippe væk fra kreditorer*]; □ ~ *across* **a.** fare hen over (*fx a smile -ted across his face*); **b.** (*om tanke*) se ndf.: *-ted through*; ~ *between* fare frem og tilbage mellem (*fx Paris and London*); ~ *between partners* gå fra den ene partner til den anden; ~ *between subjects* springe fra det ene emne til det andet; *the thought -ted through my mind* tanken for gennem hovedet på mig; tanken strejfede mig.

flivver ['flivə] *sb.* (*glds. am.* S) lille billig bil//lille fly; „spand", smadrekasse.

flixweed ['flikswi:d] *sb.* (*bot.*) finbladet vejsennep, barberforstand.

float¹ [fləut] *sb.* **1.** (*i fisk*) svømmeblære; **2.** (*på fiskesnøre*) flåd, kork; **3.** (*på fiskenet*) flyder; **4.** (*for svømmeelev: til at holde i*) korkplade; **5.** (*tekn.: i cisterne, i karburator*) svømmer; (*i tank*) flyder; **6.** (*merk.: i kassen*) byttepenge; **7.** (*i optog*) lav flad vogn; processionsvogn; **8.** (*murerværktøj*) rivebræt, pudsebræt; **9.** (*flyv.*) ponton; **10.** (*teat.*) rampelys; □ *-s* (jf. 10) gulvrampe.

float² [fləut] *vb.* (se også *floating*) **A.** (*uden objekt*) **1.** (*på vand*) flyde, drive; **2.** (*om skib*) være// komme flot; **3.** (*i vand, luft: frit*) svæve; **4.** (*om flag*) vaje; **5.** (*om person: let*) svæve (*fx she -ed down the stairs*); (*ubeskæftiget*) drive, drysse (*around* rundt// rundt i, *fx he just -ed around doing nothing; he -ed around town*); **6.** (*om valutakurs*) flyde; **B.** (*med objekt*) **1.** få til at flyde// svæve; bære oppe; **2.** (*tømmer*) flåde; **3.** (*skib*) bringe flot; **4.** (*fig.: tanke*) søsætte; **5.** (*merk.: foretagende*) sætte i gang, starte (*fx a new business company*); **6.** (*merk.: lån*) stifte; (*papirer*) emittere; **7.** (*valutakurs*) lade flyde; lade være flydende; **8.** (*puds*) rive; afrive; □ ~ *around* **a.** (*om person*) se ovf.: A 5; **b.** (*om rygte etc.*) løbe om, være i omløb, cirkulere; **c.** (*om*

330

ting) ligge og flyde; (se også *air¹*).

floatation [fləˈteiʃn] *sb.* se *flotation*.

floating [ˈfləutiŋ] *adj.* flydende.

floating barrage *sb.* flydespærring.

floating bridge *sb.* pontonbro; flydebro.

floating charge *sb.* (*merk.*) generalpant.

floating crane *sb.* flydekran.

floating debt *sb.* løs/svævende gæld.

floating decimal (point) *sb.* flydende decimal.

floating dock *sb.* flydedok.

floating kidney *sb.* vandrenyre.

floating policy *sb.* generalpolice.

floating ribs *sb. pl.* falske ribben.

floating vote *sb.* marginalvælgere.

floating voter *sb.* marginalvælger.

float plane *sb.* pontonflyvemaskine.

floc [flɔk] *sb.* (*kem.*) flok [*fnugagtig masse*].

flocculent [ˈflɔkjulənt] *adj.* fnugget.

flock¹ [flɔk] *sb.* **1.** flok; **2.** uldtot; (*til puder*) stoppemateriale.

flock² [flɔk] *vb.* flokkes, samle sig (*about* om); strømme (*to* til).

flock wallpaper *sb.* fløjlstapet; strukturtapet.

floe [fləu] *sb.* stor isflage; isskosse.

flog [flɔg] *vb.* **1.** piske; prygle; **2.** T sælge [*især: billigt el. hurtigt*]; □ ~ *a dead horse* se *horse¹*; ~ *oneself into the ground/to death* T pukle sig ihjel; *it has been -ged to death* (T: *om idé, ytring*) det er blevet fortærsket.

flogging [ˈflɔgiŋ] *sb.* **1.** pisk; prygl; **2.** (*som begreb*) pryglestraf (*fx he wants* ~ *reintroduced*).

flokati [fləˈkɑːti] *sb.* håndvævet græsk tæppe.

flong [flɔŋ] *sb.* (*typ.*) matriceform; matricepap.

flood¹ [flʌd] *sb.* **1.** oversvømmelse; **2.** (*stor mængde*) strøm (*fx -s of rain//tears; a* ~ *of letters//words// refugees*); **3.** se *flood tide*; □ *the Flood* (*bibelsk*) Syndfloden; *the --s* vandmasserne; *be in full* ~ (*om flod*) være gået over sine bredder; *a* ~ *of light* et lyshav.

flood² [flʌd] *vb.* **A.** (*med objekt*) **1.** (*område*) oversvømme, overskylle; **2.** (*motor*) drukne; **3.** (*marked*) oversvømme, overfylde (*fx with cheap goods*); **4.** (*rum: om lys*) fylde (*fx sunlight -ed the little room*); **5.** (*person: om henvendelser*) oversvømme (*fx with complaints; with letters*); **6.** (*person: om følelse*) overvælde; **B.** (*uden objekt*) **1.** (*om flod*) gå over sine bredder; **2.** (*om sted*) blive oversvømmet; stå under vand; **3.** (*om personer, ting, lys etc.*) strømme (*fx refugees -ed across the border//into the area; complaints -ed in; sunshine -ed in through the window*); □ *-ed out* gjort hjemløs ved oversvømmelse; *her eyes -ed with tears* hendes øjne svømmede over af tårer; ~ *the place with light* bade stedet i lys; *-ed with light* badet i lys.

floodgate [ˈflʌdgeit] *sb.* sluseport; □ *open the -s to/for* (*fig.*) åbne slusene for; give frit løb for.

floodlight [ˈflʌdlait] *sb.* projektør; projektørlys; fladebelysning.

floodlit *adj.* projektørbelyst.

flood tide *sb.* højvande, flod; flodtid.

flooey [ˈfluːi] *adj.*: *go* ~ (*am.*) gå skævt.

floor¹ [flɔː] *sb.* **1.** (*i rum*) gulv; **2.** (*af hus*) etage, sal; **3.** (*af hav, hule, dal*) bund; **4.** (*fig.*) bund; minimum; **5.** (*mar.*) dørk; **6.** (*am.: i kongressen*) se ndf.: *the* ~ *a, c*; □ *the* ~ **a.** (*parl. etc.*: hvor medlemmerne sidder) salen, gulvet; **b.** (*ved møde*) salen (*fx are there any questions from the* ~?); **c.** (*taleret, svarer til*) ordet (*fx ask for// get//have the* ~); [*med vb.*] *cross the* ~ (*of the House*) skifte parti [*i Underhuset*]; *fall through the* ~ (*fig.*: om pris, kurs) falde drastisk; gå i bund; *keep a bill from the* ~ forhindre at et lovforslag kommer til behandling; *mop the* ~ *with* se ndf.: *wiped the* ~ *with*; *take the* ~ **a.** tage ordet; **b.** begynde at danse; *take to the* ~ begynde at danse; *we wiped the* ~ *with them* T vi tværede dem ud; vi jordede dem fuldstændigt; de fik ikke et ben til jorden.

floor² [flɔː] *vb.* **1.** lægge gulv i; **2.** T slå i gulvet, jorde, knockoute; **3.** (*ved spørgsmål etc.*) sætte til vægs; **4.** (*am.: speeder*) træde i bund; (*bil*) sætte skub i; □ ~ *it* (*am.*) træde sømmet i bund [ɔ: *træde på speederen*]; *be -ed* (*også*) blive helt forbløffet; *-ed with* (*om rum*) belagt med (*fx tiles*).

floorage [ˈflɔːridʒ] *sb.* gulvareal.

floorboard [ˈflɔːbɔːd] *sb.* gulvbræt; □ *-s* (*mar.*) bundbrædder; dørk.

floorcloth [ˈflɔːklɔθ] *sb.* **1.** gulvklud; **2.** (*am.*) gulvbelægning.

flooring [ˈflɔːriŋ] *sb.* gulvbelægning; materiale til gulv.

floor lamp *sb.* standerlampe.

floor leader *sb.* (*am. pol.*) [*person der styrer sit partis taktik under*

debatter og afstemninger]; (*omtr.*) gruppeformand.

floor manager *sb.* **1.** (*tv*) scenemester; **2.** (*am.*) se *floorwalker*.

floor price *sb.* minimumspris.

floor show *sb.* (*i natklub*) varieteforestilling.

floorwalker [ˈflɔːwɔːkə] *sb.* (*am.*) inspektør [*i stormagasin*].

floosie, floozie [ˈfluːzi] *sb.* T dulle, tøs, mær.

flop¹ [flɔp] *sb.* **1.** bump; **2.** T fiasko, flop; **3.** (*am.*) = *dosshouse*; □ *with a* ~ (*jf. 1*) med et bums.

flop² [flɔp] *vb.* **1.** (*om person*) plumpe ned (*fx into a chair*); lade sig dumpe ned (*fx in front of the TV*); **2.** (*om fugl*) flagre, baske, flakse; **3.** (*om ting*) dumpe, plumpe, klaske (*fx the book -ped onto his desk*); **4.** (*om tøj etc.*: hænge løst) flagre; (hænge og) slaske (*fx her hair -ped across her forehead*); **5.** (*om forestilling*) have fiasko, falde; □ ~ *about/around* **a.** (*om person*) tøfle rundt (*fx in a pair of old slippers*); **b.** (*om fugl*) baske/flakse rundt.

flop³ [flɔp] *interj.* pladask (*fx fall* ~ *on one's face*); bums.

flophouse [ˈflɔphaus] *sb.* (*am.* T) = *dosshouse*.

floppy¹ [ˈflɔpi] *sb.* = *floppy disk.*

floppy² [ˈflɔpi] *adj.* slapt nedhængende; slatten, slasket.

floppy disk *sb.* (*it*) floppydisk, diskette.

flora [ˈflɔːrə] *sb.* flora, planteverden.

floral [ˈflɔ(ː)r(ə)l] *adj.* blomster-; blomstret.

Florence [ˈflɔrəns] (*geogr.*) Firenze.

Florentine¹ [ˈflɔrəntain] *sb.* florentiner.

Florentine² [ˈflɔrəntain] *adj.* florentinsk.

floret [ˈflɔrət] *sb.* **1.** (*bot.*) småblomst; **2.** (*i blomkål*) buket.

florid [ˈflɔrid] *adj.* **1.** blomstrende; overpyntet, overlæsset; **2.** (F: om ansigtsfarve) rødmosset, rødblisset.

florist [ˈflɔrist] *sb.* blomsterhandler.

florist's [ˈflɔrists] *sb.* (*pl. florists'*) blomsterforretning.

floss¹ [flɔs] *sb.* **1.** floretsilke; råsilke; **2.** (*bot.*) dun; (*fx på majs*) silke; **3.** (*til tandrensning*) tandtråd; **4.** se *candyfloss.*

floss² [flɔs] *vb.* rense med tandtråd.

flotation [fləuˈteiʃn] *sb.* **1.** flyden; flydeevne; **2.** (*merk.*: af lån, selskab*) stiftelse; (*af papirer*) emission.

flotilla [fləˈtilə] *sb.* (*mar.*) flotille.

F *flotsam*

flotsam ['flɔtsəm] *sb.* **1.** vraggods, drivgods; **2.** (*om personer*) udskud; **3.** (*om ting*) skrammel; □ ~ *and jetsam = flotsam.*

flounce[1] [flauns] *sb.* **1.** (*på kjole*) flæse, garnering; **2.** (*bevægelse*) (*fornærmet*) kast, ryk.

flounce[2] [flauns] *vb.* svanse, marchere (vredt) (*fx she -d out of the room*).

flounced [flaunst] *adj.* med flæser.

flounder[1] ['flaundə] *sb.* (*zo.*) skrubbe; flynder.

flounder[2] ['flaundə] *vb.* **1.** (*i vand, mudder*) tumle, sprælle; fægte med arme og ben; **2.** (*i en sag*) gøre fejl, kludre i det, fjumre, famle; **3.** (*om sag*) gå skævt; **4.** (*om firma etc.*) være i alvorlige vanskeligheder;
□ ~ *around* **a.** (*jf. 1*) tumle rundt; **b.** (*jf. 2*) fjumre rundt.

flour[1] ['flauə] *sb.* mel.

flour[2] ['flauə] *vb.* drysse mel på.

flourish[1] ['flʌriʃ] *sb.* **1.** flot håndbevægelse [*se ndf.: with a* ~]; **2.** (*i stil*) forsiring; frase (*fx rhetorical -es*); **3.** (*i skrift*) snirkel, sving; krusedulle; **4.** (*mus.*) fanfare; (*fra hele orkesteret*) touche;
□ *with a* ~ med en flot håndbevægelse/gestus; med et stort sving (*fx with a* ~ *of his hat*); med en fejende bevægelse.

flourish[2] ['flʌriʃ] *vb.* **1.** (*om plante*) trives; **2.** (*fig.*) blomstre (*fx his business is -ing*); (*i en bestemt periode*) have sin glansperiode, være på sit højeste (*fx rock'n'roll -ed in the fifties*); **3.** (*om person: i en bestemt periode*) virke (*fx an artist who -ed in the early years of this century*); (*om højdepunkt*) stå på sin magts//sin hæders tinde; **4.** (*med objekt*) svinge, svinge med, vifte med (*fx a cheque book*).

flourishing ['flʌriʃiŋ] *adj.* blomstrende (*fx business*).

floury ['flauəri] *adj.* melet.

flout [flaut] *vb.* lade hånt om, trodse (*fx the law*); bryde sig pokker om, blæse på (*fx sby's advice; convention; tradition*).

flow[1] [fləu] *sb.* **1.** (*af væske*) strømmen, flyden (*fx sluggish* ~); strøm; strømning; gennemstrømning; tilstrømning (*fx the* ~ *of blood to the brain*); tilløb (*fx the* ~ *of water into the pond*); **2.** (*af andet*) strøm (*fx of traffic; of supplies; of information; a steady* ~ *of visitors*); **3.** (*mods. ebbe*) flod;
□ *go against the* ~ gå imod strømmen; *in full* ~ godt i gang; i fuldt sving; *go with the* ~ følge med strømmen; (*se også rate*[1]).

flow[2] [fləu] *vb.* **1.** (*om væske, luftart, elektricitet*) strømme, flyde; løbe; **2.** (*om andet*) strømme (*fx refugees were -ing across the border; offers of help were -ing in; compassion//hatred -ed through me*); (*roligt, let*) glide (*fx the traffic was -ing smoothly*); flyde (*fx conversation/her words -ed freely*); **3.** (*om tøj, hår*) flagre (*fx a -ing tie* (slips); *with -ing locks*); (*om draperi*) hænge folderigt; **4.** (*om tidevand*) stige (*fx the tide is beginning to* ~);
□ *the wine -ed (freely)* vinen flød i stride strømme; ~ *from* (*fig.*) komme af; udspringe af; ~ *with* (*fig.*) være fyldt med, være oversvømmet af (*fx the streets -ed with people*); ~ *with milk and honey* flyde med mælk og honning.

flow chart *sb.*, **flow diagram** *sb.* **1.** arbejdsdiagram, procesdiagram; diagram over en forretningsgang; **2.** (*it*) rutediagram.

flower[1] ['flauə] *sb.* blomst; blomstring;
□ *be in* ~ stå i blomst; *come into* ~ springe ud; begynde at blomstre; *the* ~ *of* (*fig.; litt.*) blomsten af (*fx the* ~ *of the country's youth*); det bedste af; *the* ~ *of one's youth* (*fig.; litt.*) ungdommens vår; *-s of speech* retoriske talemåder; digteriske billeder; *-s of sulphur* svovlblomme.

flower[2] ['flauə] *vb.* blomstre.

flower arrangement *sb.* blomsterbinding; blomsterdekoration.

flower arranger *sb.* blomsterbinder; blomsterdekoratør.

flower bed *sb.* blomsterbed.

flower girl *sb.* blomstersælgerske.

flowerpot ['flauəpɔt] *sb.* urtepotte.

flowery ['flauəri] *adj.* **1.** blomster- (*fx smell; meadow*); **2.** (*om mønster*) blomstret (*fx wallpaper*); **3.** (*om stil*) blomstrende.

flown [fləun] *præt. ptc. af fly*[3].

flow sheet *sb.* = *flow chart.*

flu [flu:] *sb.* influenza.

flub[1] [flʌb] *sb.* (*am.*) brøler, bøf [ɔ: fejl].

flub[2] [flʌb] *vb.* (*am.*) **1.** forkludre; kludre med; **2.** (*uden objekt*) kludre/bøffe i det, lave en bøf.

fluctuate ['flʌktʃueit] *vb.* **1.** variere, svinge, fluktuere; **2.** (*med objekt, am.*) få til at variere/svinge/fluktuere.

fluctuation [flʌktʃu'eiʃn] *sb.* variation, svingning; fluktueren; udsving, stigen og falden; (*merk. også*) kursbevægelse; kurssving-

ning;
□ *-s of the market* konjunktursvingninger.

flue [flu:] *sb.* røgkanal, skorstenskanal; aftræk.

fluency ['flu:ənsi] *sb.* evne til at tale flydende; talefærdighed.

fluent ['flu:ənt] *adj.* flydende.

fluff[1] [flʌf] *sb.* **1.** fnug, fnuller; (*på gulvet*) nullermænd; (*i lomme*) lommeuld; **2.** (*på dyreunge*) dun; **3.** (T: *teat., mus.*) fejl, bøf; □ *a bit of* ~ **a.** et fnug; en nullermand; **b.** T en smart pige, en skøn sild.

fluff[2] [flʌf] *vb.* **1.** (T: *teat., mus.*) kludre med; lave fejl i; bøffe; **2.** (*pude*) ryste;
□ *the bird -ed (out) its feathers* fuglen pustede sig op; ~ *up* (*pude*) ryste.

fluffy ['flʌfi] *adj.* **1.** blød (*fx towel; hair*); lodden (*fx kitten*); dunet, fnugget; **2.** (*om mad*) luftig; **3.** (T: *om pige*) tomhjernet; pjattet; **4.** (*især am.*) let; overfladisk; nuttet.

fluid[1] ['flu:id] *sb.* væske.

fluid[2] ['flu:id] *adj.* **1.** (*om stof*) flydende (*fx wax*); **2.** (*om bevægelse*) flydende, yndefuld; **3.** (*om forhold*) flydende (*fx situation*); omskiftelig.

fluid drive *sb.* (*tekn.*) væskekobling.

fluidity [flu'iditi] *sb.* **1.** flydende tilstand; **2.** (*om bevægelse*) ynde; **3.** (*om forhold*) omskiftelighed.

fluke[1] [flu:k] *sb.* **1.** T lykketræf; svineheld; **2.** (*mar.*) ankerflig; **3.** (*på hvals hale*) sideflig; **4.** (*zo.: snylteorm*) ikte; **5.** (*am. zo.: fisk*) flynder; skrubbe.

fluke[2] [flu:k] *vb.* T være svineheldig med; opnå ved et lykketræf.

fluky ['flu:ki] *adj.* T svineheldig.

flume [flu:m] *sb.* **1.** (*gravet*) kanal; transportrende; **2.** (*forlystelse*) vandrutsjebane; **3.** (*am.*) snæver kløft med flod.

flummery ['flʌməri] *sb.* **1.** smiger; vrøvl; **2.** (*mad, omtr.*) budding.

flummox ['flʌməks] *vb.* T forvirre.

flummoxed ['flʌməkst] *adj.* forvirret; perpleks.

flung [flʌŋ] *præt. & præt. ptc. af fling*[2].

flunk [flʌŋk] *vb.* (am. T) dumpe [*til eksamen*];
□ ~ *a subject* dumpe i et fag.

flunkey ['flʌŋki] *sb.* **1.** (*glds., neds.*) lakaj; **2.** håndlanger, ydmyg tjener, spytslikker.

fluorescense [fluə'res(ə)ns] *sb.* fluorescens.

fluorescent [fluə'res(ə)nt] *adj.* fluorescerende.

fluorescent tube sb. lysstofrør.

fluoridate ['fluərideit] vb. tilsætte fluorid; fluoridere (fx water).

fluoridation [fluəri'deiʃn] sb. tilsætning af fluorid.

fluoride ['fluəraid] sb. (kem.) fluorid.

fluorine ['fluəri:n] sb. (kem.) fluor.

flurried ['flʌrid] adj. forfjamsket, befippet, nervøs.

flurry[1] ['flʌri] sb. **1.** byge (fx of snow); **2.** uro, røre;
□ a ~ of en byge af (fx telephone calls); en flom af; a ~ of activity febrilsk/hektisk aktivitet.

flurry[2] ['flʌri] vb. gøre befippet/forfjamsket.

flush[1] [flʌʃ] sb. **1.** rødme; rødmen; **2.** (i toilet) skyl; udskylning; **3.** (i kortspil) lang farve; **4.** (af følelser) opbrusen, storm;
□ a short/long ~ (jf. 2) et lille// stort skyl;
[med: of] a ~ **of** a. en række/ strøm af (fx victories); et væld af (fx memories); **b.** (om følelse) en pludselig følelse af (fx pride); in the first ~ of victory i den første sejrsrus; in the first ~ of youth i ungdommens vår.

flush[2] [flʌʃ] vb. **1.** (toilet) skylle ud i; (uden objekt) skylle (fx the toilet won't ~); **2.** (rør) skylle igennem, rense, spule; **3.** (om person) rødme, blive rød i hovedet (with af, fx pleasure; embarrassment); (med objekt) få til at rødme; (se også flushed);
□ ~ left/right (am. typ.) fast forkant//bagkant;
[med præp.& adv.] ~ it **down** the toilet skylle det ud i toilettet; ~ **from** (vildt, person) jage//drive ud af; ~ **out** a. skylle ud; **b.** (rør) skylle igennem, rense, spule; **c.** (vildt, person) jage//drive ud.

flush[3] [flʌʃ] adj. **1.** (om samling etc.) jævn; glat; **2.** (T: om person) velbeslået; ved muffen;
□ money was ~ der var rigeligt med/overflod af penge; the windows are ~ with the wall vinduerne er i plan med/i flugt med/ glat med muren.

flushed [flʌʃt] adj. rødmende, blussende; rød i hovedet (with af, fx anger);
□ ~ with (også) beruset af (fx joy).

Flushing ['flʌʃiŋ] (geogr.) Vlissingen.

flush toilet sb. wc.

fluster ['flʌstə] sb.: be//get in a ~ være//blive forfjamsket/befippet/ forvirret.

flustered ['flʌstəd] vb. forfjamsket,

befippet, forvirret.

flute [flu:t] sb. **1.** (tvær)fløjte; **2.** (arkit.: på søjle) kannelure; **3.** (på tøj) pibestrimmel; **4.** (champagneglas) fløjte.

fluted ['flu:tid] adj. **1.** riflet, rillet; **2.** (om søjle) kanneleret; **3.** (om krave) pibet; pibe-.

fluting ['flu:tiŋ] sb. **1.** fløjtespil; **2.** (på søjle) kannelering; kannelurer.

flutist ['flu:tist] sb. (am.) = flautist.

flutter[1] ['flʌtə] sb. **1.** (lyd) flagren, blafren; (af vinger) basken; **2.** (om hjerte) flagren, (hurtig) banken; **3.** (flyv.) vibration, rysten; **4.** (lydfejl) flutter, frekvensflimren; **5.** (stemning) nervøsitet, uro (fx it caused a ~); forvirring, befippelse;
□ be in a ~ være nervøs/urolig// befippet; være helt ude af flippen; **have** a ~ T a. (på væddeløb) spille lidt; **b.** (på børsen) spekulere lidt.

flutter[2] ['flʌtə] vb. A. (uden objekt) **1.** flagre (fx leaves -ed to the ground; butterflies -ed around); blafre (fx flags were -ing in the breeze); **2.** (om vinger) baske; **3.** (om person) vimse, flagre (fx she -ed about in the room); **4.** (om hjerte) banke; skælve;
B. (med objekt) **1.** sætte i bevægelse; få til at flagre; **2.** (vinger) baske med; **3.** (personer) opskræmme; bringe i forvirring;
□ ~ about (jf. A 3, også) fare nervøst/forvildet omkring; make sby's heart ~ få ens hjerte til at banke; my stomach -ed jeg havde sommerfugle i maven; (se også dovecot(e), eyelashes).

fluvial ['flu:viəl] adj. flod-.

flux[1] [flʌks] sb. **1.** flyden; strøm; **2.** stadig forandring; omskiftelighed; **3.** (tekn.) flusmiddel; tilslag [ved støbning];
□ be in a state of ~ være under stadig forandring.

flux[2] [flʌks] vb. smelte; bringe til at flyde.

fly[1] [flai] sb. (se også flies) **1.** (zo.) flue; **2.** (af telt) teltdør; (am.) oversejl; **3.** (i bukser) gylp [se også ndf.]; **4.** (til fiskeri) flue; **5.** (glds.) drosche;
□ he would not hurt/harm a ~ han gør ikke en kat fortræd; a ~ in the ointment a. et skår i glæden; **b.** en hage ved sagen; there are no flies on him han er ikke så tosset; han er ikke tabt bag af en vogn; a ~ on the wall en flue på væggen;
[jf. 3] he had left his ~ open hans

bukser stod åbne; han havde glemt at knappe bukserne//lyne bukserne op; do up one's ~ lukke bukserne; knappe bukserne//lyne bukserne op;
[med præp.] they were dropping **like** flies a. de døde som fluer; **b.** de faldt om//blev syge på stribe; they were dropping off like flies a. = they were dropping like flies; **b.** T de faldt fra på stribe; run around like a blue-arsed ~ S fare rundt som en skoldet skid; **on the** ~ a. på stedet (fx make decisions on the ~); uden videre; **b.** mens computeren er tændt; catch a ball on the ~ gribe en bold i luften/i flugten; be on the ~ (am.) have styrtende travlt.

fly[2] [flai] adj. T **1.** kvik, vaks; **2.** smart, dreven.

fly[3] [flai] vb. (flew, flown) (se også fly[4], flying) A. (uden objekt) **1.** flyve (fx the bird/bee/plane flew around; we flew to London); **2.** (om ting, person: bevæge sig hurtigt) flyve, fare (fx glass flew across the room; she flew past me); **3.** (om hår) flyve, flagre; **4.** (om flag) vaje;
B. (med objekt) **1.** flyve (fx a private jet plane; the passengers// goods to London); (se også kite); **2.** (flyselskab) flyve med (fx ~ SAS); **3.** (farvand) flyve over (fx the Atlantic); **4.** (flag) lade vaje, flage med; føre (fx the ship flew the Danish flag ... førte dansk flag); (se også flag[1]);
□ ~ **high** (fig.) a. nå langt (fx that young man is the sort to ~ high); **b.** (am.) være højt oppe [ɔ: jublende glad]; the door flew **open** døren fløj op;
[med vb.] **let** ~ a. fyre løs; **b.** angribe; **c.** (skældsord) affyre; let ~ at a. fyre løs på; **b.** (fig.) skælde ud på; overfuse; angribe voldsomt; I **must** ~ jeg må skynde mig af sted; **send** -ing a. sende væk; smide ud; **b.** slå ned/i gulvet; **c.** (ting) sprede for alle vinde; be sent -ing (også) ryge gennem luften;
[med præp. el. adv.] ~ **about**/ **around** a. flyve omkring/rundt; **b.** (om person) fare/flyve omkring/rundt; **c.** (om rygter) svirre; ~ **at** fare løs på; he has just flown **in from** London han er lige kommet med fly fra London; ~ **in the face of** a. fare løs på; **b.** gå stik imod; trodse; ~ in the face of Providence udfordre skæbnen; ~ **into** a passion/rage fare op; blive rasende; ~ **off** the handle se

F

fly

handle[1]; ~ *off at a tangent* se *tangent*; ~ *out at* a. fare løs på; b. overfuse.

fly[4] [flai] *vb.* (*fled, fled*) flygte.

fly agaric *sb.* (*bot.*) rød fluesvamp.

fly ash *sb.* flyveaske.

flyaway ['flaiəwei] *adj.* (*om hår*) flyvsk, flagrende.

flyblow ['flaibləu] *sb.* spy [*fra spyflue*].

flyblown ['flaibləun] *adj.* belagt med spy; fordærvet; flueplettet.

flyby ['flaibai] *sb.* passage [*med rumfartøj*]; forbiflyvning.

fly-by-night ['flaibainait] *sb.* upålidelig, tvivlsom, lusket.

flycatcher ['flaikætʃə] *sb.* (*zo.*) fluesnapper.

flyer ['flaiə] *sb.* 1. flyver (*fx the swallow is a swift* ~); 2. (*i fly: fører*) flyver; pilot; 3. (*passager*) flypassager; 4. (*i sport*) flyvende start; 5. (*tryksag*) løbeseddel; reklameseddel; folder; reklamebrochure; 6. (T: *om person*) geni, ørn (*fx he isn't a* ~); 7. (*am.*) risikabel investering; dristig børsspekulation; 8. (*på trappe*) lige trin; □ *take a* ~ (*am.* T) tage en chance.

fly-fishing ['flaifiʃiŋ] *sb.* fluefiskeri.

flying[1] ['flaiiŋ] *sb.* flyvning; at flyve (*fx I hate* ~; *fear of* ~).

flying[2] ['flaiiŋ] *adj.* flyvende; let, hurtig; flyve-; (se også *flag*[1], *fly*[3]).

flying buttress *sb.* (*arkit.*) stræbebue; flyvende stræbepille.

flying colours *sb. pl.*: *come off with* ~ klare det med glans.

Flying Dutchman *sb.* flyvende hollænder [*spøgelsesskib*].

flying fish *sb.* (*zo.*) flyvefisk.

flying fox *sb.* (*zo.*) flyvende hund.

flying jib *sb.* (*mar.*) jager [*sejl*].

flying machine *sb.* flyvemaskine [*især om de tidligste*].

flying officer *sb.* (*mil. flyv. omtr.=*) premierløjtnant.

flying picket *sb.* mobil strejkevagt.

flying saucer *sb.* flyvende tallerken.

flying squad *sb.* (*politi*) rejsehold; udrykningshold; flyvende korps.

flying squirrel *sb.* (*zo.*) flyveegern.

flying start *sb.* flyvende start; □ *come off to a* ~ få en flyvende start.

flying visit *sb.* hastigt besøg, lynvisit; fransk visit.

flyleaf ['flaili:f] *sb.* (*pl. -leaves* [-li:vz]) (*bogb.*) forsatsblad.

fly nut *sb.* fløjmøtrik.

flyover ['flaiəuvə] *sb.* 1. overføring [*over vej*]; vejbro; 2. (*am.*) forbiflyvning i formation.

flypaper ['flaipeipə] *sb.* fluepapir.

flypaper memory *sb.* klæbehjerne.

flypast ['flaipa:st] *sb.* forbiflyvning i formation.

fly pitcher *sb.* T gadehandler.

fly-post ['flaipəust] *vb.* [*sætte plakater op uden tilladelse*].

fly-posting ['flaipəustiŋ] *sb.* [*opsætning af plakater uden tilladelse*]; □ ~ *prohibited* opklæbning forbudt.

flysheet ['flaiʃi:t] *sb.* 1. (*på telt*) oversejl; 2. (*tryksag*) løbeseddel; brochure.

flyspeck ['flaispek] *sb.* 1. flueplet; 2. (*fig. am.*) bagatel.

flyspecking ['flaispekiŋ] *sb.* (*am.*) flueknepperi.

fly swatter *sb.* fluesmækker.

fly tipping *sb.* [*aflæsning af affald el. hensætning af kasserede genstande på uautoriserede steder*].

flytrap ['flaitræp] *sb.* fluefanger.

flyweight ['flaiweit] *sb.* 1. fluevægt; 2. (*bokser*) fluevægter.

flywheel ['flaiwi:l] *sb.* svinghjul.

FMCG *fork. f.* fast moving consumer goods.

FO *fork. f.* Foreign Office.

foal[1] [fəul] *sb.* føl; □ *in/with* ~ drægtig.

foal[2] [fəul] *vb.* fole; kaste føl.

foam[1] [fəum] *sb.* 1. (*af vand etc.*) skum, fråde; 2. (*til barbering*) skum; 3. (*til polstring etc.*) skumgummi.

foam[2] [fəum] *vb.* skumme; fråde; □ *he was -ing at the mouth* fråden stod ham om munden; han skummede/frådede af raseri.

foam extinguisher *sb.* skumslukker.

foam rubber *sb.* skumgummi.

foamy ['fəumi] *adj.* skummende.

fob[1] [fɔb] *sb.* 1. kæde//snor til nøgler; 2. nøgleskilt; 3. fjernbetjening til billås; 4. (*glds.*) urkæde; chatelaine; 5. lille lomme, urlomme.

fob[2] [fɔb] *vb.*: ~ *sth off on sby* prakke én noget på; ~ *sby off with sth* spise én af med noget.

f.o.b. *fork. f.* free on board.

focal ['fəuk(ə)l] *adj.* 1. central; vigtigst, hoved-; 2. (*mht. linse*) fokal; brændpunkts-.

focal length *sb.* brændvidde.

focal point *sb.* 1. (*fys.*) fokus, brændpunkt; 2. (*fig.*) se *focus*[1] 1.

foci ['fəusai] *pl. af focus*[1].

focus[1] ['fəukəs] *sb.* (*pl. -es/foci* ['fəusai]) 1. midtpunkt, centrum (*of* for, *fx attention*); omdrejningspunkt (*fx the* ~ *of her life*); 2. (*mht. bestemt emne*) koncentration (*on* om, *fx the customer's requirements; the teaching of grammar*); særlig interesse (*fx shift*

one's ~ *from one thing to another*); 3. (*for undersøgelse*) sigte (*fx with a narrow* ~); 4. (*fys.*) fokus, brændpunkt; 5. (*med.*) fokus [*en sygdoms sæde*]; □ *our* ~ *must be on finding a solution* vores hovedsigte må være at finde en løsning; [*med præp.*] *in* ~ a. i fokus, skarp, klar; b. (*fig.*) i brændpunktet; i centrum; i søgelyset; *bring into* ~ a. bringe i fokus; indstille skarpt på; b. (*fig.*) rette søgelyset imod; sætte fokus på; c. samle sig om; lægge hovedvægten på; *out of* ~ a. (*om fotografi*) uskarp [*på grund af forkert afstandsindstilling*]; b. (*fig.*) ude af søgelyset.

focus[2] ['fəukəs] *vb.* (se også *focused*) 1. (*instrument*) indstille, fokusere (*on* på, *fx a telescope on a star; one's eyes on sth*); ~ *the lens of a microscope*); 2. (*fig.*) samle, koncentrere (*on* om, *fx all her energies are -(s)ed on her children*; ~ *one's attention on sth*; ~ *one's thoughts*).

□ ~ *on* (*uden objekt*) a. (*jf. 1*) indstille på, fokusere på; b. (*om blik*) rette blikket mod, fokusere på (*fx he -(s)ed on a point to my right*); c. (*jf. 2*) koncentrere sig om (*fx my mind would not* ~ *on these things*).

focused *adj.*, **focussed** ['fəukəst] *adj.* (*om person*) målrettet.

focus group *sb.* fokusgruppe [*som udspørges om deres holdning til en bestemt sag og er retningsgivende for politikere*].

fodder[1] ['fɔdə] *sb.* foder.

fodder[2] ['fɔdə] *vb.* fodre.

foe [fəu] *sb.* F fjende.

foetal *adj.* se *fetal*.

foeticide *sb.* se *feticide*.

foetus *sb.* se *fetus*.

fog[1] [fɔg] *sb.* 1. tåge; 2. (*foto.*) slør; □ *in a* ~ T forvirret, i vildrede.

fog[2] [fɔg] *vb.* 1. (*sted*) indhylle i tåge; (*uden objekt*) blive indhyllet i tåge; 2. (*rude*) dugge til; 3. (*foto.*) sløre; 4. (*fig.*) forvirre, omtåge; □ ~ *in* = 1; ~ *up* = 2; (se også *issue*[1]).

fog bank *sb.* tågebanke.

fogbound ['fɔgbaund] *adj.* 1. (*om skib, fly, person etc.*) opholdt på grund af tåge; 2. (*om sted*) indhyllet i tåge; 3. (*om lufthavn*) lukket på grund af tåge.

fogey ['fəugi] *sb.* se *old fogey*.

foggy ['fɔgi] *adj.* 1. tåget; 2. (*om person*) omtåget; 3. (*foto.*) sløret; □ *I haven't the foggiest* T det har jeg ikke den fjerneste anelse om.

foghorn ['fɔghɔ:n] *sb.* tågehorn.

fog lamp, fog light *sb.* tågelygte.
fogy ['fəugi] *sb.* se *old fogey.*
foible ['fɔibl] *sb.* **1.** (*hos person*) svaghed, svag side; **2.** (*del af sværd*) svage.
foil[1] [fɔil] *sb.* **1.** (*tyndt udhamret metal*) folie (*fx gold* ~); **2.** (*til indpakning: aluminiums-*) aluminiumsfolie, alufolie; (*se også tinfoil*); **3.** (*på spejl*) belægning; **4.** (*for ædelsten*) folie; **5.** (*fig.*) (flatterende) baggrund (*for/to* for); **6.** (*i fægtesport*) fleuret [*let kårde*]; **7.** (*ved jagt*) fært, spor;
□ *be a ~ for/to* (*jf. 5, også*) tjene til at fremhæve.
foil[2] [fɔil] *vb.* **1.** forhindre; forpurre (*fx the attempt was -ed*); (*plan også*) krydse; **2.** (*person*) komme på tværs af, komme i vejen for; narre;
□ *~ the scent* (*ved jagt: om jaget dyr*) krydse sporet; lede hundene på vildspor.
foist [fɔist] *vb.:* ~ *sth on sby* prakke en noget på.
fold[1] [fəuld] *sb.* **1.** ombøjning (*fx he made a ~ in the corner of the page*); **2.** (*i tøj, hud etc.; geol.*) fold; **3.** (*fx bogb.*) fals; **4.** (*til får*) fold; **5.** (*i sms. med talord*) -fold, -dobbelt, gange (*fx ninefold* nifold, nidobbelt, ni gange);
□ *return to the ~* (*fig.*) vende tilbage til folden.
fold[2] [fəuld] *vb.* **A.** (*med objekt*) **1.** bøje om, bukke om, folde ned (*fx the corner of a page*); **2.** folde sammen (*fx a letter; a handkerchief*); lægge sammen (*fx clothes*); **3.** (*klapstol etc.*) slå/klappe sammen (*fx a deck chair*); **4.** (*paraply*) slå ned; **5.** (*bogb. etc.*) false; **B.** (*uden objekt*) **1.** kunne foldes; **2.** kunne foldes sammen; **3.** (*om klapstol etc.*) slå/klappes sammen; **4.** (*i kortspil*) gå ud; **5.** (*T: om forestilling*) (måtte) lukke; (*om firma*) gå ned; gå fallit, gå konkurs, krakke;
□ *~ one's arms* lægge armene over kors; *~ one's hands* folde hænderne;
[*med præp.& adv.*] *~ one's arms* **about/around** *sby* slå armene om en; *~ paper around sth* pakke noget ind i papir; *~ away* kunne klappes sammen (og stuves væk); *~ down* a. se: *A 1;* b. (*kaleche etc.*) slå ned; *~ in* a. (*fx i et tæppe*) hylle/svøbe ind i (*fx ~ a baby in a blanket*); b. (*i madlavning*) røre/blande forsigtigt i; *he -ed her in his arms* han omfavnede hende; han trykkede hende til sit bryst; ~ *the sheet in half*

bukke arket en gang over; ~ *oneself in half* bukke sig helt sammen; ~ **into** (*i madlavning*) røre/blande forsigtigt i; ~ *up* **a.** se ovf.: *A 1, 2, 3,* **b.** (*om person: af latter, smerte*) bukke sig sammen; **c.** (*om person: mentalt*) bryde sammen; **d.** (*om foretagende*) (måtte) lukke (*fx the show -ed up after three nights*); ~ *sth up in paper* pakke noget ind (i papir).
foldaway ['fəuldəwei] *adj.* som kan klappes sammen og stuves væk; klap- (*fx bed; table*).
folder ['fəuldə] *sb.* **1.** (*til papirer*) mappe; chartek, omslag; **2.** (*am.: tryksag*) brochure, folder; **3.** (*bogb.*) falsejern; falsemaskine; **4.** (*it*) arkivmappe; folder.
folding ['fəuldiŋ] *adj.* sammenklappelig; klap- (*fx bicycle; table*); sammenfoldelig (*fx boat*).
folding bed *sb.* klapseng; feltseng.
folding chair *sb.* klapstol; feltstol.
folding cot *sb.* feltseng.
folding door *sb.* fløjdør, foldedør; foldeport.
folding machine *sb.* (*bogb.*) falsemaskine.
folding rule *sb.* (sammenfoldelig) tommestok.
fold-out[1] ['fəuldaut] *sb.* (*i bog el. blad*) foldeudside.
fold-out[2] ['fəuldaut] *adj.* (*om side i bog el. blad*) som kan foldes ud; foldeud-.
fold-up ['fəuldʌp] *adj.* sammenklappelig; klap- (*fx bicycle*).
fold-up bed *sb.* klapseng; feltseng.
foliage ['fəuliidʒ] *sb.* **1.** blade, løv; bladhang; **2.** (*ornament*) bladornamentik; løvværk.
foliated ['fəulieitid] *adj.* med bladornamentik.
foliation [fəuli'eiʃn] *sb.* (*geol.*) forskifring; foliation; skifret struktur.
folic ['fəulik] *adj.:* ~ *acid* (*kem.*) folinsyre.
folio ['fəuliəu] *sb.* **1.** (*format*) folio; **2.** (*bog*) foliant, bog i folioformat; folioudgave.
folk[1] [fəuk] *sb.* **1.** T folk; mennesker (*fx ordinary* ~; *old* ~);
2. (*mus.*) folkemusik (*fx jazz and* ~);
□ *-s* (*i tiltale*) folkens; venner; *sby's -s* (*især am.*) ens familie (*fx I'd like to meet your -s*); ens forældre.
folk[2] [fəuk] *adj.* folke- (*fx dance; etymology; hero; song; tale* eventyr).
folklore ['fəuklɔ:] *sb.* folklore, folkeminder.
folklorist ['fəuklɔ:rist] *sb.* folklorist, folkemindeforsker.

folkloristic [fəuklɔ:'ristik] *adj.* folkloristisk.
folksy ['fəuksi] *adj.* **1.** (*neds.*) (anstrengt//forlorent) folkelig; **2.** (*om person; især am.*) hyggelig.
follicle ['fɔlikl] *sb.* **1.** (*anat.*) follikel; (*især*) hårfollikel, hårsæk; **2.** (*bot.*) bælgkapsel.
follies ['fɔliz] *sb. pl.* (*glds.*) revy.
follow ['fɔləu] *vb.* **1.** (*om retning, rute, placering etc.*) følge (*fx she -ed his gaze;* ~ *the road for two kilometres; a list of books -s this chapter*); **2.** (*om tid*) følge, følge efter (*fx in the days that -ed; the events that -ed; the years that -ed the war*); **3.** (*person: i hælene på*) følge (*fx he -ed me everywhere*); gå efter (*fx he went back into the house and I -ed him*); følge efter (*fx I went first and the others -ed;* ~ *that car!*); **4.** (*i stilling etc.*) komme efter, efterfølge (*fx he will be difficult to* ~); **5.** (*besked, instruks etc.*) følge (*fx his advice; his orders; the map; his example; his wishes*); **6.** (*en lære*) bekende sig til; **7.** (*en fører*) adlyde; **8.** (*indholdet af noget, en talende*) forstå (*fx I* ~ *your argument; I don't* ~ *you*); (*indhold også*) følge med i (*fx he -ed the discussion closely*); **9.** (*et mål*) stræbe efter;
□ *and to* ~ og bagefter; *as -s* som følger (*fx his arguments are as -s*); *it -s that* heraf følger at;
[*med sb.*] ~ *the crowd/herd* gøre som alle de andre; ~ *the law//the medical profession//the sea* (*glds.*) være jurist//læge//sømand; ~ *a trade* være håndværker; (*se også hound*[1], *nose*[1], *suit*[1]);
[*med præp.& adv.*] ~ *sby* **about/around** følge en i hælene alle vegne; ~ *from* følge af; være en følge af; ~ *in ...* se *footstep;* ~ *on* følge efter; ~ *out* følge nøje (*fx the instructions*); gennemføre (*fx a plan*); ~ *through* a. (*tanke, idé*) forfølge, gå videre med; b. (*handling*) følge op på; c. (*plan etc.*) fuldføre, gennemføre (*fx an experiment*); d. (*uden objekt: i sport*) føre et slag til bunds; ~ *through with* = ~ *through a, b, c;* ~ *up* a. følge op (*fx the letter with a phone call*); gå videre med; b. følge op på (*fx the complaint*); c. forfølge (*fx the success; the victory*).
follower ['fɔləuə] *sb.* **1.** tilhænger; **2.** ledsager; (*se også camp follower*).
following[1] ['fɔləuiŋ] *sb.* følge; tilslutning; tilhængere; tilhænger-

F *following*

skare (*fx have a large ~*).
following[2] ['fɔləuiŋ] *adj.* følgende.
following[3] ['fɔləuiŋ] *præp.* efter.
following wind *sb.* medvind.
follow-my-leader [fɔləumai'li:də] *sb.* (*leg i hvilken de legende efterligner alle førerens bevægelser*) „Rolf og hans kæmper".
follow-on [fɔləu'ɔn] *sb.* fortsættelse, videreførelse.
follow-through [fɔləu'θru:] *sb.* **1.** videreførelse; gennemførelse, fuldførelse; **2.** (*i sport: af ketsjer etc.*) eftersving.
follow-up ['fɔləuʌp] *sb.* **1.** opfølgning, followup; **2.** (*med.*) efterundersøgelse.
follow-up advertising *sb.* påmindelsesreklame; follow-up reklame.
follow-up examination *sb.* efterundersøgelse.
folly ['fɔli] *sb.* (se også *follies*) **1.** dumhed, tåbelighed; F dårskab; **2.** dyrt og unyttigt foretagende [*el. bygning*]; **3.** (*hist.*) kunstig ruin//tempel.
foment [fə'ment] *vb.* ophidse til (*fx violence*); fremkalde (*fx racial tension*); anstifte.
fond [fɔnd] *adj.* **1.** kærlig, øm; **2.** (*neds.*) svag [*i sin kærlighed*]; eftergivende (*fx father*); **3.** (*om ønske, håb, tro*) (overdrevent) optimistisk, naiv;
□ *a ~ hope* et forfængeligt håb; *~ memories* glade/lykkelige minder (*fx of one's childhood*); *be ~ of* kunne lide, holde af, være glad for.
fondle ['fɔndl] *vb.* **1.** kæle for (*fx a kitten*); kærtegne; **2.** (*seksuelt*) kæle for, tage på (*fx her breasts*; *her*).
fondly ['fɔndli] *adv.* **1.** kærligt (*fx she looked ~ at her child*); ømt; **2.** tåbeligt, naivt (*fx he ~ imagined//believed that I would forget it*);
□ *remember it ~* huske det med glæde.
fondness ['fɔndnəs] *sb.* kærlighed, ømhed;
□ *~ for* **a.** (*person*) kærlighed til; **b.** (*ting*) forkærlighed for, svaghed for (*fx malt whisky*).
font [fɔnt] *sb.* **1.** (*typ.*) skrifttype, skriftsæt, font; **2.** (*rel.*) døbefont.
food [fu:d] *sb.* **1.** mad (*fx ~ and drink*; *baby ~*; *cat ~*); **2.** føde, næring (*fx plant ~*); **3.** madvarer, fødevarer (*fx buy ~*);
□ *-s a* slags mad; mad (*fx fatty -s*); **b.** madvarer, fødevarer (*fx frozen -s*); *~ for thought* stof til eftertanke; *be off one's ~* have mistet appetitten; *put him off his ~* få

ham til at miste appetitten; *tage appetitten fra ham*.
food chain *sb.* (*biol.*) fødekæde.
foodie ['fu:di] *sb.* T madinteresseret person, madkender; gastronom; gourmet.
food processor *sb.* food processor [*køkkenmaskine med mange funktioner: hakke, piske, blende etc*].
food stamp *sb.* (*am.*) fødevarekupon [*som tildeles trængende*].
foodstuffs ['fu:dstʌfs] *sb. pl.* fødevarer.
food supplement *sb.* kosttilskud.
food technologist *sb.* levnedsmiddeltekniker.
food technology *sb.* levnedsmiddelteknologi.
food value *sb.* næringsværdi.
fool[1] [fu:l] *sb.* **1.** fjols, tosse, tåbe, fæ, nar; **2.** (*hist.*, *fx ved hof*) nar; **3.** (*dessert, omtr.*) trifli (*fx gooseberry ~*);
□ *(the) more ~ you!* det var dumt af dig! *(the) more ~ you to buy it* hvor kunne du være så dum at købe den; *he is no/nobody's ~* han er ikke dum; ham kan man ikke løbe om hjørner med; *play the ~* spille klovn; *fool's errand//gold etc.* se: alfabetisk;
[*med vb.+ præp.*] *you'll be a ~ for your pains* du får ingenting ud af dine anstrengelser; *make a ~ of sby* gøre en til grin; holde en for nar; *make a ~ of oneself* gøre sig til grin.
fool[2] [fu:l] *adj.* (*især am.*) fjollet, tåbelig.
fool[3] [fu:l] *vb.* **1.** narre; **2.** pjatte, fjolle, lave sjov (*fx he is just -ing*);
□ *you could have -ed me!* det 'siger du ikke! [ɔ: *det tror jeg ikke på*];
[*med præp.& adv.*] *~ about/around* **a.** fjolle rundt; daske omkring; **b.** (*seksuelt*) have udenomsaffærer; *~ about/around with* **a.** se ndf.: *~ with*; **b.** (*person*) have en affære med; *~ sby into* + -ing narre en til at (*fx believing it*); *~ her out of her money* narre hendes penge fra hende; *~ with* lege med, fumle med (*fx stop -ing with that gun!*).
foolhardy ['fu:lha:di] *adj.* dumdristig.
foolish ['fu:liʃ] *adj.* fjollet, tåbelig;
□ *feel ~* føle sig til grin; *look ~* være til grin.
foolproof ['fu:lpru:f] *adj.* idiotsikker.
foolscap ['fu:lzkæp] *sb.* folioark.
fool's errand *sb.* spildt ulejlighed; håbløst foretagende;

□ *go//send sby on a ~* løbe//få en til at løbe med limstangen.
fool's gold *sb.* **1.** fattigmandsguld [ɔ: *svovlkis*]; **2.** (*fig.*) narreri, blændværk; håbløst foretagende, luftkastel.
fool's paradise *sb.*: *live in a ~* leve i en indbildt lykkeverden; leve i lykkelig uvidenhed; tro den hellige grav er velforvaret.
fool's parsley *sb.* (*bot.*) hundepersille.
foot[1] [fut] *sb.* (*pl. feet* [fi:t]) **1.** (*på ben*) fod; **2.** (*af ting: nederste del*) fod (*fx of a page; of a stocking; of the stairs; of the hill*); bund (*fx the ~ of the First Division*); **3.** (*af seng*) fodende; **4.** (*mar.: på sejl*) underlig; **5.** (*af symaskine*) trykfod; **6.** (*i poesi*) versefod; **7.** (*glds. mil.*) fodfolk (*fx a company of ~*); **8.** (*længdemål: 30,48 cm., omtr.*) fod (*fx five feet/foot fem fod*); **9.** (*pl. foots*) bundfald;
□ *my ~!* (*glds.* T) vrøvl! ikke tale om!
[*med vb.*] *drag one's feet* **a.** slæbe på fødderne; **b.** (*fig.*) være træg/modvillig; prøve at forhale sagen; *find one's feet* finde sig tilrette; finde sine ben; *get one's ~ in the door* (*fig.*) få foden indenfor; vinde indpas; *have a//one ~ in ...* se *camp*[1], *grave*[1]; *have both feet on the ground* se *ground*[1]; *put one's ~ down* **a.** slå i bordet; sætte en stopper for det; **b.** (*i bil*) træde på speederen/sømmet; *put one's best ~ forward* sætte det lange ben foran; *put one's ~ in it* T træde i spinaten; brænde sig; komme galt af sted; *put one's ~ in one's mouth* (*am.*) = *put one's ~ in it*; *put one's feet up* **a.** smække benene op; **b.** (*fig.*) slappe af; *he never puts a ~ wrong* han træder aldrig ved siden af [ɔ: *gør aldrig fejl*]; *I'll never set ~ in that house* jeg vil aldrig sætte mine ben i det hus;
[*med præp.*] *at the ~ of the hill//stairs* for/ved foden af bakken//trappen; *at the ~ of the page* nederst på siden; *at the ~ of the First Division* i bunden af første division;
in the ~ se *shoot*[2];
knock/throw sby off his feet slå benene væk under én; vælte én; (se også *rush*[2], *sweep*[2], *walk*[2]);
on ~ til fods; *be on ~* **a.** være i gang; **b.** være på benene; *be on one's feet* **a.** 'stå op; **b.** (*fig.*) være på benene igen; kunne klare sig; *fall/land on one's feet* slippe godt fra det; komme ned på benene;

get on one's feet komme på benene; get/set him on his feet hjælpe ham på benene; go on ~ rejse til fods; vandre; set/put on ~ sætte i gang; stand on one's own (two) feet stå på egne ben; **on the other** ~ se boot¹, shoe¹; get/start off **on the right** ~ komme rigtigt ind på det fra starten; catch sby **on the wrong** ~ overrumple en; komme bag på en; get/start off on the wrong ~ komme skævt ind på det fra starten;
get/rise **to** one's feet rejse sig; komme på benene; he helped her to her feet han hjalp hende på benene; she sprang/started to her feet hun for//sprang op; (se også struggle²);
get **under** sby's feet (fig.) komme i vejen for én; have them under one's feet (fig.) have dem rendende imellem/om benene på sig; wet under ~ vådt føre.
foot² [fut] vb. **1.** T betale, dække (fx the cost; the expenses); (se også bill¹); **2.** (strømpe) forfødde; **3.** (i regnskab) = ~ up;
□ ~ it a. gå; rejse til fods;
b. (glds.) danse; ~ up sammentælle (fx ~ up an account); ~ up to løbe op til; beløbe sig til.
footage ['futidʒ] sb. **1.** (film.) optaget film; optagelse; billeder; **2.** (om mål) længde//størrelse [målt i fod].
foot-and-mouth disease [futən-'mauθdizi:z] sb. mund- og klovesyge.
football ['futbɔ:l] sb. **1.** fodbold. **2.** (am.) = American football; **3.** (fig.) se political football.
footballer ['futbɔ:lə] sb. fodboldspiller.
football pools sb. pl. se pool¹.
footboard ['futbɔ:d] sb. **1.** (på seng) fodbræt; **2.** (på vogn) trinbræt.
footbridge ['futbridʒ] sb. gangbro.
footdragging ['futdrægiŋ] sb. nølen; forhaling.
footer ['futə] sb. **1.** (typ.) levende klummetitel forneden; bundtekst; **2.** (glds. T) fodbold.
footfall ['futfɔ:l] sb. (litt.) (lyden af) fodtrin.
foot fault sb. (i tennis) fodfejl.
footgear ['futgiə] sb. fodbeklædning.
foothills ['futhilz] sb. pl. udløbere [af bjerg].
foothold ['futhəuld] sb. fodfæste; □ get a ~ vinde fodfæste; (fig. også) få foden indenfor.
footing ['futiŋ] sb. **1.** fodfæste (fx lose one's ~); **2.** (fig.) basis, grundlag, fundament; **3.** (af mur

etc.) sokkel; murfod; fundament [fx for søjle];
□ gain a ~ vinde indpas; keep one's ~ holde sig på benene; [med: on] **on** a firm ~ på et fast grundlag; on an equal/the same ~ på lige fod; ligestillet; on a friendly ~ with på en venskabelig fod med; on a war ~ på krigsfod.
footlights ['futlaits] sb. pl. (teat.) rampelys; rampe.
footling ['fu:tliŋ] adj. ubetydelig, ringe; pjattet, fjollet.
footlocker ['futlɔkər] sb. (am.) lille kuffert [beregnet til at stå for enden af en seng].
footloose ['fu:tlu:s] adj. fri og uafhængig; løs og ledig;
□ ~ and fancy-free fri som fuglen.
footman ['futmən] sb. (pl. -men [-mən]) lakaj; herskabstjener.
footmark ['futma:k] sb. fodspor.
footnote ['futnəut] sb. fodnote.
footpad ['futpæd] sb. (glds.) landevejsrøver, stimand.
foot passenger sb. fodgænger; gående.
footpath ['futpa:θ] sb. (pl. -s [-pa:ðz]) gangsti.
footplate ['futpleit] sb. gulv i damplokomotiv.
footplate men sb. pl. lokomotivfolk.
footprint ['futprint] sb. **1.** fodspor; **2.** (merk.) bordareal [som en computer etc. fylder]; **3.** (om satellitsignal) dækningsområde, bestrålingsområde.
footrope ['futrəup] sb. (mar.) grundtov; underlig.
footsie ['futsi] sb.: play ~ with T a. lave pedalflirt med; **b.** (am.) spille under dække med.
footslog ['futslɔg] vb. traske, trave.
footslogger ['futslɔgə] sb. (mil. S) knoldesparker, fodtudse.
foot soldier sb. infanterist;
□ -s fodfolk.
footsore ['futsɔ:] adj. ømfodet;
□ be ~ have ømme fødder.
footstep ['futstep] sb. (lyd) fodtrin; □ follow in sby's -s gå i ens fodspor.
footstool ['futstu:l] sb. fodskammel.
footway ['futwei] sb. gangsti.
footwear ['futwɛə] sb. fodtøj.
footwork ['futwə:k] sb. **1.** (i boksning & = det at rende rundt) benarbejde, fodarbejde; **2.** (T: i en vanskelig situation) behændighed, snilde, dygtighed.
foozle ['fu:zl] vb. kludre med; forkludre; kikse.
fop [fɔp] sb. (glds.) laps.
for¹ [fə, (betonet) fɔ:] konj. F for;

thi.
for² [fə, (betonet) fɔ:] præp. **1.** for; **2.** (om modtager, mål, hensigt) til (fx a letter ~ you; a table ~ two; the plane ~ London; the reception was arranged (fastsat) ~ eight o'clock); **3.** (om noget man skal hente//have fat i//vil opnå) efter (fx run ~ help; telephone ~ a doctor); om (fx cry ~ help; apply ~ a post); **4.** (om beløb) på (fx a bill//cheque ~ £500); **5.** (om anvendelse) som (fx the box served ~ a table; it was meant ~ a joke); **6.** (om tidsrum) i (fx he stayed there ~ three years); **7.** (om vejstrækning) over en strækning af (fx there are curves ~ three miles); **8.** (om årsag) af (fx ~ fear//want of; ~ this reason; weep ~ joy); på grund af; **9.** (om modsætningsforhold) i forhold til, (i betragtning) af (fx clever ~ his age; a fine day ~ the time of year (også:) ... efter årstiden); trods (fx ~ all I do); (se også all², care², know²);
□ I am ~ doing it now jeg er stemt for at gøre det nu; if it had not been ~ him hvis det ikke havde været for ham; hvis han ikke havde været; he is ~ it (T: glds., spøg.) han hænger på den; that's children ~ you! sådan er børn! det er lige hvad man kunne vente af børn! there's gratitude ~ you! (ironisk) det kan man vel nok kalde taknemlighed!; (se også better¹, say², worse¹ (etc.));
[foran pron.+ inf.] ~ him to do that would be the correct thing det ville være rigtigt af ham at gøre det; he halted his carriage ~ me to jump in han standsede sin vogn så at jeg kunne springe ind; I have brought the books ~ you to read jeg har taget bøgerne med for at/så du kan læse dem; it is unnecessary ~ him to do it det er unødvendigt at han gør det; han behøver ikke at gøre det; it was too late ~ me to help det var for sent til at jeg kunne hjælpe; it's not ~ me to say det tilkommer det ikke mig at sige; that's ~ you to decide det skal 'du bestemme; det er 'din afgørelse; close//large enough ~ me to se enough³;
[+ -ing-form] an instrument ~ cutting et instrument til at skære med; she felt better ~ having done it hun følte sig bedre tilpas da//fordi hun havde gjort det; her eyes were the brighter ~ having wept hendes øjne var blevet endnu klarere fordi hun havde

F *f.o.r.*

grædt; *I am surprised at you* ~ *repeating it* jeg er forbavset over at du vil gentage det.

f.o.r. *fork. f. free on rail.*

forage[1] ['fɔridʒ] *sb.* foder.

forage[2] ['fɔridʒ] *vb.* søge efter// samle føde;

□ ~ *for* **a.** søge/lede efter; støve rundt efter; **b.** rode efter.

forage cap *sb.* (*mil.*) **1.** uniformskasket; **2.** (*hverdags-, for menig*) skråhue.

forage harvester *sb.* (*agr.*) grønthøster.

forasmuch as [fərəz'mʌtʃæz] *konj.* F eftersom.

foray ['fɔrei] *sb.* **1.** T udflugt (*into* til, *fx town*); togt, ekspedition; **2.** (*fig.: om ny beskæftigelse*) strejftog (*into* ind på//i, *fx a* ~ *into journalism//politics*); **3.** (*mil.*) plyndringstogt; overfald; indfald; strejftog.

forbade [fə'bæd, fə'beid] *præt. af* forbid.

forbear[1] [fɔ:'bɛə] *sb.* se forbears.

forbear[2] [fɔ:'bɛə] *vb.* (*forbore, forborne*): ~ *from* + *-ing,* ~ *to* F undlade at, afholde sig fra at, lade være med at.

forbearance [fɔ:'bɛərəns] *sb.* (*glds.,* F) tålmodighed, langmodighed; overbærenhed, mildhed;

□ ~ *from doing sth,* ~ *to do sth* undladelse af at gøre noget.

forbearing [fɔ:'bɛəriŋ] *adj.* tålmodig, langmodig; overbærende.

forbears ['fɔ:bɛəz] *sb. pl.* forfædre.

forbid [fə'bid] *vb.* (*forbade, forbidden*) **1.** (*om person*) forbyde (*fx he forbade their marriage//her to marry*); **2.** (*om forhold,* F) hindre, umuliggøre (*fx lack of space -s listing all the names*);

□ *God/heaven* ~! det forbyde Gud! gud fri mig vel! *he was -den to* han fik forbud mod at.

forbidden[1] [fə'bid(ə)n] *præt. ptc. af* forbid.

forbidden[2] [fə'bid(ə)n] *adj.* forbudt (*fx area; subject*);

□ ~ *ground/territory* forbudt område; tabu; ~ *fruit is sweet* forbuden frugt smager bedst.

forbidding [fə'bidiŋ] *adj.* frastødende; afskrækkende; uhyggelig.

forbore [fɔ:'bɔ:] *præt. af* forbear[2].

forborne [fɔ:'bɔ:n] *præt. ptc. af* forbear[2].

force[1] [fɔ:s] *sb.* **1.** kraft (*fx of a blow; of the wind; subversive -s*); styrke (*fx he argued with great* ~); **2.** (*for at tvinge en til noget*) magt (*fx we had to use* ~; *the* ~ *of public opinion*); tvang; (*se også* brute[2]); **3.** (*om politi, militær etc.*)

styrke (*fx our armed -s; the labour* ~); **4.** (*om person*) kraft; magtfaktor; **5.** (+ *talord: om vind*) vindstyrke (*fx* ~ *10 winds*); **6.** (*i kortspil*) kravmelding;

□ *he is a* ~ *for good* han virker for det godes sag; (*se også* spent[2]); [*med: the*] **the** ~ T politiet; *the* ~ *of habit* vanens magt; *have the* ~ *of* have samme gyldighed som (*fx such a promise has the* ~ *of a contract*);

[*med pl.*] *the* **-s** de væbnede styrker; forsvaret (*fx serve in the -s*); *balance of* -*s* magtbalance; *the -s of nature* naturkræfterne; *the -s of good and evil* de gode og onde kræfter; *join -s with* gøre fælles sag med; slå sig sammen med; [*med præp.*] **by** ~ med magt; *by* ~ *of* i kraft af; ved brug/hjælp af; *by* ~ *of arms* med våbenmagt; *in* ~ **a.** i stort tal; **b.** med store styrker (*fx the enemy attacked in* ~); **c.** i kraft (*fx the regulations which are in* ~); *now in* ~ (*også*) nugældende; *come/turn out in* ~ møde talstærkt op; *come in full* ~ møde fuldtalligt op; *come* **into** ~ træde i kraft; *put into* ~ sætte i kraft.

force[2] [fɔ:s] *vb.* (*se også* forced) **1.** (*person: til at gøre noget*) tvinge (*fx* ~ *him//oneself to do it*); drive; presse; **2.** (*ved at udøve fysisk pres*) tvinge (*fx his head under the water*); presse, trykke (*fx the water out*); drive, trænge (*fx sby into a corner*); **3.** (*på trods af modstand*) tiltvinge sig (*fx an entry/entrance into* adgang til); fremtvinge (*fx a confession; a smile*); **4.** (*dør, lås etc.*) åbne med magt; sprænge (*fx a lock* en lås; *a door*); bryde op (*fx a door, a safe* et pengeskab); **5.** (*hindring, spærring: komme over//igennem*) forcere (*fx a mountain pass*); **6.** (*stemme*) presse, forcere (*fx one's voice*); **7.** (*mil.*) indtage (med storm); tage (*fx a castle*); **8.** (*kvinde*) voldtage; **9.** (*i havebrug: frugter, blomster*) drive, fremdrive; **10.** (*i kortspil*) kravmelde;

□ [*med præp.*] ~ **back** holde tilbage (*fx the tears*); undertrykke (*fx a desire*); ~ *sth* **from** sby fravriste en noget, vriste noget fra en (*fx they tried to* ~ *the knife from him*); ~ **on** påtvinge (*fx the war had been -ed upon them*); pånøde; ~ *oneself on sby* **a.** påtvinge/pånøde en sit selskab; **b.** (*kvinde også*) voldtage; ~ **out** *the words* tvinge ordene frem; ~ *upon* = ~ *on*; (*se også* hand[1], is-

sue[1]).

forced [fɔ:st] *adj.* **1.** forceret, anstrengt, unaturlig (*fx smile; laughter; it looked//sounded* ~); **2.** tvunget, tvangs- (*fx labour; marriage*).

forced draught *sb.* kunstig træk.

forced landing *sb.* nødlanding.

forcedly ['fɔ:sidli] *adv.* tvungent.

forced march *sb.* ilmarch.

forced sale *sb.* tvangssalg; tvangsauktion.

force-feed ['fɔ:sfi:d] *vb.* tvangsfodre;

□ ~ *sby sth* (*fig.*) tvangsfodre en med noget (*fx the teachers force-fed them Marxism*).

forceful ['fɔ:sf(u)l] *adj.* **1.** (*om person*) kraftig, energisk; stærk (*fx personality*); **2.** (*om andet*) kraftig (*fx attack; reminder*); virkningsfuld, overbevisende (*fx argument*).

forcemeat ['fɔ:smi:t] *sb.* fars.

forceps ['fɔ:seps] *sb.* **1.** (*i kirurgi*) forceps, tang; fødselstang; **2.** (*zo.:* ørentvists) tang;

□ *delivery by* ~ tangforløsning.

force pump *sb.* trykpumpe.

forcible ['fɔ:səbl] *adj.* **1.** gennemtvunget med magt; voldelig; tvangs- (*fx feeding; measure* foranstaltning); **2.** (*fig.*) kraftig (*fx appeal; reminder*); virkningsfuld, overbevisende (*fx argument*).

forcibly ['fɔ:səbli] *adv.* med magt;

□ *be* ~ *fed* blive tvangsfodret.

forcing bid *sb.* (*i bridge*) kravmelding.

forcing house *sb.* drivhus.

ford[1] [fɔ:d] *sb.* vadested.

ford[2] [fɔ:d] *vb.* vade over.

fordable ['fɔ:dəbl] *adj.* som man kan vade over.

fore [fɔ:] *adj.* forrest;

□ *to the* ~ **a.** forud; **b.** i forgrunden; *come to the* ~ **a.** vise sig; træde i forgrunden; **b.** blive berømt.

fore and aft [fɔ:rən'a:ft] *adv.* (*mar.*) forude og agterude; fra for til agter; langskibs.

forearm ['fɔ:ra:m] *sb.* underarm.

forearmed [fɔ:r'a:md] *adj.* se forewarn.

forebears *sb. pl.* = forbears.

foreboding[1] [fɔ:'bəudiŋ] *sb.* forudanelse [*af noget ondt*];

□ -*s* bange anelser.

foreboding[2] [fɔ:'bəudiŋ] *adj.* ildevarslende, uhyggelig.

forecast[1] ['fɔ:ka:st] *sb.* forudsigelse, prognose; (*se også* weather forecast).

forecast[2] [fɔ:'ka:st] *vb.* (*forecast/-ed, forecast/-ed*) forudbe-

regne, forudsige; forudse;
□ *bad weather//snow has been ~*
der er udsigt til dårligt vejr//sne.

forecaster ['fɔːkaːstə] *sb.* **1.** en der
laver prognoser; (*omtr.*) ekspert
(*fx economic -s*); **2.** se *weather
forecaster.*

forecastle ['fəuksl] *sb.* (*mar.*) bak,
folkelukaf.

foreclose [fɔːˈkləuz] *vb.* **1.** ude-
lukke; **2.** (*jur.:* om *ufyldestgjort
panthaver*) overtage pant til eje.

foreclosure [fɔːˈkləuʒə] *sb.* **1.** ude-
lukkelse; **2.** (*jur.*) overtagelse af
pant til eje.

forecourt ['fɔːkɔːt] *sb.* **1.** forgård;
forplads; **2.** (*af tankstation*) for-
plads, serviceareal.

foredoomed [fɔːˈduːmd] *adj.* døds-
dømt på forhånd;
□ *~ to failure* på forhånd dømt til
at mislykkes.

fore edge *sb.* (*på bog*) forsnit.

forefathers ['fɔːfaːðəz] *sb. pl.* (*litt.*)
forfædre.

forefinger ['fɔːfiŋgə] *sb.* pegefinger.

forefoot ['fɔːfut] *sb.* (*pl. -feet* [-fiːt])
forfod.

forefront ['fɔːfrʌnt] *sb.* forgrund; al-
lerforreste linje;
□ *at the ~ of* i allerforreste linje
af; længst fremme i (*fx develop-
ments*); *at/in the ~ of the battle*
forrest i kampen; *it was at the ~
of my mind* det optog mig meget;
det lå mig stærkt på sinde.

foregather *vb.* = *forgather.*

forego *vb.* = *forgo.*

foregoing [fɔːˈgəuiŋ] *adj.* føromtalt;
forudgående.

foregone [fɔːˈgɒn] *adj.:* *it was a ~
conclusion* det var afgjort på for-
hånd; det var en given sag; det
kunne man have sagt sig selv.

foreground¹ ['fɔːgraund] *sb.* for-
grund.

foreground² ['fɔːgraund] *vb.* sætte i
forgrunden; fremhæve, betone.

forehand ['fɔːhænd] *sb.* **1.** (*i tennis
etc.*) forhånd; forhåndsslag; **2.** for-
part, forkrop.

forehead ['fɒrəd, 'fɔrəd, 'fɔːhed] *sb.*
pande.

foreign ['fɒrin] *adj.* **1.** fremmed (*fx
country; language*); udenlandsk;
udenlands-, udlands- (*fx corres-
pondent; travel*); **2.** (*i politik*)
udenrigs- (*fx policy; trade*); **3.** (F:
om *genstand, stof*) udefrakom-
mende;
□ *~ to* F a. fremmed//ukendt for
(*fx the whole concept is ~ to
them*); **b.** uvedkommende (*fx the
question is ~ to the matter in
hand* spørgsmålet er den forelig-
gende sag uvedkommende).

foreign affairs *sb. pl.* udenrigsan-
liggender.

foreign body *sb.* fremmedlegeme.

foreigner ['fɒrinə] *sb.* fremmed, ud-
lænding.

foreign exchange *sb.* (fremmed) va-
luta.

Foreign Missions *sb. pl.* ydre mis-
sion, udlandsmission.

Foreign Office *sb.* udenrigsministe-
riet [*i England*].

Foreign Secretary *sb.* udenrigsmi-
nister.

foreknowledge [fɔːˈnɒlidʒ] *sb.* for-
udviden.

foreleg ['fɔːleg] *sb.* forben.

forelock ['fɔːlɒk] *sb.* pandelok;
□ *take time by the ~* benytte ti-
den; gribe lejligheden; *tug/touch
one's ~ to sby* **a.** (*glds.*) [*løfte
hånden op til panden som tegn
på respekt for en person der står
over én socialt*]; **b.** (*fig.*) vise én
overdreven ærbødighed; ligge un-
der for én.

foreman ['fɔːmən] *sb.* (*pl. -men*
[-mən]) **1.** (*på fabrik etc.*) for-
mand; værkfører; **2.** (*for næv-
ninge*) ordfører.

foremast ['fɔːmaːst] *sb.* (*mar.*) fok-
kemast.

foremost ['fɔːməust] *adj.* mest
fremtrædende, førende, fremmest
(*fx one of the ~ scientists in this
field*);
□ *~ of/among these* forrest blandt
dem; i spidsen for dem; (se også
first³).

forename ['fɔːneim] *sb.* F fornavn.

forenoon ['fɔːnuːn] *sb.* (*glds.*) for-
middag.

forensic [fəˈrensik] *adj.* **1.** (*mht. op-
klaring af forbrydelser*) kriminal-
teknisk (*fx laboratory*); teknisk (*fx
evidence*); retsmedicinsk (*fx exa-
mination*); rets- (*fx biology; medi-
cine*); **2.** (*mht. retsvæsen*) juridisk;
retsvidenskabelig.

forensic expert *sb.* kriminaltekni-
ker.

forensics [fəˈrensiks] *sb.* **1.** krimi-
nalteknik; **2.** kriminalteknisk la-
boratorium.

foreordain [fɔːrɔːˈdein] *vb.* F be-
stemme forud.

foreplay ['fɔːplei] *sb.* forspil.

forerunner ['fɔːrʌnə] *sb.* forløber
(*of* for);
□ *-s of spring* forårsbebudere.

foresail ['fɔːseil, 'fɔːsl] *sb.* (*mar.*)
forsejl.

foresee [fɔːˈsiː] *vb.* (*foresaw, fore-
seen*) forudse.

foreseeable [fɔːˈsiːəbl] *adj.* til at for-
udse;
□ *for the ~ future* foreløbig; længe

endnu; *in the ~ future* inden for
en overskuelig fremtid; i den nær-
meste fremtid.

foreshadow [fɔːˈʃædəu] *vb.* forud
antyde; bebude, varsle.

foreshore ['fɔːʃɔː] *sb.* forstrand.

foreshorten [fɔːˈʃɔːt(ə)n] *vb.* for-
korte (perspektivisk).

foresight ['fɔːsait] *sb.* **1.** forudseen-
hed, fremsynethed; forsigtighed;
2. (*mil.*) sigtekorn; (*fagligt*) forre-
ste sigtemiddel;
□ *have the ~ to* være så forudse-
ende at man.

foreskin ['fɔːskin] *sb.* (*anat.*) for-
hud.

forest¹ ['fɒrəst] *sb.* skov.

forest² ['fɒrəst] *adj.* forst- (*fx as-
sistant; botany*); skov- (*fx district;
fire; tree*).

forestal ['fɒrəst(ə)l] *adj.* forstlig.

forestall [fɔːˈstɔːl] *vb.* **1.** komme i
forkøbet (*fx ~ a competitor*);
2. (*glds.*) optage i forvejen; op-
købe forud; drive forprang.

forestay ['fɔːstei] *sb.* (*mar.*) stænge-
stag; fokkestag.

forested ['fɒrəstid] *adj.* skovklædt.

forester ['fɒrəstə] *sb.* **1.** forstmand;
skovbruger; **2.** skovarbejder, skov-
tekniker; **3.** (*austr.; zo.*) kæmpe-
kænguru.

forestry ['fɒrəstri] *sb.* forstvæsen;
skovbrug, skovdrift;
□ *master of ~* forstkandidat.

foretaste ['fɔːteist] *sb.* forsmag (*of*
på).

foretell [fɔːˈtel] *vb.* forudsige.

forethought ['fɔːθɔːt] *sb.* omtanke,
betænksomhed; forudseenhed.

foretop ['fɔːtɒp] *sb.* (*mar.*) fore-
mærs.

forever [fəˈrevə] *adv.* **1.** for altid,
for stedse, for evig; **2.** (T: om *gen-
tagelse*) ustandselig, hele tiden,
evig og altid (*fx he is ~ making
comments on my dress*); **3.** (T: om
varighed) en evighed (*fx it will
take//last ~*).

forewarn [fɔːˈwɔːn] *vb.* advare;
meddele på forhånd; forberede
(*about/of* på; *that* på at);
□ *-ed is forearmed* (*omtr.*) når man
blot ved besked kan man tage sine
forholdsregler; (*kan undertiden
gengives*) så ved man hvad man
har at rette sig efter.

foreword ['fɔːwəːd] *sb.* forord
[*især: skrevet af en anden end bo-
gens forfatter*].

foreyard ['fɔːjaːd] *sb.* (*mar.*) fok-
kerå.

forfeit¹ ['fɔːfit] *sb.* **1.** genstand der
er forbrudt; **2.** (*der betales som
straf*) bøde, bod; **3.** (*i panteleg*)
pant;

F forfeit

□ -s (også) panteleg; game of -s panteleg; pay the ~ **a.** betale bøden; **b.** give pant; pay the ~ with one's life bøde for det med livet.

forfeit² ['fɔːfit] adj. F mistet, forspildt; forbrudt (fx his life shall be ~).

forfeit³ ['fɔːfit] vb. **1.** (som straf) fortabe, miste (retten til); forspilde, sætte overstyr; **2.** (frivilligt) give afkald på; afstå fra.

forfeiture ['fɔːfitʃə] sb. **1.** fortabelse; **2.** konfiskation; **3.** bøde.

forgather [fɔː'gæðə] vb. F mødes, komme sammen.

forgave [fə'geiv] præt. af forgive.

forge¹ [fɔːdʒ] sb. **1.** esse; **2.** smedje, smedeværksted.

forge² [fɔːdʒ] vb. **1.** (forbindelse etc.) skabe (fx an alliance; a link with them); **2.** (dokument etc.) eftergøre; forfalske (fx a passport; sby's signature); **3.** (jf. forge¹) smede; udhamre;
□ ~ ahead a. arbejde sig hastigt fremad; gøre store fremskridt (with med); **b.** (i kapløb) styrte frem; tage føringen; ~ ahead of komme et godt stykke foran (fx one's rivals).

forger ['fɔːdʒə] sb. falskner, forfalsker.

forgery ['fɔːdʒəri] sb. **1.** forfalskning, falsum, falskneri; **2.** (handling) falskneri; (jur.) dokumentfalsk.

forget [fə'get] vb. (forgot, forgotten; (am.) forgot, forgot) **1.** glemme; **2.** ikke kunne komme i tanker om, ikke kunne komme på; ikke huske, have glemt (fx I ~ his name); □ not -ting ikke at forglemme; ~ **about a.** glemme (fx things I had long -ten about); **b.** ikke tænke på (fx ~ about all this!); ~ it! lad det være glemt!, tænk ikke mere på det! T skidt med det! (ofte =) à jeg be'r'! ~ **oneself** forløbe sig, forglemme sig, tabe fatningen.

forgetful [fə'getf(u)l] adj. glemsom; □ be ~ of glemme; ikke tænke på, ikke huske.

forget-me-not [fə'getminɔt] sb. (bot.) forglemmigej.

forgettable [fə'getəbl] adj. som ikke er værd at huske; uvæsentlig, ligegyldig.

forgivable [fə'givəbl] adj. tilgivelig.

forgive [fə'giv] vb. (forgave, forgiven) **1.** tilgive; F forlade; **2.** (gæld el. straf) eftergive; □ ~ sby for sth tilgive en noget; you could/may be -n for thinking that ... det ville ikke være så mærkeligt hvis man troede at ...; ~

me! (F: ved modsigelse) undskyld (mig)! (fx ~ me, but didn't you just say that you know him?); ~ my ignorance! F undskyld min uvidenhed.

forgiven [fə'giv(ə)n] præt. ptc. af forgive.

forgiveness [fə'givnəs] sb. (jf. forgive) **1.** tilgivelse; **2.** eftergivelse; **3.** villighed til at tilgive; barmhjertighed.

forgiving [fə'giviŋ] adj. tilgivende; forsonlig (fx mood); barmhjertig.

forgo [fɔː'gəu] vb. (forwent, forgone) (F el. spøg.) **1.** undvære; give afkald på; **2.** afholde sig fra.

forgot [fə'gɔt] præt. af forget; (am. også) præt. ptc. af forget.

forgotten [fə'gɔt(ə)n] præt. ptc. af forget.

fork¹ [fɔːk] sb. **1.** gaffel; **2.** (agr.; haveredskab) greb; (togrenet) fork, høtyv; **3.** (om vej: sted hvor den deler sig) vejgaffel, skillevej; (enkelt del) gren; **4.** (om flod) [sted hvor flod deler sig]; (enkelt del) gren, arm; **5.** (af gren) kløft, tvege; (se også front forks, pitchfork¹).

fork² [fɔːk] vb. **1.** (om vej etc.) dele sig; **2.** (med greb) grave (fx the soil); sprede (fx fertilizer); løsse; **3.** (med fork) forke; stikke op; **4.** (med gaffel) tage; (mønster i kage) ridse;
□ ~ right//left tage vejen/dreje af til højre//venstre;
[med adv.] ~ **out** T **a.** (penge) punge ud med, ryste op med, slippe; **b.** (uden objekt) punge ud; betale regningen; ~ out for ryste op med penge til; ~ **over a.** (jord etc.) vende med en greb//fork; **b.** (am.: penge) = ~ out a.

forked [fɔːkt] adj. kløftet (fx tail; tongue); forgrenet; gaffelformet; □ ~ lightning siksaklyn; speak with a ~ tongue (fig.) tale med to tunger.

forklift ['fɔːklift] sb., **forklift truck** sb. gaffeltruck.

forlorn [fə'lɔːn] adj. **1.** (om person) ene og forladt; hjælpeløs; ynkelig; fortvivlet; **2.** (om sted) øde og forladt, mennesketom; **3.** (om handling) håbløs, fortvivlet (fx attempt; effort);
□ ~ hope håbløst foretagende.

form¹ [fɔːm] sb. **1.** form; **2.** (person) skikkelse (fx dim -s passing in the mist); **3.** (som skal udfyldes) formular, blanket, skema; **4.** (fast udtryk) formel; formular; **5.** (i skole) klasse; **6.** (til at sidde på) bænk [uden ryg]; **7.** (hares) leje; **8.** (i sport) form;
□ agree on a ~ of words enes om

en formulering; a mere ~ of words kun en talemåde; (se også bad form);
[med vb.] **have** (got) ~ S være tidligere straffet; I don't **know** the ~ jeg kender ikke formaliteterne; jeg ved ikke hvordan man skal forholde sig/hvad man gør; **take** ~ antage form; take the ~ of **a.** bestå af/i; **b.** give sig udtryk i; [med præp.] **in** due ~ **a.** på behørig vis; **b.** i tilbørlig form; in good ~ **a.** (i sport) i god form; **b.** (fig.) veloplagt; in the ~ of i form af; at the top **of** one's ~ i fineste form; i topform; a matter of ~ en formssag; as a matter of ~ rent formelt; proforma; **off** ~ ikke i form; **on** ~ i form; on present ~ sådan som det nu tegner sig; true **to** ~ se true².

form² [fɔːm] vb. **A.** (med objekt) **1.** danne (fx the next government; a sentence; the plural//the past tense; the boundary; the basis of sth; se også friendship); **2.** (organisation etc.) danne (fx an alliance); oprette, etablere (fx a company); **3.** (om dele af helhed) danne, udgøre (fx the colleges which ~ the university); **4.** (masse) forme (fx the dough into (til) balls); **5.** (persons karakter) danne, forme, præge; **6.** (plan, tanke) udvikle, udkaste (fx a plan); **7.** (anskuelse etc.) danne sig (fx an opinion; an impression; a clear picture of it; an idea of it et begreb om det); **8.** (mil.) formere, opstille;
B. (uden objekt) **1.** dannes, danne sig (fx a crowd//a thick mist began to ~); **2.** forme sig (fx a plan began to ~ in his mind); (an)tage form; **3.** (mil. etc.) formere sig (fx the procession -ed); stille (sig) op (fx the children -ed into (i) a circle);
□ ~ up se ovf.: A 7; B 3.

formal [fɔːm(ə)l] adj. **1.** formel, officiel (fx announcement; complaint; dinner party); **2.** (om person) formel, stiv, afmålt; **3.** (om stil, udtryksmåde) formel, højtidelig; **4.** (om påklædning) formel, selskabs-; **5.** (om uddannelse) formaliseret; **6.** (mods. reel) ydre (fx a ~ resemblance); tilsyneladende; □ a ~ call en formel visit; en høflighedsvisit; a ~ garden en have i fransk stil.

formaldehyde [fɔː'mældihaid] sb. (kem.) formaldehyd.

formalism ['fɔːməlizm] sb. formalisme.

formalist ['fɔːməlist] sb. formalist.

formality [fɔ:'mæliti] *sb.* **1.** formalitet; formel korrekthed; **2.** (*om person*) højtidelighed, stivhed; □ *formalities* formaliteter; *it is a* ~ det er en formalitet, det er en formssag.

formalize ['fɔ:məlaiz] *vb.* formalisere.

format[1] ['fɔ:mæt] *sb.* **1.** (*om bog: størrelse*) format (*fx available in quarto and octavo -s*); (*generelt*) udstyr (*fx reissue a book in paperback* ~); form; **2.** (*af side*) layout (*fx use a three-column* ~ *for the dictionary*); **3.** (*mus.; it*) format; **4.** (*fig.*) ramme; plan; udformning (*fx the* ~ *of the meetings*).

format[2] ['fɔ:mæt] *vb.* (*it*) formatere.

formation [fɔ:'meiʃn] *sb.* **1.** dannelse (*fx of a new government; of ice; of his character*); **2.** (*om klipper, skyer*) formation; **3.** (*mil.*) formering, opstilling [*af enhed*]; etablering; (*ved march*) marchorden; □ *in* ~ i formation.

formative ['fɔ:mətiv] *adj.* formativ; formende, dannende.

forme [fɔ:m] *sb.* (*typ.*) (tryk)form.

form entry *sb.*: one//two//three etc. ~ (*om skole*) en//to//tre- etc. sporet.

former ['fɔ:mə] *adj.* **1.** tidligere, forhenværende (*fx her* ~ *husband*); **2.** (*om tid*) tidligere (*fx in* ~ *times*); F fordums (*fx in* ~ *days*); □ *the* ~ (den) førstnævnte; den første; *he looks more like his* ~ *self* han er begyndt at ligne sig selv igen.

formerly ['fɔ:məli] *adv.* tidligere; F forhen, fordum.

formic ['fɔ:mik] *adj.*: ~ *acid* myresyre.

formication [fɔ:mi'keiʃn] *sb.* myrekryb(en) [*i huden*].

formidable ['fɔ:midəbl, fə'midəbl] *adj.* formidabel, vældig, drabelig; frygtindgydende.

formless ['fɔ:mləs] *adj.* formløs; uformelig.

formula ['fɔ:mjulə] *sb.* (*pl. -s/-e* [-li:]) **1.** (*på blanding*) opskrift; **2.** (*til baby*) modermælkserstatning; **3.** (*fig.*) opskrift, recept (*for på, fx success*); **4.** (*til løsning af problem*) plan (*for + -ing* til at, *fx settling the strike*); program; formel; **5.** (*ordlyd*) formel; formular; **6.** (*om racerbil*) formel; **7.** (*mat., kem. etc.*) formel.

formulaic [fɔ:mju'leiik] *adj.* F formelagtig; klichépræget.

formulate ['fɔ:mjuleit] *vb.* formulere; udforme.

formulation [fɔ:mju'leiʃn] *sb.* **1.** (jf.

formulate) formulering; udformning; **2.** (jf. *formula 1*) blanding [*lavet efter en bestemt opskrift*]; (*medicin*) mikstur.

formwork ['fɔ:mwə:k] *sb.* forskalling [*ved betonstøbning*].

fornicate ['fɔ:nikeit] *vb.* hore; bedrive utugt/hor.

fornication [fɔ:ni'keiʃn] *sb.* hor; utugt, usædelighed.

fornicator ['fɔ:nikeitə] *sb.* horkarl.

forsake [fə'seik] *vb.* (*forsook, -n*) (*litt.*) **1.** svigte; forlade (*fx one's wife and children*); **2.** opgive (*fx one's bad habits*).

forsaken[1] [fə'seik(ə)n] *præt. ptc. af forsake.*

forsaken[2] [fə'seik(ə)n] *adj.* forladt; ensom.

forsook [fə'suk] *præt. af forsake.*

forsooth [fə'su:θ] *adv.* (*glds. el. spøg.*) i sandhed, sandelig, tilvisse.

forswear [fɔ:'swɛə] *vb.* (*forswore, forsworn*) (*glds. el. spøg.*) afsværge (*fx smoking*); □ ~ *oneself* sværge falsk.

forswore [fɔ:'swɔ:] *præt. af forswear.*

forsworn [fɔ:'swɔ:n] *præt. ptc. af forswear.*

forsythia [fɔ:'saiθiə, (*am.*) fər'siθiə] *sb.* (*bot.*) forsytia.

fort [fɔ:t] *sb.* **1.** fort; fæstning; **2.** (*hist.*) befæstet handelsstation; □ *hold the* ~ (*fig.*) holde stillingen; passe butikken.

forte[1] ['fɔ:tei, 'fɔ:ti, fɔ:t] *sb.* styrke, stærk side, force (*fx that is not his* ~).

forte[2] ['fɔ:ti] *adv.* (*mus.*) forte.

forth [fɔ:θ] *adv.* frem; fremad; videre; ud; □ *from this//that time* ~ fra nu//da af; *and so* ~ og så videre; (se også *back*[4], *bring*, *give*[2], *go*[3], *put*, *set*[3] (*etc.*).

forthcoming [fɔ:θ'kʌmiŋ] *adj.* **1.** kommende, forestående; **2.** (*om person*) imødekommende, forekommende; □ *be* ~ (*om ting*) komme, foreligge (*fx will the money be* ~?); *the money was not* ~ pengene viste sig/kom ikke; der kom ikke nogen penge.

forthright ['fɔ:θrait] *adj.* ligefrem, direkte; oprigtig.

forthwith [fɔ:θ'wiθ, -'wið] *adv.* F straks, uopholdelig, omgående.

fortieth[1] ['fɔ:tiəθ] *sb.* fyrretyvendedel.

fortieth[2] ['fɔ:tiəθ] *adj.* fyrretyvende.

fortification [fɔ:tifi'keiʃn] *sb.* **1.** befæstning, fæstningsværk, fæstningsanlæg; **2.** (*handling*) befæst-

ning; styrkelse; **3.** (*af fødevarer*) berigning; tilsætning af vitaminer//mineraler; **4.** (*af vin*) forskæring.

fortified ['fɔ:tifaid] *adj.* (jf. *fortify*) **1.** befæstet; **2.** styrket; **3.** beriget.

fortified wine *sb.* hedvin.

fortify ['fɔ:tifai] *vb.* **1.** (*sted*) befæste; **2.** (*person*) styrke (*for* til; *with* med, *fx* ~ *oneself for the journey with a drink*); stive af; **3.** (*magt etc.*) styrke; **4.** (*fødevarer*) berige; tilsætte vitaminer//mineraler; **5.** (*vin*) forskære.

fortitude ['fɔ:titju:d] *sb.* F mod; sjælsstyrke; □ *with* ~ med fatning.

Fort Knox *sb.* (*am.*) [*stærkt sikret militærbase som rummer USA's guldreserver*].

fortnight ['fɔ:tnait] *sb.* fjorten dage; to uger; □ *every* ~ hver fjortende dag; *this* ~ de sidste fjorten dage/to uger; *this day* ~ **a.** i dag fjorten dage, i dag om to uger; **b.** i dag for fjorten dage/to uger siden.

fortnightly[1] ['fɔ:tnaitli] *adj.* som finder sted//udkommer hver fjortende dag/med to ugers mellemrum/to gange om måneden.

fortnightly[2] ['fɔ:tnaitli] *adv.* hver fjortende dag; med to ugers mellemrum; to gange om måneden.

fortress ['fɔ:trəs] *sb.* fæstning.

fortuitous [fɔ:'tju:itəs] *adj.* **1.** F tilfældig; **2.** T heldig; fordelagtig.

fortuity [fɔ:'tju:iti] *sb.* F tilfældighed.

fortunate ['fɔ:tʃ(ə)nət] *adj.* heldig (*in* med).

fortunately ['fɔ:tʃ(ə)nətli] *adv.* heldigvis, lykkeligvis.

fortune ['fɔ:tʃ(ə)n] *sb.* **1.** (*penge*) formue (*fx he inherited his father's* ~; *he spent a small* ~ *on it*); **2.** (*som sker for en*) held (*fx he had the (good)* ~ *to meet the great man*); lykke; **3.** (*som bestemmer*) skæbnen (*fx struggle against* ~); □ *-s* skæbne (*fx a change in his -s*); *the -s of war* krigslykken; [*med adj.*] *bad* ~ modgang; ulykke; *good* ~ held; lykke; (se også *small*[2]); [*med vb.*] *make a* ~ blive rig; tjene en formue; *seek one's* ~ søge lykken; ~ *smiled on him* lykken tilsmilede ham; *read/tell sby's* ~ spå en; *tell -s* spå; (se også *marry*); [*med præp.*] *it was more by* ~ *than by design* det var snarere lykken end forstanden; *by good* ~ til alt held; *a man of* ~ en formuende mand.

fortune cookie *sb.* (*am.*) lykkekage.

fortune hunter *sb.* lykkejæger [*som søger at blive rigt gift*].

fortune teller *sb.* spåmand//spåkone.

forty ['fɔ:ti] *talord* fyrre, fyrretyve; firti;

□ *in the forties* i fyrrerne; (se også *roaring*).

forty-niner [fɔ:ti'nainə] *sb.* (*am.*) [*guldgraver som var med i Californien i 1849*].

forty winks *sb. pl.*: *have/take* ~ tage sig en på øjet, tage sig en lille lur.

forum ['fɔ:rəm] *sb.* forum.

forward[1] ['fɔ:wəd] *sb.* (*i boldspil*) forward; angrebsspiller;

□ *-s* angrebskæde.

forward[2] ['fɔ:wəd] *adj.* **1.** (*om retning*) fremadgående (*fx movement*); fremad (*fx a* ~ *leap* et spring fremad); **2.** (*om placering*) forrest (*fx part of a train*; *seats*); for- (*fx deck*; *hatch*); **3.** (*om person: neds.*) direkte; fræk, pågående; **4.** (*om barn*) fremmelig; **5.** (*om plante*) tidlig; **6.** (*merk.*) termins- (*fx buying*; *deal*; *order*); til senere levering; **7.** (*mil.*) fremskudt (*fx area*; *command post*; *defence*); forrest (*fx combat zone*).

forward[3] ['fɔ:wəd] *vb.* **1.** (*varer*) sende, forsende, fremsende; **2.** (*brev etc. til anden adresse*) eftersende, videresende; **3.** (*fx en sag, et foretagende*) fremme, befordre; begunstige, opmuntre; □ *to be -ed, please* ~ (*på brev etc.*) bedes eftersendt.

forward[4] ['fɔ:wəd] *adv.* **1.** (*om retning*) frem (*fx there is no way* ~); fremad (*fx move* ~); forlæns (*fx backwards and* ~); **2.** (*om hældning*) forover (*fx lean* ~); **3.** (*om rækkefølge*) forfra (*fx the word is the same backwards and* ~); **4.** (*om placering*) fremme (*fx we don't want the seats too far* ~); forude; **5.** (*mar.*) forud//forude [*i skibet*]; □ *from this time* ~ fra nu af; fremover; (se også *bring, carry, come*[1], *look*[2], *move*[2] (*etc.*)).

forwarder[1] ['fɔ:wədə] *sb.* speditør.

forwarder[2] ['fɔ:wədə] *adv.* (jf. *forward*[3]) længere, videre (*fx I can't get any* ~).

forwarding address *sb.* eftersendelsesadresse.

forwarding agent *sb.* speditør.

forward-looking [fɔ:wəd'lukiŋ] *adj.* fremsynet; fremadskuende.

forwardness ['fɔ:wədnəs] *sb.* (jf. *forward*[2] 3) direkte facon; frækhed;

---

pågåenhed.

forward planning *sb.* planlægning for fremtiden; perspektivplanlægning.

forwards ['fɔ:wədz] *adv.* se *forward*[4].

forwent [fɔ:'went] *præt. af forgo.*

fosse [fɔs] *sb.* (*arkæol.*) grav, voldgrav.

fossick ['fɔsik] *vb.* (*austr.* T) søge, rode.

fossil ['fɔs(ə)l] *sb.* **1.** fossil, forstening; **2.** (T: *om person, neds. el. spøg.*) oldtidslevning.

fossil fuel *sb.* fossilt brændstof.

fossilization [fɔsilai'zeiʃn] *sb.* forstening.

fossilize ['fɔs(i)laiz] *vb.* **1.** forstene; **2.** (*fig.*) forstene, forbenes, stivne.

foster[1] ['fɔstə] *adj.* pleje- (*fx brother*; *child*; *family*; *father*; *mother*; *parents*).

foster[2] ['fɔstə] *vb.* **1.** (*barn*) have i pleje; opfostre; **2.** (*foretagende etc.*) fremme, støtte (*fx democracy*; *foreign trade*);

□ ~ *out* (*barn*) sætte i pleje; anbringe hos en plejefamilie.

foster home *sb.* plejehjem [*hos plejeforældre*].

fought [fɔ:t] *præt. & præt. ptc. af fight.*

foul[1] [faul] *sb.* (*i sport*) ureglementeret spil//slag//stød//tackling.

foul[2] [faul] *adj.* **1.** modbydelig, fæl (*fx smell*; *taste*); beskidt, uhumsk (*fx house*); stinkende; rådden; **2.** T elendig, rædsom (*fx meal*; *mood/ temper* humør); (*om vejr også*) modbydelig; **3.** (*om tale*) beskidt, sjofel, svinsk; **4.** (*om rør*) tilstoppet; (*om skorsten*) tilsodet; **5.** (*i sport*) ureglementeret, ulovlig; **6.** (*moralsk, litt.*) slet, ond; hæslig (*fx crime*); **7.** (*især mar.*) uklar (*fx anchor*; *fishing line*); **8.** (*om skibsbund*) begroet; **9.** (*om vind, strøm*) kontrær, ugunstig;

□ ~ *ball*//*breath etc.* se: *alfabetisk*; (se også *fair*[2]);

[*med vb.*] *cry* ~ nedlægge protest; *fall* ~ *of* **a.** (*mar.*) løbe på/mod; kollidere med; rage uklar af; **b.** (*fig.*) rage uklar med, komme på kant med; komme i konflikt med (*fx the law*).

foul[3] [faul] *vb.* **1.** snavse/grise/svine til (*fx dogs have -ed the footpath*); forurene (*fx an oiltanker had -ed the harbour*); forpeste (*fx the air*); plumre (*fx water*); **2.** (*i sport*) lave frispark//frikast *etc.* imod; **3.** (*rør*) blokere, tilstoppe (*fx a drain*); (*skorsten*) tilsode; **4.** (*om liner etc.*) vikle sig ind i; blive viklet ind i; **5.** (*mar.*) kolli-

---

dere med; rage uklar af; (*uden objekt*) blive//komme uklar;

6. (*om skibsbund*) blive begroet; □ ~ *up* **a.** se ovf.: *1, 3, 4, 5;* **b.** T spolere; forkludre; lave koks i; **c.** (*uden objekt*) gå i kludder; [*med sb.*] ~ *the anchor* (*mar.*) få uklart anker; ~ *a ball* (*i baseball*) slå en bold uden for spillepladsen; *it is an ill bird that -s its own nest* det er en dårlig fugl der besudler sin egen rede; ~ *the propeller* (*mar.*) få uklar skrue; få tov i skruen.

foulard ['fu:la:(d)] *sb.* **1.** foulard [*silkestof med påtrykt mønster*]; **2.** silketørklæde; silkelommetørklæde.

foul ball *sb.* (*i baseball*) fejl bold.

foul bottom *sb.* (*mar.*) begroet bund.

foul breath *sb.* dårlig ånde.

foul brood *sb.* bipest.

foul line *sb.* (*på boldbane*) grænselinje.

foul-mouthed [faul'mauðd] *adj.* grov i munden.

foul pipe *sb.* sur pibe.

foul play *sb.* **1.** (*i sport*) ureglementeret spil; **2.** (*fig.*) uærligt spil; **3.** (*i forbindelse med dødsfald*) forbrydelse;

□ *suspect* ~ have mistanke om at der foreligger en forbrydelse.

foul-up ['faulʌp] *sb.* **1.** kludder; makværk; **2.** bommert.

found[1] [faund] *præt. & præt. ptc. af find*[2].

found[2] [faund] *adj.*: *15,000 pounds a year and all* ~ 15.000 pund om året og fri station; *be well* ~ være veludrustet; *be well* ~ *in* være velforsynet med.

found[3] [faund] *vb.* **1.** (*institution etc.*) grundlægge, oprette, stifte; **2.** (*metal*) støbe; **3.** (*glasmasse*) smelte;

□ ~ *on* basere på (*fx accuse him of -ing his theory on insufficient evidence*); (se også *founded*).

foundation [faun'deiʃən] *sb.* **1.** (cf. *found*[3]) grundlæggelse, oprettelse, stiftelse; **2.** (*om institution*) fond (*fx the Rockefeller Foundation*); legat; stiftelse; **3.** (*for bygning, også -s*) grund; fundament; **4.** (*for tro, antagelse*) grundlag; **5.** (*kosmetik*) pudderunderlag; (se også *foundation garment*);

□ *the rumour has no* ~ *in fact* rygtet har intet på sig; *the rumour is entirely without* ~ rygtet savner ethvert grundlag;

-s se ovf.: *3*; *lay the* ~/*-s of* (*fig.*) lægge grunden til; *rock/shake to its (very) -s* ryste i sin grundvold.

foundation course *sb.* grundkursus.

foundation garment *sb.* korsettering, korset.

foundation stone *sb.* **1.** grundsten; **2.** (*fig.*) grundsten, grundpille.

founded ['faundid] *adj.*: *be ~ on* **a.** være bygget på (*fx buildings ~ on clay*); **b.** (*fig.*) bygge på, være baseret på (*fx his theory was ~ on fact*); *be badly ~* være dårligt underbygget; *stå svagt; be well ~* være velunderbygget (*fx the suspicion was well ~*).

founder[1] ['faundə] *sb.* (jf. *found*[3]) **1.** grundlægger, stifter; **2.** støber.

founder[2] ['faundə] *vb.* **1.** (*om skib*) forlise; synke, gå til bunds; **2.** (*om foretagende*) strande (*on* på); lide skibbrud, mislykkes; **3.** (*om hest*) styrte (*af udmattelse*]; blive hængende i en mose *etc.*

founder member *sb.* medstifter.

founder's share *sb.* stifteraktie.

founding father *sb.* grundlægger; stifter;
□ *the Founding Fathers* (*am.*) [*forfatningens fædre*].

foundling ['faundliŋ] *sb.* hittebarn.

foundry ['faundri] *sb.* støberi.

fount [faunt] *sb.* **1.** (*litt.*) kilde, væld; kildevæld; **2.** (*spøg.*) kilde (*of* til, *fx all wisdom*); **3.** (*typ.*) = *font 1.*

fountain ['fauntin] *sb.* **1.** springvand; fontæne; **2.** (*fig., litt.*) uudtømmelig kilde;
□ *a ~ of flowers* (*litt.*) et væld af blomster.

fountainhead ['fauntinhed] *sb.* kilde; oprindelse; ophav.

fountain pen *sb.* fyldepen.

four[1] [fɔ:] *sb.* **1.** firtal; **2.** hold på fire; **3.** (*spillekort; slag i terningspil; båd*) firer;
□ *-s* (*også*) kaproning for firere; *the ~ of clubs//hearts etc.* klør// hjerter *etc.* fire;
[*med præp.*] *by -s* fire og fire; *on all -s* på alle fire [ɔ: *på hænder og knæ*]; *the simile is not on all -s* sammenligningen halter; *be on all -s with* stemme overens med.

four[2] [fɔ:] *talord* fire;
□ *within the ~ seas* [ɔ: i Storbritannien].

foureyes ['fɔːraiz] *sb.* T brilleabe [*øgenavn for en der går med briller*].

fourflusher ['fɔːrflʌʃər] *sb.* (*am.* T) bluffmager.

four-handed [fɔː'hændid] *adj.* **1.** (*mus.*) firhændig; **2.** (*om kortspil*) firemands.

Four Hundred *sb.*: *the ~* (*am.*) de fornemme; de finere kredse.

four-in-hand [fɔːrin'hænd] *sb.* **1.** vogn med fire heste for; **2.** (*am.*) bindeslips.

four-leaved clover [fɔːliːvd'kləuvə] *sb.* (*bot.*) firkløver.

fourlegged [fɔː'legd] *adj.* firbenet.

four-letter word [fɔːletə'wɔːd] *sb.* uartigt ord; tabuord.

four-part [fɔː'pɑːt] *adj.* firstemmig.

four-poster [fɔː'pəustə] *sb.* himmelseng.

fourscore [fɔː'skɔː] *talord* (*glds.*) fire snese; firsindstyve.

four-seater [fɔː'siːtə] *sb.* firepersonersbil.

foursome ['fɔːsəm] *sb.* **1.** (*i golf*) spil mellem to par; **2.** T selskab/ gruppe på fire personer; firkløver, kvartet.

foursquare [fɔː'skwɛə] *adj.* **1.** firkantet; **2.** (*om person*) fast, urokkelig (*fx be/stand ~ behind him*); standhaftig.

four-star[1] [fɔː'stɑː] *sb.* superbenzin.

four-star[2] [fɔː'stɑː] *adj.* **1.** firestjernet (*fx hotel; general*); **2.** (*om benzin*) super-.

four-stroke [fɔː'strəuk] *adj.* firetakts- (*fx engine* motor).

fourteen [fɔː'tiːn] *talord* fjorten.

fourteenth[1] [fɔː'tiːnθ] *sb.* fjortendedel.

fourteenth[2] [fɔː'tiːnθ] *adj.* fjortende.

fourth[1] [fɔːθ] *sb.* **1.** fjerdedel; **2.** (*i rækkefølge*) nummer fire; **3.** (*i bil*) fjerde gear; **4.** (*mus.*) kvart.

fourth[2] [fɔːθ] *adj.* fjerde;
□ *the Fourth (of July)* [USA's frihedsdag]; *the ~ estate* [pressen].

fourthly ['fɔːθli] *adv.* for det fjerde.

four-wheel [fɔː'wiːl] *adj.* firehjuls-; firhjulet.

four-wheel drive *sb.* **1.** firehjulstræk; **2.** (*bil*) firehjulstrækker.

four-wheeler [fɔː'wiːlə] *sb.* (*glds.*) firehjulet drosche.

fowl [faul] *sb.* **1.** ((*pl. d.s.*)) høne; hane; stykke fjerkræ; **2.** (*glds.* (*pl. -s*)) fugl.

fox[1] [fɔks] *sb.* **1.** ræv; **2.** (*snu person*) ræv, rævepels; **3.** (*am.* S) flot skår; smart fyr.

fox[2] [fɔks] *vb.* snyde, narre; forvirre;
□ *it -ed me, it got me -ed* (T *også*) det kunne jeg ikke klare.

foxed [fɔkst] *adj.* **1.** (*om papir*) fugtplettet; jordslået; (*brun*)skjoldet; **2.** se *fox*[2].

foxglove ['fɔksglʌv] *sb.* (*bot.*) fingerbøl, digitalis.

foxhole ['fɔkshəul] *sb.* (*mil.*) skyttehul.

foxhound ['fɔkshaund] *sb.* foxhound, engelsk rævehund.

fox-hunting ['fɔkshʌntiŋ] *sb.* rævejagt [*hvor ræven forfølges af hunde*].

foxtail ['fɔksteil] *sb.* (*bot.*) rævehale.

foxy ['fɔksi] *adj.* **1.** ræveagtig; ræve-; **2.** (*fig.*) snedig, snu; lumsk; **3.** (*om farve*) ræverød; **4.** (*om papir*) se *foxed*; **5.** (*am.: om pige*) lækker, sexet.

foyer ['fɔiei] *sb.* **1.** foyer; **2.** (*am.*) entré, hall; forværelse.

Fr *fork. f.* (*foran katolsk præsts navn*) *Father.*

fr *fork. f. franc(s).*

frabjous ['fræbdʒəs] *adj.* (T: *spøg.*) strålende, fantastisk.

fracas ['fræka:, (*am.*) 'freikəs] *sb.* (*pl. d.s./ am.-es*) (højrøstet) skænderi; klammeri; sammenstød.

fractal ['frækt(ə)l] *sb.* fraktal.

fraction ['frækʃn] *sb.* **1.** brøk; **2.** brøkdel; smule;
□ *a ~ of a second* brøkdelen af et sekund; *he did not swerve from his principles by a ~* han veg ikke en hårsbred fra sine principper.

fractional ['frækʃn(ə)l] *adj.* minimal; ubetydelig.

fractionate ['frækʃneit] *vb.* **1.** opdele (i mindre enheder); **2.** (*kem.*) fraktionere.

fractious ['frækʃəs] *adj.* **1.** gnaven, pirrelig; **2.** vanskelig, genstridig.

fracture[1] ['fræktʃə] *sb.* **1.** brud (*fx of a pipe* på et rør); **2.** (*med.*) fraktur, brud;
□ *~ of the skull* kraniebrud.

fracture[2] ['fræktʃə] *vb.* **1.** brække (*fx a rib; a pipe* et rør); **2.** (*om organisation*) sprænge (*fx the government*); (*uden objekt*) sprænges;
□ *~ one's skull* få kraniebrud.

frag [fræg] *vb.* (*am. mil.* S) skyde (*egne befalingsmænd*) ned.

fragile ['frædʒail, (*am.*) 'frædʒl] *adj.* skrøbelig, spinkel.

fragility [frə'dʒiləti] *sb.* skrøbelighed, spinkelhed.

fragment[1] ['frægmənt] *sb.* fragment, brudstykke, stump; (*af glas, procelæn etc. også*) skår.

fragment[2] [fræg'ment] *vb.* **1.** gå i (små) stykker; sprænges; splittes; **2.** (*med objekt*) slå i stykker; sprænge; **3.** (*fig.*) dele op, splitte [*i små grupper*].

fragmentary ['frægmənt(ə)ri] *adj.* fragmentarisk, brudstykkeagtig.

fragmentation [frægmen'teiʃn] *sb.* sønderdeling, deling; opdeling// splittelse i små grupper.

fragmentation bomb *sb.* (*mil.*) fragmentationsbombe [*som detoneres lige over jorden og som spreder* sprængstykker til alle sider].

fragrance ['freigrəns] *sb.* duft, vellugt.

fragrant ['freigrənt] *adj.* duftende, vellugtende.

frail [freil] *adj.* **1.** skrøbelig (*fx boat; democracy*); **2.** (*om person*) skrøbelig (*fx old lady*); svagelig (*fx child*); svag.

frailty ['freilti] *sb.* skrøbelighed; svaghed.

frame¹ [freim] *sb.* **1.** (*omkring noget*) ramme; **2.** (*til dør, vindue*) karm; (*til vindue også*) ramme; **3.** (*til at støtte*) stativ (*fx walking* ~; *climbing* ~; *the* ~ *of a tent*); **4.** (*i konstruktion, fx møbel*) stel; ramme; (*fx i træhus*) skelet; (*am. også*) træhus; **5.** (*af briller, cykel, paraply etc.*) stel; **6.** (*i bil*) chassisramme; **7.** (*af menneske*) krop, legeme, skikkelse (*fx her slight* ~); form, bygning; **8.** (*fig.*) indretning, system (*fx the* ~ *of society*); **9.** (*flyv.*) stel; **10.** (*mar.*) spant; **11.** (*i gartneri*) mistbænk; **12.** (*tv*) delbillede; (*am.*) totalbillede; **13.** (*film.*) enkeltbillede; **14.** (*i edb*) række; **15.** (*i billard*) omgang; (*til baller*) ramme; (*af baller*) pyramide; **16.** T = *frame-up*;
□ ~ *of mind* sindsstemning, stemning, humør; ~ *of reference* referenceramme.

frame² [freim] *vb.* **1.** indramme, sætte i ramme (*fx pictures*); **2.** indramme, danne ramme om (*fx long dark hair -d her face*); omgive; **3.** (*plan, system etc.*) udtænke, udarbejde (*fx a plan*); udkaste, udforme (*fx a theory*); opfinde (*fx a method*); **4.** (*i ord*) danne, forme (*fx a sentence*); udforme (*fx a question; a reply*); **5.** T rette falsk anklage mod; lave falske beviser mod;
□ ~ *an estimate* gøre et overslag; *his lips could hardly* ~ *the words* han kunne næsten ikke få ordene frem.

frame house *sb.* træhus.

frame-up ['freimʌp] *sb.* T falsk anklage; falske beviser; komplot, sammensværgelse.

framework ['freimwɔ:k] *sb.* **1.** skelet (*fx of a building*); **2.** (*fig.*) struktur (*fx the* ~ *of society*); ramme (*fx within the* ~ *of the system*).

framework agreement *sb.* rammeaftale.

franc [fræŋk] *sb.* franc [*mønt*].

France [fra:ns] Frankrig.

franchise¹ [fræn(t)ʃaiz] *sb.*
1. (*merk.*) franchise, franchisetilladelse; **2.** (*tilladelse fra det offent-*

lige) koncession (*for på, fx a bus service*); **3.** (*pol.*) valgret, stemmeret (*fx universal adult* ~);
□ *get the* ~ (*jf. 3*) få stemmeret.

franchise² ['fræn(t)ʃaiz] *vb.* **1.** give franchise til; **2.** give koncession til.

franchisee [fræn(t)ʃai'zi:] *sb.*
1. franchisetager; **2.** koncessionshaver.

franchisor [fræn(t)aiʃ'zɔ:] *sb.*
1. franchisegiver; **2.** koncessionsgiver.

Franciscan¹ [fræn'siskən] *sb.* (*rel.*) franciskaner(munk).

Franciscan² [fræn'siskən] *adj.* (*rel.*) franciskansk.

Franco-German [fræŋkəu'dʒɜ:mən] *adj.* fransk-tysk.

Franconia [fræŋ'kəuniə] (*hist.*) Franken.

Francophone ['fræŋkəufəun] *adj.* **1.** fransktalende; **2.** fransksproget.

frangipani ['frændʒi'pa:ni, -'pæni] *sb.* **1.** (*bot.*) frangipani; **2.** (*parfume*) jasminparfume.

franglais ['frɔŋglei] *sb.* engelskpræget fransk.

frank¹ [fræŋk] *adj.* oprigtig; åben; åbenhjertig (*fx confession; exchange of ideas*); frimodig (*fx look*);
□ *be* ~ være åbenhjertig (*with* over for); sige tingene lige ud; *to be* ~ (*with you*) for at sige det rent ud; for at sige det som det er.

frank² [fræŋk] *vb.* frankere.

frankfurter ['fræŋkfɔ:tə] *sb.* bajersk pølse.

frankincense ['fræŋkinsens] *sb.* røgelse.

frankly ['fræŋkli] *adv.* rent ud sagt; ærlig/oprigtig talt.

frankness ['fræŋknes] *sb.* oprigtighed; åbenhed; åbenhjertighed.

frantic ['fræntik] *adj.* **1.** (*om person*) afsindig, vanvittig, rasende; ude af sig selv (*with* af); **2.** (*om aktivitet*) hektisk, febrilsk.

frantically ['fræntik(ə)li] *adv.* (jf. *frantic*) **1.** afsindigt; vanvittigt; som rasende (*fx he wrote* ~); **2.** hektisk, febrilsk.

frap [fræp] *sb.* (*mar.*) surre; sejse.

frappé¹ ['fræpei] *sb.* **1.** isafkølet drik; **2.** (*dessert*) sorbet.

frappé² ['fræpei] *adj.* isafkølet.

frass [fræs] *sb.* larveekskrement; ormemel.

frat [fræt] *sb.* (*am.* T) = *fraternity.*

fraternal [frə'tɜ:n(ə)l] *adj.* **1.** broder-, broderlig (*fx love*); **2.** venskabelig, kammeratlig.

fraternal twins *sb. pl.* toæggede tvillinger.

fraternity [frə'tɜ:niti] *sb.* **1.** (*følelse*)

broderskab; venskab; kammeratskab; **2.** (*forening, gruppe*) broderskab; kreds; stand (*fx the medical//legal* ~ læge-//juriststanden); **3.** (*am.*) studenterforening; (se *Greek-letter fraternity*).

fraternize ['frætənaiz] *vb.* omgås; fraternisere;
□ ~ *with* omgås; fraternisere med.

fratricide ['freitrisaid] *sb.* **1.** brodermord; **2.** (*person*) brodermorder.

fraud [frɔ:d] *sb.* **1.** (*generelt*) bedrageri (*fx he was accused of* ~); (*jur.*) svig; **2.** (*enkelt*) bedrageri, bedrag; fupnummer (*fx it was a* ~); (se også *pious*); **3.** (*person*) bedrager; svindler; **4.** (*ting*) falskneri.

fraudster ['frɔ:dstə] *sb.* bedrager, svindler.

fraudulence ['frɔ:djuləns] *sb.* svigagtighed; bedrageri.

fraudulent ['frɔ:djulənt] *adj.* bedragerisk; svigagtig.

fraudulent conversion *sb.* (*jur.*) brug af betroede midler; underslæb.

fraught [frɔ:t] *adj.* T anspændt, anstrengt; belastet;
□ ~ *with* fyldt af; ladet med; svanger med; ~ *with danger* yderst farefuld.

fray¹ [frei] *sb.* kamp, strid; slagsmål;
□ *eager for the* ~ kamplysten; *in the midst of the* ~ der hvor det gik hedest til.

fray² [frei] *vb.* (se også *frayed*) **1.** slide tynd, slide i laser; få til at flosse; **2.** (*uden objekt*) blive tyndslidt; flosse, blive flosset; trævle; **3.** (*om nerver*) blive tyndslidte; **4.** (*om hjort*) feje;
□ *tempers began to* ~ folk begyndte at blive irritable; *be -ing at/around the edges* **a.** være ved at blive flosset i kanten; **b.** (*fig.*) være ved at falde fra hinanden/gå op i sømmene.

frayed [freid] *adj.* **1.** flosset (*fx cuffs*); trævlet, tyndslidt; **2.** (*fig.*) tyndslidt (*fx nerves*);
□ *tempers were getting* ~ folk begyndte at blive irritable.

frazzle ['fræzl] *sb.*: *beat to a* ~ slå sønder og sammen; *burnt to a* ~ **a.** (*om hud*) fuldstændig forbrændt; **b.** (*om mad*) brændt sønder og sammen; *worn to a* ~ **a.** (*om tøj etc.*) slidt i laser; **b.** (*om person*) udkørt, ødelagt, segnefærdig.

frazzled ['fræzld] *adj.* **1.** (*om person*) udkørt, ødelagt; **2.** (*om hud*) forbrændt; **3.** (*om mad*) brændt

på.
FRCP *fork. f. Fellow of the Royal College of Physicians.*
FRCS. *fork. f. Fellow of the Royal College of Surgeons.*
freak¹ [friːk] *sb.* **1.** (*person*) original (*fx a long-haired* ~); særling; **2.** (*som er optaget af én bestemt ting; i sms.*) en der er vild med, -fan (*fx film* ~; *jazz* ~); -nørd (*fx computer* ~); -idiot (*fx football* ~; *speed* ~); -freak; (se også *control freak, health freak*); **3.** S narkoman; **4.** (*som er deform*) vanskabning, misfoster; **5.** (*om begivenhed*) kuriositet;
□ *a* ~ *of nature* et af naturens luner.
freak² [friːk] *adj.* abnorm; usædvanlig;
□ ~ *wave* forkert sø.
freak³ [friːk] *vb.*: ~ *out* T **a.** flippe ud; **b.** (*med objekt*) få til at flippe ud.
freakish [ˈfriːkiʃ] *adj.* abnorm, besynderlig (*fx behaviour; weather*).
freaky [ˈfriːki] *adj.* flippet, bizar, outreret.
freckle [ˈfrekl] *sb.* fregne.
freckled [ˈfrekld] *adj.*, **freckly** [ˈfrekli] *adj.* fregnet.
free¹ [friː] *adj.* **1.** fri; **2.** (*om persons adfærd*) fri, utvungen; åben, ligefrem; (*glds., neds.*) familiær (*with* over for, *fx he was too* ~ *with his secretary*); dristig, fræk; **3.** (*mht. at give, neds.*) (lidt for) gavmild, (lidt for) rundhåndet (*with* med, *fx advice; criticism; one's money*); **4.** (*mht. betaling*) gratis (*fx a* ~ *copy; get in* ~); **5.** (*mods. optaget*) fri, ledig (*fx I am* ~ *tomorrow; is the bathroom// table* ~?);
□ ~ *and easy* utvungen, uformel, afslappet; ~ *as air* fri som fuglen; *for* ~ gratis; *I'll tell you that for* ~! T det kan jeg godt love dig! *set* ~ befri; løslade; *he is* ~ *to* det står ham frit for at; *feel* ~ *to ask!* du må endelig spørge! [*med sb.; se også alfabetisk*] *he is a* ~ *agent* han er frit stillet; han er sin egen herre; *give sby//have a* ~ *hand* give en//have frie hænder; *get a* ~ *ride* få en gratis køretur; få et lift; *make* ~ *use of sth* benytte sig af noget i stor udstrækning; [*med (vb. +) præp.*] ~ *from/of* **a.** fri for; **b.** fritaget for; ~ *of charge* gratis; uden beregning; ~ *of debt* gældfri; ~ *of duty* toldfri; *be* ~ *of* (*også*) have fri adgang til; *we are not* ~ *of the harbour yet* vi er ikke klar af havnen endnu; *make sby* ~ *of* **a.** give en fri ad-

gang til (*fx the house*); **b.** (*by*) gøre en til æresborger i; ~ *on board* frit om bord; ~ *with* se ovf.: *2, 4*; *be* ~ *with* (*jf. 4, også*) ikke spare på; *make* ~ *with* tage sig friheder med; forgribe sig på (*fx sby's money*); *make* ~ *with sby* tage sig friheder over for en.
free² [friː] *vb.* **1.** frigøre (*fx resources; he tried to* ~ *his hand*); **2.** (*for noget generende*) befri (*from* for, *fx* ~ *the district of rebels;* ~ *sby from debt//anxiety*); **3.** (*fange, gidsel*) befri; (*om den der holder én fangen*) køslade, frigive, sætte på fri fod; **4.** (*slave*) frigive; **5.** (*dyr*) slippe løs/ud;
□ ~ *sby from* **a.** frigøre en for (*fx a task*); løse en fra (*fx a contract; an obligation*); **b.** se ovf.: *2; it will* ~ *him to* det vil frigøre ham så han kan (*fx finish the project*); ~ *up* frigøre.
freebase¹ [ˈfriːbeis] *sb.* renset kokain [*til rygning*].
freebase² [ˈfriːbeis] *vb.* ryge kokain.
freebie [ˈfriːbiː] *sb.* T noget man får gratis; gave; reklameartikel.
freeboard [ˈfriːbɔːd] *sb.* (*mar.*) fribord; dækshøjde.
freebooter [ˈfriːbuːtə] *sb.* fribytter.
freedman [ˈfriːdmən, -mæn] *sb.* (*pl. -men* [-mən]) frigiven (slave).
freedom [ˈfriːdəm] *sb.* frihed;
□ ~ *from* frihed for (*fx fear; persecution; want*); ~ *from pain* smertefrihed; ~ *of choice* valgfrihed; ~ *of action/manoeuvre/movement* bevægelsesfrihed; (se også *conscience, press¹, speech*); *give sby the* ~ *of* **a.** give en fri adgang til (*fx the house; the library*); **b.** (*by*) udnævne til æresborger i; *have the* ~ *of* **a.** have fri adgang til (*fx the house; the library*); **b.** (*by*) være æresborger i; *I had the* ~ *of the library* (*også*) jeg kunne frit benytte biblioteket.
freedom fighter *sb.* frihedskæmper.
free enterprise *sb.* det frie initiativ.
free fight *sb.* T almindeligt håndgemæng; almindeligt slagsmål.
Freefone® [ˈfriːfəun] *sb.* frikaldsnummer.
free-for-all [ˈfriːfərɔːl] *sb.* **1.** almindeligt slagsmål; **2.** åben diskussion; **3.** tagselvbord [*fig.*].
freehand [ˈfriːhænd] *adj.* frihåndstegning).
free-handed [friːˈhændid] *adj.* rundhåndet, gavmild.
freehold [ˈfriːhəuld] *sb.* selveje, selvejendomsret.
freehold flat *sb.* ejerlejlighed.
free house *sb.* [*pub//kro der ikke*

ejes af et bryggeri].
free kick *sb.* frispark [*i fodbold*].
free labour *sb.* uorganiseret arbejdskraft.
freelance¹ [ˈfriːlaːns] *sb.* freelancer.
freelance² [ˈfriːlaːns] *adj.* freelance- (*fx journalist*).
freelancer [ˈfriːlaːnsə] *sb.* freelancer.
freeloader [ˈfriːləudə] *sb.* T nasser, gratist; snyltegæst.
free lunch *sb.* se *lunch¹*.
freely [ˈfriːli] *adv.* (se *free¹*) frit; □ *live too* ~ leve for flot; *he availed himself* ~ *of the permission* han benyttede sig i udstrakt grad af tilladelsen.
freeman [ˈfriːmən] *sb.* (*pl. -men* [-mən]) æresborger.
Freemason [ˈfriːmeis(ə)n] *sb.* frimurer.
freemasonry [ˈfriːmeis(ə)nri] *sb.* frimureri.
free pass *sb.* frikort; fribillet.
freephone *sb.* se *Freefone.*
free port *sb.* frihavn.
Freepost [ˈfriːpəust] *sb.* portofri forsendelse.
free-range [friːˈrein(d)ʒ] *adj.* (*om høns*) fritgående;
□ ~ *eggs* æg fra fritgående høns.
free sheet *sb.* gratisavis.
freesia [ˈfriːʒə] *sb.* (*bot.*) freesia.
free speech *sb.* ytringsfrihed.
free spirit *sb.* frit fugl.
freestyle [ˈfriːstail] *sb.* **1.** fri svømning; **2.** fri brydning.
freestyle wrestling *sb.* fri brydning.
freethinker [friːˈθiŋkə] *sb.* fritænker.
free trade *sb.* frihandel.
free vote *sb.* (*parl.*) [*afstemning hvor medlemmerne er stillet frit*].
freeware [ˈfriːwɛə] *sb.* (*it*) [*programmer man kan få gratis*].
freeway [ˈfriːwei] *sb.* (*am.*) **1.** motorvej; **2.** (*mods. turnpike*) afgiftsfri motorvej.
freewheel [friːˈwiːl] *vb.* køre på frihjul.
free-wheeling [friːˈwiːliŋ] *adj.* T ubundet; uhæmmet, løssluppen; (*om person også*) ubekymret, sorgløs.
freeze¹ [friːz] *sb.* **1.** frostperiode; **2.** stop (*fx wage* ~; *price* ~);
□ ~ *on* a. stop for (*fx wage increases; production*); **b.** fastfrysning af (*fx prices*); **c.** indefrysning af (*fx private savings*).
freeze² [friːz] *vb.* (*froze, frozen*) **A.** (*uden objekt*) **1.** (*om væske, jord, vejr & T om person*) fryse; **2.** (*om en der bevæger sig*) stivne; **3.** (*om sø etc.*) fryse til; **4.** (*om rør, mekanisme etc.*) fryse (*fx the lock*

F freeze-dried

has frozen); **5.** (*om aktivitet*) gå helt i stå;
B. (*med objekt*) **1.** (*madvarer*) nedfryse; **2.** (*lønninger, priser*) fastfryse; **3.** (*aktivitet*) stoppe, suspendere (*fx the aid programme*); fryse ned (*fx diplomatic relations*); **4.** (*tilgodehavende*) indefryse; spærre; **5.** (*med.*) bedøve ved hjælp af kulde; nedkøle;
□ *it froze my blood* det fik mit blod til at stivne/isne;
[*med præp.& adv.*] ~ **on to** S hage sig fast i; ~ *sby* **out a.** (*fra gruppe*) fryse en ud; **b.** (*fra aktivitet*) holde en ude, holde en udenfor; ~ *out of/from* (*jf. b*) holde ude fra (*fx the market*); holde uden for (*fx the conversation*); ~ **over** fryse til; ~ **to** *death* fryse ihjel; ~ **up a.** (*om rør etc.*) fryse; **b.** (*om sø etc.*) fryse til (*fx the river had frozen up*); ~ *sby* **with** *a look* sende en et isnende blik.
freeze-dried [fri:z'draid] *adj.* frysetørret.
freeze-frame¹ [fri:z'freim] *sb.* (*film.*) frysning, frysebillede; stillbillede.
freeze-frame² [fri:z'freim] *vb.* fryse, fastholde.
freezer ['fri:zə] *sb.* **1.** dybfryser; **2.** (*am.*) fryseboks.
freezer bag *sb.* **1.** frysepose; **2.** køletaske.
freezer compartment *sb.* fryseboks.
freezer pack *sb.* køleelement [*til køletaske*].
freeze-up ['fri:zʌp] *sb.* **1.** tilfrysning; **2.** frostperiode.
freezing¹ ['fri:ziŋ] *sb.* frysepunktet (*fx 15 degrees below* ~).
freezing² ['fri:ziŋ] *adj.* iskold;
□ *I am* ~ jeg hundefryser.
freezing mixture *sb.* kuldeblanding; fryseblanding.
freezing plant *sb.* fryseanlæg.
freezing point *sb.* frysepunkt.
freezing rain *sb.* isslag.
freight¹ [freit] *sb.* (*betaling, ladning, transport*) fragt; (*varer også*) gods (*fx the ship carries both* ~ *and passengers*);
□ *send sth* ~ sende noget som fragtgods.
freight² [freit] *vb.* fragte, befordre;
□ *be -ed with* (*fig.*) være ladet med.
freight car *sb.* (*am.*) godsvogn.
freighter ['freitə] *sb.* **1.** (*mar.*) fragtbåd, fragtskib, lastskib; **2.** (*flyv.*) transportfly, fragtfly; **3.** (*person*) speditør.
freight train *sb.* (*am.*) godstog.
French¹ [fren(t)ʃ] *sb.* fransk;
□ *the* ~ franskmændene; *pardon*

my ~ undskyld jeg bander.
French² [fren(t)ʃ] *adj.* fransk.
French bean *sb.* snittebønne; haricot vert; havebønne.
French bread *sb.* flute.
French chalk *sb.* skrædderkridt.
French door *sb.* (*især am.*) = *French window.*
French dressing *sb.* olie-eddike-dressing.
French fried potatoes *sb. pl.*, **French fries** *sb. pl.* pommes frites.
French horn *sb.* (*mus.*) valdhorn.
Frenchify ['fren(t)ʃifai] *vb.* (*neds.*) forfranske.
French kiss *sb.* tungekys.
French leave *sb.: take* ~ **a.** forsvinde i stilhed; **b.** stikke af uden at tage afsked.
French letter *sb.* T kondom, præservativ.
French loaf *sb.* flute.
Frenchman ['frenʃmən] *sb.* (*pl.* -men [-mən]) franskmand.
French polish *sb.* møbelpolitur.
French press pot *sb.* (*am.*) stempelkande.
French roof *sb.* mansardtag.
French stick *sb.* flute.
French window *sb.* fransk dør, fransk vindue [*glasdør ud til have el. altan*].
Frenchwoman ['fren(t)wumən] *sb.* (*pl.* -women [-wimin]) fransk kvinde.
frenetic [fri'netik] *adj.* se *frenzied.*
frenzied ['frenzid] *adj.* hektisk (*fx activity*); vild, rasende; vanvittig, afsindig.
frenzy ['frenzi] *sb.* vanvid (*fx religious* ~); raseri; tilstand af ophidselse//hysteri;
□ *in a* ~ rasende; hysterisk; ude af sig selv; *drive sby into a* ~ gøre en rasende//hysterisk//vanvittig; *a* ~ *of activity//preparations* hektisk aktivitet//hektiske forberedelser; *a* ~ *of nationalism* et hysterisk anfald af nationalisme.
frequency ['fri:kwənsi] *sb.* **1.** hyppighed; **2.** (*tones*) svingningstal, frekvens; **3.** (*radio.*) frekvens.
frequent¹ ['fri:kwənt] *adj.* hyppig, jævnlig.
frequent² [fri'kwent] *vb.* besøge (hyppigt/jævnligt); komme tit i//på; holde til i//på.
frequently ['fri:kwəntli] *adv.* hyppigt, jævnligt, tit.
fresco ['freskəu] *sb.* freske, freskomaleri; kalkmaleri;
□ *paint in* ~ male al fresco [ɔ: *på våd kalk*].
fresh [freʃ] *adj.* **1.** frisk (*fx air; breath; taste; wind*); **2.** (*til erstatning*) ny (*fx attempt; facts; instruc-*

tions; a ~ *sheet of paper*); frisk (*fx supplies; make some* ~ *coffee*); **3.** (*mht. alder*) frisk (*fx bread; fish; footprints*); **4.** (*om indfald, tanke*) frisk, ny (*fx idea*); **5.** (*om person*) frisk, kvik, livlig; T uerfaren; **6.** (T: *neds.*) fræk, nærgående (*with over for, fx he got* ~ *with me*); **7.** (*om udseende*) sund (*fx complexion teint*); blomstrende (*fx beauty*); **8.** (*om vand*) fersk; **9.** (*om vejr*) frisk, kølig;
□ (*as*) ~ *as a daisy/as paint* frisk, kvik, livlig;
[*med sb.*] *break* ~ *ground* bryde nye baner; ~ *meat* frisk//fersk kød; ~ *paint* våd maling; (*på skilt*) „nymalet"; *make a* ~ *start* begynde på en frisk;
[*med præp.*] ~ *from* lige kommet fra (*fx university*); ~ *from school* lige fra skolebænken; *be* ~ *from* (*også*) komme direkte fra; ~ *in one's mind* i frisk erindring; ~ *out of a.* = ~ *from*; **b.** T lige udgået/løbet tør for; ~ *with* se ovf.: *6.*
fresh breeze *sb.* **1.** frisk brise; **2.** (*vindstyrke 5*) frisk vind.
freshen ['freʃn] *vb.* **1.** friske op; **2.** fylde på; **3.** (*am.*) se ndf.: ~ *up c*;
□ ~ *up* **a.** friske op (*fx a room with new wallpaper*); **b.** (*om person*) friske sig op; gøre sig i stand; **c.** (*am.: om drink*) skænke mere i; fylde op.
fresher ['freʃə] *sb.* T rus, førsteårsstuderende.
freshly ['freʃli] *adv.* **1.** frisk; **2.** (*foran præt. ptc.*) ny- (*fx baked; painted; planted; washed*).
freshman ['freʃmən] *sb.* (*pl.* -men [-mən]) rus, førsteårsstuderende.
freshwater ['freʃwɔ:tə] *adj.* ferskvands-.
fret¹ [fret] *sb.* (*på guitar etc.*) bånd;
□ *in a* ~ (*jf. fret² 1*) bekymret; ængstelig.
fret² [fret] *vb.* **1.** bekymre sig, være bekymret (*about/over over; that over at*); være ængstelig//bange (*about/over for; that for at*); **2.** (*reb etc.*) gnide/slide i stykker (*fx the rope was -ted by the movement of the boat*); gnave på (*fx the waves* ~ *the seafront*); (*mar.*) skamfile;
□ ~ *for* længes utålmodigt efter.
fretful ['fretf(u)l] *adj.* **1.** irritabel, pirrelig; irriteret, gnaven; **2.** (*om barn*) klynkende.
fretsaw ['fretsɔ:] *sb.* løvsav.
fretwork ['fretwɔ:k] *sb.* løvsavsarbejde; udskåret arbejde.
Freudian¹ ['frɔidiən] *sb.* freudianer.

Freudian[2] ['frɔidiən] *adj.* freudsk.
Freudian slip *sb.* [*afslørende forta-lelse*].
Fri. *fork. f. Friday.*
friable ['fraiəbl] *adj.* F **1.** løs; sprød, skør; **2.** (*om jord*) smuldrende, bekvem.
friar ['fraiə] *sb.* klosterbroder, (tigger)munk.
friary ['fraiəri] *sb.* munkekloster.
fricassee ['frikəsi:, -sei] *sb.* frikassé.
friction ['frikʃn] *sb.* **1.** (*mellem mennesker*) gnidninger (*between mellem*); **2.** (*om to flader*) gnidning (*against* imod); **3.** (*fys.*) friktion, gnidningsmodstand (*fx the oil reduces ~*).
frictional ['frikʃn(ə)l] *adj.* gnidnings-; friktions-.
Friday ['fraidei, -di] *sb.* fredag; □ *on ~* **a.** i fredags (*fx he arrived on ~*); **b.** på fredag (*fx he'll be arriving on ~*); *-s* (*adv., am.*) = *on -s*; *on -s* om fredagen; *this ~* nu på fredag; førstkommende fredag.
fridge [fridʒ] *sb.* T køleskab [*kortform af: refrigerator*].
friend [frend] *sb.* ven//veninde; □ *make -s* **a.** få/skaffe sig venner; **b.** (*om to*) blive gode venner; *make -s easily* have let ved at få venner; *make -s again* blive//være gode venner igen; forlige sig; *make a ~ of, make -s with* se: *ndf.*; [+ *præp.*] *have a ~ at* court have fine forbindelser; T have fanden til oldemor; *-s in high places* fine forbindelser; *a ~ of mine//my father's//ours etc.* en ven af mig//af min far//af os *etc.*; *be no ~ of* ikke bryde sig om (*fx Socialism*); *make a ~ of* slutte venskab med; *be no ~ to* se ovf.: *be no ~ of; he is no ~ to me* han er mig ikke venligsindet; *be -s with* være gode venner med; *make -s with* blive gode venner med; slutte venskab med; (se også *great*).
friendless ['frendləs] *adj.* venneløs.
friendly[1] ['frendli] *sb.* venskabskamp.
friendly[2] ['frendli] *adj.* **1.** venlig; **2.** (*om land*) venligsindet; **3.** (*om indstilling*) venskabelig (*fx rivalry*); **4.** (*mil.*) egne (*fx aircraft; forces*); (se også *friendly fire*); □ *a ~ breeze* en gunstig vind; *a ~ shower* en velgørende regn.
friendly fire *sb.* (*mil.*) ild fra egne styrker.
friendly match *sb.* venskabskamp.
friendly society *sb.* gensidig understøttelsesforening.
friendship ['fren(d)ʃip] *sb.* venskab;

□ *strike up/form a ~ with* slutte venskab med.
fries [fraiz] *sb. pl.* = *French fried potatoes.*
Friesian ['fri:ʒ(ə)n] *sb.* **1.** sortbroget ko (*fx a herd of -s*); **2.** sortbroget kvægrace.
frieze [fri:z] *sb.* **1.** (*arkit.*) frise; **2.** (*uldstof*) fris; vadmel.
frig [frig] *vb.* (*vulg.*) **1.** onanere, spille den af; **2.** bolle, knalde; □ *~ about* nosse rundt.
frigate ['frigət] *sb.* (*mar.*) fregat.
frigate bird *sb.* (*zo.*) fregatfugl.
frigging ['frigiŋ] *adj.* [*mildere omskrivning af fucking*].
fright [frait] *sb.* **1.** (*følelse*) skræk, frygt; **2.** (*oplevelse*) forskrækkelse; □ *he looks a perfect ~* han ser frygtelig ud; han ligner et fugleskræmsel; *give sby a ~* gøre en forskrækket/bange; *take ~* blive forskrækket/bange.
frighten ['frait(ə)n] *vb.* (se også *frightened, frightening*) forskrække, gøre bange; skræmme; □ *~ away* skræmme/jage væk; *~ him into + -ing* gøre ham så bange at han; true ham til at; *~ off* = *~ away; ~ him out of + -ing* skræmme ham fra at; *~ him out of his wits/to death, ~ the life/wits out of him* skræmme livet af ham; skræmme ham fra vid og sans.
frightened ['frait(ə)nd] *adj.* forskrækket; bange (*of* for; *that//to* for at); forskræmt; □ *he was more ~ than hurt* han slap med skrækken.
frighteners ['fraitənəz] *sb. pl.*: *put the ~ on sby* (*glds.* T) jage én en skræk i livet; true én.
frightening ['frait(ə)niŋ] *adj.* skræmmende; uhyggelig.
frightful ['frait(u)l] *adj.* **1.** frygtelig, skrækkelig, forfærdelig; **2.** (*forstærkende, let glds.*) forskrækkelig, rædsom.
frigid ['fridʒid] *adj.* **1.** kold; iskold; **2.** (*fig.*) kølig; stiv, kold (*fx atmosphere; politeness*); **3.** (*seksuelt*) frigid; □ *the ~ zone* den kolde zone.
frigidity [fri'dʒiditi] *sb.* **1.** kulde; **2.** (*seksuel*) frigiditet.
frill [fril] *sb.* **1.** kruset//rynket strimmel; flæse; pibestrimmel; **2.** (*papirpynt på koteletben*) manchet; **3.** (*fig.*) se *frills.*
frills [frilz] *sb. pl.* **1.** ekstra pynt; ekstra udstyr; **2.** (*fig.*) falbelader, dikkedarer; □ *~ and furbelows* pynt og stads; *put on ~* gøre sig vigtig; skabe sig; *without ~* uden dikkedarer; gan-

ske enkel; (se også *no-frills*).
frilly ['frili] *adj.* kruset; flæset.
fringe[1] [frin(d)ʒ] *sb.* **1.** frynse; **2.** (*af hår*) pandehår; krans; **3.** (*af et sted, område*) (yderste) rand; udkant; periferi; **4.** (*fig.*) yderliggående//perifer gruppe; „overdrev"; (se også *lunatic fringe*); □ *the nationalist//terrorist ~* yderliggående nationalister/terrorister; *on the ~ of a.* i udkanten af (*fx the crowd; the forest*); **b.** (*fig.*) i periferien af (*fx British politics*).
fringe[2] [frin(d)ʒ] *adj.* marginal (*fx organization*); perifer (*fx occupation*); som befinder sig ude på overdrevet; yderliggående; utraditionel.
fringe[3] [frin(d)ʒ] *vb.* **1.** ligge langs randen af (*fx villas that ~ the cliff*); **2.** besætte med frynser; □ *-d by/with* **a.** (*om tøj*) kantet med; **b.** (*om sted*) omgivet/omkranset af.
fringe benefits *sb. pl.* indirekte løngoder; T frynsegoder.
fringe group *sb.* yderliggående//perifer gruppe.
fringe theatre *sb.* (*omtr.=*) avantgardeteater.
frippery ['fripəri] *sb.* overflødig pynt; stads; tingeltangel.
Frisbee® ['frizbi] *sb.* frisbee.
'Frisco ['friskəu] *fork. f. San Francisco.*
Frisian[1] ['friziən] *sb.* **1.** (*person*) friser; **2.** (*sprog*) frisisk.
Frisian[2] ['friziən] *adj.* frisisk.
frisk [frisk] *vb.* **1.** springe/hoppe rundt; boltre sig; **2.** (*hale*) vifte med; **3.** (*person*) kropsvisitere.
frisky ['friski] *adj.* livlig, sprælsk, kåd.
frisson ['fri:sɔn] *sb.* gys (*fx of excitement; of fear*); kuldegysning.
fritillary [fri'tiləri] *sb.* **1.** (*bot.: blomst*) vibeæg; **2.** (*zo.: sommerfugl*) perlemorsfugl.
fritter[1] ['fritə] *sb.* beignet [*kød// frugt etc. indbagt i dej*]; (se også *apple fritters*).
fritter[2] ['fritə] *vb.*: *~ away* **a.** (*penge*) klatte/sløse væk; **b.** (*tid*) sløse/drysse væk.
Fritz [frits] *sb.* (*glds.* S, *i første verdenskrig*) tysker.
fritz [frits] *sb.*: *on the ~* (*am.* T) i uorden; i stykker.
frivolity [fri'vɔliti] *sb.* **1.** overfladiskhed (*fx treat a serious matter with ~*); **2.** pjank, fjant; fjolleri (*fx waste time on frivolities*).
frivolous ['friv(ə)ləs] *adj.* **1.** (*om beskæftigelse*) betydningsløs, intetsigende, ligegyldig; **2.** (*om person*) overfladisk, pjanket, fjantet;

F frizz

□ *be* ~ (*også*) fjante, fjase.

frizz¹ [friz] *sb.* (*i hår*) krøl; krus.

frizz² [friz] *vb.* (*hår*) krølle; kruse.

frizzle ['frizl] *vb.* (*bacon etc.*) stege [*så det krøller op*];
□ ~ *up* branke, svide.

frizzy ['frizi] *adj.* (*om hår*) kruset; purret.

fro [frəu] *adv.*: *to and* ~ frem og tilbage.

frock [frɔk] *sb.* **1.** (*glds.*: *dames, piges*) kjole; **2.** (*kunstners*) busseronne; kittel; **3.** (*præsts*) kjole; **4.** (*munks*) kutte.

frock coat *sb.* diplomatfrakke.

froe [frəu] *sb.* køvejern.

Frog [frɔg] *sb.* (T: *neds.*) franskmand.

frog [frɔg] *sb.* **1.** (*zo.*) frø; **2.** (*på tøj*) kvast; snorebesætning; **3.** (*mil.*: *til bajonet*) bajonettaske, sværdtaske; (*til sabel*) sabelgehæng; **4.** (*til blomster i vase*) pindsvin; **5.** (*på violinbue*) frosch; **6.** (*jernb.*) hjertestykke [*ved krydsspor*]; **7.** (*i hestehov*) stråle;
□ *have a* ~ *in the throat* T have en tudse i halsen [ɔ: være hæs].

frogbit ['frɔgbit] *sb.* (*bot.*: *vandplante*) frøbid.

frogfish ['frɔgfiʃ] *sb.* (*zo.*) havtaske, bredflab.

frogged [frɔgd] *adj.* snorebesat.

froghopper ['frɔghɔpə] *sb.* (*zo.*) skumcikade.

frogman ['frɔgmən] *sb.* (*pl. -men* [-mən]) frømand; svømmedykker.

frogmarch ['frɔgmaːtʃ] *vb.* **1.** (*fange*) føre i føregreb; **2.** (*beruset person*) bære i arme og ben med ansigtet nedad.

frog's leg *sb.* (*pl. frogs' legs*) (*om mad*) frølår.

frogspawn ['frɔgspɔːn] *sb.* frøæg.

frolic¹ ['frɔlik] *sb.* (*se også frolics*) munterhed, lystighed, morskab.

frolic² ['frɔlik] *vb.* muntre sig, være lystig; tumle sig, boltre sig.

frolics ['frɔliks] *sb. pl.* **1.** tumlen omkring; boltren sig; **2.** spøgefuldheder; munterhed, lystighed.

frolicsome ['frɔliksəm] *adj.* (*glds. el. spøg.*) munter, lystig.

from [frəm, (*betonet*) frɔm] *præp.* **1.** fra; **2.** (*om beskyttelse*) imod (*fx safe* ~ *danger*; *shield her* ~ *the wind*); **3.** (*om årsag*) af (*fx cry* ~ *pain*; *he died* ~ *his injuries*); på grund af (*fx absent* ~ *illness*); **4.** (*om grundlaget for en opfattelse etc.*) af (*fx learn* ~ *experience*; *guess//conclude it* ~ *his words*); ud fra (*fx* ~ *what I heard*); (*at dømme*) efter (*fx* ~ *all he had heard*); **5.** (*om oprindelse, forbillede*) efter (*fx* ~ *memory*; *in-*

herit money ~ *him*; *draw* ~ *nature*);
□ ~ *above* ovenfra; ~ *afar* langt borte fra; ~ *behind* bagfra; *he stepped out* ~ *behind the tree* han trådte frem fra træet [*bag hvilket han havde været*]; ~ *beneath*
a. nede fra; **b.** fra undersiden af; ~ *outside* udefra.

fromage frais [frɔmaːʒˈfrei] *sb.* (*omtr.*) ymer.

frond [frɔnd] *sb.* (*bot.*) bregneblad; palmeblad.

front¹ [frʌnt] *sb.* **1.** forside; front; **2.** (*af hus*) facade; **3.** (*ved badested*) promenade; **4.** (*mil., meteor. etc.*) front; **5.** (*af skjorte*) forstykke; løst skjortebryst; **6.** (*i kjole*) indsats; **7.** (*om persons optræden*) ydre, mine (*fx a calm// brave* ~); holdning; **8.** T frækhed, uforskammethed (*fx he had the* ~ *to deny everything*); **9.** (*som skal dække over noget*) skalkeskjul (*fx the shop was a* ~ *for foreign agents*); camouflage; (*person*) stråmand; **10.** (*am.*) topfigur;
□ *be a* ~ *for* (*jf. 9, også*) skulle dække over; ~ *of house* (*teat.*) tilskuerplads, tilskuerrum, sal;
[*med vb.*] *change* ~ **a.** (*mil.*) foretage en frontforandring; **b.** (*fig.*) ændre signaler; *keep up a bold* ~ se ndf.: *put up a bold* ~; *put on/up a* ~ stille sig an; *put on a bold* ~, *put a bold* ~ *on it* **a.** lade som ingenting; **b.** lade ganske uberørt; *show a bold* ~ = *put on a bold* ~;
[*med præp.& adv.*] *at the* ~ (*mil.*) ved fronten; *at the* ~ *of the bus* forrest i bussen; *in* ~ **a.** foran; forrest; **b.** foran; fortil; *in* ~ *of* foran; *in* ~ *of the children* i børnenes påhør/nærværelse; *on all* -*s* på alle fronter; *on the* *domestic/ home* ~ på hjemmefronten; *on the money//work etc.* ~ hvad pengene//arbejdet *etc.* angår; *out* ~ (*teat.*) i salen, i tilskuerrummet; *back to* ~ se *back¹*; *bring to the* ~ (*jf. 1*) bringe frem i første række; *come to the* ~ komme frem i første række; træde i forgrunden; slå igennem; *go to the* ~ (*mil.*) tage til fronten; *up* ~ se *upfront*.

front² [frʌnt] *adj.* for- (*fx garden*; *seat*; *teeth*; *wheel*); forrest (*fx the* ~ *row*); front-.

front³ [frʌnt] *vb.* **1.** vende facaden imod (*fx a house that* -*s the sea*); vende ud imod (*fx a flat that* -*s the road*); **2.** (*om person*) lede, stå i spidsen for (*fx a band*; *a commission*);
□ ~ *for* være stråmand for.

frontage ['frʌntidʒ] *sb.* F facade.

frontal¹ ['frʌnt(ə)l] *sb.* frontale, alterbordsforside.

frontal² ['frʌnt(ə)l] *adj.* F **1.** forrest; **2.** forfra (*fx a* ~ *view*); vendt mod tilskueren; (*se også full-frontal*); **3.** frontal (*fx attack*); **4.** (*anat.*) pande- (*fx bone*).

frontal system *sb.* (*meteor.*) frontsystem.

front-and-center [frʌntənˈsentər] *adj.* (*am.*) meget vigtig; højt prioriteret.

front bench *sb.*: *the* ~ den forreste bænk [*i Underhuset: ministerbænken el. oppositionens forreste bænk hvor lederne sidder*].

frontbencher [frʌntˈben(t)ʃə] *sb.* [*regeringsmedlem el. ledende medlem af oppositionen*].

front burner *sb.*: *on the* ~ genstand for særlig opmærksomhed; højt prioriteret.

front door *sb.* entredør, gadedør, hoveddør.

front-end [frʌntˈend] *adj.* **1.** vedrørende forenden/forpartiet//forsiden; **2.** (*om betaling*) som erlægges på forhånd; forskuds-; **3.** (*it*) front-end.

front-end computer *sb.* front-end-datamat, kommunikationsdatamat.

front-end fee *sb.* (*merk.*) engangsprovision; stiftelsesprovision.

front-end loader *sb.* (*til jordarbejde*) frontlæsser.

front forks *sb. pl.* (*på cykel*) forgaffel.

front gate *sb.* port; hovedport.

frontier ['frʌntiə, (*am.*) frʌn'tir] *sb.* **1.** grænse; statsgrænse; **2.** grænseområde;
□ *the Frontier* (*am. hist.*) kolonisationsgrænsen [*mod vest*].

frontispiece ['frʌntispiːs] *sb.* **1.** (*typ.*) frontispice, titelbillede, vignet; **2.** (*arkit.*) frontispice.

front line *sb.* frontlinje, front;
□ *on the* ~ (*fig.*) i forreste linje.

front loader *sb.* **1.** vaskemaskine med frontlåge; **2.** se *front-end loader*.

frontman ['frʌntmən] *sb.* (*pl. -men* [-mən]) **1.** topfigur; **2.** (*til at dække for ulovlig organisation*) stråmand; **3.** (*mus.*: *i popgruppe*) forsanger; **4.** (*tv*) studievært.

front matter *sb.* **1.** (*typ.*) præliminærsider, indledningssider; **2.** (*i ordbog*) fortekst.

front office *sb.* (*am.*) **1.** administrationskontor; hovedkontor; direktørkontor; **2.** (*personer*) direktion, ledelse.

front-office [frʌntˈɔfis] *adj.* ledende; som stammer fra//foretages

af ledelsen (*fx ~ decisions*).
front page *sb.* forside;
□ *make the ~* komme på forsiden; blive forsidestof.
front-page [frʌnt'peidʒ] *adj.* forside- (*fx article*; *story*).
front room *sb.* (*glds.*) værelse til gaden [*brugt som "den fine stue"*].
front runner *sb.* favorit; spidskandidat.
front stairs *sb. pl.* hovedtrappe.
front vowel *sb.* (*fon.*) fortungevokal.
front wheel *sb.* forhjul.
front-wheel drive [frʌntwi:l'draiv] *sb.* forhjulstræk.
frost[1] [frɔst] *sb.* **1.** frost; frostvejr; **2.** rim (*fx covered with ~*).
frost[2] [frɔst] *vb.* (se også *frosted*) **1.** dække med rim; **2.** (*am.: kage*) glasere;
□ *~ over, ~ up* fryse til.
frostbite ['frɔstbait] *sb.* forfrysning; frost [*i fødderne etc.*].
frostbitten ['frɔstbit(ə)n] *adj.* med forfrysninger.
frosted ['frɔstid] *adj.* **1.** (*om rude*) matteret; mat; **2.** (*om træer, landskab etc.*) rimdækket; **3.** (*om plante*) frostskadet; **4.** (*am.: om kage*) glaseret.
frosting ['frɔstiŋ] *sb.* **1.** (*på glas*) mattering; **2.** (*am.: på kage*) glasur.
frost work *sb.* isblomster [*på rude*].
frosty ['frɔsti] *adj.* frost-; kold; frossen; **2.** rimdækket; **3.** (*fig.*) kølig (*fx reception*); iskold (*fx she gave him a ~ look*).
froth[1] ['frɔθ] *sb.* **1.** skum; **2.** (*fig.*) tom snak, gas.
froth[2] ['frɔθ] *vb.* **1.** skumme; **2.** (*med objekt*) få til at skumme;
□ *~ at the mouth* **a.** have fråde om munden; **b.** (*fig.*) fråde af raseri.
frothy ['frɔθi] *adj.* **1.** skummende; **2.** (*fig.*) tom, intetsigende; letbenet.
frottage ['frɔta:ʒ] *sb.* **1.** gnidebillede; [*det at lave gnidebilleder*]; **2.** (*seksuelt*) frottage [*det at gnubbe sig op ad en anden*].
frou-frou ['fru:fru:] *sb.* **1.** overdreven pynt; **2.** (*lyd*) raslen [*af silke*].
frown[1] [fraun] *sb.* panderynken; rynket pande.
frown[2] [fraun] *vb.* rynke panden/brynene;
□ *~ on* misbillige (*fx gambling*); *be -ed on* ikke være velset.
frowningly ['frauniŋli] *adv.* med rynket pande.
frowsty ['frausti] *adj.* T indelukket, beklumret.

frowzy ['frauzi] *adj.* **1.** (*om person*) snavset; sjusket; **2.** (*om sted*) indelukket, beklumret.
froze [frəuz] *præt. af freeze*[2].
frozen[1] ['frəuz(ə)n] *præt. ptc. af freeze*[2].
frozen[2] ['frəuz(ə)n] *adj.* **1.** tilfrossen (*fx lake*); **2.** (*om madvarer*) frossen (*fx fish; peas*); **3.** (*om person*) stivfrossen, stiv af kulde; **4.** (*merk.: om konto*) spærret; (*om kapital*) bunden;
□ *~ with fright* stiv af skræk.
frozen assets *sb. pl.* indefrosne aktiver.
frozen credits *sb. pl.* indefrosne tilgodehavender.
FRS *fork. f. Fellow of the Royal Society.*
FRSA *fork. f. Fellow of the Royal Society of Arts.*
fructify ['frʌktifai] *vb.* **1.** bære frugt; **2.** (*fig.*, **F**) virke befrugtende på; inspirere.
fructose ['frʌktəus] *sb.* frugtsukker.
frugal ['fru:g(ə)l] *adj.* **1.** (*om person*) nøjsom, beskeden; sparsommelig, økonomisk; mådeholden; **2.** (*om måltid*) enkel, tarvelig.
frugality [fru'gæliti] *sb.* (jf. *frugal*) **1.** nøjsomhed, beskedenhed; sparsommelighed; **2.** enkelhed, tarvelighed.
fruit[1] [fru:t] *sb.* **1.** frugt; **2.** (*fig.*) frugt, resultat (*fx the -s of our labours* frugten/resultatet af vore anstrengelser); udbytte; **3.** (*am.* S) bøsse;
□ *be in ~* (*om træ*) bære frugt; *bear ~* (*fig.*) bære frugt; (se også *first fruits, forbidden*[2]).
fruit[2] [fru:t] *vb.* bære frugt.
fruit bat *sb.* (*zo.*) flyvende hund.
fruitcake ['fru:tkeik] *sb.* **1.** plumkage; **2.** (*om person,* T) skør kule; (se også *nutty*).
fruiterer ['fru:tərə] *sb.* frugthandler.
fruit fly *sb.* bananflue.
fruitful [-f(u)l] *adj.* **1.** frugtbar (*fx soil*); **2.** (*om træ*) som bærer godt; **3.** (*fig.*) frugtbar (*fx cooperation*); udbytterig (*fx discussion*);
□ *~ of/in* rig på.
fruition [fru'iʃn] *sb.* virkeliggørelse (*fx of plans*); opfyldelse (*fx of hopes*);
□ *come to ~* **a.** sætte frugt; give resultater; **b.** blive til virkelighed; blive realiseret (*fx the scheme did not come to ~*).
fruitless ['fru:tləs] *adj.* forgæves; frugtesløs.
fruit machine *sb.* spilleautomat.
fruit salad *sb.* **1.** frugtsalat; **2.** (*mil.* S: *ordner*) sildesalat.
fruity ['fru:ti] *adj.* **1.** (*om duft*)

frugtagtig; **2.** (*om smag*) frugtagtig, med frugtsmag; med druesmag; **3.** (*om bemærkning, vittighed*) vovet, „saftig" (*fx anecdotes*); **4.** (*om stemme*) klangfuld; blød; honningsød.
frumenty ['fru:mənti] *sb.* (*glds.*) hvedevælling, hvedegrød.
frump [frʌmp] *sb.* [*sjusket//ufikst//kedeligt//gammeldags klædt kvinde*]; gammel sjuske.
frumpy ['frʌmpi] *adj.* sjusket// ufikst//kedeligt//gammeldags klædt.
frustrate [frʌ'streit, (*am.*) 'frʌstreit] *vb.* **1.** (*person*) frustrere; skuffe; tage modet fra, bringe til fortvivlelse; **2.** (*planer*) modarbejde, krydse, forstyrre; kuldkaste, forpurre, vælte.
frustrated [frʌ'streitid] *adj.* **1.** frustreret, skuffet; modløs, fortvivlet; **2.** (*seksuelt*) frustreret, utilfredsstillet.
frustration [frʌ'streiʃn] *sb.* **1.** frustration; nederlag, skuffelse; afmagt, fortvivlelse; **2.** (*seksuel*) frustration; **3.** (*af planer etc.*, jf. *frustrate 2*) modarbejdelse, forstyrrelse; kuldkastelse; tilintetgørelse.
frustum ['frʌstəm] *sb.* søjletromle;
□ *~ of a cone* keglestub.
fry[1] [frai] *sb.* **1.** stegt mad; **2.** fiskeyngel; (se også *small fry*).
fry[2] [frai] *vb.* **1.** stege (på pande); brase; **2.** (*uden objekt*) blive stegt; **3.** (*am.* S) henrette//blive henrettet i den elektriske stol.
fryer ['fraiə] *sb.* **1.** friituregryde; **2.** (*am.: om kylling, omtr.*) poulard.
frying pan *sb.* stegepande;
□ *out of the ~ into the fire* fra asken i ilden.
fry-up ['fraiʌp] *sb.* pandemad; biksemad.
ft. *fork. f. foot//feet.*
fubsy ['fʌbzi] *adj.* T lille og tyk; kvabset; undersætsig.
fuchsia ['fju:ʃə] *sb.* **1.** (*bot.*) fuchsia, Kristi blodsdråbe; **2.** (*om farve, omtr.*) lyslilla.
fuck[1] [fʌk] *sb.* (*vulg.*) kneppen; knald;
□ *be a good ~* kneppe godt; *I don't give a ~* det rager mig en skid.
fuck[2] [fʌk] *vb.* (*vulg.*) kneppe;
□ *~ about/around* nosse rundt; fjolle rundt; *~ sby about/around* pisse på én; *~ off!* skrid! gå ad helvede til! *it -ed me off* jeg blev pissesur; jeg blev skidegal; *~ sby over* tage røven på en; udnytte en; *~ up* ødelægge, spolere.
fuck[3] [fʌk] *interj.* (*vulg.*) satans

også! sådan noget lort!

□ ~ *it!* gid satan havde det! ~ *you!* gå ad helvede til! rend mig i røven!

fuck-all [ˈfʌkɔ:l] *sb.* ikke en skid.

fucker [ˈfʌkə] *sb.* (*skældsord, vulg.*) skiderik.

fucking [ˈfʌkiŋ] *adj.* (*vulg.*) satans, helvedes, forpulet.

fuck-up [ˈfʌkʌp] *sb.* (*vulg.*) helvedes rod//kludder.

fuddle [ˈfʌdl] *sb.*: *in a* ~ helt forvirret//omtåget//forstyrret.

fuddled [ˈfʌdld] *adj.* forvirret, omtåget, forstyrret.

fuddy-duddy [ˈfʌdiˈdʌdi] *sb.* T gammelt nussehoved; gammel nisse.

fudge[1] [fʌdʒ] *sb.* [*blød karamelmasse*];
□ *it is a* ~ det er fusk/snyd/lusk; det er er at knibe/liste/smutte udenom.

fudge[2] [fʌdʒ] *vb.* **1.** fuske, snyde; knibe/liste/smutte udenom; **2.** (*med objekt*) fuske/snyde med, forfalske (*fx the data; the figures*); (se også *issue*[1]).

fuel[1] [ˈfjuəl] *sb.* brændsel; brændstof;
□ *add* ~ *to* (*fig.*) give næring til (*fx the controversy; the debate*); *add* ~ *to the flames/fire* (*fig.*) bære ved til bålet; gyde olie i ilden; puste til ilden.

fuel[2] [ˈfjuəl] *vb.* **1.** forsyne med brændsel; **2.** (*fly etc.*) tanke op; **3.** (*fig.*) give næring til (*fx the debate; speculation about an election*).

fuel cell *sb.* brændselscelle.

fuel oil *sb.* brændselsolie.

fuel pump *sb.* benzinpumpe; brændstofpumpe.

fug [fʌg] *sb.* indelukkethed, beklumrethed; dårlig luft, fims, hørm.

fuggy [ˈfʌgi] *adj.* indelukket, beklumret.

fugitive[1] [ˈfjuːdʒitiv] *sb.* flygtning;
□ *a* ~ *from* en der er flygtet fra.

fugitive[2] [ˈfjuːdʒitiv] *adj.* **1.** flygtet; som er på flugt; bortløben; **2.** (*litt., fig.*) flygtig, kortvarig (*fx visit*);
□ ~ *verses/pieces* lejlighedsdigtning.

fugue [fjuːg] *sb.* (*mus.*) fuga.

fulcra [ˈfʌlkrə] *pl. af* fulcrum.

fulcrum [ˈfʌlkrəm] *sb.* (*pl. fulcra*) **1.** (*for vægtstang*) understøttelsespunkt; støttepunkt; omdrejningspunkt; **2.** (*for løftestang*) underlag; hvilepunkt; **3.** (F: *fig.*) tyngdepunkt, kerne (*fx the* ~ *of the plan//the argument*); vigtigste støtte (*fx he is the* ~ *of the team*).

fulfil [fulˈfil] *vb.* **1.** opfylde (*fx a promise; a need; the conditions; a prayer*); (*løfte også*) indfri; **2.** (*opgave etc.*) udføre (*fx a task; a function; an order*); **3.** (*person*) tilfredsstille (*fx he was no longer -led by his job*);
□ ~ *oneself* realisere sig selv; realisere sine muligheder.

fulfilling *adj.* (jf. *fulfil* 3) tilfredsstillende (*fx life; work*).

fulfilment [fulˈfilmənt] *sb.* (jf. *fulfil*) **1.** opfyldelse; indfrielse; **2.** udførelse; **3.** tilfredsstillelse; tilfredshed.

full[1] [ful] *adj.* **1.** (*i mange betydninger*) fuld; **2.** (*mht. indhold*) fuld; fyldt; **3.** (*mht. mad*) mæt; **4.** (*om redegørelse etc.*) fyldig, udførlig (*fx account*); (*uden at noget udelades*) fuld (*fx your* ~ *name; the* ~ *amount*); fuldstændig (*fx explanation*); hel (*fx the* ~ *amount//story//truth* hele beløbet (etc.)); **5.** (*om tid*) fuld, hel (*fx a* ~ *hour*); **6.** (*om person, legemsdel*) fyldig (*fx figure; lips*); rund (*fx cheeks*); **7.** (*om tøj*) vid;
□ *I like a coat made* ~ *across the chest* jeg kan godt lide en frakke med god vidde over brystet; *to the* ~ i fuldt mål; fuldstændig; fuldt ud;
[*med sb.; se også alfabetisk*] ~ *brothers and sisters* helsøskende; *be in* ~ **cry a.** (*om hunde*) gø af fuld hals [*under forfølgelse af byttet*]; **b.** (*om person*) være i fuld gang; køre 'på for fuldt drøn; køre på højeste gear; være oppe på mærkerne; *his heart was* ~ (*også*) han var overvældet; *have/lead a* ~ *life* have et rigt/indholdsrigt/spændende liv; ~ **member** fuldgyldigt medlem; *with one's* **mouth** ~ med mad i munden (*fx don't speak with your mouth* ~); (se også *blast*[1], *circle*[1], *flow*[1] (*etc.*));
[+ *præp. el. adv.*] *be* ~ **in** the face have et fyldigt ansigt; ~ *of* **a.** fuld af; fyldt med; **b.** (*fig.*) stærkt optaget af (*fx one's subject*; (*neds.*) *one's own importance*); ~ *of oneself* lidt for glad for sig selv; ~ *of days* mæt af dage; (se også *bean*[1]); *be* ~ *of it* være helt oppe på mærkerne; ~ **up a.** optaget; fuld; helt fyldt; **b.** (*med mad*) mæt; stopmæt.

full[2] [ful] *vb.* (*om tøj*) valke; stampe.

full[3] [ful] *adv.* **1.** helt; fuldt; **2.** lige (*fx hit him* ~ *in the eye//on the chest; look him* ~ *in the face*);
□ *in* ~ **a.** fuldt ud; **b.** helt ud; *name in* ~ fulde navn; *pay in* ~

betale helt ud; *receipt in* ~ saldokvittering; ~ **on** for fuld kraft; ~ **out a.** for fuld kraft; i fuld fart; **b.** (*typ.*) på fuldt format.

full age *sb.* myndighedsalder;
□ *of* ~ *age* myndig.

fullback [fulˈbæk] *sb.* (*i fodbold*) back.

full beam *sb.* (*om billygter*) det lange lys;
□ *drive on the* ~ køre med det lange lys slået til.

full binding *sb.* (*bogb.*) helbind.

full-blooded [fulˈblʌdid] *adj.* **1.** (*om aktivitet etc.*) regulær (*fx fight*); rendyrket, ægte, virkelig (*fx socialism*); **2.** (*om person*) blodrig, kraftig, lidenskabelig; **3.** (*om race*) fuldblods.

full-blown [fulˈbləun] *adj.* **1.** fuldt udviklet; færdig (*fx plans*); regulær (*fx war*); **2.** (*om blomst*) helt udsprunget;
□ ~ *AIDS* aids i udbrud.

full board *sb.* helpension.

full-bodied [fulˈbɔdid] *adj.* **1.** (*om person*) fyldig, frodig; svær; **2.** (*om vin*) fyldig, kraftig; med krop.

full-bottomed [fulˈbɔtəmd] *adj.*: ~ *wig* allongeparyk.

full-court press [fulkɔːˈt'pres] *sb.* **1.** (*i basketball*) [*mandsopdækning af modstanderne over hele banen*]; **2.** (*fig.*) massivt pres;
□ *put on a* ~ (jf. 2) sætte alle sejl til.

full-cream [fulˈkriːm] *adj.*: ~ *cheese* fuldfed ost; ~ *milk* sødmælk.

full dress *sb.* galla; festdragt.

full-dress [fulˈdres] *adj.* **1.** galla- (*fx uniform*); **2.** (*fig.*) med alt hvad der hører sig til (*fx a* ~ *conference*); gennemgribende (*fx investigation*);
□ ~ *debate* betydningsfuld (underhus)debat.

fuller [ˈfulə] *sb.* valker; stamper.

fuller's earth *sb.* valkejord.

full-face [fulˈfeis] *adv.* (*om billede*) en face; med ansigtet vendt mod tilskueren.

full-face helmet *sb.* integralhjelm [ɔ: *som dækker hele ansigtet*].

full-fledged [fulˈfledʒd] *adj.* (*am.*) = *fully-fledged*.

full-frontal [fulˈfrʌnt(ə)l] *adj.* **1.** set forfra, med forsiden til (*fx* ~ *nudes*); **2.** (*fig.*) direkte, utilsløret; hæmningsløs;
□ ~ *nudity* det at vise en nøgen person med forsiden til; *a* ~ *photograph* et foto taget direkte forfra.

full-grown [fulˈgrəun] *adj.* fuldvoksen (*fx lion*); helt/fuldt udvokset.

full house *sb.* **1.** udsolgt hus; (*på skilt*) optaget; alt udsolgt; **2.** (*i poker*) fuldt hus; **3.** (*i bankospil*) fuld plade.
full-length [ful'leŋθ] *adj.* **1.** (*om bog, film, plade*) uforkortet; af normal længde; **2.** (*om kjole, skørt*) hellang, lang; **3.** (*om gardin*) som når helt ned til gulvet; **4.** (*om portræt*) i hel figur; □ ~ *cartoon* tegnefilm af spillefilmslængde; ~ *mirror* figurspejl; *fall//lie* ~ se *length*.
full mast *sb.: at* ~ på hel stang.
full nelson *sb.* (*i brydning*) hel nelson.
fullness ['fulnəs] *sb.* **1.** (*om redegørelse*) fyldighed, udførlighed (*fx the* ~ *of the report*); **2.** (*af mad*) mæthed; **3.** (*om person, legemsdel*) fyldighed; rundhed; **4.** (*om tøj*) vidde; □ *the* ~ *of his life* hans indholdsrige/spændende liv; *in the* ~ *of time* når tidens fylde kommer; *write with great* ~ skrive meget udførligt.
full-page [ful'peidʒ] *adj.* helsides.
full-scale [ful'skeil] *adj.* **1.** (*om model, gengivelse*) i naturlig størrelse; i forholdet 1:1; **2.** (*fig.*) omfattende, stor- (*fx war*); total; fuldstændig.
full-size [ful'saiz] *adj.* i fuld størrelse.
full stop *sb.* punktum.
full time *sb.* se *time¹*.
full-time [ful'taim] *adj.* heltids-, fuldtids- (*fx job*); heldags-; □ *it is a* ~ *job* (*også*) det er en fuldtidsbeskæftigelse.
full-timer ['fultaimə] *sb.* heltidsbeskæftiget, fuldtidsbeskæftiget; heldagsbeskæftiget.
fully ['fuli] *adv.* **1.** fuldt ud, fuldstændigt, helt; **2.** (*om redegørelse, besvarelse*) udførligt, fyldigt; fuldstændigt; □ ~ *ten days* hele/samfulde ti dage.
fully-fashioned [fuli'fæʃənd] *adj.* fuldfashioneret.
fully-fledged [fuli'fledʒd] *adj.* **1.** (*om fugl*) flyvefærdig; **2.** (*fig.*) fuldt færdig; fuldt udbygget (*fx company*); (*om person*) færdiguddannet.
fulmar ['fulmə] *sb.* (zo.) isstormfugl; mallemuk.
fulminate ['fʌlmineit] *vb.: ~ about* F skælde ud/rase over; ~ *against* F tordne mod.
fulminating mercury *sb.* knaldkviksølv.
fulmination [fʌlmi'neiʃn] *sb.* F tordnen; rasen; fordømmelse;

□ *-s* (*også*) tordentaler.
fulness *sb.* se *fullness*.
fulsome ['fulsəm] *adj.* (neds.) overdreven, umådeholden; □ ~ *flattery* grov smiger; ~ *praise* skamros.
fumble ['fʌmbl] *vb.* **1.** (søgende) famle, rode (*for* efter, *fx she -d in her handbag for the keys*); **2.** (usikkert, klodset) fumle (*for* efter); **3.** (når man taler) stamme; **4.** (med objekt) kludre med; forkludre (*fx an attempt to do sth*); **5.** (*i sport: bold*) tabe; (spark etc.) kikse, kludre med; □ ~ *about/around* a. (jf. 1) rode rundt (*fx in one's handbag*); b. (i mørke) famle rundt; ~ *for a.* se ovf.: *1, 2*; b. (jf. 4) famle efter, søge efter (*fx the right word*); ~ *out* fremstamme; ~ *with* a. (jf. 2) fumle med (*fx he -d with the keys and dropped them*); b. (åndsfraværende) lege med, pille med (*fx she -d with her necklace*).
fume [fju:m] *vb.* **1.** (om person) rase, skumme af raseri; fnyse; **2.** (jf. *fumes*) ryge, dampe, ose; **3.** (træ) farve mørk; behandle med røgbejdse.
fume cupboard *sb.* (kem.) stinkskab.
fumes [fju:mz] *sb. pl.* røg; dampe, dunster, giftige gasarter.
fumigate ['fju:migeit] *vb.* desinficere [ved rygning]; ryge.
fumigation [fju:mi'geiʃn] *sb.* desinfektion; rygning.
fuming ['fju:miŋ] *adj.* (jf. *fume*) **1.** rasende; skummende af raseri; **2.** rygende, dampende, osende.
fumitory ['fju:mi:t(ə)ri] *sb.* (bot.) jordrøg.
fun¹ [fʌn] *sb.* sjov; morskab; □ ~ *and games* skæg og ballade; *for* ~, *in* ~ for sjov; for spøg; *like* ~ *I will//you are!* (am. T) vel vil jeg//er du ej! *figure of* ~ se *figure¹*; [med vb.] *have some* ~ more sig; *make* ~ *of, poke* ~ *at* lave sjov med, gøre grin med; gøre nar af; *I do not see the* ~ *of it* jeg kan ikke se det morsomme ved det.
fun² [fʌn] *adj.* sjov; □ *he is great* ~ han er vældig sjov.
fun³ [fʌn] *vb.* (am.) **1.** lave sjov; lave skæg; **2.** lave sjov/skæg med; □ *I was only -ning* det var kun min spøg; det var bare for sjov.
funambulist [fju'næmbjulist] *sb.* linedanser.
function¹ [fʌŋ(k)ʃn] *sb.* **1.** (om formål etc.; mat.; it) funktion; **2.** (som man udfører) opgave; **3.** (som man deltager i) arrangement (*fx attend an official* ~);

□ *be a* ~ *of* a. være et produkt//resultat af, være en følge af; b. (mat.) være en funktion af.
function² [fʌŋ(k)ʃn] *vb.* fungere; virke.
functional ['fʌŋ(k)ʃn(ə)l] *adj.* **1.** funktionel (*fx it should be* ~ *rather than decorative*); **2.** (om udstyr etc) funktionsdygtig (*fx a fully* ~ *system//museum*); **3.** (med.) funktionel.
functional food *sb.* funktionelle fødevarer [ɔ: med tilsætningsstoffer som angiveligt er sundhedsfremmende].
functional illiterate *sb.* funktionel analfabet.
functionalism ['fʌŋ(k)ʃn(ə)lizm] *sb.* funktionalisme.
functionalist¹ ['fʌŋ(k)ʃn(ə)list] *sb.* funktionalist.
functionalist² ['fʌŋ(k)ʃn(ə)list] *adj.* funktionalistisk.
functionary ['fʌŋ(k)ʃn(ə)ri] *sb.* funktionær.
function key *sb.* (it) funktionstast.
fund¹ [fʌnd] *sb.* fond (*fx a pension* ~; (fig.) *a* ~ *of knowledge*); (se også *funds*).
fund² [fʌnd] *vb.* finansiere.
fundament ['fʌndəmənt] *sb.* (F el. spøg.) bagdel, ende.
fundamental¹ [fʌndə'ment(ə)l] *sb.* (mus.) grundtone [i akkord]; (se også *fundamentals*).
fundamental² [fʌndə'ment(ə)l] *adj.* fundamental (*fx questions; of* ~ *importance*); principiel (*fx differences*); grundlæggende, grund- (*fx principles; research*); □ *be* ~ *to* være af fundamental betydning for; være altafgørende for.
fundamentalism [fʌndə'ment(ə)lism] *sb.* (rel.) fundamentalisme.
fundamentalist¹ [fʌndə'ment(ə)list] *sb.* (rel.) fundamentalist.
fundamentalist² [fʌndə'ment(ə)list] *adj.* (rel.) fundamentalistisk.
fundamentally [fʌndə'ment(ə)li] *adj.* i bund og grund; dybest set, inderst inde; principielt.
fundamentals [fʌndə'ment(ə)lz] *sb. pl.* grundbegreber (*fx a course in the* ~ *of biology*); grundprincipper; det grundlæggende (*fx we agree on* ~).
funded debt *sb.* (økon.) langfristet/konsolideret statsgæld.
funding ['fʌndiŋ] *sb.* **1.** midler; bevilling; **2.** (jf. *fund²*) finansiering.
fund-raiser ['fʌndreizə] *sb.* **1.** fundraiser [en der arbejder med at skaffer bidrag til et bestemt formål, *fx institution, valgkampagne*]; **2.** [arrrrangement//selskab

etc. hvor deltagerne betaler bidrag til et bestemt formål].

fund-raising ['fʌndreiziŋ] *sb.* fundraising [*det at skaffe bidrag til bestemt formål*]; (jf. *fund-raiser* 1).

funds [fʌndz] *sb. pl.* **1.** midler; penge; **2.** statsobligationer; □ *no ~* (*om check*) ingen dækning; *raise ~* rejse/skaffe penge; [*med præp.*] *be in ~* have penge på lommen; være velbeslået/ved muffen; *have money in the ~* have penge anbragt i statsobligationer; *be short of/low on ~* have lavvande i kassen.

Funen ['fju:nən] Fyn.

funeral ['fju:n(ə)rəl] *sb.* begravelse; □ *that is his ~* T det bliver hans sag/hovedpine; det må han selv klare.

funeral director *sb.* indehaver af begravelsesforretning; bedemand.

funeral home *sb.* (*am.*) = *funeral parlour.*

funeral march *sb.* sørgemarch.

funeral parlour *sb.* begravelsesforretning [*med lokaler til afholdelse af begravelser*].

funeral pile *sb.*, **funeral pyre** *sb.* ligbål.

funeral service *sb.* (*rel.*) **1.** begravelsesritual; **2.** (*hele højtideligheden*) bisættelse.

funerary ['fju:n(ə)rəri] *adj.* **1.** begravelses- (*fx ceremonies*); **2.** grav- (*fx urn*).

funereal [fju'niəriəl] *adj.* begravelses-; højtidelig (*fx pace*); sørgelig; sørge- (*fx music*).

funfair ['fʌnfɛə] *sb.* (omrejsende) tivoli; forlystelsespark.

fungi ['fʌngai, -gi:, -dʒai] *pl. af fungus.*

fungible ['fʌn(d)ʒəbl] *adj.* (*jur.*) ombyttelig.

fungicide ['fʌngisaid, -dʒi-] *sb.* svampedræbende middel.

fungoid ['fʌngɔid] *adj.* svampeagtig.

fungus ['fʌngəs] *sb.* (*pl. -es/fungi*) svamp.

funhouse ['fʌnhaus] *sb.* (*i forlystelsespark*) "det mystiske hus".

funicular [fju'nikjulə] *sb.* tovbane; kabelbane.

funicular railway *sb.* = *funicular.*

funk [fʌŋk] *sb.* **1.** T angst, skræk; **2.** (*am.*) nedtrykthed; depression; **3.** (*mus.*) funk; □ *in a (blue) ~* **a.** hundeangst; **b.** (*am.*) nedtrykt, deprimeret.

funky ['fʌŋki] *adj.* **1.** S utraditionel, flot, "fed"; **2.** (*am.* S) ildelugtende, stinkende; **3.** (*mus.*) funkagtig; følelsesbetonet; med markeret rytme.

funnel[1] ['fʌn(ə)l] *sb.* **1.** tragt; **2.** (*på dampskib & lokomotiv*) skorsten.

funnel[2] ['fʌn(ə)l] *vb.* **1.** lede gennem en tragt; **2.** (*fig.*) kanalisere, lede (*fx money into the project*); **3.** (*uden objekt*) passere (*fx through a narrow street*).

funnies ['fʌniz] *sb. pl.* (*am.* S) tegneserier.

funny ['fʌni] *adj.* **1.** (*som man ler ad*) sjov, morsom (*fx film*); pudsig; **2.** (*som man undrer sig over*) sjov, underlig, besynderlig (*fx smell*); **3.** (*som man ikke kan lide*) mistænkelig (*fx there is something ~ going on here*); □ *there is something ~ about it* (*jf.* 3) der er noget muggent ved det; [*med vb.*] *feel ~* få en underlig fornemmelse; føle sig//blive utilpas; *don't try anything ~* du skal ikke prøve at lave numre; *don't you try to be ~ with me* du skal aldeles ikke prøve på at være morsom.

funny bone *sb.* snurreben [*i albuen*].

funny business *sb.* T numre, julelege.

funny farm *sb.* S tosseanstalt.

funny man *sb.* (*pl. ... men* [men]) komiker; klovn.

fur[1] [fə:] *sb.* **1.** (*på dyr*) pels; **2.** (*løst*) skind (*fx they exchanged whisky for -s*); **3.** (*generelt*) pelsværk; **4.** (*i jagtsprog*) pelsvildt, pelsdyr (*fx ~ and feather*); **5.** (*på tungen*) belægning; **6.** (*i kedel*) kedelsten; □ *the ~ began to fly* de kom op at skændes; der blev et farligt hus; *the ~ was flying* bølgerne gik højt; de skændtes så det røg om ørerne; *make the ~ fly, set the fur -ing* få bølgerne til at gå højt; lave et farligt hus.

fur[2] [fə:] *vb.* **1.** se ndf.: *~ up*; **2.** (*i byggeri*) påfore; □ *~ up* **a.** blive tilstoppet/blokeret; **b.** (*med objekt*) tilstoppe, blokere (*fx the coronary arteries*); (se også *furred*).

furbelow ['fə:biləu] *sb.* garnering [*på damekjole*]; □ *-s* falbelader.

furbish ['fə:biʃ] *vb.:* *~ up* (*fig.*) friske op; pudse op.

fur coat *sb.* pels; pelsfrakke, pelskåbe.

furious ['fjuəriəs] *adj.* rasende.

furl [fə:l] *vb.* **1.** rulle sammen (*fx a flag*); folde sammen (*fx a newspaper*); (*paraply*) lukke; **2.** (*mar.:* *sejl*) beslå.

furlong ['fə:lɔŋ] *sb.* [*længdemål: 1/8 mile, 220 yards, 201 m.*].

furlough[1] ['fə:ləu] *sb.* **1.** (*mil. etc.*) orlov; **2.** (*am.*) (midlertidig) afskedigelse.

furlough[2] ['fə:ləu] *vb.* **1.** (*mil. etc.*) give orlov; **2.** (*am.*) afskedige (midlertidigt), sende hjem.

furnace ['fə:nis] *sb.* **1.** (*i hus*) (central)fyr; **2.** (*til metal*) smelteovn; □ *it is (like) a ~ in here* T her er varmt som i en bageovn.

furnish ['fə:niʃ] *vb.* **1.** (*værelse, hus*) indrette, udstyre, møblere; (se også *furnished*); **2.** F give (*fx an explanation; particulars*); levere (*fx we can ~ everything that is needed*); skaffe (*fx proof of his innocence*); yde (*fx such education as the local schools could ~*); □ *~ sby with sth* **a.** give//levere en noget; **b.** forsyne//udruste en med noget (*fx soldiers with uniforms*); **c.** udstyre en med noget.

furnished ['fə:niʃt] *adj.* møbleret (*fx a ~ flat*; *the room was sparsely//expensively ~*).

furnisher ['fə:niʃə] *sb.* indehaver af boligmonteringsforretning.

furnishing fabrics [fə:niʃiŋ'fæbriks] *sb. pl.* boligtekstiler; møbelstoffer.

furnishings ['fə:niʃiŋz] *sb. pl.* boligudstyr; møbler.

furniture ['fə:nitʃə] *sb.* **1.** (*i hus, værelse*) møbler; inventar, indbo; **2.** (*til apparat etc.*) tilbehør; **3.** (*til dør, vindue, møbel*) beslag; **4.** (*typ.*) blindmateriale; □ *a piece/an item of ~* (*jf.* 1) et møbel; *much ~* mange møbler; *her mental ~* hendes åndelige udrustning; *be part of the ~* være fast tilbehør/inventar [*og derfor ikke blive bemærket*].

furor ['fju:rɔ:] *sb.* (*am.*) = *furore.*

furore [fjuə'rɔ:ri, (*am.*) 'fjurɔ:r] *sb.* **1.** (voldsom) opstandelse/opsigt; (stort) postyr; furore; **2.** (*negativ*) ophidselse; raseri.

furred [fə:d] *adj.* **1.** (*om dyr*) med pels; **2.** (*om tungen*) belagt; **3.** (*om kedel*) belagt med kedelsten; □ *~ animal* pelsdyr.

furrier ['fʌriə] *sb.* buntmager; pelshandler.

furriery ['fʌriəri] *sb.* **1.** pelsværk; **2.** pelshandel.

furrow[1] ['fʌrəu] *sb.* **1.** fure; plovfure; **2.** (*i ansigt*) (dyb) rynke; fure; □ *plough a lone/lonely/one's own ~* **a.** holde sig for sig selv; gå sin dunkle vej alene; **b.** gå sine egne veje.

furrow[2] ['fʌrəu] *vb.* **1.** fure; lave furer i; **2.** (*panden*) rynke, fure.

furry ['fə:ri] *adj.* **1.** lodden; **2.** (*om tunge*) belagt.

fur seal *sb.* (*zo.*) øresæl; søbjørn.
further[1] ['fɔ:ðə] *adj.* (*komp. af far*[1])
1. nærmere (*fx details; explanation; information; instructions*);
yderligere (*fx information*); mere
(*fx there was nothing* ~ *to be done*); **2.** (*om afstand*) fjernere;
længere (borte) (*fx it is* ~ *than you think*); (se også *further*[3]);
□ *nothing could be* ~ *from my mind/thoughts* det kunne aldrig
falde mig ind; *the* ~ *end of the room* den anden ende af værelset;
until ~ *notice* indtil videre.
further[2] ['fɔ:ðə] *vb.* fremme (*fx a cause*); befordre.
further[3] ['fɔ:ðə] *adv.* (*komp. af far*[2])
1. yderligere (*fx* ~ *complicated; fall* ~); mere; **2.** (*om afstand; også fig.*) videre (*fx we didn't get any* ~); længere (*fx* ~ *away from the river, sink* ~ *into despair*); **3.** (*om supplerende oplysning*) endvidere, desuden (*fx I may* ~ *mention that ...*);
□ ~ *on* **a.** længere fremme; **b.** længere ude i fremtiden; ~ *to* (*merk.,* **F**) i fortsættelse af (*fx our conversation*); under henvisning til (*fx your letter*);
[*med vb.*] **go** ~ gå videre (*with* med); gå længere; *this is to go no* ~ det bliver mellem os; (se også *fare*[2]); *you may go* ~ *and fare worse* vær tilfreds med hvad du har; *I'll see him* ~ *first* det kunne aldrig falde mig ind; han kan rende og hoppe; *take* the matter ~ gå videre med sagen.
furtherance ['fɔ:ðərəns] *sb.* fremme (*fx of popular education*).
further education *sb.* (ikke-akademisk) videregående uddannelse;
voksenundervisning.
furthermore [fɔ:ðə'mɔ:, (*am.*) 'fərðərmɔ:r] *adv.* desuden; endvidere.
furthermost ['fɔ:ðəməust] *adv.* fjernest.
furthest[1] ['fɔ:ðist] *adj.* (*sup. af far*[1]) fjernest (*fx the* ~ *ends of the earth*); længst (*fx the* ~ *flight*).
furthest[2] ['fɔ:ðist] *adv.* (*sup. af far*[2]) længst (*fx the* ~ *I can see*); fjernest, længst væk (*fx* ~ *from the river*).
furtive ['fɔ:tiv] *adj.* **1.** hemmelig; hemmelighedsfuld, fordækt (*fx smile*); **2.** mistænkelig, lusket (*fx there was something* ~ *about his behaviour*);
□ *a* ~ *glance* et stjålent blik; ~ *steps* snigende fodtrin.
fury ['fjuəri] *sb.* raseri;
□ *like* ~ (*glds.*) som rasende.
furze [fɔ:z] *sb.* (*bot.*) tornblad.

fuse[1] [fju:z] *sb.* **1.** (*til fyrværkeri etc.*) lunte; **2.** (*til sprængladning*) tændsnor; **3.** (*i granat, bombe*) brandrør; **4.** (*elek.*) smeltetråd; (smelte)sikring; (*svarer til*) prop;
□ *the* ~ *has blown* sikringen er sprunget; *blow a* ~ **a.** få en sikring til at springe; **b.** = *fuse*[2] *5*;
c. (*fig.*) blive hidsig/rasende; springe i luften; få en prop; (se også *short*[2]).
fuse[2] [fju:z] *vb.* **1.** smelte; **2.** smelte sammen (*with* med); **3.** (*fig.*) sammensmelte (*fx two families*); sammenslutte (*fx two parties*); **4.** (*om sikring*) brænde over; **5.** (*om elektrisk apparat, lys etc.*) gå i stå//gå ud [*på grund af kortslutning*]; (*også med objekt*) kortslutte (*fx my headlights have -d; they have -d the lights*);
□ *the light has -d* (*omtr.*) der er sket en kortslutning; ~ *together* smelte sammen.
fuse box *sb.* sikringskasse; sikringsskab.
fused [fju:zd] *adj.* forsynet med sikring.
fusee [fju:'zi:] *sb.* **1.** stormtændstik; **2.** (*i ur*) spindel; snekke; **3.** (*am. jernb.*) signalblus.
fuselage ['fju:sila:ʒ] *sb.* (*af fly*) fuselage, skrog.
fuse wire *sb.* (*elek.*) smeltetråd [*til indsætning i sikring*].
fusilier [fju:zə'liə] *sb.* (*hist.*) musketer;
□ *Fusiliers* [navn på regiment der tidligere bestod af musketerer].
fusillade [fju:zə'leid] *sb.* **1.** geværsalve; salve; **2.** (*fig.*) byge, regn (*fx of questions*).
fusion ['fju:ʒ(ə)n] *sb.* **1.** fusion; sammensmeltning; **2.** (*fys.*) fusion.
fusion bomb *sb.* fusionsbombe [*især: brintbombe*].
fuss[1] [fʌs] *sb.* **1.** postyr, ståhej, opstandelse; **2.** (*am.*) skænderi;
□ *make/kick up a* ~ gøre vrøvl; lave en masse postyr/ballade; gøre et stort nummer ud af det; *make a* ~ *about trifles* hænge sig i bagateller; *make a* ~ *of sby* **a.** gøre et stort nummer ud af en; gøre vældig stads af en; **b.** (*bekymret*) pylre om en.
fuss[2] [fʌs] *vb.* **1.** vimse 'om; **2.** bekymre sig om småting; gøre ophævelser; lave en masse vrøvl/postyr; hidse sig op; **3.** (*med objekt*) gøre nervøs (*fx don't* ~ *me*);
□ ~ *and fret* være nervøs og bekymret; *I'm not -sed* **T** det gør mig ikke noget; jeg er ligeglad;
[*med præp.& adv.*] ~ *about*

a. vimse omkring; **b.** se: ~ *over*; ~ *over sby* **a.** gøre vældig stads af en; gøre et stort nummer ud af en; **b.** (*bekymret*) pylre om en; ~ *over sth* **a.** gøre et stort nummer ud af noget; lave en masse vrøvl over noget; **b.** bekymre sig om noget; gøre sig unødige bekymringer om noget; ~ *with* rode med; pille med (*fx one's hair*).
fussbudget ['fʌsbʌdʒət] *sb.* (*am.*) = *fusspot*.
fusspot ['fʌspɔt] *sb.* **T** pernittengryn; nussehoved.
fussy ['fʌsi] *adj.* **1.** (*mht. orden, renlighed*) nøjeregnende, overdreven pertentlig, pillen (*about* med); (*mht. snavs også*) sart; **2.** (*mht. udvalg*) kræsen (*fx she'll never find a husband, she's too* ~; *he's a* ~ *eater*); **3.** (*om bevægelse*) nervøs; travl; **4.** (*om pynt*) overlæsset; gnidret;
□ *I'm not so* ~ **T** det er jeg ligeglad med; det går jeg ikke så højt op i.
fustian ['fʌstiən, (*am.*) 'fʌstʃn] *sb.* **1.** (*om tøj*) bommesi; **2.** (*om stil*) bombast; svulst.
fustic ['fʌstik] *sb.* (*bot.*) gultræ.
fusty ['fʌsti] *adj.* **1.** muggen, skimlet; **2.** indelukket, beklumret; **3.** (*om tankegang etc.*) antikveret, støvet, mosgroet.
futile ['fju:tail, (*am.*) 'fju:tl] *adj.* forgæves (*fx attempt*); resultatløs; nytteløs, formålsløs.
futility [fju:'tiləti] *sb.* resultatløshed; unyttighed, nytteløshed, formålsløshed; tomhed (*fx the* ~ *of life*).
futon ['fu:tɔn] *sb.* futon [slags madras; japansk seng].
future[1] ['fju:tʃə] *sb.* (se også *futures*) **1.** fremtid; **2.** (*gram.*) futurum, fremtid;
□ *for the* ~ for fremtiden; *in* ~ i fremtiden.
future[2] ['fju:tʃə] *vb.* fremtidig; tilkommende;
□ ~ *prospects* fremtidsudsigter.
futures ['fju:tʃəz] *sb. pl.* (*merk.*) terminsforretninger.
futurism ['fju:tʃərizm] *sb.* futurisme.
futurist[1] ['fju:tʃərist] *sb.* **1.** (*kunstner*) futurist; **2.** (*forsker*) fremtidsforsker.
futurist[2] ['fju:tʃərist] *adj.* futuristisk.
futuristic [fju:tʃə'ristik] *adj.* futuristisk.
futurity [fju:'tjuəriti] *sb.* **1.** fremtid; **2.** fremtidig begivenhed; kommende tilstand.
futurology [fju:tʃə'rɔlədʒi] *sb.* frem-

F *futz*

tidsforskning.

futz [fʌts] *vb.:* ~ *around* (*am.*)
fjolle rundt.

fuze se *fuse¹*.

fuzee *sb.* (*am.*) = *fusee*.

fuzz [fʌz] *sb.* dun; fine hår;
□ *the* ~ S politiet; strømerne.

fuzzy ['fʌzi] *adj.* **1.** dunet, håret,
lodden; **2.** (*om hår*) kruset; krøl-
let; **3.** (*om omrids, billede*) sløret,
uklar, udvisket; **4.** (*om tankegang
etc.*) uklar, tåget, vag.

fuzzy logic *sb.* (*it*) fuzzy logik [*uk-
lar og upræcis logik*].

fuzzy-wuzzy ['fʌziwʌzi] *sb.* (*neds.*)
neger.

FWD *fork. f. front-wheel drive.*

FYI *fork. f. for your information.*

fylfot ['filfɔt] *sb.* hagekors.

G

G¹ [dʒiː].
G² *fork. f.* **1.** (*fys.*) gravitationskraft;
2. (*am.:* om film) for alle uden re-
striktioner; **3.** (*am.* T) $1000.
g *fork. f. gram(s).*
Ga. *fork. f. Georgia.*
gab¹ [gæb] *sb.:* *he has got the gift
of the* ~ han har et godt snakke-
tøj.
gab² [gæb] *vb.* snakke løs; bruge
mund.
gabardine ['gæbədiːn] *sb.* **1.** (*stof*)
gabardine; **2.** (*frakke*) gabardine-
frakke; **3.** (*glds.*) kaftan; talar
[*jødes kappe*].
gabble¹ ['gæbl] *sb.* (jf. *gabble²*)
1. plapren; knevren, knever;
2. jappen; japperi.
gabble² [gæbl] *vb.* **1.** (*snakke*) pla-
pre; knevre; **2.** (*for hurtigt*) jappe
(*fx take your time and don't* ~).
gaberdine *sb.* = *gabardine.*
gabfest ['gæbfest] *sb.* (*am.* T) snak-
keselskab; komsammen [*hvor der
snakkes*].
gabion ['geibiən] *sb.* **1.** [*tromle
fyldt med jord el. sten, til dæm-
ningsbyggeri etc.*]; **2.** (*til forskans-
ning*) skansekurv.
gable ['geibl] *sb.* **1.** gavl; **2.** (*over
dør el. vindue*) gavltrekant.
gabled ['geibld] *adj.* med gavl(e).
gable end *sb.* gavl.
gad [gæd] *vb.:* ~ *about* (*glds. el.
spøg.* T) farte om, føjte om; ~
about the country farte rundt i
landet.
gadabout ['gædəbaut] *sb.* en der
har bisselæder i sålerne; rendema-
ske.
gadfly ['gædflai] *sb.* **1.** (*zo.*)
(okse)bremse, klæg; **2.** (*om per-
son*) urostifter, provokatør.
gadget ['gædʒət] *sb.* T mekanisk
tingest, dims; smart mekanisk
indretning; finesse.
gadgetry ['gædʒətri] *sb.* mekaniske
tingester, dimser; smarte mekani-
ske indretninger.
gadwall ['gædwɔːl] *sb.* (*zo.*) knar-
and.
Gael [geil] *sb.* gæler.
Gaelic¹ ['geilik] *sb.* (*sprog*) gælisk.
Gaelic² ['geilik] *adj.* gælisk.
gaff¹ [gæf] *sb.* **1.** fangstkrog;
2. (*mar.*) gaffel [*til gaffelsejl*];

□ *blow the* ~ T plapre ud med
hemmeligheden; røbe det hele; *he
can't stand the* ~ (*am.* S) han kan
ikke tåle mosten [ɔ: *holde til stra-
badserne etc.*].
gaff² [gæf] *vb.* **1.** (*fisk*) lande [*med
fangstkrog*]; **2.** (*am.* T) snyde,
fuppe.
gaffe [gæf] *sb.* bommert; fadæse.
gaffer ['gæfə] *sb.* **1.** arbejdsfor-
mand; sjakbajs; „mester"; **2.** (*film.;
tv*) chefelektriker; **3.** (*om gammel
mand*) fatter, gammelfar.
gaffsail ['gæfseil] *sb.* (*mar.*) gaffel-
sejl.
gag¹ [gæg] *sb.* **1.** (*som stoppes i
munden på én*) knebel; **2.** (*fig.:
forbud mod at udtale sig/referere*)
mundkurv; **3.** (*især am.* T) num-
mer, spøg, vittighed; **4.** (*teat.*) gag
[ɔ: *improviseret tilføjelse til en
rolle; morsomt trick*]; **5.** (*med.*)
mundspærre.
gag² [gæg] *vb.* **1.** (*ved kvalme, ube-
hag*) have opkastningsfornemmel-
ser; være ved at brække sig; gylpe;
2. (jf. *gag¹ 1*) kneble; **3.** (jf. *gag¹ 2*)
give mundkurv på; stoppe mun-
den på; **4.** (*teat.*) lave gags; impro-
visere.
gaga ['gaːgaː] *adj.* T gaga, gakgak;
senil; lallende;
□ *be* ~ *about/over sby* være helt
skør med/væk i en; *go* ~ *over sth*
blive helt skør/fjantet med noget.
gage [geidʒ] *se gauge.*
gaggle ['gægl] *sb.* **1.** flok gæs;
2. (*neds. om personer*) horde;
(kaglende) flok; højrøstet kor.
gag order *sb.* forbud mod at udtale
sig; referatforbud.
gaiety ['geiəti] *sb.* (*glds.*) munter-
hed, lystighed.
gaily ['geili] *adv. til gay².*
gain¹ [gein] *sb.* **1.** forøgelse (*fx a* ~
in weight); **2.** (*ved valg*) fremgang
(*of på, fx a* ~ *of two seats*); **3.** (*fx i
pris, kurs*) stigning (*of på, fx a* ~
of 8%); **4.** (*ved noget man gør*)
fordel (*from ved, fx the* ~ *from
free trade; it brought the country
considerable -s*) gevinst (*from
ved*); **5.** (*ved handel*) fortjeneste
(*of på, fx a* ~ *of 6,000 pounds*);
profit;
□ *-s* fortjeneste, gevinst, profit; (se

også *ill-gotten*); *for personal* ~ for
egen vindings skyld.
gain² [gein] *vb.* **1.** få (*fx an advan-
tage*); opnå (*fx independence;
there is nothing to be -ed by doing
that*); **2.** (*ved handel*) tjene; for-
tjene; **3.** (*gradvis*) vinde (*fx sup-
port*); (*uden objekt*) gå fremad (*fx
in knowledge; in popularity*); tage
'til; **4.** (*i vægt*) tage 'på (*fx she -ed
three pounds*); **5.** (*om ur*) vinde;
6. (F: *sted*) nå (frem til) (*fx the
other shore*);
□ *stand to* ~ have udsigt til at få
en fordel;
[*med sb.*] ~ *experience//recogni-
tion* få/opnå/høste erfaring//aner-
kendelse; ~ *ground* vinde terræn;
we had -ed our point vi havde
nået vort mål; vi havde opnået
vor hensigt; ~ *speed* komme op i
fart; få fart på; ~ *strength* komme
til kræfter; ~ *weight* tage 'på (i
vægt); (se også *access¹, currency,
entrance¹, entry, footing, living¹*);
[*med præp.& adv.*] ~ *from* vinde/
opnå ved (*fx they -ed most from
the scheme*); få ud af (*fx what did
you* ~ *from the course?*); ~ *in* se
ovf.: *3*; *he has nothing to* ~ *in it*
han har intet at vinde ved det; ~
on sby hale/vinde ind på en; ~ *on
one's pursuers* få længere for-
spring for sine forfølgere; komme
længere bort fra sine forfølgere;
the sea -s on the land havet æder
sig ind i landet; ~ *sby over to
one's side* vinde én for sit parti.
gainer ['geinə] *sb.* **1.** en der opnår
noget; vinder (*fx -s and losers*);
2. (*udspring fra vippe*) baglæns
saltomortale.
gainful ['geinf(u)l] *adj.* lønnet; ind-
tægtsgivende;
□ ~ *employment* (*også*) erhvervs-
arbejde.
gainfully ['geinfəli] *adv.:* ~ *em-
ployed* erhvervsmæssigt beskæfti-
get.
gainsay [gein'sei] *vb.* F **1.** benægte,
bestride (*fx it cannot be gainsaid*);
2. (*person*) modsige.
gait [geit] *sb.* **1.** (F *el. spøg.*) gang,
måde at gå på; **2.** (*hests*) gangart.
gaiters ['geitəz] *sb. pl.* gamacher.
gal [gæl] *sb.* T pige.

G gal.

gal. *fork. f. gallon(s).*

gala¹ ['ga:lə, 'geilə] *sb.* 1. fest, festlighed; 2. (*i sport*) (svømme)stævne.

gala² ['ga:lə, 'geilə] *adj.* gala-, fest- (*fx evening; performance*); □ *in* ~ *dress* i galla; i festdragt.

galactic [gə'læktik] *adj.* galaktisk, mælkevejs-.

galago [gə'leigəu] *sb.* (*zo.*) øremaki, øreabe.

galah [gə'la:] *sb.* (*austr.*) 1. rosa kakadue; 2. T fæhoved.

galantine ['gælənti:n] *sb.* [*kalve- el. hønsekød i gelé*].

galaxy ['gæləksi] *sb.* 1. (*astr.*) galakse, mælkevej; 2. (*fig.*) strålende forsamling.

gale [geil] *sb.* 1. storm; 2. (*vindstyrke 8*) hård kuling; (se også *near gale, strong gale*); □ ~-/-*s of laughter* latterbrøl.

gale-force ['geilfɔ:s] *adj.* af stormstyrke.

galena [gə'li:nə] *sb.* blyglans.

gale warning *sb.* stormvarsel.

Galicia [gə'lifiə] (*geogr.*) Galicien.

Galician¹ [gə'lifiən] *sb.* 1. (*person*) galicier; 2. (*sprog*) galicisk.

Galician² [gə'lifiən] *adj.* galicisk.

Galilean¹ [gæli'li:ən] *sb.* galilæer.

Galilean² [gæli'li:ən] *adj.* galilæisk.

Galilean telescope *sb.* Galileikikkert.

Galilee ['gælili:] Galilæa.

galingale ['gæliŋeil] *sb.* (*bot.*) fladaks.

gall¹ [gɔ:l] *sb.* 1. fræhked, uforskammethed; 2. (*på huden*) gnavsår; (*fig.*) irritation; 3. (*glds.*) galde; (*fig.*) bitterhed, had, vrede; 4. (*bot.*) galæble.

gall² [gɔ:l] *vb.* 1. (*på huden*) gnave, gøre hudløs; 2. (*fig.*) ærgre, irritere, plage; nage, forbitre.

gallant¹ ['gælənt] *sb.* (*glds.*) 1. flot ung mand; galant herre; 2. elsker, galan.

gallant² ['gælənt] *adj.* (F el. glds.) kæk, tapper; heroisk (*fx fight; effort*).

gallant³ ['gælənt, gə'lænt] *adj.* (*glds.*) galant.

gallantry ['gæləntri] *sb.* F 1. tapperhed; 2. ridderlighed, galanteri; □ *gallantries* komplimenter, høflighedsfraser.

gall bladder *sb.* (*anat.*) galdeblære.

galled [gɔ:ld] *adj.* hudløs.

galleon ['gæliən] *sb.* (*mar., hist.*) galleon.

gallery ['gæləri] *sb.* 1. (*for kunst*) malerisamling; billedgalleri; museum; 2. (*salgssted*) galleri, (finere) kunsthandel; 3. (*underjor-*

disk) gang; (*i mine*) minegang, stolle; 4. (*på hus*) svalegang; 5. (*i kirke*) pulpitur; 6. (*parl.*) tilhørerloge; (se også *press gallery*); 7. (*teat.*) galleri; (se også *shooting gallery*); □ *play to the* ~ spille for galleriet [ɔ: *bruge billige virkemidler*].

galley ['gæli] *sb.* 1. kabys, skibskøkken//flykøkken; (*i sejlbåd*) pantry; 2. (*typ.*) skib; 3. (*hist.:* skibstype) galej.

galley proof *sb.* (*typ.*) spaltekorrektur.

galliard ['gælia:d] *sb.* (*hist.*) gaillarde [*munter dans*].

Gallic ['gælik] *adj.* gallisk.

gallic ['gælik] *adj.:* ~ *acid* (*kem.*) gallussyre.

Gallicism ['gælisizm] *sb.* gallicisme, fransk sprogejendommelighed.

gallimaufry [gæli'mɔ:fri] *sb.* miskmask.

gallinaceous [gæli'neifəs] *adj.* hønse-.

gallinaceous game birds *sb. pl.* (*zo.*) hønsefugle.

galling ['gɔ:liŋ] *adj.* irriterende [*fordi det er uretfærdigt*].

gallinule ['gælinju:l] *sb.* (*zo.*) 1. sultanhøne; 2. (*am.*) rørhøne.

gallivant [gæli'vænt] *vb.* (*spøg.*) farte om, fistre rundt; fjase.

gall midge *sb.* (*zo.*) galmyg.

gall mite *sb.* (*zo.*) galmide.

gallon ['gælən] *sb.* gallon [*ca. 4,5 l.; am. ca. 3,8 l.*]; □ -*s of* T litervis af.

galloon [gə'lu:n] *sb.* galon, tresse, snor.

gallop¹ ['gæləp] *sb.* galop; □ *at a* ~ i galop.

gallop² ['gæləp] *vb.* 1. galopere; 2. (*med objekt*) få til at galopere.

gallows ['gæləuz] *sb.* galge.

gallows humour *sb.* barsk humor, galgenhumor.

gallstone ['gɔ:lstəun] *sb.* (*med.*) galdesten.

Gallup poll® ['gæləppəul] *sb.* gallupundersøgelse.

galluses ['gæləsiz] *sb. pl.* (*am. el. skotsk* T) seler.

gall wasp *sb.* (*zo.*) galhveps.

galoot [gə'lu:t] *sb.* (*am. el. skotsk* T) klodsmajor; døgenigt; fyr.

galop¹ ['gæləp] *sb.* galop [*dans*].

galop² ['gæləp] *vb.* danse galop.

galore [gə'lɔ:] *adv.* i massevis (*fx money* ~).

galoshes [gə'lɔfiz] *sb. pl.* galocher.

galumph [gə'lʌmf] *vb.* T stampe, traske, bevæge sig kluntet.

galumphing [gə'lʌmfiŋ] *adj.* T kluntet, elefantagtig.

galvanic [gæl'vænik] *adj.* 1. elektriserende (*fx effect; speech*); opildnende; 2. (*elek.*) galvanisk (*fx battery; induction*).

galvanization [gælvənai'zeiʃn] *sb.* galvanisering.

galvanize ['gælvənaiz] *vb.* 1. opildne; elektrisere; sætte fart i; 2. galvanisere; □ ~ *sby into action* vække én til dåd.

galvanized ['gælvənaizd] *adj.* galvaniseret, forzinket.

gambit ['gæmbit] *sb.* 1. (*i skak*) gambit, åbning; 2. (*fig.*) udspil, manøvre; indledende manøvrer; 3. (*for at indlede samtale*) indledningsreplik.

gamble¹ ['gæmbl] *sb.* dristig satsning; lotterispil, hasard; □ *take a* ~ tage en chance; spille højt spil.

gamble² ['gæmbl] *vb.* 1. spille; 2. (*på børsen*) spekulere (*fx in stocks*); 3. (*fig.*) spille hasard (*with* med, *fx his life*); spille højt spil; 4. (*med objekt*) sætte på spil, satse; □ ~ *that* løbe an på at, satse på at; [*med præp.& adv.*] ~ *away a fortune* tabe en formue i spil; ~ *on* løbe an på, satse på; ~ *sth on* sætte noget ind på, satse noget på; ~ *with dice* spille terning.

gambler ['gæmblə] *sb.* 1. spiller, hasardspiller; 2. (*på børsen*) spekulant.

gambling¹ ['gæmbliŋ] *sb.* 1. spil (*fx he spent all his money on* ~); 2. (*fig*) hasard, højt spil.

gambling² ['gæmbliŋ] *adj.* spille- (*fx debt; den bule*).

gambol ['gæmb(ə)l] *vb.* hoppe og springe; boltre sig, tumle.

game¹ [geim] *sb.* (se også *games*) 1. spil; 2. (*enkelt omgang*) parti (*fx of chess//of billiards*); kamp (*fx a baseball* ~); 3. (*del af kamp: i tennis*) parti (*fx he won the three first -s*); (*i badminton*) sæt; 4. (*i bridge*) game; 5. (*børns*) leg (*fx children's -s*; a singing ~); 6. (*fig.*) plan, hensigt (*fx what's his* ~?); taktik; kneb; „nummer" (*fx none of your little -s!*); 7. (*ved jagt*) vildt (*fx big* ~ storvildt); □ *the* ~ *is four all* det står a fire; *40 points is* ~ 40 points betyder vundet spil; *what's his* ~? (*jf. 6, også*) hvad er han ude på? *the* ~ *is not worth the candle* det er ikke umagen værd; ~ *of chance* spil hvor det kommer an på heldet; hasardspil; ~ *of skill* spil hvor det kommer an på dygtighed; (se også *fair game*); [*med vb.*] *give the* ~ *away* røbe

gap year G

det hele; **improve** one's ~ forbedre sin teknik; blive bedre til at spille; I **know** his little ~ jeg ved hvad han er ude på; jeg har gennemskuet ham; **make** ~ **of** (glds.) gøre nar af; **play** the ~ følge spillets regler; spille ærligt spil; you are playing his ~ du går hans ærinde [ɔ: hjælper ham uden at ville det]; play a good ~ spille godt; spille en god kamp; play a political ~ drive et politisk spil; (se også games, losing game, waiting game);

[med præp.& adv.] beat/lick him **at** his own ~ slå ham på hans eget felt//med hans egne våben; that's a ~ two can play at, two can play at that ~ hvis du gør det mod mig, gør jeg det samme mod dig; (omtr.) det bliver vi to om! that is part **of** the ~ det er noget der hører med; the name of the ~ se name¹; he is **off** his ~ han er ikke i form; put him off his ~ distrahere/forstyrre ham så han ikke kan spille ordentligt; be **on** the ~ **a.** trække på gaden; **b.** (am.) være indblandet i ulovligheder; være med i noget; ~ **over** (am. T) spillet er forbi; der er ikke mere at gøre; der er ikke noget at stille op; I am new **to** the ~ det er helt nyt for mig; jeg har ingen erfaring med det; the ~ is **up** spillet er tabt; what ~ is he **up to**? hvad er han ude på? he is up to every ~ han bruger alle kneb.

game² [geim] adj. parat, frisk (fx if you are ~ we can do it now);
□ be ~ **for** være parat til; ville være med til; he is ~ **for** anything (også) han er/går med på den værste; have a ~ **leg** (glds.) være halt.

game³ [geim] vb. spille.

game bag sb. jagttaske.

game birds sb. pl. **1.** fuglevildt; **2.** (zo. klassifikation) hønsefugle.

gamecock ['geimkɔk] sb. kamphane.

gamekeeper ['geimki:pə] sb. (herregårds)skytte; jagtbetjent.

game licence sb. jagttegn.

gamely ['geimli] adv. tappert; modigt.

game park sb. vildtreservat.

game plan sb. slagplan; strategi.

game preserve sb. vildtreservat.

gamer ['geimə] sb. **1.** [en der spiller computerspil]; **2.** [en der deltager i rollespil].

games [geimz] sb. pl. **1.** lege (fx the Olympic Games); stævne; **2.** (skolefag) boldspil; idræt; (se også fun¹);
□ play ~, play silly ~ lave pjat

(with med).

game show sb. (tv) udsendelse med præmiekonkurrence.

gamesmanship ['geimzmənʃip] sb. T [kunsten at vinde ved at udnytte reglerne groft og forvirre modstanderen].

games master sb. gymnastiklærer [der underviser i boldspil].

gamesome ['geimsəm] adj. lystig, munter, kåd.

gamete [gæ'mi:t] sb. (biol.) gamet [kønscelle].

game warden sb. jagtbetjent.

gamine [gæ'mi:n] adj. gaminagtig, drenget.

gaming ['geimiŋ] sb. (let glds.) hasardspil.

gaming table sb. spillebord.

gamma ['gæmə] sb. gamma [græsk bogstav; karakter under alpha og gamma].

gamma rays sb. pl. gammastråler.

gammer ['gæmə] sb. (glds.) gammel kone; mutter.

gammon ['gæmən] sb. **1.** saltet skinke; **2.** yderlår.

gammon bone sb. lårben.

gammy ['gæmi] adj.: ~ leg (glds. T) dårligt ben.

gamp [gæmp] sb. (glds. T) paraply, „bomuldspeter".

gamut ['gæmət] sb. skala, omfang, register; række;
□ a whole ~ of en hel række af (fx new experiences); the whole ~ of emotions hele skalaen af følelser; hele følelsesregisteret; run the whole ~ of gennemgå hele rækken/omfanget/skalaen af.

gamy ['geimi] adj. **1.** (om kød) som smager//lugter lige som vildt der har hængt længe; som har en tanke; **2.** (am.) pikant (fx all the ~ details); sensationel; tvivlsom (fx character); fræk (fx language).

gander ['gændə] sb. (zo.) gase;
□ take a ~ at S kikke på; (se også sauce).

gang¹ [gæŋ] sb. **1.** (af kriminelle; af unge) bande; **2.** (af arbejdere) sjak, arbejdshold; **3.** (T: af venner) slæng;
□ be one of the ~ høre 'med.

gang² [gæŋ] vb. (skotsk) gå; (se også agley);
□ ~ up slutte sig sammen; ~ up against, ~ up on rotte sig sammen imod; overfalde i flok.

gang bang sb. S gruppeknald; gruppevoldtægt.

gangbuster ['gæŋbʌstər] sb. (am. T) bekæmper af bandekriminalitet;
□ like -s med fuld musik; go like -s gå strygende.

ganger ['gæŋə] sb. sjakformand,

sjakbejs.

gangland ['gæŋlænd] sb. forbryderverden; underverden (fx London's ~).

gangling ['gæŋgliŋ] adj. ranglet; høj og spinkel.

ganglion ['gæŋgliən] sb. (anat.) ganglie, nervecentrum.

gangly ['gæŋgli] adj. = gangling.

gangplank ['gæŋplæŋk] sb. (mar.) landgangsbro, landgang.

gang rape sb. gruppevoldtægt.

gangrene¹ ['gæŋgri:n] sb. (med.) gangræn, koldbrand.

gangrene² ['gæŋgri:n] vb. blive gangrænøs, gå over til koldbrand.

gangrenous ['gæŋgrinəs] adj. gangrænøs, angrebet af koldbrand.

gangsta ['gæŋstə] sb. (am. S) gangster.

gangster ['gæŋstə] sb. gangster.

gangue [gæŋ] sb. (geol.) gangart.

gangway ['gæŋwei] sb. **1.** (mar.) landgangsbro, landgang; faldrebstrappe; **2.** (mellem stolerækker) midtergang; **3.** (i Underhuset) [tværgang mellem bænkene];
□ members below the ~ (jf. 3) uafhængige medlemmer.

gannet ['gænit] sb. (zo.) sule.

gansey ['gænzi] sb. (irsk) trøje.

gantry ['gæntri] sb. **1.** (jernb.) signalbro; **2.** (til skilte) skiltebro; **3.** (til lys) belysningsbro; **4.** (til raket) servicetårn; **5.** (til kran) portal; kranbane.

gantry crane sb. portalkran; galgekran.

gaol [dʒeil] sb., **gaoler** ['dʒeilə] sb. = jail (etc.).

gap [gæp] sb. **1.** åbning, hul (fx in a wall; in a hedge); mellemrum (fx between two houses; between his front teeth); **2.** (i bjerg) kløft; (mellem bjerge) (bjerg)pas; **3.** (om noget der mangler) hul (fx in one's knowledge); lakune; tomrum; (økon.) underskud; **4.** (tidsmæssigt) afbrydelse (fx a ~ of three years); **5.** (om noget der skiller) kløft (fx the generation ~); (dybere) svælg (fx between their views; between rich and poor); **6.** (mil.) åbning, hul, breche;
□ bridge the ~ (fig.) slå bro over kløften; fill//stop a ~ (også fig.) udfylde et hul; dække et underskud.

gape¹ [geip] sb. **1.** måben; **2.** gaben.

gape² [geip] vb. **1.** glo med åben mund, måbe; **2.** gabe;
□ ~ at glo/stirre måbende på.

gaping ['geipiŋ] adj. gabende.

gap-toothed [gæp'tu:θt] adj. med mellemrum mellem tænderne.

gap year sb. friår, sabbatår [mellem

357

G garage

skolegangens afslutning og påbegyndelse af videreuddannelse].

garage ['gæra:ʒ, -ra:dʒ, -ridʒ, (*især am.*) gə'ra:ʒ] *sb.* **1.** garage; **2.** (*til reparation*) servicestation; autoværksted; **3.** (*til køb*) bilforhandler.

garage sale *sb.* [*privat salg af husgeråd etc.*]; loppemarked.

garb[1] [ga:b] *sb.* **1.** (F *el. litt.*) dragt, klædning; (*glds.*) klædebon; **2.** (*fig.*) iklædning.

garb[2] [ga:b] *vb.* (F *el. litt.*) (i)klæde.

garbage ['ga:bidʒ] *sb.* **1.** køkkenaffald; **2.** (*generelt*) affald, skrald; **3.** (*fig.*) sludder; bras; **4.** (*it*) forkerte data;

□ ~ *in* ~ *out* (*it*) [*hvis man putter forkerte data ind i computeren får man også forkerte data ud*].

garbage can *sb.* (*am.*) affaldsspand; T skraldespand.

garbage chute *sb.* affaldsskakt, nedstyrtningsskakt.

garbage collector *sb.* (*am.*) renovationsarbejder; T skraldemand.

garbageman ['ga:bidʒmæn] *sb.* (*pl.* -men [-mən]) = *garbage collector.*

garbage truck *sb.* (*am.*) renovationsvogn; T skraldevogn.

garbled ['ga:bld] *adj.* fordrejet, forvansket; forkludret.

garbo ['ga:bvəu] *sb.* (*austr.* T) skraldemand.

garboard ['ga:bɔ:d] *sb.*, **garboard strake** *sb.* (*mar.*) kølbord.

garda ['ga:də] *sb.* (*pl. gardai* ['ga:di:]) (*irsk*) politibetjent.

garden[1] ['ga:d(ə)n] *sb.* have; (*se også gardens*);

□ *everything in the* ~ *is lovely/ rosy* alt er i den skønneste orden; alt er som det skal være; *think that everything in the* ~ *is lovely* (*også*) tro den hellige grav vel forvaret.

garden[2] ['ga:d(ə)n] *vb.* gøre havearbejde; gå i haven.

garden centre *sb.* planteskole; havecenter.

garden chafer *sb.* (*zo.*) gåsebille.

garden city *sb.* haveby.

gardener ['ga:d(ə)nə] *sb.* gartner; havemand.

garden flat *sb.* [*lejlighed med have til*].

garden gnome *sb.* havenisse.

gardenia [ga:'di:niə] *sb.* (*bot.*) gardenia.

gardening ['ga:d(ə)niŋ] *sb.* havearbejde; havedyrkning.

gardening glove *sb.* havehandske.

garden party *sb.* havefest.

garden path *sb.* havegang;
□ *lead sby up the* ~ T narre/snyde en; tage en ved næsen; *be led up*

the ~ T gå i vandet.

gardens ['ga:d(ə)nz] *sb. pl.* haveanlæg; park.

garden spider *sb.* (*zo.*) korsedderkop.

garden-variety ['gard(ə)nvəraieti] *adj.* (*am.*) ganske almindelig.

garden warbler *sb.* (*zo.*) havesanger.

garfish ['ga:fiʃ] *sb.* (*zo.*) hornfisk.

garganey ['ga:gəni] *sb.* (*zo.*) atlingand.

gargantuan [ga:'gæntjuən] *adj.* kæmpemæssig.

garget ['ga:gət] *sb.* (*agr.*) yverbetændelse.

gargle[1] ['ga:gl] *sb.* **1.** gurglemiddel, mundskyllevand; **2.** gurglen.

gargle[2] ['ga:gl] *vb.* gurgle.

gargoyle ['ga:gɔil] *sb.* gargoil, vandspyer, tagrendetud [*ofte formet som grotesk menneske- el. dyreskikkelse*].

garish ['gɛəriʃ] *adj.* skrigende, grel; prangende.

garland[1] ['ga:lənd] *sb.* krans.

garland[2] ['ga:lənd] *vb.* bekranse.

garlic ['ga:lik] *sb.* hvidløg.

garment ['ga:mənt] *sb.* klædningsstykke, beklædningsgenstand;
□ *-s* klæder.

garner[1] ['ga:nə] *sb.* kornloft; magasin.

garner[2] ['ga:nə] *vb.* F indsamle; indhøste.

garnet ['ga:nət] *sb.* **1.** (*halvædelsten*) granat; **2.** (*farve*) granatrød.

garnish[1] ['ga:niʃ] *sb.* garnering, pynt.

garnish[2] ['ga:niʃ] *vb.* **1.** garnere, pynte; **2.** (*jur.*) gøre udlæg i [*hos tredjepart*].

garnishee[1] [ga:ni'ʃi:] *sb.* (*jur.*) tredjepart hos hvem der gøres udlæg.

garnishee[2] [ga:ni'ʃi:] *vb.* (*jur.*) gøre udlæg i [*hos tredjepart*].

garnishment ['ga:niʃmənt] *sb.* **1.** garnering, pynt; **2.** (*jur.*) udlæg hos tredjepart.

garpike ['ga:paik] *sb.* (*zo.*) hornfisk.

garret ['gærət] *sb.* loftskammer; kvistværelse.

garrison[1] ['gæris(ə)n] *sb.* garnison.

garrison[2] ['gæris(ə)n] *vb.* **1.** (*sted*) lægge garnison i; besætte; **2.** (*tropper*) garnisonere.

garrotte[1] [gə'rɔt] *sb.* garrotte, stranguleringsslynge.

garrotte[2] [gə'rɔt] *vb.* garrottere, strangulere.

garrulity [gæ'ru:ləti] *sb.* snakkesalighed.

garrulous ['gærələs] *adj.* snakkesalig.

garter ['ga:tə] *sb.* **1.** (*am.*) sokkehol-

der; (*til hofteholder*) strømpeholder; (*til ærme*) ærmeholder; **2.** (*især glds.*) strømpebånd;
□ *the Order of the Garter* hosebåndsordenen [*Englands højeste ridderorden*]; *Knight of the Garter* ridder af hosebåndsordenen.

garter belt *sb.* (*am.*) hofteholder.

garter stitch *sb.* retstrikning.

gas[1] [gæs] *sb.* **1.** gas; **2.** (*kem.*) luftart (*fx hydrogen and oxygen are -es*); gasart, gas; **3.** (*am.: til biler*) benzin; **4.** T gas; sludder; tom snak; **5.** (*am.*) luft i maven;
□ *it is a* ~ (*am.* T) det er mægtig skægt; det er herligt; (se også *step*[2] (*on*) *turn*[2] (*down, off, on, up*)).

gas[2] [gæs] *vb.* **1.** gasse; **2.** T snakke, sludre;
□ ~ *oneself* tage gas; ~ *up* (*am.*) fylde tanken op.

gasbag ['gæsbæg] *sb.* **1.** (*om person*) vrøvlehoved; **2.** (*i ballon, luftskib*) gasbeholder.

gas chamber *sb.* gaskammer.

Gascon[1] ['gæskən] *sb.* gascogner.

Gascon[2] ['gæskən] *adj.* fra Gascogne.

Gascony ['gæskəni] Gascogne.

gas cooker *sb.* gaskomfur.

gaseous ['gæsiəs] *adj.* luftformig; gas-.

gas fire *sb.* gaskamin.

gas-fired [gæs'faiəd] *adj.* som bruger/opvarmes med gas.

gas guzzler *sb.* (*am.*) benzinsluger.

gash[1] [gæʃ] *sb.* **1.** flænge; gabende sår; **2.** (*vulg.*) fisse.

gash[2] [gæʃ] *vb.* flænge; skære/lave en flænge i.

gasholder ['gæshəuldə] *sb.* gasbeholder.

gasification [gæsifi'keiʃn] *sb.* gasudvikling; forgasning.

gasify ['gæsifai] *vb.* omdanne til gas, forgasse.

gas jet *sb.* gasblus.

gasket ['gæskit] *sb.* **1.** (*i rør, stempel etc.*) pakning; tætning;
2. (*mar.: til sejl*) sejsing;
□ *blow a* ~ (*glds.* T) ryge i flint, blive rasende.

gaslight ['gæslait] *sb.* **1.** gasbelysning; gaslys; **2.** gaslygte; gaslampe.

gas main *sb.* hovedgasledning.

gasman ['gæsmæn] *sb.* (*pl.* -men [-men]) **1.** gasmålerkontrollør; **2.** gasmontør.

gas mantle *sb.* gasnet.

gas mask *sb.* gasmaske.

gas meter *sb.* gasmåler.

gasoline ['gæsəli:n] *sb.* (*am.*) benzin.

gasometer [gæ'sɔmitə] *sb.* gasbeholder.

gasp[1] [ga:sp] *sb.* gisp; tungt ånde-drag;
□ *the last* ~ (*fig.*) de sidste kram-petrækninger; *be at one's last* ~ **a.** være ved at opgive ånden, være ved at dø; **b.** (*fig.*) synge på det sidste vers; *give one's last* ~ opgive ånden; udstøde sit sidste suk; *to the last* ~ til (sit) sidste ånde-drag.

gasp[2] [ga:sp] *vb.* **1.** gispe, snappe efter vejret; **2.** (*forpustet*) stønne, hive efter vejret;
□ ~ *for breath* snappe//hive efter vejret.

gas pump *sb.* (*am.*) benzinstander.

gas range *sb.* (*am.*) gaskomfur.

gas ring *sb.* **1.** gasapparat; **2.** gas-blus.

gas station *sb.* (*am.*) benzintank, tanstation, servicestation.

gassy ['gæsi] *adj.* **1.** kulsyreholdig; fuld af brus; **2.** gasfyldt; **3.** gasag-tig; **4.** T snakkesalig.

gastric ['gæstrik] *adj.* gastrisk; mave- (*fx juice*; *ulcer* sår).

gastritis [gæ'straitis] *sb.* (*med.*) gas-tritis, mavekatar.

gastroenteritis [gæstrəuentə'raitis] *sb.* (*med.*) gastroenteritis, mave-tarm-katar.

gastronome ['gæstrənəum] *sb.* gas-tronom.

gastronomic [gæstrə'nɔmik] *adj.* gastronomisk.

gastronomy [gæ'strɔnəmi] *sb.* gas-tronomi.

gasworks ['gæswɔ:ks] *sb.* (*pl. d.s.*) gasværk.

gat [gæt] *sb.* S skyder, revolver.

gate[1] [geit] *sb.* **1.** port; **2.** (*mindre, fx til have*) låge; **3.** (*fx til mark*) led; **4.** (*jernb.*) bom; **5.** (*ved sportskamp etc.*) tilskuere, udstil-lingsgæster; (*penge*) entréindtægt; **6.** (*i filmforeviser*) filmkanal; **7.** (*flyv.*) gate; **8.** (*ved støbning*) indløb, støbekanal; **9.** (*i bil: til gear*) kulisse;
□ *get the* ~ (*am.* T) blive smidt ud/fyret; *give sby the* ~ (*am.* T) smide en ud, fyre en.

gate[2] [geit] *vb.* (*elev, student*) nægte udgangstilladelse.

gateau ['gætəu] *sb.* (*pl. -x* [-z]) [skærekage med smørcreme, gla-sur og pynt]; (*omtr.*) lagkage.

gatecrash ['geitkræʃ] *vb.* **1.** komme uindbudt, trænge sig ind; **2.** (*med objekt*) komme uindbudt til.

gatecrasher ['geitkræʃə] *sb.* ubuden gæst, indtrænger.

gatefold ['geitfəuld] *sb.* folde-ud side.

gatehouse ['geithaus] *sb.* portbyg-ning; portnerbolig.

gatekeeper ['geitki:pə] *sb.* (*glds.*) **1.** portvagt, portner; **2.** kontrollør; **3.** (*jernb.*) ledvogter.

gate-legged table [gaitlegd'teibl] *sb.* klapbord [med ekstra ben som svinges ud til understøttelse af klappen].

gate money *sb.* entréindtægt; bil-letindtægt.

gatepost ['geitpəust] *sb.* portstolpe;
□ *between you and me and the* ~ mellem os sagt.

gateway ['geitwei] *sb.* portåbning; port;
□ *the* ~ *to* (*fig.*) **a.** porten til (*fx the north; the Atlantic*); **b.** vejen til (*fx fame; success*).

gather ['gæðə] *vb.* **1.** samle; ind-samle (*fx information; firewood*); samle sammen (*fx one's things*); **2.** (*blomster, frugt*) plukke (*fx roses; mushrooms*); (*bær*) samle (*fx blackberries*); **3.** (*stof; pande*) rynke; **4.** (*uden objekt: om perso-ner*) samles; samle sig (*fx the chil-dren -ed round him*); **5.** (*om byld; om skyer*) trække sammen;
□ *... I* ~ *...* forstår jeg, *...* så vidt jeg kan se (*fx he is still here, I* ~); *I* ~ *that ...* jeg kan forstå at *...*; *I -ed that* jeg forstod/kunne forstå at; jeg opfattede at; [se også *ndf.:* ~ *from*]; ~ *itself* (*om dyr*) samle sig til et spring; ~ *oneself* samle sig sammen; samle kræfter;
[*med sb.*] ~ *information* (*jf. 1, også*) indhente oplysninger; ~ *momentum/pace* **a.** komme i fart; få mere og mere fart på; **b.** (*fig.*) vokse sig stærk (*fx the peace movement was -ing momentum/pace*); få vind i sejlene; (se også *head*[1], *way*[1]);
[*med præp.& adv.*] ~ *about/around* one samle om sig (*fx he -ed the blanket about him*); *I* ~ *from* your letter that jeg forstår af Deres brev at; *I -ed from what he said that* (*også*) jeg forstod på ham at; ~ *in* **a.** (*penge*) indkassere (*fx debts*); **b.** (*høst*) køre ind (*fx the grain*); *he -ed her in his arms* han tog hende ind til sig; ~ (*ground*) *on* vinde/hale ind på; *be -ed to one's fathers* gå til sine fædre (*ɔ: dø*); ~ *together* **a.** samle sig (*fx they -ed together at the church*); **b.** (*med objekt*) samle sammen (*fx one's things*); ~ *one-self together* **a.** tage sig sammen; **b.** (*efter chok*) komme sig; ~ *up* samle sammen; samle op; tage op (*fx a child in one's arms*).

gatherer ['gæðərə] *sb.* (*ind*)samler; plukker.

gathering[1] ['gæð(ə)riŋ] *sb.* **1.** sam-ling; forsamling; **2.** (*i håndarbej-de*) rynker; **3.** (*bogb.*) ark; læg.

gathering[2] ['gæð(ə)riŋ] *adj.* vok-sende (*fx dangers*); stigende; tilta-gende (*fx darkness*).

gathers ['gæðəz] *sb. pl.* rynkning.

Gatling ['gætliŋ] *sb.* (*glds.*) gatling-maskingevær.

gator ['geitər] *sb.* (*am.* S) alligator.

gauche [gəuʃ] *adj.* kejtet.

gaucherie ['gəuʃəri:] *sb.* kejtethed.

gaucho ['gautʃəu] *sb.* gaucho [syd-amerikansk cowboy].

gaudy[1] ['gɔ:di] *sb.* [fest på universi-tetskollegium for tidligere stude-rende].

gaudy[2] ['gɔ:di] *adj.* prangende; skrigende (*fx colour*); (lidt for) spraglet (*fx dress*).

gauge[1] [geidʒ] *sb.* **1.** måle/redskab, -værktøj, -instrument, -apparat; (*i sms.*) -måler (*fx rain* ~; *pressure* ~); **2.** (*tekn.*: til at måle forar-bejdnings nøjagtighed) lære; (*fx til at måle toleranceafstand*) søger-blad; **3.** (*snedkers*) stregmål; **4.** (*fig.*) målestok (*of for, fx the re-port provides a* ~ *of his ability*); indikator (*of* for); omfang (*of af, fx determine the* ~ *of his strength*); **5.** (*standard*) tykkelse (*fx wire* ~ trådtykkelse); **6.** (*jernb.*) spor-vidde (*fx broad//narrow* ~); hjul-afstand; **7.** (*af skydevåben*) kali-ber.

gauge[2] [geidʒ] *vb.* **1.** måle; **2.** (*fig.*) vurdere (*fx his mood*); bedømme, danne sig en mening om.

gauger ['geidʒə] *sb.* **1.** måler; kon-trollør; **2.** [toldembedsmand der opkræver spiritusskat].

Gaul[1] [gɔ:l] *sb.* (*hist.*) galler.

Gaul[2] [gɔ:l] (*hist.*) Gallien.

Gaulish ['gɔ:liʃ] *adj.* (*hist.*) gallisk.

gaunt [gɔ:nt] *adj.* **1.** (*om person*) mager, udtæret; **2.** (*om sted*) barsk, øde; **3.** (*om bygning*) nøgen, bar.

gauntlet ['gɔ:ntlət] *sb.* **1.** krave-handske; kørehandske, motor-handske; **2.** (*hist.*) stridshandske;
□ *throw down the* ~ kaste sin handske (*to* til) (*ɔ: udfordre*); *pick/take up the* ~ tage handsken op (*ɔ: modtage udfordringen*); *run the* ~ (*hist.*) løbe spidsrod; *run the* ~ *of* (*fig.*) **a.** løbe spidsrod mellem (*fx reporters and photo-graphers*); **b.** udsætte sig for (*fx their anger*).

gauze [gɔ:z] *sb.* **1.** gaze; flor; **2.** (*kem.*) trådnet.

gauzy ['gɔ:zi] *adj.* gazeagtig; florlet.

gave [geiv] *præt. af give*[2].

gavel ['geiv(ə)l] *sb.* (dirigents//auk-tionsholders) hammer.

G *gavial*

gavial ['geiviəl] *sb.* (*zo.*) gavial [*in-disk krokodilleart*].

gavotte [gə'vɔt] *sb.* gavotte [*en dans*].

gawd [gɔ:d] *interj.* T gud!

gawk [gɔ:k] *vb.* T glo (dumt), glane, måbe.

gawky ['gɔ:ki] *adj.* (ranglet og) klodset//kejtet.

gawp [gɔ:p] *vb.* T = *gawk.*

gay[1] [gei] *sb.* bøsse [ɔ: *homoseksuel*].

gay[2] [gei] *adj.* **1.** T homoseksuel; **2.** (*glds. om person*) lystig, munter, livlig; **3.** (*glds. om ting*) farvestrålende (*fx streets*); broget (*fx colours*).

gaze[1] [geiz] *sb.* (vedholdende) blik; stirren.

gaze[2] [geiz] *vb.* se (vedholdende/ ufravendt//beundrende) (*at* på); stirre (*at* på).

gazebo [gə'zi:bəu] *sb.* [*lysthus hvorfra der er vid udsigt*]; udsigtspavillon; lille udsigtstårn.

gazelle [gə'zel] *sb.* (*zo.*) gazelle.

gazette[1] [gə'zet] *sb.* **1.** (officiel) avis (*fx University Gazette*); statstidende; ministerialtidende; lovtidende; **2.** (*i avisnavn*) tidende; dagblad.

gazette[2] [gə'zet] *vb.* bekendtgøre; □ *be -d* stå i statstidende (*etc.*) som udnævnt//forflyttet.

gazetteer [gæzi'tiə] *sb.* **1.** geografisk leksikon; **2.** (*til atlas*) navneregister, stedregister.

gazump [gə'zʌmp] *vb.* (T: *om hussælger*) [*presse prisen op efter at aftale er indgået under påberåbelse af højere bud fra anden side*]; drive boligåger mod; □ *be -d* blive udsat for boligåger.

gazunder [gə'zʌndə] *vb.* (*om huskøber*) [*forlange prisen nedsat lige før slutsedlens underskrivelse*].

GB *fork. f.* Great Britain.
GBE *fork. f.* Knight//Dame Grand Cross of the Order of the British Empire.
GBH *fork. f.* grievous bodily harm; (se *bodily harm*).
GBS *fork. f.* George Bernard Shaw.
GCB *fork. f.* Knight Grand Cross of the Bath.
GCE *fork. f.* General Certificate of Education.
GCM *fork. f.* greatest common measure.
GCMG *fork. f.* Knight Grand Cross of St Michael and St George.
GCSE *fork. f.* General Certificate of Secondary Education.
GCVO *fork. f.* Knight Grand Cross of the Royal Victorian Order.

Gdns *fork. f.* Gardens.
GDP *fork. f.* gross domestic product.
GDR *fork. f.* (*hist.*) German Democratic Republic DDR.

gear[1] [giə] *sb.* **1.** (T: *til bestemt formål*) udstyr, grejer (*fx fishing ~*); **2.** (*teknisk udstyr*) mekanisme, apparat (*fx steering ~*); grej (*fx lifting ~*); (se også *landing gear*); **3.** (T: *personlige ejendele*) grej, sager, ting (*fx he moved all his ~ into my room*); **4.** (T: *bestemt slags tøj*) kluns, tøj (*fx wear trendy//the latest ~*); **5.** S narko, stoffer; **6.** (*til bil, cykel etc.*) gear; **7.** (*tekn.*) (tandhjuls)udveksling; (se også *gearwheel*);
□ *engage the ~* (*i bil*) sætte bilen i gear;
[*med præp.*] *be in high ~* (*fig.*) være i fuld gang/sving; *get in ~* (*fig.*) **a.** komme rigtigt i gang; **b.** (*med objekt*) bringe i orden; *change into second ~* skifte til andet gear; *get into ~* se ovf.: *get in ~*; *throw into ~* sætte i gear; bringe i indgreb; *throw out of ~* **a.** sætte ud af gear; bringe ud af indgreb; **b.** (*fig.*) bringe i uorden; bringe forstyrrelse i; *move up a ~* **a.** (*i bil*) geare op; **b.** (*fig.*) sætte tempoet op; tage hårdere fat.

gear[2] [giə] *vb.*: *~ down//up* skifte til lavere//højere gear; geare ned//op; *~ up for* (*fig.*) forberede sig på; gøre sig parat til; *~ oneself up to* tage sig sammen til at; berede sig til at; (se også *geared*).

gearbox ['giəbɔks] *sb.* gearkasse.

geared [giəd] *adj.*: *~ to* (*fig.*) indrettet/afpasset efter (*fx their needs*); gearet til; indstillet efter//på; *~ to war production* omstillet til krigsproduktion; *~ towards + -ing* beregnet til at (*fx helping people*).

gearing ['giəriŋ] *sb.* **1.** (*tekn.*) tandhjulsforbindelse; (tandhjuls)udveksling; **2.** (*merk.*) grad af fremmedfinansiering; gældsætningsgrad;
□ *high ~* stor fremmedkapital og lille egenkapital; *low ~* lille fremmedkapital og stor egenkapital.

gear lever *sb.* gearstang.

gearshift ['giərʃift] *sb.* (*am.*) gearstang.

gear stick *sb.* gearstang.

gearwheel ['giəwi:l] *sb.* tandhjul.

gecko ['gekəu] *sb.* (*zo.*) gekko.

geddit ['gedit] *interj.* T forstod du den?

gee[1] [dʒi:] *vb.*: *~ them up* sætte lidt fut i dem.

gee[2] [dʒi:] *interj.* **1.** (*til hest*) hyp;

2. (*am.* T) ih! nå da da! ih du store!

gee-gee ['dʒi:dʒi:] *sb.* (*i barnesprog*) hyphest; hest.

geek [gi:k] *sb.* kedeligt drys; nørd.

geese [gi:s] *pl. af* goose[1].

gee-up ['dʒi:ʌp] *interj.* (*til hest*) hyp.

gee whiz [dʒi:'wiz] *interj.* (*let glds.* am. T) se *gee*[2] 2.

geezer ['gi:zə] *sb.* (*glds.* T) fyr, stodder;
□ *old ~* gammel støder/knark/stabejs.

Geiger counter ['gaigəkauntə] *sb.* geigertæller [*til måling af radioaktivitet*].

geisha ['geiʃə] *sb.* (*pl. d. s./-s*) geisha.

gel[1] [dʒel] *sb.* **1.** (*til hår*) gelé; **2.** (*kem.*) gel.

gel[2] [dʒel] *vb.* **1.** danne gel; stivne; **2.** (T: *om idé, plan*) tage form; lykkes; **3.** (T: *om personer*) komme godt ud af det.

gelatin, gelatine [dʒelə'ti:n] *sb.* gelatine; husblas; (se også *blasting gelatin*).

gelatinous [dʒə'lætinəs] *adj.* geléagtig; gelatinøs.

geld [geld] *vb.* kastrere.

gelding ['geldiŋ] *sb.* vallak [*kastreret hest*].

gelidhest ['dʒelid] *adj.* iskold.

gelignite ['dʒelignait] *sb.* gelignit [*form for sprænggelatine*].

gem [dʒem] *sb.* **1.** ædelsten; **2.** (*fig.*) perle (*fx the ~ of the collection; you are a ~!*).

gemfish ['dʒemfiʃ] *sb.* (*zo.*) (art) slangemakrel.

Gemini ['dʒeminai] *sb.* (*astr.*) Tvillingerne;
□ *I am a ~* jeg er tvilling.

gemmation [dʒe'meiʃn] *sb.* (formering ved) knopskydning.

gemsbok ['gemzbɔk] *sb.* (*zo.*) sabeloryx.

gemstone ['dʒemstəun] *sb.* smykkesten.

gen[1] [dʒen] *sb.* (*glds.* S) (pålidelige) oplysninger.

gen[2] [dʒen] *vb.*: *~ up on* (*glds.* S) sætte sig ind i; lære alt om.

Gen. *fork. f.* **1.** (*mil.*) General; **2.** (*bibelsk*) Genesis.

gendarme ['ʒɔndɑ:m] *sb.* **1.** gendarm; **2.** (*på bjergryg*) klippespids.

gender ['dʒendə] *sb.* køn.

gender-bender ['dʒendəbendə] *sb.* T [*en der efterligner det andet køn i påklædning og adfærd, person af ubestemmeligt køn*].

gene [dʒi:n] *sb.* (*biol.*) gen, arveanlæg.

genealogical [dʒi:niə'lɔdʒik(ə)l] *adj.*
genealogisk.
genealogist [dʒi:ni'æ!ədʒist] *sb.* ge-
nealog, slægtsforsker.
genealogy [dʒi:ni'æ!ədʒi] *sb.*
1. (*fag*) genealogi, slægtsforskning;
2. (*bestemt families*) slægtshisto-
rie; **3.** (*oversigt*) stamtavle.
genera ['dʒen(ə)rə] *pl. af genus.*
general[1] ['dʒen(ə)rəl] *sb.* (*mil.*) ge-
neral.
general[2] ['dʒen(ə)rəl] *adj.* **1.** (*om
noget der gælder de fleste el. alle*)
almindelig (*fx decline; feeling;
opinion; principle; the ~ reader*);
almen (*fx of ~ interest*); **2.** (*mods.
speciel*) generel (*fx introduction;
idea; remarks*); almindelig (*fx re-
marks*); almen, almen- (*fx know-
ledge; his ~ condition*); **3.** (*om
noget der gælder for det meste*)
fremherskende; hoved- (*fx direc-
tion; impression; as a ~ rule* som
hovedregel); **4.** (*om noget der gæl-
der alle*) generel (*fx amnesty*); ge-
neral- (*fx strike*);
□ *in* ~ i almindelighed; *in* ~
terms i almindelige/almene ven-
dinger; *in a* ~ *way* i al almindelig-
lighed (*fx talk about sth in a* ~
way);
[*med sb.; se også alfabetisk*] ~ *ef-
fect* totalvirkning; ~ *impression*
(*jf. 3, også*) helhedsindtryk; *the* ~
population befolkningen som hel-
hed; *the* ~ *public* det store publi-
kum; den brede offentlighed; folk
i almindelighed.
general anaesthesia *sb.* fuld bedø-
velse, totalbedøvelse.
General Assembly *sb.* (*i FN*) gene-
ralforsamling.
general average *sb.* (*mar.*) grosha-
vari, almindeligt havari.
general cargo *sb.* stykgods(lad-
ning).
General Certificate of Education
sb. [*nu afskaffet afsluttende eksa-
men i det engelske skolevæsen*].
**General Certificate of Secondary
Education** *sb.* [*omtr. 10. klasses
afgangsprøve*].
general dealer *sb.* (*sydafr.*) køb-
mand [*som har en landhandel*].
general delivery *sb.* (*am.*) poste re-
stante.
general election *sb.* (*i Eng.*) parla-
mentsvalg, valg til Underhuset.
general headquarters *sb.* (*mil.*)
overkommando, generalkom-
mando.
generalissimo [dʒen(ə)rə'lisiməu]
sb. generalissimus.
generalist ['dʒen(ə)rəlist] *sb.* gene-
ralist.
generality [dʒenə'ræləti] *sb.* F

1. hovedmængde, flertal (*fx the ~
of doctors*); **2.** almindelighed; ge-
nerel natur; generel gyldighed;
□ *generalities* almindelige be-
mærkninger; almindeligheder; *a
rule of great ~* en næsten generel
regel.
generalization [dʒen(ə)rəlai'zeiʃn]
sb. generalisering.
generalize ['dʒen(ə)rəlaiz] *vb.* (*se
også generalized*) **1.** generalisere
(*about* med hensyn til); **2.** almin-
deliggøre, udbrede;
□ ~ *from* drage en almen slutning
ud fra.
generalized ['dʒen(ə)rəlaizd] *adj.*
1. generel, almen (*fx discussion*);
2. udbredt (*fx corruption; rain*);
almindelig; **3.** (*med.*) diffus (*fx
pains*); generelt udbredt.
generally ['dʒen(ə)rəli] *adv.* **1.** ge-
nerelt (*fx speak ~ about it; the
plan has been ~ accepted*); i al-
mindelighed (*fx doctors ~ disap-
prove of the plan*); (*se også speak-
ing*); **2.** (*om tid*) almindeligvis, i
almindelighed (*fx ~, he comes
home at six*).
general manager *sb.* administre-
rende direktør.
general meeting *sb.* generalforsam-
ling.
general practice *sb.* (*med.*) almen
praksis.
general practitioner *sb.* (al-
men)praktiserende læge.
general-purpose [dʒen(ə)rəl'pə:pəs]
adj. til alle formål; universal-.
generalship ['dʒen(ə)rəlʃip] *sb.*
1. generalsværdighed; **2.** fører-
skab; ledelse; **3.** feltherretalent.
general staff *sb.* (*mil.*) generalstab.
general store *sb.* landhandel.
generate ['dʒenəreit] *vb.* **1.** F skabe
(*fx interest; new jobs; a profit*);
fremkalde (*fx enthusiasm*); frem-
bringe (*fx new ideas*); afføde (*fx
controversy*); **2.** (*fys.*) producere
(*fx electricity*); udvikle, frem-
bringe (*fx friction -s heat*); gene-
rere; **3.** (*it; sprogv.*) generere.
generation [dʒenə'reiʃn] *sb.* **1.** (*af
mennesker*) generation; slægtled;
(*se også rising*[1]); **2.** (*af maskiner
etc.*) generation; **3.** (*om tidsrum*)
generation, menneskealder; a. (*cf.
generate*) skabelse, fremkaldelse,
frembringelse; (*fys.*) produktion,
udvikling, generering.
generational [dʒenə'reiʃnəl] *adj.*
generations-.
generation gap *sb.* generations-
kløft.
generative ['dʒen(ə)rətiv] *adj.*
1. (*biol.*) generativ, formerings-;
2. (*fig., F*) produktiv; skabende (*fx

power).
generative grammar *sb.* (*sprogv.*)
generativ grammatik.
generative organs *sb. pl.* (*biol.*) for-
plantningsorganer.
generator ['dʒenəreitə] *sb.* genera-
tor; dynamo.
generic [dʒə'nerik] *adj.* **1.** fælles-
(*fx term* betegnelse); fælles, typisk
(*fx that type of engine had a ~
problem*); artstypisk; **2.** (*om vare,
produkt*) generisk, genus- [ɔ: som
ikke sælges under et registreret
mærke; som ikke er en mærke-
vare*]; anonym; **3.** (*it*) generisk,
som kan bruges i mange sammen-
hænge.
generically [dʒə'nerik(ə)li] *adv.* un-
der ét; med et fælles navn; som en
fællesbetegnelse.
generosity [dʒenə'rɔsiti] *sb.* gav-
mildhed, generøsitet, rundhåndet-
hed.
generous ['dʒen(ə)rəs] *adj.* **1.** (*mht.
at give*) gavmild, generøs, large;
rundhåndet (*with* med); **2.** (*mht.
tænkemåde*) ædelmodig, storsin-
det; **3.** (*om mængde*) stor, rigelig
(*fx slice of the cake*); **4.** (*om vin*)
kraftig, fyldig;
□ *a ~ diet* rigelig ernæring; *put a
~ construction on a statement*
fortolke en udtalelse på en elsk-
værdig/positiv måde; *give ~
marks* (*om lærer*) bedømme mildt;
the book got ~ reviews bogen blev
positivt anmeldt.
Genesis ['dʒenəsis] *sb.* (*i Biblen*)
første Mosebog.
genesis ['dʒenəsis] *sb.* F skabelse;
tilblivelse; oprindelse.
genet ['dʒenit] *sb.* (*zo.*) genette
[*slags desmerkat*].
gene therapy *sb.* genterapi.
genetic [dʒə'netik] *adj.* **1.** genetisk,
arveligheds-; **2.** tilblivelses-, op-
rindelses-.
genetically [dʒə'netik(ə)li] *adv.* ge-
netisk.
genetically altered *adj.*, **geneti-
cally engineered** *adj.*, **genetically
modified** *adj.* genmodificeret.
genetic code *sb.* genetisk kode.
genetic engineering *sb.* genmani-
pulation, gensplejsning.
genetic fingerprinting *sb.* genetisk
fingeraftryk.
geneticist [dʒə'netisist] *sb.* geneti-
ker, arvelighedsforsker.
genetics [dʒə'netiks] *sb.* genetik, ar-
velighedsforskning.
Geneva [dʒə'ni:və] Genève;
□ *the ~ Cross* Genferkorset [*Røde
Kors' symbol*].
genial ['dʒi:niəl] *adj.* **1.** (*om per-
son, stemning*) venlig, elskværdig,

hyggelig; **2.** (*om klima etc.*) mild, lun.

geniality [dʒi:ni'æliti] *sb.* (jf. *genial*) **1.** venlighed, elskværdighed; **2.** mildhed.

genie ['dʒi:ni] *sb.* (*pl. -s/genii* ['dʒiniai]) ånd [*i østerlandske eventyr*]; flaskeånd;
□ *the ~ of the lamp* lampens ånd; *the ~ is out of the bottle* (*fig.*) det er kommet så vidt; skaden er sket; *put the ~ back in the bottle* (*fig.*) skrue udviklingen tilbage.

genii ['dʒi:niai] *sb. pl.* **1.** *pl. af genie*; **2.** *pl. af genius.*

genital ['dʒenit(ə)l] *adj.* køns-; genital-.

genitals ['dʒenit(ə)lz] *sb. pl.* genitalia, kønsorganer.

genitive ['dʒenitiv] *sb.* (*gram.*) genitiv.

genius[1] ['dʒi:niəs] *sb.* (*pl. -es*) **1.** geni; **2.** genialitet; særligt talent (*for* for, *fx he has a ~ for publicity*); særlig evne (*for* + *-ing* til at, *fx raising money*);
□ *a man of ~* en genial mand, et geni; (se også *stroke*).

genius[2] ['dʒi:niəs] *sb.* (*pl. genii* ['dʒi:niai]) genius; skytsånd;
□ *his evil ~* hans onde ånd; *the ~ of a language* et sprogs ånd.

genius loci ['dʒi:niəs 'ləusai] *sb.* **1.** skytsånd; **2.** særlig atmosfære.

Genoa ['dʒenəuə] Genua, Genova.

genocide ['dʒenəsaid] *sb.* folkedrab.

Genoese[1] [dʒenə'i:z] *sb.* genoveser.

Genoese[2] [dʒenə'i:z] *adj.* genovesisk.

genome ['dʒenəum] *sb.* (*biol.*) genom.

genomics [dʒi:'nɔmiks] *sb.* (*biol.*) læren om genomer.

genotype ['dʒenətaip] *sb.* (*biol.*) anlægspræg.

genre ['ʒɔŋrə, fr.] *sb.* genre.

gent [dʒent] *fork. f.* gentleman; (se også **gents**).

genteel [dʒen'ti:l] *adj.* **1.** (*ironisk*) „fornem"; „darnet"; **2.** (*glds.*) fornem, fin;
□ *he is ~* han har fine fornemmelser; han spiller fornem; *~ poverty* fattigfinhed.

genteelism [dʒen'ti:lizm] *sb.* „dannet" udtryk.

gentian ['dʒenʃn] *sb.* (*bot.*) ensian.

gentile[1] ['dʒentail] *sb.* ikke-jøde; vantro.

gentile[2] ['dʒentail] *adj.* ikke-jødisk; vantro.

gentility [dʒen'tiləti] *sb.* **1.** (*om optræden*) fornemhed; elegant//kultiveret optræden; udsøgte manerer; **2.** (*ironisk*) fine manerer; forloren

finhed; **3.** (*social gruppe*) overklasse; **4.** (*om sted,* F) elegance, fornemhed.

gentle[1] ['dʒentl] *sb.* (*i fiskeri*) spyfluemaddike [*brugt som madding*].

gentle[2] ['dʒentl] *adj.* **1.** (*om person, om ytring*) mild (*fx rebuke; voice; a ~, sensitive man*); blid (*fx laughter; persuasion; a sweet, ~ girl*); venlig (*fx smile*); **2.** (*om berøring*) let (*fx tap on the shoulder*); nænsom, forsigtig (*fx touch*); **3.** (*om skråning*) jævn, svag (*fx slope*); **4.** (*om lyd*) blid, sagte, dæmpet (*fx music*); **5.** (*glds.*) fornem, ædel (*fx of ~ birth*); dannet, kultiveret;
□ *be ~ with sby* behandle en forsigtigt/blidt//nænsomt; være mild mod en;
[*med sb.*] *a ~ breeze* **a.** en blid brise; **b.** (*i Beauforts skala*) en let vind; *a ~ curve* en blød kurve; *a ~ gradient* en svag/jævn skråning; *~ heat* svag varme; *the ~ reader* den ærede læser; *the ~ sex* det svage køn.

gentle breeze *sb.* **1.** blid brise; **2.** (*vindstyrke 3*) let vind.

gentleman ['dʒentlmən] *sb.* (*pl. -men* [-mən]) (se også **gentlemen**) **1.** F herre (*fx an elderly ~; there is a ~ waiting outside*); **2.** (*høflig*) gentleman (*fx he is a real ~*); dannet mand; **3.** (*glds.: fornem*) fornem herre; (*jur.*) [*mand der lever af sine penge og ikke driver erhverv*];
□ *be born a ~* være af god familie; *he is no ~* han er ikke nogen gentleman; han mangler levemåde; *~ of the road* landevejsridder [ɔ: *vagabond*].

gentleman farmer *sb.* [*velhavende mand der driver landbrug for sin fornøjelse; indehaver af lystgård*].

gentlemanly ['dʒentlmənli] *adj.* kultiveret, dannet, beleven.

gentleman's agreement *sb.* gentlemanaftale [*overenskomst hvor parterne stoler på hinanden uden skriftlig kontrakt*].

gentleman's gentleman *sb.* kammertjener.

gentlemen ['dʒentlmən] *pl. af gentleman*;
□ (*ladies and*) *~!* mine (damer og) herrer.

gentlemen's ['dʒentlmenz] *sb.* **1.** herretoilet; **2.** (*i sms.*) herre- (*fx boots; lavatory*).

gentlewoman ['dʒentlwumən] *sb.* (*pl. -women* [-wimin]) (*glds.*) fornem//kultiveret dame.

gentrification [dʒentrifi'keiʃn] *sb.*

(*om boligkvarter*) opklassificering; det at give middelklassepræg.

gentrify ['dʒentrifai] *vb.* (*om boligkvarter*) opklassificere; give middelklassepræg;
□ *gentrified* (*også:, om person, stil*) med middelklassepræg; finere (*fx she spoke a kind of ~ Cockney*).

gentry ['dʒentri] *sb.* **1.** (*glds.*) lavadel; (se også *landed gentry*); **2.** (*ironisk*) herrer (*fx the bespectacled ~*); folkefærd.

gents [dʒents] *sb.* T herretoilet.

genuflect ['dʒenjuflekt] *vb.* knæle, falde på knæ (*to* for).

genuflection [dʒenju'flekʃn] *sb.* knælen; knæfald.

genuine ['dʒenjuin] *adj.* ægte (*fx leather; concern* bekymring; *a ~ Rembrandt*); (*om følelse også*) oprigtig;
□ *the ~ article* den ægte vare; *he is ~* (ɔ: *ikke en svindler*) han er god nok.

genus ['dʒi:nəs] *sb.* (*pl. genera* ['dʒen(ə)rə]) (*biol.*) slægt.

geocentric [dʒiə'sentrik] *adj.* geocentrisk (ɔ: *med jorden som midtpunkt*].

geodesy [dʒi'ɔdisi] *sb.* geodæsi, landmåling.

geodetic [dʒiə'detik] *adj.* geodætisk.

geographer [dʒi'ɔgrəfə] *sb.* geograf.

geographical [dʒiə'græfik(ə)l] *adj.* geografisk.

geography [dʒi'ɔgrəfi] *sb.* geografi;
□ *the ~ of the house* husets indretning; *show sby the ~ of the house* (*glds. også*) vise en hvor toilettet er.

geological [dʒiə'lɔdʒik(ə)l] *adj.* geologisk.

geologist [dʒi'ɔlədʒist] *sb.* geolog.

geology [dʒi'ɔlədʒi] *sb.* geologi.

geometric [dʒiə'metrik] *adj.,* **geometrical** [dʒiə'metrik(ə)l] *adj.* geometrisk.

geometric progression *sb.* kvotientrække (*fx 1, 3, 9, 27*).

geometry [dʒi'ɔmətri] *sb.* geometri.

geophysical [dʒiə'fizik(ə)l] *adj.* geofysisk.

geophysicist [dʒiə'fizisist] *sb.* geofysiker.

geophysics [dʒiə'fiziks] *sb.* geofysik.

geopolitical [dʒiəpə'litik(ə)l] *adj.* geopolitisk.

geopolitics [dʒiə'pɔlitiks] *sb.* geopolitik.

Geordie ['dʒɔ:di] *sb.* T person//dialekt fra Newcastle [*og egnen omkring Tynefloden*].

Georgia ['dʒɔ:dʒə] **1.** (*stat i Kauka*-

sus) Georgien; **2.** (*am. delstat*) Georgia.

Georgian[1] ['dʒɔ:dʒən] *sb.* (jf. *Georgia 1*) **1.** (*person*) georgier; **2.** (*sprog*) georgisk.

Georgian[2] ['dʒɔ:dʒən] *sb.* (jf. *Georgia 2*) [*person fra Georgia*].

Georgian[3] ['dʒɔ:dʒən] *adj.* **1.** (*hist.*) georgiansk [*fra//i tiden 1714-1830 (kongerne George I-IV's regeringstid); el. 1910-52 (George V og VI's regeringstid); især om litteraturen 1910-20*]; **2.** (jf. *Georgia 1*) georgisk; **3.** (jf. *Georgia 2*) [*fra Georgia*].

geostationary [dʒiə'stæʃn(ə)ri] *adj.* (*om satellit*) geostationær [*som holder sig i en fast position i forhold til jordens overflade*].

geothermal [ðʒiə'θɜ:məl] *adj.* geotermisk [*som angår jordvarme*].

geranium [dʒə'reiniəm] *sb.* (*bot.*) pelargonie, geranium.

geriatric[1] [dʒeri'ætrik] *sb.* **1.** geriatrisk patient; **2.** T gammel tudse; olding.

geriatric[2] [dʒeri'ætrik] *adj.* **1.** geriatrisk, aldersmedicinsk; **2.** T ældgammel, oldingeagtig, alderdomssvækket, senil.

geriatrics [dʒeri'ætriks] *sb.* geriatri, aldersmedicin.

germ [dʒɜ:m] *sb.* **1.** bakterie, bacille, mikrobe; **2.** (*biol.*) kim, spire; **3.** (*fig.*) kim, spire (*of* til); □ *a ~ of truth* et gran af sandhed.

German[1] ['dʒɜ:mən] *sb.* **1.** (*person*) tysker; **2.** (*sprog*) tysk.

German[2] ['dʒɜ:mən] *adj.* tysk.

germander [dʒɜ:'mændə] *sb.* (*bot.*) kortlæbe.

germane [dʒɜ:'mein] *adj.* relevant; (*sagen*) vedkommende.

Germanic[1] [dʒɜ:'mænik] *sb.* (*sprogv.*) germansk.

Germanic[2] [dʒɜ:'mænik] *adj.* (*sprogv.; hist.; fig.: typisk tysk*) germansk.

Germanize ['dʒɜ:mənaiz] *vb.* germanisere.

German measles *sb.* (*med.*) røde hunde.

German shepherd *sb.* (*am.*) schæferhund.

German silver *sb.* nysølv.

Germany ['dʒɜ:məni] Tyskland.

germ cell *sb.* kimcelle.

germicidal [dʒɜ:mi'said(ə)l] *adj.* bakteriedræbende, desinficerende.

germicide ['dʒɜ:misaid] *sb.* desinfektionsmiddel.

germinate ['dʒɜ:mineit] *vb.* (*også fig.*) **1.** spire; **2.** (*med objekt*) få til at spire.

germination [dʒɜ:mi'neiʃn] *sb.* spiring.

germ warfare *sb.* bakteriologisk

krigsførelse.

gerontological [dʒerɔntə'lɔdʒik(ə)l] *adj.* gerontologisk.

gerontologist [dʒerɔn'tɔlədʒist] *sb.* gerontolog, alderdomsforsker.

gerontology [dʒerɔn'tɔlədʒi] *sb.* gerontologi, alderdomsforskning.

gerrymander ['dʒerimændə] *vb.* lave valggeometri med; manipulere med valgkredsgrænserne i.

gerrymandering ['dʒerimændəriŋ] *sb.* valggeometri; manipulation med valgkredsgrænser.

gerund ['dʒerənd] *sb.* (*gram.*) **1.** (*i engelsk*) gerundiv, verbalsubstantiv, -ingform; **2.** (*i latin*) gerundium.

gestation [dʒe'steiʃn] *sb.* **1.** svangerskab; **2.** (*om dyr*) drægtighed; drægtighedsperiode; **3.** (*fig.: for idé*) udviklingstid, tilblivelsesperiode.

gesticulate [dʒe'stikjuleit] *vb.* F gestikulere, fægte med armene.

gesticulation [dʒestikju'leiʃn] *sb.* gestikuleren, fagter, armbevægelser.

gesture[1] ['dʒestʃə] *sb.* **1.** gestus; håndbevægelse; tegn med hånden; **2.** (*fig.: (symbolsk) handling*) gestus (*fx a conciliatory//grand ~; an empty ~*); □ *-s* (jf. *1, også*) fagter.

gesture[2] ['dʒestʃə] *vb.* gestikulere; gøre tegn.

get [get] *vb.* (*got, got*) **1.** få (*fx a letter; a job; help; an idea*); **2.** (*især med besvær*) få fat i (*fx have the police got him yet?*); skaffe sig; **3.** (*for en anden*) skaffe (*fx ~ him a job*); **4.** (*ved at gå hen og få fat i*) hente (*fx the newspaper; another chair; let me ~ you your shawl*); **5.** (*mad, måltid*) lave (*fx tea; breakfast; ~ him dinner*); **6.** (*transportmiddel*) tage (*fx a taxi; the bus; the train*); **7.** (*med forstanden*) forstå (*fx a joke; we are beginning to ~ it; I don't ~ you*); opfatte, få fat i (*fx I didn't ~ the last word*); **8.** (T: *om noget ubehageligt*) ramme (*fx the bullet got him in the leg*); **9.** (T: *person*) få ram på, få hævn over (*fx they got him in the end*); **10.** (*glds.*) avle; **11.** (*uden objekt*) blive (*fx angry; fat; ~ used to it; ~ killed; she never -s asked*); **12.** (+ *retningsadverbium*) nå; komme (*fx ~ back// home//in//out//over//past*);
□ *~!* T skrub af! *he is out for what he can ~* han er beregnende; *how stupid/lucky can you ~?* hvor dum/heldig kan man være? *have got* se *have*[2];
[*med sb.*] *~ the door* lukke op; *~*

a language lære et sprog; *~ the phone* tage telefonen;
~ + -ing a. komme til at, komme i gang med at (*fx ~ talking//working*); **b.** (*med objekt*) få til at (*fx ~ the machine working*); *~ talking* (*også*) falde i snak; *~ going// moving* a. komme i gang; **b.** få i gang;
[+ *inf.*] *~ to* a. komme til at (*fx we got to like him*); **b.** (*med objekt*) få til at (*fx ~ him to do it*); *~ to be* blive (*fx wealthy; they got to be friends*);
[+ *præt. ptc.*] *~ + -ed* a. blive (*fx he got killed//hurt*); **b.** (*med objekt*) få (*fx ~ the house pulled down; ~ it done*); (*med dansk inf.*) lade (*fx have the child baptized* lade barnet døbe; *have the house pulled down* lade huset rive ned); *~ you gone!* forsvind! *~ one's hair cut* lade sig klippe; [*med pron.*] *that's got him* nu er han færdig; den kan han ikke klare; *~ it* a. opnå det; **b.** få ubehageligheder; *~ it over* se: *ndf.*; *it -s me* a. T jeg kan ikke finde ud af det; **b.** det irriterer mig; **c.** jeg bliver rørt over det; *you've got me there!* T der fik du mig! den kan jeg ikke klare! *~ this!* T hør her!
[*med præp., adv.*] *~ about* a. bevæge sig omkring; **b.** (T: *i udlandet*) komme omkring i verden;
~ above oneself være indbildsk; bilde sig noget ind;
~ across a. (jf. *12*) komme over (på den anden side); **b.** (*om meddelelse*) nå frem, blive forstået, trænge igennem (*fx the message// argument did not seem to ~ across*); (*om idé*) slå an; blive en succes; **c.** (*om skuespiller*) komme i kontakt med publikum; nå ud over rampen; **d.** (*med objekt: budskab*) trænge igennem med; (*idé*) få til at slå an; vinde gehør for; **e.** (*person*, T) irritere; *he can't ~ it across* han kan ikke komme i kontakt med sine tilhørere; han kan ikke nå ud over rampen;
~ after sby a. sætte//løbe 'efter en; forfølge en; **b.** (*am.*) få fat i én, give én besked;
~ ahead komme videre; gøre karriere;
~ along a. klare sig (*on* med, *fx they can only just ~ along on their small income*); **b.** (*indbyrdes*) komme ud af det med hinan-

den (*fx they are -ting along much better*); *how are you -ting along?* (*glds.*) hvordan går det (med dig)? ~ **along with a.** (*person*) komme ud af det med; **b.** (*arbejde*) komme videre med; *how are you -ting along with the garden?* hvordan går det med haven? ~ *along with you!* **a.** af sted med dig! **b.** (T: *udtryk for afvisning*) hold nu op! å la' vær'! gå væk!; ~ **around a.** se ovf.: ~ *about*; **b.** (T: *person*) komme om ved; snøre; narre; **c.** (*problem, vanskelighed*) komme uden om; **d.** (*lov, bestemmelse*) slippe uden om; omgå; *he never got **around to** reading the book* det lykkedes ham aldrig/han nåede aldrig at få læst bogen; ~ **at a.** (*sted*) komme til, nå; **b.** (*ting, kostbarhed*) få fat i; få fingre i; **c.** (*oplysning etc.*) finde frem til (*fx the truth*); **d.** (*arbejde*) komme i gang med; **e.** (*person: med kritik*) stikle til, hakke på (*fx he was -ting at me all the time*); **f.** (*person: for at få til noget*) påvirke; bestikke (*fx the witness had been got at*); *what are you -ting at?* hvad sigter du til? hvor vil du hen (med det)?;
~ **away** slippe væk (*from* fra); *there's no -ting **away from it*** man kan ikke komme uden om det; ~ **away with** slippe godt fra; komme/slippe af sted med (*fx he would cheat you if he could ~ away with it*); (se også *end*[1]);
~ **back a.** komme/vende tilbage; **b.** (*med objekt*) få tilbage (*fx ~ one's money back*); ~ **back at** T få hævn over; hævne sig på; ~ **back to a.** komme/vende tilbage til; **b.** (T: *tlf.*) ringe tilbage til;
~ **behind a.** komme bagefter (*with* med); **b.** (*med objekt, især am.*) støtte (*fx him; the proposal*); ~ **by a.** komme forbi; **b.** klare sig (*on* med);
~ **down a.** komme ned; **b.** T gå fra bordet, rejse sig (*fx can I ~ down now please Mummy?*); ~ *sby down* T gøre én deprimeret; tage humøret fra én; ~ *it down* **a.** (*mad*) få det ned; **b.** (*noget der er sagt*) få det skrevet ned; ~ **down to** T tage fat på; komme i gang med;
~ **in a.** komme ind; **b.** (*om fly, skib*) ankomme; **c.** (*parl.*) blive valgt; **d.** (*med objekt: afgrøde*) få i hus; **e.** (*tidsmæssigt*) passe ind, presse ind (*fx an extra lesson; a couple of hours' work; a walk*); **f.** (*person: til hjælp*) få fat i, til-

kalde (*fx an electrician; a specialist*); (se også *blow*[1], *eye*[1], *hand*[1], *word*[1]); ~ **in on** T komme med i (*fx the discussion*); (se også *act*[1], *ground floor*); ~ **in with a.** indsmigre sig hos; **b.** blive gode venner med; komme i (lag) med; ~ **into a.** komme ind i; trænge ind i; **b.** bringe ind i; **c.** (*emne, aktivitet*) blive interesseret i; *I don't know what got into him* jeg ved ikke hvad der gik af ham; ~ *into one's clothes//a fight* komme i tøjet//i slagsmål; ~ *into a rage* blive rasende; ryge i flint; (se også *habit, hair, head*[1]);
~ **off a.** stå af [*toget, bussen etc.*]; **b.** (*på rejse, tur*) tage af sted, starte (*fx we'll ~ off early tomorrow*); **c.** (*fra arbejde*) slippe væk, slippe af sted; **d.** (*fra fare*) slippe; slippe fra det (*fx he got off unhurt*); **e.** (*mht. straf*) slippe (*fx he got off lightly*); (*helt uden straf*) blive frikendt, gå fri; **f.** (*ved hvile, med besvær*) falde i søvn; **g.** (*om forsendelse, fax etc.*) gå af sted; **h.** (T: *ved berøring*) holde nallerne væk; tage grabberne til sig; **i.** (*am.* S; *ved samleje*) komme; *tell sby where to ~ off* S sætte en på plads; ~ **sby off** (ɔ: *en anklaget*) reddede en fra straf; få en frikendt; ~ **sth off a.** (*tøj etc.*) tage noget af (*fx one's shoes*); få noget af (*fx she couldn't ~ her ring off*); **b.** (*brev, pakke*) få noget sendt af sted; **c.** (*am.: vittighed*) få fyret af; ~ **off sth a.** stå af noget (*fx a bike; the bus*); **b.** komme//holde sig væk fra noget (*fx my chair; the street*); (se også *back*[1], *case*[1], *ground*[1]); *off on* (*am.* S) blive høj af (*fx cocaine*); ~ **off to** *sleep* falde i søvn; (se også *start*[1]); ~ **off with** *a fright* slippe med skrækken; ~ *off with sby* komme i lag med en; score en; ~ *off with you!* af sted med dig!;
~ **on a.** se ovf.: ~ *along*; **b.** komme videre (*with one's studies*); **c.** gøre fremskridt, komme frem; blive til noget; **d.** (*på bus etc.*) stå 'på (*fx there were so many people that we couldn't ~ on*); **e.** (*med objekt*) tage 'på (*fx one's clothes*); **f.** (*bus etc.*) stå på (*fx I got on the wrong bus*); ~ *on one's bicycle* sætte sig op på/stå på cyklen; (se også *foot*[1], *hand*[1], *move*[1], *nerve*[1]); *how are you -ting on?* hvordan har du det? hvordan går det? *be -ting on (in years)* være ved at komme op i årene; *it is -ting **on for** 6* klokken er snart 6; *he is getting on for 60* han er på vej til de

60; ~ **on to/onto a.** komme (videre) til (*fx the next item on the agenda*); **b.** sætte sig i forbindelse med (*fx the manufacturers*); **c.** komme 'efter, opdage (*fx what he is trying to do*); gennemskue; **d.** (*trafikmiddel*) komme om bord i/på (*fx the plane; the train*); ~ **on together** komme ud af det med hinanden; ~ **on with** *sby* komme ud af det med en;
~ **out a.** komme ud; **b.** (*om oplysning, nyhed*) slippe ud; **c.** (*af vogn*) stå ud; **d.** (*med objekt*) få ud; få væk; **e.** (*ytring*) få frem; **f.** (*bog*) få udgivet; (se også *bed*[1], *change*[1], *hand*[1], *kick*[1]); ~ **out of** slippe for (*fx military service; paying one's taxes*); ~ *out of here!* ud med dig! ~ *out of it* slippe godt fra det;
~ **over a.** komme over; **b.** overvinde; klare; *I can't ~ over ...* **a.** jeg kan ikke komme mig over ...; **b.** jeg kan ikke begribe ...; ~ *it over (with)* få det overstået; *she has got it badly over him* T hun er helt væk i ham;
~ **round** se ovf.: ~ *about*, ~ *around*; ~ *round to* se ovf.: ~ *around to*;
~ **there** se *there*[1];
~ **through a.** komme igennem (*fx the wood, a book*); **b.** (*prøve, eksamen*) slippe igennem; bestå; **c.** (*om forbrug*) konsumere (*fx a bottle of gin a day*); bruge op (*fx all the bread*); bruge; (*penge også*) formøble (*fx a fortune*); **d.** (*uden objekt: om lov*) blive vedtaget; **e.** (*tlf., radio.*) få forbindelse; komme igennem; ~ **through to a.** få kontakt med; nå frem til; **b.** (*tlf., radio.*) få forbindelse med; komme igennem til; *I can't ~ it through to him* (*fig.*) det jeg siger trænger ikke ind hos ham; ~ **through with** gøre sig færdig med; få fra hånden;
~ **to a.** (*sted*) komme til, nå (*fx the hotel*); **b.** (*aktivitet*) nå frem til, gå i gang med (*fx I'll ~ to the accounts as soon as possible*); **c.** (*person*) ærgre, irritere; påvirke; ~ *to + -ing* begynde at; nå til at; ~ *to sleep* falde i søvn; ~ *to work* komme i gang; *where has he//it got to?* hvad er der blevet af ham// det?;
~ **together a.** komme sammen, samles; finde hinanden; **b.** (*med objekt*) bringe sammen, samle; få samling på; ~ *it together* **a.** få styr på//orden i tingene; finde ud af det; **b.** (*om par*) slå sig sammen; danne par; ~ *one's act together* =

~ it together a;

~ **up a.** (*person: om morgenen*) få op; vække; **b.** (*ting: transportere*) få op; (+ *objekt: sted*) få op ad (*fx ~ the table up the stairs; ~ the car up the hill*); **c.** (*begivenhed*) sætte i værk; arrangere (*fx a concert*); sætte i scene; forberede; **d.** (*bog*) udstyre; **e.** (*person: med tøj*) klæde ud; (*neds.*) maje ud; **f.** (*fag, læsestof*) studere; lære; læse op [*til en eksamen*]; **g.** (+ *objekt: sted*) komme op ad (*fx he can't ~ up the stairs//the hill*); **h.** (*uden objekt*) komme op; (*fra siddende//liggende stilling*) rejse sig; (*af sengen*) stå op; *the wind is -ting up* vinden tager til i styrke; det blæser op; ~ *it up* T få den op og stå; ~ *oneself up* pynte sig; klæde//maje sig ud; (se også *courage, heart* (*by heart*) *steam*[1]); ~ **up to** lave, bedrive; pønse på; *what is he -ting up to?* hvad er han ude på? ~ *up to sby,* ~ *up with sby* indhente en; ~ **with** child se *child*.

get-at-able [get'ætəbl] *adj.* T tilgængelig.

getaway ['getəwei] *sb.* T **1.** flugt; **2.** (*i billøb*) start; **3.** (*om lille ferie*) udflugt; □ *make one's ~* (*jf. 1*) stikke af; *the ~ car* flugtbilen.

getout ['getaut] *sb.* T udvej, udflugt; måde at slippe på; □ *... as all ~* (*am.* T) noget så ... (*fx curious as all ~* noget så nysgerrig).

get-together ['getəgeðə] *sb.* T komsammen.

Gettysburg ['getizbə:g] [*by i Pennsylvania i USA hvor der stod et berømt slag i borgerkrigen 1-3 juli 1863*].

getup ['getʌp] *sb.* T **1.** (*persons*) antræk, mundering (*fx where are you going in that ~?*); **2.** (*bogs*) udstyr (*fx the attractive ~ of the book*).

gewgaw ['gju:gɔ:] *sb.* stads, tingeltangel.

geyser ['gi:zə, (*am.*) 'gaizər] *sb.* **1.** gejser; **2.** gasbadeovn.

G flat *sb.* (*mus.*) ges.

GFR *fork. f. German Federal Republic* BRD [*Bundesrepublik Deutschland*].

Ghana ['ga:nə].

Ghanaian[1] [ga:'neiən] *sb.* ghaneser.

Ghanaian[2] [ga:'neiən] *adj.* ghanesisk.

ghastly ['ga:stli] *adj.* **1.** forfærdelig, grufuld (*fx accident*); uhyggelig; **2.** (*litt., om ansigtsfarve*) ligbleg; dødlignende (*fx pallor*); **3.** T ræd-

som, gyselig (*fx hat; weather*); skrækkelig (*fx mistake*).

ghat [gɔ:t] *sb.* (*i Indien*) **1.** [*trappe ned til en flod*]; **2.** [*ligbrændingsplads*].

ghee [gi:] *sb.* (*i Indien*) [*smeltet smør, især af bøffelmælk*].

gherkin ['gə:kin] *sb.* lille sylteagurk, drueagurk.

ghetto ['getəu] *sb.* ghetto.

ghetto blaster *sb.* ghettoblaster [*transportabelt stereoanlæg med kraftig lyd*].

ghost[1] [gəust] *sb.* **1.** spøgelse, genfærd; **2.** se *ghost image*; **3.** se *ghost writer;* □ *give/yield up the ~* opgive ånden; *lay a ~* mane et spøgelse i jorden; *the ~ of* skyggen af, antydningen af (*fx a smile*); *I have not the ~ of a chance* jeg har ikke den ringeste/ikke gnist af chance.

ghost[2] [gəust] *vb.* (jf. *ghost writer*) være anonym forfatter / „neger" på; □ *his memoirs were -ed by a journalist* han fik hjælp til sine erindringer af en journalist; hans erindringer er nedskrevet af en journalist.

ghost image *sb.* (*i tv*) spøgelsebillede; ekkobillede.

ghostly ['gəustli] *adj.* spøgelsesagtig, åndeagtig (*fx figure; voice*).

ghost town *sb.* spøgelsesby.

ghost word *sb.* [*ord opstået ved fejllæsning el. trykfejl*].

ghost-write ['gəustrait] *vb.* = *ghost*[2].

ghost writer *sb.* „neger", anonym forfatter [*hvis arbejde udkommer under en andens navn*].

ghoul [gu:l] *sb.* **1.** (*i orientalsk overtro*) [*ond ånd der fortærer lig*]; ond ånd; **2.** (*om person*) [*person med makabre interesser*]; pervers person.

ghoulish ['gu:liʃ] *adj.* dæmonisk, uhyggelig (*fx smile; laughter*); pervers, makaber (*fx interests*).

GHQ *fork. f. General Headquarters.*

GI [dʒi:'ai] *sb.* (*am.*) (menig) soldat.

giant[1] ['dʒaiənt] *sb.* kæmpe, gigant.

giant[2] ['dʒaiənt] *adj.* kæmpemæssig, gigantisk; kæmpe-.

giantess ['dʒaiəntəs] *sb.* kæmpekvinde.

giant-killer ['dʒaiəntkilə] *sb.* [*en der vinder over en langt stærkere modstander*].

giant panda *sb.* (*zo.*) stor panda, bambusbjørn.

giant slalom *sb.* storslalom.

gibber ['dʒibə] *vb.* tale (hurtigt og

uforståeligt; plapre.

gibberish ['dʒibəriʃ, 'gib-] *sb.* uforståelig snak, volapyk, kaudervælsk;
□ *talk ~* vrøvle.

gibbet ['dʒibət] *sb.* galge [*med én arm*];
□ *hang on the ~* hænge i galgen.

gibbon ['gibən] *sb.* (*zo.*) gibbon, gibbonabe.

gibe [dʒaib] se *jibe.*

giblets ['dʒibləts] *sb. pl.* (*af fugl*) indmad [*o: hjerte og lever*]; kråser.

Gibraltar [dʒi'brɔ:ltə]: *the Straits of ~* Gibraltarstrædet.

gid [gid] *sb.* (*vet.*) drejesyge [*hos får*].

giddy ['gidi] *adj.* (*glds.*) **1.** svimmel (*with af*); **2.** pjanket, fjantet; kåd, overstadig;
□ *~ heights* svimlende højder.

gift [gift] *sb.* **1.** gave; **2.** (*åndelig: særlig evne*) talent (*for* for, *fx languages; music*); begavelse; **3.** T ren foræring (*fx that goal was a ~; the dress is a ~ at that price*);
□ *a ~ from the Gods* en gave fra himlen; *it is in his ~* **a.** (*om præstekald*) han har retten til at besætte det; han har kaldsretten; **b.** (T: *om stilling*) han kan bestemme hvem der skal have den; [*med vb.+ konj., præp.*] *I would not have it as a ~* jeg ville ikke have det om jeg så fik det forærende; jeg vil hverken eje eller have det; *have a ~ for* + -*ing* have talent for at (*fx teaching*); have en særlig evne til at; *have the ~ of tongues* kunne tale i tunger; (se også *gab*[1]); *never look a ~ horse in the mouth* man skal ikke skue given hest i munden; *she made him a ~ of it* hun forærede ham det.

gift certificate *sb.* (*am.*) gavekort.

gifted ['giftid] *adj.* begavet, talentfuld.

gift token *sb.,* **gift voucher** *sb.* gavekort.

gift-wrapped ['giftræpt] *adj.* pakket ind som gave; pakket ind i gavepapir.

gig[1] [gig] *sb.* **1.** koncert; **2.** (*for musiker el. band*) job, engagement; **3.** (*glds. tohjulet vogn; let båd*) gig.

gig[2] [gig, dʒig] *sb.* (*it,* T) = *gigabyte.*

gig[3] [gig] *vb.* spille, give koncert.

giga- ['gigə, 'dʒigə] (*præfiks*) giga- (*fx volt, watt*) [*o: 1 milliard*].

gigabyte ['gigəbait, 'dʒigə-] *sb.* (*it*) gigabyte.

gigantic [dʒai'gæntik] *adj.* gigantisk, enorm, kæmpemæssig, kolossal.

G gigantism

gigantism [dʒai'gæntizm] *sb.*
(*med.*) kæmpevækst.
giggle[1] ['gigl] *sb.* fnisen;
□ *it is a ~* det er til at grine ad; *for
a ~* for sjovs skyld; *get the -s* få et
anfald af fnisen; *have a ~ over*
fnise ad.
giggle[2] ['gigl] *vb.* fnise (*at* ad).
giggler ['giglə] *sb.* grinebider.
giggly ['gigli] *adj.* fnisende; fjantet.
GIGO *fork. f. garbage in garbage
out*; (se: *garbage*).
gigolo ['dʒigələu, 'ʒig-] *sb.* (*glds.*)
gigolo.
gigot ['dʒigət] *sb.* lammekølle.
gigot sleeve *sb.* skinkeærme.
Gila monster ['hi:ləmɔnstə] *sb.*
(*am. zo.*) gilaøgle, gilamonster
[*giftigt firben*].
gild [gild] *vb.* (*-ed/gilt, -ed/gilt*) for-
gylde; (se også *lily*).
gilded youth *sb.* jeunesse d'orée;
overklasseungdom.
gilding ['gildiŋ] *sb.* forgyldning.
gilet ['ʒilei] *sb.* ærmeløs dynejakke;
vest.
gill[1] [gil] *sb.* **1.** (*fisks*) gælle; **2.** (*un-
der fugles næb*) kødlap, hagelap,
halslap; **3.** (*på svamp*) lamel;
4. (*til afkøling af maskine*) ribbe;
□ *lick one's -s* slikke sig om mun-
den;
[*med præp.*] *green about* the *-s*
bleg om næbbet; *rosy about the -s*
rødmosset; *packed to* the *-s* stop-
fuld; *stewed to the -s* hønefuld;
stuffed to the -s stopmæt.
gill[2] [gil] *sb.* (*i bjerge*) **1.** bjergkløft;
2. elv.
gill[3] [dʒil] *sb.* (*rummål*) [*0,142 l.*].
gill[4] [gil] *vb.* rense (*fisk*).
gill cover *sb.* gællelåg.
gillie ['gili] *sb.* (*skotsk*) **1.** (*på jagt-
el. fisketur*) hjælper, fører; jagtbe-
tjent; **2.** (*hist.: for klans overho-
ved*) tjener.
gill net *sb.* hildingsgarn; nedgarn.
gills [gilz] *sb. pl.* se *gill*[1].
gill slit *sb.* gællespalte.
gillyflower ['dʒiliflauə] *sb.* (*bot.*)
gyldenlak; levkøj.
gilt[1] [gilt] *sb.* (se også *gilts, ginger-
bread*) **1.** forgyldning; **2.** (*zo.*) gylt
[*ung so*].
gilt[2] [gilt] *præt. & præt. ptc. af
gild*.
gilt-edged ['gilted3d] *sb.* **1.** (*om
bog*) med guldsnit; **2.** (*om værdi-
pair*) guldrandet.
gilthead ['gilthed] *sb.*: ~ *sea bream*
(*zo.*) guldbrasen.
gilts [gilts] *sb. pl.* guldrandede pa-
pirer.
gimbals ['dʒimbəlz] *sb. pl.* (*mar.*)
slingrebøjle;
□ *mounted on/hung in ~* kar-
dansk ophængt.

gimcrack ['dʒimkræk] *adj.* tarvelig,
billig; skrøbelig, gebrækkelig.
gimlet ['gimlət] *sb.* **1.** vridbor;
2. (*am.: drink*) [*gin//vodka og
lime*];
□ *with eyes like -s* se *gimlet-eyed*.
gimlet-eyed ['gimlətaid] *adj.* med
et gennemborende blik; med stik-
kende øjne.
gimme ['gimi] *interj.* S = *give me*.
gimmick ['gimik] *sb.* **1.** fidus, kneb,
trick; **2.** (*merk.*) nyt smart rekla-
mepåfund; reklametrick; **3.** (*ting*)
dims, dingenot.
gimmickry ['gimikri] *sb.* det at
bruge smarte påfund; effektjageri.
gimmicky ['gimiki] *adj.* smart, som
skal tiltrække opmærksomhed.
gimp [gimp] *sb.* **1.** agraman; mø-
belsnor; **2.** (*fiskesnøre overspun-
det med metaltråd*) gimp; **3.** (*am.*)
halt person, krøbling; skvat;
□ *walk with a ~* (*am.*) halte.
gimpy ['gimpi] *adj.* (*am.*) haltende;
□ *have a ~ leg* halte.
gin[1] [dʒin] *sb.* **1.** gin; **2.** (*til fugle-
fangst*) snare; done; **3.** (*tekn.*) hej-
seværk; (se også *cotton gin*);
□ ~ *and It* (*jf. 1*) gin og (italiensk)
vermouth.
gin[2] [dʒin] *vb.* (*bomuld*) egrenere.
gin[3] [gin] *konj.* (*skotsk*) hvis.
ginger[1] ['dʒin(d)ʒə] *sb.* **1.** (*krydderi*)
ingefær; **2.** (*fig.*) liv, fart, fut (*fx
put some ~ into him*); **3.** (*farve*)
rødgult; (*om hår*) rødt.
ginger[2] ['dʒin(d)ʒə] *adj.* rødgul;
rødhåret.
ginger[3] ['dʒin(d)ʒə] *vb.* krydre med
ingefær;
□ ~ *up* sætte fart/fut/liv i (*fx ~
him up*); loppe op.
ginger ale *sb.* [*sodavand med inge-
færsmag*].
ginger beer *sb.* ingefærøl.
gingerbread ['dʒin(d)ʒəbred] *sb.*
1. ingefærkage; (*omtr.*) honning-
kage; **2.** (*fig.*) konditorornamentik;
kransekagearkitektur;
□ *take the gilt off the ~* tage glan-
sen af det; *the gilt is off the ~*
glansen er gået af St. Gertrud.
ginger group *sb.* initiativgruppe,
aktionsgruppe, idégruppe [*akti-
vistgruppe inden for et parti, en
forening etc.*].
gingerly ['dʒin(d)ʒəli] *adv.* forsig-
tigt, varsomt.
ginger nut *sb.* lille ingefærkage.
ginger snap *sb.* (*am.*) = *ginger nut*.
gingery ['dʒin(d)ʒəri] *adj.* **1.** inge-
fær- (*fx taste*); **2.** (*fig.*) hidsig; irri-
tabel; **3.** (*om farve*) rødbrun.
gingham ['giŋəm] *sb.* gingham, ter-
net bomuldsstof.

gingivitis [dʒindʒi'vaitis] *sb.* (*med.*)
tandkødsbetændelse.
gingko ['giŋkəu] *sb.* (*bot.*) gingko-
træ.
gink [giŋk] *sb.* (*am.* S) fyr, stodder.
ginned-up ['dʒindʌp] *adj.* S fuld.
ginnel ['gin(ə)l] *sb.* (*dial.*) gyde,
smøge.
ginseng ['dʒinseŋ] *sb.* (*bot.*) gin-
seng; ginsengrod.
gin sling *sb.* [*gin, vand og lime*].
gippo ['dʒipəu] *sb.* (T: *neds.*) sigøj-
ner.
gippy tummy [dʒipi'tʌmi] *sb.* tu-
ristmavepine, turistdiarré.
gipsy ['dʒipsi] *sb.* sigøjner.
gipsy moth *sb.* (*zo.*) løvskovs-
nonne.
gipsywort ['dʒipsiwɔ:t] *sb.* (*bot.*)
sværtevæld.
giraffe [dʒi'ra:f] *sb.* (*zo.*) giraf.
gird [gə:d] *vb.* (*-ed/girt* [gə:t], *-ed/
girt* [gə:t]): ~ *oneself/~ up one's
loins* (*glds. el. spøg.*: gøre sig rede)
omgjorde sig/omgjorde sin lænd,
ruste sig.
girder ['gə:də] *sb.* drager, bære-
bjælke.
girdle[1] ['gə:dl] *sb.* **1.** hofteholder;
roll-on; **2.** bælte, snor [*fx til slå-
brok*]; **3.** (*af træ*) barkring;
4. (*skotsk*) = *griddle*.
girdle[2] ['gə:dl] *vb.* (*glds. el. litt.*)
omgive, omkranse.
girl [gə:l] *sb.* **1.** pige; **2.** (*am.* S) ko-
kain.
girl Friday *sb.* betroet privatsekre-
tær.
girlfriend ['gə:lfrend] *sb.* **1.** (*piges*)
veninde; **2.** (*mands*) kæreste.
girl guide *sb.* (*glds.*) pigespejder.
girlhood ['gə:lhud] *sb.* (*glds.*) pi-
geår;
□ *in her ~* da hun var en lille
pige.
girlie ['gə:li] *adj.* tøset; **2.** T med
letpåklædte//bare piger i, porno-
(*fx calendar; magazine; show*).
girlish ['gə:liʃ] *adj.* pigelig; piget;
pige- (*fx giggle*).
girl scout *sb.* (*am.*) pigespejder.
giro ['dʒaiərəu] *sb.* **1.** giro; **2.** [*un-
derstøttelse; sygedagpenge*].
girth [gə:θ] *sb.* **1.** omfang; omkreds
(*fx the tree measures 3 metres in
~*); **2.** (*persons*) livvidde; omfang;
3. (*til hest*) (bug)gjord.
gismo *sb.* = *gizmo*.
gist [dʒist] *sb.*: *the ~ of* det væsent-
lige i, kernen i (*fx the ~ of the
matter*).
git [git] *sb.* S skid; skvat, skvadder-
hoved.
give[1] [giv] *sb.* **1.** elasticitet; **2.** (*fig.*)
fleksibilitet; villighed til at gå på
kompromis;

□ ~ *and take* gensidig imødekom-
menhed.
give² [giv] *vb.* (*gave, given*) (se også
given) **A.** (*med objekt*) **1.** give;
2. (*gave*) give, forære, skænke;
3. (*sygdom*) smitte med (*fx you
have -n me your cold*); **4.** (*noget
ubehageligt*) volde (*fx trouble;
pain*); give (*fx it gave me a
shock//headache*); **5.** (*i ord*) be-
skrive; udtrykke (*fx it is -n in the
following formula*); **6.** (*foredrag,
arrangement etc.*) holde (*fx a lec-
ture; a speech; a talk; a party; a
press conference*); **7.** (*ytring, lyd*)
udstøde (*fx a loud laugh; a cry; a
sigh; the cow gave a great bellow*)
[*se også ndf.: med sb.*];
B. (*uden objekt*) **1.** give efter (*fx
this mattress does not ~ much;
the ice gave under me*); **2.** bryde
sammen (*fx finally the old bridge
gave*); **3.** (*om person*) vige (*fx no
one would ~ an inch*); give efter
(*fx somebody has to ~*); **4.** (*am.*)
give fortabt (*fx I ~!*);
□ ~ *as good as one gets* give lige
for lige; give svar på tiltale; ~ *or
take a couple of years//centi-
metres* plus-minus et par år//cen-
timeter; (se også *understand*);
[*med sb.; NB ~ + sb. ofte = vb.*]
~ *a lurch//sigh//smile//start//yawn*
vakle//sukke//smile//fare sam-
men//gabe; ~ *sby good morning*
sige godmorgen til en; ~ *us a
song* syng en sang for os; ~
thanks takke; (se også *battle¹,
damn¹, hand¹, head¹ (etc)*);
[*med pron.*] ~ *it him!* på ham! giv
ham en omgang! *I'll ~ it you* se
ndf.: ~ *it to;* ~ *me soccer, any day*
næ må jeg så be' om fodbold; ~
don't ~ me that kom ikke her
med det sludder; å gå væk; å la'
vær'; *I ~ you the ladies//the
Queen!* skål for damerne//dron-
ningen! *I ~ you the mayor!* (*am.
også: sagt af konferencier*) må jeg
præsentere borgmesteren for Dem;
her er borgmesteren; *I ~ you that
point in the argument* på det
punkt indrømmer jeg du har ret;
I'll ~ you this, you are not lazy
du er ikke doven, det vil jeg ind-
rømme dig/det må man lade dig;
[*med adv., præp.*] ~ *away*
a. (*gave*) give/forære væk;
b. (*medalje, præmie etc.*) over-
række (*fx diplomas*); **c.** (*chance
etc.*) forspilde (*fx an opportunity*);
d. (*fx i sport*) forære væk (*fx a
goal*); **e.** (*hemmelighed, person*)
røbe, afsløre (*fx he gave nothing
away; his trembling hands gave
him away*); ~ *away the bride* føre

bruden op; være brudens forlover;
~ *away in marriage* bortgifte; ~
the whole show away røbe/afsløre
det hele; sladre;
~ *back* **a.** give/levere tilbage;
b. (*krænkelse etc.*) give igen, gen-
gælde;
~ *forth* (F *el. spøg.*) **a.** udsende
(*fx a scent; a noise*); **b.** (*lyd*) ud-
støde;
~ *in* **a.** (*i uenighed, kamp*) op-
give; give fortabt; **b.** (*når man
bliver presset*) give efter (*to for, fx
their demands*); **c.** (*med objekt: til
myndighed etc.*) indlevere (*fx an
essay; a petition*); ~ *in one's
name* melde sig;
~ *into* (*om vej*) føre til;
~ *of one's best* yde sit bedste;
~ *off* **a.** udsende (*fx smoke;
steam; a smell*); **b.** afgive (*fx
heat*);
~ *on to* **a.** (*om udgang, dør*) føre
ud til; **b.** (*om vindue, hus*) vende
ud til; have udsigt til;
~ *out* **a.** (*ting*) uddele (*fx leaflets;
pencils*); **b.** (*oplysning*) bekendt-
gøre; meddele; **c.** (*rygte*) udbrede,
sprede; **d.** (F: *lyd*) udstøde (*fx a
scream*); **e.** se ovf.: ~ *off;* **f.** (*uden
objekt: om forsyning*) slippe op (*fx
the food began to ~ out*); (*om or-
gan, mekanisme*) svigte (*fx his
lungs//voice//legs gave out; the
clutch gave out*); ~ *out the hymns*
nævne hvad salmer der skal syn-
ges; ~ *it out that* lade sig forlyde
med at; ~ *oneself out to be* give
sig ud for (at være) (*fx a doctor;
an expert*);
~ *over* **a.** holde op (+ *-ing* med at,
fx complaining); **b.** (*en vane*) op-
give; ~ *over to* overlade til (*fx ~
the keys over to the new owners*);
~ *oneself over to* hellige sig (*fx
one's job*); *be -n over to* være re-
serveret til (*fx the evenings were
-n over to playing cards; a whole
wing was -n over to a special ex-
hibition*);
she gave herself to him (*glds.*)
hun hengav sig til ham; *I'll give it
to you* **a.** jeg skal gi' dig; **b.** du får
med mig at bestille;
~ *up* **a.** opgive; **b.** holde op (+
-ing med at, *fx smoking; I gave up
two years ago*); **c.** holde op med
(*fx work; tennis*); **d.** (*ejendel; ret*)
give afkald på; **e.** (*territorium,
plads; barn*) afstå (*fx a few miles
of desert; one's seat in the bus*);
afgive; **f.** (*hemmelighed*) udlevere;
~ *oneself up* **a.** overgive sig;
b. (*til politiet*) melde sig; ~ *sth up
for lost* anse noget for rednings-
løst fortabt; opgive håbet om at få

noget tilbage; ~ *sby up for dead*
anse en for at være død; opgive
håbet om at en kan leve; ~ *up on*
ikke tro på længere; miste troen
på; opgive; *my mind was given up
to* mit sind var optaget/opfyldt af;
~ *oneself up to* (*litt.*) **a.** hellige
sig; hengive sig helt til; gå helt op
i (*fx the study of history*); **b.** give
sig hen i (*fx despair*); ~ *oneself
up to the police* melde sig til poli-
tiet.
give-and-take [givən'teik] *sb.* se
give¹.
giveaway ['givəwei] *sb.* **1.** afslø-
ring; **2.** foræring; gratis vareprøve;
reklamepakke.
giveaway price *sb.* foræringspris.
given¹ ['giv(ə)n] *sb.* given ting.
given² ['giv(ə)n] *præt. ptc. af give².*
given³ ['giv(ə)n] *adj.* **1.** givet (*fx
take it as ~*); **2.** nærmere angivet,
fastsat (*fx at the ~ time*);
□ ~ *to* tilbøjelig til; forfalden til;
be ~ to drink være fordrukken.
given⁴ ['giv(ə)n] *præp.* **1.** i betragt-
ning af (*fx ~ his age, he is re-
markably fit*); **2.** forudsat;
□ ~ *good health he will be able to
do it* forudsat at han er rask vil
han kunne gøre det.
given name *sb.* (*am.*) fornavn.
gizmo ['gizməu] *sb.* T dims; anord-
ning.
gizzard ['gizəd] *sb.* **1.** (*hos fugle*)
kråse; **2.** (*hos visse andre dyr*)
mave;
□ *it stuck in his ~* det faldt ham
for brystet.
glabrous ['gleibrəs] *adj.* glat; skal-
det, hårløs.
glacé ['glæsei] *adj.* kandiseret; gla-
seret.
glacial ['gleiʃ(ə)l, -ʃiəl] *adj.*
1. (*geol.*) glacial, glacial-; istids-;
2. (*om temperatur*) iskold (*fx air;
wind*); is-; **3.** (*fig.*) iskold (*fx smile;
stare*); **4.** (*om tempo*) uhyre lang-
som (*fx pace*);
□ *at a ~ pace* (*jf. 4, også*) i snegle-
fart; *a ~ look* (*jf. 3, også*) et is-
nende blik.
glacial clay *sb.* (*geol.*) smelte-
vandsler.
glacial deposit *sb.* (*geol.*) moræne.
glacial epoch *sb.*, **glacial period**
sb. (*geol.*) istid.
glacial stria *sb.* (*geol.*) skurestribe.
glaciated ['gleisieitid] *adj.* isdæk-
ket.
glaciation [glæsi'eiʃn] *sb.* (*geol.*)
glaciation, nedisning [*dannelse af
indlandsis, gletsjerdannelse*].
glacier ['glæsiə, (*am.*) 'gleiʃər] *sb.*
bræ, gletsjer.
glad [glæd] *adj.* **1.** glad; **2.** glædelig

(fx news); (se også glad eye, glad hand);

□ ~ **about** glad for (fx the news); I was/felt ~ **for** them jeg glædede mig på deres vegne; I am ~ **of** it det glæder mig; jeg er glad for det; I am ~ **to** hear it det glæder mig at høre det; jeg er glad for at høre det; I shall be ~ to come jeg vil gerne komme; F det skal være mig en glæde at komme; I'll be only too ~ to help you jeg vil meget gerne hjælpe dig.

gladden ['glæd(ə)n] vb. (litt.) glæde;
□ it will ~ his heart det vil fryde hans hjerte.

glade [gleid] sb. lysning; skovslette.

glad eye sb.: give sby the ~ (glds. S) skyde/flirte med en.

glad hand sb.: give sby the ~ T
a. stikke en på næven; hilse overstrømmende hjerteligt på en;
b. give én en overstrømmende velkomst.

glad-hand ['glædhænd] vb. stikke på næven; hilse overstrømmende hjerteligt på.

gladiator ['glædeitə] sb. (hist.) gladiator.

gladiatorial [glædiə'tɔːriəl] adj. gladiatoragtig; gladiator-.

gladiolus [glædi'əuləs] sb. (pl. -li [-lai]) gladiolus.

gladly ['glædli] adv. med glæde.

gladness ['glædnəs] sb. glæde.

glad rags sb. pl. T bedste tøj; fineste puds.

Gladstone ['glædstən]: ~ bag håndkuffert; rejsetaske.

glad tidings sb. pl. glædeligt budskab.

glam [glæm] fork. f. T 1. glamour;
2. glamorous;
□ ~ up a. pynte; pifte op; b. pynte sig.

glamorize ['glæməraiz] vb. (neds.) omgive med et strålende//romantisk skær; glorificere, forherlige.

glamorous ['glæmərəs] adj. betagende, fortryllende, blændende.

glamour ['glæmə] sb. glamour; fortryllelse, glans, trylleglans, trylleskær.

glance[1] [glɑːns] sb. øjekast, blik;
□ at a ~ ved første blik; straks; at first ~ ved første øjekast; umiddelbart; cast/take/throw a ~ at se flygtigt på; kigge på; steal a ~ at kaste et stjålent blik på; smugkikke på.

glance[2] [glɑːns] vb. 1. se, kikke;
2. (om lys) glimte;
□ ~ at kaste et blik på; ~ off
a. prelle af, glide af; b. (med

objekt) prelle af på/mod (fx the bullets -ed off the car); glide af på; ~ over/through kigge//bladre igennem.

glancing ['glɑːnsiŋ] adj.: a ~ blow et skråt slag [som delvis glider af].

gland [glænd] sb. kirtel.

glanders ['glændəz] sb. pl. (vet.: hestesygdom) snive.

glandular ['glændjulə] adj. 1. kirtel- (fx secretions); 2. (am.) medfødt (fx instinct); født (fx leader).

glandular fever sb. (med.) mononukleose.

glare[1] [glɛə] sb. 1. skarpt/skærende/blændende lys (fx the ~ of the sun); 2. vredt/olmt blik; skulen;
□ in the full ~ of publicity i fuld offentlighed; i offentlighedens søgelys.

glare[2] [glɛə] vb. 1. skinne; blænde; udsende et skarpt/skærende/blændende lys; 2. (om person) stirre; se skarpt (at på); glo olmt (at på).

glaring ['glɛəriŋ] adj. 1. (om lys) skarp, skærende, blændende;
2. (om farve) skrigende, grel;
3. (om blik) stirrende (fx eyes); skulende, gloende; 4. (om noget forkert) grov (fx error; injustice; omission); eklatant (fx blunder); (stærkere) skrigende (fx contrast; injustice).

glass[1] [glɑːs] sb. (se også glasses)
1. (materiale; beholder; ting af glas) glas; 2. (glds.) spejl (fx look at oneself in the ~); 3. (glds.) barometer (fx the ~ is falling);
□ touch -es klinke; skåle; a ~ of wine et glas vin; he is fond of his ~ han holder meget af at få sig et glas; grown under ~ dyrket i drivhus; (se også broken, straight).

glass[2] [glɑːs] vb.: ~ in sætte glas om; sætte ruder i; ~ over dække med glas.

glassblower ['glɑːsbləuə] sb. glaspuster.

glass case sb. 1. glasskab; 2. (i museum etc.) glasmontre; 3. (til ur) glasklokke.

glass ceiling sb. usynlig barriere [som forhindrer at man kommer videre].

glass cloth sb. 1. (til aftørring) glasstykke; 2. (til slibning) glaslærred.

glass cutter sb. 1. (værktøj) glasskærer; 2. (person) glassliber; glasskærer.

glasses ['glɑːsiz] sb. pl. 1. briller;
2. (dobbelt)kikkert.

glassful ['glɑːsf(u)l] sb. glas;
□ a ~ of gin et glas gin.

glasshouse ['glɑːshaus] sb. 1. (i

gartneri, have) drivhus; 2. (mil. S) vagtarrest;
□ those who live in -s should not throw stones man skal ikke kaste med sten når man selv bor i et glashus.

glassine [glɑː'siːn, glæ-] sb. pergamynpapir.

glass-making ['glɑːsmeikiŋ] sb. glasfremstilling.

glass paper sb. glaspapir; sandpapir.

glassware ['glɑːswɛə] sb. glasvarer, glasartikler.

glass wool sb. glasuld.

glasswork ['glɑːswəːk] sb. 1. glasarbejde; 2. glasvarer.

glassworks ['glɑːswəːks] sb. (pl. d.s.) glasværk.

glasswort ['glɑːswəːt] sb. (bot.) salturt, kveller.

glassy ['glɑːsi] adj. 1. glasagtig;
2. (om vandoverflade) spejlblank; spejlklar; 3. (om øjne) glasagtige, udtryksløse, stive.

Glaswegian[1] [glæs'wiːdʒiən] sb. indbygger i Glasgow.

Glaswegian[2] [glæs'wiːdʒiən] adj. Glasgowsk.

glaucoma [glɔː'kəumə] sb. (med.) grøn stær.

glaucous ['glɔːkəs] adj. 1. blågrøn;
2. dækket af blålig dug, blådugget [som blommer og druer].

glaucous gull sb. (zo.) gråmåge.

glaze[1] [gleiz] sb. 1. (på keramik) glasur; 2. (på kage etc.) glasering; (på kage) glasur; 3. (på maleri) lasering; lasur; 4. (meteor.) isslag.

glaze[2] [gleiz] vb. (se også glazed)
1. sætte glas i; sætte ruder i;
2. (keramik) glasere; 3. (kage etc.) pensle, glasere; 4. (maleri) lasere [ɔ: lægge gennemsigtig farve over];
5. (papir) glitte; 6. (om øjne) få et glasagtigt udtryk; blive stive// matte;
□ ~ over se ovf.: 6.

glazed [gleizd] adj. 1. (om dør, vindue) med glas i; 2. (om rum) udført i glas; glas- (fx verandah; porch); 3. (om billede) med glas for; 4. (om keramik) glaseret;
5. (om kage etc.) glaseret (fx onions); 6. (om øjne) glasagtige, udtryksløse, stive;
□ ~ and framed (jf. 3) i glas og ramme.

glazed frost sb. (meteor.) isslag.

glazed paper sb. glittet papir; glanspapir.

glazier ['gleiziə, -ʒə] sb. glarmester.

glazing ['gleiziŋ] sb. A. (jf. glaze[2])
1. glarmesterarbejde; glasarbejde;
2. glasering; 3. pensling, glasering; 4. lasering; 5. glitning;

B. (*materiale*) **1.** glas; (jf. *double glazing*); **2.** glasur; **3.** glasur; **4.** lasur(farver).

glazing bar *sb.* sprosse [*i vindue*].

gleam[1] [gli:m] *sb.* **1.** F (svagt) skær, lys (*of* fra, *fx a lamp; headlights*); **2.** (*reflekteret, kort*) glimt (*fx of white teeth; of fish in the water*); genskin; **3.** (*fig.*) glimt (*fx of humour; of triumph; of interest; of hope*);
□ *he had a* ~ *in his eye* han havde et glimt i øjet; *it was only a* ~ *in his eye* det var endnu kun en tanke; *han var først lige begyndt at tænke på det*.

gleam[2] [gli:m] *vb.* **1.** (*om overflade*) skinne (*fx the silk -ed like silver; polish it until it -s*); **2.** (*svagt*) glimte (*fx a light -ed in the mist*); **3.** (*om øjne*) skinne (*with af, fx triumph*); funkle (*with af, fx joy*).

glean [gli:n] *vb.* **1.** (*oplysninger*) indsamle; samle sammen lidt efter lidt; **2.** (*glds.*) sanke (*fx aks*);
□ *-ed from* (*også*) hentet fra (*fx information -ed from press cuttings*); *I managed to* ~ *this from them* det lykkedes mig at få dette ud af dem.

gleanings ['gli:niŋz] *sb. pl.* oplysninger//stof man har samlet lidt efter lidt.

glebe [gli:b] *sb.* præstegårdsjord.

glee [gli:] *sb.* **1.** jubel, fryd; (*især: over en andens uheld*) triumf, skadefryd; **2.** (*mus.*) sang [*sunget af tre eller flere solostemmer*].

glee club *sb.* sangforening.

gleeful ['gli:f(u)l] *adj.* (jf. *glee*) jublende glad; triumferende, hoverende, skadefro.

glen [glen] *sb.* (*skotsk*) bjergkløft; smal dal.

glengarry [glen'gæri] *sb.* skottehue [*skråhue*].

glib [glib] *adj.* **1.** (*om person*) lidt for veltalende (*fx politician*); glat, facil, overfladisk; **2.** (*om ytring*) overfladisk (*fx generalizations; talk* snak); letkøbt;
□ *have a* ~ *tongue* tale med (lidt for) stor tungefærdighed; have en glat tunge.

glide[1] [glaid] *sb.* **1.** gliden; **2.** (*flyv.*) glideflugt; tur i svævefly; **3.** (*mus.*) glidetone; **4.** (*fon.*) glidelyd.

glide[2] [glaid] *vb.* **1.** glide (*fx boats/cars -d past; a snake -d through the grass*); **2.** (*om person*) svæve (*fx the ghost -d through the room; she -d gracefully into the ballroom*); glide; (*fordægtigt*) liste, snige sig; **3.** (*om fly & fugl*) bevæge sig i glideflugt; svæve.

glide path *sb.* (*flyv.*) glidevej, ind-

flyvningslinje.

glider ['glaidə] *sb.* **1.** svævefly, svæveplan; **2.** (*til gardin*) glider; **3.** (*am. på veranda*) hængestol; hængesofa.

glimmer[1] ['glimə] *sb.* **1.** svagt lys; skær; (*usikkert*) flakkende skær (*fx of a candle; of a campfire*); **2.** (*fig.*) antydning, anelse, (svagt) glimt (*fx of hope; of interest*);
□ *a* ~ *of light* **a.** et svagt lysskær (*fx in the east*); **b.** (*fig.*) en svag lysning.

glimmer[2] ['glimə] *vb.* skinne mat; glimte (*fx a faint light -ed in the distance*); flimre.

glimmering ['gliməriŋ] *sb.* se *glimmer*[1] 2.

glimpse[1] [glim(p)s] *sb.* glimt; flygtigt blik;
□ *catch a* ~ *of* få et glimt af, skimte.

glimpse[2] [glim(p)s] *vb.* se flygtigt, få et glimt af, skimte;
□ ~ *at* kaste et flygtigt blik på.

glint[1] [glint] *sb.* **1.** (skarpt) glimt (*fx of steel; of the sun in a window*); blink; **2.** (*i øjnene*) (ondskabsfuldt//ubehageligt) glimt (*fx he had a malicious* ~ //*a* ~ *of triumph in his eye*).

glint[2] [glint] *vb.* **1.** glimte (*fx the steel -ed in the sun*); funkle (*fx a diamond ring -ed on her finger*); **2.** (*om øjne*) have et ondskabsfuldt//ubehageligt skær/glimt; skinne (*with af, fx excitement*); funkle.

glissade[1] [gli'sa:d, -'seid] *sb.* **1.** (*i ballet*) glissade; glidetrin; **2.** (*ved bjergklatring*) glidende nedstigning.

glissade[2] [gli'sa:d, -'seid] *vb.* **1.** (*i ballet*) udføre glissade; **2.** (*ved bjergklatring*) lade sig glide [*ned over sneklædt bjergside*].

glisten ['glis(ə)n] *vb.* **1.** skinne; (*vådt el. fedtet*) glinse; **2.** (*om øjne*) blive blanke [*af tårer*].

glitch [glitʃ] *sb.* T (teknisk) fejl, funktionsfejl; uheld, kiks.

glitter[1] ['glitə] *sb.* **1.** glitren (*fx of silver plates*); funklen (*fx of fireworks*); **2.** (*fig.*) glimmer (*fx the* ~ *of Hollywood*); glans, pragt; **3.** (*til pynt*) glimmer.

glitter[2] ['glitə] *vb.* glitre (*fx the lake -ed in the sunlight*); glimte; stråle, funkle;
□ *all that -s is not gold* det er ikke guld alt der glimrer.

glitterati [glitə'ra:ti] *sb.* berømtheder.

glittering ['glitəriŋ] *adj.* **1.** strålende, funklende (*fx jewels*); **2.** (*fig.*) strålende (*fx career*); gyl-

den (*fx promises*).

glittery ['glitəri] *adj.* se *glittering*.

glitz [glits] *sb.* (overfladisk) pragt; glamour.

glitzy ['glitsi] *adj.* prangende; overdådig.

gloaming ['gləumiŋ] *sb.* (*skotsk*) skumring, tusmørke.

gloat [gləut] *vb.* godte sig, hovere, triumfere; være skadefro (*over* over).

glob [glɔb] *sb.* T klat; klump.

global ['gləub(ə)l] *adj.* **1.** global, verdensomfattende, verdensomspændende; **2.** (*fig.*) global, altomfattende, generel; helheds-.

globalize ['gləubəlaiz] *vb.* globalisere, gøre verdensomspændende.

global warming *sb.* drivhuseffekten.

globe [gləub] *sb.* **1.** (*form*) kugle; **2.** (*med verdenskort*) globus; **3.** (*af glas*) glaskugle; (*til lampe*) lampekuppel; (*til guldfisk*) guldfiskeglas; **4.** (*symbol på magt*) rigsæble;
□ *the* ~ klode, jordkloden, verden.

globe artichoke *sb.* **1.** (*bot.*) artiskok; **2.** artiskokhoved.

globe fish *sb.* (*zo.*) kuglefisk.

globeflower ['gləubflauə] *sb.* engblomme.

globetrotter ['gləubtrɔtə] *sb.* globetrotter.

globule ['glɔbju:l] *sb.* lille kugle, dråbe; perle (*fx -s of fat; -s of sweat*).

glockenspiel ['glɔkənspi:l] *sb.* (*mus.: i orkester*) klokkespil.

glom [glɔm] *vb.* (*am.* T) hugge, stjæle;
□ ~ *on to* gribe fat i; tilegne sig.

gloom [glu:m] *sb.* **1.** mørke, dunkelhed; **2.** (*om stemning*) dysterhed, tristhed; **3.** (*hos person*) tungsindighed, tristhed, nedtrykthed, forstemthed;
□ ~ *and doom* jammer og elendighed.

gloomy ['glu:mi] *adj.* **1.** (*om sted*) mørk, dyster, skummel; **2.** (*om stemning*) dyster, trist; **3.** (*om person*) tungsindig, trist, nedtrykt, forstemt.

glop [glɔp] *sb.* (*am.* S) snask, blæver.

glorification [glɔ:rifi'keiʃn] *sb.* (jf. *glorify*) **1.** lovprisning; **2.** forherligelse.

glorified ['glɔ:rifaid] *adj.* (*ironisk: som har fået en finere betegnelse end det fortjener*) bedre (*fx the hotel is only a glorified boarding house*).

glorify ['glɔ:rifai] *vb.* **1.** lovprise (*fx God; national heroes*); kaste glans

G glorious

over; **2.** (*ting: mere end det er be-rettiget*) forherlige; glorificere; (se også *glorified*).

glorious ['glɔːriəs] *adj.* **1.** (*litt.: om udseende*) pragtfuld (*fx roses; sight; weather*); prægtig (*fx costumes*); **2.** (*om kvalitet*) herlig, strå-lende, pragtfuld (*fx holiday*); **3.** (*om bedrift*) ærefuld, glorvær-dig, strålende (*fx victory; career*).

glory[1] ['glɔːri] *sb.* **1.** (*som man vin-der*) ære, hæder; **2.** (*som man er glad for*) stolthed (*fx her hair was her ~*); **3.** (*om udseende*) glans, pragt, herlighed; **4.** (*over hellig persons hoved*) glorie;
□ *glories* **a.** bedrifter; **b.** herlighe-der; *~ to God* ære være Gud; (se også *crowning*);
[*med præp.*] *in* all *his//its ~* i al sin pragt; *bask/bathe in the re-flected ~ of his victory* sole sig i glansen fra hans sejr; *cover one-self in ~* se ndf.: *cover oneself with; in a blaze of ~* se *blaze*[1]; *days of ~* storhedstid, glanspe-riode; *go to ~* (glds.) dø; *send to ~* (glds.) dræbe; *restore sth to its former ~* genskabe noget i sin for-dums pragt; *to the ~ of God* til Guds ære; *~ oneself with ~* ind-lægge sig hæder/ære; *he did not cover himself with ~* (ironisk) han klarede sig ikke just fremragende.

glory[2] ['glɔːri] *vb.: ~ in* **a.** være stolt af/over; fryde sig ved; **b.** (neds.) være vigtig af, vigte sig af; nyde.

glory box *sb.* (*austr.*) [*kasse hvor pige gemmer sit brudeudstyr*].

glory days *sb. pl.* storhedstid, glansperiode.

glory hole *sb.* **1.** (lille) pulterkam-mer; rodeskuffe; rodeskab; rode-butik; **2.** (*i glasfabr*) anfangshul; indvarmningsovn.

Glos. *fork. f.* Gloucestershire.

gloss[1] [glɔs] *sb.* **1.** glans (*fx of her hair; polish marble to a high ~*); **2.** (neds.) skin (*fx under the ~ of success*); fernis; overfladisk glans; **3.** (*maling*) lak; fernis; **4.** (*kosme-tik*) se *lipgloss*; **5.** (*til tekst*) note, glosse; forklaring, kommentar;
□ *take the ~ off* (*fig.*) tage glansen af; *put a ~ on* (*fig.*) pynte på, be-smykke.

gloss[2] [glɔs] *vb.* **1.** give glans; give blank overflade; **2.** (*ord, udtryk*) glossere; forklare; kommentere;
□ *~ over* dække over (*fx one's faults*); tilsløre; gå let hen over.

glossary ['glɔsəri] *sb.* glosar.

glossiness ['glɔsinəs] *sb.* (jf. *glossy*[2]) **1.** blankhed; glans; **2.** glathed.

glossy[1] ['glɔsi] *sb.* **1.** T kulørt uge-

blad; **2.** (*foto.*) blankt fotografi; blank kopi.

glossy[2] ['glɔsi] *adj.* **1.** blank; skin-nende (*fx hair*); **2.** (*fig.*) glat; slik-ket; lækker.

glossy paper *sb.* glanspapir.

glottal ['glɔt(ə)l] *adj.: ~ stop* (*fon.*) stød.

glottis ['glɔtis] *sb.* (*anat.*) stemme-ridse.

Gloucester ['glɔstə].

glove[1] [glʌv] *sb.* handske;
□ *fit like a ~* passe som hånd i handske/fod i hose; *take off the -s* smide fløjlshandskerne; *take off the -s to him* ikke tage med fløjls-handsker på ham; ikke lægge fing-rene imellem; *with -s off* uden fløjlshandsker; *attack the problem with -s off* gå lige til sagen; (se også *hand*[1]).

glove[2] [glʌv] *vb.* **1.** give handske på; **2.** (*i baseball: en bold*) gribe.

glove box *sb.* handskekasse [*til be-handling af fx radioaktivt materi-ale*].

glove compartment *sb.* handske-rum.

gloved [glʌvd] *adj.* **1.** behandsket; **2.** (*om lagen*) faconsyet.

glove puppet *sb.* handskedukke.

glover ['glʌvə] *sb.* handskemager.

glow[1] [gləu] *sb.* **1.** skær (*fx of a lamp*); glød; **2.** (*i ansigtet*) rødme; **3.** (*i kroppen*) (behagelig) varme;
□ *be all in a ~* være (dejlig) varm; *with a ~ of pride//satisfaction* strålende af stolthed/tilfredshed.

glow[2] [gləu] *vb.* (se også *glowing*) **1.** gløde; **2.** (*om ansigt*) gløde, blusse (*fx her cheeks were -ing*);
□ *~ with happiness/pride* stråle af stolthed/lykke; *~ with health* strutte af sundhed.

glower[1] ['glauə] *sb.* olmt blik; fjendtlig stirren, skulen.

glower[2] ['glauə] *vb.* **1.** stirre vredt (*at på*); skule (*at til*); glo olmt (*at på*); **2.** (*om skyer*) hænge truende.

glowering ['glauəriŋ] *adj.* **1.** (*om person, blik*) skulende; **2.** (*om sted*) skummel, truende.

glowing ['gləuiŋ] *adj.* **1.** glødende; blussende (*fx cheeks*); **2.** (*fig.*) be-gejstret (*fx he described it in ~ terms*);
□ *~ with happiness* glædestrå-lende.

glow-worm ['gləuwəːm] *sb.* (zo.) sankthansorm.

gloze [gləuz] *vb.: ~ over* bortfor-klare; besmykke.

glucose ['gluːkəus] *sb.* glukose, druesukker.

glue[1] [gluː] *sb.* lim.

glue[2] [gluː] *vb.* lime, klæbe;

□ *be -d to* (*fig.*) være klistret/kli-net/klæbet til/op ad (*fx the televi-sion*).

gluey ['gluːi] *adj.* klistret, klæbrig.

glum [glʌm] *adj.* nedtrykt, trist; mørk; mut.

glume [gluːm] *sb.* (*bot.*) avne.

glut[1] [glʌt] *sb.* overflod; overskud [*af varer*].

glut[2] [glʌt] *vb.* overfylde;
□ *~ the market* oversvømme mar-kedet; *~ oneself with* forspise sig i.

gluten ['gluːt(ə)n] *sb.* gluten [*pro-teinstof i korn*].

glutinous ['gluːtinəs] *adj.* klæbrig, klistret.

glutton ['glʌt(ə)n] *sb.* **1.** grovæder; slughals; **2.** (zo.) jærv;
□ *a ~ for work/punishment* en hund efter arbejde; en arbejdsnar-koman.

gluttonous ['glʌt(ə)nəs] *adj.* grådig, forslugen.

gluttony ['glʌt(ə)ni] *sb.* grådighed, forslugenhed; fråseri.

glycerin ['glisərin] *sb.* (*am.*) = *gly-cerine*.

glycerine ['glisərin] *sb.* glycerin.

glycerol ['glisərɔl] *sb.* (*fagl.*) = *gly-cerine*.

glyph [glif] *sb.* **1.** indhugget tegn/fi-gur; **2.** (*it*) glyf; **3.** (*arkit.*) fure.

GM *fork. f. genetically modified* gensplejset.

gm *fork. f. gram(s).*

G-man ['dʒiːmæn] *sb.* (*pl. -men* [-men] (*am.* T) medlem af *FBI*; kriminalbetjent.

GMT *fork. f. Greenwich Mean Time.*

gnarled [naːld] *adj.* **1.** (*om træ*) kroget, knudret; knastet; **2.** (*om person etc.*) kroget (*fx old man; finger*).

gnash [næʃ] *vb.: ~ one's teeth* skære tænder; *weeping/wailing and -ing of teeth* gråd og tænders gnidsel.

gnat [næt] *sb.* (zo.) myg; (se også *strain*[2] (*at*)).

gnaw [nɔː] *vb.* **1.** gnave; **2.** (*om fø-lelse*) nage (*fx -ed by guilt; -ing fear*);
□ *~ at* **a.** gnave i//på; **b.** (*fig.: for-mindske*) sluge mere og mere af (*fx the company's profits*); **c.** (*om følelse*) nage (*fx a sense of guilt -ed at him*).

gneiss [nais] *sb.* (*geol.*) gnejs.

gnome[1] [nəum] *sb.* **1.** gnom, dværg; **2.** (*i have*) havenisse; **3.** (*am.*) eks-pert (*der arbejder i det skjulte*);
□ *the -s (of Zurich)* internationale finansmænd.

gnome[2] [nəum] *sb.* tankesprog,

sentens, aforisme.

gnomic ['nɔmik] *adj.* (jf. *gnome²*)
1. gnomisk, aforistisk; **2.** (*fig.*)
kryptisk; (tilstræbt) dybsindig.

gnomon ['nəumɔn] *sb.* (på *solur*)
viser.

gnostic¹ ['nɔstik] *sb.* gnostiker.

gnostic² ['nɔstik] *adj.* gnostisk.

GNP *fork. f.* gross national prod-
uct.

gnu [nu:] *sb.* (*zo.*) gnu.

go¹ [gəu] *sb.* (*pl.* goes) **1.** affære; hi-
storie (*fx it was a rum* (sær) *go*);
redelighed (*fx here's a fine go!*);
2. (*egenskab*) energi; fart; gåpå-
mod (*fx he is full of go*); **3.** (*i spil,
leg etc.*) tur (*fx it's your go; I mis-
sed a go*); **4.** (*om handling*) forsøg
(*fx he passed the test first go* ved
første forsøg; *it took two goes* der
skulle to forsøg til);
□ *it is a go* (am.) det er i orden;
it's all go T der er gang i den; *it is
(a) no go* se *no-go*;
[*med vb.*] **give** *it a go* give det en
chance; gøre et forsøg; **have** *a go*
a. gøre et forsøg; **b.** (*mht. at an-
gribe*) gå 'på; **c.** (*ved forbrydelse*)
prøve at pågribe den skyldige;
have a go at **a.** kritisere; være 'ef-
ter; **b.** (*forbryder*) prøve at på-
gribe; *have a go at* + -*ing* gøre et
forsøg på at, prøve på at (*fx finish-
ing the book*); *have a go on* få en
tur på (*fx his motor bike*); **leave**
go of give slip på, slippe (*fx her
hand*); **make** *a go of it* T have
held med sig; klare sig; få det til
at lykkes;
[*med præp.*] *I read the book at a/
one go* jeg læste bogen i et stræk;
be **on** *the go* være i aktivitet; *he is
always on the go* (*også*) han har
bisselæder i skoene; *on his first go*
ved første forsøg; (se også *word¹*).

go² [gəu] *adj.* **1.** (am.) parat;
2. (*mht. raketaffyring*) i orden (*fx
all the systems are go*); (se også
go¹).

go³ [gəu] *vb.* (3. *pers. sg. præs.*
goes, went, gone) (se også *going³*,
gone¹) **1.** gå (*fx in//out//up; time
went slowly; he let his house go
too cheap*); **2.** (*om rejse*) begive
sig, tage, rejse (*fx to England*);
3. (*væk*) gå (*fx I must go now;
don't go yet*); (*også = dø*) for-
svinde (*fx 2,000 jobs are due to
go; I hope to see him before I go*);
4. (*om ting: ikke kunne bruges
mere*) gå i stykker (*fx the jacket is
going at the elbows*); (*mar.: om
mast*) knække, gå over bord (*fx
the mast went*); **5.** (*økonomisk*) gå
rabundus; krakke (*fx the bank
may go any day*); **6.** (*om begiven-*

hed) gå (*fx how did the play go?
everything went better than I ex-
pected*); forløbe; **7.** (*om lyd*) sige
(*fx the clock goes "tick-tock
tick-tock"; the dog went
"woof-woof"*); lyde (*fx this is how
the tune goes*); **8.** (*om ting: mht.
anbringelse*) skulle være//stå//
ligge (*fx where do these chairs go?
these books go on the top shelf*);
høre til, have sin plads; **9.** (*mht.
plads*) kunne være//stå//ligge (*fx
the luggage won't go in the car;
all your things won't go into the
suitcase*); **10.** (*i kortspil*) melde (*fx
go two spades*); **11.** (*med adj.*) (gå
omkring og) være (*fx hungry;
naked*); (*om noget negativt*) blive
(*fx bald; blind; the milk went
sour*); gå (*se også mad, metric,
native², wrong⁴*);
□ *don't go* **and** ... gå nu ikke hen
og ...; *it is a good house* **as** *houses
go nowadays* det er et godt hus
når man tager i betragtning hvor-
dan huse ellers er nu om dage; *he*
has *gone* **a.** (*jf. 1*) han er gået;
b. (*jf. 2*) han er rejst; han er taget
af sted; *it has gone* **a.** (*om trans-
portmiddel*) det er gået (*fx the
train has gone*); **b.** (*jf. 3*) det er
forsvundet (*fx the clouds have
gone*); **c.** (*jf. 4*) det er gået (i styk-
ker) (*fx the clutch has gone*); *the
bulb has gone* (*også*) pæren er
sprunget; (se også *gone²*); *let go* se
let²; *two in four goes* **twice** to i
fire er to; *go one's* **way**, *go a lit-
tle//long way (etc.)* se *way¹*;
[+ -*ing*] *go* + -*ing* tage ud og + *inf.* (*fx
fishing; swimming*); *go hunting//
shopping* (*også*) gå på jagt//indkøb;
he goes frightening people han går
og forskrækker folk;
[*med: to*] *go* **to** (+ *inf.*) **a.** gå//tage
hen for at; gå//tage hen og (*fx see
an exhibition*); **b.** skulle til for at,
være nødvendig for at (*fx all the
things that go to rig out a ship*);
go to see (*også*) besøge; *go to live
in another town* flytte til en anden
by; *that -es to show/prove that ...*
det viser/beviser at ...; *to go*
a. (*om mad på restaurant*) til at
tage med; ud af huset; **b.** (*om tid*)
tilbage (*fx there is a week to go*);
he//it will **have** *to go* han//it det må
væk (*fx he is too inefficient, he'll
have to go; the old carpet is too
worn, it'll have to go*);
[*med pron.*] *anything* **goes** alt er
tilladt; *go it* **a.** handle energisk;
klemme/mase på; **b.** leve flot,
flotte sig; **c.** fare af sted; (se også
alone); *what he says goes* det han
siger gælder//skal man rette sig ef-

ter; **who** *goes there?* hvem der?
here **you** *go!* værsgo'! *there you
go!* **a.** værsgo'! **b.** sådan er det!
where are you going? hvor skal du
hen?
[*med præp., adv.*] *go* **about** **a.** gå
omkring/rundt (*fx he goes about
in an old shirt*); **b.** (*om rygte*) løbe
om, cirkulere; (*også om sygdom*)
være i omløb (*fx there is a lot of
flu going about*); **c.** (*mar.*) stag-
vende; **d.** (*med objekt: arbejde*)
passe; **e.** (*opgave*) tage fat på; give
sig i lag/kast med; *go about* + -*ing*
a. gå rundt og (*fx he goes about
telling* (og fortæller) *people that I
am a liar*); **b.** (*opgave*) tage fat på
at + *inf.*; (*spørgende & nægtende*)
bære sig ad med at + *inf.* (*fx how
should I go about finding it?*); *go
about it in the right way* gribe det
rigtigt an;
go **after** **a.** forfølge (*fx a thief*);
b. (*for at stjæle*) være ude efter (*fx
his job*);
go **against** **a.** være i strid med,
stride imod (*fx the rules; my prin-
ciples*); **b.** (*aktivt*) handle imod (*fx
his advice*); trodse (*fx him*); *the
vote went against him* afstemnin-
gen gik ham imod; (se også *grain¹*);
go **ahead** **a.** gå forud (*of* for); **b.** gå
i gang (*with* med, *fx one's plan*);
c. (*om arrangement*) finde sted;
d. (*om noget der 'er i gang*) gå
fremad (*fx work went ahead full
steam*); **e.** (*i sportskamp*) tage fø-
ringen; ~ *ahead!* (T: *svar på
spørgsmål om tilladelse*) værsgo!
ja endelig! *go* **all** *out* se *all³*;
go **along** **a.** gå med (*fx to the
pub*); **b.** gå (*fx everything was -ing
along nicely*); *as you go along*
a. undervejs; **b.** (*fig.*) efterhånden;
hen ad vejen; *go* **along** *with*
a. (*om ledsager*) gå med (*fx would
you like me to go along with
you?*); følge (*fx go with him to the
station*); **b.** (*om vare, ved salg*)
'følge med (*fx a scarf -es along
with the blouse*); høre sammen
med; **c.** (*om anskuelse*) være enig
med//i (*fx him//his proposal*); til-
slutte sig (*fx what he said*); *go
along with you!* (*skeptisk*) det me-
ner du ikke! å gå væk! å hold op!;
go **around** **a.** se *ovf.: go about*;
b. (*om mad*) nå rundt (*fx is there
enough cake to go around?*);
go **astray** se *astray*;
go **at** **a.** (*person*) gå løs på, over-
falde, angribe; **b.** (*aktivitet*) gå i
gang med, tage fat på; (se også
hammer¹);
go **away** **a.** gå sin vej; **b.** (*ud på
længere tur*) rejse væk, tage af

G *go*

sted; (*om brudepar*) tage på bryllupsrejse; **c.** (*om noget ubehageligt*) gå væk, forsvinde;
go back a. gå//tage//rejse//vende tilbage (*to* til); **b.** (*i tid*) gå tilbage (*to* til, *fx the fifteenth century*); **c.** (*om ur*) blive stillet tilbage; **go back on** svigte, bryde, gå fra (*fx one's promise; one's word*); forlade (*fx a principle*); **go back on a friend** svigte/forråde en ven;
go before a. gå forud (for) (*fx those who have gone before (us)*); **b.** (*om anklaget*) blive stillet for (*fx a judge*); **c.** (*om sag*) blive forelagt (*fx the committee*); *he went before the headmaster* han kom/blev sendt ind til rektor;
go behind *his back* (*fig.*) gå bag om ryggen på ham;
go between a. gå imellem; **b.** være mellemmand mellem;
go beyond a. overskride, gå ud over; **b.** (*forventning etc.*) overgå (*fx one's expectations; one's wildest dreams*);
go by a. gå/drage forbi; **b.** (*om tid*) gå hen; gå; **c.** (*regel*) rette sig efter; **d.** (*sammenligningsgrundlag*) 'gå efter, dømme efter (*fx if that is anything to go by*); *go by the name of* gå under navnet; hedde; *go by train* tage/rejse med toget;
go down a. gå ned (*fx prices went down*); **b.** (*om apparat, computer*) gå ned; **c.** (*om solen etc.*) gå ned, synke; **d.** (*om skib*) gå ned, gå under; **e.** (*om fly*) styrte ned; **f.** (*i sport*) tabe; **g.** (*om bokser*) gå i gulvet; **h.** (*om vare*) falde (i pris); **i.** (*politisk*) falde; **j.** (*om vind*) lægge sig; **k.** (*om hævelse, bule*) svinde; **l.** (*om dæk*) blive fladt; **m.** (*om mad*) glide ned, blive spist; **n.** (*om påstand, forslag*) glide ned, vinde tiltro; vinde bifald; **o.** T komme i fængsel, komme ind og sidde; **p.** (*am.* T) ske, foregå; **q.** (*glds.: især fra Oxford el. Cambridge*) forlade universitetet; *go down as* blive husket som; *go down in history* gå over i historien (*fx he will go down in history as a traitor*); *go down in the world* blive deklasseret; *go down on* (*vulg.*) slikke af; (*se også knee*); *the account goes down to 1999* beretningen går helt til/er ført op til 1999; *go down with* (*sygdom*) blive smittet med; lægge sig med; *that won't go down with him* a. det finder han sig ikke i; **b.** den tror han ikke på; T den hopper han ikke på; *go down well with* vinde bifald hos; blive vel modtaget af;

go far a. (*om forsyning*) slå godt til; **b.** (*om person*) blive til noget; drive det vidt (*fx he will go far*); *far gone* se *gone; as/so far as it goes* for så vidt, sådan set (*fx that is true as far as it goes*); *as far as that goes* hvad det angår; *it only goes so far* det går kun til en vis grænse; (*se også wrong⁴*);
go for a. gå efter (*fx help; a drink; the ball*); prøve på at få; **b.** (*modstander, offer, også verbalt*) angribe, fare løs på, falde 'over; **c.** (*vare*) gå for; sælges til; **d.** (*efter ens egen mening*) foretrække; være en tilhænger af, kunne lide (*fx horror films*); **e.** (*om udsagn, bestemmelse*) gælde for; gælde (*fx and that goes for you too!*); *all his toil went for nothing* al hans slid var forgæves/spildt; *go for a walk//run* gå//løbe en tur; (se også *ride¹*); *have going for* se *going³*;
go forth (*litt.*) **a.** (*om person(er)*) drage ud; **b.** (*om befaling*) udgå;
go further se *further, fare²*;
go in a. gå ind; tage ind; **b.** (*om solen, månen*) forsvinde; gå om bag en sky; **c.** (*om spiller, i kricket*) gå til gærdet; **d.** (*i boldspil, om bolden*) gå i mål, gå i nettet; **e.** (T: *om oplysning*) trænge ind; gå ind på lystavlen; *go in and out* **a.** gå ud og ind; **b.** (*om lys*) tændes og slukkes; *go in for* **a.** (*på-klædning, beskæftigelse etc.*) kunne lide (*fx jewellery; designer clothes*); dyrke (*fx name-dropping; sport; swimming*); give sig af med (*fx birdwatching*); (*sport også*) spille (*fx cricket; golf; tennis*); (*ved nægtelse også*) bryde sig om (*fx I don't go in for dieting//smoking//doing things by halves*); **b.** (*erhverv*) beskæftige sig med, være inden for (*fx teaching; accountancy; law*); have ... som erhverv; **c.** (*eksamen*) gå op til (*fx the General Certificate*); **d.** (*konkurrence*) melde sig til;
go into a. gå ind i (*fx a room; politics*); **b.** tage ind til (*fx town*); **c.** (*hospital etc.*) blive indlagt på; **d.** (*i beskrivelse*) gå nærmere ind på; **e.** (*tal*) gå op i (*fx 2 goes into 4*); **f.** (*om forbrug af tid, penge*) medgå til, blive brugt til (*fx a lot of time has gone into arranging the conference*); *a lot of effort//money has gone into + -ing* (*også*) det har kostet store anstrengelser//mange penge at (+ *inf.*); *go into a fit of laughter* få et latteranfald; *I shall go into the matter* jeg skal undersøge sagen; *I don't want to go into that* det ønsker jeg ikke at

komme nærmere ind på; **won't go into** se ovf.: *9*; (se også *action, business, effect, flat spin, huddle¹, mourning, partnership*); *all the time he was speaking he went* **like** *this* medens han talte gjorde han hele tiden sådan [*udtalelsen ledsages af illustrerende gestus eller mimik*];
go near se *near²*;
go off a. (*om person*) stikke af, tage af sted (*fx to Africa*); **b.** (*når man skal sove*) falde i søvn; **c.** (*om arrangement*) gå, forløbe (*fx the performance went off well*); **d.** (*om skydevåben etc.*) gå af; **e.** (*om bombe etc.*) eksplodere; **f.** (*om klokke*) (begynde at) ringe; gå i gang; **g.** (*om madvarer*) blive dårlig; (*om kød*) få en tanke; (*om mælk*) blive sur; **h.** (*om elek. strøm, vand, gas*) blive afbrudt; **i.** (*merk.*) finde afsætning; gå; **j.** (*teat.*) gå ud (*fx Hamlet goes off* Hamlet (går) ud); **k.** (*med objekt*) miste interessen//smagen for (*fx cheese; chess; travelling*); blive træt af (*fx him*); (se også *gold, head¹*); *go* **off with** stikke af med (*fx someone's gone off with my pen; he has gone off with a friend's wife*); (se også *tail¹*);
go on a. (*med det man gør*) fortsætte; blive ved; gå videre; (*på rejse*) tage//drage videre; **b.** (*om noget der foregår*) blive 'ved (*fx the noise//the war went on*); fortsætte; **c.** (*om begivenhed, virksomhed*) gå 'for sig; foregå (*fx what's going on here?*); **d.** (*om person: uheldigt*) opføre sig, skabe sig (*fx don't go on like that*); **e.** (*om lys*) blive tændt; (*efter afbrydelse*) komme tilbage; **f.** (*med objekt*) tage på (*fx holiday; a trip; a course*); **g.** (*som hjælp*) 'gå efter, støtte sig til (*fx the only evidence we have to go on*); *go on!* **a.** fortsæt! **b.** (T: *skeptisk*) å gå væk! å la' vær'! rend og hop! **c.** (T: *opmuntrende*) kom! så nu! **d.** (T: *eftergivende*) ja ja da! *go on + -ing* blive ved med at (*fx she went on talking//crying*); *all his money -es on books* alle hans penge går til bøger; *go on in that way* **a.** bære sig sådan ad; **b.** tage sådan på vej; *she does not go on until Act two* hun kommer først på scenen i anden akt; (se også *foot¹, horseback, stage¹, strike¹*); *go* **on about** snakke/kværne ustandselig om; himle op om; *go* **on at** hakke på; skælde ud på; *go* **on for** nærme sig (*fx he is going on for fifty; it is going on for five o'clock*); *go* **on to**

a. gå//rejse videre til; **b.** gå over til; *he went on to describe the journey* han gik over til at beskrive rejsen; *he went on to say that ...* han sagde dernæst/videre at ...;

*go **out** a.* (*om person, lys, ild*) gå ud; **b.** (*om tøj etc.*) gå af mode; **c.** (*om tv-udsendelse; om budskab, advarsel etc.*) blive udsendt; **d.** (*om person: mht. bevidsthed*) blive bevidstløs, miste bevidstheden; **e.** (*formildende omskrivning for*) dø, gå bort; **f.** (*om minister*) gå af; **g.** (*om arbejdere*) gå i strejke; **h.** (*om tidsrum*) slutte; *Labour has gone out* arbejderpartiet er ikke længere ved magten; *go all **out** for//to* se *all³*; *go **out** of one's mind* gå fra forstanden; (se også *way¹*); *go **out** to a.* tage ud til (*fx India*); **b.** (*om tanker, medfølelse*) gå til (*fx our thoughts go out to his wife*); (se også *heart*); *go **out** with* komme sammen med; *go **over** a.* (*sted, ting, for at kontrollere*) bese (*fx they went over the school*); undersøge; (*noget skrevet*) læse igennem; gennemgå; **b.** (*for at finde noget*) gennemsøge, gennemgå (*fx the police went over his flat*); **c.** (*person*) visitere; **d.** (*for at rengøre*) tørre over (*fx the floor, the table*); **e.** (*i tankerne & om lektie*) gennemgå; **f.** (*teat.*) prøve (*fx let us go over the last act*); **g.** (*uden objekt*) gå over/hen (*fx to see him*); tage over (*fx to Paris*); **h.** (*om vare, teaterstykke etc.*) blive modtaget (*fx I wonder how the play will go over in Germany*); *go over big* T gøre lykke; *go **round*** se ovf.: *go around; there is enough food to go round* der er mad nok til at det kan nå rundt; *go round to see him* gå hen for at besøge ham; *the wind has gone round to the north* vinden er gået om i nord; *go **through** a.* gå igennem (*fx the door, a hole*); **b.** (*vanskelighed; undersøgelse etc.*) gennemgå (*fx a difficult time; a medical examination; a ceremony*); **c.** (*for at kontrollere*) gennemgå, undersøge nøje; **d.** (*for at finde noget*) gennemgå, gennemsøge; **e.** (*penge, forråd*) bruge op (*fx a fortune; all the food*); **f.** (*tøj etc.*) slide op (*fx three pairs of shoes*); **g.** (*parl.: om lov etc.*) gå igennem, blive vedtaget; *the book went through five editions* fem oplag af bogen blev udsolgt; bogen gik i fem oplag; *go **through with** it* gennemføre det;

*go **to*** (*om penge, præmie*) 'gå til; *I don't know where the money goes to* jeg ved ikke hvor pengene bliver af; *the first prize went to Mr. Brown* (*også*) hr. Brown fik/vandt førstepræmien; *the property went to his son* sønnen arvede ejendommen; *the song goes to this tune* sangen går på den melodi; (se også *country, dog: to the dogs, expense, head¹, piece¹, school¹, sleep¹, trouble¹*);

*go **together** a.* følges ad (*fx drugs and crime go together*); **b.** (*harmonisk*) passe sammen (*fx those two colours don't go together*); **c.** (T: *om par*) 'gå sammen; være kærester;

*go **under** a.* (ɔ: *under vandet*) synke, gå til bunds; (*om skib også*) gå ned; **b.** (*økonomisk*) gå ned, gå nedenom og hjem, gå rabundus; bukke under; **c.** (*om person: ved bedøvelse*) miste bevidstheden;

*go **up** a.* gå op; stige; **b.** (*om bygning*) blive opført, skyde op, blive rejst (*fx new houses are going up everywhere*); **c.** (*ved sprængstof*) springe/ryge i luften; blive ødelagt; **d.** (*om råb etc.*) lyde (*fx a roar went up* der lød et brøl; stige op; **e.** (*med objekt*) gå//stige//klatre op ad (*fx a ladder; a tree*); *go **up in** the world* komme frem i verden; *go **up to a.** (*person*) gå hen til; **b.** (*sted*) tage op til; *he went up to Oxford//Cambridge* han begyndte at studere i Oxford// Cambridge;

*go **with** a.* ledsage; tage med; **b.** (*om vare el. om noget uheldigt*) følge med (*fx the cupboards went with the house; crime often goes with drug addiction*); høre med til; **c.** (*mht. mening*) følge; være enig med; **d.** (*mht. udseende*) passe/stå til (*fx that tie does not go with your shirt*); **e.** (*glds.* T: *om forelskede*) gå med, komme sammen men med, være kæreste med; *go well with* (*jf. d*) stå godt til; *fish does not go well with tea* fisk og te passer ikke godt sammen;

*go **without*** undvære; klare sig uden; *that goes without saying* det følger af sig selv; det siger sig selv.

goad¹ [gəud] *sb.* **1.** (*til at drive kvæg med*) pigkæp; **2.** (*fig.*) ansporing; spore, tilskyndelse (*to* til).
goad² [gəud] *vb.* **1.** drive fremad med pigkæp; **2.** (*fig.*) anspore (*into* + *-ing* til at, *fx ~ them into using less fossil fuels*); (*ved at irritere*) tirre; drive; **3.** (*om børn*)

mobbe;
□ *~ sby into a fury* drive en til raseri; *~ sby on* drive en frem.
go-ahead¹ ['gəuəhed] *sb.*: *get//give the ~ for* få//give grønt lys for.
go-ahead² ['gəuəhed] *adj.* fremadstræbende; energisk.
goal [gəul] *sb.* mål (*fx win by* (med) *three -s to one; achieve* (nå) *one's ~*);
□ *keep ~* stå på mål; *score/make a ~* lave mål.
goal area *sb.* målfelt.
goalie ['gəuli] *sb.* T målmand.
goalkeeper ['gəulki:pə] *sb.* målmand.
goal kick *sb.* målspark.
goal line *sb.* mållinje.
goalmouth ['gəulmauθ] *sb.* åbning mellem målstolperne.
goalpost ['gəulpəust] *sb.* målstang;
□ *move the -s* (*fig.*) lave om på reglerne [*til sin egen fordel*].
goaltender ['goultendər] *sb.* (*især am.*) = *goalkeeper*.
goat [gəut] *sb.* **1.** ged; **2.** (*om mand*) (liderlig) buk; **3.** (*am.*) syndebuk;
□ *act/play the ~* skabe sig; spille klovn; *get sby's ~* gøre en vred; irritere en; (*se også sheep*).
goatee [gəu'ti:] *sb.* fipskæg.
goatherd ['gəuthɜ:d] *sb.* gedehyrde.
goat moth *sb.* (*zo.*) træborer.
goatskin ['gəutskin] *sb.* gedeskind.
gob [gɔb] *sb.* **1.** klat (*fx of spit*); **2.** (*am.*) klump; **3.** S mund, flab, kæft;
□ *shut your ~!* S hold kæft!
gobbet ['gɔbit] *sb.* T **1.** stykke (*fx of flesh*); luns; klump; **2.** stump, bid (*fx of information*); **3.** tekststykke [*i eksamensopgave*].
gobble ['gɔbl] *vb.* **1.** sluge (begærligt); hugge/guffe i sig; **2.** (*fig.*) opsluge; **3.** (*om kalkun*) pludre.
gobbledegook ['gɔbldigu:k] *sb.* T kancellistil; indviklet sludder; volapyk.
gobbler ['gɔblə] *sb.* **1.** slughals; **2.** (*am.*) kalkunsk hane.
go-between ['gəubitwi:n] *sb.* mellemmand; mægler.
goblet ['gɔblət] *sb.* **1.** vinglas [*på fod*]; **2.** (*glds.*) bæger, pokal.
goblin ['gɔblin] *sb.* trold; (ondskabsfuld) nisse.
gobsmacked ['gɔbsmækt] *adj.* T vildt forundret, lamslået, målløs.
gobstopper ['gɔbstɔpə] *sb.* holdkæftbolsje.
goby ['gəubi] *sb.* (*zo.*) kutling.
go-cart ['gəuka:t] *sb.* **1.** klapvogn; **2.** trækvogn; **3.** (*især am.*) = *go-kart.*
God [gɔd] *sb.* **1.** Gud (*fx ~ bless you! believe in ~*); Vorherre; **2.** (*i*

G *god*

talemåder) gud (*fx for -'s sake*); vorherre (*fx he thinks he can play ~*);

□ *~!, oh my ~!, good ~!* du gode gud! *a man of ~* (*især spøg.*) en Guds mand [ɔ: *en præst*]; *what// why in -'s name* hvad//hvorfor i himlens navn; *-'s truth* den rene sandhed; (se også *almighty, willing*);

[*med vb.*] *~ grant* Gud give; *so help me ~!* så sandt hjælpe mig Gud! *~ help them//you//me* gud nåde og trøste dem//dig//mig; *~ knows* **a.** (ɔ: *jeg//vi ved det ikke*) gud ved, guderne må vide (*fx ~ knows what he has been up to*); (*efterstillet*) det må guderne vide; **b.** (ɔ: *det er sikkert*) gud skal vide (*fx ~ knows that I tried hard*); *please ~* **a.** Gud give ...; **b.** om Gud vil; *I wish/would to ~* Gud give; (se også *act¹, forbid, thank*).

god [gɔd] *sb.* **1.** gud (*fx the ~ of war*); **2.** afgud (*fx her elder brother was her ~*);

□ *the -s* **a.** guderne; **b.** (*teat.:* T) galleriet; *a sight for the -s* et syn for guder; *ye -s (and little fishes)!* (*glds.*) ih du forbarmende!

god-awful [gɔd'ɔ:fəl] *adj.* T rædselsfuld, forfærdelig.

godchild ['gɔdtʃaild] *sb.* (*pl. -children* [-tʃildrən]) gudbarn.

goddamn ['gɔdæm] *adj.* fandens, satans.

goddaughter ['gɔddɔːtə] *sb.* guddatter.

goddess ['gɔdəs] *sb.* gudinde.

godfather ['gɔdfɑːðə] *sb.* **1.** gudfader; **2.** (*fig.*) fader, ophavsmand (*of* til, *fx the ~ of stand-up comedy*); **3.** (*gangster*) mafialeder;
□ *be ~ to* stå/være fadder til.

God-fearing *adj.* (*glds.*) gudfrygtig.

godforsaken ['gɔdfəseik(ə)n] *adj.* gudsforladt.

God-given ['gɔdgiv(ə)n] *adj.* himmelsendt.

godhead ['gɔdhed] *sb.* **1.** guddom; **2.** guddommelighed.

godless ['gɔdləs] *adj.* gudløs.

godlike ['gɔdlaik] *adj.* guddommelig.

godliness ['gɔdlinəs] *sb.* gudfrygtighed; (se også *cleanliness*).

godly ['gɔdli] *adj.* gudfrygtig; from.

godmother ['gɔdmʌðə] *sb.* gudmoder.

godown ['gəudaun] *sb.* pakhus [*i Østen*].

godparent ['gɔdpɛərənt] *sb.* gudfader//gudmoder.

godsend ['gɔdsend] *sb.* T [*uventet held*];
□ *it was a ~* det kom som sendt

fra himlen.

godson ['gɔdsʌn] *sb.* gudsøn.

Godspeed [gɔd'spiːd] *interj.* (*glds.*) lykke på rejsen!

godwit ['gɔdwit] *sb.* (*zo.*) kobbersneppe.

goer ['gəuə] *sb.* **1.** god idé; succes; **2.** S [*pige der er om sig*];

□ *comers and -s* ankommende og afrejsende; *he is a poor ~* han er ikke god til at gå; *the horse is a good ~* hesten går godt.

gofer ['goufər] *sb.* (*am.* T) stikirenddreng.

goffer ['gəufə] *vb.* **1.** gaufrere [*påføre mønster på tøj, papir*]; **2.** (*bogb.*) ciselere.

go-getter ['gəugetə] *sb.* T gåpånatur; stræber; slider.

go-getting ['gəugetiŋ] *adj.* foretagsom; emsig; entreprenant.

goggle ['gɔgl] *vb.* stirre med vidtopspilede øjne; måbe.

goggle-box ['gɔglbɔks] *sb.* (*glds.* T: *om tv*) kukkasse.

goggle-eyed [gɔgl'aid] *adj.* med udstående//vidt åbne øjne; måbende;
□ *be ~* (*også*) have firkantede øjne [*af at se for meget fjernsyn*].

goggles ['gɔglz] *sb. pl.* **1.** beskyttelsesbriller; motorbriller; dykkerbriller; **2.** T briller; **3.** (T: *person med briller*) brilleabe; **4.** (*hos får*) drejesyge.

go-go ['gəugəu] *adj.* **1.** som der er gang i; **2.** (*om periode*) hvor der er gang i den; **3.** (*glds. om dans*) go-go.

Goidelic¹ [gɔi'delik] *sb.* (*sprog*) gælisk.

Goidelic² [gɔi'delik] *adj.* gælisk.

going¹ ['gəuiŋ] *sb.* **1.** afrejse; **2.** (*fx om vej*) føre (*fx the ~ is good// bad*);

□ *the ~ was difficult over the mountain roads* bjergvejene var vanskelige at passere; *stop while the ~ is good* holde op mens legen er god/mens tid er; *it is good ~* **a.** det går godt; **b.** det er godt gået; *90 miles an hour is pretty good ~* (*også*) 90 miles i timen er en helt pæn fart; *it is hard ~* det er vanskeligt//anstrengende; det går trægt/tungt (*fx the talks are hard ~*); (se også *heavy going*).

going² ['gəuiŋ] *præs. ptc. af go³*.

going³ ['gəuiŋ] *adj.* **1.** i gang; **2.** til at få (*fx is there any tea ~? I'll take whatever is ~*); **3.** som findes, som er til (*fx the greatest rascal ~*);

□ *~, ~, gone* (*ved auktion*) første, anden, tredje gang;
[*med vb.*] *let us be ~* lad os komme af sted; *where are you ~?*

hvor skal du hen? *be ~ to* være i begreb med at; skulle til at; *I am ~ to read* jeg skal til at læse; jeg vil læse nu; *I am not ~ to tell him* jeg vil ikke sige ham det; *get ~* komme i gang; sætte sig i bevægelse; *have a lot ~ for one* T have mange muligheder.

going concern *sb.* igangværende/arbejdende virksomhed.

going-over [gəuiŋ'əuvə] *sb.* T **1.** undersøgelse (*fx the police gave the car a thorough ~*); **2.** (*behandling, fx rengøring*) omgang (*fx the car needs a good ~*); **3.** (*tæv*) omgang, overhaling.

goings-on [gəuiŋz'ɔn] *sb. pl.* **1.** hændelser, tildragelser (*fx strange ~*); redelighed (*fx I have never seen such ~ ...* sådan en redelighed); **2.** eskapader (*fx the ~ of carefree millionaires*).

goitre ['gɔitə] *sb.* (*med.*) struma.

go-kart ['gəukaːt] *sb.* gokart [*slags racerbil*].

gold [gəuld] *sb.* **1.** guld; **2.** (*i skydeskive*) centrum; **3.** (*farve*) gylden;
□ *go off ~* (*økon. hist.*) gå fra/forlade guldet; *be as good as ~* (*om barn*) opføre sig eksemplarisk; være sød og artig; (se også *crock, weight*).

gold-beater ['gəuld(ɔ)biːtə] *sb.* guldslager [ɔ: *der fremstiller bladguld*].

goldbrick¹ ['gəuld(ɔ)brik] *sb.* (*am.* T) **1.** [*noget værdiløst der ser kostbart ud*]; **2.** skulker, pjækker.

goldbrick² ['gəuld(ɔ)brik] *vb.* (*am.* T) **1.** skulke, pjække; **2.** snyde, fuppe.

goldcrest ['gəuld(ɔ)krest] *sb.* (*zo.*) fuglekonge.

gold digger *sb.* **1.** guldgraver; **2.** S [*kvinde som er kun ude efter sin tilbeders penge*].

gold dust *sb.* guldstøv.

golden ['gəuld(ə)n] *adj.* **1.** gylden; **2.** (*om hårfarve*) gyldenblond; **3.** (*litt.*) guld- (*fx crown; the ~ calf*);

□ *the ~ boy//girl* det store håb (*fx of British golf*); *be a ~ boy//girl* (*også*) være enestående; *a ~ opportunity* en enestående lejlighed; (se også *goose*).

golden age *sb.* guldalder.

golden eagle *sb.* (*zo.*) kongeørn.

goldeneye ['gəuld(ə)nai] *sb.* (*zo.*) hvinand.

Golden Fleece *sb.* **1.** (*myt.*) det gyldne skind; **2.** (*orden*) Den gyldne Vlies.

golden handcuffs *sb. pl.* gyldne håndjern [*løntillæg for at holde på ledende medarbejder*].

golden handshake *sb.* gyldent

håndtryk [(*stor*) *afskedigelses-godtgørelse*].

golden jubilee *sb.* halvtredsårsjubilæum.

golden mean *sb.*: *the ~ mean* den gyldne middelvej.

golden oldie *sb.* T **1.** (*sang, film*) klassiker; **2.** (*person*) [*ældre der stadig kan gøre sig gældende*].

golden oriole *sb.* (*zo.*) guldpirol.

golden parachute *sb.* [*gyldent håndtryk som er garanteret til ledende medarbejder*].

golden plover *sb.* (*zo.*) hjejle.

goldenrod ['gəuld(ə)nrɔd] *sb.* (*bot.*) gyldenris.

golden section *sb.*: *the ~ section* det gyldne snit.

golden syrup *sb.* lys sirup.

golden wedding *sb.* guldbryllup.

goldfield ['gəul(d)fi:ld] *sb.* guldfelt; guldminedistrikt.

goldfinch ['gəul(d)fin(t)ʃ] *sb.* (*zo.*) stillids.

goldfish ['gəul(d)fiʃ] *sb.* guldfisk.

goldfish bowl *sb.* guldfiskekumme, guldfiskeglas; □ *live in a ~* (*fig.*) leve i et akvarium.

Goldilocks ['gəuldilɔks] *sb.* Guldlok [*pigen i eventyret om de tre bjørne*].

goldilocks ['gəuldilɔks] *sb.* **1.** guldhåret pige; **2.** (*bot.*) nyrebladet ranunkel; (*asters*) guldhår.

gold leaf *sb.* bladguld.

gold medal *sb.* guldmedalje.

gold medallist *sb.* guldmedaljevinder.

gold of pleasure *sb.* (*bot.*) hundehør.

gold plate *sb.* **1.** guldbelægning; forgyldning; **2.** guldservice.

gold-plated ['gəuldpleitid] *adj.* guldbelagt, forgyldt.

gold rush *sb.* (*omtr.*) guldfeber.

goldsmith ['gəul(d)smiθ] *sb.* guldsmed.

gold standard *sb.* guld(mønt)fod.

golem ['gəuləm] *sb.* kunstigt menneske; robot.

golf¹ [gɔlf] *sb.* golfspil.

golf² [gɔlf] *vb.* spille golf.

golf ball *sb.* **1.** golfkugle; **2.** (*til skrivemaskine*) kuglehoved.

golf cart *sb.* motoriseret golfvogn.

golf club *sb.* **1.** golfklub; **2.** golfkølle.

golf course *sb.* golfbane.

golfer ['gɔlfə] *sb.* golfspiller.

golf links *sb. pl.* golfbane.

Golgotha ['gɔlgəθə] (*bibelsk*) Golgata.

Goliath [gə'laiəθ] (*bibelsk*) Goliat.

golliwog ['gɔliwɔg] *sb.* (*glds.*) grotesk (neger)kludedukke.

golly ['gɔli] *interj.* (*glds.* T) ih du store!

GOM *fork. f. Grand Old Man.*

gombeen [gɔm'bi:n] *sb.* (*irsk*) åger.

gombeen man *sb.* (*pl. ... men*) (*irsk*) ågerkarl.

gonad ['gɔnəd] *sb.* (*biol.*) gonade, kønskirtel.

gondola ['gɔndələ] *sb.* gondol.

gondolier [gɔndə'liə] *sb.* gondolfører.

gone¹ [gɔn] *præt. ptc. af go³.*

gone² [gɔn] *adj.* **1.** borte; væk (*fx he//the money is ~*); **2.** (*om klokkeslæt & alder*) over (*fx he is ~ twenty-one; it is ~ five*); **3.** (T: *om gravid*) henne (*fx she is six months ~*); **4.** (*am.* T) håbløs; □ *be ~!, get you ~!* af sted med dig! skrub af! *let us be ~* lad os komme af sted; (*se også been, dead*);

[*med adv.*] *in times ~ by* i svundne tider; *he is far ~* **a.** han er langt nede//ude; **b.** han er døddrukken; **c.** han har det meget dårligt; **d.** han er ødelagt (*økonomisk*); *far ~ in drink* døddrukken; *far ~ in years* bedaget; *~ on* væk i; forelsket i.

goner ['gɔnə] *sb.*: *he is a ~* T det er sket med ham; han er færdig.

gong¹ [gɔŋ] *sb.* **1.** gongong; **2.** T medalje.

gong² [gɔŋ] *vb.* slå på en gongong.

gonna *fork. f.* T *going to.*

go-no-go [gou'nougou] *adj.* (*am.*) [*som kræver en afgørelse om hvor vidt man skal afbryde eller gå videre*].

gonorrhea [gɔnə'ri:ə] *sb.* (*med.*) gonoré.

gonzo ['gɔnzou] *adj.* (*især am.*) **1.** (*om person*) sær; skør; **2.** (*om journalistisk stil*) særpræget; fabulerende og subjektiv.

goo [gu:] *sb.* T **1.** klistret stads, snask, fnadder; **2.** (*fig.*) vammel sentimentalitet.

good¹ [gud] *sb.* (*se også goods*) noget godt; det gode; □ *~ and evil* godt og ondt; *the common ~* det fælles bedste; *what is the ~ of crying?* hvad kan det nytte at græde?; *do ~* **a.** gøre godt; gøre gode gerninger; **b.** gavne; *it will do him ~* det vil gøre ham godt; det vil være til gavn for ham; *much ~ may it do you* **a.** det får du ikke megen glæde af; **b.** (*interj.*) god fornøjelse!; *it is no ~* det er ingen nytte til; det nytter ikke noget; *he will come to no ~* det ender galt med ham; *he is up to no ~* se: *ndf;*

[*med præp.*] *for ~,* for *~ and all* for bestandig; *for the common ~* til fælles bedste; *for your (own) ~* til dit eget bedste; *that is all to the ~* det er jo udmærket; det så meget des bedre; *we were £30 to the ~* vi havde £30 i overskud; *he is up to no ~* han har ondt i sinde; han har noget lumskeri for.

good² [gud] *adj.* (*better, best*) (se også *better², best¹*) **1.** god; **2.** (*til et fag*) dygtig (*fx housewife*); flink (*fx pupil*); **3.** (*mht. opførsel*) sød, artig (*fx have the children been today?*); (*mht. moral*) pæn (*fx I am a ~ girl*); **4.** (*om væsen*) rar (*fx he is a ~ fellow*); venlig; **5.** (*om tøj*) pæn (*fx your ~ clothes*); **6.** (*om mad*) ufordærvet; som har holdt sig (*fx the meat was still ~*); **7.** (*om del af kroppen: mods. dårlig*) rask (*fx his ~ leg*); **8.** (*om penge*) ægte; gyldig (*fx coin*); **9.** (*om hensigtsmæssighed*) passende, egnet; god (*fx a ~ day for fishing*); **10.** (*om mængde*) rigelig (*fx a ~ supply*);

□ *a ~ five miles//three hours// two pounds etc.* godt og vel fem miles//tre timer//to pund *etc.*; *a ~ few//many* en hel del; ikke så få; *that's a ~ one//'un!* den er god (med dig)! [*om en usandsynlig historie*]; *~ and* (*am.* T) rigtig, helt (*fx ~ and warm; ~ and dry*); *~ and proper* T godt og grundigt (*fx he ruined it good and ~*); *as ~ as* **a.** så god som (*fx the car was as ~ as new after he fixed it*); **b.** (*næsten*) så god som (*fx finished*); *he as ~ as said so* han sagde det måske ikke med rene ord, men det var i hvert fald meningen; (se også *give²: give as good as one gets gold, word¹*); *will you be so ~ as to let me know* vil De være så venlig at lade mig det vide; (se også *make²*);

[*med sb.; se også alfabetisk*] *without ~ cause* uden gyldig grund; *a ~ fire* en ordentlig ild; *~ luck* held; lykke; *~ luck!* held og lykke! *he earns ~ money* han har en god løn; *her nose is rather ~* hun har en ret velformet næse; *it's a ~ thing that* det er godt at; *and a ~ thing too* det var godt det samme; *too much of a ~ thing* for meget af det gode; *he is on to a ~ thing* T han har klaret sig godt; *he knows when he is on to a good ~* han forstår at gribe en chance; *the ~ things in life* livets goder; *make a ~ thing (out) of* få noget ud af; *a ~ way* et godt stykke vej; *a ~ while* temmelig længe; *~ words*

a. belærende ord; **b.** kærlige ord; **c.** god efterretning; (se også *cry¹, deal¹, measure¹* (etc.));

[*med adj.*] *he was ~ about it* han tog det pænt; han lavede ikke noget vrøvl; *~ at* dygtig til; flink til; *be ~ at sums* kunne regne godt; *be no ~ at* ikke du til; *~ for you!* bravo! *be ~ for a.* være sundt for (*fx milk is ~ for you*); **b.** (*om persons formåen*) være god for (*fx he is ~ for £50,000*); være villig til at komme med//punge ud med (*fx he is always ~ for a joke// for a few pounds*); **c.** (*om holdbarhed*) kunne holde (*fx the jacket// car is ~ for another year*); (*om person*) kunne leve (*fx he is ~ for another ten years*); **d.** (*om gyldighed*) gælde (*fx the ticket is ~ for one month*); *milk is ~ for you* (*også*) man har godt af mælk; *if he knows what's ~ for him* (*truende*) hvis han vil sit eget bedste; *it is always ~ for a laugh* der er altid noget man kan more sig over; *he is always ~ for a laugh* man kan altid få ham til at le med; *I'm ~ for another 10 miles* jeg kan godt klare 10 miles til; *~ for nothing* u-duelig; *he was ~ to me* han var god mod/ved mig; *be ~ with children* være god til at have med børn at gøre.

good afternoon *interj.* F goddag// farvel.
goodbye [gud'bai] *interj.* farvel.
good day *interj.* (*glds.*) goddag//farvel.
good evening *interj.* goddag; godaften.
good-for-¹nothing [gudfə'nʌθiŋ] *sb.* drog, døgenigt.
good-for-²nothing [gudfə'nʌθiŋ] *adj.* uduelig, unyttig, værdiløs.
Good Friday *sb.* langfredag.
good humour *sb.* godmodighed, elskværdighed.
good-humoured [gud'hju:məd] *adj.* godmodig, venlig, rar.
goodie ['gudi] *sb.* (*i fortælling*, T) helt [*mods. baddie*];
□ *the -s and the baddies* heltene og skurkene; de gode og de onde; (se også *goodies*).
goodies ['gudiz] *sb. pl.* lækkerier, lækkerbiskener, godter.
goodish ['gudiʃ] *adj.* T **1.** ret betydelig (*fx number*); **2.** (*om kvalitet*) antagelig; passabel.
good-looking [gud'lukiŋ] *adj.* køn; nydelig; som ser godt ud.
goodly ['gudli] *adj.* (*glds.*) **1.** betragtelig, vældig; **2.** prægtig, strålende.
good nature *sb.* godmodighed,

godhjertethed; elskværdighed.
good-natured [gud'neitʃəd] *adj.* godmodig, godhjertet; skikkelig.
goodness ['gudnəs] *sb.* **1.** godhed; **2.** kraft (*fx meat with the ~ boiled out*);
□ *~!, ~ gracious (me)!* se ndf.: *my ~; have the ~ to* vær så elskværdig at; *~ knows* **a.** (*ɔ: jeg ved det ikke*) Gud ved; **b.** (*ɔ: det er sikkert*) Gud skal vide (*fx that I have tried hard*); *my ~!* du store gud! ih du milde! *for -' sake* for guds skyld; (se også *thank*).
goods [gudz] *sb. pl.* **1.** (*merk.*) varer (*fx leather ~*); **2.** (*persons*) ejendele, ting (*fx steal a man's ~*); **3.** (*til forsendelse*) gods;
□ *~ and chattels* personlige ejendele; *deliver the ~* (*fig.*) gøre hvad man har påtaget sig, holde sit løfte; levere varen, leve op til forventningerne; *a piece of ~* S en pige, en sild, en godte; *a saucy little piece of ~* en fræk lille tingest.
good-sized [gud'saizd] *adj.* ret stor; betydelig.
goods train *sb.* godstog;
□ *send by ~* sende som fragtgods.
good-tempered [gud'tempəd] *adj.* godmodig, skikkelig.
goodtime [gud'taim] *adj.* T som kun er ude på at more sig.
good will *sb.* god vilje (*fx with a bit of ~ on all sides we can reach an agreement*); velvilje (*fx show ~ towards him*).
goodwill [gud'wil] *sb.* **1.** god vilje; venskabelig indstilling; **2.** (*merk.*) goodwill; kundekreds; afståelsessum;
□ *as a gesture of ~* for at vise sin gode vilje.
Goodwin ['gudwin]: *the ~ Sands* [*sandbanke ved kysten af Kent*].
good works *sb. pl.* gode gerninger.
goody¹ ['gudi] *sb.* **1.** se *goodie, goodies*; **2.** (*glds.*) mutter.
goody² ['gudi] *interj.* T godt! alle tiders!
goody-goody¹ ['gudigudi] *sb.* dydsmønster; fedterøv.
goody-goody² ['gudigudi] *adj.* dydsiret, moraliserende, skinhellig.
goody-two-shoes [gudi'tu:ʃu:z] *sb.* overgod person, engel, helgen.
gooey ['gu:i] *adj.* T **1.** klistret, nasset (*fx cake*); **2.** (*om stil etc.*) kvalmende sentimental; vammel;
□ *go ~ over* svømme hen over.
goof¹ [gu:f] *sb.* (T: *især am.*) **1.** fjog, kvaj; **2.** fejl, bøf, brøler.
goof² [gu:f] *vb.* (T: *især am.*)
1. kludre/klokke/bøffe i det;
2. (*med objekt*) spolere;
□ *~ about/around* fjolle/lalle

rundt; *~ off* skulke; drive den af.
goofball ['gu:fbɔ:l] *sb.* S **1.** sovepille [*barbitursyrepræparat*];
2. (*person*) tåbe.
goof-off ['gu:fɔf] *sb.* (*am.* S) slapsvans.
Goofy ['gu:fi] (*tegneseriefigur*) Fedtmule.
goofy ['gu:fi] *adj.* S fjoget, tosset, tåbelig.
googly ['gu:gli] *sb.* **1.** (*i kricket*) skruebold [*der skruer modsat vej af hvad det synes ud fra kastet*];
2. (*fig.*) finte.
goo-goo ['gu:gu:] *adj.* [*om babysprog, eller om uforståelige lyde som bruges over for små børn*].
goo-goo eyes *sb. pl.* tilbedende øjne; smægtende blik.
gook [guk] *adj. am.* S: *neds. om asiat*) skævøjet ka'l.
goolies ['gu:liz] *sb. pl.* S nosser.
goon [gu:n] *sb.* S **1.** fjog; **2.** muskelmand, gorilla.
goop [gu:p] *sb.* (*am.* S) = *goo 1.*
goopy ['gu:pi] *adj.* (*am.* S) klistret.
goosander [gu:'sændə] *sb.* (*zo.*) stor skallesluger.
goose¹ [gu:s] *sb.* (*pl. geese* [gi:s]) gås;
□ *all his geese are swans* han tager det med at overdrive; *cook his ~* skaffe ham ubehageligheder; ødelægge hans chancer; *kill the ~ that lays the golden eggs* slagte hønen der lægger guldæg; (se også *boo³, sauce*).
goose² [gu:s] *sb.* (*pl. -s*) pressejern.
goose³ [gu:s] *vb.* **1.** S stikke fingeren i enden på; tage mellem benene; **2.** (*am.* T) sætte fut i; loppe op.
goose barnacle *sb.* (*zo.*) langhals [*slags småkrebs*].
gooseberry ['guzb(ə)ri, (*am.*) 'gu:s-] *sb.* stikkelsbær;
□ *play ~* være femte hjul til en vogn, være tredje hjul til en gig; være anstandsdame.
gooseberry fool *sb.* (*omtr.*) stikkelsbærgrød.
goose bumps *sb. pl.* (*am.*) gåsehud.
gooseflesh ['gu:sfleʃ] *sb.* gåsehud.
goosegrass ['gu:sgra:s] *sb.* (*bot.*) burresnerre.
gooseneck ['gu:snek] *sb.* (*tekn.*) svanehals.
goose pimples *sb. pl.* gåsehud.
goosestep¹ ['gu:sstep] *sb.* (*mil.*) strækmarch.
goosestep² ['gu:sstep] *vb.* (*mil.*) gå i strækmarch.
GOP *fork. f.* (*am.*) *Grand Old Party.*
gopher ['gəufə] *sb.* (*zo.*) **1.** gofer [*egernagtig gnaver*]; **2.** sisel [*art

jordegern]; **3.** gopherskildpadde.

gorblimey [gɔ:'blaimi] *interj.* se *blimey.*

Gordian ['gɔ:diən] *adj.* gordisk; □ *cut the ~ knot* hugge den gordiske knude over.

gore[1] [gɔ:] *sb.* **1.** størknet/levret blod; **2.** (*i nederdel*) kile; bredde.

gore[2] [gɔ:] *vb.* **1.** (*om tyr etc.*) stange; gennembore; **2.** (*nederdel*) indsætte en kile i.

gorge[1] [gɔ:dʒ] *sb.* **1.** snæver kløft, slugt; snævert pas; **2.** (*i flod*) prop af is; **3.** (*glds.*) strube, svælg; (se også *rise*[2]).

gorge[2] [gɔ:dʒ] *vb.* proppe sig, mæske sig (*on* med); fråse (*on* i); □ *~ oneself = ~.*

gorgeous ['gɔ:dʒəs] *adj.* **1.** strålende, pragtfuld, prægtig; vidunderlig, storslået; **2.** T skøn, vidunderlig, fantastisk; ovenud lækker.

gorget ['gɔ:dʒət] *sb.* **1.** (*på fugl*) strubeplet, brystplet; **2.** (*glds.*) brystdug; **3.** (*hist.: på rustning*) halskrave.

gorgio ['gɔ:ʒiəu] *sb.* (*i sigøjnersprog*) ikke-sigøjner.

Gorgon ['gɔ:gən] *sb.* (*myt.*) gorgo; Medusa.

gorgon ['gɔ:gən] *sb.* hæslig kvinde; medusa.

gorilla [gə'rilə] *sb.* (*zo.*) gorilla.

gork [gɔ:k] *sb.* (*am.* S) „grønsag".

gormless ['gɔ:mləs] *adj.* T tåbelig; bøvet.

gorse [gɔ:s] *sb.* (*bot.*) tornblad.

gory ['gɔ:ri] *adj.* **1.** blodig; **2.** (*om fortælling etc.*) bloddryppende; □ *all the ~ details* (*spøg.*) alle de makabre detaljer.

gosh [gɔʃ] *interj.* orv! ih du store!

goshawk ['gɔshɔ:k] *sb.* (*zo.*) duehøg.

gosling ['gɔzliŋ] *sb.* (*zo.*) gæsling.

go-slow [gəu'sləu] *sb.* nedsat arbejdstempo [*som en form for strejke*].

gospel ['gɔsp(ə)l] *sb.* **1.** evangelium; **2.** (*mus.*) gospel; □ *take it as ~* tro fuldt og fast på det.

gospeller ['gɔspələ] *sb.* **1.** (*omrejsende*) prædikant; **2.** (*ved gudstjeneste*) evangelieoplæser.

gospel truth *sb.* den rene sandhed; □ *take it for ~* tro fuldt og fast på det.

gossamer[1] ['gɔsəmə] *sb.* **1.** (*edderkoppespind*) flyvende sommer; **2.** (*om stof*) fint vævet stof; flor.

gossamer[2] ['gɔsəmə] *adj.* florlet.

gossamery ['gɔsəmri] *adj.* florlet.

gossip[1] ['gɔsip] *sb.* **1.** snak, sludder (*fx a nice ~ over the garden fence*); **2.** (*neds.*) sladder (*fx it is*

just ~); **3.** (*om kvinde*) sladrekælling, sladretaske.

gossip[2] ['gɔsip] *vb.* **1.** snakke, sludre (*with* med); **2.** (*neds.*) sladre.

gossip column *sb.* sladrespalte; avisrubrik med fashionabelt nyt.

gossipy ['gɔsipi] *adj.* T **1.** fuld af sladder (*fx letter*); **2.** (*om person*) sladderagtig.

gossoon [gɔ'su:n] *sb.* (*irsk*) ung fyr.

got [gɔt] *præt. & præt. ptc. af* get.

gotcha ['gɔtʃə] *interj.* (T= *I've got you*) nu har jeg dig.

Goth [gɔθ] *sb.* (*hist.*) goter.

Gotham[1] ['gəutəm] [*by i England*]; □ *wise man of ~* tåbe; molbo.

Gotham[2] ['gɔθəm] T New York.

Gothenburg ['gɔθ(ə)nbə:g] Göteborg.

Gothic[1] ['gɔθik] *sb.* **1.** (*arkit.*) gotik; **2.** (*sprog*) gotisk; **3.** (*typ.*) = *Gothic type.*

Gothic[2] ['gɔθik] *adj.* **1.** (*arkit.; sprogv.*) gotisk; **2.** (*om roman*) skræk-.

Gothic type *sb.* (*typ.*) gotisk skrift; fraktur; (*am.*) grotesk.

gotta ['gɔtə] *fork. f.* have got to.

gotten ['gɔt(ə)n] (*am.*) *præt. ptc. af* get.

gouge[1] [gaudʒ] *sb.* **1.** hulmejsel, huljern; **2.** fordybning, fure, hul.

gouge[2] [gaudʒ] *vb.* udhule; **2.** lave en fordybning/bule//fure i; **3.** (*am.*) snyde, fuppe; tage overpris af, flå; □ *~ out* grave ud (*fx a canal*); skrabe ud (*fx the flesh of a pumpkin*); *~ out sby's eyes* **a.** trykke/ presse øjnene ud på en [*ved hjælp af tommelfingeren*]; **b.** stikke øjnene ud på en.

goulash ['gu:læʃ, (*am. især*) 'gu:la:ʃ] *sb.* gullasch.

gourd [guəd] *sb.* **1.** græskar; **2.** græskarflaske; kalabas.

gourmand ['guəmənd] *sb.* gourmand, fråser.

gourmet ['guəmei] *sb.* gourmet, feinschmecker.

gout [gaut] *sb.* **1.** (*med.*) (ægte) gigt; (*i foden*) podagra; **2.** (*litt.*) dråbe; stænk, sprøjt; □ *~ of blood* (*også*) blodplet.

goutweed ['gautwi:d] *sb.* (*bot.*) skvalderkål.

gouty ['gauti] *adj.* **1.** gigtagtig; gigt-; **2.** (*om person*) gigtplaget, gigtsvag; (*i foden*) podagristisk.

gov [gʌv] *sb.* S se guvnor.

Gov. *fork. f.* **1.** government; **2.** governor.

govern ['gʌv(ə)n] *vb.* **1.** (*land*) styre, regere; **2.** (*om naturkraft etc.*) styre, bestemme; (*om kraft også*)

påvirke; **3.** (*om lov, bestemmelse*) styre, regulere; **4.** (*gram.*) styre; **5.** (*glds.: følelse*) beherske (*fx one's temper*).

governance ['gʌv(ə)nəns] *sb.* **1.** styreform; **2.** regering, ledelse.

governess ['gʌv(ə)nəs] *sb.* guvernante.

governess cart *sb.* jumbe.

governing body *sb.* bestyrelse; styrelse.

government[1] ['gʌv(ə)nmənt] *sb.* **1.** (*i et land*) regering; **2.** (*generelt*) ledelse; **3.** (*system*) styre (*fx a shift to democratic ~*); **4.** (*am.*) statsstyring (*fx they advocate less ~*); □ *the ~* (*også*) staten (*fx many industries were run by the ~*); *be in ~* være ved magten.

government[2] ['gʌv(ə)nmənt] *adj.* regerings- (*fx party*); stats- (*fx property*); officiel (*fx enquiry; statistics*).

government grant *sb.* statstilskud.

government office *sb.* regeringskontor; ministerialkontor.

government securities *sb. pl.* statsobligationer.

governor ['gʌv(ə)nə] *sb.* **1.** (*i provins, koloni etc.; am.: i stat*) guvernør; **2.** (*i institution*) bestyrelsesmedlem; **3.** (*leder*) direktør; (*for fængsel*) fængselsinspektør; **4.** (*tekn.*) regulator; □ *board of -s* bestyrelse; (se også *guvnor*).

governor-general [gʌv(ə)nə'dʒen(ə)rəl] *sb.* generalguvernør.

governorship ['gʌv(ə)nəʃip] *sb.* **1.** guvernørpost; **2.** guvernørperiode.

Govt. *fork. f.* government.

gowan ['gauən] *sb.* (*skotsk bot.*) tusindfryd.

gowk [gauk] *sb.* (*dial.*) **1.** gøg; **2.** dumrian.

gown [gaun] *sb.* **1.** (*dames*) lang kjole; **2.** (*embedsdragt*) kappe, dommerkappe, advokatkappe; akademikers kappe; **3.** (*på hospital: læges*) kirurgkittel; □ *town and ~* **a.** byen og universitetet; **b.** byens borgere og universitetsstuderende og lærere (*fx town and ~ rarely met*).

gowned [gaund] *adj.* (jf. gown) iført kjole//kappe//kittel.

goy [gɔi] *sb.* (*pl. -im/-s*) goi, ikke-jøde.

GP *fork. f.* general practitioner.

GPS *fork. f.* global positioning system.

gr. *fork. f.* **1.** grain(s); **2.** gram(s).

grab[1] [græb] *sb.* **1.** griben, snappen;

G grab

2. (*tekn.*) grab, gribeskovl [*på kran etc.*];
□ make a ~ at/for gribe/snappe efter; *it is up for -s* T enhver kan få det; det er til at få for en rask mand.
grab[2] [græb] *vb.* **1.** (*ivrigt*) gribe (*fx her hand; the opportunity*); (*hurtigt*) snappe (*fx he -bed his keys and ran off*); (*begærligt*) rage til sig (*fx all the profit*); **2.** (*fra nogen*) snuppe, hugge (*from* fra, *fx he -bed the ball from me; they -bed the best seats*); **3.** (T: *mad etc.*) snuppe (*fx a drink; a bite to eat; some sleep*); **4.** (T: *person*) gribe fat i, fange;
□ ~ *at* **a.** gribe/snappe efter; **b.** gribe fat i; *how does that ~ you?* T hvad siger du til det? ~ *their attention* fange deres opmærksomhed.
grab bag *sb.* gramsepose; lykkepose.
grabber ['græbə] *sb.* [*en der forstår at rage til sig*].
grabby ['græbi] *adj.* T begærlig.
grace[1] [greis] *sb.* **1.** (*om måde at bevæge sig på*) ynde, gratie, elegance; **2.** (*om måde at optræde på*) anstand; velopdragenhed; **3.** (*som vises en*) gunst, velvilje, nåde; **4.** (*især jur., merk.*) frist (*fx give him a week's ~*); henstand; respit; **5.** (*rel.*) nåde (*fx divine ~*); **6.** (*ved måltid*) bordbøn;
□ *His//Her//Your Grace* Hans// Hendes//Deres Nåde; *days of ~* (*jf. 4*) løbedage;
-s gode egenskaber; fortrin; gode manerer; *the Graces* (*myt.*) Gratierne; *social -s* levemåde; (se også *air*[1], *saving grace*);
[*med vb.*] *he* **had** *the ~ to apologize* han havde så megen anstændighedsfølelse at han bad om undskyldning; *say ~* bede bordbøn;
[*med præp.*] **by** *the Grace of God* (*i dronningens titel*) af Guds nåde (*fx by the Grace of God Queen of Great Britain*); *fall* **from** *~* **a.** falde i unåde; **b.** (*om umoralsk handling*) begå et fejltrin; forlade dydens smalle vej; **c.** (*rel.*) falde fra nåden; *his fall from ~* **a.** (*om tab af popularitet*) hans nedtur; hans fald; **b.** (*om umoralsk handling*) hans svigt, hans fejltrin; *be* **in** *sby's good -s* være vel anskrevet hos en; nyde ens bevågenhed; *act* **of** *~* nådesbevisning; *days of ~* løbedage; respitdage; *this year of ~* dette Herrens år; (se også *state*[1]); **with** *a bad/an ill ~* med slet dulgt ærgrelse; uvilligt; mod-

stræbende; med en sur mine; *with a good ~* beredvilligt; uden at vise modvilje; uden sure miner.
grace[2] [greis] *vb.* **1.** smykke, pryde (*fx a beautiful vase -d the table*); **2.** (F: *om fornem person*) beære;
□ *the occasion was -d by the presence of the Queen, the Queen -d us//them etc. with her presence* F dronningen beærede os//dem *etc.* ved sin tilstedeværelse.
graceful ['greisf(u)l] *adj.* **1.** graciøs, yndefuld, elegant; **2.** (*om persons optræden*) elskværdig; taktfuld.
graceless ['greisləs] *adj.* **1.** blottet for ynde; ucharmerende; klodset; **2.** (*om persons optræden*) grov, uforskammet; taktløs; ukultiveret.
grace note *sb.* (*mus.*) forsiring; forslag//efterslag.
gracious ['greiʃəs] *adj.* **1.** venlig; elskværdig (*fx it was ~ of her to come*); **2.** (*om livsstil*) fornem og elegant; luksuspræget; **3.** (*om monark*) nådig;
□ *good ~!* (*glds.*) du gode gud! *most ~* allernådigst.
grad [græd] *sb.* T = *graduate*[1].
gradation [grə'deiʃn] *sb.* **1.** gradvis overgang; **2.** trindeling; **3.** (*sprogv.*) aflyd.
grade[1] [greid] *sb.* **1.** (*i hierarki*) grad (*fx a major is one ~ higher than a captain*); trin; klasse; (*mht. løn*) løntrin, lønklasse; **2.** (*mht. kvalitet*) klasse, sort; kvalitet (*fx the best ~ of eggs*); **3.** (*am.: ved bedømmelse i undervisning*) karakter; **4.** (*om kvæg*) krydsning; **5.** (*am.: i terræn*) se *gradient*; **6.** (*am.: i underskolen*) klasse; **7.** (*sprogv.*) aflydstrin;
□ *Grade A* førsteklasses; *at ~* (*am.*) i niveau; *the -s* (*am.*) underskolen; *make the ~* klare kravene, klare sig; have succes, klare den; (se også *downgrade*[1], *upgrade*[1]).
grade[2] [greid] *vb.* **1.** sortere (*fx potatoes according to size*); klassificere; ordne; **2.** (*efter sværhed*) graduere (*fx -d exercises*); **3.** (*stilling: i lønsystem*) indplacere; **4.** (*især am.*) give karakter(er); bedømme; (*opgave(r) også*) rette (*fx examination papers*); **5.** (*vej*) planere; **6.** (*om kvæg*) krydse.
grade card *sb.* (*am.*) karakterblad.
grade crossing *sb.* (*am.*) jernbaneoverskæring [*i niveau*]; niveauoverskæring.
grader ['greidə] *sb.* **1.** sorterer; (*maskine også*) sorteringsmaskine; **2.** (*i vejbygning*) vejhøvl; **3.** (*am.: i sms.*) elev i ... klasse (*fx first-~* elev i første klasse).
grade school *sb.* (*am., omtr.*)

grundskole; underskole.
gradient ['greidjənt] *sb.* **1.** skråning; stigning//fald; **2.** hældning; hældningsgrad, hældningsvinkel; □ *upward ~* stigning; *downward ~* fald.
gradual ['grædʒuəl, -dj-] *adj.* gradvis, jævn, trinvis.
gradually ['grædʒuəli, -dj-] *adv.* gradvis, jævnt; efterhånden, lidt efter lidt.
graduate[1] ['grædʒuət, -djuət] *sb.* **1.** (*ved universitet etc.*) [*en der har taget eksamen*]; kandidat; **2.** (*am.: ved skole*) dimittend.
graduate[2] ['grædʒueit, -djueit] *vb.* (se også *graduated*) **1.** (*ved universitet etc.*) tage/bestå eksamen; blive kandidat; **2.** (*am.: ved skole*) tage afgangseksamen; blive dimitteret; **3.** (*med objekt: ved skole*) dimittere; (*ved højere læreanstalt*) gøre færdig, uddanne (*fx the college -s hundreds of students each year*); **4.** (*skala etc.*) inddele [*i grader*]; graduere;
□ ~ *into* gå over til; ~ *to* (*fig.*) avancere til.
graduated ['grædʒueitid] *adj.* **1.** gradueret (*fx scale*); **2.** (*om stigning*) gradvis; **3.** (*om beholder: mærket med mål*) måle- (*fx cup bæger*); **4.** (*om perlekæde: med gradvis større perler*) med forløb.
graduate school *sb.* (*am.*) [*afdeling for videregående studier efter første afsluttende eksamen*]; (*omtr.*) overbygning.
graduation [grædʒu'eiʃən, -dj-] *sb.* **1.** graduering; gradinddeling; skala; **2.** (*på målebæger etc.*) målestreg; **3.** (*om perlekæde*) jf. *graduated 4*) forløb; **4.** (*ved universitet etc.*) tildeling af akademisk grad; afgang, afsluttende eksamen (*fx after ~ he went to America*); **5.** (*am.: i skole*) dimission; dimissionsfest.
graffiti [grə'fi:ti:] *sb. pl.* graffitti.
graft[1] [gra:ft] *sb.* **1.** (*i gartneri*) podning; podekvist; **2.** (*med.*) transplantering; transplanteret væv, transplantat; **3.** T hårdt arbejde, slid, knokleri; **4.** (*i politik etc.*) svindel; korruption, bestikkelse.
graft[2] [gra:ft] *vb.* **1.** (*i gartneri*) pode; **2.** (*med.*) transplantere; **3.** (*om arbejde*) slide, pukle, knokle; **4.** (*i politik etc.*) svindle; berige sig;
□ ~ *onto* (*fig.*) indplante i; kombinere med, sætte sammen med.
Grail [greil] *sb.* gral.
grain[1] [grein] *sb.* **1.** korn (*fx of wheat//rice; of salt//sand*); (*af sædekorn også*) kerne (*fx of wheat*);

(*i materiale, fx geol. også*) parti-
kel; **2.** (*om afgrøde*) korn (*fx they
have to import* ~; *the price of* ~);
3. (*fig.: lille smule*) (et) gran (*fx a
~ of truth*); (se også *salt¹*); **4.** (*af
læder*) narv(side); **5.** (*i træ*) årer;
6. (*glds. vægtenhed*) [*0,0648 g*];
□ **against the** ~ (*om træ*) imod
spånen/årerne; *it goes against the
~ for her* det er imod hendes na-
tur; *it goes against the ~ of the
party* det strider imod partiets
principper; *it goes against the ~
with me* det er mig imod; **in** ~ va-
skeægte; helt igennem (*fx a rogue
in* ~).
grain² [grein] *vb.* **1.** give en kornet
overflade; **2.** (*male årer på*) ådre,
åre.
grain dryer *sb.* (*agr.*) korntørrer.
grainy [greini] *adj.* **1.** (*om over-
flade*) kornet; **2.** (*om træ*) året;
3. (*foto.*) kornet.
gram [græm] *sb.* gram.
grammar ['græmə] *sb.* **1.** gramma-
tik; **2.** (*fig.*) begyndelsesgrunde,
grundprincipper (*of* i, *fx the ~ of
painting*);
□ *it is bad ~* det er grammatisk
forkert; det er dårligt sprog.
grammarian [grə'mɛəriən] *sb.*
grammatiker.
grammar school *sb.* **1.** gymnasium,
gymnasieskole; **2.** (*hist.*) latin-
skole; **3.** (*am.*) underskole.
grammatical [grə'mætik(ə)l] *adj.*
1. grammatisk; **2.** grammatisk kor-
rekt (*fx it is not ~; good ~ Eng-
lish*).
grammaticality [grəmæti'kæləti]
sb. grammatisk korrekthed.
gramme [græm] *sb.* gram.
gramophone ['græməfəun] *sb.*
(*glds.*) grammofon.
Grampians ['græmpiənz] *pl.: the ~*
Grampianbjergene [*i Skotland*].
grampus ['græmpəs] *sb.* **1.** (*zo.*)
halvgrindehval; **2.** (*fig.*) [*en der
puster og stønner*].
gran [græn] *sb.* T bedstemor.
granary ['grænəri] *sb.* **1.** kornmaga-
sin; **2.** (*fig.*) kornkammer.
granary bread *sb.* [*brød af ubleget
mel med ristede kerner*].
grand¹ [grænd] *sb.* T **1.** (*mus.*) fly-
gel; **2.** (*om beløb*) tusind pund;
3. (*am.*) tusind dollars.
grand² [grænd] *adj.* **1.** herlig,
prægtig, storslået (*fx view*); **2.** (*om
noget man vil udføre*) stor, stor-
slået (*fx plan; idea*); **3.** (*om status*)
fornem (*fx personages*); fin (*fx
lady*); **4.** (*ironisk*) fornem (*fx air
mine*); stor/fin på den (*fx she has
become awfully ~ lately*); **5.** (*glds.*
T) storartet, glimrende (*fx that's*

~); herlig (*fx he's a ~ bloke*);
pragtfuld (*fx we had a ~ day*);
6. (*i titel*) stor- (*fx Grand Vizier;
Grand Inquisitor*);
□ ~ *entrance* **a.** hovedindgang;
b. (*teat.*) storslået entré; *a ~ ges-
ture* en flot gestus; *in ~ style, on a
~ scale* i stor stil.
grandad ['grændæd] *sb.* bedstefar.
grandaddy ['grændædi] *sb.* (*am.* T)
bedstefar.
grandad shirt *sb.* skjorte uden flip.
grandchild ['græntʃaild] *sb.* (*pl.
-children* [-tʃildrən]) barnebarn.
granddad *sb.* = grandad.
granddaughter ['grændɔ:tə] *sb.*
sønnedatter; datterdatter; barne-
barn.
Grand Duchess *sb.* storhertuginde;
storfyrstinde.
Grand Duke *sb.* storhertug; storfyr-
ste.
grandee [græn'di:] *sb.* grande, for-
nem adelsmand; stormand.
grandeur ['grændʒə] *sb.* **1.** storslå-
ethed (*fx of the scenery*); ophøjet-
hed; storhed (*fx moral* ~); pragt;
glans; **2.** (*persons*) betydnings-
fuldhed; (se også *delusion*).
grandfather ['græn(d)fa:ðə] *sb.* bed-
stefar.
grandfather clock *sb.* standur,
bornholmerur.
grandiloquence [græn'diləkwəns]
sb. svulstighed; ordskvalder.
grandiloquent [græn'diləkwənt]
adj. svulstig, bombastisk, højtra-
vende.
grandiose ['grændiəus] *adj.* F
1. grandios, storslået, storstilet (*fx
plans; ideas*); **2.** (*om stil*) svulstig,
bombastisk.
grandiosity [grændi'ɔsiti] *sb.* gran-
diositet, storslåethed.
grand jury *sb.* (*am. jur.*) anklage-
jury [*som undersøger om der er
grundlag for tiltale*].
grandma ['græn(d)ma:] *sb.* T bed-
stemor.
grandmaster ['græn(d)ma:stə] *sb.* (*i
skak*) stormester.
grandmother ['græn(d)mʌðə] *sb.*
bedstemor;
□ *you can't teach your ~ to suck
eggs* (*svarer til*) nå så ægget vil
lære hønen.
Grand Old Party *sb.* (*am.*) [*det re-
publikanske parti*].
grandpa ['græn(d)pa:] *sb.* bedstefar.
grandparents ['græn(d)pɛərənts]
sb. pl. bedsteforældre.
grand piano *sb.* flygel.
grand slam *sb.* **1.** (*i bridge*) store-
slem; **2.** (*i tennis*) [*sejr i de 4 vig-
tigste turneringer i samme år*].

grandson ['græn(d)sʌn] *sb.* sønne-
søn; dattersøn; barnebarn.
grandstand¹ ['græn(d)stænd] *sb.*
1. (overdækket) tilskuertribune;
2. (*fig.*) første parket.
grandstand² ['græn(d)stænd] *adj.*
(*fig.*) som i første parket; meget fin
(*fx seats; view*);
□ ~ *finish* (*i væddeløb*) spæn-
dende opløb; tæt løb; ~ *play* [*spil
beregnet på at tækkes publikum*];
spil for galleriet.
grandstanding ['græn(d)stændiŋ]
sb. (*am.* T) [*forsøg på at score bil-
lige point ved at gøre//sige det
folk helst vil have*]; leflen for pu-
blikum.
grand total *sb.: the ~* det samlede
resultat.
grand tour *sb.* (*hist.*) dannelses-
rejse.
grange [grein(d)ʒ] *sb.* **1.** avlsgård;
mindre landejendom; landsted
med gårdbrug; **2.** (*am.*) landbo-
forening.
grangerized ['grein(d)ʒəraizd] *adj.*
(*om bog*) spækket, trufferet [*ɔ:
med illustrationer klippet ud af
andre bøger*].
granite ['grænit] *sb.* granit.
Granite State *sb.* (*am.* T) New
Hampshire.
granny ['græni] *sb.* T bedste(mor).
granny dress *sb.* [*lang højhalset
kjole*].
granny flat *sb.* [*lejlighed i el. ved
éns bolig beregnet for ældre slægt-
ning*].
granny glasses *sb. pl.* [*runde
briller med stålstel*]; (*omtr.*) syge-
kassebriller.
granny knot *sb.* kællingeknude.
granola® [grə'noulə] *sb.* (*am.*)
mysli.
grant¹ [gra:nt] *sb.* **1.** (*penge*) til-
skud; statstilskud; bevilling; (*til
studier også*) stipendium;
2. (*handling*) tildeling, bevilling
(*fx the ~ of a licence*); **3.** (*jur.*)
overdragelse, meddelelse.
grant² [gra:nt] *vb.* (se også *granted*)
1. give (*fx permission; asylum;
diplomatic recognition*); skænke;
bevillige, F tilstå (*fx ~ him a
meeting*); **2.** (F: *anmodning*)
imødekomme; efterkomme; (*øn-
ske*) opfylde; **3.** (*jur.*) overdrage;
□ *I ~ (you) that ...* jeg indrømmer
at ...; ~ *the truth of* F erkende
sandheden i; -*ing it to be true*
hvis vi antager/sætter at det er
sandt; (se også *God*).
grant-aided [gra:nt'eidid] *adj.* med
statstilskud (*fx ~ school*).
granted¹ ['gra:nted] *adj.: take sby//
sth for -ed* tage en//noget for givet;

G granted

tage en//noget som en selvfølge; *take it for -ed that (også)* gå ud fra at.

granted[2] ['gra:ntid] *adv.* man//jeg må indrømme at, ganske vist (*fx ~, the situation is exceptional, but we must follow the rules*).

granted[3] ['gra:ntid] *konj.* forudsat at//selv om (*fx -ed (that) it had happened*).

grantee [gra:n'ti:] *sb.* **1.** en der har modtaget en bevilling//et statstilskud; **2.** (*mht. stipendium*) stipendiat; **3.** (*jur.*) erhverver.

grant-in-aid [gra:ntin'eid] *sb.* statstilskud.

granular ['grænjulə] *adj.* kornet.

granulated ['grænjuleitid] *adj.* kornet; nopret; ru.

granulated cork *sb.* korksmuld.

granulated sugar *sb.* [*slags sukker der er grovere end stødt melis og finere end krystalsukker*].

granule ['grænju:l] *sb.* lille korn; □ *-s (også)* granulat.

grape [greip] *sb.* **1.** drue, vindrue; **2.** (*mil. hist.*) kardæsk;
□ *the -s are sour, sour -s* „De er sure", sagde ræven om rønnebærrene; *tread -s* perse vindruer med fødderne.

grapefruit ['greipfru:t] *sb.* grapefrugt.

grape hyacinth *sb.* (*bot.*) perlehyacint.

grapeshot ['greipʃɔt] *sb.* (*mil. hist.*) kardæsk.

grape sugar *sb.* druesukker.

grapevine ['greipvain] *sb.* vinranke;
□ *the ~* (*omtr.*) jungletelegrafen; jungletrommerne; *I heard on/through the ~ that ...* jungletrommerne fortæller at ....

graph [græf] *sb.* kurve (*fx sales ~*); graf.

graphic[1] ['græfik] *sb.* (*it*) grafisk symbol.

graphic[2] ['græfik] *adj.* **1.** grafisk; **2.** (*om beskrivelse etc.*) malende; livagtig; anskuelig;
□ *~ representation* (*jf. 1*) grafisk fremstilling.

graphical ['græfik(ə)l] *adj.* = *graphic*[2] *1.*

graphic design *sb.* grafisk design.

graphic designer *sb.* grafiker; reklametegner.

graphics ['græfiks] *sb.* grafik.

graphite ['græfit] *sb.* grafit.

graphologist [græ'fɔlədʒist] *sb.* grafolog.

graphology [græ'fɔlədʒi] *sb.* grafologi.

graph paper *sb.* millimeterpapir.

grapnel ['græpn(ə)l] *sb.* (*mar.*)
dræg, dræganker.

grapple[1] ['græpl] *sb.* **1.** griben; greb; **2.** T brydekamp; håndgemæng; **3.** (*mar.*) entrehage; entredræg.

grapple[2] ['græpl] *vb.* **1.** gribe fat i; **2.** kæmpe, slås (*for om; with* med); brydes;
□ *~ for* (*mar.*) drægge efter; *~ with* **a.** se: *2*; **b.** (*fig.*) tumle med (*fx a problem*).

grappling ['græpliŋ] *adj.*: *~ hook, ~ iron* (*mar.*) entrehage.

grasp[1] [gra:sp] *sb.* **1.** greb, tag; **2.** (*med forstanden*) opfattelsesevne; (klar) forståelse (*fx his ~ of detail*); **3.** (*litt.*) magt, vold (*fx in the ~ of a merciless adversary*);
□ *~ of iron* jernhårdt greb;
[*med vb.*] *have a good ~ of*
a. have et godt tag i; **b.** (*jf. 2*) have et godt greb om, have en klar opfattelse af (*fx the subject*); *lose one's ~ on* **a.** miste taget i, tabe (*fx a suitcase; a book*); **b.** (*jf. 2*) miste opfattelsen af (*fx reality*); (se også *release*[2]);
[*med præp.*] *it is beyond my ~*
a. det er uden for min rækkevidde (*fx success was beyond his ~*); **b.** (*jf. 2*) det overstiger min fatteevne; *it slipped from his ~* **a.** det gled ud af hænderne på ham; han tabte det; **b.** (*fig.*) det gled ham af hænde (*fx victory slipped from his ~*); *within one's ~* **a.** inden for rækkevidde; **b.** (*jf. 2*) som man kan forstå/fatte.

grasp[2] [gra:sp] *vb.* (se også *grasping*) **1.** gribe (*fx his hand; the chance*); tage/gribe/få fat i; **2.** gribe om, holde fast i (*fx -ing a knife*); **3.** (*med forstanden*) begribe, fatte (*fx it is easy to ~*);
□ *I didn't quite ~ it* (*jf. 3*) jeg fik ikke rigtig fat i det; (se også *nettle*);
[*med præp.*] *~ at* **a.** gribe efter (*fx the rope*); **b.** (*fig.*) gribe (*fx the chance; the offer*); (se også *straw*); *~ sby by the arm* gribe en i armen.

grasping ['gra:spiŋ] *adj.* grådig, grisk, begærlig.

grass[1] [gra:s] *sb.* **1.** græs; **2.** græsgang; græsning; **3.** (T: *stof*) græs, marihuana; **4.** (S: *person*) stikker;
□ *the ~ is greener* græsset er grønnere [ɔ: *der er bedre at være*]; *he did not let the ~ grow under his feet* han spildte ikke tiden; han gik straks i gang med sit forehavende;
[*med præp.& adv.*] *at ~* **a.** på græs; **b.** (*fig.*) ledig; *kick it into the long grass* (*fig.*) lægge det hen; sylte det; *keep off the ~* (*på skilt*)

græsset må ikke betrædes; *put out to ~* **a.** (*kvæg*) sætte på græs; **b.** (*person*) afskedige; sætte på pension.

grass[2] [gra:s] *vb.* **1.** (*fisk*) lande; **2.** (*am.: kvæg*) sætte på græs;
□ *~ on sby* S angive en, stikke en; *~ over* **a.** vokse 'til med græs (*fx the yard was -ed over*); **b.** (*med objekt*) så 'til med græs; *~ up* angive, stikke (*fx ~ him up to the police*).

grasshopper ['gra:shɔpə] *sb.* (*zo.*) græshoppe.

grasshopper-warbler *sb.* (*zo.*) græshoppesanger.

grassland ['gra:slænd] *sb.* græsmarker.

grass of Parnassus [gra:səvpa-'næsəs] *sb.* (*bot.*) leverurt.

grass roots *sb. pl.* (*fig.*) græsrødder.

grass-roots [gra:s'ru:ts] *adj.* græsrods- (*fx movement; at ~ level*); fundamental (*fx the ~ reality of the problem*).

grass snake *sb.* (*zo.*) snog.

grass widow *sb.* græsenke.

grass widower *sb.* græsenkemand.

grassy ['gra:si] *adj.* **1.** græsbevokset; **2.** græsagtig, græs-.

grate[1] [greit] *sb.* kaminrist, rist;
□ *in the ~* i kaminen (*fx there was a fire burning in the ~*).

grate[2] [greit] *vb.* **1.** (*på rivejern*) rive (*fx cheese; carrots*); **2.** (*om lyd*) skurre; hvine (*fx the hinges of the door -d*); **3.** (*fig.*) være irriterende, gå én på nerverne (*fx after a while her voice starts to ~*);
□ *~ against* **a.** gnide/skure/skurre mod (*fx the wheel -d against the kerb*); **b.** (*med en høj lyd*) hvine mod (*fx the chalk -d against the blackboard*); *~ on* **a.** = *~ against*; **b.** (*fig.*) irritere, gå på nerverne (*fx her voice started to ~ on me*); *~ on one's ears* skurre i ens ører.

grateful ['greitf(u)l] *adj.* taknem(me)lig; (se også *mercy*).

grater ['greitə] *sb.* rivejern.

gratification [grætifi'keiʃn] *sb.* tilfredsstillelse, glæde, fornøjelse.

gratified ['grætifaid] *adj.* glad, fornøjet;
□ *be ~ by//to* glæde sig over//over at.

gratify ['grætifai] *vb.* tilfredsstille (*fx one's curiosity*).

gratifying ['grætifaiiŋ] *adj.* glædelig; opmuntrende.

grating[1] ['greitiŋ] *sb.* **1.** (*fx over afløb*) rist; **2.** (*for vindue*) gitter; tremmer.

grating[2] ['greitiŋ] *adj.* (*jf. grate*[2])
1. skurrende (*fx voice*); hvinende; **2.** (*fig.*) ubehagelig; irriterende.

gratis[1] ['grætis, 'grei-] *adj.* gratis.
gratis[2] ['grætis, 'grei-] *adv.* gratis.
gratitude ['grætitju:d] *sb.* taknem(me)lighed.
gratuitous [grə'tju:itəs] *adj.*
1. (*neds.*) unødvendig, unødig (*fx brutality*); uberettiget; umotiveret (*fx insult*); 2. (*om ydelse*) gratis.
gratuity [grə'tju:iti] *sb.* F 1. (*for ydet tjeneste*) erkendtlighed; drikkepenge; 2. (*ved afsked*) fratrædelsesgodtgørelse; 3. (*mil.*) hjemsendelsespenge.
gratulation [grætju'leiʃn] *sb.* lykønskning.
grave[1] [greiv] *sb.* grav;
□ *have one foot in the* ~ gå på gravens rand; *he would turn//spin in his* ~ han ville vende sig//rotere i sin grav; *someone//a goose just walked over/on my* ~ [*siges når man får en pludselig kuldegysning*].
grave[2] [greiv] *adj.* 1. (*om person*) alvorlig, værdig, højtidelig; 2. (*om andet*) alvorlig (*fx danger; matter*); vægtig, betydningsfuld (*fx decision*); sørgelig (*fx news*); dyster.
grave[3] [gra:v] *adj.*: ~ *accent* accent grave.
graveclothes ['greivkləuðz] *sb. pl.* ligklæder.
gravedigger ['greivdigə] *sb.* graver.
gravel[1] ['græv(ə)l] *sb.* grus.
gravel[2] ['græv(ə)l] *vb.* 1. gruse, dække med grus; 2. (*am.* T) irritere, ærgre.
gravelled ['græv(ə)ld] *adj.* gruset; grusbelagt.
gravelly ['græv(ə)li] *adj.* 1. gruset, grusholdig; 2. (*om stemme*) ru.
gravel pit *sb.* grusgrav.
graven ['greiv(ə)n] *adj.*: *it is* ~ *in my memory* det står uudsletteligt indpræget i min erindring.
graven image *sb.* (*bibelsk*) udskåret billede [ɔ: *afgudsbillede*].
Graves' disease ['greivziz di'zi:z] *sb.* den basedowske syge.
graveside ['greivsaid] *sb.*: *at the* ~ ved graven.
gravestone ['greivstəun] *sb.* gravsten.
graveyard ['greivja:d] *sb.* kirkegård.
graveyard shift *sb.* (*am.*) [*skiftehold der begynder ved midnat*]; nathold.
gravimeter [grə'vimitə] *sb.* gravimeter, tyngdemåler.
gravitas ['grævitæs] *sb.* F alvor, seriøsitet; højtidelig optræden.
gravitate ['græviteit] *vb.*: ~ *to/towards* **a.** blive tiltrukket af; F drages mod; **b.** bevæge sig hen imod.

gravitation [grævi'teiʃn] *sb.* = *gravity 3*;
□ ~ *to/towards* (*jf. gravitate*) **a.** dragning mod; **b.** vandring mod.
gravitational [grævi'teiʃ(ə)l] *adj.* tyngdekrafts-; tyngde- (*fx effect*).
gravitational constant *sb.* tyngdekonstant.
gravitational field *sb.* gravitationsfelt, tyngdefelt.
gravitational pull *sb.* tyngdepåvirkning.
gravity ['græviti] *sb.* 1. (*jf. grave*[2] *1*) alvor, værdighed, højtidelighed; 2. (*jf. grave*[2] *2*) betydning, vægt; 3. (*fys.*) tyngdekraft;
□ *the law of* ~ tyngdeloven; *centre of* ~ tyngdepunkt; (se også *specific gravity, zero gravity*).
gravy ['greivi] *sb.* 1. sovs, sauce; sky; skysovs; 2. (*am.* S) [*noget man kommer let til*]; lettjente penge; ekstra gevinst.
gravy boat *sb.* sovseskål, sovsekande.
gravy train *sb.* fedt job; fed fidus;
□ *get onto/jump on the* ~ skaffe sig en fed fortjeneste; få del i rovet.
gray [grei] *adj.* (*am.*) = grey.
grayling ['greiliŋ] *sb.* (*zo.*) stalling [*en fisk*].
graze[1] [greiz] *sb.* hudafskrabning.
graze[2] [greiz] *vb.* **A.** 1. (*om kvæg*) græsse; 2. (T: *om personer*) (gå rundt og) småspise; 3. (*især am.*) prøve lidt af det ene og lidt af det andet;
B. (*med objekt*) 1. (*mark*) afgræsse; 2. (*kvæg*) sætte på græs; 3. (*legemsdel: såre let*) strejfe (*fx the bullet -d his shoulder*); skrabe (*fx he fell and -d his knee*); 4. (*om berøring*) strejfe, skrabe imod (*fx the wheels -d the kerb*);
□ ~ *the channels* (*jf. A 3*) zappe; ~ *through a magazine* (*jf. A 3*) læse lidt hist og her i et ugeblad.
grazier ['greiziə] *sb.* kvægopdrætter.
grazing ['greiziŋ] *sb.* (*jf. graze*[2] *1*) græsning; græsgang.
GRE *fork. f. Graduate Record Examination* adgangseksamen til *Graduate School.*
grease[1] [gri:s] *sb.* 1. fedt; 2. (*til at smøre maskiner etc. med*) (konsistens)fedt; smørelse; 3. (*i fåreuld*) uldfedt; 4. (*til hår*) brillantine; 5. (*am.* S) penge; beskyttelsespenge; bestikkelse.
grease[2] [gri:z] *vb.* 1. (*maskine etc.*; *bageplade*) smøre; 2. (*am.* S) skyde;
□ *like -d lightning* som et forsin-

ket lyn; (se også *palm*[1]).
greaseball ['gri:sbɔ:l] *sb.* (*am.* S: *neds. om mørkhåret udlænding*) spaghetti.
grease gun *sb.* fedtsprøjte, smørepistol.
grease monkey *sb.* (*am.: neds.*) mekaniker; smører.
grease paint *sb.* (*teat.*) (teater)sminke.
greaseproof ['gri:spru:f] *adj.* fedttæt.
greaseproof paper *sb.* smørrebrødspapir, pergamentpapir.
greaser ['gri:sə, -zə] *sb.* S 1. mekaniker; 2. (*am.: neds.*) mexicaner; sydamerikaner; 3. (*glds.*) rocker.
greasy ['gri:si, -zi] *adj.* 1. fedtet; 2. (*fig.*) slesk;
□ *move up the* ~ *pole* klatre op ad rangstigen, stige i graderne [*ved hårdt arbejde*].
greasy spoon *sb.* snask [ɔ: *billig restaurant*].
great [greit] *adj.* 1. (*mht. kvalitet*) stor, betydelig, fremragende (*fx musician; novelist; painting*); 2. (*mht. omfang, størrelse*) stor (*fx number; crowd; pleasure; improvement*); mægtig, vældig (*fx hall; herd of cattle; ocean; roar*); 3. (*mht. betydning*) betydningsfuld (*fx occasion*); fremtrædende, fornem (*fx lady*); 4. T mægtig god (*fx idea*); gevaldig (*fx surprise*); mægtig, super (*fx wouldn't that be* ~ *!*); fed (*fx it was a* ~ *party*); (*i udbrud*) fint, fedt (*fx* ~*, man!*);
□ *-s* **a.** (*om personer*) berømtheder; store kanoner; **b.** (*om musik*) klassikere; ~ *big, huge* ~ mægtig stor, kæmpe (*fx house; see what a* ~ *big/huge* ~ *apple I found*); (se også *many*[1]);
[*med sb.*] ~ *age* høj alder; *take* ~ *care* passe godt på; *I have made* ~ *friends with him* jeg er blevet vældig fine venner med ham; *the* ~ *majority* det store/overvejende flertal; *a* ~ *way* en lang vej; *go a* ~ *way with sby* påvirke en stærkt; *the* ~ *world* de fornemme kredse; (se også *deal*[1], *gun*[1], *snipe*, *while*[1]);
[*med præp.*] *be* ~ *at* + *-ing* T **a.** være meget dygtig til at (*fx playing football*); **b.** være meget glad for at (*fx reading aloud*); *it is* ~ *for* + *-ing* den er vældig god til at (*fx this device is* ~ *for opening bottles*); *he is a* ~ *one for* + *-ing* T han er vældig god til at (*fx getting other people to do his work for him*); *he is* ~ *on history* **a.** han er stærkt interesseret i historie; **b.** han er meget dygtig til/ved meget om historie.

great-aunt [greit'a:nt] *sb.* grandtante.
Great Bear *sb.* (*astr.*) storebjørn.
Great Belt *sb.* Storebælt.
great black-backed gull *sb.* (*zo.*) svartbag.
Great Britain *sb.* Storbritannien.
greatcoat ['greitkəut] *sb.* **1.** overfrakke; vinterfrakke; (*let glds.*) kavaj; **2.** (*mil.*) kappe.
Great Dane *sb.* granddanois.
great divide *sb.* **1.** dyb kløft (*fx between workers and management*); **2.** afgørende vendepunkt (*fx the war was the ~*);
□ *cross the ~* **a.** overskride grænsen; tage det store skridt; **b.** drage hinsides [ɔ: *dø*].
greater ['greitə] *adj.* (*komp. af great*) **1.** større; **2.** (*foran stednavn*) stor- (*fx Greater London; they dreamt of a Greater Serbia// Israel*).
greater celandine *sb.* (*bot.*) svaleurt.
great-grandchild *sb.* barnebarnsbarn, oldebarn.
great-grandfather *sb.* oldefar.
great-grandmother *sb.* oldemor.
great-great-grandfather *sb.* tipoldefar.
great-great-grandmother *sb.* tipoldemor.
great-hearted [greit'ha:tid] *adj.* højsindet.
greatly ['greitli] *adv.* F meget; i høj grad; dybt (*fx we ~ regret that ...*).
great-nephew [greit'nefju:] *sb.* grandnevø.
greatness ['greitnəs] *sb.* storhed; betydning.
great-niece [greit'ni:s] *sb.* grandniece.
Great Plains *sb. pl.: the ~* prærielandet [*i Nordamerika*].
great spearwort *sb.* (*bot.*) langbladet ranunkel.
great tit *sb.* (*zo.*) musvit.
great-uncle [greit'ʌŋkl] *sb.* grandonkel.
Great Wall of China *sb.: the ~* den kinesiske mur.
Great War *sb.: the ~* første verdenskrig [*1914-18*].
Great White Way *sb.: the ~* (*am.*) [*Broadway omkring Times Square*].
grebe [gri:b] *sb.* (*zo.*) lappedykker.
Grecian ['gri:ʃn] *adj.* græsk [*især om stil*].
Greece [gri:s] Grækenland.
greed [gri:d] *sb.* begærlighed, grådighed, griskhed.
greedy ['gri:di] *adj.* begærlig, grådig (*for* efter); grisk.
Greek[1] [gri:k] *sb.* **1.** (*person*) græ-

ker; **2.** (*sprog*) græsk.
Greek[2] [gri:k] *adj.* græsk;
□ *that is ~ to me* det er det rene volapyk for mig.
Greek cross *sb.* græsk kors [ɔ: *ligearmet*].
Greek-letter fraternity *sb.* (*am.*) [*studenterklub eller elevsamfund der til navn har en kombination af bogstaver fra det græske alfabet, fx phi beta kappa*].
green[1] [gri:n] *sb.* **1.** (*farve*) grønt; grøn farve; **2.** (*område*) fælled; grønning; **3.** (*i golf*) green [*jævn del af banen omkring et hul*];
□ *-s* **a.** grønsager; **b.** (*am.*) grønt [*til udsmykning*]; pyntegrønt; (se også *Greens*); *do you see any ~ in my eye?* står der fjols på ryggen af mig?
green[2] [gri:n] *vb.* **1.** grønnes, blive grøn; **2.** (*med objekt*) gøre grøn.
green[3] [gri:n] *adj.* **1.** (*om farve, politik*) grøn; **2.** (*om frugt etc.*) grøn, umoden; **3.** (T: *om person*) grøn, uerfaren; umoden; naiv;
□ *keep the memory of him ~* holde mindet om ham frisk/ i live; *~ old age* blomstrende alderdom.
greenback ['gri:nbæk] *sb.* (*am.* T) pengeseddel.
green belt *sb.* grønt område [*omkring by el. bebyggelse*].
Green Beret *sb.* (*mil.* T) [*kommandosoldat*].
greenbottle ['gri:nbɔtl] *sb.* (*zo.*) guldflue.
green card *sb.* (*am.*) [*opholds- og arbejdstilladelse til immigrant*].
green currency *sb.* (*i EU*) grøn valuta.
greenery ['gri:n(ə)ri] *sb.* **1.** grønt; grønne planter; **2.** grøn bevoksning; **3.** (*til udsmykning*) grønt løv; (*pynte*)grønt.
green-eyed ['gri:naid] *adj.: the ~ monster* (*spøg.*) [*skinsyge*].
greenfield ['gri:nfi:ld] *adj.* **1.** (*om jord*) ubebygget; ikke byggemodnet; **2.** (*om fabrik*) opført på hidtil ubebygget jord; nyetableret.
greenfinch ['gri:nfin(t)ʃ] *sb.* (*zo.*) grønirisk.
green fingers *sb. pl.: she has ~* hun har grønne fingre [ɔ: *alting gror under hendes hænder*].
greenfly ['gri:nflai] *sb.* bladlus.
greengage ['gri:ngeidʒ] *sb.* (*bot.: blomme*) reineclaude.
green goose *sb.* [*gås under 4 måneder gammel*].
greengrocer ['gri:ngrəusə] *sb.* grønthandler.
greengrocer's ['gri:ngrəusəz] *sb.* (*pl. greengrocers'*) grønthandel.

greenhorn ['gri:nhɔ:n] *sb.* **1.** T grønskolling; naivt fjols; **2.** (*am.*) nyankommen immigrant.
greenhouse ['gri:nhaus] *sb.* drivhus, væksthus.
greenhouse effect *sb.* drivhuseffekt.
greenhouse gas *sb.* drivhusgas.
greening ['gri:niŋ] *sb.* [*det at blive mere miljøbevidst*].
greenish ['gri:niʃ] *adj.* grønlig.
Greenland ['gri:nlənd] Grønland.
Greenlander ['gri:nləndə] *sb.* grønlænder.
Greenland halibut *sb.* (*zo.*) hellefisk.
Greenlandic [gri:n'lændik] *sb.* grønlandsk.
green light *sb.* (*også fig.*) grønt lys;
□ *give the ~ to/for* (*fig.*) give grønt lys for.
green-light ['gri:nlait] *vb.* give grønt lys for.
Green Paper *sb.* [*regeringsforslag udsendt som diskussionsoplæg*].
greenroom ['gri:nru(:)m] *sb.* (*teat.*) skuespillerfoyer.
Greens [gri:nz] *sb. pl.: the ~* (*pol.*) de Grønne; (se også *green*[1]).
green sandpiper *sb.* (*zo.*) svaleklire.
greenshank ['gri:nʃæŋk] *sb.* (*zo.*) hvidklire.
green thumb *sb.* (*am.*) = *green fingers*.
green turtle *sb.* (*zo.*) spiselig skildpadde; suppeskildpadde.
Greenwich ['grenidʒ, -itʃ, 'grin-] [*sydlig forstad til Londo hvor der til 1958 lå et berømt observatorium*].
Greenwich Village [*kunstnerkvarter i New York på Manhattan*].
green woodpecker *sb.* (*zo.*) grønspætte.
greet [gri:t] *vb.* **1.** hilse; **2.** (*skotsk*) græde;
□ *we were -ed by* (*fig., litt.*) der mødte os (*fx a terrible sight*).
greeting ['gri:tiŋ] *sb.* **1.** hilsen; **2.** (*skotsk*) gråd.
greetings card *sb.* lykønskningskort.
gregarious [gri'gɛəriəs] *adj.* **1.** (*om person*) selskabelig; **2.** (*om dyr*) som lever i flok.
Gregorian [gri'gɔ:riən] *adj.* gregoriansk.
Gregory ['gregəri] (*hist.: om pave*) Gregor.
greige [greiʒ] *adj.* (*am.: om stof*) ubleget; ufarvet.
gremlin ['gremlin] *sb.* T drillenisse.
grenade [gri'neid] *sb.* (hånd//gevær)granat.

grenadier [grenə'diə] *sb.* (*hist.*) grenader.

grenadine [grenə'di:n] *sb.* grenadine [*fint, tyndt silke- el. uldstof; læskedrik*].

grew [gru:] *præt. af grow.*

grey[1] [grei] *sb.* **1.** (*farve; tøj*) gråt (*fx dressed in* ~); **2.** (*hest*) gråskimmel; **3.** (*am.* S) hvid; **4.** (*am. hist.*) [*soldat i sydstatshæren*].

grey[2] [grei] *adj.* grå.

grey area *sb.* (*fig.*) gråt område, gråzone.

greybeard ['greibiəd] *sb.* **1.** gråskæg; **2.** (*stentøjskande*) skæggemand.

Grey Friar *sb.* (*rel.*) gråbroder.

greyhen ['greihen] *sb.* (*zo.*) urhøne.

greyhound ['greihaund] *sb.* mynde.

greyhound racing *sb.* hundevæddeløb [*med mynder*].

greyish ['greiiʃ] *adj.* grålig.

greylag ['greilæg] *sb.* (*zo.*) grågås.

grey matter *sb.* **1.** grå substans, hjernemasse; **2.** (*fig.*) hjerne, intelligens.

grey mullet *sb.* (*zo.*) multe.

grey plover *sb.* (*zo.*) strandhjejle.

gribble ['gribl] *sb.* (*zo.*) pælekrebs.

grid [grid] *sb.* **1.** rist; gitter; **2.** (*af gader*) gadenet; **3.** (*på landkort etc.*) gradnet; **4.** (*elek.*) ledningsnet; **5.** (*i elektronik*) gitter; **6.** (*ved væddeløb*) startlinje; **7.** (*teat.*) herse.

griddle ['gridl] *sb.* rund bageplade.

gridiron ['gridaiən] *sb.* **1.** stegerist; grillrist; **2.** (*mar.*) [*bjælkesystem til at støtte skib i dok*]; **3.** (*teat.*) herse; **4.** (*am.*) fodboldbane [*til am. fodbold*]; (amerikansk) fodbold.

gridlock ['gridlɔk] *sb.* **1.** [*ubrudt række af biler som blokerer al udkørsel fra sidegader*]; trafikkaos, trafiksammenbrud; **2.** (*fig.*) se *deadlock.*

grief [gri:f] *sb.* **1.** F sorg; **2.** T ærgrelse; ballade;
□ *it caused him* ~ **a.** det voldte ham sorg; **b.** T det ærgrede ham; *come to* ~ **a.** komme til skade; komme galt af sted; **b.** gå fallit; gå til grunde; **c.** (*mar.*) forlise; *give sby* ~ T **a.** volde én problemer/ubehageligheder; **b.** skælde en ud; give én en omgang; *good* ~*!* T du gode gud! jeg græmmes!

grief counsellor *sb.* (*omtr.*) kriserådgiver.

grief-stricken ['gri:strik(ə)n] *adj.* nedbøjet af sorg; sorgbetynget.

grievance [gri:v(ə)ns] *sb.* klage; klagepunkt; grund til klage;
□ *nurse a* ~ føle sig forfordelt; *what is his* ~? (*også*) hvad beklager han sig over?

grieve [gri:v] *vb.* **1.** sørge (*for* over); **2.** (*med objekt: anledning*) sørge over (*fx her death*); **3.** (*person*) bedrøve (*fx it -s me*); volde sorg;
□ *what the eye doesn't see the heart doesn't* ~ *for* hvad øjet ikke ser, har hjertet ikke ondt af.

grievous ['gri:vəs] *adj.* **1.** frygtelig (*fx it was a* ~ *blow*); svær (*fx losses*); hård (*fx punishment*); **2.** (*litt.: om sår, smerte*) meget alvorlig.

grievous bodily harm *sb.* grov legemsbeskadigelse; vold af særlig farlig karakter [*med skade til følge*].

griffin ['grifin] *sb.* (*myt.*) grif [*bevinget løve med ørnehoved*].

griffon ['grifən] *sb.* **1.** (*hunderace*) griffon; **2.** (*zo.: fugl*) gåsegrib; **3.** (*myt.*) = *griffin.*

griffon vulture *sb.* (*zo.*) gåsegrib.

grift[1] [grift] *sb.* (*am.* S) svindel.

grift[2] [grift] *vb.* (*am.* S) lave penge ved svindel.

grifter ['griftə] *sb.* (T) bondefanger, svindler.

grig [grig] *sb.* (*zo.*) **1.** fårekylling; græshoppe; **2.** sandål;
□ *as merry as a* ~ sjæleglad, kisteglad.

grill[1] [gril] *sb.* **1.** (*til at stege på*) stegerist, grillrist; **2.** (*i komfur*) grill; **3.** (*mad*) grilleret ret, grillret; **4.** (*sted*) grillrestaurant; **5.** se *grille.*

grill[2] [gril] *vb.* **1.** grillere, grille; grillstege; riste; **2.** T krydsforhøre; tage i skarpt forhør.

grillage ['grilidʒ] *sb.* slyngværk [*bjælkefundament til bygning*].

grille [gril] *sb.* **1.** (*til beskyttelse: foran maskine, udstillingsvindue etc.*) gitter; rist; tremmeværk; **2.** (*fx ved billetluge*) talegitter; **3.** (*på bil*) kølergitter.

grilled [grild] *adj.* **1.** (*jf. grill*[2] *1*) grilstegt, grillet; **2.** (*jf. grille*) med gitter for, tilgitret.

grill room *sb.* grillrestaurant.

grilse [grils] *sb.* (*zo.*) blanklaks, lille sommerlaks.

grim [grim] *adj.* **1.** barsk, uhyggelig (*fx prospects; news*); grum (*fx fate*); **2.** (*om sted*) trist, skummel; **3.** (*om person*) barsk, streng, ubarmhjertig, grusom; **4.** (*om mine*) bister (*fx expression*); **5.** (T: *om kvalitet*) rædselsfuld;
□ *hang/hold on like/for* ~ *death* klamre sig fast af alle kræfter; (se også *reaper*).

grimace[1] [gri'meis] *sb.* grimasse.

grimace[2] [gri'meis] *vb.* lave grimasser, grimassere.

grime [graim] *sb.* snavs, smuds [*specielt: sodet eller fedtet*].

grimy ['graimi] *adj.* snavset; grimet.

grin[1] [grin] *sb.* grin [*bredt smil uden lyd; især: fjoget el. drilagtigt*].

grin[2] [grin] *vb.* grine [*uden lyd; især: fjoget el. drilagtigt*]; smile bredt;
□ ~ *and bear it* gøre gode miner til slet spil; tage det uden at kny.

grind[1] [graind] *sb.* **1.** (*lyd*) skurren; knasen; **2.** (T: *om arbejde*) slid (*fx learning Latin is a* ~); (*før eksamen*) eksamensterperi; **3.** (T: *i dans*) hoftevrid; **4.** (*am.* T: *om elev, studerende*) slider, boger, morakker;
□ *the daily* ~ det daglige slid; hverdagens trummerum/trædemølle.

grind[2] [graind] *vb.* (*ground, ground*) **A.** (*med objekt*) **1.** (*korn etc. på en kværn*) male (*into/to* til, *fx* ~ *grain into flour;* ~ *the stone to a fine powder;* ~ *coffee//pepper*); formale; **2.** (*farver*) rive; **3.** (*kniv, linse, ventil etc.*) slibe (*fx an axe; scissors; a lens*); **4.** (*med håndsving*) dreje, dreje på (*fx a barrel organ; a hand mill*);
B. (*uden objekt*) **1.** (*om lyd*) skure (*on/against* mod, *fx the wheel ground against the kerb*); knase; skrabe; **2.** (*om bil*) køre knirkende/knasende/raslende; køre med besvær; mase sig (*fx the truck ground up the hill*); **3.** (*om elev, studerende*) boge, terpe; slide i det (*fx for an exam*); morakke; **4.** (T: *om danser*) vrikke med hofterne;
□ ~ *the faces of the poor* udnytte//underkue de fattige; ~ *glass* mattere glas; (se også *axe*[1], *tooth*);
[*med præp.& adv.*] ~ *against* se ovf.: *B 1;* ~ *away at* slide med; terpe; ~ *down* **a.** (*jf. A 1*) finmale; findele; **b.** (*jf. A 3*) slibe 'til; **c.** (*fig.*) nedbryde; underkue; mishandle; ~ *into* **a.** se ovf.: *A 1;*
b. mase ned i (og dreje rundt) (*fx a cigarette into an ashtray; he ground his knee into my stomach*); ~ *some grammar into his head* banke/terpe noget grammatik ind i hovedet på ham; *the car ground into gear* bilen kom i gear med en knasen; ~ *on* **a.** slæbe sig hen (*fx the trial//the war ground on*); blive ved i det uendelige;
b. (*med objekt*) se ovf.: *B 1;* ~ *out* **a.** frembringe med stort besvær; pine frem (*fx novels*); **b.** (*kedsom-*

383

meligt) lire af (fx _the same tunes_);
c. (_cigaret etc.: slukke_) mase ud;
~ _out a tune on an organ_ spille
en melodi på en lirekasse; ~ **to** _a
halt_ langsomt gå i stå; ~ **up** = A 1.
grinder ['graində] _sb._ **1.** (_maskine:
til formaling_) mølle; kværn (fx
coffee ~); **2.** (_til slibning: ma-
skine_) slibemaskine; (_person_) sli-
ber; **3.** (_tand_) kindtand; **4.** (_til un-
dervisning_) manuduktør; **5.** (_am._)
= _hoagie_; **6.** (_am._) = _grind¹_ 4.
grinding ['graindiŋ] _adj._ **1.** hård;
tyngende (fx _poverty_); **2.** (_om lyd_)
skurrende (fx _voice_); knasende.
grindstone ['grain(d)stəun] _sb._ sli-
besten;
□ _keep his nose to the_ ~ holde
ham til ilden; _keep one's nose to
the_ ~ slide i det.
gringo ['griŋgəu] _sb._ (_i Latiname-
rika:_ T, _neds._) gringo; fremmed;
englænder; angloamerikaner.
grip¹ [grip] _sb._ **1.** (_fast_) tag (_on_ i, fx
his ~ _on my arm_); greb (_on_ om);
2. (_fig._) greb (_on_ om, fx _his_ ~ _on
the economy_); (_mentalt også_) for-
ståelse (_on_ af); overblik (_on over,
fx a subject_); **3.** (_om dæk_) vejgreb;
4. (_til at tage fat i_) håndtag; (fx _på
kårde, pistol_) greb; **5.** (_til håret_) se
hairgrip; **6.** (_til tøj etc., glds._) rej-
setaske; **7.** (_film., teat., tv_) grip
[_som hjælper ved kameraet_]; med-
hjælper; scenemand, scenearbej-
der;
□ _get a_ ~! S styr dig! tag dig sam-
men! _get a_ ~ _on_ se ndf.: _take a_ ~
_on_; **have** _a good_ ~ _on_ (_også fig._)
have et godt greb om/tag i (fx _his
arm; one's audience_); have godt
fat på; **lose** _one's_ ~ **a.** miste sit
tag; **b.** (_fig._) falde af på den; **take** _a
(firm)_ ~ _on_ **a.** gribe (hårdt) fat i;
b. (_fig._) tage hånd i hanke med;
føre (skarp) kontrol med (fx
prices); _take a_ ~ _on oneself_ (_fig._)
tage sig selv i nakken; tage sig al-
vorligt sammen; (_se også relax_);
[_med præp._] **be** **at** -s with **a.** være
i heftig kamp med; **b.** (_fig._) bakse
med (fx _a problem_); _be_ **in** _sby's_ ~
være i ens magt; _be_ **in** _the_ ~ _of
sth_ være grebet af noget (fx _no-
stalgia_); være i nogets vold (fx
famine); **come/get** **to** -s _with_
a. komme i heftig kamp med;
b. (_fig._) give sig i kast med, tage
alvorligt fat på (fx _a problem_); få
hold på.
grip² [grip] _vb._ **1.** gribe; gribe/tage
fat i (fx _a rope_); **2.** (_fig._) gribe (fx
-_ped by fear, a story that_ -_ped
me_); få tag i; fængsle (fx _one's at-
tention_);
□ ~ _the audience_ få tag i/gribe til-

hørerne; ~ _the road_ (_om dæk_)
have vejgreb.
gripe¹ [graip] _sb._ (_se også gripes_) T
klagepunkt; beklagelse.
gripe² [graip] _vb._ **1.** T brokke sig
(_about_ over); **2.** (_mar.: især red-
ningsbåd_) fastsurre;
□ _be_ -d have mavekneb; _it_ -d _my
belly_ det gav mig mavekneb.
gripes [graips] _sb. pl._ **1.** (_glds._) ma-
vekneb; bugvrid; **2.** (_mar._) bådsur-
ring.
griping ['graipiŋ] _adj.:_ ~ _pain_ ma-
vekneb.
gripper ['gripə] _sb._ **1.** griberedskab;
2. (_typ._) griber.
gripping ['gripiŋ] _adj._ dybt fængs-
lende.
gripsack ['gripsæk] _sb._ (_am._) rejse-
taske.
grisly ['grizli] _adj._ uhyggelig;
gruopvækkende.
Grisons ['gri:zɔ:ŋ] (_geogr._) Grau-
bünden.
grist [grist] _sb._ **1.** korn som skal
males; **2.** groft malet korn; skrå;
3. (_til brygning_) knust malt; malt-
skrå; **4.** (_am._) portion;
□ _that is_ ~ _to the mill_ det frem-
mer foretagendet; _that is_ ~ _to his
mill_ det er vand på hans mølle;
det passer i hans kram; _all is_ ~
that comes to his mill han forstår
at udnytte enhver mulighed; han
kan få noget ud af alting.
gristle ['grisl] _sb._ brusk.
gristly ['grisli] _adj._ brusket; brusk-
agtig.
grit¹ [grit] _sb._ (_se også grits_) **1.** grus;
2. sandsten; **3.** (_fig._) rygrad; ben i
næsen.
grit² [grit] _vb._ **1.** (_isglat vej etc._)
gruse; **2.** (_om lyd_) skurre, knase;
□ ~ _one's teeth_ **a.** skære tænder;
b. (_fig._) bide tænderne sammen;
through -_ted teeth_ sammenbidt.
grits [grits] _sb. pl._ (_am._) **1.** majs-
grød; **2.** groft malet majs.
gritter ['gritə] _sb._ grusvogn.
gritty ['griti] _adj._ **1.** (_om person_) be-
stemt; karakterfast; **2.** (_om skil-
dring etc._) kras; realistisk; **3.** (_om
overflade_) gruset; **4.** (fx _om bær_)
med jord på, jordet;
□ ~ _pear_ stenet pære.
grizzle ['grizl] _vb._ T **1.** beklage sig,
jamre, klynke; **2.** (_om baby_)
klynke, være vrøvlet.
grizzled ['grizld] _adj._ gråsprængt.
grizzly ['grizli] _sb._ (_zo._) gråbjørn.
grizzly bear _sb._ = _grizzly_.
groan¹ [grəun] _sb._ stønnen; jamren.
groan² [grəun] _vb._ **1.** stønne; jamre;
2. T brokke sig; klage; **3.** (_om træ_)
knage;
□ ~ _under_ (_fig._) stønne under (fx

the weight of high taxes); _the
table_ -_ed with food_ bordet bug-
nede af mad.
groats [grəuts] _sb. pl._ havregryn.
grocer ['grəusə] _sb._ købmand.
groceries ['grəusəriz] _sb. pl._ køb-
mandsvarer.
grocer's ['grəusəz] _sb._ (_pl. grocers'_)
købmandsforretning.
grocery ['grəus(ə)ri] _sb._ købmands-
forretning; (_se også groceries_).
grockle ['grɔkl] _sb._ (_neds._) turist.
grog [grɔg] _sb._ grog; toddy.
groggy ['grɔgi] _adj._ T groggy; omtå-
get; usikker på benene.
groin [grɔin] _sb._ **1.** (_del af kroppen_)
lyske; skridt (fx _he was kicked in
the_ ~); **2.** (_arkit.: hvor to hvælv
mødes_) grat, kappesøm; **3.** se
groyne.
grommet ['grɔmət] _sb._ **1.** (_i snøre-
hul_) øje, ring; **2.** (_mar._) grommet-
ring; (_tov_)krans, strop.
gromwell ['grɔmwəl] _sb._ (_bot._) sten-
frø.
groom¹ [gru:m, grum] _sb._ **1.** stald-
karl; hestepasser; rideknægt;
2. (_ved bryllup_) brudgom; **3.** (_ved
hoffet_) [_titel for skellige hofem-
bedsmænd_].
groom² [gru:m, grum] _vb._ **1.** (_dyr_)
passe; pleje; (_hest især_) strigle;
2. (_om dyreadfærd_) soignere;
nusse; rense/pille pels på; **3.** (_per-
son: til speciel opgave_) oplære,
skole, træne (_for_ til);
□ _well_ -_ed_ (_om person_) soigneret,
velplejet; _badly_ ~ (_om person_)
usoigneret.
grooming ['gru:miŋ, 'grumiŋ] _sb._
pleje; soignering.
grooming parlour _sb._ hundesalon.
groove [gru:v] _sb._ **1.** fure; rende;
rille; **2.** (_i bræt_) not; **3.** (_foldning: i
bogryg etc._) fals; **4.** (_profil i liste,
også arkit._) hulkel; **5.** (_i grammo-
fonplade_) rille; **6.** (_fig._) skure;
7. (_mus._) rytme;
□ _be in a_ ~ **a.** (_jf._ 6) sidde fast i
den samme skure; **b.** = _be in the_
~; _settle down_ **in** _one's_ ~ (_jf._ 6)
komme i de vante folder igen; **in**
the ~ (T: _i sport etc._) i fineste
form; i stødet; _we're in the_ ~
(_også_) det går strygende; _it is in
the_ ~ (_mus._) det swinger; _get_ **into**
_a_ ~ (_jf._ 6) komme ind i en fast
skure; _get back_ **into the** ~ (T: _i
sport etc._) komme i form igen.
grooved [gru:vd] _adj._ rillet; furet;
(_se også tongue²_).
groovy ['gru:vi] _adj._ (_glds._ T) skøn;
moderne, in.
grope¹ [grəup] _sb._ T følen, befam-
len, fumleri;
□ _have a_ ~ tage/gramse på en.

grope² [grəup] *vb.* **1.** famle; føle sig for; famle sig (*fx towards the door*); **2.** T tage på; (*neds.*) gramse på, rage på;
□ ~ *for* **a.** famle efter; **b.** (*fig.*) søge/lede efter; ~ *one's way* famle sig frem.
groper ['grəupə] *sb.* **1.** T en der gramser; **2.** (*austr.*) = *grouper*.
grosbeak ['grəusbi:k] *sb.* (*zo.*) kernebider.
gross¹ [grəus] *sb.* (*pl. d.s./-es*) (*glds. mængdeangivelse*) gros [*tolv dusin*].
gross² [grəus] *adj.* **1.** grov (*fx exaggeration; insult; error; neglect*); (*om optræden, ytring også*) plump, sjofel; **2.** (*om persons omfang*) smældfed; tyk, uformelig; **3.** T (ekstremt) ulækker; afskyelig; **4.** (*merk.*) brutto- (*fx amount; income; weight*);
□ ~ *feeder* grovæder.
gross³ [grəus] *vb.* **1.** (*indtægt*) tjene brutto; **2.** (*fortjeneste*) indbringe brutto;
□ ~ *out* (*am.* T) få til at væmmes; virke ækel på.
gross⁴ [grəus] *adv.* brutto (*fx he earns £20,000* ~).
gross domestic product *sb.* (*økon*) **1.** (~ *at market prices*) bruttonationalprodukt; **2.** (~ *at factor cost*) bruttofaktorindkomst.
gross indecency *sb.* (*jur.*) uterlighed; uterligt forhold.
gross national product *sb.* (*økon*) **1.** bruttonationalindkomst; **2.** (*am.*) bruttonationalprodukt.
Grosvenor ['grəuv(ə)nə].
grot [grɔt] *sb.* T møg; affald.
grotesque¹ [grə'tesk] *sb.* **1.** (*i kunst*) grotesk; **2.** (*typ.*) grotesk.
grotesque² [grə'tesk] *adj.* grotesk, barok, besynderlig, absurd.
grotto ['grɔtəu] *sb.* grotte.
grotty ['grɔti] *adj.* **1.** ulækker, ækel, uhumsk; **2.** tarvelig, elendig;
□ *feel* ~ have det elendigt.
grouch¹ [grautʃ] *sb.* T **1.** gnavpotte; **2.** gnavenhed.
grouch² [grautʃ] *adj.* T mukke; brokke sig (*about* over).
grouchy ['grautʃi] *adj.* T sur, gnaven, vranten.
ground¹ [graund] *sb.* (se også *grounds*) **1.** jord, grund (*fx holy* ~; *the* ~ *is slipping under him*); (se også *common, forbidden*); **2.** (*med adj.: om slags*) terræn (*fx hilly// marshy//open//rising* ~); (se også *high ground*); **3.** (*afgrænset stykke*) plads (*fx camping* ~; *parade* ~); **4.** (*i sport*) bane (*fx football* ~); **5.** (*i maleri, mønster etc.*) grund, bund (*fx a red cross on a*

white ~); baggrund; (*farve*) bundfarve; **6.** (*mar.*) grund, bund; **7.** (*am.: elek.*) jordforbindelse; jordledning;
□ ~ *for* (*fig.*) basis for; grobund for (*fx fascist ideas*); *a* ~ *for* begrundelse for; grundlag for;
[*med vb.*] *break* ~ **a.** begynde at grave grunden ud (*for til, fx a new building*); **b.** (*fig. om person*) tage de indledende skridt; gå i gang; **c.** (*fig. om noget nyt*) komme til verden; blive 'til; *break fresh/new* ~ **a.** opdyrke ny jord; **b.** (*fig.*) være banebrydende; *change one's* ~ = *shift one's* ~; *cover much* ~ **a.** komme et godt stykke videre (frem); **b.** (*fig.*) nå en hel del; komme meget stof igennem; *cover new* ~ (*fig.*) tage nye emner op til behandling; *cut the* ~ *from under sby/sby's feet* (*fig.*) tage grunden væk under (fødderne på) én; *gain* ~ vinde terræn; *give* ~ vige; trække sig tilbage; *hit the* ~ *running* starte for fuldt tryk; *hold/ keep one's* ~ **a.** stå fast; holde stand; holde stillingen; **b.** (*om priser*) holde sig; *lose* ~ **a.** tabe/ miste terræn; vige; **b.** (*fig.*) miste indflydelse; *prepare the* ~ (*fig.*) berede jordbunden; gøde jorden; *shift one's* ~ skifte standpunkt/ mening; ændre holdning/signaler; ændre taktik; *stand one's* ~ se ovf.: *hold one's* ~; *take the* ~ (*mar.*) løbe på grund; (se også *burn*²);
[*forb. med præp.*] *above* ~ **a.** over jorden; **b.** (*fig.*) levende; *below* ~ **a.** under jorden; **b.** (*fig.*) død; *this suits me down to the* ~ dette passer mig glimrende; *from the* ~ *up* (*fig.*) fra grunden; *run it into the* ~ **a.** slide det op; **b.** (*am.* T) overdrive det; *run sby into the* ~ overanstrenge en; drive rovdrift på en; *run/work/drive oneself into the* ~ pukle sig halvt ihjel; *get off the* ~ **a.** (*flyv.*) lette; **b.** (*fig.*) komme i gang; blive til noget; komme op og stå; *get sth off the* ~ (*fig.*) få noget op at stå; *on firm//neutral// safe* ~ på fast//neutral//sikker grund; *be on firm* ~ (*også*) have fast grund under fødderne; *on one's own* ~ på hjemmebane; (se også *shaky, stony*); *on the* ~ **a.** på jorden; **b.** (*fig.*) der hvor det foregår; blandt almindelige mennesker; *have both feet on the* ~ (*fig.*) have begge ben på jorden; *they are thick//thin on the* ~ de er meget almindelige//sjældne; *on the* ~ *of* på grund af; *go to* ~ gå under jorden; *fall to the* ~ **a.** falde

ned på jorden//gulvet; **b.** falde om; **c.** (*fig.*) falde til jorden; slå fejl; (se også *ear*¹).
ground² *vb.* **1.** sætte//lægge på jorden; **2.** (*mar.*) sætte på grund; (*uden objekt*) gå på grund; **3.** (*flyv.*) give startforbud; **4.** (*ved maling*) grunde; **5.** (*am. elek.*) jordforbinde, jorde; **6.** (*am.* T: *barn*) give udgangsforbud;
□ ~ *arms* nedlægge våbnene; *be -ed* (*flyv.*) ikke (kunne) gå op; have startforbud;
[*med præp.*] ~ *in* indføre i (*fx* ~ *him in Latin*); undervise i begyndelsesgrundene i; *be -ed in* se ndf.: *be -ed on*; *be well -ed in* være velfunderet i, have gode kundskaber i (*fx history*); *be -ed on* være baseret på, basere sig på (*fx a theory -ed on new facts*); være grundet på.
ground³ [graund] *præt. & præt. ptc. af grind*².
ground⁴ [graund] *adj.* (jf. *grind*²) **1.** malet (*fx coffee*); knust (*fx cumin*); **2.** slebet (*fx lens*); (se også *ground glass*).
ground bait *sb.* bundmadding.
ground ball *sb.* jordstryger.
ground bass *sb.* (*mus.*) ostinat bas; basso ostinato [*stadig gentaget bastema*].
ground beef *sb.* (*am.*) hakket oksekød.
ground beetle *sb.* (*zo.*) løbebille.
ground-breaking ['graun(d)breikiŋ] *adj.* banebrydende.
ground cloth *sb.* (*am.*) = *groundsheet*.
ground control *sb.* [*kontrolpersonale der styrer start og landing af rumfartøjer og fly*].
ground cover *sb.* (*i bed*) bunddække.
ground crew *sb.* (*flyv.*) jordpersonel.
grounded ['graundid] *adj.*: *be* ~ *in//on* se *ground*².
ground effect machine *sb.* (*am.*) luftpudefartøj.
grounder ['graundə] *sb.* jordstryger.
ground floor *sb.* stueetage;
□ *come in/get in/be let in on the* ~ være med fra begyndelsen.
ground forces *sb. pl.* landstyrker.
ground game *sb.* [*harer og kaniner*].
ground glass *sb.* matteret glas.
groundhog ['graundhɔg] *sb.* (*am. zo.*) skovmurmeldyr.
grounding ['graundiŋ] *sb.* **1.** grundlæggende undervisning; grundlag (*fx a good* ~ *in French*); **2.** (*mar.*) grundstødning; **3.** (*maling*) grunding; **4.** (*am.: for barn*) udgangs-

forbud.

ground ivy sb. (*bot.*) korsknap.

groundless ['graun(d)ləs] adj. grundløs.

ground level sb. **1.** jordniveau; **2.** (*af hus*) stueetage.

groundnut ['graun(d)nʌt] sb. jordnød.

ground plan sb. **1.** grundrids; grundplan; **2.** (*fig.*) generel plan.

ground rent sb. jordafgift, jordleje, grundafgift.

ground rules sb. pl. **1.** grundregler; grundprincipper; **2.** (*fig.*) spilleregler.

grounds [graundz] sb. pl. **1.** grund, årsag; **2.** begrundelse; motivering; (*jur.*) domspræmisser; **3.** (*i væske*) bundfald; grums (*fx coffee* ~); **4.** (*til hus etc.*) have; park, anlæg; □ ~ *for* grundlag for (*fx complaint*); *give* ~ *for* (*også*) berettige; *on very good* ~ af særdeles gode grunde; *on the* ~ *of//that* på grund af//af at.

groundsel ['graun(d)s(ə)l] sb. (*bot.*) brandbæger.

groundsheet ['graun(d)ʃi:t] sb. teltunderlag; liggeunderlag.

groundskeeper ['graun(d)zki:pər] sb. (*am.*) = *groundsman.*

groundsman ['graun(d)zmən] sb. (*pl. -men* [-mən]) opsynsmand [*i park el. på sportsplads*].

ground speed sb. (*flyv.*) distancefart, beholden fart, fart over grunden.

ground squirrel sb. (*zo.*) jordegern.

ground staff sb. **1.** (*flyv.*) jordpersonel; **2.** (*på sportsplads*) personale.

groundstroke ['graun(d)strəuk] sb. (*i tennis*) grundslag.

groundswell ['graun(d)swel] sb. **1.** (*mar.*) underdønning; **2.** (*blandt folk*) (pludselig opstået, stærk) stemning.

groundwater ['graun(d)wɔ:tə] sb. grundvand.

ground wave sb. (*radio.*) jordbølge.

ground wire sb. (*am.*) jordledning, afleder.

groundwork ['graun(d)wə:k] sb. grundlag, fundament.

Ground Zero sb. [*tomten hvor World Trade Center stod*].

ground zero sb. **1.** (*mil.: for atomeksplosion*) jordpunkt; centrum; **2.** (*fig.*) udgangspunkt.

group¹ [gru:p] sb. **1.** gruppe; hold; **2.** (*merk.*) koncern, gruppe; **3.** (*flyv.*) flyveregiment.

group² [gru:p] vb. **1.** gruppere; **2.** (*uden objekt*) gruppere sig.

group captain sb. (*i flyvevåbnet*) oberst.

grouper ['gru:pə] sb. (*zo.*) hav-

aborre.

groupie ['gru:pi] sb. T groupie [*pige der render efter popmusikere el. andre berømtheder*].

grouping ['gru:piŋ] sb. gruppering.

group therapy sb. (*med.*) gruppeterapi.

groupuscule ['gru:pəskju:l] sb. udbrydergruppe; □ *-s* (*også*) smågrupper.

grouse¹ [graus] sb. (*pl. d.s.*) rype; (se også *black grouse, hazel grouse* (*etc.*)).

grouse² [graus] sb. (*pl. -s*) klage; beklagelse.

grouse³ [graus] vb. (jf. *grouse¹*) brokke sig; give ondt af sig; gøre vrøvl.

grout¹ [graut] sb. cementmørtel.

grout² [graut] vb. udfylde med cementmørtel; udstøbe; understøbe; □ ~ *in* indstøbe.

grove [grəuv] sb. **1.** lund (*fx an olive* ~); lille skov; **2.** (*af frugttræer*) plantage; **3.** (*litt.*) træklynge.

grovel ['grɒv(ə)l] vb. **1.** ligge//kaste sig i støvet; **2.** kravle rundt [*og lede efter noget*]; □ ~ *before* (jf. 1) krybe for, ligge på maven for; kaste sig næsegrus for.

grovelling ['grɒv(ə)liŋ] adj. krybende.

grow [grəu] vb. (*grew, grown*) (se også *growing, grown*) **1.** vokse (*fx you have grown*); **2.** (*om plante*) vokse, gro; **3.** (*om andet*) vokse, tiltage (*fx dissatisfaction//his popularity is -ing*); stige, øges; **4.** (+ *adj.*) blive (*fx you are -ing old*); **5.** (*med objekt*) dyrke (*fx flowers*); (se også *beard*); □ ~ *a new branch* (*om et træ*) skyde en ny gren; ~ *to* + *inf.* efterhånden komme til at (*fx I grew to like her*); ~ *to be* efterhånden blive; [*med præp., adv.*] ~ *apart* vokse fra hinanden; ~ *away from* vokse fra; ~ *from* se ndf.: ~ *out of, a;* ~ *in* vokse i (*fx importance; strength*); ~ *in wisdom* (*også*) blive klogere; ~ *into* a. 'blive til, udvikle sig til (*fx it grew into a habit//a crisis*); **b.** (*tøj*) blive stor nok til; komme til at passe; **c.** (*job, rolle*) blive bedre til; komme til at fylde ud; *it -s on you* det vinder ved nærmere bekendtskab; man kommer efterhånden til at synes om//holde af det; *bad habits* ~ *on one* dårlige vaner bliver til ens anden natur/tager overhånd; ~ *out of* a. opstå af, følge af, være en følge af; **b.** (*tøj, vane, sygdom etc.*) vokse fra; *you* ~ *out*

of it (*også*) det foretager sig med alderen; ~ *out of use* gå af brug; ~ *up* a. vokse op (*fx he grew up in Scotland*); **b.** blive voksen (*fx what do you want to be when you* ~ *up? it is time you grew up!*); **c.** vokse frem (*fx small sects grew up*); ~ *up!* hold op med at være så barnlig!

growbag ['grəubæg] sb. plantesæk.

grower ['grəuə] sb. dyrker; producent; □ *rapid//slow -s* hurtigt//langsomt voksende blomster//træer etc.

growing ['grəuiŋ] adj. voksende, stigende, tiltagende.

growing bag sb. plantesæk.

growing pains sb. pl. **1.** (*med.: hos børn*) voks(e)værk; **2.** (*hos unge*) pubertetsvanskeligheder; **3.** (*hos organisation*) begyndervanskeligheder.

growing point sb. vækstpunkt.

growing season sb. vækstperiode.

growl¹ [graul] sb. (jf. *growl²*) **1.** knurren, snerren; **2.** snerren; **3.** brummen; **4.** rumlen.

growl² [graul] vb. **1.** (*om hund*) knurre, snerre; **2.** (*om person*) snerre; **3.** (*om maskine*) brumme; **4.** (*om torden*) rumle.

grown¹ [grəun] præt. ptc. af grow; □ *be* ~ *over* være tilgroet.

grown² [grəun] adj. **1.** voksen (*fx man; woman*); **2.** (*om dyr*) voksen, fuldt udvokset (*fx lion*); □ *a* ~ *person* en voksen; ~ *people* voksne.

grown-up ['grəunʌp] sb. voksen.

growth [grəuθ] sb. **1.** (*om plante, person: i højden*) vækst; **2.** (*om industri etc.: i omfang*) vækst, tiltagen, stigning (*fx of popularity*); udvidelse (*fx of trade*); **3.** (*personlig*) udvikling; **4.** (*af afgrøde*) dyrkning; avl (*fx* ~ *of fruit* frugtavl); produktion; **5.** (*om det der vokser*) vegetation, bevoksning (*fx new* ~); **6.** (*om det noget er vokset*) tilvækst (*fx population* ~); **7.** (*med.*) svulst (*fx a cancerous* ~); □ *of one's own* ~ hjemmeavlet; *young* ~ ungskov.

growth industry sb. vækstindustri.

growth rate sb. vækstrate; stigningstakt.

groyne [grɔin] sb. høfde.

grub¹ [grʌb] sb. **1.** larve; (kål)orm; maddike; **2.** T mad, æde, foder.

grub² [grʌb] vb. **1.** (*for at finde*) grave, rode (*for* efter); **2.** (*fig.*) pukle, slide (*for* for); **3.** (*jord: for rødder etc*) rydde, rense; grubbe; □ ~ *sth* *from/off* sby (*am.* S) bomme en for noget, bomme noget fra en (*fx could I ~ a cigarette off you?*); ~ **out/off a.** (*af jorden*) grave/rode op; **b.** (*fig.*) grave/rode frem; ~ **through** *old files* gennemstøve gamle arkiver.

grubbing mattock *sb.* ryddehakke.

grubby ['grʌbi] *adj.* T **1.** beskidt; snavset, snusket; **2.** (*fig.*) lurvet, snusket (*fx compromise*).

grubstake ['grʌbsteik] *sb.* (*am.* T) [lån til startkapital//levering af forsyninger mod andel i udbyttet].

Grub Street *sb.* [tidligere navn på gade i London]; underbetalte forfattere.

grudge[1] [grʌdʒ] *sb.*: bear/owe sby a ~, have/harbour/hold a ~ against sby bære nag til en; have et horn i siden på en.

grudge[2] [grʌdʒ] *vb.* (se også *grudging*) **1.** nære modvilje mod (*fx he -d the work and time that the meeting involved*); **2.** ikke unde; □ *he -s me even the food I eat* han under mig ikke engang den mad jeg spiser; ~ *doing it* gøre det modstræbende, ikke være meget for at gøre det; *I wouldn't* ~ *doing it if ...* jeg ville ikke have noget imod at gøre det hvis ...; ~ *no effort* ikke spare nogen anstrengelse.

grudge match *sb.* [kamp//strid med nogen man længe har haft et horn i siden på].

grudging ['grʌdʒiŋ] *adj.* **1.** modstræbende (*fx admiration*); modvillig; **2.** (*om portion*) smålig, kneben, knapt tilmålt.

gruel ['gruəl] *sb.* havresuppe; vælling.

gruelling ['gruəliŋ] *adj.* skrap; anstrengende, udmattende, opslidende;
□ *submit him to a* ~ *examination* hegle ham igennem.

gruesome ['gru:səm] *adj.* uhyggelig, makaber.

gruff [grʌf] *adj.* **1.** (*om væsen*) barsk, brysk, studs; bøs, bister; **2.** (*om stemme*) grov, ru.

grumble[1] ['grʌmbl] *sb.* **1.** beklagelse (*about* over); **2.** (*om lyd*) rumlen (*fx of guns; of thunder*).

grumble[2] ['grʌmbl] *vb.* **1.** beklage sig, gøre vrøvl; brokke sig, give ondt af sig; **2.** (*om ytring*) brumme (*fx he -d something about it being too late*); **3.** (*om lyd*) rumle.

grumbler ['grʌmblə] *sb.* **1.** skumler, brokkehoved, krakiler; **2.** brumbasse.

grumpy ['grʌmpi] *adj.* sur, gnaven; vranten, vrissen.

grunge [grʌn(d)ʒ] *sb.* **1.** (*mus.; tøjmode*) grunge; **2.** (*am.* S) skidt,

snavs.

grungy ['grʌndʒi] *adj.* snusket; beskidt.

grunt[1] [grʌnt] *sb.* **1.** (jf. *grunt*[2]) grynten; grynt; (*persons også*) brummen; **2.** (*am. mil.* S: *især i Vietnamkrigen*) fodtusse, knoldesparker.

grunt[2] [grʌnt] *vb.* **1.** (*om svin*) grynte; **2.** (*om person*) grynte, brumme.

gsoh *fork. f.* good sense of humour.

G-string ['dʒi:striŋ] *sb.* g-streng [lille klædningsstykke der lige skjuler skridtet].

G-suit ['dʒi:su:t] *sb.* trykdragt.

guan [gwa:n] *sb.* (zo.) hokko [en fugl].

guano ['gwa:nəu] *sb.* guano, fuglegødning.

guarantee[1] [gærən'ti:] *sb.* **1.** garanti; **2.** (*for lån etc.*) sikkerhed; **3.** (*for en andens lån*) kaution; □ ~ *a guarantee* (jf. 1) være dækket af en garanti; *it is still under* ~ (jf. 1) den er stadig dækket af garantien.

guarantee[2] [gærən'ti:] *vb.* **1.** garantere; garantere for; **2.** (*en andens lån*) kautionere for;
□ *it is -d for two years* der er to års garanti på den.

guarantor [gærən'tɔ:] *sb.* **1.** garant; **2.** (*for lån*) kautionist.

guaranty ['gærənti] *sb.* se *guarantee*[1]: 2, 3.

guard[1] [ga:d] *sb.* **A.** (*person(er)*) **1.** (*enkelt*) vagt; vagtpost; **2.** (*flere*) vagt, vagtstyrke; garde; **3.** (*i fængsel*) fængselsbetjent; **4.** (*i tog*) togfører; togbetjent; **5.** (*i sport omtr.*) forsvarsspiller;
B. (*ting*) **1.** skærm; gitter; rækværk; **2.** (*på kårde*) parerplade; **3.** (*på gevær*) aftrækkerbøjle; **4.** (*til lommeur*) urkæde;
C. (*handling*) **1.** bevogtning (*fx he was under* ~); **2.** beskyttelse (*against* mod); **3.** (*persons*) opmærksomhed, årvågenhed; **4.** (*i sport*) dækstilling;
□ *the Guards* livgarden; ~ *of honour* æresvagt; æreskompagni;
[med vb.] *lower one's* ~ slække på opmærksomheden; sænke paraden; *mount* ~ stille sig//stå på vagt; *mount* ~ *over* **a.** bevogte; **b.** beskytte; *raise one's* ~ stille sig i forsvarsstilling; *relax one's* ~ give sig en blottelse; *relieve the* ~ afløse vagten; *stand* ~ stå skildvagt; stå på vagt;
[med præp.] *off* ~, off one's ~ uforsigtig; uopmærksom; *be off (one's)* ~ (*også*) ikke tage sig i agt; *catch him off* ~ overrumple ham;

throw him off ~ bringe ham ud af fatning; få ham til at blotte sig; *on* ~ **a.** på vagt; på post; **b.** (*i fægtning*) i dækstilling; **c.** (*fig.*) = *on one's* ~; *go on* ~ stille sig på vagt; *be on one's* ~ være på vagt/på sin post (*against* over for); tage sig i agt (*against* over for); *keep* **under** *a strong* ~ bevogte omhyggeligt.

guard[2] [ga:d] *vb.* (se også *guarded*) **1.** (*sted, person*) bevogte (*fx prisoners*); holde vagt ved; **2.** (*oplysning, fordel etc.*) våge over; beskytte, værne om; **3.** (*i skak*) dække; **4.** (*tekn.*) afskærme;
□ ~ *against* **a.** gardere/sikre sig imod; forebygge; **b.** tage sig i agt for; ~ *the building against attack* beskytte bygningen mod angreb; ~ *your tongue!* (*glds.*) vogt din tunge!

guard dog *sb.* vagthund.

guarded ['ga:did] *adj.* (*fig.*) forbeholden (*fx reply*); reserveret; forsigtig (*fx optimism*).

guardhouse ['ga:dhaus] *sb.* vagtbygning; vagt.

guardian ['ga:diən] *sb.* **1.** (*jur.*) formynder; værge; **2.** F beskytter, vogter (*fx of public morality*);
□ *the -s of the law* retfærdighedens håndhævere.

guardian angel *sb.* skytsengel.

guardianship ['ga:diənʃip] *sb.* formynderskab; værgemål.

guard rail *sb.* **1.** rækværk, gelænder; **2.** (*am.*) autoværn.

guardroom ['ga:dru(:)m] *sb.* vagtstue.

guardsman ['ga:dzmən] *sb.* (*pl. -men* [-mən]) garder.

guava ['gwa:və] *sb.* (*bot.*) guava [en frugt].

gubbins ['gʌbinz] *sb.* T ragelse, skrammel.

gubernatorial [gu:b(ə)nə'tɔ:riəl] *adj.* (*am.*) guvernør-.

guddle ['gʌdl] *sb.* (*skotsk*) roderi.

gudgeon ['gʌdʒ(ə)n] *sb.* **1.** (zo.) grundling [lille karpefisk]; **2.** (*i hængsel*) tapleje; **3.** (*mar.*) rorløkke.

guelder rose ['geldərəuz] *sb.* (*bot.*) snebolle.

guerdon ['gə:d(ə)n] *sb.* (*glds.*) belønning.

guerilla *sb.,* **guerrilla** [gə'rilə] *sb.* guerillasoldat.

guess[1] [ges] *sb.* gæt, bud; gætning;
□ *at a* ~ *he is 60* jeg vil gætte på at han er 60; *have/make a* ~ gætte; *a rough* ~ et løst skøn; *I give you three -es* du må gætte tre gange;
[med genitiv] *it is anybody's* ~ det er ikke godt at vide; *my* ~ *is*

G guess

that jeg gætter på at; *your* ~ *is as good as mine* jeg er lige så usikker som du er.

guess² [ges] vb. **1.** (*om forsøg*) gætte (*fx you're just -ing!*); gætte på (*fx how old he is*); **2.** (*resultat*) gætte (*fx the result;* ~ *right/wrong*); gætte sig til (*fx the result*); □ ~ *at* gætte, gætte på; *I* ~ (*især am.*) formodentlig, vel (*fx I* ~ *he'll come*); sikkert (*fx I* ~ *you're right*); *keep them -ing* holde dem i uvished; *I should* ~ *his age at thirty, I should* ~ *him to be thirty* jeg gætter på at han er 30 år; ~ *what!* nu skal du bare høre!

guesstimate¹ ['gestimət] sb. løst overslag, slag på tasken.

guesstimate² ['gestimeit] vb. sjusse sig frem til.

guesswork ['geswə:k] sb. gætteri; gætteværk, gætværk.

guest [gest] sb. **1.** gæst; **2.** (*zo.: i sms.*) parasit; □ *be my* ~ *værsgo*'!

guest house sb. **1.** (*finere*) pensionat; hotelpension; **2.** (*ekstra hus til gæster*) gæstehus.

guest rope sb. (*mar.*) **1.** (*langs skibssiden*) vaterline; **2.** (*ved bugsering*) støttetov, slæber.

guff [gʌf] sb. ævl, pladder, vrøvl.

guffaw¹ [gʌ'fɔ:] sb. skraldende latter.

guffaw² [gʌ'fɔ:] vb. le højrøstet; T skraldgrine.

GUI fork. f. *graphical user interface* grafisk brugergrænseflade.

guidance ['gaid(ə)ns] sb. **1.** vejledning, rådgivning; **2.** (*tekn.*) styring.

guidance system sb. (*for raket*) styringssystem.

Guide [gaid] sb. pigespejder.

guide¹ [gaid] sb. **1.** fører; vejviser; **2.** (*for turister*) turistfører; turistguide; **3.** (*på museum etc.*) omviser; **4.** (*bog*) se *guidebook*; **5.** (*til at bedømme etc.*) vejledning, rettesnor; **6.** (*tekn.*) styr; styreskinne; **7.** (*spejder*) pigespejder.

guide² [gaid] vb. **1.** lede; føre; vise vej; **2.** (*turister*) guide, vise (*fx* ~ *them around the city*); **3.** (*køretøj, fly etc.*) styre (*fx a boat*); **4.** (*fig.*) vejlede; **5.** (*tekn.*) styre; □ *be -d by* lade sig lede af; rette sig efter.

guidebook ['gaidbuk] sb. **1.** håndbog, vejledning; **2.** (*for turister*) rejsefører, rejsehåndbog, guidebog, turistguide.

guide card sb. (*i kartotek*) fanekort.

guided ['gaidid] adj. **1.** (*om rundvisning*) med fører; **2.** (*om raket*) styrbar; fjernstyret.

guide dog sb. (*til blind*) førerhund.

guided tour sb. rundvisning, omvisning.

guidelines ['gaidlainz] sb. pl. retningslinjer.

guideway ['gaidwei] sb. (*tekn.*) styreskinne; styreliste; styr.

guiding ['gaidiŋ] adj. ledende.

guiding light sb. forbillede.

guiding principle sb. ledende princip.

guiding spirit sb. forbillede.

guild [gild] sb. gilde; lav.

guilder ['gildə] sb. gylden [hollandsk mønt].

guildhall ['gildhɔ:l] sb. gildehus; lavshus; □ *the Guildhall* [*rådhuset i the City of London*].

guile [gail] sb. F list, snuhed; falskhed, svig.

guileful ['gailf(u)l] adj. F listig, snu; svigefuld.

guileless ['gailləs] adj. uden svig, ærlig; troskyldig.

guillemot ['gilimɔt] sb. (*zo.*) lomvi; (*se også black guillemot*).

guillotine¹ [gilə'ti:n] sb. **1.** guillotine; **2.** (*til papir*) skæremaskine; **3.** (*i Underhuset*) bestemmelse der fastsætter begrænset tid til behandlingen af et lovforslag].

guillotine² [gilə'ti:n] vb. **1.** guillotinere; **2.** (*om papir*) (be)skære.

guilt [gilt] sb. **1.** skyld; brøde; **2.** (*følelse*) skyld, skyldfølelse.

guiltless ['giltləs] adj. skyldfri; uden skyld, uskyldig (*of* i).

guilt trip sb. T tung skyldfølelse; □ *lay a* ~ *on sby* give en dårlig samvittighed; få en til at føle sig skyldig.

guilt-trip ['gilttrip] vb. give dårlig samvittighed.

guilty ['gilti] adj. **1.** skyldig (*of* i); **2.** brødebetynget; skyldbevidst; □ *feel* ~ have dårlig samvittighed.

guinea ['gini] sb. guinea [*værdibetegnelse for 105 p., tidligere 21 shilling*].

guineafowl ['ginifaul] sb. perlehøne.

guinea pig sb. **1.** marsvin; **2.** (*fig.*) forsøgskanin.

guise¹ [gaiz] sb. **1.** F forklædning; **2.** (*glds.*) dragt; påklædning; □ *in the* ~ *of* a. (*om person*) forklædt som; b. (*fig.*) = *under the* ~ *of*; *under the* ~ *of* (*fig.*) maskeret som (*fx advertising material under the* ~ *of information*); under der foregivende af; *under the* ~ *of friendship* under venskabs maske; *under the* ~ *of* + *-ing* under foregivende af at ville (*fx he went there under the* ~ *of studying*

English).

guise² [gaiz] vb. (*skotsk*) klæde sig ud.

guitar [gi'ta:] sb. (*mus.*) guitar.

guitarist [gi'ta:rist] sb. guitarist; guitarspiller.

gulch [gʌltʃ] sb. (*am.*) dyb kløft, slugt.

gulden ['guldən] sb. gylden [hollandsk mønt].

gules [gju:lz] sb. (*her.*) rødt.

gulf [gʌlf] sb. **1.** (hav)bugt; golf; **2.** afgrund; **3.** (*fig.*) afgrund, svælg (*fx the* ~ *between rich and poor*); □ *the Gulf of Bothnia* den Botniske Bugt; *the Gulf of Mexico* den Mexikanske Golf.

gulfweed ['gʌlfwi:d] sb. (*bot.*) sargassotang.

gull¹ [gʌl] sb. **1.** (*zo.*) måge; **2.** (*litt.*) dumrian, tåbe; □ *common* ~ stormmåge.

gull² [gʌl] vb. (*glds.*) narre (*into* + *-ing* til at); bedrage.

gullet ['gʌlit] sb. spiserør; □ *stick in one's* ~ sidde fast i halsen.

gullibility [gʌlə'biləti] sb. godtroenhed, blåøjethed.

gullible ['gʌləbl] adj. godtroende, blåøjet.

gull-wing ['gʌlwiŋ] adj.: ~ *door* tophængslet dør.

gully ['gʌli] sb. **1.** (dyb og snæver) kløft; regnkløft; erosionskløft; (*geol.*) ravine; **2.** kloaknedløb; rende, afløb.

gulp¹ [gʌlp] sb. slurk (*fx take a* ~ *of beer//tea*); mundfuld (*fx of air*); □ *at a//in one* ~ i én mundfuld; i ét drag; *give a* ~ se *gulp²* 2.

gulp² [gʌlp] vb. **1.** synke, nedsvælge; (*hurtigt*) sluge, tylle i sig; **2.** (*uden objekt: af nervøsitet*) gøre en synkende bevægelse; synke noget; synke en ekstra gang; □ ~ *back* one's *tears* holde tårene tilbage; ~ *down* synke; nedsvælge; sluge; ~ *down a sob* undertrykke en hulken; ~ *for* air gispe/snappe efter luft; ~ *for* breath gispe/hive efter vejret; ~ *out* fremhulke.

gum¹ [gʌm] sb. **1.** (*i munden*) gumme; tandkød; **2.** (*som udskilles fra især frugttræer*) gummi, harpiks; **3.** (*til at klæbe papir med*) gummi, lim; **4.** (*træ*) se *gum tree*; **5.** (*slik*) tyggegummi; (*se også gumdrop*); □ *-s* (*am.*) galocher; *by* ~ (*glds.* T) guud!

gum² [gʌm] vb. (*se også gummed*) klæbe, klistre (*onto* på; *together* sammen); □ ~ *up* T blokere; få til at gå i stå;

~ *up the works* (*fig.*) stikke en kæp i hjulet; sabotere foretagendet.

gum arabic [gʌm'ærəbik] *sb.* gummiarabicum.

gumbo ['gʌmbəu] *sb.* **1.** gumbo [*en tyk suppe*]; **2.** ler, fint sand [*der bliver klæbrigt og tæt når det bliver vådt*].

gumboil ['gʌmbɔil] *sb.* tandbyld.

gumboot ['gʌmbu:t] *sb.* gummistøvle.

gumdrop ['gʌmdrɔp] *sb.* vingummi.

gummed [gʌmd] *adj.* gummieret (*fx envelope*; *label*).

gummy ['gʌmi] *adj.* klæbrig, klistret.

gumption ['gʌm(p)ʃn] *sb.* T **1.** sund fornuft, omløb i hovedet; **2.** foretagsomhed, gåpåmod;
□ *he has no* ~ (*også*) der er ingen fut i ham.

gum resin *sb.* gummiharpiks.

gumshoe[1] ['gʌmʃu:] *sb.* (*glds. am.* S) detektiv.

gumshoe[2] ['gʌmʃu:] *vb.* (*glds. am.* S) snuse rundt.

gum tree *sb.* gummitræ; eucalyptus;
□ *be up a* ~ T være 'på den, være i en slem knibe.

gun[1] [gʌn] *sb.* **1.** skydevåben (*fx the police do not carry -s*); **2.** (*håndvåben*) gevær, bøsse; pistol, revolver; **3.** (*til granater*) kanon; **4.** (*til andet*) sprøjte; (*til gift*) insektsprøjte; (se også *grease gun*); **5.** (*ved signalering etc.*) skud (*fx a salute of 21 -s*); **6.** (*i sport*) startpistol;
□ *a big* ~ T en stor kanon [ɔ: *prominent person*]; (se også *hired gun*); *with -s blazing* (*fig.*) for fuldt tryk; helt oppe på mærkerne; [*med vb.*] *go great -s* gå for fuldt knald; *jump the* ~ tyvstarte; *spike sby's -s* **a.** forpurre ens forehavende; **b.** (*hist.*) fornagle ens kanoner; *stick to one's -s* stå fast, ikke give sig; holde på sit, ikke lade sig rokke fra sin overbevisning.

gun[2] [gʌn] *vb.*: ~ *down* skyde ned; pløkke ned; *be -ning for* T **a.** være ude efter (*fx one's rival*); prøve at få ram på; **b.** være ude efter, være på jagt efter (*fx a good job*); **c.** støtte (*fx a football team*).

gun battle *sb.* ildkamp.

gunboat ['gʌnbəut] *sb.* kanonbåd.

gun carriage *sb.* (*mil.*) kanonlavet.

guncotton ['gʌnkɔt(ə)n] *sb.* skydebomuld.

gun crew *sb.* (*mil.*) kanonbesætning.

gun deck *sb.* batteridæk; kanondæk.

gun dog *sb.* jagthund [*til jagt med gevær*].

gunfight ['gʌnfait] *sb.* skyderi, ildkamp.

gunfire ['gʌnfaiə] *sb.* skydning, skyderi; artilleriild, kanonild; geværild.

gunge [gʌn(d)ʒ] *sb.* T fedtet/klistret stads; fnadder.

gung-ho [gʌŋ'həu] *adj.* T **1.** (naivt) begejstret; (over)ivrig; **2.** krigslidderlig; hurrapatriotisk.

gunk [gʌŋk] *sb.* (*am.*) = *gunge*.

gunlock ['gʌnlɔk] *sb.* geværlås.

gunman ['gʌnmən] *sb.* (*pl.* -*men* [-mən]) revolvermand, pistolmand; revolverrøver, pistolrøver.

gunmetal ['gʌnmet(ə)l] *sb.* **1.** rødgods; **2.** (*farve*) blågråt; mørkegråt.

gunnel ['gʌn(ə)l] *sb.* **1.** (*zo.*) tangspræl; **2.** (*mar.*) = *gunwale*.

gunner ['gʌnə] *sb.* **1.** (*mil.*) artillerist; **2.** (*flyv.*) maskingeværskytte; **3.** (*mar.*) kanonér.

gunnery ['gʌnəri] *sb.* **1.** artilleri [*som fag*]; **2.** kanonbetjening.

gunny ['gʌni] *sb.* (*især am.*) groft paklærred; sækkelærred [*af jute*].

gunplay ['gʌnplei] *sb.* (*am.*) skyderi.

gunpoint ['gʌnpɔint] *sb.*: *at* ~ under tvang; under trussel om anvendelse af magt; med våbenmagt; *be held at* ~ blive holdt op med et skydevåben.

gun port *sb.* (*mar., flyv. etc.*) kanonport.

gunpowder ['gʌnpaudə] *sb.* krudt. **Gunpowder Plot** *sb.*: *the* ~ krudtsammensværgelsen [*Nov. 5, 1605*].

gunrunner ['gʌnrʌnə] *sb.* våbensmugler.

gunrunning ['gʌnrʌniŋ] *sb.* våbensmugleri.

gunship ['gʌnʃip] *sb.* (*mil.*) kamphelikopter.

gunshot ['gʌnʃɔt] *sb.* skud;
□ *within* ~ inden for skudvidde.

gunshot wound *sb.* skudsår.

gunshy ['gʌnʃai] *adj.* **1.** (*om hund*) skudangst, skudræd; **2.** (*fig.*) nervøs.

gunslinger ['gʌnsliŋə] *sb.* T pistolmand; gangster.

gunsmith ['gʌnsmiθ] *sb.* bøssemager.

gunstock ['gʌnstɔk] *sb.* geværskæfte.

gunwale ['gʌn(ə)l] *sb.* (*mar.*) essing; ræling.

guppy ['gʌpi] *sb.* (*zo.*) guppy [*en akvariefisk*].

gurgitation [gə:dʒi'teiʃn] *sb.* syden; kogen.

gurgle[1] ['gə:gl] *sb.* klukken, gurglen, boblen.

gurgle[2] ['gə:gl] *vb.* klukke, gurgle, boble.

Gurkha ['gə:kə, 'guəkə] *sb.* [*medlem af en hindustamme i Nepal*].

gurnard ['gə:nəd] *sb.* (*zo.*) knurhane [*en fisk*].

gurney ['gə:ni] *sb.* (*am.*) båre//hospitalsseng på hjul.

guru ['gu(:)ru:] *sb.* **1.** guru, åndelig vejleder/fører [*i Indien*]; **2.** (*fig.*) guru.

gush[1] [gʌʃ] *sb.* **1.** (pludselig) strøm; **2.** (*fig.*) overdreven begejstring;
□ *a* ~ *of* **a.** en kaskade af (*fx water*); **b.** (*fig.*) en overvældende strøm af (*fx praise*); et væld af (*fx enthusiasm*).

gush[2] [gʌʃ] *vb.* **1.** strømme, fosse (*from/out of* ud af, *fx blood -ed from his nose*); springe, vælde (frem); **2.** (*fig.*) tale overstrømmende (*about* om); svømme hen, juble (*over* over).

gusher ['gʌʃə] *sb.* **1.** oliekilde [*hvorfra olien strømmer af sig selv*]; løbsk oliekilde; **2.** T overstrømmende (sentimentalt) menneske.

gushing ['gʌʃiŋ] *adj.*, **gushy** ['gʌʃi] *adj.* overstrømmende, jublende.

gusset ['gʌsit] *sb.* **1.** (*i tøj*) kile; spjæld; **2.** (*i konstruktion*) vinkelforstærkning; hjørnebeslag.

gussy ['gʌsi] *vb.*: ~ *up* (*am.* T) stadse ud; pynte op.

gust [gʌst] *sb.* **1.** vindstød; kastevind; **2.** (*fig., litt.*) pludseligt anfald (*fx of rage*); udbrud (*fx -s of laughter*).

gustatory ['gʌstət(ə)ri] *adj.* smagssans.

gusto ['gʌstəu] *sb.* **1.** veloplagthed; iver; **2.** (*glds.*) velbehag.

gusty ['gʌsti] *adj.* blæsende (i stød); stormfuld; byget.

gut[1] [gʌt] *sb.* (se også *guts*) **1.** tarm; **2.** T mave; vom; **3.** (*materiale*) catgut;
□ *bust a* ~ T slide sig en pukkel til.

gut[2] [gʌt] *adj.* **1.** instinktiv, umiddelbar (*fx feeling; reaction*); **2.** som taler direkte til følelserne, fundamental (*fx issue*).

gut[3] [gʌt] *vb.* **1.** (*fisk etc.*) tage indvoldene ud af, rense; **2.** (*bygning*) ødelægge, rasere; **3.** (*fig.*) tømme, plyndre.

gutless ['gʌtləs] *adj.* T karakterløs, skvattet; slap.

guts [gʌts] *sb. pl.* **1.** tarme; indvolde; **2.** (*af maskine*) indvendige dele; indmad; **3.** (*fig.*: *om person*) karakterstyrke, rygrad; mod, gåpåmod; **4.** (*om tekst etc.*) (saft og) kraft; indhold; kerne;

□ *I hate his* ~ T jeg hader ham som pesten; *I'll have his* ~ *for garters* T jeg flår ham levende; *spill one's* ~ (*am.* S) komme frem med det hele; *sweat/work one's* ~ *out* S slide sig en pukkel til; slide sin røv i laser.

gutsy ['gʌtsi] *adj.* T **1.** karakterfuld; modig; frisk; **2.** (*om mad, drik*) kraftig.

gutted ['gʌtid] *adj.* **1.** (*om hus*) udbrændt; **2.** (T *om person: af skuffelse*) slået ud, knust; (*af træthed*) helt udkørt/ødelagt.

gutter[1] ['gʌtə] *sb.* **1.** (*på hus*) tagrende; **2.** (*ved vej*) rendesten; **3.** (*typ.*) indermargin; **4.** (*mellem frimærker i ark*) marginal;

□ *the* ~ (*fig.*) rendestenen, skidtet (*fx he'll end up in the* ~).

gutter[2] ['gʌtə] *vb.* (*litt.*) **1.** (*om lys*) løbe, dryppe; **2.** (*om flamme*) blafre, være ved at slukkes;

□ ~ *out* **a.** (*om lys*) (blafre og) gå ud; **b.** (*fig., am.*) fuse ud.

guttering ['gʌtəriŋ] *sb.* (*på hus*) tagrender.

gutter press *sb.* smudspresse.

guttersnipe ['gʌtəsnaip] *sb.* (*glds.*) gadedreng; rendestensunge.

guttural ['gʌt(ə)rəl] *adj.* guttural; strube-.

guv [gʌv] *sb.* (*glds.* S: *i tiltale*) mester.

guvnor ['gʌnə] *sb.* (*glds.* S) **1.** chef; **2.** (*brugt i tiltale*) mester; (*over for ens far*) du gamle;

□ *the* ~ den gamle, mester, chefen (*fx ask the* ~).

guy[1] [gai] *sb.* **1.** T fyr (*fx he is a nice* ~); **2.** Guy Fawkes-figur [*som bliver brændt på Guy Fawkes Night*]; fugleskræmsel; **3.** bardun; □ *you -s!* (*am.*) folkens! venner!

guy[2] [gai] *vb.* **1.** (jf. *guy*[1] 3) fastgøre//sikre med barduner; **2.** (*glds.*) gøre nar af.

Guy Fawkes Night ['gaifɔ:ksnait] *sb.* [*5. november*].

guy rope *sb.* bardun.

guzzle ['gʌzl] *vb.* T **1.** (*drik*) tylle/bælle i sig; **2.** (*mad*) fylde i sig, sluge; **3.** (*uden objekt*) fylde sig; fråse;

□ ~ *petrol* (*om bil*) være en benzinsluger.

guzzler ['gʌzlə] *sb.* fyldebøtte; grovæder; (se også *gas guzzler*).

gybe [dʒaib] *vb.* (*mar.*) gibbe; bomme; halse.

gym [dʒim] *sb.* T **1.** (*sal*) gymnastiksal; **2.** (*rum*) kondirum; **3.** (*sted*) motionscenter; **4.** (*fag*) gymnastik.

gymkhana [dʒimˈkɑːnə] *sb.* **1.** ride-

stævne; **2.** (*am.*) bilstævne.

gymnasium [dʒimˈneiziəm, (*2 også*) gimˈnɑːsiəm] *sb.* (*pl. -s/gymnasia* [dzimˈneiziə, (*2 også*) gimˈnɑːsiə]) **1.** gymnastiksal; gymnastikhus; (se også *gym*); **2.** (*i Tyskland, Skandinavien etc.*) gymnasium.

gymnast ['dʒimnæst] *sb.* gymnast.

gymnastic [dʒimˈnæstik] *adj.* gymnastisk; gymnastik-.

gymnastics [dʒimˈnæstiks] *sb.* gymnastik.

gymslip ['dʒimslip] *sb.* gymnastikdragt.

gynaecological [gainikəˈlɔdʒik(ə)l] *adj.* gynækologisk.

gynaecologist [gainiˈkɔlədʒist] *sb.* gynækolog, specialist i kvindesygdomme.

gynaecology [gainiˈkɔlədʒi] *sb.* gynækologi.

gyp[1] [dʒip] *sb.* **1.** (*ved et college , især i Cambridge*) tjener; **2.** (*am.* T) svindel, fup; (*person*) svindler; □ *give sby* ~ S **a.** gøre ondt; **b.** lave ballade; **c.** give en en omgang; skælde en ud.

gyp[2] [dʒip] *vb.* T snyde, fuppe.

gyppo ['dʒipəu] *sb.* (T: *neds.*) sigøjner.

gypsum ['dʒipsəm] *sb.* gips.

gypsy ['dʒipsi] *sb.* = *gipsy*.

gypsy cab *sb.* (*am.* S) taxi uden bevilling; pirat.

gyrate [dʒaiˈreit, (*am.*) 'dʒai-] *vb.* **1.** dreje rundt, rotere; **2.** (*om person*) vrikke, vride sig, sno sig.

gyration [dʒaiˈreiʃn] *sb.* (jf. *gyrate*) **1.** kredsbevægelse; kredsen; roteren; **2.** kropsvridning; **3.** (*om kurser*) spiralbevægelse; svingning.

gyratory ['dʒairət(ə)ri] *adj.* roterende.

gyrfalcon ['dʒə:fɔ:(l)kən] *sb.* jagtfalk.

gyro ['dʒairəu] *sb.* T gyroskop.

gyrocompass ['dʒairəkʌmpəs] *sb.* gyrokompas.

gyroscope ['dʒairəskəup] *sb.* gyroskop.

gyroscopic [dʒairəˈskɔpik] *adj.* gyroskopisk.

gyroscopic compass *sb.* gyrokompas.

gyve [dʒaiv] *sb.* (*glds.*) fodlænke.

H

H¹ [eitʃ].

H² *fork. f.* **1.** (*på blyant*) *hard*; **2.** (*om mål*) *height*; **3.** (*på gade-skilt*) *hydrant* brandhane; **4.** T *he-roin*.

ha¹ [ha:] *interj.* ha!

ha² *fork. f. hectare.*

haar [ha:] *sb.* havgus.

habeas corpus [heibiəs'kɔːpəs] *sb.* fremstillingskendelse [*kendelse om at en anholdt bliver fremstillet i retten med krav om begrundelse for anholdelsen*].

haberdasher ['hæbədæʃə] *sb.* **1.** [*forhandler af sy- og besæt-ningsartikler*]; **2.** (*am.*) herreekvi-peringshandler.

haberdashery ['hæbədəʃəri] *sb.* **1.** sy- og besætningsartikler; **2.** sy-forretning; **3.** (*am.*) herretøj, her-reekvipering; **4.** (*am.*) herreekvi-peringsforretning.

habit ['hæbit] *sb.* **1.** sædvane; vane; **2.** (*rel.*) ordensdragt; dragt; **3.** T af-hængighed; **4.** = *riding habit*; □ ~ *of mind* ændeling habitus; tem-perament; *it is a* ~ *with him* det er en vane han har; [*med vb.*] ~ *him of the habit* vænne ham af med det; *break the* ~ *of* + *-ing* vænne sig af med at; *form a* ~ få en vane; lægge sig an vane til; *he has a* ~ *of* + *-ing* han har en vane med at; *kick the* ~ vænne sig af med det; (*især*) holde op med at bruge narkotika; *make a* ~ *of it* gøre det til en vane; [*med præp.*] **from** (*force of*) ~ af gammel vane; *be in the* ~ *of* + *-ing* have for vane at; pleje at; *fall/ get into the* ~ *of* + *-ing* komme i vane med at; forfalde til at; *fall/ get into bad -s* tillægge sig/få dår-lige vaner; *out of* (*sheer*) ~ af (ren og skær) vane; *get out of a* ~ komme ud af vane med noget.

habitable ['hæbitəbl] *adj.* beboelig.

habitat ['hæbitæt] *sb.* (*bot.*) vokse-sted; (*zo.*) levested; □ *in their natural* ~ i naturlige omgivelser.

habitation [hæbi'teiʃn] *sb.* **1.** bebo-else (*fx unfit for human* ~); **2.** bo-lig.

habitual [hə'bitʃuəl] *adj.* **1.** vane-

mæssig (*fx drug use*); vane- (*fx offender* forbryder); **2.** sædvanlig (*fx his* ~ *morning walk*).

habitually [hə'bitʃuəli] *adv.* **1.** vanemæssigt; **2.** jævnligt.

habituate [hə'bitʃueit] *vb.* **1.** vænne (*sby to sth* en til noget); **2.** (*am.*) T være stamgæst i.

habituation [həbitʃu'eiʃn] *sb.* til-vænning.

habitué [hə'bitjuei] *sb.* F stamgæst; fast gæst.

hachures [hæ'ʃuəz] *sb. pl.* skrave-ring [*fx på landkort*].

hacienda [hæsi'endə] *sb.* gård; plantage [*i Latinamerika*].

hack¹ [hæk] *sb.* **1.** lejet hest; (*ud-slidt*) krikke; **2.** ridetur; **3.** (*per-son: neds. el. spøg.*) journalist; bladsmører; **4.** (*pol.: neds. el. spøg.*) partisoldat; **5.** (*am.* T) taxi; taxichauffør; **6.** (*redskab*) hakke; **7.** (*i fodbold*) spark over skinnebe-net.

hack² [hæk] *adj.* leje- (*fx horse*).

hack³ [hæk] *vb.* **1.** hakke; **2.** flænse; **3.** (*i fodbold: bold*) sparke; (*modstander*) sparke over skinnebenet; **4.** (*it*) hacke; **5.** (*på hest*) ride en tur; **6.** (*am.*) køre taxi; □ *I can't* ~ *it* T jeg kan ikke klare den; [*med præp.& adv.*] ~ *about* (*noget skrevet*) ændre hårdhændet på; ~ *along* lunte af sted; ~ *around* (*am.*) dalre rundt; ~ *at* a. hakke i; b. flænse i; ~ *down* a. (*træ etc.*) hugge om; b. (*jf. 3*) sparke om-kuld; ~ *into* (*jf. 4*) hacke sig ind i; ~ *off* a. hugge af, hakke af; b. (*person,* T) irritere.

hacked off ['hæktɔf] *adj.* irriteret, ærgerlig.

hacker ['hækə] *sb.* (*it*) hacker; data-spion.

hacking cough [hækiŋ'kɔf] *sb.* hård tør hoste.

hacking jacket ['hækindʒækit] *sb.* ridefrakke.

hackle¹ ['hækl] *sb.* (se også *hack-les*) **1.** (*til hør*) hegle; **2.** (*til fiskeri*) flue.

hackle² ['hækl] *vb.* hegle [*hør*].

hackles ['hæklz] *sb. pl.* **1.** (*på hund*) børster; **2.** (*på hane*) hals-

fjer; □ *when his* ~ *are up* (*fig.*) når han rejser børster; når han er gal i ho-vedet; *get sby's* ~ *up, make sby's* ~ *rise, raise sby's* ~ (*fig.*) få en til at rejse børster; *it raised* ~ (*fig.*) det skabte irritation//vrede.

hackney ['hækni] *sb.* = *hackney carriage.*

hackney carriage *sb.*, **hackney coach** *sb.* (F) taxi, hyrevogn.

hackneyed ['hæknid] *adj.* forslidt, fortærsket, banal.

hacksaw ['hæksɔː] *sb.* nedstryger; metalsav.

hackwork ['hækwɔːk] *sb.* litterært rutinearbejde.

had [(h)əd, (*betonet*) hæd] *præt. & præt. ptc. af have.*

haddock ['hædək] *sb.* (*zo.*) kuller.

haemoglobin [hiːmə'gləubin] *sb.* hæmoglobin.

haemophilia [hiːmə'filiə] *sb.* blø-dersygdom.

haemophiliac [hiːmə'filiæk] *sb.* bløder.

haemorrhage¹ ['heməridʒ] *sb.* **1.** (*med.*) blødning; **2.** (*fig.*) afvan-dring (*fx of scientists*); voldsomt tab.

haemorrhage² ['heməridʒ] *vb.* **1.** (*med.*) bløde; **2.** (*fig.*) miste; □ ~ *money* (*jf. 2*) blive drænet for penge.

haemorrhoids ['hemərɔidz] *sb. pl.* (*med.*) hæmorroider.

haft [ha:ft] *sb.* håndtag; skaft.

hag [hæg] *sb.* gammel kælling; heks.

haggard ['hægəd] *adj.* hærget, ud-tæret; udkørt; forgræmmet.

haggis ['hægis] *sb.* [*skotsk ret af hakket fåre- el. kalveindmad*].

haggle ['hægl] *vb.* **1.** (*om pris*) tinge, prutte (*over/about* om); **2.** (*om andet*) parlamentere, for-handle frem og tilbage (*over/ about* om, *fx television rights*); □ *I -d him down to £5* jeg pruttede prisen ned til £5.

hagiographer [hægi'ɔgrəfə] *sb.* ha-giograf, forfatter af helgenbeskri-velser.

hagiography [hægi'ɔgrəfi] *sb.* ha-giografi, helgenbeskrivelse.

hag-ridden ['hægrid(ə)n] *adj.* (*litt.*)

391

H *Hague*

1. plaget af mareridt; **2.** (*fig.*) forpint, plaget; hærget.
Hague [heig]: *the* ~ (*geogr.*) Haag.
ha-ha¹ ['haːhaː] *sb.* forsænket gærde [*om park, have*].
ha-ha² ['haːhaː, həˈhaː] *interj.* ha ha.
hail¹ [heil] *sb.* **1.** hagl; **2.** (*fig.*) regn, byge (*fx of bullets; of stones*); **3.** prajning; råb;
□ *be within* ~ **a.** være inden for hørevidde; **b.** (*mar.*) være på prajehold.
hail² [heil] *vb.* **1.** (*om nedbør*) hagle; **2.** (*person*) råbe an; **3.** (*taxi; skib*) praje;
□ *hail!* (*glds.*) hil! vel mødt! *be -ed as* blive hyldet som (*fx the greatest actor of our time*); blive hilst som (*fx the film was -ed as a masterpiece*); ~ *from* komme fra, stamme fra; være hjemmehørende i.
hail-fellow-well-met [heilfeləuwel-ˈmet] *adj.* (lidt for) jovial; som slår på skulderen.
Hail Mary *sb.* (*rel.*) Ave Maria.
hailstone ['heilstəun] *sb.* hagl.
hailstorm ['heilstɔːm] *sb.* haglbyge.
hair [hɛə] *sb.* hår;
□ *a* ~ *of the dog (that bit you)* [*en drink som middel mod tømmermænd*]; *by the short -s* se *short²*; [*med vb.*] *dress one's* ~ sætte sit hår; *not harm a* ~ *of sby's head* ikke krumme et hår på ens hoved; *keep your* ~ *on!* bare rolig! hids dig nu ikke op! *let one's* ~ *down* **a.** slå håret ud; **b.** (*fig.*) slappe af; slå sig løs; **c.** lukke sig op; snakke lige ud af posen; *lose one's* ~ **a.** blive skaldet; **b.** T blive hidsig/gal i hovedet; *it made my* ~ *curl/ stand on end* det fik håret til at rejse sig på hovedet af mig; *pull/ tear one's* ~ *out* (*fig.*) flå sig i håret; *put up one's* ~ sætte håret op; *it will put* ~/-s *on your chest!* (*spøg. om mad*) det er noget der batter! (*om drink*) den giver hår på brystet! *split -s* være ordkløver; *he did not turn a* ~ han fortrak ikke en mine; [*med præp.*] *get in sby's* ~ irritere en; gå en på nerverne; *get out of sby's* ~ holde op med at plage/irritere en; *get it out of sby's* ~ få det af vejen så det ikke længere generer en.
hair ball *sb.* **1.** hårbolle [*som dannes i maven på dyr der slikker sin pels*]; **2.** (*fig.*) sammenfiltret masse.
hairbreadth ['hɛəbredθ] *sb.* se *hair's breadth*.
hairbrush ['hɛəbrʌʃ] *sb.* hårbørste.

haircut ['hɛəkʌt] *sb.* **1.** klipning; **2.** frisure;
□ *have a* ~ blive klippet.
hairdo ['hɛəduː] *sb.* T frisure;
□ *have a* ~ **a.** få ordnet sit hår; **b.** gå til frisør.
hairdresser ['hɛədresə] *sb.* frisør.
hairdresser's ['hɛədresəz] *sb.* (*pl. hairdressers'*) frisørsalon.
hairdressing ['hɛədresiŋ] *sb.* frisørarbejde; klipning og frisering.
hairdrier, hairdryer ['hɛədraiə] *sb.* hårtørrer.
hair grass *sb.* (*bot.*) dværgbunke.
hairgrip ['hɛəgrip] *sb.* hårklemme.
hairline ['hɛəlain] *sb.* **1.** (*typ.*) fin streg; hårstreg; **2.** (*på hovedet*) hårgrænse; (se også *receding hairline*).
hairpiece ['hɛəpiːs] *sb.* top [ɔ: paryk].
hairpin ['hɛəpin] *sb.* hårnål.
hairpin bend *sb.* hårnålesving [*på en vej*].
hair-raising ['hɛəreiziŋ] *adj.* rædselsvækkende, nervepirrende, hårrejsende.
hair's breadth ['hɛəzbredθ] *sb.* hårsbred;
□ *he escaped by a* ~ det var på et hængende hår at han undslap; han undslap med nød og næppe; *he came within a* ~ *of being hit* det var på et hængende hår at han undgik at blive ramt.
hair shirt *sb.* hårskjorte; bodsskjorte.
hair-shirt ['hɛəʃəːt] *adj.* asketisk; selvopofrende.
hair slide *sb.* hårspænde; skydespænde.
hair space *sb.* (*typ.*) hårspatie.
hair-splitter ['hɛəsplitə] *sb.* ordkløver.
hair-splitting ['hɛəsplitiŋ] *sb.* ordkløveri.
hairspray ['hɛəsprei] *sb.* hårspray.
hairstyle ['hɛəstail] *sb.* frisure.
hairstylist ['hɛəstailist] *sb.* frisør.
hair tonic *sb.* hårplejemiddel.
hair trigger *sb.* (*i geværlås*) snelle, aftrækkerfjeder [*som får geværet til at gå af ved mindste berøring*].
hair trigger temper *sb.* iltert temperament.
hairy ['hɛəri] *adj.* **1.** behåret; lodden; **2.** T farlig; nervepirrende.
Haiti ['heiti].
Haitian¹ ['heiʃn] *sb.* haitianer.
Haitian² ['heiʃn] *adj.* haitiansk.
hake [heik] *sb.* (*zo.*) kulmule.
halal [həˈlaːl] *adj.* (*rel.*) halal.
halation [həˈleiʃn] *sb.* **1.** (*foto.*) lysrefleks; **2.** (*i tv*) overstråling; halation.
halberd ['hælbəd] *sb.* (*hist.*) helle-

bard.
halberdier [hælbəˈdiə] *sb.* (*hist.*) hellebardist.
halcyon ['hælsiən] *adj.* fredelig; stille;
□ ~ *days* fredfyldt (og lykkelig) tid.
hale [heil] *adj.* sund, rask; kraftig;
□ ~ *and hearty* rask og rørig.
half¹ [haːf] *sb.* (*pl. halves* [haːvz]) **1.** halv; halvdel; **2.** (*i fodbold*) halvleg; **3.** (*jernb., bus*) børnebillet; **4.** (T: *øl*) halv pint;
□ *an hour//a tonne and a* ~ halvanden time//ton; *that was a book and a* ~ T det var vel nok en bog [ɔ: *vældig god, stor etc.*]; *three hours//tonnes and a* ~ 3½ time// ton; ~ *as much again* halvanden gang så meget; *go halves with sby over sth* dele noget lige med en; ~ *of* det halve af;
[*med præp.*] *by* ~ med det halve (*fx cut//increase it by* ~); *he is too clever by* ~ han er morderlig dreven; *too kind by* ~ alt for venlig; *he does not do things by halves* han nøjes ikke med at gøre noget halvt; *cut in* ~ skære midt over; (se også *divide²*).
half² [haːf] *adj.* halv;
□ ~ *a pound//minute etc.* et halvt pund//minut *etc.*; ~ *a dozen* (*omtr.*) en halv snes; nogle stykker; (se også *six²*); *you could see it with* ~ *an eye* man kunne se det med et halvt øje; *if you had* ~ *an eye* hvis du havde øjne i hovedet; ~ *a moment* et lille øjeblik; *you haven't got* ~ *a nerve* du er ikke så lidt fræk; (se også *mind¹*); ~ *the* det halve af, halvdelen af (*fx night; population*).
half³ [haːf] *adv.* halvt (*fx* ~ *empty*; *the battle was* ~ *won*); halvt om halvt (*fx I* ~ *believed that he was guilty*);
□ [*om klokkeslæt*] ~ 6//7 *etc.* T halv syv//otte *etc.*; *at* ~ *past 6// 7//8 etc.* klokken halv syv//otte//ni *etc.*;
[*med: not*] *do you like beer? not* ~! T kan du lide øl? ja det kan du bande på! *not* ~ *bad* T slet ikke dårlig; mægtig god; *he didn't* ~ *swear* T ih hvor han bandede.
half-and-half [haːfən(d)ˈhaːf] *adv.* i lige blanding; halvt af det ene og halvt af det andet.
half-assed [haːfˈaːst] *adj.* (*vulg.*) = *half-baked 2*.
half-baked [haːfˈbeikt] *adj.* **1.** halvbagt; ikke gennembagt; **2.** (*fig.*) ikke gennemtænkt; halvfærdig; halvfordøjet (*fx ideas*).
half binding *sb.* halvbind; vælsk-

bind.
half board *sb.* halvpension.
half-bound [ha:fˈbaund] *adj.* i halvbind; i vælskbind.
half-breed [ˈha:bri:d] *sb.* halvblodsperson; bastard.
half-breed [ˈha:fbri:d] *sb.* (*neds.*)
1. se *half-caste*; 2. halvblodsindianer.
half-brother [ˈha:fbrʌðə] *sb.* halvbroder.
half-caste [ˈha:fka:st] *sb.* (*neds.*) halvkaste [*person hvis forældre tilhører forskellige racer*].
half-cock [ha:fˈkɔk] *sb.*: *at* ~ (*om gevær*) (med hanen) i ro; *go off at* ~ (*fig.*) gå for tidligt i gang.
half-cocked [hæfˈkɔkt] *adj.* (*am.*) se *half-cock.*
half-hearted [ha:fˈha:tid] *adj.* halvhjertet, lunken, uinteresseret; uden begejstring.
half hitch *sb.* halvstik.
half holiday *sb.* halv fridag.
half-hour [ha:fˈauə] *sb.* halv time; □ *the clock struck the* ~ uret slog halv.
half-length [ha:fˈleŋθ] *sb.* brystbillede.
half-life [ˈha:flaif] *sb.* (*pl. -lives* [-laivz]) (*i atomfysik*) halveringstid.
half mast *sb.*: *at* ~ på halv stang.
half measures *sb. pl.* halve forholdsregler.
half nelson *sb.* (*i brydning*) halv nelson.
half note *sb.* (*mus.; am.*) halvnode.
half pay *sb.* (*mil.*) pension.
halfpenny [ˈheip(ə)ni, ha:fˈpeni] *sb.* (*pl. halfpennies/halfpence*) (*glds.*) halvpenny.
half-sister [ˈha:fsistə] *sb.* halvsøster.
half step *sb.* (*mus.; am.*) halvtonetrin.
half-term [ha:fˈtə:m] *sb.* [*skoleferie midt i terminen*]; (*om efteråret*) efterårsferie.
half-timbered [ha:fˈtimbəd] *adj.* bindingsværks-.
half-timbering [ha:fˈtimbəriŋ] *sb.* bindingsværk.
half-time [ha:fˈtaim] *sb.* halvleg; pause; □ *at* ~ efter første halvleg; ved pausen.
half-title [ha:fˈtaitl] *sb.* (*typ.*) smudstitel.
half tone *sb.* 1. (*mus.; am.*) halvtonetrin; 2. (*typ.*) autotypi.
half-track [ha:fˈtræk] *sb.* (*mil.*) halvbæltekøretøj.
half-volley [ha:fˈvɔli] *sb.* halvflugtning.
halfway¹ [ha:fˈwei] *adj.* midtvejs-;

halvvejs-;
□ ~ *measures* halve forholdsregler.
halfway² [ha:fˈwei] *adv.* 1. på halvvejen; halvvejs, midtvejs; 2. (T: *foran adj.*) nogenlunde, rimelig (*fx decent*);
□ *meet sby* ~ (*fig.*) møde en på halvvejen; *meet trouble* ~ tage bekymringerne på forskud.
halfway house *sb.* 1. (*for udskrevne patienter etc.*) udslusningshjem; resocialiseringscenter; 2. (*fig.*) mellemtrin; kompromis (*between mellem*).
half-wit [ˈha:fwit] *sb.* tåbe, åndssvag, fjog.
half-witted [ha:fˈwitid] *adj.* tåbelig, åndssvag, fjoget.
halibut [ˈhælibət] *sb.* (*zo.*) helleflynder.
halite [ˈheilait] *sb.* (*geol.*) halit, stensalt.
halitosis [hæliˈtəusis] *sb.* (*med.*) dårlig ånde.
hall [hɔ:l] *sb.* 1. (*rum*) hal; sal; (*i kollegium*) spisesal; 2. (*ved indgang*) hall, entré; forhal, vestibule; 3. (*ved universitet*) = hall of residence; 4. [*brugt i navn på større offentlig bygning el. herregård*]; 5. (*am.*) korridor, gang.
hallelujah [hæliˈlu:jə] *interj.* hallelujah.
hallmark¹ [ˈhɔ:lma:k] *sb.* 1. (*stempel i guld- og sølvvarer der garanterer metallets ægthed*) guldmærke; sølvmærke; prøvemærke; 2. (*fig.*) kendemærke, særkende; kendetegn.
hallmark² [ˈhɔ:lma:k] *vb.* stemple med prøvemærke.
hallo [həˈləu] *interj.* (*glds.*) se *hello.*
Hall of Fame *sb.* (*am.*) mindehal [*med billeder af og genstande forbundet med berømte personer, især sportsstjerner*].
hall of residence *sb.* kollegium [*med boliger for studerende// elever, som i Danmark*].
hallowed [ˈhæləud] *adj.* hellig; indviet.
Halloween [hæləuˈi:n] *sb.* allehelgensaften [*31. okt., hvor børn klæder sig ud som spøgelser el. hekse og går rundt og rasler som i Danmark ved fastelavn*].
hallstand [ˈhɔ:lstænd] *sb.* stumtjener.
hall tree *sb.* (*am.*) = *hallstand.*
hallucinate [həˈlu:sineit] *vb.* få hallucinationer; se syner.
hallucination [həlu:siˈneiʃn] *sb.* hallucination; sansebedrag.
hallucinatory [həˈlu:sineit(ə)ri] *adj.* hallucinatorisk.

hallucinogen [həlu:ˈsinədʒən] *sb.* hallucinogen; stof der fremkalder hallucinationer.
hallucinogenic [həlu:sinəˈdʒenik] *adj.* hallucinogen; som fremkalder hallucinationer.
hallway [ˈhɔ:lwei] *sb.* se *hall*: 2, 5.
halo [ˈheiləu] *sb.* 1. (*rel.& fig.*) glorie; strålekrans; 2. (*om solen el. månen*) halo, ring.
halogen [ˈhælədʒen] *sb.* halogen.
halt¹ [hɔ:lt] *sb.* 1. standsning, afbrydelse (*fx a* ~ *in production*); 2. (*jernb.*) trinbræt, holdeplads [ɔ: *lille station*];
□ *call a* ~ *to sth* give ordre til at noget skal standse; bringe noget til ophør; *make a* ~ gøre holdt; [*med: to*] *bring to a* ~ standse, sætte i stå; *come to a* ~ standse, gå i stå; *grind to a* ~ langsomt gå i stå; *pull to a* ~ standse, holde; *screech/squeal to a* ~ standse med hvinende bremser.
halt² [hɔ:lt] *vb.* standse;
□ ~*!* holdt!
halter [ˈhɔ:ltə] *sb.* 1. (*til hest*) grime; 2. (*glds.: til hængning*) strikke; 3. (*om tøj*) se *halterneck.*
halterneck¹ [ˈhɔ:ltənek] *sb.* top uden ryg og ærmer.
halterneck² [ˈhɔ:ltənek] *adj.* (*om top, overdel*) uden ryg og ærmer.
halting [ˈhɔ:ltiŋ] *adj.* tøvende; stammende; usikker; (*om sprog også*) ubehjælpsom (*fx in* ~ *English*).
halve [ha:v] *vb.* 1. halvere; 2. dele i to lige store dele; skære over (i to lige store dele) (*fx a potato*); 3. (*uden objekt*) blive halveret.
halves [ha:vz] *pl. af half¹.*
halyard [ˈhæljəd] *sb.* (*mar.*) fald [ɔ: *tov til at hejse et sejl*].
Ham [hæm] (*bibelsk navn*) Kam.
ham¹ [hæm] *sb.* 1. skinke; 2. (T: *dårlig skuespiller*) frikadelle; 3. (T: *radio.*) kortbølgeamatør;
□ *squat on one's -s* sidde på hug.
ham² [hæm] *vb.*: ~ *it up* (*om skuespiller*) overspille.
Hamburg [ˈhæmbə:g] Hamborg.
hamburger [ˈhæmbə:gə] *sb.* 1. hakkebøf; 2. (*mad*) bøfsandwich; hamburger; 3. (*kød*) hakket oksekød.
ham-fisted [hæmˈfistid] *adj.* T fummelfingret; klodset.
ham-handed [hæmˈhændid] *adj.* = *ham-fisted.*
hamlet [ˈhæmlət] *sb.* lille landsby.
hammer¹ [ˈhæmə] *sb.* 1. hammer; 2. (*i gevær*) hane; slagarm; □ *throwing the* ~ hammerkast; ~ *and sickle* hammer og segl; *go/be at it* ~ *and tongs* a. gå på med

H hammer

krum hals; **b.** arbejde af alle kræfter; skændes//slås så det ryger om ørene; *come/go under the* ~ komme under hammeren; blive solgt ved auktion.

hammer² ['hæmə] *vb.* **1.** hamre; banke; **2.** (*fig.: person*) angribe hårdt; kritisere skarpt; **3.** (*i sport: besejre*) banke; tromle flad; □ *be -ed* (*i børssprog*) blive erklæret for insolvent;
[*med præp.& adv.*] ~ *at* the door hamre/dundre på døren; ~ *away at* sth **a.** slå løs på noget; **b.** (*fig.*) blive ved med at arbejde på noget; slide/knokle med noget; ~ *into* **a.** hamre/banke ind i (*fx nails into wood*); **b.** (*fig.*) banke ind i (*fx the idea into his head*); ~ *out* **a.** udhamre; **b.** (*fig.*) få stablet på benene; arbejde sig/finde frem til (med møje og besvær) (*fx an agreement; a solution*); få udarbejdet; diskutere sig frem til.

hammer beam *sb.* hammerbjælke, stikbjælke.

hammerhead ['hæməhed] *sb.*
1. (*på hammer*) hammerhoved;
2. (*zo: vanddyr*) hammerhaj;
3. (*zo.: fugl*) hammerfugl.

hammering ['hæmərɪŋ] *sb.* **1.** (omgang) klø, (omgang) bank; **2.** nedrakning.

hammerlock ['hæmələk] *sb.* (*i brydning*) backhammer.

hammock ['hæmək] *sb.* hængekøje.

hamper¹ ['hæmpə] *sb.* **1.** stor kurv; lågkurv; (*til skovtur*) madkurv;
2. (*med lækkerier*) gavekurv;
3. (*am.*) vasketøjskurv.

hamper² ['hæmpə] *vb.* hæmme, vanskeliggøre, genere.

Hampshire ['hæmpʃə].

hamster ['hæmstə] *sb.* (*zo.*) hamster.

hamstring¹ ['hæmstrɪŋ] *sb.* hasesene.

hamstring² ['hæmstrɪŋ] *vb.*
1. skære haserne over på; **2.** (*fig.*) lamme; gøre virkningsløs.

hamstrung ['hæmstrʌŋ] *præt. & præt. ptc. af* hamstring.

hand¹ [hænd] *sb.* **1.** hånd; **2.** (*hos visse dyr*) fod; forpote; **3.** (*skrift*) håndskrift (*fx a beautiful* ~);
4. (*person*) arbejder (*fx farm* ~; *factory* ~; (*mar.*) matros; mand (*fx all -s on deck*); **5.** (*af bananer*) klase; **6.** (*mål for hests højde*) håndsbred [ɔ: *4 inches, 10,16 cm*];
7. (*på ur*) viser; **8.** (*i kortspil*) kort (som man har på hånden) (*fx I have got a wretched* ~ jeg har nogle elendige kort); (*spil*) parti; omgang (*fx play another* ~); (*person*) spiller; **9.** T klapsalve; bifald

(*fx our chairman deserves a special* ~);
□ *win* -s *down* komme ind som en flot nr. 1; vinde med lethed; -s *off!* fingrene væk! -s *up!* hænderne op!
[*med sb.*] *make money* ~ *over fist* tjene masser af penge; skovle penge ind; *bind him* ~ *and foot* binde ham på hænder og fødder; (se også *wait²* (*on*)); ~ *and glove with* (*am.*) = ~ *in glove with*; *be* ~ *in glove with* være fine venner med; være pot og pande med; *work* ~ *in glove with* arbejde intimt sammen med; ~ *in hand* se: ndf; *not do a* -*'s turn* ikke bestille et slag; (se også *mouth¹*);
[*med adj*] *a cool* ~ T en fræk fyr; *be a good* ~ *at* være dygtig til; *he is a good* ~ *with a gun* han forstår at håndtere et gevær//en pistol; *he has a good* ~ *with the horses* han forstår at behandle heste; *he plays a good* ~ (*i kortspil*) han er en dygtig spiller; *be a poor* ~ *at* være dårlig til; (se også *dab hand, heavy², open¹, safe², upper²*);
[*med vb.*] *bear him a* ~ se ndf.: *lend him a* ~; *bite the* ~ *that feeds one* være utaknemlig over for sin velgører; *change* -s skifte ejer; komme på andre hænder; *handle; force his* ~ tvinge ham til at handle for tidligt; lægge pres på ham; *his* ~ *was forced* (*også*) han var i en tvangssituation; *he got a* ~ de klappede ad ham; *get one's* ~ *in* komme i øvelse; *get your* -s *off my computer!* få fingrene væk fra min computer! *get one's* -s *on* få fat i; få fingre i; *give him a* ~ **a.** give ham en hånd; klappe ad ham; **b.** se ndf.: *lend him a* ~; *have a* ~ *in* være med i; være blandet ind i; *he had a* ~ *in it* (*også*) han havde noget med det at gøre; *he held his* ~ han stillede sig afventende; *she held his* ~ hun holdt ham i hånden; *they held* -s de holdt hinanden i hånden; *join* -s **a.** tage hinanden i hånden; **b.** (*fig.*) slutte sig sammen; løfte i flok; *keep one's* ~ *in* holde sig i øvelse; *keep one's* -s *off sth* holde fingrene væk fra noget; *keep a firm/one's* ~ *on* have hånd i hanke med; *lay* -s *on* **a.** lægge hænderne på; ordinere; indvi; **b.** (*voldeligt*) lægge hånd på; **c.** (*om ting*) få fat på, få fingre i, bemægtige sig; *I can't lay my* ~/-s *on it now* jeg kan ikke finde det lige nu; *lend him a (helping)* ~ **a.** give ham en håndsrækning/en hjælpende hånd (*fx with*

the luggage); **b.** hjælpe ham; gå ham til hånde; *he did not lift a* ~ han rørte ikke en finger (*fx to help me*); *lift one's* ~ ~ *against/to* (true med at) angribe; lægge hånd på; *offer one's hand* se *offer²*; *put one's* ~ *to* = *set one's* ~ *to*; *raise one's* ~ række hånden i vejret; *raise one's* ~ *against/to* lægge hånd på [ɔ: *slå*]; *I could not see my* ~ *in front of my face* jeg kunne ikke se en hånd for mig; *set one's* ~ *to* tage fat på, gå i gang med; give sig i lag/kast med; *set one's* ~ *to a document* underskrive et dokument; *shake* -s give hinanden hånden; *shake* -s *with him* give ham hånden; trykke hans hånd; give ham et håndtryk; *show one's* ~ (*fig.*) bekende kulør; røbe sine planer; *stay one's* ~ **a.** holde hånden tilbage (*fx before striking*); **b.** (*fig.*) forholde sig afventende; *strengthen//weaken sby's* ~ (*fig.*) styrke//svække ens stilling//forhandlingsposition; *take a* ~ tage en hånd i med; *take a* ~ *at* tage del i; være med til; *throw in one's* ~ opgive ævred; *tip one's* ~ (*am.*) røbe sine planer; *try one's* ~ *at* forsøge sig med; *turn one's* ~ *to* se ovf.: *set one's* ~ *to*; *wash one's* -s *of a.* fralægge sig alt ansvar for (*fx the affair; the matter*); **b.** ikke ville have noget at gøre med (*fx her*); *I* ~ *my hands of it* jeg vasker mine hænder [ɔ: *fralægger mig ansvaret*];
[*med præp., adv.*] *at* ~ **a.** nær ved; ved hånden; **b.** (*tidsmæssigt*) nær forestående; *be near at* ~ (*også*) stå for døren; *at his* ~ *s* fra hans side; fra ham; (se også *first hand, second hand*);
by ~ **a.** med håndkraft; **b.** i hånden (*fx sewn by* ~); *bring up by* ~ flaske op; *deliver by* ~ aflevere pr. bud; *made by* ~ håndlavet; håndgjort; *shake him by the* ~ se ovf.: *shake* -s *with him*;
live from ~ *to mouth* leve fra hånden i munden;
in ~ **a.** forhåndenværende (*fx the business in* ~); **b.** tilovers (*fx with 15 seconds in* ~); tilbage; *cash in* ~ kassebeholdning; *the matter in* ~ den foreliggende opgave/sag; det man er i færd med; *the situation is well in* ~ situationen er under kontrol; *the work is in* ~ arbejdet er under udførelse; *have in* ~ **a.** have tilbage (*fx have enough money in* ~; *they still have a game in* ~); **b.** (*person*) have krammet på; have magt over; **c.** (*situation*) have styr på, have

394

kontrol over; *have sth in* ~ (*også*) have noget for; *keep sby well in* ~ holde styr på en; *put in* ~ **a.** sætte i arbejde; **b.** påbegynde; *take in* ~ tage sig (energisk) af; ~ *in* ~ hånd i hånd; *go* ~ *in* ~ (*fig.*) følges ad; *go* ~ *in* ~ *with* (*fig.*) følge med; gå parallelt med; være forbundet med; *in a neat* ~ med en pæn håndskrift; *apply in one's own* ~ indgive egenhændig ansøgning; *a bird in the* ~ se *bird*; *in English -s* på engelske hænder; *in the -s of moneylenders* i ågerkarlekløer; *fall into the -s of one's enemies* falde i sine fjenders hænder; (se også *play*[2] (*into*)); *off* ~ på stående fod; improviseret; *get sth off one's -s* **a.** blive af med noget; få noget afsat; **b.** (*arbejde*) få noget fra hånden; *have sth off one's -s* **a.** være af med noget; **b.** (*arbejde*) være færdig med noget; *on* ~ **a.** på lager; **b.** til rådighed; ved hånden; **c.** forestående (*fx an election may be on* ~); *on all -s* til alle sider; *work on* ~ arbejde under udførelse; *time hangs heavy on my -s* tiden falder mig lang; jeg har svært ved at få tiden til at gå; *on one* ~ til/på den ene side; *have sth on one's -s* have besværet med (og ansvaret for) noget (*fx I have two houses on my -s*); *on the one* ~ ... *on the other* (~) på den ene side ... på den anden side; *on one's -s and knees* på alle fire; *sit on one's -s* se *sit*; *out of* ~ **a.** på stående fod; straks; uden videre (*fx reject it out of* ~); **b.** fra hånden; færdig; *get out of* ~ blive ustyrlig; tage magten fra én; løbe løbsk; *settle the question out of* ~ gøre kort proces; *feed out of one's* ~ (*fig.*) spise af hånden; være let at styre; *to* ~ ved hånden; *come to* ~ fremkomme; dukke op; komme én i hænde; *ready to one's* ~ ved hånden; ~ *to* ~ se *hand-to-hand*; *the ship was lost with all -s* skibet gik under med hele besætningen/ med mand og mus; *with one's bare -s* med de bare hænder/næver; *with one's own* ~ egenhændigt; (se også *heavy*[2], *high*[2]).

hand[2] [hænd] *vb.* **1.** række (*fx* ~ *him a glass*); overrække (*fx* ~ *him the money*); **2.** føre ved hånden, følge (*fx* ~ *her down to the carriage*); hjælpe (*fx* ~ *her into//out of the carriage*);

□ ~ *back* aflevere; levere tilbage;

~ *down* **a.** tage ned og række til en anden; række ned (*fx plates from a shelf*); **b.** lade gå i arv (*fx property to one's descendants; clothes to a younger brother*); **c.** (*dom, kendelse*) afsige; (*straf*) give (*fx the judge -ed down sentences ranging from ten to twenty years*); ~ *in* **a.** aflevere (*fx you should* ~ *in your essays by Thursday*); **b.** indlevere (*fx a telegram; a dissertation*); ~ *in one's resignation* indgive sin afskedsbegæring; ~ *it on* give/sende det videre; lade det gå videre; ~ *out* udlevere, uddele (*fx brochures; examination papers; bread*); ~ *out advice* give gode råd; ~ *out the cake* byde kagen rundt; ~ *it out* T slå/tæske løs; ~ *over* **a.** aflevere (*fx the money*); udlevere (*fx hostages*); overgive (*fx to the police*); **b.** (*land, myndighed etc.*) overdrage; *he will* ~ *over to his son* han vil overdrage ledelsen til sin søn; (se også *rein*[1]); ~ *round* lade gå rundt, sende rundt; byde rundt; ~ *it to sby* T yde en anerkendelse; tage hatten af for én; *he is clever, you've got to* ~ *it to him* han er dygtig, det må man lade ham.

handbag ['hæn(d)bæg] *sb.* dametaske, håndtaske.

handball ['hæn(d)bɔːl] *sb.* **1.** håndbold; **2.** kastebold [boldspil der består i at slå en bold mod væggen med hånden]; **3.** (*i fodbold*) hånd på bolden.

handbell ['hæn(d)bel] *sb.* [klokke der svinges i hånden og bruges som led i et sæt der spiller som et orkester].

handbill ['hæn(d)bil] *sb.* reklameseddel; løbeseddel.

handbook ['hæn(d)buk] *sb.* håndbog.

handbrake ['hæn(d)breik] *sb.* håndbremse.

h and c *fork. f. hot and cold* varmt og koldt vand.

handcar ['hæn(d)kar] *sb.* (*am. jernb.*) dræsine.

handcart ['hæn(d)kaːt] *sb.* trækvogn.

handclap ['hæn(d)klæp] *sb.* klappen;

□ *a slow* ~ langsom rytmisk klappen [udtryk for mishag].

handcuff ['hæn(d)kʌf] *vb.* give håndjern på.

handcuffs ['hæn(d)kʌfs] *sb. pl.* håndjern.

Handel ['hænd(ə)l] Händel.

handful ['hæn(d)f(u)l] *sb.* hånd-

fuld;

□ *he is a bit of a* ~ han er ikke let at styre.

hand grenade *sb.* håndgranat.

handgrip ['hæn(d)grip] *sb.* **1.** håndtryk; **2.** håndtag; fæste.

handgun ['hæn(d)gʌn] *sb.* håndvåben.

hand-held [hænd'held] *adj.* **1.** bærbar; **2.** håndholdt.

handhold ['hændhəuld] *sb.* noget at holde sig fast ved, greb, fæste;

□ *get a* ~ on få fat i, få tag i.

handicap[1] ['hændikæp] *sb.* **1.** handicap, hindring, vanskelighed; hæmsko; **2.** (*legemligt, mentalt*) handicap; **3.** (*i sport, fx golf, hestevæddeløb*) handicap; **4.** (*løb*) handicapløb.

handicap[2] ['hændikæp] *vb.* handicappe; belaste; hæmme, hindre.

handicapped ['hændikæpt] *adj.* **1.** belastet; hæmmet (*fx* ~ *by the darkness*); **2.** (*glds. om person*) handicappet.

handicraft ['hændikraːft] *sb.* håndarbejde; kunsthåndværk; håndværk;

□ *-s* (ɔ: *produkter*) kunsthåndværk.

handicraftsman ['hændikraːftsmən] *sb.* (*pl. -men* [-mən]) håndværker.

handiwork ['hændiwəːk] *sb.* værk; arbejde;

□ *I suppose that is your* ~ (*fig., spøg.*) det har du vist været mester for.

handkerchief ['hæŋkətʃif] *sb.* lommetørklæde.

handle[1] ['hændl] *sb.* **1.** håndtag (*fx of a door; of a knife*); greb; (*på værktøj også*) skaft (*fx of a knife*); **2.** (*på taske, kop, kedel etc.*) hank; **3.** S titel;

□ *a* ~ *on* (*fig.*) **a.** styr på (*fx get// have a* ~ *on the problem*); kontrol med; **b.** forståelse af (*fx give them//get some kind of* ~ *on the issue*); *fly off the* ~ T fare op; komme helt ud af flippen; blive flintrende gal i hovedet; *give him a* ~ *against you* give ham noget at hænge sin hat på [ɔ: *et holdepunkt for et angreb mod dig*].

handle[2] ['hændl] *vb.* **1.** (*med hænderne*) tage på; røre ved (*fx please do not* ~ *the goods on display*); **2.** (*køretøj etc.*) styre, manøvrere (*fx a ship*); tumle (*fx a horse*); **3.** (*noget der kan være farligt*) omgås med (*fx dynamite is a dangerous stuff to* ~); behandle; håndtere (*fx a weapon*); **4.** (*noget der er vanskeligt*) klare (*fx he can't* ~ *the job//the situation*); håndtere

H *handlebars*

(*fx the situation*); **5.** (*person*) omgås (*fx other people*); omgås med (*fx he knows how to* ~ *children*); **6.** (*emne*) behandle (*fx the book -s the problem of immigration*); **7.** (*sag etc.*) ordne, tage sig af (*fx the problem; the household accounts; the details*); ekspedere (*fx the day's mail; the airport -s 250,000 passengers a week*); afvikle (*fx traffic*); **8.** (*om måden man gør det på*) gribe an, håndtere (*fx he -d the affair clumsily*); **9.** (*merk.*) handle med, forhandle (*fx used cars*); omsætte (*fx we ~ 10,000 tons a year*); ekspedere; □ ~ *well/easily* (*jf. 2: uden objekt*) være let at styre//manøvrere; *they were roughly -d by the mob* folkemængden gav dem en ublid medfart; ~ *stolen goods* begå hæleri; være hæler; (se også *kid glove*).

handlebars ['hændlbɑːz] *sb. pl.* cykelstyr.

handler ['hændlə] *sb.* **1.** (*for dyr*) træner; (se også *dog handler*); **2.** (*for bokser etc.*) manager; **3.** (*for kunstner*) agent; **4.** (*for spion*) føringsofficer; kontaktofficer; **5.** (*it*) opgavebehandler; **6.** (*am.: for politiker*) rådgiver; □ ~ *of stolen goods* (*jur.*) hæler; (se også *baggage handler*).

handling ['hændliŋ] *sb.* **1.** (*med hænderne*) måde at tage på (*fx his gentle ~ of the baby*); **2.** (*af bil*) styring, manøvrering; **3.** (*af problem etc.*) håndtering (*fx of the crisis; of the economy*); □ *he takes some* ~ han er ikke nem at klare/styre; ~ *of stolen goods* (*jur.*) hæleri; ~ *of traffic* færdselsregulering.

handling charge *sb.* ekspeditionsgebyr.

hand luggage *sb.* håndbagage.

handmade [hæn(d)'meid] *adj.* håndlavet (*fx furniture*); håndsyet (*fx shoes*); □ ~ *paper* håndgjort papir; bøttepapir.

handmaiden ['hændmeid(ə)n] *sb.* (*poet. el. fig.*) tjenerinde; □ *be the* ~ *of* (*fig.*) tjene (*fx the Church was the* ~ *of the established classes*).

hand-me-downs ['hæn(d)midaunz] *sb. pl.* **1.** aflagt/brugt tøj; tøj der er gået i arv; **2.** (*am.*) færdigsyet tøj; stangtøj.

handout ['hændaut] *sb.* **1.** (*til trængende*) tildeling (*fx they exist on government -s of rice*); uddeling; **2.** (*neds.*) almisse; **3.** (*uddelt skriftligt materiale, fx ved foredrag*) handout, fotokopi; skriftligt

materiale; **4.** (*til pressen*) pressemeddelelse; **5.** (*reklame*) reklameseddel, reklamebrochure.

handover ['hændəuvə] *sb.* **1.** aflevering; udlevering; overgivelse; **2.** (*af land, myndighed etc.*) overdragelse.

hand-picked [hæn(d)'pikt] *adj.* omhyggelig udvalgt; særlig udsøgt; håndplukket.

handrail ['hændreil] *sb.* **1.** gelænder; rækværk; **2.** (*på gelænder*) håndliste.

handset[1] ['hæn(d)set] *sb.* (*tlf.*) telefonrør, rør; (*fagl.*) mikrotelefon.

handset[2] [hænd'set] *adj.* (*typ.*) sat i hånden; håndsat.

handshake ['hæn(d)ʃeik] *sb.* håndtryk.

handsome ['hæns(ə)m] *adj.* **1.** (*om udseende*) flot; smuk; nydelig; **2.** (*om omfang*) anselig, betydelig; (*om beløb også*) klækkelig (*fx reward; sum of money*); □ ~ *is that* ~ *does* den er smuk som handler smukt; *it was* ~ *of him* det var smukt af ham, det var en smuk gestus.

hands-on [hæn(d)z'ɔn] *adj.* **1.** direkte (*fx involvement; management; responsibility*); **2.** (*om kursus etc.*) som giver praktisk øvelse; □ ~ *experience* praktisk erfaring.

handspring ['hæn(d)spriŋ] *sb.* kraftspring.

handstand ['hæn(d)stænd] *sb.* håndstand; □ *do a* ~ stå på hænder.

hand-to-hand [hæn(d)tə'hænd] *adj.* mand mod mand.

hand-to-hand fighting *sb.* nærkamp.

hand-to-mouth [hæn(d)tə'mauθ] *adj.* fra hånden og i munden.

hand tool *sb.* håndværktøj.

handwriting ['hændraitiŋ] *sb.* håndskrift.

handy ['hændi] *adj.* **1.** praktisk; bekvem; **2.** (*om bolig*) praktisk beliggende (*fx a hotel in a* ~ *location*); □ *come in* ~ komme belejligt/tilpas; komme til nytte; *have//keep it* ~ have det i nærheden/ved hånden; [*med præp.*] *the flat is* ~ *for the shops* lejligheden ligger i bekvem nærhed af forretningerne; *be* ~ *with sth* være god til at bruge noget (*fx a needle; a screwdriver*); være fingernem.

handy-dandy ['hændidændi] *sb.* (*en leg:*) „hvilken hånd vil du have?".

handyman ['hændimæn] *sb.* (*pl. -men* [-men]) altmuligmand.

hang[1] [hæŋ] *sb.* **1.** (*om stof*) fald (*fx the* ~ *of a dress//curtain*); **2.** (*om tøj*) måde hvorpå noget sidder (*fx the* ~ *of the coat is perfect*); **3.** (*om ting*) virkemåde, indretning (*fx the* ~ *of a machine*); □ *get the* ~ *of* T forstå, få fat i, komme 'efter; *I don't care a* ~ T jeg bryder mig pokker om det.

hang[2] [hæŋ] *vb.* (*hung, hung*; (*A 2*) *-ed, -ed*) (se også *hung*[2]) **A.** (*med objekt*) **1.** hænge; hænge op; **2.** (*person: henrette*) hænge; (se også *sheep*); **3.** (*kød*) lade hænge; **4.** (*maleri*) hænge op; udstille; **B.** (*uden objekt*) **1.** hænge; være hængt op; **2.** (*om stof*) hænge; falde (*fx this material -s so well*); (*om tøj*) sidde; **3.** (*om person*) blive hængt (*fx he was sentenced to* ~; *he will* ~ *for this*); **4.** (*it*) hænge; □ *I'll be -ed if I will* (*glds.*) gu' vil jeg ej; *oh,* ~ *it!* (*glds.*) pokker stå i det! *it can go* ~ (*glds.*) blæse være med det; [*med adj.*] ~ *loose* (*glds., fig.*) tage det roligt, tage den med ro; ~ *open* stå åben; ~ *tough* (*fig.*) stå fast, ikke give sig; [*med sb.*] ~ *a door* sætte en dør på hængslerne; ~ *the expense!* (*glds.*) skidt med hvad det koster! ~ *fire* **a.** nøle; **b.** ikke komme nogen vegne; *negotiations hung fire* det gik tungt med forhandlingerne; ~ *paper on a wall* tapetsere en væg; ~ *wallpaper* sætte tapet op; tapetsere; (se også *hat, head*[1]); [*med præp., adv.*] ~ *about/around* **a.** stå///gå og hænge//drive; **b.** drive den af; **c.** (*med objekt*) holde til i; ~ *about/around with* T være sammen med, hænge ud med; ~ *back* tøve; holde sig tilbage; trykke sig; ~ *behind* blive tilbage; blive hængende; ~ *by a thread* hænge i en tråd; ~ *in (there)* (*am.* T) holde ud; ikke give op; (se også *balance*[1]); ~ *on* **a.** holde fast (*fx he hung on with his knees*); hænge 'ved; **b.** (*trods vanskeligheder*) holde ud; **c.** (*fx tlf.*) vente (*fx* ~ *on a bit!*); **d.** (*med objekt*) være afhængig af, komme an på (*fx everything hangs on your answer*); *they hung on his lips/his words/his every word* de hang ved hans læber [ɔ: *lyttede ivrigt til ham*]; ~ *on to/onto* **a.** (*med hænderne etc.*) holde fast i, hage sig fast i, klynge sig til (*fx his arm; a rope*); **b.** (*fig.*)

holde fast ved (*fx one's job; power*);
~ **out a.** læne sig ud (*fx don't ~ out of the window*); **b.** T holde til, hænge ud (*fx where do you ~ out?*); **c.** (*med objekt*) hænge ud//op, hænge til tørre (*fx the washing*); *let it all ~ out* T **a.** slå sig løs; give den hele armen; **b.** lægge det hele på bordet; tale lige ud af posen; ~ *sby* **out to dry** (T: *især am.*) lade en i stikken; lade en sejle sin egen sø; ~ *out* **with** T være sammen med, hænge ud med;
~ **together a.** (*også fig.*) hænge sammen (*fx the car can't ~ together much longer; his story does not ~ together*); **b.** (*om personer*) holde sammen;
~ **up a.** hænge op; **b.** (*tlf.*) lægge røret på; lægge på; *he hung up on me* han smækkede telefonen/røret på; ~ *up one's ...* (*fig.*) [*udtryk for at man holder op med en aktivitet*]; *he hung up his boots/gloves* (*fig.*) [*han lagde fodboldsspillet/boksningen på hylden*]; (se også *hat*);
~ *a room* **with** *paper* tapetsere et værelse.
hangar [ˈhæŋə, ˈhæŋgə] *sb.* hangar.
hangdog [ˈhæŋdɔg] *adj.* nedslået; skyldbetynget.
hanger [ˈhæŋə] *sb.* **1.** (*til tøj*) bøjle; **2.** (*til kedel*) kedelkrog.
hanger-on [hæŋərˈɔn] *sb.* (*pl. hangers-on*) snylter; påhæng; □ *hangers-on* (*også*) slæng; påhæng.
hang-glider [ˈhæŋglaidə] *sb.* **1.** dragefly; **2.** (*person*) drageflyver.
hang-gliding [ˈhæŋglaidiŋ] *sb.* drageflyvning.
hanging[1] [ˈhæniŋ] *sb.* **1.** (*henrettelse*) hængning; **2.** (*på væg*) draperi; vægtæppe; **3.** (*om seng*) omhæng, gardin.
hanging[2] [ˈhæniŋ] *adj.* hængende.
hanging committee *sb.* censurkomité [*ved udstilling*].
hangman [ˈhæŋmən] *sb.* (*pl. -men* [-mən]) bøddel.
hangnail [ˈhæŋneil] *sb.* neglerod.
hangout [ˈhæŋaut] *sb.* T tilholdssted.
hangover [ˈhæŋəuvə] *sb.* **1.** levn (*from* fra); rest; **2.** (*efter fuldskab*) tømmermænd.
hangup [ˈhæŋʌp] *sb.* T kompleks (*about/on* med hensyn til, *fx he has a ~ about/on Germans*); problem (*about/on* med); blokering (*about/on* over for).
hank [hæŋk] *sb.* **1.** (*af garn*) dukke; fed; **2.** (*mar.*) løjert.

hanker [ˈhæŋkə] *vb.*: ~ *after/for* længes efter; drømme om, ønske brændende; hige efter.
hankering [ˈhæŋkəriŋ] *sb.* higen; længsel.
hankie, hanky [ˈhæŋki] *sb.* T lommetørklæde.
hanky-panky [hæŋkiˈpæŋki] *sb.* (*glds.* T: *spøg.*) **1.** kissemisseri; **2.** luskeri, lumskeri, fidusmageri.
Hanover [ˈhænəvə] Hannover.
Hanoverian[1] [hænəˈviəriən] *sb.* hannoveraner [*om engelsk kongeslægt 1714-1801*].
Hanoverian[2] [hænəˈviəriən] *adj.* hannoveransk.
Hansard [ˈhænsaːd, -səd] *sb.* [*de trykte parlamentsforhandlinger, svarer til Folketingstidende*].
Hanseatic [hænsiˈætik] *adj.* (*hist.*) hanseatisk; hanse-.
Hanseatic League *sb.*: *the ~* hanseforbundet.
hansom [ˈhænsəm] *sb.*, **hansom cab** *sb.* tohjulet hestedrosche.
Hants [hænts] *fork. f. Hampshire.*
haphazard [hæpˈhæzəd] *adj.* tilfældig; vilkårlig.
hapless [ˈhæpləs] *adj.* (*litt.*) uheldig; ulykkelig.
happen [ˈhæp(ə)n] *vb.* ske; hænde; □ *as it -s/it just so -s* tilfældigvis; forresten (*fx it just so -s that/as it -s he is my brother*); det træffer sig sådan at; *waiting to ~ se wait*[2];
[*med præp.& adv.*] ~ *by* (*især am.*) tilfældigvis komme forbi; ~ *on* tilfældigvis træffe//finde; støde på; ~ *to* **a.** ske (for) (*fx the same thing -ed to me*); **b.** ske med (*fx I don't know what -ed to the money*); **c.** blive af (*fx whatever -ed to him?*); *if anything should ~ to him* hvis der skulle ske ham noget [*ɔ: hvis han dør*]; hvis der sker ham noget menneskeligt; [+ *inf.*] *I -ed* **to** *be there* jeg var der tilfældigvis; *he -ed to do it* (*også*) han kom til at gøre det.
happening [ˈhæp(ə)niŋ] *sb.* **1.** hændelse; begivenhed; **2.** (*arrangeret*) happening.
happenstance [ˈhæp(ə)nstæns] *sb.* (*litt., især am.*) tilfældighed; (*heldig*) lykketræf; □ *by ~* ved en tilfældighed; ved et lykketræf.
happily [ˈhæpili] *adv.* **1.** lykkeligt (*fx ~ married*); **2.** med glæde (*fx I'd ~ help you*); **3.** heldigvis (*fx ~, it wasn't serious*).
happiness [ˈhæpinəs] *sb.* lykke; glæde;
□ *wish sby every ~* F ønske en alt godt.

happy [ˈhæpi] *adj.* **1.** lykkelig; glad; **2.** (*litt.*: *om udtryk etc.*) heldig, velvalgt, træffende;
□ (*as*) ~ *as a king/sandboy* glad og lykkelig; himmelhenrykt; kisteglad; *the story has a ~ ending* historien ender godt; *in a ~ hour* i en heldig/lykkelig stund; (se også *happy hour*); *strike a ~ medium* finde den gyldne middelvej;
[*i ønsker:*] ~ *anniversary//birthday* tillykke med bryllupsdagen//fødselsdagen; ~ *Christmas//New Year* glædelig jul//glædeligt nytår; (se også *return*[1]);
[*med præp.& adv.*] *I don't feel quite ~ about it* jeg er noget bekymret over det; jeg er ikke rigtig glad/tryg ved det; *I was/felt ~ for you* jeg glædede mig på dine vegne; *be ~ to* være glad for at (*fx see him*); *I'll be ~ to* jeg vil gerne/med glæde (*fx do it for you*); ~ *with* glad for; tilfreds med (*fx the new car*).
happy families *sb.* firkort.
happy-go-lucky [hæpigəuˈlʌki] *adj.* ubekymret, sorgløs.
happy hour *sb.* [*tidsrum i bar etc. med nedsatte priser*].
happy hunting ground *sb.* **1.** evige lykkelige jagtmarker [*ɔ: indianernes himmerig*]; **2.** (*fig.*) ren guldgrube; tumleplads.
happy medium *sb.* gylden middelvej.
hara-kiri [hærəˈkiri] *sb.* harakiri.
harangue[1] [həˈræŋ] *sb.* (*lang og heftig*) tale; svada, tirade, præken.
harangue[2] [həˈræŋ] *vb.* holde tale til; præke for.
harass [ˈhærəs, (*især am. også*) həˈræs] *vb.* **1.** chikanere; plage; **2.** (*dyr i naturen & mil.*) forstyrre; □ *-ing fire* (*mil.*) forstyrrelsesild.
harassed [ˈhærəst, (*især am. også*) həˈræst] *adj.* plaget, hærget; fortravlet, stresset.
harassment [ˈhærəsmənt, (*især am. også*) həˈræsmənt] *sb.* **1.** chikane; chikaneri(er); plageri(er); **2.** (*af dyr i naturen & mil.*) forstyrrelse.
harbinger [ˈhaːbin(d)ʒə] *sb.* varsel; forløber;
□ ~ *of spring* forårsbebuder.
harbour[1] [ˈhaːbə] *sb.* havn.
harbour[2] [ˈhaːbə] *vb.* **1.** give ly til; **2.** (*eftersøgt person*) holde skjult, skjule, huse (*fx an escaped criminal*); **3.** (*følelser etc.*) nære (*fx doubts; mistrust; suspicions*); (se også *grudge*[1]).
harbour dues *sb. pl.* havneafgifter.
harbour master *sb.* havnefoged.
harbour seal *sb.* (*am. zo.*) spættet sæl.

H hard

hard¹ [ha:d] *sb.* **1.** (*på strand*) landingssted, ophalingssted; **2.** S = *hard-on*.

hard² [ha:d] *adj.* **1.** (*om overflade etc.*) hård (*fx mattress; floor*); **2.** (*om opgave, tekst etc.*) vanskelig, svær (*fx exam; question;* ~ *to understand//accept*); **3.** (*om person, forhold*) hård (*fx man; life; work*); streng (*fx winter; discipline*); barsk; **4.** (*om stød, slag*) hård, kraftig, voldsom (*fx push; blow*); **5.** (*om oplysning*) pålidelig, sikker (*fx information; news*); **6.** (*om drik: spiritusholdig*) stærk; □ ~ *and fast* se *hard-and-fast*; (*as*) ~ *as nails* **a.** (*fysisk*) i fin form; **b.** (*psykisk*) jernhård, benhård; [*med præp.& adv.*] *be* ~ *at it* T være i fuld gang; pukle løs; ~ *of hearing* tunghør; *be* ~ *on* **a.** (*om person*) være hård/streng mod (*fx don't be too* ~ *on him*); **b.** (*om forhold*) være hård/streng for (*fx the divorce has been* ~ *on the children; running is* ~ *on the knees*); [*med sb.; se også på alfabetisk plads*] *drive a* ~ *bargain* se *bargain¹*; ~ *facts* (*jf. 5*) ubestridelige kendsgerninger; *have* ~ *feelings* bære nag; *no* ~ *feelings?* du bærer vel ikke nag? skal vi lade det være glemt? ~ *going* se *going¹*; *a* ~ *left//right* et skarpt sving til venstre//højre; ~ *lines* T = ~ *luck; take a long* ~ *look at* se grundigt og nøgternt på; ~ *luck* modgang; ~ *luck!* det var synd! det var vel nok ærgerligt! *tough show! have* ~ *luck* **a.** være uheldig; **b.** blive hårdt behandlet; *it is* ~ *luck* **a.** det er hårde betingelser; **b.** det er lige hårdt nok; *it is* ~ *luck on him* det er synd for ham; ~ *time* se *time¹*, *fall²* (*on*); ~ *porn* hård porno; *he has learnt it the* ~ *way* han er ikke kommet let til det; han har måttet slide sig til det; ~ *words* **a.** hårde ord; **b.** svære ord; *it was* ~ *work* det var hårdt arbejde; det holdt hårdt; (*se også time¹*).

hard³ [ha:d] *adv.* **1.** hårdt (*fx crack down* ~ *on smuggling*); strengt (*fx it froze* ~); **2.** (*om indsats*) hårdt (*fx work* ~); energisk; af al magt; **3.** (*om slag etc.*) hårdt (*fx hit//kick him* ~); (*også om nedbør*) kraftigt (*fx push* ~; *it hailed//rained// snowed* ~); voldsomt; **4.** (*ved drejning*) helt (*fx* ~ *over to starboard;* ~ *left//right*); **5.** (*om afstand*) tæt, nær; umiddelbart (*fx follow* ~ *behind*); □ ~ *done by* se *done²*;

[*med præp.& adv.*] ~ *by* tæt ved; ~ *on the heels of* **a.** lige i hælene på; **b.** (*fig.*) umiddelbart efter; ~ *up* i pengevanskeligheder; på knæene; *be* ~ *up for* være helt uden (*fx work*); [*med vb.*] *drink* ~ drikke tæt; *it will go* ~ *with them* (*glds.*) det bliver slemt for dem; *listen* ~ lytte intenst; *look* ~ *at* se skarpt// nøje//stift på; *play* ~ *to get* T spille utilnærmelig; gøre sig kostbar; *I was* ~ *put to* jeg havde svært ved at; det kneb for mig at; *stare* ~ stirre stift; *take it too* ~ tage det for tungt; *think* ~ **a.** tænke sig godt om; **b.** tænke godt efter; *try* ~ prøve ihærdigt; gøre sig umage, gøre sig store anstrengelser; *work* ~ (*jf. 2, også*) være flittig.

hard-and-fast [ha:dən'fa:st] *adj.* ufravigelig (*fx rule*); streng; urokkelig.

hardass ['ha:dæs] *sb.* (*am. vulg.*) hård banan.

hardassed ['ha:dæst] *adj.* (*am. vulg.*) hård i filten.

hardback ['ha:dbæk] *sb.* bog i stift bind; indbunden bog; □ *in* ~ i stift bind; indbunden.

hardball ['ha:dbɔ:l] *sb.* (*am.*) **1.** baseball; **2.** (*fig., T*) grove metoder; □ *play* ~ (*fig.*) bruge grove metoder; ikke lægge fingrene imellem; gå lige på og hårdt.

hard-bitten [ha:d'bit(ə)n] *adj.* hårdhudet, hærdet, garvet; benhård; stejl; □ *he is* ~ (*også*) han er en hård negl.

hardboard ['ha:dbɔ:d] *sb.* hård (træ)fiberplade.

hard-boiled [ha:d'bɔild] *adj.* (*også fig.*) hårdkogt.

hard candy *sb.* (*am.*) bolsjer.

hard cash *sb.* kontanter; rede penge.

hard cider *sb.* (*am.*) [*cider der indeholder alkohol*].

hard copy *sb.* (*it*) klarskrift.

hard core *sb.* hård kerne; restgruppe.

hard-core [ha:d'kɔ:] *adj.* som tilhører den hårde kerne; som vedrører en restgruppe.

hard-core porn *sb.* hård porno.

hardcover ['ha:dkʌvə] *sb.* (*især am.*) = *hardback*.

hard currency *sb.* hård valuta.

hard disk *sb.* (*it*) harddisk.

hard drugs *sb. pl.* hårde stoffer.

hard-earned [ha:d'ə:nd] *adj.* surt erhvervet; dyrekøbt.

hard-edged [ha:d'edʒd] *adj.* skarp; stærk.

harden ['ha:d(ə)n] *vb.* (*se også hardened*) **A.** (*med objekt*) **1.** (*materiale*) gøre hård; hærde; **2.** (*holdning*) gøre hårdere/mere ubøjelig (*fx their attitude*); bestyrke (*fx his conviction*); **3.** (*person: fysisk*) hærde; (*åndeligt*) gøre forhærdet; **B.** (*uden objekt*) **1.** (*om materiale*) blive hård; hærdes; hærdne (*fx let the paint* ~); størkne (*fx the mud -ed*); **2.** (*om opfattelse*) blive bestyrket (*fx suspicion -ed into certainty*); fæstne sig; **3.** (*om person*) blive forhærdet; **4.** (*om priser*) strammes; stabiliseres; □ *his face -ed* hans ansigt fik et hårdt udtryk; ~ *one's heart* forhærde sit hjerte.

hardened ['ha:d(ə)nd] *adj.* **1.** (*om materiale*) hærdet (*fx steel*); **2.** (*om person*) hærdet (*fx police officer*); ufølsom (*to over for, fx criticism*); **3.** (*neds.: uforbederlig*) forhærdet (*fx criminal; liar*).

hardening ['ha:d(ə)niŋ] *sb.* **1.** hærdning; **2.** forhærdelse; □ ~ *of the arteries* åreforkalkning.

hard-faced [ha:d'feist] *adj.* med et hårdt udtryk; bister; stramtandet.

hard hat *sb.* **1.** beskyttelseshjelm; **2.** (*am.*) bygningsarbejder; **3.** (*am.*) reaktionær.

hard-headed [ha:d'hedid] *adj.* nøgtern, praktisk, nøgtern.

hard-hitting [ha:d'hitiŋ] *adj.* som går lige på og hårdt; direkte.

hardihood ['ha:dihud] *sb.* (*glds.*) dristighed.

hard labour *sb.* tvangsarbejde; strafarbejde.

hard-line [ha:d'lain] *adj.* som er tilhænger af//følger en hård kurs; □ ~ *communist* betonkommunist.

hard-liner [ha:d'lainə] *sb.* tilhænger af hård kurs; strammer; □ ~ *communist* ~ betonkommunist.

hard liquor *sb.* (*am.*) spiritus.

hard luck *sb.* se *hard*.

hard-luck story [ha:d'lʌkstɔ:ri] *sb.* [*tiggers etc. fortælling om sin kranke skæbne*]; jeremiade; jammerhistorie.

hardly ['ha:dli] *adv.* **1.** næppe, næsten ikke; knap; **2.** hårdt (*fx be* ~ *treated*); □ ~ *any* næsten ingen; ~ *anybody* næsten ingen; ~ *anything* næsten intet; ~ *ever* næsten aldrig; *hardly ... when* næppe ... før; *it is* ~ *enough* det er vist ikke nok.

hard-nosed [ha:d'nəuzd] *adj.* **1.** se *hard-headed*; **2.** hård, stejl, skrap.

hard-on ['ha:dɔn] *sb.* (*vulg.*) ståpik, stivert.

hard palate *sb.: the* ~ (*anat.*) den

398

hårde gane.

hardpan ['ha:dpæn] *sb.* al [ɔ: *hårdt jordlag*].

hards [ha:dz] *sb. pl.* blår.

hardscrabble ['ha:dskræbl] *adj.* (*am.*) **1.** (*om jord*) ufrugtbar; mager; **2.** (*om gård*) som næppe giver til livets ophold; **3.** (*generelt*) ludfattig, forarmet (*fx farmer; church; town*); præget af fattigdom.

hard sell *sb.* aggressiv salgsteknik.

hardshell ['ha:dʃel] *adj.* **1.** hårdskallet; **2.** (*om person*) streng, ubøjelig.

hardship ['ha:dʃip] *sb.* (se også *hardships*) besværlighed; prøvelse, lidelse; byrde.

hardships ['ha:dʃips] *sb. pl.* prøvelser, lidelser; strabadser; modgang; afsavn; □ *endure* ~ (*også*) døje modgang; lide ondt.

hard shoulder *sb.* nødspor [*ved motorvej*]; yderrabat.

hardstanding [ha:d'stændiŋ] *sb.* [*plads med hård belægning, til parkering af bil el. fly*].

hardtack ['ha:dtæk] *sb.* (*mar.*) beskøjter.

hardtop ['ha:dtɔp] *sb.* hardtop [*bil med metaltag og ikke kaleche*].

hardware ['ha:dwɛə] *sb.* **1.** isenkram; **2.** (*it*) maskinel, hardware [*mods. program*]; **3.** (*mil.*) våben; materiel, maskiner, teknisk udstyr [*mods. mandskab*].

hardware dealer *sb.* (*am.*) isenkræmmer.

hardware store *sb.* (*am.*) isenkramforretning.

hard water *sb.* hårdt vand [ɔ: *kalkholdigt*].

hard-wearing [ha:d'wɛəriŋ] *adj.* slidstærk.

hard-wired [ha:d'waiəd] *adj.* **1.** (*it*) direkte forbundet; fast forbundet; **2.** (*fig.*) nedlagt i generne.

hardwood ['ha:dwud] *sb.* løvtræ; hårdtræ.

hard-working [ha:d'wɔ:kiŋ] *adj.* flittig.

hardy ['ha:di] *adj.* **1.** hårdfør; **2.** dristig; **3.** (*om tilhænger*) udholdende.

hardy perennial *sb.* **1.** hårdfør flerårig plante; **2.** (*fig.*) stående (samtale)emne; gammel traver; fast favorit; stående hit.

hare[1] [hɛə] *sb.* hare; □ *run with the* ~ *and hunt with the hounds* bære kappen på begge skuldre; *start a* ~ (*glds.*) bringe et helt nyt emne på bane [*ofte som afledningsmanøvre*]; afspore diskussionen.

hare[2] [hɛə] *vb.:* ~ *off* fare/pile/

styrte af sted.

harebell ['hɛəbel] *sb.* (*bot.*) blåklokke.

hare-brained ['hɛəbreind] *adj.* **1.** (*om person*) tankeløs, forfløjen; **2.** (*om idé etc.*) uigennemtænkt, forfløjen.

harelip ['hɛəlip, hɛə'lip] *sb.* hareskår.

harem ['ha:ri:m, 'hɛərəm, (*am.*) 'hærəm, 'herəm] *sb.* harem.

hare's-ear [hɛəz'iə] *sb.* (*bot.*) hareøre.

hare's-foot [hɛəz'fut] *sb.*, **hare's-foot clover** *sb.* (*bot.*) harekløver.

haricot ['hærikəu] *sb.*, **haricot bean** *sb.* hvid bønne.

hark [ha:k] *vb.:* ~*!* (*litt.*) hør! lyt! ~ *at him!* (T: *iron.*) hør ham!; (se også *pot*[1]); ~ *back to* **a.** vende tilbage til; tænke tilbage på; **b.** minde om, være en reminiscens fra.

harl [ha:l] *vb.* (*skotsk*) stenpudse.

harlequin[1] ['ha:likwin] *sb.* Harlekin.

harlequin[2] ['ha:likwin] *adj.* harlekinmønstret.

harlequinade [ha:likwi'neid] *sb.* harlekinade.

harlequin duck *sb.* (*zo.*) strømand.

Harley Street ['ha:li stri:t] [*gade i London hvor mange speciallæger har konsultationslokaler*].

harlot ['ha:lət] *sb.* (*glds.*) skøge.

harm[1] [ha:m] *sb.* **1.** skade; **2.** (*på person*) fortræd, skade; □ *do* ~ *to* skade; *that won't do him any* ~ det tager han ingen skade af; *there's no* ~ *done* der er ingen skade sket; *where's the* ~ *in that?* hvad kan det skade? *I meant no* ~ det var ikke så slemt ment; *come to* ~ lide overlast; *come to no* ~ (*også*) ikke komme noget til; *out of -'s way* i sikkerhed.

harm[2] [ha:m] *vb.* **1.** skade; **2.** (*person*) gøre fortræd, skade; □ *that won't* ~ *him* det tager han ingen skade af.

harmful ['ha:mf(u)l] *adj.* skadelig.

harmless ['ha:mləs] *adj.* **1.** uskadelig, ufarlig (*fx the bite//substance is quite* ~); **2.** (*om person, beskæftigelse*) harmløs, fredelig; (*om person, dyr også*) skikkelig; **3.** (*am.*) skadesløs (*fx hold him* ~).

harmonic[1] [ha:'mɔnik] *sb.* (*mus.*) overtone.

harmonic[2] [ha:'mɔnik] *adj.* harmonisk.

harmonica [ha:'mɔnikə] *sb.* (*mus.*) mundharmonika.

harmonious [ha:'məuniəs] *adj.* har-

monisk.

harmonium [ha:'məuniəm] *sb.* (*mus.*) harmonium, stueorgel.

harmonization [ha:mənai'zeiʃn] *sb.* **1.** (*mus. & om priser etc.*) harmonisering; **2.** (*fig.*) samklang; harmoni.

harmonize ['ha:mənaiz] *vb.* **1.** harmonisere (*fx prices; safety standards*); afstemme; bringe i overensstemmelse (*with* med); **2.** (*mus.*) harmonisere; **3.** (*uden objekt*) harmonere (*with* med); passe sammen, stemme overens (*with* med); være i samklang; (*mus.*) synge i harmoni.

harmony ['ha:məni] *sb.* harmoni; □ *live//work in* ~ (*også*) leve//arbejde i samdrægtighed; *be in* ~ *with* (*også*) harmonere med.

harness[1] ['ha:nəs] *sb.* **1.** (*til hest*) seletøj; **2.** (*til barn; til at spænde noget fast med*) sele (*fx parachute* ~; *safety* ~); □ *be back in* ~ være i arbejde/i gang igen; *die in* ~ (*fig.*) dø under arbejdet; arbejde til det sidste; *work in* ~ (*fig.*) arbejde sammen.

harness[2] ['ha:nəs] *vb.* give seletøj på; spænde 'for; □ ~ *the water power* udnytte vandkraften.

Harold ['hærəld] (*hist.*) Harald.

harp[1] ['ha:p] *sb.* (*mus.*) harpe.

harp[2] ['ha:p] *vb.:* ~ *on* (*fig.*) hele tiden komme tilbage til; evig og altid snakke om; tærske langhalm på; ~ *on the same string* (*fig.*) køre på den samme melodi.

harper ['ha:pə] *sb.* harpespiller.

harpist ['ha:pist] *sb.* harpenist.

harpoon[1] [ha:'pu:n] *sb.* harpun.

harpoon[2] [ha:'pu:n] *vb.* harpunere.

harp seal *sb.* (*zo.*) grønlandssæl.

harpsichord ['ha:psikɔ:d] *sb.* (*mus.*) cembalo.

harpy ['ha:pi] *sb.* **1.** (*om kvinde*) furie; **2.** (*myt.*) harpy.

harpy eagle *sb.* (*zo.*) harpy(ørn).

harridan ['hæridən] *sb.* pulverheks; gammel kælling; strigle.

harrier ['hæriə] *sb.* **1.** harehund; støver; **2.** (*zo.: fugl*) kærhøg; **3.** (*person*) terrænsportsmand, terrænløber.

Harrovian [hə'rəuviən] *sb.* harrovianer [*elev af skolen i Harrow*].

Harrow ['hærəu] *sb.* se *Harrow School*.

harrow[1] ['hærəu] *sb.* harve.

harrow[2] ['hærəu] *vb.* harve.

harrowed ['hærəud] *adj.* oprevet, rystet; forpint.

harrowing ['hærəuiŋ] *adj.* sindsoprivende, rystende.

Harrow School *sb.* [*berømt public*

school i *Nordvestlondon*].

harrumph [hə'rʌmf] *vb.* **1.** rømme sig kraftigt; **2.** (*af utilfredshed*) brumme, brokke sig, fnyse.

Harry ['hæri] = *Henry*.

harry ['hæri] *vb.* **1.** plage, chikanere; **2.** hærge, plyndre.

harsh [ha:ʃ] *adj.* **1.** (meget) hård// streng, skrap (*fx conditions; punishment; treatment; critic; judge; father*); barsk; skarp (*fx rebuke*); brutal (*fx ruler*); (*stærkere*) skånselsløs (*fx punishment; treatment; critic*); **2.** (*om forhold; om virkelighed*) barsk (*fx climate; the ~ realities*); **3.** (*om lyd*) skurrende, skærende (*fx voice*); disharmonisk; **4.** (*om farve, lys etc.*) grel, skærende (*fx contrast*); **5.** (*om smag, lugt*) besk, stram; **6.** (*om rengøringsmiddel*) skrap (*fx soap*).

hart [ha:t] *sb.* hanhjort.

hartebeest ['ha:tibi:st] *sb.* (zo.) hartebeest [*art antilope*].

hart's-tongue ['ha:tstʌŋ] *sb.* (*bot.*) hjortetunge.

harum-scarum[1] [hɛərəm'skɛərəm] *adj.* vild, ubesindig, fremfusende.

harum-scarum[2] [hɛərəm'skɛərəm] *adv.* forvirret, planløst.

Harvard ['ha:vəd] [*berømt universitet i USA*].

harvest[1] ['ha:vist] *sb.* høst;

□ ~ *a rich harvest* få en rig høst; *reap the ~ of* (*fig.*) høste frugten af (*fx one's hard work*).

harvest[2] ['ha:vist] *vb.* høste.

harvester ['ha:vistə] *sb.* **1.** høstmaskine; selvbinder; (se også *combine harvester, forage harvester, sugar beet harvester*); **2.** (*glds.*) høstkarl.

harvest festival *sb.* høstfest; høstgudstjeneste.

harvest fly *sb.* (am. zo.) cikade.

harvest home *sb.* afslutning på høsten; høstgilde.

harvestman ['ha:vistmən] *sb.* (*pl.* -men [-mən]) (zo.) mejer.

harvest mite *sb.* (zo.) augustmide.

harvest mouse *sb.* (zo.) dværgmus.

has [(h)ez, (*betonet*) hæz] *3. pers. sg. præs. af* have.

has-been ['hæzbi:n] *sb.* T [*person// ting der hører fortiden til*];

□ *a* ~ en forhenværende; et fortidslevn; en fortidslevning.

hash[1] [hæʃ] *sb.* **1.** hakkemad; labskovs; biksemad; hachis; **2.** (*fig.*) rod, kludder; virvar; **3.** T hash; **4.** (*på tastatur*) havelåge, stakit, stigetegn [#];

□ *make a ~ of* T forkludre; *settle sby's ~* T „ordne" en.

hash[2] [hæʃ] *vb.* (am.) skære i stykker;

□ ~ *up* T forkludre; spolere.

hash browns, hashed browns *sb. pl.* (am. T) [*stegte hakkede kartofler og løg*].

hash house *sb.* (am. T) billigt spisested.

hashish ['hæʃi:ʃ] *sb.* hash.

haslets ['heizləts, 'hæz-] *sb. pl.* svineindmad.

hasp [ha:sp] *sb.* **1.** (*til vindue*) haspe; **2.** (*for lås*) overfald; **3.** (*på bog etc.*) spænde.

hassle[1] ['hæsl] *sb.* T **1.** mas, besvær, bøvl; **2.** chikaneri; ubehageligheder; **3.** (am.) skænderi; slagsmål.

hassle[2] ['hæsl] *vb.* T plage, genere, chikanere;

□ ~ *with* skændes med.

hassock ['hæsək] *sb.* **1.** (*i kirke*) knælepude; **2.** (*i græs*) græstue; **3.** (am.) gulvpude.

hast [hæst] (*glds.*) *2. pers. sg. præs. af have*.

haste [heist] *sb.* hast; hastværk;

□ *in* ~ **a.** i hast (*fx I write in ~*); **b.** forhastet; overilet; *be in* ~ have hastværk; *make* ~ (*glds.*) skynde sig; *more* ~, *less speed* hastværk er lastværk.

hasten ['heis(ə)n] *vb.* **1.** skynde sig, haste, ile; **2.** (*med objekt*) fremskynde;

□ ~ *to* skynde sig at; ile med at.

Hastings ['heistiŋz] [*by i Sydengland hvor der stod et berømt slag i 1066*].

hasty ['heisti] *adj.* **1.** hastig (*fx departure*); **2.** (*neds.*) forhastet, overilet (*fx decision*); uovervejet (*fx words*); **3.** (*glds.*) heftig, hidsig, opfarende.

hasty pudding *sb.* **1.** hvedegrød; **2.** (am.) majsgrød.

hat [hæt] *sb.* **1.** hat; **2.** (*fig.: om rolle, funktion*) kasket, hat (*fx he is wearing a different ~*);

□ *-s off to ...!* hatten af for ...! stor tak til ...!; (se også *old hat*); [*med vb.*] *I'll eat my ~ if they win* (*glds.*) jeg tør æde min gamle hat på at de ikke vinder/at de taber; *hang one's ~* slå sig ned [*for længere tid*]; *hang up one's ~* tage sin afsked; *pass round the ~* lade hatten gå rundt; samle ind; *throw one's ~ into the ring* (am.) melde sig som kandidat; [*med præp.*] *at the drop of a ~* se *drop*[1]; *be drawn/picked out of the ~* (*ved lodtrækning*) blive trukket op af hatten, blive udtrukket; *it had been picked out of a ~* (*fig., neds.*) det var valgt på må og få; *talk* **through** *one's ~* vrøvle; snakke hen i vejret; *keep sth* **un-**

der *one's* ~ tie stille med noget; holde noget hemmeligt; (se også *cocked hat, old hat*).

hatband ['hætbænd] *sb.* hattebånd.

hatbox ['hætbɔks] *sb.* hatteæske.

hatch[1] [hætʃ] *sb.* **1.** (*mar., flyv. etc.*) luge; **2.** (*til køkken el. loft*) lem; **3.** (jf. *hatch*[2] *1*) kuld; yngel; **4.** (*i tegning*) skravering; **5.** = *hatchback*;

□ *batten down the -es* **a.** (*mar.*) skalke lugerne; **b.** (*fig.*) forberede sig på vanskeligheder; *down the ~!* T skål! *go down the ~* (T: *om mad, drikke*) glide ned; *under -es* (*mar.*) under dæk.

hatch[2] [hætʃ] *vb.* **1.** (*om æg, unger*) udruges; (ud)klækkes; **2.** (*æg, unge*) udruge, (ud)klække; **3.** (*plan*) udklække; **4.** (*tegning*) skravere;

□ ~ *out* se ovf.: *1. 2.*

hatchback ['hætʃbæk] *sb.* **1.** hatchback, bil med bagklap; **2.** bagklap.

hatcheck girl ['hætʃekgərl] *sb.* (am.) garderobedame.

hatchery ['hætʃəri] *sb.* **1.** (*for fjerkræ*) rugeri; **2.** (*for fisk*) udklækningsanstalt.

hatchet ['hætʃit] *sb.* håndøkse; lille økse;

□ *bury the* ~ (*fig.*) begrave stridsøksen; slutte fred.

hatchet face *sb.* skarpskåret ansigt.

hatchet-faced ['hætʃitfeist] *adj.* med skarpskåret ansigt.

hatchet job *sb.* T nedgøring, nedrakning, slagtning;

□ *do a* ~ *on* nedgøre, rakke ned, slagte.

hatchet man *sb.* (*pl. ... men*) håndlanger; slagter; lejemorder.

hatchment ['hætʃmənt] *sb.* våben; våbenskjold [*afdøds våben som hængtes op på hans hus og senere i kirken*].

hatchway ['hætʃwei] *sb.* (*mar.*) luge.

hate[1] [heit] *sb.* had.

hate[2] [heit] *vb.* **1.** hade, afsky; **2.** være meget ked af (*fx I* ~ *to trouble you; I* ~ *to say it*); ikke bryde sig om; ikke kunne fordrage (*fx I* ~ *being late*);

□ *I'd* ~ *to* jeg vil meget nødig; (se også *poison*[1]).

hated ['heitid] *adj.* forhadt;

□ *the best* ~ den mest forhadte.

hateful ['heitf(u)l] *adj.* **1.** (*glds.*) afskyelig, modbydelig; **2.** (*om person*) hadefuld.

hate mail *sb.* hadebreve.

hath [hæθ, həθ] (*glds.*) *3. pers. sg. præs. af have*.

hatpin ['hætpin] *sb.* hattenål.

hatred ['heitrid] *sb.* had (*of/for* til).

hatstand ['hætstænd] *sb.* stumtjener.

hatter ['hætə] *sb.* hattemager; (se også *mad*).

hat trick *sb.* hattrick [*tre succeser i træk; (i fodbold) det at score tre mål i samme kamp; (i kricket) det at tage tre gærder med tre på hinanden følgende bolde*].

haughtiness ['hɔ:tinəs] *sb.* arrogance, overlegenhed, hovenhed.

haughty ['hɔ:ti] *adj.* arrogant, overlegen, hoven.

haul[1] [hɔ:l] *sb.* **1.** (*i fiskeri*) fangst; **2.** (*af tyveri etc.*) udbytte; **3.** (*i reb etc.*) træk;
□ *get a fine* ~ (*jf. 2*) gøre et godt kup; *give a* ~ *on* (*jf. 3*) hale/hive i; *a long* ~ **a.** en lang besværlig tur; **b.** (*fig.*) et langt sejt træk; en lang og besværlig proces; *over the long* ~ (*især am.*) på langt sigt; i det lange løb; *a short* ~ en kort tur.

haul[2] [hɔ:l] *vb.* **1.** hale, hive; **2.** trække, slæbe; **3.** (*gods*) transportere; **4.** (*om vind*) dreje (*fx aft; forward*);
□ ~ *him (up) before a magistrate* slæbe ham for en dommer/for retten; ~ *down one's flag* stryge flaget; ~ *to the wind* (*mar.*) gå tættere til vinden; (se også *coal*).

haulage ['hɔ:lidʒ] *sb.* **1.** transport, kørsel; **2.** transportomkostninger.

haulage contractor *sb.* vognmand, fragtmand.

haulier ['hɔ:liə] *sb.* vognmand, fragtmand.

haulm [hɔ:m] *sb.* **1.** strå; stængel; **2.** (*af ærter, bønner*) halm.

haunch [hɔ:n(t)ʃ] *sb.* **1.** hofte; bagparti; **2.** (*af slagtet dyr*) kølle;
□ ~ *of mutton* fårekølle; ~ *of venison* dyrekølle.

haunches ['hɔ:n(t)ʃiz] *sb. pl.* bagdel, ende, bagfjerding;
□ *sit/squat on one's* ~ sidde på hug.

haunt[1] [hɔ:nt] *sb.* tilholdssted; opholdssted; (*om dyr også*) hjemsted.

haunt[2] [hɔ:nt] *vb.* (se også *haunted, haunting*) **1.** besøge tit, komme tit i (*fx a café*); **2.** (*om spøgelse*) spøge i, hjemsøge, husere i/på; **3.** (*fig.*) forfølge, plage (*fx an experience//a sight that -ed him for the rest of his life*); hjemsøge.

haunted ['hɔ:ntid] *adj.* **1.** (*om person*) plaget (*fx by fear*); jaget, forpint (*fx he had a* ~ *look*); **2.** (*om sted*) hvor det spøger, med spøgelser (*fx a* ~ *house*);
□ *the house is* ~ det spøger i huset; *I am* ~ *by that idea* den tanke

spøger stadig i mit hoved.

haunting ['hɔ:ntiŋ] *adj.* uforglemmelig; ikke til at ryste af sig; som stadig forfølger en.

hautboy ['(h)əubɔi] *sb.* (*mus., glds.*) obo.

hauteur [əu'tə:, 'əutə:] *sb.* arrogance, hovmod.

Havana[1] [hə'vænə] (*sted*) Havanna.

Havana[2] [hə'vænə] *sb.* (*cigar*) havannacigar.

Havanese[1] [hævə'ni:z] *sb.* havaneser.

Havanese[2] [hævə'ni:z] *adj.* havannesisk.

have[1] [hæv] *sb.* **T** bedrageri; svindel;
□ *the -s and the have-nots* de rige og de fattige; de besiddende og de besiddelsesløse.

have[2] [(h)əv, (*betonet*) hæv] *vb.* (*had, had*) **A. 1.** (*som hjælpeverbum*) have (*fx I* ~ *done my work*); (*især ved bevægelsesvb.*) være (*fx they* ~ *gone//come//returned*); **2.** (*som alm. vb.*) have (*fx a motorcar; blue eyes; problems*); **3.** (*om noget der kommer til en*) få (*fx an idea; a letter; a baby*); **4.** (*mad, drikke*) få (*fx something to eat; wine with the meal*); spise (*fx dinner*); drikke (*fx what will you* ~?); tage sig (*fx a drink; something to eat; a cigar*); **5.** (*sprog*) kunne (*fx I* ~ *no French*); **6.** (**T**: *modstander*) have krammet på (*fx he had you completely in the first game*); **7. S** snyde, narre, tage (*fx I think he is trying to* ~ *you; you* ~ *been had*);
B. 1. (*med inf.+ to*) måtte, være nødt til (*fx I* ~ *to do my work*); (*om anbefaling*) skulle (*bare*) (*fx if you think it is crowded now, you* ~ *to try it in the rush hours*); **2.** (*med objekt + inf.*) have til at (*fx what will you* ~ *me do?*); få til at (*fx* ~ *him come at two*); lade (*fx he had me write it for him*); **3.** (+ *-ing*) have (*fx I had him staying with me*); lade + *inf.* (*fx he had me waiting for hours* han lod mig vente i timevis); **4.** (+ *præt. ptc.*; se også *ndf.*) få (*fx he had the table repaired; we had our car stolen*); (*om noget man får udført også*) lade + *inf.* (*fx he had the table repaired* han lod bordet reparere);
□ ~ *a party* holde selskab/fest; ~ *a bath//snooze* tage sig et bad//en lur; ~ *a walk* gå en tur; (se også *accident*);
[~ + *sb.* ofte = *vb.*] ~ *a cry//think* græde//tænke; ~ *a haircut//wash* blive klippet//vasket;

[+ *præt. ptc.*] ~ *done* holde op; være færdig; ~ *done* + *-ing* være færdig med at (*fx I* ~ *done eating*); ~ *done with* være færdig med; ~ *got* **a.** (*jf. 2*) have (*fx a motorcar; blue eyes*); **b.** (*jf. 3*) have fået; **c.** (*jf. 6*) have krammet på; *I* '~ *got it* jeg 'har forstået det; ~ *got to* være nødt til at, måtte (*fx I* ~ *got to go*);
[*med pron.*] *I'm not having any* **S** tak, jeg skal ikke nyde noget; nej, ellers tak; ~ *it* **a.** sige (*fx rumour has it that he did it*); behave (*fx he will* ~ *it that I did it*); **b.** tro på (*fx he wouldn't* ~ *it*); *as Byron has it* som der står hos Byron; *let him* ~ *it* **T** give ham en ordentlig omgang; ~ *it away/off with*, ~ *it in one*, ~ *it in for* se: *ndf.*; *he has had it* **a.** han er færdig; det er sket med ham; **b.** han har haft sin sidste chance; **c.** han har fået nok (*fx he has been working like mad and now he has had it*);
[*med præp., adv.*] ~ *at him* gå løs på ham; ~ *it away with* **T** gå i seng med; ~ *sby by the ears//arm* have fat i ørene//armen på en; ~ *a child by him* få//have et barn med ham; ~ *sby down as* anse en for at være; ~ *in* **a.** (*håndværker*) have (*fx we* ~ *the decorators in this week*); **b.** (*mad etc.*) have i huset (*fx do we* ~ *any wine in?*); **c.** (*am.: gæst*) få//invitere ind besøg; have besøg af; ~ *it in one to* være i stand til at; ~ *it in for* him **T** være ude efter ham; være på nakken af ham; ~ *a day off* have en dag fri; ~ *sth off by heart* kunne noget udenad; ~ *it off with* **T** gå i seng med; ligge 'i med; ~ *on* **a.** (*tøj*) have på (*fx* ~ *a hat on*); **b.** (*elektrisk apparat*) have tændt, have kørende (*fx* ~ *the radio// washing machine on*); **c.** (**T**: *person*) lave grin med; snyde; ~ *you anything on tonight?* har du noget for i aften? ~ *nothing on sby* se *nothing*; ~ *out* (*ved operation*) få fjernet (*fx have one's tonsils//appendix out*); ~ *a tooth out* få en tand trukket ud; ~ *one's sleep// cry out* få sovet//grædt ud; ~ *it out with sby* **T** få talt ud med en; få gjort rent bord/gjort op med en; ~ *sby over/round* få en på besøg; *be had* **up** **T** blive stillet for retten.

havelock ['hævlɔk] *sb.* [*let hvidt klæde fra kasket/hat ned over nakken til beskyttelse mod solen*].

haven ['heiv(ə)n] *sb.* tilflugtssted; (se også *safe haven, tax haven*).

have-nots ['hævnɔts] *sb. pl.* fattige;

besiddelsesløse; underprivilege-
rede.

haver ['heivə] *vb.* (*skotsk*)
1. vrøvle; **2.** være ubeslutsom,
vakle; **3.** sige en masse sludder for
at trække tiden ud.

haversack ['hævəsæk] *sb.* (lær-
reds)skuldertaske; tværsæk; ryg-
sæk.

havoc ['hævək] *sb.* ødelæggelse, ra-
vage;
□ *cause/create* ~ anrette ødelæg-
gelser; lave ravage; *wreak* ~ *on*,
play ~ *with* **a.** anrette skade på;
ødelægge; **b.** (*fig.*) spolere fuld-
stændig, skabe forvirring i (*fx
their plans*); *the pupils wreaked*
~ *in the classroom* eleverne satte
klassen på den anden ende.

haw¹ [hɔ:] *sb.* **1.** (*bot.*) tjørnebær;
2. (*zo.*) blinkhinde.

haw² [hɔ:] *interj.* **1.** (*uartikuleret
lyd svarende til*) øh; ømøh; øbøh;
2. (*latter*) ha; (se også *haw haw*,
hum²).

Hawaii [hə'waii:].

Hawaiian¹ [hə'waiən] *sb.* hawaiia-
ner.

Hawaiian² [hə'waiən] *adj.* hawaii-
ansk.

Hawaiian guitar *sb.* hawaiiguitar.

hawfinch ['hɔ:fin(t)ʃ] *sb.* (*zo.*) ker-
nebider.

haw haw ['hɔ:hɔ:] *interj.* haha
[*ubehagelig latter*].

hawk¹ [hɔ:k] *sb.* **1.** (*zo.*& *fig.*) høg;
2. (*murers*) mørtelbræt; kalkbræt;
□ *have eyes like a* ~ have et falke-
blik; *watch sby like a* ~ holde
skarpt øje med en; vogte over en
som en høg.

hawk² [hɔ:k] *vb.* **1.** (*varer*) drive
gadehandel med; sjakre med; fal-
byde; **2.** (*pga. slim i halsen*)
rømme sig; harke; **3.** (*om fugl*)
jage; (*om person*) jage med falk;
□ ~ *around* **a.** (*varer*) falbyde;
b. (*fig.*) udsprede (*fx news*).

hawkbit ['hɔ:kbit] *sb.* (*bot.*) borst.

hawker ['hɔ:kə] *sb.* **1.** gadesælger;
bissekræmmer; **2.** falkejæger.

hawk-eyed ['hɔ:kaid] *adj.* skarpsy-
net; med falkeblik.

hawkish ['hɔ:kiʃ] *adj.* høgeagtig;
krigerisk.

hawkmoth ['hɔ:kmɔθ] *sb.* (*zo.*) af-
tensværmer.

hawk owl *sb.* (*zo.*) høgeugle.

hawse [hɔ:z] *sb.* (*mar.*) klys [*hul i
skibets bov til ankerkæde*].

hawser ['hɔ:zə] *sb.* (*mar.*) trosse;
kabel.

hawser-laid ['hɔ:zəleid] *adj.* tros-
seslået.

hawthorn ['hɔ:θɔ:n] *sb.* (*bot.*) tjørn
[*især: hvidtjørn*].

hay [hei] *sb.* **1.** hø; **2.** (*am.* T) små-
penge (*fx it is not* ~);
□ *hit the* ~ T krybe til køjs, krybe
i kassen; *make* ~ bjærge hø; *make*
~ *of* forkludre, spolere; vende op
og ned på; *make* ~ *out of/from*
drage fordel af, udnytte til sin for-
del; *make* ~ *while the sun shines*
smede medens jernet er varmt.

haycock ['heikɔk] *sb.* høstak.

hay fever *sb.* høfeber.

haymaker ['heimeikə] *sb.* **1.** hø-
spreder; **2.** ordentligt slag [*der
sender en i gulvet*].

haymaking ['heimeikiŋ] *sb.* høbe-
redning; høhøst.

hayrick ['heirik] *sb.* = *haystack*.

hayride ['heiraid] *sb.* (*am.*) tur på
hølæs.

hayseed ['heisi:d] *sb.* **1.** græsfrø;
2. (*am.* T) bondeknold.

haystack ['heistæk] *sb.* (stor) hø-
stak [*til opbevaring*]; høhæs.

haywire ['heiwaiə] *adj.*: *go* ~ T
komme i uorden; kokse.

hazard¹ ['hæzəd] *sb.* **1.** fare; risiko;
2. tilfældighed; **3.** (*et terningsspil*)
4. (*i billard*) [*stød der sender bal-
len i hul*]; **5.** (*i golf*) [*forhindring*];
□ *at all -s* koste hvad det vil.

hazard² ['hæzəd] *sb.* **1.** sætte på
spil (*fx money*); bringe i fare;
2. (*bemærkning etc.*) vove/driste
sig til (at komme med/at frem-
sætte) (*fx a guess; a remark*).

hazard lights *sb. pl.* katastrofe-
blink [*på bil*].

hazardous ['hæzədəs] *adj.* **1.** vove-
lig, risikabel (*fx journey; underta-
king*); hasarderet; **2.** farlig (*fx che-
micals; waste*).

haze¹ [heiz] *sb.* tåge; dis.

haze² [heiz] *vb.* (*am.*) **1.** forfølge,
chikanere, mobbe; **2.** (*i fraternity*)
underkaste optagelsesceremoni;
□ ~ *over* (jf. *haze¹*) dise til.

hazel¹ ['heiz(ə)l] *sb.* (*bot.*) hassel.

hazel² ['heiz(ə)l] *adj.* nøddebrun.

hazel grouse, hazel hen *sb.* (*zo.*)
hjerpe.

hazelnut ['heiz(ə)lnʌt] *sb.* hassel-
nød.

hazy ['heizi] *adj.* **1.** diset; tåget;
2. (*fig.*) tåget, sløret; vag, ube-
stemt;
□ *be* ~ *about* ikke rigtig være klar
over/vide.

HB *fork. f.* hard black.

HBM *fork. f.* Her//His Britannic
Majesty('s).

H-bomb ['eitʃbɔm] *sb.* brintbombe.

HC *fork. f.* House of Commons.

HE *fork. f.* **1.** His Eminence;
2. His//Her Excellency; **3.** high ex-
plosive.

he¹ [hi:] *sb.* han, handyr.

he² [(h)i, (*betonet*) hi:] *pron.* han;
den//det;
□ *he who* den som.

head¹ [hed] *sb.* (se også *heads*) **A. 1.**
(*også fig. om forstand*) hoved; **2.** T
hovedpine;
B. (*person*) **1.** leder (*fx of a clan;
-s of government*); overhoved (*fx
-s of state*); **2.** (*i organisation,
firma*) chef; leder; **3.** (*i institution*)
forstander; **4.** (*i skole*) se *headma-
ster, headmistress*; **5.** (*i universi-
tetsinstitut*) institutbestyrer; **6.** S
narkoman; (*i sms.*) -bruger, -hoved
(*fx acidhead*);
C. (*af ting: øverste del*) **1.** top,
(det) øverste (*fx the* ~ *of the
page*); **2.** (*af værktøj, skrue, søm
etc.; i båndoptager etc.*) hoved (*fx
of an axe; of a hammer; of a pin*);
3. (*af byld, filipens*) top, spids;
4. (*på øl*) skum; **5.** (*af tønde*)
bund; **6.** (*i artikel, bog etc.*) over-
skrift; (hoved)afsnit; (ho-
ved)punkt; **7.** (*bogb.: af bog*) over-
snit; **8.** (*mht. pumpe*) løftehøjde;
trykhøjde;
D. (*af ting: forreste del etc.*) **1.** (*af
optog, kolonne, mole*) spids (*fx of
a procession*); **2.** (*mar.: af skib*)
stævn, forstavn; (*hjørne af sejl*)
faldbarm; S toilet; **3.** (*geogr.: især
i stednavne*) pynt; forbjerg;
□ *fall* ~ *first* falde på hovedet; *-s
up!* (*am.*) pas på! [ɔ: *der falder no-
get ned*];
[*med: of*] ~ *of a bed* hovedgærde;
100 ~ *of cattle* 100 stykker kvæg;
100 kreaturer; *a beautiful* ~ *of
hair* et dejligt hår; ~ *of a ladder*
øverste trin på en stige; ~ *of a
river* en flods udspring; ~ *of wa-
ter* vandtryk; *at the* ~ *of* se: ndf;
[*med vb.+ præp., adv.*] *be* ~ *and
shoulders above sby* (*fig.*) rage
langt op over en; være en langt
overlegen; *bite sby's* ~ *off* se ndf.:
snap sby's ~ *off*; *bother one's* ~ '
about bryde sit hoved med; *bury
one's* ~ *in* the sand (*fig.*) stikke
hovedet i busken; *gather* ~
a. (*om byld*) trække sammen;
b. (*om skib*) få fart fremover;
c. (*fig.*) tage til i styrke; *get one's*
~ *down* **a.** dukke hovedet;
b. komme i gang med arbejdet;
koncentrere sig; *I could not get
my* ~ *round* it jeg kunne ikke få
det ind i hovedet; det gik ikke op
for mig; *give him his* ~ lade ham
få sin vilje; give ham frie tøjler;
hang one's ~ hænge med hovedet
(af skam); bøje hovedet i skam; *let
him have his* ~ = *give him his* ~;
have a (good) ~ *for* have talent/
sans/fornemmelse for (*fx busi-

ness); være god til; *have a good ~ for figures* være god til at huske tal//til at regne; have talfornemmelse; *have no ~ for heights* have højdeskræk; *he has a good ~ on his shoulders* der sidder et godt hoved på ham; *keep one's ~* holde hovedet koldt; *keep one's ~ above water* (*fig.*) holde sig oven vande; *keep one's ~ down* se ovf.: *get one's ~ down*; *knock his ~ off* T slå hovedet ned i maven på ham; *knock their -s together* give dem en omgang/en røffel; *laugh one's ~ off* le himmelhøjt; *lose one's ~* **a.** tabe hovedet, blive forvirret; **b.** miste hovedet, blive halshugget; *make ~* gøre fremskridt; *make ~ against* gøre modstand mod; *I cannot make ~ or tail of it* jeg forstår ikke et ord/muk af det (hele); *they put their -s together* de stak hovederne sammen; *scratch one's ~* (ɔ: ikke forstå) klø sig i hovedet/ nakken; *scream one's ~ off* skrige himmelhøjt; *shake one's ~* ryste på hovedet (*at* over); *snap sby's ~ off* bide en af; bide ad en; *stand ~ and shoulders above* = *be ~ and shoulders above*; *talk sby's ~ off* snakke en halvt ihjel; *talk one's ~ off* snakke i ét væk; snakke og snakke; (se også *brick wall, examine, screw² (on), trouble²*)

[*med præp.*] *above the -s of one's audience* hen over hovedet på sine tilhørere;
at the ~ of **a.** i spidsen for; **b.** øverst på (*fx the page; the stairs*); *at the ~ of the list* øverst//først på listen; som nummer et; *at the ~ of the queue* forrest i køen; *at the ~ of the table* øverst ved bordet; for bordenden;
by the ~ med forstavnen lavere i vandet end agterenden; *win by a ~* vinde med en hovedlængde; *come one's ~* falde en ind; *get sth into one's ~* **a.** sætte sig noget i hovedet; **b.** indprente sig noget; *I can't get it into my ~* jeg kan ikke få det ind i hovedet (ɔ: begribe det); *the wine got into his ~* vinen steg ham til hovedet; *knock it into his ~* banke det ind i hovedet på ham; *put it into his ~* sætte ham det i hovedet; *take it into one's ~* sætte sig det i hovedet;
off one's ~ T ikke rigtig klog; skør; *go off one's ~* T blive skør; *off the top of one's ~* se *top¹*; *I can do that on my ~* det kan jeg gøre så let som ingenting; *be easy on that ~* du kan være rolig på

det punkt/hvad det angår; *on your ~ be it!* (*fig.*) det bliver dit eget ansvar! *knock sby on the ~* slå én oven i hovedet; *knock it on the ~* (*fig.*) **a.** sætte en stopper for det; **b.** modbevise det, ramme en pæl igennem det; **c.** gøre det helt færdigt; *stand/turn sth on its ~* (*fig.*) vende op og ned på noget; betragte//gøre noget stik modsat; *I can do that standing on my ~* det kan jeg gøre så let som ingenting/så let som at klø mig i nakken;
out of one's ~ (*am.*) T = *off one's ~*; *put it out of his ~* få ham til at glemme det; få ham fra det; *put it out of one's ~* glemme det; slå det af hovedet;
act/go over his ~ handle hen over hovedet på ham; *it went over my ~* det gik hen over hovedet på mig; det gik over min forstand; *be promoted over his ~* springe forbi ham [ɔ: i avancement]; *he was// got in over his ~* (*fig.*) han kom længere ud end han kunne bunde; *he lost over his ~* han tabte mere end han havde råd til; *~ over heels* med benene i vejret; *be ~ over heels/ears in debt//love* sidde i gæld//være forelsket til op over begge ører; *turn/roll ~ over heels* slå en kolbøtte//kolbøtter; *he was promoted over the -s of his colleagues* han sprang forbi sine kolleger [ɔ: blev forfremmet forud for];
per ~ pro persona; T pr. næse; *bring matters to a ~* fremtvinge en afgørelse; *come to a ~* **a.** (om byld) trække sammen; **b.** (*fig.*) nærme sig krisen; nå et afgørende punkt; **c.** gå op i en spids; *it has gone to his ~* det er steget ham til hovedet; (se også *pistol*);
under three -s inddelt i tre afsnit// punkter.
head² [hed] *adj.* hoved- (*fx cashier; office*); over- (*fx gardener; nurse; waiter*).
head³ [hed] *vb.* **1.** (*organisation, firma, aktivitet*) lede (*fx a company; a rebellion*); stå i spidsen for; **2.** (*optog etc.*) gå i spidsen for; gå forrest i (*fx a procession*); **3.** (*liste*) stå øverst på (*fx his name -ed the list*); (se også *bill¹*); **4.** (*i fodbold*) heade; **5.** (*om kurs*) styre mod (*fx north; south*); □ *be -ed* (*om tekst*) have overskriften//titlen; *where are you -ed?* (*am.*) hvor skal I hen?
[*med præp.& adv.*] *~ for* sætte kursen imod; styre imod; *be -ing for* (*fig.*) være (godt) på vej til;

styre imod; *be -ing for disaster// ruin* gå sin undergang i møde; *~ off* **a.** dirigere/lede i en anden retning; dirigere væk; **b.** standse; **c.** (*fig.*) afværge (*fx a quarrel*).
headache ['hedeik] *sb.* **1.** hovedpine; **2.** T bekymring; problem; □ *that is your ~* det bliver din sag; det bliver din hovedpine.
headband ['hedbænd] *sb.* **1.** pandebånd; **2.** (*på bogbind*) kapitælbånd; **3.** (*på høretelefon*) bøjle.
headboard ['hedbɔːd] *sb.* **1.** hovedgærde; **2.** (*mar.: forstærkning i sejl*) flynder.
head boy *sb.* [*dreng valgt i secondary school til at repræsentere eleverne*].
headbutt¹ ['hedbʌt] *sb.* skalle.
headbutt² ['hedbʌt] *vb.* nikke en skalle.
headcase ['hedkeis] *sb.* T sindssyg person, galning.
headcheese ['hedtʃiːz] *sb.* (*am.*) (grise)sylte.
headcount ['hedkaunt] *sb.* **1.** optælling; **2.** antal tilstedeværende// deltagere//ansatte.
headdress ['heddres] *sb.* hovedpynt; hovedbeklædning.
header ['hedə] *sb.* **1.** (*i fodbold*) hovedstød; **2.** (*ned i vandet*) hovedspring; **3.** T hovedkulds fald; **4.** (*mursten*) binder, kop; **5.** (*typ.*) levende klummetitel; **6.** (*it*) toptekst, topmargintekst;
□ *take a ~* **a.** falde på hovedet, tage den på hovedet (*fx down the stairs*); **b.** springe på hovedet (*fx into the swimming pool*).
headfast ['hedfaːst] *sb.* (*mar.*) forvarp, fortrosse.
head-first [hed'fɑːst] *adv.* **1.** på hovedet (*fx fall ~*); **2.** (*fig.*) hovedkulds (*fx rush ~ into*).
headgear ['hedgiə] *sb.* hovedtøj; hovedbeklædning.
head girl *sb.* [*pige valgt i secondary school til at repræsentere eleverne*].
headhunt ['hedhʌnt] *vb.* (*til stilling*) headhunte.
headhunter ['hedhʌntə] *sb.* **1.** hovedjæger; **2.** (*som hverver folk til stillinger*) headhunter.
heading ['hediŋ] *sb.* **1.** overskrift; titel; (*i avisfagsprog*) rubrik; **2.** (*i inddeling*) afsnit; kategori; **3.** (*på brevpapir*) hoved; **4.** (*i kartotek, register*) opslagsord.
headlamp ['hedlæmp] *sb.* forlygte.
headland ['hedlənd] *sb.* **1.** forbjerg, pynt, næs; **2.** (*agr.*) forpløjning, forager.
headlight ['hedlait] *sb.* **1.** (*på bil*) forlygte; **2.** (*på lokomotiv*) front-

lanterne;

□ *dip the -s* (*jf. 1*) blænde ned; *flash one's -s* blinke med lygterne (*at* ad).

headline ['hedlain] *sb.* **1.** (*i avis*) overskrift; **2.** (*i bog*) klummetitel; □ *-s* (*radio.*) kort nyhedsresumé; *hit/make the -s* komme på forsiden, blive forsidestof.

headlined ['hedlaind] *adj.* med overskriften.

headlong ['hedlɔŋ] *adv.* hovedkulds; på hovedet; (*fig. også*) over hals og hoved.

headman ['hedmən, -mæn] *sb.* (*pl.* -*men* [-mən, -men]) (*i landsby*) overhoved, høvding.

headmaster [hed'ma:stə] *sb.* **1.** (*ved højere skole*) rektor; **2.** (*ved folkeskole*) skoleinspektør; **3.** (*ved privatskole*) skolebestyrer; forstander.

headmistress [hed'mistrəs] *sb.* (*jf. headmaster*) **1.** (kvindelig) rektor; **2.** (kvindelig) skoleinspektør; **3.** (kvindelig) skolebestyrer, forstander.

head-on[1] [hed'ɔn] *adj.* **1.** frontal (*fx collision* sammenstød); **2.** (*fig.*) direkte (*fx conflict*).

head-on[2] [hed'ɔn] *adv.* **1.** frontalt (*fx collide* ~); **2.** (*fig.*) direkte (*fx confront the issue* ~); □ *strike an iceberg* ~ løbe stævnen lige ind i et isbjerg.

headphones ['hedfəunz] *sb. pl.* (*radio.*) hovedtelefon(er).

headpiece ['hedpi:s] *sb.* **1.** hjelm; **2.** (*til hest etc.*) hovedtøj, grime; **3.** (*typ.*) initialvignet, foransat vignet.

headquarters [hed'kwɔ:təz, (*am.*) 'hed-] *sb.* **1.** (*mil. etc.*) hovedkvarter; **2.** (*for firma, organisation*) hovedkvarter, hovedkontor, hovedsæde.

headrest ['hedrest] *sb.* (*i bil etc.*) nakkestøtte; □ *-s* (*på lænestol*) øreklapper.

head restraint *sb.* nakkestøtte.

headroom ['hedru(:)m] *sb.* **1.** (*for bil*) fri højde; **2.** (*i hus*) fri højde, loftshøjde.

heads [hedz] *sb. pl.* (*på mønt*) krone;

□ ~ *or tails* plat eller krone.

headsail ['hedseil] *sb.* (*mar.*) forsejl.

headscarf ['hedska:f] *sb.* (*pl.* -*scarves* [-ska:vz]) hovedtørklæde.

headset ['hedset] *sb.* hovedtelefoner (med mikrofon).

headship ['hedʃip] *sb.* **1.** lederstilling; chefstilling; **2.** (*i skole*) inspektørstilling; **3.** (*i højere skole*) rektorat.

headshrinker ['hedʃriŋkə] *sb.* **1.** (T: *især am.*) psykiater; **2.** [*hovedjæger der fremstiller skrumpehoveder*].

headspring ['hedspriŋ] *sb.* **1.** kilde; udspring; **2.** (*i gymnastik*) hovedspring.

headsquare ['hedskwɛə] *sb.* hovedtørklæde.

headstall ['hedstɔ:l] *sb.* (*på seletøj*) hovedtøj; hovedstol.

head start *sb.* **1.** forspring; **2.** (*fig. am.*) [*undervisning for socialt handicappede børn*].

headstone ['hedstəun] *sb.* **1.** gravsten; **2.** (*arkit.*) slutsten.

headstrong ['hedstrɔŋ] *adj.* stædig, halsstarrig, stivnakket; egensindig, selvrådig.

heads-up[1] ['hedzʌp] *sb.* (*am.*) advarsel; forvarsel.

heads-up[2] ['hedzʌp] *adj.* (*am.*) årvågen; snarrådig.

head teacher *sb.* skoleinspektør; skoleleder.

head-to-head [hedtə'hed] *adj.* direkte; (*om kamp også*) mand mod mand.

headwaters ['hedwɔ:təz] *sb. pl.* udspring, kilder (*fx the* ~ *of the Nile*).

headway ['hedwei] *sb.* (*mar.*) bevægelse//fart fremad;

□ *make* ~ **a.** (*fig.*) gøre fremskridt; **b.** (*mar.*) skyde fart; *we have made no* ~ vi er ikke kommet nogen vegne.

headwind ['hedwind] *sb.* modvind.

headword ['hedwə:d] *sb.* opslagsord.

heady ['hedi] *adj.* berusende; som stiger til hovedet.

heal [hi:l] *vb.* **1.** læge, hele; kurere, helbrede; **2.** (*uden objekt*) læges, hele(s) (*fx the wound -ed*);

□ ~ *over,* ~ *up* læges, hele(s).

healer ['hi:lə] *sb.* healer, naturlæge; □ *time is the great* ~ tiden læger alle sår.

healing[1] ['hi:liŋ] *sb.* healing; helbredelse [*ved tro etc.*].

healing[2] ['hi:liŋ] *adj.* lægende.

health [helθ] *sb.* **1.** sundhed; **2.** helbred (*fx he is worried about his* ~); sundhedstilstand; **3.** (*fig.*) tilstand (*fx of the economy; of an industry*);

□ *be in good//bad* ~ have det godt//dårligt; *drink (to) sby's* ~ drikke ens skål; *propose sby's* ~ udbringe en skål for en; (se også *officer*).

healthcare ['helθkɛə] *sb.* sundhedspleje.

health centre *sb.* lægehus, helse-

hus.

health farm *sb.* helsecenter.

health food *sb.* helsekost.

health freak *sb.* (fanatisk) sundhedsapostel.

healthful ['helθfəl] *adj.* (*især am.*) sund.

health insurance *sb.* sygeforsikring.

health resort *sb.* kursted.

health spa *sb.* (*am.*) helsecenter; kursted.

healthy ['helθi] *adj.* **1.** sund; rask; **2.** (*om størrelse*) klækkelig, solid (*fx profit*);

□ *a* ~ *attitude to* en fornuftig holdning til; et sundt syn på.

heap[1] [hi:p] *sb.* **1.** bunke, dynge; **2.** (*spøg. om bil*) skrotbunke; □ *-s masser, bunker* (*fx there's -s left*); *I am -s better* T jeg har det meget bedre; *collapse in a* ~ falde helt sammen; *I was struck/knocked all of a* ~ (*glds.* T) jeg var fuldstændig lamslået; jeg var himmelfalden; *be at the top//bottom of the* ~ (*fig.*) befinde sig i toppen//på bunden [ɔ: af samfundet]; *a* ~ *of, -s of* T en bunke, bunker/bunkevis af, masser/massevis af.

heap[2] [hi:p] *vb.* (se også *heaped*) **1.** lægge/samle i en bunke (*fx the leaves in a corner of the garden*); **2.** (*fig.*) ophobe, dynge sammen (*fx riches*);

□ *he -ed potatoes on my plate* han fyldte min tallerken med kartofler; han blev ved med at øse kartofler op til mig; ~ *praise//favours on sby* overøse en med ros//gunstbevisninger; ~ *insults on sby* overdænge en med fornærmelser; ~ *coals of fire on sby's head* sanke gloende kul på ens hoved; ~ *up* = ~; ~ *one's plate with potatoes* se ovf.: ~ *potatoes on;* ~ *sby with* se ovf.: ~ *on.*

heaped [hi:pt] *adj.* med top; top- (*fx spoonful*);

□ ~ *with* dynget til med; proppet med.

hear [hiə] *vb.* (*heard, heard*) **1.** høre; **2.** (*nyhed etc.*) høre, erfare, få at vide; **3.** (*udsagn*) høre på, lytte til (*fx his complaint*); **4.** (*jur.: retssag*) behandle; □ ~ ~! hør hør! det er hørt! ~ *oneself heard* skaffe sig ørenlyd; ~ *oneself heard above the noise* overdøve larmen; [*med sb.*] ~ *the boy's multiplication tables* høre drengen i gangetabellen; ~ *a case* behandle en retssag; *Justice X -d the case* dommer X var dommer i sagen; ~ *wit-*

nesses afhøre vidner; *the court -d the witnesses* retten påhørte vidnernes udsagn;

[*med præp.& adv.*] ~ *about* høre om; ~ *from* høre fra; ~ *of* høre om; *he wouldn't* ~ *of it* han ville ikke høre tale om det; ~ *the end of* se *end*[1]; *please* ~ *me out* vær så venlig at lade mig tale ud.

heard [hɔ:d] *præt.* & *præt. ptc. af* hear.

hearer ['hiərə] *sb.* tilhører.

hearing ['hiəriŋ] *sb.* **1.** (*sans*) hørelse; **2.** (*jur.*) behandling [*af retssag*]; domsforhandling; retsmøde; **3.** (*am. jur.*) forundersøgelsesforhør; **4.** (*vedrørende offentligt anliggende*) høring;

□ *I must be -ing things* det må være noget jeg bilder mig ind; (*spøg.*) jeg tror jeg hører syner; [*med vb.*] *gain a* ~ finde/vinde gehør; blive hørt; *give him a (fair)* ~ give ham lejlighed til at blive hørt; høre på hvad han har at sige/fremføre;

[*med præp.*] *in sby's* ~ i ens påhør; *out of* ~ uden for hørevidde; *within* ~ inden for hørevidde.

hearing aid *sb.* høreapparat.

hearken ['ha:k(ə)n] *vb.* (*poet.*) lytte.

hearsay ['hiəsei] *sb.* forlydende, rygte; snak;

□ *by/from* ~ af omtale; von hørensagen.

hearsay evidence *sb.* (*jur.*) [*vidneudsagn om noget man kun har kendskab til på anden hånd*]; andenhåndsviden.

hearse [hə:s] *sb.* **1.** rustvogn; ligvogn; **2.** (*glds.*) ligbåre.

heart [ha:t] *sb.* **1.** hjerte; **2.** (*egenskab*) mod; **3.** (*sted*) hjerte (*fx in the* ~ *of Africa*); midte, centrum, kerne; **4.** (*af artiskok*) hjerte; **5.** (*i kortspil*) hjerter (*fx my last* ~); □ *-s* (*kortfarve*) hjerter (*fx -s are trumps*);

~ *and soul* af hele sit hjerte; med liv og sjæl; *his* ~ *wasn't in it* hans hjerte var ikke med i det; *his* ~ *is in the right place* han har hjertet på rette sted; *the* ~ *of the matter* sagens kerne; ~ *of oak* a. kerneved af eg; stærkt egetømmer; **b.** (*fig.*) modig; karakterfast mand; [~ + *vb.*] *his* ~ *fell* se *fall*[2]; *his heart sank into his boots* hjertet sank ned i bukserne på ham; *our -s went out to them* vi følte med dem; vi havde den dybeste medfølelse med dem;

[*med vb.* + ~] *break sby's* ~ knuse ens hjerte; *cross my* ~! på ære! ama'r!; *cry one's* ~ *out* græde bitterligt; græmme sig; *eat one's*

~ *out* se *eat*[1]; *give sby* ~ give en mod; trøste en; *give one's* ~ *to sby* skænke en sit hjerte; *have a* ~! vær nu lidt rar! vær ikke så hård! *not have the* ~ *to do it* ikke kunne nænne at gøre det; (se også *mouth*[1]); *lose* ~ tabe modet; *lose one's* ~ *to* tabe sit hjerte til; blive forelsket i; *pluck up* ~ = *take* ~; *set one's* ~ *on* være stærkt opsat på; *take* ~ fatte mod; skyde hjertet op i livet; *wear one's* ~ *on one's sleeve* bære sine følelser til skue;

[*med præp.*] *after one's own* ~ efter sit hjerte; *at* ~ inderst inde (*fx at* ~ *she is romantic*); *I have it at* ~ det ligger mig på sinde; *young at* ~ ung af sind; *strike at the* ~ *of sth* (*litt.*) **a.** ramme i livsnerven (*fx a terrorist organization*); **b.** være i direkte modstrid med noget (*fx our democratic ideals*); *know//get up/learn by* ~ kunne// lære udenad; *from one's* ~ af hele sit hjerte; *in (good)* ~ **a.** ved godt mod; **b.** (*om jord*) frugtbar; *in one's* ~ *of -s* inderst inde; *in his secret* ~ i sit stille sind; *find it in one's* ~ *to* bringe det over sit hjerte at; *an affair of the* ~ et hjerteanliggende; *a change of* ~ et sindelagsskifte; *out of* ~ modløs; ~ *to* ~ fortrolig; *go to the* ~ *of the matter* gå/trænge ind til sagens kerne; *lay to* ~ lægge sig på sinde; *take it to* ~ **a.** lægge sig det på sinde; **b.** tage sig det nær; (se også *content*[2]); *love with all one's* ~ elske af hele sit hjerte; *with half a* ~ uvilligt; ugerne.

heartache ['ha:teik] *sb.* hjertesorg.

heartbeat ['ha:tbi:t] *sb.* **1.** hjerteslag; pulsslag; **2.** (*fig.*) centrum (*fx the commercial* ~ *of the country*); livsnerve; **3.** (*om tid*) lille øjeblik; □ *the Vice President is a* ~ *away from the White House* [*vicepræsidenten rykker ind i det Hvide Hus hvis præsidenten dør*].

heartbreak ['ha:tbreik] *sb.* hjertesorg.

heartbreaking ['ha:tbreikiŋ] *adj.* hjerteskærende; fortvivlende.

heartbroken ['ha:tbrəukən] *adj.* sorgbetynget; fortvivlet; med knust hjerte.

heartburn ['ha:tbə:n] *sb.* halsbrand; mavesurhed; (*med.*) pyrosis.

hearten ['ha:t(ə)n] *vb.* opmuntre.

heart failure *sb.* hjertesvigt; hjertelammelse.

heartfelt ['ha:tfelt] *adj.* inderlig, dybtfølt, hjertelig.

hearth [ha:θ] *sb.* **1.** (gulv foran) kamin/pejs (*fx a fire was burning in*

the ~; *his slippers were warming on the* ~); **2.** (*åbent ildsted*) arne; **3.** (*tekn.*) esse, herd;

□ *leave* ~ *and home* forlade hjemmets arne.

hearthrug ['ha:θrʌg] *sb.* kamintæppe.

heartily ['ha:tili] *adv.* (jf. *hearty*)
1. hjerteligt, varmt; ivrigt, kraftigt;
2. jovialt, overstrømmende, friskfyragtigt; **3.** solidt, rigeligt;
4. grundigt, inderligt;

□ *eat* ~ (*jf.* 3) spise med god appetit; ~ *sick of* (*jf.* 4) led og ked af.

heartland ['ha:tlænd] *sb.* **1.** central del; **2.** (*fig.*) højborg; kerneland.

heartless ['ha:tləs] *adj.* hjerteløs.

heartrending ['ha:trendiŋ] *adj.* hjerteskærende; hjertegribende.

heartsearching ['ha:tsə:tʃiŋ] *sb.* grundig overvejelse; selvprøvelse; selvransagelse.

heartsease ['ha:tsi:z] *sb.* (*bot.*) stedmoderblomst.

heartsick ['ha:tsik] *adj.* (*litt.*) syg om hjertet.

heartstrings ['ha:tstriŋz] *sb. pl.*:
pluck/pull/tear/tug at sby's ~ gribe en om hjertet; røre en dybt.

heartthrob ['ha:tθrɔb] *sb.* **1.** hjertebanken; **2.** (*glds.* T) hjerteknuser; drømmehelt.

heart-to-[1]**heart** [ha:ttə'ha:t] *sb.* fortrolig snak.

heart-to-[2]**heart** [ha:ttə'ha:t] *adj.* fortrolig (*fx talk*).

heart valve *sb.* (*anat.*) hjerteklap.

heart-warming ['ha:twɔ:miŋ] *adj.* som gør en varm om hjertet, oplivende (*fx sight*).

heartwood ['ha:twud] *sb.* kerneved, kernetræ.

hearty[1] ['ha:ti] *sb.* T jovial person; slå på skulderen-type; sportsidiot.

hearty[2] ['ha:ti] *adj.* **1.** (*om følelse etc.*) hjertelig (*fx welcome*); varm; ivrig (*fx support*); kraftig (*fx kick*); **2.** (T: om person) jovial, overstrømmende, friskfyragtig; sportstosset; **3.** (*om måltid*) solid, rigelig (*fx breakfast*);

□ *he has a* ~ *appetite* han har en god appetit; (se også *hale*).

heat[1] [hi:t] *sb.* **1.** varme; hede;
2. (*om mad*) stærk smag [*som af peber, sennep etc.*]; **3.** (*om følelse*) ophidselse, lidenskab (*fx he said it without* ~); **4.** (*hos hundyr*) brunst; **5.** (*i sport*) heat; (enkelt) løb;

□ *the* ~ (T: *fig.*) **a.** pres, tryk;
b. (*am.*) politiet; *the* ~ *is off* (*fig.*) trykket er lettet; *the* ~ *is on* (*fig.*)
a. der er pres på; **b.** T politiet er efter ham//dem *etc.*;

[*med vb.*] *put 'on the* ~ (T: *fig.*)

H *heat*

lægge stærkt pres på ham//dem *etc.*; sætte tommelskruerne på; *if you can't* **stand** *the* ~, *get out of the kitchen* hvis du ikke kan tåle lugten i bageriet, må du gå; **take** *the* ~ *off sby* lette trykket på en; aflede kritikken fra en; *take the* ~ *out of the situation* lette spændingen; **turn** *down*//*up the* ~ **a.** skrue ned//op for varmen; **b.** (*fig.*) lette// øge trykket/presset (*on* på); *turn on the* ~ = *put on the* ~; [*med præp.*] **in** ~ (*am.*) = *on* ~; **in** *the* ~ *of* midt i (*fx the campaign*); *in the* ~ *of the battle* i kampens hede; *in the* ~ *of the moment* i øjeblikkets ophidselse; *be* **on** ~ være i løbetid; være i brunst.

heat² [hi:t] *vb.* varme op, opvarme (*fx milk; a room*); gøre hed; □ ~ *up* **a.** varme op, opvarme; **b.** (*uden objekt*) blive varm; **c.** (*fig.*) blive mere livlig//spændende//anspændt; tage fart.

heat barrier *sb.* (*flyv.*) varmemur.
heated ['hi:tid] *adj.* **1.** opvarmet; **2.** (*fig.*) hidsig (*fx discussion*); heftig, ophedet; □ *get* ~ *about* hidse sig op over, blive ophidset over.
heater ['hi:tə] *sb.* **1.** varmeapparat; varmeovn; **2.** (*i apparat*) varmelegeme.
heat exchanger *sb.* varmeveksler.
heath [hi:θ] *sb.* **1.** hede; **2.** (*bot.*) lyng.
heathen¹ ['hi:ð(ə)n] *sb.* (*glds.*) hedning.
heathen² ['hi:ð(ə)n] *adj.* (*glds.*) hedensk.
heather ['heðə] *sb.* lyng.
Heath Robinson [hi:θ'rɔbins(ə)n] *adj.* (*om mekanik etc.*) sindrig; kompliceret og praktisk uanvendelig; (*svarer til*) Storm P'sk.
heating ['hi:tiŋ] *sb.* opvarmning; varme.
heating oil *sb.* fyringsolie.
heat pump *sb.* varmepumpe.
heat-resistant ['hi:trizizt(ə)nt] *adj.* varmebestandig; varmefast.
heat shield *sb.* varmeskjold [*på rumskib*].
heatstroke ['hi:tstrəuk] *sb.* (*med.*) hedeslag.
heat treatment *sb.* varmebehandling.
heatwave ['hi:tweiv] *sb.* hedebølge.
heave¹ [hi:v] *sb.* træk; løft; (se også *heaves*).
heave² [hi:v] *vb.* (-*d*, -*d*; (*mar. el. litt.*) *hove, hove*) **1.** hæve, løfte (*fx a heavy axe*); hive (*fx sth out of the way*); **2.** T kaste, smide, hive (*fx* ~ *it overboard*); **3.** (*mar.*) hive,

hale, slæbe; **4.** (*uden objekt*) stige og synke; bølge; gynge (*fx the earthquake made the ground* ~); **5.** (*om person: af kvalme*) have ondt; være lige ved at kaste op; □ *his chest* -*d* han åndede tungt; ~ *a sigh* udstøde et suk; sukke dybt; *my stomach* -*d* det vendte sig i mig; [*med præp.& adv.*] ~ *at* *sth* hive i noget alt hvad man kan; ~ **into** *sight* (*litt.*) komme til syne, dukke frem; *he* -*d himself* **out of** *bed* han løftede sig tungt op fra sengen; ~ *to* (*mar.*) lægge bi; dreje under.
heave-ho¹ [hi:v'həu] *sb.*: *get the (old)* ~ (T: *spøg.*) blive fyret, få sparket; *give sby the (old)* ~ (T: *spøg.*) fyre én, give én sparket.
heave-ho² [hi:v'heu] *interj.* (*mar. glds.*) hivohøj.
heaven ['hev(ə)n] *sb.* himmel(en); himmerige; □ *the* -*s* (*glds.*) himlen, himmelhvælvingen; *good* -*s!* du milde himmel! du godeste! *high* ~ se *high²*; *move* ~ *and earth* sætte himmel og jord i bevægelse; [+ *vb.*] ~ *forbid* **a.** gud forbyde (*fx that he should be told*); **b.** (*som udbrud*) det forbyde gud! ~ *help him* gud nåde og trøste ham; ~ *knows* **a.** (ɔ: *jeg*//*vi ved det ikke*) det må himlen/guderne vide; **b.** (ɔ: *det er sikkert*) himlen/guderne skal vide (*fx (that) I tried*); *the* -*s opened* himlens sluser åbnede sig; (se også *thank*).
heavenly ['hev(ə)nli] *adj.* himmelsk.
heavenly body *sb.* himmellegeme.
heaven-sent ['hev(ə)nsent] *adj.* (*som*) sendt fra himlen; yderst kærkommen (*fx opportunity*).
heavenward(s) ['hev(ə)nwəd(z)] *adv.* mod himlen.
heaves [hi:vz] *sb. pl.* (*vet.*) engbrystighed [*lungesygdom hos heste*].
heavily ['hevili] *adv.* **1.** tungt; **2.** svært (*fx armed*); kraftigt (*fx built*); **3.** hårdt (*fx be punished* ~); **4.** stærkt (*fx guarded; involved in sth; dependent on sth*); heftigt; **5.** besværligt, tungt, langsomt (*fx walk* ~);
□ ~ *defeated* grundigt slået/besejret.
heavy¹ ['hevi] *sb.* **1.** (*tung ting*) sværvægter; **2.** T muskelmand; gorilla; **3.** (*skotsk*) [*stærkt, bittert øl*]; □ *heavies* (*teat.*) anstandsroller [ɔ: *som kræver værdighed*]; skurkeroller; *the heavies* **a.** de seriøse aviser; **b.** T de tunge drenge.
heavy² ['hevi] *adj.* **1.** tung; **2.** (*om udførelse*) solid (*fx wall*); svær (*fx*

chains; artillery); tung (*fx artillery; machine gun*); **3.** (*om omfang*) stor (*fx expenses*); svær (*fx casualties, losses* tab); **4.** (*om intensitet*) stærk (*fx rain; demand* efterspørgsel); kraftig, voldsom (*fx blow; drinking; pressure; snowfall*); heftig (*fx fire* skydning; *fighting; storm*); **5.** (*om luft, vejr*) tung, trykkende; **6.** (*mentalt*) tung (*fx responsibility; style*); hård, besværlig (*fx work; it has been a* ~ *day*); trættende, kedelig (*fx speech; style*); **7.** (*om dom, straf*) streng; **8.** (*om indhold*) alvorlig, sørgelig (*fx news*); **9.** (*teat.*) streng (*fx father*); værdig, højtidelig; **10.** (*am.*) stejl (*fx grade*);
□ *be* ~ *on* **a.** være fuld af (*fx ideas*); **b.** bruge meget (*fx petrol*); ~ *with sleep* søvndrukken; [*med sb.; se også alfabetisk*] *a* ~ *buyer*//*drinker etc.* en der køber// drikker *etc.* meget; *a* ~ *smoker* (*også*) en storryger; ~ *workers* (*også*) hårdtarbejdende; ~ *debt* trykkende gæld; *a* ~ *face* et tungt//sørgmodigt//strengt ansigt; *play the* ~ *father* (*teat.*) spille den strenge fader; ~ *features* plumpe (ansigts)træk; *with a* ~ *hand* **a.** tungt; klodset; **b.** med hård hånd; ~ *parts* (*teat.*) anstandsfaget; anstandsroller [ɔ: *som kræver værdighed*]; ~ *sea* svær sø; oprørt hav; ~ *taxes* tyngende/høje skatter; *make* ~ *weather of sth* **a.** finde noget anstrengende//besværligt; **b.** gøre et stort nummer ud af noget.
heavy breather *sb.* **1.** en der trækker vejret tungt; **2.** (*i telefon*) stønner.
heavy cream *sb.* (*am., omtr.*) piskefløde [*36%*].
heavy-duty [hevi'dju:ti] *adj.* **1.** (*om stof*) ekstra kraftig, svær (*fx canvas; plastic*); **2.** (*om udstyr*) som kan klare hårdt arbejde; robust; svær (*fx machines*); **3.** (*am.* T) heftig, intens.
heavy going *sb.* **1.** tungt føre; **2.** (*fig.*) kedsommeligt//besværligt arbejde.
heavy-handed [hevi'hændid] *adj.* **1.** kluntet, klodset; **2.** håndfast, hårdhændet; □ *be* ~ *with* bruge lidt rigeligt af.
heavy-hearted [hevi'ha:tid] *adj.* (*litt.*) med tungt hjerte; dybt bedrøvet.
heavy industry *sb.* sværindustri.
heavy-laden [hevi'leid(ə)n] *adj.* (*litt.*) **1.** som bærer på store byrder; **2.** med tungt hjerte.
heavy-lidded [hevi'lidid] *adj.* (*litt.*)

med tunge øjenlåg.

heavy metal *sb.* **1.** (*fys.*) tungmetal; **2.** (*mus.*) heavy metal.

heavy petting *sb.* heftig petting, heftigt kæleri.

heavy-set [hevi'set] *adj.* (*om person*) tætbygget, kraftig.

heavy water *sb.* tungt vand.

heavyweight[1] ['heviweit] *sb.* **1.** sværvægt; **2.** (*person, også fig.*) sværvægter; □ *the -s* (*jf. 2, også*) de tunge drenge.

heavyweight[2] ['heviweit] *adj.* **1.** sværvægts; **2.** (*fig.*) tungtvejende; grundig.

Hebraic [hi'breiik] *adj.* hebraisk/hebræisk.

Hebrew[1] ['hi:bru(:)] *sb.* **1.** (*person*) hebræer; **2.** (*sprog*) hebraisk/hebræisk.

Hebrew[2] ['hi:bru(:)] *adj.* hebraisk/hebræisk.

Hebrides ['hebridi:z] *sb. pl.: the ~* (*geogr.*) Hebriderne.

heck [hek] *sb.* T pokker (*fx what// where the ~ is it?*); □ *oh ~!* pokkers også! *a ~ of a fix* en pokkers knibe; *what the ~!* skidt (være) med det!

heckle ['hekl] *vb.* **1.** (*taler*) afbryde; komme med forstyrrende tilråb til; **2.** (*uden objekt*) afbryde, komme med forstyrrende tilråb; **3.** (*hør*) hegle.

heckler ['heklə] *sb.* afbryder; ballademager [*fx ved vælgermøde*].

hectare ['hekta:] *sb.* hektar.

hectic ['hektik] *adj.* hektisk.

hecto- ['hektə-] *sb.* hekto- (*fx gram(me); litre; metre*).

hector ['hektə] *vb.* herse med; regere med; tyrannisere.

hectoring ['hektəriŋ] *adj.* skolemesteragtig; regerende; tyrannisk.

he'd [hi:d] *fork. f.* **1.** he had; **2.** he would.

heddles ['hedlz] *sb. pl.* søller [*i væv*].

hedge[1] [hedʒ] *sb.* **1.** hæk; (levende) hegn; **2.** (*udsagn*) forbehold; uforpligtende formulering//udtryk//erklæring; □ *a ~ against* (*fig.*) en beskyttelse/sikring/gardering mod.

hedge[2] [hedʒ] *vb.* **1.** tage forbehold; ikke (ville) tage klart standpunkt; ikke ville komme ud af busken; snakke udenom; **2.** plante hæk/hegn om, indhegne (*fx a field*); □ *~ one's bets* se *bet*[1]; [*med præp.& adv.*] *-d about/around* with omgærdet af; begrænset af, indskrænket af (*fx conditions; provisos*); *~ against* beskytte/gardere sig imod; *~ in*

plante hæk/hegn om; indhegne; *~ sby in* indskrænke ens handlefrihed.

hedge bedstraw *sb.* (*bot.*) hvid snerre.

hedgehog ['hedʒ(h)ɔg] *sb.* (*zo.*) pindsvin.

hedgehop ['hedʒhɔp] *vb.* (*flyv.*) flyve meget lavt.

hedgerow ['hedʒrəu] *sb.* hæk; levende hegn.

hedge sparrow *sb.* (*zo.*) jernspurv.

hedonism ['hi:dənizm] *sb.* hedonisme [*læren om nydelsen som det højeste gode*].

hedonist ['hi:dənist] *sb.* hedonist.

hedonistic [hi:də'nistik] *adj.* hedonistisk.

heebie-jeebies [hi:bi'dʒi:biz] *sb. pl.* T **1.** nerver; (se også *jitters*); **2.** delirium.

heed[1] [hi:d] *sb.: give/pay ~ to, take ~ of* F lytte til; lægge mærke til; rette sig efter; *pay no ~ to* F ikke lytte til, ikke ænse; *take ~* F vogte sig.

heed[2] [hi:d] *vb.* F lytte til (*fx his advice; his warning*); rette sig efter; □ *not ~* (*også*) ikke ænse; ikke bryde sig om.

heedless ['hi:dləs] *adj.* ubetænksom, ubesindig; □ *~ of* ligeglad med; uden at ænse (*fx his objections*).

heehaw[1] ['hi:hɔ:] *sb.* (*æsels*) skryden.

heehaw[2] ['hi:hɔ:] *vb.* (*om æsel*) skryde.

heel[1] [hi:l] *sb.* **1.** hæl; **2.** (*af brød, ost*) endeskive; (*af pølse*) ende(stykke); **3.** (*af hånd*) håndbalde; håndrod; **4.** (*glds.* T) løjser, slyngel; **5.** (*mar.: af mast*) rodende, masterod; (*af køl*) hæl; **6.** (*jf. heel*[2] *2*) slagside, krængningsvinkel; □ *~!* (*til hund*) hinter! *-s* (*om sko*) højhælede sko; [*med vb.*] *click one's -s* slå hælene sammen; *cool one's -s* se ndf.: *kick one's -s; drag one's -s* være træg/modvillig; *prøve at forhale sagen; kick one's -s* sidde og vente; *spilde tiden med at vente; vente utålmodigt; kick up one's -s* more sig, slå sig løs; *show one's -s, show a clean pair of -s* stikke af, flygte; (se også *dig*[2] *(in)*); [*med præp.*] *at sby's -s* se ndf.: *on sby's -s; set sby back on his -s* T komme bag på en, få en til at studse; *lay sby by the -s* arrestere en, pågribe en; *down at ~* **a.** (*om sko*) udtrådt, nedtrådt; **b.** (*om person*) derangeret, lurvet klædt;

c. (*om sted*) derangeret, nedslidt; *close/hard/hot on sby's -s* lige i hælene på en; *follow (hard) on the -s of sth* følge lige i hælene på/umiddelbart efter noget; *tread on sby's -s* træde en i hælene; *turn on one's -s* (pludselig) gøre omkring; *be out at (the) ~* have hul på strømpehælen; være lurvet klædt; *come to ~* falde til føje; *take to one's -s* tage benene på nakken, stikke af, flygte; *under ~* underkuet.

heel[2] [hi:l] *vb.* **1.** (*sko*) bagflikke; sætte nye hæle på; **2.** (*mar.*) krænge, hælde; **3.** (*am.*) følge i hælene på; **4.** (*am.* T) forsyne med penge; (*jf. well-heeled*); □ *~ in* (*plante*) indslå [ɔ: *plante midlertidigt*]; *~ over* (*mar.*) krænge, hælde.

heeler ['hi:lər] *sb.* (*am.* S) partisoldat.

heelpiece ['hi:lpi:s] *sb.* bagflik [*på sko*]; hæl.

heel plate *sb.* hælbeskytter, sinke.

heeltap ['hi:ltæp] *sb.* **1.** (*på sko*) hælflik; **2.** (*glds.: i et glas*) slat, sjat.

heft[1] [heft] *sb.* **1.** løften, løft; **2.** (*am.*) vægt, tyngde; **3.** (*fig.*) indflydelse.

heft[2] [heft] *vb.* **1.** løfte (*fx sth on to one's shoulder*); bære (*fx a baby on his hip*); **2.** (*for at bedømme vægten*) løfte på, veje i hånden.

hefty ['hefti] *adj.* T **1.** (*om person*) stærk, kraftig, muskuløs (*fx young chap*); **2.** (*om styrke*) ordentlig, kraftig (*fx kick; push*); **3.** (*om omfang*) velvoksen, solid, gevaldig, heftig (*fx fine; profit; batch of letters*); □ *a ~ 10%* så meget som 10%.

hegemony [hi'gemʌni, -'dʒem-, 'hegi-, 'hedʒi-] *sb.* hegemoni; (over)herredømme (*fx world ~*).

he-goat ['hi:gʌut] *sb.* gedebuk.

heifer ['hefə] *sb.* kvie.

heigh-ho [hei'hʌu] *interj.* (*glds.* T: resigneret) jaja da! ak ja!

height [hait] *sb.* **1.** højde; **2.** højdepunkt, toppunkt (*fx the ~ of his career*); □ *-s* højder; *from a ~* højt oppe fra; *the ~ of* **a.** se: *2*; **b.** topmålet af (*fx folly; bad manners*); *the ~ of fashion* højeste mode; *at the ~ of the tourist season* da turistsæsonen var på sit højeste.

heighten ['hait(ə)n] *vb.* forhøje, øge, forøge; forstærke.

heinie ['haini] *sb.* (*am.* S) bagdel, ende.

heinous ['heinəs] *adj.* afskyelig, frygtelig, grufuld.

H *heir*

heir [ɛə] *sb.* arving.
heir apparent *sb.* **1.** retmæssig arving; nærmeste arving; **2.** (*til trone*) tronarving, tronfølger; **3.** (*fig.*) arvtager, kronprins.
heiress ['ɛəres, -əs] *sb.* **1.** kvindelig arving; **2.** (*mht. ægteskab*) godt parti;
□ *marry an ~* gøre et godt parti; gifte sig penge til.
heirloom ['ɛəlu:m] *sb.* arvestykke.
heir presumptive *sb.* **1.** præsumptiv arving [*arving under forudsætning af at der ikke fødes arveladeren børn*]; **2.** (*til trone*) arveprins//arveprinsesse.
heist[1] [haist] *sb.* (T: *især am.*) røveri.
heist[2] [haist] *vb.* (T: *især am.*) stjæle, røve.
held [held] *præt. & præt. ptc. af* hold[2].
Helen ['helin] (*myt.*) Helene, Helena.
heliborne ['helibɔ:n] *adj.* helikoptertransporteret.
helical ['helik(ə)l] *adj.* skrueformet; spiral-.
helices ['helisi:z] *pl. af* helix.
helicopter ['helikɔptə] *sb.* helikopter.
helicopter gunship *sb.* kamphelikopter.
Heligoland ['heligəlænd] (*geogr.*) Helgoland.
heliotrope ['heliətrəup] *sb.* (*bot.*) heliotrop.
helipad ['helipæd] *sb.* interimistisk helikopterlandingsplads.
heliport ['helipɔ:t] *sb.* helikopterlandingsplads; heliport.
helium ['hi:liəm] *sb.* (*kem.*) helium.
helix ['hi:liks] *sb.* (*pl. helices* ['helisi:z]) spiral; skruelinje.
hell [hel] *sb.* helvede;
□ *a ~ of a* en/et helvedes/fandens (*fx lot; noise*); *a living ~* et sandt/rent helvede; *oh ~!* så for helvede/fanden! *his life has been ~ on earth* hans liv har været et sandt/rent helvede; *suffer ~ on earth* lide alle helvedes kvaler; [*med vb.*] *come ~ or high water* hvad der end sker; med djævelens vold og magt; *get ~* få en skideballe; *let's get the ~ out* lad os komme ud i en helvedes fart; *give them ~* **a.** gøre helvede hedt for dem; **b.** give dem en helvedes ballade; plage livet af dem; *go ~ for leather* fare af sted alt hvad remmer og tøj kan holde; *make one's life ~* gøre livet til et helvede for en; *if you are late there'll be ~ to pay* hvis du kommer for sent, så

er fanden løs/så bliver der et helvedes vrøvl; *play ~ with* **a.** rasere; ødelægge; **b.** (*person*) give en skideballe; *raise ~* lave en helvedes ballade; *scare the ~ out of sby* gøre en skideangst;
[*med præp.*] *just for the ~ of it* bare for sjov; *from ~* (T: *spøg.*) aldeles rædselsfuld; *like ~* som bare fanden (*fx run like ~*); *like ~ I will!* gu' vil jeg ej! *go through ~* lide alle helvedes kvaler; *go to ~* gå ad helvede til; *I hope to ~ that ...* jeg håber faneme at ...; *to ~ with it* skide være med det.
he'll [hi:l] *fork. f. he will//shall.*
hellbender ['helbendə] *sb.* (*zo.*) amerikansk kæmpesalamander, dynddjævel.
hellbent ['helbent] *adj.* (*am.*) fast besluttet;
□ *they are ~ on doing it* de vil med djævelens vold og magt gøre det.
hellcat ['helkæt] *sb.* T rappenskralde, havgasse.
hellebore ['helibɔ:] *sb.* (*bot.*) nyserod.
Hellene ['heli:n] *sb.* hellener.
Hellenic [he'li:nik] *adj.* hellensk; græsk.
hellfire ['helfaiə] *sb.* helvedes ild; svovlpølen.
hellhole ['helhəul] *sb.* elendigt hul.
hellion ['heljən] *sb.* (*am.* T) slambert.
hellish ['heliʃ] *adj.* helvedes; djævelsk.
hello [hə'ləu] *interj.* **1.** (*hilsen*) hej; dav; **2.** (*for at få éns opmærksomhed*) halløj, hallo; **3.** (*tlf.*) hallo; **4.** (*sagt af speaker i tv, radio*) goddag//godmorgen//godaften.
hell-raiser ['helreizər] *sb.* (*am.*) ballademager; vild fyr.
helluva ['heləvə] *adj.* se *hell: hell of a.*
helm [helm] *sb.* ror; rorpind;
□ *be at the ~* (*også fig.*) stå ved roret; *take the ~* (*også fig.*) overtage styringen.
helmet ['helmit] *sb.* hjelm.
helmeted ['helmitid] *adj.* hjelmklædt.
helmsman ['helmzmən] *sb.* (*pl. -men* [-mən]) (*mar.*) rorsmand, rorgænger.
helo ['hi:lou, 'he-] *sb.* (*am.*) helikopter.
help[1] [help] *sb.* **1.** hjælp; **2.** (*i huset*) hushjælp;
□ *he was a great ~* han var en stor hjælp/støtte; *he wasn't much ~* han var ikke til megen hjælp; *there's no ~ for it* der er ikke noget at gøre ved det; *be of ~* være

til hjælp; *with the ~ of* ved hjælp af.
help[2] [help] *vb.* **1.** hjælpe; **2.** (+ *inf.*) hjælpe med at (*fx I -ed him pay his debts*); hjælpe med til at, bidrage til at (*fx it -ed make the party a success*); **3.** (*ved bordet*) se ndf.: *~ oneself, ~ to*;
□ *every little -s* lidt har også ret; (se også *God*);
[*med can//can't*] *don't tell him more than you can ~* fortæl ham ikke mere end du er nødt til/end strengt nødvendigt; *it won't happen again if I can ~ it* det skal ikke ske igen hvis jeg kan forhindre det; *how can I ~ it?* hvad kan jeg gøre for det? *I can't ~ it* jeg kan ikke gøre for det; *I can't ~ + -ing* jeg kan ikke lade være med at (*fx laughing; feeling that he is right*); *I can't ~ your being a fool* jeg kan ikke gøre for at du er et fæ; *I can't ~ but* jeg kan ikke andet end; jeg kan ikke lade være med at; *it can't be -ed* der er ikke noget at gøre ved det; *he can't ~ himself* se: ndf.;
[*med: oneself*] *~ oneself* **a.** hjælpe sig selv; **b.** (*ved bordet*) tage selv; forsyne sig; *he can't ~ himself* han kan ikke gøre for det; han kan ikke lade være/dy sig; *~ oneself to* **a.** (*ved bordet*) forsyne sig med; selv tage (*fx he -ed himself to some meat//claret*); **b.** T hugge (*fx somebody has -ed himself to my cigarettes*); få fingre i;
[*med præp., adv.*] *~ along, ~ forward* (*fig.*) fremme; *~ him off with his coat* hjælpe ham frakken af; *~ on* hjælpe frem; *~ him on with his coat* hjælpe ham frakken på; *~ out* **a.** hjælpe (gennem en vanskelighed); **b.** (*uden objekt*) hjælpe; træde til; *~ out with the work* hjælpe til med arbejdet; *may I ~ you to some more meat?* jeg give Dem lidt mere kød? *he -ed me to a glass of wine* han skænkede et glas vin til mig.
helper ['helpə] *sb.* hjælper; assistent.
helpful ['helpf(u)l] *adj.* **1.** (*om person*) hjælpsom; tjenstvillig; **2.** (*om andet*) nyttig (*fx he made several ~ suggestions*).
helping ['helpiŋ] *sb.* portion.
helpless ['helpləs] *adj.* hjælpeløs.
helpline ['helplain] *sb.* rådgivningstjeneste; telefonrådgivning.
helpmate ['helpmeit] *sb.*, **helpmeet** ['helpmi:t] *sb.* (*glds.*) medhjælp, hjælper [*især om ægtefælle*].
helter-skelter[1] [heltə'skeltə] *sb.* **1.** rutsjebane [*i spiral*]; **2.** vild for-

virring.

helter-skelter² [heltə'skeltə] *adj.*
1. rodet; **2.** hovedkulds.

helter-skelter³ [heltə'skeltə] *adv.*
1. i vild forvirring, hulter til bulter; **2.** over hals og hoved.

helve [helv] *sb.* skaft.

hem¹ [hem] *sb.* søm; kantning; kant.

hem² [hem] *vb.* sømme; kante;
□ ~ *and haw* (*am.*) = *hum²*: *hum and haw*; *-med in* **a.** omringet, klemt inde (*fx -med in by high mountains*); **b.** (*fig.*) begrænset af; *we are -med in by rules and regulations* vi kan ikke røre os for reglementer og forskrifter.

hem³ [hem] *interj.* hm!

he-man ['hi:mæn] *sb.* (*pl. -men* [-men]) T rigtigt mandfolk; 100% mandfolk.

hemiplegia [hemi'pli:dʒə] *sb.* (*med.*) hemiplegi; halvsidig lammelse.

hemisphere ['hemisfiə] *sb.* **1.** halvkugle, hemisfære; **2.** (*anat.*) hjernehalvdel.

hemline ['hemlain] *sb.* kjolesøm; længde.

hemlock ['hemlɔk] *sb.* (*bot.*)
1. skarntyde; **2.** = *hemlock spruce.*

hemlock spruce *sb.* tsuga [*et granlignende træ*].

hemoglobin *sb.* (*etc.*) se: *haemoglobin* (*etc.*).

hemp [hemp] *sb.* hamp.

hemp agrimony *sb.* (*bot.*) hjortetrøst.

hemp nettle *sb.* (*bot.*) hanekro.

hemstitch¹ ['hemstitʃ] *sb.* hulsøm.

hemstitch² ['hemstitʃ] *vb.* sy hulsøm i.

hen [hen] *sb.* høne; hun [*af fugl*].

henbane ['henbein] *sb.* (*bot.*) bulmeurt.

hence [hens] *adv.* **1.** (*om grund*) heraf; derfor; **2.** (*om tid*) fra nu af; **3.** (*glds.*) herfra;
□ *twenty-four hours* ~ (*jf. 2*) om fireogtyve timer.

henceforth [hens'fɔ:θ] *adv.*, **henceforward** [hens'fɔ:wəd] *adv.* fra nu af; for fremtiden.

henchman ['hen(t)ʃmən] *sb.* (*pl. -men* [-mən]) **1.** (*neds.*) lejesvend; kreatur; håndlanger; **2.** trofast følgesvend; håndgangen mand.

hen harrier *sb.* (*zo.*) blå kærhøg.

henhouse ['henhaus] *sb.* hønsehus.

henna ['henə] *sb.* henna [*plante; farvestof*].

hennaed ['henəd] *adj.* hennafarvet.

hen night *sb.* T polterabend [*for pige*].

hen party *sb.* T **1.** polterabend; **2.** pigeaften, pigekomsammen; damekomsammen.

henpecked ['henpekt] *adj.*: *be* ~ være under tøflen; *a* ~ *husband* en tøffelhelt.

Henry ['henri] (*hist.*) Henrik.

hep [hep] *adj.* (*glds.*) = *hip².*

hepatic [hi'pætik] *adj.* hepatisk; lever-.

hepatitis [hepə'taitis] *sb.* (*med.*) leverbetændelse.

heptagon ['heptəgən] *sb.* syvkant.

her [hə, (*betonet*) hə:] *pron.*
1. hende; sig; **2.** (*om land, skib*) den//det; **3.** (*possessivpron.*) hendes; sin//sit//sine; (*jf. 2*) dens//dets.

herald¹ ['her(ə)ld] *sb.* **1.** (*hist.*) herold; budbringer; **2.** (*litt.*) varsel (*of om, fx what is to come*); forløber (*of for*);
□ ~ *of spring* forårsbebuder.

herald² ['her(ə)ld] *vb.* (*litt.*) indvarsle (*fx a new era*); varsle, bebude (*fx the approach of spring*);
□ *be -ed as* blive hilst/budt velkommen som.

heraldic [hi'rældik] *adj.* heraldisk.

heraldry ['her(ə)ldri] *sb.* heraldik.

herb [hə:b, (*am.*) (h)ə:rb] *sb.*
1. plante; urt; **2.** krydderurt, krydderplante; lægeurt, lægeplante;
3. (*am.* S) marihuana.

herbaceous [hə:'beiʃəs, (*am.*) (h)ər-] *adj.* urteagtig, urte-.

herbaceous border *sb.* staudebed; blomsterrabat.

herbaceous perennial *sb.* staude.

herbage ['hə:bidʒ, (*am.*) '(h)ər-] *sb.* planter; urter.

herbal¹ ['hə:b(ə)l, (*am.*) '(h)ər-] *sb.* urtebog.

herbal² ['hə:b(ə)l, (*am.*) '(h)ər-] *adj.* urte-; urteagtig.

herbalist ['hə:bəlist, (*am.*) '(h)ər-] *sb.* **1.** plantesamler; **2.** forhandler af lægeurter; **3.** urtekyndig; naturlæge.

herbarium [hə:'bɛəriəm, (*am.*) (h)ər-] *sb.* herbarium.

herb bennet *sb.* (*bot.*) febernellikerod.

herb Christopher *sb.* (*bot.*) druemunke.

herbicide ['hə:bisaid, (*am.*) '(h)ər-] *sb.* herbicid, ukrudtsmiddel.

herbivore ['hə:bivɔ:, (*am.*) '(h)ər-] *sb.* planteæder.

herbivorous [hə:'bivərəs, (*am.*) (h)ər-] *adj.* planteædende.

herb Paris *sb.* (*bot.*) firblad.

herb Robert *sb.* (*bot.*) stinkende storkenæb.

Herculean [hə:kju'li:ən, hə:'kju:liən] *adj.* herkulisk, overmenneskelig (*fx efforts*).

Hercules ['hə:kjuli:z] (*myt.*) Herku-

les; (se også *labour¹*).

herd¹ [hə:d] *sb.* hjord, flok;
□ *the (common)* ~ hoben; den store hob; *ride* ~ *on* (*am.* S) føre kontrol med; holde øje med.

herd² [hə:d] *vb.* **1.** drive, genne (*fx we were -ed into a room//onto a bus*); samle i en flok; **2.** (*dyr*) drive; vogte; **3.** (*uden objekt*) samle sig; gå i flok;
□ ~ *together* **a.** drive sammen i en flok; **b.** (*uden objekt*) samle sig i en flok.

herd book *sb.* stambog.

herd instinct *sb.* flokinstinkt.

herdsman ['hə:dzmən] *sb.* (*pl. -men* [-mən]) **1.** fodermester; **2.** (*glds.*) kvægvogter, hyrde.

here [hiə] *adv.* her; herhen;
□ ~! **a.** kom her! **b.** hør her!, hør engang! *from* ~ herfra; ~ *goes!* så starter vi! nu skal du//I høre! ~ *we go again!* så er den der igen! nu skal vi til det igen! *leave* ~ rejse herfra; (se også *below¹, look²*); ~ *and there* her og der; hist og her; ~ *there and everywhere* overalt; alle (vide) vegne; (se også *neither²*); *here's to* ...! en skål for ...! *fx here's to* Smith! *here's to our new house!*; *here's to you!* skål! *here we are* **a.** nu er vi der; **b.** her er vi; **c.** her har vi den//det; her er den//det; ~ *we// you are, drinking happily* her sidder vi//I og drikker nok så fornøjet; ~ *you are* værsgo [*når man rækker noget*].

hereabout ['hiərəbaut], **hereabouts** ['hiərəbauts] *adv.* her omkring.

hereafter [hiə'ra:ftə] *adv.* F **1.** (*om tid*) herefter, fra nu af; i fremtiden; **2.** (*i tekst*) i det følgende;
□ *the* ~ det hinsidige; livet efter dette.

hereby [hiə'bai] *adv.* F herved; herigennem.

hereditary [hi'redit(ə)ri] *adj.* arvelig.

hereditary peer *sb.* [*adelig hvis rang og sæde i Overhuset er arveligt*].

heredity [hi'rediti] *sb.* (*biol.*) arvelighed.

Herefordshire ['herifədʃə].

herein [hiə'rin] *adv.* F heri.

hereinafter [hiərin'a:ftə] *adv.* F i det følgende.

heresy ['herəsi] *sb.* kætteri.

heretic ['herətik] *sb.* kætter.

heretical [hi'retik(ə)l] *adj.* kættersk.

hereto [hiə'tu:] *adv.* F hertil.

heretofore [hiətu'fɔ:] *adv.* F før, tidligere; hidtil.

hereupon [hiərə'pɔn] *adv.* F herpå;

derpå.

herewith [hiə'wið] *adv.* F hermed.

heritage ['heritidʒ] *sb.* arv (*fx our cultural//national* ~); kulturarv (*fx it is part of our* ~).

hermaphrodite [hə:'mæfrədait] *sb.* hermafrodit [*tvekønnet væsen// plante*].

hermaphroditic [hə:mæfrə'ditik] *adj.* hermafroditisk; tvekønnet.

hermaphroditism [hə:'mæfrədaitizm] *sb.* tvekønnethed.

hermeneutics [hə:mi'nju:tiks] *sb.* hermeneutik [*læren om fortolkning*].

hermetic [hə:'metik] *adj.* **1.** hermetisk, lufttæt; **2.** (*neds.*) tillukket (*fx the* ~ *world of the monastery*); afsondret (*fx existence*); **3.** (*om tekst*) okkult, esoterisk (*fx poem*); **4.** (*glds.*) okkult; som vedrører alkymi;
□ *the* ~ *art* (*jf.* 4) alkymien.

hermetically [hə:'metik(ə)li] *adv.* hermetisk (*fx sealed* lukket); lufttæt.

hermit ['hə:mit] *sb.* eremit.

hermitage ['hə:mitidʒ] *sb.* eneboerhytte; eremitbolig.

hermit crab *sb.* (*zo.*) eremitkrebs.

hernia ['hə:niə] *sb.* (*med.*) brok.

hernial ['hə:niəl] *adj.* brok- (*fx bandage*).

hero ['hiərəu] *sb.* (*pl. -es*) **1.** helt; **2.** (*myt.*) heros.

Herod ['herəd] (*bibelsk*) Herodes.

heroic [hi'rəuik] *adj.* **1.** heroisk, heltemodig (*fx attempt; efforts*); helte- (*fx deed*); **2.** (*om stil*) høj; højtravende; **3.** (*i kunst*) over legemsstørrelse; **4.** (*om omfang*) vældig (*fx of heroic proportions* (dimensioner); *on a* ~ *scale* (omfang)); enorm (*fx* ~ *amounts of coffee*).

heroically [hi'rəuik(ə)li] *adv.* heltemodigt.

heroic poem *sb.* heltedigt.

heroic poetry *sb.* heltedigtning.

heroics [hi'rəuiks] *sb. pl.* heltegerninger; (*neds.*) bravade;
□ *he was in no mood for* ~ han havde ikke lyst til at spille helt.

heroin ['herəuin] *sb.* (*kem.*) heroin.

heroine ['herəuin] *sb.* heltinde.

heroism ['herəuizm] *sb.* heltemod.

heron ['herən] *sb.* (*zo.*) hejre.

heronry ['herənri] *sb.* hejrekoloni.

hero's welcome *sb.* heltemodtagelse.

hero worship *sb.* heltedyrkelse.

herpes ['hə:pi:z] *sb.* (*med.*) herpes;
□ ~ *zoster* se shingles.

herring ['heriŋ] *sb.* (*zo.*) sild; (se også *fish*[1]).

herringbone[1] ['heriŋbəun] *sb.*

1. (*mønster*) sildeben; **2.** (*i broderi*) heksesting; **3.** (*i skisport*) saksning.

herringbone[2] ['heriŋbəun] *vb.*
1. dekorere med sildebensmønster; **2.** (*i broderi*) sy heksesting; **3.** (*i skisport*) sakse.

herringbone stitch *sb.* heksesting.

herring gull *sb.* (*zo.*) sølvmåge.

hers [hə:z] *pron.* hendes; sin//sit// sine.

herself [hə'self] *pron.* **1.** hun// hende selv; selv; **2.** (*refleksivt*) sig selv; sig (*fx she enjoyed//defended* ~); **3.** (*understregende*) selve (*fx the Queen* ~ *visited me*); □ *why can't she just be* ~ hvorfor kan hun ikke bare være sig selv; *by* ~ **a.** alene; for sig selv (*fx sitting by* ~); **b.** (*uden hjælp*) alene, på egen hånd; *she is not* ~ hun er ikke rigtig sig selv; *she says so* ~ hun siger det selv; *det er hende selv der siger det*; *she had the whole house to* ~ hun havde hele huset for sig selv.

Hertfordshire ['ha:fədʃə, 'ha:t-].

Herts. [ha:ts] *fork. f.* Hertfordshire.

he's [hi:z] *fork. f.* he is//has.

hesitance ['hezit(ə)ns] *sb.*, **hesitancy** ['hezit(ə)nsi] *sb.* tøven, nølen; usikkerhed, ubeslutsomhed.

hesitant ['hezit(ə)nt] *adj.* tøvende, nølende; usikker, ubeslutsom.

hesitate ['heziteit] *vb.* **1.** tøve, nøle; vakle; nære betænkeligheder; **2.** udtrykke sig tøvende; stamme svagt;
□ ~ *about what to do* være i tvivl om/ikke rigtig vide hvad man skal gøre; ~ *at* vige tilbage for; ~ *between* vakle mellem; ~ *to* tøve med at, være betænkelig ved at; ikke være glad for at, kvie sig ved at; *he will not* ~ *to do it* han vil ikke tage i betænkning/betænke sig på at gøre det; *don't* ~ *to contact me* du må endelig kontakte mig.

hesitation [hezi'teiʃn] *sb.* tøven, vaklen; betænkelighed; usikkerhed, ubeslutsomhed.

Hesse ['hesi] (*geogr.*) Hessen.

Hessian[1] ['hesiən, (*am.*) 'heʃn] *sb.* hesser.

Hessian[2] ['hesiən, (*am.*) 'heʃn] *adj.* hessisk.

hessian ['hesiən] *sb.* hessian, sækkelærred.

hetero ['hetərəu] *sb.* T heterosexuel.

heterodox ['hetərədɔks] *adj.* F heterodoks; anderledestænkende; kættersk.

heterodoxy ['hetərədɔksi] *sb.* heterodoksi; kætteri.

heterogeneity [hetərə(u)dʒi'ni:əti] *sb.* uensartethed.

heterogeneous [hetərə(u)'dʒi:niəs] *adj.* heterogen, uensartet.

heterosexism [hetərə(u)'seksizm] *sb.* diskrimination mod homoseksuelle.

heterosexual [hetərə(u)'sekʃuəl] *adj.* heteroseksuel.

het up [het'ʌp] *adj.* T ophidset; ude af flippen.

heuristic [hjuə'ristik] *adj.* heuristisk.

HEW *fork. f.* (*am.*) Department of Health, Education and Welfare.

hew [hju:] *vb.* (-*ed, -ed/hewn*)
1. hugge; **2.** (*i mine*) bryde;
□ ~ *out* udhugge; ~ *to* (*am.*) holde sig (nøje) til.

hewn [hju:n] *præt. ptc. af hew*.

hex[1] [heks] *sb.* hekseri; forhekselse;
□ *put a* ~ *on* forhekse.

hex[2] [heks] *adj.* sekskantet.

hex[3] [heks] *vb.* (*am.*) forhekse.

hexadecimal [heksə'desim(ə)] *adj.*: ~ *numbering system* sekstentalssystem.

hexagon ['heksəgən] *sb.* sekskant.

hexagonal [hek'sægən(ə)l] *adj.* sekskantet.

hexahedron [heksə'hi:drən, -'hed-] *sb.* sekssidet figur.

hexameter [hek'sæmitə] *sb.* heksameter [*et versemål*].

hey [hei] *interj.* T hov! hej! hør! pst!

heyday ['heidei] *sb.* storhedstid, velmagtsdage, blomstringstid, bedste/gyldne tid;
□ *in the* ~ *of his power* på højdepunktet af sin magt; *in the* ~ *of youth* i ungdommens vår.

hey presto [hei'prestəu] *interj.* vupti; vips; en to tre.

HF *fork. f.* high-frequency.

hf *fork. f.* half.

hf. bd. *fork. f.* half-bound.

HGV *fork. f.* heavy goods vehicle lastvogn [*til tung transport; hedder nu LGV*].

HH *fork. f.* **1.** His//Her Highness; **2.** His Holiness (the Pope).

hhd. *fork. f.* hogshead.

H-hour ['eitʃauə] *sb.* H-tid, klokken H [*tidspunktet for planlagt militær aktion; angrebstidspukt*].

HHS *fork. f.* (Ministry of) Health and Human Services.

HI *fork. f.* Hawaii.

hi [hai] *interj.* T hej!

hiatus [hai'eitəs] *sb.* F **1.** (*i række*) afbrydelse, brud; **2.** (*tidsmæssig*) ophold, afbrydelse; **3.** (*i tekst*) lakune; **4.** (*ved vokaler*) hiat [*vokalsammenstød*].

hibachi [hi'ba:tʃi, hi'bætʃi] *sb.* trækulsbækken.

hibernate ['haibəneit] *vb.* ligge i vinterdvale/hi; overvintre.

hibernation [haibə'neiʃn] *sb.* overvintring; vinterdvale.

Hibernian[1] [hai'bə:niən] *sb.* (*glds. el. litt.*) irlænder, irer.

Hibernian[2] [hai'bə:niən] *adj.* (*glds. el. litt.*) irsk.

hiccough ['hikəp] = *hiccup.*

hiccup[1] ['hikʌp] *sb.* **1.** hikke; hik; **2.** T kortvarig afbrydelse; teknisk fejl.

hiccup[2] ['hikʌp] *vb.* hikke.

hick[1] [hik] *sb.* (*am.* T) bondeknold.

hick[2] [hik] *adj.* (*am.* T) bondsk; provinsiel.

hickey ['hiki] *sb.* (*am.* T) **1.** dims; indretning; **2.** (*på huden*) sugemærke; bums.

hickory ['hikəri] *sb.* hickorytræ; nordamerikansk valnøddetræ.

hick town *sb.* provinshul.

hid [hid] *præt.* & *præt. ptc. af hide*[2].

hidden ['hid(ə)n] *præt. ptc. af hide*[2].

hidden agenda *sb.* (*fig.*) skjult dagsorden.

hide[1] [haid] *sb.***1.** hud; skind; **2.** (*jf. hide*[2]) skjul [*til dyreiagttagelse*]; □ *have a thick* ~ være tykhudet [ɔ: *ufølsom*]; [*med vb.*] *save one's* ~ redde/hytte sit skind; *he hadn't seen* ~ *or hair of her* han havde ikke set det ringeste spor af hende; *tan sby's* ~ garve éns rygstykker; give én en dragt prygl.

hide[2] [haid] *vb.* (*hid, hid/hidden*) **1.** skjule, gemme (*from* for); **2.** (*uden objekt*) skjule sig, gemme sig (*from* for); □ ~ *away* a. gemme væk; **b.** (*uden objekt*) = ~ *out;* ~ *out* skjule sig, gemme sig; krybe i skjul.

hide-and-seek [haidn'si:k] *sb.* skjul [*leg*].

hideaway ['haidəwei] *sb.* skjulested, skjul, tilflugtssted.

hidebound ['haidbaund] *adj.* forbenet, forstokket, reaktionær; snæversynet, indskrænket.

hideous ['hidiəs] *adj.* hæslig (*fx crime*); frygtelig, skrækkelig, grufuld.

hideout ['haidaut] *sb.* T skjulested; tilflugtssted.

hiding ['haidiŋ] *sb.* **1.** bank, tæsk; **2.** skjul; □ *he gave him a good* ~ han gav ham et ordentligt lag tæsk; [*med præp.*] *be in* ~ være//holde sig skjult; *go into* ~ skjule sig; krybe i skjul; *they are on a* ~ *to*

nothing de har ikke en chance; de kan godt spare sig ulejligheden.

hiding place *sb.* skjulested.

hie [hai] *vb.* (*glds. el. spøg.*) ile, skynde sig.

hierarchical [haiə'ra:kik(ə)l] *adj.* hierarkisk, rangordnet.

hierarchy ['haiəra:ki] *sb.* hierarki, rangsystem, rangorden.

hieroglyph ['haiərəglif] *sb.* hieroglyf.

hieroglyphics [haiərə'glifiks] *sb. pl.* hieroglyffer.

hi-fi ['haifai] *sb.* (*fork. f. high fidelity*) stereoanlæg.

higgledy-piggledy[1] [higldi'pigldi] *adj.* T rodet, kaotisk.

higgledy-piggledy[2] [higldi'pigldi] *adv.* T hulter til bulter, i vild uorden.

high[1] [hai] *sb.* **1.** højdepunkt; **2.** (*meteor.*) højtryk; **3.** (*i bil*) højt gear; **4.** (*am.* T) = *high school 2*; □ *on* ~ (*bibelsk*) i det høje; *it was on* ~ (*om apparat*) der var skruet højt op for den; *be on a* ~ (*om person*) **a.** (*glad*) være højt oppe; **b.** (*af narko*) være høj; *from on* ~ (*spøg.*) fra det høje, højt oppe fra (*fx an order from on* ~).

high[2] [hai] *adj.* **1.** høj; **2.** (*om sted*) høj, højtliggende; **3.** (*fig.*) høj, ophøjet (*fx ideals; position*); **4.** (*om rang*) fornem; højtstående, høj (*fx official*); **5.** (*om intensitet*) stærk (*fx colour; wind*); stor, høj (*fx speed*); **6.** (*om kød*) som har en tanke; (*om vildt*) overhængt; **7.** T fuld; højt oppe; **8.** (*af narko*) høj; □ ~ *in* rig på (*fx calories*); *be* ~ *on the list* stå højt oppe på listen; *smell* ~ (*jf. 6, om kød*) have en tanke; [+ *adj.*] ~ *and dry* (*om fartøj*) på land; *be left* ~ *and dry* (*fig.*). **a.** blive//være efterladt hjælpeløs; blive//være ladt i stikken; **b.** (*økonomisk*) stå på bar bund; ~ *and low* høj og lav; (*se også high*[3]); ~ *and mighty* a. T hoven, stor på den; høj i hatten, indbildsk; **b.** (*i titel*) højmægtig; [+ *sb.; se også alfabetisk*] *with a* ~ *hand* egenmægtigt, despotisk, dominerende; *it smells/stinks to* ~ *heaven* **a.** det lugter rædselsfuldt; **b.** (*fig.*) det lugter langt væk; ~ *hopes* store/højspændte forventninger; *get on/mount/ride the* ~ *horse* sætte sig på den høje hest; ~ *sea* stærk søgang; *the* ~ *seas* det åbne hav; *in* ~ *spirits* se *spirit*; *the sun is* ~ solen står højt på himmelen; *it is* ~ *time for me to be off* det er på høje tid jeg kommer af sted; *a* ~ *Tory* en yderlig-

gående konservativ; ~ *words* vrede ord.

high[3] [hai] *adv.* højt (*fx play* ~); □ ~ *and low* vidt og bredt; alle vide vegne (*fx search* ~ *and low*); *play* ~ spille højt spil; *run* ~ se *run*[2]; *wear one's hair* ~ have håret sat op.

high altar *sb.* højalter.

high angle fire *sb.* krumbaneskydning.

highball ['haibɔ:l] *sb.* (*am.*) whiskysjus.

high beam *sb.* (*am.*) det lange lys.

highbinder ['haibaindər] *sb.* (*am.* S) **1.** gangster; lejemorder; **2.** korrupt politiker; svindler.

highborn ['haibɔ:n] *adj.* af fornem byrd.

highboy ['haibɔi] *sb.* (*am.*) chiffoniere [*højt skuffemøbel*].

highbrow[1] ['haibrau] *sb.* intellektuel; (*neds.*) åndssnob, kultursnob.

highbrow[2] ['haibrau] *adj.* intellektuel; (*neds.*) åndssnobbet, kultursnobbet; højpandet.

high chair *sb.* høj stol, barnestol.

High Church *adj.* højkirkelig.

high-class [hai'kla:s] *adj.* førsteklasses; fin.

high command *sb.* overkommando.

High Commission *sb.* højkommissariat.

High Commissioner *sb.* højkommissær.

High Court of Justice *sb.* [*engelsk overret*].

high culture *sb.* finkultur.

high day *sb.* festdag; højtidsdag; □ *it was* ~ det var højlys dag.

high-definition [haidefi'niʃn] *adj.* med stor opløsningsevne, højopløsnings-.

high-density [hai'densiti] *adj.* (*it*) med stor lagringstæthed, højkapacitets-.

high energy physics *sb.* højenergifysik.

higher ['haiə] *adj.* (*komp. af high*[2]) **1.** højere; **2.** (*om dyr, plante*) højerestående.

higher education *sb.* højere uddannelse [ɔ: *på universitetsniveau*].

higher-ups [haiər'ʌps] *sb. pl.* T folk højere oppe på rangstigen.

high explosive *sb.* (højeksplosivt/brisant) sprængstof.

high-explosive [haiiks'pləusiv] *adj.* højeksplosiv, brisant.

highfalutin [haifə'lu:tin] *adj.* højtravende, svulstig, bombastisk.

high fidelity *sb.* high fidelity, naturtro lydgengivelse.

high five *sb.* (*am.*) [*det at slå de*

H high-five

hævede højrehænder mod hinanden i triumf].

high-five [hai'faiv] *vb.* (*am.*) [*slå de hævede højrehænder mod hinanden i triumf*].

high-flier *sb.* = *high-flyer*.

highflown [hai'fləun] *adj.* højtravende, pompøs, bombastisk.

high-flyer [hai'flaiə] *sb.* en der kan//vil nå højt; højtbegavet person; komet.

high-flying [hai'flaiiŋ] *adj.* meget succesrig; fremstormende.

High German *sb.* (*sprogv.*) højtysk.

high-grade [hai'greid] *adj.* af høj kvalitet; førsteklasses.

high ground *sb.* højereliggende terræn; højdedrag;
□ *have the* ~ (*fig.*) have overtaget; (*se også* moral²).

high-handed [hai'hændid] *adj.* egenmægtig, dominerende, despotisk.

high-hat¹ [hai'hæt] *sb.* **1.** (*mus.*) high-hat [*bækken med pedal*]; **2.** (*am.* T) storsnudet person.

high-hat² [hai'hæt] *adj.* (*am.* T) høj i hatten, stor på det, storsnudet.

high-hat³ *vb.* være storsnudet over for.

high jinks *sb. pl.* (*glds.* T) skæg og ballade; løjer; fest i gaden.

high jump *sb.* højdespring;
□ *you'll be for the* ~ (*fig.*) T du får kærligheden at føle.

highlander ['hailəndə] *sb.* højlænder.

highlands ['hailəndz] *sb. pl.* højland;
□ *the Highlands* det skotske højland.

high-level [hai'lev(ə)l] *adj.* **1.** (*it*) højniveau- (*fx language*); **2.** (*fig.*) på højt plan, på et højt niveau (*fx meeting*).

high-level bridge *sb.* højbro.

high life *sb.* livet i de højere kredse; overklassetilværelse, luksustilværelse.

highlight¹ ['hailait] *sb.* **1.** (*på billede*) lyseste sted; glanslys; **2.** (*fig.*) højdepunkt (*fx the* ~ *of his career*; *the -s of the story*);
□ *-s* (*i hår*) lyse striber.

highlight² ['hailait] *vb.* **1.** fremhæve; sætte fokus på; henlede opmærksomheden på; **2.** (*hår*) lave lyse striber i; **3.** (*it*) fremhæve; markere.

highlighter ['hailaitə] *sb.* **1.** overstregningspen, fremhæverpen; (*gul*) guler; **2.** (*til makeup*) highlighter [*skinnende kosmetik*].

high living *sb.* luksustilværelse.

highly ['haili] *adv.* **1.** meget, yderst (*fx successful; dangerous; impro-*

bable); højst, i høj grad (*fx interesting; pleased; improbable*); **2.** højt (*fx placed; paid; educated*);
□ ~ *connected* med aristokratiske forbindelser; af fornem familie; ~ *recommended* stærkt anbefalet; *speak* ~ *of* tale meget rosende om; prise; *think* ~ *of* have høje tanker om, sætte højt.

highly strung *adj.* overspændt, nervøs, sensitiv;
□ *she is* ~ (*også*) hun er et nervemenneske.

high-minded [hai'maindid] *adj.* højsindet, ædelt tænkende, idealistisk.

high-muck-a-muck [hai'mʌkəmʌk] *sb.* (*am.* T) overlegen stodder, stormægtighed.

high noon *sb.* **1.** middag; **2.** (*fig.*) afgørende tidspunkt.

high-octane [hai'ɔktein] *adj.* med højt oktantal.

high-pitched [hai'pitʃt] *adj.* **1.** (*om lyd*) høj; skinger; **2.** (*om tag*) stejl; **3.** (*litt.*) ophøjet (*fx ambitions*).

high-powered [hai'pauəd] *adj.* **1.** stærk, kraftig (*fx engine*; *lens* linse); med kraftig motor//linse (*fx car*; *microscope*); **2.** (*om person*) dynamisk, energisk; fremtrædende, indflydelsesrig, magtfuld; **3.** (*om møde, delegation etc.*) med mange fremtrædende folk som deltagere; **4.** (*om arbejde, tekst*) krævende (*fx book*).

high pressure *sb.* højtryk.

high-pressure [hai'preʃə] *adj.* **1.** højtryks-; **2.** (*om arbejde, situation*) presset; **3.** (*om salgsmetoder*) pågående;
□ ~ *gas* trykgas.

high priest *sb.* ypperstepræst; (*fig. også*) guru.

high priestess *sb.* ypperstepræstinde; (*fig. også*) guru.

high-principled [hai'prinsipld] *adj.* med høje etiske principper.

high profile *sb.* se *profile¹*.

high-profile [hai'prəufail] *adj.* markant, fremtrædende, højprofileret.

high-ranking [hai'ræŋkiŋ] *adj.* højtstående.

high rise *sb.* højhus.

high-rise ['hairaiz] *adj.* **1.** med mange etager; **2.** højhus- (*fx district* kvarter).

high-rise apartment *sb.* (*am.*) = *high-rise flat*.

high-rise apartment building *sb.* (*am.*) højhus.

high-rise block *sb.* højhus.

high-rise flat *sb.* lejlighed i højhus.

high road *sb.* landevej; hovedvej;
□ *the* ~ *to* (*fig.*) den direkte vej til;

be on the ~ *to* (*også*) være godt på vej til.

high roller *sb.* (*især am.*) **1.** hasardspiller; **2.** flottenheimer.

high school *sb.* **1.** [*brugt i skolenavne om skoler for elever fra 11 - 18*]; **2.** (*am. omtr.*) gymnasium.

high season *sb.* højsæson.

high sign *sb.:* *give sby the* ~ (*am.* T) give en et aftalt signal//et hemmeligt vink.

high society *sb.* det gode/fine selskab; den fine verden; de toneangivende kredse.

high-sounding [hai'saundiŋ] *adj.* højtravende.

high-speed [hai'spi:d] *adj.* **1.** hurtiggående; hurtig- (*fx drilling machine*); **2.** (*om tog*) højhastigheds-.

high-spirited [hai'spiritid] *adj.* **1.** (*om person*) livfuld, munter, humørfyldt; **2.** (*om hest*) fyrig, livlig; **3.** (*litt. om person*) højsindet, stolt; trodsig.

high spot *sb.* højdepunkt.

high street *sb.* hovedgade.

high street banks *sb. pl.* storbanker [ɔ: *som har filialer i alle hovedgader*].

highstrung [hai'strʌŋ] *adj.* (*am.*) = *highly strung*.

hightail ['haiteil] *vb.:* ~ *it* (*am.* T) stikke af i fuld fart; ræse.

high tea *sb.* [*større måltid med te sent på eftermiddagen*].

high-tech [hai'tek] *adj.* **1.** højteknologisk; **2.** (*om stil*) hightech.

high technology *sb.* højteknologi.

high tension *sb.* højspænding.

high-tension [hai'tenʃn] *adj.* højspændings-.

high tide *sb.* højvande, flod.

high-toned [hai'tound] *adj.* (*am.*) **1.** højstemt; ophøjet; **2.** pompøs.

high treason *sb.* højforræderi.

high-up¹ [hai'ʌp] *sb.* T højtstående//højt placeret person.

high-up² ['haiʌp] *adj.* højtstående; højt placeret.

high voltage *sb.* (*elek.*) højspænding.

high water *sb.* højvande, flod.

high-water mark [hai'wɔ:təma:k] *sb.* **1.** højvandsmærke; **2.** (*fig.*) kulmination, højdepunkt.

highway ['haiwei] *sb.* **1.** landevej; vej; **2.** (*især am.*) hovedvej;
□ *in -s and byways* alle vegne; *the* ~ *to* se *high road*.

highwayman ['haiweimən] *sb.* (*pl.* -men [-mən]) (*glds.*) landevejsrøver.

high wire *sb.* høj line [*til linedans*].

high-wire ['haiwaiə] *adj.:* *a* ~ (*balancing*) *act* (*fig.*) balanceakt, balancegang.

hijack[1] ['haidʒæk] *sb.* flykapring.

hijack[2] ['haidʒæk] *vb.* **1.** kapre (*fx a plane*); **2.** (*fig., neds.*) overtage, bemægtige sig.

hijacker ['haidʒækə] *sb.* kaprer; (*af fly*) flykaprer, flypirat.

hike[1] [haik] *sb.* **1.** vandretur, travetur; **2.** (*am.*) (kraftig/pludselig) stigning; forøgelse;
□ *take a ~!* (*am.* T) skrub af!

hike[2] [haik] *vb.* **1.** vandre; være på travetur; **2.** (*især am.*) sætte i vejret, hæve (*fx taxes*);
□ *~ up* (*især am.*) **a.** *= 2*; **b.** hive op i (*fx she -d up her skirt*).

hilarious [hi'lɛəriəs] *adj.* **1.** vanvittig morsom, ustyrlig komisk, hylende grinagtig (*fx joke*); **2.** munter, overstadig, løssluppen (*fx party*).

hilarity [hi'lærəti] *sb.* munterhed, overstadighed, løssluppenhed.

hill [hil] *sb.* bakke, høj; (mindre) bjerg;
□ *the Hill* (*am.*) = *Capitol Hill*; *it doesn't amount to a ~ of beans* det er kun småting; det er ikke noget værd; *over the ~* (*fig.*) på retur; *up ~ and down dale* (*glds.*) alle vegne; vidt og bredt.

hillbilly ['hilbili] *sb.* (*glds. am.* T) bonde(knold).

hill holder *sb.* [anordning i bil der holder på bremsen når man er standset på en stigning og skal i gang].

hillock ['hilək] *sb.* tue; lille høj.

hillside ['hilsaid] *sb.* bakkeskråning; skrænt.

hill station *sb.* bjergby.

hilltop ['hiltɔp] *sb.* bakketop.

hillwalking ['hilwɔ:kiŋ] *sb.* fjeldvandring.

hilly ['hili] *adj.* bakket, kuperet; bjergrig.

hilt [hilt] *sb.* **1.** (på kårde, sværd) fæste; **2.** (på kniv etc.) skaft;
□ *up to the ~* (*fig.*) fuldstændig, ubetinget; *mortgaged up to the ~* (*om hus*) belånt op til skorstenen; *prove up to the ~* bevise fuldt ud.

him [him, (ubetonet) im] *pron.* ham; den//det; sig.

Himalayas [himə'leiəz] *sb. pl.: the ~* Himalaya(bjergene).

himself [him'self, (ubetonet) im-'self] *pron.* **1.** han//ham selv; selv; **2.** (refleksivt) sig (*fx he enjoyed// defended ~*); selv; **3.** (understregende) selve (*fx the President ~ called me*);
□ *why can't he just be ~* hvorfor kan han ikke bare være sig selv; *by ~* **a.** alene, for sig selv (*fx sitting by ~*); **b.** (uden hjælp) alene;

på egen hånd; *he is not ~* han er ikke rigtig sig selv; *he says so ~* han siger det selv; det er ham selv der siger det; *he had the whole house to ~* han havde hele huset for sig selv.

hind[1] [haind] *sb.* (zo.) hind.

hind[2] [haind] *adj.* bagest; bag-; (se også *hind leg*).

hinder ['hində] *vb.* hindre, hæmme, være til hinder for; sinke;
□ *~ sby from + -ing* hindre en i at; forhindre en i at.

Hindi ['hindi] *sb.* hindi [indisk sprog].

hind leg *sb.* bagben;
□ *talk the -s off a donkey* snakke fanden et øre af; *get up on one's -s* rejse sig (og tale).

hindmost ['haindməust] *adj.* bagest.

hindquarters [haind'kwɔ:təz] *sb. pl.* bagparti; bagfjerding.

hindrance ['hindrəns] *sb.* hindring (to for);
□ *be a ~ to* (også) være/stå i vejen for.

hindsight ['haindsait] *sb.* bagklogskab;
□ *in/with ~, with the benefit/wisdom of ~* i bagklogskabens lys; set i bakspejlet.

Hindu[1] [hin'du:] *sb.* hindu.

Hindu[2] [hin'du:] *adj.* **1.** hindu-; **2.** (rel.) hinduistisk.

Hinduism ['hinduizm] *sb.* (rel.) hinduisme.

hinge[1] [hin(d)ʒ] *sb.* **1.** hængsel; **2.** (fig.) hovedpunkt; omdrejningspunkt.

hinge[2] [hin(d)ʒ] *vb.: ~ on* afhænge af, komme an på.

hinged [hin(d)ʒd] *adj.* hængslet; drejelig;
□ *~ to* hængslet til; sat fast på med hængsler.

hinky ['hiŋki] *adj.* (am. S) mistænkelig; underlig.

hinny ['hini] *sb.* (zo.) mulæsel.

hint[1] [hint] *sb.* **1.** (indirekte) vink, antydning; **2.** (nyttigt) vink, tip, råd;
□ *drop a ~* lade en bemærkning/ antydning falde; give et praj/vink; *take a ~* forstå et vink/en hentydning/en halvkvædet vise; *a ~ of* **a.** (jf. 1) en antydning om (*fx he gave no ~ of his plans*); **b.** (ɔ: lille smule) en antydning af (*fx garlic, irony*).

hint[2] [hint] *vb.* **1.** antyde; **2.** (om skjult beskyldning) antyde, insinuere;
□ *~ at* antyde.

hinterland ['hintəlænd] *sb.* bag-

land; opland.

hip[1] [hip] *sb.* **1.** hofte; **2.** (bot.) hyben; **3.** (arkit.) grat [i et tag];
□ *shoot from the ~* skyde fra hoften.

hip[2] [hip] *adj.* (am. S) med på den; med på noderne;
□ *be ~ to* være inde i.

hip bath *sb.* siddebadekar.

hip flask *sb.* lommelærke.

hip-hop ['hiphɔp] *sb.* hiphop.

hiphuggers ['hiphʌgəz] *sb. pl.* bukser med lav linning.

hip joint *sb.* hofteled.

hipped ['hipt] *adj.: ~ on* (am. T) optaget af; meget interesseret i; helt skør med.

hipped roof *sb.* (arkit.) valmtag.

hippie ['hipi] *sb.* hippie.

hippo ['hipəu] *sb.* (zo.) flodhest.

hip pocket *sb.* baglomme.

Hippocratic [hipə'krætik] *adj.: the ~ oath* lægeløftet.

hippopotamus [hipə'pɔtəməs] *sb.* (pl. -muses/-mi [-mai]) (zo.) flodhest.

hippy ['hipi] *sb.* hippie.

hip replacement operation *sb.* (med.) operation for ny hofte.

hip roof *sb.* (arkit.) valmtag.

hipster ['hipstə] *adj.* (om tøj) med lav linning (*fx ~ skirt, ~ pants*).

hipsters ['hipstəz] *sb. pl.* bukser med lav linning.

hircine ['hə:sain] *adj.* (glds.) gedeagtig; med gedelugt; med en ram lugt.

hire[1] ['haiə] *sb.* **1.** leje; **2.** (glds.) løn; **3.** (am.) ansat;
□ *for ~* **a.** til leje; **b.** (om taxi) fri.

hire[2] ['haiə] *vb.* **1.** leje (*fx a car*); hyre (*fx a taxi*); **2.** (person) ansætte; fæste;
□ *~ out* udleje; *~ oneself out* tage arbejde.

hired girl *sb.* (am.) (tjeneste)pige [på landet].

hired gun *sb.* **1.** ekspert hyret til lejligheden; **2.** (neds.) lejesvend.

hired hand *sb.* (am.) (tjeneste)karl.

hireling ['haiəliŋ] *sb.* (neds.) lejesvend.

hire purchase *sb.* afbetalingssystem;
□ *on the ~* på afbetaling.

hirsute ['hə:su:t] *adj.* behåret; lodden; håret;
□ *~ beard* vildmandsskæg.

his [hiz, (ubetonet) iz] *pron.* (genitiv af *he*) hans; sin//sit//sine.

Hispanic[1] [hi'spænik] *sb.* [amerikaner af latin-amerikansk afstamning; spansktalende amerikaner].

Hispanic[2] [hi'spænik] *adj.* (am.) af latinamerikansk oprindelse;

H *hiss*

spansktalende.

hiss[1] [his] *sb.* (jf. *hiss*[2]) **1.** hvislen; hvæsen; syden; **2.** hyssen, piben.

hiss[2] [his] *vb.* **1.** hvisle; hvæse; syde; **2.** (*mishagsytring*) hysse, pibe;

□ ~ *him off the stage* pibe ham ud.

histamine [ˈhistəmiːn] *sb.* histamin.

histogram [ˈhistəgræm] *sb.* histogram, blokdiagram.

histology [hiˈstɔlədʒi] *sb.* histologi, vævslære.

historian [hiˈstɔːriən] *sb.* historiker; historieskriver.

historic [hiˈstɔrik] *adj.* historisk (*fx day*; *place*).

historical [hiˈstɔrikl] *adj.* historisk (*fx novel*; *studies*).

historicity [histəˈrisiti] *sb.* historisk korrekthed.

history [ˈhist(ə)ri] *sb.* historie;

□ ~ *of the world* verdenshistorie; (se også *ancient history*);

[*med vb.*] **have a** ~ *of* have en fortid med (*fx he has a* ~ *of drink problems*); *the family has a* ~ *of insanity* der er forekommet mange tilfælde af sindssyge i familiens historie; *that is* ~ *now* det hører fortiden til; *make* ~ skabe historie; (se også *go*[2] (*down in*)).

histrionic [histriˈɔnik] *adj.* teatralsk, melodramatisk, overdramatiseret.

histrionics [histriˈɔniks] *sb. pl.* teatralsk optræden, skaberi.

hit[1] [hit] *sb.* **1.** stød; slag; **2.** (*på mål*) træffer; **3.** (*om bog etc.*) succes, hit; **4.** (*om melodi*) hit, slager; **5.** (S: *af narko*) fix; **6.** (*am.* S) (bestilt) mord; **7.** (*it*: *ved søgning*) hit, træf; **8.** (*på webside*) besøg; **9.** (*i fægtning*) touché;

□ *a* ~ *at sby* et hib til en; *be/make a* ~ have succes, gøre lykke, tage kegler (*with* hos); (se også *direct hit*).

hit[2] [hit] *vb.* (*hit*, *hit*) **1.** (*om person*: *med hånd, våben etc.*) slå (*fx they* ~ *him with a baseball bat*); **2.** (*om ting, ulykke*) ramme (*fx the football* ~ *the goal post*; *her death* ~ *him hard*; *the town was* ~ *by an earthquake*); **3.** (*om person, bil*) støde ind i (*fx he* ~ *a tree*); **4.** (*bold*) slå til; **5.** (*mål*) træffe, ramme; **6.** (*tast, bremse*) trykke på; **7.** (*sted*) komme til// i// på (*fx when will he* ~ *town? it* ~ *the papers*); **8.** T nå (*fx prices* ~ *a new high*); **9.** (*am.* S) overfalde; slå ihjel;

□ *you've* ~ *it* **a.** du har gættet rigtigt; **b.** du har fuldstændig ret;

that is meant to ~ *me* det sigter til mig; *it is* ~ *or miss* det er knald eller fald; (se også *hit-or-miss*);

[*med sb.*] ~ *the books* S studere; ~ *a man when he is down* sparke til en falden modstander; *it* ~ *his fancy* det tiltalte ham; ~ *the right path* komme ind på den rigtige vej; (se også *bottle*[1], *deck*[1], *dirt*, *ground*[1] (*etc.*));

[*med præp., adv.*] ~ *back* **a.** slå igen; **b.** (*fig.*) bide fra sig; ~ *sby for money* (*am.* T) slå en for penge; (se også *six*[2]); ~ *off* efterligne//skildre træffende; tage på kornet; *they* ~ *it off well* T de kom godt ud af det; ~ *on* **a.** komme 'på, komme i tanke(r) om; **b.** (*am.* S) give sig til at flirte med, prøve at score; ~ *out at* lange ud efter; ~ *out in* all directions slå vildt om sig; ~ *sby up for* = ~ *sby for*; ~ *upon* = ~ *on*.

hit-and-miss [hitənˈmis] *adj.* se *hit-or-miss*.

hit-and-run [hitənˈrʌn] *adj.*: ~ *accident* trafikuheld forårsaget af en flugtbilist; ~ *attack* lynangreb; overraskelsesangreb; ~ *driver* flugtbilist.

hitch[1] [hitʃ] *sb.* **1.** ryk; **2.** problem; hindring; **3.** (*am.*) (militær) tjenestetid; **4.** (*am.*: *på vogn*) træktøj; **5.** (*mar.*: *knude*) stik;

□ *there is a* ~ *somewhere* T der er noget der hikker; *he gave his trousers//socks a* ~ han hev op i bukserne//sokkerne; *everything went off without a* ~ det hele gik glat/ uden problemer.

hitch[2] [hitʃ] *vb.* **1.** hægte fast; spænde fast; binde fast; (*med reb*) tøjre (*fx a boat to a post*); se også ndf.: ~ *to*; **2.** (*om bevægelse*) rykke (*fx he -ed his chair closer to the table*); **3.** (*uden objekt*) = hitchhike;

□ *get -ed* T blive splejset/smedet sammen, blive gift (*to* med); ~ *a horse* **a.** tøjre en hest; **b.** spænde en hest for; ~ *a lift/ride* få et lift; [*med præp.*] *his coat -ed on a nail* hans frakke hang fast i et søm; ~ *a trailer to a car* koble en trailer til en bil; ~ *the horse to the carriage* spænde hesten for vognen; ~ *the horse to a post* tøjre hesten ved en pæl; (se også *wagon*); ~ *up* **a.** (*hest*) spænde for; **b.** (*tøj*) trække op (*fx one's sleeves//stockings//trousers*); hive op i (*fx stockings*; *trousers*); ~ *up the carriage* spænde for vognen.

hitcher [ˈhitʃə] *sb.* T blaffer.

hitchhike [ˈhitʃhaik] *vb.* T blaffe,

tage på stop, tomle.

hitchhiker [ˈhitʃhaikə] *sb.* T blaffer.

hi-tech [haiˈtek] *adj.* = *high-tech*.

hither [ˈhiðə] *adv.* (*glds. el. litt.*) hid, herhen;

□ ~ *and thither* hid og did.

hitherto [hiðəˈtuː] *adv.* hidtil.

hit list *sb.* **1.** [*liste over personer man ønsker at få ram på*]; **2.** drabsliste; dødsliste.

hit man *sb.* (*pl. hit men*) T lejemorder.

hit-or-miss [hitɔːˈmis] *adj.* tilfældig; på lykke og fromme.

hit squad *sb.* mordpatrulje.

HIV [eitʃaiˈviː] *sb.* (*med.*) hiv.

hive[1] [haiv] *sb.* bikube;

□ *the place was a* ~ *of activity* stedet summede af aktivitet.

hive[2] [haiv] *vb.* **1.** (*bier*) sætte i kube; **2.** (*uden objekt*) samle sig i en kube; bo sammen;

□ ~ *off* **a.** (*merk.*) udskille som selvstændig enhed//selvstændigt selskab; **b.** (*fig.*) skille 'fra; skille 'ud.

hives [haivz] *sb. pl.* (*med.*) nældefeber.

HM *fork. f.* Her//His Majesty.

HMG *fork. f.* Her//His Majesty's Government.

HMMWV *fork. f.* high mobility multi-purpose wheeled vehicle (*især mil.*) [*form for større pansret jeep*].

HMO *fork. f.* health maintenance organization [*form for sygeforsikring i USA*].

HMP *fork. f.* (*during*) Her//His Majesty's Pleasure på ubestemt tid.

HMS *fork. f.* **1.** Her//His Majesty's Ship; **2.** Her//His Majesty's Service.

HMSO *fork. f.* Her//His Majesty's Stationery Office; (se *Stationery Office*).

HO *fork. f.* Home Office.

ho[1] [hou] *sb.* (*am.* S) luder.

ho[2] [həu] *interj.* hej; halløj.

hoagie [ˈhougi] *sb.* (*am.*) [*lang sandwichbolle med pålæg*]; (*omtr.*) landgangsbrød.

hoard[1] [hɔːd] *sb.* **1.** forråd; skat; opsparet beholdning; sammensparede penge; **2.** (*fig.*) fond (*fx of witty stories*); **3.** (*arkæol.*) depotfund.

hoard[2] [hɔːd] *vb.* **1.** samle sammen; oplagre; hamstre, samle til bunke; (*penge også*) puge sammen; **2.** (*fig.*) gemme på.

hoarder [ˈhɔːdə] *sb.* hamstrer; pengepuger.

hoarding [ˈhɔːdiŋ] *sb.* **1.** plakattavle, reklametavle; **2.** plankeværk.

hoarfrost ['hɔ:frɔ(:)st] sb. rimfrost.

hoarse [hɔ:s] adj. hæs; (om stemme også) rusten.

hoary ['hɔ:ri] adj. F 1. grå; hvid; 2. (om person) grånet; hvidhåret; 3. (fig.) ældgammel; gammelkendt, mosgroet, forslidt (fx joke); □ ~ antiquity den grå oldtid.

hoatzin [hɔu'ætsin] sb. (zo.) hoatzin, sigøjnerfugl.

hoax[1] [hɔuks] sb. svindelnummer, fupnummer; snyderi; □ it is a ~ det er fup.

hoax[2] [hɔuks] vb. lave numre med; narre.

hoax call sb. telefontrussel.

hob [hɔb] sb. 1. komfurplade; 2. (glds.) [hylde ved kamin hvor ting kunne sættes til varme].

hobble[1] ['hɔbl] sb. 1. humpen; 2. (til hest) fodreb [som bindes om forbenene].

hobble[2] ['hɔbl] vb. 1. humpe; 2. (hest) binde forbenene sammen på; 3. (fig.) virke hæmmende på; hæmme; begrænse.

hobble skirt sb. (glds.) tøndebåndsnederdel.

hobby ['hɔbi] sb. 1. hobby, fritidsinteresse; 2. (zo.) lærkefalk.

hobbyhorse ['hɔbihɔ:s] sb. 1. kæphest; 2. gyngehest; 3. (fig.: særlig interesse) kæphest.

hobgoblin ['hɔbgɔblin] sb. 1. drillenisse; 2. bussemand.

hobnail ['hɔbneil] sb. skosøm.

hobnailed ['hɔbneild] adj. sømbeslået (fx boots).

hobnob ['hɔbnɔb] vb.: ~ with omgås fortroligt med; mænge sig med; gnide sig op ad.

hobo ['houbou] sb. (am.) 1. landstryger, vagabond, bums; 2. sæsonarbejder, løsarbejder.

Hobson ['hɔbs(ə)n]: it is a case of -'s choice der er kun én mulighed; der er intet valg.

hock[1] [hɔk] sb. 1. (af hest) hase; haseled; 2. (kødudskæring, især af svin) skank; 3. (vin) rhinskvin; 4. (am. S) pant; □ in ~ T a. i gæld; b. pantsat, stampet; c. i spjældet; put into ~ pantsætte, stampe.

hock[2] [hɔk] vb. pantsætte, stampe.

hockey ['hɔki] sb. hockey; (am. også) ishockey.

hockshop ['hɔkʃɔp] sb. (am.) lånekontor.

hocus-pocus [houkəs'poukəs] sb. hokuspokus; fup; tom snak, ordskvalder.

hod [hɔd] sb. 1. (murers) kalktrug; skulderbræt; 2. (til kul) kulkasse, kulspand.

hodden ['hɔd(ə)n] sb. (skotsk) groft uldent stof.

hodgepodge ['hɔdʒpɔdʒ] sb. (am.) = hotchpotch.

hodman ['hɔdmən] sb. (pl. -men [-mən]) murerhåndlanger, murerarbejdsmand.

hoe[1] [həu] sb. 1. (til ukrudt) lugejern, skuffejern; 2. (til kartofler) hyppejern; 3. (til jord) hakke.

hoe[2] [həu] vb. (jf. hoe[1]) 1. skuffe; 2. hyppe; 3. hakke; (se også row[1]).

hoecake ['houkeik] sb. (am.) majskage.

hog[1] [hɔg] sb. 1. (kastreret orne) galt; 2. (især am.) svin; 3. (om person) en der rager til sig; grådig ka'l; ædedolk; 4. (jernb. S, am.) godstogslokomotiv; 5. (S: motorcykel) kværn; 6. (får) se hogget; □ go the whole ~ løbe linen ud; tage skridtet fuldt ud; live high on the ~ (am. S) leve flot; flotte sig.

hog[2] [hɔg] vb. (se også hogged) 1. T lægge beslag på (fx all the attention; the bathroom); monopolisere (fx the discussion); rage til sig; 2. (hests manke) studse, klippe; □ ~ down hugge i sig; ~ its back (om dyr) skyde ryg; ~ the road køre som om man ejer hele vejen; køre hensynsløst.

hogback ['hɔgbæk] sb. [højdedrag med stejle sider]; bakkekam.

hogfish ['hɔgfiʃ] sb. (zo.) læbefisk.

hogged [hɔgd] adj. 1. (om manke) kortklippet; 2. (om vej) stærkt krummet; 3. (om båd, skib) kølsprængt.

hogget ['hɔgit] sb. [årgammelt får der endnu ikke er klippet].

hoggish ['hɔgiʃ] adj. svinsk; grådig.

Hogmanay ['hɔgmənei] sb. (skotsk) 1. nytårsaften; 2. nytårsfest.

hogshead ['hɔgzhed] sb. 1. (stor) tønde, (stort) fad; 2. (rummål, svarer til) oksehoved [for vin: 238,7 l., for øl 245,5 l.].

hog-tie ['hɔgtai] vb. (am.) 1. (dyr) binde alle fire ben sammen på; 2. (person) svinebinde; 3. (fig.) binde på hænder og fødder.

hogwash ['hɔgwɔʃ] sb. pladder, ævl; tom snak.

hogweed ['hɔgwi:d] sb. (bot.) bjørneklo.

ho-hum[1] [həu'hʌm] adj. 1. kedsommelig, uinteressant; 2. (am.) ligegyldig, uinteresseret.

ho-hum[2] [həu'hʌm] interj. 1. gab! 2. (resigneret) nå ja!

hoick [hɔik] vb. rykke op; hive op (med et ryk).

hoi polloi [hɔipə'lɔi, hɔi'pɔlɔi] sb. pl. (græsk: spøg. el. neds.) rakket; pøblen; den gemene hob.

hoist[1] [hɔist] sb. 1. hejseværk, hejs;

spil; 2. (am. S) røveri; □ give him a ~ give ham et skub [for at hjælpe ham op].

hoist[2] [hɔist] vb. 1. hejse op, hive op, løfte; 2. (flag) hejse; 3. (am. S) stjæle; (se også petard).

hoity-toity [hɔiti'tɔiti] adj. vigtig, arrogant, hovskisnovski.

hoke [houk] vb.: ~ up (am. S) hitte på; brygge sammen.

hokey ['houki] adj. (am.) sentimental, melodramatisk; forloren.

hokum ['houkəm] sb. T 1. sludder, bavl, vås; 2. billigt teatertrick; sentimentalt bras; kitsch.

Holborn ['houbən] [gade i London].

hold[1] [həuld] sb. 1. greb (fx babies often have a firm ~); tag; 2. (i brydning etc.) greb, brydetag; 3. (ved klatring) holdepunkt (fx there weren't many -s); støttepunkt; fodfæste (fx he felt with his feet for a ~); 4. (fig.) greb (of//on om, fx he has a good ~ of the subject; his ~ on power); 5. (mar.) lastrum; 6. (ved raketaffyring) afbrydelse i nedtælling; □ no -s (are) barred alle kneb gælder; on ~ a. (tlf.) sat til at vente; b. (fig.) i venteposition; c. (om sag) stillet i bero; put on ~ (sag) stille i bero; can I put you on ~? (tlf.) vil De vente?
[med vb.] catch ~ of tage fat i; get ~ of få fat i/på; have a ~ on/over a. have et fast greb om; have indflydelse på; b. have magt over; have krammet/en klemme på; keep ~ of/on holde fast på; lay ~ of tage fat i, gribe; leave ~ of give slip på, slippe; let go one's ~ slippe taget; give slip; lose ~ of miste taget i (fx the rope); seize ~ of gribe fat i; take ~ a. få magt (fx the illness took); b. virke; slå igennem (fx the reforms took ~); take ~ of tage fat i; (se også relax).

hold[2] [həuld] vb. A. (med objekt) 1. holde (fx a child in one's arm; the door open); 2. (arrangement) holde (fx a meeting; a party); afholde; 3. (opmærksomhed, interesse etc.) fastholde, holde på; 4. (vare etc.) reservere (fx a room/a table for sby; would you ~ this dress for me until tomorrow?); holde (fx a seat for sby); 5. (fange, arrestant) tilbageholde (fx the police are -ing several people); holde fangen (fx he was held in a garage); 6. (mil.) holde (fx a fortress); have kontrol over; 7. (legemsdel) tage sig til (fx one's throat); holde sig for (fx one's nose); 8. (vægt) bære (fx this beam -s the next story; the branch could

H *holdall*

not ~ my weight); **9.** (indhold)
rumme (fx the room won't ~ more
than a hundred persons; the pro-
spect held no fear for him); inde-
holde (fx I don't know what the
future -s); **10.** (mad) holde i sig (fx
he cannot ~ his food); **11.** (oplys-
ninger) opbevare (fx the data was
held on desk); ligge inde med (fx
information which the police held
on him); **12.** (ejendom etc.) eje,
besidde (fx shares in a company);
have (fx shares; a degree; an ad-
vantage); indehave (fx a record);
være i besiddelse af (fx a ticket);
ligge inde med (fx large reserves
of gold); **13.** (stilling) have; be-
klæde (fx an office et embede);
14. (mening) have (fx firm opi-
nions); nære (fx strange views
mærkelige anskuelser); **15.** (om
anskuelse) anse for (fx ~ him to
be a fool; ~ it to be impossible);
mene, holde på, hævde (fx that it
is impossible); **16.** (aktivitet)
standse, stoppe (fx all deliveries);
holde inde med; (se også fire¹);
B. (uden objekt) **1.** (om holdbar-
hed) holde (fx will the rope//the
roof ~?); **2.** (om gyldighed) gælde,
stå ved magt (fx the principle//
promise//offer still -s); **3.** (tids-
mæssigt) holde sig, vare, blive
ved (fx this weather/our luck
won't ~); **4.** (om forråd) slå til;
5. (am. S) have narko på sig;
□ all that they held dear alt hvad
der var dem kært; ~ good gælde;
holde stile; (se også aloof, fast²,
own¹); ~ it! T bliv stående sådan!
stå stille! lige et øjeblik! the bag
won't ~ all of it (jf. A 8: også) det
hele kan ikke være i posen; ~ the
...! (am. T) ikke noget ...! (fx a hot
dog, please, but ~ the mustard!);
[med sb.] ~ a conversation//talks
føre en samtale//forhandlinger; ~
land eje jord; ~ land of the crown
have krongods i forpagtning; (se
også baby, brief¹, candle, hand¹
(etc.));
[med præp.& adv.] ~ it against
him lægge ham det til last; bruge
det imod ham;
~ *back* **a.** holde tilbage (fx the
water; the crowd; one's tears);
b. (følelse) undertrykke (fx one's
irritation); **c.** (noget man egentlig
burde udlevere) tilbageholde (fx
information; money); **d.** (uden
objekt) holde sig tilbage, se tiden
an; ~ *back from* **a.** holde tilbage
fra, forhindre i at få (fx ~ him
back from promotion); **b.** (uden
objekt) afholde sig fra (fx inter-
fering);

~ *by* one's decision holde fast
ved/blive ved sin beslutning; ~
by one's teachers rette sig efter/
holde sig til hvad ens lærere har
sagt;
~ *down* **a.** holde nede (fx the
furious man; prices); **b.** (fig.) un-
dertrykke (fx a conquered nation);
c. (stilling) beholde, blive i;
d. (mad) holde i sig; ~ down the
noise! (am.) ikke så meget spekta-
kel!;
~ *forth* (især neds.) præke, do-
cere, holde foredrag (on om);
~ *in* (følelse) beherske; styre (fx
one's temper); undertrykke; ~ in
oneself beherske sig; (se også con-
tempt, esteem¹);
~ *off* **a.** holde væk, holde fra li-
vet, holde stangen (fx the attack-
ers; one's competitors); holde på
afstand (fx people); **b.** udsætte,
udskyde (fx the decision);
c. (uden objekt) udsætte sagen;
d. (om regn, sne) holde sig væk;
~ *off (from)* + -ing vente/tøve
med at (fx buying a new house);
undlade at;
~ *on* **a.** holde sig fast; **b.** holde
ud, blive ved; **c.** (tlf.) vente; holde
forbindelsen; **d.** (med objekt)
holde fast (fx the wheel is held on
by two bolts); ~ on! vent et øje-
blik! stop lidt! ~ *on to* **a.** holde
fast i//ved, klamre sig til (fx the
rope); **b.** (fig.) holde på (fx one's
money); beholde, ikke give fra sig;
T sidde på (fx they held on to the
report for months); **c.** (udsagn)
fastholde (fx he held on to his ex-
planation);
~ *out* **a.** række frem (fx one's
hand; one's glass); **b.** (fig.) frem-
byde (fx the best prospects); stille
i udsigt (fx hopes of improve-
ment); **c.** (om forråd) strække til;
d. (om person) stå fast, holde ud;
~ out a baby holde et barn frem;
~ *out against* nægte at acceptere;
~ oneself out as (am.) give sig ud
for at være; ~ *out for* stå fast på
sit krav om (fx higher wages); ~
out on sby **a.** nægte at give efter
(for en), ikke ville give sig; **b.** T
skjule/fortie noget for en; **c.** (am.)
ikke betale en hvad man skylder;
~ *over* **a.** udsætte, udskyde (fx a
decision); **b.** holde i reserve (fx
the rest of the goods); **c.** (am.: fo-
restilling) prolongere, lade spille
videre; ~ it over him stadig true
ham med det; lade det hænge
over hovedet på ham;
~ *to* F fastholde (fx a decision);
holde fast ved, stå fast på (fx
one's principles); holde (fx a pro-

mise); ~ sby to holde en fast på
(fx an offer; a promise); ~ to
one's word stå ved sit ord;
~ *under* holde nede;
~ *up* **a.** række op, holde op,
række i vejret (fx one's hand);
b. (som støtte) holde oppe (fx tw
posts ~ up the roof); **c.** (om hin-
dring) holde tilbage, forsinke (fx
traffic jam held me up); standse;
d. (om røveri: person) holde op;
(sted) begå røveri mod, lave hold
op i (fx a post office); **e.** (uden
objekt) kunne klare det (fx if my
knee -s up); **f.** (om argument, teo
ri) holde stik; ~ up a bank//train
lave bankrøveri//togrøveri; ~ *up
as* an example fremholde som
eksempel; ~ *up to* se ridicule¹,
scorn¹;
~ *with* være tilhænger af, synes
om, billige.

holdall ['həuldɔ:l] sb. (lærreds)ta-
ske; rejsetaske, weekendtaske;
vadsæk.

holder ['həuldə] sb. **1.** (person) in-
dehaver (fx of a record; of a Brit-
ish passport); besidder; ejer;
2. (ting) holder; **3.** (til cigaret) ci-
garetrør.

holdfast ['həuldfa:st] sb. **1.** kramp
jernkrog; **2.** (tekn.) klo.

holding ['həuldiŋ] sb. **1.** behold-
ning; (af aktier) aktiepost; **2.** (agr
landejendom, brug, bedrift; for-
pagtet jord; (se også smallholding

holding attack sb. (mil.) fasthol-
dende angreb [ɔ: for at binde fjen
den].

holding company sb. (merk.) hol-
dingselskab.

holding operation sb. midlertidig
foranstaltning; foreløbig løsning.

holding pattern sb. (flyv.) [bane fc
fly der venter på landingstilla-
delse].

holdout ['houldaut] sb. (am.) [en
der nægter at give sig].

holdover ['houldouvə] sb. (am.)
levn, reminiscens.

holdup ['həuldʌp] sb. **1.** forsin-
kelse; afbrydelse; **2.** (i trafik) tra-
fikstandsning, trafikprop; **3.** (rø-
veri) holdop; væbnet røveri.

hole¹ [həul] sb. hul;
□ a ~ in the wall se
hole-in-the-wall;
[med vb.] blow a ~ in (fig.) **a.** ger
nemhulle (fx his argument); **b.** se:
make a ~ in; money burns a ~ ir
his pocket han kan ikke holde på
penge; make a ~ in (fig.) bruge er
stor del af; gøre indhug i; pick -s
in (fig.) finde fejl ved; gennem-
hulle (fx an argument; a theory);
kritisere sønder og sammen;

[*med præp.*] *be in a* ~ være i knibe; *be in the* ~ (*am.* T) **a.** have underskud; skylde; **b.** (*i spil*) have minuspoints; **c.** (*i sport*) være bagefter; være i vanskeligheder; *put sby into a* ~ bringe en i forlegenhed; *go into the* ~ få underskud; *get sby out of a* ~ hjælpe en ud af en knibe; *they need it like a* ~ *in the head* de vil absolut helst være fri for det.

hole² [həul] *vb.* **1.** lave hul(ler) i; gennemhulle; **2.** (*i golf*) få en bold i hul; **3.** (*i billard*) skyde en bal i hul; □ ~ *out* (*i golf*) spille et hul færdigt; ~ *up* **a.** (*am.*) lukke/mure sig inde (*fx in one's office*); **b.** gemme sig; søge tilflugt; *-d up* (*også*) indespærret.

hole-and-corner [həulən'kɔ:nə] *adj.* lyssky.

hole-in-the-wall [həulinðə'wɔ:l] *sb.* **1.** pengeautomat; **2.** (*am.:* om butik etc.) lille mørkt hul, biks.

hole punch *sb.* hullemaskine [*til papir*]; hulapparat.

holiday¹ ['hɔlədei, -di] *sb.* **1.** ferie; **2.** fridag; **3.** (*rel.*) helligdag; □ *-s* ferie; *go on a* ~ tage på ferie.

holiday² ['hɔlədei, -di] *vb.* holde ferie, feriere.

holiday camp *sb.* **1.** ferieby; **2.** (*for børn*) feriekoloni; sommerlejr.

holiday home *sb.* sommerhus, fritidshus.

holidaymaker ['hɔlədeimeikə] *sb.* turist, ferierejsende; badegæst, feriegæst.

holier-than-thou [həuliəðən'ðau] *adj.* selvretfærdig, frelst, farisæisk.

holiness ['həulinəs] *sb.* hellighed; fromhed.

holism ['həulism] *sb.* holisme.

holistic [həu'listik] *adj.* holistisk.

holland ['hɔlənd] *sb.* groft ubleget lærred.

holler¹ ['hɔlə] *sb.* (*am.* T) skrig, råb, brøl.

holler² ['hɔlə] *vb.* (*am.* T) skrige (op), råbe, brøle.

hollow¹ ['hɔləu] *sb.* **1.** hulning, fordybning; hulrum; hulhed; **2.** (*i terræn*) hulning, fordybning, sænkning; **3.** (*især am.*) dal; □ *hold in the* ~ *of one's hand* holde i sin hule hånd.

hollow² ['hɔləu] *adj.* **1.** hul; **2.** (*om lyd*) hul, dump; **3.** (*om ytring*) hul, falsk (*fx promises*); værdiløs (*fx victory*); □ ~ *cheeks* indfaldne kinder; ~ *eyes* insunkne øjne; *beat them* ~ (*glds.*) banke dem sønder og sammen [ɔ: *sejre overlegent*].

hollow³ ['hɔləu] *vb.* udhule; □ ~ *out* **a.** udhule; **b.** (*tunnel etc.*) udgrave.

hollow-eyed ['hɔləuaid] *adj.* hulløjet.

hollowware ['hɔləuwɛə] *sb.* **1.** [*fade, skåle, krukker, gryder*]; **2.** (*sølvsmeds*) korpusarbejde.

holly ['hɔli] *sb.* (*bot.*) kristtorn, kristtjørn.

hollyhock ['hɔlihɔk] *sb.* (*bot.*) stokrose.

holm [həum] *sb.* **1.** holm; **2.** [*engstrækning langs flod*].

holm oak *sb.* (*bot.*) steneg.

holocaust ['hɔləkɔ:st] *sb.* **1.** (*ulykke*) kæmpekatastrofe; kæmpebrand [*hvor der omkommer mange*]; masseødelæggelse; ragnarok; **2.** (*myrderi*) massakre, nedslagtning, massemyrderi; **3.** (*rel.*) brændoffer; □ *the Holocaust* [*nazisternes massemord på jøder under 2. verdenskrig*].

hologram ['hɔləgræm] *sb.* hologram [ɔ: *tredimensionalt billede*].

holograph ['hɔləgra:f] *sb.* egenhændigt manuskript.

holographic [hɔlə'græfik] *adj.* holografisk [ɔ: *tredimensional*].

hols [hɔlz] *fork. f. holidays* T ferie.

holster ['həulstə] *sb.* pistolhylster.

holy ['həuli] *adj.* hellig; □ *the* ~ *of holies* det allerhelligste.

Holy Communion *sb.* (*rel.*) nadveren.

Holy Father *sb.:* *the* ~ paven.

Holy Ghost *sb.:* *the* ~ Helligånden.

holy orders *sb. pl.:* *be in* ~ tilhøre gejstligheden; være ordineret, være præst; *confer* ~ *on* ordinere; *take* ~ lade sig ordinere, blive præst.

Holy See *sb.:* *the* ~ pavestolen.

Holy Spirit *sb.:* *the* ~ Helligånden.

holystone¹ ['həulistəun] *sb.* skuresten.

holystone² ['həulistəun] *vb.* skure [*med skuresten*].

holy terror *sb.* **1.** frygtindgydende person; **2.** (*om barn*) rædselsfuld unge; plageånd; □ *he is a* ~ han er ikke til at have med at gøre; *the boys regarded him as a* ~ drengene nærede en sand rædsel for ham.

holy water *sb.* vievand.

Holy Week *sb.: the* ~ den stille uge [*i påsken*].

Holy Writ *sb.* den hellige skrift.

homage ['hɔmidʒ] *sb.* **1.** hyldest; tribut; **2.** (*hist.*) lenshyldning; □ *pay* ~ *to* hylde.

home¹ [həum] *sb.* **1.** hjem; **2.** (*ejendom*) hus; bolig (*fx build 500 -s*); **3.** (*i sport, fx baseball*) mål; **4.** (*sted hvor noget findes//kommer fra*) hjemsted (*fx India, the* ~ *of the tiger; Italy, the* ~ *of opera*); hjem; □ *look nearer* ~ gribe i sin egen barm; *make one's* ~ *in* slå sig ned i; [*med præp.*] *at* ~ **a.** hjemme; **b.** på hjemmebane; *be at* ~ (*også:* glds.) tage imod (*fx Mrs Smith is at* ~ *on Tuesdays*); *what's he when he's at* ~? (T: spøg.) hvad er han for én? *what's that when it's at home?* (T: spøg.) hvad er det for noget? *be at* ~ *in/with a subject* være godt hjemme i et emne; være fortrolig med et emne; *feel at* ~ føle sig hjemme; *make oneself at* ~ lade som om man er hjemme; *from* ~ **a.** hjemmefra; **b.** ikke hjemme; bortrejst; **c.** (*i sport*) på udebane; *a* ~ *from* ~ et andet hjem; *it was close/near to* ~ (*fig.*) det var lidt for tæt på.

home² [həum] *adj.* **1.** (*om stat*) indenlandsk; indenrigs, hjemlig, indre (*fx waters*); hjemme- (*fx market*); **2.** (*privat*) hjemme- (*fx computer; environment*); hjemlig (*fx comforts; environment*); **3.** (*i sport*) hjemme-, på hjemmebane; □ *be* ~ *and dry* T være hjemme/i hus; have klaret den.

home³ [həum] *vb.* (*om trækfugl, brevdue*) finde//søge hjem; □ ~ *in on* **a.** (*mål*) styre mod; sigte mod; **b.** (*fig.*) fokusere på.

home⁴ [həum] *adv.* **1.** hjem (*fx arrive/come/get//go* ~; *drive him* ~); hjemme (*fx is he* ~?); **2.** (*i sport*) til målet; i mål; **3.** (*fig.*) helt igennem (*fx press/push* (*føre*) *the attack* ~); til bunds (*fx drive a thrust* (*føre et stød*) ~); (*om skrue, søm*) helt i (*fx drive* (*slå*) *a nail* ~); □ [*med vb.*] *bring sth* ~ *to sby* (*fig.*) **a.** overbevise en om noget, få en til at indse noget, gøre noget helt klart for en; **b.** bevise ens skyld i noget; (se også *bacon*); *it came* ~ *to me* (*fig.*) **a.** jeg følte det dybt; **b.** det gik for alvor op for mig; *carry* ~ *an argument* ~ (*fig.*) drage de yderste konsekvenser af en påstand; *drive* ~ (*fig.*) **a.** se ovf.: *3*; **b.** se ndf.: *hammer it* ~; *go* ~ (*fig.*) ramme (*fx my remark went* ~); *that remark got* ~! den sad! *hammer it* ~ (*fig.*) gøre det helt klart; slå det fast med syvtommersøm; *hit* ~ se ndf.: *strike* ~; *press* ~ **a.** presse helt i; **b.** (*fig.*) gøre mest muligt ud af; *press* ~

an advantage udnytte en fordel til det yderste; *press it* ~ se ovf.: *hammer it* ~; **push** ~ (*fig.*) gøre mest muligt ud af; *he pushes his inquiries* ~ han går til bunds med sine undersøgelser; **ram** ~ **a.** se ovf.: *drive* ~; **b.** se ovf.: *hammer* ~; **strike** ~ **a.** føre slaget til bunds; **b.** (*om skud etc.*) ramme plet; gå ind; **c.** (*fig.*) trænge ind; gå rent ind (*with* hos); *nothing to* **write** ~ *about* (*fig.*) ikke noget at skrive hjem om; ikke noget at råbe hurra for.

home affairs *sb. pl.* indre anliggender.

home banking *sb.* homebanking [*det at udføre bankforretninger hjemme pr. computer*].

home base *sb.* se *home plate*.

home bird *sb.* T hjemmemenneske.

homebody ['həumbɔdi] *sb.* (*især am.* T) = *home bird*.

homeboy ['houmbɔi] *sb.* **1.** (*am.*) bysbarn; en fra ens hjemby; **2.** S kammerat; medlem af samme bande.

homecoming ['həumkʌmiŋ] *sb.* **1.** hjemkomst; **2.** (*am.*) [*årlig fest for gamle elever//tidligere studerende*].

Home Counties *sb. pl.*: *the* ~ [*grevskaberne nærmest London, især Surrey, Kent og Essex*].

home economics *sb.* husholdningslære; hjemkundskab.

home farm *sb.* avlsgård.

home free *adj.*: *be* ~ (*am.*) have klaret den; være i sikkerhed.

home game *sb.* kamp på hjemmebane, hjemmekamp.

home ground *sb.* hjemmebane.

home-grown [həum'grəun] *adj.* hjemmeavlet, hjemmedyrket.

home guard *sb.* hjemmeværn.

home help *sb.* hjemmehjælper.

homeland ['həumlænd] *sb.* **1.** hjemland, fædreland; **2.** (*sydafr. hist.*) [*område som sorte henvistes til at bo i*]; hjemland, bantustan.

homeless ['həumləs] *adj.* hjemløs; husvild.

home loan *sb.* boliglån.

homely ['həumli] *adj.* **1.** (*om sted*) hjemlig, hyggelig (*fx atmosphere*); **2.** (*om mad*) dagligdags, jævn, enkel; **3.** (*om andet*) enkel (*fx pleasures*); folkelig (*fx expression*); **4.** (*om kvinde*) huslig; husmoderlig; **5.** (*am.*) grim, kedelig.

home-made [həum'meid] *adj.* hjemmelavet; hjemmebagt.

homemaker ['həummeikə] *sb.* husmor.

home match *sb.* kamp på hjemmebane.

Home Office *sb.* [*engelsk ministerium, hvorunder politi, fængselsvæsen og civilforsvar sorterer*]; (*omtr.*) indenrigsministerium.

home office *sb.* kontor man har i sit hjem.

homeopath ['həumiəpæθ] *sb.* homøopat.

homeopathic [həumiə'pæθik] *adj.* homøopatisk.

homeopathy [həumi'ɔpəθi] *sb.* homøopati.

homeowner ['həuməunə] *sb.* husejer.

home page *sb.* (*it*) hjemmeside.

home plate *sb.* (*am.*: *i baseball*) [*femkantet plade der markerer sidste base og slåerens plads*].

home port *sb.* (*mar.*) hjemsted.

homer ['həumə] *sb.* **1.** brevdue; **2.** (*baseball*) = *home run*.

home room *sb.* hjemmeklasse.

home rule *sb.* selvstyre, hjemmestyre.

home run *sb.* (*i baseball*) [*et slag der bringer bolden så langt bort at slåeren kan nå hele vejen rundt og hjem*].

Home Secretary *sb.* (*omtr.*) indenrigsminister; (jf. *Home Office*).

homesick ['həumsik] *adj.* med hjemve;
□ *be* ~ have hjemve.

homesickness ['həumsiknəs] *sb.* hjemve.

homespun[1] ['həumspʌn] *sb.* hjemmevævet tøj.

homespun[2] ['həumspʌn] *adj.* **1.** (*om tøj*) hjemmevævet; **2.** (*om garn*) hjemmespundet; **3.** (*fig.*) hjemmestrikket, hjemmelavet;
□ ~ *philosophy* lommefilosofi.

home stand *sb.* (*am.*) [*række baseballkampe på hjemmebane*].

homestead ['həumsted] *sb.* **1.** bondegård; landejendom; gård; **2.** (*am. hist.*) selvstændigt småbrug [*især en gård på 160 acres, overladt kolonister af statsjorden*].

home straight *sb.*, **home stretch** *sb.* **1.** opløb [*sidste stykke af væddeløbsbane*]; **2.** (*fig.*) sidste etape.

home thrust *sb.* **1.** velrettet (kårde)stød; **2.** (*fig.*) velanbragt spydighed.

home truth *sb.* ubehagelig sandhed;
□ *I told him a few -s* (*også*) jeg sagde ham et par borgerlige ord.

homeward[1] ['həumwəd] *adj.* hjem- (*fx journey*).

homeward[2] ['həumwəd] *adv.* hjemad.

homeward bound *adj.* på vej hjem; for hjemgående.

homewards ['həumwədz] *adv.* =

homeward[2].

homework ['həumwə:k] *sb.* hjemmearbejde; lektier;
□ *do one's* ~ **a.** læse lektier; T lave lektier; **b.** (*fig.*) læse på sin lektie; forberede sig (*fx the Minister had not done his* ~).

homeworker ['həumwə:kə] *sb.* [*en der udfører sit arbejde hjemme*]; (se også *teleworker*).

homey ['houmi] *adj.* (*am.*) hjemlig hyggelig.

homicidal [hɔmi'said(ə)l] *adj.* (*især am.*) drabs-, mord-; morderisk.

Homicide ['hɔmisaid] *sb.* (*am.*: *i politi*) drabsafdelingen.

homicide ['hɔmisaid] *sb.* (*især am.* **1.** drab, mord; **2.** (*glds.*) morder.

homiletic [hɔmi'letik] *adj.* opbyggelig.

homiletic literature *sb.* opbyggelseslitteratur.

homily ['hɔmili] *sb.* **1.** prædiken; opbyggelig tale; **2.** moralprædiken.

homing ['həumiŋ] *adj.* **1.** (*om dyr*) som søger hjem; **2.** (*om raket*) målsøgende.

homing device *sb.* målsøgningsapparat.

homing instinct *sb.* (*hos dyr*) instinkt for at søge hjem.

homing pigeon *sb.* brevdue.

hominy ['hɔmini] *sb.* (*am.*) afskallet majs.

hominy grits *sb. pl.* (*am.*) majsgrød.

homo ['həuməu] *sb.* T = *homosexual*.

homogeneity [hɔmədʒə'ni:əti, -'neiəti] *sb.* homogenitet, ensartethed.

homogeneous [hɔmə'dʒi:niəs] *adj.* homogen, ensartet.

homogenize [hə'mɔdʒənaiz] *vb.* **1.** (*mælk*) homogenisere; **2.** (*fig.*) ensrette; standardisere.

homologous [hə'mɔləgəs] *adj.* homolog, overensstemmende.

homonym ['hɔmənim] *sb.* homonym, enslydende ord.

homonymous [hə'mɔniməs] *adj.* homonym, enslydende.

homonymy [hə'mɔnimi] *sb.* homonymi.

homophobia [həumə(u)'fəubiə, hɔm-] *sb.* homofobi.

homophobic [həumə(u)'fəubik, hɔm-] *adj.* homofobisk.

homophone ['hɔməfəun] *sb.* = *homonym*.

homophony [hɔ'mɔfəni] *sb.* (*mus.*) homofoni.

homosexual [həumə(u)'sekʃuəl, hɔm-] *adj.* homoseksuel.

homosexuality

[həumə(u)sekʃuˈæləti, həm-] *sb.*
homoseksualitet.
homy [ˈhoumi] *adj.* = *homey.*
Hon *fork. f.* **1.** (*ved stillingsbetegnelse*) *honorary*; **2.** (*adelstitel*) *honourable.*
honcho [ˈhɔntʃou] *sb.* (*am.* S)
1. chef, boss; **2.** stor kanon.
hone [həun] *vb.* **1.** slibe, hvæsse;
2. (*fig.*) udvikle (*fx a skill*); finslibe; skærpe.
honest [ˈɔnəst] *adj.* **1.** (*som ikke lyver*) ærlig, redelig; **2.** (*som ikke snyder*) hæderlig, retskaffen;
3. (*om kvinde*) ærbar (*fx she was poor but ~*);
□ ~*!*, ~ *to God!* T helt ærlig! *to be ~* for at være helt ærlig;
[*med sb.*] *make an ~* (*spøg.*) have et hæderligt erhverv; *turn an ~ penny* (*glds.*) tjene en ærlig skilling; *make an ~ woman of her* (*glds. el. spøg.*) ægte hende [o: *efter at have forført hende*]; redde hendes ære.
honest broker *sb.* uvildig mægler/ mellemmand.
honestly [ˈɔnəstli] *adv.* **A.** (jf. *honest*) **1.** ærligt, redeligt; **2.** hæderligt, retskaffent;
B. (*sætningsadv.*) **1.** virkelig (*fx does he ~ believe that I did it?*);
2. (*misbilligende*) ærlig talt (*fx ~, can't you think of a better excuse*); **3.** (T: *forsikrende*) ærligt og redeligt, helt ærligt (*fx ~, that is all I know about it; that is all I know about it, ~*).
honesty [ˈɔnəsti] *sb.* (jf. *honest*)
1. ærlighed, redelighed; **2.** hæderlighed, retskaffenhedhed; **3.** (*bot.*) judaspenge;
□ ~ *is the best policy* ærlighed varer længst.
honey [ˈhʌni] *sb.* **1.** honning; **2.** (*i tiltale; især am.*) min ven! skat!
honeybee [ˈhʌnibiː] *sb.* (*zo.*) honningbi.
honey buzzard *sb.* (*zo.*) hvepsevåge.
honeycomb[1] [ˈhʌnikəum] *sb.* **1.** bikage, vokskage; **2.** [*flade dækket af sekskantede figurer*]; **3.** (*på tøj*) vaffelmønster.
honeycomb[2] [ˈhʌnikəum] *adj.* (*om tøj*) vaflet; vaffelvævet.
honeycombed [ˈhʌnikəumd] *adj.* gennemhullet (*with* af).
honeycomb pattern *sb.* vaffelmønster.
honeydew [ˈhʌnidjuː] *sb.* **1.** honningdug [*udsondring af bladlus*];
2. (*bot.*) honningmelon.
honeydew melon *sb.* (*bot.*) honningmelon.
honeyed [ˈhʌnid] *adj.* **1.** (*om ud-*

sagn) sukkersød, honningsød;
2. (*om mad*) (*sødet*) med honning;
3. (*om smag*) honningagtig; sød som honning; **4.** (*om farve*) honninggul.
honeyguide [ˈhʌnigaid] *sb.* (*zo.*) honninggøg.
honey locust *sb.* (*bot.*) tretorn.
honeymoon[1] [ˈhʌnimuːn] *sb.*
1. bryllupsrejse; hvedebrødsdage;
2. (*fig.*) hvedebrødsdage.
honeymoon[2] [ˈhʌnimuːn] *vb.* tage på bryllupsrejse; tilbringe hvedebrødsdagene (*fx they -ed in Norway*).
honeymooners [ˈhʌnimuːnəz] *sb. pl.* par på bryllupsrejse.
honeypot [ˈhʌnipɔt] *sb.* **1.** honningkrukke; **2.** (*fig.*) tillokkende sted; magnet (*fx a tourist ~*).
honeysuckle [ˈhʌnisʌkl] *sb.* (*bot.*) gedeblad, kaprifolium.
honk[1] [hɔŋk] *sb.* **1.** (*hæs lyd af bilhorn*) trut, båt, dyt; **2.** (*lyd fra vildgås*) skrig, skræp.
honk[2] [hɔŋk] *vb.* **1.** (*om bil*) trutte, båtte, dytte; tude; **2.** (*om fugl*) skrige, skræppe; **3.** S brække sig;
□ ~ *one's horn = 1*; ~ *up = 3.*
honky [ˈhɔŋki] *sb.* (*am.* S; *neds.*) hvid.
honky-tonk[1] [ˈhɔŋkitɔŋk] *sb.* (*am.*)
1. tarvelig natklub; bule; **2.** (*mus.*) ragtime.
honky-tonk[2] [ˈhɔŋkitɔŋk] *adj.*
1. tarvelig; snusket; **2.** (*mus.*) ragtime-.
honorarium [ɔnəˈrɛəriəm] *sb.* F (*frivilligt ydet*) honorar.
honorary [ˈɔn(ə)rəri] *adj.* **1.** æres- (*fx doctorate; member*); titulær (*fx professor*); **2.** (*om hverv*) ulønnet (*fx secretary; treasurer*).
honorific[1] [ɔnəˈrifik] *sb.* ærbødighedsfrase.
honorific[2] [ɔnəˈrifik] *adj.* æres-; ærbødigheds-.
honour[1] [ˈɔnə] *sb.* **1.** ære; **2.** (*som tildeles en*) æresbevisning, hædersbevisning, udmærkelse;
□ *-s a.* æresbevisninger (*fx military -s; -s were heaped upon him*);
b. (*i kortspil*) honnører (*fx I have three -s*); **c.** (*om universitetseksamen*) se *honours degree*; *Birthday//New Year -s* se *honours list*;
do the -s T præsidere ved bordet; optræde som vært//værtinde; *the -s of war* privilegier der indrømmes en slagen fjende [*fx fri afmarch*];
it is an ~ to det er en ære at; *he is an ~ to the school* skolen har ære af ham; ~ *bright!* (*glds.*) på ære!
~ *where ~ is due* ære den som æres bør; *your ~!* (*til dommer*)

høje dommer! Deres velbårenhed!
[*med præp.*] *in ~ bound to* æresforpligtet til (at); moralsk forpligtet til (at); *in ~ of* til ære for; *in ~ of the occasion* i dagens anledning; *guest of ~* hædersgæst; (se også *debt, maid of honour*); *put sby on his ~* tage ens æresord for at han vil gøre//afstå fra at gøre noget.
honour[2] [ˈɔnə] *vb.* **1.** ære (*fx the Queen; his memory*); **2.** (*om fornem person*) beære (*fx the Princess -ed me with her presence; I felt -ed*); **3.** (*med en æresbevisning*) hædre; udmærke; **4.** (*forpligtelse*) opfylde (*fx a contract*); indfri (*fx a promise*); overholde (*fx a ceasefire*); **5.** (*merk.: veksel etc.*) indfri, honorere.
Honourable [ˈɔnərəbl] *adj.* [*titel for regeringsmedlemmer, visse højtstående embedsmænd, børn af visse adelige etc.*]; (*kan sommetider gengives*) velbåren; højvelbåren.
honourable [ˈɔn(ə)rəbl] *adj.* **1.** hæderlig (*fx man; profession*); retskaffen (*fx man; behaviour*);
2. ærefuld;
□ *the ~ member for* (*tiltaleform brugt i Underhuset*) det ærede medlem for; *he has ~ intentions* (*glds. el. spøg.*) han har reelle hensigter [o: *han vil gifte sig med pigen*].
honourable mention *sb.* rosende/ hædrende omtale.
honour killing *sb.* æresdrab.
honours degree *sb.* [en B.A.-grad som tildeles efter et mere specialiseret studium, mods. pass degree*];
□ *first class honours degree* (*omtr.*) førstekarakter [*med udmærkelse*].
honours list *sb.* [*liste over personer der har modtaget titler og ordner som uddeles af regenten på dennes fødselsdag og ved nytår*].
Hon. Sec. *fork. f.* Honorary Secretary.
hooch [huːtʃ] *sb.* T sprut, sprit [*især indsmuglet el. hjemmebrændt*].
hood [hud] *sb.* **1.** (*beklædning & til beskyttelse for linse etc.*) hætte;
2. (*på bil, barnevogn*) kaleche;
3. (*på skorsten*) røghætte, røgfang;
4. (*på komfur*) emhætte; **5.** (*am.: på bil*) motorhjelm, kølerhjelm;
6. (*am.* T: *i by*) kvarter [*hvor man bor*]; **7.** (*am. glds.*) = *hoodlum.*
hooded [ˈhudid] *adj.* **1.** med hætte;
hætteklædt; **2.** (*om øjne*) med tunge øjenlåg; halvt lukkede.

H hooded crow

hooded crow *sb.* (*zo.*) gråkrage.
hooded seal *sb.* (*zo.*) klapmyds(e).
hooded snake *sb.* (*zo.*) brilleslange.
hoodlum ['hudləm] *sb.* (*am.* T) gangster; bølle.
hoodoo[1] ['hu:du:] *sb.* (*am.* T)
1. [*form for magi blandt sorte i sydstaterne*]; **2.** [*noget der bringer ulykke*]; **3.** [*fantastisk formet klippesøjle*].
hoodoo[2] ['hu:du:] *vb.* bringe ulykke over; forhekse.
hoodwink ['hudwiŋk] *vb.* narre, bluffe, føre bag lyset.
hooey ['hu:i] *sb.* T vås; sludder.
hoof[1] [hu:f] *sb.* (*pl.* -s/hooves [hu:vz]) hov; (*spøg.*) fod;
□ on the ~ (*om kvæg*) levende; uslagtet; *do//make sth on the ~* (T: *fig.*) gøre//lave noget uden give sig tid at tænke; gøre//lave noget med venstre hånd.
hoof[2] [hu:f] *vb.* **1.** sparke; **2.** traske;
□ ~ *it* T **a.** stikke af i en fart;
b. traske; **c.** danse.
hoofed [hu:ft] *adj.*: ~ *mammal* hovdyr.
hoofer ['hu:fə] *sb.* (*am.* S) (professionel) danser.
hoo-ha ['hu:ha:] *sb.* postyr, ståhej, ballade.
hook[1] [huk] *sb.* **1.** (*til at hænge noget på*) krog; knage; **2.** (*til at gribe fat med*) hage; **3.** (*i kjole etc.*) hægte; **4.** (*til fiskeri*) (fiske)krog; **5.** (*i golf, kricket, boksning*) hook; **6.** (*agr.*) segl; **7.** (*geogr.*) hage [ɔ: *krum landtange*];
□ by ~ or by crook på den ene eller den anden måde;
[*med vb.*] *fall for* sby ~, *line and sinker* falde pladask for en; *fall for/swallow it* ~, *line, and sinker* sluge det med hud og hår; *get the* ~ T blive smidt ud; *let off the* ~ T **a.** lade slippe; **b.** (*i vanskelig situation*) redde (ud); *get one's -s into/on* T få/slå kløerne i; *sling your* ~*!* (*glds.* S) skrub af med dig!
[*med præp.*] *be off the* ~ **a.** være sluppet; **b.** (*om telefon*) ikke være lagt på; *get off the* ~ slippe; *get sby off the* ~ hjælpe en ud af kniben, redde en; *leave the phone off the* ~ ikke lægge røret på; *let sby off the* ~ lade en slippe; *ring off the* ~ (*am.* S) ringe hele tiden; *take the phone off the* ~ tage røret af; *on the* ~ **a.** på krogen;
b. (*fig.*) T uhjælpelig fanget; leveret; *on one's own* ~ (*am.* T; *glds.*) på egen hånd; for egen regning.
hook[2] [huk] *vb.* (se også *hooked*)
A. (*med objekt*) **1.** (*fisk*) fange, få på krogen; få til at bide på; **2.** (*en

ting til en anden*) gøre fast med krog, fæste, spænde på; (*påhængsvogn*) koble på; **3.** (*tøj*) hægte; **4.** (*arm, ben etc.*) krumme; **5.** (*i golf*) hooke [ɔ: *ramme bolden skævt så den drejer af til højre*]; **6.** (*glds.* T) hugge, stjæle;
B. (*uden objekt*) **1.** (*jf. 2*) kunne fæstes; **2.** (*jf. 3*) kunne hægtes; **3.** (*jf. 4*) krumme sig; kroge sig; **4.** (*am.* T) arbejde som luder;
□ ~ *it* (*glds.* S) stikke af, fordufte;
[*med præp.& adv.*] ~ *on* (*mar.*) hugge i; ~ *on to* hage sig fast i; *she -ed her arm through his* hun stak sin arm ind under hans; ~ *up* **a.** hægte (*fx a dress*); hægte sammen; **b.** (*apparat*) slutte 'til (*fx a computer*); koble 'til; **c.** (*to apparater*) koble sammen; **d.** (*uden objekt: om to*) slå sig sammen; ~ *up to* **a.** koble til; **b.** (*uden objekt*) blive koblet til; ~ *up with* (*især am.*) **a.** sætte sig i forbindelse med; træffe; **b.** blive gode venner med; **c.** slutte sig sammen med; samarbejde med.
hookah ['hukə] *sb.* vandpibe.
hook and eye *sb.* hægte og malle.
hook and ladder truck *sb.* brandbil med stiger; stigevogn.
hooked [hukt] *adj.* **1.** kroget; krum; **2.** T fanget; (*mht. narko*) afhængig;
□ *be* ~ *by* T være grebet af; *be* ~ *on* T **a.** være vild/skør med med, være bidt af (*fx old cars*);
b. (*narko*) være afhængig af (*fx heroin*).
hooker ['hukə] *sb.* **1.** (*mar.*) huggert [*lille fartøj*]; skude; **2.** (*i rugby*) hooker [*midterste spiller i første række af en klynge*]; **3.** (*am.* S) luder; **4.** (*am.* T) drink.
hookey *adj.* = hooky.
hook-up ['hukʌp] *sb.* [*sammenkobling af radiostationer der muliggør fælles transmission*].
hookworm ['hukwə:m] *sb.* (*med.*) hageorm [*tarmsnylter*].
hooky ['huki] *sb.*: *play* ~ (*am.* T) skulke, pjække.
hooligan ['hu:ligən] *sb.* bølle, ballademager; (*især:*) fodboldbølle.
hooliganism ['hu:ligənizm] *sb.* bølleoptøjer; (*især:*) fodboldvold.
hoop [hu:p] *sb.* **1.** ring; bånd; **2.** (*på tønde & til optræden*) tøndebånd; **3.** (*legetøj*) trillebånd, tøndebånd; **4.** (*i basketball*) kurv; **5.** (*i kroket*) bue; **6.** (*hist.*) fiskeben [*i skørt*]; fiskebensskørt;
□ *go/jump through -s* (*fig.*) gøre alt muligt besværligt; *put sby through the* ~*/through -s* gå hårdt til én; sætte en på prøve; *be put

through the* ~ få sin sag for; *shoot some* ~, *shoot -s* spille lidt basket.
hooped [hu:pt] *adj.* med ringe; med buer.
hoop iron *sb.* båndjern [*til tøndebånd*].
hoopla ['hu:pla:] *sb.* **1.** ringspil [*hvor man kan vinde gevinster ved at kaste en ring ned over dem*]; **2.** T ståhej; **3.** (*am.* T) reklamebrøl.
hoopoe ['hu:pu:] *sb.* (*zo.*) hærfugl.
hoop petticoat *sb.* (*hist.*) fiskebensskørt.
hooray [hu'rei] *interj.* hurra.
Hooray Henry *sb.* T overklasseløg.
hoosegow ['hu:sgau] *sb.* (*am.* S) fængsel.
Hoosier ['hu:ʒər] *sb.* (*am.*) person fra Indiana.
hoot[1] [hu:t] *sb.* **1.** hujen; hyl (*fx a* ~ *of laughter*); **2.** (*bils*) tuden; dyt; **3.** (*ugles*) tuden;
□ *it is a* ~ det er hylende grinagtigt; *I don't care/give a* ~*/two* -*s* jeg er revnende ligeglad (*about* med); det rager mig en høstblomst.
hoot[2] [hu:t] *vb.* **1.** huje; skrige, hyle (*with laughter* af latter); **2.** (*om ugle*) tude; **3.** (*om bil*) tude; dytte; **4.** (*med objekt*) huje efter; hysse ad; pibe ud;
□ ~ *one's horn* = *3.*
hooter ['hu:tə] *sb.* **1.** fabriksfløjte; sirene; **2.** bilhorn; **3.** (*glds.* S: *næse*) tud;
□ -*s* (*am.* S) batterier, forlygter [ɔ: *bryster*].
hoots [hu:ts] *interj.* (*skotsk*; *glds. el. spøg.*) snak (om en ting)! vis-vas!
hoover®[1] ['hu:və] *sb.* støvsuger.
hoover[2] ['hu:və] *vb.* støvsuge.
hooves [hu:vz] *pl.* af hoof.
hop[1] [hɔp] *sb.* **1.** hop; **2.** T dans; fest; **3.** T (flyve)tur; **4.** (*bot.:* plante*) humle;
□ -*s* **a.** (*til brygning*) humle;
b. (*austr.* T) øl; **c.** (*glds. am.*) narkotisk middel; opium; *in three -s* **a.** (*flyv.*) med kun to mellemlandinger; **b.** i tre etaper; *catch sby on the* ~ overraske en; komme bag på en; *keep sby on the* ~ holde en i gang; ~, *skip and jump* trespring; ~, *step and jump* (*am.*) = ~, *skip and jump.*
hop[2] [hɔp] *vb.* **1.** hoppe; **2.** (*på ét ben*) hinke; **3.** T tage en hurtig (flyve)tur; smutte; **4.** (*med objekt*) hoppe over (*fx a fence*); **5.** (*am.* T) hoppe på (*fx a bus; a plane*);
□ ~ *it!* stik af! forsvind! ~ *the twig/stick* T **a.** stikke af; **b.** kradse

420

af [ɔː *dø*].

hop bine sb. (*bot.*) humleranke.

hope[1] [həup] sb. håb;
□ *abandon* ~ opgive håbet; *abandon* ~, *all ye that enter here* (*citat fra Dante*) her lades alt håb ude; *he is beyond/past* ~ alt håb er ude for ham; han står ikke til at redde; *pin one's* ~ *on* sætte sit håb til; *some* ~! (T: *spøg.*) ja det kan man jo håbe [ɔ: *det er der ikke meget chance for*]; ~ *springs eternal* (*svarer til*) håbet er lysegrønt; *what a* ~! = *some hope!*; (se også *high*[2]).

hope[2] [həup] vb. håbe; håbe på;
□ ~ *against* ~ bevare håbet selv om det ser mørkt ud; tro det umulige; ~ *for* håbe på; ~ *for the best* håbe det bedste.

hope chest sb. (*am.*) [*kiste//skuffe med brudeudstyr*].

hopeful ['həupf(u)l] adj. **1.** forhåbningsfuld; fuld af håb; optimistisk (*about* med hensyn til, *fx the future; the outcome; the chances are small but he is still* ~); fortrøstningsfuld; **2.** T lovende (*fx prospects; pupil*);
□ *a young* ~ et håbefuldt ungt menneske; *he is* ~ *that* han nærer håb om at.

hopefully ['həupf(u)li] adv. **1.** forhåbningsfuldt; fortrøstningsfuldt; optimistisk; **2.** (*sætningsadv.*) forhåbentlig (*fx* ~, *we will meet again next year*).

hopeless ['həupləs] adj. **1.** håbløs; **2.** (*om følelse*) uden håb; fortvivlet.

hophead ['hɔphed] sb. T **1.** (*am.*) narkoman; stofbruger; **2.** (*austr.*) drukmås.

hopped-up ['hɔptʌp] adj. (*am.*) **1.** påvirket af narko, høj, skæv; **2.** ophidset, overgearet.

hopper ['hɔpə] sb. **1.** tragt; **2.** (*mar.*) selvtømmende muddermaskine; **3.** (*jernb.*) bundtømmervogn.

hopping mad adj. T edderspændt rasende.

hopscotch[1] ['hɔpskɔtʃ] sb. hinkeleg; paradis [ɔ: *børnelegen*].

hopscotch[2] ['hɔpskɔtʃ] vb. (*am.*) hoppe; fare.

hop tree sb. (*bot.*) læderkrone.

Horace ['hɔrəs, -is] (*hist.*) Horats [*romersk digter*].

horde [hɔːd] sb. horde; flok.

horehound ['hɔːhaund] sb.: *black* ~ (*bot.*) tandbæger; *white* ~ kransburre.

horizon [hə'raiz(ə)n] sb. horisont;
□ *on the* ~ **a.** i horisonten; **b.** (*fig.*) under opsejling; i udsigt.

horizontal[1] [hɔri'zɔnt(ə)l] sb. **1.** horisontallinje; **2.** horisontalplan.

horizontal[2] [hɔri'zɔnt(ə)l] adj. horisontal, vandret.

horizontal bars sb. pl. (*gymn.*) reck.

hormonal [hɔː'məun(ə)l] adj. hormonal; hormon-.

hormone ['hɔːməun] sb. (*fysiol.*) hormon.

horn[1] [hɔːn] sb. **1.** horn; **2.** (*vulg.*) ståpik;
□ *on the* -*s of a dilemma* i et dilemma;
[*med vb.*] *blow one's own* ~ slå på tromme for sig selv, rose sig selv; *draw in one's* -*s* tage/trække følehornene til sig; *grow* -*s* (*am. S*) blive gal i hovedet; *lock* -*s* (*fig.*) støde/tørne sammen; *pull in one's* -*s* se ovf.: *draw in...*; *sound the* ~ (*i bil*) trykke på hornet; give signal med hornet; (se også *bull*).

horn[2] [hɔːn] vb. stange;
□ ~ *in* trænge/mase sig på; ~ *in on* trænge/mase sig ind på; blande sig i.

hornbeam ['hɔːnbiːm] sb. (*bot.*) avnbøg.

hornbill ['hɔːnbil] sb. (*zo.*) næsehornsfugl.

hornblende ['hɔːnblend] sb. (*min.*) hornblende.

hornbook ['hɔːnbuk] sb. (*glds.*) [*abc-tavle dækket af gennemsigtigt horn*]; hornbog; fibel.

horned [hɔːnd, (*poet.*) 'hɔːnid] adj. hornet;
□ ~ *cattle* hornkvæg.

horned owl sb. (*zo.*) hornugle.

horned poppy sb. (*bot.*) hornskulpe.

horned toad sb. (*zo.*) tudseleguan.

horned viper sb. (*zo.*) hornslange.

hornet ['hɔːnit] sb. (*zo.*) hveps; gedehams.

hornets' nest sb.: *stir up a* ~ stikke hånden i en hvepserede.

horn of plenty sb. overflødighedshorn.

hornpipe ['hɔːnpaip] sb. (*mus.*) hornpipe [*en sømandsdans*].

horn-rimmed [hɔːn'rimd] adj.: ~ *spectacles* hornbriller.

hornswoggle ['hɔːnswɔgl] vb. (*am. S*) fuppe, snyde.

horntail ['hɔːnteil] sb. (*zo.*) træhveps.

hornwort ['hɔːnwəːt] sb. (*bot.*) hornblad.

horny ['hɔːni] adj. **1.** hornagtig; **2.** (*om hud*) barket (*fx hands*); **3.** S liderlig; **4.** S sexet; lækker.

horologer [hɔ'rɔlədʒə], **horologist** [hɔ'rɔlədʒist] sb. urmager.

horology [hɔ'rɔlədʒi] sb. urmagerkunst.

horoscope ['hɔrəskəup] sb. horoskop;
□ *cast sby's* ~ stille ens horoskop.

horrendous [hɔ'rendəs] adj. **1.** forfærdende, rædselsvækkende, grufuld (*fx accident*); **2.** T forfærdelig (*fx losses*); skrækkelig (*fx prices*).

horrible ['hɔrəbl] adj. **1.** frygtelig, forfærdelig, grufuld; **2.** T frygtelig, rædsom, afskyelig.

horrid ['hɔrid] adj. T rædselsfuld, afskyelig, hæslig; væmmelig, ækel.

horrific [hɔ'rifik] adj. **1.** rædselsvækkende, gruopvækkende (*fx murder*); **2.** (*om mængde*) rædsom, skrækkelig (*fx amount of money*).

horrified ['hɔrifaid] adj. forfærdet, chokeret, rystet (*at/by* over; *to* over at).

horrify ['hɔrifai] vb. forfærde, chokere, ryste.

horror ['hɔrə] sb. **1.** (*følelse*) rædsel; (*svagere*) afsky; **2.** (*om noget der vækker forfærdelse*) rædsel (*fx the* -*s of war*); grufuldhed;
□ *it gives me the* -*s* jeg bliver grebet af rædsel; det fylder mig med rædsel; *she is a* ~ (*især om barn*) hun er rædselsfuld; *have a* ~ *of* **a.** nære rædsel for (*fx death*); **b.** (*jf. 2*) nære en sand rædsel for, afsky (*fx spiders*); ~ *of* -*s!* oh skræk og rædsel!; (se også *chamber of horrors*).

horror film sb. skrækfilm, gyser.

horror-stricken ['hɔrəstrik(ə)n], **horror-struck** ['hɔrəstrʌk] adj. rædselsslagen.

horse[1] [hɔːs] sb. **1.** (*zo.; gymn.*) hest; **2.** (*til støtte*) buk; savbuk; **3.** (*mar.*) løjbom; **4.** (*glds.* S) heroin;
□ *the* -*s* hestevæddeløb; -*s for courses* T hip som hap; *5000* ~ (*glds.*) 5000 mand kavaleri; *a* ~ *of another colour* et helt andet spørgsmål; en helt anden sag; [*med vb.*] *change/swap* -*s in midstream* (*fig.*) skifte heste midt i vadestedet; *I could eat a* ~! jeg er sulten som en ulv! *flog a dead* ~ diskutere en sag der allerede er afgjort; spilde sine kræfter; *hold your* -*s!* slap af! vent lige lidt!; (se også *back*[3]);
[*med præp.*] *a tip straight from the* -*'s mouth* en oplysning fra første hånd/fra sikker kilde; et staldtip; *a regiment of* ~ (*glds.*) et kavaleriregiment; *eat like a* ~ æde som en tærsker; *work like a* ~ slide som et bæst; *to* ~! sid op!; (se også *cart*[1], *high*[2]).

horse[2] [hɔːs] vb.: ~ *around* (*am.* T)

fjolle rundt.

horse-and-buggy [hɔːsən'bʌgi] *adj.*
1. fra før bilen *etc.* blev opfundet;
2. (*fig.*) håbløst forældet.

horseback ['hɔːsbæk] *sb.*: *on* ~ til
hest; på hesteryg; *go on* ~ ride.

horsebean ['hɔːsbiːn] *sb.* (*bot.*) he-
stebønne.

horse box *sb.* hestetransport(vogn).

horse brass *sb.* seletøjsbeslag af
messing.

horse car *sb.* (*am.*) **1.** = *horse box*;
2. hestesporvogn.

horse chestnut *sb.* (*bot.*) hesteka-
stanje.

horse cloth *sb.* hestedækken.

horseflesh ['hɔːsfleʃ] *sb.* heste;
□ *be a judge of* ~ forstå sig på he-
ste; være hestekender.

horsefly ['hɔːsflai] *sb.* (*zo.*) regn-
klæg.

Horse Guards *sb. pl.* hestgarde;
□ *the Royal* ~ [*hestgardens ho-
vedkvarter i London*].

horsehair ['hɔːsɛə] *sb.* krølhår; he-
stehår.

horse laugh *sb.* skraldende latter.

horseleech ['hɔːsliːtʃ] *sb.* (*zo.*) he-
steigle.

horse mackerel *sb.* (*zo.*) hestemak-
rel.

horseman ['hɔːsmən] *sb.* (*pl. -men*
[-mən]) rytter.

horsemanship ['hɔːsmənʃip] *sb.* ri-
dekunst; ridefærdighed.

horse manure *sb.* **1.** hestegødning;
2. = *horseshit*.

horse opera *sb.* (*am.* T) western,
cowboyfilm.

horseplay ['hɔːsplei] *sb.* grove lø-
jer; ballade.

horsepower ['hɔːspauə] *sb.* (*pl.
d.s.*) hestekraft; hestekræfter.

horse race *sb.* hestevæddeløb, ga-
lopløb.

horse racing *sb.* hestesport.

horseradish ['hɔːrædiʃ] *sb.* (*bot.*)
peberrod.

horse sense *sb.* (*glds.* T) sund for-
nuft.

horseshit ['hɔːsʃit] *sb.* (*især am.* S,
vulg.) ævl, pis, bræk.

horseshoe ['hɔːsʃuː] *sb.* hestesko.

horseshoe crab *sb.* (*zo.*) dolkhale.

horse show *sb.* ridestævne.

horsetail ['hɔːsteil] *sb.* **1.** hestehale;
2. (*bot.*) padderokke.

horse trade *sb.* **1.** hestehandel;
2. (*fig.*) (politisk) studehandel.

horse-trade ['hɔːstreid] *vb.* (*fig.*)
tinge, prange; lave en studehan-
del//lave studehandler.

horse-trading ['hɔːstreidiŋ] *sb.*
(*fig.*) sjakren; tingen; det at lave
studehandler.

horsewhip[1] *sb.* ridepisk; kørepisk.

horsewhip[2] *vb.* prygle med en
pisk.

horsewoman ['hɔːswumən] *sb.* (*pl.
-women* [-wimin]) rytterske.

horsey ['hɔːsi] *adj.* **1.** heste-; heste-
agtig; **2.** hesteinteresseret, heste-
sportsinteresseret.

horsy *adj.* = *horsey.*

horticultural [hɔːti'kʌltʃər(ə)l] *adj.*
havebrugs-; gartneri-; have- (*fx so-
ciety*).

horticulture ['hɔːtikʌltʃə] *sb.* have-
dyrkning, havebrug, gartneri.

horticulturist [hɔːti'kʌltʃərist] *sb.*
gartner.

hosanna [hə(u)'zænə] *interj.* (*bi-
belsk*) hosianna.

hose[1] [həuz] *sb.* **1.** (vand)slange;
haveslange; brandslange; **2.** (*glds.
el. merk.; pl.*) strømper, sokker og
strømpebukser; **3.** (*glds.: til
mænd*) hoser.

hose[2] [həuz] *vb.* **1.** spule; over-
sprøjte; vande; **2.** (*am.* S) snyde,
fuppe.

hosier ['həuziə, (*især am.*) -ʒər] *sb.*
trikotagehandler.

hosiery ['həuziəri, (*især am.*) -ʒəri]
sb. trikotage.

hospice ['hɔspis] *sb.* **1.** (*for døende*)
hospice; **2.** (*glds.*) herberg.

hospitable [hə'spitəbl, 'hɔspitəbl]
adj. gæstfri.

hospital ['hɔspit(ə)l] *sb.* hospital,
sygehus;
□ *be in* ~ ligge på hospitalet; *ad-
mit to a* ~ indlægge på et hospi-
tal; *go (in)to* ~ komme på hospita-
let; lade sig indlægge.

hospitality [hɔspi'tæləti] *sb.*
1. gæstfrihed; **2.** (*merk.*) gratis for-
plejning til kunder//hotelgæster;
□ ~ *will be provided* der er frit
ophold [ɔ: gratis kost og logi].

hospitality tent *sb.* [*telt hvor der
serveres gratis mad og drikke*].

hospitality tray *sb.* [*bakke på ho-
telværelse med kaffe, teposer,
småkager*].

hospitalize ['hɔspit(ə)laiz] *sb.* ho-
spitalisere; indlægge på hospital.

hoss [hɔs] *sb.* T = *horse.*

host[1] [həust] *sb.* **1.** (*også biol.*, *it &
om nation*) vært; **2.** (*radio.*, tv)
studievært, programvært; **3.** (*it*) se
host computer; **4.** (*rel.*) hostie;
□ -*s* (*også*) værtsfolk; *a* ~ *of* en
mængde, en hærskare af, en vrim-
mel af (*fx problems*); (*se også
reckon (without)*).

host[2] [həust] *vb.* være vært for.

hostage ['hɔstidʒ] *sb.* gidsel;
□ *hold//take them* ~ holde//tage
dem som gidsler; *be* ~ *to* være
gidsel for; være udleveret til, være
udsat for; *give -s to fortune* påtage

sig en tung forpligtelse; give sig
skæbnen i vold.

host computer *sb.* værtscomputer,
værtsmaskine.

hostel ['hɔst(ə)l] *sb.* **1.** herberg;
2. se *youth hostel*; **3.** (*ved univer-
sitet*) studenterkollegium;
4. (*glds.*) gæstgiveri, kro.

hostelry ['hɔst(ə)lri] *sb.* (*glds.*)
gæstgiveri, kro, værtshus.

hostess ['həustəs] *sb.* **1.** værtinde;
2. (*flyv., jernb.*) stewardesse; **3.** (*i
natklub*) værtinde [*pige der er an-
sat for at underholde mandlige
gæster*].

hostile ['hɔstail, (*am.*) 'hɔstl] *adj.*
fjendtlig.

hostility [hɔ'stiləti] *sb.* fjendtlig-
hed;
□ *open//suspend hostilities* be-
gynde//indstille fjendtlighederne.

hostler ['ɔslə] *sb.* (*glds.*) staldkarl [*i
en kro*].

hot[1] [hɔt] *adj.* **1.** hed; varm; **2.** (*om
smag*) krydret, skarp; **3.** (*om
temperament, aktivitet*)
hidsig, heftig (*fx temper; battle*);
4. (*mht. erotik*) stærkt sanselig,
ildfuld, lidenskabelig; **5.** (T: *om
tekst etc.*) skrap, fræk; **6.** (*om
spor*) frisk; **7.** (*om nyhed*) frisk;
spændende; **8.** (*elek.*) strømfø-
rende; **9.** (T: *om sted, optrædende
etc.*) populær (*fx he was a* ~ *sing-
er 20 years ago*); sensationel;
10. (T: *om person mht. evner*)
dygtig, skrap (*fx pilot*); **11.** (*om
musik*) hot; **12.** (*om tyvekoster*)
varme [ɔ: *efterlyste*];
□ ~ *and bothered* T ude af flip-
pen; *blow* ~ *and cold* være vægel-
sindet; *go* ~ *and cold* blive skifte-
vis varm og kold; ~ *and heavy*
(*am.* T) intens; heftig; ~ *and* ~
(serveret) meget varmt; *you are
getting* ~ (*fig.*) tampen brænder!
not so ~ S ikke særlig god; ikke
noget at råbe hurra for; ~ *to trot* T
a. ivrig efter at være med; **b.** lider-
lig; *it is too* ~ *to handle* det er for
farligt at have med at gøre; det vil
skabe en farlig ballade; *the place
is getting too* ~ *to hold him* jor-
den begynder at brænde under
fødderne på ham; (*se også hot air,
hot button (etc. på alfabetisk
plads)*);
[*med præp.*] *be* ~ *at* T være knip-
peldygtig/skrap til; *be* ~ *for* T
være ivrig efter at få fat i; *make it*
~ *for them* (*fig.* T) gøre dem hel-
vede hedt; ~ *from/off the press*
lige udkommet; *be* ~ *on* **a.** (*emne*)
være dygtig til, være godt inde i
(*fx British history*); **b.** (*person*)
være varm på, være helt væk i;

c. (*forskrift*) gå meget op i (*fx punctuality*); *he is* ~ *on playing cricket* han er ivrig kricketspiller; ~ *on the track/heels of* lige i hælene på; lige ved at indhente// opnå; ~ **under** *the collar* T gal i hovedet.

hot[2] [hɔt] *vb.*: ~ *up* **a.** (*med*) opvarme; **b.** T peppe op; sætte mere knald på/fut i; **c.** (T: *uden objekt*) blive mere livlig.

hot air *sb.* (T: *fig.*) tom snak, gas, varm luft.

hot-air ['hɔtɛə] *adj.* varmlufts- (*fx balloon*).

hotbed ['hɔtbed] *sb.* **1.** mistbænk; (*fagl.*) drivbænk, varmebænk; **2.** (*fig.*) arnested, udklækningssted.

hot-blooded [hɔt'blʌdid] *adj.* varmblodig.

hot button *sb.* varmt emne; varm kartoffel.

hot-button ['hɔtbʌt(ə)n] *adj.* (*om emne*) højaktuel og kontroversiel; følelsesladet.

hot cakes *sb. pl.* (*især am.*) pandekager;
□ *it is selling like* ~ det går som varmt brød.

hotchpot ['hɔtʃpɔt] *sb.* **1.** (*jur.*) [*samling under ét af afdøds efterladenskab for ligelig udlodning mellem arvinger*]; **2.** = *hotchpotch*.

hotchpotch ['hɔtʃpɔtʃ] *sb.* miskmask, ruskomsnusk, sammensurium.

hot cross bun *sb.* bolle med kors på [*spises langfredag*].

hot dog *sb.* **1.** hotdog; varm pølse [*med brød*]; **2.** (*am.* S) blærerøv;
□ ~*!* (*glds. am.* S) den er fin! ih du store!

hotdog ['hɔtdɔg] *vb.* (*am.* T) vise sig; prale.

hot-dog stand *sb.* pølsevogn.

hotel [hə'tel] *sb.* hotel.

hotelier [hə'teliei] *sb.* hotelejer; hoteldirektør.

hotel register *sb.* fremmedbog.

hot flash *sb.* (*am.*) = *hot flush*.

hot flush *sb.* hedestigning, hedetur.

hotfoot[1] ['hɔtfut] *adv.* i fuld fart; i stor hast.

hotfoot[2] ['hɔtfut] *vb.*: ~ *it* skynde sig.

hot gospeller *sb.* vækkelsesprædikant.

hothead ['hɔthed] *sb.* brushoved.

hotheaded ['hɔthedid] *adj.* ubesindig; hidsig, opfarende.

hothouse ['hɔthaus] *sb.* **1.** drivhus; væksthus; **2.** (*fig.*) udklækningssted; grosted.

hot key *sb.* (*it*) springtast [*der bruges som genvej*].

hotline ['hɔtlain] *sb.* (*tlf.*) varm linje; direkte linje.

hot list *sb.* (*til internettet*) [*liste over interessante sites*].

hot metal *sb.* (*typ.*) bly.

hotnot ['hɔtnɔt] *sb.* (*sydafr. neds.*) nigger.

hot pants *sb. pl.* hotpants [*meget korte shorts*].

hotplate ['hɔtpleit] *sb.* **1.** (*på komfur*) kogeplade; **2.** (*til at holde mad varm*) varmeplade; fyrfad.

hotpot ['hɔtpɔt] *sb.* ragout; gryderet.

hot potato *sb.* (*fig.*) varm kartoffel.

hot press *sb.* satineringsmaskine [*til tekstil, papir*].

hot-press ['hɔtpres] *vb.* satinere.

hot rod *sb.* (*glds. am.* S) [*bil der er ombygget og tunet*].

hots [hɔts] *sb. pl.*: *have the* ~ *for* være varm på.

hot seat *sb.* **1.** T varm stol; udsat post; **2.** (*am.* S) elektrisk stol.

hotshot ['hɔtʃɔt] *sb.* (*am.* T) stor kanon; stort talent.

hot spot *sb.* **1.** livligt sted; **2.** (*pol.*) urocenter; brændpunkt; **3.** (*geol.*) hot spot; **4.** (*it*) [*sted på skærmen hvor der kan klikkes*].

hotspur ['hɔtspə:] *sb.* (*glds.*) brushoved; fusentast.

hot stuff *sb.* S **1.** skrap fyr; **2.** (*om pige*) lækker steg; **3.** (*om ting*) skrappe sager.

hot-tempered [hɔt'tempəd] *adj.* hidsig, opfarende.

hot tub *sb.* boblebad.

hot water *sb.* varmt vand;
□ *be in* ~ være i en slem knibe.

hot-water [hɔt'wɔ:tə] *adj.* varmtvands-.

hot-water bottle *sb.* varmedunk.

hot-wire [hɔt'waiə] *vb.* **1.** (*bilmotor*) kortslutte tændingen i; **2.** (*bil*) starte ved at kortslutte tændingen.

houmous ['huməs] *sb.* hummus [*kikærtepuré med diverse krydderier*].

hound[1] [haund] *sb.* jagthund [*til rævejagt*]; støver;
□ *ride to -s* (*glds.*) drive/deltage i parforcejagt; drive rævejagt.

hound[2] [haund] *vb.* forfølge, jage, plage;
□ *be -ed out* blive jaget/drevet ud (*fx he was -ed out of the town by his enemies*); blive presset ud (*fx of one's job*).

hound's-tongue ['haundztʌŋ] *sb.* (*bot.*) hundetunge.

houndstooth ['haundztu:θ] *sb.* (*mønster på stof*) (stort) hanefjed.

hour ['auə] *sb.* **1.** time; **2.** tidspunkt, klokkeslæt (*fx please state the date and the* ~); **3.** tid; stund

(*fx his darkest//finest* ~);
□ *-s* (*mht. arbejde*) **a.** arbejdstid (*fx long//short -s*); **b.** kontortid; **c.** (*forretnings etc.*) åbningstid; **d.** (*læges etc.*) konsultationstid; (se også *hours*); *the office -s are 10-5* kontoret er åbent 10-5; kontortiden er 10-5; *keep early//late -s, work long -s, after//out of -s* se: *ndf.*;
[*med adj.*] *the darkest* ~ *is before the dawn* (*omtr.*) når nøden er størst er hjælpen nærmest; *the early -s of Saturday morning* tidligt lørdag morgen; *keep early -s* føre et regelmæssigt liv; (se også *small*[2], *unearthly, unsocial*);
[*med vb.*] *his* ~ *has* **come a.** hans time er kommet [ɔ: *han skal dø*]; **b.** nu har han sit livs/sin store chance; *keep early/regular -s* **a.** stå tidligt op og gå tidligt i seng; **b.** leve regelmæssigt; **c.** komme tidligt hjem//på arbejde *etc.*; *keep late/unusual -s* **a.** stå sent op og gå sent i seng; **b.** føre et uregelmæssigt liv; **c.** komme sent hjem//på arbejde *etc.*; *the clock* **strikes** *the* ~ uret slår hel; *his* ~ *has* **struck** = *his* ~ *has come*; *work long -s* have en lang arbejdsdag; *work regular -s* have en regelmæssig arbejdstid;
[*med præp.*] **after** *-s* efter lukketid; efter arbejdstidens ophør; *at this* ~ **a.** på dette tidspunkt; **b.** i denne time/stund; *at all -s* på alle mulige tidspunkter; **by** *the* ~ **a.** per/pr. time (*fx hire a cab by the* ~; *paid by the* ~); **b.** = *from* ~ *to* ~; ~ *by* ~ **a.** fra time til time;
b. = *from* ~ *to* ~; **for** *-s* (*and -s*) i timevis; **from** ~ *to* ~ fra time til time; *time for time*; **in** *a good//evil* ~ i en heldig//ulykkelig stund; *in the* ~ *of danger* i farens stund; **on** *the* ~ kl. hel; *buses leave every* ~ *on the* ~ busser afgår hver fulde time; **out of** *-s* uden for arbejdstiden; **per** ~ per/pr. time; i timen; **till** *all* ~ til langt ud på natten.

hourglass ['auəgla:s] *sb.* timeglas;
□ *she has an* ~ *figure* hun har hvepsetalje.

hour hand *sb.* lille viser.

hourly ['auəli] *adj.* **1.** hver time (*fx an* ~ *bus service*); time- (*fx news*); **2.** pr. time; time- (*fx wage*);
□ *at* ~ *intervals* med en times mellemrum.

hours ['auəz] *sb. pl.* **1.** (*rel.*) tidebønner; **2.** (*om arbejde*) se *hour*; **3.** (*adv.*) mange timer (*fx it lasted//took -s*).

house[1] [haus] *sb.* (*pl. -s* ['hauziz]) **1.** (*bygning, firma, konge-*) hus;

H *house*

2. (*hvor man bor*) bolig; hus; **3.** (*teat. etc.*) forestilling (*fx the second* ~); sal, tilskuerplads; hus (*fx they played to full -s*); **4.** (*især i diskussionsklub*) forsamling (*fx this ~ finds that ...*); **5.** (*del af skole*) hus; **6.** (*parl.*) kammer; hus (*fx the upper* ~);
□ *an Englishman's ~ is his castle* [*en englænders privatliv er ukrænkeligt*]; (*se også* fire[1] (*like a house on fire*); safe[2]);
the House **a.** Tinget [*Overhuset, Underhuset*]; **b.** Christ Church [*i Oxford*]; **c.** børsen [*i London*]; **d.** (*am.*) Repræsentanternes Hus; *the House rose at 9 o'clock* (parlaments)mødet hævedes kl. 9; *be before the House* være 'for i parlamentet; *this is on the* ~ denne omgang er på værtens regning; [*med vb.*] *bring down the* ~ (*fig.*) vælte huset; høste stormende bifald; *go all round the -s* (*fig.*) gøre det hele så indviklet; *keep* ~ holde hus; føre hus; *keep* ~ *with* bo sammen med; *keep the* ~ holde sig hjemme; *keep a good* ~ føre stort hus; beværte sine gæster godt; (*se også* open[1]); *move* ~ flytte; *play* ~ T lege far, mor og børn; *put/set one's* ~ *in order* bringe orden i sine sager; *put/set one's own* ~ *in order* feje for sin egen dør; *set up* ~ *for oneself* sætte foden under eget bord.
house[2] [hauz] *vb.* **1.** (*person*) huse; give tag over hovedet; **2.** (*om bygning, samling*) huse, rumme;
□ ~ *together* bo sammen.
house agent *sb.* **1.** indehaver af udlejningsbureau; **2.** ejendomsmægler.
house arrest *sb.* husarrest.
houseboat ['hausbəut] *sb.* husbåd.
housebound ['hausbaund] *adj.*: *be* ~ ikke kunne forlade sit hjem; være nødt til at blive hjemme.
houseboy ['hausbɔi] *sb.* tjener.
housebreak ['hausbreik] *vb.* (*am.*) se *house-train*.
housebreaker ['hausbreikə] *sb.* indbrudstyv.
housebroken ['hausbrouk(ə)n] *adj.* (*am.*) stueren.
housecarl [hauska:l] *sb.* (*hist.*) hirdmand.
houseclean ['hauskli:n] *vb.* gøre rent.
house flag *sb.* (*mar.*) rederiflag, kontorflag.
housefly ['hausflai] *sb.* stueflue.
house guest *sb.* liggende gæst.
household[1] ['haus(h)əuld] *sb.* **1.** husholdning; **2.** (*mennesker*) husstand; **3.** (*om kongehuset*) hof-

holdning.
household[2] ['haus(h)əuld] *adj.* husholdnings-; (*se også* household word).
householder ['haus(h)əuldə] *sb.* ejer//lejer af hus//lejlighed.
household gods *sb. pl.* husguder.
household goods *sb. pl.* husholdningsartikler.
household name *sb.* = household word.
household troops *sb. pl.* livgarde.
household word *sb.*: *it has become a* ~ det er blevet almindelig kendt; det er blevet et begreb.
househunter ['haushʌntə] *sb.* boligsøgende.
house husband *sb.* hjemmegående husfader.
housekeeper ['hauski:pə] *sb.* husbestyrerinde; husholderske.
housekeeping ['hauski:piŋ] *sb.* **1.** husførelse, husholdning; **2.** husholdningspenge; **3.** (*i hotel etc.*) rengøringsafdeling; **4.** (*for at holde orden på tingene*) administration;
□ *we started* ~ vi begyndte at føre hus.
housekeeping money *sb.* husholdningspenge.
houseleek ['hausli:k] *sb.* (*bot.*) husløg.
house lights *sb. pl.* (*teat.*) salslys.
housemaid ['hausmeid] *sb.* stuepige; tjenestepige.
housemaid's knee *sb.* vand i knæet.
houseman ['hausmən] *sb.* (*pl.* -men [-mən]) **1.** = house officer; **2.** (*am.*) = houseboy.
house martin *sb.* (*zo.*) bysvale.
housemaster ['hausma:stə], **housemistress** ['hausmistrəs] *sb.* [*lærer der leder et "hus" på en skole*].
House of ... *sb.* se common[2], key[1], lord[1], representative[1].
house officer *sb.* (*med.*) kandidat [*på et hospital*].
house of ill fame *sb.* (*glds. el. spøg.*) berygtet/offentligt hus; bordel.
house painter *sb.* maler [*håndværker*].
house party *sb.* [*selskab (på landet) af overnattende gæster*].
house plant *sb.* stueplante.
houseproud ['hauspraud] *adj.*: *she is* ~ (*om husmoder*) hun er meget huslig; hun gør meget ud af sit hus; (*neds.*) hun har rengøringsvanvid.
houseroom ['hausrum] *sb.* husly; husrum;
□ *I would not give that table* ~ jeg ville ikke have det bord i huset/

inden for mine døre; jeg vil hverken eje eller have det bord.
house-sit ['haussit] *vb.* [*passe hus for nogen mens de er bortrejst*].
house-sitter ['haussitə] *sb.* [*en der passer ens hus mens man er borte*].
house sparrow *sb.* (*zo.*) gråspurv.
house-to-house [haustə'haus] *adj.* fra dør til dør.
house-train ['haustrein] *vb.*
1. (*hund*) gøre stueren; **2.** (*person*) gøre velopdragen.
housewares ['hauswerz] *sb. pl.* (*am.*) = household goods.
housewarming ['hauswɔ:miŋ] *sb.* indflytningsfest.
housewife ['hauswaif] *sb.* (*pl.* -wives [-waivz]) husmor.
housewifely ['hauswaifli] *adj.* husmoderlig.
housework ['hauswə:k] *sb.* husligt arbejde, husarbejde.
housey-housey [hauzi'hauzi] *sb.* (*glds.*) = bingo.
housing[1] ['hauziŋ] *sb.* **1.** boliger; **2.** (*tekn.*) hus; indkapsling; afskærmning; **3.** (*glds.: til hest*) sadeldækken; skaberak.
housing[2] ['hauziŋ] *adj.* bolig- (*fx conditions* forhold).
housing association *sb.* boligforening; almennyttigt boligselskab.
housing benefit *sb.* (*svarer til*) boligsikring.
housing development *sb.* (*am.*) se housing estate.
housing estate *sb.* samlet byggeri; bebyggelse, boligområde; udstykning.
housing market *sb.* boligmarked.
housing project *sb.* (*am.*) [*byggelse med socialt boligbyggeri*].
housing shortage *sb.* bolignød.
housing stock *sb.* boligmasse.
houting ['hautiŋ] *sb.* (*zo.*) snæbel [*en fisk*].
hove [həuv] (*mar.*) præt. & præt. ptc. af heave[2].
hovel ['hɔv(ə)l, 'hʌ-] *sb.* **1.** (*om hus*) elendig hytte, rønne, skur; **2.** (*om sted*) hul.
hover ['hɔvə, 'hʌvə] *vb.* **1.** (*om fugl etc.*) svæve; stå stille i luften;
2. (*om person*) holde sig (*fx near her; in the background*); tøve, stå tøvende (*fx outside his door*);
3. (*om pris etc.*) ligge (og vippe// vakle) (*fx inflation -ed around 4%*);
□ ~ *about* drive om [*i nærheden*]; ~ *about her* kredse om hende; *a smile -ed about his lips* der spillede et smil om hans læber; ~ *between* **a.** vakle mellem (*fx taking the job and refusing it*); **b.** svæve

mellem (*fx hope and fear; life and death*).

hovercraft [ˈhɔvəkraːft, ˈhʌ-] *sb.* luftpudefartøj.

hover mower *sb.* luftpudegræsslåmaskine.

how[1] [hau] *sb.* måde noget skal gøres på; metode (*fx he knows the* ~).

how[2] [hau] *adv.* **1.** hvordan (*fx* ~ *did you do it?*); (*i udråb også*) hvor (*fx* ~ *could he be so stupid?*); **2.** (+ *adj., adv.*) hvor (*fx* ~ *big is it?*); (*i udråb*) hvor (*fx* ~ *hot it is!* hvor er det varmt! ~ *strange that he should be here!*); så (*fx it is incredible* ~ *stupid he is*);
□ ~ *about* hvad med (*fx a cup of coffee;* ~ *about trying?*); ~ *about that?* hvad siger du 'så? *and* ~! (*am.* T; *glds.*) ja det skal jeg love for han *etc.* gjorde// var *etc.;* ~ *are* you? hvordan har du det? hvordan går det? ~ *do you do?* F goddag! ~ *is he?* hvordan har han det? ~ *is it that ...?* hvordan kan det være at ...? ~ *much is that?* hvor meget bliver//koster det? ~ *now?* hvad nu? ~ *so?* hvordan det? hvordan kan 'det være? *how's 'that?* **a.** hvordan kan 'det være? **b.** hvad siget du til 'det? **c.** (T: *når man ikke har hørt det*) hvabehar?, hvad? *how's that for an offer* **a.** (*spørgsmål*) er det et ordentligt tilbud? **b.** (*udråb*) det kan man vel nok kalde et tilbud! *he knows* ~ *to do it* **a.** han ved hvordan det skal gøres; **b.** han kan gøre det rigtigt.

how[3] [hau] *konj.* **1.** hvordan (*fx I don't know* ~ *it happened; you know* ~ *he is*); **2.** (T: *om frit valg*) som (*fx come* ~ *you like*); □ *well, that's* ~ *it is* sådan er det nu engang; *this is* ~ *you ought to do it* det er sådan du skal gøre det.

howdah [ˈhaudə] *sb.* [*teltsæde på ryggen af en elefant*].

how-do-you-do, how-d'ye-do [haudjuˈduː] *sb.* (*glds.* T) værre redelighed; slem suppedas.

howdy [ˈhaudi] *interj.* (*am.* T) davs!

however [hauˈevə] *adv.* **1.** hvor ... end (*fx* ~ *fast he ran* hvor hurtigt han end løb); **2.** (+ *sætning*) hvordan ... end (*fx* ~ *you look at it*); **3.** (*som sætningsadv.*) alligevel, dog (*fx it is,* ~, *not impossible*); imidlertid; **4.** (*jf. ever 2*) hvordan i alverden; hvordan ... dog.

howff [hauf] *sb.* (*skotsk*) mødested.

howitzer [ˈhauitsə] *sb.* (*mil.*) haubitzer.

howl[1] [haul] *sb.* (jf. *howl*[2]) **1.** hylen; (*enkelt*) hyl; **2.** tuden; **3.** skrålen, brølen, vrælen; (*enkelt*) skrål, brøl, vræl; **4.** brølen; (*enkelt*) brøl.

howl[2] [haul] *vb.* **1.** hyle; **2.** (*om vinden*) tude; **3.** (*især om barn: af smerte etc.*) skråle, brøle, vræle; **4.** (T *om person: råbe højt*) brøle; □ ~ *sby down* overdøve en med brøl; ~ *with laughter* skrige/hyle af grin.

howler [ˈhaulə] *sb.* **1.** (*fejl*) brøler, bommert; **2.** (*zo.*) brøleabe.

howler monkey *sb.* (*zo.*) brøleabe.

howling [ˈhauliŋ] *adj.*: *a* ~ *success* T en dundrende succes.

howsoever [hausəuˈevə] *adv.* (*glds. el. litt.*) = *however* (*1,2*).

hoyden [ˈhɔid(ə)n] *sb.* (*glds.*) viltert pigebarn; vildkat.

Hoyle [hɔil] [*forfatter af en bog om spil og sport*]; □ *according to* ~ efter reglerne.

HP *fork. f.* hire purchase.

hp *fork. f.* horsepower.

HQ *fork. f.* headquarters.

hr *fork. f.* hour.

HRH *fork. f.* His//Her Royal Highness.

HRT *fork. f.* hormone replacement therapy hormonbehandling [*især: for kvinder i overgangsalderen*].

hub [hʌb] *sb.* **1.** hjulnav; **2.** (*fig.*) centrum (*fx a* ~ *of industry*); □ *the* ~ *of the universe* (*fig.*) verdens navle.

hubbub [ˈhʌbʌb] *sb.* **1.** larm; **2.** ståhej, hurlumhej.

hubby [ˈhʌbi] *sb.* (*glds.* T) = husband.

hubcap [ˈhʌbkæp] *sb.* hjulkapsel.

hubris [ˈhjuːbris] *sb.* hybris, overmod.

huckleberry [ˈhʌklberi] *sb.* (*am. bot.*) blåbær.

huckster [ˈhʌkstə] *sb.* **1.** (*neds.*) kræmmer, høker; **2.** (*glds.*) gadehandler; kræmmer; **3.** (*am.*) reklameagent.

huddle[1] [ˈhʌdl] *sb.* klynge (*fx of houses; some people stood in a* ~); klump; □ *go into a* ~ T holde (hemmelig) rådslagning; holde krigsråd.

huddle[2] [ˈhʌdl] *vb.* **1.** krybe sammen; **2.** stå//sidde tæt sammen; □ ~ *around* the fire klumpe sig/ krybe sammen omkring ilden; ~ *on one's clothes* fare i tøjet; ~ *together* **a.** stimle sammen; **b.** trykke sig op ad hinanden; ~ *up* krybe sammen; *lie -d up* ligge sammenkrøbet; ~ *up against* trykke sig op ad; *be -d with* holde rådslagning med.

hue [hjuː] *sb.* **1.** farve, skær (*fx her*

hair had lost its golden ~); (*især ansigts-*) lød; **2.** (*af farve*) (farve)tone (*fx a pleasing* ~ *of green*); **3.** (*fig.*) afskygning (*fx all -s of political opinion*).

hue and cry *sb.* **1.** ramaskrig; **2.** (*glds.*) anskrig [*ved forbrydelse*]; forfølgelse [*af forbryder*]; □ *raise a* ~ **a.** opløfte et ramaskrig; starte en voldsom kampagne (*against* mod); **b.** (*glds.*) skrige gevalt.

huff[1] [hʌf] *sb.:* in a ~ T smækfornærmet; *go into a* ~ T blive smækfornærmet.

huff[2] [hʌf] *vb.* **1.** (*besværet, anstrengt*) pruste, puste; **2.** (*fornærmet*) vrisse, fnyse; **3.** (*en brik, i damspil*) puste; □ ~ *and puff* T **a.** puste og stønne; **b.** råbe op, buldre; rase og regere.

huffy [ˈhʌfi] *adj.* T **1.** fornærmet, krænket, fortørnet, opbragt; **2.** (*om egenskab*) let at støde, prikken.

hug[1] [hʌg] *sb.* omfavnelse; T knus, kram.

hug[2] [hʌg] *vb.* **1.** (*person*) omfavne, knuge/trykke ind til sig; T give et knus (*fx have you -ged your child today?*); kramme; **2.** (*ting*) knuge ind til sig (*fx she was -ging her teddy bear*); **3.** (*fig.*) hænge ved, holde fast ved (*fx a belief*); holde sig tæt ved (*fx the side of the road*); □ ~ *oneself* gnide sig i hænderne; godte sig; [*med sb.*] ~ *one's knees* sidde med armene om knæene; ~ *the shore* (*mar.*) holde sig tæt til kysten; ~ *the wind* (*mar.*) knibe tæt til vinden.

huge [hjuːdʒ] *adj.* kæmpestor, vældig, enorm, uhyre.

hugeness [ˈhjuːdʒnəs] *sb.* uhyre størrelse.

huggable [ˈhʌgəbl] *adj.* som man får lyst til at knuselske//omfavne.

hugger-mugger [ˈhʌgəmʌgə] *adj.* **1.** rodet; hulter til bulter; **2.** hemmelig.

Huguenot [ˈhjuːgənɔt] *sb.* (*hist.*) huguenot.

hula [ˈhuːlə] *sb.* hula(-hula) [*hawaiiansk dans*].

hulk [hʌlk] *sb.* **1.** klods, stort skrummel; **2.** (*af ting*) ruin, vrag; **3.** (*aftaklet skib*) logiskib; depotskib.

hulking [ˈhʌlkiŋ] *adj.* kæmpestor, klodset, kluntet.

hull[1] [hʌl] *sb.* **1.** (*bot.: på jordbær*) blomst; (*på nød*) has; (*på ærter, bønner*) bælg; (*på korn*) skal; **2.** (*mar.: af skib*) skrog; **3.** (*af ra-*

H *hull*

ket) hylster.

hull² [hʌl] *vb.* (jf. *hull¹*) **1.** (*jordbær, ærter*) pille; (*nødder*) hase; (*ærter, bønner*) afbælge; (*korn*) afskalle (*fx -led rice*); **2.** (*mar.*) ramme i skroget.

hullabaloo [hʌləbə'lu:] *sb.* rabalder, hurlumhej.

hullo [hə'ləu] *interj.* se *hello.*

hum¹ [hʌm] *sb.* (jf. *hum²*) **1.** summen; brummen; surren; **2.** nynnen; **3.** T lugt, stank;
□ *the ~ of the city* byens pulserende liv.

hum² [hʌm] *vb.* **1.** summe; brumme; (*om insekt også*) surre; **2.** (*melodi*) nynne; **3.** T lugte, stinke;
□ *~ and haw/ha(h)* **a.** tøve, være usikker, vakle frem og tilbage; **b.** hakke og stamme i det; *make things ~* sætte fart i tingene; sætte liv i kludene; *~ with activity* summe af aktivitet.

hum³ [hʌm] *interj.* hm!

human¹ ['hju:mən] *sb.* menneske.

human² ['hju:mən] *adj.* **1.** menneskelig (*fx voice; error; the ~ body; he seems quite ~*); menneske- (*fx type; voice*); **2.** (*fagl.*) human (*fx genetics; geography*);
□ *he is only ~* han er kun et menneske.

human being *sb.* menneske, menneskeligt væsen.

humane [hju'mein] *adj.* **1.** menneskevenlig, menneskekærlig; **2.** (*om fremgangmåde: ikke smertefuld etc.*) human (*fx methods of killing; treatment of prisoners*).

humanism ['hju:mənizm] *sb.* humanisme.

humanist ['hju:mənist] *sb.* humanist.

humanistic [hju:mə'nistik] *adj.* humanistisk.

humanitarian¹ [hjumæni'tɛəriən] *sb.* menneskeven.

humanitarian² [hjumæni'tɛəriən] *adj.* humanitær (*fx aid*).

humanity [hju'mænəti] *sb.* **1.** menneskeheden; **2.** (jf. *human²*) menneskelighed; **3.** (jf. *humane*) menneskevenlighed, menneskekærlighed; humanitet;
□ *the humanities* de humanistiske videnskaber//fag; humaniora.

humanize ['hju:mənaiz] *vb.* humanisere, menneskeliggøre.

humankind [hju:mən'kaind] *sb.* menneskeslægten.

human race *sb.: the ~* menneskeslægten.

human resources *sb. pl.* personale; arbejdskraft.

human waste *sb.* menneskelige af-

---

faldsprodukter; ekskrementer.

humble¹ ['hʌmbl] *adj.* **1.** (*om egenskab*) ydmyg; underdanig; **2.** (*om status etc.*) jævn, beskeden (*fx his ~ origin//background; in ~ circumstances* (kår)); simpel (*fx a ~ mechanic*); F ringe (*fx of ~ birth* (byrd); *in my ~ opinion*); **3.** (*om ting, sted*) beskeden (*fx cottage*); uanselig (*fx village*); (*let glds.*) tarvelig (*fx dwelling*);
□ *my ~ abode* (spøg.) min ringe bolig; *I did my ~ best* jeg gjorde mit bedste efter fattig evne; *my ~ self* min ringhed.

humble² ['hʌmbl] *vb.* ydmyge.

humble pie *sb.: eat ~* ydmyge sig; bede ydmygt om forladelse; krybe til korset.

humbug ['hʌmbʌg] *sb.* **1.** svindel, humbug; **2.** (*ytring*) tom snak, vås; **3.** (*person*) bedrager, humbugsmager; **4.** (*slik*) pebermyntebolsje.

humdinger ['hʌmdiŋə] *sb.* (*glds. el. spøg.*) pragteksemplar.

humdrum ['hʌmdrʌm] *adj.* triviel, ensformig, kedsommelig; hverdagsagtig; hverdagsgrå.

humerus ['hju:mərəs] *sb.* (*pl. humeri* [-rai]) (*anat.*) overarmsknogle.

humid ['hju:mid] *adj.* fugtig.

humidifier [hju:'midifaiə] *sb.* luftbefugter; (*til radiator*) vandfordamper.

humidify [hju:'midifai] *vb.* befugte, fugte.

humidity [hju:'miditi] *sb.* luftfugtighed.

humiliate [hju'milieit] *vb.* ydmyge.

humiliation [hjumili'eiʃn] *sb.* ydmygelse.

humility [hju'miləti] *sb.* ydmyghed.

hummer ['hʌmə] *sb.* se *HMMWV.*

hummingbird ['hʌmiŋbə:d] *sb.* (*zo.*) kolibri.

hummock ['hʌmək] *sb.* (*litt.*) lille høj; tue, knold.

hummus *sb.* = *houmous.*

humongous [hju:'mɒŋgəs] *adj.* (*am.* S) gevaldig, enorm.

humorist ['hju:mərist] *sb.* humorist.

humorous ['hju:m(ə)rəs] *adj.* humoristisk.

humour¹ ['hju:mə] *sb.* **1.** humor; **2.** humør (*fx in good//bad ~*);
□ *in good//bad ~* (også) i godt// ondt lune; *be in no ~ for* ikke være oplagt til; *be out of ~* (glds.) være i dårligt humør; *sense of ~* humoristisk sans.

humour² ['hju:mə] *vb.* føje, rette sig efter.

hump¹ [hʌmp] *sb.* **1.** (*på person//

---

kamel) pukkel; **2.** (*på jorden*) lille høj; tue; **3.** (*i vej: til trafikdæmpning*) bump; **4.** (*jernb.*) rangerryg;
□ *get a ~ on* (am. S) få fart på; *get the ~* T komme i dårligt humør; *give sby the ~* T sætte en i dårligt humør; ærgre en, irritere én; *be over the ~* (fig.) være over det værste.

hump² [hʌmp] *vb.* **1.** T slæbe, bære; **2.** (*vulg.*) bolle;
□ *~ one's back* **a.** gøre sig skrutrygget; **b.** (*om kat*) skyde ryg.

humpback ['hʌmpbæk] *sb.* **1.** = *hunchback*; **2.** = *humpback whale*; **3.** = *humpback salmon*.

humpback bridge *sb.* [*lille, stejlt buet vejbro*].

humpback salmon *sb.* (*zo.*) pukkellaks.

humpback whale *sb.* (*zo.*) pukkelhval.

humph [mm, hʌmpf] *interj.* hm!

humpy¹ ['hʌmpi] *sb.* (*austr.*) (primitiv) hytte; rønne, skur.

humpy² ['hʌmpi] *adj.* **1.** pukkelrygget; **2.** puklet; bulet.

humungous [hju:'mʌŋgəs] *adj.* = *humongous.*

humus ['hju:məs] *sb.* humus, muldjord.

humvee ['hʌmvi:] *sb.* se *HMMWV.*

Hun [hʌn] *sb.* **1.** (*hist.*) hunner; **2.** (*glds. S, neds.*) tysker.

hunch¹ [hʌn(t)ʃ] *sb.* fornemmelse; (*forud*)anelse;
□ *I have a ~ that* T jeg har en anelse om at; jeg har på fornemmelsen at.

hunch² [hʌn(t)ʃ] *vb.* bøje sig frem (med skuldrene trukket op); sidde krumbøjet; lude;
□ *~ up one's back//shoulders* trække skuldrene op; gøre sig skrutrygget.

hunchback ['hʌn(t)ʃbæk] *sb.* **1.** pukkel; **2.** pukkelrygget person.

hunchbacked ['hʌn(t)ʃbækt] *adj.* pukkelrygget.

hunched [hʌn(t)ʃt] *adj.* krumbøjet; ludende.

hundred ['hʌndrəd] *talord* **1.** hundrede; **2.** (*i klokkeslæt*) nul nul (*fx at fifteen ~ hours* kl. 15.00);
□ *have a ~ and one things to do* have hundrede og sytten ting at gøre.

hundredth¹ ['hʌndrədθ] *sb.* hundrededel.

hundredth² ['hʌndrədθ] *adj.* (*ordenstal*) hundrede.

hundredweight ['hʌndrədweit] *sb.* centner [*i England 112 lbs. (50,80 kg); i Amerika 100 lbs. (45,36 kg)*].

hung¹ [hʌŋ] *præt. & præt. ptc. af hang².*

hung² [hʌŋ] *adj.* hvor stemmerne står lige, hvor der ikke er noget klart//beslutningsdygtigt flertal (*fx a ~ referendum; a ~ parliament; a ~ jury*); (se også *hung-over, hung-up, well-hung*).
Hungarian¹ [hʌŋ'gɛəriən] *sb.* **1.** (*person*) ungarer; **2.** (*sprog*) ungarsk.
Hungarian² [hʌŋ'gɛəriən] *adj.* ungarsk.
Hungary ['hʌŋgəri] Ungarn.
hunger¹ ['hʌŋgə] *sb.* **1.** sult (*fx die of ~*); **2.** (*fig.*) hunger (*for* efter); dyb trang (*for* til); tørst (*for* efter, *fx praise*);
□ *~ for knowledge* kundskabstørst.
hunger² ['hʌŋgə] *vb.* (*fig., litt.*) hungre (*for/after* efter, *fx the truth; power*).
hunger strike *sb.* sultestrejke.
hung-over [hʌŋ'əuvə] *adj.: be ~* have tømmermænd.
hungrily ['hʌŋgrili] *adv.* forsultent; begærligt.
hungry ['hʌŋgri] *adj.* **1.** sulten; **2.** (*fig., litt.*) sulten (*for* efter); begærlig (*for* efter, *fx power*);
□ *be ~ for* (*jf. 2, også*) hungre efter; *go ~* (*jf. 1*) sulte.
hung-up [hʌŋ'ʌp] *adj.: be ~ about* have et kompleks/en prik med; være besat af; *be ~ on* være vild/skør med.
hunk [hʌŋk] *sb.* **1.** stort stykke; (*af brød*) humpel; (*af kød*) luns; **2.** (T: om mand) lækker//flot fyr; (*stor*) stort brød.
hunker ['hʌŋkə] *vb.: ~ down* (*am.*) **a.** sætte sig//sidde på hug; **b.** (*som forberedelse*) sætte sig til rette; slå sig ned; indstille sig på at vente; **c.** (*mht. opgave*) tage fat, klø 'på.
hunkers ['hʌŋkəz] *sb. pl.: on one's ~* på hug.
hunks [hʌŋks] *sb.* (*am.* T) ubehagelig/kedelig fyr; fedtsyl.
Hunky ['hʌŋki] *sb.* (*am.* S, *neds.*) arbejder fra centraleuropa.
hunky ['hʌŋki] *adj.* (*am.* S: om fyr) lækker.
hunky-dory [hʌŋki'dɔːri] *adj.* (*glds.* T) fin-fin; glimrende.
hunt¹ [hʌnt] *sb.* **1.** jagt; **2.** (*fig.: for at finde*) eftersøgning (*for* af/efter, *fx the lost purse*); jagt, søgen (*for* efter); **3.** (*fig.: for at fange*) jagt, klapjagt (*for* på, *fx the murderer*); **4.** (*gruppe jægere*) jagtselskab; **5.** (*område*) jagtrevir.
hunt² [hʌnt] *vb.* **1.** jage; jage efter; gå på jagt efter; **2.** (*fig.: for at fange*) jage, jagte (*fx a thief*); **3.** (*hest*) bruge til jagt; **4.** (*uden objekt*) jage; gå på jagt; (*i Engl.*

også, om person) dyrke rævejagt; **5.** (*fig.: for at finde*) søge, lede (*fx I have -ed all over the place*); **6.** (*tekn.*) pendle;
□ *~ down* **a.** jage og indhente; finde og fange; **b.** (*forbryder*) forfølge og pågribe; *~ for* **a.** (*jf. 5*) lede efter (*fx we -ed high and low for the book*); **b.** (*jf. 4*) gå på jagt efter; *~ out* (lede efter og) finde frem (*fx old family photos*); (*sted*) finde frem til (*fx a vegetarian restaurant*); *~ up* opspore (*fx a quotation; details about it*); opsnuse (*fx an old edition*).
hunt-and-peck [hʌntən'pek] *adj.* som bruger tofingersystemet [ɔ: på skrivemaskine etc.].
hunter ['hʌntə] *sb.* **1.** jæger; **2.** jagthest; **3.** dobbeltkapslet ur; **4.** (*am.*) jagthund.
hunter-gatherers [hʌntə'gæð(ə)rəz] *sb. pl.* jægere og samlere.
hunting¹ ['hʌntiŋ] *sb.* **1.** jagt [*især rævejagt til hest*]; støverjagt; parforcejagt; **2.** søgen; **3.** (*tekn.*) pendling; pendulsvingning(er).
hunting² ['hʌntiŋ] *adj.* jagt- (*fx dog; rifle*).
hunting crop *sb.* kort ridepisk [*til jagt*].
hunting ground *sb.* **1.** jagtdistrikt, jagtrevir, jagtterræn; **2.** (*fig.*) jagtmark; (se også *happy hunting ground*).
Hunts [hʌnts] *fork. f. Huntingdonshire.*
huntsman ['hʌntsmən] *sb.* (*pl. -men* [-mən]) **1.** jæger; **2.** (*ved parforcejagt, rævejagt*) pikør [ɔ: *der holder hundene sammen*]; jagtfører.
hurdle¹ ['həːdl] *sb.* **1.** (*i sport*) hæk; **2.** (*i hestevæddeløb & fig.*) hurdle, forhindring;
□ *the -s* (*i sport*) hækkeløb.
hurdle² ['həːdl] *vb.* **1.** løbe hækkeløb; **2.** (*med objekt*) sætte over (*fx a fence; a gate*).
hurdler ['həːdlə] *sb.* hækkeløber.
hurdy-gurdy ['həːdiɡəːdi] *sb.* lirekasse.
hurl [həːl] *vb.* kaste, slynge, kyle;
□ *~ oneself at* kaste sig i armene på; *~ oneself into* kaste sig ud i.
hurling ['həːliŋ] *sb.* [*gammelt irsk hockeylignende spil*].
hurly-burly ['həːlibəːli] *sb.* virvar, hurlumhej, tummel; larm.
hurrah¹ [hu'rɑː], **hurray** [hu'rei] *vb.* råbe hurra.
hurrah² [hu'rɑː], **hurray** [hu'rei] *interj.* hurra.
hurricane ['hʌrikən, (*især am.*) -kein] *sb.* orkan.
hurricane lamp *sb.* stormlygte; fla-

germuslygte.
hurried ['hʌrid] *adj.* **1.** hastig, forjaget (*fx breakfast*); skyndsom (*fx retreat*); **2.** (*om person*) forjaget.
hurry¹ ['hʌri] *sb.* hast; hastværk;
□ *there is no ~* det haster ikke; det har ingen hast;
[*med: in*] *in a ~* i en fart; hastigt; *be in a ~* have travlt; have hastværk; *he won't do that again in a ~* det varer noget før han gør det igen; det gør han ikke igen lige med det samme; *you won't find a better one in a ~* det bliver svært at finde en bedre; *be in no ~* ikke have travlt; *be in no ~ to* ikke have travlt med at; ikke have nogen hast med at (*fx leave*); ikke have lyst til at (*fx see him again*); *in one's ~* i skyndingen; i farten.
hurry² ['hʌri] *vb.* **1.** skynde sig; F ile, haste; **2.** (*person*) skynde på (*fx don't ~ me!*); genne, jage (*fx ~ him to bed*); **3.** (*handling etc.*) fremskynde (*fx the work*); forcere (*fx the pace*).
□ *~ away/off* **a.** skynde sig/ile af sted; **b.** (*med objekt*) føre//sende// transportere hurtigt af sted/bort; *he hurried on his clothes* han skyndte sig/for i tøjet; *~ up* **a.** skynde sig (*with* med); få fart på; **b.** (*med objekt*) fremskynde; sætte fart i.
hurt¹ [həːt] *sb.* **1.** fortræd; skade; **2.** (*mental*) sårethed; krænkelse.
hurt² [həːt] *adj.* **1.** skadet; såret; **2.** (*mentalt*) såret, krænket, stødt.
hurt³ [həːt] *vb.* (*hurt, hurt*) **1.** slå, støde (*fx he fell and ~ his knee*); komme til skade med; **2.** (*fig.*) skade (*fx his reputation//career; trade*); gøre fortræd (*fx him*); **3.** (*mentalt*) såre, krænke (*fx his feelings; him*); støde; **4.** (*uden objekt*) gøre ondt (*fx the wound still -s*);
□ *be ~* (*jf. 1*) komme til skade; komme noget til; *~ oneself* slå sig; *my tooth still -s a little* det gør stadig lidt ondt i min tand; *that won't ~* (*fig.*) det skader ikke; det er ingen skade til.
hurtful ['həːtf(u)l] *adj.* sårende, krænkende (*fx remarks*).
hurtle ['həːtl] *vb.* **1.** hvirvle, suse, fare; **2.** (*med objekt*) kaste, slynge.
husband¹ ['hʌzbənd] *sb.* ægtemand, mand.
husband² ['hʌzbənd] *vb.* holde hus med, økonomisere med; spare på.
husbandman ['hʌsbən(d)mən] *sb.* (*pl. -men* [-mən]) landmand.
husbandry ['hʌzbəndri] *sb.* **1.** landbrug; **2.** (*glds.*) økonomi, sparsommelighed.

H hush

hush[1] [hʌʃ] *sb.* stilhed;
□ *he dropped his voice to a* ~ han begyndte at tale med dæmpet stemme.
hush[2] [hʌʃ] *vb.* **1.** tysse på; **2.** (*uden objekt*) blive stille; tie;
□ ~ *up* **a.** dysse ned (*fx a scandal*); holde hemmelig; **b.** (*person*) lukke munden på.
hush[3] [hʌʃ] *interj.* stille! tys!
hushed [hʌʃt] *adj.* **1.** stille, tyst; **2.** sagte (*fx voice*); lavmælt (*fx conversation*).
hush-hush [hʌʃ'hʌʃ] *adj.* tys-tys; hemmelig.
hush money *sb.* [*penge der betales for at få noget dysset ned//for at få en til at tie stille*];
□ *pay sby* ~ købe en til tavshed.
husk[1] [hʌsk] *sb.* **1.** (*på korn*) skal, avne; **2.** (*på majskolbe*) hylster; **3.** (*på nød*) has;
□ *rice in the* ~ uafskallet ris.
husk[2] [hʌsk] *vb.* (jf. *husk*[1]) afskalle; pille; tage hylsteret//hasen af.
husky[1] ['hʌski] *sb.* slædehund, husky.
husky[2] ['hʌski] *adj.* **1.** (*om stemme*) hæs; sløret; **2.** (T: *om mand*) stor og stærk; kraftig; flot.
hussar [hu'za:] *sb.* (*hist.*) husar.
hussy ['hʌsi, 'hʌzi] *sb.* (*især spøg.*) tøs, tøjte.
hustings ['hʌstiŋz] *sb. pl.* valgkampagne.
hustle[1] ['hʌsl] *sb.* **1.** skubben, puffen, masen; trængsel; **2.** (*am.*) fupnummer; fup, svindel.
hustle[2] ['hʌsl] *vb.* **1.** skubbe, puffe; mase, presse; **2.** (*især am.*) snyde, fuppe; **3.** (*uden objekt*) skynde sig, jage; **4.** (*am.*) anstrenge sig; køre 'på, mase 'på; **5.** (*am.* T: *om prostitueret*) trække;
□ *I won't be -d* jeg vil ikke lade mig jage med;
[*med præp.& adv.*] ~ *sby away// out* genne/jage en væk//ud; føre en væk//ud i en fart; ~ *money from sby* narre penge fra en; ~ *sby into doing sth* presse en til at gøre noget; ~ *him off to school* få ham sendt af sted til skole i en fart.
hustler ['hʌslə] *sb.* **1.** gåpåfyr; **2.** (*am.* T) bondefanger; svindler; **3.** luder.
hut [hʌt] *sb.* **1.** (*bolig*) hytte; **2.** (*til opbevaring*) skur; **3.** (*midlertidig*) barak; pavillonbygning; **4.** (*ved stranden*) badehus.
hutch [hʌtʃ] *sb.* **1.** (*fx til kaniner*) kasse, bur; **2.** (*am.*) [*lavt porcelænsskab med hylder foroven*].
hutment ['hʌtmənt] *sb.* (*mil.*) **1.** baraklejr; **2.** anbringelse i baraklejr.

hyacinth ['haiəs(i)nθ] *sb.* (*bot.*) hyacint.
hyaena *sb.* = *hyena.*
hyalite ['haiəlait] *sb.* hyalit, glasopal.
hybrid[1] ['haibrid] *sb.* hybrid, krydsning, blandingsform.
hybrid[2] ['haibrid] *adj.* hybrid, blandet; blandings-.
hybridization [haibridai'zeiʃn] *sb.* hybridation, krydsbefrugtning, krydsbestøvning.
hybridize ['haibridaiz] *vb.* frembringe blandingsformer; krydse, krydsbefrugte, krydsbestøve.
hydra ['haidrə] *sb.* (*myt.*) hydra [*mangehovedet uhyre*].
hydrangea [hai'drein(d)ʒə] *sb.* (*bot.*) hortensia.
hydrant ['haidrənt] *sb.* brandhane.
hydrate[1] ['haidreit] *sb.* (*kem.*) hydrat.
hydrate[2] ['haidreit] *vb.* **1.** fugte; **2.** (*kem.*) hydrere.
hydraulic [hai'drɔ:lik] *adj.* hydraulisk.
hydraulics [hai'drɔ:liks] *sb. pl.* hydraulik.
hydro ['haidrəu] *sb.* **1.** fysisk kuranstalt; kurhotel; **2.** vandkraftværk; **3.** vandkraft.
hydrocarbon [haidrə(u)'ka:b(ə)n] *sb.* (*kem.*) kulbrinte; (*fagl.*) karbonhydrid.
hydrocephalus [haidrə(u)'sefələs] *sb.* (*med.*) vand i hovedet.
hydrochloric [haidrə(u)'klɔrik] *adj.*: ~ *acid* (*kem.*) saltsyre.
hydrodynamic [haidrə(u)dai'næmik] *adj.* hydrodynamisk.
hydroelectric [haidrə(u)i'lektrik] *adj.* hydroelektrisk; vandkraft-.
hydroelectric power *sb.* hydroelektrisk kraft; elektricitet frembragt ved vandkraft.
hydroelectric power station *sb.* vandkraftværk.
hydrofoil ['haidrə(u)fɔil] *sb.* hydrofoilbåd, flyvebåd, bæreplanbåd.
hydrogen ['haidrədʒən] *sb.* (*kem.*) brint; (*fagl.*) hydrogen.
hydrogen bomb *sb.* brintbombe.
hydrogen peroxide *sb.* (*kem.*) brintoverilte; (*fagl.*) hydrogenperoxid.
hydrographic [haidrə(u)'græfik] *adj.* hydrografisk [*som vedrører opmåling og beskrivelse af vandområder*].
hydrographic chart *sb.* søkort.
hydrographic survey *sb.* søopmåling.
hydrography [hai'drɔgrəfi] *sb.* hydrografi; søopmåling.
hydrolysis [hai'drɔlisis] *sb.* (*kem.*) hydrolyse.

hydrometer [hai'drɔmitə] *sb.* flydevægt.
hydropathic [haidrə'pæθik] *sb.* vandkuranstalt.
hydrophobia [haidrə(u)'fəubiə] *sb.* (*med.*) **1.** vandskræk; **2.** (*glds.*) rabies, hundegalskab.
hydrophone ['haidrəfəun] *sb.* hydrofon [*apparat til at opfange lyd i vand*].
hydroplane[1] ['haidrə(u)plein] *sb.* **1.** flyvebåd; hydroplan [*slags speedbåd*]; **2.** (*på ubåd*) dybderor; **3.** (*am.*) vandflyver.
hydroplane[2] ['haidrə(u)plein] *vb.* (*am.*) = *aquaplane*[2] 2.
hydroponics [haidrə(u)'pɔniks] *sb. pl.* hydroponik [*dyrkning af planter i næringsvæske uden jord*].
hydrotherapy [haidrə(u)'θerəpi] *sb.* hydroterapi, vandkur.
hydrous ['haidrəs] *adj.* vandholdig.
hyena [ha(i)'i:nə] *sb.* (*zo.*) hyæne.
hygiene ['haidʒi:n] *sb.* hygiejne.
hygienic [hai'dʒi:nik, (*am. især*) -'dʒen-] *adj.* hygiejnisk.
hygienist ['haidʒi:nist, -'dʒi:-, (*am. især*) -'dʒen-] *sb.* **1.** hygiejniker; **2.** tandplejer.
hygrometer [hai'grɔmitə] *sb.* hygrometer, fugtighedsmåler.
hygroscope ['haigrəskəup] *sb.* hygroskop, fugtighedsviser.
hygroscopic [haigrə'skɔpik] *adj.* hygroskopisk; vandsugende.
hymen ['haimen] *sb.* hymen, jomfruhinde, mødom.
hymn [him] *sb.* salme; hymne; lovsang.
hymnal ['himn(ə)l], **hymnary** ['himn(ə)ri] *sb.* (F *el. glds.*) salmebog.
hymnology [him'nɔlədʒi] *sb.* salmeforskning.
hype[1] [haip] *sb.* **1.** overdreven reklame, reklamegas; reklametrick; **2.** fupnummer; **3.** S narkoman; **4.** (S: *hypodermic*) kanyle; fix, indsprøjtning.
hype[2] [haip] *vb.* T **1.** opreklamere; reklamere overdrevent for; hæve til skyerne; **2.** fuppe, snyde; **3.** forøge, sætte i vejret;
□ ~ *up* **a.** = *1*; **b.** stimulere, gøre opstemt; gejle op.
hyped-up ['haiptʌp] *adj.* opstemt, opgejlet; anspændt, nervøs.
hyper ['haipə] *adj.* hyperaktiv; overgearet.
hyperactive [haipər'æktiv] *adj.* hyperaktiv.
hyperbola [hai'pə:bələ] *sb.* (*mat.*) hyperbel.
hyperbole [hai'pə:bəli] *sb.* (*i stilistik*) overdrivelse; hyperbol.

hypercritical [haipə'kritik(ə)l] *adj.*
overdrevent kritisk.

hyperinflation [haipərin'fleiʃn] *sb.*
hyperinflation, galoperende infla-
tion.

hyperlink ['haipəliŋk] *sb.* (*it*) hy-
perlink.

hypermarket ['haipəma:kit] *sb.*
[*stort supermarked i udkanten af
by*]; storcenter.

hypersensitive [haipə'sensitiv] *adj.*
overfølsom.

hypertension [haipə'tenʃn] *sb.*
(*med.*) for højt blodtryk.

hypertext ['haipətekst] *sb.* (*it*) hy-
pertekst.

hyperventilate [haipə'ventileit] *vb.*
hyperventilere [*trække vejret me-
get hurtigt*].

hyperventilation [haipəventi'leiʃn]
sb. hyperventilering [*meget hurtig
vejrtrækning*].

hyphen ['haif(ə)n] *sb.* bindestreg.

hyphenate ['haifəneit] *vb.* sætte
bindestreg imellem.

hyphenated ['haifəneitid] *adj.* med
bindestreg.

hyphenated American *sb.* binde-
stregsamerikaner [*irskamerikaner,
danskamerikaner etc.*].

hypnosis [hip'nəusis] *sb.* hypnose.

hypnotherapy [hipnəu'θerəpi] *sb.*
hypnoseterapi.

hypnotic[1] [hip'nɔtik] *sb.* (*med.*) so-
vemiddel; (*fagl.*) hypnotikum.

hypnotic[2] [hip'nɔtik] *adj.* **1.** hyp-
notisk (*fx state* tilstand); **2.** (*fig.*)
hypnotisk, søvndyssende (*fx ef-
fect*); **3.** (*med.: om medicin*) søvn-
fremkaldende;
□ ~ *drug* (*med.*) hypnotikum.

hypnotism ['hipnətizm] *sb.* hyp-
nose.

hypnotist ['hipnətist] *sb.* hypnoti-
sør.

hypnotize ['hipnətaiz] *vb.* hypnoti-
sere.

hypo ['haipəu] *sb.* **1.** (*foto.*) fikser-
salt; **2.** T (injektions)sprøjte; **3.** T
indsprøjtning.

hypochondria [haipə'kɔndriə] *sb.*
hypokondri.

hypochondriac [haipə'kɔndriæk]
sb. hypokonder.

hypocrisy [hi'pɔkrəsi] *sb.* hykleri;
skinhellighed.

hypocrite ['hipəkrit] *sb.* hykler.

hypocritical [hipə'kritik(ə)l] *adj.*
hyklerisk; skinhellig.

hypodermic[1] [haipə'də:mik] *sb.*
1. = *hypodermic injection*; **2.** = *hy-
podermic syringe*.

hypodermic[2] [haipə'də:mik] *adj.*
som ligger under huden.

hypodermic injection *sb.* ind-
sprøjtning under huden.

hypodermic needle *sb.* **1.** kanyle;
2. T sprøjte.

hypodermic syringe *sb.* injektions-
sprøjte.

hypoglycaemia
[haipe(u)glai'si:miə] *sb.* (*med.*) hy-
poglykæmi [*unormalt lavt sukke-
rindhold i blodet*]; lavt blodsuk-
ker.

hyponym ['haipə(u)nim] *sb.* hypo-
nym, underbegreb.

hypotaxis [haipə(u)'tæksis] *sb.*
(*gram.*) hypotakse, underordning.

hypotenuse [hai'pɔtinju:z] *sb.*
(*geom.*) hypotenuse.

hypothermia [haipə(u)'θə:miə] *sb.*
(*med.*) hypotermi [*unormalt lav
legemstemperatur*]; nedkøling.

hypothesis [hai'pɔθəsis] *sb.* (*pl.*
-*theses* [-θəsi:z]) hypotese.

hypothesize [hai'pɔθəsaiz] *vb.* op-
stille hypoteser//en hypotese, teo-
retisere (*about* om); antage (*that*
at).

hypothetical [haipə'θetikl] *adj.* hy-
potetisk, antaget, formodet; teore-
tisk.

hyrax ['hairæks] *sb.* (*zo.*) klippe-
grævling.

hyssop ['hisəp] *sb.* (*bot.*) isop.

hysterectomy [histə'rektəmi] *sb.*
(*med.*) hysterektomi, fjernelse af
livmoderen.

hysteria [hi'stiəriə] *sb.* hysteri.

hysterical [hi'sterik(ə)l] *adj.* **1.** hy-
sterisk; **2.** T vanvittig morsom.

hysterics [hi'steriks] *sb. pl.* hyste-
risk anfald;□ *be in* ~ **a.** være hy-
sterisk, være grebet af hysteri; **b.** T
le fuldstændig hysterisk; *go into*
~ blive hysterisk, blive grebet af
hysteri, få et hysterisk anfald.

I

I¹ [ai].

I² [ai] *pron.* jeg.

I. *fork. f. Island/Isle.*

Ia. *fork. f. Iowa.*

iatrogenic [aiətrə(u)ˈdʒenik] *adj.* iatrogen, som skyldes lægen//behandlingen.

IBA *fork. f. Independent Broadcasting Authority.*

Iberian [aiˈbiəriən] *adj.* iberisk; □ *the ~ Peninsula* Den iberiske Halvø [ɔ: *Spanien og Portugal*].

ibex [ˈaibeks] *sb.* (*zo.*) stenbuk.

ibid [ˈibid] *fork. f. ibidem* sammesteds.

ibis [ˈaibis] *sb.* (*zo.*) ibis.

IBM *sb. International Business Machines* [*amerikansk computerfirma*].

IC *fork. f. integrated circuit.*

ICBM *fork. f. intercontinental ballistic missile* interkontinental raket.

ice¹ [ais] *sb.* **1.** is; **2.** iskage; **3.** S diamanter; **4.** (S: *amfetamin*) speed;
□ *break the ~* (*fig.*) bryde isen; *cut no ~ with* ikke gøre noget indtryk på, ikke have nogen indflydelse på; *that won't cut any// much ~* det får du ikke noget// ikke meget ud af; det kommer du ingen vegne//ikke langt med; *put on ~* **a.** (*mad, drikke*) lægge på køl; **b.** (*fig.: plan etc.*) udskyde; lægge til side; (*se også thin¹*).

ice² [ais] *vb.* **1.** lægge på is; isafkøle; **2.** (*kage*) glasere; **3.** (*am.: sejr*) slå fast, bekræfte; **4.** (*am.* S: *person*) rydde af vejen, gøre kold [ɔ: *dræbe*];
□ *~ over, ~ up* fryse til; blive overiset.

ice age *sb.* istid.

ice axe *sb.* isøkse.

ice bag *sb.* ispose.

iceberg [ˈaisbə:g] *sb.* isbjerg; (se også *tip¹*).

iceberg lettuce *sb.* icebergsalat.

icebound [ˈaisbaund] *adj.* **1.** tilfrosset (*fx harbour*); **2.** indefrosset (*fx ship*);
□ *be ~* (*jf. 2, også*) sidde fast i isen.

icebox [ˈaisbɔks] *sb.* (*glds.*) **1.** isskab; **2.** (*am.*) køleskab.

icebreaker [ˈaisbreikə] *sb.* **1.** isbryder; **2.** (*fig.*) [*bemærkning etc. der bryder isen*].

ice bucket *sb.* **1.** isspand; **2.** (*til vin*) vinkøler.

ice cap *sb.* permanent isdække; (*på pol*) iskalot; (*fx på Grønland*) indlandsis.

ice cream *sb.* **1.** (fløde)is; **2.** iskage; isvaffel.

ice cube *sb.* isterning.

iced [aist] *adj.* **1.** (*om drik*) isafkølet; med is i; is- (*fx coffee; tea; water*); **2.** (*om kage*) glaseret; med glasur.

ice floe *sb.* se *floe.*

Iceland¹ [ˈaislənd] Island.

Iceland² [ˈaislənd] *adj.* islandsk.

Icelander [ˈaisləndə] *sb.* islænder, islænding.

Icelandic [aisˈlændik] *adj.* islandsk.

Iceland moss *sb.* (*bot.*) islandsk lav.

Iceland poppy *sb.* (*bot.*) islandsk valmue.

ice lolly *sb.* **1.** ispind; **2.** sodavandsis.

ice pack *sb.* **1.** isomslag; ispose; **2.** (*i havet*) pakis.

ice pick *sb.* isspyd, issyl.

ice rink *sb.* (kunstig) skøjtebane.

ice skate *sb.* skøjte.

ice-skate [ˈaisskeit] *vb.* løbe på skøjter.

ice tray *sb.* [*bakke til frysning af isterninger*].

ichneumon [ikˈnju:mən] *sb.* (*zo.*) **1.** = *Egyptian mongoose;* **2.** = *ichneumon fly.*

ichneumon fly *sb.* (*zo.*) snyltehveps.

ichthyologist [ikθiˈɔlədʒist] *sb.* iktyolog, fiskekyndig.

ichthyology [ikθiˈɔlədʒi] *sb.* iktyologi, læren om fiskene.

ichthyosaurus [ikθiəˈsɔ:rəs] *sb.* iktyosaurus, fiskeøgle.

ICI *fork. f. Imperial Chemical Industries.*

icicle [ˈaisikl] *sb.* istap.

icing [ˈaisiŋ] *sb.* **1.** (*på kage etc.*) glasur; **2.** (*på fly, skib*) isdannelse; overisning;
□ *the ~ on the cake* (T: *fig.*)
a. [*noget der gør det fuldkomne endnu mere perfekt*]; prikken over i'et; et ekstra plus; **b.** (*neds.*) [*overflødig ekstra pynt*].

icing sugar *sb.* flormelis.

ICJ *fork. f. International Court of Justice.*

icky [ˈiki] *adj.* T **1.** væmmelig, ækel; **2.** klistret; **3.** flæbende sentimental.

I-cloth [ˈaiklɔθ] *sb.* engangsklud.

icon [ˈaikɔn] *sb.* **1.** (*it*) ikon, skærmsymbol; **2.** (*fig.*) ikon, symbol; **3.** (*rel.*) ikon.

iconic [aiˈkɔnik] *adj.* ikonisk; symbolsk.

iconoclasm [aiˈkɔnəklæzm] *sb.* billedstorm.

iconoclast [aiˈkɔnəklæst] *sb.* ikonoklast, billedstormer.

iconoclastic [aikɔnəˈklæstik] *adj.* ikonoklastisk, billedstormende; revolutionær.

iconography [aikɔˈnɔgrəfi] *sb.* ikonografi [*studiet af billeder; samling af billeder; billeder*].

ICU *fork. f. intensive care unit.*

icy [ˈaisi] *adj.* **1.** iset; isglat (*fx road*); **2.** (*om temperatur*) iskold (*fx wind*); **3.** (*fig.*) iskold (*fx tone*); isnende (*fx look*).

ID *fork. f.* **1.** *identification;* **2.** *Intelligence Department;* **3.** (*am.*) *Idaho.*

id [id] *sb.* (*psyk.*) id [*individets primitive impulser*].

I'd [aid] *fork. f.* **1.** *I had;* **2.** *I would.*

Idaho [ˈaidəhəu].

IDD *fork. f. international direct dialling.*

ide [aid] *sb.* (*zo.*) emde [*en fisk*].

idea [aiˈdiə] *sb.* **1.** idé (*for til, fx what gave you the ~ for the book? a good ~*); **2.** (*om noget man forestiller sig*) idé, begreb, forestilling (*about//of* om, *fx their -s about life after death; that will give you an ~ of what I mean*); **3.** (*om noget man planlægger*) tanke (*of* om, *fx she had to give up all -s of a career*); plan (*fx he has big//other -s*); **4.** (*om noget man tilsigter*) mening, hensigt, idé, tanke (*of* med, *fx the ~ of this arrangement; the ~ was to* buy a new car, but we couldn't afford it);

□ *it put the ~ into my head* det gav mig ideen; *put -s into sby's head* give én skøre ideer; sætte én fluer i hovedet;

[*med an, pron.*] *I have an ~ (that) he is not coming* jeg har på fornemmelsen at han ikke kommer; *what an ~!* sikken idé; det var da en skør ide! *it is not my ~ of a good holiday* (*jf. 2*) det er ikke det jeg forestiller mig/forstår ved en god ferie; *(I have) no ~!* det aner jeg ikke! *you have no ~ how* du gør dig ikke begreb/ingen forestilling om hvor (*fx tired I was*); *is that your ~ of a joke?* skal det være morsomt?

[*med: the*] **the** ~*!* se ovf.: *what an ~! get the ~* **a.** få ideen (*fx how did you get the ~?*); **b.** T fatte pointen (*fx he is beginning to get the ~*); *that's the ~* sådan skal det være! der har vi det! *what's the (big) ~?* T hvad er meningen? *the young ~* (*glds.*) barnesindet; *the very of it* **a.** bare tanken om det; **b.** (*udbrud*) se ovf.: *what an ~; with the ~ of + -ing* (*jf. 3*) med tanke på at.

ideal¹ [ai'diəl] *sb.* ideal, forbillede.

ideal² [ai'diəl] *adj.* **1.** ideel, forbilledlig, mønstergyldig; ønske- (*fx house; job*); **2.** (*mods. virkelig*) ideal, tænkt (*fx in an ~ world that might be possible*).

idealism [ai'diəlizm] *sb.* idealisme.

idealist [ai'diəlist] *sb.* idealist.

idealistic [aidiə'listik] *adj.* idealistisk;

□ *~ motives* ideelle motiver.

idealize [ai'diəlaiz] *vb.* idealisere, forherlige.

ideally [ai'diəli] *adv.* **1.** ideelt; perfekt (*fx suited for the job; qualified*); **2.** (*som sætningsadv.*) ideelt set; hvis det skal//skulle være helt perfekt (*fx ~, I'd like to stay here forever*).

ideate ['aidieit] *vb.* **1.** forestille sig; **2.** danne forestillinger.

idée fixe [i:dei'fiks] *sb.* fiks idé, tvangstanke.

identical [ai'dentik(ə)l] *adj.*
1. identisk (*to/with* med); (nøjagtig) ens; sammenfaldende (*fx interests*); **2.** T selv samme; præcis det//den (*fx this is the ~ room where he lived*).

identical twins *sb. pl.* enæggede tvillinger.

identifiable [ai'dentifaiəbl, (*især am.*) aidenti'faiəbl] *adj.* identificerbar; genkendelig;

□ *it is easily ~ by* den er let ken-

delig på; den kan let (gen)kendes på.

identification [aidentifi'keiʃn] *sb.*
1. identificering, identifikation; genkendelse; **2.** (*biol. etc.*) klassificering, klassifikation, bestemmelse.

identification parade *sb.* konfrontation [*hvor et vidne skal udpege en mistænkt blandt en række personer*].

identify [ai'dentifai] *vb.* **1.** identificere; (gen)kende (*by* på, *fx ~ him by his voice*); **2.** (*biol. etc.*) klassificere, bestemme;

□ *it can easily be identified by* den kan let (gen)kendes på; den er let kendelig på; *~ oneself* legitimere sig;

~ with identificere sig med; *~ sth with* sætte noget lig med, identificere noget med (*fx football fans were identified with violence*); *~ oneself with* **a.** identificere sig med; gå op i (*fx a part* en rolle); indleve sig i (*fx a subject*); **b.** (*sag etc.*) gå ind for, støtte, give sin tilslutning til (*fx this policy; their unconventional methods*); slutte sig til (*fx a party; a movement*).

identikit®¹ [ai'dentikit] *sb.* **1.** [*udvalg af typiske ansigtstræk som kan sættes sammen til et billede af en eftersøgt på grundlag af vidners udsagn*]; **2.** = *identikit picture*.

identikit² [ai'dentikit] *adj.* (*fig., neds.*) fuldstændig ens; standard-.

identikit picture *sb.* fantombillede, fantomfoto.

identity [ai'dentiti] *sb.* identitet;
□ *mistaken ~* forveksling; *prove one's ~* legitimere sig.

identity card *sb.* identitetskort, legitimationskort.

identity parade *sb.* = *identification parade.*

ideogram ['idiəgræm] *sb.* ideogram [*skrifttegn der udtrykker et begreb*].

ideological [aidiə'lɔdʒik(ə)l] *adj.* ideologisk.

ideologist [aidi'ɔlədʒist] *sb.* ideolog.

ideologue ['aidiəlɔg] *sb.* ideolog.

ideology [aidi'ɔlədʒi] *sb.* ideologi.

idiocy ['idiəsi] *sb.* idioti.

idiom ['idiəm] *sb.* **1.** (*enkelt udtryk*) idiom, fast udtryk, talemåde; **2.** (*generelt*) sprog, sprogbrug; **3.** (*i kunst*) formsprog, udtryksform; (*mus.*) tonesprog.

idiomatic [idiə'mætik] *adj.* idiomatisk, mundret.

idiosyncrasy [idiə'siŋkrəsi] *sb.* særegenhed, særhed.

idiosyncratic [idiəsiŋ'krætik] *adj.* særegen.

idiot ['idiət] *sb.* idiot; (se også *village idiot*).

idiot box *sb.* (*især am.*) tossekasse [ɔ: *tv*].

idiotic [idi'ɔtik] *adj.* idiotisk.

idiot light *sb.* (*am.* T) advarselslampe.

idle¹ ['aidl] *adj.* **1.** (*om person*) ubeskæftiget, ledig; uvirksom; **2.** (*om egenskab*) doven; **3.** (*om maskine etc.*) ubenyttet; ude af drift; (*også om tid*) ledig (*fx moment*); se også ndf.: *be ~;* **4.** (*mht. indhold*) tom (*fx talk; boast; threat*); intetsigende, indholdsløs; grundløs (*fx fear; rumour*); (*om ytring*) let henkastet (*fx remark*); tilfældig; **5.** (*om aktivitet*) formålsløs (*fx curiosity*); **6.** (*mht. virkning*) unyttig, nytteløs (*fx it would be ~ to pretend that it is not the case*); forgæves (*fx protest*); ørkesløs;

□ *be/lie/stand ~* (*jf. 3*) ligge stille (*fx assembly lines//factories were standing ~*).

idle² ['aidl] *vb.* **1.** drive; dovne; **2.** (*om maskine*) gå i tomgang; **3.** (*med objekt: person*) gøre arbejdsløs; **4.** (*motor*) lade gå i tomgang; **5.** (*maskine*) tage ud af drift;

□ *~ away one's time* drive tiden hen; sløse tiden bort.

idleness ['aidlnəs] *sb.* (*jf. idle¹*)
1. driveri, lediggang; **2.** dovenskab; **3.** stilstand.

idler ['aidlə] *sb.* **1.** (*glds. om person*) lediggænger; drivert; **2.** (*tekn.: i udveksling*) mellemhjul; (*til transportbånd*) lederulle.

idol ['aid(ə)l] *sb.* **1.** (*om person*) idol; **2.** (*rel.*) gudebillede, afgudsbillede; afgud;

□ *be the ~ of* (*jf. 1, også*) blive forgudet af.

idolater [ai'dɔlətə] *sb.* afgudsdyrker.

idolatry [ai'dɔlətri] *sb.* **1.** forgudelse; tilbedelse; **2.** (*rel.*) afgudsdyrkelse.

idolize ['aidəlaiz] *vb.* forgude; tilbede.

idyll ['id(i)l, (*især am.*) 'aid(i)l] *sb.* idyl.

idyllic [i'dilik, (*især am.*) ai-] *adj.* idyllisk.

i.e. [ai'i:, 'ðætiz] *fork. f.* id est (*lat.*) det vil sige.

IEA *fork. f.* International Energy Agency.

if [if] *konj.* **1.** (*i betingelsessætning*) hvis (*fx he'll do it if you ask him; if I were you*); dersom; om (*fx if necessary*); **2.** (*i spørgesætning*) om (*fx I asked him if he would come*); **3.** (*om modsætning*) selv om (*fx if they are poor, at least they are happy*); om end (*fx he was fair, if a little brutal*); om også, om så (*fx I'll do it if it takes me a year*); **4.** (*i forklaring*) når (*fx if girls are more proficient than boys it is because ...*);

□ *he is thirty years if he is a day* han er mindst 30 år gammel; *if for no other reason* om ikke for andet;

[*med pron., adv.*] *the surplus if* **any** det eventuelle overskud; *if* **anything** nærmest; snarere; *if* **not a.** ellers (*fx you will have to do it; if not, you will be punished*); i modsat fald; i benægtende fald; **b.** om ikke (*fx good, if not elegant*); **c.** ja endog (*fx hundreds if not thousands of children*); (se også *nothing*); *if it isn't John!* der har vi minsandten John! *if it was not that I knew you* hvis det ikke var fordi jeg kendte dig; *if only* hvis bare, gid (*fx if only you had told me*); ~ *only to* om ikke for andet så for at (*fx I'll do it, if only to annoy him*); *if so* i så fald; i så tilfælde; (se også *as, even*⁴).

iffy ['ifi] *adj.* T **1.** usikker; **2.** tvivlsom; ikke helt i orden.

IGC *fork. f.* Intergovernmental Conference.

igloo ['iglu:] *sb.* snehytte.

igneous ['igniəs] *adj.* vulkansk.

igneous rock *sb.* (*geol.*) magmatisk bjergart, eruptivbjergart.

ignis fatuus [ignis'fætjuəs] *sb.* (*pl.* ignes fatui [igni:z'fætjuai]) lygtemand.

ignite [ig'nait] *vb.* F **1.** tænde, antænde; sætte i brand; **2.** (*uden objekt*) antændes, fænge; komme i brand.

igniter [ig'naitə] *sb.* (*i bil*) tændingsanordning.

ignition [ig'nifn] *sb.* **1.** F antændelse; **2.** (*i bil*) tænding;

□ *advanced* ~ for høj tænding; *retarded* ~ for lav tænding.

ignoble [ig'nəubl] *adj.* (*litt.*) lav, gemen, ussel, uværdig.

ignominious [ignə'miniəs] *adj.* (*litt.*) vanærende, forsmædelig, skændig.

ignominy ['ignəmini] *sb.* (*litt.*) vanære, forsmædelse, skændsel.

ignoramus [ignə'reiməs] *sb.* ignorant; uvidende person.

ignorance ['ignər(ə)ns] *sb.* uvidenhed (*of* om); ukendskab (*of* til);

□ ~ *of the law is no excuse* (*omtr.*) ukendskab til loven fritager ikke for straf.

ignorant ['ignər(ə)nt] *adj.* **1.** uvidende (*about, of* om); **2.** T uopdragen.

ignore [ig'nɔ:] *vb.* ignorere; ikke tage hensyn til; overse; overhøre.

iguana [ig'wa:nə, igju'a:nə] *sb.* (*zo.*) leguan.

Iliad ['iliæd] *sb.*: *the* ~ (*hist.*) Iliaden.

ilk [ilk] *sb.* (*skotsk*) samme; enhver;

□ *of that* ~ **a.** fra godset af samme navn (*fx Guthrie of that* ~ Guthrie fra godset Guthrie); **b.** T af samme slags; *and his* ~ og folk af hans slags.

ill¹ [il] *sb.* onde; ulykke; lidelse;

□ *for good or* ~ (*glds.*) om det så går godt eller dårligt; hvad udfaldet end bliver.

ill² [il] *adj.* **1.** syg; **2.** F dårlig, slet; ond;

□ ~ *at ease* ilde til mode; *be* ~ *være* syg; *be* ~ *in bed* ligge syg; *fall* ~, *be taken* ~ blive syg; [*med sb.; se også alfabetisk*] ~ *luck* uheld; ulykke; *as* ~ *luck would have it* uheldigvis; ~ *weeds grow apace* ukrudt forgår ikke så let; *it's an* ~ *wind that blows nobody any good* intet er så galt at det ikke er godt for noget.

ill³ [il] *adv.* dårligt, ilde; ringe; slet; ondt;

□ *we can* ~ *afford it* vi har dårligt råd til det; *it* ~ *becomes/behoves you to* det sømmer sig dårligt for dig at; det er upassende at du; *it will go* ~ *with him* det vil gå ham galt/ilde; *speak* ~ *of* tale ondt om; *take sth* ~ tage noget ilde op; (se også *bode*).

Ill. *fork. f.* Illinois.

I'll [ail] *fork. f.* I will//shall.

ill-advised [iləd'vaizd] *adj.* ubetænksom; uklog;

□ *you would be* ~ *to* det ville være uklogt af dig at.

ill-affected [ilə'fektid] *adj.* uvenlig stemt.

ill-assorted [ilə'sɔ:tid] *adj.* som passer dårligt sammen.

ill-bred [il'bred] *adj.* uopdragen; udannet; ukultiveret.

ill breeding *sb.* uopdragenhed; mangel på opdragelse.

ill-conceived [ilkən'si:vd] *adj.* uigennemtænkt.

ill-considered [ilkən'sidəd] *adj.* uovervejet.

ill-disposed [ildis'pəuzd] *adj.* F uvenlig stemt.

illegal¹ [i'li:g(ə)l] *sb.* (*am.*) illegal indvandrer.

illegal² [i'li:g(ə)l] *adj.* ulovlig; illegal.

illegality [ili'gæləti] *sb.* ulovlighed.

illegible [i'ledʒəbl] *adj.* ulæselig.

illegitimacy [ili'dʒitiməsi] *sb.* **1.** uretmæssighed; ulovlighed; **2.** (*om barn*) fødsel uden for ægteskab, uægte fødsel.

illegitimate [ili'dʒitimət] *adj.* **1.** uretmæssig (*fx use of public funds*); ulovlig; **2.** urigtig; uberettiget; ulogisk (*fx conclusion*); **3.** (*om barn*) illegitim, født uden for ægteskab, uægte.

ill-equipped [ili'kwipt] *adj.* dårligt rustet (*for* til; *to* til at).

ill-fated [il'feitid] *adj.* F ulykkelig, ulyksalig, skæbnesvanger.

ill-favoured [il'feivəd] *adj.* F grim, styg, hæslig.

ill feeling *sb.* fjendskab; bitterhed.

ill-fitting [il'fitiŋ] *adj.* (*om tøj*) som sidder dårligt; som ikke passer.

ill-founded [il'faundid] *adj.* F dårligt underbygget (*fx criticism*); ubegrundet (*fx fear*).

ill-gotten [il'gɔt(ə)n] *adj.*: ~ *gains* (*især spøg.*) uretmæssigt erhvervede penge.

ill health *sb.* dårligt helbred; svagelighed.

ill humour *sb.* ondt lune.

ill-humoured *adj.* ubehagelig; irritabel.

illiberal [i'lib(ə)rəl] *adj.* F smålig; snæversynet.

illicit [i'lisit] *adj.* utilladelig; ulovlig;

□ ~ *union* fri (erotisk) forbindelse.

illimitable [i'limitəbl] *adj.* ubegrænset, uindskrænket, grænseløs.

ill-informed [ilin'fɔ:md] *adj.* dårligt underrettet.

Illinois [ili'nɔi].

illiteracy [i'lit(ə)rəsi] *sb.* **1.** analfabetisme; **2.** (*neds.*) uvidenhed; udannethed.

illiterate¹ [i'lit(ə)rət] *sb.* analfabet.

illiterate² [i'lit(ə)rət] *adj.* **1.** analfabetisk; som ikke kan læse og skrive; **2.** (*neds.*) uvidende; udannet; **3.** (*i bestemt emne*) uuddannet, uskolet (*fx politically* ~).

ill-judged [il'dʒʌdʒd] *adj.* ufornuftig, uklog (*fx decision*); ubetænksom, uoverlagt.

ill luck *sb.* se *ill*².

ill-mannered [il'mænəd] *adj.* F uopdragen; ukultiveret.

ill-natured [il'neitʃəd] *adj.* gnaven; ondskabsfuld.

illness ['ilnəs] *sb.* sygdom.

illogical [i'lɔdʒik(ə)l] *adj.* ulogisk.

ill-omened [il'əumend, -mənd] *adj.*, **ill-starred** [il'sta:d] *adj.* (*litt.*) se *ill-fated*.

ill-tempered [il'tempəd] *adj.* gnaven, irritabel, opfarende.

ill-timed [il'taimd] *adj.* ilde anbragt, malplaceret; ubelejlig.

ill-treat [il'tri:t] *vb.* behandle dårligt; mishandle.

ill treatment *sb.* mishandling.

illuminate [i'lu:mineit, -'lju:-] *vb.* (se også *illuminated, illuminating*) F **1.** oplyse; belyse; **2.** (*bygning etc.: med festblus*) illuminere; **3.** (*fig.*) belyse, kaste lys over; forklare.

illuminated [i'lu:mineitid, -'lju:-] *adj.* **1.** belyst; oplyst; **2.** (*om manuskript: illustreret*) illumineret; □ *his face was ~ by a smile* hans ansigt lyste op i et smil.

illuminated sign *sb.* lysskilt; lysreklame.

illuminating [i'lu:mineitiŋ, -'lju:-] *adj.* (*fig.*) oplysende; lærerig; tankevækkende.

illumination [il(j)u:mi'neiʃn] *sb.* **1.** belysning; **2.** (*festblus*) illumination, illuminering; **3.** (*fig.*) forklaring; oplysning; **4.** (*mht. manuskript*) illumination; bogmaleri.

ill-use [il'ju:z] *vb.* mishandle.

illusion [i'lu:ʒ(ə)n, -'lju:-] *sb.* **1.** illusion, falsk forestilling; selvbedrag (*fx it is an ~ to think that you can manage all by yourself*); **2.** (*om noget man tror at man oplever*) illusion, blændværk; sansebedrag (*fx the whole thing had only been an ~*); fantasifoster; (se også *optical illusion*); □ *have -s about* nære illusioner om; gøre sig falske forestillinger om; *I had the ~ that* det forekom mig at; jeg bildte mig ind at; *be/labour under the ~ that* have det fejlagtige indtryk at; svæve i den vildfarelse at.

illusionist [i'lu:ʒnist, -'lju:-] *sb.* tryllekunstner, illusionist.

illusory [i'lu:s(ə)ri, -'lju:-] *adj.* F illusorisk; uvirkelig.

illustrate ['iləstreit] *vb.* **1.** illustrere, belyse; **2.** (*bog*) illustrere.

illustration [ilə'streiʃn] *sb.* **1.** illustration, belysning; eksempel; **2.** (*i bog*) illustration.

illustrative ['iləstrətiv, (*am.*) i'lʌstrətiv] *adj.* oplysende, forklarende, illustrerende; □ *be ~ of* illustrere, belyse.

illustrator ['iləstreitə] *sb.* illustrator; tegner.

illustrious [i'lʌstriəs] *adj.* F strålende, udmærket; hæderkronet, berømt, berømmelig.

ill will *sb.* uvilje; nag; fjendskab.

ILO *fork. f. International Labour Organization.*

ILP *fork. f. Independent Labour Party.*

ILS *fork. f. instrument landing system (flyv.) [system til landing i usigtbart vejr].*

I'm [aim] *fork. f. I am.*

image[1] ['imidʒ] *sb.* **1.** (*mentalt*) forestilling (*of* om); billede (*of* af); **2.** (*offentligt*) image [*billede som publikum danner sig af en offentlig person, et firma etc.*]; omdømme; **3.** (*konkret*) billede; statue; (*rel.*) helgenbillede; **4.** (*tv, film. & litterært*) billede; **5.** (*i spejl*) spejlbillede; □ *he is the (living) ~ of his father* han er sin fader op ad dage; han er sin faders udtrykte billede; *he is the ~ of laziness* han er den personificerede dovenskab; *she was an ~ of piety* hun var et billede på fromhed.

image[2] ['imidʒ] *vb.* **1.** afbilde; **2.** forestille sig.

imagery ['imidʒ(ə)ri] *sb.* F **1.** billeder; **2.** (*kunstners*) billedverden; billedstil; **3.** (*forfatters*) billedsprog.

imaginable [i'mædʒ(i)nəbl] *adj.* tænkelig; som man kan forestille sig.

imaginary [i'mædʒ(i)n(ə)ri] *adj.* **1.** indbildt; imaginær; opdigtet; **2.** (*mat.*) imaginær.

imagination [imædʒi'neiʃn] *sb.* fantasi; forestillingsevne; □ *capture/catch sby's ~* optage ens sind; sætte ens fantasi i bevægelse; *by a stretch of ~* se *stretch*[1].

imaginative [i'mædʒ(i)nətiv] *adj.* fantasifuld, opfindsom; fantasirig.

imagine [i'mædʒin] *vb.* **1.** forestille sig; tænke sig; **2.** (*om noget der er forkert*) tro, bilde sig ind (*fx he -s that people don't like him*); □ *I can't ~ why* jeg begriber ikke hvorfor; *just ~!* (*glds.*) tænk engang! *I ~ so* det tænker jeg; det tænker/forestiller jeg mig.

imaging ['imidʒiŋ] *sb.* elektronisk afbildning.

imaginings [i'mædʒiniŋz] *sb. pl.* (*litt.*) fantasier, forestillinger; indbildning.

imago [i'meigəu] *sb.* (*pl. imagines* [i'meidʒini:z]) (*zo.*) imago; fuldt udviklet insekt.

imam [i'ma:m] *sb.* imam [*muslimsk præst*].

imbalance [im'bæləns] *sb.* manglende balance, ubalance, ulige-vægt; skævhed (*fx social ~ in education*).

imbecile[1] ['imbəsi:l] *sb.* tåbe.

imbecile[2] ['imbəsi:l] *adj.* tåbelig, imbecil.

imbed [im'bed] *vb.* = *embed*.

imbibe [im'baib] *vb.* (F *el. spøg.*) **1.** (*spiritus*) drikke, indtage; **2.** (*fig.: kundskab, ideer*) suge til sig; tilegne sig.

imbroglio [im'brəuliəu] *sb.* roderi, virvar, kaos.

imbue [im'bju:] *vb.*: *~ with* bibringe, indgive; *-d with* a. gennemtrængt af; besjælet af; **b.** (*om noget negativt*) gennemsyret af (*fx hatred*).

IMF *fork. f. International Monetary Fund* (den) Internationale Valutafond.

IMHO *fork. f. in my humble opinion.*

imitate ['imiteit] *vb.* **1.** efterligne, imitere; **2.** (*satirisk*) imitere, parodiere.

imitation[1] [imi'teiʃ(ə)n] *sb.* (jf. *imitate*) **1.** efterligning, imitation; **2.** imitation, parodi; □ *an example for ~* (jf. *1*) et eksempel til efterfølgelse; *in ~ of sby* (jf. *1*) efter ens eksempel.

imitation[2] [imi'teiʃ(ə)n] *adj.* imiteret, kunstig (*fx leather*); uægte, simili- (*fx pearls*); □ *~ leather* (også) kunstlæder.

imitative ['imitətiv] *adj.* **1.** efterlignende; **2.** (*om kunst, kunstner*) uoriginal; epigon-; **3.** (*om ord*) lydefterlignende; lydmalende; □ *be ~ of* efterligne.

imitator ['imiteitə] *sb.* **1.** efterligner (*fx of a writer*); **2.** (jf. *imitate 2*) imitator.

immaculate [i'mækjulət] *adj.* **1.** pletfri, perfekt (*fx performance*); **2.** (*om påklædning*) ulastelig; □ *the Immaculate Conception* (*kat.*) den ubesmittede undfangelse.

immanent ['imənənt] *adj.* immanent, iboende.

immaterial [imə'tiəriəl] *adj.* **1.** uvæsentlig, ubetydelig (*fx details*); underordnet; **2.** (*filos.*) immateriel, ulegemlig; □ *it is ~ to me* det er mig ligegyldigt; det er ganske uden betydning (for mig).

immature [imə'tjuə] *adj.* **1.** (*neds.*) umoden; **2.** (*biol. etc.*) ikke fuldt udviklet.

immaturity [imə'tjuərəti] *sb.* (jf. *immature*) **1.** umodenhed; **2.** manglende udvikling.

immeasurable [i'meʒ(ə)rəbl] *adj.* umådelig, grænseløs, uoverskuelig.

immeasurably [i'meʒ(ə)rəbli] *adv.* umådeligt; uendelig meget (*fx greater*).

I *immediacy*

immediacy [i'mi:diəsi] *sb.* umiddelbarhed; umiddelbar nærhed; aktualitet.

immediate [i'mi:diət] *adj.* 1. (*om sted, placering*) nærmest (*fx neighbourhood; heir; family; superior* (overordnet)); 2. (*om forbindelse*) umiddelbar (*fx contact; result*); direkte (*fx cause; connection*); 3. (*om tid*) øjeblikkelig (*fx we have no ~ plans; their response was ~*); (*om handling også*) omgående (*fx reply*); □ *~ danger* overhængende fare; *in the ~ future* i den nærmeste fremtid.

immediately[1] [i'mi:diətli] *adj.* 1. straks, øjeblikkelig; 2. umiddelbart (*fx ~ after the meeting; ~ to the north of the place*); direkte (*fx affected; responsible*).

immediately[2] [i'mi:diətli] *konj.* lige så snart (*fx ~ he had gone, they started arguing*).

immemorial [imi'mɔ:riəl] *adj.* (*litt.*) ældgammel (*fx custom*); □ *from/since time ~* i umindelige tider; fra arilds tid.

immense [i'mens] *adj.* umådelig (stor); enorm, vældig, uhyre.

immensely [i'mensli] *adv.* umådelig, enormt, vældig, uhyre.

immensity [i'mensəti] *sb.* uhyre størrelse//omfang (*fx the ~ of the task*); uhyre udstrækning; uendelighed.

immerse [i'mə:s] *vb.* F neddyppe; nedsænke; □ *~ oneself in* (*fig.*) fordybe sig i; *-d in* fordybet i (*fx a book*); fuldstændig optaget af, opslugt af (*fx one's work*).

immersion [i'mə:ʃn, (*am.*) -ʒn] *sb.* 1. nedsænkning; neddypning; 2. (*fig.*) fordybelse (*in* i); optagethed (*in* af); 3. (*rel.*) dåb ved fuldstændig neddykning; 4. (*astr.*) immersion.

immersion heater *sb.* 1. elektrisk vandvarmer; 2. dyppekoger.

immigrant ['imigrənt] *sb.* indvandrer, immigrant.

immigrate ['imigreit] *vb.* indvandre, immigrere.

immigration [imi'greiʃn] *sb.* 1. indvandring, immigration; 2. (*ved grænse*) paskontrol.

imminence ['iminəns] *sb.* truende nærhed.

imminent ['iminənt] *adj.* umiddelbart/nært forestående; overhængende, truende (*fx danger; disaster*).

immobile [i'məubail] *adj.* ubevægelig; urokkelig.

immobility [imə'biləti] *sb.* ubevæ-

gelighed; urokkelighed.

immobilize [i'məubilaiz] *vb.* 1. gøre ubevægelig; (*med.*) immobilisere (*fx a broken leg*); 2. (*om maskine etc.*) sætte ud af funktion; 3. (*om køretøj*) forhindre i at køre//starte.

immoderate [i'mɔd(ə)rət] *adj.* F umådeholden, overdreven, voldsom.

immodest [i'mɔdist, -dəst] *adj.* F 1. ubeskeden; 2. (*glds.*) usømmelig, uanstændig.

immodesty [i'mɔdəsti] *sb.* F 1. ubeskedenhed; 2. (*glds.*) usømmelighed, uanstændighed.

immolate ['iməleit] *vb.* F ofre; brænde.

immolation [imə'leiʃn] *sb.* 1. ofring; brændoffer; 2. (*fig.*) opofrelse; (se også *self-immolation*).

immoral [i'mɔr(ə)l] *adj.* umoralsk; usædelig.

immorality [imə'ræliti] *sb.* umoralskhed; usædelighed.

immortal [i'mɔ:t(ə)l] *adj.* udødelig; □ *the -s* de udødelige.

immortality [imɔ:'tæləti] *sb.* udødelighed.

immortalize [i'mɔ:t(ə)laiz] *vb.* udødeliggøre; forevige.

immortelle [imɔ:'tel] *sb.* (*bot.*) evighedsblomst.

immovable [i'mu:vəbl] *adj.* 1. ubevægelig; urokkelig (*fx rock klippe*); 2. (*fig.*) ubøjelig; urokkelig (*fx purpose* forsæt; *principle; he was ~*).

immovables [i'mu:vəblz] *sb. pl.* (*jur.: mods. løsøre*) immobilier; urørligt gods; fast ejendom.

immune [i'mju:n] *adj.* 1. (*med.*) immun (*to* over for, *fx smallpox*); 2. (*fig.*) uimodtagelig (*to* for, *fx his charm*); upåvirkelig (*to* af, *fx criticism*); immun (*to* over for); □ *~ from* **a.** sikret mod, sikker for (*fx attack; persecution*); **b.** (*jur.*) fritaget for (*fx taxation*).

immune response *sb.* immunreaktion.

immune system *sb.* immunsystem.

immunity [i'mju:nəti] *sb.* (jf. *immune*) 1. immunitet (*to//against* over for); 2. uimodtagelighed (*to* for); upåvirkelighed (*to* af); immunitet (*to* over for); 3. (*jur.*) immunitet; fritagelse (*from* for, *fx taxation; prosecution*).

immunization [imjunai'zeiʃn] *sb.* vaccination, immunisering.

immunize ['imjunaiz] *vb.* vaccinere, immunisere.

immunology [imju'nɔlədʒi] *sb.* immunologi.

immured [i'mjuəd] *adj.* (F *el. litt.*) indespærret, indesluttet.

immutability [imju:tə'biləti] *sb.* (F *el. litt.*) uforanderlighed.

immutable [i'mju:təbl] *adj.* (F *el. litt.*) uforanderlig.

imp [imp] *sb.* 1. (*i eventyr*) lille djævel; djævleunge; 2. (*spøg. om barn*) gavtyv, spilopmager.

impact[1] ['impækt] *sb.* 1. stød; slag; tryk; 2. (*fig.*) virkning, indvirkning, indflydelse (*on* på, *fx the ~ of the campaign on the population*); indtryk; 3. (*mil.*: *af projektil*) anslag; nedslag; □ *environmental ~* (jf. 2) indvirkning på miljøet; miljøbelastning; *make an ~, have ~* (jf. 2, *også*) have gennemslagskraft; *point of ~* (jf. 3) anslagspunkt; træffepunkt.

impact[2] [im'pækt] *vb.* (se også *impacted*) 1. presse//kile ind; presse sammen; 2. (*især am.*) støde/ramme ind i; 3. (*fig.*: *især am.*) påvirke, indvirke på; have//få konsekvenser for; □ *~ on* se ovf.: 2, 3.

impacted [im'pæktid] *adj.* (*især med.*) 1. indeklemt; indkilet; fastsiddende; 2. (*om tand*) retineret.

impair [im'pɛə] *vb.* skade, forringe, svække (*fx one's health; one's hearing*); hæmme (*fx one's movements*).

impaired [im'pɛəd] *adj.* 1. forringet, svækket (*fx hearing; vision*); 2. (*i sms.*) -hæmmet (*fx hearing-~* hørehæmmet; *visually ~* synshæmmet).

impairment [im'pɛəmənt] *sb.* forringelse, svækkelse; skade; nedsat funktion (*fx there were signs of ~*).

impale [im'peil] *vb.* spidde.

impalpable [im'pælpəbl] *adj.* 1. ikke til at føle; uhåndgribelig; ulegemlig; 2. ikke til at forstå/fatte; ufattelig.

impanel [im'pæn(ə)l] *vb.* 1. (*nævning*) udtage til nævning; opføre på listen; 2. (*nævninger*) udpege; udfærdige en liste over.

impart [im'pa:t] *vb.* F meddele (*fx he had nothing of note to ~*); videregive; □ *~ to* **a.** (*egenskab*) bibringe, skænke, give (*fx she -ed an air of elegance to the ceremony*); **b.** (*viden, oplysning*) meddele (*fx I have important news to ~ to you*); videregive til; *~ knowledge to sby* bibringe en kundskaber.

impartial [im'pa:ʃ(ə)l] *adj.* upartisk, uvildig, saglig.

impartiality ['impa:ʃi'æliti] *sb.* upartiskhed, uvildighed, saglighed.

impassable [im'pa:səbl] *adj.* 1. (*vej,*

rute, *område*) ufremkommelig; ufarbar; **2.** (*hindring*) uoverstigelig.

impasse [æm'pɑːs, im-, -'pæs, (*am.*) 'impæs] *sb.* dødvande; dødt punkt;
□ *reach an* ~ (*om forhandling også*) gå i hårdknude.

impassioned [im'pæʃnd] *adj.* lidenskabelig.

impassive [im'pæsiv] *adj.* uanfægtet, upåvirket; apatisk; (*om ansigt*) udtryksløs.

impatience [im'peiʃns] *sb.* (jf. *impatient*) **1.** utålmodighed; iver; **2.** utålmodighed; irritation.

impatient [im'peiʃnt] *adj.* **1.** (*fordi man ikke vil vente*) utålmodig (*for* efter; *to* efter at); ivrig (*for* efter; *to* efter at); **2.** (*fordi man ikke vil finde sig i det*) utålmodig (*at/of* over); irriteret (*at/of* over; *with* på);
□ *be* ~ *of* (*også*) ikke kunne tolerere; ikke ville finde sig i.

impeach [im'piːtʃ] *vb.* **1.** drage i tvivl, mistænkeliggøre (*fx his motives*); **2.** (*jur.*) anklage for højforræderi; **3.** (*am. jur.*) anklage for embedsmisbrug (*fx* ~ *a judge for taking a bribe*); stille for rigsretten (*fx* ~ *the President*);
□ ~ *a witness* (*am. jur.*) angribe et vidne//et vidnes troværdighed.

impeachable [im'piːtʃəbl] *adj.* **1.** (*om person*) som kan anklages; **2.** (*om overtrædelse*) som kan give grundlag for *impeachment*.

impeachment [im'piːtʃmənt] *sb.* (*jur.*) **1.** anklage for højforræderi; højforræderisag; **2.** (*am.*) anklage for embedsmisbrug; rigsretssag.

impeccable [im'pekəbl] *adj.* upåklagelig (*fx academic credentials*); fejlfri (*fx performance*); (*om påklædning, opførsel*) ulastelig; (*om smag*) usvigelig sikker.

impecunious [impi'kjuːniəs] *adj.* F ubemidlet.

impedance [im'piːd(ə)ns] *sb.* (*elek.*) impedans.

impede [im'piːd] *vb.* F hindre, hæmme, besværliggøre;
□ ~ *traffic* (*også*) være til gene for trafikken.

impediment [im'pedimənt] *sb.* hindring; forhindring;
□ ~ *in one's speech* talefejl.

impedimenta [impedi'mentə] *sb. pl.* (F el. spøg.) bagage, udrustning; pikpak.

impel [im'pel] *vb.* drive; tilskynde.

impeller [im'pelə] *sb.* **1.** (*i pumpe*) skovlhjul; **2.** (*i turbine*) løbehjul; **3.** (*i jetmotor*) kompressorhjul.

impending [im'pendiŋ] *adj.* forestående (*fx their* ~ *marriage*); kommende; (*om noget ubehageligt*) truende (*fx danger*).

impenetrable [im'penitrəbl] *adj.* **1.** (*om sted*) uigennemtrængelig (*fx forest; darkness; fog*); **2.** (*om hindring*) uoverstigelig (*fx wall*); **3.** (*fig.*) uigennemtrængelig (*fx mystery*); uforståelig, uudgrundelig;
□ ~ *to reason* utilgængelig for fornuft.

impenitence [im'penit(ə)ns] *sb.* ubodfærdighed; forhærdelse.

impenitent [im'penit(ə)nt] *adj.* F som ikke angrer; forhærdet, forstokket;
□ *be* ~ *about sth* ikke angre noget.

imperative[1] [im'perətiv] *sb.* **1.** bydende nødvendighed (*fx it has become an* ~ *for them*); bud; **2.** (*gram.*) imperativ, bydemåde;
□ *a moral* ~ (*omtr.*) en moralsk forpligtelse.

imperative[2] [im'perətiv] *adj.* F **1.** bydende/tvingende nødvendig; uomgængelig; **2.** (*om tonefald, optræden*) bydende.

imperceptible [impə'septəbl] *adj.* umærkelig; ganske lille; næsten usynlig//uhørlig.

imperfect [im'pəːfikt] *adj.* **1.** ufuldkommen (*fx we live in an* ~ *world*); mangelfuld (*fx knowledge//understanding of sth*); ufuldstændig; **2.** (*om vare*) defekt;
□ *the* ~ (*tense*) (*gram.*) **a.** (*i engelsk*) den udvidede tid; **b.** (*i latin*) imperfektum.

imperfection [impə'fekʃn] *sb.* **1.** ufuldkommenhed; mangelfuldhed; ufuldstændighed; **2.** (*hos person*) svaghed; skrøbelighed (*fx we all have our -s*); **3.** (*ved vare*) defekt, fejl (*fx the goods were reduced because of -s*).

imperforate [im'pəːfərət] *adj.* **1.** uperforeret; **2.** (*om frimærker*) utakket.

imperial [im'piəriəl] *adj.* **1.** kejser- (*fx palace*); kejserlig; **2.** (*hist., før 1947: vedrørende det britiske rige/ imperium*) imperie-; **3.** (*om mål*) britisk standard- [*det målesystem der brugtes før decimalsystemet, med yards, pounds, gallons etc.*]; **4.** (*fig.*) majestætisk; fyrstelig, storslået (*fx generosity*).

imperial gallon *sb.* [*den britiske gallon, ca. 4,5 l.*].

imperialism [im'piəriəlizm] *sb.* imperialisme.

imperialist[1] [im'piəriəlist] *sb.* imperialist.

imperialist[2] [im'piəriəlist] *adj.* imperialistisk.

imperialistic [impiəriə'listik] *adj.* imperialistisk.

Imperial Rome *sb.* (*hist.*) Rom i kejsertiden.

imperil [im'peril] *vb.* bringe i fare.

imperious [im'piəriəs] *adj.* (F: *neds.*) bydende (*fx gesture*); despotisk (*fx manner*); arrogant.

imperishable [im'periʃəbl] *adj.* uforgængelig.

impermanent [im'pəːmənənt] *adj.* F ikke varig, midlertidig; flygtig.

impermeable [im'pəːmiəbl] *adj.* uigennemtrængelig (*to* for); tæt; (*fagl.*) impermeabel (*fx membrane*);
□ ~ *to air* lufttæt; ~ *to water* vandtæt.

impermissible [impə'misəbl] *adj.* utilladelig.

impersonal [im'pəːs(ə)n(ə)l] *adj.* upersonlig.

impersonate [im'pəːs(ə)neit] *vb.* **1.** efterligne (*satirisk*) parodiere; **2.** (*for at bedrage*) udgive sig for (at være) (*fx a police officer*); optræde som; **3.** (*teat.: rolle*) fremstille, spille.

impersonation [impəːs(ə)'neiʃn] *sb.* (jf. *impersonate*) **1.** efterligning; parodi; **2.** [*det at udgive sig for en anden*]; **3.** fremstilling;
□ *give -s of well-known actors* (jf. *1*) parodiere kendte skuespillere.

impersonator [im'pəːs(ə)neitə] *sb.* parodist.

impertinence [im'pəːtinəns] *sb.* **1.** næsvished, flabethed, frækhed; impertinens; **2.** F irrelevans; noget der er sagen uvedkommende.

impertinent [im'pəːtinənt] *adj.* **1.** næsvis, flabet, fræk; impertinent; **2.** F irrelevant; sagen uvedkommende.

imperturbability [impətəːbə'biləti] *sb.* uforstyrrelig ro; uanfægtethed.

imperturbable [impə'təːbəbl] *adj.* rolig, uanfægtet; uforstyrrelig.

impervious [im'pəːviəs] *adj.* **1.** uigennemtrængelig (*to* for); **2.** (*fig.*) uimodtagelig, utilgængelig (*to* for, *fx reason; public opinion*); upåvirkelig (*to af, fx criticism; public opinion*);
□ ~ *to air* lufttæt; ~ *to water* vandtæt.

impetigo [impi'taigəu] *sb.* (*med.*) impetigo, børnesår.

impetuosity [impetju'ɔsiti] *sb.* heftighed, voldsomhed; ubesindighed.

impetuous [im'petjuəs] *adj.* **1.** (*om person*) heftig, voldsom, fremfusende; impulsiv, ubesindig; **2.** (*om handling*) overilet, ubesindig (*fx promise*).

impetus ['impitəs] *sb.* fremdrift;

fart;
□ *gain* ~ få mere fart på; *give an* ~ *to* sætte fart/skub i; *give the* ~ *for* give stødet til; *it lost its* ~ farten gik af den.
impiety [im'paiəti] *sb.* **1.** ugudelighed; **2.** respektløshed.
impinge [im'pin(d)ʒ] *vb.:* ~ *(up)on* **F a.** ramme, berøre (*fx the laws which -d upon them*); indvirke på, gribe ind i (*fx the forces that* ~ *on your daily life*); **b.** (*negativt*) gøre indgreb i, krænke (*fx his rights; his liberty; his authority*); **c.** (*fys.*) ramme (*fx light that -s on the eye*); støde imod; komme i kollision med.
impious ['impiəs] *adj.* **1.** ugudelig; **2.** respektløs, uærbødig.
impish ['impiʃ] *adj.* gavtyveagtig, drilsk.
implacability [implækə'biləti] *sb.* uforsonlighed.
implacable [im'plækəbl] *adj.* uforsonlig.
implant[1] ['impla:nt] *sb.* (*med.*) implantat; implanteret/indopereret væv//organ//stof.
implant[2] [im'pla:nt] *vb.* **1.** (*med.*) implantere; indoperere; **2.** (*fig.*) indpode (*fx* ~ *sound principles in the child's mind*); **3.** (*uden objekt: om befrugtet æg*) sætte sig fast;
□ ~ *sth in sby* (*jf.* 2, *også*) indgive/bibringe en noget (*fx sound principles in the child*).
implantation [impla:n'teiʃn] *sb.* **1.** (*med.*) implantation, implantering; indoperation; **2.** (*fig.*) indpodning.
implausible [im'plɔ:zəbl] *adj.* usandsynlig.
implement[1] ['implimənt] *sb.* redskab (*fx farm -s*); instrument (*fx surgical -s*);
□ *-s* (*også*) værktøj.
implement[2] ['impliment] *vb.* gennemføre, føre ud i livet (*fx a resolution; changes*); iværksætte (*fx a scheme*); virkeliggøre, realisere (*fx his plans*); (*fagl.*) implementere.
implementation [implimen'teiʃn] *sb.* gennemførelse; udførelse; iværksættelse; virkeliggørelse; (*fagl.*) implementering.
implicate ['implikeit] *vb.* **1.** inddrage, implicere, indblande (*fx be -d in a crime*); **2.** (*i logik etc.*) se *imply.*
implication [impli'keiʃn] *sb.* **1.** (*jf. implicate*) inddragning, indblanding (*fx in a crime*); **2.** (*jf. imply*) underforståelse; stiltiende slutning; **3.** (*af ord*) bibetydning; **4.** (*i logik*) implikation;
□ *by* ~ indirekte;

-s konsekvenser (*fx it will have serious political -s*); betydning; *the -s of his remark* hvad hans bemærkning indebærer; hvad der ligger i hans bemærkning.
implicit [im'plisit] *adj.* **1.** implicit, underforstået; stiltiende (*fx agreement; criticism*); uudtalt; **2.** ubetinget (*fx belief; obedience*); blind (*fx faith*);
□ ~ *in* underforstået i; indbygget i.
implode [im'pləud] *vb.* **1.** implodere; sprænges indad; **2.** falde sammen.
implore [im'plɔ:] *vb.* bede indtrængende, bønfalde, trygle (*to* om at, *fx* ~ *him to stop*).
imploring [im'plɔ:riŋ] *adj.* bønlig; bønfaldende.
implosion [im'pləuʒn] *sb.* **1.** implosion; sprængning indad; **2.** sammenfalden.
imply [im'plai] *vb.* **1.** (*om person: sige indirekte*) antyde, lade forstå; **2.** (*om udsagn: indeholde*) rumme (*fx this statement implies a contradiction*); (*indirekte*) lade formode (*fx his questions implied a lack of faith*); **3.** (*om logisk konsekvens*) forudsætte (*fx speech implies a speaker*); medføre, indebære (*fx a right which implies certain obligations*);
□ *implied* (*også*) indirekte; underforstået; *it is implied in the words* det ligger i ordene.
impolite [impə'lait] *adj.* uhøflig.
impolitic [im'pɔlitik] *adj.* (*taktisk*) uklog; uhensigtsmæssig.
imponderable[1] [im'pɔndərəbl] *sb.* uberegnelig faktor;
□ *-s* (*også*) imponderabilier.
imponderable[2] [im'pɔndərəbl] *adj.* som ikke kan vejes og måles; uberegnelig.
import[1] ['impɔ:t] *sb.* **1.** (*vare*) importartikel, importvare; **2.** (*handling*) import; indførsel; **3.** F vigtighed (*fx it is a matter of great* ~); betydning; **4.** (F: *om udsagn*) (underforstået) mening, betydning;
□ *I am not sure of the* ~ *of his reply* jeg er ikke klar over hvor han egentlig vil//ville hen med sit svar.
import[2] [im'pɔ:t] *vb.* importere, indføre.
importance [im'pɔ:t(ə)ns] *sb.* **1.** betydning, vigtighed (*fx it is a matter of great* ~); **2.** (*persons*) betydning; betydningsfuldhed;
□ *of no* ~ uden betydning; *give* ~ *to it, place* ~ *on it* lægge vægt på det; tillægge det betydning.
important [im'pɔ:t(ə)nt] *adj.* **1.** vig-

tig, betydningsfuld, væsentlig; **2.** (*om person*) betydningsfuld.
importation [impɔ:'teiʃn] *sb.* **1.** (*handling*) import, indførsel; **2.** (*vare*) importvare; importeret vare.
importer [im'pɔ:tə] *sb.* importør.
importunate [im'pɔ:tjunət] *adj.* påtrængende, pågående, anmassende; besværlig.
importune [im'pɔ:tju:n] *vb.* **1.** plage, bestorme med bønner (*fx she -d him for money*); tigge; **2.** (*for sex*) antaste; opfordre til utugt.
impose [im'pəuz] *vb.* **1.** indføre (*fx a ban; a tax*); pålægge (*fx a tax*); (*bøde*) idømme (*fx judges -d heavy fines for minor offences*); (*se også sanction*[1]); **2.** (*ordning*) påtvinge (*fx an -d pay settlement*);
□ ~ *on sby* **a.** trænge sig ind på en; trænge sig på; **b.** udnytte en;
~ *sth on sby* **a.** pålægge en noget (*fx* ~ *an obligation on sby*); lægge noget på en (*fx* ~ *pressure//a strain//a new burden on them*); **b.** (*trods modstand*) påtvinge en noget (*fx* ~ *a pay settlement on them;* ~ *one's opinions on sby*); ~ *a fine on sby* idømme en en bøde; ~ *oneself/one's company on them* være til ulejlighed for dem; trænge sig ind på dem; pånøde dem sit selskab; trænge sig på.
imposing [im'pəuziŋ] *adj.* imponerende; imposant, statelig, monumental.
imposition [impə'ziʃn] *sb.* **1.** (*handling*) indførelse; pålægning; (*af skat*) udskrivning; **2.** (*om noget der er pålagt*) skat; **3.** (*i skole*) straffepensum; ekstraarbejde [*pålagt som straf*]; **4.** (*jf. impose (on)*) påtrængenhed; ulejlighed.
impossibility [impɔsə'biləti] *sb.* umulighed.
impossible [im'pɔsəbl] *adj.* umulig; håbløs.
impossibly [im'pɔsəbli] *adv.* **1.** umuligt; **2.** (*foran adj.*) uoverkommelig (*fx difficult*); **3.** T usandsynlig, utrolig (*fx she is* ~ *thin*).
impostor [im'pɔstə] *sb.* bedrager [*som giver sig ud for at være en anden*].
imposture [im'pɔstʃə] *sb.* bedrageri, bedrag, svindel.
impotence ['impət(ə)ns] *sb.* **1.** magtesløshed, afmagt; **2.** (*seksuelt*) impotens.
impotent ['impət(ə)nt] *adj.* **1.** magtesløs; afmægtig (*fx we clenched our fists in* ~ *fury*); **2.** (*seksuelt*)

impotent.

impound [im'paund] *vb.* **1.** beslaglægge, konfiskere (*fx a car*); inddrage (*fx a passport*); tage i forvaring; **2.** (*herreløst kvæg*) optage; **3.** (*vand*) opstemme, opdæmme, stuve.

impoverish [im'pɔv(ə)riʃ] *vb.* **1.** (*person, samfund*) forarme; **2.** (*jord*) udpine; **3.** (*fig.*) forringe.

impoverished [im'pɔv(ə)riʃt] *adj.* (jf. *impoverish*) **1.** forarmet; ludfattig (*fx student*); **2.** udpint; **3.** (*fig.*) forringet; fattig (*fx the language would be* ~).

impoverishment [im'pɔv(ə)riʃmənt] *sb.* (jf. *impoverish*) **1.** forarmelse; **2.** udpining; **3.** forringelse.

impracticability [impræktikə'bilət i] *sb.* uigennemførlighed.

impracticable [im'præktikəbl] *adj.* uigennemførlig (*fx plan*); umulig.

impractical [im'præktikl] *adj.* **1.** (*om person*) upraktisk; **2.** (*om ting, metode etc.*) upraktisk; uanvendelig; **3.** (*især am.*) = *impracticable*.

imprecation [impri'keiʃn] *sb.* F forbandelse.

imprecise [impri'sais] *adj.* unøjagtig, upræcis.

imprecision [impri'siʒ(ə)n] *sb.* unøjagtighed, upræcision; manglende præcision.

impregnability [impregnə'bilət i] *sb.* (jf. *impregnable*) **1.** uindtagelighed; **2.** uovervindelighed; **3.** urokkelighed.

impregnable [im'pregnəbl] *adj.* F **1.** (*om sted*) uindtagelig (*fx fortress*); utilgængelig (*fx mountains*); **2.** (*om person, sportshold etc.*) uovervindelig; **3.** (*om overbevisning etc.*) urokkelig (*fx faith; obstinacy*);
□ ~ *arguments* uigendrivelige argumenter; *in an* ~ *position* urørlig.

impregnate ['impregneit, (am. kun) im'pregneit] *vb.* F **1.** imprægnere (*with* med, *fx the cloth was -d with insect repellant*); (*gennemtrænge helt*) mætte (*with* med); **2.** (*fig.*) gennemtrænge; **3.** (*hun*) gøre drægtig; (*kvinde*) besvangre; **4.** (*biol.*) befrugte.

impresario [imprə'sa:riəu] *sb.* impresario.

impress[1] ['impres] *sb.* **1.** aftryk; mærke; **2.** (*fig.*) præg; stempel;
□ *bear the* ~ *of* have/bære præg af (*fx his account bears the* ~ *of truth*); *his work bears the* ~ *of genius* hans arbejde bærer geniets stempel.

impress[2] [im'pres] *vb.* (se også *im-*

pressed) **1.** imponere (*with* med, *fx he tried to* ~ *me with his knowledge of wine; he did it to* ~); gøre indtryk på (*fx he -ed her favourably*); **2.** (*hist.: person, til krigstjeneste*) tvangsudskrive, tvangshverve; presse; (*gods*) beslaglægge;
□ *he -ed me as a fine artist* jeg fik det indtryk at han var en fin kunstner; ~ *sth (up)on sby* indskærpe/indprente en noget (*fx* ~ *on them the importance of personal hygiene*); lægge en noget på sinde; *it has -ed itself on my mind* det har indprentet/præget sig i mit sind/min erindring; det står prentet/præget i mit sind/min erindring; ~ *with* **a.** se: *1*; **b.** indprente (*fx* ~ *them with the importance of secrecy*).

impressed [im'prest] *adj.* **1.** imponeret (*by/with* af/over); **2.** indpræget (*in* i);
□ ~ *on* påtrykt.

impression [im'preʃn] *sb.* **1.** (*i sindet*) indtryk (*fx what is your* ~ *of him? it gives a bad* ~; *I had the* ~ *that he was satisfied*); **2.** (*i materiale*) aftryk (*fx the* ~ *of a heel in the sand; take an* ~ *of a key*); mærke; **3.** (*af bog etc.*) oplag; **4.** (*teat.*) imitation (*of* af, *fx he did an* ~ *of a monkey*); (*satirisk*) parodi (*of* på, *fx he did an* ~ *of the Prime Minister*);
□ *give//have the* ~ *that* (*også*) give//have indtryk af at; *be under the* ~ *that* have det indtryk at, have indtryk af at; tro at.

impressionable [im'preʃnəbl] *adj.* modtagelig (for indtryk); letpåvirkelig, letbevægelig.

impressionism [im'preʃnizm] *sb.* impressionisme.

impressionist[1] [im'preʃnist] *sb.* **1.** impressionist; **2.** (*teat.*) imitator; (*satirisk*) parodist.

impressionist[2] [im'preʃnist] *adj.* impressionistisk.

impressionistic [impreʃ'nistik] *adj.* impressionistisk.

impressive [im'presiv] *adj.* imponerende, betagende.

impressment [im'presmənt] *sb.* (*hist.*) tvangsudskrivning; presning [*til tjeneste i flåden*].

imprimatur [impri'meitə, -'ma:-] *sb.* **1.** godkendelse; **2.** (*til bog*) imprimatur, trykketilladelse.

imprint[1] ['imprint] *sb.* **1.** aftryk (*fx the* ~ *of his foot in the sand; make an* ~ *of a key*); mærke; **2.** (*fig.*) præg; **3.** (*i trykt materiale*) angivelse af trykkested; **4.** (*mht. forlag*) forlæggermærke;

□ *bear the* ~ *of* (jf. *2*) være præget af; bære præg af; *leave one's* ~ *on* (jf. *2*) sætte sit præg på, præge.

imprint[2] [im'print] *vb.* (se også *imprinted*) (*fig.*) præge, prente (*fx as if he wanted to* ~ *it in his mind*);
□ ~ *on* (*i dyrepsykologi*) præge på; *it -ed itself on their minds* det prægede/prentede sig dybt i deres sind/erindring.

imprinted [im'printid] *adj.*: *it is* ~ *on my memory/mind* de står præget/prentet i min erindring/mit sind; ~ *with his name* præget// stemplet med hans navn.

imprison [im'priz(ə)n] *vb.* **1.** fængsle; sætte i fængsel; **2.** (*fig.*) indespærre.

imprisonment [im'priz(ə)nmənt] *sb.* **1.** fængsling; **2.** fangenskab (*fx during his* ~); **3.** (*om straf*) fængsel (*fx two years'* ~);
□ *serve a term of* ~ afsone en fængselsstraf; (se også *false imprisonment*).

improbability [imprɔbə'bilət i] *adj.* usandsynlighed.

improbable [im'prɔbəbl] *adj.* usandsynlig.

impromptu [im'prɔm(p)tju:] *adj.* improviseret (*fx speech*);
□ *speak* ~ (*adv.*) holde en improviseret tale.

improper [im'prɔpə] *adj.* **1.** (*mht. skik og brug*) upassende (*fx dress*); uheldig; **2.** (*mht. moral*) usømmelig, utilbørlig (*fx behaviour*); uanstændig (*fx suggestion*); sjofel (*fx stories*); **3.** (F: *mht. regler*) fejlagtig, forkert (*fx treatment of disease; use of medicine; use of a verb*); **4.** (*mod loven*) uretmæssig (*fx use of money entrusted to one*); lovstridig (*fx banking practices*).

improper fraction *sb.* uægte brøk.

impropriety [imprə'praiət i] *sb.* F **1.** usømmelighed, utilbørlighed; **2.** urigtighed; fejlagtighed; **3.** (*lovstridig handling*) mislighed.

improve [im'pru:v] *vb.* **1.** forbedre; (*metode, teknik også*) udvikle; **2.** (*uden objekt*) bedres, blive bedre (*fx his health is improving*); (*om person også*) forbedre sig; gøre fremskridt;
□ ~ *oneself*, ~ *one's mind* øge sine kundskaber; berige sin ånd; ~ *on* forbedre; *he -s on acquaintance* han vinder ved nærmere bekendtskab.

improvement [im'pru:vmənt] *sb.* forbedring; fremskridt;
□ ~ *on* forbedring af; fremskridt i forhold til//sammenlignet med (*fx an* ~ *on last year's result*).

improvidence [im'prɔvid(ə)ns] *sb.* uforudseenhed; letsindighed, sløsethed [*især i pengesager*].

improvident [im'prɔvid(ə)nt] *adj.* uforudseende; letsindig, sløset [*især i pengesager*].

improving [im'pru:viŋ] *adj.* (glds.) belærende; opbyggelig.

improvisation [imprəvai'zeiʃn] *sb.* improvisation.

improvise ['imprəvaiz] *vb.* improvisere.

improviser ['imprəvaizə] *sb.* improvisator.

imprudence [im'pru:d(ə)ns] *sb.* uklogskab; uforsigtighed, ubetænksomhed.

imprudent [im'pru:d(ə)nt] *adj.* uklog; uforsigtig, ubetænksom.

impudence ['impjud(ə)ns] *sb.* uforskammethed.

impudent ['impjud(ə)nt] *adj.* uforskammet.

impugn [im'pju:n] *vb.* F angribe, bestride, drage i tvivl.

impulse ['impʌls] *sb.* **1.** impuls; indskydelse (*fx his first ~ was to run*); **2.** (elek., fys.) impuls; □ *on (an)* ~ efter en pludselig indskydelse; *act on* ~ (også) handle spontant; *an* ~ *to* en pludselig lyst til at (*fx I was seized with an* ~ *to kick him*); en tilskyndelse til at (*fx he felt an* ~ *to speak*).

impulse buying *sb.* impulskøb.

impulsive [im'pʌlsiv] *adj.* impulsiv.

impunity [im'pju:niti] *sb.:* *with* ~ ustraffet; uden risiko.

impure [im'pjuə] *adj.* uren (*fx air; metal; thought*).

impurity [im'pjuəriti] *sb.* urenhed.

imputation [impju'teiʃn] *sb.* beskyldning.

impute [im'pju:t] *vb.:* ~ *to* tillægge (*fx I* ~ *no evil motives to him*); tilskrive; ~ *sth to sby* (også) beskylde en for noget.

in¹ [in] *sb.:* *the ins* (*især am.*) **a.** medlemmerne af regeringspartiet; **b.** de indviede; *know the ins and outs of a subject* F kende et emne ud og ind/i alle enkeltheder; *have an in with* (*især am.*) have en høj stjerne hos; have noget at sige hos, have indflydelse hos.

in² [in] *adj.* **1.** inde; **2.** T med på noderne; moderne, på mode, smart; helt rigtig (*fx the in place to go*); **3.** (om person: i sin bolig) hjemme (*fx he is in*); **4.** (om tog, fly, båd) ankommet (*fx the train is in*); **5.** (om korn) i hus; **6.** (pol.) ved magten (*fx the Conservatives were in*);

□ *be in* (*i kricket*) være ved gærdet; være inde; *strawberries are in* det er jordbærsæson; *be in for// on//with* se *in³*.

in³ [in] *adv.* ind/inde (*fx come in; stay in*);

□ *be in for* **a.** kunne vente sig (*fx we are in for a hot summer*); **b.** have meldt sig til (*fx a competition*); *be in for it* sidde kønt i det; kunne vente sig; *have it in for* se *have²*; *be in on* **a.** være indviet i; **b.** være med i, have en aktie i; *let in on* indvie i; *be//keep in with* være//holde sig på en god fod med.

in⁴ [in] *præp.* **1.** i; **2.** (om sted) (inde//ude//oppe *etc.*) i (*fx in the church; in England; in the rain; in the tree*); (*i visse tilfælde også*) (inde//ude//oppe) på (*fx in the field//country//market place//road; in his room//the toilet; in a hotel//the hospital*); **3.** (om arbejdssted) ved (*fx in the University; he is in the Army//Navy//in agriculture*); **4.** (om bevægelse) ind//ud//ned *etc.* i (*fx he got in his car; he put his hands in his pockets*); (*am. også*) ind ad (*fx he came in the door*); **5.** (om tidsrum; hvornår) om (*fx in the afternoon//evening// summer//winter; in a week//eight hours*); under (*fx in the reign of Elizabeth*); i (*fx in April*); (om hvor længe noget tager) på, i løbet af (*fx three times in a week; it was over in less than an hour*); **6.** (om sprog) på (*fx in English//French*); **7.** (om meddelelsesmiddel) på (*fx in print//writing*); med (*fx in ink// pencil*); **8.** (om påklædning) med (*fx in a top hat; in trousers; in a blue dress*); i (*fx men in uniform; a gentleman in black*); **9.** (om citat, egenskab) hos (*fx I found the word in Shakespeare; a valuable quality in an editor*);

□ *in crossing the road* da han//de *etc.* gik over vejen; *there are 100 pence in the pound* der går 100 pence på et pund; *one in a thousand* en ud af/blandt tusind; [*med pron.*] *to show what was in him* for at vise hvad han duede til; *A isn't in it with B* A kan ikke måle sig med B; *in itself* i og for sig; *in that* (*konj.*) eftersom, fordi; derved at, idet.

in. *fork. f. inch(es).*

inability [inə'biləti] *sb.* manglende evne (*to* til at);

□ *the editor regrets his* ~ *to* redaktøren beklager ikke at kunne.

inaccessibility ['inæksesə'biləti] *sb.* (jf. *inaccessible*) **1.** utilgængelig-

hed; **2.** uopnåelighed; **3.** utilnærmelighed.

inaccessible [inæk'sesəbl] *adj.* **1.** (om sted & fig. om tekst, kunst) utilgængelig (*to* for); **2.** (økonomisk) uopnåelig (*to* for, *fx the costs make it* ~ *to ordinary people*); **3.** (om person) utilnærmelig;

□ *the place is* ~ *by car* man kan ikke komme dertil pr. bil.

inaccuracy [in'ækjurəsi] *sb.* unøjagtighed, mangel på præcison.

inaccurate [in'ækjurət] *adj.* unøjagtig, upræcis.

inaction [in'ækʃn] *sb.* F passivitet, uvirksomhed; sløvhed.

inactive [in'æktiv] *adj.* **1.** passiv, inaktiv, uvirksom; **2.** (am. mil.) ikke i tjeneste.

inactivity [inæk'tivəti] *sb.* passivitet, uvirksomhed; lediggang.

inadequacy [in'ædikwəsi] *sb.* utilstrækkelighed, mangelfuldhed.

inadequate [in'ædikwət] *adj.* utilstrækkelig, mangelfuld.

inadmissibility ['inədmisə'biləti] *sb.* utilstedelighed, uantagelighed.

inadmissible [inəd'misəbl] *adj.* **1.** utilstedelig, uantagelig; **2.** (jur.: om bevismateriale) som ikke kan godtages.

inadvertence [inəd'və:t(ə)ns] *sb.* uagtsomhed, forsømmelighed; fejl, fejltagelse.

inadvertent [inəd'və:t(ə)nt] *adj.* uagtsom, forsømmelig; utilsigtet.

inadvertently [inəd'və:t(ə)ntli] *adv.* af uagtsomhed, af vanvare, uforvarende.

inalienable [in'eiliənəbl] *adj.* F umistelig (*fx right*).

inamorata [inæmə'ra:tə] *sb.* (litt. el. spøg.) elskede [*om en kvinde*].

inamorato [inæmə'ra:təu] *sb.* (litt. el. spøg.) elskede [*om en mand*].

inane [i'nein] *adj.* åndsforladt, åndløs; indholdsløs, intetsigende, tom, banal.

inanimate [in'ænimət] *adj.* livløs, død (*fx object*).

inanimation [inæni'meiʃn] *sb.* livløshed; mangel på liv.

inanity [in'æniti] *sb.* åndsforladthed, åndløshed; indholdsløshed, tomhed, banalitet;

□ *inanities* intetsigende bemærkninger; banaliteter.

inapplicability [inæplikə'biləti] *sb.* uanvendelighed.

inapplicable [inə'plikəbl, in'æp-] *adj.* uanvendelig.

inappropriate [inə'prəupriət] *adj.* malplaceret; upassende.

inapt [in'æpt] *adj.* F upassende, malplaceret (*fx remark*).

inarticulate [ina:'tikjulət] *adj.*

1. (*om person*) uartikuleret, som
har vanskeligt ved at udtrykke sig;
stum (*with af, fx excitement*);
2. (*om ytring*) uartikuleret (*fx
cries*); utydelig (*fx muttering*);
3. (*anat.*) uleddet.

inartistic [ina:'tistik] *adj.* ukunst-
nerisk; blottet for kunstsans.

inasmuch [inəz'mʌtʃ] *adv.*: ~ *as* F
a. for så vidt som; **b.** eftersom, da;
c. i betragtning af at.

inattention [inə'tenʃn] *sb.* uop-
mærksomhed; forsømmelighed.

inattentive [inə'tentiv] *adj.* uop-
mærksom; forsømmelig.

inaudible [in'ɔ:dəbl] *adj.* uhørlig.

inaugural¹ [i'nɔ:gjur(ə)l] *sb.* = *in-
augural address.*

inaugural² [i'nɔ:gjur(ə)l] *adj.*
1. (*som indleder en række*) åb-
nings- (*fx ball; concert; meeting*);
2. (*når man tiltræder et embede*)
indsættelses-; tiltrædelses- (*fx lec-
ture; sermon*); **3.** (*ved ibrugtag-
ning*) indvielses- (*fx ceremony*).

inaugural address *sb.* tiltrædelses-
tale.

inaugurate [i'nɔ:gjureit] *vb.* **1.** (*em-
bedsmand*) (højtideligt) indsætte;
2. (*institution etc.*) indvie, åbne
(*fx a new school*); tage i brug (*fx a
new building*); **3.** (*nyt system etc.*)
indføre (*fx the Single European
Market*); påbegynde; indlede (*fx a
period of growth*);
□ ~ *a new era* indvarsle en ny
æra/epoke.

inauguration [inɔ:gju'reiʃn] *sb.* (jf.
inaugurate) **1.** (højtidelig) indsæt-
telse; **2.** indvielse, åbning; indvi-
elsesceremoni; ibrugtagning;
3. indførelse; indledning.

Inauguration Day *sb.* (*am.*) [*ny-
valgt præsidents tiltrædelsesdag,
20. januar*].

inauspicious [inɔ:'spiʃəs] *adj.* uhel-
dig (*fx start*); ugunstig; ildevar-
slende.

inboard¹ ['inbɔ:d] *sb.* indenbords
motor.

inboard² ['inbɔ:d] *adj.* indenbords.

inborn ['inbɔ:n] *adj.* medfødt.

inbound ['inbaund] *adj.* indadgå-
ende; indkommende.

in box *sb.* (*it*) indbakke.

inbred ['inbred] *adj.* **1.** medfødt;
naturlig; **2.** indavlet.

inbreeding ['inbri:diŋ] *sb.* indavl.

Inc. *fork. f.* incorporated (*am.*) ind-
registreret som aktieselskab;
□ *Smith & Co., Inc.* A/S Smith &
Co.

inc. *fork. f.* including.

Inca ['iŋkə] *sb.* (*hist.*) inka.

incalculable [in'kælkjuləbl] *adj.*
1. som ikke kan beregnes (*fx

value*); **2.** uoverskuelig (*fx
damage; the consequences are* ~).

in camera *adv.* se *camera.*

incandescence [inkæn'des(ə)ns] *sb.*
hvidglødende tilstand; hvidglød-
hede.

incandescent [inkæn'des(ə)nt] *adj.*
1. (hvid)glødende; **2.** (*fig.: fremra-
gende*) strålende, blændende (*fx
performance*); **3.** (*fig.: vred*) hvid-
glødende (*with fury/rage* af ra-
seri).

incandescent lamp *sb.* gløde-
lampe.

incandescent mantle *sb.* glødenet.

incantation [inkæn'teiʃn] *sb.* be-
sværgelse.

incapability [inkeipə'biləti] *sb.* u-
duelighed; manglende evne.

incapable [in'keipəbl] *adj.* **1.** udue-
lig (*fx he is totally* ~); **2.** ude af
stand til at fungere;
□ *drunk and* ~ beruset og ude af
stand til at tage vare på sig selv; T
døddrukken; ~ *of speech* ude af
stand til at tale; *be* ~ *of + -ing*
være ude af stand til at (*fx under-
standing the simplest instruc-
tions*); ikke eje evnen til at (*fx ap-
preciating music*).

incapacitate [inkə'pæsiteit] *vb.* F
1. gøre uarbejdsdygtig; sætte ud af
spillet; gøre ukampdygtig (*fx rub-
ber bullets are intended to* ~
people); **2.** (*jur.*) gøre inhabil;
diskvalificere.

incapacity [inkə'pæsəti] *sb.* F
1. manglende evne (*for* til; *to* til
at); uduelighed; **2.** (*jur.*) inhabili-
tet; diskvalifikation.

incarcerate [in'ka:səreit] *vb.* F in-
despærre; fængsle.

incarceration [inka:sə'reiʃn] *sb.* in-
despærring; fængsling.

incarnate¹ [in'ka:nət] *adj.* **1.** perso-
nificeret (*fx he is greed//evil* ~);
2. (*rel.*) menneskebleven, legem-
liggjort (*fx the* ~ *God*);
□ *a devil* ~ en djævel i menneske-
skikkelse; *the devil* ~ den skin-
barlige djævel.

incarnate² ['inka:neit] *vb.* personi-
ficere; legemliggøre;
□ *be -d in* være legemliggjort//per-
sonificeret i.

incarnation [inka:'neiʃn] *sb.* inkar-
nation; legemliggørelse;
□ *be the* ~ *of evil* være den perso-
nificerede ondskab.

incautious [in'kɔ:ʃəs] *adj.* F ufor-
sigtig; ubesindig.

incendiary¹ [in'sendiəri] *sb.* (*mil.*)
brandbombe.

incendiary² [in'sendiəri] *adj.*
1. brandstiftelses-; brandstiftende;
2. ophidsende;

□ ~ *speech* brandtale.

incendiary bomb *sb.* (*mil.*) brand-
bombe.

incense¹ ['insens] *sb.* røgelse.

incense² [in'sens] *vb.* ophidse.

incensed [in'senst] *adj.* ophidset,
opbragt (*at* over, *fx my remarks*).

incentive [in'sentiv] *sb.* tilskyn-
delse, incitament (*for* til; *to* til at);
opmuntring; ansporing, spore.

inception [in'sepʃn] *sb.* (på)begyn-
delse; oprettelse;
□ *from/since its* ~ fra dets opret-
telse; fra det blev til, fra det op-
stod; fra første færd.

incertitude [in'sə:titju:d] *sb.* uvis-
hed.

incessant [in'ses(ə)nt] *adj.* uophør-
lig, uafladelig, uafbrudt.

incest ['insest] *sb.* blodskam.

incestuous [in'sestʃuəs] *adj.* **1.** in-
cestuøs, blodskams-; **2.** (*fig.*) me-
get tæt/intim/snæver; for tæt//in-
tim//snæver.

inch¹ [in(t)ʃ] *sb.* (*2,54 cm, omtr.=*)
tomme;
□ *every* ~ *a gentleman* gentleman
til fingerspidserne; *give him an* ~
and he'll take an ell rækker man
fanden en lillefinger tager han
hele hånden; (se også *trust²*);
[*med præp.*] *by* -es **a.** lidt efter
lidt; gradvis; **b.** lige akkurat (*fx I
avoided the lamppost by* -es); *the
stone missed my head by* -es ste-
nen susede lige/tæt forbi mit ho-
ved; ~ *by* ~ tomme for tomme; et
lille bitte stykke ad gangen (*fx he
crept along the wall* ~ *by* ~);
within an ~ *of a.* ganske nær/tæt
ved (*fx his face was within an* ~
of mine); **b.** (*fig.*) lige ved (*fx
within an* ~ *of succeeding*); *to
within an* ~ *of ...'s life* **a.** halvt
ihjel (*fx beat/flog/thrash him to
within an inch of his life*); **b.** ud
over alle grænser (*fx polish//decor-
ate sth to within an* ~ *of its life*).

inch² [in(t)ʃ] *vb.* **1.** snegle sig (*fx
the cars edged along the motorway*);
rykke/bevæge sig tomme for
tomme; nokke sig; **2.** (*med objekt*)
rykke tomme for tomme; nokke
(*fx he* -ed *his chair up to the
table*).

inchoate ['inkəuət, -eit] *adj.* kun
lige påbegyndt; begyndende; rudi-
mentær; ufuldstændig.

inch tape *sb.* målebånd [*inddelt i
tommer*].

inchworm ['intʃwə:rm] *sb.* (*am.
zo.*) målerlarve.

incidence ['insid(ə)ns] *sb.* fore-
komst; udbredelse (*fx of a dis-
ease*); hyppighed;
□ *the* ~ *of taxation* skatternes for-

I incident

deling mellem forskellige befolkningsgrupper.

incident[1] ['insid(ə)nt] *sb.* hændelse, begivenhed; episode (*fx a frontier* ~; *a shooting* ~ en skudepisode);
□ *without* ~ uden nogen episoder; uden at der skete noget særligt.

incident[2] ['insid(ə)nt] *adj.*: ~ *to* se *incidental* (*to*).

incidental [insi'dent(ə)l] *adj.* tilfældig; bi- (*fx earnings* fortjeneste);
□ ~ *to* som hører til; som følger med (*fx hardships* ~ *to his career*).

incidental expenses *sb. pl.* tilfældige udgifter; diverse.

incidentally [insi'dent(ə)li] *adv.*
1. tilfældigt; lejlighedsvis; 2. (*indledende*) for resten (*fx* ~, *what did he say to you?*); for øvrigt; i forbigående (bemærket).

incidental music *sb.* ledsagemusik.

incidentals [insi'dent(ə)lz] *sb. pl.* tilfældige udgifter; diverse.

incident room *sb.* midlertidigt hovedkvarter [*ved politioperation*].

incinerate [in'sinəreit] *vb.* brænde (til aske); destruere;
□ *be* -*d* (*om mennesker, fx ved ulykke*) blive brændt ihjel.

incineration [insinə'reiʃn] *sb.*
1. forbrænding; destruktion; 2. ligbrænding.

incinerator [in'sinəreitə] *sb.* 1. destruktionsovn; 2. affaldsbrænder; (*til haveaffald*) havebrænder.

incipient [in'sipiənt] *adj.* begyndende, frembrydende (*fx madness*); spirende.

incise [in'saiz] *vb.* 1. skære ind i; 2. (*med.*) lave indsnit i.

incised [in'saizd] *adj.*: ~ *into* indridset i; ~ *on* indskåret//indhugget i; ~ *with* med en udskæring der forestiller.

incision [in'siʒ(ə)n] *sb.* (*især med.*) indsnit, snit; (*fagl.*) incision.

incisive [in'saisiv] *adj.* skarp, skarpsindig (*fx critic*); indtrængende, dybtborende (*fx analysis*).

incisor [in'saizə] *sb.* fortand.

incite [in'sait] *vb.* 1. (*handling, følelse*) tilskynde til, opildne til (*fx another riot; racial hatred*);
2. (*person*) anspore, ægge, opildne (*to* til, *fx* ~ *them to rebellion//violence; to* + *vb.* til at, *fx* ~ *them to rebel*); ophidse.

incitement [in'saitmənt] *sb.*
1. (*handling*) tilskyndelse; ansporing; 2. (*omstændighed*) spore, incitament; bevæggrund.

incivility [insi'viləti] *sb.* F uhøflighed.

---

incl *fork. f. inclusive.*

inclemency [in'klemənsi] *sb.* barskhed, strenghed, ubarmhjertighed.

inclement [in'klemənt] *adj.* (F: *om vejr*) ublid, barsk, streng.

inclinable [in'klainəbl] *adj.* (*tekn.*) som kan stilles skråt.

inclination [inkli'neiʃn] *sb.* 1. (*persons*) lyst (*to* til at, *fx I have no* ~ *to follow his example*); (*generelt & om villighed*) tilbøjelighed (*to* til at, *fx ignore difficult problems; enter into a compromise; artistic* -*s; follow one's own* -*s*); tendens;
2. F hældning; 3. (*mat.*) hældningsvinkel; 4. (*fys.*) inklination;
□ ~ *of the head* hovedbøjning.

incline[1] ['inklain] *sb.* 1. skråning (*fx a steep* ~); 2. hældning (*fx an* ~ *of 1 in 3*).

incline[2] [in'klain] *vb.* (se også *inclined*) 1. stille skråt; 2. (*uden objekt*) hælde; skråne;
□ ~ *one's head* bøje hovedet; [*med præp.& adv.*] ~ *forward* bøje sig frem; ~ *to* **a.** (+ *inf.*) være tilbøjelig til at (*fx believe him*);
b. (+ *sb.*) have tilbøjelighed/tendens til (*fx fatness*); (*synspunkt*) hælde til (*fx the opposite view*);
c. (+ *objekt* + *inf.*) gøre tilbøjelig til at (*fx this* -*s me to believe him*); *it* -*s me to* det gør mig tilbøjelig til at (*fx be cynical*); ~ *towards* **a.** bøje sig hen imod (*fx she* -*d towards the speaker*);
b. (*fig.*) tendere mod; hælde mod (*fx more liberal views*); have tilbøjelighed til (*fx laziness*); *it* -*s me towards* det gør mig en tilbøjelighed til (*fx cynicism*).

inclined [in'klaind] *adj.* 1. skrå (*fx ramp*); 2. tilbøjelig; se: *ndf.*;
3. (*med foranstillet adv.*) anlagt (*fx be artistically//mathematically//musically* ~);
□ *be* ~ *to* (+ *inf.*) **a.** være tilbøjelig til at (*fx believe him; be talkative*);
b. have lyst til at (*fx watch TV*); *if you are so* ~ hvis du har lyst til 'det.

inclined plane *sb.* skråplan.

include [in'klu:d] *vb.* (se også *included, including*) 1. inkludere, omfatte, indbefatte (*fx the excursion will* ~ *a visit to the castle*); indeholde; 2. (*i større helhed*) inkludere, medtage (*fx tips in the bill; that sentence in the report*); (*i beregning også*) medregne;
3. (*person*) tage med (*fx let us* ~ *him*);
□ *he was* -*d in the team* han kom med på holdet.

included [in'klu:did] *adj.* inklu-

---

sive, iberegnet (*fx everything* ~); inkluderet, medregnet;
□ *insurance* ~ inklusive forsikring; forsikring iberegnet.

including [in'klu:diŋ] *præp.* inklusive, iberegnet; indbefattet, medregnet (*fx five in all,* ~ *you*); deriblandt, bl.a. (*fx several prominent people,* ~ *the Prime Minister*);
□ ~ *insurance* inklusive forsikring, forsikring iberegnet.

inclusion [in'klu:ʒ(ə)n] *sb.* (jf. *include*) 1. indbefatning; 2. medregning; 3. medtagelse (*fx in the team*).

inclusive [in'klu:siv] *adj.* 1. inklusive (*fx from Monday to Friday* ~); 2. (*om pris etc.*) alt iberegnet (*fx the price is* ~; *an* ~ *charge of £50* £50 alt iberegnet); 3. (*om gruppe, organisation*) omfattende, rummelig, åben; 4. (*om sprog*) ikke-kønsdiskriminerende;
□ *Monday to Friday* ~ fra mandag til fredag inklusive; ~ *of* se *including*; ~ *terms* alt iberegnet.

incognito [in'kɔgnitəu] *adv.* inkognito [ɔ: uden at røbe hvem man er].

incoherence [inkə'hiər(ə)ns] *sb.* mangel på sammenhæng.

incoherent [inkə'hiər(ə)nt] *adj.* usammenhængende.

incombustible [inkəm'bʌstəbl] *adj.* ikke brændbar; ildfast (*fx material*).

income ['inkəm] *sb.* indtægt;
□ *live within one's* ~ ikke give mere ud end man tjener.

incomer ['inkʌmə] *sb.* tilflytter; indvandrer.

income support *sb.* (*omtr.*) bistandshjælp.

income tax *sb.* indkomstskat.

incoming ['inkʌmiŋ] *adj.* 1. indkommende; 2. (*om post, telefonsamtale*) indgående; 3. (*om trafikmiddel, person*) ankommende (*fx train; passenger*); 4. (*om embedsmand etc.*) tiltrædende (*fx chairman; prime minister*).

incomings ['inkʌmiŋz] *sb. pl.* indkomster; indtægt.

incommensurable
[inkə'menʃ(ə)rəbl] *adj.* inkommensurabel; som ikke kan sammenlignes.

incommode [inkə'məud] *vb.* F ulejlige, volde besvær.

incommunicado [inkəmju:ni-'ka:dəu] *adj.* uden forbindelse med omverdenen; isoleret.

incomparable [in'kɔmp(ə)rəbl, inkəm'pærəbl, -'pɛə-] *adj.* 1. som ikke kan sammenlignes (*with* med); **2.** (*rosende*) uforlignelig, enestående, mageløs.

incompatibility ['inkəmpætə'bilƏti] *sb.* (jf. *incompatible*) **1.** uforenelighed; **2.** uforligelighed; **3.** inkompatibilitet;

□ ~ *of temper* gemytternes uoverensstemmelse.

incompatible [inkəm'pætəbl] *adj.* **1.** uforenelig (*with* med); **2.** (*mht. blod*) uforligelig; **3.** (*it etc.*) inkompatibel; som ikke kan passe// anvendes sammen;

□ *be ~ with* (*om person*) ikke passe sammen med; ikke kunne leve sammen med.

incompetence [in'kɔmpət(ə)ns] *sb.* inkompetence, uduelighed.

incompetent[1] [in'kɔmpət(ə)nt] *sb.* uduelig person; umulius.

incompetent[2] [in'kɔmpət(ə)nt] *adj.* inkompetent, ukvalificeret, uduelig.

incomplete [inkəm'pli:t] *adj.* **1.** ufuldstændig, mangelfuld; **2.** ufuldendt, ufærdig.

incomprehensibility [inkɔmprihensə'bilƏti] *sb.* uforståelighed; ubegribelighed, ufattelighed.

incomprehensible [inkɔmpri-'hensəbl] *adj.* uforståelig; ubegribelig, ufattelig.

incomprehension [inkɔmpri'henʃn] *sb.* manglende forståelse;

□ *with a look of ~* med et uforstående udtryk (i ansigtet).

inconceivable [inkən'si:vəbl] *adj.* ufattelig, ubegribelig; utænkelig, utrolig.

inconclusive [inkən'klu:siv] *adj.* **1.** ikke overbevisende (*fx arguments*); utilstrækkelig (*fx evidence*); **2.** (*om drøftelse*) resultatløs (*fx negotiations*).

incongruity [inkɔŋ'gruiti] *sb.* urimelighed, selvmodsigelse.

incongruous [in'kɔŋgruəs] *adj.* F **1.** som ikke passer til omgivelserne; besynderlig, afstikkende; **2.** urimelig, fornuftstridig, selvmodsigende.

inconsequential [inkɔnsə'kwenʃ(ə)l] *adj.* ligegyldig, betydningsløs, irrelevant.

inconsiderable [inkən'sidərəbl] *adj.*: *not ~* ikke ubetydelig; anselig.

inconsiderate [inkən'sidərət] *adj.* ubetænksom, tankeløs; taktløs (*fx remark*).

inconsistency [inkən'sist(ə)nsi] *sb.* (jf. *inconsistent*) **1.** inkonsekvens; selvmodsigelse; **2.** inkonsekvens; ustadighed; **3.** uoverensstemmelse; uforenelighed.

inconsistent [inkən'sist(ə)nt] *adj.*

1. (*mht. logik*) inkonsekvent; ulogisk; selvmodsigende (*fx argument*; *story*); **2.** (*mht. ensartethed*) inkonsekvent (*fx behaviour*; *he is ~ and unpredictable*); svingende (*fx his work is very ~*); ustadig; **3.** (*mht. forenelighed*) uoverensstemmende, uforenelig (*with* med);

□ *be ~ with* (jf. *3, også*) være i modstrid med; stride mod.

inconsolable [inkən'səuləbl] *adj.* utrøstelig.

inconspicuous [inkən'spikjuəs] *adj.* ikke iøjnefaldende, som man ikke lægger mærke til; uanselig.

inconstancy [in'kɔnstənsi] *sb.* (F el. *litt.*) ubestandighed, ustadighed, flygtighed.

inconstant [in'kɔnstənt] *adj.* (F el. *litt.*) ubestandig, ustadig, flygtig.

incontestable [inkən'testəbl] *adj.* ubestridelig.

incontinence [in'kɔntinəns] *sb.* (*med.*) inkontinens [*manglende evne til at tilbageholde urin og//el. afføring*].

incontinent [in'kɔntinənt] *adj.* (*med.*) inkontinent, som lider af inkontinens.

incontrovertible [inkɔntrə'və:təbl] *adj.* F uomtvistelig, ubestridelig.

inconvenience[1] [inkən'vi:niəns] *sb.* **1.** ulejlighed, besvær; **2.** gene, ulempe.

inconvenience[2] [inkən'vi:niəns] *vb.* **1.** ulejlige, besvære; **2.** genere; forstyrre.

inconvenient [inkən'vi:niənt] *adj.* ubelejlig; ubekvem, besværlig, upraktisk.

inconvertible [inkən'və:təbl] *adj.* (*om valuta*) ikke-konvertibel, uomsættelig.

incorporate [in'kɔ:pəreit] *vb.* **1.** indføje, indarbejde, inkorporere (*in(to)* i, *fx ~ the revisions into the text*); optage (*fx ~ these things in* (på) *the list*); **2.** omfatte (*fx the book -s his earlier papers*); inkorporere; **3.** (*land*) indlemme (*into* i); **4.** (*merk.: selskab*) stifte; (*am.*) omdanne til aktieselskab.

incorporated [in'kɔ:pəreitid] *adj.* (*am.*) indregistreret som aktieselskab.

incorporation [inkɔ:pə'reiʃn] *sb.* **1.** indføjelse, indarbejdning (*fx of corrections in the text*); optagelse; inkorporering; **2.** (*af land*) indlemmelse; **3.** (*af selskab*) stiftelse; (*am.*) omdannelse til aktieselskab.

incorporeal [inkɔ:'pɔ:riəl] *adj.* ulegemlig.

incorrect [inkə'rekt] *adj.* **1.** urigtig, ukorrekt; unøjagtig; **2.** (*om optræ-*

den *etc.*) ukorrekt, forkert.

incorrigible [in'kɔridʒəbl] *adj.* (*især spøg.*) uforbederlig.

incorruptibility ['inkərʌptə'bilƏti] *sb.* (jf. *incorruptible*) **1.** ubestikkelighed; **2.** ufordærvelighed, uforgængelighed; **3.** uforkrænkelighed.

incorruptible [inkə'rʌptəbl] *adj.* **1.** (*om person*) ubestikkelig; **2.** (*om andet*) ufordærvelig, uforgængelig; **3.** (*bibelsk*) uforkrænkelig.

increase[1] ['inkri:s] *sb.* **1.** vækst, stigning; **2.** forhøjelse, forøgelse;

□ *be on the ~* være stigende; tiltage, vokse.

increase[2] [in'kri:s] *vb.* **1.** vokse, tiltage, stige; øges; **2.** (*med objekt*) forhøje (*fx prices*); øge (*fx the likelihood of war*); forøge (*fx sales by* (med) *5%*); sætte i vejret (*fx production*);

□ ~ *speed* sætte farten op.

increasingly [in'kri:siŋli] *adv.* mere og mere, i stigende grad, i stadig større udstrækning.

incredibility [inkredə'bilƏti] *sb.* utrolighed.

incredible [in'kredəbl] *adj.* utrolig.

incredulity [inkrə'dju:ləti] *sb.* vantro, skepsis.

incredulous [in'kredjuləs] *adj.* vantro, skeptisk;

□ *be ~ of* ikke tro.

increment ['inkrimənt] *sb.* F **1.** tilvækst, stigning, forøgelse; **2.** (*til løn*) løntillæg; anciennitetstillæg.

incremental [inkri'ment(ə)l] *adj.* **1.** tilvækst- (*fx scale*); **2.** som vokser efterhånden; gradvis stigende.

incriminate [in'krimineit] *vb.* anklage, belaste (*fx a report which -d the company*);

□ ~ *oneself* inddrage sig selv i anklagen; skade sin egen sag.

incriminating [in'krimineitiŋ] *adj.* belastende (*fx documents*; *statement*).

in-crowd ['inkraud] *sb.*: *the ~* de der fører an (*fx in the school*); jetsettet.

incrust [in'krʌst] *vb.* se *encrust*.

incubate ['inkjubeit] *vb.* **1.** (*æg*) ruge på; udruge; **2.** (*uden objekt: om æg*) blive udruget; **3.** (*om bakterier*) inkubere;

□ *be incubating* **a.** (*sygdom*) være ved at udvikle; **b.** (*forehavende*) være ved at planlægge.

incubation [inkju'beiʃn] *sb.* **1.** rugning; udrugning; **2.** (*om bakterier*) inkubation.

incubation period *sb.* (*med.*) inkubationstid.

incubator ['inkjubeitə] *sb.* **1.** ruge-

I *incubus*

maskine; **2.** (*med.*) kuvøse.

incubus ['iŋkjubəs] *sb.* **1.** (*hist.: i overtro*) incubus [*dæmon der voldtog sovende kvinder*]; **2.** (*fig.*) [*noget der rider en som en mare*].

inculcate ['inkʌlkeit, in'kʌlkeit] *vb.* indprente, indskærpe.

inculcation [inkʌl'keiʃn] *sb.* indprentning, indskærpelse.

incumbency [in'kʌmbənsi] *sb.* embedsperiode.

incumbent[1] [in'kʌmbənt] *sb.* indehaver af et embede.

incumbent[2] [in'kʌmbənt] *adj.* F (*i embede*) siddende (*fx the* ~ *President//Senator*);
□ *it is* ~ *upon you to* det påhviler dig at; det er din pligt at.

incur [in'kə:] *vb.* udsætte sig for, pådrage sig (*fx his anger*);
□ ~ *debts* komme i/stifte gæld; *expenses -red* påløbne udgifter; ~ *losses* lide tab; ~ *an obligation* påtage sig en forpligtelse; ~ *a penalty* hjemfalde til straf.

incurable [in'kjuərəbl] *adj.* **1.** uhelbredelig; **2.** (*fig.*) uforbederlig (*fx optimist*).

incurious [in'kjuəriəs] *adj.* F ligegyldig, uopmærksom, uinteresseret.

incursion [in'kə:ʃn, (*am.*) in'kərʒn] *sb.* **1.** (fjendtligt) indfald, indtrængen (*into* i); angreb; strejftog; **2.** (*fig.*) indtrængen (*into/on* i, *fx sby's private life*).

Ind. *fork. f.* **1.** *India*; **2.** *Indian*; **3.** (*am.*) *Indiana*.

indebted [in'detid] *adj.* forgældet (*fx a heavily* ~ *developing country*);
□ *be* ~ *to* være/stå i gæld til; *I am* ~ *to him for it* jeg skylder ham tak for det.

indebtedness [in'detidnəs] *sb.* det at være i gæld; gæld (*fx my* ~ *to my teachers*).

indecency [in'di:s(ə)nsi] *sb.* **1.** uanstændighed; usømmelighed; **2.** (*jur.*) uterlighed.

indecent [in'di:s(ə)nt] *adj.* **1.** (*seksuelt*) uanstændig; usømmelig; (*jur.*) uterlig; **2.** (*generelt*) usømmelig (*fx with* ~ *haste*); upassende, utilbørlig.

indecent assault *sb.* (*jur.*) sædelighedsforbrydelse; voldtægtsforsøg.

indecent exposure *sb.* (*jur.*) krænkelse af blufærdigheden, blufærdighedskrænkelse.

indecipherable [indi'saif(ə)rəbl] *adj.* ikke til at tyde; ulæselig.

indecision [indi'siʒ(ə)n] *sb.* ubeslutsomhed, vaklen; rådvildhed (*about/over* med hensyn til).

indecisive [indi'saisiv] *adj.* **1.** (*om person*) ubeslutsom, vaklende; rådvild; **2.** (*om resultat etc.*) ikke afgørende; ubestemt.

indecorous [in'dekərəs, -di'kɔ:-] *adj.* F upassende, usømmelig, utilbørlig.

indeed[1] [in'di:d] *adv.* **1.** (*bekræftende*) virkelig, faktisk, sandelig (*fx he had* ~ *done it*; *it is* ~ *difficult*); ganske rigtig (*fx he may* ~ *be wrong*); **2.** (*foran forstærkende tilføjelse*) ja (*fx I felt,* ~ *I knew*); (*om modsætning*) faktisk (*fx he didn't object to the proposal,* ~ *he welcomed it*); **3.** (*med very: forstærkende, efterstillet*) meget meget, virkelig (*fx very glad//good* ~ meget meget glad//god; virkelig glad//god);
□ *thank you very much* ~ mange mange tak; ~ *it isn't!* vel er det ej! ~ *if I was not chosen again* sandelig om jeg ikke blev valgt igen.

indeed[2] [in'di:d] *interj.* **1.** nej virkelig! såh! det må jeg nok sige! **2.** (*efter spørgeord: ironisk*) ja det må du nok spørge om (*fx "Who is going to help you?" "Who* ~*!"*); □ *yes,* ~*!* ja absolut!

indefatigable [indi'fætigəbl] *adj.* utrættelig.

indefensible [indi'fensəbl] *adj.* **1.** som ikke kan forsvares; (*om påstand etc.*) uholdbar (*fx argument*); (*om handling*) utilgivelig (*fx error*); **2.** (*mil.: om stilling*) umulig at forsvare.

indefinable [indi'fainəbl] *adj.* udefinerlig.

indefinite [in'def(ə)nət] *adj.* **1.** utydelig, vag, ikke skarpt afgrænset; ikke nærmere bestemt; **2.** ubegrænset; ubestemt (*fx number; for an* ~ *period* på ubestemt tid); **3.** (*gram.*) ubestemt (*fx article; pronoun*).

indefinitely [in'def(ə)nətli] *adv.* på ubestemt tid (*fx defer the matter* ~).

indelible [in'deləbl] *adj.* **1.** (*om mærke, plet*) som ikke kan fjernes/tages af; **2.** (*fig.*) uudslettelig (*fx impression*).

indelible ink *sb.* mærkeblæk.

indelible pencil *sb.* blækstift.

indelicacy [in'delikəsi] *sb.* ufinhed, taktløshed.

indelicate [in'delikət] *adj.* ufin, taktløs.

indemnification [indemnifi'keiʃn] *sb.* (*jur.*) skadesløsholdelse; erstatning.

indemnify [in'demnifai] *vb.* (*jur.*) **1.** holde skadesløs (*against/from* for); betale erstatning; **2.** (*om police*) dække (*against* imod);

□ ~ *sby for sth* erstatte en noget (*fx* ~ *him for his loss*); godtgøre en noget (*fx* ~ *him for his expenses//loss*).

indemnity [in'demniti] *sb.* **1.** skadesløsholdelse; **2.** (*sum*) erstatning, erstatningsydelse; **3.** (*efter krig*) krigsskadeserstatning; **4.** (*mht. ansvar*) fritagelse for strafansvar, indemnitet.

indent[1] ['indent] *sb.* **1.** (*merk.*) ordre på varer der afgives til et udenlandsk firma; rekvisition; **2.** = indentation.

indent[2] [in'dent] *vb.* (se også *indented*) **1.** (*i tekst*) indrykke [*en linje*]; **2.** (*jur.*) udfærdige in duplo; □ ~ *for* (*merk.*) afgive ordre på; rekvirere.

indentation [inden'teiʃn] *sb.* **1.** indsnit, hak; **2.** fordybning, bule; **3.** (*i kyst*) indskæring; **4.** (*typ.*) indrykning.

indented [in'dentid] *adj.* **1.** med indhak; **2.** bulet; **3.** takket (*fx leaf*); **4.** (*om kyst*) indskåret; **5.** (*om linje i tekst*) indrykket.

indenture [in'dentʃə] *sb.* (*glds.*) **1.** lærekontrakt; **2.** arbejdskontrakt [*for arbejde i kolonierne*].

indentured [in'dentʃəd] *adj.* (jf. *indenture 2*) bundet af en arbejdskontrakt;
□ *be* ~ *to* (jf. *indenture 1*) stå i lære hos.

independence [indi'pendəns] *sb.* uafhængighed; selvstændighed; (se også *declaration*).

Independence Day *sb.* **1.** uafhængighedsdag; **2.** (*am.*) [*den amerikanske frihedsdag d. 4. juli*].

independency [indi'pendənsi] *sb.* uafhængig stat.

independent[1] [indi'pendənt] *sb.* (*pol.*) uafhængig; løsgænger.

independent[2] [indi'pendənt] *adj.* **1.** uafhængig (*of//from* af); selvstændig; **2.** (*om institution*) privat, privat- (*fx school*); uafhængig.

independent means *sb. pl.* privatformue;
□ *of* ~ formuende; økonomisk uafhængig.

in-depth [in'depθ] *adj.* dybtgående; dybtborende, dybdeborende.

indescribable [indi'skraibəbl] *adj.* ubeskrivelig.

indestructibility ['indistrʌktə'biləti] *sb.* uforgængelighed.

indestructible [indi'strʌktəbl] *adj.* uforgængelig.

indeterminable [indi'tə:minəbl] *adj.* ubestemmelig, som ikke kan afgøres.

indeterminacy [indi'tə:minəsi] *sb.* ubestemmelighed, ubestemthed, vaghed.

indeterminate [indi'tə:minət] *adj.* ubestemmelig, ubestemt, vag; □ ~ *sentence* (*jur.*) ikke-tidsbestemt straf; tidsubestemt straf.

indetermination [inditə:mi'neiʃn] *sb.* ubestemthed; ubeslutsomhed.

index[1] ['indeks] *sb.* (*pl.* -*es*; (*i videnskabelige tekster*)*pl.* indices ['indisi:z]) **1.** (*i bog*) indeks, register; **2.** (*fortegnelse, fx over samling*) register (*of* over, *fx the books in the library*); **3.** (*på kort*) kartotek; **4.** (*som noget måles i forhold til*) indeks (*of* for); (*for priser*) pristal, indekstal; **5.** (*fig.*) fingerpeg (*of* om, *fx his character*); udtryk (*of* for); tegn (*of* på); **6.** (*it*) indeks, indholdsfortegnelse, katalog; **7.** (*mat.*) eksponent; **8.** (*på instrument*) viser;
□ *the Index* index [*den katolske kirkes liste over forbudte bøger*].

index[2] ['indeks] *vb.* **1.** (*bog etc.*) forsyne med register; udarbejde register til (*fx a report*); **2.** (*oplysning etc.*) indføre [*i et register*]; opføre (*by* efter, *fx ~ the books by author and by title*; *under* under, *fx several headings*); **3.** (*samling etc.*) føre register//kartotek over; **4.** (*lønninger etc.*) pristalsregulere.

indexation [indek'seiʃn] *sb.* pristalsregulering.

index card *sb.* kartotekkort.

index finger *sb.* pegefinger.

index-linked [indeks'liŋkt] *adj.* pristalsreguleret.

India ['indiə] Indien.

India ink *sb.* (*am.*) tusch.

Indiaman ['indiəmən] *sb.* (*pl.* -*men* [-mən]) (*mar. hist.*) ostindiefarer.

Indian[1] ['indiən] *sb.* **1.** inder; **2.** (*især glds.*) indianer.

Indian[2] ['indiən] *adj.* **1.** indisk; **2.** (*især glds.*) indiansk.

Indiana [indi'ænə].

Indian club *sb.* [*kølle til gymnastiske øvelser*].

Indian corn *sb.* majs.

Indian file *sb.* **1.** [*række personer som går efter hinanden*]; **2.** (*am. mil.*) enkeltkolonne;
□ *move in ~* se *file*[1].

Indian giver *sb.* (*am.* T) [*en der tager sin gave tilbage el. venter rigelig gengæld*].

Indian hemp *sb.* hash; cannabis.

Indian ink *sb.* tusch.

Indian summer *sb.* **1.** [*periode med sommerligt vejr langt hen på efteråret*]; eftersommer; **2.** (*fig.*) [*periode af lykke//succes sent i livet*]; efterblomstring.

India paper *sb.* indiapapir, bibel-

papir [*tyndt trykpapir*].

india rubber *sb.* (*glds.*) **1.** gummi; **2.** viskelæder.

indicate ['indikeit] *vb.* **1.** vise (*fx the needle -s the temperature*); **2.** (*noget nødvendigt*) vise nødvendigheden af, gøre påkrævet, nødvendiggøre (*fx our findings ~ further research*); **3.** (*om tegn*) vidne om, være et tegn på, tyde på (*fx this seems to ~ that he is guilty; his language -s a poor education*); **4.** (*med.*) indicere (*fx his symptoms ~ pneumonia//an operation*); **5.** (*om symbol*) angive, markere (*fx railways are -d by a black line*); **6.** (*om person*) vise hen til, pege på (*fx he -d a chair*); **7.** (*ønske, hensigt: især indirekte*) tilkendegive (*fx they have -d their willingness to negotiate*); give udtryk for; antyde; **8.** (*om bil*) blinke, vise af (*fx right//left* til højre//til venstre);
□ *a drink is -d* en drink er tiltrængt/ville være på sin plads.

indication [indi'keiʃn] *sb.* **1.** tegn (*of* på, *fx the visit was an ~ of the improvement in relations; that* på at, *fx there is little ~ that it will soon be over*); **2.** (*jf.* indicate *7*) tilkendegivelse (*of* af; *that* af at, *fx a clear ~ that they are willing to negotiate*); antydning (*of* om/af; *that* om at, *fx he gave no ~ that he agreed*); **3.** (*med.*) indikation (*for* for);
□ *there is every ~ that*, *all the -s are that* alle tegn/alt tyder på at.

indicative[1] [in'dikətiv] *sb.*: *the ~* (*mood*) (*gram.*) indikativ.

indicative[2] [in'dikətiv] *adj.*: *be ~ of* vise, være tegn på, tyde på; antyde.

indicator ['indikeitə] *sb.* **1.** (*på bil*) blinklys; **2.** (*på apparat*) viser; **3.** (*apparat*) indikator; viserapparat; -måler (*fx speed ~*); **4.** (*til ringesystem, fx på hospital*) nummertavle; **5.** (*jernb.*) oplysningstavle, togtidstavle, skærm; **6.** (*i lufthavn*) skærm; **7.** (*elek.*) signaltavle; **8.** (*kem.*) indikator.

indices ['indisi:z] *pl.* af index[1].

indict [in'dait] *vb.* rejse tiltale mod, tiltale (*for* for).

indictable [in'daitəbl] *adj.* (*om person*) som kan sættes under tiltale.

indictable offence *sb.* alvorlig lovovertrædelse [*som behandles ved nævningeting i Crown Court*].

indictment [in'daitmənt] *sb.* (*jur.*) **1.** tiltale, anklage (*of* mod; *for* for); **2.** anklageskrift;
□ *an ~ of* (*fig*) en anklage mod (*fx our education system; our soci-*

ety).

indie[1] ['indi] *sb.* uafhængigt pladeselskab//filmselskab.

indie[2] ['indi] *adj.* (*fork. f. independent*) fra et uafhængigt pladeselskab//filmselskab (*fx music; film*); undergrunds-.

indifference [in'difrəns] *sb.* (*jf.* indifferent) **1.** ligegyldighed (*to* over for); ligegladhed (*to* med); indifference; **2.** middelmådighed.

indifferent [in'difrənt] *adj.* **1.** (*om holdning*) ligegyldig (*to* over for); ligeglad (*to* med); indifferent; **2.** (*om kvalitet: hverken god eller dårlig*) middelmådig, halvdårlig (*fx is it good, bad or ~?*); (*fx om helbred*) så som så; (*ikke god*) dårlig, ringe; **3.** (*kem.*) indifferent.

indigence ['indidʒns] *sb.* F fattigdom, armod.

indigenous [in'didʒinəs] *adj.* **1.** oprindelig (*fx people; population*); indfødt; **2.** (*biol.*) oprindelig; (*om plante også*) vildtvoksende;
□ ~ *to* oprindeligt/naturligt hjemmehørende i.

indigent ['indidʒənt] *adj.* F fattig, trængende.

indigestible [indi'dʒestəbl] *adj.* **1.** ufordøjelig; **2.** (*fig. om tekst, oplysning*) tungt fordøjelig, svært tilgængelig.

indigestion [indi'dʒestʃn] *sb.* dårlig fordøjelse; fordøjelsesbesvær; dårlig mave.

indignant [in'dignənt] *adj.* indigneret, forarget, opbragt (*about/at* over); forbitret (*at/about* over; *with* på); harmful.

indignation [indig'neiʃən] *sb.* indignation, forargelse; forbitrelse, harme.

indignity [in'digniti] *sb.* nedværdigende behandling; nedværdigelse, ydmygelse, krænkelse;
□ *suffer the ~ of being thrown out* (*også*) lide den tort at blive smidt ud.

indigo ['indigəu] *sb.* indigo; indigoblå.

indirect [indi'rekt] *adj.* indirekte (*fx effect; proof; tax; criticism*);
□ ~ *reply* undvigende svar; ~ *road*, ~ *route* omvej.

indirect discourse *sb.* (*gram., am.*) indirekte tale.

indirection [indi'rekʃn] *sb.* uærlighed; kneb.

indirectly [indi'rektli] *adv.* indirekte; ad omveje.

indirect object *sb.* (*gram.*) indirekte objekt, hensynsled.

indirect speech *sb.* (*gram.*) indirekte tale.

indiscernible [indi'sə:nəbl, -'zə:n-]

adj. umærkelig.

indiscipline [in'disiplin] *sb.* F mangel på disciplin.

indiscreet [indi'skri:t] *adj.* **1.** (*mht. ytring*) indiskret, åbenmundet; taktløs; **2.** (*mht. handling*) ubetænksom, uklog, uforsigtig (*fx behaviour*);
□ *be ~ about* ikke lægge skjul på.

indiscretion [indi'skreʃn] *sb.* (jf. *indiscreet*) **1.** indiskretion, åbenmundethed; taktløshed; **2.** ubetænksomhed, uforsigtighed; **3.** (*handling*) fejltrin (*fx youthful -s*).

indiscriminate [indis'kriminət] *adj.* tilfældig, planløs, vilkårlig; kritikløs, ukritisk;
□ *he is an ~ reader* han læser uden plan.

indiscriminately [indis'kriminətli] *adv.* tilfældigt, planløst, vilkårligt; i flæng, på må og få; kritikløst.

indispensability ['indispens-ə'biləti] *sb.* uundværlighed.

indispensable [indi'spensəbl] *adj.* uundværlig; absolut nødvendig.

indisposed [indis'pəuzd] *adj.* F indisponeret; utilpas;
□ *~ to* utilbøjelig til at.

indisposition [indispə'ziʃn] *sb.* F indisposition; utilpashed, (let) ildebefindende;
□ *~ to* utilbøjelighed til at.

indisputable [indi'pju:təbl, in-'dispjutəbl] *adj.* ubestridelig, uomtvistelig.

indissolubility [indisɔlju'biləti] *sb.* F uløselighed; uforgængelighed.

indissoluble [indi'sɔljubl] *adj.* uløselig; uforgængelig; ubrødelig (*fx friendship*).

indistinct [indi'stiŋ(k)t] *adj.* utydelig, uklar;
□ *an ~ recollection* (*også*) en svag/vag erindring.

indistinguishable [indi'stiŋgwiʃəbl] *adj.* ikke til at skelne fra hinanden;
□ *~ from* ikke til at skelne fra.

indite [in'dait] *vb.* (*glds.*) forfatte; skrive.

individual[1] [indi'vidʒuəl] *sb.* **1.** (*mods. gruppe*) individ, enkeltperson; **2.** (*forskelligt fra alle andre*) selvstændigt individ (*fx the school will turn her into an ~*); **3.** T person (*fx a strange-looking ~*); menneske;
□ *the ~* (**1,** *også*) den enkelte; *the liberty of the ~* (jf. **1**) den personlige frihed.

individual[2] [indi'vidʒuəl] *adj.* **1.** enkelt (*fx in the ~ case; each ~ member*); **2.** (*vedrørende den enkelte*) individuel (*fx their ~*

needs); **3.** (*for én person*) særskilt (*fx portions of butter*); individuel; personlig (*fx equipment* udrustning); **4.** (*om persons stil etc.*) personlig; særpræget.

individualism [indi'vidʒuəlizm] *sb.* individualisme.

individualist[1] [indi'vidʒuəlist] *sb.* individualist.

individualist[2] [indi'vidʒuəlist] *adj.* individualistisk.

individualistic [individʒuə'listik] *adj.* individualistisk.

individuality [indivdʒu'æliti] *sb.* individualitet, personlighed, særpræg.

individualize [indi'vidʒuəlaiz] *vb.* individualisere, give et personligt præg.

individualized [indi'vidʒuəlaizd] *adj.* (*især am.*) personlig.

individually [indi'vidʒuəli] *adv.* **1.** individuelt, enkeltvis; særskilt (*fx ~ wrapped cheeses*); hver især (*fx he thanked them ~*); hver for sig (*fx ~, they are very nice*); **2.** (*mods. andre*) individuelt, personligt.

individuate [indi'vidʒueit] *vb.* udskille fra helheden.

indivisibility ['indivizi'biləti] *sb.* udelelighed.

indivisible [indi'vizəbl] *adj.* udelelig.

Indo-China [indəu'tʃainə] Indokina.

indocile [in'dəusail, (*am.*) in'dɔsl] *adj.* **1.** umedgørlig; **2.** ikke modtagelig for belæring.

indoctrinate [in'dɔktrineit] *vb.* indoktrinere.

indoctrination [indɔktri'neiʃn] *sb.* indoktrinering; holdningspåvirkning.

Indo-European[1] [indəjuərə'pi:ən] *sb.* **1.** (*sprog*) indoeuropæisk; **2.** (*person*) indoeuropæer.

Indo-European[2] [indəjuərə'pi:ən] *adj.* indoeuropæisk.

indolence ['indələns] *sb.* F ugidelighed, ladhed, magelighed.

indolent ['indələnt] *adj.* **1.** F ugidelig, lad, magelig; **2.** (*med.*) smertefri, som ikke gør ondt; (*om sår*) som breder sig//heles langsomt.

indomitable [in'dɔmitəbl] *adj.* ukuelig, ubetvingelig (*fx will; courage*); utæmmelig; ubændig (*fx strength*).

Indonesia [ində(u)'ni:ziə, -ʒə, -ʃə] Indonesien.

Indonesian[1] [ində(u)'ni:ziən, -ʒ(ə)n, -ʃn] *sb.* **1.** (*sprog*) indonesisk; **2.** (*person*) indoneser.

Indonesian[2] [ində(u)'ni:ziən, -ʒ(ə)n, -ʃn] *adj.* indonesisk.

indoor [in'dɔ:] *adj.* inden døre; indendørs-.

indoor aerial *sb.* stueantenne.

indoors [in'dɔ:z] *adv.* inden døre; inde (*fx be//stay ~*); (*om bevægelse*) ind (*fx go ~*).

indorse *vb.* se *endorse.*

indubitable [in'dju:bitəbl] *adj.* utvivlsom.

induce [in'dju:s] *vb.* **1.** F medføre, forårsage, bevirke, fremkalde; **2.** (*elek.*) inducere;
□ *be -d* (*med.: om kvinde*) få fødslen sat i gang; *the twins were -d* (*med.*) tvillingernes fødsel blev sat i gang; *~ labour* (*med.*) sætte fødslen i gang;
~ to **a.** få til at, formå til at (*fx I -d him to help us*); bevæge//tilskynde til at; **b.** (*noget negativt*) forlede til at.

induced abortion *sb.* provokeret abort.

induced current *sb.* (*elek.*) induktionsstrøm.

inducement [in'dju:smənt] *sb.* **1.** foranledning (*to* + *inf.* til at, *fx there was no ~ to wait for it*); tilskyndelse, incitament (*to* + *inf.* til at); **2.** lokkemiddel; overtalelsesmiddel.

induct [in'dʌkt] *vb.* **1.** (*i embede*) indsætte (*into* i); **2.** (*som medlem*) optage (*into* i); **3.** (*i emne, færdighed*) indføre (*into* i); **4.** (*am. mil.*) indkalde (*into* til).

inductance [in'dʌkt(ə)ns] *sb.* (*elek.*) induktans.

inductee [indʌk'ti:] *sb.* (*mil.*) indkaldt.

induction [in'dʌkʃn] *sb.* **A.** (jf. *induct*) **1.** indsættelse (*into* i); **2.** optagelse (*into* i); **3.** indføring (*into* i); **4.** (*am. mil.*) indkaldelse;
B. (jf. *induce*) **1.** fremkaldelse (*fx sleep ~*); **2.** (*elek.*) induktion; **3.** (*med.: af fødsel*) igangsættelse.

induction coil *sb.* (*elek.*) induktionsspole.

induction course *sb.* introduktionskursus [*for praktikanter, nyansatte*].

inductive [in'dʌktiv] *adj.* induktiv.

indulge [in'dʌldʒ] *vb.* **1.** (*person*) forkæle (*fx a sick child; she -d me with breakfast in bed*); føje; **2.** (*lyst, tilbøjelighed*) tilfredsstille (*fx one's curiosity; one's taste for adventure*); give efter for (*fx one's inclinations*); føje (*fx his every whim*); hengive sig til, give frit løb (*fx they -d their patriotism*); **3.** (*uden objekt,* T) drikke (*fx he -s too much*);
□ *~ oneself* give efter for sin trang//lyst//sine tilbøjeligheder;

nyde livet; fråse;
[*med præp.*] ~ *in* **a.** tillade sig,
unde sig, nyde (*fx a glass of
wine*); flotte sig med (*fx a new
suit*); **b.** (*aktivitet, især uheldig*)
hengive sig til, forfalde til (*fx
daydreaming; gossip; wishful
thinking*); **c.** (*interesse*) være opta-
get af (*fx a hobby*); ~ *sby* **with** *sth*
(*jf. 1, også*) glæde en med noget.
indulgence [in'dʌldʒ(ə)ns] *sb.*
1. (*holdning*) overbærenhed (*fx
my mistake was treated with sur-
prising* ~); (*misbilligende*) eftergi-
venhed (*towards* over for, *fx his* ~
towards his grandchildren); svag-
hed; **2.** (*handling*) tilfredsstillelse;
nydelse (*in* af); (se også *self-indul-
gence*); **3.** (*om det der giver til-
fredsstillelse*) fornøjelse (*fx the -s
of the weekend were over*); ny-
delse; luksus; (*især spøg.*) last (*fx
his worst* ~ *was stamp collecting*);
4. (*merk.*) henstand; **5.** (*rel.*) aflad;
afladsbrev;
□ *his only* ~ (*jf. 3, også*) den enste
luksus han tillod sig; ~ *in* (*jf. 2,
også*) hengiven sig til (*fx
self-pity*).
indulgent [in'dʌldʒ(ə)nt] *adj.* (jf. *in-
dulgence* 1) overbærende; eftergi-
vende.
indurated ['indju(ə)reitid] *adj.*
1. hærdet; **2.** (*litt.*) forhærdet,
hård.
industrial [in'dʌstriəl] *adj.* (se også
industrials) **1.** industriel; industri-
(*fx area; exhibition*); fabriks- (*fx
town*); **2.** faglig; arbejds-.
industrial accident *sb.* arbejds-
ulykke.
industrial action *sb.* faglig aktion;
arbejdskonflikt.
industrial archaeology *sb.* indu-
striel arkæologi.
industrial democracy *sb.* industri-
elt demokrati; demokrati på ar-
bejdspladsen.
industrial disease *sb.* erhvervssyg-
dom.
industrial dispute *sb.* arbejdskon-
flikt.
industrial estate *sb.* industribebyg-
gelse, industriområde; industri-
park; industrikvarter.
industrial injury *sb.* arbejdsskade.
industrialism [in'dʌstriəlizm] *sb.*
industrialisme.
industrialist [in'dʌstriəlist] *sb.* in-
dustridrivende, industrimand; fa-
brikant.
industrialize [in'dʌstriəlaiz] *vb.* in-
dustrialisere.
industrial medicine *sb.* arbejdsme-
dicin.
industrial park *sb.* (*am.*) industri-

bebyggelse, industriområde; indu-
stripark.
industrial relations *sb. pl.* arbejds-
markedsforhold.
Industrial Revolution *sb.*: *the* ~
(*hist.*) den industrielle revolution.
industrials [in'dʌstriəlz] *sb.*
(*merk.*) industriaktier.
industrial school *sb.* **1.** fagskole;
2. (*am.*) ungdomshjem [*for ung-
domskriminelle*].
industrial tribunal *sb.* arbejdsret.
industrious [in'dʌstriəs] *adj.* flittig;
arbejdsdom.
industry ['indəstri] *sb.* **1.** (*produk-
tionsform*) industri; **2.** (*enkelt*) in-
dustri, industrigren; erhverv, er-
hvervsgren, branche; **3.** (*generelt:
i et land*) industrien; erhvervslivet
(*fx he wants to go into* ~); **4.** (jf.
industrious) flid; arbejdsomhed;
driftighed;
□ *the two sides of* ~ (*jf. 2*) arbejds-
markedets parter.
indwelling ['in'dweliŋ] *adj.* **1.** F
iboende; **2.** (*med.*) indlagt (*fx
catheter*).
inebriate[1] [in'i:briət] *sb.* (*glds.*)
dranker.
inebriate[2] [in'i:briət] *adj.* (*glds.*)
beruset.
inebriated [in'i:brieitid] *adj.* F be-
ruset.
inebriation [ini:bri'eiʃn] *sb.* F beru-
selse.
inedible [in'edəbl] *adj.* uspiselig.
ineffable [in'efəbl] *adj.* F usigelig,
uudsigelig; ubeskrivelig.
ineffaceable [ini'feisəbl] *adj.* F
uudslettelig.
ineffective [ini'fektiv] *adj.* **1.** (*om
handling*) ineffektiv, virkningsløs
(*fx sanctions*); resultatløs (*fx at-
tempt*); **2.** (*om person*) udygtig, u-
duelig.
ineffectual [ini'fektʃuəl] *adj.* F
1. (*om handling*) virkningsløs, re-
sultatløs; frugtesløs (*fx efforts*);
2. (*om person*) lidet effektiv; ud-
ygtig, uduelig;
□ ~ *at* (*jf. 2*) ikke god til at, dårlig
til at.
inefficacious [inefi'keiʃəs] *adj.* se
ineffectual.
inefficiency [ini'fiʃnsi] *sb.* **1.** inef-
fektivitet; virkningsløshed; **2.** (*om
person*) uduelighed; udygtighed.
inefficient [ini'fiʃnt] *adj.* **1.** ineffek-
tiv (*fx industry*); virkningsløs;
som ikke virker (*fx an* ~ *system*);
2. (*om person*) som ikke gør fyl-
dest; uduelig, udygtig;
□ ~ *at* (*jf. 2*) ikke god til at, dårlig
til at.
inelastic [ini'læstik] *adj.* uelastisk.
inelegance [in'eligəns] *sb.* mangel

på elegance; kluntethed; smagløs-
hed.
inelegant [in'eligənt] *adj.* uelegant;
kluntet; smagløs.
ineligible [in'elidʒəbl] *adj.* **1.** ikke
berettiget (*for* til; *to* til at, *fx re-
ceive a pension*); ikke kvalificeret
(*for* til; *to* til at); **2.** ikke valgbar;
□ *be* ~ *for* (*også*) ikke opfylde kra-
vene til; være udelukket fra.
ineluctable [ini'lʌktəbl] *adj.* F
uundgåelig.
inept [i'nept] *adj.* **1.** kejtet; kluntet,
klodset (*fx attempt; handling of
the affair*); **2.** (*om ytring*) tåbelig,
malplaceret (*fx remark; com-
ment*).
ineptitude [i'neptitju:d] *sb.* (jf. *in-
ept*) **1.** kejtethed; kluntethed, klod-
sethed; **2.** tåbelighed.
inequality [ini'kwɔləti] *sb.* ulighed.
inequitable [in'ekwitəbl] *adj.* F
uretfærdig; urimelig.
inequity [in'ekwiti] *sb.* F uretfær-
dighed; urimelighed.
ineradicable [ini'rædikəbl] *adj.* F
uudryddelig.
inert [i'nə:t] *adj.* **1.** ubevægelig;
ude af stand til at bevæge sig;
2. (*fig., neds.*) træg (*fx an* ~ *polit-
ical system*); slap, sløv, død;
3. (*kem.*) inert, inaktiv.
inertia [i'nə:ʃə] *adj.* **1.** træghed;
slaphed, sløvhed; **2.** (*fys.*) inerti.
inertial [in'ə:ʃ(ə)l] *adj.* inerti-.
inertial guidance *sb.* inerti(al)sty-
ring [*af raket*].
inertia reel belt *sb.* rullesele [*i bil*].
inertia selling *sb.* (*omtr.*) påtvunget
salg [*uanmodet tilsendelse af
varer i håb om salg*].
inescapable [ini'skeipəbl] *adj.*
uundgåelig; som man ikke kan
slippe fra.
inessential ['ini'senʃ(ə)l] *adj.* uvæ-
sentlig.
inestimable [in'estiməbl] *adj.* uvur-
derlig.
inevitability [inevitə'biləti] *sb.*
uundgåelighed.
inevitable [i'nevitəbl] *adj.* **1.** uund-
gåelig; **2.** T obligat, sædvanlig;
evindelig.
inevitably [i'nevitəbli] *adv.* nød-
vendigvis, uvægerlig, uundgåeligt.
inexact [inig'zækt] *adj.* unøjagtig.
inexactitude [inig'zæktitju:d] *sb.*
unøjagtighed.
inexcusable [iniks'kju:zəbl] *adj.*
utilgivelig.
inexhaustible [inig'zɔ:stəbl] *adj.*
1. uudtømmelig; **2.** utrættelig.
inexorable [in'eksərəbl] *adj.* F
ubønhørlig.
inexpediency [inik'spi:diənsi] *sb.*
uhensigtsmæssighed.

inexpedient [inik'spi:diənt] *adj.* uhensigtsmæssig; ikke tilrådelig.

inexpensive [inik'spensiv] *adj.* (pris)billig.

inexperience [inik'spiəriəns] *sb.* mangel på erfaring; uerfarenhed.

inexperienced [inik'spiəriənst] *adj.* uerfaren.

inexpert [in'ekspə:t] *adj.* ukyndig; uøvet.

inexplicable [inik'splikəbl, in'eksplikəbl] *adj.* uforklarlig.

inexplicably [inik'splikəbli, in'eksplikəbli] *adv.* **1.** uforklarligt; **2.** (*som sætningsadv.*) på uforklarlig vis (*fx ~, the engine stopped*).

inexpressible [inik'spresəbl] *adj.* ubeskrivelig; uudsigelig; usigelig.

inexpressive [inik'spresiv] *adj.* udtryksløs.

inextinguishable [inik'stiŋgwiʃəbl] *adj.* uudslukkelig.

in extremis [inek'stri:mis] *adv.* F **1.** på sit yderste; på dødens rand; **2.** i svare vanskeligheder.

inextricable [in'ekstrikəbl, ineks'tri-] *adj.* **1.** som ikke er til at slippe ud af (*fx maze* labyrint; *economic difficulties*); **2.** uløselig (*fx knot; link*); **3.** (*om to ting: indbyrdes*) uløseligt forbundet (*fx the past and the present are ~*); □ *~ from* ikke til at skille fra.

INF *fork. f. intermediate-range nuclear forces.*

infallibility [infælə'biləti] *sb.* ufejlbarlighed.

infallible [in'fæləbl] *adj.* ufejlbarlig.

infamous ['infəməs] *adj.* F **1.** berygtet (*fx tyrant; city*); **2.** (*litt.*) skændig, nedrig (*fx conduct*); modbydelig; infam (*fx lie*).

infamy ['infəmi] *sb.* F **1.** berygtethed; skændsel; **2.** skændselsgerning.

infancy ['infənsi] *sb.* **1.** den spæde barnealder; barndom; **2.** (*jur.*) umyndighed; mindreårighed; □ *in its ~* (*fig.*) i sin spæde begyndelse; ved at blive udviklet.

infant¹ ['infənt] *sb.* **1.** lille barn; spædbarn; **2.** (*i undervisning*) børnehaveklasseelev [*barn mellem 5 og 7 år*]; **3.** (*jur.*) umyndig; mindreårig; □ *the Infants* børnehaveklassen; (*se også arm¹*).

infant² ['infənt] *adj.* **1.** børne-; spædbørns-; **2.** (*fig.*) nylig oprettet.

infant formula *sb.* (*især am.*) modermælkserstatning.

infanticide [in'fæntisaid] *sb.* barnemord.

infantile ['infəntail] *adj.* **1.** barn-;

børne- (*fx colic*); **2.** (*neds.*) barnlig, barnagtig (*fx behaviour*); infantil.

infant mortality *sb.* børnedødelighed, spædbørnsdødelighed.

infant prodigy *sb.* vidunderbarn.

infantry ['infəntri] *sb.* (*mil.*) infanteri, fodfolk.

infantryman ['infəntrimən] *sb.* (*pl.* -men [-mən]) infanterist.

infant school *sb.* [*klasser for børn i alderen 5-7; børnehaveklasser*].

infarct [in'fa:kt] *sb.* (*med.*) infarkt [*henfald af væv ved svigtende blodtilførsel*].

infatuated [in'fætjueitid] *adj.*: *be -d with* være (kortvarigt) forelsket i; være forgabet i; *~ by* forblindet af; betaget af.

infatuation [infætju'eiʃn] *sb.* forgabelse; blind forelskelse.

infeasible [in'fi:zəbl] *adj.* (*am.*) ugørlig.

infect [in'fekt] *vb.* inficere, smitte.

infected [in'fektid] *adj.* **1.** inficeret (*fx food; water*); **2.** (*om sår*) betændt.

infection [in'fekʃn] *sb.* smitte; infektion.

infectious [in'fekʃəs] *adj.* **1.** smitsom; smittefarlig; **2.** (*fig.*) smittende (*fx enthusiasm; laughter*).

infelicitous [infi'lisitəs] *adj.* uheldig (*fx remark*).

infer [in'fə:] *vb.* **1.** F slutte (*from af*); udlede; **2.** T antyde.

inference ['infərəns] *sb.* F (logisk) slutning.

inferential [infə'ren(ʃ)l] *adj.* som man kan ræsonnere//har ræsonneret sig til.

inferior¹ [in'fiəriə] *sb.* underordnet (*fx he hardly spoke to his -s*); □ *his social -s* de der står//stod under ham socialt.

inferior² [in'fiəriə] *adj.* **1.** (*om kvalitet*) dårlig (*fx an ~ product*); tarvelig, ringe; (*ved sammenligning*) dårligere, ringere (*fx goods of ~ quality*); **2.** (*om status*) laverestående (*fx they were regarded as socially//morally ~*); underlegen, mindreværdig (*fx she made me feel ~*); **3.** (*i hierarki*) lavere (*fx court of law* retsinstans); (*om rang*) underordnet; (*mil.*) efterstående; **4.** (*typ.*) nedrykket; □ *~ to* a. (*jf. 1*) dårligere/ringere end (*fx their products are ~ to yours*); b. (*jf. 2*) som står under; *morally ~ to* som står på et lavere moralsk stade end.

inferiority [infiəri'ɔriti] *sb.* (jf. *inferior²*) **1.** dårlig(ere)/ringe(re)/tarvelig(ere) kvalitet; **2.** lavere rang; underordning; underlegenhed;

(*især psyk.*) mindreværd.

inferiority complex *sb.* mindreværdskompleks.

infernal [in'fə:n(ə)l] *adj.* **1.** hørende til underverdenen//helvede; **2.** (*glds.* T) djævelsk, helvedes, forbandet; (*om støj*) infernalsk; □ *the ~ regions/world* underverdenen.

inferno [in'fə:nəu] *sb.* helvede, inferno.

infertile [in'fə:tail, (*am.*) in'fərtl] *adj.* ufrugtbar.

infertility [infə'tiləti] *sb.* ufrugtbarhed.

infest [in'fest] *vb.* (*om skadedyr*) hjemsøge, plage; angribe; □ *be -ed with* være befængt med; myldre med (*fx rats*).

infestation [infes'teiʃn] *sb.* (skadedyrs)angreb.

infidel¹ ['infid(ə)l, -del] *sb.* (*glds.*) vantro; hedning.

infidel² ['infid(ə)l, -del] *adj.* (*glds.*) vantro; hedensk.

infidelity [infi'deləti] *sb.* utroskab.

infield ['infi:ld] *sb.* **1.** (*i cricket*) [*del af banen ved gærderne; de spillere der står der*]; **2.** (*i baseball*) [*midterste del af banen; de spillere der står ved baserne*].

infielder ['infi:ldə] *sb.* [*spiller der er placeret i the infield*].

infighting ['infaitiŋ] *sb.* **1.** indbyrdes strid; intern magtkamp; **2.** (*i boksning*) infight; nærkamp.

infiltrate ['infiltreit] *vb.* infiltrere; trænge ind i; □ *~ into* (*med objekt*) hemmeligt sende ind i (*fx ~ agents into the country*).

infiltration [infil'treiʃn] *sb.* **1.** infiltration; indtrængen; **2.** (*af vand*) nedsivning.

infinite ['infinət] *adj.* **1.** uendelig; grænseløs; **2.** (*gram.*) infinit; □ *the ~* uendeligheden; det uendelige; *the Infinte* Gud.

infinitely ['infinətli] *adv.* **1.** uendeligt; i det uendelige; **2.** (+ *komp.*) uendelig/umådelig meget (*fx better*).

infinitesimal [infini'tesim(ə)l] *adj.* uendelig lille.

infinitive [in'finitiv] *sb.* (*gram.*) infinitiv, navnemåde.

infinity [in'finəti] *sb.* **1.** uendelighed; **2.** (*mat.*) uendelig; □ *stare into ~* stirre ud i det tomme rum; *stretch into ~* strække sig ud i det uendelige; *continue to ~* (*mat.*) gå mod uendelig.

infirm [in'fə:m] *adj.* F svagelig; svag.

infirmary [in'fə:m(ə)ri] *sb.* **1.** (*glds.*,

information superhighway **I**

mest i navne) sygehus, hospital;
2. (*i institution, fx skole*) sygeaf-
deling.
infirmity [in'fɔ:məti] *sb.* **1.** svage-
lighed; svaghed; **2.** skrøbelighed
(*fx the infirmities of old age*); ska-
vank.
inflame [in'fleim] *vb.* ophidse (*fx
his speeches -d the people*); op-
flamme;
□ ~ *with* fylde med (*fx enthusi-
asm*).
inflamed [in'fleimd] *adj.* **1.** opflam-
met; ophidset; **2.** (*med.*) betændt
(*fx eye*);
□ ~ *with* (*jf. 1*) optændt af (*fx
anger, enthusiasm; passion*).
inflammable [in'flæməbl] *adj.*
1. brændbar (*fx liquid; material*);
let antændelig; brandfarlig;
2. (*fig.*) sprængfarlig (*fx situation;
issue*).
inflammation [inflə'meiʃn] *sb.*
(*med.*) betændelse.
inflammatory [in'flæmət(ə)ri] *adj.*
1. (*med.*) betændelses-; **2.** (*om
handling*) provokerende, ophid-
sende;
□ ~ *speech* brandtale.
inflatable[1] [in'fleitəbl] *sb.* oppuste-
lig bold *etc.*; oppustelig madras,
luftmadras; oppustelig båd, gum-
mibåd.
inflatable[2] [in'fleitəbl] *adj.* oppu-
stelig.
inflate [in'fleit] *vb.* **1.** puste//
pumpe op, fylde med luft; (*uden
objekt*) fyldes (med luft//gas);
2. (*omkostninger, priser*) forhøje,
drive i vejret; (*uden objekt*) stige,
gå i vejret; **3.** (*fig.*) overdrive (*fx
his role in the affair*); blæse op.
inflated [in'fleitid] *adj.* (*jf. inflate*)
1. oppustet; oppumpet; **2.** oppu-
stet; (*om priser*) opskruet; **3.** over-
dreven (*fx idea of one's own im-
portance*).
inflation [in'fleiʃn] *sb.* **1.** (*økon.*)
inflation; **2.** (*jf. inflate 1*) oppust-
ning; oppumpning; **3.** (*fig.*) op-
blæsthed; svulstighed.
inflationary [in'fleiʃn(ə)ri] *adj.* in-
flations- (*fx pressure*); inflations-
skabende, inflatorisk (*fx policy*);
□ *the* ~ *spiral* inflationsskruen;
skruen uden ende.
inflation rate *sb.* inflationstakt; in-
flationsrate.
inflect [in'flekt] *vb.* **1.** (*gram.*) bøje;
(*uden objekt*) bøjes; **2.** (*stemme*)
modulere.
inflected [in'flektid] *adj.* bøjet, bøj-
nings- (*fx form*);
□ ~ *language* se *inflecting.*
inflecting [in'flektiŋ] *adj.:* ~ *lan-
guage* (*sprogv.*) flekterende sprog,

bøjningssprog.
inflection [in'flekʃn] *sb.* **1.** (*gram.*)
bøjning; bøjet form; bøjningsen-
delse; **2.** (*stemmes*) modulation;
tonefald;
□ *point of* ~ (*mat.*) vendepunkt.
inflectional [in'flekʃn(ə)l] *adj.*
(*gram.*) bøjnings-.
inflectional tangent *sb.* (*mat.*) ven-
detangent.
inflexibility [infleksi'biləti] *sb.* (*jf.
inflexible*) **1.** ubøjelighed, urokke-
lighed; stivhed, fastlåsthed;
2. uforanderlighed; stivhed; man-
gel på fleksibilitet.
inflexible [in'fleksəbl] *adj.* **1.** (*om
person*) ubøjelig (*fx will*); urokke-
lig (*fx position*); (*neds. også*) stiv,
fastlåst; **2.** (*om bestemmelse etc.*)
uforanderlig (*fx rule*); stiv (*fx sy-
stem*); ikke fleksibel nok.
inflexion *sb.* = *inflection.*
inflict [in'flikt] *vb.:* ~ *sth on sby*
a. tilføje en noget (*fx* ~ *a
wound//a blow on him;* ~ *severe
casualties//a defeat on them*); på-
føre en noget (*fx* ~ *losses//war on
them; the suffering -ed on them*);
b. plage en med noget (*fx* ~ *one's
company//one's views on him*); ~
irreparable damage on their cause
volde deres sag ubodelig skade; ~
oneself on him plage ham med sit
selskab; ~ *a penalty on him* til-
dele ham en straf.
infliction [in'flikʃn] *sb.* tilføjelse,
påførelse (*fx the* ~ *of suffering*).
in-flight [in'flait] *adj.* (*flyv.*) som fo-
regår//serveres//spilles under flyv-
ningen.
inflorescence [inflə'res(ə)ns] *sb.*
(*bot.*) blomsterstand.
inflow ['infləu] *sb.* indstrømning;
tilstrømning (*fx of fresh water; of
immigrants*); tilgang (*fx of orders*);
tilførsel (*fx of cash*).
influence[1] ['influəns] *sb.* **1.** indfly-
delse (*fx political* ~; *use one's* ~);
2. påvirkning (*fx social -s*);
□ *have (an)* ~ *on* have indflydelse
på (*fx the decision*); *have* ~ *over*
have indflydelse på (*fx I have no*
~ *over him any longer*) [o: magt
over]; *she is a good* ~ *on him* hun
har en god indflydelse på ham;
under the ~ *of* under indflydelse
af (*fx one's parents; drugs*); under
påvirkning af; påvirket af; *under
the* ~ T (spiritus)påvirket.
influence[2] ['influəns] *vb.* have//øve
indflydelse på; influere på; på-
virke;
□ *-d by* under indflydelse/påvirk-
ning af; påvirket af.
influential [influ'enʃ(ə)l] *adj.* ind-
flydelsesrig (*fx friends*); betyd-

ningsfuld (*fx position; news-
paper*);
□ *be* ~ *in* + *-ing* medvirke til at.
influenza [influ'enzə] *sb.* F influ-
enza.
influx ['inflʌks] *sb.* (voldsom) til-
strømning; indstrømning; strøm.
info ['infəu] *sb.* T = *information.*
infomercial [infə'mə:ʃ(ə)l] *sb.*
[*tv-reklame der er lige så lang
som en almindelig udsendelse*].
inform [in'fɔ:m] *vb.* **1.** meddele (*fx he -ed me
that it was all over; "It is all
over," she -ed me*); informere, un-
derrette (*fx without -ing me*);
2. (*F: om følelse etc.*) præge, gen-
nemtrænge, fylde (*fx a love of na-
ture -ed his poems*);
□ ~ *sby that* (*jf. 1 også*) informere/
underrrette/oplyse en om at;
[*med præp.*] ~ *him about it* med-
dele ham det; informere/under-
rette/oplyse ham om det; ~ *the
police about it* melde det til poli-
tiet; ~ *against* = ~ *on;* ~ *of* = ~
about; ~ *on* melde, angive; T
stikke.
informal [in'fɔ:m(ə)l] *adj.* uformel
(*fx conversations; clothes; visit*);
tvangfri, afslappet; (*om væsen
også*) formløs.
informality [infɔ:'mæliti] *sb.* ufor-
mel karakter; tvangfrihed; afslap-
pethed; (*om væsen også*) formløs-
hed.
informant [in'fɔ:mənt] *sb.* medde-
ler, informant; hjemmelsmand.
informatics [infə'mætiks] *sb.* infor-
matik; informationsvidenskab.
information [infə'meiʃn] *sb.* **1.** op-
lysning//oplysninger (*about/on
om, fx the subject; that om at, fx
it has been done; gather* ~); un-
derretning, meddelelse (*about/on
om; that om at*); **2.** (*jur.*) anmel-
delse;
□ *lay an* ~ *against* (*jf. 2*) indgive
anmeldelse mod; *much* ~ mange
oplysninger;
[*med præp.*] *for* ~ *only* til under-
retning/orientering; *for further* ~
hvis De ønsker yderligere oplys-
ninger (*fx for further* ~, *please
contact the office*); *for your* ~ til
orientering; *to the best of my* ~
efter hvad jeg har erfaret; så vidt
jeg ved; *a piece/bit of* ~ en oplys-
ning.
informational [infə'meiʃnəl] *adj.*
informations-; oplysnings.
information retrieval *sb.* informa-
tionssøgning; litteratursøgning.
information science *sb.* informa-
tionsvidenskab.
information superhighway *sb.:* the

447

I information technology

~ informationsmotorvejen [*internettet etc.*].

information technology *sb.* informationsteknologi.

informative [in'fɔ:mətiv] *adj.* oplysende, informativ.

informative label *sb.* varedeklaration.

informed [in'fɔ:md] *adj.* 1. (*om person*) velorienteret, oplyst, kultiveret, dannet; 2. (*om kilde til oplysning*) velunderrettet; 3. (*om handling: som er baseret på viden*) kvalificeret, kompetent (*fx criticism*; *decision*; *guess*); □ ~ *with* gennemtrængt af; opfyldt af.

informer [in'fɔ:mə] *sb.* anmelder; angiver; T stikker.

infotainment [infə(u)'teinmənt] *sb.* (*tv, neds.*) [*oplysende udsendelse der er mere præget af underholdning*].

infraction [in'frækʃn] *sb.* overtrædelse, krænkelse.

infra dig [infrə'dig] *adj.* (*glds.* T) under ens værdighed.

infrared [infrə'red] *adj.* infrarød.

infrastructure ['infrəstrʌktʃə] *sb.* infrastruktur.

infrequency [in'fri:kwənsi] *sb.* sjældenhed; ualmindelighed.

infrequent [in'fri:kwənt] *adj.* sjælden; ualmindelig.

infringe [in'frin(d)ʒ] *vb.* 1. (*lov etc.*) overtræde (*fx a rule*); bryde (*fx an agreement*); 2. (*rettighed*) krænke (*fx sby's rights//copyright*; *a patent*; *sby's private life*); gøre indgreb i (*fx sby's freedom*); □ ~ *on* se ovf.: 2.

infringement [in'frin(d)ʒmənt] *sb.* (jf. *infringe*) 1. overtrædelse (*of* af); brud (*of* på); 2. krænkelse (*of* af); indgreb (*of/on* i, *fx sby's freedom//privacy*).

infuriate [in'fjuərieit] *vb.* gøre rasende; ophidse.

infuriated [in'fjuərieitd] *adj.* rasende.

infuriating [in'fjuərieitiŋ] *adj.* voldsomt irriterende; til at blive rasende over.

infuse [in'fju:z] *vb.* 1. lave udtræk af (*fx flowers*; *herbs*); 2. (*litt.*) gennemtrænge (*fx his spirit -d the place*; *he -d his work with his own personality*); □ ~ *the tea (leaves)* hælde vand på tebladene; *let the tea* ~ *lade teen* (stå og) trække; [*med præp.*] ~ *into them*, ~ *them with* indgyde/indgive dem (*fx* ~ *new hope into them*; ~ *them with new hope*); fylde dem med (*fx enthusiasm*); ~ *new life into* sætte

nyt liv i; ~ *fresh blood into the movement* tilføre bevægelsen nyt blod; ~ *with a.* se ovf.: ~ *into*; **b.** se ovf.: 2.

infusion [in'fju:ʒ(ə)n] *sb.* 1. indgydelse (*fx of new hope*); tilførsel (*fx of capital*); påhældning; 2. (jf. *infuse* 1) udtræk (*fx of herbs*); 3. (*med.*) infusion; indgivelse; indsprøjtning.

ingenious [in'dʒi:niəs] *adj.* sindrig (*fx machine*); snild; snedig (*fx theory*); (*om person også*) opfindsom.

ingénue [ænʒə'nju:, fr.] *sb.* (*teat.*) ingénue [*naiv uskyldig pige*].

ingenuity [indʒi'nju:əti] *sb.* opfindsomhed (*fx with great* ~); snildhed; snedighed.

ingenuous [in'dʒenjuəs] *adj.* troskyldig, naiv; oprigtig, åbenhjertig.

ingest [in'dʒest] *vb.* indtage; nedsvælge.

ingle ['iŋgl] *sb.* (*især dial.*) ild; arne.

inglenook ['iŋglnuk] *sb.* (*især dial.*) kaminkrog; kakkelovnskrog.

inglorious [in'glɔ:riəs] *adj.* lidet ærefuld; skammelig, vanærende (*fx an* ~ *defeat*).

ingot ['iŋgət] *sb.* barre [*af metal*]; (metal)blok.

ingrained [in'greind] *adj.* 1. indgroet (*fx habit*; *suspicion*); rodfæstet (*fx conviction*); 2. (*om person*) gennemført (*fx pessimist*); 3. (*om snavs*) indgroet (*fx dirt*; *grime*); □ *deeply* ~ *in* dybt rodfæstet hos//i (*fx him*; *British society*).

ingrate ['ingreit] *sb.* (F *el. litt.*) utaknemlig person.

ingratiate [in'greiʃieit] *vb.*: ~ *oneself with* indynde/indsmigre sig hos.

ingratiating [in'greiʃieitiŋ] *adj.* indsmigrende, slesk.

ingratiude [in'grætitju:d] *sb.* utaknemlighed.

ingredient [in'gri:diənt] *sb.* ingrediens; bestanddel (*fx the -s of a pudding*).

in-group ['ingru:p] *sb.* egengruppe.

ingrowing ['ingrəuiŋ] *adj.* (*om negl*) nedgroet.

ingrown ['ingrəun] *adj.* 1. indadvendt, lukket; 2. indgroet; 3. (*am*) = *ingrowing*.

inhabit [in'hæbit] *vb.* bebo, bo i.

inhabitable [in'hæbitəbl] *adj.* beboelig.

inhabitant [in'hæbit(ə)nt] *sb.* beboer; indbygger.

inhalant [in'heilənt] *sb.* inhalationspræparat, indåndingsmiddel.

inhalation [in(h)ə'leiʃn] *sb.* indånding; inhaleren.

inhale [in'heil] *vb.* 1. indånde; (*især om tobaksrøg*) inhalere; 2. (*især am.*) nedsvælge.

inhaler [in'heilə] *sb.* inhalationsapparat, indåndingsapparat; inhalator.

inhere [in'hiə] *adj.*: ~ *in* høre til; være (uløseligt) forbundet med.

inherence [in'hiərəns] *sb.* vedhængen; vedklæben; (uløselig) forbindelse.

inherent [in'hiərənt] *adj.* iboende; naturlig; □ *be* ~ *in* se *inhere* (*in*).

inherently [in'hiərəntli] *adv.* ifølge sin natur; i sig selv; i sagens natur.

inherit [in'herit] *vb.* arve.

inheritance [in'herit(ə)ns] *sb.* arv.

inheritance tax *sb.* arveafgift.

inheritor [in'heritə] *sb.* arving (*of* til).

inhibit [in'hibit] *vb.* forhindre, hindre (*from* + *-ing* i at); hæmme.

inhibited [in'hibitid] *adj.* hæmmet; ufri.

inhibition [in(h)i'biʃn] *sb.* 1. (*psyk.*) hæmning; 2. (*jur.*) forbud.

inhospitable [inhɔ'spitəbl, in'hɔspi-] *adj.* ugæstfri.

in-house[1] ['inhaus] *adj.* intern.

in-house[2] [in'haus] *adv.* internt.

inhuman [in'hju:mən] *adj.* umenneskelig; barbarisk.

inhumane [inhju:'mein] *adj.* inhuman; umenneskelig, grusom.

inhumanity [inhju'mænəti] *sb.* umenneskelighed.

inimical [i'nimikl] *adj.* fjendtlig (*to* over for); skadelig (*to* for).

inimitable [i'nimitəbl] *adj.* uforlignelig.

iniquitous [i'nikwitəs] *adj.* 1. uretfærdig; 2. syndig; lastefuld.

iniquity [i'nikwiti] *sb.* 1. uretfærdighed; 2. syndighed; lastefuldhed; (se også *den*, *sink*[1]); 3. forbrydelse; misgerning.

initial[1] [i'niʃ(ə)l] *sb.* 1. (*i navn*) initial, forbogstav; 2. (*i ord*) begyndelsesbogstav, forbogstav.

initial[2] [i'niʃ(ə)l] *adj.* 1. indledende, først (*fx the* ~ *stages*); 2. begyndelses- (*fx letter* bogstav).

initial[3] [i'niʃ(ə)l] *vb.* underskrive med forbogstaver/initialer [*som tegn på (foreløbig) godkendelse*]; (*fagl.*) parafere (*fx the ambassadors have -led the agreement*).

initial capital *sb.* startkapital.

initial costs *sb. pl.* startomkostninger; anskaffelsesomkostninger.

initialize [i'niʃ(ə)laiz] *vb.* (*it*) initia-

lisere [*forberede til brug*].
initially [i'niʃ(ə)li] *adv.* **1.** til at begynde med; i begyndelsen;
2. (*fon.*) i forlyd.
initiate[1] [i'niʃiət] *sb.* indviet.
initiate[2] [i'niʃieit] *vb.* indlede (*fx an investigation*; *negotiations*; *court proceedings*); sætte i gang (*fx a project*); tage initiativet til, iværksætte;

□ ~ *into* **a.** (*som medlem*) optage i (*fx a society*); **b.** (*en lære*) indføre i (*fx the art of cooking*; *a method*); (*især: noget hemmeligt*) indvi i (*fx a secret code*; *the mysteries of love*).
initiation [iniʃi'eiʃn] *sb.* **1.** (jf. *initiate*[2]) indledning, begyndelse, iværksættelse; **2.** (jf. *initiate*[2] (*into*)) optagelse (*into* i); indførelse, indvielse (*into* i); **3.** = *initiation ceremony.*
initiation ceremony *sb.* optagelsesceremoni.
initiative [i'niʃətiv] *sb.* **1.** initiativ; **2.** (*egenskab*) initiativ, foretagsomhed;

□ *have the* ~ **a.** have initiativet; have ret til at spille ud; **b.** (*am.*) have ret til at fremsætte lovforslag; *on one's own* ~ på eget initiativ; *take the* ~ tage initiativet (*in* + *-ing* til at).
initiator [i'niʃieitə] *sb.* **1.** initiativtager (*of* til); igangsætter (*of* af); **2.** (*mil.*) tændladning, tænder.
inject [in'dʒekt] *vb.* **1.** (*tekn.*, *med.*) indsprøjte (*fx petrol*; *vaccine*); (*med. også*) injicere; **2.** (*fig.*) tilføre (*fx new capital*);

□ *be -ed* **against** blive vaccineret mod; få en indsprøjtning mod; ~ *into* **a.** tilføre (*fx new capital into the company*; *a little fun into the proceedings*); **b.** (*med.*) indsprøjte i (*fx the morphine into a vein*); ~ *a little life into the discussion* sætte lidt liv i diskussionen; ~ *into orbit* (*om satellit*) sætte i kredsløb; ~ *him* **with** *morphine* give ham en morfinindsprøjtning.
injection [in'dʒekʃn] *sb.* **1.** (*med.*, *tekn.*) indsprøjtning; (*med. også*) injektion; **2.** (*fig.*) tilførsel (*fx of new capital*); indsprøjtning;

□ ~ *into orbit* (*om satellit*) placering i kredsløb.
injection moulding *sb.* sprøjtestøbning.
in-joke ['indʒəuk] *sb.* [*vittighed beregnet for de indviede*].
injudicious [indʒu'diʃəs] *adj.* F uklog; uoverlagt.
Injun ['indʒən] *sb.* (*am.* S, *neds.*) indianer.
injunction [in'dʒʌŋ(k)ʃn] *sb.* **1.** på-

læg, påbud; formaning (*fx parental -s*); **2.** (*jur.*) tilhold; forbud.
injure ['in(d)ʒə] *vb.* **1.** (*person*) såre; kvæste (*fx three people were -d in the car crash*); **2.** (*legemsdel etc.*) beskadige (*fx a bullet -d the eye*); skade (*fx one's health*);

□ *be -d* (jf. *1*, *også*) komme til skade.
injured ['indʒəd] *adj.* **1.** såret, kvæstet; **2.** (*om legemsdel*) skadet; **3.** (*fig.*) såret (*fx feelings*; *pride*); krænket (*fx look*);

□ *the* ~ de tilskadekomne, de kvæstede; *the* ~ *party* (*jur.*) **a.** den forurettede; **b.** (*mht. erstatning*) skadelidte.
injurious [in'dʒuəriəs] *adj.* F **1.** skadelig (*to* for, *fx smoking may be* ~ *to your health*); (*stærkere:*) ødelæggende (*to* for); **2.** (*fig.*) fornærmelig; krænkende.
injury ['in(d)ʒəri] *sb.* **1.** skade (*fx a knee* ~); læsion; kvæstelse (*fx internal injuries*); beskadigelse (*to* af, *fx one's back*); **2.** (*generelt*) overlast; fortræd; **3.** (*fig.*) krænkelse (*to* af, *fx one's feelings*); fornærmelse;

□ *you are doing him an* ~ (jf. *3*) du gør ham uret; *you'll do yourself an* ~! (*spøg.*) du ødelægger dig selv! der springer noget i dig! *without* ~ (jf. *1*, *2*) uden at tage skade; uden men; helskindet.
injury time *sb.* (*i fodbold*) overtid [*som lægges til spilletiden*].
injustice [in'dʒʌstis] *sb.* uretfærdighed; uret;

□ *do him an* ~ gøre ham uret.
ink[1] [iŋk] *sb.* **1.** blæk; **2.** (*typ.*) trykfarve; T tryksværte; **3.** = *Indian ink*;

□ *written in* ~ skrevet med blæk.
ink[2] [iŋk] *vb.* **1.** komme blæk på; **2.** (*typ.*) indfarve; **3.** (T: *især am.*) underskrive;

□ ~ *one's fingers* få blæk på fingrene; ~ *in* trække op med blæk// tusch (*fx a drawing*).
ink cap *sb.* (*bot.*) blækhat.
inkjet ['iŋkdʒet] *sb.*: ~ *printer* (*it*) blækprinter.
inkling ['iŋkliŋ] *sb.* anelse, mistanke (*of* om);

□ *get an* ~ *of* (*også*) få færten af.
ink pad *sb.* sværtepude, stempelpude.
inkpot ['iŋkpɔt] *sb.* blækhus.
inkstand ['iŋkstænd] *sb.* skrivetøj.
inkwell ['iŋkwel] *sb.* blækhus [*nedfældet i bord*].
inky ['iŋki] *adj.* **1.** blækplettet; blækket (*fx fingers*); **2.** bælgmørk; blæksort.
inlaid [in'leid] *adj.* indlagt (*with*

med).
inland[1] ['inlənd] *adj.* (*som er/ligger etc.*) inde i landet/i det indre af landet; indre; indenlandsk, indenrigsk (*fx trade*).
inland[2] [in'lænd] *adv.* inde i landet; (*om bevægelse*) ind i landet.
Inland Revenue *sb.*: *the* ~ skattevæsenet; skattedepartementet.
inland revenue *sb.* [*statsindtægter hidrørende fra skatter og afgifter*].
in-laws ['inlɔːz] *sb. pl.* T svigerfamilie.
inlay[1] ['inlei] *sb.* **1.** indlagt arbejde; indlæg; mosaik; **2.** (*tandl.*) indlæg.
inlay[2] [in'lei] *vb.* indlægge.
inlet ['inlet] *sb.* **1.** (*af hav, sø*) vig; **2.** (*i syning*) indlagt/indføjet stykke; **3.** (*tekn.*) indløb; åbning.
in-line ['inlain] *adj.* (*tekn.*) række- (*fx engine*).
in-liner [in'lainə] *sb.* = *in-line skate.*
in-line skate *sb.* inlinerulleskøjte.
inmate ['inmeit] *sb.* **1.** (*på psykiatrisk hospital*) patient; **2.** (*i fængsel*) indsat; **3.** (*på institution*) beboer; alumne; (*glds.*) lem.
in memoriam [in mi'mɔːriəm] *præp.* (*lat.*) til minde om.
inmost ['inməust] *adj.* inderst.
inn [in] *sb.* (*glds.*) kro; gæstgiveri; herberg;

□ *Inns of Court* [*juristkollegier hvor jurister uddannes*].
innards ['inədz] *sb. pl.* T **1.** (*af dyr*, *person*) indvolde; **2.** (*af maskine etc.*) unødvendige dele; indmad.
innate [i'neit] *adj.* medfødt; naturlig.
inner ['inə] *adj.* indre; indvendig.
inner circle *sb.* inderkreds.
inner city *sb.* indre by, bykerne [*ofte præget af fattigdom og forfald*].
inner man *sb.*: *the* ~ **a.** det indre menneske [ɔ: sjælen]; (*glds. el. spøg.*) det indvortes menneske; **b.** (*spøg.*) maven; *satisfy the* ~ stille sin sult.
innermost ['inəməust] *adj.* inderst.
inner sanctum *sb.* (*fig.*) allerhelligste; lønkammer.
inner sole *sb.* **1.** (*i sko*) bindsål; **2.** (*løs*) indlægssål.
inner tube *sb.* slange [*i dæk*].
inner woman *sb.* se *inner man.*
inning ['iniŋ] *sb.* (*i baseball*) inning [ɔ: spilomgang].
innings ['iniŋz] *sb.* (*pl. d.s.*) **1.** (*i kricket*) inning, halvleg; **2.** (*fig.*) chance (*fx you have had your* ~); **3.** (*fig.*, *parl.*) tur til at have magten; magtperiode;

□ *it is your* ~ *now* (jf. *2*) nu er det

I *innit*

din tur; vis nu hvad du duer til.
innit ['init] T= *isn't it*.
innkeeper ['inki:pə] *sb.* (*glds.*) krovært.
innocence ['inəs(ə)ns] *sb.*
1. uskyld; uskyldighed; harmløshed; 2. troskyldighed, enfoldighed.
innocent[1] ['inəs(ə)nt] *sb.* 1. uskyldig person; 2. (*ɔ: troskyldig*) uskyldighed (*fx compared to him she is a complete ~*);
□ *-s* uskyldige (*fx kill -s*); *she is a complete ~ where money is concerned* hun er komplet uvidende i pengesager; *a little ~* et gudsord fra landet; (se også *massacre*[1]).
innocent[2] ['inəs(ə)nt] *adj.* 1. uskyldig; 2. (*mht. delagtighed*) sagesløs (*fx bystander* tilskuer; *civilians*); 3. (*mht. skadelighed*) uskadelig (*fx substance*); harmløs, uskyldig (*fx mistake; remark*); 4. (*mht. livserfaring*) troskyldig, ufordærvet (*fx a poor, ~ young person*); uskyldig (*fx child*); enfoldig, naiv; □ *~ of* a. uskyldig i (*fx a crime*); b. helt uden, aldeles blottet for (*fx artistic skill*); c. ganske uvidende om (*fx the finer points of etiquette*).
innocuous [i'nɔkjuəs] *adj.* uskadelig, ufarlig, harmløs.
innovate ['inəveit] *vb.* indføre ny metoder.
innovation [inə'veiʃn] *sb.* 1. (jf. *innovate*) indførelse af ny metoder; fornyelse; nyskabelse; 2. (*enkelt*) nyhed; nyskabelse; forandring.
innovative ['inəvətiv, -vei-, (am.) 'inəveitiv] *adj.* 1. (*om person*) nyskabende; opfindsom; 2. (*om idé, ting*) som betegner en nyskabelse; helt ny; opfindsom.
innovator ['inəveitə] *sb.* fornyer; reformator.
innovatory ['inəveit(ə)ri, -və-, (am.) 'inəvətɔ:ri] *adj.* = *innovative*.
Inns of Court *sb. pl.* se *inn*.
innuendo [inju'endəu] *sb.* (*pl. -es/-s*) antydning, hentydning, insinuation; dobbeltbundet bemærkning.
innumerable [i'nju:m(ə)rəbl] *adj.* utallig, talløs.
innumerate [i'nju:m(ə)rət] *adj.* som mangler talforståelse; uden sans for tal.
inoculate [i'nɔkjuleit] *vb.* 1. (*med.*) vaccinere (*against* imod); 2. (*i gartneri*) pode.
inoculation [inɔkju'leiʃn] *sb.* (jf. *inoculate*) 1. vaccination; 2. podning.
inoffensive [inə'fensiv] *adj.* uskadelig, harmløs; (*om person også*)

skikkelig.
inoperable [in'ɔp(ə)rəbl] *adj.* F 1. (*med.*) inoperabel, som ikke kan opereres; 2. (*om system etc.*) ikke funktionsdygtig; 3. (*om metode*) uanvendelig.
inoperative [in'ɔp(ə)rətiv] *adj.* 1. (*om lov, bestemmelse*) ude af kraft; virkningsløs; (jur.) uden retsvirkning; 2. (*om system*) som ikke fungerer; 3. (*om maskine*) som ikke arbejder;
□ *be ~* (jf. 3, også) ligge stille.
inopportune [in'ɔpətju:n] *adj.* ubelejlig.
inordinate [i'nɔ:d(i)nət] *adj.* F overdreven (*fx pride*); uforholdsmæssig stor (*fx sum of money*); umådelig (*fx number*);
□ *an ~ amount of time* uforholdsmæssig meget tid.
inorganic [inɔ:'gænik] *adj.* uorganisk.
inpatient ['inpeiʃnt] *sb.* hospitalspatient.
input[1] ['input] *sb.* 1. (*af oplysninger etc.*) input, bidrag (*fx I didn't get much ~ from the others*); 2. (*elektronik*) indgang, tilslutning (*fx for microphone and radio*); 3. (it) input, inddata, indlæsning; 4. (tekn.) tilførsel; tilført mængde.
input[2] ['input] *vb.* (it) indlæse, indtaste.
inquest ['inkwest] *sb.* 1. (jur.) retslig undersøgelse; (især:) legalt ligsyn; 2. (fig.: efterfølgende diskussion af fiasko) rivegilde;
□ *hold an ~* (jf. 1) afholde legalt ligsyn; *hold an ~ into* (jf. 2) kulegrave grundene til; holde rivegilde om.
inquire [in'kwaiə] *vb.* (am. el. glds.) = *enquire*.
inquiry [in'kwaiəri, (am. også) 'inkwəri] *sb.* (am. el. glds.) = *enquiry*.
inquisition [inkwi'ziʃn] *sb.* (F, neds.) krydsforhør;
□ *the Inquisition* (rel.) inkvisitionen.
inquisitive [in'kwizitiv] *adj.* 1. spørgelysten, videbegærlig; 2. (neds.) nysgerrig, nyfigen, emsig.
inquisitiveness *sb.* 1. spørgelyst, videbegær; 2. (neds.) nysgerrighed, nyfigenhed, emsighed.
inquisitor [in'kwizitə] *sb.* F 1. forhørsdommer; inkvisitorisk udspørger; 2. (rel.) inkvisitor.
inquisitorial [inkwizi'tɔ:riəl] *adj.* 1. (*om udspørger*) inkvisitorisk; 2. (jur.) inkvisitions-, undersøgelses-.
inroads ['inrəudz] *sb. pl.* fjendtlige

indfald, strejftog, overfald;
□ *make ~* gøre virkning (*fx they have made no ~ with their campaign*); *make ~ into/on* a. gøre indhug i (*fx one's savings; our market*); b. lægge beslag på (*fx sby's time; a large part of the working day*); *make ~ into the problem* tage fat på/angribe problemet; *make ~ on one's capital* bruge (løs) af sin kapital.
ins [inz] *sb. pl.* se *in*[1].
insalubrious [insə'lu:briəs, -'lju:-] *adj.* F usund.
insane [in'sein] *adj.* 1. sindssyg; 2. T tosset, vanvittig, skør.
insanitary [in'sænit(ə)ri] *adj.* usund, sundhedsfarlig; uhygiejnisk.
insanity [in'sæniti] *sb.* 1. sindssyge; 2. (fig.) vanvid.
insatiable [in'seiʃəbl] *adj.* umættelig.
inscribe [in'skraib] *vb.* F 1. indskrive; (*i metal, glas etc.*) indgravere; (*i sten*) indhugge; 2. (*bog, foto*) signere, skrive dedikation i//på; 3. (*geom.*) indskrive;
□ *it was -d with two names* to navne var indskrevet//indgraveret//indhugget i den; *-d copy* dedikationseksemplar.
inscription [in'skripʃn] *sb.* 1. (*på monument etc.*) indskrift, inskription; påskrift; 2. (*i bog etc.*) dedikation.
inscrutability [inskru:tə'biləti] *sb.* uudgrundelighed; uransagelighed.
inscrutable [in'skru:təbl] *adj.* uudgrundelig; uransagelig.
insect ['insekt] *sb.* (zo.) insekt.
insecticide [in'sektisaid] *sb.* insektgift, insektdræbende middel; sprøjtegift, sprøjtemiddel.
insectivorous [insek'tivərəs] *adj.* insektædende.
insecure [insi'kjuə] *adj.* usikker; utryg.
insecurity [insi'kjuəriti] *sb.* usikkerhed; utryghed.
inseminate [in'semineit] *vb.* inseminere, overføre sæd til.
insemination [insemi'neiʃn] *sb.* insemination, sædoverføring; (se også *artificial insemination*).
insensate [in'senseit, -sət] *adj.* 1. ufornuftig, tåbelig (*fx risks*); blind (*fx hatred*); 2. livløs.
insensibility [insensi'biləti] *sb.* 1. bevidstløshed; 2. følelsesløshed; 3. ufølsomhed (*to* over for); uimodtagelighed (*to* for); ligegyldighed (*to* over for).
insensible [in'sensəbl] *adj.* F 1. bevidstløs (*fx knock sby ~*); 2. følelsesløs; 3. umærkelig (*fx trans-*

itions);

□ *by ~ degrees* umærkeligt; lidt efter lidt; *become ~* miste bevidstheden;

[*med præp.*] *~ of* se ndf.: *~ to; ~ to* a. (*fysisk*) ufølsom over for (*fx cold; pain*); **b.** (*fig.*) ufølsom over for, ligegyldig over for (*fx other people's distress*); upåvirket af, uimodtagelig for (*fx his charm*); *he was ~ to/of his danger* han var ikke opmærksom på den fare som truede ham.

insensitive [in'sensətiv] *adj.* (*neds.*) ufølsom; ikke særlig hensynsfuld;

□ *~ to* **a.** ufølsom over for, uimodtagelig for (*fx criticism*); **b.** upåvirket af, ligegyldig over for (*fx other people's feelings*); **c.** (*fysisk*) ufølsom over for (*fx cold; pain; light*).

insensitivity [insensə'tivəti] *sb.* ufølsomhed; upåvirkelighed; uimodtagelighed.

inseparable [in'sep(ə)rəbl] *adj.* uadskillelig.

insert¹ ['insə:t] *sb.* **1.** noget indføjet//indsat; **2.** (*i bog*) indlæg; indstik; bilag; **3.** (*i avis*) tillæg; bilag; **4.** (*i syning: indsat stykke*) indsats; (*blonde etc.*) mellemværk; **5.** (*film.*) indklip.

insert² [in'sə:t] *vb.* **1.** stikke ind// ned (*fx a key in a lock; a card in a file*); indføre (*fx a thermometer*); indsætte; indlægge (*fx a sheet between two pages; a catheter*); **2.** (*mønt*) indkaste; **3.** (*annonce*) indrykke; **4.** (*i tekst*) indføje, indsætte (*fx a clause in a contract*).

insertion [in'sə:ʃn] *sb.* **A.** (*handling* jf. *insert²*) **1.** indstikning; indføring; indsættelse; indlægning; **2.** (*af mønt*) indkast; **3.** (*af annonce*) indrykning; **4.** (*i tekst*) indføjelse; indsættelse;

B. (*noget indføjet*) **1.** (*i tekst*) indføjelse; interpolation; **2.** (*i avis*) indsendt stykke; notits; (*annonce*) inserat; **3.** (*i syning*) se *insert²*; **4.** (*anat.: om muskel*) tilhæftning.

in-service [in'sə:vis] *adj.* **1.** som er i tjeneste; **2.** som foregår mens man er i tjeneste.

in-service training *sb.* efteruddannelse.

INSET *fork. f.* in-service training.

inset¹ ['inset] *sb.* **1.** noget indlagt; indlægning; **2.** (*i tøj*) indlæg; **3.** (*i kort*) bikort [ɔ: kort indsat i større]; **4.** (*typ.*) indskudsark; **5.** (*i bog*) indklæbning; **6.** (*til avis*) tillæg; bilag.

inset² ['inset] *adj.* indlagt (*with med*); indsat; indføjet.

inset point *sb.* (*i syning*) samle-

mærke.

inshore¹ ['inʃɔ:] *adj.* inde ved land; nær kysten; kyst- (*fx fishing; waters* farvand);

□ *~ of* nærmere kysten end.

inshore² [in'ʃɔ:] *adv.* ind mod land.

inside¹ [in'said] *sb.* inderside; (se også *insides*);

□ *the ~* (*også*) det indvendige (*of* af);

[*med præp.& adv.*] *from the ~* indefra; *on the ~* **a.** indeni (*fx the apple was rotten on the ~*); **b.** inde i organisationen//systemet *etc.*, intern (*fx a spy on the ~*); **c.** indenom (*fx overtake on the ~*);

~ out med vrangen udad (*fx she had her jumper on ~ out; he put his socks on ~ out*); *the umbrella was blown ~ out* paraplyen vendte sig; *know it ~ out* kende det ud og ind; *turn sth ~ out* **a.** vende vrangen ud på noget; **b.** (*fig.*) vende op og ned på noget.

inside² ['insaid] *adj.* **1.** indvendig (*fx measurements; cabin; pocket*); indre (*fx world*); **2.** intern (*fx knowledge*);

□ *~ information* [oplysninger der kun kendes af en indviet kreds]; *it is an ~ job* (T: *om tyveri etc.*) det er lavet af nogen inden for firmaet/huset, det er lavet af en lokalkendt; *the ~ story* den virkelige historie.

inside³ [in'said] *adv.* **1.** indenfor (*fx he is waiting ~*); inde; indvendig; indeni; **2.** (*om bevægelse*) indenfor (*fx go ~*); ind;

□ *be ~* T sidde i fængsel; sidde inde; *~ and out* indvendig og udvendig (*fx wash the car ~ and out*); *examine ~ and out* undersøge i alle ender og kanter.

inside⁴ [in'said] *præp.* **1.** inde i (*fx the house; the box; his head*); inden for (*fx the door; the party; the EU*); **2.** (*om tid*) inden for, på mindre end (*fx a week*);

□ *~ of* (*am.*) = 1, 2.

inside callipers *sb. pl.* hulpasser; dansemester.

inside edge *sb.* (*i skøjteløb*) damesving;

□ *do the ~* slå damesving.

inside information *sb.*, **inside job** *sb.* se *inside²*.

inside lane *sb.* **1.** (*på vej*) inderbane; (*am. især*) yderbane; **2.** (*på væddeløbsbane*) inderbane.

insider [in'saidə] *sb.* [person fra inderkredsen; person der har førstehåndskendskab til sagen].

insider dealing, **insider trading** *sb.*

insiderhandel [hvor spekulant udnytter fortrolig viden til at skaffe sig gevinst].

insides [in'saidz] *sb. pl.* T mave; indvolde; indvendige dele (*fx there is something wrong with his ~*);

□ *the ~* (*også*) det indvendige.

inside track *sb.* **1.** inderbane; **2.** (*fig.*) fordelagtig position.

insidious [in'sidiəs] *adj.* snigende (*fx illness; influence*); lumsk (*fx attack*).

insight ['insait] *sb.* indsigt; indblik.

insignia [in'signiə] *sb.* (*pl. d.s.*) **1.** insignier; værdighedstegn; **2.** mærke; **3.** (*mil.*) gradstegn; distinktioner;

□ *~ of rank* se ovf.: 3; *regimental ~* (*mil.*) regimentsmærke.

insignificance [insig'nifikəns] *sb.* (jf. *insignificant*) **1.** ubetydelighed; **2.** betydningsløshed.

insignificant [insig'nifikənt] *adj.* **1.** (*om størrelse*) ubetydelig (*fx sum; difference*); **2.** (*om person*) betydningsløs.

insincere [insin'siə] *adj.* uoprigtig, falsk, hyklerisk.

insincerity [insin'serəti] *sb.* uoprigtighed, falskhed, hykleri.

insinuate [in'sinjueit] *sb.* insinuere, antyde (*fx are you insinuating that I am a liar?*);

□ *~ oneself into* liste//snige sig ind i; gradvis bane sig vej/trænge sig ind i; *~ oneself into her favour//affections* indynde sig hos hende.

insinuating [in'sinjueitiŋ] *adj.* **1.** indsmigrende, kælen, slesk (*fx smile*); **2.** (*om ytring*) dobbeltbundet (*fx remark*); fuld af antydninger/tvetydigheder.

insinuation [insinju'eiʃn] *sb.* antydning; insinuation.

insipid [in'sipid] *adj.* **1.** uden smag (*fx food*); fad; **2.** åndsforladt, åndløs (*fx conversation*).

insipidity [insi'pidəti] *sb.* (jf. *insipid*) **1.** mangel på smag; **2.** åndsforladthed, åndløshed.

insist [in'sist] *vb.* insistere (*fx if you ~; I ~!*);

□ *~ on* **a.** (*om påstand*) hævde, holde på, fastholde (*fx one's innocence*); **b.** (*om krav*) (bestemt) kræve, fordre, insistere på (*fx immediate payment*); *he -s on going* han vil absolut gå; han insisterer på at gå; *~ that* **a.** (jf. a) hævde/holde på/fastholde at (*fx he -ed that he did nothing wrong*); **b.** (jf. b) bestemt kræve/insistere på at (*fx it should be done at once*).

insistence [in'sist(ə)ns] *sb.* insisteren;

□ *at* his ~ på hans bestemte forlangende; *his* ~ *on* (jf. *insist (on)*)
a. hans fastholdelse af (*fx his innocence*); **b.** hans bestemte krav om, hans insisteren på (*fx punctuality*); *his* ~ *that* **a.** hans fastholdelse af at; **b.** hans bestemte krav om at, hans insisteren på at.

insistent [in'sist(ə)nt] *adj.* vedholdende; ihærdig.

in situ [in'sitju:] *adj.* F på sin oprindelige plads; på stedet.

insofar [insəu'fa:] *adv.:* ~ *as* for så vidt som.

insole ['insəul] *sb.* (*i sko*) **1.** bindsål; **2.** (*løs*) indlægssål.

insolence ['insələns] *sb.* uforskammethed.

insolent ['insələnt] *adj.* uforskammet.

insolubility [insɔlju'biləti] *sb.* (jf. *insoluble*) **1.** uopløselighed; **2.** uløselighed.

insoluble [in'sɔljubl] *adj.* **1.** (*om stof*) uopløselig (*fx chalk is* ~ *in water*); **2.** (*om vanskelighed*) uløselig (*fx mystery; problem*).

insolvency [in'sɔlv(ə)nsi] *sb.* insolvens.

insolvent [in'sɔlv(ə)nt] *adj.* insolvent.

insomnia [in'sɔmniə] *sb.* søvnløshed.

insomniac [in'sɔmniæk] *sb.:* *he is an* ~ han lider af søvnløshed.

insomuch [insəu'mʌtʃ] *adv.:* ~ *as* for så vidt som; eftersom, da; ~ *that* i en sådan grad at.

insouciance [in'su:siəns] *sb.* sorgløshed, ubekymrethed.

insouciant [in'su:siənt] *adj.* sorgløs, ubekymret.

inspan [in'spæn] *vb.* (sydafr.) spænde for.

inspect [in'spekt] *vb.* **1.** undersøge (nøje) (*fx he -ed the glass for cracks; he -ed the damage*); efterse (*fx the tyres*); gennemse; **2.** (*om myndighedsperson*) syne, besigtige (*fx a fire prevention officer -ed the building*); inspicere, mønstre (*fx the troops*).

inspection [in'spekʃn] *sb.* (jf. *inspect*) **1.** undersøgelse; eftersyn; gennemsyn; **2.** besigtigelse; inspektion, mønstring;
□ ~ *invited* grunden etc. kan beses; *on* ~ ved nærmere eftersyn.

inspection copy *sb.* gennemsynseksemplar.

inspector [in'spektə] *sb.* **1.** kontrollør; kontrollant; inspektør; **2.** (*fra offentlig myndighed*) tilsynsførende; **3.** se *police inspector*;
□ ~ *of schools* (omtr.) faginspek-

tør; fagkonsulent.

inspiration [inspə'reiʃn] *sb.* **1.** inspiration; **2.** indånding;
□ *draw* ~ *from* hente sin inspiration fra, lade sig inspirere af; *have an* ~ få en inspiration, få en indskydelse.

inspirational [inspi'reiʃn(ə)l] *adj.* inspirerende (*fx leader*); inspireret (*fx reading*).

inspire [in'spaiə] *vb.* **1.** inspirere; **2.** (*følelse*) indgyde, vække (*fx confidence*); indgive; **3.** (*luft*) indånde;
□ ~ *him with confidence,* ~ *confidence in him* indgyde ham tillid.

inspired [in'spaiəd] *adj.* inspireret (*fx performance*); gudbenådet (*fx artist*); genial (*fx suggestion; guess*);
□ ~ *article* [(*avis*)artikel der bygger på underhåndsoplysninger]; bestilt arbejde; ~ *leak* bevidst indiskretion.

inspissate [in'spiseit] *vb.* fortykke.

inst *fork. f.* instant (*glds.*) dennes (*fx the 7th* ~) [ɔ: *i denne måned*].

instability [instə'biləti] *sb.* ustabilitet; ustadighed; usikkerhed.

install [in'stɔ:l] *vb.* **1.** installere; montere (*fx a new shower*); stille op (*fx a new kitchen*); indbygge; **2.** (*am.*) anbringe, lægge (*fx a carpet; a new tile floor*); **3.** (*i embede etc.*) indsætte; **4.** (*it: program*) installere;
□ ~ *oneself* F installere sig, indrette sig, anbringe sig.

installation [instə'leiʃn] *sb.* (jf. *install*) **1.** installering; montering; opstilling; indbygning; **2.** anbringelse; lægning; **3.** indsættelse; **4.** installering; **5.** anlæg (*fx military -s*); **6.** (*i kunst*) installation.

instalment [in'stɔ:lmənt] *sb.* **1.** (*af betaling*) afdrag; rate; **2.** (*af fortælling, serie etc.*) afsnit; **3.** (*af større værk*) hæfte; nummer; levering;
□ *by -s* (jf. *1*) i afdrag.

instalment plan *sb.:* *on the* ~ på afbetaling.

instance¹ ['inst(ə)ns] *sb.* eksempel (*of* på); tilfælde (*of* af);
□ *court of first* ~ (jur.) første instans;
[med præp.] *at the* ~ *of* på foranledning af; *for* ~ for eksempel; *in the first* ~ til begynde med, først; i første instans/omgang.

instance² ['inst(ə)ns] *vb.* anføre som eksempel.

instant¹ ['inst(ə)nt] *sb.* øjeblik;
□ *the* ~ *you come* i samme øjeblik som/så snart du kommer; *this* ~ øjeblikkeligt (*fx come here this*

~*!*);
[med præp.] *at that very* ~ i selvsamme øjeblik; *for an* ~ et kort øjeblik; *not for an* ~ ikke et øjeblik; *in an* ~ **a.** om et øjeblik (*fx I'll be back in an* ~); **b.** på et øjeblik (*fx they vanished in an* ~).

instant² ['inst(ə)nt] *adj.* **1.** øjeblikkelig; **2.** (*om mad*) [som kan tilberedes i løbet af et øjeblik]; pulver- (*fx coffee; soup*); minut-.

instantaneous [inst(ə)n'teiniəs] *adj.* øjeblikkelig.

instantly ['inst(ə)ntli] *adv.* øjeblikkeligt, straks.

instant replay *sb.* (*am.*) = *action replay.*

instead [in'sted] *adv.* i stedet (*fx give me that* ~);
□ ~ *of* i stedet for.

instep ['instep] *sb.* vrist.

instigate ['instigeit] *vb.* **1.** F indlede (*fx an investigation; legal proceedings* retsforfølgning); forberede (*fx new laws*); iværksætte; **2.** (*neds.*) ophidse til, anstifte (*fx rebellion*);
□ ~ *sby to* tilskynde/anspore en til at; ophidse en til at.

instigation [insti'geiʃn] *sb.:* *at the* ~ *of* F på foranledning/tilskyndelse/opfordring af.

instigator ['instigeitə] *sb.* **1.** iværksætter; **2.** (*neds.*) anstifter.

instil [in'stil] *vb.* **1.** (F: *opfattelse etc.*) indpode (*fx certain ideas in(to) his mind*); (*følelse*) indgyde (*fx fear*); **2.** (*væske*) inddryppe, hælde dråbevis;
□ ~ *sth in(to) sby* (jf. *1, også*) bibringe en noget (*fx* ~ *self-confidence//a sense of responsibility in(to) one's pupils*).

instinct¹ ['instiŋ(k)t] *sb.* instinkt;
□ *by* ~ af/per instinkt; *my first* ~ (omtr.) min første indskydelse.

instinct² [in'stiŋ(k)t] *adj.:* ~ *with* F præget af, besjælet af.

instinctive [in'stiŋ(k)tiv] *adj.* instinktiv.

instinctual [in'stiŋ(k)tʃuəl] *adj.* instinktmæssig.

institute¹ ['institju:t] *sb.* **1.** institut; **2.** (*am.: om bestemt emne*) kursus; seminar.

institute² ['institju:t] *vb.* F **1.** indføre (*fx a new system; a ban on sth*); fastsætte (*fx new rules*); indlede, iværksætte (*fx an investigation*); **2.** (*institution etc.*) oprette (*fx a consumer protection agency*); stifte (*fx the Society was -d in 1865*); **3.** (*person: i embede*) indsætte (*into, to* i);
□ ~ *legal proceedings against* indlede retsforfølgning mod; anlægge

sag mod.

institution [insti'tju:ʃn] *sb.* **A. 1.** institution (*fx a charitable ~; the ~ of marriage; he has become something of an ~*); **2.** (*hvor mennesker anbringes*) institution (*fx he ended his days in an ~*); anstalt (*fx penal ~ straffeanstalt*); **B.** (jf. *institute²*) **1.** indførelse; fastsættelse; iværksættelse; **2.** oprettelse; stiftelse; **3.** indsættelse; kaldelse;

□ ~ *of higher education* højere læreanstalt.

institutional [insti'tju:ʃn(ə)l] *adj.* **1.** institutions- (*fx care*); institutionsmæssig; institutionel; **2.** (*neds.*) institutionsagtig, institutionspræget (*fx room*).

institutional advertising *sb.* goodwillreklame, prestigereklame.

institutional investor *sb.* institutionel investor [ɔ: *som er en institution, fx pensionskasse*].

institutionalize [insti'tju:ʃn(ə)laiz] *vb.* **1.** institutionalisere, gøre til en institution; **2.** (*person*) institutionalisere, anbringe på en institution.

institutionalized [insti'tju:ʃn(ə)laizd] *vb.* **1.** institutionaliseret (*fx violence*); **2.** (*om person*) institutionaliseret, institutionspræget, uselvstændiggjort.

instruct [in'strʌkt] *vb.* **1.** instruere (*to* om at); beordre (*to* til at, *fx he -ed me to wait; "Wait here," he -ed*); **2.** undervise (*in* i); vejlede (*in* i); instruere (*in* i, *fx ~ him in what to do*); **3.** (*advokat*) engagere;

□ *the judge -ed the jury* dommeren gav juryen retsbelæring; ~ *sby that* informere/oplyse en om at, give én besked om at; ~ *sby to* (jf. *1, også*) give én pålæg/instruks om at; give én besked på at.

instruction [in'strʌkʃn] *sb.* (jf. *instruct*) **1.** instruks, pålæg, ordre, anvisning; direktiv (*fx a party ~*); **2.** F undervisning; vejledning; **3.** (*it*) ordre; **4.** (*jur.: dommers*) retsbelæring;

□ *-s a.* (*til apparat, maskine*) brugsanvisning, vejledning; **b.** (jf. *1*) instruks, pålæg, ordre(r) (*to* om at, *fx he gave me strict -s to be on time*); anvisning (*fx according to* (efter) *his -s*); *my -s are to* det er blevet mig pålagt at; jeg har fået ordre til at; *act on/under -s* handle efter ordre.

instructional [in'strʌkʃn(ə)l] *adj.* F undervisnings- (*fx materials*); oplysende.

instructional film *sb.* undervis-

ningsfilm; instruktionsfilm.

instructive [in'strʌktiv] *adj.* instruktiv, oplysende, lærerig.

instructor [in'strʌktə] *sb.* **1.** lærer; instruktør; vejleder; **2.** (*am.*) undervisningsassistent.

instrument ['instrumənt] *sb.* **1.** instrument (*fx surgical//musical -s; the plane's -s*); redskab (*fx an ~ of torture*); apparat (*fx a measuring ~*); **2.** (*fig.*) redskab; **3.** (*jur.*) dokument.

instrumental¹ [instru'ment(ə)l] *sb.* stykke instrumentalmusik.

instrumental² [instru'ment(ə)l] *sb.* **1.** medvirkende (*in* + *-ing* til at); behjælpelig (*in* + *-ing* med at, *fx be ~ in finding him a job*); **2.** instrument- (*fx error*); **3.** (*mus.*) instrumental.

instrumentalist [instru'ment(ə)list] *sb.* instrumentalist.

instrumentation [instrumen'teiʃn] *sb.* instrumentering.

instrument panel *sb.* instrumentbræt.

insubordinate [insə'bɔ:d(i)nət] *adj.* ulydig, opsætsig.

insubordination [insəbɔ:di'neiʃn] *sb.* insubordination, lydighedsnægtelse, opsætsighed.

insubstantial [insəb'stænʃ(ə)l] *adj.* **1.** svag, tynd (*fx arguments*); utilstrækkelig (*fx evidence*); **2.** skrøbelig (*fx hut; bridge*); **3.** (*litt.*) uvirkelig, illusorisk (*fx fears*).

insufferable [in'sʌf(ə)rəbl] *adj.* utålelig, ulidelig.

insufficiency [insə'fiʃnsi] *sb.* F **1.** utilstrækkelighed; **2.** (*med.*) insufficiens.

insufficient [insə'fiʃnt] *adj.* F utilstrækkelig;

□ ~ *money* utilstrækkeligt med penge; ikke penge nok (*to* til at).

insular ['insjulə] *adj.* **1.** afsondret, isoleret; **2.** snæversynet, selvtilstrækkelig.

insularity [insju'læriti] *sb.* **1.** afsondrethed, isolerthed; **2.** snæversynethed, selvtilstrækkelighed.

insulate ['insjuleit] *vb.* **1.** isolere; afsondre (*from* fra); **2.** beskytte (*against/from* imod); **3.** (*mod kulde & elek.*) isolere.

insulating tape *sb.* isolerbånd.

insulation [insju'leiʃn] *sb.* isolering, isolation.

insulator ['insjuleitə] *sb.* isolator; isoleringsmateriale.

insulin ['insjulin] *sb.* insulin.

insult¹ ['insʌlt] *sb.* fornærmelse, krænkelse, forhånelse;

□ *an ~ to* en hån mod; *add ~ to injury* føje spot til skade.

insult² [in'sʌlt] *vb.* fornærme,

krænke, håne.

insuperable [in'sju:p(ə)rəbl] *adj.* uovervindelig.

insupportable [insə'pɔ:təbl] *adj.* **1.** uudholdelig; **2.** som ikke kan underbygges (*fx accusation*).

insurable [in'ʃuərəbl] *adj.* som kan forsikres.

insurable interest *sb.* forsikringsmæssig interesse.

insurable value *sb.* forsikringsværdi.

insurance [in'ʃuər(ə)ns] *sb.* **1.** forsikring; assurance; **2.** forsikringssum; **3.** forsikringspræmie.

insurance agent *sb.* assurandør, forsikringsagent.

insurance broker *sb.* forsikringsmægler.

insurance carrier *sb.* (*am.*) forsikringsselskab.

insure [in'ʃuə] *sb.* forsikre;

□ ~ *against* **a.** forsikre imod; **b.** = ~ *oneself against; ~ oneself against* **a.** forsikre sig imod; **b.** sikre sig imod.

insurer [in'ʃuərə] *sb.* forsikringsgiver.

insurgency [in'sə:dʒ(ə)nsi] *sb.* oprør; opstand.

insurgent¹ [in'sə:dʒ(ə)nt] *sb.* oprører.

insurgent² [in'sə:dʒ(ə)nt] *adj.* oprørsk; oprørs- (*fx forces*).

insurmountable [insə'mauntəbl] *adj.* F uoverstigelig, uovervindelig (*fx difficulty*).

insurrection [insə'rekʃn] *sb.* F oprør; opstand.

insurrectionist [insə'rekʃnist] *sb.* oprører.

int. fork. f. **1.** *internal*; **2.** *international*.

intact [in'tækt] *adj.* intakt, uberørt, ubeskadiget; (*om segl, brev*) ubrudt.

intaglio [in'ta:liəu, -'tæl-] *sb.* **1.** indgraveret arbejde; **2.** gemme [*udskåret ædelsten*]; **3.** (*typ.*) dybtryk.

intake ['inteik] *sb.* **1.** (*af mad, drikke etc.*) indtagelse (*fx of calories; of alcohol*); indtag; **2.** (*af personer*) optagelse, indtag (*fx of new students*); tilgang; **3.** (*mil.*) hold [*af rekrutter*]; **4.** (*af vand, luft*) tilførsel; tilstrømning; **5.** (*tekn.: åbning*) indtag (*fx air ~*); indløb (*fx i motor*) indsugning;

□ *a sharp ~ of breath* et gisp; en snappen efter vejret.

intake valve *sb.* (*i motor*) indsugningsventil.

intangible¹ [in'tændʒəbl] *sb.* uhåndgribelig størrelse.

intangible² [in'tændʒəbl] *adj.*

uhåndgribelig; ulegemlig.

integer ['intidʒə] *sb.* helt tal [*mods. brøk*].

integral[1] ['intəgr(ə)l] *sb.* (*mat.*) integral.

integral[2] ['intəgr(ə)l] *adj.* **1.** hel; **2.** indbygget;

□ *an* ~ *part of* en integreret/integrerende/uadskillelig del af; ~ *to* uløseligt forbundet med; ~ *with* (bygget//støbt) i ét med; sammenhængende med.

integral calculus *sb.* (*mat.*) integralregning.

integrate ['intəgreit] *vb.* **1.** integrere (*into* i, *fx immigrants into the community; oneself into society*); indpasse (*into* i, *fx computer use into normal classroom procedures*); **2.** (*to ting: til en helhed*) kombinere (*with* med, *fx learning with play; it is difficult to* ~ *the two approaches*); **3.** (*am.*) ophæve raceskellet i (*fx the armed forces*); **4.** (*tekn.*) bygge i ét; **5.** (*uden objekt*) blive integreret/indpasset (*into* i); indpasse sig (*into* i, *fx a new family; he cannot* ~ *socially*).

integrated ['intigreitid] *adj.* **1.** integreret; **2.** (*am.*) uden raceskel (*fx an* ~ *school*).

integrated circuit *sb.* (*elek.*) integreret kredsløb.

integration [intə'greiʃn] *sb.* **1.** integrering, integration; indpasning; **2.** (*am.*) ophævelse af raceskel.

integrity [in'tegrəti] *sb.* **1.** (*om person*) integritet, retskaffenhed, hæderlighed; **2.** (*om land*) integritet; **3.** (F: *om ting*) helhed (*fx the architectural* ~ *of the building*); fuldstændighed.

integument [in'tegjumənt] *sb.* (*biol.*) hinde; frøhinde.

intellect ['intəlekt] *sb.* **1.** intellekt; forstand; tænkeevne; **2.** (*om person*) begavelse (*fx he is not a great* ~).

intellectual[1] [intə'lektʃuəl] *sb.* intellektuel.

intellectual[2] [intə'lektʃuəl] *adj.* intellektuel; ånds- (*fx life*).

intellectualism [intə'lektʃuəlizm] *sb.* intellektualisme.

intellectuality [intəlektʃu'æliti] *sb.* intellektualitet.

intellectualize [intə'lektʃuəlaiz] *vb.* intellektualisere.

intellectual life *sb.* åndsliv.

intellectual property *sb.* åndelig ejendom.

intellectual property right *sb.* ophavsret.

intelligence [in'telidʒ(ə)ns] *sb.* **1.** intelligens; **2.** (*mil. etc.*) efterretninger; efterretning; **3.** (*aktivi-*

tet) efterretningsarbejde (*fx* ~ *is improving*); **4.** (*organisation*) efterretningsvæsen (*fx British* ~).

intelligence quotient *sb.* intelligenskvotient.

intelligence service *sb.* efterretningsvæsen, efterretningstjeneste.

intelligence test *sb.* intelligensprøve.

intelligent [in'telidʒ(ə)nt] *adj.* intelligent, klog.

intelligentsia [inteli'dʒentsiə] *sb.*: *the* ~ intelligentsiaen; de intellektuelle [*som samfundsklasse betragtet*].

intelligibility [intelidʒə'biləti] *sb.* forståelighed.

intelligible [in'telidʒəbl] *adj.* forståelig.

intemperance [in'temp(ə)rəns] *sb.* (jf. *intemperate*) F **1.** umådeholdenhed; ubeherskethed; **2.** drikfældighed.

intemperate [in'temp(ə)rət] *adj.* F **1.** umådeholden; ubehersket; voldsom; **2.** drikfældig.

intend [in'tend] *vb.* (se også *intended, intending*) **1.** have i sinde, have til hensigt, agte (*to* at, *fx what do you* ~ *to do?*); **2.** tilsigte (*fx that wasn't what I -ed*); mene (*fx what do you* ~ *by that word?*); □ *was it -ed?* var det meningen? var det med vilje? *it is -ed that* det er meningen at; [*med præp.& adv.*] *be -ed for* **a.** være beregnet til (*fx human consumption*); **b.** være bestemt for, være tiltænkt (*fx the gift was -ed for you*); ~ *to* **a.** se: *1*; **b.** være beregnet til at; *she -ed me to* det var hendes mening at jeg skulle (*fx hear it*); *is that sketch -ed to be me?* skal den tegning forestille mig?

intended [in'tendid] *adj.* påtænkt; tilsigtet; (se også *intend* (*-ed for/to*));

□ *my* ~ (T: *glds. el. spøg.*) min tilkommende.

intending [in'tendiŋ] *adj.* som har til hensigt at blive, vordende (*fx teacher*);

□ ~ *buyer* liebhaver.

intense [in'tens] *adj.* **1.** intens, voldsom, stærk (*fx cold*); heftig (*fx pain*); **2.** (*om person*) intens, inderlig; lidenskabelig; stærkt følelsespræget.

intensification [intensifi'keiʃn] *sb.* (jf. *intensify*) **1.** intensivering, forstærkelse, forøgelse; skærpelse; **2.** forstærkelse.

intensifier [in'tensifaiə] *sb.* **1.** (*foto., kem.*) forstærker; **2.** (*gram.*) forstærkende ord.

intensify [in'tensifai] *vb.* **1.** intensivere, forstærke, forøge (*fx the effect; tye pressure*); skærpe (*fx the sanctions; the blockade*); **2.** (*foto.*) forstærke; **3.** (*uden objekt*) intensiveres, forstærkes, forøges.

intensity [in'tensəti] *sb.* (jf. *intense*) **1.** intensitet, styrke, voldsomhed; heftighed; **2.** intensitet, inderlighed; lidenskab.

intensive [in'tensiv] *adj.* **1.** intensiv, stærk, kraftig; indgående; **2.** (*gram.*) forstærkende.

intensive care *sb.* (*med.*) intensiv terapi.

intensive care unit *sb.* (*på hospital*) intensivafdeling.

intent[1] [in'tent] *sb.* hensigt;

□ *to all -s and purposes* praktisk talt; så godt som; with ~ (jur.) forsætligt; *with* ~ *to* i den hensigt at; *with* ~ *to defraud* i bedragerisk hensigt; (se også *declaration, letter of intent*).

intent[2] [in'tent] *adj.* **1.** anspændt (*fx expression*); optaget; **2.** (*om blik*) indtrængende; ufravendt (*fx stare*);

□ ~ *on* **a.** (stærkt) optaget af (*fx one's studies*); **b.** opsat på (*fx doing one's best*); begærlig efter.

intention [in'tenʃn] *sb.* hensigt; forsæt;

□ *his -s are good* han har de bedste hensigter; *I have every* ~ *of* + *-ing* det er min bestemt hensigt at; *I have no* ~ *of* + *-ing* det er absolut ikke min hensigt at; *my* ~ *was to* (*også*) det var min mening at.

intentional [in'tenʃn(ə)l] *adj.* forsætlig, tilsigtet, bevidst.

intentioned [in'tenʃnd] *adj.* (*i sms.*) -menende (*fx well-*~); -sindet (*fx ill-*~);

□ *seriously* ~ med alvorlige hensigter; alvorligt ment.

intently [in'tentli] *adv.* anspændt (*fx listen* ~); ufravendt (*fx stare* ~).

inter [in'tə:] *vb.* F begrave.

interact [intə'rækt] *vb.* påvirke hinanden, indvirke på hinanden; arbejde sammen;

□ ~ *with* arbejde/virke sammen med; påvirke.

interaction [intə'rækʃən] *sb.* gensidig påvirkning; vekselvirkning; samspil.

interactive [intə'ræktiv] *adj.* **1.** interaktiv; **2.** (*it*) interaktiv, dialog-.

inter alia [intər'eiliə] *adv.* blandt andet.

interbreed [intə'bri:d] *vb.* (*biol.*) **1.** krydse; **2.** (*uden objekt*) få afkom med hinanden.

intercalary [in'tə:k(ə)l(ə)ri] *adj.*: ~

day skuddag.
intercalation [intə:kə'leiʃn] *sb.*
1. indskud, interpolation;
2. (*geol.*) indlejring.
intercede [intə'si:d] *vb.* gå i forbøn
(*for* for; *with* hos, *fx she -d for
him with the king*).
intercept¹ ['intəsept] *sb.* (jf. *inter-
cept²*) **1.** opsnappet melding;
2. beslaglagt smuglergods; **3.** aflyt-
tet samtale/melding; aflytning;
4. opfanget bold; **5.** (*mat.*) skæ-
ringspunkt.
intercept² [intə'sept] *vb.* **1.** (*brev*)
opsnappe; **2.** (*smuglergods etc.*)
beslaglægge; **3.** (*tlf., radio.*: sam-
tale, melding) aflytte; **4.** (*bold*) op-
fange, stoppe; **5.** (*person etc.*)
standse, stoppe, afskære vejen for
(*fx I -ed him at the door; the
smugglers' boat was -ed*); **6.** (*for-
syning*) afskære, afbryde; **7.** (*an-
greb*) afvise, imødegå.
interception [intə'sepʃn] *sb.* (jf. *in-
tercept²*) **1.** opsnappen; **2.** beslag-
læggelse; **3.** aflytning; **4.** opfang-
ning; **5.** standsning; **6.** afskæring,
afbrydelse; **7.** afvisning, imødegå-
else.
interceptor [intə'septə] *sb.* (*mil.
flyv.*) kortrækkende jagerfly; (*mis-
sil*) luftværnsraket.
intercession [intə'seʃn] *sb.* **1.** mel-
lemkomst; **2.** forbøn.
interchange¹ ['intətʃein(d)ʒ] *sb.*
1. udveksling; **2.** ombytning; ud-
skiftning; **3.** veksling; skifte;
4. (*ved motorvej*) udfletning, ud-
fletningsanlæg, tilslutningsanlæg.
interchange² [intə'tʃein(d)ʒ] *vb.*
1. (*tanker etc.*) udveksle (*fx ideas;
information; views*); **2.** (*om to
ting: indbyrdes*) ombytte (*fx the
front and rear tyres; the two
names on the list*); udskifte;
3. (*uden objekt*) veksle, skifte
(*with* med); kunne udskiftes (*with*
med);
□ ~ *it with sth else* udskifte/om-
bytte det med noget andet.
interchangeable [intə'tʃein(d)ʒəbl]
adj. ombyttelig; (*indbyrdes*) ud-
skiftelig (*fx parts*).
intercity [intə'siti] *adj.* intercity,
mellem byer.
intercollegiate [intəkə'li:dʒiət] *adj.*
mellem universiteter//kollegier (*fx
~ games*).
intercom ['intəkəm] *sb.* samtalean-
læg.
interconnect [intəkə'nekt] *vb.* stå i
forbindelse med hinanden; være
indbyrdes forbundet.
interconnected [intəkə'nektid] *adj.*
indbyrdes forbundet.
interconnection [intəkə'nekʃn] *sb.*

indbyrdes forbindelse; sammen-
hæng.
intercontinental [intəkɔnti'nent(ə)l]
adj. interkontinental, mellem ver-
densdele.
intercourse ['intəkɔ:s] *sb.* **1.** (*seksu-
elt*) kønslig omgang; samleje;
2. (*glds. F: socialt*) samkvem, om-
gang; forbindelse.
intercrop ['intəkrɔp] *sb.* mellemaf-
grøde, mellemkultur.
intercut [intə'kʌt] *vb.* (*film.*) kryds-
klippe.
interdependence [intədi'pendəns]
sb. gensidig/indbyrdes afhængig-
hed.
interdependent [intədi'pendənt]
adj. gensidigt/indbyrdes afhæn-
gige.
interdict¹ ['intədikt] *sb.* **1.** F for-
bud; **2.** (*kat.*) interdikt.
interdict² [intə'dikt] *vb.* **1.** (*især
am.*) forbyde; **2.** (*transport, bevæ-
gelse*) afskære, blokere for (*fx
drug shipments*); **3.** (*mil.: tropper*)
spærre for, lukke ude, afvise; (*om-
råde, vej*) afskære, spærre; øde-
lægge (*fx a bridge*);
□ ~ *sby from* + *-ing* (jf. *1*) forbyde
en at.
interdiction [intə'dikʃn] *sb.* (jf. *in-
terdict²*) **1.** forbud; **2.** afskæring;
3. afvisning; afskæring, spærring;
ødelæggelse.
interdisciplinary [intə'disiplin(ə)ri,
intədisi'plin(ə)ri] *adj.* tværfaglig;
tværvidenskabelig.
interest¹ ['intrəst] *sb.* **1.** interesse;
2. (*merk.*) interesse; andel (*fx in a
firm*); (se også *controlling interest*);
3. (*af kapital*) rente//renter;
□ [*om gruppe*] *the agricultural ~*
landbruget; *the shipping ~* skibs-
farten; (se også *landed interest*);
[*med vb.*] *bear/earn ~* give rente;
declare an/one's ~ oplyse at man
har en personlig interesse i sagen;
have an ~ in **a.** have interesse
for; **b.** (jf. *2*) have andel i; *lose ~
in* tabe interessen for; *the book
soon loses ~* man taber hurtigt in-
teressen for bogen; *take (an) ~ in*
vise interesse for; interessere sig
for;
[*med præp.*] *lend out money at ~*
låne penge ud mod renter; *put out
money at ~* sætte penge på rente;
in the *-s of sby* i ens interesse; til
ens fordel/bedste; *travel in the -s
of a firm* rejse for et firma; *it is of
~* det er af interesse, det er inter-
essant; *with ~* (*også fig.*) med ren-
ter.
interest² ['intrəst] *vb.* interessere;
(se også *interested*);
□ *could I ~ you in* **a.** kunne De

være interesseret i (*fx our new
range of kitchen fittings?*); **b.** kan
jeg tilbyde dig/friste dig med (*fx a
drink?*).
interested ['intrəstid] *adj.* interes-
seret;
□ *he was ~ to hear her opinion*
det interesserede ham at høre
hendes mening; *I'm ~ that they
have left* det interesserer mig at
høre at de er rejst; ~ *motives*
egennyttige motiver; *the ~ parties*
de interesserede parter; de berørte
parter.
interesting ['intrəstiŋ] *adj.* interes-
sant.
interestingly ['intrəstiŋli] *adv.* in-
teressant nok.
interest rate *sb.* rentesats.
interface¹ ['intəfeis] *sb.* **1.** grænse-
flade; kontaktflade; **2.** (*it*) inter-
face; grænseflade.
interface² ['intəfeis] *vb.*: ~ *with*
a. passe sammen med; **b.** forbinde
med, koble sammen med.
interfere [intə'fiə] *vb.* (se også *inter-
fering*) **1.** gribe ind; lægge sig imel-
lem; T blande sig; **2.** (*i sport*)
skubbe; **3.** (*om hest*) stryge skank;
□ *don't ~* pas dig selv; lad være
med at blande dig;
[*med præp.*] ~ *in* blande sig i;
gribe ind i;
~ *with* **a.** gribe (forstyrrende) ind
i (*fx the balance of nature*); ge-
nere, forstyrre (*fx production; his
concentration*); skade (*fx health*);
b. (*ting, uden tilladelse*) pille ved
(*fx his papers; don't ~ with that
machine*); **c.** (*radio. etc.*) forstyrre
(*fx their calls -d with each other*);
d. (*om hindring*) vanskeliggøre;
være i vejen for, genere (*fx the
tree -s with the view*); **e.** (*seksuelt*)
forgribe sig på; forbryde sig mod.
interference [intə'fiərəns] *sb.*
1. indblanding, indgriben (*with* i);
forstyrrelse; **2.** (*i sport*) skubben;
3. (*radio. etc.*) interferens; forstyr-
relse;
□ *run ~* (*am.*) være skjold; lægge
sig imellem; *run ~ for* (*am.*) be-
skytte, være værn for.
interfering [intə'fiəriŋ] *adj.* (*om
person*) som blander sig; næve-
nyttig, geskæftig.
intergalactic [intəgə'læktik] *adj.*
(*astr.*) intergalaktisk, som findes
mellem galakserne.
intergovernmental
[intəgʌvən'ment(ə)l] *adj.* mellem
regeringer.
intergovernmental conference *sb.*
(*i EU*) regeringskonference.
interim¹ ['intərim] *sb.*: *in the ~* i
mellemtiden.

I interim

interim[2] ['intərim] *adj.* foreløbig; midlertidig.

interior[1] [in'tiəriə] *sb.* indre; interiør;

□ *Department of the Interior (am.)* indenrigsministerium; (se også *Secretary).*

interior[2] [in'tiəriə] *adj.* **1.** indre; indvendig; **2.** (*vedrørende indre anliggender*) indenrigs-.

interior decoration *sb.* boligmontering, boligindretning.

interior decorator *sb.* boligmontør; (se også *decorator).*

interior designer *sb.* indretningsarkitekt; boligkonsulent; indendørsarkitekt.

interject [intə'dʒekt] *vb.* F indskyde (*fx a remark).*

interjection [intə'dʒekʃn] *sb.* F **1.** afbrydelse; indskud; **2.** udråb; udbrud; **3.** (*gram.*) interjektion, udråbsord.

interlace [intə'leis] *vb.* sammenflette, sammenslynge;

□ *-d with* **a.** sammenflettet med; sammenslynget med; **b.** (*fig.*) iblandet.

interleaf ['intəli:f] *sb.* indskudt (hvidt) blad.

interleave [intə'li:v] *vb.* indskyde (hvide) blade i.

interline [intə'lain] *vb.* **1.** skrive// trykke mellem linjerne; **2.** (*i tøj*) mellemfore.

interlinear [intə'liniə] *adj.* skrevet// trykt mellem linjerne; interlinear.

interlining [intə'lainiŋ] *sb.* mellemfor.

interlink [intə'liŋk] *vb.* **1.** kæde sammen; **2.** (*uden objekt*) stå i forbindelse med hinanden, være indbyrdes forbundet.

interlock [intə'lɔk] *vb.* **1.** gribe ind i hinanden; knytte sig sammen; **2.** (*med objekt*) lade gribe ind i hinanden; knytte sammen; flette sammen (*fx with their fingers -ed).*

interlocutor [intə'lɔkjutə] *sb.* F deltager i en samtale; samtalepartner.

interlope [intə'ləup] *vb.* blande sig i andres forhold; trodse et handelsmonopol; drive smughandel.

interloper ['intələupə, intə'ləupə] *sb.* **1.** [en der blander sig i andres forhold; en der trænger sig på]; **2.** [en der trodser et handelsmonopol]; smughandler.

interlude ['intəlu:d] *sb.* mellemspil; episode;

□ *there were -s of bright weather* det var klart vejr indimellem.

intermarriage [intə'mæridʒ] *sb.* indbyrdes giftermål; indgifte; blandet ægteskab.

intermarry [intə'mæri] *vb.* gifte sig indbyrdes.

intermediary[1] [intə'mi:diəri] *sb.* mellemmand, mægler, formidler; mellemled.

intermediary[2] [intə'mi:diəri] *adj.* mellemliggende; mellem-.

intermediate [intə'mi:diət] *adj.* mellemliggende; mellem-.

intermediate host *sb.* (*zo.*) mellemvært.

intermediate-range *adj.* mellemdistance- (*fx ballistic missiles).*

intermediate school *sb.* (*am.*) = *junior high school.*

interment [in'tə:mənt] *sb.* begravelse.

intermezzo [intə'metsəu] *sb.* intermezzo.

interminable [in'tə:minəbl] *adj.* uendelig, endeløs.

intermingle [intə'miŋgl] *vb.* blande sig.

intermission [intə'miʃn] *sb.* **1.** pause; afbrydelse; **2.** (*teat. etc.*, *især am.*) pause;

□ *without* ~ uafbrudt.

intermittent [intə'mit(ə)nt] *adj.* periodisk tilbagevendende; uregelmæssig (*fx pulse*); afbrudt;

□ ~ *rain* regn indimellem.

intermittent light *sb.* (*mar.*) blinkfyr; blinklys.

intermittently [intə'mit(ə)ntli] *adv.* med mellemrum; med afbrydelser; indimellem.

intermittent wiper *sb.* (*i bil*) intervalvisker.

intermix [intə'miks] *vb.* blande.

intermixture [intə'mikstʃə] *sb.* blanding.

intern[1] [in'tə:n] *sb.* (*am.*) **1.** praktikant; **2.** (*med.*) kandidat [*på hospital].*

intern[2] [in'tə:n] *vb.* **1.** internere; **2.** (jf. *intern*[1]) være praktikant// kandidat.

internal [in'tə:n(ə)l] *adj.* **1.** indre (*fx clock; market; organs*); intern (*fx debate; investigation; medicine; secretion*); indvendig (*fx bleeding; for* ~ *use*); **2.** (*i land*) indre (*fx affairs anliggender*); indenlandsk, indenrigsk.

internal combustion engine *sb.* forbrændingsmotor; eksplosionsmotor.

internalize [in'tə:nəlaiz] *vb.* F internalisere.

internal revenue service *sb.* (*am.*) skattevæsen.

International [intə'næʃn(ə)l] *sb.* (*hist.*) Internationale [*socialistisk organisation].*

international[1] [intə'næʃn(ə)l] *sb.* **1.** landskamp; **2.** landsholdsspiller.

international[2] [intə'næʃn(ə)l] *adj.* international, mellemfolkelig, mellemstatslig.

Internationale [intənæʃə'na:l] *sb.* Internationale [*socialistisk slagsang].*

internationalist[1] [intə'næʃn(ə)list] *sb.* internationalist.

internationalist[2] [intə'næʃn(ə)list] *adj.* internationalistisk.

internationalize [intə'næʃn(ə)laiz] *vb.* internationalisere, gøre international.

international law *sb.* (*jur.*) folkeret.

internecine [intə'ni:sain, (*am.*) -'ni:sən, -'nesi:n] *adj.* gensidigt ødelæggende.

internee [intə'ni:] *sb.* interneret.

Internet ['intənet] *sb.: the* ~ internettet.

Internet service provider *sb.* internetudbyder.

internist [in'tə:nist] *sb.* (*med.; især am.*) intern mediciner.

internment [in'tə:nmənt] *sb.* internering.

internship [in'tə:nʃip] *sb.* (jf. *intern*[1]) **1.** praktikperiode; **2.** (*med.*) kandidattid.

interoperability [intər'ɔpərəbiləti] *sb.* (*it*) interoperabilitet; evne til at arbejde sammen.

interoperable [intər'ɔpərəbl] *adj.* (*it*) som kan arbejde sammen.

interpersonal [intə'pə:sn(ə)l] *adj.* interpersonel, mellem mennesker;

□ ~ *skills* evne til at omgås andre; samarbejdsevner.

interphone ['intərfoun] *sb.* (*am.*) = *intercom.*

interplanetary [intə'plænət(ə)ri] *adj.* interplanetarisk.

interplay ['intəplei] *sb.* samspil; vekselvirkning.

Interpol ['intəpɔl] *sb.: the* ~ Interpol.

interpolate [in'tə:pəleit] *vb.* F indskyde, indføje; interpolere.

interpolation [intə:pə'leiʃn] *sb.* **1.** indskud; **2.** (*handling*) indføjelse; interpolation.

interpose [intə'pəuz] *vb.* F **1.** lægge sig imellem; intervenere; **2.** (*i samtale*) indskyde; (*uden objekt*) afbryde;

□ ~ *between* anbringe/placere imellem (*fx he -d himself between her and the door).*

interposition [intəpə'ziʃn] *sb.* mellemkomst; intervention.

interpret [in'tə:prit] *vb.* **1.** fortolke, forklare, tyde, udlægge (*as som*); **2.** (*rolle, musikstykke*) fortolke; **3.** (*fra et andet sprog*) tolke (*fx a speech*); oversætte; **4.** (*uden objekt*) tolke, være tolk (*for for*).

interpretation [intə:pri'teiʃn] *sb.* (jf. *interpret*) **1.** fortolkning, forklaring, tydning, udlægning; **2.** fortolkning; **3.** tolkning.
interpretative [in'tə:pritətiv] *adj.* fortolkende, forklarende.
interpreter [in'tə:pritə] *sb.* **1.** tolk; **2.** fortolker; **3.** (*it*) tolkningsprogram.
interpretive [in'tə:pritiv] *adj.* = *interpretative*.
interracial [intə'reiʃ(ə)l] *adj.* mellem racer; for forskellige racer.
interregnum [intə'regnəm] *sb.* interregnum [*tidsrum hvor der ikke er nogen ledelse*].
interrelate [intəri'leit] *vb.* være forbundet med hinanden.
interrelated [intəri'leitid] *adj.* forbundet med hinanden; nært forbundet/beslægtet.
interrelation [intəri'leiʃn], **interrelationship** [intəri'leiʃnʃip] *sb.* indbyrdes forhold.
interrogate [in'terəgeit] *vb.* **1.** afhøre, forhøre; **2.** spørge.
interrogation [interə'geiʃn] *vb.* **1.** afhøring, forhør; **2.** (*it*) forespørgsel.
interrogation mark, interrogation point *sb.* spørgsmålstegn.
interrogative[1] [intə'rɔgətiv] *sb.* spørgeord;
□ *in the* ~ spørgende, i spørgeform.
interrogative[2] [intə'rɔgətiv] *adj.* **1.** spørgende (*fx stare; tone*); **2.** (*gram.*) spørgende (*fx pronoun*); spørge- (*fx sentence*).
interrogator [in'terəgeitə] *sb.* udspørger; forhørsleder.
interrogatory[1] [intə'rɔgət(ə)ri] *sb.* (*jur.*) skriftligt spørgsmål.
interrogatory[2] [intə'rɔgət(ə)ri] *adj.* spørgende.
interrupt[1] [intə'rʌpt] *sb.* (*it*) programafbrydelse.
interrupt[2] [intə'rʌpt] *vb.* afbryde; □ ~ *the view* spærre for udsigten.
interruption [intə'rʌpʃn] *sb.* afbrydelse.
intersect [intə'sekt] *vb.* **1.** krydse, skære; gennemskære; **2.** (*uden objekt*) krydse/skære hinanden; □ *-ed by* gennemskåret af; gennemkrydset af; ~ *with* krydse, skære.
intersection [intə'sekʃn] *sb.* **1.** gennemskæring; skæring; **2.** (*sted*) skæringspunkt; **3.** (*af gader/veje*) gadekryds; vejkryds; korsvej.
interspace[1] [intəspeis] *sb.* mellemrum.
interspace[2] [intə'speis] *vb.* (*typ.*) spatiere, spærre.
intersperse [intə'spə:s] *vb.* (se også *interspersed*) indflette (*in* i); anbringe spredt, anbringe rundt omkring (*between* mellem; *in* i); □ ~ *with* blande sammen med; flette sammen med.
interspersed [intə'spə:st] *adj.*: ~ *among/between* blandet ind mellem; ~ *with ...* blandet med ...; med ... ind imellem (*fx open fields* ~ *with copses of pine; musical entertainment* ~ *with brief speeches*).
interstate[1] ['intərsteit] *sb.* (*am.*) motorvej [*mellem staterne*].
interstate[2] [intər'steit] *adj.* (*am., austr.*) mellemstatlig (*fx commerce; railways*) [ɔ: mellem enkeltstaterne].
interstellar [intə'stelə] *adj.* interstellar, mellem stjernerne.
interstice [in'tə:stis] *sb.* F mellemrum, sprække.
intertribal [intə'traib(ə)l] *adj.* mellem stammer; □ ~ *wars* stammekrige.
intertwine [intə'twain] *vb.* **1.** sammenflette, sammenslynge; **2.** (*uden objekt*) sno sig sammen, slynge sig om hinanden.
interurban [intər'ə:bən] *adj.* mellembys-; mellem (to) byer.
interval ['intəv(ə)l] *sb.* **1.** pause, interval, mellemrum; **2.** (*mus.*) interval; **3.** (*teat. etc.*) pause; **4.** (*i skole*) frikvarter;
□ *at -s* med mellemrum; her og der; nu og da; *at regular -s* med jævne/regelmæssige mellemrum; *at -s of three minutes* med tre minutters mellemrum; *at -s of three metres* med tre meters mellemrum; med en indbyrdes afstand af tre meter.
intervene [intə'vi:n] *vb.* **1.** intervenere, gribe ind, skride ind, tage affære; lægge sig imellem; **2.** (*i samtale*) bryde ind; **3.** (*om hindring*) komme imellem; komme i vejen (*fx bad weather -d*);
□ ~ *between* lægge sig/gå imellem.
intervening [intə'vi:niŋ] *adj.* mellemliggende (*fx the* ~ *period// time//years*).
intervention [intə'venʃn] *sb.* indgriben, indskriden, intervention; indgreb (*fx in the economy; surgical* ~); mellemkomst.
interview[1] ['intəvju:] *sb.* **1.** samtale; (*især journalistisk*) interview; **2.** (*hos politiet*) afhøring; **3.** (*for stillingsansøger*) jobsamtale;
□ *be invited for* ~ (jf. *3*) blive indkaldt til samtale.
interview[2] ['intəvju:] *vb.* **1.** interviewe; udspørge; **2.** (*om politi:*

vidne) afhøre; **3.** (*om firma: stillingsansøger*) indkalde til samtale; have samtale med;
□ *be -ed* (jf. *3*) være//komme til samtale; ~ *with* (jf. *3, am.*) komme til samtale hos.
interviewee [intəvju'i:] *sb.* interviewet.
interviewer ['intəvju:ə] *sb.* interviewer.
interwar ['intəwɔ:] *adj.*: *the* ~ *years* mellemkrigsårene.
interweave [intə'wi:v] *vb.* **1.** væve sammen; flette sammen; **2.** (*fig.*) sammenblande;
□ *interwoven with* sammenvævet med.
intestate[1] [in'testət] *sb.* [*person der er død uden at efterlade sig testamente*].
intestate[2] [in'testət] *adj.*: *die* ~ dø uden at efterlade sig testamente; ~ *succession* (*jur.*) intestatarv [*arv efter loven*].
intestinal [in'testin(ə)l] *adj.* tarm- (*fx hemorrhage* blødning; *surgery* operation); indvolds- (*fx worm*).
intestine [in'testin] *sb.* tarm; (se også *large intestine, small intestine*);
□ *-s* (*også*) indvolde.
in-the-face [inðə'feis] *adj.* T provokerende; direkte; lige på og hårdt.
intimacy ['intiməsi] *sb.* **1.** intimitet, fortrolighed; fortroligt forhold; **2.** fortrolig bemærkning; **3.** (*seksuelt*) intimt forhold; samleje.
intimate[1] ['intimət] *sb.* fortrolig/ nær ven.
intimate[2] ['intimət] *adj.* **1.** fortrolig, intim (*fx friendship; conversation; atmosphere*); **2.** (*om tilknytning*) nær (*fx links*); intim (*fx connection*); **3.** (*om viden*) indgående, intim (*fx knowledge of the period*);
□ *be on* ~ *terms with* stå på en fortrolig fod med; *be* ~ *with* (*seksuelt*) stå i forhold til.
intimate[3] ['intimeit] *vb.* lade forstå, antyde, tilkendegive.
intimately ['intimətli] *adv.* intimt, fortroligt; nøje.
intimation [inti'meiʃn] *sb.* antydning, vink; tilkendegivelse.
intimidate [in'timideit] *vb.* intimidere, skræmme, true.
intimidating [in'timideitiŋ] *adj.* intimiderende, skræmmende, truende.
intimidation [in'timideiʃn] *sb.* intimidering, skræmmen; trusler (*of* mod, *fx witnesses*).
into ['intu:, (*tryksvagt*) 'intə, (*foran vokal*) 'intu] *præp.* **1.** ind i, ud i, op i, ned i (*fx the house; the garden; the cupboard; the water*); i

I *intolerable*

(*fx* put it ~ *one's pocket*; *get* ~ *bed*//*one's clothes*; *cut it* ~ *pieces*; *walk* ~ *a trap*); *over i* (*fx put it* ~ *the other drawer*); **2.** (*så man rammer*) i, imod (*fx bump* ~ *sby*; *walk*//*crash* ~ *a tree*); **3.** (*ved division*) (op) i (*fx five* ~ *ten is two*); **4.** (*om tid*) ud på (*fx far* ~ *the night*); op i (*fx he is well* ~ *his sixties*); ind i (*fx getting* ~ *its third day*); **5.** (*om forandring*) til (*fx translate the book* ~ *English*; *change it* ~ *a joke*; *it turned* ~ *a nightmare*); **6.** (*om påvirkning*) til (*fx force them* ~ *surrender*); (+ -*ing*) til at (*fx he was forced* ~ *leaving the country*; *he tricked her* ~ *giving him the money*); se også ndf.: *flatter*/*talk* ~; □ *flatter him* ~ *doing it* få ham til at gøre det ved at smigre ham; *talk him* ~ *doing it* overtale ham til at gøre det; **be** ~ T være (stærkt) interesseret i; være (meget) optaget af; gå (helt) op i (*fx sports cars*); *we have been* ~ *that* det har vi drøftet/været igennem.

intolerable [in'tɔl(ə)rəbl] *adj.* utålelig, ulidelig.

intolerance [in'tɔl(ə)rəns] *sb.* intolerance; ufordragelighed.

intolerant [in'tɔl(ə)rənt] *adj.* intolerant (*of* over for); ufordragelig.

intonation [intə'neiʃn] *sb.* **1.** (*om stemme*) intonation; tonegang; **2.** (*mht. sang*) intonering; messen.

intone [in'təun] *vb.* messe; intonere; istemme.

intoxicant [in'tɔksikənt] *sb.* berusende middel//drik.

intoxicated [in'tɔksikeitid] *vb.* beruset (*with* af).

intoxication [intɔksi'keiʃn] *sb.* beruselse; rus.

intractability [intræktə'biləti] *sb.* uregerlighed; umedgørlighed; stridighed.

intractable [in'træktəbl] *adj.* **1.** umedgørlig, uregerlig, ustyrlig (*fx children*); **2.** (*fig.*) ikke let at bearbejde; uhyre besværlig, (så godt som) uløselig (*fx conflict*; *problem*).

intramural [intrə'mjuər(ə)l] *adj.* inden for murene; intern.

intransigence [in'trænsidʒ(ə)ns] *sb.* F stejlhed, uforsonlighed.

intransigent [in'trænsidʒ(ə)nt] *adj.* F stejl, uforsonlig; som nægter at gå på akkord.

intransitive [in'trænsitiv, -'tra:n-] *adj.* (*gram.*) intransitiv.

intrauterine [intrə'ju:tərain] *adj.* (*med.*) i livmoderen.

intrauterine device *sb.* polygon, spiral [*til svangerskabsforebyg*-

gelse].

intravenous [intrə'vi:nəs] *adj.* (*med.*) intravenøs; i en blodåre.

in tray *sb.* indbakke.

intrepid [in'trepid] *adj.* uforfærdet, frygtløs.

intrepidity [intrə'piditi] *sb.* uforfærdethed, frygtløshed.

intricacies [in'trikəsiz] *sb. pl.* indviklede detaljer; finesser.

intricacy ['intrikəsi] *sb.* indviklethed.

intricate ['intrikət] *adj.* indviklet, kompliceret, kringlet.

intrigue[1] [in'tri:g] *sb.* **1.** intrige; rænke; **2.** (*glds.*) (hemmelig) kærlighedsforbindelse.

intrigue[2] [in'tri:g] *vb.* **1.** vække interesse//nysgerrighed hos; fængsle, fascinere, tiltrække; **2.** (jf. *intrigue*[1] *1*) intrigere; smede rænker; **3.** (*glds.*) have en (hemmelig) kærlighedsforbindelse (*with* med); □ *be -d by* være tiltrukket/optaget/ fængslet/fascineret af; ikke kunne stå for; *he was -d by this* (*også*) han kunne ikke rigtig forklare sig dette.

intriguing[1] [in'tri:giŋ] *sb.* intrigeren.

intriguing[2] [in'tri:giŋ] *adj.* interessant, spændende, fængslende, fascinerende.

intrinsic [in'trinsik] *adj.* **1.** indre; reel, egentlig (*fx interest*); **2.** væsentlig (*to* for).

intrinsic value *sb.* egenværdi, egentlig/reel værd [*mods. affektionsværdi*].

intro fork. f. introduction.

introduce [intrə'dju:s] *vb.* **1.** indlede (*fx he -d his speech with an anecdote*; *his death -d a period of unrest*); **2.** (*person, for en anden*) præsentere (*to* for, *fx he -d me to his father*; *allow me to* ~ *my wife*); forestille (*to* for); **3.** (*radio.*, *tv*) introducere, præsentere (*fx a programme*; *a book*); **4.** (*noget nyt*) indføre (*into* i, *fx new subjects into the curriculum*; *new methods*; *new rules*; *a ban on smoking*); (*nyt produkt etc. også*) lancere (*fx a new fashion*//*soap*// *theory*); **5.** (*i et land & = anbringe*) indføre (*into/to* i, *fx they -d the potato into/to Denmark*; ~ *a tube into the abdomen*); **6.** (*i tekst*) indføje (*into* i, *fx a few jokes into one's speech*);
□ *be -d* (*jf. 4*) komme frem; komme i brug; *have you two been -d?* (*jf. 2*) er I to blevet præsenteret for hinanden?
[*med præp.*] ~ *a Bill before Parliament* (*parl.*) forelægge et lovfor-

slag; ~ *into* se ovf.: *4, 5*; ~ *a subject into the conversation* bringe et emne på bane; ~ *to* se ovf.: *2, 5*; ~ *sby to sth* **a.** præsentere en for noget; gøre en bekendt med noget (*fx* ~ *them to drugs*; ~ *opera to the masses*); **b.** (*ny viden*) indføre en i noget (*fx a subject*; *the latest theories*).

introduction [intrə'dʌkʃn] *sb.* (jf. *introduce*) **1.** indledning; **2.** præsentation, forestilling; **3.** introduktion, præsentation; **4.** indførelse, lancering; **5.** indførelse; **6.** (*ting*) ny ting der er indført; nyhed; □ ~ *to* **a.** indledning til (*fx he wrote the* ~ *to the book*); **b.** (*ny ting*) bekendtskab med (*fx my* ~ *to smoking*); **c.** (*emne*) indføring i (*fx psychology*); (se også *letter*[1]).

introduction agency *sb.* kontaktbureau.

introductory [intrə'dʌkt(ə)ri] *adj.* **1.** indledende (*fx remarks*); indlednings- (*fx chapter*); **2.** (*merk. etc.*) introduktions- (*fx course*; *offer*; *price*).

introspect [intrə'spekt] *vb.* analysere sine egne tanker og følelser.

introspection [intrə'spekʃn] *sb.* introspektion, selviagttagelse, selvanalyse.

introspective [intrə'spektiv] *adj.* introspektiv, selvanalyserende, selvransagende; indadvendt.

introvert[1] ['intrəvə:t] *sb.* indadvendt person.

introvert[2] ['intrəvə:t] *adj.* = *introverted*.

introverted [intrə'və:tid] *adj.* introverteret, indadvendt.

intrude [in'tru:d] *vb.* trænge sig på, bryde ind, forstyrre; komme til besvær;
□ ~ *into* bryde ind i (*fx the conversation*; *the meeting*); trænge ind i; ~ *on* trænge sig ind på; forstyrre; ~ *sth on sby* belemre en med noget; pånøde en noget; ~ *oneself on* trænge sig ind på.

intruder [in'tru:də] *sb.* påtrængende person; ubuden gæst.

intrusion [in'tru:ʒ(ə)n] *sb.* **1.** indtrængen; trængen sig på; forstyrrelse; **2.** (*geol.*) intrusion.

intrusive [in'tru:siv] *adj.* påtrængende; forstyrrende; som trænger sig ind.

intuit [in'tju:it] *vb.* F forstå/opfatte intuitivt.

intuition [intju'iʃn] *sb.* intuition; umiddelbar opfattelse;
□ -*s* intuitive fornemmelser//opfattelser; intuition; *by* ~ per intuition, intuitivt.

intuitive [in'tju:itiv] *adj.* intuitiv.

Inuit[1] ['injuit, 'inuit] *sb.* (*pl. d.s./-s*) (*person; sprog*) inuit.
Inuit[2] ['injuit, 'inuit] *adj.* inuitisk.
inundate ['inʌndeit] *vb.* oversvømme;
□ *-d with* (*fig.*) oversvømmet af/med (*fx complaints*); overvældet med (*fx congratulations*).
inundation [inʌn'deiʃn] *sb.* oversvømmelse.
inure [in'juə] *vb.:* ~ *oneself to* vænne sig til; hærde sig imod; *become -d to* blive vænnet til; blive hærdet mod.
invade [in'veid] *vb.* **1.** invadere (*fx a country; his home*); trænge ind i (*fx demonstrators -d the palace; ants -d the kitchen*); (*i stor mængde også*) oversvømme (*fx the town was -d by tourists*); **2.** (*fig.*) forstyrre (*fx the peace of the evening with noisy music*); (se også *privacy*); **3.** (*rettigheder*) gøre indgreb i, krænke.
invader [in'veidə] *sb.* **1.** angriber; indtrængende fjende; **2.** indtrænger.
invalid[1] ['invəlid] *sb.* (*glds.*) kronisk syg; svagelig person; invalid.
invalid[2] [in'vælid] *adj.* **1.** (*også it*) ugyldig (*fx cheque; marriage; argument; password*); **2.** (*glds.*) (kronisk) syg; svagelig; invalid.
invalid[3] [invə'li:d] *vb.:* ~ *sby home* hjemsende en som utjenstdygtig; ~ *sby out* fjerne en fra aktiv tjeneste som utjenstdygtig.
invalidate [in'vælideit] *vb.* **1.** afkræfte (*fx a theory*); afsvække, gøre ugyldig (*fx an argument*); **2.** (*jur.*) omstøde; gøre ugyldig.
invalidation [invæli'deiʃn] *sb.* (jf. *invalidate*) **1.** afkræftelse; svækkelse, ugyldiggørelse; **2.** omstødelse; ugyldiggørelse.
invalid chair *sb.* (*glds.*) rullestol.
invalidism ['invəlidizm] *sb.* (*am.*) = *invalidity 1.*
invalidity [invə'lidəti] *sb.* **1.** kronisk sygdom; svagelighed; utjenstdygtighed; invaliditet; **2.** ugyldighed.
invalidity benefit *sb.* invalidepension.
invaluable [in'væljuəbl] *sb.* uvurderlig.
invariable [in'vɛəriəbl] *adj.* **1.** ufravigelig (*fx rule*); fast (*fx custom*); uvægerlig (*fx result*); gængs; **2.** uforanderlig (*fx mass is* ~); **3.** (*gram.*) ubøjelig; **4.** (*mat.*) konstant.
invariably [in'vɛəriəbli] *adv.* uvægerlig; altid.
invasion [in'veiʒ(ə)n] *sb.* (jf. *invade*) **1.** invasion (*of* af/i); angreb (*of* på);

indtrængen (*of* i); **2.** forstyrrelse (*of* af); (se også *privacy*); **3.** indgreb (*of* i, *fx his rights*); krænkelse (*of* af).
invasive [in'veisiv] *adj.* **1.** indtrængende; **2.** (*med.*) [*som medfører indføring af instrumenter i kroppen*].
invective [in'vektiv] *sb.* skældsord; F invektiv.
inveigh [in'vei] *vb.:* ~ *against* F rase mod; skælde voldsomt ud på.
inveigle [in'veigl, -'vi:-] *vb.:* ~ *into* + *-ing* F lokke/besnakke/forlede til at.
invent [in'vent] *vb.* **1.** opfinde; **2.** (*historie etc.*) opdigte, finde på (*fx an excuse*).
invention [in'venʃn] *sb.* **1.** opfindelse; påfund; **2.** opspind (*fx the report was pure* ~ ... det rene/pure opspind); løgn; løgnehistorie; **3.** (*egenskab*) opfindsomhed.
inventive [in'ventiv] *adj.* opfindsom.
inventor [in'ventə] *sb.* opfinder.
inventory ['invənt(ə)ri] *sb.* **1.** (*for hus*) fortegnelse over indbo; inventarliste; **2.** (*for forretning: over varer*) lagerliste, lageropgørelse, status; **3.** (*am.: beholdning*) lager, lagerbeholdning; **4.** (*i regnskab*) liste over aktiver;
□ *make/take/draw up an* ~ optage en fortegnelse.
inverse [in'və:s] *adj.* omvendt (*fx in* ~ *order*);
□ *be in* ~ *proportion/relation/ratio to* (*mat.*) stå i omvendt forhold til; være omvendt proportional med.
inversely [in'və:sli] *adv.* omvendt;
□ *be* ~ *proportionate to* (*mat.*) stå i omvendt forhold til; være omvendt proportional med.
inversion [in'və:ʃn, (*am.*) in'vərʒn] *sb.* **1.** venden op og ned på (*fx an* ~ *of the facts//the truth*); venden på hovedet; omvending, ombytning (*fx of their normal relationship*); spejlvending; **2.** (*gram.*) inversion; omvendt ordstilling; **3.** (*mus.*) omvending; **4.** (*kem.*) invertering; **5.** (*meteor.*) inversion; **6.** (*psyk.: glds.*) homoseksualitet.
invert[1] ['invə:t] *sb.* (*glds.*) homoseksuel.
invert[2] [in'və:t] *vb.* F vende; vende op og ned på, vende rundt, vende på hovedet.
invertebrate[1] [in'və:tibrət] *sb.* hvirvelløst dyr.
invertebrate[2] [in'və:tibrət] *adj.* **1.** (*zo.*) hvirvelløs; **2.** (*spøg. om person*) uden rygrad, holdningsløs.

inverted [in'və:tid] *adj.* omvendt (*fx shaped like an* ~ *cone*) [ɔ: vendt på hovedet].
inverted commas *sb. pl.* anførselstegn; citationstegn; T gåseøjne.
inverted pleat *sb.* indvendigt wienerlæg.
inverted snob *sb.* [*person der snobber nedad*].
inverter [in'və:tə] *sb.* **1.** (*elek.*) vekselretter; **2.** (*it*) inverter.
invert sugar *sb.* invertsukker.
invest [in'vest] *vb.* investere (*in* i, *fx a company; a new computer; money in stocks; a lot of time and energy in the project*);
□ ~ *in* (*også*) **a.** sætte penge i (*fx a company*); **b.** T købe, spendere på sig selv (*fx a new computer; a new dress*); ~ *with* F **a.** (*beføjelse; titel*) udstyre med (*fx absolute power*); tildele (*fx the Order of Merit*); **b.** (*egenskab*) give, forlene med (*fx an aura of respectability*); omgive med, indhylle i (*fx mystery*).
investigate [in'vestigeit] *vb.* **1.** (*forbrydelse*) efterforske (*fx a murder*); **2.** (*problem, sag*) undersøge (*fx a complaint; the possibilities; the causes of cancer; how it happened*); **3.** (*uden objekt*) se 'efter, undersøge sagen;
□ ~ *sby* undersøge ens forhold.
investigation [investi'geiʃn] *sb.* (jf. *investigate*) **1.** efterforskning; **2.** undersøgelse.
investigative [in'vestigətiv] *adj.* **1.** undersøgende; undersøgelses- (*fx committee*); **2.** (*om journalistik*) dybdeborende (*fx journalism; report*).
investigator [in'vestigeitə] *sb.* **1.** undersøger; forsker; **2.** detektiv.
investigatory [in'vestigət(ə)ri] *adj.* = *investigative.*
investiture [in'vestitʃə] *sb.* investitur; indsættelse [*i embede*].
investment [in'ves(t)mənt] *sb.* investering; pengeanbringelse.
investment trust *sb.* investeringsselskab.
investor [in'vestə] *sb.* investor.
inveterate [in'vet(ə)rət] *adj.* **1.** (*om person*) uforbederlig (*fx drunkard; gambler*); forhærdet (*fx liar*); **2.** (*om følelse, egenskab*) indgroet (*fx dislike; hatred*); uudryddelig (*fx laziness*).
invidious [in'vidiəs] *adj.* **1.** uheldig (*fx put oneself in an* ~ *position*); ubehagelig (*fx task; job*); som vækker uvilje; odiøs; stødende (*fx remarks*); **2.** uretfærdig (*fx comparison*).
invigilate [in'vidʒileit] *vb.* føre til-

I *invigilation*

syn [*ved skriftlig eksamen*].

invigilation [invidʒi'leiʃn] *sb.* eksamenstilsyn.

invigilator [in'vidʒileitə] *sb.* eksamensvagt, eksamenstilsyn.

invigorate [in'vigəreit] *vb.* **1.** (*person*) styrke, oplive; **2.** (*forhold*) sætte liv i (*fx the economy*).

invincibility [invinsə'biləti] *sb.* uovervindelighed.

invincible [in'vinsəbl] *adj.* **1.** uovervindelig; **2.** (*fig.*) urokkelig (*fx determination; faith*); (*om uheldig egenskab*) håbløs (*fx ignorance; incompetence*).

inviolability [invaiələ'biləti] *sb.* ukrænkelighed; ubrydelighed.

inviolable [in'vaiələbl] *adj.* ukrænkelig (*fx borders; right*); ubrydelig (*fx rule; principle*).

inviolate [in'vaiələt] *adj.* **1.** ukrænket; ubrudt; **2.** se *inviolable.*

invisibility [invizə'biləti] *sb.* usynlighed.

invisible [in'vizəbl] *adj.* (*også økon.*) usynlig (*fx exports*).

invitation [invi'teiʃn] *sb.* (jf. *invite*) **1.** indbydelse, invitation; **2.** opfordring; **3.** anmodning; **4.** opfordring.

invite[1] [in'vait] *sb.* T invitation, indbydelse.

invite[2] [in'vait] *vb.* (se også *inviting*) **1.** (*person*) indbyde, invitere (*to til, fx ~ him to a party*); **2.** (+ *inf.*) opfordre (*to til at, fx ~ him to join*); bede (*to om at*); **3.** (*ting*) bede om, udbede sig (*fx suggestions*); **4.** (*fig.*) opfordre til, indbyde til (*fx to be defenceless is simply to ~ attack*); udsætte sig for (*fx attack; criticism; failure*); □ ~ *attention* påkalde sig opmærksomhed; *it -s reflection* det maner til eftertanke; *it -s the smile* det kalder på smilet; [*med adv.*] ~ *them back* invitere dem igen [ɔ: *når man selv har været inviteret*]; ~ *sby over//round* invitere en på besøg.

invitee [invai'ti:] *sb.* indbudt.

inviting [in'vaitiŋ] *adj.* indbydende; fristende.

in vitro [in'vi:trəu] *adj.* in vitro; som finder sted i et reagensglas.

in vitro fertilization *sb.* reagensglasmetoden til befrugtning.

invocation [invə'keiʃn] *sb.* (jf. *invoke*) F **1.** påberåbelse; **2.** påkaldelse; anråbelse; **3.** fremmanen; **4.** fremmanen, fremkaldelse; **5.** anråbelse; nedkaldelse; **6.** (*om ordlyd*) besværgelse; besværgelsesformular.

invoice[1] ['invɔis] *sb.* faktura.

invoice[2] ['invɔis] *vb.* fakturere (*for*

for).

invoke [in'vəuk] *vb.* F **1.** (*lov, princip*) påberåbe sig (*fx the Fifth Amendment*); **2.** (*gud*) påkalde, anråbe; **3.** (*ånd*) fremmane (*fx a spectre*); **4.** (*stemning etc.*) fremmane (*fx a romanticized picture*); fremkalde (*fx memories*); **5.** (*ved bøn*) anråbe om (*fx his help*); nedkalde (*fx vengeance on* (over) *them*); □ ~ *his help* (*også*) anråbe ham om hjælp.

involuntary [in'vɔlənt(ə)ri] *adj.* **1.** ufrivillig; **2.** (*om muskelbevægelse etc.*) uvilkårlig (*fx twitch of the eyelids; cry of surprise*).

involve [in'vɔlv] *vb.* (se også *involved*) **1.** (*følgevirkning*) medføre, involvere, være forbundet med (*fx great expense*); indebære (*fx a risk*); **2.** (*person*) involvere (*fx a scandal involving the President*); implicere, inddrage; omfatte (*fx a problem that -s us all*); □ ~ *sby in* ... **a.** involvere en i, inddrage en i (*fx ~ him in the conflict; ~ them in the decision-making process*); (*i sag etc. også*) indblande en i, implicere en i (*fx a crime; a collision*); **b.** medføre ... for en (*fx it -d everyone in a lot of extra work//extra expense*); ~ *oneself in* involvere sig i; engagere sig i (*fx the conflict*).

involved [in'vɔlvd] *adj.* **1.** indviklet, kompliceret (*fx affair*); **2.** indblandet (*fx we think the Mafia is ~*); □ *there is too much ~* der står for meget på spil; [*med præp.*] *be ~ in* **a.** være engageret i, være involveret i (*fx an undertaking*); være optaget af (*fx one's own career*); **b.** (*forbrydelse, ulykke*) være indblandet i, være impliceret i; *the work//risk that is ~ in it* det arbejde//den risiko det medfører/indebærer; *be ~ with* **a.** (*sag*) være engageret i, være involveret i (*fx student politics*); være optaget af (*fx a problem*); **b.** (*person*) have forbindelse med; være engageret med (*fx gangsters*); **c.** (*seksuelt*) have en affære med (*fx a married woman*).

involvement [in'vɔlvmənt] *sb.* **1.** indblanding, inddragelse (*fx avoid ~ in the conflict*); engagement (*fx a sense of personal ~; their ~ in the Middle East*); **2.** (*seksuelt*) forhold; affære.

invulnerability [invʌln(ə)rə'biləti] *sb.* usårlighed.

invulnerable [in'vʌln(ə)rəbl] *adj.* usårlig.

inward[1] ['inwəd] *adj.* **1.** indre (*fx satisfaction*); indvendig; **2.** (*om retning*) indad; □ ~ *with* fortrolig med, indlevet i.

inward[2] ['inwəd] *adv.* indad.

inward-looking ['inwədlukiŋ] *adj.* lukket om sig selv; indadvendt.

inwardly ['inwədli] *adv.* indvendigt, i sit indre, i sit stille sind.

inwards ['inwədz] *adv.* indad.

in-your-face [injə'feis] *adj.* se *in-the-face.*

IOC [aiəu'si:] *fork. f. International Olympic Committee.*

iodic [ai'ɔdik] *adj.*: ~ *acid* jodsyre.

iodine ['aiədi:n, -dain] *sb.* jod.

iodized ['aiədaizd] *adj.*: ~ *salt* salt tilsat jod.

I. of M. *fork. f. Isle of Man.*

I. of W. *fork. f. Isle of Wight.*

ion ['aiən] *sb.* (*fys.*) ion.

ion exchange *sb.* ionbytning.

ion exchanger *sb.* ionbytter.

Ionic [ai'ɔnik] *adj.* (*arkit.*) jonisk.

ionization [aiənai'zeiʃn] *sb.* ionisering.

ionize ['aiənaiz] *vb.* ionisere.

ionizer ['aiənaizə] *vb.* ioniseringsapparat.

ionosphere [ai'ɔnəsfiə] *sb.* ionosfære.

iota [ai'əutə] *sb.* jota; tøddel, smule.

IOU [aiəu'ju:] *fork. f. I owe you* gældsbrev.

Iowa ['aiəwə].

IPA *fork. f.* **1.** *India pale ale* [en øl der ligner bitter]; **2.** *International Phonetic Alphabet.*

IP address [ai'pi:ədres] *fork. f. Internet Protocol Address.*

IQ *fork. f. intelligence quotient.*

IRA *fork. f.* **1.** *Irish Republican Army*; **2.** (*am.*) *individual retirement account* pensionsopsparing.

Iran [i(ə)'ra:n] Iran.

Iranian[1] [i'reiniən] *sb.* iraner.

Iranian[2] [i'reiniən] *adj.* iransk.

Iraq [i'ra:k] Irak.

Iraqi[1] [i'ra:ki] *sb.* iraker.

Iraqi[2] [i'ra:ki] *adj.* irakisk.

irascibility [iræsə'biləti] *sb.* hidsighed.

irascible [i'ræsəbl] *adj.* opfarende, hidsig.

irate [ai'reit] *adj.* vred; opbragt; harmdirrende.

IRBM *fork. f. intermediate-range ballistic missile.*

IRC *fork. f. International Red Cross.*

ire [aiə] *sb.* (*poet., litt.*) vrede; forbitrelse.

Ireland ['aiələnd] Irland.

iridescence [iri'des(ə)ns] *sb.* iriseren; spillen i regnbuens farver.

iridescent [iri'des(ə)nt] *adj.* irise-
rende, spillende i regnbuens far-
ver; changerende.
iridium [i'ridiəm, ai-] *sb.* iridium
[*et metal*].
iris ['ai(ə)ris] *sb.* **1.** (*anat.*) iris,
regnbuehinde; **2.** (*bot.*) iris,
sværdlilje.
Irish[1] ['ai(ə)riʃ] *sb.* irsk [*et keltisk
sprog*].
Irish[2] ['ai(ə)riʃ] *adj.* irsk;
□ *the* ~ irerne, irlænderne.
Irish bull *sb.* komisk selvmodsi-
gelse [*fx I do as much work as
anyone else, only it takes me lon-
ger*].
Irishman ['ai(ə)riʃmən] *sb.* (*pl.*
-*men* [-mən]) irer, irlænder.
Irish stew *sb.* irsk stuvning [*sam-
menkogt ret af bedekød med kar-
tofler og løg*].
Irishwoman ['ai(ə)riʃwumən] *sb.*
(*pl.* -*women* [-wimin]) irer, irlæn-
der.
irk [ə:k] *vb.* irritere, ærgre; genere.
irksome ['ə:ksəm] *adj.* irriterende;
kedelig, ærgerlig.
IRL *fork. f. in real life.*
iron[1] ['aiən] *sb.* **1.** jern; **2.** (*til tøj*)
strygejern; **3.** (S: *pistol*) skyder;
□ -*s* lænker; *strike while the* ~ *is
hot* smede mens jernet er varmt;
[*med vb.*] *the* ~ *entered his soul*
han blev fyldt af bitter sorg; der
gik noget i stykker i ham; *have
many* -*s in the fire* have mange
jern i ilden; *pump* ~ træne med
vægte; pumpe jern.
iron[2] ['aiən] *adj.* **1.** jern-; **2.** (*fig.*)
jern- (*fx will*); jernhård (*fx disci-
pline*);
□ *rule with an* ~ *hand* regere med
jernhånd.
iron[3] ['aiən] *vb.* stryge [*med stryge-
jern*];
□ ~ *out* **a.** glatte, stryge (*fx a
shirt*); glatte ud (*fx creases;
wrinkles*); **b.** (*fig.*) fjerne, bringe
ud af verden (*fx problems; mis-
understandings*).
ironclad[1] ['aiənklæd] *sb.* (*hist.*)
panserskib.
ironclad[2] ['aiənklæd] *adj.* **1.** pans-
ret; **2.** (*fig.*) skudsikker (*fx con-
tract; guarantee*); vandtæt.
iron constitution *sb.* jernhelbred.
Iron Curtain *sb.*: *the* ~ (*hist.*) jern-
tæppet.
Iron Duke *sb.*: *the* ~ [*tilnavn til
Wellington*].
ironic [ai'rɔnik] *adj.* ironisk;
□ *it was* ~ *that* det var ironisk/
skæbnens ironi at.
ironing ['aiəniŋ] *sb.* **1.** strygning;
2. strygetøj.
ironing board *sb.* strygebræt.

ironist ['ai(ə)r(ə)nist] *sb.* ironiker.
ironmonger ['aiənmʌŋgə] *sb.* isen-
kræmmer.
ironmongery ['aiənmʌŋg(ə)ri] *sb.*
isenkramvarer.
iron mould *sb.* rustplet; blækplet.
iron ration *sb.* (*glds.*) nødration.
ironwork ['aiənwə:k] *sb.* jernar-
bejde.
ironworks ['aiənwə:ks] *sb.* (*pl. d.s.*)
jernværk.
Iroquois[1] ['irəkwɔi] *sb.* irokeser.
Iroquois[2] ['irəkwɔi] *adj.* irokese-
sisk.
irradiate [i'reidieit] *vb.* **1.** (*med. &
om fødevarer*) bestråle; **2.** (*litt.*)
oplyse, kaste lys over.
irradiation [ireidi'eiʃn] *sb.* **1.** be-
stråling; **2.** (*litt.*) oplysning; belys-
ning.
irrational [i'ræʃn(ə)l] *adj.* **1.** irratio-
nel; ufornuftig; urimelig; **2.** (*mat.*)
irrational (*fx numbers*).
irrationality [iræʃə'næləti] *sb.* irra-
tionalitet; ufornuft; urimelighed.
irreconcilable [i'rekənsailəbl] *adj.*
1. (*udsagn etc.*) uforenelig (*with*
med); **2.** (*om personer*) uforsonlig.
irrecoverable [iri'kʌv(ə)rəbl] *adj.*
som man ikke kan få tilbage; uop-
rettelig, uerstattelig (*fx loss*);
□ ~ *debt* uerholdelig fordring.
irredeemable [iri'di:məbl] *adj.* F
1. uoprettelig (*fx mistake*); **2.** (*om
person*) uforbederlig (*fx optimist*);
3. (*økon.*: *om lån*) uopsigelig; (*om
betalingsmiddel*) uindløselig.
irreducible [iri'dju:səbl] *adj.* F som
ikke kan reduceres (*yderligere*).
irrefragable [i'refrəgəbl] *adj.* uigen-
drivelig (*fx argument*); uimodsige-
lig.
irrefutable [iri'fju:təbl, i'refjutəbl]
adj. uigendrivelig; uomstødelig
(*fx evidence*).
irregular [i'regjulə] *adj.* **1.** (*mht.
tid, form*) uregelmæssig (*fx visits;
intervals; teeth; features* træk);
2. (*om overflade*) ujævn; **3.** (*mht.
regler,* F) ureglementeret (*fx con-
duct*); ikke i overensstemmelse
med forskrifterne; ukorrekt (*fx
procedure*); **4.** (*om livsførelse,* F)
uordentlig, udsvævende;
5. (*gram., bot.*) uregelmæssig;
6. (*mil.*) irregulær (*fx troops*).
irregularity [iregju'læriti] *sb.* (*jf. ir-
regular*) **1.** uregelmæssighed;
2. ujævnhed; **3.** ukorrekthed.
irregulars [i'regjuləz] *sb. pl.* irregu-
lære tropper; guerillastyrker.
irrelevance [i'reləv(ə)ns] *sb.* **1.** irre-
levans; det at være sagen uved-
kommende; **2.** uvedkommende
detalje//bemærkning.
irrelevancy [i'reləv(ə)nsi] *sb.* F = *ir-*

relevance.
irrelevant [i'reləv(ə)nt] *adj.* irrele-
vant; (*sagen*) uvedkommende.
irreligious [iri'lidʒəs] *adj.* F reli-
gionsløs; irreligiøs.
irremediable [iri'mi:diəbl] *adj.* F
ubodelig, uoprettelig (*fx damage*);
uafhjælpelig.
irremovable [iri'mu:vəbl] *adj.* uaf-
sættelig; som ikke kan fjernes/flyt-
tes.
irreparable [i'rep(ə)rəbl] *adj.* uop-
rettelig, ubodelig (*fx damage*).
irreplaceable [iri'pleisəbl] *adj.* uer-
stattelig.
irrepressible [iri'presəbl] *adj.* uku-
elig; ubetvingelig.
irreproachable [iri'prəutʃəbl] *adj.*
upåklagelig; uangribelig; udadle-
lig; ulastelig.
irresistible [iri'zistəbl] *adj.* uimod-
ståelig.
irresolute [i'rezəlu:t, -lju:t] *adj.*
ubeslutsom; tvivlrådig; vankelmo-
dig.
irresolution [irezə'lu:ʃn, -'lju:-] *sb.*
ubeslutsomhed; vaklen.
irresolvable [iri'zɔlvəbl] *adj.* uløse-
lig.
irrespective [iri'spektiv] *adj.*: ~ *of*
uden hensyn til; uanset.
irresponsibility ['irispɔnsə'biləti]
sb. uansvarlighed, ansvarløshed,
letsindighed.
irresponsible [iri'spɔnsəbl] *adj.*
uansvarlig, ansvarsløs, letsindig.
irretrievable [iri'tri:vəbl] *adj.* uop-
rettelig (*fx damage; loss*).
irretrievably [iri'tri:vəbli] *adv.*
uopretteligt, uigenkaldeligt, red-
ningsløst (*fx lost*).
irreverence [i'rev(ə)rəns] *sb.* uær-
bødighed.
irreverent [i'rev(ə)rənt] *adj.* uærbø-
dig.
irreversible [iri'və:səbl] *adj.* **1.** uop-
rettelig; uigenkaldelig; som ikke
kan vendes om; **2.** (*fagl., fx kem.*)
irreversibel.
irrevocable [i'revəkəbl, iri'vəu-]
adj. uigenkaldelig (*fx decision*).
irrigate ['irigeit] *vb.* **1.** overrisle;
vande; **2.** (*med.*) udskylle.
irrigation [iri'geiʃn] *sb.* **1.** overris-
ling; (*kunstig*) vanding; **2.** (*med.*)
udskylning.
irritability [irita'biləti] *sb.* irritabi-
litet, pirrelighed.
irritable ['iritəbl] *sb.* irritabel, pir-
relig.
irritant ['irit(ə)nt] *adj.* F **1.** årsag/
kilde til irritation; irritationsmo-
ment; **2.** (*med.*) irritament.
irritate ['iriteit] *vb.* irritere.
irritation [iri'teiʃn] *sb.* irritation.
irruption [i'rʌpʃn] *sb.* pludselig

indtrængen.

IRS *fork. f. internal revenue service.*

is [iz] *3. pers. sg. præs. af be*[1].

Isaiah [ai'zaiə] (*bibelsk*) Jesaias; Esajas.

ISBN *fork. f. international standard book number.*

-ish *adj.* (*-endelse*) **1.** (*om lighed*) -agtig (*fx childish* barnagtig); **2.** (*om tilnærmelse*) -lig (*fx greenish* grønlig); temmelig (*fx coldish* temmelig kold); omkring (*fx he is fortyish* han er omkring de fyrre); □ *it is eightish* klokken er cirka 8.

Ishmael ['iʃmeiəl] **1.** (*bibelsk*) Ismael; **2.** (*fig.*) [*en som er i krig med samfundet*]; fredløs.

Ishmaelite ['iʃmiəlait] *sb.* **1.** (*bibelsk*) ismaelit; **2.** = *Ishmael 2.*

isinglass ['aiziŋgla:s] *sb.* **1.** husblas; **2.** (*am.*) glimmer; marieglas.

Isis ['aisis]: *the ~* [*Themsen ved Oxford*].

Islam ['izla:m, 'is-] *sb.* Islam.

Islamic [iz'læmik, is-] *adj.* islamisk; muslimsk.

island ['ailənd] *sb.* **1.** ø; **2.** se *traffic island.*

islander ['ailəndə] *sb.* øbo.

isle [ail] *sb.* (*især poet. el. i stednavne*) ø (*fx the Isle of Man; the British Isles*).

islet ['ailət] *sb.* lille ø; holm.

ism [izm] *sb.* (*ironisk*) isme; teori; lære.

isobar ['aisə(u)ba:] *sb.* (*meteor.*) isobar [*linje gennem steder med samme lufttryk*].

isochromatic [aisəkrə'mætik] *adj.* isokrom, ensfarvet.

isolate ['aisəleit] *vb.* **1.** isolere; **2.** (*bakteriekultur*) rendyrke; □ *~ from* **a.** isolere/afsondre fra (*fx a high wall -d the house from the village*); **b.** udskille fra (*fx ~ the significant facts from the rest of the data*).

isolation [aisə'leiʃn] *sb.* **1.** isolering, isolation; afsondring; **2.** (*af bakteriekultur*) rendyrkning; □ *in ~* **a.** alene, for sig selv (*fx he prefers to work in ~*); (*også om fange*) i isolation (*fx he was kept in ~*); **b.** (*fig.*) isoleret (*fx I can't consider the problem in ~*).

isolationism [aisə'leiʃnizm] *sb.* isolationisme.

isolationist [aisə'leiʃnist] *sb.* isolationist.

isomer ['aisəmə] *sb.*, **isomeric** [aisə'merik] *adj.* (*kem.*) isomer.

isosceles [ai'sɔsəli:z] *adj.* (*geom.*: *om trekant*) ligebenet.

isotherm ['aisəθə:m] *sb.* (*meteor.*) isoterm [*linje gennem steder med samme middeltemperatur om sommeren*].

isotope ['aisətəup] *sb.* (*kem.*) isotop.

ISP *fork. f. internet service provider.*

Israel ['izreiəl, (*am. især*) -riəl] Israel.

Israeli[1] [iz'reili] *sb.* israeler.

Israeli[2] [iz'reili] *adj.* israelisk.

Israelite ['izriəlait] *sb.* (*hist.*) israelit.

issuance ['iʃuəns] *sb.* (jf. *issue*[2] 3) udstedelse (*fx of shares; of permits*).

issue[1] ['iʃu:, 'isju:] *sb.* **A. 1.** (*som drøftes*) problem, spørgsmål, emne, sag (*fx debate an ~*); stridspunkt; **2.** (*om bog: udgivet antal*) oplag; **3.** (*del af værk*) hæfte, levering; **4.** (*af frimærker*) udgave, oplag; **5.** (*af avis, tidsskrift*) nummer (*fx it will appear in our next ~*); **6.** (*jur.*) børn, afkom; efterkommer(e) (*fx die without ~*); **7.** (*glds.*) resultat, udfald (*fx let us await the ~*); afslutning (*fx bring the matter to a successful ~*); **B.** (*om handling*, jf. *issue*[2]) **1.** udlevering (*fx of rations*); **2.** udsendelse (*fx of a decree*); **3.** udstedelse (*fx of a passport*); (*af aktier etc. også*) emission; (*af penge*) udsendelse; **4.** udgivelse; udsendelse (*fx of new stamps*); **5.** (*bibl.*) udlån; **6.** (*af væske*) udløb; afløb; (*om blod*) udstrømning; □ *that is not an/at ~* det er vi ikke uenige om; det står ikke til debat; *the matter/point at ~* den sag der er under debat; stridsspørgsmålet; *that is not the ~* det er ikke problemet (*fx money is not the ~*); [*med vb.*] *avoid the ~* se ndf.: *dodge the ~*; *cloud/confuse the ~* forstyrre billedet; bringe forvirring; *dodge/duck/evade/fudge the ~* gå uden om spørgsmålet/sagen; *knibe/liste/smutte udenom*; *force the ~* fremtvinge en afgørelse; *make an ~ of it* gøre en sag ud af det; T gøre et stort nummer ud af det; *take ~ with* F erklære sig uenig med; indlade sig i diskussion med.

issue[2] ['iʃu:, 'isju:] *vb.* **1.** udlevere (*fx rifles*); **2.** (*erklæring*) udsende (*fx a decree; a warning*); **3.** (*dokument*) udstede (*fx a passport; a permit; shares*); (*aktier også*) emittere; (*pengesedler*) udsende; **4.** (*bog etc.*) udsende, udgive; **5.** (*bibl.*) udlåne; □ *~ from* **a.** komme (ud) fra (*fx a terrible scream -d from the room*); udgå fra (*fx orders -d from the head office*); **b.** (*om væske, røg*) vælde/strømme ud fra (*fx blood was issuing from the wound; smoke//strange smells -d from the kitchen*); **c.** (*om følge, resultat*) stamme fra, hidrøre fra; *~ in* (*glds.*) ende med; *be -d with* sth få noget udleveret (*fx they were -d with rifles*).

isthmus ['isməs] *sb.* landtange (*fx the Isthmus of Panama*).

IT *fork. f. information technology.*

it [it] *pron.* **1.** den//det; **2.** T det// den helt rigtige, helt rigtig (*fx that hat is simply it; you are absolutely it in that blouse*); □ *for impudence he is really it* han er noget af det frækkeste; *it is 6 miles to Oxford* der er 6 miles til Oxford; (se også *far*[1], *late*, *way*[1]); [*med pron*] *that's it* **a.** det er rigtigt (*fx that's it, give us a song*); **b.** ja netop; *that's probably it* det er nok forklaringen; det er nok derfor; *this is it!* nu kommer det! nu sker det! *what is it?* hvad er der? *who is it?* hvem er det? *be with it* se *with*; (*som objekt, se verbet*) jf. *foot*[2], *get*, *give*[2], *go*[3], *lord*[2].

ITA *fork. f. initial teaching alphabet.*

Italian[1] [i'tæljən] *sb.* **1.** (*person*) italiener; **2.** (*sprog*) italiensk.

Italian[2] [i'tæljən] *adj.* italiensk.

italic [i'tælik] *adj.* (*typ.*) kursiv.

italicize [i'tælisaiz] *vb.* (*typ.*) kursivere.

italics [i'tæliks] *sb. pl.* (*typ.*) kursiv; □ *the ~ are ours* fremhævet af os.

Italy ['itəli] Italien.

itch[1] [itʃ] *sb.* **1.** kløe; **2.** (*fig.*) stærk trang/lyst (*to* efter at); længsel (*to* efter at); □ *the ~* T fnat; *have an ~ for* være begærlig efter (*fx money*); længes efter (*fx adventure*).

itch[2] [itʃ] *vb.* klø; □ *be -ing to* T have en stærk trang til at; brænde efter at; *my fingers ~ to box his ears* mine fingre klør efter at give ham en lussing.

itch mite *sb.* fnatmide.

itchy ['itʃi] *adj.* T kløende; □ *have ~ feet* T være rastløs; længes efter at komme af sted.

item ['aitəm] *sb.* **1.** artikel (*fx an ~ of clothing; a luxury ~*); **2.** (*på liste etc.*) punkt (*fx the next ~ on the agenda*); post (*fx an ~ of expenditure*); **3.** (*radio-, tv: i program*) indslag; **4.** (*it*) element; □ *~ of information* oplysning; *~ of news* nyhed; *they are an ~* (T:

om to) de danner par.

itemize ['aitəmaiz] *vb.* opføre enkeltvis på en liste; specificere (*fx one's expenses*; *an -d bill*).

iterative ['itərətiv] *adj.* iterativ, gentagende.

itinerant[1] [ai'tin(ə)rənt, i-] *sb.* F omvandrende person; vagabond; løsarbejder.

itinerant[2] [ai'tin(ə)rənt, i-] *adj.* F (om)rejsende (*fx journalist*); omvandrende (*fx preacher*).

itinerary [ai'tin(ə)rəri, i-] *sb.* **1.** rejseplan; ruteangivelse; **2.** rejsebeskrivelse.

its [its] *pron.* dens//dets; sin//sit// sine.

it's [its] *fork. f. it is//has.*

itself [it'self] *pron.* **1.** den//det selv; selv; **2.** (*refleksivt*) sig selv; sig; **3.** (*understregende*) selve (*fx the house ~ is beautiful*);
□ *by ~* **a.** af sig selv; **b.** for sig selv; alene; *she is kindness ~* hun er godheden selv.

itsy-bitsy [itsi'bitsi] *adj.* T lillebitte.

ITV *fork. f. Independent Television.*

IUD *fork. f. intrauterine device.*

IV *fork. f. intravenous.*

IV drug user *sb.* stiknarkoman.

I've [aiv] *fork. f. I have.*

IVF *fork. f. in vitro fertilization.*

ivied ['aivid] *adj.* dækket af vedbend; vedbendklædt.

ivory[1] ['aiv(ə)ri] *sb.* **1.** elfenben; **2.** (*farve*) elfenbensgult; elfenbenshvidt;
□ *ivories* **a.** elfenbensting (*fx Chinese ivories*); **b.** pianotangenter; **c.** (*am.* T) tænder; *tickle the ivories* S spille klaver.

ivory[2] ['aiv(ə)ri] *adj.* **1.** af elfenben, elfenbens- (*fx chess set*); **2.** (*om farve*) elfenbensgul; elfenbenshvid.

Ivory Coast *sb.* Elfenbenskysten.

ivory tower *sb.* elfenbenstårn.

ivy ['aivi] *sb.* (*bot.*) vedbend; efeu.

Ivy League [*de kendteste universiteter i det nordøstlige USA: Yale, Harvard, Princeton, Columbia, Cornell etc.*].

I.W. *fork. f. Isle of Wight.*

izard ['izəd] *sb.* (*zo.*) den pyrenæiske gemse.

J

J [dʒei].

jab¹ [dʒæb] *sb.* **1.** stød, slag; stik; **2.** (T: *vaccination*) stik; (*indsprøjtning*) skud;
□ *take a* ~ *at* lange ud efter.

jab² [dʒæb] *vb.* støde; stikke (*at* ud efter, *fx he -bed at me with his umbrella*); puffe (*fx he -bed me in the ribs*).

jabber¹ ['dʒæbə] *sb.* plapren, knever.

jabber² ['dʒæbə] *vb.* plapre, knevre.

jabiru [dʒæbi'ru:] *sb.* (*zo.*) jabiru, kæmpestork.

jacana [dʒə'ka:nə, 'dʒækənə] *sb.* (*zo.*) jakana, bladhøne.

jacaranda [dʒækə'rændə] *sb.* (*bot.*) jakaranda.

Jack [dʒæk] **1.** (T: *form af*) John; **2.** (S: *i tiltale*) kammerat, makker; □ *I'm all right*, ~ jeg har mit på det tørre; (se også *Jack Robinson, Jack the Lad*).

jack¹ [dʒæk] *sb.* **1.** (*tekn.*: *til at løfte, fx bil*) donkraft; **2.** (*i kortspil*) knægt; **3.** (*tlf.*) jack; **4.** (*i spillet bowls*) gris (ɔ: *kugle der sigtes efter*); **5.** (*mar.*: *lille flag*) gøs; **6.** (*zo.*) gedde; (*saltvandsfisk*) hestemakrel; **7.** (*i køkken*) stegevender; **8.** S penge;
□ *-s* (*omtr.*) terrespil; *every man* ~ (*glds.* T) hver moders sjæl; hver eneste en.

jack² [dʒæk] *adj.* (*om dyr*) han- (*fx jack monkey*).

jack³ [dʒæk] *vb.*: ~ *in* **a.** opgive; **b.** (*elek.*) forbinde; sætte 'til; ~ *off* (*især am., vulg.*) spille/rive den af, onanere; ~ *up* **a.** løfte med//på donkraft (*fx a car*); **b.** T hæve (*fx prices*); sætte i vejret; ~ *oneself up* S tage et skud (narko); fixe.

jackal ['dʒækɔ:l, (*især am.*) -əl] *sb.* (*zo.*) sjakal.

jackaroo [dʒækə'ru:] *sb.* (*austr.*) T elev på fårefarm//kvægfarm.

jackass ['dʒækæs] *sb.* **1.** hanæsel; **2.** (*glds. el. am.*) fæ, fjols.

jackboot ['dʒækbu:t] *sb.* skaftestøvle; militærstøvle;
□ *under the* ~ undertrykt.

jackdaw ['dʒækdɔ:] *sb.* (*zo.*) allike.

jacket ['dʒækit] *sb.* **1.** jakke; trøje; **2.** (*på bog*) (smuds)omslag;

---

3. (*især am.*) = *sleeve 2*; **4.** (*tekn.*: *om tank, rør*) kappe; **5.** (*for olieplatform*) fundament [*af stålrør*]; □ *potatoes cooked in their -s* kartofler bagt med skræl på; bagte kartofler.

jacketed ['dʒækitəd] *adj.* jakkeklædt.

jacket potato *sb.* bagt kartoffel.

Jack Frost *sb.* frosten [*personificeret*].

jackhammer ['dʒækhæmə] *sb.* trykluftbor; borehammer.

jack-in-office ['dʒækinɔfis] *sb.* storsnudet embedsmand; skrankepave.

jack-in-the-box ['dʒækinðəbɔks] *sb.* trold i en æske.

jackknife¹ ['dʒæknaif] *sb.* **1.** (stor) foldekniv; **2.** (*i udspring*) hoftebøjet spring; tyskerspring; **3.** (*om anhænger*) saksning.

jackknife² ['dʒæknaif] *vb.* **1.** folde sig sammen; knække sammen; **2.** (*om sættevogn*) sakse.

jackleg¹ ['dʒækleg] *sb.* (*am.*) **1.** amatør, fusker, klamphugger; **2.** fidusmager.

jackleg² ['dʒækleg] *adj.* (*am.*) **1.** amatør-; **2.** lyssky; fidus-.

jack-of-all-trades [dʒækəvɔ:l'treidz, -'ɔ:ltreidz] *sb.* altmuligmand; tusindkunstner.

jack-o'-lantern [dʒækə'læntən] *sb.* lygtemand.

jack pine *sb.* (*bot.*) banksfyr.

jack plane *sb.* skrubhøvl.

jack plug *sb.* jackstik.

jackpot ['dʒækpɔt] *sb.* **1.** (*i lotteri*) hovedgevinst; den store gevinst; **2.** (*i poker*) pulje;
□ *hit the* ~ (*også fig.*) vinde den store gevinst.

jackrabbit ['dʒækræbit] *sb.* (*am.*) præriehare.

Jack Robinson: *before you could say* ~ før man vidste et ord af det; før man kunne tælle til tre.

jacks [dʒkæs] *sb.* (*am. spil, omtr.*) terre.

jack screw *sb.* skruedonkraft.

jack snipe *sb.* (*zo.*) enkeltbekkasin.

jackstones ['dʒækstəunz] *sb. pl.* terrespil.

Jack the Lad selvsikker fyr; Karl Smart.

---

jack-up ['dʒækʌp] *sb.* flytbar platform [*med ben der kan hæves og sænkes*].

jack-up rig *sb.* = *jack-up.*

Jacobean [dʒækə'bi:ən] *adj.* som hører til//stammer fra James I's regeringstid [*1603-25*].

jacobin ['dʒækəbin] *sb.* (*zo.*) parykdue.

Jacob's ladder *sb.* **1.** (*bot. & bibelsk*) jakobsstige; **2.** (*mar.*) jakobslejder; faldereb.

Jacuzzi® [dʒə'ku:zi] *sb.* jacuzzi, boblebad, spabad.

jade [dʒeid] *sb.* jade [*en grøn sten*].

jaded ['dʒeidid] *adj.* overmæt; træt [*af for mange gentagelser*];
□ *a* ~ *appetite* en sløvet appetit.

Jag ['dʒæg] *sb.* (T: *om bil*) Jaguar.

jag¹ [dʒæg] *sb.* **1.** tak, spids; **2.** (T: *i sms.*) -tur, -anfald (*fx crying// laughing//talking* ~); -orgie (*fx drinking//shopping* ~); **3.** (S: *indsprøjtning*) skud; (*af lim etc.*) snif.

jag² [dʒæg] *vb.* **1.** stikke; **2.** S indsprøjte.

jagged ['dʒægid] *adj.* **1.** takket, savtakket; med takket kant; uregelmæssig; **2.** (*om klipper*) takket, forrevet;
□ ~ *nerves* (*fig.*) flossede nerver.

jaggy ['dʒægi] *adj.* **1.** = *jagged*; **2.** (*skotsk*) stikkende.

jaguar ['dʒægjuə] *sb.* (*zo.*) jaguar.

jail¹ [dʒeil] *sb.* fængsel.

jail² [dʒeil] *vb.* sætte i fængsel, fængsle.

jailbait ['dʒeilbeit] *sb.* S [*pige under den kriminelle lavalder*]; tremmekød.

jailbird ['dʒeilbə:d] *sb.* (*glds.*) tugthuskandidat; vaneforbryder.

jailbreak ['dʒeilbreik] *sb.* flugt; fangeflugt.

jailer ['dʒeilə] *sb.* arrestforsvarer; fangevogter.

jailhouse ['dʒeilhaus] *sb.* (*am.* T) fængsel.

jake [dʒeik] *adj.* (*am.* T) fin.

jakes [dʒeiks] *sb.* S lokum; das.

jalop(p)y [dʒæ'lɔpi] *sb.* (*glds.* T: *bil*) gammel smadderkasse, spand.

jam¹ [dʒæm] *sb.* **1.** syltetøj, marmelade; **2.** (*fig.*) en fornøjelse, en ren svir; en lækkerbisken (*fx* ~ *for the Press*); **3.** S partner; sex; **4.** trængsel; (se også *traffic jam*); **5.** (*mus.*) = *jam session*;

□ *money for* ~ T lettjente penge; *be in a* ~ (*glds.*) T) være i knibe; *he really wants* ~ *on it* T han vil have både i pose og i sæk; ~ *tomorrow* [*tomt løfte om noget man nok skal få hvis man venter*].

jam² [dʒæm] *vb.* (se også *jammed*) **1.** klemme (*fx he -med his finger in the door*); **2.** (*på snæver plads*) mase, proppe, presse (*fx one's clothes into a suitcase; the suitcase under the bed*); **3.** (*radio. etc.*) forstyrre [*med støjsender*]; jamme; **4.** (*vej, passage, forbindelse*) blokere (*fx cars -med the road; listeners -med the switchboard with calls*); **5.** (*uden objekt: om maskine etc.*) blive blokeret; gå i baglås; sætte sig fast (*fx the car horn had -med*); (*om dør etc.*) binde, gå trangt, sidde fast; **6.** (S: *i jazz*) improvisere;

□ ~ *into* the room (*om personer*) mase sig ind i værelset; ~ 'on the brakes hugge bremserne i; *he -med 'on his cap* han smækkede huen på; ~ *up* se ovf.: *4, 5*.

Jamaica [dʒə'meikə] Jamaica.

Jamaican¹ [dʒə'meik(ə)n] *sb.* jamaicaner.

Jamaican² [dʒə'meik(ə)n] *adj.* jamaicansk.

jamb [dʒæm] *sb.* **1.** dørstolpe; **2.** (*i vindue*) sidekarm.

jamboree [dʒæmbə'ri:] *sb.* **1.** jamboree; spejderstævne; **2.** T gilde, fest.

James [dʒeimz] **1.** (*bibelsk*) Jakob; **2.** (*hist.*) James; (*glds.*) Jakob; □ *scallop of St.* ~ ibsskal.

jam jar *sb.* **1.** syltetøjsglas; **2.** S bil.

jammed [dʒæmd] *adj.* **1.** klemt fast (*fx he had got his finger* ~ *in the door*); **2.** (*om passage*) blokeret (*with af, fx the road was* ~ *with cars; the river was* ~ *with logs*); **3.** (*især am.: om sted, beholder*) propfuld, stopfuld, proppet (*with af, fx the room was* ~ *with people; the drawer was* ~ *with papers*);

□ ~ (*up*) *against* presset op//ind imod (*fx the wall*).

jammer ['dʒæmə] *sb.* (*radio. etc.*) støjsender.

jammies ['dʒæmiz] *sb. pl.* (*børnesprog*) pyjamas.

jammy ['dʒæmi] *adj.* **1.** med syltetøj i//på (*fx doughnut; fingers*); **2.** S lækker; smadderlet; **3.** S snydeheldig, svineheldig.

jam-packed [dʒæm'pækt] *adj.* T = *jammed 3*.

jam session *sb.* jamsession [*kollek-*

---

tiv improvistion uden foregående arrangement].

jane [dʒein] *sb.* (*især am.* S) pige, sild.

jangle¹ ['dʒæŋgl] *sb.* skramlen; klirren; raslen.

jangle² ['dʒæŋgl] *vb.* **1.** skramle; klirre; rasle; **2.** (*med objekt*) skramle//klirre//rasle med; □ *my nerves were jangling* mine nerver hang i laser.

janitor ['dʒænitə] *sb.* (*am.& skotsk*) = *caretaker*.

jankers ['dʒæŋkəz] *sb. pl.* (*mil.* S) straffeeksercits.

January ['dʒænjuəri] *sb.* januar.

Jap [dʒæp] (T: *neds.*) = *Japanese*.

Japan [dʒə'pæn] Japan.

japan¹ [dʒə'pæn] *sb.* **1.** japanlak; **2.** lakarbejde.

japan² [dʒə'pæn] *vb.* lakere [*med japanlak*].

Japanese¹ [dʒæpə'ni:z] *sb.* **1.** (*person*) japaner; **2.** (*sprog*) japansk.

Japanese² [dʒæpə'ni:z] *adj.* japansk.

jape [dʒeip] *sb.* (*glds. el. spøg.*) **1.** spøg; **2.** nummer.

jar¹ [dʒa:] *sb.* **1.** (*lyd*) skurren; hvinen; skratten; **2.** (*bevægelse*) vibration, rystelse; (*af to ting mod hinanden*) stød, bump; **3.** (*fig.*) chok; **4.** (*beholder*) glas; krukke; **5.** T kop øl;

□ *on the* ~ T på klem.

jar² [dʒa:] *vb.* (se også *jarring*) **1.** (*om lyd*) skurre, hvine (*fx the chalk -red against the blackboard*); skratte; **2.** (*om bevægelse*) vibrere, ryste (*fx the window -red in the frame*); **3.** (*om uens ting*) være i modstrid med hinanden; ikke harmonere (*fx our opinions -red*); virke irriterende//stødende; **4.** (*med objekt*) støde (*fx one's knee*); støde imod, støde til (*fx did I* ~ *your elbow?*); få til at ryste; **5.** (*mentalt*) ryste, chokere (*fx she was -red by the burglary*);

□ ~ *on* (*jf. 1*) skurre//hvine// skratte imod; ~ *on sby* irritere en; ~ *on sby's ears* skurre i ens ører; ~ *on sby's nerves* gå en på nerverne; ~ *with* (*jf. 3*) være i modstrid med; disharmonere med; (*om farver*) skrige imod.

jargon ['dʒa:gən] *sb.* **1.** jargon; (*uforståeligt*) fagsprog; **2.** (*neds.*) kaudervælsk.

jarring ['dʒa:riŋ] *adj.* **1.** skurrende, disharmonisk; grel; **2.** (*om bevægelse*) rystende, stødende; **3.** (*fig.*) rystende, chokerende; stødende; irriterende.

jasmine ['dʒæzmin, 'dʒæs-] *sb.* (*bot.*) jasmin.

---

jasper ['dʒæspə] *sb.* **1.** (*min.*) jaspis; **2.** (*am.* S) fyr, stodder.

jaundice ['dʒɔ:ndis] *sb.* **1.** gulsot; **2.** (*følelse*) skinsyge, misundelse; biterhed.

jaundiced ['dʒɔ:ndist] *adj.* **1.** syg af gulsot; **2.** (*om følelse*) misundelig, skinsyg; bitter.

jaunt¹ [dʒɔ:nt] *sb.* udflugt; fornøjelsestur.

jaunt² [dʒɔ:nt] *vb.* farte rundt.

jaunty ['dʒɔ:nti] *adj.* kæk, frisk, rask.

Java ['dʒa:və] Java.

Javanese¹ [dʒa:və'ni:z] *sb.* javaner, javaneser.

Javanese² [dʒa:və'ni:z] *adj.* javansk, javanesisk.

javelin ['dʒæv(ə)lin] *sb.* **1.** (*i sport*) spyd; **2.** (*våben*) kastespyd; □ *he won the* ~ (*jf. 1*) han vandt i spydkast; *throwing the* ~ (*jf. 1*) spydkast.

jaw¹ [dʒɔ:] *sb.* (se også *jaws*) **1.** kæbe; **2.** T kæft; **3.** snakken (*fx endless* ~); snak (*fx let's have a* ~);

□ *his* ~ *dropped* han fik et måbende udtryk i ansigtet; *hold your* ~ (*vulg.*) hold kæft.

jaw² [dʒɔ:] *vb.* (T, *neds.*) snakke; ævle og bævle.

jawbone ['dʒɔ:bəun] *sb.* kæbeben.

jawboning ['dʒɔ:bouniŋ] *sb.* (*am.*) [*kraftig officiel opfordring til fagforeninger og erhvervsliv*].

jawbreaker ['dʒɔ:breikə] *sb.* **1.** se *tongue twister*; **2.** (*am.*) stort bolsje.

jaw-jaw ['dʒɔ:dʒɔ:] *sb.* T snakken.

jaws [dʒɔ:z] *sb. pl.* **1.** kæber; mund; **2.** (*af stort dyr & fig.*) gab (*fx the* ~ *of the lion//the car ferry// death*); **3.** (*tekn.: af skruestik, tang etc.*) kæber, bakker; □ *seize/snatch victory from the* ~ *of defeat* vende et truende nederlag til sejr; *his* ~ *were set* han bed tænderne sammen [ɔ: *havde et udtryk af sammenbidt energi*].

jay [dʒei] *sb.* (*zo.*) skovskade.

jaywalk ['dʒeiwɔ:k] *vb.* T [*gå over gaden som det passer en//uden at se sig for*].

jaywalker ['dʒeiwɔ:kə] *sb.* T fumlegænger.

jazz¹ [dʒæz] *sb.* **1.** jazz; **2.** (*am.* T) ævl; fup; □ *and all that* ~ T og alt det der; og alt det gas.

jazz² [dʒæz] *vb.* (*glds.*) jazze; spille i jazzstil; □ ~ *up* sætte fut/fart i; piffe/ peppe op.

jazzed [dʒæzd] *adj.* (*am.* S) opstemt; på dupperne.

J jazzy

jazzy ['dʒæzi] *adj.* **1.** jazzagtig; **2.** smart.

JCB digger *sb.* rendegraver.

jealous ['dʒeləs] *adj.* **1.** (*mht. kærlighed*) jaloux, skinsyg (*of* på, *fx her; one's little brother*); **2.** (*mht. andet*) jaloux, misundelig (*of* på, *fx her success; his wealth*); **3.** (*med at beskytte, passe på*) på vagt, årvågen; **4.** (*bibelsk: om Gud*) nidkær;
□ *be* ~ *of* (*jf. 3*) våge nøje/omhyggeligt/skinsygt over (*fx one's rights; one's privileges*); være øm over (*fx one's good name*); *keep a* ~ *eye on, keep a* ~ *watch over* holde et vågent øje med (*fx him; his movements*).

jealousy ['dʒeləsi] *sb.* (jf. *jealous*) **1.** skinsyge, jalousi; **2.** jalousi, misundelse; **3.** årvågenhed; **4.** nidkærhed.

jeans [dʒi:nz] *sb. pl.* cowboybukser, jeans.

jeep [dʒi:p] *sb.* jeep.

jeepers (creepers) ['dʒi:pərz (kri:pərz)] *interj.* (*især am., glds. el. spøg.*) ih du store!

jeer[1] [dʒiə] *sb.* hån, spot; hånligt tilråb; hånlatter.

jeer[2] [dʒiə] *vb.* håne, spotte; komme med hånlige tilråb; vrænge (*at* ad).

jejune [dʒi'dʒu:n] *adj.* **1.** overfladisk, letbenet; umoden, naiv, barnlig; **2.** (*glds. især om litteratur*) indholdsløs (*fx novel*); banal, tør, åndløs.

jell [dʒel] *vb.* se *gel*[2].

jellied ['dʒelid] *adj.* i gelé (*fx ~ eels*).

Jell-O® ['dʒelou] *sb.* (*am.*) gelé [*som dessert*].

jelly ['dʒeli] *sb.* gelé;
□ *beat sby to a* ~ slå en til plukfisk.

jelly bean *sb.* vingummi.

jellyfish ['dʒelifiʃ] *sb.* **1.** (zo.) gople; T vandmand; (*rød*) brandmand; **2.** T skvat; karklud.

jemmy[1] ['dʒemi] *sb.* (kort) brækjern.

jemmy[2] ['dʒemi] *vb.* åbne med brækjern; brække op.

jenny[1] ['dʒeni] *sb.* **1.** spindemaskine; **2.** hunæsel.

jenny[2] ['dʒeni] *adj.* hun- (*fx wren*).

jeopardize ['dʒepədaiz] *vb.* bringe i fare; sætte på spil.

jeopardy ['dʒepədi] *sb.* fare; (se også *double jeopardy*).

jerboa [dʒə:'bəuə] *sb.* (zo.) springmus.

Jeremiah [dʒeri'maiə] (*bibelsk*) Jeremias.

Jericho ['dʒerikəu] (*bibelsk*) Jeriko;

□ *I wish he was in/at* ~ (*glds.*) gid han sad på Bloksbjerg.

jerk[1] [dʒə:k] *sb.* **1.** ryk (*fx the train started with a ~*); sæt; (*i muskel*) spjæt; **2.** (*især am.* T) fjols, idiot, skvat;
□ *by* -*s* i sæt; *give a* ~ *of the head* gøre et kast med hovedet; (se også *clean and jerk*).

jerk[2] [dʒə:k] *vb.* **1.** (jf. *jerk*[1] *1*) gøre et ryk; bevæge sig//køre//sætte sig med et ryk (*fx the car -ed forward*; *he -ed forward in his chair*); give et sæt; spjætte; **2.** (*med objekt*) rykke (*fx it -ed her back to reality*);
□ ~ *one's head* gøre et kast med hovedet;
[*med præp.& adv.*] ~ *along* bevæge sig//køre i ryk; starte med et ryk; ~ *off* (*vulg.*) onanere; spille/rive den af; ~ *out one's words* støde ordene frem; *the car -ed to a halt* bilen standsede med et ryk; *I -ed him up* jeg hev ham op med et ryk.

jerkin ['dʒə:kin] *sb.* **1.** ærmeløs trøje; **2.** (*hist.*) vams.

jerkwater ['dʒə:rkwɔ:tər] *adj.*: ~ *town* (*am.*) provinshul.

jerky[1] ['dʒə:rki] *sb.* (*am.*) soltørret kød.

jerky[2] ['dʒə:ki] *adj.* rykvis, stødvis (*fx motion*); i ryk; (*om muskelbevægelse*) krampagtig, spjættende.

jeroboam [dʒerə'bəuəm] *sb.* [*flaske der rummer ca. 3 l.*].

jerrican *sb.* = *jerrycan*.

jerry-builder ['dʒeribildə] *sb.* byggespekulant.

jerry-built ['dʒeribilt] *adj.* dårligt bygget; smækket op i en fart.

jerrycan ['dʒerikæn] *sb.* jerrycan; flad dunk til benzin//vand.

Jersey ['dʒə:zi] *sb.* (zo.) jerseyko.

jersey ['dʒə:zi] *sb.* **1.** (*i sport*) trøje; **2.** (*glds.*) (langærmet) ulden bluse; strikket trøje, sweater; **3.** (*stof*) jersey.

Jerusalem [dʒə'ru:sələm].

Jerusalem artichoke *sb.* (*bot.*) jordskok.

jest[1] [dʒest] *sb.* F spøg, vittighed, morsomhed;
□ *in* ~ for/i spøg.

jest[2] [dʒest] *vb.* F **1.** spøge; **2.** (*ved direkte tale*) sige spøgende;
□ ~ *about/with* spøge med.

jester ['dʒestə] *sb.* (*hist.*) hofnar.

Jesuit ['dʒezjuit] *sb.* (*kat.*) jesuit.

Jesus ['dʒi:zəs].

jet[1] [dʒet] *sb.* **1.** (*tynd*) stråle (*fx of water*); **2.** (*på slange*) strålerør, strålespids; dyse; **3.** (*til gas*) gasbrænder; gasblus; **4.** (*flyv.*) jetfly; **5.** (*min.*) jet, gagat;

□ *a* ~ *of flame* en stikflamme.

jet[2] [dʒet] *vb.* **1.** (*om væske*) springe frem; vælde frem; **2.** (*flyv.*) flyve med jetfly.

jet engine *sb.* jetmotor.

jet fighter *sb.* jetjager.

jet lag *sb.* jetlag [*træthed//ubehag etc. efter lang flyverejse*].

jet-lagged ['dʒetlægd] *adj.* som lider af jetlag.

jetliner ['dʒetlainə] *sb.* (stort) jetpassagerfly.

jetsam ['dʒetsəm] *sb.* se *flotsam*.

jet set *sb.* jetset [*klasse af fashionable velhavere der rejser rundt mellem verdens feriesteder i jetfly*].

jettison ['dʒetis(ə)n, -z(ə)n] *vb.* **1.** (*mar., flyv.*) kaste over bord (*fx some of the cargo*); (*om fly også*) lette sig for (*fx bombs*); (*om raket, rumskib*) afkaste; **2.** (*fig.*) skaffe sig af med (*fx the firm had to ~ 200 workers*); befri sig for, lette sig for; **3.** (*idé, plan*) forkaste; skrotte;
□ *he was -ed in favour of a younger man* han blev kasseret til fordel for en yngre mand.

jetty ['dʒeti] *sb.* mole; anløbsbro.

Jew [dʒu:] *sb.* jøde.

jewel ['dʒu:əl] *sb.* **1.** juvel; ædelsten; **2.** (*i ur*) sten; **3.** (*fig.*) klenodie, perle, pragtstykke (*fx the ~ of the collection*); kostbareste eje;
□ -*s* (jf. *1, også*) smykker; (se også *family jewels*).

jewel box, jewel case *sb.* **1.** smykkeskrin; **2.** cd-cover, cd-hylster.

jewelled ['dʒu:əld] *adj.* juvelbesat.

jeweller ['dʒu:ələ] *sb.* juvelér; guldsmed.

jewellery ['dʒu:əlri] *sb.* smykker.

jewelry *sb.* (*am.*) = *jewellery*.

Jewess ['dʒuəs] *sb.* (*især neds.*) jødinde.

Jewish ['dʒuiʃ] *adj.* jødisk;
□ *he is* ~ han er jøde.

Jewry ['dʒuəri] *sb.* F jødefolket.

jew's ear *sb.* (*bot.*) judasøre [*en svampeart*].

jew's harp *sb.* jødeharpe.

Jezebel ['dʒezəb(ə)l] **1.** (*bibelsk navn*) Jesabel; **2.** (*sb., fig.*) skamløs kvinde.

jib[1] [dʒib] *sb.* **1.** (*mar.*) klyver; (*på lystfartøjer også*) fok; **2.** (*på kran*) udligger; kranarm.

jib[2] [dʒib] *vb.*: ~ *at* **a.** (*om hest*) blive sky for; standse op ved; (*ved springning*) refusere foran; **b.** (*fig., glds.*) vægre sig ved; protestere imod; vige tilbage for.

jib boom *sb.* (*mar.*, jf. *jib*[1] *1*) klyverbom; fokkebom.

jibe[1] [dʒaib] *sb.* spydighed; skose;
□ -*s* (*også*) hån, spot.

jibe² [dʒaib] *vb.* **1.** (*ved direkte tale*) håne, sige hånligt; **2.** (*am.* T) stemme overens (*fx the reports don't* ~);
□ ~ *at* **a.** håne, spotte; komme med spydigheder til; **b.** (*mar.*) se *gybe*; ~ *with* (*am.* T) stemme overens med.

jiffy ['dʒifi] *sb.* T øjeblik (*fx wait a* ~).

jiffy bag® *sb.* foret kuvert.

jig¹ [dʒig] *sb.* **1.** (*dans*) jig, gigue; **2.** (*fiskeredskab*) pilk; **3.** (*tekn.*) borelære; skabelon; **4.** (*am., neds.*) neger, sort;
□ *the* ~ *is up* (*am.* T) spillet er ude.

jig² [dʒig] *vb.* **1.** hoppe op og ned; **2.** danse jig; **3.** (*fiske*) pilke.

jigaboo ['dʒigəbu:] *sb.* (*am., neds.*) neger, sort.

jigger¹ ['dʒigə] *sb.* **1.** [*mål til spiritus, 44,3 ml*]; dram; **2.** (jf. *jig*² 2) en der danser jig; **3.** (*mar.*) papegøjesejl; skræddertalje; **4.** T tingest; dims; **5.** (*i billard*) maskine; **6.** (*zo.*) = *chigger* 1.

jigger² ['dʒigə] *vb.* (*am.* T) lave fiduser med.

jiggered ['dʒigəd] *adj.* (*glds.* T) **1.** ødelagt, spoleret; **2.** (*am.*) ødelagt, dødtræt;
□ *well, I'm* ~! det var som pokker!

jiggery-pokery [dʒig(ə)ri'pəuk(ə)ri] *sb.* (*glds.* T) fup; hokuspokus; fidusmageri.

jiggle ['dʒigl] *vb.* **1.** T ryste let; vippe med (*fx the door handle*); rykke (frem og tilbage//op og ned); **2.** (*uden objekt*) vippe (*fx his eyebrows -d up and down*); hoppe, jumpe (*fx sit still and don't* ~); ryste.

jigsaw ['dʒigsɔ:] *sb.* **1.** (*værktøj*) dekupørsav; **2.** = *jigsaw puzzle*.

jigsaw puzzle *sb.* puslespil.

jihad [dʒi'ha:d] *sb.* **1.** hellig krig; **2.** (*fig.*) felttog; kampagne.

jilt [dʒilt] *vb.*: ~ *him* svigte ham, droppe ham; slå op med ham [*efter at have opmuntret ham*].

Jim [dʒim] *fork. f. James.*

Jim Crow [dʒim'krəu] *sb.* (*am.* T) **1.** (*neds.*) neger; **2.** racediskrimination.

jim-jams ['dʒimdʒæmz] *sb. pl.* (*børnesprog*) pyjamas;
□ *the* ~ T [*alkoholikers rystetur af mangel på spiritus*]; *it gives me the* ~ T det giver mig kuldegysninger; det går mig på nerverne.

jimmy ['dʒimi] (*am.*) = *jemmy*.

jimsonweed ['dʒims(ə)nwi:d] *sb.* (*am.*) pigæble.

jingle¹ ['dʒiŋgl] *sb.* **1.** (*lyd*) klirren, raslen (*fx of coins; of keys*); ring-

len (*fx of bells*); **2.** (*i reklame*) jingle [*reklamemelodi//-vers//-slogan*].

jingle² ['dʒiŋgl] *vb.* (jf. *jingle*¹ 1) **1.** klirre (*fx the ice cubes -d in the glass*); rasle; ringle; **2.** (*med objekt*) klirre med; rasle med; ringle med.

jingoism ['dʒiŋgəuizm] *sb.* chauvinisme; yderliggående nationalisme.

jingoist ['dʒiŋgəuist] *sb.* chauvinist; yderliggående nationalist.

jingoistic [dʒiŋgəu'istik] *adj.* chauvinistisk.

jink¹ [dʒiŋk] *sb.* T undvigemanøvre; (se også *high jinks*).

jink² [dʒiŋk] *vb.* T **1.** løbe i siksak [*for at undgå forfølger*]; springe til siden; **2.** (*flyv.*) flyve i siksak [*for at undgå beskydning*]; foretage undvigemanøvrer.

jinn [dʒin] *sb.* se *genie.*

jinx [dʒiŋks] *sb.* T ulykkesfugl; ting der bringer ulykke;
□ *there is a* ~ *on it* den er forhekset; *put a* ~ *on* forhekse.

jinxed [dʒiŋkst] *adj.*: *be* ~ være forfulgt af uheld; være forhekset.

jism [dʒizm] *sb.* (*am. vulg.*) sæd.

jitney ['dʒitni] *sb.* (*am.*) T **1.** 5 cent(stykke); **2.** [*mindre bus med billig takst og fleksibel køreplan*].

jitter ['dʒitə] *sb.* ryste, skælve, dirre.

jitters ['dʒitəz] *sb. pl.* nervøsitet (*fx it caused* ~); nerver (*fx first-night* ~);
□ *get the* ~ blive rystende nervøs; *have the* ~ dirre af nervøsitet; være rystende nervøs.

jittery ['dʒitəri] *adj.* S nervøs; skælvende; dirrende [*af nervøsitet*].

jiu-jitsu [dʒu:'dʒitsu:] *sb.* (*især am.*) = *ju-jitsu.*

jive¹ [dʒaiv] *sb.* **1.** (*am.* T) dum snak; fup; uforståeligt sprog, sort tale; **2.** (*glds. dans*) jive.

jive² [dʒaiv] *vb.* **1.** (*am.* T) tale uforståeligt til en, tale sort til en; lave fup med en; **2.** danse jive;
□ ~ *with* se *jibe²*.

jizz [dʒiz] *sb.* (*am. vulg.*) = *jism.*

Jnr *fork. f. Junior.*

Joan [dʒəun] *sb.*: ~ *of Arc* Jeanne d'Arc.

Job [dʒəub] (*bibelsk navn*) Job; (se også *Job's comforter*).

job¹ [dʒɔb] *sb.* **1.** job, stilling (*fx he has a* ~ *in my firm*); **2.** (*som skal udføres; som man skal udføre*) job, arbejde, opgave (*fx get the* ~ *done in an hour; it is his* ~ *to see to that*); **3.** (*it*) job, opgave, kørsel; **4.** T mas, slid (*fx it was a* ~ *to get it all ready*); **5.** (S: *om noget ube-*

stemt) affære, historie; (*pige//ting*) sag (*fx a blonde* ~ *in a red dress; a six-cylinder* ~); **6.** (S: *forbrydelse*) bræk, røveri; (se også *inside²: inside job*);
□ *that is just the* ~ det er lige sagen; det er lige det der skal til; *-s for the boys* hjælp til sine egne; *job til vennerne; it is as much as/ more than my* ~ *is worth* det kan koste mig min stilling (ɔ: *fordi det strider mod reglementet*);
[*med vb.*] *do the* ~ være det der skal til; være passende; *do his* ~ *for him* (*fig.*) ødelægge ham; ruinere ham; *do a* ~ *on* spolere; ødelægge; *have a* ~ *doing it* T have et farligt mas med at få det gjort; [*med adj.*] *it was a bad* ~ *that* det var ærgerligt at; *give sth up as a bad* ~ opgive noget som håbløst; *make the best of a bad* ~ prøve at få det bedste ud af det [*selvom det er gået skævt*]; tage det med godt humør; *it was a good* ~ *that* det var et held at; *make a good* ~ *of it* klare det fint; *it was a tough* ~ det var et hårdt job; (se også *put-up*);
[*med præp.*] *paid by the* ~ akkordlønnet; *work by the* ~ arbejde på akkord; *be on the* ~ **a.** være i arbejde; være på jobbet; **b.** være vågen, være på tæerne; **c.** T ligge og bolle; *fall down on the* ~ ikke kunne klare arbejdet; ikke gøre arbejdet ordentligt; *lie down on the* ~ drive den af; *put him on the* ~ sætte ham på opgaven; *be out of a* ~ være arbejdsløs.

job² [dʒɔb] *vb.* **1.** udføre arbejde på akkord; udføre tilfældigt arbejde; (se også *jobbing*); **2.** (*merk.*) spekulere; handle med aktier; **3.** (*am.* T) fuppe, snyde.

job action *sb.* (*am.*) = *industrial action.*

jobber ['dʒɔbə] *sb.* **1.** akkordarbejder; løsarbejder; **2.** (*merk.*) børsspekulant, aktiehandler; mellemhandler.

jobbing ['dʒɔbiŋ] *adj.* som udfører tilfældigt arbejde; T som laver spjæld.

jobbing gardener *sb.* havemand.

jobcentre ['dʒɔbsentə] *sb.* arbejdsformidling.

job description *sb.* arbejdsbeskrivelse.

job-hopper ['dʒɔbhɔpər] *sb.* (*am.*) flakke.

job-hopping ['dʒɔbhɔpiŋ] *sb.* (*am.*) flakkeri; det at skifte stilling hyppigt.

jobless ['dʒɔbləs] *adj.* arbejdsløs.

job lot *sb.* **1.** blandet vareparti;

2. (*fig.*) rodebutik.
job satisfaction *sb.* arbejdstilfredshed; arbejdsglæde.
Job's comforter *sb.* dårlig trøster [*der kun gør ondt værre*].
job security *sb.* ansættelsestryghed.
job seeker *sb.* F arbejdssøgende.
job-sharing ['dʒɔbʃɛəriŋ] *sb.* arbejdsdeling.
jobsworth ['dʒɔbzwɔ:θ] *sb.* T skrankepave; pedantisk bureaukrat.
Jock [dʒɔk] *sb.* [*øgenavn for skotte*].
jock [dʒɔk] *sb.* (*am.* S) **1.** sportsidiot; **2.** jockey; **3.** = *disc jockey*; **4.** = *jockstrap*.
jockey¹ ['dʒɔki] *sb.* jockey.
jockey² ['dʒɔki] *vb.* manøvrere;
□ ~ *sby into doing sth* narre en til at gøre noget; ~ *him out of his money* snyde ham for hans penge; (se også *position¹*).
jocks [dʒɔks] *sb. pl.* (*austr.*) boksershorts.
jockstrap ['dʒɔkstræp] *sb.* skridtbind; skridtbeskytter.
jocose [dʒə'kəus] *adj.* F spøgefuld.
jocular ['dʒɔkjulə] *adj.* munter; spøgefuld.
jocularity [dʒɔkju'læriti] *sb.* munterhed; spøgefuldhed.
jocund ['dʒɔkənd] *adj.* F lystig.
jocundity [dʒə'kʌnditi] *sb.* F lystighed.
jodhpurs ['dʒɔdpuəz] *sb. pl.* jodhpurs [*stramme ridebukser der når til anklerne*].
jog¹ [dʒɔg] *sb.* stød, skub, puf.
jog² [dʒɔg] *vb.* **1.** lunte, traske; (*om motionsløb*) jogge, løbe kondiløb; **2.** (*om køretøj*) ryste, skumple; **3.** (*især med armen*) puffe til, støde til;
□ ~ *sby's memory* opfriske ens hukommelse;
~ *along/on* **a.** T lunte af sted; tage den med ro; **b.** (*om køretøj*) skumple af sted; *matters//we* ~ *along* T det går stille og roligt (fremad).
jogger ['dʒɔgə] *sb.* jogger, kondiløber, motionsløber.
jogging ['dʒɔgiŋ] *sb.* jogging; kondiløb, motionsløb.
joggle ['dʒɔgl] *vb.* **1.** hoppe op og ned; **2.** (*it*) ryste.
jogtrot ['dʒɔgtrɔt] *sb.* luntetrav.
John [dʒɔn] **1.** (*hist.*) Johan; **2.** (*bibelsk & pavenavn*) Johannes.
john [dʒɔn] *sb.* (*am.* S) **1.** wc; **2.** (*prostituerets kunde*) rær, tyr.
John Barleycorn [dʒɔn'ba:likɔ:n] [*personifikation af øl el. whisky*].
John Bull [dʒɔn'bul] (*glds.*) [*englænderen som type*].

John Doe [dʒɔn'dou] (*am. jur.*: *om fiktiv part i retssag*) N.N.
John Dory [dʒɔn'dɔ:ri] *sb.* (*zo.*) sanktpetersfisk.
John Hancock [dʒɔn'hæŋkɔk] *sb.* (*am.* S) underskrift.
johnny ['dʒɔni] *sb.* T **1.** fyr; **2.** kondom; **3.** (*am. med.*) hospitalsskjorte; (*fagl.*) koronarskjorte.
johnnycake ['dʒɔnikeik] *sb.*
1. (*am.*) majskage; **2.** (*austr.*) hvedekage.
johnny-come-lately [dʒɔnikʌm-'leitli] *sb.* (*neds.*) nyankommen; opkomling.
joie-de-vivre [ʒwa:də'vi:vrə] *sb.* livsglæde.
join¹ [dʒɔin] *sb.* sammenføjning.
join² [dʒɔin] *vb.* **A.** (*med objekt*)
1. (*to ting*) forbinde (*fx* ~ *the two towns by a railway*); forene; sammenføje; samle (*fx* ~ *two pieces of wood*); sy//sømme//lime *etc.* sammen; **2.** (*organisation etc.*) gå ind i (*fx the Army*); melde sig ind i (*fx a club*); blive medlem af; slutte sig til (*fx a church*); (*firma etc.*) blive ansat i; **3.** (*person*) gå hen//ind til (*fx let us* ~ *the ladies*); forene sig med (*fx my wife* -s *me in thanking you*); slutte sig til (*fx the demonstration*); **4.** (*kø*) stille op i; **5.** (*land*) støde op til (*fx his garden* -s *mine*); **6.** (*flod, vej*) møde (*fx where this river* -s *the Rhine*); mødes med;
B. (*uden objekt*) **1.** deltage, være med; **2.** (*om veje*) mødes; (*om floder også*) flyde/løbe sammen; **3.** (*om lande*) støde sammen;
□ *will you* ~ *us for dinner?* vil du spise middag sammen med os? vil du spise 'med?
[*med sb.*] ~ *the dance* danse 'med; (se også *battle¹*, *force¹*, *hand¹*);
[*med præp.& adv.*] ~ *in* **a.** deltage; være med; **b.** (*om sang*) falde i; stemme i; **c.** (*med objekt*) deltage i, være med i (*fx the dance*); ~ *in the dance//game* (*også*) danse//spille 'med; ~ *on* **a.** sætte på; hægte på; **b.** skulle sættes// hægtes på (*fx where does this piece* ~ *on?*); ~ *together* **a.** slutte sig sammen; **b.** (*med objekt*) forbinde; *what God hath -ed together, let no man put asunder* hvad Gud har sammenføjet skal mennesker ikke adskille; ~ *up* **a.** slutte sig sammen (*fx the two companies -ed up*); **b.** (*til hæren*) melde sig som frivillig; **c.** (*med objekt*) forbinde (*fx two motorways*); ~ *up with* **a.** slutte sig sammen med, forene sig med (*fx*

the firm -ed up with its competitor); **b.** (*om vej*) støde til, mødes med; ~ *with* forene sig med (*fx I* ~ *with him in offering you help*).
joined-up ['dʒɔindʌp] *adj.* sammenhængende (*fx thinking; handwriting*).
joiner ['dʒɔinə] *sb.* **1.** bygningssnedker; **2.** T en der vil være 'med.
joinery ['dʒɔinəri] *sb.* snedkerarbejde.
joint¹ [dʒɔint] *sb.* **1.** sammenføjning; samling; **2.** (*i mur*) fuge; **3.** (*kød*) steg (*fx* ~ *of beef*); (*af kylling etc.*) udskåret stykke; **4.** (*anat.*) led (*fx finger -s*); **5.** S sted, biks (*fx a burger* ~); (*med udskænkning*) beværtning, bule, snask; **6.** S marihuanacigaret; **7.** (*bogb.*) fals; **8.** (*bot.*) knæ; **9.** (*geol.*) forkløftning; sprække; **10.** (*jernb.*) skinnestød;
□ *be out of* ~ **a.** være af led (*fx his hip was out of* ~); **b.** (*fig.*) være i uorden; være af lave (*fx the time// the world is out of* ~); *it is out of* ~ (*også*) der er noget galt med det; det er ikke som det skal være; *put out of* ~ bringe//vride af led; *put his nose out of* ~ fortrænge ham, skubbe ham til side.
joint² [dʒɔint] *adj.* **1.** fælles (*fx statement; investigation; concern* anliggende); forenet (*fx efforts* anstrengelser); kollektiv; **2.** (*om person*) med- (*fx author; manager; owner*);
□ ~ *and several* solidarisk (*fx responsibility*); *on* ~ *account* se *account¹*.
joint³ [dʒɔint] *vb.* **1.** (*mur*) fuge; **2.** (*kylling etc.*) partere, udskære, tranchere.
joint custody *sb.* fælles forældremyndighed.
jointed ['dʒɔintid] *adj.* **1.** forbundet ved led; leddet; **2.** (*kylling etc.*) parteret, udskåret, trancheret.
jointer ['dʒɔintə] *sb.* **1.** (*høvl*) se *jointer plane*; **2.** (*murerværktøj*) fugeske; fugeskraber; **3.** (*am.: af plov*) forplov.
jointer plane *sb.* rubank, langhøvl.
jointly ['dʒɔintli] *adv.* fælles; solidarisk;
□ *be* ~ *and severally responsible* hæfte solidarisk/in solidum.
joint stock *sb.* aktiekapital.
joint-stock company [dʒɔint'stɔkkʌmpəni] *sb.* aktieselskab.
joint venture *sb.* (*merk.*) joint venture; fællesforetagende.
joist [dʒɔist] *sb.* gulvbjælke, gulvstrø; loftsbjælke.

joke¹ [dʒəuk] *sb.* spøg; vittighed; □ *it is a ~* T det er latterligt; det er helt til grin; *it is no ~* T det er ingen spøg; det er en alvorlig sag; *the ~ is on him* T det er ham der er til grin; *it has gone beyond a ~* det er ikke morsomt længere; *is that your idea of a ~?* synes du det er morsomt? [*med vb.*] *carry the ~ too far* drive spøgen for vidt; *crack a ~* rive en vittighed af sig; *get the ~* forstå vittigheden; *he didn't get the ~* (*også*) han forstod ikke hvad der var det morsomme ved det; *make a ~ of it* lave sjov med det, gøre grin med det; slå det hen i spøg; *play a ~ on sby* lave sjov med en; *he can't take a ~* han forstår ikke spøg.

joke² [dʒəuk] *vb.* spøge; fortælle vittigheder; □ *joking apart* spøg til side; *I was only joking* det var kun min spøg; *you must be joking!* det må være din spøg!

joker ['dʒəukə] *sb.* **1.** spøgefugl; **2.** (*i kortspil*) joker; **3.** (*fig.*) ukendt faktor; uforudset vanskelighed; **4.** (T: *om person*) fyr, stodder; **5.** (*am.*) [*indsmuglet sætning der helt ændrer indholdet af lov// kontrakt*]; □ *the ~ in the pack* (*fig.*) den ukendte faktor.

jokey, joky ['dʒəuki] *adj.* T spøgende, spøgefuld; morsom.

jokingly ['dʒəukiŋli] *adv.* for spøg.

jollification [dʒɔlifi'keiʃn] *sb.* T festlighed.

jollity ['dʒɔləti] *sb.* morskab, lystighed, fest.

jolly¹ ['dʒɔli] *adj.* **1.** munter; gemytlig; fornøjelig; **2.** (*glds.* T) herlig (*fx weather*).

jolly² ['dʒɔli] *vb.* T snakke godt for; □ *~ him along* snakke godt for ham; opmuntre ham; *~ sby into + -ing* besnakke en til at (*fx lending me some money*).

jolly³ ['dʒɔli] *adv.* (*glds.* T) sandelig, skam (*fx it was ~ hard work*); □ *~ good!* fint! *take ~ good care* passe gevaldigt på; *~ well* (*især: irriteret*) minsandten (*fx I ~ well hope so!*); *he is ~ well right* han har skam ret.

jolly boat *sb.* (*mar.*) jolle.

Jolly Roger *sb.* (*hist.*) piratflag.

jolt¹ [dʒəult] *sb.* **1.** rystelse, rysten; stød, bump; **2.** (*fig.*) chok; □ *wake up with a ~* vågne med et sæt.

jolt² [dʒəult] *vb.* **1.** ryste, bumpe, skumple; **2.** (*med objekt*) give et stød; ryste; **3.** (*fig.*) ryste; chokere;

□ *be -ed awake* vågne med et sæt; *be -ed forward* blive skubbet// slynget frem; *~ sby into + -ing* give én en kraftig tilskyndelse til at.

Jonah ['dʒəunə] **1.** (*bibelsk navn*) Jonas; **2.** (*fig.*) ulykkesfugl.

Joneses ['dʒəunziz] *sb. pl.*: *keep up with the ~* ikke stå tilbage for naboerne.

Jordanian¹ [dʒɔ'deiniən] *sb.* jordaner.

Jordanian² [dʒɔ'deiniən] *adj.* jordansk.

josh¹ [dʒɔʃ] *sb.* (*glds. am.*) spøg; drilleri.

josh² [dʒɔʃ] *vb.* (*glds. am.*) holde sjov med; smådrille.

josser ['dʒɔsə] *sb.* T fyr, stodder.

joss stick ['dʒɔsstik] *sb.* røgelsespind.

jostle ['dʒɔsl] *vb.* **1.** skubbe (til); puffe til; støde ind i; **2.** (*uden objekt*) skubbe/puffe til hinanden; trænges; □ *~ against* støde imod; *~ for* skubbe til hinanden for at få (*fx attention; space*); kæmpe om; (*se også position*¹).

jot¹ [dʒɔt] *sb.*: *not a ~, not one ~ or tittle* ikke den mindste smule; ikke spor; ikke en tøddel.

jot² [dʒɔt] *vb.* notere/skrive ned; (*hastigt, utydeligt*) kradse ned; □ *~ down = ~.*

jotter ['dʒɔtə] *sb.* notesbog; notesblok.

jottings ['dʒɔtiŋz] *sb. pl.* (*hastigt nedkradsede*) notater.

joule [dʒu:l] *sb.* (*fys.*) joule [*enhed for energi*].

journal ['dʒɜ:n(ə)l] *sb.* **1.** dagblad, avis; **2.** tidsskrift, magasin; **3.** dagbog, journal; **4.** (*mar.*) skibsjournal, logbog; **5.** (*tekn.*) akseltap, lejesøle.

journalese [dʒɜ:nə'li:z] *sb.* (*neds.*) avissprog, journaliststil.

journalism ['dʒɜ:nəlizm] *sb.* journalistik.

journalist ['dʒɜ:nəlist] *sb.* journalist.

journalistic [dʒɜ:nə'listik] *adj.* journalistisk.

journey¹ ['dʒɜ:ni] *sb.* rejse; tur.

journey² ['dʒɜ:ni] *vb.* rejse.

journeyman ['dʒɜ:nimən] *sb.* (*pl.* -men [-mən]) **1.** (*glds.*) svend; håndværkssvend; **2.** (*fig.*) [*arbejder//sportsmand som er god og solid, men ikke fremragende*].

journo ['dʒɜ:nəu] *sb.* T journalist.

joust¹ [dʒaust] *sb.* (*hist.*) dyst; ridderturnering.

joust² [dʒaust] *vb.* dyste.

Jove [dʒəuv] (*myt.*) Jupiter;

by ~ (*glds.*) ved Gud; minsandten.

jovial ['dʒəuviəl] *adj.* gemytlig; jovial; munter.

joviality [dʒəuvi'æləti] *sb.* gemytlighed; jovialitet; munterhed.

jowl [dʒaul] *sb.* **1.** kæbe; **2.** (*kødfuld*) kind; (*se også jowls*); **3.** (*på kvæg etc.*) se *dewlap*; **4.** (*på fugl*) halslap; □ *with a heavy ~* med et kødfuldt hageparti; (*se også cheek*).

jowls [ðʒaulz] *sb. pl.* hængekinder.

jowly ['dʒauli] *adj.* pluskæbet.

joy [dʒɔi] *sb.* **1.** glæde (*fx I was filled with ~; -s and sorrows*); **2.** (T: *negativt el. spørgende*) udbytte; □ *~ of living* livsglæde; *it is a ~ to* det er en fornøjelse at (*fx her singing is a ~ to listen to*); [*med vb.*] *you won't get any ~ from him* T du får ikke noget ud af at tale med ham; *have no ~ + -ing* T ikke have held med at; ikke få noget ud af at; *wish him ~ of* ønske ham til lykke; *I wish you ~ of it!* (*ironisk*) god fornøjelse!

joyful ['dʒɔif(u)l] *adj.* **1.** glædelig (*fx time*); **2.** lykkelig (*fx feel ~*).

joyless ['dʒɔiləs] *adj.* glædesløs.

joyous ['dʒɔiəs] *adj.* (*litt.*) glad; munter; glædelig.

joyride¹ ['dʒɔiraid] *sb.* **1.** T [*hasarderet tur i en stjålet bil*]; **2.** fornøjelsestur.

joyride² ['dʒɔiraid] *vb.* **1.** T [*køre hasarderet i en stjålet bil*]; **2.** køre en fornøjelsestur.

joyrider ['dʒɔiraidə] *sb.* biltyv [*der stjæler bil for at køre stærkt*].

joystick ['dʒɔistik] *sb.* (*it, flyv.*) joystick, styrepind.

JP [dʒei'pi:] *fork. f. Justice of the Peace.*

Jr. *fork. f. junior.*

jubbies ['dʒʌbiz] *sb. pl.* S babser.

jubilant ['dʒu:bilənt] *adj.* jublende; triumferende.

jubilation [dʒu:bi'leiʃn] *sb.* jubel; triumf.

jubilee [dʒu:bili:, dʒu:bi'li:] *sb.* **1.** jubilæum [*efter 25 el. 50 år*]; **2.** (*kat.*) jubelår.

Judaic [dʒu'deiik] *adj.* judaisk; jødisk.

Judaism ['dʒu:deiizm] *sb.* judaisme; jødedom.

Judas ['dʒu:dəs] **1.** (*bibelsk navn*) Judas; **2.** (*fig.*) forræder.

judas ['dʒu:dəs] *sb.* dørspion [*kighul i dør*].

judder¹ ['dʒʌdə] *sb.* **1.** rysten; **2.** (*om sanger*) bævren.

judder² ['dʒʌdə] *vb.* **1.** vibrere; **2.** (*om sanger*) bævre.

judge¹ [dʒʌdʒ] *sb.* dommer;

□ *he is no ~ (of that)* det har han ikke forstand på; (se også *sober¹*); [*forb. med: a ~ of*] *be **a** ~ **of*** være ...kender (*fx be a ~ of art//wine* være kunstkender//vinkender); have forstand på (*fx paintings*); kunne vurdere (*fx feminine charm*); *be a good ~ of character* være menneskekender; *be a poor ~ of* ikke have ret meget forstand på; *be a poor ~ of character* være en dårlig menneskekender; *let me be a ~ of that* (*irriteret*) det skal jeg nok selv bedømme.

judge² [dʒʌdʒ] *vb.* **1.** (*uden objekt*) dømme (*fx it is too soon to ~*); fælde dom; (*ved konkurrence*) være dommer (*fx ~ at a flower show*); **2.** (*med objekt*) bedømme (*fx horses; whether it is a success*); dømme (*fx that does not give you the right to ~ people*); **3.** (*konkurrence*) være dommer ved (*fx a beauty contest*); **4.** (*retssag*) dømme i, pådømme (*fx a case*); **5.** (*mængde, omfang etc.*) bedømme, vurdere (*fx her age; the distance; the weight*); **6.** (+ *adj.*) anse for (*fx the book as a whole must be -d pretty boring*); skønne (*fx he -d it prudent to wait*); (*jur.*) dømme (*fx she was -d innocent of murder*);
□ *~ it a success* vurdere det til at have været en succes;
[*med præp.*] *~ **by*** *appearances* dømme efter det ydre; *judging by, to ~ by* at dømme efter (*fx his conduct; what he said*); *~ **for*** *yourself* du kan selv dømme; *~ **from*** se ovf.: *~ by; ~* **on** dømme efter (*fx ~ her on her brains, not her looks; competitors will be -d on speed and accuracy*).

judgement ['dʒʌdʒmənt] *sb.* **1.** vurdering, skøn (*fx in my ~* efter mit skøn); mening (*fx form* (danne sig) *a ~ of it*); bedømmelse; **2.** (*evne*) dømmekraft (*fx sound ~*); **3.** (*jur.*) dom; (se også *default*); **4.** (*spøg.*) straf (*on over*); □ *the Day of Judgement, the Last Judgement* dommedag; [*med vb.*] *deliver/give ~* afsige dom; *deliver/give one's ~* udtale sin mening/dom; *pass/pronounce ~* **a.** (*jur.*) afsige dom; **b.** (*fig.*) fælde dom (*on over*); *reserve/suspend (one's) ~* vent med at udtale sig; forbeholde sig sin stilling; *suspend ~* (*jur.*) udsætte domsafsigelsen; [*med præp.*] *against my better ~* selvom jeg ved det er//vidste det var uklogt; *in my ~* efter min vurdering/mening; efter mit skøn; *set*

oneself up in ~ on opkaste sig til dommer over; *sit in ~ on* sidde til doms over.

judgemental [dʒʌdʒ'ment(ə)l] *adj.* **1.** dømmende; fordømmende; kritisk; **2.** skønsmæssig.

Judgement Day *sb.* dommedag.

judgment *sb.* (*jur. el. am.*) = *judgement*.

judgmental [dʒʌdʒ'ment(ə)l] *adj.* (*neds.*) **1.** dømmende; vurderende; **2.** kritisk.

judgment call *sb.* (*am.*) skønsmæssig afgørelse.

judicature ['dʒu:dikətʃə, -tjuə] *sb.* **1.** retspleje; **2.** domstol;
□ *the ~* den dømmende magt.

judicial [dʒu'diʃ(ə)l] *adj.* (*jur.*) retslig (*fx inquiry*); rets- (*fx system*).

judicial review *sb.* (*jur.*) **1.** domstolsprøvelse [*fx af forvaltningsafgørelser*]; **2.** (*am.*) [*højesterets kompetence til at afgøre om lovgivning er i overensstemmelse med forfatningen*].

judiciary [dʒu'diʃəri] *sb.*: *the ~* **a.** den dømmende myndighed/magt; **b.** domstolene; **c.** dommerne; dommerstanden.

judicious [dʒu'diʃəs] *adj.* klog, fornuftig, skønsom.

judo ['dʒu:dəu] *sb.* judo.

jug [dʒʌg] *sb.* **1.** kande; **2.** (*glds.* S) fængsel; spjældet.

jug-eared ['dʒʌgiəd] *adj.* stritøret.

juggernaut ['dʒʌgənɔ:t] *sb.* **1.** (*organisation*) molok; kolos; **2.** (*bil*) T stor lastvogn [*til fjerntrafik*]; lastvognstog.

juggle ['dʒʌgl] *vb.* **1.** (*i luften*) jonglere med (*fx five balls*); **2.** (*i tilvæ-relsen*) få til at passe sammen (*fx children and a career*); **3.** (*bedragerisk*) lave fusk med (*fx the accounts* regnskaberne); manipulere med (*fx the figures* tallene); forfalske;
□ *~ with* = *~ 1, 2, 3*; *~ with words* jonglere med ordene.

juggler ['dʒʌglə] *sb.* jonglør.

juggling ['dʒʌgliŋ] *sb.* jongleren.

juggling act *sb.* **1.** jonglørnummer; **2.** (*fig.*) balanceakt.

jugular¹ ['dʒʌgjulə, 'dʒu:gjulə] *sb.* halsblodåre;
□ *go for the ~* T angribe i struben; angribe skånselsløst; gå lige på og hårdt.

jugular² ['dʒʌgjulə, 'dʒu:gjulə] *adj.* hals-.

juice [dʒu:s] *sb.* **1.** (*af frugt*) saft; juice; **2.** (T: *til bil*) benzin; **3.** (T: *elek.*) strøm; **4.** (*am.* T) sprut; **5.** (*am.* S) indflydelse, magt;
□ *-s* **a.** kødsaft; **b.** mavesaft; *the creative -s* T kreativiteten; (se også

stew²).

juice box *sb.* brik [*med juice*].

juicer ['dʒu:sə] *sb.* saftpresser.

juicy ['dʒu:si] *adj.* **1.** saftig; **2.** (T: *om sladder*) saftig (*fx story*); **3.** (T: *om opgave*) spændende; lækker; **4.** (T: *mht. penge*) indbringende; fed (*fx cheque*).

ju-jitsu [dʒu:'dʒitsu:] *sb.* jiujitsu [*japansk kampsport*].

juju ['dʒu:dʒu:] *sb.* **1.** amulet; fetich; **2.** magisk kraft.

juke [dʒu:k] *vb.* (*am.*) finte; snøre.

jukebox ['dʒu:kbɔks] *sb.* jukeboks.

julep ['dʒu:lep] *sb.* se *mint julep*.

July [dʒu'lai] *sb.* juli.

jumble¹ ['dʒʌmbl] *sb.* virvar, roderi, sammensurium; rodebunke.

jumble² ['dʒʌmbl] *vb.* rode sammen; blande sammen.

jumble sale *sb.* loppemarked.

jumbo¹ ['dʒʌmbəu] *sb.* **1.** kæmpe; stor klods; **2.** (*flyv.*) jumbojet.

jumbo² ['dʒʌmbəu] *adj.* kæmpe-; jumbo- (*fx jet*).

jumbuck ['dʒʌmbʌk] *sb.* (*austr.* T) får.

jump¹ [dʒʌmp] *sb.* **1.** hop; spring; **2.** (*med faldskærm*) udspring; **3.** (*i priser etc.*) pludselig stigning; spring; **4.** (*om muskelbevægelse*) sæt (*fx I woke with a ~*); (krampe)trækning; **5.** (*ved væddeløb*) forhindring; **6.** (*it*) hop; **7.** (*især am.* S) knald [ɔ: *samleje*];
□ *get the ~ on sby* (*am.* S) få et forspring frem for en; komme en i forkøbet; *keep/stay one ~ ahead of sby* holde sig et skridt foran en; (se også *high jump, long jump*).

jump² *vb.* **A.** (*uden objekt*) **1.** hoppe, springe (*fx out of the window; over the stream*); **2.** (*om priser etc.*) springe/ryge i vejret; **3.** (*om person: forskrækket*) fare sammen;
B. (*med objekt*) **1.** springe over (*fx a fence; a chapter in a book*); **2.** stikke af fra; (se også *bail¹, ship¹*); **3.** (*priser*) sætte i vejret; **4.** (*am.* T) overfalde; **5.** (*am.* S) bolle, knalde;
□ *he -ed* (*jf. A3, også*) det gav et sæt/gibbede i ham; *the place is -ing* der er liv og glade dage; *~ the bus//train* springe af//på bussen//toget; (se også *claim¹, gun¹, light¹, queue¹*);
[*med præp.*] *~ **at*** gribe efter med begge hænder; modtage med begejstring; *~ **for*** *joy* springe i vejret af glæde; *~ **down*** *se throat; ~* **from** springe ud fra (*fx the fifth floor; an aeroplane*); *~ from one's seat* springe op; *~ **'in*** (*fig.*) **a.** springe til; **b.** afbryde; *go and*

~ *in the lake* T rend og hop; ~ *on* (*fig.*) slå ned på; falde 'over; ~ *out at you* (*fig.*) springe i øjnene; *he nearly -ed out of his skin* han gav et ordentlig spjæt; han fik sit livs forskrækkelse; ~ *to* one's feet springe op med et sæt; ~ *to it!* se at komme i gang!; (se også *conclusion*); ~ *up* springe op; ~ *up and down* hoppe op og ned (af raseri); ~ *with* stemme overens med.

jumpcut ['dʒʌmpkʌt] *sb.* (*film.*, *tv*) springklip, hopklip.

jumped-up ['dʒʌmptʌp] *adj.* **1.** indbildsk, hoven, arrogant; **2.** som pludselig er kommet frem; parvenuagtig.

jumper ['dʒʌmpə] *sb.* **1.** springer; **2.** jumper; sweater; **3.** (*am.*) spencerkjole; forklædekjole.

jumper cable *sb.* (*am.*) startkabel.

jumper stay *sb.* (*mar.*) strutstag.

jumping bean *sb.* (*bot.*) springbønne.

jumping jack *sb.* **1.** (*gymn.*) sprællemand; **2.** (*glds. fyrværkeri*) skrubtudse.

jumping-off place [dʒʌmpiŋ'ɔfpleis], **jumping-off point** [dʒʌmpiŋ'ɔfpɔint] *sb.* udgangspunkt; springbræt.

jumping sheet *sb.* springlagen; redningslagen.

jump leads ['dʒʌmpli:dz] *sb. pl.* startkabler.

jump-start ['dʒʌmpsta:t] *vb.* **1.** starte med startkabler; **2.** (*fig.*) sætte gang i.

jumpsuit ['dʒʌmpsu:t] *sb.* jumpsuit.

jumpy ['dʒʌmpi] *adj.* T urolig; nervøs.

Jun. *fork. f.* **1.** *June*; **2.** *Junior*.

junction [dʒʌŋ(k)ʃn] *sb.* **1.** forbindelse; forbindelsespunkt; **2.** trafikknudepunkt; vejkryds; **3.** (*jernb.*) jernbaneknudepunkt; skiftestation;
□ *at the* ~ *of the two rivers* hvor de to floder mødes/flyder sammen.

junction box *sb.* (*elek.*) samledåse.

juncture ['dʒʌŋ(k)tʃə] *sb.* F afgørende tidspunkt; kritisk øjeblik;
□ *at this* ~ netop nu//da; i denne situation; under disse omstændigheder.

June [dʒu:n] *sb.* juni.

juneberry ['dʒu:nberi] *sb.* (*bot.*) bærmispel.

jungle ['dʒʌŋgl] *sb.* **1.** jungle; **2.** (*fig.*) jungle; vildnis; **3.** (*am.* S) vagabondlejr.

jungle fever *sb.* [*slags malaria*].

jungle gym *sb.* klatrestativ.

junior[1] ['dʒu:niə] *sb.* **1.** [*elev i Junior School*]; **2.** (*i sport*) junior; **3.** (*am.*) [*student i næstsidste studieår*]; **4.** (*am.: efter navn*) junior, den yngre (*fx Henry Jones Junior*); **5.** (*am.* T) søn; (*i tiltale*) sønneke; □ *he is my* ~ *by three years, he is three years my* ~ han er tre år yngre end jeg.

junior[2] ['dʒu:niə] *adj.* yngre; underordnet.

junior barrister *sb.* (*jur.*) [*barrister som ikke er King's//Queen's Counsel*].

junior college *sb.* (*am.*) [*college der giver to-årige kurser, ofte som forberedelse til senior college*].

junior high school *sb.* (*am.*) [*skole der omfatter 7., 8., og 9. skoleår*].

junior school *sb.* [*skole før børn i alderen 7-11*]; underskole.

juniper ['dʒu:nipə] *sb.* (*bot.*) enebærbusk, ene.

junk[1] [dʒʌŋk] *sb.* **1.** bras; ragelse; skrammel; **2.** sludder; **3.** (*kinesisk fartøj*) junke; **4.** S stof, heroin.

junk[2] [dʒʌŋk] *vb.* T kassere, skrotte; smide på lossepladsen.

junk bond *sb.* [*højtforrentet, risikobetonet erhvervsobligation*].

junket ['dʒʌŋkit] *sb.* **1.** [*slags tykmælk*]; **2.** T [*rejse//spisning på det offentliges regning*].

junk food *sb.* junkfood [*mad med ringe næringsværdi og højt fedteller sukkerindhold*].

junkie ['dʒʌŋki] *sb.* S junkie, narkoman.

junk mail *sb.* [*postomdelte reklametryksager*]; reklamer.

junk shop *sb.* marskandiserbutik.

junkyard ['dʒʌŋkja:d] *sb.* (*især am.*) = *scrapyard*.

Junoesque [dʒu:nəu'esk] *adj.* statelig; frodig.

junta ['dʒʌntə] *sb.* junta.

Jurassic [dʒuə'ræsik] *adj.* (*geol.*) jura-;
□ *the* ~ *period, the* ~ juratiden.

juridical [dʒuə'ridik(ə)l] *adj.* F juridisk; retslig.

jurisdiction [dʒuəris'dikʃn] *sb.* **1.** jurisdiktion; retskreds; **2.** jurisdiktion; domsmyndighed.

jurisprudence [dʒuəris'pru:d(ə)ns] *sb.* jurisprudens; retsvidenskab; retsfilosofi.

jurist ['dʒuərist] *sb.* retslærd.

juror ['dʒuərə] *sb.* nævning, jurymedlem.

jury ['dʒuəri] *sb.* **1.** (*jur.*) nævninge; jury; **2.** (*ved udstilling etc.*) bedømmelseskomité; dommerkomité;
□ *be/sit on the* ~ (*jur.*) være nævning; *the* ~ *is out* **a.** (*jur.*) nævningene voterer; **b.** (*fig.*) det er endnu ikke afgjort.

jury box *sb.* nævningeaflukke.

juryman ['dʒuərimən] *sb.* (*pl.* -men [-mən]) = *juror*.

jury mast *sb.* (*mar.*) nødmast.

jury-rigged ['dʒuəririgd] *adj.* **1.** (*mar.*) nødrigget; **2.** (*fig., især am.*) provisorisk.

jury rudder *sb.* (*mar.*) nødror.

just[1] [dʒʌst] *adj.* **1.** retfærdig (*to* imod); **2.** (*i den givne situation*) berettiget (*fx suspicion*; *criticism*); rimelig; velfortjent (*fx punishment*); **3.** (*om persons adfærd*) retskaffen, redelig; **4.** (*om mål etc.*) rigtig (*fx proportion*); nøjagtig (*fx scales* vægt);
□ *to be* ~ (*også*) retfærdigvis; (se også *deserts*).

just[2] [dʒʌst] *adv.* **1.** lige (*fx* ~ *a moment! could I* ~ *have a look?*); **2.** (*om tid*) lige, netop (*fx he has* ~ *arrived*); (*let glds.*) just; **3.** (*ved nøjagtig angivelse*) lige (*fx it cost us* ~ *£50; she is* ~ *15*; *it is* ~ *what I need*); lige præcis (*fx it is* ~ *right*); præcis (*fx* ~ *why//how did he do it? she is* ~ *like her mother*); **4.** (*om noget der ligger på grænsen*) lige akkurat, lige netop, kun lige (*fx he* ~ *managed to get through*; *we arrived* ~ *in time*; *it was* ~ *visible//audible*); **5.** (*ved forbehold*) bare, kun (*fx remember, she is* ~ *15//*~ *a child*; *it was* ~ *a joke*); **6.** (*forstærkende*) noget så, aldeles (*fx it's* ~ *splendid*; *you look* ~ *wonderful*); T simpelthen (*fx I* ~ *had to see you; I was* ~ *horrified*); **7.** (*ved imperativ*) bare (*fx* ~ *listen* hør bare; ~ (*you*) *wait*); lige (*fx* ~ *tell me his address*);
□ ~ *now* se *now*; ~ *the same* se *same*; ~ *the thing* se *thing*; [*med præp., adv.& konj.*] ~ *about* **a.** sådan omtrent (*fx* ~ *about a hundred*; *it was* ~ *about here*); **b.** kun lige (*fx we've got* ~ *about enough*); ~ *about to* lige ved at (*fx go*); ~ *as* **a.** netop som, lige som (*fx* ~ *as he came*); **b.** præcis som (*fx* ~ *as I said*); ~ *as good* akkurat lige så god; (se også *well*[4]); *it was* ~ *on six o'clock* klokken var lige (*præcis*) 6; ~ *so* **a.** lige netop sådan (*fx he likes everything* ~ *so*); **b.** (F: *du har ret*) ganske rigtigt! netop! *it's* ~ *that …* der er bare det at …; ~ *under fifty per cent* knap 50%.

justice ['dʒʌstis] *sb.* **1.** retfærdighed (*fx there is no* ~ *in this world*); **2.** retssystem (*fx British* ~); retspleje; ret; **3.** (*person*) dommer; **4.** (*jf. just*[1] *2*) rimelighed, berettigelse (*fx I must admit the ~ of his claim*);

□ *the ~ of his claim* (*også*) det berettigede i hans fordring; [*med vb.*] *administer ~* tage sig af retsplejen; øve ret og skel; *do him ~, do ~ to him* yde ham retfærdighed; give ham hvad der tilkommer ham; *do ~ to the dinner* lade middagen vederfares retfærdighed; *do oneself ~* udnytte sine evner fuldt ud; yde sit bedste; *do ~ to everybody* gøre ret og skel til alle sider; *to do him ~/in ~ we must admit that he is industrious* man må lade ham at han er flittig; vi skylder retfærdigheden at sige at han er flittig; *~ was done to him* der skete ham hans ret; *let ~ be done* lade retfærdigheden ske fyldest; lade retten gå sin gang; [*med præp.*] *in ~* se ovf.: *to do him ~*; (*også*) retfærdigvis; *bring sby to ~* stille en for retten; *with ~* med rette.

Justice of the Peace *sb.* fredsdommer [*ulønnet dommer uden juridisk uddannelse*].

justifiable [dʒʌstiˈfaiəbl, ˈdʒʌsti-] *adj.* forsvarlig; berettiget.

justifiable homicide *sb.* (*jur.*) [*drab som ikke straffes efter loven*].

justification [dʒʌstifiˈkeiʃn] *sb.* **1.** retfærdiggørelse; berettigelse; begrundelse (*of* for); **2.** (*typ.*) justering; udslutning.

justified [ˈdʒʌstifaid] *adj.* **1.** berettiget; retfærdig; **2.** (*typ.*) justeret; □ *be ~ in* + -*ing* være berettiget til at (*fx complaining*); gøre ret i at.

justify [ˈdʒʌstifai] *vb.* **1.** retfærdiggøre, berettige (*fx nothing can ~ such conduct*); begrunde; **2.** (*typ.*) justere; udslutte; □ *~ our existence* bevise vores eksistensberettigelse.

justly [ˈdʒʌstli] *adj.* **1.** retfærdigt (*fx treat them ~*); **2.** med rette (*fx ~ proud of sth*); med god grund.

jut [dʒʌt] *vb.*: *~ one's chin forward* stikke hagen frem/i vejret; *~ out* rage frem; springe frem; stikke frem.

jute [dʒuːt] *sb.* jute.

Jutland [ˈdʒʌtlənd] Jylland.

jutting [ˈdʒʌtiŋ] *adj.* fremspringende.

juvenile[1] [ˈdʒuːvənail] *sb.* F ungt menneske; (*jur.*) mindreårig.

juvenile[2] [ˈdʒuːvənail] *adj.* F **1.** ungdoms-; **2.** (*neds.*) barnlig, umoden, barnagtig (*fx behaviour*).

juvenile court *sb.* børne- og ungdomsdomstol.

juvenile delinquency *sb.* ungdomskriminalitet.

juvenile delinquent *sb.* ungdomsforbryder; ungdomskriminel.

juvenile lead *sb.* (*teat.*) [*skuespiller der spiller den unge helt//heltinde*]; (*glds.*) førsteelsker.

juvie [ˈdʒuːvi] *sb.* (*am.* S) **1.** = *juvenile*; **2.** = *juvenile court*; **3.** ungdomsfængsel.

juxtapose [ˈdʒʌkstəpəuz] *vb.* F sammenstille; sætte side om side; □ *-d to* sidestillet med; side om side med.

juxtaposition [dʒʌkstəpəˈziʃn] *sb.* F sammenstilling; sidestilling.

K

K¹ [kei].
K² [kei] *fork. f.* **1.** (*it*) kilobyte; **2.** T tusinde (*fx £30K; $30K*); **3.** (*om temperatur*) Kelvin.
Kaffir ['kæfə] *sb.* (*sydafr., neds.*) neger; nigger.
kale [keil] *sb.* grønkål.
kaleidoscope [kə'laidəskəup] *sb.* kalejdoskop.
kaleidoscopic [kəlaidə'skɔpik] *adj.* kalejdoskopisk.
kamikaze [kæmi'ka:zi] *adj.* selvmords-; selvmorderisk.
kangaroo [kæŋgə'ru:] *sb.* (*zo.*) kænguru.
kangaroo court *sb.* selvbestaltet domstol [*som lader hånt om almindelige retsprincipper*].
Kans. *fork. f. Kansas.*
Kansas ['kænzəs].
kaolin ['keiəlin] *sb.* kaolin; porcelænsler.
kapok ['keipɔk] *sb.* kapok.
kaput [kə'put] *adj.* T kaput.
karaoke [kæri'əuki] *sb.* karaoke.
karate [kə'ra:ti] *sb.* karate.
karate chop *sb.* håndkantslag.
Karelia [kə'ri:liə] (*geogr.*) Karelen.
kart [ka:t] *sb.* go-kart.
karting ['ka:tiŋ] *sb.* [*racerløb med gokarts*].
kayak ['kaiæk] *sb.* kajak.
kayo¹ ['keiəu] *sb.* (*am.* S) knockout.
kayo² ['keiəu] *vb.* (*am.* S) knockoute, slå ud.
KB *fork. f. King's Bench.*
KBE *fork. f. Knight Commander of the British Empire.*
KC *fork. f. King's Counsel;* (se *counsel*).
KCB *fork. f. Knight Commander of the Bath.*
kebab [ki'bæb] *sb.* kebab, grillspyd.
keck [kek] *vb.:* ~ *at* T få kvalme af; være ved at brække sig over.
kecks [keks] *sb. pl.* T bukser.
kedge¹ [kedʒ] *sb.* (*mar.*) varpanker.
kedge² [kedʒ] *vb.* (*mar.*) varpe.
kedgeree [kedʒə'ri:] *sb.* [*plukfisk med ris og æg*].
keech [ki:tʃ] *sb.* (*skotsk*) lort.
keel¹ [ki:l] *sb.* køl;
□ *get back on an even* ~ komme på på ret køl igen; få ro i sin tilværelse igen.

keel² [ki:l] *vb.:* ~ *over* **a.** (*om skib*) kuldsejle; **b.** T falde/dratte om.
keelhaul ['ki:lhɔ:l] *vb.* **1.** (*hist.*) kølhale; **2.** (*spøg.*) give en overhaling.
keelson ['kels(ə)n] *sb.* (*mar.*) kølsvin.
keen¹ [ki:n] *sb.* (*især irsk*) klagesang [*over en død*].
keen² [ki:n] *adj.* **1.** skarp (*fx competition*); hård (*fx fight*); **2.** (*om følelse*) stærk (*fx interest; desire; hunger*); intens; **3.** (*om person*) ivrig (*fx tennis player; gardener; photographer*); energisk (*fx student*); skarp (*fx observer*); **4.** (*litt.*) skarp (*fx edge; knife*); **5.** (*glds., om vind*) hvas, bidende, gennemtrængende;
□ (*as*) ~ *as mustard* meget ivrig, fyr og flamme; ~ *on* meget interesseret i (*fx games; a girl*); ~ *on* + *-ing,* ~ *to* opsat på at, ivrig efter at (*fx* ~ *on going away*);
[*med sb.*] *a* ~ *ear* et fint øre; *have a* ~ *eye for* have et skarpt blik for; ~ *prices* konkurrencedygtige priser.
keen³ *vb.* (jf. *keen¹:* glds. el. litt.) **1.** klage, synge klagesang; jamre; **2.** (*om vind*) hyle.
keenness ['ki:nnəs] *sb.* **1.** iver, energi; **2.** skarphed.
keep¹ [ki:p] *sb.* **1.** kost; forplejning; underhold; **2.** (*i borg*) borgtårn;
□ *earn one's* ~ tjene til føden, tjene til sit underhold; *he doesn't earn his* ~ han gør ikke gavn for føden; *for -s* T for altid; til evig arv og eje; *is it mine for -s?* må jeg beholde den?
keep² [ki:p] *vb.* (*kept, kept*) **1.** holde (*fx chickens; a yacht; servants*); **2.** (*i en bestemt tilstand & mods. miste*) holde (*fx the meat fresh; sby awake; one's balance*); bevare (*fx the meat fresh; one's self-control*); **3.** (*mods. aflevere*) beholde (*fx you may* ~ *this; he kept the best for himself*); **4.** (*om opbevaringssted*) gemme, opbevare (*fx he kept the gun under his bed; will you* ~ *this for me?*);
5. (*merk.: vare*) føre (*fx the shop does not* ~ *this brand*); **6.** (*person: mht. mad*) forsørge (*fx she -s*

the whole family); underholde; **7.** (*dagbog etc.*) føre (*fx a diary; accounts*); skrive (*fx an account of sth*); **8.** (*virksomhed etc.*) drive (*fx a shop; a school*); **9.** (*forpligtelse, bestemmelse, fest*) holde (*fx a promise; the law; Christmas*); overholde (*fx one's obligations; the law*); **10.** (*person: sinke*) opholde (*fx I must not* ~ *you*); **11.** (*am.: børn*) passe; **12.** (*uden objekt*) holde sig (*fx ready; warm; will the meat* ~?); (se også *aloof, straight²* (*etc*));
□ *how are you -ing?* (*glds.*) hvordan har du det? *what can be -ing him?* (jf. *10*) hvor bliver han af?; (se også *goal, hold¹, pace¹* (*etc.*));
[+ *-ing*] ~ *-ing* blive ved med at (*fx she kept crying*); ~ *him waiting* lade ham vente; ~ *the fire burning* holde ilden ved lige; (se også *pot¹*); ~ *going* holde sig i gang; blive ved; ~ *sby going* **a.** understøtte en økonomisk; **b.** (*mht. helbred*) holde en på benene; holde en i gang; *will £50* ~ *you going?* kan du klare dig med £50?
[*med præp., adv.*] ~ *after sby* blive ved med at forfølge//plage en;
~ *at sby* = ~ *after sby*; ~ *at it* blive 'ved; hænge 'i; ~ *sby at it* holde en til ilden [ɔ: *til arbejdet*];
~ *away* **a.** holde sig væk (*from* fra); **b.** (*med objekt*) holde væk (*from* fra, *fx* ~ *them away from the garden*);
~ *back* **a.** holde sig tilbage (*from* fra); **b.** (*med objekt*) holde tilbage/ væk (*from* fra, *fx* ~ *the children back from the visitor*); **c.** (*penge*) tilbageholde (*from af, fx* ~ *£30 back from his pay*); ~ *sth back from sby* skjule noget for en [ɔ: *ikke fortælle det*];
~ *down* **a.** holde nede (*fx one's head; prices; the population*); **b.** (*følelse*) holde i tømme, beherske (*fx one's anger*); **c.** (*lyd*) dæmpe; **d.** (*mad, drikke*) holde i sig; **e.** (*uden objekt*) holde hovedet nede; blive i skjul, holde sig i skjul;
~ *from* skjule for (*fx he kept the

473

truth from her); ~ *from* + *-ing*
(af)holde sig fra at (*fx interfering*);
lade være med at (*fx I couldn't ~
from laughing*); ~ *sby from* + *-ing*
forhindre en i at; afholde en fra
at;
~ *in* a. 'holde inde; b. (*i skole*)
lade sidde efter; c. (*på hospital*)
lade blive; d. (*følelse*) betvinge (*fx
one's indignation*); e. (*uden
objekt*) holde sig inde; ~ *the fire
in* holde ilden ved lige; ~ *sby in
clothes* holde en med tøj; (se også
*check*¹, *mind*¹ (*etc.*)); ~ *in with* T
holde sig gode venner med;
~ *off* a. holde sig væk; b. holde
væk (*fx she tried to ~ him off*);
c. holde sig fra (*fx cigarettes; that
subject*); (se også *grass*¹, *hand*¹);
~ *on* a. blive ved; fortsætte;
b. (*trods vanskeligheder*) holde
ud; c. (*med objekt*) beholde;
d. (*tøj etc.*) beholde på (*fx one's
boots*); (se også *hair, shirt*); e. (*lys*)
lade brænde; ~ *straight on* blive
ved lige ud; ~ *on doing it* blive
ved med at gøre det; gøre det hele
tiden; ~ *on about* T blive ved
med at snakke om; ~ *on at* sby T
hele tiden plage en;
~ *out* a. holde sig væk; b. (*med
objekt*) holde væk//ude (*fx the
flies; the draught*);
~ *to* a. holde sig til (*fx the main
roads; the plan; the subject*); følge
(*fx the plan*); b. (*sted*) blive i//på
(*fx the house; one's room*); c. (*be-
stemmelse*) overholde (*fx the
speed limit*); ~ *to the left* holde til
venstre; ~ *sth to oneself* holde
noget for sig selv; *we will* ~ *it to
ourselves* (*også*) det bliver mellem
os; ~ *oneself to oneself* holde sig
for sig selv; passe sig selv; ~ *him
to his promise* holde ham fast på
hans løfte;
~ *under* a. holde nede; holde un-
der kontrol; b. (*patient*) holde be-
døvet; c. (*uden objekt*) holde sig
under vandet; *she -s him under*
(*fig.*) hun sidder på ham;
~ *up* a. holde oppe (*fx one's cour-
age; the prices; he kept me up all
night*); b. bevare (*fx old customs*);
opretholde (*fx the standard; the
pressure*); fortsætte (*fx the as-
saults; the payments*); c. (*med re-
parationer*) vedligeholde (*fx one's
house*); d. (*uden objekt*) blive ved
(*fx the rain kept up all day*); *how
long did you* ~ *it up last night?*
hvor længe holdt I ud i aftes? ~ *it
up* (*også*) a. holde standarden;
b. holde spillet gående; ~ *up to* se
*mark*¹; ~ *up with* holde trit med;
(se også *Joneses*).

keeper ['kiːpə] *sb.* 1. (*i zoo*) dyre-
passer; 2. (*i museum*) museumsin-
spektør; 3. (T: *i fodbold etc.*) mål-
mand; 4. (*i kricket*) keeper;
□ *am I my brother's* ~? (*bibelcitat*)
er jeg min broders vogter? *I'm not
his* ~ jeg er ikke barnepige for
ham (*fx I'm his wife, not his* ~); ~
of the records arkivar; (se også *fin-
der, beekeeper, park keeper*).
keep-fit [kiːp'fit] *sb.* konditræning;
motion.
keeping ['kiːpiŋ] *sb.: in sby's* ~ i
ens varetægt/forvaring; *be in* ~
with være i overensstemmelse
med; stemme overens med; svare
til (*fx his acts are not in* ~ *with
his words*).
keepsake ['kiːpseik] *sb.* erindring;
minde; souvenir;
□ *as a* ~ til erindring.
keester *sb.* = *keister.*
keg [keg] *sb.* 1. lille fad, lille tønde,
fustage; 2. (*øl*) = *keg beer.*
keg beer *sb.* [*øl i metalfustage med
tilsat kulsyre*].
keister ['kiːstər] *sb.* (*am.* S) bagdel,
ende.
kelp [kelp] *sb.* 1. (*bot.*) kelp;
2. (*produkt: aske af tang*) kelp.
kelson ['kelsən] *sb.* = *keelson.*
kelt [kelt] *sb.* (*zo.*) nedfaldslaks.
ken¹ [ken] *sb.: it is beyond my* ~
(*glds.*) a. det forstår jeg mig ikke
på; b. det kender jeg ikke til.
ken² [ken] *vb.* (*især skotsk*) kende.
kennel ['ken(ə)l] *sb.* 1. hundehus;
2. = *kennels.*
kennels ['ken(ə)lz] *sb. pl.* 1. (*til op-
dræt*) kennel; 2. (*til pasning*) hun-
depension.
Kentish ['kentiʃ] *adj.* kentisk; fra
Kent.
Kentish plover *sb.* (*zo.*) hvidbrystet
præstekrave.
Kenya ['kenjə, 'kiːnjə].
Kenyan¹ ['kenjən, 'kiːnjən] *sb.* ke-
nyaner.
Kenyan² ['kenjən, 'kiːnjən] *adj.* ke-
nyansk.
kept [kept] *præt. & præt. ptc. af
keep*².
keratitis [kerə'taitis] *sb.* (*med.*)
hornhindebetændelse.
kerb [kəːb] *sb.* kantsten.
kerb-crawling ['kəːbkrɔːliŋ] *sb.* [*det
at køre sin bil langsomt langs for-
tovskanten for at finde en prosti-
tueret*].
kerb drill *sb.* (*for børn*) færdsels-
lære.
kerb market *sb.* (*merk.*) efterbørs;
handel med unoterede papirer.
kerbside ['kəːbsaid] *sb.: at the* ~
ved kantstenen.
kerbstone ['kəːbstəun] *sb.* kantsten.

kerb weight *sb.* (*om bil*) vægt i
ubelastet stand.
kerchief ['kəːtʃif] *sb.* (*glds.*) (ho-
ved)tørklæde.
kerf [kəːf] *sb.* savsnit, savspor.
kerfuffle [kə'fʌfl] *sb.* T ballade, op-
standelse.
kern [kəːn] *sb.* (*typ.*) overhæng;
overhængende del af bogstav.
kernel ['kəːn(ə)l] *sb.* kerne.
kerosene ['kerəsiːn] *sb.* (*am.*) petro-
leum.
kestrel ['kestr(ə)l] *sb.* (*zo.*) tårnfalk.
ketch [ketʃ] *sb.* ketch [*tomastet far-
tøj*].
ketchup ['ketʃəp] *sb.* ketchup.
kettle ['ketl] *sb.* kedel;
□ *another/a different* ~ *of fish* en
helt anden historie; noget helt an-
det; *a fine/pretty* ~ *of fish* en køn
historie; en køn kop te; *put the* ~
on sætte kedlen over; sætte vand
over.
kettledrum ['ketldrʌm] *sb.* (*mus.*)
pauke.
kettle holder *sb.* grydelap.
kewpie doll ['kjuːpidɔl] *sb.* (*am.*)
[*buttet dukke med røde kinder og
gult hår*].
key¹ [kiː] *sb.* 1. (*til lås, bil, ur,
kode, it& fig.*) nøgle (*to* til, *fx the
door; the house; success*); 2. (*til
kort, udtalebetegnelse etc.*) tegn-
forklaring; signaturforklaring;
3. (*til regnebog*) facitliste; (*til
øvelse*) løsning; 4. (*på skrivemas-
kine, tastatur*) tast; 5. (*på klaver
etc.*) tangent; 6. (*på blæseinstru-
ment*) klap; 7. (*mus.*) toneart;
8. (*ved pudsning*) ru overflade,
pudsbærer; 9. (*tekn.*) kile;
□ *the House of Keys* [*Underhuset
på øen Man*];
[*med præp.*] *in a ...* ~ (*fig.*) i en ...
tone (*fx in a plaintive* ~); (se også
*minor*¹); *and much more in the
same* ~ og så videre i samme dur;
in ~ *with* i i harmoni med; *off* ~
falsk; *out of* ~ *with* ikke i har-
moni med.
key² [kiː] *adj.* (*fig.*) nøgle-; vigtig;
central (*fx figure*).
key³ [kiː] *vb.* 1. (*it*) taste; 2. (*over-
flade: for maling etc.*) opkradse;
3. (*mus.: instrument*) stemme;
4. (*tekn.*) fæste; kile fast;
□ ~ *in* (*it*) indtaste; ~ *to* (*fig.*) ind-
rette efter; indstille på/efter; ~ *up*
a. stemme højere; b. (*fig.*)
stramme op; (se også *keyed up*).
key account manager *sb.* kunde-
chef.
keyboard¹ ['kiːbɔːd] *sb.* 1. (*på skri-
vemaskine, til computer*) tastatur;
2. (*på klaver*) klaviatur; 3. (*på or-
gel*) manual; 4. (*elektronisk in-*

strument) keyboard; **5.** (*typ.*) tastatur, tastbord.

keyboard[2] ['ki:bɔ:d] *vb.* taste ind.

keyboarder ['ki:bɔ:də] *sb.* (*it*) indtaster; tasteoperatør.

keyboardist ['ki:bɔ:dist] *sb.* (*mus.*) keyboardspiller.

key case *sb.* nøglepung.

keyed up [ki:d'ʌp] *adj.* anspændt, nervøs.

keyhole ['ki:həul] *sb.* nøglehul.

keyhole surgery *sb.* (*med.*) **1.** kikkertoperation; **2.** kikkertkirurgi.

key money *sb.* [*ekstrabetaling som forlanges ved indgåelse af lejemål*].

keynote ['ki:nəut] *sb.* **1.** (*mus.*) grundtone; **2.** (*fig.*) hovedtanke; grundprincip.

keynote speech *sb.* (*ved konference etc. omtr.*) programtale; hovedtale.

keypad ['ki:pæd] *sb.* (*fx på fjernstyring, lommeregner*) numerisk tastatur; tastegruppe.

key signature *sb.* (*mus.*) fortegn.

keystone ['ki:stəun] *sb.* **1.** (*arkit.: i bue*) slutsten; **2.** (*fig.*) hovedprincip, grundprincip.

keystroke ['ki:strəuk] *sb.* tastetryk; tasteanslag.

keyword ['ki:wɔ:d] *sb.* (*også it*) nøgleord.

KG *fork. f. Knight of the Order of the Garter.*

kg *fork. f. kilogram(s).*

khaki[1] ['ka:ki] *sb.* kaki.

khaki[2] ['ka:ki] *adj.* kakifarvet.

kibble[1] ['kibl] *sb.* (*am.*) dyrefoder i pilleform.

kibble[2] ['kibl] *vb.* grutte; grovmale.

kibbutz [ki'buts] *sb.* (*pl. -im/-es*) kibbutz.

kibitz [ki'bits] *vb.* (*am.* T) [*stå ved siden af og komme med uønskede råd*].

kibitzer ['kibitsər] *sb.* (*am.* T) [*tilskuer til kortspil etc. der blander sig i spillet og giver uønskede råd*]; ugle.

kibosh ['kaibɔʃ] *sb.: put the ~ on* T sætte en stopper for, forpurre.

kick[1] [kik] *sb.* **1.** spark; **2.** (*geværs*) tilbageslag; **3.** T sjov; spænding; **4.** (*am.* T) indvending; grund til klage;

□ *there is a ~ in it* (*om spiritus*) den slår; *a ~ in the teeth* T et slag i ansigtet; en grov forhånelse; *a ~ up the backside* T et spark bagi; [*med vb.*] *get a lot of ~ out of* have stor fornøjelse af; nyde; *get more -s than ha'pence* få mere skænd end ros; få flere knubs end kærtegn; få en ublid medfart; *get the ~* blive smidt ud; *it gives him*

a ~ han nyder det; det er ham en fryd; *he has not much ~ left in him* der er ikke meget spræl i ham mere; *it has a ~ to it* se ovf.: *there is a ~ in it*; [*med præp.*] *for -s* T for sjov; for skægs skyld; *be on a ... ~* T have et ... flip (*fx he is on a health//exercise ~*); *with a ~* med et ryk.

kick[2] [kik] *vb.* **1.** sparke; **2.** sprælle (med benene) (*fx baby was -ing happily in his cot*); **3.** (*om hest*) slå bagud; **4.** (*om gevær*) støde, slå; **5.** T protestere, gøre vrøvl; stritte imod;

□ *~ oneself* ærgre sig gul og grøn; *~ a man when he is down* sparke til en der ligger ned; (se også *ass*[1], *bucket*[1], *habit*, *heel*[1]);

[*forb. med præp., adv.*] *~ about* **a.** S koste med, hundse med; **b.** (*idé, forslag*) drøfte frem og tilbage; **c.** drive//rejse omkring i (*fx she -ed about the States for a year*); *be -ing about* T **a.** (*om ting*) ligge og flyde; **b.** (*om person*) være i live;

~ against (*fig.*) protestere imod, gøre vrøvl over; stritte imod;

~ around = *~ about*; *~ around with* (*austr.* T) hænge ud med;

~ back **a.** sparke igen; **b.** T betale som returkommission;

~ down the door sparke døren ind;

~ sby downstairs degradere en; *~ in* **a.** sparke ind (*fx the door*); **b.** (*am.* S) bidrage med; **c.** (*uden objekt*) begynde at virke; *~ sby in the teeth* (*fig.*) T give én et slag i ansigtet; håne én;

~ off **a.** sparke af (*fx one's shoes*); **b.** (*i sport*) give bolden op; **c.** (*fig.*) starte; sætte i gang;

~ out smide ud, sparke ud; *~ over a.* vælte med et spark (*fx a chair*); **b.** (*am.* T) gå i gang; *~ up* **a.** sparke op (*fx the sand*); **b.** (*am.* T) sætte i vejret (*fx the rent*); **c.** (*am.* T: *om legemsdel, maskine*) gøre knuder; (se også *fuss*[1], *heel*[1], *row*[2]);

~ sby upstairs blive af med en ved at forfremme ham [*ofte om parlamentsmedlemmer der adles og får sæde i Overhuset*].

kickback ['kikbæk] *sb.* **1.** tilbageslag; **2.** S returkommission; bestikkelse.

kickball ['kikbɔ:l] *sb.* (*am.*) [*slags baseball spillet med en fodbold*].

kick-off ['kikɔf] *sb.* opgiverspark; □ *from the ~* **a.** lige fra bolden blev givet op; **b.** (*fig.*) lige fra begyndelsen.

kick pleats *sb. pl.* gålæg.

kickstand ['kikstænd] *sb.* støtteben [*til cykel*].

kick-start ['kiksta:t] *vb.* kickstarte.

kicky ['kiki] *adj.* (*am.* T) **1.** spændende; som man nyder; **2.** smart, moderne.

kid[1] [kid] *sb.* **1.** T barn; unge; **2.** (*dyr*) (gede)kid; **3.** (*materiale*) kidskind;

□ *-s* (*også*) unge mennesker.

kid[2] [kid] *vb.* T drille; lave sjov/grin med; narre;

□ *no -ding!* det 'er rigtigt! *no -ding?* er det rigtigt? *you're -ding* du laver grin med mig; *~ oneself* narre sig selv; *don't ~ yourself about that* tag ikke fejl af det.

kid brother *sb.* T lillebror.

kiddie ['kidi] *sb.* T barn.

kid glove *sb.* glacéhandske; □ *treat sby with -s* (*fig.*) tage med fløjlshandsker på en.

kidnap[1] ['kidnæp] *sb.* kidnapning.

kidnap[2] ['kidnæp] *vb.* kidnappe, bortføre.

kidnapper ['kidnæpə] *sb.* kidnapper, bortfører.

kidney ['kidni] *sb.* (*anat.*) nyre; □ *of that ~* af den slags.

kidney bean *sb.* (*bot.*) snittebønne, brun bønne.

kidney machine *sb.* (*med.*) kunstig nyre.

kidney vetch *sb.* (*bot.*) rundbælg.

kid sister *sb.* T lillesøster.

kid's stuff *sb.* (*fig.*) barnemad.

kielbasa [ki:l'ba:sə] *sb.* (*am.*) [*røget pølse med hvidløg*].

kieri ['kiri] *sb.* (*sydafr.*) kølle; stok.

kike [kaik] *sb.* (*am.* S *vulg., neds.*) jødesmovs.

kill[1] [kil] *sb.* **1.** (*ved jagt*) nedlæggelsen af byttet; **2.** jagtudbytte (*fx a plentiful ~*); **3.** (*rovdyrs*) (nedlagt) bytte;

□ *make a ~* (*jf.* 3) nedlægge et bytte; *be in at the ~* (*fig.*) være med i det afgørende øjeblik; *move in for the ~* (*fig.*) forberede sig på at slå 'til//at sætte det afgørende stød ind.

kill[2] [kil] *vb.* **1.** dræbe, slå ihjel; **2.** slagte; **3.** (*fig.*) ødelægge (*fx a marriage*); spolere; kvæle (*fx a project*); standse, få til at gå i stå (*fx the conversation*); **4.** (*tid*) slå ihjel, få til at gå; **5.** (T: *lys, motor*) slukke for; **6.** (*især am.* T: *drik*) drikke op//ud, kvæle;

□ *it's ~ or cure* det må briste eller bære; *be -ed* (*i krigen*) falde; *it's -ing me* det er ved at tage livet af mig; *his jokes nearly -ed us* vi var lige ved at dø af grin over hans vittigheder; *it wouldn't ~ you to help* T det ville ikke være for me-

K killer

get hvis du hjalp; du kunne godt tage og hjælpe; ~ *oneself* **a.** (*begå selvmord*) tage livet af sig; **b.** (*fig.*) være ved at tage livet af sig selv (*fx carrying a heavy suitcase*); *he didn't exactly ~ himself* T han overanstrengte sig ikke; ~ *oneself laughing* T være ved at dø af grin; [*med sb.*] ~ *a ball* (*i fodbold*) lægge en bold død; ~ *a Bill* (*parl.*) vælte et lovforslag; ~ *the pain* tage smerten; (se også *bird, fatted, goose* (*etc.*));
[*med præp.& adv.*] *-ed in action* faldet i kamp; ~ *off* **a.** rydde af vejen; udrydde; **b.** gøre det af med; *got up/dressed to* ~ i det stiveste puds; flot udhalet.

killer ['kilə] *sb.* **1.** dræber; **2.** morder; **3.** (*zo.*) spækhugger;
□ *a real* ~ T **a.** en stor succes; **b.** (*om opgave*) morderisk svær.

killer whale *sb.* (*zo.*) spækhugger.

killing¹ ['kiliŋ] *sb.* drab; mord;
□ *make a* ~ T tjene tykt; score kassen.

killing² ['kiliŋ] *adj.* **1.** dræbende; dødelig; **2.** T ubærlig; **3.** (*glds.*) vældig sjov.

killjoy ['kildʒɔi] *sb.* dødbider; glædesforstyrrer; lyseslukker.

kiln [kiln, kil] *sb.* **1.** tørreovn; kalkovn; **2.** (*til keramik*) brændingsovn; **3.** (*til malt*) kølle.

kiln-dry ['kilndrai] *vb.* ovntørre.

kilo ['ki:ləu] *sb.* **1.** kilo; **2.** (*radio.*) (bogstavet) k.

kilobyte ['kilə(u)bait] *sb.* (*it*) kilobyte.

kilogram(me) ['ki:ləgræm] *sb.* kilogram.

kilohertz ['kilə(u)hə:ts] *sb.* (*radio.*) kilohertz.

kilometre ['kiləmi:tə, ki'lɔ-] *sb.* kilometer.

kilowatt ['kiləwɔt] *sb.* kilowatt.

kilt [kilt] *sb.* kilt [*skotteskørt*].

kilter ['kiltə] *sb.*: *out of* ~ T **a.** i uorden; **b.** ude af balance.

kimono [ki'məunəu] *sb.* kimono.

kin¹ [kin] *sb.* slægt; slægtning; (se også *next of kin*).

kin² [kin] *vb.*: ~ *to* beslægtet med.

kind¹ [kaind] *sb.* slags; art; type; natur;
□ *I'm not the marrying* ~ jeg er ikke den type der gifter sig; [+ *of*] *those/these* ~ *of things, that* ~ *of thing* den slags ting; *what* ~ *of a man is he?* hvordan er han? *the room was* ~ *of dark* T værelset var nærmest/ligesom lidt mørkt; *I* ~ *of thought that ...* T jeg havde ligesom på fornemmelsen at ...; *I* ~ *of expected it* T jeg ventede det næsten;

[*med præp.*] *a difference in* ~ en artsforskel; *pay in* ~ betale i naturalier; *repay in* ~, *reply in* ~ give igen med samme mønt; *coffee// happiness of a* ~ en slags kaffe// lykke; noget der skulle forestille kaffe//lykke; *two of a* ~ to af samme slags; *the first of its* ~ den første af sin art; *something of that* ~ noget i den retning; *he said nothing of the* ~ det sagde han aldeles ikke.

kind² [kaind] *adj.* venlig; (*om person også*) rar;
□ *be so* ~ *as to, be* ~ *enough to* F være så venlig at;
[*med præp.*] *that was* ~ *of you* det var pænt/venligt af dig; *be* ~ *to* **a.** være venlig mod; **b.** (*mht. udseende*) være flatterende for (*fx this lighting is* ~ *to your face*); *fate has been* ~ *to me* F skæbnen har været mig blid/god.

kinda ['kaində] *fork. f. kind of.*

kindergarten ['kində:ga:t(ə)n] *sb.* **1.** børnehave; **2.** (*am.*) børnehaveklasse.

kind-hearted [kaind'ha:tid] *adj.* venlig; godhjertet.

kindle ['kindl] *vb.* **1.** (*ild*) tænde; antænde; (*uden objekt*) fænge, blusse op; **2.** (*følelse*) vække (*fx sby's enthusiasm//interest; love/ jealousy in* (hos) *sby*); **3.** (*om fantasi*) blive vakt, blive optændt;
□ ~ *sby's imagination* sætte ens fantasi i bevægelse; ~ *to* blive begejstret over.

kindling ['kindliŋ] *sb.* optændingsbrænde; papir *etc.* til at tænde op med;
□ *paper makes good* ~ papir er godt at tænde op med.

kindly¹ ['kaindli] *adj.* (*glds.*) venlig.

kindly² ['kaindli] *adv.* venligt (*fx speak* ~);
□ *will you* ~ *give me that book* F vil du venligst give mig den bog; *look* ~ *on it* se på det med velvilje; *take it* ~ optage det i en god mening; *not take* ~ *to* ikke være glad for (*fx criticism*); ikke være meget for.

kindness ['kaindnəs] *sb.* venlighed; godhed; elskværdighed;
□ *do sby a* ~ gøre én en tjeneste; vise én en venlighed.

kindred¹ ['kindrəd] *sb.* (*glds.*) slægtninge; familie.

kindred² ['kindrəd] *adj.* beslægtet (*fx languages*).

kindred spirit *sb.* åndsfælle; åndsbeslægtet person.

kine [kain] *sb. pl.* (*glds.*) køer.

kinetic [ki'netik, kai-] *adj.* kinetisk.

kinetic art *sb.* kinetisk kunst, bevægelse i kunsten.

kinetic energy *sb.* kinetisk energi, bevægelsesenergi.

kinetics [ki'netiks, kai-] *sb.* kinetik.

kinfolk ['kinfouk] *sb. pl.* (*især am.*) = *kinsfolk.*

king [kiŋ] *sb.* **1.** konge; **2.** (*i damspil*) dam;
□ *the* ~ *of the castle* den vigtigste person; topfiguren; *the* ~ *of diamonds//hearts etc.* ruderkonge// hjerterkonge *etc.*; (se også *counsel, King's English* (*etc.*)).

kingbolt ['kiŋbəult] *sb.* hovedbolt; styrebolt.

king crab *sb.* (*zo.*) **1.** dolkhale; **2.** Japankrabbe.

kingcup ['kiŋkʌp] *sb.* (*bot.*) engkabbeleje.

kingdom ['kiŋdəm] *sb.* **1.** kongerige; **2.** rige (*fx the* ~ *of love; the* ~ *of God*); (se også *animal kingdom* (*etc*));
□ *thy* ~ *come* komme dit rige; *wait till* ~ *come* T vente i al evighed; *send him to* ~ *come* T ekspedere ham over i evigheden.

kingfisher ['kiŋfiʃə] *sb.* (*zo.*) isfugl.

kingly ['kiŋli] *adj.* kongelig.

kingmaker ['kiŋmeikə] *sb.* (*fig.*) [*indflydelsesrig person der bringer en anden til magten*]; kongemager.

kingpin ['kiŋpin] *sb.* **1.** (*i keglespil*) konge; **2.** (*fig.*) hovedmand, førstemand; ledende skikkelse; **3.** (*i hængsel etc.*) styrebolt.

king plank *sb.* (*mar.: dæksplanke*) fisk.

king post *sb.* (*i tagkonstruktion*) hængestolpe.

King's Bench Division *sb.* [*overrettens hovedafdeling*].

King's Counsel *sb.* se *counsel¹.*

King's English *sb.* dannet sprogbrug; standardengelsk.

King's evidence *sb.* kronvidne [*der tidligere ved at angive sine medskyldige blev fri for straf*].

kingship ['kiŋʃip] *sb.* kongeværdighed.

king-size ['kiŋsaiz] *adj.* ekstra stor.

king's ransom *sb.* (*især glds.*) kæmpebeløb, formue; fyrstelig sum.

kink¹ [kiŋk] *sb.* **1.** kinke [*ɔ: bugt på tov*]; **2.** (*hos person*) karakterbrist; særhed; **3.** (*i plan etc.*) fejl, brist; svagt punkt; **4.** T [*person med specielle tilbøjeligheder/med særlige seksuelle lyster*]; **5.** (*am.: muskelsmerte*) hold (*fx in one's back// neck*); **6.** (*am.* T) fiks idé, sær idé;
□ *iron out the* -*s* (*især am.*) få klaret problemerne.

kink² [kiŋk] *vb.* slå bugter; sno sig; danne bugter på.

kinkajou ['kiŋkədʒuː] *sb. (zo.)* snohalebjørn.

kinky ['kiŋki] *adj.* **1.** *(om reb etc.)* fuld af bugter; **2.** *(om hår)* kruset; filtret; **3.** *(om person)* speciel, afvigende; med særlige seksuelle lyster.

kinsfolk ['kinzfəuk] *sb. pl.* slægtninge, familie.

kinship ['kinʃip] *sb.* slægtskab.

kinsman ['kinzmən] *sb. (pl. -men* [-mən]) slægtning.

kinswoman ['kinzwumən] *sb. (pl. -women* [-wimin]) kvindelig slægtning.

kiosk ['kiːɔsk] *sb.* **1.** kiosk; **2.** telefonboks.

kip¹ [kip] *sb.* T søvn; lur *(fx have a* ~).

kip² [kip] *vb.* T sove;
□ ~ *down (også)* lægge sig (til at sove).

kipper ['kipə] *sb.* **1.** [saltet, flækket og røget sild]; **2.** [laks i gydetiden].

Kirghiz¹ ['kəːgiz, (*am.*) kir'giːz] *sb.* kirgiser.

Kirghiz² ['kəːgiz, (*am.*) kir'giːz] *adj.* kirgisisk.

kirk [kəːk] *sb. (skotsk)* kirke;
□ *the Kirk* den skotske kirke.

kiss¹ [kis] *sb.* kys;
□ *blow sby a* ~ sende en et fingerkys; *be the* ~ *of death to* være ødelæggende for; være dødsstødet for; *the* ~ *of life* [genoplivning ved mund-til-mund metoden].

kiss² [kis] *vb.* **1.** kysse; **2.** *(uden objekt)* kysse hinanden;
□ ~ *and tell* komme med afsløringer; sladre af skole; *let me* ~ *it better* (ɔ: *til barn der har slået sig)* lad mig puste på det; ~ *goodbye to* (*fig.*) vinke farvel til *(fx one's chances of winning)*; ~ *off (am. fig.)* **a.** *(person)* fyre, give løbepas; **b.** *(ting)* smide ud; ~ *up to (am. fig.)* slikke op og ned ad ryggen.

kissagram ['kisəgræm] *sb.* [telegram overrakt med et kys].

kiss-and-tell [kisən'tel] *adj.* afslørende; sladre-.

kisser ['kisə] *sb. (glds.* S) kyssetøj;
□ *he is a good* ~ han kysser godt.

kissogram *sb.* = *kissagram.*

kist [kist] *sb. (sydafr.)* kiste *[til tøj].*

kit¹ [kit] *sb.* **1.** udstyr *(fx survival* ~; *battle* ~); udrustning; **2.** T tøj, kluns; **3.** *(i sport)* dragt; **4.** *(af værktøj etc.)* sæt *(fx sewing* ~; *repair* ~); udstyr; grejer *(fx shaving* ~); **5.** *(til møbel, modelskib etc.)* samlesæt; **6.** (T= *kitten)* killing; ræveunge; grævlingeunge; ilder-

unge *etc.*;
□ *get one's* ~ *off (jf. 2)* smide alt tøjet, smide klunset.

kit² [kit] *vb.*: ~ *out,* ~ *up* T udstyre; klæde på.

kitbag ['kitbæg] *sb.* køjesæk; rejsetaske; paksæk.

kitchen ['kitʃin] *sb.* køkken; (se også *heat*¹).

kitchen diner *sb.* spisekøkken.

kitchenette [kitʃi'net] *sb.* tekøkken.

kitchen garden *sb.* køkkenhave.

kitchen midden *sb. (hist.)* køkkenmødding.

kitchen paper *sb.* køkkenrulle.

kitchen police *sb. (am. mil.* S) [soldater der er afgivet til køkkentjeneste].

kitchen range *sb.* komfur.

kitchen roll *sb.* køkkenrulle.

kitchen sink *sb.* køkkenvask;
□ *everything but/except the* ~ T alle mulige ting og sager.

kitchen-sink [kitʃin'siŋk] *adj.* hverdagsrealistisk *(fx play).*

kitchen towel *sb.* køkkenrulle.

kitchen unit *sb.* køkkenelement.

kite [kait] *sb.* **1.** *(legetøj)* drage; **2.** *(zo.)* glente; **3.** *(merk.,* T) dækningsløs check//veksel;
□ *fly a* ~ **a.** lege med drage; sætte en drage op; **b.** *(fig.)* sende en prøveballon op; **c.** *(merk.)* udstede dækningsløs check//veksel; *go fly a* ~! *(især am.* T) ta' så og forsvind! rend og hop! *high as a* ~ **a.** (ɔ: *af narko)* vildt høj; fuldstændig skæv; **b.** (ɔ: *af sprut)* fuld som en allike.

kite-flying ['kaitflaiiŋ] *sb.* **1.** leg med drage(r); **2.** *(fig.)* opsendelse af prøveballon(er); **3.** *(merk.* T) vekselrytteri//checkrytteri.

Kitemark ['kaitmaːk] *sb.* [kvalitetsmærke fra British Standards Institution].

kith [kiθ] *sb.*: ~ *and kin (især glds.)* slægt og venner.

kitsch [kitʃ] *sb.* kitsch; forloren// smagløs kunst.

kitschy ['kitʃi] *adj.* forloren; smagløs.

kitten ['kit(ə)n] *sb.* kattekilling;
□ *I was having* -s T jeg var helt ude af det/ude af flippen.

kittenish ['kit(ə)niʃ] *adj.* killingeagtig; kælen; flirtende.

kittiwake ['kitiweik] *sb. (zo.)* ride; tretået måge.

kitty ['kiti] *sb.* **1.** fælleskasse; **2.** *(i spil)* pulje; **3.** *(barnesprog)* mis.

kitty-corner ['kitikɔːrnərd] *adj. (am.)* = *catercornered.*

kiwi ['kiːwi] *sb. (frugt; fugl)* kiwi.

KKK *fork. f. Ku-Klux-Klan.*

klaxon® ['klæks(ə)n] *sb.* [kraftigt

bilhorn].

kleenex® ['kliːneks] *sb.* renseserviet; papirlommetørklæde.

kleptomania [kleptə'meiniə] *sb.* kleptomani.

kleptomaniac [kleptə'meiniæk] *sb.* kleptoman.

klieg [kliːg] *sb.,* **klieg light** *sb. (film.)* [kraftig kulbuelampe].

kloof [kluːf] *sb. (sydafr.)* smal, dyb kløft//dal.

kludge, kluge [klʌdʒ] *sb. (it)* lappeløsning; klodset konstruktion.

klutz [klʌts] *sb. (am.* T) fjumrehoved.

klutzy ['klʌtsi] *adj.* fjumret.

km *fork. f. kilometre(s).*

knack [næk] *sb.* tag; håndelag; særlig evne;
□ *there is a* ~ *in it* man skal kende taget; *have a* ~ *for/of* + *-ing* have en vis//særlig evne til at; *he has the* ~ *of it* han kender taget.

knacker ['nækə] *sb.* T **1.** hesteslagter; **2.** nedrivningsentreprenør;
□ *-s* S nosser.

knackered ['nækəd] *adj.* S udkørt; helt flad.

knacker's yard *sb.* **1.** hesteslagteri; **2.** (T: *fig.)* losseplads.

knap [næp] *vb.* hugge *[skærver];* flække *[flint].*

knapsack ['næpsæk] *sb. (glds. el. am.)* rygsæk.

knave [neiv] *sb.* **1.** *(i kortspil)* knægt, bonde; **2.** *(glds.)* slyngel, kæltring; svindler.

knavery ['neiv(ə)ri] *sb.* svindel; kæltringestreg.

knavish ['neiviʃ] *adj.* kæltringeagtig.

knead [niːd] *vb.* **1.** *(dej, ler)* ælte; **2.** *(øm muskel)* massere.

knee¹ [niː] *sb.* **1.** knæ; **2.** *(tekn.)* rørknæ;
□ *bend one's -s to, bend/bow the* ~ *to* bøje knæ for;
[med præp.] weak at the -s T **a.** svag i knæene; **b.** *(fig.)* svag/ blød i knæene; *go down on one's -s* falde på knæ; *sit on sby's* ~ sidde på ens knæ/skød; sidde på skødet af en; *put sby over your* ~ *(glds.)* give én en endefuld; *bring/ force him to his -s* tvinge ham i knæ; *drop to one's -s* falde på knæ.

knee² [niː] *vb.*: ~ *sby in the groin* give en et knæ i skridtet.

knee breeches *sb. pl. (glds.)* knæbukser.

kneecap¹ ['niːkæp] *sb.* knæskal.

kneecap² ['niːkæp] *vb.* skyde i knæet.

knee-deep [niː'diːp] *adj.* som når til knæene *(fx* ~ *snow);*

□ *he was* ~ *in water* han stod i vand til knæene; *he was* ~ *in work* (*fig.*) han var helt begravet i arbejde.

knee-high [niːˈhai] *adj.* knæhøj (*fx grass*);

□ *he was* ~ *to a grasshopper* (*glds.*) han var en lille stump.

knee-jerk [ˈniːdʒəːk] *adj.* automatisk, refleksmæssig.

knee-jerk reaction *sb.* rygmarvsreaktion.

kneel [niːl] *vb.* (*knelt, knelt*) knæle.

kneeler [ˈniːler] *sb.* **1.** en knælende; **2.** knælepude; knæleskammel.

knees-up [ˈniːzʌp] *sb.* T løssluppen fest.

knell [nel] *sb.* se *death knell.*

knelt [nelt] *præt. & præt. ptc. af kneel.*

knew [njuː] *præt. af know².*

Knickerbocker [ˈnikərbɔkər] *sb.* (*am.*) New Yorker.

knickerbockers [ˈnikəbɔkəz] *sb. pl.* knæbukser; knickers.

knickers [ˈnikəz] *sb. pl.* **1.** trusser; underbukser; **2.** (*am.*) knæbukser; knickers;

□ *get one's* ~ *in a twist* (T: *spøg.*) blive helt hysterisk; komme helt ud af flippen.

knick-knack [ˈniknæk] *sb.* nipsting.

knife¹ [naif] *sb.* (*pl. knives* [naivz]) kniv;

□ *the knives are out for him* de vil ham til livs; *war to the* ~ krig på kniven; *so thick you could cut it with a* ~ så tyk at man kunne skære i den;

[*med vb.*] *he has got his* ~ *into me* han har et horn i siden på mig; han er ude efter mig; *put/ stick the* ~ *in* (*fig.*) være brutal/ nådesløs; *before you could say* ~ lige pludselig; i løbet af nul komma fem; *turn/twist the* ~ (*fig.*) dreje kniven rundt i såret.

knife² [naif] *vb.* stikke ned; myrde med kniv.

knife-edge¹ [ˈnaifedʒ] *sb.* knivsæg;

□ *be balanced on a* ~ balancere på en knivsæg; *be on a* ~ **a.** være i en meget vanskelig stilling; **b.** være rystende nervøs (*about* for).

knife-edge² [ˈnaifedʒ] *adj.* knivskarp.

knife rest *sb.* knivbuk, knivstøtte.

knight¹ [nait] *sb.* **1.** (*hist.*) ridder; **2.** (*adelstitel*) ridder [*med rang nærmest under baronet og ret til titlen Sir*]; **3.** (*i skakspil*) springer;

□ *a* ~ *in shining armour, a* ~ *on a charger* ridderen på den hvide

hest; ~ *of the road* farende svend, landevejsridder; *the Knight of the Rueful Countenance* ridderen af den bedrøvelige skikkelse.

knight² [nait] *vb.* slå til ridder; udnævne til ridder.

knight-errant [naitˈerənt] *sb.* (*pl. knights-errant*) (*glds.*) vandrende ridder.

knighthood [ˈnaithud] *sb.* [*titel af knight*];

□ *confer a* ~ *on sby* slå/udnævne en til ridder; *order of* ~ ridderorden.

knightly [ˈnaitli] *adj.* ridderlig.

knit [nit] *vb.* (*knit/-ted, knit/-ted*) **1.** strikke; **2.** strikke retmasker (*fx* ~ *two, purl two*); **3.** knytte sammen, forene (*into* til); **4.** (*om brækket ben etc.*) vokse/gro sammen;

□ ~ *together* **a.** = 2; **b.** = 4; ~ *up* strikke; (se også *brow*).

knitting [ˈnitiŋ] *sb.* **1.** strikketøj; **2.** (*handling*) strikning.

knitting needle *sb.* strikkepind.

knitwear [ˈnitweə] *sb.* strikvarer.

knives [naivz] *pl. af knife¹.*

knob [nɔb] *sb.* **1.** knop; kugle; dup; **2.** (*på maskine, radio, til betjening*) knap; **3.** (*på dør, skuffe*) kuglegreb; **4.** (*am.*) lille høj; **5.** (*vulg.*) pik;

□ *a* ~ *of butter* en klat/klump smør; *with -s on* (*glds.* T) og mere til; og meget værre (*fx we have the same problem with -s on*).

knobbly [ˈnɔbli], **knobby** [ˈnɔbi] *adj.* nopret; knoppet; knudret; ru.

knobkerrie [ˈnɔbkeri] *sb.* kastekølle.

knock¹ [nɔk] *sb.* **1.** slag; stød; **2.** banken; **3.** (T: *i kricket*) inning;

□ *there is a* ~ *at/on the door* det banker; *take a* ~ (*fig.*) få et smæk.

knock² [nɔk] *vb.* **1.** slå (*fx* ~ *sby unconscious;* ~ *a hole in the wall; I -ed my knee on the table*); **2.** (*gentagne gange*) banke; hamre; slå; **3.** (*som signal*) banke (*fx on the door//window//wall*) (*på dør også*) banke 'på (*fx* ~ *before you enter*); **4.** (*om motor, varmerør*) banke; **5.** T rakke ned (på); kritisere; **6.** (*vulg.*) gå i seng med; bolle;

□ *sby -s* det banker; ~ *him cold* slå ham ud; ~ *'em dead!* (*am.* T) gi' den hele armen! *my knees were -ing* mine knæ rystede; *he is -ing 70* se ndf.: ~ *on*;

[*med præp.& adv.*] ~ *about* **a.** daske rundt i (*fx the town*); (*uden objekt*) daske rundt; **b.** rejse rundt (i), rakke rundt (i) (*fx (in) Europe*); **c.** (*person*) slå løs på; mishandle;

maltraktere; **d.** (*bold*) sparke rundt med; **e.** (*idé*) drøfte løseligt; *be -ed about* (*jf. c, også*) få nogle knubs; *is there a pencil -ing about?* T skulle der ikke ligge en blyant og flyde et eller andet sted? ~ *about together* T komme sammen; ~ *about with* T komme sammen med; hænge ud med; ~ *against* **a.** slå imod; **b.** støde imod; (se også *head¹*); ~ *around* se: ~ *about;* ~ *at the door* banke på døren; ~ *back* **a.** (*spiritus*) hælde//tylle i sig; **b.** (*beløb*) koste (*fx it -ed me back £200*);

~ *down* **a.** slå til jorden; (se også *feather¹*); **b.** (*med bil*) køre ned, køre over; **c.** (*ting*) vælte (*fx a chair; a vase*); **d.** (*bygning*) rive ned; **e.** (*maskine, møbel: for transport*) skille ad; **f.** (*am. S: penge*) tjene; **g.** (*am. S: spiritus*) tylle i sig; ~ *him down* (*ved køb*) få ham til at slå af på prisen; prutte ham ned; ~ *the price down* slå af på prisen; *it was -ed down to him* (*ved auktion*) han fik hammerslag på det;

~ *for* se *six²;*

~ *into* slå i (*fx a nail into the wall*); ~ *two rooms into one* slå to værelser sammen; (se også *cocked hat, head¹, shape¹*);

~ *off* **a.** slå af; **b.** (*pris, tid*) reducere med (*fx* ~ *£5 off the price;* ~ *two seconds off the record*); (*i pris også*) give et nedslag på (*fx he -ed £5 off*); **c.** (*arbejde*) producere i en fart; rable af sig; skrive/smøre sammen (*fx an article*); **d.** (*produkt*) kopiere, lave 'efter [*og sælge billigt*]; **e.** S hugge, stjæle; (*sted*) lave røveri i, røve (*fx a bank*); **f.** (S: *person*) slå ihjel, ekspedere; **g.** (*vulg.*) bolle; **h.** (*austr.* T: *spiritus*) hælde//tylle i sig; **i.** (*uden objekt,* T) holde fri; holde fyraften; ~ *it off!* S hold så op!; (se også *block¹, foot¹, head¹, pedestal, spot¹*);

~ *on the head* se *head¹; he is -ing on 70* han nærmer sig/er op imod de 70;

~ *out* **a.** slå ud (*fx two teeth; a window*); **b.** banke ud (*fx a pipe*); **c.** (*person*) slå ud; (T, *fig.: af beundring, overraskelse*) gøre helt stum; **d.** (*især i krig*) ødelægge, gøre det af med (*fx an enemy tank*); **e.** T = ~ *off c*);

~ *over* **a.** vælte (*fx a vase*); **b.** (*med bil*) køre ned; **c.** (*am.* S) lave røveri i, røve;

~ *together* se: ~ *up b*);

~ *up* **a.** (*person*) vække ved at

banke på døren//vinduet; banke op; **b.** (*produkt, især mad*) lave sammen i en fart (*fx he -ed up a meal*); smække sammen; **c.** (*i tennis etc.*) varme op; *get -ed up* (*am. S*) blive gravid; blive bollet tyk.

knockabout ['nɔkəbaut] *adj.* **1.** (*teat.*) lavkomisk; med grove virkemidler; **2.** (*om tøj*) som kan tåle lidt af hvert.

knockabout comedy *sb.* falde på halen-komedie.

knockdown[1] ['nɔkdaun] *sb.* **1.** slag der sender en i gulvet; **2.** (*austr.*) introduktion, præsentation.

knockdown[2] ['nɔkdaun] *adj.* **1.** knusende (*fx blow*); **2.** (*om møbel*) til at skille ad; solgt som samlesæt.

knockdown price *sb.* meget lav pris; foræringspris.

knocker ['nɔkə] *sb.* **1.** dørhammer; **2.** T kværulant; negativ kritiker; □ *-s* (*vulg.*) bryster, babser, nødder.

knocking shop *sb.* S bordel, horehus.

knock-kneed [nɔk'ni:d] *adj.* kalveknæet.

knock-off ['nɔkɔf] *sb.* T billig efterligning, billig kopi.

knock-off goods *sb. pl.* S hælervarer.

knock-off merchandise *sb.* se *knock-off.*

knock-on ['nɔkɔn] *adj.*: *~ effect* dominoeffekt; afsmittende virkning.

knockout[1] ['nɔkaut] *sb.* **1.** (*i boksning*) knockout; **2.** (*i sport*) = *knockout competition*; **3.** T knaldsucces, sensation; □ *it is a ~* (*også*) den er fantastisk god//flot.

knockout[2] ['nɔkaut] *adj.* T fantastisk god//flot.

knock-out blow *sb.* (*fig.*) ødelæggende slag.

knockout competition *sb.* [*konkurrence hvor taberne udgår efter hver runde*]; cupturnering.

knock-up ['nɔkʌp] *sb.* (*i tennis etc.*) opvarmning.

knoll [nəul] *sb.* lille høj; top af en bakke.

knot[1] [nɔt] *sb.* **1.** (*i snor etc., i hår & fig.*) knude; **2.** (*af mennesker*) gruppe, klynge; **3.** (*i træ*) knast; **4.** (*mar.: knude & om fart*) knob; **5.** (*zo.*) islandsk ryle; □ *my stomach was in -s* min mave snørede sig sammen; *tie the ~* T gifte sig; *tie a ~ in* binde knude på; *tie/twist oneself in -s* T **a.** blive forvirret/usikker//nervøs; **b.** (*når man skal forklare noget*) vikle sig ind i selvmodsigelser; *tie*

sby up in -s T forvirre en; gøre en nervøs//usikker.

knot[2] [nɔt] *vb.* (se også *knotted*) **A.** (*med objekt*) **1.** (*snor*) binde knude på; **2.** (*hår*) binde i knude, sætte op i en knude; **3.** (*tæppe*) knytte; **B.** (*uden objekt*) **1.** (*om hår*) danne knuder; **2.** (*om mave*) snøre sig sammen; **3.** (*om muskel*) trække sig sammen; □ *~ one's tie* binde sit slips.

knotgrass ['nɔtgra:s] *sb.* (*bot.*) vejpileurt; skedeknæ.

knotted ['nɔtid] *adj.* knudret; knortet; □ *get ~!* S gå ad helvede til! *a ~ rope* et knudetov.

knotty ['nɔti] *adj.* **1.** (*om træ*) knastet; **2.** (*om problem, sag*) indviklet, vanskelig.

know[1] [nəu] *sb.*: *be in the ~* vide besked; være indviet.

know[2] [nəu] *vb.* (*knew, known*) (se også *knowing, known*[2]) **1.** vide; **2.** (*person &+ sb.*) kende (*fx him; the address; the answer; a good restaurant*); **3.** (*som man har truffet før*) kende igen, genkende (*fx it had been so long I hardly knew her; I couldn't hear the words but I knew the voice*); **4.** (*sprog, emne, sag*) kunne (*fx does he ~ English? I don't ~ enough history; she -s her job*); (*emne, sag også*) kende 'til; forstå sig på; □ *~ how to* kunne (*fx drive a car*); forstå sig på at; *~ the difference between* kende forskel på; (se også *mind*[1]*, no*[2] (*etc.*)); [*med: I, you*] *I ~* jeg ved det godt; *I ~, but* ja men; *for all /aught/ anything I ~* så vidt jeg ved; *he may be dead for all I ~* jeg aner ikke om han er levende eller død; han kan godt være død, jeg ved ikke noget om det; *not if I ~ it* **a.** ikke med min gode vilje; **b.** jeg skal ikke nyde noget; *you ~* ved du; jo; skam (*fx he is not so old, you ~*); *you never ~* man kan aldrig vide; se også ndf.: *what do you ~ etc.*; [*med vb.*] *come to ~* erfare; *what do you ~!* det må jeg sige! det siger du ikke! der kan man se!; (se også *what*); *don't you ~* du forstår nok; du ved nok; *don't I ~ it!* T som om jeg ikke vidste det! *get to ~ sby* lære en at kende; *you ought to ~ better than to do that* du burde være alt for fornuftig til at gøre det; *you wasn't to ~* hvordan skulle du kunne vide det; *I wouldn't ~* det skal jeg ikke kunne sige; *wouldn't you like to*

~? T det ku' du li' og vide! [*med præp.& adv.*] *~ about* kende 'til, vide noget om; forstå sig på (*fx cars*); *that's all you ~ about it* det er noget du tror; *I don't ~ about that* det er jeg nu ikke så sikker på; det ved jeg nu ikke rigtig; (*isn't she pretty?*) *I don't ~ about pretty, but ...* køn vil jeg nu ikke kalde det, men ...; *I don't ~ about you, but ...* jeg ved ikke hvordan det er med dig//hvad du vil, men ... (*fx I'm leaving now*); (se også *first* (*thing*)); *~ sth backwards* kende noget ud og ind/forfra og bagfra; *~ him by sight* kende ham af udseende; *~ him by his voice* kende ham på stemmen; *not ~ A from B* ikke kunne kende forskel på A og B (*fx he doesn't ~ a mouse from a modem*); *he doesn't ~ one pupil from another* han kender ikke forskel på eleverne; (se også *Adam, arse*[1]); *~ of* se ovf.: *~ about; not that we ~ of* ikke så vidt vi ved.

knowable ['nəuəbl] *adj.* som kan vides.

know-all ['nəuɔ:l] *sb.* T bedrevidende person; en der tror han ved alt; blærerøv.

know-how ['nəuhau] *sb.* sagkundskab, ekspertviden, ekspertise.

knowing ['nəuiŋ] *adj.* **1.** medvidende (*fx smile*); meget sigende (*fx look* blik); **2.** bevidst (*fx breach of the rules*); **3.** (*neds.*) snu (*fx bird* rad); □ *there is no ~* man kan aldrig vide.

knowingly ['nəuiŋli] *adv.* **1.** med vilje, med forsæt, bevidst; **2.** medvidende (*fx smile ~*); □ *look ~ at him* sende ham et meget sigende blik.

know-it-all ['nəuitɔ:l] *sb.* (*især am.*) = *know-all.*

knowledge ['nɔlidʒ] *sb.* viden (*of* om); kendskab (*of* til); F kundskaber (*of*); □ *~ is power* kundskab er magt; (se også *common*[2]); [*med præp.*] *in full ~ of* med fuldt kendskab til; *safe/secure in the ~ that* i sikker forvisning om at; *to the best of my ~* efter min bedste overbevisning; *bring sth to sby's ~* F bringe noget til ens kundskab; *he had to my (certain) ~ been bribed* jeg vidste (med sikkerhed) at han var blevet bestukket; *not to my ~* ikke så vidt jeg ved; *with//without my ~* med// uden mit vidende.

knowledgeable ['nɔlidʒəbl] *adj.* velinformeret, vidende, kyndig;

□ *be* ~ *about* have god forstand på, være godt inde i, vide meget om.

known[1] [nəun] *præt. ptc. af know*[2].

known[2] [nəun] *adj.* **1.** kendt (*fx the* ~ *world*); **2.** velkendt (*fx criminal; problem*);

□ *there is no* ~ *cure//reason* man kender ikke noget middel//nogen grund; *the only* ~ *method* den eneste metode man kender; [*med vb.*] *be* ~ *as* **a.** være kendt som (*fx a good painter*); **b.** (*om navn*) være kendt som, gå under navnet ... (*fx he was* ~ *as "Mr Smart"*); *be* ~ *to the police* være en gammel kending af politiet; *make it* ~ bekendtgøre det; *make oneself* ~ *to sby* præsentere sig for en; fortælle en hvem man er.

knuckle[1] ['nʌkl] *sb.* **1.** kno; **2.** (*kødudskæring*) skank; □ *near the* ~ lige på stregen [ɔ: *vovet*]; (se også *crack*[3], *rap*[1]).

knuckle[2] ['nʌkl] *vb.*: ~ *down* **a.** gå i gang; tage fat; **b.** = ~ *under*, ~ *under* falde til føje; give efter (*to* for).

knuckle-dragging ['nʌkldrægiŋ] *adj.* (*am.* S) primitiv.

knuckleduster ['nʌkldʌstə] *sb.* knojern.

knucklehead ['nʌklhed] *sb.* (*især am.* T) tåbe, glatnakke.

knuckle sandwich *sb.* S knytnæveslag [*på munden*]; kæberasler; kajeryster.

knurl [nɜːl] *sb.* rifling; roulettering.

KO[1] *fork. f.* **1.** *knockout*; **2.** (*i fodbold*) *kick-off.*

KO[2] [keiˈou] *vb.* (*am.* S) slå ud.

koala [kəuˈaːlə] *sb.* (*zo.*) koalabjørn.

kohl [kəul] *sb.* kohlblyant.

kohlrabi [kəulˈraːbi] *sb.* (*bot.*) kålrabi.

Komodo [kəˈməudəu]: ~ *dragon/ lizard* (*zo.*) komodovaran.

kook [kuːk] *sb.* (*især am.* T) skør rad; skør kule.

kookaburra ['kukəbʌrə] *sb.* (*austr. zo.*) latterfugl.

kooky ['kuːki] *adj.* (*især am.* T) skør.

koppie, kopje ['kɔpi] *sb.* (*sydafr.*) lille høj.

Koran [kɔˈraːn]: *the* ~ koranen.

Korea [kəˈriə] Korea.

Korean[1] [kəˈriən] *sb.* **1.** (*person*) koreaner; **2.** (*sprog*) koreansk.

Korean[2] [kəˈriən] *adj.* koreansk.

kosher ['kəuʃə] *adj.* **1.** (*om jødisk mad etc.*) kosher; rituelt forskriftmæssig; **2.** T rigtig, ægte, uangribelig.

kowtow [kauˈtau] *vb.* hilse ydmygt;

□ ~ *to* (*fig.*) ligge på maven for.

KP *fork. f. kitchen police.*

kph *fork. f. kilometres per hour.*

kraal [kraːl] *sb.* (*sydafr.*) **1.** kraal [*indhegnet landsby*]; **2.** kvægfold.

kraut [kraut] *sb.* S tysker.

Kremlin ['kremlin]: *the* ~ Kreml.

krugerrand ['kruːgərænd] *sb.* [*sydafrikansk guldmønt*].

Kt. *fork. f. knight.*

kudos ['kjuːdɔs] *sb.* (*spøg.*) hæder, ære; ry, berømmelse.

kudzu ['kudzuː] *sb.* (*am. bot.*) pueraria.

Ku-Klux-Klan [kuːklʌksˈklæn] *sb.* Ku-Klux-Klan [*hemmeligt selskab i sydstaterne med det formål at holde de sorte nede*].

kung fu [kʌŋˈfuː] *sb.* kung-fu [*en kinesisk kampsport*].

Kurd [kɜːd] *sb.* kurder.

Kuwait [kuˈweit, kjuː-].

Kuwaiti[1] [kuˈweiti, kjuː-] *sb.* kuwaiter.

Kuwaiti[2] [kuˈweiti, kjuː-] *adj.* kuwaitisk.

kvetch [kvetʃ] *vb.* (*am.*) brokke sig, beklage sig.

kW *fork. f. kilowatt(s).*

kWh *fork. f. kilowatt hour(s)* kilowatt-time.

Ky. *fork. f. Kentucky.*

L

L¹ [el].

L² fork. f. **1.** *Lake*; **2.** (*på bil*) *learner driver*; **3.** (*tøjstørrelse*) *large*.

l. fork. f. **1.** *left*; **2.** (*valuta*) *lira*; **3.** (*rummål*) *litre(s)*.

LA fork. f. *Los Angeles*.

La. fork. f. *Louisiana*.

laager ['la:gə] sb. **1.** (*sydafr. hist.*) vognborg; **2.** (*fig.*) fæstning, forskansning.

laager mentality sb. (*omtr.*) skyttegravsmentalitet.

Lab fork. f. **1.** (*hund*) *Labrador*; **2.** (*parti*) *Labour*.

lab [læb] sb. T laboratorium.

label¹ ['leib(ə)l] sb. **1.** seddel; mærkeseddel (*fx luggage* ~); mærke; **2.** (*især på flaske & it*) etiket; **3.** (*på maskine, skuffe, hylde*) skilt; **4.** (*på bogbind*) rygskilt, titelfelt; **5.** (*på vare*) se *informative label*; **6.** (*på tøj*) tøjmærke; **7.** (*for plade*) plademærke; pladeselskab; **8.** (*i ordbog*) markør, markeringsangivelse; **9.** (*fig.*) etiket, betegnelse; stempel;
□ *pin a* ~ *on sby* (*jf.* 9) sætte en etiket på en, hæfte en betegnelse på en; sætte en i bås.

label² ['leib(ə)l] vb. **1.** mærke; etikettere; sætte etiket//seddel// mærke//mærkeseddel etc. på [(jf. *label¹*)]; **2.** (*fig.*) rubricere, stemple (*as* som);
□ ~ *him* (*også*) sætte ham i bås.

labia ['leibiə] sb. pl. (*anat.*) skamlæber.

labial ['leibiəl] sb. (*fon.*) labial, læbelyd.

laboratory [lə'bɔrət(ə)ri, (*am.*) 'læbrətɔ:ri] sb. laboratorium.

Labor Day sb. (*am.*) [en årlig fridag i de fleste stater, alm. første mandag i september].

laborious [lə'bɔ:riəs] adj. **1.** (*om arbejde*) møjsommelig, anstrengende, slidsom; **2.** (*om stil*) anstrengt, tung.

labor union sb. (*am.*) fagforening.

Labour ['leibə] sb. arbejderpartiet; arbejderbevægelsen.

labour¹ ['leibə] sb. **1.** arbejde (*fx manual* ~); **2.** hårdt arbejde, slid, anstrengelse; møje (*fx lost* (spildt) ~); **3.** (*personer*) arbejdskraft (*fx skilled* (faglært) ~); **4.** (*med.*) fødselsveer;
□ *be in* ~ have fødselsveer; ~ *of Hercules* kæmpearbejde; ~ *of love* arbejde man gør for sin fornøjelse; kært arbejde.

labour² ['leibə] vb. **1.** (*hårdt*) arbejde, slide (i det), knokle; anstrenge sig (*fx to* (for at) *get finished*); **2.** (*langsommeligt*) arbejde/kæmpe sig frem//op etc. (*fx he -ed along the road//up the hill*); **3.** (*om skib*) hugge (i søen); **4.** (*neds.*) udpensle (*fx the argument*);
□ ~ *the point* gå i detaljer; tvære det ud;
[med præp.] ~ *at* arbejde med//på; slide med, knokle med; ~ *for breath* kæmpe for at få vejret; ~ *over* se ovf.: ~ *at*; ~ *under* lide under; have at kæmpe med; (se også *delusion, illusion*).

labour camp sb. arbejdslejr.

laboured ['leibəd] adj. **1.** anstrengt (*fx breathing*); **2.** (*om stil etc.*) kunstlet, søgt, fortænkt.

labourer ['leibərə] sb. arbejder; arbejdsmand; (*på landet*) landarbejder.

labour-intensive ['leibərintensiv] adj. arbejdskraftintensiv, arbejdskrævende.

Labourite ['leibərait] sb. medlem af arbejderpartiet; tilhænger af arbejderbevægelsen.

labour market sb. arbejdsmarked.

labour pains sb. pl. veer, fødselsveer.

Labour Party sb.: *the* ~ arbejderpartiet.

labour relations sb. pl. **1.** [forholdet mellem arbejdsgivere og arbejdstagere]; **2.** (*i firma*) [forholdet mellem ledelsen og de ansatte].

labour-saving ['leibəseiviŋ] adj. arbejdsbesparende.

Labrador ['læbrədɔ:] sb. (*hund*) labrador.

laburnum [lə'bə:nəm] sb. (*bot.*) guldregn.

labyrinth ['læbərinθ] sb. (*litt.*) labyrint.

labyrinthine [læbə'rinθain] adj. (*litt.*) labyrintisk; kompliceret.

lace¹ [leis] sb. **1.** (*til at binde*) snor; (*i fodtøj*) snørebånd; **2.** (*til pynt*) kniplinger; blonder;
□ *make* ~ kniple; *a piece of* ~ en knipling; en blonde.

lace² [leis] vb. **1.** snøre (*fx one's boots*); **2.** (*mar.*) lidse;
□ ~ *into* T kaste sig over; ~ *one's fingers together* folde sine hænder; ~ *up* snøre; ~ *it with* ...
a. blande lidt ... i det, tilsætte det en lille smule ... (*fx* ~ *the coffee with brandy*; ~ *his food with sleeping pills*); **b.** (*om ytring*) spække med (*fx a speech -d with quotations*).

laced [leist] adj. kniplingsbesat; blondebesat; (se også *lace²* (*lace with*)).

lace pillow sb. kniplepude.

lacerate ['læsəreit] vb. F sønderrive; flænge.

laceration [læsə'reiʃn] sb. **1.** flænge, rift; **2.** (*handling*) flængen, sønderrivelse.

lace-ups ['leisʌps] sb. pl. **1.** snøresko; **2.** snørestøvler.

lacewing ['leiswiŋ] sb. (*zo.*) florflue.

lachrymal ['lækrim(ə)l] adj. tåre- (*fx gland*).

lachrymose ['lækriməus] adj. (*litt.*) **1.** (*om person*) grædende; klynkende; **2.** (*om litteratur etc.*) drivende sentimental, tårepersende (*fx drama*);
□ *be* ~ (*jf.* 1, *også*) have let til tårer.

lacing ['leisiŋ] sb. **1.** snore; snørebånd; (*på uniform*) tresser; **2.** (*mar.*) lidse; **3.** (*af spiritus etc.*) tilsætning; **4.** T omgang klø.

lack¹ [læk] sb. mangel (*of* på, *fx sleep*);
□ *for* ~ *of* af mangel på; *for* ~ *of space* (*også*) af pladsmangel.

lack² [læk] vb. mangle; savne; (se også *lacking*).

lackadaisical [lækə'deizik(ə)l] adj. uengageret, uinteresseret, ligeglad.

lackey ['læki] sb. (*neds.*) lakaj, spytslikker.

lackey moth sb. (*zo.*) ringspinder.

lacking ['lækiŋ] adj.: *be* ~ mangle, savnes; *it is sad//fly* ~ det mangler desværre; *be* ~ *in* mangle; *be* ~ *in ideas* være idéforladt; *he was*

481

sadly ~ *in tact* han udviste en sørgelig mangel på takt.

lacklustre ['læklʌstə] *adj.* glansløs, mat; trist, kedelig.

laconic [lə'kɔnik] *adj.* lakonisk; ordknap; kort og fyndig.

lacquer[1] ['lækə] *sb.* **1.** lak, lakfernis; **2.** (*glds.*) hårlak; **3.** (*ting*) lakarbejder.

lacquer[2] ['lækə] *vb.* lakere.

lacrosse [lə'krɔs] *sb.* lakrosse [*et boldspil*].

lactate [læk'teit] *vb.* give die.

lactation [læk'teiʃn] *sb.* **1.** diegivning; **2.** (*om ko*) mælkeydelse.

lactic ['læktik] *adj.* mælke- (*fx acid*).

lactose ['læktəus] *sb.* laktose, mælkesukker.

lacuna [lə'kju:nə] *sb.* (*pl. -s/-e* [-ni:]) F lakune, hul.

lacy ['leisi] *adj.* **1.** kniplingsagtig; blondeagtig; **2.** se *laced*.

lad [læd] *sb.* knægt, dreng; T ung fyr; (*glds.*) knøs;
□ *he's a bit of a ~* T han er en værre en; han er en skørtejæger; *the -s* T (*også*) gutterne.

ladder[1] ['lædə] *sb.* **1.** stige; **2.** (*mar.*) lejder; **3.** (*på strømpe*) maske der er løbet; **4.** (*fig.*) rangstige (*fx the social ~; those further up the ~*);
□ *get one's foot on the ~* gøre en begyndelse; *the ~ of success* (*omtr.*) vejen til succes.

ladder[2] ['lædə] *vb.*: *the stocking -ed* der løb en maske på strømpen.

laddie ['lædi] *sb.* [*kæleform af lad*]; (*i tiltale*) lille ven.

laddish ['lædiʃ] *adj.* sej; frisk; mandschauvinistisk.

laden ['leid(ə)n] *adj.*: ~ *with* **a.** belæsset med; **b.** tynget af.

la-di-da [la:di'da:] *adj.* (*glds.* T) (*om udtale, væsen*) krukket, affekteret; fin på den, darnet.

ladies ['leidiz] *sb.* **1.** *pl. af lady*; **2.** dametoilet.

ladies' ['leidiz] (*i sms.*) dame- (*fx compartment* kupé; *page* side; *room* toilet).

ladies' man *sb.* (*glds.* T) dameven.

ladle[1] ['leidl] *sb.* **1.** øseske; grydeske; slev; (*se også soup ladle*); **2.** (*i støberi*) støbeske.

ladle[2] ['leidl] *vb.* øse;
□ ~ *out* **a.** øse op (*fx soup*); **b.** (T: *fig.*) øse ud; dele ud til højre og venstre.

Lady ['leidi] *sb.* [*titel for damer af en vis rang*]; (*se også Our Lady*).

lady[1] ['leidi] *sb.* **1.** dame; **2.** (*i tiltale, især am.*) frue; lille dame;
□ *ladies!* (*i tiltale*) de damer! *la-*

dies and gentlemen! mine damer og herrer!

lady[2] ['leidi] *adj.* kvindelig (*fx doctor; companion; secretary*).

ladybird ['leidibə:d] *sb.* (*zo.*) mariehøne.

lady bountiful *sb.* [*veldædig (og patroniserende) dame*]; hattedame.

ladybug ['leidibʌg] *sb.* (*am.*) = *ladybird*.

Lady Day *sb.* Mariæ bebudelsesdag [*25. marts*].

lady-in-waiting [leidiin'weitiŋ] *sb.* hofdame.

lady-killer ['leidikilə] *sb.* (*glds.* T) kvindebedårer; Don Juan.

ladylike ['leidilaik] *adj.* fin; elegant; dannet; fornem.

lady's bedstraw *sb.* (*bot.*) gul snerre.

lady's finger *sb.* **1.** (*bot.*) rundbælg; **2.** [*fingerformet stykke sukkerbrødskage*]; **3.** (*austr.*) [*slags kort banan*].

Ladyship ['leidiʃip] *sb.*: *Her//Your ~ hendes//Deres* nåde.

lady's maid *sb.* kammerpige.

lady's mantle *sb.* (*bot.*) løvefod.

lady's slipper *sb.* (*bot.*) fruesko.

lady's smock *sb.* (*bot.*) engkarse.

lady's tresses *sb.* (*bot.*) skrueaks.

laff [la:f] *sb.* S = *laugh*[1].

lag[1] [læg] *sb.* forsinkelse; det man er bagefter; efterslæb; (*se også old lag*).

lag[2] [læg] *vb.* **1.** bevæge sig langsomt; smøle; (*se også ndf.*: ~ *behind*); **2.** isolere; beklæde; **3.** (*austr.* S) arrestere; sætte i fængsel;
□ ~ *behind* komme//være bagefter; sakke//være bagud.

lager ['la:gə] *sb.* pilsner.

lager lout *sb.* T fuld ballademager.

laggard ['lægəd] *sb.* smøl; efternøler.

lagged [lægd] *adj.* forsinket.

lagging ['lægiŋ] *sb.* isolationsmateriale, isolering; beklædning.

lagoon [lə'gu:n] *sb.* lagune.

lah-di-da *adj.* = *la-di-da*.

laid [leid] *præt. & præt. ptc. af lay*[3].

laid-back [leid'bæk] *adj.* T afslappet, tilbagelænet.

laid paper *sb.* vandmærkepapir.

lain [lein] *præt. ptc. af lie*[2].

lair [lɛə] *sb.* **1.** (*vildt dyrs*) leje; hule; **2.** (*fig. for person*) tilflugtssted; hule.

laird [lɛəd] *sb.* (*skotsk*) godsejer; herremand.

laissez-faire [leisei'fɛə] *sb.* laissez-faire; kræfternes frie spil [*i det økonomiske liv*].

laity ['leiəti] *sb.* lægfolk.

lake [leik] *sb.* **1.** sø; indsø; (*se også jump*[2] (*in*)); **2.** lakfarve.

Lake Constance (*geogr.*) Bodensøen.

Lake District *sb.*: *the ~* sødistriktet [*i Nordvestengland*].

lake dwelling *sb.* pælebygning.

lake trout *sb.* (*zo.*) amerikansk søørred.

lallygag ['læligæg] *vb.* = *lollygag*.

lam[1] [læm] *sb.*: *on the ~* (*am.* T) på flugt.

lam[2] [læm] *vb.* S **1.** slå, tæske; **2.** (*am.*) stikke af;
□ ~ *into* tæske løs på; gå i kødet på.

lama ['la:mə] *sb.* (*rel.*: tibetansk) lama.

lamb[1] [læm] *sb.* **1.** lam; **2.** (*mad*) lam, lammekød;
□ *like a ~ to the slaughter* føjeligt som et lam; (*se også mutton, sheep*).

lamb[2] [læm] *vb.* læmme.

lambast [læm'bæst], **lambaste** [læm'beist] *vb.* kritisere sønder og sammen, sable ned; gennemhegle.

lambent ['læmbənt] *adj.* (*litt.*) **1.** (*om lys*) dæmpet, blidt; **2.** (*om vid*) spillende.

Lambeth ['læmbəθ] [*del af London*].

Lambeth Palace [*residens i London for ærkebiskoppen af Canterbury*].

lambrequin ['læmbəkin] *sb.* **1.** (*am.*) gardinkappe; draperi; **2.** (*hist.*) hjelmklæde.

lamb's lettuce *sb.* (*bot.*) vårsalat.

lame [leim] *adj.* **1.** halt; **2.** (*fig.*) tynd (*fx explanation*); svag, tam (*fx argument*);
□ ~ *excuse* dårlig undskyldning.

lame duck *sb.* (*fig.*) **1.** hjælpeløs person; **2.** (*merk.*) insolvent spekulant; firma der er i vanskeligheder; **3.** (*am.*) [*politiker i slutningen af sin embedsperiode efter et valg hvor han ikke er blevet genvalgt og derfor ikke kan udrette noget særligt*].

lament[1] [lə'ment] *sb.* **1.** klage (*for over*); jammerklage; **2.** klagesang, sørgesang.

lament[2] [lə'ment] *vb.* **1.** sørge, klage (*for over*); jamre; **2.** (*med objekt*) sørge over, begræde (*fx sby's death*); jamre over; sørge over tabet af;
□ *the late -ed John Brown* afdøde John Brown.

lamentable ['læməntəbl, lə'men-] *adj.* F stærkt beklagelig; ulykkelig; jammerlig.

lamentation [læmen'teiʃn] *sb.* F

1. klage; jammer; **2.** sorg; □ *-s* klageråb; klagesange.
laminate ['læminət] *sb.* laminat.
laminated ['læmineitid] *adj.* lamineret; delt i tynde lag.
laminated plastic *sb.* plastlaminat.
laminated spring *sb.* bladfjeder.
laminated wood *sb.* lamineret træ, limtræ.
lamp [læmp] *sb.* **1.** lampe; **2.** (gade)lygte.
lampblack ['læmpblæk] *sb.* kønrøg [*farvestof lavet af sod*].
lamp chimney *sb.* lampeglas [*til petroleumslampe*].
lamplight ['læmplait] *sb.* **1.** lampelys; kunstigt lys; **2.** lygteskær.
lampoon[1] [læm'pu:n] *sb.* smædeskrift; satirisk skrift; (*digt*) smædedigt.
lampoon[2] [læm'pu:n] *vb.* satirisere over, skrive smædeskrift(er) om; □ *be -ed* blive latterliggjort.
lamppost ['læmppəust] *sb.* lygtepæl; (se også *between*).
lamprey ['læmpri] *sb.* (zo.) lampret.
lampshade ['læmpʃeid] *sb.* lampeskærm.
LAN [læn] *fork. f. local area network* (*it*) lokalnet; lokalt datanet.
lance[1] [la:ns] *sb.* **1.** lanse; **2.** (*til fiskeri*) spyd.
lance[2] [la:ns] *vb.* skære//stikke hul på (*fx a boil* en byld); perforere, gennembore.
lance corporal *sb.* (*mil.*) overkonstabel; underkorporal.
lancelet ['la:nslit] *sb.* (zo.) lancetfisk.
lancer ['la:nsə] *sb.* (*hist. mil.*) lansener.
lancers ['la:nsəz] *sb.* lanciers [*en dans*].
lancet ['la:nsit] *sb.* (*med.*) lancet.
lancet arch *sb.* (*arkit.*) spidsbue.
lancet window *sb.* (smalt) spidsbuevindue.
Lancs. *fork. f. Lancashire.*
land[1] [lænd] *sb.* **1.** (*mods. vand*) land; **2.** (*ejendom; område*) jord (*fx he owns ~//-s in Shropshire; a piece of ~; agricultural ~*); **3.** (*litt.*) land, rige; □ *by ~* over land; *til lands; be back in the ~ of the living* (ɔ: *være vågnet*) være kommet op til overfladen; *live off the ~* leve af landbrug; *go//work on the ~* blive//være landarbejder.
land[2] [lænd] *vb.* **A.** (*uden objekt*) **1.** lande; **2.** (*om//med fly*) lande, gå ned, komme ned; **3.** (T: *om noget ubehageligt el. uventet*) lande, havne (*fx the problem//report -ed on my desk*); ende;

B. (*med objekt*) **1.** (*fra skib, fly: person(er)*) landsætte (*fx troops; men on the moon*); (*varer*) lande; **2.** (*fisk*) fange; lande, tage på land; **3.** (*fly*) lande med; bringe til landing; **4.** (*noget man har ønsket*) skaffe sig, redde sig (*fx a job*); vinde (*fx a prize*); kapre (*fx a husband*); **5.** (T: *slag*) lange, give (*fx ~ him a blow*); få anbragt, få ind (*fx without -ing a single punch*); □ *~ sby in* difficulties bringe en i vanskeligheder; *~ on one's feet* se *foot*[1]; *~ on sby* (*am.* T) give én en ordentlig omgang; *~ up* T havne (*fx in France*); ende (*fx in jail*); *~ up + -ing* T ende med at; *~ with* T belemre med (*fx ~ him with the job of finding a room*); skaffe på halsen; *be -ed with* sidde med, have fået på halsen.
land agent *sb.* **1.** ejendomshandler; **2.** godsforvalter.
land breeze *sb.* fralandsvind.
landed ['lændid] *adj.* jordbesiddende; godsejer-.
landed gentry *sb.* landadel.
landed interest *sb.:* *the ~* godsejerne.
landfall ['læn(d)fɔ:l] *sb.* **1.** det at lande/nå land; **2.** (*mar.*) anduvning; **3.** (*observation*) landkending; □ *make ~* **a.** nå land; **b.** (*om fly*) lande; **c.** (*ved observation*) få landkending; *make a safe ~* **a.** nå sikkert i land; **b.** (*om fly*) lande i sikkerhed.
landfill ['læn(d)fil] *sb.* **1.** opfyldning [*ved hjælp af affald*]; **2.** affald til opfyldning; **3.** affaldsdepot.
landfill gas *sb.* skraldgas.
landfill site *sb.* fyldplads.
landholder ['læn(d)həuldə] *sb.* **1.** jordbesidder; **2.** forpagter.
landing ['lændiŋ] *sb.* **1.** landgang; **2.** (*flyv.*) landing; **3.** (*mil. etc.*) landsætning (*fx of troops; of men on the moon*); **4.** (*sted*) landingsplads; anløbsbro; **5.** (*på trappe*) trappeafsats; repos.
landing craft *sb.* landgangsfartøj.
landing gear *sb.* (*flyv.*) understel, landingsstel.
landing net *sb.* fangstnet.
landing stage *sb.* anløbsbro.
landing strip *sb.* se *airstrip.*
landlady ['læn(d)leidi] *sb.* **1.** værtinde; vært; **2.** kvindelig godsejer.
landline[1] ['læn(d)lain] *sb.* fastnettelefonforbindelse.
landline[2] ['læn(d)lain] *vb.* ringe op på fastnettelefon.
landlocked ['læn(d)lɔkt] *adj.* omgivet af land; uden adgang til havet.

landlord ['læn(d)lɔ:d] *sb.* **1.** vært; ejer; **2.** godsejer.
landlubber ['læn(d)lʌbə] *sb.* (*glds.* T: *om person*) landkrabbe.
landmark[1] ['læn(d)ma:k] *sb.* **1.** (*til at orientere sig efter*) retningspunkt; orienteringspunkt; (*for sejlads*) landmærke; **2.** (*for by*) vartegn; **3.** (*fig.*) milepæl, skelsættende begivenhed (*fx in one's life; in our history*); **4.** (*am.*) bevaringsværdig bygning; historisk mindesmærke.
landmark[2] ['læn(d)ma:k] *adj.* skelsættende (*fx decision*).
landmarked ['læn(d)ma:kt] *adj.* (*am.*) fredet.
landmine ['læn(d)main] *sb.* landmine.
landowner ['lændəunə] *sb.* **1.** godsejer; **2.** grundejer.
landowning ['lændəuniŋ] *adj.* jordbesiddende; godsejer-.
Land Register *sb.* tingbog.
Land Registry *sb.* tinglysningskontor.
landscape ['læn(d)skeip] *sb.* **1.** landskab; **2.** landskabsmaleri.
landscape architect *sb.* landskabsarkitekt.
landscape gardener *sb.* anlægsgartner, havearkitekt.
landscaper ['læn(d)skeipə] *sb.* (*am.*) = *landscape gardener.*
Land's End [læn(d)z'end] [*sydvestligste spids af England i Cornwall*].
landslide ['læn(d)slaid] *sb.* **1.** jordskred; bjergskred; **2.** (*fig.: ved valg*) stemmeskred; jordskredssejr.
landslip ['læn(d)slip] *sb.* mindre jordskred//bjergskred.
landward ['lændwəd] *adj.* mod land; land- (*fx side*).
lane [lein] *sb.* **1.** smal vej [*fx mellem hegn*]; (*i by*) stræde; smal gade; **2.** (*mellem mennesker*) gang; **3.** (*på vej*) (vogn)bane; spor; (*i sms.*) -sporet (*fx an eight-~ motorway*); (se også *bus lane, cycle lane*); **4.** (*i sport*) bane; **5.** (*mar.*) sejlrute; **6.** (*flyv.*) flyrute, luftrute; □ *form a ~* (*jf. 2*) **a.** danne en gang, give plads; **b.** danne spalier; (se også *fast lane, slow lane*).
language ['læŋgwidʒ] *sb.* sprog; □ *in a foreign ~* på et fremmed sprog; *mind/watch your ~!* (*glds.*) tal ordentligt! (ɔ: *lad være med at bande*); (se også *bad, strong*).
languid ['læŋgwid] *adj.* (*litt.*) **1.** mat, sløv, lad; ligegyldig; **2.** (*om tid*) fredelig, afslappet, døsig (*fx days in the sun*).
languish ['læŋgwiʃ] *vb.* **1.** sygne hen, sløves (*fx his interest -ed*);

2. (*om person*) vansmægte, henslæbe sit liv (*fx in prison*); friste en kummerlig tilværelse;
□ ~ *for* sygne hen af længsel efter; smægte efter.
languishing ['læŋgwiʃiŋ] *adj.* smægtende (*fx look*).
languor ['læŋgə] *sb.* (*litt.*) **1.** mathed, sløvhed, døsighed; ligegyldighed; **2.** (trykkende) stilhed.
languorous ['læŋgərəs] *adj.* **1.** afslappet, fredelig; **2.** mat, sløv, ligegyldig.
langur [ləŋ'guə] *sb.* (*zo.*) langur, hulman (*en abeart*).
lank [læŋk] *adj.* **1.** (*om hår*) slasket; **2.** (*om person*) = *lanky*; **3.** (*sydafr.*) masser af (*fx ~ money*); **4.** (*sydafr.* T: *rosende*) fed.
lanky ['læŋki] *adj.* ranglet.
lanolin(e) ['lænəli:n] *sb.* lanolin.
lantern ['læntən] *sb.* **1.** lygte (*fx a paper ~*); **2.** (*arkit.: overbygning på kuppel*) lanterne.
lantern fly *sb.* (*zo.*) lyscikade.
lantern-jawed [læntən'dʒɔ:d] *adj.* hulkindet.
lanyard ['lænjəd] *sb.* **1.** snor [*til at bære kniv el. fløjte i*]; **2.** (*mar.*) taljereb; **3.** (*mil.*) aftrækkersnor; (*til pistol*) fangsnor.
Laos ['la:ɔs, laus].
Laotian[1] ['lauʃn] *sb.* **1.** (*person*) laot; **2.** (*sprog*) laotisk.
Laotian[2] ['lauʃn] *adj.* laotisk.
lap[1] [læp] *sb.* **1.** (*persons*) skød; **2.** (*i sport: af løb*) omgang, runde; **3.** (*af rejse*) etape; stykke (*fx the last ~ of our journey*); **4.** (*af vand*) skvulpen; plasken;
□ *it is in the ~ of the gods* det ligger i fremtidens skød; ~ *of honour* (*jf. 2*) æresrunde; *be in the ~ of luxury* være omgivet af luksus.
lap[2] [læp] *vb.* (se også *lapped*) **1.** (*om vand*) plaske, skvulpe; (*med objekt*) plaske imod (*fx the waves -ped the shore*); **2.** (*om dyr: drikke*) labbe i sig; **3.** (*i sport*) fuldføre en omgang; (*med objekt*) overhale med en omgang//flere omgange;
□ *he was -ped twice* (*jf. 3*) han kom to omgange bagefter; ~ *over* ligge ud over; ~ *up* **a.** labbe i sig; **b.** (T: *fig.*) lytte ivrigt//begærligt til; sluge.
lap belt *sb.* hoftesele; sikkerhedsbælte.
lap dissolve *sb.* (*film.*) overtoning.
lapdog ['læpdɔg] *sb.* skødehund.
lapel [lə'pel] *sb.* opslag, revers.
lapidary[1] ['læpidəri] *sb.* [*en der polerer smykkesten*]; stenskærer.
lapidary[2] ['læpidəri] *adj.* **1.** sten-; ædelstens-; **2.** (*om udtryksform*)

lapidarisk; kort og træffende.
lapis lazuli [læpis'læzjulai] *sb.* (*min.*) lapis lazuli, lasursten.
Lapland ['læplænd] Lapland.
Lapland bunting *sb.* (*zo.*) laplandsværling.
Laplander ['læplændə] *sb.* laplænder.
Lapp[1] [læp] *sb.* laplænder; lap.
Lapp[2] [læp] *adj.* lappisk.
lapped [læpt] *adj.: -ped in* (*litt.*) **a.** indhyllet i (*fx blankets*); **b.** (*fig.*) omgivet af (*fx luxury; peace*).
Lappish[1] ['læpiʃ] *sb.* (*sprog*) lappisk.
Lappish[2] ['læpiʃ] *adj.* lappisk.
lap robe *sb.* (*am.*) køretæppe.
lapse[1] [læps] *sb.* **1.** lapsus, (mindre) fejl, forsømmelse; **2.** (*mht. egenskab*) svigt; (se ndf.: ~ *of*); **3.** (*rel.*) frafald (*fx from true belief*); **4.** (*om tid*) periode, tidsrum (*fx after a ~ of two years*); interval; **5.** (*jur.*) bortfald; udløb (*fx of a contract*);
□ *a ~ in security* et mindre brud på sikkerheden; ~ *into* **a.** (*sprog*) skift til, slåen over i (*fx Danish*); **b.** (*noget negativt*) tilbagefald til (*fx crime*); henfalden til; ~ *of* (*jf. 2*) svigtende (*fx concentration; taste*); ~ *of memory* erindringsforskydning; huskefejl; ~ *of the pen* skrivefejl; *a ~ of time* (*jf. 4*) et tidsinterval (*between* mellem).
lapse[2] [læps] *vb.* **1.** forse sig; begå en fejl; **2.** svigte; gå tilbage (*fx the quality of his work has -d*); (*fx om skik*) ophøre; **3.** (*rel.*) falde fra; **4.** (*om tid*) (hen)gå; **5.** (*jur.*) bortfalde; (*om kontrakt etc.*) udløbe (*fx the policy will ~ after 30 days*);
□ ~ *from* grace falde i unåde; ~ *into* **a.** falde hen i (*fx silence; a daydreeam*); synke ned i (*fx chaos*); glide over i (*fx sleep*); **b.** (*sprog*) slå over i; **c.** (*noget negativt*) henfalde til (*fx heresy; sentimentality*); falde tilbage til (*fx the tribes soon -d into savagery*).
lapstrake ['læpstreik] *adj.* (*am. mar.*) klinkbygget.
laptop ['læptɔp] *sb.* (*it*) laptop; bærbar computer.
lapwing ['læpwiŋ] *sb.* (*zo.*) vibe.
larceny ['la:s(ə)ni] *sb.* (*jur.: am. el. glds.*) tyveri.
larch [la:tʃ] *sb.* (*bot.*) lærketræ; lærk.
lard[1] [la:d] *sb.* svinefedt; spæk.
lard[2] [la:d] *vb.* spække (*fx meat; a speech -ed with quotations*).
larder ['la:də] *sb.* spisekammer; viktualierum.

lardon ['la:d(ə)n], **lardoon** [la:'du:n] *sb.* spækkestrimmel.
large [la:dʒ] *adj.* **1.** stor; rummelig (*fx house*); udstrakt, omfattende (*fx domains*); vidtrækkende (*fx powers*); **2.** (*om virksomhed etc.*) i stor stil; stor- (*fx consumer; farmer; producer*);
□ *as* ~ *as life* **a.** i legemsstørrelse (*fx a statue as* ~ *as life*); **b.** (*fig.*) i egen høje person; lyslevende; ikke til at tage fejl af; *at* ~ **a.** løs; på fri fod (*fx the murderer is at* ~); **b.** i almindelighed (*fx the country at* ~); **c.** (*am.*) generel; uden bestemt opgave; -*r than life* **a.** i overstørrelse, over naturlig størrelse; **b.** (*fig.*) overdreven; (se også *by*[2], *loom*[2], *measure*[1], *scale*[1], *writ*[2]).
large intestine *sb.* (*anat.*) tyktarm.
largely ['la:dʒli] *adv.* overvejende, i det store og hele (*fx it was* ~ *true*); i stor udstrækning, i høj grad;
□ ~ *because* (*også*) hovedsageligt fordi.
large-minded [la:dʒ'maindid] *adj.* storsindet.
large-scale [la:dʒ'skeil] *adj.* **1.** omfattende, storstilet; **2.** (*om kort, model*) i stor målestok;
□ ~ *industry* storindustri.
largess, largesse [la:'dʒes, -'ʒes] *sb.* F **1.** rundhåndethed; **2.** rundhåndet gave.
largish ['la:dʒiʃ] *adj.* ret stor.
lariat ['læriət] *sb.* lasso.
lark[1] [la:k] *sb.* **1.** (*zo.*) lærke; **2.** (*glds.*) løjer; sjov; **3.** (*neds., i sms.*) -halløj (*fx I'm not suited to this marriage* ~);
□ *for a* ~ (*jf. 2*) for sjov.
lark[2] [la:k] *vb.: ~ about/around* lave halløj/sjov; pjanke.
larkspur ['la:kspə] *sb.* (*bot.*) ridderspore.
larrikin ['lærikin] *sb.* (*austr.*) balladamager.
larva ['la:və] *sb.* (*pl.* -e ['la:vi:]) larve.
larval ['la:v(ə)l] *adj.* larve-.
larynx ['læriŋks] *sb.* (*anat.*) strubehoved.
lascivious [lə'siviəs] *adj.* F **1.** lysten, liderlig; **2.** æggende.
laser ['leizə] *sb.* laser.
laserdisk ['leizədisk] *sb.* (*it*) laserdisk, optisk disk.
laser printer *sb.* laserprinter.
lash[1] [læʃ] *sb.* **1.** piskeslag; **2.** (*fx med hale*) slag; **3.** (*på pisk*) piskesnert; **4.** se *eyelashes*;
□ *the* ~ (*om straf*) pisken; *the* ~ *of his tongue* hans bidende kritik; *come under the* ~ (*fig.*) blive udsat for bidende kritik.

lash² [læʃ] *vb.* **1.** piske; slå; **2.** slå med (*fx the lion -ed its tail*); **3.** (*fig.: kritisere*) gennemhegle; **4.** (*med reb*) binde/surre fast (*fx a suitcase to a roof rack*); (*mar.*) surre, naje;
□ ~ **against** slå//piske mod (*fx rain -ing against the windows*); ~ **down a.** (*fx om regn*) piske ned; **b.** (*med reb*) surre fast; ~ **into** hidse op til; ~ **out a.** lange ud (*at efter*); **b.** T øse penge ud (*on til*); flotte sig (*on med, fx wine and cigars*).

lashing ['læʃiŋ] *sb.* **1.** prygl; pisk; **2.** (*mar.*) surring;
□ *-s of* T masser af; *give sby a verbal* ~ give én en ordentlig overhaling.

lash-up ['læʃʌp] *sb.* improviseret arrangement.

lass [læs] *sb.* (*især skotsk*) pige, tøs.

lassie ['læsi] *sb.* (*skotsk* T) pige, tøs.

lassitude ['læsitjuːd] *sb.* (F *el. litt.*) træthed; udmattelse.

lasso¹ [læ'suː, 'læsəu] *sb.* lasso.

lasso² [læ'suː, 'læsəu] *vb.* lassoe, fange med lasso.

last¹ [laːst] *sb.* (*skomagers*) læst;
□ *cobbler stick to your* ~ skomager bliv ved din læst; *stick to one's* ~ holde sig til det man har forstand på.

last² [laːst] *adj.* **1.** sidst; **2.** (*om tidspunkt*) sidste, forrige (*fx ~ week//Sunday; since his ~ visit*); forudgående; (*se også night, year*);
□ *before* ~ forrige (*fx the election//week before* ~) [*ɔ: før det// den seneste*]; *every* ~ hver//hvert eneste (*fx penny; word*); *of the* ~ *importance* af yderste vigtighed; **the** ~ **a.** det//den sidste; **b.** de sidste; (*se også but³*); *you will never hear the* ~ *of it* det vil du komme til at høre for; *you will never see the* ~ *of him* ham bliver du aldrig af med; *to the* ~ F **a.** (*lige*) til det sidste; **b.** (*om egenskab*) helt igennem (*fx patriotic to the* ~); *down to the* ~ *detail* til den mindste detalje;
[*med sb.*] *the* ~ *ditch* (*fig.*) den sidste skanse; *die in the* ~ *ditch* kæmpe til det sidste; *sælge sit liv dyrt*; *have the* ~ **laugh** være den der ler sidst; *be on one's* ~ **legs** T **a.** (*ɔ: ved at dø*) ikke have langt igen; ligge på sit yderste; **b.** (*ɔ: meget træt*) næsten ikke kunne mere, være helt færdig; *be on its* ~ **legs** (T: om maskine etc.) synge på det sidste vers; ~ *thing* som det sidste (*fx ~ thing before I go*

to bed); *that was the* ~ *thing one would expect* det var det sidste man skulle vente; *the* ~ *thing in hats* det sidste ny/det sidste skrig i hatte; *his* ~ *word* hans sidste ord; *the* ~ *word has not been said on the matter* det afgørende ord er ikke sagt i den sag; sagen er ikke uddebatteret; *the* ~ *word in* = *the* ~ *thing in*; (*se også gasp¹, judgement, night, straw, year*).

last³ [laːst] *vb.* **1.** vare (*fx how long will the meeting ~? the storm -ed two days*); **2.** (*uden forandring*) holde sig, vare 'ved (*fx as long as the weather -s; the present price level//their enthusiasm won't ~*); **3.** (*uden at gå i stykker, bryde sammen, svigte etc.*) holde (*fx the sail -ed only a day; his new secretary -ed a month; this battery will ~ longer*); **4.** (*om forråd*) slå 'til (*fx how long will our money ~?*);
□ *he cannot* ~ *much longer* (*om syg*) han gør det ikke længe; *this coat will* ~ *me for years* den frakke kan holde/kan jeg klare mig med i mange år; ~ *out* = *2, 3, 4*; ~ *out the winter* **a.** vare vinteren ud; slå 'til vinteren over; **b.** (*om person*) klare sig igennem vinteren; holde ud til vinteren er forbi.

last⁴ [laːst] *adv.* **1.** sidst (*fx he came ~; when did you~ see him/ see him ~?*); **2.** (*i opremsning*) til sidst, til slut (*fx he was chosen ~; and ~, I'd like to thank you for coming*);
□ *at* ~ til sidst, endelig, om sider; *at long* ~ langt om længe; ~ (*but*) *not least* sidst men ikke mindst; ~ *of all* allersidst; *when I* ~ *saw him* (*jf. 1, også*) sidste gang jeg så ham; (*se også first³*).

last-ditch [laːst'ditʃ] *adj.* (*en//et*) sidste fortvivlet (*fx attempt; fight; resistance*).

lasting ['laːstiŋ] *adj.* varig (*fx peace; damage*).

lastly ['laːstli] *adv.* endelig, til sidst, til slut.

last-minute [laːst'minit] *adj.* som foretages//sker *etc.* i sidste øjeblik.

last post *sb.* (*mil.*) retræte [*hornsignal*].

Last Supper *sb.*: *the* ~ den sidste nadver.

lat. *fork. f. latitude.*

latch¹ [lætʃ] *sb.* **1.** (*fx på låge*) klinke; **2.** (*lås*) smæklås;
□ *on the* ~ med låsen slået fra.

latch² [lætʃ] *vb.* **1.** lukke med klinke; **2.** smække [*med smæklås*];
□ ~ *on* forstå hvad det drejer sig

om; ~ *on to* T **a.** (*person*) knytte sig til; hage sig fast i, hægte sig på; **b.** (*tanke*) blive klar over (*fx what they are talking about*); begribe, fatte, gribe (*fx new ideas*); **c.** (*konkret*) sætte sig fast på (*fx the grubs* ~ *on to the stem*); binde sig til; **d.** (*bold, aflevering*) opfange.

latchkey ['lætʃkiː] *sb.* gadedørsnøgle.

latchkey child *sb.* nøglebarn.

late¹ [leit] *adj.* (*se også later, latest*) **1.** sen; **2.** forsinket (*fx the train was ~*); for sent (*for til, fx he was* (*kom*) ~ *for dinner*); **3.** (*om begivenhed*) nylig, nylig overstået (*fx the* ~ *political unrest*); **4.** (*om person*) forhenværende (*fx Dr. M., ~ headmaster of Eton*); afdød (*fx my ~ husband*);
□ *it is* ~ klokken er mange; *early and* ~ tidlig og silde; *keep* ~ *hours* se *hour*; *the* ~ *Mr N* afdøde hr N; *the* ~ *Prime Minister* **a.** den forhenværende/afgåede premierminister; **b.** den afdøde premierminister; *in the* ~ *19th century* i slutningen af det 19. århundrede; *in the* ~ *spring* sent/langt hen på foråret; *in the* ~ *twenties* sidst i tyverne.

late² [leit] *adv.* **1.** sent (*fx go to bed ~*); **2.** til det er sent, til sent på aftenen (*fx work ~*); længe (*fx sleep ~; sit up ~; the shops are open ~*); **3.** for sent (*fx arrive ~*); forsinket (*fx we will start ten minutes ~*);
□ ~ *in* sidst i (*fx 1990*); sent på, sidst på (*fx the afternoon; the week*); (*se også day, life*); ~ *next week* i slutningen af næste uge; *of* ~ **a.** nylig; for kort tid siden; **b.** i den senere tid; ~ *of* indtil for nylig ansat ved//i.

latecomer ['leitkʌmə] *sb.* en der kommer for sent (*fx -s will not be admitted*); efternøler.

lateen [lə'tiːn] *sb.* (*mar.*) **1.** latinersejl; **2.** latinerrigget båd.

lately ['leitli] *adv.* **1.** i den senere tid; **2.** (F: *især om ansættelse*) for nylig (*fx retired*); indtil for nylig (*of* ansat ved//i, *fx Dr John Smith, ~ of Lancaster College*).

latency ['leit(ə)nsi] *sb.* latens; det at være latent.

lateness ['leitnəs] *sb.* forsinkelse, sen ankomst (*fx the ~ of the train*);
□ *the* ~ *of the hour* F det sene/ fremskredne tidspunkt.

latent ['leit(ə)nt] *adj.* latent, skjult.

later¹ ['leitə] *adj.* senere; nyere (*fx editions*); yngre (*fx the* ~ *stone* age).

later[2] ['leitə] *adv.* senere; senere hen;

□ *I saw him no ~ than yesterday* jeg så ham så sent som i går; *~ on* senere, senere hen; (se også *sooner*).

lateral[1] ['læt(ə)rəl] *sb.* **1.** (*bot.*) sideskud; sidegren; sideknop; **2.** (*am.*) aflevering på tværs af banen.

lateral[2] ['læt(ə)rəl] *adj.* side- (*fx movement; root*).

lateral[3] ['læt(ə)rəl] *vb.* aflevere på tværs af banen.

lateral branch *sb.* **1.** (*bot.*) sidegren; **2.** (*af slægt*) sidelinje.

laterally ['lætr(ə)li] *adv.* sidelæns; i sideretningen.

laterite ['lætərait] *sb.* laterit [*slags rødt ler*].

latest ['leitist] *adj.* senest; nyest; □ *by 10 at the ~* senest kl. 10; *~ news* sidste nyt; *the ~ thing in* det sidste ny i; det sidste skrig i (*fx hats*).

latex ['leiteks] *sb.* latex; saft [*især af gummitræet*]; mælkesaft.

lath [la:θ] *sb.* **1.** lægte; **2.** (*ved pudsning etc.*) forskallingsbræt; pudsunderlag; **3.** (*fx i persienne*) liste; tremme;

□ *-s* (*jf. 2 også*) forskalling; *~ and plaster wall* pudset væg; (se også *thin*[1]).

lathe [leið] *sb.* (*tekn.*) drejebænk.

lather[1] ['la:ðə] *sb.* skum;

□ *in a ~* **a.** skummende; **b.** (*fig.: af nervøsitet*) ude af flippen; helt ude af det; *get into a ~* **a.** komme helt ud af det; **b.** (*af raseri*) gå op i en spids.

lather[2] ['la:ðə] *vb.* **1.** (*om sæbe; om hest*) skumme; **2.** (*om person*) sæbe sig ind; **3.** (*med objekt*) sæbe ind; **4.** T prygle.

Latin[1] ['lætin] *sb.* (*sprog*) latin; □ *-s* romanske folk; latinamerikanere.

Latin[2] ['lætin] *adj.* latinsk; □ *the ~ peoples* de romanske folk.

Latin America *sb.* Latinamerika.

Latin American[1] *sb.* latinamerikaner.

Latin American[2] *adj.* latinamerikansk.

Latinity [lə'tiniti] *sb.* [*kendskab til og brug af latin*].

latinize ['lætinaiz] *vb.* latinisere.

Latino [læ'ti:nəu] *sb.* (*især am.*) [*latinamerikansk indbygger i USA*].

latitude ['lætitju:d] *sb.* **1.** frihed; handlefrihed, spillerum (*fx allow him greater ~*); **2.** (*geogr.*) breddegrad; bredde;

□ *degree of ~* breddegrad; *in the*

~ of 30° N 30 grader nordlig bredde.

latitudinarian[1] [lætitju:di'nɛəriən] *sb.* frisindet/liberal/tolerant person.

latitudinarian[2] [lætitju:di'nɛəriən] *adj.* frisindet, liberal, tolerant.

latrine [lə'tri:n] *sb.* latrin.

latter ['lætə] *adj.* sidst (*fx the ~ half; the ~ part of next year*); senere (*fx the ~ years*);

□ *the ~* (*mods. former*) sidstnævnte; denne//dette//disse.

latter-day ['lætədei] *adj.* nutids-; moderne.

Latter Day Saints *sb. pl.: the ~* de sidste dages hellige; mormonerne.

latterly ['lætəli] *adv.* F **1.** for nylig; i den senere tid; på det seneste; **2.** i den sidste tid; på slutningen.

lattice ['lætis] *sb.* **1.** tremmeværk; krydsede tremmer; gitter; **2.** (*fig.*) fletværk (*fx of branches*); **3.** (*fys.*) gitter.

latticed ['lætist] *adj.* **1.** gitter-; tremme-; med krydsende tremmer; rudet; **2.** (*om vindue*) tilgitret; med gitter for.

lattice girder *sb.* gitterdrager.

lattice window *sb.* blyindfattet vindue [*med rudemønster*]; gittervindue.

latticework ['lætiswə:k] *sb.* gitterværk.

Latvia ['lætviə] Letland.

Latvian[1] *sb.* **1.** (*person*) lette; **2.** (*sprog*) lettisk.

Latvian[2] *adj.* lettisk.

laud [lɔ:d] *vb.* F prise, lovprise, berømme.

laudable ['lɔ:dəbl] *adj.* F rosværdig, prisværdig.

laudanum ['lɔ:dnəm, 'lɔd-] *sb.* opiumsdråber.

laudatory ['lɔ:dət(ə)ri] *adj.* rosende.

laugh[1] [la:f] *sb.* latter;

□ *be good for a ~* se *good*[2]; *be a good ~* være vældig sjov; *do it for a ~* gøre det for sjov; *have a good ~* **a.** more sig, have det sjovt; **b.** få sig en god latter (*at over*); *have the last ~* (*on sby*) få latteren på sin side; være den der ler sidst; *it is a ~ a minute* (*ofte ironisk*) det er ufatteligt morsomt; det er til at dø af grin over; *there is a ~ on every page* på hver side er der noget at le ad; *the ~ was on/against him* det var ham der blev til latter/grin; *raise a ~* vække munterhed.

laugh[2] [la:f] *vb.* **1.** le; **2.** (*foran direkte tale*) sige leende;

□ *it is enough to make a cat ~* det er til at dø af grin over;

[*med præp.*] *~ at* **a.** le ad; **b.** (*fig.*)

le ad, gøre sig lystig over; *~ away* se ndf.: *~ off*; *~ in* se *face*[1], *sleeve*; *~ it off* le ad det; slå det hen i spøg; *~ one's head off* T le af fuld hals; være ved at knække sammen af grin; *I'll make him ~ on the other side of his face* T jeg skal nok tage pippet fra ham; han er nok ikke så høj i hatten når jeg er færdig med ham; *~ out of court* se *court*[1]; *make him ~ out of the other side of his mouth* (*am.*) = *make him ~ on the other side of his face*; *~ to scorn* le hånligt ad; udle.

laughable ['la:fəbl] *adj.* latterlig; komisk.

laughing gas *sb.* lattergas.

laughing matter *sb.: no ~ matter* ikke noget at le ad; en alvorlig sag.

laughing stock *sb.* skive for latter; □ *be a ~ to* være til grin for.

laughter ['la:ftə] *sb.* latter.

launch[1] [lɔ:nʃ] *sb.* **1.** (*af raket*) opsendelse; **2.** (*af skib*) søsætning; stabelafløbning; **3.** (*af vare*) lancering; introduktion; **4.** (*båd*) stor motorbåd; (*hist.*) barkasse.

launch[2] [lɔ:nʃ] *vb.* **1.** (*foretagende*) sætte i gang, begynde, starte, indlede (*fx an attack; a campaign*); **2.** (*båd*) sætte i vandet; **3.** (*skib: for første gang*) søsætte, lade løbe af stablen; **4.** (*torpedo*) udskyde; **5.** (*raket*) opsende; **6.** (*kastevåben*) slynge, kaste (*fx a spear; a chair was -ed at him*); **7.** (*ytring*) udslynge (*fx threats*); **8.** (*merk.: vare*) introducere, lancere, sende på markedet;

□ *~ him in(to) business* sætte ham i gang med en forretning; *~ (out) into* **a.** kaste sig ud i (*fx a long story*); **b.** vove sig ud i//på (*fx journalism*).

launcher ['lɔ:nʃə] *sb.* (*til raket*) **1.** afskydningsrampe; **2.** (*håndholdt*) raketstyr.

launch pad, launching pad *sb.* (*for raket*) afskydningsplatform.

launder ['lɔ:ndə] *vb.* **1.** (*tøj*) vaske [*og rulle el. stryge*]; **2.** (*uden objekt*) kunne vaskes (*fx it -s well*); **3.** (*sorte penge*) vaske hvide, hvidvaske.

launderette [lɔ:ndə'ret] *sb.* møntvask; selvbetjeningsvaskeri.

laundress ['lɔ:ndrəs] *sb.* vaskekone.

laundromat ['lɔ:ndrəmæt] *sb.* (*am.*) = *launderette*.

laundry ['lɔ:ndri] *sb.* **1.** (*rum*) vaskerum, vaskekælder; (*i institution*) vaskeri; **2.** (*forretning*) vaskeri; **3.** (*tøj*) vasketøj;

□ *do one's dirty* ~ *in public* se *linen* (*wash one's dirty linen*).
laundry basket *sb.* vasketøjskurv.
laundry list *sb.* alenlang liste.
laureate ['lɔːriət] *sb.* **1.** prisvinder; **2.** = *poet laureate.*
laurel ['lɒr(ə)l] *sb.* (*bot.*) laurbær; laurbærtræ;
□ *-s* (*fig.*) hæder; pris (*fx the -s must go to him*); *win -s* høste laurbær; vinde hæder; *rest on one's -s* hvile på sine laurbær; *look to one's -s* [*passe på at man ikke bliver overgået af en rival*].
lav [læv] *sb.* T = *lavatory.*
lava ['lɑːvə] *sb.* lava.
lavage [lə'vɑːʒ] *sb.* (*med.*) udskylning.
lavalier, lavaliere [lɑːvə'liər, lævə-] *sb.* (*am.*) hængesmykke i kæde [*båret om halsen*].
lavalier microphone *sb.* halsmikrofon.
lavatorial [lævə'tɔːriəl] *adj.* (*neds.*) latrinær (*fx humour*).
lavatory ['lævət(ə)ri] *sb.* toilet, wc.
lavatory paper *sb.* toiletpapier, wc-papir.
lavender[1] ['læv(ə)ndə] *sb.* **1.** (*bot.*) lavendel; **2.** (*farve*) lavendelblå.
lavender[2] ['læv(ə)ndə] *adj.* lavendelblå.
lavish[1] ['læviʃ] *adj.* **1.** flot, overdådig (*fx party*); **2.** (*for flot*) ødsel (*fx lifestyle*); **3.** (*om person*) rundhåndet, ødsel (*in/of med*);
□ *be ~ with* ødsle med; ~ *praise* rigeligt med ros.
lavish[2] ['læviʃ] *vb.:* ~ *sth on sby* overøse en med noget (*fx he -ed presents//kisses on her*); ~ *one's affection on sby* kaste al sin kærlighed på en.
lavishly ['læviʃli] *adv.* ødselt; med rund hånd.
law [lɔː] *sb.* **1.** lov (*fx pass a new ~; the ~ of gravity; the -s of football; an unwritten ~*); **2.** (*fag*) retsvidenskab; jura (*fx study ~*); **3.** (*gren af juraen; retssystem*) ret (*fx civil//company//constitutional ~; English ~*); lovgivning;
□ *the ~* **a.** loven (*fx break the ~*); **b.** T ordensmagten; politiet; *the Law* (*rel.*) moseloven;
~ *and order* lov og orden; retsikkerhed; *there is no ~ against it* det er ikke forbudt; *there ought to be a ~ against it* det burde forbydes ved lov; *be a ~ unto oneself* sætte sig ud over alle hensyn/bestemmelser; gøre hvad der passer en; (se også *rule*[1]);
[*med vb.*] *follow the ~* studere jura; *lay down the ~* udtale sig myndigt og selvsikkert; udtale sin

uforgribelige mening; docere; *lay down the ~ to him* foreskrive/diktere ham hvad han skal gøre; *make it ~* lovfæste det; *practise the ~* drive advokatvirksomhed; *take the ~ into one's own hands* tage loven i egen hånd; udøve selvtægt;
[*med præp.*] *be at ~* føre proces; *by ~* efter/ifølge loven; *go to ~* T gå rettens vej; anlægge sag; *take sby to ~* T anlægge sag mod en; *within the ~* lovligt.
law-abiding ['lɔːəbaidiŋ] *adj.* lovlydig.
lawbreaker ['lɔːbreikə] *sb.* lovovertræder.
law centre *sb.* retshjælpskontor.
lawcourt ['lɔːkɔːt] *sb.* domstol; ret.
law enforcement *sb.* (*især am.*) håndhævelse af loven; ordenshåndhævelse, retshåndhævelse.
law-enforcement officer *sb.* (*især am.*) ordenshåndhæver.
law firm *sb.* (*am.*) advokatfirma.
lawful ['lɔːf(u)l] *adj.* **1.** lovlig; legal; **2.** retsgyldig (*fx marriage*);
□ *on ~ business* i lovligt ærinde; ~ *money* lovligt betalingsmiddel; ~ *owner* retmæssig ejer.
lawless ['lɔːləs] *adj.* **1.** ulovlig (*fx act*); **2.** lovløs (*fx country*); retsløs.
law lord *sb.* [*juridisk kyndigt medlem af Overhuset*].
lawmaker ['lɔːmeikə] *sb.* lovgiver.
lawman ['lɔːmən] *sb.* (*pl. -men* [-mən]) (*am.*) ordenshåndhæver.
lawn [lɔːn] *sb.* **1.** græsplæne; plæne; **2.** (*stof*) kammerdug.
lawnmower ['lɔːnməuə] *sb.* plæneklipper, græsslåmaskine.
lawn sprinkler *sb.* plænevander.
lawn tennis *sb.* lawntennis; tennis.
law student *sb.* juridisk student, jurist.
lawsuit ['lɔːsuːt, -sjuːt] *sb.* (*jur.*) retssag; proces.
lawyer ['lɔːjə] *sb.* advokat; jurist.
lax [læks] *adj.* løs, slap (*fx morals*); efterladende.
laxative[1] ['læksətiv] *sb.* laksativ, afføringsmiddel.
laxative[2] ['læksətiv] *adj.* afførende.
laxity ['læksiti] *sb.* slaphed, løshed.
lay[1] [lei] *sb.* **1.** retning; stilling; **2.** (*am.: ved hvalfiskeri*) andel, part; **3.** (*af tov*) slåning; **4.** (*poet.*) sang, kvad; digt; **5.** (S: *især kriminels*) fag; speciale; **6.** (S: *samleje*) knald;
□ *she is an easy ~* hun er let at komme i seng med; *the ~ of the land* (*am.*) **a.** terrænforholdene; **b.** (*fig.*) hvordan landet ligger.
lay[2] [lei] *adj.* læg; lægmands-.

lay[3] [lei] *vb.* (*laid, laid*) **1.** lægge; **2.** (*så det ikke stiger*) få til at lægge sig, dæmpe (*fx the dust; the waves*); (se også *ghost*); **3.** (*korn etc.*) slå ned (*fx crops laid by the storm*); **4.** (*på plads, til brug*) lægge 'på (*fx linoleum*); nedlægge (*fx a cable; pipes*); anlægge (*fx a road*); (se også *fire*[1]); **5.** (*penge: i væddemål*) vædde, holde (*fx I'll ~ ten to one that he wins*); **6.** (*tovværk*) slå; **7.** (*fælde etc.*) sætte (*fx a snare; a trap*); **8.** (*om fugl*) lægge æg; **9.** (*mil.: kanon*) indstille, rette; **10.** S gå i seng med, bolle;
□ [*med præp.& adv.*] ~ *about* (*glds.*) kæmpe, slås (*for* for); ~ *about one* (*glds.*) slå om sig; ~ *about sby with a stick* (*glds.*) overfalde/prygle en med en stok;
~ *aside* **a.** lægge til side; **b.** (*penge*) lægge til side, lægge op; **c.** (*mods. fortsætte med*) henlægge, skrinlægge (*fx a plan*); lægge fra sig (*fx the responsiblity*); opgive, se bort fra (*fx private interests*); (*vane*) aflægge; **d.** (*person*) svigte (*fx old friends*); kassere;
~ *one's case before* forelægge/fremlægge sin sag for;
~ *by* = ~ *aside* b);
~ *down* **a.** lægge ned; **b.** (*vin, våben, hverv*) nedlægge; **c.** (*bestemmelse etc.*) fastlægge (*fx principles; the main outlines of a scheme*); fastsætte, opstille (*fx rules*); **d.** (*om anlægsarbejde*) anlægge, konstruere, bygge (*fx a railway*); **e.** (*agr.*) udlægge (*to* til); tilså (*to* med, *fx grass*); ~ *down the condition that* stille den betingelse at; (se også *law, life*);
~ *in* forsyne sig med; *the scene is laid in London* scenen er henlagt til London;
~ *into* T klø løs på, falde 'over;
~ *off* **a.** (*ansat*) afskedige [*især: midlertidigt*]; **b.** T holde sig fra (*fx alcohol*); (*person*) lade være i fred, lade være; **c.** T holde op; (+ *-ing*) holde op med at (*fx smoking*); **d.** (*mar.*) lægge fra; **e.** (*især am.*) holde pause; holde fri;
~ *on* **a.** lægge på (*fx ~ a tax on sth*); **b.** (*maling*) smøre på, påstryge; **c.** (*installation*) indlægge (*fx electricity; gas; water*); **d.** (*mad, underholdning etc.*) arrangere, ordne, sørge for; **e.** (*am.* S) gøre opmærksom på, fortælle; *a job with a car laid on* et job hvor der følger bil med; ~ *it on thick/with a trowel* (*fig.*) smøre tykt på; (se også *blame*[1], *finger*[1],

hand¹, line¹);

~ **out a.** (*ting, i orden*) lægge frem, arrangere (*fx one's wares; clothes*); **b.** (*område*) anlægge (*fx a car park; a garden*); **c.** (*rum*) indrette (*fx a kitchen*); **d.** (*om mundtlig redegørelse*) fremlægge, præsentere (*fx criticism; ideas; a plan; one's wishes*); **e.** (*lig*) klæde og lægge i kiste; **f.** (T: *person*) slå ned; slå ud; slå bevidstløs; **g.** (T: *penge*) give ud, spendere; ~ *oneself out* anstrenge sig;
~ *over* (*am.*) gøre ophold (*in* i);
~ *to* (*om skib*) dreje under; (se også *claim¹, rest¹*);
~ *up* **a.** lægge op (*fx a ship*); **b.** T tvinge til at holde sengen;
c. (*glds.*) samle (*fx treasures; provisions*); ~ *up a car* klodse en bil op; ~ *up for* oneself F skaffe sig ... på halsen (*fx ~ up problems// trouble for oneself*); *be laid up with* ligge i sengen med, ligge syg af (*fx flu*);
be laid with være dækket med (*fx the floor was laid with a carpet*).
lay⁴ [lei] *præt. af lie²*.
layabout ['leiəbaut] *sb.* T dagdriver, drønnert.
layaway ['leiəwei] *sb.* (*am.*) [*afbetalingsordning hvor varen først leveres når den fulde pris er betalt*].
lay-by ['leibai] *sb.* vigeplads; holdebane.
lay days *sb. pl.* (*mar.*) liggedage.
layer¹ ['leiə] *sb.* **1.** lag; **2.** (*høne*) æglægger; **3.** (*i havebrug*) aflægger.
layer² ['leiə] *vb.* **1.** lægge i lag; **2.** (*i havebrug*) aflægge.
layer cake *sb.* lagkage.
layered ['leiəd] *adj.* **1.** lagt (på) i lag; med mange lag; **2.** (*om hår*) etageklippet; **3.** (*i havebrug*) formeret ved aflægning; nedkroget.
layette [lei'et] *sb.* babyudstyr.
lay figure *sb.* lededukke; gliedermann.
layman ['leimən] *sb.* (*pl.* -men [-mən]) lægmand.
layoff ['leiɔf] *sb.* **1.** afskedigelse [*især midlertidig*]; hjemsendelse; **2.** ledighedsperiode; arbejdsløshedsperiode.
layout ['leiaut] *sb.* **1.** anlæg; plan; indretning; **2.** (*om bog*) opsætning; udstyr; **3.** (*reklame etc.*) layout; **4.** (*typ.*) satsskitse; **5.** (*am.* T) (bygnings)kompleks.
layover ['leiouvər] *sb.* (*am.*) ophold.
layperson ['leipə:s(ə)n] *sb.* lægmand.
lay reader *sb.* (*rel.*) [*lægmand der*

oplæser bibeltekster (*og prædiker*) ved gudstjeneste].
layshaft ['leiʃa:ft] *sb.* **1.** (*tekn.*) forlagsaksel; **2.** (*i bil*) mellemaksel.
layup ['leiʌp] *sb.* (*i basketball*) [*scoring ved spring og kast mod pladen*].
laze [leiz] *vb.* dovne, drive, dase.
lazy ['leizi] *adj.* doven, lad.
lazybones ['leizibəunz] *sb.* (*pl. d.s.*) T dovenlars.
lazy Susan *sb.* (*am.*) drejeligt fad.
lazy tongs *sb.* vinduessaks [*hvormed genstande uden for rækkevidde kan nås*].
lb [paund] *fork. f.* (engelsk) pund [*454 g.*].
lbs [paundz] *pl. af lb.*
lbw *fork. f. leg before wicket* (*i kricket*) ben for.
L/C *fork. f. letter of credit.*
LCD *fork. f. liquid crystal display.*
LCM *fork. f. lowest/least common multiple.*
LDC *fork. f. less developed country* u-land.
LEA *fork. f. Local Education Authority.*
leach [li:tʃ] *vb.* udvaske.
leachate ['li:tʃeit] *sb.* perkolat [*vand udsivet fra losseplads*].
lead¹ [li:d] *sb.* **1.** (*i konkurrence etc.*) føring (*fx he lost the ~*); forspring (*over* for); **2.** (*oplysning*) vink, fingerpeg (*fx could you give me a ~?*); (*i journalist, politi*) tip; (*i efterforskning*) spor (*fx the police are following up several -s*); **3.** (*i avis*) tophistorie; (*til artikel*) resumé som indledning; **4.** (*teat.*) hovedrolle; (*person*) indehaver af hovedrolle; helt//heltinde; **5.** (*i kortspil*) udspil; (*position*) forhånd; **6.** (*til hund etc.*) snor; **7.** (*i is*) rende; **8.** (*elek.*) ledning; leder;
□ *it is your* ~ (*jf. 5*) det er dig der har udspillet; *be in the* ~ (*jf. 5*) have føringen; *keep a dog on the* ~ (*jf. 6*) føre en hund i snor;
[*med vb.*] *follow sby's* ~ (*jf. 2, også*) følge ens eksempel; *give a* ~ føre an; vise førerskab; *give him a* ~ (*jf. 2, også*) **a.** sætte ham på sporet; **b.** vise ham et godt eksempel; *have the* ~ **a.** (*jf. 1*) føre, ligge i spidsen; **b.** (*jf. 5*) sidde i forhånd; have udspillet; *have a* ~ *of* (*jf. 1*) føre med, have et forspring på (*fx two goals; three metres*); *return* one's partner's ~ (*jf. 5*) svare på sin makkers invitation; *take the* ~ (*jf. 1*) tage føringen; gå i spidsen.
lead² [led] *sb.* (se også *leads*) **1.** bly; **2.** (*i blyant*) stift; **3.** (*mar.*) (bly)lod; **4.** (*typ.*) steg; **5.** (*maling*)

se *red lead*;
□ *put* ~ *in his pencil* **a.** sætte fut i ham; **b.** (*vulg.*) få den op at stå for ham; *swing the* ~ (*glds.*) skulke; pjække den.
lead³ [li:d] *vb.* (*led, led*) **A.** (*med objekt*) **1.** (*person, dyr*) føre (*fx she led him to the door; he was -ing a horse*); (*dyr også*) trække; **2.** (*foretagende, gruppe*) lede (*fx an expedition; a firm; the investigation; the discussion*); anføre, stå i spidsen for (*fx an army; the delegation*); (*til fods*) gå i spidsen for (*fx the procession; the parade*); **3.** (*om den bedste*) være førende i//på (*fx ~ the world//the market in computer software*); **4.** (*mus.*) være koncertmester i; (*am.*) dirigere; **5.** (*i kortspil*) spille ud (*fx ~ the king*); **6.** (*ved jagt*) [*sigte foran et mål der er i bevægelse, fx ~ a duck*];
B. (*uden objekt*) **1.** (*i konkurrence*) føre (*fx England -s by 40 runs*); være foran; **2.** (*jf. A 2*) være førstemand; føre an, gå foran; **3.** (*jf. A 3*) være førende; **4.** (*om dør, passage*) føre hen (*fx where does this road ~?*); (+ *præp.*) føre (*fx into the wood; down to the beach*); **5.** (*i kortspil*) spille ud; **6.** (*jur.*) åbne sagen (*fx Mr Marshall led for the Prosecution*);
□ *South to* ~ (*jf. B4*) syd spiller ud; (se også *dance¹, field¹, life, way¹*);
[*med præp.& adv.*] ~ *astray* se *astray*; ~ *off* **a.** begynde, indlede (*fx the discussion*); (*uden objekt også*) lægge 'for; **b.** (*om værelse*) støde en fra, have forbindelse med (*fx a bedroom with a bathroom -ing off it*); ~ *on* **a.** opmuntre/ lokke til at fortsætte; **b.** føre bag lyset, tage ved næsen; forlede; ~ *on to* **a.** (*om handling etc.*) føre til; **b.** (*om dør*) føre ud til; ~ *out of* ligge ved; støde op til (*fx my room -s out of the hall*); ~ *to* **a.** føre til; **b.** (+ *inf.*) få til at (*fx what led you to think so?*); bevæge til at; forlede til (*fx I am led to believe* jeg må tro; ~ *up* se *garden path*; ~ *up to* **a.** (*emne*) forberede, lægge op til; **b.** (*begivenhed*) gå forud for (*fx the hours which led up to his disappearance*); efterhånden føre til; ~ *with* **a.** indlede med; **b.** (*nyhed*) bringe som tophistorie.
lead⁴ [led] *vb.*: ~ *out* (*typ.*) skyde.
lead balloon [ledbə'lu:n] *sb.*: *go down like a* ~ (*fig.*) falde til jorden med et brag.
leaded ['ledid] *adj.* **1.** (*om benzin*

etc.) tilsat bly; **2.** (*om rude*) blyindfattet.

leaden ['led(ə)n] *adj.* **1.** blytung (*fx limbs*); knugende (*fx atmosphere*); **2.** (*om stil*) (tung og) kedelig; **3.** (*om farve*) blygrå.

leader ['li:də] *sb.* **1.** leder (*fx of a movement*); fører; anfører (*fx among his classmates*); **2.** (*i konkurrence el. på et område*) førende; **3.** (*for orkester*) koncertmester; (*am.*) orkesterleder; **4.** (*ved sang//dans*) forsanger//fordanser; **5.** (*i kortspil*) [*den der spiller ud*]; **6.** (*jur., mods. junior*) førsteadvokat; **7.** (*i avis*) ledende artikel, leder; **8.** (*film*) førestrimmel; (*bånd*) indløbsbånd; **9.** (*bot.*) ledegren; ledeskud; **10.** (*hest*) forløber; **11.** (*på fiskesnøre*) forfang; □ *-s* (*typ.*) registerpunkter; udpunktning.

leadership ['li:dəʃip] *sb.* **1.** (*handling*) ledelse (*fx under his firm*); lederskab, førerskab; **2.** (*personer*) ledelse (*fx the new ~*); **3.** (*egenskab*) lederevner, lederskab (*fx show ~*).

lead-free [led'fri:] *adj.* blyfri.

lead-in ['li:din] *sb.* **1.** oplæg, introduktion; **2.** (*radio., tv*) annoncering; **3.** (*ledning fra antenne til radio*) indføring.

leading[1] ['lediŋ] *sb.* **1.** (*til ruder*) blyindfatning; **2.** (*til tag*) blytækning; **3.** (*typ.*) skydning.

leading[2] ['li:diŋ] *adj.* **1.** ledende, førende; **2.** hoved- (*fx part* rolle).

leading article *sb.* ledende artikel, leder.

leading case *sb.* (*jur.*) principiel sag [*hvis afgørelse tjener som præcedens*].

leading edge *sb.* (*flyv.*) forkant; □ *at/on the ~* (*fig.*) i forreste linje, helt fremme; *be at/on the ~ of* (*fig.*) være på forkant med.

leading-edge [li:diŋ'edʒ] *adj.* mest avanceret.

leading lady *sb.* (*teat.*) førsteskuespiller; hovedrolleindehaver; (*glds.*) primadonna.

leading light *sb.* **1.** (*mar.*) ledefyr; **2.** (*person*) ledende skikkelse.

leading man *sb.* (*pl. leading men*) (*teat.*) førsteskuespiller; hovedrolleindehaver.

leading question *sb.* ledende spørgsmål.

lead line ['ledlain] *sb.* (*mar.*) lodline.

leadoff ['li:dɔf] *adj.* indledende; første.

lead role [li:d'rəul] *sb.* hovedrolle.

leads [ledz] *sb. pl.* **1.** (*til ruder*) blylister; blyindfatning; **2.** (*til tag*) blyplader; blytækning; **3.** (*tag*) fladt blytag; **4.** (*typ.*) skydelinjer; skydning.

lead story [li:d'stɔ:ri] *sb.* (*i avis*) tophistorie.

leaf[1] [li:f] *sb.* (*pl. leaves* [li:vz]) **1.** (*bot.*) blad; **2.** (*i bog*) blad; side; **3.** (*til bord: hængslet*) klap; (*til udtræk*) (udtræks)plade; **4.** (*af dør, skærm, spejl*) fløj; **5.** (*af bro*) klap; **6.** (*metal*) se *gold leaf, silver leaf*;
□ *in ~* med udsprungne blade; *come into ~* springe ud; få blade; *shake/tremble like a ~* ryste som et espeløv; *take a ~ out of his book* efterligne ham, tage ham til forbillede; tage ved lære af ham; *turn over a new ~* tage skeen i den anden hånd; begynde et nyt og bedre liv.

leaf[2] [li:f] *vb.*: *~ through a book* blade en bog igennem.

leaf fat *sb.* flomme.

leaf insect *sb.* (*zo.*) vandrende blad.

leaflet[1] ['li:flət] *sb.* **1.** (*tryksag*) folder, brochure, pjece; **2.** (*blad*) lille blad; (*bot.*) småblad.

leaflet[2] ['li:flət] *vb.* **1.** uddele propagandamateriale//brochurer; **2.** (*med objekt*) uddele propagandamateriale//brochurer i//til (*fx we are -ting every household*).

leaf mould *sb.* **1.** bladjord; **2.** (*plantesygdom*) fløjlsplet.

leaf roll *sb.* (*bot.*) bladrullesyge.

leafy ['li:fi] *adj.* **1.** (*om plante*) bladrig; løvrig; **2.** (*om sted*) løvrig.

league[1] [li:g] *sb.* **1.** forbund; liga; sammenslutning; **2.** (*i sport*) forbund; liga; division; **3.** (*glds.*) [*længdemål = ca. 5 km*];
□ *the League of Nations* (*hist.*) Folkeforbundet;
[*med præp.*] *not in the same ~ as* slet ikke på højde/niveau med; *in a different ~ from* a. = *not in the same ~ as*; b. meget bedre end, milevidt over; *in ~ with* i ledtog med; *it is out of my ~* det er uden for min rækkevidde [ɔ: for dyrt el. for fint]; dèr kan jeg ikke være med.

league[2] [li:g] *vb.*: *~ with* indgå forbund med, alliere sig med.

league table *sb.* **1.** (*i sport*) divisionstabel [ɔ: over holdenes stilling]; **2.** (*fig.*) rangliste.

leak[1] [li:k] *sb.* **1.** læk, utæthed; brud, revne; **2.** (*mar.*) læk, lækage; **3.** (*fig.*) indiskretion, lækage;
□ *spring a ~* springe læk; *have/take a ~* S slå en streg, tisse.

leak[2] [li:k] *vb.* **1.** (*om beholder, overdækning etc.*) lække, være

læk; være utæt (*fx the tent -s*); **2.** (*om væske*) lække, sive ud (*fx water was -ing from the pipe*); **3.** (*med objekt: væske*) lække (*fx the car -ed oil*); lade sive ud; **4.** (*fortrolige oplysninger*) lække, lade sive ud (*til* to, *fx he -ed the news to the press*); røbe;
□ *~ like a sieve* være utæt som en si; *~ out* (T: *om oplysninger*) sive ud.

leakage ['li:kidʒ] *sb.* **1.** udslip; udsivning; **2.** (*fig.*) lækage; indiskretion.

leaky ['li:ki] *adj.* læk; utæt.

lean[1] [li:n] *sb.* magert kød.

lean[2] [li:n] *adj.* **1.** (*om kød*) mager; **2.** (*om person*) slank, mager; **3.** (*fig.: ikke indbringende*) mager (*fx season; time; year*); **4.** (*om organisation: uden overflødigt personale etc.*) slank.

lean[3] [li:n] *vb.* (*leant* [lent], *leant* [lent]; (*især am.*) *-ed, -ed*) **1.** (*om person*) læne sig (*fx he leant forwards//backwards//out of the window*); støtte sig; **2.** (*om ting*) hælde (*fx the fence is -ing to the right*);
□ *~ against* a. læne sig til/op ad (*fx the door*); b. (*med objekt*) stille op ad (*fx he leant the broom against the wall*); *~ on a.* støtte sig til (*fx the table; a stick*; *his advice; a rich friend*); b. T lægge pres på; true; *~ on his arm* (*også*) tage ham under armen; *he leant his weight on the table* han støtede sig til bordet med hele sin vægt; *~ on him for* help//financial support hente hjælp//økonomisk støtte hos ham; *~ over backwoards* (*fig.*) gøre sig vældige anstrengelser; stå på hovedet (*fx to help him*); *~ towards* (*fig.*) hælde til (*fx this viewpoint*).

leaning ['li:niŋ] *sb.* tilbøjelighed (*fx Conservative -s*); tendens.

Leaning Tower: *the ~ of Pisa* det skæve tårn i Pisa.

leant [lent] *præt. & præt. ptc. af lean*[3].

lean-to ['li:ntu:] *sb.* skur [*med halvtag*]; halvtag.

leap[1] [lept] *sb.* spring; hop; □ *by/in -s and bounds* med stormskridt; *a ~ in the dark* (*fig.*) et spring ud i det uvisse; *take the ~* vove springet; *it takes a ~ of imagination* det kræver en hel del fantasi.

leap[2] [li:p] *vb.* (*leapt* [lept], *leapt* [lept]; (*især am.*) *-ed, -ed*) **1.** springe; hoppe; **2.** (*med objekt*) springe over, hoppe over (*fx a fence*);

L *leap day*

□ ~ *at* gribe efter med begge hænder; modtage med begejstring; *look before you* ~ tænk dig godt om før du handler.

leap day *sb.* skuddag.

leapfrog¹ ['li:pfrɔg] *sb.*: *play* ~ springe buk.

leapfrog² ['li:pfrɔg] *vb.* **1.** springe buk; **2.** (*fig.*) springe over andre; (*med objekt*) springe over.

leapt [lept] *præt.* & *præt. ptc. af leap².*

leap year *sb.* skudår.

learn [lə:n] *vb.* (*learnt, learnt*; (*især am.*) *-ed, -ed*) **1.** lære; (se også *heart*); **2.** (*oplysning*) få at vide, erfare (*that* at); høre (*of/about* om; *that* at).

learned ['lə:nid] *adj.* **1.** F lærd; **2.** (*psyk.*) indlært;

□ ~ *journal* videnskabeligt tidsskrift.

learner ['lə:nə] *sb.* elev;

□ *Learner* [kendemærke på bil der føres af en der er ved at lære at køre]; *he is a quick* ~ han er hurtig til at (tage ved) lære.

learning ['lə:niŋ] *sb.* **1.** lærdom; **2.** indlæring.

learning curve *sb.* indlæringskurve.

learning difficulties *sb. pl.* indlæringsvanskeligheder.

leary ['liəri] *adj.* = *leery.*

lease¹ [li:s] *sb.* **1.** langtidsleje, leasing; forpagtning; **2.** lejemål; **3.** lejekontrakt; leasingkontrakt; forpagtningskontrakt;

□ *give a new* ~ *of life* give nyt liv; *take a new* ~ *of life* få nyt liv; leve op igen; forynges; *take on* ~ **a.** leje; **b.** langtidsleje, lease.

lease² [li:s] *vb.* **1.** (*om ejer*) udleje; bortforpagte; **2.** (*om lejer*) leje; langtidsleje, lease; forpagte.

leasehold¹ ['li:s(h)əuld] *sb.* **1.** leje; forpagtning; **2.** lejet//forpagtet ejendom;

□ *have the property on* ~ have lejet//forpagtet ejendommen.

leasehold² ['li:s(h)əuld] *adj.* lejet; forpagtet.

leaseholder ['li:s(h)əuldə] *sb.* lejer; forpagter.

leash¹ [li:ʃ] *sb.* (*især am.*) (hunde)snor;

□ *on a* ~ i snor; *strain at the* ~ (*fig.*) slå sig i tøjret; være ivrig efter at komme til; vente utålmodigt.

leash² [li:ʃ] *vb.* (*især am.*) holde// føre i snor.

least¹ [li:st] *adj.* mindst; ringest;

□ *to say the* ~ (*of*) *it* mildest talt; (se også *mend²*);

[*med præp.*] *at* ~ **a.** mindst (*fx at*

~ *once a month*); **b.** i det mindste (*fx it is at* ~ *a beginning*); **c.** (*indledende en berigtigelse*) det vil sige; i hvert fald (*fx he never complained, at* ~ *officially*); rettere sagt (*fx it is not difficult, or at* ~ *not always difficult*); *not in the* ~ ikke spor, ikke det mindste (*fx I don't like it in the* ~).

least² [li:st] *adv.* mindst (*fx that was what I* ~ *wanted to hear*);

□ *the* ~ mindst (*fx he is the one I like the* ~).

least common multiple *sb.* mindste fælles multiplum.

leastways ['li:stweiz] *adv.* T i det mindste.

leather¹ ['leðə] *sb.* læder; skind;

□ *-s* lædertøj, skindtøj.

leather² ['leðə] *vb.* tampe;

□ ~ *sby* (*også*) bearbejde ens rygstykker.

leatherback ['leðəbæk] *sb.* (*zo.*) læderskildpadde.

leatherette [leðə'ret] *sb.* kunstlæder.

leatherjacket ['leðədʒækit] *sb.* (*zo.*) stankelbenslarve.

leatherneck ['leðənek] *sb.* (*am. mil.* S) læderhals, marineinfanterist.

leathery ['leðəri] *adj.* **1.** læderagtig; **2.** sej som læder.

leave¹ [li:v] *sb.* **1.** orlov; ferie; frihed; **2.** F tilladelse (*fx without (my)* ~);

□ ~ *of absence* orlov; *by your* ~ (*glds.*) med Deres tilladelse; med forlov; *without so much as a by your* ~ (*glds.*) uden så meget som at bede om forlov; uden videre; ganske roligt; *home on* ~ hjemme på orlov;

[*med vb.*] *ask* ~ bede om lov; *ask sby's* ~ bede en om tilladelse; *beg* ~ *to* **a.** bede om tilladelse/lov til at; **b.** tillade sig at; *take one's* ~ tage afsked; *take* ~ *of* tage afsked med (*fx one's children*); (se også *sense¹*); *take* ~ *to* tillade sig at.

leave² [li:v] *vb.* (*left, left*) **A.** (*med objekt*) **1.** (*person*) forlade, gå fra (*fx I can't possibly* ~ *him; she has left her husband*); efterlade (*fx the child with the grandparents*); **2.** (*sted, stilling, institution, emne*) forlade (*fx the country; the firm; what time did you* ~ *the office? let us* ~ *the subject for now*); **3.** (*ting*) stille, anbringe; aflevere; (*også: besked etc.*) lægge (*fx the key under the mat; a message; one's phone number*); **4.** (*når man forlader et sted*) efterlade (*fx fingerprints; traces; a message*); lade ligge//stå etc. (*fx* ~ *the book//door*

open; *he left his luggage at the station; don't* ~ *your clothes on the floor*); (*uforvarende*) glemme (*fx I left my gloves in the pub*); **5.** (*rest*) levne (*fx don't* ~ *any of your dinner; it did not* ~ *me time to think*); efterlade (*fx a bad taste; a bad impression; his death left a void*); **6.** (*arbejde, beskæftigelse*) lade være/ligge//stå (*fx* ~ *those letters//the dishes till tomorrow*); **7.** (*om afdød*) efterlade sig (*fx he -s a wife and six children*); (*arv*) testamentere (*fx he left her a fortune*); **8.** (*om ulykke, sygdom*) gøre (*fx the fire left them homeless*); (+ *sb.*) gøre til (*fx polio had left him a wreck*);

B. (*uden objekt*) **1.** gå; gå sin vej; forlade stedet (*fx he asked me to* ~); **2.** (*når man skal rejse*) tage af sted, rejse, afrejse; **3.** (*om befordringsmiddel*) afgå, gå (*fx when does the train* ~?);

□ *six from seven -s one* seks fra syv er en; ~ *it until the last minute* vente med det til sidste øjeblik; (se også *desire², go¹, hold¹, word¹*);

[*med adj.*] ~ *the door open* (*også*) lade døren stå; ~ *the matter open* lade det stå hen; ~ *it too late* vente for længe med det; (se også *alone, cold²*);

[*med: be*] *be left* **a.** blive forladt [*etc.*]; **b.** være tilbage/tilovers (*fx there is not much money left*); **c.** sidde tilbage (*with* med, *fx he was left with a child to support; she was left with a feeling of frustration*); *be left behind* ikke kunne følge med; sakke bagud; *he was left for dead* han blev efterladt som død (*ɔ: fordi man mente han var død*); *she was left a widow* hun blev enke;

[*forb. med adv.& præp.*] ~ *the books about/around* lade bøgerne ligge og flyde;

~ *aside* (*emne, sag*) lade ligge; se bort fra;

~ *it at that* lade det være nok; nøjes med det;

~ *behind* **a.** glemme; **b.** lægge bag sig (*fx I have left all that behind*); forlade (*fx when I* ~ *this world behind*); **c.** F efterlade sig (*fx a trail of destruction; a lasting memorial*); lade (blive) tilbage; *be left behind* se: *ovf.*;

~ *for* rejse til (*fx he left for Spain yesterday*); afgå til;

~ *in* (*i tekst*) lade stå; (se også *lurch¹, peace*);

~ *off* **a.** (*om tøj*) holde op med at gå med; **b.** T holde op (*fx the rain*

490

left off); ~ *off* + *-ing* holde op med at (*fx smoking*);

~ *on* **a.** lade være på (*fx ~ the lid on*); **b.** (*tøj*) beholde på (*fx ~ your gloves on*); **c.** (*lys, apparat*) lade være tændt (*fx ~ the television on*); (*lys, gas også*) lade brænde; ~ *the tap on* lade hanen stå åben; lade vandet løbe; ~ *the church on your left* gå højre om kirken;

~ *out* **a.** lade stå//ligge//hænge etc. ude (*fx one's car; the washing*); **b.** (*i tekst, liste, opskrift etc.*) udelade; (*person også*) forbigå; **c.** (*uforvarende*) glemme; *feel left out* føle sig udenfor; ~ *it out! S* **a.** hold så op! **b.** (*om noget man ikke tror på*) årh la' vær'! *den er for tyk!* ~ *out of account/ consideration* lade ude af betragtning; *he was left out of the team* han kom ikke med på holdet;

~ *over* **a.** levne; **b.** gemme; lade vente;

~ *to* overlade til (*fx ~ him to his work//to himself; ~ it to me*); ~ *it to me* (*også*) lad mig om det; (*se også chance*[1]); *he left all his money to her* testamenterede hende alle sine penge; ~ *him to do it* lade ham gøre det; overlade det til ham at gøre det (*fx ~ him to take the decision*); *I'll ~ that to you* **a.** det må du selv bestemme; **b.** (*som svar på spørgsmål om pris også*) det er efter behag; ~ *sby* **with** efterlade en med, lade en sidde tilbage med (*fx he left her with a child to support*); *it -s me with no choice* det giver mig ikke noget valg; ~ *it with me* overlad det til mig; lad mig få det.

leaven ['lev(ə)n] *sb.* **1.** surdej; **2.** (*litt., fig.*) oplivende moment.

leavened ['lev(ə)nd] *adj.*: ~ *with* (*litt., fig.*) tilsat (*fx dry humour*); oplivet af.

leaves [li:vz] *pl.* af leaf.

leave-taking ['li:vteikiŋ] *sb.* afsked.

leaving examination *sb.* afgangseksamen.

leavings ['li:viŋz] *sb. pl.* levninger; madrester.

Lebanese[1] ['lebəni:z] *sb.* libaneser.

Lebanese[2] ['lebəni:z] *adj.* libanesisk.

Lebanon ['lebənən] Libanon.

lech[1] [letʃ] *sb.* T liderlig ka'l.

lech[2] [letʃ] *vb.*: ~ *after/for* T være varm på; være lysten efter.

lecher ['letʃə] *sb.* liderlig ka'l.

lecherous ['letʃ(ə)rəs] *adj.* liderlig.

lechery ['letʃ(ə)ri] *sb.* liderlighed.

lectern ['lektən] *sb.* **1.** (*i kirke*) læsepult; **2.** (*i auditorium*) kateder; talerstol.

lecture[1] ['lektʃə] *sb.* **1.** (*i undervisning*) forelæsning; **2.** (*almen*) foredrag; **3.** (*moralsk*) straffepræken, overhaling; formaningstale;

□ *give a* ~ holde forelæsning//foredrag; *give him a* ~ se *lecture*[2]: *lecture him.*

lecture[2] ['lektʃə] *vb.* **1.** holde forelæsning(er); forelæse; **2.** (*med objekt, jf. 1*) forelæse for; **3.** (*moralsk*) holde formaningstale for;

□ ~ *him* (*også*) skælde ham ud, læse ham teksten, give ham en overhaling.

lecture circuit *sb.*: be on the ~ [tilhøre en kreds af (kendte) mennesker der rejser rundt og holder foredrag].

lecture hall *sb.* se lecture theatre.

lecture list *sb.* lektionskatalog.

lecturer ['lektʃ(ə)rə] *sb.* (jf. *lecture*[1]) **1.** forelæser; **2.** foredragsholder; **3.** (*universitetsstilling*) lektor.

lecture room *sb.* (mindre) auditorium.

lectureship ['lektʃəʃip] *sb.* lektorat.

lecture theatre *sb.* auditorium.

led [led] *præt. & præt. ptc.* af lead[3].

ledge [ledʒ] *sb.* **1.** fremspringende kant; smal hylde; **2.** (*på bjergside etc.*) afsats; klippeafsats; **3.** (*i vindue*) sålbænk; **4.** (*i havet*) klipperev.

ledger ['ledʒə] *sb.* **1.** (*til regnskab*) hovedbog; protokol; **2.** (*på gravsted*) stor flad sten; **3.** (*i stillads*) rideplanke.

ledger line *sb.* = leger line.

lee[1] [li:] *sb.* (se også lees) **1.** læ; **2.** læside;

□ *in/under the* ~ *of* i læ af.

lee[2] [li:] *adj.* læ (*fx the ~ shore*); læ- (*fx side*).

leeboard ['li:bɔ:d] *sb.* (*mar.*) sidesværd [plade på skibsside, til at forhindre afdrift].

leech [li:tʃ] *sb.* **1.** (*zo.*) igle; **2.** (*fig.*) blodsuger; **3.** (*mar.: på sejl*) lig; agterlig;

□ *he sticks like a* ~ han suger sig fast som en igle; han er ikke til at ryste af.

leek [li:k] *sb.* (*bot.*) porre; [Wales' nationalsymbol].

leer[1] [liə] *sb.* lystent//sjofelt//frækt blik.

leer[2] [liə] *vb.*: ~ *at* **a.** se på med et sjofelt blik (*fx a nude painting*); **b.** skotte lystent til (*fx the girls*); ~ *at her* (*også*) sende hende et lystent/frækt blik.

leering ['liəriŋ] *adj.* lysten; sjofel; fræk.

leery ['liəri] *adj.*: be ~ *of* T være forsigtig//mistroisk//på vagt over

for; være utryg ved; *be ~ of* + *-ing* være forsigtig med at; være utryg ved at.

lees [li:z] *sb. pl.* bundfald; bærme; □ *drain to the* ~ tømme til sidste dråbe.

leeward[1] ['li:wəd, (*mar.*) 'lu:əd, 'lju:-] *adj.* læ.

leeward[2] ['li:wəd, (*mar.*) 'lu:əd, 'lju:-] *adv.* i læ.

leeway ['li:wei] *sb.* **1.** spillerum; **2.** sikkerhedsmargin; **3.** (*mar., flyv.*) afdrift;

□ *make up (the)* ~ indhente det forsømte; *have much* ~ *to make up* være langt bagefter med sit arbejde.

left[1] [left] *sb.* (*i boksning*) venstrehåndsstød;

□ *a straight* ~ en lige venstre; *take a* ~ svinge til venstre; *to his* ~ til venstre for ham, på hans venstre side;

the ~ **a.** venstre; venstre side; **b.** (*pol.*) venstrefløjen; *the extreme* ~ den yderste venstrefløj; *to the* ~ til venstre.

left[2] [left] *adj.* venstre;

□ *have two* ~ *feet* være klodset.

left[3] [left] *præt. & præt. ptc.* af leave[2];

□ *be* ~ se leave[2].

left[4] [left] *adv.* til venstre (*fx turn* ~);

□ *the first* ~ den første vej på venstre hånd.

left field *sb.* (*i baseball*) [venstre side af banen];

□ *out in* ~ (*am. fig.*) **a.** sær, besynderlig; ude på overdrevet; **b.** helt ved siden af, helt i skoven.

left-field [left'fi:ld] *adj.* T sær, besynderlig.

left-hand [left'hænd] *adj.* venstre (*fx side*).

left-hand drive *sb.* venstrestyring [i bil];

□ ~ *car* venstrestyret bil.

left-handed [left'hændid] *adj.* **1.** (*om person*) venstrehåndet; kejthåndet; **2.** (*om redskab, slag etc.*) venstrehånds- (*fx scissors; blow*); til//med venstre hånd (*fx a* ~ *golf club; his* ~ *scrawl*); **3.** (*om skrue*) venstreskåret; **4.** (*om tovværk*) venstresnoet;

□ *a* ~ *compliment* en tvivlsom kompliment.

left-hander ['lefthændə] *sb.* **1.** venstrehåndet person; **2.** venstrehåndsslag.

leftie *sb.* = lefty.

leftism ['leftizm] *sb.* **1.** venstreorientering; venstreorienteret indstilling; **2.** venstrefløjspoitik.

leftist[1] ['leftist] *sb.* venstreorienteret; venstrefløjspolitiker.

leftist[2] ['leftist] *adj.* venstreorienteret; venstrefløjs-.

left luggage *sb.* bagage [*som er deponeret til senere afhentning*].

left luggage office *sb.* (*jernb.; flyv.*) garderobe; bagageopbevaring.

leftover ['leftəuvə] *sb.* levn (*from* fra);

□ *-s* (*af mad*) rester, levninger.

leftwards ['leftwədz] *adv.* mod venstre.

left wing *sb.* venstrefløj.

left-wing [left'wiŋ] *adj.* venstreorienteret.

lefty ['lefti] *sb.* 1. (*neds.*) venstreorienteret, venstresnoet person; 2. venstrehåndet.

leg[1] [leg] *sb.* 1. (*af person, dyr, møbel, passer etc.*) ben; 2. (*steg*) kølle (*fx a ~ of mutton*); (*af fjerkræ*) lår (*fx chicken ~*); 3. (*af støvle, strømpe*) skaft; 4. (*af rejse*) etape; 5. (*mar.: mellem to vendinger*) slag; 6. (*i konkurrence*) afdeling; runde; 7. (*i fodboldturnering etc.*) kamp; 8. (*i stafetløb*) delstrækning; 9. (*i darts*) sæt; 10. (*i kricket*) se *leg side*;

□ *first ~* første kamp [*på hjemmebane*]; *second ~* returkamp; *~ before wicket* (*i kricket*) ben for; (se også *last*[2]);

[*med vb.*] **break** *a ~!* held og lykke! **feel/find** *one's -s* **a.** begynde at kunne støtte på benene; **b.** (*fig.*) begynde at føle sig sikker; finde sig til rette; **get** *one's ~ over* S få hælene i vejret; få noget frækt; **get on** *one's -s* rejse sig [*for at tage ordet*]; **give** *sby a ~* **up** give en en håndsrækning; **have** *-s* (*am.: om historie*) ikke blive glemt lige med det samme; *not* **have** *a ~ to* **stand on** ikke have noget at støtte sig til; stå meget svagt [*i debat, retssag*]; **pull** *sby's ~* bilde én noget ind; gøre grin/lave sjov med en; **shake** *a ~* **a.** danse; **b.** T skynde sig; *shake a ~!* T se så at få fart på! *show a ~!* (*glds.* T) se på at komme ud af fjerene! *take to* **one's** *-s* tage benene på nakken; (se også *off*[5]).

leg[2] [leg] *vb.:* *~ it* T **a.** gå på sine ben; **b.** bene af; stikke af.

legacy[1] ['legəsi] *sb.* arv.

legacy[2] ['legəsi] *adj.* (*it: om program*) forældet men almindelig brugt.

legal ['li:g(ə)l] *adj.* 1. retslig, rets- (*fx force; protection; system*); 2. juridisk (*fx adviser; assistance*); 3. (*om det som er fastsat i loven*) lovmæssig (*fx right*); lovbestemt (*fx requirement; obligation*); til-

ladt (*fx speed* hastighed; *blood alcohol level*); 4. (*ikke forbudt*) lovlig (*fx it is perfectly ~ to do it*); legal; 5. (*ikke ugyldig*) lovformelig (*fx contract; marriage*);

□ *take ~ action* gå rettens vej; *the ~ profession* juristerne; advokatstanden.

legal aid *sb.* (*svarer til*) 1. (*ved retssag*) fri proces; 2. (*rådgivning*) retshjælp for ubemidlede.

legal deposit *sb.* (*bibl.*) pligtaflevering [*af bøger*].

legalistic [li:gə'listik] *adj.* 1. som holder sig strengt til lovens bogstav; som er paragrafrytter; 2. som vedrører//er optaget af juridiske finesser; spidsfindig.

legality [li'gæliti] *sb.* lovlighed; lovgyldighed.

legalize ['li:gəlaiz] *vb.* legalisere; gøre lovgyldig; tillade;

□ *~ pot* (*også*) frigive marihuana.

legal reserve *sb.* lovpligtig reservefond.

legal tender *sb.* lovligt betalingsmiddel.

legate ['legət] *sb.* legat, pavelig gesandt.

legation [li'geiʃn] *sb.* 1. legation, gesandtskab; 2. legationskontor.

legend ['ledʒ(ə)nd] *sb.* 1. legende; sagn; (*kollektivt*) sagnlitteratur (*fx a popular hero in Irish ~*); 2. (*fig.: om person*) legende (*fx he was a living ~*); myte (*fx he became a ~*); 3. (*på mønt*) indskrift; inskription; 4. (*til billede*) tekst; 5. (*til kort*) tegnforklaring.

legendary ['ledʒənd(ə)ri] *adj.* 1. (*berømt*) legendarisk; 2. (*tilhørende sagnlitteraturen*) sagn- (*fx king*); mytisk;

□ *the ~ age* sagntiden.

legerdemain [ledʒədə'mein] *sb.* (*glds.*) taskenspillerkunst.

leger line ['ledʒəlain] *sb.* (*mus.: i nodesystem*) bilinje.

leggings ['leginz] *sb. pl.* gamacher; gamachebukser.

leggy ['legi] *adj.* langbenet.

Leghorn ['legho:n] (*glds. geogr.*) Livorno.

leghorn [le'go:n, leg'ho:n] *sb.* 1. (*høne*) italiener; 2. [*slags strå-hat*].

legible ['ledʒəbl] *adj.* læselig; tydelig.

legion ['li:dʒ(ə)n] *sb.* 1. (*hærafdeling*) legion; 2. (*fig., F*) hærskare; mængde;

□ *they are ~* de er utallige; de er legio.

legionary[1] ['li:dʒənəri] *sb.* legionær.

legionary[2] ['li:dʒənəri] *adj.* le-

gions-.

legionnaire [li:dʒə'nεə] *sb.* 1. fremmedlegionær; 2. medlem af *American Legion* [*en veteranforening*]; 3. (*hist.*) legionær.

legionnaire's disease *sb.* (*med.*) legionærsyge.

legislate ['ledʒisleit] *vb.* lovgive, give love.

legislation [ledʒis'leiʃn] *sb.* lovgivning.

legislative ['ledʒislətiv] *adj.* lovgivende; lovgivnings-.

legislator ['ledʒisleitə] *sb.* lovgiver.

legislature ['ledʒislətʃə, -leitʃə] *sb.* lovgivningsmagt; lovgivende forsamling.

legit [lə'dʒit] *adj.* S = *legitimate*[2].

legitimacy [li'dʒitiməsi] *sb.* (jf. *legitimate*[2]) 1. rimelighed; berettigelse; 2. lovlighed, retmæssighed, legitimitet; 3. (*om barn*) ægtefødsel; ægthed, legitimitet.

legitimate[1] [li'dʒitimeit] *vb.* = *legitimize*.

legitimate[2] [li'dʒitimət] *adj.* 1. berettiget (*fx fear*); rimelig (*fx reason; question*); 2. (*mht. loven*) retmæssig, lovlig, legitim; 3. (*om barn*) legitim, ægtefødt.

legitimate drama, legitimate theatre *sb.:* *the ~* talescenen; det egentlige teater.

legitimize [li'dʒitəmaiz] *vb.* gøre lovlig; legitimere; retfærdiggøre.

legless ['legles] *adj.* 1. benløs, uden ben; 2. S kanonfuld.

legman ['legmən] *sb.* (*pl. -men* [-mən]) (*am.* S) reporter.

leg-of-mutton [legəv'mʌt(ə)n] *sb.* lammekølle; fårelår.

leg-of-mutton sleeve *sb.* skinkeærme.

leg-over ['legəuvə] *sb.* S knald [ɔ: samleje].

leg-pull ['legpul] *sb.* T nummer; drilleri.

legroom ['legru:m, -rum] *sb.* benplads.

leg side *sb.* (*i kricket*) [*marken til højre for kasteren*].

legume ['legju:m] *sb.* 1. bælgplante; 2. bælgfrugt.

leguminous [le'gju:minəs] *adj.* bælg- (*fx plant*).

leg-up ['legʌp] *sb.:* *give sby a ~* T give én en håndsrækning.

legwork ['legwə:k] *sb.* (*am.* T: *renden rundt*) benarbejde.

lei [lei] *sb.* [*hawaiiansk blomsterkrans*].

Leicester ['lestə].

Leics. *fork. f.* Leicestershire.

leisure[1] ['leʒə, (*am.*) 'li:ʒər] *sb.* 1. fritid; 2. (*som man har til rådighed*) tid (*fx people with*

enough ~ *to do that*);
□ *at (one's)* ~ **a.** i ro og mag;
b. når man får tid; når det er belejligt; *be at* ~ **a.** have tid; **b.** have fri.

leisure[2] ['leʒə, (am.) 'li:ʒər] *adj.* fritids- (*fx activities; clothes; industry*);
□ ~ *hour* ledig stund; ~ *time* fritid.

leisure centre *sb.* sportscenter.
leisured ['leʒəd, (am.) 'li:-] *adj.*
1. priviligeret, økonomisk uafhængig; **2.** magelig.
leisurely[1] ['leʒəli, (am.) 'li:ʒərli] *adj.* magelig, rolig.
leisurely[2] ['leʒəli, (am.) 'li:ʒərli] *adv.* mageligt, roligt; i ro og mag.
leisurewear ['leʒəwɛə, (am.) 'li:ʒərwɛər] *sb.* fritidstøj.
leitmotif ['laitməuti:f] *sb.* ledemotiv.
lek [lek] *sb.* (zo.) spilleplads, kampplads.
lekking ['lekiŋ] *sb.* (zo.) parringsspil.
lemming ['lemiŋ] *sb.* (zo.) lemming.
lemon[1] ['lemən] *sb.* **1.** citron; **2.** citrontræ; **3.** (*drik*) citronsaft; lemonade; **4.** S fuser; **5.** S tåbe, fjog;
□ *she is a* ~ hende er der ikke noget ved; hun er et kedeligt løg.
lemon[2] ['lemən] *adj.* citrongul.
lemonade [lemə'neid] *sb.* **1.** citronsodavand; **2.** (*især am.*) limonade; citronade.
lemon curd *sb.* citroncreme.
lemon drop *sb.* citronbolsje.
lemon sole *sb.* (zo.) rødtunge.
lemon squeezer *sb.* citronpresser.
lemur ['li:mə] *sb.* (zo.) halvabe, lemur, maki.
lend [lend] *vb.* **1.** låne (*fx* ~ *him some money//one's car*); udlåne (*fx money*); **2.** F give, forlene med (*fx* ~ *the occasion a certain dignity//* ~ *a certain dignity to the occasion*);
□ ~ ... *to* (*jf.* 2, *også*) kaste et skær af ... over (*fx it -s probability to the story*); ~ *support to* give støtte til, støtte (*fx their view*); (*se også countenance*[1], *ear*[1], *hand*[1], *name*[1]);
~ *itself to* egne sig til, være velegnet til; *it -s itself to abuse* det kan let give anledning til misbrug; ~ *oneself to* lade sig bruge til; gå med til.
lender ['lendə] *sb.* långiver.
lending rate *sb.* udlånsrente.
length [leŋθ] *sb.* **1.** længde; **2.** (*tid*) længde, varighed (*fx the* ~ *of the visit*); **3.** (*separat længde*) stykke (*fx a* ~ *of rope//pipe//wood*); **4.** (*af*

tapet, tæppe*) bane; **5.** (*af vej etc.*) strækning;
□ *the* ~ *of* (*også*) langs hele, hele vejen langs (*fx plant bushes the* ~ *of the garden*); *throughout//from the* ~ *and breadth of* the country over//fra hele landet; *travel the* ~ *and breadth of the country* gennemrejse landet på kryds og tværs; *fall//lie* **full** ~ falde//ligge så lang man er; *at full* ~ se; *ndf.*;
swim *ten* -s (*i svømmebassin*) svømme ti gange frem og tilbage;
[*med præp.*] *along the* ~ *of* se ovf.:
the ~ *of*;
at ~ **a.** omsider, langt om længe, til sidst (*fx at* ~ *she came*); **b.** udførligt (*fx he described her at* ~); **c.** længe (*fx he spoke at* ~); *at full* ~ i hele sin længde (*fx he told the story at full* ~); *at great* ~ meget udførligt; meget længe; *at some* ~ ret udførligt; temmelig længe; (se også *arm's length*);
win **by** *three* -s vinde med tre (båds-, heste- *etc.*) længder;
their fear was **carried to** *ridiculous* -s deres frygt blev drevet ud i det latterlige/gav sig latterlige udslag;
go to *great* -s gøre sig stor umage, strække sig meget vidt (*fx to please her*); *be prepared to go to all/any* -s være parat til at gøre hvad det skal være, ikke sky noget middel; *he went to the* ~ *of* **a.** han strakte sig så vidt at han; **b.** (*især neds.*) han gik så vidt at han.
lengthen ['leŋθ(ə)n] *vb.* **1.** forlænge; gøre længere; udvide; **2.** (*tøj*) lægge ned (*fx a skirt*); **3.** (*uden objekt*) blive længere.
lengthways ['leŋθweiz], **lengthwise** ['leŋθwaiz] *adv.* på langs.
lengthy ['leŋθi] *adj.* længere (*fx journey*); (*neds.*) langtrukken (*fx speech*); omstændelig.
leniency ['li:niənsi] *sb.* mildhed, skånsomhed.
lenient ['li:niənt] *adj.* mild, skånsom.
Leninism ['leninizm] *sb.* leninisme.
lens [lenz] *sb.* **1.** linse; **2.** (*foto.*) linse, objektiv; **3.** se *contact lens.*
Lent [lent] *sb.* faste; fastetid.
lent [lent] *præt.* & *præt. ptc.* af *lend.*
lentil ['lent(i)l] *sb.* (*bot.*) linse.
lent lily *sb.* (*bot.*) påskelilje.
Lent term *sb.* forårssemester.
Leo ['li(:)əu] *sb.* (*astr.*) Løven;
□ *I am a* ~ jeg er løve.
leonine ['li(:)ənain] *adj.* løve- (*fx mane*); løveagtig.

leopard ['lepəd] *sb.* (zo.) leopard.
leopard's bane *sb.* (*bot.*) gemserod.
leotard ['li:əta:d] *sb.* (tætsiddende) gymnastikdragt/træningsdragt; trikot.
leper ['lepə] *sb.* spedalsk.
leprechaun ['leprəkɔ:n] *sb.* (*myt.*) nisse; dværg.
leprosy ['leprəsi] *sb.* spedalskhed.
leprous ['leprəs] *adj.* spedalsk.
les [les] *sb.* S = *lesbian*[1].
lesbian[1] ['lezbiən] *sb.* lesbisk kvinde.
lesbian[2] ['lezbiən] *adj.* lesbisk.
lese-majesty [li:z'mædʒisti] *sb.* majestætsfornærmelse; højforræderi.
lesion ['li:ʒ(ə)n] *sb.* skade, kvæstelse, læsion.
less[1] [les] *adj.* **1.** mindre; **2.** færre (*fx* ~ *money;* ~ *people*);
□ ~ *than* absolut ikke, langtfra, ikke just (*fx he was* ~ *than happy; it is* ~ *than ideal*); *in* ~ *than no time* på et øjeblik; i løbet af nul komma fem; *no* ~ *than £100* hele 100 pund; *not* ~ *than £100* mindst 100 pund; *no* ~ *a person than* ingen ringere end; *the* ~ *so as* så meget mindre som; (se også *more*[2], *much*[2], *none*).
less[2] [les] *præp.* minus, med fradrag af, på nær (*fx a month* ~ *two days*).
lessee [le'si:] *sb.* lejer; forpagter; leasingtager.
lessen ['les(ə)n] *vb.* **1.** (for)mindske; nedsætte (*fx the speed; the risk*); svække (*fx the effect*); **2.** (*uden objekt*) (for)mindskes; aftage; blive svagere.
lesser ['lesə] *adj.* mindre; (se også *evil*[1]).
lesser black-backed gull *sb.* (zo.) sildemåge.
lesser celandine *sb.* (*bot.*) vorterod.
lesser spearwort *sb.* (*bot.*) nedbøjet ranunkel, kærranunkel.
lesson ['les(ə)n] *sb.* **1.** (*i undervisning*) time; lektion; **2.** (*i lærebog*) lektion (*fx* ~ *10*); **3.** (*i kirke: bibelstykke*) lektie; **4.** (*fig.*) lærestreg (*fx let this be a* ~ *to you*); lektion (*fx give him a* ~ *in good manners*); lærepenge (*fx it was a dear* ~);
□ -s timer, undervisning (*in* i; *from/of/with* hos);
[*med vb.*] *do/prepare one's* -s læse lektier; *give* -s *in* undervise i; *he has learnt his* ~ han har taget ved lære, han har lært lektien; *set sby a* ~ give én en lektie for; *be set a* ~ få en lektie for; *take* -s *in* gå til/tage undervisning/timer i; *teach sby a* ~ give én en lærestreg.

lessor [le'sɔ:, 'lesɔ:] *sb.* bortforpagter; udlejer.
lest [lest] *konj.* F **1.** for at ... ikke (*fx ~ we forget* for at vi ikke skal glemme det); af frygt for at (*fx I hid it ~ he should see it*); for det tilfælde at; **2.** (*efter frygtsverber etc.*) at; for at (*fx we were afraid ~ he should come*).
let[1] [let] *sb.* **1.** lejemål (*fx a five-year ~*); **2.** (*i tennis*) netbold; □ *without ~ or hindrance* (*glds.*) uhindret.
let[2] *vb.* (*let, let*) **1.** (+ *inf.*) lade; **2.** (*bolig*) udleje; (*landejendom*) bortforpagte; (*uden objekt*) udlejes; **3.** (*arbejde*) overdrage; □ *apartments to (be) ~* værelser til leje; *~ loose* slippe løs; (se også *alone*);
[*med vb.*] *~ go* **a.** slippe; give slip [på]; **b.** (*mar.*) lade gå; kaste los; *~ go the anchor* lade det ankeret falde; *~ oneself go* **a.** slå sig løs; ikke lægge bånd på sig; give sine følelser frit løb; snakke løs; **b.** blive ligeglad//sjusket med sig selv; *~ it go at that* lade det blive ved det; *let's go!* **a.** lad os gå! kom så går vi! **b.** (*am.*) hæng i! *~ go with a pistol* **go with** *a pistol* fyre løs; *~ go with a loud yell* udstøde et højt skrig; *~ him have it* **a.** skælde ham bælgen fuld; **b.** lange ham en ud; **c.** fyre løs på ham; (se også *drive*[2], *fly*[2], *slip*[2]);
[*med præp.& adv.*] *~ me by* lad mig komme forbi;
~ down **a.** sænke ned; lade gå ned; fire ned; **b.** (*person*) skuffe, svigte, lade i stikken (*fx a friend*); **c.** (*om årsag til fiasko*) ødelægge det for (*fx his right arm had ~ him down*); **d.** (*tøj: forlænge*) lægge ned; **e.** (*ballon, luftring*) lukke luften ud af; **f.** (*om fly*) reducere flyvehøjden, gradvis gå ned; *~ him down gently* (*fig.*) **a.** skåne hans følelser; **b.** (*ved irettesættelse*) ikke være streng ved ham; tage blidt på ham; *~ down the tyres of a bike* lukke luften ud af en cykel; T pifte en cykel; (se også *hair, side*[1]);
~ in lukke ind; (*lade*) slippe ind; *~ (oneself) in for* T udsætte (sig) for; *~ in on* T indvie i;
~ into **a.** (*lade*) slippe ind i; lukke ind i (*fx ~ him into the house*); **b.** indsætte i (*fx ~ a window into a wall*); *~ sby into a secret* indvie en i en hemmelighed;
~ off **a.** give fri; **b.** T lade slippe; (+ *objekt*) lade slippe for (*fx ~ her off homework//doing the dishes*); **c.** (*skydevåben*) affyre; (*bombe*)

494

sprænge; (*fyrværkeri*) afbrænde, futte af; **d.** (*hus etc.*) leje ud i mindre afdelinger; **e.** (*passager*) sætte af; **f.** (*uden objekt:* S) slå én; fise; *be ~ off* (*jf. b*) slippe; *~ off with* lade slippe med (*fx ~ him off with a caution*); (se også *hook*[1], *steam*[1]);
~ on T **a.** røbe, lade sig mærke med (*fx he never ~ on that we were friends*); **b.** (*uden objekt*) røbe noget, lade sig mærke med noget (*fx he knows but he will never ~ on*);
~ out **a.** (*luft, vand*) lukke ud; **b.** (*person*) lukke ud, løslade; **c.** (*noget hemmeligt*) røbe; **d.** (*lyd*) udstøde (*fx a laugh; a yell; an oath*); **e.** (*bolig*) leje ud (*fx a room*); **f.** (*tøj*) lægge ud; **g.** (*am.: om skole*) give fri; (*om biograf etc.*) lukke folk ud; *that ~ me out* (T: *om ubehagelig pligt*) så slap jeg;
~ through lade komme igennem, lade slippe igennem, slippe igennem;
~ up T **a.** (*om noget ubehageligt*) tage af (*fx the rain is -ting up*); **b.** (*om person*) tage det mere roligt; slappe af; *~ up on* skrue ned for (*fx the campaign against tax evasion*); ikke køre så hårdt på med.
letch = *lech.*
letdown ['letdaun] *sb.* **1.** T antiklimaks; skuffelse; **2.** (*flyv.*) nedstigning [*før landing*].
lethal ['li:θ(ə)l] *adj.* **1.** dødelig; dødbringende (*fx dose*); **2.** (*fig.*) dødsensfarlig; dræbende.
lethargic [lə'θa:dʒik, le-] *adj.* sløv, dorsk; letargisk.
lethargy ['leθədʒi] *sb.* sløvhed, dorskhed; letargi.
letter[1] ['letə] *sb.* **1.** bogstav; **2.** brev; **3.** (*am.*) [*skoles initial båret som hæderstegn for sportspræstation*]; **4.** (*jf. let*[2] *2*) udlejer;
□ *-s a.* litteratur; **b.** (*glds.*) lærdom; *a man of -s* en litterat; en skribent; en lærd; *the republic of -s* **a.** den lærde verden; **b.** den litterære verden; *~ of introduction* introduktionsskrivelse; (se også *letter of credit, letter of intent*); *to the ~* til punkt og prikke; til mindste detalje.
letter[2] ['letə] *vb.* (*am.* T) [*vinde skoles initial som hæderstegn for sportspræstation*].
letter bomb *sb.* brevbombe.
letter box *sb.* **1.** (*på hus, til modtagelse*) brevkasse; brevsprække; **2.** (*på gaden, til forsendelse*) postkasse.

letter carrier *sb.* (*am.*) postbud.
lettered ['letəd] *adj.* **1.** mærket med bogstaver; **2.** (*glds. om person*) boglærd; litterært dannet; □ *crudely ~* skrevet med primitive bogstaver; *~ in gold* skrevet med guldbogstaver.
letter file *sb.* brevordner.
letterhead ['letəhed] *sb.* **1.** brevhoved; **2.** brevpapir med påtrykt hoved; firmabrevpapir.
lettering ['letəriŋ] *sb.* **1.** bogstaver, skrift; **2.** skrifttegning; skilteskrivning.
letter of credit *sb.* (*merk.*) **1.** remburs; **2.** akkreditiv.
letter of intent *sb.* hensigtserklæring; foreløbig aftale//overenskomst.
letter-perfect [letə'pə:fikt] *adj.* **1.** (*om person*) = *word-perfect*; **2.** (*am.*) korrekt til den mindste detalje.
letterpress ['letəpres] *sb.* **1.** (*typ.*) højtryk, bogtryk; **2.** tekst [*mods. illustrationer*].
letter quality *sb.* (*it*) korrespondancekvalitet; skønskrift.
letterset ['letəset] *sb.* (*typ.*) letterset; indirekte bogtryk.
letter weight *sb.* brevpresser.
lettuce ['letis] *sb.* **1.** (*bot.*) (hoved)salat; **2.** (*am.* S) pengesedler; penge.
let-up ['letʌp] *sb.* T ophold, pause; aftagen.
leukaemia [lju:'ki:miə] *sb.* (*med.*) leukæmi.
levee ['levi] *sb.* **1.** floddige; dæmning; **2.** (*glds.*) morgenaudiens; kur.
level[1] ['lev(ə)l] *sb.* **1.** niveau, plan (*fx a high//low ~; the building has three -s*); højde; (se også *sea level, water level*); **2.** (*værktøj*) vaterpas; **3.** (*til landmåling*) nivelleringinstrument; **4.** (*terræn*) flade; slette;
□ *find one's own ~* finde ud af hvor man hører til; finde sin rette plads; *find its own ~* (*om væske*) finde sit naturlige leje; *things will find their ~ again* det ordner sig nok;
[*med præp.*] *at the highest ~* (*fig.*) på højeste plan/niveau; *at the same ~ as* på samme niveau som; i samme plan//højde som; (se også *eye level*); *on a ~ with* i niveau/plan med; på højde med; *the teams are on a ~ with each other* holdene står lige; *on the ~* (*glds.* T) ærlig(t); oprigtig(t); regulær(t); *built on the ~* bygget på flad mark.
level[2] ['lev(ə)l] *adj.* **1.** (*om over-*

flade) jævn, flad (*fx ground*); **2.** (*i vater*) vandret (*fx the picture is not* ~); **3.** (*mht. præstation etc.*) jævnbyrdig; **4.** (*om mål*) strøget (*fx a* ~ *teaspoonful//cupful*); **5.** (F: *om stemme, blik*) rolig; uforandret; **6.** (*om person*) se *level-headed*;

□ *I will do my* ~ *best* jeg skal gøre alt hvad jeg kan; ~ *with* **a.** i flugt med; i niveau med; lige ud for; **b.** (*fig.*) på højde med; jævnbyrdig med; *draw* ~ *with* indhente; komme på højde med; (se også *playing field*).

level³ ['lev(ə)l] *vb.* **1.** (*terræn*) planere; nivellere; jævne; **2.** (*bygning*) jævne med jorden (*fx a fire -led the house*); **3.** (*skydevåben; beskyldning*) rette (*at/against* mod, *fx he -led a pistol at me*; ~ *a criticism//an accusation at/against sby*);

□ ~ *the score* udligne; [*med præp.& adv.*] ~ *a pistol at sby* (*også*) sigte på én med en pistol; ~ *down* nivellere nedefter; sænke; ~ *off* **a.** jævne; planere; **b.** se: ~ *out b, c*; ~ *out* **a.** blive plan (*fx the path -led out*); flade ud; **b.** (*fig.: om kurve*) flade ud (*fx breast cancer rates are -ling out*); (*om prisniveau etc. også*) stabilisere sig (*fx house prices are -ling off; inflation is -ling off*); **c.** (*flyv.*) overgå til horisontal flyvning; plane ud; ~ *up* nivellere opefter; hæve; ~ *with sby* T være ærlig over for en; ~ *sth with the ground* jævne noget med jorden.

level crossing *sb.* jernbaneoverskæring [*i niveau*]; niveauoverskæring.

level-headed [lev(ə)l'hedid] *adj.* besindig, rolig; nøgtern; fornuftig.

leveller ['lev(ə)lə] *sb.* forkæmper for social udjævning; social udjævner;

□ *disease is the great* ~ sygdom stiller alle lige.

level of aspiration *sb.* kravniveau.
level of attainment *sb.* (*fagligt*) standpunkt.
level pegging *adj.*: *be* ~ stå lige; *it was* ~ *between them* **a.** de lå på linje; **b.** de stod lige.

lever¹ ['li:və, (*am.*) 'levər] *sb.* **1.** (*på maskine etc.*) håndtag; greb; stang (*fx gear* ~ gearstang); arm; **2.** (*til at løfte noget tungt*) løftestang; vægtstang; **3.** (*fig.*) løftestang; pressionsmiddel.

lever² ['li:və, (*am.*) 'levər] *vb.* **1.** løfte [*med løftestang*]; bakse (*fx the stone into place*); **2.** (*fig.*) presse;

□ ~ *the door open* presse døren op [*med en løftestang*]; ~ *him out of his job* (*jf. 2*) lempe ham ud af hans stilling.

leverage¹ ['li:v(ə)ridʒ, (*am.*) 'lev-] *sb.* **1.** vægtstangsanordning; vægtstangssystem; vægtstangsvirkning; **2.** (*fig.*) indflydelse; **3.** (*økon.*) gearing.

leverage² ['li:v(ə)ridʒ, (*am.*) 'lev-] *vb.* (*økon.*) lånefinansiere.
leveret ['lev(ə)rət] *sb.* harekilling.
leviathan [li'vaiəθ(ə)n] *sb.* gigant; uhyre.
Levis® ['li:vaiz] *sb. pl.* jeans; cowboybukser.
levitate ['leviteit] *vb.* **1.** levitere [ɔ: *løfte sig og holde sig svævende*]; svæve opad; **2.** (*med objekt*) få til at levitere/svæve.
levitation [levi'teiʃn] *sb.* (*jf. levitate*) levitation.
Leviticus [li'vitikəs] *sb.* (*i Biblen*) tredje Mosebog.
levity ['leviti] *sb.* letsindighed; overfladiskhed; letfærdighed.
levy¹ ['levi] *sb.* **1.** (*af skat*) udskrivning; pålægning; opkrævning; **2.** (*beløb*) (udskreven) skat; (se også *capital levy*); **3.** (*glds.: af tropper*) udskrivning; opbud; **4.** (*glds.*) udskrevne tropper.
levy² ['levi] *vb.* **1.** (*skat, afgift*) udskrive; pålægge (*fx a fine*); opkræve; **2.** (*glds.*) udskrive (*fx troops*); rejse (*fx an army*);

□ ~ *on sby's property* foretage udlæg i ens ejendom.
lewd [l(j)u:d] *adj.* sjofel; liderlig; uanstændig, utugtig.
lexical ['leksik(ə)l] *adj.* leksikalsk.
lexicographer [leksi'kɔgrəfə] *sb.* leksikograf, ordbogsforfatter.
lexicography [leksi'kɔgrəfi] *sb.* leksikografi.
lexicon ['leksikən] *sb.* **1.** ordforråd; **2.** (*især oldgræsk el. hebraisk*) leksikon, ordbog.
lexis [leksis] *sb.* (*sprogv.*) leksis, ordforråd.
ley [lei, li:] *sb.* (*agr.*) mark udlagt med græs.
ley farming *sb.* vekseldrift.
lezzy ['lezi] *sb.* S lebber; lesbisk.
LGV *fork. f. large goods vehicle* lastvogn [*til tung transport*].
liability [laiə'biləti] *sb.* **1.** (*merk.: mods. aktiv*) passiv; **2.** (*fig.: om person, ting*) belastning; **3.** (*jur.*) ansvar (*fx criminal* ~ strafansvar); erstatningsansvar, erstatningspligt (*fx for damage*); hæftelse;

□ *liabilities* **a.** (*jf. 1*) passiver; **b.** (*jf. 3*) forpligtelser; ~ *to* (*jf. liable (to, a)*) tilbøjelighed til//til at; ~ *to pay damages* erstatningsan-

svar; erstatningspligt; ~ *to pay taxes* skattepligt.
liable ['laiəbl] *adj.* (*jur.*) ansvarlig; pligtig; hæftende;

□ ~ *for damages*, ~ *to pay damages* erstatningspligtig (*to* over for); ~ *for military service* tjenestepligtig;
be ~ *to* **a.** være tilbøjelig til//til at (*fx catch colds*); være udsat for// for at; **b.** (*jur.*) være pligtig til//til at (*fx to pay*); **c.** ifalde; kunne idømmes (*fx failing that, he is* ~ *to a fine*); *your words are* ~ *to misconstruction* dine ord kan let opfattes forkert; *make oneself* ~ *to* udsætte sig for.
liaise [li'eiz] *vb.*: ~ *with* holde kontakt/forbindelse med; være forbindelsesled til; arbejde tæt sammen med.
liaison [li'eiz(ə)n, -zɔn, li'eizɔ:ŋ, (*am.*) 'li:əzɔn] *sb.* **1.** (*mil. etc.*) forbindelse; samarbejde; **2.** (*person*) kontakt, forbindelsesled (*between* mellem; *with* til); **3.** (*kærligheds-*) hemmeligt //løst forhold; affære.
liaison officer *sb.* forbindelsesofficer.
liana [li'a:nə] *sb.* (*bot.*) lian.
liar ['laiə] *sb.* løgner.
lib *fork. f. liberation.*
libation [lai'beiʃn] *sb.* **1.** (*rel.*) drikoffer; **2.** T drink.
libber ['libə] *sb.* se *women's libber.*
Lib Dem *fork. f. Liberal Democrat.*
libel¹ ['laib(ə)l] *sb.* **1.** (*jur.*) ærekrænkelse [*i skriftlig form*]; injurier (*fx sue him for* ~); bagvaskelse; **2.** (*fig.*) fornærmelse, hån (*on* mod, *fx the portrait is a* ~ *on him*).
libel² ['laib(ə)l] *vb.* injuriere; bagvaske.
libellous ['laib(ə)ləs] *adj.* injurierende; ærekrænkende.
Liberal ['lib(ə)rəl] *sb.* (*medlem af liberalt parti*) liberal.
liberal¹ ['lib(ə)rəl] *sb.* liberal; frisindet person.
liberal² ['lib(ə)rəl] *adj.* **1.** (*mods. snæversynet*) liberal; frisindet, fordomsfri; **2.** (*pol.*) liberal; **3.** (F: *mods. nærig*) gavmild, rundhåndet, generøs; **4.** (F: *mods. knap*) rigelig (*fx reward; supply of wine*);

□ *a* ~ *construction* en fri fortolkning; ~ *education* almendannelse; *a* ~ *table* **a.** et velforsynet bord; **b.** et gæstfrit bord; *take a* ~ *view of* se stort på.
Liberal Democrat *sb.* [*medlem af det liberal-demokratiske parti*].
liberalism ['lib(ə)rəlizm] *sb.* liberalisme; frisind.

liberality [libəˈræləti] *sb.* **1.** gav-mildhed; **2.** frisindethed; for-domsfrihed.

liberalization [lib(ə)rəlaiˈzeiʃn] *sb.* liberalisering.

liberalize [ˈlib(ə)rəlaiz] *vb.* liberali-sere.

liberate [ˈlibəreit] *vb.* **1.** (*land etc.*) befri; **2.** (*fange*) frigive, sætte i fri-hed; **3.** (*kem.*) frigøre, afgive; **4.** T hugge, stjæle, organisere; □ ~ *from* befri for, frigøre for (*fx prejudices*); udfri af (*fx poverty*).

liberated [ˈlibəreitid] *adj.* **1.** befriet; **2.** (*om person*) frigjort (*fx wo-man*).

liberation [libəˈreiʃn] *sb.* **1.** (*af land etc.*) befrielse; **2.** (*af fange*) frigi-velse; **3.** (*for undertrykkelse*) fri-gørelse (*fx women's* ~); befrielse (*fx leaving school was a* ~ *for him*); **4.** (*kem.*) frigørelse, afgi-velse.

liberator [ˈlibəreitə] *sb.* befrier.

Liberia [laiˈbiəriə].

Liberian[1] [laiˈbiəriən] *sb.* liberia-ner, liberier.

Liberian[2] [laiˈbiəriən] *adj.* liberi-ansk, liberisk.

libero [ˈliːbərəu] *sb.* (*i fodbold*) li-bero.

libertarian[1] [libəˈtɛəriən] *sb.* fri-hedsforkæmper.

libertarian[2] [libəˈtɛəriən] *adj.* som kæmper for friheden.

libertine [ˈlibətiːn] *sb.* libertiner, udsvævende person.

liberty [ˈlibəti] *sb.* frihed; □ *liberties* friheder; privilegier; (se også *civil liberties*); *at* ~ fri; ledig; *you are at* ~ *to do so* det står dig frit for at gøre det; *I am not at* ~ *to tell you* det har jeg ikke lov til at sige; *set at* ~ fri-give; sætte på fri fod; ~ *of* ... se *conscience, press*[1], *speech; take the* ~ *of* + *-ing* tage sig den frihed at, være så fri at; *take liberties with* tage sig friheder over for.

Liberty Hall *sb.*: *this is* ~ her kan du gøre lige hvad der passer dig.

libidinous [liˈbidinəs] *adj.* **1.** velly-stig; liderlig; **2.** (*psyk.*) libidinøs.

libido [liˈbiːdəu] *sb.* (*psyk.*) libido.

Libra [ˈlaibrə] *sb.* (*astr.*) Vægten; □ *I am a* ~ jeg er vægt.

libra [ˈlaibrə] *sb.* pund.

librarian [laiˈbrɛəriən] *sb.* bibliote-kar.

librarianship [laiˈbrɛəriənʃip] *sb.* **1.** bibliotekarstilling; **2.** biblioteks-kundskab; biblioteksvidenskab; **3.** biblioteksfaget.

library [ˈlaibr(ə)ri] *sb.* bibliotek.

library pictures *sb. pl.* (*film.*) ar-kivbilleder.

library shot *sb.* (*film.*) arkivopta-gelse.

librettist [liˈbretist] *sb.* (*mus.*) li-brettist; librettoforfatter.

libretto [liˈbretəu] *sb.* (*pl. -s/libretti* [liˈbretiː]) (*mus.*) libretto; opera-tekst.

Libya [ˈlibiə].

Libyan[1] [ˈlibiən] *sb.* libyer.

Libyan[2] [ˈlibiən] *adj.* libysk.

lice [lais] *pl. af louse.*

licence [ˈlais(ə)ns] *sb.* **1.** tilladelse; autorisation; (*til handel & mht. spiritus*) bevilling; (se også *special licence, off-licence*); **2.** (*merk.*) li-cens (*fx manufacture sth under* (på) ~); **3.** (*til bil*) kørekort (*fx drive without a* ~; *lose one's* ~); **4.** (*mere generelt*) frihed (*fx give them greater* ~ *in the exercise of their power; artistic* ~); handlefri-hed; (se også *poetic licence*); **5.** (*neds.*) tøjlesløshed; □ *give sby a* ~ *to* give en frit slag til at; *a* ~ *to print money* **a.** en mulighed for at skovle penge ind; en guldgrube; **b.** (*neds.*) en mulig-hed for at rage til sig; *take out a* ~ **a.** (*jf. 1, 2*) løse bevilling//licens; **b.** (*jf. 3*) få kørekort.

license[1] [ˈlais(ə)ns] *sb.* (*am.*) = *li-cence.*

license[2] [ˈlais(ə)ns] *vb.* autorisere; give tilladelse; give bevilling (*fx* ~ *sby to sell alcoholic liquor*).

licensed [ˈlais(ə)nst] *adj.* **1.** autori-seret; med bevilling; **2.** (*om res-taurant etc.*) med spiritusbevil-ling; □ *fully* ~ med bevilling til at ud-skænke//sælge øl, vin og spiritus.

licensee [lais(ə)nˈsiː] *sb.* bevillings-haver.

license plate *sb.* (*am.*) nummer-plade.

licentious [laiˈsenʃəs] *adj.* liderlig; vellystig; udsvævende; tøjlesløs.

lichen [ˈlaik(ə)n, ˈlitʃn] *sb.* (*bot.*) lav.

lick[1] [lik] *sb.* **1.** slikken; slik; **2.** (T: *lille mængde*) smule; (*af væske*) sjat (*fx a* ~ *of paint*); **3.** (*mus.*) frase, melodistump [*spillet på el-guitar*]; **4.** (T: *slag*) rap; □ *at full* ~ i fuld fart; *a* ~ *and a promise* (*glds.*) overfladisk vask; kattevask; *give it a* ~ *and a prom-ise* (*glds.*) kun lige gøre det nød-vendigste ved det.

lick[2] [lik] *vb.* **1.** slikke (*fx the plate; one's wounds*); slikke på (*fx a stamp*); **2.** (T: *besejre*) slå, banke; **3.** (*glds.* T: *prygle*) slå, banke; give klø; □ *that -s everything* T det overgår/slår alt; *it -s me* det går over min forstand; (se også *arse, boot*[1], *chops, lip, shape*[1]).

licketysplit [ˈlikətisplit] *adv.* (*glds. am.* T) i en mægtig fart; hu-hej.

licking [ˈlikiŋ] *sb.*: *a* ~ T klø, tæv, bank.

lickspittle [ˈlikspitl] *sb.* spytslik-ker.

licorice [ˈlik(ə)ris, (*især am.*) -riʃ] *sb.* (*især am.*) = *liquorice.*

lid [lid] *sb.* **1.** låg; **2.** (*tekn.*) dæk-sel; **3.** (*anat.*) øjenlåg; **4.** (T: *hue*) låg; (*styrthjelm*) potte; □ *blow the* ~ *off* (*fig.*) afsløre; åbenbare; *flip one's* ~ **a.** T blive rasende, fare i flint, ryge helt op i loftet (af raseri); **b.** (*spøg.*) blive skør; *keep the/a* ~ *on* begrænse; holde nede; lægge loft over; *put the* ~ *on* (*fig.*) **a.** lægge låg på; **b.** = *keep the* ~ *on*; **c.** (*glds.*) sætte en stopper for; gøre en ende på; *put a* ~ *on it!* (*am.* T) klap så i! *put the tin* ~ *on = put the* ~ *on c*); *take the* ~ *off* (*fig.*) afsløre; åben-bare.

lidded [ˈlidid] *adj.* **1.** med låg; **2.** (*om øjne*) halvt lukket; (se også *heavy-lidded*).

lido [ˈliːdəu] *sb.* lido; badestrand; friluftsbad.

lie[1] [lai] *sb.* **1.** løgn; usandhed; **2.** (*jf. lie*[3]) beliggenhed; □ *the* ~ *of the land* **a.** terrænfor-holdene; **b.** (*fig.*) situationen; [*med vb.*] *find out//know the* ~ *of the land* finde ud af//vide hvor-dan landet ligger; *give the* ~ *to sby* beskylde en for at lyve; *give the* ~ *to sth* vise//bevise at noget er løgn; modbevise noget; *tell -s* lyve; *tell sby -s* lyve for en.

lie[2] [lai] *vb.* (*-d, -d*) lyve (*about* om; *to* for); □ ~ *through one's teeth* lyve groft/frækt; ~ *one's way out of sth.* lyve sig fra noget.

lie[3] [lai] *vb.* (*lay, lain*) **1.** ligge; **2.** (F: *om afdød*) hvile; være be-gravet (*fx here lies ...*); □ *her talents do not* ~ *that way* hendes evner går ikke i den ret-ning; (se også *low*[4]); [*med præp.& adv.*] ~ *about/around* ligge og flyde; ~ *back* læne sig tilbage; ~ *down* **a.** lægge sig ned; **b.** lægge sig; hvile; *be lying down* **a.** ligge; **b.** (ligge og) hvile sig; **c.** (*mods.* stå) ligge ned; *take it lying down* finde sig i det uden at kny; ~ *down on* se *job*[1]; ~ *down under* se *ovf.*: *take it lying down*; ~ *in* **a.** 'ligge i (*fx the problem -s in his lack of skill*); **b.** sove længe [*om morgenen*]; **c.** (*glds.*) ligge i

barselseng; *as far as in me -s* så
vidt som det står i min magt;
~ *heavily* **on** hvile tungt på;
tynge; ~ *on the bed one has made*
ligge som man har redt;
~ **over** a. ikke være behandlet//af-
gjort; stå hen; **b.** (*am.*) gøre op-
hold;
~ **to** (*mar.*) ligge underdrejet; *an
appeal -s to* sagen kan appelleres
til;
~ **up** a. skjule sig; **b.** holde sen-
gen; **c.** (*mar.*) gå i dok;
~ **with** a. påhvile (*fx the respon-
sibility -s with him*); tilkomme (*fx
it -s with you to decide it*); **b.** ligge
hos//i (*fx the fault -s with him; the
problem -s with the system*);
c. (*glds.*) ligge hos; sove hos.
lie detector *sb.* løgnedetektor.
lie-down [lai'daun] *sb.*: *have a* ~ T
tage sig et hvil; lægge sig lidt.
lief [li:f] *adv.* (*glds., litt.*) gerne.
liege [li:dʒ] *sb.* (*hist.*) **1.** fyrste;
lensherre; **2.** vasal.
lie-in [lai'in] *sb.*: *have a* ~ sove
længe.
lien ['liən] *sb.* (*jur.*) retentionsret,
tilbageholdelsesret.
lieu [l(j)u:] *sb.*: *in* ~ *of* i stedet for.
Lieut. *fork. f. lieutenant.*
lieutenant [lef'tenənt, (*am.*) lu:-]
sb. **1.** stedfortræder; underordnet
hjælper; (*neds.*) håndlanger;
2. (*mil.*) løjtnant; **3.** (*mar.*) pre-
mierløjtnant; **4.** (*am.: i politiet,
omtr.*) politiassistent;
□ *Lieutenant of the Tower* kom-
mandant i Tower; (se også *first
lieutenant, second lieutenant*).
lieutenant colonel *sb.* (*mil.*) oberst-
løjtnant.
lieutenant commander *sb.* (*mar.*)
kaptajnløjtnant.
lieutenant general *sb.* (*mil.*) gene-
ralløjtnant.
lieutenant governor *sb.* viceguver-
nør.
life [laif] *sb.* (*pl.* lives [livz]) **1.** liv;
2. (*bog, film*) biografi (*fx a* ~ *of
Churchill*); levnedsbeskrivelse;
3. (*maskines etc.*) levetid; **4.** (T:
om straf) fængsel på livstid (*fx he
was given/sentenced to* ~);
□ ~ *and limb* liv og lemmer (*fx
risk* ~ *and limb*); *escape with* ~
and limb komme fra det med liv
og lemmer i behold; *he was the* ~
and soul of the party han under-
holdt hele selskabet; han var sel-
skabets midtpunkt; *that's* ~ sådan
er livet; *this is the* ~*!* det er livet!
det kan man kalde at leve! *their* ~
together deres samliv; (se også
large);
[*med vb.*] **lay down** *one's* ~ ofre

sit liv; **lead** *a ... ~* leve et ... liv
(*fx lead a happy//miserable//quiet*
~); føre en ... tilværelse (*fx lead
an dull//exciting//quiet* ~); *lead a
double* ~ leve et dobbeltliv, føre
en dobbelttilværelse; (se også
dog¹); *many lives were lost* mange
menneskeliv gik tabt; *not to save
my* ~ ikke om det så gjaldt mit
liv; *see* ~ lære livet at kende; (se
også *stake²*);
[*med præp.*] **for** ~ a. for (hele) li-
vet; **b.** for livstid (*fx an appoint-
ment for* ~); *imprisonment for* ~
livsvarigt fængsel; fængsel på
livstid; *for (dear/very)* ~ som om
det gjaldt livet; af alle livsens
kræfter; *det bedste man har lært*
(*fx run for dear* ~); *not for the* ~
of me ikke for alt i verden; ikke
om så det gjaldt mit liv; *from the*
~ efter levende model; efter natu-
ren; *late in* ~ i en sen/fremrykket
alder; (se også *start¹*); *at my time
of* ~ i min alder; *I'm having the
time of my* ~ jeg har aldrig moret
mig så godt; *way of* ~ levevis,
livsstil, måde at leve på; (se også
*change¹, matter¹ (of life and
death*)); *not on your* ~ du kan tro
nej; ikke tale om; *not on my* ~ se
ovf.: *not for the* ~ *of me*; *to the* ~
(fuldstændig) livagtig; *bring to* ~
gøre levende (igen); (se også
spring², true²).
life annuity *sb.* livrente.
life assurance *sb.* livsforsikring.
lifebelt ['laifbelt] *sb.* rednings-
bælte, redningskrans.
lifeblood ['laifblʌd] *sb.* (*fig.*) livs-
nerve; hjerteblod.
lifeboat ['laifbəut] *sb.* redningsbåd.
lifebuoy ['laifbɔi] *sb.* se *lifebelt.*
life cycle *sb.* livscyklus.
life expectancy *sb.* forventet leve-
alder.
lifeguard ['laifga:d] *sb.* livredder
[*ved badestrand*].
life imprisonment *sb.* livsvarigt
fængsel, fængsel på livstid.
life insurance *sb.* livsforsikring.
life jacket *sb.* redningsvest.
lifeless ['laifləs] *adj.* **1.** livløs; død;
2. (*fig.*) uden liv; trist; kedsomme-
lig.
lifelike ['laiflaik] *adj.* livagtig.
lifeline ['laiflain] *sb.* **1.** rednings-
line; **2.** (*dykkers & på skib*) liv-
line; **3.** (*fig.*) livsvigtig forbin-
delse; livsnerve (*fx the small shop
provides the* ~ *for the commu-
nity*);
□ *be a* ~ *to* (*fig.*) være livsvigtig
for; *throw a* ~ *to* (*fig.*) optræde
som en frelsende engel for.
lifelong ['laiflɔŋ] *adj.* **1.** livslang (*fx*

a ~ *member of the party*); **2.** livs-
varig;
□ *a* ~ *friend* en ven for livet.
life net *sb.* (*am.*) springlagen.
life office *sb.* livsforsikringssel-
skab.
life peer *sb.* [*livsvarigt medlem af
Overhuset*].
life preserver *sb.* **1.** totenschläger;
2. (*am.*) redningsvest; rednings-
bælte.
lifer ['laifə] *sb.* **1.** T livstidsfange;
2. (*am.*) professionel soldat.
life raft *sb.* redningsflåde.
lifesaver ['laifseivə] *sb.* **1.** (*ved
strand*) livredder; **2.** T [*noget//en
der redder ens liv*];
□ *he//it has been a* ~ han//det har
reddet mit liv.
lifesaving¹ ['laifseiviŋ] *sb.* livred-
ning.
lifesaving² ['laifseiviŋ] *adj.* **1.** livs-
bevarende, livreddende (*fx treat-
ment*); **2.** rednings- (*fx appara-
tus*).
life sciences *sb. pl.* [*videnskaber
der beskæftiger sig med levende
organismer: medicin, biologi, psy-
kologi etc.*].
life sentence *sb.* dom på livsvarigt
fængsel.
life-size ['laifsaiz], **life-sized** ['laif-
saizd] *adj.* i legemsstørrelse; i na-
turlig størrelse.
lifespan ['laifspæn] *sb.* levetid.
lifestyle ['laifstail] *sb.* livsstil.
life-support ['laifsəpɔ:t] *adj.*: ~ *ma-
chine/system* respirator.
life-threatening ['laifθret(ə)niŋ] *adj.*
livstruende; livsfarlig.
lifetime ['laiftaim] *sb.* levetid.
□ *a* ~ (*også*) et helt liv (*fx it will
last a* ~); *half a* ~ et halvt liv; *it
seemed like a* ~ det forekom
mig//os *etc.* som en evighed; ... *of
a* ~ alle tiders ... (*fx the chance//
experience//holiday of a* ~).
lift¹ [lift] *sb.* **1.** elevator; (se også
airlift, chairlift, ski lift); **2.** (*bevæ-
gelse*) løften, løft; hævning; stig-
ning; **3.** (*fig.*) løft; skub; **4.** (*flyv.*)
opdrift; **5.** (*i bil: kørelejlighed*) lift;
6. (*i sko*) hælindlæg; kile;
□ *give sby a* ~ **a.** (*jf. 3*) sætte ens
humør i vejret; sætte en i bedre
humør; **b.** styrke ens selvtillid (*fx
new clothes gave the shy girl a*
~); **c.** (*jf. 5*) lade én køre med;
thumb a ~ se *thumb².*
lift² [lift] *vb.* **1.** løfte, hæve (*fx
one's hand; a glass to one's lips*);
2. (*priser etc.*) hæve; sætte i vej-
ret; **3.** (*lov, forbud etc.*) ophæve,
løfte (*fx a blockade; sanctions*);
4. (*med fly*) transportere, flyve (*fx
more troops into the area*); **5.** (*i*

gartneri) tage op, grave op (*fx potatoes*); **6.** T stjæle (*fx cattle*); hugge; (*tekst også*) plagiere; **7.** (T: *om politiet*) arrestere, tage; **8.** (*am.: lån*) udbetale; indfri (*fx a mortgage; a debt*); **9.** (*uden objekt*) løfte sig (*fx the front of the boat -ed out of the water*); (*om tåge, skyer*) lette (*fx the fog -ed*); **10.** (*mar.: om sejl*) leve; □ ~ *one's eyes//gaze* løfte blikket; ~ *sby's spirits* sætte ens humør i vejret, sætte en i bedre humør; ~ *one's voice* hæve stemmen; [*med adv.*] ~ **down** løfte ned (*from* fra); ~ **off** (*om fly, raket*) starte; lette; ~ *it off the shelf* løfte det ned fra hylden; ~ **out of** **a.** løfte op af//ud af (*fx* ~ *the baby out of the chair*); **b.** (*uden objekt*) løfte sig op af [*jf. ovf.: 9*]; ~ **up** **a.** løfte (*fx one's foot*); løfte op (*fx a child*); **b.** (*fig.*) virke opløftende på (*fx his presence -ed us all up*); ~ *up one's voice* opløfte sin røst.

lift-off ['liftɔf] *sb.* raketstart.

lift shaft *sb.* elevatorskakt.

lift well *sb.* elevatorskakt.

lig [lig] *vb.* S nasse; udnytte gratis tilbud; trænge sig ind hvor man ikke er indbudt.

ligament ['ligəmənt] *sb.* senebånd; ledbånd; ligament; □ *torn* ~ sprængt ledbånd.

ligature ['ligətʃuə] *sb.* **1.** bånd; bind; **2.** (*med.*) underbinding; **3.** (*typ.; mus.*) ligatur.

ligger ['ligə] *sb.* S nasser; en der benytter sig af gratis tilbud.

light[1] [lait] *sb.* **1.** lys; **2.** (*til cykel etc.*) lygte; **3.** (*i mur*) lysåbning; vindue; vinduesrude; **4.** (*mar.*) fyr; □ **a** ~ (*også*) ild (*fx have you got a* ~?); **-s a.** lys (*fx the* -s *were on* lyset var tændt); belysning (*fx street* -s); **b.** (*ved gadekryds etc.*) trafiklys; lyskryds (*fx turn right at the* -s); **c.** (*kattemad, hundemad*) lunger [*af slagtede svin, får etc.*]; *there is* ~ *at the end of the tunnel* (*fig.*) det lysner; der er håb forude; *he is no great* ~ han er ikke noget lys; han har ikke opfundet krudtet; (*se også green light, leading light*); [*med vb.*] **beat** *his* -s *out* = *knock his* -s *out*; **be out/go out** *like a* ~ gå ud som et lys; **knock** *his* -s *out* banke ham sønder og sammen; **hide** *one's* ~ *under a bushel* (*bibelsk*) sætte sit lys under en skæppe; **jump** *the* -s køre over for rødt; **see** *the* ~ **a.** se dagens lys; blive til; **b.** fødes; **c.** (*fig.*) komme til sandheds erkendelse; blive omvendt; lade sig overbevise; **shed** ~ *on* kaste lys over; **shoot** *the* -s T køre over for rødt; **strike a** ~ **a.** stryge en tændstik; **b.** slå ild; **throw** ~ *on* kaste lys over; [*med præp.*] **according to** *his* -s **a.** efter hans begreber; som han nu synes//syntes; **b.** (*især nedladende*) efter bedste evne; så godt han formår//formåede; *may I trouble you for a* ~? du har vel ikke en tændstik?, kunne du ikke give mig lidt ild? *come to see the matter in another/a different* ~ få et andet syn på sagen; se sagen i et nyt lys; *put a person in a false* ~ stille en i et falsk lys; *he **stands** in my* ~ han står i lyset for mig; *stand in one's own* ~ stå sig selv i lyset; *in the* ~ *of* i lyset af; under hensyn til; i betragtning af; *bring* **to** ~ bringe for dagen; *come to* ~ komme for dagen.

light[2] [lait] *adj.* **1.** (*mods. mørk*) lys; **2.** (*mods. tung, svær, kraftig*) let; **3.** (*om madvare*) kalorielet; **4.** (*om drik*) mild; let; **5.** (*om dom, straf*) mild; **6.** (*mht. indholdsmængde*) undervægtig (*fx the sack of potatoes is 5 kilos* ~); **7.** (*typ.: om skrift*) mager; □ ~ *brown//green etc.* lysebrun// lysegrøn *etc.; make* ~ *of* tage sig let; lade hånt om; bagatellisere; [*med sb.; se også alfabetisk*] ~ *breeze* svag brise; *be a* ~ *drinker// eater* ikke drikke//spise ret meget; ~ *losses* små tab; ~ *reading* morskabslæsning; *be a* ~ *sleeper* sove let; ~ *soil* løs jord; *make* ~ *work of* se *short*[2] (*make short work of*).

light[3] [lait] *vb.* (-ed/lit, -ed/lit) **1.** lyse; **2.** tænde (*fx the gas//the cooker won't* ~); **3.** (*sted*) oplyse (*fx a single bulb lit the room*); **4.** (*person*) lyse for (*fx* ~ *him through the garden*); □ ~ *a fire* tænde op; [*med præp.& adv.*] ~ **into** falde 'over; angribe; ~ **on a.** sætte sig på (*fx the bird -ed on the roof*); **b.** F træffe på, støde på (*fx an old manuscript*); **c.** (*om blik*) slå ned på, træffe (*fx her eyes lit on his socks on the floor*); ~ **out** T stikke af; fare af sted; ~ **up a.** tænde; **b.** tænde lyset; **c.** (*om køretøj*) tænde lygten/lygterne; **d.** (*om lyskilde*) oplyse, lyse op i (*fx the fire lit up the room*); **e.** (*om ansigt, øjne*) lyse op (*fx his face lit up*); **f.** T få ild på piben//cigaretten *etc.;* ~ **upon** = ~ *on*.

light[4] [lait] *adv.* let (*fx sleep* ~); □ *travel* ~ rejse med lille bagage; (*se også lightly*).

light breeze *sb.* **1.** let brise; **2.** (*vindstyrke 2*) svag vind.

light bulb *sb.* (elektrisk) pære.

light buoy *sb.* (*mar.*) lystønde.

lighten ['lait(ə)n] *vb.* **1.** (*jf. light*[2] *1*) lysne, gøre lysere; (*uden objekt*) lysne, blive lysere (*fx the sky began to* ~ *in the east*); **2.** (*jf. light*[2] *2; også om stemning*) lette, gøre lettere (*fx his burden; her workload; the atmosphere*); (*uden objekt*) blive lettere; □ *his face -ed* hans ansigt lyste op; ~ *her mood/spirits* sætte hende i bedre humør; *her mood/spirits -ed* hun kom i bedre humør; ~ *up* (*tekst*) live op på (*fx put in a few jokes to* ~ *up the talk*); ~ *up!* T op med humøret.

lighter ['laitə] *sb.* **1.** lighter; (cigaret)tænder; **2.** (*mar.*) pram; lægter.

lighterage ['laitəridʒ] *sb.* prampenge; lægterpenge.

lightface ['laitfeis] *adj.* (*typ.: om skrift*) mager.

light-fingered [lait'fiŋgəd] *adj.* **1.** langfingret, tyvagtig; **2.** fingernem; **3.** (*mus.*) med let anslag.

light fog *sb.* (*foto.*) falsk lys.

light-footed [lait'futid] *adj.* let til bens.

light-headed [lat'hedid] *adj.* ør, svimmel, uklar.

light-hearted [lait'ha:tid] *adj.* munter, sorgløs.

lighthouse ['laithaus] *sb.* fyrtårn.

lighting ['laitiŋ] *sb.* **1.** belysning; lys; **2.** (*film.; teat.*) lyssætning.

lighting-up time [laitiŋ'ʌptaim] *sb.* lygtetændingstid.

lightly ['laitli] *adv.* **1.** let; **2.** muntert; **3.** ligegyldigt; skødesløst; uden grundig overvejelse (*fx this award is not given* ~); □ *get off* ~, *be let off* ~ (*mht. straf*) slippe billigt (fra det); *take it* ~ tage let på det.

light music *sb.* let musik; underholdningsmusik.

lightning[1] ['laitniŋ] *sb.* lyn; □ *a flash of* ~ et lyn, et lynglimt; *a stroke of* ~ et lyn; et lynnedslag; *like* ~ som et lyn; (se også *forked, grease*[2]).

lightning[2] ['laitniŋ] *adj.* lynhurtig, lyn- (*fx cure; visit*); □ *with* ~ *speed* med lynets hast.

lightning bug *sb.* (*am.*) ildflue.

lightning conductor *sb.* lynafleder.

lightning rod *sb.* (*am.*) lynafleder; □ *be a* ~ *for* blive målet for, tiltrække (*fx all the criticism*).

lightning strike *sb.* uvarslet strejke.

light pen *sb.* (*it*) lyspen.

light railway *sb.* letbane.

lights [laits] *sb. pl.* se *light¹*.
light saber *sb.* lyssværd.
lightship ['laitʃip] *sb.* (*mar.*) fyrskib.
lightweight¹ ['laitweit] *sb.* (*i boksning*) **1.** letvægt; **2.** (*person*) letvægter.
lightweight² ['laitweit] *adj.* **1.** letvægts- (*fx boxer; coat; paper*); **2.** (*fig.*) overfladisk;
□ ~ *concrete* letbeton.
light well *sb.* lysskakt.
light year *sb.* (*også fig.*) lysår.
ligneous ['ligniəs] *adj.* træ-; træagtig.
lignite ['lignait] *sb.* brunkul.
likable ['laikəbl] *adj.* = likeable.
like¹ [laik] *sb.* lige; mage;
□ ~ *will to* ~, ~ *attracts* ~ krage søger mage;
-s *and dislikes* sympatier og antipatier; *the -s of me* **T** folk af min slags; sådan nogle som mig; *the -s of which we have never seen* hvis lige/mage vi aldrig har set; som vi aldrig har set magen til;
the ~ (noget) lignende; sligt; *and the* ~ og så videre; og den slags; *did you ever hear the* ~ (*of that*)? har du nogen sinde hørt mage? *I never saw the* ~ *of you* et menneske som dig har jeg aldrig truffet.
like² [laik] *adj.* **F** lignende; samme (*fx children of* ~ *ability*);
□ *as* ~ *as not* sandsynligvis; højst sandsynligt; *be* ~ (*om billede*) ligne (*fx the picture is not* ~); *they are as* ~ *as two peas* de ligner hinanden som to dråber vand; ~ *enough* (*glds.*) se ovf.: *as* ~ *as not*; *of* ~ *mind* af samme mening.
like³ [laik] *vb.* (*godt*) kunne lide; synes om; (*især i negative sætn. også*) bryde sig om (*fx I don't* ~ *him//beer*);
□ *as you* ~! som du ønsker! *if you* ~ **a.** hvis du vil/har lyst/synes; hvis du bryder dig om det; **b.** (*når man vælget et andet udtryk*) om man vil (*fx it was a mistake or, if you* ~, *an accident*); *I* ~ *that!* det er dog for galt! det må jeg sige! nej hør nu!
[+ *inf.*] *I* ~ *to* **a.** jeg kan godt lide at (*fx play golf*); **b.** jeg foretrækker at (*fx play golf in the morning*); *I* ~ *them to come early* **a.** jeg kan godt lide at de kommer tidligt; **b.** jeg foretrækker at de kommer tidligt; *he does not* ~ *me to see it* han bryder sig ikke om at jeg ser det;
[*med should, would*] *I should* ~ *to know* jeg gad vide; *I should not* ~ *to* jeg ville nødig; *would* ~ **a.** vil//ville gerne (*fx I would* ~ *to*

apologize); **b.** vil//ville gerne have (*fx I would* ~ *a glass of beer//an explanation*); har lyst til (*fx I would* ~ *a bath; would you* ~ *to tell me what happened?*); kunne tænke sig (*fx would you* ~ *to see the house?*); *I would* ~ *to think that ...* jeg vil//ville helst tro at ...; *how would you* ~ ...? hvad ville du sige til ...? (*fx a trip to France*); *what would you* ~? hvad skal det være?
like⁴ [laik] *adv.* (**T**: *fyldeord*) ligesom (*fx he is,* ~, *a great chap, you know*).
like⁵ [laik] *konj.* **T 1.** som (*fx he is a poor man* ~ *you are;* ~ *I said*); **2.** som om (*fx he acted* ~ *he couldn't see me*).
like⁶ [laik] *præp.* **1.** lige som; som; **2.** som, som for eksempel (*fx large cities* ~ *New York*);
□ ~ *that* sådan; på den måde (*fx don't shout* ~ *that*); *a man* ~ *that* sådan en mand; ~ *this* sådan; på denne (her) måde; (se også *anything, mad, more, something¹*); [*med: be*] *be* ~ ligne (*fx she is* ~ *her mother*); *that is just* ~ *him!* hvor det ligner ham! det er netop hvad man kunne vente af ham! *what is he* ~? hvordan er han? hvordan ser han ud?
likeable ['laikəbl] *adj.* sympatisk, tiltalende.
likelihood ['laiklihud] *sb.* sandsynlighed;
□ *in all* ~ højst sandsynligt.
likely ['laikli] *adj.* **1.** sandsynlig (*fx outcome; story*); **2.** (*til et bestemt formål*) egnet (*fx a* ~ *place to fish*); passende;
□ *as* ~ *as not* højst sandsynligt; *not* ~! **T** ikke tale om! *not bloody* ~! gu' vil jeg ej! *a* ~ *story!* (*ironisk*) den tror jeg ikke på!
[*med: be + inf.*] *he is* ~ *to come* han kommer sandsynligvis; *there is* ~ *to be some trouble* der bliver sandsynligvis/rimeligvis en del besvær.
like-minded [laik'maindid] *adj.* ligesindet.
liken ['laik(ə)n] *vb.:* ~ *to* (ɔ: *bruge som billede*) sammenligne med; **F** ligne ved.
likeness ['laiknəs] *sb.* **1.** lighed; **2.** (*glds.*) portræt; billede;
□ *the portrait is a good* ~ portrættet er meget vellignende/ligner godt;
[*med præp.*] *made in God's* ~ skabt i Guds billede; *the god appeared in the* ~ *of a swan* guden viste sig i en svanes skikkelse/i skikkelse af en svane.

likewise ['laikwaiz] *adj.* ligeså; ligeledes.
liking ['laikiŋ] *sb.: too sweet for my* ~ for sød efter min smag; *have a* ~ *for* holde af; synes om; *take a* ~ *to* komme til at synes om; få sympati for; *to my* ~ efter min smag.
lilac¹ ['lailək] *sb.* (*bot.*) syren.
lilac² ['lailək] *adj.* lilla.
Lilo® ['lailəu] *sb.* luftmadras.
lilt [lilt] *sb.* **1.** (*i stemme*) melodisk tonefald; **2.** (*i melodi*) rytme; liv; sving;
□ *with a* ~ (*in the voice*) med melodisk stemme.
lilting ['liltiŋ] *adj.* **1.** melodisk; **2.** rytmisk.
lily ['lili] *sb.* (*bot.*) lilje;
□ *gild/paint the* ~ [*prøve at forbedre på noget der i sig selv er smukt//perfekt, og derved spolere det*].
lily-livered [lili'livəd] *adj.* (*litt.*) fej.
lily of the valley *sb.* (*pl. lilies of the valley*) (*bot.*) liljekonval.
lily pad *sb.* åkandeblad.
lily-white [lili'wait] *adj.* **1.** (*litt.*) liljehvid; **2.** (*fig.*) uskyldsren; **3.** (*am.* S: *racemæssigt*) rent hvid.
lima bean ['li:məbi:n] *sb.* limabønne.
limb [lim] *sb.* **1.** lem; ben; **2.** (*på træ*) (hoved)gren;
□ *be torn* ~ *from* ~ blive flået i småstykker; *be out on a* ~ (*fig.*) **a.** være isoleret; **b.** være i en farlig situation; *go out on a* ~ (*fig.*) løbe en risiko; vove pelsen.
limber¹ ['limbə] *sb.* (*mil.: til kanon*) 'forstilling.
limber² ['limbə] *adj.* bøjelig; smidig.
limber³ ['limbə] *vb.* gøre bøjelig; gøre smidig;
□ ~ *up* **a.** (*før konkurrence*) varme op; **b.** (*mil.*) jf. *limber¹*) prodse på.
limbo ['limbəu] *sb.* **1.** (*myt.*) limbus [*hvor de afdøde tænktes at opholde sig, der uden egen skyld var udelukket fra at komme i himlen*]; **2.** (*fig.*) tomrum; mellemtilstand; overgangsstadium; **3.** (*dans*) limbo;
□ *be in* ~ (*også*) **a.** svæve i uvished; **b.** være glemt; *descend into* ~ gå i glemmebogen.
lime¹ [laim] *sb.* **1.** (*bot.*) lind; lindetræ; **2.** (*frugt*) lime, limefrugt [*lille, grønlig, tyndskallet citron*]; **3.** (*saft*) lime, limejuice (*fx gin and* ~); **4.** (*til jordforbedring, byggeri*) kalk.
lime² [laim] *vb.* behandle med kalk.
limelight ['laimlait] *sb.* (*fig.*) ram-

L *limen*

pelys;
□ *in the* ~ i rampelyset; *come into
the* ~ komme frem; blive kendt.
limen ['laimən] *sb.* (*psyk.*) (bevidst-
hedens) tærskel.
limerick ['limərik] *sb.* limerick
[*humoristisk femlinjet vers*].
limescale ['laimskeil] *sb.* kalkaflej-
ring [*i rør etc.*]; kedelsten.
limestone ['laimstəun] *sb.* kalksten.
lime tree *sb.* (*bot.*) lindetræ.
limewash[1] ['laimwɔʃ] *sb.* hvidte-
kalk.
limewash[2] ['laimwɔʃ] *vb.* kalke;
hvidte.
limey ['laimi] *sb.* (*glds. am.* S) eng-
lænder.
limit[1] ['limit] *sb.* **1.** grænse (*fx a
twelve-mile* ~); yderste grænse;
2. begrænsning (*on* med hensyn
til, *fx how many bottles of wine
you can bring through customs*);
3. (*fig.*) grænse (*to for, fx there is
a* ~ *to my patience*); **4.** (*merk.*)
prisgrænse; limitum; maksimum;
□ *-s* **a.** grænser; **b.** område (*fx on
school -s*); **c.** (*fig.*) grænser; ram-
mer (*fx confine* (holde) *it within
narrow -s*);
put a ~ *on* begrænse; *set a* ~ fast-
sætte en grænse;
[*med præp.*] *above the* ~ over
den fastsatte promillegrænse-
grænse [ɔ: *for alkoholindhold i
blodet*]; *below the* ~ under den
fastsatte promillegrænse [*jf. above
the* ~]; *off -s* **a.** forbudt område;
b. (*fig.*) forbudt; *over the* ~ =
above the ~; *within -s* **a.** inden
for rimelige grænser; **b.** til en vis
grad (*fx you can trust him, within
-s*); *without* ~ ubegrænset; græn-
seløs.
limit[2] ['limit] *vb.* (se også *limited*)
begrænse; indskrænke.
limitation [limi'teiʃn] *sb.* **1.** be-
grænsning; indskrænkning;
2. (*jur.*) forældelse [*af fordring
etc.*];
□ *statute of -s* forældelsesfrist.
limited ['limitid] *adj.* begrænset;
indskrænket; snæver.
limited company *sb.* (*merk.*) aktie-
selskab [*med begrænset hæftelse*].
limited liability *sb.* (*merk.*) be-
grænset hæftelse/ansvar.
limited partner *sb.* (*merk.*) kom-
manditist.
limited partnership *sb.* (*merk.*)
kommanditselskab.
limitless ['limitləs] *adj.* ubegræn-
set, grænseløs.
limnology [lim'nɔlədʒi] *sb.* fersk-
vandsbiologi.
limo ['liməu] *sb.* = *limousine.*
limousine ['limuzi:n] *sb.* **1.** limou-

---

sine [*type luksusbil, ofte med
chauffør*]; **2.** (*am.*) [*bil til passa-
gertransport til og fra lufthavn*].
limp[1] [limp] *sb.* halten;
□ *walk with a* ~ halte.
limp[2] [limp] *adj.* **1.** (*om ting*) slap
(*fx the flag hung* ~); slatten (*fx
lettuce leaf*); (*om hår*) slasket;
2. (*om person*) svag, kraftesløs (*fx
he felt* ~ *after the race*); slap, slat-
ten (*fx handshake*); **3.** (*om bog-
bind*) blødt.
limp[3] [limp] *vb.* halte; humpe; (*fig.
også*) slæbe sig af sted.
limpet ['limpit] *sb.* (*zo.*) albueskæl
[*art snegl der hæfter sig fast på
klipper*];
□ *cling/stick like a* ~ suge sig fast
som en igle.
limpet mine *sb.* (*mil.*) klæbemine.
limpid ['limpid] *adj.* **1.** klar, glas-
klar, krystalklar; **2.** (*fig.*) klar, let-
forståelig.
limpkin ['limpkin] *sb.* (*zo.*) rikse-
trane.
limy ['laimi] *adj.* kalkholdig; kalk-.
linage ['lainidʒ] *sb.* linjetal, linje-
antal.
linchpin ['lin(t)ʃpin] *sb.* **1.** (*på
hjul*) lundstikke [*pind der holder
hjulet på plads*]; **2.** (*fig.*) hoved-
hjørnesten, grundpille;
□ *the* ~ *in/of his plan* (*også*) det
som hans plan står og falder med.
Lincolnshire ['liŋkənʃ(j)ə].
Lincs. *fork. f.* Lincolnshire.
linden ['lindən] *sb.* (*bot.*) lind, lin-
detræ.
line[1] *sb.* **1.** (*typ., mil., mat., sport,
tlf. etc.*) linje; **2.** (*i poesi*) verslinje;
3. (*teat.*) replik; **4.** (*udsagn*) be-
mærkning; sentens; guldkorn;
5. (*jernb.*) banelinje, spor;
6. (*bus-, flyv.*) linje, rute; **7.** (*teg-
net*) linje, streg; (*som er karakte-
ristisk for en tegner*) streg (*fx his
clearness of* ~ hans klare streg);
8. (*på vej*) stribe (*fx double yellow
lines*); **9.** (*for land*) grænse (*be-
tween mellem*); **10.** (*i ansigt*)
rynke; fure; **11.** (S: *om narko*)
bane (*fx a* ~ *of coke*); **12.** (*af ting//
personer bag hinanden*) række (*fx
of soldiers; of cars; of trees; a long
~ of distinguished public ser-
vants*); **13.** (*am.: af ventende*) kø;
14. (*litt.*) slægt (*fx he comes of a
good* ~); **15.** (*langt stykke*) snor,
line; (*til fiskeri også*) snøre;
16. (*tlf., gas- etc.*) ledning;
17. (*merk.*) vare(art); varegruppe,
vareparti; (*område*) branche (*fx
his* ~ *is hardware*); **18.** (*persons*)
specialitet, særlig interesse, sær-
ligt felt (*fx gardening is not my
~*); se også ndf.: *in my* ~;

□ *-s* (*også*) **a.** retningslinjer; **b.** (*i
skole*) linjer til afskrift [*som straf*];
c. (*teat.*) replik(ker); rolle; *hard -s*
se *hard*[2];
[*med: of*] ~ *of business* branche;
fag; ~ *of command* kommando-
vej; ~ *of communications* (*mil.*)
kommunikationslinjer; forbindel-
sesveje; ~ *of credit* (*merk.*) **a.** kre-
ditmaksimum; låneramme;
b. (*am. omtr.*) kassekredit; *that is
not my* ~ *of country* se ndf.: *in my
~*; ~ *of duty//fire* se ndf.: *in the ...*;
~ *of flight* flyveretning; ~ *of force*
(*fys.*) kraftlinje; ~ *of march*
marchretning; ~ *of sight* syns-
linje, synsfelt; sigtelinje; ~ *of
thought* tankerække; tankegang; ~
of vision = ~ of sight;
[*med vb.*] *cross the* ~ **a.** gå over
grænsen (*fx to Canada*); **b.** (*om
bold*) ryge ud af banen; **c.** (*mar.*)
passere linjen/Ækvator; *crossed -s*
(*tlf.*) forkert forbindelse; *get one's
-s crossed* **a.** (*tlf.*) få forkert num-
mer; **b.** (*fig.*) misforstå hinanden; *I
draw the* ~ *there* der trækker jeg
grænsen; *we must draw the* ~
somewhere der må være en kant/
grænse; *draw a* ~ *in the sand*
tegne en streg i sandet; *draw a* ~
under afslutte, sætte punktum
for; *drop me a* ~ send mig et par
ord; *feed sby a* ~ T stikke en en
løgn; binde en en historie på ær-
met; *form a* ~ danne kø; *get a* ~
on T få noget at vide om; *give a* ~
on orientere om; *hold the* ~
a. holde stand; ikke vige; **b.** (*tlf.*)
holde forbindelsen; *hold the* ~*!* et
øjeblik! *shoot a* ~ T prale; *spin
them a* ~ binde dem noget på ær-
met; *take such a* ~ følge en sådan
fremgangsmåde; gå frem på en så-
dan måde; *take a strong* ~ vise
fasthed; *take a tough* ~ anlægge
en hård kurs (*with* over for); *take
a high* ~ *with* sætte sig på den
høje hest over for; *tread a fine/
thin* ~ *between* balancere (*med
held*) mellem, gå balancegang
mellem (*fx honesty and tactless-
ness*) [ɔ: *og holde sig på den rig-
tige side*]; (se også *toe*[2]);
[*med præp.*] *all along the* ~ over
hele linjen (*fx success all along
the* ~); hele vejen; *somewhere
along the* ~ på et eller andet tids-
punkt; *along these//those -s, along
the -s of* se ndf.: *on ... -s*; *think
along those -s* tænke i de baner;
down the ~ på et senere tids-
punkt; *all the way down the* ~ se:
all along the ~; *a few years down
the* ~ om nogle år;
in ~ på linje; på række; *stand in*

(a) ~ stå i række; stå i kø; *what ~ are you in?* hvad er dit fag? *that's not in my* ~ T det falder ikke inden for mit område; det giver jeg mig ikke af med; det er ikke noget for mig; *be in* ~ *for* have udsigt til (*fx promotion; a wage rise*); *that's not in my* ~ *of country* se ovf.: *not in my* ~; *in the* ~ *of duty* i tjenesten; under udførelse af sin pligt; *in the* ~ *of fire* i skudlinjen; *in* ~ *with* på linje med; *bring into* ~ *with* **a.** bringe på linje med; **b.** rette ind efter; *fall/ come into* ~ *with* **a.** stille sig på linje med; slutte sig til; erklære sig//være enig med; arbejde sammen med; **b.** rette sig ind efter; *fall into* ~ *(with the others)* følge trop; *on* ~ (*fig.*) i funktion; *on the* ~ (*fig.*) i fare; (se også *dotted line*); *he is on the* ~ han er i telefonen; *come on the* ~ komme til telefonen; *hung on the* ~ (*om billede*) ophængt i øjenhøjde; *lay/put it on the* ~ T sige det ligeud, tale lige ud af posen; *lay/put sth on the* ~ sætte noget på spil (*fx one's life*); bringe noget i fare (*fx one's job*); *on these* -*s* efter disse retningslinjer; *something on those* -*s* noget i den retning; *something on the* -*s of* noget i retning af; *be on the* ~ *to* tale i telefon med; *step out of* ~ gøre noget forkert; gå over stregen; *out of* ~ *with* **a.** ikke på linje med; **b.** (*fig.*) ikke på linje med, ude af trit med.
line[2] [lain] *vb.* (se også *lined*) **1.** kante, stå i rækker langs, stå opstillet langs (*fx thousands* -*d the route*); **2.** (*indvendigt*) fore, beklæde;
□ ~ *one's stomach* fylde sig; (se også *pocket*[1]);
[*med præp.& adv.*] ~ *up* **a.** (*ting*) opstille/anbringe på linje (*fx books*); **b.** (*personer*) stille op på (rad og) række; stille op; stille i kø; **c.** (*uden objekt*) stille sig op på (rad og) række; stille sig op; stille sig i kø; **d.** (T: *arrangement*) planlægge (*fx a tour*); arrangere (*fx a meeting; something exciting for the weekend*); organisere; (*også: person*) sørge for (*to* til at, *fx have you* -*d up somebody to entertain the guests? have you* -*d up something exciting for the weekend?*); ~ *up against* samle sig til modstand mod; ~ *up against a wall* stille op ad en mur; *be* -*d up against* stå over for; ~ *up behind* stille sig bag ved; ~ *with* fore med (*fx* ~ *the drawers with*

paper); beklæde med; ~ *the roads with troops* opstille tropper langs vejene.
lineage ['liniidʒ] *sb.* F afstamning; slægt.
lineal ['liniəl] *adj.* F nedstammende i lige linje; direkte.
linear ['liniə] *adj.* lineær, lige (*fx movement*); linje- (*fx diagram*).
linear measure *sb.* længdemål.
linebacker ['lainbækər] *sb.* (*am.*) [*i amerikansk fodbold: forsvarsspiller der befinder sig bag angrebskæden*].
line block *sb.* (*typ.*) stregkliché.
lined [laind] *adj.* **1.** (*om papir*) linjeret; **2.** (*om ansigt*) furet; rynket; **3.** (*om tøj etc.*) foret; beklædt.
line drawing *sb.* stregtegning.
lineman ['lainmən] *sb.* (*pl.* -*men* [-mən]) (*am.*) = *linesman* (*3, 4*).
line manager *sb.* (*i organisation*) linjechef.
linen ['linin] *sb.* **1.** (*hør*)lærred; linned; **2.** (*ting lavet heraf*) linned; (se også *bed linen, table linen*); (*merk.*) hvidevarer;
□ *wash one's dirty* ~ *in public* (*fig.*) holde storvask/opgør for åbent tæppe.
linen basket *sb.* vasketøjskurv.
linenfold ['lininfəuld] *sb.* foldeværk [*ornament*].
line of ... se *line*[1].
line-out ['lainaut] *sb.* (*i rugby*) indkast [*med de to holds forwards opstillet i to rækker vinkelret på sidelinjen*].
line printer *sb.* (*it*) linjeprinter, linjeskriver.
liner ['lainə] *sb.* (*mar.*) liner; rutebåd; krydstogtskib; **2.** (*am.*) pladeomslag.
liner notes *sb. pl.* (jf. *liner* 2) bagsidetekst.
linesman ['lainzmən] *sb.* (*pl.* -*men* [-mən]) **1.** (*i fodbold etc.*) linjevogter; **2.** (*i tennis*) linjedommer; **3.** (*tlf.*) telefonmontør; **4.** (*jernb.*) banearbejder.
line-up ['lainʌp] *sb.* **1.** opstilling; række af optrædende; opbud (*fx of musicians*); **2.** (*i sport*) holdopstilling; **3.** (*til identifikation af mistænkt, især am.*) [*den række af personer hvori den mistænkte anbringes*]; konfrontation.
ling [liŋ] *sb.* **1.** (*bot.*) lyng; **2.** (*zo.*) lange [*art fisk*].
linger ['liŋgə] *vb.* **1.** (*om person*) blive (stående//siddende etc.) (*fx they* -*ed awhile after the party*); tøve; (*især poet.*) dvæle (*fx at her grave*); **2.** (*om idé, skik etc.*) holde sig; leve videre (*fx the practice still* -*s*); holde sig i live;

□ ~ *on* **a.** = *1*; **b.** holde sig (*fx the taste* -*ed on in the mouth*); **c.** (*om svag el. syg person*) vedblive at leve; holde sig i live (*fx the patient* -*ed on for some years*); ~ *over* **a.** blive siddende ved (*fx breakfast*); **b.** (*neds.*) smøle med; **c.** (*i beretning*) dvæle ved.
lingerer ['liŋgərə] *sb.* efternøler.
lingerie ['lænʒ(ə)ri, (*am.*) lɑːndʒəˈrei] *sb.* lingeri; dameundertøj; damenattøj.
lingering ['liŋgəriŋ] *adj.* **1.** langvarig; langsom (*fx death*); dvælende (*fx kiss*); **2.** tilbageværende (*fx fear*);
□ *any* ~ *doubt(s) were removed* enhver rest af tvivl blev fjernet.
lingo ['liŋgəu] *sb.* (*pl.* -*es*) uforståeligt sprog; kaudervælsk; volapyk.
lingua franca [liŋgwə ˈfræŋkə] *sb.* fællessprog.
lingual ['liŋgw(ə)l] *adj.* **1.** tunge- (*fx bone*); **2.** sproglig; sprog- (*fx studies*).
linguist ['liŋgwist] *sb.* **1.** sprogkyndig person; **2.** (*fagmand*) lingvist; □ *he is a good* ~ han er god til sprog.
linguistic [liŋˈgwistik] *adj.* lingvistisk; sproglig; sprogvidenskabelig.
linguistics [liŋˈgwistiks] *sb.* lingvistik; sprogvidenskab.
liniment ['linimənt] *sb.* liniment, flydende salve.
lining ['lainiŋ] *sb.* **1.** indvendig beklædning; belægning; foring; **2.** (*muret*) udmuring; **3.** (*i tøj*) for; □ *every cloud has a silver* ~ **a.** oven over skyerne er himlen altid blå; **b.** enhver sag har sine lyse sider.
link[1] [liŋk] *sb.* **1.** forbindelse (*between* mellem, *fx* smoking *and* lung cancer; London *and* Edinburgh; *with* med, til, *fx he was my only* ~ *with the past; he broke all* -*s with them*); **2.** forbindelsesled; bindeled; **3.** bånd (*fx the* -*s of brotherhood*); **4.** (*i kæde*) led; ring.
link[2] [liŋk] *vb.* **1.** forbinde (*to/with* med); sammenkæde (*to/with* med); **2.** (*uden objekt*) forbindes; sammenkædes;
□ *he* -*ed his arm through/in hers, he* -*ed arms with her* han tog hende under armen; ~ *together* sammenkoble; ~ *up* **a.** tilslutte; forbinde; **b.** (*uden objekt*) forbindes.
linkage ['liŋkidʒ] *sb.* **1.** sammenkædning; **2.** (*biol.*) kobling; **3.** (*it*) lænke; **4.** (*tekn.*) ledforbindelse.
linkman ['liŋkmæn] *sb.* (*pl.* -*men*

L links

[-men]) **1.** (*radio.*, *tv*) [*person der forbinder de enkelte indslag i et program*]; **2.** (*i fodbold*) midtbanespiller.
links [liŋks] *sb. pl.* golfbane.
link-up [ˈliŋkʌp] *sb.* forbindelse; sammenkædning.
linnet [ˈlinit] *sb.* (*zo.*) tornirisk.
lino [ˈlainəu] *sb.* T linoleum.
linocut [ˈlainəukʌt] *sb.* linoleumssnit.
linoleum [liˈnəuliəm] *sb.* linoleum.
linseed [ˈlinsi:d] *sb.* hørfrø.
linseed oil *sb.* linolie.
linsey-woolsey [linziˈwulzi] *sb.* [*stof af uld og bomuld*]; (*omtr.*) hvergarn.
lint [lint] *sb.* **1.** charpi [*optrævlet linned til forbinding*]; **2.** (*især am.*) fnuller; (*på gulv*) nullermænd, ulder.
lintel [ˈlint(ə)l] *sb.* overligger [*over dør el. vindue*]; vinduesbjælke.
lion [ˈlaiən] *sb.* løve;
□ *beard the* ~ *in his den/lair* vove sig ind i løvens hule; *throw to the -s* kaste for løverne; *the -'s den* løvens hule; *the -'s share* broderparten.
lioness [ˈlaiənəs] *sb.* løvinde.
lionhearted [laiənˈha:tid] *adj.* modig som en løve;
□ *Richard the Lionhearted* Rikard Løvehjerte.
lionize [ˈlaiənaiz] *vb.* F gøre stads af, fetere.
lip [lip] *sb.* **1.** læbe; **2.** (*på beholder*, *af område*) kant; rand; **3.** (*på værktøj*) skær; **4.** T næsvished; næsvise bemærkninger;
□ *bite one's* ~ bide sig i læben, bide tænderne sammen [*o: og beherske sig*]; *lick one's -s* slikke sig om munden; *pass one's -s* komme over ens læber; *read my -s* læg nøje mærke til hvad jeg siger; (*se også* sealed, smack², stiff²); [*med præp.*] *I heard it from his own -s* jeg hørte det af hans egen mund; *it is on everybody's -s* det er på alles læber; *none of your* ~*!* ikke næsvis!
lipgloss [ˈlipglɔs] *sb.* lipgloss [*slags kosmetik der får læberne til at glinse*].
liposuction [ˈlipə(u)sʌkʃn, ˈlai-] *sb.* fedtsugning.
lip-read [ˈlipri:d] *vb.* bruge mundaflæsning.
lip-reading [ˈlipri:diŋ] *sb.* mundaflæsning.
lip salve *sb.* læbepomade.
lip service *sb.* tomme ord;
□ *give/pay* ~ *to* hylde i ord men ikke i gerning; hykle respekt for; foregive at støtte.

lipstick [ˈlipstik] *sb.* læbestift.
lip-sync, **lip-synch** [ˈlipsiŋk] *vb.* mime [*til båndoptagelse etc*].
liquefaction [likwiˈfækʃn] *sb.* (jf. *liquefy*) **1.** smeltning; smeltet tilstand; **2.** fortætning; omdannelse til væske.
liquefy [ˈlikwifai] *vb.* **1.** smelte, gøre flydende; (*uden objekt*) smelte, blive flydende; **2.** (*luftart*) fortætte [*omdanne til væske*]; (*uden objekt*) fortættes.
liqueur [liˈkjuə] *sb.* likør.
liquid¹ [ˈlikwid] *sb.* væske.
liquid² [ˈlikwid] *adj.* **1.** flydende (*fx hydrogen*); **2.** klar (*fx air*); **3.** (*om toner etc.*) ren; smeltende; **4.** (*om pengemidler etc.*) likvid (*fx assets* aktiver); let realisabel;
□ ~ *air* **a.** frostklar luft; **b.** (*kem.*) flydende luft; ~ *eyes* (fugtig)blanke øjne.
liquidate [ˈlikwideit] *vb.* **1.** (*firma, selskab*) afvikle, likvidere; **2.** (*gæld*) afvikle, betale; **3.** (*aktiver*) realisere; **4.** (*person*) likvidere; rydde af vejen.
liquidation [likwiˈdeiʃn] *sb.* (jf. *liquidate*) **1.** afvikling, likvidation; **2.** afvikling, betaling; **3.** realisation; **4.** likvidering;
□ *go into* ~ (*jf. 1*) træde i likvidation.
liquidator [ˈlikwideitə] *sb.* likvidator.
liquid crystal *sb.* [*flydende krystal*].
liquid crystal display *sb.* flydende krystaldisplay/skærm.
liquidity [liˈkwiditi] *sb.* (*merk.*) likviditet.
liquidize [ˈlikwidaiz] *vb.* (*mad*) blende, presse til mos.
liquidizer [ˈlikwidaizə] *sb.* blender.
liquid manure *sb.* ajle.
liquid paraffin *sb.* paraffinolie.
liquor¹ [ˈlikə] *sb.* (*især am.*) spiritus.
liquor² [ˈlikə] *vb.*: ~ *up* (am. T) drikke sig fuld; ~ *sby up* (am. T) drikke én fuld.
liquorice [ˈlikəris] *sb.* lakrids.
liquorice allsorts [likərisˈɔ:lsɔ:ts] *sb. pl.* lakridskonfekt.
lira [ˈliərə] *sb.* lire [*italiensk mønt*].
Lisbon [ˈlizbən] Lissabon.
lisp¹ [lisp] *sb.* læspen.
lisp² [lisp] *vb.* læspe; fremlæspe.
lissom, **lissome** [ˈlisəm] *adj.* smidig.
list¹ [list] *sb.* **1.** liste (*of* over); fortegnelse (*of* over); katalog; **2.** (*på stof*) æg; **3.** (*mar.*) slagside.
list² [list] *vb.* **1.** opføre (på en liste); lave/opstille en liste over; katalogisere; **2.** (*mundtligt*) opregne;

3. (*om fartøj*) have slagside.
listed [ˈlistid] *adj.* **1.** (*om bygning*) fredet; **2.** (*merk.: om selskab, papir*) børsnoteret.
listen [ˈlis(ə)n] *vb.* lytte; høre 'efter;
□ ~*!* **a.** hør her! hør engang! **b.** hør 'efter! lyt!
[*med præp.& adv.*] ~ *in* **a.** høre radio; **b.** lytte [*til noget som man ikke har ret til at høre*]; ~ *in on* lytte efter, aflytte; ~ *out for* 'høre efter, 'lytte efter; ~ *to* lytte til; høre på; ~ *to reason* tage imod fornuft.
listener [ˈlis(ə)nə] *sb.* lytter;
□ *she is a good* ~ hun er god til at lytte til folk/til at høre 'efter.
listening device *sb.* aflytningsudstyr.
listening post *sb.* lyttepost.
listeria [lisˈtiəriə] *sb.* (*biol.*) listeria [*en bakterie*].
listing [ˈlistiŋ] *sb.* **1.** liste, fortegnelse, katalog; **2.** post [*på liste*]; indførsel [*i fortegnelse/katalog*]; □ *-s* [*oplysninger om begivenheder, forlystelser etc.*].
listless [ˈlistləs] *adj.* ligeglad, uinteresseret; ugidelig, mat, sløv.
list price *sb.* katalogpris.
lists [lists] *sb. pl.* (*hist.*) turneringsplads; kampplads;
□ *enter the* ~ *against* (*fig.*) bryde en lanse med; vove en dyst med; *enter the* ~ *for* (*fig.*) træde i skranken for.
lit [lit] *præt. & præt. ptc. af* light³.
litany [ˈlitəni] *sb.* **1.** (*rel.*) litani; **2.** (*fig.*) monoton gentagelse//opregning; lang opremsning, lang liste.
litchi [laiˈtʃi:, ˈlitʃi:, (*am.*) ˈli:tʃi:] *sb.* litchi, kærlighedsfrugt.
lite [lait] *adj. =* light² (*især: 3*).
liter *sb.* (*am.*) *=* litre.
literacy [ˈlit(ə)rəsi] *sb.* [*det at kunne læse og skrive, mods. analfabetisme*].
literal¹ [ˈlit(ə)rəl] *sb.* (*typ.*) trykfejl; slåfejl.
literal² [ˈlit(ə)rəl] *adj.* **1.** bogstavelig, egentlig (*fx the* ~ *meaning/sense of the word*); **2.** (*om oversættelse*) ordret; **3.** (*om person*) prosaisk; som opfatter tingene bogstaveligt; **4.** T ren, formelig (*fx it was a* ~ *hell*);
□ *a* ~ *fact* en ren og skær kendsgerning; *in a* ~ *sense* bogstavelig talt; *the* ~ *truth* den rene/skinbarlige sandhed.
literalism [ˈlit(ə)rəlizm] *sb.* **1.** bogstavdyrkelse; bogstavtro; **2.** (*i kunst*) nøjagtig realisme.
literally [ˈlit(ə)rəli] *adv.* **1.** bogstaveligt (*fx he took it* ~); **2.** (*om*

oversættelse) ordret (*fx translate it ~*); **3.** T bogstavelig talt; formelig (*fx he was ~ torn to pieces*).

literal-minded [lit(ə)rəl'maindid] se *literal*[2] 3.

literary ['lit(ə)rəri] *adj.* litterær; litteratur- (*fx history; critic*).

literate ['lit(ə)rət] *adj.: be ~* **a.** kunne læse og skrive; være alfabetiseret; **b.** være boglig dannet; **c.** (*mht. bestemt emne*) forstå sig på ...; være uddannet i ... (*fx he is economically ~* han forstår sig på//er uddannet i økonomi).

literati [litə'ra:ti] *sb. pl.* litterater.

literature ['lit(ə)rətʃə] *sb.* **1.** litteratur; **2.** (*merk. etc.*) informationsmateriale.

lithe [laið] *adj.* smidig.

lithograph ['liθəgra:f] *sb.* litografi.

lithographic [liθə'græfik] *adj.* litografisk.

lithography [li'θɔgrəfi] *sb.* litografi.

Lithuania [liθju'einiə] Litauen.

Lithuanian[1] [liθju'einiən] *sb.* **1.** (*person*) litauer; **2.** (*sprog*) litauisk.

Lithuanian[2] [liθju'einiən] *adj.* litauisk.

litigant ['litigənt] *sb.* procederende part, procespart;
□ *the -s* de stridende parter.

litigate ['litigeit] *vb.* **1.** føre proces; **2.** (*med objekt*) føre proces om.

litigation [liti'geiʃn] *sb.* procesførelse; retssag(er).

litigious [li'tidʒəs] *adj.* trættekær; proceslysten.

litmus ['litməs] *sb.* lakmus [*farvestof*].

litmus paper *sb.* lakmuspapir.

litmus test *sb.* **1.** lakmusprøve; **2.** (*fig.*) afgørende prøve, lakmusprøve.

litre ['li:tə] *sb.* liter.

litter[1] ['litə] *sb.* **1.** rod, roderi; rodebunke, dynge (*fx a ~ of papers on his desk*); **2.** (*som er blevet smidt*) affald; efterladt madpapir *etc.*; **3.** (*til dyr el. planter*) strøelse, halm; **4.** (*til kat*) kattegrus; **5.** (*bot.: på skovbund*) førn; **6.** (*af dyr, fx grise*) kuld; **7.** (*for sårede*) båre; **8.** (*hist.*) bærestol.

litter[2] ['litə] *vb.* **1.** (*om ting*) ligge og flyde i//på; ligge strøet ud over (*fx books -ed the floor*); **2.** (*om dyr*) få unger;
□ *~ down the horse* strø under hesten; *be -ed with* **a.** være fuld af (*fx the newspaper is -ed with spelling mistakes*); **b.** flyde med/af (*fx his desk was -ed with books; the park was -ed with bottles and cans*).

litter bin *sb.* affaldsbeholder; affaldsspand.

litterbug ['litəbʌg] *sb.* (*am.*) = *litter lout*.

litter lout *sb.* [*en der efterlader affald*]; (*i skov*) skovsvin.

little[1] ['litl] *adj.* (*less/lesser, least*) **1.** lille [*pl. små*]; **2.** (*om mængde: for lille*) liden/lidet; kun lidt, ikke meget (*fx there was ~ butter left*); **3.** (*om afstand & tid*) kort (*fx way; while*);
□ *~ things please ~ minds* små ånder interesserer sig for små ting; (se også *bird, way*);
[*med art.& pron.*] *a ~* en smule; lidt (*fx help*); *not a ~* ikke så lidt; en hel del; *no ~* betydelig (*fx of no ~ importance*); *~ or nothing* så godt som ingenting; *the/what ~ I get* den smule jeg får.

little[2] ['litl] *adv.* **1.** lidt (*fx they spoke very ~*); kun lidt (*fx he had slept ~; he was ~ known there*); **2.** lidet (*fx ~ did he know what they were preparing*);
□ *a ~* **a.** lidt, en smule (*fx I was a ~ afraid of her*); **b.** lidt, et øjeblik (*fx wait a ~*); *not a ~* ikke så lidt (*fx frightened*); *a ~ better* lidt/noget bedre; *~ better lidet/ ikke stort bedre; ~ by ~* lidt efter lidt; *make ~ of* ikke regne for noget særligt; bagatellisere; *I could make ~ of what he said* jeg forstod ikke ret meget/fik ikke ret meget ud af hvad han sagde;
think ~ of ikke regne for noget; *think ~ of + -ing* (*også*) ikke betænke sig på at.

Little Bear *sb.* (*astr.*) Den lille Bjørn.

Little Belt *sb.* Lillebælt.

Little Dipper *sb.* (*am. astr.*) Den lille Bjørn.

little finger *sb.* lillefinger;
□ *she can turn/twist/wind/wrap him around/round her ~* (*fig.*) hun kan vikle/sno ham om sin lillefinger.

littleness ['litlnəs] *sb.* lidenhed.

little people *sb. pl.* **1.** almindelige mennesker; **2.** (*myt.*) alfer.,

little slam *sb.* = *small slam*.

little toe *sb.* lilletå.

littoral[1] ['litə(ə)rəl] *sb.* kystbræmme.

littoral[2] ['litə(ə)rəl] *adj.* kyst-, litoral (*fx the ~ region*).

liturgical [li'tə:dʒik(ə)l] *adj.* liturgisk.

liturgy ['litədʒi] *sb.* liturgi.

livable ['livəbl] *adj.* **1.** (*om sted*) beboelig (*fx house*); **2.** (*om tilværelse*) værd at leve (*fx a ~ life*); udholdelig (*fx make life more ~*); **3.** (*om forhold*) til at leve med; **4.** (*om person*) let at omgås.

live[1] [laiv] *adj.* **1.** levende (*fx cattle; a real ~ lord*); **2.** (*elek.*) strømførende (*fx rail*); **3.** (*mil.*) skarp (*fx cartridge, ammunition*); ueksploderet (*fx bomb*); **4.** (*radio., tv*) direkte, live (*fx transmission*); direkte transmitteret (*fx match*); **5.** (*om musik*) live, levende; (*om album, optagelse*) live, koncert- (*fx recording*); **6.** (*tekn.*) bevægelig, roterende; kraftoverførende; **7.** (*om person, organisation*) levende; livlig; energisk; **8.** (*am.*) aktuel (*fx issue*); **9.** (*typ.*) færdigsat (men ikke trykt);
□ *go ~* (*it*) kunne tages i brug; *~ coals* glødende kul; gløder; *~ match* ubrugt tændstik; *~ matter* stående sats.

live[2] [liv] *vb.* **1.** leve; **2.** (*et bestemt sted*) bo (*fx where does he ~?*); **3.** (*om ting*) være; have sin plads; □ *we ~ and learn* man skal lære så længe man lever; *~ and let ~* leve og lade leve; være tolerant; *as I ~ and breathe!* så sandt jeg lever! *~ like a lord* leve fyrsteligt; [*med inf.*] *~ to* leve længe nok til at kunne (*fx no one -d to tell what had happened*); *~ to be old* opnå en høj alder; *~ to regret* komme til at fortryde; *~ to see* (komme til at) opleve, opleve at se (*fx he didn't ~ to see the end of the war*);
[*med præp., adv.*] *~ by* ernære sig ved; leve af; *he -s by his pen* han lever af sin pen; han lever af at skrive; (se også *wits*); *he -s by himself* han bor alene;
he'll never ~ that down (*om noget negativt*) det vil man aldrig glemme ham; det vil han aldrig komme over;
~ for **a.** leve for (*fx they ~ for each other*); **b.** leve og ånde for (*fx he -s for his painting*);
~ in bo i (*fx a cottage*); (se også *sin*[1]); *~ 'in* bo på sin arbejdsplads;
~ off **a.** leve af (*fx £40 a week; bread and vegetables*); **b.** (*person*) leve af ...s penge, lade sig forsørge af (*fx she -s off her grandfather; he -s off his wife*);
~ 'on leve videre; '*~ on* se ovf.: *~ off*;
~ out **a.** leve (til ende), tilbringe (*fx she -d out her last years in a nursing home*); **b.** bo ude (ɔ: *ikke på arbejdspladsen*); ligge hjemme; **c.** virkeliggøre, realisere (*fx one's ambitions; one's fantasies*); (*psyk.*) udleve; *~ out one's days/ life* **a.** leve hele sit liv; **b.** tilbringe sin sidste tid; *~ out of a suitcase* bo i en kuffert; *~ out of tins* leve

af dåsemad;

~ *through* gennemleve;

~ *together* leve 'sammen;

~ *to* a ripe old age opnå en høj alder;

~ *it up* leve flot; leve livet; ~ *up to* **a.** leve op til (*fx one's reputation; one's ideals*); **b.** leve i overensstemmelse med; komme på højde med; ~ *up to one's income* bruge hele sin indtægt;

~ *with* **a.** leve med (*fx that is something you've got to ~ with*); **b.** bo hos (*fx he -s with his grandparents*); **c.** (*seksuelt*) leve sammen med.

live-in[1] ['livin] *sb.* samlever, sambo.

live-in[2] ['livin] *adj.* **1.** (*om ansat*) som bor på (arbejds)stedet; som bor hos én; **2.** (*om samlever/samliv*) papirløs (*fx partner ægtefælle; relationship*); som man bor sammen med (*fx girl friend*).

livelihood ['laivlihud] *sb.* udkomme, underhold; levebrød; □ *earn/gain one's ~* (*også*) tjene til livets ophold; *earn an honest ~* skaffe sig udkommet ved hæderligt arbejde.

liveliness ['laivlinəs] *sb.* livlighed; liv.

livelong ['livlɔŋ] *adj.*: *the ~ day* (*litt.*) hele den udslagne dag.

lively ['laivli] *adj.* livlig; levende; □ *the demonstrators gave the police a ~ time/made things ~ for the police* demonstranterne gjorde det broget for politiet/gav politiet nok at bestille; *have a ~ mind* være vågen og interesseret; være fantasifuld.

liven ['laiv(ə)n] *vb.*: ~ *up* **a.** live op, sætte liv i; **b.** (*uden objekt*) live op, blive livlig.

liver ['livə] *sb.* (*anat.*) lever; □ [*jf. live²*] *a ~ in Brooklyn* en der bor i Brooklyn; *a loose//clean ~* en der fører et udsvævende//sobert liv.

liver fluke *sb.* (*zo.*) leverikte.

liveried ['livərid] *adj.* livréklædt.

liverish ['livəriʃ] *adj.* (*glds. el. spøg.*) **1.** leversyg; utilpas; **2.** i dårligt humør, vranten.

Liverpudlian[1] [livə'pʌdliən] *sb.* indbygger i Liverpool.

Liverpudlian[2] [livə'pʌdliən] *adj.* liverpoolsk.

liverwort ['livəwə:t] *sb.* (*bot.*) halvmos, levermos.

liverwurst ['livəwə:rst] *sb.* (*am.*) leverpølse.

livery ['livəri] *sb.* **1.** tjenerdragt; livré; **2.** (*merk.: firmas*) farver; logo, mærke; **3.** (*am.*) udlejnings-

forretning (for køretøjer) (*fx automobile ~*); (*se også livery stable*).

livery stable *sb.* lejestald; hestepension.

lives[1] [laivz] *pl. af* life.

lives[2] [livz] *3. pers. sg. præs. af* live.

livestock ['laivstɔk] *sb.* besætning, kreaturer, husdyrhold.

liveware ['laivwɛə] *sb.* T edb-personale.

live wire [laiv'waiə] *sb.* (T: om person) energibundt; krudtkarl, livstykke.

livid ['livid] *adj.* **1.** rasende, edderspændt, lynende arrig; **2.** (*om mærke på huden*) blå; blodunderløben; **3.** (*litt.: om ansigtsfarve*) blygrå; ligbleg.

living[1] ['liviŋ] *sb.* **1.** udkomme, underhold; levebrød; **2.** (*om måden man lever på*) levevis (*fx healthy ~*); liv (*fx city ~* byliv); **3.** (*glds.*) (præste)kald; □ *earn/gain/make a ~* tjene til føden/livets ophold; tjene sit brød; *ernære sig* (*as som, fx a writer; by* + *-ing ved at, fx writing*); *at least it's a ~* man kan da leve af det; *what do you do for a ~?* hvad laver du? hvad er dit arbejde? *make a good ~* tjene godt; *scrape a (bare) ~* ernære sig kummerligt; bjærge føden.

living[2] ['liviŋ] *adj.* **1.** levende (*fx creature; language; hope; the ~ and the dead*); **2.** nulevende (*fx our greatest ~ writer*); **3.** (jf. *live²* 2) bolig-, opholds- (*fx area*); □ *he is ~ proof that* han er et levende bevis på at; (se også *daylights, image, memory*).

living room *sb.* opholdsstue; dagligstue.

living standard *sb.* se *standard¹* (*of living*).

living wage *sb.* løn som man kan leve af.

living will *sb.* livstestamente.

lizard ['lizəd] *sb.* (*zo.*) firben.

llama ['la:mə] *sb.* (*zo.*) lama.

LLD *fork. f.* Doctor of Laws.

Lloyd's [lɔidz] [*skibsassurancekontor i London*].

Lloyd's Register *sb.* [årlig skibsfortegnelse].

lo [ləu] *interj.* (*glds.*) se! □ ~ *and behold!* (*spøg.*) og der skal man bare se!

loach [ləutʃ] *sb.* (*zo.*) smerling.

load[1] [ləud] *sb.* **1.** (*som bæres*) byrde (*fx he was carrying a heavy ~*); **2.** (*som hviler på noget*) belastning (*on af, fx the foundations; the heart*); vægt (*on på*); **3.** (*fig.*) byrde (*fx a heavy ~ of*

debt; his long illness was a heavy ~ to bear); arbejdsbyrde (*fx lighten his ~*); belastning; **4.** (*i vogn*) læs (*fx a truck with a heavy ~*); ladning; **5.** (*i vaskemaskine*) portion; **6.** (*tekn., elek.*) belastning; **7.** T masse (*fx a ~ of troubles; -s of money*); bunke (*fx a ~ of rubbish* (vrøvl//ragelse)); (*om personer også*) flok (*fx they are a ~ of idiots*);

□ ~ *off my mind* se *mind¹*; *get a ~ of ...* T prøv og lægge mærke til ... (*fx that weird hairdo*); *get a ~ of this!* nu skal du//I bare høre//se! *get a ~ on* (*især am.* T) drikke sig fuld; *shoot one's ~* (*vulg.*) få sædafgang.

load[2] [ləud] *vb.* (se også *loaded*) **1.** (*vogn etc.*) læsse; **2.** (*gods*) læsse på; **3.** (*mar.*) laste; **4.** (*skydevåben*) lade; **5.** ((*op*)*vaskemaskine*)) fylde; **6.** (*båndoptager*) sætte bånd i; (*bånd, cd*) sætte i, lægge ind; **7.** (*foto.: kamera*) sætte film i; (*film*) sætte i; **8.** (*it*) indlæse; loade; **9.** (*terninger, stok*) komme bly i;

□ ~ *the dice (against)* se *dice¹*; [*med præp.& adv.*] ~ *down with* (*person*) **a.** (*med ting*) belæsse med (*fx she -ed him down with parcels*); **b.** (*med arbejde*) overbebyrde med, overlæsse med (*fx the staff were -ed down with work*); ~ *into* **a.** læsse ind i (*fx the box into the car*); **b.** (*film, bånd etc.*) sætte//lægge i (*fx the CD into the player*); ~ *onto* **a.** læsse op på (*fx the piano onto the truck*); **b.** (*it*) indlæse i (*fx a program onto the computer*); ~ *up* **a.** (*vogn*) læsse (*with med*); **b.** (*skib*) laste; **c.** T skovle i sig; tage for sig af retterne; **d.** (*it*) indlæse; ~ *with* **a.** (*vogn*) se: ~ *up a*); **b.** (*person*) se ovf.: ~ *down with*; **c.** (*mave*) overlæsse med, overfylde med (*fx one's stomach with food*); **d.** (*fig.*) overøse med (*fx him with gifts*).

load-bearing ['ləudbɛəriŋ] *adj.* bærende (*fx construction, wall*).

loaded ['ləudid] *adj.* **1.** (*om vogn etc.*) læsset, lastet (*fx a heavily ~ goods train*); **2.** (*om våben*) ladt; **3.** (*fig.*) belastet (*fx word*), ladet, farlig; som har fået en bestemt drejning (*fx the phrase is ~*); **4.** T rig; fuld af penge; **5.** (*især am.* S) fuld, pløret;

□ ~ *dice* se *dice¹*; ~ *question* ladet/ledende spørgsmål [*der lægger op til et bestemt svar*]; [*med præp.*] *be ~ against sby* have en negativ drejning over for en (*fx the article was ~ against him*); *be* ~ *in favour of* sby være positivt indstillet over for en; ~ *with* a. (*jf. 3*) ladet med (*fx symbolic significance; irony*); **b.** T smækfyldt af (*fx spelling mistakes*).

load line *sb.* (*mar.*) lastelinje.

load-shedding ['ləudʃediŋ] *sb.* fordeling af belastning.

loaf[1] [ləuf] *sb.* (*pl. loaves* [ləuvz]) brød;
□ *a* ~ *of bread* et brød; *a* ~ *of sugar* en sukkertop; *half a* ~ *is better than no bread* smuler er også brød; *use your* ~! T brug hovedet!

loaf[2] [ləuf] *vb.* drive; hænge (*fx at street corners*).

loafer ['ləufə] *sb.* **1.** dagdriver; drønnert; **2.** (*især am.*) hyttesko.

loaf sugar *sb.* topsukker.

loam [ləum] *sb.* **1.** lermuld [*muldholdig sandblandet lerjord*]; **2.** (*ved støbning*) støbeler.

loan[1] [ləun] *sb.* lån;
□ *on* ~ til låns; udlånt.

loan[2] [ləun] *vb.* udlåne.

loan shark *sb.* lånehaj; ågerkarl.

loanword ['ləunwɔːd] *sb.* låneord.

loath [ləuθ] *adj.*: ~ *to* utilbøjelig/ uvillig til at; *we were* ~ *to part* vi ville så nødig skilles.

loathe [ləuð] *vb.* være led ved, væmmes ved; hade, afsky.

loathing ['ləuðiŋ] *sb.* lede, væmmelse, afsky.

loathsome ['ləuðsəm] *adj.* hæslig, modbydelig, afskyelig.

loaves [ləuvz] *pl. af loaf.*

lob[1] [lɔb] *sb.* (*i tennis, fodbold*) lob [*langsom og høj bold, over modspillers hoved*].

lob[2] [lɔb] *vb.* **1.** kaste//sende ganske roligt (*fx the demonstrator -bed the tear gas canister back at the police*); **2.** (*i tennis, fodbold etc.*) lobbe [*slå//kaste//sparke bolden over modspillers hoved*]; **3.** (*i kricket*) kaste langsomt og højt.

lobby[1] ['lɔbi] *sb.* **1.** (*i hotel etc.*) forhal, vestibule; **2.** (*i det britiske Underhus*) vandrehal; (se også *division lobby*); **3.** (*personer*) lobby, interessegruppe, pressionsgruppe [*der prøver at øve indflydelse på lovgivningsmagten*].

lobby[2] ['lɔbi] *vb.* **1.** lobbye [*forsøge at påvirke (parlamentsmedlem) privat til fordel for en bestemt politik*]; lægge pres på; **2.** (*uden objekt*) lobbye, drive lobbyvirksomhed.

lobbyist ['lɔbiist] *sb.* lobbyist, korridorpolitiker.

lobe [ləub] *sb.* **1.** (*anat.: fx af hjernen*) lap; **2.** = *earlobe*; **3.** (*bot.*) flig, lap.

lobotomy [lə'bɔtəmi] *sb.* (*med.*) lobotomi, det hvide snit.

lobster ['lɔbstə] *sb.* (*zo.*) hummer.

lobster moth *sb.* (*zo.*) bøgespinder.

lobster pot *sb.* hummertejne.

lobster pot playpen *sb.* [*rund kravlegård med net omkring*].

local[1] ['ləuk(ə)l] *sb.* **1.** [*person der hører hjemme på stedet*]; lokal; „indfødt"; **2.** (*især am.: transportmiddel*) lokaltog; lokal bus; **3.** (*især am.: i avis*) lokal nyhed; **4.** (*am.: af organisation*) lokalafdeling; **5.** (*med.*) lokalbedøvelse;
□ *the* ~ T **a.** den lokale pub; **b.** (*am.*) den lokale fagforening.

local[2] ['ləuk(ə)l] *adj.* stedlig, lokal; lokal- (*fx history; time; train*).

local anaesthesia *sb.* (*med.*) lokalbedøvelse.

local area network *sb.* (*it*) lokalnet, lokalt netværk.

local authority *sb.* kommunalbestyrelse.

local colour *sb.* lokalkolorit.

local derby *sb.* (*i sport, især fodbold*) lokalopgør.

locale [ləu'kaːl] *sb.* F sted [*hvor begivenhed udspiller sig*]; baggrund [*fx for roman*].

local government *sb.* **1.** kommunalstyre; lokalt selvstyre; **2.** (*am.*) kommunalbestyrelse.

locality [lə'kæliti] *sb.* sted; lokalitet; område;
□ *sense/bump of* ~ stedsans.

localization [ləuk(ə)lai'zeiʃn] *sb.* **1.** lokalisering, stedfæstelse; **2.** begrænsning, afgrænsning.

localize ['ləuk(ə)laiz] *vb.* **1.** lokalisere, stedfæste; **2.** begrænse, afgrænse.

locate [lə(u)'keit, (*am.*) 'ləukeit] *vb.* **1.** (*bygning etc.*) anbringe, placere; **2.** (*nogets position*) lokalisere, finde, stedfæste; **3.** (*am.* T) slå sig ned;
□ *be -d* være beliggende/placeret; ligge; befinde sig; ~ *a town on a map* finde//vise en by på et kort.

location [lə(u)'keiʃn] *sb.* **1.** sted; placering, beliggenhed, position; **2.** (*film.*) location [*sted (uden for filmstudie) hvor en scene optages*]; udeoptagelse; **3.** (jf. *locate 1*) anbringelse; placering; **4.** (jf. *locate 2*) lokalisering, stedfæstelse;
□ *shoot on* ~ (*jf. 2*) optage uden for studiet/på stedet.

loch [lɔk, lɔχ] *sb.* (*skotsk*) sø; fjord.

loci ['ləusai] *pl. af locus.*

lock[1] [lɔk] *sb.* **1.** lås; **2.** (*i flod etc.*) sluse; **3.** (*af hår*) lok; tot; **4.** (*mht. styring*) styreudsving;
□ *under* ~ *and key* a. (*om ting*) under lås og lukke; omhyggeligt forvaret; **b.** (*om person*) bag lås og slå; ~, *stock, and barrel* rub og stub; revl og krat; alt sammen; (se også *pick*[2]).

lock[2] [lɔk] *vb.* **1.** låse; **2.** låse inde (*fx* ~ *him in a cell*; ~ *the document in the safe*); **3.** (*it*) låse, spærre; **4.** (*uden objekt*) kunne låses (*fx the door -s with a key*); låse/lukke (*fx the door -s automatically*); **5.** (*om bremse, hjul*) blokere (*fx the brakes//wheels had -ed*);
□ ~ *horns* se *horn*[1];
[*med præp.& adv.*] ~ *away* a. låse inde//ned (*fx one's jewellery*); gemme væk; **b.** (*person*) spærre inde; ~ *in* a. låse/spærre inde; **b.** (*ved et uheld*) låse/lukke/ smække inde; *be -ed in* sidde fast i (*fx the traffic*); -ed *in each other's arms* tæt omslynget; *be -ed into* a. være låst fast i (*fx a discussion; the system*); **b.** (*om maskindel*) have låst sig fast i; ~ *out* a. låse/lukke/smække ude; **b.** (*om arbejdsgiver*) lockoute; ~ *up* a. = ~ *away*; **b.** (*sted*) låse af (*fx the house*); låse (*fx the car*); **c.** (*om kapital*) binde.

lockable ['lɔkəbl] *adj.* aflåselig.

locker ['lɔkə] *sb.* **1.** (*væg*)skab; rum; (se også *shot*[1]); **2.** (*am.*) [*fryserum der kan lejes*].

locker room *sb.* omklædningsrum.

locker-room ['lɔkərum] *adj.* (*svarer til*) karlekammer-, mandehørms- (*fx joke; talk*).

locket ['lɔkit] *sb.* medaljon.

lockjaw ['lɔkdʒɔː] *sb.* (*glds.*) krampe i tyggemusklerne [*ved stivkrampe*]; stivkrampe; (*med.*) trismus.

lock keeper *sb.* slusevogter.

locknut ['lɔknʌt] *sb.* kontramøtrik, sikringsmøtrik.

lockout ['lɔkaut] *sb.* lockout.

locksmith ['lɔksmiθ] *sb.* låsesmed; klejnsmed.

lockstep ['lɔkstep] *sb.* **1.** march tæt bag hinanden; tæt gåsegang; **2.** (*fig.*) [*det at alle skal gøre det samme samtidigt*]; mekanisk fremgangsmåde; stift system;
□ *march in* ~ *with* a. marchere tæt bag ved; **b.** (*fig.*) følge slavisk.

lock-up ['lɔkʌp] *sb.* **1.** arrest; fængsel; **2.** garage; **3.** lukketid.

lock-up garage *sb.* lejet garage.

loco ['ləukou] *adj.* (*am.* S) skrupskør, vanvittig.

locomotion [ləukə'məuʃn] *sb.* **1.** bevægelse; bevægelsesevne; **2.** befordring; befordringsmåde;
□ *means of* ~ befordringsmiddel.

L *locomotive*

locomotive [ləukə'məutiv] *sb.* (F *el. tekn.*) lokomotiv.
locum ['ləukəm] *sb.* vikar [*især for læge el. præst*].
locus ['ləukəs] *sb.* (*pl. loci* ['ləusai]) 1. sted; centrum; 2. (*geom.*) geometrisk sted.
locust ['ləukəst] *sb.* 1. (*zo.*) (vandre)græshoppe; 2. (*bot.*) = ~ *tree*.
locust bean *sb.* (*bot.*) johannesbrød.
locust tree *sb.* (*bot.*) johannesbrødtræ; falsk akacie.
locust years *sb. pl.* magre år.
locution [lə'kju:ʃn] *sb.* 1. talemåde; 2. (*persons*) udtryksmåde.
lode [ləud] *sb.* mineralgang; åre [*med naturligt forekommende metal*].
lodestar ['ləudsta:] *sb.* ledestjerne.
lodestone ['ləudstəun] *sb.* 1. magnetjernsten; 2. [*stykke heraf brugt som magnet*].
lodge[1] [lɔdʒ] *sb.* 1. (lille) hus, hytte; jagthytte//skihytte; 2. (*ved indkørsel til park*) portnerbolig; gartnerbolig; 3. (*ved indkørsel til bygning*) portnerloge; 4. (*af organisation*) lokalafdeling; (*især af frimurere*) loge; 5. (*dyrs*) leje, bo, hule; (*bævers*) bæverhytte; 6. (*am.*) wigwam; 7. (*am.: i ferielejr etc.*) hovedbygning.
lodge[2] [lɔdʒ] *vb.* A. (*med objekt*) 1. (*person*) indlogere; indkvartere (*fx the soldiers in the school*); 2. (*officiel meddelelse*) indgive (*fx a protest; a complaint*); (se også *protest*[1]); 3. (F: *værdigenstand*) deponere (*fx one's valuables in the bank*); 4. (*korn*) slå ned; B. (*uden objekt*) 1. (F: *om person*) logere, bo (til leje); (*with* hos); 2. (*om fremmedlegeme, fx projektil*) blive siddende; sætte sig fast (*fx a bullet -d in his leg; a fishbone -d in her throat*); 3. (*fig.: om følelse, indtryk*) fæstne sig (*fx it -d in my mind*); 4. (*om korn*) blive slået ned, gå i leje;
□ ~ *a complaint against them with the council* indgive en klage over dem til rådet; indklage dem for rådet.
lodger ['lɔdʒə] *sb.* logerende; lejer;
□ *take in -s* leje værelser ud.
lodging ['lɔdʒiŋ] *sb.* F logi (*fx pay for board and ~; seek ~ for the night*);
□ *-s* logi; lejet værelse//lejede værelser; *live in -s* bo til leje; *take -s with* leje værelser hos; leje sig ind hos.
lodging house *sb.* pensionat.
loft[1] [lɔft] *sb.* 1. loft, loftsrum; 2. (*i hal, sal*) galleri; 3. (*i kirke*) pulpi-

tur; 4. (*til duer*) dueslag; 5. (*am.*) loftsværelse; 6. (*am.: i værelse*) hems; 7. (*am.: i lagerbygning el. fabriksbygning*) overetage; loftslejlighed, loftsatelier.
loft[2] [lɔft] *vb.* (*bold*) kaste//slå// sparke højt op i luften.
lofted ['lɔftid] *adj.* (*om golfkølle etc.*) med skrå flade [*så den kan løfte bolden højt op*].
lofty ['lɔfti] *adj.* 1. (meget) høj (*fx ceiling*); højloftet (*fx room*); knejsende (*fx spire*); 2. (*fig.*) ophøjet (*fx aims; ideals*); ædel; 3. (*neds.*) overlegen;
□ ~ *contempt/disdain* ophøjet foragt.
log[1] [lɔg] *sb.* 1. tømmerstok; kævle; bjælke; 2. (*til kamin*) brændestykke; brændeknude; 3. (*mar.: journal*) logbog; (*glds. fartmåler*) log; 4. (*it*) journal, log;
□ *as easy as falling off a* ~ så let som ingenting; pærelet; *sleep like a* ~ sove som en sten.
log[2] [lɔg] *vb.* 1. registrere (*fx they had their phone calls -ged*) notere (*fx please ~ my order for ...*); 2. (*mar., flyv.: hændelse etc.*) indføre i logbog; 3. (*flyv., mar.: distance*) tilbagelægge (*fx 10,000 miles*); 4. (*flyvetid*) gennemføre (*fx a few hours' flying time*); 5. (*it*) logge; 6. (jf. *log*[1] 1) skove, drive skovhugst; rydde; fælde;
□ ~ *in/on* (*it*) logge ind/på; koble sig på; tilmelde sig; ~ *off/out* (*it*) logge af/ud; afslutte forbindelsen; melde af.
log[3] *fork. f.* logarithm.
logan ['ləug(ə)n] *sb.* rokkesten.
loganberry ['ləugənberi] *sb.* (*bot.*) loganbær [*krydsning mellem hindbær og brombær*].
logan stone *sb.* rokkesten.
logarithm ['lɔgəriθm] *sb.* logaritme.
logarithmic [lɔgə'riθmik] *adj.* logaritmisk.
log book *sb.* 1. (*flyv.*) logbog; 2. (*mar.*) logbog, skibsjournal; 3. (*for bil*) kørselsbog; (*officiel, svarer til*) registreringsattest.
log cabin *sb.* bjælkehytte; blokhus.
logger ['lɔgə] *sb.* skovhugger.
loggerhead ['lɔgəhed] *sb.* (*zo.*) = *loggerhead turtle*;
□ *be at -s over* være oppe at toppes om; *be at -s with* være på kant med; *be at -s* (*with each other*) være i totterne på hinanden.
loggerhead turtle *sb.* (*zo.*) karetteskildpadde.
loggia ['lɔdʒə] *sb.* loggia.
logging ['lɔgiŋ] *sb.* (jf. *log*[2] 6) skovning; skovarbejde.
logic ['lɔdʒik] *sb.* logik;

□ *chop* ~ argumentere på en overspidsfindig måde; give sig af med ordkløveri; *the* ~ *of* a. logikken i (*fx his argument*); b. det fornuftige/rimelige i (*fx I don't see the* ~ *of sanctions*).
logical ['lɔdʒik(ə)l] *adj.* logisk.
logician [lə'dʒiʃn] *sb.* logiker.
login ['lɔgin] *sb.* (*it*) tilkobling, tilmelding, opkobling.
logistic [lə'dʒistik], **logistical** [lə'dʒistik(ə)l] *adj.* logistisk; (*mil. også*) faglig (*fx support*); forsynings- (*fx order*).
logistics [lə'dʒistiks] *sb.* logistik; (*mil. også*) faglig tjeneste [*troppernes beklædning, bespisning, transport og indkvartering*]; forsyningstjeneste.
logjam ['lɔgdʒæm] *sb.* 1. [*prop af tømmerstokke i vandløb*]; 2. (*fig.: i forhandlinger*) hårdknude; dødvande; 3. (*af ugjort arbejde*) efterslæb;
□ *break the* ~ (*fig.*) komme ud af dødvandet.
logo ['ləugəu] *sb.* logo; mærke; bomærke, firmamærke.
logout ['lɔgaut] *sb.* (*it*) udlogning, afmelding.
logroll ['lɔgrəul] *vb.* (*am.*) 1. rose hinandens arbejde; 2. (*i politik*) være sammenspist; lave studehandel(er).
logrolling ['lɔgrəuliŋ] *sb.* 1. gensidig ros og reklame; 2. (*i politik*) studehandel; 3. (*sport*) [*to der står på en flydende tømmerstok skal prøve at vælte hinanden af*].
logwood ['lɔgwud] *sb.* (*bot.*) blåtræ; kampechetræ.
logy ['lougi] *adj.* (*am.*) træg, sløv.
loin [lɔin] *sb.* (se også *loins*) (*kødudskæring*) 1. kam; 2. mørbrad;
□ ~ *of veal with kidney* nyrestykke, kalvenyresteg.
loincloth ['lɔinklɔθ] *sb.* lændeklæde.
loin fillet *sb.* mørbrad.
loins [lɔinz] *sb. pl.* 1. (*glds. el. litt.*) lænder; 2. (*på hest*) kryds.
loiter ['lɔitə] *vb.* 1. stå og drive/ hænge; 2. drive, daske, slentre; 3. (*jur., omtr.*) opholde sig ulovligt (*fx girls seen -ing on the pavement were warned by the police*);
□ ~ *about/around* drive om.
loiterer ['lɔitərə] *sb.* dagdriver.
loitering ['lɔitəriŋ] *sb.* 1. [*det at (stå og) drive*]; 2. (*jur.*) ulovligt ophold;
□ *no* ~, ~ *prohibited* (*på skilt, fx i en port*) ophold forbudt.
LOL *fork. f.* 1. *laughing out loud*; 2. *lots of love.*
loll [lɔl] *vb.* 1. (*om person*) ligge og

flyde; sidde//ligge henslængt;
2. (*om hoved*) hænge slapt; (*med objekt*) lade hænge slapt;
□ ~ *out* **a.** (*om tunge*) hænge ud af munden, hænge og slaske;
b. (*med objekt*) lade hænge ud af munden.

lollipop ['lɔlipɔp] *sb.* **1.** slikkepind; **2.** sodavandsis; **3.** stopskilt.

lollipop man *sb.* (*pl. ... men*), **lollipop lady** *sb.* T [*folkepensionist der med stopskilt fungerer som skolepatrulje*].

lollop ['lɔləp] *vb.* T lunte (afsted); bevæge sig af sted i kluntede spring.

lolly ['lɔli] *sb.* **1.** T slikkepind; **2.** (*glds.* S) penge.

lollygag ['lɔligæg] *vb.* (*am.* T) daske rundt.

Lombard¹ ['lɔmbəd] *sb.* **1.** lombard; **2.** (*hist.*) longobard; **3.** (*sprogv.*) lombardisk.

Lombard² ['lɔmbəd] *adj.* **1.** lombardisk; **2.** (*hist.*) longobardisk.

Lombard Street [*centrum for Londons pengemarked*].

Lombardy ['lɔmbədi] Lombardiet.

Lombardy poplar *sb.* (*bot.*) pyramidepoppel.

London ['lʌndən].

Londoner ['lʌndənə] *sb.* londoner.

London pride *sb.* (*bot.*) porcelænsblomst.

lone [ləun] *adj.* **1.** ene; enlig; ensom; **2.** (*om forsørger*) enlig, alene- (*fx father; mother*).

lonely ['ləunli] *adj.* ensom.

lonely hearts *adj.* kontakt- (*fx advertisement; bureau; club; column*).

loner ['ləunə] *sb.* enegænger; enspænder; enspændernatur.

lonesome ['ləunsəm] *adj.* (*am.*) ensom;
□ *by/on one's* ~ helt alene.

lone wolf *sb.* se *loner*.

long¹ [lɔŋ] *adj.* **1.** lang; **2.** (*om tid*) lang; langvarig (*fx debate*);
□ *be* ~ *on* have nok af; have rigeligt med; *he is* ~ *on promises and short on results* han er bedre til at love end til at skabe resultater; *the* ~ *and the short of it is that he is coming* kort og godt/kort sagt/ for at sige det kort: han kommer; det korte af det lange er at han kommer;
[*med sb.; se også på alfabetisk plads & henvisninger ndf.*] *by a* ~ *chalk* langt, i høj grad (*fx better by a* ~ *chalk*); *not by a* ~ *chalk* langt fra, ikke på langt nær; *a* ~ *hard look* se *hard²*; *have a* ~ *run* (*teat.*) gå længe; *in the* ~ *run* på langt sigt; i det lange løb, i læng-

den; *a* ~ *shot* en spinkel/usikker chance [*som kan give stort udbytte*]; et voveligt forsøg, et usikkert foretagende; *not by a* ~ *shot* se ovf.: *not by a* ~ *chalk*; *in the* ~ *term* på langt sigt; i det lange løb; ~ *time no see* (T: *spøg.*) det er længe siden vi har set hinanden; (se også *face¹, haul¹, hour, view¹, way¹*).

long² [lɔŋ] *vb.*: ~ *for* længes efter; ~ *to* længes efter at; *I* ~ *for him to go* jeg længes efter at han skal gå.

long³ [lɔŋ] *adv.* længe;
□ *all day//all the year etc.* ~ dagen//året *etc.* igennem, hele dagen//året *etc.*; *your whole life* ~ livet igennem, hele livet; *as* ~ *as* når bare (*fx I don't care as* ~ *as I get the money*); *a week at the* -*est* højst en uge; *before* ~ inden længe; *for* ~ længe; i lang tid; *no* -*er* ikke længere; ikke mere; *so* ~*!* **a.** (*især am.*) farvel (så længe); vi ses; **b.** (*sydafr.*) så længe (*fx sit down so* ~); *so* ~ *as* se ovf.: *as* ~ *as*;
[*med be* (+ *præp.*)] *don't be* ~ **a.** bliv ikke for længe væk; **b.** vær ikke for længe om det; *he won't be* ~ (*også*) han kommer snart; *dinner won't be* ~ middagen er snart færdig; *it wasn't* ~ *before* det varede ikke længe før (*fx we found him*); *he is not* ~ *for this world* han har ikke langt igen; han gør det ikke længe; *be* ~ *in doing sth* være længe om at gøre noget.

long. *fork. f.* longitude.

longboat ['lɔŋbəut] *sb.* (*mar.*) storbåd.

long-case clock [lɔŋ'keisklɔk] *sb.* standur; bornholmerur.

long-dated [lɔŋ'deitid] *adj.* (*merk.*) langfristet; med lang løbetid.

long-distance [lɔŋ'distəns] *adj.* **1.** fjern- (*fx bus*); langturs- (*fx driver*); **2.** (*i sport*) distance- (*fx race; swimming*); **3.** (*tlf.*) udenbys-, udlands- (*fx call*);
□ ~ *weather forecast* langtidsforudsigelse.

long dozen *sb.* 13 stk.

long-drawn-out [lɔŋdrɔ:n'aut] *adj.* langtrukken; langvarig.

long drink *sb.* long drink [*drik i stort glas uden (ret meget) alkohol*].

long-eared ['lɔŋiəd] *adj.* langøret.

long-eared bat *sb.* (*zo.*) langøret flagermus.

long-eared owl *sb.* (*zo.*) skovhornugle.

longed-for ['lɔŋdfɔ:] *adj.* stærkt ønsket; længe ventet.

longevity [lɔn'dʒevəti] *sb.* lang levetid.

long-haired ['lɔŋhɛəd] *adj.* (*især am.*) **1.** langhåret; **2.** (*fig.*) (hyper)intellektuel; verdensfjern.

longhand ['lɔŋhænd] *sb.* almindelig håndskrift [*mods. stenografi*].

long haul *sb.* se *haul¹*.

long-haul [lɔŋ'hɔ:l] *adj.* langturs-; langdistance-.

longhorn ['lɔŋhɔ:n] *sb.* **1.** [*stykke langhornskvæg*]; **2.** (*zo.*) træbuk.

long-horn beetle *sb.* (*zo.*) træbuk.

longing¹ ['lɔŋiŋ] *sb.* længsel.

longing² ['lɔŋiŋ] *adj.* længselsfuld.

longish ['lɔŋiʃ, 'lɔŋiʃ] *adj.* temmelig lang; langagtig.

longitude ['lɔŋgitju:d, 'lɔndʒi-] *sb.* (*geogr.*) længdegrad; længde;
□ *degree of* ~ længdegrad.

longitudinal [lɔŋgi'tju:din(ə)l, lɔndʒi-] *adj.* længde- (*fx section snit*); på langs.

long johns *sb. pl.* lange underbukser.

long jump *sb.* (*i atletik*) længdespring.

long-life ['lɔŋlaif] *adj.* langtidsholdbar (*fx milk*).

longlived [lɔŋ'livd] *adj.* **1.** som lever længe; **2.** langvarig.

long-lost [lɔŋ'lɔst] *adj.* **1.** som man har mistet for længe siden; **2.** som længe har været savnet.

long odds *sb. pl.* små chancer; ringe sandsynlighed;
□ *give* ~ *against* ikke tro meget på.

long-range [lɔŋ'reindʒ] *adj.* **1.** langtids- (*fx forecast prognose; planning*); langsigtet (*fx plan; policy*); på langt sigt (*fx the* ~ *implications*); **2.** (*mil.*) langtrækkende (*fx artillery*); langdistance- (*fx rockets*).

long-running [lɔŋ'rʌniŋ] *adj.* langvarig; som har stået 'på/løbet i lang tid.

longshoreman ['lɔŋʃɔ:rmən] *sb.* (*pl. -men* [-mən]) (*am.*) havnearbejder; dokarbejder.

long shot *sb.* (*film.*) afstandsbillede; total; (se også *long¹*).

long-sighted [lɔŋ'saitid] *adj.* **1.** langsynet; **2.** (*fig.*) fremsynet; vidtskuende.

long-standing [lɔŋ'stændiŋ] *adj.* mangeårig, gammel (*fx friendship; tradition*).

long-stay [lɔŋ'stei] *adj.* langtids- (*fx car-park*).

long-suffering [lɔŋ'sʌf(ə)riŋ] *adj.* hårdt prøvet; langmodig.

long suit *sb.* (*i bridge*) lang farve;
□ *it is not his* ~ (T: *fig.*) det er ikke hans stærke side.

L *long-tailed*

long-tailed [lɔŋ'teild] *adj.* med lang hale.

long-tailed duck *sb.* (*zo.*) havlit.

long-tailed field mouse *sb.* (*zo.*) skovmus.

long-tailed tit *sb.* (*zo.*) halemejse.

long-term [lɔŋtə:m] *adj.* langfristet (*fx debt*); langsigtet (*fx plan; investment*); på langt sigt; langtids- (*fx care; contract; memory; planning; unemployment*);
□ ~ *unemployed* langtidsledig.

long-time [lɔŋtaim] *adj.* mangeårig, årelang.

long vacation *sb.* sommerferie.

long waves *sb. pl.* (*radio.*) langbølger.

longways ['lɔŋweiz] *adv.* på langs.

long-winded [lɔŋ'windid] *adj.* langtrukken; vidtløftig; omstændelig.

longwise ['lɔŋwaiz] *adv.* (*am.*) på langs.

loo [lu:] *sb.* T wc.

loofah ['lu:fə] *sb.* frottersvamp.

look[1] [luk] *sb.* **1.** (*med øjnene*) blik (*fx a quick ~ into the room*); **2.** (*i ansigtet*) udtryk (*fx he had a surprised ~ (on his face)*); mine (*fx with an angry look*); **3.** (*generelt*) udseende (*fx the house//he had a foreign ~; we didn't like the ~ of the hotel//the manager*);
□ (*good*) *-s* skønhed (*fx she has lost her -s*); *by the -s/~ of it* he is *back* det ser ud til at han er tilbage; *I don't like the ~ of it* det ser ikke så godt ud; (se også *dirty*[1]);
[*med vb.*] *get a closer ~ at* se/kigge nærmere på; *give sby a ~* sende/tilkaste en et blik; *have another ~* se/kigge en gang til/en ekstra gang; *have/take a ~ at* kaste et blik på; se/kigge på; *have/take a good ~ at* se nøje på; (se også *hard*[2]).

look[2] [luk] *vb.* **1.** se (*fx ~ the other way*); kigge; **2.** (+ *adj.*) se ud (*fx he -s tired//unhappy*); (se også *alive, sharp*[2]); **3.** (+ *sb. etc.*) se ud til at være, se ud som om man er (*fx he -s fifty; you made me ~ a complete fool*); (se også *age*[1]); **4.** (+ *inf.*) vente, regne med (*fx he -s to be promoted*); **5.** (*om hus, værelse*) vende mod (*fx the room -s north*);
□ ~ *as if* se ud som om (*fx you ~ as if you were ill*); se ud til at (*fx it -s as if he misunderstood*); ~ *here!* hør (engang)! se her! *he -s himself again* han ligner sig selv igen; *he -ed merriness itself* han så ud som munterheden selv; han lignede den personificerede mun-

terhed; ~ *what you are doing!* pas på hvad du gør! ~ *where you are going!* se dig for!
[*med præp.& adv.*] ~ *about* one se sig om; ~ *about for* se sig om efter (*fx a job*);
~ *after* a. følge med øjnene; 'se efter; b. tage sig af; drage omsorg for; passe (*fx his wife -s after the shop*); (se også *devil*); *he needs -ing after* han trænger til at nogen tager sig af ham; *I am able to ~ after myself* jeg kan klare mig selv; jeg behøver ingen barnepige;
~ *ahead* a. se frem(ad); b. (*fig.*) være forudseende; tænke på fremtiden;
~ *at* a. se på; b. (*fig.*) se på, overveje, betragte, undersøge (*fx let us ~ at his motives*); (se også *dagger*); *it is not much to ~ at* det syner ikke af meget; *to ~ at him you wouldn't guess he was 50* T når man ser ham tror man ikke han er 50;
~ *away* se bort;
~ *back* a. se tilbage; b. tænke tilbage; c. komme igen (*fx I'll ~ back later*); *since then he has never -ed back* siden da er det uafbrudt gået fremad for ham;
~ *down* se ned; sænke blikket; ~ *down on* se ned på; ringeagte; (se også *nose*[1]);
~ *for* a. søge/lede efter; se efter (*fx go and ~ for him*); b. vente (*fx I am not -ing for profit*); *be -ing for a job* søge arbejde; *be -ing for trouble* se *trouble*[1];
~ *forward to* a. se frem til, vente; b. se frem til, glæde sig til;
~ *in* se/kigge indenfor (*fx I shall ~ in again tomorrow*); ~ *in on* ind til;
~ *into* a. kigge ind//ned i; b. undersøge; ~ *into a book* kigge (lidt) i en bog;
~ *like* se ud til (at være); se ud som; *what does he ~ like?* hvordan ser han ud? *it -s like rain* det ser ud til at regne;
~ *'on* være tilskuer; se 'til (*fx ~ on and do nothing*); ~ *on as* anse for; betragte som (*fx ~ on him as a benefactor*); *the room -s on to the garden* værelset vender ud til haven; ~ *on with* a. se på med (*fx he -ed on the plan with approval// mistrust*); b. (*am.: i bog*) se sammen med;
~ *out* a. se ud (*fx ~ out of the window*); b. passe på (*fx ~ out! you will have to ~ out*); c. (*glds.*) finde frem (*fx some old clothes for a rummage sale*); ~ *out for* a. holde udkig efter; b. være på

vagt over for; tage sig i agt for (*fx snakes*); c. tage sig af, tage vare på (*fx we always ~ out for each other*); *he only -s out for himself* han sørger kun for sig selv; ~ *out on* se ovf.: ~ *on to*;
~ *over* a. bese, besigtige; b. gennemse (*fx some papers*); kaste et blik på; (se også *shoulder*[1]);
~ *round* a. se sig om; b. se sig tilbage;
~ *through* a. se gennem; se i (*fx a telescope*); b. (*flygtigt*) kaste et blik på, gennemse; c. (*grundigt*) gennemgå; *she -ed straight through me* hun så tværs/lige igennem mig;
~ *to* a. vende sig mod (*fx alternative solutions*); b. se hen til (*fx the future*); (se også *laurel*); *I ~ to you for help* jeg venter at du vil hjælpe mig; ~ *to it that* sørge for at (*fx this doesn't happen again*); ~ *to sby to do sth* vente at en vil gøre noget (*fx I ~ to you to help me*);
~ *towards* a. vende mod (*fx the house -s towards the south*); b. (*om person*) se hen til;
~ *up* a. se opad; løfte hovedet; b. T blive bedre, bedre sig; tage et opsving (*fx trade was -ing up*); c. (T: *person*) opsøge; besøge; finde; d. (*oplysning: i bog, computer*) slå op (*fx a word in a dictionary*); *he -ed me up and down* han målte mig med øjnene; han målte mig fra top til tå; ~ *up to* se op til, beundre;
~ *upon* se ovf.: ~ *on*.

lookalike ['lukəlaik] *sb.* dobbeltgænger; kopi; en der ligner nøjagtigt.

looker ['lukə] *sb.* T en der ser godt ud; flot fyr; smart pige;
□ *good ~ = ~; she is no great ~* hun ser ikke særlig godt ud; *he is a tough ~* han ser barsk ud.

looker-on [lukər'ɔn] *sb.* (*pl. lookers-on*) tilskuer.

look-in ['lukin] *sb.* T **1.** kort visit; **2.** chance;
□ *we didn't get a ~* vi havde ikke en chance.

looking glass *sb.* (*glds.*) spejl.

lookout ['lukaut] *sb.* **1.** (*sted*) udkigspunkt; udkigspost; vagttårn, udkigstårn; **2.** (*person*) vagtpost; (*især mar.*) udkigsmand, udkig;
□ *keep a ~ for, be on the ~ for* være på udkig efter; *it is a bad/ poor ~ for them* T det ser trist ud for dem; *that is his (own) ~* T det må han selv sørge for; det bliver hans sag.

look-see ['luksi:] *sb.*: *have a ~* T

508

se/kigge 'efter; *have a ~ at* kigge lidt på.

lookup ['lukʌp] *sb.* opslag [*fx i ordbog*].

loom¹ [lu:m] *sb.* væv, vævestol.

loom² [lu:m] *vb.* **1.** vise sig utydeligt; dukke/tone frem [*gennem tåge, regntykning etc.*]; rejse sig truende; **2.** (*fig.*) nærme sig (*fx a crisis is -ing*); lure (*fx the threat of a war has been -ing on the horizon*);
□ *~ large* **a.** indtage en alt for fremtrædende plads; dominere; **b.** tårne sig op; *~ large in sby's mind* helt optage ens tanker.

loon [lu:n] *sb.* **1.** T skør rad; tåbe; **2.** (*am. zo.: fugl*) lom.

loony¹ ['lu:ni] *sb.* T tosse, sindssyg.

loony² ['lu:ni] *adj.* T skør, gal, tosset.

loony bin *sb.* T tosseanstalt; galeanstalt.

loop¹ [lu:p] *sb.* **1.** løkke; sløjfe; **2.** (*til frakke etc., støvle-*) strop; **3.** (*fx i flod*) krumning, bugtning, slyngning; **4.** (*film.& elek.*) sløjfe; **5.** (*om lydbånd*) båndsløjfe; **6.** (*it*) (program)løkke, sløjfe; **7.** (*flyv.*) loop; **8.** (*jernb.*) *= ~ line*;
□ *knock/throw sby for a ~* (*am.* T) komme bag på en, forbløffe en, chokere en; *be in the ~* (*am.* T) tilhøre inderkredsen; *be out of the ~* (*am.* T) ikke være med i inderkredsen.

loop² [lu:p] *vb.* **1.** slå en løkke på; **2.** (*uden objekt*) danne en løkke// sløjfe; (*om vej etc.*) slå et sving; bugte sig;
□ *~ around//over* slå om//over (*fx she -ed the scarf round her neck*; *~ the rope over the bar*); vikle/sno om; *~ the ~* (*flyv.*) loope.

looped [lu:pt] *adj.* (*am.* S) fuld, pløret.

looper ['lu:pə] *sb.* (*zo.*) målerlarve.

loophole ['lu:phəul] *sb.* **1.** smuthul; smutvej; udvej; **2.** (*glds.*) skydeskår;
□ *a ~ in the law* et hul i loven.

loop line *sb.* (*jernb.*) sløjfe; vigespor.

loopy ['lu:pi] *adj.* S skør.

loose¹ [lu:s] *sb.*: *be on the ~* være på fri fod; strejfe frit omkring.

loose² [lu:s] *adj.* **1.** løs; **2.** (*om reb etc.*) løs, slap (*fx reins*); **3.** (*om hår etc.*) løs, løsthængende; **4.** (*om tøj*) vid, løsthængende, løstsiddende (*fx coat*); **5.** (*fig.*) løs; tilnærmet (*fx translation*); unøjagtig, upræcis (*fx thinking, definition*); **6.** (*merk.*) i løs vægt (*fx sell tea ~*); **7.** (*glds., neds.*) slap (*fx mo-*

rals); løsagtig, letfærdig (*fx woman; talk*); udsvævende (*fx life*);
□ *break ~* rive sig løs; slippe fri; bryde ud; *come ~* gå løs; *cut ~* **a.** skære fri; **b.** (*uden objekt*) løsgøre sig, rive sig løs (*from* fra, *fx the mother's domination*); **c.** (*am.* T: *feste*) slå sig løs; *let ~* slippe løs.

loose³ [lu:s] *vb.* **1.** slippe løs (*fx the dogs*; (*litt.*) *anarchy would be -d on the world*); **2.** (*knude*) løse; løse op; **3.** (*greb*) løsne; slippe; **4.** (*skud*) affyre, løsne; afskyde;
□ *~ off = 4*.

loose box *sb.* (*til hest*) boks.

loose cannon *sb.* (*fig.*) uberegnelig person [*som laver ravage*].

loose change *sb.* småpenge.

loose end *sb.* løs (tov-, garn-) ende; □ *-s* (*fig.*) løse ender [*småting som ikke er gjort færdige*]; *tie up the -s* ordne/samle de løse ender; binde de løse ender sammen;
be at a ~ ikke have noget særligt at gøre; ikke vide hvad man skal tage sig til; *be at -s* (*am.*) *= be at a ~*.

loose-fitting [lu:s'fitiŋ] *adj.* (*om tøj*) løstsiddende, løsthængende.

loose-leaf [lu:s'li:f] *adj.* løsblad-, løsblads- (*fx system*).

loose-leaf notebook *sb.* ringbog.

loosen ['lu:s(ə)n] *vb.* **1.** (*noget stramt/fast*) løsne (*fx one's collar; a bolt; one's grip*); **2.** (*noget bundet*) løse op, binde op (*fx one's tie; one's hair*); **3.** (*fig.*) slække på (*fx the rules*); bløde op (*fx monetary policy*); løsne (*fx the ties*); **4.** (*uden objekt*) løsne sig; blive løs;
□ *~ sby's tongue* løsne ens tunge; *get one's tongue -ed* få tungen på gled; *~ up* **a.** (*psykisk*) blive mere afslappet; slappe af; **b.** (*fysisk*) smidiggøre musklerne, varme op; *~ up the muscles = ~ up b*).

loosestrife ['lu:sstraif] *sb.* (*bot.*) **1.** fredløs; **2.** kattehale.

loot¹ [lu:t] *sb.* **1.** plyndringsgods; **2.** (*fra røveri*) bytte; rov; **3.** T penge.

loot² [lu:t] *vb.* **1.** plyndre; **2.** (*ting*) røve.

lop [lɔp] *vb.* **1.** hugge af, kappe (*fx branches from a tree*); beskære (*fx a tree*); **2.** (*am.*) hænge (slapt) ned; hænge og daske//slaske;
□ *~ off* **a.** skære af, kappe af; **b.** (*fig.*) kappe af; *~ £10,000 off the budget* beskære/reducere budgettet med £10.000.

lope [ləup] *vb.* løbe med lange fjedrende skridt; springe (*fx rabbits -d across the field*).

lop-eared ['lɔpiəd] *adj.* med hængende ører.

lopping shears *sb. pl.* grensaks.

lopsided [lɔp'saidid] *adj.* skæv (*fx grin*).

loquacious [lə'kweiʃəs] *adj.* snakkesalig.

loquacity [lə'kwæsiti] *sb.* snakkesalighed.

loquat ['ləukwæt] *sb.* (*bot.*) japansk mispel.

lor [lɔ:] *interj.* T gud!

Loraine [lɔ'rein] Lothringen; Lorraine.

Lord [lɔ:d] *sb.* (se også *lord*) (*rel.*) Herre (*fx ~, hear our prayer; we thank you, ~*); Gud;
□ *Good ~!* du gode Gud! *O ~!* Gud! *Our ~* Vorherre Jesus (*fx Our ~ taught us ...*); *in the year of Our ~* i det Herrens år; *the ~* Herren (*fx the ~ be with you*); Vorherre Jesus; *~ knows who* Gud ved hvem.

lord¹ [lɔ:d] *sb.* **1.** (*eng. titel*) lord; **2.** (*især* T) herre; hersker; **3.** (*på gods*) godsejer, herremand;
□ *the (House of) Lords* Overhuset; *the -s of (the) creation* skabningens herrer; det stærke køn; *~ of the soil* godsejer; *my ~* **a.** Deres Excellence; Deres Nåde; **b.** (*i retten*) hr. dommer; (se også *drunk, live²*).

lord² [lɔ:d] *vb.*: *~ it* spille herre(r); *~ it over* tyrannisere; koste rundt med.

Lord Chamberlain *sb.* (*svarer til*) hofmarskal.

Lord Chancellor *sb.* lordkansler [*præsident i Overhuset og i Kanslerretten*].

Lord Chief Justice *sb.* retspræsident i *Queen's Bench Division*.

Lord Lieutenant *sb.* [*højtstående embedsmand i et county , hvis opgaver hovedsagelig er af rent repræsentativ karakter*].

lordly ['lɔ:dli] *adj.* **1.** fornem; prægtig; overdådig; **2.** (*neds.*) hovmodig;
□ *~ disdain* ophøjet forágt.

Lord Mayor *sb.* borgmester [*i visse større byer*].

Lord Mayor's Day *sb.* [*9. november, hvor Londons borgmester tiltræder sit embede*].

Lord Mayor's Show *sb.* [*optog på Lord Mayor's Day*].

Lord Muck *sb.* T overlegen//indbildsk skid.

Lord President of the Council *sb.* [*præsident for the Privy Council; kabinetsminister uden portefølje*].

Lord Privy Seal *sb.* lordseglbevarer [*kabinetsminister uden portefølje*

L *Lord's*

med sæde i Overhuset].
Lord's [lɔːdz] [*kricketbane i London*].
lords and ladies sb. (*bot.*) dansk ingefær, aronsstav.
Lord's Day sb.: *the* ~ søndag.
lordship ['lɔːdʃip] sb.: *his//your* ~ hans//Deres Excellence; hans//Deres Nåde.
Lord's Prayer: *the* ~ fadervor.
lords spiritual sb. pl. [*gejstlige medlemmer af Overhuset].*
Lord's Supper sb.: *the* ~ nadveren, nadverens sakramente, den hellige nadver.
lords temporal sb. pl. [*verdslige medlemmer af Overhuset].*
lore [lɔː] sb. kendskab [*ofte til et særligt område, og ofte baseret på tradition, fx herbal* ~]; tradition; overlevering.
lorgnette [lɔːˈnjet] sb. (*glds.*) stanglorgnet.
lorikeet ['lɔrikiːt] sb. (*zo.*) dværgpapegøje.
loris ['lɔːris] sb. (*zo.*) dovenabe, lori.
lorry ['lɔri] sb. lastvogn, lastbil; (se også *back*[1] (*off the back of*)).
lose [luːz] vb. (*lost, lost*) (se også *lost*) 1. miste (*fx blood; one's appetite; one's ticket//car keys; customers; one's job*); tabe (*fx one's appetite; one's ticket//car keys*); 2. (*person, legemsdel, evne*) miste (*fx one's wife; a finger; one's memory; one's voice; credibility*); 3. (*konkurrence, kamp*) tabe (*fx a game; an election; a lawsuit*); 4. (*noget man gerne ville have haft//hørt*) gå glip af (*fx a chance; I hate to* ~ *a day together with you; I lost most of the sermon*); 5. (*noget uønsket*) blive af med (*fx one's fear*); 6. (*penge*) tabe, sætte til (*fx the firm is losing £10,000 a month*); 7. (*tid*) spilde (*fx there is not a moment to* ~); 8. (*befordringsmiddel*) komme for sent til (*fx the train*); 9. (*med to objekter*) koste (*fx it lost him a lot of money; it may* ~ *you your job*); 10. (*uden objekt*) tabe (*fx you'll* ~ *by it; my watch is losing*); lide tab; □ ~ *oneself* fare vild; (se også *balance*[1], *face*[1], *ground*[1], *grip*[1] (*etc.*));
[*med præp.& adv.*] *the story lost nothing* **in** *the telling* historien blev ikke kedeligere af at blive fortalt; ~ *no time in doing sth* gøre noget ufortøvet; ~ *oneself in* fordybe sig i (*fx a book*); fortabe sig i; ~ *out* T tabe; blive den tabende part; blive den der taber; ~ *out on* gå glip af; ~ *out to* blive

besejret af.
loser ['luːzə] sb. taber;
□ *you will be the* ~ du vil tabe ved det.
losing ['luːziŋ] adj. 1. tabende; 2. (*merk.*) tabbringende, tabgivende.
losing battle sb.: *fight a* ~ kæmpe en håbløs kamp.
losing game sb.: *play a* ~ være sikker på at tabe.
loss [lɔs] sb. 1. tab; 2. (*om person: død*) bortgang;
□ *cut one's -es* begrænse tabet ved at springe fra i tide; (se også *dead loss, total loss*);
[*med præp.*] *at a* ~ a. rådvild; i vildrede; b. (*merk.*) med tab (*fx sell at a loss*); med underskud (*fx run the business at a* ~); *be at a* ~ (*how*) *to* ikke vide hvordan man skal; være i vildrede med hvordan man skal; *I am at a* ~ *to understand* jeg begriber overhovedet ikke; *be at a* ~ *for* ikke kunne finde (på) (*fx words*); **without** ~ *of life* uden tab af menneskeliv.
loss adjuster sb. taksator.
loss leader sb. (*merk.*) lokkevare.
lost[1] [lɔst] *præt. & præt. ptc.* af *lose.*
lost[2] [lɔst] adj. 1. tabt, mistet; 2. (*som man ikke kan finde*) bortkommet, forsvunden (*fx the* ~ *papers turned up at last*); 3. (*som man ikke længere husker*) glemt (*fx it is a* ~ *art; a* ~ *civilization*); 4. (*om person*) som er faret vild, vildfaren; forsvundet (*fx a* ~ *child*); (*fig.*) fortabt (*fx a* ~ *generation*); 5. (*om tid*) spildt (*fx time*); 6. (*om chance*) forspildt (*fx opportunity*); 7. (*om person: ved ulykke*) omkommet; 8. (*rel.*) fortabt (*fx souls*);
□ *his* ~ *youth* hans spildte ungdom;
[*med vb.*] *be* ~ a. mistes; gå tabt; b. være gået tabt; være blevet væk (*fx the watch seems to be* ~); c. fare vild (*fx help! we are* ~!); d. føle sig fortabt; e. omkomme; f. (*mar.*) forlise; *I am lost* (ɔ: forstår ikke) jeg er slet ikke med; *the bill was* ~ lovforslaget blev forkastet; *feel* ~ føle sig fortabt; *get* ~ fare vild (*fx we got lost in the fog*); *get* ~! S skrub af! *give up for* ~ se *give*[2] (*up for*);
[*med præp.*] *be* ~ *at sea* være omkommet på havet; *be* ~ *for words* ikke kunne finde ord; *be* ~ *in a book* være helt opslugt af en bog; *be* ~ *in thought* være hensunken i tanker; *be* ~ *on* være spildt på; *it was* ~ *on her* (*også*) det gik hen

over hovedet på hende; *be* ~ **to** være uimodtagelig for; være tabt for; *he is* ~ *to all sense of shame* han ejer ikke skam i livet; *I would be* ~ **without** jeg ville være fortabt uden (*fx you; my computer*).
lost cause sb. allerede tabt sag; håbløst foretagende.
lost property sb. 1. hittegods; 2. hittegodskontor.
lost property office sb. hittegodskontor.
lot[1] [lɔt] sb. 1. mængde; masse; 2. (*af mennesker*) samling (*fx they are a curious* ~); flok; hold (*fx the next* ~ *of students*); 3. (*af ting*) portion; gruppe; 4. (*merk.: af varer*) parti; sending; 5. (*ved auktion*) nummer; 6. (*i lotteri*) lod; 7. (*i livet*) lod; skæbne; 8. (*især am.: af jord*) (jord)lod, jordstykke; parcel, byggegrund; plads (*fx parking* ~); 9. (*am.: film.*) atelierområde;
□ *you* ~ T alle I; jeres gruppe/flok; [*med art.*] *a* ~ a. en mængde; en masse (*fx he knows a* ~); b. meget (*fx a* ~ *too small*); *you will like it a* ~ du vil komme til at synes mægtig godt om det; *a bad* ~ se *bad; a fat* ~ se *fat*[2]; *a* ~ *of* en mængde; en masse (*fx horses, whisky*);
the ~ a. det hele (*fx that's the* ~); b. hele redeligheden; dem alle sammen; (*om personer også*) hele banden, hele bundtet (*fx she's the best of the* ~);
[*pl.*] *-s* a. en masse (*fx there's -s going on at our place*); b. meget (*fx he can run -s faster than you*); *-s of* masser af (*fx horses; whisky*); [*med vb.*] *draw -s* trække lod; *throw in* *one's* ~ *with them* gøre fælles sag med dem; stille sig på deres side;
[*med præp.*] *by -s* ved lodtrækning; *by small -s* (*merk.*) i små partier; *they are sold* **in** *one* ~ de sælges under ét; *it fell* **to** *his* ~ det faldt i hans lod.
lot[2] [lɔt] vb. fordele i lodder; udstykke.
loth [ləuθ] adj. se *loath.*
lotion ['ləuʃn] sb. lotion (*fx* ~ *for the eyes*); creme (*fx suntan* ~).
lottery ['lɔt(ə)ri] sb. (*også fig.*) lotteri.
lottery ticket sb. lodseddel.
lotto ['lɔtəu] sb. lotto; tallotteri.
lotus ['ləutəs] sb. (*bot.*) lotus; lotusblomst.
lotus eater sb. lotusspiser; dagdrømmer.
lotus position sb. lotusstilling.
louche ['luːʃ] adj. lusket, tvivlsom;

510

ukonventionel.
loud¹ [laud] *adj.* **1.** høj, kraftig (*fx music; sound*); **2.** (*om person*) højrøstet; larmende; **3.** (*om ytring*) højlydt (*fx protests*); **4.** (*om tøj*) påfaldende, outreret; (*om farve*) skrigende;
□ *be ~ in sby's praises* rose en i høje toner; *be ~ in one's support* udtrykke sin støtte meget kraftigt.
loud² [laud] *adv.* højt;
□ *~ and clear* højt og tydeligt; *laugh//read out ~* le//læse højt; (se også *cry²*).
loudhailer [laud'heilə] *sb.* råber; megafon.
loudmouth ['laudmauθ] *sb.* opkæftet person, gabehoved.
loud-mouthed [laud'mauðd] *adj.* opkæftet, højtråbende.
loudspeaker [laud'spi:kə] *sb.* højttaler.
lough [lɔk, lɔχ] *sb.* sø; indsø [*i Irland*].
Louisiana [lu:izi'ænə].
lounge¹ [laun(d)ʒ] *sb.* **1.** (*i hotel*) vestibule, hall; salon; **2.** (*flyv.*) afgangshal//ankomsthal; **3.** (*værelse*) opholdsstue, dagligstue.
lounge² [laun(d)ʒ] *vb.* ligge mageligt henslængt, ligge og drive/dovne; stå//sidde og hænge (*fx on a corner; in a bar*);
□ *~ about/around* drive, dovne; *~ away one's time* drive tiden hen.
lounge bar *sb.* [*den dyrere afdeling i en pub, mods. public bar*].
lounge bed *sb.* drømmeseng.
lounge lizard *sb.* (*glds.*) flanør.
lounger ['laun(d)ʒə] *sb.* **1.** drivert; dagdrømmer; **2.** drømmeseng.
lounge suit *sb.* jakkesæt; habit.
lour ['lauə] *vb.* se *lower³*.
louse¹ [laus] *sb.* (*pl.* lice [lais]) lus.
louse² [laus, lauz] *vb.:* ~ *up* T spolere; forkludre.
lousewort ['lauswə:t] *sb.* (*bot.*) troldurt.
lousy ['lauzi] *adj.* T **1.** elendig (*fx food*); luset (*fx a ~ £20*); **2.** modbydelig (*fx weather*); **3.** (*om adfærd*) infam, gemen (*fx a ~ trick*);
□ *~ with* smækfuld af (*fx money*).
lout [laut] *sb.* lømmel, drønnert, tølper.
loutish ['lautiʃ] *adj.* lømmelagtig; tølperagtig; fræk.
louvre ['lu:və] *sb.* **1.** jalousilamel; **2.** lamelvindue; **3.** jalousidør.
lovable ['lʌvəbl] *adj.* indtagende, henrivende; (*især om ældre*) elskelig.
lovage ['lʌvidʒ] *sb.* (*bot.*) løvstikke.
lovat ['lʌvət] *sb.* blågrønt [*tweedfarve*].
love¹ [lʌv] *sb.* **1.** kærlighed (*for, of,*

to til); (*poet.*) elskov; **2.** (*om person*) kærlighed (*fx she was the ~ of my life*); **3.** (T: *i tiltale*) skat; min ven; **4.** (*i brev*) kærlig hilsen (*fx ~ from Alice*); **5.** (*i tennis*) nul (*fx fifteen ~* 15-0);
□ *~ all* (*i tennis*) a nul; *my ~* min elskede; min skat; *a ~ of a kitten* en henrivende/allerkæreste/yndig killing; *be a ~ and* vær så sød at (*fx shut the window*); (se også *cottage*);
[*med vb.*] *give my ~ to her, give her my ~* hils hende fra mig; *there is no ~ lost between them* de kan ikke udstå hinanden; *make ~* gå i seng med hinanden; elske; *make ~ to* (*også*) **a.** kysse; kærtegne, kæle med; **b.** (*glds.*) gøre kur til; gøre tilnærmelser til; *send one's ~ to* sende en (kærlig) hilsen/kærlige hilsener til;
[*med præp.*] *do sth for ~* gøre noget gratis; *not for ~ or money* hverken for gode ord eller betaling; *he would not do it for ~ or money* han ville ikke gøre det under nogen omstændigheder/for nogen pris; *it is not to be had for ~ or money* det er ikke til at opdrive; *marry for ~* gifte sig af kærlighed; *play for ~* spille om ingenting [ɔ: *uden indsats*]; *in ~* forelsket (*with* i); *fall in ~* forelske sig, blive forelsket (*with* i); *labour of ~* se *labour¹*; *fall out of ~* **a.** holde op med at være forelsket (*with* i); **b.** (*fig.*) miste interessen//sympatien (*with for, fx the party*).
love² [lʌv] *vb.* elske; holde (meget) af;
□ *the best -d* den højest elskede; *(Will you come?) I should ~ to* but I cannot det ville jeg forfærdelig gerne men jeg kan ikke.
love affair *sb.* kærlighedsaffære;
□ *~ with* (*fig.*) lidenskab for, passion for.
lovebird ['lʌvbə:d] *sb.* dværgpapegøje;
□ *a couple of -s* (*spøg.*) et par turtelduer.
love bite *sb.* sugemærke.
love child *sb.* elskovsbarn.
love-hate [lʌv'heit] *adj.: ~ relationship* had-kærlighed-forhold.
love-in-a-mist [lʌvinə'mist] *sb.* (*bot.*) jomfru i det grønne.
loveless ['lʌvləs] *adj.* uden kærlighed; kærlighedsløs.
love letter *sb.* kærlighedsbrev; kærestebrev.
love-lies-bleeding [lʌvlaiz'bli:diŋ] *sb.* (*bot.*) rævehale.
lovelorn ['lʌvlɔ:n] *adj.* (*litt.*) elskovssyg.

lovely ['lʌvli] *adj.* **1.** dejlig; yndig, henrivende, bedårende; **2.** T dejlig, herlig;
□ *~ and warm* dejlig varm.
love-making ['lʌvmeikiŋ] *sb.* **1.** elskov; samleje; **2.** (*glds.*) kurmageri.
love match *sb.* inklinationsparti.
love nest *sb.* T elskovsrede.
lover ['lʌvə] *sb.* **1.** (*mandlig*) elsker; tilbeder; kæreste; **2.** (*kvindelig*) elskerinde; kæreste; **3.** (*i sms.*) -elsker (*fx nature ~; opera ~*);
□ *become -s* indlede et forhold; *a pair of -s* et forelsket/elskende par; *young -s* unge elskende.
love seat *sb.* sladresofa, tête-a-tête [*S-formet sofa*].
lovesick ['lʌvsik] *adj.* elskovssyg.
love triangle *sb.* trekantsdrama.
lovey-dovey [lʌvi'dʌvi] *adj.* kælen; kissemissende.
loving ['lʌviŋ] *adj.* kærlig; hengiven.
loving kindness *sb.* **1.** kærlig hensyntagen; **2.** (*i Biblen*) miskundhed.
low¹ [ləu] *sb.* **1.** (*meteor.*) lavtryk; **2.** (*fig.*) lavpunkt; **3.** (T: *psykisk*) nedtur;
□ *reach a new/an all-time ~* stå lavere end nogensinde; sætte bundrekord.
low² [ləu] *adj.* **1.** lav; **2.** (*mods. kraftig*) svag (*fx pulse; heat*); **3.** (*om lys*) svag, dæmpet; **4.** (*om lydstyrke*) lav, sagte, svag, dæmpet; **5.** (*om tone(leje)*) dyb; **6.** (*om humør*) trist, nedtrykt, langt nede (*fx she felt ~*); **7.** (*om kvalitet etc.*) dårlig, ringe (*fx visibility; quality*); **8.** (*stærkt neds.*) tarvelig, simpel (*fx taste*); (*glds. el. spøg.*) lav, ussel, nedrig (*fx trick*); **9.** (*om beklædning*) nedringet (*fx dress*); udringet (*fx shoe*); **10.** (*rel.*) lavkirkelig;
□ *in the ~ 30s* først i trediverne; *~ in calories//fat* kaloriefattig//fedtfattig; *be ~ on* ikke have ret meget; være ved at løbe tør for (*fx petrol; sugar*);
[*med sb.; se også på alfabetisk plads*] *a ~ bow* et dybt buk; (se også *birth, opinion, spirit¹*).
low³ [ləu] *vb.* (*litt.: om kvæg*) brøle.
low⁴ [ləu] *adv.* **1.** lavt; **2.** (*om lydstyrke*) sagte (*fx speak ~*);
□ *~ down* langt nede; *~ in the list* langt nede på listen;
[*med vb.*] *brought ~* ydmyget; *cut ~* gøre nedringet; *lay ~* **a.** binde til sengen; **b.** (*glds.*) slå ned, strække til jorden; *be laid ~* ligge i sengen, være sengeliggende; *lie*

L *lowball*

~ **a.** holde en lav profil; **b.** holde sig skjult.

lowball ['loubɔ:l] *vb. (am.)* undervurdere; vurdere//ansætte alt for lavt.

low beam *sb.* kørelys.

lowborn [ləu'bɔ:n] *adj. (glds.)* af ringe herkomst.

lowboy ['loubɔi] *sb. (am.)* toiletbord.

lowbrow[1] ['ləubrau] *sb. [person uden intellektuelle ambitioner].*

lowbrow[2] ['ləubrau] *adj.* T ikke-intellektuel.

Low Church[1] *sb.* lavkirke.

Low Church[2] *adj.* lavkirkelig.

low comedy *sb.* farce.

Low Countries *sb. pl.: the* ~ Nederlandene.

low-cut [ləu'kʌt] *adj.* nedringet (*fx dress*); udringet (*fx shoe*).

low-down[1] ['ləudaun] *sb.: the* ~ T de relevante oplysninger.

low-down[2] [ləu'daun] *adj.* T tarvelig, gemen;

□ ~ *trick (også)* svinestreg.

lower[1] ['ləuə] *adj. (komp. af low*[2]*)* **1.** lavere; nedre; **2.** (*af to*) laveste; nederste (*fx part*); (*om legemsdel*) under- (*fx jaw*; *lip*); **3.** (*om dyr, plante*) laverestående.

lower[2] ['ləuə] *vb.* **1.** gøre lavere; sænke (*fx one's voice; one's gaze* (blik)); **2.** (*pris, mængde etc.*) sænke, reducere (*fx the price; the speed; the cholesterol level*); nedsætte (*fx the rent* huslejen); **3.** (*mht. kvalitet*) forringe; svække (*fx one's bodily condition*); **4.** (*ved hjælp af tov*) hejse ned; sænke ned (*fx a coffin into the grave*); **5.** (*mar.*) fire ned (*fx a boat*); (*sejl*) hale ned, bjærge, stryge; (*flag*) hale ned, stryge; **6.** (*uden objekt*) synke; dale; aftage;

□ ~ *a boat (også)* sætte en båd i vandet; ~ *one's head* bøje hovedet; ~ *oneself* nedværdige sig; *he -ed himself into a chair* han lod sig forsigtigt synke ned i en stol; ~ *a window* trække et vindue ned.

lower[3] ['lauə] *vb.* (*om himmel*) se truende/skummel ud; formørkes;

□ ~ *at* (*om person*) se mørkt/truende på, skule til; *-ing clouds* truende skyer.

lower case *sb.* (*typ.*) små bogstaver.

lower-case letter [ləuəkeis'letə] *sb.* lille bogstav.

lower deck *sb.* **1.** (*mar.*) underdæk; **2.** (*fig.*) underofficerer og menige.

lower house *sb.* (*parl.*) underhus; andetkammer.

lower orders *sb. pl.: the* ~ (*glds.*) de lavere klasser; underklassen.

lowest common denominator *sb.* laveste fællesnævner.

lowest common multiple *sb.* mindste fælles multiplum.

Low German *sb.* (*sprogv.*) nedertysk, plattysk.

low-grade [ləu'greid] *adj.* af ringe kvalitet.

low-key [ləu'ki:] *adj.* afdæmpet; behersket; underspillet.

Lowlander ['ləuləndə] *sb.* [*indbygger i det skotske lavland*]; lavlandsbeboer.

lowlands ['ləuləndz] *sb. pl.* lavland;

□ *the Lowlands* det skotske lavland.

low latitudes *sb. pl.* tropiske breddegrader.

low-level [ləu'lev(ə)l] *adj.* **1.** (*it*) lavniveau (*fx language*); **2.** på et lavt niveau (*fx talks*).

low life *sb.* **1.** lyssky personer; underverden; **2.** (*am.*) lyssky/skummel person; skurk.

low-loader ['ləuləudə] *sb.* blokvogn.

lowly ['ləuli] *adj.* underordnet, beskeden, ydmyg (*fx position*); simpel (*fx he was a* ~ *porter*).

low-lying [ləu'laiiŋ] *adj.* lavtliggende.

low Mass *sb.* (*kat.*) stille messe.

low-necked [ləu'nekt] *adj.* nedringet.

low-pitched [ləu'pitʃt] *adj.* **1.** (*om tone*) dyb, mørk; **2.** (*om tag*) med lav rejsning.

low pressure *sb.* (*meteor.*) lavtryk.

low-pressure [ləu'preʃə] *adj.* **1.** (*meteor.*) lavtryks-; **2.** (*fig.*) rolig, afdæmpet, behersket.

low-priced [ləu'praist] *adj.* (pris)billig.

low profile *sb.* se *profile*[1].

low-profile [ləu'prəufail] *adj.* afdæmpet.

low-rise [ləu'raiz] *adj.* (*om bebyggelse*) lav.

low season *sb.* lavsæson.

low-slung [ləu'slʌŋ] *adj.* lav; lavbenet.

low-spirited [ləu'spiritid] *adj.* nedslået; nedtrykt.

Low Sunday *sb.* 1. søndag efter påske.

low-tech [ləu'tek] *adj.* lavteknologisk.

low tide *sb.* lavvande, ebbe.

low water *sb.* lavvande, ebbe;

□ *be in* ~ (*fig.*) **a.** være i vanskeligheder; **b.** være langt nede; **c.** have ebbe i kassen; have småt med penge.

low-water mark *sb.* lavvandsmærke.

lox [lɔks] *sb.* **1.** (*fork. f. liquid oxygen*) flydende ilt [*raketdrivstof*]; **2.** (*am.*) saltet røget laks.

loyal ['lɔi(ə)l] *adj.* loyal (*to* over for).

Loyalist ['lɔiəlist] *sb.* (*i Nordirland*) protestant [*som ønsker at bevare forbindelsen til Storbritannien*].

loyalist ['lɔiəlist] *sb.* tro undersåt; lovlydig borger.

loyalty ['lɔi(ə)lti] *sb.* loyalitet.

lozenge ['lɔzin(d)ʒ] *sb.* **1.** (*figur*) rude; **2.** (*geom.*) rombe; **3.** (*med.*) pastil.

LP [el'pi:] *sb.* (*fork. f. long-playing*) lp.

L-plate ['elpleit] *sb.* [*skilt med et L = learner, der skal sættes på en bil som køres af en der endnu ikke har fået kørekort*].

LSD [eles'di:] *sb.* lsd.

LSE *fork. f.* London School of Economics.

L-shaped ['elʃeipt] *adj.* vinkelformet;

□ ~ *house* vinkelhus.

LSP *fork. f.* language for special purposes fagsprog.

Lt *fork. f.* Lieutenant.

LTA *fork. f.* Lawn Tennis Association.

Ltd *fork. f.* limited A/S.

luau ['lu:au, lu:'au] *sb.* gilde [*på Hawaii*].

lubber line ['lʌbəlain] *sb.* (*mar.*) styrestreg [*på kompas*].

lube[1] [lu:b] *sb.* (*am.* T) smøreolie.

lube[2] [lu:b] *vb.* (*am.* T) smøre.

lubricant ['lu:brikənt] *sb.* smøremiddel; smørelse.

lubricate ['lu:brikeit] *vb.* **1.** smøre; **2.** (*fig.*) få til at glide lettere.

lubricating oil *sb.* smøreolie.

lubrication [lu:bri'keiʃn] *sb.* smøring.

lubricator ['lu:brikeitə] *sb.* **1.** smøremiddel; **2.** smøreapparat.

lubricious [lu:'briʃəs] *adj.* F lysten, liderlig, slibrig.

lubricity [lu:'brisiti] *sb.* **1.** F slibrighed, liderlighed; **2.** (*tekn.:* om olie) smøreevne.

lucerne [lu:'sə:n] *sb.* (*bot.*) lucerne.

lucid ['lu:sid] *adj.* **1.** (*også om patient*) klar (*fx explanation; style; she was quite* ~); **2.** (*poet.*) lysende, skinnende;

□ ~ *moment* klart/lyst øjeblik.

lucidity [lu:'siditi] *sb.* klarhed.

luck[1] [lʌk] *sb.* held; lykke; (se også *bad*, *good*[2]);

□ *any* ~? T lykkedes det? fik du noget ud af det? *that's just my* ~, *that's my usual* ~ jeg er da også altid heldig; *no* ~? lykkedes det ikke? *no such* ~ T **a.** desværre!

b. sådan gik det desværre ikke; (se også *bad, hard, ill², worse¹*); [*med vb.*] *it **brings** (good)* ~ det betyder held; *you **have** all the* ~ du er da også altid heldig; ***push** one's* ~ være overmodig; tage chancen; udfordre skæbnen; ***try** one's* ~ forsøge lykken; *as* ~ ***would have** it they met* **a.** tilfældet ville at de skulle mødes; **b.** til alt held//uheld mødtes de; heldigvis//uheldigvis mødtes de; [*med præp.*] *it was more **by** ~ than judgment, it was more by good* ~ *than by good management* lykken var bedre end forstanden; *be **down on** one's* ~ være inde i en uheldig periode; ***for*** ~ **a.** for at det skal bringe (dig) lykke; **b.** i tilgift; *be **in*** ~ have held med sig, sidde i held; (se også *draw¹*); *a great piece **of*** ~ et stort held; *a stroke of* ~2 **a.** et held; **b.** et slumpetræf; *be **out of*** ~ have uheld; være uheldig.

luck² [lʌk] *vb.*: ~ *into* (*am.* T) være så heldig at finde//få; ~ *out* (*am.* T) have heldet med sig.

luckily ['lʌkili] *adv.* heldigvis, til alt held.

luckless ['lʌkləs] *adj.* uheldig, ulykkelig.

lucky ['lʌki] *adj.* **1.** heldig; **2.** (*om ting*) lykkebringende; lykke- (*fx stone*); □ *you'll be* ~*!* T det bliver der nok ikke noget af! *I should be so* ~*!* T så heldig er jeg nok aldrig! *get* ~ have heldet med sig; ~ *you!* se ndf.: ~ *dog*; (se også *count², third²*); [*med sb.*] ~ *coin* lykkeskilling; *you're a* ~ *dog/devil* du kan sagtens; dit heldige asen; *you had a* ~ *escape* du slap heldigt; *a* ~ *hit* et lykketræf; ~ *star* lykkestjerne; ~ *strike* (*am.*) **a.** rigt olie-/malmfund; **b.** lykketræf.

lucky bag, lucky dip *sb.* lykkepose, gramsepose.

lucrative ['lu:krətiv] *adj.* lukrativ, indbringende.

lucre ['lu:kə] *sb.*: *filthy* ~ (*spøg. el. neds.*) usselt mammon.

lucubration [lu:kju'breiʃn] *sb.* (natligt) studium; □ -*s* lærde værker; (*neds.*) åndsprodukter.

Luddite ['lʌdait] *sb.* **1.** (*hist.*) maskinknuser, maskinstormer [*som 1811-16 kæmpede imod industrialiseringen*]; **2.** (*fig.*) reaktionær person.

ludicrous ['lu:dikrəs] *adj.* latterlig, grotesk, naragtig.

ludo ['lu:dəu] *sb.* ludo.

luff¹ [lʌf] *sb.* (*mar.*) 'forlig.

luff² [lʌf] *vb.* (*mar.*) luffe.

lug¹ [lʌg] *sb.* **1.** (*skotsk el.* T) øre; **2.** (*på krukke*) hank; øre; **3.** (*am.* S) drønnert; klodrian; dumrian; **4.** (*mar.*) luggersejl; **5.** (*zo.*) sandorm.

lug² [lʌg] *vb.* T hale, slæbe, trække.

luge [lu:dʒ] *sb.* kælk [*som man ligger på på ryggen; især brugt til konkurrencer*].

luggage ['lʌgidʒ] *sb.* bagage; rejsegods.

luggage carrier *sb.* bagagebærer.

luggage compartment *sb.* bagagerum.

luggage label *sb.* mærkeseddel.

luggage rack *sb.* bagagehylde.

luggage van *sb.* bagagevogn [*i tog*].

lughole ['lʌghəul] *sb.* (*spøg.*) øre.

lugsail ['lʌgseil, (*mar.*) -s(ə)l] *sb.* (*mar.*) luggersejl.

lugubrious [lu'gu:briəs] *adj.* (*litt. el. spøg.*) sorgfuld, trist, bedrøvelig; dyster; □ ~ *face* bedemandsansigt.

lugworm ['lʌgwə:m] *sb.* (*zo.*) sandorm.

Luke [lu:k] (*evangelist*) Lukas.

lukewarm ['lu:kwɔ:m] *adj.* lunken.

lull¹ [lʌl] *sb.* **1.** ophold, pause (*fx in the conversation; in the fighting*); stille periode; afmatning (*fx in business; in consumer demand*); **2.** (*mar.*) (kortvarig) vindstille; afløjning; □ *the* ~ *before the storm* stilhed før stormen.

lull² [lʌl] *vb.* **1.** (*person*) bringe/dysse til ro; berolige; dysse i søvn; **2.** (*tvivl, frygt, mistanke: listigt*) dæmpe ned; få til at forsvinde (*fx* ~ *his suspicions by a plausible story*); **3.** (*uden objekt*) tage af; gå i stå (*fx conversation -ed*); (*om vind*) løje af; □ *-ed by* narret af; ~ *sby into* lulle en ind i (*fx a false sense of security*); ~ *sby into* + *-ing* narre en til at (*fx believing that everything is all right*); ~ *a child to sleep* dysse/lulle et barn i søvn.

lullaby ['lʌləbai] *sb.* vuggevise.

lulu ['lu:lu:] *sb.*: *it's//he's a* ~ (*am.* S) den//han er helt enestående// helt fantastisk [*o: god el. dårlig*].

lum [lʌm] *sb.* (*skotsk*) skorsten.

lumbago [lʌm'beigəu] *sb.* (*med.*) lumbago; hekseskud.

lumbar ['lʌmbə] *adj.* lumbal, lænde-.

lumber¹ ['lʌmbə] *sb.* **1.** T gammelt skrammel; **2.** (*am.*) tømmer; □ ~ *with* belemre med, bebyrde med.

lumber² ['lʌmbə] *vb.* **1.** lunte, traske; **2.** (*om køretøj*) rumle, skrum-

ple; **3.** (*am.*) gøre skovarbejde.

lumbering¹ ['lʌmbəriŋ] *sb.* **1.** rumlen; **2.** (*am.*) skovhugst; tømmerhandel.

lumbering² ['lʌmbəriŋ] *adj.* tung; klodset.

lumberjack ['lʌmbərdʒæk], **lumberman** ['lʌmbərmən] *sb.* (*pl.* -men [-mən]) (*am.*) skovhugger; skovarbejder.

lumber room *sb.* pulterkammer.

lumberyard ['lʌmbərja:rd] *sb.* (*am.*) tømmerplads.

luminary ['lu:minəri] *sb.* (*litt.*) ledende skikkelse, stort navn; berømthed; stjerne.

luminescence [lu:mi'nes(ə)ns] *sb.* **1.** (*fagl.*) luminescens [*lys der ikke skyldes høj varme*]; **2.** (*litt.*) lys; skær.

luminescent [lu:mi'nes(ə)nt] *adj.* selvlysende; lysende.

luminosity [lu:mi'nɔsiti] *sb.* **1.** klarhed; glans; **2.** (*astr.*: *stjernes*) lysstyrke.

luminous ['lu:minəs] *adj.* **1.** lysende; klar, strålende; **2.** selvlysende (*fx dial*); □ ~ *paint* selvlysende farve; lysfarve.

lummox ['lʌməks] *sb.* (*am.*) klodsmajor; fjog.

lump¹ [lʌmp] *sb.* **1.** klump (*fx a* ~ *of clay//ice*; *there are -s in the sauce*); **2.** (*af sygdom*) knude (*fx she had a* ~ *in her breast*); **3.** (*efter slag*) bule (*fx on* (i) *the forehead*); **4.** T (*om person*) stor tamp; klods; drog; □ *a* ~ *in one's/the throat* en klump i halsen; *a* ~ *of sugar//coal* et stykke sukker//kul; *the* ~ (i *byggeindustrien*) løsarbejderne; *in two -s* i portioner; *take one's -s* (*am.* S) tage hvad der kommer [*o: af ubehageligheder*].

lump² [lʌmp] *vb.* **1.** slå sammen (*with* med); tage under ét; **2.** (*noget tungt*) slæbe; □ *if you don't like it you can* ~ *it* T hvis du ikke synes om det kan du lade være [*o: det bliver ikke anderledes*]; du bliver nødt til at finde dig i det; ~ *together* slå sammen; tage under ét; skære over én kam.

lumpen ['lʌmpən] *adj.* **1.** snusket; billig; tarvelig; **2.** (*om person*) klodset; tumpet.

lumpfish ['lʌmpfiʃ] *sb.* (*zo.*) stenbider.

lumpish ['lʌmpiʃ] *adj.* **1.** kluntet; **2.** dorsk, sløv.

lumpsucker ['lʌmpsʌkə] *sb.* (*zo.*) stenbider.

lump sugar *sb.* hugget sukker.

L *lump sum*

lump sum *sb.* engangsbeløb; samlet sum.

lumpy ['lʌmpi] *adj.* klumpet;
□ ~ *sea* krap sø.

lunacy ['lu:nəsi] *sb.* (T *el. glds. med.*) sindssyge, vanvid, galskab.

lunar ['lu:nə] *adj.* måne- (*fx crater*).

lunar eclipse *sb.* måneformørkelse.

lunar module *sb.* månelandingsfartøj.

lunatic¹ ['lu:nətik] *sb.* sindssyg/vanvittig person, galning.

lunatic² ['lu:nətik] *adj.* sindssyg, vanvittig, gal.

lunatic asylum *sb.* (*glds.*) sindssygehospital, galeanstalt.

lunatic fringe *sb.* rabiat/fanatisk yderfløj [*af parti etc.*].

lunch¹ [lʌn(t)ʃ] *sb.* 1. lunch, frokost; 2. (*am.*) let måltid;
□ *there is no such thing as a free* ~ man får ikke noget forærende; intet er gratis her i livet; *he is at* ~, *he has gone (out) to* ~, *he has gone for* ~ han er til frokost; *he is out to* ~ **a.** = *he is at* ~; **b.** T han er ikke rigtig klog.

lunch² [lʌn(t)ʃ] *vb.* spise lunch/frokost;
□ ~ *sby* traktere en med frokost.

lunch box *sb.* 1. madkasse;
2. (*vulg.: mandlige kønsorganer i stramme bukser*) familiejuveler.

lunch break *sb.* frokostpause; middagspause [ɔ: *midt på dagen*].

luncheon [lʌn(t)ʃn] *sb.* F = *lunch* (*især om officiel frokost*).

luncheonette [lʌn(t)ʃə'net] *sb.* (*am.*) frokostrestaurant.

luncheon meat *sb.* (*svarer til*) forloren skinke.

luncheon voucher *sb.* middagsbillet; spisebillet.

lunch hour *sb.* se *lunch break.*

lunch room *sb.* (*am.*) kantine; frokoststue.

lunchtime ['lʌn(t)ʃtaim] *sb.* frokosttid; middagstid [ɔ: *midt på dagen*]; frokostpause, middagspause; (*foran sb.*) frokost- (*fx concert*).

lung [lʌŋ] *sb.* (*anat.*) lunge;
□ -*s* (*fig. om parker etc. i by*) åndehuller.

lunge¹ [lʌn(d)ʒ] *sb.* udfald.

lunge² [lʌn(d)ʒ] *vb.* gøre udfald; kaste sig fremad.

lungwort ['lʌŋwɔ:t] *sb.* (*bot.*) lungeurt.

lunkhead ['lʌŋkhed] *sb.* (*am.* T) fjog, idiot.

lupin ['lu:pin] *sb.* (*bot.*) lupin.

lupine *sb.* (*am.*) = *lupin.*

lurch¹ [lə:tʃ] *sb.* 1. (pludseligt) ryk, slingren; 2. (*om person*) slingren, dinglen; 3. (*om skib, båd*) kræng-

ning, svajen;
□ *leave sby in the* ~ lade en i stikken.

lurch² [lə:tʃ] *vb.* 1. slingre; 2. (*om person*) slingre, dingle, tumle; 3. (*om skib*) krænge over; svaje;
□ ~ *from one thing to another* (*fig.*) slingre/tumle fra den ene ting til den anden.

lure¹ [ljuə, luə, (*am.*) lur] *sb.* 1. tillokkelse; tiltrækning; dragende magt; 2. (*ved jagt*) lokkemad; lokkemiddel.

lure² [ljuə, luə, (*am.*) lur] *vb.* lokke.

Lurex® ['ljuəreks] *sb.* 1. [*garn med metaltråd*]; 2. [*stof heraf*].

lurid ['l(j)uərid] *adj.* 1. uhyggelig; makaber (*fx tell all the* ~ *details of the accident*); 2. (*seksuelt*) slibrig, lummer; 3. (*om farve*) skrigende; skrig-; 4. (*om lys*) brandrød, glødende; skummel, uhyggelig;
□ *cast a* ~ *light on* **a.** kaste et uhyggeligt skær over; **b.** (*fig.*) stille i et uhyggeligt lys.

lurk [lə:k] *vb.* 1. (*om person*) stå// ligge på lur; lure; 2. (*fig.*) ligge skjult, skjule/gemme sig; lure.

luscious ['lʌʃəs] *adj.* 1. (*om mad*) lækker (*fx cream cake*); delikat (*fx wine*); (*om frugt*) sød og saftig (*fx pear*); 2. (*fig.*) rig, overdådig, luksuriøs; (*om landskab*) frodig; 3. (T: *om pige*) forførerisk (*fx she looked* ~); frodig, yppig (*fx a* ~ *blonde*).

lush¹ [lʌʃ] *sb.* (*am.* S) alkoholiker, dranker, drukmås.

lush² [lʌʃ] *adj.* 1. saftig (*fx grass*); frodig, yppig (*fx vegetation*); 2. (*om udsmykning etc.*) overdådig, luksuriøs; 3. T lækker, skøn.

lust¹ [lʌst] *sb.* 1. begær (*for efter, fx money; power*); 2. (*seksuel*) begær (*for efter*); lyst; liderlighed (*fx it was pure* ~);
□ ~ *for gain* begærlighed; havesyge; ~ *for life* livslyst; *the -s of the flesh* kødets lyst.

lust² [lʌst] *vb.*: ~ *after/for* **a.** begære, tørste efter; **b.** (*seksuelt*) begære.

lustful ['lʌstf(u)l] *adj.* vellystig, lysten, liderlig.

lustre ['lʌstə] *sb.* 1. glans; metalglans; 2. (*fig.*) glans, pragt; 3. prisme [*til lysekrone*]; prismelysekrone; 4. (*tekstil*) lustre [*blankt stof vævet af uld og bomuld*]; 5. (*i keramik*) lustre [*metalglinsende glasur*];
□ *lend* ~ *to* kaste glans over.

lustrous ['lʌstrəs] *adj.* blank, skinnende; glansfuld.

lusty ['lʌsti] *adj.* kraftig, stærk;

sund.

lute [lu:t] *sb.* 1. (*mus.*) lut; 2. (*til tætning*) lerkit.

Lutheran¹ ['lu:θ(ə)rən] *sb.* lutheraner.

Lutheran² ['lu:θ(ə)rən] *adj.* luthersk.

luv [lʌv] *sb.* T skat, min ven.

luvvie ['lʌvi] *sb.* (*spøg. om skuespiller*) frikadelle.

lux [lʌks] *sb.* lux [*enhed for belysningsstyrke*].

luxuriance [lʌg'ʒuəriəns] *sb.* frodighed, yppighed.

luxuriant [lʌg'ʒuəriənt] *adj.* 1. (*om bevoksning*) frodig, yppig; 2. (*om hår*) kraftig; 3. (*om tæppe*) tykt og blødt; 4. (*om stil*) blomstrende.

luxuriate [lʌg'ʒuərieit] *vb.*: ~ *in* nyde (*fx a good cigar*); gasse sig i (*fx the sunshine; a hot bath*); svælge i.

luxurious [lʌg'ʒuəriəs] *adj.* 1. luksuriøs, overdådig; 2. (*om fornemmelse*) velbehagelig;
□ ~ *feeling* følelse af velbehag.

luxury ['lʌkʃ(ə)ri] *sb.* 1. luksus, overdådighed; vellevned; 2. (*ting etc.*) luksusting (*fx luxuries like expensive cars*); luksus (*fx champagne is a real* ~; *a holiday was a* ~ *he couldn't afford*); behagelighed, nydelse; 3. (*foran sb.*) luksus- (*fx goods; hotel*);
□ *a life of* ~ en luksustilværelse.

LV *fork. f. luncheon voucher.*

LW *fork. f. long wave.*

lychee *sb.* = *litchi.*

lychgate ['litʃgeit] *sb.* tagdækket kirkegårdslåge.

Lycra® ['laikrə] *sb.* lycra.

lye [lai] *sb.* lud.

lying¹ ['laiiŋ] *sb.* 1. løgn; 2. liggen; leje.

lying² ['laiiŋ] *adj.* 1. løgnagtig; falsk; 2. liggende.

lying-in [laiiŋ'in] *sb.* (*pl. lyings-in*) (*glds.*) barsel.

lyme grass ['laimgra:s] *sb.* (*bot.*) marehalm.

lymph [limf] *sb.* lymfe.

lymphatic [lim'fætik] *adj.* lymfe- (*fx vessel* kar).

lymph gland *sb.* lymfekirtel.

lynch [lin(t)ʃ] *vb.* lynche.

lynching ['lin(t)ʃiŋ] *sb.* lynchning.

lynx [liŋks] *sb.* (*zo.*) los.

Lyons ['laiənz] (*geogr.*) Lyon.

lyophilize [lai'ɔfilaiz] *vb.* frysetørre.

lyre ['laiə] *sb.* lyre.

lyrebird ['laiəbə:d] *sb.* (*zo.*) lyrehale.

lyric¹ ['lirik] *sb.* lyrisk digt;
□ -*s* (*til sang*) tekst, sangtekst.

lyric² ['lirik] *adj.* lyrisk (*fx poem*).

lyrical ['lirik(ə)l] *adj.* **1.** (*følelses-fuld*) lyrisk (*fx description*); ro-mantisk (*fx mood*); **2.** (*om digt*) ly-risk;
□ *wax* ~ *about* (*jf. 1*) tale over-strømmende om; blive helt lyrisk over.
lyricism ['lirisizm] *sb.* lyrisk stil// karakter.
lyricist ['lirisist] *sb.* tekstforfatter; sangskriver.
lyric poet *sb.* lyriker.
lythe [laið] *sb.* (*zo.*) lubbe; sej [*en fisk*].

M

M¹ [em].
M² *fork. f.* **1.** *Monsieur;* **2.** *motorway.*
m *fork. f.* **1.** *male;* **2.** *married;* **3.** *metre//metres;* **4.** *mile//miles;* **5.** *million//millions;* **6.** *minute//minutes.*
M' *fork. f. Mac.*
'm *fork. f.* **1.** *madam* (*fx yes'm*); **2.** *am* (*fx I'm*).
MA [em'ei] *fork. f. Master of Arts.*
ma [ma:] *sb.* T mor.
ma'am [mæm, ma:m, (*ubetonet*) məm] *sb.* (*i tiltale*) frue.
Mac [mək, mæk] forstavelse i navne (*fx MacArthur, MacIntyre*).
mac [mæk] *sb.* T **1.** (*fork. f. mackintosh*) regnfrakke; **2.** (*am.: i tiltale*) makker, kammerat.
macabre [mə'ka:brə, -bə] *adj.* makaber.
macaque [mə'ka:k] *sb.* (*zo.*) makak [*en abe*].
macaroni [mækə'rəuni] *sb.* makaroni.
macaroni cheese *sb.* makaroni med ostesovs.
macaroon [mækə'ru:n] *sb.* makron.
macaw [mə'kɔ:] *sb.* ara [*papegøjeart*].
Mace® [meis] *sb.* tåregas.
mace [meis] *sb.* **1.** embedsstav; scepter; **2.** (*hist.*) stridskølle; (*vægters*) morgenstjerne; **3.** (*krydderi*) muskatblomme; **4.** = *Mace.*
macédoine [mæsi'dwa:n] *sb.* **1.** [*frugt//grøntsager skåret i terninger*]; **2.** (*fig.*) broget blanding.
Macedonia [mæsi'dəuniə] (*geogr.*) Makedonien.
Macedonian¹ [mæsi'dəuniən] *sb.* **1.** (*person*) makedon(i)er; **2.** (*sprog*) makedon(i)sk.
Macedonian² [mæsi'dəuniən] *adj.* makedon(i)sk.
macerate ['mæsəreit] *vb.* **1.** udbløde; blødgøre; lægge i blød; **2.** (*uden objekt*) udblødes; blødgøres.
maceration [mæsə'reiʃn] *sb.* udblødning; blødgøring.
Mach [mæk] *sb.* machtal [*angiver forholdet mellem et flys hastighed og lydens*];
□ ~ *two* to gange lydens hastighed.

machete [mə'tʃeiti] *sb.* machete [*en lang kniv*].
Machiavellian¹ [mækiə'veliən] *sb.* machiavellist.
Machiavellian² [mækiə'veliən] *adj.* machiavellistisk [*snu, intrigant*].
machinations [mæki'neiʃ(ə)nz] *sb. pl.* intriger, rænkespil; komplot.
machine¹ [mə'ʃi:n] *sb.* **1.** maskine (*fx sewing//washing* ~); **2.** automat (*fx cigarette* ~); (*se også answering machine, cash machine, fruit machine, slot machine*); **3.** (*fig.*) maskine (*fx military//party//propaganda* ~); maskineri (*fx his political* ~); (*se også cog*); **4.** (*om person*) maskine, robot.
machine² [mə'ʃi:n] *vb.* sy på maskine; (*se også machined*).
machine code *sb.* (*it*) maskinsprog.
machined [mə'ʃi:nd] *adj.* **1.** maskinfremstillet; **2.** maskinbearbejdet.
machine gun *sb.* maskingevær.
machine-gun [mə'ʃi:ngʌn] *vb.* beskyde med maskingevær.
machine gunner *sb.* maskingeværskytte.
machine-made [məʃi:n'meid] *adj.* lavet på maskine; maskinfremstillet.
machine-readable [məʃi:n'ri:dəbl] *adj.* maskinlæsbar.
machinery [mə'ʃi:n(ə)ri] *sb.* **1.** maskiner (*fx agricultural* ~); maskinel; maskineri; **2.** (*fig.*) maskineri (*fx government* ~).
machine shop *sb.* maskinværksted.
machine tool *sb.* værktøjsmaskine.
machine translation *sb.* maskinel oversættelse.
machinist [mə'ʃi:nist] *sb.* **1.** maskinarbejder; **2.** maskinpasser; **3.** maskinkonstruktør; **4.** maskinsyer.
machismo [mæ'tʃi:zməu] *sb.* (*demonstrativ//aggressiv*) mandighed; mandestolthed.
Machmeter ['mækmi:tə] *sb.* machmåler.
macho ['mætʃəu, (*am.*) 'ma:tʃou] *adj.* macho, demonstrativt mandig, mandschauvinistisk.
Mackay [mə'kai, (*am. især*) mə'kei]: *the real* ~ T den ægte vare.

mackerel ['mæk(ə)r(ə)l] *sb.* (*zo.*) makrel.
mackerel sky *sb.* himmel med makrelskyer/lammeskyer.
mackintosh ['mækintɔʃ] *sb.* regnfrakke.
macramé [mə'kra:mi, -mei, (*am.*) 'mækrəmei] *sb.* knytning.
macro¹ ['mækrəu] *sb.* (*it*) makro, makroordre.
macro² ['mækrəu] *adj.* stor, makro-.
macrobiotic [mækrə(u)bai'ɔtik] *adj.* makrobiotisk.
macrocosm ['mækrə(u)kɔzm] *sb.* makrokosmos; verdensaltet.
MAD *fork. f. mutual assured destruction.*
mad [mæd] *adj.* **1.** T fjollet, tosset, skør, idiotisk; **2.** (*især am.* T) gal, rasende (*at på*); **3.** (*S: rosende*) vildt god; fed; **4.** (*om hund*) gal; **5.** (*glds.*) gal, vanvittig, afsindig, forrykt;
□ (*as*) ~ *as a hatter/March hare* splittergal; *go* ~ **a.** (*af kedsomhed etc.*) blive tosset; **b.** (*af begejstring etc.*) blive helt vild; **c.** (*jf. 3*) blive rasende; **d.** (*jf. 5*) blive gal/vanvittig/sindssyg; *like* ~ som en gal/sindssyg/vanvittig; af alle kræfter; (*se også drive², hatter*);
[*med præp.*] ~ *about* **a.** (*jf. 1*) vild/skør/tosset med (*fx him; pop music*); **b.** (*jf. 2*) gal/rasende over; ~ *at* (*jf. 2*) gal/rasende på; ~ *with* **a.** ude af sig selv af (*fx anxiety; grief; rage*); **b.** (*jf. 2*) gal/rasende på.
madam ['mædəm] *sb.* **1.** F frue; **2.** (*glds.* T: *til ung pige, irriteret*) lille frøken, unge dame; **3.** T bordelværtinde, bordelmutter;
□ *she is a little* ~ (*jf. 2*) hun er dominerende.
Madame Tussaud's [mædəmtə'səuz] [*vokskabinet i London*].
madcap ['mædkæp] *adj.* **1.** vild, vanvittig, dumdristig (*fx plan*); **2.** rablende (*fx novel*); skør.
mad cow disease *sb.* kogalskab.
madden ['mæd(ə)n] *vb.* ophidse; gøre rasende.
maddening ['mæd(ə)niŋ] *adj.* vanvittig irriterende; som kan gøre én rasende.

madder ['mædə] *sb.* (*bot.*) krap.
made[1] [meid] *præt.* & *præt. ptc. af* make[2].
made[2] [meid] *adj.* **1.** (*om vare*) fabriksfremstillet; **2.** (*om mad*) sammensat (*fx dish* ret); **3.** (*om person*) bygget (*fx he is well//strongly* ~);
□ *she has (got) it* ~ T hun har skudt papegøjen; hendes lykke er gjort; *he is a* ~ *man* (*am.*) hans lykke er gjort; [*med præp.*] ~ *from* lavet af (*fx a table* ~ *from scrap timber*); ~ *for* T (som) skabt til//for (*fx he is* ~ *for the job; you two were* ~ *for each other*); ~ *in Denmark* dansk fabrikat; dansk arbejde; ~ *(out) of* lavet af (*fx wood*); *be* ~ *up of* bestå af.
Madeira [mə'diərə] *sb.* madeira(vin).
Madeira cake *sb.* sandkage.
made-to-measure [meidtə'meʒə] *adj.* syet efter mål; skræddersyet.
made-to-order [meidtu'ɔ:də] *adj.* lavet på bestilling.
made-up ['meidʌp] *adj.* **1.** (*om person*) med makeup; sminket (*fx heavily* ~); **2.** (*om ord, beretning*) konstrueret; opdigtet; **3.** (*om mad*) færdiglavet.
made-up tie *sb.* maskinbundet/færdigbundet slips.
madhouse ['mædhaus] *sb.* galehus, galeanstalt.
Madison Avenue [mædis(ə)n'ævən(j)u:] *sb.* **1.** [*gade i New York hvor mange reklamebureauer har kontorer*]; **2.** (*fig.*) reklameindustrien.
madman ['mædmən] *sb.* (*pl. -men* [-mən]) sindssyg person; galning; □ *like a* ~ som en sindssyg/gal.
madness ['mædnəs] *sb.* **1.** idioti, vanvid (*fx it would be* ~ *to do it*); **2.** sindssyge, vanvid; (se også *method*).
madrigal ['mædrig(ə)l] *sb.* (*mus.*) madrigal.
madwoman ['mædwumən] *sb.* (*pl. -women* [-wimin]) sindssyg kvinde; galning.
maelstrom ['meilstrəum] *sb.* malstrøm.
maestro ['maistrəu] *sb.* mester, maestro [*om fremtrædende dirigent//musiker*].
mafia ['mæfiə, (*am.*) 'ma:fiə] *sb.* mafia.
mafioso [mæfi'əusɑu, -zɑu] *sb.* (*pl. mafiosi* [mæfi'əusi:, -zi:]) mafioso [*medlem af mafiaen*].
mag [mæg] *sb.* T magasin.
magazine [mægə'zi:n, (*am.*) 'mægəzi:n] *sb.* **1.** magasin, tidsskrift, blad; **2.** (*mil.*) magasin.
magenta [mə'dʒentə] *adj.* magentarød.
maggot ['mægət] *sb.* larve; maddike.
Magi ['meidʒai] *sb. pl.: the* ~ de hellige tre konger.
magic[1] ['mædʒik] *sb.* **1.** magi, trolddom; **2.** (*kunster*) trylleri, magi; **3.** (*egenskab*) magisk kraft (*fx the* ~ *of his name*); magisk tiltrækning, magi (*fx the place has lost nothing of its* ~);
□ *like* ~, *as if by* ~ på magisk vis; som ved et trylleslag; *it worked like* ~ det havde en magisk virkning.
magic[2] ['mædʒik] *adj.* **1.** magisk; trylle- (*fx formula; trick* kunst; *wand* stav; *word*); **2.** (*glds.* T) fantastisk, vidunderlig;
□ *there is no* ~ *cure//formula//solution* der findes ingen mirakelkur//trylleformular//patentløsning; *there is no* ~ *wand* der findes intet tryllemiddel.
magical ['mædʒik(ə)l] *adj.* magisk.
magic carpet *sb.* flyvende tæppe.
magician [mə'dʒiʃn] *sb.* **1.** (*også fig.*) troldmand; **2.** (*som underholder*) tryllekunstner.
magic number *sb.* magisk tal.
magic spell *sb.* fortryllelse; forhekselse;
□ *put a* ~ *on* fortrylle, forhekse.
magisterial [mædʒi'stiəriəl] *adj.* **1.** autoritativ (*fx pronouncement; he is the author of a* ~ *study of the subject*); myndig; **2.** (*neds.*) skolemesteragtig (*fx his* ~ *style of questioning*); autoritær; **3.** (*jf. magistrate*) øvrigheds-; fredsdommer-.
magistracy ['mædʒistrəsi] *sb.* **1.** stilling som fredsdommer; **2.** øvrighed; fredsdommere.
magistrate ['mædʒistreit, -strət] *sb.* (underrets)dommer; fredsdommer.
magistrate's court *sb.* [*laveste retsinstans*].
Magna Carta [mægnə'ka:tə] *sb.* (*hist.*) det store frihedsbrev [*1215*].
magnanimity [mægnə'niməti] *sb.* storsindethed, storsind; ædelmodighed.
magnanimous [mæg'næniməs] *adj.* storsindet; ædelmodig.
magnate ['mægneit] *sb.* (industri)magnat.
magnesium [mæg'ni:ziəm] *sb.* (*kem.*) magnesium; magnium.
magnet ['mægnit] *sb.* magnet.
magnetic [mæg'netik] *adj.* **1.** magnetisk; magnet- (*fx field; needle*); **2.** (*fig.*) som øver en uimodståelig tiltrækning; magnetisk (*fx effect; personality*).
magnetic catch *sb.* magnetlås.
magnetic disk *sb.* magnetplade; disk.
magnetic strip *sb.* magnetstribe, magnetstrimmel.
magnetic tape *sb.* magnetbånd; lydbånd; billedbånd.
magnetic tape unit *sb.* (*it*) magnetbåndsstation, båndstation.
magnetism ['mægnətizm] *sb.* **1.** magnetisme; **2.** (*fig.*) tiltrækningskraft.
magnetize ['mægnətaiz] *vb.* **1.** magnetisere; **2.** (*fig.*) øve en uimodståelig tiltrækning på; betage.
magneto [mæg'ni:təu] *sb.* magnet [*i bil etc.*].
magnification [mægnifi'keiʃn] *sb.* forstørrelse.
magnificence [mæg'nifis(ə)ns] *sb.* pragt; storslåethed; herlighed.
magnificent [mæg'nifis(ə)nt] *adj.* **1.** storslået; pragtfuld; **2.** T fantastisk; herlig;
□ ~ *specimen* pragteksemplar.
magnify ['mægnifai] *vb.* **1.** forstørre; **2.** (*fig.*) forstørre; overdrive; **3.** (*glds. rel.*) lovprise.
magnifying glass *sb.* forstørrelsesglas; lup.
magniloquent [mæg'niləkwənt] *adj.* stortalende, svulstig.
magnitude ['mægnitju:d] *sb.* F **1.** størrelse, stort omfang (*fx the* ~ *of the task//problem*); **2.** vigtighed, stor betydning (*fx the* ~ *of the discovery*); **3.** (*astr.*) størrelsesorden; størrelse (*fx a star of the first* ~).
magnolia [mæg'nəuliə] *sb.* (*bot.*) magnolia.
magnum ['mægnəm] *sb.* **1.** magnumflaske [*med 1½ l*]; **2.** (*am.*: *særlig kraftig riffel, omtr.*) storvildtriffel.
magnum opus [mægnəm'əupəs, -'ɔpəs] *sb.* F hovedværk; storværk.
magpie ['mægpai] *sb.* **1.** (*zo.*) skade; **2.** (T: *om person*) samler [*der samler på alt muligt forskelligt*];
□ *steal like a* ~ stjæle som en ravn.
magpie moth *sb.* (*zo.*) stikkelsbærmåler.
Magyar[1] ['mægja:] *sb.* **1.** (*person*) magyar; **2.** (*sprog*) magyarisk, ungarsk.
Magyar[2] ['mægja:] *adj.* magyarisk.
Maharaja(h) [ma:(h)ə'ra:dʒə] *sb.* maharaja; indisk fyrste.
Maharanee [ma:(h)ə'ra:ni] *sb.* maharajas hustru.
mah-jong(g) [ma:'dʒɔŋ] *sb.* mah-jong [*kinesisk selskabsspil*].

M mahogany

mahogany [mə'hɔgəni] *sb.* mahogni.

mahout [mə'haut] *sb.* elefantfører.

maid [meid] *sb.* **1.** (tjeneste)pige, stuepige; **2.** (*poet.*) mø; jomfru; (se også *old maid*).

maiden ['meid(ə)n] *sb.* (*poet.*) skønjomfru; mø; jomfru.

maiden aunt *sb.* ældre ugift tante.

maidenhair ['meid(ə)nhɛə] *sb.* (*bot.*) venushår [*en bregne*].

maidenhead ['meid(ə)nhed] *sb.* (*glds. el. litt.*) **1.** mødom, jomfrudom; **2.** jomfruelighed; jomfrustand.

maiden name *sb.* pigenavn [ɔ: *før ægteskabet*].

maiden over *sb.* (*i kricket*) [*over hvor der ikke bliver scoret*].

maiden speech *sb.* jomfrutale.

maiden voyage *sb.* jomfrurejse.

maid of honour *sb.* **1.** hofdame; **2.** [*slags kage*]; **3.** (*am.*) første brudepige.

mail¹ [meil] *sb.* **1.** post; **2.** (*elektronisk*) mail, e-mail (*fx send me a* ~); **3.** se *chain mail*.

mail² [meil] *vb.* **1.** (*især am.*) sende med posten; poste; lægge i postkassen; **2.** (*elektronisk*) maile, sende.

mailbag ['meilbæg] *sb.* **1.** postsæk; **2.** (*am.*) posttaske.

mailbox ['meilbɔks] *sb.* (*am.*) **1.** (*også it*) postkasse; **2.** brevkasse.

mail carrier *sb.* (*am.*) postbud.

mailed [meild] *adj.* pansret, panser- (*fx glove*);
□ *the* ~ *fist* (*fig.*) den pansrede næve [ɔ: *rå magt*].

mailing list ['meiliŋlist] *sb.* adressekartotek.

mailman ['meilmən] *sb.* (*pl. -men* [-mən]) (*am.*) postbud.

mail merge *sb.* (*it*) brevfletning.

mail order *sb.* postordre.

mailshot ['meilʃɔt] *sb.* postomdelt tryksag/reklame.

mail van *sb.* postbil.

maim [meim] *vb.* lemlæste; invalidere.

main¹ [mein] *sb.* hovedledning; (se også *mains*).
□ *in the* ~ for størstedelen; i hovedsagen; (se også *might¹*).

main² [mein] *adj.* hoved- (*fx point; road; street*); væsentligst, vigtigst (*fx the* ~ *reason*);
□ *with an eye to the* ~ *chance* med sine egne interesser/sin egen fordel for øje; *have an eye to the* ~ *chance* være om sig; *by* ~ *force* med magt; (se også *squeeze¹, thing, thrust¹*).

main beam *sb.* (*på bil*) det lange lys;
□ *drive on the* ~ køre med det lange lys slået til.

main clause *sb.* (*gram.*) hovedsætning.

main drag *sb.* (T: *især am.*) hovedgade.

mainframe ['meinfreim] *sb.* (*it*) stordatamat, hovedcomputer.

mainland ['meinlənd] *sb.* fastland.

main line *sb.* **1.** (*jernb. etc.*) hovedlinje; **2.** (*am.*) hovedvej, hovedrute; **3.** S stor blodåre [*til indsprøjtning af narko*].

mainline¹ ['meinlain] *adj.* (*am.*) **1.** (*jernb.*) hoved- (*fx railway*); **2.** (*fig.: ikke yderliggående*) moderat, konventionel (*fx church*).

mainline² ['meinlain] *vb.* S **1.** (*narko*) indsprøjte intravenøst; **2.** (*uden objekt*) fixe.

mainliner ['meinlainə] *sb.* S stiknarkoman.

mainly ['meinli] *adv.* hovedsagelig, overvejende; for det meste.

mainmast ['meinma:st, (*mar.*) -məst] *sb.* (*mar.*) stormast.

mains [meinz] *sb. pl.* [*offentligt ledningsnet for gas//vand//elektricitet*]; (*elek.*) lysnet;
□ *switch the telly off at the* ~ sluk for fjernsynet ved lyskontakten; *be on the* ~ have indlagt vand// gas//elektricitet;
[*foran sb.*] ~ *electricity* netstrøm; ~ *gas* bygas; ~ *receiver* (*radio.*) netmodtager; ~ *water* postevand, vand fra hanen.

mainsail ['meinseil, (*mar.*) -s(ə)l] *sb.* (*mar.*) storsejl.

mainsheet ['meinʃi:t] *sb.* (*mar.*) storsejlsskøde.

mainspring ['meinspriŋ] *sb.* **1.** (*i ur*) drivfjeder; **2.** (*fig.*) drivfjeder; drivende kraft.

mainstay ['meinstei] *sb.* **1.** (*mar.*) storstag; **2.** hovedbestanddel, grundlag (*fx of one's income// diet*); væsentligste støtte, fast holdepunkt (*fx the World Service was our* ~ *while we lived abroad*).

mainstream¹ ['meinstri:m] *sb.* hovedstrøm, førende retning; hovedgruppe; mainstream.

mainstream² ['meinstri:m] *adj.* som tilhører hovedstrømmen; etableret; traditionel.

maintain [mein'tein] *vb.* **1.** opretholde (*fx order in the town*); bevare (*fx close links; one's cool*); holde (*fx one's position*); **2.** (*hus etc.*) vedligeholde (*fx a car; equipment; roads*); **3.** (*om påstand*) hævde, påstå; fastholde (*fx that one is innocent; one's innocence*); **4.** (*person: med føde etc.*) for-

sørge, underholde (*fx one's family*).

maintenance ['meintənəns] *sb.* **1.** opretholdelse (*fx of good order*); bevarelse; **2.** (*af hus etc.*) vedligeholdelse; vedligehold; **3.** (*af person*) forsørgelse (*fx of an old servant*); underhold; **4.** (*til fraskilt hustru*) underholdsbidrag; **5.** (*til børn uden for ægteskab*) alimentationsbidrag.

maintenance grant *sb.* (*til studerende*) uddannelsesstøtte.

maisonette [meizə'net] *sb.* [*lejlighed i to etager, med separat indgang udefra*].

maitre d' [metrə'di:] *sb.* overtjener.

maitre d'hotel [meitrədəu'tel] *sb.* **1.** overtjener; **2.** hoteldirektør.

maize [meiz] *sb.* (*bot.*) majs.

maizena [mei'zi:nə] *sb.* (*sydafr.*) majsmel.

Maj *fork. f.* (*mil.*) Major.

majestic [mə'dʒestik] *adj.* majestætisk.

majesty ['mædʒisti] *sb.* majestæt;
□ *His//Her Majesty* Hans//Hendes Majestæt.

major¹ ['meidʒə] *sb.* **1.** (*mil.*) major; **2.** (*mus.*) dur (*fx C* ~); **3.** (*am.*) hovedfag; (*person*) hovedfagsstuderende.

major² ['meidʒə] *adj.* **1.** større (*fx event; operation*); stor, vigtig (*fx problem*); betydelig, afgørende (*fx factor*); **2.** (*mus.*) dur-;
□ *Brown* ~ (*glds.: i skolesprog*) den ældste af brødrene Brown; *the* ~ *part* størstedelen.

major³ ['meidʒə] *vb.:* ~ *in history* (*am.*) have historie som hovedfag.

majordomo [meidʒə'dəuməu] *sb.* (*glds. el. spøg.*) hovmester; majordomus.

major general *sb.* (*mil.*) generalmajor.

majority [mə'dʒɔriti] *sb.* **1.** flertal; majoritet; **2.** (*mil.*) majorrang; **3.** (*jur.*) myndighedsalder;
□ *be in a//the* ~ være i overtal/flertal; *the* ~ *of* de fleste (*fx schools*); de fleste af (*fx the schools*); ~ *of shares* aktiemajoritet; *attain/arrive at/reach one's* ~ blive myndig; *gain a* ~ få flertal.

majority holding *sb.* aktiemajoritet.

major prophets *sb. pl.* (*i Biblen*) store profeter.

major suit *sb.* (*i bridge*) majorfarve; høj farve [*spar el. hjerter*].

majuscule ['mædʒəskju:l] *sb.* majuskel, stort bogstav.

make¹ [meik] *sb.* **1.** fabrikat; mærke (*fx cars of all -s*); **2.** tilvirkning, forarbejdning; **3.** (*om tøj*)

snit (*fx a coat of first-class* ~);
□ *be on the* ~ T **a.** være (lidt for
meget) om sig; være beregnende;
b. være ude efter piger; *put the* ~
on (*am.* T) lægge an på; gøre til-
nærmelser til.

make[2] [meik] *vb.* (*made, made*) (se
også *made*) A. (*handling; se også
ndf.: med sb.*) gøre (*fx an attempt;
a sudden movement; progress*);
foretage (*fx changes; a phone
call*); udføre (*fx experiments; re-
pairs*);
B. (*produkt, noget der frembrin-
ges*) **1.** lave (*fx a hole; a noise*);
gøre (*fx a good impression; a
noise*); skabe (*fx God made man;
that book made his reputation*);
2. (*ting*) lave (*fx a dress; a film; a
list*); (*vare også*) fremstille, fabri-
kere, producere (*fx paper; cars*);
3. (*mad etc.*) lave (*fx a cake; tea*);
tilberede (*fx a dinner*); **4.** (*figur*)
danne (*fx let us* ~ *a circle; the
stars* ~ *a cross*); **5.** (*ytring*) frem-
sætte, (frem)komme med (*fx accu-
sations; an offer*);
C. (*om slutresultat*) **1.** blive (*fx it
will* ~ *a good book; she made
him a good wife*); **2.** (*ved sam-
mentælling etc.*) være, blive (*fx
two and two -s four; that -s £63 in
all*); (se også ndf.: ~ *it e*)); **3.** (*pris*)
indbringe, opnå en pris af (*fx an
envelope bearing two rare stamps
made £1,000*);
D. (*mål etc.*) **1.** nå (*fx the harbour;
the top; the train*); nå frem til (*fx
we tried to* ~ *Oxford before dark*);
2. (*særlig ære*) opnå at komme
på//i *etc.* (*fx the front page*);
3. (*am.: stilling*) blive (*fx he will
never* ~ *colonel*); **4.** (*i kortspil:
stik*) vinde, få, tage hjem; **5.** (*i
kricket*) score;
E. (*ændring, resultat*) **1.** (*med 2
objekter*) gøre til (*fx he made the
town his base; that -s the total
cost £48; that film made him a
star*); (*om stilling, rang*) udnævne
til (*fx* ~ *him a colonel*); **2.** (*med
objekt + inf.*) få til at (*fx* ~ *him
understand; the smoke made my
eyes water*); (*ved tvang*) tvinge til
at (*fx they were made to lie
down*); (*om forfatter*) lade (*fx the
author -s him say that ...*); **3.** (*med
objekt + adj.*) gøre (*fx that -s it ea-
sier;* ~ *him happy*);
F. (*andre betydninger*) **1.** (*penge*)
tjene (*fx £25,000 a year*);
2. (*strækning*) tilbagelægge (*fx 50
miles*); **3.** (*del af helhed*) være (*fx
will you* ~ *a fourth at bridge?*);
udgøre (*fx two halves* ~ *a whole*);
4. (*gram.*) hedde (*fx "mouse" -s

"mice" in the plural*); **5.** (*kort*)
blande, vaske; **6.** (*am.* S) gå i seng
med, bolle;
□ *he is as wise//ugly etc. as they* ~
'em han er noget af det klogeste//
grimmeste *etc.* man kan tænke
sig; ~ *as if one had* lade som om
man havde; ~ *as if to go* gøre
mine til at gå; ~ *like* (*am.* T) gøre
som om; ~ *oneself heard//
known//understood* se *hear,
known*[2], *understand;*
[*med: it*] ~ *it* **a.** have succes,
b. (*om patient: overleve*) klare
den; **c.** (*til sted, begivenhed*) nå
frem; komme; **d.** S komme til at
bolle; **e.** (*ved beregning, gæt*) få
det til (*fx (How many are there?) I
~ it 24*); *what time do you* ~ *it?*
hvad er klokken efter dit ur?
come if you can ~ *it* kom hvis du
kan (nå det); *let's* ~ *it 7.30//£50*
skal vi sige kl. 7.30//£50? ~ *it big,
~ it with* se: *ndf.;*
[*med sb.; NB* ~ + *sb. har ofte
samme betydning som det tilsva-
rende vb., fx* ~ *a bow = bow;* ~ *a
start = start; i øvrigt står mange
udtryk med* ~ + *sb. under sub-
stantivet* jf. *bone, difference,
enemy (etc.)*] ~ *a bed* rede en
seng; ~ *conditions* stille betingel-
ser; ~ *a confession* aflægge en til-
ståelse; ~ *a fire* tænde op; *he will
never* ~ *an officer* der bliver al-
drig nogen officer ud af ham; ~ *a
road* anlægge en vej; ~ *a speech*
holde en tale; ~ *terms* stille betin-
gelser;
[*med adj.; NB* mange udtryk med
~ + *adj.* står under adjektivet jf.
free[1], *light*[2], *merry, sure (etc.)*] ~
it big blive til noget stort; ~ *good*
a. erstatte (*fx a loss*); **b.** godtgøre,
bevise (*fx a charge*); **c.** virkelig-
gøre, udføre, gøre alvor af (*fx a
threat*); opfylde, holde (*fx a prom-
ise*); **d.** (*efter reparation etc.*) re-
tablere; **e.** (*uden objekt*) få//have
succes, klare sig godt, blive til no-
get;
[*med inf.; se også ovf.: E 2*] ~ *be-
lieve* **a.** bilde ind; **b.** foregive,
lade som om; **c.** (*om børn*) lege (*fx
let's* ~ *believe that we're Red In-
dians*); ~ *it do,* ~ *do with it* klare/
hjælpe sig med det; ~ *do and
mend* klare sig med og reparere
på det man har [*i stedet for at
købe nyt*]; ~ *to* gøre mine til at, så
småt begynde at (*fx he made to
go*);
[*med adv., præp.*] ~ *after* sætte
efter;
~ *at* lange ud efter, stikke efter (*fx
he made at me with a knife*); ~

away with (*glds.*) **a.** stjæle; stikke
af med; **b.** dræbe; ~ *away with
oneself* (*glds.*) tage livet af sig,
gøre en ulykke på sig selv;
~ *for* **a.** styre/gå hen imod (*fx the
door*); sætte kursen mod (*fx
home*); **b.** (*for at angribe*) styre/
fare hen imod (*fx he made for me
with a knife*); **c.** (*fig.*) bidrage til
(at skabe) (*fx this will* ~ *for better
newspapers*);
~ *into* lave (om) til; bygge om til;
~ *the novel into a film* filmatisere
romanen;
~ *a day//evening//night//weekend
of it* blive ved hele dagen//afte-
nen//natten//weekenden; få en
dag//aften *etc.* ud af det; (se også
habit, mess); ~ *the best//most of*
få det bedst//mest mulige ud af
det; (se også *best*[1], *light*[2], *little*[2],
most, much[2], *nothing*); *what do
you* ~ *of it?* hvad får du ud af
det? hvordan mener du det skal
forstås?;
~ *off* stikke af; løbe sin vej; ~ *off
with* stikke af med, rende med;
~ *out* **a.** skimte, skelne (*fx I could
~ out a figure in the mist*);
b. finde ud af, forstå; blive klog på
(*fx I cannot* ~ *out what happe-
ned; I cannot* ~ *him out*); **c.** (*do-
kument*) udfærdige, udstede (*fx a
cheque*); udfylde (*fx a form*);
d. (*især am.* S) klare sig (*fx how is
he making out?*); **e.** (*am.* S) kæle,
bolle (*fx they were busy making
out*); *how are things making out?*
hvordan går det? *how do you* ~
that out? hvordan kommer du til
det resultat? ~ *oneself out to be*
påstå at man er, foregive at man
er, give det udseende af at man er
(*fx poorer than one really is*); *he
is not so bad as he is made out to
be* han er ikke så slem som man
vil gøre ham til; ~ *out that* påstå
at, foregive at, give det udseende
af at (*fx he made out that he had
been busy*); ~ *out with* (*am.* S)
komme i seng med;
~ *over* **a.** overdrage (*to* til);
b. (*især am.*) lave om på (*fx a
house; one's appearance*); foran-
dre (*fx a dress*);
~ *towards* bevæge sig imod; styre
imod, sætte kursen imod (*fx he
made towards the church*);
~ *up* **a.** lave, sammensætte, op-
stille (*fx a list*); **b.** (*mad, medicin*)
tilberede; lave til; (*ingredienser*)
blande; **c.** (*tøj etc.*) sy (*fx a suit*);
d. (*historie, undskyldning*) op-
digte, finde på (*fx a story*); **e.** (*no-
get forsømt*) indhente (*fx I'll* ~ *up
the time tomorrow*); **f.** (*mangel*)

M make-believe

bøde på; udfylde (*fx the defi- ciency*); komplettere; dække; **g.** (*uenighed*) bilægge (*fx a quar- rel*); **h.** (*om del af hele*) danne, udgøre (*fx the branches which ~ up the organization*); **i.** (*typ.*) om- bryde; **j.** (*uden objekt: med kos- metik*) sminke sig; lægge teint; (*om skuespiller også*) lægge ma- ske; **k.** (*am.*) se ndf.: ~ *it up*; ~ *up a bed* rede op; ~ *up the fire* lægge (brændsel) på ilden; ~ *up a four* (*fx til en bridge*) være fjerdemand; (se også *mind¹*); ~ *it up* blive gode venner igen; slutte fred; ~ *up for* bøde på; opveje; kompensere for; ~ *up for lost time* indhente det forsømte; ~ *up for a part* sminke sig til en rolle; ~ *up to* T indynde sig hos; gøre sig lækker for; fedte for; ~ *it up to* gøre det godt igen over for; ~ *it up with* slutte fred med;
~ *with* (*am.*) levere, komme med; ~ *it with* T komme i seng med.
make-believe¹ ['meikbili:v] *sb.* **1.** skin; indbildning; noget som man bare bilder sig ind; **2.** kome- diespil; leg; noget som man bare leger;
□ *it is just* ~ (*også*) det eksisterer ikke i virkeligheden.
make-believe² ['meikbili:v] *adj.* **1.** indbildt, uvirkelig; kunstig; fan- tasi-, skin- (*fx world*); **2.** fiktiv, imaginær (*fx the boy fired a ~ gun at me*).
makeover ['meikəuvə] *sb.* **1.** fuld- stændig forandring, forvandling, transformering; **2.** (*af hus*) fuld- stændig ombygning/renovering; **3.** [*behandling hos stylist*].
maker ['meikə] *sb.* fabrikant;
□ *the Maker* skaberen.
makeshift¹ ['meikʃift] *sb.* nød- hjælp; surrogat, erstatning;
□ *the box was a ~ for a table* kas- sen gjorde det ud for bord.
makeshift² ['meikʃift] *adj.* midler- tidig, foreløbig, interimistisk.
make-up ['meikʌp] *sb.* **1.** (*til ansig- tet*) makeup, sminke (*fx that lady uses too much ~*); **2.** (*teat.*) sminkning, maskering; maske; **3.** (*om bestanddele*) sammensæt- ning (*fx the ~ of the team*); be- skaffenhed; **4.** (*persons*) person- lighed, væsen, natur; **5.** (*om vare*) indpakning, udstyr (*fx an attrac- tive ~*); **6.** (*am.*) sygeeksamen; **7.** (*typ.*) ombrydning.
make-up man *sb.* (*pl. ... men*) **1.** (*teat.*) sminkør; **2.** (*typ.*) ombry- der.
makeweight ['meikweit] *sb.* **1.** til- gift; fyldekalk; **2.** (*om person*) [en

der kun er med for at fylde op].
make-work ['meikwərk] *adj.* **1.** (*am.*: om aktivitet*) [som kun udføres for at holde én beskæfti- get]; **2.** (*can.*) jobskabelses- (*fx program*).
making ['meikiŋ] *sb.* **1.** fremstil- ling, fabrikation; **2.** tilvirkning, forarbejdning; **3.** skabelse, tilbli- velse;
□ **-s a.** indtægt, fortjeneste; **b.** be- standdele, materialer; ingredien- ser (*fx the -s for a salad*); he has in him **the -s of** a great statesman der er stof i ham til en stor stats- mand;
that was **the** ~ **of** him det blev af- gørende for hans udvikling; det lagde grunden til hans succes; [*med præp.*] **in the** ~ vordende, kommende (*fx she is a star in the ~*); i sin vorden; som er ved at blive til/opstå (*fx a disaster in the ~*); som er ved at blive skabt (*fx we see history in the ~*); the book was five years in the ~ det tog fem år at lave bogen; a mistake **of his** ~ en fejl som han er mester for; the problems are of his own ~ problemerne er selvskabte.
malachite ['mæləkait] *sb.* (*min.*) malakit [*grøn smykkesten*].
maladjusted [mælə'dʒʌstid] *adj.* (*om barn*) adfærdsvanskelig; mil- jøskadet.
maladjustment [mælə'dʒʌs(t)mənt] *sb.* adfærdsvanskelighed; miljø- skade.
maladministration ['mælədmini- 'streiʃn] *sb.* F dårlig forvaltning/ administration/ledelse; (*af em- bede*) misrøgt.
maladroit [mælə'drɔit] *adj.* F ube- hændig, klodset.
malady ['mælədi] *sb.* sygdom.
Malagasy¹ [mælə'gæsi] *sb.* **1.** (*per- son*) madagasker; **2.** (*sprog*) mala- gassisk.
Malagasy² [mælə'gæsi] *adj.* mada- gaskisk.
malaise [mə'leiz, mæ-] *sb.* utilpas- hed; ubehag; lurende utilfreds- hed.
malamute ['mæləmju:t, -mu:t] *sb.* malemut [*art slædehund*].
malapropism ['mæləprɔpizm] *sb.* forkert brug//forveksling af (frem- med)ord.
malapropos [mælæprə'pəu] *adv.* malplaceret; ubelejligt; uheldigt.
malaria [mə'lɛəriə] *sb.* (*med.*) ma- laria.
malarial [mə'lɛəriəl] *adj.* malaria- (*fx patient*).
malarkey [mə'la:ki] *sb.* T pladder, bavl, gas, pjat.

Malay¹ [mə'lei] *sb.* **1.** malaj [*person fra Malaja*]; **2.** (*sprog*) malajisk.
Malay² [mə'lei] *adj.* malajisk.
Malaya [mə'leiə] Malaya, Malaja [*del af Malaysia*].
Malaysia [mə'leiziə].
Malaysian¹ [mə'leiziən] *sb.* malay- sier.
Malaysian² [mə'leiziən] *adj.* ma- laysisk.
malcontents ['mælkəntents] *sb. pl.* (F: *især pol.*) utilfredse, misfornø- jede; oprørske elementer.
male¹ [meil] *sb.* **1.** mand; **2.** (*om dyr*) han.
male² [meil] *adj.* **1.** (*om køn*) mandlig (*fx heir; nurse; student*); **2.** (*som angår/er typisk for mænd*) mands- (*fx line; voice*); mandlig, maskulin (*fx values; characteris- tic; aggression*); blandt mænd (*fx ~ unemployment*); **3.** (*biol.*) han- (*fx animal; flower*);
□ ~ *child* drengebarn.
male chauvinism *sb.* mandschau- vinisme.
male chauvinist¹ *sb.* mandschauvi- nist.
male chauvinist² *adj.* mandschau- vinistisk.
male chauvinist pig *sb.* mands- chauvinist.
malediction [mælə'dikʃn] *sb.* for- bandelse.
male-dominated [meil'dɔmineitid] *adj.* mandsdomineret.
malefactor ['mæləfæktə] *sb.* F for- bryder, misdæder.
male member *sb.*: the ~ det mand- lige lem.
male thread *sb.* udvendigt gevind.
malevolence [mə'levələns] *sb.* ond- skab; ondsindethed; ondskabs- fuldhed.
malevolent [mə'levələnt] *adj.* ond- sindet, ondskabsfuld.
malfeasance [mæl'fi:z(ə)ns] *sb.* **1.** (*jur.*) ulovlig handling; mislig- hed; **2.** (*af embedsmand*) embeds- forbrydelse; myndighedsmisbrug.
malformation [mælfɔ:'meiʃn] *sb.* misdannelse, deformitet; skæv- hed.
malformed [mæl'fɔ:md] *adj.* mis- dannet, deform; vanskabt.
malfunction¹ [mæl'fʌŋ(k)ʃn] *sb.* fejl, defekt; funktionsfejl.
malfunction² [mæl'fʌŋ(k)ʃn] *vb.* fejlfungere, svigte.
malice ['mælis] *sb.* **1.** ondskabs- fuldhed; ondsindethed; **2.** (*jur.*) forbryderisk hensigt, skadehen- sigt;
□ *I bear him no ~* jeg er ikke vred på ham; jeg bærer ikke nag til ham; with ~ *aforethought* med

fuldt overlæg; forsætligt.
malicious [məˈliʃəs] *adj.* ondskabsfuld; ondsindet; i ond hensigt; □ ~ *damage* (*jur.*) forsætlig skade; hærværk; ~ *telephone calls* telefonchikane.
malign[1] [məˈlain] *adj.* F skadelig (*fx effect; influence*); ond (*fx spirit*).
malign[2] [məˈlain] *vb.* F tale ondt om, bagtale.
malignancy [məˈlignənsi] *sb.*
1. (*med.*) ondartethed; ondartet svulst; 2. (*fig.*) ondskab.
malignant [məˈlignənt] *adj.*
1. (*med.*) ondartet; (*fagl.*) malign; 2. (*om person*) ondskabsfuld; ond.
malignity [məˈlignəti] *sb.* 1. F ondskab; had; 2. (*med.*) ondartethed.
malinger [məˈliŋgə] *vb.* spille syg, simulere.
malingerer [məˈliŋgərə] *sb.* simulant.
Mall [mæl]: *the* ~ [*promenade i St. James's Park, London*].
mall [mɔːl] *sb.* 1. (*torv*) butikstorv, butikscenter; 2. (*bygning*) storcenter, indkøbscenter.
mallard [ˈmæləd] *sb.* (*zo.*) gråand.
malleable [ˈmæliəbl] *adj.* 1. letbearbejdelig, smidig; (*om metal*) smedelig, hammerbar (*fx iron*); 2. (*fig.*) medgørlig, føjelig; letpåvirkelig.
mallet [ˈmælit] *sb.* 1. træhammer; trækølle; 2. (*til kroket, polo*) kølle.
mallow [ˈmæləu] *sb.* (*bot.*) katost.
malnourished [mælˈnʌriʃt] *adj.* underernæret; fejlernæret.
malnutrition [mælnjuː(ˈ)triʃn] *sb.* underernæring; fejlernæring.
malodorous [mæˈləud(ə)rəs] *adj.* ildelugtende.
malpractice [mælˈpræktis] *sb.*
1. pligtforsømmelse; uredelighed; mislighed; 2. (*embedsmands*) embedsmisbrug; 3. (*med.*) fejlbehandling.
malt[1] [mɔː(ː)lt] *sb.* 1. malt; 2. maltwhisky; 3. (*am.*) = *malted milk*.
malt[2] [mɔː(ː)lt] *vb.* 1. malte; 2. (*uden objekt*) blive til malt.
malted milk *sb.* [*drik af tørmælk, malt og iscreme*]; maltmælk.
Maltese[1] [mɔːlˈtiːz, mɔl-] *sb.*
1. (*person*) malteser; 2. (*sprog*) maltesisk.
Maltese[2] [ˈmɔːlˈtiːz, mɔlˈtiːz] *adj.* maltesisk; malteser- (*fx cross*).
maltreat [mælˈtriːt] *vb.* mishandle.
maltreatment [mælˈtriːtmənt] *sb.* mishandling.
mam [mæm] *sb.* 1. = *mama*; 2. (*am.*) = *ma'am*.
mama [meˈmaː, (*am.*) ˈmaːmə] *sb.* (*glds. el. am.* T) mama; mor.

mamba [ˈmæmbə] *sb.* (*zo.*) mamba [*art giftslange*].
mamma *sb.* = *mama*.
mammal [ˈmæm(ə)l] *sb.* pattedyr.
mammary [ˈmæməri] *adj.* bryst-.
mammary gland *sb.* brystkirtel; mælkekirtel.
mammography [mæˈmɔgrəfi] *sb.* (*med.*) mammografi, røntgenundersøgelse af bryst.
mammon [ˈmæmən] *sb.* mammon; rigdom.
mammoth[1] [ˈmæməθ] *sb.* (*zo. hist.*) mammut.
mammoth[2] [ˈmæməθ] *adj.* kæmpe-, enorm, kolossal (*fx enterprise*).
mammy [ˈmæmi] *sb.* 1. mor; mama; 2. (*glds. am.*) sort barnepige.
mammy wagon *sb.* åben bus [*i Vestafrika*].
man[1] [mæn] *sb.* (*pl. men* [men])
1. mand; (*generelt*) manden; 2. (*glds.*) menneske (*fx all men are equal*); (*generelt*) mennesket (*fx* ~ *was born free*); 3. (*på fabrik*) arbejder; (*pl. også*) folk; 4. (*mil.*) menig; (*pl. også*) mandskab; 5. (*i spil*) brik;
□ ~ *and boy* (*glds., spøg.*) fra dreng af (*fx I have worked here, ~ and boy, for forty years*); [*med art., pron.*] *he is* **a** *man's* ~ han er et rigtigt mandfolk [ɔ: *populær blandt mænd*]; *to a* ~ (*litt.*) alle som en; hver og en; (*se også new*); *he is his own* ~ han er sin egen herre; *he's my* ~ det er den rette mand [*til at gøre det*]; *the Man* (*am.* S) **a.** politiet; **b.** de hvide;
[+ *præp.*] ~ *in* se *street*; ~ *of* se *cloth, God, letter*[1], *straw, word*[1], *world*.
man[2] [mæn] *vb.* bemande (*fx a ship*); besætte (*fx the barricade; a roadblock*); passe (*fx a machine*); □ ~ *the phone* sidde ved/passe telefonen; ~ *the pumps!* alle mand til pumperne!
man-about-town [mænəbautˈtaun] *sb.* levemand.
manacle [ˈmænəkl] *sb.* håndlænker//fodlænker; lænker.
manacled [ˈmænəkld] *adj.* 1. lagt i lænker; lænket; 2. (*fig.*) hæmmet.
manage [ˈmænidʒ] *vb.* 1. (*foretagende*) lede (*fx an institution*); bestyre (*fx a business*); administrere; 2. (*redskab etc.*) håndtere (*fx a tool; a rifle*); behandle; manøvrere, styre (*fx a boat*); 3. (*tid, penge, forråd*) forvalte (*fx one's time; one's money; the earth's resources*); holde styr på; 4. (*mennesker el. dyr*) kunne magte,

tumle (*fx a flock of boys; a horse*);
5. (*vanskelighed, anstrengelse, udgift*) klare (*fx a long walk; he can't* ~ *the stairs any more; he -d a smile; I can* ~ £15; *I suppose it can be* -d); overkomme (*fx I can't* ~ *all this work alone; he can only* ~ *a few hours a day*); (*i spørgsmål også*) bære sig ad med (*fx how did you* ~ *that?*); 6. (*uden objekt*) klare sig (*fx can you* ~ *on your own? I shall* ~ *somehow*);
□ *can you* ~ *another piece of cake?* T kan du spise et stykke kage til? *can you* ~ *Monday evening?* (*om aftale*) passer det dig mandag aften?
[+ *inf.*] *he* ~ *to* det lykkedes ham at (*fx get there in time; spill paint all over the floor*); han nåede at (*fx get out in time*); *how did you* ~ *to ...?* (*også*) hvordan bar du dig ad med at ...? (*fx persuade him; lose the money*);
[*med præp.*] ~ *on* klare sig med (*fx* £55 *a week; five hours' sleep*); (*om penge også*) klare sig for; ~ *with* klare sig med (*fx they had to* ~ *with one car*); *can you* ~ *with both the parcels?* kan du have begge pakkerne?
manageable [ˈmænidʒəbl] *adj.* overkommelig (*fx size*).
management [ˈmænidʒmənt] *sb.*
1. (*personer*) ledelse; direktion; 2. (*jf. manage 1*) (virksomheds-, arbejds)ledelse; styring; administration; 3. (*jf. manage 2*) behandling; manøvrering; 4. (*jf. manage 3*) forvaltning; håndtering.
management game *sb.* virksomhedsspil.
manager [ˈmænidʒə] *sb.* 1. leder; chef; direktør; bestyrer; 2. (*for artist, musiker etc.*) manager; □ *good* ~ god økonom; sparsommelig husmoder.
managerial [mænəˈdʒiəriəl] *adj.* bestyrelses-; direktør-; leder- (*fx skills* evner); administrativ (*fx duties*).
managing [ˈmænidʒiŋ] *adj.* 1. ledende; bestyrende; 2. (*neds.*) herskesyg, dominerende; som gerne vil bestemme.
managing director *sb.* (*administrerende*) direktør.
manakin [ˈmænəkin] *sb.* (*zo.*) manakin [*en spurvefugl*].
manatee [mænəˈtiː] *sb.* (*zo.*) søko.
Mancunian [mænˈkjuːniən] *sb.* indbygger i Manchester.
Mandarin [ˈmændərin] *sb.* (*sprog*) mandarin [*standardkinesisk*].
mandarin [ˈmændərin] *sb.* 1. (*kinesisk embedsmand; frugt*) manda-

rin; **2.** (*fig.*) stiv embedsmand; bureaukrat; ping.

mandarin collar *sb.* kineserflip.

mandate[1] ['mændeit] *sb.* mandat, bemyndigelse.

mandate[2] ['mændeit] *vb.* **1.** give mandat, bemyndige; **2.** pålægge.

mandatory ['mændət(ə)ri] *adj.* F obligatorisk (*on* for); påbudt.

mandible ['mændəbl] *sb.* **1.** (under)kæbe; **2.** (*insekts*) kindbakke.

mandolin, mandoline [mændə'lin, 'mæn-] *sb.* (*mus.*) mandolin.

mandrake ['mændreik] *sb.* (*bot.*) alrune.

mandrel ['mændrəl] *sb.* (*tekn.*) **1.** dorn; **2.** (*på drejebænk*) spindel.

mandrill ['mændril] *sb.* (*zo.*) mandril [*art bavian*].

mane [mein] *sb.* **1.** (*hos hest, løve*) manke; (*fagl. el. glds.*) man; **2.** (*persons*) manke.

man-eater ['mæni:tə] *sb.* **1.** menneskeædende tiger//løve//haj; **2.** (*om kvinde*) vamp.

manège [mæ'neiʒ] *sb.* ridebane; rideskole.

maneuver [mə'nu:vər] (*am.*) = *manoeuvre*.

man Friday *sb.* betroet sekretær, chefstøtte, højre hånd.

manfully ['mænf(u)li] *adv.* mandigt, tappert.

manganese [mæŋgə'ni:z] *sb.* (*kem.*) mangan.

mange ['mein(d)ʒ] *sb.* (*vet.*) skab [ɔ: *udslæt*].

manger ['mein(d)ʒə] *sb.* (*glds.*) krybbe; (se også *dog*[1]).

mangle[1] ['mæŋgl] *sb.* rulle [*til tøj*].

mangle[2] ['mæŋgl] *vb.* **1.** sønderrive, mishandle, lemlæste; **2.** (*fig.*) ødelægge, mishandle, radbrække (*fx a piece of music*); **3.** (*tøj*) rulle (*fx the washing*).

□ *-d* (*jf.* 1, *også*) ilde tilredt.

mango ['mæŋgəu] *sb.* (*pl. -es/-s*) (*bot.*) **1.** mangofrugt; **2.** mangotræ.

mangold ['mæŋg(ə)ld] *sb.* (*bot.*) runkelroe.

mangrove ['mæŋgrəuv] *sb.* (*bot.*) mangrove.

mangy ['mein(d)ʒi] *adj.* **1.** skabet (*fx dog*); **2.** (*fig.*) lurvet; ussel.

manhandle ['mænhændl] *vb.* **1.** (*person*) skubbe voldsomt til, tage hårdt på (*fx the police -d the demonstrators*); (*stærkere*) mishandle; **2.** (*ting*) bevæge/flytte med håndkraft; slæbe, bakse (*fx the piano down the stairs*).

manhole ['mænhəul] *sb.* nedgangsbrønd [*til kloak*]; mandehul.

manhole cover *sb.* kloakdæksel.

manhood ['mænhud] *sb.* **1.** mand-

dom; manddomsalder, manddomsår; **2.** (*egenskab*) mandighed, mod (*fx he wanted to prove his* ~); **3.** (*især poet.*) mænd (*fx the nation's* ~); mandlig befolkning.

man-hour ['mænauə] *sb.* arbejdstime.

manhunt ['mænhʌnt] *sb.* menneskejagt, klapjagt.

mania ['meiniə] *sb.* mani (*for* for; *for* + *-ing* med/for at); vanvid, galskab (*fx religious* ~).

maniac[1] ['meiniæk] *sb.* vanvittig/gal/sindssyg person.

maniac[2] ['meiniæk] *adj.* vanvittig, gal, sindssyg.

maniacal [mə'naiək(ə)l] *adj.* vanvittig, afsindig.

manic ['mænik] *adj.* manisk.

manic-depressive [mænikdi'presiv] *adj.* maniodepressiv.

manicure[1] ['mænikjuə] *sb.* manicure.

manicure[2] ['mænikjuə] *vb.* manicurere, give manicure.

manicured ['mænikjuəd] *adj.* **1.** (*om hånd*) manicureret; **2.** (*om have*) velplejet, sirlig.

manicurist ['mænikjuərist] *sb.* manicurist, manicuredame.

manifest[1] ['mænifest] *sb.* (*mar., flyv.*) ladningsmanifest, ladningsfortegnelse, ladningsliste; (*flyv. også*) passagerliste.

manifest[2] ['mænifest] *adj.* F tydelig, klar, åbenbar (*fx truth; failure*).

manifest[3] ['mænifest] *vb.* F **1.** røbe, vise (*fx some impatience*); tilkendegive (*fx total indifference*); **2.** (*mar.*) opføre på ladningsliste;

□ ~ *itself* manifestere sig, vise sig; give sig udslag.

manifestation [mænifes'teiʃn] *sb.* manifestation; tilkendegivelse; udslag; demonstration;

□ *-s of life* livsytringer.

manifesto [mæni'festəu] *sb.* manifest, (*program*)erklæring.

manifold[1] ['mænifəuld] *sb.* (*tekn.*) grenrør, forgreningsrør, manifold.

manifold[2] ['mænifəuld] *adj.* F mangfoldig, talrig; mangeartet.

manifold[3] ['mænifəuld] *vb.* mangfoldiggøre; duplikere.

manikin ['mænikin] *sb.* **1.** kunstners leddedukke; anatomisk model; **2.** (*glds.*) mandsling.

manila, manilla [mə'nilə] *sb.* manila- (*fx envelope; hemp; paper*).

manipulate [mə'nipjuleit] *vb.* **1.** (*redskab, maskine etc.*) håndtere; betjene (*fx a computer*); manøvrere (*fx the crane into position*); **2.** (*oplysninger, ideer*) håndtere; bearbejde; **3.** (*for at lave*

fusk) manipulere med, fuske med (*fx election results*); forfalske, rette i (*fx a report*); **4.** (*it*) håndtere, manipulere, bearbejde; **5.** (*person & med.*) manipulere (*fx he tried to* ~ *me; the doctor -d my leg*).

manipulation [mənipju'leiʃn] *sb.* (*jf. manipulate*) **1.** håndtering; betjening; manøvreren; **2.** håndtering; bearbejdning; **3.** manipulation; fusk; **4.** håndtering, bearbejdning; **5.** manipulation.

manipulative [mə'nipjulətiv] *adj.* manipulerende.

manipulator [mə'nipjuleitə] *sb.* manipulator.

mankind [mæn'kaind] *sb.* menneskeheden; menneskeslægten; mennesket.

manky ['mæŋki] *adj.* T **1.** ussel, sølle; **2.** beskidt, ulækker.

manly ['mænli] *adj.* mandig.

man-made ['mænmeid] *adj.* menneskeskabt; kunstig (*fx island; lake*); (*om tekstil også*) syntetisk (*fx fabric; fibres*);

□ ~ *fibres* (*også*) kunstfibre.

manna ['mænə] *sb.* manna.

manned [mænd] *adj.* bemandet (*fx spacecraft*).

mannequin ['mænikin] *sb.* **1.** (*til udstillingsvindue etc.*) mannequindukke, voksmannequin; **2.** (*glds. om person*) mannequin, model.

manner ['mænə] *sb.* **1.** måde; facon; **2.** (*persons*) væremåde, facon, væsen (*fx he has an unfriendly* ~); optræden; **3.** (*i kunst*) stil, manér (*fx in the futurist* ~);

□ *-s* **a.** manerer, opførsel (*fx bad//good -s*); **b.** levemåde (*fx he has no -s*); **c.** (*i samfund*) livsform; sæder (*fx the -s of that age*); sæder og skikke; *it is bad -s to* det er uopdragent at; det er ikke god tone at; *he has no -s* (*også*) han ved ikke hvordan man skal opføre sig; *mind* your *-s* **a.** husk at opføre sig pænt; **b.** opfør dig ordentligt! [*med pron.*] *all* ~ *of* things alle mulige ting; *no* ~ *of* aldeles ingen; *by no* ~ *of means* (*glds.*) på ingen måde; under ingen omstændigheder; *what* ~ *of man is he?* (*litt.*) hvilken slags menneske er han? hvordan er han? [*med præp.*] *after this* ~ = *in this* ~; *in this* ~ på denne måde; *in a* ~ *of speaking* så at sige; på en måde; *a thriller in the* ~ *of Hitchcock* en gyser i Hitchcocks stil; *adverb of* ~ mådesbiord; *as to the* ~ *born* som om han//hun *etc.* var skabt/født til det.

mannered ['mænəd] *adj.* manieret, affekteret, kunstlet; □ *bad* ~ uopdragen; *well* ~ velopdragen.

Mannerism ['mænərizm] *sb.* (*i kunst*) manierisme.

mannerism ['mænərizm] *sb.* manér, særhed.

manners ['mænəz] *sb. pl.* se *manner*.

mannish ['mæniʃ] *adj.* (*neds.*) mandhaftig.

manoeuvrable [mə'nu:v(ə)rəbl] *adj.* manøvredygtig; manøvrerbar.

manoeuvre[1] [mə'nu:və] *sb.* manøvre.

manoeuvre[2] [mə'nu:və] *vb.* 1. (*køretøj etc.*) manøvrere med, styre; (*uden objekt*) manøvrere, styre; 2. (*neds.*) manøvrere, manipulere, lempe (*fx* ~ *him out of office*); få udvirket (ved snedige manøvrer) (*fx they -d his resignation*); (se også *position*[1]).

man-of-war [mænəv'wɔ:] *sb.* (*hist.*) orlogsmand [ɔ: *krigsskib*].

man-of-war bird *sb.* fregatfugl.

manometer [mə'nɔmitə, mæ-] *sb.* manometer, trykmåler.

man-on-man [mænɔn'mæn] *adj.* (*am.*) = man-to-man.

manor ['mænə] *sb.* 1. gods; herregård; 2. (S: *politistations*) distrikt, område; □ *lord of the* ~ godsejer; herremand.

manor house *sb.* herregård, hovedbygning.

manpower ['mænpauə] *sb.* arbejdskraft.

manqué [mɔŋ'kei, ma:ŋ-] *adj.* mislykket, falleret (*fx an actor//artist* ~) [ɔ: *som ikke er blevet det han har drømt om*].

mansard ['mænsa:d] *sb.* 1. mansardtag; 2. (*etage*) mansard.

manse [mæns] *sb.* 1. præstegård; 2. (*glds., om stort hus*) palads, palæ.

mansion ['mænʃn] *sb.* palæ; herskabshus, patriciervilla.

Mansion House [*embedsbolig i London for Lord Mayor*].

Mansions *sb. pl.* [*i navn på stor ejendom med flere lejligheder*].

man-size(d) ['mænsaiz(d)] *adj.* 1. så stor som en voksen mand (*fx plant*); 2. T beregnet for en voksen mand; stor, gevaldig (*fx breakfast*).

manslaughter ['mænslɔ:tə] *sb.* (*jur. omtr.*) (uagtsomt) manddrab; vold/legemsbeskadigelse med døden til følge.

mantel ['mænt(ə)l] *sb.* = mantelpiece.

mantelpiece ['mænt(ə)lpi:s] *sb.* 1. kaminhylde, kamingesims; 2. kaminindfatning.

mantelshelf ['mænt(ə)lʃelf] *sb.* kaminhylde, kamingesims.

mantis ['mæntis] *sb.* (*zo.*) knæler.

mantissa [mən'tisə] *sb.* (*mat.*) mantisse.

mantle ['mæntl] *sb.* 1. F (arvet) hverv//position; se: *ndf.*; 2. (*litt.*) tæppe, dække (*fx of snow*); 3. (*glds.*) kappe; kåbe; 4. (*i gaslampe*) glødenet; 5. (*på fugl*) ryg; 6. (*geol.*) kappe (*fx the Earth's* ~); 7. = mantelpiece; □ *assume/take on the* ~ *of managing director* (*jf. 1*) overtage hvervet som direktør; *Gladstone's* ~ *fell on him* (*jf. 1*) han tog arven op efter Gladstone.

man-to-[1]**man** [mæntə'mæn] *adj.* mand til mand, direkte (*fx discussion; meeting*); åbenhjertig; □ ~ *marking* (*i boldspil*) mandsopdækning.

man-to-[2]**man** [mæntə'mæn] *adv.* mand til mand, direkte (*fx discuss it* ~); åbenhjertigt.

mantra ['mæntrə] *sb.* mantra.

manual[1] ['mænjuəl] *sb.* 1. manual, håndbog, brugervejledning, instruktionsbog; 2. (*på orgel*) manual.

manual[2] ['mænjuəl] *adj.* 1. håndbetjent; hånd- (*fx pump*); 2. (*om arbejde*) legemlig, manuel; □ ~ *worker* kropsarbejder.

manufacture[1] [mænju'fæktʃə] *sb.* 1. (*handling*) produktion, fremstilling, fabrikation; 2. (*resultat*) produkt, vare, fabrikat.

manufacture[2] [mænju'fæktʃə] *vb.* 1. producere, fremstille, fabrikere; 2. (*fig.*) opdigte (*fx an excuse*).

manufactured goods *sb. pl.* industrivarer, fabriksvarer.

manufacturer [mænju'fæktʃ(ə)rə] *sb.* producent, fabrikant; □ *send it back to the -s* [ɔ: *vare med fejl*] sende den tilbage til fabrikken.

manufacturing[1] [mænju'fæktʃ(ə)riŋ] *sb.* produktion, fremstilling, fabrikation.

manufacturing[2] [mænju'fæktʃ(ə)riŋ] *adj.* produktions-, fremstillings-; fabriks-, industri-.

manure [mə'njuə] *sb.* gødning.

manuscript ['mænjuskript] *sb.* 1. manuskript; 2. (*gammelt*) manuskript, håndskrift.

Manx[1] [mæŋks] *sb.* manx [*sproget på øen Man*].

Manx[2] [mæŋks] *adj.* fra//hørende til øen Man.

Manxman ['mæŋksmən] *sb.* (*pl. -men* [-mən]), **Manxwoman** ['mæŋkswumən] *sb.* (*pl. -women* [-wimin]) [*beboer af øen Man*].

Manx shearwater *sb.* (*zo.*) skråpe.

many[1] ['meni] *sb.: a good/great* ~ mange; en (stor) mængde; en hel del; *the* ~ de mange, det store flertal; mængden.

many[2] ['meni] *adj.* mange; F mangen; □ ~ *a* F mangen (en) (*fx mother, morning*); ~ *a time* (*glds.*) mangen (en) gang; ofte; ~'*s the time//day I have* hvor tit har jeg ikke (*fx waited for him*); *have* **one too** ~ få lidt for meget (at drikke); *he is one too* ~ *for me* (*glds.*) ham kan jeg ikke hamle op med; *so* ~ **a.** så mange; **b.** (*ubestemt antal*) så og så mange; *they behaved like so* ~ *guttersnipes* de opførte sig som rene gadedrenge; *say in so* ~ *words* se *word*[1].

Maoism ['mauizm] *sb.* maoisme.

Maoist[1] ['mauist] *sb.* maoist.

Maoist[2] ['mauist] *adj.* maoistisk.

Maori ['mauri] *sb.* maori [*oprindelig indbygger i New Zealand*].

map[1] [mæp] *sb.* kort (*of* over); landkort; □ *off the* ~ (T: *fig.*) afsides, fjerntliggende; uden for lands lov og ret; *wipe the town from/off the* ~ T slette byen af landkortet; udslette byen totalt totalt; *put on the* ~ (T: *fig.*) gøre kendt; *all over the* ~ (*am.*) uorganiseret, forvirret.

map[2] [mæp] *vb.* kortlægge; □ ~ *out* **a.** kortlægge i detaljer; **b.** (*fig.*) planlægge nøje (*fx one's holiday*); tilrettelægge.

maple ['meipl] *sb.* (*bot.*) ahorn, løn.

maple leaf *sb.* ahornblad [*Canadas nationalsymbol*].

maple sugar *sb.* ahornsukker.

maple syrup *sb.* ahornsirup.

Mar *fork. f.* March.

mar [ma:] *vb.* 1. spolere; ødelægge; 2. (*udseende*) skæmme; vansire.

maraschino [mærə'ski:nəu] *sb.* 1. maraschino [*kirsebærlikør*]; 2. [*type kirsebær*].

marathon[1] ['mærəθ(ə)n, (*am.*) -θa:n] *sb.* maratonløb; maraton.

marathon[2] ['mærəθ(ə)n, (*am.*) -θa:n] *adj.* kæmpe-; maraton-.

marauder [mə'rɔ:də] *sb.* marodør [*som strejfer om og plyndrer*].

marauding [mə'rɔ:diŋ] *adj.* plyndrende, hærgende.

marble[1] ['ma:bl] *sb.* 1. (*materiale*) marmor; 2. (*ting*) marmorskulptur; 3. (*til leg*) (marmor-, glas-, ler)kugle;

M marble

□ -s **a.** (jf. 2) skulptursamling; **b.** S nosser; *play -s* (jf. 3) spille kugler; *he has lost his -s* T han er ikke ved sine fulde fem; han er skør.
marble[2] ['ma:bl] *vb.* marmorere.
marbled ['ma:bld] *adj.* marmoreret; □ ~ *edges* (på bog) marmoreret snit.
marc [ma:k] *sb.* kvas [rester efter druepresning].
March [ma:tʃ] *sb.* marts.
march[1] [ma:tʃ] *sb.* **1.** march; **2.** (fig.) gang, udvikling (fx the ~ of events); □ *be on the* ~ **a.** være på march; **b.** (fig.) være i fremgang; *steal a* ~ *upon sby* overliste en; (ubemærket) komme en i forkøbet; snige sig til en fordel frem for en.
march[2] [ma:tʃ] *vb.* **1.** marchere; **2.** (fig.) udvikle sig (fx events are beginning to ~); **3.** (med objekt) føre (fx they -ed the prisoner away); □ ~ *upon* rykke frem mod.
marcher ['ma:tʃə] *sb.* protestdeltager; demonstrant.
March hare *sb.* se *mad.*
marching ['ma:tʃiŋ] *adj.* march-.
marching band *sb.* musikkorps [ved march].
marching orders *sb. pl.* **1.** marchordre; **2.** (fig.) afsked; □ *get one's* ~ (fig.) blive fyret.
marchioness ['ma:ʃ(ə)nəs] *sb.* markise [marquess' hustru].
march-past ['ma:tʃpa:st] *sb.* forbidefilering.
Mardi Gras [ma:di'gra:] *sb.* hvidetirsdag [hvor der holdes fest med karnevalsoptog etc.].
mardy ['ma:di] *adj.* (dial.) uartig, trodsig; pylret.
mare [mɛə] *sb.* (zo.) hoppe; □ *the grey* ~ *is the better horse* det er konen der regerer.
mare's nest ['mɛəznest] *sb.: it was a* ~ **a.** det var en vildmand; **b.** det var en skrøne; **c.** det var noget rod.
mare's tail ['mɛəzteil] *sb.* (bot.) hestehale;
□ -s (på himlen) fjerskyer.
margarine [ma:dʒə'ri:n, -ge-, 'ma:-, (am.) 'ma:dʒəri:n] *sb.* margarine.
marge [ma:dʒ] *sb.* T margarine.
margin ['ma:dʒin] *sb.* **1.** (på bogside etc.) margen, margin (fx write in the ~); **2.** (af område) udkant, periferi (fx the plants grow on (i) the ~ of a woodland areas); **3.** (fig.) rand, kant (fx on the ~ of respectability); grænse (fx go beyond the ~ of decency); **4.** (til at udfolde sig på) spillerum, plads, margen/margin (fx we must give

him a certain ~); **5.** (merk.: mht. profit) gevinstmargen/-margin, avance, fortjeneste; (mht. sikkerhed) marginbeløb, marginindbetaling;
□ *allow/leave a* ~ give et vist spillerum; lade en margen/margin stå åben; ~ *of error* fejlmargen/-margin; *win by a narrow* ~ vinde en kneben sejr; *on the -s of* (fig.) i udkanten/periferien af (fx society; British politics).
marginal[1] ['ma:dʒin(ə)l] *sb.* (parl.) usikkert mandat.
marginal[2] ['ma:dʒin(ə)l] *adj.* **1.** marginal, underordnet (fx of ~ importance; of ~ interest); perifer (fx role); ubetydelig (fx difference; writer); **2.** (økon.) marginal-, grænse- (fx costs); **3.** (i bog, dokument) marginal-, rand- (fx notes); **4.** (parl.) usikker (fx constituency);
□ *a* ~ *seat* et usikkert mandat.
marginalize ['ma:dʒinəlaiz] *vb.* marginalisere.
marginal land *sb.* marginaljord [som det vanskeligt betaler sig at dyrke].
mariculture ['mærikʌltʃə] *sb.* havbrug.
marigold ['mærigəuld] *sb.* (bot.) **1.** morgenfrue; **2.** tagetes, fløjlsblomst.
marihuana, marijuana [mæri-'wa:nə, -'hwa:nə] *sb.* marihuana.
marina [mə'ri:nə] *sb.* marina [lystbådehavn].
marinade[1] [mæri'neid] *sb.* marinade.
marinade[2] [mæri'neid] *vb.* marinere.
marinate ['mærineit] *vb.* marinere.
marine[1] [mə'ri:n] *sb.* marineinfanterist;
□ *tell that to the -s* den må du længere ud på landet med.
marine[2] [mə'ri:n] *adj.* **1.** skibs- (fx consultant; engine; equipment); **2.** hav- (fx animal; plant; biology); (fagl.) marin- (fx biology; geology).
marine insurance *sb.* søforsikring.
marine painter *sb.* marinemaler.
mariner ['mærinə] *sb.* sømand.
marine stores *sb. pl.* skibsprovianteringshandel.
marionette [mæriə'net] *sb.* marionetdukke; marionet.
marital ['mærit(ə)l] *adj.* ægteskabelig (fx bliss; problems); ægteskabs-.
marital status *sb.* ægteskabelig stilling.
maritime ['mæritaim] *adj.* **1.** maritim (fx museum); sø-; søfarts-; **2.** kyst- (fx provinces); som lever

ved kysten.
maritime court *sb.* søret.
maritime law *sb.* (jur.) søret.
marjoram ['ma:dʒ(ə)rəm] *sb.* (bot.) merian.
Mark [ma:k] **1.** (evangelist) Markus; **2.** (om bil) model.
mark[1] [ma:k] *sb.* **1.** mærke; **2.** (af afvigende farve) mærke, plet (fx there were dirty -s on his trousers; the kitten is white with black -s); **3.** (som skal udtrykke noget særligt) tegn (of på, fx as a ~ of respect; what do those strange -s mean?); kendetegn (fx he had the usual -s of a gentleman); **4.** (på vare) fabriksmærke; **5.** (mil. & af bil, fly) model; type; **6.** (på en skala) punkt (fx sales have reached/passed the million ~); **7.** (ved bedømmelse) karakter (fx "What ~ did you get?" "An A"); point (fx you may lose -s if you don't read the questions carefully); **8.** (ved målskydning) mål; **9.** (ved kapsejlads) mærke; **10.** (am. T) skydeskive; offer (fx he was an easy ~); **11.** (ved kapløb) plads ved startlinje; **12.** (møntenhed) mark;
□ ~ *of exclamation* udråbstegn; ~ *of interrogation* spørgsmålstegn; [med adj., jf. 7] *full -s* den højest opnåelige karakter; (også fig.) topkarakter (fx the writer deserves full -s for his latest novel); *good/high -s* gode karakterer; *poor/low -s* dårlige karakterer;
[med vb.] *bear -s/the* ~ *of* være præget af; bære præg/spor af; *hit the* ~ ramme i centrum; ramme plet; *leave one's* ~ *on* sætte sit præg på; *make one's* ~ blive kendt, markere sig; sætte sig spor; gøre indtryk; *make one's* ~ *on* = *leave one* ~ *on*; *miss the* ~ skyde forbi; *miss one's* ~ forfejle sit mål; *overshoot the* ~ **a.** køre for langt; **b.** (fig.) ikke holde måde; skyde over målet; gå for vidt; *overstep the* ~ (fig.) gå over stregen, gå for vidt;
[med præp.] *that is* **closer to/ nearer** *the* ~ det er tættere på det rigtige; *a man* **of** ~ en betydelig/fremtrædende mand; (se også short[2] (come/fall short of), wide[2]);
off *the* ~ (også fig.) ved siden af; *be quick//slow off the* ~ (fig.) være hurtig/langsom til at komme i gang; være hurtig/langsom i optrækket/vendingen; *get off the* ~ starte; komme i gang; *be on the* ~ være helt præcis; ramme plet; *on your -s!* (ved løb) på pladserne!
up to *the* ~ tilfredsstillende; fyl-

destgørende; *I don't feel quite up to the* ~ jeg føler mig ikke rigtig rask; *keep sby up to the* ~ holde en til ilden.

mark[2] [ma:k] *vb.* **1.** (jf. *mark¹ 1*) mærke; sætte mærke på//i//ved; afmærke, markere (*fx* ~ *the place with a cross*); **2.** (*fig.*) markere, betegne (*fx his speech -s a switch in their policy*); (*begivenhed*) markere, fejre (*fx the club's fiftieth birthday*); **3.** (jf. *mark¹ 2*) lave mærke(r) i//på; efterlade spor// pletter på; **4.** (jf. *mark¹ 3*) kendetegne, præge, karakterisere (*fx the qualities which* ~ *a leader*); **5.** (*opgave, besvarelse*) rette, bedømme (*fx the essay is difficult to* ~); give karakter for; **6.** (*i boldspil*) dække op, markere; □ ~ *you!* (*glds.*) vel at mærke!; (se også *time¹, word¹*); [*med adv.*] ~ *down* a. notere ned (*fx the date on a piece of paper*); **b.** (*vare, pris*) nedsætte; **c.** (*til brug//straf*) udse sig (*fx a room for one's office; he had -ed me down*); **d.** (*elev*) give lavere karakter; ~ *sby down as* antage en for at være; (*neds.*) stemple en som; ~ *sby down for* (jf. *d*) trække fra (i éns karakter) for (*fx they* ~ *you down for spelling mistakes*); ~ *off* a. afmærke; afgrænse, afspærre; **b.** (*på en liste*) krydse af, strege ud; ~ *off from* skille ud fra; ~ *out* a. afmærke; afgrænse; afsætte; **b.** (*tekn.*) opmærke; ~ *out as* markere som, skille ud som (*fx this -ed the day//that was very special*); ~ *sby out for* udpege/ udvælge/udse en til; ~ *up* a. (*vare*) sætte op, forhøje prisen på; **b.** (T: *køb*) skrive [ɔ: *give kredit på*]; **c.** (*elev*) give højere karakter; ~ *up a manuscript* skrive markeringer i et manuskript [*som forberedelse til sætning*]; gøre et manuskript klar til sætning; ~ *up a bill* (*am.*) færdigredigere et lovforslag.

markdown ['ma:daun] *sb.* prisnedsættelse.

marked [ma:kt] *adj.* **1.** udpræget, tydelig, markant (*fx a* ~ *improvement*); **2.** (jf. *mark² 1*) mærket (*fx play with* ~ *cards*); **3.** (*sprogv.*) markeret; □ *he is a* ~ *man* han er en mærket mand; han er udsat/i fare.

markedly ['ma:kidli] *adv.* udpræget, tydeligt.

marker ['ma:kə] *sb.* **1.** [*skilt//pæl// etiket etc. til at mærke//afmærke noget med*]; mærke; mærkepæl;

afstandsmærke; markør (*for* br); (*i bog*) bogmærke; **2.** (*pen*) filtpen, tus; **3.** (*ved billard, målskydning*) markør; **4.** (jf. *mark² 5*) opgaveretter; **5.** (*i sport*) en der dækker op; □ *be a* ~ *for* markere (*fx a change in policy*); *put down a* ~ markere sit standpunkt; *put down a* ~ *for* gå klart ind for.

marker pen *sb.* se *marker 2.*

market[1] ['ma:kit] *sb.* **1.** marked; **2.** (*sted*) torv; markedsplads; □ *be in the* ~ *for* være køber til; *come into the* ~ komme i handelen, komme på markedet; *put on the* ~ bringe i handelen, bringe/ sende på markedet; sætte til salg; *on the open* ~ på det frie marked, i fri handel; *find/meet with a ready* ~ finde god afsætning; *play the* ~ spille på børsen, spekulere; *the* ~ *rose* priserne steg; (se også *black market, price²*).

market[2] ['ma:kit] *vb.* **1.** markedsføre, bringe på markedet; afsætte; sælge; **2.** (*am.*) gå i byen; købe ind.

marketable ['ma:kitəbl] *adj.* **1.** salgbar; sælgelig; kurant; **2.** (*om kvalifikation*) efterspurgt.

marketer ['ma:kitə] *sb.* **1.** torvehandlende; **2.** (*merk.*) markedsfører; leverandør.

market garden *sb.* handelsgartneri.

market gardener *sb.* handelsgartner.

marketing ['ma:kitiŋ] *sb.* **1.** (*merk.*) markedsføring; afsætning; salg; **2.** (*glds. am.*) indkøb.

marketplace ['ma:kitpleis] *sb.* torv, torveplads, markedsplads.

market price *sb.* markedspris; dagspris.

market research *sb.* markedsundersøgelse(r), markedsanalyse.

market town *sb.* købstad.

marking ['ma:kiŋ] *sb.* (se også *markings*) **1.** (*i undervisning*) opgaveretning; stileretning; bedømmelse; **2.** (*i boldspil*) opdækning, markering.

marking ink *sb.* mærkeblæk.

markings ['ma:kiŋz] *sb. pl.* **1.** mærker; aftegninger; **2.** (*på fly*) kendingsmærker; nationalitetsmærker.

marksman ['ma:ksmən] *sb.* (*pl.* *-men* [-mən]) **1.** skarpskytte; finskytte; **2.** (T: *i fodbold*) målscorer.

marksmanship ['ma:ksmənʃip] *sb.* skydefærdighed.

mark-up ['ma:kʌp] *sb.* **1.** prisforhøjelse; **2.** bruttofortjeneste, avance; **3.** (*typ.*) markering; forsyning med typografiske anvisninger; **4.** (*it*) mærkning; **5.** (*am.*

parl.) [*færdigredigering af lovforslag*]; [*udvalgsmøde til færdigredigering*].

marl[1] [ma:l] *sb.* mergel.

marl[2] [ma:l] *vb.* mergle.

marlin ['ma:lin] *sb.* (*zo.*) marlin; sejlfisk.

marline ['ma:lin] *sb.* (*tovværk*) merling.

marlinespike ['ma:linspaik] *sb.* (*mar.*) merlespiger.

marmalade ['ma:m(ə)leid] *sb.* [*marmelade af citrusfrugt*]; orangemarmelade.

Marmite® ['ma:mait] *sb.* [*koncentreret gærekstrakt brugt til supperterninger og smørepålæg*].

marmoreal [ma:'mɔ:riəl] *adj.* (*litt.*) marmoragtig.

marmoset ['ma:məzet] *sb.* (*zo.*) egernabe, silkeabe.

marmot ['ma:mət] *sb.* (*zo.*) murmeldyr.

maroon [mə'ru:n] *adj.* rødbrun, kastanjebrun.

marooned [mə'ru:nd] *adj.* **1.** efterladt på en øde ø//kyst; **2.** (*fig.*) ladt i stikken; efterladt; strandet.

marque [ma:k] *sb.* (*om bil*) model, mærke.

marquee [ma:'ki:] *sb.* **1.** stort telt [*ved fester etc.*]; spisetelt; **2.** (*am.*) baldakin [*foran teaterindgang etc., med reklame der giver navnene på de kendteste optrædende*]; □ *a* ~ *name* et kendt navn.

marquess ['ma:kwis] *sb.* markis [*næsthøjeste engelske adelsrang, under duke og over earl*].

marquetry ['ma:kitri] *sb.* dekupørarbejde, indlagt arbejde.

marram grass ['mærəmgra:s] *sb.* (*bot.*) klittag, hjælme.

marriage ['mæridʒ] *sb.* **1.** ægteskab; **2.** (*ceremoni*) vielse; bryllup; giftermål; **3.** (*fig.*) nær forbindelse; forening; **4.** (*i kortspil*) konge og dame i samme farve; □ *a son by a previous* ~ en søn af et tidligere ægteskab; *give away in* ~ bortgifte; *take in* ~ tage til ægte; gifte sig med; ~ *of convenience* fornuftægteskab.

marriageable ['mæridʒəbl] *adj.* giftefærdig.

marriage certificate *sb.* vielsesattest.

marriage counselling *sb.* (*am.*) ægteskabsrådgivning.

marriage guidance *sb.* ægteskabsrådgivning.

marriage licence *sb.* (*omtr.=*) kongebrev.

marriage lines *sb. pl.* T vielsesattest.

marriage settlement *sb.* ægtepagt.
married ['mærid] *adj.* **1.** gift (*to med*); **2.** ægteskabelig (*fx bliss lykke; life*);
□ *her ~ name* hendes navn som gift; *the ~ state* ægtestanden.
married couple *sb.* ægtepar.
married life *sb.* ægteskab; ægteskabelig samliv.
married quarters *sb. pl.* (*mil.*) boliger for gift personel [*ved kaserne*].
marrieds ['mæridz] *sb. pl.*: *young ~* nygifte.
marrow ['mærəu] *sb.* **1.** marv; **2.** (*fig.*) kerne; inderste; **3.** (*bot.*) græskar;
□ *chilled to the ~* **a.** = *frozen to the ~*; **b.** (*fig.*) gennemisnet; *he was frozen to the ~* kulden gik ham gennem/til marv og ben; *frightened to the ~* ved at dø af skræk.
marrowbone ['mærəubəun] *sb.* marvben.
marrowfat ['mærəufæt] *sb.* (*bot.*) (blå) marvært.
marrow squash *sb.* (*am.*) = *vegetable marrow.*
marry ['mæri] *vb.* **1.** gifte sig; blive gift; **2.** (*med objekt*) gifte sig med (*fx one's cousin*); **3.** (*ægtepar*) vie; **4.** (*sit barn*) gifte bort (*to* til); **5.** (*fig.*) forbinde, forene (*with* med);
□ *~ money//a fortune* gifte sig penge//en formue til; *he is not a -ing kind* han er ikke den type der gifter sig;
[*med præp.& adv.*] *~ beneath one* gifte sig under sin stand; *~ off* = **4**; *~ off one's daughter* (*også*) få sin datter gift.
Marseilles [ma:'seilz] Marseille.
marsh [ma:ʃ] *sb.* **1.** mose; sump; vådeng; **2.** (*ved havet*) marsk.
marshal ['ma:ʃ(ə)l] *sb.* **1.** (*som holder orden*) ordensmarskal; **2.** (*ved sportskamp*) official; **3.** (*ved ceremoni*) ceremonimester; **4.** (*mil.*) marskal; **5.** (*am.*) politimester; sheriff; (*se også fire marshal*).
marshal ['ma:ʃ(ə)l] *vb.* **1.** opstille (*fx troops*); **2.** (*fig.*) ordne (systematisk) (*fx one's thoughts*); organisere;
□ *~ one's forces* få tropperne på plads.
marshalling yard *sb.* (*jernb.*) rangerbanegård; rangerterræn.
marsh gas *sb.* sumpgas.
marsh harrier *sb.* (*zo.*) rørhøg.
marshland ['ma:ʃlænd] *sb.* (jf. *marsh*) **1.** moseomrråde, sumpomrråde; **2.** (*ved havet*) marskland.
marsh mallow *sb.* (*bot.*) lægestokrose; altæa.

marshmallow [ma:ʃ'mæləu] *sb.* (*slik*) skumfidus.
marsh marigold *sb.* (*bot.*) engkabbeleje.
marsh samphire *sb.* se *glasswort.*
marsh tit *sb.* (*zo.*) sumpmejse.
marsh warbler *sb.* (*zo.*) kærsanger.
marshy ['ma:ʃi] *adj.* sumpet.
marsupial [ma:'su:piəl, -'sju:-] *sb.* (*zo.*) pungdyr.
mart [ma:t] *sb.* indkøbscenter, storcenter, mart; marked.
marten ['ma:tin] *sb.* (*zo.*) mår.
martial ['ma:ʃ(ə)l] *adj.* F krigs-; militær (*fx he had a ~ bearing*); militær- (*fx music*).
martial art *sb.* kampsport.
martial artist *sb.* kampsportudøver.
martial law *sb.* militær undtagelsestilstand; krigsretstilstand.
Martian ['ma:ʃn] *sb.* Marsbeboer.
Martian ['ma:ʃn] *adj.* Mars-.
martin ['ma:tin] *sb.* (*zo.*) bysvale.
martinet [ma:ti'net] *sb.* F **1.** pedant; tyran; **2.** (*i militæret*) streng officer [*som kræver ubetinget lydighed*]; rekrutplager.
Martinmas ['ma:tinməs] mortensdag [*11. november*].
martyr ['ma:tə] *sb.* martyr;
□ *be a ~ to* lide (frygteligt) af; være plaget af (*fx rheumatism*).
martyr ['ma:tə] *vb.* gøre til martyr; (se også *martyred*).
martyrdom ['ma:tədəm] *sb.* martyrium.
martyred ['ma:təd] *adj.* (*litt.*)
1. som er gjort til martyr; som er død for sin sag, myrdet (*fx the ~ German theologian Dietrich Bonhoeffer*); **2.** (*fig.*) lidende (*fx expression; smile*); martyr- (*fx air mine*);
□ *be ~* (*også*) lide martyrdøden.
marvel ['ma:v(ə)l] *sb.* vidunder; under;
□ *the pills worked -s* pillerne gjorde underværker.
marvel ['ma:v(ə)l] *vb.* undres, forbavses; undre sig (*at* over).
marvellous ['ma:v(ə)ləs] *adj.* utrolig, eventyrlig, vidunderlig, pragtfuld.
Marxist ['ma:ksist] *sb.* marxist.
Marxist ['ma:ksist] *adj.* marxistisk.
Mary ['mɛəri] **1.** (*bibelsk*) Maria (*fx the Virgin ~* jomfru Maria);
2. (*hist.*) Marie (*fx Bloody ~* Marie den Blodige);
□ *~ Queen of Scots* Marie Stuart.
marzipan ['ma:zipæn, -'pæn] *sb.* marcipan.
mascara [mæ'ska:rə] *sb.* mascara [*øjensminke*].

mascot ['mæskət] *sb.* maskot.
masculine ['mæskjulin] *adj.*
1. mandlig (*fx dress; voice*); **2.** (*typisk for mænd*) maskulin (*fx characteristic; pride; her deep ~ voice*); (*rosende*) mandig; **3.** (*gram.*) hankøns-, maskulinums-.
masculinity [mæskju'liniti] *sb.* maskulinitet; mandighed.
mash [mæʃ] *sb.* **1.** mos; **2.** T kartoffelmos; **3.** (*til foder*) blandfoder; mask; **4.** (*i brygning*) mæsk.
mash [mæʃ] *vb.* **1.** (*til en blød masse*) mose (*fx bananas; potatoes*); **2.** (*beskadige*) mase; **3.** (*i brygning*) mæske; **4.** T (*teblade*) hælde vand på; lade trække; (*uden objekt: om te*) trække;
□ *-ed potatoes* kartoffelmos.
masher ['mæʃə] *sb.* **1.** kartoffelmoser; **2.** (*am.*) pigejæger.
mask [ma:sk] *sb.* maske;
□ *throw off one's ~* (*også fig.*) kaste masken.
mask [ma:sk] *vb.* **1.** maskere; **2.** (*fig.*) skjule, dække over; tilsløre, camouflere;
□ *~ off* (*ved maling*) dække af.
masked [ma:skt] *adj.* maskeret; forklædt.
masked ball *sb.* maskerade, maskebal.
masking tape *sb.* (*ved maling*) afdækningstape.
masochism ['mæsəkizm, 'mæz-] *sb.* masochisme.
masochist ['mæsəkist, 'mæz-] *sb.* masochist.
masochistic [mæsə'kistik, mæz-] *adj.* masochistisk.
Mason ['meis(ə)n] *sb.* frimurer.
mason ['meis(ə)n] *sb.* **1.** stenhugger; **2.** murer.
Masonic [mə'sɔnik] *adj.* frimurer-.
Masonry ['meis(ə)nri] *sb.* frimureri.
masonry ['meis(ə)nri] *sb.* **1.** murværk; **2.** murerarbejde.
masque [ma:sk] *sb.* (*litt.*) maskespil.
masquerade [mæskə'reid] *sb.*
1. maskerade, maskebal; **2.** (*fig.*) komediespil; forstillelse.
masquerade [mæskə'reid] *vb.*: *as* **a.** give sig ud for at være;
b. forklæde sig som.
Mass [mæs] *sb.* (*rel.*) messe.
mass [mæs] *sb.* **1.** masse, mængde; **2.** (*fys. etc.*) masse;
□ *-es of* masser af; *the -es* masserne, de brede lag; *the ~ of* størstedelen af, flertallet af (*fx the population*); *a ~ of* en masse, en mængde (*fx cyclists; facts; hair*); *be a ~ of* være fuld af; *he was a ~*

of bruises han var forslået over hele kroppen; *in the* ~ som helhed.

mass[2] [mæs] *vb.* **1.** samle/hobe sammen, ophobe; (*tropper*) koncentrere; **2.** (*uden objekt*) samle/hobe sig sammen; ophobes.

Mass. *fork. f. Massachusetts.*

Massachusetts [mæsə'tʃuːsəts].

massacre[1] ['mæsəkə] *sb.* **1.** massakre; blodbad; nedslagtning; **2.** (T: *fig.*) knusende nederlag; □ *the* ~ *of the Innocents* **a.** barnemordet i Bethlehem; **b.** (*parl.*) [*henlæggelse af lovforslag der ikke er blevet færdigbehandlet inden parlamentssamlingens udløb*].

massacre[2] ['mæsəkə] *vb.* **1.** massakrere; nedslagte; myrde; **2.** (T: *fig.*) banke eftertrykkeligt, jorde.

massage[1] ['mæsaː(d)ʒ, (*am.*) mə'saː(d)ʒ] *sb.* massage.

massage[2] ['mæsaː(d)ʒ, (*am.*) mə'saː(d)ʒ] *vb.* **1.** massere; **2.** (*fig.*: *tal, oplysninger*) manipulere med, fuske med, pynte på; □ ~ *sby's ego* opbygge éns ego, give én selvtillid.

massage parlour *sb.* massageklinik.

massed [mæst] *adj.* (*om menneskemængde*) samlet i stort tal; koncentreret.

masseur [mæ'səː] *sb.* massør.

masseuse [mæ'səːz] *sb.* massøse.

massif ['mæsiːf] *sb.* (bjerg)massiv; bjergparti.

massive ['mæsiv] *adj.* massiv; omfattende (*fx price increase*); vældig, enorm.

mass media *sb.* massemedier, massemeddelelsesmidler.

mass noun *sb.* (*gram.*) utælleligt substantiv.

mass-produce [mæsprə'djuːs] *vb.* masseproducere, massefremstille.

mass production *sb.* masseproduktion, massefremstilling.

mass transit *sb.* (*am.*) kollektive/offentlige trafikmidler; kollektiv transport.

mast [maːst] *sb.* **1.** (*mar. & til antenne*) mast; **2.** (*bot.*) olden [*agern og bog*]; □ *before the* ~ (*glds.*) forude [*hvor mandskabets kvarter var*]; (*se også full mast, half mast, step*[2]).

mastectomy [mæs'tektəmi] *sb.* (*med.*) mastektomi, fjernelse af bryst; brystoperation.

Master ['maːstə] *sb.* **1.** (*foran drengenavn*) unge hr. (*fx* ~ *John Brown*); **2.** se *master*[1] 5; □ *the* ~ (*rel.*) Mesteren; Herren; ~ *of Arts etc.* se *Master of*

Arts (etc. på alfabetisk plads).

master[1] ['maːstə] *sb.* **1.** (*i forhold til hund & glds.*: *til undergivne*) herre; **2.** (*om dygtighed & i malerkunst*) mester (*of* i, *fx he is a* ~ *of disguise; the old* -s; *painted by a Dutch* ~); **3.** (*glds.*: *i skole, især public school*) lærer; **4.** (*for college*) rektor; **5.** (*universitetsgrad, omtr.*) magister (*of* i); **6.** (*mar.*) kaptajn, skibsfører, fører; **7.** (*om bånd*) masterbånd, originalbånd; □ *be one's own* ~ være sin egen herre; *be* ~ *of* **a.** være herre over (*fx the situation*); **b.** beherske (*fx a subject*); være en mester i (*fx disguise*); *make oneself* ~ *of a language* tilegne sig et sprog.

master[2] ['maːstə] *adj.* (*i sms.*) **1.** mester-; over-; ledende; **2.** (*om kvalitet*) mesterlig (*fx pianist*); **3.** (*om håndværker*) -mester (*fx* ~ *carpenter* tømrermester); **4.** (*om ting*) hoved- (*fx plan*); original (*fx copy*); master- (*fx tape*).

master[3] ['maːstə] *vb.* **1.** tilegne sig, lære sig (*fx it took him some time to* ~ *the French irregular verbs*); **2.** (*fuldstændigt*) beherske (*fx the technique*); mestre (*fx a language*); **3.** (*vanskelighed*) blive herre over, betvinge; få bugt med (*fx one's fear*).

master bedroom *sb.* (*omtr.*) forældresoveværelse.

masterclass ['maːstəklaːs] *sb.* mesterklasse, masterclass [*eksperts undervisning af særlig dygtige elever*].

masterful ['maːstəf(u)l] *adj.* **1.** (*om person*) myndig; bydende; dominerende; **2.** (*om handling*) mesterlig.

master key *sb.* hovednøgle; a-nøgle.

masterly ['maːstəli] *adj.* mesterlig (*fx performance*); mester- (*fx shot*).

master mason *sb.* **1.** stenhuggermester; **2.** frimurer af 3. grad.

mastermind[1] ['maːstəmaind] *sb.*: *the* ~ *behind the plan* hjernen bag planen.

mastermind[2] ['maːstəmaind] *vb.* lede [*i det skjulte*]; være hjernen bag (*fx he* -ed *the operations in Africa*).

Master of Arts *sb.* (*omtr.*) cand.mag.

master of ceremonies *sb.* **1.** ceremonimester; **2.** (*ved underholdning*) konferencier; (*ved fest også*) toastmaster.

master of foxhounds *sb.* jagtleder [*ved rævejagt*].

Master of Laws *sb.* (*omtr.*) cand-

.jur.

Master of Science *sb.* (*omtr.*) mag.scient.

masterpiece ['maːstəpiːs] *sb.* mesterværk, mesterstykke.

Master's ['maːstəz] *sb.* = *Master's degree.*

Master's degree *sb.* kandidatgrad; magistergrad; master.

masterstroke ['maːstəstrəuk] *sb.* mesterligt træk; mesterstykke.

masterwork ['maːstəwəːk] *sb.* = *masterpiece.*

mastery ['maːstəri] *sb.* **1.** dygtighed (*fx he played with some* ~); virtuositet; **2.** (*jf. master*[3] *2*) beherskelse (*of* af, *fx the technique*); **3.** (*mht. territorium*) herredømme (*of* over).

masthead ['maːsthed] *sb.* **1.** mastetop; **2.** (*af avis*) avishoved; **3.** (*am.: i avis*) kolofon [*med oplysning om redaktion, adresse etc.*].

masthead light *sb.* toplanterne, toplys.

mastic ['mæstik] *sb.* **1.** (*bot.*) mastikstræ; **2.** (*harpiks*) mastiks; **3.** (*ved byggeri*) fugekit.

masticate ['mæstikeit] *vb.* F tygge.

mastication [mæsti'keiʃn] *sb.* F tygning.

mastiff ['mæstif, 'maː-] *sb.* mastiff [*art hund*].

mastitis [mæs'taitis] *sb.* **1.** (*med.*) mastitis [*betændelse i brystkirtlen*]; brystbetændelse; **2.** (*vet.*) yverbetændelse.

mastodon ['mæstədɔn] *sb.* mastodont.

masturbate ['mæstəbeit] *vb.* masturbere, onanere.

masturbation [mæstə'beiʃn] *sb.* masturbation, onani.

mat [mæt] *sb.* **1.** måtte; lille tæppe; **2.** (*på bord*) bordskåner; **3.** (*til brydning; til gymnastik*) madras; **4.** (*om hår etc.*) sammenfiltret masse; □ *put sby on the* ~ give én en balle, skælde én ud; *go to the* ~ *for* gå kraftigt ind for.

matador ['mætədɔː] *sb.* matador [*i tyrefægtning; i kortspil*].

match[1] [mætʃ] *sb.* **1.** (*i sport*) match; kamp; **2.** (*til at tænde med*) tændstik; **3.** (*om ting der passer til*) modstykke, pendant; mage (*fx where is the* ~ *to this sock//glove?*); **4.** (*om giftermål*) ægteskab, parti; **5.** (*glds. om person*) parti (*fx she is a good* ~); □ *be a bad//good//perfect* ~ passe dårligt//godt//perfekt (*for sammen med*); *be a* ~ *for* (*i konkurrence*) kunne måle sig med; være jævn-

M match

byrdig med; *he is more than a ~ for you, you are no ~ for him* ham kan du ikke klare/hamle op med;

[*med vb.*] *meet one's ~* finde sin ligemand; *strike a ~* stryge en tændstik.

match² [mætʃ] *vb.* (se også *matched, matching*) **1.** (*mht. præstation*) kunne måle sig med, komme op på siden af, matche (*fx nobody can ~ him at tennis*); **2.** (*mht. farve, udseende, omfang etc.*) passe til (*fx her skirt does not ~ her blouse; we must find jobs to ~ the rising population; the blood stains -ed his blood type*); (*om farve også*) stå til, matche; **3.** (*om pendant, parallel*) finde/skaffe/ præstere magen til (*fx can you ~ this glove? he cannot ~ his first success*); finde noget der passer til; **4.** (*am.*) slå plat og krone med; **5.** (*uden objekt*) passe sammen, matche; være mage (*fx the gloves do not ~*); **6.** (*am.*) slå plat og krone;

□ *to ~* som passer til; som står dertil (*fx a dress with a hat and gloves to ~*);

[*med præp.*] *~ against* **a.** sætte op mod, prøve over for (*fx ~ your strength against his*); **b.** (*i konkurrence*) stille op mod (*fx ~ England against France*); *~ to* **a.** afpasse efter (*fx ~ your spending to your income*); **b.** = *~ with a*); *~ up* passe sammen; *~ up to* kunne måle sig med; være på højde med; leve op til; *~ with* **a.** passe/sætte sammen med (*fx ~ applicants with suitable jobs*); **b.** = *~ against*.

matchboard ['mætʒbɔːd] *sb.* pløjet bræt.

matchbook ['mætʃbuk] *sb.* tændstikmappe.

matchbox ['mætʃbɔks] *sb.* tændstikæske.

matched [mætʃt] *adj.: be well ~* **a.** (*om to mennesker*) passe godt sammen; **b.** (*om to modstandere el. hold*) være jævnbyrdige; *be ill ~* **a.** passe dårligt sammen; **b.** ikke være jævnbyrdige.

match fixing *sb.* [*det at aftale resultatet af en kamp på forhand*].

matching ['mætʃiŋ] *adj.* matchende; tilsvarende.

matchless ['mætʃləs] *adj.* mageløs; enestående.

matchmaker ['mætʃmeikə] *sb.* **1.** ægteskabsmægler; **2.** (*neds.: emsig*) Kirsten Giftekniv.

matchstick ['mætʃstik] *sb.* tændstik (uden svovl).

matchstick figure *sb.* tændstikfi-

gur.

matchwood ['mætʃwud] *sb.: reduce to ~* slå i stumper og stykker; slå til pindebrænde.

mate¹ [meit] *sb.* **1.** kammerat; makker; **2.** (*for faglært arbejder*) medhjælper; arbejdsmand; **3.** (*i parforhold*) ægtefælle, ægtemage; partner; **4.** (*dyrs*) mage; **5.** (*mar.*) styrmand; førstestyrmand; **6.** (*i skak*) mat.

mate² [meit] *vb.* **1.** (*om dyr*) parre sig (*with* med); **2.** (*spøg. om personer*) gifte sig; **3.** (*med objekt*) parre (*with* med); **4.** (*i skak*) gøre mat.

mater ['meitə] *sb.* (*glds. skoledrengesprog*) mor.

material¹ [mə'tiəriəl] *sb.* **1.** materiale (*fx synthetic -s*); **2.** (*til bog etc.*) materiale, stof (*fx for a thesis; collect ~ for an article*); **3.** (*om person*) emne (*fx he is not presidential//Olympic ~*); **4.** (*tøj*) stof (*fx for a dress*).

material² [mə'tiəriəl] *adj.* **1.** (*mods. åndelig*) materiel, fysisk (*fx needs; means*); **2.** (F: *om betydning*) væsentlig (*fx risk; difference*); betydningsfuld (*to* for); af væsentlig betydning.

materialism [mə'tiəriəlizm] *sb.* materialisme.

materialist¹ [mə'tiəriəlist] *sb.* materialist.

materialist² [mə'tiəriəlist] *adj.* materialistisk.

materialistic [mətiəriə'listik] *adj.* materialistisk.

materialize [mə'tiəriəlaiz] *vb.* **1.** blive til noget (*fx our plan did not ~*); blive til virkelighed; **2.** (*især om ånder*) åbenbare sig; materialisere sig; **3.** T dukke op.

matériel [mətiəri'el] *sb.* (*mil.*) materiel.

maternal [mə'tə:n(ə)l] *adj.* **1.** moderlig, moder- (*fx instincts*); **2.** (*i forhold til spædbarn*) moderens (*fx ~ age*); **3.** (*om slægtskab*) mødrene (*fx side*); på mødrene side;

□ *~ grandfather* morfader; *~ grandmother* mormor.

maternity¹ [mə'tə:nəti] *sb.* moderskab.

maternity² [mə'tə:nəti] *adj.* **1.** barsel-, barsels- (*fx benefit* hjælp; *leave* orlov); føde- (*fx ward* afdeling); fødsels-; **2.** (*om tøj*) vente- (*fx clothes* tøj; *dress* kjole); omstændigheds-.

matey¹ ['meiti] *sb.* (T: *i tiltale*) kammerat; makker.

matey² ['meiti] *adj.* T kammeratlig.

matgrass ['mætgrɑːs] *sb.* (*bot.*) kat-

teskæg.

math [mæθ] *sb.* (*am.* T) matematik.

mathematical [mæθə'mætik(ə)l] *adj.* matematisk.

mathematician [mæθəmə'tiʃn] *sb.* matematiker.

mathematics [mæθə'mætiks] *sb.* matematik.

maths [mæθs] *sb.* T matematik.

matinée ['mætinei] *sb.* matiné; eftermiddagsforestilling.

mating season *sb.* parringstid.

matins ['mætinz] *sb. pl.* **1.** morgengudstjeneste; **2.** (*i kloster*) matutin [*første tidebøn*].

matriarch ['meitria:k] *sb.* **1.** matriark; kvindeligt familieoverhoved; **2.** [*værdig gammel kvinde*].

matriarchal [meitri'a:k(ə)l] *adj.* matriarkalsk.

matriarchy ['meitria:ki] *sb.* matriarkat [*samfundsform hvor moderen er den dominerende i familien*].

matrices *pl. af matrix.*

matricide ['meitrisaid] *sb.* **1.** modermord; **2.** modermorder.

matriculate [mə'trikjuleit] *vb.* blive immatrikuleret.

matriculation [mətrikju'leiʃn] *sb.* immatrikulation.

matrimonial [mætri'məuniəl] *adj.* ægteskabelig; ægteskabs-.

matrimony ['mætriməni] *sb.* ægteskab; ægtestand.

matrix ['meitriks, 'mæ-] *sb.* (*pl. -es/matrices* [-trisi:z]) **1.** oprindelse, kilde; **2.** (*ved støbning*) matrice, støbeform; **3.** (*geol.*) grundmasse, matrix; **4.** (*mat.*) matrix.

matron ['meitrən] *sb.* **1.** (*på institution*) oldfrue; økonoma; **2.** (*am.*) kvindelig fængselsfunktionær; **3.** (*især spøg.*) gift kone; (*tyk*) matrone.

matronly ['meitrənli] *adj.* (*især spøg.*) matroneagtig, konet; sat.

matt¹ [mæt] *adj.* (*om farve*) mat.

matt² [mæt] *vb.* mattere.

Matt. *fork. f. Matthew.*

matter¹ ['mætə] *sb.* **1.** (*som behandles, drøftes*) anliggende, sag; spørgsmål; emne; **2.** (*filos., fys.*) stof (*fx ~ and energy*); materie(n) (*fx the law of the conservation of ~*); **3.** (*bestemt slags*) stof (*fx organic ~*); materiale; **4.** (*af tekst: mods. form*) indhold; **5.** (*typ.*) tekst; sats; **6.** (*med.: som udskilles*) stof (*fx waste ~*); (*betændt*) pus, materie; (se også *grey matter*);

□ *-s* (*generelt*) **a.** forholdene, tingene, sagerne (*fx he came to discuss -s with me*); situationen; **b.** sagen (*fx take -s into one's own hands*); *make -s worse* gøre sagen

være; gøre ondt værre;
[*med no*] **no** ~*!* det gør ingenting!
det er lige meget! bryd dig ikke
om det! *it is no easy* ~ det er in-
gen let sag; det er ikke så ligetil;
(se også *laughing matter*); *no* ~
what uanset hvad (*fx I'll come, no*
~ *what*); *no* ~ *what*//*where it is*
lige meget/ligegyldigt/uanset
hvad//hvor det er; hvad//hvor det
end måtte være;
[*med the, that*] *is anything the* ~*?*
er der noget i vejen? *there is*
something the ~ der er noget i ve-
jen (*with* med); *what's the* ~*?*
hvad er der i vejen? (*with* med);
what's the ~ *with him?* (*også*)
hvad fejler han? *for that* ~ for
den sags skyld;
[+ *for*] *it is a* ~ *for* a. det hører
under (*fx the courts*); **b.** det giver
anledning til (*fx regret; surprise*);
[+ *of*] *a* ~ *of* a. et spørgsmål om
(*fx interpretation; willpower; a*
few hundred pounds); **b.** en ... sag
(*fx a* ~ *of habit*//*principle* en
vane-//principsag; *a* ~ *of doubt*//
importance en tvivlsom//vigtig
sag); **c.** (*foran talord*) sådan noget
som, omtrent (*fx only a* ~ *of 7 mi-*
les); *a* ~ *of business* et forret-
ningsanliggende; *a* ~ *of course* en
selvfølge; *a* ~ *of dispute* et strids-
spørgsmål; *a* ~ *of life and death*
et spørgsmål om liv eller død; *a* ~
of taste en smagssag; (se også *fact*);
it is a ~ *of* (*også*) det gælder, det
drejer sig om; *it is a* ~ *of opinion*
det kommer an på hvordan man
ser på det; det er en skønssag; *it is*
a ~ *of regret* det er meget beklage-
ligt; *for the* ~ *of that* for den sags
skyld; *in the* ~ *of* når det drejer
sig om; hvad angår.
matter² ['mætə] *vb.* være af betyd-
ning; betyde noget (*to* for);
□ *it is character that* -*s* det er ka-
rakteren det kommer an på; *it* -*ed*
little whether det betød kun lidt
om; *it does not* ~ *much* det bety-
der ikke ret meget; det spiller ikke
nogen større rolle; *it does* **not** ~
det gør ikke noget; det har ikke
noget at betyde; *not that it* -*s* ikke
fordi det betyder noget; *what*
does it ~*?* hvad gør det?
matter of ... *sb.* se *matter¹*.
matter-of-course [mæt(ə)rəv'kɔ:s]
adj. selvfølgelig.
matter-of-fact [mæt(ə)rəv'fækt] *adj.*
prosaisk; nøgtern; saglig.
Matthew ['mæθju:] (*evangelist*)
Matthæus.
matting¹ ['mætiŋ] *sb.* (jf. *mat*)
1. måtter; måtte; 2. måttemateri-
ale.

matting² ['mætiŋ] *sb.* (jf. *matt²*)
mattering.
mattock ['mætək] *sb.* hakke; ryd-
hakke.
mattress ['mætrəs] *sb.* madras.
maturation [mætju'reiʃn] *sb.* mod-
ning.
mature¹ [mə'tjuə] *adj.* **1.** (*også fig.*)
moden; **2.** (*merk.*) forfalden (til
betaling).
mature² [mə'tjuə] *vb.* **1.** modnes,
udvikle sig; blive voksen; **2.** (*om*
frugt, vin, ost) modne; **3.** (*merk.*)
forfalde til betaling; **4.** (*med*
objekt) modne.
mature student *sb.* ældre stude-
rende [*især: over 25 år*].
maturity [mə'tjuəriti] *sb.* **1.** moden-
hed; **2.** (*merk.*) forfaldstid;
□ *reach* ~ (*om dyr*) blive fuldt ud-
viklet.
maudlin ['mɔ:dlin] *adj.* **1.** (*om per-*
son) halvfuld og sentimental; flæ-
bende, rørstrømsk; **2.** (*om bog,*
film etc.) drivende sentimental,
tårepersende, rørstrømsk.
maul [mɔ:l] *vb.* **1.** (*om rovdyr*)
flænse, maltraktere (*fx he was -ed*
by a lion); **2.** (*om person*) være
grov ved, mishandle; slå halvt for-
dærvet; **3.** (*pige*) gramse på;
4. (*bog etc.*) kritisere sønder og
sammen, gennemhegle.
maunder ['mɔ:ndə] *vb.* tale usam-
menhængende, væve; fortabe sig i
vrøvl;
□ ~ *about* vandre om uden mål og
med.
Maundy Thursday [mɔ:ndi 'θɜ:zdi]
sb. skærtorsdag.
mausoleum [mɔ:sə'li:əm] *sb.* mau-
soleum.
mauve [məuv] *adj.* grålilla, lysvio-
let.
maven, mavin ['meivin] *sb.* (*am.*
T) kender, ekspert.
maverick ['mævərik] *sb.* **1.** (T: *om*
person) individualist, enegænger;
uortodoks partitilhænger; **2.** (*am.*)
[*omstrejfende kalv som ikke er*
brændemærket].
mavourneen [mə'vuəni:n] *sb.* (*irsk*)
min elskede.
maw [mɔ:] *sb.* (*litt.*) svælg, gab.
mawkish ['mɔ:kiʃ] *adj.* kvalmende
sentimental; rørstrømsk; vammel.
max¹ *fork. f. maximum* maks. (*fx*
£10 ~);
□ *to the* ~ T et hundrede procent;
fuldstændigt.
max² [mæks] *vb.:* ~ *out* (*am.*) nå
maksimum; ~ *out a credit card*
(*am.*) bruge et kreditkort til mak-
simum.
maxillary [mæk'siləri] *adj.* kæbe-.
maxim ['mæksim] *sb.* maksime;

grundsætning, leveregel.
maximize ['mæksimaiz] *vb.* maksi-
mere.
maximum¹ ['mæksiməm] *sb.* (*pl.*
-*s*/*maxima* ['mæksimə]) maksi-
mum;
□ *to the* ~ et hundrede procent;
fuldstændigt.
maximum² ['mæksiməm] *adj.* mak-
simal, maksimal-; højeste.
maximum³ ['mæksiməm] *adv.*
maksimalt (*fx a week* ~ maksi-
malt en uge).
May [mei] *sb.* maj.
may¹ [mei] *sb.* (*bot.*) hvidtjørn-
blomster.
may² [mei] *vb.* (*præt. might*) **1.** (*om*
eventuel mulighed) kan (måske)
(*fx the young* ~ *die, but the old*
must; it ~ *have been a mistake*);
vil måske (*fx it* ~ *rain*); **2.** (*om*
faktisk mulighed) kan (*fx it* ~ *be*
prevented); **3.** (F: *om tilladelse*)
må gerne (*fx you* ~ *go now*); (*i*
spørgsmål) må (have lov til) (*fx* ~
I go now? ~ *I interrupt?*); **4.** (F:
indledende) gid ... må (*fx* ~ *you*
live long gid du må leve længe); F
måtte;
□ *I*//*he etc.* ~ *come* det kan være
at jeg//han *etc.* kommer, det er
muligt at jeg//han *etc.* kommer;
[*med be*] *it* ~ *be* måske; det er
nok muligt; *as soon as* ~ *be* så
snart som muligt; (se også *case¹*);
be that as it ~, *however that* ~ *be*
hvordan det end forholder sig
med det; *that is as it* ~ *be but* det
er nok muligt men;
[*med adv.*] *he* ~ **not** *be very old*
but ... han er måske nok ikke sær-
lig gammel men ...; han er ganske
vist ikke særlig gammel men ...;
they ~ *not sell the goods* **a.** (*jf. 1*)
de sælger måske ikke varerne, det
kan være de ikke sælger varerne;
b. (*jf. 3,* F) de må ikke sælge va-
rerne; *you* ~ *well say so* det må
du nok sige; *you* ~ *well look*
astonished jeg kan godt forstå du
ser forbavset ud;
[*med pron.*] *come* *what* ~ ske
hvad der vil; *go* *where* *you* ~
hvor du end går; *who* ~ *you be?*
hvem er så du? *who* ~ *that be?*
hvem mon det er? hvem kan det
være?
[*forb. med might*] *call himself*
what he **might** hvad han end
kaldte sig; *might I ask a question?*
må jeg have lov til at stille et
spørgsmål? *you might try to ask*
him du kunne eventuelt prøve at
spørge ham; *they* **might have**
offered to help us **a.** de kan godt
være de tilbød at hjælpe os [ɔ: *det*

ved jeg ikke noget om]; **b.** (*misbilligende*) de kunne nu godt have tilbudt at hjælpe os; *that they* **might not a.** for at de ikke skulle; **b.** at de måske ikke ville (*fx I told them that they might not see me again*); (se også *well⁴ (as well)*).

maybe ['meibi, -bi:] *adv.* måske.

May Day *sb.* første maj.

mayday ['meidei] *sb.* [*det internationale radiotelefoniske nødsignal*].

Mayfair ['meifɛə] [*dyrt kvarter i Londons Westend*].

Mayflower ['meiflauə] se *Pilgrim Fathers*.

mayfly ['maiflai] *sb.* (*zo.*) døgnflue.

mayhem ['meihem] *sb.* **1.** vold, ødelæggelse, kaos; **2.** (*hist. jur.*) grov legemsbeskadigelse.

mayo ['meiəu] *sb.* T = *mayonnaise*.

mayonnaise [meiə'neiz] *sb.* mayonnaise, majonæse;
□ *egg ~* æg i mayonnaise.

mayor [mɛə, (*am.*) 'meiər] *sb.* borgmester.

mayoralty ['mɛərəlti, (*am.*) 'meiərəlti, 'mer-] *sb.* **1.** borgmesterembede; **2.** borgmestertid.

mayoress ['mɛərəs] *sb.* **1.** borgmesterfrue; **2.** kvindelig borgmester.

maypole ['meipəul] *sb.* majstang.

maze [meiz] *sb.* **1.** labyrint; **2.** (*fig.*: om oplysninger) jungle (*fx a ~ of regulations*).

MBA *fork. f.* Master of Business Administration.

MBE *fork. f.* Member of the Order of the British Empire.

MC *fork. f.* **1.** Master of Ceremonies; **2.** (*mil.*) Military Cross; **3.** (*am.*) Member of Congress.

Mc *fork. f.* Mac.

McCoy [mə'kɔi]: *the real ~* (*am.* S) den ægte vare.

MCP *fork. f.* male chauvinist pig.

MD *fork. f.* **1.** Doctor of Medicine cand.med., læge; **2.** (*merk.*) Managing Director.

Md. *fork. f.* Maryland.

me [mi, (*betonet*) mi:] *pron.* (*bøjet form af I*) mig.

Me. *fork. f.* Maine.

mead [mi:d] *sb.* **1.** (*hist.*) mjød; **2.** (*poet.*) eng, vang.

meadow ['medəu] *sb.* eng; græsmark.

meadow grass *sb.* (*bot.*) engrapgræs.

meadow pipit *sb.* (*zo.*) engpiber.

meadow rue *sb.* (*bot.*) frøstjerne.

meadow saffron *sb.* (*bot.*) tidløs.

meadowsweet ['medəuswi:t] *sb.* (*bot.*) mjødurt.

meagre ['mi:gə] *adj.* **1.** sparsom, knap; **2.** ringe, tarvelig.

meal [mi:l] *sb.* **1.** måltid; **2.** groft mel; (se også *bone meal, oatmeal*);
□ *a cooked/hot ~* (*også*) varm mad; *don't make a ~ (out) of it* **a.** lad være med at gøre et stort nummer ud af det; **b.** (*om noget ubehageligt*) lad være med at træde i det.

mealies ['mi:liz] *sb. pl.* (*sydafr.*) majs.

meals on wheels *sb.* [*madudbringning til ældre*].

meal ticket *sb.* **1.** indtægtskilde, levebrød; **2.** (*am.*) spisebillet.

mealtime ['mi:ltaim] *sb.* spisetid.

mealy ['mi:li] *adj.* **1.** melet; **2.** (*om (ansigts)farve*) bleg.

mealy-mouthed ['mi:limauðd] *adj.* som ikke taler lige ud af posen; ulden; loren;
□ *~ words* forblommede ord.

mean¹ [mi:n] *sb.* **1.** gennemsnit, middelværdi, middeltal; **2.** se *golden mean*.

mean² [mi:n] *adj.* **1.** (*om karakter, handling*) tarvelig (*to* mod/over for, *fx* they are being *~ to me*, they won't let me play with them); led, nedrig, ondskabsfuld; lumpen, gemen (*fx a ~ trick*); **2.** (*mht. at give, især penge*) smålig, nærig (*fx she is not ~ with the garlic*); gerrig; **3.** (*am.*) besværlig (*fx job*) (*om dyr*) arrig, ondskabsfuld (*fx dog; horse*); **4.** (*litt.:* om kvalitet) dårlig, ringe, tarvelig, ussel (*fx a row of ~ houses*); **5.** (T: *rosende*) fantastisk, fabelagtig (*fx he is a ~ cook//tennis player; he cooks a ~ salmon*); **6.** (*jf. mean¹*) middel-, gennemsnitlig, gennemsnits- (*fx temperature*);
□ *feel ~* T føle sig lille/flov; føle sig ilde tilpas; *no ~* ikke nogen ringe/dårlig (*fx he is no ~ author; it was no ~ achievement*) [ɔ: fremragende].

mean³ [mi:n] *vb.* (*meant, meant*) **1.** (*om indhold, resultat, følge*) betyde (*fx what does the word ~? lower costs ~ lower prices; clouds ~ rain*); **2.** (*om hensigt*) have i sinde (*fx he ~s no harm* (ondt)); **3.** (*med udsagn*) mene (*fx he ~s what he says; do you see//know what I ~?*);
□ *you don't ~ it!* det mener du ikke! det er ikke dit alvor!; (se også *business*); *he knows what it ~s to be poor* han ved hvad det vil sige at være fattig;
[+ *inf.*] *~ to* have i sinde at, agte at (*fx do you ~ to stay long?*); *I didn't ~ to hurt you* det var ikke min mening at såre dig; *I ~ to say* (*forklarende*) jeg mener; *you don't*

~ to say du mener da vel ikke; du vil da vel ikke sige; *I didn't ~ you to* det var ikke min mening at du skulle (*fx read that letter*); *he//it is* **meant to** det er meningen at han// det skal (*fx he is meant to help us; it is meant to be a surprise*); han//det forventes at;
[*med præp.*] *~ by* mene med (*fx what do you ~ by that?*); *~ well// ill by sby* mene//ikke mene en det godt; *~ it for the best* gøre det i den bedste mening; *be meant for* **a.** være bestemt til, være tiltænkt (*fx the present was meant for your mother*); **b.** være tænkt/ment som (*fx it was meant for a table-cloth*); *they were meant for each other* de var bestemt for hinanden; *is this picture meant for me?* skal det billede forestille mig? *he was meant for an architect* det var meningen at han skulle være arkitekt; *han var bestemt til at blive arkitekt; ~ to* betyde for (*fx it ~s a lot//nothing to me*).

meander¹ [mi'ændə] *sb.* **1.** (*i vandløb, vej*) bugtning; **2.** (*ornament*) a la grecque-bort//-mønster.

meander² [mi'ændə] *vb.* **1.** (*om vandløb, vej*) bugte sig; **2.** (*om person*) vandre/slentre omkring; slentre af sted; **3.** (*fig.*) lave digressioner/sidespring; væve.

meandering [mi'ændəriŋ] *adj.* **1.** bugtet, snoet (*fx paths*); **2.** (*fig.*) vidtløftig (*fx speech*).

meanie ['mi:ni] *sb.*: *he is a ~* T han er tarvelig.

meaning¹ ['mi:niŋ] *sb.* **1.** (*af ord*) betydning (*fx the word has two ~s*); **2.** (*af udsagn etc.*) betydning; mening (*fx a hidden ~; the underlying ~*); **3.** (*af handling etc.*) mening (*fx it gave his life new ~*); hensigt, formål;
□ *a look full of ~* et betydningsfuldt/meget sigende blik; *the ~ of* **a.** (*jf. 1*) betydningen af (*fx this word*); **b.** (*jf. 2*) meningen med (*fx the ~ of what he said*); **c.** (*jf. 3*) meningen/hensigten/formålet med (*fx the enquiry*); *he does not know the ~ of the word love* han aner ikke hvad kærlighed er; *what is the ~ of that?* hvad betyder det? hvad er meningen med det? *within the ~ of the act* i lovens forstand.

meaning² ['mi:niŋ] *adj.* betydningsfuld (*fx look*); talende; (meget) sigende (*fx a ~ smile*).

meaningful ['mi:niŋf(u)l] *adj.* **1.** meningsfuld; **2.** (*om blik etc.*) se *meaning²*.

meaningless ['mi:niŋləs] *adj.*

1. (*om udsagn*) meningsløs, intet-
sigende; **2.** (*om handling*) me-
ningsløs, formålsløs.
means [mi:nz] *sb.* (*pl. d.s.*) **1.** mid-
del; **2.** (*penge*) midler; formue;
□ ~ *of payment* betalingsmiddel;
(se også *communication*); *it is only
a ~ to an end* det er kun et mid-
del;
[*med præp.*] *live beyond one's ~*
leve over evne; *by all ~* (*svar på
anmodning*) naturligvis; endelig;
by no ~ F på ingen måde; aldeles
ikke; *by this ~* på denne måde;
herigennem; (se også *fair²*); *by ~
of* ved hjælp af; *a man of ~* en
velhavende mand; *live within
one's ~* ikke bruge mere end man
tjener; sætte tæring efter næring.
mean-spirited [mi:n'spiritid] *adj.*
smålig.
means test *sb.* trangsbedømmelse;
trangsundersøgelse.
meant [ment] *præt. & præt. ptc. af
mean³.*
meantime¹ ['mi:ntaim] *sb.: for the
~* foreløbig; *in the ~* i mellemti-
den.
meantime² ['mi:ntaim] *adv.* T
imens.
meanwhile¹ ['mi:nwail] *sb.: in the
~* i mellemtiden.
meanwhile² ['mi:nwail] *adv.* **1.** i
mellemtiden; **2.** (*indledende en
modsætning*) imidlertid.
meany *sb.* = *meanie.*
measles ['mi:zlz] *sb.* **1.** (*med.*)
mæslinger; (se også *German mea-
sles*); **2.** (*vet.: hos svin*) tinter.
measly ['mi:zli] *adj.* T luset, ussel,
sølle, snoldet.
measurable ['meʒ(ə)rəbl] *adj.*
1. målelig; som kan måles; **2.** (*fig.*)
mærkbar, betydelig (*fx improve-
ment*);
□ *within ~ distance of* nær ved;
ikke langt fra.
measure¹ ['meʒə] *sb.* **1.** (*mht. stør-
relse*) mål; **2.** (*redskab*) målered-
skab; **3.** (*om handling, plan*) for-
holdsregel, foranstaltning; (se også
half measures); **4.** (*parl.*) lovfor-
slag; **5.** (*mængde af spiritus*) mål;
6. (*mus.*) takt; **7.** (*i poesi*) verse-
mål; **8.** (*typ.*) linjebredde;
□ *dry//liquid ~* mål for tørre//fly-
dende varer; (se også *linear
measure*);
[*med art.+ of*] *a ~ of* **a.** et mål for
(*fx it is difficult to find a ~ of in-
telligence*); **b.** et vist mål af (*fx
agreement; freedom; success*); *be
a//the ~ of* være målestok
for, vise (*fx that is a ~ of how bad
things have become*); *A is the ~
of B* (*også*) B kan måles på A (*fx

his discontent is the ~ of his am-
bition*); *a chain's weakest link is
the ~ of its strength* en kædes
styrke kan måles på det svageste
led; en kæde er så stærk som det
svageste led;
[*med vb.*] *get sby's ~ = take sby's
~; have sby's ~* (*fig.*) **a.** have ta-
get mål af en; vide hvad en duer
til; **b.** have gennemskuet en; *take
the ~ of* **a.** opmåle; **b.** (*fig.*) danne
sig et skøn over; *take sby's ~,
take the ~ of sby* (*fig.*) tage mål af
en; finde ud af hvad en dur til;
danne sig et skøn over ens karak-
ter; *take -s* tage forholdsregler,
tage skridt, træffe foranstaltninger
(*to* til (at));
[*forb. med præp.*] *beyond ~* F
overordentlig; over al måde; *for
good ~* i tilgift, oven i købet; *for
at det ikke skulle være løgn; for at
gøre målet fuldt; *in a ~* til en vis
grad; delvis; *in full ~* i fuldt mål;
i fuld udstrækning; *in great/large
~* i høj grad; i stor udstrækning;
in some ~ til en vis grad, i et vist
omfang; i nogen måde; *made to ~*
syet efter mål.
measure² ['meʒə] *vb.* **1.** måle;
2. (*areal etc.*) opmåle; **3.** (*person:
til tøj*) tage mål af (*fx the tailor -d
him for a suit of clothes*); **4.** (*uden
objekt*) måle (*fx it -s 5 metres in
width; the earthquake -d 6 on the
Richter scale*);
□ *he -d his length* (*glds.*) han faldt
så lang han var;
[*med præp.& adv.*] *~ against* se i
forhold til; sammenligne med; *~
by* måle på (*fx education should
not be -d by examination results*);
bedømme i forhold til; *~ out*
a. udmåle; måle af (*fx he -d out
two yards of cloth*); **b.** uddele (*fx
rum*); *~ up* **a.** måle op; **b.** (*uden
objekt*) have de fornødne kvalifi-
kationer; *~ up to* komme på
højde med; stå mål med; leve op
til; *~ one's strength with* prøve
kræfter med.
measured ['meʒəd] *adj.* **1.** (*om
skridt*) taktfast, rytmisk; afmålt;
2. (*om udsagn, svar*) velovervejet
(*fx words*); mådeholden.
measurement ['meʒəmənt] *sb.*
1. (*handling*) måling; **2.** (*resultat*)
mål (*fx the -s of a room*).
measuring cup *sb.* (*især am.*) måle-
bæger.
measuring jug *sb.* målebæger.
measuring tape *sb.* målebånd.
measuring worm *sb.* (*zo.*) måler-
larve.
meat [mi:t] *sb.* **1.** kød; **2.** (*fig.*) stof;
vægtigt indhold (*fx a book full of

~);
□ *beat one's ~* (*am.* S) rive den af,
onanere; *one man's ~ is another
man's poison* smag og behag er
forskellig; (se også *strong*);
~ and drink mad og drikke; *it
was ~ and drink to him* (*fig.*)
a. det var lige noget for ham; det
var hans store fornøjelse; **b.** det
var ren rutine for ham; *the ~ and
potatoes* (*fig.: især am.* T) det fun-
damentale; det egentlige; det som
det drejer sig om; *the ~ of* (*jf. 2*)
det væsentlige i (*fx the debate*).
meat-and-potatoes [mi:tənpə'tei-
touz] *adj.* (*især am.* T) fundamen-
tal; basal; grundlæggende.
meatball ['mi:tbɔ:l] *sb.* **1.** frika-
delle; **2.** (*am.* S) kødhoved; sløv
padde.
meat grinder *sb.* (*am.*) kødhakke-
maskine, kødmaskine.
meat loaf *sb.* farsbrød.
meat safe *sb.* (*glds.*) flueskab.
meaty ['mi:ti] *adj.* **1.** kød-; fuld af
kød (*fx burger*); **2.** (*om person, le-
gemsdel, frugt*) kødfuld; **3.** (*fig.*)
indholdsrig, vægtig; som der er
kød på.
Mecca ['mekə] *sb.* **1.** (*geogr.*)
Mekka; **2.** (*fig.*) valfartssted,
mekka (*fx a ~ for jazz
enthusiasts*).
mechanic [mi'kænik] *sb.* **1.** meka-
niker (*fx car ~*); reparatør; **2.** ma-
skinarbejder.
mechanical [mi'kænik(ə)l] *adj.*
1. maskinmæssig; maskinel (*fx
problem*); maskin- (*fx parts*);
2. (*med motor i*) mekanisk (*fx
toys*); **3.** (*om handling*) mekanisk
(*fx repetition*); automatisk (*fx
answer*); **4.** (T: *om person*) som
har forstand på mekanik; teknisk
indstillet.
mechanical engineer *sb.* maskinin-
geniør.
mechanics [mi'kæniks] *sb. pl.*
1. mekanik; **2.** (T: *fig.*) teknik;
□ *the ~ of* T den tekniske side af
(*fx playwriting; cello playing*).
mechanism ['mekənizm] *sb.* **1.** me-
kanisme; **2.** (*fig.*) mekanisme (*fx
defence ~*); teknik.
mechanistic [mekə'nistik] *adj.* me-
kanistisk.
mechanization [mekənai'zeiʃn] *sb.*
mekanisering.
mechanize ['mekənaiz] *vb.* mekani-
sere; automatisere.
Med: *the ~* T **a.** = *the Mediterra-
nean*; Middelhavet; **b.** middel-
havsområdet.
med. *fork. f. medicine.*
medal ['med(ə)l] *sb.* medalje; (se
også *reverse¹*).

M medalled

medalled ['medld] *adj.* belønnet med medalje(r); prisbelønnet; dekoreret.

medallion [mə'dæliən] *sb.* medaljon.

medallist ['medəlist] *sb.* medaljevinder.

meddle ['medl] *vb.* blande sig i ting der ikke kommer en ved; □ ~ *in* blande sig i (*fx don't* ~ *in my affairs*); ~ *with* a. (*sag*) blande sig i; befatte sig med; b. (*ting*) røre ved, pille ved; rode med//i.

meddler ['medlə] *sb.* 1. geskæftig person; 2. pilfinger.

meddlesome ['medlsəm] *adj.* geskæftig, næsevenyttig; som blander sig i alt.

media ['mi:diə] *sb.* 1. (*sg. el. pl.*) (masse)medier; 2. (*i sms.*) medie- (*fx event; research*); 3. *pl. af medium*;
□ *the* ~ (masse)medierne.

mediaeval *adj.* se *medieval*.

median[1] ['mi:diən] *sb.* median.

median[2] ['mi:diən] *adj.* middel-; gennemsnits-.

median strip *sb.* (*am.*) midterrabat.

mediate ['mi:dieit] *vb.* 1. mægle (*between* imellem); 2. (*om resultat af mægling*) formidle, bringe i stand (*fx a settlement*).

mediation [mi:di'eiʃn] *sb.* mægling; formidling; mellemkomst.

mediator ['mi:dieitə] *sb.* mægler; formidler; mellemmand.

medic ['medik] *sb.* 1. T læge; 2. T medicinsk student, mediciner; 3. (*mil.*) sygepasser, sygehjælper.

Medicaid ['medikeid] *sb.* (*am.*) [*offentligt finansieret lægelig forsorg for ubemidlede*].

medical[1] ['medik(ə)l] *sb.* lægeundersøgelse; helbredsundersøgelse.

medical[2] ['medik(ə)l] *adj.* medicinsk; lægelig; læge- (*fx examination*).

medical attendance *sb.* lægehjælp; lægetilsyn.

medical examiner *sb.* (*am.*) 1. retsmediciner [*der undersøger mistænkelige dødsfald*]; 2. lægelig konsulent [*der foretager helbredsundersøgelser*].

medical jurisprudence *sb.* retsmedicin.

medical officer *sb.* 1. embedslæge; 2. (*på fabrik etc.*) bedriftslæge; 3. (*mil.*) militærlæge.

Medical Officer of Health *sb.* embedslæge.

medical orderly *sb.* (*mil.*) sygepasser, sygehjælper.

medical practitioner *sb.* praktiserende læge.

medical representative *sb.* læge-middelkonsulent.

medical secretary *sb.* lægesekretær.

Medicare ['medikɛər] *sb.* (*am.*) [*offentligt finansieret sygeforsikring for ældre*].

medicated ['medikeitid] *adj.* 1. (*om patient*) medicineret; 2. (*om sæbe, renseserviet etc.*) præpareret [*især: med bakteriedræbende stof*]; □ ~ *cottonwool* sygevat.

medication [medi'keiʃn] *sb.* 1. medicin, medikament; 2. medicinsk behandling, medicinering.

medicinal [mə'dis(i)n(ə)l] *adj.* lægende, helbredende (*fx properties*); medicinsk (*fx baths*); □ *take a* ~ *whisky, take a whisky for* ~ *purposes* (*spøg.*) tage sig en whisky for helbredets skyld.

medicinal herbs *sb. pl.* lægeurter.

medicinal leech *sb.* (*zo.*) lægeigle.

medicine ['medsin, (*am.*) 'medisin] *sb.* 1. (*stof*) medicin, lægemiddel; 2. (*emne*) medicin, lægevidenskab;
□ *give him a dose/taste of his own* ~ lade ham føle det på sin egen krop; dyppe ham i hans eget fedt; *take one's* ~ a. tage sin medicin; b. (*fig.*) tage sine øretæver; tage følgerne af hvad man har gjort.

medicine ball *sb.* træningsbold.

medicine cabinet, **medicine chest** *sb.* medicinskab.

medick ['medik] *sb.* (*bot.*) sneglebælg.

medieval [medi'i:v(ə)l, mi:di-] *adj.* middelalderlig (*fx building*); middelalder- (*fx history*; *town*).

medievalist [medi'i:vəlist, mi:di-] *sb.* middelalderhistoriker; middelalderspecialist.

mediocre [mi:di'əukə] *adj.* middelmådig.

mediocrity [mi:di'ɔkriti] *sb.* middelmådighed.

meditate ['mediteit] *vb.* 1. meditere; 2. (*med objekt*) tænke på, pønse på (*fx revenge*); □ ~ *on* gruble over, grunde over; spekulere på.

meditation [medi'teiʃn] *sb.* 1. (*rel. etc.*) meditation; 2. (*handling*) mediteren; grublen; 3. (*om bestemt emne*) overvejelse (*on over*); □ -*s* betragtninger, overvejelser (*on over*).

meditative ['meditətiv] *adj.* meditativ, tænksom, spekulativ.

Mediterranen[1] [meditə'reiniən] *sb.*: *the* ~ Middelhavet.

Mediterranen[2] [meditə'reiniən] *adj.* middelhavs-.

medium[1] ['mi:diəm] *sb.* (*pl. -s/ media* ['mi:diə]) 1. middel (*fx for job creation*); medie; 2. (*til at udtrykke sig*) udtryksmiddel, meddelelsesmiddel; 3. (*kunstners*) materiale; 4. (*for farver*) bindemiddel; 5. (*for bakterier*) næringsvæske, (*nærings*)substrat; 6. (*spiritistisk*) medie, medium; 7. (*it*) lagermedium; 8. (*fys.*) medium; □ ~ *of exchange* betalingsmiddel; omsætningsmiddel; ~ *of instruction* undervisningssprog; *through the* ~ *of* gennem, ved hjælp af (*fx tell a story through the* ~ *of dance*); (se også *happy medium*).

medium[2] ['mi:diəm] *adj.* 1. mellem- (*fx level*); middel- (*fx of* ~ *height*); middelstor (*fx dose*); 2. (*om stegning*) middel (*fx rare,* ~ *or well-done?*); (*om ovn*) middelvarm; 3. (*mil.*) middeltung; middelsvær (*fx artillery*); 4. (*om farve*) mellem- (*fx blue*); □ *in the* ~ *term* på mellemlangt sigt.

medium face *sb.* (*typ.*) halvfed.

medium shot *sb.* (*film.*) halvtotal.

medium-sized [mi:diəm'saizd] *adj.* middelstor, mellemstor; af middelstørrelse.

medium term *sb.* se *medium*[2].

medium-term [mi:diəm'tə:m] *adj.* (*merk.*) mellemlang; mellemfristet.

medium wave *sb.* (*radio.*) mellembølge.

medlar ['medlə] *sb.* (*bot.*) almindelig mispel.

medley ['medli] *sb.* 1. blanding; sammensurium; blandet selskab; 2. (*af musik*) potpourri; 3. (*i svømning*) medley.

meejah ['mi:dʒə] *sb.* T = *media*.

meek [mi:k] *adj.* ydmyg, spagfærdig, spag, forsagt; (*især bibelsk*) sagtmodig (*fx blessed are the* ~); □ (*as*) ~ *as a lamb* from som et lam.

meerschaum ['miəʃəm] *sb.* 1. merskum; 2. merskumspibe.

meet[1] [mi:t] *sb.* 1. mødested, samlingssted [*for deltagere i rævejagt*]; 2. (*i sport*) (sports)stævne; 3. T møde.

meet[2] [mi:t] *vb.* (*met, met*) A. (*person*) 1. møde, træffe (*fx we met each other in the street*); træffe sammen med; støde på; 2. (*for første gang*) møde, blive præsenteret for, lære at kende; 3. (*en der ankommer*) møde, hente, tage imod (*fx he met us at the airport*); 4. (*for at drøfte en sag*) mødes med, holde møde med; 5. (*i sport*) møde; spille//kæmpe mod;
B. (*ikke-person*) 1. (*komme i berøring med*) møde (*fx his lips met*

532

hers); **2.** (*hindring etc.*) støde på (*fx my foot met something hard*); komme ud for, løbe ind i (*fx a problem*); **3.** (*om vej etc.*) møde, støde til (*fx where the path -s the road*); støde sammen med//ud til (*fx where the desert -s the sea*); **C.** (*noget der skal klares, betales etc.*) **1.** (*krav, ønske*) efterkomme, imødekomme (*fx his wish*); opfylde (*fx the conditions*; *his wish*); (*krav også*) honorere; (se også *deadline*); **2.** (*behov*) tilfredsstille, dække; svare til; **3.** (*udgift, tab*) dække (*fx sby's expenses*); skaffe dækning for (*fx a loss*); **4.** (*veksel*) honorere, indfri; **5.** (*kritik, påstand etc.*) gendrive, imødegå (*fx objections*); **6.** (*problem, udfordring etc.*) klare; **D.** (*uden objekt*) **1.** mødes (*fx we met in the street*; *their lips//eyes met*; *the teams will* ~ *in the cup final*); **2.** (*om udvalg, forening etc.*) mødes, holde møde; **3.** (*om tøj*) nå sammen (*fx the curtains don't* ~); nå om én (*fx his coat won't* ~);

□ ~ *Mr Brown* (*am.*) må jeg præsentere Dem for hr. Brown; *a bus -s every train* der er bus i tilslutning til alle tog; *I'll* ~ *your train* jeg henter dig ved toget; (se også *case*[1], *end*[1], *eye*[1], *halfway*[2], *match*[1]);

[*med præp.& adv.*] ~ *up* mødes, træffes; ~ *up with* T træffe, støde på; ~ *with* **a.** møde, træffe, støde på (*fx I met with him in the train*; *I have never met with that word before*); **b.** (*for at drøfte noget*) mødes med (*fx he -s with his tutor once a week*); holde møde med; **c.** (*om reaktion*) møde med, modtage med (*fx the announcement was met with loud applause//protests*); opnå (*fx it didn't* ~ *with his approval*; *the campaign met with little success*); (se også *approval*); **d.** (*noget negativt*) støde på (*fx difficulties*; *stubborn resistance*); komme ud for (*fx an accident*; *poor service*); være ude for (*fx I have never met with such treatment before*); opleve.

meeting ['mi:tiŋ] *sb.* **1.** møde; **2.** (*i sport*) (sports)stævne; **3.** (*personer*) forsamling (*fx the* ~ *wants to look at the proposal again*; *Mr Brown will now address the* ~).
meeting house *sb.* (*rel.*) mødehus; bedehus.
meeting place *sb.* mødested.
Meg [meg] *fork. f.* Margaret.
mega[1] ['megə] *adj.* T **1.** mega-, kæmpe (*fx salary*); **2.** vildt god,

fantastisk (*fx film*).
mega[2] ['megə] *adv.* ekstremt, vildt (*fx rich*; *ugly*).
megabucks ['megəbʌks] *sb. pl.* (*am.*) **1.** en million dollars; **2.** (*fig.*) et kæmpebeløb.
megabyte ['megəbait] *sb.* (*it*) megabyte.
megadeath ['megədeθ] *sb.* en million døde.
megahertz ['megəhə:ts] *sb.* megahertz.
megalith ['megəliθ] *sb.* megalit [*utilhugget sten brugt til forhistoriske mindesmærker*].
megalomania [megələ'meiniə] *sb.* storhedsvanvid.
megalomaniac [megələ'meiniæk] *sb.* person der lider af storhedsvanvid.
megaphone ['megəfəun] *sb.* megafon, råber.
megaton ['megətʌn] *sb.* megaton, en million tons.
melancholia [melən'kəuliə] *sb.* melankoli.
melancholic [melən'kɔlik] *adj.* F melankolsk, tungsindig.
melancholy[1] ['melənkəli] *sb.* melankoli, sørgmodighed, vemod.
melancholy[2] ['melənkəli] *adj.* melankolsk, sørgmodig, vemodig, trist.
Melanesia [melə'ni:ʒə] (*geogr.*) Melanesien.
melange [mei'la:ŋʒ] *sb.* F blanding.
melanin ['melənin] *sb.* melanin [*mørkt pigment i huden*].
melanoma [melə'nəumə] *sb.* (*med.*) melanom, hudkræft.
meld [meld] *vb.* **1.** (*især am.*) forene, lade gå op i en højere enhed; (*uden objekt*) forene sig, smelte sammen; **2.** (*i kortspil*) melde.
melee ['melei, (*især am.*) 'meilei] *sb.* F **1.** håndgemæng; **2.** broget blanding, virvar.
melick ['melik] *sb.*: ~ *grass* (*bot.*) flitteraks.
melilot ['melilɔt] *sb.* (*bot.*) stenkløver.
mellifluous [me'lifluəs] *adj.* (F: *om tone, stemme*) sødtklingende, vellydende, smeltende; blid.
mellow[1] ['meləu] *adj.* **1.** (*om farve*) varm, dæmpet, blød; **2.** (*om lys, lyd*) dæmpet (og fyldig); blød; **3.** (*om vin*) fyldig; **4.** (*om stemning*) mild, vennesæl, gemytlig; **5.** (*om person*) mildnet af tiden; afklaret, modnet; **6.** (T: *af spiritus*) let beruset, bedugget;

□ *a* ~ *old house* et hus med patina.
mellow[2] ['meləu] *vb.* **A.** **1.** (*om farve*) blive mere dæmpet/blø-

dere; (*om hus*) få patina; **2.** (*om vin*) modnes, blive fyldig; **3.** (*om person*) blive mildere/mere afdæmpet, falde til ro; **4.** (T: *af spiritus*) blive mild/vennesæl/gemytlig;
B. (*med objekt*) **1.** (*jf. A 1*) gøre mere dæmpet/blødere; give patina; **2.** (*jf. A 2*) modne, gøre fyldig; **3.** (*jf. A 3*) mildne; **4.** (*jf. A 4*) gøre mild/vennesæl/gemytlig;
□ ~ *out* (*am.* T) falde til ro; slappe af.
melodic [mi'lɔdik] *adj.* **1.** (*mus.*) melodi- (*fx structure*); melodisk; **2.** (*om klang*) melodiøs, melodisk.
melodious [mi'ləudiəs] *adj.* melodiøs, melodisk, velklingende.
melodrama ['melədra:mə] *sb.* melodrama.
melodramatic [melədrə'mætik] *adj.* melodramatisk.
melody ['melədi] *sb.* **1.** F melodi (*fx a simple* ~); **2.** (*generelt*) velklang (*fx full of* ~); musik.
melon ['melən] *sb.* melon.
melt [melt] *vb.* **1.** smelte; **2.** (*litt.: om følelse etc.*) forsvinde (*fx his anger -ed (away)*); **3.** (*om person*) smelte (*fx he only has to look at her, and she -s*; *his heart -ed*); røres, lade sig røre; (*med objekt*) smelte, røre;
□ *it -ed his heart* det fik hans hjerte til at smelte;
[*med præp.& adv.*] ~ *away* **a.** = 2; **b.** (*om menneskemængde*) svinde ind; gå i opløsning; ~ *down* smelte om, omsmelte; ~ *into* **a.** smelte sammen med; **b.** gå over i; ~ *into tears* smelte hen i tårer.
meltdown ['meltdaun] *sb.* **1.** (*i reaktor*) nedsmeltning; **2.** (*fig.*) sammenbrud.
melting point *sb.* smeltepunkt.
melting pot *sb.* **1.** smeltedigel; smeltegryde; **2.** (*fig.*) smeltedigel; □ *in the* ~ (*fig.*) i støbeskeen, under forandring; uvis.
member ['membə] *sb.* **1.** medlem; **2.** (*parl.*) repræsentant [*for en valgkreds*]; parlamentsmedlem; **3.** (F: *af krop*) lem; (se også *male member*); **4.** (*tekn. etc.*) konstruktionsdel; element, komponent; □ *he is* ~ *for Leeds* (*jf. 2*) han repræsenterer Leeds i underhuset.
Member of Parliament *sb.* parlamentsmedlem.
membership ['membəʃip] *sb.* **1.** medlemskab; **2.** (*personer*) medlemmer (*fx the* ~ *is/are divided on the issue*); medlemstal (*fx the union has a large* ~).
membrane ['membrein] *sb.* membran, hinde.

M memento

memento [mi'mentəu] *sb.* souvenir; minde, erindring (*of* om).
memo ['meməu] *sb.* T memo; notat, notits, optegnelse.
memoir ['memwa:] *sb.* biografi; monografi, afhandling;
□ *-s* memoirer, erindringer.
memo pad *sb.* notesblok.
memorabilia [mem(ə)rə'biliə] *sb. pl.* mindeværdige ting, minder.
memorable ['mem(ə)rəbl] *adj.* mindeværdig.
memorandum [mem(ə)'rændəm] *sb.* (*pl. -da* [-də]/*-s*) **1.** (*i diplomati*) memorandum; **2.** (*jur.*) redegørelse; **3.** F = *memo*;
□ *~ of association* (*aktieselskabs*) stiftelsesoverenskomst.
memorial[1] [mi'mɔ:riəl] *sb.* mindesmærke; monument;
□ *-s* optegnelser.
memorial[2] [mi'mɔ:riəl] *adj.* minde- (*fx service* gudstjeneste).
Memorial Day *sb.* (*am.*) [*mindedag for dem der er faldet i krig*].
memorialize [mi'mɔ:riəlaiz] *vb.* fejre//bevare mindet om; mindes.
memorize ['mem(ə)raiz] *vb.* lære udenad; memorere.
memory ['mem(ə)ri] *sb.* **1.** hukommelse; **2.** (*om ting man husker*) minde, erindring (*of* om); **3.** (*it*) hukommelse, lager;
□ *I have a bad ~ for dates* jeg er ikke god til at huske datoer; *if my ~ serves me (right)* om jeg husker ret; *a weak ~ makes weary legs* hvad man ikke har i hovedet må man have i benene;
[*med præp.*] ***from*** *~* efter hukommelsen; ***in*** *(living) ~* i mands minde (*fx one of the coolest summers in ~*); *in ~ of*, *to the ~ of* til minde om; ***within*** *living ~* i mands minde; *within my own ~* i den tid jeg kan huske.
memory bank *sb.* (*it*) lagerbank.
memory lane *sb.*: *take a stroll/trip/walk down ~* fortabe sig i glade// sentimentale minder.
memory span *sb.* (*psyk.*) hukommelsesspændvidde.
memsahib ['memsa:b] *sb.* (*glds. indisk tiltale til europæisk el. fornem indisk kvinde*) frue.
men [men] *pl. af man*[1].
menace[1] ['menəs] *sb.* **1.** trussel; fare; **2.** (T: *om person*) plage, pestilens;
□ *there was ~ in his voice* han talte i en truende tone; *demand money with -s* (*prøve at*) true sig til penge.
menace[2] ['menəs] *vb.* true.
ménage [me'na:ʒ] *sb.* F husholdning.

menagerie [mə'nædʒəri] *sb.* menageri.
mend[1] [mend] *sb.* **1.** reparation; **2.** (*på tøj*) lap; stopning;
□ *be on the ~* være i bedring; være ved at komme sig.
mend[2] [mend] *vb.* **1.** reparere (*fx a watch*; *shoes*); **2.** (*tøj, cykel*) lappe; **3.** (*strømper*) stoppe; **4.** (*fig.*) forbedre (*fx relations with them*); **5.** (*uden objekt: om beskadiget legemsdel*) vokse sammen; **6.** (*moralsk*) forbedre sig (*fx it is never too late to ~*);
□ *least said soonest -ed* jo mindre man taler om sagen, des bedre er det; *it doesn't ~ matters* det gør ikke sagen bedre; (se også *fence*[1], *way*[1]).
mendacious [men'deiʃəs] *adj.* løgnagtig.
mendacity [men'dæsiti] *sb.* løgnagtighed.
mendicancy ['mendikənsi] *sb.* tiggeri.
mendicant[1] ['mendik(ə)nt] *sb.* **1.** F tigger; **2.** (*rel.*) tiggermunk.
mendicant[2] ['mendik(ə)nt] *adj.* **1.** F tiggende; **2.** (*rel.*) tigger- (*fx friar; order*).
mending ['mendiŋ] *sb.* **1.** (jf. *mend*[2]) reparation; lapning; stopning; **2.** (*tøj*) tøj der skal repareres; lappetøj, stoppetøj.
menfolk ['menfəuk] *sb. pl.* mandfolk.
menhir ['menhiə] *sb.* (*arkæol.*) [*stor opretstående råt tilhugget sten*]; bautasten.
menial ['mi:niəl] *adj.* mindreværdig, ussel (*fx occupation*); ringe, simpel (*fx tasks*).
meningitis [menin'dʒaitis] *sb.* (*med.*) meningitis, hjernehindebetændelse.
menopause ['menəpɔ:z] *sb.* klimakterium, overgangsalder.
men's room *sb.* herretoilet.
menstrual ['menstruəl] *adj.* menstruations-.
menstruate ['menstrueit] *vb.* menstruere, have menstruation.
menstruation [menstru'eiʃn] *sb.* menstruation.
menswear ['menzwɛə] *sb.* herretøj; F herrebeklædning.
mental ['ment(ə)l] *adj.* **1.** (*mht. tænkeevne*) mental (*fx development*); intellektuel (*fx development*; *effort*); ånds- (*fx faculties* evner); tanke- (*fx activity* virksomhed); **2.** (*mht. sindet*) mental (*fx health*; *state*); sinds- (*fx condition* tilstand); sjælelig (*fx sufferings*); sjæle- (*fx life*; *anguish* kval); **3.** (*som foregår i ens tanker*)

hoved- (*fx arithmetic* regning); inde i hovedet (*fx make a ~ calculation//journey*); indre (*fx have a ~ picture of sth*); **4.** (*mht. sygdom*) psykiatrisk (*fx hospital; patient*); (*glds.*) sindssyge-; **5.** S skør, tosset;
□ *he is a bit ~* (*også*) han er lidt til en side; *go ~* S **a.** blive skør; **b.** (*vred*) blive tosset; *make a ~ note of it* skrive sig det bag øret.
mental age *sb.* intelligensalder.
mental block *sb.* mental blokering.
mental capacity *sb.* åndsevner.
mental cruelty *sb.* åndelig grusomhed.
mental deficiency *sb.* psykisk udviklingshæmning; evnesvaghed; åndssvaghed.
mentality [men'tæliti] *sb.* mentalitet; tankegang; indstilling.
mentally ['ment(ə)li] *adv.* **1.** mentalt (*fx disturbed*); åndeligt (*fx prepared*; *tired*); **2.** (*mht. tænkning*) intellektuelt.
mentally deficient *adj.* psykisk udviklingshæmmet; evnesvag; åndssvag.
mental reservation *sb.* stiltiende forbehold.
menthol ['menθɔl] *sb.* mentol.
mentholated ['menθəleitid] *adj.* med mentol; mentol- (*fx cigarette*).
mention[1] ['menʃn] *sb.* omtale;
□ *make ~ of* omtale.
mention[2] ['menʃn] *vb.* omtale; nævne;
□ *don't ~ it* **a.** (*svar på tak*) ikke noget at takke for; det var så lidt; **b.** (*svar på undskyldning*) det gør ikke noget; F alt forladt; *not to ~* for ikke at tale om; (se også *below*[1], *dispatch*[1]).
mentor ['mentɔ:] *sb.* mentor; vejleder.
menu ['menju:] *sb.* **1.** (*mad*) menu; **2.** (*liste*) menukort, menu, spisekort; **3.** (*it*) menu.
menu bar *sb.* (*it*) menubjælke.
meow[1] [mi'au] *sb.* mjav.
meow[2] [mi'au] *vb.* mjave.
MEP *fork. f. Member of the European Parliament.*
Mephistopheles [mefi'stɔfili:z] Mefistofeles.
Merc [mə:k] *sb.* T Mercedes.
merc [mə:k] *sb.* T = *mercenary*[1].
mercantile ['mə:k(ə)ntail] *adj.* F merkantil; handels-.
mercantile marine *sb.* handelsflåde.
mercenary[1] ['mə:s(i)n(ə)ri] *sb.* lejesoldat;
□ *mercenaries* lejetropper.
mercenary[2] ['mə:s(i)n(ə)ri] *adj.*

pengebegærlig; beregnende; (*let glds.*) kræmmeragtig.

merchandise[1] ['mɔːtʃ(ə)ndaiz] *sb.* **1.** F (handels)varer; **2.** [*produkter som sælges som reklame for film, tegneseriefigurer, popgruppe etc.*]; merchandise; følgeprodukter.

merchandise[2] ['mɔːtʃ(ə)ndaiz] *vb.* (*fagl. el. am.*) markedsføre; gøre reklame for.

merchandising ['mɔːtʃ(ə)ndaiziŋ] *sb.* **1.** markedsføring; **2.** = merchandise[1] 2.

merchant ['mɔːtʃ(ə)nt] *sb.* **1.** købmand; grosserer; handelsmand; **2.** (*am.*) butiksindehaver, handlende; **3.** (S: *i sms.*) [*en der beskæftiger sig med/gør i; en der er vild med*]; □ *gossip* ~ sladdertaske; *hype* ~ reklamemager; *speed* ~ fartidiot; ~ *of doom/gloom* ulykkesprofet, dommedagsprofet; grædekone.

merchantable ['mɔːtʃ(ə)ntəbl] *adj.* salgbar; kurant.

merchant bank *sb.* erhvervsbank [*som især betjener store erhvervsvirksomheder el. andre banker*].

merchant marine *sb.* (*især am.*) handelsflåde.

merchant navy *sb.* handelsflåde.

merciful ['mɔːsif(u)l] *adj.* barmhjertig; nådig.

mercifully ['mɔːsif(u)li] *adv.* **1.** (*jf. merciful*) barmhjertigt; nådigt; **2.** (*udtryk for lettelse*) heldigvis, gudskelov.

merciless ['mɔːsiləs] *adj.* ubarmhjertig; nåde(s)løs.

mercurial [mɔːˈkjuəriəl] *adj.* **1.** (*litt.: om temperament*) livlig, letbevægelig; omskiftelig, lunefuld; **2.** (*kem.*) kviksølv-.

Mercury ['mɔːkjuri] (*myt., astr.*) Merkur.

mercury ['mɔːkjuri] *sb.* (*kem.*) kviksølv.

mercy ['mɔːsi] *sb.* **1.** barmhjertighed (*fx they showed no* ~); skånsel; nåde; **2.** (*for dødsdømt*) benådning (*fx petition for* ~); **3.** T guds lykke, held (*fx it is a* ~ *that he did not come*);
□ ~! nåde! *have* ~ *on* have medlidenhed med; forbarme sig over; *may the Lord have* ~ *on her soul* Gud være hendes sjæl nådig; [*med præp.*] *be at the* ~ *of sby* være i ens magt/vold; *ask//beg// cry for* ~ bede om nåde; *for -'s sake* for Guds skyld; *recommend sby for* ~ (*jf. 2*) indstille en til benådning; *be grateful/thankful for small mercies* være taknemlig for lidt; *throw oneself on sby's* ~ give sig helt i hænderne på en; forlade

sig på ens barmhjertighed; overgive sig til en på nåde og unåde; *be left to the tender mercies of* være overgivet på nåde og unåde til; være i kløerne på.

mercy killing *sb.* medlidenhedsdrab.

mere [miə] *adj.* kun (*fx* ~ *minutes after the alarm; it was more than* ~ *religion*); blot; slet og ret; □ *by* ~ *chance* ved et rent tilfælde; ~ *words* kun ord, lutter ord; tom snak;
a ~ **a.** kun en//et, en ren//et rent (*fx he is a* ~ *boy//child; it is a* ~ *trifle*); **b.** (*foran tal*) kun (*fx a* ~ *£6; a* ~ *10 votes*);
the ~ den//det blotte (*fx the* ~ *sight of a policeman; the* ~ *mention of it*); den//det mindste (*fx the* ~ *suggestion*); *for the* ~ *purpose of* ene og alene for at; *the -st* den//det mindste (*fx the -st suggestion; the -st little noise*); *by the -st chance* udelukkende ved et tilfælde.

merely ['miəli] *adv.* kun, blot; slet og ret (*fx he is* ~ *a servant*).

meretricious [meriˈtriʃəs] *adj.* F uægte, forloren; besnærende.

merganser [mɔːˈgænsə] *sb.* (*zo.*) skallesluger.

merge [mɔːdʒ] *vb.* **1.** forene; slutte/ slå sammen; (*merk. også*) fusionere (*fx two firms*); **2.** (*uden objekt*) forene sig; slutte sig/gå sammen (*fx the two countries// parties -d*); (*merk. også*) fusionere (*fx the two firms -d*); (*om vandløb*) flyde sammen; (*om farver etc.*) smelte sammen; **3.** (*it; am. om trafik*) flette;
□ ~ *into* **a.** slå sammen til (*fx* ~ *the two branch offices into one*); **b.** (*uden objekt*) slutte sig sammen til (*fx the two parties -d into one*); **c.** (*om farver etc.*) smelte//flyde sammen med; glide over i (*fx twilight -d into darkness*); ~ *into the background* (T: *om person*) gå i et med tapetet; *be -d into* = ~ *into b, c.*

merger ['mɔːdʒə] *sb.* sammenlægning; sammenslutning; (*merk. også*) fusion.

meridian [məˈridiən] *sb.* meridian; (*geogr. også*) længdegrad.

meringue [məˈræŋ] *sb.* marengs.

merino [məˈriːnəu] *sb.* **1.** merinofår; **2.** (*stof*) merino.

merit[1] ['merit] *sb.* **1.** værdi (*fx artistic//literary* ~); værd; **2.** (*om person*) fortjenstfuldhed; fortjeneste (*fx reward him according to his* ~);
□ *-s* dyder, fortrin (*fx the -s of this*

encyclopedia*); fordele; *-s and demerits* fortrin/fordele og mangler; *the -s of the case* (*jur.*) sagens realitet; *judge a case on its -s* bedømme en sag ud fra de foreliggende kendsgerninger; *each case is decided on its -s* (*også*) sagerne afgøres fra gang til gang;
[+ *præp.*] *I claim no* ~ *for it* jeg regner mig det ikke til fortjeneste; det er ikke noget jeg vil rose mig af; *there is no* ~ *in that* det er ikke særlig fortjenstfuldt; det er ikke noget at rose sig af.

merit[2] ['merit] *vb.* F fortjene (*fx a reward; serious consideration*).

meritocracy [meriˈtɔkrəsi] *sb.* meritokrati; præstationssamfund.

meritorious [meriˈtɔːriəs] *adj.* F fortjenstfuld.

merlin ['mɔːlin] *sb.* (*zo.*) dværgfalk.

mermaid ['mɔːmeid] *sb.* havfrue.

merriment ['merimənt] *sb.* munterhed, lystighed.

merry ['meri] *adj.* **1.** glad, munter, lystig; **2.** (T: *fuld*) munter, bedugget;
□ *a* ~ *Christmas (to you)!* glædelig jul; *make* ~ (*litt.*) more sig; feste; *make* ~ *over* (*litt.*) gøre sig lystig over; gøre nar af.

merry-go-round ['merigəuraund] *sb.* karrusel.

merry-making ['merimeikiŋ] *sb.* lystighed, munterhed; fest.

mesh[1] [meʃ] *sb.* **1.** net, trådnet; **2.** masker [*i et net*]; **3.** (*tekn.*) indgreb; **4.** (*fig.*) indviklet net (*fx of emotions; of events*);
□ *in* ~ (*jf. 3*) i indgreb [ɔ: *tilkoblet*]; *throw into* ~ (*jf. 3*) bringe i indgreb; *with fine* ~ finmasket.

mesh[2] [meʃ] *vb.* **1.** passe sammen; **2.** (*om tandhjul etc.*) være i indgreb; gribe ind i hinanden; (*med objekt*) bringe i indgreb;
□ *get -ed in* blive fanget/indviklet i; ~ *with* **a.** (*jf. 2*) være//bringe i indgreb med; **b.** (*fig.*) passe sammen med; harmonere med.

meshuga, meshugga [məˈʃugə] *adj.* (*am.* T) skør, tosset.

mesmeric [mezˈmerik] *adj.* hypnotiserende; stærkt fascinerende.

mesmerize ['mezməraiz] *vb.* hypnotisere; tryllebinde (*fx -d by his voice*).

Mesopotamia [mesəpəˈteimjə] (*hist.*) Mesopotamien.

mess[1] [mes] *sb.* **1.** (*uordentlig*) roderi, rod, uorden, virvar; (*om sted*) rodebunke (*fx his desk was a* ~); rodebutik (*fx his room was a* ~); **2.** (*snavset*) griseri, svineri, søle; **3.** (*uappetitlig*) rodsammen, snask; **4.** (T: *hunds, kats*) griseri;

M *mess*

efterladenskaber; bæ; **5.** (*mil.*: *lokale til spisning*) kantine; messe; (*mar.*) bakke;
□ *a* ~ *of pottage* (*bibelsk*) en ret linser; *make a* ~ *of* **a.** (*jf. 1*) lave rod i, rode 'til (*fx the house*); **b.** (*jf. 2*) grise 'til, svine 'til, søle 'til; **c.** (*arbejde, opgave*) kludre med (*fx an examination paper*); **d.** (*fuldstændigt*) forkludre (*fx one's life*); spolere; [*med præp.*] *be in a* ~ **a.** (*jf. 1*) være rodet; ligge i ét rod (*fx the house was in a* ~); **b.** (*jf. 2*) være snavset, være griset/svinet 'til (*fx the kitchen was in a* ~); **c.** være forvirret; **d.** være i knibe; *his life was in a* ~ hans liv var forkludret; *get into a* ~ **a.** komme i knibe/i fedtefadet; **b.** blive forvirret; *get sby into a* ~ **a.** bringe en i knibe/i fedtefadet; **b.** gøre en forvirret; *get oneself into a* ~ (*også*) grise/svine sig til.
mess² [mes] *vb.* **1.** se ndf.: ~ *up*; **2.** (*am.*) rode (*fx don't* ~ *my hair*); **3.** (*med afføring*) lave i (*fx the bed*; *one's pants*); (*om hund*) grise/svine 'til; **4.** (*jf. mess¹ 5*) spise; (*mar.*) skaffe;
□ [*med præp.& adv.*] ~ *about/ around* **a.** daske rundt, drive rundt; gå og rode; (*neds.*) fjolle rundt; **b.** (T: *person*) holde for nar; ~ *about/around with* **a.** (*arbejde*) gå og rode med (*fx he loves -ing about with computers//his car*); **b.** (*neds.*) fuske med, pille ved (*fx I don't want him messing about with my computer*); **c.** (T: *seksuelt*) have noget for med, have en affære med; ~ *up* **a.** snavse//rode 'til; grise/svine 'til; **b.** forkludre, ødelægge, spolere (*fx one's chances*); **c.** (T: *person*) bringe helt ud af det; **d.** (*am.* S) maltraktere; slå til spillemand; **e.** (T: *uden objekt*) kludre i det; ~ *with* **a.** give sig af med (*fx don't* ~ *with drugs*); rode med; blande sig i (*fx don't* ~ *with things you don't understand*); **b.** (*neds.*) kludre med; **c.** (*person*) lave numre med.
message ['mesidʒ] *sb.* **1.** besked (*fx he sent me a* ~ *to* (om at) *meet him*); meddelelse; **2.** (*bogs, films*) budskab; idé; **3.** (*rel.*) budskab; **4.** (*mil.*) melding; signal; **5.** (*skotsk, irsk*) ærinde (*fx go//run -s*);
□ *-s* (*skotsk også*) indkøb, indkøbte varer;
be on//off ~ være//ikke være i overensstemmelse med partilinjen;
[*med vb.*] *do the -s* (*skotsk*) købe

ind; *get the* ~ **a.** få beskeden (*fx did you get the* ~ *that he can't come?*); **b.** T forstå hvad der drejer sig om; fatte meningen; *they did not get the* ~ budskabet gik ikke ind; *leave a* ~ lægge besked; *can I take a* ~? (*tlf.*) er der nogen besked?
messaging ['mesidʒiŋ] *sb.* (*it*) det at sende beskeder.
messenger ['mesindʒə] *sb.* **1.** bud; kurer; **2.** F sendebud; budbringer.
messenger boy *sb.* **1.** bud; bydreng; **2.** (*neds.*) stikirenddreng.
mess hall *sb.* kantine; messe.
Messiah [mi'saiə] *sb.*: *the* ~ (*rel.*) Messias.
messiah [mi'saiə] *sb.* messias.
messianic [mesi'ænik] *adj.* messiansk.
mess kit *sb.* **1.** (*mil.*) spisegrejer; **2.** (*mar.*) skaffegrejer; **3.** (*tøj*) messeuniform.
Messrs. ['mesəz] *sb.* de herrer.
mess tin *sb.* (*mil.*) kogekar, kogekedel.
messuage ['meswidʒ] *sb.* (*jur.*) (land)ejendom.
messy ['mesi] *adj.* **1.** rodet; **2.** snavset (*fx job; pots*); **3.** griset, snasket; **4.** (T: *om situation*) rodet, besværlig, ubehagelig.
Met *fork. f. Meteorological*;
□ *the* ~ **a.** *the Metropolitan Police* [*Londons politi*]; **b.** (*am.*) *the Metropolitan Opera, the Metropolitan Museum* [*i New York*].
met [met] *præt. & præt. ptc. af meet²*.
metabolic [metə'bɔlik] *adj.* stofskifte- (*fx disorder sygdom*).
metabolism [me'tæbəlizm] *sb.* stofskifte, metabolisme.
metabolize [me'tæbəlaiz] *vb.* omsætte; nedbryde.
metal ['met(ə)l] *sb.* **1.** metal; **2.** (*til vej*) skærver; (*jernb. også*) ballast; **3.** (*i glasfabr*) glasmasse;
□ *-s* (*jernb.*) skinner.
metal detector *sb.* metaldetektor.
metal fatigue *sb.* metaltræthed.
metalled ['metəld] *adj.* skærvebelagt; grusbelagt.
metallic [mi'tælik] *adj.* **1.** metallisk (*fx sound*); metal- (*fx taste*); **2.** (*om farve*) metalglinsende.
metallurgy [me'tælədʒi] *sb.* metallurgi.
metalwork ['met(ə)lwə:k] *sb.* **1.** (*skolefag*) metalsløjd; **2.** (*af ting*) metaldele (*fx the* ~ *of the bicycle*); **3.** (*ting*) metalgenstande.
metamorphose [metə'mɔ:fəuz] *vb.* F **1.** forvandle sig (*into* til); **2.** (*med objekt*) forvandle.

metamorphosis [metə'mɔ:fəsis] *sb.* (*pl. -phoses* [-fəsi:z]) metamorfose; forvandling.
metaphor ['metəfə] *sb.* metafor, billede.
metaphoric [metə'fɔrik], **metaphorical** [metə'fɔrik(ə)l] *adj.* metaforisk; billedlig.
metaphysical [metə'fizikl] *adj.* metafysisk.
metaphysics [metə'fiziks] *sb.* metafysik.
mete [mi:t] *vb.*: ~ *out* F udmåle; tildele.
meteor ['mi:tiə] *sb.* meteor.
meteoric [mi:ti'ɔrik] *adj.* **1.** meteorisk, meteor-, meteorlignende; **2.** (*fig.*) [*strålende men kortvarig*] □ *a* ~ *career* en kometagtig karriere.
meteorite ['mi:tiərait] *sb.* meteorit, meteorsten.
meteorological [mi:tiərə'lɔdʒik(ə)l] *adj.* meteorologisk.
meteorologist [mi:tiə'rɔlədʒist] *sb.* meteorolog.
meteorology [mi:tiə'rɔlədʒi] *sb.* meteorologi.
meter¹ ['mi:tə] *sb.* **1.** måler; (se også *gas meter*); **2.** (*am.*) = metre.
meter² ['mi:tə] *vb.* måle.
meter maid *sb.* (*især am.*) kvindelig parkeringskontrollør.
methane ['mi:θein] *sb.* (*kem.*) metan, sumpgas.
methinks [mi'θiŋks] *vb.* (*glds. el. spøg.*) det synes mig.
method ['meθəd] *sb.* **1.** metode, fremgangsmåde; **2.** F system (*fx there is no* ~ *in the way they do it*);
□ *there is* ~ *in his madness* der er mening/metode/system i galskaben.
methodical [mi'θɔdik(ə)l] *adj.* metodisk; systematisk.
Methodism ['meθədizm] *sb.* (*rel.*) metodisme.
Methodist¹ ['meθədist] *sb.* (*rel.*) metodist.
Methodist² ['meθədist] *adj.* (*rel.*) metodistisk.
methodology [meθə'dɔlədʒi] *sb.* metodologi, metodelære; metode.
methought [mi'θɔ:t] *vb.* (*glds. el. spøg.*) det syntes mig.
meths [meθs] *sb. pl.* T = *methylated spirits*.
meths drinker *sb.* T spritter.
Methuselah [mi'θju:sələ] (*bibelsk*) Methusalem.
methylated spirits [meθileitid'spirits] *sb. pl.* (*svarer til*) denatureret sprit; kogesprit.
meticulous [mi'tikjuləs] *adj.* omhyggelig, pertentlig, sirlig;

□ with ~ *care* med minutiøs/pinlig omhu; ~ *order* pinlig orden.
metier ['metiei] *sb.* F metier, levevej [*som man har anlæg for*];
□ *that is not his* ~ det er ikke lige det han er bedst til.
metre ['mi:tə] *sb.* **1.** meter; **2.** (*i poesi*) metrum, versmål.
metric ['metrik] *adj.* **1.** (*mht. metersystemet*) meter-, metrisk;
2. (*om poesi*) metrisk, vers-; på vers;
□ *go* ~ gå over til metersystemet.
metrication [metri'keiʃn] *sb.* overgang til metersystemet.
metric system *sb.* metersystem.
metric ton *sb.* meterton [*1000 kg*].
metro ['metrəu] *sb.* undergrundsbane.
metronome ['metrənəum] *sb.* metronom, taktmåler.
metropolis [mi'trɔpəlis] *sb.* hovedstad; storby, metropol.
metropolitan[1] [metrə'pɔlit(ə)n] *sb.* (*rel.*) metropolit.
metropolitan[2] [metrə'pɔlit(ə)n] *adj.* hovedstads-; storby-.
mettle ['metl] *sb.* F **1.** mod, iver;
2. (*om hest*) temperament;
□ *be on one's* ~ være parat til at gøre sit bedste; *put sby on his* ~ anspore en til at gøre sit bedste; *they showed their* ~ de viste at der var stof i dem; de viste hvad de duede til.
mettlesome ['metlsəm] *adj.* **1.** (*litt.*) modig, livlig; **2.** (*om hest*) fyrig, vælig.
MeV *fork. f. mega-electron volt(s).*
mew[1] [mju:] *sb.* **1.** mjaven; **2.** (*am. zo.*) måge.
mew[2] [mju:] *vb.* mjave.
mewl [mju:l] *vb.* **1.** (*om baby*) klynke; **2.** (*om kat*) mjave.
mews [mju:z] *sb.* (*pl. d.s.*) staldbygninger [*samlet omkring en gård el. gyde; nu især ombygget til lejligheder*].
Mexican[1] ['meksik(ə)n] *sb.* mexicaner.
Mexican[2] ['meksik(ə)n] *adj.* mexicansk.
Mexican wave *sb.* bølge [*som tilskuerne laver ved fodboldkamp*].
mezzanine ['metsəni:n] *sb.* mezzanin(etage) [*mellem stuen og 1. sal*].
MFH *fork. f. Master of Foxhounds* (*omtr.*) jagtleder.
mg *fork. f. milligram.*
MHz *fork. f. megahertz.*
MI5 [emai'faiv] *sb.* [*hemmelig tjeneste for kontraspionage*].
MI6 [emai'siks] *sb.* [*hemmelig tjeneste for efterretningsvirkomhed i udlandet*].

MIA *fork. f. missing in action* (*især am. mil.*) savnet.
miaow[1] [mi'au] *sb.* mjaven.
miaow[2] [mi'au] *vb.* mjave.
miasma [mi'æzmə] *sb.* **1.** (*litt.*) stank, sky, uddunstning; **2.** (*fig.*) atmosfære (*fx of despair*); tyngende stemning.
mica ['maikə] *sb.* glimmer; marieglas.
mice [mais] *pl. af mouse.*
Mich. *fork. f. Michigan.*
Michaelmas ['mik(ə)lməs] mikkelsdag [*29. sept.*].
Michaelmas daisy *sb.* (*bot.*) strandasters.
Michaelmas term *sb.* efterårssemester.
Michigan ['miʃigən].
Mick, mick [mik] *sb.* (S: *neds.*) **1.** irer; **2.** katolik.
Mickey, mickey ['miki] *sb.* **1.** S irer; **2.** (*am.* S) = *Mickey Finn*;
3. (*can. omtr.*) lommelærke [*halvflaske spiritus*];
□ *take the* ~ lave sjov; gøre nar; *take the* ~ *out of* S lave grin med; tage gas på.
Mickey Finn *sb.* (*am.* S) [*spiritus med sovemiddel i*].
Mickey Mouse *adj.* T fjollet, idiotisk; snoldet, billig.
mickle ['mikl] *sb.*: *many a little makes a* ~ mange bække små gør en stor å.
micro ['maikrəu] *adj.* lille bitte, mikro-.
microbe ['maikrəub] *sb.* mikrobe, mikroorganisme; bakterie.
microbiologist [maikrə(u)bai'ɔlədʒist] *sb.* mikrobiolog.
microbrew ['maikrəbru:] *sb.* (*am.*) [*øl der brygges i meget små mængder*].
microbrewery ['maikrəbru:əri] *sb.* (*am.*) [*bryggeri med meget lille kundekreds*].
microchip ['maikrə(u)tʃip] *sb.* mikrochip.
microcomputer ['maikrə(u)kəmpju:tə] *sb.* mikrocomputer.
microcosm ['maikrə(u)kɔzm] *sb.* mikrokosmos; lilleverden.
microfilm[1] ['maikrə(u)film] *sb.* mikrofilm.
microfilm[2] ['maikrə(u)film] *vb.* mikrofilme.
micrometer [mai'krɔmitə] *sb.* mikrometer.
micronutrient [maikrəu'nju:triənt] *sb.* mikronæringsstof.
microorganism [maikrəu'ɔ:gənizm] *sb.* mikroorganisme.
microphone ['maikrəfəun] *sb.* mikrofon.

microprocessor ['maikrə(u)prəusesə] *sb.* (*it*) mikroprocessor.
microscope ['maikrəskəup] *sb.* mikroskop.
microscopic [maikrə'skɔpik] *adj.* mikroskopisk.
microscopy [mai'krɔskəpi] *sb.* mikroskopi.
microsurgery [maikrə(u)'sə:dʒəri] *sb.* mikrokirurgi.
microwavable (*am.*) = *microwaveable.*
microwave[1] ['maikrə(u)weiv] *sb.* **1.** mikrobølge; **2.** mikrobølgeovn.
microwave[2] ['maikrə(u)weiv] *vb.* varme i mikrobølgeovn.
microwaveable ['maikrə(u)weivəbl] *adj.* som kan tilberedes/opvarmes i en mikrobølgeovn.
microwave oven *sb.* mikrobølgeovn.
mid- [mid] *adj.* midt-;
□ *from* ~ *April to* ~ *May* fra midt i april til midt i maj; *in* ~ midt i (*fx in* ~ *July*); *in* ~ *ocean* midt ude på det åbne hav.
mid-air [mid'εə] *sb.*: *in* ~ **a.** frit i luften; **b.** oppe i luften; ~ *collision* flysammenstød.
midday[1] ['mid'dei] *sb.* middag; kl. 12.
midday[2] ['middei] *adj.* middags- (*fx sun*); midt på dagen (*fx a* ~ *meal*).
midden ['mid(e)n] *sb.* **1.** (*arkæol.*) køkkenmødding; **2.** (*glds.*) mødding.
middle[1] ['midl] *sb.* **1.** midte; **2.** T liv; talje;
□ *around one's* ~ (*jf.* 2) om livet; *down the* ~ på midten; midt ned igennem, lige over, midt over (*fx split down the* ~); i to halvdele (*fx divide it down the* ~); *in the* ~ i midten; (se også *pig*[1]); *in the* ~ *of* midt i//på//under//om (*fx the lecture; the night; the street*); (se også *nowhere*); *she was in her* ~ *forties* hun var midt i fyrrerne.
middle[2] ['midl] *adj.* midterst; mellem-; midt-;
□ *the* ~ *child* det mellemste barn; *a* ~ *course/way* en mellemvej.
middle age *sb.* moden alder [*mellem 40 og 60*];
□ *a man of* ~/*in his* ~ en midaldrende mand.
middle-aged [midl'eidʒd] *adj.* midaldrende.
middle-aged spread *sb.* embonpoint; (top)mave.
Middle Ages *sb. pl.*: *the* ~ Middelalderen.

middle-age spread *sb.* se
middle-aged spread.
Middle America *sb.* **1.** Midtvesten;
2. middelklasseamerikanerne.
middlebrow [midl'brau] *adj.* ikke
særlig intellektuel; halvintellektuel.
middle-class [midl'kla:s] *adj.* middelklasse-; borgerlig.
middle classes *sb. pl.: the* ~ middelklassen.
middle distance *sb.* **1.** mellemgrund; **2.** (*ved kapløb*) mellemdistance.
middle ear *sb.* mellemøre.
Middle East *sb.: the* ~ Mellemøsten.
Middle Eastern *adj.* mellemøstlig.
middle finger *sb.* langfinger; T langemand.
middle ground *sb.* **1.** mellemstandpunkt; mellemvej; **2.** (*i billede*)
mellemgrund.
Middle Kingdom *sb.: the* ~ Riget i
Midten [ɔ: *Kina*].
middleman ['midlmæn] *sb.* (*pl.
-men* [-men]) mellemhandler;
mellemmand.
middle management *sb.* mellemledere.
middle manager *sb.* mellemleder.
middle-of-the-road [midləvðə'rəud]
adj. **1.** som indtager et mellemstandpunkt; moderat; midter- (*fx
party*); **2.** (*neds.*) forudsigelig,
uspændende.
middle school *sb.* (*omtr.*) mellemskole [*for børn i alderen 9-14*].
middle-sized [midl'saizd] *adj.*
middelstor; mellemstor.
middle watch *sb.* (*mar.*) [*vagten
mellem midnat og kl. 4*]; hundevagt.
middleweight[1] ['midlweit] *sb.* (*i
boksning*) **1.** mellemvægt; **2.** (*person*) mellemvægter.
middleweight[2] ['midlweit] *adj.*
mellemvægts- (*fx boxer*).
Middle West *sb.* se *Midwest.*
middling[1] ['midliŋ] *sb.* (*am.: af svinekød*) mellemstykke.
middling[2] ['midliŋ] *adj.* middelgod; jævn; middelmådig;
□ *of* ~ *height* af middelhøjde.
middy ['midi] *sb.* **1.** kadet;
2. (*glds.*) matrosbluse; **3.** (*austr.*)
mellemstort glas øl [*285 ml*].
midfield ['midfi:ld] *sb.* midtbane.
midfielder ['midfi:ldə] *sb.* midtbanespiller.
midge [midʒ] *sb.* **1.** (*zo.*) dansemyg;
(*som stikker*) mitte; **2.** (T: *om person*) se *midget.*
midget[1] ['midʒit] *sb.* **1.** dværg;
2. (*neds.*) gnom, mandsling.
midget[2] ['midʒit] *adj.* dværg- (*fx

submarine); lilleput-.
midget car *sb.* midgetbil.
MIDI *fork. f. musical instrument
digital interface.*
midi ['midi] *adj.* (*om kjolelængde*)
midi.
Midlands ['midləndz] *sb. pl.: the* ~
Midtengland.
midlife crisis *sb.* midtvejskrise.
midnight[1] ['midnait] *sb.* midnat.
midnight[2] ['midnait] *adj.* midnats-;
□ *burn the* ~ *oil* arbejde til langt
ud på natten.
midpoint ['midpɔint] *sb.* midterste
punkt;
□ *at the* ~ *of* midt i; midt på.
midriff ['midrif] *sb.* **1.** (*på kroppen,
mellem bryst og talje*) mave (*fx
with a bare* ~ med bar mave); maveskind; mellemgulv (*fx he
landed a blow on his* ~); **2.** (*am.:
på tøj*) indsat liv; tøj som er åbent
i livet.
midshipman ['midʃipmən] *sb.* (*pl.
-men* [-mən]) kadet.
midships ['midʃips] *adv.* midtskibs.
mid-sized ['midsaizd] *adj.* middelstor; mellemstor.
midst [midst] *sb.* midte;
□ *in the* ~ *of* midt i; *in our* ~
midt iblandt os; i vor midte.
midstream [mid'stri:m] *sb.: in* ~
midt i strømmen/floden; (se også
horse[1]).
midsummer [mid'sʌmə] *sb.* midsommer.
Midsummer Day *sb.* midsommerdag; st. hansdag.
midsummer madness *sb.* toppunktet af galskab; det glade vanvid.
midterm [mid'tə:m] *sb.* **1.** midten
af terminen//semesteret// embedstiden; **2.** (*am.*) = *half-term*;
3. (*am.* T) eksamen midt i semesteret.
midterm election *sb.* (*am.*) midtvejsvalg.
midway[1] ['midwei] *sb.* (*am.*) [*del
af marked//udstilling med forlystelser: skydetelte, karruseller etc.*].
midway[2] [mid'wei] *adv.* midtvejs;
halvvejs.
Midwest [mid'west] *sb.: the* ~
(*am.*) Midtvesten [*omtr. = Iowa og
de omkringliggende stater*].
midwife ['midwaif] *sb.* (*pl. -wives*
[-waivz]) jordemoder, jordemor.
midwifery ['midwif(ə)ri] *sb.* fødselshjælp.
midwinter [mid'wintə] *sb.* midvinter; vintersolhverv.
mien [mi:n] *sb.* (*litt.*) optræden;
holdning; mine; ydre.
miffed [mift] *adj.* T fornærmet,
stødt.

might[1] [mait] *sb.* magt, kraft,
styrke;
□ *with* ~ *and main, with all one's*
~ af al magt; af alle kræfter.
might[2] [mait] *præt. af may*[2].
might-have-been ['maitəvbi:n] *sb.:
a* ~ en der kunne være blevet noget stort//større; en mislykket eksistens; *the* ~ det der kunne være
sket.
mightily ['maitili] *adv.* (*litt.*) mægtigt, vældigt, kraftigt.
mighty[1] ['maiti] *adj.* (*litt. el.* T)
mægtig, vældig (*fx a* ~ *river*); (T
også) gevaldig (*fx a* ~ *hiccup*).
mighty[2] ['maiti] *adv.* (*især am.* T)
mægtig, vældig, gevaldig (*fx fine*).
mignonette [minjə'net] *sb.* (*bot.*) reseda.
migraine ['mi:grein, 'mai-] *sb.* migræne.
migrant[1] ['maigrənt] *sb.* **1.** [*person
der rejser fra sted til sted*]; omrejsende arbejder; **2.** (*zo.*) trækfugl;
omvandrende dyr;
□ *economic* ~ økonomisk flygtning [*der rejser for at finde bedre
levevilkår*]; (se også *passage migrant*).
migrant[2] ['maigrənt] *adj.* **1.** vandrende; omrejsende; **2.** (*zo.*) omvandrende; (*om fugl*) som flyver
på træk.
migrant bird *sb.* trækfugl.
migrate [mai'greit, (*am.*) 'maigreit]
vb. **1.** (*om person: til et andet
land*) udvandre; (*til et andet sted*)
vandre bort; flytte; **2.** (*zo.*) vandre;
(*om fugl*) trække.
migration [mai'greiʃn] *sb.* (*jf. migrate*) **1.** udvandring; bortvandring; flytning; **2.** (*zo.*) vandring;
(*fugles*) træk; **3.** (*it*) overførsel;
□ *the period of the great -s* folkevandringstiden.
migratory ['maigrət(ə)ri] *adj.* **1.** omvandrende; nomadisk; **2.** (*zo.*)
som vandrer; (*om fugle*) som flyver på træk.
migratory bird *sb.* (*zo.*) trækfugl.
migratory locust *sb.* (*zo.*) vandregræshoppe.
Mike [maik] *fork. f. Michael.*
mike[1] [maik] *sb.* T = *microphone*;
□ *be on the* ~ S drive den af.
mike[2] [maik] *vb.* S drive, dovne;
skulke;
□ ~ *sby up* T give én mikrofon på.
Milan [mi'læn] Milano.
milch cow ['miltʃkau] *sb.* malkeko.
mild[1] [maild] *sb.* [*en lettere ølsort*].
mild[2] [maild] *adj.* **1.** (*om person*)
mild; blid; sagtmodig; **2.** (*mods.
kraftig, stærk, voldsom*) let (*fx
confusion; surprise; symptoms;
earthquake; cigar*); (*også om*

smag) mild (*fx cheese*; *curry*; *soap*; *punishment*; *weather*);
3. (*om ytring*) forsigtig, svag (*fx criticism*; *protest*); spagfærdig (*fx objection*; *protest*);
□ *draw it* ~ overdriv nu ikke; tag den med ro; små slag.
mildew ['mildju:] *sb.* meldug; skimmel; mug.
mildewed ['mildju:d] *adj.* angrebet af meldug; skimlet; muggen.
mildly ['maildli] *adv.* (jf. *mild*)
1. mildt; blidt; sagtmodigt; **2.** let (*fx democratic*; *surprised*); mildt (*fx punish him* ~); **3.** forsigtigt; spagfærdigt (*fx protest* ~);
□ *to put it* ~ mildest talt; mildt sagt; med et mildt udtryk.
mile [mail] *sb.* engelsk mil [*1609 m*];
□ *-s away* langt væk; *it is -s from anywhere* det ligger langt pokker i vold; (se også *miles*);
[*med vb.*] *go the extra* ~ (fig.) gøre en ekstra indsats; *run a* ~ (fig.) løbe langt væk; *you can see/tell it a* ~ *off, it stands/sticks out a* ~ (fig. T) det kan ses på lang afstand; det lyser langt væk;
[*med præp.*] *better by* -s hundrede gange bedre; *for* -s milevidt; i *miles omkreds*; *it did not come within a* ~ *of succeeding* det var milevidt fra at lykkes; *there's no one within a -s of him* (fig. T) der er slet ingen der kan hamle op med ham.
mileage ['mailidʒ] *sb.* **1.** [*antal miles en bil har kørt*]; (*svarer til*) kilometerstand (*fx what is the* ~ *on your car?*); **2.** (*mht. benzinforbrug*) [*antal miles en bil kan køre på en liter//gallon*]; (*svarer til*) benzinøkonomi (*fx get better* ~); **3.** (*ved billeje*) [*antal miles man kører uden ekstra betaling, fx you get unlimited* ~]; **4.** = *mileage allowance*; **5.** (fig.) gavn, nytte; gevinst, udbytte;
□ *get* ~ *out of* (også) udnytte.
mileage allowance *sb.* befordringsgodtgørelse pr. *mile*.
mileometer [mai'lɔmitə] *sb.* (*svarer til*) kilometertæller.
milepost ['mailpoust] *sb.* (am.) milepæl.
miles [mailz] *adv.* (se også *mile*) meget meget (*fx better*);
□ ~ *better* (også) hundrede gange bedre; ~ *too expensive//slow* alt for dyr//langsom.
milestone ['mailstəun] *sb.* **1.** milesten; **2.** (fig.) milepæl.
milfoil ['milfɔil] *sb.* (bot.) røllike.
milieu ['mi:ljə:, (am.) -'ju:] *sb.* (*pl. -s/-x* [-z, -jə:, -'ju:]) F miljø.

militancy ['milit(ə)nsi] *sb.* militant holdning; krigeriskhed.
militant¹ ['militənt] *sb.* militant person.
militant² ['militənt] *adj.* militant (*fx extremists*; *position*); som kæmper med voldelige midler; krigerisk (*fx in a* ~ *mood*).
militarism ['militərizm] *sb.* militarisme.
militarist¹ ['militərist] *sb.* militarist.
militarist² ['militərist] *adj.* militaristisk.
militarized ['militəraizd] *adj.* militariseret.
military¹ ['milit(ə)ri] *sb.: the* ~ militæret.
military² ['milit(ə)ri] *adj.* militær (*fx power*; *honours* æresbevisninger); militær- (*fx attaché*; *police*).
military academy *sb.* officersskole.
military heel *sb.* officershæl.
military service *sb.* militærtjeneste; værnepligt.
militate ['militeit] *vb.:* ~ *against* F modvirke, modarbejde; bekæmpe; være i vejen for.
militia [mi'liʃə] *sb.* milits.
militiaman [mi'liʃəmən] *sb.* (*pl. -men* [-mən]) militssoldat.
milk¹ [milk] *sb.* mælk.
milk² [milk] *vb.* **1.** malke; **2.** (fig.) malke; tappe; **3.** (*uden objekt*) give mælk (*fx the cows are -ing well*);
□ ~ *a cow dry* malke en ko ren.
milk-and-water [milkən'wɔ:tə] *adj.* udvandet; tyndbenet.
milk chocolate *sb.* flødechokolade.
milk churn *sb.* mælkejunge.
milk float *sb.* mælkevogn.
milking parlour *sb.* malkestald.
milkmaid ['milkmeid] *sb.* (glds.) malkepige.
milkman ['milkmən] *sb.* (*pl. -men* [-mən]) mælkemand.
milk pudding *sb.* mælkegrød; risengrød.
milk round *sb.* **1.** mælkemandsrute; **2.** (fig.) [*rundtur af erhvervsfolk til universiteter for at finde kandidater*]; (omtr.) jobbørs.
milk run *sb.* **1.** rutinetur; **2.** (flyv.) rutineflyvning.
milkshake ['milkʃeik] *sb.* milkshake [*drik af mælk, is og frugtsaft*].
milk thistle *sb.* (bot.) marietidsel.
milk tooth *sb.* (*pl. milk teeth*) mælketand.
milk vetch *sb.* (bot.) astragel.
milkweed ['milkwi:d] *sb.* (am. bot.) silkeplante.
milkwort ['milkwə:t] *sb.* (bot.) mælkeurt.

milky ['milki] *adj.* **1.** mælket, mælkeagtig, mælkehvid; **2.** (*om drik*) med meget mælk (*fx coffee*).
Milky Way *sb.: the* ~ (astr.) Mælkevejen.
mill¹ [mil] *sb.* **1.** (*til korn etc.*) mølle; **2.** (*maskine, også hånd-*) kværn (*fx coffee* ~; *pepper* ~); **3.** (*til fabrikation, især i sms.*) fabrik (*fx textile* ~); -værk (*fx steel* ~); -mølle (*fx sawmill*); (se også *cotton mill, paper mill, spinning mill*); **4.** T motor; **5.** (am., fig.) fabrik (*fx the school is a diploma* ~);
□ *he has been through the* ~ han har haft en hård tid; han er gået noget igennem; *put sby through the* ~ sætte en på en hård prøve; lade en få kærligheden at føle; (se også *grist*).
mill² [mil] *vb.* **1.** (*korn etc.*) male; **2.** (*metal*) fræse; **3.** (*tøj*) valke;
□ ~ *about/around* T mase rundt; male rundt; myldre rundt.
millboard ['milbɔ:d] *sb.* tykt pap [*til bogbind*].
mill dam *sb.* mølledæmning.
milled [mild] *adj.* (*om mønt*) riflet;
□ *freshly* ~ nymalet (*fx pepper*).
millennium [mi'leniəm] *sb.* (*pl. -s/-nia* [-niə]) **1.** årtusinde; **2.** tusindårsfest;
□ *the* ~ tusindårsriget.
millepede ['milipi:d] *sb.* (zo.) tusindben.
miller ['milə] *sb.* møller.
miller's thumb *sb.* (zo.) ferskvandsulk.
millet ['milit] *sb.* (bot.) hirse.
millet grass *sb.* (bot.) miliegræs.
milligram, milligramme ['miligræm] *sb.* milligram.
millilitre ['mililli:tə] *sb.* milliliter.
millimetre ['milimi:tə] *sb.* millimeter.
milliner ['milinə] *sb.* modist [*som fremstiller damehatte*].
millinery ['milin(ə)ri] *sb.* **1.** damehatte; **2.** hattefremstilling.
milling machine *sb.* fræsemaskine, fræser.
million ['miljən] *talord* million.
millionaire [miljə'nɛə] *sb.* millionær.
millionairess [miljə'nɛərəs] *sb.* millionøse.
millionth¹ ['miljənθ] *sb.* milliontedel.
millionth² ['miljənθ] *adj.* millionte.
millipede ['milipi:d] *sb.* (zo.) tusindben.
millisecond ['milisekənd] *sb.* millisekund.
millpond ['milpɔnd] *sb.* mølledam;
□ *the sea was calm as a* ~ havet

var blankt som et spejl.

millrace ['milreis] *sb.* møllerende.

millstone ['milstəun] *sb.* møllesten;
□ *it became a ~ (a)round his neck*
det blev en møllesten om hans
hals, det blev en byrde for ham.

millwright ['milrait] *sb.* **1.** mølle-
bygger; **2.** (*am.*) montør.

milometer *sb.* = *mileometer.*

milquetoast ['milktoust] *sb.* (*am.*)
skvat.

milt [milt] *sb.* (*zo.*: *hos hanfisk*)
mælke.

mime[1] [maim] *sb.* (*teat.*) **1.** (*skue-
spiller*) mimiker; **2.** (*teknik*)
mime; **3.** (*skuespil*) mime.

mime[2] [maim] *vb.* mime.

mime artist *sb.* mimiker.

mimetic [mi'metik] *adj.* mimetisk,
efterlignende.

mimic[1] ['mimik] *sb.* imitator; paro-
dist.

mimic[2] ['mimik] *vb.* (*mimicked,
mimicked*) efterligne; efterabe; pa-
rodiere.

mimicry ['mimikri] *sb.* **1.** efterlig-
ning; parodiering; **2.** (*biol.*) be-
skyttelseslighed.

min. *fork. f.* **1.** *minimum;* **2.** *min-
ute//minutes.*

minaret ['minəret] *sb.* minaret.

minatory ['minət(ə)ri] *adj.* truende.

mince[1] [mins] *sb.* **1.** hakket
(okse)kød; **2.** (*om ret omtr.*) mil-
lionbøf.

mince[2] [mins] *vb.* (se også *mincing*)
1. (*kød*) hakke; **2.** (*om måde at gå
på*) trippe;
□ *not ~ (one's) words* tale lige ud
af posen; sige sin mening rent ud;
tage bladet fra munden; ikke
lægge fingrene imellem.

minced meat *sb.* hakket (okse)kød.

mincemeat ['minsmi:t] *sb.*
1. [*blanding af finthakkede
rosiner, korender, æbler etc. ser-
veret i postej*]; **2.** = *minced meat;*
□ *make ~ of sby* **a.** (*banke*) hakke
en til en plukfisk; **b.** (*besejre*) gøre
kål på en, jorde en.

mince pie *sb.* [*lille tærte med
mincemeat*].

mincer ['minsə] *sb.* kødhakkema-
skine, kødmaskine.

mincing ['minsiŋ] *adj.* **1.** (*om måde
at tale på*) affekteret, krukket,
skabagtig; **2.** (*om måde at gå på*)
trippende; skabagtig.

mind[1] [maind] *sb.* **1.** (*om måde at
tænke på*) sind (*fx a child's ~; an
open ~*); indstilling, tankegang (*fx
a dirty//liberal//sick//sound//sus-
picious ~*); (se også *enquiring*);
2. (*om evnen til at tænke*) for-
stand (*fx have a good ~; lose
one's ~*); ånd (*fx broaden//culti-

vate//develop one's ~); **3.** (*om det
man tænker*) tanker (*fx it is al-
ways present to my ~; read sby's
~; the thought of it filled her ~*);
mening (*fx let me know your ~
tomorrow*); **4.** (*mods. legeme*) sjæl
(*fx sound in ~ and body*); (*psyk.*)
psyke; (*filos.: mods. materie, stof*)
ånd (*fx ~ and matter*); **5.** (*om per-
son*) ånd (*fx he was one of the
greatest -s of the time*);
□ *in one's -'s eye* for sit indre blik;
i tankerne; *two -s with but a sin-
gle thought* to sjæle én tanke; (se
også ndf.: *in two -s*);
[*med adj.; se også ovf.: 1*] *have a
closed ~ about* have en forudfat-
tet mening om; ikke være åben for
andre muligheder med hensyn til;
have a good ~ to have stor lyst til
(at); (se også: *2*); *I have half a ~ to
do it* jeg kunne godt/kunne næ-
sten have lyst til at gøre det; *have
an open ~ about* se fordomsfrit
på; ikke have nogen forudfattet
mening om; *keep an open ~* ikke
lægge sig fast på en bestemt an-
skuelse; vente med at beslutte sig;
*nobody in his//her right ~ would
do that* ingen der er ved sine
fulde fem/der har sin forstand i
behold ville gøre det;
[*med vb.; se også ovf.: 2, 3*] *bend
one's ~ to = give one's ~ to; it
blows one's ~* det er helt fanta-
stisk; *cast one's ~ back to* lade
tankerne gå tilbage til; prøve på at
huske; *change one's ~* komme på
andre tanker, ombestemme sig,
skifte mening; *change sby's ~* få
en til at ombestemme sig/skifte
mening; *clear one's ~ of sth* få
noget ud af sine tanker; *it crossed
my ~* det strejfede mig; det faldt
mig ind; *give one's ~ to sth* kon-
centrere sig om noget; *have a ~
to* have lyst til at; *have a good//
half a ~ to* se: ovf.; *keep one's ~
on* koncentrere sin opmærksom-
hed om; *know one's ~* vide hvad
man vil; *make up one's ~* be-
slutte sig (*to* til at); træffe en be-
slutning; *open sby's ~ to* lukke
ens øjne op for; *put one's ~ to* se
ndf.: *set one's ~ to; set one's ~ on*
være fast besluttet på; *set one's ~
to it* koncentrere sig om det; gå til
den; *speak one's ~* sige sin me-
ning; *take sby's ~ off* it bortlede
ens opmærksomhed fra det; få en
til at glemme det; *turn one's ~ to*
vende sine tanker mod;
[*med præp.*] *it's all/only in your
~* det er kun noget du forestiller
dig/bilder dig ind; *in one's right
~* se: ovf.; *be in two -s* være i syv

sind; ikke kunne beslutte sig; ikke
være enig med sig selv (*about
om*); *bear in ~* huske på; *have in
~* tænke på; have i tankerne; *have
it in ~ to* have i sinde at; påtænke
at; *keep in ~* huske på; *it stuck in
my ~* det satte sig fast i hovedet
på mig; (se også *clear*[1]); *put sby in
~ of* minde en om;
come into one's ~ falde en ind;
give sby a piece/bit of one's ~
sige én sin mening (rent ud), give
én en besked; sige én et par bor-
gerlige ord, skælde én huden fuld;
(se også *absence, back*[1], *peace,
presence, turn*[1]); *be of the same ~*
være af samme mening; (se også
unsound); *be of a ~ to* have lyst
til at; være tilbøjelig til at; *be of
one ~ with sby* dele ens anskuel-
ser;
it was a load/weight off my ~ der
faldt en sten fra mit hjerte;
have sth on one's ~ **a.** være be-
kymret over noget; **b.** have noget
på hjerte; *is there something on
your ~?* er der noget der plager/
tynger dig?;
pass out of ~ blive glemt; *time
out of ~* i umindelige tider; (se
også *sight*[1]); *be out of one's ~*
være fra forstanden; *be bored out
of one's ~* være ved at kede sig
ihjel; *put sth out of one's ~* slå
noget af hovedet; *be out of one's
~ with* være ude af sig selv af (*fx
worry*);
to my ~ efter min mening, efter
min opfattelse; *bring/call to ~*
a. erindre; **b.** minde om; *come/
spring to ~* falde en ind.

mind[2] [maind] *vb.* **1.** have noget
imod (*fx do you ~ my smoking a
cigar? if nobody -s I'll do it*); (se
også ndf.: *I don't ~*); **2.** (*i opfor-
dring*) bryde sig om (*fx you must
not ~ the mess everywhere*); (*især
imp.*) lægge mærke til, passe på
(*fx ~ what I say!*); (se også ndf.: *I
imp.*); **3.** (*i advarsel: især imp.*)
tage sig i agt for, passe på (*fx ~
the step! ~ what you say!*); (se
også *business, language, manner,
tongue*[1]); **4.** (*barn, butik etc.*)
passe (*fx a baby; a machine*); (så
der ikke sker noget) holde øje
med, 'se efter (*fx the luggage*);
5. (*am.*) adlyde (*fx a dog must
learn to ~*); **6.** (*skotsk*) huske (*fx I
~ the time when he visited us*);
□ *~ one's p's and q's* optræde for-
sigtigt og korrekt; passe godt på
hvad man siger og gør;
[*i imp./bydemåde, se også 2, 3*]
~! T husk det nu! glem det nu
ikke! (*fx be early to bed tonight,*

~!); ~ *and come in good time!* sørg for at komme i god tid! ***don't*** ~ ... (+ *objekt*) tag dig ikke af ..., bryd dig ikke om ... (*fx the rain; don't* ~ *him, he is always complaining*); *don't* ~ *me* lad dig//jer ikke forstyrre af mig; ~ *how you go!* T pas godt på dig selv! ***never*** ~! **a.** (*opfordring, trøst*) det er lige meget! det gør ikke noget! skidt med det! **b.** (*om yderligere begrænsning*) endsige, for slet ikke at tale om, endnu mindre (*fx he can't even walk, never* ~ *run*); *never* ~ *him!* bryd dig ikke om ham! *never you* ~! det skal du ikke bryde dig om! det kommer ikke dig ved! ~ ***you!*** vel at mærke; ganske vist (*fx it took a long time,* ~ *you*); ~ *you* ... pas nu på at du ... (*fx* ~ *you don't burn the meat!*); glem nu ikke at ... (*fx* ~ *you lock the door!*); ~ *you don't forget!* glem det nu ikke!

[*med præp.& adv.*] ~ *about* bekymre sig om, bryde sig om (*fx don't* ~ *about their gossip*); *never* ~ *about putting on your gloves* du behøver ikke tage handskerne på; ~ *out!* **a.** pas på! **b.** (*til en der står i vejen*) flyt dig! af banen! [*med vb.*] *do* you ~ **a.** (+ *sætn.* el. *-ing*) mine, grube, bjergværk; at); **b.** (*glds.*) tillader De? må jeg have lov? *I **don't*** ~ **a.** jeg er ligeglad; (*høfligt svar på tilbud*) det er mig det samme; **b.** (+ *sætn.*) det er mig det samme, jeg er ligeglad med (*fx what you do; where we go*); *I don't* ~ *a few pounds more or less* jeg tager det ikke så nøje med et par pund mere eller mindre; *I don't* ~ *if I do* (*glds.*) ja hvorfor ikke; ja lad gå; tak som byder; *I don't* ~ *telling you* ... jeg kan godt fortælle/sige dig at ...; *if you don't* ~ hvis du ikke har noget imod det; hvis det er i orden; (se også: *don't* ~ ..., ovf.); ***would*** *you* ~ se ovf.: *do you* ~, *a; I **wouldn't*** ~ (+ *objekt*) jeg kunne godt tænke mig, jeg ville ikke have noget imod (*fx a glass of beer; going to the USA*).
mind-bending ['main(d)bendiŋ] *adj.* T **1.** (*om stof*) bevidsthedsudvidende; **2.** se *mind-boggling*.
mind-blowing ['main(d)bləuiŋ] *adj.* T **1.** (*om stof*) hallucinationsfremkaldende; **2.** se *mind-boggling*.
mind-boggling ['main(d)bɔgliŋ] *adj.* helt utrolig, overvældende, ufattelig, fantastisk; svimlende (*fx sum*).
minded ['mainded] *adj.* (*i sms.*)

indstillet, tænkende (*fx liberal-minded; serious-minded*); af karakter (*fx strong-minded*); -sindet (*fx German-minded*); -interesseret (*fx air-minded* flyveinteresseret); (se også *broad-minded*); □ *if you are so* ~ hvis du har lyst til det; ~ *to* til sinds at; indstillet på at.
minder ['maində] *sb.* **1.** bodyguard; **2.** rådgiver, „støttepædagog"; **3.** (*i sms.*) -passer (*fx baby-minder*); (se også *childminder*).
mind-expanding ['maindikspændiŋ] *adj.* bevidsthedsudvidende.
mindful ['main(d)f(u)l] *adj.*: ~ *of* **a.** opmærksom på; **b.** optaget af (*fx one's duties*); *be* ~ *of* (*også*) tænke på.
mindless ['main(d)ləs] *adj.* **1.** meningsløs (*fx violence*); bevidstløs (*fx adherence to old traditions*); **2.** (*om arbejde*) triviel, åndsfortærende; **3.** (*om person*) tanketom; □ *be* ~ *of* ikke ænse, ikke tænke på; være ligeglad med (*fx danger*).
mind-numbing ['main(d)nʌmiŋ] *adj.* åndsfortærende; bedøvende.
mind reader *sb.* tankelæser.
mindset ['main(d)set] *sb.* tankegang, tænkemåde; mentalitet.
mine[1] [main] *sb.* **1.** (*til brydning af kul etc.*) mine, grube, bjergværk; **2.** (*mar., mil.*) mine; □ *the book is a* ~ *of information* bogen er en guldgrube; *he is a* ~ *of information about* han er en værdifuld kilde til oplysninger om.
mine[2] [main] *pron.* min//mit// mine; (se også *cousin, friend*).
mine[3] [main] *vb.* **1.** grave i (*fx the earth*); **2.** (*kul etc.*) bryde, udvinde; **3.** (*fig.*) udnytte; **4.** (*mar., mil.*) minere; □ *be -d* **a.** (*om passage, område, farvand*) være//blive mineret; være//blive spærret med miner; **b.** (*om skib*) være//blive minesprængt; ~ *for* grave efter (*fx coal*).
mine detector *sb.* minesøger.
minefield ['mainfi:ld] *sb.* (*også fig.*) minefelt.
minelayer ['mainleiə] *sb.* mine(ud)lægger.
miner ['mainə] *sb.* **1.** minearbejder; **2.** (*glds. mil.*) minør.
mineral[1] ['min(ə)rəl] *sb.* mineral.
mineral[2] ['min(ə)rəl] *adj.* mineralsk; mineral-.
mineral kingdom *sb.*: *the* ~ mineralriget.
mineralogical [min(ə)rə'lɔdʒik(ə)l] *adj.* mineralogisk.

mineralogist [minə'rælədʒist] *sb.* mineralog.
mineralogy [minə'rælədʒi] *sb.* mineralogi.
mineral oil *sb.* mineralsk olie.
mineral water *sb.* mineralvand; kildevand.
minesweeper ['mainswi:pə] *sb.* minestryger.
minge [min(d)ʒ] *sb.* (*vulg.*) kusse.
mingle ['miŋgl] *vb.* **1.** blande sig (*with* med); **2.** (*med objekt*) blande.
mingy ['mindʒi] *adj.* T **1.** nærig (*with* med); **2.** (*om størrelse*) snoldet, luset (*fx portion; room*).
mini ['mini] *sb.* T = miniskirt.
miniature[1] ['minətʃə, 'miniətʃə] *sb.* **1.** miniature, miniaturebillede, miniatureportræt; **2.** miniaturemodel; **3.** (*flaske*) miniflaske; □ *in* ~ i miniatureformat, i lille format; en miniature.
miniature[2] ['minətʃə, 'miniətʃə] *adj.* miniature-.
miniature golf *sb.* (*am.*) minigolf.
miniaturization [minitʃərai'zeiʃn] *sb.* formindskning.
miniaturized ['minitʃəraizd] *adj.* formindsket; fremstillet i lille format.
minibus ['minibʌs] *sb.* minibus.
minicab ['minikæb] *sb.* minitaxi [*lille og billig taxi*].
minicomputer ['minikəmpju:te] *sb.* minicomputer.
minim ['minim] *sb.* **1.** (*mus.*) halvnode; **2.** (*af væske*) dråbe; **3.** (*i bogstav*) nedstreg.
minimal ['minim(ə)l] *adj.* minimal.
minimalism ['minim(ə)lizm] *sb.* minimalisme.
minimalist[1] ['minim(ə)list] *sb.* minimalist.
minimalist[2] ['minim(ə)list] *adj.* minimalistisk.
minimize ['minimaiz] *vb.* **1.** (*noget negativt*) minimere, bringe ned til det mindst mulige, begrænse til et minimum (*fx the cost; the risk*); **2.** (*i beskrivelse: især urimeligt*) bagatellisere (*fx the importance of sth; their sufferings*); undervurdere; nedtone.
minimum[1] ['miniməm] *sb.* (*pl. -s/ minima* ['minimə]) minimum; □ *keep it to a* ~ holde det på et minimum; *reduce it to a* ~ nedsætte det til et minimum/til det mindst mulige.
minimum[2] ['miniməm] *adj.* minimums- (*fx thermometer*); minimal- (*fx rate* sats; *wage* løn); mindste-; □ *with the* ~ *amount of effort* med mindst mulig/et minimum af an-

strengelse.

minimum[3] ['minimǝm] *adv.* minimum, minimalt (*fx a week* ~ minimum/minimalt en uge).

mining[1] ['mainiŋ] *sb.* **1.** minedrift; **2.** (*mar.*, *mil.*) mineudlægning; minering.

mining[2] ['mainiŋ] *adj.* mine- (*fx engineer*; *industry*).

minion ['minjǝn] *sb.* **1.** tjener, tjenende ånd; **2.** (*neds.*) håndlanger; underordnet; **3.** yndling; favorit; □ *the -s of the law* lovens håndhævere.

miniskirt ['miniskǝ:t] *sb.* lårkort nederdel, miniskørt.

minister[1] ['ministǝ] *sb.* **1.** (*i regering; diplomat*) minister; **2.** (*rel.*) præst [*især for en frikirke el. i Skotland; am.: protestantisk*]; **3.** (*glds.*) tjener, hjælper; redskab (*of* for).

minister[2] ['ministǝ] *vb.:* ~ *to* **a.** hjælpe, sørge for, pleje (*fx the sick*); **b.** (*om præst*) være præst for, betjene.

ministerial [mini'stiǝriǝl] *adj.* **1.** minister-; ministeriel; **2.** præste-; præstelig.

ministering angel [mi-nistǝriŋ'eindʒ(ǝ)l] *sb.* (*spøg.*) hjælpende engel.

ministrations [mini'streiʃnz] *sb. pl.* **1.** (*litt.*, *spøg.*) tjeneste; hjælp; pleje; **2.** (*rel.*) kirkelige forretninger//handlinger.

ministry ['ministri] *sb.* **1.** ministerium; **2.** (*premierministers*) ministertid; **3.** (*rel.*) præsteembede; præstegerning; □ *enter the* ~ blive præst.

miniver ['minivǝ] *sb.* hermelin.

mink [miŋk] *sb.* (*zo. & pelsværk*) mink.

minke whale ['miŋkiweil, -kǝ-] *sb.* (*zo.*) vågehval.

Minn. *fork. f. Minnesota.*

Minnesota [mini'sǝutǝ].

minnow ['minǝu] *sb.* (*zo.*) elritse [*lille ferskvandsfisk*]; □ *-s* (*fig.*) småfisk.

minor[1] ['mainǝ] *sb.* **1.** mol (*fx A* ~ a-mol); **2.** (*am.*) bifag; **3.** (*jur.*) mindreårig; umyndig; □ *Brown* ~ (*glds.*, *i skolesprog*) den yngste af brødrene Brown; *in a* ~ *key* i mol.

minor[2] ['mainǝ] *adj.* **1.** mindre (*fx poet; operation*); mindre betydningsfuld; mindre væsentlig, underordnet; **2.** (*mus.*) mol-.

minority [m(a)i'nɔrǝti] *sb.* **1.** minoritet; mindretal; **2.** (*jur.*) mindreårighed; umyndighed; □ *be in the* ~ være i mindretal; *be in a* ~ *of one* stå helt alene med

sit synspunkt.

minority report *sb.* mindretalsbetænkning.

minor prophets *sb. pl.* (*i Biblen*) små profeter.

minor suit *sb.* (*i bridge*) minorfarve; lav farve [*ruder el. klør*].

minster ['minstǝ] *sb.* klosterkirke, domkirke [*især i Nordengl.*].

minstrel ['minstr(ǝ)l] *sb.* (*hist.*) trubadur; sanger.

mint[1] [mint] *sb.* **1.** mønt [ɔ: *hvor mønter præges*]; **2.** T formue (*fx it cost me a* ~; *make* (tjene) *a* ~); **3.** (*bot.*) mynte; **4.** (*smag, tablet*) pebermynte.

mint[2] [mint] *adj.:* *in* ~ *condition* ubrugt og fejlfri; i fineste stand; ~ *copy* frisk/uberørt eksemplar.

mint[3] [mint] *vb.* **1.** (*mønt*) præge; **2.** (*fig.: ord, udtryk*) finde på, lave, danne, skabe.

minted ['mintid] *adj.* med mynte (*fx* ~ *potatoes*); □ *freshly/newly* ~ splinterny.

mint julep *sb.* [*cocktail med whisky, sukker, mynte og is*].

mint sauce *sb.* myntesovs [*krusemynteblade i en marinade af eddike og sukker*].

minty ['minti] *adj.* **1.** mynteagtig; som smager af mynte; **2.** T lækker; fed.

minuet [minju'et] *sb.* menuet.

minus[1] ['mainǝs] *sb.* **1.** minustegn; **2.** (T: *ulempe*) minus (*fx there are pluses and -es*).

minus[2] ['mainǝs] *adj.* negativ (*fx quantity* størrelse).

minus[3] ['mainǝs] *præp.* **1.** minus (*fx 8* ~ *2 is 6*); **2.** T uden (*fx he came* ~ *his hat*).

minuscule[1] ['minǝskju:l] *sb.* minuskel, lille bogstav.

minuscule[2] ['minǝskju:l] *adj.* ganske lille, diminutiv.

minute[1] ['minit] *sb.* **1.** minut; **2.** T øjeblik (*fx wait a* ~; *at that* ~); **3.** (F: *meddelelse*) notat, memorandum; □ *-s* (*ved møde*) referat (*fx take the -s*); forhandlingsprotokol; [*med art., pron.*] *I won't be a* ~ jeg kommer straks; jeg er straks færdig; *half/just a* ~ et lille øjeblik; *any* ~ hvert øjeblik, når som helst; *I knew him the* ~ *I saw him* jeg kendte ham i samme øjeblik/straks jeg så ham; *at the* ~ T for øjeblikket; *at the last* ~ i sidste øjeblik/sekund; *to the* ~ præcis; på minuttet; *this* ~ straks; øjeblikkelig.

minute[2] [mai'nju:t] *adj.* **1.** ganske lille, ubetydelig (*fx difference*); **2.** nøjagtig, minutiøs (*fx descrip-*

tion; *investigation*).

minute[3] ['minit] *vb.* protokollere; referere.

minute hand *sb.* minutviser; den store viser.

minutely [mai'nju:tli] *adv.* meget nøje; minutiøst.

minutiae [mai'nju:ʃii:] *sb. pl.* bitte små ting; ubetydelige detaljer; (de) mindste detaljer.

minx [miŋks] *sb.* (*glds.*, *spøg*) næbbet/fræk tøs.

mips *fork. f.* (*it*) *million instructions per second.*

miracle ['mirǝkl] *sb.* mirakel, under; □ *a* ~ *of* (*litt.*) et vidunder af; *work -s* **a.** gøre mirakler; **b.** (*fig.*) udrette mirakler (*fx he has worked -s with that old house*); gøre underv22rker (*fx the cure has worked -s for me*).

miraculous [mi'rækjulǝs] *adj.* mirakuløs.

mirage ['mira:ʒ, (*am.*) mi'ra:ʒ] *sb.* **1.** (*fx i ørken*) luftspejling, fata morgana; **2.** (*fig.*) blændværk, illusion, indbildning.

Miranda [mi'rændǝ]: ~ *rights* (*am.*) en sigtets rettigheder [ɔ: *til at nægte at udtale sig og til at få en advokat*]; ~ *warning* [*besked til en sigtet om hans/hendes rettigheder*].

mire ['maiǝ] *sb.* (*litt.*) **1.** (*sted*) sump, mose; **2.** (*jord*) søle, dynd, mudder; skarn; **3.** (*fig.*) sump (*fx of poverty and ignorance*); □ *be in the* ~ (*fig.*) være i vanskeligheder/i klemme; (se også *name*[1]).

mired ['maiǝd] *adj.:* *be* ~ (*down*) (*også fig.*) være kørt fast, sidde fast (*in* i).

mirror[1] ['mirǝ] *sb.* **1.** spejl; **2.** (*fig.*) spejlbillede; afspejling.

mirror[2] ['mirǝ] *vb.* **1.** spejle (*fx the clear water -ed the sky*); **2.** (*fig.*) afspejle.

mirror carp *sb.* (*zo.*) spejlkarpe.

mirror finish *sb.* højglanspolering.

mirror image *sb.* **1.** spejlbillede; **2.** (*fig.*) tro kopi.

mirror writing *sb.* spejlskrift.

mirth [mǝ:θ] *sb.* (*litt.*) munterhed, morskab; latter.

mirthless ['mǝ:θlǝs] *adj.* glædesløs, trist.

MIRV [mǝ:v] *fork. f. multiple independently targetable re-entry vehicle* [*raket med flere ladninger der kan styres mod hver sit mål*].

miry ['maiǝri] *adj.* dyndet, mudret.

misadventure [misǝd'ventʃǝ] *sb.* uheld; ulykkestilfælde; □ *death by* ~ (*jur.*) [*dødsfald som*

skyldes et ulykkestilfælde].
misalignment [misə'lainmənt] sb.
1. skævhed, skæv stilling; **2.** (om
bil) forkert sporing.
misalliance [misə'laiəns] sb. mesal-
liance [ulige ægteskabelig forbin-
delse].
misanthrope ['miz(ə)nθrəup] sb.
misantrop, menneskehader.
misanthropic [miz(ə)n'θrəpik] adj.
misantropisk, menneskefjendsk.
misanthropy [miz'ænθrəpi] sb.
misantropi, menneskehad.
misapplication [misæpli'keiʃn] sb.
misbrug; urigtig anvendelse.
misapply [misə'plai] vb. anvende
forkert; misbruge.
misapprehend [misæpri'hend] vb.
misforstå.
misapprehension [misæpri'henʃn]
sb. misforståelse.
misappropriate [misə'prəuprieit]
vb. tilegne/tilvende sig uretmæs-
sigt; misbruge.
misappropriation ['misəprəupri-
'eiʃn] sb. uretmæssig tilegnelse;
underslæb.
misbecome [misbi'kʌm] vb. mis-
klæde; ikke passe (sig) for.
misbegotten ['misbigɔt(ə)n] adj.
1. dårligt udtænkt//konstrueret;
misfoster af en (fx his ~ novel//
plan); **2.** T elendig (fx you ~
fool!);
□ his ~ father hans far, det elen-
dige skrog.
misbehave [misbi'heiv] vb. **1.** op-
føre sig dårligt/forkert; optræde
upassende (om barn også) være
uartig; **2.** (om apparat etc.) gøre
knuder.
misbehaviour [misbi'heivjə] sb.
upassende optræden; dårlig op-
førsel; uartighed.
miscalculate [mis'kælkjuleit] vb.
1. beregne forkert, fejlberegne (fx
the distance); **2.** (situation etc.)
fejlbedømme, fejlvurdere (fx their
determination); **3.** (uden objekt)
forregne sig.
miscalculation [miskælkju'leiʃn]
sb. (jf. miscalculate) **1.** fejlregning;
regnefejl; **2.** fejlbedømmelse, fejl-
vurdering.
miscarriage [mis'kæridʒ] sb.
(med.) (spontan) abort;
□ have a ~ abortere.
miscarriage of justice sb. (jur.) ju-
stitsmord.
miscarry [mis'kæri] vb. **1.** (med.)
abortere; **2.** (F: om plan) slå fejl,
mislykkes; strande.
miscast [mis'ka:st] adj.: be ~ (om
skuespiller) blive//være fejlplace-
ret [ɔ: få en rolle man ikke egner
sig til]; the play is ~ rollebesæt-

ningen er forkert.
miscegenation [misidʒə'neiʃn] sb.
raceblanding.
miscellanea [misə'leiniə] sb. pl.
blandede skrifter.
miscellaneous [misə'leiniəs] adj.
blandet; diverse.
miscellany [mi'seləni] sb. blan-
ding; samling [af blandet ind-
hold].
mischance [mis'tʃa:ns] sb. F uheld;
ulykke.
mischief ['mistʃif] sb. **1.** gale stre-
ger, skarnsstreger, spilopper;
2. (egenskab) drillelyst, skælmeri
(fx her eyes were full of ~); **3.** F
fortræd; skade; **4.** (glds. om barn)
skarnsunge;
□ be up to ~ **a.** lave gale streger;
b. (alvorligere) lave ballade; lave
hærværk;
[med vb.] do ~ gøre/volde skade;
the ~ has been done skaden er
sket; you'll do yourself a ~ (spøg.)
det kommer til at gå ud over dig
selv; **get into** ~ komme på gale
veje; **keep out of** ~ holde sig i
skindet; keep sby out of ~ forhin-
dre en i at lave gale streger; **make**
~ (glds.) stifte ufred (between
mellem); **mean** ~ **a.** have ondt i
sinde; **b.** varsle ilde; **suspect** ~
ane uråd; (se også brew²).
mischief-maker ['mistʃifmeikə] sb.
urostifter.
mischievous ['mistʃivəs] adj. (jf.
mischief) **1.** gavtyveagtig; fuld af
spilopper; **2.** drilagtig, drillesyg,
drilsk; skælmsk; **3.** skadelig; ond-
sindet (fx rumour).
misconceived [miskən'si:vd] adj.
1. misforstået; **2.** dårligt udtænkt
(fx plan).
misconception [miskən'sepʃn] sb.
misforståelse; fejlagtig opfattelse.
misconduct¹ [mis'kɔndʌkt] sb. F
1. (i embede, stilling) embedsmis-
brug; misbrug af sin stilling; tjene-
steforseelse; (bedragerisk) urede-
lig embedsførelse, uregelmæssig-
heder; **2.** (i ægteskab) utroskab,
ægteskabsbrud;
□ commit sexual ~ with stå i for-
hold til.
misconduct² [miskən'dʌkt] vb. ad-
ministrere dårligt;
□ ~ oneself **a.** optræde utilbørligt;
b. begå ægteskabsbrud.
misconstruction [miskən'strʌkʃn]
sb. fejlfortolkning, fejltydning;
misforståelse;
□ it is open to ~ det kan give an-
ledning til fejfortolkning/misfor-
ståelse.
misconstrue [miskən'stru:] vb. fejl-
fortolke, fejltyde; misforstå.

miscount¹ ['miskaunt] sb. fejltæl-
ling; fejlregning.
miscount² [mis'kaunt] vb. tælle
forkert; regne fejl.
miscreant ['miskriənt] sb. F mis-
dæder; skurk.
miscue¹ [mis'kju:] sb. (i billard)
fejlstød, skævt stød; kikser.
miscue² [mis'kju:] vb. (i billard)
støde fejl; kikse.
misdeal¹ [mis'di:l, 'misdi:l] sb. (i
kortspil) fejlgivning.
misdeal² [mis'di:l] vb. (i kortspil)
give forkert.
misdeed [mis'di:d, 'misdi:d] sb. F
misgerning, ugerning, udåd.
misdemeanour [misdi'mi:nə] sb.
1. forseelse; **2.** (am. jur.) forseelse,
lovovertrædelse [mindre alvorlig
end felony].
misdirect [misdi'rekt] vb. F
1. (evner, resourcer) anvende for-
kert; misbruge (fx one's abilities);
2. (person) vise//sende den for-
kerte vej, fejldirigere; vildlede;
3. (jur.: nævninger) give fejlagtig
retsbelæring; **4.** (slag) give en for-
kert retning.
misdirection [misdi'rekʃn] sb. (jf.
misdirect) **1.** forkert anvendelse;
misbrug; **2.** fejldirigering; vildled-
ning; **3.** fejlagtig retsbelæring.
mise-en-scène [mi:za:n'sein, fr.] sb.
1. iscenesættelse; opsætning;
2. (fig.) skueplads; omgivelser.
misentry [mis'entri] sb. fejlposte-
ring.
miser ['maizə] sb. gnier.
miserable ['miz(ə)rəbl] adj. **1.** elen-
dig (fx weather); ynkelig, sørgelig,
kummerlig (fx in a ~ condition);
2. (om person) ulykkelig; (fysisk)
elendig (fx you look ~); (humør-
mæssigt) sur (fx a ~ old man);
3. (om kvalitet) elendig (fx dinner,
performance); jammerlig, ussel;
4. (om mængde) sølle (fx a ~
£50);
□ make sby's ~ se misery (make
sby's life a misery).
miserly ['maizəli] adj. gnieragtig,
nærig, gerrig.
misery ['miz(ə)ri] sb. **1.** elendig-
hed; lidelse (fx human ~);
ulykke; **2.** (følelse) sorg, fortvi-
velse; **3.** (om person) surt spekta-
kel;
□ make sby's life a ~ gøre ens liv
til en lidelse; (svagere) gøre livet
surt for en; put him out of his
misery gøre en ende på hans li-
delser [ɔ: dræbe ham; T: fortælle
ham det så han ikke behøver
vente spændt længere]; (om dyr
også) aflive det.
misfire [mis'faiə] vb. **1.** mislykkes,

M misfit

gå galt, slå fejl (*fx the attempt -d*);
falde til jorden (*fx the joke -d*);
2. (*om skydevåben*) klikke; ikke
gå af; **3.** (*om motor*) sætte ud; ikke
starte.

misfit ['misfit] *sb.* outsider; mislykket individ; udskud;
□ *I felt a ~* (*også*) jeg følte mig
udenfor.

misfortune [mis'fɔːtʃn, -tʃuːn] *sb.*
ulykke; uheld.

misgiving [mis'giviŋ] *sb.* betænkelighed; bekymring;
□ *-s* (*også*) bange anelser.

misgovern [mis'gʌvən] *vb.* misregere; regere dårligt.

misgovernment [mis'gʌvənmənt]
sb. misregimente; dårlig regering.

misguided [mis'gaidid] *adj.* **1.** misforstået (*fx idealism; zeal* iver);
fejlagtig; **2.** (*om person*) vildledt.

mishandle [mis'hændl] *vb.* **1.** forkludre (*fx the situation*); lede dårligt (*fx negotiations*); **2.** (*ting*)
håndtere klodset; omgås uforsigtigt med (*fx classified information*).

mishap ['mishæp] *sb.* uheld.

mishear [mis'hiə] *vb.* **1.** høre fejl,
høre forkert; **2.** (*med objekt*) misforstå.

mishmash ['miʃmæʃ] *sb.* miskmask, sammensurium, rodsammen.

misinform [misin'fɔːm] *vb.* give
forkerte//vildledende oplysninger,
fejlinformere.

misinformation [misinfɔ:'meiʃn]
sb. forkerte//vildledende oplysninger, fejlinformation.

misinterpret [misin'tə:prit] *vb.* fejlfortolke; misforstå, opfatte forkert.

misinterpretation [misintə:pri-
'teiʃn] *sb.* fejltolkning; misforståelse.

misjudge [mis'dʒʌdʒ] *vb.* bedømme
forkert, fejlbedømme (*fx the distance; the situation*); tage fejl af
(*fx him*).

misjudgment [mis'dʒʌdʒmənt] *sb.*
fejlskøn; fejlbedømmelse.

mislay [mis'lei] *vb.* forlægge [ɔ:
ikke kunne finde].

mislead [mis'liːd] *vb.* **1.** vildlede;
2. (*moralsk*) forlede.

misleading [mis'liːdiŋ] *adj.* vildledende; misvisende.

misled [mis'led] *præt. & præt. ptc.
af mislead.*

mismanage [mis'mænidʒ] *vb.* lede
dårligt (*fx a firm*); forvalte dårligt
(*fx one's finances*); forkludre.

mismanagement [mis'mæ-
nidʒmənt] *sb.* dårlig ledelse; dårlig forvaltning, forkludring.

mismatch[1] ['mismætʃ] *sb.* misfor-

hold (*fx between supply and demand*); dårlig/uheldig kombination (*fx of different styles*).

mismatch[2] [mis'mætʃ] *vb.* sætte
forkert sammen; kombinere forkert;
□ *they were -ed* (*også*) de passede
ikke sammen.

misname [mis'neim] *vb.* benævne
fejlagtig; give et forkert navn.

misnomer [mis'nəumə] *sb.* forkert//
misvisende benævnelse.

misogynist [mi'sɔdʒənist] *sb.* kvindehader.

misogyny [mi'sɔdʒəni] *sb.* kvindehad.

misplace [mis'pleis] *vb.* forlægge
[ɔ: *ikke kunne finde*].

misplaced [mis'pleist] *adj.* **1.** forkert//uheldigt anbragt (*fx building*); forkert sat (*fx comma*);
2. (*om følelse etc.*) skænket til en
som ikke er den//det værdig (*fx admiration; confidence*); misforstået (*fx loyalty*).

misprint ['misprint] *sb.* trykfejl.

mispronounce [misprə'nauns] *vb.*
udtale forkert.

mispronunciation [misprənʌnsi-
'eiʃn] *sb.* forkert udtale.

misquotation [miskwəu'teiʃn] *sb.*
forkert citat, fejlcitat.

misquote [mis'kwəut] *vb.* citere
forkert, fejlcitere.

misread [mis'riːd] *vb.* **1.** læse forkert; **2.** misforstå, fejlfortolke, opfatte forkert (*fx the situation; his
intentions*).

misrepresent [misrepri'zent] *vb.*
fremstille forkert, give et forkert
billede af; forvanske, fordreje.

misrepresentation [misreprizen-
'teiʃn] *sb.* forkert fremstilling//billede; forvanskning, fordrejelse.

misrule [mis'ruːl] *sb.* misregimente, dårligt styre.

Miss [mis] *sb.* **1.** frøken; **2.** (*om
vinder af skønhedskonkurrence*)
Miss (*fx ~ UK*); **3.** (*glds., neds.*)
pigebarn (*fx a saucy miss*);
□ *~ Robinson* (*glds.*) [*den ældste
frøken Robinson*].

miss[1] [mis] *sb.* fejlskud, forbier;
fejlkast//fejlstød//fejlslag; kikser,
kiks;
□ *give it a ~* holde sig fra det; give
afkald på det, renoncere på det; *a
~ is as good as a mile* nærved og
næsten slår ingen mand af hesten;
nærved skyder ingen hare; (se også
near[1]).

miss[2] [mis] *vb.* (se også *missing*)
1. (*nogen/noget man ikke har*)
savne (*fx he -ed her very much;
he won't ~ the money*); **2.** (*mål*)
ikke træffe, ramme ved siden af,

skyde forbi (*fx the target; his
head; he fired twice, but -ed*); ikke
nå (*fx one's aim*); **3.** (*chance, forestilling etc.*) gå glip af (*fx a
chance; an opportunity; the beginning of the movie; a concert;
you won't ~ much*); (*undervisning etc. også*) forsømme (*fx a lesson*); **4.** (*bus, tog, fly*) komme for
sent til, ikke nå; **5.** (*noget sagt,
skrevet: ikke forstå*) gå glip af,
ikke opfatte (*fx the point of the
joke*); **6.** (*med sanserne*) overse,
ikke få øje på (*fx there is a detail
you have -ed*); ikke høre/opfatte/få 'med (*fx I -ed the last
words*); **7.** (*nogen/noget man skal
finde*) gå fejl af (*fx we -ed each
other at the station; the house is
impossible to ~*); **8.** (*noget man
burde tage med*) springe over,
udelade (*fx the pianist -ed a
couple of bars*);
□ *just ~ + -ing* være lige ved at (*f.
I just -ed hitting the other car; it
just -ed being a great film*); *a film
not to be -ed* en film som man
ikke bør snyde sig selv for; en
film som man 'må se; *an experience I would not have -ed* en oplevelse jeg ikke ville have undvæ-
ret; *he doesn't ~ much* der er ikke
meget der undgår hans opmærksomhed; *~ out a.* springe over,
udelade; *b.* (*uden objekt*) gå glip
af det//noget (*fx I'd hate to ~ out*)
~ out on gå glip af; (se også *beat*[1],
boat, *mark*[1] (*etc.*)).

Miss. *fork. f. Mississippi.*

missal ['mis(ə)l] *sb.* (*kat.*) missale,
messebog.

misshapen [mis'ʃeip(ə)n] *adj.* misdannet; vanskabt.

missile ['misail, (*am.*) 'mis(ə)l] *sb.*
1. missil, raket (*fx medium-range
-s*); **2.** (*som kastes med hånden*)
kastevåben;
□ *-s* (*også*) kasteskyts (*fx they
threw bottles and other -s at the
police*).

missing ['misiŋ] *adj.* **1.** forsvunden
manglende; **2.** fraværende; savnet
som savnes;
□ *be ~ a.* mangle (*from* i//på, *fx
there is a page ~ from the book;
there is a book -ing from the
shelf*); være forsvundet/væk;
b. (*med objekt*) mangle (*fx he was
-ing two front teeth*); *go ~* blive
væk, forsvinde; *~ in action* (*mil.*)
meldt savnet.

missing link *sb.: the ~ a.* den
manglende forbindelse, det manglende led [*i en årsagsrække*];
b. (*biol.*) [*det manglende mellemled mellem abe og menneske*].

missiology [misi'ɔlədʒi] *sb.* missionsteologi.
mission ['miʃn] *sb.* **1.** mission (*fx he was sent on a diplomatic ~ to China*); opgave; **2.** (*mil.*) togt, mission, opgave; **3.** (*persons: i livet*) kald (*fx he is a man with a ~*); mission; opgave (*fx his ~ in life hans livsopgave*); **4.** (*udsendinge*) delegation; (diplomatisk) mission (*fx military ~*); **5.** (*rel.*) missionsvirksomhed; (*bygning*) missionsstation;
□ *fly a ~* (*jf. 2*) gennemføre et togt/en opgave; *Missions to Seamen* sømandsmission.
missionary[1] ['miʃn(ə)ri] *sb.* (*rel.*) missionær.
missionary[2] ['miʃn(ə)ri] *adj.* (*rel.*) missions- (*fx college* skole; *work*); □ *~ zeal* hellig iver.
missionary position *sb.* missionærstilling.
mission control *sb.* (*ved rumflyvning*) kontrolstation [*på Jorden*].
missive ['misiv] *sb.* officiel skrivelse; brev.
misspell [mis'spel] *vb.* stave forkert.
misspelling [mis'speliŋ] *sb.* stavefejl.
misspend [mis'spend] *vb.* spilde, forspilde (*fx he regretted his misspent youth*); anvende dårligt.
misstate [mis'steit] *vb.* fremstille// opgive forkert.
misstatement [mis'steitmənt] *sb.* forkert fremstilling//oplysning.
misstep [mis'step] *sb.* (*am.*) fejl.
missus ['misis] *sb.* T **1.** kone (*fx my ~*); **2.** (*i tiltale*) frue//frøken (*fx thanks, ~*);
□ *the ~* **a.** konen; **b.** fruen [*i huset*].
mist[1] [mist] *sb.* let tåge; dis;
□ *it has been lost in the -s of time* det fortaber sig i historiens mørke; *a ~ of tears* et slør af tårer.
mist[2] [mist] *vb.* **1.** (*om rude, spejl*) dugge; **2.** (*om øjne*) blive sløret, blive blanke;
□ *~ over//up* (*jf. 1*) dugge til.
mistake[1] [mis'teik] *sb.* **1.** fejl; fejltagelse; **2.** forveksling;
□ *by ~* ved en fejltagelse; *make a ~* **a.** gøre/lave en fejl; begå en fejl/fejltagelse; **b.** (*jf. 2*) tage fejl; *and no ~* **a.** det er ikke til at tage fejl af; det kan der ikke være tvivl om; **b.** T så det kan batte noget; *make no ~!* T tag ikke fejl af det!
mistake[2] [mis'teik] *vb.* (*mistook, mistaken*) **1.** tage fejl af; misforstå (*fx his intentions*); **2.** forveksle (*for* med);
□ *there is no mistaking it* det er

ikke til at tage fejl af.
mistaken [mis'teik(ə)n] *adj.* fejlagtig (*fx in the ~ belief that he was dead*);
□ *be ~* tage fejl (*about* af); *~ identity* forveksling.
mistakenly [mis'eik(ə)nli] *adv.* fejlagtigt; med urette.
Mister ['mistə] *sb.* (T: *i tiltale*) hr.
mistime [mis'taim] *vb.* vælge et uheldigt tidspunkt til; time forkert.
mistle thrush ['mislθrʌʃ] *sb.* (*zo.*) misteldrossel.
mistletoe ['misltəu, 'mizl-] *sb.* (*bot.*) mistelten.
mistook [mis'tuk] *præt. af* mistake.
mistral ['mistr(ə)l] *sb.* mistral [*iskold nordvestvind i Sydfrankrig*].
mistreat [mis'tri:t] *vb.* **1.** behandle dårligt; **2.** (*fysisk*) mishandle.
mistreatment [mis'tri:tmənt] *sb.* mishandling.
mistress ['mistrəs] *sb.* **1.** (*i huset*) frue; **2.** (*i skole*) lærerinde; **3.** (*hunds*) ejer; herskerinde; **4.** (*mands*) elskerinde; kæreste; elskede;
□ *be a ~ of* være en mester i; være ekspert i; *be the ~ of* være herre over.
mistrial ['mistraiəl] *sb.* (*jur.*) **1.** ugyldig domsforhandling [*hvor der er begået procedurefejl*]; **2.** (*am.*) [*retssag hvor nævningene ikke har kunnet enes om en kendelse*].
mistrust[1] [mis'trʌst] *sb.* mistillid, mistro.
mistrust[2] [mis'trʌst] *vb.* nære mistillid/mistro til, mistro.
mistrustful [mis'trʌstf(u)l] *adj.* mistroisk.
misty ['misti] *adj.* **1.** diset, let tåget; **2.** (*om omrids*) sløret, tåget; **3.** (*om blik*) tårevædet; **4.** (*om erindring*) tåget, vag.
misty-eyed ['mistiaid] *adj.* rørt;
□ *get ~* (*også*) få tårer i øjnene.
misunderstand [misʌndə'stænd] *vb.* misforstå.
misunderstanding [misʌndə-'stændiŋ] *sb.* **1.** misforståelse; **2.** (*skænderi, slagsmål*) uenighed (*fx I had a little ~ with him*).
misuse[1] [mis'ju:s] *sb.* misbrug.
misuse[2] [mis'ju:z] *vb.* **1.** misbruge; **2.** (*person*) behandle dårligt; mishandle.
mite [mait] *sb.* **1.** (*zo.*) mide; **2.** (*hist.*) skærv (*fx the widow's ~*);
□ *a ~* (T: *foran adj.*) en lille smule, en anelse (*fx nervous*); *a ~ of* (*glds.*) en lille smule (*fx comfort*); *the poor little ~* (T: *medli-*

dende, om barn) det lille skind.
mitigate ['mitigeit] *vb.* F dæmpe (*fx his anger*); lindre (*fx his grief*); afbøde (*fx the effects*); mindske (*fx the problem*); (*især jur.: om dom, straf*) gøre mild, mildne; (*om tab*) begrænse (*fx the damage; the loss*).
mitigated ['mitigeitid] *adj.* mildnet; mild, afdæmpet.
mitigating ['mitigeitiŋ] *adj.* formildende (*fx circumstances; factors*).
mitigation [miti'geiʃn] *sb.* (*jf. mitigate*) F dæmpning; lindring; afbødning; mindskning; (*især jur.*) mildning, nedsættelse (*fx ~ of sentence*); (*af tab*) begrænsning;
□ *in ~* som formildende omstændighed; *plea in ~* anmodning om rettens mildeste dom.
mitre ['maitə] *sb.* **1.** bispehue; bispeværdighed; **2.** = *mitre joint*.
mitre box *sb.* skærekasse.
mitre joint *sb.* gering [*hjørnesamling i ramme etc.*].
mitre wheel *sb.* keglehjul.
mitt [mit] *sb.* **1.** vante; **2.** T næve, lab; **3.** (*til griber i baseball*) baseballhandske.
mitten ['mit(ə)n] *sb.* **1.** vante, luffe; bælgvante; **2.** halvhandske;
□ *-s* S boksehandsker.
mitten crab *sb.* (*zo.*) uldhåndskrabbe.
mix[1] [miks] *sb.* **1.** blanding; **2.** (*færdiglavet*) blanding, miks (*fx a cake ~*); **3.** (*film.*) overtoning; **4.** (*lyd*) miksning; **5.** T rod, kludder, forvirring.
mix[2] [miks] *vb.* **1.** blande; blande sammen; **2.** forene (*fx business and/with pleasure*); **3.** (*lyd*) mikse; **4.** (*i madlavning*) lave, tilberede, røre (*fx a cake*); mikse (*fx a drink*); **5.** (*uden objekt*) blande sig; blandes; **6.** (*om personer*) omgås; komme (godt) ud af det; **7.** (*film.*) overtone;
□ *he -es very well* han er god til at omgås folk;
[*med præp.& adv.*] *~ into, ~ in with* røre i (*fx ~ the eggs into/in with the flour*); *~ up* **a.** blande sammen, mikse; **b.** (*jf. 4*) røre sammen; **c.** (*fejlagtigt*) blande/ rode sammen (*fx the documents*); forveksle (*fx him and his brother*); *~ it up* (*am.* S) være aggressiv; slås; skændes; *~ up in* blande/ rode ind i; *~ up with* forveksle med; *get -ed up with* **a.** blive indblandet i; **b.** komme i lag med, indlade sig med (*fx a girl*); *~ with* **a.** blande med; **b.** (*jf.2*) forene med; **c.** (*uden objekt*) blande sig med (*fx oil does not ~ with*

M mixed

water); **d.** (*person*) omgås (*fx all kinds of people*); ~ **it with** være aggressiv over for.

mixed [mikst] *adj.* **1.** blandet (*fx drink*); **2.** (*mht. køn, race, religion*) fælles (*fx bathing; school*); blandet (*fx company; marriage*); **3.** (*fig.*) blandet (*fx feelings; pleasure*); tvivlsom.

mixed-ability [miksta'bilati] *adj.* (*i undervisning*) udelt (*fx class*).

mixed bag *sb.* broget samling/blanding; blandet landhandel.

mixed blessing *sb.* tvivlsomt gode; blandet fornøjelse;
□ *it's a ~* (*også*) det er både godt og ondt.

mixed doubles *sb. pl.* mixed double.

mixed economy *sb.* blandingsøkonomi.

mixed language *sb.* blandingssprog.

mixed metaphor *sb.* blandet metafor.

mixed-up [mikst'ʌp] *adj.* forvirret; rådvild.

mixer ['miksə] *sb.* **1.** blander; **2.** (*fx til beton*) blandemaskine; **3.** (*til husholdning*) røremaskine, mikser; **4.** (*film. etc.*) mikse(r)pult; (*person*) mikser; **5.** (*drik*) [*sodavand etc. til at blande med spiritus*];
□ *a good ~* en der har let ved at omgås folk.

mixer tap *sb.* blandingsbatteri [*til brusebad etc.*].

mixing ['miksiŋ] *sb.* **1.** blanding; **2.** (*film.: af billeder*) overtoning; **3.** (*af lyd*) miksning.

mixing bowl *sb.* røreskål.

mixing desk *sb.* (*film. etc.*) mikse(r)pult.

mixture ['mikstʃə] *sb.* **1.** blanding; **2.** (*med.*) mikstur (*fx cough ~*);
□ *the ~ as before* (*fig.*) det sædvanlige.

mix-up ['miksʌp] *sb.* **1.** forvirring; roderi; forveksling; **2.** T slagsmål.

mizen, mizzen ['miz(ə)n] *sb.* (*mar.*) mesanmast.

mizzle ['mizl] se *drizzle*.

Mk *fork. f.* Mark (*om bil*) model.

ml *fork. f.* millilitre//millilitres.

mm *fork. f.* millimetre//millimetres.

mnemonic¹ [ni'mɔnik] *sb.* huskeremse; huskevers.

mnemonic² [ni'mɔnik] *adj.* mnemoteknisk, som understøtter hukommelsen;
□ *~ rule* huskeregel.

MO *fork. f.* **1.** *Medical Officer*; **2.** *money order*; **3.** (*am.*) *Missouri*.

mo [məu] *sb.* S øjeblik;

□ *half a ~* et lille øjeblik.

mo. *fork. f. month.*

moan¹ [məun] *sb.* **1.** klage; stønnen; (*sagte*) jamren; **2.** (*om vinden*) klagende lyd, tuden; **3.** T klage; brokkeri.

moan² [məun] *vb.* **1.** klage, klage sig; stønne; jamre, jamre sig; **2.** T beklage sig, brokke sig; klynke, jamre.

moaner ['məunə] *sb.* brokkehoved.

moat [məut] *sb.* voldgrav.

mob¹ [mɔb] *sb.* flok, hob, bande;
□ *the ~* pøblen, hoben, masserne; *the Mob* (*am.*) mafiaen.

mob² [mɔb] *vb.* **1.** stimle sammen om, omringe (*fx reporters -bed the minister*); **2.** (*am.*) mase ind i;
□ *the street was -bed* (*am. også*) der var trængsel i gaden.

mobcap ['mɔbkæp] *sb.* **1.** (*hist. om hovedbeklædning, omtr.*) kappe; **2.** (*til baby omtr.*) kyse.

mobile¹ ['məubail, (*am.*) 'moubl] *sb.* **1.** mobile, uro; **2.** = *mobile phone*.

mobile² ['məubail, (*am.*) 'moub(ə)l] *adj.* **1.** mobil; bevægelig; kørende; transportabel; **2.** (*om person: i stand til at gå*) mobil; **3.** (*om ansigtsudtryk*) hastigt skiftende; livlig; levende.

mobile home *sb.* [*campingvogn der bruges til beboelse*].

mobile library *sb.* bogbus.

mobile phone *sb.* mobiltelefon.

mobile plant *sb.* transportabelt maskineri.

mobility [mə'biləti] *sb.* mobilitet, bevægelighed.

mobilization [məub(i)lai'zeiʃn] *sb.* mobilisering.

mobilize ['məub(i)laiz] *vb.* mobilisere.

mob law *sb.* lynchjustits.

mob rule *sb.* pøbelherredømme, pøbelregimente.

mobster ['mɔbstə] *sb.* (*am.*) gangster, medlem af mafiaen.

moccasin ['mɔkəsin] *sb.* **1.** mokkasin; **2.** (*zo.*) mokkasinslange.

mocha ['mɔkə, 'məukə, (*am.*) 'moukə] *sb.* mokka, mokkakaffe.

mock¹ [mɔk] *sb.*: *make (a) ~ of* (*litt.*) latterliggøre; (se også *mocks*).

mock² [mɔk] *adj.* **1.** imiteret (*fx leather*); falsk (*fx facade; Tudor*); **2.** (*om følelse*) forstilt, påtaget (*fx friendliness; horror; surprise*); **3.** (*om handling*) fingeret (*fx debate; execution*); **4.** (*arrangeret som øvelse*) prøve- (*fx exam*); **5.** (*mil.*) fingeret (*fx battle*); supponeret;
□ *~ attack* skinangreb.

mock³ [mɔk] *vb.* F **1.** håne, spotte

(*fx him; his religion*); gøre nar af; latterliggøre; **2.** efterabe (*fx his limp*); **3.** (*fig.*) skuffe (*fx their hopes*); trodse (*fx the door -ed every attempt at opening it*);
□ *~ at* spotte over; gøre nar af; *~ up* lave en model i fuld størrelse af.

mock- se *mock² 1*.

mocker ['mɔkə] *sb.* spotter;
□ *put the -s on* T spolere.

mockery ['mɔkəri] *sb.* **1.** hån, spot; latterliggørelse; **2.** (*fig.*) parodi (*of på, fx a ~ of a trial* retssag);
□ *make a ~ of* **a.** (*jf. 1*) gøre nar af latterliggøre; **b.** (*jf. 2*) være en hån mod.

mock-heroic [mɔkhə'rəuik] *adj.*: *~ poem* komisk heltedigt.

mockingbird ['mɔkiŋbə:d] *sb.* (*zo.*) spottefugl.

mock orange *sb.* (*bot.*) uægte jasmin, pibeved.

mocks [mɔks] *sb. pl.* T prøveeksamen.

mock turtle *sb.* forloren skildpadde.

mock-up ['mɔkʌp] *sb.* model i fuld størrelse; attrap.

MOD *fork. f. Ministry of Defence.*

mod [mɔd] *adj.* T moderne.

modal ['məud(ə)l] *sb.* (*gram.*) modalverbum, mådesudsagnsord.

modal auxiliary, modal verb *sb.* = *modal*.

mod cons [mɔd'kɔnz] *sb. pl.* (*let glds.: især i boligannonce*) moderne bekvemmeligheder [*fork. f. modern conveniences*].

mode [məud] *sb.* **1.** F måde (*fx ~ of payment* betalingsmåde; *~ of production*); form (*fx ~ of address* tiltaleform; *~ of life//transport*); **2.** (F: *i tøj, kunst*) mode; stil; **3.** (*af kamera etc.*) indstilling **4.** (*it*) tilstand; **5.** (*mus.*) toneart; **6.** (*i statistik*) typeværdi.

model¹ ['mɔd(ə)l] *sb.* **1.** (*som viser noget*) model (*of af, fx a plastic ~ of an aircraft; a statistical//computer ~*); **2.** (*som bør efterlignes*) forbillede (*for for, fx she was a ~ for her pupils; their welfare system was a ~ for other countries*); mønster (*of på, fx he was a ~ of good behaviour; the report was a ~ of clarity*); **3.** (*om person: fotografs, kunstners etc.*) model (*for til, fx he was the ~ for Mr Micawber*); (*som viser tøj, også*) fotomodel; (*let glds.*) mannequin; **4.** (*om bil, tøj*) model (*fx the latest Paris -s; the car is a 1998 ~*);
□ *take sby as/for one's ~* tage en til forbillede; *on the German ~* efter tysk mønster/model.

model[2] ['mɔd(ə)l] adj. (jf. model[1])
1. model- (fx plane; railway);
2. eksemplarisk, forbilledlig,
mønstergyldig (fx husband;
pupil).
model[3] ['mɔd(ə)l] vb. 1. modellere
(fx ~ in clay; ~ animals out of
clay); 2. (mat. etc.) opstille en mo-
del af//for; 3. (for kunstner etc.)
være//stå//sidde model; 4. (vise
tøj) være model; (let glds.) gå
mannequin; 5. (tøj) fremvise;
□ ~ on forme efter; udforme efter;
indrette efter; ~ oneself on sby ef-
terligne en; tage en til forbillede.
modeller ['mɔd(ə)lə] sb. 1. model-
lør; 2. (mat. etc.) [en der opstiller
modeller].
modem ['məudem] sb. (it) modem.
moderate[1] ['mɔd(ə)rət] adj. 1. (mht.
omfang) moderat (fx growth; infla-
tion; price; size); rimelig (fx
price); 2. (mindre end ventet) ikke
videre stor, nogenlunde (fx im-
provement; success); 3. (mht.
handling) mådeholden (fx in
drinking); behersket, moderat (fx
demand); 4. (pol.) moderat.
moderate[2] ['mɔdəreit] vb. 1. mode-
rere (fx one's criticism; one's de-
mands); dæmpe; mildne; 2. (fø-
lelse) lægge bånd på, beherske (fx
one's anger); 3. (uden objekt) tage
af; dæmpes; mildnes; 4. (ved for-
handlinger etc.) føre forsædet;
være diskussionsleder, være ord-
styrer; 5. (fys.) bremse (fx
neutrons).
moderate breeze sb. (vindstyrke 4)
jævn vind.
moderately ['mɔd(ə)rətli] adv.
1. moderat, behersket, med måde;
2. jævnt; nogenlunde.
moderation [mɔdə'reiʃn] sb. F
1. mådehold; mådeholdenhed; til-
bageholdenhed (fx in wage de-
mands); moderation; 2. (egen-
skab) sindighed; sindsligevægt;
beherskelse;
□ in ~ med måde.
moderator ['mɔdəreitə] sb. 1. mæg-
ler; 2. (ved diskussion etc.) ord-
styrer; diskussionsleder; 3. (om
presbyteriansk præst) mødeleder;
4. (ved eksamen) [censor der skal
sikre ensartet standard]; 5. (i
atomreaktor) moderator, bremse-
stof.
modern[1] ['mɔd(ə)n] sb. pl.: the -s
nutidens forfattere//komponister
etc.; de moderne.
modern[2] ['mɔd(ə)n] adj. moderne;
nutids-.
modern English sb. nyengelsk.
modern history sb. den nyere tids
historie.

modernism ['mɔdənizm] sb. mo-
dernisme.
modernist[1] ['mɔdənist] sb. moder-
nist.
modernist[2] ['mɔdənist] adj. moder-
nistisk.
modernistic [mɔdə'nistik] adj. mo-
dernistisk.
modernity [mɔ'dəːniti] sb. moder-
nitet; moderne præg.
modernization [mɔdənai'zeiʃn] sb.
modernisering.
modernize ['mɔdənaiz] vb. moder-
nisere.
modest ['mɔdist] adj. 1. (mht. stør-
relse, omfang) moderat, beskeden
(fx amount; growth; improvement;
success); 2. (om person, bolig:
ikke pralende) beskeden (fx man;
flat; hotel; house); 3. (mht. at vise
sig nøgen) blufærdig (fx children
often become ~ at around age 11);
4. (glds.: om kvinde) ærbar; (om
påklædning) sømmelig, anstæn-
dig.
modesty ['mɔdisti] sb. 1. beskeden-
hed; 2. (jf. modest 3) blufærdig-
hed; 3. (jf. modest 4) ærbarhed;
sømmelighed, anstændighed.
modicum ['mɔdikəm] sb. (F el. litt.)
lille smule (fx with a ~ of effort);
minimum.
modification [mɔdifi'keiʃn] sb.
1. (cf. modify) modifikation; æn-
dring; 2. begrænsning; mildnelse;
3. (gram.) bestemmelse.
modify ['mɔdifai] vb. 1. modificere
(fx one's views); ændre (fx a
plan); 2. (mht. omfang, styrke) be-
grænse; mildne (fx a punish-
ment); moderere (fx one's de-
mands); 3. (gram.) nærmere be-
stemme (fx adjectives ~ nouns).
modish ['məudiʃ] adj. moderne;
nymodens.
modular ['mɔdjulə] adj. modul-.
modulate ['mɔdjuleit] vb. modu-
lere.
modulation [mɔdju'leiʃn] sb. mo-
dulation.
module ['mɔdjuːl] sb. 1. modul;
2. (it) modul, programenhed.
modus operandi [məudəs-
ɔpə'rændiː] sb. F måde at gribe
tingene an på; fremgangsmåde.
modus vivendi [məudəsvi'vendiː]
sb. F modus vivendi; måde at leve
med hinanden på; foreløbig ord-
ning.
moffie ['mɔfi] sb. (sydafr.) 1. tøse-
dreng; 2. bøsseka'l.
moggie, moggy ['mɔgi] sb. T kat.
mogul ['məug(ə)l] sb. 1. magnat,
stormand; 2. (på skibakke) bule;
□ the Great Mogul stormogulen.
mohair ['məuhɛə] sb. mohair.

Mohawk [mə'hɔːk] sb. 1. mo-
hawkindianer; 2. (am.: om frisure)
= Mohican 2.
Mohican ['məuikən] sb. 1. mohika-
ner; 2. (frisure) hanekam.
moiety ['mɔiəti] sb. halvdel.
moist [mɔist] adj. fugtig.
moisten ['mɔis(ə)n] vb. 1. fugte;
2. blive fugtig (fx his eyes -ed).
moisture ['mɔistʃə] sb. fugt, fugtig-
hed.
moisturize ['mɔistʃəraiz] vb. fugte
(fx the skin with cream).
moisturizer ['mɔistʃəraizə] sb. fug-
tighedscreme.
molar ['məulə] sb. kindtand.
molasses [mə'læsiz] sb. (mørk) si-
rup; melasse.
mold [məuld] se mould.
Moldavia [mɔl'deiviə], **Moldova**
[mɔl'dəuvə] Moldau.
mole [məul] sb. 1. (zo.) muldvarp;
2. (om person) agent, spion [der
arbejder sig frem til en betroet
stilling inden for en organisation];
muldvarp; 3. (på huden) moder-
mærke; skønhedsplet; 4. (ved
havn) mole; havnedæmning.
mole cricket sb. (zo.) jordkrebs.
molecular [mə'lekjulə] adj. mole-
kylær; molekylær- (fx biology).
molecule ['mɔlikjuːl] sb. molekyle.
molehill ['məulhil] sb. muldvarpe-
skud; (se også mountain).
moleskin ['məulskin] sb. 1. muld-
varpeskind; 2. (tykt bomuldsstof)
molskind.
molest [mə'lest] vb. 1. genere; for-
ulempe; 2. (seksuelt) antaste; til-
føje overlast; (barn også) begå
overgreb imod, misbruge;
□ be -ed (også) lide overlast.
molestation [məule'steiʃn] sb. (jf.
molest) 1. forulempelse; 2. over-
last; overgreb; misbrug.
molester [mə'lestə] sb. [en der foru-
lemper kvinder el. børn seksuelt];
□ child ~ børnelokker.
moll [mɔl] sb. (glds. S) 1. gadepige;
2. gangsterpige.
mollify ['mɔlifai] vb. blødgøre, for-
milde.
mollusc ['mɔləsk] sb. (zo.) bløddyr.
mollycoddle ['mɔlikɔdl] vb. pylre
om, forkæle.
Molotov cocktail [mɔlətɔf'kɔkteil]
sb. molotovcocktail, benzin-
bombe.
molt [məult] vb. se moult.
molten ['məult(ə)n] adj. smeltet.
Moluccas [mə'lækəz] pl.: the ~
(geogr.) Molukkerne.
molybdenum [mɔ'libdinəm] sb.
molybdæn.
mom [mɔm] sb. (am. T) mor.
MOMA fork. f. Museum of Modern

M mom and pop store

Art (i New York).

mom and pop store sb. (am.) [lille familiedrevet butik].

moment ['məumənt] sb. **1.** øjeblik (fx leave it till the last ~); tidspunkt (fx that would be the best ~ to do it); **2.** (om tidsrum) øjeblik (fx wait a ~); **3.** (fys.) moment (fx ~ of force kraftmoment; ~ of inertia inertimoment); □ have one's -s have sine lyse øjeblikke; the film had its -s filmen var god indimellem; [med art., pron.] half/just **a** ~! et lille øjeblik! lige et øjeblik! **the** ~ I saw him straks/i samme øjeblik jeg så ham; **this** ~ **a.** straks, øjeblikkelig (fx go this ~!); **b.** for et øjeblik siden; i dette øjeblik (fx I only heard it this ~); [med præp.] **at** any ~ hvad øjeblik det skal være; når som helst; at the ~ for øjeblikket; I was busy at the ~ jeg havde travlt netop da; at the same ~ i samme øjeblik; at the wrong ~ på det forkerte tidspunkt; at that very ~ i det samme; **for** the ~ se ovf.: at the ~; **in** a ~ **a.** om et øjeblik (fx I'll be back in a ~); **b.** på et øjeblik (fx it was done in a ~); **from** ~ to ~ hvert øjeblik; når som helst; **of** ~ F af vigtighed, af betydning; betydningsfuld; it is of no ~ det er uden betydning; of the ~ øjeblikkets; aktuel; the man of the ~ dagens mand; **to** the ~ på minuttet; præcis.

momentarily ['məumənt(ə)rili, məumən'terili] adv. **1.** et (kort) øjeblik (fx he paused ~); momentant; **2.** (am.) meget snart; om et øjeblik.

momentary ['məumənt(ə)ri] adj. som varer et øjeblik; momentan; forbigående (fx owing to a ~ indisposition).

moment of truth sb. **1.** [det øjeblik da tyren får dødsstødet ved en tyrefægtning]; **2.** (fig.) sandhedens øjeblik; afgørende øjeblik.

momentous [mə(u)'mentəs] adj. betydningsfuld; kritisk; afgørende.

momentum [mə(u)'mentəm] sb. **1.** fart, fremdrift; styrke; (se også gather); **2.** (fys.) impuls; drivende kraft; bevægelsesmængde.

momma ['mɔmə], **mommy** ['mɔmi] sb. (am. T) mor.

Mon. fork. f. Monday.

monarch ['mɔnək] sb. monark, hersker.

monarchic [mɔ'na:kik], **monarchical** [mɔ'na:kik(ə)l] adj. monarkisk.

monarchist ['mɔnəkist] sb. monarkist.

monarchy ['mɔnəki] sb. monarki [kongedømme, kejserdømme].

monastery ['mɔnəst(ə)ri] sb. munkekloster.

monastic [mə'næstik] adj. **1.** kloster-; munke- (fx order; vows løfter); **2.** (fig.) klosteragtig (fx life).

monasticism [mə'næstisizm] sb. munkevæsen; klosterliv.

Monday ['mʌndei, -di] sb. mandag; □ on ~ **a.** i mandags (fx he arrived on ~); **b.** på mandag (fx he'll be arriving on ~); -s (adv., am.) = on -s; on -s om mandagen; this ~ nu på mandag; førstkommende mandag.

monetarism ['mʌnətərizm] sb. (økon.) monetarisme.

monetarist[1] ['mʌnətərist] sb. monetarist.

monetarist[2] ['mʌnətərist] adj. monetaristisk.

monetary ['mʌnit(ə)ri] adj. monetær; mønt- (fx union; unit enhed; standard fod); valuta- (fx crisis; union); penge- (fx policy).

money ['mʌni] sb. penge; □ -s pengesummer; pengebeløb; good ~, much ~ mange penge (fx I spent good ~ on it; it cost too much ~); the smart ~ de der har forstand på penge; de kloge; the smart ~ is on ... de der ved noget om det holder på ...; have one's money's worth få (fuld) valuta for pengene; (se også easy); [med vb.] have ~ to **burn** have penge som skidt; **make** ~ tjene penge; you **pays** your ~ and you takes your choice T du bliver nødt til at tage det som det kommer; **put** ~ **into** investere/anbringe/sætte/skyde penge i; **put** one's ~ **on** (ved væddemål) sætte sine penge på; I'd put my ~ on it (fig.) det tør jeg vædde på; put one's ~ where one's mouth is lade handling følge på ord; sætte handling bag ordene; ~ **talks** penge giver magt; **throw** ~ at ofre penge på; poste penge i; smide penge efter; throw one's ~ ~ money about/around slå om sig med penge; throw good ~ after bad ofre flere penge på et tvivlsomt foretagende; (se også buy[2], coin[2]); [med præp.] **for** my ~ efter min mening (fx for my ~, he is the best); a run for one's ~ se run[1]; **be in** the ~ være//blive styrtende rig; score kassen; **come into** ~ komme til penge; he thinks I am made **of** ~ han tror jeg har penge som skidt; it was right **on** the ~ (am.) det var lige i øjet.

moneybags ['mʌnibægz] sb. (T:

spøg.) rigmand, velhaver, kapitalist.

money box sb. sparebøsse.

moneyed ['mʌnid] adj. velhavende.

moneygrubber ['mʌnigrʌbə] sb. T pengepuger.

moneygrubbing ['mʌnigrʌbiŋ] adj. T pengegrisk.

money launderer sb. pengevasker.

money laundering sb. hvidvaskning af penge.

moneylender ['mʌnilendə] sb. pengeudlåner; ågerkarl.

moneymaker ['mʌnimeikə] sb. god forretning; indbringende foretagende; guldgrube, pengemaskine.

money market sb. pengemarked.

money order sb. pengeanvisning; (gennem posten) postanvisning.

money-spinner ['mʌnispinə] sb. se moneymaker.

moneywort ['mʌniwə:t] sb. (bot.) pengebladet fredløs.

Mongol[1] ['mɔŋg(ə)l, -gɔl] sb. mongol.

Mongol[2] ['mɔŋg(ə)l, -gɔl] adj. mongolsk.

Mongolia [mɔŋ'gəuliə] Mongoliet.

Mongolian[1] [mɔŋ'gəuliən] sb. **1.** (person) mongol; **2.** (sprog) mongolsk.

Mongolian[2] [mɔŋ'gəuliən] adj. mongolsk.

mongoose ['mɔŋgu:s] sb. (zo.) mangust [slags desmerdyr].

mongrel ['mʌŋgrəl] sb. køter; bastard.

monied ['mʌnid] adj. = moneyed.

monies ['mʌniz] sb. pl. pengesummer; pengebeløb.

moniker ['mɔnikər] sb. (spøg.) **1.** navn; **2.** øgenavn.

monitor[1] ['mɔnitə] sb. **1.** (apparat) monitor, kontrolapparat; **2.** (it, tv & fx i lufthavn) monitor, skærm; **3.** (fys.) monitor, strålingsdetektor [til måling af radioaktivitet]; **4.** (person) kontrollant [fx udsendt af FN]; **5.** (i radio) kontrolaflytter [som følger udenlandske radioudsendelser]; **6.** (i skole) ordensduks; **7.** (zo.) varan.

monitor[2] ['mɔnitə] vb. **1.** overvåge, kontrollere (fx air quality; education standards; the ozone layer); føre kontrol med; **2.** (radio., tv) overvåge udsendelses kvalitet; **3.** (udenlandske radioudsendelser) aflytte; **4.** (raket, radioaktivitet) spore; **5.** (fys.) afprøve for radioaktivitet.

monk [mʌŋk] sb. (rel.) munk.

monkey[1] ['mʌŋki] sb. **1.** abe; **2.** (om barn) spilopmager, bandit (fx you little ~!); **3.** (tekn.) faldhammer;

rambukklods; **4. S** £500; (*am.*)
$500;
□ *I don't/couldn't give a -'s* **T** det
rager mig en skid; *have a ~ on
one's back* **T** have et problem;
være narkoman; *make a ~ out of
sby* gøre en til grin.
monkey² ['mʌŋki] *vb.*: *~ about/
around* fjolle rundt; skabe sig; *~
with* pille ved (*fx don't ~ with the
saw*).
monkey bars *sb. pl.* **1.** (*til gymna-
stik*) ribber; **2.** (*am.*: *på legeplads*)
klatrestativ.
monkey business *sb.* hundekun-
ster, fup, svindel.
monkey engine *sb.* rambuk.
monkey flower *sb.* (*bot.*) abe-
blomst.
monkey nut *sb.* jordnød.
monkey puzzle *sb.* (*bot.*) araucaria,
abetræ.
monkeyshines ['mʌŋkiʃainz] *sb. pl.*
(*am.* **T**) hundekunster; narrestre-
ger.
monkey wrench *sb.* (*især am.*)
skiftenøgle, svensknøgle;
□ *throw a ~ into the works*
komme grus i maskineriet; stikke
en kæp i hjulet.
monkfish ['mʌŋkfiʃ] *sb.* (*zo.*) **1.** hav-
engel, munkefisk; **2.** havtaske.
monkish ['mʌŋkiʃ] *adj.* (*neds.*)
munkeagtig.
monkshood ['mʌŋkshud] *sb.* (*bot.*)
venusvogn.
mono¹ ['mɔnəu] *sb.* (*am. med.*) mo-
nonukleose.
mono² ['mɔnəu] *adj.* mono.
monochrome ['mɔnəkrəum] *adj.*
1. monokrom; ensfarvet; med kun
én farve; **2.** sort-hvid (*fx televi-
sion*).
monocle ['mɔnɔkl] *sb.* monokel.
monogamous [mə'nɔgəməs, mɔ-]
adj. monogam.
monogamy [mə'nɔgəmi, mɔ-] *sb.*
monogami.
monogram ['mɔnəgræm] *sb.* mono-
gram.
monogrammed ['mɔnəgræmd] *adj.*
med monogram.
monograph ['mɔnəgra:f, -græf] *sb.*
monografi.
monolingual [mɔnə(u)'liŋgw(ə)l]
adj. ensproget.
monolith ['mɔnəliθ] *sb.* **1.** monolit;
stenstøtte [*udhugget af én sten*];
2. (*fig.*) [*massiv og ensrettet orga-
nisation*].
monolithic [mɔnə'liθik] *adj.* **1.** mo-
nolitisk; **2.** (*fig.*) som udgør en
massiv blok; massiv (og ensrettet).
monologue ['mɔnəlɔg] *sb.* monolog,
enetale.
monomania [mɔnə(u)'meiniə] *sb.*

monomani.
mononucleosis [mɔnəunju:kli'əu-
sis] *sb.* (*med.*) mononukleose.
monoplane ['mɔnəplein] *sb.* (*flyv.*)
monoplan, endækker.
monopolistic [mɔnəpə'listik] *adj.*
monopolistisk; monopol-.
monopolize [mə'nɔpəlaiz] *vb.*
1. (*merk.*) få//have monopol på;
få//have eneret til; **2.** (*fig.*) mono-
polisere, annektere, lægge beslag
på;
□ *~ the conversation* ikke lade
nogen anden få et ord indført.
Monopoly® [mə'nɔpəli] *sb.* (*spil*)
Matador.
monopoly [mə'nɔpəli] *sb.* monopol,
eneret;
□ *have a/the ~ on* have monopol
på.
monorail ['mɔnə(u)reil] *sb.* énskin-
net jernbane.
monosodium glutamate [mɔnəsəu-
diəm'glu:təmeit] *sb.* natrium glu-
tamat; det tredje krydderi.
monosyllabic [mɔnə(u)si'læbik]
adj. **1.** (*om ord*) enstavelses-;
2. (*om person*) som svarer med
enstavelsesord; kort for hovedet;
fåmælt.
monosyllable ['mɔnə(u)siləbl] *sb.*
enstavelsesord.
monotheism ['mɔnə(u)θi:izm] *sb.*
monoteisme [*læren om og troen
på én gud*].
monotheist ['mɔnə(u)θi:ist] *sb.* mo-
noteist.
monotheistic [mɔnə(u)θi:'istik] *sb.*
monoteistisk.
monotone¹ ['mɔnətəun] *sb.* ensfor-
mig tone;
□ *speak in a ~* tale ensformigt.
monotone² ['mɔnətəun] *adj.* mono-
ton, ensformig.
monotonous [mə'nɔtənəs] *adj.* mo-
noton, enstonig, ensformig.
monotony [mə'nɔtəni] *sb.* mono-
toni, ensformighed;
□ *~ the monotony* skabe lidt af-
veksling [ɔ: i kedsomheden].
monotreme ['mɔnətri:m] *sb.* (*zo.*)
kloakdyr.
monoxide [mə'nɔksaid, mɔ-] *sb.* se
carbon monoxide.
monsoon [mɔn'su:n] *sb.* **1.** (*vind*)
monsun; **2.** (*periode*) regntid.
monster¹ ['mɔnstə] *sb.* **1.** uhyre (*fx
the Loch Ness ~*); monster;
2. (*vanskabt*) misfoster, vanskab-
ning; **3.** (**T:** *om ting, foretagende*)
monstrum, monster; **4.** (*om per-
son*) uhyre, umenneske; **5.** (*spøg.
om barn*) uhyre, afskum.
monster² ['mɔnstə] *adj.* kæmpe-
mæssig, uhyre, kæmpe;
□ *~ meeting* massemøde.

monstrance ['mɔnstrəns] *sb.* (*rel.*)
monstrans [*til fremvisning af ho-
stien*].
monstrosity [mɔn'strɔsiti] *sb.*
1. monstrum, misfoster, skrum-
mel; **2.** (*om handling*) uhyrlighed.
monstrous ['mɔnstrəs] *adj.* **1.** uhyr-
lig; afskyelig (*fx crimes*); **2.** (*om
størrelse*) kæmpemæssig, kolossal,
monstrøs; **3.** (*om udseende*)
skræmmende, skrækindjagende.
Mont. *fork. f.* Montana.
montage [mɔn'ta:ʒ] *sb.* montage; fo-
tomontage.
Montagu's harrier [mɔntəgju:z-
'hæriə] *sb.* (*zo.*) hedehøg.
Montana [mɔn'tænə].
Montenegrin¹ [mɔnti'ni:grin] *sb.*
montenegriner.
Montenegrin² [mɔnti'ni:grin] *adj.*
montenegrinsk.
Montenegro [mɔnti'ni:grəu].
month [mʌnθ] *sb.* måned;
□ *a ~ from today* i dag om en må-
ned; *for -s* i månedsvis; *the ~ of
July* juli måned; (se også *Sunday*).
monthly¹ ['mʌnθli] *sb.* måneds-
blad; månedsskrift;
□ *monthlies* **T** menstruation.
monthly² ['mʌnθli] *adj.* månedlig;
måneds-.
monthly³ ['mʌnθli] *adv.* månedligt,
en gang om måneden.
monty ['mɔnti] *sb.*: *the full ~* **T**
hele herligheden/redeligheden,
hele dynen.
monument ['mɔnjumənt] *sb.* **1.** mo-
nument, mindesmærke (*to* for);
2. kulturmindesmærke; kultur-
skat; **3.** (*fig.*) evigt minde (*to* om);
4. (*am. jur.*) skel, skelpæl, skel-
mærke;
□ *the Monument* [*søjle i London
til minde om branden 1666*]; *an-
cient/historic ~* oldtidsminde;
fortidsminde.
monumental [mɔnju'ment(ə)l] *adj.*
1. (*om arbejde, indsats*) storslået
(*fx achievement*); kolossal (*fx
task; effort*); **2.** (*om størrelse, om-
fang*) enorm, gevaldig, kolossal (*fx
blunder; disappointment*); monu-
mental; **3.** (*om bygningsværk*) mo-
numental.
monumental mason *sb.* stenhug-
ger.
moo¹ [mu:] *sb.* muh, buh.
moo² [mu:] *vb.* sige muh/buh,
buhe, brøle.
mooch [mu:tʃ] *vb.* (*am.* **S**) hugge;
nasse sig til;
□ *~ about/around* **T** daske/drive
rundt; drive den af; stå//sidde og
hænge; *~ off sby* (*am.* **S**) nasse på
en.
moocher ['mu:tʃə] *sb.* (*am.* **S**) nas-

ser.

moo-cow ['mu:kau] *sb.* buhko, muhko.

mood [mu:d] *sb.* **1.** (*persons*) humør, sindsstemning, stemning; **2.** (*generelt*) stemning (*fx the ~ of the people*); **3.** (*gram. & i logik*) modus;
□ *be in a ~* være i dårligt humør, være gnaven; *be in a good//bad ~* være i godt//dårligt humør; *be in the ~* være oplagt, være i humør (*for* til; *to* til at).

moody ['mu:di] *adj.* **1.** (*om person*) lunefuld; gnaven, irritabel; tungsindig; **2.** (*om kunstværk*) sørgmodig.

moon[1] [mu:n] *sb.* måne;
□ *there is a ~ tonight* det er måneskin i aften; *over the ~* himmelhenrykt; vildt begejstret; ellevild; (*se også blue*[2]);
[*med vb.*] *ask/cry for the ~* forlange urimeligheder; ønske det uopnåelige; *promise sby the ~* love en guld og grønne skove; *reach for the ~* prøve at nå det umulige; *shoot the ~* S flytte uden at betale husleje.

moon[2] [mu:n] *vb.* **1.** S vise sin bare røv; **2.** sidde og drømme//falde hen;
□ *~ about, ~ along* T daske/drive (sørgmodigt) omkring; *~ away one's time* drømme tiden bort; *~ over* T falde 'hen over; falde i trance over.

moonbeam ['mu:nbi:m] *sb.* månestråle.

moon-faced ['mu:nfeist] *adj.* med fuldmåneansigt.

moonfish ['mu:nfiʃ] *sb.* (zo.) **1.** plettet månefisk; **2.** hestemakrel; **3.** = opah.

Moonie ['mu:ni] *sb.* [tilhænger af the Unification Church grundlagt af Sun Myung Moon].

mooning ['mu:niŋ] *sb.* S det at vise sin bare røv.

moonlight[1] ['mu:nlait] *sb.* måneskin.

moonlight[2] ['mu:nlait] *adj.* måneskins-; månelys.

moonlight[3] ['mu:nlait] *vb.* **1.** have ekstrajob/bijob; bijobbe; have to jobs på en gang; **2.** (*om arbejde der ikke opgives til skattevæsnet*) arbejde sort; lave måneskinsarbejde;
□ *~ as* arbejde ved siden af/bijobbe som.

moonlight flit *sb.* T [*natlig flytning for at undgå at betale husleje el. slippe væk fra kreditorer*].

moonlighting ['mu:nlaitiŋ] *sb.* (jf. *moonlight*[3]) T **1.** det at have dob-

beltarbejde; bijobberi; **2.** sort arbejde; måneskinsarbejde.

moonlit ['mu:nlit] *adj.* månelys, måneklar; månebelyst.

moonrise ['mu:nraiz] *sb.* måneopgang.

moonscape ['mu:nskeip] *sb.* månelandskab.

moonset ['mu:nset] *sb.* månenedgang.

moonshine ['mu:nʃain] *sb.* T **1.** snak, sludder; **2.** (am.) hjemmebrændt spiritus; smuglersprit.

moonshiner ['mu:nʃainə] *sb.* (am. T) hjemmebrænder; spritsmugler.

moonstone ['mu:nstəun] *sb.* månesten [*slags feldspat*].

moonstruck ['mu:nstrʌk] *adj.* tosset, skør [*af forelskelse*].

Moor [muə] *sb.* (hist.) maurer.

moor[1] [muə] *sb.* lynghede, hede.

moor[2] [muə] *vb.* (mar.) **1.** fortøje; lægge for anker; **2.** (*uden objekt*) lægge 'til.

moorage ['muəridʒ] *sb.* **1.** fortøjning; **2.** fortøjningsplads; **3.** fortøjningsafgift.

moorcock ['muəkɔk] *sb.* (zo.) skotsk hanrype.

moorfowl ['muəfaul] *sb.* (zo.) skotsk rype.

moorhen ['muəhen] *sb.* **1.** (zo.) skotsk hunrype; **2.** rørhøne.

mooring ['muəriŋ] *sb.* (sted) fortøjningsplads; fortøjningsbøje;
□ *-s* (reb etc.) fortøjninger; *let go the -s* kaste fortøjningerne los.

mooring mast *sb.* fortøjningsmast [*for luftskib*].

Moorish ['muəriʃ] *adj.* (hist.) maurisk.

moorland ['muələnd] *sb.* lynghede; højmose.

moose [mu:s] *sb.* (pl. d.s.) (zo.) (amerikansk) elg; elsdyr.

moot[1] [mu:t] *sb.* **1.** (jur.) fingeret retssag [*som øvelse for studerende*]; **2.** (hist.) tingmøde.

moot[2] [mu:t] *adj.* omstridt (*fx point; question*).

moot[3] [mu:t] *vb.* F bringe på bane; sætte under debat;
□ *it was -ed that* der blev ymtet om at.

mop[1] [mɔp] *sb.* **1.** (til gulvvask) mop; svaber; **2.** (T: på hovedet) manke, paryk.

mop[2] [mɔp] *vb.* **1.** (gulv) moppe; svabre; **2.** (ansigt etc.) tørre;
□ *~ one's brow/forehead* tørre (sveden af) sin pande; (se også *floor*[1]);
~ up **a.** tørre op (*fx spilt coffee*); **b.** (rest) gøre kål på (*fx all one's spare money*); **c.** (suppe, sovs med et stykke brød) søbe op;

d. (ledige penge) opsuge; **e.** T afslutte; få has på; få til side (*fx arrears of work*); **f.** (mil.) rense [*for fjender*].

mope [məup] *vb.* hænge med hovedet; sløve;
□ *~ about/around* gå og hænge med hovedet.

moped ['məuped] *sb.* knallert [*cykel med motor*].

moppet ['mɔpit] *sb.* T kær unge.

mopping-up [mɔpiŋ'ʌp] *sb.*, **mopping-up operation** *sb.* (mil.) rensningsaktion.

moquette [mə'ket] *sb.* opskåren mekka;
□ *uncut ~* uopskåren mekka.

MOR *fork. f.* middle-of-the-road.

moraine [mə'rein, mɔ-] *sb.* (geol.) moræne.

moral[1] ['mɔr(ə)l] *sb.* (af historie etc.) morale (*fx the ~ of all this is that honesty is the best policy*);
□ *point the ~* uddrage moralen; (se også *morals*).

moral[2] ['mɔr(ə)l] *adj.* moralsk (*fx courage; dilemma; obligation; support*);
□ *a ~ certainty* en til vished grænsende sandsynlighed; *take the ~ high ground* optræde som den moralsk overlegne.

morale [mɔ'ra:l, (am.) mə'ræl] *sb.* (i hær, skole etc.) moral.

moral fibre *sb.* moralsk styrke.

moralist ['mɔr(ə)list] *sb.* moralist.

moralistic [mɔrə'listik] *adj.* moralistisk; moraliserende.

morality [mə'ræliti] *sb.* (system) moral (*fx a new ~; commercial// traditional ~*);
□ *the ~ of* det moralsk rigtige i.

moralize ['mɔr(ə)laiz] *vb.* moralisere (*about/on* over).

morally ['mɔr(ə)li] *adv.* moralsk;
□ *~ certain* så godt som sikkert; praktisk talt sikkert.

morals ['mɔr(ə)lz] *sb. pl.* (persons) moral (*fx they have no ~*);
□ *loose ~* (glds.) løse sæder, slap moral.

morass [mə'ræs] *sb.* morads; sump.

moratorium [mɔrə'tɔ:riəm] *sb.* **1.** udsættelse (*on af, fx a strike*); midlertidig standsning (*on af*); foreløbigt forbud (*on mod*); **2.** (mht. betaling) moratorium; henstand.

Moravia [mə'reiviə] (geogr.) Mähren.

Moravian [mə'reiviən] *adj.* **1.** mährisk; **2.** (rel.) herrnhutisk;
□ *~ brethren* mähriske brødre; herrnhutere.

morbid ['mɔ:bid] *adj.* sygelig, morbid; makaber (*fx details*).

morbidity [mɔ:'biditi] *sb.* sygelighed.

mordant[1] ['mɔːd(ə)nt] *sb.* bejdse; ætsende væske.

mordant[2] ['mɔːd(ə)nt] *adj.* bidende, skarp (*fx criticism*).

more[1] [mɔː] *adj.* mere (*fx ~ cake*); flere (*fx ~ things*); (se også *more*[2]); □ *we can do no ~* vi kan ikke gøre mere; *say no ~* så er vi enige; så er den sag afgjort.

more[2] [mɔː] *adv.* **1.** mere; mer; **2.** (*om tilføjelse*) til (*fx once ~; two days ~; one pound ~*); mere; **3.** (*ved omskrivning af komparativ*) mere (*fx ~ interesting*); [*svarer ofte til endelse, fx ~ numerous* talrigere; *~ easily* lettere]; □ *~ like* snarere; *that's ~ like it!* nu begynder det at ligne noget! *~ or less* mere eller mindre; omtrent (*fx it is an hour's walk ~ or less*); *no ~* ikke mere; aldrig mere; *no ~ can you* det kan du lige så lidt/ heller ikke; *all the ~* så meget desto mere; *the ~ so as* så meget mere som; *the ~ the better* jo mere des/jo bedre; (*and*) *what is ~* (og) hvad mere er; (se også *fool*[1], *pity*[1]); [*med: than*] *~ than* mere end (*fx he paid ~ than you; ~ than enough*); *we will be ~ than happy* vi vil blive meget glade; *~ than a little angry* ikke så lidt vred; *it was little ~ than* det var ikke meget mere end, det var næsten kun (*fx it was little ~ than a scratch*); (*and*) *~ than that* og hvad mere er; *no ~ than* lige så lidt som; *nothing ~ than* ikke andet end, kun; (se også *often*).

moreen [mɔː'riːn] *sb.* uldmoiré.

moreish ['mɔːrɪʃ] *adj.*: *it's ~, it's got a ~ taste* T det smager efter mere.

morel [mɔ'rel] *sb.* (*bot.*) morkel.

morello [mə'reləu] *sb.* (*bot.*) morel.

moreover [mɔː'rəuvə] *adv.* desuden, endvidere.

mores ['mɔːriz] *sb. pl.* (*lat.*) skikke; sæder.

morgue [mɔːg] *sb.* **1.** (*især am.*) lighus; ligkapel; **2.** (T: *på avisredaktion*) arkiv.

moribund ['mɔrɪbʌnd] *adj.* hensygnende, døende.

Mormon ['mɔːmən] *sb.* (*rel.*) mormon.

Mormonism ['mɔːmənizm] *sb.* (*rel.*) mormonisme.

morn [mɔːn] *sb.* (*poet.*) morgen.

morning ['mɔːnɪŋ] *sb.* morgen; formiddag; □ *the ~ after (the night before)* dagen derpå; *in the ~* **a.** om morgenen; om formiddagen; **b.** i morgen tidlig; i morgen formiddag; *on the ~ of Nov. 9* den 9. nov. om morgenen; *tomorrow ~* i morgen tidlig; i morgen formiddag; *this ~* i morges; nu til morgen; (nu) i formiddag.

morning-after pill [mɔːnɪŋ'aːftəpil] *sb.* fortrydelsespille.

morning dress *sb.* jaket.

morning glory *sb.* (*bot.*) snerle.

morning prayers *sb. pl.* morgengudstjeneste.

morning room *sb.* (*glds.*) opholdsstue [*mod øst*].

morning sickness *sb.* morgenkvalme [*hos gravid*].

morning star *sb.* morgenstjerne.

morning watch *sb.* (*mar.*) morgenvagt [*fra 4 til 8 morgen*].

Moroccan[1] [mə'rɔkən] *sb.* marokkaner.

Moroccan[2] [mə'rɔkən] *adj.* marokkansk.

Morocco [mə'rɔkəu] Marokko.

morocco [mə'rɔkəu] *sb.* safian; maroquin; (*til bogbind også*) oaseged.

moron ['mɔːrɔn] *sb.* T idiot, tåbe.

moronic [mə'rɔnik] *adj.* T idiotisk, tåbelig.

morose [mə'rəus] *adj.* gnaven, vranten.

morph[1] [mɔːf] *sb.* (*sprogv.*) morf.

morph[2] [mɔːf] *vb.* **1.** gradvis forvandle (*into* til); **2.** (*uden objekt*) gradvis forvandle sig (*into/to* til).

morpheme ['mɔːfiːm] *sb.* (*gram.*) morfem [*bøjningselement*].

morphine ['mɔːfiːn] *sb.* morfin.

morphine addict *sb.* morfinist.

morphology [mɔː'fɔlədʒi] *sb.* (*gram.*) morfologi, formlære.

morris dance ['mɔrisdaːns] *sb.* [*en folkedans*].

morris dancer ['mɔrisdaːnsə] *sb.* [*folkedanser*].

morris dancing ['mɔrisdaːnsiŋ] *sb.* [*folkedans*].

morrow ['mɔrəu] *sb.* (*glds.*) følgende dag; morgendag; □ *on the ~ of* umiddelbart efter.

Morse code [mɔːs'kəud] *sb.* morsealfabet; morse.

morsel ['mɔːs(ə)l] *sb.* **1.** (*af mad*) bid, godbid; **2.** (*fig.*) lille stykke, stump.

mortal[1] ['mɔːt(ə)l] *sb.* (*litt. el. spøg.*) dødelig (*fx ordinary -s*).

mortal[2] ['mɔːt(ə)l] *adj.* **1.** dødelig (*fx all men are ~*); **2.** døds- (*fx agony; enemy; sin; threat*); **3.** (*om noget man kan dø af*) dødelig (*fx danger; disease*); dødbringende (*fx blow*); □ *deal a ~ blow to the plan* (*fig.*) give planen dødsstødet; *~ combat, ~ fight* kamp på liv og død;

be in ~ fear/terror of være dødsens angst for; *his ~ frame* F hans jordiske hylster; *be in a ~ hurry* T have forfærdelig travlt; *no ~ reason* (*glds.* T) ingen verdens/ingen som helst grund; *his ~ remains* F hans jordiske rester; *any ~ thing* (*glds.* T) alt muligt; hvad som helst; noget som helst.

mortality [mɔː'tæliti] *sb.* **1.** dødelighed (*fx be faced with one's own ~*); **2.** tabstal, antal dødsofre (*fx the ~ from the earthquake*); **3.** se *mortality rate.*

mortality rate *sb.* dødelighed (*fx infant ~*); dødelighedskvotient, mortalitet.

mortar ['mɔːtə] *sb.* **1.** mørtel; **2.** (*til stødning*) morter; **3.** (*mil.:* våben) mortér, morter.

mortarboard ['mɔːtəbɔːd] *sb.* **1.** [*firkantet flad akademisk hovedbeklædning*]; **2.** (*murers*) mørtelbræt.

mortgage[1] ['mɔːgidʒ] *sb.* **1.** pant; panteret; **2.** (*i fast ejendom*) prioritet; **3.** (*penge*) prioritetslån; **4.** se *mortgage deed.*

mortgage[2] ['mɔːgidʒ] *vb.* belåne; optage lån i (*fx one's house*); (se også *hilt*).

mortgage deed *sb.* pantebrev.

mortgagee [mɔːgi'dʒiː] *sb.* panthaver; kreditor.

mortgagor [mɔːgi'dʒɔː] *sb.* pantsætter; debitor.

mortice se *mortise.*

mortician [mɔː'tiʃn] *sb.* (*am.*) bedemand.

mortification [mɔːtifi'keiʃn] *sb.* **1.** krænkelse, ydmygelse; skuffelse; **2.** F spægelse (*fx ~ of the flesh*); □ *have the ~ of being* (*jf.* 1, *også*) lide den tort at blive.

mortified ['mɔːtifaid] *adj.* krænket, ydmyget (*fx he felt ~ when he was passed over*); skamfuld.

mortify ['mɔːtifai] *vb.* krænke, ydmyge; □ *~ the flesh* F spæge sig; spæge sit kød.

mortise[1] ['mɔːtis] *sb.* taphul; not.

mortise[2] ['mɔːtis] *vb.* sammentappe; sammenfælde; indtappe.

mortise chisel *sb.* taphulsjern, lokbejtel.

mortise lock *sb.* indstemmet lås.

mortuary[1] ['mɔːtʃuəri] *sb.* ligkapel; lighus.

mortuary[2] ['mɔːtʃuəri] *adj.* begravelses- (*fx ritual*); grav- (*fx urn*); døds-.

Mosaic [mə'zeiik] *adj.* mosaisk; □ *the ~ Law* Moseloven.

mosaic [mə'zeiik] *sb.* **1.** mosaik;

M *moschatel*

2. (*bot.*) mosaiksyge.
moschatel ['mɔskətel] *sb.* (*bot.*)
desmerurt.
Moscow ['mɔskəu] Moskva.
mosey ['mouzi] *vb.* (*am.* T) drive,
lunte; tøfle;
□ ~ *along* slentre af sted; ~
around daske rundt.
Moslem ['mɔzləm] se *Muslim.*
mosque [mɔsk] *sb.* moské, moske.
mosquito [mə'ski:təu] *sb.* (*pl. -es*)
moskito; myg.
mosquito net *sb.* moskitonet; myg-
genet.
mosquito repellent *sb.* myggemid-
del; myggebalsam.
moss [mɔs] *sb.* (*bot.*) mos.
mossback ['mɔsbæk] *sb.* (*am.* T)
stokkonservativ.
moss stitch *sb.* perlestrikning.
mossy ['mɔsi] *adj.* **1.** mosbegroet,
mosklædt; **2.** mosagtig.
most[1] [məust] *adj.* mest; flest; det
meste (*fx* ~ *of the time*); de fleste
(*fx* ~ *people*);
□ *at (the)* ~ i det højeste; højst;
make the ~ *of* **a.** drage størst mu-
lig nytte af; få det mest mulige ud
af; **b.** overdrive betydningen af; ~
of all allermest; (se også *part*[1]).
most[2] [məust] *adv.* **1.** mest (*fx that
was what I wanted* ~; *the* ~ *hated
teacher*); **2.** (*ved omskrivning af
superlativ*) mest (*fx the* ~ *inter-
esting man I ever met; ask the* ~
possible for it); [*svarer ofte til en-
delse, fx the* ~ *tedious fellow I
know* den kedeligste ...]; **3.** (F: *om
høj grad*) højst, yderst, særdeles
(*fx a* ~ *tedious fellow*); i høj grad
(*fx it is* ~ *interesting*); **4.** (*am.* T) =
almost;
□ ~ *certainly* aldeles sikkert; *the
Most High* Gud.
most-favoured-nation
[məus(t)feivəd'neiʃn] *adj.* mestbe-
gunstigelses- (*fx clause* klausul;
principle; treatment).
mostly ['məus(t)li] *adv.* for største-
delen; hovedsagelig; for det me-
ste.
MOT[1] *fork. f. Ministry of Trans-
port.*
MOT[2] [emou'ti:] *sb.* (tvunget årligt)
bilsyn.
MOT[3] [emou'ti:] *vb.* (-'d, -'d) syne.
MOT certificate *sb.* attest for bil-
syn.
mote [məut] *sb.* støvgran; sands-
korn;
□ *why beholdest thou the* ~ *that
is in thy brother's eye?* (*bibelsk*)
hvi ser du skæven i din broders
øje?
motel [məu'tel] *sb.* motel.
motet [məu'tet] *sb.* (*mus.*) motet.

moth [mɔθ] *sb.* (*zo.*) **1.** natsommer-
fugl; **2.** (*som æder tøj*) møl.
mothball[1] ['mɔθbɔ:l] *sb.* mølkugle,
møltablet;
□ *in -s* **a.** (*om skib*) oplagt; **b.** (*fig.*)
i reserve.
mothball[2] ['mɔθbɔ:l] *vb.* **1.** (*tøj*)
lægge i mølpose; **2.** (*fig.*) lægge i
mølpose(n); henlægge (*fx the
plan*); (*om bygning, maskine etc.*)
holde i reserve.
moth-eaten ['mɔθi:t(ə)n] *adj.*
1. mølædt; **2.** (*fig.*) nedslidt, med-
taget; forældet.
mother[1] ['mʌðə] *sb.* **1.** moder, mor
(*of* til, *fx two children*); **2.** (*am.
vulg.*) = *motherfucker*;
□ *every -'s son* (*glds.*) hver eneste
mors sjæl.
mother[2] ['mʌðə] *vb.* **1.** være moder
for; **2.** (*fig.: især neds.*) tage sig
moderligt af; være som en mor
for.
motherboard ['mʌðəbɔ:d] *sb.* (*it*)
motherboard, hovedkort, bund-
kort.
mother country *sb.* **1.** (*persons*)
fædreland; **2.** (*i forhold til koloni*)
moderland.
mother figure *sb.* moderskikkelse;
moderfigur.
mother fixation *sb.* (*psyk.*) moder-
binding.
motherfucker ['mʌðərfʌkər] *sb.*
(*am. vulg.*) [*meget groft skælds-
ord*]; forpulet skiderik.
motherhood ['mʌðəhud] *sb.* moder-
skab.
Mothering Sunday *sb.* (*glds.*) mors
dag.
mother-in-law ['mʌð(ə)rinlɔ:] *sb.*
(*pl.* mothers-in-law) svigermor.
motherly ['mʌðəli] *adj.* moderlig.
mother-of-pearl [mʌð(ə)rəv'pə:l] *sb.*
perlemor.
mother's boy *sb.* (*am., neds.*) mors
dreng.
mother's help *sb.* ung pige, hus-
hjælp [*til børnepasning og lettere
husarbejde*].
Mother Superior *sb.* abbedisse.
mother-to-be [mʌðətə'bi:] *sb.* (*pl.*
mothers-to-be) vordende moder.
mother tongue *sb.* modersmål.
mothproof[1] ['mɔθpru:f] *adj.* møl-
ægte; mølbehandlet.
mothproof[2] ['mɔθpru:f] *vb.* mølbe-
handle.
motif [məu'ti:f] *sb.* (*i kunst*) motiv;
tema.
motile ['məutail, (*am.*) 'mout(ə)l]
adj. bevægelig.
motility [məu'tiliti] *sb.* bevægelig-
hed; motilitet.
motion[1] ['məuʃn] *sb.* **1.** bevægelse
(*fx the rocking* ~ *of the boat*);

2. (*persons*) bevægelse (*fx with a*
~ *of his head*); tegn (*fx he made a*
~ *to her to go*); vink; **3.** (*parl. etc.*)
forslag (*fx the* ~ *was rejected*);
4. (*jur.*) begæring [*om rettens afsi-
gelse af kendelse*]; **5.** (*med., især
glds.*) afføring; **6.** (*tekn.*) meka-
nisme;
□ *in* ~ i bevægelse; i gang; *in slow*
~ i langsom gengivelse; *in three
-s* i tre tempi; *go* **through** *the -s of
doing it* gøre det rent rutinemæs-
sigt/mekanisk/pligtmæssigt (*fx he
went through the -s of welcoming
them*); *he only went through the
-s* han lod kun som om han gjorde
det; han gjorde det på skrømt.
motion[2] ['məuʃn] *vb.* gøre tegn;
vinke (*fx* ~ *him away;* ~ *him to
the sofa*);
□ ~ *him to a seat,* ~ *(to) him to
sit down* gøre tegn til ham at han
skal sætte sig.
motionless ['məuʃnləs] *adj.* ubevæ-
gelig.
motion picture *sb.* (*am.*) film; spil-
lefilm.
motion sickness *sb.* (*med.*) trans-
portsyge; køresyge.
motivate ['məutiveit] *vb.* motivere.
motivation [məuti'veiʃn] *sb.* **1.** mo-
tivation, motivering (*for* for);
2. (*følelse*) motivation (*to* til at, *fx
he felt no* ~ *to try again*).
motive[1] ['məutiv] *sb.* **1.** motiv (*of*
til); bevæggrund; **2.** (*i kunst*) se
motif;
□ *from the best of -s* i den bedste
hensigt; (se også *ulterior motive*).
motive[2] ['məutiv] *adj.* driv- (*fx
force*); bevægelses-.
motive power *sb.* drivkraft.
motley[1] ['mɔtli] *sb.* **1.** broget blan-
ding; **2.** (*hist.*) narredragt.
motley[2] ['mɔtli] *adj.* **1.** broget,
blandet (*fx collection; crew* skare);
2. (*litt.: om dragt*) spraglet, man-
gefarvet.
motocross ['məutəkrɔs] *sb.* moto-
cross.
motor[1] ['məutə] *sb.* **1.** motor; **2.** T
bil.
motor[2] ['məutə] *adj.* **1.** motor- (*ɔ:
motordreven*); **2.** bil- (*fx industry;
insurance*); **3.** (*fysiol.*) bevæge- (*fx
muscle; nerve*); motorisk (*fx func-
tion; nerve*).
motor[3] ['məutə] *vb.* (*glds.*) køre i
automobil; bile.
Motorail ['məutəreil] *sb.* (*jernb.*)
biltransporttog.
motor bicycle *sb.*, **motorbike**
['məutəbaik] *sb.* **1.** motorcykel;
2. (*am.*) knallert; let motorcykel.
motorcade ['məutəkeid] *sb.* (*am.*)
bilkortege.

motor car *sb.* bil; automobil.
motor caravan *sb.* autocamper.
motor court *sb.* (*am.*) motel.
motorcycle[1] ['məutəsaikl] *sb.* motorcykel.
motorcycle[2] ['məutəsaikl] *vb.* køre på motorcykel.
motor home *sb.* (*am.*) autocamper.
motoring[1] ['məutəriŋ] *sb.* (*glds.*) automobilkørsel; bilisme.
motoring[2] ['məutəriŋ] *adj.* bil- (*fx accident; trip*); automobil- (*fx club; organization*); færdsels- (*fx offence*).
motoring school *sb.* køreskole.
motorist ['məutərist] *sb.* bilist.
motorized ['məutəraizd] *adj.* motoriseret.
motor lodge *sb.* (*am.*) motel.
motorman ['məutəmən, -mæn] *sb.* (*pl.* -men [-mən, -men]) **1.** (*i tog*) elektrofører; **2.** (*i sporvogn*) vognstyrer.
motormouth ['məutəmauθ] *sb.* (*am.* S, *om person*) snakkemaskine.
motor racing *sb.* bilvæddeløb.
motor scooter *sb.* scooter.
motor show *sb.* (automo)biludstilling.
motor vehicle *sb.* motorkøretøj.
motorway ['məutəwei] *sb.* motorvej.
MOT test *sb.* = *MOT*[2].
mottled ['mɔtld] *adj.* broget, spraglet; spættet; marmoreret; skjoldet.
motto ['mɔtəu] *sb.* (*pl.* -es/-s) motto, valgsprog, devise.
moue [mu:] *sb.* trutmund [*udtryk for ærgrelse el. væmmelse*].
mould[1] [məuld] *sb.* **1.** (*til støbning, til madlavning*) form; **2.** (*ret*) [*budding, paté etc. der er lavet i en form*]; rand; **3.** (*om person*) støbning; type; **4.** (*på mad etc., af fugt*) skimmel, mug; skimmelsvamp; **5.** (*til dyrkning*) muld, jord; □ break the ~ (*fig.*) bryde det hidtidige mønster; prøve noget helt nyt; *from/in the same* ~ (*jf.* 3) af samme støbning/slags.
mould[2] [məuld] *vb.* **1.** forme (*from/out of* af; *into* til); **2.** (*person*) forme, danne; □ ~ *to* **a.** forme sig efter, tage form efter; **b.** (*om tøj*) smyge sig tæt til.
mouldboard ['məuldbɔ:d] *sb.* (*agr.:* på plov) muldfjæl.
moulded ['məuldid] *adj.* formstøbt (*fx plastic*).
moulder ['məuldə] *vb.* smuldre; hensmuldre.
moulding ['məuldiŋ] *sb.* **1.** (*arkit.*) gesims; (*s-formet*) karnis; **2.** (*i snedkeri*) kelliste; profileret liste; staf; **3.** (*på bil*) pynteliste; **4.** (*til*

billedramme) billedliste; **5.** (jf. *mould*[2] 1) formning.
mouldy ['məuldi] *adj.* **1.** muggen; **2.** (*fig.*) forældet, gammeldags (*fx ideas*); **3.** (*glds.* S) elendig; skaldet (*fx a* ~ *50p*).
moult [məult] *vb.* **1.** (*om dyr*) skifte hud; (*om slange etc.*) skifte ham; (*om fugl//pelsdyr*) fælde, skifte fjerdragt//pels; **2.** (*med objekt*) afkaste.
mound[1] [maund] *sb.* **1.** høj; (*mindre*) tue; (*langagtig*) vold; **2.** (*af ting*) dynge, bunke (*fx of stones; of papers*); **3.** (*i baseball*) [*kastetue*].
mound[2] [maund] *vb.* dynge op.
mount[1] [maunt] *sb.* **1.** (*til opklæbning*) karton; **2.** (*til ædelsten*) indfatning; **3.** (*foto.:* til diapositiv) maske, ramme; **4.** (*til frimærke*) hængsel; **5.** (*til montering af maskine, til møbler etc.*) beslag; **6.** (*ved mikroskopering*) objektglas; **7.** (*til ridning*) (ride)dyr (*fx the pony was a neat little* ~); (ride)hest; **8.** (*bibelsk, poet. el. i egennavne,*) bjerg.
mount[2] [maunt] *vb.* (se også *mounted*) **A.** (*med objekt*) **1.** (*trappe etc.*) gå/stige op ad (*fx the ladder; the steps*); køre op på (*fx don't* ~ *the kerb when you park*); **2.** (*sted*) gå op på, stige op på (*fx the platform*); F bestige (*fx the throne*); **3.** (*cykel, hest*) sætte sig op på, stige op på; bestige; **4.** (*hundyr: ved parring*) bestige, bedække; **5.** (*ting*) anbringe; **6.** (*maskine, våben*) montere; opstille; **7.** (*billede, kort*) montere; klæbe op; **8.** (*frimærke*) klæbe ind; **9.** (*ædelsten*) indfatte; **10.** (*foretagende*) arrangere (*fx an exhibition*); indlede, organisere (*fx a campaign*); **11.** (*teaterstykke*) sætte op; **12.** (*mil.*) iværksætte, påbegynde, indlede (*fx an attack; an operation*);
B. (*uden objekt*) **1.** stige, vokse (*fx* -*ing debts;* -*ing protest*); **2.** (*på cykel, hest*) sætte sig 'op, stige 'op; F sidde 'op; (*om rytter også*) stige til hest;
□ *her colour* -*ed* hun rødmede; ~ *up* hobe sig op; løbe op; (se også *guard*[1], *high*[2] (*horse*)).
mountain ['mauntin] *sb.* (*også fig.*) bjerg (*fx of food; butter* ~);
□ *have a* ~ *to climb* (*fig.*) være stillet over for en svær opgave; *make a* ~ *out of a molehill* gøre en myg til en elefant; *move* -*s* flytte bjerge (*fx faith can move* -*s*).
mountain ash *sb.* (*bot.*) røn, rønnebærtræ.

mountain avens *sb.* (*bot.*) rypelyng.
mountain bike *sb.* mountain bike.
mountaineer [maunti'niə] *sb.* bjergbestiger.
mountaineering [maunti'niəriŋ] *sb.* bjergbestigning.
mountain hare *sb.* snehare.
mountain lion *sb.* puma; kuguar.
mountainous ['mauntinəs] *adj.* **1.** bjergfuld, bjergrig; **2.** (*fig.*) enorm (*fx debts*).
mountain range *sb.* bjergkæde.
mountain ridge *sb.* bjerggryg.
mountainside ['mauntinsaid] *sb.* bjergskråning, bjergside.
mountebank ['mauntibæŋk] *sb.* humbugsmager; gøgler.
mounted ['mauntid] *adj.* ridende, bereden (*fx police*); til hest; □ *be* ~ *on* ride på, sidde på (*fx a white horse*); *the troops were miserably* ~ tropperne havde elendige heste.
Mountie ['maunti] *sb.* (*can.* T) [*medlem af det beredne politi*].
mountings ['mauntiŋz] *sb. pl.* beslag.
mourn [mɔ:n] *vb.* **1.** sørge (*for* over); bære sorg; **2.** (*med objekt*) sørge over; begræde.
mourner ['mɔ:nə] *sb.* sørgende; deltager i begravelse; □ *the* -*s* de efterladte; følget; *the chief* ~ den nærmeste pårørende [*ved begravelse*].
mournful ['mɔ:nf(u)l] *adj.* **1.** sorgfuld; sørgmodig; bedrøvet; **2.** (*om lyd*) bedrøvelig; klagende.
mourning ['mɔ:niŋ] *sb.* **1.** sorg; **2.** (*tøj*) sørgedragt; **3.** (*lyd*) klage; □ *be in* ~ bære sorg; *be in* ~ *for* **a.** bære sorg for; **b.** sørge over; *go into* ~ anlægge sorg.
mouse[1] [maus] *sb.* (*pl.* mice [mais]) **1.** (*zo.* & *it*) mus; **2.** S blåt øje.
mouse[2] [mauz, maus] *vb.* **1.** fange mus; jage mus; **2.** (*fig.*) liste om; snuse rundt.
mouse-ear ['mausiə] *sb.* (*bot.*) **1.** = *mouse-ear chickweed;* **2.** = *mouse-ear hawkweed.*
mouse-ear chickweed *sb.* hønsetarm.
mouse-ear hawkweed *sb.* (*bot.*) håret høgeurt.
mouse mat *sb.* (*it*) musemåtte.
mouse pad *sb.* (*am.*) = *mouse mat.*
mouse potatoe *sb.* computernarkoman.
mouser ['mauzə, -sə] *sb.:* *be a good* ~ (*om kat*) være god til at fange mus.
mousetrap ['maustræp] *sb.* **1.** musefælde; **2.** T [*kedelig ost*].
mousey *adj.* = *mousy.*

M moussaka

moussaka [mu'sa:kə] *sb.* musaka.
mousse [mu:s] *sb.* mousse [*dessert el. til hår*].
mousseline ['mu:sli:n] *sb.* musse-lin.
moustache [mə'sta:ʃ] *sb.* overskæg, moustache.
moustached [mə'sta:ʃt] *adj.* med overskæg; med moustache.
mousy ['mausi] *adj.* **1.** museagtig; **2.** (*om hår*) kommunefarvet; **3.** (*om person*) sky, forskræmt; uanselig, kedelig.
mouth[1] [mauθ] *sb.* (*pl. -s* [mauðz]) **1.** mund; **2.** (*af flod*) munding; **3.** (*af hule etc.*) indgang; **4.** (*af beholder, flaske*) åbning; **5.** (*af skydevåben*) munding;
□ *he is all ~ (and no trousers)* det er bare noget han siger [ɔ: *han tør ikke i virkeligheden*]; det er kun mundsvejr;
[*med vb.*] *give ~* give hals; *open one's ~* T åbne munden; lukke munden op [*også = sige noget*]; *shut one's mouth* T holde mund; *stop sby's ~* lukke munden på en; *watch one's ~* T passe på hvad man siger; F vare sin mund; (se også *feed*[2], *shoot*[2]);
[*med præp.& adv.*] *be down in the ~* være nedslået; hænge med hovedet; *he has his heart in his ~* hjertet sidder i halsen på ham; *put one's foot in one's ~* se *foot*[1]; (se også *silver spoon*); *put words into his ~* påstå at han har sagt det; lægge ham ordene i munden; *take the words out of his ~* tage ordet/brødet ud af munden på ham; *out of the -s of babes (and sucklings)!* (*spøg., let glds.*) hør de uskyldiges røst! [ɔ: *den lille sagde noget klogt*]; *live hand to ~* leve fra hånden og i munden.
mouth[2] [mauð] *vb.* **1.** forme (ord) lydløst med læberne; mime, udtale stumt; **2.** (*noget banalt, falsk*) lire af (*fx platitudes; excuses*);
□ *~ a horse* vænne en hest til bidslet; køre en hest til; *~ off* T kæfte op.
mouth-breather ['mauθbri:ðər] *sb.* (*am.* S) tåbe.
mouthful ['mauθf(u)l] *sb.* **1.** mundfuld; **2.** (*om svært ord*) en ordentlig mundfuld;
□ *you said a ~* (*am.* T) der sagde du virkelig noget; det er ordentlig snak.
mouth organ *sb.* mundharmonika.
mouthpiece ['mauθpi:s] *sb.*
1. (*mus. etc.*) mundstykke; **2.** (*af pibe*) spids; **3.** (*tlf.*) telefontragt, telefonrør; **4.** (*boksers*) tandbeskytter; **5.** (*om person, avis*) tale-rør.
mouth-to-mouth [mauθtə'mauθ] *sb.* = *mouth-to-mouth resuscitation.*
mouth-to-mouth resuscitation *sb.* genoplivning ved mund til mund-metode.
mouthwash ['mauθwɔʃ] *sb.* mund-skyllevand.
movable ['mu:vəbl] *adj.* bevægelig; flytbar; forskydelig.
movable feast *sb.* (*rel.*) forskydelig højtid.
movable property *sb.* rørligt gods; løsøre.
movables ['mu:vəblz] *sb. pl.* se *movable property.*
move[1] [mu:v] *sb.* **1.** bevægelse; **2.** (*et andet sted hen*) flytning; **3.** (*i brætspil*) træk; **4.** (*fig.*) skridt; skaktræk;
□ *the next ~ is up to the Western powers* (*fig.*) det er Vestmagterne der har udspillet; *be on the ~* være på farten; være i bevægelse; [*med vb.*] *get a ~ on* få fart på; rubbe sig; *make a ~* **a.** (*jf. 1*) gøre en bevægelse; røre på sig; **b.** (*jf. 2*) bryde op; flytte; **c.** (*jf. 3*) gøre et træk; **d.** (*jf. 4*) skride til handling; foretage sig noget (*fx you must make a ~ soon*); *put the -s on* (*am.* S) gøre tilnærmelser til; lægge an på.
move[2] [mu:v] *vb.* **A.** (*uden objekt*) **1.** bevæge sig (*fx I could hardly ~*); røre sig (*fx don't ~!*); gøre en bevægelse; **2.** (*et andet sted hen*) flytte sig; T komme af sted (*fx let's ~*); **3.** (*mht. bolig, arbejde*) flytte (*fx they have -d to Hull*); **4.** (*mht. omgangskreds*) færdes (*among/with* blandt; *in* i, *fx he only -s among/with the best people; he -s in the best circles*); bevæge sig; **5.** (*om handling*) foretage sig noget; tage affære (*fx we had better ~ at once in this matter*); **6.** (*om begivenheder etc.*) udvikle sig (*fx events had -d rapidly*); **7.** (*i brætspil*) trække (*fx black (is) to ~* sort skal trække); **8.** (*jur.*) fremsætte begæring (*for* om); **9.** (*merk.: om vare*) finde købere; blive solgt; **B.** (*med objekt*) **1.** bevæge (*fx one's lips*); **2.** (*til et andet sted//en anden tid & i brætspil*) flytte, rykke (*fx the table over to the window; the meeting to another day; a piece* en brik); **3.** (*følelsesmæssigt*) røre (*fx it -d me deeply//to tears*); **4.** (*til handling*) tilskynde, bevæge (*to* til at, *fx nothing could ~ him to change his mind*); **5.** (*parl., jur.*) foreslå (*that* at); (*forslag*) fremsætte, stille (*fx an amendment* et ændringsfor-slag); **6.** (*merk.: vare*) finde købere til; sælge;
□ *feel -d to* føle sig tilskyndet til at; føle trang til at; *get moving* T **a.** komme i gang; **b.** komme af sted; *get things moving* T sætte skub i tingene; (se også *bowels, heaven, house*[1], *spirit*[1]);
[*med præp.& adv.*] *~ about/ around* **a.** bevæge sig//rejse rundt; **b.** (*med objekt*) flytte rundt; flytte rundt på;
~ along **a.** se ndf.: *~ on*; **b.** (*om arbejde, proces*) gå fremad, skride frem; **c.** (*for at give plads*) rykke sig, flytte sig (*fx ~ along a bit so that I can sit down*);
~ among se ovf.: *4*;
~ away from fjerne sig fra;
~ down **a.** (*med objekt*) flytte ned; **b.** (*uden objekt*) bevæge sig ned, flytte ned; **c.** (*om pris*) falde;
~ for se ovf.: *A 8*;
~ forward **a.** bevæge sig fremad; rykke frem; **b.** (*om tid, dato*) rykke frem, fremrykke (*fx the meeting has been -d forward to March*); fremskynde, lægge tidligere;
~ in **a.** flytte ind; **b.** rykke ind; blive sat ind (*fx police -d in*); **c.** se ovf.: *A 4*; *~ in society* komme/gå meget ud; *~ in on* **a.** rykke frem imod; gå tæt på (*fx the camera -d in on his face*); **b.** T trænge sig ind på, begynde at overtage (*fx the motor industry*); *~ in with* flytte ind hos; flytte sammen med;
~ into (*jf. A 3*) flytte ind i (*fx a new house*); *the train -d slowly into the station* toget rullede langsomt ind på stationen;
~ off bevæge sig væk; fjerne sig;
~ on **a.** give ordre til at gå videre; **b.** (*oprøb*) sprede; **c.** (*uden objekt*) gå videre (*to* til); **d.** (*om udvikling*) komme videre (*fx I have -d on since then*); udvikle sig (*fx things have -d on*); **e.** (*om folkemængde*) gå videre, sprede sig; *~ on!* passér gaden!;
~ over **a.** (*for at give plads*) rykke sig, flytte sig; **b.** (*fra stilling*) træde tilbage; *~ over to* gå over til; skifte til;
~ round se ovf.: *~ about/around*;
~ to another subject gå over til et andet emne; *~ the conversation to another subject* styre samtalen ind på et andet emne;
~ up **a.** (*med objekt*) flytte op; **b.** (*uden objekt*) bevæge sig op, flytte op; **c.** = *~ along c*); **d.** (*om pris*) stige; **e.** (*mil.*) rykke ind;
~ with se ovf.: *A 4*; *~ with the times* følge med tiden.

moveable *adj.* = *movable*.
movement ['mu:vmənt] *sb.* **1.** (*også om folke- etc.*) bevægelse (*fx her graceful -s; troop -s; the labour ~*); **2.** (*i noget man ser*) liv (*fx the scene was almost devoid of ~; the painting was full of ~*); **3.** (*i begivenheder, proces*) gang, bevægelse, udvikling; **4.** (*merk.: mht. varer*) omsætning; (*mht. priser*) prisbevægelse; kursbevægelse; **5.** (*mus.*) sats; **6.** (*med.*) afføring; **7.** (*i ur*) værk;
□ *-s* (*også*) færden; aktiviteter; *let me know your -s* lad mig vide hvor du opholder dig//hvad du foretager dig; *watch sby's -s* holde et vågent øje med en; *the free ~ of labour* arbejdskraftens frie bevægelighed.
mover ['mu:və] *sb.* **1.** (*som sætter noget i gang*) drivkraft; ophavsmand; **2.** (*ved møde*) forslagsstiller; **3.** (*især am.*) flyttemand; **4.** (*med adj.: især om hest*) løber (*fx a good ~*);
□ *-s and shakers* de der har magten; de der betyder noget; (se også *prime mover*).
movie ['mu:vi] *sb.* (*am.*) film;
□ *the -s* **a.** film(en) (*fx his love of the -s*); **b.** biografen (*fx what's on at the -s?*); *go to the -s* gå i biografen.
moviegoer ['mu:vigouər] *sb.* (*am.*) biografgænger.
movie house *sb.* (*am.*) biografteater, biograf.
movie star *sb.* (*am.*) filmstjerne.
movie theater *sb.* (*am.*) biografteater, biograf.
moving ['mu:viŋ] *adj.* **1.** som bevæger sig, bevægelig (*fx the ~ parts of the machine*); **2.** (*følelsesmæssigt*) bevægende, rørende, gribende (*fx story; sight*);
□ *the ~ force/spirit* drivkraften, den drivende kraft; *the ~ force/ spirit of the enterprise* (*også*) sjælen i foretagendet.
moving picture *sb.* (*glds.*) film.
moving staircase *sb.* rullende trappe; escalator.
moving walkway *sb.* rullende fortov.
Moviola® [mu:vi'əulə] *sb.* (*film.*) Moviola; klippebord.
mow[1] [mau] *sb.* (*am.*) **1.** høbunke; høstak [*i lade*]; **2.** høgulv; høloft.
mow[2] [məu] *vb.* (*-ed, mown/-ed*) (*græs*) slå;
□ *~ down* (*personer*) meje ned.
mower ['məuə] *sb.* **1.** (*til græs*) plæneklipper; **2.** (*agr.*) slåmaskine; høstmaskine.
mown [məun] *præt. ptc. af mow*[2];

(se også *new-mown*).
moxie ['mɔksi] *sb.* (*am.* S) fut; gåpåmod; dygtighed.
MP [em'pi:] *fork. f.* **1.** *Member of Parliament*; **2.** *Military Police*.
mpg *fork. f. miles per gallon*.
mph *fork. f. miles per hour*.
MPV *fork. f. multi-purpose vehicle* [*varevognsagtig bil*].
Mr ['mistə] hr. (*fx ~ Jones; ~ President*).
Mr. Charlie *sb.* (*am.* S, *neds.*) **1.** hvid; **2.** hvide mennesker.
MRCP *fork. f. Member of the Royal College of Physicians*.
MRCS *fork. f. Member of the Royal College of Surgeons*.
Mr Right *sb.* T den eneste ene [*som man kan gifte sig med*]; den helt rigtige mand.
Mrs ['misiz] fru;
□ *Colonel and Mrs Brown* oberst Brown og frue.
Mrs Grundy ['grʌndi] [*personifikation af snerpethed*];
□ *what will ~ say?* hvad vil folk sige?
MS *fork. f.* **1.** *manuscript*; **2.** (*med.*) *multiple sclerosis*; **3.** (*am.*) *Master of Science*.
Ms [miz] *fork. f. Miss//Mrs* (*svarer til*) fr.
M/S *fork. f. motor ship*.
MSc *fork. f. Master of Science*.
Mt *fork. f. Mount*.
MTV *fork. f. Music Television*.
much[1] [mʌtʃ] *adj.* meget (*fx you've got too ~ work to do*); megen; mange;
□ *without ~ difficulty* uden større vanskelighed; *it was all so ~ nonsense* det var bare vrøvl; (se også *bit*[1], *much*[2]).
much[2] [mʌtʃ] *adv.* **1.** meget (*fx ~ better; I don't sleep ~*); **2.** omtrent, nogenlunde (*fx ~ as usual*); **3.** (*foran sup.*) langt, absolut (*fx ~ the best plan*);
□ *it wasn't ~ good* det var ikke meget bevendt; der var ikke meget ved det; *~ less* endsige; langt mindre; for slet ikke at tale om; *not ~, nothing ~* ikke noget videre; ikke (ret) meget (*fx there is not/nothng ~ to do around here*); *I know this/thus ~ that* så meget ved jeg at; *~ too ~* alt for meget; [*med: as, so*] *as ~* **a.** lige så meget; **b.** det samme (*fx I would do as ~ for you*); *I feared as ~* det var det jeg var bange for; *he said as ~* **a.** det var netop hvad han sagde; **b.** det var meningen med hans ord; *I thought as ~* jeg tænkte det jo nok; *as ~ as* **a.** så meget som (*fx he told us as ~ as*

he knew*); **b.** omtrent, så godt som (*fx he as ~ as admitted that it was his fault*); **c.** (*om stor mængde*) så meget som, ikke mindre end, hele (*fx he paid as ~ as £50,000 for it*); *it is as ~ as he can do* det er alt hvad han kan præstere; *it was as ~ as I could do to* det var lige alt det jeg kunne (*fx get out of bed*); *as ~ as to say* som om man ville sige; (se også *job*); *as ~ more* dobbelt så meget; *~ as* **a.** omtrent/nogenlunde som (*fx ~ as usual*); **b.** hvor ... end (*fx ~ as I like him* hvor godt jeg end kan lide ham);
so ~ **a.** så meget; **b.** (*ubestemt mængde*) så og så meget; *so ~ the better//worse* så meget desto bedre//værre; *we did not get so ~ as a cup of tea* vi fik ikke så meget som en kop te; *so ~ so* og det i den grad;
[+ *præp.*] *so ~ for ...* (*ironisk, omtr.*) så lidt betyder ...; *so ~ for the plot of the play* så vidt stykkets handling; *so ~ for the present* det er tilstrækkeligt for øjeblikket; det er alt hvad der er at sige for øjeblikket; *so ~ for that* færdig med det; nok om det; det er alt hvad der kan siges om det; *he was too ~ for me* ham kunne jeg ikke klare; *~ of a size* omtrent lige store; *make ~ of* gøre meget ud af; forkæle; gøre stads af; *I didn't make ~ of that play* jeg fik ikke meget ud af det stykke [ɔ: forstod det ikke]; *not ~ of a* ikke nogen videre god (*fx teacher*); *~ to my delight//surprise* til min store glæde//overraskelse.
muchness ['mʌtʃnəs] *sb.: much of a ~* T omtrent det samme; hip som hap; næsten ens.
mucilage ['mju:silidʒ] *sb.* **1.** slim; **2.** planteslim.
mucilaginous [mju:si'lædʒinəs] *adj.* slimet; klæbrig.
muck[1] [mʌk] *sb.* **1.** T skidt, snavs (*fx clean the ~ off the windscreen*); **2.** (*fra dyr*) møg, gødning (*fx spread ~*); skidt, lort (*fx dog's ~*); **3.** (*fig.*) møg, bras;
□ *make a ~ of* T spolere; *treat sby like ~* behandle en som det bare skidt.
muck[2] [mʌk] *vb.: ~ about/around* T drive//fjolle omkring; *~ sby about/around* T holde en for nar; behandle en lurvet; *~ about/ around with* T rode med; kludre med; (se også *mess*[2] (*about with*));
~ in T **a.** være 'med [*i arbejdet*]; deltage; **b.** dele værelse (*with* med); *~ out* muge ud; *~ up* T

spolere, forkludre, lave koks i.

muckraker ['mʌkreikə] *sb.* skandalejournalist [*der afslører korruption etc.*].

muckraking ['mʌkreikiŋ] *sb.* skandalejournalistik.

muck-up ['mʌkʌp] *sb.* kludder, koks;
□ *make a ~ of* spolere, forkludre, lave koks i.

mucky ['mʌki] *adj.* **1.** møgbeskidt; **2.** T ulækker; porno- (*fx film*).

mucous ['mju:kəs] *adj.* slimet.

mucous membrane *sb.* (*anat.*) slimhinde.

mucus ['mju:kəs] *sb.* slim.

mud [mʌd] *sb.* **1.** mudder, pløre; (*mere tyndtflydende*) dynd, slam; **2.** (*om byggemateriale, omtr.*) ler;
□ *here's ~ in your eye!* S skål!
sling/throw ~ at sby (*fig.*) kaste mudder på en, søle/svine en til; (se også *clear[1], drag[2], name[1]*).

mudbath ['mʌdba:θ] *sb.* gytjebad, slambad; mudderbad.

mud-built ['mʌdbilt] *adj.* lerklinet.

muddle[1] ['mʌdl] *sb.* forvirring; roderi; kludder;
□ *make a ~ of* forplumre; forkludre.

muddle[2] ['mʌdl] *vb.* (se også *muddled*) **1.** rode (*fx ~ about in the kitchen*); **2.** blande/rode sammen;
□ *~ along* klare sig på bedste beskub; *~ through* klare sig igennem som man bedst kan; *~ up* blande/rode sammen.

muddled ['mʌdld] *adj.* forvirret; rodet; uklar.

muddleheaded ['mʌdlhedid] *adj.* forvirret.

muddy[1] ['mʌdi] *adj.* **1.** mudret, pløret; sølet; **2.** (*om farve*) mørk; grumset; **3.** (*om lyd*) uklar, sløret.

muddy[2] ['mʌdi] *vb.* **1.** tilsøle, få mudder på (*fx one's shoes*); **2.** (*vand*) plumre; **3.** (*fig.*) forplumre;
□ *~ the waters* (*fig.*) forplumre sagen; lave rav i den.

mudflap ['mʌdflæp] *sb.* stænklap.

mudflats ['mʌdflæts] *sb. pl.* mudderbanker; slikvade.

mudguard ['mʌdga:d] *sb.* (*på cykel etc.*) skærm.

mud pack *sb.* slampakning [*til ansigtsbehandling*].

mud pie *sb.* mudderkage [*lavet af barn i leg*].

mud puppy *sb.* (*am. zo.: om forskellige salamandre, især*) dynddjævel; hulepadde.

mudskipper ['mʌdskipə] *sb.* (*zo.*) dyndspringer.

mudslide ['mʌdslaid] *sb.* mudderskred.

mud-slinging ['mʌdsliŋiŋ] *sb.* mudderkastning; nedrakning.

mud volcano *sb.* dyndvulkan.

mudwort ['mʌdwɔ:t] *sb.* (*bot.*) dyndurt.

muesli ['mju:zli, 'mu:zli] *sb.* mysli.

muezzin [mu'ezin] *sb.* muezzin [*udråber af tiderne for bøn for muslimer*].

muff[1] [mʌf] *sb.* **1.** muffe [*til hænderne*]; (se også *earmuffs*); **2.** (*vulg.* S) kusse, mis;
□ *make a ~ of* forkludre, kikse.

muff[2] [mʌf] *vb.* **1.** forkludre, kikse; **2.** (*i boldspil*) ikke gribe (*fx he -ed the ball*);
□ *~ a chance* misbruge/brænde en chance.

muffin ['mʌfin] *sb.* (te)bolle.

muffle ['mʌfl] *vb.* **1.** hylle ind; **2.** (*lyd*) dæmpe (*fx the noise*);
□ *~ up* hylle ind; pakke ind (*fx ~ yourself up well against the cold*).

muffled ['mʌfld] *adj.* **1.** (*om person*) indhyllet; tilhyllet; pakket godt ind; **2.** (*om lyd*) dæmpet (*fx voices*); halvkvalt (*fx cry*); **3.** (*om ting: for at dæmpe lyden*) omviklet (*fx oar*);
□ *~ drum* dæmpet tromme; *a ~ figure* (*jf.* 1, *også*) en formummet skikkelse.

muffle furnace *sb.* muffelovn.

muffler ['mʌflə] *sb.* **1.** halstørklæde; **2.** (*mus.*) dæmper; **3.** (*am.: på motorkøretøj*) lyddæmper; lydpotte.

mufti ['mʌfti] *sb.* **1.** (*rel.*) mufti [*muslimsk retslærd*]; **2.** (*glds. mil.*) civilt tøj;
□ *in ~* civilklædt; i civil.

mug[1] [mʌg] *sb.* **1.** (*til at drikke af*) krus; **2.** T ansigt, fjæs; **3.** (T: *om person*) tossehoved, godtroende fjols; **4.** (*am.* T) bisse, bølle;
□ *it is a mug's game* S det er det rene pjat; det får du//han *etc.* ikke spor ud af.

mug[2] [mʌg] *vb.* T **1.** overfalde; slå ned [*som led i røveri*]; **2.** lave ansigter, lave grimasser; (*teat.*) spille med overdreven mimik; **3.** (*am.*) fotografere [*til forbryderalbum*];
□ *~ up* (*fag, til eksamen*) læse op; *~ up on* læse over på; sætte sig ind i.

mugger ['mʌgə] *sb.* **1.** røver; voldsmand; **2.** (*zo.*) indisk krokodille.

mugging ['mʌgiŋ] *sb.* røverisk overfald.

muggins ['mʌginz] *sb.* T **1.** fjols, tåbe; **2.** (*spøg.*) jeg fjols.

muggy ['mʌgi] *adj.* (*om vejr*) lummer; tung.

mug's game *sb.* se *mug[1]*.

mug shot *sb.* T [*fotografi i//til politiets fotoarkiv*].

mugwort ['mʌgwɔ:t] *sb.* (*bot.*) gråbynke.

mugwump ['mʌgwʌmp] *sb.* (*am.*) løsgænger [*i politik*].

Muhammad [mə'hæməd] Muhamed.

mukluks ['mʌklʌks] *sb. pl.* kamikker [*skindstøvler*].

mulatto [mju'lætəu] *sb.* (*neds.*) mulat.

mulberry ['mʌlb(ə)ri] *sb.* (*bot.*) **1.** morbærtræ; **2.** (*frugt*) morbær.

mulch[1] [mʌl(t)ʃ] *sb.* dækningsmateriale [*o: halm, træflis, blade*]; jorddækning.

mulch[2] [mʌl(t)ʃ] *vb.* dække.

mule [mju:l] *sb.* (se også *mules*) **1.** (*zo.*) muldyr; (se også *stubborn*); **2.** S narkokurer; narkosmugler.

mules [mju:lz] *sb.* [*tøfler uden bagkappe*]; (*omtr.*) smutters.

muleteer [mju:li'tiə] *sb.* muldyrdriver.

mulish ['mju:liʃ] *adj.* stædig.

Mull [mʌl] *sb.* (*skotsk: i stednavne*) pynt; forbjerg.

mull[1] [mʌl] *sb.* **1.** (*bogb.*) hæftegaze; **2.** (*på skovbund*) muld.

mull[2] [mʌl] *vb.: ~ over* spekulere/ gruble over.

mullah ['mʌlə, 'mulə] *sb.* mullah [*islamisk lærd*].

mulled wine [mʌl'wain] *sb.* afbrændt vin; kryddervin; (*svarer omtr. til*) gløgg.

mullein ['mʌlin] *sb.* (*bot.*) kongelys.

mullet ['mʌlit] *sb.* **1.** (*zo.*) multe; **2.** (T) svenskerhår.

mulligatawny [mʌligə'tɔ:ni] *sb.* [*stærkt krydret karrysuppe*].

mullion ['mʌliən] *sb.* vinduespost [*lodret og især af sten*]; midterpost.

multi- ['mʌlti] mange-; fler- (*fx coloured; dimensional*); multi- (*fx cultural; ethnic*).

multidisciplinary [mʌlti'disiplinəri] *adj.* tværfaglig.

multifaceted [mʌlti'fæsətid] *adj.* med mange facetter; rigt facetteret; mangesidig.

multifarious [mʌlti'fɛəriəs] *adj.* mangeartet; mangfoldig.

multiform ['mʌltifɔ:m] *adj.* mangeartet.

multigym ['mʌltidʒim] *sb.* [*træningsmaskine med mange øvelser*].

multilateral [mʌlti'læt(ə)rəl] *adj.* flersidet, flersidig (*fx treaty*); mangesidet, mangesidig; multilateral.

multilingual [mʌlti'liŋjuəl] *adj.* flersproget.

multimillionaire [mʌltimiljə'nɛə] *sb.* mangemillionær.

multinational[1] [mʌlti'næʃn(ə)l] *sb.* multinationalt selskab.
multinational[2] [mʌlti'næʃn(ə)l] *adj.* multinational.
multipartite [mʌlti'pa:tait] *adj.* flersidig.
multiparty ['mʌltipa:ti] *adj.* flerparti-.
multiple[1] ['mʌltipl] *sb.* **1.** kædeforretning; butikskæde; **2.** (*mat.*) multiplum; (se også *least common multiple*).
multiple[2] ['mʌltipl] *adj.* mangfoldige, adskillige (*fx injuries*); mangeartede (*fx interests*).
multiple birth *sb.* flerbørnsfødsel.
multiple-choice test [mʌltipl'tʃɔistest] *sb.* flervalgsopgave [*hvor man skal udpege det rigtige svar blandt flere anførte*].
multiple fruit *sb.* (*bot.*) samfrugt.
multiple sclerosis *sb.* (*med.*) dissemineret sklerose.
multiple shop, multiple store *sb.* kædeforretning.
multiplex ['mʌltipleks] *sb.* multibiograf; biografcenter.
multiplication [mʌltipli'keiʃn] *sb.* **1.** mangfoldiggørelse; forøgelse; **2.** (*mat.*) multiplikation.
multiplication sign *sb.* multiplikationstegn.
multiplication table *sb.* gangetabel, multiplikationstabel [*især: den lille tabel 1-12*].
multiplicity [mʌlti'plisəti] *sb.* mangfoldighed.
multiplier ['mʌltiplaiə] *sb.* (*mat.*) multiplikator.
multiply[1] ['mʌltiplai] *vb.* **1.** forøge (*fx one's efforts*); mangedoble; mangfoldiggøre; **2.** (*om dyr*) formere sig (*fx mice ~ rapidly*); **3.** (*mat.*) multiplicere, gange (*by* med).
multiply[2] ['mʌltipli] *adv.* mangfoldigt; på mange forskellige måder.
multiprogramming [mʌlti'prəugræmiŋ] *sb.* (*it*) samkørsel.
multi-purpose [mʌlti'pə:pəs] *adj.* som har mange anvendelsesmuligheder; universal- (*fx tool*).
multiracial [mʌlti'reiʃ(ə)l] *adj.* flerrace- (*fx society*).
multistage ['mʌltisteidʒ] *adj.* **1.** som foregår i flere stadier (*fx decision-making process*); **2.** (*om raket, pumpe, turbine*) flertrins-.
multistorey[1] [mʌlti'stɔ:ri] *sb.* parkeringshus.
multistorey[2] [mʌlti'stɔ:ri] *adj.* fleretages.
multistorey carpark *sb.* parkeringshus.
multitasking ['mʌltita:skiŋ] *sb.* (*it*) multiopgavekørsel [*parallel afvik-*

ling af flere programmer].
multitude ['mʌltitju:d] *sb.* mængde, mangfoldighed (*fx a ~ of problems*);
□ *the ~* (*litt.*) **a.** folkemængden (*fx address the ~*); **b.** den store hob; *cover a ~ of sins* (*spøg.*) dække over en mængde kedelige/ubehagelige ting; *charity covers a ~ of sins* (*bibelcitat*) kærlighed skjuler en mangfoldighed af synder.
multitudinous [mʌlti'tju:dinəs] *adj.* **1.** talrig, mangfoldig; masse-; **2.** (*litt.*) uhyre stor, vidtstrakt.
multi-user [mʌlti'ju:zə] *adj.* flerbruger-.
mum[1] [məm] *sb.* **1.** (T: *barnesprog*) mor; **2.** (*am.* T) chrysantemum.
mum[2] [mʌm] *adj.*: *keep/stay ~ (about it)* holde mund; *mum's the word!* **a.** (*opfordring*) sig det ikke til nogen! **b.** (*svar*) jeg skal nok holde mund!
mum[3] [mʌm] *vb.* gøgle; spille pantomime.
mumble[1] ['mʌmbl] *sb.* mumlen.
mumble[2] ['mʌmbl] *vb.* **1.** mumle; fremmumle; **2.** gumle på.
mumbo jumbo [mʌmbəu'dʒʌmbəu] *sb.* T hokuspokus; volapyk; sludder.
mummer ['mʌmə] *sb.* skuespiller [*i pantomime*].
Mummerset ['mʌməset] *sb.* skuespillerdialekt; imiteret dialekt.
mummify ['mʌmifai] *vb.* **1.** mumificere; balsamere; **2.** (*uden objekt*) blive mumificeret; tørre ind.
mummy ['mʌmi] *sb.* **1.** (*i barnesprog*) mor; **2.** (*især egyptisk*) mumie.
mumps [mʌmps] *sb.* (*med.*) fåresyge.
mumsy ['mʌmzi] *adj.* T kedelig og gammeldags.
munch [mʌn(t)ʃ] *vb.* gumle; gnaske.
munchies ['mʌntʃiz] *sb. pl.* (*am.* T) lækkerier, guf, mundgodt; □ *get//have the ~* blive//være lækkersulten; *it gave me the ~* det gjorde mig lækkersulten.
mundane ['mʌndein] *adj.* **1.** kedelig, triviel, hverdagsagtig; jordnær, jordbunden, prosaisk; **2.** (*mods. åndelig*) verdslig; jordisk.
Munich ['mju:nik] München;
□ *the ~ Agreement* (*hist.*) Münchenaftalen [*1938*].
municipal [mju'nisip(ə)l] *adj.* kommunal (*fx authorities*); kommune- (*fx elections*).
municipality [mjunisi'pæləti] *sb.* kommune.
munificence [mju'nifis(ə)ns] *sb.* gavmildhed, rundhåndethed.

munificent [mju'nifis(ə)nt] *adj.* gavmild, rundhåndet.
munition [mju'niʃn] *vb.* forsyne med ammunition.
munitions [mju'niʃnz] *sb. pl.* krigsmateriel; våben; ammunition.
munt [mʌnt] *sb.* (*sydafr.*: *neds.* S) nigger.
mural[1] ['mjuər(ə)l] *sb.* vægmaleri; freske; freskomaleri.
mural[2] ['mjuər(ə)l] *adj.* mur-; væg-.
murder[1] ['mə:də] *sb.* mord (*of* på);
□ *it is ~* T **a.** det er dødsvært; det er næsten umuligt; **b.** det er rædselsfuldt; *he is ~* (*am.* S) han er skrap; *it is ~ on your feet//back* T det er hårdt for fødderne//ryggen; *he can get away with ~* han kan tillade sig hvad det skal være [*og slippe godt fra det*]; han kan slippe af sted med hvad det skal være; *~ will out* **a.** enhver forbrydelse bliver opdaget før eller senere; **b.** alt kommer for en dag; *the ~ is out* hemmeligheden er røbet; mysteriet er opklaret; (se også *blue murder*).
murder[2] ['mə:də] *vb.* **1.** myrde; **2.** (*fig.*) maltraktere, mishandle, radbrække (*fx the English language*).
murderer ['mə:d(ə)rə] *sb.* morder.
murderess ['mə:d(ə)rəs] *sb.* morderske.
murderous ['mə:d(ə)rəs] *adj.* **1.** morderisk (*fx attack*); mord- (*fx weapon*); dræbende (*fx blow*); **2.** (*om person*) mordlysten, blodtørstig; **3.** T frygtelig; utålelig, uudholdelig (*fx heat*); (*om person*) edderspændt rasende.
murex ['mjuəreks] *sb.* (*zo.*) pigsnegl.
murk [mə:k] *sb.* (*litt.*) mørke.
murky ['mə:ki] *adj.* **1.** mørk, skummel, dyster; **2.** (*om vand*) plumret; **3.** (*fig.*) skummel (*fx plot*); dunkel (*fx his ~ past*).
murmur[1] ['mə:mə] *sb.* **1.** mumlen; **2.** (*utilfreds*) knurren, murren; **3.** (*lyd: af vandløb*) rislen; (*af bølger*) brusen; (*af vind*) susen; (*af insekter*) summen; **4.** (*med.*) (hjerte)mislyd;
□ *without a ~* uden at knurre/kny; uden murren.
murmur[2] ['mə:mə] *vb.* **1.** mumle; (*med objekt også*) fremmumle; sige lavmælt/sagte; **2.** (*utilfredst*) knurre, murre (*about over*); **3.** (*om vandløb*) risle; (*om bølger*) bruse; (*om vind*) suse; (*om insekter*) summe.
murphy ['mə:fi] *sb.* T kartoffel.
muscatel [mʌskə'tel] *sb.* **1.** muskatvin; muskateller; **2.** muskateller-

M muscle

drue.
muscle[1] ['mʌsl] *sb.* **1.** muskel;
2. (*generelt*) muskler, muskelkraft
(*fx he has* ~ *but no brains*);
styrke; **3.** (*fig.*) indflydelse, magt
(*fx financial//military* ~; *use one's*
~);
□ *flex one's -s* (*fig.*) spille med
musklerne; *he did not move a* ~
han rørte sig ikke ud af stedet;
han stod fuldstændig stille; *pull a*
~ forstrække en muskel; *put* ~
into it (*jf. 2,* T) lægge kræfterne i;
ripple one's -s spille med musk-
lerne.
muscle[2] ['mʌsl] *vb.:* ~ *in* mase/
trænge sig ind (*on* på).
muscle-bound ['mʌslbaund] *adj.*
med overudviklede muskler;
overtrænet.
muscle-flexing ['mʌslfleksiŋ] *sb.*
spillen med musklerne.
muscleman ['mʌslmæn] *sb.* (*pl.*
-men [-men]) **1.** T muskelbundt [ɔ:
stærk person]; **2.** S bestilt volds-
mand, gorilla; bodyguard.
muscly ['mʌsli] *adj.* T muskuløs.
Muscovy ['mʌskəvi] (*glds.*) Rus-
land.
Muscovy duck *sb.* (*zo.*) moskus-
and.
muscular ['mʌskjulə] *adj.* **1.** mu-
skel- (*fx activity*); muskulær;
2. (*om person*) muskuløs.
muscular dystrophy *sb.* (*med.*)
muskelsvind.
musculature ['mʌskjulətʃə] *sb.* mu-
skulatur.
muse[1] [mju:z] *sb.* (*myt.& fig.*)
muse.
muse[2] [mju:z] *vb.* gruble, grunde,
fundere, spekulere (*upon/over*
over).
museum [mju'ziəm] *sb.* museum.
museum attendant *sb.* kustode.
museum curator *sb.* se *curator 1.*
museum piece *sb.* **1.** museumsgen-
stand, museumsstykke; **2.** (*spøg.*
om person) museumsgenstand,
oldsag.
mush[1] [mʌʃ] *sb.* **1.** blød/grødet
masse; grød; **2.** T sentimentalitet;
3. S kæft; fjæs; **4.** (*am.*) majsgrød;
5. (*am.*) tur med hundeslæde.
mush[2] [mʌʃ] *vb.* (*am.*) køre med
hundeslæde.
mushroom[1] ['mʌʃrum] *sb.* (*bot.*)
1. svamp (*fx edible//poisonous -s*);
paddehat; **2.** champignon.
mushroom[2] ['mʌʃrum] *vb.* **1.** skyde
op som paddehatte; vokse//brede
sig hastigt; **2.** antage form som en
paddehat;
□ *go -ing* plukke svampe; tage på
svampetur.
mushroom cloud *sb.* paddehatte-

sky.
mushroom growth *sb.* pludselig//
eksplosiv vækst.
mushy ['mʌʃi] *adj.* **1.** blød, smattet;
grødagtig; **2.** T sentimental, rør-
strømsk, flæbende.
music ['mju:zik] *sb.* **1.** musik (*fx*
play ~); **2.** noder (*fx read* ~; *play*
from (efter) ~);
□ *face the* ~ T tage skraldet; *it*
was ~ *to my ears* det var sød mu-
sik i mine ører; (se også *set*[3] (*to*
music); *sheet*[1]).
musical[1] ['mju:zik(ə)l] *sb.* musical.
musical[2] ['mju:zikl] *adj.* **1.** musi-
kalsk, musik- (*fx entertainment*);
2. (*om person*) musikalsk; **3.** (*om*
klang) melodisk (*fx voice*); melo-
diøs, velklingende.
musical box *sb.* spilledåse.
musical chairs *sb.* **1.** „Jerusalem
brænder", stoleleg; **2.** (*fig.*) [*stadig*
flytten rundt].
musical comedy *sb.* musical.
musical director *sb.* orkesterleder.
musicale [mju:zi'ka:l] *sb.* (*am.*)
musikaften; koncert i privat hjem.
musical glasses *sb. pl.* glasspil,
glasharpe.
musicality [mju:zi'kæliti] *sb.* musi-
kalitet.
music box *sb.* (*am.*) spilledåse.
music hall *sb.* varieté.
musician [mju'ziʃn] *sb.* musiker.
musicianship [mju'ziʃnʃip] *sb.* mu-
sikalsk dygtighed.
musicologist [mju:zi'kɔlədʒist] *sb.*
musikolog, musikforsker.
musicology [mju:zi'kɔlədʒi] *sb.* mu-
sikologi, musikvidenskab.
music paper *sb.* nodepapir.
music stand *sb.* nodestativ.
music stool *sb.* klaverstol, klaver-
bænk.
music system *sb.* musikanlæg.
musk [mʌsk] *sb.* moskus.
musk deer *sb.* (*zo.*) moskushjort.
musk duck *sb.* (*zo.*) bisamand.
muskellunge ['mʌskəlʌndʒ] *sb.*
(*am. zo.*) muskellunge [*geddeart*].
musket ['mʌskit] *sb.* (*hist.*) musket.
musketeer [mʌski'tiə] *sb.* (*hist.*)
musketer.
musketry ['mʌskitri] *sb.* geværild.
musk melon *sb.* (*bot.*) muskatme-
lon.
musk ox *sb.* (*zo.*) moskusokse.
muskrat ['mʌskræt] *sb.* (*zo.*) bisam-
rotte.
musk rose *sb.* (*bot.*) moskusrose.
musky ['mʌski] *adj.* moskusagtig;
moskusduftende.
Muslim[1] ['muzlim, 'mus-, (*am.*
også) mʌz-, mʌs-] *sb.* muslim.
Muslim[2] ['muzlim, 'mus-, (*am.*
også) mʌz-, mʌs-] *adj.* muslimsk.

muslin ['mʌzlin] *sb.* musselin.
muss[1] [mʌs] *sb.* (*am.* T) virvar; rod.
muss[2] [mʌs] *vb.* (*am.* T) lave rod i;
pjuske (*fx his hair*);
□ *-ed up* rodet; pjusket (*fx hair*).
mussel ['mʌs(ə)l] *sb.* (*zo.*) musling;
(*især*) blåmusling.
must[1] [mʌst] *sb.* **1.** T absolut nød-
vendighed; noget man ikke kom-
mer udenom, noget man ikke må
gå glip af (*fx this book is a* ~);
2. (*til vin*) ugæret druesaft; most;
□ *in* ~ (*om elefant*) parringsgal;
rasende.
must[2] [məs(t), (*betonet*) mʌst] *vb.*
(*præt must*) må//måtte (*fx I* ~ *see*
him now; *you mustn't do it*; *it* ~
be true); skal//skulle absolut (*fx* ~
you go? well, if you ~); er//var
nødt til;
□ *if you* ~ *know* hvis du endelig
vil vide det.
mustache [mʌ'stæʃ, 'məstæʃ] *sb.*
(*am.*) overskæg, mustache.
mustachio [mə'sta:ʃiəu] *sb.* kraftigt
overskæg.
mustachios [mə'stæʃiəuz] *sb. pl.*
cykelstyroverskæg.
mustang ['mʌstæŋ] *sb.* (*am.*) mu-
stang, halvvild præriehest.
mustard ['mʌstəd] *sb.* sennep;
□ *it did not cut the* ~ den kunne
ikke leve op til kravene; den var
ikke god nok; (se også *keen*[2]).
mustard gas *sb.* sennepsgas.
muster[1] ['mʌstə] *sb.* **1.** mønstring;
revy; **2.** = *muster roll*;
□ *pass* ~ blive godkendt; kunne
stå for kritik; være god nok, bestå
prøven; *it will pass* ~ (*også*) det
kan gå an.
muster[2] ['mʌstə] *vb.* **1.** samle (*fx*
support); opbyde (*fx with all the*
dignity he could ~; ~ *all one's*
strength); opdrive (*fx I cannot* ~
fifty pence); **2.** (*mil. etc.*) mønstre;
inspicere; (*uden objekt*) stille op
til mønstring;
□ ~ *in* (*am. mil.*) indrullere;
hverve; indkalde; ~ *out* (*am. mil.*)
hjemsende; ~ *up* se ovf.: *1.*
muster point, muster station *sb.*
samlingssted [*i nødssituation*].
muster roll *sb.* **1.** (*mar.*) beman-
dingsliste; mandskabsfortegnelse,
mandskabsrulle; **2.** (*mil.*) styrkeli-
ste.
musty ['mʌsti] *adj.* **1.** muggen;
skimlet; indelukket; **2.** (*fig.*) foræl-
det, antikveret, mosgroet.
mutability [mju:tə'biləti] *sb.* foran-
derlighed; omskiftelighed.
mutable ['mju:təbl] *adj.* forander-
lig; omskiftelig.
mutant ['mju:tənt] *sb.* (*biol.*) mu-
tant.

mutate [mju:'teit] *vb.* **1.** forandres; (*med objekt*) forandre; **2.** (*biol.*) mutere.

mutation [mju'teiʃn] *sb.* **1.** forandring; **2.** (*biol.*) mutation; **3.** (*gram.*) omlyd.

mute[1] [mju:t] *sb.* **1.** (*mus.*) sordin; dæmper; **2.** (*glds. om person*) stum.

mute[2] [mju:t] *adj.* stum.

mute[3] [mju:t] *vb.* (*tv etc.*) afbryde lyden til.

mute button *sb.* (*tlf.*) afbryderknap.

muted ['mju:tid] *adj.* **1.** dæmpet (*fx voice; colours*); **2.** (*om følelse etc.*) afdæmpet (*fx anger; reaction*).

mute swan *sb.* (*zo.*) knopsvane.

muti ['mu:ti] *sb.* (*sydafr.*) **1.** urtemedicin; traditionel medicin; **2.** T medicin.

mutilate ['mju:tileit] *vb.* **1.** (*krop*) lemlæste; **2.** (*ting*) skamfere (*fx a painting; one's own face*).

mutilation [mju:ti'leiʃn] *sb.* (jf. *mutilate*) **1.** lemlæstelse; **2.** skamfering.

mutineer [mju:ti'niə] *sb.* mytterist; oprører.

mutinous ['mju:tinəs] *adj.* opsætsig; oprørsk.

mutiny[1] ['mju:tini] *sb.* mytteri; oprør.

mutiny[2] ['mju:tini] *vb.* gøre mytteri; gøre oprør.

mutt [mʌt] *sb.* (T: *især am.*) **1.** køter; **2.** (*om person*) fjols; skvat.

mutter[1] ['mʌtə] *sb.* (vred) mumlen; brummen.

mutter[2] ['mʌtə] *vb.* mumle (vredt) (*fx threats*); brumme; fremmumle.

mutterings ['mʌtəriŋz] *sb. pl.* mumlen; beklagelser.

mutton ['mʌt(ə)n] *sb.* fårekød; □ ~ *dressed as lamb* T [*moden// ældre dame der prøver på at komme til at se yngre ud*]; (se også *dead*[1]).

mutton chop *sb.* lammekotelet.

mutton chops, mutton chop whiskers *sb. pl.* [*rundt afklippede bakkenbarter*].

mutual ['mju:tʃuəl] *adj.* **1.** gensidig (*fx recriminations; respect*); indbyrdes; **2.** fælles (*fx friend; interest*); □ ~ *admiration society* roseklub.

mutual fund *sb.* (*am.*) = unit trust.

muumuu ['mu:mu:] *sb.* [*lang, spraglet hawaiiansk kjole*].

muzak® ['mju:zæk] *sb.* muzak.

muzzle[1] ['mʌzl] *sb.* **1.** (*på hest, ko, får*) mule; **2.** (*på hund, kat: næse + mund*) snude; **3.** (*til at forhindre dyr i at bide*) mundkurv; **4.** (*på skydevåben*) munding.

muzzle[2] ['mʌzl] *vb.* **1.** (*dyr*) give mundkurv på; **2.** (*fig.*) give mundkurv på, lukke munden på (*fx the press*); afskære (*fx criticism*).

muzzle-loader ['mʌzlləudə] *sb.* (*om gevær, kanon*) forlader.

muzzle velocity *sb.* (*mil.*) mundingshastighed; udgangshastighed.

muzzy ['mʌzi] *adj.* **1.** (*om person*) omtåget, ør; forvirret; **2.** (*om tanke, plan etc.*) uklar, vag (*fx objective*); **3.** (*om billede*) sløret, udvisket, utydelig.

MV *fork. f.* **1.** *motor vessel*; **2.** *muzzle velocity*.

MVO *fork. f. Member of the Victorian Order.*

MW *fork. f.* **1.** (*elek.*) megawatt; **2.** (*radio.*) *medium wave.*

my [mai] *pron.* min//mit//mine; □ *my!* ih, du store! *Oh my!* men dog!

mycology [mai'kɔlədʒi] *sb.* mykologi, svampelære.

mycotic [mai'kɔtik] *adj.* svampe- (*fx infection*).

myna, myna bird *sb.* = *mynah.*

mynah ['mainə], **mynah bird** *sb.* beostær.

myopia [mai'əupiə] *sb.* nærsynethed.

myopic [mai'ɔpik] *adj.* nærsynet.

myriad[1] ['miriəd] *sb.* myriade (*fx -s of fish*); □ *a* ~ *of* et utal af.

myriad[2] ['miriəd] *adj.* talløs; utallig.

myriapod ['miriəpɔd] *sb.* (*zo.*) tusindben.

myrrh [mə:] *sb.* myrra.

myrtle ['mə:tl] *sb.* (*bot.*) myrte.

myself [mai'self] *pron.* **1.** jeg//mig selv; selv; **2.** (*refleksivt*) mig selv; mig (*fx I enjoyed* ~); □ *by* ~ **a.** alene, for mig selv (*fx I was sitting by* ~); **b.** (*uden hjælp*) alene; på egen hånd; *I was not* ~ jeg var ikke rigtig mig selv; *I said so* ~ jeg sagde det selv; det var mig selv der sagde det.

mysterious [mi'stiəriəs] *adj.* hemmelighedsfuld; mystisk; gådefuld (*fx crime*).

mystery[1] ['mist(ə)ri] *sb.* **1.** mysterium; hemmelighed; gåde (*fx the mysteries of life; the* ~ *was solved*); **2.** hemmelighedsfuldhed; mystik; □ *the* ~ *of the thing* det mystiske ved sagen; (se også *cloak*[2]).

mystery[2] ['mistəri] *adj.* hemmelighedsfuld, mystisk (*fx guest; voice*).

mystery religion *sb.* mysteriereligion.

mystery tour *sb.* tur ud i det blå.

mystic[1] ['mistik] *sb.* (*rel.*) mystiker.

mystic[2] ['mistik] *adj.* (*rel.*) mystisk (*fx union with God*).

mystical ['mistikl] *adj.* mystisk.

mysticism ['mistisizm] *sb.* (*rel.*) mysticisme.

mystification [mistifi'keiʃn] *sb.* mystifikation.

mystify ['mistifai] *vb.* mystificere; gøre forvirret.

mystique [mi'sti:k] *sb.: the* ~ *of* F det skær af mystik som omgiver (*fx the monarchy*).

myth [miθ] *sb.* myte.

mythical ['miθik(ə)l] *adj.* mytisk.

mythological [miθə'lɔdʒik(ə)l] *adj.* mytologisk.

mythology [mi'θɔlədʒi] *sb.* mytologi.

myxomatosis [miksəmə'təusis] *sb.* myxomatosis [*smitsom sygdom hos kaniner*].

N

N¹ [en].
N² *fork. f.* **1.** *New*; **2.** *North, North-ern.*
n *fork. f.* **1.** *note*; **2.** (*gram.*) *noun*;
3. T [*om ubestemt antal*].
Na. *fork. f. Nebraska.*
NAACP *fork. f.* (*am.*) *National As-sociation for the Advancement of Coloured People.*
NAAFI, Naafi ['næfi] *fork. f. Navy, Army and Air Force Institutes* (*omtr.=*) soldaterhjem.
nab [næb] *vb.* T nappe, snuppe.
nabe [neib] *sb.* (*am.* S = *neighbor-hood*) **1.** nabolag, omegn; **2.** lokal biograf.
nabob ['neibɔb] *sb.* (*glds.*) nabob; rigmand.
nacre ['neikə] *sb.* perlemor.
nadir ['neidiə] *sb.* **1.** (*astr.*) nadir; **2.** (*fig.*) lavpunkt; laveste punkt.
naff¹ [næf] *adj.* S yt, umoderne, håbløs; plat, kikset.
naff² [næf] *vb.*: ~ *off!* skrub af! skrid!
NAFTA, Nafta ['næftə] *fork. f.* **1.** *North American Free Trade Agreement*; **2.** *New Zealand and Australia Free Trade Agreement.*
nag¹ [næg] *sb.* **1.** (*hest*) krikke, øg; **2.** (*person*) plage.
nag² [næg] *vb.* **1.** småskænde på, hakke på; stikke til; **2.** plage (*to om at, fx she -ged him to get his hair cut*);
□ ~ *about* brokke sig over; ~ *at* = *1, 2*; *she -ged him into buying a the house* hun plagede ham så længe at han til sidst købte huset.
nagging¹ ['nægiŋ] *sb.* **1.** småskæn-den, hakken; **2.** plageri.
nagging² ['nægiŋ] *adj.* nagende (*fx doubt*; *fear*); (*om smerte også*) murrende.
nah [na:] *adv.* S nej.
naiad ['naiæd] *sb.* (*myt.*) najade, vandnymfe.
nail¹ [neil] *sb.* **1.** (*på finger, tå*) negl; **2.** (*i snedkeri etc.*) søm; **3.** (*især rel.*) nagle;
□ *do one's -s* **a.** klippe negle; **b.** komme neglelak på; *hit the ~ on the head* ramme hovedet på sømmet; *that was a ~ in his cof-fin* det var en pind til hans ligki-ste; *pay on the ~* betale straks; (se

også *hard, bed¹, tooth*).
nail² [neil] *vb.* **1.** sømme; sømme fast; **2.** (T: *person*) pågribe, snuppe; afsløre, knalde; **3.** (*am.* S) knalde, bolle;
□ ~ *a lie* (*glds.*) afsløre en løgn; [*med præp.& adv.*] ~ *down*
a. sømme fast (*fx a carpet*); sømme 'til (*fx the lid of the cof-fin*); **b.** (*fig.*: noget der er tvivl om) fastslå præcist (*fx the reason*; *the weaknesses of the plan*); **c.** (*af-tale*) få på plads, afgøre endeligt, sikre (*fx that contract will ~ down their agreement*); **d.** (*per-son*) holde fast på (*fx ~ him down to his promise*; *I cannot ~ her down to a specific date*); ~ *on to*, ~ *to* sømme fast på (*fx ~ a notice to the door*); (se også *colours*); *-ed to the cross* naglet til korset; ~ *up*
a. sætte op (med søm) (*fx a sign over the door*); **b.** (*noget der ikke skal kunne åbnes*) sømme 'til, spigre 'til (*fx the door*; *the lid*).
nail-biter ['neilbaitə] *sb.* **1.** (*person*) neglebider; **2.** (*noget spændende*) gyser.
nail-biting¹ ['neilbaitiŋ] *sb.* negle-bidning.
nail-biting² ['neilbaitiŋ] *adj.* (*fig.*: *som får én til at bide negle af spænding*) nervepirrende.
nail brush *sb.* neglebørste.
nail file *sb.* neglefil.
nail polish *sb.* neglelak.
nail puller *sb.* sømudtrækker.
nail punch *sb.* dyknagle [*til for-sænkning af søm*].
nail scissors *sb. pl.* neglesaks.
nail set *sb.* se *nail punch.*
nail varnish *sb.* neglelak.
naive [na:'i:v] *adj.* naiv, troskyldig, godtroende.
naiveté [na:'i:v(ə)tei] *sb.*, **naivety** [na:'i:v(ə)ti] *sb.* naivitet, troskyl-dighed, godtroenhed.
naked ['neikid] *adj.* **1.** nøgen; (*om legemsdel også*) bar, blottet; **2.** (*fig.*) nøgen (*fx facts*; *truth*); **3.** (*om ild, lys*) åben (*fx fire*; *light*; *flames*); uafskærmet (*fx bulb*; *light*); **4.** (F: *om følelse, handling*) utilsløret (*fx aggression*; *ambition*; *hatred*); åbenlys (*fx fear*; *greed*; *hatred*);

□ *with the ~ eye* med det blotte øje; ~ *sword* draget sværd.
namby-pamby¹ [næmbi'pæmbi] *sb.* T affekteret//blødagtig//sentimen-tal person.
namby-pamby² [næmbi'pæmbi] *adj.* T affekteret; blødagtig; senti-mental.
name¹ [neim] *sb.* **1.** navn; **2.** beteg-nelse (*fx what is the ~ of that kind of ornament? Elsass is the German ~ for Alsace*); benæv-nelse; **3.** ry (*fx the place got a bad ~*); renommé; omdømme;
□ *the ~ of the game* det det hele handler om; det det hele går ud på; *his ~ is mud* han er i unåde; han regnes ikke for det skidt man træder på; (se også *second name*); [*med vb.* (+ *præp.//adv.*)] *call sby -s* bruge ukvemsord/skældsord over for en; rakke en til; skælde én ud; *a ~ to conjure with* se *conjure*; *drag his ~ through the mud/mire* trække/slæbe hans navn i sølet; søle/svine ham til; *have a ~ for* have ry/ord for; *have the ~ of being a miser* have ord for at være en gnier; *it has his ~ on it* (*fig.*) a. det er hans (*fx the game had his ~ on it: he led all the way*); **b.** det er lige noget for ham (*fx here is a chocolate that has your ~ on it*); *keep one's ~ on the books* vedblive at være medlem; *lend one's ~ to* lægge navn til; *make one's ~*, *make a ~ for* oneself skabe sig et navn; *name -s* nævne navne [ɔ: være an-giver]; røbe hvem det er; *he re-fused to name -s* han ville ikke opgive/røbe nogen navne; *put one's ~ down* **a.** indmelde sig, indskrive sig (*for* til); **b.** (*bidrag*) tegne sig (*for* for); *put one's ~ to* sætte sit navn under; *I can't put a ~ to him* jeg kan ikke lige huske hvad han hedder; *send in one's ~* lade sig melde; *take one's ~ off the books* ophøre med at være medlem; melde sig ud;
[*forb. med præp.*] *by ~*, *by the ~ of* ved navn; *go by the ~ of* gå un-der navnet; *know by ~* **a.** kende af navn; **b.** kende ved navn; *in all but ~* kun ikke af navn; *in ~ only*

kun af navn; *what's in a ~?* hvad gør navnet til sagen? *in* the ~ *of* ... **a.** in ...s navn, for ...s skyld *(fx cruel experiments carried out in the ~ of science);* **b.** på ...s vegne *(fx accept a gift in the ~ of the association); reserve a room in the ~ of Jolson* bestille et værelse under navnet Jolson; *what in the ~ of heaven?* hvad i himlens navn? *buy it in his ~* købe det i hans navn; *a man of ~* en berømt mand; *of the ~ of* ved navn; *he has not got a penny to his ~* han ejer ikke en rød øre; (se også *answer²*).

name² [neim] (*brugt som adj.*) **1.** navne- *(fx sign);* **2.** T kendt; berømt.

name³ [neim] *vb.* **1.** kalde, give navnet *(fx they decided to ~ the child John);* **2.** *(om oplysning)* nævne *(fx he -d a lot of places we might visit);* opgive navnet på *(fx he refused to ~ his source);* **3.** *(til opgave, stilling etc.)* udnævne, udpege *(as til, fx ~ him as one's successor//as student of the year; to* til at); *(med to objekter)* udnævne/udpege til *(fx ~ him head of department);* **4.** *(om valg mellem muligheder)* bestemme *(fx the time; you may ~ your weapon);* fastsætte *(fx one's conditions; the price);* (se også *day);* **5.** *(parl.: medlem)* kalde til orden, suspendere;

□ ~ *after* opkalde efter; ~ *as* se ovf.: *3; the dead man has been -d as John Smith (jf. 2)* navnet på den døde er opgivet til at være John Smith; ~ *for (am.)* opkalde efter; *gold, diamonds, you ~ it* ... hvad som helst; ... alt muligt; ... det hele.

name brand *sb.* mærkevare.
name-calling ['neimkɔ:liŋ] *sb.* ukvemsord, skældsord;
□ ~ *has got to stop!* I skal holde op med at bruge ukvemsord/ skældsord!
name day *sb.* navnedag.
name-drop ['neimdrɔp] *vb.* slå om sig med kendte navne *[for at antyde at man kender dem personligt];* prale med fine bekendte.
name-dropper ['neimdrɔpə] *sb.* [en der praler med fine bekendte].
name-dropping ['neimdrɔpiŋ] *sb.* [det at slå om sig med navne på kendte personer for at antyde at man kender dem personligt].
nameless ['neimləs] *adj.* **1.** navnløs, uden navn; **2.** anonym, ukendt *(fx the work of a ~ medieval monk);* **3.** *(litt.: om følelse)*

ubeskrivelig *(fx horror; yearning);* **4.** *(neds.)* unævnelig *(fx crimes);*
□ *a man who shall be ~* en mand hvis navn jeg ikke vil nævne/ røbe.
namely ['neimli] *adv.* nemlig.
name part *sb. (teat.)* titelrolle.
nameplate ['neimpleit] *sb.* navneskilt; dørskilt.
namesake ['neimseik] *sb.* navnefælle.
name tag *sb.* navneskilt.
name tape *sb.* navnebånd *[til at sy i tøj].*
nan ['næn], **nana** ['nænə] *sb.* T bedstemor.
nancy ['nænsi] *sb. (glds. S: neds.)* bøsseka'l.
nanny ['næni] *sb.* **1.** barnepige; **2.** = *nan.*
nanny goat *sb.* hunged.
nannying ['næniiŋ] *sb. (fig.)* overbeskyttelse; formynderi.
nanny state *sb.* formynderstat; barnepigestat.
nano- [nænəu] *(forstavelse)* nano- *(fx second).*
nap¹ [næp] *sb.* **1.** *(om søvn)* lur; **2.** *(på tøj)* luv;
□ *have a ~ after dinner* tage sig en middagslur; *go ~ on* T sætte alt ind på.
nap² [næp] *vb.* **1.** tage sig en lur; blunde; **2.** *(hest)* tippe som vinder;
□ *he was caught -ping* T han blev overrumplet; det kom bag på ham.
napalm¹ ['neipa:m, 'næp-] *sb.* napalm; benzingelé.
napalm² ['neipa:m, 'næp-] *vb.* bombardere med napalm; angribe med napalmbomber.
nape [neip] *sb.:* ~ *of the neck* nakke.
napkin ['næpkin] *sb.* **1.** serviet; **2.** se *sanitary napkin.*
napkin ring *sb.* servietring.
Naples ['neiplz] Napoli.
napper ['næpə] *sb.* T hoved, knold.
nappy¹ ['næpi] *sb.* ble.
nappy² ['næpi] *adj. (am.* T: *om hår)* kruset.
narc [na:k] *sb. (am.* S) *[kriminalbetjent fra narkotikapolitiet].*
narcissism ['na:sisizm] *sb.* narcissisme, selvoptagethed.
narcissist ['na:sisist] *sb.* narcissist.
narcissistic [na:si'sistik] *adj.* narcissistisk, selvoptaget.
narcissus [na:'sisəs] *sb. (pl. narcissi* [-sai]/*-es) (bot.)* narcis, pinselilje.
narcotic¹ [na:'kɔtik] *sb. (med.)* bedøvende middel;
□ *-s (heroin etc.)* narkotika.
narcotic² [na:'kɔtik] *adj.* bedø-

vende *(fx effect; drug* middel); narkotisk.
narghile ['na:gili] *sb.* tyrkisk vandpibe.
nark [na:k] *sb.* **1.** *(glds.* S) stikker; **2.** = *narc.*
narked [na:kt] *adj.* T irriteret *(at* over; *with* på).
narrate [næ'reit, *(am. også)* 'næreit] *vb.* **1.** fortælle, berette; **2.** *(film.)* speake til, kommentere.
narration [næ'reiʃn] *sb.* **1.** fortælling; **2.** *(film.)* speak, kommentar.
narrative¹ ['nærətiv] *sb.* F **1.** fortælling, beretning; **2.** *(mods. dialog)* beretning *(fx there was too much ~ in the novel);* **3.** *(kunst)* fortællekunst *(fx oral ~).*
narrative² ['nærətiv] *adj.* fortællende, berettende; fortælle- *(fx art; style; technique).*
narrator [næ'reitə] *sb.* fortæller, beretter.
narrow¹ ['nærəu] *adj.* **1.** smal *(fx streets; passage; bridge; feet);* *(neds.)* snæver, trang *(fx streets; space);* **2.** *(fig.)* snæver *(fx limits; margin; definition; their ~ world);* **3.** *(om opfattelse)* snæversynet *(fx ideas; interest; views);* smålig; **4.** *(om sejr)* kneben *(fx victory; majority* flertal); **5.** F nøje *(fx examination* undersøgelse);
□ ~ *circumstances* trange kår; *it was a ~ defeat* han//de etc. tabte kun lige; *it was a ~ escape/shave/ squeak* det var nær gået galt; det var tæt på; det var på hængende hår; *he had a ~ escape/ shave/squeak (også)* han undslap med nød og næppe; der var bud efter ham.
narrow² ['nærəu] *vb.* **1.** indsnævres, snævre ind, blive smallere *(fx the road//river -ed); (fig.)* blive mindre *(fx the surplus -ed);* **2.** *(med objekt)* indsnævre; gøre smallere *(fx the road); (fig.)* reducere *(fx the difference);*
□ ~ *down* indskrænke; reducere; ~ *one's eyes* knibe øjnene sammen [ɔ: *skeptisk, mistænksomt, vredt].*
narrow boat *sb.* kanalbåd.
narrow-gauge [nærəu'geidʒ] *adj.* smalsporet.
narrowly ['nærəuli] *adj.* **1.** lige akkurat *(fx the party was ~ defeated; he ~ missed winning);* **2.** *(fig.)* snævert *(fx defined; the law has been too ~ interpreted);* **3.** snæversynet; **4.** F nøje *(fx question him ~; look at him ~);*
□ *she ~ escaped drowning* hun undgik med nød og næppe at drukne; hun var lige ved at

drukne.

narrow-minded [nærəu'maindid] *adj.* smålig; snæversynet; indskrænket.

narrows ['nærəuz] *sb. pl.* snævring; snævert farvand; snævert stræde;
□ *the Narrows* (*geogr.*) [*strædet mellem Staten Island og Long Island*].

narwhal ['na:w(ə)l] *sb.* (*zo.*) narhval.

nary ['nɛəri] *adv.:* ~ *a* T (= *never a*) slet ingen.

NASA, Nasa ['neisə] *fork. f. National Aeronautics and Space Administration.*

nasal ['neiz(ə)l] *adj.* **1.** næse- (*fx cavity*; *spray*); **2.** (*om klang*) nasal.

nasal twang *sb.* snøvlen.

nascent ['næs(ə)nt] *adj.* F begyndende (*fx problem*); opdukkende (*fx political party*); spirende (*fx emotion*).

nasturtium [nə'stə:ʃəm] *sb.* (*bot.*) nasturtium.

nasty¹ ['na:sti] *sb.* T modbydelig person//ting; (se også *video nasty*).

nasty² ['na:sti] *adj.* **1.** væmmelig, modbydelig (*fx sight*; *smell*; *taste*; *weather*; *accident*; *disease*; *wound*); ækel; T grim; **2.** (*om person, handling*) ubehagelig (*to mod, fx he was very ~ to them*); (*stærkere*) gemen, nederdrægtig, modbydelig (*to mod, fx he was really ~ to me; a ~ trick*); (*om person, dyr også*) ondskabsfuld; **3.** (*om problem, situation*) ubehagelig, kedelig (*fx shock; surprise*); T grim, slem;
□ *a ~ feeling* en ubehagelig fornemmelse; *a ~ piece of work* (T: *om person*) en kedelig ka'l; en skidt fyr.

natal ['neit(ə)l] *adj.* føde- (*fx place*); fødsels-.

natality [nə'tæliti] *sb.* fødselsprocent.

natch [nætʃ] *interj.* T naturligvis.

nation ['neiʃn] *sb.* **1.** (*land*) nation; **2.** (*folk*) nation, folk (*fx the Jewish* ~); befolkning (*fx the whole ~ mourned her death*).

national¹ ['næʃn(ə)l] *sb.* statsborger.

national² ['næʃn(ə)l] *adj.* **1.** national; national- (*fx character; costume*); lands- (*fx congress; team*); **2.** (*vedrørende regeringen*) stats- (*fx budget; debt; property* ejendom); **3.** (*om udbredelse*) landsomfattende, landsdækkende (*fx newspapers*).

national anthem *sb.* nationalsang.

national convention *sb.* (*am. pol.*) landskongres [*til udpegning af præsidentkandidat*].

national government *sb.* national samlingsregering.

national grid *sb.* landsdækkende elnet.

national guard *sb.* (*am.*) nationalgarde.

National Health Service *sb.* (*omtr.*) sygesikring.

National Insurance *sb.* folkeforsikring [*mod sygdom og arbejdsløshed*].

nationalism ['næʃnəlizm] *sb.* nationalisme.

nationalist¹ ['næʃnəlist] *sb.* nationalist.

nationalist² ['næʃnəlist] *adj.* nationalistisk.

nationality [næʃ(ə)'næliti] *sb.* nationalitet.

nationalization [næʃnəlai'zeiʃ(ə)n] *sb.* nationalisering.

nationalize ['næʃnəlaiz] *vb.* nationalisere, gøre til statseje.

national monument *sb.* (*am.*) fredet fortidsminde.

national park *sb.* nationalpark.

national seashore *sb.* (*am.*) fredet strandområde.

national service *sb.* almindelig værnepligt; tvungen militærtjeneste.

nation state *sb.* nationalstat.

nationwide¹ [neiʃn'waid] *adj.* landsomfattende, landsdækkende.

nationwide² [neiʃn'waid] *adv.* over hele landet.

native¹ ['neitiv] *sb.* **1.** lokal, en der bor på stedet; (*især spøg.*) indfødt; **2.** (*glds., neds.: om oprindelige folk*) indfødt (*fx he was on good terms with the -s*); **3.** [*østers fra østersbanker i engelske farvande*];
□ *be a ~ of* **a.** være født i (*fx London; Norway*); **b.** (*om dyr, plante*) være hjemmehørende i (*fx this plant is a ~ of southern Europe*); *be a ~ of London//Norway* (*jf a, også*) være indfødt londoner//nordmand.

native² ['neitiv] *adj.* **1.** indfødt (*fx a ~ Englishman*); **2.** (*som hører til et land*) national (*fx the Romans had a ~ sculptural art*); **3.** (*om sted*) føde-, hjem- (*fx district* egn; *town*) hjemlig; **4.** (*glds., neds. om oprindelige folk*) indfødt (*fx villages; customs*); **5.** (*om egenskab*) medfødt, naturlig (*fx her ~ modesty*); **6.** (*om dyr, plante*) hjemmehørende (*to* i, *fx animals ~ to England*); **7.** (*geol.: om metal*) naturligt forekommende; gedigen;
□ *his ~ Devonshire* hans hjemegn/fødeegn Devonshire; *his ~ Ja-*

pan hans hjemland/fødeland Japan; *go ~* (*neds. el. spøg.*) begynde at leve som en indfødt.

Native American¹ *sb.* oprindelig amerikaner; indianer.

Native American² *adj.* indiansk.

native country *sb.* fædreland, fødeland, hjemland.

native language *sb.* modersmål.

native soil *sb.* fædrene jord.

native speaker *sb.* en der har sproget som modersmål; modersmålstalende; indfødt sprogbruger;
□ *a ~ of English* (*også*) en indfødt englænder.

native tongue *sb.* modersmål.

nativity [nə'tiviti] *sb.* fødsel;
□ *the Nativity* Kristi fødsel.

nativity play *sb.* julespil, krybbespil.

nativity scene *sb.* julekrybbe.

NATO, Nato ['neitəu] *fork. f. North Atlantic Treaty Organization.*

natron ['neitrən] *sb.* kulsurt natron; soda.

natter¹ ['nætə] *sb.* T snak, sludder (*fx we had a long ~*).

natter² ['nætə] *vb.* T snakke, sludre.

natty ['næti] *adj.* fiks, smart.

natural¹ ['nætʃ(ə)rəl] *sb.* **1.** naturtalent; **2.** (*mus.: tegn*) opløsningstegn; (*node*) node uden fortegn; **3.** (*på klaver etc.*) hvid tangent;
□ *he is a ~ for the job* han er som skabt til det arbejde.

natural² ['nætʃ(ə)rəl] *adj.* **1.** naturlig; **2.** (*om noget der findes//er skabt i naturen*) natur- (*fx beauty; disaster; forces; state* tilstand); naturlig (*fx harbour*); **3.** (*om egenskab, evne*) medfødt, naturlig (*fx elegance*); **4.** (*om tøj*) naturfarvet; **5.** (*mus.: om node*) uden fortegn; **6.** (*mods. adoptiv-, adopteret*) biologisk (*fx parents*); **7.** (*glds.*) naturlig, illegitim, uægte (*fx his ~ son*);
□ *be a ~ musician//poet* have medfødte musikalske//digteriske evner; *he is a ~ orator* han er den fødte taler.

natural-born ['nætʃ(ə)r(ə)lbɔ:n] *adj.* fra fødselen; født.

natural gas *sb.* naturgas.

natural history *sb.* naturhistorie.

naturalism ['nætʃ(ə)r(ə)lizm] *sb.* naturalisme.

naturalist ['nætʃ(ə)r(ə)list] *sb.* **1.** naturforsker; **2.** (*mht. stil*) naturalist.

naturalistic [nætʃ(ə)r(ə)'listik] *adj.* naturalistisk.

naturalization [nætʃ(ə)r(ə)lai'zeiʃn] *sb.* naturalisation.

naturalization papers *sb. pl.* stats-

borgerbrev.
naturalized ['nætʃ(ə)r(ə)laizd] *adj.* naturaliseret;
□ *be* ~ **a.** (*om person*) blive naturaliseret, få indfødsret, få statsborgerskab; **b.** (*om dyr, plante*) blive naturaliseret.
naturally ['nætʃ(ə)r(ə)li] *adv.* **1.** naturligt; **2.** (*om egenskab*) af natur (*fx he is* ~ *cheerful//optimistic*); født (*fx he is* ~ *musical*); **3.** (*som sætningsadv.*) naturligvis; som naturligt er;
□ *it does not come* ~ *to me* det falder mig ikke naturligt; ~ *gifted* veludrustet fra naturens hånd.
natural philosopher *sb.* (*glds.*) fysiker.
natural philosophy *sb.* (*glds.*) fysik.
natural science *sb.* naturvidenskab.
natural selection *sb.* naturlig udvælgelse.
natural wastage *sb.* naturlig afgang.
nature ['neitʃə] *sb.* **1.** (*persons*) natur (*fx it revealed his real* ~); **2.** (*tings, forholds*) natur, art (*fx the* ~ *of their problems//work*); beskaffenhed; **3.** (*generelt*) naturen (*fx the beauty of* ~; *he loved* ~);
□ *that is the* ~ *of the beast* sådan er det nu engang; *he has a happy* ~ han er en glad natur; (se også *good nature*);
[*med præp.*] *by* ~ af natur (*fx he is an optimist by* ~); *draw from* ~ tegne efter naturen; *it is in his* ~ det ligger i/er hans natur; *in the* ~ *of* noget i retning af (*fx his speech was in the* ~ *of an apology*); af samme slags som; *in the* ~ *of the case* ifølge sagens natur; *in the* ~ *of things* ifølge tingenes natur; *it has become part of his* ~ det er gået ham i blodet; (se også *call¹, course¹, state¹*); *back to* ~ tilbage til naturen.
nature reserve *sb.* naturreservat.
nature strip *sb.* (*austr.*) græsrabat.
nature study *sb.* (*om skolefag*) naturkundskab; naturiagttagelse.
nature trail *sb.* natursti.
naturism ['neitʃ(ə)rizm] *sb.* naturisme, nudisme.
naturist ['neitʃ(ə)rist] *sb.* naturist, nudist.
naturopath ['neitʃ(ə)rəpæθ] *sb.* naturlæge.
naught [nɔ:t] *pron.* (*glds.*) intet;
□ *it came to* ~ det blev ikke til noget.
naughty ['nɔ:ti] *adj.* uartig.
nausea ['nɔ:siə, -ziə, (*am.*) -ʃə, -ʒə]

sb. kvalme; (se også *ad nauseam*).
nauseate ['nɔ:sieit, -zi-, (*am.*) -ʃi-, -ʒə-] *vb.* give kvalme;
□ *be -d by* få kvalme af.
nauseating ['nɔ:sieitiŋ, -zi-, (*am.*) -ʃi-, -ʒə-] *adj.* kvalmende; modbydelig.
nauseous ['nɔ:siəs, -ziəs, (*am.*) -ʃəs, -ʒəs] *adj.* kvalmende;
□ *feel* ~ have kvalme.
nautical ['nɔ:tik(ə)l] *adj.* nautisk; sø-; sømandsmæssig.
nautical chart *sb.* søkort.
nautical mile *sb.* sømil.
naval ['neiv(ə)l] *adj.* flåde- (*fx base; forces; operation*); sø- (*fx battle; hero; officer*).
naval academy *sb.* (*am.*) søofficersskole.
naval architect *sb.* skibskonstruktør.
naval architecture *sb.* skibsbygningskunst.
naval college *sb.* søofficersskole.
naval shipyard *sb.* orlogsværft.
nave [neiv] *sb.* **1.** (*i kirke*) (midter)skib; **2.** (*i hjul*) nav.
navel ['neiv(ə)l] *sb.* navle;
□ *gaze at/contemplate one's* ~ (*fig.*) se/stirre på sin egen navle.
navel-gazing ['neiv(ə)lgeiziŋ] *sb.* navlebeskuelse.
navel orange *sb.* navelappelsin.
navigable ['nævigəbl] *adj.* sejlbar (*fx river*); farbar (*fx road*).
navigate ['nævigeit] *vb.* **A.** (*uden objekt*) **1.** navigere (*fx instruments to help them* ~); styre (*by* efter, *fx the stars*); (*om skib også*) sejle; **2.** (*om dyr*) finde vej; **3.** (*om passager i bil*) angive vejen; passe kortet;
B. (*med objekt*) **1.** (*fartøj etc.*) navigere (*fx ships and aircraft*); styre (*fx a car through the traffic*); (*skib også*) sejle; **2.** (*farvand*) besejle (*fx a river*); sejle på//gennem (*fx a river; the narrows*); **3.** (*rute*) styre ad (*fx the car successfully -d a muddy course*); **4.** (T: *fig.*) styre, bugsere, lodse (*fx a Bill through Parliament; him through the crowd*); **5.** (T: *fig.*) finde vej i//gennem (*fx a dictionary entry*);
□ ~ *around* styre/manøvrere uden om (*fx icebergs; the table*); ~ *one's way through* = 5.
navigation [nævi'geiʃn] *sb.* **1.** navigation; **2.** sejlads (*fx hinder* ~); **3.** skibstrafik (*fx an increase in* ~ *through the Channel*).
navigational [nævi'geiʃnəl] *adj.* navigations-.
navigation lights *sb. pl.* **1.** (*mar.*) lanterner; **2.** (*flyv.*) positionslys.
navigator ['nævigeitə] *sb.* **1.** (*mar.*,

flyv.) navigatør; **2.** (*hist.*) søfarer.
navvy ['nævi] *sb.* (*glds.*) jord- og betonarbejder; vejarbejder; jernbanearbejder.
navy¹ ['neivi] *sb.* **1.** flåde; marine; **2.** marineblåt.
navy² ['neivi] *adj.* (*farve*) marineblå.
navy bean *sb.* (*am.*) hvid bønne.
navy blue¹ *sb.* marineblåt.
navy blue² *adj.* marineblå.
navy cut *sb.* [*tyndt skåret pladetobak*].
navy yard *sb.* (*am.*) orlogsværft.
nay [nei] *adv.* **1.** F ja; ja endog (*fx this remedy is useless,* ~ *dangerous*); **2.** (*glds., dial. el. ved afstemning*) nej.
Nazi¹ ['na:tsi] *sb.* nazist.
Nazi² ['na:tsi] *adj.* nazistisk.
Nazism ['na:tsizm] *sb.* **1.** nazisme; **2.** (*generelt*) nazismen.
NB *fork. f.* **1.** *nota bene* NB; **2.** (*i Canada*) *New Brunswick*.
NBC *fork. f.* **1.** (*am.*) *National Broadcasting Company*; **2.** (*mil.*) *nuclear, biological and chemical*.
NBG *fork. f. no bloody good* S ikke en skid værd.
NC *fork. f. North Carolina*.
NCO [ensi'əu] *fork. f. non-commissioned officer*.
ND *fork. f. North Dakota*.
n.d. *fork. f. no date*.
NE *fork. f. north-east*.
Neanderthal¹ [ni'ændəta:l] *sb.* neandertaler.
Neanderthal² [ni'ændəta:l] *adj.* **1.** neandertal- (*fx man menneske*); **2.** (*fig.*) neandertalagtig, forhistorisk (*fx attitude to women; social policy*).
Neapolitan¹ [niə'pɔlit(ə)n] *sb.* neapolitaner.
Neapolitan² [niə'pɔlit(ə)n] *sb.* neapolitansk [*ɔ: fra Napoli*].
Neapolitan ice cream *sb.* regnbueis.
neap tide *sb.* (*mht. tidevand*) nipflod, niptid [*laveste vandstand ved nymåne*].
near¹ [niə] *adj.* **1.** nær; (*om tid også*) nær forestående (*fx Christmas is* ~); **2.** (*om forhold*) nær (*fx relative* slægtning); **3.** (F: *foran sb.: om tilnærmelse*) noget nær, noget der ligner//lignede (*fx it was a* ~ *disaster; he lived in* ~ *poverty*); nærmest, næsten (*fx it was a* ~ *impossibility*); **4.** (*om hest, hestevogn*) nærmer; venstre (*fx horse*);
□ ~ *to* nær ved, i nærheden af (*fx it is* ~ *to the station*); tæt på (*fx the town; the truth*);
-er nærmere (*to* ved); ~ *is my*

shirt, but -er is my skin enhver er sig selv nærmest;

-est nærmest (to ved); your -est and dearest (spøg.) dine nærmeste;

[med sb.] in the ~ **future** i nær fremtid; i den nærmeste fremtid; ~ **side a.** nærmeste side (fx the ~ side of the river); **b.** se nearside[1]; it was a ~ **thing** det var nær ved at gå galt; det var tæt på; det var på et hængende hår; der var bud efter ham//dem etc.; the -est thing to det nærmeste man kommer til; the -est thing he ever had to a home det nærmeste han var ved at have et hjem; (se også near miss).

near[2] [niə] adv. **1.** nær (to ved, fx I stood as ~ to the window as I could); i nærheden (to af, fx the station); **2.** (+ adj., om tilnærmelse) nærmest, næsten (fx impossible; perfect);

□ ~ by (lige) i nærheden; somewhere ~ et eller andet sted i nærheden; ~ to (også) tæt på;

[med vb.] **bring** ~/-er **to** nærme; **come** ~/-er komme nærmere; nærme sig; **come** ~/-er **to** komme nærmere hen til; come ~ to perfection nærme sig det fuldkomne; come ~ to being run over være lige ved at blive kørt over; **draw/ get** ~/-er se ovf.: come ~/-er, **go ~ to** nærme sig (fx the house); go ~ to + -ing være ved at, være på vej til at (fx solving the problem); it will go ~ to ruining him det vil næsten ruinere ham; don't go ~ to that place hold dig fra det sted; I never went ~ to his house jeg har aldrig sat mine ben i hans hus.

near[3] [niə] præp. nær ved (fx live ~ the station); tæt ved; i nærheden af;

□ ~ death//tears døden//gråden nær; ~ here her i nærheden; bring//come//go ~ se near[2]; (se også nowhere).

near[4] [niə] vb. nærme sig.

near- (som forstavelse) se near[1] 3, near[2] 2.

near beer sb. (am.) afholdsøl.

nearby[1] [niə'bai] adj. nærliggende (fx a ~ village); (lige) i nærheden.

nearby[2] [niə'bai] adv. (lige) i nærheden (fx a village ~; he lives ~).

Near East sb.: the ~ Den nære Orient.

near gale sb. (vindstyrke 7) stiv kuling.

nearly ['niəli] adv. næsten, omtrent (fx identical; twenty minutes);

□ I ~ did it jeg var lige ved at gøre

det; not ~ langtfra (fx enough); not ~ as/so good (også) ikke nær så god; ~ related nært beslægtet.

near miss sb. **1.** godt forsøg [som er lige ved at lykkes]; **2.** truende sammenstød [som lige akkurat undgås]; **3.** (mil.) [bombe//skud som går lige forbi målet]; □ it was//I had a ~ det var nær ved at gå galt; det var tæt på; det var på et hængende hår; I had a ~ (også) der var bud efter mig.

nearside[1] ['niəsaid] sb. (af bil) side nærmest vejkanten [i England: venstre side]; (af hestevogn) nærmer side.

nearside[2] ['niəsaid] adj. **1.** (på bil) nærmest vejkanten [i England: venstre]; **2.** (på hestekøretøj, hest) venstre, nærmer;

□ ~ lane inderste vognbane.

nearsighted ['niə'saitid] adj. nærsynet.

neat [ni:t] adj. **1.** (om udseende) pæn, net, fiks, nydelig (fx dress); sirlig (fx handwriting); **2.** (om sted etc.: mods. rodet) pæn, ordentlig (fx stacked in ~ piles); ryddelig (fx desk); **3.** (om person: mods. sjusket) ordentlig (fx he is always so ~); proper (fx housewife); **4.** (om handling etc.) fiks, elegant (fx conjuring trick; solution; definition); behændig (fx theft); **5.** (T: især am.) lækker, super, fed; **6.** (om drik) ren, ufortyndet; tør (fx whisky).

'neath [ni:θ] præp. (poet.) under.

neatness ['ni:tnəs] sb. (jf. neat) **1.** nethed, fikshed, sirlighed; **2.** orden, ryddelighed; **3.** orden, properhed; **4.** fikshed, behændighed.

Neb. fork. f. Nebraska.

nebbish ['nebiʃ] sb. (am.) skvat; pjok.

Nebraska [ni'bræskə].

nebula ['nəbjulə] sb. (pl. -e [-li:]) **1.** (astr.) stjernetåge; **2.** (med.) plet på hornhinden.

nebular ['nebjulə] adj. (astr.) stjernetåge-.

nebulous ['nebjuləs] adj. F tåget, uklar.

necessarily ['nesəs(ə)rəli, -serəli, (især am.) nesə'serəli] adv. nødvendigvis;

□ that doesn't ~ mean that ... (også) det behøver ikke betyde at ....

necessary[1] ['nesəseri, 'nesəs(ə)ri] sb. fornødenhed;

□ necessaries of life livsfornødenheder.

necessary[2] ['nesəs(ə)ri, -seri] adj. nødvendig (to for); fornøden;

□ if ~ om fornødent; til nød.

necessitate [ni'sesiteit] sb. F nødvendiggøre.

necessitous [ni'sesitəs] adj. nødlidende, fattig, trængende.

necessity [ni'sesəti] sb. **1.** nødvendighed; **2.** (ting) fornødenhed; nødvendighedsartikel; **3.** (tilstand) nød (fx forced by ~ to steal);

□ ~ is the mother of invention nød lærer nøgen kvinde at spinde; there is no ~ to det er ikke nødvendigt at; of ~ nødvendigvis; only in case of ~ kun i nødstilfælde/nødsfald; make a virtue of ~ gøre en dyd af nødvendigheden.

neck[1] [nek] sb. **1.** (også på flaske, musikinstrument) hals; **2.** (på kjole) hals; halsudskæring; **3.** (af kød) halsstykke; nakkekam; **4.** (geogr.) landtange;

□ be ~ and ~ ligge side om side/på linje; stå lige; throw sby out ~ and crop smide en ud med fuld musik; in this ~ of the woods på disse kanter; ~ or nothing koste hvad det vil; it is ~ or nothing det er knald eller fald;

[med vb.] **break** one's ~ brække halsen; break sby's ~ brække halsen på en; he broke his ~ to help her (T: fig.) han stod på hovedet for at hjælpe hende; break the ~ of it få det værste (af det) overstået; **have** the ~ to have den frækhed at; være så fræk at; **risk** one's ~ vove pelsen; sætte livet på spil; **save** one's ~ redde skindet, redde sig; **stick** one's ~ out T vove sig (for langt) frem; stikke snuden frem; **wring** sby's ~ dreje halsen om på en;

[med præp.] have a problem (hanging) **around** your neck være tynget af et problem; (se også millstone); win **by** a ~ vinde med en halslængde; breathe **down** sby's ~ (T: fig.) **a.** være lige i hælene på en, puste en i nakken (fx the cops were breathing down his neck); **b.** (om kontrol) være 'efter en, overvåge en, ånde en i nakken; dead **from** the ~ up T dum i nakken; hjernedød; you'll get it **in** the ~ T du får en ordentlig omgang; du får kærligheden at føle; (se også pain[1]); be **up to** one's ~ in debt sidde i gæld til halsen; (se også scruff).

neck[2] [nek] vb. (glds. T) kysse og kramme; kæle [for hinanden].

neckband ['nekbænd] sb. halslinning.

neckerchief ['nekətʃif] sb. (glds.) halstørklæde.

necklace[1] ['nekləs] *sb.* halsbånd.
necklace[2] ['nekləs] *vb.* (*især i Syd-afr.*: *om henrettelsesmetode*) give et brændende bildæk om halsen.
neckline ['neklain] *sb.* halsudskæring.
necktie ['nektai] *sb.* (*især am.*) slips.
necromancer ['nekrəmænsə] *sb.* åndemaner; troldmand.
necromancy ['nekrəmænsi] *sb.* åndemanen; trolddom.
necrophilia [nekrə(u)'filiə] *sb.* nekrofili.
necropolis [ne'krɔpəlis] *sb.* (stor) begravelsesplads.
necrosis [ne'krəusis] *sb.* (*med.*) nekrose, vævshenfald.
nectar ['nektə] *sb.* **1.** (*myt.*) nektar; **2.** (*fig.*) nektar, gudedrik; **3.** (*i blomst*) nektar, honning.
nectarine ['nektəri:n] *sb.* (*bot.*) nektarin [*art ferskesn*].
Ned [ned] (*kælenavn for*) Edward.
ned [ned] *sb.* (*skotsk*) tåbe.
née [nei] *adj.* født (*fx Mrs. Smith,* ~ *Brown*).
need[1] [ni:d] *sb.* **1.** nød (*fx he helped me when I was in* ~); **2.** (*om noget man ønsker*) behov (*for* for; *to* for at, *fx to be loved*); trang (*for* til; *to* til at, *fx to speak to somebody; to pee*); **3.** (*om noget der savnes*) mangel, behov (*for* på, *fx a growing* ~ *for rented accommodation*); **4.** (*psyk.*) behov; □ *-s* behov; fornødenheder (*fx my -s are few*); *if* ~ *be* hvis det behøves; i nødsfald; om nødvendigt; ~ *for* se ovf.: *2*; *there's no* ~ *for you to go* du behøver ikke at gå; *have* ~ *of* have brug for (*fx I have no* ~ *of your sympathy*); (se også ndf.: *in* ~ *of*); ~ *to* se ovf.: *2*; *there is no* ~ *to* der er ingen grund til at, det er ikke nødvendigt at, du//I behøver ikke at (*fx buy more food; worry; there's no* ~ *to shout, I'm not deaf!*);
[*med præp.*] *in* ~ i nød; nødstedt; *a friend in* ~ *is a friend indeed* det er i nøden man skal kende sine venner; *be in* ~ *of* have brug for; trænge til (*fx this flat is in* ~ *of repair; he is in* ~ *of a bath*); be *badly in* ~ *of* trænge stærkt til; *in case of* ~ i nødsfald; *in the hour of* ~ i nødens stund.
need[2] [ni:d] *vb.* (*præt. needed/ need*) behøve, have brug for (*fx a lot of money; help*); trænge til (*fx you* ~ *a good long holiday; the house -s a lot of repairs*);
□ *it -ed only this!* det var lige det der manglede! ~ + *-ing* trænge til at blive (*fx the room -s painting*);

you -n't du behøver ikke (at) (*fx tell me; worry*); ~ *to a.* trænge til at (*fx I* ~ *to speak to somebody about it*); være nødt til at;
b. måtte (*fx this -s to be explained in detail*).
needful ['ni:df(u)l] *adj.* (*glds.*) nødvendig; fornøden;
□ *the* ~ det fornødne (*fx I have done the* ~).
needle[1] ['ni:dl] *sb.* **1.** (*sy-, gran-etc.*) nål; **2.** (*til strikning*) strikkepind; **3.** (*på instrument*) viser; (*på kompas*) nål; **4.** (*med.*) kanyle; **5.** (*glds.: til grammofon*) stift; **6.** T irritation; fjendskab;
□ *look for a* ~ *in a haystack* lede efter en nål i en høstak; *be on the* ~ S være stiknarkoman; være på sprøjten; (se også *pin*[1], *sharp*[2]).
needle[2] ['ni:dl] *vb.* T stikke til, drille; tirre, provokere.
needle bank *sb.* [*sted hvor narkomaner kan få udleveret rene sprøjter*]
needle match *sb.* indædt kamp;
□ *it was a* ~ der bliver ikke givet ved dørene.
needless ['ni:dləs] *adj.* unødvendig; unødig;
□ ~ *to say* selvfølgelig; det siger sig selv (at).
needle valve *sb.* nåleventil.
needlewoman ['ni:dlwumən] *sb.* (*pl. -women* [-wimin]) syerske.
needlework ['ni:dlwə:k] *sb.* håndarbejde; sytøj.
needs [ni:dz] *adv.*: *he* ~ *must do it* han kan ikke undgå at gøre det; *if* ~ *must* hvis det 'skal være; ~ *must when the devil drives* [*der er ting man må gøre hvad enten man bryder sig om det eller ej*].
needy ['ni:di] *adj.* trængende; nødlidende.
ne'er [nɛə] *adv.* (*poet.*) aldrig.
ne'er-do-well ['nɛədu(:)wel] *sb.* døgenigt.
nefarious [ni'fɛəriəs] *adj.* F skændig; forbryderisk.
negate [ni'geit] *vb.* F **1.** ophæve (*fx the effect*); gøre virkningsløs;
2. benægte (*fx a claim en påstand*); **3.** (*gram. & i logik*) negere.
negation [ni'geiʃn] *sb.* F nægtelse; negation; benægtelse.
negative[1] ['negətiv] *sb.* **1.** afslag; **2.** (*foto.*) negativ; **3.** (*mat.*) negativ størrelse; **4.** (*gram.*) nægtende/negerende ord;
□ *the answer is in the* ~ svaret er benægtende.
negative[2] ['negətiv] *adj.* **1.** negativ (*fx attitude; effect; test; number*); **2.** (*om afvisning*) benægtende, negativ (*fx answer*); **3.** (*gram.*) næg-

tende (*fx sentence; word*); negerende;
□ ~ *charge* (*elek.*) negativ ladning; ~ *voice* nejstemme.
negative[3] ['negətiv] *vb.* **1.** forkaste, stemme ned (*fx a Labour amendment was -d*); afslå, sige nej til; **2.** modbevise (*fx experience -s the theory*); **3.** gøre virkningsløs (*fx it -d his efforts*).
neglect[1] [ni'glekt] *sb.* (jf. *neglect*[2])
1. forsømmelse; vanrøgt; **2.** tilsidesættelse (*of* af); ligegyldighed (*of* for); **3.** forsømmelse (*fx* ~ *of duty* pligtforsømmelse); **4.** (*tilstand*) forsømthed;
□ *fall into* ~ blive forsømt; forfalde; *state of* ~ forsømt tilstand; forfald.
neglect[2] [ni'glekt] *vb.* **1.** (*mht. pasning*) forsømme (*fx one's children; the dog; I have -ed the house this week*); (*børn, dyr også*) vanrøgte; **2.** (*mht. opmærksomhed*) negligere, tilsidesætte (*fx his advice*); forsømme (*fx one's wife*); **3.** (*pligt, handling*) forsømme (*fx one's duty; he -ed to write to me*); □ ~ *to* (jf. *3*, også) undlade at.
neglectful [ni'glektf(u)l] *adj.* F forsømmelig, efterladende, ligegyldig (*of* med);
□ *be* ~ *of* (også) forsømme (*fx one's duties*).
negligee ['negliʒei, (*am.*) negli'ʒei] *sb.* negligé.
negligence ['neglidʒ(ə)ns] *sb.* **1.** forsømmelighed, skødesløshed, efterladenhed, ligegyldighed;
2. (*jur.*) uagtsomhed.
negligent ['neglidʒ(ə)nt] *adj.* **1.** forsømmelig, efterladende, skødesløs; **2.** (*om påklædning*) skødesløs (*fx grace elegance*); **3.** (*jur.*) forsømmelig; uagtsom;
□ *be* ~ *of* være ligegyldig med; forsømme (*fx one's duties*).
negligible ['neglidʒəbl] *adj.* ubetydelig; forsvindende lille.
negotiable [ni'gəuʃəbl] *adj.* **1.** som der kan forhandles om (*fx this question is not* ~); **2.** (*merk.*) negotiabel; omsættelig (*fx cheque; bill* (veksel)); **3.** (*om vej*) farbar, fremkommelig; **4.** (*om forhindring*) som kan klares.
negotiable instruments *sb. pl.* (*merk.*) omsætningspapirer.
negotiate [ni'gəuʃieit] *vb.* **1.** forhandle (*about* om; *with* med); **2.** (*om resultatet*) forhandle sig frem til; bringe i stand [*ved forhandling*]; udvirke (*fx a pay rise*); afslutte (*fx a contract; a treaty*); **3.** (*merk.*) afhænde; omsætte (*fx a cheque; a bill* (veksel)); **4.** (*vej*)

passere (*fx a roundabout*); klare;
5. (*forhindring*) komme over;
klare sig uden om (*fx pitfalls*);
□ ~ *for* prøve at forhandle sig
frem til (*fx a new contract*);
-d peace forhandlingsfred; *at the
negotiating table* ved forhand-
lingsbordet.
negotiation [nigəuʃi'eiʃn] *sb.* **1.** for-
handling; **2.** (*af lån, traktat*) af-
slutning; **3.** (*merk.*) omsætning.
negotiator [ni'gəuʃieitə] *sb.* for-
handler.
Negress ['ni:grəs] *sb.* (*glds., neds.*)
negerkvinde; negerinde.
Negro ['ni:grəu] *sb.* (*pl. -es*) (*glds.,
neds.*) neger.
negroid ['ni:grɔid] *sb.* negroid.
Negro spiritual *sb.* [*religiøs sang
brugt af de sorte i USA*].
neigh¹ [nei] *sb.* vrinsken.
neigh² [nei] *vb.* vrinske.
neighbour ['neibə] *sb.* **1.** (*som bor
ved siden af*) nabo; (*se også
next-door neighbour, opposite
neighbour*); **2.** (*som sidder//står
ved siden af*) nabo, sidemand; (*i
skole*) sidekammerat; **3.** (*i Biblen*)
næste.
neighbourhood ['neibəhud] *sb.* **1.** (*i
by*) nabolag; kvarter; bydel;
2. (*videre ud*) omegn; område;
strøg;
□ *in the ~ of* **a.** i nærheden af (*fx
an airport*); i omegnen af (*fx a big
city*); **b.** (*ved tal*) omkring, sådan
noget som (*fx £5,000*).
neighbourhood watch *sb.* nabo-
hjælp, naboovervågning.
neighbouring ['neib(ə)riŋ] *adj.*
1. nærliggende; tilgrænsende, til-
stødende; nabo- (*fx country;
town*); **2.** (*om personer*) omkring-
boende.
neighbourliness ['neibəlinəs] *sb.*
godt naboskab.
neighbourly ['neibəli] *adj.* nabo-
venlig; omgængelig;
□ *be ~* optræde som en god nabo;
vise godt naboskab.
neither¹ ['naiðə, 'ni:ðə, (*am.*)
'ni:ðər] *pron.* ingen [*af to*]; ingen
af dem; ingen af delene.
neither² ['naiðə, 'ni:ðə, (*am.*)
'ni:ðər] *konj.* heller ikke (*fx she
does not know, and ~ do I ...* og
det gør jeg heller ikke);
□ *~ ... nor* hverken ... eller; *that is
~ here nor there* **a.** det har ikke
noget med sagen at gøre; **b.** det
betyder ikke noget; det har ikke
noget at sige.
nelly ['neli] *sb.: not on your ~!*
(*glds., spøg.*) du kan tro nej!
nelson ['nels(ə)n] *sb.* se *full nelson,
half nelson.*

nemesis ['neməsis] *sb.* nemesis.
neo- ['ni:ə(u)] (*forstavelse*) neo-,
ny- (*fx neoclassicism; neo-Fas-
cism*).
neolithic [ni:ə(u)'liθik] *adj.* neoli-
tisk; fra den yngre stenalder;
□ *the Neolithic (Period)* den yngre
stenalder.
neologism [ni'ɔlədʒizm] *sb.* (*om
ord*) neologisme; nydannelse.
neon ['ni:ən] *sb.* neon.
neonatal [ni:ə(u)'neit(ə)l] *adj.*
(*med.*) neonatal [ɔ: *som vedrører
nyfødte*].
neon light *sb.* neonlys.
neon sign *sb.* lysreklame.
neophyte ['ni:ə(u)fait] *sb.* **1.** nybe-
gynder, novice; **2.** (*rel.*) nyom-
vendt; (*i kloster*) novice.
nephew ['nevju(:), (*især am.*) 'ne-
fju:] *sb.* nevø.
nepotism ['nepətizm] *sb.* nepo-
tisme [ɔ: *begunstigelse af slægt og
venner*].
nerd *sb.* T nørd.
nereid ['niəriid] *sb.* (*myt.*) nereide,
havnymfe.
nerve¹ [nə:v] *sb.* (se også *nerves*)
1. (*anat.*) nerve; **2.** (*egenskab*) mod
(*fx it takes a lot of ~ to clear
mines*); **3.** T frækhed; **4.** (*bot.*)
bladstreng;
□ *you 'have a ~!* hvor 'er du fræk;
have the ~ to **a.** have mod til at
(*fx speak in public*); **b.** T være
fræk nok til at; *expose/hit a raw
~* se ndf.: *strike a raw ~; keep
one's ~* ikke tabe modet; holde
hovedet koldt; *lose one's ~* tabe
modet; blive usikker; *strain every
~* anstrenge sig til det yderste;
strike/touch a raw ~ ramme et
(meget) ømt punkt.
nerve² [nə:v] *vb.* styrke, give kraft
(*fx her words had -d him for the
fight*);
□ *~ oneself for* samle mod til;
mande sig op til.
nerveless ['nə:vləs] *adj.* **1.** (*om per-
son*) som er blottet for nerver;
selvsikker; **2.** (*om muskel & fig.
om stil*) kraftløs, slap.
nerve-racking ['nə:vrækiŋ] *adj.*
som tager hårdt på nerverne; ener-
verende; belastende.
nerves [nə:vz] *sb. pl.* **1.** nerver (*fx
he had a drink to calm his ~;
have ~ of steel*); gode nerver;
2. dårlige nerver (*fx I never suffer
from ~*); nervøsitet;
□ *be all ~* være meget nervøs; *be
a bundle of ~* være et nerve-
bundt; *war of ~* nervekrig; *get on
sby's ~* gå en på nerverne; gøre en
nervøs; *live on one's ~* være kon-
stant nervøs.

nervous ['nə:vəs] *adj.* **1.** nervøs;
2. (*anat., med.*) nerve- (*fx system;
disorder*);
□ *~ strain* nervepres.
nervous breakdown *sb.* nervesam-
menbrud.
nervousness ['nə:vəsnəs] *sb.* nervø-
sitet.
nervous wreck *sb.* T nervevrag.
nervy ['nə:vi] *adj.* T **1.** nervøs;
2. (*am.*) fræk.
nest¹ [nest] *sb.* **1.** (*dyrs*) rede (*fx
bird's ~; wasps' ~; mouse's ~*);
bo (*fx ants' ~*); **2.** (*persons: hygge-
lig*) bo; hule; (*også neds.*) rede (*fx
they have turned the cottage into
a cosy ~; a ~ of spies//crim-
inals*); **3.** (*om genstande der kan
sættes ind i hinanden, fx æsker*)
sæt;
□ *-ing dolls* dukker til at sætte ind
i hinanden; *~ of tables* indskuds-
borde; *~ of vice* lastens hule;
[*med vb.*] *feather one's own ~*
mele sin egen kage; *fly the ~* (*om
børn*) flyve fra reden.
nest² [nest] *vb.* **1.** (*om fugl*) bygge
rede; **2.** (*ting*) anbringe (inden i
hinanden); **3.** (*it*) indlejre.
nest box *sb.* redekasse.
nest egg *sb.* spareskilling.
nestle ['nesl] *vb.* **1.** sætte//lægge sig
godt til rette (*fx they -d round
their mother*); (*i seng, i arm*) putte
sig; **2.** (*om sted*) ligge lunt og
godt, putte sig (*fx a village nest-
ling among the hills*);
□ *~ against* **a.** putte/trykke sig
ind til (*fx she -d against his
shoulder*); **b.** (*med objekt*) putte/
trykke ind til (*fx she -d her head
against his shoulder*); *~ down*
putte sig ned; *~ up* putte sig ind
til hinanden; *~ up against = ~
against.*
nestling ['nes(t)liŋ] *sb.* nyudklæk-
ket fugleunge; dununge.
net¹ [net] *sb.* **1.** net; **2.** (*til fiskeri &
fig.*) net; garn;
□ *-s* T stores; *the Net* Internettet;
[*med vb.*] *cast/spread one's ~
wide* åbne for et bredt spektrum af
muligheder; søge vidt omkring;
cast/spread one's ~ wider udvide
mulighederne; (*ved stillingsop-
slag*) udvide ansøgerfeltet; *slip
through the ~* **a.** (*om forfulgt*)
slippe gennem nettet; **b.** (*i syste-
met*) falde gennem sikkerhedsnet-
tet; *tighten the ~ around* (*fig.*)
stramme nettet om; trække nettet
sammen om.
net² [net] *adj.* netto; netto- (*fx in-
come; price; profit*).
net³ [net] *vb.* **1.** (*penge*) tjene netto
(*fx they ~ £50,000 a year*); **2.** (*fisk*

etc.) fange; få i garnet; **3.** (*ting*) få fat i, skaffe sig (*fx a top job*; *a contract*); **4.** (*om politi: person*) fange; få i garnet; **5.** (*i boldspil: bold*) sende i nettet; (*mål*) score; **6.** (*planter*) dække med net.

netball ['netbɔ:l] *sb.* kurvebold.

net capital *sb.* egenkapital.

net curtain *sb.* stores.

nether ['neðə] *adj.* (*glds. el. spøg.*) nedre (*fx regions*); underste; under-;
□ ~ *garments* benklæder; *the ~ world* underverdenen.

Netherlands ['neðələndz] *pl.*: *the ~* Nederlandene; Holland.

nethermost ['neðəməust] *adj.* (*litt.*) nederst; dybest.

nett *adj.* = *net²*.

netting ['netiŋ] *sb.* (*materiale*) net.

nettle ['netl] *sb.* (*bot.*) nælde; brændenælde;
□ *grasp the ~* gribe om nælden.

nettled ['netld] *adj.* irriteret, ærgerlig, pikeret (*at* over).

nettle rash *sb.* (*med.*) nældefeber.

net weight *sb.* egenvægt.

network¹ ['netwɔ:k] *sb.* **1.** (*af linjer*) netværk, net; **2.** (*af veje, jernbaner*) net (*fx the motorway ~*); **3.** (*it*) netværk; **4.** (*fig.*) net (*fx of alliances*); (*af personer*) netværk (*fx in a crisis it is important to have a ~*); (*se også old boy network*); **5.** (*af radiostationer*) kæde; **6.** (*tv*) tv-selskab.

network² ['netwɔ:k] *vb.* **1.** dække [*med et netværk*]; **2.** (*tv, radio.*) udsende samtidigt, samsende; **3.** (*computere*) forbinde til et netværk.

neural ['njuər(ə)l] *adj.* nerve-.

neuralgia [njuə'rældʒə] *sb.* neuralgi; nervesmerter; nervegigt.

neuralgic [njuə'rældʒik] *sb.* neuralgisk.

neurasthenia [njuəræs'θi:niə] *sb.* neurasteni, nervesvækkelse.

neurologist [njuə'rɔlədʒist] *sb.* neurolog; nervespecialist.

neurology [njuə'rɔlədʒi] *sb.* neurologi.

neurosis [njuə'rəusis] *sb.* (*pl. neuroses* [-si:z]) neurose.

neurotic¹ [njuə'rɔtik] *sb.* (*med.*) neurotiker.

neurotic² [njuə'rɔtik] *adj.* neurotisk.

neuter¹ ['nju:tə] *adj.* **1.** (*gram.*) intetkøns-, neutrums-; **2.** (*om dyr*) kønsløs; kastreret; **3.** (*bot.*) gold.

neuter² ['nju:tə] *vb.* **1.** kastrere; **2.** (*fig.*) uskadeliggøre; neutralisere.

neutral¹ ['nju:tr(ə)l] *sb.* **1.** neutral person//stat; **2.** (*i bil*) frigear;

3. (*elek.*) nulleder;
□ *put the car into ~* sætte bilen i frigear.

neutral² ['nju:tr(ə)l] *adj.* neutral.

neutrality [nju'træləti] *sb.* neutralitet.

neutralization [nju:trəl(a)i'zeiʃn] *sb.* (*jf. neutralize*) **1.** neutralisering; **2.** modvirkning; **3.** nedkæmpning; uskadeliggørelse.

neutralize ['nju:trəlaiz] *vb.* **1.** (*kem. etc.*) neutralisere; **2.** (*fig.*) modvirke (*fx the strong taste*); ophæve virkningen af (*fx the tax reduction*); **3.** (*mil.*) nedkæmpe (*fx a hostile force*; *a battery*); gøre u-kampdygtig, lamme; uskadeliggøre (*fx a bomb*).

neutron ['nju:trɔn] *sb.* (*fys.*) neutron.

Nev. *fork. f. Nevada.*

Nevada [ni'va:də, ne-].

never ['nevə] *adv.* **1.** aldrig; **2.** (*stærk nægtelse*) slet ikke, overhovedet ikke (*fx I ~ realized you knew him*); ikke spor (*fx ~ the wiser*); **3.** (*som udråb*) det mener du ikke!, det kan ikke passe! (*fx "He's gone" "Never!"*);
□ *well, I ~!* nu har jeg aldrig hørt så galt! *he is ~ 65!* det kan ikke passe at han er 65!;
~ a ikke en//et eneste (*fx he said ~ a word*); *~ a one* ikke en eneste; *~ is a strong word* man skal aldrig sige aldrig; *be it ~ so bad* om det så er aldrig så dårligt; *he ~ so much as spoke* han sagde ikke et ord; (*se også die²*, *do³*, *fear²*, *mind²*).

never-ending [nevər'endiŋ] *adj.* endeløs.

nevermore [nevə'mɔ:] *adv.* aldrig mere.

never-never [nevə'nevə] *sb.*: *buy sth on the ~* T købe noget på afbetaling.

never-never land *sb.* drømmeland; eventyrland.

nevertheless [nevəðə'les] *adv.* ikke desto mindre.

new [nju:] *adj.* ny;
□ *feel like a ~ man//woman* føle sig som et nyt (og bedre) menneske; *the ~ man* den bløde mand; *the ~ woman* den moderne kvinde; (*se også broom, lease¹*);
[*med præp.*] *~ from school* lige kommet ud af skolen; *be ~ to* være uvant med (*fx I am ~ to gardening*; *he is ~ to the work*); *it is ~ to me* (*også*) det er nyt for mig; *they are ~ to the area* de er lige kommet her til området; *he is ~ to the job* han er ny i tjenesten.

newborn ['nju:bɔ:n] *adj.* nyfødt.

newcomer ['nju:kʌmə] *sb.* nyankommen.

New Deal *sb.* (*hist.*) [*præsident F.D. Roosevelts politik i treserne for at modvirke den økonomiske krise*].

newel ['nju:əl] *sb.* (*i trappe*) mæglersøjle.

newfangled ['nju:fæŋgld] *adj.* nymodens.

Newfoundland¹ ['nju:fən(d)lənd, -lænd, nju'faun(d)lənd] (*geogr.*).

Newfoundland² [nju'faun(d)lənd] *sb.* (*hund*) newfoundlænder.

newish ['nju:iʃ] *adj.* temmelig ny.

New Jersey [nju:'dʒə:zi].

new-laid ['nju:leid] *adj.* nylagt [*om æg*].

newly ['nju:li] *adv.* nylig; netop; ny- (*fx married*; *painted*).

newlyweds ['nju:liwedz] *sb. pl.* nygifte; brudepar.

New Mexico [nju:'meksikəu].

new-mown ['nju:məun] *adj.* nyslået (*fx hay*).

news [nju:z] *sb.* nyhed//nyheder;
□ *a piece/bit/an item of ~* en nyhed; *this is ~ to me* det er nyt for mig; *the ~* nyhederne; radioavisen//tv-avisen; *he is in the ~ today* han er i (radio//tv-)avisen i dag; *when the ~ broke* da nyheden kom frem//kom ud/blev kendt; *break the ~ to him* meddele ham det skånsomt;
[*med adj.*] *it is bad ~* det er en dårlig nyhed/dårlige nyheder; *he is bad ~* han er ikke nogen gevinst (*fx the new manager is bad ~ for the firm*); *it is good ~* det er godt nyt, det er en god nyhed; *he is good ~* han er vældig fin (*fx her new boyfriend is very good ~*); *no ~ is good ~* intet nyt er godt nyt.

news agency *sb.* telegrambureau.

newsagent ['nju:zeidʒ(ə)nt] *sb.* bladhandler.

news blackout *sb.* mørk(e)lægning [*ɔ: hemmeligholdelse*];
□ *impose a ~ on* mørk(e)lægge; *there was a ~ on the operation* operationen var mørk(e)lagt.

newsboy ['nju:zbɔi] *sb.* avisdreng.

news bulletin *sb.* kort nyhedsudsendelse.

newscast ['nju:zka:st, (*am.*) 'nu:zkæst] *sb.* (*især am.*) nyhedsudsendelse.

newscaster ['nju:zka:stə, (*am.*) 'nu:zkæstər] *sb.* nyhedsoplæser, speaker.

news conference *sb.* pressekonference.

newsdealer ['nu:zdi:lər] *sb.* (*am.*) bladhandler.

newsflash ['nju:zflæʃ] *sb. (radio., tv)* [*nyhedsmeddelelse der bryder ind i et andet program*]; nyheds-indslag, ekstraudsendelse.

news hawk *sb. (am.* S) = *news hound.*

news hound *sb.* T bladsmører; journalist.

newsletter ['nju:zletə] *sb.* nyheds-brev, internt meddelelsesblad.

newsman ['nju:zmæn] *sb. (pl. -men* [-men]) journalist, blad-mand, pressemand, reporter.

newspaper ['nju:zpeipə, 'nju:s-] *sb.* 1. avis, blad; 2. avispapir (*fx wrap it up in* ~) [ɔ: *gamle aviser*].

newspaperman ['nju:zpeipəmæn, 'nju:s-] *sb. (pl. -men* [-men]) se *newsman.*

newspaper round *sb.* avisrute; □ *do a* ~ gå med aviser.

newspeak ['nju:spi:k] *sb.* [*propagandasprog der fordrejer ords sædvanlige betydning*].

newsprint ['nju:zprint] *sb.* avispa-pir [ɔ: *til at trykke aviser på*]; □ *devote a lot of* ~ *to the matter* ofre en mængde spalteplads på sagen.

newsreader ['nju:zri:də] *sb.* ny-hedsoplæser, speaker.

newsreel ['nju:zri:l] *sb.* filmsjour-nal; ugerevy.

news release *sb. (især am.)* presse-meddelelse.

newsroom ['nju:zru:m] *sb.* nyheds-redaktion.

news-sheet ['nju:zʃi:t] *sb.* se *news-letter.*

newsstand ['nju:zstænd] *sb.* avis-kiosk.

news vendor *sb.* avissælger; blad-handler.

newsworthy ['nju:zwɜ:ði] *adj.* in-teressant; godt stof; som har ny-hedsværdi.

newsy[1] ['nju:zi] *sb.* (T: *især am.*) 1. avisdreng; 2. journalist.

newsy[2] ['nju:zi] *adj.* T fuld af ny-heder//sladder (*fx a* ~ *letter*).

newt [nju:t] *sb. (zo.)* salamander; (se også *drunk*[3]).

New Year *sb.* nytår; årsskifte; (se også *resolution*).

New Year's *sb. (am.)* nytårsdag.

New Year's Day *sb.* nytårsdag.

New Year's Eve *sb.* nytårsaften; nytårsaftensdag.

New York [nju:'jɔ:k, *(am.)* nu:'jɔ:rk].

next[1] [nekst] *adj.* 1. (*om række-følge*) næste (*fx the* ~ *item on the agenda; take the* ~ *train*); 2. (*om sted*) næste (*fx take the* ~ *turn-ing*); nærmest (*fx my* ~ *neigh-bour*); tilstødende; nabo- (*fx*

house); ved siden af (*fx the* ~ *house//room* huset//værelset ved siden af); 3. (*om tid*) næste (*fx year*); (*ved ugedage*) i næste uge (*fx* ~ *Friday* fredag i næste uge); □ *who is* ~? hvis tur er det? ~ *to* se *next*[2];

[*med sb.*] *the* ~ *day* den næste/følgende dag; dagen efter; (se også *very*[2]); *as much as the* ~ *person* lige så meget som enhver anden; (se også *next door, next of kin, place*[1] (*in the* ~ *place*));

[*med præp.*] *the week after* ~ næ-ste uge igen; *to be concluded in our* ~ afsluttes i næste nummer; *from one moment to the* ~ fra det ene øjeblik til det andet.

next[2] [nekst] *adv.* 1. dernæst, der-efter, derpå; så (*fx what shall I do* ~? *who comes* ~?); 2. næste gang (*fx when I see you* ~); 3. (*foran sup.*) næst- (*fx best; youngest*); □ *the* ~ *best thing* det næstbedste; *what* ~? nu har jeg hørt det med! [*med: to*] ~ *to* **a.** næst efter (*fx the best player* ~ *to you*); **b.** nærmest ved; ved siden af (*fx his room is* ~ *to mine; he was sitting* ~ *to me*); **c.** næsten (*fx* ~ *to impos-sible;* ~ *to nothing*); *he lives* ~ *to me* (*også*) han er min nærmeste nabo; *get* ~ *to sby (am.)* blive gode venner med en; indynde sig hos en; (se også *skin*[1]).

next[3] [nekst] *præp.* (nærmest) ved (*fx the table* ~ *the fire*); □ *the gentleman* ~ *me at table* min sidemand ved bordet.

next door *adv.* ved siden af; i hu-set ved siden af (*fx he lives* ~; *the family* ~); □ ~ *but one* det andet hus herfra; ~ *to* **a.** ved siden af; dør om dør med (*fx he lives* ~ *to us*); **b.** (*fig.*) næsten (*fx it is* ~ *to impossible*).

next-door neighbour [neks(t)dɔ:'neibə] *adj.* nærmeste nabo; □ *we are* -s vi bor dør om dør.

next of kin [nekstəv'kin] *sb.* nær-meste pårørende; nærmeste fami-lie.

nexus ['neksəs] *sb.* 1. sammen-hæng; forbindelse (*fx between in-dustry and political power*); 2. række (*fx of ideas*); 3. vigtigste bindeled; 4. (*gram.*) nexus.

NGO *fork. f. non-governmental or-ganization* [ikke-statslig organisa-tion; (*især:*) græsrodsbevægelse.

NH *fork. f. New Hampshire.*

NHS *fork. f. National Health Ser-vice.*

nib [nib] *sb.* 1. pennespids; pen; 2. spids.

nibble[1] ['nibl] *sb.* 1. lille bid; 2. (*fig.*) forsigtig interesse; □ *-s* lækkerier; snacks; *have a* ~ *at* = *nibble*[2].

nibble[2] ['nibl] *vb.* 1. småspise; 2. (*med objekt*) se ndf.: ~ *at*; □ ~ *at* **a.** (*om mus etc.*) gnave af/i (*fx the cheese had been -d at*); **b.** (*om person*) småspise af (*fx a biscuit*); gnave på; gumle på; nippe til; **c.** (*om kærtegn*) bide forsigtigt i (*fx her earlobe*); **d.** (*fig.*) vise forsigtig interesse for (*fx new shares*); ~ *away at* (*fig.*) udhule (*fx spending power*).

nibs [nibz] *sb. pl.: his* ~ (*glds.* T: *ironisk*) hans stormægtighed.

nice [nais] *adj.* 1. god (*fx did you have a* ~ *holiday? have a* ~ *day!*); rar (*fx weather; it is* ~ *to see him again; that would be* ~!); (*stær-kere*) dejlig; lækker (*fx dinner*); 2. (*om udseende*) pæn (*fx dress; colour*); 3. (*om væsen*) rar, flink, sød (*fx fellow*); 4. (*iron.*) køn, ny-delig (*fx a* ~ *sort of friend you are!*); 5. (*mht. skelnen*) hårfin (*fx distinction; balance*); 6. (*om sag*) delikat, vanskelig (*fx question; point*); kilden; □ ~ *and* ... (*forstærkende, foran adj.*) dejlig ... (*fx* ~ *and cool* dej-lig kølig); [*med præp.*] *he was* ~ *about it* han tog det pænt; *how* ~ *of you!* det var pænt/sødt af dig! *be* ~ *to sby* være venlig/rar/sød mod en.

nicely ['naisli] *adv.* 1. pænt, godt (*fx they have painted the room* ~; *the jacket fits you* ~); (*stærkere*) dejligt, fint, udmærket (*fx they manage* ~); 2. pænt (*fx he treated us* ~; *if you ask* ~); □ *be doing* ~ **a.** klare sig godt; **b.** (*mht. helbred*) have det godt; *that will do* ~! det er udmærket! *they did* ~ *from the sale of the house* de tjente godt på salget af huset.

nice Nelly *sb. (am.* S) snerpe.

nice-Nelly ['naisneli] *adj. (am.* S) snerpet.

nicety ['naisəti] *sb.* 1. finesse, spidsfindighed (*fx legal niceties*); 2. lille detalje; fin distinktion, ubetydelig forskel; 3. (*egenskab*) nøjagtighed; akkuratesse; □ ~ *of judgment* fin dømmekraft; *to a* ~ **a.** nøjagtigt; på en prik; **b.** lige tilpas.

niche[1] [nitʃ, ni:ʃ] *sb.* 1. (*i væg, mur*) niche; 2. (*persons*) niche, plads i tilværelsen; 3. (*merk.*) niche; □ *he has found the right* ~ *for himself* (*jf. 2, også*) han er kom-met på den rette hylde.

niche[2] [nitʃ, niːʃ] *vb.* anbringe i en niche.

nick[1] [nik] *sb.* **1.** hak; snit; **2.** (*i porcelæn etc.*) skår; **3.** (*i maling etc.*) skramme; □ *in the* ~ S i fængsel; i spjældet, i skyggen; *in the* ~ *of time* lige i rette tid; i sidste øjeblik; *in good* ~ S i fin form; *in poor* ~ S i en dårlig forfatning.

nick[2] [nik] *vb.* **1.** (jf. *nick*[1]) skære hak i; snitte (*fx he -ed himself while shaving*); skramme; lave skår i; **2.** T gætte (*fx the truth*); ramme; **3.** (T: *stjæle*) hugge, snuppe; **4.** (S: *om politiet: arrestere*) snuppe, tage; **5.** (*hestehale*) anglisere; □ ~ *across the road* (austr. T) smutte/stikke over vejen; ~ *for* (*am.* T: *penge*) snyde for, tage for; ~ *off* (austr. T) stikke af, smutte.

nickel[1] ['nik(ə)l] *sb.* **1.** (*metal*) nikkel; **2.** (*am.* T) femcentstykke.

nickel[2] ['nik(ə)l] *vb.* fornikle.

nickel-and-[1]**dime** [nik(ə)lən'daim] *adj.* (*am.* T) **1.** lille, ubetydelig, snoldet; **2.** billig.

nickel-and-[2]**dime** [nik(ə)lən'daim] *vb.* (*am.* T) [*ruinere lidt efter lidt ved at tage små beløb af*].

nickelodeon [nikə'loudiən] *sb.* (*glds. am.* T) grammofonautomat.

nicker[1] ['nikə] *sb.* **1.** vrinsken; **2.** (S: *om beløb*) et pund.

nicker[2] ['nikə] *vb.* vrinske.

nick-nack ['niknæk] *sb.* nipsting.

nickname[1] ['nikneim] *sb.* øgenavn.

nickname[2] ['nikneim] *vb.* give øgenavnet (*fx he was -d Fatty*).

nicotine ['nikətiːn] *sb.* nikotin.

nicotine patch *sb.* nikotinplaster.

niece [niːs] *sb.* niece.

niff [nif] *sb.* T møf, hørm, stank.

niffy ['nifi] *adj.* T ildelugtende.

nifty ['nifti] *adj.* T flot, smart, lækker.

Nigerian[1] [nai'dʒiəriən] *sb.* nigerianer.

Nigerian[2] [nai'dʒiəriən] *adj.* nigeriansk.

niggardly ['nigədli] *adj.* gnieragtig, gerrig, nærig.

nigger ['nigə] *sb.* (*stærkt neds.*) nigger.

niggle[1] ['nigl] *sb.* nagende tvivl.

niggle[2] ['nigl] *vb.* **1.** ærgre, irritere, nage; **2.** hakke på; kritisere (småligt); □ ~ *about/over* lave vrøvl over.

niggling ['niglin] *adj.* **1.** nagende (*fx doubt; fear*); **2.** smålig (*fx criticism*).

nigh[1] [nai] *adj.* (*poet.*) nær.

nigh[2] [nai] *adv.* (*poet.*) næsten (*fx it is well* ~ *impossible*);

□ *draw* ~ rykke nærmere; ~ *on* nær ved; hen imod (*fx five years*).

night [nait] *sb.* **1.** nat; **2.** aften; □ *all* ~ hele natten; *last* ~ **a.** i nat; **b.** i aftes; *the* ~ *before last* **a.** i forgårs nat; **b.** i forgårs aftes; *this* ~ **a.** i nat; **b.** i aften; [*med vb.*] ~ *was falling* det var ved at blive mørkt; natten/mørket var ved at falde på; *have an early* ~ gå/komme tidligt i seng; *have a late* ~ gå/komme sent i seng; *have a* ~ *off* have en friaften; *have a* ~ *out* være ude en aften; *sleep/stay/stop the* ~ se ndf.: *stay over* ~; [*med præp.*] *at* ~ **a.** om natten; **b.** om aftenen (*fx it was ten o'clock at* ~); *late at* ~ sent om aftenen/natten; *by* ~, *in the* ~ om natten; *the piece had a run of 100 -s* stykket gik 100 gange; *on the* ~ *of the 11th* natten mellem den 11. og 12.; *over* ~ fra den ene dag til den anden; *stay over* ~ overnatte; blive natten over.

night blindness *sb.* natteblindhed.

nightcap ['naitkæp] *sb.* **1.** godnatdrink; **2.** (*glds.*) nathue.

nightclothes ['naitkləuðz] *sb. pl.* nattøj.

nightclub ['naitklʌb] *sb.* natklub.

nightdress ['naitdres] *sb.* natkjole.

nightfall ['naitfɔːl] *sb.* mørkets frembrud, nattens komme (*fx at// before* ~); mørkning.

night fighter *sb.* (*flyv.*) natjager.

nightgown ['naitgaun] *sb.* (*især am.*) natkjole.

nighthawk ['naithɔːk] *sb.* (*am.*) **1.** (*zo.*) natravn; **2.** (*om person*) natteravn.

night heron *sb.* nathejre.

nightie ['naiti] *sb.* T natkjole.

nightingale ['naitiŋgeil] *sb.* (*zo.*) nattergal.

nightjar ['naitdʒaː] *sb.* (*zo.*) natravn.

nightlife ['naitlaif] *sb.* natteliv.

night light *sb.* vågelys; natlampe.

nightly[1] ['naitli] *adj.* **1.** natlig; nat-; **2.** aften-; **3.** hver aften//nat.

nightly[2] ['naitli] *adv.* **1.** om aftenen//natten; **2.** hver aften// nat.

nightmare ['naitmɛə] *sb.* mareridt.

nightmare scenario *sb.* skrækscenarie.

nightmarish ['naitmɛəriʃ] *adj.* mareridtsagtig.

night owl *sb.* (*om person*) natteravn.

nights [naits] *adv.* om natten.

night safe *sb.* døgnboks.

night school *sb.* aftenskole.

nightshade ['naitʃeid] *sb.* (*bot.*) natskygge.

night shift *sb.* nathold.

nightshirt ['naitʃəːt] *sb.* natskjorte.

night soil *sb.* latrin; natrenovation.

nightspot ['naitspɔt] *sb.* T natklub.

nightstand ['naitstænd] *sb.* (*am.*) natbord.

nightstick ['naitstik] *sb.* (*am.*) politistav.

night-time ['naittaim] *sb.* nat; nattetid.

nightwatchman [nait'wɔtʃmən] *sb.* (*pl.* -men [-mən]) nattevagt; (*glds.*) natvægter.

nihilism ['naiilizm] *sb.* nihilisme.

nihilist ['naiilist] *sb.* nihilist.

nihilistic [naii'listik] *adj.* nihilistisk.

Nikkei Index [nikei'indeks] *sb.* [*aktieindeks for Tokyos fondsbørs*].

nil [nil] *sb.* nul (*fx three goals to* ~); □ *their chances are* ~ deres chancer er lig nul.

Nile [nail] *sb.* *the* ~ Nilen.

nimble ['nimbl] *adj.* **1.** adræt; væver (*fx her* ~ *fingers*); rask; **2.** (*åndeligt*) kvik, hurtig.

nimbostratus [nimbəu'streitəs, -'straː-] *sb.* (*meteor.*) nimbostratus; regnskyer.

nimbus ['nimbəs] *sb.* **1.** (*omkring hellig person*) nimbus, glorie; **2.** (*sky*) regnsky.

nimby[1], **Nimby** *fork. f. not in my back yard* ikke her hos mig.

nimby[2], **Nimby** ['nimbi] *adj.* [*afvisende over for forandringer: nybyggeri, institutioner etc. i éns nabolag*].

nincompoop ['niŋkəmpuːp] *sb.* fjols, fæ, mæhæ.

nine[1] [nain] *sb.* **1.** nital; **2.** (*spillekort*) nier; **3.** (*am.*) baseballhold; □ *the Nine* de 9 muser; *the* ~ *of clubs//hearts etc.* klør//hjerter *etc.* ni; *dressed up to the -s* i stiveste puds.

nine[2] [nain] *talord* ni; □ *a* ~ *days' wonder* [*en sensation der hurtigt er glemt*]; (*omtr.*) en døgnflue; *nine-eleven* (*9/11*) [*11. september 2001, hvor World Trade Center i New York blev ødelagt*].

ninepins ['nainpinz] *sb.* kegler; □ *go down/fall like* ~ (*om personer der bliver syge*) falde om som fluer.

nineteen [nain'tiːn] *talord* nitten; □ *talk* ~ *to the dozen* snakke op ad stolper og ned ad vægge/op ad vægge og ned ad stolper; snakke fanden et øre af.

nineteenth[1] [nain'tiːnθ] *sb.* nittendedel.

nineteenth[2] [nain'tiːnθ] *adj.* nittende.

ninetieth[1] ['naintiəθ] *sb.* halvfemsindtyvendedel.

ninetieth[2] ['naintiəθ] *adj.* halvfemssindstyvende.

nine-to-fiver [naintə'faivə] *sb.* kontormand der arbejder fra 9-5; kontorslave.

ninety ['nainti] *talord* halvfems, halvfemsindstyve; niti;
□ *in the nineties* i halvfemserne.

ninny ['nini] *sb.* (*glds.*) tåbe, dosmer.

ninth[1] [nainθ] *sb.* **1.** niendedel; **2.** (*i rækkefølge*) nummer ni.

ninth[2] [nainθ] *adj.* niende.

ninthly ['nainθli] *adv.* for det niende.

Nip [nip] *sb.* (*am.* S, *neds.*) japser.

nip[1] [nip] *sb.* **1.** nap, bid; kniben, niven; **2.** (*af spiritus*) tår, skvæt; **3.** (*skotsk*) (lille) glas whisky;
□ *there is a ~ in the air* T der er en snert af kulde i luften; *make a ~ here and a tuck there* (*am.* T) skære lidt ned hist og her.

nip[2] [nip] *vb.* **1.** nappe (*fx the dog -ped me on* (i) *the leg*); knibe, nive; klemme (*fx one's finger in a door*); **2.** (*drik*) nippe til; smådrikke af; **3.** T smutte, svippe, stikke (*fx across the street*); **4.** (*am.* T) negle, hugge;
□ *-ped by the frost* (*om plante*) svedet af frosten; *~ in the bud* (*fig.*) kvæle i fødslen; *~ off* nippe 'af (*fx side shoots*).

nip and tuck[1] *sb.* (*am.* T) plastisk operation; (se også *nip*[1]).

nip and tuck[2] *adj.*: *be ~* være jævnbyrdige; ligge side om side/på linje; stå lige; *it was ~* (*også*) det var lige på vippen.

nipper ['nipə] *sb.* T lille dreng; lille fyr;
□ *-s* (*også*) småfyre; (se også *nippers*).

nippers ['nipəz] *sb. pl.* **1.** bidetang; **2.** (*til negle*) negletang; **3.** (*krabbes, hummers*) kløer.

nipping ['nipiŋ] *adj.* (*om vind*) bidende kold.

nipple ['nipl] *sb.* **1.** brystvorte; **2.** (*am.: på sutteflaske*) sut; **3.** (*fx til smøring*) nippel.

nipplewort ['niplwə:t] *sb.* (*bot.*) haremad.

nippy ['nipi] *adj.* **1.** (*om vejr*) skarp; frisk; bidende; **2.** (*om person, bil*) kvik, rap.

nirvana [niə'va:nə] *sb.* nirvana.

Nissen hut ['nisnhʌt] *sb.* [tøndehvælvet barak af bølgeblik].

nit [nit] *sb.* **1.** luseæg; **2.** T fjols, kvaj.

nite [nait] *sb.* (*am.*) = *night*.

nitpick ['nitpik] *vb.* komme med smålig kritik.

nitpicker ['nitpikə] *sb.* smålig kritiker; pedant.

nitpicking[1] ['nitpikiŋ] *sb.* pindehuggeri; smålig kritik; pedanteri.

nitpicking[2] ['nitpikiŋ] *adj.* smålig; pedantisk.

nitrate ['naitreit] *sb.* nitrat.

nitre ['naitə] *sb.* salpeter.

nitric ['naitrik] *adj.* salpeter-.

nitric acid *sb.* salpetersyre.

nitrogen ['naitrədʒən] *sb.* kvælstof.

nitroglycerin [naitrə'glisərin, -ri:n] *sb.* nitroglycerin.

nitrous ['naitrəs] *adj.* salpeterholdig.

nitty-gritty [niti'griti] *sb.*: *the ~* **a.** S det egentlige; kernen (*fx of the problem*); **b.** de barske realiteter; **c.** de praktiske detaljer.

nitwit ['nitwit] *sb.* S skvadderhoved, fjols, tåbe.

nix[1] [niks] *sb.* (*am.* T) intet.

nix[2] [niks] *vb.* (*am.* T) sige nej til; sætte en stopper for.

NJ *fork. f.* New Jersey.

N. Mex. *fork. f.* New Mexico.

NNE *fork. f.* north north-east.

NNW *fork. f.* north north-west.

no[1] [nəu] *sb.* (*pl. -es*) nej; nejstemme;
□ *the noes have it* forslaget er forkastet; *he does not take no for an answer* han tager ikke et nej for et nej; *I will not take no for an answer* det nytter ikke du siger nej.

no[2] [nəu] *adj.* ingen, ikke nogen; intet, ikke noget;
□ *no one* ingen; *no one man could have done it* ingen kunne have gjort/klaret det alene; *no smoking* tobaksrygning forbudt;
[+ *vb.*] *no can do* S umuligt; *no go* se *no-go*; *there is no denying that he tried* man kan ikke nægte at han prøvede; *there is no knowing//saying etc. what he may do next* det er ikke til at vide//sige etc. hvad han nu kan finde på; (se også *account*[2], *end*[1], *way*[1] (*etc.*)).

no[3] [nəu] *adv.* **1.** nej; **2.** (*især foran komp.*) ikke (*fx is your mother no better?*); (se også *better*[2], *less*[1], *more*);
□ *cold or no you must go* hvad enten det er koldt eller ej, så må du af sted; (se også *whether*); *in no small degree* i ikke ringe grad.

no., No. ['nʌmbə] *fork. f. number.*

no-account [nəuə'kaunt] *adj.* (*især am.* T) betydningsløs; værdiløs; ubrugelig.

nob [nɔb] *sb.* **1.** T hoved, knold; **2.** (*spøg. el. neds., især glds.*) fin herre.

□ *the -s* (*jf. 1*) de fine.

no-ball [nəu'bɔ:l] *sb.* (*i kricket*) fejlbold.

nobble ['nɔbl] *vb.* T **1.** (*person*) få fat i (og få til at) (*fx he -d her to sign the letter*); **2.** (*ved trusler eller bestikkelse*) prøve at påvirke (*fx a jury*); **3.** (*forehavende*) forpurre (*fx a plan*); **4.** (*hest, hund: til væddeløb*) skade (bevidst), lave fiksfakserier med, dope [*så den ikke kan vinde*]; **5.** (*ting*) få fat i, hugge, stjæle (*fx her money*).

nobbut ['nɔbʌt] *adv.* (*dial.*) kun; lige.

nobby ['nɔbi] *adj.* S flot, smart, elegant.

Nobel [nəu'bel]: *the ~ Prize* Nobelprisen.

Nobelist [nou'belist] *sb.* (*am.*) nobelprisvinder.

nobility [nə'biləti] *sb.* **1.** adel; højadel; **2.** (*egenskab*) ædelhed; storhed;

noble[1] ['nəubl] *sb.* adelsmand.

noble[2] ['nəubl] *adj.* **1.** (*om rang*) adelig; **2.** (*om egenskab*) ædel (*fx cause*); ophøjet; **3.** (*om udseende*) fornem; prægtig, storslået (*fx facade*).

nobleman ['nəublmən] *sb.* (*pl. -men* [-mən]) adelsmand.

noblesse oblige [nəublesə(u)'bli:ʒ] adel forpligter.

noblewoman ['nəublwumən] *sb.* (*pl. -women* [-wimin]) adelig dame; adelsdame.

nobody[1] ['nəubədi, -bɔdi] *sb.* (*om person*) ubetydelighed; nul (*fx he is a ~*).

nobody[2] ['nəubədi, -bɔdi] *pron.* ingen; (se også *business, fool*[1]).

no-brainer [nou'breinər] *sb.* (*am.* T) banalitet; selvfølgelighed;
□ *it's a ~* (*også*) det kræver ikke større tankevirksomhed.

nock [nɔk] *sb.* (*i bue el. pil*) kærv.

no-claims bonus [nəu'kleimz bəunəs] *sb.* bonus for skadefrihed.

nocturnal [nɔk'tə:n(ə)l] *adj.* natlig; natte-;
□ *~ animal* natdyr.

nocturne ['nɔktə:n] *sb.* (*mus.*) nocturne.

nod[1] [nɔd] *sb.* nik;
□ *give sth the ~* godkende noget; *give sby the ~* nikke til en [*som tegn på godkendelse*]; *the land of Nod* søvnens rige; *on the ~* T uden formaliteter; stiltiende; *a ~ is as good as a wink (to a blind horse)* (*spøg.*) han//jeg forstår en halvkvædet vise; han//jeg forstår godt hvad du mener.

nod² [nɔd] *vb.* **1.** nikke; **2.** (*af søv-nighed*) sidde og nikke; halvsove; **3.** (*med objekt*) tilkendegive ved et nik;
□ *Homer sometimes -s* (*omtr.*) selv den klogeste kan begå fejl; ~ *off* T falde hen; døse hen; ~ *it through* T godkende det uden formaliteter; [*med sb.*] ~ *approval* nikke bifaldende; ~ *assent* nikke samtykkende; ~ *one's head* nikke med hovedet.

nodal ['nəud(ə)l] *adj.*: ~ *point* **a.** (*fys.*) knude(punkt); **b.** (*fig.*) knudepunkt.

nodding acquaintance *sb.*: *have a* ~ *with sby* kende en flygtigt; (*let glds.*) være på hat med en; *have a* ~ *with sth* have et overfladisk kendskab til noget.

noddle ['nɔdl] *sb.* (*glds.* T) knold, hoved.

noddy ['nɔdi] *sb.* **1.** (*zo.*) noddi [*en fugl*]; **2.** (*glds.*) tåbe; dumrian.

node [nəud] *sb.* **1.** (*også it*) knude; knudepunkt; **2.** (*med.*) knude; **3.** (*bot.*) knæ, led; bladfæste; **4.** (*elek.*) spændingsknude.

nodular ['nɔdjulə] *adj.* småknudet.

nodule ['nɔdju:l] *sb.* **1.** lille knude; **2.** (*geol.*) nodul.

nodule bacteria *sb. pl.* knoldbakterier.

Noel [nəu'el] *sb.* jul.

no-fly zone [nəu'flaizəun] *sb.* flyveforbudszone.

no-frills [nəu'frilz] *adj.* uden pynt; uden dikkedarer; ganske enkel.

noggin ['nɔgin] *sb.* **1.** (*glds.*) lille krus; lille mål [*1/4 pint, ca. 1/8 l.*]; drink, „en lille en"; **2.** (T: *især am.*) hoved.

no-go [nəu'gəu, (*am.*) nou'gou] *sb.*: *it is//was (a)* ~ (T: *især am.*) det bliver//blev ikke til noget; det kommer//kom der ikke noget ud af.

no-go area *sb.* forbudt område.

no-good [nəu'gud] *adj.* uduelig.

no-growth [nəu'grəuθ] *adj.* nulvækst-.

no-hoper [nəu'həupə] *sb.* T uduelig person, håbløst tilfælde.

nohow ['nəuhau] *adv.* (*især am.* T, *især spøg.*) slet ikke.

noise [nɔiz] *sb.* **1.** støj, larm, spektakel; **2.** lyd (*fx we heard strange -s*); **3.** (*it etc.*) støj;
□ *big* ~ se *bigwig*; *-s off* **a.** baggrundsstøj; **b.** (*radio*) lydkulisse; **c.** (*teat.*) støj i kulissen; **d.** (*fig.*) murren i krogene; [*med: make*] *make a* ~ gøre støj, støje (*fx don't make such a* ~); *make a* ~/*-s about* råbe op om; udbrede sig om; *make encourag-*

ing//polite etc. -s komme med nogle opmuntrende//høflige *etc.* bemærkninger; *make (all) the right/proper/correct -s* sige alle de rigtige ting [*især: uden helt at mene det*].

noiseless ['nɔizləs] *adj.* lydløs; støjfri.

noisemaker ['nɔizmeikər] *sb.* (*am.*) støjinstrument.

noise pollution *sb.* støjforurening.

noisiness ['nɔizinəs] *sb.* larmen; støjen; støjende opførsel.

noisome ['nɔisəm] *adj.* (*litt.*) **1.** modbydelig; **2.** ildelugtende.

noisy ['nɔizi] *adj.* **1.** støjende, larmende; (*om person også*) højrøstet; **2.** (*fig.*) påfaldende (*fx suit; tie*).

nomad ['nəuməd] *sb.* nomade.

nomadic [nə(u)'mædik] *adj.* nomadisk; nomade- (*fx peoples*).

no-man's-land ['nəumænzlænd] *sb.* (*mil.*& *fig.*) ingenmandsland.

nom de guerre [nɔmdə'gɛə] *sb.* dæknavn.

nom de plume [nɔmdə'plu:m] *sb.* forfatternavn; pseudonym.

nomenclature [nə(u)'menklətʃə] *sb.* nomenklatur; terminologi.

nominal ['nɔmin(ə)l] *adj.* **1.** (*om funktion: mods. virkelig*) officiel, nominel, af navn (*fx the* ~ *ruler*); **2.** (*om sum*) nominel, symbolsk (*fx fee; damages* (skades)*erstatning*); ubetydelig (*fx difference*); **3.** (*økon.*) nominel, pålydende (*fx the* ~ *value is 1,000, but the market price is 950*); **4.** (*gram.*) nominal-, navneords- (*fx ending*); **5.** (T: *i rumfartssprog*) planmæssig;
□ *he was both the* ~ *and the real ruler* han var hersker både af navn og af gavn.

nominate ['nɔmineit] *vb.* **1.** (*om forslag*) indstille (*for//as* til, *fx sby for advancement; the film for an Oscar; her as president of the society*); foreslå; **2.** (*valgkandidat*) nominere, opstille; **3.** (*om valg*) udnævne (*as* til, *fx him as the official representative*); udpege (*for* til, *fx members for a committee*).

nomination [nɔmi'neiʃn] *sb.* (jf. *nominate*) **1.** indstilling; forslag; **2.** nominering; opstilling; **3.** udnævnelse; udpegning; **4.** indstillingsret.

nominative ['nɔm(ə)nətiv] *sb.* (*gram.*) nominativ.

nominee [nɔmi'ni:] *sb.* en som er nomineret; kandidat.

nonage ['nəunidʒ] *sb.* mindreårighed; umyndighed.

nonagenarian [nəunədʒi'nɛəriən, nɔn-] *sb.* halvfemsårig; én der er i

halvfemserne.

non-aggression pact [nɔnə'greʃn-pækt] *sb.* ikkeangrebspagt.

non-alcoholic [nɔnælkə'hɔlik] *adj.* alkoholfri.

non-aligned [nɔnə'laind] *adj.* som ikke tilhører nogen (politisk) blok; alliancefri.

non-alignment [nɔnə'lainmənt] *sb.* alliancefrihed.

non-appearance [nɔnə'piərəns] *sb.* udeblivelse.

non-attendance [nɔnə'tendəns] *sb.* fravær.

nonce¹ [nɔns] *sb.* S børnemisbruger.

nonce² [nɔns] *sb.*: *for the* ~ for lejligheden; midlertidigt.

nonce word *sb.* [*ord som er dannet til en bestemt lejlighed*]; engangsord.

nonchalance ['nɔnʃ(ə)ləns, (*am.*) nɔnʃə'la:ns] *sb.* uinteresserethed, ligegyldighed, skødesløshed, nonchalance.

nonchalant ['nɔnʃ(ə)lənt, (*am.*) nɔnʃə'la:nt] *adj.* uinteresseret, ligegyldig, skødesløs, nonchalant.

non-combatant [nɔn'kɔmbətənt] *sb.* nonkombattant.

non-commissioned [nɔnkə'miʃnd] *adj.*: ~ *officer* underofficer.

noncommittal [nɔnkə'mit(ə)l] *adj.* uforbindende, uforpligtende, forbeholden (*fx answer*); neutral (*fx attitude*).

non compos mentis [nɔnkɔmpɔs'mentis] *adj.* (*jur.*) sindssyg.

non-conducting [nɔnkən'dʌktiŋ] *adj.* ikkeledende; isolerende.

non-conductor [nɔnkən'dʌktə] *sb.* (*fys.*) isolator.

Nonconformist¹ [nɔnkən'fɔ:mist] *sb.* (*rel.*) [*medlem af en frimenighed uden for statskirken*]; dissenter.

Nonconformist² [nɔnkən'fɔ:mist] *adj.* (*rel.*) frikirkelig.

nonconformist¹ [nɔnkən'fɔ:mist] *sb.* afviger; ukonventionel person.

nonconformist² [nɔnkən'fɔ:mist] *adj.* ukonventionel; alternativ.

Nonconformity [nɔnkən'fɔ:miti] *sb.* (*rel.*) uoverensstemmelse med statskirken; separatisme.

nonconformity [nɔnkən'fɔ:miti] *sb.* uoverensstemmelse (*to/with* med); alternativ livsstil.

non-content [nɔnkən'tent] *sb.* nej; nejstemme [*ved afstemning i Overhuset*].

noncontributory [nɔnkən'tribjut(ə)ri] *adj.* (*om pensionsordning*) arbejdsgiverbetalt.

non-cooperation [nɔnkəuɔpə'reiʃn]

sb. passiv modstand; borgerlig ulydighed [*skattenægtelse etc.*].

noncustodial [nɔnkə'stəudiəl] *adj.* **1.** (*jur.:* om straf) som er andet end frihedsstraf; **2.** (*om fraskilt*) som ikke har forældremyndigheden.

nondairy [nɔn'dɛəri] *adj.* som ikke indeholder mælkeprodukter.

nondescript ['nɔndəskript] *adj.* ubestemmelig.

none[1] [nʌn] *pron.* ingen, ikke nogen; intet, ikke noget;

□ *it is ~ of your business* det kommer ikke dig ved; *his health is ~ of the best* hans helbred er just ikke det bedste; *he would have ~ of it* han ville ikke finde sig i det; *~ of your impudence!* bare ikke fræk! *~ of that!* hold op med det!; (se også *but*[3], *other*, *second*[2]).

none[2] [nʌn] *adv.* (*foran the*+ *komp.*) slet ikke, ikke spor (*fx he is ~ the better*);

□ *~ the less* ikke desto mindre; *I am ~ the wiser for it* det bliver jeg ikke klogere af; (se også *worse*[1]); *~ too* **a.** ikke alt for, ikke særlig (*fx the conversation flowed ~ too easily*); **b.** ikke spor, absolut ikke (*fx the pay is ~ too high*); (se også *soon*).

nonentity [nɔ'nentiti] *sb.* (*om person*) nul; ubetydelighed.

non-essential [nɔni'senʃl] *adj.* uvæsentlig.

non-essentials [nɔni'senʃ(ə)lz] *sb. pl.* uvæsentlige ting; ligegyldigheder.

nonetheless [nʌnðə'les] *adv.* ikke desto mindre.

non-event [nɔni'vent] *sb.* [*ligegyldig begivenhed der har været slået stort op*]; pseudobegivenhed.

non-existence [nɔnig'zist(ə)ns] *sb.* ikkeeksistens.

non-existent [nɔnig'zist(ə)nt] *adj.* ikkeeksisterende;

□ *it is ~* det eksisterer ikke.

non-fiction [nɔn'fikʃn] *sb.* faglitteratur; saglitteratur.

non-flam [nɔn'flæm], **non-flammable** [nɔn'flæməbl] *adj.* ikkebrændbar; uantændelig.

nonintervention [nɔnitə'venʃn] *sb.* ikkeindblanding.

non-iron ['nɔnaiən] *adj.* strygefri (*fx shirt*).

non-negotiable [nɔnni'gəuʃəbl] *adj.* som ikke kan gøres til genstand for forhandling.

non-nuclear [nɔn'nju:kliə] *adj.* **1.** ikkeatom- (*fx weapon*); **2.** (*om stat*) som ikke har atomvåben.

no-no ['nəunəu] *sb.: it's a ~* T det er fy-fy; det er absolut forbudt.

non-objective [nɔnəb'dʒektiv] *adj.* **1.** (*om person, udsagn*) ikkeobjektiv; **2.** (*om kunst*) nonfigurativ.

no-nonsense [nəu'nɔnsəns] *adj.* praktisk, nøgtern, saglig; kontant, direkte.

non-partisan [nɔn'pa:tizæn] *adj.* upartisk; upolitisk.

non-party [nɔn'pa:ti] *adj.* ikke partibundet.

non-payment [nɔn'peimənt] *sb.* manglende betaling; uopfyldt betalingsforpligtelse.

non-person [nɔn'pə:s(ə)n] *sb.* ikkeeksisterende person.

nonplussed [nɔn'plʌst] *adj.* forvirret, befippet; rådvild.

non-profit [nɔn'prɔfit] *adj.* almennyttig;

□ *on a ~ basis* på ikkeerhvervsmæssig basis.

non-proliferation [nɔnprəlifə'reiʃn] *sb.* ikkespredning.

non-resident [nɔn'rezid(ə)nt] *adj.* ikkefastboende.

non-returnable [nɔnri'tə:nəbl] *adj.* **1.** (*om emballage*) som ikke tages retur; engangs- (*fx bottle*); **2.** (*om depositum*) som ikke betales tilbage.

nonsense ['nɔns(ə)ns, (*am.*) 'nɔnsens] *sb.* **1.** vrøvl, sludder, vås; nonsens; **2.** (*om opførsel*) dumheder; pjat (*fx he won't stand any ~*); **3.** (*om forhold*) meningsløshed; idioti;

□ *take the ~ of sby* pille narrestregerne ud af en; få en til at makke ret; *talk ~* vrøvle; *it's ~* det er noget sludder; *it's a ~* det er meningsløst/latterligt; *make a ~ of it* **a.** gøre det meningsløst; berøve det dets mening; **b.** spolere det fuldstændigt.

nonsensical [nɔn'sensik(ə)l] *adj.* urimelig, tåbelig, meningsløs.

non sequitur [nɔn'sekwitə] *sb.* [*slutning som ikke er begrundet i præmisserne*]; fejlslutning.

non-skid [nɔn'skid] *adj.* skridfast, skridsikker.

non-skid groove *sb.* skridrille.

non-smoker [nɔn'sməukə] *sb.* **1.** (*person*) ikkeryger; **2.** (*jernb.*) ikkerygerkupé.

non-smoking [nɔn'sməukiŋ] *adj.* ikkeryger- (*fx area; restaurant*).

non-standard [nɔn'stændəd] *adj.* **1.** (*om ting*) som ikke er efter standarden; **2.** (*om sprogbrug*) som ikke tilhører standardsproget; som anses for ukorrekt.

non-starter [nɔn'sta:tə] *sb.* **1.** [*hest der trækkes tilbage fra et løb*]; **2.** (*om person*) [*en der ikke har en chance*]; **3.** (*om foretagende*)

dødsdømt foretagende; idé//forslag//plan der viser sig at være uigennemførlig; T død sild.

non-stick [nɔn'stik] *adj.* slip-let.

non-stop[1] [nɔn'stɔp] *adj.* **1.** uden ophold; nonstop- (*fx performance*); **2.** (*jernb.*) gennemgående (*fx train*).

non-stop[2] [nɔn'stɔp] *adv.* **1.** uden ophold; nonstop; **2.** (*flyv.*) uden mellemlanding.

non-stop flight *sb.* flyvning uden mellemlanding.

nonsuit [nɔn's(j)u:t] *sb.* afvisning af en proces; frifindelsesdom.

non-U [nɔn'ju:] *adj.* (*glds.*) som ikke tilhører//bruges af overklassen; ikke dannet.

nonunion [nɔn'ju:njən] *adj.* **1.** (*om person*) som ikke er medlem af en fagforening; uorganiseret; **2.** (*om firma etc.*) som ikke respekterer fagforeningsbestemmelser;

□ *~ labour* uorganiseret arbejdskraft.

nonuser [nɔn'ju:zə] *sb.* (*jur.*) ikkebenyttelse (af en rettighed) [*som derved bortfalder*].

non-violence [nɔn'vaiələns] *sb.* ikkevold.

non-violent [nɔn'vaiələnt] *adj.* ikkevoldelig.

non-voter [nɔn'vəutə] *sb.* en der ikke stemmer; sofavælger.

non-voting [nɔn'vəutiŋ] *adj.* **1.** som ikke stemmer; **2.** (*om aktier*) uden stemmeret, stemmeløs.

noodge[1] ['nu:dʒ] *sb.* (*am.* T) plage (*fx she was a ~ to her husband*).

noodge[2] ['nu:dʒ] *vb.* (*am.* T) plage; stikke til; være 'efter.

noodle[1] ['nu:dl] *sb.* (se også *noodles*) (*glds.*) **1.** fæ; **2.** (*am.* T) hoved, knold.

noodle[2] ['nu:dl] *vb.* (*am.* T) **1.** efterprøve/lege med ideer; **2.** (*mus.*) improvisere.

noodles ['nu:dlz] *sb. pl.* nudler.

nook [nuk] *sb.* krog, hjørne;

□ *-s (and corners)* krinkelkroge; *search every ~ and cranny* (*omtr.*) gennemsøge de fjerneste kroge.

nookie, nooky ['nuki] *sb.* (T: *spøg.*) put, knald [ɔ: *samleje*].

noon [nu:n] *sb.* middag;

□ *at ~* midt på dagen; kl. 12.

noonday ['nu:ndei] *sb.* middag.

noose [nu:s] *sb.* løkke, løbeknude [*i reb/strikke til at hænge folk med*];

□ *the ~* [*bødlens reb*]; *put one's head in a ~* (*fig.*) lægge strikken om sin egen hals; lade sig fange; *have a ~ around one's head* (*fig.*) sidde i store problemer.

nor [nɔ:] *konj.* **1.** heller ikke (*fx*

has no money and ~ *has he* ... og det har han heller ikke; ej heller; **2.** og heller ikke (*fx I thought of him,* ~ *did I forget you* ... og jeg glemte heller ikke dig); og ... ikke; **3.** (*efter neither*) eller (*fx neither gold* ~ *silver*).

Nordic ['nɔ:dik] *adj.* nordisk.

norm [nɔ:m] *sb.* norm.

normal[1] ['nɔ:m(ə)l] *sb.* (*geom.*) vinkelret linje; □ *above//below* ~ over//under normalen; *everything is back to* ~ alt er blevet normalt igen.

normal[2] ['nɔ:m(ə)l] *adj.* **1.** normal; **2.** (*geom.*) vinkelret.

normalcy ['nɔ:rm(ə)lsi] *sb.* (*am.*) = *normality.*

normality [nɔ:'mæləti] *sb.* normalitet; normaltilstand; □ *return to* ~ vende tilbage til normale tilstande; blive normal igen.

normalization [nɔ:məlai'zeiʃn] *sb.* normalisering.

normalize ['nɔ:məlaiz] *vb.* normalisere.

normal school *sb.* (*am.*) seminarium.

Norman[1] ['nɔ:mən] *sb.* normanner.

Norman[2] ['nɔ:mən] *adj.* **1.** normannisk; **2.** (*arkit., omtr.*) romansk; i rundbuestil.

Norman Conquest *sb.*: *the* ~ (*hist.*) [*normannernes erobring af England 1066*].

Normandy ['nɔ:məndi] Normandiet.

Norse[1] [nɔ:s] *sb.* (*sprog*) oldnordisk; □ *the* ~ nordboerne.

Norse[2] [nɔ:s] *adj.* (*hist.*) **1.** nordisk; **2.** (*om sprog*) oldnordisk.

Norseman ['nɔ:smən] *sb.* (*pl. -men* [-mən]) (*hist.*) nordboer, nordbo; viking.

North [nɔ:θ] *sb.*: *the* ~ **a.** den nordlige del af landet; **b.** den industrialiserede verden; **c.** (*am.*) nordstaterne; *in the* ~ *of England* i det nordlige England, i Nordengland.

north[1] [nɔ:θ] *sb.* nord; □ ~ *by east* nord til øst.

north[2] [nɔ:θ] *adj.* nordlig; nord-.

north[3] [nɔ:θ] *adv.* mod nord; nordpå; □ ~ *of* nord for.

Northamptonshire [nɔ:'θæm(p)tənʃə].

Northants. *fork. f. Northamptonshire.*

northbound ['nɔ:θbaund] *adj.* nordgående; mod nord.

north country *sb.*: *the* ~ Nordengland.

north-country [nɔ:θ'kʌntri] *adj.*

nordengelsk.

northeast[1] [nɔ:θ'i:st] *sb.* nordøst.

northeast[2] [nɔ:θ'i:st] *adj.* nordøstlig.

northeast[3] [nɔ:θ'i:st] *adv.* nordøstpå; mod nordøst; □ ~ *of* nordøst for.

northeaster [nɔ:θ'i:stə] *sb.* nordøstvind.

northeasterly [nɔ:θ'i:stəli], **northeastern** [nɔ:θ'i:stən] *adj.* nordøstlig.

northeastward[1] [nɔθ'i:stwəd] *adj.* nordøstlig.

northeastward[2] [nɔθ'i:stwəd] *adv.* se *northeastwards.*

northeastwards [nɔθ'i:stwədz] *adv.* nordøstpå, mod nordøst.

northerly ['nɔ:ðəli] *adj.* nordlig.

northern ['nɔ:ð(ə)n] *adj.* nordlig.

northerner ['nɔ:ð(ə)nə] *sb.* **1.** [*beboer i//fra den nordlige del af landet*]; **2.** (*eng.*) nordenglænder; **3.** (*am.*) nordstatsmand.

Northern Lights *sb. pl.* nordlys.

northernmost ['nɔ:ð(ə)nməust] *adj.* nordligst.

north light *sb.* lys fra nord.

North Pole: *the* ~ Nordpolen.

North Sea: *the* ~ Nordsøen; Vesterhavet.

North Star: *the* ~ Nordstjernen.

northward[1] ['nɔ:θwəd] *adj.* nordlig.

northward[2] ['nɔ:θwəd] *adv.* = *northwards.*

northwards ['nɔ:θwədz] *adv.* nordpå, mod nord; □ ~ *of* nord for.

northwest[1] [nɔ:θ'west] *sb.* nordvest.

northwest[2] [nɔ:θ'west] *adj.* nordvestlig.

northwest[3] [nɔ:θ'west] *adv.* nordvestpå; mod nordvest; □ ~ *of* nordvest for.

northwesterly [nɔ:θ'westəli], **northwestern** [nɔ:θ'westən] *adj.* nordvestlig.

northwestward[1] [nɔ:θ'westwəd] *adj.* nordvestlig.

northwestward[2] [nɔ:θ'westwəd] *adv.* se *northwestwards.*

northwestwards [nɔ:θ'westwədz] *adv.* nordvestpå; mod nordvest.

Norway ['nɔ:wei] Norge.

Norway haddock *sb.* (*zo.*) rødfisk.

Norway lobster *sb.* (*zo.*) jomfruhummer.

Norway pout *sb.* (*zo.*) sperling.

Norway spruce *sb.* (*bot.*) rødgran.

Norwegian[1] [nɔ:'wi:dʒ(ə)n] *sb.* **1.** (*person*) nordmand; **2.** (*sprog*) norsk.

Norwegian[2] [nɔ:'wi:dʒ(ə)n] *adj.* norsk.

nos., Nos. ['nʌmbəz] *fork. f. numbers.*

nose[1] [nəuz] *sb.* **1.** næse; **2.** (*på dyr*) snude; **3.** (*på ting: fly*) næse; (*på projektil*) næse, spids; (*af bil*) forende; **4.** (*sans: hos hund*) næse, lugtesans, sporsans; **5.** (*am.* S) stikker; □ ~ *to tail* kofanger ved kofanger; (se også *plain*[2]); [*med vb.*] *blow* one's ~ pudse næsen; *count -s* foretage en optælling; *he will cut off his* ~ *to spite his face* det bliver værst for ham selv; *follow* one's ~ **a.** gå lige efter næsen; **b.** (*fig.*) handle efter sin fornemmelse; følge sit instinkt; *get up* one's ~ se: *ndf.*; *have a* ~ *for* have næse for; *have a* ~ *round* T snuse rundt; *keep* one's ~ *clean* T holde sin sti ren; (se også *grindstone*); *look down* one's ~ *at* se ned på; rynke på næsen ad; *poke/stick* one's ~ *into* stikke sin næse i; *rub his* ~ *in it* (*fig.*) træde i det; vade i det; *thumb* one's ~ *at* række næse ad; vrænge ad; *turn up* one's ~ *at* rynke på næsen ad; (se også *flatten, joint*[1], *pick*[2]); [*med præp.*] *lead sby by the* ~ **a.** få en til at gøre hvad man vil; **b.** (*o: snyde en*) trække en om ved næsen; *win by a* ~ vinde med en mulelængde; *bleed from the* ~ have næseblod; *on the* ~ **a.** (*am.* T) præcis; nøjagtig; **b.** (*austr.* T) modbydelig; stinkende; **c.** (T: *om væddemål*) som vinder (*fx bet $10 on the favourite on the* ~); *no skin off my* ~ se *skin*[1]; *pay through the* ~ betale i dyre domme; blive trukket op; *speak through the* ~ snøvle; *under* one's *very* ~ lige for næsen af en; *get up* sby's ~ T irritere en; gå en på nerverne; *with* one's ~ *in the air* med næsen i sky.

nose[2] [nəuz] *vb.* **1.** snuse; vejre; **2.** bevæge sig forsigtigt frem; liste sig; □ ~ *about/around* snuse rundt; støve rundt (*for* efter); ~ *into* rode i; stikke sin næse i; ~ *out* **a.** (*også fig.*) opsnuse; **b.** (*am.*) vinde knebent over.

nosebag ['nəuzbæg] *sb.* mulepose.

noseband ['nəuzbænd] *sb.* næsebånd, næserem [*på seletøj*].

nosebleed ['nəuzbli:d] *sb.* næseblod.

nose cone *sb.* raketspids.

nosedive[1] ['nəuzdaiv] *sb.* (*flyv.& fig.*) styrtdyk.

nosedive[2] ['nəuzdaiv] *vb.* (*flyv.& fig.*) styrtdykke.

N *nosegay*

nosegay ['nəuzgei] *sb.* (*glds.*) buket.

nose job *sb.* næseoperation.

nose rag *sb.* T lommeklud.

nosey ['nəuzi] *adj.* se *nosy.*

nosh[1] [nɔʃ] *sb.* S **1.** mad; måltid; **2.** (*am.*) mellemmåltid; snack.

nosh[2] [nɔʃ] *vb.* S **1.** spise, æde; **2.** (*am.*) småspise; spise mellem måltiderne.

no-show ['nəuʃəu] *sb.* en der udebliver [ɔː *fra aftale el. bestilt hotelværelse*].

nosh-up ['nɔʃʌp] *sb.* S kæmpemåltid; ordentligt foder; kalas.

nosing ['nəuziŋ] *sb.* (*på trappetrin*) trinforkant.

nosology [nə'sɔlədʒi] *sb.* nosologi, sygdomslære.

nostalgia [nɔ'stældʒ(i)ə] *sb.* nostalgi; sentimental længsel [*efter en svunden tid*].

nostalgic [nɔ'stældʒik] *adj.* nostalgisk.

nostril ['nɔstr(i)l] *sb.* næsebor.

nostrum ['nɔstrəm] *sb.* (*neds.*) patentløsning; vidundermedicin.

nosy ['nəuzi] *adj.* nysgerrig; snagende.

nosy parker *sb.* T nysgerrigper; posekigger.

not [nɔt, (*ubetonet*) nt] *adv.* ikke; □ ~ *at all* se *all*[2]; *he won't pay,* ~ *he!* man kan være sikker på at 'han ikke betaler; ~ *just here, but also in France* ikke kun her, men også i Frankrig; ~ *that* ikke fordi (*fx* ~ *that it matters*); ~ *too* ikke alt for (*fx good*); ikke særlig/synderlig (*fx I wouldn't be too surprised*); *he is* ~ *too well* han har det ikke særlig godt; han har det temmelig skidt; (se også *half*[3], *if, much*[2], *on*[1] (*it is not on*), *think*[2]).

notable[1] ['nəutbl] *sb.* dignitar; notabilitet.

notable[2] ['nəutbl] *adj.* bemærkelsesværdig; betydningsfuld (*fx achievement*); mærkbar, tydelig (*fx difference*); påfaldende (*fx lack of enthusiasm*).

notably ['nəutəbli] *adv.* **1.** især, navnlig; **2.** (jf. *notable*) bemærkelsesværdigt; påfaldende.

notarized ['nəutəraizd] *adj.* (*am.*) notarialt bekræftet.

notary ['nəutəri] *sb.* notar; □ ~ *public* notarius publicus.

notation [nə(u)'teiʃn] *sb.* **1.** tegnsystem; notation; **2.** (*mus.*) nodesystem; **3.** (*især am.*) note; notat.

notch[1] [nɔtʃ] *sb.* **1.** hak; indsnit; mærke; **2.** (*ved træfældning, i metal, i sigtemiddel*) kærv; **3.** (*i bælte*) hul (*fx tighten the belt an extra* ~); **4.** (*på skala*) grad (*fx her opinion of him dropped several -es*); **5.** (*am.*) snævert pas; □ *a* ~ *above//below* (jf. *4*) en tak bedre//ringere end.

notch[2] [nɔtʃ] *vb.* **1.** (jf. *notch*[1]) lave hak//indsnit//mærke//kærv i; **2.** (*om præstation*) score (*fx points; he -ed yet another victory*); notere; opnå; □ ~ *up = 2.*

note[1] [nəut] *sb.* **1.** optegnelse; notat; **2.** (*i tekst: forklarende*) note; **3.** (*som sendes til én*) lille brev; seddel; meddelelse, besked; **4.** (*diplomatisk*) note; **5.** (*mht. penge*) pengeseddel; **6.** (*merk.*) nota, regning; (se også *credit note, delivery note, promissory note*); **7.** (*mus.*) tone (*fx high//low -s*); (*på papir*) node; (*på klaver etc.*) tangent (*fx white//black -s*); **8.** (*i udsagn*) tone (*fx his voice took on an angry* ~); anstrøg (*fx there was a* ~ *of impudence//humour in his answers*); □ ~ *of interrogation* spørgsmålstegn; [*med vb.*] *change one's* ~ anlægge en anden tone; *the noise changed (its)* ~ støjen skiftede karakter; *compare -s* udveksle synspunkter//erfaringer//indtryk; *make a* ~ gøre et notat (*to om at man skal, fx make a* ~ *to phone him*); *make -s* tage notater; *make a* ~ *of* notere (sig), mærke sig; (se også *mental*); *sound/strike a* ~ anslå en tone (*fx he sounded an optimistic//sour* ~; *strike a false//the right* ~); *take -s* tage notater; *take* ~ *of a.* bemærke, lægge mærke til; *b.* (*specielt*) mærke sig, notere (sig); tage til efterretning; *take a* ~ *of* skrive ned, notere (*fx his name and address*); [*med præp.*] *of* ~ F *a.* anset, berømt (*fx a historian of* ~); *b.* af betydning (*fx a town of* ~; *the report contained nothing of* ~); betydningsfuld, vigtig; *on* an *optimistic* ~ i en optimistisk stemning; i en atmosfære af optimisme (*fx the meeting ended on an optimistic* ~); *speak without -s* tale uden manuskript.

note[2] [nəut] *vb.* **1.** bemærke, lægge mærke til; **2.** (*omhyggeligt, specielt*) mærke sig, notere (sig); **3.** (*i redegørelse*) gøre opmærksom på; omtale specielt; **4.** (*om notat*) notere, skrive op, skrive ned; □ ~ *down = 4.*

notebook ['nəutbuk] *sb.* **1.** notesbog, lommebog; (*til forelæsningsnotater etc.*) kollegiehæfte; (*blok*) notesblok; **2.** (*it*) notebook [*lille bærbar computer*].

note circulation *sb.* seddelomløb.

noted ['nəutid] *adj.* bekendt, kendt.

notepad ['nəutpæd] *sb.* notesblok.

notepaper ['nəutpeipə] *sb.* brevpapir.

noteworthy ['nəutwəːði] *adj.* værd at lægge mærke til; bemærkelsesværdig.

nothing[1] ['nʌθiŋ] *sb.* **1.** banalitet, ligegyldighed; **2.** (*om person*) ubetydelighed, nul; □ *a mere* ~ en ren bagatel; *soft/ sweet -s* søde ord.

nothing[2] ['nʌθiŋ] *pron.* **1.** intet, ikke noget; **2.** (*som stærk nægtelse*) slet ikke; ikke spor af (*fx "I have been fortunate; I've had a number of offers ..." "Fortunate* ~*! They were damned lucky to get you"*); □ ~ *doing* T der er ikke noget at gøre; det nytter ikke noget; ~ *doing!* du kan tro nej! aldrig i livet! *she is* ~ *if not* pretty hun er 'meget smuk; smuk det er hun; *it's* ~ (*svar på tak*) det var så lidt; *like as large* ikke nær så stor; langtfra så stor; ~ *near* langtfra (*fx it was* ~ *near the truth*); (se også *but*[2], *but*[3], *much*[2], *short*[2], *venture*[2]); [*med vb.+ præp.*] *I have* ~ *on* tonight jeg har ikke noget for i aften; *the police has* ~ *on him* politiet har ikke noget på ham [ɔː *intet anklagemateriale*]; *they have* ~ *on us* (*am.* T) de har ikke noget at lade os høre; *there is* ~ *for it but to* der er ikke andet at gøre end at; *there is* ~ *in it, there is* ~ *to it a.* (*om rygte etc.*) det har ikke noget på sig; *b.* (*om opgave etc.*) det er ingen sag; det er der ingen ben i; det er let nok; *c.* T der er ingen penge i det; *it is* ~ *to me* det er en bagatel for mig; det betyder ikke noget for mig; det er mig ligegyldigt; *my trouble is* ~ *to theirs* mine vanskeligheder er intet mod deres; *lost* ~ *in* se *lose*; *make* ~ *of a.* ikke regne for noget; bagatellisere; *b.* ikke få noget ud af; *I can make* ~ *of it* jeg kan ikke blive klog på det; *he made* ~ *of the opportunity* han udnyttede ikke lejligheden; *think* ~ *of* ikke regne for noget; *think* ~ *of* + *-ing* (*også*) ikke betænke sig på at; [*med præp.*] *for* ~ *a.* gratis (*fx I got it for* ~); *b.* forgæves (*fx he had all the trouble for* ~); *c.* uden grund (*fx they quarrelled for* ~); *it is not for* ~ F det er ikke for ingenting; (se også *thank (you)*); *like* ~ *on earth* se *earth*[1]; *come to* ~

ikke blive til noget; løbe ud i sandet (*fx his plans came to* ~); mislykkes.

nothingness ['nʌθiŋnəs] *sb.* intethed; tomhed;
□ *vanish into* ~ blive til intet.

notice[1] ['nəutis] *sb.* **1.** meddelelse; underretning; **2.** (*i avis: kort*) notits; (*se også* notices); **3.** (*officiel*) bekendtgørelse; **4.** (*sat op på væg etc.*) opslag; plakat; **5.** (*som gives på forhånd*) varsel (*fx prices are subject to alteration without* ~); **6.** (*mht. ansættelse*) opsigelse; **7.** (*jf. notice*[2]) opmærksomhed (*fx his speech deserves some* ~);
□ ~ *to quit* opsigelse;
[*med vb.*] *it escaped his* ~ det undgik hans opmærksomhed; *give* ~ *(to quit)* sige op; *this is to give* ~ *that*, ~ *is hereby given that* F herved bekendtgøres at; *give sby more* ~ give én længere varsel; *give* ~ *of a.* meddele, underrette om; **b.** give varsel om; *serve* ~ *on* meddele officielt; *take* ~ **a.** iagttage; **b.** (*om barn*) skønne; lægge mærke til omgivelserne; *sit up and take* ~ blive opmærksom; spidse ører; *take* ~ *of* blive opmærksom på; lægge mærke til; *take no* ~ *of* ikke tage notits af; [*med præp.*] *at short//six months*'~ med kort//seks måneders varsel; *come into* ~ vække opmærksomhed; *be on* ~ (*am.*) = *be under* ~; *bring it to his* ~ henlede hans opmærksomhed på det; *it has come/been brought to my* ~ *that* F jeg har bragt i erfaring at; jeg er blevet bekendt med at; *subject to* ~ som kan opsiges; *be under* ~ *(to leave)* være sagt op; *until further* ~ indtil videre; *without* ~ uden varsel; *pass without* ~ gå upåagtet hen.

notice[2] ['nəutis] *vb.* lægge mærke til; bemærke;
□ *be -d* (*fx om kunstner*) blive bemærket; blive omtalt.

noticeable ['nəutisəbl] *adj.* mærkbar, tydelig (*fx improvement*); påfaldende.

noticeboard ['nəutisbɔːd] *sb.* opslagstavle.

notices ['nəutisiz] *sb. pl.* anmeldelser (*fx the film//play//concert received good* ~).

notifiable ['nəutifaiəbl] *adj.* (*om sygdom*) som skal anmeldes til sundhedsmyndighederne.

notification [nəutifi'keiʃn] *sb.* **1.** underretning; (*skriftlig*) meddelelse; **2.** (*til myndighed*) anmeldelse.

notify ['nəutifai] *vb.* **1.** underrette

(*of* om); meddele; **2.** (*til myndighed*) anmelde (*fx* ~ *change of address*).

notion ['nəuʃn] *sb.* **1.** begreb, opfattelse (*fx our* ~ *of right and wrong*); idé (*fx the queer -s they have about Americans*); **2.** (*vag, ubestemt*) forestilling (*fx she had a (vague)* ~ *of how it should be done*); anelse (*fx he sold because he had a* ~ *that prices would go down*);
□ *-s* (*am.*) syartikler; småartikler; [*med vb.*] *I haven't a* ~ *of* jeg har ikke idé/begreb/anelse om (*fx what he means; where//who he is*); *have no* ~ **a.** se ovf.: *haven't a* ~; **b.** har ikke til hensigt, tænker ikke på (*of doing it* at gøre det); *have a* ~ *to* = *take a* ~ *to*; *take a* ~ *to* (*glds.*) få den idé/det indfald at (*fx visit her*).

notional ['nəuʃn(ə)l] *adj.* F **1.** tænkt, teoretisk; som kun eksisterer på papiret; **2.** indbildt, imaginær; som kun eksisterer i fantasien; **3.** (*am.*) fantastisk; lunefuld.

notoriety [nəutə'raiəti] *sb.* berygtethed.

notorious [nə(u)'tɔːriəs] *adj.* berygtet (*for* for); (*mht. bestemt egenskab også*) notorisk (*fx he is a* ~ *hypocrite//liar*).

notoriously [nə(u)'tɔːriəsli] *adv.* notorisk, erfaringsmæssigt (*fx it is* ~ *difficult*).

no trumps *sb.* (*i bridge*) sans.

Nottinghamshire ['nɔtiŋəmʃə].

Notts. *fork. f.* Nottinghamshire.

notwithstanding[1] [nɔtwiθ'stændiŋ, -wið-] *adv.* F desuagtet, ikke desto mindre.

notwithstanding[2] [nɔtwiθ'stændiŋ, -wið-] *konj.* F uagtet, endskønt; uanset om.

notwithstanding[3] [nɔtwiθ'stændiŋ, -wið-] *præp.* trods; til trods for.

nougat ['nuːgaː, (*am.*) 'nuːgət] *sb.* fransk nougat.

nought[1] [nɔːt] *sb.* nul.

nought[2] [nɔːt] *pron.* se naught.

noughts and crosses *sb.* (*spil*) kryds og bolle.

noun [naun] *sb.* (*gram.*) substantiv, navneord.

nourish ['nʌriʃ] *vb.* **1.** ernære; give næring; **2.** (*fig.: følelse etc.,* F) nære; fostre.

nourishment ['nʌriʃmənt] *sb.* næring.

nous [naus] *sb.* (*filos.*) nous; T sund fornuft; omtanke.

nouveau riche[1] [nuːvəu'riːʃ] *sb.* opkomling, parvenu, nyrig.

nouveau riche[2] [nuːvəu'riːʃ] *adj.* nyrig; parvenuagtig.

Nov. *fork. f.* November.

Nova Scotia [nəuvə'skəuʃə].

novel[1] ['nɔv(ə)l] *sb.* roman.

novel[2] ['nɔv(ə)l] *adj.* (helt) ny; hidtil ukendt.

novelette [nɔv(ə)'let] *sb.* **1.** kort roman; **2.** (*neds.*) sentimental roman; ugebladsroman.

novelist ['nɔv(ə)list] *sb.* romanforfatter.

novella [nə(u)'velə] *sb.* kort roman; lang novelle.

novelty ['nɔv(ə)lti] *sb.* **1.** nyhed; **2.** (*ting*) festartikel;
□ *novelties* festartikler; spøg- og skæmtartikler; målegetøj; *it is a* ~ (*også*) det er noget nyt; *the* ~ (*også*) det nye (*of* ved, *fx the experience*); *the* ~ *wore off* det//den mistede nyhedens interesse.

novelty value *sb.*: *have a* ~ have nyhedens interesse.

novelty yarn *sb.* effektgarn.

November [nə(u)'vembə] *sb.* november.

novice ['nɔvis] *sb.* **1.** begynder, nybegynder; novice; **2.** (*rel.*) novice.

now [nau] *adv.* **1.** nu; **2.** T (*tøvende*) nå; lad mig nu se (*fx* ~, *where did I put my hat?*); **3.** (T: *understregende*) altså (*fx* ~ *what have I told you to do?* ~, *if it was me I'd* ...); **4.** (*forklarende*) se (*fx* ~, *this was not very wise of him for* ...);
□ *now now!* (*beroligende, advarende*) så så! nå nå! *now* ... *now* snart ... snart (*fx* ~ *hot,* ~ *cold*); *was it* ~? nå var det det; var det virkelig?
[*med adv.*] ~ *and again* nu og da; *just* ~ **a.** lige nu, lige for øjeblikket; **b.** lige før, for lidt siden, for et øjeblik siden (*fx he was here just* ~); **c.** (*sydafr.*) lige straks, om lidt; ~ *then* **a.** (ɔ: *lad os høre*) nå (*fx* ~ *then, what did you want?*); **b.** (*advarende*) hov hov; pas nu på [*hvad du gør eller siger*]; kan du nære dig; (*se også:* now now); ~ *and then* nu og da; ~ *there!* se så!
[*med præp.*] *as from/of* ~ fra nu af; *before* ~ tidligere, før; *by* ~ nu; ved denne tid; *for* ~ foreløbig, for øjeblikket (*fx that's all the news there is for* ~); *till* ~, *up to* ~ indtil nu, hidtil.

nowadays ['nauədeiz] *adv.* i vore dage; nu til dags; (*mere* F) nu om stunder.

nowhere ['nəuwɛə] *adv.* ingen steder; (*mere* F) intetsteds;
□ ~ *near* **a.** slet ikke i nærheden af (*fx he lives* ~ *near London*); langt fra; **b.** ikke på langt nær;

langtfra (*fx* ~ *near as difficult*);
[*med vb.*] **be** ~ **a.** (*i konkurrence*)
falde rent igennem; **b.** (*ved væd-
deløb*) ikke blive placeret; **get** ~
ikke komme nogen vegne; *that
will get you* ~ det kommer du in-
gen vegne med;
[*med præp.*] **from/out of** ~ ud af
den blå luft; *in the middle* **of** ~
langt ude på landet; *that is a road
to* ~ det bringer os ikke nogen
vegne.

no-win [nəu'win] *adj.* hvor ingen
kan vinde;
□ *a* ~ *situation* en umulig/håbløs
situation; *a* ~ *war* en krig man
ikke kan vinde.

nowt [naut] *adv.* (*dial.*) = *nothing.*

noxious ['nɔkʃəs] *adj.* F **1.** (*især om
luft*) skadelig, usund, giftig (*fx
smoke; fumes*); **2.** (*fig.*) modbyde-
lig, afskyelig.

nozzle ['nɔzl] *sb.* **1.** spids; tud;
2. (*på vandslange*) strålespids;
strålerør; **3.** (*på støvsugerslange*)
mundstykke; **4.** (*i jetmotor, i for-
støver*) dyse.

NP *fork. f. Notary Public.*

nr *fork. f. near* (*i adresse*) pr. (*fx
X-town nr Oxford*).

NS *fork. f. Nova Scotia.*

n/s *fork. f. non-smoker.*

NSPCA *fork. f. National Society
for the Prevention of Cruelty to
Animals.*

NSPCC *fork. f. National Society for
the Prevention of Cruelty to
Children.*

NSW *fork. f. New South Wales.*

NT *fork. f.* **1.** (*i Bibelen*) *New Testa-
ment;* **2.** (*can.*) *Northwest Terri-
tories;* **3.** (*austr.*) *Northern Territory.*

-n't *fork. f. not.*

nth [enθ] *adj.* (*mat.*) n'te (*fx the* ~
power n'te potens);
□ *for the* ~ *time* (*fig.*) for hundre-
deogsyttende gang; *to the* ~ *de-
gree* (*fig.*) i allerhøjeste grad.

nuance ['nju:a:ns, fr.] *sb.* nuance.

nub [nʌb] *sb.* kerne (*fx of the prob-
lem*); hovedpunkt; pointe (*fx of
the story*).

nubbin ['nʌbin] *sb.* (*am.*) stump;
rudiment; misfoster.

nubile ['nju:bail, (*am.*) 'nu:b(ə)l]
adj. (*spøg.*) **1.** giftefærdig; **2.** til-
trækkende, veldrejet.

nuclear ['nju:kliə] *adj.* atom-,
kerne- (*fx energy; physics; reactor;
weapon*).

nuclear family *sb.* kernefamilie.

nuclear-free [nju:kliə'fri:] *adj.*
atomfri.

nuclear-powered [nju:kliə'pauəd]
adj. atomdreven.

nuclear power station *sb.* atom-
kraftværk.

nuclear test *sb.* atomforsøg.

nuclear test ban *sb.* atomstop.

nuclear waste *sb.* atomaffald; ra-
dioaktivt affald.

nucleus ['nju:kliəs] *sb.* (*pl. nuclei*
['nju:kliai]) **1.** kerne; grund-
stamme; **2.** (*fys.*) atomkerne;
3. (*biol.*) cellekerne.

nude¹ [nju:d] *sb.* **1.** nøgen figur;
nøgen pige; **2.** (*kunstværk*) nøgen-
billede; nøgenstudie;
□ *from the* ~ efter nøgen model;
in the ~ nøgen (*fx paint her in
the* ~).

nude² [nju:d] *adj.* nøgen.

nudge¹ [nʌdʒ] *sb.* (let) puf; (let)
skub.

nudge² [nʌdʒ] *vb.* puffe til, skubbe
til [*med albuen*];
□ *nudge nudge!* fnis fnis! [ɔ: du
ved nok hvad jeg tænker på (ɔ:
noget frækt)]; *he is nudging* 40
han er ved at nærme sig de fyrre;
~ *sby into* + *-ing* anspore/til-
skynde/opmuntre en til at.

nudie ['nju:di] *sb.* T nøgenshow//
nøgenfilm; blad med nøgenfotos.

nudism ['nju:dizm] *sb.* nudisme;
nøgenkultur.

nudist ['nju:dist] *sb.* nudist.

nudity ['nju:diti] *sb.* nøgenhed.

nuff [nʌf] *adv.* T = *enough.*

nugatory ['nju:gət(ə)ri] *adj.* F **1.** be-
tydningsløs; værdiløs; **2.** nytteløs;
virkningsløs.

nugget ['nʌgit] *sb.* **1.** klump; guld-
klump; **2.** (*mad*) [*lille stykke pa-
neret og stegt kød el. fisk*]; **3.** (*fig.:
spøg.*) visdomsord; godbid.

nuisance ['nju:s(ə)ns] *sb.* **1.** plage;
gene; pestilens; (*i sms.*) -plage
(*fx noise* ~);
□ *it's a* ~ (*også*) det er kedeligt/
ærgerligt/irriterende (*fx that I for-
got my umbrella*); *he is a* ~ han er
irriterende; han er en plage/pesti-
lens; *don't be a* ~ lad nu være
med at plage mig; *make a* ~ *of
oneself* være utålelig; *what a* ~*!*
det var da kedeligt/ærgerligt/irri-
terende!; (*se også public nuis-
ance*).

nuisance value *sb.* evne til at ge-
nere modparten; irritationsværdi.

NUJ *fork. f. National Union of
Journalists.*

nuke¹ [nju:k] *sb.* S **1.** atomvåben;
atombombe; **2.** atomkraftværk;
3. atombåd.

nuke² [nju:k] *vb.* S **1.** bombe med
atomvåben; **2.** (*am.*) opvarme i
mikroovn; **3.** (*am.*) udrydde.

null [nʌl] *adj.* **1.** ugyldig; **2.** (*fig.*)
intetsigende.

null and void *adj.* (*jur.*) ugyldig;

død og magtesløs;
□ *declare* ~ *and void* (*også*) mor-
tificere.

nullification [nʌlifi'keiʃn] *sb.* (jf.
nullify) **1.** annullering; ophævelse;
omstødning; **2.** ophævelse; slet-
ning.

nullify ['nʌlifai] *vb.* **1.** (*jur.*) annul-
lere, ophæve (*fx a law; a deci-
sion*); omstøde (*fx a decision; a
marriage; a will* et testamente);
2. (*fig.*) ophæve (*fx the effect of
sth*); slette, gøre til intet.

nullity ['nʌliti] *sb.* ugyldighed; an-
nullering; omstødelse.

null set *sb.* (*mar.*) tom mængde.

NUM *fork. f. National Union of
Miners.*

numb¹ [nʌm] *adj.* **1.** (*om legems-
del*) følelsesløs; død; (*af kulde
også*) valen; **2.** (*fig.*) lammet, stiv-
net (*with af, fx grief; terror; the
shock left him* ~).

numb² [nʌm] *vb.* **1.** gøre følelses-
løs; **2.** (*fig.*) lamme.

numbed [nʌmd] *adj.* **1.** følelsesløs;
død; (*af kulde også*) valen; **2.** (*fig.*)
lammet, lamslået.

number¹ ['nʌmbə] *sb.* **1.** tal (*fx 13 is
an unlucky* ~; *divide the* ~ *by 5*);
2. (*betegnelse, rækkefølge & mus.*)
nummer (*fx a* ~ *10 bus; your fax/
phone* ~; *I was* ~ *two; give us a* ~
on the piano); **3.** (*om mængde*)
antal (*fx a large//small* ~); **4.** (*af
tidsskrift etc.*) nummer (*fx this
week's* ~ *of the magazine*); hæfte;
5. (T: *om ting, pige*) sag (*fx he
drives around in a fast little* ~;
she was dressed in a chic green
~; *she was a cute little* ~).
6. (*gram.*) numerus, tal; **7.** (*am.* S)
floskel, frase, melodi (*fx he tried
his usual* ~ *about how his wife
did not understand him*);
□ *the* -s (*am.*) se *numbers game; a*
~ *of* et antal, en del, en række (*fx
he has written a* ~ *of plays*); -s *of*
en mængde; utallige; (*se også
number one, opposite number*);
[*med vb.*] *his* ~ *came up* hans
nummer kom ud/blev udtrukket;
when my ~ *comes up* (*fig.*) når jeg
vinder i lotteriet; *his* ~ *has come
up* (T: *fig.*) det er sket med ham,
det er ude med ham; *do a* ~ *on
sby* (*am.*) være grov ved en; *I
have got his* ~ (T: *fig.*) jeg har
gennemskuet/luret ham; *his* ~ *is
up* se ovf.: *his* ~ *has come up*;
[*med præp.*] **among** *their* ~
blandt dem; *not good at* -s se ndf.:
with -s; **beyond** ~ se ndf.: *without*
~; **by** -s på tælling; *twelve* **in** ~ i
et antal af tolv; *be published in* -s
udkomme hæftevis; *in great* -s i

stort antal; *one* **of** *their* ~ en af dem; *out* **of** ~ se ndf.: *without* ~; *to the* ~ *of* i et antal af; *to* -s på tælling; *not good* **with** -s T ikke god til regning/til at regne; *without* ~ utallig, talløs (*fx times without* ~).

number[2] ['nʌmbə] *vb.* **1.** nummerere (*fx the pages*); **2.** (*om antal*) tælle (*fx they -ed 30 in all*); udgøre;

□ ~ *among* F regne blandt (*fx he is -ed among our enemies*); tælle blandt (*fx the club -ed an archbishop among its members*); *they were -ed in thousands* de kunne tælles i tusinder; der var tusinder af dem; ~ *off* a. råbe numrene op på; **b.** dele ind [*i gymnastik*].

number cruncher *sb.* (*person; computer*) talknuser.

numberless ['nʌmbələs] *adj.* utallig, talløs.

number one[1] *sb.* **1.** nummer et; **2.** én selv; sig selv (*fx he always thought first of* ~);

□ *do* ~ (*i børnesprog*) lave småt [ɔ: *tisse*]; *take care of/look after* ~ se på sin egen fordel; mele sin egen kage.

number one[2] *adj.* **1.** vigtigst (*fx our* ~ *priority*); **2.** førende (*fx Sweden's* ~ *model*).

number plate *sb.* nummerplade.

Numbers ['nʌmbəz] *sb.* (*i Biblen*) fjerde Mosebog.

numbers game *sb.* **1.** (*am.*) [*ulovlig form for lotteri baseret på gætning af tilfældige tal*]; **2.** (*fig., neds.*) jongleren med tal.

Number Ten [*den engelske premierministerbolig i 10, Downing Street*].

numbskull *sb.* se *numskull.*

numeracy ['nju:m(ə)rəsi] *sb.* talforståelse; regnefærdighed.

numeral ['nju:m(ə)rəl] *sb.* talord, taltegn; tal (*fx Arabic* -s).

numerate ['njum(ə)rət] *adj.* som har talforståelse; som kan regne.

numerator ['nju:məreitə] *sb.* tæller [*i brøk*].

numerical [nju'merik(ə)l] *adj.* numerisk, tal-;

□ *in* ~ *order* i nummerorden.

numerically [nju'merik(ə)li] *adv.* numerisk, talmæssigt.

numerous ['nju:m(ə)rəs] *adj.* talrig.

numinous ['nju:minəs] *adj.* (*litt.*) numinøs, som indgyder religiøs ærefrygt; guddommelig, overjordisk.

numismatics [nju:miz'mætiks] *sb.* numismatik [*møntvidenskab*].

numismatist [nju(:)'mizmətist] *sb.* numismatiker; møntkender; mønt-

samler.

numskull ['nʌmskʌl] *sb.* (*glds.* T) dosmer, kvajhoved.

nun [nʌn] *sb.* nonne.

nuncio ['nʌnʃiəu] *sb.* nuntius, pavelig gesandt.

nunnery ['nʌnəri] *sb.* nonnekloster.

nuptial ['nʌpʃ(ə)l] *adj.* (*glds. el. litt.*) bryllups- (*fx the* ~ *day*); brude- (*fx bed; chamber*); ægteskabelig (*fx happiness*).

nuptials ['nʌpʃ(ə)lz] *sb. pl.* (*litt. el. spøg.*) bryllup.

nurd *sb.* = *nerd.*

Nuremberg ['njuərəmbə:g] Nürnberg.

nurse[1] [nə:s] *sb.* **1.** (*til syge*) sygeplejerske; **2.** (*til børn: glds.*) barnepige, barneplejerske, nurse; **3.** (*hist.: som gav mælk*) amme; **4.** (*forst.*) ammetræ;

□ *the* ~ *of liberty* (*fig.*) frihedens vugge.

nurse[2] [nə:s] *vb.* **1.** (*en syg*) passe; pleje; **2.** (*følelse*) nære (*fx hopes; hatred*); have; **3.** (*ømt sted, sår, dårlig arm & fig.*) passe på (*fx a broken arm*); pleje (*fx a cold* en forkølelse; *one's hurt pride*); **4.** (*plante, forretning etc.*) passe omhyggeligt; hæge om; **5.** (*med arme el. hænder*) holde i sine arme (og trøste) (*fx a crying child*); holde blidt om, kæle for (*fx a kitten*); **6.** (*glas etc.*) sidde og holde om (*fx a glass of brandy*); **7.** (*glds.: om moder*) amme; (*om barn*) die;

□ *she -d him back to health* hun plejede ham til han blev rask igen; *put a child out to* ~ sætte et barn i pleje;

[*med sb.*] ~ *a child* (*jf. 5, også*) sidde med et barn på skødet; ~ *a cold* pleje en forkølelse; ~ *a constituency* tage sig omhyggeligt af sin valgkreds [*lige forud for valg*]; ~ *one's strength* økonomisere med kræfterne; (se også *grievance*).

nursemaid ['nə:smeid] *sb.* (*glds.*) barnepige; barneplejerske.

nursery ['nə:s(ə)ri] *sb.* **1.** børnehave; vuggestue; dagpleje; **2.** = *nursery school*; **3.** (*i hus, lejlighed*) børneværelse; (*glds.*) barnekammer; **4.** (*gartners*) planteskole.

nursery class *sb.* børnehaveklasse.

nurseryman ['nə:s(ə)rimən] *sb.* (*pl.* -men [-mən]) planteskoleejer, planteskolemand.

nursery nurse *sb.* barneplejeske.

nursery rhyme *sb.* børnerim.

nursery school *sb.* [*skole for undervisning af 3 til 5-årige*].

nursery slope *sb.* begynderbakke [*til skiløb*].

nursing ['nə:siŋ] *sb.* sygepleje.

nursing home *sb.* plejehjem.

nursling ['nə:sliŋ] *sb.* spædbarn.

nurture[1] ['nə:tʃə] *sb.* (*jf. nurture*[2]) **1.** opdragelse; opfostring; **2.** opelskning; **3.** næring.

nurture[2] ['nə:tʃə] *vb.* F **1.** (*barn*) opdrage; (*let glds.*) opfostre; **2.** (*plante*) opelske; **3.** (*fig.*) udvikle (*fx one's love of art; young talent*); **4.** (*følelse etc.*) nære (*fx hopes; plans; ambitions*).

NUS *fork. f. National Union of Students.*

NUT *fork. f. National Union of Teachers.*

nut[1] [nʌt] *sb.* (se også *nuts*) **1.** nød; **2.** (*tekn.*) møtrik; **3.** (*mus.: på violin*) sadel; (*på bue*) frosch; **4.** S knold; hoved (*fx use your* ~!); **5.** (S: *om person*) skør kule;

□ *a hard/tough* ~ (T: *om person*) en hård banan/nyser; *a hard/tough* ~ *to crack* (T: *om problem*) en hård nød at knække; (se også *sledgehammer*); *do one's* ~ T blive helt ude af det; ryge helt op i loftet; *off one's* ~ tosset; skør i bolden.

nut[2] [nʌt] *vb.:* ~ *sby* nikke én en skalle.

nutcase ['nʌtkeis] *sb.* S skør kule.

nutcracker ['nʌtkrækə] *sb.* **1.** nøddeknækker; **2.** (*zo.*) nøddekrige.

nutcrackers ['nʌtkrækəz] *sb. pl.* nøddeknækker.

nuthatch ['nʌthætʃ] *sb.* (*zo.*) spætmejse.

nuthouse ['nʌthaus] *sb.* S galeanstalt.

nutmeg[1] ['nʌtmeg] *sb.* **1.** (*bot.*) muskatnød; **2.** (*krydderi*) muskat.

nutmeg[2] ['nʌtmeg] *vb.* (*i fodbold*) [*sparke bolden gennem benene på en modstander*].

nutraceuticals [nju:trə'sju:tik(ə)lz] *sb.* se *functional food.*

nutria ['nju:triə] *sb.* nutria; bæverrotteskind.

nutrient ['nju:triənt] *sb.* næringsstof.

nutrition [nju'triʃn] *sb.* ernæring.

nutritional [nju'triʃn(ə)l] *adj.* ernærings-; nærings- (*fx value*).

nutritionist [nju'triʃnist] *sb.* ernæringsekspert; ernæringsfysiolog.

nutritious [nju'triʃəs] *adj.* nærende.

nutritive ['nju:tritiv] *adj.* se *nutritional.*

nuts[1] *pl.* S **1.** nosser, klunker; **2.** sludder;

□ *for* ~ T om så jeg/han *etc.* blev betalt for det; om jeg stod på hovedet (*fx I can't play golf for* ~); ~ *to you!* rend og hop! ~ *to him!*

skidt med ham!

nuts² [nʌts] *adj.* skør (*fx he is* ~);
□ *be* ~ *about/on* være vild med
(*fx a girl*; *flying*).

nuts and bolts *sb. pl.* **1.** møtrikker
og bolte; **2.** (*fig.*) praktiske ting;
praktiske detaljer.

nutshell ['nʌtʃel] *sb.* nøddeskal.

nutter ['nʌtə] *sb.* S skør kule; skør
rad.

nutty ['nʌti] *adj.* **1.** med nødde-
smag; nøddeagtig; **2.** S tosset;
skør;
□ *as* ~ *as a fruitcake* ravende
skør.

nuzzle ['nʌzl] *vb.* **1.** trykke næsen
ind mod, nusse//gnubbe med næ-
sen; nusse (*fx he -d her hair*);
stikke snuden//mulen hen til (*fx
the dog -d my foot*); **2.** (*uden
objekt*) nusse; gnubbe;
□ ~ *up against* smyge sig ind til.

NV *fork. f. Nevada.*

NW *fork. f. north-west.*

NY *fork. f. New York.*

nylon ['nailən] *sb.* nylon;
□ *-s* nylonstrømper.

nymph [nimf] *sb.* (*myt., zo. & om
ung pige*) nymfe.

nymphet [nim'fet] *sb.* ung nymfe;
meget ung og sexet pige.

nymphomaniac [nimfə'meiniæk]
sb. nymfoman.

NZ *fork. f. New Zealand.*

O

O¹ [əu] **1.** O; **2.** (*ved oplæsning af tal*) nul (*fx 1905: nineteen O five*).
O² [əu] *interj.* (*glds. el. poet.*) åh!
□ *O for* ... åh, havde jeg blot ...; åh, hvem der havde ....
O³ *fork. f.* (*am.*) Ohio.
o' [ə] *fork. f.* of.
oaf [əuf] *sb.* fjols, fjog; klodrian.
oafish ['əufiʃ] *adj.* dum, fjoget; klodset.
oak [əuk] *sb.* **1.** (*bot.*) eg; egetræ; **2.** (*især: på kollegium*) yderdør; □ *sport one's/the* ~ (*jf. 1*) stænge yderdøren og frabede sig visitter.
oak apple *sb.* galæble.
oaken ['əuk(ə)n] *adj.* (*litt.*) egetræs-; ege-.
oak gall *sb.* galæble.
oakum ['əukəm] *sb.* (*mar.*) værk [*opplukket tovværk*].
OAP *fork. f.* old-age pensioner.
oar [ɔ:] *sb.* **1.** åre; **2.** roer; □ *pull an* ~ ro; *pull a good* ~ være en dygtig roer; *put/stick one's* ~ *in* (*fig.*) blande sig.
oarfish ['ɔ:fiʃ] *sb.* (*zo.*) sildekonge.
oarlock ['ɔ:rlɔk] *sb.* (*am.*) åregaffel.
oarsman ['ɔ:zmən] *sb.* (*pl. -men* [-mən]) roer.
oasis [əu'eisis] *sb.* (*pl. oases* [-'eisi:z]) oase.
oast [əust] *sb.* kølle, tørreovn [*til humle*].
oatcake ['əutkeik] *sb.* havrekiks.
oath [əuθ] *sb.* (*pl. -s* [əuðz]) ed; □ *on/under* ~ under ed; *put sby on* (*his*) ~ tage en i ed; *take an* ~ aflægge ed; (se også *administer*).
oatmeal ['əutmi:l] *sb.* **1.** havremel; havregryn; **2.** (*am.*) havregrød.
oatmeal porridge *sb.* havregrød.
oats [əuts] *sb. pl.* (*bot.*) havre; □ *feel one's* ~ T a. være i hopla; b. (*am.*) være indbildsk; *get one's* ~ S komme i seng med en pige; *be off one's* ~ a. have tabt madlysten; b. (*spøg.*) ikke være oplagt til sex; (se også *wild oats*).
OB *fork. f.* **1.** outside broadcast; **2.** (*am.* T) obstetrician.
obduracy ['ɔbdjurəsi] *adj.* (jf. *obdurate*) F **1.** forstokkethed; stivsindethed; halsstarrighed; **2.** besværlighed.
obdurate ['ɔbdjurət] *adj.* F **1.** (*om person*) forstokket (*fx sinner*);

stivsindet; halsstarrig; **2.** (*om forhold*) meget besværlig (*fx differences; problem*).
OBE *fork. f.* Officer of the Order of the British Empire.
obeah ['əubiə] *sb.* (*am.*) **1.** [*form for magi*]; **2.** amulet; fetich.
obedience [ə'bi:diəns] *sb.* lydighed (*to* mod).
obedient [ə'bi:diənt] *adj.* lydig (*to* imod).
obeisance [ə'beis(ə)ns] *sb.* F **1.** ærbødighed (*to* over for); **2.** (*hilsen*) reverens; dybt buk; □ *pay* ~ *to* a. vise ærbødighed for, bøje sig for; b. hylde.
obelisk ['ɔbəlisk] *sb.* **1.** obelisk; **2.** (*typ.*) kors.
obese [ə'bi:s] *adj.* meget fed; smældfed, lasket.
obesity [ə'bi:səti] *sb.* fedme.
obey [ə'bei] *vb.* adlyde.
obfuscate ['ɔbfʌskeit] *vb.* F **1.** forplumre (*fx the issue*); tilsløre; gøre uforståelig; **2.** (*person*) forvirre.
obfuscation [ɔbfʌs'keiʃn] *sb.* (jf. *obfuscate*) F **1.** forplumring; tilsløring; **2.** forvirring.
Ob-Gyn [ɔb'gain] *sb.* (*am.*) fødselslæge og gynækolog.
obi se *obeah*.
obit ['əubit, 'ɔbit] *sb.* T = obituary.
obiter dicta [ɔbitə'diktə] *sb. pl.* (*lat.; omtr.*) strøtanker; spredte bemærkninger.
obituary [ə'bitjuəri] *sb.* nekrolog; mindeord.
object¹ ['ɔbdʒekt, -ikt] *sb.* **1.** genstand (*fx a metal* ~); (*fagl.*) ob'jekt; **2.** hensigt, formål (*of* med, *fx the* ~ *of the investigation*); mål (*fx his* ~ *in life*); **3.** (*gram.*) 'objekt, genstandsled (*of* for); □ *be the* ~ *of* a. være genstand for (*fx admiration; ridicule*); b. (*jf. 2*) være hensigten/formålet med; *salary is no* ~ lønnen er underordnet.
object² [əb'dʒekt] *vb.* **1.** protestere, komme med indvendinger (*to* imod, *fx a suggestion*); F gøre indsigelse (*to* imod); **2.** (*foran sætn.*) indvende (*fx he -ed that it was too late*);
□ *if you don't* ~ hvis du ikke har

noget imod det/noget at indvende; ~ *to* a. (*om følelse*) have noget imod (*fx nobody could* ~ *to him*); ikke kunne lide, ikke bryde sig om (*fx I* ~ *to being treated like a child*); b. (*om ytring*) se: *1.*
object glass *sb.* (*i kikkert etc.*) objektiv.
objection [əb'dʒekʃn] *sb.* **1.** indvending (*to* mod, *fx* raise -s *to the plan; that is the only* ~ *I have*); protest, indsigelse (*to* mod); **2.** (*følelse*) misbilligelse (*to* af); modvilje (*to* mod); □ *I have no* ~ *to your going* jeg har ikke noget imod at du går; *take* ~ *to* gøre indsigelse mod.
objectionable [əb'dʒekʃnəbl] *adj.* F forkastelig (*fx procedure*); stødende (*fx remark*); ubehagelig (*fx smell*).
objective¹ [əb'dʒektiv] *sb.* **1.** formål; **2.** (*mil.*) mål (*fx military -s*); **3.** (*i kikkert etc.*) objektiv.
objective² [əb'dʒektiv] *adj.* **1.** objektiv, saglig; **2.** (*gram.*) objekts-.
objectivity [ɔbdʒek'tivəti] *sb.* objektivitet, saglighed.
object lesson *sb.* praktisk illustration (*in* af); skoleeksempel (*in* på); anskuelsesundervisning (*in* i).
objector [əb'dʒektə] *sb.* modstander; opponent.
objet d'art [ɔbʒei'da:] *sb.* (*pl. objets d'art* [ɔbʒei-]) kunstgenstand.
obligated ['ɔbligeitid] *adj.* (F el. am.) forpligtet (*to* til at).
obligation [ɔbli'geiʃn] *sb.* forpligtelse;
□ *be under an* ~ *to* a. være forpligtet til; b. stå i taknemlighedsgæld til; *without* ~ uden forbindende; uden købetvang.
obligatory [ə'bligət(ə)ri] *adj.* obligatorisk, tvungen, påbudt.
oblige [ə'blaidʒ] *vb.* (se også *obliged, obliging*) **1.** vise sig imødekommende; **2.** (*mht. optræden*) give et nummer (*fx nobody was willing to* ~);
□ ~ *with a song* (*jf. 2*) (være så elskværdig at) optræde med/synge en sang; (*glds.*) give en sang til bedste;
[*med objekt*] ~ *sby* gøre én en tje-

579

O obliged

neste; vise én en venlighed; vise sig imødekommende mod en; ~ me by + -ing F gør mig den tjeneste at (fx keeping your thoughts to yourself); vær så venlig at (fx leaving the room); could you ~ me with a match? (glds.) De kunne vel ikke låne mig en tændstik?

obliged [ə'blaidʒd] adj. forpligtet (to til at);
□ be ~ to (+ inf. også) være nødt til at; måtte; I would be ~ if you would F vil De være så venlig at, vil De gøre mig den tjeneste at; I am much ~ to you F jeg er Dem meget forbunden; mange tak.

obligee [ɔbli'dʒi:] sb. (jur.) fordringshaver.

obliging [ə'blaidʒiŋ] adj. imødekommende, forekommende, elskværdig.

obligor [ɔbli'gɔ:] sb. (jur.) skyldner.

oblique¹ [ə'bli:k] sb. skråstreg.

oblique² [ə'bli:k, (am. mil.) ə'blaik] adj. 1. skrå (fx line); hældende; 2. (især geom.) skæv (fx angle; pyramid; glance blik); 3. (om ytring) indirekte; forblommet;
□ in ~ terms i forblommede vendinger.

oblique fire sb. (mil.) skråild.

oblique stroke sb. skråstreg.

obliterate [əb'litəreit] vb. udslette, tilintetgøre.

obliteration [əblitə'reiʃn] sb. udslettelse, tilintetgørelse.

oblivion [ə'bliviən] sb. glemsel;
□ save sth **from** ~ bevare noget for efterverdenen; bomb the city **into** ~ udslette byen fra jordens overflade; fall/sink into ~ gå i glemme; gå i glemmebogen; consign it **to** ~ lade det gå i glemme/glemmebogen; overlade det til glemselen.

oblivious [ə'bliviəs] adj.: be ~ of/to ikke ænse; være ligeglad med.

oblong¹ ['ɔblɔŋ] sb. aflang figur, rektangel.

oblong² ['ɔblɔŋ] adj. aflang, rektangulær.

obloquy ['ɔbləkwi] sb. F 1. bagvaskelse, nedrakning; 2. vanære, vanry.

obnoxious [əb'nɔkʃəs] adj. 1. (især om person) utiltalende, ubehagelig; (stærkere) afskyelig; 2. (om opførsel) anstødelig, stødende (fx remarks).

oboe ['əubəu] sb. (mus.) obo.

oboist ['əubəuist] sb. oboist.

obscene [əb'si:n] adj. 1. (seksuelt) obskøn, uanstændig, sjofel (fx gesture); (især jur.) pornografisk, utugtig (fx books; publications;

films); 2. (generelt) uanstændig, afskyelig, modbydelig (fx it is ~ to spend so much money on food).

obscenity [əb'senəti] sb. 1. obskønitet, uanstændighed; (især jur.) pornografi; utugt; 2. (generelt) modbydelighed; 3. (ytring) sjofelhed.

obscurantism [ɔbskjuə'ræntizm] sb. obskurantisme; fjendtlighed over for oplysning, kulturfjendtlighed.

obscurantist¹ [ɔbskjuə'ræntist] sb. obskurant; mørkemand; fjende af oplysning.

obscurantist² [ɔbskjuə'ræntist] adj. obskurantisk; kulturfjendtlig.

obscuration [ɔbskjuə'reiʃn] sb. (jf. obscure²) 1. skjulen; formørkelse; 2. tilsløring.

obscure¹ [əb'skjuə] adj. 1. ukendt (fx the reasons for it are ~); obskur (fx some ~ poet//provincial town); (om sted også) afsides; 2. (for forståelsen) dunkel, uklar (fx text); uforståelig (fx jargon); 3. (for synet) mørk (fx corner); utydelig (fx the path grew more and more ~);
□ live an ~ life føre en tilbagetrukken/ubemærket tilværelse.

obscure² [əb'skjuə] vb. 1. skjule, dække for (fx the view); formørke (fx the sun); 2. (fig.) tilsløre (fx the real reason); gøre uklar.

obscurity [əb'skjuəriti] sb. (jf. obscure¹) 1. ubemærkethed; 2. dunkelhed, uklarhed; uforståelighed; 3. mørke; utydelighed.

obsequies ['ɔbsikwiz] sb. pl. F begravelse, ligbegængelse.

obsequious [əb'si:kwiəs] adj. underdanig; (stærkere) slesk, servil, krybende.

observable [əb'zə:vəbl] adj. synlig, som kan iagttages.

observance [əb'zə:v(ə)ns] sb. F 1. (jf. observe 3) overholdelse (fx of a law); iagttagelse (fx of two minutes' silence); 2. (jf. observe 4) fejring, højtideligholdelse (fx of the Queen's birthday); helligholdelse (fx of the Lord's Day); 3. (rel) form; ceremoni.

observant [əb'zə:v(ə)nt] adj. 1. opmærksom, agtpågivende; som har en god iagttagelsesevne; 2. (rel.) som nøje overholder reglerne;
□ ~ of (jf. 2) omhyggelig med overholdelsen af.

observation [ɔbzə'veiʃn] sb. 1. observation; iagttagelse; 2. (egenskab) iagttagelsesevne; 3. (om udtalelse) bemærkning (on/about om); kommentar (on/about til);
□ escape ~ undgå at blive set.

observational [ɔbzə'veiʃn(ə)l] adj. observations-.

observation car sb. (jernb.) udsigtsvogn, turistvogn.

observation post sb. (mil.) observationspost, observationsstade.

observatory [əb'zə:vət(ə)ri] sb. observatorium.

observe [əb'zə:v] vb. 1. (om systematisk studium) observere (fx the stars; the behaviour of gorillas); 2. F bemærke (fx she -d a look of anxiety on his face); lægge mærke til (fx who did it); iagttage, observere (fx sby entering the house); 3. (regler etc.) overholde, følge; 4. (festlighed) højtideligholde; holde, fejre (fx a birthday); helligholde (fx the Sabbath); 5. (F: om udtalelse) bemærke, sige; ytre;
□ ~ silence forholde sig tavs.

observer [əb'zə:və] sb. 1. iagttager; betragter, tilskuer; 2. (ved konference, valg etc.) observatør; 3. (journalist etc.) kommentator, iagttager, observatør.

obsess [əb'ses] vb. (om idé, tanke) besætte; stadig plage, forfølge;
□ ~ about/with tænke ustandseligt på; være besat/helt optaget af; -ed with/by besat af; helt optaget af.

obsession [əb'seʃn] sb. 1. besættelse; T fiks idé; 2. (psyk.) tvangstanke, tvangsforestilling.

obsessional [əb'seʃn(ə)l], **obsessive** [əb'sesiv] adj. som har karakter af en tvangstanke; tvangsmæssig, sygelig;
□ be ~ about være sygeligt optaget af.

obsolescence [ɔbsə'les(ə)ns] sb. forældelse.

obsolescent [ɔbsə'les(ə)nt] adj. som er ved at gå af brug/blive forældet.

obsolete ['ɔbsəli:t, ɔbsə'li:t] adj. gået af brug, forældet.

obstacle ['ɔbstəkl] sb. 1. hindring, forhindring; 2. (i sport) forhindring.

obstacle course sb. (mil.) forhindringsbane.

obstacle race sb. forhindringsløb.

obstetric [ɔb'stetrik] adj. obstetrisk, hørende til fødselsvidenskaben.

obstetrician [ɔbstə'triʃn] sb. obstetriker, fødselslæge.

obstetrics [ɔb'stetriks] sb. obstetrik, fødselsvidenskab.

obstinacy ['ɔbstinəsi] sb. stædighed, genstridighed, hårdnakkethed.

obstinate ['ɔbstinət] adj. stædig, genstridig, hårdnakket;
□ (as) ~ as a mule stædig som et

æsel.

obstreperous [əb'strep(ə)rəs] *adj.*
1. støjende, larmende, højrøstet;
2. uregerlig.

obstruct [əb'strʌkt] *vb.* **1.** (*vej, passage*) spærre, blokere (*fx the road*;
the runway; the entrance); (*rør
etc.*) tilstoppe; **2.** (*køretøj, udsyn*)
spærre for, være i vejen for (*fx
traffic; the view*); **3.** (*fig.*) hindre,
hæmme, lægge hindringer i vejen
for; forsinke, sinke (*fx an investigation; legislation; progress*);
4. (*parl.*) lave obstruktion mod;
5. (*i fodbold*) lave obstruction
mod;
□ ~ *justice* forhindre retfærdigheden i at ske fyldest.

obstruction [əb'strʌkʃn] *sb.* (jf. *obstruct*) **1.** spærring, blokering; tilstopning; **2.** spærring; **3.** hindring;
hæmning; forsinkelse; **4.** (*parl.*)
obstruktion; **5.** (*i fodbold*) obstruction.

obstructionism [əb'strʌkʃnizm] *sb.*
obstruktionspolitik.

obstructionist [əb'strʌkʃnist] *adj.*
obstruktions- (*fx policy; tactics*).

obstructive [əb'strʌktiv] *adj.* obstruktions- (*fx tactics*); sinkende;
□ *be* ~ (*om person*) lægge hindringer i vejen; sætte sig på bagbenene.

obtain [əb'tein] *vb.* **F 1.** få, opnå (*fx
good results; permission*); nå (*fx
one's purpose*); vinde (*fx his confidence; influence*); skaffe sig (*fx
influence; justice*); **2.** (*uden
objekt*) findes, være til stede (*fx
the conditions for a coup no longer* ~); herske, bestå (*fx the tragic
situation -ing in this country*);
gælde (*fx the rates -ing in 1999*);
være i brug.

obtainable [əb'teinəbl] *adj.* opnåelig; til at skaffe/få.

obtrude [əb'tru:d, ɔb-] *vb.* (*litt.*)
1. trænge sig på, være påtrængende; **2.** (*med objekt*) trænge sig
på med, skilte med (*fx one's own
views*);
□ ~ *on* trænge sig ind på; ~ *sth
on sby* påtvinge/pånøde en noget
(*fx* ~ *one's opinions on others*).

obtrusive [əb'tru:siv] *adj.* **1.** påfaldende; som stikker i øjnene;
2. (*om person*) påtrængende.

obtuse [əb'tju:s] *adj.* (*om person*)
tykhovedet, sløv, dum.

obtuse angle *sb.* stump vinkel.

obverse ['ɔbvə:s] *sb.* **1.** modstykke;
2. (*på mønt*) avers; forside.

obviate ['ɔbvieit] *vb.* **1.** undgå, forebygge (*fx a misunderstanding*);
komme i forkøbet, overflødiggøre;
2. (*problem*) fjerne, rydde af vejen

(*fx a difficulty*); **3.** (*behov*) imødekomme.

obvious ['ɔbviəs] *adj.* **1.** tydelig,
åbenbar (*fx advantage*); oplagt (*fx
chance*); indlysende (*fx for* ~ *reasons*); mest nærliggende (*fx explanation; solution*); **2.** (*neds.*) for
iøjnefaldende, for nærliggende;
billig, letkøbt (*fx joke*);
□ *for no* ~ *reason* uden nogen påviselig grund; *state the* ~ sige noget alle er klar over.

OC *fork. f. Officer Commanding.*

ocarina [ɔkə'ri:nə] *sb.* (*mus.*) okarina.

occasion[1] [ə'keiʒ(ə)n] *sb.* **1.** begivenhed (*fx her wedding was quite
an* ~; *a historic* ~); **2.** (*som bevirker noget*) foranledning; grund
(*for* til, *fx there is no* ~ *for alarm*;
to til at, *fx there is no* ~ *to be
rude*); **3.** (**F:** *tidspunkt*) lejlighed
(*for +-ing//to* til at, *fx a fitting* ~
*for announcing the wedding; I
have had no* ~ *to visit him*); anledning;
□ *be the* ~ *of* give anledning til
(*fx demonstrations*); *it is not the*
~ *for merriment* det er ikke nogen
passende anledning til munterhed; *take* ~ *to* benytte lejligheden
til at;
[*med præp.*] *written for the* ~ skrevet til lejligheden; *on* ~ ved lejlighed; lejlighedsvis; *on an earlier//on that* ~ ved en tidligere//
ved den lejlighed; *on the* ~ *of his
marriage* **a.** i anledning af hans
bryllup; **b.** ved hans bryllup; *on
the slightest* ~ ved mindste foranledning; *rise to the* ~, be equal to
the ~ være på højde med situationen, være situationen voksen.

occasion[2] [ə'keiʒ(ə)n] *vb.* **F** foranledige, give anledning til, forårsage.

occasional [ə'keiʒ(ə)n(ə)l] *adj.*
1. som forekommer//kommer nu
og da (*fx thunderstorms//visitors*);
lejlighedsvis, tilfældig; **2.** (*om
tekst*) lavet for anledningen; lejligheds- (*fx* ~ *poem*); **3.** (*om møbel*)
(som er) til specielt brug;
□ *make* ~ *appearances* (jf. *1*) optræde nu og da.

occasionally [ə'keiʒ(ə)n(ə)li] *adv.* af
og til; lejlighedsvis.

occasional table *sb.* mindre bord/
rygebord *etc.*

Occident ['ɔksid(ə)nt] *sb.*: *the* ~ (**F**
el. poet.) Vesten; Occidenten.

Occidental [ɔksi'dent(ə)l] *adj.* vestlig, vesterlandsk.

occult ['ɔkʌlt, ɔ'kʌlt] *adj.* okkult;
hemmelig, magisk.

occulting light [ə'kʌltiŋlait] *sb.*
(*mar.*) formørkelsesfyr.

occultism ['ɔkəltizm, ɔ'kʌltizm] *sb.*
okkultisme.

occupancy ['ɔkjup(ə)nsi] *sb.* **F**
1. (*om hus, lejlighed*) beboelse;
2. (*om hotel, hospital*) belægning;
3. (*om jord*) besiddelse.

occupant ['ɔkjup(ə)nt] *sb.* **F 1.** (*af
stilling*) indehaver; **2.** (*af hus, lejlighed*) beboer;
□ *the -s of the boat//carriage* de
der sad//sidder i båden//vognen.

occupation [ɔkju'peiʃn] *sb.* **1.** (*som
man lever af*) beskæftigelse, erhverv; **2.** (*som man fordriver
tiden med*) beskæftigelse (*fx card
playing is a harmless* ~); **3.** (*af
hus, lejlighed*) beboelse; besiddelse; **4.** (*mil.*: *af land*) okkupation; besættelse; indtagelse;
□ *ready for immediate* ~ (jf. *3*)
klar til indflytning.

occupational [ɔkju'peiʃn(ə)l] *adj.*
erhvervs-, erhvervsmæssig; beskæftigelses-; faglig.

occupational disease *sb.* erhvervssygdom.

occupational hazard *sb.* erhvervsrisiko.

occupational injury *sb.* arbejdsskade.

occupational medicine *sb.* arbejdsmedicin.

occupational therapist *sb.* ergoterapeut.

occupational therapy *sb.* ergoterapi.

occupier ['ɔkjupaiə] *sb.* se *occupant.*

occupy ['ɔkjupai] *vb.* **1.** (*hus, lejlighed*) bebo; **2.** (*embede, stilling*) indehave, beklæde (*fx a high position*); **3.** (*plads*) optage (*fx a seat;
a lot of space; the bathroom was
occupied*); dække (*fx 120 acres*);
4. (*tid*) tage, vare (*fx two hours*);
lægge beslag på; **5.** (*sind, tanker*)
optage, beskæftige; **6.** (*især mil.*)
besætte, okkupere (*fx a country*);
indtage (*fx a strategic position*);
holde besat.

occur [ə'kə:] *vb.* **1.** forekomme;
hænde, ske, indtræffe; **2.** (*om
plante, dyr etc.*) findes, forekomme;
□ *it -red to me that* det faldt mig
ind at; jeg kom til at tænke på at.

occurrence [ə'kʌr(ə)ns] *sb.* (jf. *occur*) **1.** hændelse, begivenhed;
2. forekomst.

ocean ['əuʃn] *sb.* ocean, hav; verdenshav;
□ *-s of* (*fig.*) **T** oceaner af, masser
af (*fx time*).

ocean-going ['əuʃngəuiŋ] *adj.* søgående; oceangående.

Oceania [əuʃi'einiə] (*geogr.*) Ocea-

O oceanic

nien.

oceanic [əuʃi'ænik] *adj.* **1.** ocean-; hav-; **2.** (*fig.*) kæmpemæssig (*fx failure*).

oceanography [əuʃiə'nɔgrəfi] *sb.* havforskning.

ocelot ['əusilɔt] *sb.* (*zo.*) ozelot [*sydam. vildkat*].

ochre[1] ['əukə] *sb.* okker.

ochre[2] ['əukə] *adj.* okkergul.

o'clock [ə'klɔk] *adv.* klokken;
□ *at five* ~ klokken fem; *it is five* ~ klokken er fem; *what* ~ *is it?* hvad er klokken?

OCR *optical character recognition* optisk skriftlæsning.

Oct *fork. f. October.*

octagon ['ɔktəg(ə)n] *sb.* ottekant.

octagonal [ɔk'tæg(ə)n(ə)l] *adj.* ottekantet.

octane ['ɔktein] *sb.* (*kem.*) oktan.

octane number *sb.* oktantal.

octave ['ɔktiv, -teiv] *sb.* oktav.

octet [ɔk'tet] *sb.* (*mus.*) oktet.

October [ɔk'təubə] *sb.* oktober.

octogenarian [ɔktədʒi'nɛəriən] *sb.* firsårig; en der er i firserne.

octopus ['ɔktəpəs] *sb.* **1.** blæksprutte; **2.** (*fig.*) mangearmet uhyre.

ocular[1] ['ɔkjulə] *sb. = eyepiece.*

ocular[2] ['ɔkjulə] *adj.* **1.** synlig; som man ser med sine egne øjne; **2.** (*med.*) øje(n)- (*fx defect*);
□ ~ *demonstration* synligt bevis; syn for sagen.

oculist ['ɔkjulist] *sb.* (*glds.*) øjenlæge.

OD[1] [əu'di:] *fork. f. overdose* S overdosis [*af narkotika*].

OD[2] [əu'di:] *vb.* S tage en overdosis;
□ ~ *on* **a.** tage en overdosis af; **b.** (*fig.*) få for meget af.

odalisque ['əudəlisk] *sb.* odalisk [ɔ: *haremskvinde*].

odd [ɔd] *adj.* **1.** mærkelig, sær, underlig, besynderlig (*fx behaviour; habit*); **2.** (*om tal*) ulige (*fx dates; numbers; pages*); **3.** (*efter talord*) nogle og ... (*fx twenty* ~ *pounds* nogle og tres pund); og noget (*fx three hundred* ~; *twenty pounds* ~); **4.** (*om par el. del af par*) umage (*fx glove; shoe; wear* ~ *stockings; a drawer full of* ~ *socks*); **5.** (*som er tilovers*) overskydende (*fx I had a few* ~ *balls of wool left*); enkelt (*fx an* ~ *volume*); **6.** (*ikke systematisk*) tilfældig (*fx he wrote it on* ~ *scraps of paper; he did* ~ *teaching jobs*); spredt; (se også *odd jobs*);
□ *an* ~ *amount* et skævt beløb; *in* ~ *moments* i ledige stunder; ~ *or even* lige eller ulige;
the ~ *en//et ...* en gang imellem

(*fx he likes the* ~ *drink; you get the* ~ *customer who is rude*); *be the* ~ *man/one out* **a.** være tilovers; **b.** T falde udenfor; være en enspændernatur.

oddball ['ɔdbɔːl] *sb.* (*am.* S) original; skør kule.

oddity ['ɔditi] *sb.* **1.** (*egenskab*) særhed, besynderlighed; **2.** (*person*) særling, original; **3.** (*ting*) sjældenhed, kuriositet.

odd-job man [ɔd'dʒɔbmæn] *sb.* (*pl. ...men* [men]) [*mand der udfører forefaldende arbejde*]; altmuligmand.

odd jobs *sb. pl.* tilfældigt/forefaldende arbejde.

oddments ['ɔdmənts] *sb. pl.* **1.** småting; **2.** (*som er tilovers*) rester, uensartede stykker.

odds [ɔdz] *sb. pl.* **1.** chancer; udsigter; (se ndf.: *the* ~ *are that*); **2.** (*ved væddemål*) odds [*forholdet mellem indsats og gevinst*];
□ ~ *and ends* (forskellige) småting; tilfældigt ragelse; lidt af hvert; ~ *and sods* S = ~ *and ends*; (se også *long odds, short odds*);
[*med vb.*] *I'd give* ~ *that* jeg tør vædde på at; *give* ~ *of 3-1* (omtr.) holde 3 mod 1; *lay* ~ = *give* ~; *lengthen the* ~ formindske chancen; *it makes no* ~ det betyder ikke noget; det gør ingen forskel; *shorten the* ~ forøge chancen; *the* ~ *are shortening* chancerne øges; [*med be(+ præp.)*] *what's the* ~? T hvad gør det? *the* ~ *are that* sandsynligheden taler for at; det er overvejende sandsynligt at; *the* ~ *are against it* sandsynligheden taler imod det; *the* ~ *are against us* vi har chancerne imod os; *the* ~ *are in his favour* han har de bedste chancer; *what are the* ~ *on him being late?* hvad er sandsynligheden for at ham kommer for sent?
[*med præp.*] *fight against heavy* ~ kæmpe en ulige kamp; kæmpe mod en overmagt; *be at* ~ *with* **a.** være uenig med; være på kant med; **b.** ikke stemme overens med; *by all/long* ~ i enhver henseende, langt (*fx by all* ~ *the best*); *charge sby over the* ~ forlange overpris af en; *pay over the* ~ betale for meget; betale overpris.

odds-on [ɔdz'ɔn] *adj.* meget sandsynlig (*fx it's* ~ *he'll be late*);
□ *an* ~ *chance* en overvejende chance; *an* ~ *favourite* en klar favorit.

ode [əud] *sb.* ode.

odious ['əudiəs] *adj.* afskyelig, modbydelig, frastødende.

odium ['əudiəm] *sb.* F modvilje; afsky; had;
□ *be in* ~ være forhadt; *bring* ~ *on sby* lægge en for had.

odometer [ou'dɔmitər] *sb.* (*am.*) kilometertæller.

odorous ['əudərəs] *adj.* (*litt.*) duftende; vellugtende.

odour ['əudə] *sb.* **1.** lugt; (*positivt*) duft (*fx the sweeet* ~ *of her perfume*); **2.** (*fig.*) anstrøg, skær (*fx of hypocrisy; of sanctity*);
□ *be in bad* ~ with være ilde anskrevet hos; *die in the* ~ *of sanctity* få en salig ende.

Odyssey ['ɔdisi] *sb.* Odyssé.

OECD *fork. f. Organization for Economic Co-operation and Development.*

OED *fork. f. Oxford English Dictionary.*

oedema [i'di:mə] *sb.* (*med.*) ødem; væskeansamling.

Oedipus ['i:dipəs] (*myt.*) Ødipus.

OEM *fork. f. original equipment manufacturer* [producent der indbygger dele af produkter fra andre producenter i sit eget produkt].

o'er [ɔ:, 'əuə] *præp.* (*poet.*) = over.

oesophagus [i:'sɔfəgəs] *sb.* (*anat.*) spiserør.

oestrogen ['i:strədʒən, 'estrə-] *sb.* (*biol.*) østrogen.

oestrus ['i:strəs, 'estrəs] *sb.* brunst, parringslyst.

of [əv, (*betonet*) ɔv] *præp.* **1.** af; **2.** [*udtrykker genitiv, fx the roof of the house* husets tag; *the work of an enemy* en fjendes værk]; **3.** (*om position//fjernelse//genstand for handling*) for (*fx south of; cure of; empty of; accuse of; nervous of*); **4.** (*ved stillingsbetegnelse*) for (*fx headmaster of; manager of*); **5.** (*om fag*) i (*fx professor of; teacher of*); **6.** (*om emne*) om (*fx hear//read//talk of*); over (*fx complain of; a list//map of*); **7.** (*om beløb, målsangivelse etc.*) på (*fx a sum of £500; a delay of twenty minutes; a boy of ten*); **8.** (*om hver enhed*) à (*fx 2 cases of 25 bottles*); **9.** (*foran nærmere bestemmelse: oversættes ikke*) [*fx a glass of water; the Kingdom of Sweden; the winter of 1999*]; **10.** (*am.: om klokkeslæt*) i (*fx a quarter of three*);
□ [*forskellige forb.; se også de ord hvormed of forbindes: all, battle, guilty etc.*] *of an evening* (*glds.*) om aftenen; *be of the party* høre til selskabet; *we were only four of us* vi var kun fire; *the three of you*

I tre.

ofay ['oufei] *sb.* (*am.* S) hvid.

off¹ [ɔf] *sb.* **1.** (*i kricket*) se *off side 3*; **2.** T start; **3.** (*sydafr.* T) fridag; □ *the* ~ **T a.** begyndelsen (*fx we liked her from the* ~); **b.** (*af løb*) starten; *ready for the* ~ (*også*) parat til at gå.

off² [ɔf] *adj.* **1.** (*om fødevarer*) dårlig (*fx it smells* ~); **2.** (*om helbred*) utilpas, dårlig (*fx I felt decidedly* ~); **3.** (*i kricket*) højre; **4.** (*om hest, hestevogn*) højre, fjermer (*fx the* ~ *hind leg*); (se også *off-chance, off season, off side*); □ *be* ~ **a.** være væk (*fx he is* ~ *on holiday//sick leave*); være fraværende (*fx she is* ~ *with the flue*); **b.** (*mht. ferie etc.*) have fri; **c.** (ɔ: *ud på rejse*) tage af sted (*fx we're* ~ *on holiday tomorrow*); **d.** (*om vand, gas etc.*) være afbrudt; **e.** (*om apparat, lys*) være slukket (*fx the lights were* ~ *in his room*); **f.** (*om begivenhed*) være aflyst (*fx the wedding//football match is* ~); (*om strejke*) være afblæst; **g.** (*om forbindelse*) være forbi (*fx it's all* ~ *between John and Mary*); (*om forlovelse*) være hævet; **h.** (*om ret på restaurant*) være udgået (*fx roast chicken is* ~); **i.** (T: *om opførsel*) være urimelig//uforskammet//lige skrap nok (*with over* for); **j.** (T: *om persons humør*) være afvisende//sur (*fx she's a bit* ~ *today*); **k.** (T: *om persons handling*) være i gang (med at snakke/ ævle) (*fx he is* ~ *again!*); *be* ~! af sted med dig! *they are* ~! (*i væddeløbssprog*) nu starter de! *I'm* ~ nu stikker jeg af; *I must be* ~ jeg må af sted; *the water//gas etc. is* ~ (*jf. d: også*) der er lukket for vandet//gassen *etc.*; *how are you* ~ *for* har du nok af (*fx money; underwear*); *we're* ~ *to* Spain vi skal til Spanien; *where are you* ~ *to?* hvor skal du hen?; (se også *badly, well-off*).

off³ [ɔf] *vb.* **1.** gå sin vej (*fx he upped and -ed*); **2.** (*am.* S) ekspedere, gøre det af med.

off⁴ [ɔf] *adv.* **1.** væk (*fx run//drive* ~); af sted (*fx march* ~); **2.** (*om afstand*) væk/borte (*fx five miles* ~); (se også *ndf.: a month* ~); **3.** (*om fjernelse*) af (*fx fall* ~; *take one's coat* ~; ~ *with your jacket!*); **4.** (*teat. etc.*) uden for scenen; i kulissen (*fx noises* ~); **5.** (*mht. arbejde*) fri (*fx give sby//take a day* ~);
□ ~ *and on, on and* ~ se *on¹*; *a month* ~ en måned frem i tiden;

the exam *is a month* ~ der er en måned til eksamen; [*se også de vb. hvormed* ~ *forbindes: come, finish, take etc.*].

off⁵ [ɔf] *præp.* **1.** af (*fx I can't get the lid* ~ *the box; he fell* ~ *his bike*); ned fra (*fx fall* ~ *a ladder*); **2.** borte/væk fra (*fx keep them* ~ *the streets*); uden for; (se også *off screen, off season²*); **3.** (*om pris*) fratrukket (*fx £25* ~ *all jackets*); **4.** (*mar.*) ud for (*fx an island* ~ *the coast of Spain*); på højden af (*fx* ~ *the Cape*); □ *be* ~ ... have mistet lysten til (*fx sweets; detective stories*); *be* ~ *drugs* være vænnet af med at bruge narkotika; være stoffri; (se også *feed¹*); *I was never* ~ *my legs* jeg var hele tiden på benene; [*med sb.; NB se også under sb. eller på alfabetisk plads, fx off-colour*] *£25* ~ *all jackets* (*også*) alle jakker er nedsat med £25; *a little parlour* ~ *his bedroom* en lille dagligstue ved siden af hans soveværelse; *a street* ~ *Oxford Street* en sidegade til Oxford Street.

off⁶ [ɔf] *vb.* (*am.* S) slå ihjel, nakke.

offal ['ɔf(ə)l] *sb.* (*af slagtekvæg*) indmad.

off balance *adv.* se *balance¹*.

off beam *adv.* se *beam¹*.

offbeat¹ ['ɔfbi:t] *sb.* (*mus.*) offbeat [*rytmisk accent mellem taktslagene*].

offbeat² [ɔf'bi:t] *adj.* **1.** (*mus.*) offbeat [*som falder mellem taktslagene*]; **2.** (T: *fig.*) ukonventionel; utraditionel.

off-Broadway [ɔf'brɔ:dwei] *adj.* (*am.*) [*om teaterstykke der ikke opføres på de konventionelle scener på Broadway i New York*]; alternativ, ukonventionel.

off camera *adv.* se *camera*.

off centre *adj.* se *centre¹*.

off-chance ['ɔftʃa:ns] *sb.* svag mulighed;
□ *on the* ~ *that* (*omtr.*) i det svage håb at; for det tilfældes skyld at.

off-colour [ɔf'kʌlə] *adj.* **1.** (*om person*) sløj, træt, uoplagt; ikke rigtig i vigør; **2.** (*om vittighed etc.*) upassende, tvivlsom, vovet; **3.** (*typ. etc.*) fejlfarvet; misfarvet.

off day *sb.* **1.** fridag; **2.** dårlig/uheldig dag (*fx this is one of my -s*).

offence [ə'fens] *sb.* **1.** fornærmelse, krænkelse; **2.** (*især jur.*) lovovertrædelse; forseelse; **3.** (*følelse*) anstød, forargelse; **4.** (*mil. & i sport*) angreb;
□ ~ *against* ... se *person, property*; *it is an* ~ *to* (*jf. 2*) det er strafbart at;

[*forb. med vb.*] *cause/give* ~ vække anstød; *give/cause* ~ *to* fornærme; krænke; *no* ~ *intended/meant* det var ikke ment som en fornærmelse; *take* ~ blive fornærmet (*at* over); (se også *quick (to)*); *take* ~ *at* (*også*) tage anstød af.

offend [ə'fend] *vb.* **1.** (*person*) fornærme, krænke; støde, forarge; **2.** (*fig.*) støde (*fx it -s the eye*); krænke (*fx one's sense of justice*); **3.** (*uden objekt*) forsynde/forbryde sig; støde an; overtræde loven;
□ ~ *against* **a.** forsynde/forse sig imod (*fx a principle*); støde an imod (*fx good sense*); **b.** (*lov, regel*) overtræde, forbryde sig imod.

offended [ə'fendid] *adj.* fornærmet (*at* over; *that* over at; *with* på); krænket, stødt (*at* over; *that* over at).

offender [ə'fendə] *sb.* lovovertræder; kriminel; forbryder;
□ *young* ~ ungdomskriminel; ungdomsforbryder.

offense [ə'fens, (*især i sport*) ɔ'fens] *sb.* (*am.*) = *offence*.

offensive¹ [ə'fensiv] *sb.* **1.** offensiv; angreb; **2.** (*fig.*) kampagne (*fx against crime*);
□ *go on/take the* ~ gå i/tage offensiven.

offensive² [ə'fensiv] *adj.* **1.** stødende (*fx remark*); anstødelig (*fx language; jokes*); **2.** (*om lugt, syn*) modbydelig; **3.** (*mil.*) offensiv; angrebs-.

offensive weapon *sb.* angrebsvåben.

offer¹ ['ɔfə] *sb.* **1.** tilbud (*of* om; *om at*); **2.** (*som man vil betale*) bud (*fx the highest* ~);
□ *make an* ~ fremsætte et tilbud; give et bud; *make sby an* ~ en et tilbud; *make an* ~ *for* give et bud på; byde på; *make an* ~ *of sth to sby* tilbyde en noget; ~ *of marriage* ægteskabstilbud;
[*med præp.*] ~ *on* **a.** til salg; på markedet; til at få; **b.** (ɔ: *til nedsat pris*) på tilbud; *the house is under* ~ der er fremsat et købstilbud på huset.

offer² ['ɔfə] *vb.* **1.** tilbyde (*fx he -ed me a job*); **2.** (*mad, drikke etc.*) byde (*fx* ~ *him a cigar*); byde på (*fx* ~ *him coffee* byde ham på kaffe); **3.** (*dusør, præmie*) udsætte, udlove; **4.** (*udtalelse*) fremføre, fremsætte (*fx an opinion*); komme med (*fx an explanation*); **5.** (*til eksamen*) gå op i (*fx a subject*); opgive (*fx a text*); **6.** (*til rådighed, til at bruge*) byde på (*fx the town hasn't much to* ~; *it -s some of*

O *offering*

the best walks in England); give (*fx comfort*); (*til at se på*) frembyde (*fx a magnificent view*); danne (*fx a contrast*); **7.** (*rel.*) se ndf.: ~ *up*; **8.** (*uden objekt*) tilbyde sig (*fx it was kind of you to* ~); □ *be -ed* (*om vare*) blive udbudt (*fx the product is -ed at a very competitive price*); ~ *one's hand* **a.** (*til håndtryk*) række hånden frem; **b.** (*til ægteskab*) tilbyde sin hånd; fri; ~ *resistance* yde/gøre modstand; [*med præp.& adv.*] ~ *for sale* udbyde til salg; ~ *to* **a.** tilbyde at (*fx he -ed to help me*); **b.** gøre mine til at, forsøge at (*fx he -ed to strike me*); ~ *up a sacrifice* frembære et offer; ofre; (se også *prayer*).

offering [ˈɔf(ə)riŋ] *sb.* **1.** produkt; frembringelse; **2.** (*rel.*) offer.

offertory [ˈɔfət(ə)ri] *sb.* (*kat.*) offertorium [*frembæringen af brød og vin*].

off guard *adj.* se *guard¹*.

offhand¹ [ɔfˈhænd] *adj.* **1.** skødesløs; uhøjtidelig (*fx manners*); (*om ytring*) henkastet (*fx remark*); **2.** (*neds.*) nonchalant, ligegyldig; affejende, affærdigende.

offhand² [ɔfˈhænd] *adv.* improviseret; på stående fod; på stedet.

off-hours [ˈɔfhauərz] *sb. pl.* (*am.*) fritid.

Office [ˈɔfis] *sb.* **1.** ministerium (*fx the Foreign* ~); **2.** (*underafdeling af ministerium*) styrelse; direktorat.

office [ˈɔfis] *sb.* (se også *Office, offices*) **1.** kontor (*fx a lawyer's* ~; *information* ~; *ticket* ~); **2.** (*am.: læges*) konsultationsværelse, konsultation; **3.** (*som man beklæder/udfører*) embede; hverv (*fx the* ~ *of chairman*); **4.** (*rel.*) gudstjeneste; ritual; □ *hold* ~ **a.** (*om parti*) være ved magten; **b.** (*om person*) beklæde et embede; **c.** (*i regering*) være minister; *take* ~ **a.** (*om parti*) komme til magten, overtage regeringsmagten; **b.** (*om person*) tiltræde embedet; **c.** (*i regering*) blive minister; [*med præp.*] *at* the ~ på kontoret; *be in* ~ **a.** (*om parti*) have regeringsmagten; være ved magten (*fx the Labour Party is in* ~); **b.** (*om person*) være minister; *the government in* ~ den siddende regering; *remain in* ~ (*om regering*) blive siddende; fungere videre; *come into* ~ (*om parti*) overtage/tiltræde regeringen; *be out of* ~ (*om parti*) være i opposition.

office block *sb.* kontorbygning.

office boy *sb.* kontorbud.

officeholder [ˈɔfishəuldə] *sb.* indehaver af et embede; embedsmand.

office hours *sb. pl.* kontortid; åbningstid.

office party *sb.* (*svarer til*) julefrokost.

officer [ˈɔfisə] *sb.* **1.** (*mil.*) officer; **2.** (*i offentlig tjeneste*) embedsmand (*fx a customs* ~); funktionær; **3.** (*i politiet*) politibetjent; **4.** (*i forening*) bestyrelsesmedlem; □ ~ *of the day* (*mil.*) vagthavende officer; ~ *of health* embedslæge; (se også *first officer, medical officer* (*etc*)).

offices *sb. pl.* **1.** F vennetjeneste; **2.** (*glds.*) pligter (*fx little domestic* ~); **3.** (*glds.: køkken, bryggers etc.*) økonomirum; udenomsbekvemmeligheder; □ *good* ~ venskabelig mellemkomst; hjælp.

official¹ [əˈfiʃ(ə)l] *sb.* embedsmand (*fx a government* ~; *a UN* ~); (*mere underordnet*) funktionær (*fx a bank* ~).

official² [əˈfiʃ(ə)l] *adj.* officiel; (*i forbindelse med et embede også*) embeds- (*fx duties; residence*).

officialdom [əˈfiʃ(ə)ldəm] *sb.* (*neds.*) embedsmændene; bureaukratiet.

officialese [əfiʃ(ə)ˈliːz] *sb.* (*neds.; især am.*) kancellistil; ministeriel kontorjargon.

officialize [əˈfiʃ(ə)laiz] *vb.* gøre officiel.

official list *sb.* (*merk.*) kursliste.

officially [əˈfiʃ(ə)li] *adv.* officielt; på embeds vegne.

official quotation *sb.* (*merk.*) kursnotering.

official receiver *sb.* (*jur.*) midlertidig bobestyrer; midlertidig bestyrer af konkursbo [*indsat af retten*].

officiate [əˈfiʃieit] *vb.* F **1.** optræde, fungere (*fx as chairman*); **2.** (*ved sportsbegivenhed*) fungere som dommer; **3.** (*rel.*) forrette gudstjeneste; □ ~ *at* **a.** (*ved sportsbegivenhed*) fungere som dommer ved (*fx a football match*); **b.** (*rel.*) forrette (*fx a funeral* en begravelse; *a marriage* en vielse).

officious [əˈfiʃəs] *adj.* **1.** alt for tjenstivrig; emsig, geskæftig, nævenyttig; **2.** (*i diplomati*) officiøs, uformel (*fx talks*).

offing [ˈɔfiŋ] *sb.: in the* ~ (*fig.*) i farvandet, i sigte, under opsejling; *elections are in the* ~ (*også*) det trækker op til et valg.

offish [ˈɔfiʃ] *adj.* se *stand-offish*.

off-key [ɔfˈkiː] *adj.* (*mus.*) falsk.

off-licence [ˈɔflais(ə)ns] *sb.* **1.** vin- og spiritusforretning; **2.** [*tilladelse til at sælge spirituosa der ikke nydes på stedet*].

off limits se *limit¹*.

off-line [ɔfˈlain] *adj.* (*it*) offline, indirekte styret.

offload [ɔfˈləud] *vb.* **1.** læsse af; **2.** (*fig.*) slippe af med; **3.** (*merk.*) kaste på markedet; □ ~ *onto* læsse/vælte over på.

off-peak [ɔfˈpiːk] *adj.* når der ikke er spidsbelastning; uden for myldretiden//højsæsonen; stille (*fx period*); □ ~ *flights* flyrejser i stille perioder [*til nedsat takst*].

off-piste [ɔfˈpiːst] *adv.* uden for pisterne.

off-price [ɔfˈprais] *adj.* (*am.*) **1.** (*om vare*) nedsat; **2.** (*om butik*) discount.

offprint [ˈɔfprint] *sb.* særtryk.

off-putting [ˈɔfputiŋ] *adj.* **1.** forvirrende, distraherende; **2.** nedslående, forstemmende; **3.** ubehagelig, frastødende, afskrækkende.

off-ramp [ˈɔfræmp] *sb.* (*am.*) frakørsel.

off-roader [ˈɔfrəudə] *sb.* offroader, terrængående bil.

off-sale [ˈɔfseil] *sb.* [*salg af vin og spiritus ud af huset*].

off screen *adv.* uden for (tv-)skærmen; væk fra kameraet; i det virkelige liv.

off-screen [ɔfˈskriːn] *adj.* som finder sted uden for skærmen//væk fra kameraet (*fx an* ~ *affair*); i virkelige liv (*fx they were* ~ *lovers*).

off season¹ *sb.* lavsæson; stille årstid.

off season² *adv.* uden for sæsonen, i lavsæsonen; i den stille årstid.

offset¹ [ˈɔfset] *sb.* **1.** (*typ.: trykkemetode*) offset; (*fejl*) afsmitning; **2.** (*merk.*) modregning; **3.** (*i gartneri: af plante*) aflægger; (*af løg*) sideløg; **4.** (*af bjerg*) udløber; **5.** (*i byggeri*) murafsats; **6.** (*af rør*) etagebøjning; **7.** (*i landmåling*) afsætning.

offset² [ɔfˈset] *vb.* **1.** opveje; **2.** (*merk.*) modregne; **3.** (*typ.*) smitte af.

offshoot [ˈɔfʃuːt] *sb.* udløber; sidegren.

offshore¹ [ɔfˈʃɔː] *adj.* **1.** ud for kysten (*fx islands*); offshore (*fx industry*); **2.** (*om vind*) fralands-; **3.** (*om investering*) udenlandsk, offshore; **4.** (*am.*) i udlandet.

offshore² [ɔfˈʃɔː] *adv.* **1.** ud for kysten (*fx the ship anchored* ~); **2.** (*om vind*) fra land; **3.** (*am.*) i udlandet.

off side *sb.* **1.** (*af bil*) side nærmest vejmidten; **2.** (*af hest, hestevogn*) højre side, fjermer side; **3.** (*i kricket*) [*marken til venstre for kasteren/til højre for slåeren*]; □ *the ~ of the house* den fjerneste/modsatte side af huset.

offside¹ [ɔf'said] *sb.* (*i sport*) offside; (se også *off side*).

offside² [ɔf'said] *adj.* (*i sport*) offside.

offspring ['ɔfspriŋ] *sb.* **1.** afkom; **2.** (*fig.*) resultat; produkt.

offstage [ɔf'steidʒ] *adv.* uden for scenen; bag scenen; bag kulisserne.

off-the-cuff [ɔfðə'kʌf] *adj.* improviseret (*fx remark*).

off-the-peg [ɔfðə'peg] *adj.* færdigsyet.

off-the-peg clothes *sb. pl.* færdigsyet tøj, konfektion, stangtøj.

off-the-record [ɔfðə'rekɔːd] *adj.* uofficiel; som ikke må refereres/citeres i pressen.

off-the-shelf [ɔfðə'ʃelf] *adj.* **1.** som føres som lagervare/hyldevare; **2.** (*fig.*) som er klar til brug; □ *software* standardprogram.

off-the-shoulder [ɔfðə'ʃəuldə] *adj.* (*om kjole*) skulderfri; stropløs.

off-the-wall [ɔfðə'wɔːl] *adj.* (T: *især am.*) **1.** ukonventionel, spøjs (*fx humour*); **2.** (*neds.*) skrupskør; absurd.

off-white [ɔf'wait] *sb.* offwhite, grålighvid, brækket hvid [ɔ: *ikke helt hvid*].

oft [ɔft] *adv.* (F *el. poet.*) ofte.

often ['ɔf(ə)n, 'ɔft(ə)n] *adv.* ofte; tit; □ *as ~ as not, more ~ than not* T temmelig tit; i de fleste tilfælde, for det meste; *every so ~* med jævne mellemrum; *once too ~* én gang for meget.

ogive ['əudʒaiv] *sb.* (*arkit.*) spidsbue.

ogle ['əugl] *vb.* kigge/glo lystent på (*fx topless bathers*); lave øjne til.

ogre ['əugə] *sb.* **1.** (*i eventyr*) trold [*som spiser børn*]; menneskeæder; **2.** (*spøg.: om person*) umenneske, uhyre.

ogress ['əugres] *sb.* troldkælling.

OH *fork. f.* Ohio.

oh [əu] *interj.* **1.** åh! **2.** (*overrasket; understregende*) ih! **3.** (*svar*) nå! ja så! **4.** (*når man kommer i tanker om noget*) åh, forresten! □ *oh well* se *well*⁵.

Ohio [ə'haiəu].

ohm [əum] *sb.* (*elek.*) ohm [*enhed for elektrisk modstand*].

OHP *fork. f.* overhead projector.

oik [ɔik] *sb.* S proletar, plebejer.

oil¹ [ɔil] *sb.* olie; (se også *oils*); □ *pour ~ on troubled waters* (*fig.*) gyde olie på de oprørte vande; *strike ~* **a.** (*ved boring*) finde olie; **b.** (*fig.*) have heldet med sig; gøre et godt kup; blive pludselig rig.

oil² [ɔil] *vb.* **1.** smøre (*fx a hinge*); **2.** (*gulv etc.*) oliere; overstryge med olie; □ *~ the wheels* (*fig.*) få det/tingene til at glide lettere.

oilbird ['ɔilbəːd] *sb.* (*zo.*) fedtfugl.

oilcake ['ɔilkeik] *sb.* oliekage, foderkage.

oilcan ['ɔilkæn] *sb.* **1.** smørekande, oliekande; **2.** oliedunk.

oilcloth ['ɔilklɔθ] *sb.* voksdug.

oiled [ɔild] *adj.* (jf. *oil*²) **1.** smurt; **2.** olieret; (se også *well-oiled*).

oiler ['ɔilə] *sb.* **1.** smørekande; **2.** (*person*) smører; **3.** (*mar.*) olietanker; **4.** (*am.*) oliekilde; □ *-s* (*am.* T) olietøj.

oilfield ['ɔilfiːld] *sb.* oliefelt.

oilman ['ɔilmən] *sb.* (*pl. -men* [-mən]) **1.** olieforhandler; **2.** oliearbejder.

oil paint *sb.* oliefarve, oliemaling.

oil painting *sb.* oliemaleri; □ *he is no ~* (*spøg.*) han er ikke nogen skønhedsåbenbaring.

oil pan *sb.* (*am.*) = *sump* 2.

oil rig *sb.* boreplatform.

oils *sb. pl.* **1.** olier, typer olie; **2.** (*til maling*) oliefarver; **3.** (*beklædning*) olietøj; □ *paint in ~* male med oliefarver; *painting in ~* oliemaleri.

oilseed ['ɔilsiːd] *sb.* olieholdige frø.

oilseed rape *sb.* (*bot.*) raps.

oilskin *sb.* oilskin [*imprægneret stof*]; □ *-s* oiletøj.

oil slick *sb.* olieplet [*på vand*].

oil spill *sb.* olieudslip.

oil strike *sb.* oliefund.

oil well *sb.* oliekilde.

oily ['ɔili] *adj.* **1.** olieagtig, oliet; **2.** olieret; fedtet (af olie); **3.** (*fig.*) slesk; glat.

OINK *fork. f.* one income, no kids.

oink¹ [ɔiŋk] *sb.* T øf.

oink² [ɔiŋk] *vb.* T øffe.

ointment ['ɔintmənt] *sb.* salve; (se også *fly*¹).

OK¹ [əu'kei] *sb.* godkendelse; □ *get//give the ~* få//give grønt lys.

OK² [əu'kei] *adj.* i orden (*fx is it ~ if I bring a friend?*); o.k.; all right; □ *be ~* (*også*) have det godt; *it's ~ by/with me* det er i orden med mig.

OK³ [əu'kei] *vb.* godkende (*fx that has been -ed*).

OK⁴ [əu'kei] *adv.* o.k.; godt nok (*fx he managed ~*).

OK⁵ [əu'kei] *interj.* o.k.; all right; det er i orden.

okay se *OK*.

okey-doke ['əukidəuk] *interj.* se *OK*⁵.

Okla *fork. f.* Oklahoma.

Oklahoma [oukla'houmə].

old [əuld] *adj.* (*-er/elder, -est/eldest*) **1.** gammel; **2.** (*sprogv.*) old- (*fx Old English; Old High German; Old Norse*); □ *give me any ~ book* give mig bare en eller anden bog; (*as*) *~ as the hills* ældgammel; *of ~* **a.** i gamle dage; F fordum; **b.** = *from of ~*; *from of ~* fra gammel tid.

old age *sb.* alderdom.

old age pension *sb.* (*svarer til*) folkepension.

old age pensioner *sb.* (*svarer til*) folkepensionist.

Old Bailey [əuld'beili] *sb.: the ~* [*kriminalret i London*].

old bat *sb.* T gammel kælling, gammel hejre.

old boy *sb.* **1.** gammel/tidligere elev; **2.** T gammel dreng/fyr; **3.** (*glds.: i tiltale*) gamle dreng, gamle ven.

old boy network *sb.* [*sammenhold mellem tidligere public-school elever der hjælper og protegerer hinanden*].

old buffer *sb.* gammel støder; gammel snegl.

old crock *sb.* se *crock*.

olden ['əuld(ə)n] *adj.: in (the) ~ days* (*glds.*) i gamle dage; fordum.

olde worlde [əuldi'wɔːldi] *adj.* forloren gammeldags.

old-fashioned¹ [əuld'fæʃnd] *sb.* (*am.*) [*en cocktail med whisky og bitter*].

old-fashioned² [əuld'fæʃnd] *adj.* **1.** gammeldags, antikveret; **2.** konservativ; af den gamle skole; **3.** (*dial.: om barn*) gammelklog; □ *an ~ look* et strengt//kritisk// mistænksomt blik.

old flame *sb.* gammel flamme [ɔ: *tidligere kæreste*].

old fogey, old fogy [əuld'fəugi] *sb.* gammel støder, gammel knark.

old girl *sb.* **1.** gammel/tidligere elev; **2.** T gammel tøs.

Old Glory *sb.* (*am.*) stjernebanneret.

old hand *sb.* gammel rotte [ɔ: *en der har erfaring*].

old hat *adj.* **1.** gammeldags, antikveret; **2.** fortærsket, banal.

oldie ['əuldi] *sb.* T **1.** gammelt hit, evergreen; gammel film; **2.** ældre person; (se også *golden oldie*).

oldish ['əuldiʃ] *adj.* ældre; aldrende.

585

O old lady

old lady sb.: my ~ T **a.** konen; **b.** min mor.

old lag sb. vaneforbryder; recidivist.

old-line ['ouldlain] adj. (am.) **1.** grundfæstet; **2.** konservativ, gammeldags.

old maid sb. **1.** (glds., neds.) gammeljomfru, pebermø; **2.** T jomfrunalsk person; **3.** (kortspil: omtr.) sorteper.

old-maidish [əuld'meidiʃ] adj. jomfrunalsk; gammeljomfruagtig.

old man sb. T (i tiltale, glds.) du gamle; gamle ven; □ my ~ **a.** (ens far) den gamle; **b.** (ens ægtemand etc.) manden; the ~ (chefen,) den gamle; ~ Smith fatter Smith.

old people's home sb. plejehjem; alderdomshjem.

old salt sb. gammel søulk.

old school tie sb. skoleslips; [fig. som symbol på den indstilling og det sammenhold der menes at præge gamle elever fra public schools].

Old Sparky sb. (am. S) [den elektriske stol].

oldsquaw [ould'skwɔ:] sb. (zo.) havlit.

oldster ['əuldstə] sb. T gamling.

old-time [əuld'taim] adj. gammeldags; (god) gammel.

old-timer [əuld'taimə] sb. T **1.** veteran; en der er gammel i gårde; **2.** (am.) gamling.

old wives' tale sb. [husråd som bygger på gammel overtro]; ammestuehistorie.

old woman sb. (om mand) gammel kælling; pernittengryn; □ my ~ T **a.** min mor; **b.** (ens kone) konen.

old-womanish [əuld'wuməniʃ] adj. (om mand) gammelkoneagtig; pernitten.

old-world [əuld'wɔ:ld] adj. fra gammel tid; gammel; charmerende gammeldags.

oleaginous [əuli'ædʒinəs] adj. **1.** olieagtig; olieholdig; **2.** (fig.) slesk, salvelsesfuld.

oleander [əuli'ændə] sb. (bot.) nerie.

oleaster [əuli'æstə] sb. (bot.) sølvblad.

oleograph ['əuliəgra:f] sb. olietryk.

olfactory [ɔl'fæktəri] adj. lugte- (fx organ).

oligarchy ['ɔliga:ki] sb. oligarki, fåmandsherredømme.

olio ['əuliəu] sb. **1.** labskovs; ruskomsnusk; **2.** (fig.) broget blanding, sammensurium.

olive¹ ['ɔliv] sb. **1.** (bot.) oliventræ;

2. (frugt) oliven; **3.** (farve) olivengrøn.

olive² ['ɔliv] adj. **1.** oliven-; **2.** (om farve) olivengrøn; **3.** (om hudfarve) gulbrun, gulbleg.

olive branch sb. **1.** olivengren; **2.** (fig.) oliegren, forsoningsgestus; □ hold out the ~ (jf. 2) tilbyde fred.

olive drab sb. (am.) [brungrøn farve//brungrønt uldstof især brugt til militæruniformer].

olm [əulm] sb. (zo.) hulepadde.

'ologies ['ɔlədʒiz] sb. pl.: the ~ (T: spøg.) videnskaberne.

Olympiad [ə'limpiæd] sb. olympiade.

Olympian [ə'limpiən] adj. **1.** olympisk; **2.** (om holdning) olympisk, ophøjet (fx impartiality); **3.** (om præstation etc.) kæmpemæssig, overvældende (fx feat; task).

Olympic [ə'limpik] adj. olympisk.

Olympic Games, Olympics sb. pl. olympiske lege.

Olympus [ə'limpəs] Olympen.

OM fork. f. Order of Merit.

O & M. fork. f. organization and methods.

Omaha ['əumaha:].

ombre ['ɔmbə] sb. l'hombre.

ombudsman ['ɔmbudzmən] sb. (pl. -men [-mən]) ombudsmand.

omega ['əumigə, (am.) ou'megə, -mei-] sb. omega.

omelet sb. (am.) = omelette.

omelette ['ɔmlət] sb. omelet; æggekage.

omen ['əumen, -ən] sb. varsel (of om); □ be a bad//good ~ være et dårligt//godt varsel; varsle ilde//godt; bird of evil ~ ulykkesfugl.

ominous ['ɔminəs] adj. ildevarslende, uhelds(s)vanger.

omission [ə'miʃn] sb. (jf. omit) **1.** undladelse; forsømmelse; **2.** udeladelse; overspringning; □ sin of ~ undladelsessynd.

omit [ə'mit] vb. **1.** (handling) undlade, forsømme (to at); **2.** (i tekst etc.) udelade, ikke medtage (fx this scene); springe over (fx the details); □ be -ted from ikke komme med på (fx the list; the team).

omnibus¹ ['ɔmnibəs] sb. **1.** (bog) etbindsudgave; **2.** (radio-, tv) samlet udsendelse; **3.** (glds.) omnibus.

omnibus² ['ɔmnibəs] adj. som omfatter flere forskellige ting; samlet.

omnibus edition sb. etbindsudgave; omnibusbog.

omnipotence [ɔm'nipət(ə)ns] sb. almagt.

omnipotent [ɔm'nipət(ə)nt] adj. al-

mægtig.

omnipresent [ɔmni'prez(ə)nt] adj. allestedsnærværende.

omniscience [ɔm'nisiəns] sb. alvidenhed.

omniscient [ɔm'nisiənt] adj. alvidende.

omnivorous [ɔm'niv(ə)rəs] adj. altædende.

on¹ [ɔn] adv. **1.** på (fx keep one's hat//the lid on; with nothing on); **2.** (om plan) for (fx have you anything on tonight?); **3.** (om fortsættelse) videre (fx live on; read on); (se også go², send, sit); **4.** (om kontakt, lys) tændt; (om hane) åben; (se også ndf.: be on);

□ on **and** off nu og da; fra tid til anden; on and on videre og videre; uophørligt; i det uendelige; he played on and on han spillede og spillede; **from** that day on fra den dag (af); well **on in** the day langt hen på dagen; (se også further³, later², leave², so); [med: be] **be on a.** (om lys etc.) være tændt (fx the light is on; the radio is on); være åben (fx the tap is on); (om apparat) være sat til; **b.** (om maskine) være i drift; **c.** (om handling) være i gang (fx the battle is now on); foregå; **d.** (om film, stykke) være på programmet; **e.** (teat.: om optrædende) være inde på scenen; **f.** (tv etc.) være 'på; **g.** (i skole) være oppe, blive hørt [ɔ: eksamineret]; the light is on (jf. a: også) lyset brænder; the tap is on (jf. a: også) hanen/vandet løber; there is a good film on (jf. d: også) der går en god film; Hamlet is now on (jf. d: også) Hamlet opføres/bliver spillet nu; breakfast is on from 8 to 10 der serveres morgenmad fra 8 til 10; the case was on (jur.) sagen var 'for; it is **not** on T **a.** det er udelukket; det kan ikke lade sig gøre; det kan der ikke være tale om; **b.** det er ikke aktuelt; **be on about** kværne/vrøvle/ævle om; **be on at** him T være efter ham hele tiden, ustandselig plage ham (to for at få ham til at, fx buy a new car); **be on to** T **a.** være i forbindelse med (fx I have been on to the head office about the matter); **b.** være på sporet af (fx their secret hideout); I'm on to him T jeg ved godt hvad han er ude på; (se også thing).

on² [ɔn] præp. **1.** (om placering) på (fx on the shelf; on the wall); i (fx on the ceiling; a blow on the head; sit on the grass); (ved linje) ved (fx a house on the river; a

586

town on the border//on the sea);
2. (om retning) mod (fx march on
the town; bounded on the north
by a river; he drew his knife on
me); til (fx on my right til højre
for mig); **3.** (om tid) ved (fx on her
arrival; on his father's death);
(umiddelbart) efter; om (fx on the
afternoon//morning of May 15; on
Fridays om fredagen); (ved datoer
etc.: oversættes ikke) [fx on Sep-
tember 9; on a hot afternoon//eve-
ning]; (se også ndf.: on Friday);
4. (om transportmidler, medier,
telefon) i (fx on the train//bus//
plane; on radio//TV//the phone);
på (fx on the train etc.; on TV);
5. (om formål) i (fx send him on
an errand; he is here on busi-
ness); **6.** (om grundlag) på (fx
based on); efter (fx act on his ad-
vice//orders; modelled on formet
efter); ud fra (fx on this theory; on
this principle); **7.** (om emne) om
(fx a book on a subject; talk on;
write on); over; **8.** (om medlem-
skab af udvalg etc.) i (fx he sits on
the committee; she is on the town
council//the board); (se også ndf.:
be/sit on ...); **9.** (ved sammenlig-
ning) i forhold til (fx sales were 4
per cent up on last year; this is an
improvement on your earlier at-
tempt); i sammenligning med;
10. (T: om den det går ud over) for
næsen af (fx walk out on him;
shut the door on him); for (fx the
car broke down on them; the
plant died on me); **11.** (T: om den
der betaler) på 's regning (fx it is
on the firm); (se også ndf.: this is on
me);

□ this is on me jeg giver; jeg beta-
ler; (se også house (samt de sb. &
vb. hvormed on forbindes));
[om tid, jf. 4] on Friday **a.** (om
fortiden) i fredags; **b.** (om fremti-
den) på fredag; **c.** (om gentagelse)
om fredagen; on Friday next på
fredag; on Friday last i fredags;
[om medlemskab, jf. 9] be/sit on a
committee//the town council
(også) være medlem af et udvalg//
byrådet; be on (the staff of) a
newspaper være medarbejder ved
en avis.

onager ['ɔnədʒə, -gə] sb. (zo.) vild-
æsel.

on camera adv. se camera.

once¹ [wʌns] adv. **1.** (om antal) en
gang (fx he did it only ~); **2.** (om
fortiden) engang (fx he lived in
England ~);

□ ~ a day//week//year etc. en gang
om dagen//ugen//året etc.; ~
again, ~ more en gang til; endnu

en gang; ~ and again af og til; ~
and for all en gang for alle; not ~
ikke en eneste gang; slet ikke; ~
or twice et par gange; this ~
denne ene gang; (se også bite²,
while¹);
[med præp.] at ~ **a.** straks, øje-
blikkelig, lige med det samme (fx
come here at ~!); **b.** (samtidig) på
en gang (fx you can't do two
things at ~; he is at ~ stupid and
impudent); all at ~ med et, plud-
selig, på en gang; for ~ for en
gangs skyld; undtagelsesvis; for
this ~ for denne ene gangs skyld.

once² [wʌns] konj. når først, så
snart, bare (fx ~ you hesitate you
are lost).

once-over ['wʌnsəuvə] sb.: give the
~ T kaste et hurtigt blik på, lige
kigge på (fx him; the picture); give
a ~ T give en hurtig omgang (fx
give the carpet a ~ with a broom).

oncologist [ɔŋ'kɔlədʒist] sb. (med.)
onkolog, kræftspecialist.

oncology [ɔŋ'kɔlədʒi] sb. (med.) on-
kologi [læren om kræftsyg-
domme].

on-coming ['ɔnkʌmiŋ] adj. **1.** mod-
kørende (fx traffic; blinded by an
~ car); **2.** (fig.) forestående, kom-
mende (fx the ~ winter); som
nærmer sig, som er i anmarch (fx
the ~ danger).

one¹ [wʌn] sb. **1.** ettal; **2.** (om kort,
dominobrik & i terningspil) etter;
3. (am.) endollarseddel;
□ you are a ~ (glds.) du er vist en
værre en.

one² [wʌn] adj. **1.** (af to) den//det
ene (fx carrying his head on ~
side; from ~ end to the other);
2. (af alle) eneste (fx the ~ way to
do it; my ~ regret); **3.** (om person)
en vis (fx ~ Mr. Brown).

one³ [wʌn] pron. **1.** en; **2.** (om per-
son) man; **3.** (brugt som støtteord:
oversættes ikke) [fx a big house
and a small ~ et stort hus og et
lille//et stort og et lille hus; my ca-
reer has been ~ of difficulties min
løbebane har været fuld af van-
skeligheder];
□ ~ and all (glds.) alle som en;
[med pron., art.] that ~ den der;
the ~ den//det, han//ham, hun//
hende (fx he is the ~ I mean; the
~ in the glass; the ~ with the
black hair); the ~ and only ... den
rigtige ..., den uforlignelige ... (fx
the ~ and only Elton John); the
little -s de små, børnene; this ~
denne her;
[med præp.] be at ~ with F
a. være enig med; **b.** være i har-
moni med; be at ~ with nature

være et med naturen; ~ by ~ en
efter en//et efter et; enkeltvis; I for
~ jeg for min del; jeg for mit ved-
kommende; in ~ på én gang; you
got it in ~! du har gættet det! in -s
and twos en og to ad gangen;
[med efterfølgende præp.] he is ~
for han er helt vild med; he is not
much of a ~ for han er ikke ret
interesseret i; that's ~ on you (om
en spydighed) der fik du den; ~
up for se ndf.: ~ up to; be ~ up on
sby T være en tak foran en; hævde
sig over for en; ~ up to you et
point//plus til dig.

one⁴ [wʌn] talord en//et;
□ ~ or two en eller to, et par.

one another pron. hinanden.

one-armed [wʌn'a:md] adj. enar-
met.

one-armed bandit sb. enarmet ty-
veknægt, spilleautomat.

one-horse race [wʌnhɔ:s'reis] sb.:
it was a ~ der var aldrig nogen
tvivl om hvem der ville vinde.

one-horse town [wʌnhɔ:s'taun] sb.
T provinshul.

one-liner [wʌn'lainə] sb. kvik/slag-
færdig bemærkning; rap replik;
vits, morsomhed.

one-man ['wʌnmæn] adj. en-
mands- (fx bus; band orkester;
tent).

one-night stand [wʌnnait'stænd]
sb. **1.** (teat. etc.) enkeltforestilling;
enkeltoptræden; **2.** T engangs-
knald.

one-off¹ [wʌn'ɔf] sb. engangsfore-
teelse; engangsforestilling;
□ he is a ~ han er enestående; der
er ingen andre som ham.

one-off² [wʌn'ɔf] adj. **1.** som er en
engangsforeteelse; engangs- (fx
payment); enkelt; isoleret; **2.** (om
produkt) som kun er fremstillet i
ét eksemplar;
□ ~ product unikating.

one-on-one [wʌnɔn'wʌn] (am.) se
one-to-one 2.

one-parent family [wʌnpɛərənt'fæ-
mili] sb. familie med enlig forsør-
ger.

one-piece [wʌn'pi:s] adj. ud i et;
hel- (fx swimsuit).

onerous ['ɔnərəs] adj. byrdefuld;
besværlig.

one's [wʌnz] pron. (jf. one³) ens;
sin//sit//sine.

oneself [wʌn'self] pron. sig; sig
selv; en selv;
□ by ~ **a.** alene; for sig selv;
b. (uden hjælp) alene, på egen
hånd.

one-shot ['wʌnʃɔt] adj. (am. S) en-
gangs-; en gang for alle.

one-sided [wʌn'saidid] adj. ensidig.

one-stop ['wʌnstɔp] *adj.* [*hvor man kun behøver at henvende sig ét sted*].

one-time ['wʌntaim] *adj.* **1.** tidligere, forhenværende; **2.** engangs-.

one-to-one [wʌntə'wʌn] *adj.* **1.** (*om relation*) en-til-en; **2.** (*om aktivitet*) hvor der kun er to til stede; under fire øjne; på tomandshånd; (*i sport*) en mod en; □ ~ *lesson* enetime.

one-to-one correspondence *sb.* **1.** (*mat.*) en-entydig korrespondance; **2.** (*fig.*) fuldstændig overensstemmelse.

one-track mind [wʌntræk'maind] *sb.* ensporet tankegang.

one up se *one ³*.

one-upmanship [wʌn'ʌpmənʃip] *sb.* kunsten at være ovenpå.

one-way [wʌn'wei] *adj.* **1.** (*om færdselsretning*) ensrettet (*fx street; traffic*); **2.** (*om spejl, meddelelse*) envejs- (*fx communication; mirror*).

one-way ticket *sb.* enkeltbillet.

one-woman ['wʌnwumən] *adj.* udført af en kvinde alene (*fx show*).

ongoing ['ɔngəuiŋ] *adj.* **1.** igangværende, stedfindende (*fx negotiations*); **2.** fortsat, vedvarende (*fx struggle*).

onion ['ʌnjən] *sb.* løg; □ *know one's -s* T kunne sit kram; vide besked.

onion set *sb.* stikløg.

on-line [ɔn'lain] *adj.* (*it*) online; direkte styret, direkte tilkoblet.

onlooker ['ɔnlukə] *sb.* tilskuer.

only¹ ['əunli] *adj.* eneste; □ *he is an* ~ *child* han er enebarn.

only² ['əunli] *adv.* **1.** kun, bare; **2.** (*om tid*) først, ikke før (*fx ~ lately; he came ~ yesterday/he ~ came yesterday*); for ikke længere siden end; endnu (så sent som) (*fx I saw him ~ this morning*); □ *it was ~ last week* det er ikke længere siden end i sidste uge; *if ~* se *if*; *~ just* a. kun lige akkurat (*fx he ~ just managed to lift it*); b. først lige (*fx she ~ just bought it*); c. lige nu; *it was ~ too true* det var kun alt for sandt; *I shall be ~ too pleased* det vil være mig en meget stor glæde.

only³ *konj.* men ... bare (*fx he is a nice chap, ~ he talks too much* ... men han taler bare for meget).

o.n.o. *fork. f.* (*i annonce*) *or near(est) offer.*

onomatopoeia [ɔnəmætə'pi:] *sb.* **1.** lydmalende ord; **2.** brug af lydmalende ord.

onomatopoeic [ɔnəmætə'pi:ik] *adj.*

onomatopoietisk, lydmalende.

onrush ['ɔnrʌʃ] *sb.* pludselig fremvælden/frembrusen; fremstormen.

on screen se *screen¹*.

onset ['ɔnset] *sb.* begyndelse [*af noget ubehageligt*]; opståen (*fx of the disease*); □ *before the ~ of winter* før vinteren sætter ind.

onshore¹ [ɔn'ʃɔ:] *adj.* **1.** på kysten; på land; landbaseret; **2.** (*om vind*) pålands-.

onshore² [ɔn'ʃɔ:] *adv.* **1.** på kysten; på land; **2.** (*om vind*) mod land.

onslaught ['ɔnslɔ:t] *sb.* voldsomt angreb; stormløb.

onstage [ɔn'steidʒ] *adv.* på scenen.

onto ['ɔntə, (*foran vokal*) 'ɔntu, (*betonet*) 'ɔntu:] *præp.* op//ned// over//ud//ind//hen på (*fx he climbed ~ the roof*); (se også *get, open²* (*etc. &*) *on¹* (*be on to*)).

ontology [ɔn'tɔlədʒi] *sb.* ontologi.

onus ['əunəs] *sb.* byrde; forpligtelse; □ *~ of proof* bevisbyrde; *the ~ is on/lies with the landlord to* ... det påhviler udlejeren at ....

onward¹ ['ɔnwəd] *adj.* **1.** fremadgående; fremad (*fx ~ march* march fremad); **2.** (*om rejse*) videre (*fx flight*).

onward² ['ɔnwəd] *adv.* = onwards.

onwards ['ɔnwədz] *adv.* **1.** fremad (*fx move ~*); **2.** videre (frem) (*fx travel ~ to another destination*); □ *from 1999 ~* fra 1999 (og videre frem); *from today ~* fra i dag af.

onyx ['ɔniks, 'əuniks] *sb.* onyks [*en smykkesten*].

oodles ['u:dlz] *sb. pl.*: ~ *of* T masser af.

oof [u:f] *sb.* T penge.

ooh [u:] *interj.* **1.** ih! åh! **2.** (*udtryk for ubehag*) uh! uha! **3.** (*ved smerte*) av!

oomph [um(p)f] *sb.* T fut (*fx there's more ~ in that car; we need someone with a bit of ~* ... med fut i); go, pep, krudt.

oops [u:ps] *interj.* ups! hovsa!

ooze¹ [u:z] *sb.* **1.** dynd, slam; **2.** siven.

ooze² [u:z] *vb.* **1.** sive; pible frem; **2.** (*med objekt*) udsondre; afgive; **3.** (*fig.*) udstråle (*fx confidence*); lyse af (*fx talent*); T ose af (*fx charm*); □ *~ away* a. sive bort; b. (*fig.*) forsvinde lidt efter lidt; svinde bort; *~ from* sive ud af; pible frem fra; *happiness -d from every pore* glæden strålede ud af ham//hende; *~ out* a. sive ud; pible frem; b. (*fig.*) sive ud (*fx the secret -d out*); *~ with* a. dryppe af; b. (*fig.*) = 3.

oozy ['u:zi] *adj.* **1.** mudret; dyndet; **2.** dryppende.

OP *fork. f.* **1.** (*teat.*) *opposite prompt*; **2.** (*typ.*) *out of print*; **3.** (*mil.*) *observation post*.

op [ɔp] *sb.* **1.** (T: *med., mil.*) operation; **2.** (*am.: opportunity*) lejlighed, mulighed (*fx shop ops* indkøbsmuligheder).

Op. *fork. f.* (*mus.*) *Opus.*

opacity [ə'pæsiti] *sb.* **1.** uigennemsigtighed; **2.** (*fig.*) uklarhed; dunkelhed.

opah ['əupə] *sb.* (*zo.*) glansfisk.

opal ['əup(ə)l] *sb.* opal.

opalescence [əupə'les(ə)ns] *sb.* opalglans, farvespil.

opalescent [əupə'les(ə)nt] *adj.* opaliserende, spillende i alle regnbuens farver.

opaque¹ [əu'peik] *sb.* (*foto.*) dækfarve.

opaque² [əu'peik] *adj.* **1.** uigennemsigtig; uigennemskinnelig; **2.** (*fig.*) uklar, dunkel, uigennemskuelig.

OPEC, Opec *fork. f. the Organization of Petroleum Exporting Countries.*

op-ed page [ɔp'edpeidʒ] *sb.* (*am.*) [*side i avis over for lederen, med kommenterende artikler*].

open¹ ['əup(ə)n] *adj.* **1.** åben; **2.** (*ved vb.*) op (*fx push//kick the door ~; break the box ~; the door sprang ~; the window flew ~*); (se også ndf.: *med vb.*); **3.** (*om sag etc. der ikke er afsluttet*) åben (*fx question*); ikke afgjort; **4.** (*om handling, forhold etc. der ikke skjules*) åben (*fx rebellion*); åbenbar (*fx scandal*); åbenlys (*fx violation of the treaty*); **5.** (*om følelse*) åbenlys (*fx admiration*); utilsløret (*fx hostility; contempt; curiosity*); **6.** (*om person*) åben, åbenhjertig, oprigtig (*with* mod/over for); □ *~ and shut* oplagt; ganske ligetil; (se også *wide³*); [*med vb.*] *lay ~* a. åbne; slå hul på; b. blotte; c. afsløre; røbe; (se også ndf.: *lay oneself ~ to*); *leave the door ~* lade døren stå (åben); [*med sb.; se også på alfabetisk plads, fx open account, open secret*] *in ~ court* i åben retsforhandling, i offentligt retsmøde; *for åbne døre; give with an ~ hand* give med rund hånd; *keep ~ house* holde åbent hus; føre et gæstfrit hus; (se også *exhaust¹, mind¹*); [*med præp.*] *in the ~ (air)* a. i fri luft, i det fri; under åben himmel; b. (*fig.*) offentlig; frem i lyset (*fx they wanted the plans in the ~*);

come into the ~ kaste masken; afsløre sine planer; komme ud af busken;
[+ *to*] ~ *to a.* åben for, tilgængelig for (*fx the public*); **b.** (*forslag etc.*) villig til at modtage (*fx offers*); modtagelig for (*fx suggestions*; *ideas*); tilgængelig for (*fx advice*); **c.** (*noget negativt*) udsat for (*fx abuse*; *criticism*); ~ *to doubt// question* tvivlsom; F tvivl underkastet; ~ *to persuasion* til at overtale; *it is* ~ *to criticism* (*også*) det er kritisabelt; *it is* ~ *to different interpretations* det kan fortolkes på flere måder; *there are two courses* ~ *to you* to veje står dig åbne; *lay/leave oneself* ~ *to* udsætte sig for (*fx attack*; *criticism*).
open² ['əup(ə)n] *vb.* **1.** åbne; lukke op; **2.** (*arme, vinger*) brede ud; **3.** (*fig.*) begynde; indlede (*fx a debate*; *an investigation*); åbne (*fx the meeting; the case*); **4.** (*uden objekt*) åbne sig; lukke sig op; (*om blomst også*) springe ud; (*om faldskærm*) folde sig ud; **5.** (*fig.*) åbne; begynde (*fx the book -s with a description of Rome*);
□ *the window -s easily* vinduet er let at lukke op/åbne; ~ *one's heart to* åbne sit hjerte for; (se også *account¹*, *door*, *eye¹*, *floodgate*, *fire¹*, *mouth¹*);
[*forb. med præp.*] ~ *into* føre ind//ud til; have dør ind//ud til; støde op til; *two rooms -ing into each other* to værelser med dør imellem; ~ *on to/onto* vende ud til; føre ud til; ~ *out a.* (*om blomst*) åbne sig, lukke sig op, springe ud; (*om blad*) folde sig ud; **b.** (*om udsigt etc.*) brede sig ud (*fx the view//valley -ed out before us*); **c.** (*om vej, flod etc.*) blive bredere; **d.** (*om person*) åbne sig, lukke sig op (*to* for); **e.** (*med objekt: kort etc.*) brede ud, folde ud (*fx a map*); ~ *out into* = ~ *into*; *the path -ed out into a road* (*jf. c*) stien blev til en vej; ~ *up a.* åbne, lukke op; (*marked, område også*) gøre tilgængelig; **b.** (T: *operere*) skære op; **c.** (*uden objekt*) åbne sig, lukke sig op; blive tilgængelig; **d.** (*om person*) tale åbent (*about* om); **e.** (*om kørende*) trykke på speederen; sætte farten op; ~ *up on* åbne ild mod, fyre løs på.
open access *sb.* fri adgang.
open-access library *sb.* bibliotek med åbne hylder.
open account *sb.* løbende konto.
open-air ['əup(ə)n'ɛə] *adj.* frilufts- (*fx life*; *theatre*).

open-and-shut [əup(ə)nən'ʃʌt] *adj.* oplagt; ganske ligetil.
opencast ['əup(ə)nka:st] *adj.*: ~ *coal* kul der er brudt fra jordoverfladen; ~ *mining* brydning i åben mine, brydning fra jordoverfladen, dagbrydning.
open cheque *sb.* [*check der ikke er crosset*].
open day *sb.* besøgsdag; åbent hus.
open-door [əup(ə)n'dɔ:] *adj.* fri, åben (*fx system*);
□ ~ *policy* den åbne dørs politik.
open-ended [əup(ə)n'endid] *adj.* (*fig.*) åben; ikke forud fastlagt; ikke (tids)begrænset;
□ ~ *question* [*spørgsmål hvor svarmulighederne ikke er begrænset*].
opener ['əup(ə)nə] *sb.* **1.** åbner, oplukker (*fx can* ~); **2.** T indledende arrangement//konkurrence//kamp *etc.*;
□ *for -s* T til at begynde med.
open-handed [əup(ə)n'hændid] *adj.* gavmild, rundhåndet.
open-hearted [əup(ə)n'ha:tid] *adj.* varmhjertet; åben.
opening¹ ['əup(ə)niŋ] *sb.* **1.** åbning (*fx of a new theatre*); **2.** (*for adgang*) åbning, hul (*fx in a hedge*); **3.** (*jf. open² 3*) begyndelse, indledning; **4.** (*til at gøre noget*) chance, mulighed; **5.** (*for arbejde*) ledig stilling.
opening² ['əupniŋ] *adj.* åbnings- (*fx day*; *price*; *speech*); indledende (*fx remarks*); indlednings-; begyndelses-; første;
□ ~ *bid/call* åbningsmelding.
opening hours *sb. pl.* åbningstid.
opening night *sb.* premiere.
open market operations *sb. pl.* markedsoperationer; [*centralbankens køb el. salg af statsobligationer*].
open-minded [əup(ə)n'maindid] *adj.* fordomsfri.
open-mouthed [əup(ə)n'mauðd] *adj.* med åben mund; måbende.
open-necked [əup(ə)n'nekt] *adj.* opknappet, åbenstående.
open-plan [əup(ə)n'plæn] *adj.* åbenplan-.
open-plan office *sb.* kontorlandskab.
open scholarship *sb.* [*stipendium der kan søges af alle*].
open season *sb.* [*tid hvor jagt og fiskeri er tilladt*];
□ *in the* ~ (*også*) uden for fredningstiden; *declare* ~ *on* (*fig.*) give fri adgang til klapjagt på.
open secret *sb.* offentlig hemmelighed.
open sesame *sb.* se *sesame*.

open shop *sb.* [*virksomhed der ikke er bundet af eksklusivaftale, ɔ: beskæftiger både organiserede og uorganiserede arbejdere*].
open system *sb.* (*it*) åbent system [*som kan arbejde sammen med andre fabrikater*].
open verdict *sb.* (*jur.*) [*kendelse afsagt efter retsligt ligsyn og som lader spørgsmålet om dødsårsagen stå åbent*].
openwork ['əup(ə)nwə:k] *sb.* gennembrudt arbejde.
opera ['ɔp(ə)rə] *sb.* **1.** (*mus.*) opera; **2.** *pl. af* opus.
operable ['ɔp(ə)rəbl] *adj.* **1.** anvendelig; funktionsdygtig; **2.** som kan betjenes; **3.** (*med.*) som kan opereres (*fx cancer*; *patient*).
opera glasses *sb. pl.* teaterkikkert.
opera house *sb.* opera, operahus.
operate ['ɔp(ə)reit] *vb.* **A.** (*med objekt*) **1.** (*maskine etc.*) betjene (*fx a machine; a gun; the lift can be -d manually*); **2.** (*ordning*) have (*fx a pension scheme*); benytte sig af (*fx a system of divide and rule*); **3.** (*virksomhed*) drive (*fx a coal mine; a dating agency*); lede; **B.** (*uden objekt*) **1.** virke (*fx the drug is not operating yet; find out how the machine -s*); fungere (*fx make the department* ~ *more efficiently*); **2.** (*om lov, bestemmelse*) være gældende; **3.** (*merk.& fig.*) drive virksomhed, operere (*fx the company -s in several countries; gangs* ~ *in the major cities*); **4.** (*med.; mil.*) operere;
□ ~ *as* fungere som; ~ *on* **a.** virke på; **b.** (*med.*) operere.
operatic [ɔp(ə)'rætik] *adj.* **1.** opera- (*fx music*; *singer*); **2.** (*fig.*) teatralsk (*fx gesture*).
operating ['ɔp(ə)reitiŋ] *adj.* **1.** drifts- (*fx budget*; *costs*); **2.** betjenings- (*fx personnel*); **3.** (*med., mil.*) operations- (*fx table*; *plan*).
operating system *sb.* (*it*) styresystem, operativsystem.
operating theatre *sb.* (*med.*) operationsstue.
operation [ɔp(ə)'reiʃn] *sb.* **1.** (*med., mil. & om større foretagende*) operation (*fx a bypass* ~; *a rescue* ~); **2.** (*af maskine*) betjening; **3.** (*af virksomhed*) drift; **4.** (*forretnings-*) virksomhed; **5.** (*maskines*) funktion; **6.** (*om led i arbejde*) arbejdsoperation; (*arbejds*)proces; **7.** (*it*) operation (*fx perform thousands of -s per second*);
□ *have an* ~ (*med.*) blive opereret; *understand the* ~ *of the machine* forstå hvordan maskinen virker/ fungerer;

O operational

[*med præp.*] **in** one ~ i én omgang; på én gang; *in two* -s i to omgange; ad to gange; *be in* ~ **a.** være i drift//funktion (*fx when the machine is in* ~); **b.** (*om bestemmelse, lov*) være i kraft; *come into* ~ **a.** træde i funktion; **b.** påbegynde driften; **c.** (*om bestemmelse, lov*) træde i kraft.
operational [ɔp(ə)'reiʃn(ə)l] *adj.* **1.** (*merk.*) drifts- (*fx costs*); driftsmæssig; **2.** (*om maskine, fabrik, system*) driftsklar; funktionsdygtig; **3.** (*mil.*) operationsklar (*fx the new jet fighter will be* ~ *in three months*); operativ (*fx command; reserve*);
□ *become* ~ (*også*) blive sat i drift; blive taget i brug.
operational research *sb.* operationsanalyse.
operations research (*am.*) = *operational research.*
operative[1] ['ɔp(ə)rətiv] *sb.* **1.** F arbejder; operatør; **2.** (*am.*) privatdetektiv; agent.
operative[2] ['ɔp(ə)rətiv] *adj.* **1.** (*om maskine, fabrik, system*) i funktion; i drift; **2.** (*om bestemmelse, lov*) i kraft, gældende, gyldig; **3.** (*med.*) operativ (*fx treatment*);
□ *become* ~ træde i kraft; *the* ~ *word* det afgørende ord, nøgleordet.
operator ['ɔp(ə)reitə] *sb.* **1.** (*af maskine etc.*) operatør; (*af kran*) fører; (se også *telephone operator*);
2. (*som driver et foretagende*) leder; operatør; udbyder; **3.** (*am.*) ejer; **4.** (*på børsen*) børshandler; spekulant; **5.** (*mat.*) operator; **6.** (*med.*) operatør; **7.** T smart forretningsmand *etc.*;
□ *he is a smooth* ~ han forstår at sno sig; *the* ~ (*tlf.*) omstillingen; centralen.
operetta [ɔp(ə)'retə] *sb.* operette.
ophthalmia [ɔf'θælmiə] *sb.* (*med.*) øjenbetændelse.
ophthalmic [ɔf'θælmik] *adj.* øjen-.
ophthalmic optician *sb.* optometrist [*optiker der foretager synsprøver og udsteder recepter til briller*].
ophthalmologist [ɔfθæl'mɔlədʒist] *sb.* øjenlæge.
ophthalmology [ɔfθæl'mɔlədʒi] *sb.* oftalmologi [*læren om øje og dets sygdomme*].
opiate ['əupiət] *sb.* opiat; opiumholdigt sovemiddel.
opine [əu'pain] *vb.* F mene;
□ ~ *about/on* fremsætte sin mening om.
opinion [ə'pinjən] *sb.* **1.** mening, anskuelse (*of* om); opfattelse (*of*

af); **2.** (*i en sag*) sagkyndigt skøn, udtalelse (*on* om); vurdering (*on* af);
□ *in my* ~ efter min mening/opfattelse; (se også *humble*[1], *second opinion*);
[*med vb.*] *give one's* ~ sige sin mening (*of/on* om); *have a low* ~ *of* ikke nære høje tanker om; *hold an* ~ nære en anskuelse.
opinionated [ə'pinjəneitid] *adj.* påståelig.
opinion poll *sb.* opinionsundersøgelse, meningsmåling.
opium ['əupiəm] *sb.* opium.
opossum [ə'pɔsəm] *sb.* (*zo.*) opossum, pungrotte.
opponent [ə'pəunənt] *sb.* modstander.
opportune ['ɔpətju:n] *adj.* belejlig (*fx moment*); opportun; som kommer i rette øjeblik.
opportunism [ɔpə'tju:nizm] *sb.* opportunisme.
opportunist[1] [ɔpə'tju:nist] *sb.* opportunist.
opportunist[2] [ɔpə'tju:nist] *adj.* opportunistisk.
opportunity [ɔpə'tju:nəti] *sb.* (gunstig) lejlighed (*of, for* til); mulighed, chance;
□ *miss the* ~ forpasse/forsømme lejligheden; lade lejligheden gå fra sig; *take//seize) the* ~ benytte// gribe lejligheden.
oppose [ə'pəuz] *vb.* (se også *opposed, opposing*) **1.** (*forslag, plan etc.*) være imod, være modstander af (*fx a suggestion; most of the parents* ~ *the closing of the school*); (*aktivt*) modsætte sig; oponere mod (*fx a motion in a debate*); gøre modstand mod, bekæmpe (*fx reform*); **2.** (*person*) modarbejde; (*ved konkurrence, valg*) stille op imod; **3.** (*kontraster*) stille op mod hinanden (*fx advantages and disadvantages*).
opposed [ə'pəuzd] *adj.* modsat (*fx two* ~ *interpretations*); modstillet;
□ *as* ~ *to* i modsætning til; *be* ~ *to* være imod, være modstander af.
opposing [ə'pəuziŋ] *adj.* modsat (*fx points of view; tendencies*);
□ *the two* ~ *armies* de to fjendtlige hære.
opposite[1] ['ɔpəzit] *sb.* modsætning (*fx they are* -s);
□ *the* ~ det modsatte (*of* af); *the very* ~ lige det modsatte, det stik modsatte; -s *attract each other* modsætninger mødes.
opposite[2] ['ɔpəzit] *adj.* modsat (*fx it had the* ~ *effect; the* ~ *sex*);
□ *the* ~ *direction//side* (*også*) den

anden retning//side; *play* ~ (*i film etc.*) spille sammen med; ~ *to* modsat af (*fx I am of the* ~ *opinion to you*).
opposite[3] ['ɔpəzit] *adv.* overfor (*fx the house* ~); på den modsatte side.
opposite[4] ['ɔpəzit] *præp.* over for (*fx the house* ~ *mine*).
opposite neighbour *sb.* genbo.
opposite number *sb.* person i tilsvarende stilling; kollega.
opposite prompt *sb.* (*teat.*) **1.** (*i Eng. oftest*) kongeside [*venstre side af scenen set fra publikum*]; **2.** (*am. oftest*) dameside.
opposition [ɔpə'ziʃn] *sb.* modstand (*to* mod); opposition;
□ *the Opposition* (*pol.*) oppositionen; *the* ~ (*i sport*) modstanderne; *in* ~ *to* **a.** i opposition til; **b.** i modsætning til.
oppress [ə'pres] *vb.* **1.** (*politisk*) undertrykke; **2.** (*om følelser etc.*) tynge, trykke; knuge (*fx -ed with grief*);
□ *feel -ed with heat* føle varmen trykkende.
oppression [ə'preʃn] *sb.* **1.** undertrykkelse; **2.** nedtrykthed; **3.** (*med.*) trykken;
□ *a feeling of* ~ en trykkende/ knugende fornemmelse.
oppressive [ə'presiv] *adj.* (jf. *oppress*) **1.** undertrykkende; tyrannisk; **2.** tung; tyngende (*fx taxes*); knugende; **3.** (*om vejr*) trykkende.
oppressor [ə'presə] *sb.* undertrykker.
opprobrious [ə'prəubriəs] *adj.* fornærmelig; hånende;
□ ~ *language* ukvemsord.
opprobrium [ə'prəubriəm] *sb.* F **1.** hård kritik; **2.** vanære, forsmædelse.
opt [ɔpt] *vb.* vælge (*to* at);
□ ~ *for* vælge; ~ *out* trække sig ud, bakke ud (*of* af); stå af; melde sig ud (*of* af); ~ *out of* (*pligt, ansvar*) 'trække sig fra; ~ *out of sth* (*også*) vælge noget 'fra.
optic[1] ['ɔptik] *sb.* **1.** (*i kamera, mikroskop etc.*) optik; **2.** (*på omvendt ophængt spiritusflaske i bar*) måleanordning.
optic[2] ['ɔptik] *adj.* syns- (*fx nerve*).
optical ['ɔptik(ə)l] *adj.* optisk; syns-.
optical character reader *sb.* optisk skriftlæser.
optical character recognition *sb.* optisk tegnlæsning.
optical disk *sb.* videodisk.
optical fibre *sb.* optisk fiber, lysleder.
optical illusion *sb.* synsbedrag; op-

tisk bedrag.

optician [ɔp'tiʃn] *sb.* optiker.

optics ['ɔptiks] *sb.* optik.

optimism ['ɔptimizm] *sb.* optimisme.

optimist ['ɔptimist] *sb.* optimist.

optimistic [ɔpti'mistik] *adj.* optimistisk.

optimize ['ɔptimaiz] *vb.* optimere.

optimum[1] ['ɔptiməm] *sb.* (*pl.* -s/*optima* [-mə]) optimum.

optimum[2] ['ɔptiməm] *adj.* optimal, bedst mulig.

option ['ɔpʃn] *sb.* **1.** (valg)mulighed (*fx we have two -s; keep your -s open*); valg; **2.** (*merk.*) option; forkøbsret;

□ *have//take an* ~ *on sth* (*jf.* 2) have//tage option på noget; have//få forkøbsret til noget; have//få noget på hånden; *I had no* ~ *but to* jeg havde ingen anden udvej/intet andet valg end at; *a soft/an easy* ~ en nem udvej/løsning; *take the soft/easy* ~ vælge den nemmeste udvej.

optional ['ɔpʃn(ə)l] *adj.* valgfri; frivillig.

optometrist [ɔp'tɔmitrist] *sb.* (*am.*) optometrist [*som måler synsevnen*].

optometry [ɔp'tɔmitri] *sb.* optometri [*måling af synsevnen*].

opt-out ['ɔptaut] *sb.* **1.** udmeldelse; fravalg; **2.** (*mht. bestemmelser i traktat etc.*) forbehold; **3.** (*om skole el. hospital*) overgang til privat styring.

opulence ['ɔpjuləns] *sb.* rigdom; overflod.

opulent ['ɔpjulənt] *adj.* **F 1.** (*om person*) meget velstående; overdådigt rig; **2.** (*om sted*) overdådig, luksuriøs, rigt udstyret.

opus ['əupəs] *sb.* (*pl. opera* ['ɔpərə]) opus; arbejde.

or [ɔ:] *konj.* **1.** eller (*fx wine or beer?*); **2.** ellers (*fx hurry up or you'll be late*);

□ *or else* **a.** eller også; **b.** ellers (*fx we must hurry up, or else we'll miss the train*); *or no* se *no*[3]; *or other* se *other*; *or so* se *so*[1].

orach, orache ['ɔritʃ] *sb.* (*bot.*) (have)mælde.

oracle ['ɔrəkl] *sb.* **1.** orakel; **2.** orakelsvar.

oracular [ɔ'rækjulə] *adj.* **1.** orakel-; **2. F** gådefuld (*fx statement*).

oral[1] ['ɔ:r(ə)l] *sb.* **T** mundtlig eksamen.

oral[2] ['ɔ:r(ə)l] *adj.* **1.** mundtlig; **2.** (*anat.*) oral; mund-; **3.** (*om medicin*) som indtages gennem munden.

oral surgeon *sb.* (*med.*) kæbeki-

rurg.

Orange ['ɔrin(d)ʒ]: *the House of* ~ (*hist.*) huset Oranien.

orange[1] ['ɔrin(d)ʒ] *sb.* **1.** (*frugt*) appelsin; (se også *bitter orange*); **2.** (*træ*) appelsintræ; **3.** (*farve*) orange.

orange[2] ['ɔrin(d)ʒ] *adj.* orange, orangegult.

orangeade [ɔrin'(d)ʒeid] *sb.* orangeade med brus.

orange blossom *sb.* orangeblomst [*anvendes i England i brudekranse*].

orange peel *sb.* appelsinskal.

orange-peel [ɔrin(ð)ʒ'pi:l] *adj.*: ~ *skin* appelsinhud.

Orange River: *the* ~ (*geogr.*) Oranjefloden.

orangery ['ɔrin(d)ʒ(ə)ri] *sb.* orangeri.

orange stick *sb.* (*til manicure*) neglepind.

orange tip *sb.* (*zo.*) aurorasommerfugl.

orang-utan [ɔ:'ræŋu:tæn, -'tæn] *sb.* (*zo.*) orangutang.

oration [ɔ:'reiʃn] *sb.* **F** (højtidelig) tale.

orator ['ɔrətə] *sb.* taler.

oratorical [ɔrə'tɔrik(ə)l] *adj.* oratorisk; taler-.

oratorio [ɔrə'tɔ:riəu] *sb.* (*mus.*) oratorium.

oratory ['ɔrət(ə)ri] *sb.* **1. F** talekunst; veltalenhed; **2.** (*rel.*) bedekammer; kapel.

orb [ɔ:b] *sb.* **1.** klode; kugle; **2.** (*regents*) rigsæble.

orbed [ɔ:bd] se *orbicular.*

orbicular [ɔ:'bikjulə] *adj.* kugleformet; rund.

orbicular granite *sb.* (*min.*) kuglegranit.

orbit[1] ['ɔ:bit] *sb.* **1.** (*om himmellegeme, rumfartøj etc.*) bane; **2.** (*anat.*) øjenhule; **3.** (*fig.*) virkefelt; område; sfære;

□ *in* ~ (*om rumfartøj, satellit*) inde i sin bane; i kredsløb; *go into* ~ **a.** gå i kredsløb; **b.** (**T:** *om priser etc.*) stige voldsomt; begynde på en himmelflugt; **c.** (**T:** *om person*) ryge helt op i loftet [*af raseri*].

orbit[2] ['ɔ:bit] *vb.* **1.** (*om himmellegeme, rumfartøj, satellit*) bevæge sig i en bane omkring (*fx the earth*); kredse om; **2.** (*rumfartøj, satellit*) sende ud i en bane; sætte i kredsløb.

orbital ['ɔ:bit(ə)l] *adj.* kredsløbs-; bane-.

orbital road *sb.* ringvej.

orb web *sb.* (*zo.: edderkops*) hjulspind.

Orcadian[1] [ɔ:'keidiən] *sb.* [*beboer af Orkneyøerne*].

Orcadian[2] [ɔ:'keidiən] *adj.* [*fra//hørende til Orkneyøerne*].

orchard ['ɔ:tʃəd] *sb.* frugthave; frugtplantage.

orchestra ['ɔ:kəstrə] *sb.* **1.** orkester; **2.** (*am.*) orkesterplads.

orchestral [ɔ:'kestr(ə)l] *adj.* orkester- (*fx music*).

orchestra pit *sb.* (*teat.*) orkestergrav.

orchestra stalls *sb. pl.* (*teat.*) orkesterplads.

orchestrate ['ɔ:kəstreit] *vb.* **1.** (*mus.*) instrumentere, arrangere, orkestrere; **2.** (*fig.*) organisere, arrangere, orkestrere.

orchestration [ɔ:ke'streiʃn] *sb.* **1.** (*mus.*) instrumentering, arrangement, orkestrering; **2.** (*fig.*) organisering, orkestrering.

orchid ['ɔ:kid] *sb.* (*bot.*) **1.** (*eksotisk*) orkidé; **2.** (*vild, hjemlige*) gøgeurt.

ordain [ɔ:'dein] *vb.* **1.** (**F** *el.* spøg.) forordne, fastsætte, bestemme; **2.** (*præst*) ordinere, præstevie.

ordeal [ɔ:'di:l] *sb.* prøvelse;

□ ~ *by fire* (*hist.*) ildprøve; jernbyrd.

order[1] ['ɔ:də] *sb.* **A.** (*som tilvejebringes, som hersker*) **1.** (*mods. rod*) orden (*fx get one's papers in* ~); **2.** (*mods. uro*) orden (*fx the new teacher had difficulty in keeping* ~); ro og orden (*fx restore* ~ *in the country*); **3.** (*om måde at arrangere på*) orden (*fx in alphabetical//chronological* ~); rækkefølge (*fx the* ~ *of events; in the wrong//right* ~); **4.** (*i verden etc.*) orden (*fx the economic* ~; *the new world* ~); (*i samfundet*) samfundsorden (*fx the medieval* ~; *the established* ~); **5.** (*ved møde*) forretningsorden; (se også *point of order*); **6.** (*rel.*) ritual;

B. (*som man er medlem af*) **1.** (*af riddere*) (ridder)orden; **2.** (*udmærkelse*) orden (*fx the President bestowed an* ~ *on him*); ordenstegn; **3.** (*rel.: af munke, nonner*) orden; **4.** (*biol.: af dyr, planter*) orden; **5.** (*placering i samfundet*) stand, rang; klasse (*fx the higher -s*); (se også *lower orders*); **6.** (*mht. størrelse*) størrelsesorden; (se også ndf.: *of a ...* ~);

C. (*som man giver/udsteder*) **1.** (*mil. etc.*) ordre; befaling; **2.** (*merk. etc.*) ordre (*for på*); (*også om mad*) bestilling (*for på*); (*om det bestilte*) bestilling, leverance; **3.** (*mht. penge*) anvisning; (*pr. post*) postanvisning; **4.** (*jur.*) ken-

O order

delse; afgørelse; **5.** (*fra offentlig myndighed*) bekendtgørelse; forordning, anordning; pålæg;
□ **-s** (*også*) **a.** ordre (*fx give//have -s to lock the doors*); **b.** (*rel.*) se *holy orders*; *doctor's -s* anvisning/forskrift fra lægen; *I am on doctor's -s not to smoke* min læge har forbudt mig at ryge;
[*forskellige forb.*] ~*!* (*sagt af mødeleder*) **a.** må jeg henlede opmærksomheden på forretningsordenen! **b.** må jeg bede om ro! ~ *of battle* **a.** organisatorisk opstilling, troppeinddeling; **b.** (*glds.*) slagorden; ~ *of the day* **a.** dagsorden; **b.** (*mil.*) dagsbefaling; **c.** (*fig.*) tidens løsen;
[*med præp.*] **by** ~ **of** efter ordre fra; på befaling af; *by* ~ *of the court* ved rettens foranstaltning; *in* ~ **a.** i orden; **b.** (*ved møde*) i overensstemmelse med forretningsordenen; **c.** (*fig.*) på sin plads (*fx a little bit of flattery was now in* ~); *in good* ~ **a.** i orden; **b.** i god stand; (se også *short²*, *working order*); *keep the class in* ~ holde orden på klassen; *put in* ~ bringe i orden; ordne; (se også *house*); **in** ~ **of** i rækkefølge efter (*fx they were lined up in* ~ *of age//height*); *in the* ~ *of* se ndf.: *of the* ~ *of*; **in** ~ **that//to** for at; *problems of a completely different* ~ problemer af en helt anden art//størrelsesorden; *of a high//the highest* ~ af høj//højeste kvalitet; *something of the* ~ *of* noget i størrelsesordenen, noget i retning af (*fx £50,000*);
be **on** ~ (*merk.*) være i ordre; *on the* ~ *of* (*am.*) = *of the* ~ *of*;
out of ~ **a.** (*om maskine etc.*) i uorden; ude af drift (*fx the lift is out of* ~); **b.** (*ved møde*) ikke i overensstemmelse med forretningsordenen; **c.** (T: *om opførsel*) uacceptabel; umulig; *the books are out of* ~ bøgerne står ikke i den rigtige orden;
call **to** ~ kalde til orden; *made to* ~ lavet på bestilling;
under *the -s of* kommanderet af; *be under -s to* have ordre til at.
order² ['ɔ:də] *vb.* (se også *ordered*) **1.** (*noget uordentligt*) ordne, bringe orden i (*fx one's thoughts*; *one's affairs*; *one's papers*); **2.** (*om system*) ordne (*fx* ~ *the letters by//according to date ... efter dato*); opstille (*fx* ~ *the books by//according to size*); **3.** (*varer, mad etc.*) bestille (*fx a taxi*); **4.** (*mil. etc.*) give ordre til, beordre, befale; **5.** (*med. etc.*) fore-

skrive; ordinere; (se også *doctor¹*);
□ ~ *arms!* gevær ved fod!
[*med adv.*] ~ **about//around** dirigere rundt med, jage med, koste med; ~ **away** sende bort; ~ **in** (*am.: om mad*) sende bud efter; bestille ude i byen (*fx a pizza*); ~ **off** (*i sport*) udvise; ~ **out** udkommandere (*fx the police*; *the National Guard*); ~ **up** (*mil.*) kommandere til fronten.
order book *sb.* ordrebog.
ordered ['ɔ:dəd] *adj.* velordnet (*fx existence*; *society*).
order form *sb.* ordreseddel; bestillingsseddel.
orderly¹ ['ɔ:dəli] *sb.* **1.** (*mil.*) ordonnans; oppasser; (se også *medical orderly*); **2.** (*på hospital*) portør.
orderly² ['ɔ:dəli] *adj.* **1.** velordnet (*fx put the things in three* ~ *piles//rows*); ordentlig; metodisk (*fx arrangement*); **2.** (*om personer*) fredelig, rolig (*fx crowd*; *queue*).
orderly officer *sb.* (*mil.*) jourhavende officer.
orderly room *sb.* kontor [*kompagni-, bataljons- etc.*].
Order Paper *sb.* (*i parlamentet*) dagsorden.
ordinal ['ɔ:din(ə)l], **ordinal number** *sb.* ordenstal.
ordinance ['ɔ:d(i)nəns] *sb.* **1.** forordning; bestemmelse; anordning; **2.** (*rel.*) ritual.
ordinarily ['ɔ:d(ə)n(ə)rili] *adv.* (*sætningsadv.*) sædvanligvis, normalt, i reglen.
ordinary ['ɔ:d(ə)n(ə)ri] *adj.* **1.** ordinær, sædvanlig (*fx routine*); almindelig (*fx people*); **2.** (*neds.*) ubetydelig; middelmådig;
□ *in* ~ (*i titel*) hof- (*fx chaplain// painter in* ~); liv- (*fx physician// surgeon in* ~ livlæge); *in the* ~ *way* sædvanligvis, normalt; under normale omstændigheder; *nothing* **out of** *the* ~ intet usædvanligt; intet ud over det sædvanlige.
ordinary seaman *sb.* letmatros.
ordinary share *sb.* (*merk.*) stamaktie.
ordination [ɔ:di'neiʃn] *sb.* (*rel.*) ordination, præstevielse.
ordnance ['ɔ:dnəns] *sb.* (*mil.*) **1.** krigsmateriel; **2.** (*glds.*) skyts, artilleri;
□ *piece of* ~ kanon.
ordnance map *sb.* (*svarer til*) generalstabskort; Geodætisk Instituts kort.
Ordnance Survey Department (*svarer til*) Geodætisk Institut.
ordure ['ɔ:djuə] *sb.* F skarn, snavs, smuds.

ore [ɔ:] *sb.* erts, malm.
Ore., **Oreg.** *fork. f.* Oregon.
oregano [ɔri'ga:nəu, (*am.*) ə'regənou] *sb.* oregano.
Oregon ['ɔrigən].
Oregon fir, **Oregon pine** *sb.* (*bot.*) douglasgran.
Oreo® ['ɔ:riəu] *sb.* (*am.*) **1.** [*chokoladekiks med hvid creme i*]; **2.** (*neds.*) [*sort der efteraber hvides manerer*].
organ ['ɔ:gən] *sb.* **1.** (*anat.*) organ; **2.** (F: *publikation*) organ, avis, blad; **3.** (*mus.*) orgel; (se også *barrel organ, mouth organ*).
organdie ['ɔ:gəndi] *sb.* (*tekstil*) organdie.
organ grinder *sb.* (*glds.*) lirekassemand.
organic [ɔ:'gænik] *adj.* **1.** organisk (*fx chemistry*; *matter* stof; *whole* hele); **2.** (*agr.*) økologisk.
organism ['ɔ:gənizm] *sb.* organisme.
organist ['ɔ:gənist] *sb.* organist.
organization [ɔ:gənai'zeiʃn, -ni-] *sb.* **1.** organisation; **2.** (*om handling*) organisering; tilrettelæggelse; ordning.
organization chart *sb.* organigram.
organize ['ɔ:gənaiz] *vb.* **1.** (*begivenhed*) organisere (*fx a conference*); arrangere (*fx a wedding*); tilrettelægge; **2.** (*ting etc. efter et system*) organisere, ordne (*fx materials*; *one's thoughts*); **3.** (*noget der skal bruges*) skaffe, sørge for (*fx a car*; *some sandwiches*); **4.** (*uden objekt*) organisere sig;
□ ~ *oneself* få orden på sig selv.
organized ['ɔ:gənaizd] *adj.* **1.** tilrettelagt (*fx tour*); **2.** (*om ting*) ordnet (*fx place the letters in* ~ *piles*); **3.** (*om person*) velorganiseret; som har styr på tingene;
□ ~ *crime* organiseret kriminalitet.
organizer ['ɔ:gənaizə] *sb.* **1.** (*person*) arrangør, tilrettelægger (*fx of a summer course*); organisator (*fx she is a good* ~); **2.** (*kalender*) planlægningskalender; **3.** (*kasse*) [*beholder med rum til at ordne ting i*].
organ loft *sb.* orgelpulpitur.
organ pipe *sb.* orgelpibe.
organ stop *sb.* orgelregister.
orgasm¹ ['ɔ:gæzm] *sb.* orgasme.
orgasm² ['ɔ:gæzm] *vb.* få orgasme.
orgiastic [ɔ:dʒi'æstik] *adj.* F orgiastisk, vild, tøjlesløs.
orgy ['ɔ:dʒi] *sb.* orgie.
oriel ['ɔ:riəl] *sb.* karnap.
oriel window *sb.* karnapvindue.
Orient ['ɔ:riənt]: *the* ~ Orienten, Østen.

orient ['ɔːriənt] *vb.* se *orientate*.

Oriental[1] [ɔːri'ent(ə)l] *sb.* orientaler, østerlænding.

Oriental[2] [ɔːri'ent(ə)l] *adj.* orientalsk, østerlandsk.

orientalist [ɔːri'entəlist] *sb.* orientalist.

orientate ['ɔːriənteit] *vb.* **1.** orientere (*fx a house north-south; the new employees*); **2.** (*fig.*) tilpasse (*to* efter); indstille (*to* på);
□ ~ *oneself* orientere sig; ~ *oneself to/towards* tilpasse sig til; indstille sig på.

orientation [ɔːriən'teiʃn] *sb.* **1.** (*om oplysninger*) orientering; **2.** (F: *om bygning*) orientering, beliggenhed; **3.** (*fig.*) orientering; drejning (*towards* mod, *fx the ~ of the course is towards psychology*); **4.** (*hos person*) indstilling, orientering (*fx his political//sexual ~*); overbevisning.

orienteering [ɔːriən'tiəriŋ] *sb.* (*sport*) orientering, orienteringsløb.

orifice ['ɔrifis] *sb.* F åbning; munding.

origin ['ɔridʒin] *sb.* **1.** oprindelse, tilblivelse, opståen (*fx the ~ of language//life//the universe*); **2.** kilde (*of* til, *fx his problems; a saying*); **3.** (*persons*) herkomst, oprindelse; **4.** (*mat.: i kurve*) begyndelsespunkt; **5.** (*anat.: om muskel*) udspring;
□ *be French in* ~ være af fransk oprindelse; stamme fra Frankrig.

original[1] [ə'ridʒ(ə)nəl] *sb.* **1.** original (*of* til, *fx a letter*); **2.** (*om sprog*) originalsprog (*fx read Homer in* (på) *the ~*); **3.** (*om person*) original, særling.

original[2] [ə'ridʒ(ə)nəl] *adj.* **1.** (*mods. senere//ændret*) oprindelig (*fx the ~ owner//plan*); original (*fx this is the ~ floor*); original- (*fx language; text*); **2.** (*mods. imiteret*) original, ægte (*fx an ~ Picasso*); **3.** (*mods. almindelig*) original (*fx idea; thinker*).

originality [əridʒi'nælɔti] *sb.* originalitet.

originally [ə'ridʒən(ə)li] *adv.* oprindelig (*fx ~, they came from France*); fra først af.

original sin *sb.* (*rel.*) arvesynd.

originate [ə'ridʒəneit] *vb.* **1.** (*med objekt*) skabe, være skaberen af, være ophavsmand til (*fx a new theory; a new system*); **2.** (*uden objekt*) opstå (*fx the fire -d in the basement; how did the idea ~?*);
□ ~ *from* **a.** udspringe/opstå af; **b.** hidrøre fra, stamme fra (*fx the scheme -s from the Government*);

~ *in* (*jf. 2, også*) have sin oprindelse i; ~ *with* = ~ *from* b).

originator [ə'ridʒineitə] *sb.* ophavsmand (*of* til); skaber (*of* af).

origins ['ɔridʒinz] *sb. pl.* = *origin* (*1, 3*).

oriole ['ɔːriəul] *sb.* (*zo.*) **1.** se *golden oriole*; **2.** (*am.*) se *Baltimore oriole*.

Orkney ['ɔːkni]: *the ~ Islands* Orkneyøerne.

ormer ['ɔːmə] *sb.* (*zo.*) søøre.

ormolu ['ɔːməluː] *sb.* guldbronze.

ornament[1] ['ɔːnəmənt] *sb.* **1.** F udsmykning; dekoration; **2.** (*om ting: i hus*) nipsting; pyntegenstand; **3.** (*til person*) smykke;
□ -*s* (*jf. 2, også*) nips; pynt; *for* ~ til pynt; *be an* ~ *to* (*glds.*) være en pryd for (*fx one's profession*).

ornament[2] ['ɔːnəment] *vb.* **1.** smykke; **2.** udsmykke, dekorere.

ornamental [ɔːnə'ment(ə)l] *adj.* dekorativ; som tjener til pynt; (*i gartneri*) pryd- (*fx garden; plant; shrub*);
□ *it is only* ~ det er kun til pynt.

ornamentation [ɔːnəmen'teiʃn] *sb.* udsmykning; dekoration; pynt.

ornate [ɔː'neit] *adj.* **1.** rigt//overdådigt udsmykket; **2.** (*neds. om sprog*) overbroderet.

ornery ['ɔːnəri] *adj.* (*am.* T) **1.** umedgørlig, stædig; **2.** smålig, lav.

ornithological [ɔːniθə'lɔdʒik(ə)l] *adj.* ornitologisk.

ornithologist [ɔːni'θɔlədʒist] *sb.* ornitolog.

ornithology [ɔːni'θɔlədʒi] *sb.* ornitologi.

orotund ['ɔrə(u)tʌnd] *adj.* **1.** (*om klang*) klangfuld, fuldtonende (*fx voice*); **2.** (*om stil*) højtravende, bombastisk.

orphan[1] ['ɔːf(ə)n] *sb.* forældreløst barn.

orphan[2] ['ɔːf(ə)n] *vb.* gøre forældreløs (*fx children -ed by the war*).

orphanage ['ɔːfənidʒ] *sb.* børnehjem; (*glds.*) vajsenhus.

orpine ['ɔːpin] *sb.* (*bot.*) (rød) st. hansurt.

orthodontic [ɔːθə'dɔntik] *adj.* tandregulerende;
□ ~ *treatment* (*også*) tandregulering, tandretning.

orthodontics [ɔːθə'dɔntiks] *sb.* ortodonti, tandregulering, tandretning.

orthodontist [ɔːθə'dɔntist] *sb.* ortodontist, specialist i tandregulering.

orthodox ['ɔːθədɔks] *adj.* **1.** orto-

doks, konventionel, almindeligt anerkendt; **2.** (*rel.*) ortodoks, rettroende.

orthodoxy ['ɔːθədɔksi] *sb.* **1.** almindeligt anerkendt opfattelse, gængs teori; **2.** (*rel.*) ortodoksi, rettroenhed.

orthographic [ɔːθə'græfik] *adj.* ortografisk, vedrørende retskrivning.

orthography [ɔː'θɔgrəfi] *sb.* ortografi, retskrivning.

orthopaedic [ɔːθə'piːdik] *adj.* ortopædisk.

orthopaedy [ɔː'θɔpiːdi] *sb.* ortopædi.

ortolan ['ɔːtələn] *sb.* (*zo.*) hortulan [*en fugl*].

OS *fork. f.* **1.** *ordinary seaman*; **2.** *Ordnance Survey*; **3.** *outsize*; **4.** *out of stock*.

oscillate ['ɔsileit] *vb.* svinge, oscillere.

oscillation [ɔsi'leiʃn] *sb.* svingning, oscillation.

osier ['əuʒə] *sb.* **1.** (*bot.*) båndpil; kurvpil; **2.** (*skud*) vidje.

osmosis [ɔz'məusis] *sb.* osmose [ɔː: gennemsivning].

osmotic [ɔz'mɔtik] *adj.* osmotisk.

osprey ['ɔspri] *sb.* (*zo.*) fiskeørn.

OSS *fork. f.* (*am.*) *Office of Strategic Services* [*en efterretningsorganisation*].

osseous ['ɔsjəs] *adj.* **1.** benet; benagtig; **2.** knogle-.

ossification [ɔsifi'keiʃn] *sb.* (*jf. ossify*) forbening; stivnen.

ossify ['ɔsifai] *vb.* **1.** (F: *om ideer, vaner*) blive forbenet, stivne; (*med objekt*) forbene, få til at stivne; **2.** (*om væv*) forbenes; (*med objekt*) forbene.

ostensible [ɔ'stensəbl] *adj.* **1.** påstået (*fx purpose*); angivelig; **2.** tilsyneladende.

ostensibly [ɔ'stensəbli] *adv.* angiveligt.

ostentation [ɔsten'teiʃn] *sb.* stillen til skue; pralen; praleri.

ostentatious [ɔsten'teiʃəs] *adj.* **1.** pralende; overlæsset; **2.** demonstrativ.

osteoarthritis [ɔstiəua:'θraitis] *sb.* slidgigt.

osteopath ['ɔstiəpæθ] *sb.* osteopat [*hvis behandlingsmåde ligner en kiropraktors*].

osteoporosis [ɔstiəupə'rəusis] *sb.* osteoporose, knogleskørhed.

ostler ['ɔslə] *sb.* (*glds.*) staldkarl [*i en kro*].

ostracism ['ɔstrəsizm] *sb.* **1.** udstødelse, boykotning; **2.** (*hist.*) ostrakisme [*i det gamle Athen: forvisning ved folkeafstemning*].

ostracize ['ɔstrəsaiz] *vb.* **1.** udstøde,

O ostrich

fryse ud, boykotte; **2.** (*hist.*) landsforvise.

ostrich ['ɔstritʃ] *sb.* (*zo.*) struds.

OT *fork. f.* **1.** *occupational therapy//therapist*; **2.** (*i Bibelen*) *Old Testament.*

OTC *fork. f. Officers' Training Corps.*

other ['ʌðə] *adj.* anden//andet//andre;

□ the ~ **day** forleden dag; *every ~ day* hver anden dag; *some book or ~* en eller anden bog; *some time or ~* en (eller anden) gang; på et eller andet tidspunkt; *something or ~* et eller andet; *somehow or ~* på en eller anden måde; *~ than* **a.** (*om forskel*) anderledes end (*fx if he had been ~ than he was*); andet end; **b.** (*om undtagelse*) ud over, på nær, bortset fra, med undtagelse af (*fx teachers ~ than university teachers*); *none ~ than* ingen anden/ringere end; selveste.

otherness ['ʌðənəs] *sb.* F anderledeshed.

otherwise ['ʌðəwaiz] *adv.* **1.** anderledes, på anden måde (*fx she could not have acted ~*); noget andet (*fx unless you let me know ~*); **2.** (*ved forbehold*) ellers, i andre henseender, i øvrigt (*fx the house needs a bit of paint, but ~ it is in good condition; a few mistakes in an ~ brilliant report*); **3.** (*om modsætning*) ellers (*fx it might ~ have been forgotten; write it down, ~ you'll forget it*); i modsat fald;

□ ~ engaged/occupied F optaget på anden måde; *or ~* eller ikke (*fx completed or ~*); eller det modsatte (*fx the success or ~ of the project*).

otherworldly [ʌðə'wɔːldli] *adj.* verdensfjern; æterisk.

otiose ['əuʃiəus, 'əutiəus] *adj.* F overflødig; unyttig.

OTT *fork. f. over the top*; (se *top¹*).

otter ['ɔtə] *sb.* (*zo.*) odder.

ottoman ['ɔtəmən] *sb.* **1.** ottoman; **2.** (*i soveværelse*) puf; **3.** (*am.: til lænestol*) fodskammel.

OU *fork. f. Open University.*

oubliette [uːbli'et] *sb.* hemmeligt fangehul.

ouch [autʃ] *interj.* av!

ought [ɔːt] *vb.* (*præt.* ought): *~ to* **a.** (*om pligt*) bør/burde (*fx you ~ to do it*); skulle; **b.** (*om det sandsynlige*) skulle, skal nok (*fx that lecture ~ to be interesting*).

Ouija® ['wiːdʒə]: *~ board* [bræt med alfabet, til overføring af spiritistiske meddelelser].

ouma ['əumə] *sb.* (*sydafr.*) **1.** bedstemor; **2.** frue [*høflig tiltale til ældre kvinde*].

ounce [auns] *sb.* **1.** unse [*28,35 g*]; **2.** T smule (*fx if you had an ~ of common sense*);

□ not an ~ of (*fig.*) ikke en smule, ikke gran af (*fx truth*).

OUP *fork. f. Oxford University Press.*

our [auə] *pron.* vores; F vor//vort//vore.

Our Father *sb.* (*rel.*) fadervor.

Our Lady *sb.* (*rel.*) jomfru Maria; Vor Frue.

Our Lord *sb.* (*rel.*) Jesus.

ours [auəz] *pron.* vores; F vor//vort//vore;

□ this country of ~ vort land; (se også *friend, cousin*).

ourself [auə'self] *pron.* (*pluralis majestatis*) (vi) selv (*fx we ourself know*); os selv; os.

ourselves [auə'selvz] *pron.* **1.** vi//os selv; selv; **2.** (*refleksivt*) os (*fx we enjoyed ~*);

□ by ~ **a.** for os selv (*fx sitting by ~*); **b.** (*uden hjælp*) alene, på egen hånd; *we had the whole house to ~* vi havde hele huset for os selv.

oust [aust] *vb.* **1.** drive ud (*fx the invaders*); **2.** (*konkurrent etc., så man selv kan komme til*) afsætte, fjerne (*fx ~ him as chairman; ~ him from power*); fordrive; fortrænge (*fx a rival*); **3.** (*jur.: fx lejer*) udsætte; udelukke.

ouster ['austə] *sb.* **1.** (*jur.*) udsættelse; udelukkelse; **2.** (*am.*) afsættelse; fjernelse.

out¹ [aut] *sb.* **1.** T udvej; undskyldning; **2.** (*typ.*) noget der er faldet ud, udeladelse; T begravelse;

□ the -s **a.** (*i spil*) det parti der er ude; **b.** (*i politik*) det parti der ikke er ved magten; oppositionen; *be on the -s* (*am.* T) være uvenner.

out² [aut] *adj.* **A.** (*ikke hjemme, ikke på banen etc.*) ude (*fx Mrs Brown is ~; the ball is ~*); (se også *out side*);

B. (*som man kan se, som er fremme etc.*) **1.** (*om blomst*) udsprunget; **2.** (*om bog etc.*) udkommet; **3.** (*om fugleunger*) udruget (*fx the chickens are ~*); **4.** (*på himlen*) fremme (*fx the stars are ~*); (se også ndf.: *the moon//sun is ~*); **5.** (*om hemmelighed*) røbet (*fx the secret is ~*); sagt (*fx there, now it's ~*);

C. (*som ikke er der mere, som er forbi etc.*) **1.** (*om lys, ild*) slukket; gået ud; **2.** (*om forråd*) sluppet op, opbrugt (*fx my strength is ~*); **3.** (*om tid*) til ende (*fx before the day is ~*); forbi, omme (*fx before the year is ~*); udløbet (*fx the lease is ~*); **4.** (*om parti*) gået af; ikke længere ved magten; **5.** (*mht. mode*) gået af mode (*fx frock coats are ~*); T yt;

□ be ~ (*også:*) **a.** (*om arbejdere*) være (gået) i strejke (*fx the miners are ~*); **b.** (*om led*) være gået af led (*fx my arm is ~*); *she is ~* (*glds.*) hun har haft sin debut i selskabslivet; *be ~ and about* **a.** være i gang; **b.** være på farten; *I am ~ ten dollars* (*am.*) jeg har tabt ti dollars på det; det har kostet mig ti dollars; *the moon is ~* det er måneskin; *the river is ~* floden er gået over sine bredder; *the sun is ~* det er solskin; [*om fejl*] *be ~* tage fejl; regne forkert; *I was only five years ~* jeg havde kun regnet fem år forkert; *far ~* se *far²*; *my watch is five minutes ~* mit ur går fem minutter forkert; *I was ~ in my calculations* jeg tog fejl i mine beregninger; jeg har forregnet mig; *you are absolutely ~ of it* du tager fuldstændig fejl; du er helt forkert på den; *he is ~ there* **a.** der tager han fejl; **b.** han er derude; [+ -ing] *be out + -ing* være ude at (*fx fishing; hunting*); *be out fishing//hunting* (*også*) være på fisketur//jagt; [*med præp.& adv.*] *be ~ for* være ude efter (*fx he is ~ for your money*); *be ~ for a walk* være ude at spadsere; *be ~ in* se: *ovf.*; *be ~ of* **a.** være ude af (*fx he is ~ of the country; she was ~ of herself with joy*); **b.** være uden for (*fx he is ~ of danger*); **c.** være udgået for (*fx tobacco*); (se også *mind¹, patience, sort*); *be ~ of it* være tilovers; [*se også ovf.*]; *be ~ to* være ude på/ efter at (*fx make money*); *be ~ with* være uenig//uvenner med.

out³ [aut] *vb.* **1.** slå ud; **2.** (*især om kendt person*) afsløre som homoseksuel; **3.** (*glds.*) smide ud.

out⁴ [aut] *adv.* (*om bevægelse*) ud// ude (*fx come//go ~; eat ~*); udenfor; frem//fremme, op//oppe;

□ ~ and about again (*efter sygdom*) oppe igen; på benene igen; *her day ~* hendes fridag; (se også *out-and-away, out-and-out, all³, way¹*);

[*med vb.*] ~ you go! herut med dig! *hear me ~!* lad mig tale ud!; (se også *come¹, fall², get, go³, have* (*etc.*));

[*med præp.*] *three days ~ from* = three days out of; *get ~ from under* (*am.* T) komme ud af kniben;

komme i sikkerhed; ~ *of* **a.** ud af//fra (*fx come ~ of the house*); **b.** ude af (*fx ~ of sight*); **c.** uden for (*fx remain ~ of the house*); **d.** (*om beholder*) af (*fx drink ~ of a glass*); **e.** (*om bevæggrund*) (på grund) af (*fx he asked ~ of curiosity*); **f.** (*om materiale*) af (*fx made out of wood*); **g.** (*om oprindelse*) fra (*fx an advertisement ~ of a newspaper*); **h.** (*om udvælgelse*) af (*fx nine ~ of ten people*); blandt (*fx one instance ~ of several*); *feel ~ of it* føle sig tilovers; *50 miles ~ of London* 50 miles fra London; *three days ~ of* (*mar.*) (efter) tre dages sejlads fra; *~ with it!* ud med sproget!; (se også *fall²*).

out⁵ [aut] *præp.* (*am.*) ud af (*fx jump ~ the window*).

outage ['autidʒ] *sb.* (*am.*) strømafbrydelse, strømudfald, strømsvigt.

out-and-away [autəndə'wei] *adv.* uden sammenligning, langt (*fx the best*).

out-and-¹out [autənd'aut] *adj.* **1.** ubetinget, absolut (*fx success*); **2.** vaskeægte, gennemført, topmålt (*fx scoundrel*); fuldblods (*fx Yankee*).

out-and-²out [autənd'aut] *adv.* ubetinget, absolut; helt igennem, i alle henseender.

outback ['autbæk] *sb.: the ~* (*austr.*) [*de mere afsides og tyndt befolkede egne*]; ødemarken.

outbalance [aut'bæləns] *vb.* mere end opveje.

outbid [aut'bid] *vb.* overbyde.

outboard ['autbɔːd] *adj.* (*mar.*) udenbords.

outboard motor *sb.* påhængsmotor.

outbound ['autbaund] *adj.* udgående.

outbreak ['autbreik] *sb.* udbrud (*fx the ~ of the war*); bølge (*fx of vandalism*).

outbuildings ['autbildiŋz] *sb. pl.* udhuse.

outburst ['autbɔːst] *sb.* **1.** udbrud; **2.** vredesudbrud.

outcast ['autkaːst] *sb.* udstødt.

outcaste ['autkaːst] *sb.* (*i Indien*) kasteløs.

outclass [aut'klaːs] *vb.* overgå; □ *~ him* (*også*) være ham overlegen.

outcome ['autkʌm] *sb.* resultat; udfald.

outcrop ['autkrɔp] *sb.* (*geol.*) dagforekomst [*lag//klippe der rager op over jordskorpen*]; (*fagl.*) blotning.

outcry ['autkrai] *sb.* ramaskrig; opstandelse.

outdated [aut'deitid] *adj.* umoderne; forældet.

outdistance [aut'distəns] *vb.* distancere, løbe fra.

outdo [aut'duː] *vb.* overgå; □ *not to be outdone* for ikke at stå tilbage.

outdoor [aut'dɔː] *adj.* udendørs; frilufts-.

outdoors [aut'dɔːz] *adv.* udendørs, i det fri, i fri luft, under åben himmel.

outdoorsman [autdɔːz'mæn] *sb.* (*pl.* -men [-men]) friluftsmenneske.

outer ['autə] *adj.* ydre; yder-; udvendig.

outermost ['autəmaust] *adj.* yderst.

outer space *sb.* det ydre rum.

outface [aut'feis] *vb.* trodse, få til at give sig.

outfall ['autfɔːl] *sb.* udløb, afløb; (*af flod også*) udmunding.

outfield ['autfiːld] *sb.: the ~* (*i kricket, baseball*) marken.

outfielder ['autfiːldə] *sb.* markspiller.

outfit¹ ['autfit] *sb.* **1.** tøj; sæt; **2.** (*om ting der hører til*) udstyr (*fx a cowboy//riding ~*); udrustning (*fx camping ~*); **3.** (*om organisation*) virksomhed; firma; **4.** (T: *personer*) hold; flok; **5.** (*am. mil.*) enhed.

outfit² ['autfit] *vb.* udstyre; udruste.

outfitters ['autfitəz] *sb. pl.* **1.** (*glds.*) herreekviperingshandler; **2.** (*am.*) [*forretning som handler med udstyr til en bestemt aktivitet, fx camping ~*].

outflank [aut'flæŋk] *vb.* **1.** (*mil.*) omgå; **2.** (*fig.*) overliste; udmanøvrere.

outflow ['autflau] *sb.* **1.** udstrømning (*fx of water//gas*); **2.** (*fig.*) strøm (*fx of bad language*); □ *~ of money* udgående pengestrøm.

outfox [aut'fɔks] *vb.* narre, overliste.

out-front [aut'frʌnt] *adj.* **1.** i forreste række; **2.** (*am.* T) åben, ærlig; **3.** (*austr.*) åbenlys.

outgeneral [aut'dʒen(ə)rəl] *vb.* udmanøvrere.

outgoing [aut'gauiŋ] *adj.* **1.** (*om karakter*) åben, udadvendt; **2.** (*fra embede*) afgående, fratrædende (*fx chairman*); **3.** (*om retning*) udgående (*fx calls*).

outgoings ['autgauiŋz] *sb. pl.* udgifter.

outgroup ['autgruːp] *sb.* (*i sociologi*) fremmedgruppe.

outgrow [aut'grau] *vb.* **1.** (*tøj etc.*) vokse fra, blive for stor til; **2.** (*fx om plante*) vokse hurtigere end;

□ *~ one's strength* vokse for stærkt.

outgrowth ['autgrauθ] *sb.* **1.** produkt, følge, resultat (*of* af); **2.** udvækst (*fx on a tree*).

outgun [aut'gʌn] *vb.*: *~ them* (*mil.*) være dem overlegen i ildkraft; *be -ned by* (*fig.*) blive den lille over for.

outhaul ['authɔːl] *sb.* (*mar.*) udhaler.

outhouse ['authaus] *sb.* **1.** udhus; **2.** (*am.*) das, lokum.

outing ['autiŋ] *sb.* **1.** udflugt; **2.** (jf. *out³* 1) afsløring af homoseksuel.

outjie ['ɔuki] *sb.* (*sydafr.*) lille stump [ɔ: *barn*].

outlandish [aut'lændiʃ] *adj.* fremmedartet, aparte; sær, besynderlig.

outlast [aut'laːst] *vb.* vare længere end; overleve.

outlaw¹ ['autlɔː] *sb.* **1.** lovløs; bandit; **2.** (*glds.*) fredløs.

outlaw² ['autlɔː] *vb.* **1.** (*handling*) erklære ulovlig; forbyde; **2.** (*glds.: person*) sætte uden for loven, gøre fredløs.

outlay ['autlei] *sb.* udlæg; udgift.

outlet ['autlət] *sb.* **1.** (*for væske, luft*) udløb, afløb; **2.** (*for følelser*) afløb; **3.** (*merk.*) salgssted, butik; afsætningsmarked; **4.** (*am. elek.*) stikkontakt, stik; (*til lampe*) lampested;

□ *an ~ to the sea* adgang til havet.

outline¹ ['autlain] *sb.* **1.** omrids, kontur (*fx draw the ~ of a boat*); **2.** (*fig.*) resumé, rids; skitse; oversigt; **3.** (*film.*) synopsis;

□ *-s* grundtræk, hovedtræk; oversigt; *in ~* **a.** i omrids; **b.** (*fig.*) i hovedtræk; (se også *broad²*).

outline² ['autlain] *vb.* **1.** tegne i omrids (*fx the area is -d in red on the map*); give omrids af; **2.** (*fig.*) skitsere, angive hovedtrækkene i; □ *be -d* (*også*) tegne sig (i omrids/i silhouet) (*fx the trees were -d against the evening sky*).

outline map *sb.* konturkort.

outlive [aut'liv] *vb.* overleve; □ *it has -d its usefulness* det har overlevet sig selv.

outlook ['autluk] *sb.* **1.** udsigt (*fx there is a pleasant ~ from the window*); **2.** (*fig.*) (fremtids)udsigter (*for* for, *fx the ~ for the company seems good*); **3.** (*persons*) syn på tingene (*fx have a narrow ~*); livssyn; livsanskuelse.

outlying ['autlaiiŋ] *adj.* afsidesliggende; fjerntliggende.

outmanoeuvre [autmə'nuːvə] *vb.* udmanøvrere; overliste.

outmoded [aut'məudid] *adj.* forældet, umoderne; passé.

O outnumber

outnumber [aut'nʌmbə] *vb.* være i
overtal i forhold til; være flere
end;
□ *-ed* talmæssigt underlegen.
out-of-court [autəv'kɔ:t] *adj.*: ~ *set-
tlement* udenretligt forlig.
out-of-date [autəv'deit] *adj.* se
date¹.
out-of-pocket [autəv'pɔkit] *adj.*: ~
expenses direkte (kontante) udgif-
ter.
out-of-the-way [autəvðə'wei] *adj.*
1. afsides; afsidesliggende; **2.** (*fig.*)
usædvanlig; (T: *om pris*) skyhøj.
outpace [aut'peis] *vb.* **1.** gå//løbe//
køre hurtigere end; **2.** (*fig.*)
overgå, overhale, løbe fra.
outpatient ['autpeiʃnt] *sb.* ambu-
lant patient.
outpatient clinic *sb.* poliklinik;
ambulatorium.
outperform [autpə'fɔ:m] *vb.* klare
sig bedre end, overgå.
outplacement ['autpleismənt] *sb.*
1. [*hjælp fra arbejdsgiver til at
finde nyt job*]; **2.** jobformidling.
outplay [aut'plei] *vb.* (*i sport*)
spille bedre end;
□ *be -ed by* blive udspillet af.
outpoint [aut'pɔint] *vb.* (*i boks-
ning*) vinde på points over.
outpost ['autpəust] *sb.* forpost;
fremskudt post/stilling.
outpouring ['autpɔ:riŋ] *sb.* **1.** strøm
(*fx of books*); **2.** (*af følelse*) heftigt
udtryk (*fx of grief*);
□ *-s* (*neds.*) udgydelser; *-s of the
heart* hjertesuk.
output¹ ['autput] *sb.* **1.** (*virksom-
heds, lands*) produktion (*fx indus-
trial* ~; *his* ~ *as a writer*);
2. (*maskines*) ydelse; **3.** (*elek.*) ef-
fekt; **4.** (*it*) output, udlæsning, ud-
data.
output² ['autput] *vb.* (*it*) udlæse.
outrage ['autreidʒ] *sb.* **1.** overgreb
(*fx the -s committed by the
troops*); uhyrlighed, skændsels-
gerning; **2.** krænkelse (*against af,
fx decency*); **3.** (*som vækker forar-
gelse*) skandale (*fx a public* ~);
4. (*følelse*) harme, vrede;
□ *do* ~ *to* krænke.
outraged [aut'reidʒd] *adj.* chokeret,
rasende (*at/by* over).
outrageous [aut'reidʒəs] *adj.* oprø-
rende, skandaløs, uhyrlig.
outrank [aut'ræŋk] *vb.* have højere
rang end, rangere højere end.
outré ['u:trei] *adj.* excentrisk;
aparte; outreret (*fx dress*).
outreach¹ ['autri:tʃ] *adj.* opsøgende
(*fx work*).
outreach² [aut'ri:tʃ] *vb.* strække sig
ud over; nå længere end.
outride [aut'raid] *vb.* **1.** ride fra;

2. ride bedre end.
outrider ['autraidə] *sb.* **1.** [*betjent
på motorcykel foran el. ved kor-
tege*]; forkører; politieskorte; **2.** (*til
hest*) forrider.
outrigger ['autrigə] *sb.* **1.** (*til kapro-
ningsbåd*) udrigger; **2.** (*båd*) ud-
riggerbåd.
outright¹ ['autrait] *adj.* **1.** fuldstæn-
dig, total (*fx victory*); regulær (*fx
catastrophe*); gennemført (*fx
scoundrel*); **2.** (*især om ytring:
uden forbehold*) direkte (*fx con-
demnation; denial; hostility; lie*).
outright² [aut'rait] *adv.* (jf. *out-
right¹*) **1.** fuldstændigt, helt og hol-
dent (*fx destroy it* ~); **2.** direkte,
rent ud (*fx tell him* ~); uforbehol-
dent;
□ *buy* ~ købe kontant; *killed* ~
dræbt på stedet.
outro ['autrəu] *sb.* afslutning.
outrun [aut'rʌn] *vb.* **1.** løbe fra;
2. (*fig.*) overgå.
outsail [aut'seil] *vb.* sejle fra.
outsell [aut'sel] *vb.* **1.** (*om vare*) gå
bedre end; **2.** (*om person*) sælge
mere end.
outset ['autset] *sb.* begyndelse;
□ *from the (very)* ~ (lige) fra be-
gyndelsen, fra første færd.
outshine [aut'ʃain] *vb.* overstråle;
overgå.
out side *sb.* **1.** (*i sport*) hold der er
ude; **2.** (*i politik*) parti der ikke er
ved magten; opposition.
outside¹ [aut'said] *sb.* **1.** yderside;
2. se *outside lane*;
□ *the* ~ *of* (*også*) det udvendige af
(*fx the house*);
[*med præp.*] *at the* ~ højest, i det
højeste (*fx it will take a year at
the* ~); *from the* ~ udefra (*fx
open the door from the* ~); *on the*
~ udenpå; udenfor.
outside² [aut'said] *adj.* udvendig
(*fx measurements*); ydre (*fx quali-
ties*); yder- (*fx edge; wall*);
2. (*mods. inden døre*) udendørs
(*fx temperature; toilet*); **3.** (*mods.
på stedet, i firmaet*) udefrakom-
mende (*fx help*); udefra (*fx* ~
pressure tryk udefra); **4.** (*om af-
grænsning*) yderst (*fx limit*); høj-
est (*fx price*); maksimal (*fx esti-
mate*);
□ *an* ~ *chance//possibility* en me-
get lille chance//mulighed; *the* ~
world verden udenfor;
~ *of* (*am.* T) **a.** uden for; **b.** undta-
gen; *get* ~ *of* **a.** T sætte til livs;
b. (*am.*) fatte, begribe; ~ *of a
horse* T til hest.
outside³ [aut'said] *adv.* **1.** (*mods.
inde*) udenfor (*fx wait* ~);
2. (*mods. inden døre*) udendørs

(*fx work* ~); **3.** (*mods. indvendig*)
udenpå (*fx red* ~).
outside⁴ [aut'said] *præp.* uden for.
outside broadcast *sb.* direkte trans-
mission; reportage.
outside callipers *sb. pl.* krumpas-
ser.
outside edge *sb.* **1.** yderkant; **2.** (*i
skøjteløb*) herresving;
□ *do the* ~ (jf. *2*) slå herresving.
outside lane *sb.* **1.** (*på vej*) yder-
bane; (*am. især*) inderbane; **2.** (*på
væddeløbsbane*) yderbane.
outside line *sb.* (*tlf.*) linje ud af hu-
set.
outsider [aut'saidə] *sb.* **1.** (*som er
udenfor*) fremmed; udenforstå-
ende; **2.** (*som ikke er accepteret*)
outsider; **3.** (*i konkurrence*) out-
sider.
outsize¹ ['autsaiz] *sb.* stor størrelse.
outsize² ['autsaiz] *adj.* **1.** usædvan-
lig stor, i overstørrelse, overdi-
mensioneret; **2.** (*om tøj*) ekstra
stor; i fruestørrelse.
outskirts ['autskə:ts] *sb. pl.* udkant.
outsmart [aut'sma:t] *vb.* narre,
overliste.
outsource ['autsɔ:s] *vb.* **1.** (*kompo-
nenter*) få fremstillet af underleve-
randører; få lavet ude i byen;
2. (*arbejde*) udlicitere.
outspan¹ ['autspæn] *sb.* (*sydafr.*)
1. rastested [*hvor okserne
spændes fra*]; **2.** græsningsareal.
outspan² [aut'spæn] *vb.* (*sydafr.*)
1. spænde fra; **2.** raste.
outspoken [aut'spəuk(ə)n] *adj.* fri-
modig, åbenhjertig; dristig.
outspread [aut'spred] *adj.* udbredt
(*fx with arms* ~).
outstanding [aut'stændiŋ] *adj.*
1. (*om kvalitet*) fremragende;
2. (*om tydelighed*) fremtrædende,
iøjnefaldende (*fx characteristic*);
3. (*om gæld*) ubetalt (*fx bill;
debts; loans*);
□ ~ *problem* uløst problem.
outstay [aut'stei] *vb.* blive længere
end; (se også *welcome¹*).
outstretched [aut'stretʃt] *adj.* ud-
strakt.
outstrip [aut'strip] *vb.* **1.** distan-
cere, løbe fra; løbe forbi; **2.** (*fig.*)
overgå.
out-take ['autteik] *sb.* (*film.; tv*) fra-
klip; kasseret optagelse.
out tray *sb.* udbakke.
outvote [aut'vəut] *vb.* nedstemme;
□ *be -d* blive nedstemt; komme i
mindretal.
outward¹ ['autwəd] *adj.* **1.** ydre (*fx
appearance*); udvendig; **2.** (*om
retning*) udgående (*fx correspond-
ence*).
outward² ['autwəd] *adv.* udad, ud,

udefter.

outward bound *adj.* (*om skib*) for udgående.

outwardly ['autwədli] *adv.* udadtil.

outwards ['autwədz] *adv.* udad, ud, udefter.

outwear [aut'wɛə] *vb.* vare//holde længere end.

outweigh [aut'wei] *vb.* veje tungere end; mere end opveje.

outwit [aut'wit] *vb.* narre, overliste.

outwith [aut'wiθ, aut'wið] *præp.* (*skotsk*) uden for.

outwork ['autwə:k] *sb.* (*merk.*) udearbejde; arbejde udført af underleverandør.

outworn [aut'wɔ:n] *adj.* **1.** slidt op; **2.** (*fig.*) forslidt, fortærsket (*fx quotation*); forældet (*fx method*).

ouzel ['u:z(ə)l] *sb.* (*zo.*) ringdrossel.

ova ['əuvə] *pl.* af ovum.

oval[1] ['əuv(ə)l] *sb.* oval; □ *the Oval* [en kricketbane i London].

oval[2] ['əuv(ə)l] *adj.* oval; ægformet. **Oval Office** *sb.* (*am.*) [præsidentens kontor i det Hvide Hus].

ovary ['əuvəri] *sb.* **1.** (*anat.*) ovarie, æggestok; **2.** (*bot.*) frugtknude.

ovation [əu'veiʃn] *sb.* ovation, hyldest, bifald.

oven ['ʌv(ə)n] *sb.* ovn; (se også *bun*).

ovenbird ['ʌv(ə)nbə:d] *sb.* (*zo.*) ovnfugl.

over[1] ['əuvə] *sb.* (*i kricket*) over; □ *-s* (*typ.*) overskud; ekstra eksemplarer.

over[2] ['əuvə] *adv.* **1.** over//ovre (*fx ~ to England; ~ in England*); **2.** (*om tid*) forbi (*fx those days are ~*); omme; **3.** (*om rest*) tilovers, tilbage (*fx if you have money ~*); **4.** (*mods. oprejst*) omkuld (*fx fall ~*); over ende; (se også *knock*[2]); **5.** (*om grundighed*) igennem (*fx read the letter ~; talk the matter ~*); **6.** (*om gentagelse*) igen, om, om igen (*fx count the money ~*); □ *~!* **a.** (*i radiotelefoni*) skifter! **b.** (*i kricket*) skift! *all ~* se *all*[3]; *and ~* og derover (*fx children of 14 and ~*); *~ and ~* atter og atter; gang på gang; om og om igen; *roll ~ and ~* rulle rundt og rundt; [*med præp.& adv.*] *~ again* om igen; *~ and above* ud over; *~ against* i sammenligning med; *~ here* her ovre; her over; *~ there* der ovre; der over.

over[3] ['əuvə] *præp.* **1.** over; **2.** (*om vej, flod*) på den anden side af (*fx the house ~ the river//road*); **3.** (*om grund, anledning*) på grund af (*fx risk a war ~ Berlin*); i

anledning af; med hensyn til; om (*fx they disagreed//quarrelled ~ the colour*); **4.** (*om tid*) igennem, i løbet af (*fx ~ the last year or two*); over (*fx stay ~ Christmas blive julen over*); med (*fx you must stay ~ my birthday ... min fødselsdag med*); **5.** (*om noget man nyder samtidig*) ved (*fx let us discuss it ~ a cup of tea; they sat ~ a glass of wine*); med; **6.** (*am.*) frem for (*fx he chose the shorter route ~ the more beautiful*);
□ *~ a period of three years* gennem/over et tidsrum af tre år; (se også *night, signature, year*).

over- (*forstavelse ved adj.*) **1.** alt for, overdrevent, over- (*fx anxious; polite*); **2.** (*efter nægtelse*) særlig (*fx not -pleased; not -punctual*).

overachieve [əuvərə'tʃi:v] *vb.* præstere mere end forventet.

overact [əuvər'ækt] *vb.*: *~ (in) a part* overspille en rolle.

overall[1] ['əuvərɔ:l] *sb.* kittel; (se også *overalls*).

overall[2] [əuvər'ɔ:l] *adj.* **1.** total, samlet (*fx the ~ membership is 83*); **2.** generel (*fx the ~ situation*);
□ *~ majority* absolut flertal.

overall[3] [əuvər'ɔ:l] *adv.* alt i alt, som helhed, generelt.

overalls ['əuvərɔ:lz] *sb. pl.* **1.** overtræksdragt; kedeldragt; **2.** (*am.*) overall, smækbukser.

overarching [əuvər'a:tʃiŋ] *adj.* F (helt) overordnet (*fx principle; strategy*); altoverskyggende (*fx theme*).

overawed [əuvər'ɔ:d] *adj.*: *be ~* lade sig imponere//skræmme//kue (*by* af); føle ærefrygt.

overbalance [əuvə'bæləns] *vb.* få overbalance.

overbearing [əuvə'bɛəriŋ] *adj.* overlegen, hoven.

overbid [əuvə'bid] *vb.* **1.** overbyde; **2.** (*i kortspil*) melde over.

overblown [əuvə'bləun] *adj.* **1.** F overdrevet; opblæst; **2.** (*om blomst*) ved at afblomstre.

overboard ['əuvəbɔ:d] *adv.* over bord;
□ *go ~* overdrive; *go ~ about/for* T blive vildt begejstret for; falde for med et brag.

overbook [əuvə'buk] *vb.* overbooke [tage imod flere bestillinger end der er pladser].

overburden ['əuvəbə:d(ə)n] *sb.* overliggende lag//jord.

overburdened ['əuvə'bə:d(ə)nd] *adj.* **1.** overlæsset (*with* med, *fx luggage*); tynget ned (*with* af); **2.** (*fig.*)

overbebyrdet (*with* med, *fx duties*).

overcall[1] ['əuvəkɔ:l] *vb.* (*i kortspil*) overmelding.

overcall[2] [əuvə'kɔ:l] *vb.* (*i kortspil*) melde modspillerne over.

overcast[1] ['əuvəka:st] *adj.* overtrukket, overskyet.

overcast[2] [əuvə'ka:st] *vb.* **1.** formørke; **2.** (*i håndarbejde*) sy kasting over; kaste over.

overcharge [əuvə'tʃa:dʒ] *vb.* **1.** tage overpris af; forlange//beregne sig for høj pris af; **2.** (*uden objekt*) forlange overpris;
□ *he -d me (by) £30* han tog//beregnede sig £30 for meget (af mig); *I was -d for the meal* jeg kom til at betale for meget for maden.

overcoat ['əuvəkəut] *sb.* overfrakke.

overcome [əuvə'kʌm] *vb.* **1.** overvinde, få bugt med (*fx difficulties*); **2.** besejre (*fx the enemy*); **3.** (*uden objekt*) sejre;
□ *be ~ by* **a.** blive overmandet af; bukke under for (*fx fatigue*); blive udmattet af (*fx hunger*); **b.** (*følelse*) blive overvældet af (*fx grief*).

overcrowded [əuvə'kraudid] *adj.* overfyldt (*fx schools*); overbefolket (*fx cities*).

overdo [əuvə'du:] *vb.* gøre for meget ud af; overdrive;
□ *~ it* **a.** gå for vidt; overdrive; spænde buen for højt; **b.** overanstrenge sig.

overdone [əuvə'dʌn] *adj.* (*om mad*) kogt//stegt for længe;
□ *it was ~* det havde fået for meget.

overdose[1] ['əuvədəus] *sb.* overdosis.

overdose[2] [əuvə'dəus] *vb.* tage en overdosis (*on* af);
□ *~ on* (*spøg.*) få for meget (*fx cheesecake*).

overdraft ['əuvədra:ft] *sb.* **1.** overtræk (*på konto*); **2.** kassekredit.

overdrawn [əuvə'drɔ:n] *adj.*: *be ~* **a.** (*om konto*) være overtrukket (*by* med); **b.** (*om person*) have lavet overtræk (*by* på); have trukket kontoen over (*by* med).

overdressed [əuvə'drest] *adj.* for fint klædt på; overpyntet.

overdrive ['əuvədraiv] *sb.* overgear;
□ *be in ~* (*fig.*) køre på højeste gear; *go into ~* (*fig.*) køre for hårdt på; blive helt ustyrlig.

overdue [əuvə'dju:] *adj.* **1.** forsinket (*fx the train is ~*); **2.** (*om gæld*) for længst forfalden (*fx bill*);
□ *it is ~* (*også*) det burde for længst være foretaget//gennem-

O over-easy

ført//sket (*fx repairs are* ~; *a reform is* ~); *she is two weeks* ~ (*om gravid*) hun har gået to uger over tiden; ~ *book* (*bibl.*) bog der er beholdt for længe/ikke er afleveret til tiden.

over-easy [ouvər'i:zi] *adj.* (*om spejlæg*) vendt [*og stegt lidt på den anden side*].

overeat [əuvər'i:t] *vb.* spise for meget, forspise sig.

overegg [əuvər'eg] *vb.:* ~ *the pudding* T gøre for meget ud af det.

overemphasize [əuvər'emfəsaiz] *vb.:* *it cannot be* -*d* det kan ikke noksom understreges.

over-estimate[1] [əuvər'estimət] *sb.* overvurdering.

over-estimate[2] [əuvər'estimeit] *vb.* overvurdere.

overexpose [əuvəriks'pəuz] *vb.* (*foto.*) overeksponere, overbelyse.

overextend [əuvəriks'tend] *vb.:* ~ *oneself* **a.** påtage sig for meget; **b.** (*økonomisk*) forpligte sig over evne.

overextended [əuvəriks'tendid] *adj.* udsat for for store krav; for hårdt spændt for; overbebyrdet.

overflow[1] ['əuvəfləu] *sb.* **1.** (*af vand, data*) overløb; **2.** (*hul hertil, i vask, badekar*) overløb; (*rør*) overløbsrør; **3.** (*fig.*) overskud; □ ~ *meeting* [*møde for dem der ikke er plads til ved hovedmødet*].

overflow[2] [əuvə'fləu] *vb.* **1.** løbe over; flyde over; **2.** (*om flod*) gå over sine bredder; **3.** (*om sted*) være overfyldt; **4.** (*om personer*) være for mange til at kunne være i (*fx they* -*ed the small room*); **5.** (*fig.*) strømme over (*fx suddenly his anger* -*ed*); □ *the crowd was* -*ing* **into/onto** *the street* mængden bredte sig helt ud på gaden; **full to** ~ **a.** (*om beholder*) fyldt helt op til randen; **b.** (*om sted*) fyldt til bristepunktet; *be* -*ing* **with a.** flyde over af (*fx the trash can was* -*ing with papers*); være propfyldt af (*fx his room was* -*ing with books*); **b.** (*om person*) være fuld af (*fx emotion*); være sprængfyldt af (*fx good ideas*); strømme over af (*fx my heart is* -*ing with gratitude*).

overflow pipe *sb.* overløbsrør.

overground ['əuvəgraund] *adj.* over jordoverfladen (*fx the* ~ *portion of a plant*).

overgrown [əuvə'grəun] *adj.* **1.** overgroet, tilgroet (*fx garden*); **2.** som er vokset for stærkt, forvokset (*fx the town is only an* ~ *village*); **3.** (*neds. om voksen*) opløben [*men stadig barnlig*].

overhand ['əuvəhænd] *adj.* (*især am.: i sport*) overhånds-, overarms- (*fx throw*).

overhang[1] ['əuvəhæŋ] *sb.* fremspring; udhæng.

overhang[2] [əuvə'hæŋ] *vb.* **1.** hænge ud//ned over; lude ud over; **2.** (*fig.*) hænge over.

overhanging [əuvə'hæŋiŋ] *adj.* nedhængende; fremspringende; ludende.

overhaul[1] ['əuvəhɔ:l] *sb.* **1.** (*af bil, maskine etc.*) (grundigt) eftersyn, hovedeftersyn; hovedreparation; **2.** (*fig.*) (grundig) undersøgelse, (nøje) gennemgang og ændring (*fx of the school curriculum*).

overhaul[2] [əuvə'hɔ:l] *vb.* **1.** (*bil, maskine etc.*) efterse grundigt; give et hovedeftersyn; hovedreparere; **2.** (*person*) undersøge (grundigt) (*fx be* -*ed by a doctor*); **3.** (*fig.*) gennemgå nøje og ændre (*fx the health service; the income tax system*); **4.** (*i sport*) overhale.

overhead[1] [əuvə'hed] *adj.* over hovedet; (*om ledning*) luft- (*fx line//wire*).

overhead[2] [əuvə'hed] *adv.* over hovedet, ovenover; oppe i luften.

overhead door *sb.* vippeport.

overhead projector *sb.* overhead-projektor.

overhead railway *sb.* højbane.

overheads ['əuvəhedz] *sb. pl.* (*merk.*) generalomkostninger; faste udgifter.

overhear [əuvə'hiə] *vb.* overhøre, høre tilfældigt, komme til at høre.

overheat [əuvə'hi:t] *vb.* **1.** opvarme for meget; overophede; **2.** (*uden objekt*) blive overophedet; (*fx om leje*) løbe varm.

overheated [əuvə'hi:tid] *adj.* (*fig.*) **1.** meget følelsesladet, hidsig (*fx debate*); **2.** (*om økonomi*) overophedet.

overindulge [əuvə(r)in'dʌldʒ] *vb.* **1.** (*uden objekt*) spise//drikke for meget; fråse; **2.** (*børn*) være for svag over for; forkæle.

overindulgence [əuvə(r)in'dʌldʒ(ə)ns] *sb.* (jf. *overindulge*) **1.** overdreven nydelse (*in* af); fråsen; **2.** forkælelse.

overjoyed [əuvə'dʒɔid] *adj.* henrykt.

overkill ['əuvəkil] *sb.* **1.** [*ødelæggelseskraft som er større end hvad der kræves for helt at udslette en fjendtlig magt*]; **2.** (*fig.*) urimelig overdrivelse; overmål; □ *it is* ~ (jf. *2, også*) det er for meget.

overlaid [əuvə'leid] *adj.:* *be* ~ *with* **a.** være belagt med (*fx gold; sil-*

ver); **b.** (*fig.*) være dækket//overlejret//overskygget af.

overland[1] ['əuvəlænd] *adj.* land- (*fx the* ~ *route*); over land.

overland[2] [əuvə'lænd] *adv.* til lands; over land.

overlap[1] ['əuvəlæp] *sb.* delvis dækning; overlapning; sammenfald.

overlap[2] [əuvə'læp] *vb.* **1.** (*med objekt*) overlappe, delvis dække; **2.** (*uden objekt*) overlappe, (delvis) falde sammen (*fx our visits* -*ped*).

overlay[1] ['əuvəlei] *sb.* **1.** belægning (*fx a gold//silver* ~); dække; **2.** (*fig.*) dække, overlejring (*fx with an* ~ *of humour*); **3.** (*gennemsigtigt ark lagt på kort*) kalke; **4.** (*it*) overlay, overlejring.

overlay[2] [əuvə'lei] *vb.* se *overlaid*.

overleaf [əuvə'li:f] *adv.* omstående; på næste side.

overlie [əuvə'lai] *vb.* **1.** (*om lag*) ligge hen over; **2.** (*unge*) ligge ihjel.

overload[1] ['əuvələud] *sb.* overbelastning.

overload[2] [əuvə'ləud] *vb.* **1.** (*køretøj etc.*) overlæsse (*fx a boat; a washing machine*); **2.** (*person etc.& elek.*) overbelaste.

overlook[1] ['əuvəluk] *sb.* (*am.*) udsigtspunkt.

overlook[2] [əuvə'luk] *vb.* **1.** (*ved en fejl*) overse, ikke bemærke (*fx you have* -*ed several mistakes*); **2.** (*bevidst*) se gennem fingre med (*fx I'll* ~ *it this time!*); ignorere; lade passere (*fx I cannot* ~ *that kind of behaviour*); **3.** (*om værelse*) give udsigt over, vende ud mod (*fx the room* -*s a garden*); □ -*ing the sea* med udsigt over havet.

overlord ['əuvələ:d] *sb.* **1.** overherre; øverste magthaver; **2.** (*hist.*) lensherre.

overly ['əuvəli] *adv.* alt for, over- (*fx anxious*).

overmanned [əuvə'mænd] *adj.* overbemandet.

overmaster [əuvə'ma:stə] *vb.* (*litt.*) besejre, kue; overvælde.

overmatched [əuvə'mætʃt] *adj.* (*am.*) underlegen.

overmuch [əuvə'mʌtʃ] *adv.:* *not* ~ ikke særlig meget, ikke alt for meget.

overnight[1] [əuvə'nait] *adj.* **1.** for natten (*fx accommodation*); natte- (*fx flight*); **2.** pludselig; som sker fra den ene dag til den anden; □ ~ *stay* overnatning; ~ *success* øjeblikkelig succes.

overnight[2] [əuvə'nait] *adv.* **1.** natten over (*fx stay* ~); i nattens løb,

i løbet af natten (*fx the mush-rooms sprang up* ~); **2.** T fra den ene dag til den anden (*fx such reforms cannot be made* ~);
□ *stay* ~ (*også*) overnatte.

overnight bag *sb.* weekendkuffert.

overpass ['əuvɑpɑ:s] *sb.* (*am.*) overføring [*over vej*]; vejbro.

overpay [əuvə'pei] *vb.* **1.** betale for meget (*for* for); **2.** (*person*) betale for meget til; lønne for højt.

overplay [əuvə'plei] *vb.* **1.** overdrive betydningen af; **2.** ((*i*) *en rolle*) overspille;
□ ~ *one's hand* (*fig.*) spille for højt spil; vove sig for langt ud.

overpopulated [əuvə'pɔpjuleitid] *adj.* overbefolket.

overpower [əuvə'pauə] *vb.* **1.** overmande (*fx two policemen -ed him*); **2.** (*fig.*) overvælde (*fx -ed by grief*); overmande; (*om duft, smag*) overdøve.

overpowering [əuvə'pauərin] *adj.* **1.** overvældende; **2.** (*om person*) dominerende.

overpriced [əuvə'praist] *adj.* prissat for højt; for dyr.

overprint¹ ['əuvəprint] *sb.* **1.** (*på frimærke*) overstempling; (*mærke*) overstemplet frimærke; **2.** (*typ.*) indtrykning.

overprint² [əuvə'print] *vb.* **1.** (*om frimærke*) overstemple; **2.** (*typ.*) trykke oveni; **3.** (*foto.: om kopi*) overeksponere.

overrate [əuvə'reit] *vb.* overvurdere; vurdere for højt.

overreach [əuvə'ri:tʃ] *vb.* **1.** (*uden objekt*) række for langt; **2.** (*om heste*) smede [ɔ: *slå med baghovene mod forhovene under galop*]; **3.** (*person*) overliste, narre;
□ ~ *oneself* (*fig.*) forløfte sig, spænde buen for højt; T slå for stort et brød op.

overreact [əuvəri'ækt] *vb.* overreagere.

override¹ ['ouvəraid] *sb.* (*am.*) underkendelse.

override² [əuvə'raid] *vb.* **1.** have forret frem for, gå forud for (*fx his safety should* ~ *all other considerations*); **2.** (*afgørelse, person*) underkende; **3.** (*ønske etc.*) tilsidesætte, sætte sig ud over; **4.** (*automatisk styring*) tilsidesætte [*til fordel for manuel betjening*]; **5.** (*i tog, bus*) køre længere end billetten gælder.

overriding [əuvə'raidin] *adj.* altovervejende, altovyerskyggende.

overruff [əuvə'rʌf] *vb.* (*i kortspil*) trumfe over.

overrule [əuvə'ru:l] *vb.* (*jur. etc.*) underkende.

overrun¹ ['əuvərʌn] *sb.* **1.** overskridelse; **2.** (*typ.*) omløb; **3.** (*mht. oplag*) ekstra eksemplarer trykt.

overrun² [əuvə'rʌn] *vb.* **1.** (*mht. tid*) overskride tidsplanen (*by* med, *fx 20 minutes*); gå over tiden; **2.** (*mht. penge*) overskride budgettet (*by* med, *fx £23,000*); **3.** (*med objekt*) brede sig ud over; (*budget, taletid*) overskride; **4.** (*i kamp*) besejre, løbe over ende; indtage;
□ *be* ~ *with/by* **a.** være oversvømmet af (*fx tourists; mice*); **b.** (*planter*) være overgroet af (*fx weeds*).

overseas¹ [əuvə'si:z] *adj.* oversøisk (*fx trade; trip*); udenlandsk (*fx student*).

overseas² [əuvə'si:z] *adv.* udenlands, i udlandet.

oversee [əuvə'si:] *vb.* føre tilsyn med.

overseer ['əuvəsiə] *sb.* **1.** tilsynsførende; **2.** (*på arbejdsplads*) arbejdsformand; værkfører.

oversell [əuvə'sel] *vb.* **1.** sælge mere/flere ... end man kan levere; **2.** (*fig.*) gøre for meget reklame for, opreklamere; gøre for meget ud af.

overshadow [əuvə'ʃædəu] *vb.* **1.** skygge for; dække (*fx clouds* ~ *the sky*); **2.** (*fig.*) overskygge; fordunkle.

overshoe ['əuvəʃu:] *sb.* **1.** galoche; **2.** (*for at beskytte gulv*) overtrækssko.

overshoot¹ ['əuvəʃu:t] *sb.* overskridelse.

overshoot² [əuvə'ʃu:t] *vb.* **1.** køre forbi (*fx I overshot the corner*); **2.** (*mål*) skyde forbi//over (*fx the rocket overshoot its target*); **3.** (*fig.*) overskride (*fx a spending target*); (*se også mark¹*); **4.** (*uden objekt: flyv.*) komme/fortsætte ud over landingsbanen;
□ ~ *the runway* = 4.

oversight ['əuvəsait] *sb.* **1.** uagtsomhed; forglemmelse; T smutter; **2.** (*jf. oversee*) tilsyn.

oversimplify [əuvə'simplifai] *vb.* oversimplificere, overforenkle.

oversize ['əuvəsaiz], **oversized** ['əuvəsaizd] *adj.* **1.** ekstra stor; i overstørrelse; **2.** (*især am.*) usædvanlig stor; overdimensioneret.

oversleep [əuvə'sli:p] *vb.* sove over sig; sove for længe.

overspend¹ ['əuvəspend] *sb.* overskridelse; overforbrug.

overspend² [əuvə'spend] *vb.* **1.** bruge for meget, bruge for mange penge; **2.** (*med objekt*) overskride (*fx the budget*);
□ ~ *on* = 2.

overspill ['əuvəspil] *sb.* **1.** befolk-

ningsoverskud; **2.** overskud.

overstaffed [əuvə'sta:ft] *adj.* overbemandet.

overstate [əuvə'steit] *vb.* overdrive.

overstatement [əuvə'steitmənt, 'əuvə-] *sb.* overdrivelse.

overstay [əuvə'stei] ~ *one's visa* blive længere end ens visum gælder; (*se også welcome¹*).

overstep [əuvə'step] *vb.* overskride; (*se også mark¹*).

overstock¹ ['əuvəstɔk] *sb.* overskudslager.

overstock² [əuvə'stɔk] *vb.* **1.** overfylde (*fx the kitchen with food*); **2.** (*merk.*) tage for mange varer på lager;
□ ~ *a farm* holde for stor besætning på en gård.

overstrain¹ ['əuvəstrein] *sb.* overanstrengelse.

overstrain² [əuvə'strein] *vb.* overanstrenge.

overstretched [əuvə'stretʃd] *adj.* udsat for store krav; spændt for hårdt for; overbebyrdet.

overstuffed [əuvə'stʌft] *adj.* **1.** overfyldt; **2.** (*om møbler*) overpolstret.

oversubscribed [əuvəsəb'skraibd] *adj.* (*om lån etc.*) overtegnet.

overt ['əuvɜ:t] *adj.* åbenlys, åbenbar; åben.

overtake [əuvə'teik] *vb.* **1.** indhente; **2.** (*om bil*) overhale; **3.** (*om ulykke etc.*) ramme; **4.** (*litt.: om følelser*) gribe, overvælde.

overtax [əuvə'tæks] *vb.* **1.** overbelaste (*fx one's heart; one's voice*); trække for store veksler på (*fx his patience*); **2.** beskatte for højt.

over-the-counter [əuvədə'kauntə] *adj.* der kan fås i håndkøb; håndkøbs-.

over-the-top [əuvədə'tɔp] *adj.* overdrevet; (*se også top¹*).

overthrow¹ ['əuvəθrəu] *sb.* **1.** fald (*fx the* ~ *of the government*); omstyrtelse; **2.** ødelæggelse.

overthrow² [əuvə'θrəu] *vb.* **1.** fælde, vælte (*fx a government*); styrte; omstyrte; bringe til fald; **2.** ødelægge (*fx democracy*); **3.** (*am.: bold*) kaste for langt.

overtime¹ ['əuvətaim] *sb.* **1.** overarbejde; overtid; **2.** (*penge*) overarbejdsbetaling; **3.** (*am.: i sport*) forlænget spilletid.

overtime² ['əuvətaim] *adv.* over tiden;
□ *work* ~ arbejde over.

overtone ['əuvətəun] *sb.* (*mus.*) overtone;
□ *-s* (*fig.*) overtoner, undertoner (*fx with political -s*).

overtop¹ [əuvə'tɔp] *vb.* F rage op over.

overtop[2] [əuvə'tɔp] *præp.* (*can.*) op over.

overtrick ['əuvətrik] *sb.* (*i bridge*) overtræk.

overture ['əuvətʃə] *sb.* 1. (*mus.*) ouverture; 2. (*for at indlede forbindelse med én*) tilnærmelse, føler (*from* fra); tilbud (*of* om); □ *make -s* a. søge en tilnærmelse (*to* til); b. træde i forhandlinger (*to* med); c. (*spøg.*) gøre tilnærmelser; (se også *peace overtures*).

overturn [əuvə'tə:n] *vb.* 1. vælte (*fx a table*); 2. (*regering*) se *overthrow*[2] 1; 3. (*jur.: afgørelse*) omstøde, tilsidesætte; 4. (*uden objekt*) vælte; 5. (*om båd*) kæntre.

overuse[1] [əuvə'ju:s] *sb.* overdreven brug.

overuse[2] [əuvə'ju:z] *vb.* bruge for meget; bruge i tide og utide.

overused [əuvə'ju:zd] *adj.* misbrugt; fortærsket.

overvalue [əuvə'vælju:] *vb.* overvurdere.

overview ['əuvəvju:] *sb.* oversigt.

overweening [əuvə'wi:niŋ] *adj.* F 1. overdreven (*fx ambition; pride*); 2. indbildsk.

overweight[1] ['əuveweit] *sb.* overvægt.

overweight[2] [əuvə'weit] *adj.* 1. (*om person*) overvægtig; 2. (*om ting*) som vejer for meget (*fx letter, luggage*).

overwhelm [əuvə'welm] *vb.* 1. overmande; 2. (*hær*) besejre fuldstændigt; knuse; 3. (*om følelse*) overvælde (*fx -ed by grief*); 4. (*litt.*) oversvømme.

overwhelming [əuvə'welmiŋ] *adj.* overvældende.

overwind [əuvə'waind] *vb.* (*ur*) trække for stærkt op, trække over.

overwork[1] [əuvə'wə:k, 'əuvə-] *sb.* overanstrengelse.

overwork[2] [əuvə'wə:k] *vb.* 1. arbejde for hårdt; overanstrenge sig; 2. (*med objekt: person*) overanstrenge; 3. (*udtryk*) slide for meget på.

overworked [əuvə'wə:kt] *adj.* 1. (*om person*) overanstrengt; 2. (*om udtryk*) slidt, fortærsket, udvandet (*fx metaphor*).

overwrite [əuvə'rait] *vb.* (*it*) overskrive.

overwrought [əuvə'rɔ:t] *adj.* 1. (*om person*) overtræt; overspændt, eksalteret; 2. (*om stil*) overlæsset, udpenslet.

oviparous [əu'vipərəs] *adj.* æglæggende.

ovipositor [əuvi'pɔzitə] *sb.* (*zo.*) læggebrod.

ovoid ['əuvɔid] *adj.* ægformet.

ovulate ['ɔvjuleit] *vb.* have ægløsning.

ovulation [əuvju'leiʃn] *sb.* ovulation, ægløsning.

ovum ['əuvəm] *sb.* (*pl.* ova ['əuvə]) (*biol.*) æg; ægcelle.

ow [au] *interj.* av.

owe [əu] *vb.* 1. skylde (*fx I ~ him £50; you ~ me a beer//an explanation; you still ~ me for the book*); skylde væk (*fx I ~ a lot of money*); 2. (*fig.*) skylde, have at takke for (*fx I ~ my parents a lot*); kunne takke for (*fx I ~ him my life*); □ *he thinks the world -s him a living* han tror tingene kommer af sig selv [ɔ: *uden han behøver at arbejde*]; *~ sth to sby* a. skylde en noget (*fx I ~ £50 to him*); b. se ovf.: 2; *~ a debt of gratitude to sby* stå i taknemlighedsgæld til en, være én tak skyldig; *~ it to sby to* skylde en at (*fx I ~ it to him help his son*).

owing ['əuiŋ] *adj.* skyldig, udestående, som skal betales; □ *he paid all that was ~* han betalte alt hvad der skyldtes; *I have £500 ~ on the car* jeg skylder £500 på bilen; *~ to* på grund af; som følge af (*fx ~ to a mistake we were not informed*); *it is ~ to him that* det skyldes ham at.

owl [aul] *sb.* (*zo.*) ugle; (se også *drunk*[3]).

owlish ['auliʃ] *adj.* 1. ugleagtig; 2. (*om person*) dum-højtidelig; fiffig-dum.

own[1] [əun] *adj.* 1. egen//eget//egne; 2. (*svarer ofte til*) selv; (se ndf.: *one's ~, b*); □ *one's ~* a. sin egen//sit eget//sine egne (*fx his ~ problems are more serious; he has his ~ car//room//problems*); b. (*vb. + ~ + sb. også*) selv (*fx he cooks his ~ meals* han laver selv sin mad); *the town has a character all its ~* byen har et ganske særligt præg; *it is my very ~* den er min helt alene; *he has his very ~ TV* han har sit helt eget tv; han har et tv helt for sig selv; *he stands in his ~ light* han står sig selv i lyset; (se også *thing, time*[1]); [med vb.] *I didn't have a moment/minute/second to call my ~* jeg havde ikke et øjebliks fred; *get one's ~ back* få revanche; få hævn; *hold one's ~* a. holde stand, stå fast; b. klare sig, hævde sig, stå sig; *make sth one's ~* tilegne sig noget;

[med *præp.*] *may I have it for my very ~?* må jeg få det helt alene? *come into one's ~* få sin ret; få hvad der tilkommer en; *of one's ~* sin egen//sit eget//sine egne (*fx she has a car//room of her ~*); *I have reasons of my ~* jeg har mine særlige grunde; *she has a fortune of her ~* hun har privat formue; *on one's ~* på egen hånd; *he is on his ~* (*også: om forretningsmand etc.*) han er sin egen mand; han er selvstændig.

own[2] [əun] *vb.* 1. eje; 2. F erkende, indrømme (*fx that it is not very good*); □ *he acted like he -ed the place* han optrådte som om han ejede det hele; [med *præp.& adv.*] *~ to* erkende, indrømme; vedkende sig (*fx a sense of relief*); *~ up* T melde sig (*fx the one who did it had better ~ up*); tilstå, gå til bekendelse.

owner ['əunə] *sb.* 1. ejer; indehaver; 2. (*ved byggeri*) bygherre; 3. (*mar.*) reder; □ *-s* (*også*) rederi.

owner-occupied [əunər'ɔkjupaid] *adj.* beboet af ejeren selv; □ *~ flat* ejerlejlighed.

owner-occupier [əunər'ɔkjupaiə] *sb.* selvejer; (parcel)husejer; indehaver af ejerlejlighed.

ownership ['əunəʃip] *sb.* 1. ejerskab; 2. ejendomsret.

own goal *sb.* selvmål.

owt [aut] *pron.* (*dial.*) = *anything*.

ox [ɔks] *sb.* (*pl.* -en) okse.

oxalic [ɔk'sælik] *adj.*: *~ acid* oksalsyre.

oxbow ['ɔksbəu] *sb.* 1. (*am.; til okseforspand*) åg; 2. (*geol.*) slangebugtning i flod.

oxbow lake *sb.* hesteskoformet sø.

Oxbridge ['ɔksbridʒ] [*fællesbetegnelse for Oxford og Cambridge*].

oxeye ['ɔksai], **oxeye daisy** (*bot.*) hvid okseøje; marguerit.

Oxfam *fork. f.* Oxford Committee for Famine Relief [*en hjælpeorganisation*].

oxford ['ɔksfəd] (*am.*) se *Oxford shoe*.

Oxford movement *sb.*: *the ~* (*hist.*) Oxfordbevægelsen [*højkirkelig retning i den anglikanske kirke*].

Oxford shoe *sb.* [*kraftig snøresko*].

oxhide ['ɔkshaid] *sb.* oksehud; okselæder.

oxidation [ɔksi'deiʃn] *sb.* oxidering, iltning.

oxide ['ɔksaid] *sb.* (*kem.*) oxid.

oxidize ['ɔksidaiz] *vb.* 1. oxidere, ilte; 2. (*uden objekt*) oxideres, iltes; anløbe.

oxlip ['ɔkslip] *sb.* (*bot.*) fladkravet kodriver.
Oxon. *fork. f.* **1.** *Oxfordshire*; **2.** *Oxford*.
Oxonian [ɔk'səuniən] *adj.* fra Oxford.
oxtail ['ɔksteil] *sb.* oksehale.
oxyacetylene [ɔksiə'setili:n] *adj.* autogen- (*fx torch* brænder; *welding* svejsning).
oxygen ['ɔksidʒən] *sb.* ilt, oxygen.
oxygenate [ɔk'sidʒineit] *vb.* ilte.
oxygen cylinder *sb.* iltflaske.
oyez [əu'jez] *interj.* hør! [*retsbetjents el. udråbers råb for at påbyde stilhed*].
oyster ['ɔistə] *sb.* østers; (se også *world*).
oyster bed *sb.* østersbanke.
oystercatcher ['ɔistəkætʃə] *sb.* (*zo.*) strandskade.
oyster farm *sb.* østersfarm.
Oz [ɔz] T Australien.
oz *fork. f. ounce(s)*.
ozone ['əuzəun] *sb.* ozon.
ozone hole *sb.* hul i ozonlaget.
ozone layer *sb.* ozonlag.

P

P [pi:]: *mind one's p's and q's* se *mind²*.

p *fork. f.* **1.** *penny//pence*; **2.** *page*.

PA *fork. f.* **1.** *personal assistant*; **2.** *public address (system)*.

pa [pa:] *sb.* T far.

Pa. *fork. f. Pennsylvania*.

p.a. *fork. f. per annum* årlig.

pabulum ['pæbjuləm] *sb.* **1.** føde; **2.** (*am.*) tyndt pladder.

PAC *fork. f.* (*am.*) *Political Action Committee*.

PACE *fork. f. Police and Criminal Evidence Act*.

pace¹ [peis] *sb.* **1.** tempo (*fx at* (i) *a slow//quick ~*; *work at one's own ~*); hastighed, fart; **2.** (*især om afstand*) skridt (*fx walk a few -s*; *two -s behind*); **3.** (*hests*) gangart; □ *a change of ~* **a.** et temposkift; **b.** (*am.*) en overraskende forandring; [*forb. med vb.*] *force the ~* forcere tempoet; *gather ~* se *gather*; *go through one's -s* vise hvad man duer til; *keep ~ with* holde trit med; *put him through his -s* lade ham vise hvad han dur til; *set the ~* **a.** bestemme farten; **b.** give tonen an; *he can't stand the ~* han kan ikke klare tempoet; han kan ikke følge med.

pace² [peis] *vb.* **1.** (*utålmodigt, nervøst*) vandre frem og tilbage i//på (*fx the room*; *the platform*); **2.** (*i sport*) pace; **3.** (*om hest*) gå pasgang; □ *~ oneself* tage det roligt, spare på kræfterne; *~ off/out* (o: *måle*) skridte af; *~ up and down* vandre (*utålmodigt*) frem og tilbage.

pace³ ['peisi, 'pa:tʃei] *præp.*: *~ Mr Smith* med al respekt for Mr Smith.

pacemaker ['peismeikə] *sb.* **1.** (*i sport*) pacer; **2.** (*fig.*) en der fører an; en der er toneangivende; frontløber; **3.** (*med.*: *i hjertet*) pacemaker.

pacer ['peisə] *sb.* **1.** (*om hest*; *især am.*) pasgænger; **2.** (*i sport*) pacer.

pacesetter ['peissetə] se *pacemaker 2*.

pachyderm ['pækidə:m] *sb.* tykhud [ɔ: *tykhudet dyr*].

Pacific [pə'sifik] *adj.* Stillehavs-;

□ *the ~* (*Ocean*) Stillehavet.

pacific [pə'sifik] *adj.* fredelig; forsonlig.

pacifically [pə'sifik(ə)li] *adv.* ad fredelig vej.

pacification [pæsifi'keiʃn] *sb.* (jf. *pacify*) **1.** beroligelse; **2.** pacificering; genoprettelse af fred.

pacifier ['pæsifaiə] *sb.* **1.** fredsstifter; **2.** (*am.*) sut [*til barn*].

pacifism ['pæsifizm] *sb.* pacifisme, fredsvenlighed.

pacifist ['pæsifist] *sb.* pacifist, fredsven.

pacify ['pæsifai] *vb.* **1.** (*person*) berolige; **2.** (*sted*) pacificere, skabe fred i.

pack¹ [pæk] *sb.* **A.** **1.** (*med ejendele*) rygsæk, oppakning; (*uordentlig*) bylt; **2.** (*med varer etc.*, *især am.*) pakke (*fx of cigarettes*; *of chewing gum*; *an information ~*); (se også *six-pack*); **3.** (*om is*) pakis; **4.** (*med. etc.*) pakning (*fx mud ~*); omslag (*fx a cold//hot ~*); (*med is i*) ispose; **B.** (*af individer*) **1.** (*dyr*) flok (*fx of wolves*); (*hunde*) kobbel; **2.** (*mennesker, neds.*) bande (*fx of thieves*); flok, samling, slæng; **3.** (*i rugby*) angrebskæde; **4.** (*i spejderkorps*) ulveflok;
□ *be ahead of the ~, lead the ~* (*fig.*) være forrest i feltet; *a ~ of cards* et spil kort; *a ~ of lies* en samling løgnehistorier; løgn og digt.

pack² [pæk] *vb.* (se også *packed*) **A.** (*med objekt*) **1.** (*bagage etc.*) pakke (*fx a suitcase*); **2.** (*ejendele*) pakke (*fx clothes*); pakke ned (*fx have you -ed your toothbrush?*); **3.** (*varer*) pakke; **4.** (*madvarer*) nedlægge (*fx meat in barrels*; *olives in jars*); lægge i dåse; **5.** (*personer: på snæver plads*) proppe; stuve sammen; **6.** (*sted*) fylde, overfylde; **7.** (*kort: for at snyde*) pakke; **8.** (*udvalg etc.*) sammensætte partisk; besætte med sine meningsfæller; **9.** (*it*) pakke (*fx a floppy disc*); **10.** (*sne, jord*) pakke fast sammen (*fx ~ soil around the roots*);
B. (*uden objekt*) **1.** pakke (*fx have you -ed?*); **2.** kunne pakkes (*fx this

suit will ~ without creasing; *books ~ easily* bøger er lette at pakke); **3.** (*om is*) pakke (*fx the ice -s*); **4.** (*om personer*) stimle sammen; samle sig i flok;
□ *~ a gun* (*am.* T) gå med pistol; *send sby -ing* smide en ud, sætte en på porten; (se også *punch²*);
[*med præp., adv.*] *~ away* **a.** pakke ned; **b.** lægge på plads; **c.** (T: *mad*) guffe i sig; *~ down* (*i rugby*) danne klynge; *~ in* **a.** opgive, sige farvel til (*fx one's job*); **b.** (*på snæver plads*) proppe/ mase/stuve sammen; *~ it in!* hold op med det! *~ them in* T samle et stort publikum; *~ into* **a.** (jf. *A 2*) pakke ned i (*fx clothes into a suitcase*); **b.** (jf. *B 4*) myldre/mase ind i (*fx people began to ~ into the hall*); *~ off* **a.** jage bort; sætte på porten; **b.** sende af sted (i en fart) (*fx ~ the boy off to school*); *~ oneself off* forsvinde; se at komme af sted; *~ out* **a.** fore; stoppe ud; **b.** (*fig. om rum*) fylde; *~ up* **a.** pakke (ned); pakke ind; **b.** pakke sammen (*fx he -ed up his things*); **c.** (T: *uden objekt*) pakke sammen; holde op; **d.** (*om maskine*) gå i stå; *~ it up = ~ it in*.

package¹ ['pækidʒ] *sb.* **1.** (*post*) pakke; **2.** (*især am.: om vare*) pakke (*fx of cookies*); æske; **3.** (*fig.: af ting der hører sammen*) pakke (*fx a software ~*; *a ~ of new measures*); samling.

package² ['pækidʒ] *adj.* samlet (*fx wage increase*).

packaged ['pækidʒd] *adj.* (*også fig.*) pakket; emballeret;
□ *~ as* (*fig.*) emballeret/camoufleret som.

package deal *sb.* samlet overenskomst; pakkeløsning.

package holiday, package tour *sb.* færdigpakket rejse; charterrejse.

packaging ['pækidʒiŋ] *sb.* emballage, indpakning.

pack animal *sb.* lastdyr.

pack drill *sb.* (*mil.*) stroppetur [*med fuld oppakning*].

packed [pækt] *adj.* **1.** pakket; **2.** indpakket; emballeret; **3.** (*om sted*) stuvende fuld; tætpakket;

4. (*neds.*) partisk (*fx jury*); □ *are you* ~*?* har du pakket? *a* ~ *house* fuldt hus; ~ *with* propfuld af (*fx furniture; information*).
packed lunch *sb.* madpakke.
packed-out [pækt'aut] *adj.* propfuld.
packer ['pækə] *sb.* **1.** pakker; **2.** pakkemaskine; **3.** konservesfabrikant.
packet ['pækit] *sb.* **1.** pakke (*fx of cigarettes; of chewing gum*); æske; pose (*fx of chips*); **2.** (*it*) pakke; □ *a* ~ *of needles* et brev nåle; *make a* ~ T tjene tykt; *score kassen*; (*se også cost²*).
pack horse *sb.* pakhest.
pack ice *sb.* pakis.
packing ['pækiŋ] *sb.* **1.** pakning; emballering; **2.** pakkemateriale; emballage; **3.** tætningsmiddel.
packing case *sb.* pakkasse.
packing ring *sb.* tætningsring.
packing slip *sb.* pakseddel; følgeseddel.
packsack ['pæksæk] *sb.* (*am.*) rygsæk.
packsaddle ['pæksædl] *sb.* paksaddel.
packthread ['pækθred] *sb.* sejlgarn.
pact [pækt] *sb.* pagt; overenskomst.
pad¹ [pæd] *sb.* **1.** (*til beskyttelse, udfyldning*) pude (*fx shoulder* ~); **2.** (*i sport*) (knæ)beskytter; benskinne; **3.** (*fx i brystholder*) indlæg; **4.** (*i seng*) underlag; tynd madras; **5.** (*i stol*) hynde; **6.** (*zo.*) trædepude; **7.** (*på finger*) blomme; fingerspids; **8.** (*med.: omtr.*) kompres; **9.** (*med papir til afrivning*) blok; **10.** (*på skrivebord*) skriveunderlag; **11.** (*til stempel: med farve*) stempelpude; **12.** (*til rensning*) svamp; (*til polering*) pude; **13.** (*bot.*) åkandeblad; **14.** (*flyv.*) se *helipad, launch pad*; **15.** (*glds.* T) sted at bo; lejlighed; værelse; **16.** (*lyd af fodtrin*) dappen.
pad² [pæd] *vb.* **1.** (*for at beskytte mod stød*) polstre; fore; **2.** (*for at fylde ud*) udfore; stoppe ud; **3.** (*am.: regning etc.*) puste op [*med falske poster*]; **4.** (*til fods*) traske, lunte; dappe; □ ~ *out* a. (*tøj etc.*) udfore, vattere; b. (*fig.*) fylde ud [*med overflødigt stof*]; komme fyldekalk i.
padded ['pædid] *adj.* polstret, vatteret; udstoppet; □ *he is well* ~ (ɔ*: tyk*) han er godt polstret.
padded bra *sb.* bh med indlæg.
padded cell *sb.* gummicelle.
padded shoulders *sb. pl.* vatskuldre.
padding ['pædiŋ] *sb.* **1.** udstop-

ning; polstring; **2.** (*fig.*) fyldekalk, fyld.
paddle¹ ['pædl] *sb.* **1.** (*til kano*) padleåre, paddel; **2.** (*til kajak*) pagaj; **3.** (*på vandhjul*) skovl; **4.** (*til bordtennis*) bat; **5.** (*til vasketøj*) banketræ; **6.** (*på sæl*) luffe; **7.** (*it*) paddle; styrepind; **8.** (*i lavt vand*) soppetur.
paddle² ['pædl] *vb.* **1.** (*i kano, kajak*) padle; pagaje; **2.** (*gå*) soppe; vade; **3.** (*am.* T) smække, give smæk; □ ~ *one's own canoe* (*fig.*) være uafhængig; køre sit eget løb; klare sig selv.
paddle steamer *sb.* hjuldamper.
paddle wheel *sb.* (*på hjuldamper*) skovlhjul.
paddling pool ['pædliŋpu:l] *sb.* soppedam, soppebassin.
paddock ['pædək] *sb.* **1.** (*til heste*) indhegning, fold, vænge; **2.** (*ved hestevæddeløbsbane*) sadelplads; **3.** (*austr.*) mark, jordlod.
Paddy ['pædi] *sb.* [*neds. øgenavn for irer*].
paddy ['pædi] *sb.* **1.** (*glds.* T) anfald af hidsighed; raserianfald; **2.** = *paddy field*.
paddy field *sb.* rismark.
paddy wagon *sb.* (*am.* T) salatfad, fangetransportvogn.
padlock¹ ['pædlɔk] *sb.* hængelås.
padlock² ['pædlɔk] *vb.* lukke med hængelås; sætte hængelås for.
padre ['pa:dri, -drei] *sb.* T feltpræst.
padsaw ['pædsɔ:] *sb.* nøglehulssav.
paean ['pi:ən] *sb.* hymne (*to* til).
paediatrician [pi:diə'triʃn] *sb.* pædiater, børnelæge.
paediatrics [pi:di'ætriks] *sb.* pædiatri, læren om børnesygdomme.
paedo ['pi:dəu] *sb.* S pædofil.
paedophile ['pi:dəfil] *sb.* pædofil.
paedophilia [pi:də'filiə] *sb.* pædofili.
paella [pai'elə] *sb.* paella.
pagan¹ ['peigən] *sb.* hedning.
pagan² ['peigən] *adj.* hedensk.
paganism ['peigənizm] *sb.* hedenskab.
page¹ [peidʒ] *sb.* **1.** (*i bog, avis, på skærm etc.*) side; **2.** (*fig.*) episode (*fx in the country's history*); kapitel; **3.** (*person: i hotel*) piccolo; (*am. også*) bud; **4.** (*ved bryllup, især am.*) brudesvend; **5.** (*am.: for kongresmedlem*) volontør; **6.** (*hist.*) page; □ *we are on the same* ~ (*fig.*) vi er enige om hvad vi laver.
page² [peidʒ] *vb.* **1.** (*person*) tilkalde over højttaleranlæg; tilkalde ved personsøger; sende besked til

via personsøger; **2.** (*tekst*) paginere [ɔ*: sætte sidenumre på*]; □ ~ *through* blade igennem; bladre i.
pageant ['pædʒ(ə)nt] *sb.* **1.** optog, parade; **2.** (historisk) festspil; **3.** opvisning, show; **4.** (*am.*) skønhedskonkurrence; **5.** (*fig.*) tom pragt.
pageantry ['pædʒ(ə)ntri] *sb.* pomp og pragt.
pageboy ['peidʒbɔi] *sb.* **1.** piccolo; **2.** brudesvend; **3.** (*frisure*) pagehår.
page proof *sb.* ombrudt korrektur.
pager ['peidʒə] *sb.* personsøger.
page three girl *sb.* (*svarer til*) side ni-pige.
page-turner ['peidʒtə:nə] *sb.* (*let glds.* T) spændende bog.
paginate ['pædʒineit] *vb.* paginere.
pagination [pædʒi'neiʃn] *sb.* paginering.
pagoda [pə'gəudə] *sb.* pagode.
pah [pa:] *interj.* bah! æv! føj!
paid¹ [peid] *præt. & præt. ptc. af pay.*
paid² [peid] *adj.* lønnet (*fx work; worker*); □ *put* ~ *to* gøre en ende på; sætte punktum for; gøre det af med.
paid holiday *sb.* ferie med løn.
paid-up capital [peidʌp'kæpit(ə)l] *sb.* indbetalt kapital.
paid-up member [peidʌp'membə] *sb.* fuldgyldigt medlem.
pail [peil] *sb.* spand.
pain¹ [pein] *sb.* (se også *pains*) **1.** smerte; **2.** (*fig.*) smerte; lidelse; □ *a* ~, *a* ~ *in the neck* en prøvelse, en plage; *he//it is a* ~ *in the arse* (*vulg.*) han//det er skideirriterende; *no* ~ *no gain* [*man opnår ikke noget uden at anstrenge sig*]; [*med vb., præp.*] *be in* ~ have ondt; have smerter; lide; *feel no* ~ (*am.*) være godt fuld; *give* ~ gøre ondt; smerte; *have a* ~ *in* have ondt i (*fx the stomach*); *be in great* ~ lide stærkt; være meget forpint; *it was forbidden on/under* ~ *of imprisonment* det var forbudt og ville medføre fængselsstraf; *on/under* ~ *of death* under dødsstraf; *put* him *out of* ~ gøre ende på hans lidelser; S slå ham ihjel.
pain² [pein] *vb.* **1.** F smerte, pine (*fx it -s me to have to say this*); bedrøve; **2.** (*am.: uden objekt*) gøre ondt.
pain barrier *sb.* smertetærskel.
pained [peind] *adj.* forpint (*fx expression*); plaget.
painful ['peinf(u)l] *adj.* **1.** (*fysisk*) smertende, som gør ondt; øm (*fx*

feet); **2.** (*åndeligt*) smertelig (*fx memories; experience*); pinefuld, tung (*fx decision*); **3.** (*at overvære//høre*) pinlig (*fx scene; it was ~ to listen to*).

painkiller ['peinkilə] *sb.* smertestillende middel.

painless ['peinləs] *adj.* smertefri.

pains [peinz] *umage; møje; ulejlighed;* (se også *growing pains, labour pains*);
□ *take ~* gøre sig umage (*over med*);
[*med præp.*] *be at ~ to* gøre sig umage for at; *that was all I got for my ~* det var alt hvad jeg fik for min ulejlighed; det var alt hvad jeg fik ud af det//ud af mine anstrengelser; *go to great ~ to* gøre sig meget/stor umage for at.

painstaking ['peinzteikiŋ] *adj.* omhyggelig; samvittighedsfuld.

paint[1] [peint] *sb.* **1.** maling; (se også *fresh*); **2.** farve (*fx oil -s*); **3.** (*glds.*) sminke; **4.** (*am.*) broget hest.

paint[2] [peint] *vb.* **1.** male; **2.** sminke; **3.** (*med.*) pensle (*fx ~ the gums with iodine*); **4.** (*fig.*) male, skildre;
□ *he is not so bad/black as he is -ed* han er bedre end sit rygte; *~ a gloomy//rosy picture of sth* (*fig.*) male et dystert//rosenrødt billede af noget; skildre noget i dystre// rosenrøde farver; (se også *lily, town*);
[*med præp.& adv.*] *~ in* indføje [*i maleri*]; *~ in oils* male med oliefarver; *~ oneself into a corner* se *corner*[1]; *~ on* påmale; *~ out* male over; *~ well* a. male godt; **b.** være et egnet motiv [*til maleri*].

paintball ['peintbɔ:l] *sb.* [*krigsleg hvor man skyder hinanden med farvekugler*].

paintbox ['peintbɔks] *sb.* **1.** farvelade [*med vandfarver*]; **2.** malerkasse.

paintbrush ['peintbrʌʃ] *sb.* pensel, malerpensel; (*større*) malerkost.

painted lady [peintid'leidi] *sb.* (*zo.*) tidselsommerfugl.

painter ['peintə] *sb.* **1.** maler; **2.** kunstmaler; **3.** (*fig.*) skildrer; **4.** (*mar.*) fangline;
□ *cut the ~* (*jf.* 4: *fig., let glds.*) bryde forbindelsen.

painterly ['peintəli] *adj.* maler-, kunstnerisk (*fx talents; eye* blik); malermæssig.

pain threshold *sb.* smertetærskel [*hvor smerte begynder at mærkes*].

painting ['peintiŋ] *sb.* **1.** (*billede*) maleri; **2.** (*aktivitet*) maleri, malerkunst; **3.** (*af hus etc.*) maling.

paint roller *sb.* malerulle.

paint stripper *sb.* maling(s)fjerner.

paintwork ['peintwə:k] *sb.: the ~* **a.** det malede; malearbejdet; malingen; **b.** (*på bil etc.*) lakken (*fx the ~ had been scratched*).

pair[1] [pɛə] *sb.* **1.** par; **2.** (*af heste, for vogn*) tospand;
□ *in -s* to og to; parvis; *a ~ of boots//gloves* et par støvler//handsker; (se også *boot*[1], *shoe*[1]; *compasses, pincers, scissors*).

pair[2] [pɛə] *vb.* **1.** parre (*with* med); **2.** (*parl.*: om medlemmer af modsatte partier*) lave clearingaftale [ɔ: *aftale at begge udebliver fra en afstemning*];
□ *~ off* slå sig sammen to og to, danne par; *be -ed off with* blive sat sammen med.

paisley ['peizli] *adj.* sjalsmønstret;
□ *~ print* sjalsmønster.

pajamas [pə'dʒa:məz] *sb. pl.* (*am.*) pyjamas.

Paki ['pæki] *sb.* (S, *neds.*) pakistaner; perker.

Pakistani[1] [pa:ki:'sta:ni, 'pæki-] *sb.* pakistaner.

Pakistani[2] [pa:ki:'sta:ni, 'pæki-] *adj.* pakistansk.

pal[1] [pæl] *sb.* S kammerat; god ven.

pal[2] [pæl] *vb.: ~ up with* (*glds.*) blive gode venner med, slå sig sammen med.

palace ['pælis] *sb.* palads, slot; palæ; (*for biskop*) bispegård;
□ *the ~* (*fig.: især*) kongehuset, kongefamilien.

palaeography [pæli'ɔgrəfi, (*am.*) peili-] *sb.* palæografi [*oldskrifttydning*].

palaeolithic [pæliə'liθik, (*am.*) peiliə-] *adj.: the Palaeolithic Period* den ældre stenalder.

palaeontology [pæliɔn'tɔlədʒi, (*am.*) peili-] *sb.* palæontologi [*læren om uddøde dyr og planter*].

palanquin [pælən'ki:n] *sb.* (*i Østen*) bærestol, palankin.

palatable ['pælətəbl] *adj.* **1.** velsmagende; **2.** (*fig.*) acceptabel, tiltalende, spiselig.

palate ['pælət] *sb.* **1.** gane; **2.** (*fig.*) gane; smag.

palatial [pə'leiʃ(ə)l] *adj.* fornem, paladsagtig.

palaver[1] [pə'la:və] *sb.* T palaver; parlamenteren.

palaver[2] [pə'la:və] *vb.* **1.** snakke vidt og bredt; **2.** smigre.

pale[1] [peil] *sb.: be beyond the ~* **a.** (*om person*) være socialt umulig; have sat sig uden for det gode selskab; **b.** (*om ytring*) gå over stregen (*fx that joke was beyond the ~*).

pale[2] [peil] *adj.* bleg.

pale[3] [peil] *vb.* blegne; blive bleg.

pale ale *sb.* [*en lys alkoholholdig ølsort*].

paleface ['peilfeis] *sb.* blegansigt.

Palestine ['pæləstain] Palæstina.

Palestinian[1] [pælə'stiniən] *sb.* palæstinenser.

Palestinian[2] [pælə'stiniən] *adj.* palæstinensisk.

palette ['pælit] *sb.* palet.

palette knife *sb.* paletkniv.

palfrey ['pɔ(:)lfri] *sb.* (*glds.*) ridehest [*især til damer*]; (*poet.*) ganger.

palimony ['pæliməni] *sb.* (*am.*) [*retsbestemt bidrag til papirløs partner*]; underholdsbidrag.

palindrome ['pælindrəum] *sb.* palindrom [*ord/udtryk der er ens læst forfra og bagfra, fx rotator*].

paling ['peiliŋ] *sb.* **1.** stakit; **2.** stakittremme.

palisade [pæli'seid] *sb.* palisade.

pall[1] [pɔ:l] *sb.* [*sort klæde over en kiste*];
□ *a ~ of smoke* et røgtæppe; *cast a ~ over* kaste en skygge over; lægge en dæmper på.

pall[2] [pɔ:l] *vb.* miste sin tiltrækning (*on* for); blive kedelig;
□ *it -ed on me* (*også*) jeg tabte efterhånden interessen for det; det begyndte at kede mig.

pallbearer ['pɔ:lbɛərə] *sb.* kistebærer; sørgemarskal.

pallet ['pælit] *sb.* **1.** (*til gaffeltruck*) lastpalle; **2.** (*glds.: til at ligge på*) primitivt leje; (*af halm*) halmmadras; **3.** (*kunstners*) palet; **4.** (*til at forme ler*) modellerpind; **5.** (*tekn.*) pal.

palletize ['pælətaiz] *vb.* pakke// transportere på palle(r).

pallet truck *sb.* (*am.*) pallevogn.

palliasse ['pæliæs] *sb.* halmmadras.

palliate ['pælieit] *vb.* F **1.** lindre; **2.** besmykke; dække over.

palliative ['pæliətiv] *sb.* **1.** (*med.*) lindrende middel; **2.** (F: *fig.*) [*noget som skal dække over det virkelige problem*]; (*omtr.*) lappeløsning.

pallid ['pælid] *adj.* bleg; gusten.

pallid harrier *sb.* (*zo.*) steppehøg.

Pall Mall [pæl'mæl] [*gade i London*].

pallor ['pælə] *sb.* bleghed.

pally ['pæli] *adj.* T kammeratlig.

palm[1] [pa:m] *sb.* **1.** håndflade; **2.** (*til beskyttelse af håndfladen*) sejlmagerhandske; **3.** (*bot.*) palme;
□ *have/hold in the ~ of one's hand* (*fig.*) have i sin hule hånd;

have an itching ~ være grisk; [*med*] **cross** *sby's* ~ *with silver* (*især spøg.*) stikke én et par skillinger [*for at få ham//hende til at gøre noget for en*]; **grease** *sby's* ~ bestikke/smøre en; **read** *sby's* ~ spå en i hånden.

palm² [pa:m] *vb.* (*om trylle-kunstner etc.*) palmere; gemme i hånden;
□ ~ *sth* **off** **on** *sby* prakke en noget på; ~ *sby* **off** **with** *sth* spise en af med noget.

palm civit *sb.* (*zo.*) palmeruller.

palmcorder ['pa:mkɔ:də] *sb.* håndholdt videokamera.

palmetto [pæl'metəu] *sb.* vifte-palme; dværgpalme.

palmist ['pa:mist] *sb.* kiromant [*en der spår i hånden*].

palmistry ['pa:mistri] *sb.* kiromanti [*kunsten at spå i hånden*].

palm oil *sb.* palmeolie.

Palm Sunday *sb.* palmesøndag.

palmtop ['pa:mtɔp] *sb.* (*it*) lille bærbar computer.

palmy ['pa:mi] *adj.*: ~ *days* lykkelig tid; glansperiode, storhedstid.

palp [pælp] *sb.* (*zo.*) føletråd; følehorn.

palpable ['pælpəbl] *adj.* håndgribelig; som er til at tage og føle på; tydelig, åbenbar.

palpitate ['pælpiteit] *vb.* **1.** (*om hjertet*) banke voldsomt//uregelmæssigt, hamre; **2.** (*litt.*) skælve (*fx with terror*); sitre.

palpitations [pælpi'teiʃnz] *sb. pl.* (hurtig, uregelmæssig) hjertebanken.

palsied ['pɔ:lzid] *adj.* lam; rystende.

palsy ['pɔ:lzi] *sb.* (*glds.*) lammelse; rystelammelse.

palter ['pɔ:ltə] *vb.*: ~ *with* (*glds.*) lave pjat med med; omgås letsindigt med (*fx the truth*).

paltry ['pɔ(:)ltri] *adj.* ussel (*fx for a* ~ *three hundred pounds*); elendig, sølle.

pampas ['pæmpəs] *sb.* pampas [*øde sletter i Sydamerika*].

pamper ['pæmpə] *vb.* forkæle; forvænne.

pamphlet ['pæmflət] *sb.* **1.** (*med oplysninger*) brochure; pjece; hæfte; **2.** (*polemisk*) stridsskrift; pamflet, smædeskrift.

pamphleteer [pæmflə'tiə] *sb.* (*cf. pamphlet 2*) forfatter af stridsskrifter/smædeskrifter *etc.*; pamflettist.

pan¹ [pæn] *sb.* **1.** (*til stegning*) pande; (se også *roasting pan*); **2.** (*til kogning*) kasserolle; **3.** (*am.: til bagning*) bageform; **4.** (*på vægt*)

vægtskål; **5.** (*til wc*) kumme; **6.** (*guldgravers*) vaskepande; **7.** (*i terrænet*) lavning, fordybning; saltpande; **8.** (*film.*) panorering; **9.** (*am.* S) ansigt, fjæs; □ *the firm went down the* ~ (*jf. 5: fig.*, **T**) **a.** det gik tilbage for firmaet; **b.** firmaet gik rabundus/gik ned.

pan² [pæn] *vb.* **1.** (*guld*) vaske; **2.** (*film.*) panorere; **3.** (**T**: *om anmelder*) rakke ned, sable ned; □ ~ *out* **a.** (*om guldholdigt grus*) afgive guld; **b.** (*fig.*) lykkes, blive til noget, give resultat (*fx the plan didn't* ~ *out*); *see how it -s out* se hvordan det spænder af.

panacea [pænə'siə] *sb.* (*neds.*) universalmiddel; patentløsning (*for på*).

panache [pə'næʃ] *sb.* glans; flothed; elegance;
□ *with* ~ **a.** flot; pompøst (*fx he talked with* ~ *of our "thousand years of history"*); **b.** med en flot gestus (*fx with great* ~ *he flung open the door*).

panama ['pænəma:], **panama hat** *sb.* panamahat.

pan-American [pænə'merikən] *adj.* panamerikansk [*omfattende alle stater i Nord-, Central- og Syd-amerika*].

pancake¹ ['pænkeik] *sb.* **1.** pande-kage; **2.** (*teat.*) [*tykt vandopløse-ligt sminkeunderlag*].

pancake² ['pænkeik] *vb.* **1.** (*flyv.*) foretage en flad brat landing; synke igennem; **2.** blive flad som en pandekage.

Pancake Day *sb.* hvidetirsdag.

pancake landing *sb.* (*flyv.*) flad brat landing.

pancake roll *sb.* forårsrulle.

pancreas ['pæŋkriəs] *sb.* (*anat.*) pankreas, bugspytkirtel.

pancreatic [pæŋkri'ætik] *adj.* bugspytkirtel- (*fx cancer*);
□ ~ *juice* bugspyt.

panda ['pændə] *sb.* (*zo.*) lille panda; kattebjørn; (se også *giant panda*).

panda car *sb.* politibil, patruljevogn.

pandemic¹ [pæn'demik] *sb.* pandemi, meget udbredt epidemi.

pandemic² [pæn'demik] *adj.* pan-demisk, meget udbredt.

pandemonium [pændi'məuniəm] *sb.* vild forvirring, vildt oprør; øredøvende spektakel.

pander ['pændə] *vb.*: ~ *to* lefle for (*fx their low tastes*).

Pandora's box [pændɔ:'rəz'bɔks] *sb.* (*myt.& fig.*) Pandoras æske [*som rummede alverdens ulykker og*

ikke måtte lukkes op].

pane [pein] *sb.* (vindues)rude.

panegyric [pænə'dʒirik] *sb.* F pa-negyrik; lovtale (*on* over); lovpris-ning (*on* af).

panegyrical [pænə'dʒirik(ə)l] *adj.* panegyrisk, rosende, lovprisende.

panel ['pæn(ə)l] *sb.* **A.** (*afgrænset felt, stykke*) **1.** (*på møbel*) panel; plade; **2.** (*i dør*) fylding; **3.** (*med billede*) felt; **4.** (*på bil*) karosseri-plade; **5.** (*ved byggeri*) (væg)ele-ment; (væg)plade; **6.** (*bogb.*) ryg-felt; **7.** (*typ.*: *indrammet felt*) ramme; kasse; **8.** (*i kuvert*) rude; **9.** (*af altertavle*) fløj; **10.** (*i kjole*) indfældet stykke, panel; kile; **11.** (*på mobiltelefon*) display; **B.** (*til betjening*) **1.** (*elek.*) betje-ningstavle, betjeningspanel; strømtavle; omskiftertavle; **2.** (*i bil, i fly*) instrumentbræt; **3.** (*mar.*) styrepult;
C. (*om personer*) **1.** panel, gruppe; udvalg (*fx an advisory* ~); **2.** (*ved udstilling, konkurrence*) bedøm-melseskomité, bedømmelsesud-valg; **3.** (*ved diskussion, spørge-leg, i tv etc.*) panel; **4.** (*jur.*) næv-ningeliste; (*ved retssag*) jury; (*dommere*) dommerkollegium; **5.** (*i sygesikring*) [*fortegnelse over sygesikringspatienter//sygesi-kringslæger*].

panel beater *sb.* pladesmed.

panel game *sb.* (*tv, radio.*) quiz.

panel heating *sb.* panelopvarm-ning.

panelled ['pæn(ə)ld] *adj.* panel-klædt, paneleret.

panelled door *sb.* fyldingsdør.

panelling ['pæn(ə)liŋ] *sb.* træbe-klædning, panelering.

panellist ['pæn(ə)list] *sb.* paneldel-tager.

panel pin *sb.* (*søm*) dykker; tråd-stift.

panel saw *sb.* håndsav.

panel truck *sb.* (*am.*) [*lille lukket varevogn*].

pang [pæŋ] *sb.* **1.** (pludselig) smerte, jag; **2.** (*fig.*) stik (*fx of jeal-ousy; of remorse*);
□ *-s of conscience* samvittigheds-kvaler.

panga ['pæŋgə] *sb.* [*afrikansk ma-chete*].

pangolin [pæŋ'gəulin] *sb.* (*zo.*) skældyr.

panhandle¹ ['pænhændl] *sb.* (*am.*) [*smal udløber af større landom-råde*]; landstrimmel.

panhandle² ['pænhændl] *vb.* (*am.* **T**) tigge;
□ ~ *sby* **for** (*også*) slå en for (*fx a tenner*).

panhandler ['pænhændlə] *sb.* (*am.* T) tigger.

panic[1] ['pænik] *sb.* panik; panisk skræk;
□ *be thrown into (a)* ~ blive grebet af panik.

panic[2] ['pænik] *adj.* panisk; panikagtig (*fx haste*).

panic[3] ['pænik] *vb.* **1.** blive grebet af panik, blive panikslagen; **2.** (*med objekt*) skræmme (*into* + *-ing* til at).

panic button *sb.* alarmknap;
□ *hit/press the* ~ (*fig.*) blive grebet af panik; *press the* ~ *for* alarmere.

panic buying *sb.* hamstring [*i panik*].

panicky ['pæniki] *adj.* **1.** panikslagen; **2.** (*om egenskab*) som let bliver grebet af panik.

panic stations *sb.*: *it was* ~ der var stor opstandelse; *han//de etc.* blev grebet af panik.

panic-stricken ['pænikstrik(ə)n] panikslagen.

pannier ['pæniə] *sb.* **1.** kurv [*især til at bære på ryggen el. som bæres af lastdyr*]; **2.** cykeltaske [*til at hænge over baghjulet*]; **3.** (*hist.: til krinoline*) fiskebensstativ//metalstativ.

panoply ['pænəpli] *sb.* F **1.** pragt, pomp (*fx inaugurated with much* ~); **2.** stort opbud; **3.** (*glds.*) fuld udrustning;
□ *the whole* ~ *of* **a.** al den pragt der hører sig til ved (*fx a royal wedding*); **b.** alt hvad man kunne opbyde af, hele den imponerende række af (*fx drugs; weapons*).

panorama [pænə'ra:mə] *sb.* panorama.

panoramic [pænə'ræmik] *adj.* panoramisk (*fx view*); panorama-.

panpipes ['pænpaips] *sb. pl.* panfløjte.

pansy ['pænzi] *sb.* **1.** stedmoderblomst; **2.** (*glds., vulg.*) feminin mand; bøsseka'l, svans.

pant[1] [pænt] *sb.* gisp; stønnen; (se også *pants*).

pant[2] [pænt] *vb.* **1.** gispe; stønne; **2.** (*ytring*) fremstønne;
□ ~ *for* sukke efter, tørste efter, hige efter; ~ *for breath* snappe efter vejret.

pantdress ['pæntdres] *sb.* buksenederdel.

pantheism ['pænθiizm] *sb.* panteisme.

pantheist ['pænθiist] *sb.* panteist.

pantheistic [pænθi'istik] *adj.* panteistisk.

pantheon ['pænθiən] *sb.* panteon; gudekreds.

panther ['pænθə] *sb.* **1.** (*zo.*) pan-

ter; **2.** (*am.*) puma.

pantie girdle = *panty girdle*.

panties ['pæntiz] *sb. pl.* trusser; (*med ben*) underbukser.

pantihose ['pæntihəuz] = *pantyhose*.

pantile ['pæntail] *sb.* vingetagsten.

panto ['pæntəu] T = *pantomime*.

pantograph ['pæntəgra:f] *sb.* (*film. etc.*) pantograf.

pantomime ['pæntəmaim] *sb.* **1.** [*parodisk eventyrkomedie der opføres ved juletid*]; **2.** (*stumt skuespil*) pantomime; **3.** (*fig.*) komedie, farce.

pantomime dame *sb.* (*jf. pantomime 1*) [*ældre kvindelig hovedperson spillet af en mand*].

pantomime horse *sb.* [*hest spillet af to personer i ét hestekostume*].

pantry ['pæntri] *sb.* **1.** (*til madvarer*) spisekammer; viktualierum; **2.** (*til dækketøj, bestik etc.*) anretterværelse; **3.** (*mar., flyv.*) stirrids.

pants [pænts] *sb. pl.* **1.** underbukser; **2.** (*am.*) bukser;
□ *catch sby with his* ~ *down* overraske én, tage en med bukserne nede; *it is* ~*!* S det er noget møg// sludder//pjat! *a kick in the* ~ et spark bagi; *he puts his* ~ *on one leg at a time* (*am. fig.*) han er ikke anderledes end andre mennesker; *she wears the* ~ (*am. fig.*) det er hende der har bukserne på; (se også *seat*[1] (*by the seat of* ...), *shit*[2]); [*med vb. + off*] *he can act//ride etc. the* ~ *off you* han spiller//rider *etc.* tusind gange bedre end dig; *bore the* ~ *off sby* kede én til døde; *charm the* ~ *off sby* tage en med storm; *scare the* ~ *off sby* skræmme en fra vid og sans.

pantskirt ['pæntskə:t] *sb.* buksenederdel.

pantsuit ['pæntsu:t] *sb.* (*am.*) buksedragt.

panty ['pænti] *sg. af panties*.

panty girdle *sb.* roll-on benklæder.

pantyhose ['pæntihəuz] *sb.* (*am.*) strømpebukser.

panty liner *sb.* trusseindlæg.

pap [pæp] *sb.* **1.** vælling, grød [*til små børn el. syge*]; **2.** (*fig.*) indholdsløst/tyndt pladder.

papa [pə'pa:] *sb.* papa, far.

papacy ['peipəsi] *sb.* **1.** (*tid*) pontifikat, paves regeringstid; **2.** (*stilling*) paveembede, paveværdighed; **3.** (*magt*) pavedømme.

papal ['peip(ə)l] *adj.* pavelig; pave-.

paparazzi [pæpə'rætsi] *sb. pl.* paparazzi, freelancefotografer, snigfotografer [*som går tæt på berømtheder*].

papaya [pə'pa:jə] *sb.* (*bot.*) papaya.

paper[1] ['peipə] *sb.* **1.** (*materiale*) papir; **2.** (*til væg*) tapet; **3.** (*penge*) pengesedler (*fx in silver, no* ~ *please*); **4.** (*teat.* S) fribilletter; **5.** (*enkelt stykke*) seddel, papir; **6.** (*med nyheder*) avis, blad; **7.** (*videnskabelig: ved konference*) foredrag; indlæg; videnskabelig meddelelse; (*trykt*) afhandling; **8.** (*ved skriftlig eksamen: især med flere spørgsmål*) opgave; (*afleveret*) besvarelse; **9.** (*am.: i skole*) stil; **10.** (*merk.*) = *commercial paper*; **11.** (*af knappenåle etc.*) pakke, brev; **12.** (S: *af narko*) bane; rør;
□ *-s* **a.** papirer; dokumenter; **b.** personlige papirer (*fx the letter was found among his -s*); **c.** identifikationspapirer;
give/read a ~ *on* (*jf.* 7) holde foredrag/forelæsning om; forelægge en meddelelse om; (se også *hang*[2]); [*med præp.*] *in* ~ (*jf.* 3) i sedler; *the house is full of* ~ (*jf.* 4) de fleste tilskuere har fribillet; *on* ~ på papiret [o: *i teorien*]; *get it down on* ~ få det skrevet ned; *put pen to* ~ gribe pennen; (se også *commit*).

paper[2] ['peipə] *adj.* **1.** papir-, papirs- (*fx towel*); **2.** (*fig.*) skrivebords- (*fx work*); som kun eksisterer på papiret (*fx a* ~ *blockade; the* ~ *strength of the army*).

paper[3] ['peipə] *vb.* **1.** (*væg*) tapetsere; **2.** (S: *teater etc.*) [*fylde ved uddeling af fribilletter*];
□ ~ *over* **a.** dække med tapet; **b.** (*fig.*) skjule nødtørftigt; dække over; ~ *over the cracks* (*fig.*) dække over uenigheden.

paperback ['peipəbæk] *sb.* paperback, billigbog.

paper bag *sb.* papirspose;
□ *he can't fight//organize etc. his way out of a (wet)* ~ han er fuldstændig håbløs til at slås//organisere *etc.*

paperboard ['peipəbɔ:d] *sb.* karton;
□ *in -s* kartonneret.

paperbound [peipə'baund] *adj.* (*om bog*) hæftet.

paper boy *sb.* avisdreng.

paper chase *sb.* sporleg, papirsjagt.

paper clip *sb.* clips.

paper cup *sb.* papbæger.

paper dart *sb.* papirflyver.

paper fastener *sb.* split.

paperhanger ['peipəhæŋə] *sb.* tapetserer.

paper knife *sb.* papirkniv.

paper mill *sb.* papirfabrik.

paper money *sb.* seddelpenge, papirspenge.

paper nautilus *sb.* (*zo.*) papirsnekke.

▸aper plate *sb.* paptallerken.

▸aper profit *sb.* [*indtægt der kun figurerer på papiret*]; urealiseret prisstigning//kursgevinst.

▸aper punch *sb.* hullemaskine, hulapparat.

▸aper pusher *sb.* (T: *især am.*) papirnusser.

▸aper pushing *sb.* (T: *især am.*) papirnusseri.

▸aper round *sb.* avisrute; □ *do a* ~ gå med aviser.

▸aper route (*am.*) = *paper round.*

▸aper shop *sb.* (avis)kiosk.

▸aper trail *sb.* (*am.*) skriftlige beviser//spor.

▸aperweight ['peipəweit] *sb.* brevpresser.

▸aperwork ['peipəwə:k] *sb.* **1.** papirarbejde, skrivebordsarbejde; **2.** papirer, dokumenter.

▸apery ['peipəri] *adj.* papiragtig; pergamentagtig.

▸apier-mâché [pæpiei'mæʃei] *sb.* papmaché.

▸apist ['peipist] *sb.* (*neds.*) papist, katolik.

▸apistry ['peipistri] *sb.* (*neds.*) papisme.

▸apoose [pə'pu:s] *sb.* (*glds.*) indianerbarn.

▸appy ['pæpi] *adj.* (jf. *pap 2*) tynd, indholdsløs.

▸aprika ['pæprikə, pə'pri:kə] *sb.* paprika.

▸apyrus [pə'paiərəs] *sb.* (*pl. papyri* [-rai]) papyrus.

▸ar [pa:] *sb.* **1.** (*merk.*) pari; **2.** (*i golf*) par [*et huls idealscore*]; **3.** T = *paragraph*; □ *that is* ~ *for the course* det er hvad man kunne forvente; [*med præp.*] *above* ~ over pari; *at* ~ til pari; *below* ~ se ndf.: *under* ~; *be on a* ~ *with* stå lige med; være på linje/højde med; *put on a* ~ *with* ligestille med; *under* ~ dårligere end forventet; ikke tilfredsstillende; under middel; *I feel under* ~ jeg føler mig lidt skidt tilpas; *not up to* ~ se ovf.: *under* ~.

par. *fork. f. paragraph.*

para ['pærə] *fork. f.* T **1.** *paragraph*; **2.** *paratrooper.*

parable ['pærəbl] *sb.* parabel, lignelse.

parabola [pə'ræbələ] *sb.* (*geom.*) parabel.

parabolic [pærə'bɔlik] *adj.* (*geom.*) parabolisk, af form som en parabel.

parachute[1] ['pærəʃu:t] *sb.* faldskærm.

parachute[2] ['pærəʃu:t] *vb.*

1. springe ud med faldskærm; **2.** (*med objekt*) nedkaste med faldskærm.

parachute flare *sb.* faldskærmslys.

parachute harness *sb.* faldskærmssele.

parachute troops *sb. pl.* faldskærmstropper.

parachutist ['pærəʃu:tist] *sb.* **1.** faldskærmsudspringer; **2.** (*mil.*) faldskærmssoldat.

parade[1] [pə'reid] *sb.* **1.** optog (*fx a circus* ~); parade (*fx a victory* ~); procession; (se også *fashion parade, identification parade*); **2.** (*mil.*) parade; fremstilling; mønstring (*fx morning* ~); **3.** (*neds.*) pralende fremvisning; **4.** (*om butikker*) række af butikker; □ *a* ~ *of* en lang række, en stribe (*fx celebrities; witnesses; advertisements*); *make a* ~ *of* = *parade*[2] *6; be on* ~ holde parade// mønstring; være opstillet til parade//mønstring; *rain on sby's* ~ ødelægge det for en.

parade[2] [pə'reid] *vb.* **1.** paradere, gå i optog//procession (*fx through the town*); **2.** (*om enkeltperson*) vise sig frem, spankulere om; **3.** (*med objekt: sted*) paradere i, gå i optog/procession gennem (*fx the streets*); **4.** (*personer, fx fanger*) fremvise; **5.** (*ting, fx flag*) bære i procession; **6.** (*fig.*) paradere med, fremvise (*fx one's talents; one's new clothes*); (*neds.*) udstille, skilte med, stille til skue (*fx one's learning; one's wealth*); □ ~ *as* **a.** fremstille som, præsentere som; **b.** (*uden objekt*) fremstille/præsentere sig som.

parade ground *sb.* paradeplads; eksercerplads.

paradigm ['pærədaim] *sb.* **1.** F paradigme, model, mønster; **2.** (*gram.*) paradigme, bøjningsmønster.

paradigmatic [pærədig'mætik] *adj.* F paradigmatisk, mønstergyldig.

paradisaical [pærədi'saiək(ə)l], **paradisal** [pærə'dais(ə)l] *adj.* paradisisk.

paradise ['pærədais] *sb.* paradis; (se også *fool's paradise*).

paradox ['pærədɔks] *sb.* paradoks.

paradoxical [pærə'dɔksik(ə)l] *adj.* paradoksal.

paradoxically [pærə'dɔksik(ə)li] *adv.* **1.** paradoksalt; **2.** (*som sætningsadv.*) paradoksalt nok.

paraffin ['pærəfin, -fi:n] *sb.* **1.** petroleum; **2.** = *paraffin wax*; (se også *liquid paraffin*).

paraffin lamp *sb.* petroleums-

lampe.

paraffin oil *sb.* **1.** petroleum; **2.** (*am.*) paraffinolie.

paraffin wax *sb.* paraffin.

paragliding ['pærəglaidiŋ] *sb.* [*det at svæve langsomt gennem luften i faldskærm efter udspring fra fly el. skrænt*].

paragon ['pærəgən] *sb.* mønster (*of* på).

paragraph[1] ['pærəgra:f] *sb.* **1.** paragraf; afsnit; stykke; **2.** (*i et blad*) notits; artikel; petitartikel; □ *new* ~ (*i diktat*) ny linje; nyt afsnit.

paragraph[2] ['pærəgra:f] *vb.* inddele i afsnit.

parakeet ['pærəki:t] *sb.* (*zo.*) parakit [*en papegøje*].

paralegal [pærə'li:g(ə)l] *sb.* (*jur.*; *især am.*) advokats assistent [*som ikke er fuldt uddannet jurist*].

parallax ['pærəlæks] *sb.* (*astr.*) parallakse.

parallel[1] ['pærəlel] *sb.* **1.** parallel; sidestykke (*fx without* ~); **2.** (*geogr.*) breddegrad; □ *draw a* ~ *between* drage en parallel/sammenligning mellem.

parallel[2] ['pærəlel] *adj.* **1.** (*om linje*) parallel (*to/with* med); **2.** (*fig.*) parallel, sideløbende (*to/with* med); tilsvarende.

parallel[3] ['pærəlel] *vb.* **1.** (*om linje*) løbe parallelt med; **2.** (*fig.*) svare til; kunne måle sig med; □ *it cannot be -led* der findes ikke magen til.

parallel bars *sb. pl.* (*gymn.*) barre.

parallelism ['pærəlelizm] *sb.* parallelisme; parallellitet; lighed.

parallelogram [pærə'lelʒgræm] *sb.* (*geom.*) parallelogram.

parallel processing *sb.* (*it*) parallel behandling.

parallel ruler *sb.* parallellineal.

paralyse ['pærəlaiz] *vb.* lamme; paralysere.

paralysis [pə'ræləsis] *sb.* (*pl. paralyses* [-əzi:z]) lammelse.

paralytic [pærə'litik] *adj.* **1.** lam, lammet; **2.** T døddrukken, stiv (af druk).

paramedic [pærə'medik] *sb.* **1.** ambulancefører; redder [*uddannet til at yde førstehjælp*]; **2.** (*til læge*) lægeassistent; **3.** (*am. mil.*) sygepasser; □ -*s* (*også*) ambulancefolk.

paramedical [pærə'medik(ə)l] *adj.* paramedicinsk; som assisterer læger.

parameters [pə'ræmitəz] *sb. pl.* **1.** parametre, faktorer, forhold; **2.** grænser; rammer (*fx within the* -*s of the law*).

paramilitary [pærə'milit(ə)ri] *adj.* paramilitær; halvmilitær.

paramount ['pærəmaunt] *adj.* altafgørende; altoverskyggende (*fx of ~ interest*); ▢ *of ~ importance* af største/yderste vigtighed.

paramour ['pærəmuə] *sb.* (*glds.*) elsker, galan; elskerinde, maitresse.

paranoia [pærə'nɔiə] *sb.* paranoia, forfølgelsesvanvid.

paranoiac [pærə'nɔiæk] = *paranoid*.

paranoid ['pærənɔid] *adj.* paranoid [*som lider af//er udtryk for forfølgelsesvanvid*].

paranormal [pærə'nɔːm(ə)l] *adj.* overnaturlig.

parapet ['pærəpit] *sb.* **1.** (*på altan etc.*) (lavt) rækværk; lav mur; brystning; **2.** (*mil.*) brystværn.

paraphernalia [pærəfə'neiliə] *sb. pl.* (*især neds.*) tilbehør; ting og sager; udstyr, grej, rekvisitter.

paraphrase¹ ['pærəfreiz] *sb.* parafrase, omskrivning.

paraphrase² ['pærəfreiz] *vb.* parafrasere, omskrive.

paraplegia [pærə'pliːdʒə] *sb.* (*med.*) paraplegi, dobbeltsidig lammelse.

paraplegic¹ [pærə'pliːdʒik] *sb.* (*med.*) paraplegiker.

paraplegic² [pærə'pliːdʒik] *adj.* (*med.*) paraplegisk, dobbeltsidigt lammet.

parapsychology [pærəsai'kɔlədʒi] *sb.* parapsykologi.

parasailing ['pærəseiliŋ] *sb.* parasailing [*faldskærmsflyvning hvor man trækkes efter speedbåd*].

parascending ['pærəsendiŋ] *sb.* faldskærmsflyvning [*hvor man først trækkes op af bil//speedbåd*].

parasite ['pærəsait] *sb.* parasit; snylter.

parasitic [pærə'sitik] *adj.* parasitisk, snyltende; snylte- (*fx fungus*).

parasol ['pærəsɔl] *sb.* parasol.

parataxis [pærə'tæksis] *sb.* (*gram.*) paratakse, sideordning.

paratrooper ['pærətruːpə] *sb.* faldskærmssoldat, faldskærmsjæger.

paratroops ['pærətruːps] *sb. pl.* faldskærmstropper.

parboil ['paːbɔil] *vb.* koge let, forkoge, give et opkog.

parcel¹ ['paːs(ə)l] *sb.* **1.** pakke; **2.** (*merk.*) vareparti, sending; **3.** (*jord*) parcel, jordstykke, jordlod; ▢ *-s* (*merk.*) colli; *a ~ of* en bunke, en samling (*fx lies; problems*); en flok; (se også *part¹*).

parcel² ['paːs(ə)l] *vb.* (*mar.*) smerte

[ɔ: *slidbevikle*]; ▢ *~ out* udstykke (*into* i); fordele (*among* blandt); *~ up* pakke ind.

parcel post *sb.* pakkepost.

parched [paːtʃt] *adj.* **1.** (*om jord, plante*) afsveden, solsveden; udtørret; **2.** (*i halsen, munden*) tør; **3.** (T: *om person*) meget tørstig, tør langt ned i halsen.

parchment ['paːtʃmənt] *sb.* pergament.

pardner ['paːrdnər] (*glds. am.* S: *i tiltale*) kammerat, makker.

pardon¹ ['paːd(ə)n] *sb.* **1.** tilgivelse; **2.** (*til en dømt*) benådning; **3.** (*rel.*) aflad; ▢ (*I beg your*) *~!* **a.** (*når man har gjort noget forkert*) om forladelse! undskyld! det må De meget undskylde! **b.** (*når man ikke har hørt el. man er forarget*) hvad behager?

pardon² ['paːd(ə)n] *vb.* **1.** undskylde (*fx ~ my ignorance, but ...*); (*mere* F) tilgive; **2.** (*en dømt*) benåde; ▢ *~ me!* **a.** undskyld! undskyld mig! **b.** (*am.*) hvad behager? *~ my breathing/living!* (*iron.*) undskyld jeg eksisterer!; (se også *French*).

pardonable ['paːd(ə)nəbl] *adj.* undskyldelig; tilgivelig.

pardoner ['paːd(ə)nə] *sb.* (*hist., rel.*) afladskræmmer.

pare [pɛə] *vb.* **1.** skrælle (*fx an apple*); skære; skrabe; **2.** (*så det bliver mindre*) beskære; beklippe; **3.** (*fig.*) nedskære (*fx the costs*); reducere; barbere (*fx the budget*); ▢ *~ one's nails* klippe negle; [*med adv.*] *~ back, ~ down* **a.** skære//skrabe//skrælle mere og mere af; **b.** (*fig.*) (efterhånden) nedskære; nedbringe (*fx one's expenses*); reducere (*fx one's demands*); *~ off* skrælle af.

parenchyma [pə'reŋkimə] *sb.* grundvæv; cellevæv.

parent¹ ['pɛər(ə)nt] *sb.* forælder; fader//moder; ▢ *a ~* en af forældrene; en forælder; *-s* forældre; *our first -s* Adam og Eva.

parent² ['pɛər(ə)nt] *adj.* moder- (*fx company; organization*).

parentage ['pɛər(ə)ntidʒ] *sb.* herkomst; afstamning.

parental [pə'rent(ə)l] *adj.* forældre- (*fx leave* orlov); ▢ *~ choice* forældrenes eget valg; *~ contribution* bidrag fra forældrene.

parental responsibility *sb.* (*jur.*) forældremyndighed.

parenthesis [pə'renθəsis] *sb.* (*pl.* -*theses* [-θəsiːz]) F parentes.

parenthetic [pærən'θetik], **paren-**

thetical [pærən'θetik(ə)l] *adj.* parentetisk.

parenthood ['pɛər(ə)nthud] *sb.* forældreskab, forældreværdighed.

parenting ['pɛərəntiŋ] *sb.* det at være forældre.

parent-teacher association [pɛərənt'tiːtʃərəsəusieiʃn] *sb.* [*forening af forældre og lærere ved en skole*].

parent-teacher organization *sb.* (*am.*) se *parent-teacher association*.

pariah ['pæriə] *sb.* **1.** paria, udstødt; **2.** (*i Indien*) paria, kasteløs.

parietal [pə'raiət(ə)l] *adj.* **1.** (*am.; jf. parietals*) besøgs- (*fx policy; rules*); **2.** (*anat.*) parietal, som hører til en væg.

parietal bone *sb.* (*anat.*) isseben.

parietals [pə'raiət(ə)lz] *sb.* besøgsregler [*for besøg af det modsatte køn på kollegium*].

parings ['pɛəriŋz] *sb. pl.* afskårne// afklippede stykker, afklip; skræller; osteskorper; ▢ *nail -s* afklippede negle.

pari passu ['pæri'pæsu:] *adv.:* *~ with* i samme tempo som; side om side med; sideløbende med.

parish ['pæriʃ] *sb.* **1.** sogn; **2.** (*ikke-kirkeligt*) landkommune.

parish church *sb.* sognekirke.

parish clerk *sb.* (*omtr.=*) kordegn.

parish council *sb.* sogneråd.

parish councillor *sb.* sognerådsmedlem.

parishioner [pə'riʃ(ə)nə] *sb.* indbygger i et sogn; (*præsts*) sognebarn.

parish magazine *sb.* kirkeblad.

parish-pump ['pæriʃ'pʌmp] *adj.* snævert lokal; sogne-; som kun interesserer sig for den hjemlige andedam.

parish register *sb.* kirkebog; ministerialbog.

Parisian¹ [pə'riziən] *sb.* pariser(inde).

Parisian² [pə'riziən] *adj.* parisisk.

parity ['pæriti] *sb.* **1.** paritet; ligestilling; lighed; **2.** (*merk.*) paritet; ▢ *pay ~* igeløn.

park¹ [paːk] *sb.* **1.** park; **2.** (*til biler*) parkeringsplads; **3.** (*til bestemt formål*) område; (se også industrial park, science park); **4.** (*am.*) stadion (*fx a baseball ~*); idrætspark.

park² [paːk] *vb.* **1.** (*bil*) parkere; **2.** (T: *andet*) parkere, stille, efterlade (*fx you can ~ your bag there*); anbringe; ▢ *~ oneself* anbringe/placere sig (*fx he -ed himself in front of the TV*).

parka ['pɑːkə] *sb.* parka; anorak.
park-and-ride [pɑːkən(d)'raid] *adj.*
[*det at parkere bilen ved en for-stadsstation og tage tog//bus res-ten af vejen*].
parking ['pɑːkiŋ] *sb.* **1.** parkering;
2. parkeringsmulighed.
parking bay *sb.* parkeringsbås.
parking brake *sb.* (*am.*) hånd-bremse.
parking disc *sb.* parkeringsskive.
parking garage *sb.* (*am.*) parke-ringshus.
parking lot *sb.* (*am.*) parkerings-plads.
parking meter *sb.* parkometer.
parking ticket *sb.* [*bødeforlæg sat på forruden*]; parkeringsbøde.
park keeper *sb.* parkbetjent; op-synsmand.
parkland ['pɑːklænd] *sb.* parkom-råde.
parkway ['pɑːkwei] *sb.* (*am.*)
[*landskabeligt smuk landevej*];
boulevard; allé.
parky ['pɑːki] *adj.* T kold; kølig.
parlance ['pɑːləns] *sb.* F sprogbrug;
sprog (*fx legal//medical//official*
~);

□ *in common/ordinary* ~ i daglig
tale; efter almindelig sprogbrug.
parlay ['pɑːlei] *vb.* (*am.*) udnytte
fordelagtigt (*into* til); forvandle
(*into* til).
parley[1] ['pɑːli] *sb.* (*glds. el. spøg.*)
forhandling; rådslagning.
parley[2] ['pɑːli] *vb.* **1.** (*glds.*) for-handle, rådslå, parlamentere;
2. (*spøg.*) snakke (*with* med).
parliament ['pɑːləmənt] *sb.* parla-ment.
parliamentarian [pɑːləmən'tɛəriən]
sb. **1.** (anset) parlamentsmedlem;
(erfaren) parlamentariker; **2.** (*am.*)
[*konsulent i parlamentarisk pro-cedure*].
parliamentary [pɑːlə'ment(ə)ri]
adj. parlamentarisk; parlaments-.
Parliamentary Commissioner for Administration *sb.* ombudsmand.
Parliamentary Undersecretary *sb.*
(*omtr.*) viceminister.
parlor *sb.* (*am.*) = *parlour.*
parlor car *sb.* (*am.*) salonvogn.
parlour ['pɑːlə] *sb.* **1.** (*i offentlig bygning*) modtagelsesværelse; (*i kloster*) taleværelse; **2.** (*især glds.*)
dagligstue; salon; **3.** (*om forret-ningslokale*) salon (*fx hairdresser's* ~ frisørsalon); atelier (*fx pho-tographer's* ~); bar (*fx ice-cream*
~; *pizza* ~); (se også *funeral par-lour, massage parlour*); **4.** (*agr.*)
malkestald.
parlour game *sb.* selskabsleg.
parlourmaid ['pɑːləmeid] *sb.*

(*glds.*) stuepige.
parlous ['pɑːləs] *adj.* (*glds. el. spøg.*) vanskelig; farlig; skrække-lig.
Parmesan [pɑːmi'zæn] *sb.* parme-sanost.
Parmesan cheese *sb.* parmesanost.
parochial [pə'rəukjəl] *adj.* **1.** snæ-versynet; ensporet; provinsiel;
2. (*jf. parish*) sogne-; kommunal.
parodist ['pærədist] *sb.* forfatter af
parodier.
parody[1] ['pærədi] *sb.* parodi (*of*
på).
parody[2] ['pærədi] *vb.* parodiere.
parole [pə'rəul] *sb.* **1.** prøveløsla-delse; **2.** (*hist.*: *om krigsfange*)
æresord;

□ *release on* ~ **a.** prøveløslade;
b. (*jf. 2*) løslade på æresord; *be out on* ~ være prøveløsladt.
paroled [pə'rəuld] *adj.*: *be* ~ blive
løsladt på prøve, blive prøveløs-ladt.
parotid gland [pərɔtid'glænd] *sb.*
(*anat.*) ørespytkirtel.
paroxysm ['pærəksizm] *sb.* vold-somt//pludseligt anfald;

□ *she burst into a* ~ *of tears* hun
brast i en heftig gråd.
parquet ['pɑːkei, (*am.*) pɑːr'kei] *sb.*
1. parketgulv; **2.** (*am.*: *teat.*) par-ket.
parquet circle *sb.* (*am.*: *teat.*) par-terre.
parquetry ['pɑːkitri] *sb.* **1.** parket-gulv; **2.** (*på møbler*) [*indlagt ar-bejde i geometrisk mønster*]; træ-mosaik.
parr [pɑː] *sb.* (*zo.*) ung laks.
parrakeet ['pærəkiːt] = *parakeet.*
parricide ['pærisaid] *sb.* **1.** fader-mord//modermord; **2.** (*person*) fa-dermorder//modermorder.
parrot[1] ['pærət] *sb.* papegøje; (se
også *sick*[2]).
parrot[2] ['pærət] *vb.* gentage meka-nisk//bevidstløst, plapre efter (*fx
she just -s anything her sister
says*).
parrot-fashion ['pærətfæʃn] *adj.* på
papegøjemaner; mekanisk; ordret.
parrot fever *sb.* (*med.*) papegøje-syge.
parrot fish *sb.* (*zo.*) papegøjefisk.
parry[1] ['pæri] *sb.* afparering; pa-rade.
parry[2] ['pæri] *vb.* **1.** (*slag*) afbøde;
(*angreb, stød*) afparere; parere;
2. (*fig.*) afparere, vige uden om (*fx
a question; an enquiry*).
parse [pɑːz] *vb.* (*gram.*) analysere.
Parsee [pɑː'siː] *sb.* parser.
parser [pɑːzə] *sb.* (*it*) parser [*som
kan gennemsøge tekststreng efter
nøgleord*].

parsimonious [pɑːsi'məuniəs] *adj.*
F nærig, påholdende; karrig.
parsimony ['pɑːsiməni] *sb.* nærig-hed, påholdenhed; karrighed.
parsley ['pɑːsli] *sb.* (*bot.*) persille.
parsnip ['pɑːsnip] *sb.* (*bot.*) pasti-nak;

□ *kind/soft/fair words butter no -s*
skønne løfter hjælper ikke stort.
parson ['pɑːs(ə)n] *sb.* sognepræst;
præst.
parsonage ['pɑːs(ə)nidʒ] *sb.* præste-gård.
parson's nose *sb.* T gump [*på fjer-kræ*].
part[1] [pɑːt] *sb.* **1.** del; **2.** (*i foreta-gende*) andel (*in* i, *fx I have no* ~
in this); (*om forbrydelse også*) del-agtighed (*in* i, *fx he got five years
for his* ~ *in the robbery*); **3.** (*del
af større (bog)værk*) hæfte, leve-ring; nummer; **4.** (*til bil, radio
etc.*) reservedel; **5.** (*mus.*) stemme,
parti; **6.** (*teat.*) rolle; **7.** (*am.*: *i
hår*) skilning;

□ *-s* **a.** egn; kant (*af landet*); **b.** (*jf.
4*) dele (*fx they make aircraft -s*);
reservedele; **c.** T kønsdele; (se også
ndf.: *in these -s; a man of -s*);
[*med: of*] ~ *of* en del af (*fx* ~ *of
the house burnt down; that is* ~
of the problem); noget af, et
stykke af (*fx* ~ *of the way*); ~ *of
the body* legemsdel; ~ *of speech*
(*gram.*) ordklasse; *be* ~ *and par-cel of* være en fast bestanddel af;
være en integrerende del af;
[*med vb.*] *do one's* ~ gøre sit;
dress the ~, *look the* ~ (*fig.*: *i
stiling etc.*) klæde sig passende;
play a ~ **a.** spille komedie (*fx he
is only -ing a part*); **b.** (ɔ: *være af
betydning*) spille en rolle; *play no*
~ *in* ikke have noget at gøre med;
play the ~ *of* spille rollen som;
take sby's ~ (*i strid etc.*) tage ens
parti; tage parti for en; *take* ~ *in*
deltage i (*fx the conversation; a
demonstration*); tage med i; (se
også ndf.: *take in good* ~);
want no
~ *in* ikke ville have noget at gøre
med; ikke ville have lod eller del
i;
[*med præp.*] *for the most* ~ for
det meste; i reglen; for størstede-len; *for my* ~ hvad mig angår; for
mit vedkommende; *in* ~ delvis;
he took it in good ~ han tog mig
det ikke ilde op; *in these -s* T på
disse kanter; *a man of -s* (*let
glds.*) et begavet menneske; *on his*
~ fra hans side.
part[2] [pɑːt] *vb.* **1.** dele sig (*fx the
clouds//the waters -ed; the crowd
-ed to let them through*); skilles;
gå/glide fra hinanden (*fx the cur-*

tains *-ed*); (*om tåge*) spredes;
2. (F: *om personer*) skilles, tage
afsked (*fx we -ed at 10 o'clock*); gå
hver til sit; **3.** (*med objekt*) skille,
trække fra hinanden (*fx the cur-
tains*); skille ad (*fx two fighting
dogs*);
□ ~ *friends* skilles som venner; ~
one's hair lave skilning i håret; (se
også *company*);
[*med præp.*] ~ *from* tage afsked
med; forlade, gå fra; *be -ed from*
(*også*) blive//være adskilt fra (*fx
she can't bear to be -ed from her
daughter again*); *he is not easily
-ed from* han er ikke let at få til at
skille sig af med//slippe (*fx his
books//his money*); ~ *with*
a. skille sig af med; (*penge,* T)
slippe; **b.** (*uden objekt*) skilles fra;
tage afsked med.
part[3] [pa:t] *adv.* delvis (*fx he is* ~
African);
□ ~ ... ~ dels ... dels (*fx the exam
is* ~ *spoken and* ~ *written*).
partake [pa:'teik] *vb.* (*partook,
partaken*): ~ *in* deltage i; tage del
i; ~ *of* **a.** = ~ *in*; **b.** nyde, indtage,
spise (*fx they had -n of an excel-
lent meal*); **c.** F have et anstrøg af,
være noget præget af (*fx his man-
ner -s of stupidity*); bære præg af,
rumme et element af (*fx his gen-
erosity -s somewhat of patronage*).
parterre [pa:'tɛə] *sb.* **1.** (*i have*)
(blomster)parterre; **2.** (*teat., am.*)
parterre.
part exchange *sb.* (*merk.*) [*handel
hvor brugt genstand af samme
slags, fx bil, tv, indgår som del af
betalingen*].
parthenogenesis [pa:θənə(u)
'dʒenəsis] *sb.* partenogenese, jom-
frufødsel.
partial ['pa:ʃ(ə)l] *adj.* **1.** delvis (*fx
recovery; success*); **2.** (*mht. hold-
ning*) partisk;
□ *be* ~ *to* **a.** ynde, have en svag-
hed for, have forkærlighed for (*fx
cream cakes*); **b.** (*jf. 2*) begunstige.
partiality [pa:ʃi'æləti] *sb.* **1.** par-
tiskhed; **2.** svaghed, forkærlighed
(*for* for).
partially ['pa:ʃ(ə)li] *adv.* delvis, for
en del.
participant [pa:'tisip(ə)nt] *sb.* del-
tager.
participate [pa:'tisipeit] *vb.* del-
tage, tage del (*in* i).
participation [pa:tisi'peiʃn] *sb.*
1. deltagelse; **2.** (*mht. beslutnin-
ger*) medbestemmelse.
participatory [pa:tisi'peit(ə)ri,
pa:'tisipət(ə)ri] *adj.* medvirkende;
deltagende;
□ ~ *democracy* nærdemokrati;

medarbejderdemokrati.
participle ['pa:tisipl] *sb.* (*gram.*)
participium, tillægsform.
particle ['pa:tikl] *sb.* **1.** lille del;
lille smule; **2.** (*gram.*) partikel,
småord; **3.** (*fys.*) partikel;
□ *not a* ~ ikke det mindste; ~ *of
dust* støvkorn, støvgran; *there
wasn't a* ~ *of truth in it* der var
ikke et gran af sandhed deri.
particle board *sb.* spånplade.
particle physics *sb.* partikelfysik.
parti-coloured ['pa:tikʌləd] *adj.*
broget; spraglet.
particular[1] [pə'tikjulə] *sb.*: *in* ~
især, i særdeleshed (*fx one word
in* ~); særligt, specielt; *nothing in*
~ ikke noget særligt; *in every* ~ i
alle enkeltheder; *in this* ~ på
dette punkt; i denne henseende;
(se også *particulars*).
particular[2] [pə'tikjulə] *adj.* **1.** sær-
lig, speciel (*fx here you should
exercise* ~ *care; for no* ~ *reason*);
bestemt, specifik (*fx a* ~ *day*);
2. (*om person*) fordringsfuld, nø-
jeregnende, kræsen (*about* med
(hensyn til));
□ *the* ~ det specielle [*mods. det
generelle*].
particularity [pətikju'læriti] *sb.* F
nøjagtighed; udførlighed; specifi-
citet;
□ *particularities* enkeltheder.
particularize [pə'tikjuləraiz] *vb.* F
nævne særskilt, specificere, kon-
kretisere; redegøre for i enkelthe-
der.
particularly [pə'tikjuləli] *adv.* sær-
ligt, især; i særdeleshed;
□ *more* ~ ganske særligt; især; *not*
~ ikke særlig.
particulars [pə'tikjuləz] *sb. pl.* F
1. enkeltheder; **2.** (*om person*)
personlige oplysninger;
□ (*further*) ~ nærmere enkelthe-
der/oplysninger/omstændigheder;
for ~ *apply to/enquire at* nær-
mere oplysninger fås hos; *go into*
~ gå i detaljer.
parting[1] ['pa:tiŋ] *sb.* (jf. *part*[2]) **1.** de-
ling; **2.** afsked, opbrud; **3.** adskil-
lelse; **4.** (*i hår*) skilning;
□ ~ *of the ways* det at skilles/gå
hver til sit; adskillelse; afsked; *at
the* ~ *of the ways* på skillevejen.
parting[2] ['pa:tiŋ] *adj.* (jf. *part*[2] 2)
afskeds- (*fx hour, kiss; words*).
parting shot *sb.* afskedssalut.
partisan[1] [pa:ti'zæn, (*am.*)
'pa:rtəz(ə)n] *sb.* **1.** tilhænger (*of*
af); forkæmper (*of* for); (*neds.*)
partifanatiker; **2.** (*som kæmper
mod fjende*) partisan; **3.** (*hist.:
slags spyd*) partisan.
partisan[2] [pa:ti'zæn, (*am.*)

'pa:rtiz(ə)n] *adj.* partisk; partibun-
det.
partisanship [pa:ti'zænʃip, (*am.*)
'pa:rtiz(ə)nʃip] *sb.* partiskhed; par-
tibundethed.
partition[1] [pa:'tiʃn] *sb.* **1.** (*til ind-
deling*) skillevæg; skillerum; **2.** (*af
land*) deling.
partition[2] [pa:'tiʃn] *vb.* **1.** (*land*)
dele; **2.** (*rum*) opdele [*med skille-
væg(ge)*];
□ ~ *into* dele op i; ~ *off* skille fra
[*med en skillevæg*]; skilre af.
partition wall *sb.* skillevæg; skille-
mur.
partly ['pa:tli] *adv.* til dels, delvis;
for en del.
partner[1] ['pa:tnə] *sb.* (se også *part-
ners*) **1.** deltager; **2.** (*merk.*) medin-
dehaver, kompagnon; partner, in-
teressent; **3.** (*ved spil*) partner,
medspiller, makker; **4.** (*i parfor-
hold*) partner; (*i ægteskab også*)
ægtefælle; **5.** (*ved bordet*) bord-
herre//borddame; **6.** (*ved dans*)
dansepartner; **7.** (*glds. am.* S: *i til-
tale*) kammerat, makker.
partner[2] ['pa:tnə] *vb.* være partner
med; være makker med;
□ ~ *off* **a.** slå sig sammen to og to;
danne par; **b.** (*med objekt*) finde
partner til; ~ *off with* slå sig sam-
men med, danne par sammen
med; ~ *her off with him* give
hende ham som partner.
partners ['pa:tnəz] *sb. pl.* (*mar.*)
mastefisk; spilfisk.
partnership ['pa:tnəʃip] *sb.* **1.** part-
nerskab; makkerskab; **2.** (*merk.*)
kompagniskab; interessentskab;
(se også *limited partnership*).
partook *præt. af* partake.
part owner *sb.* **1.** medejer, medin-
dehaver; parthaver; **2.** (*mar.*) med-
reder.
part payment *sb.* delvis betaling;
afdrag.
partridge ['pa:tridʒ] *sb.* (*zo.*) ager-
høne.
part-song ['pa:tsɔŋ] *sb.* flerstemmig
sang.
part-time[1] ['pa:ttaim] *adj.* **1.** del-
tidsbeskæftiget, deltidsansat (*fx
staff*); **2.** (*om arbejde*) deltids- (*fx
job; work*); halvdags-.
part-time[2] ['pa:ttaim] *adv.*: *work* ~
arbejde på deltid.
parturition [pa:tju'riʃn] *sb.* fødsel.
partway ['pa:rtwei] *adv.* (*am.*) del-
vis; et stykke (vej).
party[1] ['pa:ti] *sb.* **1.** fest; (*mere for-
melt*) selskab (*fx dinner* ~);
2. (*pol. etc.*) parti; **3.** (*personer*)
hold (*fx a search* ~); gruppe; sel-
skab (*fx a* ~ *of tourists*); (se også
working party); **4.** (*mil.*) kom-

mando; hold; gruppe; **5.** (*ved rets-sag, i forhandling etc.*) part;
6. (*spøg. om person*) væsen, individ, person;
□ [*jf. 1*] *be at a* ~ være til fest//selskab; *give/have/throw a* ~ holde fest//selskab; *spoil the* ~ *for them* (*fig.*) ødelægge fornøjelsen for dem; *go to a* ~ gå til fest//selskab; *the* ~ *is over* (*fig.*) festen/ballet er forbi; her slutter festen; *bring to the* ~ (*fig.*) bidrage med;
[*jf. 5*] *the parties in the conflict* stridens parter; *be (a)* ~ *to* F være delagtig i, medvirke til; tage del i; *be a* ~ *to the case* være part i sagen.

party[2] ['pɑ:ti] *vb.* holde fest; feste.
party animal *sb.*: *she is a* ~ hun elsker at gå til fester.
party line *sb.* **1.** partilinje; partiparole; **2.** (*tlf.*) partsledning;
□ *cut across* -*s* gå på tværs af partierne; *vote along/on* -*s* stemme efter partier.
party-liner [pɑ:ti'lainə] *sb.* partigænger [*som altid følger partilinjen*].
party piece *sb.* (*nummer/trick man altid optræder med*) hofnummer, glansnummer.
party political *adj.* partipolitisk.
party political broadcast *sb.* valgudsendelse.
party pooper *sb.* (*fig.*) lyseslukker.
party popper *sb.* bordbombe.
party ticket *sb.* partiprogram.
party wall *sb.* **1.** (*mellem huse*) skillemur; **2.** (*mellem rum*) skillevæg.
parvenu ['pɑ:vənju:] *sb.* parvenu; opkomling.
paschal ['pæsk(ə)l] *adj.* påske-.
pash [pæʃ] *sb.*: *have a* ~ *on* (*glds.* T) sværme for.
pasque flower ['pæskflauə] *sb.* (*bot.*) (opret) kobjælde.
pass[1] [pɑ:s] *sb.* **1.** (*imellem bjerge*) pas; **2.** (*som giver adgang*) adgangskort, adgangstegn; (*især mil.*) passerseddel; (*se også free pass*); **3.** (*til bus etc.*) (bus)kort; billet; **4.** (*ved eksamen*) bestået eksamen; bestået; **5.** (*stadie i tekstbehandling*) gennemløb; **6.** (*i boldspil*) aflevering; **7.** (*i fægtning*) udfald; **8.** (*i kortspil*) pas; **9.** (*hypnotisørs*) strygning; **10.** (*tryllekunstners*) håndbevægelse;
□ *on the first//second* ~ *i* første// anden omgang;
[*med vb.*] **make** *a* ~ *at*, *make* -*es at* T gøre tilnærmelser til, lægge an på; blive nærgående over for; *sell the* ~ (*fig.*) begå forræderi;

forråde sin sag.
pass[2] [pɑ:s] *vb.* **A.** (*uden objekt*)
1. passere forbi, passere (*fx the procession* -*ed*); gå//bevæge sig// komme//køre//ride//marchere forbi; **2.** (*om begivenhed*) foregå; gå for sig (*fx I know what has* -*ed*); **3.** (*om tid*) gå (hen) (*fx six months* -*ed*); forløbe; (*især poet.*) svinde; **4.** (*især om noget ubehageligt*) gå over, fortage sig (*fx the headache soon* -*ed*); blive overstået (*fx the crisis has* -*ed*); drive over (*fx wait till the danger has* -*ed*); forsvinde (*fx a custom that is* -*ing*); **5.** (*fra den ene til den anden*) gå (rundt) (*fx the bottle* -*ed from hand to hand*); (*om ejendom etc.*) overgå (*fx the estate* -*ed to his brother*; ~ *from public to private ownership*); gå i arv; **6.** (*om penge*) være gangbar; være i omløb; cirkulere; **7.** (*ved bedømmelse*) passere (*fx it is not very good, but it will* (kan) ~); slippe igennem; blive godkendt; **8.** (*ved eksamen*) bestå; **9.** (*parl.: om lov etc.*) blive vedtaget; **10.** (*i kortspil*) passe; **11.** (*i boldspil*) aflevere;
B. (*med objekt*) **1.** (*sted*) passere, passere forbi (*fx we* -*ed his house*); bevæge sig//gå//køre etc. forbi//over//igennem; **2.** (*person*) lade passere (*fx the guard* -*ed the visitor*; ~ *troops in review*);
3. (*ting*) føre (*fx a rope through a pulley*); stikke; (se også ndf.: ~ *over: he* -*ed his hand over...,,,~ through*); **4.** (*fra den ene til den anden*) lade gå rundt (*fx the bottle; the hat*); sende/lade gå videre, videregive (*fx* ~ *the information to the others*; ~ *the mustard, please*; række (*fx* ~ *me the mustard, please; he* -*ed me a cup*); **5.** (*bold, i boldspil*) sende/ lade gå videre; aflevere; kaste// sparke; **6.** (*penge*) sætte i omløb (*fx false notes*); **7.** (*tid*) tilbringe (*fx a dreadful night*); fordrive; **8.** (*eksamen etc.*) bestå (*fx a test*); (*kandidat*) lade bestå; (*besvarelse, opgave*) godkende (*fx a paper*); **9.** (*lov etc.*) vedtage (*fx a Bill, a resolution*); **10.** (*jur.: dom*) afsige; (se også *judgement, sentence*[1]);
□ ~ *as* gå/regnes for at være; *bring to* ~ **a.** bevirke, forårsage;
b. iværksætte, sætte i gennem, gennemføre; *come to* ~ hænde, indtræffe; ~ *urine*, ~ *water* lade vandet; (se også *belief, comprehension, lip (etc.*));
[*med præp.& adv.*] ~ **along** (*i bus*) gå tilbage i vognen;
~ **around** sende rundt, lade gå

rundt;
~ **away a.** (F: *om person*) gå bort, dø; **b.** (*om tid*) gå til ende, svinde; **c.** (*med objekt: tid*) fordrive, få til at gå;
~ **by a.** (*uden objekt*) komme forbi (*fx I was just* -*ing by*; *I'll* ~ *by to collect the books*); passere forbi; **b.** (*med objekt*) passere (*fx they* -*ed by my door*); gå//komme// køre etc. forbi; gå//køre uden om; **c.** (*fig.*) forbigå (*fx* ~ *it by in silence*); ignorere; springe over; *it* -*ed me by* (*om begivenhed etc.*) det gik mig forbi (*fx life* -*ed her by*); jeg gik glip af det; ~ *by the name of X* gå under navnet X;
~ **down a.** overlevere; lade gå i arv; **b.** (*i bus*) gå tilbage i vognen;
~ **for** gå/regnes for at være (*fx he* -*es for a rich man*); -*ed for press* (*typ.*) trykfærdig; *be* -*ed for active service* blive taget til militærtjeneste;
~ **in** se *review*[1];
~ **into a.** blive til; gå over til (*fx when water boils it* -*es into steam*); **b.** (*om person*) falde i (*fx a deep sleep; a trance*); ~ *into a coma* gå i koma; ~ *into history* gå over i historien;
~ **off a.** (*om noget ubehageligt*) gå over, fortage sig (*fx the pain is* -*ing off*); **b.** (*om begivenhed*) forløbe (*fx the meeting* -*ed off without incident*); **c.** (*med objekt*) slå hen (*fx when somebody raised the subject he would* ~ *it off*); ~ *off as* udgive for (*fx* ~ *oneself off as a rich man*); ~ *sth* **off on** *sby* prakke en noget på; ~ *it* **off with** *a jest* slå det hen i spøg;
~ **on a.** lade gå videre, give videre (*to* til); **b.** (*til eje*) overdrage (*to* til); **c.** (*sygdom*) overføre (*to* til); **d.** (*person*) sende videre (*to* til); **e.** (*uden objekt*) gå videre; gå over (*to* til, *fx another subject*); **f.** F gå bort; afgå ved døden;
~ **out a.** uddele, dele ud/rundt (*fx drinks; free samples*); **b.** (*uden objekt,* T) besvime; miste bevidstheden, blive bevidstløs; **c.** (*mil.*) tage eksamen; blive dimitteret;
~ **over a.** gå let hen over; se bort fra; springe over (*fx the details*); **b.** (*chance etc.*) lade gå fra sig (*fx an opportunity*); **c.** (*person, ved forfremmelse*) forbigå, springe over; **d.** F dø; gå bort; *he* -*ed his hand over his eyes* han strøg sig med hånden over øjnene; ~ *your eyes over this letter* løb lige dette brev igennem;
~ **round** se ovf.: ~ *around*; ~ *a rope round it* slå et reb omkring

P passable

det;
~ **through a.** (*sted*) passere//
komme//gå *etc.* gennem; **b.** (*begivenhed*) gennemgå (*fx a difficult period*); opleve; **c.** (*uddannelse*) gå gennem; **d.** (*våben*) stikke/jage/ støde *etc.* igennem (*fx ~ a sword through sby*);
~ **under** *the name of X* gå under navnet X;
~ **up a.** række op; **b.** T lade gå fra sig (*fx a chance*); gå glip af.
passable ['pa:səbl] *adj.* **1.** antagelig, rimelig, nogenlunde; **2.** (*om vej, flod*) fremkommelig, farbar.
passage ['pæsidʒ] *sb.* **A.** (*handling*) **1.** passage; gennemgang; gennemrejse; gennemsejling (*fx through a lock*); forbifart; forbikørsel; **2.** (*mar.: fra et sted til et andet*) overfart (*fx a rough* (hård) *~*); **3.** (*fra en ting til noget andet*) overgang (*fx from a Socialist to a market economy*); **4.** (*parl.: af lov*) vedtagelse;
B. (*sted*) **1.** passage (*fx clear a ~ through the crowd*); vej; (*snæver*) smøge; **2.** (*i hus*) gang; korridor; **3.** (*i bog, musikstykke etc.*) passage, afsnit, sted; **4.** (*anat.: i kroppen*) vej; gang; kanal; (*se også respiratory passages*);
□ *~ of arms* dyst; *the ~ of time* tidens gang; *with the ~ of time* efterhånden som tiden gik;
[*med vb.*] *book one's ~* (*jf. 2*) bestille billet; *force a ~* bane sig vej; *trænge sig igennem*; *the Bill had an easy ~* (*through Parliament*) loven gik glat igennem; *work one's ~* få fri rejse mod at udføre arbejde om bord; arbejde sig over.
passage grave *sb.* (*arkæol.*) jættestue.
passage migrant *sb.* (*zo.*) trækgæst.
passageway ['pæsidʒwei] *sb.*
1. passage; (*snæver*) smøge; **2.** (*i hus*) korridor; gang.
passbook ['pa:sbuk] *sb.* bankbog.
pass degree *sb.* **1.** [*grad som tildeles kandidater der ikke har opnået honours degree*]; **2.** [*mindre specialiseret universitetseksamen (sammenlignet med honours)*]; (*cf. honours degree*).
passé ['pa:sei] *adj.* forældet; passé.
passel ['pæs(ə)l] *sb.* (*glds. am.* T) flok, samling, hoben.
passenger ['pæsin(d)ʒə] *sb.* **1.** passager; rejsende; (*se også foot passenger*); **2.** (*fig.*) én der ikke gør gavn; passiv deltager.
passenger car *sb.* **1.** personbil; **2.** (*am. jernb.*) personvogn.
passenger seat *sb.* (*i bil*) forsæde [*ved siden af chaufføren*].

passenger train *sb.* persontog.
passer-by [pa:sə'bai] *sb.* (*pl. passers-by*) forbipasserende.
passerine ['pæsərain] *sb.* (*zo.*) spurvefugl.
passim ['pæsim] *adv.* (*lat.; i bog etc.*) på forskellige steder; alle vegne, overalt.
passing[1] ['pa:siŋ] *sb.* **1.** forbipassage; forbifart; (*se også passage (A1)*); **2.** (*om person*) bortgang; død; **3.** (*om stat etc.*) forsvinden; **4.** (*om lov*) vedtagelse;
□ *in ~* i forbifarten; en passant; *with the ~ of the years* efterhånden som årene går//gik; i tidens løb.
passing[2] ['pa:siŋ] *adj.* **1.** forbipasserende (*fx cars*); forbigående; forbisejlende; **2.** (*fig.*) flygtig (*fx glance; mention*); tilfældig; □ *with every ~ day* for hver dag der går//gik.
passing[3] ['pa:siŋ] *adv.* (*glds.*) overordentlig, såre (*fx rich*).
passing bell *sb.* (*især hist.*) dødsklokke.
passing note *sb.* (*mus.*) gennemgangsnode.
passing-out [pa:siŋ'aut] *sb.* (*mil.*) **1.** afgang; **2.** (*i sms.*) afgangs- (*fx examination; parade*).
passion ['pæʃn] *sb.* **1.** (*om stærk følelse*) lidenskab (*fx football arouses a great deal of ~*); lidenskabelighed (*fx ~ is a rare quality in the English*); passion; **2.** (*om vrede*) raseri, forbitrelse; **3.** (*erotisk*) lidenskabelig kærlighed (*for* til); begær (*for* efter); attrå; **4.** (*om interesse*) forkærlighed (*for* for, *fx gardening*); (*stærkere*) lidenskab (*for* for, *fx gambling; his other great ~ was travelling*); passion; □ *the Passion* (*rel.*) Kristi lidelse; *-s* lidenskaber; *-s were running high* bølgerne gik højt;
[*med præp.*] *in a ~* i vrede; opbragt; *fly into a ~* blive rasende, flyve i flint (*about over*); *throw into a ~* gøre rasende; *with ~* lidenskabeligt; glødende; (*se også crime*).
passionate ['pæʃnət] *adj.* **1.** lidenskabelig, flammende, glødende (*fx hatred; speech*); **2.** (*erotisk*) lidenskabelig (*fx embrace*);
□ *be ~ about* være lidenskabeligt optaget af; være en glødende tilhænger af.
passion flower *sb.* (*bot.*) passionsblomst.
passion fruit *sb.* passionsfrugt.
passionless ['pæʃnləs] *adj.* lidenskabsløs; uromantisk; kold.
passion play *sb.* passionsskuespil.

Passion Week *sb.* den stille uge.
passive ['pæsiv] *adj.* passiv;
□ *the ~* (*voice*) (*gram.*) passiv, lideform.
passivity [pæ'sivəti] *sb.* passivitet.
passkey ['pa:ski:] *sb.* **1.** hovednøgle; **2.** privatnøgle.
Passover ['pa:səuvə] *sb.* [*jødernes påskefest*].
passport ['pa:spɔ:t] *sb.* **1.** pas; **2.** (*fig.*) adgangsbillet; nøgle (*fx money is not a ~ to happiness*).
pass rate *sb.* bestålsesprocent.
password ['pa:swɔ:d] *sb.* **1.** løsen; **2.** (*mil.*) kendeord; feltråb; **3.** (*it*) adgangskode, brugerkode.
past[1] [pa:st] *sb.* **1.** fortid; **2.** (*gram.*) se *past tense*;
□ *in the ~* **a.** i fortiden (*fx he lives in the ~*); **b.** i tidligere tid (*fx in the ~, people had to use horses*); *it is a thing of the ~* det hører fortiden til; det er et overstået stadium.
past[2] [pa:st] *adj.* **1.** tidligere (*fx generations; he knew it from ~ experience*); **2.** (*om tidsrum*) forløben (*fx the ~ week*); sidst (*fx for the ~ 25 years*); **3.** (*litt.: efter vb.*) forbi (*fx the time for talking is ~*); ovre, overstået (*fx the crisis is ~*);
□ *English ~ and present* engelsk før og nu; *his ~ life* hans tidligere liv; hans fortid; *in times ~* i svundne tider; *in times//years long ~* i længst forsvundne dage; *for years ~* i årevis; *in years ~* tidligere år; *40 years ~* for 40 år siden.
past[3] [pa:st] *adv.* forbi (*fx walk ~*).
past[4] [pa:st] *præp.* **1.** forbi (*fx he walked ~ me*); **2.** (*om punkt på strækning*) efter, på den anden side af (*fx the crossroads; the next exit*); **3.** (*fig.*) ude over (*fx I was ~ the stage when I cared*); (*se også prime*[1]); **4.** (*om tid*) over (*fx it was ~ midnight; it is ten ~ two* klokken er ti minutter over to); (*se også half*[3]);
□ *put it ~* se *put*;
he is ~ danger han er uden for fare; *he is ~ help* han kan ikke hjælpes; *be ~ it* (T: *især spøg.*) være for gammel; være udtjent; *he is ~ work* han kan ikke længere arbejde; (*se også endurance, hope*[1]);
[+ *-ing*] *be ~ + -ing* ikke længere kunne, være for gammel til at kunne (*fx he is ~ giving useful advice; she is ~ child-bearing*); *I am ~ caring* det bekymrer//interesserer mig ikke længere; jeg er ligeglad; (*se også pray*).
pasta ['pæstə, (*am.*) 'pa:stə] *sb.* pa-

sta.

paste[1] [peist] *sb.* **1.** (dejagtig) masse; pasta (*fx toothpaste*); **2.** (*til bagning*) kagedej; **3.** (*til mad: tynd masse*) pasta (*fx tomato* ~); (*til pålæg*) [*smørbar masse: omtr. postej, fx fish* ~]; (se også *almond paste*); **4.** (*til at klæbe med*) klister (*fx wallpaper* ~); **5.** (*i keramik*) lermasse; **6.** (*til at lave kunstige ædelstene*) glasflus.

paste[2] [peist] *adj.* simili- (*fx diamond*).

paste[3] [peist] *vb.* **1.** klæbe, klistre (*fx a notice to* (på) *the door*); lime; **2.** T banke, tæske; **3.** (*it*) indsætte;
□ ~ *up* **a.** klæbe op; **b.** klistre til.

pasteboard ['peistbɔ:d] *sb.* (limet) pap; karton.

pastel[1] ['pæst(ə)l, pæs'tel] *sb.* **1.** pastelfarve; **2.** (*redskab*) pastelfarve, pastelkridt; **3.** (*billede*) pastelmaleri, pastelbillede.

pastel[2] ['pæst(ə)l] *adj.* pastel- (*fx blue; grey; yellow*).

pastel shades *sb. pl.* pastelfarver.

pastern ['pæstə(:)n] *sb.* (*hests*) kode.

paste-up ['peistʌp] *sb.* opklæbning.

pasteurization [pa:st(ʃ)ərai'zeiʃn, pæs-] *sb.* pasteurisering.

pasteurize ['pa:st(ʃ)əraiz, 'pæs-] *vb.* pasteurisere.

pastiche [pæ'sti:ʃ, 'pæsti:ʃ, (am.) pa:'sti:ʃ] *sb.* pastiche.

pastille ['pæst(ə)l] *sb.* **1.** pastil; **2.** røgelsespastil.

pastime ['pa:staim] *sb.* tidsfordriv; fritidsbeskæftigelse.

pasting ['peistiŋ] *sb.* **1.** T (omgang) klø, bank, tæsk; **2.** (*it*) indsætning.

past master *sb.* mester (*at/of* i).

pastor ['pa:stə] *sb.* præst.

pastoral[1] ['pa:st(ə)r(ə)l] *sb.* pastorale; hyrdedigt.

pastoral[2] ['pa:st(ə)r(ə)l] *adj.* **1.** (*rel.*) præstelig (*fx duties*); sjælesørgerisk (*fx work*); pastoral-; (se også *pastoral care*); **2.** (*i undervisning*) som vedrører personlig rådgivning; rådgivnings- (*fx their* ~ *duties*); **3.** (*i kunst*) pastoral; hyrde- (*fx poetry*); **4.** (*om sted, stemning*) idyllisk (*fx scene*); landlig; **5.** (*agr.*) græsnings- (*fx land*); kvæg- (*fx farm*).

pastoral care *sb.* **1.** (*rel.*) sjælesorg; **2.** (*i undervisning*) personlig rådgivning.

pastoral letter *sb.* (*rel.*) hyrdebrev.

past participle *sb.* (*gram.*) perfektum participium, kort tillægsform.

past perfect *sb.* (*gram.*) pluskvamperfektum, førdatid.

pastry ['peistri] *sb.* **1.** (*til pie,*

tærte) mørdej; butterdej; (*til kage*) kagedej; (se også *choux pastry, filo pastry, flaky pastry (etc.*)); **2.** (*bagværk*) konditorkage; (se også *Danish pastry*).

pastry cook *sb.* konditor.

past tense *sb.* (*gram.*) præteritum, datid.

pasturage ['pa:stjurid3] *sb.* **1.** græsning; **2.** græsgang.

pasture[1] ['pa:stʃə] *sb.* **1.** græsmark; græsningsareal; græsgang; **2.** (*planter*) græs;
□ *be off to/leave for -s new, seek greener -s* (*spøg. om person*) søge nye græsgange; søge nye udfordringer.

pasture[2] ['pa:stʃə] *vb.* **1.** (*kvæg*) sætte på græs; lade græsse; **2.** (*uden objekt*) græsse;
□ *put out to* ~ se *grass*[1] (*put out to grass*).

pasty[1] ['pæsti] *sb.* kødpostej.

pasty[2] ['peisti] *adj.* **1.** (*om person*) sygeligt bleg; blegfed; **2.** (*om masse*) dejagtig; klisteragtig.

pasty-faced ['peistifeist] *adj.* bleg; blegfed.

PA system *fork. f. public address system* højttaleranlæg [*til udsendelse af information*].

Pat [pæt] *fork. f. Patrick* (T: *neds.*) irer, irlænder.

pat[1] [pæt] *sb.* **1.** klap; **2.** (*af smør*) (formet) klat;
□ *give sby a* ~ *on the back* (*fig.*) give en et skulderklap; lykønske en; rose en.

pat[2] [pæt] *adj.* (*om svar, forklaring*) fiks og færdig; letbenet, flydende.

pat[3] [pæt] *vb.* klappe;
□ ~ *sby on the back* se *pat*[1].

pat[4] [pæt] *adv.* i rette øjeblik; belejlig; på rede hånd;
□ *have the answer down/off* ~ have svar på rede hånd; *know a lesson off* ~ kunne en lektie på fingrene; *stand* ~ (*am.*) **a.** stå fast; ikke give sig; **b.** (*i poker*) ikke købe nogen kort.

pat-a-cake ['pætəkeik] *sb.* klappe kage [*børneleg*].

patch[1] [pætʃ] *sb.* **1.** (*til reparation*) lap; **2.** (*til patchwork*) stofrest, tøjstump, klud; **3.** (*for øje*) klap; **4.** (*til at sætte på huden*) plaster (*fx a nicotine* ~); **5.** (*på sko*) flik; **6.** (*af afvigende farve*) plet (*fx a bald* ~; *a damp* ~ *on the wall*); **7.** (*af jord*) stykke (*fx a cabbage// potato* ~); jordstykke; **8.** (*hvor man arbejder*) distrikt, område; **9.** (*it*) patch, korrektion; **10.** (*am. mil.*) se *shoulder patch*; **11.** (*tlf. etc.*) midlertidig forbindelse;

12. (*glds.*) skønhedsplet;
□ *A is not a* ~ *on B* A er ingenting mod B/i sammenligning med B, A kan slet ikke måle sig/hamle op med B; *a bad/difficult/rough* ~ en svær periode; *in -es* pletvis.

patch[2] [pætʃ] *vb.* **1.** lappe; **2.** sy som patchwork (*fx a quilt*); **3.** (*tlf. etc.*) stille ind; forbinde;
□ ~ *into* (*jf. 3*) forbinde med; ~ *through* (*jf. 3*) stille igennem; ~ *together* flikke sammen; stykke sammen; ~ *up* **a.** lappe sammen; **b.** reparere (*fx fx the roof*); **c.** (*fig.*) bilægge (*fx a quarrel*); få orden på, ordne (*fx the matters*).

patch cord *sb.* forbindelsesledning.

patch pocket *sb.* påsyet lomme.

patch test *sb.* (*med.*) lappeprøve.

patchwork ['pætʃwə:k] *sb.* **1.** (*i håndarbejde*) patchwork [*sammensyning af stofrester*]; **2.** (*fig.*) kludetæppe; lappeværk; sammensurium.

patchy ['pætʃi] *adj.* **1.** spredt, pletvis (*fx fog*); **2.** (*fig.*) spredt, mangelfuld (*fx knowledge*); **3.** (*om kvalitet*) ujævn, uensartet (*fx performance*).

pate [peit] *sb.* (*glds. el. spøg.*) isse (*fx his bald* ~); skal.

pâté ['pætei, (am.) pa:'tei, pæ-] *sb.* paté, postej.

patella [pə'telə] *sb.* (*anat.*) knæskal.

paten ['pæt(ə)n] *sb.* patene, (alter)disk [*til nadverbrød*].

patent[1] ['peit(ə)nt, 'pæt-, (am.) 'pæt-] *sb.* patent;
□ *take out a* ~ *for* tage patent på; ~ *pending* patent anmeldt.

patent[2] ['peit(ə)nt, (2, am.) 'pæt-] *adj.* **1.** F åbenlys (*fx insincerity; lie; nonsense*); tydelig; **2.** patent- (*fx lock*); patenteret.

patent[3] ['peit(ə)nt, (*især am.*) 'pæ-] *vb.* patentere.

patentee [peit(ə)n'ti:, (*især am.*) pæ-] *sb.* patenthaver.

patent-leather [peit(ə)nt'leðə, (*især am.*) pæ-] *adj.* lak- (*fx handbag; shoes*).

patently ['peit(ə)ntli, (*især am.*) 'pæ-] *adv.* åbenlyst; tydeligt.

pater ['peitə] *sb.* (*glds. skoledrengesprog*) ophav; far.

paterfamilias [peitəfə'miliæs] *sb.* (F el. *spøg.*) familiefader.

paternal [pə'tə:n(ə)l] *adj.* **1.** fader-; faderlig; **2.** (*om slægtning*) fædrene; på ens faders side;
□ ~ *grandfather* farfar; ~ *grandmother* farmor.

paternalism [pə'tə:nəlizm] *sb.* paternalisme; patriarkalsk system//

styre; formynderi.

paternalist [pə'tɔ:nəlist] *sb.* tilhænger af paternalisme; paternalistisk/formynderisk person.

paternalistic [pətə:nə'listik] *adj.* paternalistisk; formynderisk.

paternity [pə'tɔ:niti] *sb.* paternitet, faderskab.

paternity leave *sb.* barselsorlov [*for mænd*].

paternity suit *sb.* faderskabssag.

paternoster [pætə'nɔstə] *sb.* **1.** fadervor; **2.** paternosterelevator.

path [pa:θ] *sb.* (*pl.* -*s* [pa:ðz]) **1.** (*hvor man går*) sti; gangsti; havegang; **2.** (*ryddet*) passage (*fx they moved aside to make a ~ for him*); **3.** (*persons*) vej (*fx his ~ through life; the ~ to success*); bane; **4.** (*astr.; flyv.; fys. etc.*) bane; **5.** (*it*) sti;
□ *in its ~ på sin vej* (*fx the fire burnt up everything in its ~*); [*med vb.*] *clear a ~* rydde en passage (*fx the snowplough cleared a ~ to the village*); *bane vej* (*fx through the jungle*); *their* -*s crossed* deres veje krydsedes.

path-breaking ['pa:θbreikiŋ] *adj.* banebrydende.

pathetic [pə'θetik] *adj.* **1.** medynkvækkende, sørgelig (*fx sight; figure*); **2.** (*neds.*) ynkelig (*fx attempt*); patetisk.

pathfinder ['pa:θfaində] *sb.* stifinder; pionér.

pathless ['pa:θləs] *adj.* (*litt.*) uvejsom.

pathogenic [pæθə'dʒenik] *adj.* sygdomsfremkaldende.

pathological [pæθə'lɔdʒikl] *adj.* patologisk; sygelig.

pathologist [pə'θɔlədʒist] *sb.* patolog.

pathology [pə'θɔlədʒi] *sb.* patologi, sygdomslære.

pathos ['peiθɔs] *sb.*: *the ~ of it* det rørende/gribende//medynkvækkende ved det.

pathway ['pa:θwei] *sb.* **1.** gangsti, sti; **2.** (*fig.*) bane; vej.

patience ['peiʃns] *sb.* **1.** tålmodighed; **2.** (*kortspil*) kabale;
□ *I am out of ~ with him* se ndf.: *I have no ~ with him*; (*se også saint*);
[*med vb.*] *the ~ came out* kabalen gik op; *get the ~ out* få kabalen til at gå op; *lose (one's) ~* miste tålmodigheden; *I have no ~ with him* jeg har tabt tålmodigheden med ham; jeg er træt af ham; jeg er blevet irriteret på ham; jeg kan ikke holde ham ud længere; *play ~* lægge kabaler; *put out of ~* gøre utålmodig; *try sby's ~* sætte

ens tålmodighed på prøve; (*se også possess, saint*).

patient[1] ['peiʃnt] *sb.* patient.

patient[2] ['peiʃnt] *adj.* tålmodig.

patient day *sb.* sengedag.

patina ['pætinə] *sb.* patina; ir.

patio ['pætiəu, (*am.*) 'pa:tiou, 'pæ-] *sb.* **1.** terrasse; **2.** (*i spansk-amerikansk hus*) patio; gårdhave.

patio door *sb.* terrassedør.

patisserie [pə'ti:səri] *sb.* **1.** fransk konditori; **2.** konditorkager.

patois ['pætwa:] *sb.* folkesprog, dialekt.

patriarch ['peitria:k] *sb.* (*også rel.*) patriark.

patriarchal [peitri'a:k(ə)l] *adj.* patriarkalsk.

patriarchy ['peitria:ki] *sb.* patriarkat.

patrician[1] [pə'triʃn] *sb.* patricier; aristokrat.

patrician[2] [pə'triʃn] *adj.* patricisk; aristokratisk.

patricide ['pætrisaid] *sb.* **1.** fadermord; **2.** (*person*) fadermorder.

patrimony ['pætriməni] *sb.* **1.** fædrene arv; arv; **2.** (*fig.*) arvegods.

patriot ['pætriət, 'pei-, (*am.*) 'pei-] *sb.* patriot.

patriotic [pætri'ɔtik, pei-, (*am.*) pei-] *adj.* patriotisk.

patriotism ['pætriətizm, 'pei-, (*am.*) 'pei-] *sb.* patriotisme; fædrelandskærlighed.

patrol[1] [pə'trəul] *sb.* patrulje.

patrol[2] [pə'trəul] *vb.* **1.** afpatruljere (*fx the building*); **2.** (*uden objekt*) patruljere.

patrol car *sb.* patruljevogn; politibil.

patrolman [pə'trəulmən] *sb.* (*pl.* -*men* [-mən]) **1.** [*medlem af vejpatrulje der yder hjælp til bilister*]; **2.** (*am.*) politibetjent, gadebetjent.

patrol wagon *sb.* (*am.*) politibil, salatfad.

patron ['peitrən, 'pæ-, (*am.*) 'pei-] *sb.* **1.** mæcen (*fx a ~ of the arts*); beskytter; **2.** (*om fornem person, især for velgørenhed*) protektor; **3.** (F: *i forretning*) kunde; (*i hotel, restaurant etc.*) gæst.

patronage ['pætrənidʒ, 'pei-] *sb.* **1.** støtte; beskyttelse; **2.** (*neds.*) protektion (*fx he got the post through political ~*); **3.** (*fornem persons, især for velgørenhed*) protektion (*fx under the ~ of Lord X*); **4.** (*neds. om holdning*) nedladenhed; **5.** (*merk.*) søgning; kundekreds; **6.** (*am.*) udnævnelsesret til embeder.

patronize ['pætrənaiz, (*am.*) 'pei-] *vb.* **1.** (*person, neds.*) behandle nedladende; **2.** (F: *forretning, re-*

staurant etc.) give sin søgning, handle hos; komme i, benytte; **3.** (*sag, person*) støtte; (*person også*) protegere;
□ *well -d* (*jf. 2*) godt besøgt.

patronizing ['pætrənaiziŋ, (*am.*) 'pei-] *adj.* nedladende; patroniserende; beskyttende.

patron saint *sb.* skytshelgen.

patronymic [pætrə'nimik] *sb.* patronymikon [*familienavn dannet af faderens navn*].

patsy ['pætsi] *sb.* (*am.* T) **1.** let offer; godtroende fjols; **2.** (*som får skylden*) prygelknabe.

patten ['pæt(ə)n] *sb.* træsko; trætøffel.

patter[1] ['pætə] *sb.* (*jf. patter*[2]) **1.** trommen, prikken; **2.** trippen; triptrap; **3.** remse; tirade; talestrøm;
□ *the ~ of tiny feet* (*spøg.*) [*omskrivning for: en baby*].

patter[2] ['pætə] *vb.* **1.** tromme, prikke (*fx the rain was -ing on the window*); **2.** (*om fodtrin*) trippe; **3.** (*især om tryllekunstner, udråber*) snakke rivende hurtigt.

pattern[1] ['pætən] *sb.* **1.** (*udsmykning & fig.*) mønster (*fx a geometric//flowery ~; behaviour ~; the murders all followed the same ~*); **2.** (*som man kan arbejde efter: til strikning*) strikkeopskrift; (*til tøjsyning*) snitmønster; (*udskåret*) skabelon; (*i støbning*) model; **3.** (*som man kan vælge efter*) prøve (*fx carpet -s; wallpaper -s*); **4.** (*som man kan rette sig efter*) forbillede, mønster (*fx take him as your ~*);
□ *set the ~ for* (*jf. 4*) danne forbillede/mønster for.

pattern[2] ['pætən] *vb.*: ~ *oneself on sby* tage én til forbillede/mønster; (*se også patterned*).

pattern book *sb.* **1.** mønsterbog; **2.** tapetbog.

patterned ['pætənd] *adj.* mønstret;
□ *be ~ on/after sth* være lavet/udformet efter noget; være lavet med noget som forbillede/mønster; ~ *with* med et mønster af (*fx roses*).

patternmaker ['pætənmeikə] *sb.* modelsnedker.

patty ['pæti] *sb.* lille postej.

patty shell *sb.* krustade; tartelet.

paucity ['pɔ:siti] *sb.* fåtallighed; knaphed.

paunch [pɔ:n(t)ʃ] *sb.* (tyk) vom; borgmestermave.

paunchy ['pɔ:n(t)ʃi] *adj.* tykmavet; mavesvær.

pauper ['pɔ:pə] *sb.* (*glds.*) fattig person; fattiglem.

pauperize ['pɔ:pəraiz] *vb.* forarme.

pause¹ [pɔ:z] *sb.* **1.** pause; afbrydelse; **2.** standsning; **3.** (*mus.*) fermat;

□ *give sby* ~ få en til at betænke sig; give en tid til at tænke sig om.

pause² [pɔ:z] *vb.* **1.** gøre en pause; holde pause; pausere; **2.** (*med objekt*) afbryde/standse midlertidigt (*fx a video; a computer program*).

pave [peiv] *vb.* give fast belægning; belægge med fliser//klinker; brolægge;

□ ~ *with flags* belægge med fliser; (se også *way*¹).

pavement ['peivmənt] *sb.* **1.** fortov; **2.** vejbelægning; brolægning, stenbro; flisebelægning; **3.** (*am.*) kørebane, vejbane; **4.** (*i hus*) murstensgulv; flisegulv.

pavement artist *sb.* fortovsmaler.

pavilion [pə'viljən] *sb.* **1.** (*i park, ved hospital, i udstilling*) pavillon; **2.** (*til fest etc.*) telt; **3.** (*ved kricketbane*) klubhus.

paving ['peiviŋ] *sb.* vejbelægning; brolægning; flisebelægning; klinkebelægning.

paving slab *sb.* fortovsflise.

paving stone *sb.* **1.** brosten; **2.** fortovsflise.

paviour ['peivjə] *sb.* **1.** (*person*) brolægger; fliselægger; **2.** (*sten*) brosten; **3.** (*redskab*) brolæggerjomfru.

paw¹ [pɔ:] *sb.* **1.** (*dyrs*) pote; lab; **2.** (T: *om stor hånd*) lab; næve; □ *-s off!* grabberne væk! væk med nallerne!

paw² [pɔ:] *vb.* **1.** (*om dyr*) skrabe; (*om hest også*) stampe; **2.** (*med objekt*) skrabe i; stampe på; **3.** (*om person*) se ndf.: ~ *about*; □ ~ *about/around/at/over* befamle; gramse på, rage på (*fx a girl*).

pawky ['pɔ:ki] *adj.* (*især skotsk: om humor*) lun; sveden.

pawl [pɔ:l] *sb.* (*tekn.*) spærhage; pal.

pawn¹ [pɔ:n] *sb.* **1.** (*i skak*) bonde; **2.** (*fig.*) brik (*fx he was only a* ~ *in the game*); □ *in* ~ pantsat.

pawn² [pɔ:n] *vb.* pantsætte.

pawnbroker ['pɔ:nbrəukə] *sb.* pantelåner.

pawnshop ['pɔ:nʃɔp] *sb.* lånekontor.

pawn ticket *sb.* låneseddel.

pawpaw ['pɔ:pɔ:] *sb.* (*bot.*) papaja.

pax [pæks] *sb.* (*i børns leg, glds.*) jeg overgiver mig!

pay¹ [pei] *sb.* betaling, lønning; løn, gage; (*mar.*) hyre; (*glds. mil.*) sold;

□ *in sby's* ~ i éns tjeneste; i éns sold; betalt af en (*fx he was in the* ~ *of a foreign power*).

pay² [pei] *vb.* (*paid, paid*) (se også *paid*) **A.** (*med objekt*) **1.** (*penge*) betale (*fx £500*); F erlægge, udrede; **2.** (*regning etc.*) betale (*fx a bill; one's debt; taxes*); (se også *bill*¹); **3.** (*person*) betale (*fx the waiter*); (*om fast løn også*) aflønne, gagere; (se også *piper*); **4.** (*om stilling, handel, investering*) give, indbringe (*fx a job that -s you £400 a week*); (se også *dividend*); **5.** (*om foretagende etc.*) betale sig for (*fx the enterprise will not* ~ *you; training will* ~ *you*); **6.** (*følelse etc.*) vise (*fx sympathy*); (se også *attention, compliment*¹, *court*¹, *heed*¹, *homage, lip service, respect*¹, *way*¹, *call*¹, *visit*¹);

B. (*uden objekt*) **1.** betale (*fx you will have to* ~); **2.** (*jf. A 2*) betale, lønne (*fx they* ~ *well*); **3.** (*jf. A 3*) være indbringende (*fx jobs which* ~); **4.** (*jf. A 4*) betale sig, svare sig (*fx crime doesn't* ~; *it -s to buy the best quality*);

□ *it only just -s* det kan lige løbe rundt; *it won't* ~ det betaler sig ikke;

[*med adv., præp.*] ~ *back* **a.** betale tilbage; **b.** gøre gengæld over for; hævne sig på (*fx she paid him back for his cruelty*); *I'll* ~ *you back for this!* det skal du få betalt! ~ *sby back in his own coin* betale en/give en igen med samme mønt; ~ *£100 down and the rest by instalments* betale £100 ud/kontant og resten i afdrag;

~ *for* **a.** (*vare, ydelse*) betale (*fx the goods; the dinner; the damage; the repair*); **b.** (*beløb*) betale for (*fx how much did you* ~ *for the car? I paid £50.000//a fortune for it*); **c.** (*fig.*) betale for (*fx she paid dearly for her mistake*); bøde for; undgælde for; *I'll make you* ~ *for this!* det skal du få betalt! *he will* ~ *for it very dearly* (*også*) det kommer ham dyrt at stå; *it will* ~ *for itself* det vil tjene sig ind; ~ *in* indbetale; (*på konto*) indsætte;

~ *the cheque into his account* indsætte checken på hans konto; ~ *off* **a.** (*gæld*) indfri, betale tilbage; (*lån, prioritet*) betale ud; **b.** (*beløb*) afdrage; **c.** (*kreditor*) betale; **d.** (*ansat*) betale og afskedige; (*mar.*) afmønstre; **e.** T bestikke; købe til tavshed (*fx a witness*); (*kriminel: for at undgå ubehageligheder*) købe sig fri for;

f. (*uden objekt: om foretagende*) betale sig, lønne sig; give bonus; **g.** (*mar.*) falde af; dreje fra vinden; ~ *out* **a.** (*om spareforening*) udbetale indskuddet; **b.** (*om person: penge*) ofre, øse ud (*fx a lot of money for clothes*); **c.** (*mar.: trosse etc.*) fire på; stikke ud; **d.** (T: *person*) hævne sig på; straffe (*for for*); *I'll* ~ *you out!* det skal du få betalt;

~ *through* the nose se *nose*¹; ~ *up* **a.** T betale, punge ud, ryste op med pengene (*fx you'll have to* ~ *up*); **b.** (*am.*) betale helt ud (*fx a mortgage*).

payable ['peiəbl] *adj.* **1.** betalbar; at betale (*fx* ~ *in advance*); forfalden; **2.** som kan betales (*fx* ~ *in monthly instalments*);

□ ~ *to* udstedt til; lydende på (*fx bearer ihændehaveren*); *make the cheque* ~ *to X* udstede checken til X.

pay as you earn *sb.* kildeskat.

pay as you go (*am.*) løbende betaling af udgifter; kildeskat.

payback ['peibæk] *sb.* udbytte, gevinst, fortjeneste.

payback period *sb.* tilbagebetalingstid [*for investering*].

pay bed T se *amenity bed*.

paycheck ['peitʃek] *sb.* (*am.*) **1.** lønningscheck; lønudbetaling; **2.** løn.

pay day *sb.* lønningsdag.

pay dirt *sb.* (*især am.*) **1.** guldholdigt grus; **2.** (*fig.*) værdifuldt materiale;

□ *strike/hit* ~ få succes, have heldet med sig; score kassen.

PAYE *fork. f.* pay as you earn kildebeskatning.

payee [pei'i:] *sb.* modtager [*fx af check*]; (*merk.*) remittent.

paying guest [peiiŋ'gest] *sb.* betalende gæst; pensionær.

payload ['peiləud] *sb.* **1.** nyttelast; **2.** (*i raket*) sprængladning.

paymaster ['peima:stə] *sb.* **1.** [*den der sidder på pengekassen*]; **2.** (*mil. etc.*) regnskabsfører.

Paymaster General *sb.* [*embedsmand som forestår statens udbetalinger*].

payment ['peimənt] *sb.* **1.** betaling; udbetaling; **2.** (*fig.*) gengæld; belønning;

□ *suspend -s* standse sine betalinger.

payoff ['peiɔf] *sb.* **1.** (*af investering etc.*) udbytte, gevinst; **2.** (*til kriminel etc.*) [*betaling for tavshed el. for at holde sig væk*]; bestikkelse; **3.** (*til ansat: ved afskedigelse*) fratrædelsesgodtgørelse.

payola [pei'oulə] *sb.* (*glds. am.* S) bestikkelse [*fx for at få en plade spillet i radioprogram*].

payout ['peiaut] *sb.* (udbetalt) sum; udbetaling.

pay packet *sb.* **1.** lønningskuvert; lønningspose; **2.** løn, hyre.

pay phone *sb.* mønttelefon.

payroll ['peirəul] **1.** lønningsliste; **2.** samlet lønudbetaling;

□ *be on the* ~ (*jf. 1*) være ansat.

payslip ['peislip] *sb.* lønseddel.

pay station *sb.* (*am.*) telefonboks.

PC *fork. f.* **1.** *police constable*; **2.** *personal computer*; **3.** *politically correct*; **4.** *Privy Counsellor.*

pc *fork. f.* **1.** *politically correct*; **2.** *per cent.*

pd. *fork. f. paid.*

PDA *fork. f. personal digital assistant* [*form for håndholdt computer*].

pdq, PDQ *fork. f. pretty damn quick.*

PE *fork. f. physical education.*

pea [pi:] *sb.* ært; (se også *like²*).

pea-brain ['pi:brein] *sb.* dummerhoved, tåbe.

pea-brained ['pi:breind] *adj.* dum, tåbelig.

peace [pi:s] *sb.* fred;

□ ~ *of mind* fred i sindet; sjælefred; (se også *wicked*);

[*med vb.*] *disturb the* ~ forstyrre den offentlige ro og orden; *hold one's* ~ holde mund; *keep the* ~ **a.** (*om stater*) holde fred; **b.** (*om person(er)*) ikke forstyrre den offentlige ro og orden; *be bound over to keep the* ~ få et tilhold; *make* ~ **a.** stifte fred; **b.** (*om stater*) slutte fred (*with* med); *make one's* ~ *with* (*om person*) slutte fred med; forsone sig med; [*med præp.*] *he is at* ~ han har fået fred [ɔ: er død]; *be at* ~ *with* leve i fred med; have et fredeligt forhold til; *be at* ~ *with oneself* have fred i sin sjæl; *leave sby in* ~ lade en være i fred; *disturbance of the* ~ forstyrrelse af den offentlige ro og orden.

peaceable ['pi:səbl] *adj.* fredelig; fredsommelig.

peace dividend *sb.* fredsdividende.

peace establishment *sb.* fredsstyrke.

peaceful ['pi:sf(u)l] *adj.* **1.** fredelig; **2.** (*om sted, stemning*) fredelig, rolig, fredfyldt.

peacekeeper ['pi:ski:pə] *sb.* [*medlem af fredsbevarende styrke*].

peacekeeping ['pi:ski:piŋ] *adj.* fredsbevarende.

peacemaker ['pi:smeikə] *sb.* fredsmægler; fredsstifter.

peacemaking ['pi:smeikiŋ] *adj.* fredsskabende.

peace movement *sb.* fredsbevægelse.

peace offering *sb.* **1.** forsonende gestus; forsoningsgave; **2.** (*i Biblen*) takoffer.

peace overtures *sb. pl.* fredsfølere.

peace research *sb.* fredsforskning.

peace talks *sb. pl.* fredsforhandlinger.

peach¹ [pi:tʃ] *sb.* **1.** fersken; **2.** ferskentræ; **3.** T sød pige;

□ *-es and cream* (*dessert*) ferskner med flødeskum; *-es and cream complexion* ferskenteint; *a* ~ *of an evening* (*let glds.* T) en skøn/herlig aften.

peach² [pi:tʃ] *adj.* ferskenfarvet.

peach³ [pi:tʃ] *vb.:* ~ *on* T angive, stikke.

peachick ['pi:tʃik] *sb.* påfuglekylling.

peachy ['pi:tʃi] *adj.* **1.** ferskenagtig; **2.** T dejlig; lækker.

peacock ['pi:kɔk] *sb.* påfugl, påfuglehane; (se også *proud*).

peacock butterfly *sb.* (*zo.*) dagpåfugleøje.

pea green *sb.* ærtegrønt.

peahen ['pi:hen] *sb.* (*zo.*) påfuglehøne.

pea jacket *sb.* (*mar.*) pjækkert; stortrøje.

peak¹ [pi:k] *sb.* **1.** højdepunkt (*fx sales have reached a new* ~; *at the* ~ *of his career*); kulmination; **2.** (*af kurve*) toppunkt; spidsværdi; maksimalværdi; **3.** (*form*) spids; **4.** (*af bjerg*) tinde, top; (*også*) bjerg; **5.** (*på kasket*) skygge; **6.** (*mar.: af sejl*) pik, peak.

peak² [pi:k] *adj.* **1.** (*om niveau*) top- (*fx performance*); maksimal; **2.** (*om tid*) med spidsbelastning, med topbelastning; (se også ndf.: *peak hour* (etc.)).

peak³ [pi:k] *vb.* nå sit højdepunkt, toppe, kulminere; nå maksimum.

peaked [pi:kt] *adj.* (*om person*) tynd, afpillet.

peaked cap *sb.* kasket med skygge; uniformskasket.

peak hour *sb.* myldretid; (*fagl.*) spidstime.

peak load *sb.* spidsbelastning; topbelastning.

peak period *sb.* myldretid.

peak season *sb.* højsæson.

peak time *sb.* **1.** (*tv*) den bedste sendetid; **2.** (*mht. trafik*) myldretid.

peaky ['pi:ki] *adj.* (*om person*) tynd, afpillet.

peal¹ [pi:l] *sb.* **1.** (*af klokke(r)*) ringen; klemten; kimen; **2.** (*på dør-*klokke) ring (*fx two short -s*); kimen (*fx a long insistent* ~); **3.** (*klokker*) [*sæt afstemte klokker*];

□ *a* ~ *of laughter* en skraldende latter; en lattersalve; *a* ~ *of thunder* et tordenskrald, et tordenbrag; *the* ~ *of the organ* orglets brusen.

peal² [pi:l] *vb.* **1.** (*om klokker*) ringe; kime; klemte; **2.** (*med objekt*) ringe med; kime med; klemte med; **3.** (*om orgel*) bruse.

peanut ['pi:nʌt] *sb.* jordnød;

□ *-s* (*fig.*) småpenge, pebernødder; *the Peanuts* (*tegneserie*) Radiserne.

peanut butter *sb.* jordnøddesmør.

pea pod *sb.* ærtebælg.

pear [pɛə] *sb.* **1.** pære; **2.** pæretræ.

pearl [pə:l] *sb.* **1.** perle; **2.** perlemor;

□ *cast -s before swine* kaste perler for svin; *-s of wisdom* (*iron.*) guldkorn, visdomsord.

pearl barley *sb.* perlegryn.

pearl button *sb.* perlemorsknap.

pearl diver *sb.* perlefisker.

pearled [pə:ld] *adj.* perlebesat;

□ ~ *with dew* besat med dugperler.

pearl mussel *sb.* (*zo.*) flodperlemusling.

pearl oyster *sb.* (*zo.*) perlemusling.

pearlwort ['pə:lwɔ:t] *sb.* (*bot.*) firling.

pearly ['pə:li] *adj.* perle-; perleagtig; perleskinnende.

Pearly Gates *sb. pl.: the* ~ perleporten; himlens port.

pear-shaped ['pɛəʃeipt] *adj.* pæreformet;

□ *go* ~ (T: *fig.*) gå skævt.

peasant ['pez(ə)nt] *sb.* **1.** bonde [*især som klassebetegnelse, om småbønder og landarbejdere*]; **2.** (T: *skældsord*) bondeknold; stud.

peasantry ['pez(ə)ntri] *sb.* bondestand, bønder, (land)almue.

peashooter ['pi:ʃu:tə] *sb.* pusterør; ærtebøsse.

pea soup *sb.* gule ærter;

□ *green-pea soup* (grøn)ærtesuppe.

pea-souper [pi:'su:pə] *sb.* [*tæt gul (london)tåge*].

peat [pi:t] *sb.* tørv.

peat bog *sb.* tørvemose.

peat moss *sb.* **1.** tørvemose; **2.** (*bot.*) tørvemos.

peaty ['pi:ti] *adj.* **1.** tørveagtig; **2.** tørverig.

peavey ['pi:vi] *sb.* (*am.*) kanthage.

pebble ['pebl] *sb.* (lille og rund) sten;

□ *-s* småsten, grus, ral; rullesten;

you are not the only ~ on the beach der er også andre mennesker//piger til end dig.

pebbledash ['pebldæʃ] *sb.* stenpuds.

pebble glasses *sb. pl.* T [*briller med meget tykke glas*]; hinkestensbriller.

pebbly ['pebli] *adj.* fuld af småsten; stenet.

pec [pek] T = *pectoral¹*.

pecan [pi'kæn, 'pi:kən, -kæn, (*am.* også) pi'ka:n] *sb.* (*bot.*) amerikansk valnød.

peccadillo [pekə'diləu] *sb.* lille synd; lille forseelse.

peccary ['pekəri] *sb.* (*zo.*; *am.*) navlesvin; pekari.

peck¹ [pek] *sb.* **1.** (jf. *peck² 1*) hak; (*let*) pikken; **2.** (flygtigt/let) kys (*fx a ~ on the cheek*); **3.** (*rummål*) [¼ bushel, 9,1 l].

peck² [pek] *vb.* **1.** (*om fugl*) hakke; (*let*) pikke; **2.** (*med objekt*) hakke i (*fx the parrot -ed my finger*); (*let*) pikke på; **3.** (*om person*) kysse (flygtigt) (*fx he -ed her on the cheek*);
□ *~ at* (*om fugl*) hakke i//efter; pikke i; *~ at one's food* sidde og stikke til maden, nippe til maden.

pecker ['pekə] *sb.* (*vulg.*) pik;
□ *keep your ~ up!* T tab ikke modet!

pecking order *sb.* hakkeorden.

peckish ['pekiʃ] *adj.* **1.** T sulten, brødflov; **2.** (*am.*) irritabel.

pectin ['pektin] *sb.* pektin.

pectoral¹ ['pektər(ə)l] *sb.* brystmuskel.

pectoral² ['pektər(ə)l] *adj.* bryst-.

pectoral fin *sb.* brystfinne.

pectoral muscle *sb.* brystmuskel.

peculate ['pekjuleit] *vb.* F begå underslæb; stjæle af kassen.

peculation [pekju'leiʃn] *sb.* F underslæb; kassesvig.

peculiar [pi'kju:liə] *adj.* **1.** mærkelig, besynderlig, sær, ejendommelig (*fx he has a ~ taste*); **2.** særlig, speciel (*fx of ~ interest*);
□ *feel ~* føle sig underligt tilpas; være let utilpas; *~ to* særegen for; kendetegnende for.

peculiarity [pikju:li'ærəti] *sb.* **1.** særhed; ejendommelighed; **2.** særegenhed.

peculiarly [pi'kju:liəli] *adv.* (jf. *peculiar*) **1.** mærkeligt, besynderligt, sært, ejendommeligt (*fx the house was ~ quiet*); **2.** specielt (*fx a ~ American characteristic*); særligt; **3.** (*forstærkende*) særlig; særdeles (*fx attractive*).

pecuniary [pi'kju:niəri] *adj.* pekuniær; penge-.

ped, PED *fork. f.* (*am.*) *pedestrian.*

pedagogic [pedə'gɔdʒik] *adj.* pædagogisk.

pedagogue ['pedəgɔg] *sb.* skolemester.

pedagogy ['pedəgɔdʒi] *sb.* pædagogik.

pedal¹ ['ped(ə)l] *sb.* pedal.

pedal² ['ped(ə)l] *vb.* **1.** cykle; træde i pedalerne; (*med objekt*) træde (*fx a bicycle*); **2.** (*mus.*) bruge pedal.

pedal bin *sb.* pedalspand.

pedal boat *sb.* vandcykel.

pedal cycle *sb.* trædecykel.

pedalo ['pedələu] *sb.* vandcykel.

pedal pushers *sb. pl.* cykelshorts.

pedant ['ped(ə)nt] *sb.* pedant.

pedantic [pi'dæntik] *adj.* pedantisk.

pedantry ['ped(ə)ntri] *sb.* pedanteri.

peddle ['pedl] *vb.* **1.** falbyde; sælge ved dørene; handle med på gaden; **2.** (*fig.*) udbrede, udsprede (*fx gossip*);
□ *~ drugs* sælge stoffer, pushe.

peddler ['pedlə] *sb.* omvandrende handelsmand; dørsælger; gadesælger; (*glds.*) bissekræmmer; (se også *drug peddler*).

pederast ['pedəræst, 'pi:-, (*am.*) 'pe-] *sb.* pæderast.

pedestal ['pedist(ə)l] *sb.* **1.** (*til vase*) piedestal; **2.** (*til statue*) piedestal, fodstykke; (*høj*) postament; **3.** (*af søjle*) fodstykke, sokkel, basis; (*høj*) postament; **4.** (*i skrivebord*) skab; **5.** (*til håndvask*) søjle;
□ *put him on a ~* (*fig.: forgude*) anbringe ham/stille ham op på en piedestal; *knock him off his ~* (*fig.*) pille ham ned fra piedestalen.

pedestrian¹ [pi'destriən] *sb.* fodgænger.

pedestrian² [pi'destriən] *adj.* uinspireret, kedsommelig; prosaisk.

pedestrian crossing *sb.* fodgængerovergang; fodgængerfelt.

pedestrianize [pi'destriənaiz] *vb.* omdanne til gågade.

pedestrian precinct *sb.* fodgængerområde.

pedestrian tunnel, pedestrian underpass *sb.* fodgængertunel.

pediatrician *sb.* (*især am.*) = *paediatrician.*

pediatrics *sb.* (*især am.*) = *paediatrics.*

pedicel ['pedisel], **pedicle** ['pedikl] *sb.* (*bot.*; *zo.*) stilk.

pedicure ['pedikjuə] *sb.* pedicure, fodpleje.

pedigree ['pedigri:] *sb.* **1.** stamtavle; **2.** herkomst; afstamning.

pedigree dog *sb.* racehund.

pediment ['pedimənt] *sb.* (*arkit.*) frontispice.

pedlar ['pedlə] se *peddler.*

pedometer [pi'dɔmitə] *sb.* skridttæller.

pedophile *sb.* (*især am.*) = *paedophile.*

peduncle [pi'dʌŋkl] *sb.* (*bot.*) stilk; stængel.

pedway ['pedwei] *sb.* (*am.*) [*fodgængergade der er hævet over det alm. gadeniveau*].

pee¹ [pi:] *sb.* T tis;
□ *have a ~* tisse.

pee² [pi:] *vb.* T tisse;
□ *~ oneself, ~ one's pants* tisse i bukserne.

peek¹ [pi:k] *sb.* kig;
□ *take a ~* kigge (*fx at the letter, through the keyhole*).

peek² [pi:k] *vb.* kigge.

peekaboo ['pi:kəbu:] *sb.* (*leg med småbørn*) bortetit; tittebøh.

peel¹ [pi:l] *sb.* skræl//skræller (*fx what shall I do with the ~?*); (*af appelsin, citron etc.*) skal//skaller;
□ *a piece of ~* en skræl; en skal; *a ~* (*am.*) *= a piece of ~*.

peel² [pi:l] *vb.* **1.** skrælle; (*appelsin, ny kartoffel også*) pille; **2.** (*uden objekt: om hud, maling etc.*) skalle af, skalle;
□ *~ away* se: *~ off*; **off**
a. skrælle af (*fx the skin; the bark*); trække af (*fx a label; cellophane*); **b.** (T: *tøj*) tage af, trække af, smide (*fx one's coat*); **c.** (*uden objekt, jf. 2*) skalle af, skalle; **d.** (*flyv.; mar.*) forlade formationen; **e.** (*om kørende*) dreje 'fra; (se også *eye¹*).

peeler ['pi:lə] *sb.* skrællekniv; (se også *potato peeler*).

peelings ['pi:liŋz] *sb. pl.* skræller.

peen [pi:n] *sb.* næb, pen [*på hammer*].

peep¹ [pi:p] *sb.* **1.** glimt (*fx I got a ~ of a golden earring*); kig; **2.** (*af fugl*) pip; pippen; **3.** (T: *ytring, protest*) lyd, pip (*fx we didn't hear a ~ from them; one more ~ out of (fra) you and you go straight to bed!*); **4.** (*elektronisk*) bip;
□ *they didn't give a ~* (jf. *3*) de sagde ikke en lyd; *take a ~ at* (jf *1*) kigge på, kaste et (hurtigt) blik på.

peep² [pi:p] *vb.* **1.** kigge, titte (*fx I couldn't resist -ing in*); **2.** (*om fugl*) pippe;
□ *~ at* kigge på, kaste et (hurtigt) blik på; *~ out* titte/dukke frem (*fx the sun began to ~ out*); *~ up* titte/dukke frem (*fx a few flowers*

-ed up through the snow); stikke frem//op.

peep-bo ['pi:pbəu] *sb.* se *peekaboo.*

peeper ['pi:pə] *sb.* lurer; (se også *peeping Tom*);
□ -s (*glds.* T) glugger [ɔ: øjne].

peephole ['pi:phəul] *sb.* kighul.

peeping Tom [pi:piŋ'tɔm] *sb.* lurer; vindueskigger; S spanner.

peep show *sb.* 1. kukkasse; 2. (*med pornofilm*) peep show.

peep sight *sb.* (*på gevær*) diopter; hulsigte.

peep-toe ['pi:ptəu] *adj.* tåløs (*fx shoe*).

peer[1] [piə] *sb.* 1. ligemand (*fx you have a right to be judged by your peers; as a teacher he had few -s*); fælle (*fx his academic -s* hans fagfæller); 2. (*mht. alder*) jævnaldrende; kammerat; 3. (*adelig*) [*medlem af højadelen*]; (se også *life peer, peer of the realm*);
□ *create sby a* ~ ophøje en i adelstanden; *you will not find his* ~ du finder ikke hans lige; *without* ~ uforlignelig.

peer[2] [piə] *vb.* stirre (*at på*); spejde; anstrenge sig for at se.

peerage ['piəridʒ] *sb.* 1. adelsrang; adelskab; 2. (*personer*) højadel; 3. (*bog*) adelskalender;
□ *be given a* ~, *be elevated/raised to the* ~ blive ophøjet i adelstanden; blive udnævnt til *life peer*; (se *life peer*).

peeress ['piərəs, -res] *sb.* adelsfrue; adelsdame;
□ ~ *in her own right* [*adelig dame der selvstændigt har adelstitel*].

peer group *sb.* [*gruppe af jævnaldrende//kammerater//ligemænd*].

peerless ['piələs] *adj.* F uforlignelig.

peer of the realm *sb.* [*højadelig med ret til at sidde i Overhuset*].

peeve [pi:v] *vb.* irritere, ærgre.

peeved [pi:vd] *adj.* T irriteret, ærgerlig, sur (*about* over).

peevish ['pi:viʃ] *adj.* irritabel, pirrelig, vranten.

peewee[1] ['pi:wi:] *sb.* (*om barn*) pusling;
□ *have a* ~ (*barnesprog*) tisse.

peewee[2] ['pi:wi:] *adj.* (*am.*) lillebitte.

peewit ['pi:wit] *sb.* (*zo.*) vibe.

Peg [peg] [*kælenavn for Margaret*].

peg[1] [peg] *sb.* 1. (*til at fastgøre noget*) pløk; nagle; tap; 2. (*til tønde*) tap; 3. (*til at stikke i jorden*) (lille) pæl; (*til afmærkning*) mærkepæl; (*til telt*) pløk; 4. (*til at hænge tøj på*) knage; 5. (*til tøjsnor*) tøjklemme; 6. (*på strengeinstrument*) stemmeskrue; 7. (*på skala*) trin,

tak (*fx move up a* ~ *in the organization*); 8. T ben; 9. (*am.*: *i baseball*) [*lavt hurtigt kast*];
□ -s (*jf.* 8) stylter; (se også *square*[2]); [*med vb.*(+ *præp. el. adv.*)] *buy clothes off the* ~ købe tøj færdigsyet; (se også *off-the-peg*); *come down a* ~ a. rykke en tak ned; b. stemme tonen ned; blive mindre vigtig; *a* ~ *to hang sth on* (*fig.*) en anledning til noget; et påskud til noget; *take him down a* ~ (*or two*) skære/pille ham ned.

peg[2] [peg] *vb.* 1. slå fast med pløkke//nagler; nagle fast; 2. (*område*) markere [*med pinde*]; 3. (*fig.*) lægge fast; fiksere (*fx prices*); 4. (*am.*) kaste;
□ ~ *sby as* (*am.* T) rubricere en som; *I have him -ged* jeg ved hvad han er for en;
[*med adv.*] ~ *away* T klemme på (*at* med); ~ *down* a. fastgøre [*med pløkke*]; b. (*fig.*) binde; lægge fast; fastfryse; ~ *sby down to* holde en fast på (*fx a promise*); binde en til; ~ *out* a. T dejse om; besvime; b. T stille træskoene, tage billetten; dø; c. (*i kroket*) slå til pæls; d. (*med objekt: vasketøj*) hænge ud//op, hænge til tørre [*med klemmer*]; e. (*område*) afmærke med pinde, udstikke.

pegboard ['pegbɔ:d] *sb.* plade med huller [*til knager, spil m.m.*].

peg leg *sb.* (*glds.* T) træben.

pegtop ['pegtɔp] *sb.* snurretop.

pejorative [pə'dʒɔ:rətiv, 'pi:dʒərətiv] *adj.* F pejorativ, nedsættende.

peke [pi:k] *sb.* T pekingeser.

pekinese [pi:ki'ni:z], **pekingese** [pi:kiŋ'i:z] *sb.* pekingeser.

pelargonium [pelə'gəuniəm] *sb.* (*bot.*) pelargonie.

pelican ['pelikən] *sb.* (*zo.*) pelikan.

pelican crossing *sb.* [*fodgængerovergang med fodgængerkontrolleret trafiklys*].

pellagra [pe'lægrə, pə-, (*am.*) pə'leigrə, -'læg-] *sb.* (*med.*) pellagra [*en mangelsygdom*].

pellet ['pelit] *sb.* 1. (lille) kugle [*som trilles mellem fingrene, fx papirs-, brød-*]; 2. (*til udstrøning, fx foder-, gift-*) pille; 3. (*til skydevåben*) hagl; 4. (*fra rovfugl*) gylp (*fx owl* ~); 5. (*fra hare, får*) lort.

pelleted ['pelitid] *adj.* i pilleform.

pellicle ['pelikl] *sb.* hinde.

pellitory ['pelit(ə)ri] *sb.* (*bot.*) springknap.

pell-mell[1] [pel'mel] *adj.* forvirret; hovedkulds.

pell-mell[2] [pel'mel] *adv.* 1. hulter til bulter, i vild forvirring; 2. ho-

vedkulds, i huj og hast.

pellucid [pe'l(j)u:sid] *adj.* gennemsigtig, klar; krystalklar.

pelmet ['pelmət] *sb.* gardinkappe; (*af træ*) korniche, stilkappe.

pelt[1] [pelt] *sb.* pels; skind [*med hårene på*];
□ (*at*) *full* ~ i fuld fart.

pelt[2] [pelt] *vb.* T fare, pile, spæne (*fx across the road*);
□ *the hail -ed against the roof* haglene piskede på taget; ~ *stones at sby* kaste sten efter en; *it was -ing down* (*with rain*), *the rain was -ing down* det øsede/styrtede/høvlede ned; ~ *sby with* bombardere en med (*fx stones, questions*); overdænge en med (*fx roses; abuse*); *it was -ing with rain* se ovf.: *it was -ing down.*

pelvic ['pelvik] *adj.* (*anat.*) bækken- (*fx fracture* brud).

pelvic fin *sb.* bugfinne.

pelvic floor *sb.* (*anat.*) bækkenbund.

pelvic inflammatory disease *sb.* (*med.*) underlivsbetændelse.

pelvis ['pelvis] *sb.* (*anat.*) bækken.

pemmican ['pemikən] *sb.* pemmikan [*tørret kød*].

pen[1] [pen] *sb.* 1. (*til at skrive med*) pen; 2. (*til husdyr*) fold (*fx sheep* ~); indelukke, indhegning; 3. se *playpen*; 4. (*mar.*: *til ubåde*) ubådsbunker; 5. (*am.* S) = *penitentiary.*

pen[2] [pen] *vb.* 1. skrive, forfatte (*fx a letter*); 2. (*husdyr*) lukke ind i en fold, drive i folden (*fx* ~ *the sheep for clipping*); holde i en fold;
□ ~ *in,* ~ *up* lukke inde; spærre inde.

penal ['pi:n(ə)l] *adj.* 1. straffe- (*fx institution*); kriminal- (*fx reform*); 2. (*om handling*) strafbar, kriminel; 3. (*om skat, afgift*) kriminelt høj, ruinerende.

penal code *sb.* straffelov.

penal colony *sb.* straffekoloni.

penalize ['pi:n(ə)laiz] *vb.* 1. straffe, ramme; lade det gå ud over; 2. (*i sport*) straffe, idømme strafpoint; (*i amerikansk fodbold*) idømme tab af terræn; 3. (*mht karakter*) trække ned (*fx* ~ *the students for spelling mistakes*); 4. (*fig.*) stille ugunstigt;
□ *it will* ~ *them* (*jf.* 1, *også*) det vil gå ud over dem.

penal servitude *sb.* strafarbejde.

penalty ['pen(ə)lti] *sb.* 1. straf (*fx the maximum* ~ *for this offence*); 2. (*i sport*) straf; (*i fodbold*) straffespark; (*i hockey*) straffeslag; 3. (*fig.*) straf, pris; uheldig følge

(*fx he described the penalties of not joining the EU*);
□ *they lost the match on penalties* de tabte kampen ved en straffesparkkonkurrence; *pay a ~ of* betale et ekstragebyr på (*fx 25% of the ticket price*); *pay the ~ of* (*fig.*) bøde for, betale prisen for; ... *under/on ~ of a fine* (overtrædelse af forbuddet//bestemmelsen) vil medføre bødestraf.

penalty area *sb.* straffesparkfelt.

penalty box *sb.* **1.** (*i fodbold*) straffesparkfelt; **2.** (*i ishockey*) straffeboks.

penalty clause *sb.* straffebestemmelse.

penalty goal *sb.* mål scoret på straffespark.

penalty kick *sb.* straffespark.

penalty point *sb.* strafpoint.

penalty shoot-out *sb.* straffespark(s)konkurrence.

penance ['penəns] *sb.* **1.** bod; bodsøvelse; bodshandling; **2.** (*fig.*) straf (*fx it was more of a ~ than a pleasure*);
□ *do ~ for* gøre bod for.

pen-and-ink drawing *sb.* pennetegning.

pence [pens] *pl. af* penny.

penchant [fr., (*am.*) 'pentʃənt] *sb.*:
~ *for* F tilbøjelighed til (*fx disappearing for days*); hang til; forkærlighed for (*fx exotic clothes; detail*); svaghed for (*fx ice cream*).

pencil[1] ['pens(ə)l] *sb.* **1.** blyant; **2.** (*kosmetik*) stift; **3.** (*til skrivetavle*) griffel; **4.** (*fig.*) lyskegle; strålebundt.

pencil[2] ['pens(ə)l] *vb.* skrive//tegne med blyant;
□ ~ *in* **a.** skrive/indføre med blyant; **b.** (*fig.*) fastsætte foreløbigt.

pencil case *sb.* penalhus.

pencilled [pens(ə)ld] *adj.* skrevet med blyant; blyants- (*fx notes*).

pencil pusher *sb.* (*am.*) = *pen pusher.*

pencil sharpener ['pens(ə)lʃa:p(ə)nə] *sb.* blyant(s)spidser.

pendant[1] ['pendənt] *sb.* **1.** (*smykke*) hængesmykke; vedhæng; **2.** (*lampe*) hængelampe; pendel; **3.** (*om noget der passer til*) pendant; **4.** (*mar.: strop*) skinkel; (se også *pennant 1*).

pendant[2] ['pendənt] *adj.* = *pendent.*

pendent ['pendənt] *adj.* **1.** hængende; hænge- (*fx lamp*); **2.** hængende ud over; **3.** se *pending*[1] *2.*

pending[1] ['pendiŋ] *adj.* **1.** F umiddelbart forestående; **2.** (*jur.*)

endnu uafgjort; verserende; under behandling;
□ *be ~* (*jur.*) versere.

pending[2] ['pendiŋ] *præp.* indtil (*fx his return*); afventende;
□ ~ *your reply* indtil Deres svar foreligger.

pendulous ['pendjuləs] *adj.* hængende; slap.

pendulum ['pendjuləm] *sb.* pendul.

penetralia [penə'treiliə] *sb. pl.* inderste; allerhelligste.

penetrate ['penətreit] *vb.* **1.** trænge ind (*fx the army -d into the interior*); bane sig vej; **2.** (*med objekt*) trænge ind i (*fx the bullet -d his lung*); gennembore; trænge igennem; **3.** (*organisation etc.*) trænge ind i, skaffe sig adgang til; (*om spion også*) infiltrere; **4.** (*marked*) komme ind på, skaffe sig adgang til; **5.** (*mil.*) bryde/trænge igennem; **6.** (*fig.*) trænge ind til//i (*fx the meaning; the mystery*); gennemskue (*fx his disguise*).

penetrating ['penətreitiŋ] *adj.* **1.** (*om lyd, lugt*) gennemtrængende (*fx shriek; odour*); **2.** (*om blik*) gennemborende; **3.** (*om intelligens*) skarpsindig (*fx they put some ~ questions*); indtrængende (*fx analysis*).

penetration [penə'treiʃn] *sb.* **1.** indtrængen; gennemtrængen; **2.** (*mil.*) gennembrud, indbrud; (*om projektil*) gennemslagskraft; **3.** (*fig.*) skarpsindighed.

penetrative ['penətrətiv, (*især am.*) -treitiv] *sb.* **1.** gennemtrængende, som trænger igennem; **2.** (*om sex*) fuldbyrdet; **3.** (*fig.*) skarpsindig.

penetrative power *sb.* (*om projektil*) gennemslagskraft.

penguin ['peŋgwin] *sb.* (*zo.*) pingvin.

penholder ['penhəuldə] *sb.* penneskaft.

penicillin [peni'silin] *sb.* penicillin.

penile ['pi:nail] *adj.* (*anat.*) penis-.

peninsula [pə'ninsjulə, (*am.*) -sələ] *sb.* halvø.

penis ['pi:nis] *sb.* (*anat.*) penis.

penitence ['penət(ə)ns] *sb.* anger; bodfærdighed.

penitent ['penət(ə)nt] *adj.* angrende, angerfuld, angergiven; bodfærdig.

penitential [penə'tenʃ(ə)l] *adj.* bods-.

penitentiary [penə'tenʃəri] *sb.* (*am.*) fængsel.

penknife ['pennaif] *sb.* (lille) lommekniv.

penmanship ['penmənʃip] *sb.* F

skrivekunst; kalligrafi; skønskrift.

Penn. *fork. f.* Pennsylvania.

pen name *sb.* forfatternavn, pseudonym.

pennant ['penənt] *sb.* **1.** (*mar.; mil.*) vimpel; stander; **2.** (*am.*) [*vimpel der tildeles sportsklub som vinder et mesterskab fx i baseball*].

pennies ['peniz] *pl. af* penny.

penniless ['peniləs] *adj.* ludfattig; pengeløs.

Pennines ['penainz]: *the ~* Penninerne [*bjergkæde i Nordengland*].

penn'orth ['penəθ] = *pennyworth.*

Pennsylvania [pensil'veiniə].

penny ['peni] *sb.* ((*om værdien*)*pl. pence*; (*om mønterne*)*pl. pennies*) **1.** penny [*engelsk kobbermønt, 1/100 pound sterling*]; **2.** (*am., can.* T) cent;
□ *they are two/ten a ~* dem går der tretten på dusinet af; dem kan man fodre svin med; *a ~ for your thoughts!* hvad tænker du på? *pennies from heaven* (*glds.*) [*uventet rigdom*]; *in for a ~, in for a pound* når man har sagt a må man også sige b;
[*med vb.*] *now the ~* **dropped!** nu faldt tiøren! *they* **haven't** *a ~ to their name/two pennies to rub together* de ejer ikke en rød øre; *a ~* **saved** *is a ~ gained/earned* hvad der er sparet er fortjent; *spend a ~* (*glds.* T) gå på wc; *he always* **turns up** *like a bad ~* (*glds., omtr.*) han er ikke sådan at blive af med.

penny ante *sb.* (*am.*) [*poker med lille indsats*].

penny-ante ['peniænti] *adj.* (*am.* T) små-; ubetydelig.

penny dreadful *sb.* knaldroman.

penny-farthing [peni'fa:ðiŋ] *sb.* (*hist.*) velocipede, væltepeter.

penny-pincher ['penipintʃə] *sb.* gnier.

penny-pinching[1] ['penipintʃiŋ] *sb.* nærighed, fornærethed.

penny-pinching[2] ['penipintʃiŋ] *adj.* nærig, fornæret, fedtet.

pennyroyal [peni'rɔiəl] *sb.* (*bot.*) polejmynte.

pennyweight ['peniweit] *sb.* (*vægtenhed=*) 1,555 g.

penny whistle *sb.* billig blikfløjte; billig plastikfløjte.

penny-wise [peni'waiz] *adj.* (*glds.*) sparsommelig i småting;
□ *be ~ and pound-foolish* (*glds.*) spare på skillingen og lade dalerne rulle.

pennywort ['peniwə:t] *sb.* (*bot.*) vandnavle.

pennyworth ['penəθ] *sb.* [*så meget som fås for en penny*];

P *penology*

☐ **put in one's (two)** ~ komme med sit bidrag [*til diskussionen*]; fremføre sin uforgribelige mening [*ɔ: som ingen har bedt om*].

penology [pi:'nɔlədʒi] *sb.* læren om straffe.

pen pal *sb.* penneven.

pen pusher *sb.* T **1.** kontorist [*som udfører kedeligt kontorarbejde*]; (*glds.*) penneslikker; **2.** (*offentlig ansat*) papirnusser.

pensile ['pensail] *adj.* (ned)hængende.

pension[1] ['penʃn] *sb.* pension.

pension[2] [fr.] *sb.* pension; pensionat.

pension[3] ['penʃn] *vb.* pensionere; ☐ ~ **off** give afsked med pension; sætte på pension.

pensionable ['penʃnəbl] *adj.* pensionsberettiget; pensionsgivende.

pensionable age *sb.* pensionsalder.

pensionary[1] ['penʃn(ə)ri] *sb.* pensionist.

pensionary[2] ['penʃn(ə)ri] *adj.* pensioneret; pensions-.

pensioner ['penʃnə] *sb.* pensionist.

pension fund *sb.* pensionskasse; pensionsfond.

pension plan, pension scheme *sb.* pensionsordning.

pensive ['pensiv] *adj.* tankefuld, eftertænksom; tungsindig.

penstock ['penstɔk] *sb.* **1.** stigbord; **2.** (*am.: til mølle*) sluserende; (*til turbine*) turbinerør.

Pentagon ['pentəgɔn] *sb.: the* ~ [*det amerikanske forsvarsministerium*].

pentagon ['pentəgɔn, (*am.*) -gɔn] *sb.* femkant.

pentagram ['pentəgræm] *sb.* pentagram [*femtakket stjerne*].

pentameter [pen'tæmitə] *sb.* pentameter, femfodet verslinje; ☐ *iambic* ~ femfodet jambe.

pentangle ['pentæŋgl] *sb.* = *pentagram.*

Pentateuch ['pentətjuːk] (*i Biblen*) de fem Mosebøger.

pentathlete [pen'tæθliːt] *sb.* femkæmper.

pentathlon [pen'tæθlɔn] *sb.* (*i sport*) femkamp.

pentathlon [pen'tæθlɔn] *sb.* femkamp.

Pentecost ['pentikɔst] (*rel.*) pinse.

Pentecostal[1] [penti'kɔst(ə)l] *sb.* (*rel.*) medlem af pinsebevægelsen.

Pentecostal[2] [penti'kɔst(ə)l] *adj.* (*rel.*) pinse-.

Pentecostalism [penti'kɔst(ə)lizm] *sb.* (*rel.*) pinsebevægelsen.

penthouse ['penthaus] *sb.* (luksuriøs) taglejlighed.

pent roof *sb.* halvtag.

pent-up ['pentʌp] *adj.* (*fig.*) indestængt (*fx rage*); undertrykt.

penultimate [pi'nʌltimət] *adj.* næstsidst.

penumbra [pi'nʌmbrə] *sb.* halvskygge.

penurious [pi'njuəriəs] *adj.* F **1.** meget fattig; forarmet; **2.** (*om egenskab*) gerrig, nærig.

penury ['penjuri] *sb.* F dyb fattigdom; armod.

peony ['piəni] *sb.* (*bot.*) pæon.

people[1] ['piːpl] *sb.* folk, folkeslag (*fx a primitive* ~; *the -s of Europe*).

people[2] ['piːpl] *sb. pl.* **1.** mennesker (*fx several* ~; *old* ~); **2.** (*generelt*) folk (*fx what will* ~ *say?*); man (*fx* ~ *say that he is rich*); **3.** (*let glds.*) familie (*fx you must meet my* ~); ☐ *the* ~ folket (*fx the will of the* ~); *a man of the* ~ en mand af folket; *why do you ask me of all* ~? hvorfor spørger du netop mig? ~ *will talk* man siger så meget.

people[3] ['piːpl] *vb.* befolke (*with* med).

people's commissar *sb.* folkekommissær.

people's democracy *sb.* folkedemokrati.

people smuggler *sb.* menneskesmugler.

people smuggling *sb.* menneskesmugling.

people's republic *sb.* folkerepublik.

PEP *fork. f. Political and Economic Planning.*

pep[1] [pep] *sb.* T pep; liv, fart, fut.

pep[2] [pep] *vb.:* ~ *up* T **a.** sætte fut/ fart i; sætte liv i; **b.** (*mad etc.*) piffe op.

pepper[1] ['pepə] *sb.* **1.** (*krydderi*) peber; **2.** (*grønsag*) peber, peberfrugt.

pepper[2] ['pepə] *vb.* **1.** komme peber på//i; **2.** (*fig.*) overdænge (*with* med); fylde (*with* med); (*se også peppered*).

pepper-and-salt [pepərən'sɔlt, (*am.*) -'sɔːlt] *adj.* salt og peber; gråmeleret (*fx suit*).

pepperbox ['pepəbɔks] (*am.*) peberbøsse.

peppercorn[1] ['pepəkɔːn] *sb.* peberkorn.

peppercorn[2] ['pepəkɔːn] *adj.* ubetydelig; uvæsentlig.

peppercorn hair *sb.* (*sydafr.*) negerkrus.

peppercorn rent *sb.* nominel leje.

peppered ['pepəd] *adj.: be* ~ *with* **a.** blive beskudt med, blive overdænget med (*fx he was* ~ *with*

beer bottles); **b.** (*fig.*) være fyldt med, være spækket med (*fx the text was* ~ *with four-letter words*).

peppered moth *sb.* (*zo.*) birkemåler.

pepper mill *sb.* peberkværn.

peppermint ['pepəmint] *sb.* (*bot. & tablet*) pebermynte.

pepper pot *sb.* **1.** peberbøsse; **2.** [*krydret ret el. suppe*].

pepper shaker *sb.* (*am.*) peberbøsse.

peppery ['pep(ə)ri] *adj.* **1.** pebret; skarp; **2.** (*fig.*) irritabel, hidsig, opfarende (*fx a* ~ *old colonel*).

pep pill *sb.* T ferietablet.

peppy ['pepi] *adj.* (*am.* T) fuld af pep; livlig, energisk.

pepsin ['pepsin] *sb.* (*kem.*) pepsin.

pep talk *sb.* peptalk, opildnende tale.

peptic ['peptik] *adj.* (*med.*) peptisk; fordøjelses-.

peptic ulcer *sb.* (*med.*) mavesår.

per [pə, (*betonet*) pəː] *præp.* per, pr. (*fx day; person*); for hver; (*om tid også*) om (*fx* ~ *day* om dagen); (se også *as, hour*).

peradventure [pərəd'ventʃə] *adv.* (*glds. el. spøg.*) **1.** måske, muligvis; **2.** tilfældigvis.

perambulate [pə'ræmbjuleit] *vb.* (*glds.*) **1.** vandre omkring; **2.** (*med objekt*) gennemvandre; berejse.

perambulation [pəræmbju'leiʃn] *sb.* (*glds.*) vandring.

perambulator [pə'ræmbjuleitə] *sb.* (*glds.*) barnevogn.

per annum [pə'rænəm] *adv.* om året, årlig.

per capita [pə'kæpitə] *adv.* pr. hoved; pro persona; hver.

perceive [pə'siːv] *vb.* **1.** (*med sanserne*) opfatte (*fx dogs can* ~ *sounds that we can't*); se, bemærke (*fx he -d a figure in the distance*); fornemme (*fx a change in her mood; that there was somebody in the house*); **2.** (*med forstanden*) forstå (*fx his true intentions*); erkende, indse (*fx he -d that there was no future for him there*); **3.** (*på en bestemt måde*) opfatte (*fx how do the French* ~ *the British?*); ☐ ~ *as//to be* opfatte som.

per cent[1] [pə'sent] *sb.* **1.** procent (*fx 30* ~ *of the voters; a reduction of half a* ~); **2.** (*foran sb.*) procents (*fx a 10* ~ *increase*); ☐ *three -s* tre procents papirer.

per cent[2] [pə'sent] *adv.* procent (*fx prices fell 3* ~).

percentage [pə'sentidʒ] *sb.* **1.** (*mængde*) procentdel; procentindhold; procent (*fx it contains

only a small ~ *of alcohol*);
2. (*mere ubestemt*) del (*fx a large* ~ *of the population*); **3.** (*som man får*) procentsats; (*udbytte etc.*) procentvis andel (*on* i); procenter (*on af, fx get a* ~ *on the sales// profit*);
□ *expressed in -s* udtrykt i procenter; udtrykt procentvis;
[*med præp.*] ~ *by volume* volumenprocent; ~ *by weight* vægtprocent; *there is no* ~ *in* T der er ingen fordel ved; man får ikke noget ud af.

percentage point *sb.* procentpoint.
percentile [pə'sentail] *sb.* (*i statistik*) percentil.
perceptible [pə'septəbl] *adj.* kendelig, mærkbar; synlig;
□ *be* ~ (*også*) kunne spores.
perception [pə'sepʃn] *sb.* **1.** opfattelse (*of af, fx the world*); **2.** (*med forstanden*) erkendelse, forståelse (*of af, fx the true position*);
3. (*med sanserne*) sansning; (*psyk.*) perception; **4.** (*evne*) opfattelsesevne; intelligens; skarpsindighed.
perceptive [pə'septiv] *adj.* **1.** (*om person*) hurtigt//klart opfattende; klarsynet; skarpsindig; **2.** (*om redegørelse, vurdering*) indsigtsfuld; indforstået.
perceptual [pə'septʃuəl] *adj.* F opfattelses-; erkendelses-; sanse-.
perch[1] [pəːtʃ] *sb.* **1.** (*for fugl*) pind; siddepind; **2.** (T: *for person*) høj plads, pind; **3.** (*mar.*) stage;
4. (*zo.*) aborre;
□ *knock sby off his* ~ T vippe en af pinden.
perch[2] [pəːtʃ] *vb.* (se også *perched*)
1. (*om fugl*) sætte sig, slå sig ned, lande; **2.** (*om person*) sætte sig// sidde og balancere (*fx on the arm of a chair; on his knee*); **3.** (*med objekt*) anbringe, sætte, lægge [*på et højt el. utilgængeligt sted*].
perchance [pə'tʃaːns] *adv.* (*glds.*) måske.
perched [pəːtʃt] *adj.*: *be* ~ være anbragt//ligge [*på et højt el. utilgængeligt sted*]; svæve (*fx a hut -ed on a high cliff*).
percipience [pə'sipiəns] *sb.* opfattelsesevne.
percipient [pə'sipiənt] se *perceptive 1.*
percolate ['pəːkəleit] *vb.* **1.** sive (*fx water -d down through the rock*); **2.** (*om vand i kaffekolbe etc.*) løbe igennem; **3.** (*fig.*) brede sig (*fx the news -d through the staff*);
4. (*med objekt*) lave, brygge [*kaffe, på kolbe*].
percolator ['pəːkəleitə] *sb.* (*til*

kaffe) perkolator; kaffekolbe; espressokande.
percussion [pə'kʌʃn] *sb.* **1.** (*mus.*) slagtøj; **2.** (*om to ting*) sammenstød; stød, rystelse; **3.** (*med.*) perkussion.
percussion cap *sb.* **1.** (*mil.*) fænghætte; tændkapsel; **2.** (*til legetøj*) knaldhætte.
percussion instrument *sb.* (*mus.*) slagtøjsinstrument.
percussionist [pə'kʌʃnist] *sb.* slagtøjspiller.
percussive [pə'kʌsiv] *adj.* slagtøjs-; perkussions-.
perdition [pəː'diʃn] *sb.* fortabelse; undergang.
peregrination [perigri'neiʃn] *sb.* F vandren omkring, omkringvandring; rejse.
peregrine falcon [perigrin'fɔː(l)k(ə)n] *sb.* vandrefalk.
peremptory [pə'remt(ə)ri, (*især jur.*) 'per(ə)m-] *adj.* **1.** bydende (*fx a* ~ *manner*); som ikke tåler modsigelse; kategorisk (*fx command*); **2.** (*jur.*) afgørende, uigenkaldelig.
perennial[1] [pə'reniəl] *sb.* flerårig plante, staude.
perennial[2] [pə'reniəl] *adj.* **1.** evig, bestandig, stadig (*fx problem*); stadig tilbagevendende, uopslidelig (*fx subject; joke*); **2.** (*om plante*) flerårig; **3.** (*om vandløb*) som løber hele året.
perfect[1] ['pəːfikt] *sb.* perfektum, førnutid.
perfect[2] ['pəːfikt] *adj.* **1.** perfekt (*fx example*); fuldendt, fuldkommen (*fx happiness*); ideel; **2.** (*uden fejl*) perfekt, fejlfri (*fx accent; in* ~ *condition*); **3.** (T: *forstærkende*) fuldstændig, fuldkommen, komplet (*fx a* ~ *stranger; I felt like a* ~ *fool*); **4.** (*mus.: om interval*) ren (*fx fifth; fourth*);
□ *practice makes* ~ øvelse gør mester.
perfect[3] [pə'fekt] *vb.* **1.** perfektionere, gøre fuldkommen; udvikle til fuldkommenhed (*fx a method*); **2.** (*typ.*) trykke sekundaark; vidertrykke [ɔ: *trykke på bagsiden*];
□ ~ *oneself* perfektionere sig; dygtiggøre sig.
perfectible [pə'fektəbl] *adj.* perfektibel; som kan blive perfekt.
perfecting [pə'fektiŋ] *sb.* (*typ.*) vidertryk [ɔ: *trykning på bagsiden*].
perfection [pə'fekʃn] *sb.* **1.** fuldkommenhed, perfektion; fuldendthed; **2.** (jf. *perfect*[3] *1*) fuldkommengørelse; perfektionering;
□ *she is* ~ *itself* hun er indbegrebet af fuldkommenhed; *done to* ~ perfekt udført; udført til punkt og

prikke.
perfectionist [pə'fekʃ(ə)nist] *sb.* perfektionist.
perfectly ['pəːfiktli] *adv.* (jf. *perfect*[2]) **1.** perfekt (*fx they match* ~); ideelt; **2.** perfekt, fejlfrit (*fx he speaks English* ~); **3.** (*forstærkende*) helt, fuldkommen, fuldstændig (*fx clean*);
□ *it is* ~ *good* det er aldeles udmærket; *you know* ~ *well that ...* du ved udmærket godt at ....
perfect pitch *sb.* (*mus.*) absolut gehør.
perfect tense *sb.* perfektum, førnutid.
perfervid [pəː'fəːvid] *adj.* (*litt.*) hed, glødende, brændende.
perfidious [pə'fidiəs] *adj.* troløs, svigefuld; falsk, forræderisk.
perfidy ['pəːfidi] *sb.* troløshed, svigefuldhed; falskhed, forræderi.
perforate ['pəːfəreit] *vb.* gennembore, gennemhulle, perforere.
perforation [pəːfə'reiʃn] *sb.* **1.** gennemboring, perforering; hul; **2.** (*om frimærke*) takker, takning; tak.
perforator ['pəːfəreitə] *sb.* hullemaskine.
perforce [pə'fɔːs] *adv.* (F: *glds.*) nødvendigvis.
perform [pə'fɔːm] *vb.* (se også *performing*) **1.** foretage (*fx an operation; calculations; experiments*); udføre (*fx experiments; miracles; one's work satisfactorily*); **2.** (*om præstation*) yde, præstere (*fx an enormous amount of work*);
3. (*noget aftalt el. pålagt*) gennemføre, fuldende; opfylde (*fx one's duty; a contract*); **4.** (*et værk*) opføre, fremføre, spille (*fx Hamlet*); (*mus. også*) synge;
5. (*uden objekt: om kunstner*) optræde; medvirke; **6.** (*om dyr*) gøre kunster; **7.** (*om maskine etc.*) fungere; arbejde;
□ ~ *tricks* (*om dyr*) gøre kunster; ~ *well//badly* **a.** (*om person*) klare sig godt//dårligt; **b.** (*om maskine*) fungere/arbejde godt//dårligt.
performance [pə'fɔːməns] *sb.* (jf. *perform*) **1.** udførelse; gennemførelse; **2.** præstation; arbejde; **3.** opfyldelse (*fx of a contract*); **4.** (*af et værk*) opførelse, fremførelse; **5.** (*kunstners*) optræden; medvirken; **6.** (*dyrs*) optræden; nummer; **7.** (*tekn.: om maskine*) ydelse, ydeevne (*fx of an engine*); **8.** (*neds.*) optræden, forestilling (*fx What a* ~! *Stop shouting*); **9.** (*sprogv.*) performans.
performance art *sb.* performance-

kunst.

performance artist *sb.* performancekunstner.

performance-related [pəfɔːmənsri-ˈleitid] *adj.*: ~ *pay* præstationsløn.

performer [pəˈfɔːmə] *sb.* optrædende, medvirkende; kunstner; musiker; skuespiller;
□ *be the principal -s* (*teat.*) have hovedrollerne.

performing [pəˈfɔːmiŋ] *adj.* (*om dyr*) dresseret.

performing arts *sb. pl.* udøvende kunstarter [ɔ: *teater, ballet, musik etc.*].

perfume[1] [ˈpəːfjuːm] *sb.* **1.** parfume; **2.** duft (*fx the* ~ *of roses*); vellugt.

perfume[2] [pəˈfjuːm] *vb.* **1.** parfumere (*fx soap*); **2.** (*sted etc.*) fylde med vellugt (*fx flowers -d the air// the house*).

perfumed [pəˈfjuːmd] *adj.* **1.** parfumeret (*fx soap*); **2.** duftende (*fx roses*).

perfumer [pəˈfjuːmə] *sb.* **1.** parfumefabrikant; **2.** parfumehandler.

perfumery [pəˈfjuːməri] *sb.* **1.** parfumefabrikation, parfumefremstilling; **2.** (*butik*) parfumeri.

perfunctory [pəˈfʌŋ(k)t(ə)ri] *adj.* skødesløs, overfladisk (*fx examination*); mekanisk; ligegyldig.

pergola [ˈpəːgələ] *sb.* pergola; løvgang.

perhaps [pəˈhæps, T præps] *adv.* måske.

peril [ˈperəl] *sb.* F fare; risiko;
□ *at one's* ~ på eget ansvar; *do it at your* ~*!* gør det hvis du tør! *at the* ~ *of one's life* med fare for sit liv.

perilous [ˈperələs] *adj.* F farlig, farefuld; vovelig.

perimeter [pəˈrimitə] *sb.* perimeter, omkreds; rand, ydergrænse.

perinatal [periˈneit(ə)l] *adj.* perinatal.

period[1] [ˈpiəriəd] *sb.* **1.** periode; tidsrum; tid; **2.** (*historisk*) tidsalder (*fx the Elizabethan//Victorian* ~); **3.** (*i undervisning*) lektion; time; **4.** (*kvindes*) menstruation (*fx she has got her* ~); **5.** (*gram.*) periode; **6.** (*am.*) punktum; **7.** (*astr.*) omløbstid;
□ ~*!* punktum! (*fx I won't do it,* ~*!*); og dermed basta! *put a* ~ *to* (*fig.*) sætte punktum for; gøre ende på.

period[2] [ˈpiəriəd] *adj.* fra den tid (*fx* ~ *dress*); i den tids stil; stil- (*fx furniture*);
□ ~ *novel* historisk roman.

periodic [piəriˈɔdik] *adj.* periodisk;

lejlighedsvis (*fx visits*); tilbagevendende (*fx mental breakdowns*).

periodical[1] [piəriˈɔdik(ə)l] *sb.* tidsskrift.

periodical[2] [piəriˈɔdik(ə)l] *adj.* se *periodic*.

periodic decimal *sb.* (*mat.*) periodisk decimalbrøk.

periodicity [piəriəˈdisəti] *sb.* periodicitet; regelmæssig tilbagevenden.

periodic table *sb.*: *the* ~ (*kem.*) det periodiske system.

period piece *sb.* tidsbillede;
□ *it is a* ~ (*også*) det er typisk for den tid.

peripatetic [peripəˈtetik] *adj.* omvandrende, omrejsende; peripatetisk.

peripheral [pəˈrif(ə)rəl] *adj.* **1.** periferisk, perifer, mindre væsentlig (*fx details*); **2.** (*som befinder sig langt fra centrum*) perifer, udkants- (*fx area*); **3.** (*edb*) ydre enhed.

peripherals [pəˈrifər(ə)lz] *sb. pl.* (*it*) ydre enheder.

periphery [pəˈrifəri] *sb.* periferi.

periphrasis [pəˈrifrəsis] *sb.* (*pl. periphrases* [pəˈrifrəsiːz]) omskrivning.

periphrastic [periˈfræstik] *adj.* **1.** omskrivende; **2.** (*gram.*) omskreven (*fx tense*).

periscope [ˈperiskəup] *sb.* periskop.

perish [ˈperiʃ] *vb.* (se også *perished*) **1.** (F: *om person, dyr*) omkomme; **2.** (F: *om stat etc.*) gå til grunde, gå under; ødelægges, forgå; **3.** (*om læder, stof, gummi etc.*) mørne; smuldre; **4.** (*bibelsk*) fortabes;
□ ~ *the thought!* gud fri mig vel! en utænkelig tanke!

perishable [ˈperiʃəbl] *adj.* let fordærvelig.

perishables [ˈperiʃəblz] *sb. pl.* letfordærvelige varer.

perished [ˈperiʃt] *adj.* **1.** (jf. *perish* 3) mørnet; smuldrende; **2.** (T: *om person*) stiv af kulde, stivfrossen;
□ ~ *with cold* (*også*) ved at omkomme af kulde.

perisher [ˈperiʃə] *sb.* (*glds.* T) skarnsknægt, laban.

perishing [ˈperiʃiŋ] *adj.* T hundekoldt.

peritoneum [peritəˈniːəm] *sb.* (*anat.*) bughinde.

peritonitis [peritəˈnaitis] *sb.* (*med.*) bughindebetændelse.

periwig [ˈperiwig] *sb.* paryk [brugt af advokater og dommere].

periwigged [ˈperiwigd] *adj.* med paryk (*fx* ~ *barristers*).

periwinkle [ˈperiwiŋkl] *sb.* **1.** (*bot.*) vinca, vintergrønt; **2.** (*zo.*) strandsnegl.

perjure [ˈpəːdʒə] *vb.*: ~ *oneself* (*jur.*) afgive falsk forklaring for retten; begå mened.

perjured [ˈpəːdʒəd] *adj.* (*om vidneudsagn*) falsk (*fx evidence; testimony*).

perjury [ˈpəːdʒ(ə)ri] *sb.* (*jur.*) falsk forklaring for retten; mened;
□ *commit* ~ afgive falsk forklaring for retten.

perk[1] [pəːk] *sb.* T **1.** ekstra gode, frynsegode (*fx a company car is a common* ~); **2.** (*fig.*) fordel, gode (*fx one of the -s of living in a big city*).

perk[2] [pəːk] *vb.* T = *percolate* (*2,4*);
□ ~ *up* **a.** (*om person*) live op; **b.** (*om priser, økonomi*) rette sig; styrkes; **c.** (*om andet*) komme sig, blive livligere (*fx the film//the music -ed up towards the end*); **d.** (*med objekt, jf. a*) kvikke op, oplive; **e.** (*jf. b*) rette op på, styrke; **f.** (*jf. c*) kvikke op, friske op.

perky [ˈpəːki] *adj.* **1.** kry, kæphøj; **2.** livlig, sp. rælsk.

perm[1] [pəːm] *fork. f.* T **1.** permutation; **2.** permanent wave permanent(krølning);
□ *she has had a* ~ hun er blevet permanentet.

perm[2] [pəːm] *vb.* **1.** = *permute*; **2.** = *permanent*[3].

permafrost [ˈpəːməfrɔst] *sb.* permafrost [permanent frossen jordbund].

permanence [ˈpəːmənəns], **permanency** [ˈpəːmənənsi] *sb.* bestandighed; varighed.

permanent[1] [ˈpəːmənənt] *sb.* (*am.*) permanent(krølning).

permanent[2] [ˈpəːmənənt] *adj.* **1.** permanent; varig (*fx injury; protection*); blivende (*fx value; tooth*); **2.** (*om problem etc. der hele tiden vender tilbage*) bestandig, konstant; stadig (*fx threat*); **3.** (*om ansættelsesforhold*) fast (*fx job; appointment; employee*).

permanent[3] [ˈpəːmənənt] *vb.* permanente.

permanent loan *sb.* (*bibl. etc.*) depotlån; deponering; langfristet lån.

Permanent Secretary *sb.* se *Permanent Undersecretary*.

Permanent Undersecretary *sb.* (*omtr.*) departementschef.

permanent wave permanent, permanentkrølning.

permanent way *sb.* (*jernb.*) banelegeme.

permeability [pə:miə'biləti] *sb.*
1. gennemtrængelighed; **2.** (*i stø-beri*) luftighed.
permeable ['pə:miəbl] *adj.* gennemtrængelig.
permeate ['pə:mieit] *vb.*: ~ **a.** gennemtrænge (*fx water -s the soil*); fylde (*fx the smell -d the whole building*); **b.** (*fig.*) gennemtrænge; gennemsyre; gå igennem, sprede sig i (*fx every section of society*); præge (*fx the feeling that -s the speech*); ~ *through* trænge igennem.
permissible [pə'misəbl] *adj.* tilladelig; tilladt.
permission [pə'miʃn] *sb.* tilladelse; □ *ask//give* ~ *to* (*også*) bede om// give lov til at.
permissive [pə'misiv] *adj.* liberal; tolerant; (*neds.*) for tolerant; eftergivende.
permit¹ ['pə:mit] *sb.* (skriftlig) tilladelse.
permit² [pə'mit] *vb.* **1.** (*om person, lov*) tillade (*to* til at, *fx* ~ *him to enter; the law does not* ~ *it*); give tilladelse til; **2.** (F: *om forhold*) tillade, gøre muligt (+ *-ing* at, *fx time does not* ~ *going into detail*); (*uden objekt*) tillade det, gøre det muligt (*fx when economic conditions* ~);
□ ~ *of* F tillade, muliggøre (*fx the rule -s of no exceptions*); *be -ted to* få tilladelse til at; (se også *weather¹*).
permutation [pə:mju'teiʃn] *sb.*
1. ombytning; omstilling; omflytning; forandring af rækkefølgen; **2.** (*mat.*; *af tal etc.*) permutation, omstilling; **3.** (*i tipning*) systemtipning;
□ *-s* (*også*) kombinationsmuligheder (*fx menu -s*).
permute [pə(:)'mju:t] *vb.* **1.** ombytte; omflytte; **2.** (*mat.*; *om tal etc.*) permutation, omstille.
pernicious [pə'niʃəs] *adj.* F skadelig (*fx effect*; *influence*); fordærvelig; ondartet (*fx lie*).
pernicious anaemia *sb.* (*med.*) perniciøs anæmi.
pernickety [pə'nikiti] *adj.* T (over)pertentlig, pillen, pedantisk, pernitten.
peroration [perə'reiʃn] *sb.* **1.** slutningsafsnit//slutning af en tale; **2.** (T: *fig.*) ordflom, udgydelse.
peroxide [pə'rɔksaid] *sb.* brintoverilte.
peroxide blonde *sb.* affarvet blondine.
perp [pə:rp] *fork. f. perpetrator* (*am.* S) gerningsmand; forbryder.
Perpendicular [pə:p(ə)n'dikjulə]

sb. [*engelsk sengotisk stil, ca. 1350-1500*].
perpendicular¹ [pə:p(ə)n'dikjulə] *sb.* lodret linje;
□ *drop a* ~ nedfælde den vinkelrette; *the wall is out of the* ~ muren er ude af lod.
perpendicular² [pə:p(ə)n'dikjulə] *adj.* perpendikulær; lodret (*to* på).
perpetrate ['pə:pitreit] *vb.* begå, forøve (*fx a crime*).
perpetration [pə:pi'treiʃn] *sb.* forøvelse, udførelse.
perpetrator ['pə:pitreitə] *sb.* gerningsmand.
perpetual [pə'petʃuəl, -tjuəl] *adj.*
1. evig (*fx snow*; *youth*); varig (*fx peace*; *union*); bestandig;
2. (*neds.*) endeløs, evindelig (*fx problems*; *their* ~ *quarrelling*);
3. (*bot.*) stedseblomstrende.
perpetual calendar *sb.* evighedskalender.
perpetual motion machine *sb.* perpetuum mobile, evighedsmaskine.
perpetuate [pə'petʃueit] *vb.* **1.** forlænge i det uendelige, gøre permanent (*fx the confusion*); **2.** bevare for alle tider, sikre for al fremtid (*fx the traditional skills*).
perpetuity [pə:pi'tʃuiti] *sb.*: *for/in* ~ for bestandig, for al fremtid, til evig tid.
perplex [pə'pleks] *vb.* forvirre; gøre rådvild.
perplexed [pə'plekst] *adj.* perpleks, forvirret, rådvild.
perplexity [pə'pleksiti] *sb.* forvirring; rådvildhed;
□ *the perplexities of* det indviklede/komplicerede i, det forvirrende ved (*fx international relations*).
perquisite ['pə:kwizit] *sb.* se *perk*.
perron ['perən] *sb.* [*monumental udvendig hovedtrappe med afsats el. terrasse*].
perry ['peri] *sb.* pærevin; pærecider.
per se [pə'sei] *adv.* i sig selv.
persecute ['pə:sikju:t] *vb.* forfølge; plage.
persecution [pə:si'kju:ʃn] *sb.* forfølgelse.
persecutor ['pə:sikju:tə] *sb.* forfølger.
perseverance [pə:si'viərəns] *sb.* udholdenhed, ihærdighed.
persevere [pə:si'viə] *vb.* **1.** holde ud; blive (ihærdigt) ved (*in* med, *fx one's work*); **2.** (*neds.*) fremture (*in* i, *fx one's follies*).
persevering [pə:si'viəriŋ] *adj.* udholdende, ihærdig.
Persia ['pə:ʃə, (*am.*) -ʒə] Persien.
Persian¹ ['pə:ʃn, (*am.*) -ʒ(ə)n] *sb.*

1. (*person*) perser; **2.** (*sprog*) persisk; **3.** (*zo.*) angorakat.
Persian² ['pə:ʃn, (*am.*) -ʒ(ə)n] *adj.* persisk.
Persian cat *sb.* angorakat.
Persian lamb *sb.* persianer.
persiflage [pɛəsi'fla:ʒ, 'pə:sifla:ʒ] *sb.* F let spot; munter satire.
persimmon [pə:'simən] *sb.* (*bot.*) sharonfrugt, daddelblomme.
persist [pə'sist] *vb.* **1.** (*om noget negativt*) vare ved, blive ved (*fx if the symptoms* ~); holde sig (*fx the superstition still -s*); **2.** (*om person*) blive ved (*fx just* ~ *until they answer*);
□ ~ *in* **a.** blive (ihærdigt) ved med (*fx one's work*); fastholde (*fx one's opinion*); **b.** (*neds.*) fremture i (*fx one's follies*).
persistence [pə'sist(ə)ns] (jf. *persistent*) **1.** vedvaren, vedbliven, vedholdenhed; forbliven; **2.** ihærdighed; hårdnakkethed; (jf. *persist in, b*) fremturen.
persistent [pə'sist(ə)nt] *adj.* **1.** vedvarende (*fx cough*); vedholdende (*fx rain*; *smell*); **2.** (*om person*) ihærdig (*fx critic*); udholdende; hårdnakket; **3.** (*bot.*; *zo.*) blivende; **4.** (*kem.*) persistent, tungtnedbrydelig;
□ *a* ~ *offender* en flere gange straffet kriminel; ~ *rumours* vedvarende/ihærdige rygter.
person ['pə:s(ə)n] *sb.* **1.** ((*pl. people*)) menneske (*fx I like ham as a* ~; *he felt like a different* ~); **2.** ((*pl. -s*) F) person (*fx £10 per* ~; *four -s have been arrested*); **3.** (*gram.*) person; **4.** (*i sms.: som kønsneutral erstatning for -man*) -person (*fx spokes~*); (*om type*) -menneske (*fx a book* ~; *an outdoor* (frilufts) ~); -type; -elsker (*fx a cat* ~; *a coffee* ~);
□ *a* ~ (*sydafr.*) man//en; *young* ~ ung pige//mand; ungt menneske; [*med præp.*] *offence against the* ~ (jur.) legemsbeskadigelse; *in* ~ personligt, i egen person; selv (*fx he appeared in* ~); *in the* ~ *of* F **a.** i skikkelse af (*fx help arrived in the* ~ *of a young man*); **b.** i (*fx they have an international expert in the* ~ *of Professor Jones*); *without respect of* -s uden persons anseelse; *have it on* one's ~ F have det på sig.
persona [pə:'səunə] *sb.* (*pl. -e* [-ni:]) (*psyk.*) persona [ɔ: *ens offentllige fremtræden*].
personable ['pə:s(ə)nəbl] *adj.*
1. (*om udseende*) præsentabel; nydelig; **2.** (*om væsen*) behagelig; tiltalende.

personage ['pɔːs(ə)nidʒ] *sb.* F
1. (*om fremtrædende//betydelig person*) person (*fx a royal ~*); personlighed (*fx a prominent ~*);
2. (*i skuespil etc.*) person, skikkelse.
personal[1] ['pɔːs(ə)n(ə)l] *sb.* (*am.*)
1. [*avisnotits med personligt nyt*];
2. personlig annonce.
personal[2] ['pɔːs(ə)n(ə)l] *adj.* personlig;
□ *make ~ remarks* komme med personligheder/personlige bemærkninger.
personal allowance *sb.* (*mht. skat*) bundfradrag.
personal assistant *sb.* privatsekretær.
personal column *sb.* (*i avis*) „personlige".
personal computer *sb.* pc.
personal equation *sb.*: *the ~* (*fx ved eksperimenter*) den personlige faktor.
personal identification number *sb.* pinkode.
personality [pɔːsə'næləti] *sb.* personlighed;
□ *personalities* personligheder [*ɔ: nedsættende bemærkninger*].
personality cult *sb.* persondyrkelse.
personality disorder *sb.* (*med.*) personlighedsforstyrrelse.
personalize ['pɔːs(ə)n(ə)laiz] *vb.* (se også *personalized*) **1.** give et personligt præg (*fx one's room*); individualisere (*fx standard letters*);
2. (*til en bestemt person*) tilrettelægge specielt (*fx an exercise schedule*); skræddersy; **3.** (*spørgsmål, sag*) gøre til noget personligt.
personalized ['pɔːs(ə)n(ə)laizd] *adj.* med (ens eget) navn på (*fx writing paper*); personlig.
personalized number plate *sb.* ønskenummerplade.
personal organizer *sb.* planlægningskalender; timemanager.
personal pronoun *sb.* (*gram.*) personligt pronomen/stedord.
personal property *sb.* (*jur.*) løsøre, rørligt gods [*mods. fast ejendom*].
personal space *sb.* **1.** (*psyk.*) personligt rum; **2.** (*fig.*) tid til sig selv; personlig frihed.
personal stereo *sb.* vandremand.
personalty ['pɔːs(ə)n(ə)lti] *sb.* = *personal property*.
personification [pɔsɔnifi'keiʃn] *sb.* personifikation.
personify [pə'sɔnifai] *vb.* personificere.
personnel [pɔːs(ə)'nel] *sb.* **1.** personale; **2.** (*mil.*) personel, mand-

skab.
personnel carrier *sb.* (*mil.*) mandskabsvogn.
personnel management *sb.* personaleledelse.
personnel manager *sb.* personalechef.
person-to-person
[pərs(ə)ntə'pərs(ə)n] *adj.* (*am.: om telefornsamtale*) personlig.
perspective[1] [pə'spektiv] *sb.* **1.** perspektiv; **2.** udsigt; **3.** (*billede*) perspektivtegning;
□ *from a Marxist ~* fra et marxistisk synspunkt, fra en marxistisk synsvinkel; *in ~* **a.** i perspektiv; **b.** (*fig.*) i det rette perspektiv (*fx keep things in ~*); *a sense of ~* (*fig.*) proportionssans; *out of ~* **a.** ude af perspektiv; i forkert perspektiv; **b.** (*fig.*) ude af proportion.
perspective[2] [pə'spektiv] *adj.* perspektivisk;
□ *~ drawing* (*også*) perspektivtegning.
Perspex® ['pɔːspeks] *sb.* plexiglas.
perspicacious [pɔːspi'keiʃəs] *adj.* F skarpsynet, skarpsindig, kløgtig.
perspicacity [pɔːspi'kæsəti] *sb.* skarpsynethed, skarpsindighed, kløgt.
perspicuous [pə'spikjuəs] *adj.* klar, anskuelig.
perspiration [pɔːspə'reiʃn] *sb.* sved; transpiration.
perspire [pə'spaiə] *vb.* svede; transpirere.
perspiring [pə'spaiəriŋ] *adj.* svedt, svedig.
persuade [pə'sweid] *vb.* **1.** (*til at gøre noget*) overtale; **2.** (*til at tro på noget*) overbevise; **3.** (*et sted hen*) lokke (*fx the zoo keeper -d the monkey back into its cage*);
□ *~ sby into* + -*ing* overtale en til at; *~ sby out of* + -*ing* få en fra at; *~ sby of/that* overbevise en om//om at; *~ sby to* **a.** (*om person*) overtale en til at (*fx I -d him to give up the project*); **b.** (*om grund: foranledige*) få til at, motivere til at (*fx the cost of repairs finally -d them to sell the house*).
persuasion [pə'sweiʒ(ə)n] *sb.*
1. overtalelse; **2.** overtalelsesevne (*fx he used all his ~*); **3.** (*politisk etc.*) overbevisning, indstilling; **4.** (*rel.*) tro, trosretning;
□ *of the ... ~* (*spøg.*) af den ... slags/type (*fx of the modern ~*); *powers of ~* overtalelsesevne.
persuasive [pə'sweisiv] *adj.* overbevisende;
□ *~ powers* overtalelsesevne.
persuasiveness [pə'sweisivnəs] *sb.* overtalelsesevne; overbevisende

kraft.
pert [pɔːt] *adj.* **1.** (*om pige*) charmerende fræk; frisk; **2.** (*om legemsdel*) lækker (*fx bottom*); nuttet;
3. (*om tøj*) smart.
pertain [pə'tein] *vb.*: *~ to* F
a. angå, vedrøre; have forbindelse med; **b.** høre til.
pertinacious [pɔːti'neiʃəs] *adj.* F ihærdig, vedholdende; hårdnakket.
pertinacity [pɔːti'næsəti] *sb.* ihærdighed, vedholdenhed; hårdnakkethed.
pertinence ['pɔːtinəns] F **1.** relevans; forbindelse med den foreliggende sag; **2.** rammende karakter.
pertinent ['pɔːtinənt] *adj.* F **1.** relevant; sagen vedkommende;
2. træffende, rammende (*fx remark*);
□ *be ~ to* vedkomme (*fx the question is not ~ to the matter in hand*).
perturb [pə'tɔːb] *vb.* F **1.** (*person*) forurolige; (se også *perturbed*);
2. (*system etc.*) forstyrre; bringe forstyrrelse i (*fx the social order*).
perturbation [pɔːtə'beiʃn] *sb.*
1. uro; bekymring; foruroligelse;
2. (*astr.*) perturbation [*ændring i planets bane*].
perturbed [pə'tɔːbd] *adj.* foruroliget, urolig, bekymret (*by* over).
perusal [pə'ruːz(ə)l] *sb.* F (omhyggelig) gennemlæsning, granskning.
peruse [pə'ruːz] *vb.* F gennemlæse (omhyggeligt), studere, granske.
Peruvian[1] [pə'ruːviən] *sb.* peruaner.
Peruvian[2] [pə'ruːviən] *adj.* peruansk, peruviansk.
Peruvian bark *sb.* kinabark.
perv[1] [pɔːv] *sb.* T **1.** (*kortform af pervert*) pervers person; **2.** (*austr.*) lystent blik.
perv[2] [pɔːv] *vb.* (*austr.* T) glo lystent (*on* på).
pervade [pə'veid] *vb.* F **1.** (*om lugt*) gennemtrænge, fylde; **2.** (*fig.: om egenskab, indstilling etc.*) gennemstrømme, præge, dominere.
pervasive [pə'veisiv] *adj.* (jf. *pervade*) **1.** som trænger frem overalt; gennemtrængende (*fx smell*);
2. (*fig.*) vidt udbredt; dominerende; almen.
perverse [pə'vɔːs] *adj.* **1.** (*om person, handling: som bevidst går på tværs af andre*) kontrær, urimelig, trodsig; forstokket, forhærdet;
2. (*om følelse*) unaturlig, sygelig, pervers (*fx he heard with ~ delight about her misfortune; he took a ~ pleasure in violence*);

□ ~ *verdict* (*jur.*) [*nævningeken-delse der går mod bevismaterialet el. dommerens retsbelæring*].

perversion [pə'vəːʃn, (*am.*) -ʒn] *sb.* **1.** forvrængning; forvanskning; fordrejning (*fx of the law*); **2.** (*seksuel*) perversion.

perversity [pə'vəːsiti] *sb.* (jf. *perverse*) **1.** urimelighed, trodsighed; forstokkethed, forhærdelse; **2.** unaturlighed, sygelighed.

pervert[1] ['pəːvəːt] *sb.* pervers person, seksuel afviger.

pervert[2] [pə'vəːt] *vb.* **1.** forvrænge, forvanske, fordreje; **2.** (*person*) korrumpere, fordærve, lede i fordærv;
□ ~ *the course of justice* gribe ind i rettens gang; forhindre at retfærdigheden sker fyldest.

perverted [pə'vəːtid] *adj.* **1.** (*om person*) pervers; **2.** (*om handling, opfattelse etc.*) pervers, unaturlig, sygelig; perverteret, forvrænget, forkvaklet.

pesky ['peski] *adj.* (*am.* T) forbistret; irriterende; utålelig.

pessary ['pesəri] *sb.* (*med.*) **1.** pessar; **2.** vaginalstikpille.

pessimism ['pesimizm] *sb.* pessimisme, sortsyn.

pessimist ['pesimist] *sb.* pessimist.

pessimistic [pesi'mistik] *adj.* pessimistisk.

pest [pest] *sb.* **1.** (*om dyr*) skadedyr; **2.** (T: *især om barn*) plage, pestilens; plageånd.

pester ['pestə] *vb.* plage; mase sig ind på, chikanere.

pesticide ['pestisaid] *sb.* pesticid, skadedyrsgift, sprøjtegift.

pestilence ['pestiləns] *sb.* pest.

pestilential [pesti'lenʃ(ə)l] *adj.* **1.** (F: *om dyr*) skadelig; **2.** (*glds.*) som bringer pest med sig; pest-; **3.** (*litt. el. spøg.*) modbydelig, nederdrægtig; utålelig.

pestle ['pesl] *sb.* (*i morter*) pistil, støder.

pet[1] [pet] *sb.* **1.** kæledyr; familiedyr; **2.** (*neds. om en der bliver foretrukket*) kælebarn, kæledægge, yndling; **3.** (T: *rosende*) skat (*fx he is a real* ~; *would you be a* ~ *and help me?*); **4.** (*i tiltale, omtr.*=) lille skat, søde ven;
□ *be in a* ~ (*glds.*) være i dårligt humør; surmule.

pet[2] [pet] *adj.* (jf. *pet*[1]) **1.** som kæledyr (*fx he has a* ~ *lamb//cat*); **2.** yndlings- (*fx subject; theory*).

pet[3] [pet] *vb.* **1.** klappe (*fx the dog*); stryge over hårene (*fx the cat*); ae, kæle for; **2.** (T: *seksuelt*) dyrke petting; (*med objekt*) kæle med.

petal ['pet(ə)l] *sb.* (*bot.*) kronblad.

petard [pe'taːd, pi-] *sb.* (*glds. mil.*) petarde;
□ *hoist with/by his own* ~ fanget i sit eget net/garn.

pet aversion *sb.*: *my* ~ det værste jeg ved; min yndlingsaversion.

peter[1] ['piːtə] *sb.* T **1.** tissemand; **2.** pengeskab; **3.** (*austr.*) (fængsels)celle.

peter[2] ['piːtə] *vb.*: ~ *out* forsvinde// ophøre lidt efter lidt, ebbe ud, dø hen (*fx their interest in the scheme -ed out*); fuse ud; løbe ud i sandet (*fx the scheme -ed out*).

Peter's pence ['piːtəzpens] *sb. pl.* (*hist.*) peterspenge.

pet hate *sb.* se *pet aversion*.

petiole ['petiəul] *sb.* bladstilk.

petit bourgeois [petibɔː'ʒwaː] *adj.* F småborgerlig.

petite [pə'tiːt] *adj.* (*om kvinde*) lille og fiks/elegant;
□ *she is* ~ hun er en nipsgenstand.

petition[1] [pə'tiʃn] *sb.* **1.** (*til myndighed*) ansøgning (*for mercy* om benådning); andragende; **2.** (*fra flere, mht. en bestemt sag*) appel; adresse (*fx a protest* ~); **3.** (*glds.: til regent*) bønskrift; **4.** (*jur.*) begæring (*fx bankruptcy* ~; *divorce* ~).

petition[2] [pə'tiʃn] *vb.* **1.** ansøge, andrage (*for* om); indgive et andragende til; **2.** indgive en adresse til; **3.** bede, anmode (*for* om; *to* om at);
□ ~ *for* (*jur*) indgive begæring om, begære (*fx divorce*).

petitioner [pə'tiʃnə] *sb.* **1.** ansøger; **2.** (*jur.: i skilsmissesag*) den skilsmissesøgende ægtefælle, sagsøgeren.

pet name *sb.* kælenavn.

petrel ['petr(ə)l] *sb.* (*zo.*) stormsvale; (se også *stormy petrel*).

petrified ['petrifaid] *adj.* (jf. *petrify*) **1.** stiv/lammet af skræk; rædselsslagen; **2.** forstenet.

petrify ['petrifai] *vb.* **1.** (*person*) lamme; gøre stiv af skræk; skræmme fra vid og sans; **2.** (*dyr, plante*) forstenes.

petrifying ['petrifaiiŋ] *adj.* skrækindjagende.

petrochemical [petrə(u)'kemik(ə)l] *adj.* petrokemisk.

petrodollars ['petrə(u)dɔləz] *sb. pl.* petrodollars.

petroglyph ['petrə(u)glif] *sb.* helleristning.

petrol ['petr(ə)l] *sb.* benzin.

petrolatum [petrə'leitəm] *sb.* (*am.*) vaselin.

petrol bomb *sb.* benzinbombe.

petroleum [pə'trəuliəm] *sb.* råolie;

jordolie.

petroleum jelly *sb.* vaselin.

petrol pump *sb.* benzinstander.

petrol station *sb.* benzintank, tank-station.

petrol tank *sb.* benzintank [*i bil*].

pet shop *sb.* dyrehandel.

petticoat ['petikəut] *sb.* (*glds.*) skørt, underskørt; underkjole.

petticoat government *sb.* skørteregimente.

pettifogger ['petifɔgə] *sb.* (*glds., neds.*) vinkelskriver; lommeprokurator.

pettifogging ['petifɔgiŋ] *adj.* (*glds.*) **1.** ubetydelig, ligegyldig (*fx details*); pedantisk (*fx rules*); **2.** (*om person*) smålig, pedantisk;
□ ~ *details* (*også*) pedanterier.

petting ['petiŋ] *sb.* petting, erotisk kæleri.

petting zoo *sb.* (*am.*) børnezoo [*med dyr som børnene kan lege med*].

pettish ['petiʃ] *adj.* se *petulant*.

petty ['peti] *adj.* **1.** lille, ubetydelig (*fx details; grievances*); smålig (*fx power struggle; rules*); banal; (*foran pl. også*) små- (*fx problems*); **2.** (*mht. rangorden*) underordnet, inferiør (*fx official; bureaucrat*); **3.** (*om indstilling*) smålig (*fx revenge*); småtskåren;
□ ~ *crime* mindre lovovertrædelser.

petty bourgeois *sb.* se *petit bourgeois*.

petty cash *sb.* kontantkasse [*til småudgifter*].

petty jury *sb.* almindelig jury [*af indtil 12 medlemmer*].

petty larceny *sb.* (*jur.: am. el. hist.*) rapseri.

petty officer *sb.* (*mar.*) underofficer; oversergent.

petulance ['petjuləns] *sb.* gnavenhed, vrantenhed, pirrelighed.

petulant ['petjulənt] *adj.* gnaven, vranten, pirrelig.

petunia [pi'tjuːniə] *sb.* (*bot.*) petunia.

pew [pjuː] *sb.* **1.** kirkebænk; **2.** lukket kirkestol;
□ *take a* ~ (T: *let glds.*) tag plads!

pewter ['pjuːtə] *sb.* **1.** (*metal*) tin; tinlegering; **2.** (*ting*) tintøj.

Pfc *fork. f. Private First Class* (*mil.*) konstabel.

PG *fork. f. parental guidance* (*om film*) tilladt for børn men voksenledsagelse tilrådes.

PGCE *fork. f. Postgraduate Certificate of Education* (*omtr.*) pædagogikum.

phaeton ['feit(ə)n] *sb.* (*hist.*) faeton [*let åben firhjulet vogn*].

phalanger [fə'lændʒə] *sb.* (*austr. zo.*) pungabe.

phalanx ['fælæŋks, (*am. især*) 'fei-] *sb.* **1.** tæt gruppe; mur [*af menne-sker*]; **2.** (*hist. mil.*) falanks.

phalarope ['fælərəup] *sb.*: grey ~ (*zo.*) thorshane; red-necked ~ (*zo.*) odinshane.

phallic ['fælik] *adj.* fallisk; □ ~ *symbol* fallossymbol.

phallus ['fæləs] *sb.* fallos.

phantasm ['fæntæzm] *sb.* (*litt.*) fantasibillede, syn, drøm; hjernespind; fantom.

phantasmagoria [fæntæzmə'gɔ:riə] *sb.* (*litt.*) fantasmagori; fantasibilleder, blændværk, gøgleri.

phantasmagorical [fæntæzmə'gɔ:rik(ə)l] *adj.* (*litt.*) fantasmagorisk; fantastisk, spøgelsesagtig, uvirkelig.

phantasy ['fæntəsi] *sb.* fantasi.

phantom[1] ['fæntəm] *sb.* **1.** (*som spøger*) genfærd, spøgelse; fantom; **2.** (*som man ser for sig*) gøglebillede, fantasibillede, syn.

phantom[2] ['fæntəm] *adj.* **1.** (jf. *phantom[1] 1*) spøgelses- (*fx ship*; *coach*); fantom-; mystisk; **2.** (*som man selv tror*) indbildt (*fx illness*); **3.** (*som skal bedrage*) fiktiv, fup- (*fx bank account*; *organization*; *scheme*).

pharaoh ['fɛərəu] *sb.* (*hist.*) farao.

pharisaic [færi'seiik] *adj.* farisæisk.

Pharisee ['færisi:] *sb.* farisæer.

pharmaceutical [fa:mə'sju:tik(ə)l] *adj.* farmaceutisk; medicinalvare-, lægemiddel- (*fx company*; *industry*); medicinal- (*fx products* varer).

pharmaceutical chemist *sb.* apoteker.

pharmaceuticals [fa:mə'sju:tik(ə)lz] *sb. pl.* medicinalvarer; lægemidler.

pharmacist ['fa:məsist] *sb.* farmaceut; apoteker.

pharmacological [fa:məkə'lɔdʒik(ə)l] *adj.* farmakologisk.

pharmacologist [fa:mə'kɔlədʒist] *sb.* farmakolog.

pharmacology [fa:mə'kɔlədʒi] *sb.* farmakologi, læren om lægemidler.

pharmacopoeia [fa:məkə'pi:ə] *sb.* farmakopé, lægemiddelfortegnelse.

pharmacy ['fa:məsi] *sb.* **1.** apotek; **2.** farmaci [*fremstilling og distribution af medicin*].

pharyngeal [færin'dʒi:əl] *adj.* svælg-.

pharyngitis [færin'dʒaitis] *sb.* svælgkatar.

pharynx ['færiŋks] *sb.* svælg.

phase[1] [feiz] *sb.* **1.** (*astr., fys., zo. etc.*) fase; **2.** (*fig.*) fase; stadium; trin;
□ *in* ~ **a.** i trit; i takt (*with* med); **b.** (*om højttalere*) i fase; *out of* ~ ude af trit; ude af takt (*with* med).

phase[2] [feiz] *vb.* opdele i faser; lade ske gradvist/trinvist (*fx the increase of the rents is to be -d to reduce the impact*);
□ ~ *down* nedsætte gradvist (*fx subsidies*); ~ *in* indføre//tage i brug gradvist (*fx new machinery*; *a new system*); ~ *out* afskaffe//afvikle gradvist (*fx subsidies*); udfase; aftrappe.

phased [feizd] *adj.* gradvis (*fx withdrawal*); trinvis.

phase-out ['feizaut] *sb.* (*am.*) gradvis afskaffelse//ophør//lukning; udfasning; aftrapning.

PhD [pi:eitʃ'di:] *fork. f. philosophiae doctor* ph.d.

pheasant ['fez(ə)nt] *sb.* (*zo.*) fasan.

pheasant's eye [fez(ə)nts'ai] *sb.* (*bot.*) adonis.

phenom [fə'nɔm] *sb.* (*am. S: om person*) vidunder, fænomen.

phenomena [fi'nɔminə] *pl. af phenomenon.*

phenomenal [fi'nɔmin(ə)l] *adj.* fænomenal, fremragende, enestående.

phenomenon [fi'nɔminən, (*am.*) -ɔn] *sb.* (*pl. phenomena*) fænomen; foreteelse.

phenotype ['fi:nətaip] *sb.* fænotype, fremtoningspræg.

pheromone ['ferəməun] *sb.* duftstof.

phew [fju:] *interj.* pyh, pyha; puh, puha.

phial ['faiəl] *sb.* se *vial*.

Phi Beta Kappa [faibi:tə'kæpə] *sb.* (*am.*) [*akademisk sammenslutning hvori de der har særlig fine eksamensresultater kan optages*].

philanderer [fi'lændərə] *sb.* (*glds.*) skørtejæger, don juan; flanør.

philandering[1] [fi'lændəriŋ] *sb.* (*glds.: om ægtemand*) sidespring; kærlighedsaffærer; løse forbindelser.

philandering[2] [fi'lændəriŋ] *adj.* (*glds.: om ægtemand*) som laver sidespring; som har kærlighedsaffærer ved siden af.

philanthropic [filən'θrɔpik] *adj.* filantropisk; godgørende.

philanthropist [fi'lænθrəpist] *sb.* filantrop.

philanthropy [fi'lænθrəpi] *sb.* filantropi; godgørenhed.

philatelic [filə'telik] *adj.* filatelistisk, frimærke-.

philatelist [fi'lætəlist] *sb.* filatelist, frimærkesamler.

philately [fi'lætəli] *sb.* filateli.

Philharmonic [fil(h)a:'mɔnik] *adj.* filharmonisk;
□ ~ *Orchestra* (*også*) symfoniorkester.

Philippine ['filipi:n] *adj.* filippinsk.

Philippines ['filipi:nz] *sb. pl.*: *the* ~ (*geogr.*) Filippinerne.

philistine[1] ['filistain, (*am. især*) -sti:n] *sb.* spidsborger, filister.

philistine[2] ['filistain, (*am. især*) -sti:n] *adj.* spidsborgerlig, filistrøs.

philological [filə'lɔdʒik(ə)l] *adj.* (*glds.*) filologisk; sprogvidenskabelig; sproghistorisk.

philologist [fi'lɔlədʒist] *sb.* (*glds.*) filolog; sprogforsker; sproghistoriker.

philology [fi'lɔlədʒi] *sb.* (*glds.*) filologi; sprogvidenskab; sproghistorie.

philosopher [fi'lɔsəfə] *sb.* filosof.

philosopher's stone *sb.*: *the* ~ de vises sten.

philosophical [filə'sɔfik(ə)l] *adj.* filosofisk;
□ *be* ~ *about it* tage det med filosofisk/stoisk ro.

philosophize [fi'lɔsəfaiz] *vb.* filosofere.

philosophy [fi'lɔsəfi] *sb.* **1.** filosofi; livsanskuelse; **2.** filosofisk ro.

philtre ['filtə] *sb.* elskovsdrik; trylledrik.

phlebitis [fli'baitis] *sb.* (*med.*) årebetændelse.

phlegm [flem] *sb.* **1.** (*fysiol.*) slim; **2.** (*holdning*) flegma, koldsindighed.

phlegmatic [fleg'mætik] *adj.* flegmatisk.

phlox [flɔks] *sb.* (*bot.*) floks.

phobia ['fəubiə] *sb.* fobi, sygelig angst.

phobic[1] ['əubik] *sb.* en der lider af sygelig angst.

phobic[2] ['əubik] *adj.* fobisk, sygeligt angst;
□ *be* ~ *about* nære sygelig angst for.

Phoenicia [fi'niʃiə] (*hist.*) Fønikien.

Phoenician[1] [fi'niʃiən] *sb.* (*hist.*) **1.** føniker, fønikier; **2.** (*sprog*) fønikisk.

Phoenician[2] [fi'niʃiən] *adj.* (*hist.*) fønikisk.

phoenix ['fi:niks] *sb.* (*myt.*) fugl Føniks.

phone[1] [fəun] *sb.* **T** telefon;
□ *give sby a* ~ **T** ringe en op; *be on the* ~ **a.** tale i telefon (*to* med); **b.** have telefon; *you are wanted on the* ~ der er telefon til dig;

over the ~ i telefonen.

phone[2] [fəun] *vb.* **T 1.** telefonere, ringe, ringe op; **2.** (*med objekt*) telefonere til, ringe til, ringe op.

phone booth, phone box *sb.* telefonboks.

phone call *sb.* telefonopringning; telefonsamtale (*fx there is a ~ for you*);
□ *make a* ~ telefonere.

phonecard ['fəunka:d] *sb.* (*til betalingstelefon*) telekort.

phone-in ['fəunin] *sb.* (*radio.*) telefonprogram.

phoneme ['fəuni:m] *sb.* (*sprogv.*) fonem.

phone tap *sb.* (*enkelt*) telefonaflytning.

phone-tapping ['fəuntæpiŋ] *sb.* (*aktivitet*) telefonaflytning.

phonetic [fə'netik] *adj.* fonetisk; lydlig; lyd-.

phonetician [fəunə'tiʃn] *sb.* fonetiker.

phonetics [fə'netiks] *sb.* fonetik.

phoney[1] ['fəuni] *sb.* **S 1.** (*person*) svindler, fupmager; **2.** (*ting*) svindel, fup.

phoney[2] ['fəuni] *adj.* **T 1.** falsk (*fx address; smile*); påtaget (*fx accent*); uægte; **2.** (*om person*) hyklerisk; forloren.

phoney minefield *sb.* (*mil.*) skinminefelt.

Phoney War *sb.*: *the* ~ [*den 2. verdenskrig indtil tyskernes invasion i Frankrig og Belgien*].

phonograph ['fəunəgra:f] *sb.* **1.** fonograf; **2.** (*am.*) grammofon.

phonology [fə'nɔlədʒi] *sb.* fonologi; historisk lydlære.

phony ['fəuni] (*am.*) = *phoney.*

phooey ['fu:i] *interj.* øv; puh; føj.

phosphate ['fɔsfeit] *sb.* (*kem.*) fosfat.

phosphorescence [fɔsfə'res(ə)ns] *sb.* fosforescens.

phosphorescent [fɔsfə'res(ə)nt] *adj.* fosforescerende.

phosphoric [fɔs'fɔrik] *adj.* fosforagtig; fosfor-;
□ ~ *acid* fosforsyre.

phosphorus ['fɔsf(ə)rəs] *sb.* (*kem.*) fosfor.

photo[1] ['fəutəu] *sb.* fotografi, foto.

photo[2] ['fəutəu] *vb.* **T** = *photograph*[2].

photocall ['fəutəukɔ:l] *sb.* officiel fotografering.

photocopier ['fəutə(u)kɔpiə] *sb.* fotokopimaskine.

photocopy[1] ['fəutə(u)kɔpi] *sb.* fotokopi.

photocopy[2] ['fəutə(u)kɔpi] *vb.* fotokopiere.

photoelectric ['fəutəui'lektrik] *adj.*

fotoelektrisk (*fx effect*);
□ ~ *cell* fotocelle.

photo finish *sb.* [*afslutning af væddeløb der afgøres ved målfotografering*].

Photofit® ['fəutə(u)fit] *sb.* **1.** se *identikit*[1] 1; **2.** = *Photofit picture.*

Photofit picture *sb.* fantomportræt, fantomfoto.

photog [fə'tɔg] *sb.* (*am.*) fotograf.

photogenic [fəutə(u)'dʒenik] *adj.* fotogen; som tager sig godt ud på fotografier.

photograph[1] ['fəutəgra:f] *sb.* fotografi.

photograph[2] ['fəutəgra:f] *vb.* fotografere;
□ *I don't* ~ *well* jeg bliver ikke god på fotografier.

photographer [fə'tɔgrəfə] *sb.* fotograf.

photographic [fəutə'græfik] *adj.* fotografisk.

photography [fə'tɔgrəfi] *sb.* fotografering; fotografi [*faget*].

photojournalism [fəutəu'dʒə:nəlizm] *sb.* fotojournalistik.

photometer [fəu'tɔmitə] *sb.* fotometer, lysmåler.

photomicrograph [fəutə'maikrəgræf] *sb.* mikrofotografi [*med mikroskop*].

photomicrography [fəutəmai'krɔgrəfi] *sb.* mikrofotografering [*med mikroskop*].

photo op, photo opportunity *sb.* se *photo session.*

photosensitive [fəutə(u)'sensətiv] *adj.* lysfølsom.

photo session *sb.* officiel fotografering; fotograferingsseance; fotosession.

photostat® ['fəutəstæt] *sb.* **1.** (*apparat*) fotostat; **2.** (*billede*) fotostat, fotokopi.

photosynthesis [fəutə(u)'sinθəsis] *sb.* (*biol.*) fotosyntese.

phrase[1] [freiz] *sb.* **1.** udtryk, vending; talemåde; **2.** (*gram.*) ordforbindelse, frase [*som del af en sætning*]; (se også *prepositional phrase*); **3.** (*mus.*) frase;
□ *to coin a* ~ som man siger; *empty/hackneyed* ~ tom/forslidt talemåde; frase; (se også *turn*[1]).

phrase[2] [freiz] *vb.* **1.** udtrykke; formulere; **2.** (*mus.*) frasere.

phrase book *sb.* parlør.

phraseological [freiziə'lɔdʒik(ə)l] *adj.* fraseologisk.

phraseology [freizi'ɔlədʒi] *sb.* fraseologi; udtryksmåde; formulering.

phrasing ['freiziŋ] *sb.* **1.** formulering; ordvalg; **2.** (*mus.*) frasering.

phreaker ['fri:kə] *sb.* [*hacker der bryder ind i telekommunikations-*

system, fx for at udbrede egne budskaber*].

phrenology [fri'nɔlədʒi] *sb.* frenologi [*den teori at et menneskes karakter kan bestemmes ud fra kraniets form*].

phut [fʌt] *adv.*: *go* ~ (**T**: *om maskine*) gå i stykker; bryde sammen.

physic ['fizik] *sb.* (*glds.*) medicin.

physical[1] ['fizik(ə)l] *sb.* = *physical examination.*

physical[2] ['fizik(ə)l] *adj.* **1.** (*mods. psykisk*) fysisk, legemlig; legems-; **2.** (*mods. tænkt*) fysisk, håndgribelig, materiel; **3.** (*vedrørende det ydre*) fysisk, ydre (*fx characteristics*); **4.** (*vedrørende faget fysik*) fysisk (*fx laws*); **5.** (*vedrørende erotik*) fysisk, seksuel (*fx attraction; love*); **6.** (**T**: *om person*) som godt kan lide at røre ved andre, sensuel; **7.** (*især om sport*) voldsom, voldelig.

physical education *sb.* (*skolefag*) gymnastik, idræt.

physical examination *sb.* lægeundersøgelse.

physical jerks *sb. pl.* (*glds., spøg.*) benspjæt, gymnastiske øvelser.

physical medicine *sb.* fysiurgi.

physical training *sb.* gymnastik.

physician [fi'ziʃn] *sb.* læge [*især mediciner*].

physicist ['fizisist] *sb.* fysiker.

physics ['fiziks] *sb.* fysik.

physio ['fiziəu] *sb.* **T 1.** fysioterapeut; **2.** fysioterapi.

physiognomy [fizi'ɔnəmi] *sb.* fysiognomi; ansigt; ansigtstræk.

physiological [fiziə'lɔdʒikl] *adj.* fysiologisk.

physiologist [fizi'ɔlədʒist] *sb.* fysiolog.

physiology [fizi'ɔlədʒi] *sb.* fysiologi.

physiotherapist [fiziə(u)'θerəpist] *sb.* fysioterapeut.

physiotherapy [fiziə(u)'θerəpi] *sb.* fysioterapi.

physique [fi'zi:k] *sb.* fysik (*fx his strong* ~); legemsbygning; konstitution.

pi[1] [pai] *sb.* (*mat.*) pi.

pi[2] [pai] *adj.* **T** „hellig".

pianist ['pi:ənist, 'pja:nist] *sb.* pianist.

piano[1] [pi'ænəu, 'pjæ-, 'pja:-] *sb.* klaver, piano.

piano[2] ['pja:nəu, pi'a:nəu] *adv.* piano, sagte.

piano duet *sb.* (*mus.*) stykke for firhændigt klaver.

pianola® [pi:ə'nəulə, pjæ-] *sb.* pianola [*elektrisk klaver*].

piano player *sb.* pianist; klaverspiler.

piano stool *sb.* klaverstol; klaverbænk.

piano tuner *sb.* klaverstemmer.

piazza [pi'ætsə] *sb.* **1.** piazza, åben plads; **2.** (*am.*; *glds.*) veranda.

pibroch ['pi:brɔk] *sb.* [*skotsk sækkepibemelodi*].

pic [pik] *sb.* (T *fork. f. picture*) **1.** billede, foto; **2.** film.

pica ['paikə] *sb.* (*typ.*: *svarer til*) cicero [*men er 0,3 mm mindre*].

picaresque [pikə'resk] *adj.* picaresk.

picaresque novel *sb.* skælmeroman.

picayune[1] [pikə'ju:n] *sb.* (*am.*) bagatel.

picayune[2] [pikə'ju:n] (*am.*) = *picayunish*.

picayunish [pikə'ju:niʃ] *adj.* ubetydelig; pedantisk, smålig.

piccalilli ['pikəlili] *sb.* gul pickles [*med sursød sennep*].

piccaninny ['pikənini] *sb.* (*neds.*) negerbarn.

piccolo ['pikələu] *sb.* (*mus.*) piccolofløjte.

pick[1] [pik] *sb.* **1.** hakke; (se også *ice pick*); **2.** T = *plectrum*; □ *the ~ of* det bedste af; eliten af; *have one's ~* kunne vælge frit, have frit valg (*of* mellem); *take your ~!* du kan selv vælge!

pick[2] [pik] *vb.* (se også *picked*) **1.** (*blandt flere muligheder*) vælge; udvælge (*fx sby for a team*); (*omhyggeligt*) udsøge sig (*fx the biggest apple*); **2.** (*frugt, blomster*) plukke (*fx flowers; apples*); **3.** (*for at rense*) pille (*fx ~ a bone clean*); rense; (*fjerkræ*) plukke (*fx a goose*); **4.** (*med fingrene*) pille (*fx a match out of the ashtray*; ~ *one's toes* pille tæer); pille i (*fx a sore on one's leg*); **5.** (*med spidst redskab*) stikke i; (*med hakke*) hakke; hakke op; **6.** (*strengeinstrument*) klimpre på; □ *~ and choose* vælge og vrage; [*med sb.*] *have a bone to ~ with sby* have en høne at plukke med en; ~ *a lock* dirke en lås op; ~ *one's nose* pille næse; pille sig i næsen; ~ *one's way* træde forsigtigt; (se også *brain*[1], *fight*[1], *hole*[1], *pocket*[1] (*etc.*)); [*med adv., præp.*] ~ *apart* (*også fig.*) pille fra hinanden; ~ *at* **a.** pille i (*fx a hole; a sore*); **b.** (*person*) være efter; hakke på; være på nakken af; **c.** (*mad*) stikke til; (*drik*) nippe til; ~ *from* tage//vælge fra (*fx a knife from the drawer; a poem from the*

collection); ~ *off* **a.** pille af (*fx he picked a piece of fluff off his jacket*); **b.** (*med skydevåben*) skyde ned enkeltvis; ~ *on* **a.** udvælge sig, udse sig (*fx a good place for one's holiday*; *she has -ed on a nice young man*); **b.** (*til noget ubehageligt*) udvælge; slå ned på; **c.** (*gentagne gange*) være efter, hakke på, være på nakken af; ~ *out* **a.** pille ud (*fx stones from the fruit*); **b.** (*mellem muligheder*) vælge, udvælge (*fx the best pupils*); udse sig; **c.** (*fra omgivelser*) få øje på; kunne se (*fx I -ed him out in the crowd*); kunne genkende; **d.** (*ved farve, lys, omtale*) udhæve, fremhæve; **e.** (*med maling, fagl.*) staffere; ~ *out a tune on the piano* finde frem til en melodi på klaveret [*ved at spille lidt og forsøge sig frem*]; (se også *hat*); ~ *over* **a.** (*ting*) undersøge, gennemgå (omhyggeligt) (*fx the strawberries; the clothes*); **b.** (*oplysninger*) gennemgå, endevende (*fx the details of the murder case; his past*); ~ *to pieces* se *piece*[1]; ~ *up* (*med personsobjekt*) **a.** (*person: med køretøj*) tage op (*fx the train stopped to ~ up passengers*); afhente (*fx passengers at the airport*); hente (*fx who'll ~ up the children?*); samle op (*fx I'll ~ you up at six*); **b.** (*forulykket, af vandet*) samle op, redde (*fx they were -ed up by helicopter*); **c.** (T, *om politiet: mistænkt*) arrestere; (*fx fartbilist*) standse; **d.** (T: *partner*) komme i lag med (*fx he was only trying to ~ you up*); score (*fx a girl*); ~ *up* (*med tingsobjekt*) **a.** (*fra gulvet/jorden, også om noget tabt*) samle op (*fx he -ed up his parcels*; ~ *up dropped stiches* (ɔ: *i strikning*)); **b.** (*i butik etc.*) købe; få fat i (*fx where did you ~ that book up?*); **c.** (*bestilte varer*) afhente, hente; **d.** (*oplysninger*) få fat i, opsnappe (*fx a rumour*); samle, skaffe sig (*fx information*); **e.** (*signal, meddelelse*) opfange, opsnappe; (*om fx radiokanal*) tage; **f.** (*kundskaber*) tilegne sig, lære (*fx a foreign language*); **g.** (*accent*) lægge sig til; **h.** (*penge*) tjene (*fx £200 a week*); **i.** (*fortælling, emne*) vende tilbage til, genoptage; **j.** (*sygdom*) blive smittet med, pådrage sig; **k.** (*sted, især am.*) rydde op i (*fx a room*); ~ *up* (*uden objekt*) **a.** (*mht. befin-*

dende) komme sig; kvikke op; **b.** (*om kurser, konjunkturer*) bedres; rette sig; **c.** (*efter afbrydelse*) fortsætte; komme i gang igen; **d.** (*om blæst*) tage til; ~ *oneself up* rejse sig, komme på benene; ~ *up the bill/check* (påtage sig at) betale regningen; dække udgifterne; ~ *up the pieces* (T: *fig.*) samle stumperne, redde hvad der reddes kan; (ɔ: *i sit liv*) komme på fode igen; ~ *up the scent* komme på sporet igen; ~ *up speed* sætte farten op, accelerere; ~ *up after* (*især am.*) rydde op efter; ~ *up on* **a.** fornemme (*fx a new trend*); **b.** (*historie, spørgsmål: om pressen*) vende tilbage til, tage op; **c.** (T: *éns udtalelse*) holde fast på (*fx I'd like to ~ you up on something you said*); hænge op på; ~ *up with* træffe 'på; gøre bekendtskab med.

pick-and-mix [pikən'miks] se *pick'n'mix*.

pickaninny ['pikənini] (*am.*) = *piccaninny*.

pickaxe ['pikæks] *sb.* hakke.

picked [pikt] *adj.* udsøgt.

picker ['pikə] *sb.* plukker (*fx berry picker*).

pickerel ['pik(ə)rəl] *sb.* (*zo.*) **1.** ung gedde, lille gedde; **2.** (*am.*) østamerikansk gedde.

picket[1] ['pikət] *sb.* **1.** (*ved strejke*) strejkevagt; blokadevagt; **2.** (*ved demonstration*) [*gruppe demonstranter der tager fast opstilling foran fx ambassade*]; **3.** (*handling*) blokade; **4.** (*mil.*) forpost; patruljepost; **5.** (*i hegn*) pæl; stakitstav; (*til hest*) tøjrpæl.

picket[2] ['pikət] *vb.* **1.** (*ved strejke*) gå strejkevagt ved; sætte strejkevagter ved, blokere; **2.** (*ved demonstration*) tage fast opstilling ved, blokere; **3.** (*mil.*) udsætte vagter ved; bevogte; **4.** (*uden objekt*) gå strejkevagt; etablere blokade.

picketer ['pikitə] *sb.* **1.** strejkevagt; **2.** blokadevagt.

picket fence *sb.* stakit; plankeværk.

picketing ['pikitiŋ] *sb.* blokade.

picket line *sb.* (række//gruppe af) strejkevagter.

pickings ['pikiŋz] *sb. pl.* **1.** indtægt, udbytte; lettjente penge; **2.** levninger, rester, smuler; □ *easy ~* lettjente penge; *rich ~* rigt bytte, rigelige indtægter; *slim ~* magert udbytte; *get some ~* redde sig lidt.

pickle[1] ['pikl] *sb.* **1.** (*syltede grønsager*) pickles; **2.** (*til præservering*) lage, saltlage, eddikelage;

3. (*til rensning af metal*) bejdse;
4. (*am. omtr.*) agurkesalat;
□ -s pickles; *be in a (pretty/right)*
~ (*glds.* T) sidde kønt i det; være i
knibe.
pickle² ['pikl] *vb.* **1.** lægge i lage;
2. (*metal*) bejdse.
pickled ['pikld] *adj.* **1.** saltet; syltet; **2.** T fuld, pløret.
picklock ['piklɔk] *sb.* **1.** (*redskab*)
dirk; **2.** (*person*) indbrudstyv.
pick-me-up ['pikmiʌp] *sb.* T opstrammer, hjertestyrkning.
pick'n'mix [pikən'miks] *adj.* blandet, tilfældigt sammensat; tag
selv-; bland selv- (*fx* ~ *sweets*).
pickpocket ['pikpɔkit] *sb.* lommetyv.
pickpocketing ['pikpɔkitiŋ] *sb.*
lommetyveri.
pick-up¹ ['pikʌp] *sb.* **1.** (*om lille
varevogn & til grammofon*) pickup; **2.** (*på elguitar*) mikrofon;
3. (*af en der skal køre med*) afhentning; opsamling; **4.** (*mht.
konjunkturer, økonomi*) opsving,
fremgang, bedring (*fx in demand*);
5. (*am.: om bil*) accelerationsevne;
6. (*glds.* T) tilfældigt bekendtskab;
gadebekendtskab.
pick-up² ['pikʌp] *adj.* **1.** improviseret (*fx lunch*); **2.** som er samlet/
ansat for denne ene lejlighed (*fx
waiters*);
□ ~ *band* sammenbragt orkester.
pick-up point *sb.* opsamlingssted;
afhentningssted.
pick-up truck *sb.* (*am.*) pickup
[*lille varevogn med åbent lad*].
picky ['piki] *adj.* T kræsen.
pick-your-own [pikjuər'əun] *adj.*
selvpluk-.
picnic¹ ['piknik] *sb.* **1.** skovtur; udflugt [*med måltid i det fri*]; picnic;
2. medbragt mad; madpakke (*fx
take a* ~ *with you*); madkurv;
□ *it is no* ~ T det er ikke det bare
sjov; det er skam en alvorlig sag.
picnic² ['piknik] *vb.* tage på udflugt/skovtur; have picnic; spise
medbragt mad.
picnic breakfast *sb.* morgenmad i
det fri.
Pict [pikt] *sb.* (*hist.*) pikter.
Pictish ['piktiʃ] *adj.* (*hist.*) piktisk.
pictorial¹ [pik'tɔ:riəl] *sb.* illustreret
blad; billedblad.
pictorial² [pik'tɔ:riəl] *adj.* billed-;
illustreret; billedlig.
picture¹ ['piktʃə] *sb.* **1.** billede;
2. (*film.*) film;
□ *get the* ~ forstå hvad det drejer
sig om; *look at the big* ~ (*am.*) se
på de store linjer; se overordnet
på det; (se også *rosy*);
[*med art.*] *be/look* **a** ~ se dejlig

ud (*fx the garden looked a* ~); *his
face was a* ~! du skulle have set
hans ansigt! *be a* ~ *of = be the* ~
of; *be the* ~ *of* (*fig.*) være billedet
på (*fx he was the* ~ *of contentment*); være den personificerede
...; *look the* ~ *of health* se ud som
sundheden selv;
[*med præp.*] *be in the* ~ (*fig.*)
a. være orienteret, være informeret; **b.** være inde i billedet; spille
en rolle; *put sby in the* ~ orientere en, informere en; sætte en
ind i sagen; *be in* -s (*am.*) være
ved filmen; *be out of the* ~ (*fig.*)
være ude af billedet, være ude af
sagaen; *go to the* -s (*glds.*) gå i biografen.
picture² ['piktʃə] *vb.* **1.** forestille
sig (*fx he* -d *himself lying on the
beach*); **2.** skildre (*as som*);
□ *be* -d *as* (F: også) blive afbildet//
malet som; ~ *to oneself* forestille
sig.
picture book *sb.* billedbog.
picture card *sb.* billedkort.
picture gallery *sb.* malerisamling.
picture hat *sb.* bredskygget
(dame)hat.
picture postcard *sb.* prospektkort;
postkort.
picture puzzle *sb.* rebus.
picture rail *sb.* billedliste.
picturesque [piktʃə'resk] *adj.*
1. malerisk (*fx village*); pittoresk;
2. (*om stil*) malende (*fx account*).
picture tube *sb.* billedrør.
picture window *sb.* panoramavindue.
piddle ['pidl] *vb.* T tisse.
piddling ['pidliŋ] *adj.* ubetydelig;
ringe, ussel, sølle.
pidgin ['pidʒin] *sb.* pidgin, blandingssprog.
pie [pai] *sb.* **1.** tærte [*med låg*]; pie;
2. (*typ.*: ødelagt sats) fisk;
□ *as easy as* ~ T pærelet; så let
som ingenting; *get a piece/slice of
the* ~ (*am.*, *fig.*) få sin del af kagen; ~ *in the sky* luftkastel; utopi;
tomme løfter; (se også *finger*¹);
a six-~ *band* et seksmands orkester; *say one's* ~ få sagt hvad
man har på hjerte; (se også *pick*²
(*up*));
piebald ['paibɔ:ld] *adj.* (*om hest*)
sortbroget; sort- og hvidplettet.
piece¹ ['pi:s] *sb.* **1.** stykke; **2.** (*af
helhed, af sæt*) stykke; del (*fx a
dinner service of 50* -s); **3.** (*penge*)
pengestykke; mønt (*fx a 50p* ~);
4. (*til brætspil & puslespil*) brik;
5. (F: *om kunstværk*) arbejde,
værk; **6.** (T: *neds.*) pigebarn, sag
(*fx a pretty little* ~); **7.** (*am.* S) pistol, skyder;

[*of + utælleligt sb.*] *a* ~ *of advice*
et råd; (se også *ass*¹, *cake*, *furniture*, *information* (*etc*));
[*med præp.*] ~ *by* ~ stykke for
stykke; lidt efter lidt; *in one* ~ i ét
stykke; ubeskadiget; uskadt, hel;
of a ~ ens hele vejen igennem;
they are of a ~ de er to alen af ét
stykke; *be of a* ~ *with* passe sammen med; *break to* -s brække i
stykker; *come/fall to* -s gå i stykker; falde sammen; *go to* -s **a.** gå i
stykker; forfalde; **b.** (*fig.*) bryde
sammen; *pick/pull/tear to* -s
a. plukke/rive/flå i (stumper og)
stykker; **b.** (*fig.*) kritisere sønder
og sammen; jorde fuldstændigt;
take to -s **a.** tage fra hinanden,
skille ad; **b.** (*uden objekt*) kunne
skilles ad.
piece² [pi:s] *vb.*: ~ *together*
a. sætte sammen [*stykke for
stykke*]; lappe sammen; **b.** (*fig.*)
stykke sammen (*fx a picture of
what happened*); kortlægge.
pièce de resistance [fr.] *sb.* (*pl.
pièces* ...) vigtigste del; hovedattraktion; hovednummer.
piece goods *sb. pl.* metervarer.
piecemeal ['pi:smi:l] *adv.* stykkevis; stykke for stykke.
piece rate *sb.* akkordsats.
piecework ['pi:swə:k] *sb.* akkordarbejde.
pie chart *sb.* lagkagediagram.
piecrust ['paikrʌst] *sb.* skorpe [*på
en pie*];
□ *promises are like* -s, *made to be
broken* (*omtr.*) loven er ærlig, holden besværlig.
pied [paid] *adj.* broget.
pied-à-terre [pjeida:'tɛə] *sb.* (*pl.
pieds-à-terre*) **1.** ekstra lejlighed/
bolig (*fx fx i storbyen*);
2. (*værelse*) aftrædelsesværelse.
Pied Piper *sb.* (*fig.*) bondefanger,
charlatan [*som lokker folk i fordærv; jf. the* ~ *of Hamelin:* Rottefængeren fra Hameln].
pie-eyed ['paiaid] *adj.* S fuld, pløret.
pier [piə] *sb.* **1.** mole; anløbsbro;
landingsbro; **2.** (*i engelsk kystby*)
[*forlystelsesarkade på mole vinkelret ud fra kysten*]; **3.** (*arkit.*)
murpille; vinduespille; **4.** (*til bro*)
bropille.
pierce [piəs] *vb.* (se også *piercing*)
1. gennembore, gå igennem (*fx the
skin*); trænge ind i; **2.** (*del af
kroppen: til smykke*) pierce, lave
hul i; **3.** (*om lyd, lys & fig.*)
trænge/bryde igennem (*fx the
searchlight* -d *the darkness; they
-d the Arsenal defence//the German lines*); **4.** (*noget uforståeligt*)

gennemskue; trænge ind i (*fx a mystery*); **5.** (*uden objekt*) trænge ind; bore sig ind; trænge frem; □ *the rays -d his eyes* strålerne skar ham i øjnene; ~ *sby's heart* (*litt.*) skære en i hjertet; *a shriek -d the night* et skrig skar gennem natten.

piercing ['piəsiŋ] *adj.* **1.** (*om lyd*) gennemtrængende (*fx shriek; voice*); **2.** (*om blik*) gennemborende (*fx gaze; eyes*); **3.** (*om vind*) skarp, bidende; **4.** (*om følelse*) skærende; brændende (*fx regret*); **5.** (*om tanke*) skarpsindig.

pier glass *sb.* pillespejl.
pierhead ['piəhed] *sb.* molehoved.
pierrot ['piərəu] *sb.* pierrot.
piety ['paiəti] *sb.* **1.** (*rel.*) fromhed; **2.** (*over for personer*) pietet (*fx filial* ~); □ *pieties* (*neds.*) fromme talemåder.
piffle ['pifl] *sb.* T vås, pladder, ævl.
piffling ['pifliŋ] *adj.* T ubetydelig; latterlig; tåbelig.
pig¹ [pig] *sb.* **1.** gris; svin; **2.** (T: *om person*) grovæder; svin; egoistisk bæst; ubehøvlet ka'l; **3.** (*glds.* S) politibetjent; **4.** (*af råjern*) blok; **5.** (*til olieledning*) dorn, skraber; inspektionsudstyr; □ *it is a* ~ T **a.** det er hundesvært (*fx that tune is a* ~ *to play*); **b.** det er noget lort; *-s might fly!* ja hvis og hvis! det tror jeg ikke på! *be in* ~ (*om so*) være drægtig; *in a -'s ear/eye/ass* (*am.* S) rend mig i røven! gu' gør//vil *etc.* jeg//han *etc.* ej! *make a -'s ear of* T forkludre, spolere; kludre med; [*med vb.+ præp.*] *be* ~ *in the middle* **a.** [*om leg hvor man står mellem to der kaster en bold til hinanden*]; **b.** (*fig.*) være som en lus mellem to negle; *bring one's -s to the wrong market* gå galt i byen; *buy a* ~ *in a poke* (*fig.*) købe katten i sækken; *drive -s to market* (*fig.*) trække torsk i land [ɔ: *snorke*]; *make a* ~ *of oneself* proppe sig, stoppe sig, foræde sig.
pig² [pig] *vb.* **1.** T æde selv (*fx he -ged the lot*); **2.** (*om so*) få grise, fare; □ ~ *it*, ~ (*in*) *together* stuve sig sammen; ~ *oneself with/on*, ~ *out on* proppe/fylde/mæske sig med (*fx hot dogs; cream éclairs*).
pigeon ['pidʒən] *sb.* **1.** due; **2.** (*am.* S) godtroende fjols; □ *that's his* ~ (*glds.* T) det er hans sag; det må han om.
pigeon-chested [pidʒən'tʃestid] *adj.* (*med.*) med duebryst, med hønsebryst [ɔ: *fremspringende bryst-*

ben].
pigeon fancier *sb.* brevdueejer.
pigeonhole¹ ['pidʒənhəul] *sb.* **1.** (*i reol etc.*) rum, hylde; **2.** (*fig.*) bås, skuffe, kategori; □ *set of -s* **a.** (*til aflevering af breve, besked etc.*) „dueslag"; **b.** (*til sortering*) sorterereol; **c.** (*bibl.*) rumdelt tidsskrifthylde; *put in a* ~ se *pigeonhole²* 3.
pigeonhole² ['pidʒənhəul] *vb.* **1.** lægge i særskilte rum; sortere; **2.** lægge til side; (*på ubestemt tid*) sylte; **3.** (*fig.*) rubricere, sætte i bås (*as som*).
pigeon house *sb.* dueslag.
pigeon loft *sb.* dueslag [*på loft*].
pigeon-toed [pidʒən'təud] *adj.*: *be* ~ gå indad på fødderne.
piggery ['pigəri] *sb.* **1.** svinehus; svinestald; **2.** svinefarm; **3.** (*om adfærd*) svinagtighed.
piggish ['pigiʃ] *adj.* **1.** griset; svinsk; **2.** grådig.
piggy¹ ['pigi] *sb.* (*barnesprog*) øfgris, grissebasse; □ ~ *in the middle* se *pig¹* (*in the middle*).
piggy² ['pigi] *adj.* **1.** grise- (*fx eyes*); **2.** egoistisk.
piggyback¹ ['pigibæk] *sb.* **1.** ridetur på ryggen (*fx give him a* ~); **2.** (*am.*) [*transport af lastvognsanhængere med jernbane//af mindre fly med større*].
piggyback² ['pigibæk] *vb.* **1.** bære på ryggen; **2.** (*am.*) [*transportere lastvognsanhængere med jernbane//mindre fly med større*]; □ ~ *on* **a.** ride på ryggen af; **b.** transporteres på; **c.** (*fig.*) udnytte, benytte sig af, trække på.
piggyback³ ['pigibæk] *adv.* på ryggen.
piggy bank *sb.* sparegris.
pigheaded [pig'hedid] *adj.* stædig; stivsindet.
pig iron *sb.* råjern.
piglet ['piglət] *sb.* lille gris; □ *-s* smågrise; *Piglet* (*i Peter Plys*) Grislingen.
pigmeat ['pigmi:t] *sb.* (*i EU*) flæsk; fedevarer.
pigment ['pigmənt] *sb.* pigment, farvestof.
pigmentation [pigmən'teiʃn] *sb.* pigmentering, farve.
pigmy ['pigmi] *sb.* = *pygmy.*
pigout ['pigaut] *sb.* T ædeorgie.
pigpen ['pigpen] *sb.* (*am.*) = *pigsty.*
pigskin ['pigskin] *sb.* **1.** svinelæder; **2.** (*am.* T) fodbold.
pigsticking ['pigstikiŋ] *sb.* vildsvinejagt [*med spyd*].
pigsty ['pigstai] *sb.* (*også fig.*) svinesti.

pigswill ['pigswil] *sb.* **1.** svinefoder; **2.** (*fig.*) hundeæde.
pigtail ['pigteil] *sb.* **1.** (*på siden af hovedet*) rottehale; (*flettet*) fletning; **2.** (*i nakken*) hårpisk.
pika ['paikə] *sb.* (*zo.*) pibehare.
pike¹ [paik] *sb.* **1.** (*zo.*) gedde; **2.** (*hist. mil.*) pike; lanse; spyd; **3.** (*am.*) = *turnpike*; **4.** (*i sport*) tyskerspring; □ *come down the* ~ (*am.* T) vise sig, komme frem; *put sby's head on a* ~ sætte ens hoved på en stage.
pike² ['paik] *vb.*: ~ *on* (*austr.* T) svigte, lade i stikken.
pikeperch ['paikpɛ:tʃ] *sb.* (*zo.*) sandart.
piker ['paikə] *sb.* (*am.* T) **1.** forsigtig spiller; **2.** fedthas, gnier.
pikestaff ['paiksta:f] *sb.* (*hist.*) spydstage; (*se også plain²*).
pilaster [pi'læstə] *sb.* (*arkit.*) pilaster; vægpille.
pilchard ['piltʃəd] *sb.* (*zo.*) sardin.
pile¹ [pail] *sb.* (*se også piles*) **1.** bunke (*fx of sand; of rubbish*); dynge; **2.** (*ordnet*) stabel, stak (*fx of books*); **3.** (*især spøg.*) bygning; bygningsværk; ejendom; **4.** (*under hus etc.*) pæl; fundamentpæl; **5.** (*på tæppe, fløjl*) luv; **6.** (*elek.*) tørelement; □ *at the bottom//top of the* ~ T nederst//øverst i hierarkiet; *make a/one's* ~ T samle sig en formue.
pile² [pail] *vb.* **1.** stable (op); dynge (op); **2.** (*for at understøtte*) pilotere; □ ~ *arms!* (*mil.*) sæt geværer sammen! [*med præp.& adv.*] ~ *in* **a.** mase ind; **b.** (*med objekt*) proppe ind; ~ *into* mase (sig) ind i, vælte ind i; ~ *on* dynge//stable op (*fx* ~ *wood on the fire*); ~ *it on* T overdrive; smøre tykt på; ~ *on the pressure* presse hårdt; ~ *out of* mase (sig) ud af, vælte ud af; (se også *agony*); ~ *up* **a.** dynge sammen; stable op; **b.** (*uden objekt*) hobe sig op; **c.** (*især am.* T: *om biler*) brase sammen; *-d with* fyldt med, dynget til med (*fx the plate was -d with salad*); proppet med (*fx the car was -d with luggage*).
piledriver ['paildraivə] *sb.* rambuk.
piledriving ['paildraiviŋ] *sb.* pæleramning, pilotering.
pile dwelling *sb.* pælebygning.
piles [pailz] *sb. pl.* hæmorroider.
pile-up ['pailʌp] *sb.* T (*om biler*) harmonikasammenstød.
pilfer ['pilfə] *vb.* rapse; småstjæle.
pilfering ['pilferiŋ] *sb.* rapseri.
pilgrim ['pilgrim] *sb.* pilgrim.

pilgrimage ['pilgrimidʒ] *sb.* pilgrimsrejse, valfart.

Pilgrim Fathers *sb. pl.* [*de engelske puritanere der i 1620 med skibet the Mayflower forlod England for at bosætte sig i Amerika*].

piling ['pailiŋ] *sb.* **1.** (jf. *pile²* 2) pilotering; **2.** pæleværk; □ *-s* pæle.

pill¹ [pil] *sb.* **1.** pille; **2.** S bold, kugle; **3.** (*am.* T) kedeligt drys; □ *the ~* T p-pillen; *pop -s* sluge piller [*især om narkotika*]; *sugar/ sweeten the ~* indsukre den bitre pille; få det ubehagelige til at glide ned.

pill² [pil] *vb.* (*om uldent stof*) ulde.

pillage¹ ['pilidʒ] *sb.* plyndring.

pillage² ['pilidʒ] *vb.* plyndre; røve.

pillar ['pilə] *sb.* **1.** pille; søjle; støtte; **2.** (*fig. om person*) støtte; □ *from ~ to post* fra Herodes til Pilatus; fra sted til sted; hid og did.

pillar box *sb.* postkasse [*søjleformet, fritstående*].

pillbox ['pilbɔks] *sb.* **1.** pilleæske; **2.** (*mil.*) maskingeværrede; bunker.

pillion ['piliən] *sb.* **1.** (*på motorcykel*) bagsæde; **2.** (*hist.: på hest*) ridepude [*som plads for en person bag ved rytteren*]; □ *ride ~* sidde bagpå.

pillock ['pilək] *sb.* T dum stud, idiot, tåbe.

pillory¹ ['piləri] *sb.* (*hist.*) gabestok.

pillory² ['piləri] *vb.* **1.** hænge ud, sætte i gabestokken; **2.** (*hist.*) sætte i gabestokken.

pillow¹ ['piləu] *sb.* **1.** hovedpude; pude; **2.** se *lace pillow*.

pillow² ['piləu] *vb.: ~ one's head on* lægge sit hoved på.

pillowcase ['piləukeis] *sb.* pudebetræk, pudevår.

pillow fight *sb.* pudekamp.

pillow lace *sb.* håndlavet knipling.

pillow slip pudebetræk, pudevår.

pillow talk *sb.* [*fortrolig snak i sengen*].

pill-popper ['pilpɔpə] *sb.* T pillesluger.

pillwort ['pilwə:t] *sb.* (*bot.*) pilledrager.

pilot¹ ['pailət] *sb.* **1.** (*flyv.*) pilot; **2.** (*mar.*) lods; **3.** (*tekn.: på bor*) styretap; **4.** (*film.*) farveprøve; **5.** (*tv*) forsøgsudsendelse; **6.** se *pilot light*; □ *drop the ~* (*også fig.*) sende lodsen fra borde; sætte lodsen af.

pilot² ['pailət] *adj.* **1.** forsøgs-, pilot- (*fx project*); prøve- (*fx census*

afstemning); **2.** (*tekn.*) styre- (*fx bushing; valve*).

pilot³ ['pailət] *vb.* **1.** (*fly*) føre, styre, være pilot på; **2.** (*skib*) lodse; **3.** (*fig.*) styre, lede (*fx sby through the streets*); **4.** (*ordning, vare*) teste, afprøve (*fx a scheme; new cosmetic products*); **5.** (*parl.*) styre, lodse (*fx a Bill through Parliament*).

pilotage ['pailətidʒ] *sb.* **1.** lodspenge; **2.** lodsning.

pilot balloon *sb.* (*meteor.*) pilotballon.

pilot cloth *sb.* [*tykt, blåt, uldent stof, fx til overfrakker*].

pilot fish *sb.* (*zo.*) lodsfisk.

pilot house *sb.* (*am. mar.*) styrehus.

pilot light *sb.* **1.** tændflamme; vågeblus; **2.** (*elek.*) kontrollampe.

pilot officer *sb.* (*svarer til*) flyverløjtnant II.

pilot whale *sb.* (*zo.*) grindehval.

pimento [pi'mentəu] *sb.* spansk peber.

pimp¹ [pimp] *sb.* alfons; luderkarl.

pimp² [pimp] *vb.* drive alfonseri.

pimpernel ['pimpənel] *sb.* (*bot.*) (rød) arve; (se også *yellow pimpernel*).

pimple ['pimpl] *sb.* filipens, bums.

pimpled ['pimpld], **pimply** ['pimpli] *adj.* filipenset, bumset.

PIN fork. f. *personal identification number.*

pin¹ [pin] *sb.* **1.** (*til at fæste med*) nål; (*til syning*) knappenål; (se også *hairpin, hatpin, safety pin*); **2.** (*lille søm*) stift; (se også *drawing pin*); **3.** (*af træ*) pløk, trænagle; (*løs*) tap, pind; **4.** (*smykke*) lille broche; (*med tekst//billede*) emblem, badge; **5.** (*elek.: i stikprop*) ben; **6.** (*i golf*) flag [*til markering af hul*]; **7.** (*til keglespil*) kegle; **8.** (*mar.*) se *belaying pin*; **9.** (*med.: til knogle*) søm; **10.** (*mil.: på håndgranat, til sikring*) split; (se også *firing pin*); **11.** (*mus.: på strengeinstrument*) skrue; **12.** (*i skak*) fastlåsning; □ *-s* (*glds., spøg.*) ben (*fx weak on one's -s*); stikker; *for two -s I'd ...* (*glds.*) det skulle være mig en fornøjelse at ...; *I have got -s and needles in my leg* mit ben sover; *be on -s and needles* (*am.* T) sidde som på nåle; *you could hear a ~ drop* man kunne høre en knappenål falde til jorden; (se også *clean²*).

pin² [pin] *vb.* **1.** (*med tegnestifter, nåle*) sætte op, hænge op (*fx ~ a notice to* (på) *the door*); sætte fast, fæste (*fx an emblem was -ned on*

the collar); hæfte; fastgøre; **2.** (*med stor kraft*) presse, klemme (*fx ~ him against the door*); holde fast; klemme fast (*fx he was -ned under the stones*); □ *~ back your ears!* hold ørene stive! *~ back one's hair* samle håret i nakken; *~ down* **a.** holde/ klemme fast (*fx his legs were -ned down under the stones*); presse ned; **b.** (*mil.*) binde (*fx the troops were -ned down by enemy fire*); fastlåse; **c.** (*fig.*) præcisere (*fx it is impossible to ~ down what the effects will be*); bestemme nærmere; opklare, klarlægge (*fx we cannot ~ down the cause of the accident*); **d.** (*person: mht. aftale etc.*) holde fast (*to* på, *fx ~ him down to a date//to his promise*); *~ it on him* T hænge ham op på det (ɔ: *give ham skylden*); (se også *blame¹, faith, hope¹*); *~ up* **a.** hæfte op (*fx one's skirt*); **b.** slå op, sætte op (*fx a notice*); *~ one's hair up* sætte håret op.

pinafore ['pinəfɔ:] *sb.* **1.** forklæde; **2.** = *pinafore dress.*

pinafore dress *sb.* spencer, spencerkjole.

pinball ['pinbɔ:l] *sb.* flipperspil; fortunaspil.

pinball machine *sb.* flippermaskine.

pin boy *sb.* keglerejser.

pince-nez [pæns'nei, pɒs'nei] *sb.* pincenez.

pincer ['pinsə] *sb.* (*på krebsdyr*) klo, klosaks; (se også *pincers*).

pincer movement *sb.* (*mil.*) knibtangsmanøvre.

pincers ['pinsəz] *sb. pl.* (*til sømudtrækning*) knibtang; □ *a pair of ~* en knibtang.

pinch¹ [pin(t)ʃ] *sb.* **1.** (*med fingre, negle*) knib, niv, nap; **2.** (*om mængde: så meget som man kan tage mellem to fingre*) drys (*fx add a ~ of sugar//dried thyme*); (se også *salt¹, snuff¹*); □ *feel the ~* (*fig.*) føle nøden trykke; føle at det strammer til; *give sby a ~ on the cheek//the bottom* knibe en i kinden//bagi; [*med præp.*] *at a ~* til nød (*fx at a ~ I could lend you £50*); i en snæver vending; *in a ~* (*am.*) = *at a pinch*; **b.** når det kniber (*fx you can count on him in a ~*); *when it comes to the ~* når det kniber; når det kommer til stykket.

pinch² [pin(t)ʃ] *vb.* (se også *pinched*), **1.** (*med fingre/negle*) knibe, nive; nappe; **2.** (*om ting: så det gør ondt*) klemme (*fx the new shoes ~ (my toes)*); **3.** (T: *stjæle*)

P pinchbeck

hugge, negle, nuppe; **4.** (T, *om politiet: pågribe*) tage, snuppe; **5.** (*i gartneri: fjerne*) nippe (*fx ~ off side shoots*); **6.** (*mar.*) sejle for tæt til vinden;
□ *~ and scrape* spinke og spare; *he -ed my arm//cheek* han kneb mig i armen//kinden; *she -ed her hand in the door* hun fik hånden i klemme i døren; *~ out* (*jf. 5*) nippe 'af; *know where the shoe -es* vide hvor skoen trykker.

pinchbeck[1] ['pin(t)ʃbek] *sb.* pinchbeck [*guldlignende legering af kobber og zink, brugt til at lave billige smykker*].

pinchbeck[2] ['pin(t)ʃbek] *adj.* uægte, forloren; tarvelig, billig.

pinched [pin(t)ʃt] *adj.* (*om udseende*) hærget; afmagret, udtæret.

pinch-hit ['pin(t)ʃhit] *vb.*: *~ for sby* (*am.* T) vikariere for en; træde i stedet for en.

pinch hitter *sb.* (*am.* T) vikar.

pincushion ['pinkuʃn] *sb.* nålepude.

pine[1] [pain] *sb.* **1.** (*bot.*) fyr; fyrretræ; **2.** T ananas.

pine[2] [pain] *vb.* hentæres (*fx be pining from hunger*); sygne hen;
□ *~ away* blive tynd og bleg; hentæres, sygne hen; *~ for//to* fortæres af længsel efter//efter at; sukke efter//efter at; savne//savne at.

pineapple ['painæpl] *sb.* **1.** (*bot.*) ananas; **2.** S håndgranat.

pine cone *sb.* fyrrekogle.

pine grosbeak *sb.* (*zo.*) krognæb.

pine marten *sb.* (*zo.*) skovmår.

pine nut *sb.* pinjekerne.

pine tree *sb.* fyrretræ;
□ *Pine Tree State* staten *Maine* i USA.

pinetum [pai'ni:təm] *sb.* arboret med nåletræer.

pinewood ['painwud] *sb.* **1.** fyrreskov; **2.** (*materiale*) fyrretræ.

pinfold[1] ['pinfəuld] *sb.* kvægfold [*for herreløst kvæg*].

pinfold[2] ['pinfəuld] *vb.* sætte i fold; indespærre som i en fold.

ping[1] [piŋ] *sb.* smæld; ding; pling.

ping[2] [piŋ] *vb.* smælde; sige ding, sige pling.

ping-pong ['piŋpɔŋ] *sb.* T bordtennis, ping-pong.

pinhead ['pinhed] *sb.* **1.** knappenålshoved; **2.** (T: *om person*) fjols, tåbe.

pinheaded ['pinhedid] *adj.* T tåbelig, indskrænket.

pinholder ['pinhəuldə] *sb.* pindsvin [*til blomster*].

pinhole ['pinhəul] *sb.* lillebitte hul.

pinion[1] ['pinjən] *sb.* **1.** (*på fuglevinge*) vingespids; svingfjer;

2. (*poet.*) vinge; **3.** (*tekn.*) (tand)drev, tandhjulsdrev; drivhjul.

pinion[2] ['pinjən] *vb.* **1.** (*person*) holde fast ved armene; bagbinde; **2.** (*fugl*) stække vingerne på.

pink[1] [piŋk] *sb.* **1.** (*farve*) lyserødt; pink; **2.** (*til rævejagt*) rød frakke; **3.** (*bot.*) nellike;
□ *in the ~* (*of condition/health*) (*glds.* T) frisk og sund; så frisk som en fisk; i fineste form; *the ~ of perfection* fuldkommenheden selv.

pink[2] [piŋk] *adj.* lyserød; pink;
□ *go/turn ~* blive rød i hovedet, rødme; (se også *tickle*[2]).

pink[3] [piŋk] *vb.* **1.** udhugge med huller//tunger; **2.** (*om motor*) banke.

pink-collar [piŋk'kɔlə] *adj.* (*om arbejde*) kvinde- (*fx profession*).

pink dollar *sb.* (*am.*) [*homoseksuelles købekraft*].

pinken ['piŋk(ə)n] *vb.* blive lyserød.

pink-eye ['piŋkai] *sb.* (*med.; vet.*) smitsom konjunktivitis [ɔ: *bindehindebetændelse*].

pink-footed goose [piŋkfutid'gu:s] *sb.* (*zo.*) kortnæbbet gås.

pink gin *sb.* gin og angostura.

pinkie ['piŋki] *sb.* (*am.& skotsk* T) lillefinger.

pinking shears *sb. pl.* takkesaks.

pinkish ['piŋkiʃ] *adj.* blegrød; lyserød.

pinko ['piŋkəu] *sb.* (*glds.* T) salonkommunist.

pink salmon *sb.* (*zo.*) pukkellaks.

pink slip *sb.* (*am.* S) fyreseddel.

pin money *sb.* **1.** lommepenge; **2.** (*hist.*) nålepenge.

pinnace ['pinəs] *sb.* (*mar.*) slup.

pinnacle ['pinəkl] *sb.* **1.** tinde; spids bjergtop; **2.** (*på bygning*) lille tårn; spir; **3.** (*fig.*) højdepunkt, top (*fx the ~ of his career*).

pinny ['pini] *sb.* T forklæde.

pinpoint[1] ['pinpɔint] *sb.* prik, lille plet (*fx a ~ of light*).

pinpoint[2] ['pinpɔint] *vb.* **1.** ramme præcist (*fx the target*); **2.** (*fig.*) lokalisere//bestemme//angive præcist (*fx the cause*).

pinpoint accuracy *sb.* præcision; fuldstændig nøjagtighed.

pinpoint bombing *sb.* præcisionsbombning.

pinprick ['pinprik] *sb.* **1.** (*også fig.*) nålestik; **2.** (*område*) prik, lille plet (*fx of light*); punkt.

pint [paint] *sb.* (*rummål*) **1.** (*eng., can.*) [*0,568 l*]; **2.** (*am.*) [*0,473 l*].

pinta ['paintə] *sb.* (*glds.* T) = *a pint of* (*milk*).

pintable ['pinteibl] *sb.* flippermaskine.

pintail ['pinteil] *sb.* (*zo.*) spidsand.

pintle ['pintl] *sb.* tap, rortap.

pint-sized ['paintsaizd] *adj.* lillebitte, diminutiv, snoldet.

pin-up ['pinʌp] *sb.* **1.** = *pin-up girl*; **2.** flot fyr, kendt stjerne [*lige til at sætte op på væggen*]; **3.** plakat, billede [*med 1 el. 2*].

pin-up girl *sb.* pinup, pinuppige.

pinwheel ['pinwi:l] *sb.* **1.** lille fyrværkerisol; **2.** (*am.*) = *windmill 2*.

pinworm ['pinwə:m] *sb.* (*med.*) springorm; børneorm.

pioneer[1] [paiə'niə] *sb.* **1.** pioner; foregangsmand; banebryder; **2.** (*i nyt/nyopdaget land*) nybygger; **3.** (*mil.*) pioner, pionersoldat.

pioneer[2] [paiə'niə] *vb.* være pioner/banebrydende inden for (*fx the use of robots*); bane vej for (*fx new industries*).

pioneering [paiə'niəriŋ] *adj.* banebrydende; nyskabende;
□ *~ spirit* pionerånd.

pious ['paiəs] *adj.* **1.** from; gudfrygtig; **2.** (*neds.*) skinhellig, hyklerisk;
□ *a ~ fraud* et fromt bedrag; *a ~ hope* et forfængeligt håb.

pip[1] [pip] *sb.* **1.** (*på terning el. dominobrik*) prik, øje; **2.** (*officers distinktion*) stjerne; **3.** (*lyd, fx i tidssignal*) dut, bip; **4.** (*i frugt*) kerne (*fx orange -s*); **5.** (*fuglesygdom*) pip;
□ *a ~ of a novel* S en fremragende roman; *give sby the ~* (*glds.* T) sætte en i dårligt humør; irritere en; *squeeze him//them etc. till the -s squeak* (*fig.*) presse citronen til sidste dråbe [ɔ: *få alle de penge ud af dem man kan*].

pip[2] [pip] *vb.* **1.** T besejre knebent; lige slå; (se også *post*[1] (*at the post*)); **2.** (*om fugl*) pippe; **3.** (*om fugleunge*) pikke hul på æggeskallen.

pipe[1] [paip] *sb.* **1.** rør, ledning (*fx water//sewer ~*); **2.** (*til rygning*) pibe; **3.** (*mus.*) fløjte; pibe; (se også *pipes*); **4.** (*mar.*) bådsmandspibe; **5.** (*lyd*) fløjten; pippen; piben;
□ *put that in your ~ and smoke it* nu kan du jo tygge på den; sådan er det bare.

pipe[2] [paip] *vb.* **1.** (*væske*) lede (gennem rør), føre (*fx ~ the water from the lake to the village*); **2.** (*mus.: en melodi*) blæse (på fløjte); fløjte; **3.** (*om fugl*) pippe; pibe; **4.** (*om person*) pibe (*fx "Come this way!" she -d*); **5.** (*mar.*) pibe (*fx ~ all hands on deck*); **6.** (*kage*) pynte med glasur;

7. (*tøj*) besætte med rouleau//snorekantning;
□ ~ *down* T stikke piben ind; holde mund, klappe i; ~ *up* T pludselig begynde at sige noget; (*spøg.*) opløfte sin røst.

pipe bomb *sb.* rørbombe.

pipeclay[1] ['paipklei] *sb.* pibeler; pibepulver.

pipeclay[2] ['paipklei] *vb.* (*mil.*) pibe; kridte.

pipe cleaner *sb.* piberenser.

piped [paipt] *sb.* (*om tøj*) snorebesat (*fx crimson-~ pyjamas*);
□ ~ *pocket* paspoleret lomme.

piped music *sb.* baggrundsmusik; muzak.

pipe dream *sb.* ønskedrøm.

pipefish ['paipfiʃ] *sb.* (*zo.*) tangnål.

pipeline ['paiplain] *sb.* **1.** rørledning; **2.** (*fig.*) forsyningslinje; forbindelseslinje;
□ *in the* ~ (*fig.*) undervejs, under forberedelse, på trapperne.

pip emma (*glds.* T) = *pm.*

piper ['paipə] *sb.* **1.** sækkepibeblæser; **2.** fløjtespiller;
□ *pay the* ~ betale gildet; *he who pays the* ~ *calls the tune* [*den der betaler bestemmer*].

pipe rack *sb.* pibestativ; (*glds.*) pibebræt.

pipes [paips] *sb. pl.* sækkepibe.

pipe stem *sb.* (*også fig.*) pibestilk.

pipe thread *sb.* rørgevind.

pipette [pi'pet] *sb.* pipette; dråbetæller.

pipework ['paipwə:k] *sb.* rør, rørføring, rørsystem.

pipe wrench *sb.* rørtang.

piping[1] ['paipiŋ] *sb.* **1.** rørsystem; rørledning; **2.** (*på tøj*) rouleau; snorekantning; **3.** (*på kage*) [*linjemønster af sukkerglasur*]; **4.** (*lyd*) fløjten; piben; **5.** (*mus.*) sækkepibespil; fløjtespil.

piping[2] ['paipiŋ] *adj.* (*om stemme*) pibende.

piping hot *adj.* kogende hed, skoldhed; rygende varm.

pipistrelle [pipi'strel] *sb.* (*zo.*) dværgflagermus.

pipit ['pipit] *sb.* (*zo.*) piber.

pipkin ['pipkin] *sb.* lille lerpotte; lille stjærtpotte.

pippin ['pipin] *sb.* pippinæble [*slags spiseæble*].

pipsqueak ['pipskwi:k] *sb.* lille skvat//pjok; lille skid.

piquancy ['pi:kənsi] *sb.* **1.** pikant/ krydret smag; **2.** pikanteri; spænding (*fx new proposals added ~ to the debate*).

piquant ['pi:kənt] *adj.* **1.** pikant, pirrende, spændende; **2.** (*om smag*) pikant, krydret.

pique[1] [pi:k] *sb.* fornærmelse; såret stolthed; ærgrelse; irritation.

pique[2] [pi:k] *vb.* pirre, vække (*fx his curiosity; his interest*).

piqued [pi:kt] *adj.* såret, stødt, fortrydelig, pikeret.

piracy ['pairəsi] *sb.* **1.** (*mar.*) sørøveri; **2.** (*fig.*) ulovligt eftertryk; plagiat; piratkopiering (*fx of software*).

pirate[1] ['pairət] *sb.* **1.** (*mar.*) sørøver; pirat; **2.** (*fig.*) en der laver piratkopier; **3.** (*af bøger*) piratforlægger.

pirate[2] ['pairət] *vb.* **1.** piratkopiere (*fx recordings; software*); **2.** (*trykt materiale*) eftertrykke ulovligt.

pirated ['paiətid] *adj.* piratkopieret, ulovligt kopieret (*fx software; video*); pirat- (*fx edition*).

piratical [pai'rætik(ə)l] *adj.* pirat-.

pirouette[1] [piru'et] *sb.* piruet.

pirouette[2] [piru'et] *vb.* piruettere.

pis aller [(fr.,) pi:z'ælei] sidste udvej; nødhjælp.

piscatorial [piskə'tɔ:riəl] *adj.* fiske-; fiskeri-.

Pisces ['paisi:z] *sb.* (*astr.*) Fiskene;
□ *I am a* ~ jeg er fisk.

pisciculture ['pisikʌltʃə] *sb.* fiskeavl.

piscina [pi'si:nə] *sb.* (*pl. -e* [-ni:]/-s) **1.** piscina [*vaskebækken for præsten i katolsk kirke*]; **2.** (*romersk*) fiskedam; badebassin.

piscine ['pisain] *adj.* fiske-.

piscivorous [pi'siv(ə)rəs] *adj.* fiskeædende; fiskespisende.

pish [p(i)ʃ] *interj.* pyt!

pismire ['pismaiə] *sb.* (*zo., dial.*) myre.

piss[1] [pis] *sb.* (*vulg.*) pis;
□ *full of* ~ *and vinegar* pisseenergisk; oppe på dupperne; *it was a piece of* ~ det var skidelet; [*med vb.*] *go on the* ~ gå på druk; *have/take a* ~ pisse; *take the* ~ *out of* lave grin/fis med, tage pis på.

piss[2] [pis] *vb.* (*vulg.*) **1.** pisse; **2.** = ~ *down*;
□ ~ *oneself* **a.** pisse i bukserne; **b.** (*fig.*) grine sin røv i laser; ~ *one's trousers* pisse i bukserne; [*med adv.*] ~ *about/around* fjolle rundt; nosse rundt; ~ *down* pisse ned [ɔ: *regne*]; ~ *sby off* (*vulg.*) **a.** røvkede en; **b.** irritere en ad helvede til; ~ *off!* skrid! gå ad helvede til!

piss-artist ['pisa:tist] *sb.* **1.** drukmås, fulderik; **2.** klummerhoved.

pissed [pist] *adj.* (*vulg.*) **1.** pissefuld; **2.** (*am.*) = *pissed-off.*

pissed-off ['pistɔf] *adj.* pissesur, dødirriteret (*at* på);

□ *be* ~ *with* være skideked af; være led ved.

pisser ['pisə] *sb.* (*vulg.*) pissehus;
□ *it was a* ~ (*am.*) **a.** det var noget lort; **b.** det var skidegodt; **c.** det var skideskægt.

pisspot ['pispɔt] *sb.* (*vulg.*) **1.** pissepotte; **2.** (*austr.*) drukmås.

piss-take ['pisteik] *sb.* gøren grin; fis (*fx is this a ~?*);
□ *do a* ~ *of* parodiere, efterabe, lave fis med.

piss-up ['pisʌp] *sb.* S druktur; abefest.

pistachio [pi'sta:ʃiəu] *sb.* pistacienød; pistacie.

piste *sb.* pist; skibakke; løjpe.

pistil ['pist(ə)l] *sb.* (*bot.*) støvvej.

pistol ['pist(ə)l] *sb.* pistol;
□ *hold a* ~ *to his head* (*fig.*) sætte ham pistolen for brystet.

pistol-whip ['pist(ə)lwip] *vb.* slå// banke med et pistolskæfte.

piston ['pist(ə)n] *sb.* **1.** (*tekn.: i maskine, pumpe*) stempel; **2.** (*mus.: i blæseinstrument*) (*pumpe*)ventil.

piston displacement *sb.* (*tekn.*) slagvolumen.

piston rod *sb.* (*tekn.*) stempelstang.

pit[1] [pit] *sb.* (*se også pits*) **1.** (*i jorden*) udgravning; grav; grube (*fx a rubbish ~*); **2.** (*til udvinding*) grube, mine (*fx coalpit; chalk ~*); grav (*fx clay ~; gravel ~*); **3.** (*til opbevaring*) kule (*fx potato ~; lime ~*); **4.** (*til fangst*) faldgrube; **5.** (*i bilværksted etc.*) (*smøre*)grav; **6.** (*i overflade*) fordybning; **7.** (*i huden*) (*rundt*) ar [*fx kopar*]; **8.** (*merk.: afdeling af børs, omtr.*) marked (*fx the grain ~*); **9.** (*am.: i frugt*) sten; **10.** (*ved motorløb*) se *pits*; **11.** (*glds.* S) seng;
□ *a* ~ *of despair* (*fig.*) en afgrund af fortvivlelse; *the* ~ **a.** (*litt.*) helvede; **b.** (*teat.*) se *orchestra pit*; **c.** (*teat. glds.*) parterret; *the* ~ *of the stomach* hjertekulen; maven; (se også *bottomless, cockpit* 3).

pit[2] [pit] *vb.* **1.** lave fordybninger// huller i; **2.** (*am.*) tage stenen ud af; udstene;
□ ~ *against* sætte op imod; stille op imod; *be -ted against* være oppe imod; kæmpe imod; ~ *oneself against*, ~ *one's wits against* prøve kræfter med; *-ted* **with** *pockmarks* koparret.

pit-a-[1]**pat** [pitə'pæt] *sb.* banken;
□ *go* ~ (*om hjertet*) banke.

pit-a-[2]**pat** [pitə'pæt] *adv.* triptrap; tik tak.

pitch[1] [pitʃ] *sb.* **1.** (*til sport: fodbold, hockey etc.*) bane; (*i kricket, specielt*) [*arealet mellem gær-*

P pitch

derne]; **2.** (*i baseball*) kast; **3.** (*til tætning*) beg; **4.** (*om intensitet*) højde, niveau (*fx the noise//quarrel reached such a ~ that ...*); **5.** T historie, snak; (*specielt merk.*) salgssnak; **6.** (*arkit., mht. tag, trappe*) hældning; (*om tag også*) rejsning; **7.** (*flyv., mar.: om bevægelse*) duven; huggen; **8.** (*merk.: på marked etc.*) stade; plads; (se også: *5*); **9.** (*mus.*) tonehøjde; tone; (se også *vocal pitch*); **10.** (*tekn.: mht. tandhjul*) tandafstand; (*mht. propel & skrues gevind*) stigning; □ *at its highest ~* (*fig.*) på højdepunktet; *make a ~* gøre en indsats, lægge sig i selen (*for* for at få; *to* for at); *queer sby's ~* spolere tegningen for én; spænde ben for én; spolere ens planer.

pitch² [pitʃ] *vb.* **A.** (*med objekt*) **1.** kaste, smide (*fx ~ him out*); slynge (*fx he was -ed onto the road*); **2.** (*bold*) kaste; **3.** (*telt*) slå op, rejse, stille op; (se også *camp¹*); **4.** (*mus.: instrument*) stemme; (*melodi*) fastsætte tonehøjden af; **5.** (*pris*) lægge niveauet for; fastsætte; **6.** (*vej*) brolægge; **B.** (*uden objekt*) **1.** falde (*fx ~ on one's head*); styrte; **2.** (*om terræn, tag*) skråne, hælde; **3.** (*i kricket, baseball*) kaste; være kaster; **4.** (*mar.: om skib*) duve, stampe; hugge i søen; □ *the song is -ed too high* sangen ligger for højt; *~ one's claims too high* sætte sine krav for højt; [*med præp.& adv.*] *~ at* rette/sigte mod (*fx the book//film is -ed at young people*); *the film is -ed at ...* (*også*) filmens niveau passer til ...; *be -ed at that level* (*om lyd*) ligge i det toneleje; *~ for* lægge sig i selen for at få; føre en kampagne for at få; *~ in* tage energisk fat; *~ into* **a.** kaste sig over, gå løs på (*fx the food*); **b.** gå løs på, overfalde (*fx the chairman*); *he was -ed into despair* han blev styrtet ud i fortvivlelse; *~ on* slå ned på, udse sig; *~ to* se ovf.: *~ at*; *~ up* dukke op, ankomme.

pitch-and-toss [pitʃən'tɔs] *sb.* (*omtr.*) klink.

pitch-black [pitʃ'blæk] *adj.* bælgmørk; kulsort, begsort.

pitchblende ['pitʃblend] *sb.* (*min.*) begblende.

pitch-dark [pitʃ'da:k] *adj.* se *pitch-black.*

pitched [pitʃt] *adj.*: *be ~ at* se *pitch².*

pitched battle *sb.* **1.** voldsomt sammenstød; kæmpeslag; bråvallaslag; **2.** (*glds. mil.*) regulært slag.

pitched roof *sb.* (*arkit.*) skråt tag; sadeltag.

pitcher ['pitʃə] *sb.* **1.** (*af ler*) krukke; **2.** (*am.*) kande; **3.** (*i baseball*) kaster;
□ (*little*) *-s have (long) ears* små krukker har også ører.

pitchfork¹ ['pitʃfɔ:k] *sb.* fork; høtyv.

pitchfork² ['pitʃfɔ:k] *vb.* forke;
□ *be -ed into* (*fig.*) blive kastet ud i.

pitchman ['pitʃmən] *sb.* (*pl.* -men [-mən]) (*am.*) [sælger (på marked) med rivende tungefærdighed].

pitch pine *sb.* pitchpine [*harpiksfyldt sort af fyrretræ*].

pitch-pipe ['pitʃpaip] *sb.* stemmefløjte.

piteous ['pitiəs] *adj.* sørgelig, bedrøvelig, ynkelig (*fx sight*); ynkværdig; medynkvækkende.

pitfall ['pitfɔ:l] *sb.* faldgrube; fælde.

pith [piθ] *sb.* **1.** (*i plante, træ*) marv (*fx elder ~* hyldemarv); **2.** (*i citron, appelsin*) det hvide; **3.** (*fig.: om indhold*) kerne (*fx the ~ of the speech*); **4.** (*fig.: om stil*) styrke, kraft, fynd (*fx a speech that lacks ~*).

pit-head ['pithed] *sb.* nedgang til (kul)mine.

pith helmet *sb.* tropehjelm.

pithy ['piθi] *adj.* **1.** marv-, marvfuld; **2.** (*om citrusfrugt*) med tykt lag af det hvide; **3.** (*fig.*) kraftig; fyndig;
□ *~ sayings* (*også*) bevingede ord.

pitiable ['pitiəbl] *adj.* F = *pitiable.*

pitiful ['pitif(u)l] *adj.* **1.** ynkværdig, sørgelig, medynkvækkende; **2.** (*neds.*) ynkelig, jammerlig, ussel.

pitiless ['pitiləs] *adj.* ubarmhjertig, nådesløs.

pitman¹ ['pitmən] *sb.* (*pl.* pitmen ['pitmən]) minearbejder.

pitman² ['pitmən] *sb.* (*pl.* -s) (*tekn., am.*) plejlstang.

pit props *sb. pl.* minetræ; afstivning [*til minegang*].

pits [pits] *sb. pl.* (*ved motorløb*) depot, pit;
□ *it is the ~* T det er rædselsfuldt; det er dødssygt.

pit stop *sb.* **1.** (*ved motorløb*) nødstop [*for at gå i depot*]; **2.** (T: *fig.*) kort ophold; kort besøg (*fx make a ~ at a pub*).

pitta ['pitə], **pitta bread** *sb.* pitabrød.

pittance ['pit(ə)ns] *sb.* **1.** ussel sum; ubetydelighed; **2.** (*om løn*) ussel løn, sulteløn.

pitted ['pitid] *sb.* med fordybnin-

ger//huller; arret (*fx his ~ face; a facade ~ with shell holes*).

pitter-patter ['pitəpætə] *sb.* klapren; klipklap.

pituitary [pi'tju:it(ə)ri], **pituitary body, pituitary gland** *sb.* (*anat.*) hypofyse.

pity¹ ['piti] *sb.* **1.** medlidenhed, medynk (*for, on* med); **2.** T en skam, synd (*fx ~ (that) you didn't meet him*);
□ *for -'s sake* for guds skyld; *take ~ on* forbarme sig over; få medlidenhed med;
[*med art.*] *it's a ~ that* det er synd/en skam at; det er skade at; *it's a great ~* det er en stor skam; det er synd og skam; *what a ~!* hvor er det synd! sikke en skam! *the ~ is that* det ærgerlige/triste er at; *more's the ~* ærgerligt/trist nok; desværre kun.

pity² ['piti] *vb.* føle/have medlidenhed med; have ondt af; F ynkes over.

pivot¹ ['pivət] *sb.* **1.** tap, drejetap; (*i måleinstrument*) pinol; **2.** (*fig.*) akse, krumtap, omdrejningspunkt; midtpunkt; **3.** (*mil.*) fløjmand.

pivot² ['pivət] *vb.* (se også *pivoted*) dreje (om en tap); svinge;
□ *~ on* **a.** dreje sig om (*fx the lamp -s on a metal pin*); **b.** (*fig.*) være afhængig af, komme an på, stå og falde med (*fx it all -s on him*); *he -ed on his heel* han drejede om på hælen; *-ing on ...* (*også*) med ... som omdrejningspunkt.

pivotal ['pivət(ə)l] *adj.* **1.** (*tekn.*) drejelig, svingbar; roterende; **2.** (*fig.*) væsentlig; afgørende (*fx play a ~ role*); central (*fx figure*); som det hele står og falder med.

pivoted ['pivətid] *adj.* (*tekn.*) drejeligt ophængt.

pix [piks] *sb. pl.* (T: *pictures*) billeder, fotos.

pixel ['piks(ə)l] *sb.* (*it, tv*) pixel [*billedpunkt på skærmen, fork. f. picture element*].

pixie ['piksi] *sb.* nisse; alf.

pixie hat *sb.* nissehue.

pixilated ['piksileitid] *adj.* (*am.* T) halvtosset; småtosset; bims.

pizza ['pi:tsə] *sb.* pizza.

pizza parlor *sb.* (*am.*) pizzarestaurant, pizzeria.

pizzazz [pə'zæz] *sb.* (*am.*) **1.** energi, go, krudt; **2.** stil, glamour.

pj's ['pi:dʒeiz] *sb. pl.* (*am.*) pyjamas.

pl. *fork. f.* **1.** *plate* (*i bog*) planche, tavle; **2.** (*gram.*) *plural.*

P & L *fork. f. profit and loss.*

PLA *fork. f.* Port of London Authority.

placard ['plæka:d] *sb.* **1.** (*på mur, væg*) plakat; opslag; **2.** (*båret ved demonstration*) skilt.

placate [plə'keit, (*am.*) 'pleikeit] *vb.* formilde; stemme blidere; berolige.

placatory [plə'keit(ə)ri] *adj.* formildende; forsonende.

place¹ [pleis] *sb.* **1.** sted; **2.** (*persons, tings, også i undervisning*) plads (*fx in the theatre; in the queue; at the table; put the book back in its ~; there are only two -s left on the course*); **3.** (*hvor man bor*) hus (*fx they have bought a new ~ with a bigger garden*); hjem; (*se også* ndf.: *at my ~*); **4.** (*om arbejde*) stilling; **5.** (*i samfundet*) plads; position; **6.** (*i konkurrence*) plads (*fx he//the song got a third ~*); placering; **7.** (*ved borddækning*) kuvert; (*se også* ndf.: *lay a ~*);
□ *it is not my ~ to* (*let glds.*) det tilkommer ikke mig at; *this is not the ~ to//for* det er ikke stedet/tidspunktet til at//til; (*se også decimal place*);
[+ *of*] *~ of amusement* forlystelsessted; *~ of business* forretningslokale; *-s of interest* interessante steder; *~ of work* F arbejdssted; *~ of worship* gudshus;
[*med vb.*] *find one's ~* **a.** finde sin plads; **b.** (*ved læsning*) finde hvor man er kommet til; *get a ~* (*i sport*) blive placeret; *give ~ to* give plads for; vige for; *go -s* (*am.* T) **a.** komme ud og se sig om; **b.** (*fig.*) blive til noget (stort); *have no ~ in* (F: *fig.*) ikke høre hjemme i (*fx racists have no ~ in this organization*); *lay a ~ for her* (*jf. 7*) dække (op) til hende; *six -s were laid* der var dækket (op) til seks; *lose one's ~* **a.** miste sin plads; **b.** (*ved læsning*) ikke kunne finde hvor man er kommet til; *save me a ~* hold en plads til mig; *set a ~ = lay a ~*; *show him his ~* (*fig.*) sætte ham på plads; *take ~* finde sted, foregå; *take first//second ~* **a.** (*i konkurrence*) komme ind som nr. et//to; **b.** (*fig.*) komme i første//anden række (*fx their children always take first ~*); *take one's ~* indtage sin plads; *take the ~ of sby* indtage ens plads; træde i ens sted;
[*med præp.*] *at my ~* T hjemme hos mig; *in ~* på plads (*fx with a staff in ~ we can start working*); *in a ~* på et sted; på en plads; *in -s* på sine steder; hist og her; *in*

his ~ i hans sted; i hans stilling; *put him in his ~* sætte ham på plads; *put oneself in his ~* sætte sig i hans sted; *in the first ~* **a.** for det første; **b.** T i det hele taget, overhovedet (*fx I wouldn't have gone there in the first ~*); *in the next ~* desuden; endvidere; *in the second//third ~* for det andet//tredje; *in ~ of* i stedet for; *fall into ~* falde på plads; falde i hak; *out of ~* malplaceret; ikke på sin plads; *feel out of ~* føle at man ikke hører til; føle sig tilovers; *all over the ~* **a.** over det hele; alle vegne; **b.** i ét rod; i vild forvirring; **c.** (*om person*) skrupforvirret; *to my ~* hjem til mig; *to three -s* (*of decimals*), *to the third ~* (*of decimals*) med tre decimaler.

place² [pleis] *vb.* (*se også placed*) **1.** stille, lægge, sætte; anbringe, placere (*fx she -d the food before him*); **2.** (F: *person, i arbejde*) anbringe, placere (*with hos, fx ~ her with a local firm*); **3.** (*merk.: bestilling, ordre*) placere (*with hos, fx ~ the order with a local firm*); **4.** (*tlf.: samtale*) bestille; **5.** (*am., uden objekt: i væddeløb*) blive placeret [ɔ: som nr. 1, 2 el. 3]; □ *can't ~ him* [ɔ: *identificere*] kan ikke placere ham (*fx I knew I had seen him before, but I couldn't ~ him*); *~ all the facts before sby* forelægge en alle kendsgerningerne; (*se også bet¹, confidence, emphasis, importance, trust¹*).

placebo [plə'si:bəu] *sb.* **1.** (*med.*) placebo; blindtablet; **2.** (*fig.*) narresut.

place card *sb.* bordkort.

placed [pleist] *adj.* placeret (*fx a highly ~ official*); □ *be ~* (*i væddeløb*) blive placeret [ɔ: som nr. 1, 2 el. 3]; *how are you ~ for money?* hvordan har du det med penge? [ɔ: har du nok?].

place kick *sb.* (*i rugby*) pladsspark; spark til liggende bold.

placeman ['pleismən] *sb.* (*pl.* -men [-mən]) **1.** [*politisk udnævnt embedsmand etc.*]; **2.** pamper.

place mat *sb.* dækkeserviet.

placement ['pleismənt] *sb.* **1.** anbringelse, placering; **2.** (*af person: i job*) placering; (*i hjem*) anbringelse; **3.** (*som led i uddannelse*) praktikplads.

place name *sb.* stednavn.

placenta [plə'sentə] *sb.* **1.** (*anat.*) placenta, moderkage; **2.** (*bot.*) frøstol.

place setting *sb.* kuvert; opdækning til én person.

placid ['plæsid] *adj.* **1.** (*om person,*

dyr) fredsommelig, skikkelig; **2.** (*om sted*) stille, rolig, fredelig.

placidity [plæ'sidəti] *sb.* (*jf. placid*) **1.** fredsommelighed, skikkelighed; **2.** stilhed, ro.

plagiarism ['pleidʒərizm] *sb.* plagiat.

plagiarist ['pleidʒərist] *sb.* plagiator.

plagiarize ['pleidʒəraiz] *vb.* plagiere.

plague¹ [pleig] *sb.* **1.** epidemi; **2.** (*fig.*) pestilens, plage; □ *a ~ of* et angreb af (*fx rats; insects*); en bølge af (*fx robberies*); *a ~ on* (*glds.*) pokker stå i; *the ~* (*hist.*) pesten; *avoid him//it like the ~* sky ham//det som pesten.

plague² [pleig] *vb.* **1.** (*om noget ubehageligt*) plage, hjemsøge; være til plage for; **2.** (*om person*) plage (*for* om; *with* med).

plaguy ['pleigi] *adj.* T forbandet, forbistret.

plaice [pleis] *sb.* (*zo.*) rødspætte.

plaid [plæd] *sb.* **1.** skotskternet stof//mønster; klanmønster; **2.** skotskternet skærf; plaid.

plain¹ [plein] *sb.* **1.** slette; **2.** retstrikning.

plain² [plein] *adj.* **1.** tydelig, klar (*fx the reason is quite ~; he made it ~ that he was against it*); åbenlys; **2.** (*om metode*) enkel, ligetil (*fx there is a ~ and simple way to find out: ask him*); **3.** (*mht. stil*) usmykket, enkel; (*uden mønster*) ensfarvet (*fx a ~ blue dress*); **4.** (*om hår*) glat; **5.** (*om mad*) jævn, dagligdags, almindelig (*fx food*); uden tilbehør; **6.** (*i strikning*) ret (*fx ~ stitch; knit one row ~*); **7.** (*om person: ikke fornem*) jævn, almindelig (*fx people*); **8.** (*om optræden*) ukunstlet, ligefrem; **9.** (*om måde at udtrykke sig på*) åbenhjertig, oprigtig, ærlig (*with over for, fx let me be ~ with you*); **10.** (*om udseende omtr.*) grim (*fx a ~ girl*);
□ (*as*) *~ as the nose on one's face* soleklart; (*as*) *~ as a pikestaff* **a.** soleklart; **b.** (*om udseende*) skrupkedelig at se på;
[*med sb.; se også plain chocolate etc. på alfabetisk plads*] *~ bread and butter* bart smørrebrød; *in ~ clothes* i civil; civilklædt; *his ~ duty* hans simple pligt; *in ~ English* rent ud; med rene ord; rent ud sagt; *in ~ language* i klart sprog [*mods. kodesprog*]; *~ speaking* oprigtighed; åbenhed; *that is ~ speaking* det er rene ord for pengene; *the ~ truth* den rene/usminkede sandhed.

P _plain_

plain[3] [plein] _adv._ T bare (_fx it was just ~ terrible_; _I was just ~ confused_).
plain chocolate _sb._ ren chokolade; mørk chokolade.
plain-clothes [plein'kləuðz] _adj._ civilklædt.
plain cook _sb._ kok til daglig madlavning.
plain dealing _sb._ ærlighed.
plain flour _sb._ [_mel uden tilsætning af kemikalier_].
plains [pleinz] _sb. pl._ slette; prærie; (se også _Great Plains_).
plain sailing _sb._: _it is ~_ det er lige ud ad landevejen; det er noget der går af sig selv.
Plains Indian _sb._ (_am._) prærieindianer.
plainsman ['pleinzmən] _sb._ (_pl._ -men [-mən]) slettebo.
plainsong ['pleinsɔŋ] _sb._ gregoriansk kirkesang.
plain speaking _sb._ se _plain²_.
plain-spoken [plein'spəuk(ə)n] _adj._ ligefrem, åben; djærv.
plaint [pleint] _sb._ 1. (_poet., litt._) klage; 2. (_jur._) klageskrift.
plain text _sb._ klartekst; almindelig tekst.
plaintiff ['pleintif] _sb._ (_jur._) sagsøger; (se også _counsel¹_).
plaintive ['pleintiv] _adj._ klagende, melankolsk, sørgmodig.
plain vanilla [pleinvə'nilə] _adj._ se _vanilla² 2._
plait¹ [plæt] _sb._ fletning.
plait² [plæt] _vb._ flette.
plan¹ [plæn] _sb._ 1. plan; 2. (_over bygning_) grundrids, tegning, udkast, plan; 3. (_over by_) kort (_fx a ~ of Paris_); 4. se _pension plan_; □ _go according to ~_ gå efter planen; gå planmæssigt.
plan² [plæn] _vb._ (se også _planned_) 1. påtænke, tænke på (_fx we are -ning to go abroad_); planlægge, forberede (_fx a trip to the US_); 2. (_bygning etc._) tegne en plan over (_fx a garden_); projektere; □ ~ _ahead_ planlægge på forhånd; have sin plan klar på forhånd; ~ _for_ lægge planer for; ~ _on_ planlægge; have planer om; regne med; ~ _out_ planlægge; tilrettelægge.
plane¹ [plein] _sb._ 1. plan; flade; 2. (_mht. livsform, udvikling_) niveau, stade (_fx on the same ~ as a savage_); 3. (_flyv._) flyvemaskine, fly; (_på fly_) bæreplan; 4. (_værktøj_) høvl; 5. (_bot._) platan.
plane² [plein] _adj._ plan.
plane³ [plein] _vb._ 1. (_med høvl_) høvle; 2. (_om båd: lige berøre vandoverfladen_) stryge, glide;

3. (_om fly el. fugl_) flyve i glideflugt, svæve (_fx a bird -d down towards the water_).
planet ['plænit] _sb._ (_astr._) planet.
plane table _sb._ målebord.
planetarium [plæni'tɛəriəm] _sb._ planetarium.
planetary ['plænit(ə)ri] _adj._ planetarisk; planet-.
plane tree _sb._ (_bot._) platan.
plangent ['plændʒ(ə)nt] _adj._ (_poet._: _om lyd_) drønende, larmende, rungende; klagende.
planish ['plæniʃ] _vb._ udhamre; planere.
plank¹ [plæŋk] _sb._ 1. planke; bræt; 2. (_på båd_) bord; 3. (_i politik_) programpunkt; □ _main ~_ (_jf. 3_) hovedpunkt; _walk the ~_ **a.** (_om sørøvers offer_) gå planken ud; **b.** (_fig._) træde tilbage, gå af; (se også _thick²_).
plank² [plæŋk] _vb._ 1. belægge//beklæde med planker; 2. (T: _især am._) anbringe/sætte med et bump; plante (_fx they -ed themselves in front of the door_); □ ~ _down_ T smide/smække ned på bordet.
planking ['plæŋkiŋ] _sb._ 1. (_på gulv_) planker; gulvbrædder; 2. (_på båd_) bordlægning; klædning.
plankton ['plæŋktən] _sb._ (_biol._) plankton, svæv.
planned [plænd] _adj._ 1. planlagt, påtænkt (_fx journey_); projekteret; 2. planmæssig (_fx retreat_); som sker efter en plan; organiseret.
planned economy _sb._ planøkonomi.
planned obsolescence _sb._ indbygget forældelse.
planner ['plæn] _sb._ 1. planlægger; 2. (_am._) planlægningskalender.
planning ['plæniŋ] _sb._ planlægning.
planning permission _sb._ byggetilladelse.
plant¹ [pla:nt] _sb._ 1. (_bot._) plante; 2. (_til industribrug, vejbygning_) maskiner, maskineri (_fx heavy ~ crossing_); udstyr; 3. (_sted_) fabrik (_fx assembly ~_); virksomhed; anlæg; 4. T [_falsk bevis som hemmeligt anbringes på el. ved en person for at kaste mistanke på ham//hende_]; 5. (_person_) spion, agent [_som indsmugles i organisation_].
plant² [pla:nt] _vb._ 1. (_vækst_) plante (_fx trees_); så (_fx vegetables_); 2. (_frø, løg etc._) lægge (_fx potatoes; hyacinth bulbs_); 3. (_jord_) beplante (_fx the garden was densely -ed_); tilplante (_with med, fx trees_); tilså (_with med, fx grass; herbs_);

4. (_fig._) indplante, indpode (_fx the idea in their minds_); 5. (_ting etc._) anbringe, placere, plante (_fx a bomb in a house_; _one's feet on the mat_; _oneself before the fire_); 6. (_jf. plant¹ 4_) anbringe hemmeligt, plante (_on hos, fx he claimed that the gun had been -ed on him_) [ɔ: _for at kaste mistanken på ham_]; 7. (_agent, spion_) plante, indsmugle; 8. (_koloni, by_) oprette; grundlægge; 9. (_fisk_) udplante, udsætte (_fx fish in a river_); □ ~ _on_ se: 6; ~ _a kiss on his cheek_ plante et kys på hans kind; ~ _out_ udplante.
plantain ['plæntin] _sb._ (_bot._) 1. vejbred; 2. (_art banan_) melbanan; 3. (_palme_) pisang.
plantar ['plæntə] _adj._ som vedrører fodsålen.
plantar wart _sb._ (_med._) fodvorte.
plantation [plæn'teiʃn] _sb._ plantage.
planter ['pla:ntə] _sb._ 1. plantageejer; planter; farmer; 2. (_til blomster_) blomsterkrukke; planteskål; 3. (_stativ_) blomsterstativ; plantestativ; 4. (_am._) urtepotte; urtepotteskjuler.
plantigrade ['plæntigreid] _sb._ (_zo._) sålegænger.
plant louse _sb._ (_pl. plant lice_) bladlus.
plant pot _sb._ urtepotte.
plaque [pla:k] _sb._ 1. mindeplade; mindetavle; 2. (_belægning på tænder_) plak.
plasma ['plæzmə] _sb._ 1. (_biol._) plasma; blodvæske; 2. (_min._) plasma.
plasma screen _sb._ (_it_) plasmaskærm, gaspanelskærm.
plaster¹ ['pla:stə] _sb._ 1. (_til væg, mur, loft_) pudsekalk; puds; 2. (_til afstøbning, til brækket knogle_) gips (_fx he had his leg in ~_); 3. (_med._: _til sår_) plaster.
plaster² ['pla:stə] _vb._ (se også _plastered_) 1. (_væg, mur, loft_) kalke, pudse, gipse; 2. (_med._: _sår_) sætte plaster på; (_hår_) få til at klistre (_fx the rain had -ed her hair to her head_); □ ~ _one's hair down_ T smøre godt med fedt/gelé i håret for at få det til at lægge sig; ~ _oneself in_ smøre sig ind i (_fx sun lotion_); ~ _over/up_ kalke/gipse over/til; ~ _with_ **a.** oversmøre med (_fx paint_); **b.** klistre/plastre til med, overklistre med (_fx posters; labels_).
plasterboard ['pla:stəbɔ:d] _sb._ gipsplader.
plaster cast _sb._ 1. gipsafstøbning; 2. (_med._) gipsbandage.

play **P**

plastered ['pla:stəd] *adj.* **1.** (*om ben, arm*) i gips; **2.** (T: *om person*) hønefuld; stangdrukken; □ *be* ~ *all over the front page* fylde hele forsiden; være slået stort op; ~ *with* **a.** smurt ind i (*fx sun lotion; mud*); **b.** overklistret med (*fx posters; labels*).

plasterer ['pla:st(ə)rə] *sb.* gipser; gipsarbejder; stukkatør.

plaster of Paris *sb.* (brændt) gips.

plaster saint *sb.* dydsdragon.

plastic[1] ['plæstik] *sb.* **1.** plastic; plast; **2.** T plastikkort; kontokort// kreditkort.

plastic[2] ['plæstik] *adj.* **1.** (*om materiale*) plastic- (*fx bag; bullet; raincoat*); **2.** (*om egenskab*) plastisk, som kan formes; smidig (*fx it will make the material more* ~); **3.** (*fig.*) som kan formes, modtagelig (*fx the* ~ *mind of a child*); **4.** (*ikke ægte, naturlig*) uægte, unaturlig, kunstig (*fx smile*); plastic-, pap- (*fx food*).

plasticine® ['plæstisi:n] *sb.* modellervoks.

plasticity [plæ'stisəti] *sb.* plasticitet, smidighed, strækbarhed.

plasticize ['plæstisaiz] *vb.* blødgøre.

plasticizer ['plæstisaizə] *sb.* blødgøringsmiddel.

plastic surgeon *sb.* plastikkirurg.

plastic surgery *sb.* plastikkirurgi, plastisk kirurgi.

plat [plæt] *sb.* **1.** stykke jord; **2.** kort; udstykningsplan.

plate [pleit] *sb.* **1.** (*også foto., geol.*) plade; **2.** (*på dør*) skilt; **3.** (*på bil*) nummerplade; **4.** (*i bog*) tavle, planche; **5.** (*typ.*) trykplade; **6.** (*til at spise af*) tallerken; **7.** (*mad*) tallerkenfuld, tallerken, portion (*fx a* ~ *of mashed potatoes*); (*am.*) ret; **8.** (*bestik etc.*) sølvtøj; (*af guld*) guldservice; (*af tin*) tintøj; **9.** (*ved væddeløb*) væddeløbspræmie; **10.** (*løb*) væddeløb med sølvpræmie; pokalløb; **11.** (*elek.*) anode; **12.** (*til mikroskop*) objektglas; **13.** (*tandl.*) kunstig gane; protese [*i overmunden*]; **14.** T forlorne tænder, gebis; **15.** (*am.: i baseball*) se *home plate;* □ *it was handed to him on a* ~ (*fig.*) han fik det serveret på et sølvfad; han fik det forærende; *have a lot on one's* ~, *have enough on one's* ~ (*fig.*) have hænderne fulde; have meget om ørerne.

plateau ['plætəu], (*am.*) plæ'təu] *sb.* (*geogr.*) højslette, plateau; □ *reach a* ~ (*fig.*) nå et stabilt niveau.

plated ['pleitid] *adj.* (*om mad*) portionsanrettet; □ ~ *with* **a.** beklædt med; **b.** belagt med, overtrukket med; (se også *gold-plated, silver-plated*); **c.** pletteret med.

plateful ['pleitf(u)l] *sb.* tallerkenfuld, tallerken, portion.

plate glass *sb.* spejlglas.

platelet ['pleitlət] *sb.* blodplade.

platen ['plæt(ə)n] *sb.* **1.** (*på skrivemaskine, i printer*) valse; **2.** (*typ.: i trykmaskine*) digel.

plate rack *sb.* tallerkenrække.

platform ['plætfɔ:m] *sb.* **1.** (*udsigts-, bore-, it etc.*) platform; **2.** (*til optræden, orkester etc.*) tribune, estrade, podium, forhøjning; **3.** (*til taler*) talerstol, tribune, podium; **4.** (*fig.: for at komme til orde*) platform (*fx he used the newspaper as a* ~); **5.** (*pol.*) partiprogram; valgprogram; **6.** (*jernb. & i sporvogn*) perron; **7.** (*i bus*) bagperron.

platforms ['plætfɔ:mz], **platform shoes** *sb. pl.* sko med plateausåler.

platform sole *sb.* plateausål.

plating ['pleitiŋ] *sb.* **1.** (*med metal*) belægning (*fx gold* ~); plettering; **2.** (*med plader*) beklædning; pansring; **3.** (*mar.*) klædning.

platinum ['plætinəm] *sb.* platin.

platinum blonde[1] *sb.* platinblond kvinde.

platinum blonde[2] *adj.* platinblond.

platitude ['plætitju:d] *sb.* banalitet, banal bemærkning, floskel.

platitudinous [plæti'tju:dinəs] *adj.* banal.

Plato ['pleitəu] Platon.

Platonic [plə'tɔnik] *adj.* platonisk.

platoon [plə'tu:n] *sb.* (*mil.*) deling.

platter ['plætə] *sb.* **1.** (*især am.*) fladt fad; **2.** (*på restaurant*) platte; **3.** (*it*) plade.

platypus ['plætipəs] *sb.* (*zo.*) næbdyr.

plaudits ['plɔ:dits] *sb. pl.* F ros, anerkendelse; bifald.

plausibility [plɔ:zə'biləti] *sb.* rimelighed, troværdighed, sandsynlighed.

plausible ['plɔ:zəbl] *adj.* **1.** rimelig, troværdig, sandsynlig, plausibel; **2.** (*om person*) med et besnærende væsen, facil, tilforladelig.

plausibly ['plɔ:zibli] *adv.* **1.** rimeligt, troværdigt, sandsynligt, plausibelt; **2.** (*som sætningsadv.*) med rimelighed.

play[1] [plei] *sb.* **1.** (*børns etc.*) leg; **2.** (*i sport, skak etc.*) spil (*fx rain interfered with the* ~); **3.** (*teat.*)

skuespil, stykke, drama; **4.** (*tekn.*) spillerum; slør [ɔ: *for stort spillerum*]; **5.** (*fig.*) spillerum (*fx for the imagination*); **6.** (*af lys, farver*) spil (*fx the* ~ *of sunlight on water;* ~ *of colours* farvespil); □ ~ *on words* ordspil; (se også *field*[1], *market*[1], *state*[1]); [*med vb.*+ *præp.*] *give full* ~ *to* ... give ... frit løb (*fx to one's emotions*); give ... frit spillerum; *give full* ~ *to one's powers* udfolde alle sine evner; *make a* ~ *for* prøve at få fat i; *make* ~ *with* lave sjov med; *make great* ~ *with/of* gøre et stort nummer ud af; [*med præp.*] *be at* ~ være i færd med at lege; *children at* ~ legende børn; *in* ~ **a.** for spøg (*fx he did it only in* ~); **b.** (*om bold*) i spil; *in full* ~ i fuld gang; *bring into* ~ sætte ind; tage i brug; *come into* ~ spille ind; *out of* ~ ikke i spil.

play[2] [plei] *vb.* **A.** (*uden objekt*) **1.** (*mus., i sport*) spille; **2.** (*om bane, instrument*) være ... at spille på (*fx the lawn//the piano -s well*); **3.** (*om film, stykke*) gå (*fx what is* -*ing tonight?*); **4.** (*om børn etc.*) lege; **5.** (*mods. være alvorlig*) spøge; lave sjov (*fx he is only* -*ing*); **6.** (*om maskine etc.*) fungere; bevæge sig; **7.** (*om springvand*) springe; **8.** (*tekn.*) spille; have slør; **B.** (*med objekt*) **1.** (*mus.*) spille (*fx Mozart; the violin; a sonata; a CD*); **2.** (*film*) spille, vise (*fx a western*); **3.** (*i sport*) spille (*fx football; tennis*); (*modstander*) spille mod, møde (*fx England -ed Germany*); (*sted*) spille i (*fx all the large towns*); (*spiller*) sætte ind, sætte på holdet (*fx England is -ing her fastest bowler*); (*bold*) slå (*fx he -ed the ball into the net*); spille (*fx* ~ *the ball back*); **4.** (*teat.: rolle & fig.*) spille (*fx she -ed Ophelia;* ~ *the fool* spille idiot); **5.** (*kort*) spille ud (*fx he -ed his queen*); **6.** (*springvand*) sætte i gang; □ *he won't* ~ (*fig.*) han er ikke med på spøgen; han vil ikke lege 'med; ~ *a concert* give en koncert; ~ *a fish* udtrætte en fisk; (se også *ball*[1], *fiddle*[1], *field*[1], *game*[1], *market*[1]); [*med adj.*] ~ *deaf//innocent etc.* spille døv//uskyldig *etc.;* ~ *it cautious* gå forsigtigt frem; ~ *it straight* optræde reelt; (se også *cool*[2], *fair*[3], *hard*[3], *high*[3], *safe*[2]); [*med adv., præp.*] ~ *about* se: ~ *around;*

plateau ['plætəu], (*am.*) plæ'təu] *sb.* (*geogr.*) højslette, plateau; □ *reach a* ~ (*fig.*) nå et stabilt ni-

veau.

play[1] [plei] *sb.* **1.** (*børns etc.*) leg; **2.** (*i sport, skak etc.*) spil (*fx rain interfered with the* ~); **3.** (*teat.*)

~ **along** spille med; falde til føje; ~ **along with** rette sig efter, føje; ~ **against** spille mod (*fx England -ed against Germany*); (se også *end¹*); ~ **around a.** pjatte; flirte; fjolle rundt; **b.** have udenomsaffærer; ~ **around with a.** lege med (*fx various ideas*); **b.** (*uansvarligt*) eksperimentere med, lege med (*fx dangerous drugs; explosives*); **c.** (*kvinde*) have en affære med; ~ **at** lege (*fx soldiers*); ~ *at being* lege at man er; lade som om man er; *what is he -ing at?* hvad er det han laver? hvad har han for?; ~ **back** afspille; ~ **down** bagatellisere; nedtone; underspille (betydningen af); gå let hen over; ~ **for a.** spille om (*fx money*); **b.** spille for (*fx shall I ~ something for you?*); **c.** være ude efter; søge at opnå (*fx safety*); ~ *for time* søge at vinde tid; ~ **into** *sby's hands* gå ens ærinde; handle til ens fordel; ~ *them into the hall* (*om orkester etc.*) spille mens de går ind i hallen; ~ **off** spille den afgørende kamp; ~ *off one against the other* spille den ene ud imod den anden; ~ **on a.** spille på (*fx the piano*); **b.** (*fig.*) spille på (*fx their fears*); udnytte (*fx his credulity; his generosity*); **c.** (*skydevåben etc.*) rette ... mod (*fx the guns on the town; the hose on the fire; the searchlight on the house*); *the artillery -ed on the fortress* artilleriet beskød fæstningen; ~ *on words* lege med ord; lave ordspil; ~ **out** spille; ~ *itself out, be -ed out* (*om begivenhed*) udspille sig; ~ **up a.** slå stort op, blæse op; **b.** drille, genere, plage; **c.** (*uden objekt*) spille op; lave ballade; gøre knuder; være en plage; ~ *up! spil til!* ~ *up to sby* (*neds.*) spille op til en; snakke en efter munden; ~ **with** lege med (*fx dolls; sby's affections; an idea*); *he is not a man to be -ed with* han er ikke til at spøge med.

playable ['pleiəbl] *adj.* **1.** (*om musikstykke, computerspil*) som lader sig spille; **2.** (*om sportsbane*) som man kan spille på; **3.** (*om video, computerprogram*) som kan afspilles.

play-acting ['pleiæktiŋ] *sb.* komediespil; simuleren.

playback ['pleibæk] *sb.* afspilning.

playbill ['plaibil] *sb.* **1.** teaterplakat; **2.** (*am.*) teaterprogram.

playboy ['pleibɔi] *sb.* playboy, le-

vemand.

played-out ['pleidaut] *adj.* **1.** som har udspillet sin rolle; udtjent, færdig; **2.** udmattet; udslidt.

player ['pleiə] *sb.* **1.** spiller; **2.** (*mus.*) musiker (*fx the ordinary -s in the orchestra*); (se også *piano player*); **3.** (*teat., glds.*) skuespiller; **4.** (*fig.*) aktør (*fx he is one of the major -s in the media industry*); **5.** (*om apparat, i sms.*) -afspiller (*fx CD ~*).

player piano *sb.* pianola; mekanisk klaver.

playful ['pleif(u)l] *adj.* **1.** munter; kåd; (*fx om killing*) legesyg; **2.** (*mods. alvorlig*) spøgefuld, spøgende.

playground ['pleigraund] *sb.* **1.** legeplads; **2.** (*fig.*) tumleplads.

playgroup ['pleigru:p] *sb.* legestue; børnehave.

playhouse ['pleihaus] *sb.* **1.** teater, skuespilhus; **2.** (*for børn*) legehus.

playing ['pleiiŋ] *sb.* spil.

playing card *sb.* spillekort.

playing field *sb.* sportsplads; □ *be on a level* ~ have lige vilkår.

playmaker ['pleimeikə] *sb.* (*i sport*) spilfordeler.

playmate ['pleimeit] *sb.* legekammerat.

playoff ['pleiɔf] *sb.* slutkamp [*for at afgøre mesterskab*].

playpen ['pleipen] *sb.* kravlegård.

plaything ['pleiθiŋ] *sb.* **1.** (*stykke*) legetøj; **2.** (*fig.*) kastebold, legetøj.

playtime ['pleitaim] *sb.* frikvarter.

playwright ['pleirait] *sb.* skuespilforfatter; dramatiker.

plaza ['pla:zə, (*am. også*) 'plæzə] *sb.* **1.** plads, torv; **2.** butikstorv.

plc *fork. f. public limited company.*

plea [pli:] *sb.* F **1.** (*til noget*) opfordring (*to* til at, *fx act at once*); appel (*to* om at); **2.** (*om noget*) indtrængende bøn (*for* om, *fx help*); **3.** (*for noget*) undskyldning; påskud; **4.** (*jur.*) påstand, erklæring; indlæg; forsvar; □ *his ~ of a headache* hans forklaring om at han havde hovedpine; *enter a ~ of not guilty* (*jf. 4*) nægte sig skyldig; *make a ~ for* **a.** (*jf. 1*) bede indtrængende om; **b.** (*jf. 2*) opfordre kraftigt til; appellere om; *on the ~ that* **a.** (*jf. 3*) under påskud/påberåbelse af; **b.** (*jur.*) idet man gør gældende at.

plea bargain *sb.* (*am. jur.*) [*studehandel mellem anklaget og anklagemyndighed om delvis tiltalefrafald til gengæld for tilståelse*].

plea-bargain ['pli:ba:gin] *vb.* (*am. jur.*) [*indgå en studehandel om*

delvis tiltalefrafald til gengæld for tilståelse].

plead [pli:d] *vb.* (*-ed/(am., skotsk også) pled*) **1.** bede indtrængende, bønfalde, trygle (*for* om, *fx mercy*); **2.** (*jur.*) tale i en sag for retten; føre en sag; plædere; **3.** (*med objekt: om forklaring*) anføre som undskyldning, undskylde sig med (*fx a headache*); henvise til; **4.** (*jur.*) anføre til sit forsvar; påberåbe sig (*fx self-defence*); □ ~ *a case* føre en sag; forsvare en sag; ~ *guilty* (*jur.*) erkende sig skyldig efter tiltalen; ~ *not guilty* (*jur.*) nægte sig skyldig; ~ *that* fremføre at; anføre at; [*med præp.*] ~ *for sby* **a.** tale ens sag; **b.** (*jur.*) repræsentere en i retten; ~ *with sby for* bede én indtrængende om, trygle en om.

pleading¹ ['pli:diŋ] *sb.* **1.** bønner; tryglen; **2.** (*jur.*) plæderen; indlæg; □ *-s* procedure; skriftveksling; (se også *special pleading*).

pleading² ['pli:diŋ] *adj.* bedende, bønlig.

pleasant ['plez(ə)nt] *adj.* **1.** behagelig (*fx taste; surprise*); hyggelig (*fx afternoon*); fornøjelig; **2.** (*om person*) rar, tiltalende; elskværdig (*to* mod/over for).

pleasantries ['plez(ə)ntriz] *sb. pl.* høflige bemærkninger; høfligheder.

please¹ [pli:z] *vb.* (se også *please²*, *pleased, pleasing*) **1.** tiltale, falde i (ens) smag (*fx I think that solution will ~ you*); glæde (*fx he did it to ~ her*); F behage; (*svagere*) gøre tilpas (*fx he is hard to ~; you can't ~ everyone*); tilfredsstille; □ (*uden objekt*) være tilpas (*fx he was eager to ~*); F behage (*fx she did it from (ud fra) a desire to ~*); □ *do as you ~* gør som du vil/synes/har lyst til; ... *as you ~* T fuldstændig ... (*fx he walked down the street, cool//bold as you ~*); *if you ~* **a.** F hvis De vil være så venlig; **b.** (*glds., iron.*) hvad giver du; vil du tænke dig (*fx and, if you ~, on top of all that he asked me to pay for it*); ~ *oneself* gøre som det passer en; ~ *yourself! T* gør som du vil! det må du selv om!

please² [pli:z] *interj.* (*som høflighedsformular:*) **1.** (*når man beder om noget*) vær (så) venlig at ... (*fx ~ give me the book; give me the book, ~*); T ... så er du rar; **2.** (*for at påkalde opmærksomhed*) undskyld (*fx ~, sir; ~, teacher*);

3. (*svar på tilbud*) ja tak; ja meget gerne (*fx "More potatoes?" "Please"*); **4.** (*irettesættende*) så (*fx ~, Jean, people are looking*); □ *yes, ~* ja tak; *coffee, ~* jeg vil gerne have kaffe; *~ do!* det må du endelig!

pleased [pli:zd] *adj.* glad (*about// with* for; *to* for at); tilfreds (*with* med, *fx the new car; oneself*); fornøjet (*with* med); □ (*as*) *~ as anything/as Punch* himmelhenrykt; kisteglad; *I will be ~ to* F jeg vil med glæde; jeg vil meget gerne.

pleasing ['pli:ziŋ] *adj.* tiltalende, behagelig; glædelig, dejlig.

pleasurable ['pleʒ(ə)rəbl] *adj.* behagelig; dejlig.

pleasure¹ ['pleʒə] *sb.* **1.** glæde; fornøjelse; **2.** (*om lystfølelse*) nydelse; lyst; □ *my ~!* (*svar på tak*) ikke noget at takke for! det var mig en fornøjelse! *it gave him great ~* det var en stor glæde/fornøjelse//nydelse for ham; *take ~ in* finde fornøjelse i; nyde; [*med præp.*] *at ~* efter behag; efter forgodtbefindende; *at His//Her Majesty's ~* (*om fængselsstraf*) på ubestemt tid; *for ~* for sin fornøjelses skyld; *with ~* med glæde; gerne.

pleasure² ['pleʒə] *vb.* (*seksuelt*) være rart for; tilfredsstille.

pleasure boat *sb.* turistbåd.

pleat [pli:t] *sb.* (*i stof*) læg, plissé.

pleated ['pli:tid] *adj.* lægget, plisseret (*fx skirt*).

pleb [pleb] *sb.* T plebejer, proletar.

plebby ['plebi] *adj.* T plebejisk, proletaragtig, vulgær.

plebe [pli:b] *sb.* (*am.* T) [*førsteårselev på militær- eller flådeakademi*].

plebeian¹ [pli'bi:ən] *sb.* **1.** plebejer, proletar; **2.** (*hist.*) plebejer.

plebeian² [pli'bi:ən] *adj.* **1.** plebejisk, proletaragtig, vulgær; **2.** (*hist.*) plebejisk.

plebiscite ['plebisit, -sait] *sb.* folkeafstemning.

plectrum ['plektrəm] *sb.* plektron; plekter.

pled [pled] *vb.* (*am., skotsk*) *præt. af* plead.

pledge¹ [pledʒ] *sb.* **1.** (*højtideligt*) løfte; **2.** (*mht. pengegave, hjælp*) tilsagn; **3.** (*jur.*) pant; håndpantsætning; □ *as a ~ of* som pant på (*fx his everlasting love*); *~ of secrecy* tavshedsløfte; *hold in ~* have som pant; *take the ~* aflægge afholdsløftet.

pledge² [pledʒ] *vb.* **1.** love højtideligt, forpligte sig (*to* til at); **2.** (*pengegave, hjælp*) give tilsagn om (*fx £10,000 to the campaign; support for the campaign*); **3.** (*jur.*) pantsætte; sætte i pant; □ *~ oneself to a.* (+ *vb.*) forpligte sig til at; **b.** (+ *sb.*) binde sig til; *~ one's word/honour* give sit æresord.

pledgee [ple'dʒi:] *sb.* panthaver.

pledger ['pledʒə] *sb.* pantsætter.

Pleiades ['plaiədi:z]: *the ~* (*astr.*) Plejaderne; Syvstjernen.

plenary¹ ['pli:nəri] *sb. se* plenary meeting.

plenary² ['pli:nəri] *adj.* plenar-; fælles-.

plenary meeting *sb.* plenarmøde; plenarforsamling; fællesmøde.

plenary powers *sb. pl.* fuldmagt.

plenipotentiary¹ [plenipə'tenʃəri] *sb.* befuldmægtiget minister [*ɔ: udsending*].

plenipotentiary² [plenipə'tenʃəri] *adj.* befuldmægtiget.

plenipotentiary powers *sb. pl.* uindskrænket fuldmagt.

plenitude ['plenitju:d] *sb.* F **1.** overflod (*fx of food*); rigdom; **2.** fylde.

plentiful ['plentif(u)l] *adj.* rigelig.

plenty¹ ['plenti] *sb.* **1.** rigeligt, masser (*fx he has ~ to do*); tilstrækkeligt (*fx thank you, I've had ~*); **2.** F velstand, rigdom (*fx a time of ~*); □ *in ~* i overflod; i massevis; *~ of* godt/rigeligt med; masser af; fuldt op af.

plenty² ['plenti] *adv.* T vældig, mægtig (*fx it was ~ cold*); mere end (*fx it is ~ large enough*).

plenum ['pli:nəm] *sb.* plenum; plenarforsamling; plenarmøde.

plethora ['pleθərə] *sb.* **1.** F overflod, overflødighed (*of* af, *fx books on the subject*); **2.** (*med.*) forøget blodmængde, blodoverfyldning.

plethoric [ple'θɔrik] *adj.* (*med.*) blodoverfyldt, fuldblodig.

pleurisy ['pluərisi] *sb.* lungehindebetændelse.

pliability [plaiə'biləti] *sb.* **1.** bøjelighed; smidighed; **2.** (*fig.*) eftergivenhed, føjelighed, svaghed.

pliable ['plaiəbl] *adj.* **1.** bøjelig; smidig; **2.** (*fig.*) eftergivende, føjelig, svag.

pliancy ['plaiənsi] *se* pliability.

pliant ['plaiənt] *se* pliable.

pliers ['plaiəz] *sb. pl.* tang; (*se også* combination pliers, cutting pliers, flat nose pliers, round-nose pliers).

plight¹ [plait] *sb.* vanskelig stilling

(*fx the ~ of homeless children*); □ *in a sad/sorry//dreadful ~* i en sørgelig/ynkelig//skrækkelig forfatning.

plight² [plait] *vb. se* troth.

plimsoll ['plimsəl] *sb.* gummisko.

Plimsoll line, Plimsoll mark *sb.* (*mar.*) lastemærke.

plink [pliŋk] *vb.* **1.** (*om lyd*) sige „pling"; **2.** (*am.*) plaffe [*på må og få//tilfældigt*]; (*med objekt*) plaffe ned.

plinth [plinθ] *sb.* plint, sokkel, fodstykke.

plod¹ [plɔd] *sb.* **1.** trasken; **2.** streng tur; **3.** (*austr.*) (lang) historie.

plod² [plɔd] *vb.* **1.** traske; gå med tunge skridt; **2.** (*fig.*) hænge i; slide; □ *~ through* **a.** vade gennem; **b.** (*fig.*) slæbe sig gennem.

plodder ['plɔdə] *sb.* slider.

plodding ['plɔdiŋ] *adj.* **1.** langsommelig; **2.** (*om person*) tungt arbejdende; ihærdig.

plonk¹ [plɔŋk] *sb.* **1.** T billig vin, sprøjt; **2.** (*om lyd*) bump, bums.

plonk² [plɔŋk] *vb.* **1.** lade falde; sætte med et bump; smide (*fx he -ed his books on the table*); **2.** (*på en streng*) knipse; □ *~ down* **a.** smække ned (*fx she -ed down the plate in front of me*); **b.** dumpe ned; slå sig ned; *~ down the money* lægge pengene på bordet; *~ oneself down* = *~ down* b.

plonker ['plɔŋkə] *sb.* S idiot, kvajpande.

plop¹ [plɔp] *sb.* T plump, plop, blop.

plop² [plɔp] *vb.* T plumpe; □ *~ oneself down* dumpe ned; slå sig ned.

plot¹ [plɔt] *sb.* **1.** (*mod person, styre*) sammensværgelse, komplot (*against* mod; *to* med det formål at, *fx to overthrow the government*); **2.** (*i roman, skuespil*) plot, handling, intrige; **3.** (*om jord*) stykke; grund, parcel; havelod; **4.** (*i grafisk fremstilling*) diagram; kurve (*fx a ~ of the month's sales*); **5.** (*am.*) plan; kort; □ *he has lost the ~* S han har mistet taget; (*se også* thicken).

plot² [plɔt] *vb.* **1.** (*jf. plot¹* 1) lægge planer; konspirere (*against* imod); **2.** (*med inf. el. objekt*) planlægge, konspirere om (*fx ~ to overthrow the government*); lægge råd op om; (*især spøg.*) pønse på (*fx revenge; ~ to play a trick on him*); **3.** (*på kort, kurve, i diagram*) plotte, indtegne, afsætte, markere;

4. (*kurve*) afsætte; optegne (*fx a graph*); **5.** (*forhold*) lave et diagram over; vise ved hjælp af en kurve, fremstille grafisk;
□ ~ *out* planlægge nøje.
plotter ['plɔtə] *sb.* **1.** konspirator; **2.** (*radar*) plotter;
□ *the -s* de sammensvorne.
plough¹ [plau] *sb.* **1.** plov; **2.** (*især am.*) sneplov; **3.** (*agr.*) pløjejord; pløjeland; **4.** (*snedkers*) nothøvl;
□ *the Plough* (*astr.*) Karlsvognen.
plough² [plau] *vb.* **1.** pløje; **2.** (*især am.:* med *sneplov*) rydde; **3.** (*økon.*) investere; anbringe;
□ ~ *one's way* bane sig vej; ~ *one's way through* se ndf.: ~ *through* b.; (se også *furrow*¹); [*med adv.& præp.*] ~ *back* (*merk.*) reinvestere; ~ *in* pløje ned; ~ *into* **a.** pløje (sig) ind i (*fx the lorry -ed into the shop*); smadre ind i; **b.** (*penge*) investere i, anbringe i; **c.** (*am.*) tage energisk fat på, kaste sig over (*fx the work*); ~ *on* fortsætte ufortrødent; ~ *through* (*fig.*) **a.** pløje igennem (*fx the car -ed through the crowd*); **b.** T slide/pløje sig igennem (*fx a book*); ~ *up* pløje op.
ploughman ['plaumən] *sb.* (*pl. -men* [-mən]) (*glds.*) plovmand, pløjemand; landmand.
ploughman's lunch *sb.* [brød, ost *og pickles*].
plough plane *sb.* nothøvl.
ploughshare ['plauʃɛə] *sb.* plovskær; plovjern.
plover ['plʌvə] *sb.* (*zo.*) præstekrave; (se også *golden plover*).
plow [plau] (*am.*) se *plough.*
ploy [plɔi] *sb.* **1.** trick, kneb, fidus, nummer; **2.** tidsfordriv.
PLR *fork. f. Public Lending Right.*
pluck¹ [plʌk] *sb.* mod; mandsmod.
pluck² [plʌk] *vb.* **1.** rykke, plukke (*fx hairs out of his head*); trække; **2.** (*kraftigt, pludseligt*) rive, flå (*fx he -ed the letter out of my hand*); **3.** (*strenge*) gribe i; knipse; **4.** (*fjerkræ, øjenbryn & F: blomster, frugt*) plukke; **5.** (*am.* S) plukke, plyndre;
□ ~ *at* **a.** rykke i, trække i (*fx she -ed nervously at her necklace*); **b.** = 3; ~ *at his sleeve* rykke ham i ærmet; ~ *from* **a.** F plukke fra/af (*fx an apple from the tree*); **b.** (*person*) hente frem fra (*fx she was -ed from obscurity by a film producer*); (*fra fare*) redde fra (*fx they were -ed from the burning ship*); ~ *sth out of* the air gribe noget ud af den blå luft; ~ *up* se *courage.*
plucky ['plʌki] *adj.* T tapper, mo-

dig.
plug¹ [plʌg] *sb.* **1.** (*til hul, fx i kumme, bad*) prop; **2.** (*elek.: på ledning*) stikprop; (*i væg*) stik, stikkontakt; **3.** (*i bil*) tændrør; **4.** (*tobak*) skråtobak; (*enkelt stykke*) skrå; **5.** (T: *især i tv, radio*) reklame; omtale; **6.** (*am.* S) gammel krikke; (se også *fireplug*);
□ *pull* the ~ **a.** (*på wc*) trække ud; **b.** (*mht. patient*) slukke for kontakten; slukke for respiratoren; *pull the ~ on* sætte en stopper for; bremse.
plug² [plʌg] *vb.* **1.** (*hul*) stoppe til; fylde; udfylde; **2.** (T: *især i radio, tv*) gøre reklame for, promovere; **3.** (T: *med våben*) skyde, pløkke;
□ ~ *away at* mase/slide/pukle med; ~ *in* **a.** tilslutte; sætte 'til (*fx ~ the radio in*); **b.** (*uden objekt*) kunne tilsluttes, kunne sættes til (*fx where does the radio ~ in?*); ~ *into* **a.** putte/stoppe ind i (*fx ~ it into the hole*); **b.** (*jf. 2*) stikke ind i; forbinde med (*fx ~ the video camera into the television*); **c.** (*it*) logge sig ind i (*fx a data base*); **d.** (T: *fig.*) få kontakt med, holde forbindelse med (*fx what is going on*); **e.** (*uden objekt*) kunne forbindes med, passe til (*fx the video camera -s into the television*); ~ *up* (*hul*) stoppe; fylde ud.
plughole ['plʌghəul] *sb.* (*i badekar, kumme*) afløb;
□ *go down the ~* se *pan*¹.
plug-ugly¹ ['plʌgʌgli] *sb.* (*am.* T) rod, børste, bandit.
plug-ugly² ['plʌgʌgli] *adj.* (*am.* T) hæslig.
plum¹ [plʌm] *sb.* **1.** blomme; **2.** (*fig.*) lækkerbisken; **3.** (*om arbejde*) fedt job; ønskestilling;
□ *be waiting for the -s to fall into one's mouth* (*svarer til*) vente at stegte duer skal flyve ind i munden på en; *speak with a ~ in one's mouth* tale overklassesprog, tale affekteret.
plum² [plʌm] *adj.* ønske-, drømme- (*fx job; part* rolle).
plumage ['plu:midʒ] *sb.* fjerdragt; fjer.
plumb¹ [plʌm] *sb.* blylod, lod.
plumb² [plʌm] *adj.* lodret; i lod;
□ *out of ~* ude af lod.
plumb³ [plʌm] *vb.* **1.** (*dybde*) lodde, måle; **2.** (*fig.*) udforske, lodde (*fx his soul*); **3.** (*hus*) udføre blikkenslagerarbejde i; installere rør//sanitet i;
□ ~ *in* installere, tilslutte (*fx a washing machine*); ~ *the depths* (*of*) se *depth.*
plumb⁴ [plʌm] *adv.* T **1.** lige, præ-

cis (*fx ~ in the middle*); **2.** (*især am.*) fuldstændig (*fx I ~ forgot it*);
□ ~ *crazy* (*jf. 2*) skrupskør.
plumb bob *sb.* lod.
plumber ['plʌmə] *sb.* vvs-installatør; blikkenslager.
plumber's friend, plumber's helper (*am.*) = *plunger 1.*
plumber's snake *sb.* split [*til at rense tilstoppet rør*].
plumbing ['plʌmiŋ] *sb.* **1.** vandrør (*fx there's something the matter with the ~*); sanitet; sanitære installationer; **2.** (*arbejde*) blikkenslagerarbejde; rørarbejde; **3.** (T: *spøg.*) tarmsystemet (*fx there's something wrong with my ~*).
plumb line *sb.* lodline; lodsnor.
plumb rule *sb.* lodbræt.
plum cake *sb.* plumkage.
plum duff *sb.* melbudding med rosiner.
plume¹ [plu:m] *sb.* **1.** fjer; **2.** (*til pynt*) fjerbusk; fjerprydelse; **3.** (*af røg, støv*) søjle; sky;
□ ~ *of smoke* (*også*) røgfane.
plume² [plu:m] *vb.: he -d himself on* (*litt.*) han brystede sig af, han gjorde sig 'til af (*fx his superior knowledge*).
plumed [plu:md] *adj.* fjerprydet.
plummet ['plʌmit] *vb.* **1.** falde brat; falde lodret ned; **2.** (*fig.*) styrtdykke (*fx prices have -ed*); rasle ned.
plummy ['plʌmi] *adj.* **1.** blommeagtig (*fx taste*); blomme- (*fx colour*); **2.** (*om noget spiseligt*) fuld af blommer; (*om kage*) fuld af rosiner; **3.** (T: *fig.*) lækker, fed (*fx role*); indbringende (*fx job*); **4.** (*om udtale*) overklassepræget; affekteret.
plump¹ [plʌmp] *adj.* **1.** rund og fyldig (*fx berries; chicken*); **2.** (*om person*) buttet, trivelig, rund.
plump² [plʌmp] *vb.* lade falde tungt; sætte med et bump (*fx she -ed her bag on the floor*);
□ ~ *a pillow* ryste/banke en pude; [*med adv.*] ~ *down* **a.** sætte ned med et bump; **b.** sætte sig tungt; dumpe ned (*fx in a chair*); ~ *oneself down* = ~ *down* b; ~ *for* ende med at vælge; bestemme sig for; ~ *up* a pillow = ~ *a pillow.*
plum pudding *sb.* plumbudding.
plumy ['plu:mi] *adj.* fjeragtig; fjerklædt.
plunder¹ ['plʌndə] *sb.* **1.** (*handling*) plyndring, udplyndring; **2.** (*ting*) bytte, rov.
plunder² ['plʌndə] *vb.* **1.** (*sted*) plyndre, udplyndre; **2.** (*ting*) røve stjæle.
plunge¹ [plʌn(d)ʒ] *sb.* **1.** spring; (*i*

vand også) dukkert; **2.** (*fig.*) styrt-dyk (*fx in the value of the pound*); **3.** (*am.: sted til at springe*) svømmebassin; dybt sted [*i sø etc.*]; dyb sø; □ *take the* ~ (*fig.*) vove springet.

plunge[2] [plʌn(d)ʒ] *vb.* **A.** (*uden objekt*) **1.** (*om person*) springe, kaste sig, styrte (sig) (*into* ud i/ned i, *fx the river*); **2.** (*fig.*) kaste sig (*into* ud i//over, *fx a long explanation; political work; a subject*); **3.** (*om ting*) falde, styrte (*fx the car -d over the cliff//into the river*); **4.** (*i værdi, niveau*) rasle ned (*fx the shares//the pound//my weight -d*); styrtdykke; **5.** (*om skib*) stampe; **B.** (*med objekt*) **1.** (*i væske*) sænke ned (*into* i, *fx the peas into boiling water*); dyppe (ned), stikke (*into* i, *fx one's hand//face into the water*); **2.** (*noget spidst*) støde (*into* i, *fx a dagger into his breast*); stikke (*into* i, *fx a hypodermic needle into one's arm; he -d the needle in*); **3.** (*i en tilstand*) kaste, styrte (*into* ud i, *fx the country into war//chaos*); □ ~ *into* (*jf. B3, også*) få til at synke ned i (*fx it -d him into despair//deep depression*); efterlade i (*fx it -d them into debt; it -d the house into darkness*).

plunger ['plʌn(d)ʒə] *sb.* **1.** (*til forstoppet vandrør*) svupper, vaskesuger; **2.** (*tekn.*) stempel.

plunk[1] [plʌŋk] *sb.* se *plonk*[1] (*1, 2*).

plunk[2] [plʌŋk] *vb.* se *plonk*[2].

pluperfect [plu:'pə:fikt] *sb.* (*gram.*) pluskvamperfektum, førdatid.

plural[1] ['pluərəl] *sb.* (*gram.*) **1.** pluralis, flertal; **2.** flertalsform.

plural[2] ['pluərəl] *adj.* **1.** mere end en; **2.** (*gram.*) flertals- (*fx ending*).

pluralist[1] ['pluərəlist] *sb.* pluralist.

pluralist[2] ['pluərəlist] *adj.* pluralistisk.

pluralistic [pluərə'listik] *adj.* pluralistisk.

plurality [pluə'ræləti] *sb.* **1.** F mangfoldighed (*fx of cultures; of views*); **2.** (*især am.*) majoritet, flertal (*fx of votes*).

plural society *sb.* [*samfund som rummer flere etniske grupper// kulturer*]; multikulturelt samfund.

plural voting *sb.* [*stemmeafgivning//stemmeret i mere end én valgkreds*].

plus[1] [plʌs] *sb.* **1.** (*mat.*) plus, additionstegn; **2.** (*fig.*) plus, fordel.

plus[2] [plʌs] *adj.* **1.** positiv (*fx a* ~ *quantity; a* ~ *factor*); **2.** og derover, og opefter (*fx from the age of 11* ~).

plus[3] [plʌs] *konj.* T og desuden (*fx* ~ *I don't want to go there*).

plus[4] [plʌs] *præp.* plus (*fx* ~ *tax*).

plus fours [plʌs'fɔ:z] *sb. pl.* (*glds.*) plusfours, (vide) knæbukser, pludderbukser.

plush[1] [plʌʃ] *sb.* plys.

plush[2] [plʌʃ] T luksuriøs, luksus- (*fx hotel; flat*); eksklusiv, dyr.

plushy ['plʌʃi] *adj.* se *plush*[2].

plutocracy [plu:'tɔkrəsi] *sb.* **1.** plutokrati, rigmandsstyre; **2.** (*personer*) rigmandsaristokrati, pengeadel.

plutocrat ['plu:təkræt] *sb.* plutokrat, rigmand, pengefyrste.

plutocratic [plu:tə'krætik] *adj.* plutokratisk.

plutonic [plu:'tɔnik] *adj.*: ~ *rock* (*geol.*) dybbjergart.

plutonium [plu:'təuniəm] *sb.* (*kem.*) plutonium.

ply[1] [plai] *sb.* **1.** (*i garn*) tråd; **2.** (*i krydsfiner etc.*) lag; □ *three-ply* (*jf. 1*) tretrådet; treløbet (*fx rope*).

ply[2] [plai] *vb.* **1.** (*redskab*) bruge flittigt (*fx she plied her needle*); arbejde ivrigt med; **2.** (*erhverv*) drive (*fx a trade*); **3.** (*vare*) falbyde (*fx drugs; one's wares*); **4.** (*mar.: rute*) besejle; (*uden objekt*) sejle (fast) (*fx across the river*); **5.** (*flyv.*) beflyve; □ ~ *between* gå i fast rute mellem (*fx the ship plies between Esbjerg and Harwich*); ~ *for* hire (*om taxi*) vente på tur ved holdeplads; køre rundt for at få tur; ~ *sby with* drink ustandselig skænke op for en; skænke rigeligt op for en; ~ *sby with* food forsyne en rigeligt med mad, proppe en med mad; ~ *sby with questions* bestorme/bombardere en med spørgsmål.

plywood ['plaiwud] *sb.* krydsfiner.

PM [pi:'em] *fork. f. Prime Minister.*

pm, p.m. [pi:'em] *fork. f. post meridiem* eftermiddag (*fx at 3* ~).

PMS *fork. f. premenstrual syndrome.*

PMT *fork. f. premenstrual tension.*

pneumatic [nju:'mætik] *adj.* pneumatisk; luft-; trykluft- (*fx drill bor; hammer; brake*).

pneumonia [nju:'məuniə] *sb.* (*med.*) lungebetændelse.

PO *fork. f.* **1.** *postal order*; **2.** *post office*; **3.** (*flyv.*) *pilot officer*; **4.** (*mar.*) *petty officer.*

po [pəu] *sb.* T potte.

P.&O. *fork. f. Peninsular and Oriental Steam Navigation Company.*

poach [pəutʃ] *vb.* **1.** (*i madlavning: æg*) pochere; (*kød*) braisere;

2. (*vildt*) drive krybskytteri efter, drive ulovlig jagt på; (*fisk*) drive ulovligt fiskeri efter; **3.** (*fig.*) stjæle (*fx his ideas; she was -ed by another TV channel*); (*medlemmer, kunder også*) gå på strandhugst efter; (*se også preserve*[1]).

poacher ['pəutʃə] *sb.* vildttyv; krybskytte; □ *he is a* ~ *turned gamekeeper* (*fig., omtr.*) nu sidder han på den anden side af bordet.

poaching ['pəutʃiŋ] *sb.* (*jf. poach*) **1.** pochering; **2.** krybskytteri, ulovlig jagt; ulovligt fiskeri; **3.** strandhugst.

PO Box *fork. f. post office box* postboks.

pochard ['pəutʃəd] *sb.* (*zo.*) taffeland.

pocket[1] ['pɔkit] *sb.* **1.** lomme; **2.** (T: *økonomi*) pengepung (*fx the new tax will be hard on our* ~; *prices to suit all -s*); (se også *dig*[2]); **3.** (*område*) enklave; ø (*fx -s of unemployment*); (*også mil.*) lomme (*fx -s of resistance*); **4.** (*i billard*) hul; **5.** (*flyv.*) lufthul; **6.** (*sydafr.*) sæk; □ *line one's -s* fylde lommerne; tjene tykt; *pick a* ~ begå lommetyveri; [*med præp.*] *be in* ~ **a.** have penge tilovers (*fx when he had paid his bills he was still in* ~); **b.** (*bestemt beløb*) have vundet// tjent (*fx be £3,000 in* ~); *she is in his* ~, *he has her in his* ~ hun er i lommen på ham; *he has the contract in his* ~ kontrakten er hjemme; *be/live in each other's -s* (*neds., omtr.*) sidde lårene af hinanden; *put one's hand in one's* ~ (*fig.*) give penge ud; punge ud; gøre et greb i lommen; *put one's pride in one's* ~ glemme sin stolthed; bide i det sure æble; *dig/dip into* one's ~ (*fig.*) stikke hånden i lommen; finde pengene frem; punge ud; *dig deep into one's* ~ (*fig.*) gribe dybt ned i lommen; *be out of* ~ **a.** have underskud; **b.** (*bestemt beløb*) have tabt ... (*fx be £30,000 out of* ~); *be out of* ~ *by £30,000* have tabt £30,000; (se også *out-of-pocket*).

pocket[2] ['pɔkit] *vb.* **1.** putte/stikke i lommen (*fx he -ed the key*); **2.** (*præmie, penge etc.*) indkassere; **3.** (*om snyderi*) stikke i lommen, stikke i sin egen lomme, stikke til sig (*fx the profit*); **4.** (*fig.*) bide i sig (*fx he -ed the insult*); □ ~ *a ball* (*i billard*) støde en bal i hullet; (se også *pride*[1]).

pocketbook ['pɔkitbuk] *sb.* **1.** lommebog; **2.** (*am.*) tegnebog; **3.** (*am.*) billigbog; **4.** (*am.*: *fig.*) økonomi; pengepung (*fx it will suit every ~*); **5.** (*am.*, *let glds.*) dametaske, håndtaske.

pocket handkerchief *sb.* (*glds. el.* F) lommetørklæde.

pocket knife *sb.* lommekniv.

pocket money *sb.* lommepenge.

pocket-size ['pɔkitsaiz] *adj.* lomme-; i lommeformat.

pockmarked ['pɔkma:kt] *adj.* **1.** (*om ansigt: efter sygdom*) koparret; **2.** (*om mur: efter beskydning*) arret, skrammet.

pod[1] [pɔd] *sb.* **1.** (*bot.*) bælg; **2.** (*af sæler el. hvaler*) (*lille*) flok; **3.** (*flyv.*) [*strømlinet beholder under fly*]; **4.** (*af rumskib*) [*selvstændig enhed*].

pod[2] [pɔd] *vb.* sætte bælg.

podagra [pɔ'dægrə] *sb.* (*med.*) podagra.

podgy ['pɔdʒi] *adj.* T (*lille og*) tyk; fedladen, noget kvabset.

podiatrist [pə(u)'daiətrist] *sb.* fodterapeut.

podiatry [pə(u)'daiətri] *sb.* fodpleje.

podium ['pəudiəm] *sb.* **1.** podium, talerstol, dirigentpult; **2.** (*i sport*) sejrsskammel.

Podunk ['poudʌŋk] *sb.* (*am.* T: *om lille by*) ravnekrog, hul, flække.

poem ['pəuim] *sb.* digt.

poet ['pəuit] *sb.* digter.

poetaster [pəui'tæstə] *sb.* (*litt.*, *neds.*) dårlig digter; versemager.

poetess ['pəuitəs] *sb.* (*glds.*) digterinde.

poetic [pəu'etik], **poetical** [pəu'etikl] *adj.* poetisk, digterisk.

poetic justice *sb.* poetisk retfærdighed.

poetic licence *sb.* digterisk frihed.

poet laureate *sb.* [*forfatter der lønnes af staten for at skrive digte til officielle lejligheder*]; hofdigter.

poetry ['pəuitri] *sb.* **1.** poesi, digtning; **2.** digtekunst.

po-faced ['pəufeist] *adj.* (*neds.*) højtidelig, alvorsfuld; stiv i ansigtet.

pogo stick *sb.* kængurustylte.

pogrom ['pɔgrəm, (*am.*) pə'grɔm] *sb.* pogrom, forfølgelse.

poignancy ['pɔinənsi] *sb.* skarphed, bitterhed; bevægende intensitet.

poignant ['pɔinənt] *adj.* skarp; bitter (*fx sorrow*); intens, bevægende.

poinsettia [pɔin'setiə] *sb.* (*bot.*) julestjerne.

point[1] [pɔint] *sb.* **1.** (*yderste//forreste del*) spids (*fx of a needle; of*

a pencil); (*på gevir*) ende, tak; **2.** (*lille mærke*) punkt, prik; (*i tekst*) punktum; (*i decimalbrøk, svarer til*) komma; **3.** (*i forløb, udvikling, på rute, i opremsning*) punkt; (*om tid*) tidspunkt; (se også *breaking point, starting point, sticking point* (*etc.*)); **4.** (*i anekdote*) pointe; **5.** (*i handling etc.*) mening (*fx there is not much ~ in doing that*); hensigt; **6.** (*i konkurrence, i sport*) point; **7.** (*hos person, ting*) egenskab; side; (se også ndf.: *med adj.*); **8.** (*elek., tlf. etc.*) stik (*fx a telephone//antenna ~*); stikkontakt, stikdåse; **9.** (*geogr.*) odde, pynt; **10.** (*geom.*) punkt; **11.** (*mar.*) (kompas)streg; **12.** (*merk.: i kurs*) point; **13.** (*typ.*) punkt;

□ *~ of conscience* samvittighedssag; (se også *point of honour* (*etc.* på alfabetisk plads*));

[*med: the*] *the ~* **a.** hovedsagen; sagen (*fx keep to the ~*); **b.** (*i anekdote; i det man siger*) pointen (*fx he did not understand the ~*); *that is not the ~* det er ikke det det drejer sig om; *that's the ~* det er netop sagen; *what's the ~ of doing that?* hvad er meningen/ formålet/ideen med at gøre det? *what's the ~?* T kan det ikke være lige meget?; (se også ndf.: *on the ~ of:,to the ~*);

[*med adj.*] *bad ~* uheldig egenskab; svaghed; *good ~* god egenskab; dyd; *that's a good ~!* du siger noget! [ɔ: *noget vigtigt*]; (se også *strong*);

[*med vb.*] *it **has** its -s* det har sine fordele; det har sine gode sider; *you have (got) a ~ there* det har du ret i; det kan der være noget om; *he **made** his ~* **a.** han gjorde sit synspunkt klart; **b.** han overbeviste de andre; *it is not clear what ~ is being made* det er ikke klart hvad meningen/hensigten er; *we **make** a ~ of + -ing* vi lægger vægt på at; det er os magtpåliggende at; *miss the ~* gå glip af pointen; ikke forstå det rigtigt; *not to **put** too fine a ~ on it* for at sige det rent ud; *score -s off* him dukke ham; skære ham ned; være vittig på hans bekostning; *score -s with sby* score points hos en; *I do not see your ~* jeg forstår ikke hvor du vil hen [ɔ: *med det du siger*]; *strain/stretch a ~* gøre en undtagelse; ikke tage det så strengt; fravige de strenge principper; *I **take** your ~* jeg forstår hvad du mener; *~ taken!* det er forstået! *walk ~* (*am. mil.*) være forspids; gå foran

hovedstyrken;

[*forb. med præp.*] *at all -s* på alle punkter; i alle henseender; *at that ~* på det tidspunkt; *be **at** the ~ of + -ing* være på nippet til at; stå i begreb med at; *be at the ~ of death* ligge for døden; *at the ~ of a gun* se *gunpoint*;

*it is **beside** the ~* det kommer ikke sagen ved; det er irrelevant; *the case **in** ~* det tilfælde der er under drøftelse; det foreliggende tilfælde; *Dickens is a case in ~* Dickens er et eksempel på dette; *in ~ **of*** med hensyn til; *in ~ of fact* faktisk;

*on the ~ **of** + -ing* se ovf.: *at the ~ of + -ing*;

*be **to** the ~* vedkomme sagen; være relevant; *short and to the ~* kort og præcist; *that is not to the ~* det kommer ikke sagen ved; *let us come to the ~* lad os komme til sagen; *when it came to the ~* da det kom til stykket; *frankness **to** the ~ **of** insult* en ligefremhed der grænser//grænsede til uforskammethed; *sensitive to the ~ of morbidity* følsom indtil det sygelige;

*up **to** a ~* til en vis grad; sådan da.

point[2] [pɔint] *vb.* (se også *pointed*) **1.** pege (*fx it is rude to ~*); **2.** (*våben*) sigte med (*fx they rushed out, -ing their guns*); **3.** (*mur*) fuge; **4.** (*om jagthund*) stå; gøre stand;

□ *~ **at** a.* være rettet mod (*fx the camera -ed at us*); **b.** (*med objekt*) rette mod (*fx he -ed a gun//knife at me*); **c.** se ndf.: *~ to*; *~ **in** the same direction* **a.** vende samme vej (*fx all the cars were -ing in the same direction*); **b.** (*fig.*) pege i samme retning (*fx all the evidence -s in the same direction*); *he -ed us in the direction of the station* han viste os vejen til stationen; *~ **out** a.* udpege; **b.** (*i udsagn*) påpege, gøre opmærksom på (*fx an important fact*); fremhæve, pointere, understrege; *~ **to** a.* pege mod (*fx he -ed to the door*); pege på (*fx he -ed to me*); vise hen til (*fx the arrow -ed to the toilets*); **b.** (*i udsagn*) påpege (*fx the increase in the crime rate*); pointere; fremhæve; **c.** (*om tegn, vidnesbyrd etc.*) tyde på, pege i retning af (*fx all the signs ~ to an early election*); *the minute hand -ed to twelve* den store viser stod på tolv; *~ **towards*** se: *~ to*; *~ **up*** (*fig.*) understrege.

point-blank[1] ['pɔint'blæŋk] *adj.* di-

rekte (*fx question*); blank (*fx refusal*);
□ *fire at* ~ *range* skyde på nært hold.
point-blank[2] [pɔint'blæŋk] *adv.* ligefrem, direkte (*fx ask him* ~); rent ud, pure (*fx he refused it* ~); □ *fire* ~ skyde på nært hold.
point duty *sb.*: *be on* ~ (*om færdselsbetjent*) have færdselstjeneste [*i vejkryds etc.*].
pointed ['pɔintid] *adj.* **1.** spids; tilspidset; **2.** (*fig.*) pointeret; skarp (*fx reproof*); tydelig, demonstrativ (*fx politeness*).
pointed arch *sb.* (*arkit.*) spidsbue.
pointer ['pɔintə] *sb.* **1.** (*på ur, vægt*) viser; **2.** (*i skole*) pegepind; **3.** (*jagthund*) pointer; **4.** T vink (*fx useful -s*); fingerpeg (*to om, fx the state of the economy*).
pointing ['pɔintiŋ] *sb.* **1.** (*materiale*) fugemasse; **2.** (*handling*) fugning.
point lace *sb.* syet knipling.
pointless ['pɔintləs] *adj.* **1.** meningsløs, formålsløs (*fx discussions*); ørkesløs (*fx speculations*); **2.** (*i konkurrence*) uden points.
point man *sb.* **1.** (*mil.*) [*en der går foran patrulje*]; **2.** (*am., fig.*) [*en der er//arbejder i forreste linje*]; frontløber.
point of honour *sb.* æressag.
point of no return *sb.* [*punkt på flys rute hvorefter tilbagevenden bliver umulig fordi halvdelen af brændstoffet er opbrugt*];
□ *we are at the* ~ (*fig.*) nu er der ingen vej tilbage.
point of order *sb.*: *he rose to a* ~ han tog ordet til forretningsordenen.
point of presence *sb.* (*it*) [*telefonnummer som computer kalder for forbindelse til internettet*].
point of sale *sb.* salgssted; butik.
point-of-sale [pɔintəv'seil] *adj.* som foregår//findes på selve salgsstedet.
point of view *sb.* synspunkt; synsvinkel.
points [pɔints] *sb. pl.* (*jernb.*) sporskifte.
pointsman ['pɔintsmən] *sb.* (*pl.* -*men* [-mən]) **1.** (*jernb.*) sporskifter; **2.** (*i politiet*) færdselsbetjent.
point-to-point [pɔinttə'pɔint] *sb.* terrænridning.
pointy ['pɔinti] *adj.* T spids.
poise [pɔiz] *sb.* **1.** holdning; **2.** (*i optræden*) naturlig ro; selvsikkerhed; selvbeherskelse (*fx regain one's* ~).
poised [pɔizd] *adj.* **1.** parat, klar, rede (*for* til; *to* til at); **2.** (*om per-*

sons optræden*) rolig; selvsikker; afbalanceret;
□ *be* ~ *between* balancere mellem; *with a jug* ~ *on her head* med en krukke balancerende på hovedet; ~ *in mid-air* svævende frit i luften.
poison[1] ['pɔiz(ə)n] *sb.* gift;
□ *hate//shun sby like* ~ hade//sky en som pesten; *what's your* ~? (*glds., spøg.*) hvad vil du have at drikke? hvad skal det være?
poison[2] ['pɔiz(ə)n] *vb.* **1.** forgifte; forgive; **2.** (*fig.*) forgifte, ødelægge, forpeste.
poisoner ['pɔiz(ə)nə] *sb.* giftmorder.
poisoning ['pɔiz(ə)niŋ] *sb.* **1.** forgiftning; **2.** giftmord.
poison ivy *sb.* (*am. bot.*) giftsumak.
poisonous ['pɔiz(ə)nəs] *adj.* **1.** giftig; **2.** T modbydelig; ondskabsfuld, giftig.
poison-pen letter [pɔiz(ə)n'penletə] *sb.* anonymt smædebrev.
poke[1] [pəuk] *sb.* **1.** stød; puf; stik; **2.** (*vulg.*) knald; **3.** (*am.*) smøl, drys; (*se også pig*[1], *rib*[1]).
poke[2] [pəuk] *vb.* **1.** støde; stikke (*fx one's head out of the window*); **2.** (*vulg.*) knalde, bolle;
□ ~ *about/around* **a.** rode rundt; **b.** (*for at spionere*) snuse rundt; ~ *at* stikke i; pirke til; ~ *(up) the fire* rage/rode op i ilden; (*se også fun*[1], *nose*[1], *rib*[1]).
poke bonnet *sb.* (*glds.*) kysehat.
poker ['pəukə] *sb.* **1.** (*til kamin etc.*) ildrager; (*se også stiff*[2]); **2.** (*kortspil*) poker.
poker face *sb.* pokeransigt, poker-fjæs.
poker machine *sb.* (*austr.*) spilleautomat.
pokerwork ['pəukəwə:k] *sb.* brandmaling.
pokeweed ['pəukwi:d] *sb.* (*bot.*) kermesbær, kærmesbærplante.
pokey[1] ['pəuki] *sb.* **1.** (*am.* T) fængsel; **2.** (*austr.* T) spilleautomat.
pokey[2] ['pəuki] = *poky.*
poky ['pəuki] *adj.* **1.** (*om plads*) trang (*fx room*); **2.** (*am.*) doven; langsom.
pol [pɔl] *sb.* (*am.* T *neds.*) politiker.
polack ['pəulæk] *sb.* (*am.* S, *neds.*) polak.
Poland ['pəulənd] Polen.
polar ['pəulə] *adj.* **1.** polar; polar-; **2.** (*om modsætning*) polær; diametralt modsat;
□ ~ *opposites* diametrale modsætninger.
polar bear *sb.* isbjørn.
polarity [pə(u)'lærəti] *sb.* polaritet.
polarization [pəulərai'zeiʃn] *sb.* polarisering.

polarize ['pəuləraiz] *vb.* polarisere.
Polaroid® ['pəulərɔid] *sb.* polaroidkamera.
Polaroids® ['pəulərɔidz] *sb. pl.* polaroidbriller.
polar orbit *sb.* [*satellitbane der passerer polerne*].
Pole [pəul] *sb.* polak.
pole[1] [pəul] *sb.* **1.** stang (*fx flagpole; tent* ~); pæl (*fx fence* ~; *telephone* ~); stolpe; (*fx til båd*) stage; (*se også barge pole, ski pole*); **2.** (*elek., geogr.*) pol; **3.** (*fig.*) yderpunkt, pol;
□ *they are -s apart* de er vidt forskellige; de er milevidt fra hinanden; der er en afgrund imellem dem; *under bare -s* (*mar.*) for takkel og tov; *up the* ~ S **a.** i knibe; **b.** skør, tosset; (*se også greasy*).
pole[2] [pəul] *vb.* (*båd*) stage frem.
poleaxe[1] ['pəulæks] *sb.* **1.** stridsøkse; **2.** slagterøkse; **3.** (*mar.*) entrebil.
poleaxe[2] ['pəulæks] *vb.* slå ned.
poleaxed ['pəulækst] *adj.* (T: *fig.*) lamslået.
polecat ['pəulkæt] *sb.* (*zo.*) **1.** ilder; **2.** (*am.*) stinkdyr.
polemic[1] [pə'lemik] *sb.* polemiker.
polemic[2] [pə'lemik] *adj.* polemisk.
polemical [pə'lemik(ə)l] *adj.* polemisk.
polemics [pə'lemiks] *sb.* polemik.
pole position *sb.* **1.** (*ved motorløbs start*) positionen forrest i inderbanen; **2.** (*fig.*) god placering, førende stilling.
pole star *sb.* **1.** polarstjerne; **2.** (*fig.*) ledestjerne.
pole vault *sb.* stangspring.
police[1] [pə'li:s] *sb. pl.* **1.** politi (*fx call the* ~); **2.** (*personer*) politifolk (*fx twenty* ~); **3.** (*am. mil.*) mandskab afgivet til særlig tjeneste; (*sg.*) kaserneorden.
police[2] [pə'li:s] *vb.* **1.** føre opsyn med (*fx a demonstration*); bevogte; opretholde lov og orden i (*fx the neighbourhood*); **2.** (*fig.*) overvåge, kontrollere (*fx the use of dangerous chemicals*); **3.** (*am. mil.: kaserne, lejr*) holde orden i/på.
police badge *sb.* politiskilt.
police constable *sb.* politibetjent.
police cordon *sb.* politiafspærring.
police force *sb.* politistyrke, politi.
police inspector *sb.* vicepolitikommissær.
policeman [pə'li:smən] *sb.* (*pl.* -*men* [-mən]) politibetjent.
police officer *sb.* politibetjent.
police sergeant *sb.* politiassistent.
police state *sb.* politistat.
police station *sb.* politistation.

P policewoman

policewoman [pə'li:swumən] *sb.* (*pl. -women* [-wimin]) kvindelig politibetjent.

policy ['pɔləsi] *sb.* **1.** politik; **2.** (*assur.*) (forsikrings)police; □ *contrary to public* ~ samfundsmæssigt uheldigt; imod samfundets interesse.

policyholder ['pɔləsihəuldə] *sb.* (*assur.*) forsikringstager.

policymaker ['pɔləsimeikə] *sb.* taktikplanlægger; strateg.

policymaking ['pɔləsimeikiŋ] *sb.* taktisk planlægning.

polio ['pəuliəu], **poliomyelitis** [pəuliə(u)maiə'laitis] *sb.* (*med.*) polio, børnelammelse.

polio victim *sb.* poliramt.

Polish[1] ['pəuliʃ] *sb.* (*sprog*) polsk.

Polish[2] ['pəuliʃ] *adj.* polsk.

polish[1] ['pɔliʃ] *sb.* **1.** pudsemiddel (*fx silver* ~; *furniture* ~); pudsecreme; svært (*fx shoe* ~); (*til gulv*) bonevoks; (*til træ*) politur; **2.** (*overflades*) glans; glathed; **3.** (*persons*) politur, forfinelse; elegance, stil; **4.** (*om præstation*) klasse; □ *give sth a* ~ se *polish*[2] *1.*

polish[2] ['pɔliʃ] *vb.* (se også *polished*) **1.** pudse; polere; blanke; (*gulv*) bone; **2.** (*med slibemiddel etc.*) blankslibe; glatte; **3.** (*teknik, evne etc.*) udvikle, forfine; pudse af, pynte på; □ ~ *off* T **a.** (*modstander*) gøre det af med; ekspedere; **b.** (*arbejde*) klare; gøre færdig i en fart; **c.** (*mad*) sætte til livs; ~ *up* = ~.

polished ['pɔliʃt] *adj.* **1.** (blank)poleret; pudset; blank; (*om gulv*) bonet; **2.** (*om person*) kultiveret, beleven; sleben (*fx manners*); **3.** (*om præstation*) fornem, fremragende (*fx performance*).

Politburo ['pɔlitbjuərəu] *sb.* politbureau.

polite [pə'lait] *adj.* høflig; dannet; kultiveret.

polite society *sb.* dannede kredse.

politic ['pɔlitik] *adj.* klog, velbetænkt; (se også *body politic*).

political [pə'litik(ə)l] *adj.* politisk (*fx party; asylum; correctness; prisoner*); □ *he is not* ~ han er ikke politisk interesseret.

political economy *sb.* (*glds.*) nationaløkonomi.

political football *sb.* kastebold mellem de politiske partier.

political science *sb.* statsvidenskab; politologi.

politician [pɔli'tiʃn] *sb.* **1.** politiker; **2.** (*neds.*) levebrødspolitiker.

politicize [pə'litisaiz] *vb.* politi-

sere.

politicking ['pɔlitikiŋ] *sb.* politiseren; politisk spil.

politico [pə'litikəu] *sb.* (*neds.*) (parti)politiker; politikus.

politics ['pɔlitiks] *sb.* **1.** politik; **2.** (*fag*) politologi; **3.** (*om persons, avis*) politiske anskuelser; politisk ståsted; □ *what are his* ~? hvor står han politisk?

polity ['pɔliti] *sb.* **1.** regeringsform; statsorden; **2.** samfund; stat.

polka ['pɔlkə] *sb.* polka.

polka dots *sb. pl.* polkaprikker.

poll[1] [pəul] *sb.* **1.** opinionsundersøgelse, meningsmåling; (*mindre omfattende*) rundspørge, enquete; **2.** (*ved valg*) valghandling (*fx the* ~ *opens at 7 am and closes at 9 pm*); stemmeafgivning; (se også ndf.: *-s*); **3.** (*om antal stemmer*) valgdeltagelse (*fx the* ~ *was 74 per cent; heavy//light* ~ *stor// ringe valgdeltagelse*); stemmeprocent; **4.** (*glds. el. spøg.*) hoved: isse; **5.** (*på hammer*) bane; □ *-s* **a.** valgsteder (*fx after the -s closed*); **b.** valg (*fx he was defeated at the -s*); *go to the -s* **a.** stemme; afgive sin stemme; **b.** (*om land*) afholde valg; *sweep the -s* (*jf. b*)) sejre stort; *declare the* ~ bekendtgøre/meddele valgresultatet; *head/top the* ~ få flest stemmer.

poll[2] [pəul] *vb.* **1.** (*ved opinionsundersøgelse*) spørge; **2.** (*om kandidat: ved valg*) opnå, få (*fx he -ed over 5,000 votes*); **3.** (*kvæg*) afhorne; **4.** (*it*) polle.

pollack ['pɔlək] *sb.* (*zo.*) **1.** lubbe, blåsej; **2.** sej, gråsej.

pollard ['pɔləd] *sb.* topstævnet træ.

pollen ['pɔlən] *sb.* pollen, blomsterstøv.

pollen count *sb.* pollental.

pollinate ['pɔlineit] *vb.* bestøve.

pollination [pɔli'neiʃn] *sb.* bestøvning.

polling booth *sb.* stemmeboks, stemmerum.

polling day *sb.* valgdag.

polling place *sb.* (*am.*) = *polling station.*

polling station *sb.* valgsted.

polliwog ['pɔliwɔg] *sb.* (*am. zo.*) haletudse.

pollock ['pɔlək] = *pollack.*

pollster ['pəulstə] *sb.* interviewer [*ved opinionsundersøgelse*]

poll tax ['pəultæks] *sb.* kopskat; skat pr hoved.

pollutant [pə'lu:tənt, -'lju:-] *sb.* forurenende stof; forureningskilde; forureningsfaktor.

pollute [pə'lu:t, pə'lju:t] *vb.* **1.** forurene (*fx a river; the air*); **2.** (*fig.*) besmitte, vanhellige, krænke.

pollution [pə'lu:ʃn, -'lju:-] *sb.* forurening.

Pollyanna [pɔli'ænə] *sb.* [*ukuelig men naiv optimist*].

Pollyannaish [pɔli'ænəiʃ] *adj.* ukuelig og naivt optimistisk; overoptimistisk.

pollywog = *polliwog.*

polo ['pəuləu] *sb.* polo.

polo neck *sb.* **1.** rullekrave; **2.** rullekravesweater.

poloney [pə'ləuni] *sb.* [*slags spegepølse*].

poltergeist ['pɔltəgaist] *sb.* bankeånd.

poltroon [pɔl'tru:n] *sb.* kryster, kujon.

poly ['pɔli] *sb.* T = *polytechnic.*

poly bag ['pɔlibæg] *sb.* plastikpose.

polygamist [pə'ligəmist] *sb.* polygamist.

polygamous [pə'ligəməs] *adj.* polygam.

polygamy [pə'ligəmi] *sb.* polygami.

polyglot[1] ['pɔliglɔt] *sb.* polyglot [*person der taler flere//mange sprog*].

polyglot[2] ['pɔliglɔt] *adj.* polyglot, flersproget, mangesproget.

polygon ['pɔligən] *sb.* polygon, mangekant.

polygraph ['pɔligræf] *sb.* løgnedetektor.

polymath ['pɔlimæθ] *sb.* F [*en der er kyndig på mange områder*]; polyhistor.

polymer ['pɔlimə] *sb.* (*kem.*) polymert stof.

Polynesia [pɔli'ni:ziə] (*geogr.*) Polynesien.

polynomial [pɔli'nəumiəl] *sb.* (*mat.*) flerleddet størrelse.

polyp ['pɔlip] *sb.* (*zo.*) polyp.

polyphonic [pɔli'fɔnik] *adj.* polyfon, mangestemmig.

polypody ['pɔlipədi] *sb.* (*bot.*) engelsød.

polysemy [pə'lisimi, pɔli'si:mi] *sb.* (*sprogv.*) polysemi [*det at et ord har flere betydninger*].

polystyrene [pɔli'stairi:n] *sb.* polystyren; flamingo®.

polysyllabic [pɔlisi'læbik] *adj.* flerstavelses-.

polytechnic [pɔli'teknik] *sb.* (*i Eng.*) [*læreanstalt der giver uddannelser på universitetsniveau, også i humaniora, foruden mere praktisk betonede uddannelser*].

polytheism ['pɔliθi(:)izm] *sb.* polyteisme.

polythene ['pɔliθi:n] *sb.* polyætylen [*slags plastik, bruges til mad-*

varer & poser].

polyunsaturated [pɔliʌn'sætʃəreitid] *adj.* flerumættet.

polyvinyl [pɔli'vain(ə)l] *adj.* polyvinyl-.

pom [pɔm] *sb.* (*austr.* S, *neds.*) = *pommy.*

pomander [pə'mændə] *sb.* **1.** lugtedåse [*med vellugtende urter etc.*]; (*glds.*) balsambøsse; **2.** appelsin krydret med nellike.

pomegranate ['pɔmigrænət, (*am.*) 'pʌm-] *sb.* (*bot.*) granatæble.

pomelo ['pɔmiləu] *sb.* (*bot.*) pomelo, pompelmus [*stor grapefrugt*].

Pomerania [pɔmə'reiniə] (*geogr.*) Pommern.

Pomeranian [pɔmə'reiniən] *sb.* pommersk spidshund.

pommel ['pʌm(ə)l] *sb.* **1.** sadelknap; **2.** kårdeknap.

pommel ['pʌm(ə)l] = *pummel.*

pommel horse *sb.* (*gymn.*) bensvingshest.

pommy ['pɔmi] *sb.* (*austr.* S, *neds.*) brite.

pommy ['pɔmi] *adj.* (*austr.* S, *neds.*) britisk.

pomp [pɔmp] *sb.* pomp, pragt; prunk;
□ ~ *and circumstance* pomp og pragt.

pompadour ['pɔmpədue] *sb.* (*am.*) [*frisure med håret sat fyldigt op over panden*].

Pompeian [pɔm'peiən] *adj.* pompejansk.

Pompeii [pɔm'peii] (*hist.*) Pompeji.

pompom ['pɔmpɔm] *sb.* = *pompon.*

pom-pom ['pɔmpɔm] *sb.* maskinkanon.

pompon ['pɔmpɔn] *sb.* pompon [*pyntekvast*].

pomposity [pɔm'pɔsəti] *sb.* opblæsthed, indbildskhed.

pompous ['pɔmpəs] *adj.* **1.** opblæst, indbildsk; **2.** (*om stil*) højtravende.

ponce [pɔns] *sb.* T **1.** alfons, luderkarl; **2.** kvindagtigt//skabagtigt mandfolk, tøjjon.

ponce [pɔns] *vb.* drive alfonseri;
□ ~ *about/around* **a.** dalre rundt;
b. skabe sig, være skabagtig.

poncey *adj.* = *poncy.*

poncho ['pɔntʃəu] *sb.* poncho, regnslag.

poncy ['pɔnsi] *adj.* oversmart; pillen med sit udseende; bøsset.

pond ['pɔnd] *sb.* dam; kær; lille sø.

pond [pɔnd] *vb.* opdæmme.

ponder ['pɔndə] *vb.* F **1.** overveje, fundere over, grunde over;
2. (*uden objekt*) overveje, fundere, spekulere.

ponderous ['pɔnd(ə)rəs] *adj.* F **1.** tung, klodset, kluntet; **2.** (*om stil*) tungthenskridende, omstændelig.

pond skater *sb.* (*zo.*) damtæge.

pondweed ['pɔndwi:d] *sb.* (*bot.*) vandaks.

pong [pɔŋ] *sb.* (T: *spøg.*) hørm, stank.

pong [pɔŋ] *vb.* (T: *spøg.*) hørme, stinke.

pongy ['pɔŋi] *adj.* (T: *spøg.*) stærkt lugtende, hørmende.

poniard ['pɔnjəd] *sb.* (*hist.*) dolk.

pontiff ['pɔntif] *sb.* F pave.

pontificate [pɔn'tifikət] *sb.* pontifikat [*paves embedstid//embede*].

pontificate [pɔn'tifikeit] *vb.* docere, præke.

ponton ['pɔntən] *sb.* (*am. mil.*) ponton.

pontoneer [pɔntə'niər] *sb.* (*am. mil.*) ingeniørsoldat [*der bygger pontonbroer*].

pontoon [pɔn'tu:n] *sb.* **1.** ponton;
2. (*kortspil, omtr.*) halvtolv.

pontoon bridge *sb.* pontonbro.

pony ['pəuni] *sb.* **1.** pony; **2.** S £25; **3.** (*am.*) [*sammendrag af og noter til litterær tekst*]; (*til fremmedsprog*) snydeoversættelse;
4. (T: *til spiritus*) lille glas;
□ *the ponies* (*am.* T) hestevæddeløb.

pony ['pəuni] *vb.*: ~ *up* (*glds. am.* T) punge ud med, hoste op med.

ponytail ['pəuniteil] *sb.* (*frisure*) hestehale.

poo [pu:] (*am.*) = *pooh.*

pooch [pu:tʃ] *sb.* (*am.* S) hund, vovse.

poodle ['pu:dl] *sb.* **1.** puddel, puddelhund; **2.** (*fig.*) skødehund; lydigt redskab.

poof ['puf, pu:f] *sb.* S bøsseka'l.

poof [puf] *interj.* vupti; vips.

poofter ['puftə, 'pu:-] *sb.* bøsseka'l.

pooh [pu:] *sb.* T bæ;
□ *do a* ~ lave pølser.

pooh [pu:] *interj.* **1.** (*afvisende*) pyt! årh! **2.** (*udtryk for væmmelse*) æv; pyh ha.

pooh-bah ['pu:ba:] *sb.* stormægtighed; betydningsfuld person [*i egen indbildning*].

pooh-pooh [pu:'pu:] *vb.* T slå hen, bagatellisere (*fx her fears*); afvise (*fx her objections*).

pool ['pu:l] *sb.* **1.** (*vand*) dam, vandhul; (*i flod*) bredning; (*se også swimming pool*); **2.** (*om mindre ansamling*) pøl (*fx of blood; of oil*); (*af vand også*) pyt; **3.** (*af mennesker, resurser & i kortspil*) pulje (*fx of labour; investment* ~); (*se også car pool*); **4.** (*form for bil-*

lard) pool; **5.** (*merk.: af forretninger*) konsortium; sammenslutning;
□ *a* ~ *of light* (*omtr.*) et lysfelt; et lysskær;
the (football) -*s* (*omtr.*=) tipstjenesten; *do the* -*s* tippe; *win (on) the* -*s* vinde i tipning.

pool [pu:l] *vb.* slå sammen [*i en pulje*]; samle.

poolroom ['pu:lru:m] *sb.* (*am.*) billardsalon.

pools coupon *sb.* tipskupon.

pools dividend *sb.* tipsgevinst.

poolside ['pu:lsaid] *sb.* kanten af svømmebassin.

poop [pu:p] *sb.* **1.** (*mar.*) halvdæk agter; hytte; **2.** T hundelort, bæ;
3. (*am.* T) oplysninger; **4.** (*am.* T: *om person*) fjols.

poop [pu:p] *vb.* T lægge en lort; lave bæ;
□ ~ *out* (*am.* T) holde op på grund af udmattelse; blive helt flad.

pooped [pu:pt] *adj.* (*am.* T) udkørt, udmattet;
□ *be* ~ (*mar.*) tage en sø ind agterfra.

pooper scooper ['pu:pəsku:pə], **poop scoop** *sb.* [*lille skovl til at fjerne hundelort med*].

poo-poo ['pu:pu:] *sb.* (*am.* T) bæ.

poor [puə] *adj.* **1.** fattig; **2.** (*medfølende*) stakkels (*fx the* ~ *child*); arme (*fx* ~ *John!*); **3.** (*om kvalitet; mods. god*) dårlig (*fx actor; consolation; excuse; health*); ringe (*fx quality; understanding; in my* ~ *opinion*); mager (*fx result*); **4.** (*om mængde*) ussel (*fx wages*); sølle;
□ ~ *at* + *-ing* dårlig til at; ~ *in* fattig på (*fx natural resources*).

poor box *sb.* kirkebøsse; fattigbøsse.

poor cod *sb.* (*zo.*) glyse [*en fisk*].

poorhouse ['puəhaus] *sb.* (*hist.*) fattighus, fattiggård.

poorly ['puəli] *adj.* T sløj, utilpas.

poorly ['puəli] *adv.* **1.** fattigt (*fx dressed*); **2.** dårligt (*fx managed*); skidt.

poor-mouth ['puəmauð] *vb.* (*am.* S) **1.** tale ringeagtende om; nedvurdere; **2.** udbrede sig om hvor fattig man er [*ɔ: som undskyldning*].

poor relation *sb.* fattig slægtning;
□ *a* ~ *of* (*fig.*) en ringere udgave af.

poove [pu:v] *sb.* se *poof*.

pop [pɔp] *sb.* **1.** (*musik*) popmusik, pop; **2.** (*lyd*) knald, smæld; skud; **3.** (*glds.* T *el. am.*) sodavand; **4.** (*am.* T) far; **5.** (*am.: i baseball*) se *pop fly*;
□ *a* ~ (*am.* T) pr. styk; pr. gang; *go* ~ **a.** gå af med et knald; sige

P *pop*

bang; smælde; **b.** revne med et knald.

pop² [pɔp] *adj.* populær; pop- (*fx music*).

pop³ [pɔp] *vb.* **1.** (*om lyd*) knalde (*fx corks -ped*); smælde; **2.** (*med objekt*) knalde (*fx a balloon*); **3.** (T: *om bevægelse*) smutte, stikke (*fx over to the grocer's*); **4.** (*med objekt*) stikke (*fx one's head out of the window; a pizza in the oven*); **5.** T stampe (*fx one's watch*) [ɔ: *pantsætte*];
□ *my ears -ped* det klikkede i mine ører; *my eyes -ped* T jeg spærrede øjnene op; jeg gjorde store øjne; øjnene var ved at trille ud af hovedet på mig; (se også *clog¹, corn, pill¹, question¹*); [*med adv., præp.*] ~ **along a.** smutte af sted; **b.** (*om besøg*) komme et smut forbi; ~ **in a.** smutte ind; **b.** (*om besøg*) kikke indenfor; dumpe ind; ~ **into** smutte ind i (*fx the bank*); kikke indenfor i; ~ **off a.** stikke af; smutte; **b.** (S: *dø*) kradse af; stille træskoene; **c.** (*om skydevåben, fyrværkeri*) gå af; **d.** (*med objekt*) skyde af; fyre af; ~ **off about** (*am.* T) himle op om; ~ **out a.** stikke ud (*fx a head -ped out*); smutte ud (*fx ~ out for a breath of fresh air*); **b.** (*om prop etc.*) smutte ud med et knald; knalde; *his eyes nearly -ped out of his head* øjnene var ved at trille ud af hovedet på ham; ~ **up a.** springe op, dukke frem (*fx the pictures in the book ~ up*); **b.** (*fig.*) dukke op (*fx difficulties have -ped up*); ~ **up to** *town* smutte ind til byen.

pop. *fork. f.* population.

popcorn ['pɔpkɔːn] *sb.* popcorn [*ristet majs*].

pope [pəup] *sb.* pave.

Popeye ['pɔpai] ~ *the Sailor* Skipper Skræk.

pop-eyed ['pɔpaid] *adj.* T med udstående øjne;
□ *be* ~ (*fig.*) gøre store øjne; spærre øjnene op.

pop fly *sb.* (*am.*) høj bold, ballonbold [*i baseball*].

popgun ['pɔpgʌn] *sb.* luftbøsse; legetøjspistol.

poplar ['pɔplə] *sb.* (*bot.*) poppel.

poplin ['pɔplin] *sb.* poplin [*et stof*].

poppa ['pɔpə] *sb.* (*am.* T) far.

popper ['pɔpə] *sb.* trykknap [*i tøj*].

poppet ['pɔpət] *sb.* (*kæleord*) (lille) skat.

popping crease *sb.* (*i kricket*) slaggrænse.

poppy ['pɔpi] *sb.* (*bot.*) valmue.

poppy anemone *sb.* (*bot.*) fransk anemone.

poppycock ['pɔpikɔk] *sb.* (*glds.* T) vrøvl, sludder.

Poppy Day *sb.* [*11. nov. hvor der sælges Flanders poppies*].

pop quiz *sb.* (*am.*) pludselig prøve [*i skole*].

popsicle® ['pɔpsikl] *sb.* (*am.*) ispind; sodavandsis.

popsy ['pɔpsi] *sb.* (*glds.* S) pigebarn; snut.

populace ['pɔpjuləs] *sb.*: *the* ~ F den brede befolkning.

popular ['pɔpjulə] *adj.* **1.** populær; **2.** (*om person*) populær, afholdt; **3.** (*om mening, opfattelse*) almindelig (*fx opinion*); populær, udbredt (*fx misconception*); **4.** (*mods. for specialister*) populær, folkelig; **5.** (*pol.*) folke-, folkelig (*fx revolt*).

popular front *sb.* folkefront.

popularity [pɔpju'lærəti] *sb.* popularitet.

popularization [pɔpjulərai'zeiʃn] *sb.* (*jf. popularize*) **1.** udbredelse; **2.** popularisering.

popularize ['pɔpjuləraiz] *vb.* **1.** gøre populær (*fx a new sport*); udbrede; **2.** (*videnskabelige resultater etc.*) popularisere.

popularly ['pɔpjuləli] *adv.* (*jf. popular 3*) **1.** alment; blandt folk; populært; **2.** (*om antagelse*) almindeligvis;
□ ~ *elected* folkevalgt.

populate ['pɔpjuleit] *vb.* befolke.

population [pɔpju'leiʃn] *sb.* **1.** (*personer*) befolkning; **2.** (*antal*) befolkningstal; **3.** (*biol.*) bestand (*fx the pig* ~); population;
□ *the* ~ *of students* antallet af studerende; studentertallet; *the* ~ *of our prisons* de mennesker der findes i vore fængsler.

populist¹ ['pɔpjulist] *sb.* populist [*politiker der appellerer til menigmand*].

populist² ['pɔpjulist] *adj.* populistisk.

populous ['pɔpjuləs] *adj.* folkerig; tæt befolket.

pop-up¹ ['pɔpʌp] *sb.* **1.** = *pop-up book*; **2.** (*am.*) = *pop fly*; **3.** (*it*) pop op-menu.

pop-up² ['pɔpʌp] *adj.* (*it*) pop op- (*fx menu; window*).

pop-up book *sb.* pop op-bog [*med billeder der rejser sig og folder sig ud*].

pop-up toaster *sb.* [*brødrister hvor brødet hopper op når det er færdigt*].

porbeagle ['pɔːbiːgl] *sb.* (*zo.*) sildehaj.

porcelain ['pɔːs(ə)lin] *sb.* porcelæn.

porch [pɔːtʃ] *sb.* **1.** overdækket indgang; vindfang; **2.** (*til kirke*) våbenhus; **3.** (*am.*) veranda.

porcine ['pɔːsain] *adj.* svine-, grise-; griseagtig.

porcupine ['pɔːkjupain] *sb.* (*zo.*) hulepindsvin.

pore¹ [pɔː] *sb.* pore; (se også *ooze* (*from*)).

pore² [pɔː] *vb.*: ~ *over* fordybe sig i; studere, granske; ~ *over the books* (*også, neds.*) hænge over bøgerne.

pork¹ [pɔːk] *sb.* **1.** svinekød; flæsk; **2.** (*am. pol.*) statslige bevillinger; (jf.: *pork barrel*).

pork² [pɔːk] *vb.*: ~ *out on* se *pig²* (*out on*).

pork barrel *sb.* [*statslige bevillinger til lokale formål for at glæde vælgerne der*].

pork-barrel ['pɔːkbær(ə)l] *adj.* (*am. pol.*) som skaffer statslige bevillinger til lokale formål (for at glæde vælgerne der) (*fx politician; project*);
□ ~ *legislation* [*vedtagelse af bevillinger til lokale formål*].

porker ['pɔːkə] *sb.* fedesvin.

porkie ['pɔːki] *sb.* S løgnehistorie.

pork pie *sb.* **1.** flæskepostej; **2.** S løgnehistorie.

pork rinds *sb. pl.* (*am.*) flæskesvær.

pork scratchings *sb. pl.* flæskesvær.

porky¹ ['pɔːki] *sb.* S løgnehistorie.

porky² ['pɔːki] *adj.* T fed, lasket.

porn [pɔːn], **porno** ['pɔːnəu] *sb.* T porno.

pornographic [pɔːnə'græfik] *adj.* pornografisk.

pornography [pɔː'nɔgrəfi] *sb.* pornografi.

porosity [pɔː'rɔsəti] *sb.* porøsitet.

porous ['pɔːrəs] *adj.* porøs.

porphyry ['pɔːfiri] *sb.* (*min.*) porfyr.

porpoise ['pɔːpəs] *sb.* (*zo.*) marsvin.

porridge ['pɔridʒ] *sb.* havregrød; grød;
□ *do* ~ S sidde inde [ɔ: *i fængsel*].

port¹ [pɔːt] *sb.* **1.** havneby; **2.** (*i by*) havn; havneområde; **3.** (*på skib, fly*) bagbord; (*i sms.*) bagbords- (*fx light; side*); **4.** (*åbning*) port; lasteport; (se også *gun port, porthole*); **5.** (*it*) port; **6.** (*vin*) portvin;
□ *any* ~ *in a storm* (*fig.*) [*i en nødsituation er enhver udvej god*]; *a* ~ *in a storm* (*fig.*) en redningsplanke; (se også *port of call* (*etc.*), *put* (*into*)).

port² [pɔːt] *vb.*: ~ *the helm* (*mar.*)

lægge roret bagbord; ~ *arms* (*mil.*) holde geværet på skrå [*fra venstre skulder til højre hofte*].

portable¹ ['pɔːtəbl] *sb.* bærbar radio//computer//telefon; bærbart tv.

portable² ['pɔːtəbl] *adj.* bærbar, transportabel.

Portacrib® ['pɔːrtəkrib] *sb.* babylift.

Portakabin® ['pɔːtəkæbin] *sb.* midlertidig bygning; pavillonbygning; arbejdsskur.

portal ['pɔːt(ə)l] *sb.* portal.

Portaloo® ['pɔːtəluː] *sb.* transportabel toiletbygning.

portcullis [pɔːt'kʌlis] *sb.* (*hist.*) faldgitter.

portend [pɔː'tend] *vb.* F varsle, varsle om, bebude.

portent ['pɔːtent] *sb.* varsel (*of* om); tegn (*of* på).

portentous [pɔː'tentəs] *adj.* F **1.** betydningsfuld (*fx event*); ildevarslende (*fx defeat*); **2.** (*neds.*) overdrevent højtidelig, pompøs; gravalvorlig; gravitetisk.

porter ['pɔːtə] *sb.* **1.** (*ved indgang*) portner; portvagt; dørvogter; **2.** (*i hotel*) portier; **3.** (*i hospital*) portør; **4.** (*i lufthavn, på jernbanestation*) drager; **5.** (*ved bjergbestigning*) bærer; **6.** (*am.*) sovevognskonduktør; **7.** (*ølsort*) porter.

porterhouse steak [pɔːrtərhaus-'steik] *sb.* (*am. omtr.*) bøf af tyksteg.

portfolio [pɔːt'fəuliəu] *sb.* **1.** mappe [*til tegninger//kort*]; **2.** (*ved jobsøgning*) præsentationsmappe; **3.** (*merk.: af værdipapirer*) portefølje, beholdning; **4.** (*merk.: af produkter*) sortiment, udvalg; **5.** (*ministers*) portefølje (*fx minister without* ~); (*fag*)ministerpost; □ *hold a* ~ (*jf. 5, også*) være minister.

porthole ['pɔːthəul] *sb.* (*mar.*) koøje.

portico ['pɔːtikəu] *sb.* søjlebåret forhal, porticus.

portion¹ ['pɔːʃn] *sb.* **1.** del; **2.** (*ved fordeling*) andel, del (*fx I must accept my* ~ *of the blame*); **3.** (*af mad*) portion; □ *by* -s portionsvis.

portion² ['pɔːʃn] *vb.*: ~ *out* fordele (*among/between* mellem).

portly ['pɔːtli] *adj.* (*spøg.*) korpulent, svær.

portmanteau¹ [pɔːt'mæntəu] *sb.* (*glds.*) stor kuffert.

portmanteau² [pɔːt'mæntəu] *adj.* omfattende, mangesidet.

portmanteau word *sb.* [*ord dannet ved sammentrækning af to andre ord, fx "brunch" af "breakfast" og "lunch"*].

port of call *sb.* **1.** (*mar.*) anløbshavn; **2.** T stop (*fx my last* ~ *was the post office*).

port of entry *sb.* (*mar.*) ankomsthavn.

port of refuge *sb.* (*mar.*) nødhavn.

port of registry *sb.* (*mar.*) hjemsted, hjemstedshavn, hjemhavn.

portrait ['pɔːtrit, -treit] *sb.* portræt.

portraitist ['pɔːtritist, -treitist] *sb.* portrætmaler.

portraiture ['pɔːtritʃə] *sb.* portrætmaleri, portrættering.

portray [pɔː'trei] *vb.* **1.** (*om forfatter, maler*) skildre; (*person også*) portrættere; **2.** (*om skuespiller*) fremstille, spille; **3.** (*om bog, film etc.*) fremstille (*as som, fx the book -ed him as a ruthless careerist*).

portrayal [pɔː'treiəl] *sb.* (jf. *portray*) **1.** skildring, portrættering; portræt; **2.** fremstilling; fortolkning; **3.** fremstilling.

Portuguese¹ [pɔːtju'giːz] *sb.* **1.** (*person*) portugiser; **2.** (*sprog*) portugisisk.

Portuguese² [pɔːtju'giːz] *adj.* portugisisk.

Portuguese man-of-war *sb.* (*zo.*) portugisisk orlogsmand [*polypdyr*].

POS *fork. f.* point of sale.

pose¹ [pəuz] *sb.* **1.** stilling; positur; **2.** (*neds.*) noget påtaget; attitude.

pose² [pəuz] *vb.* **1.** (*problem, trussel*) udgøre, være (*fx it -s no threat to us*); **2.** (*spørgsmål*) bringe frem, rejse; **3.** (*model: for fotografering etc.*) opstille; anbringe (*fx he -d her on the sofa*); **4.** (*uden objekt: neds.*) posere; skabe sig (*fx she is always posing*); stille sig an; □ ~ *as* give sig ud for (at være); optræde som; ~ *for* **a.** (*kunstner*) stå/sidde model for; **b.** (*fotograf*) stille op for (*fx the ambassador -d for the photographers*); ~ *for photographs* stille op for at blive fotograferet.

poser ['pəuzə] *sb.* **1.** (*glds.*) vanskeligt//drilagtigt spørgsmål; hård nød at knække; **2.** (*om person*) = *poseur*.

poseur [pəu'zəː] *sb.* posør, skabekrukke.

posey ['peusi] *adj.* T som stiller sig an; fin på den; skabagtig.

posh¹ [pɔʃ] *adj.* T **1.** (*om ting, sted*) smart (*fx car*); fin, dyr, mondæn (*fx restaurant; hotel*); **2.** (*om person etc.: overklassepræget*) fornem, fin (*fx address; family; he is too* ~ *to speak to me*); overklasse- (*fx accent*).

posh² [pɔʃ] *vb.*: ~ *up* **a.** pynte, gøre smart; **b.** (*uden objekt*) pynte sig, gøre sig smart.

posh³ [pɔʃ] *adv.*: *talk* ~ T tale med overklasseaccent.

posit ['pɔzit] *vb.* F sætte, postulere, antage.

position¹ [pə'ziʃn] *sb.* **1.** (*legems-, mil. etc.*) stilling (*fx in a sitting* ~; *a fortified* ~; *my financial* ~); **2.** (*i forhold til andre ting*) position, placering; (*om hus, sted også*) beliggenhed; **3.** (*på sportshold el. i konkurrence*) placering; plads (*fx the* ~ *of quarter back; the team was in first* ~); **4.** (*merk.: mht. finansiering; mus.: på instrument*) position; **5.** (F: *om arbejde*) stilling, post, embede (*fx a* ~ *in a Ministry*); **6.** (*fig.*) standpunkt, holdning (*on til, fx the British* ~ *on disarmament*); □ *take up a* ~ (*mil. etc.*) indtage en stilling (*fx they took up -s along the border*); stille sig up (*fx in the middle of the room*); *take up the* ~ *that* (jf. *6*) indtage det standpunkt at; [*med præp.*] *jockey/jostle/manoeuvre for* ~ prøve at bringe/manøvrere sig ind i en gunstig position; *in* ~ **a.** (*mil.*) i stilling; **b.** (*fig.*) på (sin rette) plads; *be in a difficult* ~ være i en vanskelig stilling, være vanskeligt stillet; *be in a false* ~ stå i et falsk lys; *in a* ~ *to* i stand til at; således stillet at man kan (*fx he is not in a* ~ *to marry*); *out of* ~ ikke på plads.

position² [pə'ziʃn] *vb.* **1.** anbringe, placere; **2.** (*mil.*) bringe i stilling (*fx troops*).

position paper *sb.* programerklæring.

positive¹ ['pɔzitiv] *sb.* (*gram., foto.*) positiv.

positive² ['pɔzitiv] *adj.* **1.** (*mods. negativ*) positiv (*fx attitude; charge; number; test*); **2.** (*om noget der ikke kan være tvivl om*) virkelig (*fx knowledge*); definitiv (*fx decision*); afgørende, sikker (*fx proof*); (se også *proof¹*); **3.** (*om erklæring*) udtrykkelig, bestemt (*fx orders*); direkte (*fx denial; lie*); **4.** (*om person: mht. overbevisning*) sikker i sin sag (*fx he was quite* ~); helt sikker (*about/of* på; *that* på at); overbevist (*about/of* om; *that* om at); **5.** (T: *understregende*) komplet (*fx fool*); ren (*fx pleasure*); ligefrem (*fx it is a* ~ *crime/delight* det er ligefrem en ...); □ *I won't be* ~ (jf. *4*) jeg kan ikke sige det med bestemthed.

positive discrimination *sb.* positiv særbehandling.

positively ['pɔzitivli] *adv.* (jf. *positive*) **1.** positivt; **2.** definitivt, afgørende; **3.** udtrykkeligt, bestemt; **4.** (T: *understregende*) direkte, ligefrem (*fx rude*); bogstavelig talt, formelig (*fx he ~ devoured her with his eyes*).

positive sign *sb.* plustegn.

positive vetting *sb.* sikkerhedstjek.

positivism ['pɔzitivizm] *sb.* positivisme.

positron ['pɔzitrɔn] *sb.* positron.

posse ['pɔsi] *sb.* **1.** flok (*fx pursued by a whole ~ of reporters*); (*især af politi*) opbud; styrke; **2.** S gruppe; bande; **3.** (*am., glds.*) eftersøgningshold.

possess [pə'zes] *vb.* **1.** (*om ejendomsforhold*) besidde, eje (*fx a car*); **2.** (*jur.*) være i besiddelse af (*fx charged with -ing cocaine*); **3.** (*egenskab, evne*) have (*fx patience; magical powers*); eje (*fx he does not ~ a sense of humour*); (*viden*) sidde inde med (*fx information*); **4.** (*om følelse*) komme over (*fx a sense of fear -ed him*); (se også *possessed*);
□ *~ one's soul in patience* (*glds.*) væbne sig med tålmodighed; *~ oneself of* (*glds.*) bemægtige sig; *what -ed him to do it?* hvad gik der af ham siden han kunne gøre det? hvad fik ham dog til at gøre det?

possessed [pə'zest] *adj.* besat (*by af, fx an evil spirit; a desire to tell her everything*);
□ *be ~ of* være i besiddelse af; *like a man ~* som en besat.

possession [pə'zeʃn] *sb.* **1.** besiddelse; **2.** (*ting*) eje (*fx his most precious ~*); ejendom; (se også ndf.: *-s, a*); **3.** (jf. *possessed*) besættelse; **4.** T besiddelse af narkotika (*fx he was charged with ~*); (se også *self-possession*);
□ *-s a.* (*persons*) ejendele (*fx they had lost all their -s*); **b.** (*lands*) besiddelser;
~ is nine points of the law den faktiske besidder står altid stærkest; *quick ~* (*fx i annonce*) hurtig overtagelse;
[*med vb. (+ præp.)*] *be in ~* (*i boldspil*) have bolden; *be in ~ of* være i besiddelse af; (se også *faculty*); *come into ~ of* se ndf.: *get ~ of; get ~* (*i boldspil*) få bolden; *get ~ of a.* komme i besiddelse af; **b.** (*ejendom*) overtage; *lose ~* (*i boldspil*) miste bolden; *take ~ of a.* sætte sig i besiddelse af; **b.** (*ejendom*) overtage.

possessive¹ [pə'zesiv] *sb.* (*gram.*) **1.** possessiv, ejestedord; **2.** (*kasus*) genitiv.

possessive² [pə'zesiv] *adj.* **1.** (*om person*) som gerne vil besidde; begærlig; **2.** (*i forhold til andre*) dominerende (*towards* over for); omklamrende, overbeskyttende (*fx love; mother*); **3.** (*neds.*) besidder- (*fx instinct*); **4.** (*gram.*) possessiv; eje-;
□ *be ~ about* (jf. *1*) holde fast i; ikke ville slippe//dele.

possessive pronoun *sb.* (*gram.*) possessivt pronomen, ejestedord.

possessor [pə'zesə] *sb.* besidder; indehaver; ejer.

possibility [pɔsə'biləti] *sb.* mulighed (*of* for);
□ *beyond//within the bounds/realm of ~* uden for//inden for mulighedernes grænse.

possible¹ ['pɔsəbl] *sb.* mulig kandidat (*fx for the job*).

possible² ['pɔsəbl] *adj.* mulig.

possibly ['pɔsəbli] *adv.* **1.** muligvis; måske; eventuelt; **2.** overhovedet, på nogen mulig måde (*fx as soon as you ~ can; we did all that we ~ could*);
□ *I cannot ~ do it* jeg kan umuligt gøre det.

possum ['pɔsəm] *sb.* (*zo.*) opossum, pungrotte;
□ *play ~* T **a.** ligge død; sove rævesøvn; **b.** spille syg, simulere; **c.** spille dum.

post¹ [pəust] *sb.* **1.** (*breve etc.*) post (*fx there was no ~ today; open one's ~*); **2.** (*om udbringning*) postombæring (*fx by first//second ~*); **3.** (*arbejde*) post (*fx the ~ of Foreign Minister*); stilling; embede; **4.** (*sted, især mil.*) post (*fx he left his ~*); (*am. mil. også*) garnison; **5.** (*til understøttelse el. markering*) pæl; stolpe; post;
□ *the ~ a.* postvæsenet; **b.** (jf. *1*) posten (*fx the ~ hasn't arrived yet*); **c.** (*i hestevæddeløb*) målet; **d.** (*i fodbold*) målstolpen; (se også *deaf, last post*);
[*med præp.*] *at one's ~* på sin post (*fx he was//remained at his ~*); *pip him at the ~* slå ham på målstregen; *by ~* med posten; pr. post; *in the ~* undervejs (med posten) (*fx the cheque is in the ~; it was lost in the ~*); *be first past the ~* **a.** (*ved væddeløb*) komme først i mål; **b.** (*ved valg*) blive valgt ved simpelt flertal; *take the letter to the ~* putte brevet i postkassen.

post² [pəust] *vb.* **1.** (*brev etc.*) poste, lægge i postkassen; sende

(med posten); **2.** (*person: i stilling*) udstationere, placere; **3.** (*om vagt, mil. etc.*) postere; udstille; **4.** (*meddelelse*) slå op (*fx a notice had been -ed on the door; ~ the names of the winners*); offentliggøre ved opslag; **5.** (*it*) sende ud på internettet; **6.** (*sted*) sætte opslag op i (*fx all the bars*); dække med opslag (*fx a wall*); **7.** (*am.*) sætte skilte op i med „adgang forbudt" (*fx ~ a garden*); **8.** (*i bogholderi*) indføre, bogføre, postere;
□ *keep sby -ed* holde én ajour; *-ed missing* (*mil.*) meldt savnet;
[*med præp.& adv.*] *~ off* (jf. *1*) afsende med posten; *~ to* (jf. *2*) forflytte til, overføre til; udkommandere til tjeneste ved; *~ up* (jf. *4*) slå op.

postage ['pəustidʒ] *sb.* porto.

postage meter *sb.* (*især am.*) frankeringsmaskine.

postage stamp *sb.* frimærke.

postal¹ ['pəust(ə)l] *sb.* (*am.* T) postkort.

postal² ['pəust(ə)l] *adj.* **1.** postal; post-; **2.** T rasende;
□ *go ~* ryge helt op i loftet.

postal card *sb.* (*am.*) postkort.

postal code *sb.* postnummer.

postal order *sb.* (*omtr.*) postanvisning.

postal vote *sb.* brevstemme.

postbag ['pəus(t)bæg] *sb.* postsæk.

postbox ['pəus(t)bɔks] *sb.* postkasse.

postcard ['pəus(t)ka:d] *sb.* postkort.

postcode ['pəus(t)kəud] *sb.* postnummer.

postdate [pəus(t)'deit] *vb.* postdatere, fremdatere.

postdoc¹ [pəus(t)'dɔk] *sb.* T [*en der driver videregående studier efter doktorgraden*].

postdoc² *adj.* T = *postdoctoral.*

postdoctoral [pəus(t)'dɔkt(ə)r(ə)l] *adj.* efter doktorgraden.

poster ['pəustə] *sb.* plakat [*især: illustreret*].

poste-restante [pəust'resta:nt] *sb.* poste restante.

posterior¹ [pɔ'stiəriə] *sb.* (*spøg.*) bagdel.

posterior² [pɔ'stiəriə] *adj.* **1.** (*anat.*) bagvedliggende; bagest; **2.** (F: *om tid*) senere (*to* end).

posterity [pɔ'sterəti] *sb.* eftertiden (*fx preserve it for ~*).

Post Exchange® *sb.* (*am. mil.*) kantine; kantineudsalg.

post-free [pəus(t)'fri:] *adv.* portofrit.

postgrad [pəus(t)'græd] *adj.* T = *postgraduate.*

postgraduate [pəus(t)'grædjuət] *adj.*: ~ *studies* videregående studier [*efter kandidateksamen*].
posthaste [pəust'heist] *adv.* (*glds.* F) i stor hast; i flyvende fart; sporenstregs.
posthumous ['pɔstjuməs] *adj.*
1. posthum, udgivet efter forfatterens død (*fx a* ~ *novel*); **2.** (*om barn*) posthum, født efter faderens død;
□ ~ *fame* berømmelse efter døden; ~ *works* efterladte skrifter.
posting ['pəustiŋ] *sb.* **1.** stillingsopslag; **2.** udstationering; **3.** (*it*) internetmeddelelse til nyhedsgruppe.
postman ['pəus(t)mən] *sb.* (*pl.* -*men* [-mən]) postbud.
postmark ['pəus(t)ma:k] *sb.* poststempel.
postmarked ['pəus(t)ma:kt] *adj.* poststemplet.
postmaster ['pəus(t)ma:stə] *sb.* postmester.
postmistress ['pəus(t)mistrəs] *sb.* kvindelig postmester.
postmodernism [pəus(t)'mɔdənizm] *sb.* postmodernisme.
post-mortem [pəus(t)'mɔ:tem] *sb.* **1.** obduktion; **2.** (*fig.*) kritisk gennemgang (bagefter) (*fx a* ~ *of the game*); efterkritik; rivegilde.
post-mortem examination *sb.* obduktion.
postnatal [pəus(t)'neit(ə)l] *adj.* efter fødslen.
postnatal depression *sb.* (*med.*) fødselsdepression.
post office *sb.* **1.** postkontor; posthus; **2.** postvæsen.
post office box *sb.* postboks.
postpaid [pəus(t)'peid] *adv.* portofrit.
postpone [pəus(t)'pəun, pəs'pəun] *vb.* udsætte, udskyde, opsætte.
postponement [pəus(t)'pəunmənt, pəs-] *sb.* udsættelse, udskydelse.
postprandial [pəus(t)'prændiəl] *adj.* (*spøg.*) efter middagen.
postscript ['pəus(t)skript] *sb.* efterskrift.
postulate[1] ['pɔstjulət] *sb.* F postulat; forudsætning.
postulate[2] ['pɔstjuleit] *vb.* F postulere, hævde.
posture[1] ['pɔstʃə] *sb.* F **1.** (*legemlig*) holdning (*fx he has a bad//good* ~); stilling, positur (*fx he stood in a flamboyant* ~); (*ved arbejde*) arbejdsstilling; **2.** (*mental*) holdning, indstilling (*on til, fx the government's* ~ *on defence*); **3.** (*påtaget*) attitude.
posture[2] ['pɔstʃə] *vb.* (*neds.*) posere, stille sig an, stille sig i positur; skabe sig;
□ ~ *as* foregive at være; stille sig an som.
posturing ['pɔstʃəriŋ] *sb.* poseren, stillen sig an; skaberi; komediespil.
postwar [pəus(t)'wɔ:] *adj.* efterkrigs-.
posy[1] ['pəuzi] *sb.* buket; (*am. også*) blomst.
posy[2] ['pəuzi] *adj.* se *posey.*
pot[1] [pɔt] *sb.* **1.** (*til madlavning*) gryde; **2.** (*til opbevaring*) krukke (*fx jam* ~); potte (*fx flowerpot*); bøtte (*fx paint* ~); **3.** (*til at hælde af*) kande (*fx coffee* ~); potte (*fx teapot*); **4.** (*til barn*) potte; **5.** (T: *i sport*) pokal; præmie; **6.** (*glds.* S) pot, marihuana; **7.** (*om skud*) = *potshot*; **8.** (*spøg.*) = *potbelly*; (se også *chimney pot, lobster pot*);
□ ~ *of gold* se *crock* (*of gold*); -*s of money* masser af penge; *the* ~ (*i hasardspil etc.*) puljen; *a watched* ~ se *watch*[2];
[*med vb.*] *hark at the* ~ **calling the kettle black!** du skulle nødig snakke om nogen! I har ikke noget at lade hinanden høre! *piss/shit or* **get off** *the* ~ (*vulg.* S) let røven og kom i gang; **go to** ~ T forfalde; blive ødelagt; **keep** *the* ~ **boiling** (*fig.*) holde gryden i kog; skaffe føden; (se også *watch*).
pot[2] [pɔt] *vb.* (se også *potted*)
1. (*plante*) potte, plante; **2.** (*madvarer*) lægge ned (i en krukke); salte ned; sylte; **3.** (*dyr, person*) skyde, plaffe ned; **4.** (*bal.: i billard*) støde i hul; **5.** (*præmie: i sport*) vinde; **6.** (*barn,* T) sætte på potte.
potable ['pəutəbl] *adj.* (*især am.*) drikkelig;
□ ~ *water* drikkevand.
potage [pə'ta:ʒ] *sb.* (*glds.*) (tyk) suppe.
potash ['pɔtæʃ] *sb.* potaske; kaliumkarbonat.
potassium [pə'tæsiəm] *sb.* kalium.
potation [pə'teifən] *sb.* (*glds. el. spøg.*) **1.** drik, „bæger"; **2.** drikken.
potato [p(ə)'teitəu] *sb.* (*pl.* -*es*) kartoffel; (se også *hot potato, sweet potato*).
potato blight *sb.* kartoffelskimmel.
potato chips *sb. pl.* **1.** pommes frites; **2.** (*am.*) franske kartofler.
potato crisps *sb. pl.* chips, franske kartofler.
potato peeler *sb.* kartoffelskræller.
potbellied ['pɔtbelid] *adj.* tykmavet.
potbelly ['pɔtbeli] *sb.* tyk mave; topmave.

potboiler ['pɔtbɔilə] *sb.* T [*bog// maleri etc.* som man kun har lavet for at tjene penge]; venstrehåndsarbejde.
poteen [pə'ti:n] *sb.* (*irsk*) hjemmebrændt whisky.
potency ['pəut(ə)nsi] *sb.* **1.** (*om person, idé etc.*) kraft, styrke, magt; **2.** (*om medicin, gift etc.*) styrke; **3.** (*seksuelt*) potens.
potent ['pəut(ə)nt] *adj.* **1.** (*om person*) magtfuld; indflydelsesrig; **2.** (*om idé etc.*) stærkt virkende, virkningsfuld (*fx argument; symbol*); **3.** (*om medicin, gift etc.*) stærk, stærkt virkende (*fx drink*); kraftig (*fx weapon*); **4.** (*seksuelt*) potent.
potentate ['pəut(ə)nteit] *sb.* F magthaver; potentat.
potential[1] [pə'tenʃ(ə)l] *sb.* **1.** muligheder; potentiale; udviklingsmuligheder; **2.** (*merk.*) produktionsevne; potentiel; **3.** (*elek.*) potential, spænding;
□ ~ *for* **a.** muligheder for (*fx economic development; accidents*); **b.** (*persons*) anlæg for (*fx violence*).
potential[2] [pə'tenʃ(ə)l] *adj.* potentiel, mulig (*fx dangers*); eventuel (*fx buyer*);
□ ~ *customer* (*også*) kundeemne; *it is a* ~ *threat* (*også*) det kan i givet fald blive en trussel.
potential difference *sb.* (*elek.*) spændingsforskel.
potentiality [pətenʃi'æləti] *sb.* mulighed (*for*).
pothead ['pɔthed] *sb.* (*glds.* T) marihuanaryger, hashvrag.
potherb ['pɔthə:b] *sb.* køkkenurt.
pot holder *sb.* grydelap.
pothole ['pɔthəul] *sb.* **1.** (*i vej*) hul; **2.** (*dyb, i klippe*) jættegryde.
potholer ['pɔthəulə] *sb.* T huleforsker.
potholing ['pɔthəuliŋ] *sb.* T huleforskning.
potion ['pəuʃn] *sb.* **1.** (*litt.*) drik (*fx love* ~ elskovsdrik); trylledrik; **2.** (*spøg., neds.*) mærkelig medicin, mikstur.
pot luck *sb.: take* ~ **a.** tage til takke med hvad huset formår; **b.** (*fig.*) tage chancen.
potluck ['pɔtlʌk] *sb.* (*am.*) se *potluck dinner.*
potluck dinner, potluck supper *sb.* (*am.*) sammenskudsgilde [*hvor hver tager en ret med*].
potpourri [pəu'puəri, pəupə'ri:] *sb.* potpourri.
pot roast *sb.* grydestegt steg.
pot-roast ['pɔtrəust] *vb.* grydestege.
pot scourer *sb.* grydesvamp.

potsherd ['pɔtʃə:d] *sb.* (*arkæol.*) potteskår.

potshot ['pɔtʃɔt] *sb.* **1.** tilfældigt skud, slumpskud; skud fra baghold; **2.** (*fig.*) tilfældig kritik, tilfældigt angreb, skud på må og få.

pot still *sb.* destillationsapparat [*til whiskyfremstilling*].

pottage ['pɔtidʒ] *sb.* (*glds.*) kødsuppe; (se også *mess¹*).

potted ['pɔtid] *adj.* **1.** (*om madvare*) syltet; nedlagt; henkogt (*fx meat*); **2.** (*om plante*) i potte; **3.** (*om beskrivelse*) forkortet, sammentrængt; gjort letfordøjelig, forfladiget.

potter¹ ['pɔtə] *sb.* **1.** (*person*) pottemager; **2.** (jf. *potter²* 2) slentretur.

potter² ['pɔtə] *vb.* **1.** pusle, nusse, pille (*at* med); **2.** slentre; □ ~ *about/around* nusse omkring/rundt.

potter's field *sb.* (*am., hist.*) fattigkirkegård.

potter's wheel *sb.* pottemagerhjul, drejeskive.

pottery ['pɔtəri] *sb.* **1.** (*ting*) lervarer, lertøj; **2.** (*virksomhed*) pottemageri; (*mere omfattende*) pottemagerindustri; **3.** (*sted*) pottemagerværksted; (*større*) lervarefabrik; □ *the Potteries* [*område i Staffordshire, centrum for pottemagerindustrien*].

potting compost *sb.* pottejord.

potting shed *sb.* haveskur.

potty¹ ['pɔti] *sb.* T potte [*til barn*].

potty² ['pɔti] *adj.* T skør (*fx idea*); tosset; □ *be* ~ *about* være skør med; *a* ~ *little town* en snoldet lille by.

potty-training ['pɔtitreiniŋ] *sb.* renlighedstræning, toilettræning.

pouch [pautʃ] *sb.* **1.** pose; **2.** (*skotsk*) lomme; **3.** (*til tobak*) tobakspung; **4.** (*til beskyttelse*) etui (*fx for an electric shaver*); **5.** (*zo.: hos pungdyr*) pung; (*hos gnaver*) kæbepose; **6.** (*mil.*) patrontaske; **7.** (*am.*) aflåselig postsæk [*fx til diplomatpost*]; □ *-es under one's eyes* poser under der øjnene.

pouf [pu:f] *sb.* **1.** (*møbel*) puf; **2.** se *poof.*

poultice ['pəultis] *sb.* omslag; grødomslag.

poultry ['pəultri] *sb.* fjerkræ.

poultry farm *sb.* hønseri.

poultry farming *sb.* hønseavl.

poultry shears *sb. pl.* tranchersaks.

pounce [pauns] *vb.:* ~ *on* **a.** (*bytte & person*) slå ned på; slå kløerne i; kaste sig over; **b.** (*fejl*) slå ned på; **c.** (*tilbud, mulighed*) gribe begærligt (*fx the money*); kaste sig

over (*fx the journalists -d on the scandal*); *ready to* ~ **a.** (*om rovdyr*) parat til at springe; (*om rovfugl*) parat til at slå ned; **b.** (*fig.*) parat til at slå 'til.

pound¹ [paund] *sb.* **1.** (*vægtenhed, omtr.*) pund [*454 g*]; (se også *flesh¹*); **2.** (*møntenhed*) pund sterling [= *100 pence*]; **3.** (*til bortløbne hunde, katte etc.*) internat; (*til kvæg*) fold, indhegning; **4.** (*til bortslæbte biler*) oplagsplads.

pound² [paund] *vb.* **1.** hamre/banke løs på (*fx a pillow; the door; heavy guns -ed the walls of the fort*); **2.** (*om findeling*) knuse (*fx almonds; garlic; tablets*); pulverisere; (*i morter*) støde; **3.** (*uden objekt*) hamre, dunke (*fx his heart was -ing*); **4.** (*om gang*) stampe, trampe (*fx he -ed along the corridor//down the stairs*); gå//løbe tungt; □ ~ *the piano//the table* hamre i klaveret//bordet; [*med præp.& adv.*] ~ *away at* hamre løs på; ~ *it into his head* banke/hamre det ind i hovedet på ham; ~ *on* se ovf.: *1;* ~ *up* støde; pulverisere.

pounding ['paundiŋ] *sb.* **1.** (*lyd*) dundren (*fx of the guns*); **2.** (T: *angreb*) omgang; **3.** (T: *nederlag*) tæsk; □ *the town received a heavy* ~ (*jf. 2*) byen fik en ordentlig omgang/et ordentligt pulver; *take a* ~ (*jf. 3*) få tæsk; *the book took quite a* ~ bogen blev kritiseret sønder og sammen.

pound sign *sb.* **1.** pundtegn [£]; **2.** (*am.*) se *hash¹ 4.*

pour [pɔ:] *vb.* **1.** hælde (*fx water on sth; sugar into a bowl*); **2.** (*drik*) skænke (*fx coffee; tea; wine*); (*til person*) skænke/hælde op til (*fx* ~ *him a beer//some wine*); **3.** (*beton*) støbe; **4.** (*uden objekt*) skænke (*fx let me* ~); **5.** (*om bevægelse*) strømme, vælte (*fx people -ed out of the building; protests -ed in from all over the country*); **6.** (*om regn*) styrte ned, øse ned (*fx it -ed all night*); □ ~ *oneself a drink* tage sig en drink; (se også *rain²*); [*med præp.& adv.*] ~ *down* **a.** se ovf.: *5;* **b.** strømme/vælte ned ad (*fx lava -ed down the hillside*); *sweat was -ing down his forehead* sveden drev ned ad panden på ham; ~ *from* strømme ud af (*fx blood was -ing from the wound*); vælte ud af//op af (*fx smoke was -ing from the chimney*); ~ *money into* poste penge i; ~ *scorn on* ud-

tale sig hånligt om; (se også *cold²* (*water*), *oil¹*); ~ *out* skænke, skænke op (*fx tea; shall I* ~ *out?*); ~ *out money* øse penge ud; ~ *out music* udsende en stadig strøm af musik; ~ *out one's feelings/heart to sby* udøse sit hjerte for en; *it is -ing with rain* det øser/styrter ned.

pourer ['pɔ:rə] *sb.* skænkeprop.

pour point *sb.* flydepunkt [*for olie*].

pout¹ [paut] *sb.* **1.** trutmund; surmulen; **2.** (*zo.*) skægtorsk; (se også *Norway pout*); **3.** (*am. zo.*) se *eelpout;* □ *be in the -s* surmule.

pout² [paut] *vb.* lave trutmund; surmule.

POV *fork. f.* (*film.*) *point of view.*

poverty ['pɔvəti] *sb.* fattigdom.

poverty line *sb.* fattigdomsgrænse.

poverty-stricken ['pɔvətistrik(ə)n] *adj.* forarmet.

poverty trap *sb.* fattigdomsfælde [*situation hvor man ikke kan øge sin indtægt uden at miste sociale tilskud*].

POW *fork. f. prisoner of war.*

powder¹ ['paudə] *sb.* **1.** pulver; **2.** (*kosmetik*) pudder; **3.** (*sprængstof*) krudt; □ *take a* ~ (*am.* S) stikke af.

powder² ['paudə] *vb.* pudre; (se også *powdered*); □ ~ *one's nose* [*gå på toilettet*].

powder base *sb.* pudderunderlag.

powder blue *adj.* dueblå, støvet blå.

powdered ['paudəd] *adj.* pulveriseret; knust; stødt; □ ~ *eggs* æggepulver; ~ *milk* mælkepulver; *be* ~ *with* være oversået med.

powdered sugar *sb.* (*am.*) flormelis.

powder keg *sb.* (*også fig.*) krudttønde.

powder puff *sb.* pudderkvast.

powder room *sb.* dametoilet.

powdery ['paudəri] *adj.* **1.** pudret (*fx nose*); **2.** pudderagtig; **3.** pulveragtig; pulver- (*fx snow*).

power¹ ['pauə] *sb.* **1.** magt (*over over, fx the others; military* ~*; the* ~ *of love; he has too much* ~); **2.** (*til at gøre noget*) evne (*to* til at, *fx solve the problem; cure the disease*); kraft; styrke; **3.** (*jur.*) bemyndigelse; beføjelse (*to* til at, *fx the Prime Minister has the* ~ *to dissolve Parliament; exceed one's -s*); kompetence; **4.** (*om stat*) magt; **5.** (*fys. etc.*) kraft (*fx the* ~ *of the explosion; nuclear* ~); (*i sms. også*) -energi (*fx solar* ~;

wind ~); **6.** (*elek.*) effekt; strøm
(*fx switch the* ~ *on*); **7.** (*mat.*) po-
tens;
□ **-s** (*rel.*: *engle*) magter; *the (big)*
-s stormagterne; *the -s above* de
højere magter, guderne; *the -s that*
be myndighederne;
a ~ (*om en/noget der har indfly-*
delse) en magtfaktor (*fx she is an*
important ~ *in the company; the*
press is a ~ *in the country*); *it will*
do you a ~ *of good* T det vil være
vældig godt for dig;
the ~ *behind the throne* den grå
eminence [ɔ: *den der har den vir-*
kelige magt]; *lose the* ~ *of speech*
miste taleevnen, miste talens
brug; (se også *attorney*); *more* ~ *to*
your elbow! hæng i! held og
lykke!
[*med præp.*] *be in* ~ (*pol.*) være
ved magten; *be in sby's* ~ **a.** være
i ens magt (*fx she was in his* ~);
b. stå i ens magt (*fx it is not in my*
~ *to change it*); *do everything in*
one's ~ gøre alt hvad der står i
ens magt; *put* **into** ~ (*pol.*) bringe
til magten; *come* **to** ~ (*pol.*)
komme til magten; *7 to the fourth*
~ (*mat.*) 7 i fjerde; (se også *raise*[2]);
under *its own* ~ (*om skib*) for
egen kraft; *a task well* **within** *his*
-s en opgave der på ingen måde
overstiger hans evner; *it is not*
within his -s det står ikke i hans
magt.
power[2] ['pauə] *vb.* **1.** drive (frem);
(se også *-powered*); **2.** (*om hurtig*
bevægelse) ræse (*fx he -ed round*
a bend//through the water);
□ ~ *away* slide, pukle.
power[3] ['pauə] *adj.* motordreven;
motor- (*fx lawn mower; saw*);
elektrisk (*fx drill*).
powerboat ['pauəbəut] *sb.* motor-
båd, speedbåd.
power brake *sb.* bremseforstærker,
servobremse.
power breakfast *sb.* (*merk.*) mor-
genmadsmøde.
power broker *sb.* magthaver; mag-
tudøver.
power cut *sb.* strømafbrydelse.
power dive *sb.* (*flyv.*) dykning med
motoren i gang; fuldgasstyrtdyk.
-powered *adj.* -drevet (*fx bat-*
tery-~; nuclear-~).
power failure *sb.* strømsvigt.
powerful ['pauəf(u)l] *adj.* **1.** mæg-
tig, stærk (*fx the world's most* ~
nation); magtfuld; **2.** (*om person:*
fysisk) stærk; **3.** (*om maskine etc.,*
om lugt) kraftig (*fx computer;*
magnet; microscope; smell).
powerhouse ['pauəhaus] *sb.* **1.** (*om*
organisation, land) kraftcentrum;

2. (T: *om person*) energibundt.
powerless ['pauələs] *adj.* magtes-
løs, afmægtig;
□ ~ *to* ude af stand til at (*fx help*).
power line *sb.* (*elek.*) stærkstrøms-
ledning.
power pack *sb.* **1.** strømforsynings-
aggregat; **2.** transformer.
power plant *sb.* **1.** kraftværk; **2.** (*i*
fabrik) kraftanlæg; **3.** (*i fly*) moto-
rer.
power point *sb.* (*elek.*) stikkontakt.
power shovel *sb.* gravemaskine,
gravko.
power station *sb.* kraftværk, el-
værk.
power steering *sb.* servostyring.
pow-wow ['pauwau] *sb.* **1.** (*india-*
neres) møde, konference;
2. (*spøg.*) møde; snak, palaver.
pox [pɔks] *sb.: the* ~ **a.** T syfilis;
b. (*hist.*) kopper.
pp *fork. f.* **1.** *pages*; **2.** (*mus.*) pia-
nissimo; **3.** (*foran underskrift på*
dokument) per procurationem for
(*fx John Smith, pp Rebecca*
Brown).
P&P, p&p *fork. f. postage and*
packing.
PPE *fork. f.* (*om universitetsstu-*
dium) *philosophy, politics and*
economics.
ppm *fork. f.* **1.** (*kem.*) *parts per*
million; **2.** (*om printer*) *pages per*
minute.
PR *fork. f.* **1.** *proportional repre-*
sentation; **2.** *public relations.*
practicability [præktikə'biləti] *sb.*
gennemførlighed; mulighed.
practicable ['præktikəbl] *adj.* gen-
nemførlig; mulig; gørlig.
practical[1] ['præktik(ə)l] *sb.*
1. (praktisk) øvelse (*fx chemistry*
-s); **2.** eksamen der består i prak-
tisk øvelse.
practical[2] ['præktik(ə)l] *adj.*
1. (*mods. teoretisk & om ting el.*
person) praktisk (*fx difficulties,*
problems; shoes; he is not very
~); **2.** (*om idé, metode*) praktisk
gennemførlig; praktisk anvende-
lig; **3.** (*mods. nominel, teoretisk*)
faktisk (*fx in* ~ *control*); **4.** (*teat.:*
om rekvisit) praktikabel [ɔ: *som*
kan bruges, som ikke blot er en
attrap];
□ *for all* ~ *purposes* praktisk talt;
så godt som.
practicality [prækti'kæləti] *sb.*
1. praktiskhed; **2.** (*om idé, me-*
tode) gennemførlighed; anvende-
lighed;
□ *the practicalities* de praktiske/
faktiske omstændigheder.
practical joke *sb.* (*omtr.*) grov
spøg; nummer [*som man laver*

med en].
practically ['præktik(ə)li] *adv.*
1. praktisk; i praksis (*fx there is*
little we can do ~); **2.** praktisk
talt, næsten (*fx* ~ *deaf;* ~ *all his*
life); så godt som.
practical room *sb.* (*i skole*) faglo-
kale [*til manuelle fag*].
practice[1] ['præktis] *sb.* **1.** (*mods.*
teori) praksis (*fx the principles*
and ~ *of teaching*); **2.** (*for at lære*
noget) øvelse (*fx you need some*
more ~); **3.** (*især i sport*) træning (*fx*
driving ~; *cricket* ~; *hockey* ~);
3. (*læges, advokats*) praksis;
4. (*om måde at gøre noget på*)
praksis (*fx it is normal* ~); frem-
gangsmåde (*fx his usual* ~);
5. (*om noget man sædvanligvis*
gør) vane (*fx working -s*); skik (*fx*
religious -s);
□ *-s* (*også*) metoder; trafik (*fx*
these -s must be stopped); ~
makes perfect øvelse gør mester;
make a ~ *of sth* gøre noget til en
vane; *the* ~ *of* det at praktisere (*fx*
medicine; law; one's religion);
[*med præp.*] **contrary to** *his usual*
~ imod sædvane; *in* ~ (*mods. te-*
oretisk) **a.** i praksis (*fx how is it*
going to work in ~?); **b.** faktisk (*fx*
in ~ *she runs the firm*); *be in* ~
a. (*jf.* 2) være i øvelse, have øvel-
sen; være i træning; **b.** (*jf.* 3) prak-
tisere; *put* **into** ~ udføre i praksis;
bringe til udførelse; *out of* ~ ude
af øvelse; ude af træning.
practice[2] ['præktis] *vb.* (*am.*) =
practise.
practician [præk'tiʃn] *sb.* praktiker.
practise ['præktis] *vb.* (se også
practised) **1.** praktisere, dyrke (*fx*
one's religion; safe sex); udøve (*fx*
a profession; magic; torture);
2. (*uden objekt: om læge, advokat*
etc.) praktisere (*fx she is practis-*
ing as a barrister//dentist); **3.** (*for*
at lære: person) øve, træne (*fx a*
class in pronunciation); **4.** (*fær-*
dighed) indøve, øve sig på (*fx an*
act et nummer; *a song*); træne (*fx*
I need to ~ *my service* (serve));
5. (*instrument*) øve sig på (*fx the*
piano; the violin); **6.** (*uden objekt*)
øve sig, træne (*fx for two hours*);
□ ~ + *-ing* øve sig i at (*fx par-*
king); ~ *the law* være advokat/ju-
rist; drive advokatvirksomhed; ~
medicine være (praktiserende)
læge; arbejde som læge; ~ *what*
one preaches selv handle efter de
principper man prædiker for an-
dre.
practised ['præktist] *adj.* erfaren,
øvet, rutineret; dygtig;
□ ~ *at* + *-ing* øvet i at; dygtig til

P practitioner

at.

practitioner [præk'tiʃnə] *sb.* **1.** udøver (*fx of a profession*); dyrker (*fx of Taoist philosophy*); **2.** (*med.*) praktiserende læge; (se også *general practitioner*).

pragmatic [præg'mætik] pragmatisk; saglig; praktisk betonet.

pragmatism ['prægmətizm] *sb.* pragmatisme.

pragmatist ['prægmətist] *sb.* pragmatiker.

Prague [pra:g] Prag.

prairie ['prɛəri] *sb.* prærie.

prairie dog *sb.* (*zo.*) præriehund.

prairie schooner *sb.* prærievogn.

praise¹ [preiz] *sb.* **1.** ros; pris; **2.** (*rel.*) lovprisning, pris; □ *sing his -s* rose ham i høje toner; hæve ham til skyerne; (se også *damn³* (*with faint praise*)).

praise² [preiz] *vb.* **1.** rose; berømme; prise; **2.** (*rel.*) lovprise, prise.

praiseworthy ['preizwə:ði] *adj.* prisværdig.

praline ['pra:li:n, (*am. også*) 'prei-] *sb.* pralin [*knust hård nougat*].

pram [præm] *sb.* barnevogn.

prance [pra:ns] *vb.* **1.** (*om person*) spankulere; **2.** (*om hest*) danse; stejle.

prang¹ [præŋ] *sb.* T **1.** biluheld; **2.** (*flyv.*) nedstyrtning.

prang² [præŋ] *vb.* T smadre.

prank [præŋk] *sb.* gavtyvestreg; spøg; □ *-s* (*også*) spilopper; *play -s on* lave sjov med.

prankster ['præŋkstə] *sb.* gavtyv; spasmager.

prat [præt] *sb.* S **1.** (*person*) idiot, skvadderhoved; klodsmajor; **2.** (*legemsdel*) ende; bagdel.

prate [preit] *vb.* snakke, sludre, plapre.

pratfall ['prætfɔ:l] *sb.* T **1.** fald på halen; **2.** dumhed, bommert; □ *take a ~* **a.** (*jf. 1*) falde på halen; **b.** (*jf. 2*) dumme sig.

pratincole ['prætiŋkəul] *sb.* (*zo.*) braksvale.

prattle¹ ['prætl] *sb.* plapren, pludren.

prattle² ['prætl] *vb.* plapre, pludre.

prattler ['prætlə] *sb.* sludrechatol, snakkemaskine.

prawn [prɔ:n] *sb.* (*zo.*) reje; (se også *raw²*).

pray [prei] *vb.* (*rel.*) bede; □ *~!* (*glds.*) vær så venlig at (*fx ~ take a seat!*); *and what is the reason, ~?* (*iron.*) og hvad er grunden, om jeg må spørge? [*med præp., konj., adv.*] *~ for* **a.** bede for (*fx ~ for me!*); **b.** bede

om (*fx ~ to God for help*); *we are -ing for good weather* vi beder til at det ville blive godt vejr; *he is past -ing for* der er ikke noget at stille op med ham; han står ikke til at redde; *~ that* bede til at (*fx it will soon be over*); *~ to* bede til (*fx ~ to God*); *we -ed to be rescued* vi bad til at vi ville blive reddet.

prayer ['prɛə] *sb.* bøn; □ *-s* (*også*) andagt; *say one's -s* bede (sin aftenbøn); *he hasn't got a ~* (*am.* T) han har ikke en chance; *offer up/put up a ~* opsende en bøn.

prayer book *sb.* bønnebog.

prayer mat *sb.* bedetæppe.

prayer meeting *sb.* bønnemøde.

prayer rug *sb.* bedetæppe.

prayer wheel *sb.* bedemølle.

preach [pri:tʃ] *vb.* prædike (*on over/om*); □ *~ at* holde moralpræken for; *~ a sermon* holde en prædiken; *~ to the converted* prædike for de omvendte; spilde sit krudt.

preacher ['pri:tʃə] *sb.* prædikant.

preachy ['pri:tʃi] *adj.* moraliserende; prækende.

preamble ['pri:æmbl, pri'æmbl] *sb.* **1.** indledning; introduktion; **2.** (*jur.: til lov*) fortale; (*til traktat*) præambel.

prearranged [pri:ə'rein(d)ʒ] *vb.* planlagt i forvejen, forud arrangeret (*fx visit*); forud aftalt (*fx at a ~ signal*).

prearranged fire *sb.* (*mil.*) forberedt skydning.

precarious [pri'kɛəriəs] *adj.* usikker, vaklende (*fx health*); risikabel, prekær (*fx position*).

precast [pri:'ka:st] *adj.* færdigstøbt.

precaution [pri'kɔ:ʃn] *sb.* forholdsregel; sikkerhedsforanstaltning; □ *take -s* **a.** tage sine forholdsregler; **b.** (*ved samleje*) beskytte sig.

precautionary [pri'kɔ:ʃn(ə)ri] *adj.* som foretages for en sikkerheds skyld; sikkerheds-; □ *~ measure* sikkerhedsforanstaltning.

precede [pri'si:d] *vb.* **1.** (*person*) gå//køre foran (*fx he -d them into the room; policemen on motor cycles -d the president's car*); **2.** (*begivenhed*) gå forud for (*fx the stillness that -d his arrival*); **3.** (*i tekst*) komme før, stå før (*fx the paragraph that -s the conclusion*); □ *~ sth with* indlede noget med (*fx ~ the report with a few general remarks*).

precedence [pri'si:d(ə)ns] *sb.* forrang; □ *order of ~* rangfølge; *take ~ of*

gå forud for; have forrang for.

precedent ['presid(ə)nt] *sb.* præcedens (*for + -ing* for at); fortilfælde; tidligere eksempel (*of* på); □ *set a ~* skabe/danne præcedens; *break with ~* (*omtr.*) bryde med traditionen.

precentor [pri'sentə] *sb.* kantor, forsanger.

precept ['pri:sept] *sb.* F forskrift, regel.

precinct ['pri:siŋ(k)t] *sb.* **1.** område; (se også *pedestrian precinct*); **2.** (*am.: politi-, valg-*) distrikt; □ *-s* område.

precious ['preʃəs] *adj.* **1.** (*om pengeværdi*) værdifuld, kostbar; **2.** (*om noget man sætter pris på*) dyrebar, kostbar (*fx his most ~ possessions*); **3.** (*neds.: om persons optræden*) pretiøs, affekteret, skruet; **4.** (*iron.*) køn, nydelig (*fx your ~ friend has let you down*); **5.** (T: *understregende*) meget (*fx ~ few*); □ *~ little* ikke ret meget; yderst lidt; *a ~ lot better* meget meget bedre.

precious coral *sb.* ædelkoral.

precious metals *sb. pl.* ædle metaller.

precious stones *sb. pl.* ædelstene.

precipice ['presipis] *sb.* afgrund; skrænt.

precipitate¹ [pri'sipitət] *sb.* (*kem.*) bundfald; udfældningsprodukt.

precipitate² [pri'sipitət] *adj.* F hovedkulds, overilet, uoverlagt.

precipitate³ [pri'sipiteit] *vb.* **1.** (F: *begivenhed*) fremskynde (*fx the crisis*); pludseligt fremkalde (*fx a crisis*); **2.** (F: *person, ting*) slynge (*fx the impact -d me onto the road*); (se også ndf.: *~ into*); **3.** (*kem.*) udskille, bundfælde, udfælde; (*uden objekt*) se ndf.: *~ out*; **4.** (*meteor.*) fortættes og blive til nedbør; □ *be -d* (*jf. 3*) = *out*; *~ sby into* **a.** slynge en ud i (*fx the water*); **b.** (*fig.*) styrte en ud i (*fx a conflict; he -d himself into the struggle*); *~ out* udskilles, bundfælde sig, udfælde sig (*fx the salt -d out*).

precipitation [prisipi'teiʃn] *sb.* (jf. *precipitate³*) **1.** F fremskyndelse; pludselig udvikling; **2.** F hovedkulds fald; nedstyrten; **3.** (*kem.*) bundfældning, udfældning; bundfald; **4.** (*meteor.*) nedbør; **5.** (*med.*) blodsænkning; **6.** (*især glds.*) ubesindighed (*fx regret one's ~*); overilelse; □ *act with ~* (*jf. 6*) handle overilet.

precipitous [pri'sipitəs] *adj.* **1.** (*om skråning, fald*) stejl; brat; **2.** (*om ændring*) pludselig, brat, hovedkulds; **3.** (*om handling*) hovedkulds, overilet, uoverlagt.

précis[1] ['preisi:] *sb.* (*pl. précis* ['preisi:z]) resumé, sammendrag.

précis[2] ['preisi:] *vb.* resumere.

precise [pri'sais] *adj.* **1.** nøjagtig (*fx measurements; details; the ship's ~ location*); præcis; **2.** (*om person*) nøjagtig, pertentlig, omhyggelig;
□ *at that ~ moment* lige i det øjeblik.

precisely [pri'saisli] *adv.* **1.** (jf. *precise 1*) nøjagtigt, præcist; **2.** (jf. *precise 2*) nøjagtigt, pertentligt (*fx he works very ~*); med omhu; **3.** (*understregende*) præcis (*fx ~ 10 years ago; I know ~ what you mean*); netop (*fx it is ~ because of that*); **4.** (*som svar*) ja netop; ganske rigtigt;
□ *what ~ does that mean?* (*også*) hvad betyder det egentlig?

precision[1] [pri'siʒ(ə)n] *sb.* (jf. *precise*) **1.** nøjagtighed; præcision; **2.** nøjagtighed; akkuratesse; omhu.

precision[2] [pri'siʒ(ə)n] *adj.* præcisions- (*fx bombing; tools*).

preclude [pri'klu:d] *vb.* F forebygge, forhindre (*fx misunderstandings*); udelukke (*fx doubt; the possibility of his coming*);
□ *~ sby from* + *-ing* forhindre en i at, afskære en fra at (*fx this will ~ her from protesting*).

preclusion [pri'klu:ʒ(ə)n] *sb.* forbyggelse; forhindring; udelukkelse.

precocious [pri'kəuʃəs] *adj.* tidligt udviklet, fremmelig; gammelklog.

precocity [pri'kɔsəti] *sb.* tidlig udvikling; fremmelighed.

precognition [pri:kɔg'niʃn] *sb.* **1.** forudviden [*ad overnaturlig vej*]; **2.** (*skotsk jur.*) forundersøgelse.

preconceived [pri:kən'si:vd] *adj.* forudfattet (*fx belief; ideas; opinions*).

preconception [pri:kən'sepʃn] *sb.* forudfattet mening.

precondition [pri:kən'diʃn] *sb.* forhåndsbetingelse; forudsætning.

precooked [pri:'kukt] *adj.* **1.** færdiglavet (*fx meal*); **2.** forkogt.

precursor [pri'kə:sə] *sb.* F forløber (*of* for).

predate [pri:'deit] *vb.* gå forud for, komme før.

predator ['predətə] *sb.* **1.** rovdyr; **2.** (*fig.: om person*) røver, blodsuger; **3.** (*merk.: som vil overtage et*

selskab) selskabshaj.

predatory ['predət(ə)ri] *adj.* **1.** (*zo.*) rov- (*fx bird; insect*); **2.** (*om person*) rovgrisk; røverisk; (*seksuelt*) lysten, begærlig;
□ *~ pricing* (*merk.*) [*så lav prissætning at konkurrenter bukker under*].

predecease [pri:di'si:s] *vb.* afgå ved døden før (*fx he -d his brother*).

predecessor ['pri:disesə] *sb.* **1.** (*person*) forgænger; **2.** (*ting*) forløber.

predestination [pri(:)desti'neiʃn] *sb.* prædestination, forudbestemmelse.

predestined [pri(:)'destind] *adj.* prædestineret, forudbestemt.

predetermination [pri:ditə:mi-'neiʃn] *sb.* F forudbestemmelse.

predetermined [pri:di'tə:mind] *adj.* F forudbestemt; afgjort på forhånd.

predicament [pri'dikəmənt] *sb.* forlegenhed; knibe.

predicate[1] ['predikət] *sb.* (*gram.*) prædikat.

predicate[2] ['predikeit] *vb.* **1.** hævde; erklære; **2.** (*i logik*) udsige; **3.** (*am.*) røbe; tyde på;
□ *be -d on* F bygge på; være baseret på.

predicative [pri'dikətiv] *adj.* prædikativ.

predict [pri'dikt] *vb.* forudsige, spå.

predictability [pridiktə'biləti] *sb.* forudsigelighed.

predictable [pri'diktəbl] *adj.* forudsigelig.

prediction [pri'dikʃn] *sb.* forudsigelse, spådom;
□ *make a ~ about* forudsige; spå om.

predictive [pri'diktiv] *adj.* forudsigende; som forudsiger;
□ *be ~ of* forudsige.

predilection [pri:di'lekʃn] *sb.* forkærlighed.

predispose [pri:di'spəuz] *vb.* F **1.** prædisponere (*to* for, *fx criminal behaviour; to* til at, *fx vote Labour*); **2.** (*om sygdom*) disponere (*to* for, *fx allergy*); gøre modtagelig (*to* for);
□ *-d in his favour* på forhånd velvilligt indstillet over for ham.

predisposition [pri:dispə'ziʃn] *sb.* **1.** tilbøjelighed; tendens (*to* til//til at); **2.** (*mht. sygdom*) disposition, anlæg (*to* for).

predominance [pri'dɔminəns] *sb.* **1.** fremhersken; overvægt; **2.** overmagt; dominans;
□ *have ~* **a.** være fremherskende; have overvægt; **b.** dominere.

predominant [pri'dɔminənt] *adj.* **1.** fremherskende; overvejende; **2.** dominerende.

predominate [pri'dɔmineit] *vb.* være fremherskende (*fx red and brown colours ~*); dominere; (*mht. antal også*) være i overtal;
□ *~ over* have herredømmet over, kontrollere, beherske.

preemie ['pri:mi] *sb.* (*am.* T) for tidligt født barn.

pre-eminence [pri'eminəns] *sb.* forrang; overlegenhed; førende stilling.

pre-eminent [pri'eminənt] *adj.* overlegen; førende.

pre-eminently [pri'eminəntli] *adv.* i særlig grad; frem for alt.

pre-empt [pri'em(p)t] *vb.* **1.** (*handling*) foregribe (*fx what he was going to say*); komme i forkøbet (*fx a coup attempt; his criticism*); forebygge; **2.** (*person*) komme i forkøbet; **3.** (*ting*) lægge beslag på (på forhånd), okkupere (*fx many tables had been -ed by family parties*); **4.** (*merk.*) erhverve ved forkøbsret; **5.** (*am.: radio-, tv-program*) afbryde og erstatte med et andet.

pre-emption [pri'em(p)ʃn] *sb.* **1.** foregribelse; **2.** (*merk.*) forkøb; forkøbsret; **3.** (*mil.*) se *pre-emptive strike.*

pre-emptive [pri'em(p)tiv] *adj.* **1.** som kommer (nogen) i forkøbet; forebyggende; **2.** (*merk.*) forkøbs- (*fx right*).

pre-emptive bid *sb.* (*i kortspil*) forebyggende melding.

pre-emptive strike *sb.* (*mil.*) forbyggende/præventivt angreb [*som kommer fjenden i forkøbet*].

preen [pri:n] *vb.* **1.** (*om fugl*) pudse sine fjer; **2.** (*om person*) se ndf.: *~ oneself*;
□ *~ oneself* **a.** pynte sig; stadse sig ud; **b.** vigte sig; gøre sig til; knejse med nakken; *~ oneself on* vigte/bryste sig af; gøre sig til af.

pre-existing [pri:ig'zistiŋ] *adj.* tidligere//allerede eksisterende.

prefab ['pri:fæb] *sb.* T = *prefabricated house.*

prefabricated [pri:'fæbrikeitid] *adj.* præfabrikeret.

prefabricated house *sb.* præfabrikeret hus, elementhus.

preface[1] ['prefis] *sb.* **1.** (*til bog*) forord; **2.** (*til tale, begivenhed*) indledning.

preface[2] ['prefis] *vb.* indlede.

prefatory ['prefət(ə)ri] *adj.* indledende.

prefect ['pri:fekt] *sb.* (*om embedsmand el. i skole*) præfekt.

P prefecture

prefecture ['priːfektjuə] *sb.* præfektur.

prefer [pri'fəː] *vb.* foretrække (*to* frem for/for, *fx water to wine*); □ ~ *to* (+ *inf.*) foretrække at; hellere ville (*fx I ~ to stay here*); (se også *charge¹*).

preferable ['pref(ə)rəbl] *adj.*: *it is ~* det er at foretrække (*to* frem for).

preferably ['pref(ə)rəbli] *adv.* fortrinsvis; helst.

preference ['pref(ə)rəns] *sb.* **1.** forkærlighed (*for* for); præference (*fx do you have any ~?*); **2.** (*jur.*) fortrinsret; **3.** (*merk.*) begunstigelse [*fx af en kreditor*]; **4.** (*mht. told*) toldbegunstigelse, præference; □ *which is your ~?* hvilken foretrækker du? *give ~ to* give fortrinsret til, foretrække; *have a ~ for* synes bedst om, foretrække; *in ~ to* hellere end; frem for.

preference share *sb.* præferenceaktie.

preferential [prefə'renʃl] *adj.* **1.** fortrinsberettiget; præference-; **2.** (*om kreditor, fordring*) privilegeret.

preferential position *sb.* fortrinsstilling.

preferential treatment *sb.* særbehandling.

preferment [pri'fəːmənt] *sb.* forfremmelse; avancement.

preferred shares *sb. pl.* præferenceaktier.

prefigure [priː'figə, (*am.*) -'figjər] *vb.* bebude, varsle.

prefix¹ ['priːfiks] *sb.* **1.** (*gram.*) præfiks, forstavelse; **2.** foranstillet titel (*fx Dr Brown; Mrs Smith*); **3.** (*tlf.*) = *dialling code*.

prefix² [priː'fiks] *vb.* sætte foran.

preggers ['pregəz] *adj.* T gravid.

pregnancy ['pregnənsi] *sb.* graviditet, svangerskab.

pregnant ['pregnənt] *adj.* **1.** gravid; **2.** (*om pause etc.*) betydningsfuld, betydningsmættet, megetsigende (*fx silence*);
□ *be six months ~* være seks måneder henne; *be ~ with* **a.** (*jf. 1*) være gravid med, vente (*fx her first child*); **b.** (*jf 2*) være fuld af (*fx possibilities*); være ladet med (*fx threats*).

preheat [priː'hiːt] *vb.* forvarme.

prehensile [pri'hensail] *adj.* (*zo.*) gribe- (*fx tail*).

prehistoric [priː(h)i'stɔrik] *adj.* forhistorisk.

prehistory [priː'histəri] *sb.* **1.** forhistorisk tid; **2.** (*fig.*) forhistorie.

prejudge [priː'dʒʌdʒ] *vb.* F dømme//afgøre på forhånd.

prejudice¹ ['predʒudis] *sb.* **1.** fordom; forudindtagethed; **2.** (*jur.*) skade;
□ *have a ~ against* være forudindtaget imod; *to the ~ of* til skade for; *without ~* (*jur.*) uden præjudice; uden skade (*to* for, *fx his rights*).

prejudice² ['predʒudis] *vb.* **1.** gøre forudindtaget (*against* imod); påvirke negativt; **2.** (*jur.*) skade; forringe.

prejudiced ['predʒudist] *adj.* forudindtaget (*against* imod); fordomsfuld; negativ.

prejudicial [predʒu'diʃ(ə)l] *adj.* skadelig (*to* for).

prelate ['prelət] *sb.* prælat.

preliminaries [pri'lim(i)nəriz] *sb. pl.* **1.** forberedelser; forberedende/indledende skridt; **2.** indledende bemærkninger (*fx after a few polite ~*); **3.** se *prelims*.

preliminary¹ [pri'lim(i)nəri] *sb.* indledning, forberedelse (*to* til); (se også *preliminaries*).

preliminary² [pri'lim(i)nəri] *adj.* indledende (*fx remarks; talks*); forberedende; forhånds- (*fx announcement; approval*); foreløbig (*fx edition; orders*);
□ *be ~ to* forberede; føre frem til; lægge op til.

preliminary examination *sb.* **1.** forprøve; **2.** (*jur.*) forundersøgelsesforhør; efterforskningsforhør.

preliminary investigation (*jur.*) forundersøgelse; indledende efterforskning.

prelims [pri'lims] *sb. pl.* T **1.** (*ved universitet*) forprøve; (*skotsk*) prøveeksamen; **2.** (*i sport*) indledende kampe; indledende runde; **3.** (*typ.*) præliminærsider [ɔ: titelark, forord etc.].

prelude ['preljuːd] *sb.* **1.** indledning, optakt (*to* til, *fx the war*); **2.** (*mus.*) præludium.

premarital [priː'mærit(ə)l] *adj.* førægteskabelig.

premature ['premətʃə, 'priː, -tʃuə, (*am.*) priːmə'tur] *adj.* **1.** for tidlig (*fx death; birth*); **2.** (*neds.*) forhastet (*fx conclusion*); overilet; **3.** (*om barn*) for tidlig født.

premeditated [pri(ː)'mediteitid] *adj.* overlagt (*fx murder*); forsætlig; planlagt.

premeditation [pri(ː)medi'teiʃn] *sb.* overlæg, forsæt.

premenstrual [priː'menstruəl] *adj.* (*med.*) præmenstruel; før menstruationen.

premier¹ ['premiə, (*am.*) pri'mir] *sb.* premierminister; statsminister.

premier² ['premiə, (*am.*) pri'mir] *adj.* fornemst, førende; fremmest.

première¹ ['premiɛə, (*am.*) pri'mir] *sb.* premiere.

première² ['premiɛə, (*am.*) pri'mir] *vb.* **1.** holde premiere på; **2.** have premiere.

premiership ['premiəʃip, (*am.*) pri-'mirʃip] *sb.* **1.** premierministerpost; **2.** premierministertid, regeringsperiode.

premise¹ ['premis] *sb.* (se også *premises*) **1.** antagelse; forudsætning; **2.** (*i logik*) præmis;
□ *start from erroneous -s* gå ud fra gale forudsætninger/præmisser.

premise² [pri'maiz] *vb.* **1.** forudsætte; **2.** (*am.*) indlede;
□ *be -d on* være baseret på; bygge på, hvile på.

premises ['premisiz] *sb. pl.* (*jur.*) ejendom; lokaler/lokale; lokaliteter;
□ *on the -s* på stedet.

premiss ['premis] = *premise¹*.

premium¹ ['priːmiəm] *sb.* **1.** (*tillæg til løn, betaling*) bonus; **2.** (*for vare*) pristillæg; merpris; **3.** (*for værdipapirer*) overkurs; **4.** (*assur.*) præmie; **5.** (*benzin*) se *premium gas*;
□ *at a ~* **a.** stærkt efterspurgt; i høj kurs; højt vurderet; **b.** (*jf. 2*) til overpris; **c.** (*jf. 3*) over pari; til overkurs; *place/put a ~ on* sætte stor pris på; sætte højt.

premium² ['priːmiəm] *adj.* prima- (*fx quality*); luksus- (*fx ice cream*).

premium bond *sb.* præmieobligation.

premium gas *sb.* (*am.*) superbenzin.

premonition [priːmə'niʃn] *sb.* forudfølelse; forudanelse.

prenatal [priː'neit(ə)l] *adj.* (*især am.*) = *antenatal²*.

preoccupation [priɔkju'peiʃn] *sb.* **1.** optagethed (*with* af); **2.** distraktion; åndsfraværelse.

preoccupied [pri'ɔkjupaid] *adj.* **1.** stærkt optaget (*by/with* af); **2.** hensunket i tanker; distræt; åndsfraværende.

preoccupy [pri'ɔkjupai] *vb.* optage; beskæftige.

preordained [priːɔ:'deind] *adj.* forudbestemt.

prep¹ [prep] *sb.* **1.** (*fork. f. preparation: især i kostskole*) lektielæsning; **2.** (*især am.*) = *preparatory school*.

prep² [prep] *vb.* (*am.*) **1.** gøre sig parat; **2.** (*mad*) tilberede; **3.** (*med.: patient*) gøre parat til operation// undersøgelse.

pre-packed [priː'pækt], **prepackaged** [priː'pækidʒd] *adj.* færdigpakket.

prepaid [pri:'peid] *adj.* forudbetalt.

preparation [prepə'reiʃn] *sb.* **1.** forberedelse (*for* til); tilrettelæggelse; **2.** (*af mad*) tilberedning; **3.** (*af noget skriftligt*) udarbejdelse; **4.** (*af båd, skib*) udrustning; **5.** (*kem., med.*) præparat; □ *in* ~ under forberedelse.

preparatory [pri'pærət(ə)ri] *adj.* forberedende; □ ~ *to* som en forberedelse til; inden.

preparatory school *sb.* (privat) forberedelsesskole [*eng.: til public school*; *am.: til universitet*].

prepare [pri'pɛə] *vb.* (se også *prepared*) **1.** forberede (*for* på//til, *fx* ~ *sby for a shock*//*an examination*; ~ *a party*); gøre parat (*fx his room*; *the car*); tilrettelægge; **2.** (*mad*) tilberede, lave; **3.** (*noget skriftligt*) udarbejde (*fx a report*); **4.** (*båd etc.*) klargøre; **5.** (*uden objekt*) forberede sig (*for* på//til, *fx a surprise*//*a journey*); gøre sig parat (*for* til); (*litt.*) berede sig (*for* på//til); □ ~ *one's lessons* læse lektier; ~ *the way for* berede vejen for; ~ *oneself* = 5.

prepared [pri'pɛəd] *adj.* **1.** forberedt (*for* på, *fx the worst*); **2.** parat, rede (*to* til at, *fx help*); □ *be* ~ *to* (også) være villig til at; være indstillet på at; *I'm not* ~ *to* (også) jeg har ikke lyst til at.

preparedness [pri'pɛəridnəs] *sb.* beredskab (*fx military* ~).

prepayment [pri:'peimənt] *sb.* forudbetaling.

preponderance [pri'pɒnd(ə)rəns] *sb.* F overvægt; overmål.

preponderant [pri'pɒnd(ə)rənt] *adj.* F fremtrædende (*fx play a* ~ *role*); overvejende.

preponderate [pri'pɒndəreit] *vb.* dominere; have overvægten; være i overtal.

preposition [prepə'ziʃn] *sb.* (*gram.*) præposition, forholdsord.

prepositional [prepə'ziʃn(ə)l] *adj.* (*gram.*) præpositionel.

prepositional phrase *sb.* præpositionsforbindelse.

prepossessing [pri:pə'zesiŋ] *adj.* tiltalende, vindende.

preposterous [pri'pɒstrəs] *adj.* **1.** urimelig, meningsløs; latterlig (*fx hat*); **2.** absurd, komplet usandsynlig (*fx story*).

preppy [1] ['prepi] *sb.* (*am.*) **1.** [*student fra en dyr preparatory school*]; **2.** (jf. *preppy* [2]) [*en som er preppy*].

preppy [2] ['prepi] *adj.* (*am.*) **1.** (*om*

tøj) klassisk og dyrt; **2.** (*om udseende*) tjekket; **3.** (*om indstilling*) konservativ, konventionel, traditionsbundet.

preprandial [pri:'prændiəl] *adj.* (*spøg.*) før middagen.

preprogram [pri:'prəugræm] *vb.* forprogrammere.

prep school = *preparatory school.*

prepuce ['pri:pju:s] *sb.* (*anat.*) forhud.

prequel ['pri:kwəl] *sb.* [*film*//*fortælling som skildrer hvad der gik forud*]; forgænger.

Pre-Raphaelism [pri:'ræfəlizm] *sb.* præraphaelisme [*en retning i engelsk malerkunst i 19. århundrede*].

Pre-Raphaelite [1] [pri:'ræfəlait] *sb.* præraphaelit.

Pre-Raphaelite [2] [pri:'ræfəlait] *adj.* præraphaelitisk.

pre-recorded [pri:ri'kɔ:did] *adj.* (*film., tv*) optaget i forvejen; forudindspillet, båndet.

prerequisite [pri:'rekwizit] *sb.* F forudsætning, betingelse (*for/to* for).

prerogative [pri'rɒgətiv] *sb.* F prærogativ, forrettighed, privilegium.

Pres. *fork. f. President.*

presage ['presidʒ] *vb.* F være et varsel om (*fx this may* ~ *war*); varsle, bebude.

Presbyterian [1] [prezbi'tiəriən] *sb.* (*rel.*) presbyterianer.

Presbyterian [2] [prezbi'tiəriən] *adj.* (*rel.*) presbyteriansk.

pre-school [1] ['pri:sku:l] *sb.* (*am.*) børnehave.

pre-school [2] [pri:'sku:l] *adj.* førskole-.

prescient ['preʃiənt] *adj.* forudvidende.

prescribe [pri'skraib] *vb.* **1.** foreskrive; forordne, fastsætte; **2.** (*med.*) ordinere.

prescribed [pri'skraibd] *adj.* **1.** foreskreven (*fx in the* ~ *manner*); reglementeret; fastsat (*fx internationally* ~ *standards*); **2.** (*med.*) ordineret; □ ~ *book* obligatorisk lærebog.

prescription [pri'skripʃn] *sb.* **1.** forskrift, forordning; **2.** (*med.*) recept (*for* på); **3.** (*jur.*) hævd; **4.** (*fig.*) opskrift, recept (*for* på, *fx a happy marriage; economic recovery*).

prescription medicine *sb.* receptpligtig medicin.

prescriptive [pri'skriptiv] *adj.* (*jur.*) hævdvunden; □ ~ *right* hævd (*to* på).

presence ['prez(ə)ns] *sb.* **1.** tilstedeværelse; **2.** (*om egenskab*) (anseligt) ydre (*fx stage* ~ *sceneydre*);

(imponerende) fremtræden (*fx a man of (a) noble* ~); **3.** (*i overtro*) overnaturligt væsen; ånd (*fx he felt a* ~ *with him in the room*); □ *have* ~ (jf. *2*, også) have en stærk personlighed, have udstråling; *in his* ~ i hans nærværelse// påsyn//påhør; *in the* ~ *of* **a.** i nærværelse/overværelse af (*fx witnesses*); **b.** over for, ansigt til ansigt med (*fx danger*); *make one's* ~ *felt* gøre sig bemærket; gøre sin indflydelse gældende; ~ *of mind* åndsnærværelse.

presence chamber *sb.* audiensværelse.

present [1] ['prez(ə)nt] *sb.* gave (*fx a birthday* ~); □ *make him a* ~ *of it* forære ham det; *the* ~ **a.** nutiden; vore dage (*fx the play is set in the* ~); **b.** (*gram.*) præsens, nutid (*fx a verb in the* ~); *there is no time like the* ~ [*det er bedst at få det gjort straks*]; [*med præp.*] *at* ~ nu for tiden; for øjeblikket; *by these -s* (jur.) herved; ved nærværende skrivelse; *know all men by these -s* det gøres herved vitterligt; *for the* ~ **a.** for tiden, for øjeblikket; for nu (*fx that is all for the* ~); **b.** foreløbig, indtil videre; *live in the* ~ leve i nuet.

present [2] ['prez(ə)nt] *adj.* **1.** tilstedeværende (*fx the minister* ~ den tilstedeværende minister); **2.** (*foran sb.*) nuværende (*fx the* ~ *government*; *the* ~ *minister*); foreliggende (*fx the* ~ *case*); (*om periode*) indeværende (*fx the* ~ *month* indeværende måned); □ *those* ~ de tilstedeværende; *be* ~ være til stede; *be* ~ *at* være til stede ved, overvære; *be* ~ *to one's mind* stå lyslevende for en; [*med sb.*] ~ *company always excepted* de tilstedeværende er selvfølgelig undtaget; *at the* ~ *time* for tiden; *the* ~ *writer* F den der skriver disse linjer; nærværende forfatter.

present [3] [pri'zent] *vb.* **1.** forære, skænke (*fx* ~ *a book to him*); **2.** (*officielt; formelt*) overrække (*fx prizes; a petition to the governor*); F overbringe (*fx greetings; compliments*); sende (*fx one's apologies*); **3.** (*til behandling, godkendelse etc.*) fremlægge (*fx information; three options*); forelægge (*to for, fx a report*//*plan to the committee; a case* en sag); fremstile; præsentere (*fx a bill*); vise (*fx one's passport*); **4.** (*person*) forestille, præsentere (*to for, fx he -ed his*

wife to me; be -ed at Court);
5. *(for betragteren, deltageren etc.)* frembyde *(fx they -ed a curious sight; an affair that -s some difficulties);* udgøre *(fx a problem; a challenge);* **6.** *(teaterstykke)* præsentere; sætte op; opføre;
7. *(radio., tv: udsendelse)* være studievært/programvært for;
8. *(præst)* indstille *(to a benefice* til et embede);
□ *the treasurer -ed the accounts* kassereren fremlagde regnskabet/aflagde regnskab; ~ *arms!* præsenter gevær!;
~ *itself* vise sig, frembyde sig *(fx if an opportunity -s itself);* ~ *oneself* **a.** vise sig; indfinde sig;
b. indstille sig *(for til, fx an examination);* **c.** fremstille sig *(as* som, *fx an honest man);* ~ *sby* **with** *sth* **a.** forære/skænke en noget *(fx* ~ *him with a book);*
b. præsentere en for noget, stille en over for noget *(fx* ~ *him with a problem).*

presentable [pri'zentəbl] *adj.*
1. *(om person)* præsentabel;
2. *(om ting)* anstændig, rimelig, tilfredsstillende.

presentation [prezen'teiʃn] *sb.* (cf. *present[3])* **1.** foræring, gave; hædersgave; **2.** overrækkelse *(fx of prizes);* overlevering; overbringelse; **3.** fremlæggelse, forelæggelse, præsentation; forevisning *(fx of identity documents);* **4.** *(om måden noget fremlægges på)* præsentation, fremstilling; **5.** *(af person)* præsentation *(fx at Court);*
6. *(af teaterstykke)* opsætning; opførelse; **7.** *(med.)* fosterstilling;
□ *on* ~ ved forevisning/præsentation.

presentation copy *sb.* **1.** *(fra forlag)* frieksemplar; **2.** *(fra forfatter)* dedikationseksemplar.

present-day *adj.* nutidens *(fx* ~ *technological developments);* moderne, nutidig.

presenter [pri'zentə] *sb. (radio., tv)* studievært, programvært.

presentiment [pri'zentimənt] *sb.* forudfølelse, forudanelse.

presently ['prez(ə)ntli] *adv.* **1.** *(nutidigt)* for tiden, for øjeblikket *(fx he is* ~ *out of the country);*
2. *(fremtidigt)* snart, om lidt *(fx he will be here* ~); **3.** *(fortidigt)* lidt efter *(fx he came* ~).

presentment [pri'zentmənt] *sb.*
1. fremstilling; fremførelse;
2. *(merk.)* præsentation *(fx of a bill);* forevisning; **3.** *(am. jur.)* [anklageskrift udfærdiget af grand jury].

present participle *sb.* (gram.) præsens participium, nutids tillægsform.

present perfect *sb.* (gram.) perfektum, førnutid.

preservation [prezə'veiʃn] *sb.* (cf. *preserve[2])* **1.** bevarelse; sikring, opretholdelse; **2.** *(af træværk)* beskyttelse; **3.** *(af natur, vildt)* fredning; **4.** *(af museumsgenstande, gamle bøger etc.)* konservering;
5. *(af madvarer)* konservering; præservering; syltning; henkogning;
□ *in a good state of* ~ i velbevaret stand.

preservationist [prezə'veiʃnist] *sb.* fredningsforkæmper.

preservation order *sb.* fredningsdeklaration.

preservative [pri'zə:vətiv] *sb.*
1. konserveringsmiddel; **2.** *(til træ)* træbeskyttelsesmiddel.

preserve[1] [pri'zə:v] *sb.* **1.** *(mad)* syltet frugt; syltetøj, marmelade;
2. *(persons)* (særligt//privat) område *(fx he regards that room as his* ~); domæne; interessefære;
3. *(til privat jagt, fiskeri)* vildtpark, jagtdistrikt; fiskedam;
4. *(især am.: til dyrebeskyttelse)* reservat; naturreservat;
□ *-s* **a.** syltetøj; **b.** enemærker; *poach on his -s* (fig.) trænge ind på hans enemærker; gå ham i bedene.

preserve[2] [pri'zə:v] *vb.* **1.** bevare *(fx world peace; the memory of him; old customs; old buildings);* sikre, opretholde *(fx world peace);* (se også *well-preserved);* **2.** *(træværk)* beskytte; **3.** *(natur, vildt)* bevare, frede; **4.** *(museumsgenstande, gamle bøger etc.)* konservere; **5.** *(madvarer)* konservere; præservere, sylte; henkoge;
□ ~ *from* sikre mod; beskytte mod.

preset[1] [pri:'set] *sb.* **1.** fast indstilling; **2.** *(radio.)* forudindstillet station.

preset[2] [pri:'set] *adj.* forudindstillet; fast indstillet.

preset[3] [pri:'set] *vb.* forudindstille.

pre-shrunk [pri:'ʃrʌŋk] *adj.* krympefri.

preside [pri'zaid] *vb.* føre forsædet; præsidere;
□ ~ *at* se ndf.: ~ *over a);* ~ *over* **a.** føre forsædet ved *(fx a dinner);* lede *(fx a meeting);* **b.** være overhoved for *(fx the family);* lede *(fx a business);* **c.** *(begivenhed man som leder ikke har indflydelse på)* være vidne til *(fx the dissolution of the Empire);* ~ *over the meet-*

ing (også) være dirigent, være ordstyrer; føre forsædet; ~ *over the court (jur.)* beklæde dommersædet; pådømme sagen.

presidency ['prezid(ə)nsi] *sb.*
1. præsidentembede; **2.** præsidenttid, præsidentperiode.

president ['prezid(ə)nt] *sb.* **1.** præsident; **2.** *(for forening)* formand;
3. *(am. merk.)* direktør; **4.** *(for college; am.: for universitet,)* rektor;
5. *(ved møde)* dirigent.

president-elect [prezid(ə)nti'lekt] *sb.* kommende præsident//direktør.

presidential [prezi'denʃ(ə)l] *adj.* (jf. *president)* **1.** præsident- *(fx candidate; election);* **2.** formands-;
3. direktør-; **4.** rektor-.

press[1] [pres] *sb.* **1.** *(maskine)* presse; **2.** *(typ.)* bogtrykkerpresse; *(foretagende)* trykkeri; forlag;
3. *(aviser etc.; journalister; presseomtale)* presse *(fx I read it in today's* ~; *he got a good* ~); **4.** *(møbel: især irsk, skotsk; især glds.)* stort skab; linnedskab; bogskab;
5. (cf. *press[2])* tryk; pres; **6.** *(af mennesker etc.)* trængsel;
□ *go to* ~ (jf. *2)* gå i trykken;
the ~ (jf. *3)* pressen; *freedom/liberty of the* ~ pressefrihed; trykkefrihed;
a ~ **a.** et tryk *(fx give the button a* ~); **b.** *(om tøj)* en presning *(fx give the shirt a* ~; *the trousers need a* ~).

press[2] [pres] *vb.* (se også *pressed)*
1. presse, trykke *(fx one's nose against a window);* **2.** *(for saft; for at gøre flad; kopiere (plade))* presse *(fx grapes; olives; flowers; clothes; CDs);* **3.** *(med fingre, hånd)* trykke på *(fx a button);* trykke *(fx the clothes into the suitcase; he -ed my hand warmly);* *(stærkere)* knuge *(fx his hand; his arm);* **4.** (fig.) presse *(fx the enemy -ed them hard);* trænge ind på *(fx* ~ *him to make him confess);* gå på klingen; **5.** *(krav etc.)* presse 'på med; (se også ndf.: *med sb.);* **6.** *(uden objekt: om mennesker)* trænges; trænge sig, mase *(fx through the door);*
□ *[med sb.]* ~ *an advantage* udnytte en fordel; ~ *the point* gå ham//dem *etc.* på klingen; (se også *charge[1], flesh[1], question[1]);*
[med adv.& præp.] ~ *down the accelerator* træde på speederen; ~ *ahead* **a.** mase 'på; **b.** se ndf.: ~ *forward;* ~ *for* presse 'på for at få *(fx a decision; changes);* forlange indtrængende; ~ *for payment* rykke (for betaling); ~ *sby for*

lægge pres på en for at få (*fx ~ him for a decision*); ~ **forward** skynde sig fremad//videre; mase 'på; holde ud; ~ **home** se *home*⁴; ~ **into** presse/tvinge til (*fx marriage*); ~ *into service* bruge som en foreløbig løsning; ~ **on a.** = ~ *forward*; **b.** trykke på; tynge (*fx these taxes ~ very heavily on us*); ~ *sth on sby* pånøde en noget; ~ *on regardless* mase på uden hensyn til noget som helst/uden at se til højre eller venstre; ~ *sby* **to** *do sth* presse/tvinge/nøde en til at gøre noget.

press agent *sb.* pressesekretær.

press box *sb.* presseloge.

press cutting *sb.* avisudklip.

pressed [prest] *adj.* presset; □ *be ~ for* mangle (*fx money; time*); *I am ~ for money* (*også*) jeg har dårlig råd; *I am ~ for time* (*også*) jeg har dårlig tid; min tid er knap; *he was ~ to* det kneb for ham at (*fx get there in time*).

press gallery *sb.* presseloge.

press gang *sb.* (*glds.*) preskommando [*som tvang matroser til at gøre tjeneste i krigsflåden*].

press-gang ['presgæŋ] *vb.* tvangsudskrive; tvangsrekruttere; □ ~ *sby into* + -*ing* presse/tvinge en til at.

pressie ['prezi] *sb.* T gave.

pressing¹ ['presiŋ] *sb.* **1.** pressen; nøden (*fx he needed little ~*); **2.** (*af plade*) eksemplar; oplag.

pressing² ['presiŋ] *adj.* **1.** presserende (*fx problem; the matter is ~*); overhængende (*fx danger*); **2.** (*om indbydelse*) indtrængende.

pressman ['presmən] *sb.* (*pl. -men* [-mən]) **1.** journalist; bladmand; **2.** trykker.

press release *sb.* pressemeddelelse.

press stud *sb.* trykknap [*i tøj*].

press-up ['presʌp] *sb.* armbøjning, armstrækning [*med ansigtet mod gulvet*]; (*gymn.*) fremliggende krophævning.

pressure¹ ['preʃə] *sb.* **1.** pres (*on* på); tryk; **2.** (*fys.*) tryk; □ ~ *of work* travlhed; *work at high ~* arbejde for fuldt tryk.

pressure² ['preʃə] *vb.* (*især am.*) presse, tvinge (*into* + -*ing/to* til at).

pressure cooker *sb.* trykkoger.

pressure group *sb.* pressionsgruppe.

pressure suit *sb.* trykdragt; rumdragt.

pressurize ['preʃəraiz] *vb.* **1.** presse, tvinge (*into* + -*ing/to* til at); **2.** (*tekn.*) sætte under tryk.

pressurized ['preʃəraizd] *adj.* **1.** (*flyv.*) [*hvori der hersker samme tryk som på jorden*]; **2.** (*om beholder*) tryk-; □ ~ *cabin* trykkabine; ~ *suit* trykdragt.

prestidigitation [prestididʒi'teiʃn] *sb.* F taskenspilleri.

prestidigitator [presti'didʒiteitə] *sb.* F taskenspiller.

prestige [pre'sti:ʒ] *sb.* prestige, anseelse.

prestigious [pre'stidʒəs] *adj.* **1.** som giver prestige, prestigefyldt; **2.** som har prestige, højt anset, fin.

pre-stressed ['pri:strest] *adj.* forspændt (*fx concrete* beton).

presumably [pri'z(j)u:məbli] *adv.* antagelig, formentlig, formodentlig.

presume [pri'z(j)u:m] *vb.* **1.** antage; formode (*fx Dr Livingstone, I ~*); **2.** (F: *om teori*) forudsætte (*fx the argument -s that somebody is able to do it*); **3.** (*neds. om adfærd*) gå for vidt; tage sig friheder; □ ~ *on* trække for store veksler på; misbruge (*fx his good nature*); ~ *to* vove at, tillade sig at, driste sig til at (*fx criticize her*); *he is -d to be dead* han antages at være død; ~ *him to be married* antage/gå ud fra at han er gift.

presumption [pri'zʌm(p)ʃn] *sb.* (jf. *presume*) **1.** antagelse, formodning; **2.** forudsætning; **3.** anmasselse, formastelighed; dristighed, arrogance; **4.** (*jur.*) formodning; □ *the ~ is that* det må formodes at; *there is a strong ~ against it* det er lidet sandsynligt.

presumptive [pri'zʌm(p)tiv] *adj.* F formodet; sandsynlig; (se også *heir presumptive*).

presumptive evidence *sb.* (*jur.*) sandsynlighedsbevis.

presumptuous [pri'zʌm(p)tʃuəs] *adj.* anmassende, formastelig; arrogant.

presuppose [pri:sə'pəuz] *vb.* forudsætte.

presupposition [pri:sʌpə'ziʃn] *sb.* forudsætning.

pretax [pri:'tæks] *adj.* før skat.

preteen¹ [pri:'ti:n] *sb.* [*barn mellem 9 og 13 år*].

preteen² [pri:'ti:n] *adj.* [*mellem 9 og 13 år*].

pretence [pri'tens] *sb.* **1.** foregivende; **2.** prætentioner (*fx a man without ~*); □ *on/under false -s* under falsk foregivende; under falske forudsætninger; *on/under (the) ~ of* under foregivende af; *make a ~ of* fore-

give; *I make no ~ to originality* jeg prætenderer ikke/gør ikke fordring på at være original; jeg vil ikke påstå at jeg er original.

pretend [pri'tend] *vb.* (se også *pretended*) **1.** foregive; lade som om (*fx I -ed that I was asleep*); **2.** (+ *sb.*) simulere, foregive (*fx deafness; a greater interest than one has*); **3.** (*om børn*) lege (*fx let's ~ we are kings and queens*); □ *we are only -ing* **a.** vi lader bare som om; **b.** (*om børn*) det er bare noget vi leger; *I do not ~ that* jeg vil ikke påstå at (*fx I can explain everything*); *I do not ~ to* F (+ *sb.*) jeg gør ikke fordring på/prætenderer ikke at have, jeg vil ikke påstå at jeg har (*fx a detailed knowledge of the subject*); ~ *to be* **a.** foregive at være (*fx interested*); lade som om man er; **b.** gøre fordring på at være, prætendere at være (*fx an expert*).

pretended [pri'tendid] *adj.* foregiven; falsk.

pretender [pri'tendə] *sb.* prætendent; □ ~ *to the throne* tronprætendent.

pretense (*am.*) = *pretence*.

pretensions [pri'tenʃnz] *sb. pl.* **1.** krav, fordring (*to* på); **2.** prætentioner (*to* om).

pretentious [pri'tenʃəs] *adj.* prætentiøs, indbildsk.

preterite ['pret(ə)rit] *sb.* (*gram.*) præteritum, datid.

preternatural [pri:tə'nætʃ(ə)r(ə)l] *adj.* overnaturlig; unaturlig.

pretext ['pri:tekst] *sb.* påskud (*for* til); □ *on/under the ~ of* under påskud af.

prettify ['pritifai] *vb.* (*neds.*) pynte på, pifte op.

pretty¹ ['priti] *adj.* **1.** (*om pige*) køn; **2.** (*om sted, ting*) pæn, nydelig (*fx hat; garden*); **3.** (*glds., iron.*) køn, nydelig (*fx state of affairs*); □ *be (as) ~ as a picture* se dejlig ud; [*med sb.*] *things have come to a ~ pass* (*glds.*) det er virkelig for galt; det er en køn redelighed; *it will cost a ~ penny* (*glds.*) det kommer til at koste en net sum penge; *not a ~ sight* ikke noget kønt syn; *a ~ while* temmelig længe.

pretty² ['priti] *vb.*: ~ *up* (*neds.*) pynte på; pifte op.

pretty³ ['priti] *adv.* temmelig; □ ~ *much* næsten, omtrent (*fx ~ much the same*); *be sitting ~* T være ovenpå; ligge lunt i svinget; ~ *well* **a.** temmelig godt; **b.** næ-

sten (*fx we have ~ well finished*).
pretty-pretty ['pritipriti] *adj.*
(*neds.*) sødladen; „øndig“; dukke-
agtig;
□ *a ~ face* et dukkeansigt.
pretzel ['prets(ə)l] *sb.* saltkringle,
saltstang.
prevail [pri'veil] *vb.* **F 1.** sejre (*fx
justice//common sense will ~*); få
overhånd; **2.** (*om indstilling, for-
hold*) være fremherskende; være
almindelig, være udbredt (*fx the
custom still -s in remote parts of
the country*);
□ *~ on sby to* formå/bevæge/over-
tale en til at; *~ over* sejre over.
prevailing [pri'veiliŋ] *adj.* fremher-
skende (*fx wind*); herskende (*fx
circumstances*); almindelig (*fx
mood*).
prevalence ['prevələns] *sb.* udbre-
delse; almindelig forekomst.
prevalent ['prevələnt] *adj.* her-
skende, fremherskende; alminde-
lig (udbredt), gængs.
prevaricate [pri'værikeit] *vb.*
komme med udflugter; svare und-
vigende.
prevarication [priværi'keiʃn] *sb.*
undvigende svar; udflugter.
prevaricator [pri'værikeitə] *sb.* en
som kommer med udflugter.
prevent [pri'vent] *vb.* **1.** forhindre,
hindre; afværge (*fx an accident; a
crisis*); **2.** (*især med.*) forebygge;
□ *~ him (from) doing it* forhindre
ham i at gøre det; *there is nothing
to ~ it* det er der intet i vejen for.
preventable [pri'ventəbl] *adj.* som
kan forhindres//forebygges.
preventative [pri'ventətiv] = *pre-
ventive.*
preventer [pri'ventə] *sb.* (*mar.*)
hjælpetov.
prevention [pri'venʃn] *sb.* **1.** for-
hindring; **2.** (*især med.*) forebyg-
gelse; bekæmpelse;
□ *~ is better than cure* det er bed-
re at forebygge end at helbrede.
preventive [pri'ventiv] *adj.* **1.** hin-
drende; **2.** (*især med.*) forebyg-
gende (*fx measures; medicine*).
preventive detention *sb.* sikker-
hedsforvaring, internering.
preview ['pri:vju:] *sb.* **1.** (*mht. ma-
leriudstilling*) fernisering;
2. (*film., teat.*) forpremiere;
3. (*am.*) trailer [*for kommende
film, udsendelse*].
previous ['pri:viəs] *adj.* **1.** tidligere
(*fx a ~ marriage; in ~ years*); for-
udgående; **2.** (*umiddelbart før*) fo-
regående (*fx the ~ evening//day*);
3. T overilet; forhastet;
□ *~ to* før; *be too ~* T være lidt
for rask på den; (se også *engage-*

ment).
previously ['pri:viəsli] *adv.* før, tid-
ligere.
prevision [pri'viʒn] *sb.* forudseen-
hed; forudanelse.
prewar [pri:'wɔ:] *adj.* førkrigs-; før
krigen.
prexy ['preksi] *sb.* (*am.* S) rektor.
prey¹ [prei] *sb.* **1.** (*rovdyrs*) bytte;
2. (*svindler, røvers*) offer, bytte (*fx
he was an easy ~*);
□ *beast of ~* rovdyr; *bird of ~* rov-
fugl; *be a ~ to* a. være et bytte
for; **b.** (*om følelse*) være grebet af
(*fx despair, fear*); være bytte for
(*fx conflicting emotions*); *fall ~ to*
a. blive offer for (*fx his revenge*);
b. blive grebet af (*fx extreme ter-
ror*); *fall an easy ~ to* blive et let
bytte for.
prey² [prei] *vb.*: *~ on* **a.** (*om rov-
dyr*) jage, leve af; **b.** (*om svindler
etc.*) udnytte, snylte på; **c.** (*om rø-
ver*) angribe, plyndre; **d.** (*om fø-
lelse*) = *~ on one's mind*; *~ on
one's mind* tynge en, nage en.
prezzie ['prezi] *sb.* T gave.
price¹ [prais] *sb.* **1.** pris (*of* på, *fx
the ~ of oil; for* for, *fx they paid a
high ~ for their freedom*);
2. (*merk., for papirer*) kurs;
3. (*ved væddeløb*) odds;
□ *every man has his ~* ethvert
menneske kan købes; *I haven't
even got the ~ of a meal* jeg har
ikke engang til et måltid mad; *put
a ~ on* **a.** angive prisen for;
b. (*fig.*) gøre værdien af ... op i
penge (*fx you cannot put a ~ on
their loyalty*); *what ~ ...?* T **a.** er
der nogen chance for ...? **b.** hvad
var omkostningerne ved ...?
c. hvad er ... værd? *what ~ his
theories now?* hvad siger du nu til
hans teorier?
[*med præp.*] *at a ~* med store om-
kostninger; *you can get it, but at a
~ ...* men det koster noget; ... men
det er dyrt; *at any ~* for enhver
pris; koste hvad det vil; *not at
any ~* ikke for nogen pris; *at a
high ~* til en høj pris; *at the ~ of*
for/til en pris af; *beyond ~* uvur-
derlig; *he sold it for a good ~* han
solgte den til en god pris; *without
~* uvurderlig.
price² [prais] *vb.* **1.** bestemme pri-
sen på, fastsætte prisen for; pris-
sætte; **2.** prismærke (*fx everything
is -d*);
□ *~ oneself out of the market* øde-
lægge salget ved at forlange for
høje priser.
price fixing *sb.* (*merk.*) (ulovlig)
prisaftale.
priceless ['praisləs] *adj.* uvurder-

lig.
price range *sb.* (*merk.*) prisklasse.
price ring *sb.* (*merk.*) priskartel.
price tag *sb.* **1.** prismærke; **2.** (*fig.*)
pris.
pricey ['praisi] *adj.* T dyr.
prick¹ [prik] *sb.* **1.** stik; prik;
2. (*vulg.*) pik; **3.** (*vulg.:* om per-
son) skiderik, dum skid;
□ *a ~ of conscience* et stik af dår-
lig samvittighed; *kick against the
-s* stampe imod brodden.
prick² [prik] *vb.* **1.** stikke (*fx the
thorns -ed me*); prikke (*fx holes in
sth*); **2.** stikke hul i//på (*fx the
skin of the potatoes; a blister*);
punktere (*fx a balloon; a blister*);
3. (*legemsdel*) stikke sig i (*fx ~
one's finger with a needle*);
□ *my toe is -ing* det stikker i min
tå; *it -ed the bubble* det fik boblen
til at briste; *it -ed his conscience*
det pirkede til hans samvittighed;
han fik samvittighedsnag;
[*med adv.*] *~ off* **a.** sætte mærke
ved; **b.** måle [*med passer på et
kort*]; **c.** = *~ out;* **~ out** (*i gartneri*)
prikle ud (*fx young plants*); *~ up
one's ears* spidse ører.
pricker ['prikə] *sb.* **1.** syl; **2.** (*mar.*)
pren.
prickle¹ ['prikl] *sb.* **1.** (*på plante*)
(lille) torn, pig; barktorn; **2.** (jf.
prickle²) stikken/prikken i huden.
prickle² ['prikl] *vb.* **1.** have en stik-
kende fornemmelse; **2.** give en
stikkende fornemmelse; stikke (*fx
the sweater is prickling me*);
□ *the skin -s* det prikker i huden.
prickly ['prikli] *adj.* **1.** (*om plante*)
tornet; pigget; **2.** (*om fornemmelse
i huden*) stikkende (*fx woollen
sweater*); prikkende (*fx feeling*);
3. (*fig.*) vanskelig, kilden (*fx ques-
tion*); **4.** (*om person*) prikken.
prickly heat *sb.* hedeknopper.
prickly pear *sb.* (*bot.*) figenkaktus.
prick-tease ['prikti:z], **prick teaser**
['prikti:zə] *sb.* (*vulg.*) narrefisse.
pricy ['praisi] *adj.* T dyr.
pride¹ [praid] *sb.* **1.** stolthed (*in*
over); **2.** (*neds.*) hovmod; **3.** (*af lø-
ver*) flok;
□ *~ goes before a fall* hovmod står
for fald; *pocket/swallow one's ~*
glemme sin stolthed; bide i det
sure æble; *take ~ in* være stolt af
(*fx one's work*); *take (a) ~ in +
-ing* sætte en ære i at (*fx doing
one's work well*); *take the ~ of
place* indtage hæderspladsen.
pride² [praid] *vb.*: *~ oneself on//
that* være stolt af//af at; rose sig
af//af at.
prideful ['praidf(u)l] *adj.* **1.** stolt;
2. opstemt, munter.

priest [pri:st] *sb.* **1.** præst; **2.** (*til fiskeri*) priest [*lille kølle*].

priestess ['pri:stəs] *sb.* præstinde.

priesthood ['pri:sthud] *sb.* **1.** præsteembede; **2.** (*om præster generelt*) præsteskab, gejstlighed.

priestly ['pri:stli] *adj.* præstelig.

prig [prig] *sb.* pedant; farisæer.

priggish ['prigiʃ] *adj.* pedantisk; farisærisk, selvgod.

prim[1] [prim] *adj.* **1.** (*om person*) sippet, snerpet, stram; **2.** (*om ting*) pæn, sirlig.

prim[2] [prim] *vb.*: ~ up one's lips/ mouth snerpe munden sammen.

primacy ['praiməsi] *sb.* **F 1.** forrang; førsteplads; **2.** overlegenhed (*over* over).

prima donna [pri:mə'dɔnə] *sb.* primadonna.

primaeval *adj.* se *primeval*.

prima facie [praimə'feiʃi, -ʃi:] *adv.* (F *el. jur.*) ved første øjekast, ved en umiddelbar betragtning; som udgangspunkt, principielt.

prima facie case *sb.* oplagt sag.

prima facie evidence *sb.* bevis som umiddelbart forkommer overbevisende.

primal ['praim(ə)l] *adj.* **1.** oprindelig; først; **2.** (*psyk.*) primal- (*fx* scene; scream; therapy).

primarily [prai'merəli, 'praim(ə)r (ə)li] *adv.* primært, først og fremmest.

primary[1] ['praim(ə)ri] *sb.* **1.** (*am.*) primærvalg, opstillingsvalg; forberedende valgmøde; **2.** = primary school.

primary[2] ['praim(ə)ri] *adj.* **1.** vigtigst (*fx our* ~ concern); størst (*fx of* ~ importance; the ~ responsibility); hoved- (*fx* purpose); **2.** (*mht. tid*) primær, først; oprindelig, grund- (*fx meaning* betydning); **3.** (*om skole, undervisning*) elementær; grundskole- (*fx* teacher).

primary colour *sb. pl.* primærfarve, grundfarve.

primary education *sb.* grundskoleundervisning [*i England: 5-11 årsalderen*].

primary school *sb.* grundskole; underskole [*eng. 5-11 årsalderen*].

primate ['praim(e)it] *sb.* **1.** (*zo.*) primat [ɔ: aber og mennesker]; **2.** (*rel.*) primas; ærkebiskop; □ Primate of all England [*ærkebiskoppen af Canterbury*]; Primate of England [*ærkebiskoppen af York*].

prime[1] [praim] *sb.* **1.** bedste alder; velmagtsdage; **2.** (*mat.*) primtal; **3.** (*rel., mus. etc.*) prim; □ in one's ~ i sin bedste alder; i sine velmagtsdage; på sit højeste,

på toppen (*fx a dancer in her* ~); past one's ~ ude over sin bedste alder; på retur; the ~ of life den bedste alder; in the ~ of life i sin bedste alder.

prime[2] [praim] *adj.* **1.** hoved-, vigtigst (*fx cause; suspect*); **2.** (*om kvalitet*) førsteklasses, prima (*fx cuts of meat*); **3.** (*om forventning*) mest nærliggende, oplagt (*fx candidate; target*); □ a ~ example of et glimrende/klassisk/typisk eksempel på.

prime[3] [praim] *vb.* **1.** (*person: med oplysninger*) instruere, præparere, briefe (*fx they -d him before the press conference*); **2.** (*flade: med maling*) grunde; grundmale; **3.** (*motor*) snapse; tippe; **4.** (*bombe, mine*) forsyne med tændladning, armere; **5.** (*skydevåben*) lade; □ ~ a pump spæde en pumpe; ~ the pump (*fig.*) få gang i foretagendet.

prime cost *sb.* (*merk.*) produktionsomkostninger, fremstillingspris.

prime minister *sb.* premierminister.

prime mover *sb.* **1.** (*person*) primus motor; drivkraft; **2.** (*tekn.*) kraftkilde; kraftmaskine; (*til at trække*) traktor.

prime number *sb.* primtal.

primer ['praimə] *sb.* **1.** (*ved maling*) grunding; grundingsfarve; **2.** (*til undervisning*) begynderbog (*fx Latin Primer*); **3.** (*mil.*) fænghætte; tændrør; sprængkapsel; **4.** (*til motor*) snapsepumpe.

prime rate *sb.* (*am.: banks*) minimumsudlånsrente [*til 1. klasses kunder*].

prime rib *sb.* højrebssteg.

prime time *sb.* (*tv, radio.*) den bedste sendetid.

primeval [prai'mi:v(ə)l] *adj.* **1.** oprindelig; ur- (*fx forest; nebula*); **2.** (*om følelse*) instinktiv (*fx desire*).

primitive ['primitiv] *adj.* primitiv (*fx society; instinct; method; conditions*); (*mht. udvikling også*) ur- (*fx Germanic*); oprindelig; □ the Primitive Church oldkirken.

primogeniture [praiməu'dʒenitʃə] *sb.*: right of ~ førstefødselsret [ɔ: at den førstefødte søn arver alt].

primordial [prai'mɔ:diəl] *adj.* F oprindelig; ur-.

primp [primp] *vb.* pynte (sig); nette (sig); □ ~ one's hair rette på håret.

primrose ['primrəuz] *sb.* (*bot.*) kodriver, primula.

□ the ~ path (*fig.*) den brede vej.

primus® ['praiməs] *sb.* primus, primusapparat.

prince [prins] *sb.* **1.** prins; **2.** (*om hersker & som adelstitel*) fyrste.

Prince Charming *sb.* (T: *spøg.*) eventyrprins.

prince consort *sb.* prinsgemal.

princedom ['prinsdəm] *sb.* fyrstendømme.

princely ['prinsli] *adj.* (*også iron.*) fyrstelig.

prince royal *sb.* kronprins.

princess [prin'ses, (*foran navn og am.*) 'prinses] *sb.* **1.** prinsesse; **2.** fyrstinde.

Princess Royal *sb.* [*titel for den engelske monarks ældste datter*].

Princeton ['prinstən] [*berømt universitet i USA*].

principal[1] ['prinsəp(ə)l] *sb.* **1.** (*i firma*) arbejdsgiver; chef; **2.** (*ved skole etc.*) forstander; bestyrer; rektor; **3.** (*embedsmand, omtr.*) kontorchef; **4.** (*teat.*) hovedperson; hovedkraft; **5.** (*jur.*) fuldmagtsgiver; mandant; **6.** (*ved forbrydelse: mods. meddelagtig*) hovedmand; gerningsmand; **7.** (*om pengesum: mods. renter*) kapital; (*af lån*) hovedstol; **8.** (*mus.: i fuga*) hovedtema; (*i orgel*) principal.

principal[2] ['prinsəp(ə)l] *adj.* **1.** vigtigst; hoved- (*fx character* person); **2.** (*mus.: i orkesters instrumentgruppe*) første- (*fx trumpet; violin*).

principality [prinsə'pælɔti] *sb.* fyrstendømme; □ the Principality Wales.

principally ['prinsəp(ə)li] *adv.* hovedsagelig; især.

principal parts *sb. pl.* (*gram.: om verbum*) hovedtider.

principle ['prinsəpl] *sb.* **1.** princip, grundsætning; **2.** (*kem.*) bestanddel (*fx the bitter* ~ in quinine); □ in ~ principielt, i princippet; teoretisk; a man of ~ en mand med principper; en principfast mand; on ~ principielt, af princip, af principielle grunde; (se også act[2] (on)).

principled ['prinsəpld] *adj.* F **1.** (*om person*) principfast; **2.** (*om holdning etc.*) baseret på principper; principiel (*fx debate; stand*); **3.** (*i sms.*) med ... principper (*fx high-principled*).

print[1] [print] *sb.* **1.** (*typ.*) tryk (*fx large* ~); **2.** (*billede*) reproduktion; (kobber)stik; **3.** (*foto.*) billede, fotografi; kopi; **4.** (*film.*) kopi; **5.** (*tekstil*) bomuldsstof med påtrykt mønster; (*på tekstil*) på-

P print

trykt mønster; **6.** (*som er efterladt*) mærke, aftryk (*fx paw -s*); spor (*fx -s of a squirrel*); fodspor; **7.** T = *fingerprint¹* 1; □ *the -s* T aviserne; *read the fine/small* ~ **a.** læse det der er trykt med småt; **b.** (*fig.*) nærlæse teksten; granske teksten nøje; [*med præp.*] *in* ~ på tryk; *the book is still in* ~ bogen kan stadig købes; *rush into* ~ skynde sig at få noget trykt//udgivet; *out of* ~ udsolgt fra forlaget.

print² [print] *vb.* **1.** (*typ.*) trykke; **2.** (*materiale*) lade trykke; offentliggøre; **3.** (*i avis*) bringe (*fx the article was -ed in the first edition*); **4.** (*med hånden*) skrive med blokbogstaver (*fx please ~*); **5.** (*foto.*) kopiere; **6.** (*it*) printe; (*uden objekt*) blive printet (*fx my letter hasn't -ed yet*); □ ~ *off* **a.** trykke (*fx 200 copies*); **b.** (*foto.*) kopiere; lave aftryk af; *it remains -ed on my memory* det står præget i min erindring; ~ *out* (*it*) printe ud.

printed ['printid] *adj.* trykt (*fx the ~ word*).

printed circuit *sb.* trykt kredsløb; printplade.

printed matter *sb.* trykt materiale; tryksager.

printer ['printə] *sb.* **1.** trykker; bogtrykker; **2.** (*it*) printer.

printer's error *sb.* trykfejl.

printer's ink = *printing ink*.

printer's mark *sb.* bogtrykkermærke, bomærke.

printer's pie *sb.* (*typ.*) (svibel)fisk [ɔ: ødelagt sats].

printing ['printiŋ] *sb.* **1.** (*typ.*) trykning; **2.** (*af bog*) oplag (*fx second ~*); **3.** (*foto.*) kopiering.

printing ink *sb.* tryksværte; (*typ.*) trykfarve.

printing office *sb.* bogtrykkeri; officin.

printing press *sb.* trykkemaskine, trykpresse.

printing works = *printing office*.

print media *sb.* trykte medier.

printout ['printaut] *sb.* (*it*) udskrift, print.

print run *sb.* oplag (*of* på, *fx 10,000*).

prior¹ ['praiə] *sb.* (*rel.*) prior, klosterforstander.

prior² ['praiə] *adj.* **1.** tidligere; forudgående; **2.** F vigtigere; □ ~ *to* førend; *he denied ~ knowledge of it* han nægtede at have vidst det på forhånd; (se også *engagement*).

prioress ['praiərəs] *sb.* (*rel.*) priorinde.

prioritize [prai'ɔritaiz] *vb.* **1.** prioritere; **2.** (*om noget særlig vigtigt*) opprioritere.

priority [prai'ɔrəti] *sb.* **1.** prioritet; **2.** førsteprioritet (*fx their ~ is to finish the project*); □ *it is a* ~ det er vigtigt; det står højt oppe på listen; *it is a first/top* ~ det har højeste prioritet; det står øverst på listen; [*med vb.*] *get* one's priorities right/straight finde ud af hvad der er det vigtigste; *give* ~ *to* give fortrinsret, prioritere; *have* ~ *over* gå frem for; *put* the tasks in order of ~ prioritere opgaverne; *put it high in the list of priorities* prioritere det højt; *take* ~ *over* gå frem for.

priory ['praiəri] *sb.* (mindre) kloster.

prise [praiz] vriste, vride (*open* op; *off* af); bryde, brække, tvinge (*open* op); lirke (*loose* løs/fri); □ ~ *out of* **a.** få ud af ... med magt (*fx ~ a stone out of a horse's hoof*); **b.** (*fig.*) presse ud af (*fx ~ a secret out of sby*).

prism [prizm] *sb.* prisme.

prismatic [priz'mætik] *adj.* prismatisk.

prison ['priz(ə)n] *sb.* fængsel; □ *break* ~ bryde ud af fængslet.

prison camp *sb.* fangelejr.

prisoner ['priz(ə)nə] *sb.* **1.** fange; **2.** (*i kriminalsag*) anklaget; □ *keep/hold sby* ~ holde én fanget; *take sby* ~ tage én til fange; *be a* ~ *of* (*fig.*) være fanget i (*fx the situation*).

prisoner of conscience *sb.* samvittighedsfange.

prisoner of war *sb.* krigsfange.

prisoner's base *sb.* [*en drengeleg med afmærkede fristeder*].

prison guard *sb.* (*am.*) fængselsbetjent.

prison term *sb.* fængselsstraf; □ *receive a* ~ blive idømt en fængselstraf.

prissy ['prisi] *adj.* T snerpet; sippet.

pristine ['pristi:n, -tain] *adj.* F i sin oprindelige form/skikkelse (*fx ~ Leninism; ~ Christianity*); helt uberørt; der er som ny (*fx a ~ copy of the book*).

prithee ['priði] *interj.* (*af (I) pray thee*) (*glds.*) jeg beder dig.

privacy ['privəsi, (*især am.*) 'praivəsi] *sb.* uforstyrrethed; privatliv (*fx we didn't have much ~ there*); □ *have complete* ~ være helt uforstyrret, have det helt for sig selv; *invade their* ~ forstyrre dem i de-

res privatliv; krænke deres privatlivs fred; *invasion of* ~ krænkelse af privatlivets fred.

private¹ ['praivit] *sb.* (*mil.*) menig, menig soldat; □ *-s* T = *private parts*; ~ *first class* konstabel; *in* ~ privat; fortroligt; under fire øjne.

private² ['praivit] *adj.* **1.** privat; privat- (*fx visit; life; school; hospital*); **2.** (*om sted*) uforstyrret, rolig (*fx let's find a* ~ *corner where we can talk*); **3.** (*mil.*) menig (*fx soldier*); □ *this is for your* ~ *ear* dette bliver mellem os; *funeral* ~ begravelsen foregår i stilhed; *keep it* ~ hemmeligholde det.

private enterprise *sb.* det private initiativ.

privateer [praivə'tiə] *sb.* (*mar., hist.*) kaperskib; kaper.

private eye *sb.* T privatdetektiv.

private investigator *sb.* privatdetektiv.

private limited company *sb.* ikke børsnoteret aktieselskab.

private means *sb. pl.* privatformue.

private member *sb.* (*parl.*) menigt underhusmedlem [ɔ: *som ikke er minister*].

private parts *sb. pl.* kønsdele.

private view *sb.* (*på maleriudstilling*) fernisering.

privation [prai'veiʃn] *sb.* F afsavn; nød; mangel på de elementære livsfornødenheder.

privatization [praivətai'zeiʃn] *sb.* privatisering.

privatize ['praivətaiz] *vb.* privatisere.

privet ['privit] *sb.* (*bot.*) liguster.

privilege¹ ['priv(i)lidʒ] *sb.* **1.** privilegium; **2.** (*generelt*) privilegier (*fx aristocratic ~*); **3.** (*mht. straf*) immunitet (*fx he has/enjoys diplomatic ~*); □ *I have the* ~ *of + -ing* F jeg har den ære og glæde at (*fx welcoming Professor Jones*).

privilege² ['priv(i)lidʒ] *vb.* privilegere.

privileged ['priv(i)lidʒd] *adj.* **1.** privilegeret; **2.** (*om oplysning*) fortrolig; □ *be* ~ *from* være fritaget for; være sikret mod (*fx arrest*); *we are* ~ *in + -ing* vi har den store fornøjelse at (*fx having him with us tonight*); *I have been* ~ *to* jeg har haft det privilegium at (*fx work with him*).

privy¹ ['privi] *sb.* (*glds.*) kloset, das.

privy² ['privi] *adj.*: *be* ~ *to* være

indviet i; være medvidende om.

Privy Council *sb.* gehejmeråd.

Privy Councillor *sb.* (*om person*) gehejmeråd.

Privy Purse *sb.* [*de midler der stilles til den engelske monarks personlige rådighed*].

prize¹ [praiz] *sb.* **1.** (*som udmærkelse el. i konkurrence*) pris (*fx the Nobel Prize; he won the ~ for the best novel*); **2.** (*i sportskonkurrence, i lotteri*) præmie (*fx he won first ~*); (*i lotteri også*) gevinst; **3.** (*fig.: om noget værdifuldt*) klenodie; skat; **4.** (*mar. hist.*) prise; □ *take a ~* vinde en pris; *take the ~ for* (*fig.*) bære prisen for.

prize² [praiz] *adj.* **1.** præmie- (*fx bull*); pris-; prisbelønnet; præmieret; **2.** (*fig.*) glimrende (*fx example*); mest værdifuld (*fx one of our ~ assets*); **3.** (*let glds.* T) ærke- (*fx fool*); (se også *prize idiot*).

prize³ [praiz] *vb.* **1.** sætte pris på, skatte; vurdere højt; **2.** (*især am.*) = *prise.*

prize day *sb.* skoles årsfest.

prizefight ['praizfait] *sb.* professionel boksekamp.

prizefighter ['praizfaitə] *sb.* professionel bokser.

prize-giving ['praizgiviŋ] *sb.* (jf. *prize¹*) **1.** prisoverrækkelse; **2.** præmieoverrækkelse, præmieuddeling.

prize idiot *sb.* (*let glds.*) kraftidiot, jubelidiot.

prize money *sb.* **1.** præmiebeløb; **2.** (*mar. hist.*) prisepenge.

prizewinner ['praizwinə] *sb.* (jf. *prize¹*) **1.** pristager (*fx Nobel ~*); **2.** præmievinder.

PRO *fork. f.* **1.** *Public Records Office;* **2.** *public relations officer.*

pro¹ [prəu] *sb.* (*fork. f. professional*) **1.** professionel spiller, professionel, prof; **2.** luder; □ *pros & cons* grunde//argumenter for og imod; fordele og ulemper (*of* ved).

pro² [prəu] *præp.* pro; for.

pro- [prəu] (*forstavelse*) tilhænger af; -venlig (*fx pro-German* tyskvenlig).

proactive [prəu'æktiv] *adj.* proaktiv, udfarende.

pro-am¹ [prəu'æm] *sb.* [*konkurrence//turnering med både professionelle og amatører*].

pro-am² [prəu'æm] *adj.* med både professionelle og amatører (*fx competition; tournament*).

probability [prɔbə'biləti] *sb.* sandsynlighed (*of* for); □ *in all ~* efter al sandsynlighed.

probable ['prɔbəbl] *adj.* sandsynlig.

probably ['prɔbəbli] *adv.* sandsynligvis; rimeligvis.

probate¹ ['prəubeit] *sb.* (*jur.*) **1.** stadfæstelse af testamente; **2.** kopi af stadfæstet testamente.

probate² ['prəubeit] *vb.* (*am. jur.*) stadfæste.

probate court *sb.* (*jur.*) skifteret.

probation [prə(u)'beiʃn] *sb.* prøve; prøvetid; □ *on ~* på prøve; *be put on ~* (*jur., omtr.*) få en betinget dom [*og komme under tilsyn*]; *release sby on ~* give én en betinget dom.

probationary [prə'beiʃn(ə)ri] *adj.* **1.** prøve- (*fx period*); **2.** på prøve (*fx ~ teacher*).

probationer [prə'beiʃnə] *sb.* **1.** person på prøve; prøveansat; aspirant; **2.** (*rel.*) novice; **3.** (*jur.*) betinget dømt person [*som er under tilsyn*].

probation officer *sb.* tilsynsførende [*for betinget dømte*].

probe¹ [prəub] *sb.* **1.** (dybtgående) undersøgelse (*into* af); **2.** (*instrument*) sonde; **3.** (*mil.*) minesonde; **4.** = *space probe.*

probe² [prəub] *vb.* **1.** (*sag, forhold*) undersøge, udforske; (*især om politi*) efterforske; **2.** (*sted*) afsøge; **3.** (*uden objekt*) søge; **4.** (*med. etc.*) undersøge [*med sonde*]; sondere (*fx a wound*); stikke en sonde i; □ *~ their defences* afprøve deres forsvarsværker; [*med præp.*] *~ for* **a.** søge efter (*fx errors*); **b.** undersøge for (*fx ~ the wound for the bullet*); *~ into* undersøge (*fx a problem*); forske i, granske (*fx his past*).

probity ['prəubiti] *sb.* F retskaffenhed, retlinethed, hæderlighed.

problem ['prɔbləm] *sb.* **1.** problem; **2.** (*mat., skak*) opgave; □ *no ~* T **a.** det er ikke noget problem; det er let nok; **b.** (*svar på tak etc.*) det er helt i orden; *have no ~ with* ikke have nogen problemer med.

problematic [prɔblə'mætik], **problematical** [prɔblə'mætik(ə)l] *adj.* problematisk; tvivlsom.

problem page *sb.* (*i ugeblad*) brevkasse.

proboscis [prə'bɔsis] *sb.* (*pl. -es* [-sisi:z]/*probosces* [prə'bɔsi:z]) **1.** snabel; **2.** (*spøg.*) snudeskaft [ɔ: næse].

procedural [prə'si:dʒər(ə)l] *adj.* proceduremæssig.

procedure [prə'si:dʒə] *sb.* **1.** procedure, fremgangsmåde (*fx follow the correct ~*); forretningsgang; **2.** (*jur.*) procesordning, proces,

retspleje (*fx civil//criminal ~*); □ *rules of ~* **a.** forretningsorden; **b.** (*jur.*) procesreglement.

proceed [prə'si:d] *vb.* **1.** skride frem (*fx preparations are -ing according to plan*); udvikle sig (*fx the matter -ed slowly*); **2.** (F: især efter pause*) gå videre, fortsætte (*fx ~ with the plan; we will ~ along the same lines*); **3.** (F: *ad vej, rute*) gå videre, fortsætte (*fx ~ over the bridge*); begive sig//køre// sejle videre; □ *how shall I ~?* hvordan skal jeg bære mig ad//gå til værks? [*med præp.& adv.*] *~ against* (*jur.*) anlægge sag mod; *~ from* F komme fra/af, opstå af, være resultat af (*fx the whole trouble -ed from a misunderstanding*); *how do we ~ from here?* hvordan skal vi gå videre herfra? *~ to* F **a.** gå over til (*fx the next item on the agenda*); skride til (*fx the election of the committee*); **b.** (+ *inf.*) gå over til at; give sig til at (*fx they -ed to divide the money*); *~ to (the degree of) MA* (gå videre og) blive MA.

proceedings [prə'si:diŋz] *sb. pl.* **1.** fremgangsmåde; skridt; udvikling; **2.** (*ved møde*) forhandlinger (*fx the chairman opened the ~*); **3.** (*nedskrevet*) forhandlingsprotokol (*fx read the ~ of the last meeting*); **4.** (*trykt*) meddelelser (*fx the ~ of the British Academy*); **5.** (*jur.*) retsforfølgning (*fx summary ~*); sagsanlæg; sag, proces; □ *take (legal) ~ against* anlægge sag mod; *watch the ~* iagttage hvad der foregår.

proceeds ['prəusi:dz] *sb. pl.* provenu, udbytte, afkast.

process¹ ['prəuses, (*am.*) 'prɔses] *sb.* **1.** (*række begivenheder*) proces (*fx the ~ of digestion//ageing; it was a slow ~*); forløb; **2.** (*række handlinger*) proces (*fx the peace ~*); procedure (*fx electoral ~*); fremgangsmåde; **3.** (*anat.*) tap; fremspring; **4.** (*jur.*) proces; (*am.*) stævning; □ *serve a ~* (*am., jf. 4*) forkynde en stævning; [*med præp.*] *in the ~* undervejs, på vejen; *in ~ of* ved at, i færd med at (*fx the Minister replied that he was in ~ of drawing up a law*); *in ~ of construction* under opførelse; *in ~ of time* i tidens løb; med tiden.

process² ['prəuses, (*am.*) 'prɔses] *vb.* **1.** (*i fabrikation*) forarbejde; oparbejde (*fx raw materials*); forædle; **2.** (*fx fødevarer til konserve-*

P *process*

ring) behandle; **3.** (*fig.*) behandle (*fx the morning's mail*; *applications*; *data*); **4.** (*film*) fremkalde.

process[3] [prə'ses] *vb.* F gå i procession.

process engraving *sb.* kemigrafi.

procession [prə'seʃn] *sb.* procession; optog.

processional [prə'seʃn(ə)l] *adj.* processions-.

processor ['prəusesə, (*am.*) 'prɔsesər] *sb.* **1.** (*it*) processor, centralenhed; **2.** se *food processor*.

process server *sb.* stævningsmand.

pro-choice [prəu'tʃɔis] *adj.* som er for fri abort.

pro-choicer [prəu'tʃɔisə] *sb.* aborttilhænger.

proclaim [prə'kleim] *vb.* F **1.** proklamere (*fx the new state was -ed a republic*); bekendtgøre; kundgøre; **2.** (*litt.*, *fig.*) erklære (*that at, fx one will remain loyal*); (*også: vise tydeligt*) forkynde (*fx football fans with scarves which -ed their allegiance*); □ ~ *him king* udråbe ham til konge.

proclamation [prɔklə'meiʃn] *sb.* proklamation; bekendtgørelse, kundgørelse.

proclivity [prə'klivəti] *sb.* tilbøjelighed, hang.

procrastinate [prə'kræstineit] *vb.* opsætte i det uendelige; nøle, trække tiden ud.

procrastination [prəkræsti'neiʃn] *sb.* opsættelse; nølen.

procreate ['prəukrieit] *vb.* formere sig.

procreation [prəukri'eiʃn] *vb.* formering; avl; forplantning.

proctor[1] ['prɔktə] *sb.* **1.** proktor [*universitetslærer som fører opsyn med studenternes opførsel*]; **2.** (*am.*) [*tilsynsførende ved skriftlig eksamen*].

proctor[2] ['prɔktər] *vb.* (*am.*) føre tilsyn ved [*skriftlig eksamen*].

procurator ['prɔkjureitə] *sb.* (*jur.*) befuldmægtiget.

procurator fiscal *sb.* (*skotsk*) offentlig anklager.

procure [prə'kjuə] *vb.* **1.** skaffe, tilvejebringe; (*især i negative forb.*) opdrive (*fx difficult to* ~); **2.** (*glds.*) drive rufferi.

procurement [prə'kjuəmənt] *sb.* fremskaffelse, tilvejebringelse.

procurer [prə'kjuərə] *sb.* (*glds.*) ruffer.

procuress [prə'kjuərəs] *sb.* (*glds.*) rufferske.

Prod [prɔd] *sb.* (*irsk, skotsk: neds.*) protestant.

prod[1] [prɔd] *sb.* **1.** stik; prik; **2.** se

cattle prod; □ *give sby a* ~ prikke til en.

prod[2] [prɔd] *vb.* **1.** stikke (*fx* ~ *sby in the ribs*; ~ *at a cake with a fork*); stikke til//i (*fx he -ded the fish*); prikke (*fx sby in the back*); prikke til; pirke, pirke til; **2.** (*fig.*) tilskynde, anspore (*into* + *-ing* til at).

prodigal[1] ['prɔdig(ə)l] *sb.* F **1.** ødeland; **2.** fortabt søn; angrende synder.

prodigal[2] ['prɔdig(ə)l] *adj.* F ødsel (*of* med); □ *the* ~ *son* den fortabte søn.

prodigality [prɔdi'gæləti] *sb.* F ødselhed; ødslen.

prodigious [prə'didʒəs] *adj.* F **1.** forbløffende, fænomenal, formidabel (*fx he has a* ~ *memory*); **2.** (*om antal, mængde*) formidabel, uhyre, enorm (*fx sum*).

prodigy ['prɔdidʒi] *sb.* **1.** vidunder; vidunderbarn; **2.** (*om noget unaturligt*) uhyre; monstrum.

produce[1] ['prɔdju:s] *sb.* **1.** produkter; landbrugsprodukter; (*am. især*) frugt og grønsager; **2.** (*fig.*) resultat (*fx the* ~ *of their joint efforts*).

produce[2] [prə'dju:s] *vb.* **1.** (*biol., kem. etc.*) producere (*fx the volcano -s gases*; *the pancreas -s insulin*); frembringe; (*om plante*) sætte (*fx flowers*; *seed*); **2.** (*vare*) producere, fremstille; **3.** (*afgrøde*) give, avle, frembringe; **4.** (*udbytte*) indbringe, kaste af sig, give; **5.** (*kunstværk*) skabe (*fx paintings*); (*litterært værk*) skrive; (*blad*) udgive; **6.** (*film., teat., radio., tv*) producere; (*teat. også*) sætte op; **7.** (*begivenhed, virkning*) fremkalde (*fx a reaction*; *a change*); give (*fx side effects*; *a result*); **8.** (*til besigtigelse*) fremvise (*fx a ticket*); tage frem (*fx a gun*); **9.** (*jur.*) fremlægge (*fx a document*; *evidence*).

producer [prə'dju:sə] *sb.* **1.** (*af varer*) producent; leverandør (*fx the world's greatest* ~ *of coffee*); **2.** (*radio., tv*) producer; **3.** (*film., teat.*) producent.

product ['prɔdʌkt] *sb.* **1.** produkt, frembringelse; **2.** (*merk.*) produkt, vare; **3.** (*mat., kem., økon.*) produkt.

production [prə'dʌkʃn] *sb.* (*cf. produce*[2]) **1.** produktion; frembringelse; **2.** (*af vare*) produktion, fremstilling; **3.** (*af afgrøde*) dyrkning; avl; **4.** (*af udbytte*) afkastning; **5.** (*af kunstværk*) skabelse; (*resultatet*) produkt, værk; **6.** (*film., teat., radio., tv*) produk-

tion; (*teat. også*) opsætning, iscenesættelse; **7.** (*af begivenhed*) fremkaldelse; **8.** (*til godkendelse*) forevisning; **9.** (*jur.*) fremlæggelse; □ *make a* ~ *of* gøre et stort nummer ud af.

production line *sb.* samlebånd.

production manager *sb.* **1.** (*merk.*) produktionschef; driftsleder; **2.** (*teat.*) produktionsleder; **3.** (*film.*) overregissør.

productive [prə'dʌktiv] *adj.* **1.** produktiv; ydedygtig; (*om jord*) frugtbar; **2.** (*fig.*) frugtbar, udbytterig (*fx meeting*); □ *be* ~ *of* fremkalde, forårsage.

productivity [prɔdʌk'tiviti] *sb.* produktivitet; ydeevne; (*om jord*) frugtbarhed.

product liability *sb.* (*jur.*) produktansvar.

product placement *sb.* (*merk.*) produktplacering [ɔ: *i tv, film: som skjult reklame*].

prof [prɔf] *sb.* **1.** T = *professor*; **2.** (*i stillingsannonce*) = *professional*.

profanation [prɔfə'neiʃn] *sb.* profanation, vanhelligelse.

profane[1] [prə'fein] *adj.* **1.** (*mods. kirkelig*) profan, verdslig (*fx sacred and* ~ *literature*); **2.** (*neds.*) blasfemisk, bespottelig.

profane[2] [prə'fein] *vb.* **1.** vanhellige, krænke, profanere; **2.** bespotte, misbruge (*fx the name of God*).

profanity [prə'fænəti] *sb.* **1.** blasfemi, bespottelse; **2.** banden; □ *profanities* eder.

profess [prə'fes] *vb.* F **1.** erklære, forsikre om (*fx one's satisfaction*; *one's admiration for sth*); **2.** (+ *inf.*: *uærligt, falsk*) hævde, påstå; foregive (*fx to love sby*); give sig ud for (*fx I don't* ~ *to be an expert*); **3.** (*rel.*) bekende sig til (*fx* ~ *Christianity*); □ *a -ing Christian* en bekendende kristen.

professed [prə'fest] *adj.* (*jf. profess*) **1.** erklæret (*fx a* ~ *atheist*); **2.** (*falsk*) påstået (*fx his* ~ *love of children*); □ *a* ~ *monk//nun* en munk//nonne der har aflagt løftet.

professedly [prə'fesidli] *adv.* angiveligt; efter eget udsagn.

profession [prə'feʃn] *sb.* **1.** profession, fag, erhverv [*især: som kræver længere uddannelse*]; **2.** (*folk i et erhverv*) stand (*fx it is an insult to the* ~; *the medical* ~ lægestanden); **3.** (*cf. profess*) erklæring; forsikring (*of* om, *fx loyalty*); bekendelse (*of* til, *fx Christianity*; *socialism*);

□ *by* ~ af profession; af fag; *the* ~
T skuespillerstanden; skuespiller-
faget; *the oldest* ~ (*spøg.*) det æld-
ste erhverv [ɔ: *prostitution*]; *the -s*
de liberale erhverv; *the learned -s*
[*teologi, jura, lægevidenskab*].
professional[1] [prə'feʃn(ə)l] *sb.*
1. person i liberalt erhverv; akade-
miker; **2.** (*mods. amatør*) profes-
sionel.
professional[2] [prə'feʃn(ə)l] *adj.*
1. professionel; **2.** (*som vedrører
et fag/erhverv*) fagmæssig; faglig;
fag-; **3.** (*om person*) som har et li-
beralt erhverv; højtuddannet.
professional foul *sb.* (*i fodbold*)
[*bevidst ureglementeret spil*].
professionalism [prə'feʃnəlizm] *sb.*
professionalisme.
professor [prə'fesə] *sb.* **1.** professor
(*of* i); **2.** (*am.*) universitetslærer;
(se *assistant professor, associate
professor*).
professorial [profe'sɔːriəl] *adj.* F
1. professor- (*fx post*); **2.** profes-
soragtig.
professorship [prə'fesəʃip] *sb.* pro-
fessorat.
proffer ['profə] *vb.* F **1.** tilbyde,
række frem (*fx a glass*);
2. (*mundtligt*) tilbyde (*fx one's re-
signation*); komme med (*fx an
opinion; advice*).
proficiency [prə'fiʃnsi] *sb.* dygtig-
hed; kyndighed; færdighed (*fx
reading* ~).
proficient[1] [prə'fiʃnt] *sb.* ekspert;
mester.
proficient[2] [prə'fiʃnt] *adj.* dygtig;
kyndig; sagkyndig.
profile[1] ['prəufail] *sb.* **1.** profil;
2. (*fig.*) kort beskrivelse; portræt;
profil; **3.** (*teat.*) sætstykke;
□ *have a high* ~ have en høj pro-
fil; (se også *high-profile*); *keep a
low* ~ holde en lav profil.
profile[2] ['prəufail] *vb.* tegne i om-
rids//profil.
profit[1] ['profit] *sb.* **1.** (*merk.*) fortje-
neste, avance; (*i regnskab*) over-
skud; **2.** (*fig.*) udbytte, fordel,
gavn (*from* af); **3.** (*penge*) vinding;
gevinst;
□ *at a* ~ med fortjeneste; *for* ~
a. for vindings skyld (*fx he does it
only for* ~); **b.** (*fig.*) for nyttens
skyld (*fx read for* ~ *and pleas-
ure*); *make a* ~ tjene penge (*on
på*).
profit[2] ['profit] *vb.* F gavne (*fx it
will* ~ *you nothing*);
□ ~ *by//from* **a.** have gavn af,
drage fordel af, profitere af;
b. (*merk.: især am.*) tjene på; ~ *by
one's mistakes* lære af sine fejlta-
gelser.

profitable ['profitəbl] *adj.* **1.** gavn-
lig, nyttig; **2.** (*økonomisk*) fordel-
agtig, lønnende, indbringende.
profit and loss account *sb.* (*merk.*)
driftsregnskab; resultatopgørelse.
profiteer [profi'tiə] *sb.* (*neds.*) [*en
der på ufin måde udnytter en si-
tuation til at tjene store penge*];
profitmager; (se også *war
profiteer*).
profiteering [profi'tiəriŋ] *sb.* profit-
mageri; vareåger.
profit margin *sb.* avance, fortjene-
ste; overskudsmargin.
profit-sharing ['profitʃɛəriŋ] *sb.* ud-
byttedeling; overskudsdeling.
profit-taking ['profitteikiŋ] *sb.* ge-
vinstrealisering [*realisering af
kursgevinst ved salg af værdipapi-
rer*].
profligacy ['profligəsi] *sb.* F
1. (*hæmningsløs*) ødselhed;
2. (*mht. moral*) ryggesløshed; ud-
svævelser.
profligate[1] ['profligət] *sb.* F **1.** øde-
land; **2.** (*moralsk*) ryggesløst men-
neske.
profligate[2] ['profligət] *adj.* F **1.** ød-
sel, hæmningsløs (*fx consumers
of energy*); **2.** (*moralsk*) ryggesløs,
lastefuld, udsvævende.
pro forma[1] [prəu'fɔːmə] *adj.* pro-
forma; proforma- (*fx invoice*).
pro forma[2] [prəu'fɔːmə] *adv.* pro-
forma, rent formelt.
profound [prə'faund] *adj.* F **1.** (*om
følelse*) dyb (*fx sadness; mistrust;
respect*); **2.** (*om virkning etc.*)
dybtgående (*fx changes; differ-
ences; effect; knowledge*); **3.** (*om
tanke etc.*) dybsindig (*fx thinker;
remark*); **4.** (*litt.*) dyb; dybtlig-
gende.
profundity [prə'fʌnditi] *sb.* (jf. *pro-
found*) F **1.** dybde; **2.** dybde; dybt-
gående karakter; **3.** dybsindighed;
4. dyb.
profuse [prə'fjuːs] *adj.* **1.** voldsom,
stærk (*fx bleeding*); **2.** (*om udtryk*)
overstrømmende (*fx apologies*);
□ *be* ~ *in one's thanks* takke over-
strømmende; *be* ~ *in one's apol-
ogies* bede tusind gange om forla-
delse.
profusion [prə'fjuːʒ(ə)n] *sb.* over-
flod (*fx flowers grow in* ~);
□ *a* ~ *of* et væld af.
prog [prog] *sb.* (T: *radio., tv*) = *pro-
gramme*.
progenitor [prə(u)'dʒenitə] *sb.*
1. forfader; stamfader; **2.** (*fig.*) op-
havsmand//-kvinde (*of* til).
progeny ['prodʒini] *sb.* afkom; ef-
terkommere.
prognosis [prog'nəusis] *sb.* (*pl.
prognoses* [-siːz]) prognose.

prognosticate [prog'nostikeit] *vb.*
forudsige, spå; varsle.
prognostication [prognosti'keiʃn]
sb. forudsigelse, spådom; tegn,
varsel.
program[1] ['prəugræm] *sb.* (*am. el.
it*) program.
program[2] ['prəugræm] *vb.* (*it*) pro-
grammere.
programmable ['prəugræməbl] *adj.*
programmerbar.
programme[1] ['prəugræm] *sb.* pro-
gram.
programme[2] ['prəugræm] *vb.*
1. lægge program for; **2.** program-
mere, indstille (*fx the video*).
programmed ['prəugræmd] *adj.*
programmeret (*to* til at);
□ *be* ~ *for next year* være på pro-
grammet for næste år; *be* ~ *to*
være programmeret til at.
programmer ['prəugræmə] *sb.* (*it*)
programmør.
programming ['prəugræmiŋ] *sb.*
1. (*tv, radio.*) programlægning;
(*generelt*) programmer; **2.** (*it*) pro-
grammering.
progress[1] ['prəugres, (*am.*)
'progres] *sb.* **1.** fremgang; frem-
skridt (*fx monitor the student's* ~;
there hasn't been much ~ ...
mange fremskridt); (*generelt*)
fremskridtet (*fx believe in* ~);
2. (*om tanker, ideer*) fremtrængen,
udbredelse (*fx of new ideas*);
3. (*om begivenheder*) gang (*fx of
events*); forløb (*fx of a disease; of
negotiations*); udvikling; **4.** (*hist.*)
kongelig rundrejse; gæsteri;
□ *in* ~ i gang; under udførelse; *be
in* ~ (*også*) gå for sig; *prepara-
tions are in* ~ der er ved at blive
truffet forberedelser; *make (good)*
~ **a.** komme (godt) fremad;
b. (*fig.*) gøre (gode) fremskridt;
make slow ~ (*jf. 3*) skride lang-
somt frem; *we made no* ~ vi kom
ingen vegne.
progress[2] [prə(u)'gres] *vb.* **1.** gøre
fremskridt (*fx civilization hasn't
-ed much*); komme fremad/videre;
2. (*om tid, handling*) skride
fremad (*fx as the evening//the
work -ed*); gå (*fx as the war -ed*);
3. (*om begivenheder*) udvikle sig;
□ *be -ing* (*om patient*) være i bed-
ring; *how is the work -ing?* hvor-
dan går det med arbejdet? ~ *to* gå
over til; gå videre til.
progress chaser *sb.* [*medarbejder
der skal sørge for at leveringsfris-
ter overholdes*].
progression [prə(u)'greʃn] *sb.*
1. fremadskriden; udvikling (*fx of
a disease*); **2.** (*mat.*) se *arithmetic
progression, geometric progres-*

sion;
□ *a* ~ *of* en fremadskridende
række af.
progressive[1] [prə(u)'gresiv] *sb.* progressiv person.
progressive[2] [prə(u)'gresiv] *adj.*
1. fremadskridende, tiltagende (*fx loss of memory*); gradvis (*fx decline*); **2.** (*om ideer, person*) progressiv, fremskridtsvenlig; **3.** (*om beskatning*) progressiv.
progressively [prə(u)'gresivli] *adv.* i stigende grad; mere og mere; progressivt.
progressive tense *sb.* (*gram.*) udvidet tid.
prohibit [prə(u)'hibit] *vb.* **1.** (*om person, myndighed, lov*) forbyde; **2.** (*om forhold, situation*) forhindre (*from* i, *fx the work from being completed*);
□ *they are -ed from doing it* (*jf. 1*) det er dem forbudt at gøre det.
prohibition [prəu(h)i'biʃn] *sb.* forbud (*of//on* mod);
□ *the Prohibition* (*am. hist.*) forbudstiden [*1920-33, hvor spiritus var forbudt*].
prohibitionist [prəu(h)i'biʃnist] *sb.* (*am. hist.*) forbudstilhænger.
prohibitive [prə(u)'hibitiv] *adj.* prohibitiv; uoverkommelig (*fx price*).
prohibitory [prə(u)'hibit(ə)ri] *adj.* prohibitiv; forbuds- (*fx laws*);
□ ~ *sign* forbudstavle [*færdselstavle*].
project[1] ['prɔdʒekt] *sb.* **1.** projekt; plan; **2.** (*am.*) = *housing project.*
project[2] [prə(u)'dʒekt] *vb.* (se også *projected*) **1.** (*fremtidigt omfang*) beregne på forhånd; forvente (*fx a deficit of 5 percent*); **2.** (*billede, lys*) kaste, projicere (*on to* hen på//op på, *fx a picture on to a screen*); **3.** (*i tegning, geom.*) projicere; **4.** (*projektil etc.*) udskyde (*fx missiles*); **5.** (*personlighed, følelse, præg*) præsentere (*fx an image of quiet self-conficence*); give et indtryk af (*fx natural warmth*); give et billede af (*fx* ~ *Glasgow as a friendly city*); **6.** (*uden objekt*) rage frem (*fx the balcony -s over the pavement*); **7.** (*teat. etc.*) se ndf.: ~ *one's voice*;
□ ~ *a feeling on sby* (*psyk.*) projicere en følelse over på en anden; ~ **oneself** *as* give indtryk af at man er (*fx a strong leader*); ~ *oneself into* sætte sig (ind) i (*fx his situation*); ~ *oneself well* give et godt indtryk af sig selv; ~ *one's* **voice** (*teat. etc.*) tale så man kan høres, nå tilhørerne; tale rummet op.

projected [prə(u)'dʒektid] *adj.* planlagt (*fx visit*); projekteret (*fx motorway*);
□ *be* ~ *to* (også) forventes at, være beregnet til at (*fx prices are* ~ *to rise 3 percent*).
projectile [prə(u)'dʒektail] *sb.* projektil.
projection [prə(u)'dʒekʃn] *sb.* (cf. *project*[2]) **1.** prognose; forudberegning; forventning; **2.** (*af billede*) projicering; projektion; (*af film* også) forevisning; **3.** (*geom.*) projektion; projektionstegning; **4.** udskydning; **5.** præsentation; billede; **6.** fremspringen; fremspring, fremstående del, udhæng; **7.** (*psyk.*) projektion.
projection booth *sb.* operatørrum.
projectionist [prə(u)'dʒekʃnist] *sb.* (film)operatør.
projector [prə(u)'dʒektə] *sb.* **1.** (*til film*) films(forevisnings)apparat; **2.** (*til lysbilleder*) projektor; lysbilledapparat.
prolapse ['prəulæps] *sb.* (*med.*) prolaps; fremfald.
prolapsed [prə(u)'læpst] *adj.* fremfalden.
prole [prəul] *sb.* T proletar.
proletarian[1] [prəuli'tɛəriən] *sb.* proletar.
proletarian[2] [prəuli'tɛəriən] *adj.* proletar-; proletarisk.
proletariat [prəuli'tɛəriət] *sb.* proletariat.
pro-life [prəu'laif] *adj.* som er mod fri abort.
pro-lifer [prəu'laifə] *sb.* (*am.*) abortmodstander.
proliferate [prə(u)'lifəreit] *vb.* formere//brede sig hurtigt; vokse// øges i hastigt tempo.
proliferation [prə(u)lifə'reiʃn] *sb.* (*fig.*) hastig formering//udbredelse//vækst.
prolific [prə(u)'lifik] *adj.* **1.** (*mht. afkom*) frugtbar; **2.** (*mht. forekomst*) udbredt; **3.** (*om plantevækst*) frodig; **4.** (*fig.*) frugtbar, frodig (*fx imagination*); **5.** (*om kunstner*) (uhyre) produktiv (*fx writer*);
□ *a* ~ *goalscorer* en spiller der har scoret mange mål.
prolix ['prəuliks] *adj.* F omstændelig, langtrukken.
prologue ['prəulɔg] *sb.* **1.** prolog; **2.** (*fig.*) indledning, optakt (*to* til).
prolong [prə(u)'lɔŋ] *vb.* forlænge; (se også *prolonged, agony*).
prolongation [prəulɔŋ'geiʃn] *sb.* forlængelse.
prolonged [prə(u)'lɔŋgd] *adj.* lang, langvarig, længere (*fx visit; period; debate*); længerevarende (*fx*

use of a drug).
prom *fork. f.* **1.** T = *promenade*[1]; **2.** (*am.*) elevfest; studenterfest.
promenade[1] ['prɔminɑ:d, (*am.* især) -'neid] *sb.* promenade, strandpromenade.
promenade[2] ['prɔminɑ:d, (*am.* især) -'neid] *vb.* (*glds.*) spadsere, promenere.
prominence ['prɔminəns] *sb.* (*fig.*) fremtrædende stilling;
□ *come/rise to* ~ komme frem, blive kendt; *bring sth into* ~, *give* ~ *to sth* bringe noget i forgrunden; *a lawyer of* ~ en fremtrædende jurist.
prominent ['prɔminənt] *adj.* **1.** (*om person*) fremtrædende, prominent; **2.** (*om noget der stikker frem*) fremstående, udstående (*fx teeth*); **3.** (*om noget der er let at se*) iøjnefaldende (*fx landmark*); fremtrædende (*fx his most* ~ *feature*);
□ ~ *figure* (*jf. 1, også*) forgrundsfigur; ~ *people* honoratiores.
promiscuity [prɔmis'kju:iti] *sb.* promiskuitet.
promiscuous [prə'miskjuəs] *adj.* **1.** (*om person: seksuelt*) promiskuøs [ɔ: *som har mange, tilfældige forbindelser*]; **2.** (*om forhold*) tilfældig; **3.** (*glds.*) blandet, broget.
promise[1] ['prɔmis] *sb.* løfte (*of* om; *to* om at);
□ *I'm not making any -s* jeg lover ikke noget; *of (great)* ~ (meget) lovende; *show (great)* ~ være (meget) lovende; (se også *breach, piecrust*).
promise[2] ['prɔmis] *vb.* love;
□ *it -s to* det tegner til at (*fx be an interesting day*); ~ *sby the earth/ moon* love en guld og grønne skove.
Promised Land *sb.*: *the* ~ (*i Biblen*) det forjættede land.
promising ['prɔmisiŋ] *adj.* lovende.
promissory note [prɔmis(ə)ri'nəut] *sb.* egenveksel; solaveksel.
promo ['prəuməu] *sb.* T **1.** reklamevideo; reklame-cd; **2.** (*am.*) reklame.
promontory ['prɔmənt(ə)ri] *sb.* forbjerg.
promote [prə'məut] *vb.* **1.** (*sag*) arbejde for (*fx world peace*); fremme (*fx international understanding; competition*); støtte (*fx a bill* et lovforslag); **2.** (*foretagende*) sætte i gang; (*handelsselskab*) stifte; **3.** (*vare*) søge at fremme salget af; reklamere for;
□ *be -d* **a.** (*om person*) blive forfremmet; **b.** (*om elev, sportshold*) rykke op; ~ *a pawn* (*i skak*) for-

vandle en bonde til officer.

promoter [prəˈməutə] *sb.* **1.** (*for sag*) fortaler, støtte; **2.** (*for sports-begivenhed*) arrangør; (*for bokse-kamp*) promotor; **3.** (*merk.: af selskab*) stifter;

□ *be a ~ of* arbejde for; søge at fremme.

promotion [prəˈməuʃn] *sb.* (cf. *promote*) **1.** fremme (*of* af); støtte; **2.** (*af handelsselskab*) stiftelse; **3.** (*for vare*) salgsfremmende foranstaltninger; reklame; **4.** (*af person*) forfremmelse; **5.** (*af elev, sportshold*) oprykning.

promotional [prəˈməuʃnəl] *adj.* reklame- (*fx offer*).

prompt[1] [prɒm(p)t] *sb.* **1.** påmindelse; stikord; **2.** (*teat.*) stikord; suffli; **3.** (*på scene*) = prompt side; (se også *opposite prompt*); **4.** (*it*) forespørgselsmeddelelse; klarmelding; **5.** (*merk.*) frist.

prompt[2] [prɒm(p)t] *adj.* **1.** hurtig, omgående, prompte (*fx reply*); **2.** (*om person*) hurtig, rask, villig (*to* til at).

prompt[3] [prɒm(p)t] *vb.* **1.** fremkalde, foranledige (*fx what -ed his reaction?*); give anledning til (*fx speculation*); **2.** (*teat.*) sufflere; **3.** (*fig.*) hjælpe på gled; give stikord;

□ *~ sby to* tilskynde/bevæge en til at.

prompt[4] [prɒm(p)t] *adv.* (*om klokkeslæt*) præcis (*fx at two o'clock ~*).

prompt book *sb.* (*teat.*) sufflørbog.

prompt box *sb.* (*teat.*) sufflørkasse.

prompter [ˈprɒm(p)tə] *sb.* (*teat.*) sufflør.

prompting [ˈprɒmtiŋ] *sb.* **1.** tilskyndelse; opfordring; **2.** (*teat.*) suffli.

prompt side *sb.* (*teat.*) **1.** (*i Eng. oftest*) dameside [højre side af scenen set fra publikum]; **2.** (*am. oftest*) kongeside.

promulgate [ˈprɒm(ə)lgeit, (*am. også*) prouˈmʌlgeit] *vb.* **1.** (*ny lov*) kundgøre, offentliggøre, bekendtgøre; **2.** (F: *idé, sag*) udbrede; forkynde (*fx a creed*).

promulgation [prɒm(ə)lˈgeiʃn] *sb.* **1.** kundgørelse, offentliggørelse, bekendtgørelse; **2.** udbredelse.

prone [prəun] *adj.* **1.** liggende (udstrakt) på maven; **2.** (*i sms.*) som tit rammes af (*fx strike-~*);

□ *~ position* liggende stilling; *be ~ to* **a.** være tilbøjelig til at (*fx be inconsiderate*); (*om sygdom*) være udsat for at (*fx develop cancer*); **b.** (+ *sb.*) være tilbøjelig til (*fx exaggeration*); (*om sygdom*) være tilbøjelig til at få (*fx*

throat infections); have anlæg for.

prong [prɒŋ] *sb.* **1.** spids; **2.** (*på gaffel, fork, greb*) gren; **3.** (*på rive*) tand; **4.** (*på stikkontakt*) ben; **5.** (*på gevir*) sprosse, tak, spids, ende; **6.** (*fig.: i plan, program*) gren, streng; **7.** (*am. vulg.*) pik.

pronghorn [ˈprɒŋhɔ:n] *sb.* (*zo.*) prærieantilope.

pronominal [prə(u)ˈnomin(ə)l] *adj.* pronominal.

pronoun [ˈprəunaun] *sb.* (*gram.*) pronomen, stedord.

pronounce [prəˈnauns] *vb.* (se også *pronounced*) **1.** (*ord*) udtale (*fx a name correctly*); **2.** (F: + *omsagnsled*) erklære (*fx he was -d dead; she -d herself satisfied*); **3.** (*mening*) udtale; **4.** (*dom*) afsige, fælde (*fx let history ~ the verdict*); (se også *judgement*);

□ *~ on* udtale sig om.

pronounced [prəˈnaunst] *adj.* udtalt, tydelig (*fx tendency; difference*); umiskendelig (*fx smell; foreign accent*); udpræget (*fx improvement*).

pronouncement [prəˈnaunsmənt] *sb.* **1.** udtalelse, erklæring; **2.** (*af dom*) afsigelse.

pronto [ˈprɒntəu] *adv.* S omgående; med det samme.

pronunciation [prənʌnsiˈeiʃn] *sb.* udtale.

proof[1] [pru:f] *sb.* **1.** bevis (*of* for; *that* for at); **2.** (*mht. alkohol*) styrke, styrkegrad; **3.** (*foto.*) prøvebillede; **4.** (*typ.*) korrektur, korrekturark; (*af billede*) prøvetryk; **5.** (*ved konkurs*) se ndf.: *~ of claim*;

□ *~ positive* uigendriveligt bevis; *~ of claim* anmeldelse af fordring i konkursbo; *the ~ of the pudding is in the eating* [først når man har gennemprøvet en ting i praksis kan man udtale sig om den]; (*kan gengives*) det vil vise sig i praksis; *in ~ of* til bevis for; *put to the ~* sætte på prøve.

proof[2] [pru:f] *adj.* **1.** (*i sms.*) -tæt (*fx water~*); -sikker (*fx child~*); **2.** se *proof spirit*;

□ *~ against* **a.** uigennemtrængelig for; sikret imod; **b.** (*fig.*) uimodtagelig for; *be ~ against* (*også*) kunne modstå; ikke påvirkes af.

proof[3] [pru:f] *vb.* imprægnere.

proofread [ˈpru:fri:d] *vb.* **1.** læse korrektur; **2.** (*med objekt*) læse korrektur på.

proofreader [ˈpru:fri:də] *sb.* korrekturlæser.

proof spirit *sb.* [spiritus med en alkohol(volumen)procent på 57,10].

prop[1] [prɒp] *sb.* **1.** støtte, stiver;

2. (*fig.*) støtte; **3.** (T: *flyv.*) = *propeller*; **4.** (*teat.*) rekvisit.

prop[2] [prɒp] *vb.* støtte, afstive; understøtte, holde oppe;

□ *~ against* læne op mod/op ad (*fx ~ the bike against the wall*); *~ up* = prop; *~ up the bar* stå og hænge i baren.

propaganda [prɒpəˈgændə] *sb.* propaganda.

propagandist[1] [prɒpəˈgændist] *sb.* propagandist, agitator.

propagandist[2] [prɒpəˈgændist] *adj.* propagandistisk, agitatorisk.

propagandize [prɒpəˈgændaiz] *vb.* propagandere, agitere.

propagate [ˈprɒpəgeit] *vb.* **1.** udbrede, sprede (*fx lies*); formidle (*fx ideas*); **2.** (*lyd, bevægelse*) forplante, overføre (*fx vibrations*); **3.** (*biol.*) forplante, formere; **4.** (*uden objekt*) forplante sig, formere sig; brede sig.

propagation [prɒpəˈgeiʃn] *sb.* **1.** udbredelse; **2.** (*biol.*) forplantning; formering.

propagator [ˈprɒpəgeitə] *sb.* **1.** (*person*) udbreder; formidler; **2.** (*i gartneri*) formeringsbænk.

propel [prəˈpel] *vb.* drive frem.

propellant [prəˈpelənt] *sb.* drivstof, drivmiddel; drivgas.

propeller [prəˈpelə] *sb.* **1.** (*flyv.*) propel; **2.** (*mar.*) skibsskrue.

propeller shaft *sb.* **1.** (*i bil*) kardanaksel; **2.** (*flyv.*) propelaksel; **3.** (*mar.*) skrueaksel.

propelling pencil [prəpeliŋˈpens(ə)l] *sb.* skrueblyant.

propensity [prəˈpensəti] *sb.* hang, tilbøjelighed.

proper[1] [ˈprɒpə] *adj.* **1.** ordentlig (*fx eat a ~ meal; get a ~ job*); rigtig (*fx a ~ gun, not a toy one; put it in its ~ place*); **2.** (*mht. forskrifter*) rigtig, ret (*fx the ~ way to do it*); korrekt, behørig (*fx procedure*); **3.** (*mht. skik og brug*) egnet, passende (*for* for, *fx clothes ~ for the occasion*); korrekt (*fx she is always very ~*); **4.** (*mht. opførsel, moral*) anstændig, sømmelig (*fx behaviour*); (*neds.*) dydig, moralsk (*fx she leads the men on, and then she suddenly turns prim and ~ on them*); **5.** T eftertrykkelig, ordentlig (*fx get a ~ hiding*; komplet (*fx a ~ idiot*); **6.** (*efter sb.*) egentlig (*fx Italy ~ det egentlige Italien*);

□ *~ to* **a.** særegen for; ejendommelig for; **b.** som passer sig for.

proper[2] [ˈprɒpə] *adv.* T **1.** rigtigt (*fx I couldn't see ~*); **2.** (*spøg.*) fint, dannet (*fx talk/speak ~*); (se også good²).

proper fraction sb. ægte brøk.
properly ['prɔpəli] adv. (jf. proper)
1. rigtigt, ordentligt (fx he couldn't walk ~); 2. rigtigt, korrekt (fx I want to do it ~); 3. passende (fx dressed); 4. sømmeligt, ordentligt (fx do try to behave ~); 5. T ordentligt, rigtigt, komplet (fx he has ~ messed it up).
proper motion sb. (astr.) egenbevægelse.
proper name se proper noun.
proper noun sb. (gram.) egennavn; proprium.
propertied ['prɔpətid] adj. besiddende (fx the ~ classes).
property ['prɔpəti] sb. 1. ejendom (fx the books are my personal ~; the wood is private ~); 2. (ting) ejendele; 3. (hus) ejendom; (på landet) landejendom; 4. (jur.) ejendomsret (fx abolish private ~); 5. (af stof, plante el. i logik) egenskab (fx the properties of copper); 6. (glds. teat.) rekvisit; □ offence against ~ (jur.) berigelsesforbrydelse; law of ~ (jur.) ejendomsret; a man of ~ (F el. spøg.) en velhavende mand; (se også movable property, real property).
property shark sb. T boligspekulant.
prophecy ['prɔfisi] sb. profeti, spådom.
prophesy ['prɔfisai] vb. spå, profetere.
prophet ['prɔfit] sb. profet.
prophetic [prə'fetik] profetisk.
prophylactic¹ [prɔfi'læktik] sb. (med.) forebyggende middel.
prophylactic² [prɔfi'læktik] adj. (med.) profylaktisk, forebyggende.
propinquity [prə'piŋkwiti] sb. 1. nærhed; 2. slægtskab.
propitiate [prə'piʃieit] vb. F forsone, formilde (fx the gods).
propitiation [prəpiʃi'eiʃn] sb. F forsoning, formildelse.
propitiatory [prə'piʃiət(ə)ri] adj. forsonende; forsonlig (fx gesture).
propitious [prə'piʃəs] adj. F gunstig.
prop man (teat.) rekvisitør.
prop master (teat.) overrekvisitør.
proponent [prə'pəunənt] sb. fortaler (of for).
proportion [prə'pɔ:ʃn] sb. 1. del (fx a large ~ of the population); procentdel (fx the ~ of women in the population); 2. (mellem to ting) forhold (fx in the ~ of one to three); 3. (i regning) forholdsregning; 4. (mat.) proportion;
□ -s a. proportioner (fx classic -s);

dimensioner; b. (fig.) dimensioner (fx a tragedy of enormous -s); omfang; of classic -s med klassiske proportioner;
the ~ of silver to gold andelen/mængden af sølv i forhold til guld; forholdet mellem sølv og guld;
[med præp.] keep it in ~ (fig.) ikke overdrive betydningen af det; se det i det rette perspektiv; in ~ as alt eftersom; in ~ to i forhold til; (se også direct¹, inverse); it is out of ~ (fig.) det er ude af proportion; det er overdrevet/urimeligt; the problem had been blown up out of all ~ problemets betydning//omfang var blevet vildt overdrevet; be out of ~ to ikke stå i (noget rimeligt) forhold til.
proportional [prə'pɔ:ʃn(ə)l] adj. forholdsmæssig; proportional; □ be ~ to være proportional med; stå i forhold til.
proportional representation sb. (parl.) mandatfordeling efter forholdstalsvalg; forholdstalsvalgmåde.
proportionate [prə'pɔ:ʃnət] adj. se proportional.
proportioned [prə'pɔ:ʃnd] adj. med ... proportioner (fx she was tall and perfectly ~); (især i sms.) proportioneret (fx well-~).
proposal [prə'pəuz(ə)l] sb. 1. forslag (for til; to/that om at); 2. (mht. ægteskab) frieri.
propose [prə'pəuz] vb. 1. foreslå (+ -ing//that at, fx I ~ waiting//that we wait; ~ changes in the plan); 2. (teori etc.) fremsætte; 3. (forslag, i debat) forelægge, fremsætte (fx a resolution); 4. (person) indstille (for//as til, fx ~ him for the post; ~ him as chairman); 5. (F:+ inf. el. -ing, om hensigt) have i sinde, agte (fx I ~ to leave/leaving tomorrow); 6. (uden objekt) fri (to til, fx he -d to her);
□ man -s, God disposes mennesket spår men Gud rå'r; (se også health, toast).
proposer [prə'pəuzə] sb. 1. forslagsstiller; 2. (jf. propose 4) stiller.
proposition¹ [prɔpə'ziʃn] sb. 1. (især merk.) forslag; tilbud; plan (fx an investment ~); 2. (generelt) sag, foretagende (fx a difficult ~); historie; 3. T frækt tilbud; opfordring; 4. (som debatteres) påstand (fx we were asked to discuss the ~ that "All people are created equal"); 5. (sprogv.) udsagn; 6. (i logik) sætning; dom; 7. (mat.) sætning; 8. (am.: ved folkeafstemning i enkeltstat) spørgs-

mål; lovforslag;
□ make a ~ a. (jf. 1) fremsætte et tilbud; b. (jf. 3) komme med et frækt tilbud; a paying ~ noget der betaler sig; noget der er penge i; he is a tough ~ T han er ikke nem at bide skeer med.
proposition² [prɔpə'ziʃn] vb. 1. T komme med et frækt tilbud til; antaste; 2. (merk.) foreslå; tilbyde, give tilbud om;
□ be -ed (jf. 1) få et frækt tilbud; blive antastet; he was -ed by the firm (jf. 2) han fik et tilbud fra firmaet.
propound [prə'paund] vb. F forelægge; fremlægge; (teori, idé) fremsætte.
proprietary [prə'praiət(ə)ri] adj. 1. ejendoms-; 2. (merk.) navnebeskyttet; 3. (om person) som giver indtryk af at eje det hele; □ with a ~ air (jf. 3) med besiddermine.
proprietary company, **proprietary limited company** sb. (austr.; syd-afr.) privat aktieselskab.
proprietary medicine sb. medicinsk specialitet.
proprietary name sb. indregistreret navn.
proprietary right sb. ejendomsret.
proprietor [prə'praiətə] sb. ejer, indehaver; ejendomsbesidder.
proprietorial [prəpraiə'tɔ:riəl] adj. besiddende; som om man ejer det hele.
propriety [prə'praiəti] sb. 1. (mht. opførsel, moral) sømmelighed, velanstændighed (fx he took care not to offend against ~); korrekthed; 2. (generelt) berettigelse, hensigtsmæssighed, betimelighed (fx I doubt the ~ of doing that); □ the proprieties de konventionelle former, konventionen; etiketten.
propulsion [prə'pʌlʃn] sb. fremdrivning.
pro rata [prəu'ra:tə, -'rei-] adv. pro rata; forholdsmæssigt.
prorate [prou'reit] vb. (am.) 1. fordele forholdsmæssigt; 2. bedømme forholdsmæssigt.
prorogation [prəurə'geiʃn] sb. (parl.) hjemsendelse [ved slutningen af en samling].
prorogue [prə(u)'rəug] vb. (parl.) hjemsende.
prosaic [prə(u)'zeiik] adj. F 1. prosaisk; 2. (fig.) poesiforladt, kedelig, ordinær.
proscenium [prə(u)'si:niəm] sb. (teat.) proscenium.
proscenium arch sb. (teat.) prosceniumsåbning.

proscribe [prə(u)'skraib] *vb.* F
1. forbyde (*fx the Government -d
strikes*); **2.** fordømme (*fx the
Church -d polygamy*); **3.** (*hist.*)
proskribere.
proscription [prə(u)'skripʃn] *sb.* (jf.
proscribe) **1.** forbud; **2.** fordøm-
melse; **3.** (*hist.*) proskription.
prose [prəuz] *sb.* prosa.
prosecute ['prɔsikju:t] *vb.* **1.** (*jur.*:
person, i kriminalsag) anklage,
rejse tiltale mod, stille for retten;
2. (*uden objekt: om myndighed*)
rejse tiltale (*fx they decided not to
~*); (*om person, svarer til*) indgive
politianmeldelse (*fx the victim
said that she would not ~*);
3. (*om advokat*) være anklager i
[*en sag*]; **4.** (*sag*) forfølge; **5.** (*akti-
vitet*) fortsætte (for at fuldføre) (*fx
an investigation; the war*);
6. (*glds.: om erhverv*) drive, ud-
øve;
□ *shoplifters will be -d* (*svarer til*)
butikstyve vil blive politianmeldt;
(se også *trespasser*).
prosecution [prɔsi'kju:ʃn] *sb.*
1. (*jur.*) strafferetlig forfølgning;
tiltalerejsning; retsforfølgning;
2. (*af sag*) forfølgelse; **3.** (*af aktivi-
tet*) udøvelse (*fx in the ~ of his
duties*);
□ *the ~* (*i kriminalsag*) anklage-
myndigheden, anklageren; (se også
*counsel¹, Director of Public Pros-
ecutions*).
prosecutor ['prɔsikju:tə] *sb.* ankla-
ger; (se også *public prosecutor*).
proselyte ['prɔsəlait] *sb.* F om-
vendt; proselyt.
proselytize ['prɔs(ə)litaiz] *vb.* (F:
neds.) **1.** (*uden objekt*) hverve pro-
selytter, missionere; **2.** (*med ob-
jekt: person*) (prøve at) omvende.
prospect¹ ['prɔspekt] *sb.* **1.** udsigt
(*of til; that tiul at*); mulighed (*of
for; that for at*); **2.** (*om person*)
emne; kandidat; ansøger der har
udsigt til at blive foretrukket;
(*merk.*) kundeemne;
□ *-s* (fremtids)udsigter.
prospect² [prə'spekt] *vb.*: *~ for*
søge efter (*fx gold*); efterforske,
bore efter (*fx oil*).
prospective [prə'spektiv] *adj.*
1. (*om person*) mulig, eventuel (*fx
buyer; candidate*); fremtidig, vor-
dende; **2.** (*om begivenhed*) ventet,
mulig, eventuel (*fx changes*);
□ *~ customer* kundeemne.
prospector [prə'spektə] *sb.* **1.** [*en
der søger efter mineraler etc.*];
2. guldgraver.
prospectus [prə'spektəs] *sb.* **1.** pro-
spekt, program; **2.** (*merk.: til akti-
etegning*) tegningsindbydelse.

prosper ['prɔspə] *vb.* **1.** (*økono-
misk: om person*) have held med
sig, have fremgang; (*om foreta-
gende også*) blomstre; **2.** (*fysisk*)
trives (*fx the children seemed to
~*).
prosperity [prɔs'perəti] *sb.* frem-
gang; velstand.
prosperous ['prɔsp(ə)rəs] *adj.* vel-
stående, velhavende; (*om foreta-
gende også*) blomstrende (*fx busi-
ness*).
prostate ['prɔsteit], **prostate gland**
sb. (*anat.*) prostata, blærehalskir-
tel.
prosthesis ['prɔsθəsis, (*am. også*)
prɔs'θi:sis] *sb.* (*pl. prostheses*
['prɔsθəsi:z, (*am.*) 'prɔsθi:si:z])
protese.
prosthetic [prɔs'θetik] *adj.* kunstig
(*fx hand*).
prostitute¹ ['prɔstitju:t] *sb.* prosti-
tueret.
prostitute² ['prɔstitju:t] *vb.* **1.** pro-
stituere, vanære, misbruge (*fx
one's abilities*); **2.** (*seksuelt*) pro-
stituere;
□ *~ oneself* (*også fig.*) prostituere
sig; sælge sig selv.
prostitution [prɔsti'tju:ʃn] *sb.* (jf.
prostitute) **1.** prostitution, mis-
brug; **2.** prostitution.
prostrate¹ ['prɔstreit] *adj.* **1.** ud-
strakt (og med ansigtet mod jor-
den), næsegrus (*fx lie ~*); **2.** (*fig.*)
ødelagt (*with af, fx exhaustion*);
(*af sorg*) knust, lammet.
prostrate² [prɔ'streit] *vb.*: *~ one-
self* kaste sig næsegrus, kaste sig i
støvet; bøje sig dybt.
prostration [prɔ'streiʃn] *sb.* **1.** ka-
sten sig i støvet; knælen; knæfald;
2. afkræftelse, udmattelse; ned-
trykthed.
prosy ['prəuzi] *adj.* kedelig, lang-
trukken.
protagonist [prə(u)'tægənist] *sb.*
1. fortaler, forkæmper, ledende
skikkelse; **2.** (*i drama etc.*) hoved-
person.
protean [prəu'ti:ən, 'prəutiən] *adj.*
proteusagtig, omskiftelig, stadig
skiftende.
protect [prə'tekt] *vb.* **1.** beskytte
(*against/from mod, fx against at-
tack; from the cold*); (*især* F)
værne; (*nidkært*) værne om (*fx
one's privacy*); **2.** (*plante-, dy-
reart, mindesmærke*) frede;
3. (*økon.: industri*) beskytte;
4. (*merk.: veksel*) honorere, indfri.
protected [prə'tektid] *adj.* fredet (*fx
species*).
protection [prə'tekʃn] *sb.* (jf. *pro-
tect*) **1.** beskyttelse; værn; **2.** fred-
ning; **3.** (*økon.*) toldbeskyttelse;

4. (*merk.*) honorering, indfrielse;
5. (*assur.*) forsikringsdækning;
6. (T: *gangsteres*) beskyttelse; (se
også *protection money*).
protectionism [prə'tekʃnizm] *sb.*
(*økon.*) protektionisme.
protectionist [prə'tekʃnist] *sb.*
(*økon.*) protektionist.
protection money *sb.* T beskyttel-
sespenge.
protective [prə'tektiv] *adj.* **1.** (*om
person*) beskyttende (*of over for*);
2. (*om ting*) beskyttende; beskyt-
telses- (*fx colouring* farve; *tariff*
told; *helmet; gloves*).
protective clothing *sb.* berskyttel-
sesdragt.
protective custody *sb.* beskyttel-
sesarrest.
protector [prə'tektə] *sb.* beskytter;
protektor.
protectorate [prə'tekt(ə)rət] *sb.* pro-
tektorat.
protégé ['prəuteʒei, (*am.*) prəutə-
'ʒei] *sb.* protégé.
protein ['prəuti:n] *sb.* protein.
pro tem [prəu'tem] *fork. f. pro tem-
pore* p.t., for tiden.
protest¹ ['prəutest] *sb.* **1.** protest;
2. (*merk.*) vekselprotest; **3.** (*mar.*)
søforklaring;
□ *make/lodge a ~ against* gøre
indsigelse mod; nedlægge protest
imod.
protest² [prə'test] *vb.* **1.** protestere
(*against* imod); gøre indsigelse
(*against* imod); **2.** (*am.: med
objekt*) protestere imod (*fx a new
law*); **3.** (*om udsagn*) forsikre (*fx
he -ed that he was innocent*);
(energisk) hævde, bedyre (*fx one's
innocence*);
□ *~ a bill* (*merk.*) protestere en
veksel.
Protestant¹ ['prɔtistənt] *sb.* prote-
stant.
Protestant² ['prɔtistənt] *adj.* prote-
stantisk.
Protestantism ['prɔtistəntizm] *sb.*
protestantisme.
protestation [prɔte'steiʃn, prəu-] *sb.*
F forsikring; erklæring.
protester [prə(u)'testə] *sb.* demon-
strant.
protocol¹ ['prəutəkɔl] *sb.* **1.** (*ved of-
ficielle lejligheder*) protokol, eti-
kette; **2.** (*diplomatisk dokument*)
protokol; **3.** (*ved videnskabeligt
forsøg*) forsøgsjournal; **4.** (*am.
med.*) behandlingsprocedure.
protocol² ['prəutəkɔl] *vb.* protokol-
lere.
proton ['prəutɔn] *sb.* (*fys.*) proton.
protoplasm ['prəutəplæzm] *sb.*
protoplasma.
prototype ['prəutətaip] *sb.* proto-

type.
protozoan [prəutə'zəuən] *sb.* protozo.
protracted [prə(u)'træktid] *adj.* F langtrukken; langvarig.
protractor [prə(u)'træktə] *sb.* (*til tegning etc.*) vinkelmåler.
protrude [prə(u)'tru:d] *vb.* rage frem; stikke frem/ud.
protruding [prə(u)'tru:diŋ] *adj.* udstående (*fx eyes*; *ears*); som stikker frem.
protrusion [prə(u)'tru:ʒ(ə)n] *sb.*
1. det at stikke frem; **2.** fremspring.
protuberance [prə(u)'tju:bərəns] *sb.*
1. fremspring; udvækst; bule;
2. (*astr.*) protuberans.
protuberant [prə(u)'tju:bərənt] *adj.* udstående; fremstående.
proud [praud] *adj.* **1.** stolt;
2. (*neds.*) stolt, hovmodig;
3. (*poet.*) stolt, prægtig;
□ (*as*) ~ *as a peacock* stolt som en pave; *do sby* ~ **a.** (*glds.* T) behandle en fyrsteligt; beværte en godt, diske op for en; **b.** (*am.*) gøre en stolt.
proud flesh *sb.* (*med.: i sår*) dødt kød.
prove [pru:v] *vb.* **1.** vise sig at være (*fx the story -d false*); blive (*fx the play -d a success*); **2.** (*om dej*) hæve; **3.** (*med objekt*) bevise, godtgøre (*fx his guilt*); påvise; (+ *adj.*) bevise at én er ... (*fx* ~ *him guilty*); **4.** (*i regning*) gøre prøve på; **5.** (*maskiner etc.*) afprøve; prøvekøre; **6.** (*jur.: testamente*) stadfæste;
□ ~ *itself* bevise sin værdi (*fx this method has -d itself*); ~ *oneself* vise sit værd (*fx he felt he had to* ~ *himself*); ~ *oneself (to be)* vise sig som, vise sig at være (*fx he -d himself (to be) a true friend*); ~ *true* vise sig at være sand, blive bekræftet, slå til; ~ *him wrong* vise at han har uret; (se også *exception, hilt*).
proven ['pru:v(ə)n] *adj.* bevist (*fx a* ~ *ability to work hard*); uomtvistelig (*fx of* ~ *worth*);
□ *not* ~ (*skotsk jur.*) ikke bevist.
provenance ['prɔv(ə)nəns] *sb.* oprindelse; proveniens.
provender ['prɔvində] *sb.* foder.
proverb ['prɔvə:b] *sb.* ordsprog.
proverbial [prə(u)'və:biəl] *adj.*
1. (*om udtryk*) som er nævnt i den velkendte talemåde; meget omtalt, berømt (*fx the* ~ *needle in the haystack*); **2.** (*om egenskab*) legendarisk (*fx his* ~ *stinginess//honesty*).
provide [prə(u)'vaid] *vb.* **1.** sørge

for, skaffe, tilvejebringe (*fx the necessary funds*); stille til rådighed (*fx a horse*; *teachers*); levere (*fx ideas*; *the wine for the party*); give (*fx documentation*; *the tree -d shade*); **2.** (*jur.: om lov*) foreskrive, bestemme;
□ ~ *against* F tage forholdsregler mod, sikre sig mod; ~ *for* **a.** tage hensyn til, tage højde for (*fx possible risks*); **b.** (*økonomisk*) sørge for (*fx one's children*); **c.** (*jur.: om lov etc.*) tillade, muliggøre; ~ *with* forsyne med, udstyre med, udruste med (*fx they were all -d with guns*).
provided [prə(u)'vaidid] *konj.*: ~ (*that*) **a.** forudsat (at), på betingelse af at (*fx* ~ (*that*) *there are no objections*); **b.** (*jur.*) dog således at.
Providence ['prɔvid(ə)ns] *sb.* (*rel.*) forsynet.
providence ['prɔvid(ə)ns] *sb.*
1. (*rel.*) forsyn; (se også *Providence, tempt*); **2.** (*egenskab*) forudseenhed, forsynlighed.
provident ['prɔvid(ə)nt] *adj.* F forudseende, forsynlig; sparsommelig.
providential [prɔvi'denʃ(ə)l] *adj.* bestemt af forsynet;
□ *he had a* ~ *escape* det var et Guds under at han undslap.
providentially [prɔvi'denʃ(ə)li] *adv.* ved forsynets styrelse; lykkeligvis.
provider [prə(u)'vaidə] *sb.* **1.** leverandør; **2.** forsørger;
□ *he has always been a good* ~ han har altid sørget godt for sin familie.
providing [prə(u)'vaidiŋ] *konj.* forudsat (at).
province ['prɔvins] *sb.* **1.** provins;
2. (F: *som man beskæftiger sig med*) område (*fx this is not within my* ~); gebet; felt;
□ *the -s* provinsen.
provincial[1] [prə(u)'vinʃ(ə)l] *sb.* provinsboer.
provincial[2] [prə(u)'vinʃ(ə)l] *adj.*
1. provins- (*fx town*); **2.** (*neds.*) provinsiel (*fx attitude*).
provincialism [prə(u)'vinʃ(ə)lizm] *sb.* provinsialisme.
proving ['pru:viŋ] *sb.* (*tekn.*) afprøvning; (*også edb*) prøvekørsel.
proving ground *sb.* **1.** (*for biler*) prøvebane, testbane; **2.** (*for våben etc.*) forsøgsområde, forsøgsbane.
provision[1] [prə'viʒ(ə)n] *sb.* **1.** (jf. *provide*) fremskaffelse, tilvejebringelse; levering; anskaffelse;
2. (*mht. familie*) forsørgelse; underhold; **3.** (*jur.*) bestemmelse;

□ -*s* forsyninger, proviant; *make* ~ *against* træffe forholdsregler imod; *make* ~ *for* sørge for.
provision[2] [prə'viʒ(ə)n] *vb.* forsyne (med proviant); proviantere.
provisional [prə'viʒ(ə)n(ə)l] *adj.* midlertidig, foreløbig; provisorisk, interimistisk.
proviso [prə'vaizəu] *sb.* forbehold; betingelse; klausul.
provocation [prɔvə'keiʃn] *sb.* udfordring, provokation.
provocative [prə'vɔkətiv] *adj.* udfordrende, provokerende; æggende;
□ *be* ~ *of* fremkalde.
provoke [prə'vəuk] *vb.* **1.** fremkalde, fremprovokere (*fx a crisis*); vække (*fx anger*); **2.** (*person*) anspore, tilskynde (*to til at, fx* ~ *him to do it*); **3.** (*neds.*) provokere, udfordre; ærgre, irritere.
provoking [prə'vəukiŋ] *adj.* irriterende, ærgerlig; (se også *provocative*).
provost ['prɔvəst, (*am. især*) 'prouuvoust] *sb.* **1.** (*ved universitetskollegium*) rektor; **2.** (*mil.*) militærpolitimand; **3.** (*rel.*) domprovst;
4. (*skotsk*) borgmester.
provost marshal *sb.* (*mil.*) chef for militærpolitiet.
prow [prau] *sb.* (*mar.*) forstavn, stævn.
prowess ['prauis] *sb.* F **1.** overlegen dygtighed, overlegenhed; **2.** (*i kamp*) tapperhed.
prowl[1] [praul] *sb.* strejftog; snusen rundt;
□ *on the* ~ på jagt; på rov.
prowl[2] [praul] *vb.* **1.** strejfe om, snuse rundt; snige sig/luske rundt [*på rov*]; **2.** (*med objekt*) strejfe//snuse//snige sig//luske rundt i.
prowl car *sb.* (*am.*) (politi)patruljevogn.
prowler ['praulə] *sb.* [*en der lusker rundt om natten med lyssky formål*]; listetyv; vindueskigger; overfaldsmand.
proximate ['prɔksimət] *adj.* F nærmest.
proximity [prɔk'siməti] *sb.* F nærhed;
□ *in close* ~ *to* i umiddelbar nærhed af.
proxy ['prɔksi] *sb.* **1.** fuldmagt (*fx vote by* ~); **2.** (*person*) befuldmægtiget; stedfortræder (*fx marry by* ~);
□ *use it as a* ~ *for* (*i beregning etc.*) tage det som udtryk for, lade det repræsentere.
prude [pru:d] *sb.* snerpe; sippe.
prudence ['pru:d(ə)ns] *sb.* klogskab; forsigtighed, omtanke.

prudent ['pru:d(ə)nt] *adj.* klog; forsigtig.
prudential [pru:'denʃ(ə)l] *adj.* (*glds.*) = *prudent.*
prudently ['pru:d(ə)ntli] *adv.* klogt; forsigtigt, med omtanke.
prudery ['pru:dəri] *sb.* snerperi; sippethed.
prudish ['pru:diʃ] *adj.* snerpet; sippet.
prune[1] [pru:n] *sb.* **1.** sveske; **2.** (T, *om person: dum*) fjollehoved, tåbe; (*ubehagelig*) led ka'l.
prune[2] [pru:n] *vb.* **1.** (*træer, planter*) beskære (*fx roses*); klippe, trimme; (*gren, skud*) skære væk; **2.** (*fig.*) nedskære, skære ned på (*fx expenses*);
□ ~ *away* a. skære væk, fjerne; **b.** (*i tekst*) stryge; ~ *back* a. (*gren, skud*) skære tilbage; **b.** (*fig.*) = 2; ~ *down* a. skære ned; **b.** (*tekst*) forkorte.
pruning knife *sb.* beskærekniv.
pruning saw *sb.* grensav.
pruning shears *sb. pl.* beskæresaks.
prurience ['pruəriəns] *sb.* (jf. *prurient*) **1.** lystenhed, liderlighed; **2.** nyfigenhed.
prurient ['pruəriənt] *adj.* F **1.** lysten, liderlig; **2.** (*mht. andres privatliv*) nyfigen;
□ ~ *curiosity* nyfigenhed.
Prussia ['prʌʃə] (*geogr.*) Preussen.
Prussian[1] ['prʌʃn] *sb.* preusser.
Prussian[2] ['prʌʃn] *adj.* preussisk.
Prussian blue *sb.* berlinerblåt.
prussic acid *sb.* (*glds.*) blåsyre.
pry [prai] *vb.* **1.** snuse, snage, spionere; **2.** (*især am.*) = *prise*;
□ ~ *into* (jf. *1*) snage i, stikke sin næse i.
prying ['praiiŋ] *adj.* (*neds.*) nysgerrig, nyfigen; som stikker næsen i andre folks sager.
PS *fork. f.* **1.** *postscript*; **2.** (*teat.*) *prompt side.*
psalm [sa:m] *sb.* salme [*især bibelsk, om Davids salmer*].
psalmist ['sa:mist] *sb.* salmist; salmedigter.
psalter ['sɔ:ltə] *sb.* Davids salmer.
psephologist [si'fɔlədʒist, se-, (*am.*) si:-] *sb.* valgekspert; valganalytiker.
psephology [si'fɔlədʒi, se-, (*am.*) si:-] *sb.* valganalyse.
pseud [sju:d, su:d] *sb.* T blærerøv; pseudointellektuel, krukke.
pseudo- ['sju:dəu, 'su:-] (*i sms.*) pseudo-; falsk, uægte.
pseudonym ['sju:dənim, 'su:-] *sb.* pseudonym.
pseudonymous [sju:'dɔniməs, su:] *adj.* pseudonym.

pseudy ['sju:di, 'su:di] *adj.* T blæret; krukket.
pshaw [(p)ʃɔ:] *interj.* (*glds.*) pyt.
psittacosis [sitə'kəusis] *sb.* (*med.*) papegøjesyge.
psoriasis [sɔ'raiəsis] *sb.* (*med.*) psoriasis.
PSV *fork. f. public service vehicle.*
psych [saik] *vb.* T psykoanalysere;
□ ~ *out* a. (*uden objekt*) blive usikker, miste modet; flippe ud; **b.** (*person*) gennemskue; (*modstander, i konkurrence*) gøre usikker; tage pippet fra; **c.** (*problem etc.*) analysere, gennemskue; finde ud af; ~ *up* forberede psykisk (*fx ~ up the team before the game*).
psyche[1] ['saiki] *sb.* psyke.
psyche[2] ['saik] = *psych.*
psychedelic [saiki'delik] *adj.* psykedelisk, bevidsthedsudvidende.
psychiatric [saiki'ætrik] *adj.* psykiatrisk.
psychiatrist [sai'kaiətrist] *sb.* psykiater.
psychiatry [sai'kaiətri] *sb.* psykiatri.
psychic[1] ['saikik] *sb.* (spiritistisk) medium.
psychic[2] ['saikik] *adj.* **1.** (*om overnaturlig evne*) synsk (*fx I don't know, I'm not ~*); mediumistisk (*fx powers*); **2.** (*vedrørende det overnaturlige*) spiritistisk, overnaturlig (*fx phenomena*); **3.** F psykisk (*fx damage; problems*).
psychical ['saikik(ə)l] *adj.* se *psychic*[2] 2.
psychical research *sb.* psykisk forskning [ɔ: *i overnaturlige fænomener*].
psychic bid *sb.* (*i bridge*) psykologisk/psykisk melding.
psychoactive [saikəu'æktiv] *adj.*: ~ *drugs* psykofarmaka [*medicin der påvirker psyken*].
psychoanalysis [saikəuə'nælisis] *sb.* psykoanalyse.
psychoanalyst [saikəu'ænəlist] *sb.* psykoanalytiker.
psychoanalytic [saikəuænə'litik] *adj.* psykoanalytisk.
psychoanalyze [saikəu'ænəlaiz] *vb.* psykoanalysere.
psychobabble ['saikəubæbl] *sb.* T psykologjargon; psykosnak.
psychological [saikə'lɔdʒik(ə)l] *adj.* **1.** psykisk (*fx effect; difficulties; pressure; problems*); **2.** psykologisk (*fx research; testing; warfare; at the ~ moment*).
psychologist [sai'kɔlədʒist] *sb.* psykolog.
psychology [sai'kɔlədʒi] *sb.* psykologi.
psychopath ['saikə(u)pæθ] *sb.* psy-

kopat.
psychopathic [saikə(u)'pæθik] *adj.* psykopatisk.
psychosis [sai'kəusis] *sb.* (*pl. psychoses* [sai'kəusi:z]) psykose.
psychosomatic [saikə(u)sə'mætik] *adj.* psykosomatisk.
psychotherapist [saikə(u)'θerəpist] *sb.* psykoterapeut.
psychotherapy [saikə(u)'θerəpi] *sb.* psykoterapi.
psychotic [sai'kɔtik] *adj.* psykotisk.
psywar ['saiwɔ:] *sb.* psykologisk krigsførelse.
PT *fork. f.* **1.** *physical training*; **2.** *physiotherapist.*
Pt *fork. f.* **1.** *Part*; **2.** (*på kort*) *Point; Port.*
pt *fork. f.* **1.** *pint*; **2.** (*med.*) *patient*; **3.** (*merk.*) *payment*; **4.** (*i sport*) *point*; **5.** (*på skib, fly*) *port* bagbord.
PTA *fork. f. parent-teacher association.*
ptarmigan ['ta:migən] *sb.* (*zo.*) fjeldrype.
PT boat *fork. f. patrol torpedo boat* (*am.*) motortorpedobåd.
Pte. *fork. f. private* (*mil.*) menig.
pterodactyl [terəu'dæktil] *sb.* (*zo. hist.*) flyveøgle.
PTO *fork. f.* **1.** *please turn over!* vend! **2.** (*am.*) *parent-teacher organization.*
Pty *fork. f. proprietary* (*austr.; sydafr.*) privat aktieselskab.
pub [pʌb] *sb.* (*fork. f. public house*) pub, værtshus, kro.
pub crawl *sb.*: *go on a ~* se *pub-crawl.*
pub-crawl ['pʌbkrɔ:l] *vb.* T gå fra værtshus til værtshus; bumle; ture rundt.
puberty ['pju:bəti] *sb.* pubertet.
pubescent [pju'bes(ə)nt] *adj.* F **1.** (*om børn*) i pubertetsalderen; pubertets- (*fx boys*); **2.** (*biol.*) dunhåret.
pubic ['pju:bik] *adj.* skam- (*fx bone*); køns- (*fx hair*).
public[1] ['pʌblik] *sb.* publikum (*fx the writer and his ~*);
□ *in* ~ offentligt; *the* ~ publikum; offentligheden; befolkningen; *open to the* ~ offentlig tilgængelig; *the general* ~ se ovf.: *the* ~; *members of the* ~ (*omtr.*) almindelige mennesker; folk på gaden.
public[2] ['pʌblik] *adj.* **1.** offentlig (*fx park; scandal*); **2.** (*som angår mange*) almindelig (*fx outcry*); folkelig (*fx support; pressure*); **3.** (*vedrørende statsmagten*) offentlig; stats- (*fx administration; revenue; spending; accounts* regnskab);
□ *it is too ~ here* der er for mange

mennesker her; *go* ~ (*merk.: om selskab*) gå på børsen; *go* ~ *with* se: *make* ~; *make* ~ offentliggøre; gøre almindelig bekendt; [*med sb.; se også på alfabetisk plads: public bar etc.*] *in the* ~ *eye* i offentlighedens søgelys; i rampelyset; *a* ~ *figure* en offentlig person; *the* ~ *good* almenvellet; *contrary to//in the* ~ *interest* stridende mod//i offentlighedens interesse; *a* ~ *matter* et samfundsanliggende; *the* ~ *sector* den offentlige sektor.

public address system *sb.* højttaleranlæg.

publican ['pʌblikən] *sb.* **1.** værtshusholder; **2.** (*hist.*) skatteforpagter; **3.** (*i Biblen*) tolder (*fx -s and sinners*).

publication [pʌbli'keiʃn] *sb.* **1.** (*af skrift*) udgivelse, udsendelse; publicering, offentliggørelse; **2.** (*det udgivne*) udgivelse, publikation; skrift, blad, bog; **3.** (*af meddelelse*) offentliggørelse, bekendtgørelse; **4.** (*jur.: af injurier etc.*) udbredelse.

public bar *sb.* [*billigere afdeling af pub*]; (*omtr.*) slyngelstue.

public company *sb.* (*merk.*) (børsnoteret) offentligt aktieselskab.

public convenience *sb.* (offentligt) toilet.

public defender *sb.* (*am. jur.*) beskikket forsvarer [*lønnet af det offentlige*].

public domain *sb.: in the* ~ offentligt tilgængelig.

public domain software *sb.* (*it*) public-domain programmer; gratis programmer.

public enemy *sb.* samfundsfjende; offentlighedens fjende.

public health *sb.* **1.** offentligt sundhedsvæsen; **2.** folkesundhed.

public house *sb.* F pub, værtshus, kro.

public housing *sb.* (*am.*) socialt boligbyggeri.

publicist ['pʌblisist] *sb.* pressesekretær; informationsmedarbejder.

publicity [pʌ'blisiti] *sb.* **1.** offentlig omtale; omtale (*fx bad* ~; *newspaper* ~); offentlig opmærksomhed (*fx attract wide* ~ *in the press; the* ~ *surrounding the case*); **2.** reklame;
□ *get/receive a lot of* ~ **a.** blive meget omtalt; **b.** blive (stærkt) opreklameret.

publicity agent *sb.* se *publicist.*

publicity department *sb.* reklameafdeling.

publicity stunt *sb.* reklametrick.

publicize ['pʌblisaiz] *vb.* **1.** gøre of-

fentligt kendt; omtale (*fx a much-publicized event*); **2.** reklamere for.

public lending right fee *sb.* (*svarer til*) biblioteksafgift.

public library *sb.* folkebibliotek, offentligt bibliotek.

public limited company *sb.* (børsnoteret) offentligt aktieselskab.

public nuisance 1. (*jur.*) ulempe for offentligheden; **2.** T plage, pestilens.

public opinion *sb.* den offentlige mening.

public prosecutor *sb.* (*jur.*) offentlig anklager; statsadvokat.

Public Record Office *sb.* (*svarer til*) rigsarkiv.

public relations *sb. pl.* **1.** public relations; reklame; **2.** forhold til offentligheden (*fx improve* ~).

public relations department *sb.* presseafdeling.

public relations officer *sb.* pressechef.

public school *sb.* **1.** (*eng.*) kostskole [*især om de store eksklusive kostskoler som Eton, Rugby og Harrow*]; **2.** (*am., skotsk*) offentlig skole.

public servant *sb.* embedsmand; funktionær.

public service *sb.* **1.** statens tjeneste (*fx he is in* ~); **2.** (*som udføres til gavn for andre*) offentlig service.

public-service [pʌblik'sə:vis] *adj.* som er til gavn for offentligheden, almennyttig [*mods. kommerciel*].

public services *sb. pl.* offentlige tjenesteydelser; (se også *public utilities*).

public-service vehicle *sb.* køretøj til offentlig passagertransport.

public spirit *sb.* samfundssind.

public-spirited [pʌblik'spiritid] *adj.* som viser samfundssind.

public television *sb.* (*am.*) ikke-kommercielt fjernsyn.

public utilities *sb. pl.* offentlige værker; offentlige foretagender [*gas-, elektricitetsværker, bus- og sporvejslinjer etc.*].

public weal *sb.: the* ~ (*litt.*) det almene bedste.

public works *sb. pl.* offentlige arbejder.

publish ['pʌbliʃ] *vb.* **1.** (*om forfatter*) publicere, offentliggøre (*fx an article*); udgive (*fx a novel; he has not -ed anything lately*); udsende; **2.** (*om forlag*) udgive, udsende; **3.** (*om avis*) optage, bringe, trykke (*fx an article*); **4.** (*meddelelse*) offentliggøre (*fx the announcement of a death*); bekendtgøre; **5.** (*især*

jur.) udbrede (*fx a libel*);
□ *be -ed* udkomme; *-ed price* bogladepris; (se også *banns*).

publisher ['pʌbliʃə] *sb.* **1.** forlægger; **2.** (*firma*) forlag.

publisher's reader *sb.* forlagskonsulent.

publishing ['pʌbliʃiŋ] *sb.* forlagsvirksomhed.

publishing house *sb.* (bog)forlag.

puce [pju:s] *adj.* rødbrun; blommefarvet.

puck [pʌk] *sb.* **1.** (*i ishockey*) puck; **2.** (*myt.*) nisse.

pucker[1] ['pʌkə] *sb.* rynke; fold.

pucker[2] ['pʌkə] *vb.* **1.** rynke sig; krølle; blive rynket//krøllet; slå folder; **2.** (*med objekt*) rynke (*fx one's brows*); krølle;
□ *her face -ed* hun blev helt krøllet i ansigtet; ~ *one's lips* spidse munden; ~ *up* = ~.

puckish ['pʌkiʃ] *adj.* drilagtig; drilsk.

pud [pud] *fork. f.* **1.** T *pudding*; **2.** T tissemand;
□ *pull one's* ~ T spille/rive den af; onanere.

pudding ['pudiŋ] *sb.* **1.** (*varm ret*) [*dej med fyld af kød el. grønsager, bagt el. dampkogt i lukket form*]; (*omtr.*) pie; (*sød, omtr.*) budding (*fx chocolate* ~); kage; (se også *black pudding, plum pudding, rice pudding, Yorkshire pudding*); **2.** (*del af måltid*) dessert; efterret; **3.** S tissemand;
□ *what's for* ~? (*jf.* 2) hvad skal vi have til dessert? *pull one's* ~ se *pud*; (se også *overegg, proof*[1]).

pudding basin *sb.* dejskål; buddingform.

pudding-basin hairdo *sb.* (*spøg.*) grydeklipning.

pudding club *sb.: in the* ~ (*glds.* S) gravid.

pudding face *sb.* T fuldmåneansigt.

pudding head *sb.* tåbe.

puddle ['pʌdl] *sb.* pøl, pyt.

pudenda [pju'dendə] *sb. pl.* (*glds.*) (kvindelige) kønsdele.

pudgy ['pʌdʒi] *adj.* (*især am.*) = *podgy.*

pueblo [pu'ebləu, 'pwebləu] *sb.* landsby, by [*i spansk-amerikansk område*]; indianerlandsby.

puerile ['pjuərail, (*am.*) -r(ə)l] *adj.* pueril, barnagtig.

puerility [pjuə'riləti] *sb.* barnagtighed.

puerperal [pju'ə:p(ə)rəl] *adj.: ~ fever* barsel(s)feber.

puff[1] [pʌf] *sb.* **1.** (*af luft*) pust, vindpust; **2.** (*af røg etc.*) sky, røgsky; **3.** (*ved rygning*) drag, sug (*fx he took a* ~ *of his pipe//cigar*);

4. (*lyd af damplokomotiv*) tøf, fut; **5.** (*kage*) [*skal af butterdej el. vandbakkelse med fyld*]; flødeskumskage; (se også *cream puff*); **6.** se *powder puff*; **7.** (T: *om tekst*) (overdrevent) rosende omtale; (overdreven) reklame; **8.** (*am.*) dyne; **9.** S se *poof¹*; □ *get one's ~ back* få vejret igen; *run out of ~* tabe vejret/pusten.

puff² [pʌf] *vb.* **1.** (*om person*) puste, gispe; bevæge sig pustende; **2.** (*om lokomotiv*) tøffe, futte; **3.** (*med objekt*) puste, blæse (*fx he -ed smoke into my face*); (*om bil*) udsende (*fx blue smoke*); **4.** (*cigaret etc.*) ryge, ryge på; **5.** (T: *vare*) gøre overdreven reklame for; □ *~ and blow, pant and ~* puste og stønne; [*med præp.& adv.*] *~ at/on* dampe på (*fx a cigar; a pipe*); (*pibe også*) bakke på; *~ out* **a.** puste op (*fx one's cheeks*); udspile; **b.** (*lys, flamme*) puste ud; **c.** (*røg*) udsende; **d.** (T: *person*) gøre forpustet; få til at tabe pusten; **e.** (*uden objekt*) svulme op; blive udspilet (*fx the sails -ed out*); **f.** (*om lys, flamme*) gå ud [*pludseligt*]; *~ out one's chest* skyde brystet frem; *~ up* **a.** puste op; **b.** (*pude*) ryste; **c.** (*vare*) gøre overdreven reklame for; opreklamere; **d.** (*uden objekt*) svulme op.

puff adder *sb.* (*zo.*) pufhugorm; puffadder.

puffball ['pʌfbɔ:l] *sb.* (*bot.*) støvbold; bovist.

puff bird *sb.* (*zo.*) dovenfugl.

puffed [pʌft] *adj.* **1.** forpustet, åndeløs; **2.** opsvulmet; □ *be ~* (*jf. 1, også*) have mistet vejret/pusten.

puffed-out [pʌft'aut] *adj.* se *puffed 1.*

puffed-up [pʌft'ʌp] *adj.* **1.** opblæst, vigtig; **2.** opsvulmet; oppustet [*i ansigtet*].

puffery ['pʌfəri] *sb.* (*især am.*) overdreven ros; opreklamering.

puffin ['pʌfin] *sb.* (*zo.*) søpapegøje, lunde.

puff pastry *sb.* butterdej.

puff piece *sb.* (*am.* T) = *puff¹ 7.*

puff sleeve *sb.* pufærme.

puffy ['pʌfi] *adj.* **1.** hævet, opsvulmet; **2.** (*om blæst*) stødvis; **3.** (*om sky*) ulden; **4.** (*om tøj*) struttende.

pug [pʌg] *sb.* **1.** (*hund*) moppe, mops; **2.** (*til keramik*) æltet ler; **3.** T bokser.

puggaree ['pʌgəri], **puggree** ['pʌgri] *sb.* [*tørklæde omkring solhjelm til beskyttelse af nakken mod solen*].

pugilist ['pju:dʒilist] *sb.* nævekæm-

per, bokser.

pugnacious [pʌg'neiʃəs] *adj.* F stridbar; kamplysten.

pugnacity [pʌg'næsəti] *sb.* stridbarhed; kamplyst.

pug nose *sb.* braknæse.

puke¹ [pju:k] *sb.* T opkast, bræk.

puke² [pju:k] *vb.* T kaste op, brække sig.

pukka ['pʌkə] *adj.* (*glds.*) førsteklasses; rigtig, ægte; god.

pulchritude ['pʌlkritju:d] *sb.* (*litt.*) skønhed.

pull¹ [pul] *sb.* **1.** træk, ryk, tag; **2.** (*til at trække i*) håndtag; snor (*fx curtain ~*); (se også *bell pull*); **3.** (*som trækker*) kraft (*fx the ~ of the water*); (se også *gravitational pull*); **4.** (*af drik*) slurk; **5.** (*ved rygning*) drag, sug; **6.** (*fig.*) tiltrækning, fordel (*fx one of the -s of urban life*); tiltrækningskraft, dragning (*fx the ~ of the sea*); **7.** (*persons*) indflydelse (*fx his ~ in the town*); □ *be on the ~* T være ude på at score* [ɔ: *en partner*]; [*med vb.*] *give a ~ at* rykke i (*fx the rope*); *have (a) ~* T have indflydelse; have gode forbindelser; *take a ~ at* **a.** (*jf. 4*) tage en slurk af (*fx a bottle*); **b.** (*jf. 5*) tage et drag/sug af (*fx a cigarette*); (*pibe også*) bakke på.

pull² [pul] *vb.* **1.** trække (*fx he pushed and I -ed*); hive, hale; **2.** (*om bil*) trække, køre (*fx he -ed to the left*); **3.** (*med objekt*) trække (*fx he -ed his hand away*; *~ the chair back*; *~ him in the right direction*); trække/rykke i (*fx his sleeve*); trække op//ud (*fx a cork*; *a tooth*); **4.** (*køretøj, redskab; våben*) trække (*fx a cart*; *the plough*; *a knife*; *a gun*); **5.** (*øl*) tappe af; **6.** (*data*) hente; trække; **7.** (*muskel, sene*) forstrække; **8.** (*båd*) ro; **9.** (*stemmer, publikum etc.*) samle; **10.** (*korrektur, typ.*) trække af, trykke, tage; **11.** (*partner, glds.* T) score; **12.** (*am.: hest*) holde igen på; holde tilbage [*for at hindre den i at vinde*]; **13.** (*am.* T: *person*) arrestere; **14.** (*am.* T: *noget dristigt*) lave (*fx a coup; a trick*); □ *~ sby's hair* rykke i en i håret; *~ the other one* [ɔ: *the other leg*] T den tror jeg ikke på; den må du længere ud på landet med; (se også *face¹, fast¹, leg¹, plug¹, punch¹, rank¹, string¹, trigger¹, weight¹*); [*med adv.& præp.*] *~ about* mishandle, maltraktere; *~ ahead* komme foran;

~ alongside køre op på siden af; *~ apart* **a.** (*mekanik etc.*) skille ad, pille fra hinanden; **b.** (*to der slås*) skille ad; **c.** (*bog, forslag etc.*) kritisere sønder og sammen; sable ned; *~ at* **a.** trække i (*fx her hair; the rope*); **b.** (*flaske, drik*) drikke af; **c.** (*ved rygning*) tage et drag/sug af (*fx a cigar*); (*pibe også*) bakke på; *~ at the oars* trække på årerne; *~ away* **a.** (*med objekt*) trække væk; **b.** (*uden objekt*) køre væk; trække væk; **c.** (*om person*) trække sig væk (*from* fra); *~ back* **a.** (*med objekt*) trække tilbage; **b.** (*uden objekt*) trække sig tilbage; *~ down* **a.** trække ned; **b.** (*hus*) rive ned; **c.** (*statue etc.*) vælte; **d.** (*styre*) styrte, vælte (*fx the government*); **e.** (*priser*) trykke; få til at falde; **f.** (*am.: person*) ydmyge, pille ned; tage pippet fra; **g.** (*am.: penge*) tjene; *~ for* (*am.*) heppe op; *~ in* **a.** (*om bil*) køre ind til siden; standse; **b.** (*om tog*) køre ind [*på stationen*]; **c.** (*med objekt*) standse; holde tilbage (*fx a horse*); **d.** (T: *penge*) tjene; **e.** (*mistænkt*) arrestere, tage med på stationen; *~ off* **a.** trække af; tage af (*fx one's shoes*); **b.** (*om køretøj*) køre lidt væk fra (*fx the main road*); **c.** (T: *forehavende*) (have held med at) gennemføre//skrive//lave etc. (*fx a good speculation*; *a story*; *a coup*); **d.** (*uden objekt: om køretøj*) køre ind til siden; *he -ed it off* (*også*) han klarede den; *~ sth off the Internet* hente noget ned fra internettet; *~ on* **a.** (*beklædning*) trække 'på (*fx a sweater*); **b.** se ovf.: *~ at c*); *~ a knife on sby* true én med en kniv; *~ out* **a.** trække ud (*fx a tooth; a nail; a section of the magazine*); **b.** trække op/frem (*fx a knife*); **c.** (*uden objekt: om person*) trække sig ud (*from* af); **d.** (*om del af blad*) kunne trækkes ud; **e.** (*om tog, bus*) køre ud; **f.** (*om bil: for at overhale*) trække ud; *~ out of a dive* (*flyv.*) rette maskinen op; (se også *stop¹*); *~ over* **a.** (*uden objekt: om bil*) trække/køre ind til siden; **b.** (*med objekt: om politiet*) stoppe (og få til at køre ind til siden); *he was -ed over* han blev stoppet af politiet; *~ round* **a.** (*med objekt*) dreje omkring/rundt; **b.** (*uden objekt: om person*) komme til sig selv,

P *pull-down*

komme til bevidsthed;
~ **through a.** (*med objekt*) hjælpe
igennem, redde igennem; **b.** (*uden
objekt*) komme igennem, klare sig
(igennem), stå det igennem;
~ **to** trække 'til/i (*fx ~ the door
to*); ~ **to pieces** se *piece¹*;
~ **together a.** (*med objekt*) samle
(*fx the party; the country*);
b. (*uden objekt*) arbejde (godt)
sammen; trække på samme hammel; ~ *oneself together* tage sig
sammen;
~ **up a.** (*med objekt*) trække op,
rykke op; **b.** (*stol*) trække hen;
c. (*køretøj*) standse; **d.** (*person*)
irettesætte; **e.** (*uden objekt*)
stoppe, holde; ~ *up to/with* indhente; komme på højde med; (se
også *bootstrap, sock*).
pull-down ['puldaun] *adj.* som kan
trækkes ned.
pull-down menu *sb.* (*it*) rullegardinmenu.
pullet ['pulit] *sb.* ung høne.
pulley ['puli] *sb.* **1.** (*til at løfte
med*) trisse; talje(blok); **2.** (*til remtræk*) remskive.
pulley block *sb.* taljeblok.
pull-out ['pulaut] *sb.* **1.** (*i blad*)
gemmesider; tillæg; **2.** (*i bog*)
[*planche til at folde ud*]; **3.** (*mil.*)
tilbagetrækning.
pullover ['puləuvə] *sb.* sweater.
pullulate ['pʌljuleit] *vb.* myldre
frem.
pull-up ['pulʌp] *sb.* **1.** standsning;
2. (*gymn.*) armhævning.
pulmonary ['pʌlmənəri] *adj.* lunge-
(*fx disease*).
pulp¹ [pʌlp] *sb.* **1.** (blød) masse;
mos (*fx mash bananas to a ~*);
2. (*på frugt*) frugtkød; **3.** (*i papirfabr.*) papirmasse; **4.** (*i tand*)
pulpa, „nerve"; **5.** (*om litteratur*) =
pulp fiction; **6.** (*am.*) = *pulp magazine*;
□ *beat/smash sby to (a) ~* (*fig.*)
tæve en sønder og sammen, mase
en til plukfisk; *it reduced me to
(a) ~* det var ved at skræmme livet af mig.
pulp² [pʌlp] *vb.* **1.** mose; mase;
2. (*om papirer, bøger*) makulere,
sende til papirmøllen.
pulp fiction, pulp literature *sb.* kulørt litteratur, kiosklitteratur.
pulpit ['pulpit] *sb.* prædikestol.
pulp magazine *sb.* billigt ugeblad.
pulp novels *sb. pl.* se *pulp fiction*.
pulpwood ['pʌlpwud] *sb.* papirtræ
[ɔ: *til fremstilliong af papir*].
pulpy ['pʌlpi] *adj.* **1.** blød; grødagtig; **2.** (*om frugt*) kødfuld.
pulque ['pulki] *sb.* pulque [*gæret
agavesaft*].

pulsate [pʌl'seit, (*am.*) 'pʌlseit] *vb.*
1. pulsere; banke, slå; **2.** ryste,
dirre (*with af, fx excitement*).
pulsating [pʌl'seitiŋ] *adj.* pulserende (*fx life*); bankende (*fx
heart*); (*om lyd*) rytmisk (*fx drumbeats*).
pulsation [pʌl'seiʃn] *sb.* banken;
slag; pulseren.
pulse¹ [pʌls] *sb.* (se også *pulses*)
1. (*persons*) puls (*fx a strong//
weak ~*); **2.** (*i elektronik*) impuls;
3. (*i musik*) rytme, takt;
□ *have/keep one's finger on the ~*
(*fig.*) have fingeren på pulsen;
[*med vb.*] *feel sby's ~* tage éns
puls; *feel the ~ of* (*fig.*) tage pulsen på, sondere stemningen i (*fx
the black community*); *quicken
his ~, set his ~ racing* (*fig.*) få
blodet til at rulle raskere gennem
hans årer.
pulse² [pʌls] *vb.* banke; slå; pulsere.
pulses ['pʌlsiz] *sb. pl.* **1.** (*hos person*) pulsslag; **2.** (*bot.*) bælgfrugter.
pulverization [pʌlvərai'zeiʃn] *sb.*
pulverisering; findeling.
pulverize ['pʌlvəraiz] *vb.* **1.** pulverisere, findele; **2.** (*fig.*) pulverisere, knuse fuldstændigt (*fx all
opposition*); (*i konkurrence*) jorde.
puma ['pju:mə] *sb.* (*zo.*) puma.
pumice ['pʌmis] *sb.* pimpsten.
pummel ['pʌm(ə)l] *vb.* **1.** banke,
dunke, slå løs på, prygle; **2.** (*am.
T*) nedgøre, kritisere sønder og
sammen.
pump¹ [pʌmp] *sb.* (se også *pumps*)
1. pumpe; (se også *petrol pump,
prime³*); **2.** (*for vand*) pumpe,
vandpost.
pump² [pʌmp] *vb.* **1.** pumpe;
2. (*person*) pumpe, udfritte;
□ ~ *his hand* ryste hans hånd op
og ned; (se også *iron¹*);
[*med præp.& adv.*] ~ *in* pumpe 'i,
fylde 'på; ~ *into* **a.** (*væske, luft*)
pumpe over i; **b.** (*fig.*) fylde på (*fx
facts into the pupils*); ~ *bullets
into sby* fylde en med kugler/bly;
~ *money into sth* poste penge i
noget; ~ *out* **a.** (*væske, luft*)
pumpe ud; **b.** T udsende løbende,
hælde ud (*fx music; propaganda*);
c. (T: *varer*) producere på samlebånd, sprøjte ud; *have one's stomach -ed out* få en udpumpning; ~
up a. pumpe op (*fx oil*); **b.** pumpe
op, pumpe luft i (*fx an airbed*); ~
up the music S sætte drøn på.
pumpkin ['pʌm(p)kin] *sb.* græskar.
pump room *sb.* (*ved badested*) kursal.
pumps [pʌmps] *sb. pl.* **1.** dansesko

[*uden rem*]; **2.** (*især nordeng.*)
gummisko; **3.** (*am.: om damesko*)
pumps.
pun¹ [pʌn] *sb.* ordspil.
pun² [pʌn] *vb.* lave ordspil; sige
brandere.
punch¹ [pʌn(t)ʃ] *sb.* **1.** (*med knytnæve*) slag; stød; **2.** T energi; kraft
3. (*drik*) punch; **4.** (*værktøj: til
mærkning etc.*) stempel; **5.** (*tekn.*)
dorn; lokkestempel; (se også *centr*
punch, nail punch); **6.** (*typ.*)
skriftstempel; **7.** (*sølvsmeds*) punsel; **8.** (*til at hulle papir*) hullemaskine; **9.** (*til hulkort*) huller, perforator; **10.** (*til billetter*) billetsaks,
billettang; **11.** (*til læder*) se *belt
punch*; **12.** (*på klippekort, i billet*)
klip;
□ *a ~ on the nose* en på snuden;
beat sby to the ~ komme en i forkøbet; *pack a ~* **a.** slå en proper
næve; **b.** (*fig.*) have slagkraft; *he
did not pull his -es* (*fig.*) han
lagde ikke fingrene imellem; *roll
with the -es* (*fig., am.*) ikke lade
sig slå ud.
punch² [pʌn(t)ʃ] *vb.* **1.** (*med knytnæve*) slå; støde; **2.** (*med fingrene*
især am.) taste; trykke på (*fx the
buttons of a telephone*); **3.** (*med
værktøj*) lave hul(ler) i, hulle;
(*tekn.*) lokke; dorne; udstanse;
4. (*billet*) klippe; **5.** (*am.: kvæg*)
drive;
□ ~ *a hole in* lave//klippe//hugge//
udstanse et hul i; (se også *clock¹*);
[*med adv.*] ~ *in* **a.** (*nummer etc.*)
indtaste; **b.** (*søm*) forsænke;
c. (*am.: om ansat*) stemple ind; ~
out **a.** (*hul*) stanse ud; **b.** (*numme*
etc.: især am.) taste (hurtigt);
c. (*person: am.* T) slå ud; **d.** (*am.:
om ansat*) stemple ud; ~ **up**
a. slås; **b.** (*på kasseapparat*) slå
op; **c.** (*am.* T) piffe op, friske op.
Punch and Judy show [pʌn(t)
ʃən'dʒu:diʃəu] *sb.* Mester Jakel komedie; marionetkomedie.
punchbag ['pʌn(t)ʃbæg], **punchball**
['pʌn(t)ʃbɔ:l] *sb.* boksebold.
punch bowl *sb.* punchebolle.
punch-drunk ['pʌn(t)ʃdrʌŋk] *adj.*
(*om bokser*) uklar, groggy.
punched card [pʌn(t)ʃt'ka:d] *sb.*
hulkort.
punching bag ['pʌn(t)ʃiŋbæg] *sb.*
(*am.*) boksebold.
punch line *sb.* pointe; afgørende
ord/replik.
punch-up ['pʌn(t)ʃʌp] *sb.* T slagsmål.
punchy ['pʌn(t)i] *adj.* kraftfuld;
virkningsfuld.
punctilious [pʌŋ(k)'tiliəs] *adj.* F
uhyre korrekt; pertentlig (*about*

med);

□ *be* ~ (*også*) holde på formerne.

punctual ['pʌŋ(k)tʃuəl] *adj*. præcis, punktlig.

punctuality [pʌŋ(k)tʃu'æləti] *sb*. præcision, punktlighed.

punctuate ['pʌŋ(k)tʃueit] *vb*. (*tekst*) sætte (skille)tegn i;

□ *-d by/with* (*fig*.) ledsaget af; stadig afbrudt af (*fx a speech -d by/ with cheers*).

punctuation [pʌŋ(k)tʃu'eiʃn] *sb*. tegnsætning.

punctuation mark *sb*. skilletegn.

puncture[1] ['pʌŋktʃə] *sb*. **1.** (*i dæk*) punktering; **2.** (*i huden*) stik; (*med*.) punktur.

puncture[2] ['pʌŋktʃə] *vb*. **1.** punktere; **2.** stikke hul i; perforere.

pundit ['pʌndit] *sb*. ekspert (*fx political -s*).

pungency ['pʌndʒ(ə)nsi] *sb*. skarphed, krashed; (*fig*. *også*) bid.

pungent ['pʌndʒ(ə)nt] *adj*. **1.** (*om lugt, smag*) skarp, kras, skrap; (*om lugt også*) stram; **2.** (F: *fig*.) skarp, bitter, kras (*fx criticism*); bidende.

punish ['pʌniʃ] *vb*. **1.** straffe; **2.** T maltraktere; udsætte for hård behandling.

punishable ['pʌniʃəbl] *adj*. strafbar; □ *it is* ~ *by* det kan straffes med (*fx imprisonment for life*).

punishing[1] ['pʌniʃiŋ] *sb*.: *take a* ~ T få en hård behandling; få en ilde medfart; blive maltrakteret.

punishing[2] ['pʌniʃiŋ] *adj*. skrap, udmattende (*fx race*); ødelæggende (*fx air strike*); knusende (*fx defeat*).

punishment ['pʌniʃmənt] *sb*. **1.** straf; **2.** (*handling*) afstraffelse; **3.** se *punishing*[1].

punitive ['pjuːnitiv] *adj*. F **1.** straffe- (*fx expedition; measure* foranstaltning); **2.** (*om beløb*) skrap (*fx interest rate; import duty*).

punitive damages *sb*. *pl*. (*jur*.) [erstatning der ud over at kompensere skal være en straf]; bod; pønalerstatning.

punk[1] [pʌŋk] *sb*. **1.** (*mus*.) punk rock; **2.** (*person*) punker; **3.** (*am*.) trøsket træ; fyrsvamp; **4.** (*am*. S: *om person*) rod, bølle; bøsses partner; grønskolling.

punk[2] [pʌŋk] *adj*. **1.** (*am*. T) elendig, ussel; **2.** (jf. *punk*[1] 1) punk; punket.

punky ['pʌŋki] *adj*. (*am*.: *om træ*) trøsket; **2.** se *punk*[2] 2.

punnet ['pʌnit] *sb*. bakke [*til bær etc*.]; lille spånkurv.

punt[1] [pʌnt] *sb*. **1.** (*fladbundet båd*) punt; pram; **2.** (*i rugby*) slipspark;

3. (*møntenhed*) irsk pund; □ *take a* ~ *on* T satse på.

punt[2] [pʌnt] *vb*. **1.** (*i båd*) punte; stage sig frem; (*med objekt*) stage frem; **2.** (*i rugby*) lave slipspark; **3.** (*i fodbold*) lave et langt spark; □ ~ *on* satse på.

punter ['pʌntə] *sb*. **1.** bookmakers kunde; spiller; **2.** (*på børsen*) spekulant; **3.** (T: *generelt*) kunde; **4.** T svindlers offer; **5.** (S: *prostituerets kunde*) rær, tyr; **6.** [*en der sejler i punt*]; **7.** (*i rugby*) [*en der laver slipspark*].

puny ['pjuːni] *adj*. **1.** (lille og) svag; lille, ubetydelig; sølle (*fx a* ~ *3 per cent*); **2.** (*om person*) splejset.

pup[1] [pʌp] *sb*. **1.** hvalp; hundehvalp; **2.** (zo.: af sæl, ulv etc.) unge;

□ *be sold a* ~ (*glds*. T) blive taget ved næsen.

pup[2] [pʌp] *vb*. få hvalpe.

pupa ['pjuːpə] *sb*. (*pl*. *-s/-e* [-piː]) (*biol*.) puppe.

pupal ['pjuːp(ə)l] *vb*. puppe- (*fx stage*).

pupil ['pjuːp(ə)l, -pil] *sb*. **1.** elev; **2.** (*jur*.: *for barrister, omtr*.) advokatfuldmægtig; **3.** (*i øje*) pupil.

puppet ['pʌpit] *sb*. **1.** marionetdukke; (*til hånden*) handskedukke; **2.** (*fig. om person*) marionet; lydigt redskab (*of* for).

puppeteer [pʌpi'tiə] *sb*. dukkefører.

puppet government *sb*. marionetregering.

puppetry ['pʌpitri] *sb*. **1.** dukkekomedie; **2.** (*fig*.) maskerade; gøglespil.

puppet show *sb*. marionetforestilling; dukkekomedie.

puppet state *sb*. marionetstat, lydstat.

puppy ['pʌpi] *sb*. **1.** hvalp, hundehvalp; **2.** (*glds. om person*) hvalp, flab.

puppy dog *sb*. (*am*.) vovse.

puppy fat *sb*. T hvalpefedt [*hos børn*].

puppy love se *calf love*.

pup tent *sb*. (*am*.) lille (tomands)telt.

purblind ['pəːblaind] *adj*. **1.** svagsynet; **2.** (*fig*.) sløv, dum.

purchase[1] ['pəːtʃəs] *sb*. F **1.** (*handling*) køb, indkøb; anskaffelse, erhvervelse; (se også *compulsory purchase*); **2.** (*ting*) indkøb (*fx he put his -s in the car*); anskaffelse (*fx a costly* ~); **3.** (*for hånden, fx ved klatring*) tag, greb; støtte; (*for foden*) fæste, fodfæste; (*på vejen, fx om dæk*) greb; **4.** (*til hejsning*) spil, hejseværk; (*mar*.) talje, gie.

purchase[2] ['pəːtʃəs] *vb*. **1.** F købe;

anskaffe, erhverve; **2.** (*mar*.) hive; lette.

purchase price *sb*. indkøbspris; købspris; købesum.

purchaser ['pəːtʃəsə] *sb*. køber, erhverver.

purchase tax *sb*. omsætningsafgift.

purchasing power ['pəːtʃəsiŋpauə] *sb*. købekraft.

purdah ['pəːdaː] *sb*. (*indisk*) **1.** [*kvindernes fuldstændige adskillelse fra fremmede*]; **2.** [*forhæng der dækker for kvinders opholdsrum*].

pure [pjuə] *adj*. **1.** ren (*fx science; air; tone*); **2.** (*om stof*) ren (*fx wool; gold; heroin*); ublandet; **3.** (*om væske*) ren, ufortyndet (*fx alcohol*); **4.** (*moralsk*) ren (*fx thoughts; chaste and* ~); (*om kvinde*) uskyldig, uberørt; **5.** (*fig*.) ren (*fx it was a* ~ *accident*); den// det rene (*fx it was* ~ *hell; it was* ~ *nonsense*); ren og skær (*fx by* ~ *chance*); pure (*fx out of* ~ *malice*);

□ ~ *and simple* ren og skær; (*as*) ~ *as the driven snow* (*fig*.) uskyldsren.

purebred ['pjuəbred] *adj*. raceren.

purée[1] ['pjuərei, (*am*.) pju'rei] *sb*. puré.

purée[2] ['pjuərei, (*am*.) pju'rei] *vb*. purere.

purely ['pjuəli] *adv*. udelukkende (*fx* ~ *by chance*); rent (*fx a* ~ *practical thing*);

□ ~ *and simply* udelukkende.

purgative[1] ['pəːgətiv] *sb*. afføringsmiddel.

purgative[2] ['pəːgətiv] *adj*. afførende.

purgatorial [pəːgə'tɔːriəl] *adj*. skærsilds-; rensende.

Purgatory ['pəːgət(ə)ri] *sb*. (*rel*.) Skærsilden.

purgatory ['pəːgət(ə)ri] *sb*.: *it was* ~ (*fig*.) det var et helvede; det var ren tortur.

purge[1] [pəːdʒ] *sb*. (*pol*.) udrensning.

purge[2] [pəːdʒ] *vb*. (*pol. etc*.: *organisation, personer*) udrense (*fx the party; disloyal members; thousands of people were -d*);

□ ~ *from* fjerne fra; ~ *of* a. (*pol. etc*.) udrense for, rense for (*fx the party of disloyal members; the region of ethnic minorities*); **b.** (*litt*.) rense for (*fx -d of sin*; ~ *one's soul of hatred*); befri for.

purge trial *sb*. (*pol*.) udrensningsproces.

purification [pjuərifi'keiʃn] *sb*. **1.** rensning; **2.** (*rel*.) renselse.

purifier ['pjuərifaiə] *sb*. **1.** renseapparat; **2.** rensningsmiddel.

purify ['pjuərifai] *vb.* rense (*of* for).

purism ['pjuərizm] *sb.* purisme.

purist[1] ['pjuərist] *sb.* purist.

purist[2] ['pjuərist] *adj.* puristisk.

Puritan[1] ['pjuərit(ə)n] *sb.* (*rel. hist.*) puritaner.

Puritan[2] ['pjuərit(ə)n] *adj.* (*rel. hist.*) puritansk.

puritan[1] ['pjuərit(ə)n] *sb.* puritaner; asket.

puritan[2] ['pjuərit(ə)n] *adj.* puritansk; asketisk.

puritanical [pjuəri'tænik(ə)l] *adj.* (*neds.*) puritansk.

Puritanism ['pjuəritənizm] *sb.* (*rel. hist.*) puritanisme.

purity ['pjuəriti] *sb.* renhed.

purl[1] [pə:l] *sb.* **1.** (*af vand*) rislen (*fx of a brook*); **2.** (*i håndarbejde*) vrangstrikning.

purl[2] [pə:l] *vb.* **1.** (*om vand*) risle; **2.** (*i håndarbejde*) strikke vrang.

purlieus ['pə:lju:z] *sb. pl.* omgivelser; (*af by*) udkanter.

purlin ['pə:lin] *sb.* (*på tag*) ås.

purloin ['pə:lɔin] *vb.* (F *el. spøg.*) stjæle, tilvende sig.

purple[1] ['pə:pl] *sb.* purpur, rødviolet; lilla.

purple[2] ['pə:pl] *adj.* purpurfarvet, rødviolet, blårød; lilla.

purple emperor *sb.* (*zo.*) irissværmer.

Purple Heart *sb.* (*am. mil.*) [dekoration givet til sårede].

purple heart *sb.* S hjerteformet peppille [*af amfetamin*].

purple passage, purple patch *sb.* **1.** kraftsted [*kunstnerisk særligt vellykket sted i digterværk*]; **2.** (*neds.*) højstemt passage.

purplish ['pə:pliʃ] *adj.* let purpurfarvet; let blåligrød; let rødviolet.

purport[1] ['pə:pət] *sb.* F betydning, mening; hovedindhold.

purport[2] ['pə:pət] *vb.*: ~ *to* F give sig ud for at; foregive at; *be -ed to be* F angives/hævdes at være.

purportedly ['pə:pətidli] *adv.* F **1.** angiveligt, efter sigende; **2.** formentlig, antagelig.

purpose ['pə:pəs] *sb.* **1.** hensigt, formål (*of* med; *in* + -*ing* med at); **2.** formål (*fx activities which have no real* ~); mål (*fx his* ~ *in life*); □ *achieve one's* ~ nå sit mål; *answer/serve the* ~ passe til formålet; kunne bruges; *it serves no useful* ~ det tjener ikke noget nyttigt formål; [*med præp.*] *for that* ~ i den hensigt; med det formål; *for a necessary* ~ i et nødvendigt ærinde; *for the -s of* F for så vidt angår; med hensyn til; i; *for the* ~ *of* + -*ing* i

den hensigt at; med det formål at; (se også *express*[2], *practical*, *sole*[2]) *wanting in* ~ ubeslutsom; usikker; *sense//singleness//strength of* ~ målbevidsthed; beslutsomhed; *on* ~ med vilje; med forsæt; (se også *accidentally*); *on* ~ *to/that* i den hensigt at; med det formål at; specielt for at; *to the* ~ (*glds.*) relevant; på sin plads; *to some* ~ med god virkning; så det kan// kunne forslå; *to no* ~ til ingen nytte; forgæves; *with that* ~ se ovf.: *for that* ~.

purpose-built ['pə:pəsbilt] *adj.* bygget//lavet til formålet; specialbygget; specialfremstillet.

purposeful ['pə:pəsf(u)l] *adj.* målbevidst.

purposeless ['pə:pəsləs] *adj.* formålsløs.

purposely ['pə:pəsli] *adv.* F med hensigt, med vilje, bevidst.

purr[1] [pə:] *sb.* **1.** (*kats*) spinden; **2.** (*bils etc.*) spinden; snurren.

purr[2] [pə:] *vb.* **1.** (*om kat*) spinde; **2.** (*om bil etc.*) spinde; snurre; **3.** (*om måde at tale på*) sige tilfredst//indsmigrende//beroligende.

purse[1] [pə:s] *sb.* **1.** (*til penge*) pung; **2.** (*am.*) håndtaske; **3.** (*ved sportskonkurrence*) præmiesum; **4.** (*fig.*) midler; kasse; □ *the public* ~ statskassen.

purse[2] [pə:s] *vb.*: ~ *one's lips* (*misbilligende*) snerpe munden sammen; spidse munden.

purser ['pə:sə] *sb.* (*mar., flyv.*) purser.

purse strings *sb. pl.*: *hold/control the* ~ sidde på pengekassen; *loosen the* ~ punge ud; *tighten the* ~ holde igen på pengene.

purslane ['pə:slin] *sb.* (*bot.*) portulak.

pursuance [pə'sju:əns] *sb.*: *in* ~ *of* F **a.** under udøvelse af (*fx one's trade*); under beskæftigelse med (*fx one's hobby*); under udførelse af (*fx one's duties*); **b.** i forsøget på at opnå (*fx a better deal*); **c.** i overensstemmelse med; i henhold til, ifølge (*fx his orders*).

pursuant [pə'sju:ənt] *adj.*: ~ *to* F i overensstemmelse med; i henhold til, ifølge (*fx his instructions*).

pursue [pə'sju:] *vb.* **1.** (*bytte, flygtende*) forfølge, jage; **2.** (*mål*) stræbe efter, stræbe hen imod (*fx peace; happiness*); forfølge (*fx an aim; one's goals*); **3.** (*fremgangsmåde*) følge (*fx a policy; a strategy*); **4.** (*beskæftigelse*) drive (*fx studies; one's trade*); udøve; sysle med (*fx a hobby*); følge (*fx one's*

own interests); gå videre med, fortsætte med (*fx one's career*); **5.** (*uden objekt*) blive ved, fortsætte (med at tale) (*fx and so he -d for a whole hour*); □ ~ *the matter* gå videre med sagen; forfølge sagen.

pursuer [pə'sju:ə] *sb.* **1.** F forfølger; **2.** (*skotsk jur.*) klager; sagsøger.

pursuit [pə'sju:t] *sb.* **1.** (*af bytte, flygtende*) forfølgelse (*of* af); jagt (*of* på); **2.** (*fig.*) jagt (*of* efter, *fx fame; pleasure; profit*); jagen (*of* efter, *fx happiness*); **3.** (F: *af beskæftigelse*) udøvelse; udførelse; □ *-s* F beskæftigelser; sysler (*fx literary -s; outdoor -s*); *the* ~ (*i cykelsport*) forfølgelsesløb; [*med præp.*] *there were four cars in* ~ fire biler deltog i jagten; *with the policeman in hot* ~ med betjenten lige i hælene på sig; *in* ~ *of* **a.** på jagt efter (*fx a lion; a thief*); **b.** (*fig.*) på jagt efter (*fx profit*); i forsøg på at opnå (*fx a pay rise*); i sin//deres *etc.* stræben efter (*fx a better life*).

purulent ['pjuərulənt] *adj.* (*med.*) materiefyldt.

purvey [pə:'vei] *vb.* F **1.** (*varer*) levere; **2.** (*fig.*) levere, formidle (*fx information; a message*).

purveyor [pə:'veiə] *sb.* leverandør; □ *Purveyor to Her Majesty the Queen* hofleverandør.

purview ['pə:vju:] *sb.* **1.** (*jur.*: *om lov*) tekst; bestemmelser [*mods. indledning etc.*]; rammer (*fx within the* ~ *of the text*); **2.** (*mht. ansvar*) kompetenceområde, ansvarsområde (*fx within the* ~ *of the deputy manager*); område, virkefelt; **3.** (*mht. erfaring*) synskreds; horisont.

pus [pʌs] *sb.* (*med.*) pus, materie.

push[1] [puʃ] *sb.* **1.** skub, puf, stød; (*på knap*) tryk; **2.** (*til at gøre noget*) skub, tilskyndelse; **3.** (*for at opnå noget*) ivrigt forsøg (*to* på at); kraftanstrengelse (*to* for at, *fx cut expenses; for* for at opnå, *fx independence*); **4.** (*mil. & om reklame*) fremstød; **5.** (*egenskab*) energi, foretagsomhed, gåpåmod; □ *it's a* ~ T det er ikke let; [*med vb.*] *get the* ~ T få sin afsked; blive fyret; *get a* ~ (*fig.*) **a.** få et skub/puf; **b.** (ɔ: *reklame*) få omtale, blive omtalt; *give sby the* ~ T afskedige en; fyre en; *give sby a* ~ (*fig.*) **a.** give en et skub/puf; **b.** (ɔ: *reklame*) give en omtale; *make a* ~ **a.** (*jf. 4*) foretage et fremstød; **b.** (*jf. 3*) gøre en kraftanstrengelse;

[*med præp.*] **at** *a* ~ T hvis det skal være; i en snæver vending; *at the* ~ *of a button* med/ved et tryk på en knap; *when it came to the* ~ da det kom til stykket; da det virkelig gjaldt.

push[2] [puʃ] *vb.* (se også *pushed*) **1.** skubbe (*fx the car off the road*); skubbe til (*fx the door*); (*med kraft*) presse (*fx the berries through a sieve; the money into his hand*); **2.** (*med finger*) trykke (*fx a pin through sth*); trykke på (*fx the button*); **3.** (*person*) skubbe (*fx him out of the way*); skubbe til; (*mindre kraftigt*) puffe; puffe til; **4.** (*fig.*) energisk søge at fremme (*fx one's business*); presse på med (*fx a claim*); **5.** (*idé, plan, vare*) gøre reklame for, reklamere for; indarbejde (*fx a new image*); **6.** (*for at øge tempoet*) fremskynde, forcere (*fx the negotiations*); drive frem (*fx a horse*); **7.** (*person*) presse (*fx the child was -ed too hard at school*); gå på klingen (*fx if you -ed him he would probably agree*); **8.** (T: *narkotika*) pushe, forhandle; **9.** (*uden objekt*) skubbe (*fx don't* ~ *!*); **10.** (+ *adv.*) trænge sig, presse sig, mase (*by/past* forbi; *through* igennem); (se også: *ndf.*); **11.** (*mil.*) støde (*fx the army -ed south*);

□ *be -ing 70* (*om alder*) nærme sig de halvfjerds; ~ *it* tage chancen; ~ **oneself** a. lægge sig i selen; gøre sig umage; **b.** se ndf.: ~ *oneself forward*; ~ *and* **shove** skubbe og mase; *if* ~ *comes to shove* hvis det kniber; i nødsfald; (se også *bicycle, luck*[1], *way*[1]); [*med adv.& præp.*] ~ *sby* **about** se ndf.: ~ *around*; ~ **ahead** klø 'på, mase 'på (*with* med); (se at) komme videre; ~ **along** se ovf.: ~ *ahead; we must be -ing along* T vi må se at komme af sted; ~ *sby* **around** koste/jage med en; ~ **aside** skubbe/skyde/feje til side; ~ **down** presse ned, få til at falde (*fx prices*); ~ **for** presse 'på for at få (*fx higher pay*); ~ *sby for an answer* rykke en for svar; ~ **forward a.** se ovf.: ~ *ahead*; **b.** (*mil.*) støde frem; **c.** (*med objekt*) gøre opmærksom på; reklamere for (*fx an idea*); ~ *oneself forward* trænge/mase sig frem, mase sig på; føre sig frem; være på tæerne; ~ **in** mase sig ind; ~ *sby* **into** + *-ing* presse en til at; ~ **off a.** (*mar.*) støde fra; **b.** T gå sin vej, forsvinde; *we must be -ing off* T vi må se at komme af sted; ~ **on a.** trænge frem; mase på; **b.** se ovf.:

~ *ahead*; ~ *sth on sby* pånøde/påtvinge en noget; ~ **out** skubbe ud; presse ud; (se også *boat*); ~ **over** vælte (*fx him; the table*); ~ **through a.** (*med objekt*) sætte igennem; gennemføre; **b.** se ovf.: *10*; ~ **to** skubbe 'i (*fx* ~ *the door to*); ~ *sby* **to** se ovf.: ~ *sby into*; ~ *oneself to do it* tvinge sig selv til at gøre det; ~ **up** skubbe op; presse i vejret; (se også *daisy*).

pushbike ['puʃbaik] *sb.* T trædecykel.

push-button ['puʃbʌt(ə)n] *adj.* tryk-knap- (*fx phone*).

pushcart ['puʃkɑ:t] *sb.* trækvogn.

pushchair ['puʃtʃɛə] *sb.* klapvogn.

pushed [puʃt] *adj.* presset (*fx he looked rather* ~); □ *be* ~ **for** mangle (*fx money; time*); *I am rather* ~ *for cash/money* (*også*) det kniber med pengene; jeg har dårlig råd; *I am rather* ~ *for time* (*også*) det kniber med tiden; jeg har dårlig tid; *he was* ~ **to** det kneb for ham at (*fx get there in time*).

pusher ['puʃə] *sb.* **1.** (*til barn*) (mad)skubber; **2.** (T: *om person*) stræber; **3.** (T: *narkoforhandler*) pusher; □ *he is a* ~ (*jf. 2, også*) han har rundsave på albuerne.

pushover ['puʃəuvə] *sb.* T **1.** let sag, smal sag; **2.** (*om person*) let offer, let bytte.

pushpin ['puʃpin] *sb.* (*am.*) nipsenål; □ *play* ~ nipse.

push-up ['puʃʌp] *sb.* (*især am.*) = *press-up*.

pushy ['puʃi] *adj.* pågående, påtrængende; nævenyttig, entreprenant.

pusillanimity [pju:silə'niməti] *sb.* forsagthed, frygtsomhed; fejhed.

pusillanimous [pju:si'læniməs] *adj.* forsagt, frygtsom, fej.

puss [pus] *sb.* **1.** mis; **2.** pigebarn; **3.** (*am.* T) ansigt, fjæs.

Puss in Boots (*eventyr*) Den bestøvlede Kat.

pussy ['pusi] *sb.* **1.** mis, missekat; **2.** (*vulg.*) kusse, mis.

pussycat ['pusikæt] *sb.* **1.** missekat; **2.** (*om person*) nuttebasse, skat.

pussyfoot ['pusifut] *vb.* (*am.*) **1.** liste; **2.** (*mht. at tage parti*) gå på kattepoter; holde den gående.

pussy-whipped ['pusiwipt] *adj.* (*vulg.*) under tøflen.

pussy willow *sb.* (*bot.*) gæslingepil.

pustule ['pʌstju:l] *sb.* (*med.*) pustel; blegn, filipens.

put [put] *vb.* (*put, put*) **1.** sætte,

stille (*fx the vase on the shelf; the ladder in the shed*); lægge, komme (*fx the money in the box*); clean sheets on the bed); putte (*fx the money in the box*); stikke (*fx the book back on the shelf*); **2.** (*på skrift*) skrive (*fx* ~ *your name in all your books*); sætte (*fx your name on sth; a cross next to the name*); (se også ndf.: ~ *down d*); **3.** (*i ord*) fremstille (*fx he* ~ *the case very clearly*); udtrykke (*fx how shall I* ~ *it; to* ~ *it briefly// mildly//simply*); (se også *bluntly*); **4.** (*forslag, mening*) fremsætte (*fx suggestions; a point of view*); □ ~ *it there!* giv mig din hånd (på det)! ~ *right* se *right*[2]; [*med adv.& præp.*] ~ **about a.** udsprede (*fx rumours*); **b.** (*mar.*) vende, stagvende, gå over stag; ~ *it/oneself about* T bolle til højre og venstre;

~ **across** (*tanker, stof*) forklare, gøre forståelig; ~ *one across sby* T snyde en, fuppe en; *you can't* ~ *that across me* den får du ikke mig til at hoppe på; ~ *oneself across* 'gøre sig; ~ *a play across* have succes med et stykke; ~ *the idea//plan* **across to** them få dem til at gå ind på tanken//planen; vinde gehør hos dem for tanken// planen;

~ **aside a.** lægge til side; **b.** (*penge*) lægge til side, spare op; **c.** (*noget ubehageligt*) slå en streg over, glemme; skyde fra sig; ~ **at** (*om vurdering*) anslå til (*fx* ~ *her age at 40*; ~ *the weight at 40 pounds*); (se også *ease*[1], *risk*[1]); ~ **away a.** lægge væk; lægge på plads; **b.** (*penge*) lægge til side, lægge op; **c.** (T: *person*) spærre inde; **d.** (T: *dyr*) aflive; **e.** (T: *mad*) sætte til livs; (*drik*) skylle ned; ~ **back a.** sætte/stille//lægge tilbage (*fx a book*); **b.** (*ur*) stille tilbage; (se også *clock*[1]); **c.** (*arrangement*) udsætte (*fx the party; the meeting*); **d.** (*tidsmæssigt*) forsinke (*fx the deliveries have been* ~ *back a month*); sætte tilbage; ~ **before a.** sætte over; prioritere højere end (*fx* ~ *one's job before one's family*); **b.** (*forslag etc.: til afgørelse*) forelægge for; (se også *cart*[1]);

~ *it* **behind** one (*fig.: noget ubehageligt*) lægge det bag sig; ~ **by** (*penge*) lægge til side, lægge op;

~ **down a.** lægge//sætte/stille fra sig (*fx one's needlework; one's drink*); lægge (*fx* ~ *down that pistol!*); **b.** (*telefon*) lægge på;

c. (*barn*) lægge (til at sove); **d.** (*på skrift*) skrive ned, notere; opføre [*i regnskab etc.*]; **e.** (*modstand*) undertrykke, kvæle (*fx a revolt*); (*modstander*) kue, bringe til tavshed; **f.** (*penge, ved køb*) give i udbetaling (*fx £1,000*); betale (*fx a deposit*); **g.** (T: *person*) pille ned, skære ned, nedgøre; dukke, jorde; **h.** (*dyr*) aflive, slå ned; **i.** (*på lager*) nedlægge (*fx eggs; wine*); **j.** (*fly*) lande; **k.** (*parl.*) forelægge; sætte på dagsordenen; **l.** (*glds.: passagerer*) sætte af; (se også *card[1], foot[1], root[1]*); ~ **down as** anse for (at være); klassificere som; ~ **down for a.** (*skole, kursus*) indskrive ved (*fx a school*); **b.** (*arrangement*) skrive op til (*fx ~ me down for the outing*); **c.** (*bidrag*) notere for (*fx ~ me down for £50*); ~ **down to a.** tilskrive (*fx ~ his failure down to inexperience*); **b.** (*person*) give skylden for (*fx I ~ his failure down to his wife*); ~ *it down to his account* skrive det på hans regning; ~ **forth** F **a.** (*tanke, idé*) fremsætte (*fx a theory; an argument*); **b.** (*om plante: skud*) udsende; (*knopper*) skyde; **c.** (*især am.*) opbyde (*fx all one's strength*); lægge for dagen; **d.** (*mar.*) stikke i søen, afsejle;

~ **forward a.** (*tanke*) fremsætte (*fx a theory; a suggestion*); komme med (*fx an answer; a solution*); **b.** (*kandidat*) foreslå; **c.** (*ur*) stille frem; **d.** (*tidspunkt, arrangement*) rykke frem, fremskynde; lægge tidligere;

~ **in a.** (*i hus, værelse*) installere; indlægge (*fx central heating*); **b.** (*i tekst*) indføje; (*tegn*) sætte (*fx commas*); **c.** (*i samtale*) indskyde (*fx a remark*); **d.** (*person: i stilling*) indsætte (*fx a new caretaker*); **e.** (*tid*) tilbringe; bruge; **f.** (*mar.*) løbe ind, lægge ind; (se også *oar*); *be ~ in* (*parl.*) blive valgt ind; ~ *in at* gøre ophold i; ~ **in for a.** søge om; **b.** (*person: til stilling etc.*) foreslå til, indstille til, anbefale til; **c.** (*i sport: til konkurrence*) anmelde til;

~ **into a.** lægge i, putte i (*fx ~ it into a plastic bag*); **b.** (*penge: på konto*) indsætte på (*fx ~ it into my account*); **c.** (*om investering*) anbringe i, placere i (*fx ~ your money into industry*); **d.** (*arbejde etc.*) lægge i (*fx he has ~ a lot of energy into it*); **e.** (*mar.*) løbe ind i (*fx the harbour*); anløbe (*fx New York*); ~ *into port* søge havn; ~ *it into French* oversætte det til

fransk; ~ *it into words* udtrykke det i ord; (se også *force[1], power[1], practice*);

~ **off a.** (*tøj*) tage af; lægge; **b.** (*arrangement etc.*) udsætte (*fx the party; the decision*); udskyde, opsætte; **c.** (*person*) holde hen (*fx we tried to ~ him off*); bede om at komme igen senere; **d.** (*ved at forstyrre*) distrahere, forvirre, bringe ud af det; **e.** (*ved at skræmme, virke ubehagelig*) tage modet fra, skræmme bort; afskrække, frastøde; **f.** (*ved at virke sløvende*) få til at falde i søvn; **g.** (*passager*) sætte af; **h.** (*lys etc.*) slukke for; **i.** (*mar.*) lægge ud; tage af sted; ~ *sby off sth* fratage en lysten til noget (*fx that ~ him off learning languages*); (se også *food, game, scent[1], stride[1], track[1]*); ~ *sby off with* holde en hen med (*fx vague promises*); spise en af med;

~ **on a.** lægge på; sætte på; **b.** (*tøj; vægt*) tage 'på (*fx one's hat; two kilos*); **c.** (*teat. etc.*) sætte op (*fx a play*); arrangere (*fx an exhibition; a concert*); **d.** (*i passagertrafik*) sætte ind (*fx extra trains; buses; extra flights*); **e.** (*lys, varme etc.*) lukke op for, tænde for; tænde (*fx the light*); **f.** (*mine*) anlægge (*fx an injured expression*); **g.** (*am.* T: *person*) lave grin med; narre; ~ *it on* T **a.** spille komedie; **b.** overdrive; smøre for tykt på; **c.** tage overpris; (se også *act[1], blame[1], heat[1], honour[1], kettle (etc.)*); ~ *sby on to* **a.** gøre en opmærksom på (*fx a vacant post*); **b.** sætte en på sporet af (*fx a fugitive*); **c.** (*tlf.*) stille en ind/om til;

~ **out a.** lægge ud; sætte ud; **b.** (*til gæster etc.*) sætte frem (*fx ashtrays; some food*); lægge frem (*fx clean towels*); **c.** (*lys etc.*) slukke (*fx the fire; one's cigarette; the light*); slukke for; **d.** (*led*) forvride (*fx one's ankle//knee//shoulder*); **e.** (*beregning*) fremkalde fejl i; **f.** (*kraft*) frembringe, producere (*fx 100 kilowatts*); **g.** (*til oplysning*) fremsætte (*fx a statement*); udsende (*fx a report; a warning; a description* et signalement); **h.** (*radio., tv*) udsende (*fx a concert*); **i.** (*om plante: rødder, knopper*) skyde; (*skud*) udsende; (*blade*) sætte; **j.** (*person: med magt*) smide ud (*fx a troublemaker*); **k.** (*ved sin optræden*) forvirre, bringe ud af fatning, bringe fra koncepterne; **l.** (*ved pludselig forandring*) sætte i forlegenhed; **m.** (*ved besvær*) ulejlige; **n.** (*ved slag, bedøvelse*) slå ud; gøre be-

vidstløs; **o.** (*af konkurrence*) slå ud; sende ud; **p.** (*uden objekt: mar.*) = ~ *out to sea*; **q.** (*am.* S: *om pige*) være villig; ~ *out his eyes* stikke øjnene ud på ham; ~ *out one's hand* række/strække hånden frem/ud; (se også *tongue*); ~ **out of** se *action, business, head[1], joint[1], pain[1]*; ~ **out to** *sea* (*mar.*) stå til søs; stikke i søen; (se også *service[1]*);

~ **over a.** = ~ *across*; **b.** (*am.*) udsætte; udskyde; ~ *sth/one* **over on** *sby* (*am.* T) lave et nummer med én, tage gas på én; binde én noget på ærmet; *I wouldn't ~ it past him* T jeg kunne godt tiltro ham det; det kunne godt ligne ham;

~ **through a.** (*noget planlagt*) gennemføre (*fx the programme; reforms*); **b.** (*forslag*) få igennem (*fx a Bill; a scheme*); **c.** (*om noget ubehageligt el. en prøve*) lade gennemgå (*fx a hard training programme*); underkaste (*fx the new of cars are ~ through a series of tests*); **d.** (*tlf.*) stille om (*to* til); give forbindelse (*to* med); ~ *sby through it* T underkaste en et skarpt forhør; ~ *sby through school//university* betale for ens skolegang//studier; (se også *deal[1]*); ~ **to** fremstille for (*fx let me ~ the situation to you*); forelægge for (*fx ~ the proposal to them*); (se også *bed[1], death, expense, name[1], sea, use[1], vote[1]*); *he ~ John to win* han tippede John som vinder; *I ~ it to you that* (*især jur.*) De vil formentlig ikke benægte at; De må hellere indrømme at; forholder det sig ikke sådan at (*fx I ~ it to you that you were in London that week*); (se også *hard[3], wise[2]*);

~ **together a.** samle (*fx the new bookcase*); **b.** sammensætte, sætte sammen (*fx a team*); **c.** lægge sammen (*fx one's hands*); (se også *head[1], two*); *more than all the others ~ together* mere end alle de andre tilsammen;

~ **up a.** sætte op; stille op, opstille (*fx a camera*); **b.** (*bygning etc.*) opføre, rejse; **c.** (*forslag etc.*) se ovf.: ~ *forward a, b*; **d.** (*pris, skat etc.*) forhøje, sætte op, sætte i vejret; **e.** (*penge*) skaffe; indskyde (*fx he was willing to ~ up the money*); **f.** (*gæst*) anbringe; give husly; **g.** T planlægge; arrangere; **h.** (*am.*) sylte; henkoge; (se også *prayer, resistance, sword*); ~ *him up against a wall* stille ham op ad en mur [*s: for at skyde ham*]; ~ **up at** (*glds.*) tage ind på (*fx an*

inn); ~ **up for** opstille (sig) som kandidat til; ~ *him up for the club* foreslå ham som medlem (af klubben); ~ *him up for the night* give ham natlogi; (se også *auction, sale*); ~ **up to** tilskynde til, forlede til (*fx you* ~ *him up to it*); ~ **up with** T finde sig i;
~ **upon** bedrage; narre.

put-and-take [putən'teik] *adj.* [*med fisk som er sat ud for at blive fanget*].

putative ['pju:tətiv] *adj.* F formodet; som går for at være.

put-down ['putdaun] *sb.* nedgøring; nedgørende/lammende bemærkning; knusende svar.

put-off ['putɔf] *sb.* T **1.** påskud, udflugt; **2.** afskrækkelse.

put-on ['putɔn] *sb.* T skaberi; nummer; komediespil.

put-put¹ ['pʌtpʌt] *sb.* tøffen.

put-put² ['pʌtpʌt] *vb.* tøffe.

putrefaction [pju:tri'fækʃn] *sb.* forrådnelse; råddenskab.

putrefy ['pju:trifai] *vb.* gå i forrådnelse, rådne.

putrid ['pju:trid] *adj.* **1.** rådden; stinkende; modbydelig (*fx smell*); **2.** (*let glds.* T) elendig; led.

putsch [putʃ] *sb.* statskup.

putschist ['putʃist] *sb.* kupmager.

putt [pʌt] *vb.* (*i golf*) putte [*få kuglen til at trille det sidste stykke hen mod//ned i hullet*].

puttees ['pʌtiz] *sb. pl.* viklers [*slags gamacher*].

putter¹ ['pʌtə] *sb.* **1.** golfkølle [*til at slå bolden i hul med*]; putter; **2.** tøffen.

putter² ['pʌtə] *vb.* tøffe.

putting green ['pʌtiŋgri:n] *sb.* se *green¹ 3*.

putty ['pʌti] *sb.* kit;
□ *he's like* ~ *in her hands* han er som voks i hendes hænder.

putty knife *sb.* (*glarmesters*) spatel.

put-up ['putʌp] *adj.*: *it was a* ~ *job* T det var aftalt spil; der var fup med i spillet.

put-upon ['putəpɔn] *adj.* udnyttet; misbrugt.

putz [puts] *sb.* (*am.* T) **1.** dum skid; skvat; **2.** (*vulg.*) pik.

puzzle¹ ['pʌzl] *sb.* **1.** puslespil; **2.** gåde, mysterium; **3.** problem, vanskeligt spørgsmål.

puzzle² [pʌzl] *vb.* (se også *puzzled*) forundre; forvirre; bringe i vildrede;
□ *it -s me* jeg kan ikke forstå det// finde ud af det; det er mig en gåde; ~ *out* **a.** udtænke (*fx a solution*); **b.** finde ud af (*fx how it works*); ~ *over* bryde sin hjerne med; (se også *brain¹*).

puzzled ['pʌzld] *adj.* **1.** uforstående (*by* over for); forvirret; **2.** i vildrede (*about* med, *fx what to do*); rådvild, tvivlrådig (*about* med hensyn til);
□ *I am* ~ *that* jeg forstår ikke at; det er mig en gåde at.

puzzlement ['pʌzlmənt] *sb.* forundring; forvirring.

puzzler ['pʌzlə] *sb.* vanskeligt spørgsmål; gåde.

PVC [pi:vi:'si:] *fork. f.* polyvinyl chloride pvc [*slags plastic*].

PX *fork. f.* (*am.*) post exchange.

pygmy¹ ['pigmi] *sb.* pygmæ; dværg.

pygmy² ['pigmi] *adj.* dværg-.

pygmy owl *sb.* spurveugle.

pyjamas [pə'dʒa:məz] *sb. pl.* pyjamas;
□ *a pair/suit of* ~ en pyjamas.

pylon ['pailən] *sb.* **1.** mast; højspændingsmast, lysmast; **2.** (*til bro*) pylon; **3.** (*flyv.*) luftfyr; **4.** (*på fly*) [*ophæng for reservetank etc*]; **5.** (*hist.*: *porttårn*) pylon.

PYO *fork. f.* pick-your-own selvpluk.

pyramid ['pirəmid] *sb.* pyramide.

pyramidal [pi'ræmid(ə)l] *adj.* pyramideformet; pyramide-.

pyramid selling *sb.* pyramidesalg.

pyre ['paiə] *sb.* ligbål.

Pyrenean [pirə'ni:ən] *adj.* pyrenæisk.

Pyrenees ['pirəni:z] *sb. pl.*: *the* ~ Pyrenæerne.

pyrites [pai'raiti:z] *sb.* svovlkis;
□ *copper* ~ kobberkis; *iron* ~ jernkis.

pyrolisis [pai'rɔlisis] *sb.* pyrolyse.

pyromaniac [pairəu'meiniæk] *sb.* pyroman.

pyrosis [pai'rəusis] *sb.* (*med.*) halsbrand.

pyrotechnic [pairə'teknik] *adj.* **1.** fyrværkeri-; **2.** (*fig.*) gnistrende; sprudlende.

pyrotechnic display *sb.* fyrværkeri.

pyrotechnics [pairə'tekniks] *sb.* **1.** (*også fig.*) fyrværkeri; **2.** (*mil.*: *til signalgivning*) lys- og røgmidler.

Pyrrhic ['pirik] *adj.*: ~ *victory* pyrrhussejr.

Pythagoras' theorem [pai'θægəræsiz-] *sb.* den pythagoræiske læresætning.

python ['paiθ(ə)n] *sb.* (*zo.*) python(slange).

pyx [piks] *sb.* **1.** (*rel.*) hostiegemme; **2.** [*skrin hvori mønter opbevares til officiel efterprøvning*].

Q

Q¹ [kju:].

Q² *fork. f.* **1.** *Queen;* **2.** *question.*

QA *fork. f. quality assurance.*

QB *fork. f. Queen's Bench.*

QC *fork. f.* **1.** *Queen's Counsel;* (se *counsel);* **2.** *quality control.*

QED [kju:i:'di:] *fork. f. quod erat demonstrandum* hvilket skulle bevises; T sådan er det!

QM *fork. f. Quartermaster.*

qr *fork. f. quarter(s).*

qt. *fork. f. quart(s).*

q.t. *fork. f.* T *quiet;*
□ *on the* ~ i al hemmelighed; i smug.

Q-Tip® ['kju:tip] *sb.* (am.) vatpind.

qua [kwei] *konj.* (lat.) qua; i egenskab af; som.

quack¹ [kwæk] *sb.* **1.** (person) kvaksalver; charlatan; **2.** (ands lyd) rappen; skræppen.

quack² [kwæk] *adj.* kvaksalver-.

quack³ [kwæk] *vb.* rappe; skræppe.

quackery ['kwækəri] *sb.* kvaksalveri.

quack-quack ['kwækkwæk] *sb.* (i barnesprog) rapand.

quad¹ [kwɔd] *fork. f.* **1.** T *quadrangle;* **2.** *quadruplet;* **3.** *quadraphonic.*

quad² [kwɔd] *sb.* (typ.) udslutning [blind type].

quadrangle ['kwɔdræŋgl] *sb.* **1.** firkantet gård, gårrdsplads [især i universitetskollegier]; **2.** (figur) firkant.

quadrangular [kwɔ'dræŋgjulə] *adj.* firkantet.

quadrant ['kwɔdrənt] *sb.* kvadrant [buestykke på 90°].

quadraphonic [kwɔdrə'fɔnik] *adj.* kvadrofonisk.

quadratic [kwə'drætik] *adj.*: ~ *equation* andengradsligning.

quadrilateral¹ *sb.* firkant.

quadrilateral² *adj.* firkantet.

quadrille [kwə'dril] *sb.* kvadrille.

quadriplegic [kwɔdri'pli:dʒik] *sb.* kvadriplegiker [som er lammet i alle fire lemmer].

quadrophonic [kwɔdrəu'fɔnik] kvadrofonisk.

quadruped ['kwɔdruped] *sb.* firbenet dyr.

quadruple¹ ['kwɔdrupl] *adj.* firdob-

belt.

quadruple² ['kwɔdrupl] *vb.* **1.** firdoble; **2.** (uden objekt) firdobles.

quadruplet ['kwɔdruplət] *sb.* firling.

quaff [kwa:f] *vb.* (litt.) drikke (i dybe drag); skylle ned.

quaffable ['kwɔfəbl] *adj.* T drikkelig.

quagmire ['kwægmaiə] *sb.* (også fig.) hængedynd, sump.

quahog ['kwɔ:hɔg] *sb.* (zo.) (art) venusmusling.

quail¹ [kweil] *sb.* (zo.) vagtel.

quail² [kweil] *vb.* tabe modet; vige (forfærdet) tilbage (at for).

quaint [kweint] *adj.* **1.** gammel(dags) og malerisk (fx a ~ old village); **2.** ejendommelig, mærkelig, løjerlig (fx idea).

quake¹ [kweik] *sb.* T jordskælv.

quake² [kweik] *vb.* skælve (with af, fx fear); bæve; ryste (with af, fx laughter);
□ ~ *in one's boots/shoes* ryste i bukserne.

Quaker ['kweikə] *sb.* (rel.) kvæker.

quaking grass [kweikiŋ'gra:s] *sb.* (bot.) hjertegræs.

qualification [kwɔlifi'keiʃn] *sb.* **1.** (til at kunne udføre et arbejde) forudsætning (fx the only ~ required is a sense of humour); betingelse (fx some experience is a necessary ~ for the job); **2.** (erhvervet ved uddannelse) kvalifikation (fx has he any academic -s?); eksamen; **3.** (det at erhverve sig kvalifikation) afslutning af uddannelse; beståelse af eksamen; **4.** (i udsagn, erklæring) indskrænkning, begrænsning, forbehold;
□ -s (jf. 2, også) kompetence; without ~ (jf. 3) uden forbehold; ubetinget.

qualified ['kwɔlifaid] *adj.* **1.** (om person) kvalificeret; uddannet (fx teacher, nurse); **2.** (om udtalelse etc.) betinget (fx acceptance); forbeholden (fx welcome); begrænset (fx support);
□ ~ *for* **a.** (jf. 1) kvalificeret til; dygtig til; **b.** berettiget til; ~ *to* kvalificeret til at.

qualifier ['kwɔlifaiə] *sb.* **1.** (i sport) kvalifikationskamp; (person) en

der har kvalificeret sig (for til); **2.** (gram.: ord der nærmere bestemmer et andet) modifikator.

qualify ['kwɔlifai] *vb.* (se også qualified) **1.** (til social ydelse etc.) være berettiget (for til, fx unemployment benefit; maternity leave); **2.** (til erhverv) blive færdiguddannet, blive færdig (as som, fx a doctor; a teacher; he qualified in 1998); **3.** (i sport) kvalificere sig (for til); **4.** (med objekt: person) se ndf.: ~ sby for//to; **5.** (gram.) kvalificere, bestemme (fx adjectives ~ nouns); **6.** (fig.) modificere (fx a statement); dæmpe, mildne, (af)svække (fx criticism);
□ ~ *as* **a.** se ovf.: 2; **b.** kunne betegnes som (fx that does not ~ as an answer); gælde for (fx an expert); kunne godkendes som (fx a political refugee); that does not ~ him as an expert det gør ham ikke til ekspert; ~ *for* **a.** (jf. 2, også) have ret til; **b.** (T: straf) stå til, fortjene (fx a stiff reprimand); ~ sby for **a.** (social ydelse etc.) give en ret til, gøre en berettiget til (fx extra benefits); **b.** (uddannelse etc.) give en adgang til (fx a course); **c.** (stilling, arbejde) kvalificere en til, gøre en kvalificeret til (fx a job); ~ sby **to a.** kvalificere en til at, gøre en kvalificeret til at (fx teach English); **b.** (fig.) give en ret/kompetence til at (fx that does not ~ him to give advice to others).

qualitative ['kwɔlitətiv] *adj.* kvalitativ.

quality¹ ['kwɔliti] *sb.* **1.** kvalitet; **2.** (i bestemt henseende) beskaffenhed, karakter (fx the cheese has a rubbery ~); **3.** (merk.) kvalitet, sort;
□ *qualities* **a.** egenskaber (fx his personal qualities; the plant's antiseptic qualities); (om person også) kvaliteter; **b.** = quality papers; of ~ af høj kvalitet; people of ~ (glds.) standspersoner; fornemme folk; ~ of life livskvalitet.

quality² ['kwɔliti] *adj.* kvalitets- (fx product).

quality assurance *sb.* kvalitetssikring.

quality papers *sb. pl.* seriøse aviser.
qualms [kwa:mz, kwɔ:mz] *sb. pl.* skrupler (*about* over); betænkeligheder (*about* ved).
quandary ['kwɔndəri] *sb.* dilemma; forlegenhed; knibe.
quango ['kwæŋgəu] *fork. f. quasi-autonomous non-government(al) organization* halvofficelt statsstøttet organ (*fx -s such as the Police Complaints Board, the Equal Opportunities Commission and the Research Councils*).
quantifiable [kwɔnti'faiəbl] *adj.* kvantificerbar; målelig.
quantification [kwɔntifi'keiʃn] *sb.* omfangsbestemmelse.
quantifier ['kwɔntifaiə] *sb.* (*gram.*) kvantifikator (*fx -s such as "some", "a few", "a lot of"*).
quantify ['kwɔntifai] *vb.* kvantificere; bestemme//angive omfanget af.
quantitative ['kwɔntitətiv] *adj.* kvantitativ.
quantity ['kwɔntiti] *sb.* **1.** kvantitet (*fx his work has improved in ~ and quality*); **2.** (*af bestemt ting*) mængde (*fx a large ~ of food; quantities of food*); **3.** (*merk.*) parti; **4.** (*mat.*) størrelse; (*se også unknown quantity*); □ *in quantities* **a.** (*merk.*) i større partier; **b.** (*fig.*) i store mængder (*fx it is found in quantities in the streets*); i massevis; *he is a negligible ~* han har ikke spor at betyde.
quantity surveyor *sb.* [mængde- og omkostningsberegner ved byggeri]; (*omtr.*) rådgivende ingeniør.
quantum ['kwɔntəm] *sb.* **1.** kvantum; del; **2.** (*fys.*) kvant.
quantum leap *sb.* kvantespring; kæmpespring.
quantum theory *sb.* (*fys.*) kvanteteori.
quarantine[1] ['kwɔrənti:n] *sb.* karantæne.
quarantine[2] ['kwɔrənti:n] *vb.* holde//sætte i karantæne.
quark [kwa:k] *sb.* kvark [*ost; elementarpartikel*].
quarrel[1] ['kwɔr(ə)l] *sb.* **1.** uenighed, strid; **2.** (*verbalt*) skænderi, sammenstød; □ *have no ~ with* **F a.** (*person*) ikke have noget udestående med; **b.** (*udsagn etc.*) ikke have noget at indvende mod//udsætte på (*fx the decision*); *it takes two to make a ~* der skal to til at skændes; *pick a ~* starte et skænderi (*with* med); (*glds.*) yppe kiv (*with* med).
quarrel[2] ['kwɔr(ə)l] *vb.* blive ue-

nige, blive uvenner; skændes; □ *we won't ~ about that* det skal ikke skille os; *~ with* **a.** (*person*) blive uvenner med; skændes med; **b.** (*udsagn etc.*) have noget at udsætte på//indvende mod; erklære sig uenig med, protestere mod; *~ with one's bread and butter* (*omtr.*) ødelægge sit levebrød; save den gren over man selv sidder på.
quarrelsome ['kwɔr(ə)lsəm] *adj.* trættekær, krakilsk.
quarry[1] ['kwɔri] *sb.* **1.** (*som jages*) vildt; bytte; **2.** (*hvor man bryder sten*) stenbrud.
quarry[2] ['kwɔri] *vb.* bryde; udvinde.
quart [kwɔ:t] *sb.* **1.** (*rummål*) [¼ gallon, i England = 1,136 liter]; **2.** (*i fægtning; i piquet*) kvart; □ *try to put a ~ into a pint pot* [forsøge det umulige].
quarter[1] ['kwɔ:tə] *sb.* (se også *quarters*) **1.** kvart; fjerdedel; **2.** (*af time*) kvarter (*fx a ~ past six*); **3.** (*af år*) kvartal (*fx a -'s rent*); **4.** (*af undervisningsår*) termin; **5.** (*af by*) del; kvarter (*fx the Chinese ~*); **6.** (*af dyr*) fjerding; **7.** (*månefase*) kvarter; **8.** (*til modstander i kamp*) pardon (*fx ask for ~; they gave no ~*); **9.** (*am.*) kvartdollar; **10.** (*mar.*) låring; **11.** (*rummål, om korn: 8 bushels*) ca. 290 liter; (*vægt: af en hundredweight*) 12,7 kg; (*af et pound*) 113 g; □ *~ of an hour* kvarter; [*om klokkeslæt*] *a ~ of five* (*am.*) et kvarter i fem; *at a ~ past three* et kvarter over tre; *at a ~ to three* et kvarter i tre; [*med præp.*] *from every ~* fra alle kanter; *from that ~* fra den kant/side (*fx you can expect no help from that ~*); *lies the wind in that ~?* blæser vinden fra den kant? *in the highest ~* på højeste sted; *apply to the proper ~* henvende sig på rette sted.
quarter[2] ['kwɔ:tə] *vb.* **1.** dele i fire dele; skære i kvarte (*fx a tomato*); **2.** tage en fjerdedel af (*fx the dose*); reducere til en fjerdedel; □ *be -ed* **a.** (*mil. etc.*) blive indkvarteret; **b.** (*hist.: om forbryder*) blive parteret.
quarter-bound ['kwɔ:təbaund] *adj.* (*om bog*) med skindryg.
quarterdeck ['kwɔ:tədek] *sb.* agterdæk.
quarterfinal [kwɔ:tə'fain(ə)l] *sb.* (*i sport*) kvartfinale.
quarter light *sb.* (*i bils fordør*) ventilationsrude.
quarterly[1] ['kwɔ:təli] *sb.* kvartals-

skrift.
quarterly[2] ['kwɔ:təli] *adj.* kvartårlig; kvartals-; kvartalsvis.
quarterly[3] ['kwɔ:təli] *adv.* kvartårligt; kvartalsvis; fire gange om året.
quartermaster ['kwɔ:təma:stə] *sb.* **1.** (*mil.*) intendant; våbenmester; **2.** (*mar.*) kvartermester.
quarters ['kwɔ:təz] *sb. pl.* **1.** bolig; logi; **2.** (*mil.*) kvarter; □ *crew's -s* (*mar.*) mandsskabsrum; [*med præp.*] *at close ~* tæt sammen; klos op ad hinanden; på nært hold; *from all ~* fra alle kanter; *in high ~* på højeste sted; *in certain ~* i visse kredse, på visse steder; *come to close ~* komme i håndgemæng.
quartet [kwɔ:'tet] *sb.* kvartet.
quarto ['kwɔ:təu] *sb.* **1.** kvartformat; **2.** bog i kvartformat, kvartudgave.
quartz [kwɔ:ts] *sb.* (*min.*) kvarts.
quasar ['kweiza:] *sb.* (*astr.*) kvasar.
quash [kwɔʃ] *vb.* **1.** (*oprør, uro*) undertrykke, slå ned, nedkæmpe; (*demonstration*) standse; **2.** (*spekulationer, rygte*) sætte en stopper for; (*håb*) gøre en ende på; **3.** (*jur.*) annullere, tilsidesætte; omstøde (*fx a verdict; a conviction*).
quasi ['kweizai, 'kwa:zi] kvasi-; skin-.
quatercentenary [kwætəsen'ti:n(ə)ri, -'ten(ə)ri] *sb.* firehundredårsdag.
quatrain ['kwɔtrein] *sb.* firelinjet strofe.
quaver[1] ['kweivə] *sb.* **1.** (*om stemme*) skælven; **2.** (*mus.*) ottendedelsnode.
quaver[2] ['kweivə] *vb.* **1.** (*om stemme*) skælve; **2.** (*ytring*) sige med skælvende stemme.
quay [ki:] *sb.* kaj.
quayside ['ki:said] *sb.* kajkant, kaj.
queasy ['kwi:zi] *adj.* **1.** utilpas; **2.** (*om mave*) svag, sart; **3.** (*fig.*) sart; □ *feel ~* have kvalme; *feel ~ about* (T: *fig.*) være utilpas/betænkelig ved.
queen[1] [kwi:n] *sb.* **1.** dronning; **2.** (*i kortspil*) dame; **3.** (S: *homoseksuel*) bøsse [*især: ældre, affekteret*]; □ *the ~ of clubs//hearts etc.* klør dame//hjerter dame *etc.*
queen[2] [kwi:n] *vb.* (*i skak*) gøre til dronning; □ *~ it* T spille dronning; *~ it over sby* regere med en.
Queen Anne *sb.* (arkit., omtr.) senbarok.
Queen Anne's lace *sb.* (*bot., især*

Q queen bee

am.) vild kørvel.

queen bee *sb.* bidronning.

queen cake *sb.* [*korendekage af særlig facon, fx hjerter, ruder*].

queenly ['kwi:nli] *adj.* dronninge-agtig; majestætisk;
□ *her* ~ *duties* hendes pligter som dronning.

queen mother *sb.* enkedronning [*som er moder til den regerende monark*].

queen post *sb.* hængestolpe.

Queen's Bench Division *sb.* [*overrettens hovedafdeling*].

Queen's Counsel se *counsel*[1].

Queen's English *sb.* dannet sprog-brug; standardengelsk.

Queen's evidence *sb.* **1.** kronvidne [*der tidligere ved at angive sine medskyldige blev fri for straf*]; **2.** se *King's evidence.*

queer[1] [kwiə] *sb.* T homoseksuel, bøsse.

queer[2] [kwiə] *adj.* **1.** (*glds.*) mærke-lig, underlig, sær; **2.** T homosek-suel; bøsset; (*i sms.*) bøsse- (*fx culture*).

queer[3] [kwiə] *vb.* T spolere; øde-lægge (*fx one's chances*); (se også *pitch*[1]).

Queer Street *sb.: find oneself in* ~ (*glds.* S) være ude at svømme; være i økonomiske vanskelighe-der.

quell [kwel] *vb.* **1.** (*oprør, uro, modstand*) knuse, slå ned, under-trykke; **2.** (*følelse*) dæmpe (*fx his fear*).

quench [kwen(t)ʃ] *vb.* **1.** (*tørst*) slukke; stille; **2.** (*litt.: ild*) slukke; **3.** (*tekn.: stål*) bratkøle.

quern [kwə:n] *sb.* håndkværn.

querulous ['kwerуləs] *adj.* F kla-gende; klynkende.

query[1] ['kwiəri] *sb.* **1.** spørgsmål; forespørgsel; **2.** spørgsmålstegn.

query[2] ['kwiəri] *vb.* **1.** spørge om (*fx the bill*) [ɔ: *fordi man er i tvivl om rigtigheden*]; forhøre sig om; **2.** betvivle (*fx I queried the wis-dom of the decision*); drage i tvivl (*fx the decision*); sætte spørgs-målstegn ved; **3.** spørge (*fx "Why not?" he queried*); **4.** (*am.*) ud-spørge (*fx the officers*);
□ ~ *it with the manager* forhøre sig om det hos direktøren.

quest [kwest] *sb.* **1.** søgen (*of, for* efter); stræben (*to* efter at); **2.** (*litt., omtr.*) ridderfærd;
□ *go in* ~ *of* gå ud for at (op)søge.

question[1] ['kwestʃn] *sb.* **1.** (*som stilles*) spørgsmål; **2.** (*som drøftes*) spørgsmål (*fx the Northern Irish* ~); emne, sag; **3.** (*som haves*) tvivl (*fx there is some//no* ~

about his qualifications);
□ ~! (*tilråb ved møde*) til sagen! *it is a ~ of* (*jf. 2 også*) det er et spørgsmål om, det drejer sig om (*fx money*); *it is just/simply a ~ of + -ing* det er kun et spørgsmål om at, det gælder bare om at (*fx putting in a few screws*); *there was no ~ of + -ing* der var ikke tale om at; det var utænkeligt/ udelukket at;
[*med vb.*] *ask a* ~ stille et spørgs-mål; *beg the* ~ **a.** indbyde til at spørge om; rejse spørgsmålet om; **b.** gøre sig skyldig i en cirkelslut-ning; *look a* ~ se spørgende ud; *pop the* ~ (*spøg.*) fri; *press the* ~ hårdnakket kræve svar; *put a* ~ stille et spørgsmål (*to* til); *put the* ~ *sætte sagen under afstemning;
[*med præp.*] *beyond* ~ uden en-hver tvivl; ubestrideligt; *the mat-ter in* ~ den foreliggende sag; *the person in* ~ den pågældende; vedkommende; *at the place in* ~ på det pågældende sted; *call in/ into* ~ drage i tvivl; sætte spørgs-målstegn ved; *come into* ~ komme på tale; *that is open to* ~ det er tvivlsomt; *that is out of the* ~ det kan der overhovedet ikke være tale om; det er aldeles ude-lukket; *without* ~ **a.** uden at stille spørgsmål, uden tøven (*fx he obeyed her without* ~); **b.** uden enhver tvivl (*fx he was the great-est, without* ~).

question[2] ['kwestʃn] *vb.* **1.** (*person*) udspørge; afhøre (*fx witnesses*); **2.** (*sag*) drage i tvivl, anfægte (*fx I do not* ~ *his motives*); rejse tvivl om; betvivle;
□ *those -ed* de adspurgte.

questionable ['kwestʃənəbl] *adj.* tvivlsom.

questioner ['kwestʃənə] *sb.* spørger.

question mark *sb.* spørgsmålstegn.

question master *sb.* leder af spør-gekonkurrence; quizvært.

questionnaire [kwestʃə'nɛə] *sb.* spørgeskema.

queue[1] [kju:] *sb.* **1.** kø; **2.** (*it*) kø, venteliste;
□ *jump the* ~ springe 'over i køen.

queue[2] [kju:] *vb.* **1.** stå i kø; **2.** stille sig i kø;
□ ~ *up* stille sig i kø (*for* efter).

queue-jump ['kju:dʒʌmp] *vb.* springe 'over i en kø.

quibble[1] ['kwibl] *sb.* lille//smålig indvending (*with* imod); petitesse;
□ *that's a* ~ (*også*) det er ordklø-veri.

quibble[2] ['kwibl] *vb.* komme med smålige indvendinger;
□ ~ *about,* ~ *over* hænge sig i (*fx*

unimportant details; a couple of pounds); gøre ophævelser over; strides om.

quick [kwik] *adj.* **1.** hurtig; hastig; rask; **2.** (*om intelligens*) kvik; **3.** (*om opfattelse*) fin, skarp (*fx eye; ear*);
□ (*as*) ~ *as a wink* hurtig som et lyn; *be* ~! skynd dig! *be* ~ *about* være hurtig til; skynde sig med (*fx one's work*); *be* ~ *to* **a.** være hurtig til at (*fx criticize*); **b.** skynde sig at (*fx he was* ~ *to dress*); *be* ~ *to learn* være lære-nem; *be* ~ *to take offence* være sårbar; være let at fornærme; *a* ~ *one* en hurtig drink; en lille en; *have a* ~ *temper* være hidsig; være opfarende; *cut to the* ~ **a.** skære helt ned i kødet; **b.** (*fig.*) gøre et dybt indtryk på; ramme på det ømmeste punkt; *your suspi-cion cut me to the* ~ din mistanke sårede mig dybt; *make* ~ *work of* se *short*[2] (*make short work of*); (se også *quick fix*).

quicken ['kwik(ə)n] *vb.* **1.** frem-skynde; sætte fart i; **2.** (*uden objekt*) blive hurtigere;
□ *his heart -ed* (*litt.*) hans hjerte slog hurtigere; han fik hjerteban-ken; ~ *one's pace/step* gå raskere; sætte farten op; *cause the pulse to* ~ få pulsen til at slå hurtigere.

quickfire ['kwikfaiə] *adj.* **1.** (*om ka-non*) hurtigskydende; **2.** (*fig.*) lyn-hurtig.

quick fix *sb.* (hurtig og) nem løs-ning [*som ikke holder i længden*].

quick-freeze [kwik'fri:z] *vb.* lyn-fryse.

quickie[1] ['kwiki] *sb.* T **1.** hurtig drink; en lille en; **2.** (*sex*) hurtigt knald.

quickie[2] ['kwiki] *adj.* T ekspres-, lyn-.

quicklime ['kwiklaim] *sb.* brændt kalk.

quicksand ['kwiksænd] *sb.* kvik-sand.

quickset ['kwikset] *sb.* levende hegn; (hvidtjørne)hæk.

quicksilver ['kwiksilvə] *sb.* kvik-sølv.

quickstep ['kwikstep] *sb.* (*dans*) quickstep.

quick-tempered ['kwiktempəd] *adj.* hidsig, opfarende.

quick-witted ['kwikwitid] *adj.* kvik, opvakt; snarrådig.

quid[1] [kwid] *sb.* skrå(tobak); (se også *quids in*).

quid[2] [kwid] *sb.* (*pl.* quid) (T: *om penge*) pund.

quid pro quo [kwidprəu'kwəu] *sb.* modydelse (*for* for); noget for noget.

quids in [kwidz'in] *adj.*: *be* ~ være i en gunstig position; stå til at vinde; *be* ~ *with* stå sig godt med.

quiescence [kwai'es(ə)ns] *sb.* hvile, ro; passivitet, uvirksomhed, stilstand.

quiescent [kwai'es(ə)nt] *adj.* hvilende, i hvile, i ro; passiv, uvirksom.

quiet[1] ['kwaiət] *sb.* **1.** (*uden støj*) stilhed; ro; **2.** (*uden forstyrrelse*) ro; fred;
□ *on the* ~ T hemmeligt, i smug; i det stille.

quiet[2] ['kwaiət] *adj.* **1.** (*uden støj*) stille (*fx try to be as* ~ *as you can*); (*om maskine etc.*) støjsvag; **2.** (*uden forstyrrelse, fredelig* (*fx place; time*); i fred og ro (*fx have a* ~ *drink*); **3.** (*uden offentlighed*) stilfærdig, stille (*fx have a* ~ *wedding*); diskret (*fx diplomacy*); i al stilfærdighed (*fx I'll have a* ~ *word with him*); **4.** (*mht. temperament*) stilfærdig, tilbageholdende; **5.** (*mht. udseende*) afdæmpet, diskret (*fx colours*);
□ *anything for a* ~ *life* hvad gør man ikke for husfredens skyld; *keep* ~ forholde sig rolig; *keep sth* ~ hemmeligholde noget; *keep* ~ *about it* tie stille med det.

quiet[3] ['kwaiət] *vb.* (*am.*) se *quieten.*

quieten ['kwaiət(ə)n] *vb.* **1.** (*uden objekt*) blive rolig, falde til ro; **2.** (*med objekt*) berolige; dæmpe; □ ~ *down* = ~; ~ *the tension* lette spændingen.

quietism ['kwaiətizm] *sb.* (*rel.*) kvietisme.

quietude ['kwaiətju:d] *sb.* F ro, fred.

quiff [kwif] *sb.* [*frisure med håret sat fyldigt op over panden*]; pandekrølle.

quill[1] [kwil] *sb.* **1.** fjer; svingfjer; halefjer; **2.** (*glds.: til at skrive med*) fjerpen; **3.** (*af hulepindsvin*) pig; **4.** (*i vævning*) spole; **5.** (*tekn.*) hulaksel; **6.** (*af kinin, kanel*) barkrør.

quill[2] [kwil] *vb.* (*stof*) pibe; kruse.

quillwort ['kwilwə:t] *sb.* (*bot.*) brasenføde.

quilt [kwilt] *sb.* vatteret sengetæppe; vattæppe.

quilted ['kwiltid] *adj.* quiltet, kviltet, vatteret.

quilting ['kwiltiŋ] *sb.* quiltning, kviltning, vattering.

quince [kwins] *sb.* (*bot.*) kvæde.

quinine ['kwini:n, (*am.*) 'kwainain] *sb.* kinin.

quins [kwinz] *sb. pl.* T femlinger.

quinsy ['kwinzi] *sb.* halsbetændelse.

quintessence [kwin'tes(ə)ns] *sb.*: *the* ~ *of* (F: *typisk eksempel*) indbegrebet af.

quintessential [kwinti'senʃl] *adj.* mest typisk (*fx English village*).

quintet [kwin'tet] *sb.* kvintet.

quints [kwints] *sb. pl.* (*am.*) femlinger.

quintuple[1] ['kwintjupl] *adj.* femdobbelt.

quintuple[2] ['kwintjupl] *vb.* **1.** femdoble; **2.** (*uden objekt*) femdobles.

quintuplets ['kwintjuplits] *sb. pl.* femlinger.

quip[1] [kwip] *sb.* morsomhedhed; kvik//sarkastisk bemærkning; spydighed.

quip[2] [kwip] *vb.* spøge; bemærke vittigt; sige sarkastisk/spydigt; replicere.

quire ['kwaiə] *sb.* **1.** bog [*25 ark*]; **2.** (*typ.*) ark; læg;
□ *in -s* i løse ark.

quirk [kwə:k] *sb.* **1.** tilfældighed, kuriositet (*fx by a statistical* ~); **2.** (*hos person*) særhed; ejendommelighed;
□ *by a strange* ~ *of fate* ved et af skæbnens mærkelige luner; *by a legal* ~ ved en juridisk spidsfindighed.

quirky ['kwə:ki] *adj.* ejendommelig, sær, excentrisk.

quisling ['kwizliŋ] *sb.* quisling, landsforræder.

quit[1] [kwit] *adj.*: *be* ~ *of* være// blive fri for, være//slippe af med (*fx I want to be* ~ *of him*).

quit[2] [kwit] *vb.* (*med objekt*) **A. 1.** (*sted*) forlade, flytte fra (*fx the town*); **2.** (*stilling*) fratræde; 'gå fra; **3.** (*især am.* T: *noget man gør*) droppe (*fx a habit*); holde op med (+ *-ing* at, *fx smoking*);
B. (*uden objekt*) **1.** (*jf. 1*) flytte, tage bort, gå sin vej; **2.** (*jf. 2*) sige op, fratræde, tage sin afsked; (se også *notice*[1]); **3.** (*jf. 3*) holde op, sige stop.

quitclaim ['kwitkleim] *sb.* (*am. jur.*) afkald.

quite [kwait] *adv.* **1.** (*forstærkende*) helt, ganske (*fx exhausted; impossible; new*); fuldkommen, fuldt ud (*fx content*); **2.** (*nedtonende*) temmelig, ret (*fx elegant; expensive; hard*); helt (*fx it is* ~ *good but not brilliant*); ganske (*fx she is* ~ *pretty*); rigtig (*fx nice*); ligefrem (*fx why, you are* ~ *rich!*);
□ *quite!* ganske rigtigt! det er klart! ja netop! ja vist så! ~ *a* en hel (*fx it was* ~ *an event*); noget af (*fx he is* ~ *a character*); ~ *a*

long time temmelig lang tid; ~ *a lot* en hel del; (se også *few*); *not* ~ ikke helt (*fx not* ~ *proper*//*satisfactory*); ikke rigtig (*fx satisfactory*; *I don't* ~ *know*); ~ *so!* se ovf.: *quite!* ~ *the* ... **a.** (+ *sup.*) absolut den/det ... (*fx it is* ~ *the best*); **b.** (+ *sb.: iron.*) vel nok en ... (*fx he is* ~ *the gentleman!*); (se også *contrary*[1], *thing*).

quits [kwits] *adj.* T kvit;
□ *I am* ~ *with him, we are* ~ vi er kvit; *I will be* ~ *with him some day* han skal få det betalt; *call it* ~ **a.** (*mht. mellemværende*) sige at man er kvit; **b.** (*mht. beskæftigelse*) holde op.

quitter ['kwitə] *sb.*: *he is no* ~ T han giver ikke op på halvvejen; han er ikke nogen slapsvans//kujon; han er ikke noget skvat.

quiver[1] ['kwivə] *sb.* **1.** (*jf. quiver*[2]) skælven; dirren; sitren; **2.** (*til pile*) kogger, pilekogger.

quiver[2] ['kwivə] *vb.* skælve (*with af, fx delight; fear*); dirre; sitre;
□ *his lips -ed* hans læber skælvede/bævede.

quiverful ['kwivəf(u)l] *sb.* (*spøg.*) stor børneflok; redefuld unger.

qui vive ['ki:'vi:v] *sb.*: *on the* ~ vågen; på vagt.

quixotic [kwik'sɔtik] *adj.* (*litt.*) don-quijotisk; verdensfjern; idealistisk.

quiz[1] [kwiz] *sb.* **1.** quiz; spørgeleg; **2.** (*am.*) kort skriftlig prøve; kort eksamination.

quiz[2] [kwiz] *vb.* udspørge; forhøre.

quizmaster *sb.* question master.

quizzical ['kwizik(ə)l] *adj.* desorienteret, forvirret; forundret, undrende.

quoit [kɔit, kwɔit] *sb.* kastering.

quoits [kɔits, kwɔits] *sb. pl.* ringspil.

Quonset hut® ['kwɔnsəthʌt] *sb.* (*am.*) [*tøndehvælvet barak af bølgeblik*].

quorate ['kwɔ:reit] *adj.* F beslutningsdygtig.

quorum ['kwɔ:rəm] *sb.* F beslutningsdygtigt antal.

quota ['kwəutə] *sb.* kvote.

quotable ['kwəutəbl] *adj.* **1.** som er værd at citere; **2.** som egner sig til gengivelse, stueren.

quota hopper *sb.* [*fisker der lader hånt om kvotebestemmelserne*].

quotation [kwə'teiʃən] *sb.* **1.** (*fra person, litterært værk*) citat; **2.** (*for at udføre et arbejde*) tilbud (*for på*); pris; **3.** (*på børsen*) notering, kurs.

quotation marks *sb. pl.* anførelsestegn, anførselstegn.

Q *quote*

quote[1] [kwəut] *sb.* **1.** T = *quotation 1*; **2.** T = *quotation 2*; **3.** anførel-sestegn, anførselstegn (*fx in -s*).

quote[2] [kwəut] *vb.* **1.** (*person, litte-rært værk*) citere; **2.** (*oplysning*) anføre, nævne (*fx ~ me one ex-ample of that*); **3.** (*pris*) opgive; give tilbud; **4.** (*papir: på børsen*) notere;

□ *quote!, quote, unquote!* T citat, i anførselstegn (*fx he said he was, quote, unquote "indisposed"*); (se også *unquote*); *please ~: 5/02 (på forretningsbrev, svarer til*) vor re-ference: 5/02;

[*med præp.*] *~ sby £500 for* (ɔ: ar-bejde) give én et tilbud på £500 for; *~ sby on* citere en for (*fx can I ~ you on that?*).

quoted [ˈkwəutid] *adj.* (*merk.*) børsnoteret (*fx company; secur-ities*).

quoth [kwəuθ] *vb.* (*glds. el. spøg.*) mælede, sagde.

quotidian [kwə(u)ˈtidiən, kwɔ-] *adj.* dagligdags; hverdagsagtig.

quotient [ˈkwəuʃnt] *sb.* **1.** (*mat.*) kvotient; **2.** (*fig.*) andel, portion, mængde.

qwerty [ˈkwɔ:ti] *adj.* (*om tastatur*) standard-.

qy. *fork. f.* query.

R

R¹ [a:].

R² *fork. f.* **1.** *Rex//Regina* konge// dronning (*fx Elizabeth R*); **2.** *Royal*; **3.** (*am.*) *Republican*; **4.** (*am. om film*) *restricted* [*forbudt for børn under 17, medmindre de er ledsaget af en voksen*]; □ *the three R's* [= *reading, (w)riting and (a)rithmetic*].

R. *fork. f.* **1.** (*lat.*) *rex* konge; **2.** (*lat.*) *regina* dronning; **3.** *recipe*.

RA *fork. f.* **1.** *Royal Academy*; **2.** *Royal Academician*; **3.** (*mil.*) *Royal Artillery*.

rabbet ['ræbət] *sb.* (*især am.*) fals.

rabbet joint *sb.* sammenfalsning.

rabbi ['ræbai] *sb.* rabbi, rabbiner.

rabbinical [rə'binik(ə)l] *adj.* rabbinsk.

rabbit¹ ['ræbət] *sb.* **1.** kanin; **2.** T dårlig spiller; klodrian.

rabbit² ['ræbət] *vb.*: go -ing gå på kaninjagt; ~ *on* ævle, kværne.

rabbit ears *sb. pl.* **1.** kaninører; **2.** (*am.*) V-antenne.

rabbitfish ['ræbitfiʃ] *sb.* (*zo.*) havmus.

rabbit punch *sb.* håndkantslag i nakken.

rabbit warren *sb.* kaninbo; kaninløbegange, kaniners tunnelsystem.

rabble ['ræbl] *sb.* larmende hob, horde; □ *the* ~ pøbelen; rakket.

rabble-rouser ['ræblrauzə] *sb.* demagog, folkeforfører; urostifter, agitator.

rabble-rousing ['ræblrauziŋ] *adj.* demagogisk; ophidsende.

rabid ['ræbid] *adj.* **1.** fanatisk, rabiat; **2.** (*om dyr*) som har hundegalskab, gal (*fx dog*).

rabies ['reibi:z] *sb.* hundegalskab.

RAC *fork. f. Royal Automobile Club*.

raccoon [rə'ku:n] *sb.* (*zo.*) vaskebjørn.

raccoon dog *sb.* (*zo.*) mårhund.

race¹ [reis] *sb.* **1.** væddeløb, kapløb; løb (*fx a hundred-metre* ~); (se også *boat race, bicycle race, cross-country race, horse race, walking race, yacht race*); **2.** (*fig.*) kapløb om at blive den første (*to*

til at, *fx publish the story; find a cure for Aids*); opgør (*for om, fx the White House*); **3.** (*om mennesker*) race; slægt; (se også *human race*); **4.** (*fig.*) folkefærd (*fx they were a bloodthirsty* ~); **5.** (*i vand*) stærk strøm; **6.** (*ved vandmølle*) se *millrace*; **7.** (*i kugleleje*) (løbe)ring;
□ *a* ~ *against time/the clock* et kapløb med tiden; *the -s* [række løb på en bane én dag]; *be at the -s* være på væddeløbsbanen/galopbanen.

race² [reis] *vb.* **A.** (*uden objekt*) **1.** fare, styrte (*fx into the house; across the road*); (*også om bil*) ræse, race; **2.** (*om konkurrence*) deltage i løb (*fx he has been racing for over ten years*); løbe// køre//sejle *etc.* om kap (*with/ against* med); **3.** (*om maskine*) løbe løbsk; **4.** (*om hjerte, puls*) galopere, hamre vildt;
B. (*med objekt*) **1.** (*person*) køre i fuld fart med (*fx they -d him to hospital*); **2.** (*modstander*) løbe// køre//sejle *etc.* om kap med; **3.** (*hest, bil: i konkurrence*) lade deltage i (vædde)løb; (*hest, hund også*) lade løbe, stille op med; **4.** (*motor*) speede op [*i tomgang*];
□ *I'll* ~ *you home!* hvem kommer først hjem! *his mind was racing* hans hjerne arbejdede på højtryk; [*med præp.& adv.*] *time -d by* tiden fløj af sted; ~ *a bill* **through** *Parliament* jage et lovforslag igennem; *the thoughts -d through her mind* tankerne fløj gennem hovedet på hende; ~ **towards** (*fig.*) være på vej mod i fuld fart; ~ **up** (*fig.*) springe i vejret.

racecard ['reiska:d] *sb.* væddeløbsprogram.

racecourse ['reiskɔ:s] *sb.* væddeløbsbane; galopbane.

racegoer ['reisgəuə] *sb.* [en der går til hestevæddeløb].

racehorse ['reishɔ:s] *sb.* væddeløbshest.

race meeting *sb.* væddeløb; væddeløbsdag//-dage.

racer ['reisə] *sb.* **1.** væddeløbshest; **2.** racer, racerbil; **3.** racercykel; **4.** kapsejler; **5.** (*person*) racerkø-

rer//cykelrytter//kapsejler.

race relations *sb. pl.* forholdet mellem racerne.

race riots *sb. pl.* raceoptøjer.

racetrack ['reistræk] *sb.* væddeløbsbane.

race walking *sb.* kapgang.

rachitis [ræ'kaitis] *sb.* (*med.*) rakitis, engelsk syge.

racial ['reiʃ(ə)l] *adj.* racemæssig (*fx minority*); race- (*fx discrimination*).

racialism ['reiʃəlizm] *sb.* = racism.

racing¹ ['reisiŋ] *sb.* væddeløb.

racing² ['reisiŋ] *adj.* væddeløbs-; racer- (*fx bike; car, driver*);
□ *it's a* ~ *certainty* T det er højst sandsynligt.

racism ['reisizm] *sb.* racisme; racefordomme; racehad; racediskrimination.

racist¹ ['reisist] *sb.* racist.

racist² ['reisist] *adj.* racistisk.

rack¹ [ræk] *sb.* **1.** (*til at hænge noget på*) stativ (*fx clothes* ~; *rifle* ~; *pipe* ~); (*til tøj etc. også*) knagerække; **2.** (*til at lægge//sætte noget i//på*) hylde (*fx spice* ~); -holder; (*jernb. etc.*) bagagehylde; (*på bil*) bagagebærer; (*til stereo*) rack; (se også *plate rack*); **3.** (*med rum*) reol (*fx vegetable* ~; *wine* ~); (*bibl.*) tidsskriftreol; (*til post*) sorterereol; (*typ.*) sættereol; **4.** (*tekn.*) tandstang; **5.** (*om kød omtr.*) kam; □ *the* ~ (*hist.*) pinebænken; *put on the* ~ (*fig.*) spænde på pinebænken; *go to* ~ *and ruin* gå til grunde.

rack² [ræk] *vb.* **1.** pine; plage; martre; **2.** (*vin*) aftappe; skille kvasen fra;
□ ~ *one's brain(s)* se *brain¹*; ~ **up** (*am.* T) **a.** notere, tegne sig for, opnå (*fx another victory*); **b.** samle sammen, skaffe sig (*fx enough points; huge debts*).

racket ['rækət] *sb.* **1.** (*om lyd*) larm, spektakel; **2.** (T: *om foretagende*) ulovlig handel, lyssky virksomhed; fidus, svindelnummer, svindelforetagende; **3.** (*til tennis etc.*) ketsjer.

racketeer [ræki'tiə] *sb.* **1.** [en der driver ulovlig handel]; fidusmager, svindler; **2.** gangster; pengeafpresser.

racketeering [ræki'tiəriŋ] *sb.* **1.** fidusmageri, svindel; **2.** organiseret kriminalitet, gangstervirksomhed; pengeafpresning.

racking ['rækiŋ] *adj.* som gør frygtelig ondt.

rack railway *sb.* tandhjulsbane.

rack rent *sb.* **1.** (*neds.*) ublu leje; **2.** (*merk.*) gældende markedsleje.

raconteur [rækɔn'tɔ:] *sb.* fortæller.

racoon [rə'ku:n] *sb.* (*zo.*) vaskebjørn.

racquet ['rækit] *sb.* ketsjer.

racy ['reisi] *adj.* **1.** saftig, vovet, fræk (*fx story*); bramfri; **2.** (*om person, stil*) kraftfuld, kernefuld, frisk; **3.** (*om vin*) pikant, aromatisk (*fx flavour*).

rad[1] [ræd] *sb.* rad [*måleenhed for stråling*].

rad[2] [ræd] *adj.* (*især am.* T) fin, fed.

radar ['reida:] *sb.* radar.

raddled ['rædld] *adj.* hærget; udslidt.

radial[1] ['reidiəl] *sb.* **1.** radialdæk; **2.** se *radial road.*

radial[2] ['reidiəl] *adj.* radial; radiær; strålende ud fra et centrum.

radial engine *sb.* stjernemotor.

radial road *sb.* radialgade; primærgade; udfaldsvej.

radial tyre *sb.* radialdæk.

radiance ['reidiəns] *sb.* **1.** stråleglans; skin, skær; **2.** (*persons: af glæde*) udstråling.

radiant ['reidiənt] *adj.* **1.** strålende; lysende; **2.** (*om person*) strålende, glædestrålende.

radiant energy *sb.* strålingsenergi.

radiant heat *sb.* strålevarme.

radiate ['reidieit] *vb.* **1.** udstråle (*fx heat*); udsende (*fx light*); **2.** (*fig.*) udstråle, stråle af (*fx happiness; energy*);
□ ~ *from* (*også fig.*) stråle ud fra; udgå fra.

radiation [reidi'eiʃn] *sb.* **1.** udstråling; **2.** radioaktiv stråling.

radiation sickness *sb.* strålingssyge.

radiator ['reidieitə] *sb.* **1.** radiator, varmeapparat; **2.** (*i bil*) køler.

radical[1] ['rædik(ə)l] *sb.* **1.** (*person*) radikal; yderliggående; (*am. især*) venstreorienteret; **2.** (*mat.*) rod; rodtegn; **3.** (*kem.*) radikal.

radical[2] ['rædik(ə)l] *adj.* **1.** (*om politisk indstilling*) radikal; yderliggående; (*am. især*) venstreorienteret; **2.** (*om forandring*) radikal, grundig, gennemgribende (*fx reform; overhaul*); **3.** (*om forskel*) fundamental; **4.** (*gram., mat.*) rod-.

radicalism ['rædikəlizm] *sb.* radikalisme.

radicalize ['rædikəlaiz] *vb.* radikalisere.

radical sign *sb.* (*mat.*) rodtegn.

radii ['reidiai] *pl. af* radius.

radio[1] ['reidiəu] *sb.* radio.

radio[2] ['reidiəu] *vb.* **1.** kalde (over radioen); **2.** meddele (over radioen);
□ ~ *for help//advice* bede om hjælp//råd (over radioen).

radioactive [reidiəu'æktiv] *adj.* radioaktiv.

radioactive waste *sb.* atomaffald.

radioactivity [reidiəuæk'təvəti] *sb.* radioaktivitet.

radio beacon *sb.* radiofyr.

radiocarbon [reidiəu'ka:b(ə)n] *sb.* kulstof 14.

radio-controlled [reidiəukən-'trəuld] *adj.* radiostyret.

radiographer [reidi'ɔgrəfə] *sb.* radiograf.

radiography [reidi'ɔgrəfi] *sb.* røntgenfotografering, radiografi.

radioisotope [reidiəu'aisətəup] *sb.* radioaktiv isotop.

radiolocation [reidiəuləu'keiʃn] *sb.* radiopejling.

radiologist [reidi'ɔlədʒist] *sb.* radiolog, røntgenspecialist.

radiology [reidi'ɔlədʒi] *sb.* radiologi.

radiopaque [reidiəu'peik] *adj.* ikke gennemtrængelig for røntgenstråler.

radio play *sb.* hørespil.

radioscopy [reidi'ɔskəpi] *sb.* røntgenundersøgelse.

radio telephone *sb.* radiotelefon.

radio telescope *sb.* radioteleskop.

radiotherapy [reidiəu'θerəpi] *sb.* radioterapi, strålebehandling.

radio transmitter *sb.* radiosender.

radish ['rædiʃ] *sb.* (*bot.*) radise.

radium ['reidiəm] *sb.* radium.

radius ['reidiəs] *sb.* (*pl. radii* ['reidiai]) radius.

RAF *fork. f. Royal Air Force.*

raffia ['ræfiə] *sb.* **1.** (*bot.*) rafiapalme; **2.** (*materiale*) (rafia)bast.

raffish ['ræfiʃ] *adj.* (*litt.*) bohemeagtig; ukonventionel; udsvævende.

raffle[1] ['ræfl] *sb.* lotteri.

raffle[2] ['ræfl] *vb.* bortlodde.

raft[1] [ra:ft] *sb.* **1.** tømmerflåde; **2.** (*samling drivende tømmer*) drift; **3.** (*båd*) gummibåd; (se også *life raft*);
□ *a* ~ *of* (*især am.*) en mængde (*fx diamonds; papers; reforms*); en vrimmel af.

raft[2] [ra:ft] *vb.* **1.** sejle på tømmerflåde//i gummibåd; **2.** (*med objekt*) transportere på tømmer-

flåde//i gummibåd.

rafter ['ra:ftə] *sb.* **1.** (*i hus*) tagspær; loftsbjælke; **2.** (*person*) [*en der sejler på tømmerflåde//i gummibåd*]; flådefører.

raftered ['ra:ftəd] *adj.:* ~ *ceiling* bjælkeloft.

rafting ['ra:ftiŋ] *sb.* rafting [*det at sejle ned ad en flod på tømmerflåde//i gummibåd*].

rag[1] [ræg] *sb.* **1.** klud; las; (*am. også*) støveklud; **2.** (T: *om avis*) sprøjte (*fx the local* ~); **3.** (*ved universitet*) [*fest i gaden for at samle penge ind til velgørende formål*]; **4.** (*mus.*) ragtimemelodi;
□ *lose one's* ~ T blive hidsig; få en prop;
-s laser, pjalter (*fx dressed in* -*s*); *from* -*s to riches* fra fattigdom til velstand; *his clothes were in* -*s* hans tøj hang i laser;
the ~ (*am.* S) menstruationsbind; tampon; *be on the* ~ (*am.* S) have det røde [ɔ: *menstruation*); *chew the* ~ T sludre, snakke; *lose the* ~ se ovf.: *lose one's* ~.

rag[2] [ræg] *vb.* **1.** T skælde ud; **2.** (*glds.* T) drille, lave grin med.

raga ['ra:gə] *sb.* (*indisk mus.*) raga.

ragamuffin ['rægəmʌfin] *sb.* pjaltet unge; rendestensunge.

rag-and-bone-man [ræg(ə)n'bəunmæn] *sb.* (*pl.* -*men* [-men]) produkthandler, kludekræmmer.

ragbag ['rægbæg] *sb.* **1.** kludepose; **2.** (*fig.*) broget blanding (*fx of reforms; of excuses*); rodsammen; **3.** (T: *om dårligt klædt kvinde*) kludebunke.

rag bolt *sb.* stenskrue.

rag day *sb.* (*ved universitet:* jf. *rag*[1] *3*) [*dag hvor studenterne laver rag*].

rag doll *sb.* kludedukke.

rage[1] [reidʒ] *sb.* **1.** raseri; **2.** (*austr.* S) fest;
□ *be (all) the* ~ (*glds.*) være højeste mode, være sidste skrig.

rage[2] [reidʒ] *vb.* (*også fig.*) rase.

ragged ['rægid] *adj.* **1.** (*om persons påklædning*) laset, pjaltet; **2.** (*om tøj*) laset, flosset; **3.** (*med uregelmæssig kant*) forreven (*fx clouds*); takket (*fx rocks*); ujævn; **4.** (*typ.: om forkant, bagkant*) løs; **5.** (*om hår, om dyrs pels*) pjusket; **6.** (*om lyd, om præstation*) ujævn (*fx breathing; performance*); spredt (*fx applause*); **7.** T udkørt, udmattet;
□ *run sby* ~ køre en træt.

ragged edge *sb.* (*am.*) yderste kant/ rand;
□ *on the* ~ (*fig.*) på randen af sammenbrud.

ragged robin *sb.* (*bot.*) trævlekrone.

raggedy ['rægədi] *adj.* (*især am.*) nusset, snusket; (se også *ragged* (*1, 2*)).

raging ['reidʒiŋ] *adj.* **1.** rasende; voldsom; **2.** (*om strøm*) rivende.

raglan ['ræglən] *adj.:* ~ *sleeve* raglanærme.

ragman ['rægmæn] *sb.* (*pl. -men* [-men]) (*am.*) = *rag-and-bone-man.*

ragout [ræ'gu:] *sb.* ragout.

rag paper *sb.* kludepapir.

rag rug *sb.* kludetæppe.

ragtag[1] ['rægtæg] *sb.:* ~ *and bobtail* pøbel, pak.

ragtag[2] ['rægtæg] *adj.* T rodet, forvirret, sjusket.

ragtime ['rægtaim] *sb.* (*mus.*) ragtime.

ragtop ['rægtɔp] *sb.* se *convertible*[1].

rag trade *sb.: the* ~ T modeindustrien.

ragweed ['rægwi:d] *sb.* (*am. bot.*) ambrosie.

ragwort ['rægwɔ:t] *sb.* (*bot.*) brandbæger.

raid[1] [reid] *sb.* **1.** (*pludseligt*) angreb; overraskelsesangreb; **2.** (*for at stjæle*) overfald (*on* på); røveri (*on* mod, *fx a bank*); indbrud; **3.** (*i land, område*) indfald, strejftog; plyndringstogt; **4.** (*foretaget af politiet*) razzia; (se også *dawn raid*); □ *make a* ~ *on* (*fig.*) gøre indhug i (*fx one's savings*).

raid[2] [reid] *vb.* **1.** angribe; **2.** (*for at stjæle*) begå indbrud i; begå røveri mod; **3.** (*om politiet*) foretage en razzia i; storme; **4.** (*fig.*) plyndre (*fx the fridge; the boys -ed their mother's purse*).

raider ['reidə] *sb.* (jf. *raid*[1]) **1.** angriber; **2.** røver; deltager i plyndringstogt; **3.** (jf. *air raid*) angribende fly; **4.** (*politi*) deltager i razzia; **5.** (*merk.*) se *corporate raider.*

rail[1] [reil] *sb.* **1.** (*vandret, til ophængning*) stang; (se også *curtain rail, picture rail, towel rail*); **2.** (*til afspærring*) rækværk; **3.** (*mar.*) ræling; **4.** (*ved trappe*) se *handrail*; **5.** (*i stakit*) tremme; **6.** (*jernb. etc.*) skinne; jernbane, tog; (se også ndf.: *by* ~); **7.** (*zo.: fugl*) rikse; □ *leave the -s* løbe af sporet, blive afsporet; [*med præp.*] *get sth//sby* **back on** *the -s* (T: *fig.*) få en//noget på ret køl; *by* ~ med toget; per bane; *go* **off** *the -s* **a.** se ovf.: *leave the -s*; **b.** (*fig. om person*) komme på afveje, skeje ud; gå over gevind; blive skør.

rail[2] [reil] *vb.* sende med jernbane; □ ~ *against/at* F a. skælde ud

over, rase imod; **b.** (*person*) skælde ud på; ~ *in* indhegne; sætte stakit//rækværk//gelænder om; ~ *off* skille 'fra [*ved hegn etc.*]; sætte hegn *etc.* for.

railcar ['reilka:] *sb.* **1.** skinnebus; **2.** (*am.*) jernbanevogn.

railcard ['reilka:d] *sb.* [*kort som giver ret til rabat ved køb af billetter*].

railhead ['reilhed] *sb.* **1.** endepunkt for jernbane; **2.** (*mil.*) omlastningsstation [*fra jernbane til anden transport*].

railing ['reiliŋ] *sb.* **1.** rækværk; **2.** stakit, hegn.

raillery ['reiləri] *sb.* (godmodigt) drilleri.

railroad[1] ['reilroud] *sb.* (*am.*) jernbane.

railroad[2] ['reilroud] *vb.* (*am.*) **1.** transportere med jernbane; **2.** (*person*) [*få sat i fængsel på utilstrækkeligt grundlag el. på falsk anklage*]; (*omtr.*) dømme ved lynjustits; □ ~ *sby* **into** + *-ing* presse en til at; ~ *through* tvinge igennem i en fart; jage igennem (*fx* ~ *a bill through Congress*).

railroad car *sb.* (*am.*) jernbanevogn.

railroad flat *sb.* (*am.*) [(*slum*)*lejlighed med alle rum i forlængelse af hinanden*].

railway ['reilwei] *sb.* jernbane.

railway station *sb.* jernbanestation; banegård.

railway timetable *sb.* køreplan.

raiment ['reimənt] *sb.* (*glds. el. poet.*) dragt; klæder.

rain[1] [rein] *sb.* regn; regnvejr; □ *the -s* regntiden; *as right as* ~ se *right*[2]; *come in(side) out of the* ~ komme i tørvejr; (*come*) ~ *or shine* **a.** uanset vejret; **b.** (*fig.*) hvad der end sker.

rain[2] [rein] *vb.* regne; □ *it never -s but it pours* en ulykke kommer sjældent alene; (se også *cat*[1]); [*med præp.& adv.*] ~ **down on** se ndf.: ~ *on*; *-ed* **off** (*om sportskamp, arrangement*) aflyst på grund af regn; ~ **on** regne ned over; ~ *sth on sby* lade det regne ned over en med noget (*fx they -ed questions on him*); overøse en med noget (*fx compliments; gifts*); overdænge en med noget (*fx blows*); *-ed* **out** (*am.*) = *-ed off.*

rainbow ['reinbəu] *sb.* regnbue.

rainbow trout *sb.* (*zo.*) regnbueørred.

rain check *sb.: I'll take a* ~ *on that* (*især am.* T) jeg vil gerne have det

til gode//gemme det til en anden gang.

raincoat ['reinkəut] *sb.* regnfrakke.

raindrop ['reindrɔp] *sb.* regndråbe.

rainfall ['reinfɔ:l] *sb.* **1.** regnmængde; nedbør; **2.** regn.

rain gauge *sb.* regnmåler.

rainproof ['reinpru:f] *adj.* regntæt; vandtæt.

rainstorm ['reinstɔ:m] *sb.* uvejr med kraftig regn.

rainwater ['reinwɔ:tə] *sb.* regnvand.

rainwear ['reinwɛə] *sb.* regntøj.

rainy ['reini] *adj.* regnfuld (*fx afternoon*); regnvejrs-; regn-; □ *save the money for a* ~ *day* spare pengene op til dårlige tider.

raise[1] [reiz] *sb.* **1.** (*am.*) lønforhøjelse; **2.** (*i bridge*) støttemelding.

raise[2] *vb.* **1.** hæve (*fx one's glass*); løfte (*fx one's finger*); (se også *hand*[1]); **2.** (*niveau, beløb*) hæve (*fx the price; the rent; salaries*); forhøje, sætte op, sætte i vejret; **3.** (*følelse etc.*) fremkalde; vække (*fx a laugh; hopes; fears; doubt*); **4.** (*emne, sag*) rejse (*fx a problem; objections*); bringe på bane (*with over for, fx* ~ *the question with him*); **5.** (*penge*) rejse, skaffe (*fx a loan; £1000*); **6.** (F: *bygningsværk*) rejse (*fx a building; a monument*); **7.** (*sanktion*) ophæve (*fx an embargo*); (se også *siege*); **8.** (*person*) få forbindelse med (*fx I have been trying to* ~ *him all day*); **9.** (*død*) opvække; **10.** (*ånd*) fremmane (*fx a spirit*); **11.** (*agr. etc.*) dyrke (*fx maize*); avle (*fx potatoes*); (*dyr*) opdrætte, avle; **12.** (*luv*) opkradse, ru; **13.** (*mar.*) få i sigte (*fx a ship; land; a whale*); **14.** (*børn, især am.*) opdrage, opfostre; **15.** (*am.: om bedrager*) forhøje beløbet på (*fx a cheque; a postal order*); □ ~ *a cloud of dust* rejse en støvsky; ~ *a cry* opløfte et råb; (se også *alarm*[1], *Cain, dust*[1], *eyebrow* (*etc.*)); [*med præp.*] ~ **from** *the dead* opvække fra de døde; ~ **to** *the fifth power* (*mat.*) opløfte til femte potens; ~ *oneself to one's full height* rejse sig i sin fulde højde; (se også *peerage*).

raised bog [reizd'bɔg] *sb.* højmose.

raisin ['reiz(ə)n] *sb.* rosin.

raison d'être [reizɔn'deitrə, fr.] *sb.* eksistensberettigelse.

Raj [ra:dʒ] *sb.: the* ~ [*det britiske herredømme i Indien før 1947*].

rajah ['ra:dʒə] *sb.* rajah, indisk fyrste.

rake[1] [reik] *sb.* **1.** (*redskab*) rive; (se også *thin*[1]); **2.** (*croupiers, ved* *roulette*) skraber; **3.** (*om person, især glds.*) libertiner, skørtejæger, udhaler; **4.** (*om noget skråt, fx scene*) hældning; hældningsvinkel.

rake[2] [reik] *vb.* **1.** (*jord*) rive; (*blade etc.*) rive sammen; **2.** (*ild*) rage op i; **3.** (*for at finde noget*) gennemstøve; ransage; **4.** (*hud*) kradse, rive, skrabe; **5.** (*mil., mar.:* *med kanon etc.*) bestryge; beskyde fra ende til ende; **6.** (*om noget skråt*) bringe til at hælde; (*uden objekt*) hælde;

□ ~ *about/around for* rode/støve rundt efter; ~ *in* T tjene, indkassere; ~ *it in* T skovle penge ind; ~ *out* **a.** (*aske*) rage ud; **b.** (*fig.*) støve op, rode frem; ~ *over* rode op i; ~ *over old ashes* (*fig.*) rippe op i fortiden; ~ *round for* = ~ *about for*; ~ *through* gennemrode; ~ *up* **a.** skrabe sammen, få fat i (*fx some people to help*); **b.** rode/rippe op i (*fx old scandals*).

raked [reikt] *adj.* (*om scene*) skrånende.

rake-off ['reikɔf] *sb.* T (ulovlig) andel i udbytte; (ulovlig) provision; returkommission.

rakish ['reikiʃ] *adj.* **1.** (*om person*) flot, fræk, forsoren; **2.** (*om skib*) elegant bygget; smart.

rale [ra:l] *sb.* rallelyd; rallen.

rally[1] ['ræli] *sb.* **1.** (*forsamling*) (offentligt) møde, stævne; (*især politisk*) kongres (*fx party* ~); **2.** (*i tennis*) slagduel; bold; **3.** (*om billøb*) rally; **4.** (*jf. rally*[2] *3*) bedring.

rally[2] ['ræli] *vb.* **1.** samle; kalde sammen; **2.** (*uden objekt*) samle sig; stå sammen; **3.** (*efter svækkelse*) bedres, komme sig, rette sig, komme til kræfter;

□ ~ *around* = ~ *round*; ~ *behind sby* slutte op bag en; ~ *round* **a.** (*uden objekt*) stå sammen, slutte sig sammen; slutte op; **b.** (*med objekt*) stå sammen om; fylke sig om; ~ *round sby* (*også*) komme en til hjælp; ~ *to* the *support of sby* komme en til undsætning.

rallying cry *sb.* samlingssignal; krigsråb, kampråb.

rallying point *sb.* samlingssted; samlingspunkt.

RAM *fork. f.* **1.** *Royal Academy of Music*; **2.** (*it*) *random access memory* RAM; arbejdslager.

ram[1] [ræm] *sb.* **1.** (*zo.*) vædder; **2.** se *battering ram*; **3.** (*i rambuk*) rambukklods; faldlod; **4.** (*tekn.: i presse*) stempel; **5.** (*hist.: på skibsstævn*) vædder.

ram[2] [ræm] *vb.* **1.** (*bil, skib*) vædre, støde/brase ind i; **2.** (*jord*) stampe; støde; **3.** (*om person*) se ndf.: ~ *into b*);

□ ~ *down* ramme ned; (se også *throat*); ~ *into* **a.** = *1*; **b.** (*om person*) stoppe ind i//ned i, proppe ind i/ned i (*fx sweets into one's mouth; clothes into a suitcase*); støde ind i (*fx the key into the lock*); ~ *it into his head* banke det ind i hovedet på ham.

Ramadan [ræmə'dæn, 'ræm-, (*am.*) -'da:n] *sb.* (*rel.*) ramadan.

ramble[1] ['ræmbl] *sb.* tur; travetur, vandretur.

ramble[2] ['ræmbl] *vb.* **1.** trave, vandre; **2.** (*i tale, skrift*) springe fra det ene til det andet, væve; **3.** (*om planter*) vokse vildt; brede sig; **4.** (*om vej, vandløb*) bugte sig uregelmæssigt;

□ ~ *on* snakke løs, kværne.

rambler ['ræmblə] *sb.* (*jf. ramble*[2]) **1.** vandrer; **2.** vrøvlehoved; **3.** (*bot.*) slyngrose, klatrerose.

rambling ['ræmbliŋ] *adj.* **1.** (*om foredrag etc.*) springende, usammenhængende, vidtløftig; **2.** (*om hus*) uregelmæssigt bygget; vidtstrakt.

rambling rose *sb.* se *rambler 3*.

ramblings ['ræmbliŋz] *sb. pl.* forvirret vrøvl, usammenhængende snak, tågesnak.

rambunctious [ræm'bʌŋkʃəs] *adj.* (*am.* T) larmende, støjende; voldsom.

RAMC *fork. f. Royal Army Medical Corps.*

ramekin ['ræmkin, 'ræmi-] *sb.* **1.** indbagt ost [*som serveres i 2*]; **2.** [*lille ildfast (porcelæns)form til portionsanretning*].

ramie ['ræmi] *sb.* (*bot.*) kinagræs.

ramifications [ræmifi'keiʃnz] *sb.* **1.** (*af handling etc.*) konsekvenser, følger, virkninger; **2.** (*af system*) forgreninger, udløbere.

ramify ['ræmifai] *vb.* forgrene sig.

rammy ['ræmi] *sb.* (*skotsk*) slagsmål.

ramp[1] [ræmp] *sb.* **1.** rampe; skråplan; opkørsel//nedkørsel; **2.** (*am.*) = *slip road*; **3.** (*flyv.*) transportabel trappe; **4.** (*i vej: til fartbegrænsning*) bump; **5.** (T: *på børsen*) svindelnummer [*for at presse kursen op*].

ramp[2] [ræmp] *vb.* **1.** forsyne med rampe; **2.** indtage en truende holdning;

□ ~ *about* fare vildt omkring; ~ *up* **a.** øge aktiviteten; **b.** (*med objekt*) sætte mere gang i, sætte i vejret (*fx production*); øge produktionen af.

rampage[1] [ræm'peidʒ] *sb.* rasen; stormen omkring; hærgen; □ *go on a/the* ~ rase, løbe grassat; fare hærgende frem//omkring; storme rundt.

rampage[2] [ræm'peidʒ] *vb.* se *rampage*[1] (*go on a/the rampage*); □ ~ *through the town* drage hærgende gennem byen.

rampant ['ræmpənt] *adj.* **1.** tiltagende, stadig mere udbredt, overhåndtagende; **2.** (*her.: om dyr*) oprejst; □ *be* ~ brede sig mere og mere, grassere.

rampart ['ræmpa:t] *sb.* vold; fæstningsvold.

rampion ['ræmpiən] *sb.* (*bot.*) rapunselklokke.

ram raid *sb.* rambuktyveri.

ram-raiding ['ræmreidiŋ] *sb.* det at begå rambuktyveri; rambuktyverier.

ramrod ['ræmrɔd] *sb.* (*glds.: til gevær*) ladestok; □ *straight/stiff as a* ~, ~ *straight* stiv og strunk; rank som et lys; stiv som en pind.

ramshackle ['ræmʃækl] *adj.* **1.** faldefærdig; vakkelvorn; brøstfældig; **2.** (*fig.*) skrøbelig (*fx system*); □ ~ *car* bilvrag.

ramsons ['ræms(ə)nz] *sb.* (*bot.*) ramsløg.

ran *præt. af run*[2].

ranch [ra:n(t)ʃ, (*også am.*) ræn(t)ʃ] *sb.* ranch; kvægfarm.

rancher ['ra:n(t)ʃə, (*også am.*) 'ræn(t)ʃə] *sb.* ranchejer; kvægfarmer.

ranch house *sb.* (*am.*) **1.** hovedbygning, stuehus [*på en ranch*]; **2.** (*hustype, omtr.*) længehus.

rancid ['rænsid] *adj.* harsk.

rancorous ['ræŋkərəs] *adj.* hadsk, uforsonlig.

rancour ['ræŋkə] *sb.* had, nag, bitterhed.

Rand [rænd]: *the* ~ (*geogr.*) Witwatersrand [*distrikt i Transvaal*].

rand [rænd] *sb.* **1.** (*sydafr.*) [*møntenhed*]; **2.** (*på sko*) krans.

R and B *fork. f.* (*mus.*) *rhythm and blues.*

R and D *fork. f. research and development.*

random ['rændəm] *adj.* tilfældig; vilkårlig; tilfældigt udvalgt; □ *at* ~ tilfældigt, på må og få, på lykke og fromme.

random access *sb.* (*it*) direkte tilgang.

random access memory *sb.* (*it*) RAM; arbejdslager.

randomize ['rændəmaiz] *vb.* ud-

vælge tilfældigt; randomisere.
random sample *sb.* **1.** stikprøve;
2. (*af personer, ved undersøgelse*)
tilfældigt udsnit.
random shot *sb.* slumpskud.
R and R *fork. f.* (*am. mil.*) *rest and
relaxation.*
randy ['rændi] *adj.* T liderlig.
rang *præt. af ring³.*
range¹ [rein(d)ʒ] *sb.* **1.** (*af ting etc.*)
række (*fx a wide ~ of options//
colours*); (*især merk.*) udvalg (*fx
an extensive ~ of patterns; our full
~ of dresses*); sortiment; **2.** (*som
noget befinder sig inden for*) om-
råde (*fx temperature ~*); omfang
(*fx of a debate*); klasse (*fx price ~;
age ~*); **3.** (*om hvor langt noget
kan nå*) rækkevidde (*fx of a trans-
mitter; of a missile; of his power*);
4. (*om skyts*) rækkevidde, skud-
vidde; **5.** (*flyv.*) rækkevidde; læng-
ste flyvestrækning [*uden brænd-
stofpåfyldning*]; **6.** (*mht. mål, også foto.*) afstand;
7. (*sted*) skydebane; **8.** (*for raket*)
afprøvningsbane; **9.** (*i køkken*)
komfur; **10.** (*agr., især am.*) græs-
ningsareal; **11.** (*biol.*) udbredelses-
område; **12.** (*mat.*) værdimængde;
13. (*mus.*) register (*fx of a voice*);
14. (*i statistik*) variationsbredde;
□ *find the ~ of* (*mil.*) skyde sig
ind på;
[*med: of + sb.*] *~ of hills* bakke-
drag; *~ of mountains* bjergkæde;
the upper -s of society de øverste
samfundsklasser; *~ of vision*
synsvidde;
[*med præp.*] *at a ~ of* på en af-
stand af; (se også *close³*); *within ~*
inden for rækkevidde (*fx hit out
at everybody within ~*); inden for
skudvidde.
range² [rein(d)ʒ] *vb.* **1.** (*om opstil-
ling*) stille i række; opstille (*fx a
table with 8 chairs -d around it*);
2. (*om en række*) strække sig (*fx
the mountains -d as far as the eye
could see*); **3.** (*om bevægelse*)
strejfe om, vandre omkring; be-
væge sig (*fx into enemy territory*);
(*med objekt*) strejfe om i/på; gå
hen over (*fx the fields*); **4.** (*om
skyts*) indskyde; række;
□ *~ left//right* (*typ.*) fast forkant//
bagkant;
[*med præp.*] *~ oneself against*
stille sig i opposition til; tage
parti imod; *~ between* (*fig.*) vari-
ere imellem, ligge imellem (*fx
prices -d between £5 and £25*); *~
from ... to* (*fig.*) variere fra ... til,
ligge fra ... til (*fx prices -d from £5
to £25; their ages -d from 25 to 40
years*); *~ in* (*jf. 4*) indskyde; *~ in*

on (*jf. 4*) skyde sig ind på; *~ over*
a. (*jf. 3*) strejfe om i/på (*fx the
walkers -d over the hills*); **b.** (*fig.*)
spænde over; berøre, omfatte (*fx
the talk -d over every aspect of
the matter*); *~ oneself with* slutte
sig til (*fx the opposition*).
range finder *sb.* afstandsmåler.
range of ... *sb.* se *range¹*.
ranger ['rein(d)ʒə] *sb.* **1.** skovfoged;
skovrider; **2.** (*i nationalpark*) na-
turvejleder; **3.** (*am. mil.*) jægersol-
dat; **4.** (*om pigespejder*) senior-
spejder [*14-19 år*].
rangy ['rein(d)ʒi] *adj.* langbenet;
langlemmet; ranglet; høj og slank.
rani ['ra:ni:] *sb.* indisk fyrstinde.
rank¹ [ræŋk] *sb.* **1.** rang (*fx the ~
of colonel; a minister of Cabinet
~*); grad; **2.** (*socialt*) stand, klasse;
3. (*af personer//ting ved siden af
hinanden*) række (*fx the front ~*);
(*mil.*) geled; **4.** (*for taxier*) holde-
plads;
□ *-s* (*fig.*) rækker (*fx he joined the
-s of the unemployed*); *the -s*
(*mil.*) de menige; *the ~ and file* (*i
parti etc.*) de menige medlemmer;
of high ~ af høj rang; *of the first
~* (*fig.*) af første rang (*fx acting of
the very first ~*);
[*med vb. (+ præp.)*] *break ~*
a. bryde ud af rækken; **b.** (*fig.*)
forlade fællesskabet; *close the -s!*
(*mil.*) slut rækkerne! *pull ~* T be-
gynde at optræde som den over-
ordnede (*on over for*); blive høj i
hatten/storsnudet (*on over for*); *be
reduced to the -s* blive degraderet
til menig; *rise from/through the
-s, work one's way up through*
the -s a. (*mil.*) avancere fra menig;
b. (*i organisation etc.*) arbejde sig
op gennem graderne; arbejde sig
frem; (se også *swell³*).
rank² [ræŋk] *adj.* **1.** (*om plante*) alt
for frodig (*fx grass; growth*);
2. (*om lugt*) stram, sur; **3.** (*om
luft, vand*) ildelugtende, stin-
kende; **4.** (*forstærkende*) fuld-
stændig, komplet (*fx beginner;
outsider*); det//den argeste, det//
den værste, rendyrket (*fx non-
sense; stupidity*);
□ *~ with* a. (*om lugt*) stinkende af
(*fx filth; sweat*); **b.** (*om vækster*)
overgroet af (*fx a garden ~ with
weeds*).
rank³ [ræŋk] *vb.* **1.** ordne, opstille
(*in order of* efter, *fx ~ the books
in order of size*); **2.** (*på skala*)
sætte (*fx ~ it highly*); regne; (*ved
ordenstal*) sætte som nummer ...
(*fx ~ the country 10th in the
world*); **3.** (*am.*) have højere rang
end; stå over; **4.** (*uden objekt*) ran-

gere, ligge (*fx high*); (*ved ordens-
tal*) rangere/ligge som nummer ...
(*fx he -s second in the world*);
□ *be -ed = 4*; *~ high* (*fig. også*)
være højt anset;
[*med præp.& adv.*] *~ above* ran-
gere over/højere end; *~ among*
a. regnes/høre til blandt; være på
højde med; **b.** (*med objekt*) regne
blandt; *~ as* a. regnes for; **b.** (*med
objekt*) regne for; *~ with* a. have
samme rang som; **b.** se ovf.: *~
among*.
ranking¹ ['ræŋkiŋ] *sb.* plads/place-
ring på rangliste.
ranking² ['ræŋkiŋ] *adj.* **1.** frem-
strædende (*fx a ~ member of the
party*); førende, ledende (*fx the ~
economists in the country*);
2. som rangerer højst; ældst (*fx
the ~ officer*).
rankle ['ræŋkl] *vb.* nage, svie,
gnave.
ransack ['rænsæk] *vb.* **1.** gennem-
rode, endevende; **2.** rasere, hærge.
ransom¹ ['rænsəm] *sb.* løsesum; lø-
sepenge;
□ *hold sby to ~* a. holde en som
gidsel [*og forlange løsepenge*];
b. (*fig.*) lave afpresning over for
en; (se også *king's ransom*).
ransom² ['rænsəm] *vb.* løskøbe.
rant¹ [rænt] *sb.* tirade, svada; ud-
fald.
rant² [rænt] *vb.* råbe op, skvaldre
op, tale højtravende;
□ *~ and rave* råbe og skrige.
RAOC *fork. f. Royal Army
Ordnance Corps* (*omtr.*) Hærens
tekniske Korps.
rap¹ [ræp] *sb.* **1.** (*lyd*) bank (*fx there
was a ~ at the door*); slag; rap;
2. T irettesættelse, skarp kritik; (se
også ndf.: *~ over the knuckles*);
3. (*am.* S) straf, dom; (se også *bum
rap*); **4.** (*am.* S) snak, diskussion;
5. (*mus.*) rap; rapnummer;
□ *beat the ~* S slippe for straf;
klare frisag; *I don't care a ~* jeg er
flintrende ligeglad; *give sby//get a
~ over/on the knuckles* give
én//få et alvorligt rap over fing-
rene; give én//få en skarp irette-
sættelse; (*embedsmand etc. også*)
give én//få en næse; *take the ~*
tage straffen [*især: uretfærdigt*];
være syndebuk.
rap² [ræp] *vb.* **1.** banke (*hårdt*),
give et hårdt slag (*fx on the door*);
(*flere gange*) tromme (*fx he -ped
angrily on the window*); **2.** (*am.* S)
snakke åbent; **3.** (*mus.*) rappe;
4. (*med objekt*) banke på//i,
tromme på//i (*fx he -ped the
door//table*); **5.** T kritisere skarpt;
□ *~ his fingers* smække ham over

fingrene;

[*med præp.& adv.*] ~ *out* a. (*om bankesignal*) banke (*fx a message*); b. (*om ytring*) udslynge (*fx a command; an oath*); udstøde (*fx an oath*); ~ *sby//get* -ped *over/on* the knuckles se *rap*[1]: *give sby//get a ~ over/on the knuckles.*

rapacious [rə'peiʃəs] *adj.* F grisk, glubsk, grådig.

rapacity [rə'pæsəti] *sb.* griskhed, glubskhed, grådighed.

rape[1] [reip] *sb.* 1. voldtægt; 2. (*fig.*) misbrug, udplyndring, rovdrift (*fx the ~ of the seas*); 3. (*glds.*) voldelig bortførelse, voldførelse; 4. (*bot.*) raps.

rape[2] [reip] *vb.* 1. voldtage; 2. (*fig.*) drive rovdrift på; plyndre.

rapeseed ['reipsi:d] *sb.* rapsfrø.

rapid ['ræpid] *adj.* (se også *rapids*) 1. hurtig, rask, hastig; 2. (*om strøm*) rivende, strid.

rapid-fire ['ræpid'faiə] *adj.* se *quickfire.*

rapidity [rə'pidəti] *sb.* hurtighed; (rivende) fart.

rapids ['ræpidz] *sb. pl.* strømfald; (mindre) vandfald;
□ *shoot the ~* a. fare ned over strømfaldene; b. (*fig.*) kaste sig ud i noget farligt.

rapier[1] ['reipiə] *sb.* stødkårde.

rapier[2] ['reipiə] *adj.* (hurtig og) skarp (*fx tongue; wit*).

rapist ['reipist] *sb.* voldtægtsforbryder.

rappel [ræ'pel] (*am.*) = *abseil.*

rapport [ræ'pɔ:, 'ræpɔ:] *sb.* nært//personligt//sympatisk forhold (*with* til) (*fx he had difficulty in establishing a personal ~ with his students*); kontakt (*with* med).

rapporteur ['ræpɔ:tə:] *sb.* rapportør; observatør; referent.

rapprochement [ræ'prɔʃma:ŋ, fr.] *sb.* (fornyet) tilnærmelse [*især mellem stater*].

rap session *sb.* (*am.* T) 1. gruppediskussion; 2. snak.

rap sheet *sb.* (*am.:* omtr.) generalieblad.

rapt [ræpt] *adj.* betaget; henført;
□ *with ~ attention* fuldstændig henført//opslugt; dybt betaget.

raptor ['ræptə] *sb.* 1. T velociraptor [*hurtig, tobenet rovdinosaur*]; 2. (*zo.*) rovfugl.

rapture ['ræptʃə] *sb.* henrykkelse; begejstring; ekstase;
□ *in -s* henrykt; vildt begejstret.

rapturous ['ræptʃ(ə)rəs] *adj.* henrykt; vildt begejstret.

rare [rɛə] *adj.* 1. sjælden; usædvanlig; 2. (*om kød*) halvstegt; rødstegt;

□ ~ *air* tynd luft.

rarebit ['rɛəbit] se *Welsh rarebit.*

rare earths *sb. pl.* (*kem.*) sjældne jordarter.

rarefaction [rɛəri'fækʃn] *sb.* fortynding [*af luftart*].

rarefied ['rɛərifaid] *adj.* 1. (*om sted*) forfinet; eksklusiv; 2. (*om luft*) tynd.

raring ['rɛəriŋ] *adj.:* ~ *to* ivrig efter at; helt vild efter at.

rarity ['rɛərəti] *sb.* sjældenhed.

RASC *fork. f. Royal Army Service Corps* (*svarer til*) forsyningstropperne.

rascal ['ra:sk(ə)l] *sb.* slyngel, slubbert, bandit;
□ *you lucky ~* dit heldige asen; *you young ~* din lille slubbert.

rascally ['ra:sk(ə)li] *adj.* slyngelagtig; gemen.

rash[1] [ræʃ] *sb.* 1. udslæt; 2. (*fig.*) bølge, epidemi (*fx of robberies*);
□ *break out in a ~* få udslæt.

rash[2] [ræʃ] *adj.* uoverlagt, overilet, hasarderet.

rasher ['ræʃə] *sb.* tynd skive bacon.

rasp[1] [ra:sp] *sb.* 1. (*værktøj*) rasp; 2. (*lyd*) raspen; skurren; skurrende lyd.

rasp[2] [ra:sp] *vb.* 1. (*med værktøj*) raspe; 2. (*huden*) kradse, skrabe, irritere; 3. (*om lyd*) skurre; rasle; 4. (*ytring*) se: ~ *out*;
□ *a -ing voice* en skurrende/rusten stemme; ~ *on a violin* file på en violin; ~ *out* hvæse (*fx an order*).

raspberry ['ra:zb(ə)ri] *sb.* 1. hindbær; 2. (T: *udtryk for foragt, afvisning*) [*pruttende lyd med læber og tunge*]; (*teat. etc., svarer til*) udpibning;
□ *blow a ~* (*jf.* 2) lave pruttelyd; *blow a ~ at* (*jf.* 2) demonstrere sin misbilligelse af//foragt for; *give sby the ~* (*jf.* 2) pibe én ud.

Rasta ['ræstə] T = *Rastafarian.*

Rastafarian [ræstə'fɛəriən] *sb.* [*tilhænger af religiøs-politisk bevægelse blandt vestindere*]; rastafari.

rat[1] [ræt] *sb.* (se også *rats*) 1. (*zo.*) rotte; 2. (*fig.*) overløber, forræder; stikker; (*generelt neds.*) skiderik; 3. (*am.: af hår*) valk;
□ *look like a drowned ~* være våd som en druknet mus; *smell a ~* lugte lunten, ane uråd.

rat[2] *vb.:* ~ *on* T a. stikke, sladre om; b. svigte, forråde; c. løbe fra (*fx an agreement; a promise*).

rataplan [rætə'plæn] *sb.* da-da-dum.

rat-arsed ['ræta:st] *adj.* S pissefuld, døddrukken.

rat-a-tat [rætə'tæt] *sb.* se *rat-tat.*

ratchet[1] ['rætʃət] *sb.* 1. (*tekn.*)

skraldeanordning; klinkehage; (se også *ratchet wheel*); 2. (*fig.*) ond cirkel.

ratchet[2] ['rætʃət] *vb.* dreje i små ryk;
□ ~ *up//down* (*fig.*) hæve//sænke i små ryk.

ratchet brace *sb.* borsving med skralde.

ratchet wheel *sb.* palhjul; spærrehjul.

rate[1] *sb.* 1. (*mht. betaling*) sats; takst (*fx postal ~*); tarif; 2. (*merk.*) pris; (*aktie-, valuta- etc.*) kurs; 3. (*mht. bevægelse*) hastighed; fart; tempo; (se også ndf.: ~ *of climb//flow*); 4. (*mht. udvikling*) takt (*fx inflation ~*); rate; (se også *growth rate*); 5. (*i statistik: forholdsmæssigt antal*) -procent (*fx unemployment ~; dropout ~*); -tal (*fx birthrate*); (se også *crime rate, death rate, mortality rate, sickness rate*);
□ *-s* (*eng. glds.*) kommuneskat [*på fast ejendom*];
[*med: of + sb.*] ~ *of* climb stigningshastighed; ~ *of duty* toldsats; ~ *of exchange* valutakurs; ~ *of flow* strømningshastighed; ~ *of increase* stigningstakt; ~ *of inflation* inflationstakt; ~ *of interest* rente, rentesats; ~ *of march* marchhastighed; ~ *of return* afkast, forrentning, forretningsprocent; ~ *of turnover* omsætningshastighed;
[*med præp.*] *at a furious ~* i//med rasende fart; i et rasende tempo; *at a cheap ~* til en billig pris; billigt; *at any ~* a. i hvert fald; under alle omstændigheder; b. i det mindste (*fx at any ~, he is better than you*); *at one's own ~* i sit eget tempo; *at that ~* i så fald; på den måde; *at this ~* på denne måde; *at the ~ of* a. (*jf.* 2) til en pris af; b. (*jf.* 3) med en fart af; *at a ~ of knots* T lynhurtigt.

rate[2] *vb.* 1. (*mht. kvalitet*) vurdere (*fx how do you ~ him as a writer? I ~ him very highly*); vurdere som, regne for (*fx the novel was -d excellent by the critics; he is -d the world's number one*); vurdere til, sætte til (*fx on a scale of one to ten I ~ it a four*); 2. (T: *positivt*) værdsætte, påskønne; sætte pris på; 3. (*mht. behandling*) fortjene, være værdig til (*fx a mention in the newspapers*); kunne gøre krav på (*fx special privileges*); 4. (*eng. glds.: ejendom*) vurdere til skat [ɔ: *kommuneskat*];
□ ~ *among* a. (*med objekt*) regne blandt; b. (*uden objekt*) regnes

blandt; ~ **as a.** (*med objekt*) regne for, anse for (*fx I ~ him as one of the best*); **b.** (*uden objekt*) regnes for (*fx he -s as one of the best*); rangere som; ~ **at** (*maskine*) beregne til at kunne yde.

rateable value [reitəbl'vælju:] *sb.* (*glds.*) skatteværdi [*af fast ejendom*].

ratel ['reit(ə)l] *sb.* (*zo.*) honninggrævling.

rate of ... *sb.* se *rate[1]*.

ratepayer ['reitpeiə] *sb.* skatteyder.

rather[1] ['ra:ðə] *adv.* **1.** temmelig (*fx cold*); ganske (*fx pretty*); **2.** (+ *komp.*) noget (*fx easier; higher*); **3.** (+ *vb.*) næsten (*fx I ~ think// hope so*); faktisk, i og for sig (*fx I ~ doubt it; I ~ like him*);
□ ~ **a** noget af en (*fx it was ~ a failure; he is ~ a scoundrel*); nærmest en; *I'd* ~ *go* jeg vil//ville hellere//helst gå; *I'd* ~ *like* jeg kunne godt tænke mig (*fx a glass of beer*); ~ **than a.** snarere end (*fx it is grey ~ than white*); **b.** hellere end (*fx I'll do it now ~ than waiting*); ~ *you than me!* godt det ikke er mig! *or* ~ eller snarere; eller rettere; ~ *too* lidt for (*fx smart*); *I would* ~ se ovf.: *I'd* ~; *I would* ~ *not* jeg vil helst ikke.

rather[2] [ra:'ðə:] *interj.* (*glds. el.* F) ih ja! ja det skulle jeg mene!

ratification [rætifi'keiʃn] *sb.* ratificering; stadfæstelse.

ratify ['rætifai] *vb.* ratificere; stadfæste.

rating ['reitiŋ] *sb.* **1.** vurdering; bedømmelse; klassificering; **2.** (*maskines*) kapacitet; **3.** (*mar.*) marinesoldat; menig mariner.

ratings ['reitiŋz] *sb. pl.* (*radio.*) lyttertal; (*tv*) seertal.

ratio ['reiʃiəu] *sb.* forhold; proportion; (se også *inverse*).

ratiocinate [ræti'ɔsineit] *vb.* F ræsonnere; drage (logiske) slutninger.

ration[1] ['ræʃn, (*am. især*) 'rei-] *sb.* ration.

ration[2] ['ræʃn, (*am. især*) 'rei-] *vb.* **1.** rationere; **2.** (*person*) sætte på ration.

rational ['ræʃn(ə)l] *adj.* fornuftig; rationel.

rationale [ræʃə'na:l, (*især am.*) -'næl] *sb.* logisk begrundelse.

rationalism ['ræʃnəlizm] *sb.* rationalisme.

rationalist[1] ['ræʃnəlist] *sb.* rationalist.

rationalist[2] ['ræʃnəlist] *adj.* rationalistisk.

rationalistic [ræʃnə'listik] *adj.* rationalistisk.

rationality [ræʃə'næləti] *sb.* rationalitet; fornuft.

rationalization ['ræʃnəlai'zeiʃn] *sb.* rationalisering.

rationalize ['ræʃnəlaiz] *vb.* **1.** give// finde en fornuftmæssig forklaring på; (*psyk.*) efterrationalisere; **2.** (*firma, sytem etc.*) rationalisere.

ratlines ['rætlinz] *sb. pl.* (*mar.*) vævlinger.

ratoon [ræ'tu:n] *sb.* nyt skud [*især fra sukkerrør, efter at det er skåret ned*].

rat pack *sb.* T slæng af journalister [*som render i hælene på berømtheder på jagt efter en god historie*].

rat race *sb.* (T: *fig.*) rotteræs; hektisk jag; topstræb.

rat run *sb.* T smutvej, genvej [*for biler, i myldretiden*].

rats [ræts] *interj.* pokkers også! sludder og vrøvl! rend og hop!

rattan [rə'tæn] *sb.* spanskrør.

rat-tat [ræt'tæt] *sb.* **1.** (*lyd af banken*) bank-bank; **2.** (*lyd af skud*) ta-ta-ta.

ratted ['rætid] *adj.* T kanonfuld; døddrukken.

rattle[1] ['rætl] *sb.* **1.** skramlen (*fx of dishes*); raslen (*fx of keys*; *of chains*; *of stones on the roof*); klapren (*fx of windows*); klirren (*fx of bottles*; *of cups*); **2.** (*lyd af geværskud*) knitren; **3.** (*halslyd*) rallen; **4.** (*legetøj etc.*) skralde.

rattle[2] ['rætl] *vb.* **1.** (jf. *rattle[1]* 1) skramle; rasle; klapre; klirre; **2.** (*med objekt*) skramle med; rasle med; klapre med; klirre med; **3.** (*om geværer*) knitre; **4.** (*om halslyd*) ralle; **5.** (T: *person*) gøre nervøs, bringe ud af fatning; slå ud; provokere;
□ ~ **about/around** in (*fig.*: *have for god plads*) gå og råbe til hinanden i (*fx an enormous house*); ~ **away** = ~ on; ~ *away at* klapre løs på (*fx a typewriter*); ~ **off** lire af; ~ **on** lade munden løbe; kværne løs; ~ **through** jage igennem; fare igennem; jaske 'af.

rattler ['rætlə] *sb.* T **1.** skramlekasse; **2.** (*am.*) klapperslange.

rattlesnake ['rætlsneik] *sb.* klapperslange.

rattletrap ['rætltræp] *sb.* T skramlekasse.

ratty ['ræti] *adj.* **1.** rotteagtig; **2.** (*om sted*) rottebefængt; **3.** (T: *om tøj etc.*) laset, slidt, lurvet; **4.** (T: *om person*) gnaven, arrig, sur.

raucous ['rɔ:kəs] *adj.* larmende, højrøstet (*fx crowd*); hæs og gennemtrængende (*fx breathing; the*

~ *call of the crow*).

raunch [rɔ:n(t)ʃ] *sb.* **1.** S plumphed; sjofelhed; **2.** (*især am.*) snuskethed; vulgaritet.

raunchy ['rɔ:n(t)ʃi] *adj.* **1.** T fræk, liderlig, saftig; **2.** (*især am.*) snusket.

ravage ['rævidʒ] *vb.* hærge, ødelægge, rasere.

ravages ['rævidʒiz] *sb. pl.* ødelæggelser, hærgen;
□ *the ~ of time* tidens tand.

rave[1] [reiv] *sb.* **1.** T rave, rave party [*hvor der danses hele natten og tages ecstasy*]; **2.** = rave review.

rave[2] [reiv] *vb.* **1.** tale i vildelse, fantasere, rable; **2.** (*om protest*) rase (*against* imod);
□ ~ **about a.** fantasere om, fable om, rable om; **b.** (*om vurdering*) tale//skrive vildt begejstret om; være vildt begejstret for; ~ *at* skælde ud på.

ravel ['ræv(ə)l] *vb.*: ~ *out* udrede; ~ *up* trævle op.

raven[1] ['reiv(ə)n] *sb.* ravn.

raven[2] ['reiv(ə)n] *adj.* (*litt.*) ravnsort.

ravening ['ræv(ə)niŋ] *adj.* (*litt.*) rovgrisk; glubende.

ravenous ['ræv(ə)nəs] *adj.* skrupsulten, glubende sulten; glubende (*fx appetite*).

rave party se *rave[1]*.

raver ['reivə] *sb.* T en der lever livet; frisk pige//fyr.

rave review *sb.* begejstret anmeldelse.

rave-up ['reivʌp] *sb.* T abefest.

ravine [rə'vi:n] *sb.* kløft, slugt.

raving ['reiviŋ] *adj.* **1.** fuldkommen (*fx idiot; nightmare*); fantastisk (*fx bestseller; she is a ~ beauty*); **2.** = raving mad.

raving mad *adj.* splittergal; rablende vanvittig.

ravings ['reiviŋz] *sb. pl.* fantaseren, rablen, forvirret snak.

ravish ['ræviʃ] *vb.* (*glds.*) voldtage;
□ *be -ed by* (*litt.*) blive betaget// henrevet af.

ravishing ['ræviʃiŋ] *adj.* betagende; (*om person*) henrivende.

raw[1] [rɔ:] *sb.*: *in the ~* T **a.** utilsløret; ubesmykket; **b.** (*om person*) nøgen; *touch sby on the ~* såre ens følelser; ramme en på et ømt punkt.

raw[2] [rɔ:] *adj.* **1.** rå (*fx meat; fish; power*); **2.** (*om vare, materiale*) rå- (*fx produce; silk; sugar*); uforarbejdet; **3.** (*om oplysninger*) ubearbejdet (*fx data; figures*); **4.** (*om følelser*) ubearbejdet; som ligger lige under overfladen; **5.** (*om person*) uerfaren, uøvet, grøn; **6.** (*om vejr*)

råkold; **7.** (*om sted på kroppen*) hudløs; (*om sår*) ulægt; blodig; **8.** (*am.* T) sjofel, saftig (*fx joke*); □ *a* ~ *deal* se *deal¹*; ~ *edge* (*på stof*) trævlekant; *a* ~ *nerve* se *nerve¹*; *come the* ~ *prawn with sby* (*austr.* T) prøve at bilde en noget ind; ~ *sewage* urenset spildevand.

raw-boned ['rɔ:bəund] *adj.* knoklet; radmager.

rawhide ['rɔ:haid] *sb.* **1.** ugarvet læder; **2.** (*am.*) pisk af ugarvet læder.

raw materials *sb. pl.* råstoffer.

ray [rei] *sb.* **1.** stråle; **2.** (*zo.*) rokke; □ *a* ~ *of comfort* en smule trøst; *a* ~ *of hope* et glimt af håb; *a* ~ *of sunlight* (*fig.*) et solstrejf; *a* ~ *of sunshine* (*fig. om person*) en solstråle.

rayon ['reiɔn] *sb.* rayon.

raze [reiz] *vb.* jævne med jorden; udslette; rasere; □ *be -d to the ground* blive jævnet med jorden.

razor ['reizə] *sb.* **1.** barberkniv; **2.** barbermaskine.

razorback ['reizəbæk] *sb.* (*zo.*) finhval.

razorbill ['reizəbil] *sb.* (*zo.*) alk.

razor blade *sb.* barberblad.

razor clam (*am.*) = *razor shell*.

razor edge *sb.* **1.** skarp æg; **2.** (*fig.*) papirtynd skillelinje; □ *be on a* ~ balancere på en knivsæg.

razor-sharp [reizə'ʃa:p] *adj.* knivskarp.

razor shell *sb.* (*zo.*) knivmusling.

razor wire *sb.* pigtråd [*med skarpe metalstykker*]; natotråd.

razz¹ [ræz] = *raspberry 2*.

razz² [ræz] *vb.* (*am.* T) drille.

razzamatazz [ræzəmə'tæz],
razzle-dazzle [ræzl'dæzl] *sb.* se *razzmatazz*.

razzmatazz [ræzmə'tæz] *sb.* T hurlumhej, postyr, ståhej, ballade.

RC *fork. f.* **1.** *Roman Catholic*; **2.** *Red Cross*.

RD *fork. f. refer to drawer*.

Rd *fork. f. Road*.

R&D *fork. f. research and development* forskning og produktudvikling.

RDA *fork. f. recommended daily// dietary allowance* anbefalet dagligt indtag [*af bestemte næringsstoffer*].

RE *fork. f. Royal Engineers*.

re [ri:] *præp.* F angående, vedrørende, med hensyn til.

reach¹ [ri:tʃ] *sb.* (se også *reaches*) **1.** rækkevidde; **2.** (*mar.*) stræk, slag;

□ *he has got a long* ~ han kan række langt; *make a* ~ *for* række ud efter; [*med præp.*] **beyond/out of** ~ uden for rækkevidde; *beyond/out of my* ~ **a.** uden for min rækkevidde; **b.** (*fig.*) over min horisont; mere end jeg kan//kunne klare; uopnåelig for mig; *beyond the* ~ *of human intellect* ud over menneskelig fatteevne; **within** ~ inden for rækkevidde; *within my* ~ **a.** inden for min rækkevidde; så jeg kan nå det; **b.** (*fig.*) opnåelig for mig; *within easy* ~ *of sth* i nærheden af noget (*fx live within easy* ~ *of London*); med noget inden for rækkevidde.

reach² [ri:tʃ] *vb.* **1.** nå; **2.** (*sted, punkt & fig*) nå til (*fx a certain point//stage; an agreement; a conclusion; a decision; the bookcase -ed the ceiling*); komme til; **3.** (*ting: give*) række (*fx* ~ *me that book*); **4.** (*person: for at kommunikere*) få kontakt med, komme i forbindelse med, nå (*fx I tried to* ~ *him by telephone*); **5.** (*uden objekt*) strække sig (*fx his garden -ed as far as the river*); **6.** (*om person*) række (*fx he -ed across the table*);

□ ~ *for* række (ud) efter; gribe efter; (se også *moon¹*); ~ *out* **a.** række ud, strække ud/frem (*fx one's hand*); **b.** (*uden objekt*) række armen ud/frem (*fx I -ed out to grab him*); **c.** (*fig.*) være opsøgende; ~ *out for* **a.** række ud efter; **b.** (*fig.*) prøve at nå; ~ *out to* (*fig.*) prøve at nå; prøve at få kontakt med; ~ *to* nå til, gå til (*fx a coat -ing to the knee*).

reaches ['ri:tʃiz] *sb. pl.* **1.** (*område*) stræk; strækninger; **2.** (*i flod*) løb (*fx the upper* ~ *of the Thames*); **3.** (*fig*) lag (*fx the upper* ~ *of the government*).

react [ri'ækt] *vb.* reagere; □ ~ *against* reagere mod; ~ *on* indvirke på; ~ *to* reagere på.

reaction [ri'ækʃn] *sb.* **1.** reaktion (*against* mod; *to* på); **2.** (*pol.*) reaktion, bagstræb.

reactionary¹ [ri'ækʃn(ə)ri] *sb.* reaktionær, bagstræber.

reactionary² [ri'ækʃn(ə)ri] *adj.* reaktionær, bagstræberisk.

reactivate [ri'æktiveit] *vb.* reaktivere, genoplive, genoprette.

read¹ [ri:d] *sb.* læsning; □ *have a* ~ sætte sig til at læse; få læst lidt; *the book is a good* ~ bogen er en god læseoplevelse; bogen er en fornøjelse at læse.

read² [red] *præt. & præt. ptc. af*

read⁴.

read³ [red] *adj.* belæst; □ *be well* ~ *in* være godt hjemme i; *take the accounts as* ~ betragte regnskabet som oplæst; frafalde oplæsningen af regnskabet; *take it as* ~ (*fig.*) betragte det som givet.

read⁴ [ri:d] *vb.* (*read* [red], *read* [red]) **A.** (*med objekt*) **1.** læse; læse i (*fx a paper* en avis; *a book*); **2.** (*højt*) læse op (*fx she -s poetry beautifully*); (se også *paper¹*); **3.** (*noget svært forståeligt*) tyde (*fx a dream*); løse, gætte (*fx a riddle*); **4.** (*fag, ved universitet*) studere (*fx he -s physics*); **5.** (*instrument*) aflæse (*fx the gas meter*); **6.** (*om instruments tal*) vise, stå på (*fx the thermometer -s 34 degrees*); **7.** (*parl.: lovforslag*) behandle; **8.** (*it*) læse; **9.** (*radio.*) høre, modtage (*fx do you* ~ *me?*); **B.** (*uden objekt*) **1.** læse (*fx he can* ~ *and write*); **2.** (*om teksts mening*) kunne tydes (*fx the rule -s two ways*); **3.** (*om teksts indhold*) lyde (*fx the letter -s as follows*); **4.** (*om teksts udformning*) virke ... når man læser det (*fx the dialogue -s well; the play -s better than it acts*); falde (*fx this sentence -s heavy*);

□ *the sign//placard read "This way"* der stod „Denne vej" på skiltet//plakaten; ~ *as* forstå som, opfatte som, udlægge som, tolke som (*fx the blockade is here* ~ *as an act of war*); [*med præp.& adv.*] ~ *aloud* læse højt; ~ *back* læse op [*som kontrol*]; ~ *for* studere med henblik på (*fx a degree in history; the Bar*); ~ *something else into* it lægge noget andet i det; ~ *off* **a.** gennemlæse; **b.** aflæse; ~ *out* **a.** læse højt op; **b.** (*am.*) ekskludere (*fx he was* ~ *out of the association*); ~ *over* gennemlæse omhyggeligt; ~ *over a lesson* læse på en lektie; ~ *up on* studere; sætte sig ind i; gøre sig bekendt med.

readable ['ri:dəbl] *adj.* **1.** læseværdig; **2.** læselig.

readdress [ri:ə'dres] *vb.* omadressere.

reader ['ri:də] *sb.* **1.** læser; **2.** (*ved universitet*) docent; lektor; **3.** (*ved forlag*) (forlags)konsulent; **4.** (*bog*) læsebog; lærebog; **5.** (*apparat*) læseapparat.

readership ['ri:dəʃip] *sb.* **1.** (*ved universitet*) docentur; lektorat; **2.** (*om avis etc.*) antal læsere; læserkreds.

readies ['rediz] *sb. pl.: the* ~ S

kontanter.

readily ['redili] *adv.* **1.** villigt, beredvilligt, gerne; **2.** bekvemt, let, uden videre.

readiness ['redinəs] *sb.* **1.** beredvillighed, villighed; **2.** lethed; **3.** (*mil. etc.*) beredskab; **4.** (*psyk.*) parathed;
□ *have in* ~ have i beredskab; have parat; *in* ~ *for* som forberedelse til; så det//de *etc.* er parat til; ~ *of wit* kvikhed, slagfærdighed.

reading ['ri:diŋ] *sb.* **1.** læsning; **2.** (*højt*) oplæsning (*fx he gave -s of his work*); **3.** (*om det man læser*) lekture (*fx his main* ~ *is detective stories*); læsestof; **4.** (*om det man har læst*) belæsthed (*fx a man of wide* ~); **5.** (*om måde at forstå tekst etc. på*) opfattelse (*fx his* ~ *of the situation*); tolkning; udlægning; (*i MS*) læsemåde; **6.** (*parl.: af lovforslag*) behandling; **7.** (*af instrument*) aflæsning; **8.** (*om det instrumentet viser*) visning; stand (*fx thermometer* ~);
□ *compulsory/required* ~ obligatorisk stof; *it makes interesting* ~ det er interessant læsning, det er interessant at læse.

reading age *sb.* (*psyk.*) læsealder.
reading glass *sb.* læseglas; forstørrelsesglas.
reading glasses *sb. pl.* læsebriller.
reading knowledge *sb.*: *have a* ~ *of English* kunne læse engelsk [*men ikke tale det*].
reading list *sb.* **1.** (*til kursus*) liste over obligatoriske bøger; **2.** (*i bog*) kort bibliografi; mønsterbibliografi.
reading room *sb.* (*bibl.*) læsesal.
readjust [ri:ə'dʒʌst] *vb.* **1.** omlægge, revidere; tilpasse (*to* til); indrette (*to* efter, *fx* ~ *one's behaviour to the surroundings*); tillempe (*to* efter); **2.** (*instrument etc.*) indstille (*fx a telescope, a television*); rette på, justere, korrigere; stille på (*fx a screw*); regulere; **3.** (*uden objekt*) omstille sig, tilpasse sig (*to* til); indrette sig (*to* efter); finde sig til rette (*to* i, *fx new surroundings*).
readjustment [ri:ə'dʒʌstmənt] *sb.* (jf. *readjust*) **1.** omlægning, tilpasning, tillempning; **2.** indstilling, justering, korrektion; regulering.
readmission [ri:əd'miʃn] *sb.* (jf. *readmit*) **1.** fornyet adgang; **2.** genoptagelse; **3.** genindlæggelse.
readmit [ri:əd'mit] *vb.* **1.** lade komme ind igen; give adgang på ny; **2.** (*på skole etc.*) genoptage; **3.** (*på hospital*) indlægge igen,

genindlægge.

read-only memory [ri:dəunli'mem(ə)ri] *sb.* (*it*) ROM-lager, læselager.
read-out ['ri:daut] *sb.* **1.** (*it*) udlæsning; **2.** (*fra instrument*) visning.
ready[1] ['redi] *sb.*: *the* ~ S kontanter; *with pencil at the* ~ med blyanten klar/parat; *with rifles at the* ~ med skudklare geværer.
ready[2] ['redi] *adj.* **1.** (*om forberedelse*) parat, klar (*for* til; *to* til at); færdig (*to* til at, *fx leave; your car will be* ~ *tomorrow*); **2.** (*om holdning*) villig (*to* til at, *fx help them; die for a cause*); parat; F rede, beredt (*for* til; *to* til at); **3.** (*om ytring*) kvik, rap (*fx tongue; reply*); (se også *ready wit*)
□ *be* ~ *and waiting* stå parat; *get/ make* ~ **a.** gøre i orden, gøre parat; **b.** (*typ.*) rette til, tilrette; **c.** (*uden objekt*) gøre sig parat (*to* til at); forberede sig (*to* på at); (se også *drop*[2]);
[med *sb.*] *have* ~ *access to sth* have let/bekvem adgang til noget; *he always has a* ~ *answer* han har altid svar på rede hånd; *there was a* ~ *supply of drinks* der var drinks lige ved hånden;
[med *præp.& adv.*] ~ *about* (mar.) klar til at vende; ~ *to* **a.** se: *1, 2*; **b.** lige ved at, på nippet til at (*fx burst into tears*); ~ *to hand* lige ved hånden; *he is always* ~ *with* (neds.) han er altid parat med, han sparer ikke på (*fx advice; excuses*).
ready[3] ['redi] *vb.* F gøre klar.
ready cash *sb.* kontanter.
ready-made [redi'meid] *adj.* **1.** færdiglavet; **2.** (*om tøj*) færdigsyet; **3.** (*fig.*) fiks og færdig.
ready meal *sb.* færdigret.
ready money *sb.* kontanter.
ready reckoner *sb.* beregningstabel; omregningstabel.
ready-to-wear [reditə'wɛə] (*om tøj*) færdigsyet.
ready wit *sb.* slagfærdighed.
reaffirm [ri:ə'fə:m] *vb.* bekræfte på ny; gentage.
reafforest [ri:æ'fɔrist] *vb.* se *reforest*.
reafforestation [ri:æfɔri'steiʃn] *sb.* se *reforestation*.
reagent [ri:'eidʒənt] *sb.* (*kem.*) reagens, reagensmiddel.
real ['riəl] *adj.* **1.** virkelig; **2.** (*mods. påtaget, forstilt*) rigtig (*fx his* ~ *name; he is a* ~ *friend*); sand (*fx his* ~ *self*); **3.** (*mods. falsk*) ægte (*fx gold; leather*); **4.** (*økon.*) real- (*fx income; wages*);

□ *for* ~ T **a.** rigtigt, for alvor (*fx they were fighting for* ~); **b.** (am.) virkelig, ægte (*fx the threats were for* ~); *get* ~! T kom nu ned på jorden! vær nu realistisk! *it is the* ~ *thing* det er den ægte vare.
real ale *sb.* [øl færdiggæret på tønden og pumpet op ved håndkraft].
real estate *sb.* fast ejendom.
realign [ri:ə'lain] *vb.* omstrukturere; omgruppere, omorganisere; (*ting også*) flytte rundt på, bytte om på.
realignment [ri:ə'lainmənt] *sb.* omstrukturering; omgruppering, omorganisering; omformning.
realism ['riəlizm] *sb.* realisme.
realist[1] ['riəlist] *sb.* realist.
realist[2] ['riəlist] *adj.* realistisk.
realistic [riə'listik] *adj.* realistisk.
realistically [riə'listik(ə)li] *adv.* **1.** realistisk; **2.** (*som sætningsadv.*) i realiteten, reelt (*fx* ~, *there was no prospect of winning*).
reality [ri'æləti] *sb.* **1.** virkelighed; **2.** realitet (*fx the* ~ *is that he will never succeed*); **3.** (*generelt*) virkeligheden (*fx bring him back to* ~);
□ *realities* realiteter; *become a* ~ blive til virkelighed, blive en realitet; *in* ~ i virkeligheden; i realiteten; *the* ~ *of the situation* situationen som den virkelig er.
realizable ['riəlaizəbl] *adj.* **1.** realisabel, gennemførlig (*fx the plan was not* ~); **2.** (*merk.*) realisabel, omsættelig.
realization [riəl(a)i'zeiʃn] *sb.* (jf. *realize*) **1.** realisering, virkeliggørelse; gennemførelse, udførelse; **2.** forståelse, erkendelse; opfattelse; **3.** realisation; salg.
realize ['riəlaiz] *vb.* **1.** (*i handling*) realisere, virkeliggøre (*fx one's hopes; one's ambitions*); gennemføre, føre ud i livet (*fx a project*); **2.** (*noget der er sket*) være klar over (*fx do you* ~ *that you have already said this?*); (*noget man ikke har bemærket*) indse, forstå, erkende (*fx he -d his mistake at once*); blive klar over (*fx I suddenly -d that it was all a mistake*); **3.** (*ejendele*) realisere (*fx property*); sælge; gøre i penge; **4.** (*penge*) indbringe (*fx the paintings -d £60,000*); opnå (*fx a good price*); tjene (*fx how much did you* ~ *on the sale?*);
□ *be -d* **a.** blive til virkelighed (*fx our worst fears had been -d*); **b.** (*om kunstværk etc.*) blive realiseret, blive udført.
real life *sb.* det virkelige liv, virkeligheden.

real-life [riəl'laif] *adj.* fra//i det virkelige liv.

really ['riəli] *adv.* **1.** virkelig (*fx I ~ don't know//mind; do you ~ think so?*); **2.** (*mods. tilsyneladende*) i virkeligheden, faktisk (*fx he looks stuck-up but he's ~ very nice*); **3.** (*forstærkende*) virkelig, rigtig (*fx ~ difficult; ~ hot; that was when it ~ started*); **4.** (*indrømmende*) egentlig (*fx I don't ~ know*); faktisk (*fx it was ~ my fault*); **5.** (T: *efterstillet*) i grunden, egentlig (*fx it isn't fair, ~; it was quite good ~*);
□ ~? **a.** (*forbeholdent*) jaså! **b.** (*forundret*) virkelig? er det rigtigt? ~! ih altså! nej hør nu! *not ~* **a.** i virkeligheden ikke (*fx she is not ~ his sister*); **b.** (*som svar*) egentlig ikke, ikke rigtig (*fx Do you like it? Not ~*).

realm [relm] *sb.* F **1.** verden, rige (*fx the ~ of fancy*); område, sfære; (se også *possibility*); **2.** (*om land*) rige (*fx the defence of the ~*).

real property *sb.* fast ejendom.

real terms *sb. pl.*: *in ~* i faste priser.

real time *sb.* (*it*) realtid, sand tid; □ *in ~* i faktisk tid; her og nu.

real-time ['riəltaim] *adj.* (*it*) tidstro, realtids-.

realtor ['riəltər] *sb.* (*am.*) ejendomsmægler.

realty ['riəlti] *sb.* (*jur.*) fast ejendom.

ream[1] [ri:m] *sb.* (*mål for papir: 500 ark*) ris;
□ *-s of* T masser af, stribevis af; side op og side ned af.

ream[2] [ri:m] *vb.* **1.** (*hul*) udvide; (*fagl.*) oprømme; **2.** (*am.*) rense ud; **3.** (*am.* S) snyde;
□ *~ out* (*am.* S) skælde ud.

reamer ['ri:mə] *sb.* **1.** rømmejern, rømmerival; **2.** (*am.*) citronpresser.

reanimate [ri(:)'ænimeit] *vb.* **1.** genoplive; **2.** (*fig.*) bringe nyt liv i; sætte nyt mod i.

reap [ri:p] *vb.* **1.** høste; **2.** (*fig.*) høste, opnå; (se også *harvest*[1]).

reaper ['ri:pə] *sb.* **1.** høstkarl; **2.** mejemaskine;
□ *-s* (*også*) høstfolk; *the (Grim) Reaper* manden med leen [ɔ: *døden*].

reappear [ri:ə'piə] *vb.* komme til syne igen; dukke op igen; vende tilbage.

reappearance [ri:ə'piərəns] *sb.* genopdukken; tilbagevenden.

reappoint [ri:ə'pɔint] *vb.* genansætte; genudnævne.

reappraisal ['ri:ə'preizl] *sb.* omvurdering; revurdering.

rear[1] [riə] *sb.* **1.** bagside; bagende; **2.** (*mil. etc.*) bagtrop; **3.** T bagdel;
□ *bring up the ~* danne bagtroppen; komme sidst; *attack the enemy in the ~* angribe fjenden i ryggen; *at the ~ of* (omme) bag ved (*fx the house*); *in the ~ of* bag i; i den bageste del af (*fx the train*).

rear[2] [riə] *adj.* bag- (*fx window*); (se også ndf.: *rear engine (etc.)*).

rear[3] [riə] *vb.* **1.** (*børn*) opfostre (*fx a family*); opdrage; **2.** (*dyreunge*) opfostre; **3.** (*dyr*) avle, opdrætte (*fx cattle*); **4.** (*afgrøde*) dyrke; **5.** (*uden objekt: om hest*) stejle; rejse sig på bagbenene;
□ *~ above/over* hæve sig op over; knejse over; *~ one's head* løfte hovedet; *~ its (ugly) head* (*fig.*) stikke hovedet frem; dukke op; *~ up = 5.*

rear admiral *sb.* kontreadmiral.

rear axle assembly *sb.* (*på bil*) bagtøj.

rear end *sb.* bagdel.

rear-end ['riərend] *vb.* (*am.*) køre bag op i.

rear engine *sb.* hækmotor.

rearguard ['riəga:d] *sb.* (*mil.*) arrieregarde; bagtrop; dækning bagud.

rearguard action *sb.* **1.** (*mil.*) retrætekamp; **2.** (*fig.*) forhalingsmanøvre;
□ *fight a ~ against it* forsøge en sidste kamp imod det.

rear gunner *sb.* (*flyv.*) agterskytte.

rearm [ri:'a:m] *vb.* (gen)opruste.

rearmament [ri:'a:məmənt] *sb.* (gen)oprustning.

rearmost ['riəməust] *adj.* bagest.

rearrange [ri:ə'rein(d)ʒ] *vb.* omordne; flytte om på (*fx the furniture*); bytte rundt på (*fx the order of the speakers*).

rearrangement [ri:ə'rein(d)ʒmənt] *sb.* omordning; omflytning; omlægning; omstrukturering.

rearview mirror [riəvju:'mirə] *sb.* bakspejl.

rearward[1] ['riəwəd] *adj.* baglæns (*fx movement*); bag-.

rearward[2] ['riəwəd] *adv.* bagud; baglæns.

rear wheel *sb.* baghjul.

rear-wheel drive [riəwi:l'draiv] *sb.* baghjulstræk.

reason[1] ['ri:z(ə)n] *sb.* **1.** grund (*for* til, *fx the ~ for his behaviour; to* til at, *fx I see no ~ to do it*); **2.** (*evne, egenskab*) fornuft (*fx ~ and emotion*);
□ *the ~ why/that he did it* grunden til at han gjorde det; [*med vb.*] *lose one's ~* miste sin forstand; *see ~* tage imod fornuft; *show good ~ for* dokumentere, begrunde (*fx a statement*); [*med præp.*] *beyond all ~* ud over alle rimelige grænser; *by ~ of* på grund af; *for this ~* af denne grund; *for no ~* uden nogen grund; (se også *apparent*); *for some unknown ~, for -s best known to himself* uvist af hvilken grund; af en eller anden ukendt/ mystisk grund; *for -s of health// safety* af helbreds-//sikkerhedshensyn; af helbreds-//sikkerhedsgrunde; *listen to ~* tage imod fornuft; *it stands to ~* det er indlysende; det siger sig selv; *with ~* med god grund; med rette; *do anything within ~* gøre alt inden for rimelighedens grænser.

reason[2] ['ri:z(ə)n] *vb.* **1.** ræsonnere; argumentere; drage fornuftsslutninger; **2.** tænke; overveje;
□ *~ that* slutte at; [*med præp.& adv.*] *~ about* ræsonnere over; *~ from* slutte ud fra (*fx one's experience*); *~ him into it* overtale ham til det; få ham til at indse at det er rigtigt; *~ out* finde ud af; regne ud; *~ him out of it* tale ham fra det; få ham til at indse at det er forkert//urimeligt; *~ with him* argumentere med ham; tale ham til fornuft.

reasonable ['ri:z(ə)nəbl] *adj.* **1.** (*om person*) fornuftig; **2.** (*om handling etc.*) rimelig (*fx doubt; decision; chance; price*); **3.** (*om kvalitet*) rimelig, nogenlunde god.

reasonably ['ri:z(ə)nəbli] *adv.* **1.** fornuftigt; **2.** rimeligt; nogenlunde; **3.** med rimelighed; med rette.

reasoned ['ri:z(ə)nd] *adj.* **1.** rationel, saglig; **2.** begrundet, motiveret.

reasoning ['ri:z(ə)niŋ] *sb.* ræsonnement; argumentation; begrundelse; tankegang (*fx the ~ behind the decision*);
□ *there is no ~ with her* hun er umulig at tale til fornuft.

reassemble [ri:ə'sembl] *vb.* **1.** samle igen; **2.** (*uden objekt*) samles igen.

reassert [ri:ə'sə:t] *vb.* befæste, styrke (*fx one's control*).

reassess [ri:ə'ses] *vb.* revurdere, tage op til fornyet overvejelse.

reassurance [ri(:)ə'ʃuər(ə)ns] *sb.* beroligelse;
□ *-s* (gentagne) forsikringer.

reassure [ri(:)ə'ʃuə] *vb.* **1.** berolige; **2.** forsikre (*that* at).

rebarbative [ri'ba:bətiv] *adj.* F ubehagelig, frastødende.

rebate ['ri:beit] *sb.* **1.** (*merk.*) refu-

sion, godtgørelse; (*i pris*) afslag, nedslag; **2.** (*i træ*) fals.
rebel[1] ['reb(ə)l] *sb.* oprører.
rebel[2] ['reb(ə)l] *adj.* oprørsk; oprørs- (*fx forces*).
rebel[3] [ri'bel] *vb.* gøre oprør (*against* imod).
rebellion [ri'beliən] *sb.* oprør.
rebellious [ri'beliəs] *adj.* oprørsk.
rebirth [ri:'bə:θ] *sb.* genfødelse, genfødsel.
reboot [ri:'bu:t] *vb.* (*it*) starte op igen.
rebore [ri:'bɔ:] *vb.* udbore.
rebound[1] ['ri:baund] *sb.* **1.** (*om bold*) tilbagespring; opspring; (*i fodbold*) ripost; **2.** (*tekn.*) tilbageslag; (*om fjeder*) tilbagespring; **3.** (*økon.*) opsving;
□ *on the* ~ **a.** (*om bold*) i opspringet; på riposten; (*i basketball*) på rebounden; **b.** (T, *om person: efter afslutning af et forhold*) deprimeret//skuffet over at være svigtet; ved at slikke sine sår; *take sby on/at the* ~ (*jf. b*) udnytte ens skuffelse.
rebound[2] [ri'baund] *vb.* **1.** kastes tilbage, springe tilbage; **2.** (*om skud*) prelle af; rikochettere; **3.** (*om bold*) springe tilbage;
□ *it will* ~ *on yourself* (*fig.*) det vil falde tilbage på/ramme dig selv; det vil give bagslag.
rebuff[1] [ri'bʌf] *sb.* F afvisning; afslag.
rebuff[2] [ri'bʌf] *vb.* F afvise.
rebuild [ri:'bild] *vb.* genopbygge.
rebuke[1] [ri'bju:k] *sb.* irettesættelse, tilrettevisning, reprimande.
rebuke[2] [ri'bju:k] *vb.* irettesætte, tilrettevise.
rebus ['ri:bəs] *sb.* rebus.
rebut [ri'bʌt] *vb.* **1.** tilbagevise; bestride; **2.** (*jur.*) modbevise, afkræfte.
rebuttal [ri'bʌt(ə)l] *sb.* **1.** tilbagevisning; **2.** (*jur.*) modbevis, afkræftelse.
recalcitrance [ri'kælsitrəns] *sb.* F genstridighed; vrangvilje.
recalcitrant [ri'kælsitrənt] *adj.* F genstridig; vrangvillig.
recall[1] [ri'kɔ:l, (*am.*) 'ri:kɔ:l] *sb.* **1.** genkaldelse, erindring; **2.** (*evne*) hukommelse, huskeevne; (*se også total recall*); **3.** (*af udsending, biblioteksbog*) hjemkaldelse; **4.** (*af vare*) tilbagekaldelse; **5.** (*af spiller*) genudtagelse; **6.** (*mil., parl.*) genindkaldelse (*fx of Parliament*); **7.** (*am.*) [(*retten til*) *afsættelse af embedsmand ved afstemning blandt vælgerne*];
□ *beyond* ~ uigenkaldeligt (*fx lost beyond* ~); uoprettelig (*fx pol-*

luted beyond ~).
recall[2] [re'kɔ:l, (*am.*) 'ri:kɔ:l] *vb.* **1.** (*i erindringen*) mindes, tænke tilbage på (*fx bygone days*); huske, genkalde sig (*fx try to* ~ *exactly what happened*); **2.** (*om lighed*) minde om, få én til at tænke på (*fx his plays* ~ *Bernard Shaw*); **3.** (*udsending, biblioteksbog*) hjemkalde (*fx an ambassador*); **4.** (*defekt vare*) tilbagekalde, trække tilbage; **5.** (*i sport: spiller*) sætte på igen, udtage igen; **6.** (*it*) genkalde, tilbagekalde; **7.** (*mil.*) genindkalde;
□ ~ *to* **a.** kalde tilbage til (*fx it -ed him to the present*); **b.** (*om erindring*) minde om (*fx it -ed to me what had happened*); ~ *sby to the team* sætte en på holdet igen.
recant [ri'kænt] *vb.* F **1.** (*udtalelse*) tilbagekalde, tage tilbage; **2.** (*overbevisning*) afsværge; **3.** (*uden objekt*) tage sine ord tilbage; afsværge sin overbevisning.
recantation [ri:kæn'teiʃn] *sb.* (jf. *recant*) F **1.** tilbagekaldelse; **2.** afsværgelse.
recap[1] ['ri:kæp] *sb.* **1.** = *recapitulation*; **2.** (*am.*) dæk med ny slidbane; vulkaniseret dæk.
recap[2] ['ri:kæp] *vb.* = *recapitulate*.
recap[3] [ri:'kæp] *vb.* (*am.: et dæk*) lægge ny slidbane på, vulkanisere.
recapitulate [ri:kə'pitjuleit] *vb.* rekapitulere, gentage i korthed; resumere, sammenfatte.
recapitulation [ri:kəpitju'leiʃn] *sb.* rekapitulation, kort gengivelse, sammenfatning.
recapture [ri:'kæptʃə] *vb.* **1.** (*noget tabt, også mil.*) generobre; **2.** (*en undsluppen*) fange igen; **3.** (*noget fra fortiden*) genskabe, genfinde (*fx their former happiness*); genvinde.
recast ['ri:'ka:st] *vb.* **1.** omstøbe; **2.** (*fig.*) omarbejde (*fx a book*); omformulere (*fx a sentence*); **3.** (*teat., film.: rolle*) genbesætte;
□ ~ *a play* give et stykke ny rollebesætning.
recce ['reki] (*mil.*) T rekognoscering.
recede [ri'si:d] *vb.* **1.** trække sig tilbage (*fx the tide -d*); vige (tilbage); fjerne sig; forsvinde langsomt, fortone sig (*fx his footsteps -d down the corridor//into the night*); **2.** (*om priser etc.*) vige; falde;
□ *his hair had -d* han var begyndt at blive skaldet; han var flenskaldet.
receding [ri'si:diŋ] *adj.* vigende (*fx chin; prices*);

□ ~ *mouth* indfalden mund.
receding gums *sb. pl.* (*om sygdom*) paradentose.
receding hairline *sb.* begyndende skaldethed; flenskaldethed.
receipt [ri'si:t] *sb.* **1.** (*handling*) modtagelse; **2.** (*dokument*) kvittering; nota;
□ *-s* indtægt, indtægter; *be in* ~ *of* **a.** have modtaget (*fx we are in* ~ *of your letter*); **b.** (*ydelse*) oppebære (*fx supplementary benefit*); få; *on* ~ *of* ved modtagelsen af.
receipted [ri'si:tid] *adj.* kvitteret.
receive [ri'si:v] *vb.* (se også *received*) **1.** modtage; få; **2.** (*gæst; radiosignal*) modtage; **3.** (*kvæstelse etc.*) pådrage sig; **4.** (*vægt*) bære (*fx the buttresses* ~ *the weight of the roof*); **5.** (*om beholder*) optage; **6.** (*tyvekoster*) aftage;
□ *be -d into* blive optaget i; ~ *stolen goods* aftage hælervarer; være hæler; (se også *receiving end*).
received [ri'si:vd] *adj.* F almindelig anerkendt; vedtagen;
□ *the* ~ *opinion* (*også*) den almindelige mening//antagelse.
Received Pronunciation *sb.* (*omtr.=*) standardudtale.
receiver [ri'si:və] *sb.* **1.** (*om person & radio., tv*) modtager; **2.** (*tlf.*) rør; høretelefon; **3.** (*jur.: af stjålne ting*) hæler; **4.** (*jur.: af konkursbo*) bobestyrer; **5.** (*kem.*) beholder; (*for destillat*) forlag;
□ *pick up the* ~ (*tlf.*) tage røret; *put down/replace the* ~ (*tlf.*) lægge røret på.
receivership [ri'si:vəʃip] *sb.:* go *into* ~ blive sat under administration; komme under bobehandling.
receiving end *sb.: be on/at the* ~ være den det går ud over; være den der står for skud; *be on/at the* ~ *of* være genstand for, blive udsat for.
recension [ri'senʃn] *sb.* **1.** revision [*af tekst*]; **2.** revideret tekst.
recent ['ri:s(ə)nt] *adj.* nylig; ny.
recently ['ri:s(ə)ntli] *adv.* for nylig, for kort tid siden.
receptacle [ri'septəkl] *sb.* **1.** F beholder; opbevaringssted; **2.** (*bot.*) blomsterbund.
reception [ri'sepʃn] *sb.* **1.** modtagelse; **2.** (*på hotel etc.*) reception; **3.** (*selskab*) reception.
reception centre *sb.* **1.** (*for hjemløse*) herberg; (*for børn*) optagelseshjem; **2.** (*for flygtninge etc.*) modtagelsescenter; asylcenter.
reception class *sb.* indskolingsklasse, børnehaveklasse [*for 5-årige, første år af infant school*].
receptionist [ri'sepʃnist] *sb.* **1.** (*i*

hotel) receptionschef; **2.** (*hos læge, tandlæge*) klinikdame.
reception room *sb.* **1.** opholdsstue; **2.** (*i hotel*) selskabslokale.
receptive [ri'septiv] *adj.* modtagelig (*to* for).
receptivity [risep'tivəti] *sb.* modtagelighed (*to* for).
recess¹ [ri'ses, (*også am.*) 'ri:ses] *sb.* **1.** (*i væg, mur*) niche; **2.** (*fx i kyst, på arbejdsstykke*) indskæring; indhak; **3.** (*tidsmæssig*) pause (*fx a lunch* ~); **4.** (*parl.*) ferie; **5.** (*am.: i skole*) frikvarter; □ *-es* **a.** (*jf.* 2) afsondrede//utilgængelige steder (*fx of the palace*; *of the forest*; *of the mountains*); afkroge; **b.** (*fig.*) krinkelkroge (*fx of the heart*); dyb (*fx of the heart*; *of the soul*); afkroge (*fx the dark// innermost -es of his soul*).
recess² ['ri:ses, ri'ses] *vb.* (*især am.*) holde pause//frikvarter//ferie.
recessed [ri'sest, (*også am.*) 'ri:sest] *adj.* forsænket.
recession [ri'seʃn] *sb.* **1.** tilbagetrækning (*fx of the tide*); **2.** (*merk.*) recession, tilbagegang, konjunkturafmatning.
recessional¹ [ri'seʃn(ə)l] *sb.* udgangssalme.
recessional² [ri'seʃn(ə)l] *adj.* lavkonjunkturs-; tilbagegangs-; nedgangs-.
recessional hymn = *recessional¹*.
recessionary [ri'seʃn(ə)ri] *adj.* se *recessional²*.
recessive [ri'sesiv] *adj.* **1.** vigende; **2.** (*biol.*) recessiv.
recharge [ri:'tʃa:dʒ] *vb.* genoplade (*fx a battery*); □ ~ *one's batteries* (*fig.*) lade op.
rechargeable [ri:'tʃa:dʒəbl] *adj.* genopladelig.
recherché [rə'ʃeəʃei] *adj.* **1.** udsøgt; fin, raffineret; **2.** (*neds.*) kunstlet, søgt.
recidivism [ri'sidivizm] *sb.* recidivisme; fornyet kriminalitet.
recidivist [ri'sidivist] *sb.* recidivist; en der begår fornyet kriminalitet.
recipe ['resipi] *sb.* (*til mad*) opskrift (*for* på); □ *a* ~ *for* (*fig.*) den direkte vej til (*fx disaster*).
recipient [ri'sipiənt] *sb.* modtager.
reciprocal¹ [ri'siprək(ə)l] *sb.*: *the* ~ *of x* (*mat.*) den reciprokke værdi af x.
reciprocal² [ri'siprək(ə)l] *adj.* **1.** gensidig; **2.** (*mat., gram.*) reciprok.
reciprocate [ri'siprəkeit] *vb.* **1.** gengælde (*fx her affections*); **2.** (*uden objekt*) gøre gengæld.
reciprocating [ri'siprəkeitiŋ] *adj.*

(*tekn.*) frem- og tilbagegående.
reciprocating engine *sb.* stempelmaskine.
reciprocation [risiprə'keiʃn] *sb.* gengældelse.
reciprocity [resi'prɔsəti] *sb.* F gensidighed.
recital [ri'sait(ə)l] *sb.* **1.** (*af poesi*) oplæsning; **2.** (*af liste, række*) opregning; **3.** (*mus.*) koncert [*givet af én kunstner el. omfattende en enkelt komponists værker*]; □ *-s* (*jur.: i dokument*) indledende sagsfremstilling.
recitation [resi'teiʃn] *sb.* (*jf. recite*) **1.** deklamation, recitation, fremsigelse; **2.** opregning.
recitative [res(i)tə'ti:v] *sb.* recitativ.
recite [ri'sait] *vb.* **1.** (*udenadlært digt//tekst*) deklamere, recitere, fremsige; **2.** (*liste, række*) opregne.
reckless ['rekləs] *adj.* ubesindig; dumdristig, overmodig; hensynsløs; □ ~ *driving* uforsvarlig kørsel.
reckon ['rek(ə)n] *vb.* **1.** T regne med (*fx I* ~ *that he will win*; *I* ~ *to get up at 6*); tro (*fx that he will win*); **2.** (*ved beregning*) beregne, regne ud (*fx how much it will cost*); **3.** (*om resultat*) få det til, beregne (*fx I* ~ *that there were 300 people*); (*mere usikkert*) skønne; □ ~ *him as/to be* anse ham for at være, betragte ham som (*fx one of the best*); *it is -ed to be* det beregnes til (*fx the inflation rate is -ed to be 5%*); [*med præp.& adv.*] ~ *among* **a.** regne blandt (*fx I* ~ *him among my friends//among the best*); **b.** tælle blandt (*fx the society -s several experts among its members*); *be -ed from* beregnes fra (*fx your salary is -ed from the 15th*); ~ *in* regne 'med; tage med i beregningen; ~ *on* **a.** (*om beregning*) regne med (*fx two bottles per person*); **b.** (*om overbevisning*) regne med, stole på (*fx his help*); ~ *up* regne sammen; ~ *with* **a.** tage i betragtning; regne med, tage højde for (*fx he had not -ed with the strength of the opposition*); **b.** (*problem, vanskelighed*) klare; **c.** (*modstander*) gøre op med; *to be -ed with* som man ikke skal undervurdere, som er af betydning, som bør tages alvorligt; ~ *without* ikke regne med, glemme at tage i betragtning; ~ *without one's host* gøre regning uden vært.
reckoner ['rek(ə)nə] *sb.* se *ready reckoner*.

reckoning ['rek(ə)niŋ] *sb.* **1.** udregning; beregning; **2.** (*fig.*) regnskab, opgør; **3.** (*mar.*) se *dead reckoning*; □ *by my* ~ **a.** efter min beregning/ vurdering; **b.** efter min opfattelse; *be out in one's* ~ have forregnet sig; *the day of* ~ dommens dag; regnskabets dag.
reclaim [ri'kleim] *vb.* **1.** kræve tilbage; **2.** (*person*) resocialisere (*fx prostitutes*); **3.** (*land*) indvinde; inddæmme, dræne, tørlægge; **4.** (*af spildprodukt*) udvinde [*til genbrug*]; genindvinde; □ *be -ed* **a.** (*om person*) blive rettet op; blive resocialiseret; **b.** (*om land der har været dyrket*) blive taget tilbage.
reclamation [reklə'meiʃn] *sb.* **1.** (*om land*) indvinding; inddæmning, dræning, tørlæggelse; **2.** (*om person*) forbedring; resocialisering; **3.** (*af spildprodukt*) genindvinding.
recline [ri'klain] *vb.* **1.** læne (tilbage); hvile (*fx one's head on a pillow*); **2.** (*stol*) læne bagover, lægge ned; **3.** (*uden objekt*) læne sig tilbage; ligge (tilbagelænet); hvile (*fx on a couch*).
recliner [ri'klainə] *sb.* hvilestol; lænestol med indstillelig ryg.
reclining [ri'klainiŋ] *adj.* **1.** tilbagelænet; **2.** (*om stol*) som kan lægges ned.
recluse [ri'klu:s] *sb.* eneboer.
reclusive [ri'klu:siv] *adj.* tilbagetrukket, isoleret; □ ~ *life* eneboertilværelse.
recognition [rekəg'niʃn] *sb.* (*jf. recognize*) **1.** genkendelse; **2.** (*af at noget eksisterer*) erkendelse; accept; **3.** (*diplomatisk*) anerkendelse; **4.** (*af præstation, indsats*) anerkendelse, påskønnelse; □ *beyond/out of all* ~ (*jf.* 1) til ukendelighed; *he has changed beyond/out of all* ~ (*også*) han er ikke til at kende igen; *in* ~ *of* (*jf.* 4) som anerkendelse for.
recognizable ['rekəgnaizəbl] *adj.* genkendelig.
recognizance [ri'kɔ(g)nizns] *sb.* (*jur.*) sikkerhedsstillelse, kaution.
recognize ['rekəgnaiz] *vb.* **1.** genkende; **2.** (*eksistensen af noget*) erkende, acceptere, vedkende sig (*fx one's own shortcomings*); **3.** (*gyldigheden af noget, også diplomatisk*) anerkende; **4.** (*præstation, indsats*) anerkende (*fx the book was* ~ *as a work of genius*); påskønne.
recognized ['rekəgnaizd] *adj.* **1.** godkendt (*fx qualifications*);

2. anerkendt (*fx he is a ~ authority on the subject*).

recoil[1] [ri'kɔil] *sb.* (*om skydevåben*) rekyl, tilbagestød.

recoil[2] [ri'kɔil] *vb.* **1.** vige tilbage; fare tilbage; **2.** (*om skydevåben*) rekylere; give bagslag;

□ ~ *at/from* vige tilbage for; føle afsky ved (*fx the sight of blood*); ~ *from* + -*ing* vægre sig ved at (*fx paying so much*); *his evil deeds -ed upon himself* hans onde gerninger ramte ham selv.

recoilless [ri'kɔilləs] *adj.* (*mil.*) rekylfri.

recoilless gun *sb.* (*mil.*) dysekanon.

recollect[1] [rekə'lekt] *vb.* F erindre, mindes; genkalde sig.

recollect[2] [ri:kə'lekt] *vb.* samle igen;

□ ~ *oneself* genvinde fatningen.

recollection [rekə'lekʃn] *sb.* F erindring; minde; (se også *best*[2]).

recommend [rekə'mend] *vb.* (se også *recommended*) **1.** (*om ros*) anbefale (*fx I can ~ this restaurant*); **2.** (*om råd*) anbefale, tilråde (*fx he -ed me to see a doctor*); foreslå (*fx he -ed that I (should) see a doctor*); henstille; **3.** (*i betænkning fra udvalg*) indstille (*fx the committee -ed that taxes (should) be raised*); **4.** (*til stilling, belønning*) anbefale, indstille (*for til, fx ~ her for the post//for promotion// for a prize*);

□ *this suggestion has much to ~ it* der er meget der taler for dette forslag.

recommendation [rekəmen'deiʃn] *sb.* (jf. *recommend*) **1.** anbefaling; **2.** (*om råd*) anbefaling, forslag; henstilling; **3.** (*fx fra et udvalg*) indstilling; **4.** (*til stilling, belønning*) anbefaling, indstilling.

recommended [rekə'mendid] *adj.* anbefalet; tilrådet.

recommended daily allowance *sb.* (*af vitamin, kosttilskud*) anbefalet daglig tilførsel.

recommended price *sb.* vejledende pris.

recompense[1] ['rekəmpens] *sb.* (jf. *recompense*[2]) **1.** belønning; løn; **2.** godtgørelse; erstatning;

□ *in ~ for* (jf. *2*) som erstatning for.

recompense[2] ['rekəmpens] *vb.* F **1.** (*for ydet tjeneste*) belønne; lønne; **2.** (*for ulempe, tab*) godtgøre; erstatte.

reconcile ['rekənsail] *vb.* **1.** (*modstridende forhold*) forene (*fx the various demands on my time*); forlige (*fx different points of view*); få til at stemme overens (*fx conflicting statements*); **2.** (*personer, efter strid*) forsone, forlige; **3.** (*strid*) bilægge (*fx a conflict*); **4.** (*merk.: konti*) afstemme (*to med*);

□ ~ *oneself to* forsone/forlige sig med; affinde sig med; *be -d to* have forsonet/forliget sig med; have fundet sig til rette med.

reconciliation [rekənsili'eiʃn] *sb.* (jf. *reconcile*) **1.** forening (*with med*); **2.** forsoning; **3.** forlig (*between* mellem).

recondite [ri'kɔndait] *adj.* lidet kendt; vanskeligt tilgængelig, dunkel.

recondition [ri:kən'diʃn] *vb.* **1.** reparere, istandsætte; **2.** (*mere omfattende*) hovedreparere, renovere.

reconnaissance [ri'kɔnəs(ə)ns] *sb.* rekognoscering; (*mil. også*) opklaring.

reconnoitre [rekə'nɔitə] *vb.* rekognoscere; (*mil. også*) opklare.

reconsider [ri:kən'sidə] *vb.* **1.** overveje igen, tage op til fornyet overvejelse; tage op til revision; **2.** (*uden objekt*) overveje sagen igen.

reconsideration [ri:kənsidə'reiʃn] *sb.* fornyet overvejelse; revision.

reconstitute ['ri:'kɔnstitju:t] *vb.* **1.** genopbygge, genskabe; **2.** (*institution*) rekonstruere, reorganisere; omdanne (*fx the committee; the Cabinet*); **3.** (*om tørrede frugter*) opbløde; (*om tørmælk etc.*) opløse i vand; **4.** (*kem.*) genfortynde.

reconstitution [ri:kɔnsti'tju:ʃn] *sb.* (jf. *reconstitute*) **1.** genopbygning, genskabelse; **2.** rekonstruktion, reorganisering; omdannelse; **3.** opblødning; opløsning i vand; **4.** genfortynding.

reconstruct [ri:kən'strʌkt] *vb.* **1.** genskabe; (*også om begivenhed*) rekonstruere; **2.** (*bygningsværk*) genopbygge.

reconstruction [ri:kən'strʌkʃn] *sb.* (jf. *reconstruct*) **1.** genskabelse; rekonstruktion; **2.** genopbygning.

reconstructive [ri:kən'strʌktiv] *adj.* **1.** genopbyggende; **2.** (*om kirurgi*) plastisk.

record[1] ['rekɔ:d] *sb.* **1.** optegnelse; journal; dokument; **2.** (*hist.*) kildeskrift; **3.** (*jur.*) protokol, retsbog; (*med domme*) domsbog; **4.** (*persons etc.*) fortid; renommé; hvad man har gjort, ens gerninger (*fx the party should be judged on its ~*); (se også *clean*[2]); **5.** (*mht. straf*) se *criminal record*; **6.** (*med., tandl.*) journal; **7.** (*med musik etc.*) (grammofon)plade; optagelse; **8.** (*i sport etc.*) rekord (*fx beat a ~*); (*i sms.*) rekord- (*fx in ~ time*); **9.** (*it*) post, individ;

□ -*s* (*også*) **a.** arkiv; arkivalier; **b.** (*fig.*) vidnesbyrd (*fx -s of ancient civilizations*);

[*med art.*] *have a ~* (jf. *4*) være tidligere straffet; *he has a bad// good ~* (jf. *4, også*) han har hidtil klaret sig dårligt//godt; *keep a ~ of* notere ned; registrere; føre journal over; føre protokol over; *the ~* (*også*) kendsgerningerne; de foreliggende oplysninger (*fx the ~ shows that he has never been il-loyal*); *he has the ~ of being* (jf. *4*) han har ord/ry for at være; *get/ put/set the ~ straight* beskrive det som det virkeligt er//var; sætte tingene på plads; (se også ndf.: *for the ~, off the ~*);

[*med præp.*] *for the ~* for at der skal ikke herske tvivl om dette (*fx for the ~, I have never seen him*); for en ordens skyld; *it is a matter of ~* det er en fastslået kendsgerning; *worthy of ~* der fortjener at optegnes; *off the ~* uofficiel; uden for referat; *this is off the ~* (*også*) dette må ikke citeres; *it is on ~* det er vitterligt; *the greatest general on ~* den største general historien har kendt; *go on ~* **a.** blive noteret; blive ført til protokols; **b.** (*om person*) erklære/udtale offentligt; *he has never gone on ~ as demanding that* der foreligger ikke noget (officielt) om at han har krævet dette; *put it on ~* **a.** føre det til protokols; notere det; **b.** (*om person*) afgive en officiel erklæring om det.

record[2] [ri'kɔ:d] *vb.* (se også *recorded*) **1.** notere, optegne (*fx he -ed it in his diary*); skrive ned, skrive op (*fx all your expenses*); registrere (*fx the changing temperature; the numbers called*); protokollere; **2.** (*på bånd, cd, video etc.*) optage; (*om orkester, kunstner*) indspille//indsynge// indtale; **3.** (*om instrument, fx termometer*) vise; registrere;

□ ~ *one's protest* markere sin protest; ~ *one's vote* afgive sin stemme.

record-breaking ['rekɔ:dbreikiŋ] *adj.* som slår alle rekorder.

recorded [ri'kɔ:did] *adj.* **1.** optegnet; nedskrevet; registreret; **2.** optaget; indspillet; (*på bånd*) båndet; (*på telefonsvarer etc.*) indtalt;

□ ~ *crime* registrerede/anmeldte forbrydelser; ~ *programme* (*radio., tv*) optagelse.

recorded delivery *sb.* (*omtr.*) anbefalet forsendelse [*for hvilken der ikke ydes erstatning ved bortkomst*].

recorder [ri'kɔ:də] *sb.* **1.** (*mus.*) blokfløjte; **2.** (*til optagelse*) båndoptager; **3.** (*apparat*) registreringsapparat; skriver; **4.** (*person*) referent; skildrer (*fx a ~ of rural life*); **5.** (*jur.*) [*advokat der fungerer som dommer på deltid, især i Crown Court*]; (*omtr.*) byretsdommer.

recording [ri'kɔ:diŋ] *sb.* (jf. *record²*) **1.** optegnelse; registrering; **2.** optagelse; indspilning; **3.** (*på telefon*) indtalt besked.

recordist [ri'kɔ:dist] *sb.* tonemester.

record library *sb.* diskotek.

record office *sb.* arkiv.

record player *sb.* pladespiller.

recount¹ ['ri:kaunt] *sb.* genoptælling; fintælling.

recount² [ri'kaunt] *vb.* fortælle (*fx an anecdote*); berette (*fx how it happened*); berette om, skildre (*fx one's experiences*).

recount³ [ri:'kaunt] *vb.* tælle om; fintælle.

recoup [ri'ku:p] *vb.* dække ind (*fx losses*); vinde//tjene ind igen (*fx the cost*);

□ *~ one's strength* komme til kræfter igen; *~ sby* yde én erstatning; holde én skadesløs.

recourse [ri'kɔ:s] *sb.* **1.** tilflugt; **2.** (*jur.*) regres;

□ *have ~ against* (*jur.*) søge regres hos; *have ~ to* tage sin tilflugt til; ty til; *without ~ to* uden at måtte benytte sig af; uden at ty til.

recover [ri'kʌvə] *vb.* **1.** komme sig (*from af, efter, fx an illness; a shock; have you -ed after your long journey?*); (*efter sygdom også*) blive rask; **2.** (*om forhold*) bedre sig (*fx the economy -ed*); **3.** (*med objekt: noget tabt*) få tilbage (*fx stolen jewellery*); **4.** (*tilstand*) genvinde (*fx one's health; one's composure; one's balance*); **5.** (*noget forsvundet*) finde og indbringe (*fx the police -ed a stolen video; the rescuers -ed a number of bodies*); hente (*fx some of the missing things were -ed from* (op fra) *the bottom of the river*); **6.** (*til genbrug*) genindvinde; **7.** (*penge*) få ind igen, få dækket (*fx the cost*); **8.** (*jur.*) opnå, få tilkendt (*fx damages* skadeserstatning);

□ *~ oneself* fatte sig; *~ lost time* indhente den tabte tid; (se også *breath, consciousness*).

re-cover [ri:'kʌvə] *vb.* **1.** dække igen; **2.** (*møbel*) ombetrække.

recoverable [ri'kʌv(ə)rəbl] *adj.* **1.** som man kan få tilbage; **2.** (*til genbrug*) som kan genindvindes.

recovery [ri'kʌv(ə)ri] *sb.* **1.** (*efter sygdom*) helbredelse; **2.** (*i forhold*) bedring (*fx in the housing market*); (*økon.*) opsving; (*efter krig etc.*) opgang, genrejsning; **3.** (*af noget stjålet*) generhvervelse; **4.** (*af noget forsvundet*) indbringning; **5.** (*til genbrug*) genindvinding; **6.** (*jur.*) opnåelse [*ved dom*];

□ *in ~* ved at blive helbredt; *make a full ~* komme sig fuldstændigt; *wish him a speedy ~* ønske ham god bedring.

recovery position *sb.* aflåst sideleje [*for tilskadekommen*].

recovery room *sb.* (*på hospital*) opvågningsstue.

recreate [ri:kri'eit] *vb.* genskabe.

recreation¹ [rekri'eiʃn] *sb.* adspredelse, underholdning; fornøjelse, morskab.

recreation² [ri:kri'eiʃn] *sb.* genskabelse.

recreational [rikri'eiʃ(ə)l] *adj.* fritids- (*fx activities; interests*); rekreativ (*fx areas*).

recreational vehicle *sb.* (*am.*) autocamper, campingbil.

recreation centre *sb.* (*am.*) aktivitetscenter.

recreation ground *sb.* legeplads; sportsplads.

recreation room *sb.* **1.** (*på institution*) fællesstue; samlingsstue; **2.** (*am.*) hobbyrum; gildestue.

recrimination [rikrimi'neiʃn] *sb.*, **recriminations** *sb. pl.* gensidige beskyldninger.

recrudescence [ri:kru:'des(ə)ns] *sb.* F genopblussen.

recruit¹ [ri'kru:t] *sb.* **1.** nyt medlem; **2.** (*i hæren*) rekrut.

recruit² [ri'kru:t] *vb.* rekruttere, hverve, skaffe (*into* til).

recruitment [ri'kru:tmənt] *sb.* rekruttering, hvervning.

rectal ['rekt(ə)l] *adj.* endetarms-.

rectangle ['rektæŋgl] *sb.* rektangel, retvinklet firkant.

rectangular [rek'tæŋgjulə] *adj.* rektangulær, retvinklet.

rectification [rektifi'keiʃn] *sb.* (jf. *rectify*) **1.** F berigtigelse, rettelse; korrektion; afhjælpning; **2.** (*elek.*) ensretning; **3.** (*kem.*) rektificering;

□ *~ of the frontier* grænseregulering, grænserevision.

rectifier ['rektifaiə] *sb.* (*elek.*) ensretter.

rectify ['rektifai] *vb.* **1.** F berigtige, rette, korrigere (*fx errors*); rette op på (*fx the situation*); afhjælpe (*fx a defect*); **2.** (*elek.*) ensrette;

3. (*kem.*) rektificere.

rectilinear [rekti'liniə] *adj.* retlinjet; efter en ret linje.

rectitude ['rektitju:d] *sb.* retskaffenhed.

rector ['rektə] *sb.* **1.** (*i den engelske kirke*) sognepræst; **2.** (*i Skotland*) [*studentervalgt repræsentant i konsistorium*]; **3.** (*ved universitet, skole*) rektor.

rectory ['rektəri] *sb.* **1.** præstegård; **2.** sognekald.

rectum ['rektəm] *sb.* (*anat.*) rektum, endetarm.

recumbent [ri'kʌmbənt] *adj.* F liggende, hvilende.

recuperate [ri'kju:p(ə)reit] *vb.* **1.** komme sig (*from af, efter*); komme til kræfter; blive rask; **2.** (*med objekt*) genvinde (*fx one's health*).

recuperation [rikju:p(ə)'reiʃn] *sb.* (jf. *recuperate*) **1.** rekonvalescens; helbredelse; **2.** genvindelse.

recuperative [ri'kju:p(ə)rətiv] *adj.* helbredende; styrkende.

recur [ri'kə:] *vb.* komme/vende tilbage, komme igen, dukke op igen (*fx if the problem -s*); ske igen, gentage sig;

□ *it -red to me* det faldt mig ind igen; jeg kom igen i tanke(r) om det.

recurrence [ri'kʌr(ə)ns] *sb.* F tilbagevenden; gentagelse.

recurrent [ri'kʌr(ə)nt] *adj.* stadig tilbagevendende; periodisk tilbagevendende;

□ *~ fever* (*med.*) tilbagefaldsfeber.

recurring [ri'kə:riŋ] *adj.* se *recurrent*.

recurring decimal *sb.* periodisk decimalbrøk.

recyclable [ri:'saikləbl] *adj.* som kan genbruges, genanvendelig.

recycle [ri:'saikl] *vb.* genbruge, genanvende;

□ *-d paper* genbrugspapir.

recycling [ri:'saikliŋ] *sb.* genbrug, genanvendelse.

Red [red] *sb.* kommunist; socialist;

□ *the -s* de røde.

red¹ [red] *sb.* **1.** (*farve*) rødt; rød farve; **2.** (*vin*) rødvin;

□ *the ~* debetsiden; *be in the ~* T have underskud, have gæld.

red² [red] *adj.* rød;

□ *not a ~ cent* T ikke en rød øre; (se også ndf.: *red alert, red campion, red carpet (etc.)*).

red alert *sb.* **1.** alarmberedskab (*fx the army was on* (i) *~*); **2.** varsel;

□ *send out a ~ to the hospitals* sætte hospitalerne i alarmberedskab.

red-blooded [red'blʌdid] *adj.*

varmblodig, viril; (*am. også*) energisk, viljestærk.
redbreast ['redbrest] *sb.* (*zo.*, **T**) rødkælk.
redbrick ['redbrik] *adj.* rødstens- (*fx house*).
redbrick university *sb.* nyere universitet [*mods. Oxford og Cambridge*].
red campion *sb.* (*bot.*) dagpragtstjerne.
redcap ['redkæp] *sb.* **1.** (*mil.*) medlem af militærpolitiet; **2.** (*am.*) drager.
red carpet *sb.*: *the* ~ den røde løber.
redcoat ['redkəut] *sb.* (*hist.*: *eng. soldat*) rødfrakke.
red coral *sb.* ædelkoral.
Red Crescent *sb.* Røde Halvmåne.
Red Cross *sb.* Røde Kors.
redcurrant ['redkʌrənt] *sb.* (*bot.*) ribs.
redd [red] *sb.* (*zo.*) gydeplads.
red deer *sb.* (*zo.*) kronhjort.
redden ['red(ə)n] *vb.* **1.** rødme, blive rød; **2.** (*med objekt*) gøre rød;
□ *his face* -ed han blev rød i ansigtet.
reddle ['redl] *sb.* rød okker.
redecorate [ri:'dekəreit] *vb.* gøre i stand; male og tapetsere.
redeem [ri'di:m] *vb.* **1.** (*lån*) indfri, betale ud, amortisere; **2.** (*værdipapir*) indløse; **3.** (*løfte etc.*) indfri, opfylde (*fx a promise; an obligation*); **4.** (*noget en anden har overtaget*) tilbagekøbe (*fx land*); (*noget pantsat*) indløse (*from fra, fx a pawned watch from the pawnshop*); **5.** (*glds.: fra slaveri, fangenskab*) løskøbe; **6.** (*noget dårligt, mangelfuldt*) råde bod på; opveje; (*se også* ndf.: *redeeming feature*); **7.** (*noget tabt*) genvinde, vinde tilbage (*fx one's honour; one's reputation*); **8.** (*noget ondt*) gøre bod for, sone (*fx a life of evil*); **9.** (*rel.*) forløse, frelse (*from fra*);
□ -*ing feature* forsonende træk; ~ *oneself* rehabilitere sig; råde bod på det man har gjort;
[*med præp.*] ~ *from* redde fra (*fx his performance* -*ed the play from failure*); *it* -*ed him in* her eyes det fik hende til at forsone sig med ham.
redeemable [ri'di:məbl] *adj.* indløselig.
Redeemer [ri'di:mə] *sb.*: *the* ~ Frelseren, Forløseren.
redefine [ri:di'fain] *vb.* omdefinere.
redemption [ri'dem(p)ʃn] *sb.* (jf. *redeem*) **1.** (*af lån*) indfrielse, udbe-

taling, amortisering; **2.** (*af værdipapir*) indløsning; **3.** (*af løfte, forpligtelse*) indfrielse, opfyldelse; **4.** (*af noget en anden har overtaget*) tilbagekøb; indløsning; **5.** (*glds.*) løskøbelse; **6.** (*rel.*) frelse, forløsning; **7.** (*fig.*) frelse, redning;
□ *he is beyond* ~ (*fig.*) han står ikke til at redde; han er redningsløst fortabt.
redemptive [ri'dem(p)tiv] *adj.* frelsende, forløsende.
red ensign *sb.* [*britisk handelsflag*].
redeploy [ri:di'plɔi] *vb.* **1.** overflytte/overføre (fra et sted til et andet); **2.** (*mil.*) omgruppere.
redeployment [ri:di'plɔimənt] *sb.* **1.** overflytning; overføring; **2.** (*mil.*) omgruppering.
redevelop [ri:di'veləp] *vb.* (*byområde*) sanere.
redevelopment [ri:di'veləpmənt] *sb.* sanering.
red-eye ['redai] *sb.* **1.** (*foto.*: *ved fotografering med blitz*) røde øjne; **2.** (*flyv.*, **T**) natflyvning [*som giver røde øjne af mangel på søvn*]; natflyver; **3.** (*am.* **T**) slavewhisky; **4.** (*zo.*: *fisk*) rudskalle.
red-faced ['redfeist] *adj.* rød i hovedet.
redfish ['redfiʃ] *sb.* (*zo.*) rødfisk.
red grouse *sb.* (*zo.*) skotsk rype.
red-handed [red'hændid] *adj.*: *be caught* ~ blive grebet på fersk gerning.
redhead ['redhed] *sb.* rødhåret person, rødtop.
redheaded [red'hedid] *adj.* rødhåret.
red heat *sb.* rødglødhede.
red herring *sb.* **1.** røget sild; **2.** falsk/vildledende spor; afledningsmanøvre;
□ *draw a* ~ *across the track/trail* aflede opmærksomheden; føre på vildspor.
red-hot [red'hɔt] *adj.* **1.** rødglødende; **2.** (*om noget aktuelt*) hot (*fx book; news; guitarist*); **3.** (*om følelse*) rødglødende (*fx fury*); **4.** (*om person*) glødende, fyrig (*fx lover*).
red-hot poker *sb.* (*bot.*) raketblomst.
Red Indian *sb.* (*glds., neds.*) indianer.
redirect [ri:di'rekt] *vb.* omdirigere; (*om brev*) omadressere.
redistribute ['ri:dis'tribjut] *vb.* omfordele.
redistribution [ri:distri'bju:ʃn] *sb.* omfordeling.
redistrict [ri:'distrikt] *vb.* (*am.*: *valgkredse*) omlægge.

red lane *sb.*: *the* ~ (*i børnesprog*) halsen.
red lead [red'led] *sb.* mønje.
red-letter day [red'letədei] *sb.* mærkedag.
red light *sb.* rødt lys; stopsignal;
□ *drive through/jump a* ~ køre over for rødt.
red-light district [red'laitdistrikt] *sb.* bordelkvarter.
red meat *sb.* rødt kød.
red mullet *sb.* (*zo.*) mulle.
redneck ['rednek] *sb.* (*am. neds.*) [*fattig hvid landarbejder i Sydstaterne, med en stærkt konservativ indstilling*].
redo [ri:'du:] *vb.* **1.** gøre om (*fx the whole day's work*); **2.** (*værelse, bolig*) male om, nymale, istandsætte.
redolent ['redələnt] *adj.* (*litt.*) duftende;
□ *be* ~ *of* minde om, lede tanken hen på; *be* ~ *with* dufte af; være gennemtrængt af.
redouble [ri'dʌbl] *vb.* **1.** forstærke, (for)øge (*fx one's pace; one's efforts*); **2.** (*uden objekt*) forstærkes, (for)øges; **3.** (*i bridge*) redoble.
redoubt [ri'daut] *sb.* **1.** (*litt.*) bastion (*fx the last* ~ *of upper-class privilege*); fristed, tilflugssted; **2.** (*mil.*) redoute [*skanse der er lukket til alle sider*].
redoubtable [ri'dautəbl] *adj.* frygtindgydende, formidabel.
redound [ri'daund] *vb.*: ~ *to* være til (*fx it* -*s to his advantage*); bidrage til (*fx his fame*); *it* -*s to his credit/honour* det tjener ham til ære.
red pepper *sb.* **1.** rød peberfrugt; **2.** (*krydderi*) cayennepeber.
redpoll ['redpəul] *sb.* (*zo.*) gråsisken.
redraft[1] ['ri:dra:ft] *sb.* **1.** nyt udkast; **2.** (*merk.*) returveksel; rekambioveksel.
redraft[2] [ri:'dra:ft] *vb.* lave et nyt udkast til; skrive om.
redraw [ri:'drɔ:] *vb.* **1.** tegne igen, tegne om; **2.** (*grænse, plan etc.*) ændre, revidere.
redress[1] [ri'dres] *sb.* (jf. *redress*[2]) F **1.** oprejsning; **2.** afhjælpning; genoprettelse.
redress[2] [ri'dres] *vb.* F **1.** (*uret*) give oprejsning for; **2.** (*fejl*) afhjælpe, bøde på, rette op på (*fx the inequality*); (*se også balance*[1]).
redshank ['redʃæŋk] *sb.* (*zo.*) rødben.
red shift *sb.* (*astr.*) rødforskydning.
redskin ['redskin] *sb.* (*glds., neds.*) rødhud.
redstart ['redsta:t] *sb.* (*zo.*) røds-

R red tape

tjert.

red tape *sb.* kontoriusseri, bureau-krati, papirnusseri.

reduce [ri'dju:s] *vb.* (se også *reduced*) **1.** reducere, mindske, ned-sætte (*fx speed; the risk*); **2.** (*mht. omfang*) indskrænke (*fx consumption; the staff*); nedskære (*fx expenses*); nedbringe (*fx the cost; unemployment*); formindske (*fx the number*); (se også *demand¹*); **3.** (*mht. kvalitet*) forringe (*fx the quality; their standard of living*); **4.** (*pris, vare*) nedsætte (*by med, fx ~ prices by five per cent; the shirts have been -d from £50 to £25*); **5.** (*foto.: negativ*) afsvække (*fx a dense negative*); (*billede*) for-mindske, nedfotografere; **6.** (*i madlavning*) koge ind (*fx sauce*); **7.** (*mat.*) forkorte, reducere, bringe på den simpleste form; **8.** (*med.*) reponere, sætte i led; **9.** (*uden objekt, især am.*) slanke sig; være på slankekur; □ *~ to a.* bringe i (*fx order*); **b.** (*om ændring*) omdanne til (*fx rags to pulp; water to hydrogen and oxygen*); **c.** (*om beregning*) omregne til (*fx pounds to pence*); **d.** (*om forenkling*) reducere til, koge ned til (*fx he -d the problem to three simple questions*); **e.** (*om ødelæggelse*) forvandle til (*fx the explosion -d the house to rubble*); **f.** (*person*) hensætte i (*fx terror*); (*ved tvang*) tvinge til (*fx obedience; submission*); (*om svækkelse*) forvandle til (*fx skin and bones; a nervous wreck*); *~ sby to silence* bringe en til tavshed; *~ sby to tears* få en til at briste i gråd; *be -d to* se *reduced*.

reduced [ri'dju:st] *adj.* reduceret, formindsket, nedsat; □ *in ~ circumstances* (*glds.: om en det er gået tilbage for*) i fattige/trange kår; *be on ~ time* arbejde på nedsat tid; *be ~ to a.* blive indskrænket til (*fx the army was ~ to a police force*); **b.** blive forvandlet til (*fx the house was ~ to rubble*); *be ~ to + -ing* være//blive henvist til at, være//blive nødt til at (*fx begging; travelling by bus*); *be ~ to begging* (*også*) blive bragt til tiggerstaven; *be ~ to poverty* blive forarmet; (se også *rank¹*).

reducible [ri'dju:səbl] *adj.* som kan reduceres; □ *it is ~ to* det kan reduceres//for-enkles til.

reduction [ri'dʌkʃn] *sb.* (jf. *reduce*) **1.** reduktion; mindskelse; nedsæt-telse; **2.** (*af omfang*) indskrænk-

ning; nedskæring; nedbringning; formindskelse; **3.** (*af kvalitet*) for-ringelse; **4.** (*af pris*) nedsættelse; **5.** (*foto.: af negativ*) afsvækkelse; (*af billede*) formindskelse, nedfo-tografering; **6.** (*i madlavning: af væske*) indkogning; **7.** (*mat.*) re-duktion, forkortelse; **8.** (*med.*) re-position, det at sætte i led; □ *at a ~* (*jf. 4*) til nedsat pris.

reductionist [ri'dʌkʃnist] *adj.* re-duktionistisk.

reductive [ri'dʌktiv] *adj.* forenk-lende, simplificerende.

redundancy [ri'dʌndənsi] *sb.* **1.** overflødighed; det at være unødvendig; **2.** (*om arbejdskraft*) afskedigelse (*fx there were over 100 redundancies*); **3.** (*tilstand*) arbejdsløshed (*fx 100 workers now face ~*); **4.** (*sprogv. & it*) re-dundans.

redundant [ri'dʌndənt] *adj.* **1.** overflødig; unødvendig; overtal-lig; **2.** (*om arbejder*) afskediget; ar-bejdsløs; **3.** (*sprogv.*) redundant; □ *make ~* (*jf. 2*) afskedige.

reduplicate [ri'dju:plikeit] *vb.* for-doble, reduplicere.

redwing ['redwiŋ] *sb.* (*zo.*) vin-drossel.

redwood ['redwud] *sb.* (*bot.*) ame-rikansk kæmpefyr.

reed [ri:d] *sb.* **1.** (*bot.*) tagrør; **2.** (*mus.: i blæseinstrument*) rør-blad; **3.** (*i væv*) rit, kam; □ *the -s* (*jf. 2*) rørbladinstrumen-terne; (se også *broken²*).

reed bunting *sb.* (*zo.*) rørspurv.

reedling ['ri:dliŋ] *sb.* (*zo.*) skæg-mejse.

reed mace *sb.* (*bot.*) dunhammer.

reed organ *sb.* (*mus.*) harmonium, stueorgel.

reed pipe *sb.* (*mus.*) **1.** (*instrument*) rørfløjte; **2.** (*i orgel*) rørstemme, tungestemme.

re-educate [ri:'edʒukeit] *vb.* om-skole; genopdrage; belære.

reed warbler *sb.* (*zo.*) rørsanger.

reedy ['ri:di] *adj.* **1.** rørbevokset; **2.** (*om person*) lang og tynd, oplø-ben; **3.** (*om stemme*) pibende, tynd.

reef¹ [ri:f] *sb.* **1.** klipperev; **2.** (*mar.*) reb (*i sejl*); □ *take in a ~* mindske sejl, rebe; *shake out a ~* øge sejl, stikke et reb ud.

reef² [ri:f] *vb.* (*mar.*) rebe.

reefer ['ri:fə] *sb.* **1.** stortrøje; sø-mandsjakke; **2.** (*glds.* S: *marihua-nacigaret*) joint.

reefer jacket *sb.* = *reefer 1.*

reef knot *sb.* råbåndsknob.

reek¹ [ri:k] *sb.* **1.** stank, hørm;

dunst, os; **2.** (*skotsk*) røg.

reek² [ri:k] *vb.* stinke, dunste, ose (*of, with* af); □ *~ of* (*fig.: tyde på, vise*) lugte af, stinke af.

reel¹ [ri:l] *sb.* **1.** (*til bånd, film etc.*) spole; (*til film også*) rulle; **2.** (*del af film*) spole, rulle; **3.** (*til tråd, ståltråd*) rulle; (*til sytråd også*) trisse, haspe; **4.** (*på fiskestang*) hjul; **5.** (*til slange*) tromle; **6.** (*skotsk & irsk dans*) reel.

reel² [ri:l] *vb.* **1.** (*film*) spole; **2.** (*tråd*) rulle, vinde; (*sytråd også*) haspe; **3.** (*fiskeline*) hale, trække; **4.** (*slange, på tromle*) rulle; **5.** (*danse*) danse reel; **6.** (*om per-son: stå usikkert*) vakle, dingle, rave; (*gå også*) slingre (*fx down the street*); **7.** (*om sted*) løbe/køre rundt (*fx the room -ed before my eyes*); □ *my brain/mind -s* det løber/kø-rer rundt for mig; [*med præp.& adv.*] *~ back* vakle baglæns//tilbage; *he was -ing from the blow* slaget fik ham til at vakle/dingle/rave; *he was -ing from the shock* chokket slog be-nene væk under ham; *~ in a.* (*fisk etc.*) hale/trække ind; **b.** T lokke til; *~ off* remse op, lire af, rable af sig; *~ out a hose* rulle en slange ud; *-ing with* se ovf.: *-ing from.*

re-elect [ri:i'lekt] *vb.*: *be -ed* blive genvalgt.

re-election [ri:i'lekʃn] *sb.* genvalg.

reel-to-reel [ri:ltə'ri:l] *adj.*: *~ tape recorder* spolebåndoptager.

re-enact [ri:i'nækt] *vb.* genopføre, spille igen (*fx a scene*); rekonstru-ere (*fx a crime*).

re-enactment [ri:i'næktmənt] *sb.* genopførelse; rekonstruktion.

re-enter [ri:'entə] *vb.* **1.** komme/træde ind i igen; vende tilbage til (*fx the labour market*); **2.** (*om rumskib*) vende tilbage til jordens atmosfære.

re-entry [ri:'entri] *sb.* **1.** genindtræ-den; tilbagevenden; **2.** (*om rum-skib*) tilbagevenden til jordens atmosfære; **3.** (*jur.*) genindtræden i besiddelse, tagen i besiddelse igen.

re-establish [ri:i'stæbliʃ] *vb.* genop-rette.

re-establishment [ri:i'stæbliʃmənt] *sb.* genoprettelse.

reeve¹ [ri:v] *sb.* **1.** (*zo.*) brushøne; **2.** (*glds.*) foged; **3.** (*can.*) sogne-rådsformand; borgmester.

reeve² [ri:v] *vb.* (*rove/-d, rove/-d*) (*mar.: tov*) skære i, føre igennem.

re-examination [ri:igzæmi'neiʃn] *sb.* **1.** ny undersøgelse; kritisk

reflective R

gennemgang; fornyet overvejelse;
2. (*jur.*) genafhøring [*efter
cross-examination*].
reexamine [ri:ig'zæmin] *vb.* **1.** un-
dersøge på ny; gennemgå kritisk;
tage op til fornyet overvejelse;
2. (*jur.*) genafhøre [*efter cross-
examination*].
ref *sb.* (T: *i sport, fork. f. referee*)
dommer.
ref. *fork. f. reference.*
refained, refaned [ri'feind] *adj.* (T:
spøg. for refined) „darnet“.
refashion [ri:'fæʃn] *vb.* omforme,
omdanne.
refectory [ri'fekt(ə)ri] *sb.* **1.** F spise-
sal; **2.** (*i kloster*) refektorium.
refer [ri'fə:] *vb.*: ~ **back to a.** hen-
vise til; **b.** sende tilbage til; ~ **on
to** sende videre til (*fx ~ the pa-
tient on to a hospital*);
~ **to** (*uden objekt for vb.*) **a.** hen-
vise til (*fx an asterisk -s to a foot-
note; I must ~ to my contract*); re-
ferere til (*fx a document -ring to
this event*); **b.** angå (*fx the new
salary scale only -s to managers
and directors; does this informa-
tion ~ to me?*); **c.** (*i udsagn*) om-
tale (*fx I have already -red to the
problem; he is -red to as "the
Prophet"*); (*mere indirekte*) hen-
tyde til (*fx are you -ring to me?*);
d. (*for at få oplysning etc.*) se efter
i (*fx one's notes; a dictionary*);
e. (*person*) henvende sig til (*fx
you must ~ to your employer*); (se
også *drawer²*);
~ **to** (*med objekt*) **a.** (*person*) hen-
vise til (*fx he was -red to another
office//to a specialist*); **b.** (*sag*)
sende videre til, oversende til (*fx
~ the case to the complaints
board*); (*jur.*) indbringe for (*fx ~
the case to the European Court*);
c. (*ved klassifikation*) henføre til,
henregne til (*fx some scientists ~
these organisms to animals*);
d. (*tidsmæssigt*) henlægge til (*fx
~ the event to 300 B.C.*); **e.** (*mht.
årsag*) tilskrive (*fx ~ his illness to
overeating*).
referee¹ [refə'ri:] *sb.* **1.** (*sport: i fod-
bold etc.*) dommer; (*i boksning,
brydning*) kampleder; **2.** (*ved an-
søgning: person der henvises til*)
reference (*fx use him as a ~*);
3. (*for videnskabelig artikel*) refe-
ree [ɔ: *bedømmer*]; **4.** (*ved uenig-
hed*) opmand (*fx an independent
~*).
referee² [refə'ri:] *vb.* **1.** (*sports-
kamp*) fungere som dommer ved,
dømme i; **2.** (*uenighed*) være op-
mand i; **3.** (*videnskabelig artikel*)
være referee for.

reference ['ref(ə)rəns] *sb.* **1.** henvis-
ning, reference; **2.** (*i artikel, bog*)
henvisning; litteraturhenvisning;
3. (*om tekst etc.*) citat; **4.** (*ved an-
søgning*) anbefaling, udtalelse;
(*person*) reference;
□ *have ~ to* have forbindelse
med, have relation til; *make ~ to*
a. (*i udsagn*) omtale (*fx in his
speech he made ~ to the new
technology*); (*mere indirekte*) hen-
tyde til; **b.** (*for at få oplysning*) se
efter i, slå op i (*fx a dictionary*);
[*med præp.*] *for future* ~ til frem-
tidig brug; *in* ~ *to* se ndf.: *with ~
to*; *book/work of* ~ håndbog; op-
slagsbog; (se også *frame¹, term¹*);
with ~ *to* **a.** angående; **b.** i forbin-
delse med, i relation til; *without*
~ *to* **a.** uden forbindelse med (*fx
the matter*); **b.** uden at henvende
sig til (*fx the publishers reprinted
the book without ~ to the author*);
without ~ *to the matter* (*også*) sa-
gen uvedkommende.
reference book *sb.* håndbog; op-
slagsbog.
reference library *sb.* håndbiblio-
tek, håndbogssamling.
referendum [refə'rendəm] *sb.* fol-
keafstemning.
referral [ri'fɛ:rəl] *sb.* henvisning;
oversendelse; videresendelse.
refill¹ ['ri:fil] *sb.* **1.** ny påfyldning;
opfyldning; **2.** (*merk.: til original
beholder, emballage*) refill; (*til
læbestift etc.*) ny stift; (*til kugle-
pen*) patron; **3.** (*am.: på recept*)
gentaget køb;
□ *you have two -s left* (*jf. 3*) der er
to gange tilbage; *can I give you a
~?* (ɔ: *af drik*) må jeg skænke op
igen?
refill² [ri:'fil] *vb.* fylde (op) igen.
refine [ri'fain] *vb.* (se også *refined*)
1. rense; (*sukker, olie*) raffinere;
(*guld, sølv*) affinere; (*kobber*) gare;
2. (*metode etc.*) forfine (*fx the
technique; analysis*); forbedre;
□ ~ *upon* forfine; udvikle videre.
refined [ri'faind] *adj.* **1.** (*jf. refine*)
renset, raffineret [*etc.*]; **2.** (*om per-
son*) fin, dannet, kultiveret.
refinement [ri'fainmənt] *sb.* (*jf. re-
fine*) **1.** rensning; raffinering; affi-
nering; garing; **2.** (*af metode etc.*)
forfinelse; forbedring; **3.** (*resultat
heraf*) raffinement; finesse;
4. (*persons*) dannelse; forfinelse.
refinery [ri'fain(ə)ri] *sb.* raffinaderi.
refit¹ ['ri:fit] *sb.* reparation, istand-
sættelse, renovering; (*mar. også*)
ny udrustning.
refit² [ri:'fit] *vb.* reparere, istand-
sætte, renovere; (*mar. også*) udru-
ste.

reflag [ri:'flæg] *vb.* (*mar.*) udflage.
reflate [ri'fleit] *vb.*: ~ *the economy*
skabe reflation.
reflation [ri:'fleiʃn] *sb.* reflation.
reflationary [ri:'fleiʃn(ə)ri] *adj.* re-
flationsfremmende (*fx measures*);
reflatorisk.
reflect [ri'flekt] *vb.* **1.** (*lys, varme*)
reflektere, kaste tilbage (*fx the
sun's rays*); **2.** (*billede*) spejle, af-
spejle, genspejle (*fx the river -s
the trees*); **3.** (*fig.*) afspejle (*fx his
face -ed his emotions; it does not
~ the wishes of the people*);
4. (*om tankevirksomhed*) reflek-
tere, tænke sig om (*fx he had no
time to ~*);
□ *be -ed in* **a.** blive afspejlet/gen-
spejlet i (*fx he saw his face -ed in
the window*); spejle sig i (*fx the
house was -ed in the water*);
b. (*fig.*) blive afspejlet i, vise sig i
(*fx his renewed confidence was
-ed in his results*); ~ *off* blive ka-
stet tilbage fra; ~ *on* **a.** reflektere
over, tænke på (*fx the risk in-
volved*); overveje (*fx what to do*);
b. (*uheldigt*) falde tilbage på, stille
i et uheldigt lys (*fx when one
player behaves disgracefully it -s
on the whole team*); drage i tvivl
(*fx I do not wish to ~ on your sin-
cerity*); **c.** (*glds.*) tale nedsættende
om; ~ *well//badly on* give et
godt//dårligt indtryk af; *it -s credit
on them* det tjener dem til ære;
det gør dem ære.
reflecting telescope [ri'flektiŋ-
teliskəup] *sb.* spejlkikkert.
reflection [ri'flekʃn] *sb.* **1.** tilbage-
kastning, refleksion (*fx of a beam
of light*); **2.** (*om tilbagekastet lys*)
genskin (*fx the -s of the stree
lamps*); refleks; **3.** (*om billede*)
spejlbillede (*fx he looked at his ~
in the water*); **4.** (*fig.*) afspejling
(*of af, fx her clothes are a ~ of
her personality*); resultat (*of af*);
(*svag*) afglans (*fx a faint ~ of his
former glory*); **5.** (*om tankevirk-
somhed*) overvejelse, refleksion,
eftertanke (*fx after a moment's ~
he decided to refuse*);
□ *on* ~ ved nærmere eftertanke;
it is a (sad) ~ *on them* det stiller
dem i et dårligt/uheldigt lys; det
giver et dårligt indtryk af dem;
det er en kritik af dem;
-s on overvejelser over (*fx the
political situation*); betragtninger
over, tanker om.
reflective [ri'flektiv] *adj.* **1.** (*om
overflade*) reflekterende; **2.** (*om
person*) reflekterende, eftertænk-
som, tænksom;
□ *be ~ of* (*fig.*) afspejle (*fx public

699

R reflector

opinion); give et billede af.

reflector [ri'flektə] *sb.* **1.** (*på køretøj*) refleksglas; (*på cykel også*) katteøje; **2.** (*til at bære på tøj*) refleks; **3.** (*i lampe*) reflektor; **4.** (*am.: i vej*) reflektor; **5.** (*foto.*) refleksskærm; **6.** (*kikkert*) spejlteleskop.

reflex ['ri:fleks] *sb.* (*uvilkårlig bevægelse*) refleks.

reflex action *sb.* refleks.

reflex camera *sb.* reflekskamera.

reflexive [ri'fleksiv] *adj.* **1.** (*om bevægelse*) refleksmæssig; **2.** (*gram.*) refleksiv.

reflexologist [ri:flek'sɔlədʒist] *sb.* zoneterapeut.

reflexology [ri:flek'sɔlədʒi] *sb.* zoneterapi.

refloat [ri:'fləut] *vb.* (*grundstødt fartøj*) bringe flot.

reforest [ri:'fɔrist] *vb.* beplante igen [*med skov*].

reforestation [ri:fɔri'steiʃn] *sb.* genplantning [*med skov*]; skovfornyelse.

reform[1] [ri'fɔ:m] *sb.* reform; forbedring.

reform[2] [ri'fɔ:m] *vb.* **1.** reformere (*fx the tax system*); forbedre; **2.** (*kriminel*) rehabilitere, resocialisere; **3.** (*uden objekt*) forbedre sig; rette sig.

re-form [ri:'fɔ:m] *vb.* **1.** danne igen; gendanne; **2.** (*mil.*) formere igen.

reformat [ri'fɔ:mæt] *vb.* (*it*) reformatere, genformatere.

Reformation [refə'meiʃn] *sb.*: the ~ (*rel.*) Reformationen.

reformation [refə'meiʃn] *sb.* reformering; forbedring.

reformer [ri'fɔ:mə] *sb.* reformator.

reformist[1] [ri'fɔ:mist] *sb.* reformist, reformtilhænger.

reformist[2] [ri'fɔ:mist] *adj.* reformistisk, reformivrig.

refract [ri'frækt] *vb.* bryde [*lys*].

refracting telescope [ri'fræktiŋteliskəup] *sb.* linsekikkert.

refraction [ri'frækʃn] *sb.* refraktion, (lys)brydning.

refractory [ri'fræktə)ri] *adj.* F **1.** uregerlig, genstridig, trodsig; stædig; **2.** (*om sygdom*) refraktær, vanskelig at behandle, hårdnakket; **3.** (*kem.*) tungtsmeltelig (*fx metal*); ildfast.

refrain[1] [ri'frein] *sb.* refræn, omkvæd.

refrain[2] [ri'frein] *vb.*: ~ *from* + -ing F afholde sig fra at, undlade at, lade være med at.

refresh [ri'freʃ] *vb.* (se også *refreshing*) **1.** (*person*) forfriske, kvikke op; **2.** (*forhold, ting*) forny (*fx a friendship*); reparere på, friske op

på; **3.** (*it*) opfriske, regenerere; □ *can I ~ your drink?* (*am.*) må jeg skænke op igen? ~ *sby's memory* opfriske éns hukommelse.

refresher [ri'freʃə] *sb.* **1.** (*jur.*) ekstrasalær, ekstrahonorar; **2.** (*glds.* T) drink, opstrammer.

refresher course *sb.* repetitionskursus.

refreshing [ri'freʃiŋ] *adj.* **1.** forfriskende (*fx bath; drink*); **2.** (*fig.*) forfriskende, velgørende (*fx informality*).

refreshment [ri'freʃmənt] *sb.* F forfriskning; □ *light -s* let anretning, let måltid.

refrigerate [ri'fridʒəreit] *vb.* afkøle, køle; nedkøle, fryse.

refrigerated [ri'fridʒəreitid] *adj.* **1.** afkølet; nedkølet; **2.** (*i sms.*) køle- (*fx ship; van*).

refrigerating [ri'fridʒəreitiŋ] *adj.* køle- (*fx engine; plant* anlæg).

refrigeration [rifridʒə'reiʃn] *sb.* afkøling; nedkøling, frysning.

refrigerator [ri'fridʒəreitə] *sb.* køleskab.

refuel [ri:'fjuəl] *vb.* **1.** fylde brændstof på, tanke op (*fx a plane*); **2.** (*uden objekt*) få brændstof fyldt på, tanke op (*fx they stopped to* ~).

refuelling [ri:'fjuəliŋ] *sb.* tankning, brændstofpåfyldning.

refuge ['refju:dʒ] *sb.* **1.** tilflugtssted; fristed; ly; **2.** (*for voldsramte kvinder*) kvindehus; herberg, hjem; **3.** (*på vej*) helle; □ *a ~ from* et sted hvor man har fred for/er beskyttet mod (*fx the harsh world*); *seek ~ in* se: *take ~ in, b; take ~ in* **a.** søge tilflugt i (*fx one's home*); søge ly i; flygte ind i; **b.** (*fig.*) ty til, tage sin tilflugt til (*fx silence*); *find a ~ with* finde tilflugt/ly hos; *seek ~ with* søge tilflugt/ly hos.

refugee [refju'dʒi:] *sb.* flygtning.

refulgent [ri'fʌldʒ(ə)nt] *adj.* (*litt.*) strålende.

refund[1] ['ri:fʌnd] *sb.* refusion (*fx of VAT*); tilbagebetaling; □ *get a ~* få sine penge tilbage.

refund[2] [ri'fʌnd] *vb.* refundere, tilbagebetale (*fx we will ~ you your money*); (*for udlæg også*) godtgøre (*fx travelling expenses*).

refurbish [ri:'fɔ:biʃ] *vb.* gøre i stand, renovere; pudse op.

refurbishment [ri:'fɔ:biʃmənt] *sb.* istandsættelse, renovering; oppudsning.

refusal [ri'fju:z(ə)ll] *sb.* (jf. *refuse*[2]) **1.** afvisning; **2.** afslag; nægtelse; **3.** vægring; **4.** (*om hest*) refusering; **5.** (*merk.*) se *first refusal*.

refuse[1] ['refju:s] *sb.* affald; skrald.

refuse[2] [ri'fju:z] *vb.* **1.** afslå, sige nej til (*fx an invitation; an offer of help; a request*); afvise (*fx an offer; a request; she -d his advances*); **2.** (*uden objekt*) sige nej; vægre sig, undslå sig; **3.** (*om hest*) refusere; □ ~ *sby sth* nægte en noget (*fx ~ him admission*); ~ *to* nægte at (*fx he -d to cooperate; the car -d to start*); (*om person også*) vægre sig ved at.

refuse collection *sb.* afhentning/ indsamling af affald, renovation.

refuse collector *sb.* renovationsarbejder.

refuse disposal *sb.* bortskaffelse af affald.

refuse disposal plant *sb.* forbrændingsanstalt.

refuse dump *sb.* losseplads.

refutation [refju'teiʃn] *sb.* (jf. *refute*) **1.** gendrivelse; **2.** tilbagevisning, afvisning, imødegåelse.

refute [ri'fju:t] *vb.* **1.** (*påstand*) gendrive, modbevise; **2.** (*beskyldning*) tilbagevise, afvise, imødegå.

regain [ri'gein] *vb.* **1.** genvinde (*fx control*); få tilbage; (se også *consciousness*); **2.** (*litt.:* sted) komme/nå tilbage til (*fx the shore*).

regal ['ri:g(ə)l] *adj.* kongelig; prægtig, storslået.

regale [ri'geil] *vb.*: ~ *oneself* delikatere sig, fryde sig; ~ *sby with* **a.** (*spøg.: fortælling*) traktere/oparte/divertere en med (*fx improper stories*); **b.** (*mad, drikke*) traktere en med; be -d with (*også*) få serveret (*fx the latest gossip*).

regalia [ri'geiliə] *sb. pl.* (*monarks*) (kron)regalier [ɔ: *krone, scepter etc.*]; □ *in full* ~ i fuld uniform; i fuldt ornat.

regard[1] [ri'ga:d] *sb.* **1.** (*for person*) respekt, agtelse; **2.** (*for andet*) respekt, hensyn (*fx he showed little* ~ *for the feelings of others*); □ *-s* hilsen(er) (*fx with kind -s*); [*med vb.+ præp.*] *give* one's *-s to* sende hilsen til; *give my -s to the family!* hils familien! *have ~ for* **a.** have respekt for (*fx him; his opinion*); **b.** tage hensyn til, respektere (*fx other people's feelings*); *hold sby in high* ~ nære stor agtelse for én; sætte én højt; [*med præp.*] *in* this/that ~ F i denne/den henseende; *in ~ to* F med hensyn til, vedrørende; *with* ~ *to* = *in ~ to*; *without ~ for* uden respekt for/hensyn til (*fx his wishes; human life*).

regard[2] [ri'ga:d] *vb.* **1.** respektere, tage hensyn til (*fx sby's wishes*); **2. F** betragte, iagttage (*fx he -ed me coldly*); se på (*with* med, *fx admiration; horror*);

□ *as -s* hvad angår; med hensyn til;

~ *as* betragte som, anse for (*fx I ~ him as my friend*); ~ *him* **highly** sætte ham højt; *highly -ed* højt anset.

regarding [ri'ga:diŋ] *præp.* med hensyn til, angående.

regardless [ri'ga:dləs] *adj.* uden hensyn til følgerne; fuldstændig ligeglad (*fx they carried on ~*); (se også *press*[2]: *~ on*);

□ *~ of* uden at bekymre sig om; uanset, uden hensyn til.

regatta [ri'gætə] *sb.* regatta; kaproning; kapsejlads.

Regency ['ri:dʒ(ə)nsi] *adj.* [*fra perioden 1810-20*].

regency ['ri:dʒ(ə)nsi] *sb.* regentskab; rigsforstanderskab.

regenerate [ri'dʒenəreit] *vb.* **1.** genskabe; forny; genopbygge; (*også: moralsk*) genrejse; **2.** (*biol.*) regenerere, gendanne; **3.** (*uden objekt, jf. 2*) regenereres, gendannes, vokse ud igen.

regeneration [ridʒenə'reiʃn] *sb.* **1.** genskabelse; fornyelse; genopbygning; (*også: moralsk*) genrejsning; **2.** (*biol.*) regeneration, gendannelse; **3.** (*radio.*) medkobling.

regent[1] ['ri:dʒ(ə)nt] *sb.* **1.** regent [*som regerer i monarkens sted*]; rigsforstander; **2.** (*am.: på statsligt universitet*) medlem af konsistorium.

regent[2] ['ri:dʒ(ə)nt] *adj.* regerende.

regentship ['ri:dʒ(ə)ntʃip] *sb.* regentskab.

reggae ['regei] *sb.* (*mus.*) reggae.

regicide ['redʒisaid] *sb.* **1.** kongemord; **2.** (*person*) kongemorder.

régime [rei'ʒi:m, (*am. især*) rə-] *sb.* **1.** (*i land*) regime, styre; **2.** (*i institution etc.*) system, ordning; **3.** (*med.*) kur; diæt.

regimen ['redʒimen] *sb.* kur; program; levevis; diæt.

regiment[1] ['redʒimənt] *sb.* (*mil.*) regiment.

regiment[2] ['redʒiment] *vb.* disciplinere; ensrette.

regimental [redʒi'ment(ə)l] *adj.* regiments-.

regimentation ['redʒimen'teiʃn] *sb.* ensretning.

region ['ri:dʒ(ə)n] *sb.* **1.** område (*fx in the Birmingham ~*); region; provins (*fx an autonomous ~*); egn; **2.** (*på kroppen*) region (*fx the lumbar ~* lænderegionen); om-

råde;

□ *in the ~ of* (*omtrentlig angivelse*) i omegnen af, omkring (*fx £50,000*).

regional ['ri:dʒ(ə)n(ə)l] *adj.* regional; provins- (*fx government*); lokal (*fx accent; variations*); egns- (*fx plan; planning*).

register[1] ['redʒistə] *sb.* **1.** register, fortegnelse, liste; (se også *electoral register, hotel register, Land Register, parish register*); **2.** (*mar.*) skibsregister; **3.** (*i skole*) protokol; **4.** (*mus.: i orgel*) register; (*om stemme*) register, toneleje; **5.** (*til luftregulering*) spjæld; **6.** (*typ.*) register (*fx out of ~; in perfect ~*); pasning; **7.** (*sprogv.*) register, stilleje; **8.** (*især am.*) *= cash register*.

register[2] ['redʒistə] *vb.* (se også *registered*) **A. 1.** (*i fortegnelse, register etc.*) indføre; registrere; indskrive (*fx new students; new members*); **2.** (*hos myndighed*) registrere (*fx a trade mark; a ship; a company*); indregistrere (*fx a car*); anmelde (*fx a birth*); (*jur.: fast ejendom*) tinglyse; **3.** (*brev etc.*) anbefale, rekommandere; **4.** (*bagage*) indskrive; **5.** (*om instrument*) vise (*fx the thermometer -ed 27 degrees*); registrere; **6.** (*på instrument*) måle (*fx the earthquake -ed 6.1 points on the Richter scale*); **7.** (**F**, *om person: mening*) markere, tilkendegive (*fx one's opposition to sth; dissatisfaction with sth; one's protest*); **8.** (*resultat*) notere (*fx they -ed their third consecutive victory*); **9.** (*hændelse*) opfatte, registrere (*fx she had not -ed my presence*); **10.** (*følelse: ved ansigtsudtryk etc.*) vise; give udtryk for (*fx surprise*);

B. (*uden objekt*) **1.** indskrive sig (*at* på, *fx a hotel*); indmelde sig (*for* til, *fx a course*); **2.** (*hos myndighed*) melde sig/tilmelde sig (*with* hos, *fx the police*); **3.** (*på instrument*) blive registreret, måles (*fx the earthquake was too small to ~ on the Richter scale*); **4.** (*om indtryk, oplysning*) trænge ind; gøre indtryk (*fx he has been told but it didn't ~*); **5.** (*tekn.*) være placeret rigtigt i forhold til hinanden; passe til hinanden; (*typ.*) holde register;

□ *~ with a doctor* (*jf. 11*) indskrive/tilmelde sig som patient hos en læge.

registered ['redʒistəd] *adj.* **1.** indskrevet; **2.** (*hos myndighed*) anmeldt, registreret (*fx company*); (*som beskyttelse*) registreret (*fx trade mark*); mønsterbeskyttet;

3. (*om brev*) anbefalet, rekommanderet; **4.** (*om værdipapir*) navnenoteret (*fx share*); udstedt på navn; (*om ejer*) noteret;

□ *the ship is ~ in* skibet er hjemmehørende i.

registered nurse *sb.* autoriseret sygeplejerske.

registered office *sb.* (*jur.: for selskab*) hjemsted.

register office *sb.* (*i officielt sprog*) *= registry office.*

register ton *sb.* (*mar.*) registerton.

registrar [redʒi'stra:, 'redʒistra:] *sb.* **1.** registrator; **2.** (*som foretager vielser*) giftefoged; **3.** (*for universitet*) universitetssekretær; **4.** (*med., svarer til*) reservelæge;

□ *married before the ~* borgerlig viet.

registration [redʒi'streiʃn] *sb.* **1.** indføring; registrering; indskrivning (*fx of new students*); **2.** (*hos myndighed*) registrering; indregistrering (*fx of a car*); anmeldelse (*fx of a birth*); (*jur.*) tinglysning; **3.** (*af brev etc.*) anbefaling, rekommandering; **4.** (*af bagage*) indskrivning; **5.** (*som gæst, elev*) indskrivning (*fx at a hotel*); indmeldelse (*fx for a course*); **6. T** indtrængen.

registration number *sb.* (*for bil*) indregistreringsnummer; bilnummer.

registry ['redʒistri] *sb.* **1.** register, registreringskontor; arkiv; **2.** indregistrering; (se også *port of registry*).

registry office *sb.* folkeregister; borgmesterkontor;

□ *marriage at a ~* borgerlig vielse; rådhusbryllup.

regorge [ri:'gɔ:dʒ] *vb.* gylpe op.

regress [ri'gres] *vb.* **F** vende tilbage [*til tidligere udviklingstrin*]; gå tilbage.

regression [ri'greʃn] *sb.* **F 1.** tilbagegang; **2.** (*psyk.*) regression.

regressive [ri'gresiv] *adj.* **F** tilbagegående, regressiv.

regret[1] [ri'gret] *sb.* **1.** beklagelse (*at* over, *af, fx the accident; to my ~, I had to go; with deep ~*); sorg (*at* over, *fx her death*); **2.** (*over noget man har gjort*) anger;

□ *have/feel no -s about* ikke være ked af; *send one's -s* sende/melde afbud.

regret[2] [ri'gret] *vb.* **1. F** beklage (*fx one's ignorance; we ~ that we cannot help you*); **2.** (*noget man har gjort*) fortryde (*fx he -ted having said it*); angre; **3.** (*glds.*) savne (*fx he died -ted by all*); begræde;

□ *we ~ to announce* vi beklager at

måtte meddele.

regretful [ri'gretf(u)l] *adj.* fuld af beklagelse.

regretfully [ri'gretf(u)li] *adv.* med beklagelse; fuld af beklagelse.

regrettable [ri'gretəbl] *adj.* beklagelig.

regrettably [ri'gretəbli] *adv.* beklageligvis.

regroup [ri:'gru:p] *vb.* (*mil.*) omgruppere.

regular¹ ['regjulə] *sb.* fast kunde; stamgæst;

□ *-s* (*mil.*) regulære tropper.

regular² ['regjulə] *adj.* **1.** regelmæssig (*fx shape; teeth; life; rhythm; a fairly ~ occurrence*); **2.** (*om noget stadig tilbagevendende*) fast (*fx monthly check; income; work; customer, visitor*); **3.** (*som noget man vender tilbage til*) sædvanlig (*fx my ~ supplier; his ~ duties*); **4.** (*om benævnelse*) rigtig (*fx he is a ~ doctor*); egentlig (*fx it is not a ~ novel; this was not his ~ job*); **5.** (*i forhold til bestemmelser*) i overensstemmelse med reglerne; vedtægtsmæssig (*fx procedure*); forskriftsmæssig; **6.** (*glds.* T) ordentlig (*fx downpour; beating*); regulær (*fx scoundrel; fight*); (*spøg.*) ren (*fx disaster*); **7.** (*mil.*) regulær (*fx troops*); **8.** (*am.*) almindelig, normal (*fx size*); **9.** (*på restaurant: om portion*) mellemstor; **10.** (*geom.*) regulær (*fx polygon*); **11.** (*gram.*) regelmæssig (*fx verb*);

□ *~ clergy* ordensgejstlige; *a ~ guy* (*am.*) en regulær fyr; (*se også hour, clockwork*).

regularity [regju'lærəti] *vb.* regelmæssighed.

regularize ['regjuləraiz] *vb.* **1.** bringe i overensstemmelse med reglerne; normalisere (*fx their status*); **2.** gøre regelmæssig, regulere (*fx English spelling*).

regulate ['regjuleit] *vb.* **1.** regulere, styre, kontrollere (*fx temperature*); **2.** (*apparat*) regulere, indstille (*fx a thermostat*).

regulation¹ [regju'leiʃn] *sb.* **1.** bestemmelse, forskrift (*fx safety -s; rules and -s*); forordning, regel; **2.** (jf. *regulate*) regulering, styring, kontrol; (*af apparat*) regulering, indstilling;

□ *-s* (jf. 1, også) reglement.

regulation² [regju'leiʃn] *adj.* reglementeret (*fx uniform*); forskriftsmæssig, foreskreven.

regulator ['regjuleitə] *sb.* **1.** reguleringsmekanisme; (*i ur*) regulator; rokker; **2.** (*person*) kontrollant; kontrolinstans.

regurgitate [ri'gə:dʒiteit] *vb.* gylpe

op.

regurgitation [rigə:dʒi'teiʃn] *vb.* opgylpning.

rehab¹ [ri:'hæb] *sb.* (*fork. f. rehabilitation*) **1.** (*især* T) revalidering; afvænning; **2.** (*am.*) renoveret bygning.

rehab² [ri:'hæb] = *rehabilitate*.

rehabilitate [ri:(h)ə'biliteit] *vb.* **1.** (*person: efter vanære*) rehabilitere, give oprejsning; genindsætte i tidligere stilling//ret; **2.** (*efter sygdom*) revalidere, genoptræne; **3.** (*misbruger*) afvænne; **4.** (*kriminel*) resocialisere; **5.** (*bygning etc.*) restaurere.

rehabilitation [ri:(h)əbili'teiʃn] *sb.* (cf. *rehabilitate*) **1.** oprejsning, æresoprejsning; genindsættelse; **2.** (*efter sygdom*) revalidering, genoptræning; **3.** (*af misbruger*) afvænning; **4.** (*af kriminel*) resocialisering; **5.** (*af bygning etc.*) restaurering.

rehash¹ ['ri:hæʃ] *sb.* (*fig., neds.*) opkog.

rehash² [ri:'hæʃ] *vb.* (*fig., neds.*) lave et opkog af.

rehearsal [ri'hə:s(ə)l] *sb.* (jf. *rehearse*) **1.** indstudering, indøvelse; prøve; (se også *dress rehearsal*); **2.** indstudering; **3.** opregning.

rehearse [ri'hə:s] *vb.* **1.** (*teat.: stykke, rolle, dans*) indstudere, indøve; holde prøve på; **2.** (*noget man skal sige//gøre*) øve sig på (*fx the answers*); indstudere; **3.** (F: *om gentagelse*) opregne, repetere (*fx all the arguments*); gennemgå i detaljer.

rehoboam [ri:ə'bəuem] *sb.* [*flaske der rummer 4,5 liter*].

rehouse [ri:'hauz] *vb.* genhuse.

reify ['ri:ifai] *vb.* (*filos.*) reificere, tingsliggøre, konkretisere.

reign¹ [rein] *sb.* regering, regeringstid (*fx during the ~ of Henry VIII*);

□ *~ of terror* rædselsregimente, terrorregime.

reign² [rein] *vb.* **1.** regere (*fx the queen -s but does not rule; George V -ed 1910-36*); **2.** (*fig.; litt.*) herske (*fx confusion -ed about the correct response*);

□ *~ over* a. (jf. 1) regere over; b. (jf. 2) hvile over (*fx calm -ed over the country*); *~ supreme* herske enerådende, bestemme suverænt (*fx she -s supreme in the kitchen*).

reimburse [ri:im'bə:s] *vb.* godtgøre, refundere; tilbagebetale;

□ *~ him for the expenses* godtgøre/refundere ham udgifterne; *he was -d for the costs* han fik om-

kostningerne godtgjort/refunderet; *he was -d for the damage* han fik erstatning for skaden; *~ oneself* tage sig betalt; holde sig skadesløs.

reimbursement [ri:im'bə:smənt] *sb.* godtgørelse; tilbagebetaling.

rein¹ [rein] *sb.* tømme, tøjle;

□ *-s* (*til barn*) gåsele; *the -s* (*fig.*) tøjlerne (*fx take over the -s*) [ɔ: *magten*]; *hand over the -s* give tøjlerne fra sig; *hand over the -s to* overlade tøjlerne til (*fx the younger generation*);

[med *vb.*] *draw the ~* holde hesten an; *give (a) free ~* lade få/ give frie tøjler (*fx give the children//one's imagination (a) free rein*); *keep a tight ~ on* holde i stramme tøjler (*fx the children; the budget*).

rein² [rein] *vb.* tøjle;

□ *~ back/in* a. (*hest*) holde an, stoppe; b. (*fig.*) bremse, holde igen på (*fx spending*); holde tilbage (*fx one's excitement*); få kontrol over.

reincarnated [ri:in'ka:neitid, ri:'inka:neitid] *adj.* reinkarneret, genfødt;

□ *be ~* blive reinkarneret, genfødes.

reincarnation [ri:inka:'neiʃn] *sb.* reinkarnation, genfødelse.

reindeer ['reindiə] *sb.* (*zo.*) rensdyr, ren.

reinforce [ri:in'fɔ:s] *vb.* **1.** forstærke; **2.** (*idé, argument*) underbygge; bestyrke.

reinforced [ri:in'fɔ:st] *adj.*: *~ alert* (*mil.*) forstærket overgangsberedskab; *~ concrete* jernbeton; armeret beton.

reinforcement [ri:in'fɔ:smənt] *sb.* forstærkning.

reinstate [ri:in'steit] *vb.* F **1.** (*person*) genindsætte; genansætte; **2.** (*lov, ordning*) genindføre (*fx the death penalty*).

reinstatement [ri:in'steitmənt] *sb.* (jf. *reinstate*) F **1.** genindsættelse; genansættelse; **2.** genindførelse (*fx of the death penalty; of a tax*).

reinsurance [ri:in'ʃuər(ə)ns] *vb.* genforsikring.

reinsure [ri:in'ʃuə] *vb.* genforsikre.

reinvent [ri:in'vent] *vb.* genopfinde, opfinde igen;

□ *~ oneself* lægge sit liv helt om; (se også *wheel¹*).

reissue¹ [ri:'iʃu:] *sb.* (jf. *reissue²*) genudsendelse, genudgivelse; optryk.

reissue² [ri:'iʃu:] *vb.* **1.** (*bog, plade*) genudsende, genudgive; (*bog også*) optrykke; **2.** (*film*) genudsende.

reiterate [ri:'itəreit] *vb.* gentage.

reiteration [ri:itə'reiʃn] *sb.* gentagelse.

reject[1] ['ri:dʒekt] *sb.* **1.** (*merk.*) kasseret//frasorteret vare; andensorteringsvare; **2.** (*om person*) afvist.

reject[2] [ri'dʒekt] *vb.* **1.** afvise (*fx an offer; a suggestion; a request; a manuscript; the machine -ed the coin*); (*tilbud også*) afslå; (*frier, frieri også*) forsmå; (*forslag, teori også*) forkaste; **2.** (*vare etc.*) kassere; **3.** (*mad*) ikke kunne holde i sig; kaste op; **4.** (*transplanteret organ*) afstøde.

rejection [ri'dʒekʃn] *sb.* (jf. *reject*[2]) **1.** afvisning; afslag; forkastelse; **2.** kassation, kassering; **3.** opkastning; **4.** afstødning.

rejig [ri:'dʒig] *vb.* T omorganisere; ændre, revidere.

rejigger [ri:'dʒigə] *vb.* = *rejig*.

rejoice [ri'dʒɔis] *vb.* (*litt.*) glæde sig, fryde sig (*at/in* over; *to* over at);

□ ~ *in* (*glds., spøg.*) være udstyret med.

rejoicing [ri'dʒɔisiŋ] *sb.* (*litt.*) jubel, glæde; festlighed.

rejoin[1] [ri'dʒɔin] *vb.* (*litt.*) svare, ripostere.

rejoin[2] [ri:'dʒɔin] *vb.* **1.** (*person, gruppe*) vende tilbage til, slutte sig til igen; **2.** (*vej*) støde 'til igen.

rejoinder [ri'dʒɔində] *sb.* **1.** svar; **2.** (*jur.*) duplik.

rejuvenate [ri'dʒu:v(ə)neit] *vb.* forynge.

rejuvenation [ridʒu:v(ə)'neiʃn] *sb.* foryngelse.

rekindle [ri:'kindl] *vb.* **1.** (*ild*) tænde igen; **2.** (*fig.*) genopvække; få til at blusse op igen.

relapse[1] ['ri:læps, ri'læps] *sb.* F tilbagefald.

relapse[2] [ri'læps] *vb.* F få et tilbagefald;

□ ~ *into* falde tilbage til; ~ *into silence* igen synke hen i tavshed.

relate [ri'leit] *vb.* fortælle, berette; □ ~ *to* **a.** angå (*fx this paragraph -s to the matter*); **b.** stå i//have forbindelse med (*fx find out how the phenomena* ~ *to one another*); **c.** (*person*) få//have et naturligt forhold til; forholde sig til; **d.** (*med objekt*) sætte i forbindelse med, relatere til (*fx* ~ *the phenomena to one another*).

related [ri'leitid] *adj.* **1.** beslægtet (*to* med); **2.** forbundet (*to* med); **3.** (*i sms.*) -relateret (*fx alcohol-*~; *drug-*~).

relation [ri'leiʃn] *sb.* **1.** forbindelse (*between* mellem, *fx there is no* ~ *between the two events*); relation; **2.** (*person*) slægtning; **3.** (*seksuelt*) forhold;

□ *-s* **a.** forhold (*fx the -s between Denmark and Sweden; his -s with his father*); **b.** forbindelse (*fx diplomatic -s*); *have sexual -s with* have et forhold til; stå i forhold til;

bear no ~ *to* ikke stå i noget rimeligt forhold til; *in* ~ *to* **a.** i forhold til; **b.** i forbindelse med.

relationship [ri'leiʃnʃip] *sb.* **1.** forbindelse (*between* mellem, *fx smoking and cancer*); **2.** (*om mennesker, grupper*) forhold (*between* mellem, *fx the police and the public; mother and child; with* til, *fx the firm's* ~ *with the bank; his* ~ *with his father*); **3.** (*familiemæssigt*) slægtskab (*with* med); **4.** (*seksuelt: samliv*) forhold (*fx she had had several unhappy -s*);

□ *bear little//no* ~ *to* ikke have megen//nogen forbindelse med.

relative[1] ['relətiv] *sb.* **1.** slægtning, pårørende; **2.** (*gram.*) relativt pronomen.

relative[2] ['relətiv] *adj.* relativ; forholdsmæssig;

□ ~ *to* som angår/vedrører (*fx the facts* ~ *to the case*); *be* ~ *to* stå i forbindelse med; stå i forhold til.

relative clause *sb.* (*gram.*) relativsætning.

relative density *sb.* massefylde.

relatively ['relətivli] *adv.* relativt; forholdsvis.

relativism ['relətivizm] *sb.* relativisme.

relativity [relə'tivəti] *sb.* relativitet.

relax [ri'læks] *vb.* **1.** (*om person*) slappe af; **2.** (*om muskel*) afslappes; løsnes; **3.** (*med objekt: muskel*) afspænde; **4.** (*regel, bestemmelse*) slække på (*fx the rules; discipline; security*); lempe;

□ ~ *one's hold/grip on* løsne grebet om; (se også *guard*[1]).

relaxation [ri:læk'seiʃn] *sb.* **1.** afslapning; afspænding; **2.** (*af regler etc.*) mildnelse; lempelse;

□ ~ *of tension* afspænding [*i politik*].

relay[1] ['ri:lei] *sb.* **1.** (*i sport*) stafetløb; **2.** (*elek.*) relæ; **3.** (*i radio, tv*) transmission; **4.** (*til afløsning*) nyt hold; (*af heste*) nyt forspand;

□ *in/by -s* på skift (*fx work in -s*); *after tur;* i hold (*fx eat in -s*).

relay[2] ['ri:lei] *vb.* **1.** (*i radio, tv*) transmittere; **2.** (*besked, oplysning*) videregive, lade gå videre.

relay[3] [ri:'lei] *vb.* omlægge; lægge igen.

relay race ['ri:leireis] *sb.* stafetløb.

release[1] [ri'li:s] *sb.* (jf. *release*[2]) **1.** (*fra indespærring*) løsladelse; frigivelse; **2.** (*fig.*) afløb; udløsning; **3.** (*af meddelelse*) udsendelse, frigivelse, offentliggørelse; (se også *press release*); **4.** (*af cd, video etc.*) udgivelse; (*også om film*) udsendelse; (*det udsendte*) plade, cd, video; film (*fx new -s*); **5.** (*af bombe*) udløsning; (*af missil*) affyring; **6.** (*af varme, luft etc.*) frigørelse; udsendelse; udslip; **7.** (*mekanisk*) frakobling; udløsning; **8.** (*jur.*) frafaldelse; opgivelse; **9.** (*følelse*) lettelse; **10.** (*mekanisme*) udløser, udløsningsmekanisme; **11.** (*foto.*) udløser;

□ *on (general)* ~ frigivet, udgivet, udsendt; på gaden.

release[2] [ri'li:s] *vb.* **1.** (*fra indespærring*) løslade, frigive (*fx prisoners*); sætte i frihed, slippe ud (*fx a bird*); **2.** (*fig.*) slippe løs, give frit løb (*fx one's anger, one's creativity*); (*spænding*) udløse, lette; **3.** (*meddelelse*) udsende, frigive, offentliggøre; **4.** (*cd, video etc.*) udgive; (*også: film*) udsende; **5.** (*fra fly: bombe*) udløse; (*missil*) affyre; **6.** (*luft, varme etc.*) frigive, udsende; slippe ud (*fx dioxin into the atmosphere*); **7.** (*mekanisk*) koble fra; udløse (*fx a control mechanism; a parachute*); slå fra, slippe (*fx the brake*); **8.** (F: *noget man holder fast i*) slippe (*fx he -d her arm//wrist*); **9.** (*jur.*) frafalde, opgive (*fx a claim*);

□ ~ *one's grasp/grip/hold* slippe sit tag;

~ *from* **a.** (*indespærring*) løslade fra (*fx prison*); slippe ud af (*fx a cage*); **b.** (F: *forpligtelse*) frigøre for (*fx an obligation*); løse fra (*fx a promise*); **c.** (*smerte*) befri for (*fx pain*); udfri af (*fx* ~ *him from his sufferings*); ~ *sby from prison* (*også*) sætte en på fri fod.

relegate ['religeit] *vb.:* *be -d* (*om sportshold*) blive rykket ned; *be -d to* blive henvist til (*fx a secondary role*); blive forvist til (*fx the old chairs were -d to the kitchen*); blive degraderet til.

relegation [relə'geiʃn] *sb.* (jf. *relegate*) **1.** henvisning; forvisning; degradering; **2.** (*i sport*) nedrykning.

relent [ri'lent] *vb.* **1.** bøje sig, give efter; lade sig formilde; **2.** (*om dårligt vejr*) blive bedre; (*om regn*) tage af.

relentless [ri'lentləs] *adj.* **1.** (*om ubehagelighed*) ubarmhjertig (*fx pressure; heat*); **2.** (*om person*) ubøjelig, ubønhørlig, ubarmhjertig.

relevance ['reləvəns] *sb.* relevans; forbindelse med//betydning for sagen.

relevancy ['reləvənsi] *sb.* F = *relevance.*

relevant ['reləvənt] *adj.* relevant; som vedkommer//har betydning for sagen.

reliability [rilaiə'biləti] *sb.* (jf. *reliable*) 1. pålidelighed; 2. driftsikkerhed.

reliable [ri'laiəbl] *adj.* 1. pålidelig (*fx person; source*); 2. (*om maskine etc.*) driftsikker.

reliance [ri'laiəns] *sb.* 1. afhængighed (*on* af); 2. tillid (*on* til); □ *place/put ~ in/on* sætte sin lid til; fæste lid til; *in ~ on* i tillid til.

reliant [ri'laiənt] *adj.* afhængig (*on* af).

relic ['relik] *sb.* 1. levn (*of* fra, *fx she//the law is a ~ of the Victorian age*); levning; rudiment; 2. (*genstand*) levn (*of* fra, *fx -s of the past; historic -s*); minde (*fx letters and other -s of his youth*); 3. (*rel.*) relikvie.

relief[1] [ri'li:f] *sb.* 1. (*følelse*) lettelse; befrielse; 2. (*i smerte*) lindring; 3. (*i ensformighed*) variation; afveksling; 4. (*til nødstedte*) hjælp, nødhjælp (*fx send ~ to the victims of the earthquake*); 5. (*am.*) understøttelse; 6. (*i anstrengende arbejde*) aflastning; 7. (*i belejring etc.*) undsætning; 8. (*i arbejde, vagt*) afløsning; 9. (*i kunst etc.*) relief; □ *run a ~* (*jernb.*) dublere et tog; indsætte et ekstratog; [*med præp.*] *in ~* i relief; *stand out in strong ~ against* (*fig.*) træde skarpt frem imod; stå i skarp kontrast til; *bring/throw into ~* sætte i relief; fremhæve; *breathe/heave a sigh of ~* drage et lettelsens suk; *be on ~* (*am.*) leve af understøttelse; *come to his ~* komme ham til undsætning.

relief[2] [ri'li:f] *adj.* 1. hjælpe-, nødhjælps- (*fx organization; supplies; work*); 2. (*om transportmiddel*) ekstra- (*fx bus; train*); 3. (*i arbejde*) afløsnings- (*fx crew*); som skal afløse; 4. (*i kunst etc.*) relief-.

relief map *sb.* 1. højdekort; 2. (*model*) reliefkort.

relief printing *sb.* (*typ.*) højtryk.

relief road *sb.* aflastningsvej; omfartsvej.

relieve [ri'li:v] *vb.* (se også *relieved*) 1. (*tryk*) lette; 2. (*smerte*) lindre, dulme; 3. (*nød*) lindre, afhjælpe; 4. (*trængt person*) aflaste; 5. (*belejret by etc.*) undsætte, komme til undsætning; 6. (*en der har vagt*) afløse; 7. (*ensformighed*) variere; bringe afveksling ind i; □ *~ one's feelings* få luft for sine følelser [ɔ: *bande, skælde ud*]; *~ nature, ~ oneself* (*glds.*) forrette sin nødtørft; lade vandet; *~ of a.* (F: *noget tungt*) lette for, befri for, skille af med (*fx I -d my visitor of his luggage*); b. (*noget belastende*) aflaste for, befri for (*fx the heavy work*); *somebody had -d me of my wallet* (T: *spøg.*) nogen havde lettet mig for/hugget min tegnebog; *be -d of one's duties* F blive fritaget for sine forpligtelser [ɔ: *afskediget*].

relieved [ri'li:vd] *adj.* (*om følelse*) lettet (*fx I was ~ to hear he was alive*).

relieving arch [rili:viŋ'a:tʃ] *sb.* (*arkit.*) buet stik.

religion [ri'lidʒ(ə)n] *sb.* religion; □ *get ~* (T: *iron.*) blive omvendt, blive frelst.

religious [ri'lidʒəs] *adj.* 1. religiøs; 2. (*fig.*) samvittighedsfuld.

religiously [ri'lidʒəsli] *adj.* 1. religiøst; 2. (*fig.*) samvittighedsfuldt, pligtskyldigst, troligt.

religiousness [ri'lidʒəsnəs] *sb.* 1. religiøsitet; 2. (*fig.*) samvittighedsfuldhed.

relinquish [ri'liŋkwiʃ] *vb.* F slippe; opgive; give afkald på.

reliquary ['relikwəri] *sb.* relikvieskrin.

relish[1] ['reliʃ] *sb.* 1. nydelse; velbehag; 2. (*tilsætning til mad*) kold sauce; pikant dressing; pickles; □ *have no ~ for* ikke bryde sig om; *it loses its ~* (*fig.*) det mister sin tiltrækning.

relish[2] ['reliʃ] *vb.* nyde; synes om; □ *I don't ~ + -ing* jeg bryder mig ikke om at.

relive [ri:'liv] *vb.* genopleve.

rellie, relly ['reli] *sb.* (*austr.* T) se *relative*[1] 1.

reload [ri:'ləud] *vb.* 1. (*skydevåben*) lade igen; 2. (*foto.*) sætte ny film i.

relocate [ri:lə(u)'keit] *vb.* 1. flytte; 2. (*person*) forflytte.

relocation [ri:lə(u)'keiʃn] *sb.* 1. flytning; 2. (*af person*) forflyttelse.

reluctance [ri'lʌkt(ə)ns] *sb.* utilbøjelighed, ulyst, modvillighed; □ *with ~* modstræbende, modvilligt.

reluctant [ri'lʌkt(ə)nt] *adj.* modstræbende, uvillig, modvillig; □ *be ~ to* være utilbøjelig til at; nødig ville; kvie sig ved at.

rely [ri'lai] *vb.*: *~ on* a. stole på; b. være afhængig af.

REM *fork. f. rapid eye movement.*

remain [ri'mein] *vb.* 1. (*om person: et sted*) blive (*fx in bed; at home; behind*); forblive; blive tilbage (*fx he -ed when the others left*); 2. (*om noget der findes endnu*) være/stå tilbage (*fx all that -s of the building*); bestå (*fx the problem -s*); (se også *fact*); 3. (+ *adj., sb.*) blive ved at være (*fx he -ed silent*); fortsat være, forblive (*fx it -s a secret*); □ *~ calm* bevare roen; *it only -s for me to* jeg har kun tilbage at; *-s to be* er endnu ikke blevet (*fx one things -s to be done; many questions ~ to be answered*); *it -s to be seen whether* vi får se om; det vides endnu ikke om.

remainder[1] [ri'meində] *sb.* 1. (*også mat.*) rest; 2. (*af pengesum*) restbeløb; 3. (*af bog*) restoplag; 4. (*om bog*) nedsat bog.

remainder[2] [ri'meində] *vb.*: *be -ed* (*om bog*) blive nedsat; blive solgt til nedsat pris.

remaining [ri'meiniŋ] *adj.* resterende; som er tilbage.

remains [ri'meinz] *sb. pl.* 1. rester (*fx of a meal; of an old castle*); (*om bygning også*) ruiner (*fx Roman ~*); (*især om mad*) levninger; 2. (F: *persons*) jordiske rester.

remake[1] ['ri:meik] *sb.* (*film.*) genindspilning; ny version.

remake[2] [ri:'meik] *vb.*: *be remade* a. blive lavet om; blive udskiftet; b. (*om film*) blive genindspillet.

remand[1] [ri'ma:nd] *sb.* varetægtsfængsling; fortsat fængsling; □ *be on ~* være varetægtsfængslet.

remand[2] [ri'ma:nd] *vb.* varetægtsfængsle; opretholde varetægtsfængslingen af; □ *~ in custody* varetægtsfængsle; *~ on bail* løslade mod kaution.

remand centre *sb.* varetægtsarrest.

remark[1] [ri'ma:k] *sb.* bemærkning; udtalelse; kommentar; □ *make/pass -s about/on* komme med bemærkninger om, kommentere; udtale sig om; *not worthy of ~* F ikke værd at bemærke.

remark[2] [ri'ma:k] *vb.* 1. bemærke, udtale; 2. F bemærke, lægge mærke til; □ *~ on* komme med bemærkninger om, kommentere; udtale sig om.

remarkable [ri'ma:kəbl] *adj.* bemærkelsesværdig; usædvanlig; påfaldende; □ *be ~ for* være usædvanlig på grund af; udmærke sig ved; *not ~ for brains* ikke overbegavet.

remarriage [ri:'mæridʒ] *sb.* nyt ægteskab.

remarry [ri:'mæri] *vb.* indgå nyt ægteskab, gifte sig igen.
REME *fork. f.* (*mil.*) *Royal Electrical and Mechanical Engineers.*
remedial [ri'mi:diəl] *adj.* F **1.** hjælpe-, støtte- (*fx measures* foranstaltninger); **2.** (*i undervisning*) special- (*fx class; teaching*); **3.** (*med.*) afhjælpende.
remedial exercises *sb. pl.* sygegymnastik.
remedial teacher *sb.* specialundervisningslærer.
remedy[1] ['remədi] *sb.* **1.** middel (*for* mod); kur (*for* mod); **2.** (*jur.*) retsmiddel; **3.** (*med.*) lægemiddel; □ *there is a ~ for everything* der er råd for alt.
remedy[2] ['remədi] *vb.* F afhjælpe; råde bod på.
remember [ri'membə] *vb.* **1.** huske; (*noget fra fortiden også,* F) mindes (*fx one's childhood; let us ~ those who died for our country*); **2.** (*ikke glemme*) huske, huske 'på (*fx ~ what I told you! ~ to lock the door!*);
□ *she -ed me in her will* jeg arvede noget efter hende; *~ me to him* hils ham fra mig; *a day to ~* en mindeværdig/uforglemmelig dag.
remembrance [ri'membr(ə)ns] *sb.* F **1.** erindring, minde (*of* om); **2.** (*ting*) minde (*of* om, *fx take this ring as a ~ of my mother*); □ *in ~ of* til minde om.
Remembrance Sunday *sb.* [søndagen nærmest 11. nov., hvor verdenskrigenes faldne mindes].
remind [ri'maind] *vb.: ~ sby about* minde en om; erindre en om; *it -s me of* det minder mig om, det får mig til at tænke på; *~ sby that//to* minde/erindre en om at, huske en på at; *that -s me!* T åh for resten!
reminder [ri'maində] *sb.* **1.** påmindelse (*that//to* om at); **2.** (*om betaling*) rykkerbrev; **3.** (*bibl.*) hjemkaldelse.
reminisce [remi'nis] *vb.* F tænke tilbage (*about* på); snakke om// mindes gamle dage.
reminiscence [remi'nis(ə)ns] *sb.* F erindring; □ *-s* (*om bog også*) memoirer.
reminiscent [remi'nis(ə)nt] *adj.* F som dvæler ved minderne; drømmende; □ *be ~ of* minde om; få en til at tænke på.
remiss [ri'mis] *adj.* F forsømmelig, efterladende, skødesløs.
remission [ri'miʃn] *sb.* F **1.** (*jur.*) strafnedsættelse; **2.** (*af gæld*) eftergivelse; **3.** (*om sygdom*) remission, midlertidig bedring; **4.** (*af

smerte) lindring, aftagen; **5.** (*af synd*) tilgivelse, forladelse; □ *go into ~* (*jf. 3*) blive bedre for en tid.
remit[1] ['ri:mit, ri'mit] *sb.* ansvarsområde; opgaver; beføjelser, mandat; (*udvalgs*) kommissorium.
remit[2] [ri'mit] *vb.* **1.** (*merk.: penge*) sende, fremsende, remittere; **2.** (*straf etc.*) eftergive (*fx a debt; a fine; a penalty*); **3.** (*rel.: synd*) tilgive, forlade; **4.** (*sag*) oversende, overgive (*fx the request to a special committee*); **5.** (*jur.: til underinstans*) hjemvise, sende tilbage.
remittance [ri'mit(ə)ns] *sb.* oversendelse af penge; rimesse.
remittent [ri'mit(ə)nt] *adj.* (*med. om feber*) remitterende; svingende.
remnant ['remnənt] *sb.* (*af tøj*) rest; □ *-s* rester; levninger (*fx of a meal*).
remodel [ri:'mɔd(ə)l] *vb.* **1.** omarbejde; lave om; **2.** (*hus*) ombygge.
remonstrance [ri'mɔnstrəns] *sb.* F protest; indvending.
remonstrate ['remənstreit, ri'mɔnstreit] *vb.* protestere; komme med indvendinger;
□ *~ with sby* protestere over for en.
remorse [ri'mɔ:s] *sb.* F samvittighedsnag, anger (*for, about* over).
remorseful [ri'mɔ:sf(u)l] *adj.* F angergiven, brødebetynget; angrende.
remorseless [ri'mɔ:sləs] *adj.* F ubarmhjertig, skånselsløs; grusom.
remote[1] [ri'məut] *sb.* (*til tv etc.*) fjernstyring, remote.
remote[2] [ri'məut] *adj.* **1.** fjern; fjerntliggende; afsides; **2.** (*fig.*) fjern (*fx possibility*); svag (*fx chance; possibility*).
remote control *sb.* fjernstyring.
remote-controlled [reməutkən'trəuld] *adj.* fjernstyret.
remote sensing *sb.* fjernmåling, telemåling [registrering af olie- og mineralforekomster etc. fra fly el. satellit].
remould[1] ['ri:məuld] *sb.* vulkaniseret dæk.
remould[2] [ri:'məuld] *vb.* **1.** omdanne, omforme, lave om på; **2.** (*dæk*) vulkanisere.
remount [ri:'maunt] *vb.* **1.** (*hest, cykel*) sætte sig/stige op på igen; bestige igen; **2.** (*uden objekt*) sætte sig/stige op igen; **3.** (*billede, kort*) montere/klæbe op igen; **4.** (*teaterstykke*) sætte op igen.
removable [ri'mu:vəbl] *adj.* **1.** som

kan tages af (*fx a ~ stain; a ~ cover*); (*om del også*) løs (*fx sleeves*); **2.** (*om person*) afsættelig; som kan afskediges.
removal [ri'mu:v(ə)l] *sb.* **1.** fjernelse; **2.** (*fra stilling*) afskedigelse; **3.** (*fra et sted til et andet*) flytning.
removal van *sb.* flyttevogn.
remove[1] [ri'mu:v] *sb.* **1.** trin, grad (*fx several -s from being perfect*); skridt (*fx only one ~ from chaos*); **2.** (*mht. slægtskab*) led; □ *at one ~* **a.** på afstand; **b.** med ét mellemled; *at one ~ from* et skridt fra.
remove[2] [ri'mu:v] *vb.* (*se også removed*) **1.** fjerne; tage væk// ud; **2.** (*noget uønsket, vanskelighed, hindring etc.*) fjerne, rydde væk (*fx the rubbish*); rydde af vejen; **3.** (*tøj, sminke, låg, plet*) tage af; fjerne; **4.** (*person: til et andet sted*) flytte; **5.** (*fra stilling*) afskedige; **6.** (*fra magten*) afsætte (*fx a minister; a dictator*).
removed [ri'mu:vd] *adj.* (*om slægtskab*) [fjernet et el. flere led i opstigende//nedstigende linje];
□ *it is far ~ from the truth* det er langt fra sandheden; (*se også cousin*).
remover [ri'mu:və] *sb.* **1.** flyttemand; **2.** (*i sms.*) -fjerner (*fx hair ~; stain ~*).
remunerate [ri'mju:nəreit] *vb.* F lønne, betale.
remuneration [rimju:nə'reiʃn] *sb.* F løn, betaling, vederlag.
remunerative [ri'mju:n(ə)rətiv] *adj.* F indbringende.
Renaissance [ri'neis(ə)ns] *sb.: the ~* (*hist.*) Renæssancen [ca.1300-1600].
renaissance [rə'neis(ə)ns, (*am.*) renə'sa:ns] *sb.* renæssance; genfødelse; fornyelse.
renal ['ri:n(ə)l] *adj.* som angår nyrerne; nyre- (*fx calculus* sten; *failure*).
rename [ri:'neim] *vb.* omdøbe; give et nyt navn.
renascent [ri'næs(ə)nt] *adj.* genopdukkende, fornyet (*fx a ~ interest in astrology*).
rend [rend] *vb.* (*rent, rent*) flænge, sønderrive (*fx one's clothes*); flå (itu), rive; (*kød*) flænse;
□ *~ the air* skære igennem/flænge luften (*fx a scream rent the air*); *~ in two* **a.** flænge; **b.** (*med et hug*) kløve; splitte.
render ['rendə] *vb.* **1.** (+ *adj.*) gøre (*fx ~ it harmless//impossible// superfluous*); **2.** (F: *hjælp etc.*) give, yde; **3.** (F: *meddelelse etc.*) give

R rendering

(*fx an answer; an apology; an explanation*); afgive (*fx an answer*); meddele (*fx a decision*); afsige (*fx a verdict*); **4.** (*til bedømmelse etc.*) præsentere, forelægge (*fx a report*); indsende, indgive (*fx income tax returns*); **5.** (*kunstnerisk: i maleri*) gengive; (*musik*) udføre, spille; (*sang*) foredrage; **6.** (F: *på et andet sprog*) oversætte (*into* til); gengive (*into* på); **7.** (*it*) gengive tredimensionalt; **8.** (*mur, væg*) pudse; **9.** (*fedt*) se ndf.: ~ *down*;

□ ~ *an account//a service* se *account*[1], *service*[1];

[*med præp.& adv.*] ~ *down* (*fedt*) afsmelte (og klare); ~ *good for evil* F gengælde ondt med godt; ~ *into* se ovf.: *6*; ~ *unto* Caesar the things that are Caesar's (*bibelsk*) give kejseren hvad kejserens er; ~ *up* (*glds.*) overgive.

rendering ['rend(ə)riŋ] *sb.*
1. (*kunstnerisk: i maleri*) gengivelse; (*af musik*) udførelse; (*af sang*) foredrag; (*af teaterstykke*) opførelse; **2.** (*af tekst, til andet sprog*) oversættelse; **3.** (*it*) tredimensional gengivelse; **4.** (*af fedt*) afsmeltning; **5.** (*på mur, væg*) puds; (*handling*) pudsning; **6.** (F: *til bedømmelse*) forelæggelse; (*af regnskab*) aflæggelse.

rendezvous[1] ['rɔndivu:, -dei-, (*am.*) 'ra:ndeivu:] *sb.* **1.** aftalt møde; hemmeligt møde; (*for elskende*) stævnemøde; **2.** (*sted*) mødested; **3.** (*for særlig gruppe*) samlingssted (*fx the cafe was a ~ for artists*).

rendezvous[2] ['rɔndivu:, -dei-, (*am.*) 'ra:ndeivu:] *vb.* mødes.

rendition [ren'diʃn] *sb.* **1.** (*kunstnerisk*) fortolkning; (se også *rendering 1*); **2.** (*it*) tredimensional gengivelse; **3.** (*til andet sprog*) oversættelse.

renegade[1] ['renigeid] *sb.* F renegat, overløber, frafalden.

renegade[2] ['renigeid] *adj.* frafalden.

renege [ri'ni:g, ri'neig, (*am.*) ri'ni:g, ri'neg] *vb.:* ~ *on* F svigte (*fx a promise*); løbe fra (*fx an agreement*).

renew [ri'nju:] *vb.* **1.** forny (*fx an acquaintance*); **2.** (*aktivitet*) begynde igen, genoptage (*fx the fighting*); **3.** (*noget der udløber*) forny (*fx one's membership; a season ticket*); forlænge (*fx a contract*); **4.** (*noget gammelt*) udskifte; forny (*fx one's wardrobe; the covers on the chairs; the air in the room*).

renewable [ri'nju(:)əbl] *adj.* som

kan fornys//forlænges; udskiftelig.
renewable energy sources *sb. pl.* se *renewables*.
renewables [ri'nju(:)əblz] *sb. pl.* vedvarende energi.
renewal [ri'nju(:)əl] *sb.* (jf. *renew*)
1. fornyelse; **2.** genoptagelse; **3.** fornyelse; forlængelse; **4.** udskiftning.
rennet ['renit] *sb.* (oste)løbe.
renounce [ri'nauns] *vb.* **1.** give afkald på (*fx the use of nuclear weapons*); afstå fra (*fx violence; armed struggle; political activity*); **2.** (*mad, drikke*) give afkald på, forsage (*fx alcohol*); **3.** (*krav etc.*) frasige sig, fraskrive sig, give afkald på (*fx a title*); frafalde, opgive (*fx a claim*); **4.** (*overbevisning etc.*) fornægte (*fx one's convictions*); afsværge (*fx one's earlier ideals; one's faith*);

□ ~ *the devil* forsage djævelen.
renovate ['renəveit] *vb.* renovere, istandsætte, modernisere.
renovation [renə'veiʃn] *sb.* renovering, istandsættelse, modernisering.
renown [ri'naun] *sb.* F berømmelse, ry, navnkundighed;
□ *of* ~ berømt, navnkundig.
renowned [ri'naund] *adj.* F berømt, navnkundig.
rent[1] [rent] *sb.* **1.** (*betaling*) leje; (*for bolig også*) husleje; **2.** (*glds.*) flænge (*fx in a shirt*);
□ *for* ~ til leje.
rent[2] [rent] *vb.* **1.** (*om lejer*) leje (*from af, fx rooms//a car from sby*); (*om jord også*) forpagte; **2.** (*om ejer*) leje ud (*to til, fx rooms//a car to sby*); (*jord også*) bortforpagte; **3.** (*uden objekt, især am.*) udlejes (*at, for for, fx the house -s at £10,000 a year*); (*om jord også*) bortforpagtes;
□ ~ *out* se ovf.: *2*.
rent[3] [rent] *præt. & præt. ptc. af rend*.
rent-a-crowd ['rentəkraud] *sb.* (*især spøg.*) [*folk som er parat til at protestere mod hvad som helst*].
rental[1] ['rent(ə)l] *sb.* **1.** (*penge*) leje; afgift; (*tlf.*) abonnementsafgift; **2.** (*handling*) leje; udlejning; **3.** (*am.*) lejet//udlejet genstand// lejlighed//hus.
rental[2] ['rent(ə)l] *adj.* **1.** udlejnings- (*fx car*); **2.** leje- (*fx library; value*).
rent boy *sb.* trækkerdreng; mandlig prostitueret.
rent-free [rent'fri:] *adv.* uden leje; husfrit.
rent strike *sb.* huslejeboykot.

rent tribunal *sb.* boligret.
renunciation [rinʌnsi'eiʃn] *sb.* (jf. *renounce*) **1.** afkald; opgivelse; **2.** (*af mad, drikke*) afkald, forsagelse; **3.** (*af krav etc.*) frasigelse, fraskrivelse; frafaldelse; opgivelse; (*jur.*) tilbagetrædelse; **4.** (*af overbevisning*) fornægtelse; afsværgelse.
reopen ['ri:'əup(ə)n] *vb.* **A. 1.** (*sted*) åbne igen, genåbne (*fx the factory; the border*); **2.** (*forbindelse*) genoprette; **3.** (*sag, handling*) genoptage (*fx the case; the investigation; the negotiations*); tage op igen (*fx the question; the debate*); **4.** (*om anledning*) rejse igen (*fx his death has -ed the debate//the question*);
B. (*uden objekt*) **1.** (*om sted*) åbne igen; **2.** (*om handling*) begynde igen, genoptages; **3.** (*om sår*) bryde op;
□ ~ *the wound* (*fig.*) rippe/rive op i såret.
reorder [ri:'ɔ:də] *vb.* **1.** genbestille; **2.** omordne, omorganisere.
reorganization [ri:ɔ:gən(a)i'zeiʃn] *sb.* reorganisering; omdannelse; omlægning; omordning.
reorganize [ri:'ɔ:gənaiz] *vb.* reorganisere; omdanne; omlægge; omordne.
reorientation [ri:ɔ:riən'teiʃn] *sb.* nyorientering.
rep[1] *fork. f.* T **1.** *repertory*; **2.** *repertory theatre*; **3.** (*merk., parl.*) *representative* repræsentant; **4.** (*am.* S) *reputation* status.
rep[2] [rep] *sb.* (*tekstil*) reps.
rep[3] *vb.* (T: *merk.*) arbejde som repræsentant.
Rep. *fork. f.* (*am.*) **1.** *Representative*; **2.** *Republican*.
repair[1] [ri'pɛə] *sb.* reparation; istandsættelse (*fx the house is in need of* ~); udbedring;
□ *it is beyond* ~ det kan ikke repareres; det kan ikke reddes; *in good* ~ i god stand; godt vedligeholdt; *keep in* ~ holde i god stand; vedligeholde; *in bad* ~, *out of* ~ i dårlig stand; dårligt vedligeholdt.
repair[2] [ri'pɛə] *vb.* **1.** reparere, lave (*fx a bicycle; a broken toy*); istandsætte (*fx a house*); udbedre (*fx the damage*); **2.** (*fig.*) gøre god igen (*fx a wrong; a mistake*); rette op på (*fx relations with the USA*); genetablere (*fx their friendship*);
□ ~ *to* (*litt. el. spøg.*) begive/forføje sig til.
repairman [ri'pɛəmæn] *sb.* (*pl.* -men [-men]) reparatør.
repaper [ri:'peipə] *vb.* tapetsere

igen; omtapetsere.

reparation [repə'reiʃn] *sb.* erstatning; kompensation;
□ *-s* krigsskadeserstatning.

repartee [repa:'ti:] *sb.* [*hurtige, vittige replikskifter*];
□ *quick at* ~ slagfærdig; hurtig i replikken.

repast [ri'pa:st] *sb.* (*litt.*) måltid.

repatriate [ri:'pætrieit] *vb.* **1.** (*person: til hjemlandet*) repatriere, hjemsende; **2.** (*merk.: penge*) hjemtage.

repatriation [ri:pætri'eiʃn] *sb.* (jf. *repatriate*) **1.** repatriere, hjemsendelse; **2.** hjemtagning.

repay [ri:'pei] *vb.* **1.** tilbagebetale, betale tilbage (*fx a loan; he repaid me the money I had lent him*); (*lån, gæld: fagl.*) indfri; **2.** (*fig.*) gengælde (*fx his kindness*); lønne (*fx how can I ever* ~ *him for what he has done?*);
□ ~ *the effort* være anstrengelsen værd.

repayable [ri:'peiəbl] *adj.* som skal betales tilbage.

repayment [ri:'peimənt] *sb.* **1.** (jf. *repay 1*) tilbagebetaling; indfrielse; **2.** (*beløb*) afdrag.

repeal[1] [ri'pi:l] *sb.* ophævelse [*af lov*].

repeal[2] [ri'pi:l] *vb.* (*lov*) ophæve.

repeat[1] [ri'pi:t] *sb.* **1.** gentagelse; **2.** (*mus.: tegn*) gentagelsestegn; **3.** (*radio., tv*) genudsendelse.

repeat[2] [ri'pi:t] *vb.* **1.** (*ord, udsagn*) gentage, repetere, sige igen; **2.** (*noget man har fået fortalt*) fortælle videre (*fx a secret*); **3.** (*noget udenadlært*) fremsige (*fx a lesson; a poem*); foredrage; **4.** (*handling etc.*) gentage (*fx the success*); gøre igen; (*en prøve*) tage 'om; **5.** (*klasse etc.*) gå 'om (*fx a class; a year*); **6.** (*radio., tv*) genudsende; **7.** (*pol.*) (ulovligt) stemme mere end én gang;
□ *repeat* (*understregende*) (og) jeg gentager (*fx he is impossible,* ~ *impossible*); ~ *itself* gentage sig; ~ *oneself* gentage sig selv; *it -s on me* (*om mad*) jeg får opstød af det, det giver mig opstød.

repeatedly [ri'pi:tidli] *adv.* gentagne gange.

repeater [ri'pi:tə] *sb.* **1.** repeterur; **2.** repetergevær; **3.** (*i skole*) omgænger.

repeat fee *sb.* honorar for genudsendelse//genanvendelse.

repeating decimal [ripi:tiŋ'desəm(ə)l] *sb.* periodisk decimalbrøk.

repeat offender *sb.* recidivist; vaneforbryder.

repeat order *sb.* genbestilling; efterbestilling.

repeat performance *sb.* (*fig.*) gentagelse [*af noget mislykket*].

repechage ['repəʃa:ʒ] *sb.* (*i sport*) opsamlingsheat.

repel [ri'pel] *vb.* **1.** frastøde, virke frastødende på (*fx his arrogance -s many people*); **2.** (*noget uønsket*) afvise (*fx moisture*); **3.** (F: *angreb*) slå tilbage, afvise, afværge; **4.** (*angriber*) slå/drive tilbage; **5.** (*magnetisk*) frastøde.

repellant se *repellent*.

repellent[1] [ri'pelənt] *sb.* **1.** (*til stof*) imprægneringsmiddel; **2.** (*til insekter, i sms.*) -middel (*fx flea* ~; *insect* ~); (se også *mosquito repellent*).

repellent[2] [ri'pelənt] *adj.* frastødende, modbydelig.

repent [ri'pent] *vb.* F angre, fortryde;
□ ~ *of* angre.

repentance [ri'pentəns] *sb.* F anger.

repentant [ri'pentənt] *adj.* F angrende, angergiven.

repercussions [ri:pə'kʌʃnz] *sb. pl.* F følger, eftervirkninger (*on* for).

repertoire ['repətwa:] *sb.* repertoire.

repertory ['repət(ə)ri] *sb.* (*teat.*) **1.** repertoire; **2.** [*det at have skiftende repertoire*]; **3.** repertoireteatre (*fx he works in* ~);
□ *present the plays in* ~ opføre stykkerne skiftevis.

repertory company *sb.* [*teaterensemble med skiftende repertoire*].

repertory theatre *sb.* repertoireteater.

repetition [repə'tiʃn] *sb.* gentagelse; repetition.

repetitious [repə'tiʃəs] *adj.* fuld af gentagelser; ensformig, monoton.

repetitive [ri'petitiv] se *repetitious*.

repetitive strain injury *sb.* (*med.*) belastningsskade.

rephrase [ri:'freiz] *vb.* omformulere.

repine [ri'pain] *vb.* (F el. *litt.*) græmme sig, beklage sig, klage (*at* over).

replace [ri'pleis] *vb.* **1.** erstatte (*with* med, *fx oil with natural gas; the books that have been stolen; he cannot easily be -d*); **2.** (*på samme sted, i samme funktion*) erstatte, afløse (*by, with* af, *fx his smile was -d by a frown; Smith -d Brown as headmaster*); **3.** (*noget der ikke fungerer*) udskifte (*by, with* med, *fx the cracked panes with new ones*) (*fx the light bulbs*); **4.** (*på sin tidligere plads*) lægge//sætte/stille tilbage (*fx he -d*

the book on the shelf); sætte på plads; (se også *receiver*).

replaceable [ri'pleisəbl] *adj.* **1.** udskiftelig (*fx a knife with a* ~ *blade*); engangs-; **2.** som kan erstattes, undværlig.

replacement [ri'pleismənt] *sb.* **1.** genindsættelse; **2.** erstatning; udskiftning; afløsning.

replay[1] ['ri:plei] *sb.* **1.** gengivelse; **2.** (*i fodbold*) omkamp.

replay[2] [ri:'plei] *vb.* **1.** (*optagelse*) afspille (igen); **2.** (*kamp*) spille om.

replenish [ri'pleniʃ] *vb.* F **1.** (*glas*) fylde (op) igen; **2.** (*forråd*) supplere op; komplettere; **3.** (*fig.*) forny (*fx one's energy*).

replenishment [ri'pleniʃmənt] *sb.* (jf. *replenish*) F **1.** opfyldning; **2.** supplering; komplettering; **3.** fornyelse.

replete [ri'pli:t] *adj.* F mæt;
□ ~ *with* fuld af, fyldt med.

replica ['replikə] *sb.* kopi; model.

replica firearm, replica gun *sb.* attrap.

replicate ['replikeit] *sb.* **1.** F gentage, kopiere (*fx an experiment*); **2.** (*biol.*) kopiere sig selv (*fx viruses may* ~).

replication [repli'keiʃn] *sb.* **1.** gentagelse af forsøg; **2.** (*biol.*) deling.

reply[1] [ri'plai] *sb.* svar; besvarelse;
□ *in* ~ *to* som svar på.

reply[2] [ri'plai] *vb.* **1.** svare (*to* på); **2.** (*fig.*) svare igen (*with* med).

report[1] [ri'pɔ:t] *sb.* **1.** rapport (*of* om); redegørelse (*of* for); referat (*of* af); indberetning (*of* om); (se også *weather report*); **2.** (*i avis, nyhedsudsendelse*) rapport (*on* om, *fx the latest developments*); reportage, melding (*on* om); referat (*of* af, *fx the events*); **3.** (*som fortælles*) forlydende, rygte (*of* om); **4.** (*fra udvalg*) betænkning; redegørelse; (*til vedtagelse*) indstilling; **5.** (*ved generalforsamling*) beretning; **6.** (*fra skole: om elev*) se *school report*; **7.** (*lyd af eksplosion*) knald; brag.

report[2] [ri'pɔ:t] *vb.* **1.** rapportere (*on* om); melde tilbage, referere; indberette (*on* om, *fx the ambassador -ed on the situation to the Foreign Office*); **2.** (*til myndighed*) anmelde, melde (*fx sby to the police*); indberette; **3.** (*i avis, nyhedsudsendelse*) rapportere om, melde om (*fx heavy fighting*); referere, give referat af (*fx events*); **4.** (*mundtligt*) fortælle, referere, rapportere; **5.** (*uden objekt; om udvalg*) afgive betænkning//indstilling (*on* om); **6.** (*om person: et* sted) melde sig (*fx you are to ~ at the office at once*);

□ ~ *sick* melde sig syg; *it is -ed that* det forlyder at; det hedder sig at;

[*med præp.*] ~ **back** a. melde tilbage; rapportere; fortælle; **b.** (*jf. 6*) melde sig igen; ~ *for* se duty, fit[2]; ~ **on** (*jf.1 også*) referere, dække; omtale; ~ *to* **a.** rapportere til; melde til; indberette til; **b.** (*jf. 6*) melde sig hos; **c.** (*om embedsmand: til overordnet*) referere til, have referat til.

reportage [repɔ:'ta:ʒ] *sb.* F reportage; nyhedsdækning.

report card *sb.* (*især am.*) **1.** (*i skole: svarer til*) karakterbog; **2.** (*fig.*) rapport (*on* om); bedømmelse (*on* af).

reportedly [ri'pɔ:tidli] *adv.* efter forlydende.

reported speech [ripɔ:tid'spi:tʃ] *sb.* (*gram.*) indirekte tale.

reporter [ri'pɔ:tə] *sb.* reporter, journalist, korrespondent.

repose[1] [ri'pəuz] *sb.* F hvile; fred, ro.

repose[2] [ri'pəuz] *vb.* F hvile; ligge; □ ~ *confidence/trust in* stole på, have tillid til; ~ *hope in* sætte sit håb til.

repository [ri'pɔzit(ə)ri] *sb.* F **1.** opbevaringssted (*fx for nuclear waste*); depot; **2.** (*fig.*) fond; guldgrube (*fx of knowledge about the place*).

repossess [ri:pə'zes] *vb.* **1.** (*om sælger: fx bil*) tage tilbage [*fordi afdrag udebliver*]; **2.** (*om kreditforening: hus*) overtage [*fordi prioritetsydelser udebliver*].

repossession [ri:pə'zeʃn] *sb.* (*jf. repossess*) **1.** tilbagetagelse; **2.** overtagelse; tvangsauktion; **3.** (*ting*) tilbagetaget genstand.

repot [ri:'pɔt] *vb.* (*plante*) potte om, plante om.

reprehensible [repri'hensəbl] *adj.* F forkastelig; yderst kritisabel.

represent [repri'zent] *vb.* **1.** (*om stedfortræder, talsmand etc.*) repræsentere; **2.** (*om tegn, symbol*) betegne, repræsentere, stå for; **3.** (*om billede*) forestille; **4.** (*om resultat*) repræsentere (*fx this book -s ten years of hard work*); betegne (*fx it -s a major change*); □ ~ *as* beskrive som, fremstille som (*fx he -ed this scoundrel as a benefactor of mankind*); ~ *oneself as* F give sig ud for at være (*fx an expert*); ~ *that* erklære at, hævde at (*fx he -s that he has investigated the matter*); ~ *sth* **to** *sby* F foreholde en noget, påpege noget

over for en (*fx he -ed to them the danger of such a procedure*); ~ *to oneself* forestille sig.

representation [reprizen'teiʃn] *sb.* **1.** repræsentation; **2.** (*om billede etc.*) fremstilling; beskrivelse; **3.** (*især jur.*) udtalelse, erklæring; □ *make -s* gøre forestillinger; gøre indsigelse.

representational [reprizen'teiʃn(ə)l] *adj.* (*om kunst*) figurativ [*3: som forestiller noget*].

representative[1] [repri'zentətiv] *sb.* **1.** (*som taler på ens vegne*) repræsentant; **2.** (*merk.*) repræsentant, sælger;

□ *the House of Representatives* (*am.*) Repræsentanternes Hus.

representative[2] [repri'zentətiv] *adj.* repræsentativ, typisk (*of* for); □ *be ~ of* (*også*) forestille; repræsentere.

representative government *sb.* folkestyre.

repress [ri'pres] *vb.* **1.** (*folk, med magt*) undertrykke (*fx all opposition*); holde nede; **2.** (*følelse, følelsesudtryk*) undertrykke (*fx one's real feelings; one's laughter; a sigh*); betvinge (*fx one's anger; one's curiosity*); trænge tilbage (*fx one's tears*); **3.** (*psyk.*) fortrænge.

repressed [ri'prest] *adj.* **1.** undertrykt; **2.** (*følelsesmæssigt*) hæmmet, frustreret; **3.** (*psyk.*) fortrængt (*fx homosexuality*).

repression [ri'preʃn] *sb.* **1.** undertrykkelse; **2.** (*psyk.*) fortrængning.

repressive [ri'presiv] *adj.* undertrykkende; repressiv.

reprieve[1] [ri'pri:v] *sb.* **1.** frist; udsættelse, henstand; **2.** (*for dødsstraf*) benådning.

reprieve[2] [ri'pri:v] *vb.* **1.** give en frist, give udsættelse; **2.** (*for dødsstraf*) benåde;

□ ~ *from* foreløbig befri for (*fx pain*); foreløbig redde fra.

reprimand[1] ['reprima:nd] *sb.* irettesættelse, reprimande.

reprimand[2] ['reprima:nd] *vb.* irettesætte, give en reprimande.

reprint[1] ['ri:print] *sb.* **1.** genoptryk; optryk; **2.** (*af artikel*) særtryk.

reprint[2] [ri:'print] *vb.* genoptrykke; optrykke;

□ *the book is -ing* bogen er under genoptrykning.

reprisal [ri'praiz(ə)l] *sb.* gengældelse;

□ *-s* gengældelsesforanstaltninger; repressalier; *in ~ for* som gengældelse for.

reprise [ri'praiz] *sb.* (*mus.*) reprise, gentagelse.

reproach[1] [ri'prəutʃ] *sb.* bebrej-

delse;

□ *above/beyond ~* hævet over al kritik; *be a ~ to* være beskæmmende for; være en skændsel for; være en skamplet på; *give her a look of ~* sende hende et bebrejdende blik.

reproach[2] [ri'prəutʃ] *vb.* bebrejde; □ ~ *him with it* bebrejde ham det.

reproachful [ri'prəutʃf(u)l] *adj.* bebrejdende.

reprobate ['reprəbeit] *sb.* (*glds. el. spøg.*) forhærdet synder; syndens barn; skurk (*fx you old ~!*).

reprocess [ri:'prəuses] *vb.* oparbejde [*brugt atombrændsel*].

reprocessing [ri:'prəusesiŋ] *sb.* oparbejdning [*af brugt atombrændsel*].

reprocessing plant *sb.* oparbejdningsanlæg [*til brugt atombrændsel*].

reproduce [ri:prə'dju:s] *vb.* **1.** (*lyd, tekst, billede*) gengive; **2.** (*typ.: billede*) reproducere; **3.** (*handling, resultat etc.*) gentage (*fx his results*); frembringe igen, genskabe, reproducere (*fx the same conditions in a laboratory*); **4.** (*biol.: organ, lem*) regenerere (*fx a torn claw*); **5.** (*uden objekt*) kunne gengives//reproduceres (*fx the picture was too faint to ~ well*); **6.** (*biol.*) formere sig, forplante sig.

reproduction [ri:prə'dʌkʃn] *sb.* (*jf. reproduce*) **1.** (*om lyd etc.*) gengivelse; **2.** (*typ.*) reproduktion; **3.** (*af organ, lem*) regeneration; **4.** (*af handling, resultat etc.*) gentagelse; genskabelse, reproduktion; **5.** (*biol.*) formering, forplantning.

reproductive [ri:prə'dʌktiv] *adj.* reproduktiv; formerings-; forplantnings- (*fx organs*).

reprography [ri'prɔgrəfi] *sb.* reprografi, kopieringsteknik.

reproof [ri'pru:f] *sb.* F irettesættelse, tilrettevisning; bebrejdelse; misbilligelse;

□ *a look//word of ~* et bebrejdende blik//ord.

reprove [ri'pru:v] *vb.* F irettesætte; bebrejde.

reptile ['reptail] *sb.* (*zo.*) krybdyr.

reptilian [rep'tiliən] *adj.* krybdyr-; krybdyrsagtig.

republic [ri'pʌblik] *adj.* republik; (*se også letter*[1]).

Republican[1] [ri'pʌblikən] *sb.* (*am.*) republikaner.

Republican[2] [ri'pʌblikən] *adj.* (*am.*) republikanske.

republican[1] [ri'pʌblikən] *sb.* republikaner.

republican[2] [ri'pʌblikən] *adj.* republikansk.

repudiate [ri'pju:dieit] *vb.* **F 1.** tage afstand fra, fordømme (*fx this doctrine; their policies; violence*); **2.** (*sandheden af noget*) afvise (*fx an accusation; a claim*); **3.** (*gyldigheden af noget*) nægte at anerkende (*fx a claim; a debt; a duty; their authority*); **4.** (*jur.: kontrakt etc.*) træde tilbage fra.

repudiation [ripju:di'eiʃn] *sb.* **1.** fordømmelse; **2.** afvisning; **3.** (*jur.*) tilbagetrædelse.

repugnance [ri'pʌgnəns] *sb.* **F** afsky, modbydelighed (*at* for).

repugnant [ri'pʌgnənt] *adj.* afskyelig, modbydelig, frastødende.

repulse[1] [ri'pʌls] *sb.* afvisning.

repulse[2] [ri'pʌls] *vb.* **1.** afvise (*fx his offer of help*); **2.** (*angreb*) slå tilbage, afvise; **3.** (*fjende*) slå/drive tilbage.

repulsion [ri'pʌlʃn] *sb.* (cf. *repel*) **1.** tilbagedrivelse; **2.** afvisning; **3.** (*især magnetisk*) frastødning; **4.** (*følelse*) afsky.

repulsive [ri'pʌlsiv] *adj.* **1.** frastødende, modbydelig; **2.** (*fys.*) frastødende, frastødnings-.

repurchase[1] [ri:'pə:tʃəs] *sb.* tilbagekøb.

repurchase[2] [ri:'pə:tʃəs] *vb.* købe tilbage.

reputable ['repjutəbl] *adj.* anset, anerkendt; hæderlig.

reputation [repju'teiʃn] *sb.* omdømme; renommé; ry; □ *know sby by* ~ kende en af omtale; [*med vb.*] *acquire/earn/establish/gain a* ~ *as* få ry for at være (*fx a good speaker*); *have the* ~ *of being, have a* ~ *for being* have ord/ry for at være; *lose//ruin one's* ~ miste//spolere sit gode navn og rygte; *make a* ~ *for oneself* skabe sig et navn.

repute [ri'pju:t] *sb.* **F** se *reputation*; □ *of* ~ anset (*fx a doctor of* ~); *of good* ~ velanskrevet; *of ill* ~ berygtet.

reputed [ri'pju:tid] *adj.* **F 1.** formodet (*fx his* ~ *skill*); **2.** almindelig anerkendt; □ *be* ~ (*to be*) anses for.

reputedly [ri'pju:tidli] *adv.* efter den almindelige mening; efter sigende.

request[1] [ri'kwest] *sb.* **1.** anmodning, begæring, bøn (*for* om; *that//to* om at); henstilling; **2.** (*musikstykke*) ønske (*fx the next song is a* ~ *from* ...); □ *make a* ~ fremsætte en anmodning; [*med præp.*] *at his* ~ på hans anmodning//forlangende; *at the* ~ *of*

(*også*) efter henstilling fra; på foranledning af; *by* ~ efter anmodning; på opfordring; *no flowers by* ~ (*i annonce*) blomster frabedes; *on* ~ se ovf.: *by* ~.

request[2] [ri'kwest] *vb.* anmode om, bede om, udbede sig; □ ~ *sby to* anmode/bede en om at; henstille til en at.

request programme *sb.* (*i radio etc.*) ønskeprogram.

request stop *sb.* [*stoppested hvor bus kun holder på opfordring*].

requiem ['rekwiəm] *sb.* rekviem [*sjælemesse*].

require [ri'kwaiə] *vb.* (se også *required*) **1.** (*om nødvendighed*) kræve (*fx this -s careful consideration*); **2.** (*for person*) behøve, trænge til (*fx she -s medical assistance*); **3.** **F** ønske (*fx will you be requiring anything else, sir?*); **4.** (*om påbud*) kræve (*fx the law -s that* ...); påbyde, fordre; □ ~ *of//from* **F** forlange af (*fx that was all he -d of them*).

required [ri'kwaiəd] *adj.* krævet, påbudt; obligatorisk.

requirement [ri'kwaiəmənt] *sb.* **1.** krav; betingelse; forudsætning (*fx -s for admission to the university*); **2.** (**F**: *persons*) behov; fornødenhed.

requisite[1] ['rekwizit] *sb.* **F** nødvendighed; forudsætning (*of* for); □ *-s* fornødenheder; udstyr.

requisite[2] ['rekwizit] *adj.* **F** nødvendig, fornøden.

requisition[1] [rekwi'ziʃn] *sb.* **1.** rekvisition; beslaglæggelse; tvangsudskrivning; **2.** (*dokument*) rekvisition; bestilling.

requisition[2] [rekwi'ziʃn] *vb.* rekvirere; beslaglægge; tvangsudskrive.

requital [ri'kwait(ə)l] *sb.* **F 1.** løn (*of* for); **2.** (*for noget ondt*) gengæld (*of* for).

requite [ri'kwait] *vb.* **F 1.** gengælde (*fx a kindness; his love*); lønne; **2.** (*som hævn*) gengælde.

reread [ri:'ri:d] *vb.* læse igen.

rerecord [ri:ri'kɔ:d] *vb.* indspille igen; overspille.

reredos ['riədɔs] *sb.* [*udsmykket væg bag alter*]; alteropsats.

reroute [ri:'ru:t] *vb.* omdirigere.

rerun[1] ['ri:rʌn] *sb.* **1.** (*tv*) genudsendelse; **2.** (*teat.*) genopførelse; **3.** (*fig.*) gentagelse.

rerun[2] [ri:'rʌn] *vb.* **1.** (*tv-program*) genudsende; (*også om film*) vise igen; **2.** (*teat.*) genopføre; **3.** (*fig.*) gentage.

resale ['ri:seil] *sb.* videresalg.

resale shop *sb.* (*am.*) genbrugsbutik.

reschedule [ri:'ʃedju:l], (*am.*) ri:-'skedʒu:l] *vb.* **1.** (*til et andet tidspunkt*) flytte (*fx the meeting*); **2.** (*lån*) omlægge; (*gæld*) sanere.

rescind [ri'sind] *vb.* **1.** (*jur.: lov, aftale*) ophæve; annullere; **2.** (*afgørelse*) omstøde.

rescission [ri'siʒn] *sb.* (jf. *rescind*) **1.** ophævelse, annullering; **2.** omstødelse.

rescue[1] ['reskju:] *sb.* **1.** (jf. *rescue*[2]) redning, undsætning; frelse; befrielse; **2.** redningsaktion; □ *come to his* ~ komme ham til undsætning/hjælp.

rescue[2] ['reskju:] *vb.* redde (*fx from drowning*); undsætte; frelse (*fx from a horrible life*); befri (*fx from a concentration camp*).

rescue archaeology *sb.* nødudgravninger.

rescuer ['reskjuə] *sb.* redningsmand; befrier.

research[1] [ri'sə:tʃ], (*am. også*) 'ri:sərtʃ] *sb.* **1.** forskning (*into, on* i); videnskabelige undersøgelser (*into, on* af); videnskabeligt arbejde; **2.** (*forfatters, journalists*) research; □ *carry out/conduct/do* ~ **a.** (*jf* 1) forske; drive forskning; udføre videnskabeligt arbejde; **b.** (*jf.* 2) researche.

research[2] [ri'sə:tʃ], (*am. også*) 'ri:sərtʃ] *vb.* **1.** forske; foretage (videnskabelige) undersøgelser; **2.** (*med objekt*) forske i; undersøge; **3.** (*om forfatter, journalist*) researche; □ ~ *into* se: 2.

researcher [ri'sə:tʃə], (*am. også*) 'ri:sərtʃər] *sb.* **1.** forsker; **2.** (*journalistisk*) researcher; **3.** (*hjælper*) assistent; praktikant.

research station *sb.* forsøgsstation.

reseed [ri:'si:d] *vb.* tilså igen; □ ~ *itself* så sig selv.

resell [ri:'sel] *vb.* videresælge.

resemblance [ri'zembləns] *sb.* lighed (*to* med); □ *bear no* ~ *to* ikke have nogen lighed med.

resemble [ri'zembl] *vb.* ligne.

resent [ri'zent] *vb.* **1.** (*om vrede*) være//blive vred/fortørnet/bitter over (*fx she had been treated badly, and she -ed it*); **2.** (*om krænkelse*) føle sig fornærmet/krænket/stødt over, tage ilde op (*fx I -ed his remarks*); **3.** (*om modvilje*) ikke bryde sig om (*fx having to explain it all over again*); ikke kunne fordrage (*fx I -ed my stepmother*).

resentful [ri'zentf(u)l] *adj.* **1.** vred, fortørnet, bitter; **2.** fornærmet,

R *resentment*

krænket.
resentment [ri'zentmənt] *sb.*
1. vrede (*of* mod); fortørnelse; bitterhed; **2.** krænkelse.
reservation [rezə'veiʃn] *sb.* **1.** forbehold; reservation; (se også *mental reservation*); **2.** (*af værelse, plads etc.*) reservering; (forud)bestilling; **3.** (*am.*) reservat (*fx Indian* ~);
□ *have -s about* (*jf. 1*) være forbeholden over for; have betænkeligheder ved.
reserve¹ [ri'zə:v] *sb.* **1.** reserve; forråd; **2.** (*i sport*) reserve; **3.** (*mht. pris: ved auktion*) mindstepris; **4.** (*område*) reservat (*fx for wild animals*); **5.** (*egenskab*) tilbageholdenhed, forbeholdenhed, reservation;
□ *-s* **a.** reserver, forråd; **b.** (*økon.*) reserver, reservefond; (*af overskud*) henlæggelser; **c.** (*mil.*) reserver, reservetropper;
[*med præp.*] *in* ~ i reserve; *put a book on* ~ (*bibl.*) reservere en bog; *with* ~ F med forbehold (*fx we publish this with all* ~); *without* ~ F uden forbehold, uforbeholdent; uden betingelser.
reserve² [ri'zə:v] *vb.* (se også *reserved*) **1.** (*billet, værelse, bord*) reservere, bestille (*fx a seat*); **2.** (*til senere brug*) reservere; lægge hen; **3.** (*til bestemt brug*) reservere (*for* til); forbeholde; (se også *judgement, right*¹);
□ ~ *for oneself* forbeholde sig; *be -d for* se *reserved.*
reserved [ri'zə:vd] *adj.* **1.** (*om person*) reserveret, forbeholden, tilbageholdende; **2.** (*om værelse etc.*) reserveret, (forud)bestilt;
□ *be* ~ *for* **a.** være reserveret til, være forbeholdt (*fx this wine is* ~ *for special occasions*); **b.** (*fig.*) vente (*fx a happy future is* ~ *for you*).
reserved occupation *sb.* [*stilling som fritager indehaveren for militærtjeneste*].
reserve price *sb.* (*ved auktion*) mindstepris.
reservist [ri'zə:vist] *sb.* (*mil.*) soldat//officer i reserven; reservist.
reservoir ['rezəvwa:] *sb.* **1.** beholder; **2.** vandreservoir; **3.** (*fig.*) beholdning, lager, forråd.
reset¹ [ri:'set] *sb.* (*skotsk*) hæleri.
reset² [ri:'set] *vb.* **1.** sætte op; montere igen; **2.** (*instrument: it etc.*) nulstille; tilbagestille; (*ur*) stille; **3.** (*med.*) sætte i led (*fx an arm*); **4.** (*typ.*) sætte op igen; sætte om; **5.** (*skotsk*) være hæler.
resettle [ri:'setl] *vb.* **1.** (*fx en be-*

folkningsgruppe) forflytte; **2.** (*uden objekt*) slå sig ned igen, bosætte sig igen.
resettlement [ri:'setlmənt] *sb.* forflyttelse; genbosættelse.
reshuffle¹ [ri:'ʃʌfl] *sb.* **1.** (*af regering*) rekonstruktion, omdannelse; T ommøblering; **2.** (*af kort*) ny blanding.
reshuffle² [ri:'ʃʌfl] *vb.* **1.** (*regering*) rekonstruere, omdanne; T ommøblere; **2.** (*kort*) blande på ny.
reside [ri'zaid] *vb.* F **1.** opholde sig; bo; **2.** (*om fyrste, monark*) residere;
□ ~ *at* **a.** have bopæl i, bo i; **b.** (*jf. 2: slot*) residere på (*fx the Queen -s at Buckingham Palace*); ~ *in* **a.** (*om person*) have bopæl i, bo i, være bosiddende i (*fx France*); **b.** (*om ting*) befinde sig i (*fx the jewellery normally -s in the bank*); **c.** (*om egenskab etc.*) ligge i; **d.** (*om magt, ret*) ligge hos, findes hos (*fx the highest judicial authority -s in the Supreme Court*); ~ *with* **a.** bo hos; opholde sig hos; **b.** se ovf.: ~ *in, d.*
residence ['rezid(ə)ns] *sb.* F **1.** (*på et sted*) ophold; **2.** (*sted*) hus (*fx a desirable country//Georgian* ~); **3.** (*fornem persons*) bolig (*fx the ambassador's//Governor's* ~); **4.** (*fyrstes, monarks*) residens; (*by*) residensby;
□ *take up* ~ *in* tage ophold i, slå sig ned i (*fx France*); (se også *hall of residence*);
[*med præp.*] *at his private* ~ på hans private bopæl; *in* ~ **a.** som bor på stedet; **b.** (*om forfatter, ved universitet, teater*) residerende, fast tilknyttet; *be in* ~ bo på stedet; *be in* ~ *at* (*jf. 4: slot*) residere på (*fx Buckingham Palace*).
residency ['rezid(ə)nsi] *sb.* **1.** ophold; **2.** (*am. med.*) kandidattid [*på hospital*].
resident¹ ['rezid(ə)nt] *sb.* **1.** (*i land*) indbygger, borger; **2.** (*i område, hus*) beboer; **3.** (*på hotel*) gæst; **4.** (*am. med.*) kandidat [*på hospital*]; **5.** (*zo.: mods. trækfugl*) standfugl.
resident² ['rezid(ə)nt] *adj.* **1.** bosat, boende, fastboende (*in* i); **2.** (*om arbejder etc.*) som bor på stedet (*fx farm worker*); **3.** (*ved institution*) fast tilknyttet (*fx psychologist*); **4.** (*it*) resident, lagringsfast, permanent.
resident engineer *sb.* pladsingeniør.
residential [rezi'denʃ(ə)l] *adj.* **1.** beboelses-, villa- (*fx quarter*); bolig- (*fx area*); **2.** (*om arbejde*

etc.) hvor man bor på stedet.
residential care *sb.* pleje i institution.
residential course *sb.* internatskursus.
residual¹ [ri'zidjuəl] *sb.* **1.** rest; **2.** (*radio, tv*) honorar for genudsendelse.
residual² [ri'zidjuəl] *adj.* resterende, rest-, tiloversbleven.
residue ['rezidju:] *sb.* rest.
resign [ri'zain] *vb.* (se også *resigned*) **1.** (*fra stilling*) gå af, tage sin afsked; trække sig tilbage; (*fra hverv også*) træde tilbage (*fx as chairman*); (*om regering, minister også*) demissionere; **2.** (*om medlem*) træde ud; **3.** (*med objekt*) trække sig tilbage fra, fratræde (*fx one's post*); (se også *seat*¹);
□ ~ *from* **a.** (*stilling*) trække sig tilbage fra; **b.** (*om medlem*) træde ud af (*fx a club; a committee; the Government*); ~ *oneself to* indstille sig på; affinde sig med; finde sig tålmodigt i, underkaste sig; ~ *oneself to one's fate* finde sig i sin skæbne; resignere.
resignation [rezig'neiʃn] *sb.* **1.** (*fra stilling*) tilbagetræden; afsked; (*om regering, minister også*) demission; **2.** (*om medlem*) udtræden (*from* af); **3.** (*over for det uundgåelige*) resignation;
□ *give/hand/send in one's* ~, *tender one's* ~ indgive sin afskedsbegæring//demissionsbegæring; *with* ~ (*jf. 3*) resigneret.
resigned [ri'zaind] *adj.* resigneret; opgivende;
□ *be* ~ *to* være indstillet på (+ *-ing* at, *fx losing the game*); have affundet sig med.
resilience [ri'ziliəns], **resiliency** [ri'ziliənsi] *sb.* **1.** spændstighed, elasticitet; **2.** (*fig.*) ukuelighed; robusthed; livskraft, livsmod.
resilient [ri'ziliənt] *adj.* **1.** spændstig, elastisk; **2.** (*fig.*) ukuelig; robust; som ikke lader sig slå ned.
resin ['rezin] *sb.* **1.** (*naturligt*) harpiks; **2.** (*kunstigt*) kunstharpiks; resin.
resinous ['rezinəs] *adj.* harpiksholdig; harpiks-.
resist [ri'zist] *vb.* **1.** (*person, angreb*) modstå; gøre modstand imod; **2.** (*forandring etc.*) modsætte sig (*fx an attempt to arrest him*); modarbejde (*fx changes*); **3.** (*påvirkning*) være modstandsdygtig over for (*fx cold; disease; corrosion*); afvise (*fx stains*); modstå (*fx temptation*); **4.** (*uden objekt*) gøre modstand; sætte sig til modværge;

710

◻ *cannot* ~ + *-ing* kan ikke lade være med at; kan ikke bare sig for at (*fx I could not* ~ *laughing*).
resistance [ri'zist(ə)ns] *sb.* **1.** modstand (*to* mod, *fx the plan; the police; armed//passive* ~); **2.** (*egenskab: persons*) modstandskraft (*to* mod, over for, *fx disease; cold*); **3.** (*med.*) resistens (*to* over for); **4.** (*materiales*) modstandsevne, modstandsdygtighed (*to* mod, *fx wear and tear*); **5.** (*elek.*) (lednings)modstand;
◻ *the Resistance* modstandsbevægelsen; *take the line/path of least* ~ (*fig.*) springe over hvor gærdet er lavest; vælge den letteste udvej.
resistant [ri'zist(ə)nt] *adj.* **1.** modstandsdygtig (*to* over for); **2.** (*med.*) resistent (*to* over for); **3.** (*i sms.*) -afvisende, -fast (*fx water -*~); -bestandig (*fx heat-*~); ◻ *be* ~ *to* (*om holdning*) være afvisende over for (*fx change*).
resister [ri'zistə] *sb.* **1.** (*i modstandskamp*) modstandsmand//-kvinde; **2.** (*am. pol.*) [*en der er i opposition*];
◻ *-s* (*jf. 2*) oppositionelle.
resistor [ri'zistə] *sb.* (*elek.*) modstand.
resit¹ ['ri:sit] *sb.* reeksamination, omeksamen.
resit² [ri:'sit] *vb.*: ~ *an examination* tage en eksamen om; gå op til en eksamen igen; blive reeksamineret.
resize [ri:'saiz] *vb.* ændre størrelsen på.
resolute ['rezəl(j)u:t] *adj.* F resolut, beslutsom; bestemt, fast.
resolution [rezə'l(j)u:ʃn] *sb.* **1.** (*egenskab*) beslutsomhed; bestemthed, fasthed; **2.** (*handling: persons*) beslutning; forsæt; **3.** (*forsamlings*) resolution; beslutning, vedtagelse (*fx of a general meeting*); **4.** (F: *af problem, uenighed*) løsning; **5.** (*kem., fys., mat., mus.*) opløsning; **6.** (*foto. etc.*) billedopløsning;
◻ *New Year -s* nytårsforsætter.
resolve¹ [ri'zɔlv] *sb.* F **1.** (*egenskab*) beslutsomhed; **2.** (*handling: persons*) beslutning; **3.** (*am.: forsamlings*) resolution, beslutning, vedtagelse.
resolve² [ri'zɔlv] *vb.* (se også *resolved*) F **1.** (*problem, vanskelighed*) løse (*fx a problem; a crisis*); afklare (*fx a dispute*); **2.** (*om person*) beslutte, bestemme (sig til); **3.** (*om forsamling*) beslutte, vedtage; **4.** (*kem., fys., mat., mus.*) opløse; **5.** (*uden objekt: mus.*) opløses;

◻ ~ *into* opløse sig i; *the House -d itself into a committee* underhuset konstituerede sig som udvalg; ~ *on* beslutte sig for (*fx a plan*); bestemme sig til.
resolved [ri'zɔlvd] *adj.* fast besluttet (*to* på at).
resonance ['rezənəns] *sb.* resonans.
resonant ['rezənənt] *adj.* genlydende, rungende; (*om stemme*) sonor.
resonate ['rezəneit] *vb.* genlyde (*with* af); give genlyd, runge; ◻ ~ *with* (*fig.*) **a.** emme af (*fx historic significance*); **b.** (*hos person*) vække genklang hos (*fx her experiences -d with me*).
resort¹ [ri'zɔ:t] *sb.* **1.** (*i vanskelighed*) tilflugt, udvej, redning (*fx it was our only* ~); **2.** (*sted*) tilholdssted (*fx the café was the* ~ *of intellectuals*); **3.** (*til ferie*) feriested; opholdssted (*fx summer// winter* ~); (se også *health resort, seaside resort*);
◻ *have* ~ *to* F se *resort²*; *as a last* ~ som en sidste udvej; *in the last* ~ i sidste instans; *without* ~ *to* uden anvendelse af; uden at gribe til (*fx violence*).
resort² [ri'zɔ:t] *vb.*: ~ *to* gribe til, tage sin tilflugt til, ty til.
resound [ri'zaund] *vb.* genlyde, give genlyd, runge; ◻ ~ *with* genlyde af.
resounding [ri'zaundiŋ] *adj.* **1.** rungende (*fx cheers; a* ~ *yes*); bragende (*fx applause*); **2.** (*fig.*) bragende (*fx success*); eklatant (*fx defeat; failure*).
resource [ri'sɔ:s] *sb.* **1.** (*til undervisning*) hjælpemiddel; **2.** (*i vanskelighed*) tilflugt, udvej (*fx tears were her only* ~); **3.** (F: *om egenskab*) rådsnarhed;
◻ *-s* **a.** (*en persons*) ressourcer (*fx his inner -s*); **b.** (*et lands*) ressourcer, naturrigdomme; forråd (*fx coal -s*); **c.** (*økonomiske*) ressourcer, midler, pengemidler.
resourceful [ri'sɔ:sf(u)l] *adj.* opfindsom; snarrådig; idérig.
respect¹ [ri'spekt] *sb.* **1.** respekt; agtelse; **2.** hensyn;
◻ ~ *to Mr Brown!* T kompliment til Mr Brown!
[*med vb.*] **command** ~ se *command² 7*; **give** *my -s to your mother* F hils Deres moder fra mig; **pay** *one's -s to sby* F aflægge én en høflighedsvisit; gøre én sin opvartning; *pay one's last -s to sby* vise en den sidste ære; *my father sends his -s* F jeg skal hilse fra min fader; **show** ~ *for* vise respekt for; tage hensyn til (*fx their*

rights; their wishes);
[*med præp.*] *in this* ~ i denne henseende; *in many -s* i mange henseender; på mange måder; *in* ~ *that* (*glds.*) i betragtning af at; *in* ~ *of* F **a.** med hensyn til; i henseende til; hvad angår; **b.** (*om betaling*) vedrørende; *with (all due)* ~, *I think you are wrong* med al respekt/hvis jeg må være så fri, så tror jeg du tager fejl; jeg vil tillade mig at mene at du tager fejl; *with* ~ *to* = *in* ~ *of*; *without* ~ *of persons* uden persons anseelse.
respect² [ri'spekt] *vb.* (se også *respected*) **1.** (*person*) respektere, have respekt for (*fx him*); **2.** (*andet*) respektere, tage hensyn til (*fx his wishes; the environment*); **3.** (*bestemmelse*) respektere, rette sig efter (*fx the law*).
respectability [rispektə'biləti] *sb.* agtelse (*fx gain international* ~); agtværdighed; respektabilitet.
respectable [ri'spektəbl] *adj.* **1.** (*om person*) agtværdig, respektabel (*fx lady*); **2.** (*om udseende, tøj*) pæn (*fx hotel*); ordentlig (*fx clothes; try to make him look a bit* ~); anstændig; **3.** (*om kvalitet*) hæderlig, respektabel; ret god; **4.** (*om størrelse, omfang*) ret stor, pæn (*fx number; salary; sum*); ret betydelig (*fx talents*).
respected [ri'spektid] *adj.* respekteret; anset;
◻ *make oneself* ~ sætte sig i respekt.
respecter [ri'spektə] *sb.*: *be a* ~ *of* respektere, have respekt for; *be no* ~ *of* ikke have respekt for (*fx tradition*); ikke tage hensyn til; *be no* ~ *of persons* ikke kende til persons anseelse.
respectful [ri'spektf(u)l] *adj.* respektfuld; ærbødig;
◻ *be* ~ *of* respektere, have respekt for.
respective [ri'spektiv] *adj.* respektive; hver sin//sit;
◻ *put them in their* ~ *places* anbringe dem på hver sit sted.
respectively [ri'spektivli] *adv.* henholdsvis (*fx the books were marked* ~ *A, B, and C*).
respiration [respə'reiʃn] *sb.* F respiration; vejrtrækning; åndedræt.
respirator ['respəreitə] *sb.* **1.** gasmaske; røgmaske; **2.** (*til patient*) respirator.
respiratory [ri'spaiərət(ə)ri] *adj.* åndedræts- (*fx organs*).
respiratory passages *sb. pl.* luftveje.
respiratory problems *sb. pl.* pro-

blemer med vejrtrækningen.
respire [ri'spaiə] *vb.* ånde.
respite ['respait, (*især am.*) 'respit]
sb. F **1.** midlertidig afbrydelse;
pusterum; pause (*from* i, *fx the
shellfire*); lettelse (*from* i, *fx the
food shortage*); **2.** (*mht. udførelse
af pligt, straf*) udsættelse; frist; re-
spit; (*mht. betaling også*) hen-
stand.
respite care *sb.* aflastning [*for pleje
af kronisk syge*].
resplendence [ri'splendəns] *sb.* F
glans, pragt.
resplendent [ri'splendənt] *adj.* F
strålende, pragtfuld.
respond [ri'spɔnd] *vb.* F **1.** svare;
2. (*på udspil, udfordring*) reagere
(*fx we appealed to people to
come forward and they -ed*); **3.** (*i
kirke*) synge korsvar; svare; **4.** (*i
bridge*) svarmelde;
□ ~ *by* + *-ing* reagere ved at (*fx
slamming the door*); ~ *to* **a.** svare
på; besvare; **b.** reagere på (*fx how
did they* ~ *to the news? the car
did not* ~ *to the controls*); **c.** (*be-
handling*) reagere på, være modta-
gelig for; ~ *with* svare med.
respondent [ri'spɔndənt] *sb.* **1.** (*ved
opinionsundersøgelse*) svarper-
son, respondent; **2.** (*jur.*) ind-
stævnte; (*i skilsmissesag*) sag-
søgte;
□ *the -s* (*jf. 1, også*) de adspurgte.
response [ri'spɔns] *sb.* **1.** svar (*to
på, fx an advertisement*); **2.** (*på
udspil, udfordring*) reaktion (*to
på, fx he got no* ~ *to his sugge-
stion*); respons (*fx the appeal pro-
duced a positive* ~); **3.** (*i kirke*)
[*menighedens svar ved gudstjene-
ste*]; korsvar; **4.** (*i bridge*) svarmel-
ding;
□ *in* ~ *to* som reaktion på; *meet
with no* ~ ikke vinde genklang;
ikke finde tilslutning.
responsibility [rispɔnsi'biləti] *sb.*
1. (*som man tager*) ansvar (*for for,
fx I take full* ~ *for the mistake*);
2. (*som man har*) forpligtelse, an-
svar (*to over for, fx the company
has a* ~ *to its shareholders*); **3.** (*til
at gøre noget*) pligt, forpligtelse
(*to til at, fx you have a* ~ *to en-
sure that they are taken care of*);
□ *responsibilites* forpligtelser;
claim ~ *for* påtage sig ansvaret
for; *a position of* ~ en ansvarsfuld
stilling.
responsible [ri'spɔnsəbl] *adj.* **1.** an-
svarlig (*for* for; *to* over for); **2.** (*om
egenskab*) ansvarsbevidst (*fx he is
very* ~); **3.** (*om stilling*) ansvars-
fuld;
□ *hold sby* ~ holde en ansvarlig;

drage en til ansvar.
responsive [ri'spɔnsiv] *adj.* **1.** in-
teresseret; lydhør (*fx students;
audience* publikum); **2.** svar-; der
tjener som svar (*fx a* ~ *tug at the
rope*);
□ ~ *to* **a.** velvilligt indstillet over
for, lydhør over for (*fx their
requests*); **b.** (*behandling*) som
reagerer på; påvirkelig for/af.
rest[1] *sb.* **1.** hvile (*fx you need some
~*); **2.** (*enkelt*) hvil (*from* efter,
oven på, *fx they stopped for a* ~
from their exertions; take a ~);
pause; søvn (*fx a good night's* ~);
3. (*mus.*) pause; pausetegn; **4.** (*til
understøtning*) støtte, underlag;
(*se også armrest*); **5.** (*fagl.: for mas-
kine, gevær*) anlæg; (*i billard: for
kø*) maskine;
□ *give it a* ~*!* T hold op (med
det)!; (*se også wicked*);
the ~ **a.** resten (*fx the* ~ *of the
money*); det øvrige; **b.** (*pl.*) resten,
de andre (*fx the* ~ *are staying*);
and the ~, *and all the* ~ *of it* T og
så videre;
[*med præp.*] *at* ~ i hvile, i ro;
stille; *he is at* ~ (ɔ: *død*) han har
fået fred; *set the question at* ~ af-
gøre spørgsmålet endeligt; *set
sby's mind at* ~ berolige én; *for
the* ~ hvad resten/det øvrige an-
går; *come to* ~ standse; blive lig-
gende; *go to* ~ gå til ro; *lay to* ~
a. (*begrave*) stede til hvile; **b.** (*fig.*)
få en ende på (*fx the unpleasant
affair; the uncertainty*); få manet i
jorden (*fx their fears; the false
rumours*).
rest[2] [rest] *vb.* (*se også rested*)
1. hvile sig; hvile; **2.** (*med objekt*)
hvile (*fx one's eyes; one's feet*);
lade hvile (*fx one's horse*); give
hvile; **3.** (*på underlag*) hvile,
støtte (*on* på, *fx he -ed his arm on
the table;* ~ *your head on my
shoulder; he -ed his head in his
hands*); lade hvile; **4.** (*op ad no-
get*) stille;
□ *let the matter* ~ lade sagen
ligge; *there the matter must* ~
derved må det forblive/bero; (*se
også case*[1]).
[*med præp.& adv.*] ~ *against*
a. stå op ad (*fx the bicycle was
-ing against the wall*); **b.** (*med
objekt*) stille op ad (*fx* ~ *the lad-
der against the wall*); ~ *on* **a.** (*på
underlag*) hvile på; **b.** (*som støtte*)
støtte sig til (*fx a spade*); **c.** (*fig.*)
hvile på, bygge på, være baseret
på (*fx her reputation -s on just
three novels*); (*se også laurel*); ~
sth on se ovf.: *3*; *her eyes -ed on
the boy* (*litt.*) hendes blik hvilede

på/dvælede ved drengen; ~ *up*
hvile ud; ~ *with* (*fig.*) ligge hos,
påhvile (*fx the responsibility -s
with him*); *it -s with you to decide*
det står til dig at afgøre.
restate [ri:'steit] *vb.* gentage.
restatement [ri:'steitmənt] *sb.* gen-
tagelse.
restaurant ['restərɔnt, -rɔːŋ, (*am.*)
-rɔnt, 'rest(ə)ra:nt] *sb.* restaurant.
restaurant car *sb.* spisevogn.
restaurateur [restɔrə'təː] *sb.* restau-
ratør.
rested ['restid] *adj.* udhvilet.
restful ['restf(u)l] *adj.* rolig; beroli-
gende; fredfyldt.
restharrow ['resthærəu] *sb.* (*bot.*)
krageklo.
rest home *sb.* plejehjem.
resting place *sb.* **1.** tilflugtssted; fri-
sted; **2.** hvilested (*fx his final* ~).
restitution [resti'tjuːʃn] *sb.* **1.** (*af
stjålne effekter*) tilbagegivelse; til-
bagelevering; **2.** (*penge*) erstat-
ning; **3.** (*jur.*) genoprettelse af tid-
ligere tilstand.
restive ['restiv] *adj.* F rastløs, uro-
lig; vanskelig at styre.
restless ['restləs] *adj.* rastløs, hvile-
løs, urolig.
restock ['riːstɔk] *vb.* fylde igen,
fylde op (*fx the shelf; the fridge*);
□ ~ *the lake with fish* forny fiske-
bestanden i søen.
Restoration [restə'reiʃn] *sb.: the* ~
(*hist.*) [*genindsættelsen af Stuart-
erne i 1660 efter republikken*].
restoration [restə'reiʃn] *sb.* (*jf. re-
store*) **1.** restaurering, istandsæt-
telse; (*af tekst*) rekonstruktion;
2. (*af noget tidligere eksisterende*)
genoprettelse, genskabelse, gen-
etablering; genindførelse; **3.** (*af
person i stilling*) genindsættelse;
4. (*it*) gendannelse, retablering,
genopretning; **5.** (*af noget mistet*)
tilbagegivelse; **6.** helbredelse.
restorative[1] [ri'stɔːrətiv] *sb.* **1.** styr-
kende middel; **2.** (*drik*) hjerte-
styrkning, opstrammer.
restorative[2] [ri'stɔːrətiv] *adj.* styr-
kende, oplivende, stimulerende.
restore [ri'stɔː] *vb.* **1.** (*ældre ting*)
restaurere (*fx a building; a paint-
ing*); istandsætte (*fx an old car*);
2. (*noget der har eksisteret før*)
genoprette, genskabe, genetablere
(*fx confidence; order; peace*); gen-
indføre (*fx a custom; the death
penalty*); **3.** (*tekst*) rekonstruere;
4. (*it*) gendanne, genetablere, gen-
oprette; **5.** (*person: i tidligere stil-
ling*) genindsætte (*to* i, *fx* ~ *him
to office*); **6.** (F: *noget mistet*) give
tilbage (*to* til, *fx stolen property to
the owner*);

□ ~ *his hearing//sight* gengive ham hørelsen//synet;
~ *to* se ovf.: *3, 4*; ~ *sby to favour* tage en til nåde; ~ *sby to health* restitutere en; helbrede en; ~ *the king to power* genindsætte kongen.
restorer [ri'stɔ:rə] *sb.* konservator.
restrain [ri'strein] *vb.* (se også *restrained*) **1.** (*voldelig person*) holde tilbage; **2.** (*følelse etc.*) styre, beherske (*fx one's anger; oneself*); lægge bånd på, tøjle (*fx one's ambition*); **3.** (*noget der vokser*) holde nede, bremse (*fx inflation*);
□ ~ *sby from* + *-ing* holde en tilbage fra at; forhindre en i at; ~ *sby* (*også*) indskrænke ens frihed; spærre en inde.
restrained [ri'streind] *adj.* **1.** (*om person*) behersket, rolig; afdæmpet; **2.** (*om tøj, udsmykning*) diskret, afdæmpet.
restraining order [ri'streiniŋɔ:də] *sb.* (*jur.,* især *am.*) kendelse der nedlægger forbud.
restraint [ri'streint] *sb.* **1.** (*som forhindrer*) begrænsning, bånd (*fx he had to impose some* ~ *on himself*); tvang; **2.** (*om persons optræden*) tilbageholdenhed; beherskelse.
restrict [ri'strikt] *vb.* begrænse, indskrænke.
restricted [ri'striktid] *adj.* **1.** begrænset; **2.** (*om dokument*) klassificeret; (*laveste klassifikationsgrad*) til tjenestebrug.
restricted area *sb.* **1.** spærret//forbudt område; **2.** (*af vej:* mht. *hastighed*) område med hastighedsbegrænsning.
restriction [ri'strikʃn] *sb.* begrænsning, indskrænkning; restriktion.
restrictive [ri'striktiv] *adj.* begrænsende; restriktiv.
restrictive clause *sb.* (*gram.*) bestemmende relativsætning.
restrictive trade practices *sb. pl.* (*merk.*) konkurrencebegrænsning(er).
rest room *sb.* (*am.*) (offentligt) toilet.
restructure [ri:'strʌktʃə] *vb.* **1.** omstrukturere; omorganisere; **2.** (*gæld*) omlægge.
result[1] [ri'zʌlt] *sb.* **1.** resultat; følge; **2.** (*mat.*) resultat, facit.
result[2] [ri'zʌlt] *vb.* (se også *resulting*) være resultatet, opstå (*fx chaos -ed*);
□ ~ *from* være resultatet af, følge af; ~ *in* føre til, resultere i, ende med.
resultant [ri'zʌlt(ə)nt] *adj.* F = *re-*

sulting.
resulting [ri'zʌltiŋ] *adj.* deraf følgende.
resume [ri'z(j)u:m] *vb.* F **1.** igen (over)tage (*fx command*); **2.** (*plads, stilling*) genindtage (*fx one's seat*); **3.** (*aktivitet, beskæftigelse*) igen begynde på; genoptage (*fx work*); **4.** (*uden objekt*) begynde igen; fortsætte [*efter afbrydelse*].
résumé ['rezjumei, (*am.*) rezu'mei] *sb.* **1.** resumé; sammendrag; **2.** (*am.: fx i ansøgning*) personlige data; cv, CV.
resumption [ri'zʌm(p)ʃn] *sb.* genoptagelse; fortsættelse.
resurface [ri:'sɔ:fis] *vb.* **1.** (*om ubåd*) gå op til overfladen igen; **2.** (*om svømmer*) komme op til overfladen igen; **3.** (*fig.: om problem etc. & person*) dukke op igen, vise sig igen; **4.** (*med objekt*) komme ny belægning på; give ny overfladebehandling.
resurgence [ri'sɔ:dʒ(ə)ns] *sb.* F genopståen; genopblussen (*fx of nationalism*).
resurgent [ri'sɔ:dʒ(ə)nt] *adj.* genopdukkende; genopblussende; fornyet.
resurrect [rezə'rekt] *vb.* genoplive (*fx an old custom*); vække til live igen; forny.
Resurrection [rezə'rekʃn] *sb.: the* ~ (*rel.*) opstandelsen; genopstandelsen.
resurrection [rezə'rekʃn] *sb.* genoplivelse; fornyelse.
resurrectionist [rezə'rekʃnist] *, resurrection man* *sb.* (*hist.*) ligrøver [*som solgte lig til dissektion*].
resuscitate [ri'sʌsiteit] *vb.* **1.** (*person*) genoplive; **2.** (*fig.*) genoplive; vække til live igen; puste nyt liv i.
resuscitation [risʌsi'teiʃn] *sb.* genoplivning.
ret [ret] *vb.* røde, udbløde [*hør*].
retail[1] ['ri:teil] *sb.* detailsalg.
retail[2] [ri:'teil] *adj.* detail- (*fx business; price*).
retail[3] ['ri:teil] *vb.* (*vare*) sælge;
□ *it -s at/for* den sælges for.
retail[4] [ri'teil] *vb.* (*historie*) fortælle; bringe videre; diske/varte op med.
retail[5] ['ri:teil] *adv.* en detail.
retailer [ri'teilə] *sb.* detailhandler.
retail price index *sb.* forbrugerprisindeks.
retain [ri'tein] *vb.* F **1.** bevare (*fx one's dignity*); beholde (*fx the title; a right*); bibeholde; fastholde, holde på; **2.** (*i erindringen*) huske; **3.** (*varme*) holde på; **4.** (*vand*) holde tilbage, binde;

5. (*jur.*) engagere (*fx a barrister*) [*ved forskudshonorar*].
retainer [ri'teinə] *sb.* **1.** (*til advokat etc.*) forskudshonorar; **2.** (*tekn.*) holder;
□ *old family* ~ (*glds.*) gammelt trofast tyende; faktotum.
retaining wall *sb.* støttemur.
retake[1] ['ri:take] *sb.* **1.** (*film.*) omoptagelse; **2.** se *resit*[1].
retake[2] [ri:'teik] *vb.* **1.** (*mil.*) tage tilbage; generobre; **2.** (*foto., film.*) tage om;
□ ~ *an examination* se *resit*[2].
retaliate [ri'tælieit] *vb.* gøre gengæld; hævne sig;
□ ~ *against* **a.** (*person*) gøre gengæld mod; hævne sig på; **b.** (*angreb*) gengælde.
retaliation [ritæli'eiʃn] *sb.* gengæld; hævn.
retaliatory [ri'tæliət(ə)ri] *adj.* gengældelses-;
□ ~ *measures* (*også*) repressalier.
retard[1] [ri'ta:d] *sb.* (*groft skældsord*) sinke, kvaj, tosse.
retard[2] [ri'ta:d] *vb.* sinke; forhale;
□ ~ *the ignition* stille til lav tænding.
retardation [ri:ta:'deiʃn] *sb.* forsinkelse; forhaling.
retarded [ri'ta:did] *adj.* (*psyk., glds.*) retarderet; udviklingshæmmet;
□ ~ *ignition* lav tænding; eftertænding.
retch [retʃ] *vb.* få opkastningsfornemmelser, gylpe, være ved at kaste op.
retd *fork. f. retired* fhv., pensioneret.
retell [ri:'tel] *vb.* genfortælle.
retention [ri'tenʃn] *sb.* (jf. *retain*) **1.** bevarelse; bibeholdelse; **2.** erindring; **3.** binding, tilbageholdelse; **4.** (*med.*) retention.
retentive [ri'tentiv] *adj.: a* ~ *memory* en god hukommelse.
rethink[1] ['ri:θiŋk] *sb.* genovervejelse; revurdering;
□ *have a* ~ *of* se *rethink*[2].
rethink[2] [ri:'θiŋk] *vb.* tage op til fornyet overvejelse; revurdere.
reticence ['retis(ə)ns] *sb.* F tilbageholdenhed, reserverthed; fåmælthed.
reticent ['retisnt] *adj.* F tilbageholdende, reserveret; fåmælt;
□ *be* ~ *about* ikke tale ret meget om.
reticulated [ri'tikjuleitid] *adj.* netagtig.
reticulated python *sb.* (*zo.*) netpyton.
reticulation [ritikju'leiʃn] *sb.* netværk.

R reticule

reticule ['retikju:l] *sb.* (*især hist.*) pompadourtaske; dametaske [*broderet og med poselukke*].

retina ['retinə] *sb.* (*anat.*) nethinde.

retinue ['retinju:] *sb.* følge, ledsagere.

retire [ri'taiə] *vb.* (se også *retired*) **1.** trække sig tilbage (*fx from the world; to one's room*); (F: *for natten også*) gå til ro, gå i seng; **2.** (*fra stilling*) trække sig tilbage, gå af, tage sin afsked; **3.** (*i sport: af konkurrence*) udgå; **4.** (*mil.*) trække sig tilbage, retirere; vige// falde tilbage; **5.** (*med objekt*) trække tilbage (*fx troops*); **6.** (*person: fra stilling*) pensionere; få til at trække sig tilbage; **7.** (*penge*) tage ud af omløb.

retired [ri'taiəd] *adj.* **1.** afgået; forhenværende; pensioneret (*fx headmaster*); **2.** (*om livsform*) tilbagetrukket (*fx life*).

retiree [ri:tai'ri:] *sb.* (*am.*) pensionist.

retirement [ri'taiəmənt] *sb.* **1.** afgang, fratræden; pensionering; **2.** (*periode*) pensionisttid (*fx he spent much of his ~ travelling*); **3.** (*om livsform*) tilbagetrukkethed (*fx he lived in ~ in Sussex*); □ *go into* ~ trække sig tilbage; *live in* ~ (*også*) leve tilbagetrukket.

retirement pension *sb.* (*omtr.*) folkepension.

retirement pensioner *sb.* (*omtr.*) folkepensionist.

retiring [ri'taiəriŋ] *adj.* tilbageholdende; genert; □ *the ~ government* den afgående regering.

retool [ri:'tu:l] *vb.* **1.** (*fabrik*) udstyre med nye værktøjsmaskiner; **2.** (*maskine*) omstille; **3.** (*am.*) ændre på, lave om.

retort[1] [ri'tɔ:t] *sb.* **1.** skarpt svar; svar på tiltale; **2.** (*kem.*) retort, destillerkolbe.

retort[2] [ri'tɔ:t] *vb.* svare skarpt; tage til genmæle, svare igen.

retouch [ri:'tʌtʃ] *vb.* (*foto.*) retouchere.

retrace [ri(:)'treis] *vb.* spore//følge tilbage; □ ~ *it in one's mind* gennemgå det i tankerne; ~ *one's steps* gå samme vej tilbage.

retract [ri'trækt] *vb.* **1.** trække tilbage (*fx one's hand; a cat can ~ its claws*); **2.** (*flyv.*) trække op (*fx the undercarriage*); **3.** (*noget man har sagt*) tage tilbage, tilbagekalde; **4.** (*uden objekt*) tage sine ord tilbage (*fx he was forced to ~*).

retractable [ri'træktəbl] *adj.* [*som

kan trækkes ind//tilbage]; bevægelig; □ ~ *undercarriage* (*flyv.*) optrækkeligt understel.

retraction [ri'trækʃn] *sb.* (jf. *retract*) **1.** tilbagetrækning; **2.** tilbagekaldelse.

retrain [ri:'trein] *vb.* omskole.

retread[1] ['ri:tred] *sb.* **1.** dæk med ny slidbane; vulkaniseret dæk; **2.** (*fig., neds.*) opkog.

retread[2] [ri:'tred] *vb.* (*dæk*) lægge ny slidbane på; vulkanisere.

retreat[1] [ri'tri:t] *sb.* **1.** (*mil.*) retræte, tilbagetog; tilbagetrækning; **2.** (*signal*) retræte; **3.** (*fig.*) tilbagetog (*from* fra, *fx one's earlier views*); **4.** (*sted*) tilflugtssted, fristed; refugium; **5.** (*rel.*) [*periode hvor man trækker sig tilbage og holder stille andagt*]; □ *be in* ~ (jf. 1) være på tilbagetog; *beat a (hasty)* ~ foretage et (hastigt) tilbagetog; fjerne sig/fortrække (i en fart); *sound a* ~ (jf. 2) blæse retræte.

retreat[2] [ri'tri:t] *vb.* **1.** (*om person*) trække sig tilbage; fjerne sig; **2.** (*mil.*) trække sig tilbage; □ ~ *from* (*fig.*) forlade (*fx one's beliefs; one's principles*); 'gå fra (*fx one's promises*).

retrench [ri'tren(t)ʃ] *vb.* **1.** F skære ned; spare; **2.** (*austr.*) afskedige.

retrenchment [ri'tren(t)ʃmənt] *sb.* F **1.** nedskæring; besparelse; **2.** (*generelt*) sparepolitik; besparelser; **3.** (*austr.*) afskedigelse.

retrial [ri:'traiəl] *sb.* (*jur.*) genoptagelse af retssag, ny retssag (*of* mod).

retribution [retri'bju:ʃn] *sb.* F straf; gengældelse.

retributive [ri'tribjutiv] *adj.* F gengældelses-.

retrieval [ri'tri:v(ə)l] *sb.* **1.** generhvervelse; **2.** (*ved eftersøgning*) fremdragning, bjærgning; redning; **3.** (*af oplysninger etc., også* it) hentning; genfinding; (se også *information retrieval*); □ *lost beyond/past* ~ uhjælpelig fortabt; uigenkaldelig tabt.

retrieve [ri'tri:v] *vb.* **1.** hente (igen) (*fx he went back to ~ his jacket; they -d the ball from his garden*); få fat i (igen); hente frem; **2.** (*fra gulvet etc.*) tage op (*fx he stooped and -d his hat; he -d the letter from the waste-paper basket*); **3.** (*ved eftersøging*) drage frem, bjærge (*fx wreckage from the sea; four bodies have been -d from the snow*); **4.** (*om hund*) apportere, hente; **5.** (*it: fra en computer*) hente frem, genfinde, trække ud;

□ ~ *a loss* genoprette et tab; ~ *the situation* redde situationen.

retriever [ri'tri:və] *sb.* retriever [*jagthund som apporterer nedlagt vildt*].

retro ['retrəu] *adj.* retro, som efterligner noget fra fortiden; tilbageskuende; nostalgisk (*fx style*).

retroactive [retrəu'æktiv] *adj.* tilbagevirkende; med tilbagevirkende kraft (*fx law; pay increase*).

retrofit ['retrə(u)fit] *vb.* **1.** (*tilbehør*) eftermontere; **2.** (*maskine etc.*) modernisere, opgradere.

retrograde ['retrə(u)greid] *adj.* F som bevæger sig tilbage; som bliver ringere; □ ~ *step* tilbageskridt.

retrogress [retrə(u)'gres] *vb.* F gå tilbage; forringes; gå i opløsning.

retrogression [retrə(u)'greʃn] tilbagegang; forfald.

retrogressive [retrə(u)'gresiv] se *retrograde.*

retro-rocket ['retrəurɔkit] *sb.* bremseraket.

retrospect ['retrə(u)spekt] *sb.* tilbageblik (*of* på, over, *fx a short ~ of recent events*); □ *in* ~ når man ser/så tilbage; set i bakspejlet.

retrospective[1] [retrə(u)'spektiv] *sb.* retrospektiv udstilling.

retrospective[2] [retrə(u)'spektiv] *adj.* **1.** retrospektiv; som vender sig mod fortiden; **2.** se *retroactive.*

retrospectively [retrə(u)'spektivli] *adv.* retrospektivt, set i bakspejlet.

retroussé [rə'tru:sei] *adj.* (*om næse*) opadvendt; opstopper-.

retry [ri:'trai] *vb.* **1.** forsøge igen; **2.** (*person, jur.*) stille for retten igen.

return[1] [ri'tə:n] *sb.* **1.** tilbagevenden; tilbagekomst, hjemkomst; **2.** (*af noget man har fået*) tilbagesendelse, tilbagegivelse, tilbagelevering; returnering; **3.** (*af penge*) tilbagebetaling; betaling; **4.** (*fig.*) gengæld; besvarelse; **5.** (*i kortspil*) svar på udspil; **6.** (*økon.*) udbytte (*on* af, *fx get a quick ~ on one's money*); **7.** (*parl.*) valg; **8.** (*til myndighed*) indberetning; rapport; (se også *tax return*); **9.** (*på computer*) returtast; **10.** (*jernb. etc.*) returbillet; **11.** (*i sport: af bold*) returnering; (*kamp*) returkamp; **12.** (*på tastatur*) returtast; □ *-s a.* statistik; (statistisk) opgørelse; b. (*om valg*) resultat; c. (*merk.*) udbytte; d. (*varer*) returvarer, returgods, reklamationsvarer; e. (*usolgte bøger, aviser*) retureksemplarer; *many happy -s (of the day)* til lykke med fødsels-

714

dagen;
[*med præp.*] **by** ~ *(of post)* omgående; **in** ~ til gengæld; **in** ~ **for** til gengæld for; som tak for; (se også *rate*[1] *(of return), point of no return*).

return[2] [ri'tə:n] *adj.* tilbage; retur- (*fx journey*).

return[3] [ri'tə:n] *vb.* **1.** (*uden objekt*) vende tilbage; komme tilbage, komme igen (*fx after three days he -ed; his appetite -ed*); returnere; **2.** (*med objekt*) sende//give tilbage, returnere; tilbagelevere; **3.** (*penge*) betale tilbage; **4.** (*fig.*) gengælde (*fx his love; a call* en visit); besvare (*fx the enemy's fire*); **5.** (*i kortspil*) spille tilbage (*fx he -ed clubs*); **6.** (*udbytte, fortjeneste*) give; **7.** (*parl.: kandidat*) vælge; □ ~ *thanks* takke; holde en takketale; ~ *a verdict* se *verdict*; [*med præp.& adv.*] *be -ed* **for** (jf. 7) blive valgt til parlamentsmedlem for; ~ *home* vende hjem (igen); ~ *to* **a.** (*sted*) vende tilbage til; **b.** (*emne, beskæftigelse*) vende tilbage til, tage op igen; **c.** (*uvane, tilstand*) falde tilbage til; *he -ed the book to its place* han stillede// lagde bogen på plads/tilbage.

returnable [ri'tə:nəbl] *adj.* genbrugs-; retur- (*fx bottles*).

return address *sb.* afsenderadresse.

returner [ri'tə:nə] *sb.* [*person der vender tilbage til arbejdsmarkedet*].

returning officer *sb.* valgbestyrer [*der i en valgkreds leder valghandlingen ved parlamentsvalg*].

return key *sb.* returtast.

return match *sb.* returkamp, revanchekamp.

return ticket *sb.* returbillet.

reunification [ri:ju:nifi'keiʃn] *sb.* genforening;
□ *family* ~ familiesammenføring.

reunion [ri:'ju:niən] *sb.* møde; stævne; sammenkomst; fest (*fx a family* ~);
□ *family* ~ (*også*) familiesammenføring.

reunite [ri:ju'nait] *vb.* genforene.

reusable [ri:'ju:zəbl] *adj.* som kan genbruges, genbrugs-.

reuse[1] [ri:'ju:s] *sb.* genbrug, genanvendelse.

reuse[2] [ri:'ju:z] *vb.* genbruge, genanvende.

rev [rev] *vb.* **1.** gå op i omdrejninger; gasse op; **2.** (*med objekt*) give gas (*fx* ~ *the engine*);
□ ~ *up* = rev.

Rev. *fork. f.* **1.** *Reverend*; **2.** (*i Biblen*) *Revelation*.

revaluation [ri:vælju'eiʃn] *sb.* **1.** omvurdering; revurdering; **2.** (*af valuta*) revaluering, opskrivning; **3.** (*i regnskab*) opskrivning.

revalue [ri:'vælju:] *vb.* **1.** omvurdere; revurdere; **2.** (*valuta*) revaluere, opskrive; **3.** (*i regnskab*) opskrive.

revamp [ri:'væmp] *vb.* reformere, forbedre, pynte på.

rev counter *sb.* omdrejningstæller.

Revd *fork. f. Reverend.*

reveal [ri'vi:l] *vb.* afsløre, røbe; åbenbare.

revealing [ri'vi:liŋ] *adj.* afslørende (*fx interview; clothes*).

reveille [ri'væli, (*am.*) 'rev(ə)li] *sb.* (*mil.*) reveille.

revel ['rev(ə)l] *vb.* svire; holde gilde; leve i sus og dus;
□ ~ *in* **a.** fryde sig over; nyde; sole sig i (*fx their admiration*); elske; **b.** (*neds.*) svælge i (*fx scandal*); boltre sig i.

Revelation [revə'leiʃn] *sb.: the Book of* ~ (*i Biblen*) Johannes' Åbenbaring.

revelation [revə'leiʃn] *sb.* **1.** afsløring; **2.** (*om noget overraskende*) åbenbaring.

Revelations [revə'leiʃnz] *sb. pl.* se *Revelation.*

reveller ['rev(ə)lə] *sb.* svirebroder.

revelries ['rev(ə)lriz] *sb. pl.*, **revelry** ['rev(ə)lri] *sb.* sviren, larmende festlighed.

revels ['rev(ə)lz] *sb. pl.* (*litt.*) gilde, sold; løjer.

revenge[1] [ri'ven(d)ʒ] *sb.* **1.** hævn; **2.** (*i sport*) revanche; revanchekamp;
□ *get one's* ~ *on* **a.** få hævn over; **b.** få revanche over; *in* ~ *for* som hævn for.

revenge[2] [ri'ven(d)ʒ] *vb.* hævne;
□ ~ *oneself on* hævne sig på.

revengeful [ri'ven(d)ʒf(u)l] *adj.* hævngerrig.

revenue ['rev(ə)nju:] *sb.* indtægt, indtægter.

revenue cutter *sb.* toldkrydser.

reverb [ri'və:b] *sb.* ekko [*tilsat ved lydoptagelse*].

reverberate [ri'və:b(ə)reit] *vb.* **1.** genlyde (*with* af); **2.** (*fig.: om nyhed, begivenhed*) give genlyd.

reverberation [rivə:bə'reiʃn] *sb.* (*af lyd*) genlyd, ekko; efterklang;
□ *-s* (*fig.*) efterdønninger, eftervirkninger.

revere [ri'viə] *vb.* nære ærbødighed for, ære, holde i ære.

reverence ['rev(ə)rəns] *sb.* ærbødighed; ærefrygt; pietet;
□ *Your Reverence* Deres Velærværdighed; (se også *saving*[2]).

Reverend ['rev(ə)rənd] *sb.* pastor (*fx the* ~ *Amos Barton*).

reverent ['rev(ə)rənt], **reverential** [revə'rənʃ(ə)l] *adj.* F ærbødig, pietetsfuld, respektfuld.

reverie ['revəri] *sb.* (*litt.*) drømmerier.

revers [ri'viə] *sb.* (*pl. revers* [ri'viəz]) (*på jakke etc.*) revers.

reversal [ri'və:s(ə)l] *sb.* **1.** skift (til det modsatte) (*fx a* ~ *of policy*); fuldstændig forandring; omslag; **2.** (*jur.: af afgørelse*) omstødelse, ophævelse; **3.** (*økonomisk*) tilbageslag; **4.** (*tekn.*) reversering, omstyring;
□ *a* ~ *of roles* en ombytning af rollerne.

reverse[1] [ri'və:s] *sb.* **1.** uheld; tilbageslag; nederlag; **2.** (*i bil etc.*) bakgear;
□ *the* ~ **a.** det modsatte (*of* af, *fx he did the* ~ *of what I expected*); det omvendte (*of* af); **b.** (*af papir etc.*) den modsatte side, bagsiden (*fx of the cheque*); **c.** (*af stof*) vrangen; **d.** (*af mønt, medalje*) bagsiden, reversen; *the* ~ *is the case/is true* det forholder sig lige omvendt; *the* ~ *of the medal* (*fig.*) bagsiden af medaljen; *quite the* ~ tværtimod;
[*med præp.*] *in* ~ **a.** tilbage; baglæns; **b.** i den modsatte retning; **c.** i bakgear; **d.** i omvendt orden/ rækkefølge; **e.** (*fig.*) omvendt; med modsat fortegn; *go into* ~ gå i den modsatte retning; *put into* ~ sætte i bakgear.

reverse[2] [ri'və:s] *adj.* **1.** omvendt (*fx in* ~ *order*); modsat; **2.** baglæns; **3.** (*typ.*) spejlvendt; negativ.

reverse[3] [ri'və:s] *vb.* **1.** vende om (*fx the paper in the printer*); vende op og ned på; **2.** (*rækkefølge*) bytte om på (*fx the order of the names*); **3.** (*fig.*) vende (*fx the trend*); vende om på (*fx the order*); vende op og ned på, forandre fuldstændigt; **4.** (*jur.: afgørelse*) omstøde, ophæve; **5.** (*bil etc.*) sætte i bakgear; (*køre*) bakke (*fx* ~ *the car out of the garage*); bakke med; **6.** (*tekn.*) reversere; omstyre; **7.** (*uden objekt*) bakke; køre baglæns; reversere; **8.** (*i dans*) danse avet om;
□ ~ *out* (*typ.*) trykke hvidt på sort; [*med sb.*] ~ *the engine* slå bak/ kontra; *-d lettering* (*typ.*) negativ skrift; ~ *one's policy* (*fig.*) slå bak; ~ *roles* bytte roller; *the roles are -d* rollerne er byttet om; (se også *arm*[1], *charge*[1]).

reverse charge call *sb.* (*tlf.*) samtale som modtageren betaler.

reverse dive *sb.* (*ved udspring*)
baglæns saltomortale.
reverse gear *sb.* bakgear.
reverse side *sb.* **1.** (*af mønt etc.*) revers, bagside; **2.** (*af tøj*) vrang;
3. (*af papir etc.*) bagside.
reversible [ri'və:səbl] *adj.* **1.** (*om proces*) reversibel; **2.** (*om stof*)
vendbar; til at vende; gennemvævet; **3.** (*om maskine*) omstyrbar.
reversion [ri'və:ʃn, (*am.*) -ʒn] *sb.*
1. F tilbagevenden; **2.** (*jur.*) hjemfald; hjemfaldsret;
□ ~ *to type* (*biol.*) atavisme.
revert [ri'və:t] *vb.*: ~ *to* F **a.** vende
tilbage til (*fx the subject*);
b. (*neds.*) falde tilbage til (*fx they
-ed to their naughty ways*);
c. (*jur.*) hjemfalde til; ~ *to type*
a. ligne sig selv igen; **b.** (*biol.*) opvise atavistiske træk.
revet [ri'vet] *vb.* (*mil.*) beklæde (*fx
the trench*).
revetment [ri'vetmənt] *sb.* (*mil.*)
beklædning; støttemur; sandsækbeklædning; vold af sandsække.
review[1] [ri'vju:] *sb.* **1.** oversigt,
overblik (*of over, fx the political
situation*); **2.** (*kritisk*) undersøgelse, gennemgang, evaluering (*of
af, fx the security arrangements*);
3. (*af bog, forestilling etc.*) anmeldelse, kritik; **4.** (*publikation*) magasin, tidsskrift; **5.** (*jur.: af afgørelse*) (fornyet) prøvelse; (se også
judicial review); **6.** (*mil.*) mønstring; revy; **7.** (*am.: før eksamen*)
repetition;
□ *pass in* ~ lade passere revy; *be
under* ~ være ved at blive gennemgået; være under overvejelse;
come up for ~ **a.** blive gennemgået; blive taget op til fornyet
overvejelse; **b.** (*jur.*) blive taget op
til fornyet prøvelse.
review[2] [ri'vju:] *vb.* **1.** give en oversigt over, tage et overblik over, betragte (*fx the political situation*);
se tilbage på (*fx the past*); **2.** (*kritisk*) undersøge, gennemgå, evaluere (*fx the security arrangements*);
3. (*bog, forestilling etc.*) anmelde;
4. (*jur.: afgørelse*) underkaste fornyet prøvelse; **5.** (*mil.: tropper*)
inspicere; holde revy over;
6. (*am.: eksamensstof*) repetere.
reviewer [ri'vju:ə] *sb.* anmelder;
kritiker.
revile [ri'vail] *vb.* F håne, spotte;
rakke ned.
revise [ri'vaiz] *vb.* **1.** (*opfattelse*)
revidere (*fx one's opinions; one's
impression of sby*); **2.** (*pris etc.*)
justere, korrigere; **3.** (*tekst etc.*)
gennemse, revidere, rette til (*fx an
essay; a plan*); **4.** (*før eksamen*)

repetere.
revision [ri'viʒ(ə)n] *sb.* **1.** revision;
2. (*af pris etc.*) justering, korrektion; **3.** (*af tekst etc.*) gennemsyn,
revision, tilretning; **4.** (*i skole*) repetition; eksamenslæsning.
revisionism [ri'viʒ(ə)nizm] *sb.*
(*pol.*) revisionisme.
revisionist[1] [ri'viʒ(ə)nist] *sb.* revisionist.
revisionist[2] [ri'viʒ(ə)nist] *adj.* revisionistisk.
revisit [ri:'vizit] *vb.* besøge igen;
gense.
revitalize [ri:'vaitəlaiz] *vb.* sætte/
puste nyt liv i;
□ *be -d* få nyt liv.
revival [ri'vaiv(ə)l] *sb.* **1.** genoplivelse; genopvækkelse; genopblomstring (*fx an economic* ~);
2. (*rel.*) vækkelse; **3.** (*teat.*) genopsætning; genoptagelse, reprise;
□ *enjoy a* ~ blive populær igen; *a
~ of interest* fornyet interesse; *the
Revival of Learning* Renæssancen.
revivalist[1] [ri'vaiv(ə)list] *sb.* vækkelsesprædikant.
revivalist[2] [ri'vaiv(ə)list] *adj.* vækkelses-.
revival meeting *sb.* vækkelsesmøde.
revive [ri'vaiv] *vb.* **1.** (*uden objekt*)
leve op igen, få nyt liv, blomstre
op (*fx the plants -d when they got
water*); **2.** (*om bevidstløs*) vågne
op, komme til bevidsthed;
3. (*med objekt*) sætte nyt liv i (*fx
the economy*); stimulere (*fx the
economy; falling sales*); forny,
vække igen (*fx interest*); **4.** (*person*) friske op (*fx a cold shower
will* ~ *you*); **5.** (*bevidstløs*) genoplive, bringe til bevidsthed;
6. (*teat. etc.*) sætte op igen; genopføre; (*også om film*) tage op igen.
revivify [ri:'vivifai] *vb.* F genoplive, give nyt liv; genopfriske.
revocation [revə'keiʃn] *sb.* (*jf. revoke*) **1.** tilbagekaldelse, inddragelse; **2.** ophævelse.
revoke [ri'vəuk] *vb.* F **1.** (*tilladelse*)
tilbagekalde, inddrage (*fx the permission; a licence*); **2.** (*bestemmelse, aftale*) ophæve (*fx the
regulations were -d*); **3.** (*i kortspil*)
svigte kulør.
revolt[1] [ri'vəult] *sb.* opstand, revolte; oprør.
revolt[2] [ri'vəult] *vb.* **1.** gøre oprør;
rejse sig; **2.** protestere (*against,
from* mod); **3.** (*med objekt*) oprøre
(*fx it -s me*);
□ *be -ed by* væmmes ved.
revolting [ri'vəultiŋ] *adj.* modbydelig, væmmelig, afskyelig.
revolution [revə'l(j)u:ʃn] *sb.*

1. (*pol. & fig.*) revolution (*fx the
French Revolution; penicillin produced a* ~ *in medicine*); **2.** (*jf. revolve*) omdrejning (*fx 350 -s per
second*); omgang; **3.** (*astr.*) omløb.
revolutionary[1] [revə'l(j)u:ʃn(ə)ri]
sb. revolutionær; oprører.
revolutionary[2] [revə'l(j)u:ʃn(ə)ri]
adj. **1.** revolutions-; revolutionær;
2. (*fig.*) revolutionerende (*fx discovery*).
revolutionize [revə'l(j)u:ʃnaiz] *vb.*
revolutionere.
revolve [ri'vɔlv] *vb.* **1.** rotere, dreje,
løbe rundt; **2.** (*med objekt*) lade
rotere, dreje, dreje rundt;
□ ~ *around* **a.** (*am.*) = ~ *round*;
b. (*fig.*) dreje sig om (*fx his life -s
around his wife; all the questions
-d around this issue*); ~ *round*
(*astr.*) kredse om (*fx the Earth -s
round the sun*).
revolver [ri'vɔlvə] *sb.* revolver.
revolving [ri'vɔlviŋ] *adj.* roterende;
drejelig (*fx handle; bookcase*);
□ ~ *light* blinkfyr; ~ *stage* drejescene.
revolving door *sb.* **1.** svingdør;
2. (*fig.*) gennemtræk (*fx the firm
had a* ~ *of executives*); **3.** (*am.
pol.*) [*skiften frem og tilbage mellem at arbejde i regering og det
private erhvervsliv*].
revs [revz] *sb. pl.* (*fork. f. revolutions*) omdrejninger; omdrejningstal.
revue [ri'vju:] *sb.* (*teat.*) revy.
revulsion [ri'vʌlʃn] *sb.* væmmelse
(*at/against/towards* ved); modbydelighed (*at/against/towards* for).
reward[1] [ri'wɔ:d] *sb.* **1.** belønning;
2. (*som udsættes, for oplysninger*)
dusør;
□ *-s* belønning; udbytte; *in* ~ *for*
som belønning for; *offer a* ~ udsætte en dusør; *it is its own* ~ det
bærer lønnen i sig selv.
reward[2] [ri'wɔ:d] *vb.* **1.** belønne;
2. (*fig.*) lønne (*fx it will* ~ *your
effort*);
□ ~ *kindness with hatred* gengælde venlighed med had.
rewarding [ri'wɔ:diŋ] *adj.* udbytterig; lønnende; taknemlig (*fx task*).
rewind [ri:'waind] *vb.* (*film, bånd*)
spole tilbage.
rewire [ri:'waiə] *vb.* (*elek.*) trække
nye ledninger i.
reword [ri:'wɔ:d] *vb.* ændre ordlyden af; omformulere.
rework [ri:'wɔ:k] *vb.* omarbejde.
rewrite[1] ['ri:rait] *sb.* **1.** omarbejdelse; **2.** omarbejdet udgave//artikel.
rewrite[2] [ri:'rait] *vb.* **1.** skrive om;
omarbejde; **2.** (*it*) genskrive.

rhapsodic [ræp'sɔdik] *adj.* F ekstatisk, meget begejstret.

rhapsodize ['ræpsədaiz] *vb.* F tale begejstret.

rhapsody ['ræpsədi] *sb.* F rapsodi; □ *rhapsodies* begejstring; *go into rhapsodies over* falde i henrykkelse over.

rheostat ['riəstæt] *sb.* (*elek.*) reostat, variabel modstand.

rhesus ['ri:səs] *sb.* (*zo.*) rhesusabe.

rhesus factor *sb.* (*med.*) rhesusfaktor.

rhetoric ['retərik] *sb.* F **1.** retorik; talekunst; **2.** (*neds.*) (tom) retorik.

rhetorical [ri'tɔrik(ə)l] *adj.* F retorisk.

rhetorician [retə'riʃn] *sb.* F retoriker.

rheumatic [ru:'mætik] *adj.* **1.** reumatisk; gigtplaget (*fx hip*); gigt- (*fx pain*); **2.** (*om person*) gigtramt.

rheumatic fever *sb.* leddegigt.

rheumatism ['ru:mətizm] *sb.* reumatisme; gigt.

rheumatoid arthitis [ru:mətɔida:'θraitis] *sb.* (*med.*) gigtfeber.

Rhine [rain]: *the* ~ Rhinen.

rhinestone *sb.* rhinsten.

Rhine wine *sb.* rhinskvin.

rhino ['rainəu] *sb.* T næsehorn.

rhinoceros [rai'nɔs(ə)rəs] *sb.* (*zo.*) næsehorn.

rhizome ['raizəum] *sb.* (*bot.*) jordstængel, rodstok.

Rhode Island [rəud'ailənd].

Rhodes [rəudz] (*geogr.*) Rhodos.

rhododendron [rəudə'dendrən] *sb.* (*bot.*) rododendron.

rhombus ['rɔmbəs] *sb.* (*geom.*) rombe.

rhubarb ['ru:ba:b] *sb.* **1.** (*bot.*) rabarber; **2.** (*teat.*) baggrundsmumlen; summen af stemmer; **3.** T sludder, vrøvl; **4.** (*am.* T) heftigt skænderi.

rhyme [raim] *sb.* **1.** rim; **2.** rim, vers, digt; (se også *nursery rhyme*); □ *in* ~ på vers; *without* ~ *or reason* blottet for mening.

rhyme [raim] *vb.* rime (*with* på).

rhyme scheme *sb.* rimskema.

rhythm [riðm] *sb.* rytme.

rhythmic ['riðmik], **rhythmical** ['riðmik(ə)l] *adj.* rytmisk; taktfast.

R.I. *fork. f. Rhode Island.*

rib ['rib] *sb.* **1.** (*anat.*) ribben; **2.** (*i hvælving, i blad, i insektvinge*) ribbe; **4.** (*på paraply*) stiver; **5.** (*mar.*) spant; **6.** (*i strikning*) ribstrikning; **7.** (*am.* T) vittighed; parodi; □ *give sby a dig/poke in the -s, dig/poke sby in the -s* give en et puf i siden, puffe en i siden; *it*

sticks to the/your -s det sætter sig på sidebenene.

rib [rib] *vb.* T drille, gøre nar af, lave sjov med.

ribald ['rib(ə)ld, 'rai-] *adj.* (*især glds.*) sjofel, saftig, grov.

ribaldry ['rib(ə)ldri, 'rai-] *sb.* (*især glds.*) grovheder, sjofelheder.

ribbed [ribd] *adj.* **1.** ribbet; riflet (*fx glass; velvet*); **2.** (*om strikvarer*) ribstrikket.

ribbing ['ribiŋ] *sb.* **1.** ribber; **2.** (*i strik*) ribstrikning; ribkant; **3.** (*jf. rib*) drilleri.

ribbon ['ribən] *sb.* **1.** bånd; **2.** (*om smalt stykke*) strimmel; **3.** (*mil.*: *udmærkelse*) ordensbånd; **4.** (*til skrivemaskine*) farvebånd; **5.** (*am.*: *ved konkurrence*) præmie [*i form af en roset*]; □ *cut the* ~ (*ved åbningshøjtidelighed*) klippe snoren over; *be/hang in -s* hænge i laser; *cut (in)to -s* **a.** rive/flå i laser; **b.** (*med maskingevær*) skyde i stumper og stykker; *slice into -s* skære i strimler (*fx slice peppers into -s*); *tear (in)to -s* rive/flå i laser.

ribbon development *sb.* randbebyggelse; bebyggelse langs hovedvejene.

rib cage *sb.* brystkasse.

ribtickler ['ribtiklə] *sb.* grinagtig historie; vittighed.

ribtickling ['ribtikliŋ] *sb.* grinagtig.

ribwort ['ribwɛ:t] *sb.* (*bot.*) lancetbladet vejbred.

rice [rais] *sb.* ris.

rice paddy *sb.* rismark.

rice paper *sb.* rispapir.

rice pudding *sb.* (*omtr.*) risengrød.

rich [ritʃ] *adj.* **1.** rig (*in* på); **2.** (*om jord*) frugtbar, fed; **3.** (*om tøj, smykker*) overdådig; kostbar (*fx jewels*); **4.** (*om forråd etc.*) rigelig; **5.** (*om duft*) kraftig, krydret, aromatisk; **6.** (*om klang*) fuldttonende; klangfuld; **7.** (*om farve*) varm; dyb; **8.** (*om mad*) fed, kalorierig; tung; **9.** (*om benzinblanding*) fed; **10.** (T: *om ytring, iron.*) meget morsomt, komisk; □ *that is a bit* ~, *coming from him* (T: *iron.*) det er virkelig morsomt at høre ham sige det.

riches ['ritʃiz] *sb. pl.* rigdom; rigdomme.

richly ['ritʃli] *adv.* **1.** rigt; overdådigt (*fx decorated; illustrated*); prægtigt (*fx dressed*); **2.** (*om forråd*) rigt, rigeligt (*fx supplied with sth*); **3.** (*om duft*) kraftigt; krydret; □ ~ *coloured* farveprægtig; ~ *deserved* yderst velfortjent (*fx holiday*); *he has* ~ *deserved it* det har han ærligt og redeligt fortjent; ~

rewarded rigt/rigeligt belønnet.

richness ['ritʃnəs] *sb.* (*jf. rich*) **1.** rigdom; **2.** frugtbarhed; **3.** overdådighed; kostbarhed; **4.** rigelighed; fyldighed; **5.** (*om duft*) krydrethed; **6.** (*om farve*) varme; pragt; **7.** (*om lyd*) klangfuldhed; **8.** (*om mad*) stort fedtindhold; rigdom på kalorier; □ ~ *of detail* rigdom på detaljer, detaljerigdom.

rick [rik] *sb.* **1.** stak; høstak//halmstak; **2.** (*af halsen*) let forstrækning, let forvridning.

rick [rik] *vb.* **1.** stakke; **2.** (*halsen*) forstrække, forvride.

rickets ['rikits] *sb.* rakitis, engelsk syge.

rickety ['rikiti] *adj.* skrøbelig; vakkelvorn.

rickrack ['rikræk] siksakbort.

rickshaw ['rikʃɔ:] *sb.* rickshaw.

ricochet ['rikəʃei, 'rikəʃet] *sb.* **1.** rikochet; **2.** rikochetterende kugle.

ricochet ['rikəʃei, 'rikəʃet] *vb.* rikochettere; prelle af.

rid [rid] *adj.*: *be* ~ *of* være fri for; være sluppet af med; *get* ~ *of* **a.** blive fri for; slippe af med; **b.** (ɔ: *sælge*) skaffe sig af med, afskaffe (*fx we'll have to get* ~ *of the car*).

rid [rid] *vb.* (*rid, rid*): ~ *of* befri for; skaffe af med.

riddance ['rid(ə)ns] *sb.*: *good* ~ *to him//that!* godt vi slap af med ham//det! *he's gone and good* ~! (*også*) han er væk, og gudskelov for det!

ridden ['rid(ə)n] **1.** *præt. ptc. af ride*; **2.** (*i sms.*) domineret af (*fx priest-*~); plaget af (*fx crime-*~; *fear-*~); □ ~ *with* domineret af, plaget af (*fx angst*).

riddle ['ridl] *sb.* **1.** gåde; **2.** (*redskab*) sold, sigte.

riddle ['ridl] *vb.* (*jf. riddle* 1 2) sigte; sortere [*ved hjælp af et sold*]; □ ~ *with bullets* skyde fuld af huller; gennemhulle.

riddled ['ridld] *adj.*: ~ *with* **a.** gennemhullet af (*fx bullets*); **b.** (*fig.*) fuld af (*fx errors*); gennemsyret af (*fx corruption*); befængt med, plaget af (*fx rats*); ~ *with holes* fuld af huller.

ride [raid] *sb.* **1.** tur; køretur; (*på cykel også*) cykeltur; **2.** (*på hest etc.*) ridetur (*fx on a donkey; I gave the little boy a* ~ *on my shoulder*); ridt; **3.** (*i skov*) ridesti; **4.** (*i forlystelsespark*) kørende forlystelse; **5.** (*vulg.* S) knald [ɔ: *samleje*];

□ **get** *a* ~ få et lift (*fx into town*); *get an easy* ~ (*fig.*) **a.** få en lempelig behandling; **b.** klare det uden besvær; *get a free* ~ (*fig.*) ikke anstrenge sig, køre på frihjul; *get a rough* ~ (*fig.*) få en hård behandling, få en ublid medfart; [*med: for*] go **for** *a* ~ køre//cykle// ride en tur; *be along for the* ~ T tage med for fornøjelsens skyld; *take sby for a* ~ **a.** tage en med ud og køre en tur; **b.** T tage en ved næsen; holde en for nar; **c.** (*am.* S) kidnappe og myrde en.

ride[2] *vb.* (*rode, ridden*) **A.** (*uden objekt*) **1.** køre (*fx in a bus; on a bicycle*); (se også ndf.: ~ *on*); **2.** (*på hest*) ride; **3.** (*om månen*) svæve; **4.** (*om båd, skib*) ligge for svaj; **B.** (*med objekt*) **1.** køre i (*fx a bus; a train*); køre på (*fx a bicycle; a Harley Davidson*); **2.** (*hest etc.*) ride på (*fx a horse; his father's back; the waves*); **3.** (*vulg.* S) knalde, bolle; **4.** (*am.*) køre i (*fx a bus; an elevator*); **5.** (*am.: person*) drille, plage; 'køre på, være 'efter; □ *be riding high* **a.** (*mar.*) ligge højt på vandet; **b.** (*fig.*) være på toppen; *the moon was riding high in the sky* månen stod højt på himlen; *let the problem* ~ T lade problemet ligge/være; [*med adv. & præp.*] ~ *at* anchor ligge for anker; ~ *down* **a.** ride over ende; **b.** indhente [*til hest*]; ~ *for* a fall (*fig.*) udfordre skæbnen; ~ *on* **a.** køre på, sidde på (*fx a bicycle; an old moped*); **b.** (*bus, tog*) køre i/med; sidde i; **c.** (*hest, bølge*) ride på (*fx a wave of popularity*); **d.** (*fig.*) hvile på; afhænge af (*fx the future of the company is riding on him*); ~ *out* (*fig.*) klare sig igennem (*fx the crisis*); (se også *storm*[1]); ~ *up* (*om tøj*) krybe op, glide op.

rider ['raidə] *sb.* **1.** rytter; **2.** (*jur.: til dokument*) tilføjelse; tillæg; allonge; **3.** (*på vægt*) rytter.

ride share *sb.* (*am.*) samkørsel [*i bil*].

ridge[1] [ridʒ] *sb.* **1.** (*i terræn*) højderyg; bakkekam; højdedrag; ås; (se også *mountain ridge*); **2.** (*på flade*) kam; rand; rille; **3.** (*på hus*) tagryg, mønning; **4.** (*meteor.*) højtryksryg.

ridge[2] [ridʒ] *vb.*: ~ *up* (*kartofler*) hyppe.

ridged [ridʒd] *adj.* rillet; furet.

ridge pole *sb.* (*i telt*) overligger.

ridge tile *sb.* rygningssten.

ridicule[1] ['ridikju:l] *sb.* latterliggørelse; spot;

□ *hold up to* ~ latterliggøre.

ridicule[2] ['ridikju:l] *vb.* latterliggøre; gøre nar af.

ridiculous [ri'dikjuləs] *adj.* latterlig.

riding ['raidiŋ] *sb.* **1.** ridning; **2.** (*i skov*) ridesti.

riding breeches *sb. pl.* ridebukser.

riding crop *sb.* ridepisk.

riding habit *sb.* (*glds.*) ridedragt [*for damer*].

riding light *sb.* (*mar.*) positionslys; ankerlanterne.

riding master *sb.* berider; ridelærer.

riem ['rim] *sb.* (*sydafr.*) læderrem.

riempie ['rimpi] *sb.* (*sydafr.*) læderstrimmel.

rife [raif] *adj.*: *be* ~ være udbredt; grassere, gå i svang; ~ *with* fuld af.

riff [rif] *sb.* (*mus.*) riff;

□ *a* ~ *on* (*fig.*) **a.** en kommentar til; **b.** en variation over.

riffle ['rifl] *vb.* **1.** T blade hurtigt gennem; **2.** (*am.*) kruse.

riffraff ['rifræf] *sb.* (*neds.*) rakkerpak, udskud, ros.

rifle[1] ['raifl] *sb.* riffel; gevær; □ *-s* (*også*) infanteriregiment [*bevæbnet med rifler*].

rifle[2] ['raifl] *vb.* **1.** plyndre; røve; **2.** (*geværløb*) rifle; □ ~ *through* gennemrode.

rifle company *sb.* (*mil.*) let kompagni, fodfolkskompagni.

rifle grenade *sb.* geværgranat.

rifleman ['raiflmən] *sb.* (*pl.* -men [-mən]) geværskytte.

rifle range *sb.* skydebane.

rifle shot *sb.* **1.** geværskud; **2.** (*person*) dygtig (gevær)skytte.

rifling ['raifliŋ] *sb.* **1.** (*jf. rifle*[1]) rifling; riffelgange; **2.** (*jf. rifle*[2]) plyndring.

rift [rift] *sb.* **1.** revne; kløft; **2.** (*fig.*) kløft, brud, splittelse (*between* imellem);

□ *a* ~ *in the lute* en kurre på tråden.

rift valley *sb.* rift, rift valley; bruddal.

rig[1] [rig] *sb.* **1.** (*mar.*) rig, rigning, takkelage; **2.** (*til olie- og gasudvinding*) borerig; **3.** (*am.*) sættevogn; **4.** (*am.* T) udstyr.

rig[2] [rig] *vb.* **1.** rigge; tilrigge; **2.** lave svindel med, fuske med (*fx an election*); manipulere med; arrangere;

□ ~ *the market* (*merk.*) lave børsmanøvre; ~ *out* maje ud; pynte; ~ *up* rigge til.

rigger ['rigə] *sb.* (*mar.*) rigger; takler.

rigging ['rigiŋ] *sb.* **1.** svindel, fusk; **2.** (*mar.*) rig; rigning; takkelage;

3. (T: *om påklædning*) antræk; **4.** (*til faldskærm*) faldskærmsliner.

right[1] [rait] *sb.* **1.** ret; rettighed; **2.** (*boksning*) højrehåndsstød; højre; **3.** (*af stof*) retside; □ *make/take a* ~ (*am.*) dreje til højre; (se også: *right of search*// *way*);

[*i pl.*] *-s* rettigheder; *all -s reserved* eftertryk forbudt; *the -s and wrongs* hvad der er rigtigt og forkert; (se også ndf.: *by -s, to -s, within one's -s*);

[*med: the*] **the** ~ **a.** (*om retning*) højre; højre side; **b.** (*pol.*) højre; *have the* ~ *to* have ret til at; *reserve the* ~ *to* forbeholde sig ret til at; (se også ndf.: *in the* ~, *on the* ~, *to the* ~);

[*med præp.*] *by* -s egentlig, rettelig; *be in the* ~ have ret; have retten på sin side; *in one's own* ~ selv; uafhængigt (*fx the son, who is a well-known author in his own* ~); selvstændigt; i sin egen ret; (se også *peeress*); *on the* ~ til højre; *on his* ~ til højre for ham; *put/set to* -s bringe i orden; ordne; klare; *to the* ~ *of* til højre for; *be within one's* -s *to* være i sin gode ret til at.

right[2] [rait] *adj.* **1.** rigtig; ret; **2.** (*mht. befindende*) rask (*fx I don't feel quite* ~); **3.** (*om apparat etc.*) i orden (*fx my computer is still not* ~); **4.** (T: *understregende*) ordentlig (*fx it was a* ~ *mess*); rigtig (*fx he is a* ~ *idiot*); **5.** (*om retning*) højre (*fx the* ~ *glove*);

□ ~? T ikke? ~! (T: *udtryk for enighed*) all right! ja! *as* ~ *as rain* T helt rask, helt i orden; frisk som en fisk; *a* ~ *one* (*om person*) en tåbe; *the* ~ *side* (*af stof*) retsiden; *on the* ~ *side of* på den rigtige side af (*fx 40; the law*); *keep on the* ~ *side of sby* holde sig gode venner med en;

[*med vb.*] *be* ~ **a.** være rigtig; **b.** (*om person*) have ret (*about* med hensyn til); ~ *you are!* T ok! det er i orden! *how* ~ *you are* hvor har du dog ret; ja det må du nok sige; *get it* ~ **a.** få det i orden; **b.** forstå det rigtigt; *make it* ~ klare det; *put* ~ **a.** ordne, bringe i orden; **b.** (*jf. 3*) lave i stand; **c.** (T: *person*) korrigere, rive ud af vildfarelsen (*on* med hensyn til).

right[3] [rait] *vb.* **1.** rette op (*fx a capsized boat; the economy*); **2.** (*fejl etc.*) rette, berigtige; bringe i orden; **3.** (*uret etc.*) råde bod på (*fx the wrongs done to them*);

□ ~ *oneself* genvinde balancen.
right[4] [rait] *adv.* **1.** rigtigt (*fx do it*
~); ret; **2.** (*om tid, sted*) lige (*fx* ~
*after dinner; ~ now; ~ in front of
you; go ~ home*); **3.** (*om ud-
strækning, varighed*) helt, lige (*fx*
~ *to the end*); **4.** (*om retning*) til
højre (*fx look* ~);
□ *all* ~ se *all*;
[*med adv.*] ~ *about* turn! højre
om! ~ *away* straks; *I'll be* ~ *back*
jeg er tilbage om et øjeblik; ~ *and
left* til højre og venstre; ~ *off*
straks; *he could read anything* ~
off han kunne læse alt fra bladet;
~ *on* a. frelst; politisk korrekt;
b. (*glds.* S) fint!
[*med vb.*] *come* ~ komme i orden;
blive godt igen; *do* ~ *by sby* be-
handle en ordentligt; *do* ~ *to
everyone* gøre ret og skel; *go* ~ gå
som det skal; *see him* ~ sørge for
at han får sine penge [ɔ: løn].
right angle *sb.* ret vinkel;
□ *at* -*s to* vinkelret på.
right-angled ['raitæŋgld] *adj.* ret-
vinklet.
righteous ['raitʃəs] *adj.* retfærdig;
retskaffen.
rightful ['raitf(u)l] *adj.* retmæssig
(*fx owner; place*).
right-hand [rait'hænd] *adj.* højre
(*fx side*).
right-hand drive *sb.* højrestyring;
□ *with* ~ højrestyret.
right-handed [rait'hændid] *adj.*
1. højrehåndet [*mods. kejthåndet*];
2. (*om instrument etc.*) højre-
hånds-; **3.** (*om skrue*) højreskåren.
right-hander [rait'hændə] *sb.*
1. højrehåndet person; **2.** højre-
håndsslag; højrehåndsstød.
right-hand man *sb.* (*fig.*) højre
hånd [*uundværlig hjælper*].
Right Honourable *sb.* [*titel for med-
lemmer af the Privy Council inde-
havere af visse høje embeder og
adelige under rang af marquess*].
rightist[1] ['raitist] *sb.* højreoriente-
ret.
rightist[2] ['raitist] *adj.* højreoriente-
ret.
rightly ['raitli] *adv.* **1.** rigtigt; ret (*fx
if I remember* ~); **2.** med rette,
med god grund (*fx they com-
plained* ~ *about conditions*);
□ ~ *or wrongly* med rette eller
urette.
right-minded [rait'maindid] *adj.*
retsindig; rettænkende.
right-o [rait'əu] *interj.* den er fin!
det er i orden!
right of search *sb.* (*mar.*) visita-
tionsret.
right of way *sb.* **1.** forkørselsret;
2. færdselsret, vejret [ɔ: alders-

tidshævd på vej]; **3.** [*offentlig sti//
vej over privat grund*]; **4.** (*am.
jernb.*) baneterræn.
right-on [rait'ɔn] *adj.* se *right*[4].
Right Reverend *sb.* [*titel for bi-
skop*].
right-to-lifer [raittə'laifər] *sb.* (*am.*)
abortmodstander.
right triangle *sb.* (*geom.: am.*) ret-
vinklet trekant.
right whale *sb.* (*zo.*) grønlands-
hval, nordhval.
right-wing [rait'wiŋ] *adj.* højre-
fløjs-; reaktionær.
rigid ['ridʒid] *adj.* **1.** stiv (*fx
frame*); **2.** (*om love, principper,
system*) stiv, streng; **3.** (*om per-
son*) stiv, rigid.
rigidity [ri'dʒidəti] *sb.* **1.** stivhed;
2. (*fig.*) stivhed; strenghed.
rigmarole ['rigmərəul] *sb.* **1.** om-
stændelig procedure; **2.** (*fortæl-
ling etc.*) lang smøre.
rigor mortis [rigə'mɔ:tis] *sb.* døds-
stivhed.
rigorous ['rig(ə)rəs] *adj.* **1.** streng,
meget omhyggelig//grundig;
2. (*om bestemmelse, system, per-
son*) streng, rigoristisk; **3.** (*fysisk*)
hård, anstrengende (*fx training*).
rigour ['rigə] *sb.* (*jf. rigorous*)
1. strenghed, omhu, grundighed;
2. strenghed; **3.** hårdhed;
□ -*s* strabadser.
rig-out ['rigaut] *sb.* T udstyr; an-
træk.
rile [rail] *vb.* T ærgre, irritere;
bringe i oprør.
riled-up ['raildʌp] *adj.* stærkt irri-
teret; ophidset.
rill[1] [ril] *sb.* lille bæk.
rill[2] [ril] *vb.* rinde, risle.
rim [rim] *sb.* **1.** rand, kant; **2.** (*af
hjul*) fælg; **3.** (*af briller*) indfat-
ning.
rime [raim] *sb.* **1.** rim (*afsat af rim-
tåge*]; **2.** (*litt.*) rimfrost.
rimless ['rimləs] *adj.* (*om briller*)
uindfattede.
rimmed [rimd] *adj.* **1.** kantet (*with
med*); **2.** (*i sms.*) -randet (*fx red-*~
eyes); (*om briller*) -indfattet (*fx
gold-*~); (*se også horn-rimmed*).
rind [raind] *sb.* **1.** (*på citrusfrugt*)
skal; **2.** (*på ost*) skorpe; **3.** (*på
flæsk*) svær; (*på baconskive*) kant;
4. (*på træ*) bark.
ring[1] [riŋ] *sb.* **1.** ring; **2.** (*figur*) ring,
rundkreds (*fx sit//dance in a* ~);
3. (*på komfur*) kogeplade; (*se også
gas ring*); **4.** (*til optræden: i cir-
kus*) manege; (*til boksning*) bokse-
ring; (*se også bullring*); **5.** (*perso-
ner*) ring (*fx spy* ~); **6.** (*lyd*) klang,
lyd (*fx of a hammer on metal*);
7. (*af klokke*) ringen; ringning;

8. (*tlf.*) opringning;
□ *give sby a* ~ (*tlf.*) ringe en op;
he gave several -*s at the door* han
ringede flere gange på døren;
have a familiar//plausible ~ lyde
bekendt//sandsynligt; *it has the/a*
~ *of truth* det lyder sandfærdigt;
it has a ~ *to it* det lyder af noget;
make/run -*s around/round* (*fig.*)
a. være meget hurtigere//dygtigere
end; T være meget skrappere end;
b. vinde stort over; *see* også flere
længder; *there was a* ~ *at the
door* det ringede på døren.
ring[2] [riŋ] *vb.* (*jf. ring*[1] *1*) **1.** omringe
(*fx* -*ed with police*); **2.** (*afmærke*)
tegne en ring om (*fx the place
was* -*ed in red*); **3.** (*tyr*) give ring i
næsen, ringe; **4.** (*fugl*) ringmærke.
ring[3] [riŋ] *vb.* (*rang, rung*) (*jf. ring*[1]
(*6, 7*)) **1.** ringe (*fx the bells//the
phone rang*); **2.** (*fx om glas*)
klinge; **3.** (*om person: ved døren*)
ringe 'på; **4.** (*om udsagn*) lyde (*fx
it* -*s false//hollow//true*); **5.** (*litt.:
om genlyd*) genlyde, runge (*fx
their cheers rang through the
hall*); **6.** (*med objekt: klokke*)
ringe med; **7.** (*dørklokke*) ringe
på; **8.** (*tlf.: person*) ringe til; ringe
'op (*fx I rang him yesterday*);
□ ~ *a/the bell* se *bell*[1]; ~ *a coin*
prøve klangen af en mønt;
[*med adv.& præp.*] ~ (*sby*) *back*
ringe tilbage (til en); ~ *down* the
curtain se *curtain*[1]; ~ *for* a. ringe
på (*fx the waiter*); b. ringe efter (*fx
breakfast*); ~ *in* (*sick*) ringe til sit
arbejde (og melde sig syg); *his
words rang in her ears* (*litt.*) hans
ord genlød i hendes ører; ~ *off*
lægge røret på; ringe af; *a shot
rang out* der lød et skud; ~ *up*
a. (*på kasseapparat*) slå ind;
b. (*am.* T) indkassere; score; ~
sby up ringe én op; ~ *up the cur-
tain* se *curtain*[1]; ~ *with* genlyde
af (*fx the room rang with laugh-
ter*).
ring binder *sb.* ringbind.
ringed [riŋd] *adj.* med ring; ringbe-
sat.
ringed plover *sb.* (*zo.*) stor præste-
krave.
ringed seal *sb.* (*zo.*) ringsæl.
ring-fence ['riŋfens] *vb.* **1.** sætte
hegn om, indhegne; **2.** (*fig.: om
bevilling*) øremærke.
ring finger *sb.* ringfinger.
ringing[1] ['riŋiŋ] *sb.* ringen.
ringing[2] ['riŋiŋ] *adj.* (*også fig.*)
rungende, fuldtonende (*fx bass;
voice; declaration of support*).
ringleader ['riŋliːdə] *sb.* anfører;
hovedmand; anstifter.
ringlets ['riŋləts] *sb. pl.* lokker;

R ringmaster

slangekrøller.

ringmaster ['riŋmɑ:stə] *sb.* (*i cirkus*) ringmaster; sprechstallmeister.

ring ouzel *sb.* (*zo.*) ringdrossel.

ring pull *sb.* (*på dåse*) ring [*til at åbne med*].

ring road *sb.* ringvej; omfartsvej.

ringside ['riŋsaid] *sb.* (*ved boksering*) ringside.

ringside seat *sb.* **1.** plads ved ringside; **2.** (*fig.*) plads i første parket.

ring spanner *sb.* stjernenøgle.

ringworm ['riŋwə:m] *sb.* (*med.*) ringorm.

rink [riŋk] *sb.* **1.** isbane [*til ishockey, curling*]; **2.** se *skating rink.*

rinky-dink ['riŋkidiŋk] *adj.* (*am.* T) **1.** antikveret, mosgroet; **2.** snoldet.

rinse[1] [rins] *sb.* **1.** skylning; **2.** hårskylningsmiddel; (*til farvning*) skyllefarve.

rinse[2] [rins] *vb.* skylle.

riot[1] ['raiət] *sb.* **1.** optøjer, uroligheder (*fx inner-city -s*); **2.** (*mindre omfattende*) tumult, opstandelse (*fx the play caused a ~*);
□ *be a ~* være fantastisk sjov, være herlig (*fx she//the party was a ~*); *a ~ of colour* en overdådig farvepragt; et farveorgie; *a ~ of emotions* et virvar af følelser; *have a ~ of a time* (*glds.* T) have det fantastisk sjovt; *run ~* **a.** (*om personer*) fare vildt frem; løbe grassat; **b.** (*om fantasi*) løbe løbsk; **c.** (*om planter*) vokse vildt.

riot[2] ['raiət] *vb.* **1.** lave optøjer; **2.** T larme.

Riot Act *sb.*: *read the ~* **a.** [*svarer til det at politiet (tre gange) i kongens og lovens navn opfordrer deltagerne i et opløb til at skilles*]; **b.** (*fig.*) læse dem teksten.

rioter ['raiətə] *sb.* **1.** urostifter; oprører; **2.** spektakelmager.

riot gear *sb.* (*politis*) indsatsudstyr; kampudstyr.

riotous ['raiətəs] *adj.* **1.** (*om folkemængde*) oprørsk; **2.** (*om fest, opførsel*) tøjlesløs, løssluppen; larmende; **3.** (*om udseende*) farvestrålende, overdådig.

riot police *sb.* uropoliti.

riot shield *sb.* (*politis*) beskyttelsesskjold.

rip[1] [rip] *sb.* rift; flænge.

rip[2] [rip] *vb.* **1.** rive (*fx I -ped my shirt on a nail; he -ped the letter open; ~ wallpaper//posters down*); flå; **2.** (*am.* S) kritisere; rakke ned på; **3.** (*uden objekt*) revne; gå i stykker; **4.** T fare (af sted);
□ *let ~* T **a.** lade sin vrede få frit løb, eksplodere, rase; **b.** (*spille*

løs) trykke den af; **c.** (*prutte*) slippe en; *let it ~* (*om bil*) lade den køre for fuldt drøn; give den gas;
[*med præp. & adv.*] *~ across* rive midt over; *lightning -ped across the sky* et lyn flængede himlen; *~ apart* **a.** (*også fig.*) rive i småstykker, flå i stykker (*fx a piece of paper; the minister was -ped apart in the press*); **b.** (*om splid*) splitte; *~ into* **a.** flå i (*fx the meat*); flå hul i (*fx bullets -ped into the bomber's wing*); **b.** (T: *person*) fare løs på; overfuse; *~ into shreds* flå i laser; *~ off* **a.** rive/flå af; **b.** (S: *ting*) hugge, stjæle; **c.** (S: *person*) stjæle fra; plyndre; (*for penge, fx ved at tage overpris*) flå, plukke; snyde; *~ out* rive/flå ud (*fx a page of a book*); *~ out an oath* udstøde en ed; *~ up* **a.** flå op; **b.** rive i stykker.

ripcord ['ripkɔ:d] *sb.* udløserline [*til faldskærm*].

ripe [raip] *adj.* **1.** moden; **2.** (*om vin*) drikkemoden; **3.** (*om ost*) vellagret; **4.** (*om lugt*) kraftig, skrap; **5.** (*let glds.*) uartig, vovet;
□ *~ for* moden til; parat til; *~ for development* byggemoden; *~ old age* høj alder; *~ lips* røde fyldige læber.

ripen ['raip(ə)n] *vb.* **1.** modnes, modne; **2.** (*med objekt*) modne.

rip-off ['ripɔf] *sb.* T **1.** (*om for høj pris*) optrækkeri; røveri; ågerpris; **2.** plagiat, efterligning (*of* af).

riposte[1] [ri'pɔst, ri'pəust, (*am.*) ri-'poust] *sb.* **1.** F slagfærdigt svar, ripost; **2.** (*i fægtning*) ripost.

riposte[2] [ri'pɔst, ri'pəust, (*am.*) ri-'poust] *vb.* F ripostere.

ripping ['ripiŋ] *adj.* (*glds.* T) glimrende, storartet.

ripple[1] ['ripl] *sb.* **1.** krusning; let skvulpen; lille bølge; **2.** [*is med lag af chokolade eller frugtis*];
□ *-s* **a.** (*i vand også*) ringe; **b.** (*på strand*) riflede mærker af bølger, ribber; *the crisis caused -s* virkningerne af krisen bredte sig som ringe i vandet;
the news hardly caused a ~ nyheden blev knap nok bemærket; *a ~ of laughter ran through the room* en bølge af latter bredte sig gennem lokalet.

ripple[2] ['ripl] *vb.* **1.** (*om vand*) kruse sig; risle; **2.** (*om korn etc.*) bølge let; **3.** (*om lyd*) melodisk stige og falde; **4.** (*med objekt: vand*) få til at kruse sig; **5.** (*kornmark etc.*) få til at bølge; (se også *muscle*[1]).

ripple effect *sb.* dominoeffekt;

□ *have a ~* brede sig (som ringe i vandet) (*on* til).

ripply ['ripli] *adj.* **1.** kruset; rislende; **2.** bølgende; riflet.

riprap ['ripræp] *sb.* (*am.*) sten i løs kastning; stenpakning.

rip-roaring ['riprɔ:riŋ] *adj.* T **1.** (*om person*) energisk; larmende; **2.** (*om aktivitet*) løssluppen; heftig;
□ *a ~ success* en bragende succes.

rip saw *sb.* fukssvans, håndsav.

riptide ['riptaid] *sb.* hvirvelstrøm [*som opstår ved at flodbølgen møder andre strømninger*].

rise[1] *sb.* **1.** stigning (*fx of temperature*); stigen (*fx the ~ and fall of his voice*); opgang (*fx of/in prices*); **2.** (*mht. popularitet, indflydelse*) opkomst (*fx the ~ of the Labour Party*); opstigning (*fx his ~ to fame*); **3.** (*i løn*) lønforhøjelse; **4.** (*i terræn*) hævning, stigning; skråning; bakke;
□ *get a ~* **a.** (*jf. 3*) få lønforhøjelse; **b.** (*om fisker*) få bid; **c.** S få stådreng; få den op og stå; *be on the ~* være i stigning, være stigende; *~ of step* trinhøjde;
[*med vb. + præp.*] *get a ~ out of sby* drille en, tirre en, provokere en; *I got a ~ out of him* (*også*) han lod sig drille/tirre/provokere; han var let at drille; *give ~ to* give anledning til, fremkalde; føre til; *take its ~ in* **a.** (*om flod*) udspringe i, have sit udspring i; **b.** (*fig.*) have sin oprindelse i; udspringe af, opstå af; *take the ~* af gøre nar af, gøre grin med.

rise[2] [raiz] *vb.* (*rose, risen*) (se også *rising*) **1.** (*mod himlen*) stige (*fx the aeroplane rose*); stige op (*from* af, fra, *fx smoke rose from the chimney; the mist was rising*); **2.** (*om niveau*) stige (*fx the water level rose; the road rose steeply*); hæve sig (*fx the ground began to ~*); **3.** (*om lyd*) stige op, hæve sig (*from* fra, *fx angry voices rose from the street*); **4.** (*fig.*) stige, gå i vejret (*fx prices//the temperature// unemployment rose*); **5.** (*litt.*: *om noget højt*) rejse sig, hæve sig (*fx we saw the mountains//the towers rising in the distance*); **6.** (*om byggeri*) rejse sig (*fx new buildings are rising everywhere*); **7.** (*om følelser, tanker*) stige op (*fx she felt terror ~ in her*); opstå (*fx thoughts ~ within one*); **8.** (*om sol, måne etc.*) stå op; **9.** (*om flod*) udspringe; **10.** (*om dej etc.*) hæve; **11.** (*om person*) rejse sig (*from* fra, *fx one's chair; the table*); (*om morgenen*) stå op; **12.** (*socialt*)

avancere; komme frem (*fx ~ in the world*); **13.** (*om befolkning*) rejse sig (*fx against a tyrant*); **14.** (*om forsamling*) slutte sit møde;
□ *~ and shine!* (T: *spøg.*) se så at komme op!
[*med sb.*] *his colour rose* han blev rød i hovedet; *the curtain rose* (*teat.*) tæppet gik op; *the fish rose* fisken kom op til overfladen; *my gorge rose at it, it made my stomach/gorge ~* jeg fik kvalme af det; det fik det til at vende sig i mig; jeg væmmedes ved det; *my spirits rose* jeg blev i bedre humør; mit humør steg; *tempers are rising* temperamenterne er ved at komme i kog; *the wind is rising* vinden tager til; det blæser op; [*med præp. & adv.*] *~ above* **a.** komme op over, blive højere end (*fx sales have -n above last year's level*); **b.** (*fig.*) hæve sig over; sætte sig ud over; *~ from* se ovf.: *1, 3, 7*; *~ from the dead* opstå fra de døde; (se også *rank¹*); *~ to* lade sig provokere af (*fx their sexist remarks*); *~ to fame* opnå berømmelse; *~ to power* komme til magten; *~ to the surface* komme op til overfladen; (se også *bait¹, challenge¹, foot¹, occasion, point of order*); *~ up* = *3, 5, 7, 8, 13*.
rise-and-fall pendant [raizən'fɔːl-pendənt] *sb.* hejselampe.
risen ['riz(ə)n] *præt. ptc. af rise²*.
riser ['raizə] *sb.* (*i trappe*) stødtrin;
□ *be an early ~* stå tidligt op; være morgenmand; *be a late ~* stå sent op; være en syvsover.
risibility [rizi'biləti, rai-] *sb.* latterlighed.
risible ['rizibl, 'rai-] *adj.* latterlig.
rising¹ ['raiziŋ] *sb.* rejsning, opstand.
rising² ['raiziŋ] *adj.* **1.** stigende (*fx prices*); **2.** lovende; som er på vej op (*fx a ~ young actor*);
□ *the ~ generation* den opvoksende slægt; *the ~ sun* den opgående sol; *a ~ of* en voksende bølge af (*fx crime*).
rising³ ['raiziŋ] *præp.*: *~ forty* (*om alder*) som nærmer sig de fyrre.
rising damp *sb.* opsivende fugt.
risk¹ [risk] *sb.* **1.** risiko; fare; **2.** (*assur.*) risiko;
□ *a good ~* **a.** (*om låntager*) en god kunde; **b.** (*assur.*) et godt liv; *at your own ~* på egen risiko; *at the ~ of + -ing* med fare for at; [*med vb.*] *be at ~* være udsat; være i fare; *put at ~* bringe i fare; udsætte for fare; *run/take -s* tage chancer; *run/take the ~ of + -ing*

udsætte sig for (den risiko) at.
risk² [risk] *vb.* vove, risikere, sætte på spil (*fx one's life*);
□ *~ + -ing* risikere at.
risk capital *sb.* (*merk.*) risikovillig kapital.
risk management *sb.* (*merk.*) risikostyring.
risk-taking ['riskteikiŋ] *sb.* risikovillighed.
risky ['riski] *adj.* **1.** risikabel, farlig; **2.** se *risqué*.
risqué ['riskei, (*am.*) ris'kei] *adj.* (*fig.: om historie etc.*) vovet, dristig.
rissole ['risəul] *sb.* (*omtr.=*) frikadelle; kødbolle.
rite [rait] *sb.* ritus, rite; ritual (*fx marriage ~; funeral ~*); ceremoni;
□ *administer the last -s to sby* (*rel.*) give en den sidste nadver; berette en; (*glds.*) give en den sidste olie; *~ of passage* overgangsrite.
ritual¹ ['ritʃuəl] *sb.* ritual.
ritual² ['ritʃuəl] *adj.* rituel.
ritualistic [ritʃuə'listik] *adj.* ritualistisk [*som har karakter af et ritual; som indgår i et ritual*].
ritzy ['ritsi] *adj.* (*glds.* T) smart, flot; dyr.
rival¹ ['raiv(ə)l] *sb.* rival; konkurrent;
□ *without a ~* uden lige; uden sidestykke.
rival² ['raiv(ə)l] *adj.* rivaliserende, konkurrerende (*fx firms*).
rival³ ['raiv(ə)l] *vb.* kappes med, konkurrere med; komme på højde med (*fx he -led the others in skill*).
rivalry ['raiv(ə)lri] *sb.* rivaliseren, konkurrence; kappestrid.
riven ['rivn] *adj.* F kløvet, spaltet, splittet.
river ['rivə] *sb.* flod; (se også *sell (down)*).
river bank *sb.* flodbred.
river basin *sb.* flodbækken.
river bed *sb.* flodleje.
riverside ['rivəsaid] *sb.* **1.** flodbred; flodområde; **2.** (*i sms.*) ved floden (*fx a ~ restaurant//villa*);
□ *by the ~* ved floden.
rivet¹ ['rivit] *sb.* **1.** nitte; nagle; **2.** (*til porcelæn*) klinke.
rivet² ['rivit] *vb.* **1.** nitte; nagle; **2.** (*porcelæn*) klinke;
□ *-ed by* (*fig.*) fængslet af, fascineret af; opslugt af; *his eyes were -ed on her* hans blik veg ikke fra hende; *-ed to the spot* naglet til pletten.
riveting ['rivitiŋ] *adj.* fængslende; betagende.
rivière ['riviɛə] *sb.* collier; hals-

bånd.
rivulet ['rivjulət] *sb.* bæk; å.
RM *fork. f.* **1.** *Royal Mail*; **2.** *Royal Marines*.
RN *fork. f. Royal Navy*.
roach [rəutʃ] *sb.* **1.** (*zo.*) skalle; **2.** (*mar.: af sejl*) kappe; **3.** (*am.* T) kakerlak; **4.** (*am.* S) [*skod af marihuanacigaret*].
road [rəud] *sb.* **1.** vej; **2.** (*am.*) jernbane;
□ *-s* (*mar.*) red; *the -s are in a bad state* føret er dårligt;
[*med vb.*] *hit the ~* T komme af sted; *hold the ~ well* (*om bil*) ligge godt på vejen, have et godt vejgreb; *leave the ~* køre i grøften; *take the ~* se ndf.: *take to the ~*;
[*med præp.*] *by ~* ad landevejen; *one for the ~* (*glds.*) afskedsdrink; *in the ~* **a.** på vejen; **b.** (*fig.*) i vejen; på tværs (af nogen); *of the ~* se *end¹, rule¹, toll¹*; *on the ~* **a.** på vejen; **b.** på rejse, på farten (*fx after three days on the ~*); **c.** (*teat. etc.*) på tourné; (se også *show¹ (get the show …)*); *on the ~ to* (*fig.*) (godt) på vej til; *take to the ~* tage af sted, tage på farten.
road accident *sb.* færdselsulykke.
roadblock ['rəudblɔk] *sb.* (*mil.*) vejspærring.
road casualties *sb. pl.* trafikofre.
road death *sb.* trafikdødsfald; trafikdrab.
road hog *sb.* T motorbølle.
roadholding ['rəudhəuldiŋ] *sb.* (*om bil*) vejgreb.
roadie ['rəudi] *sb.* roadie [*praktisk medhjælper for omrejsende musikgruppe*].
roadman ['rəudmən] *sb.* (*pl.* -men [-mən]) landevejsrytter.
road map *sb.* **1.** vejkort; bilkort; **2.** (*fig., især am.*) detaljeret anvisning; køreplan.
road metal *sb.* skærver.
road movie *sb.* roadfilm [*hvor der rejses med bil el. motorcykel*].
road pricing *sb.* vejafgift [*efter elektronisk registrering af hvor meget man kører*].
roadrunner ['rəudrʌnə] *sb.* (*zo.*) jordgøg.
road safety *sb.* trafiksikkerhed, færdselssikkerhed.
road sense *sb.* færdselskultur.
roadshow ['rəudʃəu] *sb.* **1.** omrejsende show; **2.** (*radio., tv*) [*omrejsende program som sendes fra forskellige lokaliteter*].
roadside ['rəudsaid] *sb.* vejkant; grøftekant.
road sign *sb.* færdselsskilt; færdselstavle.

R roadstead

roadstead ['rəudsted] *sb.* (*mar.*) red.

roadster ['rəudstə] *sb.* **1.** turistcykel; **2.** (*glds.*) åben sportsvogn.

road tax *sb.* (*for bil: svarer til*) vægtafgift.

road test *sb.* prøvekørsel;
□ *give the car a* ~ prøvekøre bilen.

road user *sb.* trafikant.

roadway ['rəudwei] *sb.* **1.** kørebane, vejbane; **2.** gade.

roadworks ['rəudwə:ks] *sb. pl.* vejarbejde.

roadworthy ['rəudwə:ði] *adj.* i køredygtig stand.

roam [rəum] *vb.* **1.** vandre om, strejfe om, flakke om; **2.** (*med objekt*) vandre/strejfe om i/på (*fx the streets*); gennemstrejfe.

roan[1] [rəun] *sb.* (*hest*) skimmel (*fx red* ~);
□ *blue* ~ sortskimmel.

roan[2] [rəun] *adj.* (*om hest*) (rød)skimlet.

roar[1] [rɔ:] *sb.* **1.** brølen; brøl; **2.** (*om andre lyde*) larm (*fx of traffic*); drøn (*fx of guns; of an explosion*); buldren (*fx of flames*); **3.** (*om vand, vind*) brusen; brus.

roar[2] [rɔ:] *vb.* (jf. *roar*[1]) **1.** brøle; **2.** larme; drøne (*fx a car -ed past*); buldre; **3.** bruse.

roarer ['rɔ:rə] *sb.* (*om hest*) lungepiber.

roaring ['rɔ:riŋ] *adj.* **1.** brølende; **2.** (*om andet*) larmende, drønende (*fx traffic*); buldrende (*fx flames*); brusende (*fx waves; river; wind*); **3.** (*fig.*) drønende, bragende (*fx success*); glimrende;
□ *we are doing a* ~ *business/trade* forretningen går strygende; *the* ~ *forties* de brølende fyrrere [*de stormfulde bælter af havet, 40-50° nordlig el. sydlig bredde*].

roast[1] [rəust] *sb.* **1.** steg; **2.** (*am.*) [*picnic hvor der grilles*]; **3.** (*am.*) [*sammenkomst hvor hovedpersonen udsættes for spøgefuld satirisk behandling*].

roast[2] [rəust] *adj.* stegt (*fx meat*); -steg (*fx* ~ *beef* oksesteg; ~ *goose* gåsesteg; ~ *lamb* lammesteg; ~ *veal* kalvesteg).

roast[3] [rəust] *vb.* **1.** (*kød*) stege; ovnstege; **2.** (*andet*) riste (*fx peanuts, corn, malt; ore* erts); (*kaffe*) riste, brænde; **3.** (T: *fig.*) kritisere sønder og sammen; sable ned; **4.** (*uden objekt*) blive stegt, stege (*fx in the oven; in the sun*).

roaster ['rəustə] *sb.* **1.** stegekylling [*der vejer over 1,4 kg*]; (*omtr.*) poulard; **2.** [*gris der egner sig til stegning*]; **3.** stegekartoffel; **4.** (*til*

at stege i) stegeovn; stegegryde.

roasting ['rəustiŋ] *sb.* **1.** (*af kød*) stegning; **2.** (*af andet*) ristning; (*af kaffe også*) brænding; **3.** T overhaling, opsang, balle.

roasting pan, roasting tin *sb.* bradepande.

rob [rɔb] *vb.* røve; plyndre; bestjæle (*fx I have been -bed!*);
□ ~ *of* **a.** plyndre for (*fx they -bed the company of £2 million*); frarøve; **b.** (*fig.*) frarøve, berøve (*fx they were -bed of victory*); ~ *a bank* begå bankrøveri; ~ *blind* flå [*ved at tage ublu priser*]; ~ *Peter to pay Paul* tage fra den ene for at give til den anden.

robber ['rɔbə] *sb.* røver.

robber baron *sb.* **1.** hensynsløs kapitalist; **2.** (*hist.*) røverridder.

robber fly *sb.* (*zo.*) rovflue.

robbery ['rɔbəri] *sb.* røveri.

robe [rəub] *sb.* **1.** slåbrok; badekåbe; **2.** F (lang) kappe; **3.** (*am.*) køretæppe;
□ *-s* (*også*) galladragt; *flowing -s* (*også*) flagrende gevandter.

robed [rəubd] *adj.*: ~ *in* klædt i; iført.

robin ['rɔbin] *sb.* (*zo.*) **1.** rødkælk; rødhals; **2.** (*am.*) vandredrossel.

robot ['rəubɔt] *sb.* **1.** robot; **2.** (*sydafr.*) trafiklys.

robotic [rə(u)'bɔtik] *adj.* **1.** robot-; **2.** (*neds.*) robotagtig.

robotics [rə(u)'bɔtiks] *sb.* robotteknologi; robotteknik; robotforskning.

robust [rə(u)'bʌst] *adj.* **1.** (*om person, dyr, plante*) robust, stærk, hårdfør; **2.** (*om optræden*) håndfast; direkte; **3.** (*om ting*) robust, solid, kraftig (*fx boots*); **4.** (*økonomisk*) solid; **5.** (*om stil*) kraftfuld; **6.** (*om humor*) djærv, drøj.

roc [rɔk] *sb.* (*myt.*) (fuglen) rok.

rock[1] [rɔk] *sb.* **1.** klippe; **2.** (*som man strander på*) skær; **3.** (*am.*) sten (*fx he had a* ~ *in his pocket*); **4.** (*geol.: materiale*) bjerg; bjergart; **5.** (*slik*) sukkerstang; **6.** S ædelsten; **7.** (*mus.*) rock, rockmusik;
□ *get one's -s off* (*vulg.*) bolle, knalde;
[*med præp.*] *be caught* **between** *a* ~ *and a hard place* skulle vælge mellem pest og kolera; sidde som en lus mellem to negle; *on the -s* **a.** i alvorlige vanskeligheder, ved at strande (*fx their marriage was on the -s*); T på spanden; **b.** (*om drik*) med isterninger; *go on the -s* (*fig.*) lide skibbrud.

rock[2] [rɔk] *vb.* **1.** vugge (*fx a child to sleep*); gynge (*fx he sat -ing in his chair*); rokke; **2.** (*med objekt:*

om eksplosion, jordskælv) ryste; få til at gynge; **3.** (T: *fig.*) ryste, chokere; få til at vakle;
□ ~ *back on the chair* vippe på stolen; ~ *with laughter* ryste af latter; (se også *boat*).

rock bottom *sb.* allerlaveste punkt;
□ *at* ~ på lavpunktet; længst/dybest nede.

rock-bottom [rɔk'bɔtəm] *adj.* allerlavest;
□ ~ *prices* bundpriser.

rock-bound ['rɔkbaund] *adj.*: *a* ~ *coast* en forreven klippekyst.

rock climber *sb.* bjergklatrer; bjergbestiger.

rock climbing *sb.* bjergklatring; bjergbestigning.

rock crystal *sb.* bjergkrystal.

rock dove *sb.* (*zo.*) klippedue.

rocker ['rɔkə] *sb.* **1.** (*under vugge, gyngestol*) gænge; **2.** (*mus.*) rockmusiker; **3.** (*am.*) gyngestol;
□ *off one's* ~ S skrupskør; fra forstanden.

rocker arm *sb.* vuggearm; vippearm.

rockery ['rɔkəri] *sb.* (*i have*) stenhøj; stenhave.

rocket[1] ['rɔkit] *sb.* **1.** raket; **2.** (*bot.*) salatsennep; (se også *sweet rocket*); **3.** T overhaling, opsang, balle.

rocket[2] ['rɔkit] *vb.* T ryge i vejret (*fx prices -ed*).

rocket launcher *sb.* (*mil.*) raketstyr.

rocket-propelled [rɔkitprə'peld] *adj.* raketdrevet.

rocket-propelled grenade *sb.* (*mil.*) let, skulderbåret panserværnsraket.

rocket-propelled grenade launcher *sb.* (*mil.*) raketstyr.

rocketry ['rɔkitri] *sb.* raketvidenskab; raketteknik.

rockfall ['rɔkfɔ:l] *sb.* klippeskred.

rockfish ['rɔkfiʃ] *sb.* (*zo.*) rødfisk.

rock garden *sb.* stenhave; stenhøj.

rock-hard [rɔk'ha:d] *adj.* stenhård.

rockhopper ['rɔkhɔpə] *sb.* (*zo.*) springpingvin.

Rockies ['rɔkiz] *sb. pl.* se *Rocky Mountains*.

rocking chair ['rɔkiŋtʃeə] *sb.* gyngestol.

rocking horse ['rɔkiŋhɔ:s] *sb.* gyngehest.

rocking stone ['rɔkiŋstəun] *sb.* rokkesten.

rockling ['rɔkliŋ] *sb.* (*zo.*) havkvabbe.

rock pigeon *sb.* (*zo.*) klippedue.

rock pipit *sb.* (*zo.*) skærpiber.

rock plant *sb.* stenhøjsplante.

rock pool *sb.* strandsø.

rock-ribbed ['rɔkribd] *adj.* (*am.*)

streng, ubøjelig; ortodoks.
rock rose *sb.* (*bot.*) soløje.
rock salt *sb.* stensalt.
rock samphire *sb.* (*bot.*) stranddild.
rock-solid [rɔk'sɔlid] *adj.* **1.** stenhård; **2.** (*fig.*) bundsolid.
rocky ['rɔki] *adj.* **1.** klippefyldt; stenet (*fx path; soil*); **2.** T vanskelig; usikker, vaklevorn.
Rocky Mountains *sb. pl.:* the ~ Klippebjergene [*bjergkæde i Nordamerika*].
rococo [rə(u)'kəukəu] *sb.* rokoko.
rod [rɔd] *sb.* **1.** stang (*fx steel* ~); **2.** (*af træ*) stang; stav; (*tyndere*) kæp; (*til afstraffelse*) spanskrør; **3.** se *fishing rod*; **4.** (*anat.*) stavcelle; **5.** (*am.* T) revolver; □ *make a* ~ *for one's own back* lave/binde ris til sin egen bag/rumpe; *rule with a* ~ *of iron* styre med jernhånd; *spare the* ~ *and spoil the child* den der elsker sin søn tugter ham i tide.
rode [rəud] *præt. af ride².*
rodent ['rəud(ə)nt] *sb.* (*zo.*) gnaver.
rodeo [rəu'deiəu, 'rəudiəu] *sb.* **1.** rodeo, cowboyopvisning; **2.** motorcyklistopvisning.
rodomontade [rɔdə(u)mɔn'teid] *sb.* praleri; bravade.
roe [rəu] *sb.* **1.** (*zo.*) rådyr; **2.** (*i fisk*) rogn; (se også *soft roe*).
roebuck ['rəubʌk] *sb.* råbuk.
roe deer *sb.* rådyr.
roentgen ['rɔntgən] *sb.* røntgen.
roger¹ ['rɔdʒə] *vb.* (*glds., vulg.*) bolle, knalde.
roger² ['rɔdʒə] *interj.* **1.** (*især i radiotelegrafi*) (meldingen) modtaget (og forstået); **2.** all right; o.k.
rogue¹ [rəug] *sb.* **1.** (*især spøg.*) skurk (*fx you old* ~*!*); gavtyv; **2.** (*glds.*) kæltring, slyngel.
rogue² ['rəug] *adj.* **1.** uberegnelig, uregerlig; **2.** fejlbehæftet, defekt; □ ~ *car* „mandagsvogn"; ~ *politician* enegænger.
rogue elephant *sb.* ronkedor [ɔ: *vild hanelefant, der lever adskilt fra flokken*].
roguery ['rəugəri] *sb.* **1.** kæltringestreger; **2.** gavtyvestreger.
rogues' gallery *sb.* **1.** forbryderalbum; **2.** (*fig.*) slæng, bande.
rogue state *sb.* uberegnelig stat, outsiderstat.
roguish ['rəugiʃ] *adj.* gavtyveagtig; skælmsk.
roil [rɔil] *vb.* (*am.*) irritere, ærgre; bringe i oprør.
roister ['rɔistə] *vb.* (*glds.*) larme; svire.
role [rəul] *sb.* rolle.
role model *sb.* forbillede; rollemo-

del.
role play *sb.* rollespil, ekstemporalspil.
role reversal *sb.* ombytning af roller.
roll¹ [rəul] *sb.* **1.** rulle (*fx of paper*); **2.** (*med navne*) fortegnelse; liste; **3.** (*brød, omtr.*) rundstykke, bolle, miniflute; kuvertbrød; (se også *Swiss roll*); **4.** (*lyd*) rumlen (*fx of thunder*); (*på tromme*) hvirvel; **5.** (*bevægelse*) rullen; slingren (*fx the* ~ *of a ship*); rulning; **6.** (*gymn. etc.*) kolbøtte (*fx a backward//forward* ~); **7.** (*am.*) bundt pengesedler; **8.** (*tekn.*) valse; □ *falling* -*s* faldende tilgang [*til skolerne*]; *a* ~ *in the hay/sack* T en tur i høet; et knald; ~ *of fat* delle [*i nakken etc.*]; ~ *of honour* æresliste; liste over faldne; *have a* ~ *on the ground* rulle sig på jorden; [*med præp.*] *be struck* **off** *the* -*s* **a.** (*jur.*) miste sin bestalling; **b.** (*am.*) blive ekskluderet; *be on a* ~ T sidde i held.
roll² *vb.* **A.** (*med objekt*) **1.** rulle; trille; **2.** (*papir etc.*) rulle sammen (*fx a newspaper*); **3.** (*flade: gøre jævn*) tromle (*fx a lawn*); **4.** (*tekn.*) valse; **5.** (T: *person*) rulle [ɔ: *udplyndre*];
B. (*uden objekt*) **1.** rulle; trille; **2.** (*om dyr: på jorden*) rulle sig, trille sig, vælte sig (*fx in a mud puddle*); **3.** (*om skib*) slingre, rulle; **4.** (*om lyd*) rumle, rulle (*fx the thunder* -*ed*); □ *drums* -*ed* der lød trommehvirvler; der blev slået på tromme; *heads will* ~ (*fig.*) der vil rulle hoveder; det vil koste hoveder; ~ *one's r's* rulle på r'erne; (se også *ball¹, eye¹*)
[*med adv.& præp.*] ~ **about** T være ved at trille om på gulvet af grin; ~ **away** (*om skyer, tåge*) spredes; ~ **back a.** rulle tilbage (*fx the waves* -*ed back*); **c.** trænge tilbage, dæmme op for (*fx Communism*); ~ *back prices* (*am.*) nedsætte priserne; ~ **by** (*om tid*) gå hen; *tears* -*ed* **down** *her cheeks* tårerne trillede hende ned ad kinderne; ~ *down the window* rulle vinduet ned; ~ **in a.** strømme ind, vælte ind (*fx money was* -*ing in*); **b.** (*om person*) komme daskende; *be* -*ing in money/in it* T svømme i penge; (se også *aisle*); *the hedgehog* -*ed* **into** *a ball* pindsvinet rullede sig sammen til en kugle; (*all*) -*ed into one* samlet under ét; på én gang; i én person; ~ **off** trykke, køre [*på*

kopimaskine etc.]; ~ **on** rulle videre; bevæge sig videre; ~ *on Sunday!* T gid det snart var søndag! ~ **out a.** (*dej etc.*) rulle ud; **b.** (*tekn.*) udvalse; ~ **over** vælte omkuld; slå en kolbøtte; vende sig; ~ **up a.** rulle sammen; pakke ind; **b.** (*mil.*) rulle op; **c.** (T: *om personer*) dukke op; komme anstigende; ~ *up the window* rulle vinduet til/i; (se også *sleeve*); ~ **with** se *punch¹*.
rollback ['rəulbæk] *sb.* (*am.*) nedsættelse, reduktion.
rollbar ['rəulba:] *sb.* styrtbøjle.
roll call *sb.* navneopråb.
roll collar *sb.* rullekrave.
rolled [rəuld] *adj.* (*tekn.*) valset; (se også *roll²* (*into*)).
rolled gold *sb.* gulddublé.
rolled oats *sb. pl.* havregryn.
roller ['rəulə] *sb.* **1.** valse; tromle; **2.** (*til maling*) malerulle; **3.** (*til hår*) curler; **4.** (*ved kyst*) (svær) bølge; **5.** (*med.*) rullebind; **6.** (*zo.*) ellekrage.
roller bearing *sb.* rulleleje.
Rollerblade® ['rəuləbleid] *sb.* rollerblade; inlinerulleskøjte.
roller blind *sb.* rullegardin.
roller coaster *sb.* rutsjebane.
roller skate *sb.* rulleskøjte.
roller-skate ['rəuləskeit] *vb.* løbe på rulleskøjter.
roller towel *sb.* rullehåndklæde.
rollicking¹ ['rɔlikiŋ] *sb.* T ordentlig overhaling; røffel; skideballe.
rollicking² ['rɔlikiŋ] *adj.* (*glds.*) lystig; rask.
rolling¹ ['rəuliŋ] *sb.* rullen; valsning.
rolling² ['rəuliŋ] *adj.* **1.** rullende; bølgende (*fx plain*); **2.** (*om lyd*) rumlende; **3.** (*om gang*) rullende, vuggende;
□ ~ *in* se *roll²*.
rolling mill *sb.* valseværk.
rolling pin *sb.* kagerulle.
rolling stock *sb.* (*jernb.*) rullende materiel.
rolling stone *sb.* (*fig.*) en der altid er på farten;
□ *a* ~ *gathers no moss* rullende sten samler ikke mos [*den der flyver og farer fra det ene til det andet opnår ikke noget//bliver aldrig velhavende*].
rolltop desk [rəultɔp'desk] *sb.* skrivebord med rullejalousi.
roll-up ['rəulʌp] *sb.* T hjemmerullet cigaret.
roly-poly [rəuli 'pəuli] *adj.* rund; lille og tyk.
roly-poly pudding *sb.* [*rouladelignende pudding*].
ROM *fork. f.* (*it*) *read-only mem-*

R Roman

ory.

Roman[1] ['rəumən] *sb.* **1.** romer;
2. (*typ.*) antikva.

Roman[2] ['rəumən] *adj.* romersk.

Roman candle *sb.* romerlys [*fyrværkeri*].

Roman Catholic[1] *sb.* katolik.

Roman Catholic[2] *adj.* romerskkatolsk.

Romance [rə(u)'mæns] *adj.*
(*sprogv.*) romansk.

romance[1] [rə(u)'mæns] *sb.* **1.** (*som man oplever*) romance, kærlighedseventyr (*fx a holiday* ~); romantisk oplevelse; **2.** (*som man føler*) romantik (*fx the* ~ *had gone out of their marriage*); romantisk stemning (*fx the* ~ *of the night*);
3. (*som man hører/læser*) romantisk historie/fortælling; kærlighedsroman; **4.** (*litteraturgenre*) ridderroman; **5.** (*mus.*) romance;
□ *his life was a* ~ hans liv var som et eventyr.

romance[2] [rə(u)'mæns] *vb.* **1.** romantisere (*fx one's childhood*); fortælle røverhistorier om; overdrive; **2.** (*kvinde*) gøre kur til; have en affære med.

Romanesque [rəumə'nesk] *adj.*
bygget i rundbuestil; romansk.

Romania [ru'meiniə, rəu-] *sb.* (*geogr.*) Rumænien.

Romanian[1] [ru'meiniən, rəu-] *sb.*
1. (*person*) rumæner; **2.** (*sprog*) rumænsk.

Romanian[2] [ru'meiniən, rəu-] *adj.* rumænsk.

Roman law *sb.* romerret.

Roman numerals *sb. pl.* romertal.

Romantic[1] [rə(u)'mæntik] *sb.* (*litteraturhist.*) romantiker.

Romantic[2] [rə(u)'mæntik] *adj.* (*litteraturhist.*) romantisk.

romantic[1] [rə(u)'mæntik] *sb.* romantiker.

romantic[2] [rə(u)'mæntik] *adj.* **1.** romantisk; **2.** romanagtig; eventyrlig, fantastisk.

Romanticism [rə(u)'mæntisizm] *sb.*
(*litteraturhist.*) romantik.

romanticize [rə(u)'mæntisaiz] *vb.*
romantisere.

Romany ['rɔməni] *sb.* **1.** (*person*)
romani [*sigøjner*]; **2.** (*sprog*) romani.

Rome [rəum] (*geogr.*) Rom;
□ *when in* ~ *do as the Romans do*
man må skik følge eller land fly;
man må tude med de ulve man er
iblandt.

Romish ['rəumiʃ] *adj.* (*neds.*) (romersk-)katolsk.

romp[1] [rɔmp] *sb.* **1.** vild leg, tumlen; **2.** (T: *om film etc.*) rabalderstykke; festfyrværkeri; **3.** (T:

spøg.) tur i høet; (hurtigt) knald;
□ *a* ~ *through* en hurtig tur gennem.

romp[2] [rɔmp] *vb.* **1.** lege vildt;
tumle, boltre sig; **2.** T få sig et
hurtigt knald; få en tur i høet;
□ ~ *home* vinde et let sejr; vinde
stort; ~ *through sth* klare noget så
let som ingenting.

rompers ['rɔmpəz] *sb. pl.* kravledragt; sparkedragt.

rondavel [rɔn'da:v(ə)l] *sb.* (*sydafr.*)
rund stråtækt hytte; pavillon.

rondo ['rɔndəu] *sb.* (*mus.*) rondo.

roo [ru:] *sb.* (*austr.* T) kænguru.

rood [ru:d] *sb.* (*arkit.*) triumfkrucifiks, korbuekrucifiks.

rood screen *sb.* (*arkit.*) korgitter.

roof[1] [ru:f] *sb.* **1.** tag; **2.** (*af hule*)
loft;
□ *the* ~ *of heaven* himmelhvælvingen; *the* ~ *of the mouth* den
hårde gane;
[*med vb.*] *go through the* ~ = *hit
the* ~; *have a* ~ *over one's head*
have tag over hovedet; *hit the* ~
a. (*om priser*) ryge voldsomt i vejret; **b.** (*om person*) fare helt op i
loftet [*af raseri*]; *lift/raise the* ~
(*fig.: larme*) få taget til at løfte sig.

roof[2] [ru:f] *vb.:* ~ *over* overdække;
-ed with dækket med; tækket
med.

roofer ['ru:fə] *sb.* taglægger.

roofing ['ru:fiŋ] *sb.* **1.** tagmateriale;
tagbeklædning; tag; **2.** taglægning.

roofing felt *sb.* tagpap.

roofless ['ru:fləs] *adj.* uden tag.

roof rack *sb.* tagbagagebærer.

rooftop ['ru:ftɔp] *sb.* tag; hustag;
□ *shout/proclaim it from the -s*
råbe det ud for alle vinde; fortælle
det vidt og bredt.

rooftree ['ru:ftri:] *sb.* tagås;
□ *raise the* ~ holde rejsegilde.

rook[1] [ruk] *sb.* **1.** (*zo.*) råge; **2.** (*i
skak*) tårn.

rook[2] [ruk] *vb.* (*glds.* T) snyde;
blanke af, flå.

rookery ['rukəri] *sb.* **1.** rågekoloni;
2. (*for søfugle, sæler*) yngleplads;
3. (*glds.*) fattigkvarter; lejekaserne.

rookie ['ruki] *sb.* T **1.** rekrut; **2.** nyt
medlem; nybegynder.

room[1] [ru(:)m] *sb.* **1.** rum; (*til at bo
i: især*) værelse (*fx hotel* ~); **2.** (*til
noget//nogen*) plads (*for til, fx
there is* ~ *for another book on the
shelf; to* til at, *fx he wants* ~ *to
move; there is plenty of* ~ *in the
car*);
□ *-s* (*glds. også*) lejlighed; logi; *a
four-room(ed) flat* en fireværelses
lejlighed; *a four-room(ed) apartment* en treværelses lejlighed [*i
USA tælles køkkenet i reglen*

med]; *make* ~ gøre plads; *not
enough/no* ~ *to swing a cat* ingen
plads at røre sig på;
[*med: for*] ~ *for* **a.** se: *2*; **b.** (*fig.*)
anledning til, grund til (*fx doubt*);
c. (*fig.*) lejlighed til; mulighed for
(*fx innovation*); *there is* ~ *for improvement* det kunne godt gøres
bedre; ~ *for manoeuvre* bevægelsesfrihed; manøvremulighed;
make ~ *for* gøre plads til; skaffe
plads til (*fx two more*).

room[2] [ru(:)m] *vb.:* ~ *with* (*i lejet
værelse el. på kollegium*) dele værelse med; bo sammen med; *they*
~ *together* de deler værelse; de
bor sammen.

roomer ['ru(:)mə] *sb.* (*am.*) logerende.

rooming house ['ru(:)miŋhaus] *sb.*
(*am.*) logihus.

roommate ['ru(:)mmeit] *sb.* sambo,
bofælle.

roomy ['ru(:)mi] *adj.* rummelig.

roost[1] [ru:st] *sb.* siddepind; sovested;
□ *rule the* ~ T dominere; være
den ledende.

roost[2] [ru:st] *vb.* (*om fugl*) sætte sig
til hvile;
□ *come home/come back to* ~
(*fig.*) ramme sin ophavsmand;
falde tilbage på én selv.

rooster ['ru:stə] *sb.* (*zo., am.*) hane.

root[1] [ru:t] *sb.* **1.** rod (*fx of a plant;
of a tooth; of a word; the fourth* ~
of 16); **2.** (*mus.*) grundtone [*i en
akkord*]; **3.** (*fig.*) rod (*of til*); dybeste//egentlige årsag (*of til, fx his
selfishness was the* ~ *of all the
trouble*);
□ ~ *and branch* grundigt; fra
grunden (*fx reform it* ~ *and
branch*); *the* ~ *of all evil* roden til
alt ondt; *put down -s* slå rod; *take*
~ **a.** slå rod; **b.** (*fig.*) slå rod, rodfæste sig;
[*med præp.*] *lie at the* ~ *of* ligge
til grund for; være den dybeste//
egentlige årsag til (*fx the problem;
religion lay at the* ~ *of the Civil
War*); *strike at the very -s of* undergrave (*fx society; discipline*);
strike at the ~ *of the evil* angribe
ondets rod, ramme ondet i dets
rod; *pull up by the -s* rykke op
med rode; *get to the* ~ *of* nå ind
til kernen af, komme til bunds i
(*fx the problem*).

root[2] [ru:t] *vb.* (*se også rooted*) **1.** slå
rod; (*med objekt*) få til at slå rod;
2. (*om dyr*) rode (i jorden); **3.** (*om
person*) rode, lede, søge;
□ ~ *around in* rode rundt i; endevende; ~ *for* **a.** (*jf. 2*) rode efter
(*fx acorns; dogs -ing for bones*);

b. (*jf. 3*) rode efter, lede efter (*fx a lost letter*); søge efter (*fx work*);
c. (*i sport*) heppe på; ~ **out a.** udrydde (*fx corruption*); **b.** T finde frem; ~ **up a.** (*plante*) rykke op med rode; **b.** (*om svin*) rode frem.

root-and-branch [ru:tən'bra:n(t)ʃ] *adj.* gennemgribende, tilbundsgående (*fx reforms*).

root beer *sb.* (*am.*) [*sodavand krydret med urter og rødder*].

root canal *sb.* (*tandl.*) **1.** rodkanal; **2.** (*am.*) rodbehandling.

root crop *sb.* rodfrugt.

rooted ['ru:tid] *adj.* rodfæstet; rodfast; indgroet;
□ *be* ~ *in* have sin rod i; bunde i; ~ *to the spot* naglet til stedet/pletten; ude af stand til at røre sig.

rooter ['ru:tə] *sb.* (*am.* T) beundrer; begejstret tilhænger; hepper.

rootle ['ru:tl] *vb.* T rode.

rootless ['ru:tləs] *adj.* rodløs.

rootstock ['ru:tstɔk] *sb.* **1.** (*bot.*) rodstok; **2.** (*i gartneri*) grundstamme, underlag.

root vegetable *sb.* rodfrugt.

rope[1] [rəup] *sb.* **1.** reb, tov; **2.** (*til linedans*) line; **3.** (*til afmærkning, opmåling*) snor; **4.** (*til hængning*) reb, strikke; **5.** (*mar.*) tov; ende; (*generelt*) tovværk;
□ ~ *of garlic* hvidløgsfletning; ~ *of onions* løgfletning; ~ *of pearls* (stor) perlekæde;
the -s a. (*om boksering*) tovene; **b.** (*mht. arbejde*) forretningsgangen, fiduserne (*fx show//teach him the -s*; *know//learn the -s*); (se også ndf.: *know//learn//on the -s*); [*med vb.*] *give him enough* ~ *to hang himself* lade ham løbe linen ud; *give him plenty of* ~ give ham stor handlefrihed; *give ham et langt tøjrslag*; *jump* ~ (*am.*) sjippe; *know the -s* (*også*) være hjemme i tingene; *learn the -s* (*også*) blive sat ind i tingene; [*med præp.*] *money for old* ~ lettjente penge; *be at the end of one's* ~ (*am.*) ikke kunne holde til mere; *be on the -s* (T: *fig.*) være ude i tovene; være hårdt trængt; *go piss up a* ~ (*am.* S) rend mig i røven.

rope[2] [rəup] *vb.* **1.** binde (*to* til) [*med reb*]; **2.** (*am.*) fange ind [*med lasso*];
□ ~ *in* (*person: til aktivitet*) kapre, indfange, shanghaje; ~ *off* afspærre [*med reb*]; ~ *together*, ~ *up* binde sammen [*med reb*].

rope-a-dope ['rəupədoup] *sb.*: *play* ~ (*am.* T: *om bokser & fig.*) [*foregive at være i vanskeligheder for*

at få modstanderen til at spilde sine kræfter].

rope bridge *sb.* tovbro.

rope ladder *sb.* rebstige.

ropeway ['rəupwei] *sb.* tovbane.

ropey, ropy ['rəupi] *adj.* T dårlig, ringe, elendig.

roquet[1] ['rəuki, -kei] *sb.* (*i kroket*) krokade.

roquet[2] ['rəuki, -kei] *vb.* (*i kroket*) krokere.

rorqual ['rɔ:kwəl] *sb.* (*zo.*) **1.** finhval; **2.** se *minke whale*.

rosary ['rəuz(ə)ri] *sb.* (*rel.*) rosenkrans.

rose[1] [rəuz] *sb.* **1.** rose; **2.** (*farve*) rosa; **3.** (*på sprøjte etc.*) bruse;
□ *not a bed of -s* se *bed*[1]; *it is coming up -s* det går fint; *he came up smelling of -s* han klarede sig fint; *der kunne ikke sættes en plet på ham*; *he did not come up smelling of -s* han efterlod ikke noget heldigt indtryk.

rose[2] [rəuz] *præt. af rise*[2].

roseate ['rəuziət] *adj.* (*poet.*) rosenfarvet.

rosebay ['rəuzbei] *sb.* (*bot.*) gederams.

rosebay willowherb *sb.* (*bot.*) gederams.

rosebud ['rəuzbʌd] *sb.* rosenknop.

rose chafer *sb.* (*zo.*) guldbasse.

rose-coloured ['rəuzkʌləd] *adj.* rosenfarvet; rosa;
□ *see everything through* ~ *spectacles* se alt i et rosenrødt skær.

rose-coloured starling *sb.* (*zo.*) rosenstær.

rosefish ['rəuzfiʃ] *sb.* blåkæft.

rose hip *sb.* (*bot.*) hyben.

rose mallow *sb.* (*bot.*) hibiscus.

rosemary ['rəuzməri] *sb.* (*bot.*) rosmarin.

rose-tinted ['rəuztintid] *adj.* se *rose-coloured*.

rosette [rə'zet] *sb.* roset.

rose water *sb.* rosenvand [*slags rosenparfume*].

rose window *sb.* rosevindue.

rosewood ['rəuzwud] *sb.* **1.** rosentræ; **2.** se *Brazilian rosewood*.

rosin[1] ['rɔzin] *sb.* (*renset*) harpiks [*fx til violinbue*].

rosin[2] ['rɔzin] *vb.* indgnide med harpiks.

roster ['rəustə] *sb.* **1.** liste, fortegnelse; navneliste; **2.** tjenesteliste, vagtskema.

rostrum ['rɔstrəm] *sb.* (*pl. rostra* ['rɔstrə]) **1.** talerstol; podium; **2.** (*i sport*) sejrsskammel; **3.** (*mus.*) dirigentpult; **4.** (*film.: til kamera*) stilling; **5.** (*zo.: fx på insekt*) snabel; snude; **6.** (*hist.*) (skibs)snabel.

rosy ['rəuzi] *adj.* **1.** (*om farve*) lyse-

rød; rosenrød; rosa; **2.** (*om ansigtsfarve*) rosenrød (*fx cheeks*); blomstrende; **3.** (*fig.*) rosenrød (*fx the future looked* ~);
□ *paint a* ~ *picture of* (*fig.*) give et optimistisk billede af.

rot[1] [rɔt] *sb.* **1.** forrådnelse; **2.** (*i træ*) råd; (se også *dry rot*); **3.** (*fig.*) forfald, tilbagegang (*fx stop the* ~); **4.** (*glds.* T) sludder;
□ *the* ~ *set in* (*fig.*) det begyndte at gå skævt.

rot[2] [rɔt] *vb.* **1.** rådne; **2.** (*med objekt*) få til at rådne; **3.** (*fig.*) gå i fordærv (*fx the education system has been allowed to* ~);
□ ~ *in jail* (*fig.*) rådne op i et fængsel; *it -s your teeth* det ødelægger tænderne.

rota ['rəutə] *sb.* se *roster* 2.

rotary[1] ['rəutəri] *sb.* (*am.*) rundkørsel.

rotary[2] ['rəutəri] *adj.* roterende (*fx movement; blades*).

rotary cultivator, **rotary hoe** *sb.* jordfræser.

rotary ironer *sb.* strygerulle.

rotary mower *sb.* (*til græs*) rotorklipper.

rotary press *sb.* (*typ.*) rotationspresse.

rotary switch *sb.* drejeafbryder.

rotate [rə(u)'teit, (*am.*) 'routeit] *vb.*
A. (*uden objekt*) **1.** rotere, dreje rundt; **2.** (*fig.*) skifte, veksle (*fx the rotating seasons*); **3.** (*om personer*) skiftes (*fx in a job*); **4.** (*om opgave*) gå på omgang (*fx the chairmanship -s*);
B. (*med objekt*) **1.** lade rotere; dreje (*fx the handle*); **2.** (*personer*) lade skiftes; **3.** (*opgave*) lade gå på omgang (*fx* ~ *the chairmanship*);
□ ~ *crops* skifte/veksle afgrøder.

rotation [rə(u)'teiʃn] *sb.* **1.** rotation; omdrejning; **2.** turnusordning;
□ *in* ~ på skift, efter tur; (se også *crop rotation*).

rote [rəut] *sb.*: *learn by* ~ (*neds.*) lære udenad, lære på remse.

rote learning *sb.* (*neds.*) udenadslæren.

rotgut ['rɔtgʌt] *sb.* S billig sprut.

rotifer ['rəutifə] *sb.* (*zo.*) hjuldyr.

rotogravure ['rəutəgrə'vjuə] *sb.* (*typ.*) rotationsdybtryk.

rotor ['rəutə] *sb.* **1.** rotor; **2.** (*på helikopter*) rotorvinge.

rotor blade *sb.* rotorvinge [*på helikopter*].

rotten ['rɔt(ə)n] *adj.* **1.** rådden; fordærvet; **2.** T modbydelig (*fx what a* ~ *thing to say!*); tarvelig (*fx it was* ~ *of you*); **3.** (T: *om kvalitet*) elendig (*fx he is a* ~ *cook; it was a* ~ *idea*);

R rotter

☐ *feel* ~ T have det elendigt.

rotter ['rɔtə] *sb.* skidt fyr, sjover, skiderik.

rotund [rə'tʌnd] *adj.* **1.** rund, buttet, velnæret; **2.** (*om stemme*) dyb, klangfuld; **3.** (*om stil*) højtravende.

rotunda [rə'tʌndə] *sb.* rotunde [*rund bygning*].

rouble ['ru:bl] *sb.* rubel.

roué ['ru:ei] *sb.* libertiner.

rouge [ru:ʒ] *sb.* (*glds.*) rouge, kindrødt.

rough¹ [rʌf] *sb.* **1.** udkast, skitse; kladde; **2.** (*om person*) bølle; voldsmand; **3.** (*i golf*) [*ujævn del af bane*];

☐ ~ *and tumble* se *rough-¹and-tumble; in* ~ løseligt; *in the* ~ **a.** (*om diamant*) uslebet; **b.** (*om forehavende etc.*) i vanskeligheder; *take the* ~ *with the smooth* tage det onde med det gode; tage det sure med det søde; *a bit of* ~ (*spøg.*) en person af folket.

rough² [rʌf] *adj.* **1.** (*om overflade*) ru, grov (*fx hands*); (*om terræn*) ujævn (*fx road*); uvejsom; **2.** (*om hav*) urolig, oprørt; **3.** (*om hår, græs*) strid; **4.** (*mht. bearbejdning*) rå, ubehandlet, ubearbejdet; (*om træ*) uhøvlet; (*om sten*) utilhugget; (*om glas, diamant etc.*) usleben; (*om tekst etc.*) ufærdig; rå- (*fx translation*); løselig (*fx idea; sketch*); (*se også rough copy, rough draft*); **5.** (*mods. forfinet*) primitiv (*fx table*); grov; simpel (*fx food*); **6.** (*om skøn*) løselig, foreløbig, løs (*fx calculation; estimate; guess*); **7.** (*om person: mods. forfinet*) ukunstlet, ligefrem, djærv (*fx workers*); **8.** (*neds.*) grov, ubehagelig (*fx he turned* ~); **9.** (*mods. blid*) rå (*fx ice hockey is a* ~ *game*); barsk (*fx a* ~ *quarter of the town*); hård (*fx she had a* ~ *life//time*); hårdhændet (*fx treatment*); **10.** (*om lyd*) grov, hård, skurrende (*fx voice*); skarp, skærende (*fx sound*); **11.** (*om vejr*) hård; stormende, urolig; **12.** (*om vin*) sur, skarp;

☐ ~ *and* se *rough-and-ready, rough-²and-tumble; cut up* ~ se *cut²; feel* ~ føle sig sløj/utilpas; *look* ~ se pjusket/derangeret ud; [*med sb.; se også på alfabetisk plads*] *it is* ~ *justice/luck on him* det er lige hårdt nok; ~ *paper* kladdepapir; *a* ~ *passage* **a.** (*mar.*) en hård overfart; **b.** (*fig.*) en besværlig periode; ~ *ride* se *ride¹; give sby the* ~ *side of one's tongue* (*glds.*) skælde en huden

fuld; ~ *sketch* løs skitse; løst udkast; ~ *trade* S trækkerdrenge.

rough³ [rʌf] *vb.*: ~ *it* leve primitivt; [*med adv.*] ~ *down* bearbejde foreløbigt; (*med høvl*) afskrubbe; ~ *in* indtegne løseligt, skitsere, antyde; ~ *out* lave udkast til, skitsere; ~ *up* **a.** rode op i; rode rundt i; **b.** (T: *person*) maltraktere, gennembanke.

rough⁴ [rʌf] *adv.* groft, hårdt (*fx treat him* ~);

☐ *live* ~ leve primitivt; *play* ~ spille hårdt/råt; *sleep* ~ sove udendørs//på gaden.

roughage ['rʌfidʒ] *sb.* grovfoder; fiberrig/slaggerig kost.

rough-and-ready [rʌfən'redi] *adj.* **1.** primitiv men brugbar (*fx definition; method*); **2.** (*om person*) jævn og ligetil; grov, upoleret.

rough-and-¹tumble [rʌfən'tʌmbl] *sb.* tummel; spektakler; slagsmål.

rough-and-²tumble [rʌfən'tʌmbl] *adj.* **1.** (*om slagsmål*) forvirret; støjende; **2.** (*fig.*) barsk.

roughcast¹ ['rʌfka:st] *sb.* grovpuds; berapning.

roughcast² ['rʌfka:st] *adj.* grovpudset; berappet.

rough copy *sb.* kladde.

rough cut *sb.* (*film.*) råklipning.

rough diamond *sb.* (*også fig.*) usleben diamant.

rough draft *sb.* udkast, skitse; kladde.

roughen ['rʌf(ə)n] *vb.* **1.** gøre ujævn; gøre ru; **2.** (*uden objekt*) blive ujævn; blive ru.

roughhewn ['rʌf'hju:n] *adj.* **1.** råt/groft tilhugget; **2.** (*om person*) ukultiveret, grov.

roughhouse¹ ['rʌfhaus] *sb.* (*am.* T) ballade, spektakler; slagsmål.

roughhouse² ['rʌfhaus] *vb.* (*am.* T) **1.** lave ballade; slås; **2.** (*med objekt*) være voldelig over for; slås med [*især: for sjov*].

roughly ['rʌfli] *adv.* **1.** (*om behandling*) hårdhændet (*fx he pushed them* ~ *aside*); **2.** (*om udførelse*) groft (*fx built; chopped*); **3.** (*mods. præcist*) nogenlunde (*fx I know* ~ *what it is like; we have* ~ *the same tastes*); stort set; **4.** (*om talangivelse*) tilnærmelsesvis; omtrent, cirka (*fx a distance of* ~ *30 miles*);

☐ ~ *speaking* stort set.

roughneck ['rʌfnek] *sb.* **1.** (*på boreplatform*) boreassistent; borebisse; **2.** (*am.* T) bisse, børste.

roughrider ['rʌfraidər] *sb.* (*am.*) hestetæmmer.

roughshod ['rʌfʃɔd] *adj.*: *ride* ~ *over* behandle hensynsløst;

trampe på.

rouleau [ru:'ləu] *sb.* pengetut; pengerulle.

roulette [ru:'let] *sb.* roulette.

rouletted [ru:'letid] *vb.* (*om frimærke*) gennemstukket.

Roumania, Roumanian (*glds.*) se *Romania* (*etc.*).

round¹ [raund] *sb.* **1.** runde; **2.** (*af drinks el. i boksning*) omgang (*fx it's my* ~; *knocked out in the first* ~); **3.** (*i kortspil*) meldeomgang; **4.** (*læges*) sygebesøg; (*på hospital*) stuegang; **5.** (*mælkemands etc.*) tur; (*se også newspaper round*); **6.** (*om noget rundt*) kreds; ring (*fx dance in a* ~); **7.** (*som skæres*) skive (*fx slice the potatoes// cucumber into* ~*s*); **8.** (*mus.*: *om sang*) kanon; **9.** (*mil.*) patron; (*om kanon*) skud; **10.** (*på stige*) trin; ☐ *the daily* ~ (*glds.*) dagens gerning; den daglige rutine;

[+ *of*] *a* ~ *of* en række (*fx parties; visits*); *a* ~ *of applause* en klapsalve; *a* ~ *of drinks* en omgang; *a* ~ *of sandwiches* en hel sandwich [ɔ: *af to skiver brød*]; *a* ~ *of talks* en forhandlingsrunde; *a* ~ *of toast* en skive ristet brød;

[*med vb.*] *do the* ~*s* (*om rygte, sygdom etc.*) løbe rundt; cirkulere; *do the* ~*s of* gå rundt til alle (*fx the churches; the museums*); *do the* ~*s of the family* gå rundt til hele familien; *go the* ~*s* **a.** gå den sædvanlige runde; **b.** (*med.*) gå stuegang; **c.** se ovf.: *do the* ~*s; make one's* ~*s* (*om læge*) gå stuegang; *make the* ~*s of* (*am.*) = *do the* ~*s of*; [*med præp.*] *figure in the* ~ frifigur [*mods. relief*]; (*se også theatre-in-the-round*); *see sth in the* ~ (*fig.*) se noget fra alle sider; have et realistisk billede af noget; *show sth in the* ~ (*fig.*) give en plastisk fremstilling af noget; *show sby in the* ~ (*fig.*) vise en i hel figur; *out of* ~ (*tekn.*) urund; *out on one's* ~*s* (*om læge*) på sygebesøg.

round² [raund] *adj.* **1.** rund; **2.** (*om tal*) rund (*fx in* ~ *figures*); afrundet; **3.** (*om stemme*) fyldig; fuldtonende;

☐ *a* ~ *dozen* et helt dusin; *a* ~ *hundred* præcis hundrede; *make it a* ~ *fifty//hundred etc.* runde det af til halvtreds//hundrede *etc.*

round³ [raund] *vb.* **1.** (*hjørne etc.*) runde (*fx* ~ *the Cape of Good Hope*); gå//sejle rundt om; dreje omkring; **2.** (*kant*) gøre rund; afrunde (*fx the corners of a table*); **3.** (*uden objekt*) blive rund;

☐ ~ *down* (*tal*) runde ned; ~ *off* **a.** (*kant*) gøre rund, afrunde;

b. (*forløb*) runde af (*fx his education; the evening with a song*); afslutte; **c.** (*tal*) runde af; ~ *on* vende sig mod; fare løs på; ~ *out* **a.** udfylde; komplettere; **b.** (*am.*) = ~ *off b*; **c.** (*uden objekt*) blive rund; ~ *up* **a.** samle (sammen) (*fx the team*); **b.** (*kvæg, personer: indfange*) drive sammen; **c.** (*om politiet*) omringe og arrestere; **d.** (*tal, beløb*) runde op.

round[4] [raund] *adv.* **1.** rundt; omkring; om; **2.** T udenom (*fx a crowd gathered* ~); rundt om (*fx we sat//stood* ~); **3.** (*om mål*) i omkreds (*fx his waist must be 4 ft.* ~); **4.** (*til et sted*) over, hen (*fx come* ~ *and see us*); □ ~ *about* **a.** rundt omkring; **b.** (*om tid, mængde*) omkring (*fx 3 o'clock; half a million*); *he lives somewhere* ~ *about* han bor et sted heromkring; ~ *to* over til, hen til; (se også *all*[3], *come*[1], *go*[3], *way*[1] (*etc.*)).

round[5] [raund] *præp.* **1.** rundt om, omkring (*fx walk* ~ *the lake*; *sit* ~ *the table*); om (*fx* ~ *the waist*; *he put his arm* ~ *her*); **2.** rundt i//på (*fx walk* ~ *the room//the castle*); **3.** (T: *ved omtrentlig angivelse*) omkring (*fx £1,000; midnight*).

roundabout[1] ['raundəbaut] *sb.* **1.** (*i trafikken*) rundkørsel; **2.** (*på marked, legeplads*) karrusel; (se også *swing*[1]).

roundabout[2] ['raundəbaut] *adj.* indirekte; □ *by a* ~ *route* ad en omvej; *in a* ~ *way* indirekte.

rounded ['raundid] *adj.* **1.** rund (*fx stomach; corner*); buet; **2.** (*fig.*) afrundet; velafbalanceret.

roundel ['raundəl] *sb.* (*flyv.*) identifikationsmærke.

rounder ['raundə] *sb.* **1.** (*i rundbold*) tur hele vejen rundt; **2.** (*am.*) ødeland.

rounders ['raundəz] *sb.* rundbold.

roundly ['raundli] *adv.* F kraftigt (*fx condemned*); ligefrem, med rene ord (*fx criticize them* ~); grundigt, fuldstændigt (*fx defeated*).

round-nose pliers [raundnəuz-'plaiəz] *sb. pl.* rundtang.

round robin *sb.* **1.** [bønskrift/protestskrivelse hvor underskrivernes navne står i en kreds for at skjule hvem der har underskrevet først]; **2.** (*i sport*) [turnering hvor alle møder alle].

round-shouldered [raund'ʃuldəd] *adj.* rundrygget.

round-table conference [raun(d)teibl'kɔnfərəns] *sb.* rundbordskonference.

round-the-clock [raun(d)ðə'klɔk] *adj.* døgn- (*fx guard*); uophørlig (*fx bombing*).

round trip *sb.* **1.** rundrejse; **2.** (*am.*) tur-retur; hen- og tilbagerejse.

round-trip ticket [raun(d)trip'tikit] *sb.* (*am.*) dobbeltbillet; returbillet.

roundup ['raundʌp] *sb.* **1.** (*af kvæg*) sammendrivning; **2.** (*af mistænkte*) indfangning; arrestation; (*efter mistænkte*) razzia; **3.** (*af nyheder*) sammendrag, resumé; oversigt.

roundworm ['raundwə:m] *sb.* spolorm; rundorm.

rouse [rauz] *vb.* **1.** vække; **2.** (*til aktivitet*) opildne, ruske op; **3.** (*til vrede*) ophidse; **4.** (*vildt*) jage op; **5.** (*uden objekt*) vågne op; □ ~ *oneself* tage sig sammen; tage sig selv i nakken.

rouseabout ['rauzəbaut] *sb.* (*austr.*) medhjælper på fårefarm.

rousing ['rauziŋ] *adj.* opildnende.

roust [raust] *vb.* (*am.*) jage ud; jage op [*af sengen*]; plage.

roustabout ['raustəbaut] *sb.* **1.** ufaglært arbejder, løsarbejder; arbejder på boreplatform, borebisse; **2.** (*am.*) havnearbejder.

rout[1] [raut] *sb.* **1.** vild flugt; **2.** knusende nederlag; □ *put to* ~ jage/slå på flugt.

rout[2] [raut] *vb.* **1.** jage/slå på flugt; **2.** tilføje et knusende nederlag; □ ~ *out* trække frem/ud.

route[1] ['ru:t, (*am. også*) raut] *sb.* **1.** vej, rute; (se også *en route*); **2.** (*for bus*) rute; **3.** (*am.*) hovedvej; **4.** (*am.*) se *round*[1] *5, paper round.*

route[2] ['ru:t, (*am. også*) raut] *vb.* sende [*ad en bestemt rute*]; dirigere.

route march *sb.* (*mil.*) rejsemarch; (*som øvelse*) marchtur.

routine[1] [ru:'ti:n] *sb.* **1.** rutine; praksis; **2.** (*optræden*) (*indøvet*) nummer; **3.** (*it*) rutine, delprogram.

routine[2] [ru:'ti:n] *adj.* **1.** rutinemæssig; rutine-; **2.** (*neds.*) rutinepræget, ensformig.

roux [ru:] *sb.* opbagning.

rove[1] [rəuv] *vb.* (se også *roving*) **1.** strejfe om; vandre om; flakke; **2.** (*med objekt*) vandre/strejfe/flakke om i; gennemstrejfe.

rove[2] [rəuv] *præt. & præt. ptc. af reeve*[2].

rove beetle *sb.* (*zo.*) rovbille.

rover ['rəuvə] *sb.* **1.** (*litt.*) omstrejfer; vandrer; **2.** (*i krocket*) frispiller; **3.** (*i rumfart*) [*køretøj med antenner og instrumenter til udforskning af fremmed planet*].

roving ['rəuviŋ] *adj.* omrejsende; omflakkende, omstrejfende; □ *have a* ~ *eye* (*glds., spøg.*) være en pigejæger.

row[1] [rəu] *sb.* **1.** række; **2.** (*i strikning*) pind; **3.** (*jf. row*[3]) rotur; □ *have a hard/long/tough* ~ *to hoe* (*fig.*) have et hårdt job; have en svær opgave; have meget at slås med; *in a* ~ **a.** på række (*fx we stood in a* ~); **b.** (*om forløb*) i træk (*fx three days//times in a* ~); i/på rad.

row[2] [rau] *sb.* **1.** slagsmål, opgør (*fx a political* ~); ballade; **2.** (*om to mennesker*) skænderi; **3.** (*om lyd*) spektakel; □ *kick up a* ~ lave et (farligt) hus, lave (en farlig) ballade; *make a* ~ lave spektakel, larme; *make a* ~ *about* gøre vrøvl over.

row[3] [rəu] *vb.* ro.

row[4] [rau] *vb.* skændes.

rowan ['rauən, 'rəuən] *sb.* (*bot.*) røn, rønnebærtræ.

rowboat ['rəubəut] *sb.* (*am.*) robåd.

rowdy[1] ['raudi] *sb.* bølle, ballademager.

rowdy[2] ['raudi] *adj.* voldsom, larmende.

rowel ['rauəl] *sb.* sporehjul.

rower ['rəuə] *sb.* roer.

rowhouse ['rouhaus] *sb.* (*am.*) rækkehus.

rowing boat ['rəuiŋbəut] *sb.* robåd.

rowlock ['rɔlək, 'rəu-] *sb.* åregaffel.

royal[1] ['rɔiəl] *sb.* medlem af kongehuset; (se også *royals*).

royal[2] ['rɔiəl] *adj.* kongelig; konge-.

Royal Academy [*det kongelige kunstakademi*].

Royal Air Force [*flyvevåbnet i England*].

royal assent *sb.* kongelig stadfæstelse [*af en lov*].

royal blue *sb.* kongeblåt.

Royal Highness *sb.*: *His//Her//Your* ~ hans//hendes//Deres kongelige højhed.

royalism ['rɔiəlizm] *sb.* royalisme.

royalist[1] ['rɔiəlist] *sb.* royalist.

royalist[2] ['rɔiəlist] *adj.* royalistisk; kongeligsindet.

royal road *sb.* (*fig.*) let vej; slagen vej (*fx to success*); □ *there is no* ~ *to* (*også*) man kan ikke slippe let til.

royals ['rɔiəlz] *sb. pl.*: *the* ~ T de kongelige.

Royal Society *det kongelige videnskabernes selskab.*

royalties ['rɔiəltiz] *sb. pl.* royalties; licensafgift; patentafgift; forfatterhonorar.

R royalty

royalty ['rɔiəlti] *sb.* **1.** medlemmer af kongehuset; kongelige personer; kongelige; **2.** (*enkelt*) medlem af kongehuset; kongelig person; **3.** (*egenskab*) kongelighed; kongeværdighed; **4.** (*betaling*) se *royalties*;
□ *treat sby like* ~ give én en udsøgt behandling.

rozzer ['rɔzə] *sb.* S strømer [ɔ: *politibetjent*].

RP *fork. f. received pronunciation.*

RPG *rocket-propelled grenade.*

rpm *fork. f. revolutions per minute.*

R & R *fork. f.* (*mil.*) *rest and recreation.*

RRP *fork. f. recommended retail price.*

RSC *fork. f. Royal Shakespeare Company.*

RSI *fork. f. repetitive strain injury.*

RSVP *fork. f. répondez s'il vous plaît* svar udbedes.

Rt. Hon. *fork. f. right honourable.*

Rt. Rev. *fork. f. right reverend.*

rub[1] [rʌb] *sb.* **1.** gnidning; massage; **2.** (*til indgnidning*) balsam, creme;
□ *give it a good* ~ gnide det grundigt; *give sby a* ~ give én massage; *the* ~ *is* vanskeligheden er, hindringen er; *there is the* ~ der ligger hunden begravet.

rub[2] [rʌb] *vb.* **1.** gnide (*fx one's eyes*); gnubbe; massere (*fx sby's back*); **2.** (*creme etc.*) smøre (*fx ointment on one's arms; a baking tray with butter*); **3.** (*med håndklæde*) frottere; **4.** (*med viskelæder, tavleklud*) viske (*fx ~ the blackboard clean*); **5.** (*beskadige*) skrabe (*fx one's shin on a stone; the chair legs -bed holes in the carpet*); **6.** (*farver etc.*) rive;
□ ~ *sby the wrong way* (*am.*) se ndf.: ~ *sby up the wrong way*; [*med adv.*] ~ **against a.** gnide imod (*fx he -bed his leg against mine*); skure imod (*fx ~ two stones against each other*); **b.** (*uden objekt*) gnide/gnubbe sig op ad (*fx the cat -bed against my leg*); ~ **along (together)** (*glds.* T) komme ud af det med hinanden; ~ **down a.** (*overflade, før maling*) slibe af; **b.** (*person*) frottere; **c.** (*hest*) strigle; ~ **in a.** (*i huden etc.*) gnide ind (*fx ointment*); **b.** (*fig.*) udpensle; *there is no need to* ~ *it in* (*fig.*) der er ingen grund til at træde/vade i det; ~ **off a.** gnide//skrabe af; **b.** (*på tavle*) viske ud; (se også *corner*[1]); ~ **off on** smitte af på; ~ **out a.** (S: *person*) dræbe, gøre kold; **b.** (*noget*

skrevet) viske ud; **c.** (*plet*) fjerne ved at gnide; *it won't* ~ *out* det er ikke til at viske ud//fjerne; ~ **up a.** pudse; polere (*fx the silver*); **b.** (*kundskaber*) opfriske; ~ *sby up the wrong way* (*fig.*) stryge en mod hårene, irritere en; ~ **up against** gnide/smyge sig op ad.

rub-a-dub ['rʌbədʌb] *sb.* (*trommelyd*) bum bummelum.

rubber ['rʌbə] *sb.* (se også *rubbers*) **1.** gummi; **2.** (*til at viske ud med*) viskelæder; **3.** (*i bridge etc.*) rubber; **4.** S kondom.

rubber band *sb.* elastik, gummibånd.

rubber cheque *sb.* (T: *spøg.*) gummicheck, dækningsløs check.

rubber dinghy *sb.* gummibåd.

rubberized ['rʌbəraizd] *adj.* gummiimprægneret.

rubber johnny *sb.* S kondom; gummidreng.

rubberneck[1] ['rʌbənek] *sb.* (*am.* T) nysgerrig person; turist.

rubberneck[2] ['rʌbənek] *vb.* kigge nysgerrigt.

rubber plant *sb.* (*bot.*) gummitræ.

rubbers ['rʌbəz] *sb. pl.* (*am., glds.*) galocher.

rubber solution *sb.* solution [*til at klæbe gummi med*].

rubber stamp *sb.* **1.** gummistempel; **2.** (*fig. om person*) gummistempel, nikkedukke.

rubber-stamp [rʌbə'stæmp] *vb.* **1.** stemple [*med et gummistempel*]; **2.** (*fig.*) godkende uden videre.

rubbery ['rʌb(ə)ri] *adj.* gummiagtig.

rubbing ['rʌbiŋ] *sb.* (*af gravsten etc.*) gnidebillede.

rubbing alcohol *sb.* (*am. med.*) (denatureret) hospitalssprit.

rubbing strake *sb.* (*mar.*) fenderliste, skamfilingsliste.

rubbish[1] ['rʌbiʃ] *sb.* **1.** affald, skrald; **2.** (T: *værdiløse ting*) ragelse, skrammel; **3.** (T: *om udsagn*) sludder, vrøvl;
□ *it was* ~ **a.** (*jf.* 2, *også*) det var noget bras/møg, det var elendigt (*fx the film was* ~); **b.** (*jf.* 3) det var noget sludder/vrøvl; *talk* ~ sludre, vrøvle; (se også *shoot*[2]).

rubbish[2] ['rʌbiʃ] *adj.* **1.** affalds- (*fx bag; heap*); **2.** T elendig (*fx a* ~ *football team*); møg-;
□ *it was* ~ (*jf.* 3 *også*) det var noget møg.

rubbish[3] ['rʌbiʃ] *vb.* T nedgøre, rakke ned, kritisere sønder og sammen.

rubbish dump *sb.* losseplads.

rubbishy ['rʌbiʃi] *adj.* T elendig.

rubble ['rʌbl] *sb.* **1.** murbrokker;

2. utilhugne sten; **3.** (*i mur*) fyld.

rubdown ['rʌbdaun] *sb.* **1.** (*af flade*) afslibning; **2.** (*af person*) frottering; **3.** (*af hest*) strigling.

rube [ru:b] *sb.* (*am.* T) bondeknold.

Rube Goldberg [ru:b 'gouldbərg] *adj.* (*am.*) = *Heath Robinson.*

rubella [ru:'belə] *sb.* (*med.*) røde hunde.

rubeola [ru:'bi:ələ] *sb.* (*med.*) mæslinger.

rubicund ['ru:bikənd] *adj.* (*glds., litt. el. spøg.*) rødmosset.

rubric ['ru:brik] *sb.* **1.** F rubrik; overskrift; **2.** (*på eksamensopgave*) instruktion.

ruby[1] ['ru:bi] *sb.* **1.** rubin; **2.** (*i ur*) sten.

ruby[2] ['ru:bi] *adj.* rubinrød.

ruby wedding anniversary *sb.* 40 års bryllupsdag.

RUC *fork. f. Royal Ulster Constabulary.*

ruche [ru:ʃ] *sb.* ruche [*rynket el. plisseret strimmel*].

ruched [ru:ʃt] *adj.* rynket; folderig.

ruck[1] [rʌk] *sb.* **1.** (*af mennesker*) menneskemængde; (*urolig*) tumult, ballade; **2.** (*af ting*) rodet bunke, rodsammen; **3.** (*i rugby*) [*klynge af spillere omkring bolden*]; **4.** (*i stof*) rynke; fold;
□ *the* ~ **a.** den store hob; den grå masse; **b.** (*i væddeløb*) [*klumpen der ligger bagud for førerfeltet*].

ruck[2] [rʌk] *vb.*: ~ *up* rynke; folde; krølle.

rucksack ['rʌksæk, 'ruk-] *sb.* rygsæk.

ruckus ['rʌkəs] *sb.* (*am.* T) slagsmål; ballade, spektakel, tumult.

ructions ['rʌkʃnz] *sb. pl.* T uro, ballade; vrøvl.

rudd [rʌd] *sb.* (*zo.*) rudskalle.

rudder ['rʌdə] *sb.* **1.** ror; **2.** (*flyv.*) sideror, haleror.

rudderless ['rʌdələs] *adj.* uden ror; uden styring.

ruddy ['rʌdi] *adj.* **1.** (*om ansigt*) rødmosset; **2.** (*litt.: om farve*) rødlig; **3.** (*glds. bandeord*) pokkers.

ruddy duck *sb.* (*zo.*) amerikansk skarvand.

rude [ru:d] *adj.* **1.** (*om manerer*) (meget) uhøflig (*fx don't stare, it's* ~); uforskammet (*fx reply*); ubehøvlet; **2.** (*om ytring etc.: seksuelt*) vulgær, sjofel (*fx stories*); grov; (*især i barnesprog*) fræk (*fx story; picture; word*); **3.** (*glds. el. litt.: om udførelse*) simpel, primitiv (*fx stone huts*);
□ *a* ~ *awakening* en brat/barsk opvågnen; ~ *health* robust helbred; *a* ~ *surprise* en grim overraskelse.

rudiment ['ru:dimənt] *sb.* (*biol.*: *uudviklet organ*) rudiment, anlæg; □ *the -s of* **a.** de grundlæggende principper i (*fx mathematics*); begyndelsesgrundene til (*fx skiing*); **b.** den svage//første begyndelse til (*fx a plan; a plot*).

rudimentary [ru:di'ment(ə)ri] *adj.* **1.** (*om viden*) elementær (*fx education; knowledge of mathematics*); basal; **2.** (*om udstyr etc.*) simpel (*fx equipment; system; methods*); **3.** (*biol.*) rudimentær, uudviklet (*fx tail; legs*).

rue¹ [ru:] *sb.* (*bot.*) rude.

rue² [ru:] *vb.* (*glds. el. litt.*) angre, fortryde; □ *he will live to* ~ *his decision* han vil komme til at fortryde sin beslutning.

rueful ['ru:f(u)l] *adj.* sørgmodig, bedrøvet; bedrøvelig, trist; angerfuld, undskyldende; (se også *knight¹*).

ruff¹ [rʌf] *sb.* **1.** (*glds.*) pibekrave; kruset halskrave; **2.** (*på fugl*) halskrave, fjerkrave; **3.** (*zo.*) brushane; **4.** (*i kortspil*) trumfning.

ruff² [rʌf] *vb.* (*i kortspil*) trumfe.

ruffian ['rʌfiən] *sb.* (*glds.*) bølle, bandit.

ruffle¹ ['rʌfl] *sb.* **1.** rynket flæse; **2.** (*mil.*) dæmpet trommehvirvel.

ruffle² ['rʌfl] *vb.* **1.** bringe i uorden; pjuske (*fx the wind -d her hair*); **2.** (*vand*) kruse, sætte i bevægelse, oprøre; **3.** (*person*) bringe ud af fatning (*fx he is not easy to* ~); irritere; **4.** (*uden objekt: om person*) komme ud af fatning; blive irriteret; □ ~ *sby's feelings//pride* krænke ens følelser//stolthed; ~ *one's hair* purre op i håret; (se også *feather¹*).

ruffled ['rʌfld] *adj.* **1.** (*om hår*) pjusket, rodet; **2.** (*om tøj*) besat med flæser; (se også *feather¹*).

rufous ['ru:fəs] *adj.* (*især zo.*) rødbrun.

rug [rʌg] *sb.* **1.** (*til at tage om sig*) (groft uldent) tæppe; slumretæppe; plaid; **2.** (*til gulv*) (lille) tæppe (*fx a Persian* ~); kamintæppe; (*ved seng*) sengeforligger; □ *pull the* ~ *from under* (*fig.*) trække tæppet væk under (*fx him; the project*); *sweep it under the* ~ (*am.*) feje det ind under gulvtæppet.

Rugby ['rʌgbi] **1.** [*by i Midtengland*]; **2.** = *Rugby School.*

rugby ['rʌgbi] *sb.* (*sport*) rugby.

Rugby School *proprium* [*berømt public school i Rugby*].

rugged ['rʌgid] *adj.* **1.** (*om terræn*)

ujævn; stenet; **2.** (*om landskab*) vild, forreven (*fx coast*); **3.** (*om ting*) robust (*fx camera; vehicle*); **4.** (*om ansigtstræk*) grov; markeret; **5.** (*om person*) barsk; (*am. også*) hårdfør (*fx pioneer*).

rugger ['rʌgə] *sb.* T rugbyfodbold.

ruin¹ ['ru:in] *sb.* (*om bygning samt økon. & fig.*) ruin; (*om person også*) undergang, ødelæggelse; □ *be//lie in -s* (*også fig.*) ligge i ruiner; *fall into* ~, *go to* ~ **a.** synke i ruiner; **b.** (*fig.*) forfalde, gå i forfald; blive ødelagt.

ruin² ['ru:in] *vb.* **1.** ødelægge; **2.** (*person: økonomisk*) ruinere; **3.** (*følelsesmæssigt*) gøre ulykkelig; styrte i fordærvelse.

ruination [ru:i'neiʃn] *sb.* ruinering, ødelæggelse (*fx drink was the* ~ *of him*).

ruined ['ru:ind] *adj.* som ligger i ruiner (*fx castle*); ruineret; ødelagt.

ruinous ['ru:inəs] *adj.* **1.** ødelæggende (*fx effect*); **2.** (*økonomisk*) ruinerende (*fx the cost was* ~); **3.** (*om bygning*) forfalden.

rule¹ [ru:l] *sb.* **1.** (*i et land*) regering; styre (*fx British* ~ *in India*); **2.** (*som man skal følge*) regel; **3.** (*til at måle med*) tommestok; **4.** (*typ.*) streg; linje; **5.** (*glds. el.* F) lineal; □ *as a* ~ som regel; *bend/stretch the -s* slække på reglerne; gøre en undtagelse; *work to* ~ arbejde efter reglerne [*som obstruktionsmiddel, i stedet for strejke*]; (se også *exception*); [*med: of*] *-s of the air* (*flyv.*) luftfartsregler; *-s of engagement* (*mil.*) **a.** retningslinjer for magtanvendelse; **b.** fastlagte operationsbetingelser; ~ *of law* (*jur.*) retsregel; *the* ~ *of the road* [*reglen om til hvad side køretøjer skal holde når de passerer hinanden*]; *-s of the road* (*mar.*) søvejsregler; ~ *of three* reguladetri; ~ *of thumb* tommelfingerregel; *by* ~ *of thumb* på en grov men praktisk måde; efter skøn.

rule² [ru:l] *vb.* **1.** regere (*fx a country*); styre, herske over; **2.** (*fig.*) styre (*fx he -d the boys with a firm hand; fear -d their lives*); beherske (*fx be -d by one's passions*); **3.** (*jur.*) afsige kendelse (*on* om; *that* om at); (*fx om ordstyrer*) afgøre; **4.** (*papir: typ. etc.*) linjere; **5.** (*streg*) slå (*fx he -d two lines under the word*); **6.** (*uden objekt*) regere, herske (*fx he -d for 21 years*); **7.** (T: *især i graffitti*) være

bedst (*fx Arsenal -s*); □ *prices -d high* priserne lå højt; ~ *off* skille fra ved en streg; ~ *out* udelukke; (se også *roost¹*).

ruled [ru:ld] *adj.* (*om papir*) linjeret.

rule of ... se *rule¹.*

ruler ['ru:lə] *sb.* **1.** regent; hersker; **2.** (*til streger*) lineal.

ruling¹ ['ru:liŋ] *sb.* **1.** (*jur.*) kendelse; **2.** (*fx fra ordstyrer*) afgørelse; **3.** (*typ.*) linjering.

ruling² ['ru:liŋ] *adj.* herskende; regerende (*fx coalition*).

ruling passion *sb.* altbeherskende lidenskab.

rum¹ [rʌm] *sb.* rom; (*am. også*) spiritus.

rum² [rʌm] *adj.* (*glds.* T) snurrig, mærkelig, løjerlig.

Rumania [ru'meiniə] *sb.* se *Romania.*

Rumanian [ru'meiniən] se *Romanian.*

rumba ['rʌmbə] *sb.* rumba.

rumble¹ ['rʌmbl] *sb.* (jf. *rumble²*) rumlen; buldren; drønen.

rumble² ['rʌmbl] *vb.* **1.** (*fx vogn, maven*) rumle; (*fx torden*) buldre; (*fx kanoner*) drøne; **2.** T gennemskue; opdage.

rumble seat *sb.* (*am.: i bil,*) [*åbent bagsæde bag på topersoners bil*].

rumble strip *sb.* rumlefelt [*på kørebane*].

rumbling ['rʌmbliŋ] *sb.* se *rumble¹*; □ *-s* (*fig.: af utilfredshend*) murren, skumlerier.

rumbustious [rʌm'bʌstʃəs] *adj.* larmende, støjende, højrøstet.

ruminant ['ru:minənt] *sb.* drøvtygger.

ruminate ['ru:mineit] *vb.* **1.** F gruble, grunde (*about/on* over); **2.** (*om dyr*) tygge drøv.

rumination [ru:mi'neiʃn] *sb.* overvejelse; grublen.

ruminative ['ru:minətiv] *adj.* grublende.

rummage¹ ['rʌmidʒ] *sb.* **1.** gennemsøgning; **2.** (*am.*) skrammel; ting til loppemarked.

rummage² ['rʌmidʒ] *vb.* søge, rode; □ ~ *through* gennemsøge, gennemrode.

rummage sale *sb.* (*am.*) loppemarked.

rummy¹ ['rʌmi] *sb.* **1.** (*kortspil*) rommy; **2.** (*am.*) drukkenbolt, fulderik.

rummy² ['rʌmi] = *rum².*

rumour¹ ['ru:mə] *sb.* rygte.

rumour² ['ru:mə] *vb.: it is -ed* man siger; det forlyder; rygtet går.

rumour-monger ['ru:məmʌŋgə] *sb.* rygtemager.

R rump

rump [rʌmp] *sb.* **1.** (*af dyr;* T: *af person*) bagdel, ende, rumpe; **2.** (*udskæring af okse*) tyksteg; tykstegsfilet; halestykke; **3.** (*fig.*) sidste rest.
rumple ['rʌmpl] *vb.* **1.** (*tøj*) krølle; **2.** (*hår*) rode/purre op i.
rumpled ['rʌmpld] *adj.* **1.** (*om tøj*) krøllet; **2.** (*om seng*) rodet; **3.** (*om hår*) pjusket.
rump steak *sb.* bøf af tyksteg.
rumpus ['rʌmpəs] *sb.* T ballade.
rumpus room *sb.* (*am., omtr.*) hobbyrum; gildestue.
run¹ [rʌn] *sb.* (se også *runs*) **1.** (*om bevægelse*) løb; **2.** (*enkelt*) løbetur; **3.** (*i bil*) køretur; **4.** (*kort rejse etc.*) tur (*fx a ~ to Paris*); **5.** (*mar.*) sejlads; **6.** (*om maskine*) gang; **7.** (*i kricket, baseball*) løb; point; **8.** (*om vej*) strækning; **9.** (*for bus etc.*) rute; **10.** (*til slæde etc.*) bane; (se også *ski run*); **11.** (*agr.:* til dyr) græsgang; indhegning; **12.** (*om tid, produktion: tekn.*) [*den tid en maskine er i gang*]; (*resultat heraf*) produktion, serie; **13.** (*it*) kørsel; **14.** (*typ.*) oplag; oplagstal; **15.** (*teat.:* om stykke) opførelser; **16.** (*tv: om program*) visning; **17.** (*af trin*) trinbredde; **18.** (*i strømpe*) nedløben maske; **19.** (*am.:* ved valg) opstilling; kandidatur;
□ *give sby a ~* (*ved valg*) opstille en; *give sby a close ~* være en farlig konkurrent for en; *make a ~ for it* stikke af;
[*med art.+ præp.*] *give him a ~ for his money* give ham noget for pengene; T *give ham smæk for skillingen;* *have a ~ for one's money* (*også*) få noget ud af det; *a ~ of* (*om tid*) en periode med (*fx bad luck; dry years*); en serie af (*fx failures; successes*); *have a ~ of* a hundred nights (*teat.*) gå/opføres hundrede gange; *the ~ of the market* (*merk.*) markedets tendens; *the ~ of the streets* gadernes retning (*fx the ~ of the streets is away from the river*); *the general ~ of* se: *the ordinary ~ of*; *the ordinary ~ of* den almindelig slags/type (*fx blouse*); *like the ordinary ~ of people* som folk er flest; *outside//above the ordinary ~ of people* anderledes//bedre end folk er flest; *have the ~ of* have fri adgang til (*fx the library; the garden*); *a ~ on* (ɔ: vare) pludselig efterspørgsel efter; stort salg af; *a ~ on the bank* run/storm på banken;
[*med præp.+ art.*] *at a ~* i løb; *in the long/short ~* ~ se *long¹*,

short²; *on the ~* **a.** på flugt; **b.** på farten; **c.** i løb; *keep sby on the ~* holde en beskæftiget uafbrudt [*med at løbe ærinder etc.*]; *out of the common ~* uden for det almindelige.
run² [rʌn] *vb.* (*ran, run*) **A.** (*uden objekt*) **1.** løbe; rende; **2.** (*om flygtning*) løbe væk, flygte; **3.** (*om hest:* i væddeløb) deltage, løbe; **4.** (*om væske*) løbe, flyde; **5.** (*om farver*) løbe ud (*fx the ink had ~*); **6.** (*om maskine etc.*) gå, køre; fungere (*fx the lawn mower does not ~ properly*); **7.** (*om skuespil*) blive opført, gå (*fx ~ for two months*); **8.** (*mht. placering, forløb*) løbe (*fx the road -s through a wood*); strække sig (*fx a scar ran across his cheek; the hallway -s the length of the house*); **9.** (*om tekst*) lyde (*fx this is how the verse -s*); **10.** (*om kontrakt, forsikring, abonnement*) løbe, gælde; **11.** (*om lov etc.*) gælde; anerkendes (*fx the law does not ~ among them*); **12.** (*ved valg: især am.*) stille op; **13.** (+ *adjektiv*) blive (*fx ~ mad*); være, ligge (*fx sales are -ning high this year*);
B. (*med objekt*) **1.** lade løbe (*fx ~ a horse up and down*); **2.** (*bil, edb-program etc.*) køre (*fx ~ the car into the garage; ~ the program again*); **3.** (*ved jagt*) forfølge, jage (*fx a fox*); **4.** (*om væddeløb*) løbe om kap med; **5.** (*forbudte varer*) smugle (*fx arms; drugs*); **6.** (*blokade*) bryde; **7.** (*noget spidst*) jage, stikke (*fx a needle into one's finger*); støde (*fx a sword through him*); **8.** (*noget langt*) trække (*fx a rope between two trees*); føre (*fx a partition across the room*); **9.** (*væske, hane*) lade løbe; **10.** (*forretning*) lede, drive (*fx a hotel*); **11.** (*land*) styre, regere (*fx Communist-run countries*); **12.** (*historie, artikel*) bringe (*fx every newspaper ran the story*); **13.** (*især am.*) opstille til valg;
□ *the rumour -s* der går det rygte at;
[*med sb.*] *they ~ a course in self-defence* de har/tilbyder et kursus i selvforsvar; *~ its course* gå sin gang; *~ one's finger//fingers* lade fingeren//fingrene glide (*fx down the list//through one's hair*); *~ extra trains* sætte ekstratog ind; *~ water into* fylde vand i; *~ cold water on* komme koldt vand på; (se også *bath¹, mile*);
[*med adj.& adv.; se også A 13*] *~ sby close* **a.** være lige i hælene på

en; være en farlig konkurrent for en; **b.** (*i konkurrence*) blive en kneben nummer to; *~ cold* stivne; (se også *blood¹*); *~ dry* løbe tør; *~ it fine* beregne tiden meget knebent; *the sea -s high* der er stærk bølgegang; *passions ~ high* (*fig.*) bølgerne går højt; *they were -ning late* de var forsinket; *~ low* se ndf.: *~ short*; *~ scared* se scared; *~ short* være ved at slippe op; *~ short of* ikke have nok af; være ved at udgå for;
[*med præp.& adv.*] *~ across* løbe på, støde på; tilfældigt møde; *~ after* **a.** løbe efter (*fx the bus*); **b.** T rende efter (*fx a girl*); *~ against* **a.** løbe på, støde på; træffe; **b.** (*ved valg*) stille op imod; *~ one's head against* brick wall; *~ along!* T stik af med dig//jer! *I'd better be -ning along* jeg må hellere smutte/se at komme af sted; *~ around* løbe omkring; rende rundt; (se også *ring¹*); *~ at* løbe hen til; *be -ning at* (*om mængde*) ligge på (*fx inflation is -ning at 6.5%*); *~ away* løbe væk; løbe hjemmefra; *~ away from* flygte fra; *~ away with* **a.** (*noget stjålet; elsker*) stikke af med; **b.** (*sejr, præmie & om følelser*) løbe af med (*fx the prize; don't let your imagination//emotions ~ away with you*); **c.** (*penge, energi etc.*) sluge (*fx the scheme will ~ away with a lot of money*); *don't ~ away with the idea that* gå nu ikke hen og tro at; *~ away with the show* (*især am.*) stjæle billedet; *~ by* (*især am.*) nævne for (*fx ~ the names by me again*); *~ counter to* se *counter³*; *~ down* **a.** løbe ned; **b.** (*om ur etc.*) løbe ud, gå i stå; **c.** (*aktivitet etc.*) indskrænke (*fx our military presence*); (*fabrik etc.*) indskrænke driften på (*fx the railway*); **d.** (*forsvunden person//ting*) opspore; **e.** (*person: med køretøj*) køre ned; **f.** (*mar.*) sejle i sænk; **g.** T kritisere; rakke ned på; bagtale; **h.** (*om blik*) glide hurtigt ned langs (*fx the list of candidates*); *~ for Congress//President* (*am.*) stille sig som kandidat til Kongressen//præsidentembedet; *~ for it* stikke af; stikke halen mellem benene; *~ in* **a.** (T: *om politiet*) sætte fast; arrestere; **b.** (*maskine*) indkøre; *~ a car in* køre en bil til; *~ in and see me tonight* kig indenfor i aften; *it -s in the family* det ligger

til familien; *it ran in my head* det kørte rundt i hovedet på mig [ɔ: *jeg kunne ikke få det ud af tankerne*];

~ *into* a. støde på; støde ind i (*fx a lamp post; the car in front*); støde sammen med; b. (*om tilfældigt møde*) løbe ind i; støde på (*fx an old friend*); c. (*noget uheldigt*) støde ind i, komme ud for (*fx bad weather; problems*); ~ *into debt*//*difficulties* komme i gæld//vanskeligheder; *the book ran into several editions* bogen gik/udkom i adskillige oplag; *his income -s into five figures* hans indtægt kommer op på at femcifret beløb; ~ *off* a. stikke af; b. (*væske*) tappe; tømme ud; c. (*ord: mundtligt*) rable af sig; d. (*skriftligt*) grifle ned (*fx a poem*); e. (*trykt*) trykke, køre (*fx 100 copies*); ~ *off batteries* køre på batterier; ~ *him off his feet* løbe ham træt; ~ *off with* stikke af med;

~ *on* a. løbe videre; fortsætte; b. (*med at tale*) snakke uafbrudt; snakke løs; c. (*om emne*) beskæftige sig med (*fx the talk ran on recent events*); d. (*typ.*) sætte omløbende/rundløbende;

~ *out* a. (*om tid, frist*) løbe ud, udløbe; b. (*om forråd etc.*) slippe op; (se også *sand¹*); ~ *out of* løbe tør for (*fx petrol*); (se også *steam¹*); ~ *out on* stikke af fra, lade i stikken; svigte;

~ *over* a. (*om væske, beholder*) løbe over; b. (*med køretøj*) køre over; c. (*noget skrevet/trykt*) løbe igennem; hastigt gennemlæse// gennemgå; d. se *overrun² 1*; ~ *one's hand*//*fingers over* lade hånden//fingrene glide hen over; ~ *over to* køre/smutte hen til; ~ *over with* (*fig.*) strømme over af (*fx enthusiasm*);

~ *through* a. 'løbe gennem (*fx a whisper ran through the room; strange thoughts ran through his head; the theme -ning through the book*); b. (*bånd, film*) spille igennem; c. (*penge*) bruge op; ødsle væk (*fx a fortune*); d. (*noget skrevet*//*trykt & = øve sig på*) løbe igennem, gennemgå; e. (*med stikvåben*) gennembore; (se også: *B 7*); ~ *it through the computer* køre det gennem computeren; ~ *to* a. løbe hen til; b. (*om penge*) være tilstrækkeligt til; c. (*om person*) have råd til; d. (*om smag, interesse*) gå i retning af; e. (*om mængde*) komme op på (*fx the pamphlet ran to 100 pages*); ~ *to sby's aid* ile en til hjælp; (se også

fat¹);

~ *up* a. drive i vejret; b. (*flag etc.*) hurtigt hejse; c. (*tal*) lægge sammen; d. (*noget man laver i en fart*) flikke sammen (*fx a dress*); smække sammen (*fx a shed*); (se også *bill¹*); ~ *up against* a. løbe på; støde på (*fx difficulties; opposition*); b. træffe; *be -ning with* drive af (*fx the walls were -ning with damp; he was -ning with sweat*); være fuld af (*fx the gutters were -ning with water*); *the streets were -ning with blood* gaderne flød med blod.

runabout ['rʌnəbaut] sb. ⊤ 1. omstrejfer; 2. lille let bil//fly; 3. (*am.*) lille let motorbåd.

runaround ['rʌnəraund] sb.: *give sby the* ~ ⊤ holde én hen med snak; holde én for nar; give én en sludder for en sladder.

runaway¹ ['rʌnəwei] sb. 1. flygtning; 2. løbsk hest; 3. (*am.*) stor sejr.

runaway² ['rʌnəwei] adj. 1. bortløben (*fx child*); løbsk (*fx horse*); 2. (*fig.*) som løber//er løbet løbsk (*fx inflation; prices*); □ ~ *inflation* (*også*) galoperende inflation; ~ *success* overvældende succes.

runcible ['rʌnsəbl] adj.: ~ *spoon* a. gaffelske; b. gaffel til salatsæt.

rundown¹ ['rʌndaun] sb. 1. kort oversigt, sammendrag; gennemgang, opregning; 2. (*i virksomhed*) nedskæring; indskrænkning af driften.

rundown² [rʌn'daun] adj. 1. (*om person*) træt, udkørt; sløj; 2. (*om bygning, kvarter*) medtaget, ramponeret, forfalden.

rune [ru:n] sb. rune.

rung¹ [rʌŋ] sb. 1. (*på stige, også fig.*) trin; 2. (*mellem stoleben*) stiver, pind.

rung² ['rʌŋ] præt. ptc. af *ring³*.

runic ['ru:nik] adj. rune- (*fx alphabet; characters* skrift).

run-in ['rʌnin] sb. 1. ⊤ sammenstød (*fx with the police*); skænderi; 2. (*af maskine*) indkøringsfase; 3. (*til sportsbegivenhed*) indledende kampe; 4. (*på væddeløbsbane*) opløb.

runner ['rʌnə] sb. 1. (*person*) løber; 2. (*fx for bookmaker*) agent; 3. (*i firma*) bud; piccolo; 4. (*am.*) smugler (*fx drug* ~); 5. (*mil.*) fodordonnans; 6. (*hvorpå noget løber*) løberulle; 7. (*på gardin*) glider; 8. (*på slæde*) mede; 9. (*på skøjte*) skøjtejern; 10. (*i mølle*) løber; oversten; 11. (*på paraply*) skyder; 12. (*på regnestok*) løber;

13. (*tæppe*) løber; 14. (*mar.*) bagstag; 15. (*bot.*) udløber; □ *do a* ~ ⊤ stikke af.

runner bean sb. (*bot.*) pralbønne.

runner-up [rʌnər'ʌp] sb. (*i konkurrence*) nummer to.

running¹ ['rʌniŋ] sb. 1. løb; kapløb; 2. (*af virksomhed*) drift, ledelse; □ *be in*//*get into the* ~ være// komme med i konkurrencen; *be out of the* ~ være ude af spillet; *make/take the* ~ have initiativet; bestemme farten.

running² ['rʌniŋ] adj. 1. (*som gælder hele tiden*) løbende (*fx repairs*); 2. (*om vand*) rindende; 3. (*med.*) væskende (*fx sore*); 4. (*om tid: uden afbrydelse*) i træk (*fx for three days* ~); 5. (*om udstyr*) løbe- (*fx shoes*).

running battle sb.: *fight a* ~ *against* a. løbe rundt og slås med (*fx the police*); b. (*fig.*) ligge i stadig strid med; føre en uafladelig kamp mod.

running commentary sb. (*i radio*) reportage.

running costs sb. pl. driftsudgifter, driftsomkostninger.

running head, running headline sb. (*typ.*) levende klummetitel.

running jump sb.: *go and take a* ~ ⊤ du kan rende og hoppe.

running knot sb. løbeknude; slipstik.

running mate sb. 1. (*am. parl., især*) vicepræsidentkandidat; 2. (*ved væddeløb*) [hest der bruges som pacer for en anden].

running rigging sb. (*mar.*) løbende rigning/gods.

running stitch (*i broderi*) forsting.

runny ['rʌni] adj. som er tilbøjelig til at løbe ud; tyndtflydende; tynd; □ ~ *eyes* rindende øjne; *a* ~ *nose* en næse der løber.

runoff ['rʌnɔf] sb. 1. (*efter uafgjort el. uklart resultat*) omvalg//omkamp//omløb; 2. (*om vand*) afstrømning; afløbsvand.

run-of-the-mill [rʌnəvðə'mil] adj. ordinær; ganske almindelig; gennemsnits-.

runs [rʌnz] sb. pl.: *the* ~ ⊤ tynd mave, sprutmave; diarré.

runt [rʌnt] sb. 1. ⊤ vantrivning; lille gnom; 2. (*om dyr*) den mindste i kuldet.

run-through ['rʌnθru:] sb. 1. (*teat.*) prøve; 2. (*tekst*) kort oversigt.

run-time ['rʌntaim] sb. (*it*) kørselstid.

run-up ['rʌnʌp] sb. 1. (*i sport: til spring, kast*) tilløb; 2. (*fig.*) forberedelse; opløb; (*især: før valg*) slutspurt.

runway ['rʌnwei] *sb.* (*flyv.*) start-
bane//landingsbane.

rupee [ru:'pi:] *sb.* rupi [*indisk
møntenhed*].

rupture¹ ['rʌptʃə] *sb.* **1.** brud (*of på,
fx a pipeline*); sprængning (*of af,
fx a blood vessel*); **2.** (*mellem per-
soner*) brud; **3.** (*med.*) brok.

rupture² ['rʌptʃə] *vb.* **1.** (*uden
objekt*) sprænges; briste; **2.** (*med
objekt*) sprænge; **3.** (*fig.*) afbryde,
ødelægge (*fx the peace between
them*);
□ *be -d*, ~ *oneself* få brok.

rural ['ruər(ə)l] *adj.* landlig; land-.

rural dean *sb.* (*omtr.*) provst.

ruse [ru:z] *sb.* list, kneb; finte.

rush¹ [rʌʃ] *sb.* **1.** hastværk (*fx
there's no* ~); jag (*fx we had a* ~
to get the job done); **2.** (*af perso-
ner*) tilstrømning; stormløb; frem-
stormen; **3.** (*efter at få/købe*)
stærk efterspørgsel; **4.** (*om be-
stemt periode, især i sms.*) travl-
hed (*fx the Christmas* ~; *the 5
o'clock* ~); **5.** (*om følelse*) bølge
(*fx of sympathy*); brus (*fx of an-
ger*); **6.** (T: *velbehag fremkaldt af
narkotika*) sus; **7.** (*bot.*) siv;
□ *-es* (*af film*) førstekopi; prøve-
kopi;
give a girl a ~ (*am.*) gøre storm-
kur til en pige [ɔ: *invitere hende
ud ustandselig*]; *be in a* ~ have
styrtende travlt; *do sth in a* ~
gøre noget i hast;
[*a* + ~ + *præp.*] *make a* ~ *at*
styrte hen imod; *a* ~ *for* **a.** et
kapløb for at nå//få (*fx the door;
the best seats*); **b.** en stærk efter-
spørgsel efter, et run på (*fx the
new electronic toys*); *there was a*
~ *for the doors* (*også*) folk styr-
tede hen til dørene; *there was a* ~
of blood to his head blodet for
ham til hovedet; *a* ~ *of cold air* et
kraftigt pust af kold luft; *a* ~ *on*
se ovf.: *a* ~ *for, b; a* ~ *to(wards)* se
ovf.: *a* ~ *for , a.*

rush² [rʌʃ] *vb.* **1.** fare (*fx after her*);
styrte, storme (*fx down the stairs;
into the room*); **2.** (*om vand*)
bruse, vælde; (*om luft*) suse;
3. (*med objekt*) bringe//sende i en
fart (*fx* ~ *him to hospital;* ~ *a
child to the doctor*); få af sted i en
fart (*fx he -ed her out of the
room*); jage med (*fx don't* ~ *me;
don't* ~ *the work*); **4.** (*am.*) gøre
stormkur til (*fx a girl*);
□ ~ *a student* (*am.: om studenter-
forening ved universitet*) [*invitere
en student for at bedømme ved-
kommende som muligt medlem*];
~ *to buy it* skynde sig at købe det;

[*med præp.& adv.*] ~ *into* (*fig.:
uden at tænke sig om*) kaste/styrte
sig ud i (*fx an undertaking; don't*
~ *into divorce*); (*se også print¹*); ~
sby into + *-ing* presse en til at; ~
her into marriage presse hende til
at gifte sig hurtigt; *be -ed off one's
feet* have styrtende travlt; ~ *out*
udsende i en fart; ~ *sth through*
jage noget igennem (*fx a Bill
through Parliament*); ~ *to* conclu-
sions drage forhastede slutninger.

rush hour *sb.* myldretid.

rush job *sb.* hastesag; hasteordre.

rushlight ['rʌʃlait] *sb.* tællelys, tæl-
leprås.

rusk [rʌsk] *sb.* tvebak.

russet ['rʌsət] *adj.* **1.** rødbrun;
2. (*glds.*) vadmels-; (*fig.*) grov,
simpel.

Russia ['rʌʃə] Rusland.

Russia leather *sb.* ruslæder.

Russian¹ ['rʌʃn] *sb.* **1.** (*person*) rus-
ser; **2.** (*sprog*) russisk.

Russian² ['rʌʃn] *adj.* russisk (*fx
roulette*).

Russo- ['rʌsə(u)] russisk- (*fx
~-Japanese*).

rust¹ [rʌst] *sb.* **1.** rust; **2.** (*farve*)
rustrødt.

rust² [rʌst] *vb.* ruste.

rust bucket *sb.* (T: *spøg. om bil,
skib*) rustbunke, skrotbunke.

rustic¹ ['rʌstik] *sb.* (*neds.*) bonde,
bondsk person.

rustic² ['rʌstik] *adj.* **1.** landlig (*fx
charm*); **2.** (*om stil*) rustik; (*om
møbler også*) naturtræs-.

rusticity [rʌ'stisəti] *sb.* landlighed.

rustle¹ ['rʌsl] *sb.* raslen.

rustle² ['rʌsl] *vb.* **1.** rasle; **2.** (*især
am.*) stjæle kvæg; **3.** (*am.* S: *ar-
bejde energisk*) gå 'til den;
klemme 'på; **4.** (*med objekt*) rasle
med (*fx paper*); få til at rasle (*fx
leaves*); **5.** (*især am.: kvæg*) stjæle;
□ ~ *around the kitchen* (*am.*) tage
en tur rundt i køkkenet; ~ *up* T
a. smække sammen i en fart (*fx
some lunch*); **b.** fremskaffe, orga-
nisere (*fx something for lunch;
$500*).

rustler ['rʌslə] *sb.* (*am.*) kvægtyv.

rustproof ['rʌstpru:f] *adj.* rustfri;
rustfast.

rusty ['rʌsti] *adj.* **1.** rusten; **2.** (*om
farve*) rustfarvet; rustrød; **3.** (*fig.*)
ude af øvelse; forsømt.

rut [rʌt] *sb.* hjulspor; fure;
□ *the* ~ (*om dyr*) brunsttiden; *in*
~ (*om dyr*) i brunst;
be in a ~ (*fig.*) gå i den samme
skure/den vante rutine; *be stuck
in a* ~ (*fig.*) hænge fast i den
samme skure/den gamle rutine.

rutabaga [ru:tə'beigə] *sb.* (*bot.*) kål-

roe, kålrabi.

ruthless ['ru:θləs] *adj.* ubarmhjer-
tig, skånselsløs.

rutted ['rʌtid] *adj.* (*om vej*) fuld af
hjulspor; opkørt.

rutting ['rʌtiŋ] *adj.* (*om dyr*) i
brunst.

rutting season *sb.* brunsttid.

RV *fork. f.* (*am.*) recreational
vehicle.

Ry. *fork. f.* railway.

rye [rai] *sb.* **1.** (*bot.*) rug; **2.** (*am.*)
whisky [*destilleret af rug*];
3. (*am.*) rugbrød.

ryegrass ['raigra:s] *sb.* (*bot.*) raj-
græs.

S

S¹ [es].
S² *fork. f.* **1.** *Saint;* **2.** *South;*
3. *Southern;* **4.** (*om tøjstørrelse*)
small; **5.** (*am.: bedømmelse*) *satis-factory.*
s *fork. f.* **1.** (*om tid*) *second(s);*
2. (*gram.*) *singular;* **3.** (*jur.*) *section.*
's *fork. f.* **T 1.** *is//has;* **2.** *us.*
SA *fork. f.* **1.** *Salvation Army;*
2. *South Africa;* **3.** *South America;* **4.** *South Australia.*
Sabbath ['sæbəθ] *sb.* sabbat.
sabbatical¹ [sə'bætik(ə)l] *sb.* se *sabbatical term, sabbatical year.*
sabbatical² [sə'bætik(ə)l] *adj.* som hører til sabbaten.
sabbatical term *sb.* frisemester.
sabbatical year *sb.* sabbatår.
sable¹ ['seibl] *sb.* **1.** (*zo.*) zobel;
2. (*skind*) zobelskind.
sable² ['seibl] *adj.* (*her., poet.*) sort.
sable antelope *sb.* (*zo.*) sabelantilope, sort hesteantilope.
sabotage¹ ['sæbəta:ʒ] *sb.* sabotage.
sabotage² ['sæbəta:ʒ] *vb.* sabotere.
saboteur ['sæbətə:] *sb.* sabotør.
sabre ['seibə] *sb.* ryttersabel.
sabre rattling *sb.* (*fig.*) sabelraslen
[ɔ: trussel om krig].
sabre-toothed ['seibətu:ðd] *adj.:* ~ *tiger* (*zo. hist.*) sabelkat.
sac [sæk] *sb.* sæk.
saccharin ['sækərin] *sb.* sakkarin.
saccharine ['sæk(ə)rin] *adj.* (*fig.*) sukkersød (*fx smile*); vammel.
sacerdotal [sæsə'dəut(ə)l] *adj.* præstelig.
sachem ['seitʃəm] *sb.* **1.** høvding
[*for indianerstammer*]; **2.** (*am. pol.*, T) boss.
sachet ['sæʃei, (am.) sæ'ʃei] *sb.*
1. lille pose; brev; **2.** (*am.: til at lægge ved linned*) lavendelpose.
sack¹ [sæk] *sb.* **1.** sæk; **2.** (*am.*) pose; **3.** (*især hist.*) plyndring [*af by*];
□ *the* ~ **T a.** (*om sex*) kanen (*fx get her in the* ~); **b.** (*om ansat*) fyring; fyreseddel; *give sby the* ~ **T** fyre en; *get the* ~ **T** blive fyret; *hit the* ~ gå til køjs.
sack² [sæk] *vb.* **1.** (*ansat,* T) fyre;
2. (*by, især hist.*) plyndre;
□ ~ *out* (*am.* T) **a.** gå til køjs;
b. falde i søvn.

sackcloth ['sækklɔθ] *sb.* sækkelærred;
□ *in* ~ *and ashes* i sæk og aske [ɔ: som bod].
sacking ['sækiŋ] *sb.* **1.** (*stof*) sækkelærred; **2.** (*jf. sack²* 1) fyring.
sack race *sb.* sækkevæddeløb.
sacralize ['seikrəlaiz] *vb.* (*især am.*) gøre hellig; behandle som om det er helligt.
sacrament ['sækrəmənt] *sb.* sakramente;
□ *the Sacrament* (*kat.*) nadveren.
sacramental [sækrə'ment(ə)l] *adj.* sakramental.
sacred ['seikrid] *adj.* **1.** (*rel.*) hellig;
2. (*fig.*) hellig, ukrænkelig;
□ ~ *to* **a.** indviet til (*fx the site is* ~ *to Apollon*); helliget; **b.** hellig for (*fx cows are* ~ *to Hindus*);
nothing is ~ *to him* intet er ham helligt.
sacred cow *sb.* hellig ko.
sacred music *sb.* kirkemusik.
sacred songs *sb. pl.* åndelige sange.
sacrifice¹ ['sækrifais] *sb.* **1.** (*rel. & fig.*) offer; **2.** (*handling*) ofring;
3. (*fig.*) opofrelse; **4.** (*i kortspil*) offermelding;
□ *make -s* bringe ofre; *sell at a* ~ sælge med tab.
sacrifice² ['sækrifais] *vb.* **1.** (*rel. & fig.*) ofre; **2.** (*i bridge*) offermelde;
□ ~ *oneself to sth* ofre sig for noget; ~ *to idols* ofre til afguder.
sacrificial [sækri'fiʃ(ə)l] *adj.* offer-.
sacrificial lamb *sb.* offerlam, syndebuk.
sacrilege ['sækrilidʒ] *sb.* helligbrøde.
sacrilegious [sækri'lidʒəs] *adj.* profan; ugudelig.
sacring ['seikriŋ] *sb.* (*glds.*) indvielse.
sacring bell *sb.* (*rel.*) messeklokke.
sacristan ['sækrist(ə)n] *sb.* kirketjener, degn.
sacristy ['sækristi] *sb.* sakristi.
sacrosanct ['sækrəsæŋkt] *adj.* sakrosankt; hellig; ukrænkelig.
sad [sæd] *adj.* **1.** (*om person*) bedrøvet, trist; ked af det; **2.** (*om historie, hændelse etc.*) sørgelig, trist (*fx story; news; the* ~ *truth*);
3. (*om brød*) klæg; **4.** T slem (*fx*

coward); kedelig, trist (*fx they are a* ~ *lot*);
□ *I'm* ~ *that//to* jeg er ked af at;
it's ~ *that//to* det er sørgeligt/trist at; ~ *to say* desværre; trist nok.
sadden ['sæd(ə)n] *vb.* F bedrøve, gøre bedrøvet/ked af det.
saddened ['sæd(ə)nd] *adj.* F bedrøvet;
□ *I was* ~ *to hear of his death* det gjorde mig ondt at høre at han er død; *deeply* ~ *by* dybt berørt af.
saddle¹ ['sædl] *sb.* **1.** sadel;
2. (*tekn.: på drejebænk*) slæde;
3. (*om kød, i sms.*) -ryg;
□ ~ *of mutton* fåreryg; ~ *of veal* kalveryg; ~ *of venison* dyreryg.
saddle² ['sædl] *vb.* sadle;
□ ~ *up* sadle; ~ *with* T belemre med.
saddlebag ['sædlbæg] *sb.* sadeltaske.
saddlecloth ['sædlklɔθ] *sb.* sadeldækken.
saddle horse *sb.* (*især am.*) ridehest.
saddler ['sædlə] *sb.* sadelmager.
saddlery ['sædləri] *sb.* **1.** sadelmagerarbejde; **2.** sadelmagerartikler.
sadism ['seidizm, (am.) 'sæ-] *sb.* sadisme.
sadist ['seidist, (am.) 'sæ-] *sb.* sadist.
sadistic [sə'distik] *adj.* sadistisk.
sadly ['sædli] *adv.* **1.** bedrøvet (*fx smile* ~); trist; **2.** (*som sætningsadv.*) sørgeligt//trist nok (*fx* ~, *he died in the spring*); **3.** (*forstærkende*) i sørgelig grad (*fx neglected*); sørgeligt (*fx disappointed*); (se også *lacking*);
□ *you are* ~ *mistaken* du tager sørgeligt fejl; ~ *missed* dybt savnet.
sadness ['sædnəs] *sb.* T sorg (*fx it was with great* ~ *that we heard* ...); bedrøvelse; tristhed.
sadomasochism [seidə(u)-'mæsəkizm] *sb.* sadomasokisme.
sad sack *sb.* (*især am.* T) klummerhoved, klodrian.
sae, SAE *fork. f. stamped addressed envelope* frankeret svarkuvert.
safari [sə'fa:ri] *sb.* safari.
safari park *sb.* safaripark, dyre-

S safari suit

park.

safari suit sb. safarisæt, safaritøj.

safe[1] [seif] sb. **1.** pengeskab; boks; (se også *meat safe*); **2.** (*am.*) kondom.

safe[2] [seif] adj. **1.** sikker (*fx place; investment; method; sex; choice; he is a ~ driver*); ufarlig (*fx is the medicine ~ for children?*); tryg (*fx harbour; place*); **2.** (*om person: uden for fare*) sikker, tryg (*fx I don't feel ~ in that town*); i sikkerhed; (*efter redning også*) uskadt, velbeholden; **3.** T fin, fed (*fx that shirt is real ~*); □ *it is not ~* det er farligt; *~ and sound* i god behold; velbeholden; *as ~ as houses* helt sikker; ganske uden risiko; bombesikker; *better ~ than sorry* man kan ikke være for forsigtig; [*med vb.*] *I have got him ~* jeg har krammet på ham; *keep sth ~* opbevare noget på et sikkert sted; *make ~* sikre; *play it ~* ikke tage nogen chancer; [*med sb.*] *~ bet* se *bet*[1]; *at a ~ distance* i tilbørlig afstand; *in ~ hands* i sikre hænder; *be/have a ~ pair of hands* (*fig.*) være et godt kort; være sikker på hånden; *a ~ seat* (*parl.*) en sikker valgkreds; [*med præp.& adv.*] *~ from* sikker for; i sikkerhed for (*fx attack; in the shelter they were ~ from falling bombs*); sikret mod (*fx the camera is ~ from sand*); *it is ~ to* det er ufarligt at (*fx it is quite ~ to do it*); *it is ~ to say* man kan roligt sige; *it is ~ with* det er i sikkerhed hos, det er i gode hænder hos (*fx the boy//the secret is ~ with me*).

safe-breaker ['seifbreikə] sb. pengeskabstyv.

safe conduct [seif'kɔndʌkt] sb. frit lejde.

safe-cracker ['seifkrækə] sb. (*am.*) pengeskabstyv.

safe custody sb. (*i bank*) lukket depot.

safe-deposit box [seifdi'pɔzitbɔks] sb. (*især am.*) bankboks.

safeguard[1] ['seifgɑ:d] sb. **1.** værn, beskyttelse (*against* mod); **2.** sikkerhedsforanstaltning.

safeguard[2] ['seifgɑ:d] vb. beskytte, sikre.

safe haven sb. **1.** tilflugtssted; **2.** (*am.*) asyl.

safe house sb. [*hus hvor agent er sikret mod opdagelse*]; sikkert opholdssted.

safe keeping sb. sikker forvaring; sikker opbevaring; □ *in sby's ~* i ens varetægt.

safely ['seifli] adv. (jf. *safe*[2]) **1.** sikkert; **2.** sikkert, i sikkerhed; uden fare, trygt (*fx we can ~ leave that to him*); **3.** (*om person: efter at ahve været i fare*) uskadt, i god behold (*fx they all arrived ~*); □ *drive ~* køre forsigtigt; *you can ~ say//assume that ...* man kan roligt sige//regne med at ....

safe seat sb. se *safe*[2].

safety ['seifti] sb. **1.** sikkerhed; **2.** (*am.: på skydevåben*) sikring; **3.** (*am.* S) kondom; □ *reach ~* komme i sikkerhed; [*med præp.*] *at ~* (jf. 2) sikret; *play for ~* ikke ville risikere noget; *pull sby to ~* trække en i sikkerhed.

safety belt sb. sikkerhedsbælte; sikkerhedssele.

safety catch sb. sikring [*på skydevåben*].

safety chain sb. sikkerhedskæde.

safety curtain sb. (*teat.*) jerntæppe.

safety deposit box sb. bankboks.

safety fuse sb. **1.** (*mil. etc.*) (langsom) tændsnor; **2.** (*elek.*) smeltesikring.

safety glass sb. splintfrit glas.

safety glasses sb. pl. beskyttelsesbriller.

safety harness sb. sikkerhedssele [*i bil*].

safety helmet sb. beskyttelseshjelm, industrihjelm.

safety island sb. = *safety zone*.

safety lamp sb. grubelampe.

safety net sb. sikkerhedsnet.

safety pin sb. sikkerhedsnål.

safety razor sb. barbermaskine.

safety valve sb. sikkerhedsventil.

safety zone sb. (*am.*) helle [*på gade*].

safflower ['sæflauə] sb. (*bot.*) farvetidsel, saflor.

safflower oil sb. tidselolie.

saffron[1] ['sæfrən] sb. safran.

saffron[2] ['sæfrən] adj. safrangul.

sag[1] [sæg] sb. **1.** synken; nedbøjning; hængen; **2.** (*fig.& merk.*) (midlertidigt) fald (*fx in sales*); dalen; **3.** (*elek.: af ledning*) nedhæng; **4.** (*mar.*) afdrift.

sag[2] [sæg] vb. **1.** synke ned, synke (langsomt) sammen (*fx he -ged against the wall*); **2.** hænge slapt (*fx his skin -ged*); hænge ned (*fx the bed -ged in the middle*); **3.** (*om tov etc.*) hænge i en bue; **4.** (*fig.& merk.*) falde (*fx sales -ged*); dale (*fx their courage -ged*); **5.** (*mar.*) have afdrift; □ *~ at the knees* være slap i knæene.

saga ['sɑ:gə] sb. **1.** saga; **2.** T uendelig beretning.

sagacious [sə'geiʃəs] adj. F klog; skarpsindig.

sagacity [sə'gæsəti] sb. klogskab; skarpsindighed.

sage[1] [seidʒ] sb. **1.** (*litt. el. spøg.*) vismand; **2.** (*bot.*) salvie.

sage[2] [seidʒ] adj. (*litt.*) klog; viis.

sagebrush ['seidʒbrʌʃ] sb. (*am. bot.*) bynke.

sage green sb. mat grågrøn.

saggy ['sægi] adj. T hængende; slap, slatten.

Sagittarius [sædʒi'tɛəriəs] sb. (*astr.*) Skytten; □ *I am a ~* jeg er skytte.

sago ['seigəu] sb. sago.

sahib ['sɑ:(h)ib] sb. (*indisk*) sahib, herre.

said[1] [sed] præt. & præt. ptc. af *say*[2].

said[2] [sed] adj. (*jur.*) førnævnt, omtalt (*fx the ~ John Smith*).

sail[1] [seil] sb. **1.** sejl; **2.** sejltur; □ *at full ~, all -s set* for fulde sejl; (se også *shorten, trim*[3], *wind*[1]).

sail[2] [seil] vb. **1.** sejle; (*med objekt*) sejle i; besejle; **2.** (*gennem luften*) sejle; svæve; flyve (*fx the ball -ed over the wall*); **3.** (*om person*) skride, komme sejlende/brusende (*fx into the room*); glide (*fx he was -ing along on his bike*); □ *~ into* **a.** (*ikke se sig for*) ramle ind i; **b.** (*verbalt*) skælde ud; overfuse; *~ through* komme igennem så let som ingenting (*fx an exam*); (se også *wind*[1] (*close to the wind*)).

sailboard ['seilbɔ:d] sb. sejlbræt, surfbræt.

sailboat ['seilbout] sb. (*am.*) sejlbåd.

sailcloth ['seilklɔθ] sb. sejldug; kanvas.

sailing[1] ['seiliŋ] sb. **1.** sejlads; **2.** (*færges*) overfart; **3.** (*sport*) sejlsport; (se også *plain sailing*).

sailing[2] ['seiliŋ] adj. sejl- (*fx boat; club*).

sailmaker ['seilmeikə] sb. sejlmager.

sailor ['seilə] sb. sømand; matros; □ *be a good ~* være søstærk; *be a bad ~* ikke være søstærk.

sailor suit sb. matrostøj.

sailplane ['seilplein] sb. (*flyv.*) svæveplan.

sainfoin ['sænfɔin, 'sein-] sb. (*bot.*) esparsette.

saint [seint, sn(t)] sb. **1.** helgen; **2.** (*foran navn*) sankt; den hellige [*NB helgennavne står under St + navnet, fx St Andrew*]; □ *it would try the patience of a ~* det ville sætte en engels tålmodighed på prøve.

sainted ['seintid] adj. (*glds.*)

1. (*rel.*) kanoniseret; hellig;
2. (*fig.*) hjertensgod; 3. (*om afdød*)
salig (*fx my ~ wife*);
□ *my ~ aunt/mother!* ih du fred-
sens!
saintly ['seintli] *adj.* helgenagtig;
from.
saith [seθ] (*glds.*) *3. pers. sg. præs.
af say*[1].
saithe [seið] *sb.* (*zo.*) sej [*en fisk*].
sake [seik] *sb.: for ... sake for ...*
skyld (*fx do it for John's ~; for
God's ~; art for art's ~*); *for the ~
of* (*også*) af hensyn til; (se også
time[1] (*old times*)).
saké ['sa:ki] *sb.* sake [*japansk ris-
brændevin*].
salaam[1] [sə'la:m] *sb.* salam [*orien-
talsk hilsen*].
salaam[2] [sə'la:m] *vb.* hilse dybt.
salable *adj.* (*især am.*) = salable.
salacious [sə'leiʃəs] *adj.* slibrig; ly-
sten, liderlig.
salad ['sæləd] *sb.* salat.
salad days *sb. pl.: my ~* (*glds.*)
min grønne ungdom.
salad servers *sb. pl.* salatsæt.
salamander ['sæləmændə] *sb.* (*zo.*)
salamander.
salami [sə'la:mi] *sb.* salamipølse;
(*omtr.*) spegepølse.
salaried ['sælərid] *adj.* lønnet; på
fast løn.
salaried employees *sb. pl.*, **sala-
ried staff** *sb.* funktionærer.
salary ['sæləri] *sb.* løn; gage.
sale [seil] *sb.* 1. salg; 2. (*til ned-
satte priser*) udsalg; 3. (*til den
højstbydende*) auktion; 4. (*for at
rejse penge til institution*) basar
(*fx the school is holding a ~*); (se
også *boot sale, garage sale, jumble
sale*);
□ *-s* **a.** salg (*fx -s of cars are
down*); afsætning; **b.** udsalg (*fx
the summer -s*); udsalgstid;
c. salgsafdeling (*fx he is in -s*);
have a rapid ~ finde rivende af-
sætning;
[*med præp.*] *for ~* til salg; *on ~*
a. til salg; **b.** (*am.*) på udsalg, på
tilbud; *on ~ or return* med retur-
ret; *be up for ~* **a.** være til salg;
b. være på auktion; *put up for ~*
a. udbyde til salg; **b.** sætte til auk-
tion.
saleable ['seiləbl] *adj.* letsælgelig;
salgbar.
sale of work *sb.* (velgørenheds)ba-
sar.
saleroom ['seilru(:)m] *sb.* auktions-
lokale.
sales assistant *sb.* ekspedient;
salgsmedarbejder.
salesclerk ['seilzklərk] *sb.* (*am.*)
ekspedient.

sales drive *sb.* salgsfremstød.
sales force *sb.* sælgere, sælger-
styrke; salgspersonale.
salesgirl ['seilzgərl] *sb.* (*glds.*) eks-
peditrice.
salesman ['seilzmən] *sb.* (*pl. -men*
[-mən]) 1. (*i butik*) salgsmedarbej-
der; ekspedient; 2. (*omrejsende*)
sælger; repræsentant; (han-
dels)rejsende.
salesmanship ['seilzmənʃip] *sb.*
1. evner som sælger, salgstalent;
2. salgsteknik.
sales pitch *sb.* sælgers anbefaling
af sin vare//sine varer; salgstale;
salgsargumenter.
sales representative *sb.* (hen-
dels)rejsende; repræsentant.
sales resistance *sb.* manglende kø-
belyst.
salesroom ['seilzru(:)m] *sb.* 1. auk-
tionslokale; 2. salgslokale.
sales slip *sb.* (*am.*) kvittering, nota.
sales tax *sb.* (*am.*) omsætningsaf-
gift.
sales ticket *sb.* (kasse)bon.
saleswoman *sb.* (*pl. -women* [-wi-
min]) 1. (*i butik*) salgsmedarbej-
der; ekspeditrice; 2. (*omrejsende*)
sælger, repræsentant, (handels)rej-
sende.
salience ['seiliəns] *sb.* F fremtræ-
dende karakter; vigtighed.
salient[1] ['seiliənt] *sb.* (*mil.*)
1. frontfremspring; 2. fremskudt
del af befæstning.
salient[2] ['seiliənt] *adj.* 1. F frem-
trædende, vigtig (*fx characteristic;
feature*); 2. (*her.*) springende;
□ *the ~ point* hovedpunktet; det
springende punkt.
saline[1] ['seilain] *sb.* (*med.*) fysiolo-
gisk saltvand.
saline[2] ['seilain] *adj.* saltholdig;
salt- (*fx deposits; lake*).
saline solution *sb.* saltopløsning.
salinity [sə'linəti] *sb.* saltholdig-
hed.
saliva [sə'laivə] *sb.* spyt; savl.
salivary gland [sə'laivəriglænd,
'sæli-] *adj.* spytkirtel.
salivate ['sæliveit] *vb.* savle.
salivation [sæli'veiʃn] *sb.* spytaf-
sondring; savlen.
sallow[1] ['sæləu] *sb.* (*bot.*) pil; gæs-
lingepil.
sallow[2] ['sæləu] *adj.* gusten; gul-
bleg.
sally[1] ['sæli] *sb.* (*litt.*) 1. vittig be-
mærkning, vittigt indfald; vits;
hib; 2. udflugt, tur; 3. (*mil.*) ud-
fald.
sally[2] ['sæli] *vb.: ~ forth* **a.** (*litt.*)
gå ud; tage af sted; drage af;
b. (*mil.*) gøre et udfald.
Sally Army [sæli'a:mi] *sb.* Frelsens

Hær.
Sally Lunn [sæli'lʌn] *sb.* [*tebolle*].
salmagundi [sælmə'gʌndi] *sb.*
(*omtr.*) sildesalat.
salmi ['sælmi] *sb.* vildtragout.
salmon ['sæmən] *sb.* (*zo.*) laks.
salmonella [sælmə'nelə] *sb.* salmo-
nella.
salmon trout *sb.* (*zo.*) 1. fjeldørred;
2. se *sea trout*; 3. se *lake trout*.
salon ['sælɔ:ŋ, fr., (*am.*) sə'la:n] *sb.*
salon.
Salonica [sə'lɔnikə] (*geogr.*) Salo-
niki.
saloon [sə'lu:n] *sb.* 1. (*bil*) sedan;
2. (*i pub, glds.*) = lounge bar;
3. (*am.*) bar, værtshus; 4. (*mar.*)
salon.
saloon bar *sb.* (*glds.*) = lounge bar.
saloon car *sb.* (*bil*) sedan.
saloon keeper *sb.* (*am.*) værtshus-
holder.
salsa ['sælsə] *sb.* 1. (*sovs*) salsa
[*slags dip*]; 2. (*mus.*) salsa.
salsify ['sælsifi] *sb.* (*bot.*) havrerod.
salt[1] [sɔlt, (*am.*) sɔ:lt] *sb.* 1. salt;
2. saltkar; 3. (*fig.*) krydderi;
□ *the ~ of the earth* jordens salt
[ɔ: *prægtige mennesker*]; *take it
with a grain/pinch of ~* tage det
med et gran salt [ɔ: *med en vis
skepsis; med skønsomhed*]; *rub ~
in the//sby's wound* komme/strø
salt i såret; *he is not worth his ~*
han er ikke sin løn værd; (se også
old salt).
salt[2] [sɔlt, (*am.*) sɔ:lt] *adj.* salt.
salt[3] [sɔlt, (*am.*) sɔ:lt] *vb.* salte;
□ *~ away* (T: *penge*) lægge/stikke
til side; gemme væk; *~ down* (*fø-
devarer*) nedsalte.
salt cellar *sb.* saltbøsse; saltkar.
saltine ['sɔ:lti:n] *sb.* (*am.*) saltkiks.
salting ['sɔ:ltiŋ] *sb.* 1. (*jf. salt*[3]) salt-
ning; 2. (*ved havet*) marsk; slik-
vade.
salt lick *sb.* 1. (*sted*) saltslikke;
2. (*salt*) sliksalt.
salt marsh *sb.* marsk, vadehav.
saltpetre [sɔ:lt'pi:tə] *sb.* salpeter.
saltwater ['sɔltwɔ:tə, (*am.*) 'sɔ:lt-]
adj. saltvands- (*fx fish*).
saltwort ['sɔ:ltwɔ:t] *sb.* (*bot.*) so-
daurt.
salty ['sɔ:lti] *adj.* 1. salt; 2. (*glds.*:
om fortælling, sprog*) ramsaltet.
salubrious [sə'lu:briəs] *adj.* (F el.
spøg.*) sund; (om bydel især*) pæn.
salutary ['sæljut(ə)ri] *adj.* sund,
gavnlig (*fx experience*).
salutation [sælju'teiʃn] *sb.* (F el.
glds.*) 1. hilsen; 2. (*i brev, tale*)
indledende hilsen, indlednings-
ord.
salutatorian [səlu:tə'tɔ:riən] *sb.*
(*am.*) [*student med næsthøjeste*

S *salutatory*

karakter; *holder takketalen ved dimission*].
salutatory [sə'lu:tətɔ:ri] *sb.* (*am.*) [*takketale ved dimission*].
salute[1] [sə'lu:t] *sb.* (*mil.*) **1.** hilsen, honnør; **2.** (*skud*) salut; **3.** (*fig.*) hyldest;
□ *take the* ~ **a.** modtage honnør; **b.** skridte fronten af.
salute[2] [sə'lu:t] *vb.* **1.** hilse, gøre honnør; (*med objekt*) hilse på, gøre honnør for; **2.** salutere; **3.** (*fig.*) hylde; **4.** (*glds.*) hilse.
salvage[1] ['sælvidʒ] *sb.* (*mar.*) **1.** bjærgning; **2.** bjærgegods; **3.** (*jur.*) bjærgeløn.
salvage[2] ['sælvidʒ] *vb.* **1.** (*mar. etc.*) bjærge; **2.** redde (*fx one's reputation; the situation*); bevare (*fx one's dignity*).
salvage archaeology *sb.* (*arkæol.*) nødudgravninger.
salvage company *sb.* bjærgningsselskab.
salvage operation *sb.* redningsaktion.
salvation [sæl'veiʃn] *sb.* **1.** redning (*fx that was my* ~); **2.** (*rel.*) frelse.
Salvation Army *sb.*: *the* ~ Frelsens Hær.
salve[1] [sælv, sa:v, (*am.*) sæv] *sb.* **1.** salve; **2.** (*fig.*) balsam (*fx a* ~ *to his hurt feelings*);
□ *as a* ~ *to one's conscience* for at berolige sin samvittighed.
salve[2] [sælv, sa:v, (*am.*) sæv] *vb.* F lindre (*fx the pain*); virke som balsam på (*fx his hurt pride*);
□ ~ *one's conscience* berolige sin samvittighed.
salver ['sælvə] *sb.* præsenterbakke; bakke.
salvo ['sælvəu] *sb.* (*fra kanoner etc.*) salve.
sal volatile [sælvə'lætəli] *sb.* lugtesalt.
SAM *fork. f. surface-to-air missile.*
Samaritan [sə'mærit(ə)n] *sb.* samaritaner, samaritan;
□ *the good* ~ den barmhjertige samaritan.
samba[1] ['sæmbə] *sb.* (*mus.*) samba.
samba[2] ['sæmbə] *vb.* danse samba.
sambar ['sæmbə] *sb.* (*zo.*) sambarhjort.
Sam Browne belt [sæmbraun'belt] *sb.* [*officers sabelbælte med skrårem*].
same [seim] *adj.* samme;
□ ~ *again!* T en til af samme slags! ~ *here!* det samme her! ~ *to you!* i lige måde; (*se også difference, thing, time*[1] (*etc.*));
[*med: the*] *the* ~ **a.** den//det samme (*fx man; house*); **b.** det samme (*fx cars cost the* ~ *here*); *I*

wish you the ~! i lige måde! *the patient is* ***about the*** ~ patientens befindende er så godt som uforandret; ***all the*** ~ alligevel; *it is all the* ~ det er et og det samme; *all the* ~ *to me* se: *ndf.*; ***the*** ~ ***as*** **a.** den//det samme som; **b.** (*adv.*) på samme måde som, sådan som (*fx they do not look on things the* ~ *as we do*); *he is the* ~ *as ever* han er stadig den gamle; ***just the*** ~ **a.** præcis den/det samme; **b.** alligevel (*fx I think you should do it, just the* ~); ***much the*** ~ omtrent/nogenlunde den//det samme (*fx in much the* ~ *way*); ***the very*** ~ den//det//de selv samme; *if it is* ***the*** ~ ***to*** *you* hvis det er dig det samme; *it is all the* ~ *to me* det er mig ligegyldigt.
sameness ['seimnəs] *sb.* **1.** lighed; ensartethed; **2.** (*neds.*) ensformighed.
samey ['seimi] *adj.* T ens; ensartet.
Sami[1] ['sa:mi] *sb.* same.
Sami[2] ['sa:mi] *adj.* samisk.
samosa [sæ'məusə] *sb.* [*kød el. grønsager indbagt i dejtrekant*].
samovar ['sæməva:] *sb.* samovar, temaskine.
samp [sæmp] *sb.* (*Sydafr.*) knust majs [*til majsgrød*].
samphire ['sæmfaiə] *sb.* (*bot.*) **1.** se *rock samphire*; **2.** se *marsh samphire*.
sample[1] ['sa:mpl] *sb.* **1.** prøve (*of af//på, fx his blood; his work; a urine* ~); **2.** (*af vare*) prøve (*of af, fx the shampoo*); vareprøve; **3.** (*af noget spiseligt*) smagsprøve (*of af, fx the chocolate; the wine*); **4.** (*af personer*) udsnit (*fx we interviewed a representative* ~ *of voters*); (*se også random sample*).
sample[2] ['sa:mpl] *vb.* **1.** tage prøve af; **2.** (*mad*) smage på, prøvesmage (*fx the chocolate; the wine*); **3.** (*fig.*) prøve (*fx a different way of life*); **4.** (*mus.*) sample;
□ -d (*ved undersøgelse*) udvalgt (*fx 200 randomly -d households// persons*).
sampler ['sa:mplə] *sb.* **1.** (*i broderi*) navneklud; **2.** (*merk.*) udvalg af prøver; **3.** (*person*) prøveudtager; **4.** (*mus.*) sampler.
Samson post ['sæms(ə)pəust] *sb.* (*mar.: på mindre fartøj*) pullert.
sanatorium [sænə'tɔ:riəm] *sb.* (*pl. -s/-ria* [-riə]) **1.** sanatorium; **2.** (*på kostskole*) sygeafdeling.
sanctification [sæŋ(k)tifi'keiʃn] *sb.* indvielse; helliggørelse.
sanctify ['sæŋ(k)tifai] *vb.* indvie; hellige.
sanctimonious [sæŋ(k)ti'məunjəs]

adj. skinhellig; farisæisk.
sanction[1] ['sæŋ(k)ʃn] *sb.* **1.** sanktion, godkendelse, billigelse; **2.** (*jur.: middel til at håndhæve en lov*) sanktion;
□ -*s* (*over for et land*) sanktioner; *impose -s on/against a country* indføre/iværksætte sanktioner over for et land; pålægge et land sanktioner.
sanction[2] ['sæŋ(k)ʃn] *vb.* F sanktionere, godkende, billige;
□ *by* bekræftet af (*fx an expression -ed by educated usage*).
sanctity ['sæŋ(k)təti] *sb.* hellighed; ukrænkelighed; (se også *odour*).
sanctuary ['sæŋ(k)tʃuəri] *sb.* **1.** fredhelligt sted; **2.** (*for forfulgte*) tilflugtssted; fristed; **3.** (*for dyr*) fredet område; reservat; **4.** (*beskyttelse*) tilflugt; asyl;
□ *seek/take* ~ søge tilflugt.
sanctum ['sæŋ(k)təm] *sb.* helligdom; (se også *inner sanctum*).
sand[1] [sænd] *sb.* **1.** sand; **2.** (*am.*) S mod; ben i næsen;
□ -*s* **a.** sandstrækning; **b.** timeglassets sand; *the -s are running out* (*litt.*) tiden er ved at være omme; *drive/run it into the* ~ (*fig.*) få det til at køre fast; (se også *head*[1] (*bury one's head ...*) *line*[1] (*draw a* ~ ...), *shifting sands*).
sand[2] [sænd] *vb.* **1.** slibe (af) [*med sandpapir; med rystepudser*]; afslibe (*fx a floor*); **2.** dække/bestrø med sand;
□ ~ *down* slibe af.
sandal ['sænd(ə)l] *sb.* sandal.
sandalled ['sænd(ə)ld] *adj.* med sandaler på.
sandalwood ['sænd(ə)lwud] *sb.* sandeltræ.
sandbag[1] ['sæn(d)bæg] *sb.* **1.** (*som beskyttelse*) sandsæk; **2.** (*som våben*) sandpose.
sandbag[2] ['sæn(d)bæg] *vb.* **1.** beskytte//barrikadere med sandsække; anbringe sandsække på; **2.** slå ned med en sandpose; **3.** (*am.*) tvinge; banke på plads.
sandbank ['sæn(d)bæŋk] *sb.* sandbanke, revle.
sandbar ['sæn(d)ba:] *sb.* sandbanke [*især ved udmunding af flod*].
sandblast ['sænd(b)la:st] *vb.* sandblæse.
sandbox ['sændbɔks] *sb.* (*am.*) sandkasse.
sandboy ['sæn(d)bɔi] *sb.* se *happy*.
sandcastle ['sæn(d)ka:sl] *sb.* sandslot; sandborg.
sand crack *sb.* spalte [*i hov*]; hovkløft.
sand dune *sb.* klit.
sand eel *sb.* (*zo.*) tobis, sandål.

sanderling ['sændəliŋ] *sb.* (*zo.*) sandløber.
sand fly (*zo.*) sandflue.
sand hopper *sb.* (*zo.*) tangloppe.
Sandhurst ['sændhɔːst] [*kendt engelsk officersskole*].
S and L *fork. f.* (*am.*) *savings and loan association.*
sand lance *sb.* (*zo.*) tobiskonge.
sandman ['sæn(d)mən] *sb.*: *the ~* (*svarer til*) Ole Lukøje.
sand martin *sb.* (*zo.*) digesvale.
sandpaper[1] ['sæn(d)peipə] *sb.* sandpapir.
sandpaper[2] ['sæn(d)peipə] *vb.* slibe af med sandpapir.
sandpiper ['sæn(d)paipə] *sb.* (*zo.*) ryle;
□ *common ~* mudderklire.
sandpit ['sæn(d)pit] *sb.* **1.** sandgrav; **2.** (*til leg*) sandkasse.
sandshoe ['sæn(d)ʃuː] *sb.* **1.** [*let tennissko*]; **2.** (*austr.*) = *plimsoll.*
sandstone ['sæn(d)stəun] *sb.* sandsten.
sandstorm ['sæn(d)stɔːm] *sb.* sandstorm.
sand trap *sb.* (*især am.*) bunker [*på golfbane*].
sandwich[1] ['sænwidʒ, -witʃ] *sb.* **1.** sandwich; **2.** lagkage [*formkage med et lag syltetøj el. creme i*].
sandwich[2] ['sænwidʒ, -witʃ] *vb.*: *-ed between* klemt ind imellem; *~ together* lægge sammen.
sandwich board *sb.* dobbeltskilt.
sandwich course *sb.* [*uddannelse med skiftevis teori og praktik*].
sandwich tern *sb.* (*zo.*) splitterne.
sandwort ['sændwɔːt] *sb.* (*bot.*) norel.
sandy ['sændi] *adj.* **1.** sandet; **2.** (*om hårfarve*) rødblond.
sane [sein] *adj.* fornuftig; normal; (*spøg.*) ved sine fulde fem.
sang [sæŋ] *præt. af sing.*
sang-froid [saːŋ'frwaː] *sb.* koldblodighed.
sangoma [sæŋ'gəmə] *sb.* (*sydafr.*) heksedoktor; naturlæge.
sangria ['sæŋgriə] *sb.* sangria [*slags kold punch*].
sanguinary ['sæŋgwinəri] *adj.* (*især glds.*) blodig.
sanguine[1] ['sæŋgwin] *sb.* rødkridt.
sanguine[2] ['sæŋgwin] *adj.* (*om temperament*) sangvinsk; optimistisk.
sanicle ['sænikl] *sb.* (*bot.*) sanikel.
sanitarium [sæni'tɛəriəm] *sb.* (*am.*) sanatorium.
sanitary ['sænitri] *adj.* **1.** sanitær, hygiejnisk (*fx conditions; measures*); **2.** sanitets- (*fx appliances*);
□ *it is not ~* det er uhygiejnisk.
sanitary napkin *sb.* (*am.*) hygiejnebind.

sanitary pad *sb.* hygiejnebind.
sanitary towel *sb.* hygiejnebind.
sanitation [sæni'teiʃn] *sb.* sanitetsvæsen; sanitære installationer; kloakering.
sanitize ['sænitaiz] *vb.* **1.** rense, desinficere (*fx a swimming pool*); **2.** (*neds.: tekst*) rense for hvad der kunne støde an; sminke, „redigere";
□ *a -d version* (*jf. 2, også*) en friseret udgave.
sanity ['sænəti] *sb.* (*jf. sane*) fornuft; normalitet; tilregnelighed.
sank [sæŋk] *præt. af sink.*
Santa Claus [sæntə'klɔːz, (*am.*) 'sæntə-] julemanden.
sap[1] [sæp] *sb.* **1.** (*i plante*) saft; **2.** (*glds.* T) (*godtroende*) fjols; **3.** (*mil.*) løbegrav;
□ *he is a ~ for* (*jf. 2*) han er let at få til at falde for (*fx any new gadget*); *feel the ~ rising* (*om person*) føle safterne stige.
sap[2] [sæp] *vb.* (*person*) svække, udmarve; undergrave (*fx confidence*);
□ *~ of* tappe for (*fx energy; strength*); *it -ped her energy// strength* det tappede hende for energi//kræfter; *~ sby's will* svække ens vilje.
saphead ['sæphed] *sb.* S fjols.
sapid ['sæpid] *adj.* (*især am.*) velsmagende.
sapient ['seipiənt] *adj.* **1.** intelligent; **2.** (F: *især iron.*) viis.
sapling ['sæpliŋ] *sb.* ungt træ.
saponify [sə'pɒnifai] *vb.* forsæbe, omdanne til sæbe.
sapper ['sæpə] *sb.* (*mil.*) ingeniørsoldat, pioner; (*glds.*) sapør.
sapphire ['sæfaiə] *sb.* **1.** safir; **2.** (*farve*) safirblåt.
sappy ['sæpi] *adj.* **1.** saftig; **2.** (*am.* T: *om person*) tåbelig; **3.** (*am.* T: *om tekst, film*) sentimental, tårepersende.
sapwood ['sæpwud] *sb.* splintved [*mods. kerneved*].
sarcasm ['saːkæzm] *sb.* sarkasme, spydighed.
sarcastic [saː'kæstik] *adj.* sarkastisk, spydig.
sarcoma [saː'kəumə] *sb.* (*med.*) sarkom, kræftsvulst.
sarcophagus [saː'kɒfəgəs] *sb.* (*pl.* -es/-gi [-gai]) sarkofag.
sardine [saː'diːn] *sb.* sardin;
□ *like -s* (*fig.*) som sild i en tønde.
Sardinia [saː'diniə] Sardinien.
sardonic [saː'dɒnik] *adj.* sardonisk, hånlig, spotsk.
sargasso [saː'gæsəu] *sb.* (*bot.*) sargassotang.

sarge [saːdʒ] *sb.* T = *sergeant.*
sari ['saːri] *sb.* (*i Indien*) sari [*kvindedragt*].
sarky ['saːki] *adj.* T = *sarcastic.*
sarnie ['saːni] *sb.* T sandwich.
sarong [sə'rɒŋ] *sb.* sarong [*malajisk skørt*].
sartorial [saː'tɔːriəl] *adj.* F påklædningsmæssig (*fx elegance*);
□ *~ art* skrædderkunst.
SAS *fork. f. Special Air Service [et jægerkorps*].
SASE *fork. f.* (*am.*) *self-addressed stamped envelope* frankeret svarkuvert.
sash [sæʃ] *sb.* **1.** (*til påklædning*) skærf; **2.** (*til vindue*) vinduesramme; hejseramme; (*se også sash window*).
sashay [sæ'ʃei] *vb.* (*am.* T) **1.** (*ligegyldigt*) slentre; **2.** (*stolt*) svanse, skride; **3.** (*i dans*) tage chassétrin.
sash cord *sb.* [*snor til sash window*].
sash window *sb.* skydevindue [*til at skyde lodret*]; hejsevindue.
Sasquatch ['sæskwætʃ, -kwɒtʃ] *sb.* (*can., myt.*) [*håret uhyre med kæmpestore fødder*].
sass[1] [sæs] *sb.* (*am.* T) næsvished.
sass[2] [sæs] *vb.* (*am.* T) være næsvis over for; svare igen.
Sassenach ['sæsənæk] *sb.* (*gælisk, neds. el. spøg.*) englænder.
sassy ['sæsi] *adj.* (*am.* T) **1.** fræk, næsvis, rapmundet; **2.** livlig; glad og fornøjet; **3.** smart, tjekket.
SAT *fork. f.* **1.** (*am.*) *scholastic aptitude test* studieegnethedsprøve; **2.** (*eng.*) *standard assessment task* skoleegnethedsprøve.
sat [sæt] *præt. & præt. ptc. af sit.*
Sat. *fork. f. Saturday.*
Satan ['seit(ə)n] Satan.
satanic [sə'tænik] *adj.* satanisk.
Satanism ['seit(ə)nizm] *sb.* satanisme.
Satanist ['seit(ə)nist] *sb.* satanist.
satchel ['sætʃ(ə)l] *sb.* skoletaske [*med skulderrem*]; skuldertaske.
satcom ['sætkɒm] *fork. f. satellite communication.*
sated ['seitid] *adj.* (*litt.*) overmæt; overfyldt.
sateen [sæ'tiːn] *sb.* bomuldssatin.
satellite ['sætəlait] *sb.* **1.** satellit; **2.** (*astr.*) satellit; måne; (*se også satellite state, satellite town*).
satellite dish *sb.* parabolantenne.
satellite office *sb.* filial.
satellite state *sb.* satellitstat, vasalstat.
satellite town *sb.* satellitby.
satiate ['seiʃieit] *vb.* F mætte fuldstændigt; tilfredsstille helt (*fx demand; his curiosity*); (*tørst*)

S *satiety*

slukke.
satiety [sə'taiəti] *sb.* F mæthed;
overmæthed.
satin[1] ['sætin] *sb.* satin, atlask.
satin[2] ['sætin] *adj.* satin-, silkeagtig.
satin finish *sb.* silkeglans.
satin stich *sb.* fladsyning.
satinwood ['sætinwud] *sb.* (*bot.*)
satintræ.
satiny ['sætini] *adj.* silkeagtig.
satire ['sætaiə] *sb.* satire (*on* over).
satirical [sə'tirik(ə)l] *adj.* satirisk.
satirist ['sæt(ə)rist] *sb.* satiriker.
satirize ['sæt(ə)raiz] *vb.* satirisere
over.
satisfaction [sætis'fækʃn] *sb.* **1.** tilfredshed (*fx do it to his* ~; *look at
it with* ~); tilfredsstillelse (*fx it is
a* ~ *to know*); **2.** (*handling*) tilfredsstillelse; opfyldelse (*fx of a
need*); **3.** (F: *for krænkelse*) satisfaktion; (æres)oprejsning; **4.** (*betaling*) erstatning;
□ *give* ~ gøre fyldest; *give* ~ *to*
a. tilfredsstille; **b.** give oprejsning;
have the ~ *of* + *-ing* have den tilfredsstillelse at.
satisfactory [sætis'fæktri] *adj.* tilfredsstillende (*fx solution*); fyldestgørende (*fx answer; excuse*);
betryggende (*fx arrangement*).
satisfied ['sætisfaid] *adj.* (jf. *satisfy*)
1. tilfreds (*med* with); **2.** overbevist (*that* om at).
satisfy ['sætisfai] *vb.* (se også *satisfied, satisfying*) **1.** (*person*) tilfredsstille, stille tilfreds; (*med mad
også*) mætte; **2.** (F: *med grunde*)
overbevise (*that* om at); **3.** (*krav,
behov*) opfylde;
□ ~ *oneself that* F forvisse sig om
at; sikre sig at;
[*med sb.*] ~ *his curiosity* tilfredsstille hans nysgerrighed; ~ *the
demand for* tilfredsstille efterspørgslen efter; ~ *his doubts*
fjerne hans tvivl; ~ *his hunger*
stille hans sult.
satisfying ['sætisfaiiŋ] *adj.* **1.** tilfredsstillende; **2.** (*om måltid*)
mættende.
SATS fork. f. *Standard Assessment
Test* standpunktsprøve [*i engelsk,
matematik og naturfag, for elever
når de er er 7, 10 og 13*].
satsumael. [sæt'su:mə] *sb.* (*bot.*)
satsuma [*japansk mandarin*].
saturate ['sætʃəreit] *vb.* (se også *saturated*) **1.** (*med vand*) gennemvæde; **2.** (*fig.*) fylde helt (*fx the
police -d the area*); (se også *saturated*).
saturated ['sætʃəreitid] *adj.* **1.** gennemtrængt, gennemvædet (*with*
af, *fx blood; oil*); gennemblødt

(*with* af, *fx rain; sweat*); **2.** (*kem.*)
mættet (*fx solution*); **3.** (*fig.*) oversvømmet, overfyldt (*fx the shops
were* ~ *with cheap goods*); mættet
(*fx the market is* ~).
saturation [sætʃə'reiʃn] *sb.* (jf. *saturated*) **1.** gennemtrængning, gennemvædning; gennemblødning;
2. mætning.
saturation bombing *sb.* (*mil.*)
[*bombning af et mål til det er
fuldstændig ødelagt*].
saturation coverage *sb.* fuldstændig dækning i alle medier.
saturation point *sb.* mætningspunkt.
Saturday ['sætədei, -di] *sb.* lørdag;
□ *on* ~ **a.** i lørdags (*fx he arrived
on* ~); **b.** på lørdag (*fx he'll be arriving on* ~); *-s* (*adv.*, am.) = *on -s*;
on -s om lørdagen; *this* ~ nu på
lørdag; førstkommende lørdag.
Saturday night special *sb.* (*am.*)
[*lille pistol*].
Saturnalia [sætə'neiliə] *sb.*
1. (*hist.*) saturnalier; **2.** (*fig., litt.*)
orgie.
saturnine ['sætənain] *adj.* (*litt.*)
tungsindig; dyster.
satyr ['sætə] *sb.* satyr.
sauce [sɔ:s] *sb.* **1.** sauce, sovs;
2. (*glds.* T) uforskammethed; respektløshed; næsvished;
□ *the* ~ (*am.* S) sprut; *what is* ~
for the goose is ~ *for the gander*
hvad den ene må, må den anden
også; der skal være lige ret for
alle.
sauce boat *sb.* sovseskål, sovsekande.
saucepan ['sɔ:spən] *sb.* kasserolle.
saucer ['sɔ:sə] *sb.* **1.** underkop; (se
også *cup*[1], *flying saucer*); **2.** (*til urtepotte etc.*) underskål.
saucy ['sɔ:si] *adj.* **1.** (*mht. sex*)
fræk, vovet (*fx joke*); **2.** (*glds.*)
næbbet, næsvis; **3.** (*am.*) kæk; koket.
Saudi[1] ['saudi, 'sɔ:di] *sb.* saudiaraber.
Saudi[2] ['saudi, 'sɔ:di] *adj.* saudisk,
saudiarabisk.
Saudi Arabia Saudi-Arabien.
sauna ['saunə] *sb.* sauna.
saunter[1] ['sɔ:ntə] *sb.* **1.** slentretur;
spadseretur; **2.** (*gangart*) slentren.
saunter[2] ['sɔ:ntə] *vb.* slentre, drive,
drysse.
saurian[1] ['sɔ:riən] *sb.* øgle.
saurian[2] ['sɔ:riən] *adj.* **1.** hørende
til øglerne; **2.** øgleagtig.
saury ['sɔ:ri] *sb.* (*zo.*) makrelgedde.
sausage ['sɔsidʒ, (*am.*) 'sɔ:-] *sb.*
pølse;
□ *not a* ~ (*glds., spøg.*) ikke en
snus; ikke spor.

sausage dog *sb.* T grævlingehund.
sausage machine *sb.* (*fig.*) pølsefabrik.
sausage meat *sb.* pølseindmad;
pølsefars.
sausage roll *sb.* pølsehorn [*indbagt
pølse*].
sauté[1] ['səutei] *adj.* sauteret.
sauté[2] ['səutei] *vb.* sautere.
savage[1] ['sævidʒ] *sb.* **1.** vildmand;
brutal person; **2.** (*glds.*) vild (*fx
the -s* de vilde).
savage[2] ['sævidʒ] *adj.* **1.** (*om dyr*)
vild, rasende (*fx dog*); **2.** (*om
handlemåde*) brutal, rasende (*fx
attack; criticism*); barbarisk; grum
(*fx take a* ~ *pleasure in taunting
sby*); **3.** (*om omfang*) brutal, voldsom (*fx cuts in spending*); **4.** (*om
sted*) øde og barsk (*fx landscape*).
savage[3] ['sævidʒ] *vb.* **1.** (*om dyr*)
overfalde; skambide; **2.** (*om kritik*) kritisere skånselsløst; sable
ned.
savagery ['sævidʒ(ə)ri] *sb.* **1.** vildskab; råhed, brutalitet; **2.** (*enkelt*)
grusomhed.
savanna, savannah [sə'vænə] *sb.*
savanne.
savant ['sævənt, (*am.*) sæ'va:nt,
sə'vænt] *sb.* lærd.
save[1] [seiv] *sb.* (*i fodbold*) redning.
save[2] [seiv] *vb.* **1.** (*fra fare*) redde
(*fx him; his life; their marriage*);
frelse; **2.** (*tid, penge etc.*: mods.
spilde) spare (*fx we -d £50*); spare
på (*fx energy; one's strength*);
3. (*ulejlighed*) spare os/ham *etc.*
for (*fx making rules now will* ~
argument later on); **4.** (*til senere
brug*) gemme (*fx* ~ *the best till the
last*); (*penge*) spare op; **5.** (*it*)
gemme (*fx I forgot to* ~ *the text*);
6. (*rel.*) frelse; **7.** (*i fodbold*)
redde; klare;
□ ~ *sby sth* **a.** spare en for noget
(*fx that will* ~ *you a lot of trouble//expense*); spare en noget (*fx it
saved them £50*); **b.** gemme noget
til en (*fx* ~ *me some wine*); ~ *me
a seat* hold en plads til mig; ~
sby doing sth se ndf.: ~ *sby from* +
-ing b) ~ *the day/situation* redde
situationen; (se også *appearance,
bacon, breath, face*[1], *penny,
skin*[1]);
[*med præp.& adv.*] ~ *for*
a. gemme til (*fx* ~ *the rest of the
chocolate for later; ~ the rest of
the dinner for him*); **b.** spare sammen til (*fx a new car*); **c.** spare op
til (*fx one's retirement*); ~ *a seat
for sby* holde en plads til en; ~
from redde fra (*fx* ~ *the old
houses from destruction*); frelse
fra; bevare for (*fx* ~ *me from my*

friends); ~ *sby from* + *-ing*
a. (*fare*) redde en fra at (*fx drown-ing*); **b.** (*ulejlighed*) spare en for at (*fx waiting*); ~ **on** spare noget af, spare på (*fx the electricity bill*); ~ **up** spare sammen, spare op (*for* til).
save³ [seiv] *præp.* (F el. *glds.*) und-tagen; bortset fra;
□ ~ *for* bortset fra.
save-as-you-earn [seivəzju'ɛ:n] *sb.* [*skattebegunstiget opsparing inde-holdt i lønnen*].
saver ['seivə] *sb.* **1.** (*person*) sparer; **2.** (*billet*) billigbillet; **3.** (*i sms.*) -besparende (*fx it is a space//time//energy-*~ det er plads//tids//energibesparende);
□ *it is a money-*~ det sparer penge.
Savile Row [sævil'rəu] [*de fashion-able Londonskrædderes gade*].
saving¹ ['seiviŋ] *sb.* besparelse; (se også *savings*).
saving² ['seiviŋ] *præp.* undtagen; med undtagelse af;
□ ~ *your reverence* (*glds.*) med re-spekt/tugt at melde; reverenter talt.
saving clause *sb.* forbeholdsklau-sul.
saving grace *sb.* forsonende træk.
savings ['seiviŋz] *sb. pl.* **1.** bespa-relser; **2.** sparepenge, opsparing.
savings account *sb.* opsparings-konto.
savings and loan association *sb.* (*am.*) byggespareforening.
savings bank *sb.* sparekasse.
saviour ['seiviə] *sb.* frelser.
savoir-faire [sævwa:'fɛə] *sb.* F takt; levemåde.
savour¹ ['seivə] *sb.* **1.** F smag; duft; **2.** (*fig.*) særlig karakter; tiltræk-ning (*fx life had lost most of its* ~);
□ *a* ~ *of* et anstrøg af, en antyd-ning af.
savour² ['seivə] *vb.* nyde (i fulde drag);
□ ~ *of* (F: *fig.*) smage/lugte af af; indeholde en antydning af.
savoury¹ ['seiv(ə)ri] *sb.* lille kryd-ret ret; snack.
savoury² ['seiv(ə)ri] *adj.* krydret; pikant;
□ *not very* ~ (*litt., fig.*) ikke særlig tiltalende/heldig; tvivlsom (*fx re-putation*).
Savoy [sə'vɔi] (*geogr.*) Savoyen;
□ *the* ~ [*luksushotel i London*].
savoy [sə'vɔi], **savoy cabbage** *sb.* savoykål.
savvy¹ ['sævi] *sb.* (T: *især am.*) vi-den, indsigt; kunnen; forstand, kløgt.

savvy² ['sævi] *adj.* (T: *især am.*) klog; dygtig; smart.
saw¹ [sɔ:] *sb.* **1.** (*værktøj*) sav; **2.** (*glds.*) mundheld;
□ *the old* ~ *that* det gamle ord om at.
saw² *vb.* (*-ed, sawn;* (*am.*) *-ed, -ed*) save;
□ ~ *at* save i (*fx a piece of meat*); ~ *away at a violin* file/gnide løs på en violin.
saw³ [sɔ:] *præt. af see.*
sawbuck ['sɔ:bʌk] *sb.* (*am.*) **1.** sav-buk; **2.** S tidollarseddel.
sawdust ['sɔ:dʌst] *sb.* savsmuld.
sawed-off ['sɔ:dɔ:f] *adj.* (*am.*) **1.** = *sawn-off;* **2.** (*om person*) lille, lav-stammet.
sawfish ['sɔ:fiʃ] *sb.* (*zo.*) savrokke, savfisk.
sawfly ['sɔ:flai] *sb.* (*zo.*) bladhveps.
sawhorse ['sɔ:hɔrs] *sb.* (*am.*) sav-buk.
sawmill ['sɔ:mil] *sb.* savværk.
sawn [sɔ:n] *præt. ptc. af saw*².
sawn-off ['sɔ:nɔf] *adj.* afsavet; over-savet (*fx shotgun*).
saw set *sb.* savudlægger.
sawtooth ['sɔ:tu:θt] *sb.* savtand.
sawtoothed ['sɔ:tu:θ'] *adj.* savtak-ket.
saw-wort ['sɔ:wɔ:t] *sb.* (*bot.*) eng-skær.
sawyer ['sɔ:jə] *sb.* (*glds.*) savskærer.
sax [sæks] *sb.* T saxofon.
saxifrage ['sæksifridʒ] *sb.* (*bot.*) stenbræk.
Saxon¹ ['sæks(ə)n] *sb.* **1.** (*person: i Tyskland*) sakser; (*eng. hist.*) an-gelsakser; **2.** (*sprog*) saksisk; (*hist.*) angelsaksisk.
Saxon² [sæksn] *adj.* (jf. *Saxon*¹) saksisk; angelsaksisk.
Saxony ['sæks(ə)ni] (*geogr.*) Sach-sen, Saksen.
saxophone ['sæksəfəun] *sb.* (*mus.*) saxofon.
say¹ [sei] *sb.*: *have a* ~ *in the mat-ter* have noget/et ord at skulle have sagt (i den sag); *have no* ~ *in the mat-ter* ikke have noget at skulle have sagt; *have one's* ~ **a.** få lejlighed til at udtale sig (*on* om); **b.** sige hvad man har på hjerte; give sit besyv med; *have the final* ~ have det sidste ord; *say one's* ~ = *have one's* ~.
say² [sei] *vb.* (*said* [sed], *said*) (se også *said*², *saying*) **1.** sige; **2.** (*bøn*) bede (*fx a prayer; grace* bordbøn); **3.** (*om tekst*) stå (*fx the book//the paper//the letter -s that ...* = *it -s in the book//paper//letter that ...* der står i bogen//avisen//brevet at ...); **4.** (*om ur, instrument*) vise,

stå på (*fx the clock -s five*);
□ *when all is said and done* når alt kommer til alt; *he is said to have been rich* han skal have væ-ret rig; *it is said* man siger; det si-ges; (se også *fair*³, *piece*¹, *when, word*¹);
[*i bydemåde*] ~ **a.** lad os sige (*fx give him,* ~, *five pounds*); for eksempel (*fx* ~ *on Wednesday*); **b.** (*am.* T: *indledende*) hør (*fx* ~, *did you notice anything?*); ~ *x equals y* (*mat.*) lad x være lig y; [*med: I*] *I* ~ *!* (*glds. el. spøg.*) **a.** (*foran spørgsmål*) hør engang! **b.** (*foran udbrud*) det må jeg nok sige! **c.** (*understregende*) hør; ved du hvad (*fx I* ~, *I'm awfully sorry*); *though I* ~ *it myself, though I* ~ *it who should not* når jeg selv skal sige det; *I'll!* (*glds.*) det skal jeg love for! *I should* ~ *that* jeg er tilbøjelig til at tro at (*fx he is rather stupid*); *I should* ~ *so* det tror jeg; *(was he angry?) I should* ~ *he was!* det du kan tro han var! 'om han var! *I would* ~ se ovf.: *I should* ~; *I wouldn't* ~ *no to* T jeg ville ikke have noget imod (*fx another piece of cake*); [*med andre pron.*] *that is to* ~ det vil sige; *that is not to* ~ det vil ikke sige, det betyder ikke (*fx that I agree with you*); *they* ~ man si-ger; det siges; *you said it!* det har du ret i! ja netop! *whatever you* ~*!* det er jeg helt med på! *-s you!* T se *sez; you can* ~ *that again!* ja det må du nok sige! *you can* ~ *that for him* se: *ndf.; you don't* ~*!* det siger du ikke!
[*med præp.& adv.*] ~ *about* sige om (*fx what did he* ~ *about the film?*); *it -s a lot about his charac-ter* det siger/fortæller meget om hans karakter; *he will have some-thing to* ~ *about this!* du kan vente sig en ordentlig omgang fra ham for det her! *what have you to* ~ *for yourself?* hvad har du at sige til dit forsvar? hvad har du på hjerte? *he doesn't have much to* ~ *for himself* T han siger ikke ret meget; *he has a lot to* ~ *for himself* T han er meget glad for at snakke; *it -s a lot for his skill* det siger/fortæller meget om hans dygtighed; det er et tydeligt bevis på hans dygtighed; *there is some-thing//a lot to be said for it* der er noget//meget der taler for det; der er noget//meget godt i det; *you can* ~ *that for him* det kan man i et mindste sige; det må man lade ham; *to* ~ *nothing of* for ikke at tale om; ~ *over* fremsige efter hu-

kommelsen; *have nothing to* ~ *to* (*også*) ikke ville have noget at gøre med; *what do you* ~ *to* hvad siger du til; har du lyst til (*fx a game of billiards*); *he -s to come at once* han siger at jeg//du *etc.* skal komme med det samme.

SAYE *fork. f. save-as-you-earn.*

saying ['seiiŋ] *sb.* sentens; talemåde; mundheld;
□ *as the* ~ *is/goes* som man siger; *that goes without* ~ det siger sig selv; *there is no* ~ det er svært at sige; det kan man ikke vide.

say-so ['seisəu] *sb.* T ordre; tilladelse (*fx without his* ~);
□ *he has the* ~ det er ham der bestemmer; *on his* ~ efter hans udsagn; *på* hans ord, fordi han siger det (*fx believe it on his* ~).

SC *fork. f.* **1.** *Security Council*; **2.** *South Carolina.*

scab [skæb] *sb.* **1.** (*størknet blod*) skorpe; sår (*fx a* ~ *formed on his knee*); **2.** (*sygdom hos dyr*) skab; **3.** (*bot.*) skurv; **4.** (T: *skældsord*) skruebrækker.

scabbard ['skæbəd] *sb.* skede.

scabby ['skæbi] *adj.* **1.** skorpet; fuld af sår; **2.** (*om dyr*) skabet; **3.** (*bot.*) skurvet; **4.** (*især i børnesprog*) væmmelig; ulækker.

scabies ['skeibii:z] *sb.* **1.** (*hos mennesker*) fnat; **2.** (*hos dyr*) skab.

scabious[1] ['skeibiəs] *sb.* (*bot.*) skabiose.

scabious[2] ['skeibiəs] *adj.* (jf. *scabies*) **1.** med fnat; **2.** skabet.

scabrous ['skeibrəs] *adj.* **1.** (F: jf. *scab 1*) skorpet; **2.** (*litt.*) skabrøs, vovet, uanstændig.

scads [skædz] *sb. pl.*: ~ *of* (*glds.* T) masser af; oceaner af.

scaffold ['skæfəuld, -f(ə)ld] *sb.* **1.** stillads; **2.** (*til henrettelse*) skafot.

scaffolder ['skæf(ə)ldə] *sb.* stilladsarbejder.

scaffolding ['skæf(ə)ldiŋ] *sb.* stillads.

scag [skæg] *sb.* (*am.* S) heroin.

scalawag ['skæləwæg] *sb.* (*især am.*) = *scallywag.*

scald[1] [skɔ:ld] *sb.* skoldning.

scald[2] [skɔ:ld] *vb.* **1.** skolde; **2.** (*mælk etc.*) varme op til kogepunktet;
□ *the tears were -ing her eyes* (*litt.*) tårerne sved hende i øjnene.

scalding[1] ['skɔ:ldiŋ] *sb.* skoldning.

scalding[2] ['skɔ:ldiŋ] *adj.* skoldende, skoldhed;
□ ~ *tears* bitre tårer.

scale[1] [skeil] *sb.* **1.** skala (*fx wage* ~; *the Fahrenheit* ~; *a chromatic* ~; *his* ~ *of values*); **2.** (*til at måle*

med) målestok; **3.** (*fx på kort*) målestoksforhold, målestok (*fx* ~: *1:10,000*); **4.** (*mat.*) talsystem (*fx binary* ~; *decimal* ~ (titals-)); **5.** (*am.*) tarifløn (*fx we cannot hire them for less than* ~); **6.** (*fig.*) omfang (*fx no one knew the* ~ *of the disaster*); **7.** (*bot.; zo.: på fisk etc.*) skæl; **8.** (*i kedel*) kedelsten; **9.** (*på tænder*) tandsten; **10.** (*på vægt*) vægtskål;
□ *-s* (jf. *10*) vægt; *turn/tip the* ~/*-s at 5 kilos* veje 5 kilo; *the -s fell from his eyes* der faldt som skæl fra hans øjne;
[*med præp.*] *be high in the social* ~ stå højt på den sociale rangstige; *he has sunk in the social* ~ det er gået tilbage for ham [ɔ: *socialt*]; *on a large//small* ~ (*fig.*) i stor//lille målestok; i stort//mindre omfang/format; (*se også large-scale, small-scale*); *rate them on a* ~ *of 1 to 10* placere dem på/vurdere dem efter en skala fra en til ti; *on the* ~ *of 1:10,000* i forholdet 1:10.000; *out of* ~ *with* ude af proportion i forhold til; *drawn/reproduced to* ~ målestokstro; *to the* ~ *of* se ovf.: *on the* ~ *of.*

scale[2] [skeil] *vb.* **1.** klatre op ad (*fx a ladder; the side of a mountain*); klatre op på, bestige (*fx a mountain*); klatre over (*fx a fence*); **2.** (*it*) skalere; **3.** (*kedel//tænder*) fjerne kedelsten//tandsten fra; rense; **4.** (*fisk*) fjerne skæl fra; rense;
□ ~ *such heights* nå sådanne højder;
[*med adv.*] ~ *back* (*am.*) = ~ *down*; ~ *down* nedsætte (*fx prices*); nedskære [*proportionalt*]; nedtrappe; ~ *up* sætte op (*fx wages*); forøge [*proportionalt*]; optrappe.

scale insect *sb.* (*zo.*) skjoldlus.

scale model *sb.* model i formindsket målestok.

scalene triangle [skeili:n'traiæŋgl] *sb.* (*geom.*) uligesidet trekant.

scales [skeilz] *sb. pl.* se *scale*[1].

scallion ['skæliən] *sb.* (*bot.*) forårsløg; (*se også scallops*).

scallop ['skɔləp, 'skæləp] *sb.* **1.** (*zo.*) kammusling; **2.** (jf. *scalloped*) tunge.

scalloped ['skɔləpt, 'skæləpt] *adj.* **1.** tilberedt (og serveret) i skaller; gratineret; **2.** (*i håndarbejde*) tunget (*fx handkerchief*).

scallops ['skɔləps, 'skæləps] *sb. pl.* (*ornament*) tunger.

scallop shell *sb.* **1.** kammuslings skal; **2.** (*hist.*) ibskal.

scallywag ['skæliwæg] *sb.* (*glds.* T: *især om barn*) slubbert, slyngel.

scalp[1] [skælp] *sb.* **1.** hovedbund; hovedhud; **2.** (*trofæ*) skalp;
□ *out for -s* (*fig.*) på krigsstien.

scalp[2] [skælp] *vb.* **1.** skalpere; **2.** (*am.* T: *værdipapirer, varer*) købe og sælge hurtigt;
□ ~ *tickets* (*am.* T) være billethaj.

scalpel ['skælp(ə)l] *sb.* (*med.*) skalpel.

scalper ['skælpə] *sb.* (*am.* T) **1.** [*terminshandler der afvikler handel på én dag*]; **2.** billethaj.

scaly ['skeili] *adj.* **1.** (jf. *scale*[1] *7*) skællet; **2.** (jf. *scale*[1] *8*) med kedelsten; **3.** (jf. *scale*[1] *9*) med tandsten.

scam[1] [skæm] *sb.* T svindelnummer; fidus.

scam[2] [skæm] *vb.* (*især am.* T) snyde.

scamp [skæmp] *sb.* (*glds.* T) (lille) bandit, slubbert.

scamper ['skæmpə] *vb.* fare; pile;
□ ~ *about* fare omkring; ~ *away*, ~ *off* stikke af, pile af; fare af sted.

scampi ['skæmpi] *sb. pl.* store (middelhavs)rejer.

scan[1] [skæn] *sb.* **1.** flygtigt blik (*of* på, *fx a quick* ~ *of the front page*); **2.** (*med.*) scanning (*fx a brain* ~; *an ultrasonic* ~);
□ *he gave the book a quick* ~ (jf. *1*) han kiggede lidt i bogen.

scan[2] [skæn] *vb.* **1.** (*tekst*) lade øjet glide hen over, kaste et flygtigt blik på; **2.** (*person, sted*) se nøje på, studere nøje (*fx his face*); mønstre; **3.** (*fx med kikkert, radar*) afsøge (*fx the coast; the horizon*); **4.** (*med apparat, også med.*) scanne (*fx the suitcases; his brain*); **5.** (*it*) scanne (*fx a text into the computer*); **6.** (*uden objekt: om vers*) kunne skanderes; passe til versemålet (*fx this line does not* ~);
□ ~ *the paper for news about it* afsøge avisen for at finde nyheder om det; ~ *through the paper* løbe avisen igennem.

scandal ['skænd(ə)l] *sb.* **1.** skandale; **2.** sladder, bagtalelse; skandalehistorier;
□ *the scandal broke* skandalen kom ud/blev afsløret.

scandalize ['skænd(ə)laiz] *vb.* forarge; chokere.

scandalmonger ['skænd(ə)lmʌŋgə] *sb.* rygtespreder; sladdertaske;
□ *be a* ~ løbe med sladder.

scandalous ['skænd(ə)ləs] *adj.* **1.** skandaløs, forargelig; **2.** chokerende.

scandal sheet *sb.* skandaleblad.

Scandinavia [skændi'neiviə] Skandinavien.

Scandinavian[1] [skændi'neiviən] *sb.* skandinav.

Scandinavian[2] [skændi'neiviən] *adj.* skandinavisk.

scanner ['skænə] *sb.* scanner.

scansion ['skænʃn] *sb.* skandering.

scant[1] [skænt] *adj.* ikke meget, for lidt (*fx she paid* ~ *attention to her children*); ringe;
□ *a* ~ knap (*fx a* ~ *half litre//three hours//two pounds*).

scant[2] [skænt] *vb.* (*am.*) **1.** spare på; **2.** skære ned (på); knappe af på; **3.** forsømme.

scanty ['skænti] *adj.* **1.** sparsom, knap; utilstrækkelig; **2.** (*om påklædning*) sparsom, nødtørftig, minimal.

scapegoat[1] ['skeipgəut] *sb.* syndebuk.

scapegoat[2] ['skeipgəut] *vb.* gøre til syndebuk.

scapula ['skæpjulə] *sb.* (*anat.*) skulderblad.

scapular ['skæpjulə] *sb.* (*rel.*) skapular, skulderklæde.

scar[1] [ska:] *sb.* **1.** ar; **2.** (*fig.*) ar, skramme; **3.** (*i landskab*) klippefremspring; klippeskrænt.

scar[2] [ska:] *vb.* (se også *scarred*)
1. (*om sår*) danne ar; arre; hele;
2. (*med objekt, fig.*) mærke; skæmme;
□ *it -red her for life* det mærkede hende for livet; ~ *over* = *1*.

scarab ['skærəb] *sb.* (*hist.*) skarabæ.

scarce [skɛəs] *adj.* **1.** knap, kneben; **2.** sjælden;
□ *water is* ~ der er mangel på vand; *money is* ~ det er knapt med penge; *make oneself* ~ **T** liste af, gøre sig usynlig.

scarcely ['skɛəsli] *adv.* **1.** næppe, knap; knap nok, næsten ikke (*fx I could* ~ *see in front of me*);
2. (*understregende: især spøg.*) nok ikke, vel næppe (*fx it can* ~ *have been a coincidence; it is* ~ *surprising*);
□ ~ *any* næsten ingen; ~ *ever* næsten aldrig; ~ *had he arrived when ...* næppe/knap var han ankommet før ....

scarcity ['skɛəsəti] *sb.* knaphed, mangel (*of* på).

scare[1] [skɛə] *sb.* **1.** forskrækkelse (*fx you gave a* ~; *I got a* ~);
2. (*generel*) skræk, panik; (*i sms.*) -frygt, -skræk (*fx an AIDS* ~); (se også *bomb scare*).

scare[2] [skɛə] *vb.* (se også *scared*) forskrække, skræmme;
□ ~ *away/off* skræmme væk/bort;

~ *up* (*am.* **T**) **a.** brokke sammen (*fx a meal*); **b.** få fat i (*fx someone to help*); **c.** (*penge*) skrabe sammen; (se også *daylights, death, pants, wits*).

scare campaign *sb.* skrækkampagne.

scarecrow ['skɛəkrəu] *sb.* fugleskræmsel.

scared ['skɛəd] *adj.* bange (*of* for; *to* for at); forskrækket;
□ *run* ~ (*især am.: ved valg*) være nervøs for at tabe; ~ *stiff* hunderæd; stiv af skræk; (se også *shitless*).

scaredy-cat ['skɛədikæt] *sb.* **T** bangebuks.

scarehead ['skɛəhed] *sb.* (*am.* **T**) (opskræmmende) sensationsoverskrift [*i avis*].

scaremonger ['skɛəmʌŋgə] *sb.* panikmager.

scaremongering ['skɛəmʌŋgəriŋ] *sb.* skræmmetaktik.

scare story *sb.* skrækhistorie.

scare tactics *sb.* skræmmetaktik.

scarf[1] [ska:f] *sb.* **1.** ((*pl.* -s/scarves [ska:vz])) tørklæde; halstørklæde; **2.** (*træsamling*; (*pl.* -s)) lask.

scarf[2] [ska:f] *vb.* (*om samling af træ*) blade sammen;
□ ~ *down* (*am.* **T**) guffe i sig.

scarifier ['skɛərifaiə] *sb.* jordløsner; (*til vej*) opriver.

scarify ['skɛərifai, 'skɛə-] *vb.*
1. ridse i huden; **2.** (*jord*) løsne; oprive; **3.** (*vej*) ophakke; **4.** (*fig.*) kritisere sønder og sammen.

scarlatina [ska:lə'ti:nə] *sb.* (*med.*) skarlagensfeber.

scarlet[1] ['ska:lət] *sb.* skarlagensrødt, skarlagen; purpurrødt.

scarlet[2] ['ska:lət] *adj.* skarlagensrød; purpurrød;
□ *blush* ~ rødme dybt; blive ildrød i hovedet.

scarlet fever *sb.* (*med.*) skarlagensfeber.

scarlet pimpernel *sb.* (*bot.*) rød arve.

scarlet runner *sb.* pralbønne.

scarlet woman *sb.* (*glds.*) skøge.

scarper ['ska:pə] *vb.* **T** stikke af, løbe sin vej; (*fra anstalt etc. også*) springe.

scarred [ska:d] *adj.* **1.** arret (*fx face*); **2.** (*fig.*) skrammet (*fx suitcase*); **3.** (*psykisk*) mærket (*fx the experience left him deeply* ~).

scarves [ska:vz] *pl.* af *scarf*[1] *1.*

scary ['skɛəri] *adj.* **T** uhyggelig.

scat[1] [skæt] *sb.* **1.** (*mus.*) scatsang; **2.** (*fra dyr*) møg.

scat[2] [skæt] *interj.* **T** forsvind! skrub af!

scathing ['skeiðiŋ] *adj.* svidende,

bidende, skarp;
□ ~ *criticism* (*også*) sønderlemmende kritik.

scatological [skætə'lɔdʒik(ə)l] *adj.* F skatologisk; som omhandler ekskrementer, ekskremental (*fx joke*).

scatter[1] ['skætə] *sb.* spredning;
□ *a* ~ *of* enkelte (spredte//tilfældige) (*fx birds; houses; phone calls*).

scatter[2] ['skætə] *vb.* **1.** sprede; strø; **2.** (*uden objekt*) spredes.

scatterbrain ['skætəbrein] *sb.*: *he is a* ~ **T** han er et forvirret hoved.

scatterbrained ['skætəbreind] *adj.* **T** forvirret; tankeløs.

scatter cushion *sb.* løs hynde.

scattering ['skætəriŋ] *sb.* se *scatter*[1].

scatter rug *sb.* lille (gulv)tæppe; forligger.

scattershot ['skætərʃɔt] *adj.* (*især am.*) tilfældig; uorganiseret.

scatty ['skæti] *adj.* **T** forvirret; drømmende; skør;
□ *it drives me* ~ det bringer mig helt ud af det.

scaup ['skɔ:p] *sb.* (*zo.*) bjergand.

scavenge ['skævin(d)ʒ] *vb.* **1.** (*om dyr*) søge efter ådsler//affald (*til føde*); **2.** (*om personer: i affald*) klunse; rode, søge (*for* efter); **3.** (*tekn.: motor*) rense, skylle (*med luft*).

scavenger ['skævin(d)ʒə] *sb.* **1.** (*zo.: dyr*) ådselæder; **2.** (*person*) klunser; **3.** (*glds.*) gadefejer; skraldemand.

scenario [si'na:riəu] *sb.* **1.** scenarie; muligt//tænkt (hændelses)forløb; mulig udvikling; **2.** (*film.*) drejebog; filmmanuskript; (*kort*) synopsis; **3.** (*teat.*) scenarium [*med angivelse af sceneskift etc.*].

scenarist ['si:nərist, (*am.*) sə'nærist] *sb.* (*film.*) drejebogsforfatter.

scene [si:n] *sb.* **1.** scene (*fx Act III,* ~ *4*); **2.** scenebillede, billede (*fx the* ~ *shifts to a street at night*); **3.** (*fig.*) sceneri, billede, syn (*fx an idyllic//a colourful* ~; *the boats in the harbour made a beautiful* ~); **4.** (*skænderi etc.*) scene (*fx it was a painful//bizarre* ~; *domestic -s*); optrin; **5.** (*am.*) situation (*fx a bad* ~); forhold; **6.** (*hvor noget foregår*) sted (*fx the police rushed to the* ~); skueplads (*of* for, *fx it has been the* ~ *of a great battle*); scene; **7.** (*i sms.*) -miljø (*fx the drug* ~); -verden (*fx the music* ~);
□ *the* ~ *is a restaurant* scenen forestiller en restaurant; *that is not my* ~ **T** det er ikke noget for mig; det er ikke lige mig;

S scene dock

[med: of] the ~ **of** action stedet hvor det foregår; skuepladsen; kamppladsen; the ~ **of the crime** gerningsstedet; the ~ **of the murder** mordstedet; -s of violence voldelige optrin;

[med vb.] the ~ is **laid** in France scenen er henlagt til Frankrig; handlingen foregår i Frankrig; **make** a ~ (jf. 4) lave en scene; **set** the ~ (fig.) give en introduktion; ridse baggrunden op; set the ~ for lægge op til; lægge grunden til; være rammen om; **steal** the ~ (fig.) stjæle billedet/rampelyset/opmærksomheden;

[med præp.] **behind** the -s (også fig.) bag kulisserne/scenen; disappear **from** the ~ forsvinde ud af billedet; I need a change **of** ~ se change¹; **on** the ~ på stedet [hvor det sker//skete]; come on the ~ (fig.) komme frem; the police appeared on the ~ politiet viste sig på arenaen/dukkede op.

scene dock sb. (teat.; film.) dekorationsmagasin.

scene painter sb. teatermaler, dekorationsmaler.

scenery ['si:nəri] sb. **1.** landskab (fx mountain ~); sceneri; **2.** (teat.) kulisse; dekoration;

□ a change of ~ (fig.) luftforandring; a piece of ~ (jf. 2) et sætstykke.

scenery dock sb. (teat.; film.) dekorationsmagasin.

scene-shifter ['si:nʃiftə] sb. (teat.) maskinmand.

scenic ['si:nik, 'senik] adj. **1.** naturskøn (fx road; country); landskabelig (fx beauty; attractions); **2.** (teat.) scenisk; teater- (fx mask).

scenic artist sb. dekorationsmaler.

scenic designer sb. scenograf.

scenic railway sb. lilleputbane [ɔ: forlystelse].

scent¹ [sent] sb. **1.** duft (fx of roses); **2.** (kosmetik) parfume; **3.** (ved jagt & fig.) fært; spor;

□ put/throw sby **off** the ~ lede en på vildspor; **on** the wrong ~ på vildspor; be **on** the ~ **of** være på sporet/færten af.

scent² [sent] vb. **1.** (om hund) vejre, få fært af (fx a fox); **2.** (fig.) vejre (fx danger; trouble); få færten af (fx he -ed that something was wrong); (se også blood¹); **3.** (jf. scent¹ 2) parfumere; (sted) sprede duft i.

scented ['sentid] adj. duftende; parfumeret.

scent gland sb. (zo.) duftkirtel.

sceptic ['skeptik] sb. skeptiker.

sceptical ['skeptik(ə)l] adj. skep-

tisk.

scepticism ['skeptisizm] sb. skepsis; skepticisme.

sceptre ['septə] sb. scepter.

schedule ['ʃedju:l, (am.) 'skedʒu:l] sb. **1.** program; (tids-, arbejds-) plan; skema; **2.** (især am.) køreplan; flyveplan; **3.** F fortegnelse; oversigt; liste, tabel; **4.** (jur., fx til kontrakt) bilag; **5.** (parl.: til lov) tillæg;

□ according to ~, on ~ planmæssigt, efter planen; til tiden; ahead of ~ før den fastsatte tid; behind ~ forsinket.

scheduled ['ʃedʒu:ld, (am.) 'skedʒu:ld] adj. planlagt; fastsat (fx the ~ time);

□ is ~ to skal efter planen (fx the airport is ~ to open in May).

scheduled flight sb. fast flyvning.

schematic [ski'mætik] adj. skematisk.

scheme¹ ['ski:m] sb. **1.** (generel) ordning (fx for recycling bottles; a pension ~); arrangement; **2.** system (fx a ~ of philosophy; a classification ~); **3.** (neds.) plan (fx he had a crazy ~ for getting rich); lumsk plan (fx to defraud the company of £100,000);

□ in his ~ of things i hans verdensbillede; in the general/greater/overall ~ of things i den almindelige verdensorden; (se også colour scheme, rhyme scheme).

scheme² [ski:m] vb. (neds.) intrigere (against imod); smede rænker;

□ ~ **to** lægge planer om at.

schemer ['ski:mə] sb. (neds.) rænkesmed.

scheming ['ski:miŋ] adj. intrigant; beregnende; udspekuleret.

schism [skizm] sb. skisma; splittelse.

schismatic [skiz'mætik] adj. skismatisk; splittelses-.

schist [ʃist] sb. (geol.) skiffer.

schizo ['skitsəu] sb. (T: neds.) skizofren.

schizoid ['skitsɔid] adj. **1.** (med.) skizoid [ɔ: med skizofrene træk]; **2.** T uberegnelig.

schizophrenia [skitsə'fri:niə] sb. (med.) skizofreni.

schizophrenic [skitsə'fri:nik] adj. (med.) skizofren.

schizzi ['skitsi] sb. (am. S) skizofren.

schlemiel [ʃlə'mi:l] sb. (am. T) skvadderhoved; uheldig person.

schlenter ['ʃlentə] sb. (sydafr.) **1.** uægte diamant; **2.** falskneri.

schlepp¹ [ʃlep] sb. (am. T) skvat.

schlepp² [ʃlep] vb. (am. T)

1. slæbe; **2.** traske.

schlock¹ [ʃlɔk] sb. (am. T) billigt skidt, bras, juks.

schlock² [ʃlɔk] adj. (am. T) smagløs, billig, tarvelig.

schmaltz [ʃmɔ:lts] sb. T sentimentalt sludder//bras.

schmaltzy ['ʃmɔ:ltsi] adj. T sentimental.

schmo [ʃmou] sb. (am. T) kedeligt drys.

schmooze [ʃmu:z] vb. (am. T) **1.** snakke, sludre; **2.** (med objekt) besnakke.

schmuck [ʃmʌk] sb. (am. T) tåbe, nar; dum skid.

schnapps [ʃnæps] sb. snaps.

schnook [ʃnuk] sb. (am. T) fjols, skvadderhoved.

scholar ['skɔlə] sb. **1.** videnskabsmand, forsker [inden for et humanistisk fag]; **2.** (studerende) stipendiat;

□ a good ~ (glds.) en dygtig elev; I am no ~ (glds.) jeg er ikke en studeret mand.

scholarly ['skɔləli] adj. **1.** videnskabelig (fx article; book; research); lærd; **2.** (om person) akademisk.

scholarship ['skɔləʃip] sb. **1.** humanistisk videnskab (fx his contribution to ~); **2.** (beskæftigelse) videnskabeligt arbejde, videnskabelige studier (fx a lifetime of ~); **3.** (egenskab) videnskabelig dygtighed; lærdom; **4.** (penge) stipendium; legat;

□ a branch of ~ en videnskab; a piece of ~ et videnskabeligt arbejde.

scholastic [skə'læstik] adj. **1.** skolemæssig; skole-; akademisk; **2.** (filos.) skolastisk; **3.** (fig.) spidsfindig.

school¹ [sku:l] sb. **1.** skole; **2.** (ved universitet, omtr.) fakultet; faggruppe; **3.** (af fisk) stime; **4.** (af hvaler) flok; **5.** (am. T) læreanstalt, universitet;

□ leave ~ gå ud af skolen; holde op med at gå i skole; teach ~ (am.) være lærer; ~ of thought åndsretning;

[med præp.] after ~ efter skoletid; at ~ i skole (fx while he is at ~); at the ~ på//i skolen; we were at ~ together vi var skolekammerater; before ~ før skoletid; to ~ i skole (fx drive//send them to ~); go to ~ gå i skole; be sent to ~ (når man begynder) blive sat i skole.

school² [sku:l] vb. **1.** F oplære, skole (in i); øve; **2.** (am.: barn) danne; **3.** (hest) optræne;

□ ~ *one's features* beherske sit ansigtsudtryk; ~ *oneself to* opdrage//tvinge sig selv til at; *he was -ed in London* han gik i skole i London.

school board *sb.* skolekommission.

school council *sb.* **1.** elevråd; **2.** (*skotsk omtr.*) skolenævn.

school crossing patrol *sb.* [(*ældre*) *mand med stopskilt der hjælper skolebørn over gaden*]; (*svarer til*) skolepatrulje.

schoolday ['sku:ldei] *sb.* skoledag; □ -s skoletid (*fx a friend from my -s*).

school dinner *sb.* [*middagsmad som spises på skolen*].

school friend *sb.* skolekammerat.

school governor *sb.* medlem af skolebestyrelse.

schoolhouse ['sku:lhaus] *sb.* skolebygning, skole.

schooling ['sku:liŋ] *sb.* undervisning; skolegang; uddannelse.

school inspector *sb.* (*omtr.*) faginspektør; fagkonsulent.

school leaver *sb.* elev der lige er gået ud af skolen; dimittend.

school-leaving age [sku:lli:viŋ-'eidʒ] *sb.* [*den alder hvor skolepligten ophører*].

schoolmarm ['sku:lma:m] *sb.* (T: *neds.*) skolefrøken; lærerinde.

schoolmaster ['sku:lma:stə] *sb.* lærer.

schoolmate ['sku:lmeit] *sb.* T skolekammerat.

schoolmistress ['sku:lmistrəs] *sb.* lærerinde.

school readiness *sb.* skolemodenhed; skoleparathed.

school report *sb.* karakterbog; vidnesbyrd.

schoolroom ['sku:lrum] *sb.* klasseværelse; skolestue.

school run *sb.* [*turen til og fra skole*].

schooner ['sku:nə] *sb.* **1.** (*mar.*) skonnert; **2.** (*glas*) stort sherryglas; **3.** (*am.*) stort ølglas.

schottische [ʃɔ'ti:ʃ] *sb.* schottisch [*en dans*].

schtik *sb.* = **shtik**.

schtuck [ʃtuk] *sb.*: *be in* ~ være i knibe; være 'på den.

schuss¹ [ʃu(:)s] *sb.* (*om skiløb*) **1.** styrtløb; **2.** lige bane.

schuss² [ʃu(:)s] *vb.* løbe styrtløb.

sciatic [sai'ætik] *adj.* hofte-.

sciatica [sai'ætikə] *sb.* (*med.*) ischias.

science ['saiəns] *sb.* **1.** videnskab, naturvidenskab; **2.** (*i sport*) teknik.

science fiction *sb.* science fiction [*fremtidsromaner skrevet over vi-*

denskabelige opdagelser].

science park *sb.* forskerpark.

scientific [saiən'tifik] *adj.* **1.** videnskabelig; **2.** (T: *fig.*) efter videnskabelige principper; metodisk, systematisk.

scientist ['saiəntist] *sb.* videnskabsmand.

sci-fi ['saifai] *fork. f. science fiction.*

Scilly ['sili]: *the* ~ *Islands/Isles* (*geogr.*) Scillyøerne.

scimitar ['simitə] *sb.* krumsabel.

scintilla [sin'tilə] *sb.*: *not a* ~ *of* F ikke antydning/spor/gnist af.

scintillate ['sintileit] *vb.* (*litt.*) funkle, tindre; brillere.

scintillating ['sintileitiŋ] *adj.* gnistrende, funklende; brilliant.

scion ['saiən] *sb.* **1.** (*litt.*) ætling, efterkommer; **2.** (*i gartneri*) podekvist.

scissor ['sizə] *vb.* klippe; □ ~ *one's legs* bevæge benene frem og tilbage; sakse med benene.

scissors ['sizəz] *sb. pl.* saks; □ *a pair of* ~ en saks.

sclerosis [skliə'rəusis] *sb.* (*med.*) sklerose; forkalkning.

sclerotic [skliə'rɔtik] *adj.* **1.** (*med.*) sklerotisk; forkalket; **2.** (*fig.*) stivnet, stagneret.

scoff¹ [skɔf] *sb.* **1.** forhånelse; **2.** T mad; □ *be the* ~ *of* være til spot for.

scoff² [skɔf] *vb.* **1.** spotte, håne; **2.** T guffe i sig; □ ~ *at* afvise med foragt; fnyse ad.

scofflaw ['skɔflɔ:] *sb.* (*am.*) [*en der bryder sig pokker om hvad loven siger*].

scold¹ [skəuld] *vb.* (*glds.*) arrig kælling; rappenskralde.

scold² [skəuld] *vb.* skælde ud; skænde på.

scoliosis [skɔli'əusis] *sb.* (*med.*) skoliose, rygskævhed.

scollop ['skɔləp] se **scallop**.

sconce [skɔns] *sb.* **1.** (*på væg*) lampet; lyseholder; **2.** (*til at bære*) kammerstage.

scone [skɔn, skəun] *sb.* scone [*slags tebolle*].

scoop¹ [sku:p] *sb.* **1.** (*til mel, sukker etc.*) ske; **2.** (*til is*) iscremeske; **3.** (*til pibe*) skrabeske; **4.** (*større*) (dyb) skovl, skuffe; (*til kul*) kulskovl; **5.** (*på gravemaskine*) skovl; **6.** (*portion*) skefuld; (*af is*) kugle (*fx three -s £1.50*); **7.** (T: *journalistisk*) kup; solohistorie; **8.** (*mus.*) kuren [*på en tone*]; □ *the* ~ T det sidste nye (*on* om, *fx what's the* ~ *on John?*); *get the*

~ komme først med historien/nyheden.

scoop² [sku:p] *vb.* **1.** skovle; øse; **2.** (*hul*) grave (*fx a hole in the ground*); **3.** (*mus.: på tone*) kure; **4.** (T: *pris, præmie*) score, snuppe, vinde; **5.** (T: *nyhed*) komme først med; snuppe [*før de andre*]; **6.** (*konkurrent*) komme før; □ ~ *the other papers* bringe en nyhed før de andre blade; ~ *the pool* T vinde/snuppe alle priserne/præmierne; [*med præp.& adv.*] ~ *into* skovle/øse op i (*fx sand into a bucket*); *he -ed the child (up) into his arms* han tog/løftede barnet op i sine arme; ~ *out a.* skovle væk (*fx a little of the earth*); **b.** skrabe ud (*fx the flesh of the melon*); **c.** grave ud (*fx a tunnel*); ~ *up* øse op; samle op (med begge hænder).

scoot [sku:t] *vb.* (T: *spøg.*) fare/pile af sted; □ ~ *off!* pil af! ~ *over* (*am.*) flytte sig lidt til siden (*fx* ~ *over and make room for me*) [ɔ: ved at skubbe sig på halen].

scooter ['sku:tə] *sb.* **1.** (*motorcykel*) scooter; **2.** (*legetøj*) løbehjul.

scope¹ [skəup] *sb.* **1.** spillerum (*for* for, *fx initiative*); frihed; **2.** (*aktivitet*) omfang (*fx limited in* ~); rækkevidde; (*for bog, drøftelse, undersøgelse etc.*) rammer (*fx outside the* ~ *of this book//of the investigation*); **3.** (*mar.: ankerkæde*) længde; **4.** T mikroskop; kikkert; **5.** (*til gevær*) kikkertsigte; □ *he has free* ~ han har frie hænder; *permit the imagination free* ~ lade fantasien få frit løb; ~ *of activity* virkefelt; ~ *of responsibility* ansvarsområde; *beyond// within the* ~ *of his understanding* uden for//inden for hans (åndelige) horisont.

scope² [kəup] *vb.* (*am.* T) undersøge omhyggeligt, gennemgå; □ ~ *out a.* vurdere; **b.** = ~.

scorbutic [skɔ:'bju:tik] *adj.* (*med.*) lidende af skørbug.

scorch¹ [skɔ:tʃ] *sb.* sveden plet.

scorch² [skɔ:tʃ] *vb.* **1.** svide; brænde; **2.** (*uden objekt*) blive sveden//brændt; **3.** (*glds.* T) fræse/drøne af sted.

scorched [skɔ:tʃt] *adj.* afsveden; brændt, afbrændt.

scorched-earth policy [skɔ:tʃt'ə:θpɔləsi] *sb.*: *the* ~ den brændte jords politik.

scorcher ['skɔ:tʃə] *sb.* T brændende varm dag.

scorching ['skɔ:tʃiŋ] *adj.* T brændende varm.

S score

score¹ [skɔ:] *sb.* **1.** (*i sport*) score; pointtal, (antal) point; stilling (*fx the ~ is 3-2*); (*til slut*) resultat (*fx the final ~ was 5-2 to Arsenal*); **2.** (T: *enkelt*) scoring; **3.** (*til musikstykke*) partitur; **4.** (*til film, musical etc.*) musik; **5.** (*mængdebetegnelse*, F) snes (*fx five ~ boxes*); **6.** (*mærke*) ridse; hak; □ *the ~ is 3-2* (*jf. 1, også*) det står 3-2; *by the ~* i snesevis; *on that ~* hvad det angår; *on the ~ of* på grund af; *-s of* snesevis af; [*med vb.*] *keep (the) ~* holde regnskab; *know the ~, know what the ~ is* (*fig.*) vide hvordan sagerne står; vide hvordan det forholder sig; *settle an old ~* afgøre et gammelt mellemværende; gøre et gammelt regnskab op.

score² [skɔ:] *vb.* **A.** (*med objekt*) **1.** (*i sport*) score (*fx a goal; 10 points*); **2.** (*i prøve*) score, opnå; **3.** (*om bedømmer, præstation*) give (*fx the judge -d her 15 points; a correct answer -s 15 points*); **4.** (*fig.*) notere (*fx a victory*); vinde (*fx an advantage*); **5.** (*med streg(er)*) slå streg under (*fx a word*); strege ind (*fx a book*); **6.** (*med mærke*) ridse (*fx a kitchen table -d with knife cuts*); lave hak i; **7.** (*mus.*) instrumentere; udsætte (*fx -d for violin and piano*); **8.** (S: *narko*) skaffe; købe; **9.** (*am.*) kritisere skarpt; **B.** (*uden objekt*) **1.** (*jf. A 1*) score (*fx the team hadn't -d*); **2.** (*fig.*) have held med sig; have succes; **3.** (*ved konkurrence & i dialog*) føre regnskab; **4.** (*finde en partner*) score; **5.** (*jf. A 8*) skaffe stof; købe narko; □ *~ a hit* (*jf. A 4*) få/notere en træffer; [*med præp.& adv.*] *~ off* = *~ out*; *~ off sby* dukke en, skære en ned; være vittig på ens bekostning; *~ out* strege ud, strege over, stryge; *~ over* se ovf.: *~ out*; *~ through* se ovf.: *~ out*; *~ with* have succes med (*fx a novel*); *~ with sby* score en; komme i seng med en.

scoreboard ['skɔ:bɔ:d] *sb.* pointstavle; måltavle.

scorecard ['skɔ:ka:d] *sb.* **1.** (*for kricketkamp*) regnskabskort; **2.** (*i golf etc.*) scorekort; **3.** (*am.*) journal (*of, on* over).

scoreline ['skɔ:lain] *sb.* resultat.

scorer ['skɔ:rə] *sb.* **1.** (*person*) regnskabsfører; **2.** (*blok*) regnskabsblok; **3.** (*spiller*) (mål)scorer; pointscorer; □ *he is a high//low ~* (*ved prøve*) han ligger højt//lavt.

scorn¹ [skɔ:n] *sb.* foragt; hån; □ *he has nothing but ~ for* han har kun foragt/hån tilovers for; *be the ~ of* være til spot for; *heap/pour ~ on* forhåne; *hold up to ~* håne.

scorn² [skɔ:n] *vb.* **1.** foragte; håne; **2.** (*tilbud etc.*) afvise med foragt (*fx his offer of help*); forsmå.

scornful ['skɔ:nf(u)l] *adj.* hånlig.

Scorpio ['skɔ:piəu] *sb.* (*astr.*) Skorpionen; □ *I am a ~* jeg er skorpion.

scorpion ['skɔ:piən] *sb.* skorpion.

scorpionfish ['skɔpiənfiʃ] *sb.* (*zo.*) dragehovedfisk.

scorpion fly *sb.* (*zo.*) skorpionflue.

Scot [skɔt] *sb.* skotte.

Scotch¹ [skɔtʃ] *sb.* skotsk whisky.

Scotch² [skɔtʃ] *adj.* (*især om produkter*) skotsk.

scotch [skɔtʃ] *vb.* sætte en stopper for (*fx their plans; any idea of a compromise*); gøre ende på; (*rygte*) aflive.

Scotch egg *sb.* [farseret hårdkogt æg, paneret og stegt].

Scotchman ['skɔtʃmən] *sb.* (*pl.* -men [-mən]) skotte.

Scotch mist *sb.* regntykning.

Scotch pine *sb.* (*bot.*) skovfyr.

Scotch tape® *sb.* klæbestrimmel, tape.

Scotchwoman ['skɔtʃwumən] *sb.* (*pl.* -women [-wimin]) skotsk kvinde.

scoter ['skəutə] *sb.* (*zo.*) sortand.

scot-free [skɔt'fri:] *adj.* **1.** helskindet, uskadt; **2.** ustraffet; □ *get off ~* **a.** slippe helskindet fra det; **b.** gå fri.

Scotland ['skɔtlənd] Skotland.

Scotland Yard [*hovedstation for Londons politi*].

Scots¹ [skɔts] *sb.* (*sprog*) skotsk.

Scots² [skɔts] *adj.* skotsk.

Scotsman ['skɔtsmən] *sb.* (*pl.* -men [-mən]) skotte.

Scots pine *sb.* (*bot.*) skovfyr.

Scotswoman ['skɔtswumən] *sb.* (*pl.* -women [-wimin]) skotte; skotsk kvinde.

Scottish ['skɔtiʃ] *adj.* skotsk.

scoundrel ['skaundr(ə)l] *sb.* slyngel, skurk.

scour¹ ['skauə] *vb.* **1.** (*om rengøring*) skure; **2.** (*om eftersøgning*) gennemsøge.

scourer ['skauərə] *sb.* grydesvamp.

scourge¹ [skɔ:dʒ] *sb.* svøbe.

scourge² [skɔ:dʒ] *vb.* plage.

scouring pad ['skauəriŋpæd] *sb.* (*am.*) grydesvamp.

Scouse [skaus] *sb.* **1.** Liverpooldialekt; **2.** = *Scouser*.

Scouser ['skausə] *sb.* T [*person fra Liverpool*].

Scout [skaut] *sb.* spejder [ɔ: *medlem af spejderkorps*].

scout¹ [skaut] *sb.* **1.** (*mil. etc.*) spejder; **2.** talentspejder; □ *he is a good ~* (*glds.* T) han er en flink fyr; *have a quick ~ around* T tage et hurtigt kig.

scout² [skaut] *vb.* udspejde; undersøge; (*især mil.*) rekognoscere; □ *~ around* kigge 'efter; *~ around for* 'kigge efter, være på udkig efter; *~ out* 'kigge efter, prøve at opspore; *~ up* (*am.*) opspore, finde.

scout car *sb.* (*am.*) **1.** (*mil.*) opklaringsvogn; **2.** (*for politi*) patruljevogn.

Scouter ['skautə], **Scoutmaster** ['skautma:stə] *sb.* (*i spejderkorps*) tropsleder.

scow [skau] *sb.* (*am. mar.*) pram, lægter.

scowl¹ [skaul] *sb.* vredt//skulende blik; skulen.

scowl² [skaul] *vb.* skule.

Scrabble® ['skræbl] *sb.* kriblekryds.

scrabble ['skræbl] *vb.* **1.** (*for at finde noget*) rode; **2.** (*om lyd*) kradse (*fx a dog -d at the door*); **3.** (*om bevægelse*) fare, smutte (*fx lizards -d across the floor*); □ *~ about/around* rode rundt (*fx in a drawer*); *~ about/around for* rode efter; *~ for* **a.** = *~ about/around for*; **b.** slås for (*fx a share in the market*); *~ up* the wall klatre hurtigt op ad muren; *~ with one feet//toes* skrabe med fødderne//tæerne.

scraggly ['skrægli] *adj.* (*am.*) pjusket, tjavset (*fx beard*).

scraggy ['skrægi] *adj.* radmager.

scram [skræm] *interj.* T skrub af!

scramble¹ ['skræmbl] *sb.* **1.** klatren, kravlen; klatretur; **2.** (*for at få fat i noget*) vildt kapløb, slagsmål (*for for at få/om, fx a seat*); **3.** (*flyv.*) hurtig start [*ved alarmering*]; **4.** (*på motorcykel*) terrænløb.

scramble² ['skræmbl] *vb.* **1.** klatre, kravle (*fx aboard the boat; over the rocks*); kæmpe sig (*fx through the undergrowth*); **2.** (*for at få fat i noget*) slås, kæmpe vildt (*fx to get the best seats*); **3.** (*flyv.*) gå på vingerne i en fart; (*med objekt*) beordre til at gå på vingerne, sende op; **4.** (*tlf. etc.*) forvrænge, kryptere; **5.** (*på motorcykel*) køre terrænløb; □ *~ an egg* lave røræg af et æg; [*med præp.*] *~ for* **a.** løbe om kap hen til (*fx the door*); **b.** kaste sig ud i et vildt slagsmål om (*fx the best seats*); *~ into one's clothes*

screening S

trække tøjet på i en fart, fare i tøjet; ~ **to** one's feet komme på benene i en fart.

scrambled egg [skræmbld'eg] sb. røræg.

scrambler ['skræmblə] sb. (tlf. etc.) kodeforsats; kryptoforsats.

scrap[1] [skræp] sb. **1.** (af papir, tøj) stump; lap; **2.** (af metal: kasseret) skrot; **3.** (T, jf. scrap[2] 2) skænderi; (mindre) slagsmål;
□ -s (af mad) rester; levninger; not a ~ ikke en smule;
a ~ **of** a girl en pjevs af et pigebarn; every ~ of information hver eneste lille oplysning; a ~ of paper **a.** en stump papir, en papirlap; **b.** (ironisk om traktat) en lap papir.

scrap[2] [skræp] vb. **1.** kassere; skrotte; **2.** T skændes, mundhugges; slås.

scrapbook ['skræpbuk] sb. scrapbog.

scrap dealer sb. produkthandler, skrothandler.

scrape[1] [skreip] sb. **1.** (lyd) skraben; kradsen; **2.** (på huden) hudafskrabning; **3.** (T: på brød) skrabet smør//margarine; **4.** (glds.: dybt buk) skrabud;
□ be **in** a ~ være i knibe; get **into** a ~ komme i knibe; have a ~ **with** disaster være lige ved at blive ramt af en katastrofe.

scrape[2] [skreip] vb. skrabe;
□ ~ **along** (T: økonomisk) lige klare sig; ~ **at** a violin (spøg.) gnide på en violin; ~ **by** se: ~ along; ~ **in** T lige akkurat komme ind [ɔ: blive optaget]; ~ **out** **a.** skrabe ud; **b.** (pibe) kradse ud; ~ **through** (ved eksamen) knibe sig igennem; ~ **together/up** skrabe sammen; (se også bow[3], pinch[2], barrel[1], living[1]).

scraper ['skreipə] sb. **1.** skraber; **2.** (snedkerværktøj) siklinge.

scrap heap sb. **1.** affaldsbunke, affaldsdynge, skrotbunke; **2.** (fig.) lossleplads (fx the ~ of history); □ throw on the ~ (fig.) smide på lossepladsen; smide i brokkassen.

scrapie ['skreipi] sb. (vet.) gnubbesyge [hos får].

scrapings ['skreipiŋz] sb. pl. afskrab.

scrap iron sb. gammelt jern; skrot.

scrap merchant sb. produkthandler, skrothandler.

scrap paper sb. affaldspapir, kasseret papir [brugt til at notere på].

scrappy ['skræpi] adj. **1.** rodet; sjusket; **2.** (am. T) stridbar.

scrapyard ['skræpjɑ:d] sb. ophugningsplads [for gamle biler, mas-

kiner etc.].

scratch[1] [skrætʃ] sb. **1.** (lyd) kradsen; **2.** (mærke) ridse (fx on the car door); **3.** (sår) rift (fx it's just a ~);
□ have a ~ klø/kradse sig; [med præp.] start **from** ~ begynde på bar bund; be **up to** ~ være tilfredsstillende; være god nok; gøre fyldest; keep sby up to ~ holde en til ilden/i ørene.

scratch[2] [skrætʃ] vb. **A.** (med objekt) **1.** (overflade) ridse (fx the paintwork; one's name on a windowpane); skrabe; **2.** (huden: med negle) klø (fx a mosquito bite); (om klør, torne) rive; **3.** (på papir: skrive) kradse ned (fx a few lines); **4.** (noget skrevet) slette, stryge; **5.** (foretagende etc.) opgive; **6.** (sportsbegivenhed) aflyse;
B. (uden objekt) **1.** (om lyd) skrabe (fx the pen -ed; the dog -ed to be let in); **2.** (på huden) kradse (fx the sweater -es); (med klør) rive (fx the cat -es); **3.** (om høns) skrabe; **4.** (om deltager i konkurrence) stryge sit navn; trække sig tilbage; **5.** (mus.) scratche;
□ be -ed udgå [af en konkurrence]; [med sb.] ~ sby's back klø en på ryggen; ~ my back and I will ~ yours (fig.) den ene tjeneste er den anden værd; ~ one's nose klø/ kradse sig på næsen; (se også head[1]);
[med præp.& adv.] ~ **about**/ **around for a.** (om høns) skrabe efter; **b.** (fig.) søge grundigt efter; lede med lys og lygte efter; ~ **away** (fjerne) skrabe af; ~ **oneself on** rive sig på (fx the roses); ~ **out** (noget skrevet) strege ud; slette; she'll ~ your eyes out hun kradser øjnene ud (af hovedet) på dig.

scratch[3] [skrætʃ] adj. **1.** tilfældigt sammensat (fx team); improviseret; **2.** (i sport) uden handicap.

scratch card sb. skrabeplade.

scratchings ['skrætʃiŋz] sb. pl. flæskesvær.

scratch pad sb. **1.** (am.) notesblok; **2.** (it) mellemlager.

scratch paper sb. (am.) = scrap paper.

scratch test sb. (med.) ridsprøve.

scratch ticket sb. skrabelod.

scratchy ['skrætʃi] adj. **1.** (om tøj) kradsende; som kradser; **2.** (om lyd, plade) skrattende; **3.** (om noget skrevet) skødesløst nedkradset; **4.** (om person) irritabel.

scrawl[1] [skrɔ:l] sb. kragetæer; kradseri, klo.

scrawl[2] [skrɔ:l] vb. kradse ned; grifle.

scrawny ['skrɔ:ni] adj. radmager, knoklet, afpillet.

scream[1] [skri:m] sb. **1.** skrig; **2.** (lyd af bildæk etc.) hvin;
□ he is a ~ T han er hylende grinagtig.

scream[2] [skri:m] vb. **1.** skrige; **2.** (om høj lyd, fx af bildæk) hvine;
□ ~ **out for** (fig.) skrige på (fx the matter is -ing out for attention); ~ with laughter hyle af latter.

screamingly ['skri:miŋli] adv. skrigende (fx boring; obvious);
□ ~ funny hylende grinagtig.

scree [skri:] sb. (geol.) talus, ur [ɔ: nedstyrtede sten].

screech[1] [skri:tʃ] sb. skrig, hvin.

screech[2] [skri:tʃ] vb. **1.** skrige (with af, fx laughter; pain); hvine (with af, fx delight); **2.** (om bremser) hvine; (se også halt[1]).

screed [skri:d] sb. **1.** langt foredrag, lang smøre; tirade; **2.** (for gulv) afretningslag.

screen[1] [skri:n] sb. **1.** (til tv, computer, radar) skærm; **2.** (til film) lærred; **3.** (til afskærmning) skærm (fx put a ~ round his bed); skærmbræt; **4.** (fig.) skjul, dække (fx for criminal activities); (se også smokescreen); **5.** (mil.) sikringsled; **6.** (til sortering, rensning) sigte, sold; (grovere) harpe; (finere) filter; **7.** (typ.) raster;
□ the (big) ~ det hvide lærred; filmen; adapt for the ~ omarbejde til film; the small ~ tv-skærmen; tv, fjernsynet; on ~ **a.** (tv, it) på skærmen; **b.** (film.) på lærredet; go on the ~ gå til filmen.

screen[2] [skri:n] vb. **1.** afskærme; dække; **2.** (fig.: person, især am.) dække over (fx she tried to ~ her husband); **3.** (i sport) screene; **4.** (film, tv-program) vise, sende; **5.** (person(er) mht. baggrund) tjekke (fx the applicants; the presidential candidates); **6.** (med.) screene (for for, fx ~ them for Aids//diabetes//breast cancer; ~ the blood); undersøge; (med røntgen etc., også bagage) gennemlyse; **7.** (sortere mht. størrelse) sigte; harpe (fx coal);
□ ~ **against//from** beskytte mod; ~ **off** sætte skærm for//om; afskærme; lukke af; ~ **out** frasortere.

screen door sb. netdør.

screen dump sb. (it) skærmkopi, skærmudskrift.

screening ['skri:niŋ] sb. **1.** afskærmning; **2.** (i sport) screening; **3.** (af film) visning; gennemsyn; **4.** (tv) udsendelse; **5.** (af ansøgere

745

etc.) undersøgelse; **6.** (*med.*) screening; **7.** (jf. *screen*[2] *7*) sigtning; afharpning.

screenings ['skri:ninz] *sb. pl.* frasigtet materiale; (*især af kul*) afharpning.

screenplay ['skri:nplei] *sb.* optagelsesmanuskript; drejebog.

screen printing *sb.* silketryk, serigrafi.

screen saver *sb.* (*it*) screensaver, pauseskærm.

screen saver *sb.* (*it*) pauseskærm.

screen test *sb.* (*film.*) prøveoptagelse;
□ *have a* ~ blive prøvefilmet.

screen writer *sb.* filmmanuskriptforfatter; drejebogsforfatter.

screw[1] [skru:] *sb.* **1.** skrue; **2.** (T: *om hest*) krikke; **3.** (T: *i fængsel*) fængselsbetjent; **4.** (*vulg.*: *samleje*) knald;
□ *give it another* ~ skrue det fastere; *he is a good* ~ (*vulg.*) han knepper godt; *have a* ~ *loose* (*fig.*) have en skrue løs; *put the -s on sby* (*fig.*) klemme en; give en tommelskruerne på; *turn the* ~ (*fig.*) stramme skruen.

screw[2] *vb.* (se også *screwed*) **1.** skrue; (*uden objekt*) kunne skrues (*fx the bulb -s in*); **2.** T snyde (*for* for); **3.** (*vulg.*: *om samleje*) bolle;
□ ~ *it!* S **a.** skide være med det! **b.** satans også! ~ *you!* S du kan rende mig i røven!
[*med præp.& adv.*] ~ *around* (*vulg.*) **a.** nosse rundt; **b.** bolle til højre og venstre; ~ *one's head around* (pludselig) vende hovedet; ~ *sby around* T holde en for nar; ~ *down* skrue 'til (*fx the lid*); ~ *the paper into* a ball krølle/vride papiret sammen til en kugle; ~ *on* skrue 'på; *he has his head -ed on the right way* T hans hoved fejler ikke noget; ~ *money//a promise out of sby* presse penge//et løfte ud af en; ~ *up* **a.** skrue fast; **b.** (*papir*) krølle helt sammen; **c.** (T: *forehavende*) forkludre; spolere; lave koks i; **d.** (T: *person*) gøre nervøs, tage pippet fra; gøre ulykkelig; ~ *up one's eyes* knibe øjnene sammen; misse med øjnene; ~ *up one's face* fortrække ansigtet; (se også *courage*).

screwball[1] ['skru:bɔ:l] *sb.* (*am.* T) original, skør rad.

screwball[2] ['skru:bɔ:l] *adj.* (*am.* T) skør.

screw cap *sb.* skruelåg; skruedæksel.

screwdriver ['skru:draivə] *sb.*

1. skruetrækker; **2.** (*drik*) vodka og appelsinjuice.

screwed [skru:d] *adj.* **1.** skruet; **2.** (*om papir*) sammenkrøllet; **3.** (S: *om person*) i vanskeligheder, ude at skide; **4.** (*tekn.*) gevindskåret; skrueskåret.

screwed-up [skru:d'ʌp] *adj.* **1.** (T: *om person*) neurotisk, forstyrret; **2.** (*om ansigt*) fortrukket; **3.** (*om arrangement*) forkludret;
□ ~ *paper* sammenkrøllet/vredet papir.

screw eye *sb.* øsken.

screw jack *sb.* donkraft.

screw thread *sb.* gevind; skruegang.

screw top *sb.* skruelåg.

screw-up ['skru:ʌp] *sb.* (*am.* T) **1.** kludder, koks; **2.** (*person*) kludderhoved, klamphugger.

screwy ['skru:i] *adj.* (*glds.* T) skør; idiotisk.

scribble[1] ['skribl] *sb.* smøreri; kruseduller; (*ulæselig*) kragetæer.

scribble[2] ['skribl] *vb.* **1.** lave kruseduller; **2.** (*skrive*) grifle, kradse ned.

scribbler ['skriblə] *sb.* (*neds. om forfatter*) smører; skribler.

scribe[1] [skraib] *sb.* **1.** (*hist.*) skriver; **2.** (*i Biblen*) skriftklog; **3.** (*værktøj*) ridsestift.

scribe[2] [skraib] *vb.* ridse mærke i.

scriber ['skraibə] *sb.* ridsestift.

scrim [skrim] *sb.* **1.** faconlærred; **2.** (*teat.*) flortæppe; **3.** (*film.*) softer.

scrimmage ['skrimidʒ] *sb.* **1.** forvirret slagsmål; **2.** træningskamp.

scrimp [skrimp] *vb.* spare;
□ ~ *and save* spinke og spare.

scrimshank ['skrimʃæŋk] *vb.* (*mil.* T) sneje den; pjække.

scrimshaw ['skrimʃɔ:] *vb.* (*mar.*) [*skære figurer af//mønster i elfenben, sneglehuse etc. som fritidsarbejde*].

scrip [skrip] *sb.* (*merk.*) interimsbevis.

script[1] [skript] *sb.* **1.** (*teat., film., radio.*) manuskript; (*film. også*) drejebog; **2.** (*ved eksamen*) opgave, besvarelse; **3.** (*bogstaver*) skrift (*fx Arabic//Cyrillic* ~); **4.** (*mods. tryk*) håndskrift; **5.** (*typ.*) skriveskrift; **6.** (*it*) script [*sekvens af kommandoer*]; **7.** S recept [*til narko*].

script[2] [skript] *vb.* skrive manuskript til; (*også scripted*).

scripted ['skriptid] *adj.* forberedt, nedskrevet (*fx speech*);
□ *be* ~ *for* (*om rolle*) være skrevet til.

script girl *sb.* (*til film*) scriptgirl.

scriptural ['skriptʃ(ə)rəl] *adj.* bibelsk.

Scripture ['skriptʃə] *sb.* **1.** den hellige skrift; **2.** (*am.*) skriftsted (*fx quote a* ~).

scripture ['skriptʃə] *sb.* **1.** helligt skrift (*fx the Buddhist//Hindu -s*); **2.** se *Scripture*.

scriptwriter ['skriptraitə] *sb.* (film)manuskriptforfatter.

scroll[1] [skrəul] *sb.* **1.** skriftrulle; bogrulle; **2.** (*ornament*) snirkel; **3.** (*på søjle*) volut; **4.** (*på violin*) snegl; **5.** (*her.*) skriftbånd.

scroll[2] [skrəul] *vb.* (*it*) rulle; bladre.

scroll bar *sb.* (*it*) rullefelt, bladringsfelt.

scrollwork ['skrəulwə:k] *sb.* snirkelværk.

Scrooge [skru:dʒ] *sb.* [*person hos Charles Dickens*]; gnier.

scrotum ['skrəutəm] *sb.* (*anat.*) skrotum, (testikel)pung.

scrounge[1] [skraun(d)ʒ] *sb.*: *be on the* ~ T være ude på at nasse.

scrounge[2] [skraun(d)ʒ] *vb.* T **1.** nasse; **2.** (*med objekt*) nasse sig til, redde sig (*fx a meal*);
□ ~ *off* nasse på (*fx one's friends; social security*); ~ *a drink off sby* bomme en for en drink.

scrounger ['skraun(d)ʒə] *sb.* T **1.** nasser; **2.** (*på det sociale system*) socialbedrager.

scrub[1] [skrʌb] *sb.* (se også *scrubs*) **1.** skrubning; **2.** (*bevoksning*) krat; kratbevoksning; **3.** (*am.*) undermåler, skravl, pjevs; **4.** (*am.: i sport*) andenrangsspiller; andenrangshold;
□ *give it a* ~ (jf. *1*) skrubbe det, give det en omgang.

scrub[2] [skrʌb] *vb.* **1.** skure; skrubbe; **2.** (T: *forehavende*) opgive (*fx a plan*); aflyse;
□ ~ *at* skrubbe på; gnide; ~ *out* **a.** (*plet etc.*) skrubbe af/væk; **b.** (*sted*) skrubbe ren; **c.** (jf. *2*) opgive; aflyse; ~ *round* T se bort fra; gå udenom, omgå (*fx the rules*); ~ *up* (*med.*) vaske sig steril [*før operation*].

scrubber ['skrʌbə] *sb.* **1.** skuresvamp; **2.** (*vulg.*) dulle, sæk.

scrubbing brush *sb.* skurebørste; gulvskrubbe.

scrubby ['skrʌbi] *adj.* **1.** splejset; pjevset; **2.** (*om terræn*) dækket med lave buske; kratbevokset.

scrubs [skrʌbz] *sb. pl.* (*med.*) steril operationsdragt.

scrub suit *sb.* (*am.*) se *scrubs*.

scruff [skrʌf] *sb.*: *by the* ~ *of the neck* i nakken; i nakkeskindet (*fx carry a kitten by the* ~ *of the*

neck); *take him by the ~ of the neck* (*også*) tage ham i kraven.
scruffy ['skrʌfi] *adj.* T snusket; lurvet.
scrum¹ [skrʌm] *sb.* **1.** (*i rugby*) klynge; **2.** T masende menneskemængde.
scrum² [skrʌm] *vb.* **1.** (*i rugbyfodbold*) danne klynge; **2.** T mase og skubbe.
scrummage ['skrʌmidʒ] *sb.* (*i rugby*) klynge.
scrummy ['skrʌmi] *adj.* se *scrumptious*.
scrump [skrʌmp] *vb.*: ~ *apples* (*glds.* T) hugge æbler, skyde æbler.
scrumptious ['skrʌm(p)ʃəs] *adj.* T superlækker (*fx cake*).
scrumpy ['skrʌmpi] *sb.* stærk cider.
scrunch [skrʌn(t)ʃ] *vb.* **1.** knase; **2.** presse, klemme, mase; **3.** (*papir*) krølle sammen; □ ~ *together* (*am.*) krybe sammen; ~ *up = 2, 3;* ~ *up one's shoulders* (*am.*) skyde skuldrene op.
scruple¹ ['skru:pl] *sb.* betænkelighed; skrupel.
scruple² ['skru:pl] *vb.*: *he would not ~ to* F han ville ikke have betænkeligheder ved at; han ville ikke tage i betænkning at.
scrupulous ['skru:pjuləs] *adj.* omhyggelig; samvittighedsfuld.
scrutineer [skru:ti'niə] *sb.* tilforordnet [*ved valg*].
scrutinize ['skru:tinaiz] *vb.* undersøge/studere nøje, granske; se skarpt på.
scrutiny ['skru:tini] *sb.* nøje undersøgelse; granskning; □ *come under close ~* blive gransket nøje.
SCSI *fork. f. small computer system interface* (grænseflade til ydre enheder).
scuba ['skju:bə] *fork. f. self-contained underwater breathing apparatus.*
scuba diver *sb.* sportsdykker.
scud [skʌd] *vb.* (*skotsk*) slå; tæske; □ *clouds were -ding across the sky* (*litt.*) skyer drev hastigt/for hen over himlen.
scuff [skʌf] *vb.* slide; skrabe; □ ~ *one's feet* slæbe på fødderne; skrabe med skoene.
scuffle¹ ['skʌfl] *sb.* slagsmål; håndgemæng.
scuffle² ['skʌfl] *vb.* **1.** slås; **2.** (*am.*) slås for tilværelsen; leve af tilfældigt arbejde.
scuff mark *sb.* slidmærke.
scull¹ [skʌl] *sb.* **1.** let åre; **2.** (*som bruges alene*) vrikkeåre; **3.** (*båd*) sculler.

scull² [skʌl] *vb.* **1.** ro (med to lette årer); **2.** (*med én åre*) vrikke.
sculler ['skʌlə] *sb.* sculler.
scullery ['skʌləri] *sb.* grovkøkken; bryggers; opvaskerum.
sculpt ['skʌlpt] *vb.* (ud)hugge; forme.
sculptor ['skʌlptə] *sb.* billedhugger.
sculptress ['skʌlptrəs] *sb.* kvindelig billedhugger.
sculptural ['skʌlptʃər(ə)l] *adj.* skulpturel; billedhugger-.
sculpture¹ ['skʌlptʃə] *sb.* **1.** (*fag, virksomhed*) billedhuggerkunst, skulptur; **2.** (*produkt*) skulptur.
sculpture² ['skʌlptʃə] *vb.* **1.** (ud)hugge (*fx statues*); forme; **2.** (*fig.*) forme, modellere.
scum [skʌm] *sb.* **1.** (*på overfladen af væske*) skum; **2.** (*om personer*) rak; udskud; bærme.
scumbag ['skʌmbæg] *sb.* S sjover; skiderik.
scumble¹ ['skʌmbl] *sb.* skumrefarve.
scumble² ['skʌmbl] *vb.* overskumre.
scungy ['skʌn(d)ʒi] *adj.* (*austr.* T) ulækker.
scunner ['skʌnə] *sb.*: *take a ~ at* (*skotsk*) føle lede ved; afsky.
scupper¹ ['skʌpə] *sb.* (*mar.*) lænseport, spygat.
scupper² ['skʌpə] *vb.* **1.** (*forehavende, chance*) ødelægge, spolere; (*plan*) torpedere; **2.** (*skib*) sænke, bore i sænk.
scurf [skə:f] *sb.* skæl [*i håret*].
scurrilous ['skʌrələs] *adj.* grov; plump.
scurry¹ ['skʌri] *sb.* ilen; trippen (*fx of small feet*).
scurry² ['skʌri] *vb.* **1.** jage, fare, pile (*fx away*); **2.** (*am.*) fare forvirret//nervøst omkring.
scurvy ['skə:vi] *sb.* skørbug.
scut [skʌt] *sb.* **1.** (*hares el. kanins hale*) blomst; **2.** (*irsk* T) fjols; skid.
scutch [skʌtʃ] *vb.* skætte [*hør*].
scuttle¹ ['skʌtl] *sb.* **1.** se *coal scuttle*; **2.** (*i bil*) torpedo.
scuttle² ['skʌtl] *vb.* **1.** pile, vimse; rende; stikke af; **2.** (*skib*) bore i sænk, sænke; åbne bundventilerne i; **3.** (*planer etc.*) torpedere (*fx negotiations*).
scuttlebutt ['skʌtlbʌt] *sb.* (*am.* T) sladder, rygter.
scut work *sb.* (*am.*) kedeligt rutinearbejde.
scuzzy ['skʌzi] *adj.* (*am.* T) snusket, lurvet, ulækker.
scythe¹ [saið] *sb.* le.
scythe² [saið] *vb.* slå med le; meje; □ ~ *a path through* (*fig.*) pløje sig igennem.

S.D. *fork. f. South Dakota.*
SDI *fork. f. strategic defence initiative* stjernekrigsprojektet.
SDP *fork. f. the Social Democratic Party.*
SDR *fork. f. special drawing rights.*
SE *fork. f. South-East.*
sea [si:] *sb.* hav; sø; □ *a heavy ~* stærk søgang; *a ~ of* et hav/væld af, en mængde (*fx troubles*); [*med præp.*] *at ~* på havet; til søs; *be (all) at ~* (*fig.*) være ude at svømme; hverken vide ud eller ind; være på herrens mark; *by ~* til søs; ad søvejen; *go//run away to ~* gå//stikke til søs; blive sømand; *put to ~* (*om skib*) stikke i søen.
sea anchor *sb.* drivanker.
sea anemone *sb.* (*zo.*) søanemone.
sea bass *sb.* (*zo.*) havaborre.
seabed ['si:bed] *sb.* havbund.
seaboard ['si:bɔ:d] *sb.* kyst; kystområde.
seaborne ['si:bɔ:n] *adj.* transporteret ad søvejen/over havet.
sea bream *sb.* (*zo.*) havrude; tandbrasen.
sea breeze *sb.* søbrise [*fra havet ind over land*].
sea captain *sb.* skibskaptajn; skibsfører.
sea change *sb.* fuldstændig forandring//forvandling; □ *suffer a ~* (*fig.*) undergå en fuldstændig forandring//forvandling.
sea chest *sb.* skibskiste.
sea dog *sb.* (*glds.*) søulk.
sea fan *sb.* (*zo.*) hornkoral.
seafarer ['si:fɛərə] *sb.* søfarende.
sea farm *sb.* havbrug.
seafood ['si:fu:d] *sb.* fisk og skaldyr.
seafront ['si:frʌnt] *sb.* strandpromenade.
seagoing ['si:gəuiŋ] *adj.* søgående.
seagull ['si:gʌl] *sb.* måge.
sea horse *sb.* søhest.
sea kale *sb.* (*bot.*) strandkål.
seal¹ [si:l] *sb.* **1.** (*på dokument, brev: af lak*) segl; (*af papir*) oblat; (*påstemplet*) mærke, segl; garantimærke; **2.** (*på beholder*) forsegling; lukke; lukning (*fx hermetic ~*); **3.** (*af bly*) plombe; **4.** (*tekn.*) tætning; pakning; **5.** (*på vandlås*) vandlukke; **6.** (*zo.*) sæl; □ *break the ~* bryde seglet//plomben; *common ~* (*zo.*) spættet sæl; *put/set the ~ on* **a.** besegle (*fx the agreement*); **b.** (*slutte*) markere afslutningen på (*fx the President's visit*); *be under ~* være forseglet; være hemmeligstemplet; *under ~ of secrecy* under tavshedsløfte; (se

S *seal*

også *approval*).
seal² [si:l] *vb*. (se også *sealed*)
1. lukke (*fx an envelope*; *a parcel with tape*); forsegle; **2.** (*med plombe*) plombere; **3.** (*utæthed, hul*) tætte (*fx cracks//a hole in the wall*; *leaks in the roof*); **4.** (*beholder*) lukke lufttæt, forsegle (*fx a jar*); **5.** (*område*) afspærre; **6.** (*fig.*) besegle (*fx the friendship with a kiss*); (se også *fate*);
□ ~ *down* = 1; ~ *in* lukke af for; spærre inde; ~ *off* spærre; afspærre; lukke; ~ *up* **a.** (*brev etc.*) = 1; **b.** (*utæthed*) = 3.
Sealand ['si:lənd] Sjælland.
sea lane *sb*. skibsrute.
sealant ['si:lənt] *sb*. tætningsmiddel, tætningsmateriale.
sea lavender *sb*. (*bot.*) hindebæger.
sealed [si:ld] *adj*. (*om brev*) forseglet;
□ *it is a* ~ *book to him* det er en lukket bog for ham; *their fate is* ~ deres skæbne er beseglet; *my lips are* ~ min mund er lukket (med syv segl); ~ *orders* forseglede ordrer.
sea legs *sb*. *pl.*: *find/get one's* ~ vænne sig til søen; ikke mere blive søsyg.
sealer ['si:lə] *sb*. **1.** sælfanger; **2.** sælfangerskib.
sea level *sb*. havets overflade;
□ *a thousand metres above* ~ 1000 meter over havet.
sealing wax *sb*. segllak.
sea lion *sb*. (*zo.*) søløve.
Sea Lord *sb*. [søofficer der er medlem af flådeledelsen i forsvarsministeriet].
seam¹ [si:m] *sb*. **1.** (*i tøj*) søm; (se også *bursting, come (apart)*); **2.** (*af træ, tapet*) samling; **3.** (*i svejsning*) svejsesøm; **4.** (*mar.*) nåd; **5.** (*geol.*) fløts, tyndere (kul)lag.
seam² [si:m] *vb*. (*tøj*) sømme; sammensy; (se også *seamed*).
seaman ['si:mən] *sb*. (*pl. -men* [-mən]) sømand; matros.
seamanship ['si:mənʃip] *sb*. sømandskab.
seamed [si:md] *adj*. furet (*fx a face* ~ *with care*).
sea milkwort *sb*. (*bot.*) sandkryb.
seamless ['si:mləs] *adj*. **1.** (*om strømper*) sømløs; uden søm; **2.** (*fig.*) glat; regelmæssig.
sea mouse *sb*. (*zo.*) guldmus.
seamstress ['semstrəs, 'si:m-] *sb*. syerske.
seamy ['si:mi] *adj*. snusket; ubehagelig, frastødende;
□ *the* ~ *side* vrangen, skyggesiden, bagsiden.
séance ['seia:ns] *sb*. séance.

sea nettle *sb*. (*zo.*) brandmand, rød vandmand.
sea pen *sb*. (*zo.*) søfjer.
sea pink *sb*. (*bot.*) engelskgræs.
seaplane ['si:plein] *sb*. vandflyver.
seaport ['si:pɔ:t] *sb*. havneby; havn.
sear¹ [siə] *adj*. se *sere²*.
sear² [siə] *vb*. **1.** svide; brænde; **2.** (*i madlavning*) svitse.
search¹ [sə:tʃ] *sb*. **1.** eftersøgning; **2.** (*af sted*) gennemsøgning; ransagning; (*i hus også*) husundersøgelse; (se også *right of search*); **3.** (*af person*) se *body search*; **4.** (*it*) søgning;
□ *in* ~ *of* på jagt efter (*fx a job*); *be in* ~ *of* (*også*) søge, lede efter (*fx a solution*); *go in* ~ *of* gå ud og søge efter.
search² [sə:tʃ] *vb*. (se også *searching*) **1.** (*uden objekt*) lede, søge (*fx they have been -ing all day*); **2.** (*med objekt: sted*) gennemsøge (*fx a room*; *a house from top to bottom*); ransage; søge i, lede i, undersøge (*fx one's pockets*); **3.** (*person*) visitere, kropsvisitere; **4.** (*med blikket*) se undersøgende//nøje på; granske (*fx her face*);
□ ~ *me!* T det aner jeg ikke! [*med sb.*] ~ *one's conscience* granske sin samvittighed; *his house was -ed* (*jf. 2, også*) der blev foretaget husundersøgelse hos ham; ~ *one's memory* ransage sin hukommelse; ~ *the Net* søge på internettet; [*med præp.& adv.*] ~ *for* lede/søge efter; ~ *a text for* søge i en tekst efter; ~ *out* finde frem; finde frem til; ~ *through* gennemsøge.
search engine *sb*. (*it*) søgemaskine.
searching ['sə:tʃiŋ] *adj*. omhyggelig, grundig (*fx analysis*; *investigation*); dybdeborende (*fx questions*);
□ *a* ~ *look/glance* et forskende/ransagende blik.
searchlight ['sə:tʃlait] *sb*. lyskaster, projektør; søgelys.
search party *sb*. eftersøgningshold; eftersøgningsekspedition.
search warrant *sb*. (*jur.*) ransagningskendelse.
searing ['siəriŋ] *adj*. **1.** brændende (*fx heat*); **2.** (*om smerte*) skærende; **3.** (*fig.*) svidende (*fx criticism*).
sea robin *sb*. (*zo.*) knurhane [*fiskeart*].
sea room *sb*. plads til manøvrering.
seascape ['si:skeip] *sb*. (*om maleri*) marinebillede; søstykke.

sea scorpion *sb*. (*zo.*) langtornet ulk.
sea serpent *sb*. (*myt.*) søslange.
seashell ['si:ʃel] *sb*. strandskal; muslingeskal.
seashore ['si:ʃɔ:] *sb*. **1.** kyst; strand; **2.** (*jur.*) forstrand.
seasick ['si:sik] *adj*. søsyg.
seasickness ['si:siknəs] *sb*. søsyge.
seaside ['si:said] *sb.: the* ~ kysten; stranden; *at the* ~ ved stranden; *go to the* ~ tage til stranden.
seaside hotel *sb*. strandhotel.
seaside resort *sb*. badested.
sea snail *sb*. (*zo.*) **1.** havsnegl; **2.** (*fisk*) ringbug.
sea snake *sb*. (*zo.*) havslange.
season¹ ['si:z(ə)n] *sb*. **1.** årstid; **2.** (*for aktivitet, sport, frugt etc.*) sæson; **3.** (*i sms.*) -sæson (*fx tourist* ~; *football* ~); -tid (*fx flowering* ~); **4.** (*for jagt*) jagttid, jagtsæson; **5.** (*for film*) festival (*fx a* ~ *of French films*);
□ *for* all -s **a.** som passer til alle årstider (*fx a coat for all -s*); **b.** (*om person*) som kan klare alt; *in* ~ (*om hundyr*) i brunst; *asparagus are in* ~ det er sæson for asparges; det er aspargestid; *hares are in* ~ det er jagttid for harer; *oysters are in* ~ det er østerssæson; *a word in* ~ et ord i rette tid; *in* ~ *and out of* ~ i tide og utide; *off* ~ uden for sæsonen; i lavsæsonen; *asparagus are out of* ~ det er ikke årstiden for asparges.
season² ['si:z(ə)n] *vb*. (se også *seasoned*) **1.** (*mad*) krydre; **2.** (*træ, ost etc.*) lagre; **3.** (*pibe*) tilryge;
□ ~ *to* vænne til (*fx he was -ed to the climate*).
seasonable ['si:z(ə)nəbl] *adj*. **1.** som passer til årstiden; **2.** F velanbragt, passende (*fx advice*).
seasonal ['si:z(ə)n(ə)l] *adj*. efter årstiden (*fx variation*); sæsonmæssig, sæsonbestemt; sæson-;
□ ~ *fruit//vegetables* årstidens frugter//grønsager.
seasoned ['si:z(ə)nd] *adj*. **1.** (*om træ*) lagret; **2.** (*om person*) øvet; erfaren, garvet (*fx traveller*);
□ ~ *troops* hærdede/krigsvante tropper.
seasoning ['si:z(ə)niŋ] *sb*. krydderi.
season ticket *sb*. abonnementskort; sæsonkort; togkort//buskort.
seat¹ [si:t] *sb*. **1.** (*del af stol etc.*) sæde; **2.** (*del af bukser*) buksebag, bag; **3.** (*legemsdel*) bagdel, sæde; **4.** (*møbel*) stol; sæde (*fx the car has four -s*); bænk (*fx garden* ~); siddemøbel (*fx different types of* ~); **5.** (*sted hvor man sidder*) siddeplads (*fx we have -s*); plads (*fx*

second-hand shop S

ved sportskamp*) plads (*fx a theat-
re with 600 -s*); billet (*fx I have
got two -s for "Hamlet"*); **6.** (*i be-
styrelse etc.*) plads; (se også ndf.:
have a ~ *on*); **7.** (*parl.*) sæde,
plads (*fx have a* ~ *in Parliament*);
mandat (*fx the Liberals lost 10 -s*);
(se også *marginal²*, *safe²*); **8.** (*for
aktivitet*) sæde (*fx the* ~ *of Go-
vernment*); center, hjemsted (*fx
the* ~ *of the revolution*); **9.** (*fyr-
stes*) residens (*fx Copenhagen is
the* ~ *of the Danish Queen*); **10.** se
country seat;
□ ~ *of learning* lærdomssæde;
lærdomscenter; *by the* ~ *of one's
pants* pr instinkt; pr intuition; pr
fornemmelse; *the* ~ *of the trouble*
det sted sygdommen sidder; *the* ~
of war krigsskuepladsen;
[*med vb.*] *contest/fight the* ~ stille
op som modkandidat; *have a* ~
se ndf.: *take a* ~; *have a good//bad
~ (on a horse)* sidde godt//dårligt
på en hest; være en god//dårlig
rytter; *have a* ~ *on a board* have
sæde/plads i en bestyrelse; sidde i
en bestyrelse; være medlem af en
bestyrelse; (se også: *7*); *keep one's
~ F* blive siddende; *keep my* ~
for me hold min plads til mig; *re-
sign one's* ~ (*parl.*) nedlægge sit
mandat; *please take a* ~ vær så
venlig at tage plads; *the* ~ *is tak-
en* pladsen er optaget; *take one's
~* indtage sin plads; (se også *back
seat, bum¹*).
seat² [si:t] *vb.* (se også *seated*)
1. sætte, anvise plads; anbringe;
2. (*om sal etc.*) have (sidde)plads
til; kunne rumme (*fx the theatre
-s 600 people*).
seat belt *sb.* sikkerhedsbælte, sik-
kerhedssele.
seated ['si:tid] *adj.* siddende; an-
bragt;
□ *be* ~ sidde; være//blive anbragt;
få plads (*fx we were* ~ *behind a
pillar*); *please be* ~ vær så venlig
at tage plads; *remain* ~ blive sid-
dende.
seating ['si:tiŋ] *sb.* **1.** anbringelse;
2. siddepladser (*fx the hall has* ~
for 200); **3.** (*til stol etc.*) betræk (*fx
horsehair* ~); **4.** (*tekn.*) leje; sæde;
□ *the* ~ *of the guests* bordplanen.
seating plan *sb.* bordplan.
SEATO fork. f. *South-East Asia
Treaty Organization.*
seat-of-the-pants [si:təvðə'pænts]
adj. intuitiv; instinktiv.
seat reservation ticket *sb.* (*jernb.*)
pladsbillet.
sea trout *sb.* (*zo.*) havørred.
sea urchin *sb.* (*zo.*) søpindsvin.

sea wall *sb.* havdige.
seaward¹ ['si:wəd] *adj.* mod havet;
hav- (*fx end*).
seaward² ['si:wəd] *adv.* mod havet;
søværts.
seawards ['si:wədz] *adv.* = *sea-
ward².*
sea water *sb.* havvand.
seaway ['si:wei] *sb.* vandvej;
□ *in a* ~ i søgang; i høj sø.
seaweed ['si:wi:d] *sb.* (*bot.*) tang.
seaworthy ['si:wə:ði] *adj.* sødygtig.
sebaceous gland [sibeiʃəs'glænd]
sb. fedtkirtel; talgkirtel.
sec [sek] *sb.* T sekund.
secateurs [sekə'tə:z] *sb. pl.* beskæ-
resaks; rosensaks; grensaks.
secede [si'si:d] *vb.* udtræde (*from
af*); løsrive sig (*from* fra).
secession [si'seʃn] *sb.* udtræden;
løsrivelse;
□ *the Secession* (*am. hist.*) [*syd-
staternes løsrivelse 1860*].
secessionist [si'seʃ(ə)nist] *sb.* **1.** se-
paratist; **2.** (*am. hist.*) sydstats-
mand [*der var tilhænger af syd-
staternes løsrivelse 1860*].
secluded [si'klu:did] *adj.* ensom;
afsides; afsondret.
seclusion [si'klu:ʒ(ə)n] *sb.* ensom-
hed; afsondrethed.
second¹ ['sek(ə)nd] *sb.* **1.** (*om tid*)
sekund; (se også *split second*); **2.** (*i
rækkefølge*) nummer to; **3.** (*i
boksning, duel*) sekundant; **4.** (*i
bil*) andet gear (*fx change into* ~);
5. (*merk.*) andensorteringsvare;
6. (*mus.*) sekund;
□ *-s a.* (*merk.*) andensorteringsva-
rer, sekundavarer; **b.** T en portion
til (*fx would anybody like -s of
the icecream?*);
he was a good ~ (*jf. 2*) han kom
ind som en pæn nummer to;
[*med vb.*] *get a* ~ (*ved eksamen,
omtr.*) få andenkarakter; *sold as a
~* solgt som andensortering; *trav-
el* ~ rejse på anden klasse.
second² ['sek(ə)nd] *adj.* **1.** anden;
(se også ndf.: *på alfabetisk plads*);
2. (*foran sup.*) næst- (*fx largest;
last*);
□ *a* ~ *time* en gang til; *come in* ~
komme ind som nr. 2; *be* ~ *only
to* kun overgås af; kun vige for; ~
to none uovertruffen.
second³ ['sek(ə)nd] *vb.* **1.** (*forslag
etc.*) støtte; sekundere; **2.** (*i duel*)
være sekundant for.
second⁴ [si'kɔnd] *vb.* (*person*)
overflytte (midlertidigt); udstatio-
nere; udlåne.
second⁵ ['sek(ə)nd] *adv.* (*i oprems-
ning*) for det andet.
secondary ['sekənd(ə)ri] *adj.* **1.** se-
kundær; underordnet (*fx of* ~ *im-*

portance); bi- (*fx product*); **2.** (*ef-
terfølgende*) sekundær (*fx infec-
tion*); senere; bi- (*fx effect*).
secondary agricultural produce
sb. forædlede landbrugsprodukter.
secondary education *sb.* [*under-
visning for aldersklasserne
11-16//18*].
secondary industry *sb.* fremstil-
lings- og forædlingsindustri.
secondary picketing *sb.* sympati-
blokade [*o: af firma(er) der ikke er
direkte involveret i konflikt*].
secondary school *sb.* [*skole for al-
dersklasserne 11-16//18*].
second ballot *sb.* omvalg.
second-best [sek(ə)nd'best] *adj.*
næstbedst;
□ *come off* ~ lide nederlag.
second chamber *sb.* (*parl.*) andet-
kammer.
second childhood *sb.*: *be in one's
~* gå i barndom.
second class *sb.* **1.** anden klasse;
2. (*ved eksamen omtr.*) andenka-
rakter;
□ *send a letter* ~ (*svarer til*) sende
et brev som B-post/økonomibrev;
travel ~ rejse på anden klasse.
second-class [sek(ə)nd'kla:s] *adj.*
andenklasses; andenrangs;
□ ~ *letter* (*svarer til*) økonomi-
brev; ~ *postage* (*svarer til*) takst
for økonomibreve/B-post.
Second Coming *sb.*: *the* ~ (*rel.*)
Kristi genkomst.
second cousin *sb.* **1.** halvfætter//
halvkusine; **2.** [*forældres fætter//
kusine*].
second-degree [sek(ə)nddi'gri:]
adj.: ~ *burn* (*med.*) andengrads-
forbrænding; ~ *murder* (*am. jur.*)
[*mord af mindre grov karakter
end first-degree murder*].
second-guess [sek(ə)nd'ges] *vb.*
1. forudsige; **2.** (*især am.*) være
bagklog over for; kritisere ud fra
bagklogskab;
□ *try to* ~ *sby* (*jf. 1*) prøve at for-
udsige hvad en vil gøre.
second hand *sb.* (*på ur*) sekundvi-
ser;
□ *at* ~ på anden hånd.
second-hand¹ [sek(ə)nd'hænd] *adj.*
1. (*om vare*) brugt (*fx clothes*);
2. (*om bog*) antikvarisk; **3.** (*om
oplysning, viden*) andenhånds-.
second-hand² [sek(ə)nd'hænd]
adv. (jf. *second-¹hand*) **1.** brugt (*fx
buy it* ~); **2.** antikvarisk; **3.** på an-
den hånd.
second-hand bookseller *sb.* anti-
kvarboghandler.
second-hand bookshop *sb.* anti-
kvarboghandel.
second-hand shop *sb.* genbrugsbu-

749

tik.

second home *sb.* fritidshus.
second in command *sb.* næstkommanderende.
second lieutenant *sb.* (*mil.*) sekondløjtnant.
secondly ['sek(ə)ndli] *adv.* for det andet.
secondment [si'kɔndmənt] *sb.* (jf. *second⁴*) midlertid overflytning; udstationering; udlån.
second name *sb.* **1.** efternavn; **2.** mellemnavn.
second officer *sb.* (*mar.*) andenstyrmand.
second opinion *sb.* vurdering/udtalelse fra en anden.
second papers *sb. pl.* (*am.*) [*endelig ansøgning om statsborgerskab*].
second-rate [sek(ə)nd'reit] *adj.* andenklasses, andenrangs.
second sight *sb.* synskhed, clairvoyance.
second son *sb.* næstældste søn.
second string *sb.* reserve; alternativ; suppleant.
second-string [sek(ə)nd'striŋ] *adj.* reserve-.
second thought *sb.*: *he never gave it a* ~ han tænkte overhovedet ikke på det mere; *have -s about it* fortryde det; ombestemme sig; *on* ~ (*am.*) = *on -s*; *on -s* ved nærmere eftertanke; *without a* ~ uden at tænke nærmere over det.
second wind *sb.*: *get one's* ~ få sin anden luft; få vejret igen.
secrecy ['si:krəsi] *sb.* **1.** hemmeligholdelse; **2.** diskretion; hemmelighedsfuldhed (*fx his* ~ *about his private life*);
□ *there must be absolute* ~ *about it* det må holdes fuldstændig hemmeligt; *shrouded in* ~, *wrapped in a blanket of* ~ omgivet af hemmelighedsfuldhed; *in all* ~ i al hemmelighed; *swear sby to* ~ lade en sværge på at han ikke vil røbe noget.
secret¹ ['si:krət] *sb.* hemmelighed;
□ *in* ~ hemmeligt, i al hemmelighed; *be in the* ~ være indviet i hemmeligheden.
secret² ['si:krət] *adj.* hemmelig.
secretarial [sekrə'tɛəriəl] *adj.* kontor- (*fx work*); sekretær- (*fx post*).
secretariat [sekrə'tɛəriət] *sb.* sekretariat [*især for international organisation*].
Secretary ['sekrət(ə)ri] *sb.* minister;
□ ~ *of Commerce* (*am.*) handelsminister; ~ *of Defense* (*am.*) forsvarsminister; ~ *of the Interior* (*am.*) indenrigsminister; ~ *of the Treasury* (*am.*) finansminister; (se

også *Foreign Secretary, Home Secretary, Secretary of State*).
secretary ['sekrət(ə)ri] *sb.* sekretær.
Secretary-General [sekrət(ə)ri'dʒen(ə)rəl] *sb.* generalsekretær.
Secretary of State *sb.* **1.** (*eng.*) minister (*fx for Commerce*); **2.** (*am.*) udenrigsminister;
□ ~ *for Foreign Affairs* (*eng.*) udenrigsminister.
secrete [si'kri:t] *vb.* **1.** (*fysiol.*) udskille, afsondre; **2.** F skjule.
secretion [si'kri:ʃn] *sb.* (*fysiol.*) **1.** (*proces*) udskillelse, afsondring; **2.** (*det udskilte*) sekret.
secretive ['si:krətiv] *adj.* hemmelighedsfuld; tavs.
secretly ['si:krətli] *adv.* hemmeligt; i smug.
secret service *sb.* efterretningstjeneste; efterretningsvæsen.
sect [sekt] *sb.* sekt.
sectarian [sek'tɛəriən] *adj.* sekterisk.
sectarianism [sek'tɛəriənizm] *sb.* sektvæsen.
section¹ ['sekʃn] *sb.* **1.** sektion (*fx of a newspaper, of a bookcase*); del (*fx of a fishing rod*); **2.** (*af frugt*) stykke (*fx of an orange*); **3.** (*af tog, institution, lokale*) afdeling (*fx the express will run in three -s; the biology* ~ *of the library; this* ~ *of the office*); **4.** (*af vej, jernbane*) strækning; **5.** (*af by, især am.*) kvarter, bydel; **6.** (*af bog, tekst*) afsnit; (*af officiel tekst, fx lov*) paragraf; **7.** (*bogb.*) ark; læg; **8.** (*af personer*) gruppe (*fx of the population; of an orchestra*); (*fx af parti*) fraktion; **9.** (*mil.*) sektion; (*enhed mindre end deling*) gruppe; **10.** (*geom., med., ved mikroskopi*) snit; **11.** (*på tegning*) snit; profil.
section² ['sekʃn] *vb.* **1.** dele (*fx an orange*); **2.** (*med.*) overskære (*fx a nerve*); **3.** (*psyk.*) tvangsindlægge;
□ ~ *off* adskille; skille 'fra.
sectional ['sekʃ(ə)l] *adj.* **1.** som vedrører en særlig del af befolkningen; lokal (*fx interests*); **2.** (*på tegning etc.*) tværsnits- (*fx detail*); **3.** (*tekn.*) profil- (*fx iron*); **4.** (*om møbel*) [*bestående af selvstændige dele; i sektioner*];
□ ~ *bookcase* byggereol.
section mark *sb.* (*typ.*) paragraftegn.
sector ['sektə] *sb.* **1.** sektor; udsnit; **2.** (*mil.*) sektor; (front)afsnit.
secular ['sekjulə] *adj.* **1.** (*mods. from, religiøs*) verdslig (*fx attitude*); **2.** (*mods. kirkelig*) profan (*fx art; history; music*);

□ *the* ~ *clergy* (*kat.*) verdenspræsterne; verdensgejstligheden.
secularism ['sekjulərizm] *sb.* verdslighed, sekularisering.
secularist ['sekjulərist] *sb.* [*tilhænger af sekularisering//af adskillelse mellem kirke og stat*].
secularize ['sekjuləraiz] *vb.* verdsliggøre, sekularisere.
secure¹ [si'kjuə] *adj.* (jf. *secure²*) **1.** sikker; sikret (*against* mod, *fx theft*); **2.** sikker; sikret (*fx financially* ~); tryg (*fx old age*); **3.** sikret, fastgjort;
□ *be* ~ (*også*) sidde godt fast (*fx the shelf is* ~); *make* ~ fastgøre; sikre.
secure² [si'kjuə] *vb.* **1.** sikre (*against* mod, *fx the house against burglars*); **2.** (*fig.*) sikre, betrygge (*fx his future*); **3.** (*binde, sætte fast etc.*) sikre, fastgøre (*fx the windows*); (*med reb også*) surre; **4.** F sikre sig (*fx a good seat*).
security [si'kjuərəti] *sb.* **1.** sikkerhed; sikkerhedsforanstaltninger (*fx tighten* ~); **2.** (*for lån*) kaution; **3.** (*følelse*) tryghed;
□ *securities* (*merk.*) værdipapirer; fonds; aktier; obligationer.
security blanket *sb.* **1.** (*barns*) sutteklud; **2.** (*fig.*) beskyttelse, sutteklud; **3.** (*mil. etc.*) nyhedsspærre [*mørklægning af nyheder af sikkerhedsgrunde*].
security clearance *sb.* (*af person*) sikkerhedsgodkendelse.
Security Council *sb.*: *the* ~ Sikkerhedsrådet [*i FN*].
security risk *sb.* [*person hvis loyalitet mod staten betvivles*]; sikkerhedsrisiko.
security service *sb.* **1.** vagtbureau, vagtselskab; **2.** (*for kontraspionage*) sikkerhedstjeneste.
sedan [si'dæn] *sb.* **1.** (*biltype, am.*) sedan; **2.** (*hist.*) bærestol.
sedan chair *sb.* (*hist.*) bærestol.
sedate¹ [si'deit] *adj.* adstadig, sindig; rolig.
sedate² [si'deit] *vb.* give beroligende middel;
□ *he was heavily -d* han var stærkt medicinpåvirket.
sedative ['sedətiv] *sb.* beroligende middel.
sedentary ['sed(ə)nt(ə)ri] *adj.* stillesiddende (*fx life; occupation*);
□ ~ *bird* standfugl.
sedge [sedʒ] *sb.* (*bot.*) stargræs.
sedge warbler *sb.* (*zo.*) sivsanger.
sediment ['sedimənt] *sb.* **1.** aflejring; **2.** (*i væske*) bundfald; **3.** (*geol.*) sediment.
sedimentary [sedi'ment(ə)ri] *adj.*

segregated **S**

(*geol.*) sedimentær (*fx rock* bjerg-
art); sedimentations- (*fx basin*).
sedimentation [sedimən'teiʃn] *sb.*
bundfældning.
sedimentation rate *sb.* (*med.*) blod-
sænkning.
sedition [si'diʃn] *sb.* tilskyndelse
til oprør.
seditious [si'diʃəs] *adj.* oprørsk,
som tilskynder til oprør.
seduce [si'dju:s] *vb.* **1.** forlede,
lokke, friste (*into* + *-ing* til at, *fx
buying sth; I was -d by the fine
weather into staying*); forføre (*fx
voters were -d by his charm and
wit*); **2.** (*til sex*) forføre.
seducer [si'dju:sə] *sb.* forfører.
seduction [si'dʌkʃn] *sb.* **1.** lokken;
forførelse; **2.** (*til sex*) forførelse;
3. (*noget der lokker*) tillokkelse
(*fx the -s of the country*).
seductive [si'dʌktiv] *adj.* **1.** tillok-
kende; fristende (*fx offer*); besnæ-
rende (*fx argument*); **2.** (*seksuelt*)
forførende; forførerisk.
seductress [si'dʌktrəs] *sb.* forfører-
ske.
sedulous ['sedjuləs] *adj.* flittig,
ihærdig.
see¹ [si:] *sb.* (*rel.*) bispesæde.
see² [si:] *vb.* (*saw, seen*) (se også
seeing) **1.** se; **2.** (*for sit indre blik*)
se, forestille sig, tænke sig (*fx I
can't ~ him as a teacher*); **3.** (*med
forstanden*) se, indse (*fx I can't ~
what difference it makes; I saw
that he was right*); forstå (*fx I ~
what you mean;*); **4.** (*begivenhed*)
se, opleve; **5.** (*person*) besøge (*fx
come and ~ me*); træffe, møde (*fx
I'll ~ you after lunch*); tale med
(*fx Dr Jones will ~ you now*);
6. (*læge etc.*) gå til (*fx a doctor;
one's dentist*); tale med (*fx you
ought to ~ a doctor*); **7.** (*patient*)
se på, undersøge (*fx the doctor
ought to ~ him*); **8.** (*kæreste*)
komme sammen med; **9.** (*gæst,
bortrejsende*) følge (*fx ~ her
home//in//out//to the door//to the
station*);
□ ~? forstår du? er du med? ~
here! (*am.*) hør engang! May of
that year saw him here i maj det
år var han her; she'll never ~
forty again hun er på den forkerte
side af/over de fyrre; ~ that sørge
for at (*fx I'll ~ that he gets the
message*);
[*med pron.*] I ~ javel; ja så; jeg er
med; we shall ~ vi får se; you ~
a. ser du (*fx you ~, it's like this*);
b. nemlig; ~ you! T vi ses! I'll be
-ing you T på gensyn! farvel (så
længe)!
[*med præp., adv.*] ~ about T

sørge for; tage sig af; we'll have to
~ about that det vil jeg tænke
over; det ved jeg nu ikke rigtig;
we'll soon ~ about that det skal
vi nok få at se [ɔ: det skal jeg for-
hindre]; ~ after sørge for, tage sig
af, passe; ~ into undersøge; ~ sby
off a. følge en til toget//flyet//ski-
bet; b. jage en væk; ~ sth out se
noget til ende; ~ sby out se: 9; ~
over efterse; inspicere (*fx a
house*); ~ through sby gennem-
skue en; ~ sby through his diffi-
culties hjælpe en igennem hans
vanskeligheder; ~ sth through
være med i/følge noget lige til det
sidste (*fx he saw the operation
through*); we must ~ it through vi
må se at få det overstået; vi må se
at komme igennem det; ~ to
a. tage sig af, sørge for, ordne; b. T
ordne (*fx I'll ~ to him!*); ~ to it
that sørge for at.
seed¹ [si:d] *sb.* **1.** frø; **2.** (*fx i rosin*)
kerne; **3.** (*agr.*) sæd; såsæd; **4.** (*i
tennis etc.*) seedet spiller;
□ the -s of (*fig.*) kimen til (*fx fu-
ture disaster*); sow the -s of (*fig.*)
lægge spiren/kimen til (*fx re-
newed conflict*); run to ~ a. gå i
frø; b. (*fig.*) blive forhutlet/deran-
geret; forsumpe.
seed² [si:d] *vb.* (se også *seeded*)
1. (*om plante*) sætte frø; kaste frø;
2. (*mark, jord*) tilså; **3.** (*frugt*) tage
kernerne ud af;
□ ~ with (*fig.*) hjælpe i gang ved
hjælp af (*fx ~ the project with
money*).
seedbed ['si:dbed] *sb.* **1.** frøbed; så-
bed; **2.** (*fig.*) arnested.
seed cake *sb.* kommenskage.
seed capital *sb.* (*merk.*) udviklings-
kapital; risikovillig startkapital.
seed coat *sb.* (*bot.*) frøskal; frø-
hinde.
seedcorn ['si:dkɔ:n] *sb.* **1.** sæde-
korn; **2.** (*fig.*) startomkostninger.
seed drill *sb.* såmaskine.
seeded ['si:did] *adj.* **1.** (*om plante*)
som har sat frø; **2.** (*om mark, jord*)
tilsået; **3.** (*om frugt*) som kernerne
er taget ud af (*fx raisins*); **4.** (*om
favoritter i tennisturnering*) seedet
[*ikke opstillet mod jævnbyrdige
spillere i de indledende kampe*].
seed leaf *sb.* kimblad.
seedless ['si:dləs] *adj.* kernefri;
stenfri.
seedling ['si:dliŋ] *sb.* frøplante.
seed money *sb.* se *seed capital.*
seed pearl *sb.* sandperle.
seed potato *sb.* læggekartoffel.
seedy ['si:di] *adj.* snusket; lurvet;
(*om person også*) forhutlet.
seeing ['si:iŋ] *konj.*: ~ that/as i be-

tragtning af at; siden, eftersom.
Seeing Eye Dog *sb.* førerhund.
seek [si:k] *vb.* (*sought, sought*) F
søge;
□ ~ out opsøge; ~ to søge at, be-
stræbe sig på at.
seem [si:m] *vb.* (se også *seeming*)
synes (at være), se ud (til at være),
lade til at være (*fx he -s quite
happy*); forekomme (*fx it -s quite
easy to me*);
□ it -s that det ser ud til at, det la-
der til at; he -s to han ser ud til at,
han lader til at (*fx have forgotten
it*); he -s to be (*også*) han er vist-
nok (*fx the best*); I ~ to jeg synes
at jeg kan (*fx I ~ to remember do-
ing it; I still ~ to hear his voice*); I
cannot ~ to jeg kan ikke rigtig (*fx
do it right*); I must not ~ to be det
må ikke se ud som om jeg er (*fx
indifferent*).
seeming ['si:miŋ] *adj.* tilsynela-
dende.
seemly ['si:mli] *adj.* (*glds.*) sømme-
lig, anstændig.
seen [si:n] *præt. ptc. af* see.
seep [si:p] *vb.* sive.
seepage ['si:pidʒ] *sb.* **1.** udsivning;
gennemsivning; **2.** udsivende væ-
ske.
seer ['si:ə] *sb.* (*litt.*) seer, profet.
seersucker ['siəsʌkə] *sb.* (*bomulds-
stof*) bæk og bølge.
seesaw¹ ['si:sɔ:] *sb.* **1.** (*legeredskab*)
vippe; **2.** (*fig.*) vippetur.
seesaw² ['si:sɔ:] *adj.* **1.** vippende;
2. (*fig.*) svingende; skiftende; vak-
lende.
seesaw³ ['si:sɔ:] *vb.* (*fig.*) gå op og
ned.
seethe [si:ð] *vb.* **1.** koge, syde;
2. (*fig.*) koge (*with af, fx anger*);
3. (*om mængde*) vrimle, myldre
(*with af, fx tourists*).
see-through ['si:θru:] *adj.* gennem-
sigtig.
segment¹ ['segmənt] *sb.* **1.** segment;
del; udsnit (*fx of the population*);
2. (*af citrusfrugt*) stykke (*fx of a
grapefruit; of an orange*);
3. (*geom.*) segment; cirkelafsnit;
cirkeludsnit; kugleafsnit; **4.** (*zo.:
af dyrs krop*) segment; led.
segment² ['segmənt] *vb.* **1.** segmen-
tere (*fx the market*); opdele (*into
i*); **2.** (*uden objekt*) kunne opdeles
(*into i*).
segmentation [segmən'teiʃn] *sb.*
segmentering; opdeling.
segregate ['segrigeit] *vb.* adskille
(*fx the supporters of the two
clubs*); udskille (*fx undesirable
elements*).
segregated ['segrigeitid] *adj.* **1.** ad-
skilt (*from fra*); **2.** (*mht. køn*) køn-

751

sopdelt; **3.** (_mht. race_) racedelt, raceadskilt (_fx schools_).

segregation [segri'geiʃn] _sb._ (jf. _segregated_) **1.** adskillelse; **2.** kønsopdeling; **3.** raceadskillelse.

segregationist [segri'geiʃnist] _sb._ tilhænger af raceadskillelse.

segue¹ ['segwei, 'sei-] _sb._ (_mus._) segue, glat overgang [_uden pause_].

segue² ['segwei, 'sei-] _vb._: ~ _into_
a. (_mus._) gå over i uden pause;
b. (_fig._) glide over i (_fx one day -d into the next_; _night -d into morning_).

seine [sein] _sb._ (_til fiskeri_) vod.

seismic ['saizmik] _adj._ **1.** seismisk [_vedrørende jordskælv_]; **2.** (_fig._) jordskælvsagtig.

seismograph ['saizməgra:f] _sb._ seismograf [_jordskælvsmåler_].

seismology [saiz'mɔlədʒi] _sb._ seismologi [_læren om jordskælv_].

seize [si:z] _vb._ **1.** gribe (_fx a stick_; _the opportunity_); **2.** (_person_) pågribe; **3.** (_mil._) erobre, indtage, tage; **4.** (_jur.: ejendom_) beslaglægge; konfiskere;
□ ~ _control of_ sætte sig i besiddelse af;
[_med præp.& adv._] ~ _it from her_ snuppe det fra hende; ~ _on_ gribe; bemægtige sig; ~ _up_ **a.** (_om maskindele_) sætte sig fast; blive blokeret; **b.** (_om motor_) brænde sammen; **c.** (T: _om muskler, led_) blive stiv; _be -d with_ få (et anfald af).

seizure ['si:ʒə] _sb._ **1.** erobring (_fx of territory_); **2.** (_jur._) konfiskation; beslaglæggelse; **3.** (_med._) anfald (_fx an epileptic_ ~); slagtilfælde; hjerteanfald;
□ ~ _of power_ magtovertagelse.

sejant ['si:dʒənt] _adj._ (_her._) siddende (_fx lion_ ~).

seldom ['seldəm] _adv._ sjældent;
□ ~ _if ever_ yderst sjældent.

select¹ [si'lekt] _adj._ eksklusiv; udsøgt; udvalgt.

select² [si'lekt] _vb._ **1.** udvælge; vælge; **2.** (_it_) vælge, markere.

select committee _sb._ (_parl._) [_særligt nedsat undersøgelsesudvalg_].

selectee [sələk'ti:] _sb._ (_am._) indkaldt.

selection [si'lekʃn] _sb._ **1.** udvælgelse; valg; **2.** (_det valgte_) udvalg.

selection committee _sb._ (_ved ansættelse_) bedømmelsesudvalg.

selective [si'lektiv] _adj._ selektiv.

selective service _sb._ (_am._) almindelig værnepligt.

selective strike _sb._ punktstrejke.

selectivity [silek'tivəti] _sb._ selektivitet.

selector [si'lektə] _sb._ **1.** gearvælger; **2.** (_tv_) kanalvælger;

□ _-s_ (_i sport_) udtagelseskomité.

selenium [si'li:niəm] _sb._ (_kem._) selen.

self¹ [self] _sb._ (_pl. selves_ [selvz]) selv; jeg (_fx find one's true_ ~);
□ _he was only a shadow of his former_ ~ han var kun en skygge af sig selv.

self² [self] _adj._ af samme stof og farve (_fx a coat with a_ ~ _belt_).

self-abandonment
[selfə'bænd(ə)nmənt] _sb._ selvforglemmelse; mangel på selvbeherskelse.

self-abuse [selfə'bju:s] _sb._ selvbesmittelse.

self-actualization [selfæktʃuəlai'zeiʃn] _sb._ selvrealisering.

self-addressed [selfə'drest] _adj._: ~ _envelope_ adresseret svarkuvert.

self-adhesive [selfəd'hi:siv] _adj._ selvklæbende.

self-aligning [selfə'lainiŋ] _adj._ (_tekn._) selvindstillelig.

self-appointed [selfə'pɔintid] _adj._ selvbestaltet; selvudnævnt.

self-assembly [selfə'sembli] _adj._ (_om samlesæt_) saml-selv;
□ ~ _furniture_ møbler der sælges som samlesæt.

self-assertion [selfə'sə:ʃn] _sb._ selvhævdelse.

self-assertive [selfə'sə:tiv] _adj._ selvhævdende; assertiv.

self-assurance [selfə'ʃuərəns] _sb._ selvsikkerhed.

self-awareness [selfə'wɛənəs] _sb._ bevidsthed om sig selv.

self-catering [self'keitəriŋ] _adj._ på egen kost; hvor man selv sørger for maden.

self-centred [self'sentəd] _adj._ egocentrisk, selvcentreret, selvoptaget.

self-certification [selfsə:tifi'keiʃn] _sb._ personlig erklæring.

self-coloured [self'kʌləd] _adj._ ensfarvet.

self-concept [self'kɔnsept] _sb._ (_psyk._) selvopfattelse.

self-confessed [selfkən'fest] _adj._ som åbent indrømmer at være, erklæret (_fx alcoholic_).

self-congratulatory [selfkən'grætjuleit(ə)ri] _adj._ (_neds._) selvtilfreds.

self-conscious [self'kɔnʃəs] _adj._ **1.** genert, forlegen; **2.** (F: _om kunst etc._) bevidst; **3.** (_psyk._) jegbevidst.

self-contained [selfkən'teind] _adj._ **1.** selvstændig (_fx community_); **2.** (_om bolig_) selvstændig (_fx flat_); med egen indgang; **3.** (_om person, neds._) som er sig selv nok, selvtilstrækkelig.

self-contradictory [selfkəntrə'dikt(ə)ri] _adj._ selvmodsigende.

self-defeating [selfdi'fi:tiŋ] _adj._ selødelæggende; som virker modsat hensigten.

self-denial [selfdi'naiəl] _sb._ selvfornægtelse.

self-deprecating [self'deprikeitiŋ] _adj._ F **1.** (_om væsen_) selvudslettende; **2.** (_om udsagn_) selvkritisk (_fx remark_); vendt mod en selv (_fx joke_).

self-destruct [selfdi'strʌkt] _vb._ ødelægge sig selv.

self-determination [selfditə:mi'neiʃn] _sb._ selvbestemmelse; selvbestemmelsesret.

self-drive [self'draiv] _adj._ **1.** (_om bil_) som man selv kører; **2.** (_om ferie_) i egen bil.

self-drive car _sb._ udlejningsbil.

self-educated [self'edjukeitid] _adj._ selvlært, autodidakt.

self-effacing [selfi'feisiŋ] _adj._ selvudslettende.

self-employed [selfim'plɔid] _adj._ selvstændig;
□ _the_ ~ de selvstændige erhvervsdrivende.

self-esteem [selfi'sti:m] _sb._ selvagtelse, selvværd.

self-evident [self'evidənt] _adj._ selvindlysende; selvklar.

self-examination [selfigzæmi'neiʃn] _sb._ **1.** selvransagelse; **2.** (_af kroppen_) selvundersøgelse.

self-explanatory [selfiks'plænət(ə)ri] _adj._ se _self-evident_.

self-expression [selfiks'preʃn] _sb._ selvudfoldelse.

self-fulfilling [selful'filiŋ] _adj._ selvopfyldende (_fx prophecy_).

self-fulfilment [selful'filmənt] _sb._ selvudfoldelse, selvrealisering.

self-government [self'gʌvənmənt] _sb._ selvstyre.

self-heal [self'hi:l] _sb._ (_bot._) brunelle.

self-image [self'imidʒ] _sb._ selvopfattelse.

self-immolation [selfimə'leiʃn] _sb._ selvbrænding.

self-important [selfim'pɔ:tənt] _adj._ selvhøjtidelig; indbildsk, opblæst.

self-imposed [selfim'pəuzd] _adj._ selvpålagt, selvvalgt (_fx exile_).

self-indulgence [selfin'dʌldʒ(ə)ns] _sb._ selvforkælelse;
□ _my only_ ~ _was_ den eneste luksus jeg tillod mig var.

self-indulgent [selfin'dʌldʒ(ə)nt] _adj._ som forkæler sig selv.

self-inflicted [selfin'fliktid] _adj._ selvpåført, selvforskyldt.

self-interest [self'intrəst] _sb._ egennytte.

selfish ['selfiʃ] *adj.* egenkærlig, egoistisk; selvoptaget.

self-knowledge [self'nɔlidʒ] *sb.* selverkendelse, selvindsigt.

selfless ['selfləs] *adj.* uselvisk, uegennyttig.

self-made [self'meid] *adj.* self-made, selvhjulpen; som er kommet frem ved egen hjælp.

self-opinionated [selfə'pinjəneitid] *adj.* rethaverisk; selvklog.

self-perpetuating [selfpə'petʃu-eitiŋ] *adj.* (neds.) som fortsætter af sig selv på samme måde; selvbevarende.

self-possessed [selfpə'zest] *adj.* fattet, behersket.

self-possession [selfpə'zeʃn] *sb.* selvbeherskelse; fatning (*fx he recovered his*).

self-preservation [selfprezə'veiʃn] *sb.* selvopholdelse.

self-proclaimed [selfprə'kleimd] *adj.* selverklæret; selvbestaltet (*fx expert*).

self-propelled [selfprə'peld] *adj.* selvkørende (*fx gun*).

self-reliance [selfri'laiəns] *sb.* 1. selvtillid; 2. selvstændighed; selvhjulpenhed.

self-reliant [selfri'laiənt] *adj.* 1. som har selvtillid; 2. selvstændig; selvhjulpen.

self-respecting [selfri'spektiŋ] *adj.* med respekt for sig selv.

self-restraint [selfri'streint] *sb.* selvbeherskelse.

self-righteous [self'raitʃəs] *adj.* selvgod; selvretfærdig.

self-righting [self'raitiŋ] *adj.* selvrejsende (*fx lifeboat*).

self-sacrifice [self'sakrifais] *sb.* selvopofrelse.

self-satisfied [self'sætisfaid] *adj.* selvtilfreds.

self-sealing [self'si:liŋ] *adj.* 1. selvtætnende; 2. (om konvolut) selvklæbende.

self-seeking [self'si:kiŋ] *adj.* F se *self-serving*.

self-service [self'sə:vis] *adj.* selvbetjenings- (*fx restaurant; shop*).

self-serving [self'sə:viŋ] *adj.* som plejer sine egne interesser; selvisk, egoistisk.

self-styled [self'staild] *adj.* selvudnævnt, selvbestaltet (*fx experts*); □ ~ *Christians* folk som kalder sig kristne.

self-sufficient [selfsə'fiʃnt] *adj.* 1. selvforsynende; 2. (om person) selvtilstrækkelig.

self-supporting [selfsə'pɔ:tiŋ] *adj.* 1. (om person) selverhvervende, selvforsørgende; 2. (om foretagende) som hviler i sig selv;

3. (om konstruktion) selvbærende, uden støtte.

self-taught [self'tɔ:t] *adj.* selvlært, autodidakt.

self-willed [self'wild] *adj.* selvrådig, egenrådig, egensindig.

self-winding [self'waindiŋ] *adj.* selvoptrækkende.

sell[1] [sel] *sb.* T snyderi; afbrænder; □ *it was a hard* ~ den var svær at sælge.

sell[2] [sel] *vb.* (sold, sold) 1. sælge; (merk. også) afsætte, afhænde; 2. (T: skabe interesse for) sælge (*fx an idea*); 3. (uden objekt: om vare) sælge, gå (*fx the book -s well*); blive solgt; finde afsætning; □ *the book has sold 30,000 copies* (også) bogen er blevet solgt i 30.000 eksemplarer; [med præp.& adv.] ~ *at* se ndf.: ~ *for*; ~ *at a loss* sælge med tab; ~ *sby down the river* T forråde en; lade en i stikken; ~ *for* **a.** sælge for; **b.** (uden objekt) sælges for; koste; ~ *off* **a.** (del af firma etc.) sælge fra; **b.** (til nedsat pris) sælge ud; *try to* ~ *off* (også) prøve at komme af med (*fx a lot of junk*); ~ *on* sælge videre; (se også *sold*); ~ *out* **a.** (om vare, forestilling etc.) blive udsolgt (*fx the magazine//show sold out in two days*); **b.** (om firma, teater etc.) få udsolgt (*of af, fx we sold out of the book in two hours*); **c.** T sælge ud; sælge (ud af) sine egne interesser; gå på akkord; **d.** (med objekt) sælge ud; **e.** T svigte; forråde; ~ *out to* **a.** sælge det hele til (*fx a competitor*); **b.** T kapitulere over for (*fx the employers*); ~ *short* **a.** undervurdere; **b.** (merk.) foretage baissespekulation; ~ *the idea to them* (jf. 2, også) få dem til at gå ind for tanken; ~ *up* **a.** sælge det hele; **b.** (med objekt) sælge.

sell-by date ['selbaideit] *sb.* sidste salgsdag; udløbsdato; □ *he is past his* ~ han har overlevet sig selv.

seller ['selə] *sb.* sælger; □ *it is a big* ~ den sælger fint; det er en sællert.

selling ['seliŋ] *sb.* salg.

selling point *sb.* salgsargument; salgsegenskab; □ *the price is the* ~ (også) prisen er det den skal sælges på.

selling price *sb.* salgspris; (om bog) bogladepris.

sell-off ['selɔf] *sb.* frasalg; afhændelse.

Sellotape® ['seləteip] *sb.* tape; klar plastictape.

sell-out ['selaut] *sb.* 1. T udsalg,

svigten, forræderi; kapitulation; 2. (teat. etc.) forestilling//kamp der giver udsolgt hus; 3. (merk. etc.) salgssucces; □ *the novel was a* ~ bogen blev revet væk; *the play was a* ~ der var helt udsolgt til stykket.

seltzer ['seltsə] *sb.* 1. seltersvand; 2. (am.) sodavand, mineralvand.

selvage ['selvidʒ] *sb.* (især am.) = *selvedge*.

selvedge ['selvidʒ] *sb.* 1. (af tøj) ægkant; 2. (geol.) sprække.

selves [selvz] *pl. af self*[1].

semantic [si'mæntik] *adj.* semantisk, betydningsmæssig.

semantics [si'mæntiks] *sb.* semantik, betydningslære.

semaphore[1] ['seməfɔ:] *sb.* 1. signalering med håndflag; 2. (signalmast) semafor.

semaphore[2] ['seməfɔ:] *vb.* signalere [med håndflag; med armbevægelser].

semblance ['sembləns] *sb.*: *a/some* ~ *of* noget der ligner//lignede, noget der minder//mindede om (*fx normality; order*); *under a* ~ *of friendship* under venskabs maske.

semé ['semei] *adj.* (her.) besået.

semen ['si:men] *sb.* sæd.

semester [si'mestə] *sb.* semester.

semi ['semi] *sb.* 1. = *semidetached house*; 2. = *semifinal*; 3. (am.) = *semitrailer*.

semi- ['semi] (forstavelse) halv- (*fx -annual; -automatic*); semi-.

semibreve ['semibri:v] *sb.* (mus.) helnode.

semicircle ['semisə:kl] *sb.* halvcirkel, halvkreds.

semicircular [semi'sə:kjulə] *adj.* halvcirkelformet.

semicolon [semi'kəulən, (am.) 'semikoulən] *sb.* semikolon.

semiconductor [semikən'dʌktə] *sb.* halvleder.

semi-conscious [semi'kɔnʃəs] *adj.* halvt bevidstløs.

semidetached house [semiditætʃt-'haus] *sb.* halvt dobbelthus.

semifinal [semi'fain(ə)l] *sb.* (i sport) semifinale.

seminal ['semin(ə)l] *adj.* 1. skelsættende (*fx work*); grundlæggende (*fx experiment*); betydningsfuld; 2. (fysiol.) sæd- (*fx fluid*).

seminar ['semina:] *sb.* seminar; (på universitet også) øvelse.

seminary ['seminəri] *sb.* præsteseminarium.

semi-official [semiə'fiʃ(ə)l] *adj.* halvofficiel; officiøs.

semi-precious stone [semipreʃəs-'stəun] *sb.* halvædelsten.

semiquaver ['semikweivə] *sb.*

(*mus.*) sekstendedelsnode.

semi-skilled worker [semi-skild'wə:kə] *adj.* specialarbejder.

semi-skimmed milk [semiskimd-'milk] *sb.* (*omtr.=*) letmælk.

Semitic [si'mitik] *adj.* semitisk.

semitone ['semitəun] *sb.* (*mus.*) halvtone.

semitrailer ['semitreilər] *sb.* (*am.*) sættevogn.

semolina [semə'li:nə] *sb.* semulje.

sempstress ['sem(p)strəs] *sb.* syerske.

Sen. *fork. f.* (*am.*) **1.** *Senate*; **2.** *Senator*; **3.** *Senior.*

Senate ['senət] *sb.* senat; □ *the* ~ (*ved universitet*) konsistorium; den akademiske lærerforsamling.

senator ['senətə] *sb.* senator.

senatorial [senə'tɔ:riəl] *adj.* senator-.

send [send] *vb.* (*sent, sent*) **1.** sende; **2.** gøre (*fx* ~ *sby mad*); □ ~ *flying//packing* se *fly³, pack²*; (se også *word¹*); [*med præp., adv.*] ~ *away* sende væk; afskedige; ~ *away for* se ndf.: ~ *for b*; ~ *down* **a.** sænke, få til at falde (*fx prices*; *the temperature*); **b.** (*fra universitet*) bortvise, relegere; **c.** T sende i fængsel; ~ *for* **a.** sende bud efter; **b.** skrive efter, rekvirere, bestille; ~ *in* **a.** indsende; **b.** (*tropper, politi*) indsætte; ~ *in one's name* lade sig melde; ~ *off* **a.** sende af sted (*fx* ~ *the children off to school*); **b.** (*på rejse*) følge til toget//skibet *etc.*; **c.** (*i sportskamp*) udvise; **d.** (*brev etc., med posten*) afsende, sende af sted; ~ *off for* se ovf.: ~ *for b*; ~ *on* **a.** (*person*) sende i forvejen; **b.** (*brev*) eftersende; ~ *out* udsende; ~ *sby out for* sende en i byen efter; ~ *out for sth* bestille noget ude i byen; ~ *to sleep* få til at falde i søvn; ~ *up* **a.** drive i vejret (*fx prices*); **b.** (*om plante*) skyde; **c.** (T: *person*) gøre grin med; parodiere, karikere; **d.** (*am.* T) sende i fængsel.

sender ['sendə] *sb.* **1.** afsender; **2.** (*ved konkurrence*) indsender (*fx the* ~ *of the first correct answer*).

send-off ['sendɔf] *sb.* afskedsfest.

send-up ['sendʌp] *sb.* T parodi.

senescence [si'nes(ə)ns] *sb.* begyndende alderdom.

senescent [si'nes(ə)nt] *adj.* aldrende.

senile ['si:nail, (*især am.*) 'se-] *adj.* senil.

senility [si'niləti] *sb.* senilitet.

senior¹ ['si:niə] *sb.* **1.** senior;

2. (*am.*) = *senior citizen*; **3.** (*am.*: *på højere skole//universitet*) studerende på sidste år; □ *my* ~ *by a year* F et år ældre end jeg; *many years my* ~ F mange år ældre end jeg.

senior² ['si:niə] *adj.* **1.** ældre (*fx pupil*); **2.** (*i organisation etc.*) overordnet; □ *the* ~ *class* (*am.*) ældste klasse; *at* ~ *level* på højt niveau; *the* ~ *service* [*flåden*].

senior citizen *sb.* ældre medborger; pensionist.

senior high school *sb.* (*am.*) [*skole omfattende 10., 11. og 12. skoleår*]; (*omtr.*) gymnasium.

seniority [si:ni'ɔrəti] *sb.* anciennitet.

senior nursing officer *sb.* (*på hospital*) ledende oversygeplejerske.

senior registrar *sb.* (*med., omtr.*) første reservelæge.

sensation [sen'seiʃn] *sb.* **1.** sensation; **2.** (jf. *sense²*) fornemmelse; følelse; □ *cause/make/create a* ~ (jf. 1) vække opsigt, vække sensation.

sensational [sen'seiʃn(ə)l] *adj.* sensationel, opsigtsvækkende.

sensationalism [sen'seiʃn(ə)lizm] *sb.* sensationsjageri.

sensationalist [sen'seiʃn(ə)list] *adj.* (*neds.*) sensations- (*fx newspaper, headline*).

sense¹ [sens] *sb.* **1.** sans (*fx the five* -*s*); **2.** (*om evne til at forstå*) sans, fornemmelse (*of* for, *fx rhythm; timing*); **3.** (*om noget man føler*) fornemmelse (*of* af, *fx well-being; danger; that* af at, *fx I had a sudden* ~ *that I was needed at home*); følelse (*of* af, *fx helplessness; one's own importance*); **4.** (*mods. galskab*) sund fornuft (*fx there was no* ~ *in what he said*); fornuftig mening, idé (*in* i// med, *fx I can't see the* ~ *in doing that*); **5.** (*ords, udtryks*) betydning (*fx in the best* ~ *of the word; I was using the word in a different* ~); □ *good* ~ sund fornuft, dømmekraft (*fx he showed good* ~); *in a* ~ i en vis forstand; *in one's* -*s* ved sine fulde fem; *out of one's* -*s* fra forstanden; fra sans og samling; [*med vb.*] *bring him to his* -*s* bringe ham til fornuft; *come to one's* -*s* komme til fornuft; *have the (good)* ~ *to* være så fornuftig at (*fx he had the good* ~ *to say no*); *he had more* ~ *than to* han var for klog til at; han var ikke så dum at; *make (good)* ~ give mening; *make* ~ *of* finde mening i;

få til at give mening; *see* ~ komme til fornuft; *take leave of one's* -*s* gå fra forstanden; *talk* ~ tale fornuftigt; lade være med at vrøvle; *talk some* ~ *into sby* tale en til fornuft; [+ *of, se også ovf. 2, 3*] ~ *of* -sans (*fx* ~ *of smell* lugtesans; ~ *of beauty*; ~ *of direction*; ~ *of proportion*); ~ *of duty* pligtfølelse; ~ *of humour* humoristisk sans; ~ *of occasion* følelse af//forståelse for øjeblikkets betydning; ~ *of responsibility* ansvarsfølelse.

sense² [sens] *vb.* fornemme, mærke, føle (*fx I* -*d a certain hostility in his manner*); □ ~ *that* (*også*) have på fornemmelsen at.

senseless ['sensləs] *adj.* **1.** bevidstløs (*fx knock him* ~); **2.** (jf. *sense¹* 4) meningsløs (*fx waste; death*).

sensibility [sensi'biləti] *sb.* følsomhed; □ *sensibilities* følelser (*fx offend// show respect for their sensibilities*).

sensible ['sensəbl] *adj.* fornuftig; □ *be* ~ *of* F være klar over; have forståelse for.

sensitive ['sensitiv] *adj.* **1.** følsom (*to* over for, *fx my teeth are* ~ *to cold*); sart (*fx skin*); **2.** (*om person, optræden*) forstående (*fx a concerned and* ~ *father*; *his* ~ *handling of the affair*); **3.** (*om person: over for andres mening*) følsom (*to* over for, *fx criticism*); nærtagende, sart, sensibel; **4.** (*om emne, oplysninger etc.*) følsom; ømtålelig; **5.** (*om instrument*) fintmærkende; **6.** (*foto.*) lysfølsom (*fx paper*); □ *be* ~ *about* (*omtr.*) være meget optaget af (*fx one's appearance*); *be* ~ *to* **a.** se: *1, 3*; **b.** (jf. 2) have forståelse for (*fx their needs*); være opmærksom på (*fx signs of stress*).

sensitive plant *sb.* (*bot.*) mimose.

sensitivity [sensi'tivəti] *sb.* følsomhed.

sensitize ['sensitaiz] *vb.* **1.** gøre overfølsom (*fx the skin*); sensibilisere; **2.** (*papir*) gøre lysfølsom; □ -*d paper* lystrykspapir; ~ *sby to* bevidstgøre én over for, give én forståelse for (*fx a problem*).

sensitometer [sensi'tɔmitə] *sb.* (*foto.*) lysfølsomhedsmåler.

sensor ['sensə] *sb.* sensor, føler.

sensory ['sens(ə)ri] *adj.* sanse- (*fx organs*).

sensual ['senʃuəl] *adj.* sanselig, sensuel.

sensuality [senʃu'æləti] *sb.* sanselighed, sensualitet.

sensuous ['senʃuəs] *adj.* sanselig, sensuel.

sent [sent] *præt. & præt. ptc. af* send.

sentence[1] ['sentəns] *sb.* **1.** (*gram.*) sætning; **2.** (*jur.*) dom; straf (*fx he got a severe ~*); fængselsstraf (*fx a long ~*); □ *~ of death* dødsdom; *pass ~* afsige dommen; *pass/pronounce ~ on* se *sentence*[2].

sentence[2] ['sentəns] *vb.* dømme, domfælde; afsige dom over; □ *~ to* dømme til, idømme (*fx life imprisonment*).

sententious [sen'tenʃəs] *adj.* F docerende; bombastisk.

sentient ['senʃnt] *adj.* F følsom; modtagelig [*for sanseindtryk*]; sansende.

sentiment ['sentimənt] *sb.* F **1.** indstilling (*fx my ~ towards him*; *these peoples are strongly Islamic in ~*); overbevisning; **2.** (*som man udtrykker*) anskuelse; synspunkt (*fx these are my -s on the question*); **3.** (*som man nærer*) følelser (*fx the picture appeals to ~*); følsomhed; **4.** (*neds.*) sentimentalitet (*fx there is no place for ~ in business*); □ *the general ~* stemningen.

sentimental [senti'ment(ə)l] *adj.* **1.** følelsesmæssig (*fx attachment to a place*); **2.** (*neds.*) sentimental (*fx a ~ old fool*).

sentimentalist [senti'mentəlist] *sb.* følelsesmenneske; romantisk indstillet person.

sentimentality [sentimen'tæləti] *sb.* (*neds.*) sentimentalitet; føleri.

sentimentalize [senti'ment(ə)laiz] *vb.* sentimentalisere.

sentimental value *sb.* affektionsværdi.

sentinel ['sentin(ə)l] *sb.* (*glds. el. litt.*) = *sentry*.

sentry ['sentri] *sb.* skildvagt; vagtpost.

sentry box *sb.* skilderhus.

sentry-go ['sentrigəu] *sb.* vagttørn; vagttjeneste.

separable ['sep(ə)rəbl] *adj.* **1.** som kan adskilles; **2.** (*gram.: om vb.*) løst sammensat.

separate[1] ['sep(ə)rət] *adj.* (se også *separates*) **1.** adskilt (*fx keep them ~*); **2.** særskilt, separat (*fx two ~ rooms*); særlig (*fx a ~ chapter*); egen//eget (*fx he has a ~ room*); □ *~ from* adskilt fra; *in each ~ case* i hvert enkelt tilfælde; *they sleep in ~ rooms* de sover i hver sit værelse; *they went their ~ ways* **a.** de skiltes, de gik hver til

sit; **b.** (*om par*) de gik fra hinanden.

separate[2] ['sepəreit] *vb.* **1.** skille (*fx eggs; the Sound -s Denmark and Sweden*); skille ad (*fx the pages of a book*); adskille; **2.** (*uden objekt*) skilles, gå hver til sit; (*om par*) gå fra hinanden; **3.** (*fx om mælk*) skille; □ *~ from* **a.** skille fra; adskille fra; **b.** (*uden objekt*) blive skilt fra; *~ into* **a.** opdele i; **b.** (*uden objekt*) dele sig i; *~ off* skille 'fra; *~ out* **a.** udskille; skille ad; skille fra hinanden; **b.** (*uden objekt*) skille, skille ad; (se også *sheep*).

separated ['sep(ə)reitid] *adj.* **1.** adskilt (*from* fra); **2.** (*om ægtepar*) separeret (*from* fra); □ *judicially ~* separeret; *~ into* opdelt i.

separately ['sep(ə)rətli] *adv.* hver for sig; særskilt.

separates ['sep(ə)rəts] *sb. pl.* enkelte dele af et sæt.

separation [sepə'reiʃn] *sb.* **1.** adskillelse; **2.** (*jur.*) separation; □ *~ into* opdeling i.

separatism ['sep(ə)rətizm] *sb.* separatisme.

separatist[1] ['sep(ə)rətist] *sb.* separatist; forkæmper for adskillelse [*fx af stat og kirke*].

separatist[2] ['sep(ə)rətist] *adj.* separatistisk.

sepia ['si:piə] *sb.* **1.** sepia [*brunt farvestof*]; **2.** blækspruttes „blæk“.

sepsis ['sepsis] *sb.* blodforgiftning.

Sept. *fork. f.* September.

September [sep'tembə] *sb.* september.

septet [sep'tet] *sb.* (*mus.*) septet.

septic ['septik] *adj.* betændt; □ *it has gone ~* der er gået betændelse i det.

septicaemia [septi'si:miə] *sb.* (*med.*) blodforgiftning.

septic tank *sb.* septiktank.

septuagenarian [septjuədʒi'nɛəriən] *sb.* halvfjerdsårig.

sepulchral [si'pʌlkr(ə)l] *adj.* **1.** grav- (*fx monument*); begravelses-; **2.** (*fig.*) trist; dyster; □ *~ voice* hul røst; gravrøst.

sepulchre ['sep(ə)lkə] *sb.* (*glds.*) grav.

sequel ['si:kw(ə)l] *sb.* **1.** (*af bog, film*) fortsættelse; **2.** (*om begivenhed*) efterspil; følge; resultat.

sequela [si'kwi:lə] *sb.* (*pl. -e* [-li:]) (*med.*) følgesygdom.

sequence[1] ['si:kwəns] *sb.* **1.** række, serie (*fx of events*); **2.** (*om bestemt orden*) rækkefølge (*fx in chronological ~*; *I don't remember the exact ~ of events*); **3.** (*mat.*) tal-

følge; **4.** (*i film, kortspil, katolsk messe, mus.*) sekvens; □ *~ of operations* (*tekn.*) arbejdsgang.

sequence[2] ['si:kwəns] *vb.* (*i edb*) ordne i rækkefølge.

sequential [si'kwenʃ(ə)l] *adj.* fortløbende; (*også it*) sekventiel.

sequester [si'kwestə] *vb.* **1.** afsondre; isolere (*fx the jury is -ed in a hotel*); **2.** (*jur.*) = *sequestrate*.

sequestrate [si'kwestreit] *vb.* (*jur.*) beslaglægge, konfiskere.

sequestration [si:kwe'streiʃn] *sb.* (*jur.*) beslaglæggelse, konfiskation.

sequin ['si:kwin] *sb.* **1.** (*på tøj*) paillet; **2.** (*hist. mønt*) sekin.

sequinned ['si:kwind] *adj.* besat med pailletter.

sequoia [si'kwɔiə] *sb.* (*bot.*) kæmpefyr.

seraglio [se'ra:liəu] *sb.* serail, harem.

seraph ['serəf] *sb.* (*pl. -s/-im*) seraf, engel.

seraphic [se'ræfik] *adj.* serafisk.

Serb[1] [se:b] *sb.* serber.

Serb[2] [se:b] *adj.* serbisk.

Serbia ['sə:biə] *sb.* Serbien.

Serbian[1] ['sə:biən] *sb.* **1.** (*sprog*) serbisk; **2.** (*person*) serber.

Serbian[2] ['sə:biən] *adj.* serbisk.

sere[1] *sb.* (*i økologi*) [*række af dyreel. plantesamfund*].

sere[2] *adj.* (*litt.*) vissen, udtørret.

serenade[1] [seri'neid] *sb.* serenade.

serenade[2] [seri'neid] *vb.* synge// spille en serenade for.

serendipitous [serən'dipətəs] *adj.* **1.** F (*om opdagelse, hændelse*) heldig; **2.** (*om person*) som har evne til at gøre uventede og heldige opdagelser.

serendipity [serən'dipəti] *sb.* F evne til at gøre fund.

serene [si'ri:n] *sb.* **1.** (*om person*) rolig, fredfyldt; afklaret; **2.** (*om sted etc.*) fredfyldt; (*om himmel*) klar, skyfri; □ *His Serene Highness* (*glds. titel*) Hans Durchlauchtighed.

serenity [si'renəti] *sb.* (*jf. serene*) **1.** afklaret/ophøjet ro; sindsro; fredfyldthed; afklarethed; **2.** stilhed, fredfyldthed; klarhed.

serf [sə:f] *sb.* livegen.

serfdom ['sə:fdəm] *sb.* livegenskab.

serge [sə:dʒ] *sb.* serges [*et uldstof*].

sergeant ['sa:dʒ(ə)nt] *sb.* **1.** (*mil.*) sergent; **2.** (*i politiet omtr.*) overbetjent; □ *~ first class* (*mil.*) oversergent.

sergeant major *sb.* (*mil.*) **1.** stabssergent; **2.** (*am.*) chefsergent.

serial[1] ['siəriəl] *sb.* **1.** fortsat roman//fortælling; **2.** (*i ugeblad,* *avis*) føljeton; **3.** (*tv, radio., film.*) serie; **4.** (*am.*) tidsskrift.

serial² ['siəriəl] *adj.* **1.** serie-; **2.** (*om bog*) der offentliggøres som føljeton; **3.** (*it, mus.*) seriel.

serialize ['siəriəlaiz] *vb.* **1.** (*i avis el. ugeblad*) bringe som føljeton; **2.** (*tv, radio.*) sende som serie.

serial killer *sb.* seriemorder.

serial number *sb.* løbenummer.

serial rights *sb. pl.* føljetonrettigheder.

series ['siəri:z] *sb.* (*pl. d.s.*) **1.** serie; **2.** (*af møder etc.*) række (*fx of lectures; of meetings*); serie.

serif ['serif] *sb.* (*typ.*) skraffering.

serigraph ['serigræf] *sb.* (*om billede*) serigrafi, silketryk.

serigraphy [sə'rigrəfi] *sb.* (*om proces*) serigrafi, silketryk.

serin ['serin] *sb.* (*zo.*) gulirisk.

serio-comic [siəriəu'kɔmik] *adj.* halvt alvorlig, halvt komisk; sørgmunter.

serious ['siəriəs] *adj.* **1.** alvorlig; **2.** (*mods. populær*) seriøs (*fx literature; music; newspapers*); **3.** (T: *forstærkende*) ordentlig (*fx he really had a ~ haircut; that was a ~ walk*); virkelig god//flot (*fx wine; computer; jacket*);
□ *he is ~ about it* **a.** han mener det alvorligt; **b.** han tager det alvorligt (*fx he is ~ about his work*); *I am (quite) ~* det er mit (ramme) alvor; *~ money* T rigtig mange penge.

seriously ['siəriəsli] *adv.* **1.** alvorligt (*fx ~ ill; take it ~*); **2.** (*overrasket*) for alvor, virkelig (*fx are you ~ thinking of leaving? do you ~ believe that?*); **3.** (*sætningsadv.*) alvorlig talt, helt alvorligt (*fx ~, did he really say that?*); **4.** (T: *forstærkende*) virkelig, rigtig rigtig (*fx good; stupid*);
□ *~ damaged* stærkt beskadiget.

seriousness ['siəriəsnəs] *sb.* alvor.

serjeant-at-arms [sa:dʒ(ə)ntət'a:mz] *sb.* ordensmarskal.

sermon ['sə:mən] *sb.* prædiken;
□ *preach/deliver a ~* holde en prædiken; *the Sermon on the Mount* (*bibelsk*) bjergprædikenen.

sermonize ['sə:mənaiz] *vb.* (*neds.*) præke.

serpent ['sə:p(ə)nt] *sb.* (*litt.*) slange.

serpentine ['sə:p(ə)ntain] *adj.* (*litt.*) bugtet, snoet;
□ *the Serpentine* [sø i Hyde Park, London].

serrated [se'reitid] *adj.* savtakket.

serried ['serid] *adj.* tætsluttet;
□ *in ~ ranks* i række og geled.

serum ['siərəm] *sb.* serum.

servant ['sə:v(ə)nt] *sb.* **1.** tjener;

2. (*kvindelig, i huset*) husassistent; (*glds.*) tjenestepige;
□ *-s* tjenestefolk.

servant girl *sb.* (*glds.*) tjenestepige.

serve [sə:v] *vb.* **A.** (*med objekt*)
1. tjene (*fx two masters; one's country; one's own interests*); (se også *apprenticeship, purpose*);
2. (*gæst: med mad*) servere for (*fx they refused to ~ him; he -d me a large portion of soup*); varte op;
3. (*kunde: i forretning etc.*) ekspedere, betjene; **4.** (*om institution, præst*) betjene (*fx one library// hospital -s the whole town; he -s two parishes*); **5.** (*person: på en bestemt måde*) behandle (*fx they -d me shamefully//fairly*);
6. (*fængselsstraf*) afsone (*fx a five-year jail sentence; five years in jail*); (se også *time¹*); **7.** (*mad, drikke*) servere (*fx we ~ tea and sandwiches*); **8.** (*om opskrift i kogebog*) være nok til, række til (*fx this recipe will ~ 4-6 people*);
9. (*agr.: hundyr*) bedække;
10. (*mar.: reb, wire*) klæde;
11. (*mil.: kanon*) betjene;
B. (*uden objekt*) **1.** tjene, gøre tjeneste (*fx he -d in the army for 20 years*); **2.** (*om tjener*) varte op; **3.** (*tage sig af maden*) øse op (*fx you can ~*); **4.** (*om butikspersonale*) ekspedere; **5.** (*om ting*) passe, kunne bruges (*fx this chair will ~*); være nok; gøre fyldest; (se også ndf.: *~ as, a*); **6.** (*i tennis etc.*) serve (*fx it's your turn to ~*);
□ *we were -d soup* vi fik serveret suppe;
[*med: as*] *~ as* **a.** (*om ting*) tjene som, fungere som, gøre det ud for (*fx an old blanket -d as a curtain*);
b. (*om person*) tjene som, gøre tjeneste som (*fx he -d as ambassador to Greece*);
[*med præp.& adv.*] *~ on* **a.** være medlem af, sidde i (*fx a board; a committee*); **b.** (*jur.*) forkynde ... for; (se *notice¹, summons¹, writ*);
~ out **a.** (*straf*) udstå, afsone fuldt ud; **b.** (*mad*) = *~ up; it -s him right*, *~ him right* det har han (rigtig) godt af; nu kan han have det så godt; (se også *memory*); *~ round* byde om, byde rundt; *~ up* rette an; servere; *it has -d me well* det har været mig til god nytte; *~ sby with* ... **a.** servere ... for en (*fx ~ him with vegetables*); **b.** (*jur.*) forkynde ... for en (*fx ~ him with a deportation order*); (se også *summons¹, writ¹*).

server ['sə:və] *sb.* **1.** (*it*) server; **2.** (*i tennis*) server; **3.** (*rel.*) messetjener, ministrant; (se også *salad ser-*

vers).

servery ['sə:vəri] *sb.* serveringsluge; serveringsdisk; anretterværelse.

service¹ ['sə:vis] *sb.* **1.** tjeneste (*fx his long and faithful ~; after 30 years' ~ in India*); (se også *community service, military service, public service*); **2.** (*ved bordet*) servering; opvartning; **3.** (*i forretning etc.*) ekspedition, betjening; **4.** (*i restaurant*) servering (*fx ~ is slow here*); **5.** (*om betaling*) betjening, betjeningsafgift (*fx ~ is included*); **6.** (*af bil, maskine*) serviceeftersyn; eftersyn; **7.** (*af kanon*) betjening; **8.** (*merk.*) service (*fx they provide good ~; this ~ is free*); **9.** (*mht. trafik*) rute; forbindelse (*fx train ~; a daily ~ in both directions*); drift (*fx we will be operating a normal ~*); **10.** (*offentlig*) væsen (*fx fire ~; health ~; postal ~*); etat; tjeneste (*fx the diplomatic ~*); **11.** (*rel.*) gudstjeneste (*fx evening ~*); (*for bestemt handling*) ritual (*fx the marriage// funeral ~*); **12.** (*jur.*) forkyndelse [*af stævning*]; **13.** (*i tennis*) serve; **14.** (*agr.*) bedækning; **15.** (*til borddækning*) stel (*fx a tea ~*); service (*fx silver ~*);
□ *-s* **a.** tjeneste (*fx he offered his -s as a driver*); tjenester (*fx his -s to his country*); **b.** (*økon.*) tjenesteydelser (*fx profits on goods and -s*); (se også *public services*); **c.** (*mht. beskæftigelse*) servicefag; **d.** (*mil.*) værn; **e.** (*på skilt ved motorvej, omtr.*) faciliteter, serviceområde [*med restaurant, tankstation, toiletter etc.*];
[*med vb.*] *conduct the ~* (*jf. 11*) forrette gudstjenesten; *do sby a ~* gøre én en tjeneste; *those boots have given good ~* de støvler har tjent mig godt; *render a ~* gøre/ yde en tjeneste; *for -s rendered* for udført arbejde; for ydet hjælp; *see ~* gøre tjeneste; *suspend -s* (*jf. 9*) indstille driften midlertidigt;
[*med præp.*] *at* your *~!* til tjeneste! *at the ~ of* til tjeneste/disposition for; *in ~* **a.** i tjeneste;
b. (*glds. om pige*) ude at tjene; i huset; **c.** (*om ting*) i funktion, i brug; **d.** (*om maskine etc.*) i drift; *go into ~* (*glds.*) komme ud at tjene; *be of ~ to* være til nytte/ gavn for; *on active ~* (*mil.*) i aktiv tjeneste; *out of ~* **a.** (*om ting*) ikke i brug; **b.** (*om maskine etc.*) ude af drift; *put her out to ~* (*glds.*) sende hende ud at tjene.

service² ['sə:vis] *vb.* **1.** yde service til; servicere; betjene; **2.** (*bil, ma-*

skine) foretage eftersyn af; **3.** (*lån*) betale renter og afdrag på; **4.** (*agr.*: *hundyr*) bedække.

serviceable ['sə:visəbl] *adj.* **1.** praktisk, solid (*fx clothes; footwear*) [ɔ: *snarere end smart*]; slidstærk; **2.** (*om maskine etc.*) brugbar, anvendelig, funktionsdygtig (*fx a still ~ washing machine*).

service area *sb.* **1.** (*ved motorvej*) serviceområde [*med cafeteria, tankstation etc.*]; **2.** (*radiostations*) dækningsområde.

service book *sb.* alterbog.

service brake *sb.* (*i bil*) fodbremse.

service charge *sb.* (*i restaurant*) betjeningsafgift.

service dress *sb.* (*mil.*) tjenesteuniform.

service flat *sb.* lejlighed i kollektivhus; kollektivlejlighed.

service industry *sb.* serviceindustri.

serviceman ['sə:vismən] *sb.* (*pl.* -*men* [-mən]) **1.** soldat; **2.** (*am.*) reparatør.

service provider *sb.* netudbyder.

service road *sb.* tilkørselsvej.

service station *sb.* **1.** benzintank, tankstation, servicestation; **2.** = *service area 1.*

service table *sb.* anretterbord.

service tree *sb.* (*bot.*) røn; □ *wild ~* tarmvridrøn.

serviette [sə:vi'et] *sb.* serviet.

servile ['sə:vail, (*am.*) 'sərvl] *adj.* servil, krybende.

servility [sə:'viləti] *sb.* servilitet, kryberi.

serving[1] ['sə:viŋ] *sb.* (*i madopskrift*) portion.

serving[2] ['sə:viŋ] *adj.* som er i tjeneste; fungerende (*fx police officer*).

servitude ['sə:vitju:d] *sb.* slaveri; trældom; (se også *penal servitude*).

servomechanism ['sə:vəumekənizm] *sb.* servosystem.

servomotor ['sə:vəuməutə] *sb.* servomotor.

sesame ['sesəmi] *sb.* (*bot.*) sesam; □ *open ~!* (*i eventyr*) sesam luk dig op! *be an open ~ to* (*fig.*) give ubegrænset adgang til.

sesquipedalian [seskwipi'deiliən] *adj.* (F: *om ord*) langt og knudret.

session ['seʃn] *sb.* **1.** (*parl.*) (*enkelt*) møde, samling; (*række*) session; **2.** (*jur.*) (*enkelt*) retsmøde; (*række*) retssession; **3.** T (*besværligt*) møde (*fx he had a long ~ with his solicitor*); **4.** (*ved universitet*) universitetsår; **5.** (*i Skotland*) menighedsråd; (se også *Court of Session*);
□ *be in ~* være samlet; holde

møde; *the court is in ~* retten er sat; *play ~* (*mus.*) spille ved studieoptagelser; *remain in ~* forblive samlet.

session musician *sb.* (*mus.*) [*en der spiller ved studieoptagelser*].

set[1] [set] *sb.* **1.** (*om sammenhørende dele*) sæt (*fx of tools*); stel (*fx tea ~*); service (*fx dinner ~*); garniture (*fx toilet ~*); **2.** (*radio., tv*) apparat, modtager; **3.** (*om personer*) gruppe, omgangskreds; (*neds.*) klike, bande; **4.** (*i skole*) niveaudelt hold; **5.** (*om strøm*) strømretning; **6.** (*bot.*) aflægger; stikling; (se også *onion set*); **7.** (*om beton*) størkning; afbinding; **8.** (*på mur etc*) finpuds; **9.** (*om fundament: nedsynken*) sætning; **10.** (*mat.*) mængde (*fx an empty ~*); **11.** (*mus.*) [*række af sange// musikstykker der spilles sammen*]; **12.** (*i sport, fx tennis*) sæt; **13.** (*teat., film.*) dekoration; **14.** (*typ.*) sæt; skriftbredde; **15.** (*zo.*) grævlingegrav;
□ *theory of -s* (*mat.*) mængdelære; (se også *dead set*);
[*med: of*] *the ~ of his jaw* (*omtr.*) hans sammenbidte udtryk; *~ of points* (*mat.*) punktmængde; *the ~ of her shoulders* den måde hendes skuldre sad på; *at ~ of sun* (*poet.*) ved solnedgang; *~ of teeth* tandsæt; gebis.

set[2] [set] *adj.* **1.** (*om placering*) sat; anbragt; beliggende (*fx a house ~ on a hill*); (se også *deep-set*); **2.** (*om tidspunkt*) fast, fastsat; **3.** (*om udtryk*) stiv (*fx smile*); stivnet; **4.** (*om holdning*) fast, bestemt (*fx opinions*);
□ *all ~* T parat, startklar; fiks og færdig; (se også: *set book,,set expressions etc., på alfabetisk plads*);
[*med præp.& adv.*] *be ~ back* (*om bygning*) ligge tilbagetrukket; *be ~ for* T være forberedt på; være parat/klar til; *be ~ in a.* (*om fortælling, stykke etc.*) foregå i (*fx the novel is ~ in Berlin*); **b.** (*typ.*) være sat med; *be ~ in one's ways* have faste vaner; *be ~ on* være fast besluttet på; *it is ~ to* det vil nok/sandsynligvis (*fx prices are ~ to increase*); *be ~ up* blive taget ved næsen; blive lokket i en fælde; *be ~ up with* være velforsynet med.

set[3] [set] *vb.* (*set, set*) (se også *set*[2]) A. (*med objekt*) **1.** sætte (*fx one's hair; a record; ~ sby free; ~ sth in motion*); **2.** (*om placering*) sætte, stille, anbringe (*fx the bowl in the centre*); lægge; **3.** (*ur, mekanisme*)

stille (*fx a clock*); indstille (*fx a trap*); **4.** (*i ramme etc.*) indfatte (*fx a precious stone in gold*); indsætte (*fx glass in a window*); **5.** (*opgave*) stille (*fx an examination paper*); give (*fx you have ~ me a difficult task*); **6.** (*værdi, beløb*) anslå; ansætte (*fx I ~ the value at £1,000*); **7.** (*tidspunkt, bestemmelse*) fastsætte (*fx a date; a time; conditions*); **8.** (*brækket ben*) sætte sammen;
B. (*uden objekt*) **1.** (*om solen etc.*) gå ned; **2.** (*om frugttræ etc.*) sætte frugt (*fx the apples won't ~ this year*); **3.** (*om tøj*) sidde; **4.** (*om noget flydende*) størkne, stivne (*fx the mortar//the jelly has ~*);
5. (*om tidevand: i en vis retning*) bevæge sig, strømme (*fx the tides ~ off the shore*); **6.** (*mar.*) pejle;
□ *~ straight* se *straight*[2], *record*[2]; [*med: -ing*] *~ + -ing* få til at (*fx it ~ my heart beating*); *~ sth going* sætte noget i gang; få noget på gled; *that ~ me thinking* det fik mig til at tænke dybere over sagen;
[*med sb.*] *~ a hen* lægge en høne på æg; *~ a palette* sætte en palet op; *~ a question* (*i eksamensopgave*) stille et spørgsmål; *~ a razor* stryge en barberkniv; *~ a saw* udlægge en sav; *~ one's teeth* bide tænderne sammen; *they were ~ three tricks* (*i kortspil*) de fik tre undertræk; (se også *example, heart, lesson, precedent, table*[1] (*etc.*));
[*med præp., adv.*] *~ about a.* (*arbejde*) tage fat på, gå i gang med (*fx I must ~ about my writing*); **b.** (*opgave*) gribe an (*fx I don't know how to ~ about it*); **c.** (*rygte, sladder*) udbrede, udsprede; **d.** (T: *person*) angribe (*fx ~ about him with a knife*); klø løs på;
~ against a. (*person*) sætte op mod; **b.** (*udgift etc.*) sætte i forhold til, sammenligne med; (se også *face*[1]);
~ apart a. (*plads, tid etc.*) reservere (*for* til); **b.** (*penge*) gemme, hensætte, lægge til side (*for* til); **c.** (*om særpræg*) give en særstilling, gøre til noget særligt (*from* i forhold til); *~ apart from* (*også*) adskille fra;
~ aside a. lægge til side (*fx one's book*); **b.** (*tid, forråd*) reservere (*for* til); **c.** (*penge*) reservere, lægge til side (*for* til); **d.** (*jord, i EU*) braklægge; **e.** (F: *følelse, princip etc.*) se bort fra (*fx our differences*); **f.** (*jur.*) annullere, kende ugyldig, omstøde (*fx a will et te-*

stamente);

~ **back a.** sætte tilbage (*fx their chances of winning*); **b.** (*tidsmæssigt*) forsinke, sætte tilbage (*fx the building programme*); **c.** (*ur*) stille tilbage; *it ~ me back £100* **T** det kostede mig £100;

~ **down a.** lægge//stille fra sig; **b.** (*passager*) sætte af; **c.** (*på papir*) nedskrive, optegne; **d.** (*jur.: tidspunkt*) fastsætte (*fx a day for the trial*); beramme (*fx the hearing was ~ down for today*); **e.** (F: bestemmelse) foreskrive, fastsætte (*fx rules; procedures*); **f.** (*uden objekt, om fly*) lande; ~ **down as** regne for (*fx ~ sby down as a fool*); ~ **down to** tilskrive;

~ **for** (*mus.*) udsætte for (*fx a piece of music for the violin*); (se også *alarm¹*);

~ **forth** F **a.** (*oplysninger etc.*) redegøre for (*fx the aims of the government*); fremsætte, fremstille; **b.** (*uden objekt: på rejse*) tage af sted, drage ud;

~ **in** begynde, sætte ind; *it ~ in to freeze* det blev frostvejr;

~ **off a.** (*om farve, baggrund*) fremhæve, sætte i relief; **b.** (*bombe etc.*) bringe til at eksplodere; udløse; **c.** (*aktivitet etc.*) sætte i gang, udløse (*fx a panic; a chain reaction*); **d.** (*person*) sætte i gang (*on med, fx it ~ him off on one of his interminable stories*); **e.** (*merk.*) modregne, modpostere; **f.** (*uden objekt: på rejse*) tage af sted; starte, drage ud (*on på*); ~ *sby off laughing* (*jf. d*) få en til at le; ~ *off against* (*jf. e*) lade gå op mod;

~ **on** angribe (*fx the dog ~ on me*); overfalde; ~ *a dog on sby* pudse en hund på en; (se også *fire¹, foot¹*);

~ **out a.** (*ting*) sætte//lægge//stille frem; **b.** (*oplysninger etc.*) redegøre for; fremsætte; **c.** (*tekn.*) afstikke, opmærke; **d.** (*planter*) plante; **e.** (*uden objekt*) tage af sted; drage ud (*on på*); ~ **out to** sætte sig for at (*fx write a book*); ~ **to** (*glds.*) **a.** tage fat (*på arbejdet*) (*fx it is time we ~ to*); gå i gang; **b.** begynde at slås; ~ *a poem to music* sætte musik til et digt, sætte et digt i musik;

~ **up a.** rejse, sætte op (*fx a monument; a fence*); **b.** (*institution etc.*) grundlægge, oprette (*fx a school*); etablere (*fx a business*); **c.** (*udvalg etc.*) nedsætte (*fx a committee; a tribunal*); **d.** (*aktivitet etc*) organisere (*fx an investigation; a meeting*); arrangere (*fx*

an interview); **e.** (*larm*) lave (*fx commotion*); opløfte (*fx a howl*); **f.** (*en der er træt//syg*) kvikke op; bringe til hægterne (*fx a holiday ~ him up again*); **g.** (*forretningsmand*) hjælpe i gang, hjælpe/ sætte i vej; **h.** **T** lave numre med; **i.** (*proces etc.*) forårsage, give (*fx an irritation in the throat*); skabe (*fx a magnetic field; a reaction*); **j.** (*tekn.*) indspænde; opspænde; **k.** (*typ.*) sætte; **l.** (*uden objekt*) nedsætte sig, etablere sig (*as som, fx a grocer*); ~ *up house* sætte bo; ~ *foden under eget bord*; (se også *shop¹*); ~ *oneself up* styrke sig, komme til kræfter, komme til hægterne; ~ *oneself up as* **a.** give sig ud for; have prætentioner i retning af at være (*fx an expert*); **b.** se: ~ *up l*; *he ~* **up** *his son in business* han hjalp sin søn i gang med en forretning.

set-aside ['setǝsaid] *sb.* (*i EU*) **1.** braklægning; **2.** braklagt jord.

setback ['setbæk] *sb.* **1.** tilbageslag; modgang; afbræk; **2.** (*arkit.*) tilbagetrukken del af bygning; **3.** (*arkit. især am.*) tilbagetrækning af bygning.

set book *sb.* (*ved eksamen*) obligatorisk værk.

set design *sb.* (*teat.*) scenografi.

set designer *sb.* (*teat.*) scenograf.

set expression *sb.* se *set phrase*.

set menu *sb.* fast menu.

set-off ['setɔf] *sb.* **1.** (*merk.*) modregning, modpostering; **2.** (*jur.*) modregningskrav; **3.** (*typ.*) afsmitning.

set phrase *sb.* fast udtryk, fast frase, stående udtryk.

set piece *sb.* **1.** bravurnummer; **2.** (*i film, roman*) effektfuld scene; **3.** [noget som er opbygget efter et givet mønster]; formel komposition; **4.** (*fyrværkeri*) [fyrværkeri der danner et billede//mønster].

set screw *sb.* sætskrue; stilleskrue.

setsquare ['setskwεǝ] *sb.* (*tegneredskab*) trekant.

sett [set] *sb.* **1.** grævlingegrav; **2.** (*aflang*) brosten; **3.** klantern.

settee [se'ti:] *sb.* sofa.

setter ['setǝ] *sb.* (*hund*) setter.

set text *sb.* (*ved eksamen*) obligatorisk tekst.

setting ['setiŋ] *sb.* **1.** nedgang (*fx of the sun*); **2.** (*for ædelsten*) indfatning (*fx of a jewel*); **3.** (*for roman, stykke*) miljø, omgivelser, ramme; baggrund; **4.** (*teat., film.*) dekoration; **5.** (*af radio, instrument etc.*) indstilling; **6.** (*mar.: af strøm*) retning, sætning; **7.** (*i skole*) niveaudeling; **8.** (*ved bord*) se *place set-*

ting; **9.** (*mus.*) arrangement;
□ *his ~ of* (*mus.*) hans musik til.

settle¹ ['setl] *sb.* bænk [*med høj ryg og magasin under sædet*].

settle² ['setl] *vb.* (se også *settled*)
A. (*med objekt*) **1.** ordne, bringe orden i (*fx one's affairs*); klare (*fx the details*); **2.** (*regnskab etc.*) betale (*fx a bill*); afregne; gøre op; (se også *account¹*); **3.** (*sag*) afgøre (*fx that -s the matter*); **4.** (*strid etc.*) afgøre, bilægge; (se også *score¹*); **5.** (*person, ting*) anbringe (*fx he -d her in a taxi*); sætte//lægge til rette (*fx one's feet in the stirrups; a bag on one's shoulder*); **6.** (*nerver, mave*) få til at falde til ro; **7.** (*land, område*) kolonisere; slå sig ned i;
B. (*uden objekt*) **1.** (*om person: et sted*) bosætte sig (*fx in England*); nedsætte sig, slå sig ned; **2.** (*i stol*) sætte sig (til rette), anbringe sig, slå sig ned; **3.** (*om fugl, insekt*) slå sig ned, sætte sig (*on på*); **4.** (*om tåge, stilhed etc.*) sænke sig (*on over*); lægge sig (*on på, fx dust -s on everything*); **5.** (*om sygdom*) sætte sig (*fast*); **6.** (*om//i jord*) sætte sig (*fx the house//wall -d*); synke; **7.** (*om mad*) sætte sig (*fx let the lunch ~*); **8.** (*i væske*) bundfælde sig; **9.** (*fig. om indtryk*) bundfælde sig, fæstne sig; **10.** (*om væske*) klare;
□ ~ *the dust* få støvet til at lægge sig; ~ *sby's hash* se *hash¹*;
[*med præp., adv.*] ~ **back** sætte sig tilbage [*i stolen*]; ~ **down a.** (*i stol*) sætte sig til rette; **b.** (*i et land, område*) slå sig ned; **c.** (*om urolig person//situation*) falde til ro (*fx eventually the baby//the situation -d down*); (*med objekt*) få til at falde til ro; **d.** (*i et arbejde*) falde 'til; finde sig til rette; **e.** (*i ægteskab*) gifte sig; **f.** (*om uro, støj*) lægge sig; ~ **down for the** *night* gå til ro; ~ **down to** gå i gang med; tage fat på; *I can't ~ down to anything* jeg har ingen ro på mig; ~ **for** stille sig tilfreds med, lade sig nøje med (*fx never ~ for second best*); ~ **in a.** (*efter flytning*) komme i orden; **b.** (*i nyt job, på nyt sted*) finde sig til rette, falde 'til; ~ *in one's mind* nedfælde sig (*i bevidstheden*); ~ **on a.** se ovf.: *B 3, 4*; **b.** (*om valg*) bestemme sig for (*fx a name for the baby; a date to meet*); **c.** (*jur.: om arv*) testamentere; ~ *an annuity on her* sætte penge hen til en livrente til hende; ~ **out of** *court* se *court¹*; ~ **up** afregne, gøre op; ~ **(up) with** afregne med, betale (*fx*

the waiter); gøre op med.

settled ['setld] *adj.* **1.** (*om anskuelse*) fast (*fx opinion; ideas*); bestemt; **2.** (*mods. urolig*) stabil (*fx weather; way of life*);
□ *be* ~ **a.** (*om land*) blive//være beboet; blive//være koloniseret; **b.** (*om person: i et job, på et sted*) være faldet 'til; *be married and* ~ være gift og hjemfaren; *well, that's* ~ *then* så er det en aftale; *feel* ~ føle at man er faldet til; ~ *habits* faste/indgroede vaner.

settlement ['setlmənt] *sb.* **1.** (*af uenighed*) afgørelse; bilæggelse; **2.** (*om aftale*) forlig, ordning; (se også *out-of-court*); **3.** (*af gæld*) betaling; afregning; afvikling; **4.** (*af regnskab*) opgørelse; **5.** (*af fundament*) sætning; **6.** (*af land, område*) det at tage i besiddelse; kolonisation; **7.** (*sted*) bosættelse; koloni; boplads; bygd; **8.** (*jur.*) se *marriage settlement*;
□ *make a* ~ *on sby* hensætte penge til en.

settler ['setlə] *sb.* bosætter; kolonist; nybygger.

set-to ['settu:] *sb.* T sammenstød; slagsmål.

set-up ['setʌp] *sb.* **1.** arrangement; indretning; (*neds.*) menage; **2.** (*fx af apparater*) opstilling; **3.** (*til bestemt formål*) udstyr (*fx a recording* ~); **4.** (*i sport*) oplæg; **5.** T noget arrangeret; fælde, baghold; (se også *frame-up*).

seven[1] ['sev(ə)n] *sb.* **1.** syvtal; **2.** (*spillekort*) syver;
□ *the* ~ *of clubs//hearts etc.* klør// hjerter *etc.* syv.

seven[2] ['sev(ə)n] *talord* syv.

Seven Sleepers *sb. pl.: the* ~ Syvsoverne.

seventeen [sev(ə)n'ti:n] *talord* sytten.

seventeenth [sev(ə)n'ti:nθ] *adj.* syttende.

seventh[1] ['sev(ə)nθ] *sb.* **1.** syvendedel; **2.** (*i rækkefølge*) nummer syv; **3.** (*mus.*) septim.

seventh[2] ['sev(ə)nθ] *adj.* syvende.

seventieth[1] ['sev(ə)ntiəθ] *sb.* halvfjerdsindstyvendedel.

seventieth[2] ['sev(ə)ntiəθ] *adj.* halvfjerdsindstyvende.

seventy ['sev(ə)nti] *talord* halvfjerds, halvfjerdsindstyve; syvti;
□ *in the seventies* i halvfjerdserne.

sever ['sevə] *vb.* F **1.** brække//rive af (*fx his hand//foot was -ed in the accident*); brække//rive over, afbryde (*fx electricity cables were -ed by the storm*); **2.** (*om kniv*) skære over (*fx the knife had -ed an artery*); **3.** (*om økse, sværd*)

hugge af (*fx a -ed head*); **4.** (*fig.*) afbryde (*fx diplomatic relations; a friendship*);
□ *-ed limbs* afrevne//afhuggede lemmer; *a -ed rope* et iturevet tov; ~ *from* skille fra (*fx the head from the body*).

several ['sev(ə)rəl] *adj.* **1.** flere, en del (*fx* ~ *times*); **2.** (F *el. litt.*) forskellige (*fx the* ~ *members of the committee*);
□ *they went their* ~ *ways* de gik hver sin vej.

severally ['sev(ə)rəli] *adv.* (F *el. litt.*) hver for sig, særskilt; en for en.

severance ['sev(ə)rəns] *sb.* **1.** adskillelse; løsrivelse (*fx from the Commonwealth*); **2.** afbrydelse (*fx of links with them*).

severance pay *sb.* fratrædelsesgodtgørelse.

severe [si'viə] *adj.* **1.** alvorlig (*fx damage; illness; problems*); stærk, voldsom (*fx pain; shock*); **2.** (*om person, handling*) streng (*on, with* mod, *fx the children; a* ~ *father// judge*; ~ *discipline//punishment*); hård (*fx criticism; punishment; sentence* dom); **3.** (*om stil*) enkel; klassisk; streng;
□ ~ *cold//frost* streng kulde//frost.

severity [si'verəti] *sb.* (jf. *severe*) **1.** alvor; voldsomhed; **2.** strenghed; hårdhed; **3.** enkelhed; strenghed.

Seville [sə'vil, 'sevil] Sevilla.

Seville orange *sb.* pomerans.

sew [səu] *vb.* (*-ed, -ed/-n*) **1.** sy; **2.** (*bogb.*) hæfte;
□ ~ *down* sy fast; ~ *on* a. sy 'på; **b.** (*knap*) sy 'i; ~ *up* a. sy sammen; **b.** (T: *fx om aftale*) få ordnet, fikse, få i hus; *have sth -n up* (T: *merk.*) have kontrol over noget, have sikret sig noget (*fx the market*); *we have it -n up* (*om aftale også*) den er hjemme.

sewage ['su:idʒ, 'sju:-] *sb.* spildevand; kloakvand.

sewage treatment *sb.* spildevandsrensning.

sewage treatment plant, sewage works *sb.* rensningsanlæg.

sewer[1] ['suə, 'sjuə] *sb.* kloak.

sewer[2] ['səuə] *sb.* syer, syerske.

sewerage ['suəridʒ, 'sjuə-] *sb.* kloakanlæg; kloakering.

sewing ['səuiŋ] *sb.* **1.** syning; **2.** sytøj.

sewing machine *sb.* symaskine.

sewn [səun] *præt. ptc. af* sew.

sex[1] [seks] *sb.* **1.** køn (*fx the two -es*); (se også *fair sex*); **2.** (*aktivitet*) sex;
□ *have* ~ dyrke/have sex; elske.

sex[2] [seks] *adj.* (jf. *sex*[1]) **1.** køns- (*fx differences; discrimination; hormone; organ; role*); **2.** sex-, seksual- (*fx crime; criminal; life; object*).

sex[3] [seks] *vb.* kønsbestemme.

sexagenarian [seksədʒi'nɛəriən] *sb.* tresårig; en der er i tresserne.

sex appeal *sb.* sexappeal; seksuel tiltrækning.

sex education *sb.* seksualundervisning.

sexism ['seksizm] *sb.* sexisme, kønsdiskrimination.

sexist[1] ['seksist] *sb.* sexist.

sexist[2] ['seksist] *adj.* sexistisk, kønsdiskriminerende.

sexless ['seksləs] *adj.* kønsløs.

sexologist [sek'sɔlədʒist] *sb.* sexolog.

sexpot ['sekspɔt] *sb.* sexbombe.

sex shop *sb.* pornobutik.

sextant ['sekst(ə)nt] *sb.* (*mar.*) sekstant.

sextet [seks'tet] *sb.* (*mus.*) sekstet.

sexton ['sekst(ə)n] *sb.* ringer; graver; kirkebetjent.

sextuple[1] ['sekstjupl] *adj.* seksdobbelt.

sextuple[2] ['sekstjupl] *vb.* **1.** seksdoble; **2.** (*uden objekt*) seksdobles.

sexual ['sekʃuəl] *adj.* (jf. *sex*[1]) **1.** køns- (*fx characteristics; organs; role*); **2.** seksuel (*fx fantasies; orientation; relationship*); **3.** (*biol.*) kønnet (*fx reproduction*).

sexual harassment *sb.* sexchikane.

sexual intercourse *sb.* kønslig omgang; samleje.

sexuality [sekʃu'æləti] *sb.* seksualitet.

sexually ['sekʃuəli] *adv.* (jf. *sexual*) **1.** køns- (*fx discriminated*); **2.** seksuelt (*fx attractive; experienced*); **3.** kønnet (*fx reproduced*).

sexually transmitted disease *sb.* seksuelt overført sygdom.

sexy ['seksi] *adj.* (*også* T = *interessant, spændende*) sexet.

sez [sez] ~ *I!* (T = *says*) det siger 'jeg! det er en ordre! ~ *you!* det siger 'du! årh la' vær'!

SF *fork. f. science fiction.*

SG *fork. f.* **1.** *Solicitor General*; **2.** (*fys.*) *specific gravity.*

SGML *fork. f. Standard Generalized Markup Language* (standard for beskrivelse af dokumentstrukturer).

Sgt *fork. f. sergeant.*

shabby ['ʃæbi] *adj.* **1.** lurvet (*fx hotel*); medtaget (*fx part of the town*); **2.** (*om tøj*) lurvet, luvslidt, afrakket; **3.** (*om person*) lurvet; forhutlet (*fx beggar*); **4.** (*om opførsel*) lurvet, tarvelig, sjofel (*fx* *trick*).

shack[1] [ʃæk] *sb.* hytte, skur.

shack[2] [ʃæk] *vb.*: ~ *up* bo sammen, slå sig sammen (*with* med); ~ *up with* (*også*) sove sammen med.

shackle[1] ['ʃækl] *sb.* **1.** fodlænke; **2.** (*til sikring af reb el. kæde*) sjækkel; □ *-s* (*fig., litt.*) lænker, snærende bånd.

shackle[2] ['ʃækl] *vb.* lænke; □ *be -d by* (*fig., litt.*) være hæmmet af; være bundet på hænder og fødder af.

shad [ʃæd] *sb.* (*zo.*) stamsild, stavsild.

shadbush ['ʃædbuʃ] *sb.* (*am. bot.*) bærmispel.

shaddock ['ʃædək] *sb.* se *pomelo.*

shade[1] [ʃeid] *sb.* **1.** skygge; **2.** (*af farve & fig.*) nuance (*fx another ~ of lipstick; various -s of blue; -s of meaning//opinion*); afskygning; **3.** (*til lampe*) skærm; **4.** (*am.*) rullegardin; **5.** (*litt.*) genfærd, skygge; □ *-s* T solbriller; *a* ~ en lille smule, en anelse (*fx better; unusual*); *in the* ~ i skyggen (*fx park in the ~*); *put/throw sby in the* ~ (*fig.*) stille en i skygge.

shade[2] [ʃeid] *vb.* (se også *shaded*) **1.** skygge for (*fx one's eyes with one's hand*); **2.** afskærme (*fx a torch with one's hand*); **3.** (*tegning*) skyggelægge; skravere; □ ~ (*off*) *into* glide over i; gå gradvis over i (*fx blue that -s into green*).

shaded ['ʃeidid] *adj.* **1.** skyggefuld, som ligger i skygge (*fx the ~ part of the garden*); **2.** (*på tegning*) skraveret.

shadow[1] ['ʃædəu] *sb.* (*også fig.*) skygge; □ *not a* ~ *of* ikke en smule; ikke antydning/skygge af (*fx doubt*); *the -s* (*mods. lyset*) skyggen (*fx step into the -s*); (se også *self*[1]).

shadow[2] ['ʃædəu] *vb.* **1.** skygge for (*fx the hood -ed his face*); overskygge (*fx tall trees -ed the terrace*); **2.** (*fig.*) kaste (en) skygge over (*fx the incident -ed his visit to the school*); **3.** (*mistænkt*) skygge (*fx he was -ed by the police*).

shadow boxing *sb.* skyggeboksning.

Shadow Cabinet *sb.* (*parl.*) skyggekabinet.

shadowy ['ʃædəui] *adj.* **1.** skyggeagtig, utydelig (*fx figure*); **2.** (*fig.*) skyggeagtig, uvirkelig, skygge- (*fx the ~ world of spies*); **3.** (*om sted*) skyggefuld, dunkel (*fx room*).

shady ['ʃeidi] *adj.* **1.** (*om sted*) skyggefuld; **2.** (T: *om handling, person*) lyssky, tvivlsom (*fx transactions; characters*).

shaft[1] [ʃa:ft] *sb.* **1.** (*af redskab, af søjle*) skaft (*fx of an axe; of a club*); **2.** (*på fjer*) ribbe; **3.** (*af lys*) stråle, stribe; **4.** (*mine-, elevator-, ventilations-*) skakt; **5.** (*tekn.: til kraftoverføring*) aksel; (se også *drive shaft*); **6.** (*litt.*) pil [*fra bue*]; spyd; **7.** (*fig.*) provokerende bemærkning; spydighed; □ *-s* (*til enspændervogn*) vognstænger; *give sby the* ~ (*am.* T) behandle en urimeligt/groft.

shaft[2] [ʃa:ft] *vb.*: ~ *sby* se *shaft*[1] (*give sby the ~*).

shag[1] [ʃæg] *sb.* **1.** (*vulg.*) knald [ɔ: *samleje*]; **2.** (*tobak*) shag; **3.** (*zo.*) topskarv; □ *be a good* ~ (*jf. 1*) kneppe godt.

shag[2] [ʃæg] *vb.* (*vulg.*) bolle, knalde; (se også *shagged*); □ ~ *away* jage væk.

shag carpet *sb.* [*tæppe med grov luv*].

shagged [ʃægd] *adj.* (*vulg.* S) udmattet, flad, ødelagt.

shagged out *adj.* = *shagged.*

shaggy ['ʃægi] *adj.* **1.** stridhåret; lodden; **2.** (*om hår*) uredt, filtret; **3.** (*om adfærd*) forvirret, rodet; □ ~ *eyebrows* buskede øjenbryn.

shaggy dog story *sb.* [*humoristisk fortælling el. anekdote med absurd pointe*].

shaggy ink cap *sb.* (*bot.*) parykblækhat.

shake[1] [ʃeik] *sb.* **1.** rysten; rusk; ryk; **2.** (*am.*) jordskælv; **3.** (*i træ*) revne, spalte; **4.** (*mus.*) trille; **5.** = *milkshake;* □ ~ *of the hand* håndtryk; ~ *of the head* hovedrysten; [*med: give*] *give sth a* ~ ryste (*med*) noget; *give sby a* ~ ruske en; *give sby a fair* ~ T give én en fair chance; behandle én ordentligt; [*i pl.*] *the -s* rysten, rystetur [*på grund af feber, skræk, drikkeri*]; *it gives me the -s* jeg kommer til at ryste af det; *have the -s* ryste; *no great -s* T ikke meget bevendt; *in two -s (of a duck's/lamb's tail)* i løbet af 0,5.

shake[2] [ʃeik] *vb.* (*shook, shaken*) **1.** ryste (*fx a rug; a cocktail*); få til at ryste (*fx his step shook the room*); ruske (*fx he shook the child//the door handle*); ruske i (*fx the wind shook the trees*); **2.** (*fig.: person*) ryste, chokere; (*overbevisning*) få til at vakle, rokke (ved) (*fx his faith*); **3.** (*noget*

ubehageligt) slippe af med (*fx a cold; a habit*); **4.** (*am.* T) ryste af sig (*fx one's pursuers; a depression*); **5.** (*uden objekt*) ryste, skælve (*with af, fx cold; fear*); □ ~*!* (*am.* S) giv pote! [*med sb.*] ~ *one's fist at* true ad (*med knyttet næve*); ~ *one's sides with laughter* ryste af latter; (se også *finger, hand*[1]*, head*[1]*, leg, stick*[1]); [*med præp., adv.*] ~ *down* **a.** (*uden objekt: om gruppe*) blive rystet sammen; falde 'til; **b.** (T: *om maskine etc.*) begynde at fungere; (*om arrangement også*) falde på plads; **c.** (*glds.* T) sove interimistisk (*fx in a doorway*); sove på gulvet; bo midlertidigt (*with* hos); **d.** (*med objekt*) ryste ned (*fx pears from a tree*); **e.** (*am.* T, *om politiet: person*) kropsvisitere; (*sted*) ransage, gennemsøge; **f.** (*am.* S: *om gangstere*) presse penge af; ~ *in* one's *boots/shoes* ryste i bukserne; ~ *off* **a.** ryste af (*fx one's pursuers*); ~ *the rain off one's coat*); **b.** frigøre sig for (*fx his hand; one's shackles*); **c.** (*jf. 3*) slippe af med; ~ *on* give hinanden hånden på (*fx a deal*); ~ *out* **a.** ryste af//ud (*fx dust; crumbs*); **b.** (*tæppe, støveklud*) ryste (grundigt); **c.** (*noget sammenlagt*) (ryste og) folde ud (*fx a newspaper*); ~ *pepper//sugar over sth* drysse peber//sukker over noget; ~ *up* **a.** ryste (grundigt) (*fx a cushion*); **b.** ryste sammen, blande (*fx a drink; put the sweets in a bag and* ~ *them up*); **c.** (T: *system etc.*) omorganisere drastisk; vende op og ned på (*fx the organization; their ideas*); **d.** (*person*) ryste, chokere; **e.** (*sløv person*) ruske op i.

shake-down[1] ['ʃeikdaun] *sb.* **1.** (*af ny model*) prøvekørsel//prøveflyvning//prøvesejlads; **2.** T improviseret seng; opredning på gulvet; **3.** (*am.* T: *af person*) kropsvisitation; (*af sted*) ransagning; **4.** (*am.* T: *om gangster*) pengeafpresning; □ *give sby a* ~ (*jf. 2*) rede op til en på gulvet.

shake-down[2] ['ʃeikdaun] *adj.* prøve- (*fx cruise* sejlads; *flight*).

shaken ['ʃeik(ə)n] *præt. ptc. af shake.*

shake-out ['ʃeikaut] *sb.* **1.** drastisk omorganisering; omvæltning; (*i firma også*) indskæringer; afskedigelser; **2.** (*økon.*) afmatning.

shaker ['ʃeikə] *sb.* **1.** cocktailshaker; **2.** (*til peber etc.*) strødåse; (*i sms.*) -bøsse (*fx pepper ~*);

3. (*tekn.*) rystebord.

shake-up [ˈʃeikʌp] *sb.* T omfattende ændring; drastisk omorganisering; omvæltning.

shaky [ˈʃeiki] *adj.* **1.** rystende (*fx hand; voice*); vaklende (*fx legs; table*); **2.** (*fig.*) usikker (*fx start*); upålidelig (*fx evidence*); skrøbelig (*fx peace*); vaklende (*fx economy*); □ ~ *on one's feet* usikker på benene; *on* ~ *ground* på gyngende grund.

shale [ʃeil] *sb.* (*geol.*) skifer.

shall [ʃəl, ʃl, (*betonet*) ʃæl] *vb.* (*præt. should*) skal (*fx* ~ *I open the window? what* ~ *I do? he does not want to go, but I tell you he* ~); vil (*fx I* ~ *miss you*); □ *you* ~ **a.** (*løfte*) du skal (*fx you* ~ *have the money*); **b.** (*trussel*) du vil, du skal komme til at (*fx regret it*); [*udtryk med should*] *should* **a.** skulle; **b.** skulle, burde (*fx I should have known*); *I should stay if I were you* F jeg ville blive hvis jeg var i dit sted; (*se også like*², *say*² (*etc.*)); [*i bisætn. ofte uoversat:*] *it is strange that he should be there* det er mærkeligt at han er der; *we decided to stay till the rain should cease* vi besluttede at blive til regnen holdt op.

shallot [ʃəˈlɔt] *sb.* skalotteløg.

shallow [ˈʃæləu] *adj.* **1.** (*om farvand etc.*) lavvandet (*fx river; the* ~ *end of the pool*); grundet (*fx a* ~ *place near the shore*); **2.** (*om beholder*) lav; flad (*fx bowl; pan*); **3.** (*i gartneri*) overfladisk; øverlig (*fx roots*); **4.** (*om følelse, person etc.*) overfladisk (*fx friendship; analysis; he is* ~ *and selfish*); **5.** (*om bog, film etc.*) fladbundet, åndsforladt; **6.** (*om åndedræt*) overfladisk; □ *a* ~ *grave* en grav lige under jordoverfladen; *he is pretty* ~ (*jf. 4 også*) han stikker ikke dybt.

shallows [ˈʃæləuz] *sb. pl.* grundt vand; grunde, lavvandede steder.

shalt [ʃælt]: *thou* ~ (*glds.*) du skal.

sham¹ [ʃæm] *sb.* **1.** imitation, efterligning; **2.** (*generelt*) hykleri, humbug; **3.** (*person*) humbugsmager; svindler; **4.** (*am.: til pude*) pyntebetræk; □ *it is a* ~ (*også*) det er humbug/ fup.

sham² [ʃæm] *adj.* **1.** fingeret (*fx marriage; fight*); skin-; **2.** (*om følelse*) hyklet, forstilt (*fx sympathy*); **3.** (*om ting*) uægte (*fx diamond*); imiteret (*fx jewellery; Tudor*).

sham³ [ʃæm] *vb.* **1.** forstille sig, hykle (*fx he is just -ming*); **2.** (+ *adj.*) spille (*fx stupid; dead*); simulere (*fx ill*); **3.** (+ *sb.*) foregive (*fx indifference*); lade som om man har (*fx a headache*).

shaman [ˈʃæmən, ˈʃei-] *sb.* åndemaner.

shamble [ˈʃæmbl] *vb.* sjokke, sjoske, tøfle.

shambles [ˈʃæmblz] *sb.* T vild forvirring, virvar, kaos; rod, rodebutik.

shambolic [ʃæmˈbɔlik] *adj.* T rodet, forvirret, kaotisk.

shame¹ [ʃeim] *sb.* skam; □ ~*!* fy! ~ *on you!* du skulle skamme dig! [*med vb.*] *bring* ~ *on sby* bringe skam over en; vanære en; *have you no* ~*?* har du ikke skam i livet? *there is no* ~ *in that* det er ikke noget man behøver skamme sig over; [*med præp.*] *for* ~*!* fy! *be past* ~ have bidt hovedet af al skam; *to my* ~ med skam at melde; *put sby to* ~ T **a.** få en til at skamme sig; gøre en skamfuld; **b.** (ɔ: *overgå*) gøre en til skamme.

shame² [ʃeim] *vb.* **1.** gøre skamfuld (*fx they did it to* ~ *him; it -s me that I cheated him*); **2.** bringe skam over, vanære (*fx it has -d the whole school*); □ ~ *sby into//out of sth* få en til// fra noget ved at skamme ham ud.

shamefaced [ʃeimˈfeist] *adj.* skamfuld; flov.

shamefacedly [ʃeimˈfeistli, -ˈfeisidli] *adv.* skamfuldt; flovt.

shameful [ˈʃeimf(u)l] *adj.* skammelig; skændig; skandaløs.

shameless [ˈʃeimləs] *adj.* skamløs.

shammy [ˈʃæmi] *sb.* vaskeskind.

shampoo¹ [ʃæmˈpu:] *sb.* **1.** hårvask; **2.** (*sæbe*) shampoo.

shampoo² [ʃæmˈpu:] *vb.* vaske med shampoo.

shamrock [ˈʃæmrɔk] *sb.* (*bot.*) trebladet hvidkløver [*irsk nationalsymbol*].

shamus [ˈʃeiməs, ˈʃa:-] *sb.* (*am.* S) **1.** privatdetektiv; **2.** betjent.

shandy [ˈʃændi] *sb.* shandy [*blanding af øl og sodavand el. ingefærøl*].

shanghai [ʃæŋˈhai] *vb.* shanghaje.

shank [ʃæŋk] *sb.* **1.** (*på værktøj; på nøgle, ske, anker etc.*) skaft; **2.** (*på bor, bolt; af pibe*) hals; **3.** (*af oksekød*) skank; **4.** (*glds. el. spøg.*) ben, skank; skinneben; **5.** (*bot.*) stilk, stængel; **6.** (*af sko*) svang; **7.** (*af pibe*) hals.

Shanks's mare [ʃæŋksizˈmɛə],

Shanks's pony [ʃæŋksizˈpəuni] *sb.* (*glds.* T) apostlenes heste.

shan't [ʃa:nt] *fork. f. shall not.*

shanty [ˈʃænti] *sb.* **1.** hytte, skur; **2.** (*mar.*) sømandssang, shanty.

shanty town *sb.* blikby, barakby, klondike [*fattigkvarter hvor folk bor i skure*].

shape¹ [ʃeip] *sb.* **1.** form; **2.** (*som man skimter*) omrids (*fx the* ~ *of a ship loomed up out of the mist*); **3.** (*af person*) skikkelse (*fx I saw a dark* ~); □ *it is the* ~ *of things to come* det viser hvordan det vil blive i fremtiden; *lose* ~ komme ud af facon; miste faconen; *take* ~ tage form; *it takes many -s* det antager mange former; [*med præp.*] *in good//bad/poor* ~ T **a.** (*om ting*) i god//dårlig stand; **b.** (*om person*) i god//dårlig form; *he is in bad* ~ (*også*) det står skidt til med ham; *cars come in all -s and sizes* der findes alle mulige slags biler; *violence in any* ~ *or form* enhver form for vold; vold under enhver form; *in the* ~ *of a.* i form af; **b.** (*om person*) i skikkelse af; *knock/lick/whip into* ~ få sat skik på; få form på; *get back into* ~ komme i form igen; *out of* ~ **a.** (*om ting*) ude af facon; **b.** (*om person*) i dårlig form.

shape² [ʃeip] *vb.* forme; (*se også course*¹); □ ~ *into* forme til (*fx clay into figures; dough into rolls*); ~ *up* T **a.** udvikle sig; **b.** tage sig sammen; forbedre sig; *be shaping up* være under udvikling, være ved at udvikle sig; *be shaping up to be* tegne til at blive; ~ *well* **a.** love godt, tegne godt; **b.** arte sig godt.

shapeless [ˈʃeipləs] *adj.* uformelig.

shapely [ˈʃeipli] *adj.* velformet, velskabt.

shard [ʃa:d] *sb.* skår; splint (*fx -s of metal*); □ *-s of glass* glasskår; glassplinter.

share¹ [ʃɛə] *sb.* **1.** del, andel; **2.** (*merk.*) aktie; **3.** (*i skib etc.*) part, anpart; **4.** (*agr.*) se *ploughshare*; □ *a* ~ *in decision-making* medbestemmelse; (*se også lion*); [*med vb.*] *do one's* ~ gøre sin del; *it fell to my* ~ det faldt i min lod; *get/have one's fair* ~ **a.** få hvad der tilkommer en (*fx of the cake; of the profits*); **b.** (*fig.*) få mere end nok (*fx of bad luck; of problems*); *go -s* T splejse (*on til*).

share² [ʃɛə] *vb.* **1.** dele; **2.** (*med objekt*) dele (*fx the profits; his sorrow; a cake//one's life with sby*);

S *sharecropper*

deles om (*fx the housework*); være fælles om (*fx the housework*; *an interest in music*); have ... sammen, have ... i fællesskab (*fx a car*);

□ ~ *a birthday* have fødselsdag samme dag; ~ *a flat//house//room* dele lejlighed//hus//værelse; [*med præp.& adv.*] ~ *and* ~ **alike** dele som brødre; ~ **in a.** deles om, være fælles om (*fx the housework*); **b.** deltage i, være med i; **c.** dele, tage del i (*fx his happiness//sorrow*); ~ **out** uddele.

sharecropper ['ʃɛərkrɔpər] *sb.* (*am.*) forpagter [*der svarer en del af afgrøden i forpagtningsafgift*].

shareholder ['ʃɛəhəuldə] *sb.* **1.** aktionær; **2.** andelshaver.

shareholding ['ʃɛəhəuldiŋ] *sb.* aktiebeholdning; aktiepost.

share index *sb.* aktieindeks.

share-out ['ʃɛəraut] *sb.* uddeling.

shareware ['ʃɛəwɛə] *sb.* (*it*) [*programmer man kan få gratis i en periode og derefter mod en mindre betaling*].

shark [ʃɑːk] *sb.* **1.** (*zo.*) haj; **2.** T svindler; (se også *loan shark, property shark*);

□ *he is a* ~ *at mathematics* (*am.* S) han er mægtig god til matematik.

sharp[1] [ʃɑːp] *sb.* **1.** (*mus.*) kryds [*foran node*]; node med kryds for; **2.** T snyder, svindler; (se også *cardsharp*).

sharp[2] [ʃɑːp] *adj.* **1.** skarp (*fx knife; bend; taste; rebuke; contrast*); **2.** (*om stikkende redskab etc.*) spids (*fx needle; elbow; nose; pencil*); **3.** (*om forandring*) brat (*fx drop; fall; increase; rise*); **4.** (*om bevægelse*) rask (*fx movement; run*); pludselig (*fx intake of breath*); **5.** (*om noget man ser*) skarp (*fx contrast; picture*); tydelig (*fx distinction* skel); **6.** (*om lyd*) skingrende, gennemtrængende; **7.** (*om noget man føler*) hvas, bidende (*fx frost*); skærende (*fx pain*); **8.** (*om person: intelligent etc.*) kvik; dreven; intelligent, skarpsindig; **9.** (*neds.*) (lidt for) smart (*fx tricks*); **10.** (*om tøj*) smart; moderne; **11.** (*om tone*) falsk [ɔ: *for høj*]; **12.** (*om node*) med kryds for;

□ *A sharp* ais; *C sharp* cis; *D sharp* dis;

(*as*) ~ *as a needle* kvik, vaks; hurtig i opfattelsen; *look* ~ (*jf. 10*) se smart ud; (se også *sharp*[3]); [*med sb.*] *at the* ~ *end* T der hvor det går hårdest til; der hvor det virkelig gælder; *have a* ~ *eye*

have et skarpt blik; ~ *features* skarpskårne træk; ~ *practice* tvivlsomme//lidt for smarte metoder; *make a* ~ *left//right turn* dreje skarpt til venstre//højre.

sharp[3] [ʃɑːp] *adv.* (*om tidspunkt*) præcis (*fx at five o'clock* ~); □ *look* ~ T skynde sig; *look* ~*!* (*am.*) pas på! *turn* ~ *left//right* dreje skarpt til venstre//højre.

sharpen ['ʃɑːp(ə)n] *vb.* **1.** (*skærende redskab etc.*) slibe (*fx a knife; an axe*); hvæsse; skærpe; **2.** (*spids ting*) spidse (*fx a pencil; a stick*); **3.** (*fig.*) skærpe (*fx one's appetite; competition; the debate*); (*færdighed*) forbedre, pudse op; **4.** (*uden objekt*) blive skarpere (*fx her tone//gaze -ed*);

□ ~ *up* **a.** forbedre, pudse op; **b.** (*uden objekt*) forbedre sig; stramme sig an.

sharper ['ʃɑːpə] *sb.* T bedrager; falskspiller.

sharp-eyed [ʃɑːp'aid] *adj.* skarpsynet.

sharp-nosed [ʃɑːp'nəuzd] *adj.* dreven.

sharpshooter ['ʃɑːpʃuːtə] *sb.* skarpskytte.

sharp-suited [ʃɑːp'suːtid] *adj.* smart klædt.

sharp-witted [ʃɑːp'witid] *adj.* kvik, vågen; hurtig i opfattelsen.

shat [ʃæt] *præt. & præt. ptc. af shit*[2].

shatter ['ʃætə] *vb.* (se også *shattered*) **1.** slå i stykker, splintre (*fx a stone -ed the windshield*); knuse; **2.** (*fig.*) ødelægge (*fx his peace of mind; his confidence; -ed nerves*); knuse (*fx their power; his dream*); tilintetgøre (*fx a hope; an illusion*); **3.** (T: *person*) udmatte; gøre det af med (*fx the climb -ed me*); **4.** (*uden objekt*) gå i stykker; splintres (*into* i, *fx a thousand pieces*); knuses; ødelægges;

□ *it -ed his dream//hope* (F: *også*) det fik hans drøm//håb til at briste; ~ *sby's health* nedbryde ens helbred.

shattered ['ʃætəd] *adj.* (*om person*) **1.** rystet, chokeret (*by* over, *fx the news; that* over at); målløs (*that* over at, *fx I'm* ~ *that they were not consulted*); **2.** (T: *udmattet*) færdig, smadret, ødelagt.

shatterproof ['ʃætəpruːf] *adj.* splintfri.

shave[1] [ʃeiv] *sb.* barbering; (se også *close*[3], *narrow*[1]).

shave[2] [ʃeiv] *vb.* **1.** barbere; **2.** (*træ etc.*) høvle; snitte; **3.** (*om berøring*) strejfe (*fx the car -d the wall*); **4.** (*fig.*) barbere ned (*fx*

profit margins; prices); **5.** (*uden objekt*) barbere sig;

□ ~ *off* **a.** (*jf. 1*) barbere af (*fx one's beard*); **b.** (*jf. 2*) høvle//snitte af (*fx slices of cucumber*); ~ *two seconds off the record* reducere rekorden med to sekunder.

shave hook *sb.* skraber.

shaven ['ʃeiv(ə)n] *adj.* barberet; glatbarberet.

shaver ['ʃeivə] *sb.* elektrisk barbermaskine, shaver.

shaving ['ʃeiviŋ] *sb.* barbering; (se også *shavings*).

shaving bag *sb.* (*am.*) toilettaske.

shaving brush *sb.* barberkost.

shaving cream, shaving foam *sb.* barberskum.

shavings ['ʃeiviŋz] *sb. pl.* spåner.

shaw [ʃɔː] *sb.* (*skotsk*) kartoffeltop.

shawl [ʃɔːl] *sb.* **1.** sjal; **2.** (*til baby*) svøb.

shawl collar *sb.* sjalskrave.

she[1] [ʃiː] *sb.* hun, hundyr.

she[2] [ʃi, (*betonet*) ʃiː] *pron.* hun; den//det.

s/he *pron.* hun/han.

sheaf [ʃiːf] *sb.* (*pl.* sheaves [ʃiːvz]) **1.** bundt (*fx of papers*); **2.** (*af korn*) neg.

shear[1] [ʃiə] *sb.* (*tekn.*) forskydning.

shear[2] [ʃiə] *vb.* (*-ed, -ed/shorn*) klippe [*især får*]; (se også *shorn (of)*);

□ ~ *off* (*om skrue, bolt etc.*) brække af [*på grund af forskydning*].

shears [ʃiəz] *sb. pl.* **1.** (stor) saks; skræddersaks; **2.** (*til havebrug*) havesaks; **3.** (*til får*) fåresaks; □ *a pair of* ~ en saks//skræddersaks etc.

shearwater ['ʃiəwɔːtə] *sb.* (*zo.*) skråpe.

sheath [ʃiːθ] *sb.* (*pl. -s* [ʃiːðz]) **1.** (*til kniv etc.*) skede; **2.** (*til prævention*) kondom; **3.** (*kjole*) tætsiddende kjole; **4.** (*elek.: på kabel*) kappe.

sheathe [ʃiːð] *vb.* **1.** stikke i skeden; **2.** (*med beskyttende lag*) overtrække, beklæde; **3.** (*mar.*) forhude.

sheathing ['ʃiːðiŋ] *sb.* (jf. *sheathe* 2) beklædning; forhudning.

sheave [ʃiːv] *sb.* blokskive.

sheaves [ʃiːvz] *pl. af sheaf.*

Sheba ['ʃiːbə] (*i Biblen*) Saba.

shebang [ʃi'bæŋ] *sb.: the whole* ~ (*am.* T) hele molevitten.

shebeen [ʃi'biːn] *sb.* (irsk, sydafr.) smugkro.

shed[1] [ʃəd] *sb.* **1.** skur; **2.** (*større*) arbejdsskur; barak.

shed[2] [ʃed] *vb.* (shed, shed) **1.** (*løv, hår, fjer, horn*) fælde; tabe; (*ham,*

horn også) afkaste; **2.** (*tøj*) tage af, lægge; **3.** (F: *noget uønsket*) blive/ slippe af med (*fx one's insecurity*; *a few excess kilos*); lægge bort (*fx one's inhibitions*); **4.** (*lys, varme*) udbrede, sprede; (se også *light¹*); □ ~ *jobs* F nedlægge arbejdspladser; ~ *its load* (*om lastbil*) tabe sin last; ~ *water* ikke tage imod vand; *it -s water* vandet løber af det; (se også *blood¹, tear¹*).
she'd [ʃiːd] *fork. f.* **1.** *she had*; **2.** *she would*.
sheen [ʃiːn] *sb.* glans; skær.
sheeny¹ [ˈʃiːni] *sb.* (*am.* S, *vulg.*) jøde.
sheeny² [ˈʃiːni] *adj.* skinnende; glansfuld.
sheep [ʃiːp] *sb.* (*pl. d.s.*) får; □ *separate the ~ from the goats* skille fårene fra bukkene; *as well be hanged for a ~ as for a lamb* jeg//du *etc.* kan lige så godt løbe linen ud; (se også *wolf¹*).
sheep dip *sb.* **1.** fårevaskemiddel; **2.** [*sted*//*bassin hvor får vaskes*].
sheepdog [ˈʃiːpdɔg] *sb.* hyrdehund, fårehund.
sheepish [ˈʃiːpiʃ] *adj.* genert; flov; fjoget.
sheep run *sb.* (*især austr.*) = *sheep-walk*.
sheep's bit *sb.* (*bot.*) blåmunke.
sheep's clothing *sb.* se *wolf¹*.
sheep's eyes *sb. pl.*: *make/cast ~* at sende forelskede øjekast til.
sheep's fescue *sb.* (*bot.*) fåresvingel.
sheepshank [ˈʃiːpʃæŋk] *sb.* (*knob*) trompetstik.
sheepskin [ˈʃiːpskin] *sb.* fåreskind.
sheepskin coat *sb.* rulamspels.
sheep's sorrel *sb.* (*bot.*) rødknæ.
sheep tick *sb.* (*zo.*) fåretæge.
sheepwalk [ˈʃiːpwɔːk] *sb.* græsgang for får.
sheer¹ [ʃiə] *sb.* (*mar.*) **1.** (*i dæk*) spring; **2.** (*i kurs*) pludselig drejning.
sheer² [ʃiə] *adj.* **1.** ren og skær (*fx stupidity; desperation*); den//det rene (*fx delight; nonsense*); lutter, bar (*fx out of ~ pity*); **2.** (*om stof*) tynd, fin; næsten gennemsigtig; **3.** (*om skrænt etc.*) (meget) stejl (*fx cliff*); lodret (*fx a ~ drop of 100 metres*); □ *it is a ~ impossibility* (*jf. 1*) det er komplet umuligt; *the ~* (*jf. 1, også*) selve, bare (*fx the ~ extent of the damage*).
sheer³ [ʃiə] *vb.* (*mar.*) dreje; ændre kurs; □ ~ *away from* (*fig.*) søge at komme væk fra; prøve at undgå; vige uden om; ~ *off* (*mar.*) = ~.

sheer legs *sb.* trebenet kran; mastekran.
sheet¹ [ʃiːt] *sb.* (se også *sheets*) **1.** plade (*fx of cottonwool; of glass; of tin*); **2.** (*af papir, af frimærker*) ark; (se også *balance sheet, fact sheet* (*etc.*)); **3.** (*på noget*) lag (*fx of dust; of ice*); flade (*fx of water; of ice*); **4.** (*på seng*) lagen; **5.** (*mar.*) skøde; □ *a ~ of flame* en mur af ild; *a ~ of music* et nodeblad; *a ~ of plastic* et stykke plastfolie; *three -s to the wind* (*glds.* S) plakatfuld; (se også *clean²*); [*med præp.*] **between** *the -s* i seng(en); på lagnerne; *the rain was coming down* **in** *-s* (*omtr.*) regnen stod ned i tove.
sheet² [ʃiːt] *vb.* dække med lagen; dække 'til; □ *the rain -ed down* (*omtr.*) regnen stod ned i tove.
sheet anchor *sb.* **1.** (*mar.*) nødanker, pligtanker; **2.** (*fig.*) redningsplanke.
sheet bend *sb.* væverknude; (*mar.*) flagknob.
sheet glass *sb.* vinduesglas.
sheeting [ˈʃiːtiŋ] *sb.* **1.** metalplader; **2.** (*plast*) plastfolie; **3.** (*stof*) lagenlærred.
sheet lightning *sb.* fladelyn.
sheet metal *sb.* tynde metalplader; blik.
sheet music *sb.* løse nodeark.
sheet piling *sb.* spunsvæg.
sheets [ʃiːts] *sb. pl.* (*i robåd*) forende//agterende; (se også *sheet¹*).
sheik, sheikh [ʃeik, ʃiːk, (*am.*) ʃiːk] *sb.* sheik.
sheila [ˈʃiːlə] *sb.* (*austr.* S) pigebarn, sild; kvindfolk.
shekels [ˈʃek(ə)lz] *sb. pl.* (*glds.* T: *spøg.*) penge.
shelduck [ˈʃeldʌk] *sb.* (*zo.*) gravand.
shelf [ʃelf] *sb.* (*pl. shelves* [ʃelvz]) **1.** hylde; **2.** (*af sand*) sandbanke; revle; **3.** (*af klippe*) klippefremspring, afsats; **4.** (*geol.*) kontinentalsokkel; □ *stack shelves* (*i supermarked*) fylde hylder op; [*med præp.*] *off the ~* se *off-the-shelf*; *left on the ~* (*fig.*) **a.** (*om ting*) gemt væk; **b.** (*om plan etc.*) lagt på hylden, skrinlagt; **c.** (*glds. om pige*) ugift; ikke afsat.
shelf life *sb.* holdbarhed; holdbarhedsperiode.
shell¹ [ʃel] *sb.* **1.** skal; **2.** (*af skildpadde, krabbe*) skjold; **3.** (*af snegl*) sneglehus; **4.** (*af stor havsnegl*) konkylie; **5.** (*i madlavning:*

til pie) låg; (se også *patty shell*); **6.** (*mil.*) granat; **7.** (*båd*) [*let kaproningsbåd*]; **8.** (*af hus*) ydermure; **9.** (*af skib*) yderklædning; **10.** (*am.*) patron; **11.** (*am.: beklædning*) ærmeløs bluse; □ *come out of*//*retire into one's ~* komme ud af//trække sig ind i sin skal.
shell² [ʃel] *vb.* **1.** beskyde [*med granater*]; bombardere; **2.** (*nød etc.*) afskalle; **3.** (*ærter*) bælge; □ ~ *out* T **a.** punge ud med, hoste/ryste op med; **b.** (*uden objekt*) punge ud.
she'll [ʃiːl] *fork. f.* she will//shall.
shellac [ʃəˈlæk, ˈʃelæk] *sb.* shellak.
shellacked [ʃəˈlækt, ˈʃelækt] *vb.* lakeret med schellak; □ *be ~* (*am.* T) få tæsk.
shellback [ˈʃelbæk] *sb.* (*am.* T) søulk.
shell company *sb.* (*merk.*) tomt selskab, skuffeselskab.
shell egg *sb.* rigtigt æg [*mods. æggepulver*].
shellfire [ˈʃelfaiə] *sb.* artilleriild; artilleribombardement.
shellfish [ˈʃelfiʃ] *sb.* skaldyr.
shell game *sb.* (*am.*) **1.** = *thimblerig*; **2.** svindelnummer.
shell shock *sb.* granatchok.
shell suit *sb.* [*træningsdragt med vandtæt nylon yderst, ofte i kraftig farve*]; joggingdragt.
shelter¹ [ˈʃeltə] *sb.* **1.** beskyttelse (*from* mod); ly, læ (*from* for); husly; **2.** (*for hjemløse*) herberg; **3.** (*mod vind og vejr*) læskur; læskærm; **4.** (*mod luftangreb*) beskyttelsesrum, tilflugtsrum; □ *take ~* søge ly/læ (*from* for, *fx the rain; the storm*).
shelter² [ˈʃeltə] *vb.* (se også *sheltered*) **1.** give ly/læ (*from* for, *fx the hut -ed him from the wind*); skærme, beskytte (*from* mod); **2.** (*flygtning, eftersøgt*) huse, give husly til; **3.** (*uden objekt*) søge ly/læ, stå i ly/læ (*from* for, *fx the rain*); søge tilflugt.
sheltered [ˈʃeltəd] *adj.* **1.** (*om sted*) afskærmet, i læ; **2.** (*mod konkurrence, ubehageligheder, vanskeligheder*) beskyttet (*fx industry; life tilværelse; workshop* værksted); □ ~ *accommodation,* ~ *housing* beskyttede boliger; ~ *by* i ly/læ af; beskyttet af.
shelve [ʃelv] *vb.* **1.** (*bøger etc.*) sætte/stille op på en hylde//på hylder; **2.** (*plan, forehavende*) lægge på hylden; skrinlægge; **3.** (*uden objekt: om terræn*) skråne.

763

S shelves

shelves [ʃelvz] *pl. af* shelf.
shelving [ˈʃelviŋ] *sb.* hylder; hylde-materiale.
shenanigans [ʃiˈnænigənz] *sb. pl.* T narrestreger; hummelejstreger; fup.
shepherd[1] [ˈʃepəd] *sb.* hyrde.
shepherd[2] [ˈʃepəd] *vb.* føre; gelejde.
shepherdess [ˈʃepədəs] *sb.* hyrdinde.
shepherd's pie *sb.* [*ret af hakket kød og kartoffelmos*].
shepherd's purse *sb.* (*bot.*) hyrdetaske.
sherbet [ˈʃəːbət] *sb.* **1.** limonadepulver; **2.** (*især am.*) = sorbet.
sheriff [ˈʃerif] *sb.* **1.** (*eng.*) [*embedsmand som repræsenterer sit county ved ceremonielle lejligheder*]; **2.** (*skotsk*) [*lokal dommer*]; **3.** (*am.*) [*folkevalgt embedsmand med visse politimæssige og juridiske funktioner*].
sherry [ˈʃeri] *sb.* sherry.
she's [ʃiːz] *fork. f.* she is//has.
shibboleth [ˈʃibələθ] *sb.* F løsen; doktrin; forslidt//forældet slagord.
shield[1] [ʃiːld] *sb.* **1.** skjold; **2.** (*fig.*) værn (*against* mod); skjold (*against* mod); **3.** (*brugt som præmie*) præmieplade [*formet som et skjold*].
shield[2] [ʃiːld] *vb.* **1.** skærme for, skygge for (*fx one's eyes*); **2.** (*fig.*) dække over (*fx she lied to ~ her husband*);
□ ~ *from* skærme mod (*fx radiation; the harsh realities*); beskytte mod (*fx the sunlight; competition*).
shield law *sb.* (*am.*) [*lov om journalisters ret til kildebeskyttelse*].
shieling [ˈʃiːliŋ] *sb.* (*dial.*) **1.** sæterhytte; **2.** sæter.
shift[1] [ʃift] *sb.* **1.** forandring (*fx in temperature; in people's attitudes*); omlægning (*fx of economic policy*); skift; forskydning (*fx of accent*); **2.** (*mht. arbejde*) skiftehold; skift; **3.** (*om kjole*) [*enkel kjole uden talje*]; **4.** (*it*) skiftetast; **5.** (*glds., om undertøj*) særk; **6.** (*am.*) se gearshift;
□ *make ~ with//without* (*let glds.*) klare sig med//uden [*så godt man kan*]; *work -s* arbejde på skiftehold.
shift[2] [ʃift] *vb.* **A.** (*med objekt*) **1.** skifte (*fx gears*); flytte (*to* til, *over på, fx the accent to another syllable; one's weight from one foot to the other*); forskyde; lægge om; **2.** (T: *pletter*) fjerne; **3.** (T: *varer*) komme af med; **B.** (*uden objekt*) **1.** forandre sig,

ændre sig (*fx public opinion has -ed*); forskyde sig (*fx the ballast has -ed*); **2.** (*om person*) flytte på sig (*fx he -ed a little in his chair*); **3.** (*om vind*) slå om; **4.** T skynde sig; fjerne sig; **5.** (*am.*) skifte gear;
□ ~ *one's ground* se ground[1];
[*med præp.*] ~ *for oneself* (*glds.* T) klare sig selv; sejle sin egen sø;
~ *on to* **a.** lægge//flytte over på (*fx the load on to the other shoulder*); **b.** (*fig.*) lægge/vælte over på (*fx the burden of taxes on to the poor*); ~ *the blame on to sby* skyde skylden på en.
shifting [ˈʃiftiŋ] *adj.* skiftende; som stadig forandrer sig.
shifting sands *sb. pl.* (*fig.*) skiftende forhold; hastige omskiftelser.
shift key *sb.* (*på tastatur*) skiftetast.
shiftless [ˈʃiftləs] *adj.* lad, sløv, uenergisk; uduelig.
shift work *sb.* skifteholdsarbejde.
shift worker *sb.* skifteholdsarbejder.
shifty [ˈʃifti] *adj.* upålidelig; lusket.
shillelagh [ʃiˈleilə] *sb.* (*irsk*) knortekæp.
shilling [ˈʃiliŋ] *sb.* [*glds. mønt svarende i værdi til 5p.*].
shilly-shally [ˈʃiliʃæli] *vb.* (*neds.*) ikke kunne bestemme sig, vakle frem og tilbage.
shim [ʃim] *sb.* (*tekn.*) mellemlæg; udfyldningsplade.
shimmer[1] [ˈʃimə] *sb.* flimren, glitren, (svagt) skin.
shimmer[2] [ˈʃimə] *vb.* flimre, glitre; skinne (svagt).
shimmy[1] [ˈʃimi] *sb.* **1.** (*dans*) shimmy; **2.** (*om bil*) forhjulsvibrationer.
shimmy[2] [ˈʃimi] *vb.* **1.** danse shimmy; **2.** (*om bil*) vibrere.
shin[1] [ʃin] *sb.* **1.** skinneben; **2.** (*på okse*) forskank;
□ ~ *of beef* okseskank; ~ *of veal* kalveskank.
shin[2] [ʃin] *vb.*: ~ *up* klatre op ad//i; entre op ad//i.
shin bone *sb.* skinneben.
shindig [ˈʃindig] *sb.* (*glds.* T) **1.** fest, gilde; **2.** ballade; skænderi.
shine[1] [ʃain] *sb.* glans; (se også rain[1]);
□ *the coat had a ~ at one elbow* frakken var blank på den ene albue; *get a ~ put on one's shoes* T få sine sko pudset; *take the ~ off it* (*let glds.*) tage glansen af det; *take a ~ to* T komme til at synes om; falde for.
shine[2] [ʃain] *vb.* (shone, shone) **1.** skinne, lyse; **2.** (*om øjne*) stråle,

skinne (*with* af, *fx excitement*); **3.** (*om person*) brillere; **4.** (*med objekt: lygte etc.*) lyse med (*fx he shone the torch round the room*);
□ ~ *at* (*jf. 3, om færdighed*) være fremragende til; ~ *up to* (*am.* T) gøre sig lækker for; fedte for.
shine[3] [ʃain] *vb.* (-d, -d) T pudse (*fx he -d his shoes*); polere; blanke.
shiner [ˈʃainə] *sb.* S blåt øje.
shingle [ˈʃiŋgl] *sb.* **1.** (*på strand*) småsten; rullesten; **2.** (*på tag*) tækkespån; **3.** (*am.: advokats, læges*) skilt;
□ *hang out one's ~* (*am.*) åbne en praksis; nedsætte sig.
shingles [ˈʃiŋglz] *sb. pl.* (*med.*) helvedesild.
shinny [ˈʃini] *vb.* (*am.*) = shin[2].
shiny [ˈʃaini] *adj.* skinnende; blank.
ship[1] [ʃip] *sb.* **1.** (*mar.*) skib; fartøj; **2.** (*am.* T) luftfartøj; flyvemaskine; luftskib; rumskib;
□ *when my ~ comes home/in* (*svarer til*) når jeg engang vinder i lotteriet; når jeg bliver rig; *jump ~* rømme; *take ~* gå om bord.
ship[2] [ʃip] *vb.* **1.** (*varer*) sende; forsende (*fx ~ the goods by train*); (*med skib*) afskibe; **2.** (*personer*) sende (*fx the children off to school*); **3.** (*vand, årer*) tage ind; **4.** (*uden objekt*) tage hyre.
shipboard [ˈʃipbɔːd] *adj.* om bord [*på et skib*]; skibs- (*fx transmitter; romance* flirt);
□ *on ~* om bord.
ship-breaker [ˈʃipbreikə] *sb.* skibsophugger.
shipbroker [ˈʃipbrəukə] *sb.* skibsmægler.
shipbuilder [ˈʃipbildə] *sb.* skibsbygger.
ship chandler *sb.* skibsprovianteringshandler.
shipload [ˈʃipləud] *sb.* skibsladning.
shipment [ˈʃipmənt] *sb.* **1.** forsendelse; **2.** (*varer*) parti, sending, leverance.
shipowner [ˈʃipəunə] *sb.* reder.
shipper [ˈʃipə] *sb.* **1.** afsender [*af gods*]; **2.** speditør.
shipping [ˈʃipiŋ] *sb.* **1.** skibe; **2.** skibsfart; **3.** shipping; spedition; **4.** forsendelse.
shipping master *sb.* forhyringsagent.
shipping office *sb.* **1.** forhyringskontor; **2.** rederikontor.
ship's biscuit *sb.* beskøjt; skonrok.
ship's company *sb.* (skibs)besætning, mandskab.
shipshape [ˈʃipʃeip] *adj.* T i fin or-

den; i fin stand.

ship's husband *sb.* skibsinspektør.

shipworm ['ʃipwə:m] *sb.* (*zo.*) pæleorm.

shipwreck[1] ['ʃiprek] *sb.* **1.** skibbrud, forlis; **2.** (*om forulykket skib*) vrag.

shipwreck[2] ['ʃiprek] *vb.*: *be -ed* lide skibbrud, forlise.

shipwright ['ʃiprait] *sb.* skibsbygger; skibstømrer.

shipyard ['ʃipja:d] *sb.* værft.

shire ['ʃaiə] *sb.* (*glds.*) grevskab, amt;
□ *the Shires* [*de landlige områder i Midtengland hvor den traditionelle kultur er bevaret*].

shire horse *sb.* [*kraftig arbejdshest*].

shirk [ʃə:k] *vb.* **1.** (*arbejde*) skulke fra; **2.** (*ansvar, forpligtelser*) unddrage sig; **3.** (*uden objekt*) skulke;
□ ~ *from* = 1, 2; ~ *one's responsibility* (*også*) ikke leve op til sit ansvar.

shirker ['ʃə:kə] *sb.* skulker.

shirr [ʃə:] *vb.* **1.** (*tøj*) rynke; **2.** (*am.:* *æg*) ovnstege [*udslået, i en skål*].

shirt [ʃə:t] *sb.* **1.** skjorte; **2.** bluse; **3.** (*til sport*) trøje (*fx a Rugby* ~);
□ *in one's* ~ i sin bare skjorte; [*med vb.*] *he would give you the* ~ *off his back* (*fig.*) han ville forære dig sin sidste skjorte [*o: alt hvad han ejer og har*]; *keep your* ~ *on!* T tag den med ro! hids dig nu ikke op! *lose one's* ~ (*fig.*) miste alt hvad man ejer og har; *put one's* ~ *on a horse* (*fig.*) holde alle sine penge på en hest.

shirt dress *sb.* skjorteblusekjole.

shirt front *sb.* skjortebryst.

shirtlifter ['ʃə:tliftə] *sb.* T bøsseka'l.

shirttail ['ʃə:tteil] *sb.* skjorteflig;
□ *tuck one's -s into one's trousers* stoppe skjorten ned i bukserne.

shirtwaist ['ʃə:twaist] *sb.* (*am.*) **1.** skjortebluse; **2.** = *shirtwaist dress*.

shirtwaist dress, shirtwaister ['ʃə:tweistə] *sb.* skjorteblusekjole.

shirty ['ʃə:ti] *adj.* T hidsig; arrig.

shit[1] [ʃit] *sb.* (se også *shits*) (*vulg.*) **1.** lort; **2.** (*om person*) skid, lort; **3.** (*om udsagn*) pis; **4.** T hash;
□ ~*! satans osse!* ~ *happens* sådan er livet fan'me; *be in the* ~ være ude at skide; sidde i lort til halsen; *no* ~*! (især am.)* **a.** (*overrasket*) det var som satan! **b.** (*bekræftende*) det kan du sat'me tro; *no* ~ *Sherlock!* (*især am.*) du er sat'me klog, hva'! *not ...* ~ (*am.*) ikke en skid (*fx it doesn't mean* ~); *same* ~ *different day* S det samme lort som altid; *tough* ~*!*

det er bare skideærgerligt!; (se også *fan'*);
[*med vb.*] *beat/knock the* ~ *out of sby* tæve en sønder og sammen; *I don't care/give a* ~ jeg er skideligeglad; *he gets a lot of* ~ *from them* han må høre på en masse pis fra dem; *get one's* ~ *together* få styr på lortet; *scare/frighten the* ~ *out of sby* gøre en skideangst; *stir the* ~ lave rav i den.

shit[2] [ʃit] *vb.* (*-ted/shit/shat, -ted/shit/shat*) (*vulg.*) skide;
□ ~ *oneself,* ~ *one's pants* (være ved at) skide i bukserne [*af skræk*]; (se også *brick*[1]).

shit creek *sb.*: *be up* ~ (*am. vulg.*) være på skideren.

shite [ʃait] *sb.* se *shit*[1].

shit-eating ['ʃiti:tiŋ] *adj.* (*am. vulg.*) selvtilfreds.

shitfaced ['ʃitfeist] *adj.* (*am. vulg.*) skidefuld.

shithead ['ʃithed] *sb.* (*am. vulg.*) dum skid.

shitless ['ʃitləs] *adj.*: *be scared* ~ være skidebange; *be bored* ~ kede sig ad helvede til.

shit list *sb.*: *be on sby's* ~ være helvedes upopulær hos en.

shits [ʃits] *sb. pl.*: *the* ~ (*vulg.*) tyndskid; *it gives me the* ~ (*austr. vulg.*) det er skideirriterende.

shitty [ʃiti] *adj.* (*vulg.*)lortet;lorte-;
□ *feel* ~ føle sig skidedårlig.

shiv [ʃiv] *sb.* (*am.* S) kniv.

shiver[1] ['ʃivə] *sb.* **1.** kuldegysning; **2.** (*litt.*) skælven (*fx a* ~ *ran through the leaves*);
□ *-s* (*let glds.*) splinter; *it gave me the -s* det gav mig kuldegysninger; *it sent -s down/up my spine* det fik det til at løbe koldt ned ad ryggen på mig.

shiver[2] ['ʃivə] *vb.* ryste, skælve; (se også *timber*).

shivery ['ʃivəri] *adj.* T rystende, skælvende.

shlock, shmuck, shnook *sb.* se *schlock, schmuck, schnook*.

Shoah ['ʃəuə] *sb.*: *the* ~ se *holocaust* (*the Holocaust*).

shoal [ʃəul] *sb.* **1.** stime; **2.** (*i vand*) grund; grundt sted;
□ *-s of* (*også*) masser af.

shoat [ʃəut] *sb.* (*am.*) gris.

shock[1] [ʃɔk] *sb.* **1.** chok; **2.** (*fysisk*) stød; rystelse (*fx the* ~ *of the explosion*); **3.** (*elek.,* T) stød; **4.** (*af neg*) hob, trave; **5.** (*om hår*) manke; **6.** (*am.*) = *shock absorber*.

shock[2] [ʃɔk] *vb.* **1.** chokere; **2.** støde; ryste.

shock absorber *sb.* støddæmper.

shocker ['ʃɔkə] *sb.* gyser;
□ *he is a* ~ han er rædselsfuld.

shocking ['ʃɔkiŋ] *adj.* **1.** chokerende; rystende; forfærdelig; **2.** (*moralsk*) stødende (*fx language; sex scenes*); **3.** T rædselsfuld dårlig, elendig (*fx food*).

shocking pink *adj.* stærk pink.

shock therapy, shock treatment *sb.* chokbehandling.

shock troops *sb. pl.* stødtropper.

shock wave *sb.* **1.** trykbølge; **2.** (*fig.*) chokbølge.

shod [ʃɔd] *præt. & præt. ptc. af shoe*[2].

shoddy[1] ['ʃɔdi] *sb.* kradsuld.

shoddy[2] ['ʃɔdi] *adj.* **1.** tarvelig, dårlig, sjusket (*fx workmanship*); **2.** (*moralsk*) tarvelig, gemen (*fx treatment; trick*).

shoe[1] [ʃu:] *sb.* **1.** sko; **2.** se *brake shoe*;
□ *the* ~ *is on the other foot/leg* (*fig.*) rollerne er byttet om; bladet har vendt sig; *wait for the other* ~ *to drop* (*am.* T) vente og se hvad der 'nu sker; *fill sby's -s* overtage ens plads; (se også *fit*[3], *pinch*[2]); [*med præp.+ -s*] *I should not like to be in your -s* jeg ville nødig være i dit sted; (se også *shake*[2] (*in*)); *step into sby's -s* overtage ens plads; *wait to step into dead men's -s* [*vente på at en anden skal dø for at overtage hans stilling//formue*]; *that is another pair of -s* (*fig.*) det er en ganske anden sag; det er noget helt andet.

shoe[2] [ʃu:] *vb.* (*shod, shod*) sko [*en hest*].

shoehorn[1] ['ʃu:hɔ:n] *sb.* skohorn.

shoehorn[2] ['ʃu:hɔ:n] *vb.*: ~ *into* klemme ind i.

shoelace ['ʃu:leis] *sb.* snørebånd.

shoemaker ['ʃu:meikə] *sb.* skomager.

shoeshine ['ʃu:ʃain] *sb.* (*am.*) skopudsning.

shoestring ['ʃu:striŋ] *sb.* (*am.*) snørebånd;
□ *on a* ~ T for meget små midler.

shoestring budget *adj.* meget lille budget; stramt budget.

shoestring potatoes *sb. pl.* (*am., omtr.*) (lange tynde) pommes frites.

shoe tree *sb.* skolæst, skostiver.

shone [ʃɔn] *præt. & præt. ptc. af shine*[2].

shoo[1] [ʃu:] *vb.* genne (væk).

shoo[2] [ʃu:] *interj.* (*sch-lyd til at jage dyr el. børn væk, omtr.*) væk! pst!

shoofly ['ʃu:flai] *sb.* (*am.*) gyngehest.

shoofly pie *sb.* (*am.*) sirupspie.

shoo-in ['ʃu:in] *sb.* (*am.* T) oplagt kandidat (*for* til); sikker vinder.

S *shook*

shook [ʃuk] *præt. af* shake[2].

shoot[1] [ʃuːt] *sb.* **1.** jagtselskab; **2.** jagtdistrikt; **3.** skydekonkurrence; **4.** (*af smerte, ubehag*) jag, stik; **5.** (*bot.*) skud; **6.** (*foto.*) fotografering; **7.** se *chute*;
□ *do a* ~ (*foto.*) lave en optagelse.

shoot[2] [ʃuːt] *vb.* (*shot, shot*)
A. (*med objekt*) **1.** (*kugle, pil, bold*) skyde; **2.** (*våben*) affyre; **3.** (*person*) skyde; skyde ned; **4.** (*vildt*) skyde, jage (*fx ducks; hares*); **5.** (*foto.: billede, film*) skyde, fotografere, optage; **6.** (*lys, blik*) sende, kaste (*fx the sun -s its rays; he shot her a quick glance*); **7.** (*om hurtig bevægelse*) kaste, slynge (*out ud, fx he was shot out of the car*); **8.** (*trafiklys*) fare igennem (*fx two sets of traffic lights*); **9.** (*læs, fra vogn*) tippe, aflæsse (*fx rubbish*); **10.** (S: *narko*) indsprøjte; sprøjte sig med (*fx heroin*); **11.** (*sport & am.: spil*) spille (*fx baskets; dice; pool*); (se også *craps*);
B. (*uden objekt*) **1.** skyde; **2.** (*om hurtig bevægelse*) fare (*fx he shot down the stairs//out of the door// past me*); **3.** (*om smerte*) jage; **4.** (*om jæger*) jage; gå på jagt; **5.** (*bot.: om plante*) skyde; spire frem; **6.** (T: *om narkoman*) være på sprøjten; **7.** (*am.: med terningér*) slå;
□ ~! (*am.* T) **a.** (*opfordring til at tale*) sig frem! fyr løs! **b.** (*udbrud af ærgrelse, jf. shit*) pokkers også! ~ *no rubbish* (*på skilt*) aflæsning af affald forbudt; (se også *bolt*[1], *breeze*[1], *light*[1], *load*[1], *moon*[1], *rapids*);
[*med præp., adv.*] ~ *at* **a.** skyde på; **b.** (*am.* T) prøve at få; sigte mod, stræbe efter (*fx the presidency*); ~ *away* **a.** skyde løs; **b.** (*ammunition*) skyde op; bortskyde; ~ *down* **a.** (*fly, person*) skyde ned; **b.** (*fig.: idé, forslag*) skyde ned, jorde; **c.** (*fig.: person*) nedgøre, jorde; ~ *for* = ~ *at*, b; ~ *oneself in the foot* (fig.) skyde sig selv i foden; ~ *one's mouth off* S bruge mund; kæfte op; ~ *out* (*med objekt*) **a.** se ovf.: A 7; **b.** T smide ud; **c.** (*ytring*) affyre (*fx a stream of curses*); ~ *it out* afgøre det ved en ildkamp; ~ *up* **a.** skyde op (*fx a flame shot up*); skyde i vejret (*fx the child has shot up*); **b.** (*med objekt*) terrorisere (*fx a village*) [*ved skyderi*]; **c.** (S: *narko*) fixe; ~ *up on* S sprøjte sig med (*fx heroin*).

shooter [ʃuːtə] *sb.* **1.** (*person*) skytte; **2.** (*våben*) skyder; **3.** (*am.:*

spiritus) en lille en.

shooting[1] [ʃuːtiŋ] *sb.* **1.** skydning; skyderi (*fx I heard some* ~); **2.** (*af person*) nedskydning (*fx of civilians*); skuddrab (*fx 5,000 fatal -s a year*); **3.** (*på vildt*) jagt; **4.** (*ret hertil*) jagtret; **5.** (*af film*) optagelse.

shooting[2] [ʃuːtiŋ] *adj.* (*om smerte*) jagende.

shooting box *sb.* jagthytte.

shooting gallery *sb.* **1.** (*indendørs*) skydebane; salonbane; **2.** (*forlystelse*) skydetelt; **3.** (*am.* S) [*sted hvor man fixer*].

shooting iron *sb.* (*am.* T) skydevåben, skyder.

shooting range *sb.* skydebane.

shooting script *sb.* (*film.*) drejebog.

shooting star *sb.* stjerneskud.

shooting stick *sb.* jagtstol.

shooting war *sb.* varm krig; rigtig krig [*mods. kold krig*].

shoot-out [ʃuːtaut] *sb.* **1.** ildkamp [*til at afgøre uenighed*]; **2.** se *penalty shoot-out*.

shop[1] [ʃɔp] *sb.* **1.** butik; forretning; **2.** (*afdeling i stormagasin*) shop; **3.** (*til reparation, fremstilling, i sms.*) -værksted (*fx repair* ~); **4.** T indkøb; **5.** (*am.: i skole*) faglokale [*for manuelle fag*]; værkstedsundervisning;
□ *all over the* ~ over det hele; [*med vb.*] *keep* ~ *for sby* T passe butikken for en; *set up* ~ etablere sig; nedsætte sig; *shut up* ~ **a.** lukke forretningen/butikken; dreje nøglen om; **b.** holde fyraften; *talk* ~ snakke om faglige spørgsmål; snakke fag.

shop[2] [ʃɔp] *vb.* **1.** gå i butikker; shoppe; **2.** S angive, stikke; forråde;
□ ~ *around* forhøre sig om priser i forskellige butikker; indhente tilbud.

shopaholic [ʃɔpəˈhɔlik] *sb.* T en der elsker at shoppe; indkøbsnarkoman.

shop assistant *sb.* salgsmedarbejder; ekspedient.

shop floor *sb.: the* ~ gulvet (*fx the man on the* ~) [ɔ: *i fabrik*].

shop front *sb.* butiksfacade.

shopkeeper [ʃɔpkiːpə] *sb.* handlende; butiksindehaver; forretningsdrivende;
□ *a nation of -s* (*neds.*) en kræmmernation.

shoplifter [ʃɔpliftə] *sb.* butikstyv.

shoplifting [ʃɔpliftiŋ] *sb.* butikstyveri.

shopper [ʃɔpə] *sb.* **1.** kunde; **2.** (*til varer*) indkøbsvogn; **3.** (*am.*) reklameavis; lokalavis;
□ *-s* (*jf. 1, også*) folk på indkøb.

shopping [ʃɔpiŋ] *sb.* **1.** indkøb; **2.** (*det indkøbte*) indkøb, varer; □ *go* ~ gå på indkøb, gå i butikker; shoppe.

shopping bag *sb.* **1.** indkøbstaske; **2.** (*am.*) bærepose.

shopping bag lady *sb.* (*am.*) posedame.

shopping cart *sb.* (*am.*) = *shopping trolley*.

shopping centre *sb.* **1.** (*torv*) butikstorv, butikscenter; **2.** (*bygning*) storcenter, indkøbscenter; **3.** (*kvarter*) forretningscentrum, butiksområde.

shopping list *sb.* **1.** indkøbsliste; huskeseddel; **2.** (*fig.*) ønskeseddel.

shopping mall *sb.* se *mall*.

shopping trolley *sb.* indkøbsvogn [*i supermarked*].

shop-soiled [ʃɔpsɔild] *adj.* **1.** let beskadiget [*ved at have været udstillet*]; smusket; falmet; **2.** (*fig.*) forslidt (*fx argument; cliché*).

shop steward *sb.* tillidsmand [*på arbejdsplads*].

shop talk *sb.* faglig snak; fagsnak.

shopwalker [ʃɔpwɔːkə] *sb.* inspektør [*i stormagasin*].

shop window *sb.* butiksvindue; udstillingsvindue.

shopworn [ʃɔpwɔːrn] *adj.* (*am.*) = *shop-soiled*.

shore[1] [ʃɔː] *sb.* **1.** (*ved vand*) kyst; strand; bred; **2.** (*til mur etc.*) støtte, skråstøtte;
□ *on* ~ i land.

shore[2] [ʃɔː] *vb.:* ~ *up* støtte; afstive.

shorebird [ʃɔːbəːd] *sb.* **1.** strandfugl; **2.** (*am.*) vadefugl.

shorelark [ʃɔːlaːk] *sb.* (*zo.*) bjerglærke.

shore leave *sb.* landlov.

shoreline [ʃɔːlain] *sb.* **1.** kystlinje; **2.** kyst, bred.

shoreweed [ʃɔːwiːd] *sb.* (*bot.*) strandbo.

shorn [ʃɔːn] *præt. ptc. af* shear[2];
□ ~ *of* (*fig., litt.*) berøvet (*fx* ~ *of one's power//strength*).

short[1] [ʃɔːt] *sb.* **1.** (*film.*) kortfilm; forfilm; **2.** (*elek.*) kortslutning; **3.** (*merk.*) baissist; **4.** = *short drink*.

short[2] [ʃɔːt] *adj.* **1.** kort; **2.** (*om udtryk*) kort, kortfattet (*fx letter, report*); **3.** (*om tid*) kort, kortvarig (*fx visit*); **4.** (*om person*) lille (*af vækst*); **5.** (*til formålet*) for kort (*fx I can't tie the knot, the string is* ~); kneben; (for) knap (*fx measure; weight*); **6.** (*om konsistens, fx af dej*) sprød, smuldrende; **7.** (*om metal*) skør, sprød;
□ ~ *and sweet* behageligt kort;

[*med: of*] ~ *of breath* forpustet, stakåndet; *be ~ of cash* være i pengetrang; (se også *strapped*); *be ~ of se: ndf.; just ~ of* knap (*fx £10,000*); *two seconds ~ of the world record* kun to sekunder fra verdensrekorden; *nothing ~ of* intet mindre end; *nothing ~ of marvellous* ligefrem vidunderlig; (se også *short⁴*);

[*med sb., se også på alfabetisk plads*] *give ~ change* give for lidt penge tilbage; snyde; *be on/have a ~ fuse* (*fig.*) have en kort lunte; være hidsig/opfarende; *have sby by the ~ hairs* S have en i sin magt; have krammet på en; *a ~ memory* en kort/dårlig hukommelse; *in ~ order* (*især am.*) **a.** meget hurtigt; **b.** på stedet; straks; *in the ~ run* på kort sigt; *he had drawn the ~ straw* han havde fået det kedeligste job [*ved lodtrækningen*]; *have a ~ temper* være hidsig; *be on ~ time* arbejde på nedsat tid; *make ~ work of* **a.** (*opgave*) få fra hånden i en fart; **b.** (*person*) gøre kort proces med; **c.** (*mad*) spise i en fart; hugge i sig; (se også *supply¹*);

[*med: be*] *be ... ~ mangle* (*fx we are two chairs//men ~*); *... is ~* der er knaphed på (*fx food is ~*); *many goods are ~*); *I am ~* jeg mangler penge; *be ~ for* være en forkortelse for; være en forkortet form af (*fx Bill is ~ for William*); *be ~ of* ikke have nok, mangle (*fx money*); *be ~ on* ikke have ret meget; mangle; (se også *long¹*); *be ~ with* være kort for hovedet/studs over for;

[*med præp.*] *by the ~ and curlies* se ndf.: *by the ~ hairs*; *he was called Bill for* han blev kaldt Bill for nemheds skyld; *in ~ kort* sagt.

short³ [ʃɔːt] *vb.* (*elek., T*) kortslutte.

short⁴ [ʃɔːt] *adv.* brat, pludselig (*fx stop ~*);

□ *~ of murder I will do anything to help her* bortset fra/når vi lige undtager mord, vil jeg gøre hvad det skal være for at hjælpe hende; [*med vb.*] *bring sby up ~* få en til at standse op/standse brat; *be caught ~* T pludselig skulle tisse; være ved at tisse i bukserne; *cut ~* **a.** forkorte, korte af; **b.** afbryde (*fx one's journey; a visit*); *cut sby ~* afbryde en; (se også *story*); *fall ~* **a.** ikke nå målet; **b.** være utilstrækkelig; slippe op; *fall ~ of* ikke opfylde; ikke nå (op til//op på); *fall ~ of the mark* forfejle målet; *go ~ of* mangle; undvære;

pull sby up ~ se ovf.: *bring sby up ~*; *run ~ (of)* se *run²*; *stop ~* (*også*) standse op; *stop ~ of* + -ing ikke gå så vidt at man, holde sig fra at (*fx he stopped ~ of criticizing the President*); vige tilbage for at; *be taken ~ = be caught* .

shortage [ˈʃɔːtidʒ] *sb.* mangel, knaphed (*of* på).

short back and sides *sb.* kortklippet i nakken og på siderne.

shortbread [ˈʃɔːtbred] *sb.* [*slags småkage, omtr. = finsk brød*].

shortcake [ˈʃɔːtkeik] *sb.* **1.** = *shortbread;* **2.** (*især am.*) [*slags frugtkage*].

short-change [ʃɔːtˈtʃein(d)ʒ] *vb.* **1.** give for lidt penge tilbage; **2.** (*fig.*) snyde.

short circuit *sb.* (*elek.*) kortslutning.

short-circuit [ʃɔːtˈsəːkit] *vb.* **1.** (*elek.*) kortslutte; **2.** (T: *fig.*) omgå (*fx the normal processes*); smutte udenom; **3.** (*am.*) spænde ben for, hindre, bremse (*fx his plans*).

shortcoming [ˈʃɔːtkʌmiŋ] *sb.* ufuldkommenhed; fejl; mangel.

shortcrust [ˈʃɔːtkrʌst], **shortcrust pastry** *sb.* mørdej.

short cut *sb.* genvej.

short-dated [ʃɔːtˈdeitid] *adj.* (*om obligation*) kortfristet.

short drink *sb.* stærk drik; glas spiritus.

shorten [ˈʃɔːt(ə)n] *vb.* **1.** forkorte; gøre kortere; **2.** (*uden objekt*) blive kortere;

□ *~ sail* mindske sejl; (se også *odds*).

shortening [ˈʃɔːt(ə)niŋ] *sb.* (*især am.*) [*fedtstof der bruges til bagværk for at gøre det sprødt*].

shortfall [ˈʃɔːtfɔːl] *sb.* underskud; minus.

shorthand [ˈʃɔːthænd] *sb.* **1.** stenografi; **2.** (*fig.*) kort udtryk.

shorthanded [ʃɔːtˈhændid] *adj.* underbemandet.

shorthand typist *sb.* stenograf; stenotypist.

short haul *sb.* kort distance.

shorthorn [ˈʃɔːthɔːn] *sb.* korthornskvæg.

shortie [ˈʃɔːti] = *shorty.*

shortlist [ˈʃɔːtlist] *sb.* slutliste [*over de bedst egnede til en stilling*];

□ *be on the ~* være blandt favoritterne.

shortlist [ˈʃɔːtlist] *vb.* sætte på slutlisten; opføre blandt favoritterne.

short-lived [ʃɔːtˈlivd] *adj.* kortvarig.

shortly [ˈʃɔːtli] *adv.* **1.** kort (*fx ~ after*); **2.** (*om noget fremtidigt*) om

kort tid, snart, inden længe; **3.** (*om udtryksmåde*) studst.

shortness [ˈʃɔːtnəs] *sb.* **1.** korthed; **2.** (*om statur*) lidenhed;

□ *~ of* (jf. *short² 5*) knaphed på; mangel på; *~ of breath* stakåndethed; åndenød, åndedrætsbesvær.

short odds *sb. pl.* stor sandsynlighed/chance;

□ *give ~ on* være næsten sikker på.

short-range [ʃɔːtˈrein(d)ʒ] *adj.* kortdistance-.

shorts [ʃɔːts] *sb. pl.* **1.** shorts; korte bukser; **2.** (*især am.*) underbukser; (se også *boxer shorts*).

short shrift *sb.* se *shrift.*

short-sighted [ʃɔːtˈsaitid] *adj.* **1.** nærsynet; **2.** (*fig.*) kortsynet.

short story *sb.* novelle.

short temper *sb.* iltert temperament.

short-tempered [ʃɔːtˈtempəd] *adj.* opfarende, ilter.

short-term [ʃɔːtˈtəːm] *adj.* kortfristet.

short-term memory *sb.* korttidshukommelse.

short waves *sb. pl.* (*radio.*) kortbølger.

short-winded [ʃɔːtˈwindid] *adj.* stakåndet.

shorty *sb.* (T: *om person*) lille prop; (*i tiltale*) stump.

shorty nightdress *sb.* ole-lukøjenatkjole.

shot¹ [ʃɔt] *sb.* **1.** skud; **2.** (*i golf, tennis*) slag; **3.** (*foto.*) skud; **4.** (*film.*) optagelse, scene; **5.** (T: *om narko, medicin etc.*) indsprøjtning, skud; **6.** (T: *om drink*) lille glas (*fx a ~ of whisky*); **7.** (*til jagt*) hagl; **8.** (*i hammerkast*) hammer;

□ *call the -s* vare den der bestemmer; bestemme farten; *like a ~* som et lyn; som et søm; (se også *bow¹*);

[+ *at, for*] *a ~ at* T et forsøg på at opnå (*fx his second ~ at the Presidency*); *have a ~ at* T gøre et forsøg på at opnå (*fx the European championship*); *make -s at the questions* (forsøge at) gætte sig til svarene; skyde; *I'll have a ~ for the train* jeg vil prøve på at nå toget;

[+ *in*] *a ~ in the arm* **a.** en indsprøjtning; **b.** (*fig.*) en saltvandsindsprøjtning (*fx the firm needs a ~ in the arm*); *a ~ in the dark* (*fig.*) et skud i tågen; *a ~ in the locker* reservekapital; *not a ~ in the locker* ikke en øre i kassen; [*med adj.*] *a bad ~* en dårlig skytte; *give it one's best ~* gøre sit bedste; *big ~* se *bigwig; a* *good*//*an excellent* ~ (*om person*) en god//glimrende skytte; (se også *long¹*).

shot² [ʃɔt] *præt. & præt. ptc. af* *shoot²*.

shot³ [ʃɔt] *adj.* **1.** (*om stof*) changerende (*fx silk*); **2.** T ødelagt (*fx my nerves were* ~); nedslidt;
□ *get* ~ *of* T blive af med; ~ *with gold* guldindvirket; ~ *through with* (*fig.*) fuld af; gennemsyret af.

shotgun¹ [ˈʃɔtɡʌn] *sb.* haglbøsse, haglgevær;
□ *ride* ~ (*am.*) **a.** (*hist.*) rejse med som væbnet vagt; **b.** (*fig.*) være beskytter; **c.** (*i bil*) sidde på forsædet.

shotgun² [ˈʃɔtɡʌn] *adj.* (*am.*)
1. tvungen; **2.** hastværks-; haste- (*fx legislation*); **3.** tilfældig, usystematisk (*fx propaganda*).

shotgun wedding *sb.* T hastebryllup.

shot put *sb.* (*i sport*) kuglestød.

should [ʃəd, ʃd, (*betonet*) ʃud] *præt. af shall.*

shoulder¹ [ˈʃəuldə] *sb.* **1.** skulder; **2.** (*i jægersprog: af hjort*) blad; **3.** (*kødudskæring*) bov; **4.** (*am.: langs vej*) nødspor; rabat; **5.** (*tekn.: fremspring*) ansats; (*fx på kniv, bolt*) bryst; **6.** (*af bjerg*) skråning;
□ *give sby the cold* ~ se *cold²*; *put one's* ~ *to the wheel* lægge kræfterne i; lægge sig i selen; *rub -s with* **a.** omgås med (på fortrolig/lige fod); **b.** (*neds.*) gnubbe/gnide sig op ad;
[*med præp.*] *straight from the* ~ rent ud, lige ud; T lige på og hårdt; *cry on sby's* ~ græde ved ens skulder; *have a* ~ *to cry on* (*fig.*) have en skulder at græde ud ved; have nogen at støtte//betro sig til; *a chip on one's* ~ se *chip¹*; *look over one's* ~ **a.** se sig tilbage over skulderen; **b.** (*fig.*) være overnervøs; *look over sby's* ~ (*fig.*) se/kigge en over skuldrene [ɔ: *holde øje med en*]; ~ *to* ~ skulder ved skulder; med forenede kræfter; *stand* ~ *to* ~ stå last og brast.

shoulder² [ˈʃəuldə] *vb.* **1.** skubbe (*fx he -ed me aside*) [ɔ: *med skulderen*]; **2.** (*byrde*) tage (op) på skulderen//skuldrene (*fx a heavy bag*); bære; **3.** (*fig.*) påtage sig (*fx a task; the responsibility*); tage på sine skuldre;
□ ~ *arms!* (*mil.*) gevær på skulder! ~ *out* skubbe ud; trænge ud; ~ *one's way* skubbe/møve sig frem.

shoulder bag *sb.* skuldertaske.
shoulder belt *sb.* (*mil.*) skulder-rem; skuldergehæng.

shoulder blade *sb.* skulderblad.

shoulder-length [ˈʃəuldəleŋθ] *adj.* skulderlang.

shoulder pad *sb.* skulderpude.

shoulder patch *sb.* (*am. mil.*) ærmemærke; afdelingsmærke.

shoulder strap *sb.* **1.** (*på tøj*) skulderstrop; **2.** (*på taske*) skulderrem.

shout¹ [ʃaut] *sb.* råb;
□ ~ *of laughter* latterbrøl; *my* ~! T det er min omgang!

shout² [ʃaut] *vb.* råbe;
□ ~ *at* råbe ad; *don't* ~ *at me!* du behøver ikke at råbe! jeg er ikke døv! ~ *down* overdøve; ~ *for* råbe på; råbe efter; ~ *out* **a.** råbe op (*fx the names*); **b.** råbe (*fx "Stop!"*); ~ *with laughter* brøle af latter; (se også *rooftop*).

shouting [ˈʃautiŋ] *sb.* råben;
□ *it's all over but/bar the* ~ det er så godt som afgjort.

shouting distance *sb.: within* ~ *of* (*am.*) ikke langt fra.

shouting match *sb.* højrøstet skænderi.

shove¹ [ʃʌv] *sb.* skub; puf.
shove² [ʃʌv] *vb.* **1.** skubbe, puffe; **2.** T anbringe, smide (*fx* ~ *it on the table*); stikke (*fx* ~ *the clothes in the washer*); **3.** (T: *om person, for at give plads*) rykke;
□ ~ *it* S stikke det skråt op (*fx I told him to* ~ *it*);
[*med adv.*] ~ *sby around* **a.** skubbe til en hele tiden; **b.** (*fig.*) dirigere/koste rundt med en; ~ *off* **a.** (*mar.*) støde fra land; **b.** T stikke af; skrubbe af; ~ *up* (*jf. 3*) rykke sammen.

shovel¹ [ˈʃʌv(ə)l] *sb.* skovl.
shovel² [ˈʃʌv(ə)l] *vb.* skovle.
shoveler, shoveller [ˈʃʌv(ə)lə] *sb.* (*zo.*) skeand.

show¹ [ʃəu] *sb.* **1.** udstilling (*fx flower* ~); **2.** (*teat. etc.*) forestilling, show; **3.** (*tv, radio.*) program; show; **4.** (*for at vise noget frem*) opvisning (*fx gym* ~; *fashion* ~); **5.** T foretagende; **6.** (*med.*) tegnblødning;
□ *do it for* ~ gøre det for et syns skyld/for at brillere/for at det skal tage sig ud; *be on* ~ være udstillet;
[+ *of*] *a* ~ *of* **a.** en udstilling af (*fx photographs; his work*); **b.** en demonstration af (*fx strength; solidarity; affection*); *a* ~ *of force* en magtdemonstration; *vote by a* ~ *of hands* **a.** stemme ved håndsoprækning; **b.** afstemning ved håndsoprækning; *there is a* ~ *of reason in it* der er tilsyneladende

noget fornuft i det;
[*med vb.*(+ *adv., præp.*)] *do a* ~ T gå i teatret//biografen *etc.*; *get the* ~ *on the road* (*fig.*) T (*om plan etc.*) få det op at stå; *give the* (*whole*) ~ *away* afsløre//røbe det hele; *he didn't have a* ~ (*am.* T) han fik ikke en chance; *make a* ~ *of doing sth* lade som om man gør noget (*fx he made a* ~ *of not hearing me*); *put on a* ~ demonstrere (*fx unity*); *put up a good*//*poor* ~ klare sig godt//skidt; *run the* ~ stå for det hele; *steal the* ~ stjæle rampelyset/billedet/opmærksomheden.

show² [ʃəu] *vb.* (*-ed, shown*)
1. vise; (*plads, værelse også*) anvise; (*egenskab etc. også*) lægge for dagen (*fx a noble spirit*); **2.** (*ved at føre bevis for*) påvise (*fx his mistake; how important it is; the presence of arsenic in the body*); **3.** (*jur.*) bevise; godtgøre; vise; **4.** (*uden objekt*) kunne ses (*fx the scar does not* ~); **5.** (*om film*) blive vist, gå; **6.** (*am.: om person*) vise sig, dukke op, komme (*fx he didn't* ~);
□ *that just -s/goes to* ~ det viser bare, der kan man se (*fx what the real situation is*); (se også *face¹, hand¹* (*etc.*));
[*med præp.& adv.*] ~ *around* = ~ *round; have something to* ~ *for* have fået noget ud af (*fx one's efforts; the money one has spent*); ~ *off* **a.** vise frem (*fx one's paintings*); **b.** (*neds.*) vigte sig med, blære sig med; **c.** fremhæve (*fx the dress -ed off her figure to perfection*); **d.** (*uden objekt*) brillere; vise sig, vigte sig, blære sig; ~ *over* = ~ *round b*; ~ *round* **a.** vise rundt (*fx I'll* ~ *you round*); **b.** (+ *objekt*) vise om i, vise rundt i (*fx* ~ *them round the museum*); ~ *through* skinne igennem; ~ *up* **a.** vise sig, træde tydeligt frem (*fx it will* ~ *up in a test*); **b.** (T: *om person*) vise sig, møde op; **c.** (*med objekt: person*) gøre flov, gøre til grin; udlevere; ~ *him up as/for* afsløre ham som (*fx the fool he is*).

show-and-tell [ʃəuənˈtel] *sb.* (*am.: i skolen*) vis og fortæl.

showbiz [ˈʃəubiz] *sb.* T = *show business.*

showboat¹ [ˈʃəubout] *sb.* (*am.*)
1. teaterbåd; **2.** (*om person*) vigtigper, blære.

showboat² [ˈʃəubout] *adj.* (*am.*) blæret.

showboat³ [ˈʃəubout] *vb.* (*am.*) vigte sig, vise sig, blære sig.

show business *sb.* teaterverdenen; underholdningsbranchen.
showcase¹ [ˈʃəukeis] *sb.* **1.** montre; udstillingsskab; **2.** *(foran butik)* udhængsskab;
□ *it was a ~ for (fig.)* **a.** det gav anledning til at fremvise/demonstrere *(fx his talents//skills)*; **b.** det var et forum for *(fx young artists).*
showcase² [ˈʃəukeis] *vb.* fremvise, demonstrere.
showdown [ˈʃəudaun] *sb.* **1.** opgør; styrkeprøve; endelig konfrontation; **2.** *(i kortspil)* det at lægge kortene på bordet.
shower¹ [ˈʃauə] *sb.* **1.** byge; **2.** *(fig.)* byge, regn *(fx of blows; of sparks)*; **3.** *(bad; sted)* brusebad *(fx take a ~; he is in the ~)*; **4.** *(anordning)* bruser *(fx stand under the ~)*; **5.** *(T: neds. om personer)* samling, bande; **6.** *(am.)* gavefest *[før ægteskab el. fødsel].*
shower² [ˈʃauə] *vb.* **1.** regne *(fx fragments of glass -ed down on us)*; **2.** *(jf. shower¹ 3)* tage brusebad *(fx he -s every morning)*;
□ *~ sth on sby, ~ sby with sth* overøse/overdænge en med noget *(fx he -ed praise on the new students; the audience -ed him with flowers).*
shower cabinet *sb.* brusekabine.
shower curtain *sb.* badeforhæng.
showerhead [ˈʃauəhed] *sb.* bruser *[til brusebad].*
showerproof [ˈʃauəpruːf] *adj.* regntæt.
shower stall *sb.* *(am.)* bruseniche; brusekabine.
showery [ˈʃauəri] *adj.* byget, regnfuld.
show flat *sb.* prøvelejlighed *[til forevisning].*
showgirl [ˈʃəugəːl] *sb.* korpige.
showground [ˈʃəugraund] *sb.* **1.** *(agr.)* dyrskueplads; **2.** *(til udstilling)* udstillingsområde; **3.** *(til sport)* sportsplads.
show house *sb.* prøvehus *[til forevisning].*
showing [ˈʃəuiŋ] *sb.* **1.** *(af film)* forevisning; **2.** *(af tv-program)* udsendelse; **3.** *(af kunst etc.)* udstilling; **4.** *(god el. dårlig)* præstation *(fx her good ~ in the championship)*; resultat *(fx their poor ~ in the elections; a poor financial ~)*; □ *make a good//poor ~* yde en god//dårlig præstation; opnå et godt//dårligt resultat; klare sig godt//dårligt; stå godt//dårligt *(fx in the opinion polls)*; *on their present ~* så vidt man kan se nu.
show jumping *sb.* ridebanespringning.

showman [ˈʃəumən] *sb.* *(pl. -men [-mən])* **1.** *(på marked, i forlystelsespark)* foreviser; teltholder; **2.** *(teat.)* teaterdirektør; **3.** *(fig.)* *[en der er god til at optræde// skabe opmærksomhed]*; reklamemager.
showmanship [ˈʃəumənʃip] *sb.* *[dygtighed til at optræde//skabe opmærksomhed].*
shown [ʃəun] *præt. ptc. af show².*
show-off [ˈʃəuɔf] *sb.* T vigtigpeter; blære.
showpiece [ˈʃəupiːs] *sb.* **1.** *[noget som man gerne viser frem]*; mønstereksempel; mønster, forbillede; **2.** udstillingsgenstand.
showroom [ˈʃəurum, -ruːm] *sb.* udstillingslokale; demonstrationslokale.
showstopper [ˈʃəustɔpə] *sb.* T *[nummer der får forestillingen til at gå i stå pga. langvarigt bifald]*; blændende præstation; flot nummer.
show trial *sb.* skueproces.
showy [ˈʃəui] *adj.* prangende.
shrank [ʃræŋk] *præt. af shrink².*
shrapnel [ˈʃræpn(ə)l] *sb.* sprængstykker; granatsplinter.
shred¹ [ʃred] *sb.* trævl; strimmel; stump;
□ *in -s* **a.** *(om tøj)* flået i stykker; **b.** *(om ens rygte)* fuldstændig ødelagt; *cut/tear to -s* **a.** flå i stumper og stykker; **b.** *(fig.)* kritisere sønder og sammen; jorde fuldstændigt; *not a ~ of evidence* ikke antydning/skygge af bevis.
shred² [ʃred] *vb.* **1.** skære i strimler; **2.** *(på råkostjern)* rive; **3.** *(dokument)* makulere.
shredder [ˈʃredə] *sb.* **1.** *(til grønsager)* råkostjern; **2.** *(til papir)* makulator, makuleringsmaskine; **3.** *(til havebrug)* flishakker; kompostkværn.
shrew [ʃruː] *sb.* **1.** *(zo.)* spidsmus; **2.** *(glds.)* arrig kvinde, rappenskralle.
shrewd [ʃruːd] *adj.* dreven *(fx politician; he was ~ but not wise)*; kløgtig *(fx move)*; skarpsindig; □ *have a ~ eye for* have et skarpt blik for; *have a ~ idea that* have en lumsk mistanke om at.
shrewish [ˈʃruːiʃ] *adj.* *(glds.)* arrig.
shriek¹ [ʃriːk] *sb.* skrig *(fx of terror; of delight)*; hvin; hyl *(fx of laughter).*
shriek² [ʃriːk] *vb.* skrige *(with af, fx pain; terror)*; hvine *(with af, fx delight)*; hyle *(with af, fx laughter).*
shrift [ʃrift] *sb.*: *give them short ~ (fig.)* gøre kort proces med dem.
shrike [ʃraik] *sb.* *(zo.)* tornskade.

shrill¹ [ʃril] *adj.* **1.** *(om lyd)* skingrende; skinger *(fx voice)*; **2.** *(om ytring)* skarp, skinger *(fx protest).*
shrill² [ʃril] *vb.* hvine.
shrimp [ʃrimp] *sb.* **1.** *(zo.)* reje; **2.** *(T: neds. om person)* splejs.
shrine [ʃrain] *sb.* **1.** helligdom; **2.** *(fig.: som folk flokkes til)* valfartssted, kultsted.
shrink¹ [ʃriŋk] *sb.* *(T: spøg.)* psykiater; psykoanalytiker.
shrink² [ʃriŋk] *vb.* *(shrank, shrunk)* **1.** skrumpe ind; svinde ind; **2.** *(om tøj)* krybe, krympe; **3.** *(litt.: af frygt etc.)* vige tilbage; **4.** *(med objekt)* få til at skrumpe ind; reducere *(fx the costs)*; *(tøj)* krympe;
□ *he shrank back (også)* han trak sig frygtsomt/forskrækket tilbage; *~ from* **a.** *(af frygt)* vige tilbage for *(+ -ing at, fx telling her the truth)*; **b.** *(af modvilje)* søge at unddrage sig *(fx contact; I will not ~ from my duties)*; kvie sig ved *(fx he shrank from telling her the truth)*; *~ on (tekn.)* krympe på.
shrinkage [ˈʃriŋkidʒ] *sb.* **1.** nedgang, reduktion; **2.** *(merk.)* svind; **3.** *(af tøj)* krympning.
shrinking violet [ʃriŋkiŋˈvaiələt] *sb.* bly viol.
shrink-resistant [ʃriŋkriˈzistənt] *adj.* krympefri.
shrink-wrap [ˈʃriŋkræp] *vb.* emballere i krympefolie.
shrivel [ˈʃriv(ə)l] *vb.* **1.** blive rynket; skrumpe ind; **2.** *(om plante)* visne; **3.** *(med objekt)* gøre rynket; få til at skrumpe ind//visne.
shrivelled [ˈʃriv(ə)ld] *adj.* indskrumpet; rynket; runken.
shroud¹ [ʃraud] *sb.* **1.** ligklæde; liglagen; **2.** *(fig.)* dække; slør *(fx of mist; of mystery)*; **3.** *(mar.)* vant.
shroud² [ʃraud] *vb.* dække; indhylle *(fx -ed in mystery)*; *(se også secrecy).*
Shrove Monday [ʃrəuvˈmʌndei] *sb.* fastelavnsmandag.
Shrovetide [ˈʃrəuvtaid] *sb.* fastelavn.
Shrove Tuesday [ʃrəuvˈtjuːzdei] *sb.* hvide tirsdag.
shrub [ʃrʌb] *sb.* busk.
shrubbery [ˈʃrʌb(ə)ri] *sb.* buskads.
shrubby [ˈʃrʌbi] *adj.* buskagtig; busket.
shrug¹ [ʃrʌg] *sb.* skuldertræk.
shrug² [ʃrʌg] *vb.*: *he -ged his shoulders* han trak på skuldrene; *~ off* afvise med et skuldertræk; trække på skulderen ad *(fx an insult)*; ryste af sig.
shrunk [ʃrʌŋk] *præt. ptc. af shrink².*

shrunken ['ʃrʌŋkən] *adj.* indskrumpet.

shtetl ['ʃtetl] *sb.* (*am.*) jødisk landsby [*i Østeuropa*].

shtik [ʃtik] *sb.* T nummer [*man optræder med*]; shownummer.

shtook [ʃtuk] *sb.*: *you'll be in* ~ du får ballade.

shuck¹ [ʃʌk] *sb.* (*am.*) **1.** (*af majskolbe*) hylster; **2.** (*af nød*) has; **3.** (*af ært etc.*) bælg; **4.** (*af østers, musling*) skal.

shuck² [ʃʌk] *vb.* (*am.*) **1.** (*majskolbe*) tage hylsteret af; **2.** (*nød*) tage hasen af; **3.** (*ært etc.*) bælge; **4.** (*østers, musling*) tage ud af skallen; **5.** (*tøj*) tage af, smide; □ ~ *off* **a.** = *2*; **b.** (*fig.*) komme/ blive af med (*fx a bad habit*).

shucks [ʃʌks] *interj.* (*især am.* T) **1.** (*afværgende*) det var ikke noget; skidt med det; **2.** (*overrasket*) nej da; **3.** (*irriteret*) sørens også; □ *not worth* ~ ikke en disse værd.

shudder¹ ['ʃʌdə] *sb.* gys, gysen; skælven; □ *send a* ~ *through* sende et gys gennem.

shudder² ['ʃʌdə] *vb.* **1.** (*om person*) gyse; skælve; **2.** (*om ting*) ryste, dirre; □ ~ *to think* gyse ved tanken om (*fx I* ~ *to think what might have happened*).

shuffle¹ ['ʃʌfl] *sb.* **1.** (*om gang*) sjokken, sjosken, tøflen; slæben på benene; **2.** (*om dans*) [*dans med slæbetrin*]; **3.** (*i kortspil*) kortblanding; **4.** (*med papirer etc.*) flytten rundt på; roden med; fumlen med; **5.** (*fig., især am.*) = *reshuffle¹ 1.*

shuffle² ['ʃʌfl] *vb.* **1.** (*om gang*) sjokke, sjoske, tøfle; **2.** (*om bevægelse*) sidde uroligt (*fx she -d uneasily in her chair*); stå uroligt; fumle rundt; **3.** (*med objekt: kort*) blande; **4.** (*papirer etc.*) flytte rundt på; rode med, fumle med; □ ~ *one's feet* **a.** (*jf. 1*) slæbe på fødderne, slæbe benene efter sig; **b.** (*jf. 2*) flytte benene frem og tilbage; sidde uroligt med benene, stå uroligt på benene; [*med præp.& adv.*] ~ *around* **a.** (*jf 1*) sjokke/sjoske/tøfle rundt; **b.** (*jf. 2*) flytte rundt på sig, sidde uroligt; **c.** (*med objekt*) = *4*; ~ *one's feet into the shoes* skubbe skoene på; ~ *off* **a.** (T, *neds.: ansvar etc.*) sno sig fra; skubbe fra sig; **b.** (*tøj*) trække af; **c.** (*uden objekt: om gang*) sjokke/sjoske/tøfle af/af sted; ~ *through* **a.** (*jf. 1*) sjokke/ sjoske/tøfle gennem (*fx the snow*); **b.** (*jf. 4*) rode igennem (*fx the pa-*

pers on one's desk).

shun [ʃʌn] *vb.* undgå, sky.

'shun [ʃʌn] *interj.* (*mil.: fork. f. attention,*) ret!

shunt¹ [ʃʌnt] *sb.* **1.** (*jernb.*) rangering; **2.** (*elek.*) shunt [*gren af strømledning*].

shunt² [ʃʌnt] *vb.* **1.** (*jernb.*) rangere (*into* ind på/ud på, *fx a siding*); **2.** (*ting, person: et sted hen*) skubbe (*fx the wardrobe into the other room*); sende (*fx them off to the coast*); □ *be -ed* (*neds.*) blive skubbet/kørt (*fx he was -ed aside; the chairs were -ed to and fro*).

shunter ['ʃʌntə] *sb.* (*jernb.*) rangerlokomotiv.

shunting yard *sb.* (*jernb.*) rangerbanegård; rangerterræn.

shush¹ [ʃʌʃ] *vb.* **1.** tysse; **2.** tie stille, være stille; **3.** (*med objekt*) tysse på.

shush² [ʃʌʃ] *interj.* ssch! tys!

shut¹ [ʃʌt] *adj.* **1.** lukket (*fx with one's eyes* ~); **2.** (*efter vb.*) i (*fx the door slid* ~; *slam the door* ~).

shut² [ʃʌt] *vb.* (*shut, shut*) **1.** lukke; **2.** (*uden objekt*) lukke; lukkes; □ ~ *it!* T hold mund! [*med præp.& adv.*] ~ *away* gemme væk; lukke inde; ~ *down* lukke (*fx the factory* ~ *down//was* ~ *down*); lukke ned (*fx the computer*); ~ *in* lukke inde i (*fx* ~ *the dog in the garage*); ~ *one's finger in the door* få fingeren i klemme i døren; ~ *off* **a.** lukke for (*fx the water; the gas*); **b.** (*leverance, forsyning*) standse (*fx aid//supplies to them*); **c.** (*person*) lukke ude; **d.** (*uden objekt: om motor*) slå fra, standse; ~ *oneself off* isolere sig; ~ *sby off from* afskære ens forbindelse til (*fx* ~ *the children off from their mother*); ~ *out* **a.** lukke ude; **b.** (*am.: i sport*) forhindre i at score; ~ *sby out of* udelukke en fra; ~ *up* **a.** tie stille; holde mund; **b.** (*med objekt*) få til at tie stille; lukke munden på; **c.** lukke/ spærre inde (*in* i, *fx* ~ *him up in a lunatic asylum*); **d.** (*hus*) lukke ned; låse af (og forlade); (*se også shop¹*); ~ *sth up in a safe* låse noget inde i et pengeskab.

shutdown ['ʃʌtdaun] *sb.* lukning.

shut-eye ['ʃʌtai] *sb.* T lur; en lille en på øjet.

shutin ['ʃʌtin] *sb.* [*en der aldrig kommer ud af sin bolig pga. sygdom etc.*].

shutout ['ʃʌtaut] *sb.* **1.** (*am.: i sport*) [*kamp hvor den ene part ikke scorer*]; **2.** (*i bridge*) forebyggende melding.

shutter ['ʃʌtə] *sb.* **1.** (*for vindue*) skodde; **2.** (*foto.*) lukker; □ *put up the -s* (*fig.*) **a.** holde fyraften; **b.** lukke forretningen.

shuttered ['ʃʌtəd] *adj.* **1.** tilskoddet; **2.** med skodder.

shuttering ['ʃʌt(ə)riŋ] *sb.* forskalling.

shuttle¹ ['ʃʌtl] *sb.* **1.** (*i passagertrafik*) [*regelmæssig tog-//bus- etc. forbindelse*]; pendultog//-bus; **2.** (*i væv, symaskine*) skyttel, skytte; **3.** = *space shuttle*; **4.** = *shuttlecock*.

shuttle² ['ʃʌtl] *vb.* **1.** (*om person*) rejse frem og tilbage, pendle; **2.** (*om tog, bus etc.*) gå i pendulfart; **3.** (*om maskindel etc.*) bevæge sig frem og tilbage; **4.** (*med objekt: person*) transportere frem og tilbage, transportere i pendulfart; **5.** (*ting*) sende frem og tilbage.

shuttlecock ['ʃʌtlkɔk] *sb.* badmintonbold; fjerbold.

shuttle diplomacy *sb.* penduldiplomati.

shuttle service *sb.* pendulrute; pendultrafik.

shy¹ [ʃai] *sb.* **1.** (*om hest*) spring til siden [*af skræk*]; **2.** (*med bold// sten*) kast; □ *have a* ~ //*shies at* **a.** kaste/ skyde efter; **b.** (*fig.*) skyde efter, angribe.

shy² [ʃai] *adj.* genert, sky; □ *be ...* ~ (*især am.*) mangle ... (*fx he was $20* ~); *be* ~ *about* se ndf.: *be* ~ *of* + *-ing*; *once bitten twice* ~ *brændt barn skyr ilden; af skade bliver man klog*; [+ *of*] ~ *of* **a.** (*om tid*) før (*fx just* ~ *of his 14th birthday*); **b.** (*om mængde*) under (*fx just* ~ *of 50%*); *be ...* ~ *of* mangle ... i (*fx we were 10 votes* ~ *of the number we needed*); *be* ~ *of sby* være genert over for en (*fx she is* ~ *of people she doesn't know*); *be* ~ *of* + *-ing* **a.** være genert ved at, genere sig for at (*fx talking to strangers*); **b.** være tilbageholdende med at (*fx telling them too much*); *fight* ~ *of* gå langt uden om; undgå; holde sig fra.

shy³ [ʃai] *vb.* **1.** (*om hest*) springe til siden; blive sky (*at* for); **2.** (*med objekt*) kaste, smide (*at* efter, *fx a stone at sby*); □ ~ *away from* vige tilbage for (*fx contact with them*); vægre sig ved; ~ *away from* + *-ing* (*også*) genere sig for at (*fx saying what you think*).

Shylock ['ʃailɔk] *sb.* [*person hos Shakespeare*]; ågerkarl.

shyster [ˈʃaistə] *sb.* (*især am.* T) **1.** (*pol.*) [*politisk ræv*]; **2.** (*advokat*) vinkelskriver, lommeprokurator.

Siamese [ˈsaiəmiːz] *adj.*: ~ *cat* siamerserkat; ~ *twins* siamesiske tvillinger.

Siberia [saiˈbiəriə] Sibirien.

Siberian [saiˈbiəriən] *adj.* sibirisk.

siblings [ˈsibliŋz] *sb. pl.* T søskende.

sibyl [ˈsib(ə)l] *sb.* sibylle, spåkvinde.

sic¹ [sik] *vb.*: ~ *a dog on sby* pudse en hund på en.

sic² [sik] *adv.* sic [ɔ: *sådan står der virkelig*].

Sicilian¹ [siˈsiliən] *sb.* **1.** (*person*) sicilianer; **2.** (*sprog*) siciliansk.

Sicilian² [siˈsiliən] *adj.* siciliansk.

Sicily [ˈsisili] Sicilien.

sick¹ [sik] *sb.* T bræk, opkast; □ *on the* ~ T på sygedagpenge; sygemeldt.

sick² [sik] *adj.* **1.** (*især foran sb.*) syg (*fx child*); sygelig (*fx look*); **2.** (*især efter vb.*) dårlig (*fx feel* ~); (se også ndf.: *be* ~); **3.** (*om humor*) syg, makaber (*fx joke; story*); **4.** (*om følelse*) sygelig (*fx fear*); □ ~ *as a parrot* (*spøg.*) meget skuffet; meget lang i ansigtet; [*med vb.*] *be* ~ **a.** være dårlig, have kvalme; **b.** kaste op; **c.** (*am.*) være syg; *be (and tired)* ~ *of* (*fig.*) være led og ked af; *be* ~ *to one's stomach* (*am.*) være dårlig, have kvalme; *be off* ~ være sygemeldt; *fall* ~ blive syg; *it makes me* ~ jeg får kvalme af det; *take/be taken* ~ blive syg; *turn* ~ blive dårlig, få kvalme; (se også *call²* (*in*), *report²*).

sick³ [sik] *vb.* T kaste op; □ ~ *a dog on sby* pudse en hund på en; ~ *sth up* T kaste noget op.

sick bag *sb.* brækpose.

sickbay [ˈsikbei] *sb.* **1.** infirmeri; **2.** (*på kostskole etc.*) sygeafdeling; **3.** (*mar.*) sygelukaf.

sickbed [ˈsikbed] *sb.* sygeleje; sygeseng.

sicken [ˈsik(ə)n] *vb.* **1.** blive syg; **2.** (*med objekt*) gøre syg, give kvalme; □ *be -ing for* være ved at blive syg af.

sickening [ˈsik(ə)niŋ] *adj.* til at blive syg af; kvalmende; modbydelig.

sick headache *sb.* (*am.*) hovedpine og kvalme; migræne.

sickle [ˈsikl] *sb.* segl.

sick leave *sb.* sygeorlov.

sick list *sb.* sygeliste; □ *on the* ~ sygemeldt, syg.

sickly [ˈsikli] *adj.* **1.** (*om person*) sygelig; svagelig (*fx child*); **2.** (*om udtryk*) mat, bleg, syg (*fx smile*); **3.** (*om hudfarve*) usund, gusten (*fx complexion*); **4.** (*om lugt, smag, farve*) vammel, kvalmende (*fx smell*); modbydelig.

sickness [ˈsiknəs] *sb.* **1.** sygdom; **2.** kvalme.

sickness benefit *sb.* (*svarer til*) sygedagpenge.

sickness rate *sb.* sygelighedsprocent.

sick note *sb.* sygeseddel; sygemelding; lægeattest.

sick-out [ˈsikaut] *sb.* (*især am.* T) [*organiseret sygefravær som pressionsmiddel*].

sick pay *sb.* sygeløn.

sickroom [ˈsikru(ː)m] *sb.* sygeværelse.

side¹ [said] *sb.* **1.** side (*fx the left// right* ~); **2.** (*pol. etc.*) parti (*fx vote for a* ~); **3.** (*i sport*) hold (*fx a soccer* ~); □ ~ *by* ~ side om side; ~ *of bacon* flæskeside; (se også *coin¹*, *far¹*); [*med: on*] *on his* ~ på hans side; *on the* ~ ekstra; ved siden af; *have a bit on the* ~ have en affære; gå udenom; *on the large// small* ~ **a.** ret stor//lille; **b.** i overkanten//underkanten; (se også *bright, right², safe², wrong²*); *on the* ~ *of* se angel, err; *on the left// right* ~ *of the road* i højre//venstre side af vejen; (se også *wrong²*); [*med vb.*] *let the* ~ *down* svigte holdet//partiet//familien//vennerne; *pick* -s (*i leg*) vælge hold; *put on* ~ T vigte sig; spille vigtig; *put on one* ~ lægge til side (*fx money; let's put that on one* ~ *for now*); *split one's* -s *with laughter* være ved at revne af latter; *take* -s tage parti (*with* for); *take sby to one* ~ trække en til side.

side² [said] *vb.*: ~ *with sby* tage éns parti; holde med én.

side arms *sb. pl.* sidevåben.

sidebar [ˈsaidbɑː] *sb.* (*især am.*) **1.** [*indrammet, kort artikel ved siden af en større, som den supplerer*]; **2.** (*fig.*) biting; bibeskæftigelse.

sideboard [ˈsaidbɔːd] *sb.* (*møbel*) skænk; buffet; □ -s bakkenbarter.

sideburns [ˈsaidbəːrnz] *sb. pl.* (*am.*) bakkenbarter.

sidecar [ˈsaidkɑː] *sb.* **1.** (*til motorcykel*) sidevogn; **2.** (*am.*) [*cocktail af likør, cognac og citron*].

side dish *sb.* tilbehør.

side drum *sb.* (*mus.*) lilletromme.

side effect *sb.* bivirkning, sideeffekt.

side issue *sb.* underordnet spørgsmål//problem; biting.

sidekick [ˈsaidkik] *sb.* T underordnet hjælper; håndlanger.

sidelight [ˈsaidlait] *sb.* **1.** (*på bil*) parkeringslys; **2.** (*mar.*) sidelanterne; **3.** (*fig.*) strejflys, sidelys (*fx throw a* ~ *on the matter*).

sideline¹ [ˈsaidlain] *sb.* **1.** bierhverv; ekstrajob; ben; **2.** (*i sport*) sidelinje; □ *from/on the* -s *it looked as if* (*fig.*) for en tilskuer//udefra så det ud som om; *stay on the* -s (*fig.*) ikke deltage; nøjes med at være tilskuer.

sideline² [ˈsaidlain] *vb.*: *be* -d **a.** (*om spiller*) blive forhindret i at spille [*fx pga. af skade*]; måtte sidde på bænken; **b.** (*fig.*) blive sat ud af spillet; blive kørt ud på et sidespor.

sidelong¹ [ˈsaidlɔŋ] *adj.* side-, skrå (*fx glance; look*); □ *take a* ~ *look at* (*fig.*) kaste et skævt blik på.

sidelong² [ˈsaidlɔŋ] *adv.* sidelæns; til siden.

side meat *sb.* (*am.* T) salt flæsk.

sidereal [saiˈdiəriəl] *adj.* stjerne- (*fx day; year*).

side-saddle [ˈsaidsædl] *sb.* damesadel.

sideshow [ˈsaidʃəu] *sb.* **1.** (*mindre*) del af udstilling; **2.** (*i cirkus*) ekstrashow; **3.** (*på marked*) forlystelse; **4.** (*fig.*) biting; underordnet foretagende.

sideslip¹ [ˈsaidslip] *sb.* **1.** udskridning; **2.** (*flyv.*) sideglidning; vingeglidning.

sideslip² *vb.* **1.** skride (ud); **2.** (*flyv.*) glide sidelæns.

side-splitting [ˈsaidspliting] *adj.* hylende grinagtig; til at revne af grin over.

sidestep [ˈsaidstep] *vb.* **1.** træde til siden for, undgå (*fx an attacker*); **2.** (*fig.*) undgå, gå uden om (*fx a problem*).

sideswipe¹ [ˈsaidswaip] *sb.* **1.** (*bemærkning*) hib; spydighed; **2.** (*især am.*) strejfen; sideværts sammenstød; **3.** (*slag*) strejfende slag; □ *make/take a* ~ *at* (*jf. 1*) komme med et hib til; lange ud efter.

sideswipe² [ˈsaidswaip] *vb.* (*om bil, især am.*) strejfe; skrabe hen ad (*fx a parked car*); ramme i siden.

sidetrack¹ *sb.* **1.** (*om emne*) sidespor; **2.** (*jernb., især am.*) sidespor, vigespor.

sidetrack[2] *vb.* **1.** (*person*) aflede;
2. (*diskussion, aktivitet*) bringe på
afveje, få ud på et sidespor;
3. (*jernb., især am.*) rangere ind
på sidespor.
sidewalk ['saidwɔːk] *sb.* (*am.*) for-
tov.
sideways[1] ['saidweiz] *adj.* side-,
skrå (*fx glance*); til siden.
sideways[2] ['saidweiz] *adv.* side-
læns; til siden;
□ *knocked* ~ T chokeret; lamslået.
siding ['saidiŋ] *sb.* **1.** (*jernb.*) side-
spor; vigespor; **2.** (*am.: på hus*)
(udvendig) beklædning.
sidle ['saidl] *vb.* kante sig [*usikk-
ert, genert*]; nærme sig sidelæns.
siege [siːdʒ] *sb.* **1.** belejring;
2. (*især am.*) vedholdende angreb
[*af sygdom*];
□ *be under* ~ være under belej-
ring; være belejret (*fx by journa-
lists*); *lay* ~ *to* belejre; *raise the* ~
hæve belejringen.
siege mentality *sb.* belejringsmen-
talitet;
□ *have a* ~ være mistroisk over
for alt og alle.
siege train *sb.* belejringsudstyr.
siesta [siˈestə] *sb.* siesta, middags-
søvn.
sieve[1] [siv] *sb.* si; sigte.
sieve[2] [siv] *vb.* si; sigte.
sift [sift] *vb.* **1.** sigte; **2.** (*fig.*) under-
søge nøje; efterprøve grundigt;
□ ~ *out* sigte fra; ~ *through* = 2.
sigh[1] [sai] *sb.* suk;
□ *fetch/heave/draw a deep* ~ ud-
støde et dybt suk; (se også *relief*[1]).
sigh[2] [sai] *vb.* sukke (*for* efter).
sight[1] [sait] *sb.* **1.** syn (*fx he has no*
~ *in* (på) *his right eye*); synsevne;
2. (*om det man ser*) syn (*fx it was
a not a pretty* ~; *the* ~ *of him
made her faint*); F skue (*fx a mag-
nificent* ~); **3.** (*for turister*) sevær-
dighed (*fx see all the -s*); **4.** (*på
skydevåben*) sigte, sigtemiddel;
5. (*merk.: om veksel*) sigt;
□ ~ *unseen* ubeset (*fx buy it* ~
unseen); *a* ~ et komisk//rædsomt
~ (*fx he was a* ~); (se også *sore*[2]
(*eyes*); *a (damn)* ~ (+ *adj.*; T) me-
get meget (*fx better; more expen-
sive*); *a (damn)* ~ *too clever* T alt
for smart;
[*med vb.*] *catch* ~ *of* **a.** se et glimt
af; **b.** få øje på; *get a* ~ *of* få øje
på; få i sigte (*fx land*); *have one's
-s on* (*fig.*) have i kikkerten; *keep*
~ *of* holde øje med; *look a* ~ se
komisk//rædsom ud; *lose one's* ~
miste synet; *lose* ~ *of* tabe af
syne; *lower one's -s* (*fig.*) slå af på
fordringerne; *raise one's -s* (*fig.*)
sætte fordringerne op; stile højere;

set one's -s on (*fig.*) sigte efter;
stile efter; *take* ~ tage sigte; sigte;
turn one's -s on vende blikket/sin
opmærksomhed mod;
[*med præp.*] *after* ~ (*merk.: om
veksel*) efter sigt; *at* ~ **a.** straks;
b. (*merk.: om veksel*) ved sigt; *a
vista;* **c.** (*mus.*) fra bladet (*fx play
at* ~); *love at first* ~ kærlighed
ved første blik; *at the* ~ *of* ved sy-
net af; *know sby by* ~ kende en af
udseende; *from* ~ (*mus.*) fra bla-
det; *in* ~, *in* ~ *of* se ndf.: *within* ~,
within ~ *of*; *in the* ~ *of the law* i
lovens øjne; *come into* ~ komme
til syne; blive synlig; *play sth on*
~ spille noget fra bladet; *shoot on*
~ skyde uden varsel; *out of* ~
a. ude af syne; **b.** S helt fanta-
stisk; *out of* ~, *out of mind* ude af
øje, ude af sind; *within* ~ inden
for synsvidde; i sigte; *have sth
within one's -s* have sigte på no-
get; have noget i sigte; *be within*
~ *of the house* **a.** have huset i
sigte; kunne se huset; **b.** være syn-
lig/kunne ses fra huset; *come
within* ~ *of the house* **a.** få huset i
sigte; **b.** blive synlig fra huset;
within ~ *of being finished* næsten
færdig.
sight[2] [sait] *vb.* **1.** få øje på; få i
sigte (*fx land*); observere (*fx sev-
eral rare birds have been -ed
there*); **2.** (*uden objekt: med sky-
devåben*) sigte; **3.** (*kanon etc.*)
indstille; rette.
sight draft *sb.* sigtveksel.
sighted ['saitid] *adj.* **1.** (*mods.
blind*) seende; **2.** (*i sms.*) -seende;
-synet (*fx keen-sighted,
short-sighted*).
sighting ['saitiŋ] *sb.* observation.
sightless ['saitləs] *adj.* blind.
sight-read ['saitriːd] *vb.* spille//
synge fra bladet.
sightseeing ['saitsiːiŋ] *sb.* sightsee-
ing; rundtur til seværdigheder;
□ *go* ~ se på seværdigheder.
sightseer ['saitsiːə] *sb.* turist.
sign[1] [sain] *sb.* **1.** tegn; **2.** (*kro- etc.*)
skilt; (se også *illuminated sign,
road sign*); **3.** (*på kort*) signatur;
4. (*astr.*) stjernetegn; **5.** (*mat.*) for-
tegn; **6.** (*am.: af dyr*) spor;
□ *a* ~ *of* et tegn på (*fx age; rain*); *a*
~ *of the times* et tidens tegn; *the*
~ *of the cross* korsets tegn; *there
was no* ~ *of her* hun var ikke til
at se nogen steder; *a* ~ *that* et
tegn på at (*fx things are looking
up*); *he made a* ~ *that* han gjorde
tegn til at (*fx he was ready*); *the -s
are that* alle tegn/alt tyder på at.
sign[2] [sain] *vb.* **1.** (*dokument*) un-
derskrive; signere; **2.** (*person*)

skrive kontrakt med (*to* om at);
engagere; **3.** (jf. *sign*[1] 1) gøre tegn;
□ *-ed and sealed, -ed, sealed and
delivered* færdigunderskrevet;
klappet og klar;
[*med præp., adv.*] ~ *away* fra-
skrive sig; ~ *for* **a.** kvittere for (*fx
a parcel*); **b.** (*om fodboldspiller*)
skrive kontrakt med (*fx Arsenal*);
he -ed for me to come nearer han
gjorde tegn til mig om at komme
nærmere; ~ *in* indskrive sig (*fx at
a hotel*); ~ *off* **a.** (*i brev*) slutte af;
b. (*radio., tv*) afmelde en udsen-
delse; (*med objekt*) slutte (*fx a
show*); **c.** (*ved sendetidens af-
slutning, svarer til*) sige godnat;
d. (*i kortspil*) melde af; **e.** (*fra ar-
bejdsløshedsunderstøttelse*) af-
melde sig; melde fra; **f.** (*am.* T)
slutte; gå hjem; ~ *off on* (*am.*)
godkende;
~ *on* **a.** tage ansættelse; (*mar.*)
blive forhyret; tage hyre (*fx* ~ *on
as cook*); **b.** (*til arbejdsløshedsun-
derstøttelse*) tilmelde sig; **c.** (*ra-
dio., tv*) annoncere udsendelser-
nes begyndelse; sige godmorgen;
d. (*am.*) melde sig (*fx to help at a
school fair*); **e.** (*med objekt: per-
son*) engagere, ansætte; (*mar.*) for-
hyre, påmønstre; (se også *dotted
line*); ~ *on for* **a.** melde sig til (*fx
a course*); **b.** påtage sig (*fx a job*);
c. (*mil.*) binde sig for;
~ *over* overdrage (skriftligt); *he
-ed to me to* ... se ovf.: *he -ed for
me to* ...; ~ *up* **a.** (*mil.*) melde sig
til militærtjeneste; **b.** (*med objekt:
person*) engagere; ~ *up for* = ~ *on
for*;
~ *with* skrive kontrakt med.
signal[1] ['sign(ə)l] *sb.* signal.
signal[2] ['sign(ə)l] *adj.* bemærkel-
sesværdig, eklatant (*fx victory*).
signal[3] ['sign(ə)l] *vb.* **1.** signalere;
give tegn; gøre tegn; (*i færdsel
også*) vise af; **2.** (*indstilling*) til-
kendegive (*fx displeasure; willing-
ness to negotiate*);
□ ~ *left//right* (*fx: når man vil
dreje*) **a.** (*om cyklist*) række hån-
den ud til venstre//højre; **b.** (*om
bil: med blinklys*) blinke til ven-
stre//højre; ~ (*for*) *sby to* gøre tegn
til en om at (*fx stop*).
signal box *sb.* (*jernb.*) signalpost;
signalhus.
signalize ['signəlaiz] *vb.* F frem-
hæve; udmærke.
signaller ['signələ] *sb.* (*mil.*) signal-
mand.
signalman ['sign(ə)lmən] *sb.* (*pl.
-men* [-mən]) **1.** (*jernb.*) signal-
mand; signalpasser; **2.** (*mar.*) sig-
nalgast.

signatory ['signət(ə)ri] *sb.* underskriver.
signature ['signətʃə] *sb.* **1.** underskrift; **2.** (*mus.*) fortegn; **3.** (*typ.*: på ark) signatur; **4.** (*am.*: på recept) signatur; brugsanvisning; □ *write over/above the ~ of Atticus* skrive under mærket/navnet Atticus.
signature file *sb.* (*it*) signaturfil, underskriftfil.
signature tune *sb.* kendingsmelodi.
signboard ['sainbɔ:d] *sb.* skilt.
signet ['signət] *sb.* signet.
signet ring *sb.* signetring.
significance [sig'nifikəns] *sb.* **1.** vigtighed; betydning; **2.** (*i statistik*) signifikans.
significant [sig'nifikənt] *adj.* **1.** betydningsfuld; **2.** (*om blik etc.*: med skjult betydning) sigende (*fx gesture; look; smile*); **3.** (*i statistik*) signifikant; □ *it is ~ that* (*jf.* 2) det er betegnende at.
significant other *sb.* T [*person af det andet køn som man har tilknytning til*]; samlever; partner.
signification [signifi'keiʃn] *sb.* **1.** (*sprogv.*: *ords*) betydning; **2.** F tilkendegivelse.
signify ['signifai] *vb.* **1.** være tegn på, betyde (*fx red signifies danger*); **2.** (*om person*) tilkendegive (*fx one's agreement; that one is in agreement*); **3.** (*uden objekt*) have betydning (*fx it doesn't ~*).
sign language *sb.* tegnsprog.
signpost[1] ['sainpəust] *sb.* **1.** vejviserskilt; **2.** (*fig.*) fingerpeg, vink, signal.
signpost[2] ['sainpəust] *vb.* **1.** opsætte vejskilte på//ved; afmærke (med skilte); **2.** (*fig.*) gøre tydeligt opmærksom på; markere.
signwriter ['sainraitə] *sb.* skiltemaler.
Sikh [si:k] *sb.* sikh.
silage ['sailidʒ] *sb.* (*agr.*) ensilage.
silence[1] ['sailəns] *sb.* stilhed; tavshed; □ *~! stille! keep/observe ~ tie; ~ is golden* det er bedst ikke at sige for meget.
silence[2] ['sailəns] *vb.* **1.** bringe til tavshed, få til at tie; lukke munden på (*fx one's critics*); **2.** (*dræbe*) gøre tavs.
silencer ['sailənsə] *sb.* **1.** (*på skydevåben*) lyddæmper; **2.** (*på motorkøretøj*) lyddæmper, lydpotte.
silent ['sailənt] *adj.* **1.** tavs; **2.** (*om sted*) stille (*fx the village was ~*); **3.** (*om bogstav*) stum; **4.** (*om maskine etc.*) lydløs (*fx the dishwasher//lift is almost ~*);

□ *be//keep ~* tie stille; *be ~ about/on* tie om; *a ~ prayer* en stille/tavs bøn; *~ protest* stum/tavs protest; *~ reading* stillelæsning.
Silesia [sai'li:ziə, si'li:ziə] (*geogr.*) Schlesien.
silhouette [silu'et] *sb.* silhouet; omrids.
silhouetted [silu'etid] *adj.*: *be ~ against* tegne sig i silhouet mod (*fx the sky*).
silica ['silikə] *sb.* kiselsyreanhydrid; kiseljord.
silicate ['silikət] *sb.* silikat.
silicic [si'lisik] *adj.*: *~ acid* (*kem.*) kiselsyre.
silicon ['silikən] *sb.* (*kem.*) silicium.
silicon chip *sb.* siliciumchip; mikrochip.
silicone ['silikəun] *sb.* silikone.
Silicon Valley [*område i det nordlige Californien med meget computerindustri*].
silicosis [sili'kəusis] *sb.* (*med.*) silikose.
silk [silk] *sb.* silke; □ *take ~* (*eng. jur.*) anlægge silkekappen [*blive Queen's//King's Counsel*].
silken ['silk(ə)n] *adj.* **1.** (*litt.*) silkeagtig; silkeblød (*fx hair*); **2.** (*glds.*) af silke; silke-.
silk moth *sb.* (*zo.*) silkesommerfugl.
silk screen printing *sb.* silketryk, serigrafi.
silkworm ['silkwə:m] *sb.* (*zo.*) silkeorm.
silky ['silki] *adj.* **1.** silkeagtig; silkeblød; silkeglinsende; **2.** (*om stemme*) silkeblød; indsmigrende.
sill [sil] *sb.* **1.** (*til dør*) tærskel; dørtrin; **2.** (*til vindue*) underkarm; (*udvendig*) sålbænk.
silly[1] ['sili] *sb.* tossehoved; fæ.
silly[2] ['sili] *adj.* fjollet, tosset, tåbelig; □ *bore sby ~* kede en til døde; *drink oneself ~* drikke sig fra sans og samling; *knock sby ~* slå en halvt fordærvet.
Silly Putty® *sb.* (*am.*) [*slags modellervoks*].
silly season *sb.* agurketid [*for pressen*].
silo ['sailəu] *sb.* **1.** (*agr.*) silo; **2.** (*mil.*) raketsilo.
silt[1] [silt] *sb.* dynd, slam; (*fagl.*) silt.
silt[2] [silt] *vb.*: *~ up* fyldes med slam; mudre til.
silvan ['silvən] *adj.* (*glds. el. litt.*) skovrig; skov-.
silver[1] ['silvə] *sb.* **1.** sølv; **2.** sølvtøj

(*fx polish the ~*); **3.** sølvmedalje (*fx win a ~*).
silver[2] ['silvə] *adj.* sølv-; sølvfarvet.
silver birch *sb.* (*bot.*) vortebirk.
silvered ['silvəd] *adj.* **1.** forsølvet (*fx candlestik*); **2.** (*litt.*) sølvskinnende; (*om hår*) sølvgrå.
silver fir *sb.* ædelgran.
silverfish ['silvəfiʃ] *sb.* (*zo.*) sølvfisk, sølvkræ.
silver gilt *sb.* sølvforgyldning.
silver jubilee *sb.* 25-års jubilæum.
silver leaf *sb.* bladsølv.
silver lining *sb.* (*fig.*) lyspunkt; (se også *cloud*).
silver medal *sb.* sølvmedalje.
silver medallist *sb.* sølvmedaljevinder.
silver plate *sb.* sølvplet; sølvtøj.
silver-plated ['silvəpleitid] *adj.* sølvbelagt, forsølvet.
silver screen *sb.*: *the ~* det hvide lærred.
silverside ['silvəsaid] *sb.* (*af kød*) yderlår.
silversmith ['silvəsmiθ] *sb.* sølvsmed.
silver spoon *sb.* sølvske; □ *be born with a ~ in one's mouth* fødes med en sølvske i munden [ɔ: *i en rig familie*].
silver-tongued [silvə'tʌŋd] *adj.* veltalende.
silverware ['silvəwɛə] *sb.* sølvtøj.
silver wedding *sb.* sølvbryllup.
silverweed ['silvəwi:d] *sb.* (*bot.*) gåsepotentil.
silvery ['silv(ə)ri] *adj.* (*litt.*) sølvklar; sølvskinnende; sølv-.
silver-Y [silvə'wai] *sb.* (*zo.*) gammaugle [*en natsværmer*].
simian ['simiən] *adj.* abelignende.
similar ['similə] *adj.* lignende; af samme slags; □ *be ~* ligne hinanden; *~ to* af samme slags som; *be ~ to* ligne.
similarity [simi'lærəti] *sb.* lighed.
similarly ['similəli] *adv.* på samme måde.
simile ['simili] *sb.* sammenligning; lignelse.
simmer[1] ['simə] *sb.*: *bring sth to a ~* få noget til at småkoge/simre.
simmer[2] ['simə] *vb.* **1.** koge ved en sagte ild; lade småkoge//simre/ simre; **2.** (*uden objekt*) småkoge, snurre, simre; **3.** (*fig.*: *om konflikt etc.*) (ligge og) ulme; □ *~ down* (T: *fig.*) falde til ro; *be -ing with rage* boble af raseri.
simp [simp] *sb.* (*am.* T) fjols.
simper[1] ['simpə] *sb.* dumt//affekteret smil.
simper[2] ['simpə] *vb.* smile dumt// affekteret; smiske.

simple ['simpl] *adj.* **1.** enkel, simpel, ligetil; **2.** (*om person*) simpel; jævn og ligefrem; ukunstlet; **3.** (*neds. om person*) enfoldig, naiv, troskyldig; **4.** (*gram.*) usammensat;
□ *it is a ~ fact* det er ganske enkelt en kendsgerning; *the ~ truth* den rene og skære sandhed.
simple fracture *sb.* (*med.*) ukompliceret brud.
simple interest *sb.* simpel rente.
simple-minded [simpl'maindid] *adj.* enfoldig, naiv, troskyldig.
Simple Simon *sb.* dummepeter.
simpleton ['simpltən] *sb.* (*glds.*) dumrian, tossehoved.
simplicity [sim'plisəti] *sb.* (jf. *simple*) **1.** enkelhed; **2.** (*om person*) jævnhed; ligefremhed; **3.** (*neds.*) enfoldighed;
□ *it is ~ itself* det er ganske enkelt; det er lige ud ad landevejen.
simplification [simplifi'keiʃn] *sb.* forenkling.
simplify ['simplifai] *vb.* forenkle, simplificere.
simplistic [sim'plistik] *adj.* overforenklet; naiv.
simply ['simpli] *adv.* **1.** (*sætningsadv.*) kun, bare, udelukkende (*fx he does it ~ for the money*); **2.** (*understregende*) simpelthen, ganske simpelt (*fx it was ~ wonderful//awful; I ~ don't know*); **3.** (jf. *simple 1*) enkelt (*fx explain sth//live ~*).
simulacrum [simju'leikrəm] *sb.* **1.** billede, efterligning; **2.** (*neds.*) humbugsagtig efterligning; skin (*fx the ~ of a democracy*).
simulate ['simjuleit] *vb.* **1.** (*følelse etc.*) foregive, fingere (*fx an interest; -d anger*); simulere, hykle (*fx enthusiasm*); **2.** (*handling*) fingere (*fx a fight*); **3.** (*ting, stof*) imitere (*fx -d leather*); efterligne (*fx use plastic to ~ wood*); **4.** (*eksperimentelt, it*) simulere (*fx a -d nuclear explosion*); **5.** (*mil.*) supponere (*fx a -d attack*);
□ *~ illness//innocence//virtue* stille sig syg//uskyldig//dydig an; *-d weapon* attrap.
simulation [simju'leiʃn] *sb.* **1.** simulering; efterligning; **2.** (*af følelse*) foregiven; **3.** (*it*) simulering.
simulator ['simjuleitə] *sb.* simulator.
simulcast ['siməlka:st] *sb.* (*i radio og tv*) fællesudsendelse; samsending.
simultaneity [sim(ə)ltə'neiəti, (*især am.*) sai-] *sb.* samtidighed.
simultaneous [sim(ə)l'teiniəs, (*især am.*) sai-] *adj.* **1.** samtidig; **2.** (*i

sms.) simultan- (*fx interpretation; translation; game* parti (i skak)).
sin[1] [sin] *sb.* synd; forsyndelse;
□ *for my -s* (*spøg.*) for mine synders skyld; *live in ~* (*glds.*) leve sammen uden at være gift; leve på polsk; (se også *ugly*).
sin[2] [sin] *vb.* synde; forsynde sig (*against* imod).
sin bin *sb.* (*i ishockey*) straffeboks.
since[1] [sins] *adv.* siden;
□ *ever ~* lige siden; *long ~* for længst.
since[2] [sins] *konj.* **1.** (*om tid*) siden (*fx he has been busy ~ you came*); **2.** (*om årsag*) eftersom, da (*fx ~ we've no money, we can't go there*).
since[3] [sins] *præp.* siden (*fx ~ 1999*).
sincere [sin'siə] *adj.* oprigtig.
sincerely [sin'siəli] *adv.* oprigtigt;
□ *Yours ~* (*brevunderskrift, svarer til*) med venlig hilsen.
sincerity [sin'serəti] *sb.* oprigtighed.
sine [sain] *sb.* (*mat.*) sinus.
sinecure ['sainikjuə, 'sin-] *sb.* sinecure [*embede uden embedspligter*].
sine qua non [sinikwa:'nəun, sainikwei'nɔn] *sb.* ufravigelig betingelse; absolut forudsætning.
sinew ['sinju:] *sb.* sene;
□ *-s* **a.** (*fig.*) kraft (*fx moral -s*); **b.** vigtigste støtte; livsnerve; *the -s of war* (*litt.*) [*penge og krigsfornødenheder*].
sinewy ['sinjui] *adj.* **1.** (*om kød*) senet; **2.** (*om person*) senestærk; kraftig.
sinful ['sinf(u)l] *adj.* syndig;
□ *a ~ waste* et skammeligt spild.
sing [siŋ] *vb.* (*sang, sung*) **1.** synge; **2.** (*am.* S) tilstå; sladre; „synge“;
□ *my ears are -ing* det ringer for mine ører; *the kettle is -ing* kedlen snurrer; *he is -ing a different song/tune* (fig.: *svarer til*) piben har fået en anden lyd;
[*med adv.*] *~ along* synge med; *~ for one's supper* (*glds., fig.*) arbejde for føden; *~ out* T råbe højt; *~ up* synge højere.
singalong ['siŋəlɔŋ] *sb.* komsammen med fællessang;
□ *have a ~* sidde og synge sammen.
singe[1] ['sin(d)ʒ] *sb.* (*på tøj*) sveden plet.
singe[2] ['sin(d)ʒ] *vb.* svide.
singer ['siŋə] *sb.* sanger//sangerinde.
Singhalese se *Sinhalese*.
singing ['siŋiŋ] *sb.* **1.** sang; **2.** (*i sms.*) sang- (*fx bird; voice*).

single[1] ['siŋgl] *sb.* (se også *singles*) **1.** (*person*) enlig, single; **2.** (*billet*) enkeltbillet; **3.** (*på hotel etc.*) enkeltværelse; **4.** (*plade*) single; **5.** (*i kricket*) [*slag der giver ét point*]; **6.** (*i baseball*) [*slag hvor slåeren når første base*].
single[2] ['siŋgl] *adj.* **1.** enkelt; eneste; **2.** enkelt- (*fx room; ticket*); **3.** (*om person*) enlig; ugift; **4.** (*bot.*) enkelt (*fx tulip*);
□ *live in ~ blessedness* (*spøg.*) leve i den lyksalige ugifte stand; *the ~ most important cause* den isoleret set vigtigste grund.
single[3] ['siŋgl] *vb.* **1.** (*planter*) udtynde; **2.** (*i baseball*, jf. *single[1] 6*) slå en single;
□ *~ out* **a.** udvælge, udse sig; udpege; **b.** fremhæve.
single-breasted [siŋgl'brestid] *adj.* enradet.
single combat *sb.* tvekamp.
single cream *sb.* kaffefløde.
single currency *sb.* (*i EU*) fælles valuta.
single-decker [siŋgl'dekə] *sb.* enetages bus.
single file *sb.*: *move in ~* se *file[1]*.
single-handed [siŋgl'hændid] *adj.* på egen hånd; helt alene; ene mand.
single market *sb.* (*i EU*) indre marked.
single-minded [siŋgl'maindid] *adj.* målbevidst; målrettet.
singleness ['siŋglnəs] *sb.*: *~ of purpose* se *purpose.*
single parent *sb.* enlig forsørger.
singles ['siŋlz] *sb. pl.* **1.** (*personer*) enlige, singler; **2.** (*i tennis, badminton*) single; **3.** (*am.*) endollarsedler.
single stick *sb.* stok [*til fægtning*].
singlet ['siŋglət] *sb.* undertrøje; sportstrøje [*uden ærmer, til løber*].
singleton ['siŋglt(ə)n] *sb.* (*i kortspil*) enkelt kort i farven; singleton.
singletree ['siŋgltri:] *sb.* (*am.*) svingel [*på enspændervogn*].
singly ['siŋgli] *adv.* enkeltvis.
singsong[1] ['siŋsɔŋ] *sb.* **1.** syngende tonefald; **2.** se *singalong*.
singsong[2] ['siŋsɔŋ] *adj.* syngende.
singular[1] ['siŋgjulə] *sb.* (*gram.*) **1.** singularis, ental; **2.** entalsform.
singular[2] ['siŋgjulə] *adj.* **1.** F enestående (*fx courage*); overordentlig; sjælden; **2.** (*glds.*) særegen, besynderlig (*fx clothes*).
singularity [siŋgju'lærəiti] *sb.* særegenhed; besynderlighed.
Sinhalese[1] [siŋə'li:z] *sb.* **1.** (*person*) singaleser; **2.** (*sprog*) singalesisk.
Sinhalese[2] [siŋə'li:z] *adj.* singale

sisk.

sinister ['sinistə] *adj.* **1.** ildevarslende, uheldsvanger; uhyggelig, dyster, skummel; **2.** (*her.*) sinister; i venstre side af våbenskjold [*for beskueren til højre*]; □ *bend/bar* ~ (*her.*) skråbjælke [*tegn på uægte fødsel*].

sink[1] [siŋk] *sb.* **1.** vask; køkkenvask; **2.** (*am.*) håndvask; vaskekumme; **3.** (*fig.*) sump; □ *a* ~ *of iniquity* en lastens hule.

sink[2] [siŋk] *vb.* (*sank/sunk, sunk*) (se også *sinking, sunk*[2]) **A.** (*uden objekt*) **1.** synke; **2.** (*om terræn*) skråne, falde af; **3.** (*i omfang*) synke, falde (*fx their output sank; prices sank*); blive mindre, tage af; **4.** (*om person*) synke (*fx she sank back on her pillow*); synke om/ned; (*af træthed*) segne (*fx he was -ing under the burden*); **B.** (*med objekt*) **1.** sænke; lade synke ned (*fx* ~ *one's head on one's arms*); **2.** (*skib, båd*) sænke; **3.** (*noget spidst*) stikke (*into* i, *fx a needle into one's arm*); bore (*into* ind i/ned i, *fx the cat sank her claws into his arm*); sætte (*into* i, *fx the cat sank her teeth into his arm*); **4.** (*i jorden*) grave, bore (*fx a well* en brønd); grave ned (*fx a pipe* et rør); **5.** (T: *drink*) skylle ned; **6.** (*i billard*) støde i hul; **7.** (*i golf*) slå i hul; **8.** (*fig.*) vælte (*fx the Government; this might* ~ *our plans*); □ *let us* ~ *our differences* lad os glemme vores uenighed; ~ *or swim* lad det så briste eller bære; *leave him to* ~ *or swim* lade ham klare sig som han bedst kan; [*med præp.& adv.*] ~ *down* (*om person*) synke om (*fx into a chair; on the floor*); ~ *in* **a.** (T: *fig.*) trænge ind (*fx he waited for his words to* ~ *in*); **b.** (*med objekt: penge*) sætte i, anbringe i; (*så de går tabt*) begrave i (*fx he sank his whole capital in that firm*); ~ *in his estimation* falde/dale i hans agtelse; *sunk in thought* hensunken i tanker; ~ *into* (*uden objekt*) **a.** (*om væske*) trænge ind i (*fx dye -s into the fabric*); **b.** (*om noget spidst*) bore sig ind i (*fx the knife sank into his arm*); **c.** (*om person*) synke om/ned i (*fx a chair*); synke hen i (*fx sleep, despair*); (*se også heart*); *he would never* ~ *so low/to such depths* han ville aldrig synke så dybt.

sinker ['siŋkə] *sb.* (*i fiskesnøre*) sænk; lod; (se også *hook*[1]).

sink estate *sb.* slumbebyggelse; forfaldent boligområde.

sinking ['siŋkiŋ] *adj.* synkende; □ *he is* ~ (*om patient*) han bliver stadig svagere; han har ikke langt igen; *a* ~ *feeling* T en sugende fornemmelse i maven [*af sult, frygt*]; *I had a* ~ *feeling that* jeg havde en uhyggelig anelse om at.

sinking fund *sb.* amortisationsfond.

sinless ['sinləs] *adj.* syndefri.

sinner ['sinə] *sb.* synder.

Sinn Fein [ʃin'fein] [*irsk nationalistparti*].

Sino- ['sainəu] (*forstavelse*) kinesisk- (*fx Sino-American, Sino-Japanese*).

sinologist [si'nɔlədʒist] *sb.* sinolog [*kender af kinesisk sprog og kultur*].

sinology [si'nɔlədʒi] *sb.* sinologi [*studiet af kinesisk sprog og kultur*].

sin taxes *sb. pl.* (T: omtr.) giftskatter [*på tobak, spiritus, spil*].

sinuous ['sinjuəs] *adj.* **1.** bugtet (*fx road*); **2.** (*om bevægelse*) smidig; slangeagtig.

sinus ['sainəs] *sb.* (*anat.*) sinus; bihule.

sinusitis [sainə'saitis] *sb.* bihulebetændelse.

Sioux [su:] *sb.* (*pl. Sioux* [su:z]) siouxindianer.

sip[1] [sip] *sb.* lille slurk, nip.

sip[2] [sip] *vb.* **1.** nippe til (*fx one's wine*); **2.** (*uden objekt*) nippe (*at* til).

siphon[1] ['saif(ə)n] *sb.* **1.** hævert; **2.** (*til sodavand*) sifon.

siphon[2] ['saif(ə)n] *vb.* tappe ved hjælp af en hævert; □ ~ *off* **a.** = ~; **b.** (*fig.*) omdirigere; bortlede; dræne.

sippet ['sipət] *sb.* [*trekantet stykke ristet brød som tilbehør*].

sir, Sir [sə:, (*ubetonet*) sə] *sb.* **1.** (*høflig tiltaleform, til en hvis navn man ikke kender el. til overordnet; ofte uoversat*) hr.; den herre; min herre; hr. lærer//hr. kaptajn etc.; **2.** (*titel, som i Sir John (Howard)*) [*ridder- el. baronettitel*]; □ *dear Sir* [*overskrift i forretningsbreve*].

sire[1] [saiə] *sb.* **1.** (*om dyr, især heste*) fader; **2.** (*glds.*) fader; ophav.

sire[2] [saiə] *vb.* (*om hest*) være fader til; □ *-d by* faldet efter.

siren[1] ['saiərən] *sb.* **1.** (*til alarm*) sirene; **2.** (*kvinde*) sirene; fristerinde.

siren[2] ['saiərən] *adj.* sirene- (*fx song*); lokkende.

siren call, siren song *sb.* lokketo-

ner.

siren suit *sb.* flyverdragt.

sirloin ['sə:lɔin] *sb.* (*om oksekød*) lændestykke.

sirocco [si'rɔkəu] *sb.* scirocco [*hed fugtig vind*].

sis [sis] *sb.* (*am.* T) søster.

sisal ['sais(ə)l] *sb.* sisal.

siskin ['siskin] *sb.* (*zo.*) grønsisken.

sissy[1] ['sisi] *sb.* T tøsedreng.

sissy[2] ['sisi] *adj.* T tøset; som kun er for tøsedrenge.

sister ['sistə] *sb.* **1.** søster; **2.** (*rel.*) nonne; søster; **3.** (*på hospital*) afdelingssygeplejerske.

sisterhood ['sistəhud] *sb.* **1.** søsterskab; **2.** (*rel.*) nonneorden.

sister hooks *sb. pl.* (*mar.*) dyvelskløer.

sister-in-law ['sist(ə)rinlɔ:] *sb.* (*pl. sisters-in-law*) svigerinde.

sisterly ['sistəli] *adj.* søsterlig.

Sistine ['sisti:n]: *the* ~ *Chapel* det Sixtinske Kapel.

Sisyphean [sisi'fi:ən] *adj.*: *a* ~ *task* et sisyfosarbejde [ɔ: *som man aldrig bliver færdig med*].

sit [sit] *vb.* (*sat, sat*) **A. 1.** sidde; **2.** (*parl.*) holde møde; være forsamlet (*fx the House will* ~ *in the autumn*); **3.** (*om fugl: på æg*) ruge (*fx the hens are -ting*); **4.** (F: *om ting*) stå, ligge (*fx the box sat on a shelf; the house sits on a hill*); **5.** (*om tøj*) sidde (*fx the coat doesn't* ~ *properly*); passe; **B.** (*med objekt*) **1.** (*eksamen*) gå op til; **2.** (*fag*) gå op i; **3.** (*hest*) sidde på; **4.** (*personer*) have plads til (*fx the chapel will* ~ *about 500 people*); □ ~ *tight* se *tight*[2]; [*med præp., adv.*] ~ *around* sidde og drive//hænge; ~ *back* **a.** læne sig tilbage (i stolen); slappe af; hvile ud; **b.** (*fig.*) forholde sig passiv; lægge hænderne i skødet; ~ *by* (*fig.*) sidde med hænderne i skødet; ~ *down* **a.** sætte sig, sætte sig ned; **b.** (*til forhandling*) sætte sig til forhandlingsbordet (*with* med); forhandle (*with* med); **c.** (*med objekt: person*) sætte, anbringe; få til at/lade sætte sig; *be -ting down* sidde ned; ~ *down to dinner* sætte sig til middagsbordet; ~ *down to one's work* koncentrere sig om sit arbejde; ~ *down under* finde sig i; ~ *for* **a.** (*parl.: valgkreds*) repræsentere (i Parlamentet); **b.** (*kunstner*) sidde model for; **c.** (*eksamen*) gå op til; **d.** (*især am.: barn*) være babysitter for; passe; ~ *for one's*

portrait lade sig male;
~ *in at* (*som demonstration*) besætte (*fx a factory*); ~ *in for* vikariere for; ~ *in on* (*især am.*) overvære, være observatør ved; (se også *judgement*);
~ *on* a. (*stol etc.*) sidde på;
b. (*udvalg etc.*) være medlem af (*fx the company's board*); c. (*sag*) undersøge, behandle; holde retsmøde om; d. (T: *sag, dokument*) holde på; lade ligge; sylte; e. (T: *person*) dukke; holde nede; ~ *on one's hands* a. forholde sig passiv; sidde med hænderne i skødet; b. (*teat.*) ikke klappe; (se også *arse¹, bum¹, fence¹*); *the cake is -ting* **heavily on** *my stomach* kagen ligger tungt i maven; *his losses//his years* ~ **lightly on** *him* hans tab//hans alder synes ikke at tynge ham;
~ *out* a. blive længere end (*fx another visitor*); b. (*dans*) sidde over; c. (*fig.*) ikke deltage i; holde sig uden for (*fx a war*); ~ *it out* blive til det er forbi; holde ud;
~ *through* holde ud til slutningen af; blive siddende under hele (*fx the debate; the performance*);
~ *to* an artist sidde (model) for en maler;
~ *under* (*lærer, især am.*) være elev af; ~ *under a minister* (*rel.*) høre en præsts prædikener;
~ *up* a. sætte sig op; sidde op(rejst); b. (*om aftenen, natten*) sidde oppe; c. (*fig.: blive opmærksom*) spidse ører; d. (*med objekt*) hjælpe op at sidde; *make sby* ~ *up* få en til at spidse ører; (se også *notice¹ (take notice)*);
~ *well* **with** passe godt til (*fx it -s well with tradition*); *it -s well with him* det passer ham godt.
sitcom ['sitkɔm] *sb.* T = *situation comedy.*
sit-down ['sitdaun] *sb.* 1. = *sit-down strike*; 2. T hvil; pause;
□ *have a* ~ tage et hvil; sidde lidt ned.
sit-down meal *sb.* [måltid hvor man sidder ned ved et bord].
sit-down strike *sb.* sitdownstrejke.
site¹ [sait] *sb.* 1. (*hvor noget er//har været*) sted (*fx the* ~ *where Drake played bowls; Christianity's holiest* ~); plads; (se også *camping site*); 2. (*hvor der bygges*) byggeplads; 3. (*hvor hus skal være*) grund, byggegrund; 4. (*hvor hus har været*) tomt (*fx a bomb* ~; *the* ~ *of the fire*); 5. (*hvor noget skal være*) beliggenhed, placering (*fx of a hydroelectric dam; of a missile base*); 6. (*mil.*) (forberedt) stil-

ling (*fx gun* ~); 7. (*it: på internettet*) site;
□ *the* ~ *of the accident* ulykkesstedet; *the* ~ *of the battle of Waterloo* slagmarken ved Waterloo; *the* ~ *of the murder* mordstedet; *on* ~ a. på stedet; b. (*jf. 2*) på byggepladsen.
site² [sait] *vb.* 1. anbringe; placere; 2. (*mil.*) bringe i stilling.
sit-in ['sitin] *sb.* besættelse [*af universitet etc., som protest*].
sitter ['sitə] *sb.* 1. (*for kunstner, fotograf*) model; 2. (*for barn*) børnepasser; babysitter; 3. (*på æg*) liggehøne.
sitting¹ ['sitiŋ] *sb.* 1. (*parl.*) samling; møde; 2. (*jur.*) retsmøde; 3. (*mht. spisning*) servering;
□ *have three -s* (*om model for maler*) sidde tre gange; *at one/a single* ~ i ét stræk (*fx read the book// finish the job at one* ~).
sitting² ['sitiŋ] *adj.* 1. siddende; 2. (*om høne etc.*) rugende; (*i sms.*) ruge- (*fx box; hen*).
sitting duck *sb.* (*fig.*) let offer, let mål, let bytte; skydeskive.
sitting room *sb.* opholdsstue; dagligstue.
sitting target *sb.* se *sitting duck.*
situate ['sitʃueit] *vb.* anbringe, placere.
situated ['sitʃueitid] *adj.* beliggende (*fx a conveniently//beautifully* ~ *hotel*); placeret;
□ *badly* ~ a. dårligt beliggende; b. (*fig.*) dårligt stillet; *well* ~ a. velplaceret; b. (*fig.*) godt stillet; i en gunstig position; c. (*økonomisk*) velsitueret.
situation [sitʃu'eiʃn] *sb.* 1. situation; stilling (*fx a difficult* ~); 2. (*om hus, by*) beliggenhed; 3. (F *om arbejde*) plads, stilling (*fx she cannot find a* ~);
□ *in a fine* ~ (*jf. 1*) smukt beliggende; *-s vacant* ledige stillinger.
situation comedy *sb.* (*radio., tv*) situationskomedie [*humoristisk underholdningsserie med gennemgående personer*].
six¹ [siks] *sb.* 1. sekstal; 2. (*kort; slag i terningspil*) sekser; 3. (*i kricket*) [*slag der giver seks point*]; □ *the* ~ *of clubs//hearts etc.* klør// hjerter *etc.* seks; *at -es and sevens* T hulter til bulter; i vild forvirring; i vildrede.
six² [siks] *talord* seks;
□ *it is* ~ *of one and half a dozen of the other* det er hip som hap; det er ét fedt; det kommer ud på ét; *hit/knock sby for* ~ T slå en helt ud.
sixfooter [siks'futə] *sb.* [*person der*

er seks fod (*ca.1,80 m*) *høj*]; kæmpekarl.
six-pack ['sikspæk] *sb.* T karton med seks (øl).
sixpence ['sikspəns] *sb.* (*glds. mønt*) sekspence.
sixshooter ['siksʃu:tər] *sb.* (*glds. am.*) seksløber.
sixteen [siks'ti:n] *talord* seksten.
sixteenth¹ [siks'ti:nθ] *sb.* sekstendedel.
sixteenth² [siks'ti:nθ] *adj.* sekstende.
sixth¹ [siksθ] *sb.* 1. sjettedel; 2. (*i rækkefølge*) nummer seks; 3. (*mus.*) sekst.
sixth² [siksθ] *adj.* sjette.
sixth form *sb.* [de to skoleklasser der forbereder til A level].
sixthly ['siksθli] *adv.* for det sjette.
sixtieth¹ ['sikstiəθ] *sb.* tresindstyvendedel.
sixtieth² ['sikstiəθ] *adj.* tresindstyvende.
sixty ['siksti] *talord* tres, tresindstyve; seksti;
□ *in the sixties* i tresserne.
sixty-four(-thousand) dollar question *sb.* (*fig.*) afgørende spørgsmål; □ *that's the* ~ (*også*) det er det store spørgsmål.
sizable *adj.* se *sizeable.*
size¹ [saiz] *sb.* 1. størrelse; 2. (*om noget stort*) omfang (*fx the* ~ *of his debt; the* ~ *of the task*); størrelse; størrelsesorden; 3. (*om tøj, sko etc.*) nummer (*fx two -s too big*); størrelse (*fx dresses//jackets in several -s*); 4. (*om bog, papir, film & fig.*) format; 5. (*i sms.*) se *sized*; 6. (*til behandling af papir, væg*) lim; limvand; (*til stof*) appretur;
□ *I am/take a* ~ *10* (*jf. 3*) jeg bruger nummer/størrelse 10; *try it (on) for* ~ (T: *fig.*) se om det passer en; *try the jacket on for* ~ se om jakken er den rigtige størrelse; se om jakken passer; *try that on for* ~*!* T hvad siger du så! *cut to* ~ tilpasse; skære til; (se også *cut² (down)*); *the* ~ *of* (*ved sammenligning*) på størrelse med, så stor som (*fx a hailstone the* ~ *of an egg*); *that's about the* ~ *of it* T ja sådan er det; ja netop.
size² [saiz] *vb.* 1. ordne//sortere efter størrelse; 2. (*fx om papir*) lime;
□ ~ *up* danne sig et skøn over//et indtryk af; tage bestik af (*fx the situation*).
sizeable ['saizəbl] *adj.* stor, anselig, betydelig, betragtelig.
sized [saizd] *adj.* 1. (*om papir*) limet; skrivefast; 2. (*i sms.*) -stor (*fx*

middle-~); i ... størrelse (*fx full-~*; *child-~*).

sizzle¹ ['sizl] *sb.* **1.** syden; **2.** (T: *fig.*) undertrykt lidenskab; undertrykt ophidselse.

sizzle² ['sizl] *vb.* syde; stege.

sizzling ['sizliŋ] *adj.* **T 1.** (*om temperatur*) stegende hed; **2.** (*om lidenskab*) hed (*fx affair*).

SJ *fork. f. Society of Jesus* (*rel.*) Jesuiterordenen.

sjambok ['ʃæmbɔk] *sb.* (*sydafr.*) flodhestepisk; kraftig ridepisk.

skag [skæg] *sb.* (*am.* S) heroin.

skate¹ [skeit] *sb.* **1.** skøjte; **2.** (*zo.: fisk*) skade [*en art rokke*];
□ *get your -s on* T skynd dig.

skate² [skeit] *vb.* **1.** løbe/stå på skøjter; **2.** løbe/stå på rulleskøjter; **3.** (*fig.*) skøjte (*fx round the problem; through an exam*);
□ *~ on thin ice* se *thin¹*; *~ over* (*jf. 3*) gå let hen over, skøjte hen over.

skateboard ['skeitbɔ:d] *sb.* rullebræt.

skater ['skeitə] *sb.* skøjteløber.

skating ['skeitiŋ] *sb.* skøjteløb.

skating rink *sb.* **1.** rulleskøjtebane; **2.** skøjtebane; **3.** skøjtehal.

Skaw [skɔ:]: *the ~* Skagen.

skedaddle [ski'dædl] *vb.* T stikke af; fordufte.

skeg [skeg] *sb.* (*mar.*) rorfinne.

skein [skein] *sb.* (*af garn*) fed; dukke.

skeletal ['skelət(ə)l] *adj.* **1.** skelet-; knogle-; **2.** (*om person*) radmager; skeletagtig; **3.** (*fig.*) stærkt nedskåret, stærkt reduceret; som kun omfatter det mest nødvendige.

skeleton ['skelət(ə)n] *sb.* **1.** skelet; **2.** (*foran sb.*) stærkt nedskåret, stærkt reduceret (*fx service*); som kun omfatter det mest nødvendige (*fx staff*);
□ *have a ~ in the cupboard* have skeletter i skabet [ɔ: *en ubehagelig/uhyggelig (familie)hemmelighed*]; *a ~ in the closet* (*am.*) = *a ~ in the cupboard; he was just a ~*, he was worn to a *~* han var mager/afpillet som et skelet.

skeleton crew *sb.* (*mar.*) stambesætning.

skeleton key *sb.* hovednøgle.

skeptic *sb.*, **skeptical** *adj.* (*etc.*) (*am.*) = *sceptic, sceptical* (*etc.*).

skerry ['skeri] *sb.* (*skotsk*) skær, klippe.

sketch¹ [sketʃ] *sb.* **1.** skitse; udkast; rids; **2.** (*teat.*) sketch.

sketch² [sketʃ] *vb.* **1.** skitsere; tegne en skitse/et rids af; **2.** (*om beretning*) give et rids af;
□ *~ in* tegne ind; tilføje; *~ out =*

sketch pad *sb.* skitseblok.

sketchy ['sketʃi] *adj.* summarisk, mager, overfladisk; mangelfuld.

skew¹ [skju:] *adj.* skæv; skrå.

skew² [skju:] *vb.* **1.** vride; dreje; **2.** (*fig.*) forvride; forvrænge; give en (bestemt) drejning (*fx an account*).

skewbald¹ ['skju:bɔ:ld] *sb.* broget dyr; broget hest.

skewbald² ['skju:bɔ:ld] *adj.* (*om dyr, især hest*) broget; brun- og hvidplettet.

skewer¹ [skjuə] *sb.* **1.** (*til grillstegning*) grillspyd; **2.** (*til at holde kød sammen under stegning*) pind; kødnål.

skewer² [skjuə] *vb.* (*jf. skewer¹*) **1.** sætte på spyd; spidde; **2.** sætte sammen med en pind//kødnål.

skew-whiff¹ [skju:'wif] *adj.* T skæv; forskubbet.

skew-whiff² [skju:'wif] *adv.* T skævt; på skrå.

ski¹ [ski:] *sb.* ski.

ski² [ski:] *vb.* stå/løbe på ski.

skid¹ [skid] *sb.* **1.** (*cf. skid²*) skriden; udskridning; gliden; **2.** (*flyv.*) ski (*fx mounted on -s*);
□ *-s* (*også*) slisk; *the firm hit the -s in 1998* (*fig.*, T) firmaet begyndte sin nedtur i 1998; det begyndte at gå ned ad bakke for firmaet i 1998; *on the -s* (*fig.*, T) på vej ned ad bakke; ved at gå nedenom og hjem; *put the -s under* (*fig.*, T) få forpurret; få til at mislykkes.

skid² [skid] *vb.* skride, skride ud; glide.

skid lid *sb.* T styrthjelm.

skid mark *sb.* bremsespor; skridspor.

skidpan ['skidpæn] *sb.* [*øvelsesbane for glatførekørsel*].

skid row *sb.* (*især am.* T) slumkvarter; tilholdssted for subsistensløse.

skids [skidz] *sb. pl.* se *skid¹*.

skier ['ski:ə] *sb.* skiløber.

skiff [skif] *sb.* lille åben båd; jolle.

skiffle ['skifl] *sb.* (*mus.*) skiffle.

skiing ['ski:iŋ] *sb.* skiløb; skisport.

ski jump *sb.* **1.** (*sport*) skihop; **2.** (*bakke*) hopbakke.

skilful ['skilf(u)l] *adj.* dygtig; behændig.

ski lift *sb.* skilift.

skill [skil] *sb.* dygtighed; færdighed.

skilled [skild] *adj.* **1.** øvet, dygtig (*at/in* til); **2.** (*om arbejder*) faglært; udlært;
□ *~ work* arbejde som kræver faglært arbejdskraft.

skillet ['skilit] *sb.* stegepande, pande.

skim [skim] *vb.* **1.** (*væske*) skumme (*fx the milk; the boiling soup*); **2.** (*overflade*) stryge/glide hen over (*fx a sailing boat -med the lake*); **3.** (*sten*) slå smut med; **4.** (*tekst*) kigge/løbe igennem, diagonallæse, skimme (*fx a page*); **5.** (*am.*) dække med et tyndt lag (*fx ice -med the lake*); **6.** (*uden objekt, am.*) dækkes med et tyndt lag; **7.** (*om båd*) stryge af sted (*fx the boat -med before the breeze*); □ *~ stones* slå smut;
[*med præp.& adv.*] *~ off* **a.** skumme af (*fx the cream; the fat*); **b.** (*fig.*) tage fra til sig selv (*fx the élite universities ~ off the best students*); *~ through* se ovf.: *4.*

skimmed milk *sb.* skummetmælk.

skimmer ['skimə] *sb.* **1.** skummeske; **2.** (*zo.*) saksnæb; **3.** (*am.*) flad stråhat; **4.** (*am.* T) tætsiddende ærmeløs kjole.

skim milk *sb.* (*am.*) skummetmælk.

skimp [skimp] *vb.* spare på, være nærig med, fedte med.

skimpy ['skimpi] *adj.* **1.** kneben; knap; **2.** (*om tøj*)stumpet.

skin¹ [skin] *sb.* **1.** hud; **2.** (*af dyr*) skind (*fx of a bear; of a snake*); **3.** (*af frugt*) skræl (*fx of an orange; of a banana*); skind (*fx of a peach*; (*af drue, banan også*) skal; **4.** (*på pølse*) skind; **5.** (*på væske*) skind (*fx on milk*); hinde; **6.** (*flyv., mar.*) klædning; **7.** T cigaretpapir; **8.** T = *skinhead*;
□ *it's no ~ off my nose* T det rører mig ikke; det er jeg ligeglad med; *risk one's ~* vove pelsen; *save one's ~* hytte sit skind; (se også *thick², thin¹*);
[*med præp.*] *by the ~ of one's teeth* med nød og næppe; på et hængende hår; *next to the ~* på den bare krop; *he nearly jumped out of his ~* se *jump²*; *under the ~* (*fig.*) inderst inde (*fx they are all alike under the ~*); *get under sby's ~* **a.** irritere en, gå en på nerverne; **b.** gøre et dybt indtryk på en; **c.** vise en dyb forståelse for en.

skin² [skin] *vb.* **1.** (*dyr*) flå (*fx a beaver*); **2.** (*frugt, grønsager*) skrælle (*fx a banana; an onion*); (*tomat*) flå; **3.** (*legemsdel*) skrabe (huden af); få hudafskrabninger på (*fx one's knee*); **4.** (T: *person*) blanke af, plyndre, flå; **5.** (*am.: i sport*) banke, jorde;
□ *keep one's eyes -ned* se *eye¹*; (se også *flint*);
[*med præp.& adv.*] *~ out of* (*am.*

S) smutte ud af; ~ **over a.** (*om
sår*) blive dækket med hud; hele;
b. (*om mælk*) trække skind; ~ **up**
S lave sig en joint.

skin-deep [skin'di:p] *adj.* overfla-
disk; som ikke stikker (så) dybt;
(se også *beauty*).

skin diving *sb.* [*dykning med
svømmefødder og maske*]; sports-
dykning.

skin flick *sb.* pornofilm; nøgenfilm.

skinflint ['skinflint] *sb.* gnier, fedt-
syl.

skinful ['skinf(u)l] *sb.*: *have a* ~ T
drikke sig plørefuld.

skin game *sb.* (*am.*) svindel; svin-
delnummer.

skin graft *sb.* hudtransplantation.

skinhead ['skinhed] *sb.* skinhead
[*pilskaldet, voldelig og racistisk
bølle*].

skink [skiŋk] *sb.* (*zo.*) skink [*art
øgle*].

skinner ['skinə] *sb.* **1.** buntmager;
2. (*am.*) T svindler.

skinny ['skini] *adj.* T radmager.

skinny-dip ['skinidip] *vb.* bade nø-
gen.

skinny-dipping ['skinidipiŋ] *sb.*
nøgenbadning.

skint [skint] *adj.* T flad [ɔ: *uden
penge*].

skintight ['skintait] *adj.* stramtsid-
dende.

skin tonic *sb.* skintonic [*til hud-
pleje*].

skip[1] [skip] *sb.* **1.** hop; gadedrenge-
hop; **2.** (*til affald etc.*) container.

skip[2] [skip] *vb.* **1.** hoppe; lave ga-
dedrengehop; **2.** (*med tov*) sjippe;
3. (*fig.*) springe (*fx from one sub-
ject to the next*); **4.** (*i bog*) læse
med overspringelser; **5.** (*med
objekt*) springe over, skippe (*fx
the next page; the history lesson;
breakfast*); **6.** (T: *et sted*) stikke af
fra (*fx they -ped town*);
□ ~ *it!* T skidt med det! ~ *home*
løbe hjemmefra; ~ *rocks/stones*
slå smut; ~ *rope* sjippe;
[*med præp.& adv.*] ~ *about/
around* hoppe/springe rundt (*fx
from one idea to another*); ~ *off,
~ out* (*am.* T) stikke af; ~ *out on*
(*am.* T: *ægtefælle*) forlade, rende
fra.

ski pole *sb.* skistav.

skipper[1] ['skipə] *sb.* **1.** skipper;
2. (*i sport*) holdkaptajn; anfører;
3. (*zo.*: *sommerfugl*) bredpande.

skipper[2] ['skipə] *vb.* (jf. *skipper*[1])
1. være skipper for; **2.** være hold-
kaptajn/anfører for.

skipping rope *sb.* sjippetov.

skirl[1] [skə:l] *sb.* [*sækkepibes lyd*].

skirl[2] [skə:l] *vb.* hvine; skingre.

skirmish[1] ['skə:miʃ] *sb.* **1.** sammen-
stød; skænderi; **2.** (*mil.*) småfægt-
ning; træfning, sammenstød; pa-
truljekamp.

skirmish[2] ['skə:miʃ] *vb.* **1.** have et
sammenstød; skændes; **2.** (*mil.*)
kæmpe i spredt orden.

skirt[1] [skə:t] *sb.* **1.** nederdel, skørt;
2. (*af frakke, kjole*) skød, skøde;
3. T skørt, pige; **4.** (*på sadel*) klap.

skirt[2] [skə:t] *vb.* **1.** ligge langs kan-
ten af, ligge langs med (*fx the
field -s the highway*); **2.** (*om rute*)
gå//køre langs kanten/udkanten af
(*fx we -ed the city*); **3.** (*fig.*) undgå,
gå uden om (*fx the subject*).

skirting board *sb.* fodpanel.

skirt suit *sb.* spadseredragt.

ski run *sb.* løjpe, pist.

ski slope *sb.* skibakke.

skit [skit] *sb.* parodi; satirisk/hu-
moristisk sketch.

skite ['skait] *vb.* glide, rutsje.

skitter ['skitə] *vb.* smutte, vimse.

skittish ['skitiʃ] *adj.* **1.** (*om person*)
kåd, overstadig; flagrende, koket;
2. (*især om hest*) sky, urolig, ner-
vøs.

skittle ['skitl] *sb.* kegle;
□ -*s* keglespil; *life is not all beer
and -s* livet er ikke lutter lagkage.

skittle alley *sb.* keglebane.

skive [skaiv] *vb.* **1.** T pjække;
(*glds.*) skulke; **2.** (*med objekt: læ-
der*) skærfe;
□ ~ *off* = 1; ~ *off school* pjække
fra skolen.

skiver ['skaivə] *sb.* T pjækker;
(*glds.*) skulker.

skivvies ['skiviz] *sb. pl.* (*am.* T)
(herre)undertøj.

skivvy ['skivi] *sb.* (T: *neds.*) tjene-
stepige.

skollie, **skolly** ['skɔli] *sb.* (*sydafr.*)
forbryder, gangster.

skua ['skju:ə] *sb.* (*zo.*) kjove.

skulduggery [skʌl'dʌgəri] *sb.* (*glds.*
T) fupmageri; svindelnumre.

skulk [skʌlk] *vb.* **1.** (stå og) lure (*fx
behind the door*); **2.** snige sig, lu-
ske (*fx about; off*).

skull [skʌl] *sb.* **1.** hovedskal, kra-
nium; **2.** (*fig.*) hoved (*fx can't you
get it into your thick ~ that ...*).

skull and crossbones *sb.* dødnin-
gehoved med to korslagte knogler
under [*som på piratflag*].

skullcap ['skʌlkæp] *sb.* **1.** kalot;
hue; **2.** (*bot.*) skjolddrager.

skull session *sb.* **1.** (*am.* T) konfe-
rence, diskussion; **2.** (*i sport*) stra-
tegimøde.

skunk[1] [skʌŋk] *sb.* **1.** (*zo.*) skunk,
stinkdyr; **2.** T (gemen) sjover.

skunk[2] [skʌŋk] *vb.* (*am.* T) banke,
jorde fuldstændigt.

sky[1] [skai] *sb.* himmel;
□ *skies* **a.** himmel (*fx blue skies*);
b. klima (*fx the sunny skies of
Spain*); *the ~ is the limit* der er
ingen grænser;
[*med præp.*] *in the* ~ **a.** på him-
melen (*fx the stars in the ~*);
b. oppe i luften (*fx birds high up
in the ~*); *praise to the skies* hæve
til skyerne; *under warmer skies*
under varmere himmelstrøg.

sky[2] [skai] *vb.* (T: *bold*) slå//kaste
højt op i luften.

sky-blue [skai'blu:] *adj.* himmel-
blå.

skycap ['skaikæp] *sb.* (*am.*) portør
[*i lufthavn*].

skydiving ['skaidaiviŋ] *sb.* [*fald-
skærmsudspring med luftakroba-
tik inden udløsning af faldskær-
men*].

sky-high[1] [skai'hai] *adj.* himmel-
høj; skyhøj (*fx prices*).

sky-high[2] [skai'hai] *adj.* himmel-
højt; højt op i luften; helt op i
skyerne;
□ *blow* ~ **a.** sprænge i luften;
b. (*fig.*: *argument etc.*) pille fuld-
stændig fra hinanden; gendrive
totalt; tromle flad.

skyjack ['skaidʒæk] *vb.* bortføre,
kapre [*fly*].

skyjacker ['skaidʒækə] *sb.* flypirat,
flybortfører, flykaprer.

skylark[1] ['skaila:k] *sb.* (*zo.*) sang-
lærke.

skylark[2] ['skaila:k] *vb.* (*glds.*) lave
løjer.

skylight ['skailait] *sb.* skylight; tag-
vindue; ovenlysvindue.

skyline ['skailain] *sb.* horisont; sil-
houet [*mod himlen*].

skyrocket[1] ['skairɔkit] *sb.* (sig-
nal)raket.

skyrocket[2] ['skairɔkit] *vb.* (*om
priser, omkostninger*) stige vold-
somt; ryge i vejret.

skyscraper ['skaiskreipə] *sb.* sky-
skraber.

skyward ['skaiwəd], **skywards**
['skaiwədz] *adv.* til vejrs; opad; op
mod himmelen.

skywriting ['skairaitiŋ] *sb.* røgskrift
[*af fly, på himmelen*].

slab [slæb] *sb.* **1.** (tyk) plade (*fx a
concrete//marble ~*); **2.** stenflise;
stenplade; **3.** (*af brød, kage*) tyk
skive, humpel.

slack[1] [slæk] *sb.* (se også *slacks*)
1. (*af tov etc.*) løsthængende del;
2. (*fig.*) ubrugte ressourcer;
3. (*mht. aktivitet*) stilstand; hvile-
tid; **4.** (*af kul*) smuld;
□ *take up the* ~ **a.** (*af reb etc.*)
stramme ud; (*mar.*) tage ind det
løse; **b.** (*fig.*) få gang i sagerne; ud-

S

nytte ubrugte ressourcer.
slack² [slæk] *adj.* **1.** (*om reb etc.*) slap; løs; **2.** (*fig.*) slap (*fx discipline//security was* ~); **3.** (*om person*) forsømmelig, efterladende; **4.** (*mht. tempo*) langsom (*fx pace*); treven; **5.** (*om periode, aktivitet*) stille, død, flov (*fx season*); træg (*fx market*); **6.** (*om vind*) flov.
slack³ [slæk] *vb.* **1.** (*reb*) fire på, slække på, slappe; **2.** (*uden objekt*) tage af; slappes;
□ ~ *off/up* **a.** (*mht. indsats*) slappe af; (*neds.*) sløje af; **b.** (*mht. fart*) sætte tempoet ned, sagtne farten.
slacken ['slæk(ə)n] *vb.* **1.** slappe, slække; løsne (*fx one's grip; a screw*); **2.** (*tempo*) sagtne; **3.** (*uden objekt*) slappes; aftage, stilne af (*fx the rain -ed*); **4.** (*om vind*) flove af; **5.** (*fig.*) slappe af; (*neds.*) sløje af;
□ ~ *off* se ovf.: *2, 3, 4.*
slacker ['slækə] *sb.* slapsvans; pjækker; drivert.
slack-jawed ['slækdʒɔːd] *adj.* måbende.
slacks [slæks] *sb. pl.* (*glds.*) lange bukser.
slack water *sb.* stille vande [*mellem ebbe og flod*].
slag¹ [slæg] *sb.* **1.** slagger; **2.** (*vulg. om kvinde*) dulle, sæk.
slag² [slæg] *vb.*: ~ *off* T rakke ned på; nedgøre.
slag heap *sb.* slaggedynge, slaggebjerg.
slain [slein] *præt. ptc. af slay.*
slake [sleik] *vb.* **1.** (*litt.: tørst*) stille, slukke; **2.** (*kalk*) læske.
slalom ['slaːləm] *sb.* slalom.
slam¹ [slæm] *sb.* **1.** (*lyd*) smæld; brag; **2.** (*i bridge*) se *grand slam 1, small slam.*
slam² [slæm] *vb.* **1.** smække; **2.** (*dør, vindue etc.*) smække med; smække 'i; **3.** (*bold*) slå hårdt til; hamre, banke (*fx the ball into the net//over the fence*); (*i tennis*) smashe; **4.** S rakke ned
□ *the car -med against a tree* bilen hamrede/smadrede ind i et træ; ~ *down the phone* smide/smække telefonen på; *-med into a tree* se ovf.: *-med against*; ~ *the brakes on* hugge bremserne i; (se også *door*).
slam-bang¹ [slæm'bæŋ] *adj.* (T, *især am.*) **1.** med drøn på; **2.** ihærdig; *som går lige på og hårdt.*
slam-bang² [slæm'bæŋ] *adv.* T bang (*fx walk* ~ *into a door*).
slam dunk *sb.* (*i basketball*) kraftigt hopskud.
slam-dunk ['slæmdʌŋk] *vb.* **1.** (*i*

basketball) hamre ned i nettet; **2.** (*fig., am.*) tvinge igennem.
slammer ['slæmə] *sb.: the* ~ S spjældet, brummen.
slander¹ ['slaːndə] *sb.* **1.** ærekrænkelse; bagvaskelse; bagtalelse; **2.** (*jur.*) verbalinjurie.
slander² ['slaːndə] *vb.* bagvaske; bagtale.
slanderous ['slaːnd(ə)rəs] *adj.* bagtalerisk, ærekrænkende, injurierende.
slang¹ [slæŋ] *sb.* (*sprogv.*) slang.
slang² [slæŋ] *vb.* T råbe ad, skælde ud.
slanging match *sb.* hidsigt skænderi; gensidig udskældning.
slangy ['slæŋi] *adj.* slangagtig; slangpræget.
slant¹ [slaːnt] *sb.* **1.** skråning; hældning; **2.** (*fig.*) synsvinkel; tendens, drejning;
□ *at a* ~, *on the* ~ på skrå.
slant² [slaːnt] *vb.* **1.** skråne; hælde (*fx to the right* mod højre); have skrå retning; **2.** (*om lys, skygge*) falde skråt; **3.** (*med objekt*) give skrå retning; stille//hænge skråt (*fx one's skis; a picture*); **4.** (*fig.*: se også *slanted 2*) give en bestemt tendens/drejning (*fx the news*).
slanted ['slaːntid] *adj.* **1.** skrå; **2.** (*fig.*) farvet, tendentiøs; fordrejet;
□ *be* ~ *towards* have en drejning til fordel for.
slanting ['slaːntiŋ] *adj.* skrå (*fx roof*); skrånende; hældende.
slap¹ [slæp] *sb.* slag, rap; (*mindre hårdt*) dask, klaps (*fx he gave her a* ~ *on her behind*); (*især: lydeligt*) klask;
□ ~ *and tickle* kæleri, fjas; kyssen og krammen;
[*med præp.*] *a* ~ *in the face* (*fig.*) et slag i ansigtet; *a* ~ *on the back* (*også fig.*) et dunk i ryggen; *a* ~ *on the cheek* **a.** en lussing; **b.** (*mindre hårdt*) et dask på kinden (*fx a friendly* ~ *on the cheek*); *a* ~ *on the wrist* (*fig.*) en mild tilrettevisning; et rap/en over fingrene.
slap² [slæp] *vb.* **1.** slå; **2.** (*især: som straf*) smække (*fx he never -ped the children*); **3.** (*mindre hårdt*) daske (*fx* ~ *her behind*); **4.** (*lydeligt el. sjusket*) klaske (*fx paint on the wall; butter on the bread*);
□ ~ *one's thighs* klaske sig på lårene;
[*med adv.*] ~ *sby around* slå en, mishandle en (*fx her first husband used to* ~ *her around*); ~ *down* **a.** smække ned (*fx she -ped

the plate down on the table*);
b. (*person*) give en skarp tilrettevisning, sætte på plads; ~ *on* klaske på (*fx she -ped on some make-up*); ~ *a tax on* (T: *neds.*) smække skat på; ~ *a fine on him* stikke ham en bøde ud.
slap³ [slæp] *adv.* se *slap-bang.*
slap-bang [slæp'bæŋ] *adv.* T bang; pladask;
□ ~ *in the middle of* lige midt i.
slapdash ['slæpdæʃ] *adj.* skødesløs, jasket; sjusket, tilfældig.
slap-happy ['slæphæpi] *adj.* **1.** oprømt, halvfjollet; **2.** groggy, uklar; sejlende.
slapper ['slæpə] *sb.* grov kælling; sæk; luder.
slapstick ['slæpstik] *sb.* lavkomisk stykke; farce; falde på halen-komedie.
slapstick comedy *sb.* se *slapstick.*
slap-up ['slæpʌp] *adj.* (T: *om måltid*) førsteklasses; flot; prima.
slash¹ [slæʃ] *sb.* **1.** (*med kniv, sværd etc.*) hug; **2.** (*om sår el. i tøj*) flænge; **3.** (*fig.*) nedskæring; **4.** (*typ.*) skråstreg; (se også *backslash*);
□ *have/take a* ~ (T: *tisse*) slå en streg; *I need a* ~ T jeg skal tisse.
slash² [slæʃ] *vb.* (se også *slashed, slashing*) **1.** (*med kniv etc.*) flænge; snitte; **2.** (*fig.*) nedskære drastisk;
□ ~ *at* hugge efter.
slash and burn farming method *sb.* svedjebrug.
slashed [slæʃt] *adj.* (*om tøj*) opskåret, opslidset (*fx sleeve*).
slasher ['slæʃə] *sb.* **1.** knivstikker; **2.** (*redskab*) huggert; **3.** = *slasher film.*
slasher film *sb.* voldsfilm [*med kvinder som ofre for knivstikkeri*].
slashing ['slæʃiŋ] *adj.* (T: *om kritik*) sønderlemmende.
slat [slæt] *sb.* **1.** tremme; liste; **2.** (*fx i persienne*) lamel.
slate¹ [sleit] *sb.* **1.** skifer; **2.** (*på tag*) skifertagsten; skiferplade; **3.** (*glds.*) skrivetavle; **4.** (*am.*) kandidatliste;
□ *put it on the* ~ (*glds.*) skrive det [*ɔ: på regningen*]; *wipe the* ~ *clean* (*fig.*) viske tavlen ren; (se også *clean²*).
slate² [sleit] *vb.* **1.** T kritisere sønder og sammen, sable ned, gennemhegle; **2.** (*tag*) lægge skifer på;
□ *be -d for* (*især am.*) **a.** (*om person*) være udset/bestemt til (*fx the directorship; promotion*); **b.** (*om arrangement*) være fastsat til (*fx next Tuesday*); *be -d to become* være udset/bestemt til at blive.
slate pencil *sb.* (*glds.*) griffel.

779

slather[1] ['sla:ðə] *sb*.: *-s of* (*am*. T) masser af; *open* ~ (*austr*. T) frit slag.

slather[2] ['sla:ðə] *vb*.: ~ *one's money around* (*især am*. T) slå om sig med penge; ~ *butter on the bun*, ~ *the bun with butter* (*især am*. T) smøre godt med smør på bollen.

slatted ['slætid] *adj*. (jf. *slat*) 1. med tremmer, tremme-; 2. med lameller, lamel-.

slattern ['slætən] *sb*. 1. (*glds*.: *uordentlig*) sjuskedorte; so; 2. (*am*.: *umoralsk*) dulle, sæk.

slatternly ['slætənli] *adj*. sjusket.

slaughter[1] ['slɔ:tə] *sb*. 1. (*af dyr*) slagtning; 2. (*af mennesker*) blodbad; myrderi; nedslagtning.

slaughter[2] ['slɔ:tə] *vb*. 1. (*dyr*) slagte; 2. (*mennesker*) slagte; myrde.

slaughterhouse ['slɔ:təhaus] *sb*. slagteri; slagtehus.

Slav[1] [sla:v] *sb*. slaver.

Slav[2] [sla:v] *adj*. slavisk.

slave[1] [sleiv] *sb*. slave;
□ *be a* ~ *to/of* være en slave af; *work like a* ~ slide som et bæst.

slave[2] [sleiv] *vb*. slide og slæbe, pukle; trælle;
□ ~ *away* = ~.

slave driver *sb*. 1. slavefoged; 2. (*fig*.) slavepisker.

slave labour *sb*. 1. slavearbejde; 2. (*personer*) slavearbejdere.

slaver[1] ['sleivə] *sb*. 1. (*skib*) slaveskib; 2. (*person*) slavehandler.

slaver[2] ['slævə] *sb*. savl.

slaver[3] ['slævə] *vb*. savle;
□ ~ *over* (*fig*., *neds*.) savle over.

slavery ['sleiv(ə)ri] *sb*. slaveri.

slave trade *sb*. slavehandel.

Slavic[1] ['sla:vik, 'slævik] *sb*. (*sprogv*.) slavisk.

Slavic[2] ['sla:vik, 'slævik] *adj*. slavisk.

slavish ['sleiviʃ] *adj*. 1. slavisk (*fx imitation*); 2. slaveagtig (*fx devotion*).

Slavonic [slə'vɔnik] se *Slavic*.

slay [slei] *vb*. (*slew*, *slain*) 1. slå ihjel, dræbe; 2. (*i avissprog*) myrde;
□ *you* ~ *me*! T jeg kan næsten ikke klare det for grin!

sleaze [sli:z] *sb*. 1. T snavs, smuds; korruption; umoralskhed; 2. (*am*. T) umoralsk//korrupt person; (*om pige*) sæk.

sleazy ['sli:zi] *adj*. 1. snusket; korrupt; umoralsk; 2. (*om sted*) snusket, tarvelig, uhumsk.

sled [sled] (*især am*.) = *sledge*.

sledge[1] [sledʒ] *sb*. 1. slæde; (*mindre*) kælk; 2. (*med hest for*) kane; slæde.

sledge[2] [sledʒ] *vb*. (jf. *sledge*[1]) 1. kælke; 2. køre i kane//slæde; transportere på slæde.

sledgehammer ['sledʒhæmə] *sb*. forhammer;
□ *use a* ~ *to crack a nut* (*svarer til*) skyde spurve med kanoner.

sleek[1] [sli:k] *adj*. 1. (*om pels, hår etc*.) glat; glinsende; 2. (*om persons udseende*) velplejet; (*neds*.) slikket; 3. (*neds. om væsen*) slesk.

sleek[2] [sli:k] *vb*. glatte; stryge.

sleep[1] [sli:p] *sb*. søvn;
□ *he didn't lose any* ~ *over that, it didn't cost him any* ~ det forstyrrede ikke hans nattesøvn; [*med præp*.] *go back to* ~ falde i søvn igen; *sove videre*; *in one's* ~ i søvne; *die in one's* ~ dø mens man sover; sove ind i døden; *cry oneself to* ~ græde sig i søvn; *go to* ~ **a**. falde i søvn; **b**. (*om lemsdel*) begynde at sove; *I finally got to* ~ det lykkedes mig til sidst at falde i søvn; *put to* ~ (*dyr*) aflive.

sleep[2] [sli:p] *vb*. (*slept, slept*) 1. sove; 2. (*om sted*) have soveplads til;
□ *the hotel can* ~ *a hundred people* hotellet har 100 sengepladser; ~ *the sleep of the just* sove de retfærdiges søvn; (se også *log*[1], *night*); [*med præp., adv*.] ~ *around* T gå i seng med hvem som helst; bolle til højre og venstre; ~ *a headache away* sove en hovedpine væk; ~ *in* **a**. sove længe; sove over sig; **b**. (*om tjenestefolk*) bo på arbejdsstedet; ~ *off a headache* sove en hovedpine væk; ~ *it off* sove rusen ud; ~ *on it* sove på det; ~ *over* T blive natten over; ~ *through sth* sove fra noget; ~ *together* sove sammen, gå i seng med hinanden; ~ *with* gå i seng med.

sleeper ['sli:pə] *sb*. (se også *sleepers*) 1. sovende; 2. (*jernb*.) sovevogn; sovekupé; tog med sovevogn(e); 3. (*under skinne*) svelle; 4. (*til hul i øret*) [*midlertidig ring*]; 5. T [*bog//film etc. der pludselig får succes efter at have været ubemærket*]; 6. (*om spion*) [*spion i venteposition*]; (se også *mole 2*);
□ *be a heavy//light* ~ sove tungt//let; *be a sound* ~ have et godt sovehjerte.

sleepers ['sli:pərz] *sb. pl.* (*am*.: *til barn*) natdragt.

sleeping ['sli:piŋ] *adj*. 1. sovende; 2. sove-.

sleeping bag *sb*. sovepose.

Sleeping Beauty *sb*.: *the* ~ Tornerose.

sleeping car *sb*. sovevogn.

sleeping draught *sb*. (*glds*.) sovedrik.

sleeping partner *sb*. (*merk*.) passiv kompagnon.

sleeping pill *sb*. sovepille.

sleeping policeman *sb*. (*pl. ... policemen*) (*i vej*) fartbump.

sleeping sickness *sb*. 1. afrikansk sovesyge; 2. (*am. ogs*å) = *sleepy sickness*.

sleepless ['sli:pləs] *adj*. 1. søvnløs; 2. (*litt*.) aldrig hvilende.

sleepwalk ['sli:pwɔ:k] *vb*. gå i søvne.

sleepwalker ['sli:pwɔ:kə] *sb*. søvngænger.

sleepy ['sli:pi] *adj*. søvnig.

sleepyhead ['sli:pihed] *sb*. (T: *især til barn*) sovetryne.

sleepy sickness *sb*. (*med*.) australsk sovesyge.

sleet[1] [sli:t] *sb*. slud; tøsne.

sleet[2] [sli:t] *vb*. sne og regne.

sleeve [sli:v] *sb*. 1. ærme; 2. (*til plade*) cover, pladeomslag; 3. (*flyv*.) vindpose; 4. (*tekn*.) muffe; bøsning;
□ *laugh in/up one's* ~ le i skægget; *roll/turn up one's -s* smøge ærmerne op; *have sth up one's* ~ have noget i ærmet; have noget i baghånden; (se også *heart*: *wear one's heart on one's sleeve*).

sleeve notes *sb. pl.* (*mus*.) tekst til pladeomslag.

sleeve valve *sb*. (*tekn*.) gliderventil.

sleigh[1] [slei] *sb*. slæde, kane.

sleigh[2] [slei] *vb*. køre i slæde/kane.

sleigh bell *sb*. kanebjælde.

sleight of hand [slaitəv'hænd] *sb*. 1. behændighed; 2. (*fig*.) taskenspillerkunst, tryllekunst; kunstgreb, kneb.

slender ['slendə] *adj*. 1. slank (*fx fingers*; *neck*; *waist* talje); tynd (*fx book*); 2. (*fig*.) spinkel, svag (*fx chance*; *hope*); ringe (*fx with* ~ *success* (held)); knap (*fx income*);
□ ~ *means* sparsomme midler.

slenderize ['slendəraiz] *vb*. (*am*.) 1. slanke sig; 2. (*med objekt*) slanke;
□ *it is slenderizing* det virker slankende.

slept [slept] *præt. & præt. ptc. af sleep*[2].

sleuth [slu:θ] *sb*. T detektiv.

sleuthing ['slu:θiŋ] *sb*. detektivarbejde; eftersøgning.

slew[1] [slu:] *sb*. (*am*. T) mængde, masse (*fx a* ~ *of work*).

slew[2] [slu:] *vb*. svinge, dreje.

slew[3] [slu:] *præt. af slay*.

slewed [slu:d] *adj.* S fuld, pløret.
slice[1] [slais] *sb.* **1.** skive (*fx of bread*); **2.** (*af tobak*) plade; **3.** (*fig.*) stykke (*fx of land*); del, bid; portion; **4.** (*redskab*) paletkniv; (se også *cake slice, fish slice*); **5.** (*i golf*) slice;
□ *a ~ of life* et stykke virkelighed; en scene *etc.* der er taget lige ud af livet; (se også *action*).
slice[2] [slais] *vb.* **1.** skære [*i tynde skiver*]; skive; snitte (*fx a ham; an onion*); **2.** (*bold*) snitte, slice;
□ *any way you ~ it* (*am. fig.*) hvordan man end ser på det; *~ off* skære af; snitte af; *~ through* the water (*litt.*) glide let gennem vandet; *~ up* skære i skiver.
sliced [slaist] *adj.* skiveskåret (*fx loaf*); i skiver (*fx ~ bread*);
□ *the best thing since ~ bread* T alle tiders idé//opfindelse.
slicer ['slaisə] *sb.* **1.** pålægsmaskine; **2.** brødmaskine.
slick[1] [slik] *sb.* **1.** olieplet; **2.** (*am.: om blad*) [*magasin//ugeblad trykt på glittet papir*]; **3.** (*am.: om person*) glat ka'l.
slick[2] [slik] *adj.* **1.** (*om præstation*) behændig, fiks (*fx scene change; pass* aflevering); flot (*fx show*); **2.** (*neds.*) lovlig smart, glat (*fx sales talk*); lovlig flot; (*om stil også*) slikket; **3.** (*om flade*) glat (*fx "danger: ~ floor!"*); **4.** (*om hår*) glat, slikket, glinsende; **5.** (*om person*) glat, slesk, fidel.
slick[3] [slik] *vb.* (*hår*) glatte, stryge; □ *~ up* (*am.* T) fikse op, piffe op.
slicker ['slikə] *sb.* (*am.*) **1.** regnfrakke; **2.** T fidusmager; smart fyr.
slid [slid] *præt. & præt. ptc. af slide.*
slide[1] [slaid] *sb.* **A. 1.** gliden; glidning; skred; (se også *landslide 1, mudslide*); **2.** (*fig.*) gradvis overgang (*into* til); gliden (*into* over i, *fx war; recession*); (*i værdi, kvalitet*) skred, rutsjetur; **3.** (*til leg*) lille rutsjebane; **4.** (*på is*) glidebane; **5.** (*foto.*) lysbillede, diapositiv; **6.** (*til mikroskop*) objektglas, præparatglas; **7.** (*til hår*) skydespænde;
B. (*glidende del*) **1.** (*på paraply, regnestok*) skyder; **2.** (*i møbel*) udtræk; **3.** (*på trækbasun*) træk; **4.** (*i lynlås*) løber; **5.** (*tekn.: på drejebænk; mar.*) slæde; **6.** (*i robåd*) = *sliding seat.*
slide[2] [slaid] *vb.* (*slid, slid*) (se også *sliding*) **1.** glide (*fx on the ice; the door slid open*); rutsje (*fx down a slope; down the banisters*); **2.** (*let, raskt, stille*) smutte (*fx into a seat*); liste (*fx out of the room*);

3. (*fig.: til lavere niveau*) falde (*fx car exports slid by 40%*); rutsje ned, ryge ned (*fx the price slid to £50*); **4.** (*med objekt*) få til at glide; skubbe, skyde (*fx he slid his glass over the table*); lade glide (*fx she slid the letter into his pocket*); (*ubemærket også*) liste, smugle (*in* ind; *into* ind i//ned i, *fx the letter into his pocket*);
□ *let things ~* lade det gå som det bedst kan; *~ back into* (*fig.*) falde tilbage til (*fx one's old habits*); *~ into* (*fig.*) glide over i (*fx a depression*); *~ over* (*fig.*) gå let hen over (*fx delicate questions*).
slide fastener *sb.* (*am.*) lynlås.
slide rule *sb.* regnestok.
slide valve *sb.* gliderventil.
sliding ['slaidiŋ] *adj.* glidende; glide-; skyde-.
sliding door *sb.* skydedør.
sliding scale *sb.* glidende skala.
sliding seat *sb.* rullesæde, glidesæde [*i robåd*].
slight[1] [slait] *sb.* tilsidesættelse.
slight[2] [slait] *adj.* **1.** let (*fx headache; cold* forkølelse); svag (*fx improvement*); ubetydelig; **2.** (*om person*) spinkel; klejn;
□ *not in the -est* ikke det mindste/fjerneste; *not the -est idea* ikke den fjerneste idé; *some ~ errors* nogle småfejl.
slight[3] [slait] *vb.* **1.** ringeagte; se over hovedet; **2.** (*am.: arbejde*) sjuske med; forsømme;
□ *feel -ed* føle sig tilsidesat.
slighting ['slaitiŋ] *adj.* krænkende; nedsættende; ringeagtende.
slightly ['slaitli] *adv.* (*jf. slight²*) **1.** let (*fx damaged*); lidt, en lille smule (*fx taller*); svagt; **2.** spinkelt (*fx built*).
slim[1] [slim] *adj.* **1.** (*om person*) slank; **2.** (*om bog*) tynd; **3.** (*om mulighed*) spinkel, svag; **4.** (*sydafr.*) snu.
slim[2] [slim] *vb.* **1.** (*om person*) slanke sig; **2.** (*med objekt; fig.*) slanke (*fx the organization*); skære ned (på) (*fx the workforce*); □ *be -ming* være på slankekur; *~ down = ~.*
slime [slaim] *sb.* slim.
slimeball ['slaimbɔ:l] *sb.* slimet/slesk person.
slimline ['slimlain] *adj.* **1.** smal; tynd; **2.** (*om drik*) sukkerfri.
slimmer ['slimə] *sb.* [*en der er på slankekur*].
slimy ['slaimi] *adj.* **1.** slimet; **2.** (*om person*) slimet, slesk.
sling[1] [sliŋ] *sb.* **1.** (*til at løfte el. bære med*) sele (*fx she carried the baby on her back in a ~*); **2.** (*af

tovværk, fx ved klatring*) slynge; **3.** (*til gevær*) geværrem; **4.** (*med.: til dårlig arm*) bind, slynge; **5.** (*våben*) slynge; **6.** (*am.*) [*drik bestående af vand, sukker og spiritus, især gin*];
□ *-s and arrows* angreb; *carry one's arm in a ~* (*jf. 4*) gå med armen i bind.
sling[2] [sliŋ] *vb.* (*slung, slung*) **1.** T kaste, smide, slænge (*fx a few things into a suitcase; one's bag on the floor*); **2.** (*med kraft*) slynge; **3.** (*ved hjælp af strop etc.*) hejse;
□ *~ beer* (*am.* T) være bartender; *~ hash/plates* (*am.* T) være opvarter; (se også *arm*[1], *hook*[1], *mud*); [*med præp.& adv.*] *be slung between* være ophængt mellem; *~ sby out* smide en ud; *~ over* slynge/slænge over (*fx he slung his jacket over the back of his chair*); *~ together* T samle sammen i en fart.
slingshot ['sliŋʃɔt] *sb.* slangebøsse.
slink [sliŋk] *vb.* (*slunk, slunk*) snige sig, liste; (*neds.*) luske.
slinky ['sliŋki] *adj.* T **1.** (*om tøj*) ålestram; som smyger sig om kroppen; **2.** (*om bevægelse*) glidende, smygende.
slip[1] [slip] *sb.* **1.** gliden; glidning; **2.** (*fig.*) nedgang, fald (*fx in house prices*); **3.** (*om noget forkert*) fejl, smutter, svipser; (se også ndf.: *~ of the ...*); **4.** (*tøj*) underkjole, underskørt; **5.** (*til pude*) se *pillow slip*; **6.** (*af papir*) lap, seddel; **7.** (*typ.*) spaltekorrektur; **8.** (*af træ*) smal liste; **9.** (*af plante*) stikling; **10.** (*mar.*) se *slipway*; **11.** (*tekn.: farttab*) slip (*fx of the propeller*);
□ *give sby the ~* løbe/smutte fra en; *there is many a ~ twixt the cup and the lip* [*meget kan nå at gå galt; man skal ikke glæde sig for tidligt*];
[*med: of*] *a ~ of a boy* (*glds.*) en lille spinkel fyr; *a ~ of a girl* (*glds.*) en stump pigebarn; *~ of the memory* huskefejl; erindringsforskydning; *~ of the pen* skrivefejl; fejlskrivning; *~ of the tongue* fortalelse.
slip[2] [slip] *vb.* **A.** (*uden objekt*) **1.** glide, skride (*fx his foot//the ladder -ped*); smutte (*fx the knife -ped and cut his finger*); **2.** (*om knude etc.*) løsne sig, gå op; **3.** (*mht. niveau*) skride (*fx the norms//standards are -ping*); falde (*fx prices//standards have -ped*); blive ringere (*fx his work has -ped*); **4.** (*om person: ubemærket*) smutte (*fx out of the room*); stikke

(*fx over to the baker's*); **5.** (*uheldigt*) miste fodfæstet, glide (*fx he -ped on the ice//in the mud*); snuble, træde fejl; **6.** (*om fejltagelse*) begå fejl (*fx he has not -ped once*); **7.** (*mht. præstation*) falde af på den (*fx he has been -ping lately*); **B.** (*med objekt*) **1.** lade glide, liste (*into* ind i//ned i, *fx a piece of paper into his hand; one's hand into one's pocket*); **2.** (T: *give*) stikke (*fx ~ him some money*); **3.** (*noget der binder*) slippe (*fx the balloon -ped its moorings*); skubbe/smøge af sig (*fx the cow -ped its halter; the dog -ped its collar*); **4.** (*jagthund*) slippe løs; **5.** (*forfølgere etc.*) slippe bort fra; **6.** (*unge: om hundyr*) kaste; føde for tidligt; **7.** (*maske: i strikning*) tage løst af; □ *it has -ped my memory/mind* jeg har glemt det; (se også *disc*) *let ~* uforvarende komme til at sige (*fx that she is pregnant*); *he let ~ an oath* der undslap ham en ed; *let an opportunity ~* lade en gunstig lejlighed slippe sig af hænde; [*med præp., adv.*] *~ away* **a.** smutte væk; stikke af; **b.** (*om tid*) gå; *~ by* **a.** smutte forbi; **b.** (*om tid*) passere forbi; *~ from* glide ud af (*fx the knife -ped from his hand*); *~ in* **a.** putte i; **b.** (*bemærkning etc.*) indflette; *an error has -ped in* der har indsneget sig en fejl; *~ into* **a.** se ovf.: *B 1*; **b.** (*tøj*) smutte i (*fx something more comfortable*); *~ off* **a.** glide ned fra (*fx the napkin -ped off my knee*); smutte ned fra (*fx my foot -ped off the pedal*); **b.** (*tøj*) hurtigt tage af; smøge/smyge af sig; *~ off one's shoes* liste skoene af; *~ on* **a.** glide på; glide i (*fx a banana skin*); **b.** (*tøj*) trække på; smutte i (*fx a dress*); *it just -ped out* (*om hemmelighed etc.*) det røg mig ud af munden; *~ over* **a.** (*tøj*) trække 'på (*fx a sweater*); **b.** (*am.* T) have held med; *~ one over on sby* (*am.* T) snyde en; *~ through* slippe igennem; smutte igennem; *~ through sby's fingers* **a.** forsvinde mellem fingrene på en; **b.** glide en af hænde; (se også *net[1]*); *~ up* **a.** miste fodfæstet; glide; snuble; **b.** T lave en lille fejl, lave en svipser/smutter; træde ved siden af.

slip case *sb.* (*til bog*) kartonnage; kassette.

slip cover *sb.* **1.** (*til møbel*) løst betræk; møbelovertræk; **2.** (*til bog*) smudsomslag.

slip knot *sb.* slipstik.

slip-on ['slipɔn] *adj.* lige til at tage

---

på/smutte i.

slipover[1] ['slipəuvə] *sb.* slipover.

slipover[2] ['slipəuvə] *adj.* til at trække over hovedet.

slippage ['slipidʒ] *sb.* **1.** gradvis tilbagegang; nedgang (*fx in the opinion polls*); **2.** (*tidsmæssig*) forsinkelse (*fx in the project*); **3.** (*tekn.*) krafttab.

slipped disc *sb.* (*med.*) diskusprolaps.

slipper ['slipə] *sb.* hjemmesko; slipper; tøffel.

slippery ['slipəri] *adj.* **1.** (*om flade*) glat; fedtet; **2.** (*om person*) (åle)glat; upålidelig; □ *on the ~ slope* (*fig.*) på vej ned ad skråplanet.

slippy ['slipi] *adj.* T glat, fedtet.

slip road *sb.* (*ved motorvej*) tilkørselsvej//frakørselsvej.

slip sheet *sb.* (*typ.*) mellemlæg [*for at hindre afsmitning*].

slipshod ['slipʃɔd] *adj.* sjusket, skødesløs.

slip stitch *sb.* **1.** (*i syning*) sømmesting; **2.** (*i hækling*) kædemaske.

slipstream ['slipstri:m] *sb.* slipstrøm.

slip-up ['slipʌp] *sb.* T fejl, smutter, svipser.

slipway ['slipwei] *sb.* (*mar.*) bedding; ophalingsbedding; slæbested.

slit[1] [slit] *sb.* **1.** revne (*fx in the floor*); spalte; snit; **2.** (*fx i kjole*) slids.

slit[2] [slit] *vb.* (*slit, slit*) **1.** skære/klippe revne i, skære/klippe op; skære over (*fx one's wrists*); **2.** (*fx kjole*) slidse op; □ *~ open* sprætte op (*fx an envelope*); *~ sby's throat* skære halsen over på en.

slither ['sliðə] *vb.* **1.** skride, rutsje (*fx down a slope*); slingre; **2.** (*om slange*) glide, bugte sig (*fx the snake -ed through the grass*).

slithery ['sliðəri] *adj.* glat.

slit trench *sb.* (*mil.*) skyttehul.

sliver ['slivə] *sb.* **1.** (*lang tynd*) splint; smal strimmel; trævl; **2.** (*i spinding*) væge.

Sloane [sləun], **Sloane Ranger** *sb.* (*neds.*) overklassesløg [*i London*].

slob[1] [slɔb] *sb.* **1.** T sjuske, mokke; sjuskemikkel; fjog; **2.** (*irsk*) mudret sted; pløre.

slob[2] [slɔb] *vb.*: *~ around* **a.** ligge og flyde (*fx in front of the TV*); **b.** daske rundt.

slobber ['slɔbə] *vb.* savle.

sloe [sləu] *sb.* (*bot.*) slåen, slåenbær.

sloe-eyed ['sləuaid] *adj.* mørkøjet.

sloe gin *sb.* slåenlikør.

---

slog[1] [slɔg] *sb.* **1.** hårdt slag; **2.** (*om arbejde*) slid, pukleri, mas; **3.** (*om rejse*) hård tur.

slog[2] [slɔg] *vb.* **1.** T slå hårdt, tæske; **2.** (*om arbejde*) slide, pukle, mase (*at* med); **3.** (*til fods*) ase, okse, traske (*fx through the wood; up a hill*).

slogan ['sləugən] *sb.* slogan, slagord.

sloganeering [sləugə'niəriŋ] *sb.* brug af slogans/slagord.

sloop [slu:p] *sb.* (*mar.*) **1.** slup; **2.** (*hist.*) kanonbåd.

slop[1] [slɔp] *sb.* **1.** se *slops*; **2.** (*am.*) sentimentalt bavl.

slop[2] [slɔp] *vb.* sjaske, pjaske, plaske; □ *~ around* se *slob[2]*; *~ out* (*i fængsel*) tømme toiletspand; *~ over* løbe over.

slope[1] [sləup] *sb.* **1.** skråning; bjergskråning; skrænt; (se også *ski slope*); **2.** (*om grad*) hældning, fald (*fx a ~ of 30 degrees*).

slope[2] [sləup] *vb.* **1.** skråne; hælde (*fx his writing -s backwards*); **2.** (*om terræn*) skråne, falde (*fx the garden -s down to a river*); stige (*fx the road -s sharply*); □ *~ arms!* (*mil.*) gevær i hvil! *~ off* T stikke af; luske væk.

sloping ['sləupiŋ] *adj.* skrå; skrånende.

sloppy ['slɔpi] *adj.* **1.** (*om mad, om blanding*) tynd (*fx jelly*); vandet; **2.** (*om film, sang etc.*) (drivende) sentimental; **3.** (*om arbejde*) sjusket; **4.** (*om tøj*) løshængende, slasket; **5.** (*om terræn*) pløret (*fx road*); □ *a ~ kiss* et vådt kys.

sloppy joe *sb.* T **1.** [*lang løsthængende sweater*]; **2.** (*am.*) [*burger med hakket kød i skarp sovs*].

slops [slɔps] *sb. pl.* **1.** spildevand; (op)vaskevand [*efter brugen*]; **2.** (*af drik*) sjat (*fx a tray to catch the beer -s*); **3.** (*fra køkken*) halvvåde madrester (*fx feed the ~ to the pigs*); **4.** (*om tynd mad, drik*) sjask.

slosh [slɔʃ] *vb.* T **1.** plaske; skvulpe; **2.** (*med objekt: drik*) pladre (*fx brandy into his glass*); **3.** (*person*) slå, gokke; □ *~ about/around* skvulpe rundt; *~ through* vade/plaske gennem (*fx the mud; the puddles*).

sloshed [slɔʃt] *adj.* T fuld; pløret.

slot[1] [slɔt] *sb.* **1.** sprække; smal åbning; **2.** (*hvor noget passer ned*) rille; (*fagl.*) udfræsning (*fx -s at the back of the chair where the legs fit in*); not; (*i skrue*) kærv; **3.** (*i program, plan*) plads; (*tv, ra-*

dio. også) sendetid; **4.** (*i computer*) holder; kortplads;
□ *put a coin in the* ~ putte en mønt i automaten.

slot² [slɔt] *vb*.: ~ *in* (*person, i tidsskema*) passe/putte ind (*fx I may be able to* ~ *you in about 1 o'clock*); ~ *into* **a.** lægge/putte ind i (*fx a CD into a CD player*); **b.** (*uden objekt*) passe ind i.

sloth [sləuθ, (*am.*) slɔ:θ, slouθ] *sb.* **1.** (*litt.*) dovenskab; sløvhed; ladhed; **2.** (*zo.*) dovendyr.

sloth bear *sb.* (*zo.*) læbebjørn.

slothful ['sləuθf(u)l, (*am.*) 'slɔ:θ-, 'slouθ-] *adj.* (*litt.*) doven; lad.

slot machine *sb.* **1.** (salgs)automat; **2.** spilleautomat.

slotted ['slɔtid] *adj.* (jf. *slot¹*) med riller//udfræsninger//not *etc.*

slotted screw *sb.* kærvskrue.

slotted spoon *sb.* (*svarer til*) hulske.

slouch¹ [slautʃ] *sb.* **1.** ludende holdning; **2.** (*om gang*) sjosken, sjokken; **3.** (*am.*) slapsvans;
□ *he is no* ~ *at* T han er ikke så dårlig til (*fx tennis*).

slouch² [slautʃ] *vb.* **1.** sidde og hænge//falde sammen; stå og hænge; **2.** (*om gang*) sjoske, sjokke, daske.

slouch hat *sb.* bulehat.

slough¹ [slau] *sb.* sump.

slough² [slʌf] *vb.* (*om slange*) afkaste, skyde [*ham*];
□ ~ *off* **a.** = ~; **b.** (*litt.*) afkaste; skaffe sig af med; aflægge (*fx old habits*).

Slovak¹ ['sləuvæk] *sb.* **1.** (*person*) slovak; **2.** (*sprog*) slovakisk.

Slovak² ['sləuvæk] *adj.* slovakisk.

Slovakia [slə(u)'vækiə, -'va:-] *sb.* Slovakiet.

Slovene¹ ['sləuvi:n] *sb.* **1.** (*person*) slovener; **2.** (*sprog*) slovensk.

Slovene² ['sləuvi:n] *adj.* slovensk.

slovenly ['slʌv(ə)nli] *adj.* sjusket.

slow¹ [sləu] *adj.* **1.** langsom; (*som tager lang tid også*) langsommelig (*fx journey; work*); **2.** (*neds.*) sløv; kedelig; triviel; **3.** (*om person, mht. opfattelse*) tungnem; tung;
□ *the clock is ten minutes* ~ uret går ti minutter for langsomt, uret er ti minutter bagefter; ~ *off the mark*//~ *on the uptake* se *mark¹, uptake*;
[*med sb.*] *do a* ~ *burn* (*am.*) langsomt blive mere og mere rasende; *a* ~ *fire* en sagte ild; *a* ~ *poison* en langsomt virkende gift; *a* ~ *season* en død tid; (se også *slow lane, slow motion, handclap*).

slow² [sləu] *vb.* **1.** sætte farten ned, sagtne farten; **2.** (*med objekt*) tage

farten af (*fx the car*);
□ ~ *down* **a.** = ~ *1*; **b.** (*fig.*) sætte tempoet ned, tage den mere med ro (*fx the doctor told him to* ~ *down*); **c.** (*om aktivitet*) gå langsommere, falde (*fx investment// growth has -ed down*); **d.** (*med objekt*) sætte tempoet ned i, gøre langsommere; ~ *up* **a.** = ~ *down* *b*; **b.** (*neds.*) falde af på den.

slowcoach ['sləukəutʃ] *sb.* drys, smøl.

slowdown ['sləudaun] *sb.* **1.** nedsat tempo (*fx a traffic* ~); **2.** (*fig.: økonomisk*) opbremsning; **3.** (*am.*) nedsat arbejdstempo [*som en form for strejke*].

slow handclap se *handclap*.

slow lane *sb.* krybespor;
□ *live in the* ~ (*fig.*) leve stille og roligt; tage den med ro.

slow motion *sb.* slowmotion;
□ *show it in* ~ vise det i langsom gengivelse.

slowpoke ['sloupouk] *sb.* (*am.*) = *slowcoach.*

slow-witted ['sləuwitid] *adj.* langsom i opfattelsen; tungnem.

slowworm ['sləuwə:m] *sb.* stålorm.

SLR *fork. f.* (*foto.*) *single-lens reflex (camera).*

sludge [slʌdʒ] *sb.* **1.** søle, mudder; **2.** (*bundfald*) slam; kloakslam; olieslam.

slug¹ [slʌg] *sb.* **1.** (*zo.*) snegl [*uden hus*]; nøgen snegl; skovsnegl; agersnegl; **2.** (T: *til gevær, pistol*) (bly)kugle; **3.** (T: *om alkohol*) slurk, tår; **4.** (*am.*) spillemønt; (*i automat*) falsk mønt; **5.** (*am.: om person*) drog, smøl; **6.** (*am.* S) hårdt slag; **7.** (*typ.*) maskinsatslinje; (*am.: til spatiering*) steg.

slug² [slʌg] *vb.* (*am.*) slå hårdt;
□ ~ *it out* (*am.* S) slås om det.

slugfest ['slʌgfest] *sb.* (*am.*) (voldsomt) slagsmål.

slugger ['slʌgə] *sb.* hårdtslående spiller.

sluggish ['slʌgiʃ] *adj.* **1.** langsom; doven (*fx stream*); **2.** (*om person*) træg, sløv, ugidelig.

sluice¹ [slu:s] *sb.* sluse.

sluice² [slu:s] *vb.* skylle;
□ ~ *out* **a.** (*om vand*) komme væltende ud; **b.** (*med objekt*) skylle; spule.

slum¹ [slʌm] *sb.* **1.** slum; fattigkvarter; **2.** (T: *om rodet sted*) svinesti.

slum² [slʌm] *vb.*: ~ *it* leve spartansk.

slumber¹ ['slʌmbə] *sb.* (*litt.*) slummer.

slumber² ['slʌmbə] *vb.* (*litt.*) slumre.

slumber party *sb.* (*am.*) [*fest hvor gæsterne bliver og sover natten over*].

slumlord ['slʌmlɔ:d] *sb.* (*am.* T) bolighaj.

slump¹ [slʌmp] *sb.* (*merk.*) voldsomt prisfald; kraftig lavkonjunktur; erhvervskrise.

slump² [slʌmp] *vb.* **1.** (*om person*) dumpe (*fx into a chair*); falde (*fx back in one's chair*); synke sammen (*fx he sat -ed against the wall*); **2.** (*om priser, salg etc.*) falde brat; rasle ned.

slung [slʌŋ] *præt.* & *præt. ptc. af sling.*

slunk [slʌŋk] *præt.* & *præt. ptc. af slink.*

slur¹ [slə:] *sb.* **1.** nedsættende/ krænkende bemærkning (*against/on* om, *fx one's colleagues; racial -s*); plet (*on* på, *fx his reputaion*); **2.** (*om udtale*) sløret tale; **3.** (*mus.*) bindebue; **4.** (*typ.*) smøring, udtværing;
□ *it was a* ~ *against/on* (*også*) det var krænkende for; *cast a* ~ *on* sætte en plet på; *speak with a* ~ (*jf. 2*) tale sløret.

slur² [slə:] *vb.* **1.** (*om udtale*) blive sløret/utydelig; **2.** (*med objekt*) udtale sløret/utydeligt (*fx he was -ring his words like a drunk*); lade gå i et; **3.** (*jf. slur¹ 1*) tale nedsættende om; sætte en plet på; **4.** (*mus.*) synge//spille legato;
□ ~ *over* gå let hen over, tilsløre.

slurp¹ [slə:p] *sb.* T slurk [*ledsaget af slubren*].

slurp² [slə:p] *vb.* T slubre (i sig).

slurred [slə:d] *adj.* (*om udtale*) sløret.

slurry ['slʌri] *sb.* **1.** tyndtflydende masse; **2.** (*agr.*) gylle; **3.** (*i byggeri*) cementslam.

slush [slʌʃ] *sb.* **1.** (sne)sjap; søle; **2.** (T: *fig.*) sentimentalt sludder.

slush fund *sb.* [*penge til bestikkelse*].

slushy ['slʌʃi] *adj.* **1.** sjappet; sølet; **2.** T drivende sentimental.

slut [slʌt] *sb.* (*vulg.*) dulle, sæk, so.

sluttish ['slʌtiʃ] *adj.* tarvelig; ludderagtig.

sly [slai] *adj.* **1.** snedig, fiffig; underfundig (*fx glance; smile*); **2.** (*neds.*) snu, lusket (*fx he is a* ~ *old devil*);
□ *on the* ~ T i smug.

slyboots ['slaibu:ts] *sb.* T strik; lurifaks.

SM *fork. f.* **1.** *sadomasochism*; **2.** (*mil.*) *sergeant-major.*

smack¹ [smæk] *sb.* **1.** smæk (*fx a* ~ *on the bottom*); **2.** (*på kinden*) lussing; **3.** (*med læberne*) smask;

smækkys; **4.** (*lyd*) smæld (*fx he
closed the book with a* ~); klask;
5. (*mar.*) smakke; fiskekvase; **6.** S
heroin;

□ *have a* ~ *at* T prøve; *a* ~ *in the
eye* se *eye¹*; *a* ~ *of* **a.** en bismag
af; **b.** (*fig.*) en antydning af; *a* ~
on the jaw T en på kajen.
smack² [smæk] *vb.* **1.** (*med flad
hånd*) smække (*fx a child*); **2.** (*om
lyd*) klaske, smække (*fx the book
down on the table*); **3.** (*am.* T: slå
hårdt*) banke, hamre (*fx the ball
over the fence*);

□ ~ *him* (T: *med knytnæve*) give
ham en på frakken; ~ *his face*
give ham en lussing; ~ *one's lips*
(*velbehageligt*) smække med læ-
berne; ~ *of* (*fig.*) smage af, lugte af
(*fx the whole affair -s of corrup-
tion*).
smack³ [smæk] *adv.* lige (*fx it went
~ through the window*); præcis
(*fx in the middle*).
smacker ['smækə] *sb.* T **1.** smæk-
kys; **2.** (*om beløb*) pund (*fx 10,000
-s*); (*am.*) dollar;

□ *the* ~ (*am.* T) munden.
smackhead ['smækhed] *sb.* S hero-
inmisbruger.
small¹ [smɔ:l] *sb.* [*smal del*]; (se
også *smalls*);

□ *the* ~ *of the back* lænden; *the* ~
of the leg smalbenet.
small² [smɔ:l] *adj.* **1.** lille [*pl. små*];
2. (*meget lille*) ringe (*fx cost*;
quantity; *of* ~ *importance*); **3.** (*for
lille, for lidt*) liden//lidet; ikke me-
get, kun lidt (*fx have* ~ *cause for
gratitude*; *they paid* ~ *attention*);
4. (*om betydning*) lille, ubetydelig
(*fx mistake*); **5.** (*om erhverv*) små-
(*fx businesses*; *farmers*; *trades-
man* handlende); **6.** (*om bogstav*)
lille (*fx a* ~ *p*; *conservative with a
~ c*);

□ *feel* ~ føle sig lille; *look* ~ være
flov//forlegen; *sing* ~ stikke piben
ind;
[*med sb.*; *se også på alfabetisk
plads*] ~ *blame to him* det kan
man ikke bebrejde ham; *that's* ~
consolation det er en ringe trøst; *a
~ fortune* en mindre formue (*fx it
cost//I inherited a* ~ *fortune*); *the
~ hours* de små timer; *a* ~ *matter*
en ringe sag; en bagatel; *small
mercies* se *mercy*; *on a* ~ *scale* se
scale¹; *a* ~ *voice* en forsigtig
stemme; (se også *still²*); *in a* ~ *way*
i lille/beskeden målestok; beske-
dent (*fx live in a* ~ *way*); *a busi-
nessman in a* ~ *way* en lille for-
retningsmand; *in my own* ~ *way*
så vidt som jeg nu kan; *it's a* ~
world! verden er lille!; (se også

wonder¹).
small ads *sb. pl.* rubrikannoncer.
small arms *sb. pl.* (*mil.*) håndsky-
devåben.
small beer *sb.* (*fig.*) småting; ubety-
deligheder;

□ *it is* ~ (*også*) det er ikke noget at
snakke om; det er ingenting.
small capitals *sb. pl.* (*typ.*) kapitæ-
ler.
small change *sb.* (*også fig.*) små-
penge.
small fry *sb.* **1.** (*også fig.*) småfisk;
2. (*om børn*) småfolk.
smallgoods ['smɔ:lgudz] *sb. pl.*
(*austr.*) pålægsvarer.
smallholder ['smɔ:lheuldə] *sb.* hus-
mand.
smallholding ['smɔ:lhəuldiŋ] *sb.*
husmandsbrug, husmandssted.
small intestine *sb.* (*anat.*) tynd-
tarm.
smallish ['smɔ:liʃ] *adj.* ret lille.
small-minded ['smɔ:lmaindid] *adj.*
snæversynet; smålig.
smallness ['smɔ:lnəs] *sb.* lidenhed;
ringe størrelse.
small potatoes *sb. pl.* (*am.* T) =
small beer.
smallpox ['smɔ:lpɔks] *sb.* (*med.*)
kopper.
small print *sb.* se *print¹.*
smalls ['smɔ:lz] *sb. pl.* T undertøj;
småtøj;

□ *do the* ~ (*også*) vaske klatvask.
small-scale [smɔ:l'skeil] *adj.* min-
dre; i mindre omfang.
small screen *sb.* se *screen¹.*
small slam *sb.* (*i bridge*) lilleslem.
small talk *sb.* let konversation;
småsnak [*om ligegyldige ting*].
small-time ['smɔ:ltaim] *adj.* T ube-
tydelig; i lille format; små-.
small-town ['smɔ:ltaun] *adj.* (*am.*)
provinsby-; provins-.
smarmy ['sma:mi] *adj.* T slikket;
fedtet; slesk.
smart¹ [sma:t] *adj.* **1.** (*om tøj, udse-
ende*) smart, fiks, elegant (*fx hat*;
dress); **2.** (*om sted, ting*) smart, fin
(*fx a* ~ *red bicyle*; *a* ~ *restau-
rant*); fashionabel (*fx in* ~ *circles*);
3. (*om ting*) fin; **4.** (T: *mht. intelli-
gens*) kvik, vaks, opvakt; dygtig
(*fx businessman*); **5.** (*neds., især
am.*) smart, fræk (*fx don't get* ~ *!*);
6. (*om våben, værktøj etc.*) intelli-
gent; computerstyret; **7.** (*mht.
tempo*) rask, livlig (*fx walk*; *pace*);
8. (*om slag etc.*) skarp (*fx rebuke*);
hård (*fx blow*); sviende (*fx a* ~
box on the ear);

□ *look* ~*!* lad det gå lidt rask!
[*med sb.*] ~ *practice* smarte
tricks; kneb, numre; *a* ~ *salute*
stramt honnør; *the* ~ *set* de rige

og smarte.
smart² [sma:t] *vb.* **1.** (*om sted på
kroppen*) svie (*fx his eyes were
-ing from the smoke*; *a -ing
wound*); **2.** (*om person*) føle sig
såret/krænket;

□ *you shall* ~ *for this!* det skal
komme dig dyrt at stå! *I'll make
him* ~ *for it* det skal han få betalt.
smart aleck ['sma:tælik] *sb.* T Karl
Smart; indbildsk fyr;

□ *he is a* ~ (*også*) han er så pok-
kers klog.
smart-aleck ['sma:tælik] *adj.*
dumsmart.
smart arse, **smart ass** *sb.* se *smart
aleck.*
smart card *sb.* (*it*) smart kort; chip-
kort.
smarten ['sma:t(ə)n] *vb.:* ~ *up
a. fikse op (*fx a car*; *a flat*); **b.** = ~
oneself up; ~ *oneself up* pynte
sig; ~ *up one's act* tage sig sam-
men.
smart money *sb.* **1.** [*penge fra in-
vestorer der har sagkundskab el.
underhåndsviden*]; **2.** (*glds.*) er-
statning [*for svie og smerte*];

□ *the* ~ (*fig.*) de der ved besked.
smarts [sma:ts] *sb. pl.* (*am.* S)
klogskab; kløgt; hjerne.
smarty-pants ['sma:tipænts] *sb.* T
se *smart aleck.*
smash¹ [smæʃ] *sb.* **1.** (*lyd*) brag;
2. (*ulykke*) (voldsomt) sammen-
stød; kollision; **3.** (*i tennis, bad-
minton*) smash; **4.** se *smash hit.*
smash² [smæʃ] *vb.* **1.** slå i stykker,
smadre, knuse; **2.** T slå (*hårdt*); (*i
tennis etc.*) smashe; **3.** (T: *fig.*) til-
intetgøre; knuse (*fx all opposi-
tion*); **4.** (*uden objekt*) gå i stykker;
knuses;

□ ~ *a record* slå en rekord stort; ~
a window slå en rude ind; knuse
en rude; T knalde/baldre en rude;
[*med præp.& adv.*] ~ *down*
a. smadre (*fx a building*); **b.** (*dør*)
slå ind, sprænge (*fx a door*); ~ *in*
slå ind, knuse (*fx a window*); *I'll*
~ *your face in!* T jeg smadrer fjæ-
set på dig! ~ *into* brase ind i; ~
through bryde/brase igennem; ~
up smadre.
smash³ [smæʃ] *adv.* bang, med et
brag (*fx go* ~ *into a wall*).
smash-and-grab [smæʃən'græb] *sb.*
(tyveri med) rudeknusning.
smash-and-grab raid *sb.* =
smash-and-grab.
smashed [smæʃt] *adj.* T døddruk-
ken.
smasher ['smæʃə] *sb.* (*glds.* T)
pragteksemplar.
smash hit *sb.* T knaldsucces.
smashing ['smæʃiŋ] *adj.* (*glds.* T)

pragtfuld; fantastisk.

smash-up ['smæʃʌp] *sb.* se *smash¹* 2.

smattering ['smæt(ə)riŋ] *sb.*: *a ~ of* en smule (*fx rain*); *have a ~ of* (*om viden*) have et overfladisk kendskab til.

smear¹ [smiə] *sb.* **1.** plet; **2.** (*fig.*) ondsindet rygte; bagvaskelse; **3.** (*med.*) smear, udstrygningspræparat.

smear² [smiə] *vb.* **1.** smøre (*fx oneself with sunblock*; *sunblock on one's skin*); **2.** (*neds.*) tvære (*fx paint all over the wall*); (*omrids, skrift*) tvære ud (*fx one's lipstick*; *the letters*); **3.** (*fig.*) rakke ned på, bagvaske; udsprede ondsindede rygter om;
□ *-ed with* oversmurt med.

smear campaign *sb.* smædekampagne; hetz.

smear test *sb.* (*med.*) smear, celleprøve.

smell¹ [smel] *sb.* **1.** duft (*fx of flowers*; *of coffee*); lugt; **2.** (*ubehagelig*) lugt (*fx of cabbage*; *of rotting meat*; *what a ~!*);
□ *by ~* ved hjælp af lugtesansen; *have a ~ of* lugte til, snuse til (*fx have a ~ of the meat, is it all right?*).

smell² [smel] *vb.* (*smelt, smelt*; (*især am.*) *-ed, -ed*) **1.** lugte til (*fx a flower*); **2.** (*at noget er til stede*) lugte (*fx I -ed gas*); **3.** (*fig.*) spore; mærke (*fx trouble*); **4.** (*uden objekt*) dufte, lugte (*fx the cake -s good*); (*ubehageligt*) lugte (*fx his feet ~*);
□ *I ~ better* min lugtesans er bedre (*fx since I gave up smoking*); *he is unable to ~* han kan ikke lugte nogen ting; *his breath -s* han har dårlig ånde; (se også *fishy*, *rat¹*); [*med præp.& adv.*] *~ at* lugte til; snuse til; *~ of* a. dufte/lugte af (*fx new-mown grass*); **b.** (*ubehageligt*) lugte af (*fx rotten fish*); (se også *rose¹*); *~ out* a. (*finde*) opsnuse (*fx use dogs to ~ out drugs*); **b.** (*fig.*) få færten af, vejre (*fx problems*); **c.** (*sted*) få til at lugte (*fx his cigar -s out the whole house*); *~ to high heaven* se *high²*.

smelling salts *sb. pl.* lugtesalt.

smelly ['smeli] *adj.* ildelugtende.

smelt¹ [smelt] *sb.* (*zo.*) smelt.

smelt² [smelt] *præt. & præt. ptc. af* *smell*.

smelt³ [smelt] *vb.* udsmelte.

smew [smju:] *sb.* (*zo.*) lille skallesluger.

smidgen ['smidʒin] *sb.* (*am.* T) lille smule; antydning.

smilax ['smailæks] *sb.* (*bot.*) smil-

aks.

smile¹ [smail] *sb.* smil.

smile² [smail] *vb.* smile;
□ *~ at* a. smile til; **b.** (*noget morsomt*) smile ad; *~ on* (*fig.*, *litt.*) tilsmile (*fx fortune -d on him*); se *mildt til*; begunstige; *~ to oneself* smile ved sig selv.

smiley¹ ['smaili] *sb.* [*gult badge med smilende ansigt*].

smiley² ['smaili] *adj.* smilende.

smirk¹ [smə:k] *sb.* smørret grin; selvtilfreds//fjoget smil.

smirk² [smə:k] *vb.* smiske; grine smørret; smile fjoget//selvtilfredst.

smite [smait] *vb.* (*smote, smitten*) (*litt.*) slå; ramme; (se også *smitten²*)

smith¹ [smiθ] *sb.* smed.

smith² [smiθ] *vb.* smede.

smithereens ['smiðə'ri:nz] *sb. pl.* stumper og stykker.

smithery ['smiθəri] *sb.* smedearbejde; smedje.

smithy ['smiði] *sb.* smedje.

smitten¹ [smit(ə)n] *præt. ptc. af* *smite*.

smitten² ['smit(ə)n] *adj.* forelsket;
□ *be ~ by* se: *be ~ with*; *be ~ with* a. (*person*) blive betaget af, blive forgabt i; **b.** (*interesse*) blive optaget af (*fx jazz*); blive betaget af; **c.** (*sygdom*) blive angrebet af; **d.** (*følelse*) blive grebet af (*fx fear*; *love*); *be ~ with a desire to* blive grebet af trang til at.

smock [smɔk] *sb.* **1.** kittel; **2.** busseronne.

smocking ['smɔkiŋ] *sb.* smocksyning.

smog [smɔg] *sb.* smog, røgblandet tåge [*af smoke og fog*].

smoggy ['smɔgi] *adj.* smogfyldt, smogplaget.

smoke¹ [sməuk] *sb.* **1.** røg; **2.** T noget rygelgt; cigaret//cigar (*fx buy some -s*);
□ *have a ~* T tage sig en smøg; *there is no ~ without fire* der går ikke røg af en brand uden at der er ild i den; (se også *end²* (*in*)).

smoke² [sməuk] *vb.* ryge; (se også *smoked*);
□ *~ out* a. ryge ud; **b.** (*fig.*) drive ud; bringe for dagens lys.

smoke bomb *sb.* røgbombe.

smoked [sməukt] *adj.* **1.** (*om mad*) røget; **2.** (*om glas*) røgfarvet.

smoke-filled ['sməukfild] *adj.* røgfyldt.

smoke-filled room *sb.* (*fig.*) [*sted hvor hemmelige politiske aftaler træffes*].

smokeless ['sməukləs] *adj.* røgfri (*fx powder*); røgsvag (*fx fuel*).

smoker ['sməukə] *sb.* **1.** (*person*)

ryger; **2.** (*jernb.*) rygekupé.

smokescreen ['sməukskri:n] *sb.* (*også fig.*) røgslør.

smokestack ['sməukstæk] *sb.* skorsten; fabriksskorsten; (*mar.*) skibsskorsten.

smokestack industry *sb.* sværindustri.

smoking¹ ['sməukiŋ] *sb.* rygning; tobaksrygning.

smoking² ['sməukiŋ] *adj.* rygende; osende.

smoking compartment *sb.* rygekupé.

smoking gun *sb.* **1.** rygende pistol; **2.** (*fig.*: *især am.*) afslørende// uomstødeligt bevis.

smoking jacket *sb.* hjemmejakke.

smoky ['sməuki] *adj.* **1.** rygende (*fx chimney*); **2.** (*om farve*) røgfarvet; **3.** (*om smag*) røget; **4.** (*om sted*) røgfyldt, tilrøget.

smolder ['sməuldər] *vb.* (*am.*) ulme.

smooch¹ [smu:tʃ] *sb.* T **1.** kysseri; kæleri; krammen; **2.** (*dans*)sjæler.

smooch² [smu:tʃ] *vb.* T **1.** kysse// kæle for//kramme hinanden; **2.** (*om dans*) sjæle.

smoochy ['smu:tʃi] *adj.* T **1.** kælen; øm; **2.** sjælende;
□ *~ dance* sjæler.

smooth¹ [smu:ð] *adj.* **1.** (*om overflade*) jævn (*fx road*); glat (*fx paper*); **2.** (*om hud, pels*) glat, blød; **3.** (*om væske*) jævn (*fx sauce*); **4.** (*om bevægelse etc.*) jævn, rolig (*fx crossing* overfart); **5.** (*om hav*) rolig, smult; **6.** (*om handling, foretagende, proces*) problemfri; gnidningsløs (*fx transition*); **7.** (*neds. om person*) glat, slikket; (*om måde at tale på*) glat, slesk; **8.** (*om smag*) rund; blød;
□ *a ~ tongue* en glat tunge; (se også *rough²* (*take the ...*)).

smooth² [smu:ð] *vb.* **1.** glatte; jævne; (se også *feather¹*); **2.** (*på en flade*) smøre jævnt ud (*fx ~ the lotion over your arms*);
□ *~ the path/way for* berede/ jævne vejen for;
[*med præp.& adv.*] *~ away* glatte ud; fjerne; *~ down* a. glatte (*fx one's hair*); **b.** (*person*) berolige; **c.** (*uden objekt*) blive rolig (*fx the sea -ed down*); *~ out* a. glatte ud (*fx the tablecloth*; *the creases*); **b.** (*fig.*) rydde af vejen (*fx difficulties*; *problems*); **c.** (*uregelmæssigheder*) jævne ud; *~ over* glatte ud.

smoothbore ['smu:ðbɔ:] *adj.* glatløbet (*fx gun*).

smooth-faced ['smu:ðfeist] *adj.* **1.** skægløs; **2.** (*fig.*) slesk; glat.

smooth hound *sb.* (*zo.*) glathaj.
smoothie ['smu:ði] *sb.* **1.** glat person; **2.** (*am.*) [*drik af pureret frugt med yoghurt el. is*].
smoothing plane *sb.* pudshøvl, glathøvl.
smooth newt *sb.* (*zo.*) lille vandsalamander.
smooth-talking ['smu:ðɔ:kiŋ],
smooth-tongued ['smu:ðtʌŋd] *adj.* glat, glattunget; indsmigrende.
smorgasbord ['smɔ:gəsbɔ:d] *sb.*
1. det store kolde bord; **2.** frokostbuffet; **3.** (*fig.*) broget blanding.
smote [sməut] *præt. af* smite.
smother ['smʌðə] *vb.* **1.** (*person, ild, plante*) kvæle; **2.** (*følelse, handling*) undertrykke (*fx one's anger/irritation/jealousy*; *a cough*; *a laugh*; *a yawn*; *all opposition*); kvæle (*fx a yawn*; *all opposition*); **3.** (*ting*) dække; tildække;
□ ~ *in/with* (*om person*) overvælde med (*fx kisses*; *love*; *praise*; *presents*); *-ed in/with* (*om ting*) fuldstændig dækket med, begravet i (*fx flowers*; *whipped cream*).
smoulder ['sməuldə] *vb.* ulme; gløde.
SMS *fork. f. short message service.*
smudge[1] [smʌdʒ] *sb.* **1.** (*udtværet*) plet; **2.** (*am.*) rygende bål [*for at holde insekter borte el. planter frostfri*].
smudge[2] [smʌdʒ] *vb.* **1.** plette; smudse/snavse til; **2.** (*maling, skrift etc.*) tvære ud (*fx lipstick*); **3.** (*am.*) tænde et rygende bål i (*fx an orchard*); **4.** (*uden objekt, jf. 2*) blive tværet ud, løbe ud; (*se også smudged*).
smudged [smʌdʒd] *adj.* **1.** udtværet; **2.** (*fig., om skillelinje*) sløret, uklar, udvisket.
smug [smʌg] *adj.* selvtilfreds; selvgod; selvbehagelig.
smuggle ['smʌgl] *vb.* smugle.
smuggler ['smʌglə] *sb.* smugler.
smuggling ['smʌgliŋ] *sb.* smugleri.
smut [smʌt] *sb.* **1.** sodflage; **2.** sodplet; **3.** (*fig., neds.*) sjofelheder; porno; **4.** (*bot.*: *på korn*) brand;
□ *-s* (*jf. 1 også*) sod; *talk* ~ være sjofel; fortælle sjofle historier.
smutty ['smʌti] *adj.* **1.** sodet; smudsig; **2.** (*fig., neds.*) sjofel.
snack[1] [snæk] *sb.* snack; let måltid; mellemmåltid.
snack[2] [snæk] *vb.* spise snacks;
□ ~ *on sth* spise noget indimellem (*fx* ~ *on cakes and biscuits*).
snack bar *sb.* snackbar; grillbar.
snaffle[1] ['snæfl] *sb.* trensebid.
snaffle[2] [snæfl] *vb.* T snuppe; hugge.

snaffle bit *sb.* trensebid.
snafu[1] [snæ'fu:] *sb.* T rod, kludder, komplet forvirring; [*fork. f.: situation normal - all fouled/fucked up*].
snafu[2] [snæ'fu:] *vb.* T forkludre.
snag[1] [snæg] *sb.* **1.** lille vanskelighed//problem (*with* ved); hindring; **2.** (*som man kan rive sig på*) spids//takket stump [*fx af et søm*]; **3.** (*i tøj, fx strømpe*) rift; løs tråd; **4.** (*am.*) skjult grenstump// træstub [*i sejlløb*]; **5.** (*austr.* T) pølse;
□ *there is a* ~ *in/with it* (*jf. 1, også*) der er en hage ved det; *the* ~ *is that* (*jf. 1*) hagen ved det er at.
snag[2] [snæg] *vb.* **1.** rive hul i (*fx thorns -ged his sweater*); **2.** få en rift i (*fx I have -ged my stocking*); **3.** (*am.*) skabe vanskeligheder for; **4.** (*am.: vandløb*) rydde for grene// træstubbe; **5.** (*am.* T) snuppe; få fat i;
□ ~ *on* **a.** hænge fast i (*fx his coat -ged on the barbed wire*); **b.** (*jf. 2*) rive ... på (*fx he -ged his coat on the barbed wire*); **c.** (*jf. 3*) komme i vanskeligheder pga grund af.
snail [sneil] *sb.* (*zo.*) snegl [*med hus*].
snail mail *sb.* (*it: spøg.*) almindelig post [*mods. e-post*].
snail's pace *sb.* sneglefart; snegletempo;
□ *at a* ~ med sneglefart; i snegletempo; *move//travel at a* -*'s pace* (*også*) snegle sig frem.
snake[1] [sneik] *sb.* (*zo.*) slange; (se også *grass snake*);
□ *cherish a* ~ *in one's bosom* nære en slange ved sin barm; *a* ~ *in the grass* (*om person*) en falsk ven; en slange i paradiset.
snake[2] [sneik] *vb.*: ~ *around* sno sig rundt om.
snake charmer *sb.* slangetæmmer.
snake oil *sb.* (*am.*) [*fupmedicin*].
snake oil salesman *sb.* fupmager; bondefanger.
snakes and ladders *sb.* **1.** [*ludolignende spil hvor man kommer hurtigere frem ved en stige og bliver sat tilbage ved en slange*]; **2.** (*fig.*) livets omskiftelser; tilfældighedernes spil.
snake's head *sb.* (*bot.*) vibeæg.
snaky ['sneiki] *adj.* **1.** slangeagtig; bugtet; **2.** (*om person*) slangeagtig; lumsk.
snap[1] [snæp] *sb.* **1.** (*lyd*) smæld, smæk (*fx the lid closed with a* ~); knæk; (*med fingrene*) knips; **2.** T fut, fart; liv (*fx a style without much* ~); **3.** (*foto.*) foto, snapshot;

4. [*børnespil hvor det gælder om at sige snap først, når to ens kort vendes op*]; **5.** (*dial.*) madpakke; medbragt mad; **6.** (*frost*) se *cold snap*; **7.** (*småkage*) se *brandy snap*; (*am.*) = *ginger nut*; **8.** (*am.: lås*) = *snap fastener*; (*på armbånd*) fjederlås;
□ *it's a* ~ (*am.* T) det er en let sag.
snap[2] [snæp] *vb.* **1.** brække (*fx a twig in two*); **2.** (*uden objekt*) knække (*fx a twig//the rope -ped*); (*om snor, streng, elastik også*) springe, briste; **3.** (*fig.*) bryde sammen (*fx the alliance//his self-control -ped*); (*om person*) miste selvkontrollen; **4.** (*om lyd*) smælde (*fx banners -ping in the breeze*); **5.** (*foto.*) knipse, fotografere (*fx he was -ped falling off his horse*); **6.** (T, *om person: tale arrigt*) snerre, bide, vrisse;
□ ~! (*jf. snap*[1] *4* , siges *fx* hvis en anden har samme tøj på) tillykke! ~ *one's fingers* knipse med fingrene; ~ *one's fingers at* være revnende ligeglad med; blæse på; ~ *open* springe op; ~ *shut* smække i;
[*med præp., adv.*] ~ *at* **a.** (*med tænderne, fx om hund*) snappe efter, b; **b.** (*om person, jf. 6*) bide/ snerre/vrisse ad; **c.** (*tilbud*) gribe ivrigt efter; ~ *awake* pludselig blive vågen; vågne med et ryk; ~ *back* **a.** smække tilbage; springe tilbage; **b.** (*fig.*) komme tilbage med et ryk; ~ *down* the lid smække låget i; ~ *off* brække af; (se også *head*[1]); ~ *out* snerre (*fx an order*); ~ *out of* it T tage sig sammen [*og forbedre sig//beherske sig*]; ~ *to* knalde i; smække i (*fx the door -s to*); ~ *to it!* T få fart på! lad det gå lidt rask! ~ *up* snappe, kapre, sikre sig; rive væk (*fx all the best houses have been -ped up by this time*); ~ *it up!* (*am.* T) = ~ *to it.*
snap[3] [snæp] *adj.* lynhurtig; pludselig (*fx election*); (*neds.*) forhastet (*fx decision*); hovsa-.
snapdragon ['snæpdrægən] *sb.* (*bot.*) løvemund.
snap fastener *sb.* (*am.*) trykknap [*i tøj*].
snap-hook ['snæphuk] *sb.* karabinhage.
snapper ['snæpə] *sb.* (*zo.*) **1.** snapper [*tropisk fisk*]; **2.** = *snapping turtle.*
snapping turtle *sb.* (*zo.*) snapskildpadde, alligatorskildpadde.
snappish ['snæpiʃ] *adj.* bidsk; vrissen; kort for hovedet.
snappy ['snæpi] *adj.* **1.** fiks, smart,

rap (*fx slogan*); **2.** (*om påklæd-ning*) smart; **3.** = *snappish*;
□ *make it* ~ få fart på.
snapshot ['snæpʃɔt] *sb.* **1.** (*foto.*) snapshot; **2.** (*fig.*) øjebliksbillede.
snare[1] [snɛə] *sb.* **1.** snare; fælde; **2.** (*med.*) slynge.
snare[2] [snɛə] *vb.* **1.** fange i en snare/fælde; **2.** (*fig.*) fange; indfange; kapre (*fx a husband; a job*).
snare drum *sb.* (*mus.*) lilletromme.
snarky ['snɑːki] *adj.* (*am.* T) irritabel; bidende.
snarl[1] [snɑːl] *sb.* **1.** sammenfiltret masse; virvar; (*især i trafik*) knude; (se også *snarl-up*); **2.** (*lyd*) snerren.
snarl[2] [snɑːl] *vb.* snerre;
□ ~ *up* T **a.** filtre sammen; **b.** (*fig.*) lave kludder i; **c.** (*trafik*) blokere, lamme; få til at bryde sammen; **d.** (*uden objekt*) filtre sig sammen; **e.** (*om trafik*) blive blokeret/lammet; bryde sammen.
snarl-up ['snɑːlʌp] *sb.* T **1.** virvar, kludder, kaos; **2.** (*om trafik*) trafikprop, trafikknude; trafiksammenbrud.
snatch[1] [snætʃ] *sb.* **1.** snuppen, snappen; **2.** stump, brudstykke (*fx -es of conversation*); **3.** (*i vægtløftning*) træk; **4.** T røveri; kup; (se også *bag snatch*); **5.** (*vulg.*) kusse;
□ *in -es* stødvis; rykvis; *make a* ~ *at* snappe efter; gribe efter; *a* ~ *of breath* snappen efter vejret; *a* ~ *of food* en bid mad; *a* ~ *of sleep* en kort søvn; en lur.
snatch[2] [snætʃ] *vb.* **1.** snuppe, snappe, gribe; **2.** hugge, stjæle; **3.** (*person*) kidnappe;
□ ~ *a few hours of sleep* redde sig nogle få timers søvn;
[*med præp.& adv.*] ~ *at* **a.** snappe efter, gribe efter (*fx the handle*), **b.** (*fig.*) ivrigt gribe (*fx the chance, the opportunity*); ~ *away* **a.** rive til sig; rive væk; **b.** (*om døden*) bortrive; ~ *sth* **from/out of** *sby's hand/grasp* snappe/rive noget ud af hånden på en; ~ *up* rive til sig.
snatch block *sb.* (*mar.*) kasteblok.
snazzy ['snæzi] *adj.* T smart [*og iøjnefaldende*].
sneak[1] [sniːk] *sb.* **1.** sladrehank; **2.** luskepeter.
sneak[2] [sniːk] *vb.* (*-ed, -ed*; (*am.* T *også*) *snuck, snuck*) (se også *sneaking*) **1.** liste sig, snige sig (*fx out; past the guard*); luske; **2.** (*i børnesprog*) sladre (*on om*); **3.** (*med objekt*) liste/luske til sig, hugge (*fx a chocolate from the box*); **4.** (*et sted hen*) smugle (*fx a camera through the customs; sby out of the house*);

□ ~ *a glance/look at* liste sig til at se på; ~ *out of* luske sig fra; ~ *up on* snige sig ind på.
sneakers ['sniːkəz] *sb. pl.* (*am.* T) gummisko; kondisko; tennissko.
sneaking ['sniːkiŋ] *adj.* hemmelig (*fx admiration*);
□ *a* ~ *suspicion* en lumsk mistanke.
sneak preview *sb.* snigpremiere.
sneaks [sniːks] *sb. pl.* = *sneakers*.
sneak thief *sb.* listetyv.
sneaky ['sniːki] *adj.* T lusket, lumsk.
sneer[1] [sniə] *sb.* **1.** (*udtryk*) hånligt/spotsk smil; **2.** (*ytring*) hånlig bemærkning.
sneer[2] [sniə] *vb.* **1.** rynke på næsen; **2.** (*om ytring*) vrænge, håne;
□ ~ *at* håne.
sneeze[1] [sniːz] *sb.* nysen; nys.
sneeze[2] [sniːz] *vb.* nyse;
□ *not to be -d at* ikke til at kimse ad.
snell [snel] *sb.* (*i fiskeri*) forfang.
snick[1] [snik] *sb.* **1.** hak; **2.** (*i kricket*) [*slag med kanten af battet*].
snick[2] [snik] *vb.* **1.** skære hak i; **2.** (*i kricket*) slå med kanten af battet.
snicker[1] ['snikə] *sb.* **1.** fnisen; **2.** (*hests*) vrinsken.
snicker[2] ['snikə] *vb.* **1.** fnise; **2.** (*om hest*) vrinske.
snide [snaid] *adj.* S ondskabsfuld, spydig, giftig;
□ ~ *remark* giftighed, spydighed; stikpille.
sniff[1] [snif] *sb.* **1.** snøft; snusen; **2.** T lille chance;
□ *get a* ~ *of* (*fig.*) få færten af; vejre (*fx danger*); *have a* ~ *of* snuse til (*fx the wine*); lugte til; *he'll never have/get a* ~ *of* T han vil aldrig få den mindste chance for; *take a* ~ *of* indsnuse (*fx the air*).
sniff[2] [snif] *vb.* **1.** snøfte; **2.** (*med objekt*) snuse til (*fx the dogs -ed each other*); lugte til; **3.** (*duft etc.*) indsnuse (*fx the evening air*); **4.** S sniffe (*fx glue*); **5.** (*om ytring*) sige spidst (*fx "He is not a gentleman," she -ed*);
□ ~ *around* **a.** snuse rundt; **b.** (*med objekt, fig.*) vise interesse for; ~ *at* **a.** snuse til (*fx the wine*); lugte til; **b.** (*afvisende*) rynke på næsen ad; trække på skulderen ad; *not to be -ed at* ikke til at kimse ad; ~ *out* (*også fig.*) opsnuse; opspore.
sniffer dog *sb.* narkohund; bombehund.
sniffle[1] ['snifl] *sb.* snøften; snøft;
□ *have a* ~/*the -s* have snue.

sniffle[2] ['snifl] *vb.* snøfte.
sniffy ['snifi] *adj.* T hånlig; storsnudet;
□ *be* ~ *about* se ned på; foragte.
snifter ['sniftə] *sb.* **1.** (*am.*) cognacglas; **2.** (*let glds.* T) dram; gibbernakker.
snigger[1] ['snigə] *sb.* fnis.
snigger[2] ['snigə] *vb.* fnise.
snip[1] [snip] *sb.* **1.** klip; **2.** afklippet stykke; stump; **3.** (*am.* T: *om pige*) fræk lille tingest; **4.** T billigt køb; fund;
□ *that's a* ~ (*jf.* 4, *også*) det er fundet for de penge.
snip[2] [snip] *vb.* klippe.
snipe[1] [snaip] *sb.* (*zo.*) dobbeltbekkasin; sneppe.
snipe[2] [snaip] *vb.* (*mil.*) være snigskytte; skyde fra skjult stilling;
□ ~ *at* **a.** skyde på fra skjult stilling; **b.** (*fig.*) komme med udfald mod, kritisere.
sniper ['snaipə] *sb.* (*mil.*) snigskytte.
snippet ['snipit] *sb.* bid; stump.
snippy ['snipi] *adj.* (*am.*) **1.** kort for hovedet; **2.** overlegen; hovskisnovski.
snips [snips] *sb. pl.* bliksaks.
snit [snit] *sb.: in a* ~ (*am., austr.* T) sur, gal i hovedet.
snitch[1] [snitʃ] *sb.* S stikker, angiver.
snitch[2] [snitʃ] *vb.* **1.** T hugge, stjæle; **2.** S sladre;
□ ~ *on* sladre om, stikke, angive.
snivel[1] ['sniv(ə)l] *sb.* snøft; klynken, flæben.
snivel[2] ['sniv(ə)l] *vb.* snøfte, klynke, flæbe.
snob [snɔb] *sb.* snob.
snob appeal *sb.: it has* ~ det appellerer til folks snobberi.
snobbery ['snɔb(ə)ri] *sb.* snobberi.
snobbish ['snɔbiʃ] *adj.* snobbet.
snobby ['snɔbi] *adj.* T = *snobbish*.
snob value *sb.* snobværdi.
snog [snɔg] *vb.* T kæle; kysse og kramme.
snood [snuːd] *sb.* **1.** hårnet; **2.** (*i fiskeri*) forfang.
snook [snuːk] *sb.: cock a* ~ *at* T række næse ad; vise sin foragt for.
snooker[1] ['snuːkə] *sb.* snooker [*form for billard*].
snooker[2] ['snuːkər] *vb.* (*am.*) narre (*into* + *-ing* til at); (se også *snookered*).
snookered ['snuːkəd] *adj.* **1.** (*om billardbal*) maskeret; **2.** T (*fig.*) i klemme; afskåret fra at handle.
snookum ['snuːkəm] *sb.* (*am.* S) nuttebasse.
snoop[1] [snuːp] *sb.* = *snooper*;
□ *have a* ~ *around* snuse rundt i.

snoop² [snu:p] *vb.* T snuse (rundt); spionere;
□ *I don't want to* ~ *but ...* det er ikke fordi jeg vil snage, men ...; ~ *about/around* **a.** snuse rundt; **b.** (+ *objekt*) snuse rundt i; ~ *on* udspionere.

snooper ['snu:pə] *sb.* T snushane; nysgerrigper; dyneløfter.

Snoopy ['snu:pi] (*tegneseriefigur*) Nuser.

snoot [snu:t] *sb.* (*am.* S: *næse*) tud, snude.

snooty ['snu:ti] *adj.* T storsnudet.

snooze¹ [snu:z] *sb.* T lur [*kort søvn*].

snooze² [snu:z] *vb.* T tage sig en lur.

snooze button *sb.* (*på vækkeur*) slumreknap.

snore¹ [snɔ:] *sb.* snorken.

snore² [snɔ:] *vb.* snorke.

snorkel¹ ['snɔ:k(ə)l] *sb.* snorkel.

snorkel² ['snɔ:k(ə)l] *vb.* snorkle, dykke med snorkel.

snort¹ [snɔ:t] *sb.* **1.** prusten, fnysen; prust, fnys; **2.** (*am.* S) drink, hivert.

snort² [snɔ:t] *vb.* **1.** pruste; fnyse; **2.** (*am.* S) sniffe (*fx cocaine*).

snot [snɔt] *sb.* T **1.** snot; **2.** (*person*) dum skid.

snot rag *sb.* S snotklud.

snotty ['snɔti] *adj.* T **1.** snottet; **2.** storsnudet.

snout [snaut] *sb.* **1.** (*dyrs*) snude; (*på gris*) tryne; **2.** (*neds. om næse*) snude, tryne, snabel; **3.** (*på bil*) snude, forende; (*på pistol*) løb; **4.** T tobak; (*cigaret*) smøg; **5.** (T: *person*) stikker.

snow¹ [snəu] *sb.* **1.** sne; **2.** S kokain;
□ *-s* snevejr; snefald.

snow² [snəu] *vb.* **1.** sne; **2.** (*med objekt, fig.*) regne med, vælte ind med (*fx it -ed letters*); **3.** (*am.*) stikke blår i øjnene på; narre med en masse snak;
□ *be -ed in/up* være sneet inde; *be -ed under with* (*fig.*) være begravet i (*fx letters*); være ved at drukne i.

snowball¹ ['snəubɔ:l] *sb.* snebold.

snowball² ['snəubɔ:l] *vb.* **1.** kaste snebolde efter//på; **2.** (*fig.*) vokse som en snebold; vokse med stigende hast.

snowberry ['snəubəri] *sb.* (*bot.*) snebær.

snowboard ['snəubɔ:d] *sb.* snowboard, snebræt [*der bruges til snesurfing*].

snowbound ['snəubaund] *adj.* **1.** indesneet; **2.** (*om vej etc.*) blokeret af sne.

snow bunting *sb.* (*zo.*) snespurv.

snow-capped ['snəukæpt] *adj.* (*litt.: om bjerg*) sneklædt; med sne på toppen.

snowcat ['snəukæt] *sb.* motorslæde.

snowdrift ['snəudrift] *sb.* snedrive.

snowdrop ['snəudrɔp] *sb.* (*bot.*) vintergæk.

snowdrop tree *sb.* (*bot.*) sneklokketræ.

snowflake ['snəufleik] *sb.* **1.** snefnug; **2.** (*bot.*) dorothealilje.

snowline ['snəulain] *sb.* snegrænse.

snowman ['snəumæn] *sb.* (*pl. -men* [-men]) snemand.

snowmobile ['snəuməbi:l] *sb.* snescooter.

snowplough ['snəuplau] *sb.* sneplov.

snowshoe ['snəuʃu:] *sb.* snesko.

snowstorm ['snəustɔ:m] *sb.* snestorm.

snowy ['snəui] *adj.* **1.** snedækket (*fx mountain*); **2.** (*om vejr*) snetung (*fx day*); fuld af sne; **3.** (*om farve*) snehvid (*fx hair*).

snowy owl *sb.* (*zo.*) sneugle.

snub¹ [snʌb] *sb.* **1.** afvisning; affærdigelse; **2.** irettesættelse; næse.

snub² [snʌb] *vb.* **1.** afvise, feje af; bide af; ignorere; **2.** irettesætte, sætte på plads.

snub nose *sb.* opstoppernæse; stumpnæse.

snub-nosed [snʌb'nəuzd] *adj.* med opstoppernæse; stumpnæset.

snuck [snʌk] (*am.* T) *præt. & præt. ptc. af* sneak.

snuff¹ [snʌf] *sb.* snus, snustobak;
□ *a pinch of* ~ en pris tobak; *up to* ~ T **a.** god nok; i orden; effektiv; **b.** ikke til at løbe om hjørner med.

snuff² [snʌf] *vb.* (*et lys, glds.*) pudse;
□ ~ *it* (*glds.* T: *dø*) kradse af, stille træskoene; ~ *out* **a.** (*lys*) slukke; **b.** (*fig.*) undertrykke, kvæle (*fx a revolt*); sætte en stopper for, slukke (*fx optimism*); **c.** (*am.* S) dræbe.

snuffer ['snʌfə] *sb.* lyseslukker;
□ *-s* lysesaks.

snuffle ['snʌfl] se *sniffle*.

snuff movie *sb.* [*pornofilm hvor der indgår et virkeligt mord*].

snug¹ [snʌg] *sb.* (*i pub*) baglokale.

snug² [snʌg] *adj.* **1.** lun, rar, hyggelig; beskyttet; **2.** (*om tøj*) tætsiddende, stram;
□ *be as* ~ *as a bug in a rug* (*spøg.*) have det som blommen i et æg; *sit* ~ *by the fire* sidde lunt ved ilden.

snug³ [snʌg] *vb.* (*am.*) **1.** anbringe, lægge til rette; **2.** (*uden objekt*)

lægge//sætte sig til rette; putte sig.

snuggery ['snʌgəri] *sb.* **1.** hyggeligt værelse; hyggelig krog; **2.** = *snug¹*.

snuggle ['snʌgl] *vb.* T **1.** (*om person*) lægge//sætte sig tilrette; ligge lunt og godt; **2.** (*med objekt*) putte (*into* ind mod, *fx she -d her head into his shoulder*);
□ ~ *down* putte sig; ~ *up to sby* smyge sig ind til en.

so¹ [səu] *adv.* **1.** (+ *adj.*) så (*fx don't be so stupid! it was so cold that the pipes froze*); (*forstærkende*) 'så, meget (*fx it was 'so kind of you; he was 'so afraid*); **2.** (*ved vb.*) således, sådan (*fx I have so arranged it that ...; it is so* sådan er det); **3.** (*forstærkende*) så meget//så højt *etc.* (*fx I love you so*; *she so wanted to go* hun ville så gerne af sted); **4.** (*som objekt*) det (*fx I don't think so; I hope so; why so*); **5.** (*om lignende tilfælde*) det samme, det ... også (*fx we thought he would come and so he did; he is old, and so am I*) [*... og det samme er jeg; ... og det er jeg også*]; **6.** (*bekræftende*) det ... også; ja (*fx ("It is your birthday today") "So it is!"* "Det er det jo også!" "Ja det er!"); **7.** (*protesterende*) jo; det ... vel nok (*fx ("You didn't do it") "I did so!"* "Jo jeg gjorde!"; "Det gjorde jeg vel nok!");
□ *so and so* det og det; sådan og sådan; (*se også so-and-so*); *and so on//forth* og så videre; F og så fremdeles; *not so ... as* ikke så ... som (*fx he is not so rich as his brother*); *so as to* således at; for at; *so fortunate as to* så lykkelig at; *or so* eller deromkring (*fx he must be forty or so*); (*only*) *so so* kun så som så; *so that* **a.** så at; for at; **b.** (*glds.*) forudsat at; når blot; *is that so?* er det rigtigt? nej virkelig? *so there!* **a.** så er den ikke længere! **b.** (*triumferende*) nå, hvad siger du så! øv bøv! *so what?* ja hvad så? og hvorfor ikke?; (*se også even⁴, far, just, long³, many², more², quite*).

so² [səu] *konj.* **1.** så, så derfor (*fx he was not at home, so I went away again*); **2.** (*indledende spørgsmål*) nå så (*fx so you want to go to America?*); **3.** (*am.*) så (at) (*fx I told him so he could do something about it*).

soak¹ [səuk] *sb.* udblødning;
□ *give sth a* ~ sætte noget i blød; *have a good long* ~ (ɔ: *i bad*) få sig et ordentligt bad; ligge rigtig længe i blød; *an old* ~ (*glds.* T) en gammel drukkenbolt/sut.

soak² [səuk] *vb.* (se også *soaked, soaking*) **1.** ligge//stå i blød (*fx let the clothes* ~); **2.** (*med objekt*) lægge i blød (*fx clothes*); udbløde (*fx leather*); bløde op (*fx bread in milk*); lade trække (*fx* ~ *the figs in brandy*); **3.** (*om væske*) gennembløde (*fx the rain -ed our clothes*); gennemvæde, gennemtrænge; **4.** (T: *mht. penge*) tage overpris af, trække op; beskatte hårdt; lade punge ud (*fx the principle of* "~ *the rich*");
□ *how much did they* ~ *you?* hvor meget måtte du bløde? *leave sth to* ~ lade noget stå i blød; *put sth to* ~ lægge noget i blød;
[*med præp.& adv.*] ~ *oneself in* (*fig.*) fordybe sig i (*fx ancient history*); ~ *into* sive ind i; sive ned i (*fx water -s into the earth; the wine -ed into the carpet*); trænge ind i; ~ *through* sive igennem; ~ *up* **a.** opsuge; suge op (*fx the sponge -ed up the water*); **b.** (*lærdom, atmosfære*) suge til sig; indsuge; **c.** (*penge etc.: forbruge*) sluge, lægge beslag på; ~ *up the sun//warmth* T lade sig gennemtrænge af solen//varmen.
soakaway ['səukəwei] *sb.* sivebrønd.
soaked [səukt] *adj.* gennemblødt (*fx my shirt was* ~);
□ ~ *in sweat* gennemblødt af sved; *the town is* ~ *in history* (*fig.*) byen emmer af historie; ~ *to the skin* gennemblødt til skindet.
soaking ['səukiŋ] *adj.* drivende våd.
so-and-so ['səuən(d)səu] *sb.* T **1.** den og den; **2.** (*neds.*) noksagt (*fx you old* ~).
soap¹ [səup] *sb.* **1.** sæbe; **2.** se *soap opera*;
□ *no* ~*!* (*am.* T) der er ikke noget at gøre!
soap² [səup] *vb.* **1.** sæbe ind; vaske; **2.** (*am.* T) smigre.
soapbox ['səupbɔks] *sb.* **1.** sæbekasse; **2.** [*kasse som folketaler bruger til at stå på*].
soap flakes *sb. pl.* sæbespåner.
soap opera *sb.* T sæbeopera [*sentimental fjernsynsserie//hørespilserie*].
soapstone ['səupstəun] *sb.* fedtsten.
soapsuds ['səupsʌdz] *sb. pl.* sæbevand; sæbeskum.
soapwort ['səupwə:t] *sb.* (*bot.*) sæbeurt.
soapy ['səupi] *adj.* **1.** sæbeagtig; **2.** fuld af sæbe; **3.** (*om person*) slesk; **4.** (T: *om litteratur*) sentimental; sæbeoperaagtig.
soapy water *sb.* sæbevand.

soar [sɔ:] *vb.* (se også *soaring*) **1.** hæve sig; stige; **2.** (*om fugl, fly*) svæve; **3.** (*fig.: om priser etc.*) stige, ryge i vejret; gå helt op i skyerne.
soaring ['sɔ:riŋ] *adj.* **1.** (*om bygning*) himmelstræbende; **2.** (*om priser*) stadig stigende; skyhøj, himmelhøj.
sob¹ [sɔb] *sb.* hulk.
sob² [sɔb] *vb.* hulke.
S.O.B. *fork. f. son of a bitch.*
sober¹ ['səubə] *adj.* **1.** ædru; **2.** (*om persons væsen*) nøgtern, besindig, sober; ædruelig; alvorlig; **3.** (*om handling etc.*) rolig, afdæmpet (*fx the wedding was a* ~ *affair*); nøgtern, besindig (*fx judgment*); **4.** (*om tøj, farve*) dæmpet; diskret;
□ *as* ~ *as a judge* fuldstændig ædru.
sober² ['səubə] *vb.*: ~ *up* T **a.** blive ædru; **b.** (*med objekt*) gøre ædru.
sobering ['səubəriŋ] *adj.* som gør én mere nøgtern; som bringer én ned på jorden;
□ *a* ~ *effect* en afdæmpende virkning; *it is a* ~ *thought* det er tankevækkende; det vækker til eftertanke.
sobersides ['səubəsaidz] *sb.* (*især am.* T) sat person; alvorsmand.
sobriety [sə'braiəti] *sb.* **1.** ædru tilstand; **2.** nøgternhed, besindighed; ædruelighed.
sobriquet ['səubrikei] *sb.* øgenavn; tilnavn.
sob sister *sb.* T [*kvindelig journalist der skriver sentimentale artikler*].
sob story *sb.* T rørende//hjerteskærende historie.
soccer ['sɔkə] *fork. f. association football.*
sociability [səuʃə'biləti] *sb.* **1.** selskabelighed; omgængelighed; **2.** (*psyk.*) sociabilitet.
sociable ['səuʃəbl] *adj.* selskabelig; omgængelig; social.
social¹ ['səuʃ(ə)l] *sb.* T selskabelig sammenkomst; komsammen.
social² ['səuʃ(ə)l] *adj.* **1.** social; social- (*fx legislation*); samfunds- (*fx conditions* forhold; *class; evil; problem*); **2.** (*mht. status*) social (*fx aspirations*); **3.** (*mht. omgang med andre mennesker*) social, selskabelig (*fx life*); **4.** (*zo.*) social (*fx insects*).
social climber *sb.* stræber.
social democracy *sb.* **1.** (*system*) socialt demokrati; **2.** (*land*) [*land med socialdemokratisk styre*].
social democratic *adj.* socialdemokratisk.
social disease *sb.* (*am.*) **1.** kønssyg-

dom; **2.** [*sygdom der er betinget af sociale forhold*].
socialism ['səuʃəlizm] *sb.* socialisme.
socialist¹ ['səuʃəlist] *sb.* socialist.
socialist² ['səuʃəlist] *adj.* socialistisk.
socialistic [səuʃə'listik] *adj.* socialistisk.
socialite ['səuʃəlait] *sb.* [*en der bevæger sig meget i selskabslivet*]; prominent person; kendis.
socialize ['səuʃəlaiz] *vb.* **1.** deltage i selskabslivet; dyrke selskabelighed; **2.** (*pol.*) socialisere; indrette efter socialistiske principper (*fx the economy*); **3.** (*psyk.*) socialisere (*fx young offenders*);
□ ~ *with* (*jf. 1*) omgås selskabeligt med.
social science *sb.* samfundsvidenskab.
social security *sb.* social understøttelse;
□ *be on* ~ modtage offentlig hjælp.
social services *sb. pl.* socialforsorg.
social worker *sb.* socialrådgiver.
society [sə'saiəti] *sb.* **1.** (*generelt*) samfundet (*fx our duty towards* ~); **2.** (*fornem del heraf*) society; (se også *high society, polite society*); **3.** (*pol.*) samfund (*fx a classless//capitalist* ~); **4.** (*om forening*) selskab (*fx a learned* ~); forening (*fx a historical* ~); samfund; **5.** (F: *om det at være sammen*) selskab (*fx I enjoyed his* ~);
□ *mix in* ~ (*jf. 2*) deltage i selskabslivet.
Society Islands *pl.* (*geogr.*) Selskabsøerne.
socioeconomic [səuʃiəui:kə'nɔmik] *adj.* socioøkonomisk.
sociological [səuʃiə'lɔdʒik(ə)l, -siə-] *adj.* sociologisk.
sociologist [səʃi'ɔlədʒist, -si-] *sb.* sociolog.
sociology [səuʃi'ɔlədʒi, -si-] *sb.* sociologi.
sociopath ['səuʃiə(u)pæθ, -si-] *sb.* sociopat; psykopat.
sock¹ [sɔk] *sb.* **1.** sok; strømpe; **2.** (*i sko, støvle*) indlægssål; **3.** (*glds.* T) slag; gok (*fx a* ~ *in the eye*);
□ *pull your -s up!* T tag dig sammen! *put a* ~ *in it!* T **a.** klap i! **b.** hold op med den larm! *it knocked my -s off!* T jeg var ved at gå bagover [*af forbløffelse*].
sock² [sɔk] *vb.* slå; ramme; 'slå til (*fx the ball*);
□ ~ *away* (*am.: penge*) gemme væk; spare op; *be -ed in* (*am.* T) **a.** (*om fly*) få startforbud; **b.** (*om lufthavn*) blive lukket [*på grund*

789

S *sockdolager*

af tåge etc.]; ~ *him* **on** *the jaw* (*glds.* T) lange ham en ud; give ham en kajeryster; ~ *it* **to** *him* **a.** (*am.* S) give ham en ordentlig én på frakken; pande ham en; **b.** (*fig.*) give den hele armen.

sockdolager [sɔk'dɔlədʒər] *sb.* (*am.*) **1.** kraftigt slag; en ordentlig en; **2.** afgørende argument; **3.** pragteksemplar.

socket ['sɔkit] *sb.* **1.** (*til at sætte noget fast i*) holder; sokkel; **2.** (*anat.*) ledskål; (se også *eye socket, start²* (*from*)); **3.** (*elek.: til stikprop*) stikkontakt, (hun)stik; (*på væggen*) stikdåse; **4.** (*til pære*) fatning; **5.** (*på rør*) muffe.

socket outlet *sb.* (*elek.*) stikdåse.

socket set *sb.* topnøglesæt.

socket wrench *sb.* topnøgle.

socko ['sʌkəu] *adj.* (*am.* T) fremragende; fantastisk effektiv.

sod¹ [sɔd] *sb.* **1.** græstørv; **2.** (*vulg. skældsord*) skiderik; lort; □ ~ *all* (*vulg.*) ikke en skid; *beneath/under the* ~ (*jf. 1, litt.*) under mulde; *it is a* ~ (*vulg.*) den er skideirriterende; *I don't care/give a* ~ (*vulg.*) jeg er skideligeglad; *cut/turn the first* ~ (*jf. 1*) tage det første spadestik.

sod² [sɔd] *vb.:* ~ *him!* (*vulg.*) til helvede med ham! ~ *it!* (*vulg.*) satans osse! ~ *off!* (*vulg.*) skrub af! gå ad helvede til!

soda ['səudə] *sb.* sodavand; (se også *bicarbonate, baking soda*).

soda fountain *sb.* (*især am.*) **1.** sodavandsapparat; **2.** isbar.

soda pop *sb.* (*am.* T) sodavand.

soda water *sb.* mineralvand med kulsyre; dansk vand.

sodbuster ['sɔdbʌstər] *sb.* (*am.* T) bondeknold.

sodden ['sɔd(ə)n] *adj.* **1.** drivvåd; gennemblødt; gennemtrukken; **2.** (*i sms.*) -druknen.

sodding ['sɔdiŋ] *adj.* (*vulg.*) satans; skide-; lorte-.

sodium ['səudiəm] *sb.* natrium.

sodomize ['sɔdəmaiz] *vb.* have analsex med.

sodomy ['sɔdəmi] *sb.* (*jur. el.* F) sodomi; analsex.

sofa ['səufə] *sb.* sofa.

sofa bed *sb.* sovesofa.

soft [sɔft] *adj.* **1.** (*om overflade, konsistens etc.*) blød; **2.** (*om lys, lyd*) blød, dæmpet, blid (*fx glow skær; colours; music; voice*); (*om lyd også*) sagte; **3.** (*om berøring*) let, blid; **4.** (*om livsform*) magelig; **5.** (*om opgave*) let (*fx job*); (se også *option*); **6.** (T, *om person: mods. hård*) blødsøden; (*ikke i form*) slap; (*ikke rigtig klog*) skør;

□ *be* ~ *in the head* (*glds.* T) være skør i bolden; *be* ~ *on* (*glds.* T) være skudt/forelsket i; *go* ~ *on* (T: *fig.*) blive blødsøden//eftergivende over for (*fx crime*); [*med sb.; se også på alfabetisk plads*] *chocolates with* ~ *centres* fyldte chokolader; ~ *porn* blød porno; *have a* ~ *spot for* have en klat til overs for; *have en svaghed for; he is a* ~ *touch* han er nem at få til at give noget; han er nem at slå penge af/lokke penge ud af; ~ *water* blødt vand; ~ *words* blide ord.

softball ['sɔftbɔ:l] *sb.* [*variant af baseball*].

soft-boiled [sɔft'bɔild] *adj.* blødkogt (*fx egg*).

soft-centred [sɔft'sentəd] *adj.* (*om chokolade*) fyldt.

soft copy *sb.* (*it*) udskrift på skærm; elektronisk kopi.

soft-core ['sɔftkɔ:] *adj.:* ~ *porn* blød porno.

soft drink *sb.* alkoholfri drik; læskedrik.

soften ['sɔf(ə)n] *vb.* **1.** blødgøre (*fx skins*); **2.** (*lyd, lys*) dæmpe; **3.** (*vand*) blødgøre, afkalke, afhærde; **4.** (*fig.*) blødgøre, formilde (*fx sby's heart*); mildne (*fx a contrast; sby's pain*); opbløde (*fx one's attitude; one's position*); (se også *blow¹*); **5.** (*uden objekt, jf.* 1) blive blød; blive blødere; **6.** (*jf.* 4) blive mildere (*fx the weather is -ing; his expression -ed*); **7.** (*om person*) blive mildere stemt; □ ~ *up* **a.** (T: *mil. & fig.*) gøre mør [*ved beskydning, overtalelse etc.*]; **b.** (*uden objekt*) blive blød.

soft furnishings *sb. pl.* boligtekstiler.

soft goods *sb. pl.* manufakturvarer.

soft grass *sb.* (*bot.*) hestegræs.

soft-headed [sɔft'hedid] *adj.* skør, fjollet.

soft-hearted [sɔft'ha:tid] *adj.* blødhjertet; varmhjertet.

softie *sb.* se *softy.*

soft landing *sb.* blød landing.

softly-softly [sɔftli'sɔftli] *adj.* forsigtig; afdæmpet; diskret.

soft palate *sb.: the* ~ (*anat.*) den bløde gane.

soft pedal *sb.* (*mus.*) pianopedal; dæmperpedal.

soft-pedal [sɔft'ped(ə)l] *vb.* **1.** (*mus.*) spille med dæmperpedal; **2.** (T: *fig.*) dæmpe, neddæmpe, nedtone (*fx criticism*); gå let hen over.

soft roe *sb.* (*i fisk*) mælke, krølle.

soft sell *sb.* blød salgsteknik.

soft-shoe¹ ['sɔftʃu:] *sb.* (*især am.*)

[*stepdans med bløde sko*].

soft-shoe² ['sɔftʃu:] *vb.* (*især am.*) **1.** danse stepdans [*med bløde sko*]; **2.** (*fig.*) liste forsigtigt.

soft shoulder *sb.* (*især am.*) blød rabat; □ ~*!* (*på skilt*) rabatten er blød.

soft soap *sb.* **1.** blød sæbe; **2.** (*fig.*) fedteri; smiger.

soft-soap [sɔft'səup] *vb.* fedte for; smigre.

soft-spoken [sɔft'spəuk(ə)n] *adj.* blid; med en blød og behagelig stemme.

soft target *sb.* [*sårbart//ubeskyttet mål*].

soft toy *sb.* tøjdyr, krammedyr.

software ['sɔftwɛə] *sb.* (*it*) programmer; programmel.

softwood ['sɔftwud] *sb.* blødt træ; nåletræsved.

softy ['sɔfti] *sb.* blødsøden person; pjok, skvat, bløddyr.

soggy ['sɔgi] *adj.* **1.** gennemblødt; vandet (*fx vegetables*); pjasket; våd; **2.** (*om jord*) opblødt; blød, klæg; **3.** (*om stil*) træg, tung.

soh *fork. f.* sense of humour.

soigné ['swɑ:njei] *adj.* F elegant.

soil¹ [sɔil] *sb.* **1.** jord; jordbund; **2.** (*område*) jord, grund (*fx on English* ~); □ *the* ~ F landbruget.

soil² [sɔil] *vb.* (se også *soiled*) F **1.** snavse til, tilsmudse; (*stærkere*) tilsøle, svine til (*fx beaches -ed by oil*); **2.** (*fig.*) besudle (*fx her reputation*); □ ~ *one's hands with* (*fig.*) tilsmudse sine hænder med.

soiled [sɔild] *adj.* snavset, brugt (*fx towels*).

soil science *sb.* jordbundslære.

soirée ['swɑ:rei] *sb.* soiré.

sojourn¹ ['sɔdʒə:n, 'sʌ-] *sb.* (*litt. el. spøg.*) ophold.

sojourn² ['sɔdʒə:n, 'sʌ-] *vb.* (*litt.*) opholde sig [*for en tid*]; □ ~ *at/in* (*også*) gæste.

solace¹ ['sɔləs] *sb.* F trøst.

solace² ['sɔləs] *vb.* F trøste; lindre.

solar ['səulə] *adj.* sol- (*fx cell; eclipse; panel; system*).

solarium [sə'lɛəriəm] *sb.* solarium.

solar plexus [səulə'pleksəs] *sb.* solar plexus.

solar power *sb.* solenergi.

sold [səuld] *præt. & præt. ptc. af sell;* □ ~ *on* begejstret for; vild med; ~ *out* udsolgt; *be* ~ *out of* have udsolgt af; være udgået for.

solder¹ ['səuldə, 'sɔldə] *sb.* loddemetal, loddemiddel.

solder² ['səuldə, 'sɔldə] *vb.* lodde; sammenføje.

soldering ['səuld(ə)riŋ, 'sɔl-] *sb.* lodning.

soldering iron *sb.* loddekolbe.

soldier[1] ['səuldʒə] *sb.* soldat; □ ~ *of fortune* lykkeridder.

soldier[2] ['səuldʒə] *vb.*: ~ *on* T stædigt blive ved; fortsætte ufortrødent.

soldiery ['səuldʒəri] *sb.* soldater; (*glds.*) krigsfolk.

sole[1] [səul] *sb.* **1.** (*på fod, sko, støvle, høvl*) sål; **2.** (*zo.: fladfisk*) tunge, søtunge.

sole[2] [səul] *adj.* eneste (*fx his ~ purpose; the ~ survivor*); ene- (*fx agency; agent* forhandler; *responsibility*);
□ *for the ~ use of* udelukkende til brug for; ene og alene til brug for; *for the ~ purpose of* + -ing udelukkende med det formål at; ene og alene for at.

sole[3] [səul] *vb.* forsåle.

solecism ['sɔlisizm] *sb.* F **1.** sprogfejl; **2.** uheldig opførsel; brud på god tone.

solely ['səulli] *adv.* udelukkende, ene og alene; ene- (*fx responsible*).

solemn ['sɔləm] *adj.* højtidelig.

solemnity [sə'lemnəti] *sb.* højtidelighed;
□ *solemnities* ceremoniel.

solemnize ['sɔləmnaiz] *vb.* F **1.** (*bryllup*) fejre; **2.** (*anledning*) højtideligholde.

solenoid ['səulənɔid] *sb.* strømspole; magnetspole.

solicit [sə'lisit] *vb.* F **1.** anmode om, bede om (*fx contributions; donations; support*); udbede sig; opfordre til; **2.** (*person*) anmode, bede (*for* om, *fx ~ them for donations*); **3.** (*om prostitueret*) antaste; **4.** (*uden objekt: om prostitueret*) trække; (*jur.*) opfordre til utugt; **5.** (*am.*) falbyde varer (*fx no -ing is allowed on the premises*).

solicitation [səlisi'teiʃn] *sb.* F **1.** anmodning; henvendelse; **2.** opfordring til utugt; **3.** (*am.*) dørsalg; indsamling.

solicitor [sə'lisitə] *sb.* **1.** advokat [*som især har rådgivende funktion og forbereder sager for the barrister*]; **2.** (*am.*) dørsælger; (*annonce*)agent; fundraiser, indsamler; **3.** (*am.: for offentlig myndighed*) [*juridisk rådgiver*].

Solicitor General *sb.* **1.** (*eng.*) [*juridisk rådgiver for regeringen umiddelbart under the Attorney General*]; (*omtr.*) vicekammeradvokat; **2.** (*am. omtr.*) vicejustitsminister.

solicitous [sə'lisitəs] *adj.* F betænksom, omsorgsfuld; bekymret.

solicitude [sə'lisitju:d] *sb.* omsorg; bekymring.

solid[1] ['sɔlid] *sb.* fast legeme; fast stof;
□ *-s* (*også*) fast føde.

solid[2] ['sɔlid] *adj.* **1.** (*om tilstandsform: mods. flydende*) fast (*fx food; fuel*); **2.** (*om udførelse: mods. spinkel*) solid (*fx door, foundation; wall*); **3.** (*om konsistens: mods. løs*) kompakt (*fx layer; mass*); **4.** (*mods. hul; helt igennem*) massiv (*fx wall; gold; oak table*); **5.** (*om linje, række: uden mellemrum*) ubrudt (*fx outline*); tæt; (*typ.: om sats*) kompres; **6.** (*om tid: uden pause*) fuld, hel (*fx for two ~ years; for a ~ hour*); i træk (*fx he slept fourteen hours ~*); (*se også ndf.: ~ hour*); **7.** (*geom.*) tredimensional (*fx figure*); (*ved mål*) kubik- (*fx foot*); (*se også ndf.: ~ geometry*); **8.** (*fig.*) solid (*fx business; grounding; they gave a good ~ performance*); grundfæstet, fast (*fx conviction*); pålidelig (*fx evidence*); **9.** (*om person*) pålidelig (*fx friend*); stabil (*fx husband*); solid (*fx working-class family*); **10.** (*ved afstemning*) enstemmig (*fx he received ~ support from them*);
□ *be ~ for* enstemmigt holde på; *be 'in ~ with* (*am.* T) stå på en god fod med; være i kridthuset hos;
[*med sb.*] ~ *geometry* (*jf. 6*) rumgeometri; *for a ~ hour* (*jf. 5, også*) i en stiv klokketime; ~ *ivory!* (*am.* S) han//du er dum som en dør! *a ~ majority* et solidt flertal; *a ~ suit* (*i bridge*) en solid farve.

solidarity [sɔli'dærəti] *sb.* solidaritet; sammenhold.

solidification [səlidifi'keiʃn] *sb.* størknen; overgang til fast form.

solidify [sə'lidifai] *vb.* **1.** (*om noget flydende*) blive fast; størkne; (*med objekt*) gøre fast; få til at størkne; **2.** (*fig.*) konsolideres, cementeres, styrkes (*fx support for the policy is -ing*); (*med objekt*) befæste, konsolidere, cementere, styrke (*fx one's position*).

solidity [sə'lidəti] *sb.* **1.** fasthed; soliditet; **2.** (*fig.*) soliditet; pålidelighed; stabilitet.

solid-state [sɔlid'steit] *adj.* faststof- (*fx physics*).

soliloquize [sə'liləkwaiz] *vb.* tale med sig selv; holde enetale.

soliloquy [sə'liləkwi] *sb.* monolog; enetale.

solitaire [sɔli'tɛə] *sb.* **1.** (*ædelsten*) solitær [*ɔ: som indfattes alene*]; **2.** (*brætspil for en enkelt person*)

solitaire; **3.** (*am.*) kabale [*med kort*].

solitary[1] ['sɔlit(ə)ri] *sb.* **1.** eneboer; **2.** T = *solitary confinement*.

solitary[2] ['sɔlit(ə)ri] *adj.* **1.** enlig (*fx tree; figure*); ensom (*fx figure; take a ~ walk; she led a ~ existence but did not feel lonely*); **2.** (*om indstilling*) som holder sig for sig selv (*fx he is a ~ boy*); tilbagetrukket; **3.** (*som der kun er en af*) eneste (*fx we have not a ~ clue*); ene (*fx his ~ world record*); **4.** (*om beliggenhed*) afsides, isoleret (*fx house; village*).

solitary confinement *sb.* isolationsfængsling; isolation.

solitude ['sɔlitju:d] *sb.* ensomhed.

solo[1] ['səuləu] *sb.* solo.

solo[2] ['səuləu] *adj.* solo-.

solo[3] ['səuləu] *adv.* solo, alene.

soloist ['səuləuist] *sb.* solist.

Solomon ['sɔləmən] (*i Biblen*) Salomon;
□ *the Song of* ~ Højsangen.

Solomon's seal *sb.* (*bot.*) stor konval.

solstice ['sɔlstis] *sb.* solhverv.

solubility [sɔlju'biləti] *sb.* opløselighed.

soluble ['sɔljubl] *adj.* **1.** opløselig; **2.** (*om problem*) som kan løses.

solution [sə'l(j)u:ʃn] *sb.* **1.** (*væske*) opløsning; **2.** (*på problem, gåde*) løsning; **3.** (*af mysterium*) opklaring.

solution set *sb.* (*mat.*) sandhedsmængde.

solvable ['sɔlvəbl] *adj.* **1.** (*om problem*) som kan løses; **2.** (*om mysterium*) som kan opklares.

solve [sɔlv] *vb.* **1.** (*problem*) løse; klare; **2.** (*mysterium*) opklare (*fx the crime; the question*).

solvency ['sɔlv(ə)nsi] *sb.* solvens, betalingsevne.

solvent[1] ['sɔlv(ə)nt] *sb.* opløsningsmiddel.

solvent[2] ['sɔlv(ə)nt] *adj.* **1.** (*merk.*) solvent, betalingsdygtig; **2.** (*kem.*) opløsende.

solvent abuse *sb.* snifning.

somatic [sə'mætik] *adj.* somatisk, legemlig.

sombre ['sɔmbə] *adj.* mørk, dyster; trist.

sombrero [sɔm'brɛərəu] *sb.* sombrero [*bredskygget hat*].

some[1] [sʌm] *sb. pl.* nogle, nogle mennesker (*fx ~ say it was a mistake*).

some[2] [səm, sm, (*betonet, fx 2 & 3*) sʌm] *adj.* **1.** en eller anden//et eller andet; nogen//noget//nogle; **2.** (T: *rosende*) en ordentlig//et ordentligt (*fx that was ~ dinner//*

S some

goal!*); noget af en//et; **3.** (T: *negativt*) sikke en/et (*fx ~ friend!*);
□ *this is ~ book* (*jf. 2, også*) det kan man kalde en bog; det kalder jeg en bog; det er vel nok en bog; *and then ~* (*am.*) og en hel masse til; (se også *time*[1]).

some[3] [sʌm] *adv.* **1.** (*foran talord*) omtrent, cirka (*fx ~ ten miles off*); **2.** (*am.* T) noget, lidt (*fx she is ~ better; turn the heat down ~*);
□ *~ four or five* (*jf. 1*) en fire-fem stykker; *~ twenty* (*jf. 1, også*) en snes (*fx ~ twenty years//miles*).

somebody ['sʌmbədi, -bɔdi] *pron.*
1. nogen; en eller anden; **2.** en betydningsfuld person;
□ *he thinks he is ~* (*jf. 2, også*) han bilder sig ind han er noget.

somehow ['sʌmhau] *adv.* på en eller anden måde.

someone ['sʌmwʌn] *pron.* nogen; en eller anden.

somersault[1] ['sʌməsɔːlt, -sɔlt] *sb.*
1. (*i luften*) saltomortale; **2.** (*på jorden*) kolbøtte;
□ *turn a ~* **a.** slå en saltomortale// kolbøtte; **b.** (*fig.*) slå en kolbøtte; vende på en tallerken.

somersault[2] ['sʌməsɔːlt, -sɔlt] *vb.* slå kolbøtter.

something[1] ['sʌmθiŋ] *pron.* **1.** noget; et eller andet; **2.** (*ved talord*) nogle og (*fx sixty ~ nogle og tres*);
□ *that is ~* **a.** (*rosende*) det er virkelig noget; **b.** (*forbeholdent*) det er dog altid noget; *a little ~* **a.** en eller anden lille ting; **b.** lidt at spise//drikke; *he was made a captain or ~* han blev udnævnt til kaptajn eller sådan noget lignende;
[*med præp.*] *there is ~ in it* der er noget om det; *he is ~ in an office* han er noget på et kontor; *that's ~ like!* det er noget af det helt rigtige! *~ like £5,000* hen ved/omtrent/sådan cirka £5.000; noget i retning af £5.000; *~ like a dinner!* en mægtig god middag! *that's ~ like rain!* sikken et regnvejr! det er vel nok et regnvejr; *~ like that* noget i den retning; *~ of* noget af (*fx he is ~ of a liar; he was ~ of a poet*); *if you see ~ of them* hvis du ser noget til dem.

something[2] ['sʌmθiŋ] *adv.* noget; T noget så (*fx it looked ~ awful*).

sometime[1] ['sʌmtaim] *adj.* F forhenværende, tidligere (*fx ~ professor of French at the university*).

sometime[2] ['sʌmtaim] *adv.* engang; på et eller andet tidspunkt;
□ *~ soon* inden så længe.

sometimes ['sʌmtaimz] *adv.* somme tider; af og til; undertiden;
□ *sometimes ... sometimes* snart ... snart.

somewhat ['sʌmwɔt] *adv.* noget (*fx he is ~ deaf*); i nogen grad;
□ *~ of* noget af (*fx it was ~ of a disappointment*).

somewhere ['sʌmwɛə] *adv.* et eller andet sted; et sted;
□ *he may be ~ near* han er måske et sted i nærheden; *~ else* et andet sted; andetsteds; *get ~* gøre fremskridt; få succes; *go ~* T gå et vist sted hen; gå på wc.

sommelier [sɔ'meliə] *sb.* vintjener.

somnambulism [sɔm'næmbjulizm] *sb.* søvngængeri.

somnambulist [sɔm'næmbjulist] *sb.* søvngænger.

somnolence ['sɔmnələns] *sb.* søvnighed; døsighed.

somnolent ['sɔmnələnt] *adj.* F
1. (*om person*) søvnig; døsig; **2.** (*om virkning*) søvndyssende (*fx voice*); **3.** (*litt.: om sted*) søvnig, fredelig (*fx village*).

son [sʌn] *sb.* søn;
□ *~ of a bitch* (*am. vulg.*) dumt svin; skiderik; *you ~ of a gun!* (*glds. am.* T: *spøg.*) din skurk!; (se også *mother*).

sonar ['səuna:] *sb.* sonar [*ekkolod; fork. f. sound navigation ranging*].

sonata [sɔ'na:tə] *sb.* (*mus.*) sonate.

son et lumière [sɔnei'lu:miɛə] *sb.* lyd og lys-show.

song [sɔŋ] *sb.* sang;
□ *make a ~ and dance about*
a. lave stor ståhej over; gøre et stort nummer ud af; **b.** (*am.*) komme med en lang svævende forklaring om; *it is nothing to make a ~ and dance about* det er ikke noget at råbe hurra for; *for a ~* til spotpris; for en slik; *on ~* T i fineste form, i topform, på sit højeste.

songbird ['sɔŋbə:d] *sb.* sangfugl.

songfest ['sɔŋfest] *sb.* (*am.*) se *singalong*.

songster ['sɔŋstə] *sb.* **1.** sanger; **2.** = *songbird*; **3.** = *songwriter*.

song thrush *sb.* (*zo.*) sangdrossel.

songwriter ['sɔŋraitə] *sb.* sangskriver, tekstforfatter; sangkomponist.

sonic ['sɔnik] *adj.* lyd- (*fx wave*);
□ *~ speeds* hastigheder så store som lydens.

sonic boom *sb.* lydmursbrag.

son-in-law ['sʌninlɔ:] *sb.* svigersøn.

sonnet ['sɔnit] *sb.* sonet.

sonny ['sʌni] *sb.* (*især i tiltale*) min lille ven; knægt; brormand.

son of a bitch [sʌnəvə'bitʃ] *sb.* (*pl. sons of bitches*) (*am. vulg.*) se *son*.

sonogram ['sɔnəgræm] *sb.* ultralydsbillede.

sonorous [sə'nɔ:rəs] *adj.* klangfuld; fuldttonende; sonor.

sonsy ['sɔnzi] *adj.* (*skotsk*) trivelig; køn; rar.

soon [su:n] *adv.* **1.** snart; **2.** hurtigt (*fx how ~ can you get there?*);
□ *as ~ as* så snart som; *I would (just) as ~* jeg ville lige så gerne; *too ~* for tidligt (*fx it was too ~ to try*); *none too ~* ikke et minut for tidligt.

sooner ['su:nə] *adv.* tidligere; hurtigere;
□ *no ~ ... than* ikke/aldrig så snart ... før(end); *no ~ said than done* som sagt så gjort; *~ or later* før eller senere; *the ~ the better* jo før jo bedre/hellere; *would ~* ville hellere/helst.

soot [sut] *sb.* sod.

soothe [su:ð] *vb.* **1.** (*vred person*) formilde; berolige; **2.** (*smerte, ubehag*) lindre; dulme.

soothsayer ['su:θseiə] *sb.* sandsiger, spåmand; (*kvindelig*) sandsigerske, spåkvinde.

sooty ['suti] *adj.* **1.** sodet; tilsodet; **2.** (*om farve*) sodfarvet.

SOP *fork. f. standard operating procedure.*

sop[1] [sɔp] *sb.* **1.** opblødt stykke brød [*dyppet i suppen/sovsen*]; **2.** (*neds.*) [*noget værdiløst der gives for at formilde/berolige*]; trøst; sutteklud; bestikkelse; □ *a ~ to the electors* valgflæsk.

sop[2] [sɔp] *vb.*: *~ up* T **a.** suge op; **b.** tørre op.

soph [sɔf] *sb.* (*am.* T) se *sophomore.*

sophism ['sɔfizm] *sb.* F sofisme, spidsfindighed.

sophist ['sɔfist] *sb.* sofist.

sophisticate [sə'fistikət] *sb.* sofistikeret person.

sophisticated [sə'fistikeitid] *adj.*
1. (*om person*) raffineret; sofistikeret; forfinet; kræsen; **2.** (*om ting*) kompliceret; avanceret (*fx equipment*).

sophistication [səfisti'keiʃn] *sb.* (*jf. sophisticated*) **1.** raffinement; forfinethed; blaserethed; **2.** kompleksitet.

sophistry ['sɔfistri] *sb.* F sofisteri;
□ *sophistries* spidsfindigheder.

sophomore ['sɔfəmɔ:r] *sb.* (*am.*) andetårsstuderende; ex-rus.

soporific [sɔpə'rifik] *adj.* søvndyssende.

sopping ['sɔpiŋ] *adj.* T drivvåd, pjaskvåd; gennemblødt;
□ *~ wet* = ~.

soppy ['sɔpi] *adj.* drivende sentimental; fjollet (*about* med).

soprano [sə'pra:nəu] *sb.* (*mus.*) sopran.

sorbet ['sɔːbət] *sb.* sorbet; sorbetis.

sorcerer ['sɔːs(ə)rə] *sb.* troldmand.

sorceress ['sɔːs(ə)rəs] *sb.* troldkvinde.

sorcery ['sɔːs(ə)ri] *sb.* trolddom, hekseri.

sordid ['sɔːdid] *adj.* **1.** snusket (*fx all the ~ details*); ussel, lumpen, lav (*fx motives*); **2.** (*om sted*) snavset, beskidt, uhumsk.

sore[1] [sɔː] *sb.* sår [*især:* betændt].

sore[2] [sɔː] *adj.* **1.** øm (*fx feet*); **2.** (T: *om person, især am.*) sur (*about over; at, with* på); irriteret; **3.** (*kun foran sb.*) hård, svær (*fx trial* prøvelse); dyb (*fx disappointment*); svar (*fx distress* nød);

□ *it makes me ~* det ærgrer/kreperer mig;

[*med sb.*] *~ eyes* dårlige øjne; *a sight for ~ eyes* T et vidunderligt/ herligt syn; *be in ~ need of* trænge stærkt til; *a ~ point* (*fig.*) et ømt punkt; *have a ~ throat* have ondt i halsen; (se også *stick*[2] (*out*)).

sorehead ['sɔːrhed] *sb.* (*am.* T) sur stodder.

sorely ['sɔːli] *adv.* stærkt (*fx tempted*); hårdt (*fx tried*); dybt (*fx missed*).

sorghum ['sɔːgəm] *sb.* (*bot.*) durra.

sorority [sə'rɔrəti] *sb.* (*am.*) studenterforening [*for kvindelige studerende*].

sorrel[1] ['sɔr(ə)l] *sb.* **1.** (*bot.*) syre; skovsyre; **2.** (*hest*) fuks.

sorrel[2] ['sɔr(ə)l] *adj.* fuksrød.

sorrow[1] ['sɔrəu] *sb.* sorg.

sorrow[2] ['sɔrəu] *vb.* (*litt.*) sørge.

sorrowful ['sɔrəuf(u)l] *adj.* (*litt.*) **1.** sorgfuld; sørgmodig (*fx eyes*); **2.** sørgelig (*fx news*).

sorry ['sɔri] *adj.* **1.** (*om person*) ked af det; (*som adj* ndf.: *I'm ~*); **2.** (*kun foran sb.*) trist, kedelig (*fx affair*); □ *a ~ sight* et ynkeligt/sørgeligt syn; (se også *plight, state*[1] (*of affairs*));

(*I'm*) *~!* undskyld! (jeg) beklager! (*I'm*) *~?* hvadbehager? undskyld? *I'm ~ (that)* jeg er ked af at, det gør mig ondt at, jeg beklager at (*fx you can't stay any longer*); *I'm very ~* jeg er meget ked af det; det må du meget undskylde; *say you're ~* sig undskyld; *you'll be ~* det kommer du til at fortryde; [*med præp.& adv.*] *be ~ about* være ked af; beklage; *~ about that!* det må du undskylde! *I am/ feel ~ for him* det gør mig ondt for ham, jeg har ondt af ham; *be ~ for oneself* have ondt af sig selv; *I was ~ to* jeg var ked af at

(*fx miss the concert*); *I am ~ to say* desværre.

sort[1] [sɔːt] *sb.* **1.** slags, sort, art, type; **2.** (*om person*) type (*fx he is not my ~; he is just the right ~ for the job*); **3.** (*it*) sortering;

□ *it takes all -s to make a world* folk 'er nu mærkelige; *he is a good ~* (*let glds.*) et rart menneske; han er en flink fyr; [+ *of*] *~ of* T ligesom (*fx he ~ of hinted that he'd like a tip*); *all -s of* alle slags (*fx animals*); alle mulige; *this ~ of dog, these ~ of dogs* denne slags hunde; *what ~ of a man is he?* hvordan er han? [*med præp.*] *after a ~* (*glds.*) på en måde; *in some ~* til en vis grad; *of a ~* T en slags (*fx a lawyer, at least of a ~*); *you will do nothing of the ~!* det vil du aldeles ikke! vist vil du ej! *of this ~* af denne slags/sort/art/type; *of -s =* of *a ~*; *be out of -s* (*let glds.*)

a. være forstemt; være gnaven;
b. ikke være rask; være sløj.

sort[2] [sɔːt] *vb.* **1.** sortere; ordne; **2.** T ordne (*fx the car*);

□ *get sth -ed* få noget ordnet (*fx we must get this problem//the car -ed*);

[*med præp.& adv.*] *~ into* inddele i (*fx groups*); *~ out* **a.** sortere (*by efter, fx ~ the books out by size*); **b.** sortere fra (*fx ~ out the things that can be thrown away*); **c.** (*fig.*) rede ud (*fx the situation*); ordne, klare (*fx the problem*); bringe i orden (*fx the travelling arrangements*); få rede på (*fx what we'll do about it*); **d.** (T: *person*) tage sig af, ordne (*fx do that again and I'll ~ you out!*); *~ oneself out* få styr på sig selv; få styr på tingene; *~ through* gennemgå.

sorter ['sɔːtə] *sb.* **1.** sorterer; **2.** (*it*) sorteringsprogram.

sortie ['sɔːti] *sb.* **1.** (*mil.*) udfald; **2.** (*flyv.*) mission; togt; **3.** (*spøg.*) udflugt, tur [*ud i ukendt område*]; □ *~ into* (*fig.*) forsøg med.

SOS [esəu'es] *sb.* **1.** SOS-signal; **2.** (*fig.*) nødråb; **3.** (*i radio*) efterlysning.

so-so ['səusəu] *adj.* så som så; nogenlunde.

sot [sɔt] *sb.* (*glds.*) drukkenbolt.

sottish ['sɔtiʃ] *adj.* (*glds.*) fordrukken.

sotto voce [sɔtəu'vəutʃi] *adv.* F dæmpet.

sought [sɔːt] *præt.* & *præt. ptc. af* seek.

sought-after ['sɔːtaːftə] *adj.* efterspurgt; ombejlet.

soul [səul] *sb.* **1.** sjæl; **2.** (*person*) sjæl (*fx he was a happy/cheery ~*); væsen (*fx some unfortunate ~*); **3.** (*mus.*) soulmusik;

□ *not a ~* ikke en sjæl; ikke et øje; *poor ~* stakkels væsen; sølle stakkel; *I cannot call my ~ my own* jeg er frygtelig ophængt [*ɔː travl*]; jeg er meget bundet; *the ~ of* indbegrebet af (*fx discretion; honour; kindness*); *he is the ~ of honour* (*også*) han er hæderligheden selv; (se også *bare*[2], *body*[1], life).

soul-destroying ['səuldistrɔiiŋ] *adj.* åndsfortærende.

soul food *sb.* (*am.*) [*form for mad der spises af sorte i Sydstaterne*].

soulful ['səulf(u)l] *adj.* sjælfuld; følelsesfuld.

soulless ['səulləs] *adj.* **1.** sjælløs (*fx building*); **2.** følelseskold (*fx eyes*).

soul mate *sb.* hjerteven; F åndsfrænde.

soul-searching ['səulsəːtʃiŋ] *sb.* selvransagelse.

Sound [saund] *sb.: the ~* Øresund.

sound[1] [saund] *sb.* **1.** lyd; **2.** (*med.*) sonde; **3.** (*geogr.*) sund;

□ *by the ~ of it* sådan som det lyder; efter hvad man hører; *I don't like the ~ of it* **a.** det lyder ikke godt; **b.** det tyder ikke godt (*fx I don't like the ~ of your symptoms*).

sound[2] [saund] *adj.* **1.** (*mht. helbred*) sund; rask; **2.** (*om ting*) som der ikke er noget i vejen med; fejlfri; ubeskadiget (*fx the ~ part of the cargo*); i god stand (*fx the building is ~*); **3.** (*mht. holdbarhed*) solid (*fx foundation; workmanship*); forsvarlig; sikker (*fx proof*); **4.** (*økon.*) solid (*fx financial position*); sund; velfunderet; **5.** (*om handlemåde, udsagn etc.*) klog, fornuftig (*fx policy; advice*); logisk (*fx reasoning*); gyldig (*fx argument*); **6.** (*om person*) pålidelig (*fx friend*); (*mht. evne*) dygtig (*fx tennis player; scholar*); **7.** (*om straf*) ordentlig (*fx beating*); grundig; eftertrykkelig; **8.** (T: *rosende*) vældig god (*fx thanks for the meal, it was ~!*);

□ *as ~ as a bell, ~ in wind and limb* fuldstændig sund og rask; *he is ~ on* han har god forstand på (*fx the modern novel*); *the proposal is not ~* der er ikke hold i forslaget;

[*med sb.*] *a ~ judgment* et sundt omdømme; en sund dømmekraft; *of ~ mind* ved sin fornufts fulde brug; *~ sleep* dyb søvn; *he is a ~ sleeper* han har et godt sovehjerte.

sound[3] [saund] *vb.* **1.** lyde (*fx the*

trumpet *-ed*; *he -ed tired*; *it -s good*); **2.** (*med objekt*) lade lyde (*fx ~ the bell//the trumpet*); (*blæseinstrument også*) blæse i; (*klokke også*) ringe med; (*gongong etc. også*) slå på; (se også *horn¹*); **3.** (*sproglyd*) udtale (*fx don't ~ the h in heir*); **4.** (*mil. etc.*) give signal til [*på horn*]; (se også *charge¹, retreat¹*); **5.** (*med.*) undersøge ved bankning, lytte til; (*med sonde*) sondere; **6.** (*vanddybde*) lodde, pejle;

□ *a warning* hæve en advarende røst; komme med en advarsel; (se også *alarm¹, note¹*);

[*med adv.& præp.*] *~ off* **a.** T kæfte op; bralre op; sige sin uforgribelige mening; **b.** (*mil.*) tælle takten [*under march*]; *~ out* (*fig.*) spørge sig for hos, lodde/sondere stemningen hos; *~ him out* (*også*) føle ham på tænderne.

sound barrier *sb.* (*flyv.*) lydmur; □ *break the ~* gennembryde lydmuren.

soundbite ['saundbait] *sb.* [*kort rammende bemærkning fra politiker, citeret i medierne*]; ultrakort citat; slagkraftig formulering.

soundboard ['saundbɔːd] *sb.* resonansbund.

sound card *sb.* (*it*) lydkort.

sound film *sb.* tonefilm.

sounding¹ ['saundiŋ] *sb.* (*mar.*) lodning; pejling [*af vanddybden*]; □ *-s* lodskud; *take -s* (*fig.*) sondere terrænet.

sounding² ['saundiŋ] *adj.* velklingende; højtklingende (*fx platitudes*).

sounding board *sb.* **1.** (*over prædikestol*) lydhimmel; **2.** (*mus.*) resonansbund; **3.** (*fig. om person*) sparringspartner [*til at afprøve sine ideer på*]; modspil.

sounding line *sb.* (*mar.*) lodline.

sounding rocket *sb.* raketsonde.

soundless ['saundləs] *adj.* lydløs.

sound post *sb.* stemmepind [*i violin etc.*].

soundproof¹ ['saundpruːf] *adj.* lydtæt; lydisoleret.

soundproof² ['saundpruːf] *vb.* lydisolere.

sound system *sb.* lydanlæg.

soundtrack ['saundtræk] *sb.* (*film.*) tonespor.

sound truck *sb.* (*am.*) højttalervogn.

sound wave *sb.* lydbølge.

soup¹ [suːp] *sb.* suppe; □ *from ~ to nuts* (*am.* T) fra ende til anden; *be in the ~* (*let glds.* T) sidde i suppedasen; hænge på den.

soup² [suːp] *vb.*: *~ up* T **a.** (*bilmotor etc.*) give øget effekt; tune op; pace; **b.** (*fig.*) peppe op.

soupçon ['suːpsɔŋ, fr.] *sb.* (*spøg.*) antydning; lille smule.

souped-up ['suːptʌp] *adj.* **1.** (*om bil*) tunet; **2.** (*fig.*) peppet op.

soup kitchen *sb.* suppekøkken [*institution til gratis bespisning af fattige*].

soup ladle *sb.* potageske.

soup plate *sb.* dyb tallerken; suppetallerken.

sour¹ [sauə] *sb.* [*drik med spiritus + citron el. lime*].

sour² [sauə] *adj.* **1.** (*om smag*) sur; **2.** (*om person*) sur, gnaven; □ *go/turn ~* **a.** (*om mælk*) blive sur; **b.** (*fig.*) gå skævt; miste sin tiltrækning; *it went ~ on them* (*også*) de mistede tiltroen til det.

sour³ [sauə] *vb.* **1.** (*om mælk etc.*) blive sur; **2.** (*fig.*) blive bitter; (*med objekt*) forbitre.

source¹ [sɔːs] *sb.* **1.** kilde; **2.** (*flods*) kilde, udspring.

source² [sɔːs] *vb.* (*merk.*) finde leverandør til; □ *be -d* **a.** (*om vare*) blive indkøbt; **b.** (*om avisartikel etc.*) have kildeangivelse.

source code *sb.* (*it*) kildekode.

source language *sb.* udgangssprog.

sour cream *sb.* syrnet fløde.

sourpuss ['sauəpus] *sb.* (*let glds.* T) gnavpotte.

souse [saus] *vb.* **1.** nedlægge [*i lage*]; **2.** overhælde.

soused [saust] *adj.* **1.** syltet; **2.** (*glds.* S) hønefuld.

South [sauθ] *sb.*: *the ~* **a.** Syden; **b.** (*am.*) sydstaterne; *in the ~ of England* i det sydlige England, i Sydengland.

south¹ [sauθ] *sb.* syd; □ *~ by east* syd til øst.

south² [sauθ] *adj.* sydlig; syd-.

south³ [sauθ] *adv.* mod syd; sydpå; □ *go ~* (*am.* T) **a.** forsvinde; **b.** falde af på den; *~ of* syd for.

southbound ['sauθbaund] *adj.* sydgående; mod syd.

southeast¹ [sauθ'iːst] *sb.* sydøst.

southeast² [sauθ'iːst] *adj.* sydøstlig.

southeast³ [sauθ'iːst] *adv.* sydøstpå, mod sydøst; □ *~ of* sydøst for.

southeaster [sauθ'iːstə] *sb.* sydøstvind.

southeasterly [sauθ'iːstəli], **southeastern** [sauθ'iːstən] *adj.* sydøstlig.

southeastward¹ [sauθ'iːstwəd] *adj.* sydøstlig.

southeastward² [sauθ'iːstwəd] *adv.* se *southeastwards*.

southeastwards [sauθ'iːstwədz]

adv. sydøstpå, mod sydøst.

southerly ['sʌðəli] *adj.* sydlig.

southern ['sʌðən] *adj.* **1.** sydlig; sydlandsk; **2.** (*am.*) sydstats-.

Southern Cross *sb.*: *the ~* (*astr.*) Sydkorset.

southerner ['sʌðənə] *sb.* **1.** [*beboer i//fra den sydlige del af landet*]; **2.** (*eng.*) sydenglænder; **3.** (*am.*) sydstatsmand.

southernmost ['sʌðənməust] *adj.* sydligst.

southernwood ['sʌðənwud] *sb.* (*bot.*) ambra.

southpaw ['sauθpɔː] *sb.* T **1.** højrefodsbokser; **2.** kejthåndet/venstrehåndet spiller; **3.** (*især am.*) kejthåndet/venstrehåndet person.

South Pole *sb.*: *the ~* Sydpolen.

southward¹ ['sauθwəd] *adj.* sydlig.

southward² ['sauθwəd] *adv.* = *southwards*.

southwards ['sauθwədz] *adv.* sydpå, mod syd.

southwest¹ [sauθ'west] *sb.* sydvest.

southwest² [sauθ'west] *adj.* sydvestlig.

southwest³ [sauθ'west] *adv.* sydvestpå, mod sydvest; □ *~ of* sydvest for.

southwester [sauθ'westə] *sb.* sydvestlig vind.

southwesterly [sauθ'westəli], **southwestern** [sauθ'westən] *adj.* sydvestlig.

southwestward¹ [sauθ'westwəd] *adj.* sydvestlig.

southwestward² [sauθ'westwəd] *adv.* se *southwestwards*.

southwestwards [sauθ'westwədz] *adv.* sydvestpå, mod sydvest.

souvenir [suːv(ə)'niə] *sb.* souvenir; minde.

sou'wester [sau'westə] *sb.* sydvest [*hovedbeklædning*].

sovereign¹ ['sɔvrin] *sb.* **1.** regent, hersker, monark; **2.** (*glds. mønt*) sovereign [*guldmønt af værdi £1*].

sovereign² ['sɔvrin] *adj.* **1.** (*om stat*) suveræn; **2.** (*om myndighed*) højest; **3.** (*glds.*) fremragende (*fx remedy*);

□ *~ contempt* ophøjet foragt.

sovereignty ['sɔvrinti] *sb.* suverænitet.

Soviet¹ ['səuviet, 'sɔv-] *sb.* sovjetborger.

Soviet² ['səuviet, 'sɔv-] *adj.* sovjetisk, sovjetrussisk.

sow¹ [sau] *sb.* **1.** (*zo.*) so; **2.** (*ved støbning*) jernso;

□ *you cannot make a silk purse out of a -'s ear* [*man kan ikke få noget godt ud af dårligt materiale*]; (*om person, svarer til*) man kan ikke vente andet af en stud end et brøl.

sow[2] [səu] *vb.* (*-ed, -ed/-n*) **1.** så;
2. (*mark etc.*) tilså (*with* med); (se
også *seed*[1], *wild oats*).

sowbread ['saubred] *sb.* (*bot.*) alpe-
viol.

sown [səun] *præt. ptc. af sow*[2].

sowthistle ['sauθisl] *sb.* (*bot.*) svi-
nemælk.

sox [sɔks] (*am.* T) *pl. af sock.*

soy [sɔi] *sb.* (*am.*) = *soya.*

soya ['sɔiə] *sb.* **1.** soja; **2.** sojabøn-
ner; **3.** sojasauce.

soya bean *sb.* sojabønne.

soya sauce, soy sauce *sb.* soja-
sauce.

soybean ['sɔibi:n] *sb.* (*især am.*) so-
jabønne.

sozzled ['sɔzld] *adj.* (*let glds.* T)
plakatfuld.

spa [spa:] *sb.* **1.** (*sted*) kursted, kur-
bad, spa; **2.** (*især am.*) = *health
spa*; **3.** (*bad*) boblebad, spabad.

space[1] [speis] *sb.* **1.** plads (*for* til;
to til *at, fx for a car; to work in;
save ~; an empty ~; disk ~*);
2. (*mellem ting*) mellemrum (*be-
tween* mellem, *fx the words; he
had -s between his teeth*); afstand,
plads (*between* mellem, *fx the
cars; the words*); **3.** (*astr.*) rum-
met, verdensrummet (*fx travel in
~*);
□ *time and ~* tid og rum; *a short
~ of time* et kort tidsrum; (se også
wide[3]);
[*med præp.*] *for a ~* for en tid/
stund; *in the ~ of* i løbet af; *they
jumped into ~* de sprang ud i det
tomme rum; *stare into ~* stirre
tomt ud i luften; (se også *lack,
waste*[1]).

space[2] [speis] *vb.* anbringe med
mellemrum; (se også ndf.: *~ out*);
□ *~ out* **a.** lave mellemrum mel-
lem (*fx one's visits*); sprede (*fx the
payments*); **b.** (*typ.*) spatiere,
spærre; (se også *spaced-out*).

space bar *sb.* (*på tastatur*) mellem-
rumstangent.

spacecraft ['speiskra:ft] *sb.* (*pl.
d.s.*) rumfartøj, rumskib.

spaced [speist] *adj.* **1.** anbragt med
mellemrum; **2.** (*typ.*) spatieret.

spaced-out ['speistaut] *adj.* T halvt
bedøvet, sløv (*af narkotika*); høj,
skæv.

space flight *sb.* rumrejse, rumflyv-
ning.

space heater *sb.* varmeovn.

spaceman ['speismæn] *sb.* (*pl.
-men* [-mən]) rummand; astronaut.

space probe *sb.* rumsonde.

space-saving ['speisseiviŋ] *adj.*
pladsbesparende.

spaceship ['speiʃip] *sb.* rumskib.

space shuttle *sb.* rumfærge.

spacesuit ['speissu:t] *sb.* rumdragt.

space-time [speis'taim] *sb.*
rum-tid.

space travel *sb.* rumfart; rumrejser.

spacewalk ['speiswɔ:k] *sb.* rum-
vandring.

spacewoman ['speiswumən] *sb.*
(*pl. -women* [-wimin]) kvindelig
astronaut.

spacey ['speisi] *adj.* T skør; excen-
trisk; særpræget.

spacing ['speisiŋ] *sb.* (*typ.*) **1.** (*på
linje*) spatiering; mellemrum;
2. (*mellem linjer*) linjeafstand.

spacious ['speiʃəs] *adj.* rummelig.

spade [speid] *sb.* **1.** (*redskab*)
spade; **2.** (*i kortspil*) spar (*fx my
last ~*); **3.** (*glds., vulg.* S) neger;
sort;
□ *-s* (*kortfarve*) spar (*fx -s are
trumps*); *the four of -s* spar fire; *in
-s* (T: *især am.*) så det forslår; også
i 'den grad;
bucket and ~ (*til leg i sand*)
spand og skovl; *call a ~ a ~*
kalde en spade for en spade;
kalde tingen ved dens rette navn.

spadefoot ['speidfut] *sb.* (*pl. -s*)
(*zo.*) løgfrø.

spadework ['speidwɔ:k] *sb.* (*be-
sværligt*) forarbejde; forberedende
arbejde.

spaghetti [spə'geti] *sb.* spaghetti.

spaghetti western *sb.* spaghettiwe-
stern.

Spain [spein] Spanien.

spake [speik] (*poet. el. spøg.*) *præt.
af speak.*

spalpeen [spæl'pi:n] *sb.* (*irsk*)
slambert, slubbert.

Spam® [spæm] *sb.* [*slags forloren
skinke*].

spam [spæm] *sb.* (*it*) [*uanmodet
e-post*].

span[1] [spæn] *sb.* **1.** spændvidde (*fx
the ~ of the bridge//his memory*);
(se også *attention span, memory
span, wingspan*); **2.** (*om tid*) tids-
rum, periode; spand (*fx over a ~
of ten years*); **3.** (*af bro*) brofag;
4. (*om mål*) [*afstanden fra tom-
melfingerens spids til spidsen af
lillefingeren*]; **5.** (*af trækdyr*)
spand.

span[2] [spæn] *vb.* **1.** spænde over,
omfatte (*fx her knowledge -s the
whole political history of Europe*);
2. (*tidsmæssigt*) spænde over,
strække sig over (*fx several cen-
turies*); **3.** (*med fingrene*) spænde
om (*fx her waist*); spænde over;
måle; **4.** (*om bro*) spænde over,
føre over.

span[3] [spæn] (*glds.*) *præt. af spin.*

spandex® ['spændeks] *sb.* [*stræk-*
stof].

spandrel ['spændr(ə)l] *sb.* **1.** (*ar-
kit.*) [*felt mellem bue og hjørne*];
2. (*på frimærke*) hjørnefelt [*mel-
lem ovalt billede og hjørne*].

spangle ['spæŋgl] *sb.* paillet.

spangled ['spæŋgld] *adj.* besat med
pailletter; glitrende;
□ *~ with* bestrøet/besat med.

Spaniard ['spænjəd] *sb.* spanier.

spaniel ['spænjəl] *sb.* (*zo.*) spaniel.

Spanish[1] ['spæniʃ] *sb.* (*sprog*)
spansk.

Spanish[2] ['spæniʃ] *adj.* spansk.

Spanish chestnut *sb.* (*bot.*) ægte
kastanje.

spank [spæŋk] *vb.* smække, give
smæk.

spanking[1] ['spæŋkiŋ] *sb.* **1.** ende-
fuld; smæk; **2.** (*seksuel*) spanking.

spanking[2] ['spæŋkiŋ] *adj.* **1.** (*om
tempo*) strygende; rask (*fx breeze*);
2. (*om udseende*) flot, strålende
(*fx a ~ white Rolls Royce*); **3.** T
herlig; pragtfuld.

spanking[3] ['spæŋkiŋ] *adv.*: *~ clean*
skinnende/funklende/strålende
ren; *~ new* funklende ny.

spanner ['spænə] *sb.* skruenøgle;
□ *throw a ~ in the works* stikke
en kæp i hjulet; komme grus i ma-
skineriet.

spar[1] [spa:] *sb.* **1.** stang; lægte;
2. (*mar.*) rundholt; **3.** (*flyv.*)
bjælke.

spar[2] [spa:] *vb.* **1.** bokse [*især som
træning el. opvisning*]; sparre;
2. (*fig.*) diskutere; småskændes;
3. (*om haner*) slås.

spare[1] [spɛə] *sb.* reservedel.

spare[2] [spɛə] *adj.* **1.** ekstra, ekstra-;
reserve- (*fx key; wheel*); **2.** (*som
man ikke bruger//skal bruge*) til-
overs (*fx have you got any ~
stamps? ... frimærker tilovers?*);
ledig (*fx seat*); **3.** (*litt.: om person*)
mager; tynd; slank; **4.** (*om kost*)
tarvelig, mager (*fx diet; meal*);
5. (*om stil*) enkel; prunkløs;
□ *go ~* T blive rasende; blive helt
ude af det.

spare[3] [spɛə] *vb.* **1.** skåne (*fx ~ his
feelings; he does not ~ himself*);
spare (*fx ~ my life!*); **2.** (*om noget
man ikke bruger*) undvære (*fx can
you – £50? we cannot ~ him just
now*); afse (*fx all the time he
could ~*); **3.** (*+ personsobjekt*)
undvære til (*fx can you ~ me a
cigarette?*); afse til (*fx can you ~
me a moment?*); **4.** (*noget ubeha-
geligt*) spare for (*fx ~ him the
trouble//worry*); (for)skåne for (*fx
~ me the details!*);
□ *~ no effort//expense* ikke spare
nogen anstrengelser//udgifter; (se

også *blush¹, rod*);
[*med præp.& adv.*] ~ *for* undvære
til (*fx can you* ~ *some money for
them?*); ~ *the time for* afse tid til;
~ *a thought for it* skænke det en
tanke; ofre en tanke på det; ~ *a
thought for them!* tænk lidt på
dem! ~ *from* skåne for, spare for;
have sth to ~ have noget tilovers;
enough and to ~ mere end nok.
spare bedroom *sb.* gæsteværelse.
spare parts *sb. pl.* reservedele.
spare-part surgery *sb.* transplanta-
tionskirurgi.
spareribs ['spɛəribz] *sb. pl.*
(*omtr.*=) revelsben.
spare time *sb.* fritid.
spare tyre *sb.* **1.** reservedæk;
2. (*fig.*: *mave*) bildæk; bodegamu-
skel.
spare wheel *sb.* reservehjul.
sparing ['spɛəriŋ] *adj.* sparsom;
□ *be* ~ *with/in* spare på; være til-
bageholdende med; ikke ødsle
med (*fx one's praise*); *the book is
~ of information about that* bo-
gen giver ikke mange oplysninger
om det.
spark¹ [spa:k] *sb.* **1.** gnist; **2.** (*glds.
om person*) munter ung fyr; spra-
debasse;
□ *a* ~ *of* en gnist af; et glimt af (*fx
humour*); *-s flew* det slog gnister
[ɔ: *de skændtes*]; *the* ~ *has gone
out of him* han har tabt gnisten;
gassen er gået af ham.
spark² [spa:k] *vb.* **1.** gnistre; give
gnister; **2.** (*fig.*) give stødet til;
sætte i gang; udløse;
□ ~ *the fire* antænde ilden; ~ *off*
= *2.*
sparking plug *sb.* (*glds.*) tændrør.
sparkle¹ ['spa:kl] *sb.* **1.** (*om lys*)
gnistren; funklen; tindren; **2.** (*om
person*) liv, funklen (*fx the* ~ *in
her eyes*); gnist, glimt;
□ *the performance lacked* ~ der
var ingen glans/intet liv over fore-
stillingen; *the* ~ *went out of him*
han tabte gnisten.
sparkle² ['spa:kl] *vb.* **1.** gnistre;
funkle; tindre; **2.** (*om person*)
stråle; sprudle.
sparkler ['spa:klə] *sb.* **1.** stjerneka-
ster; **2.** T mousserende vin; **3.** S
diamant.
sparkling ['spa:kliŋ] *adj.* **1.** gni-
strende; funklende; tindrende;
2. (*om person*) livlig, sprudlende;
3. (*om vin*) mousserende.
sparkly ['spa:kli] *adj.* T = *sparkling
1.*
spark plug *sb.* **1.** tændrør; **2.** (*am.
fig.*) en der kan sætte fart i et fore-
tagende; igangsætter.
sparks [spa:ks] *sb.* T **1.** (*film., teat.*)

elektriker; **2.** (*mar., flyv., mil.*) te-
legrafist; radiomand.
sparky ['spa:ki] *adj.* T livlig; skæg,
fuld af sjov; (se også *Old Sparky*).
sparring partner ['spa:riŋpa:tnə]
sb. sparringpartner.
sparrow ['spærəu] *sb.* (*zo.*) spurv.
sparrowhawk ['spærəuhɔ:k] *sb.*
(*zo.*) spurvehøg.
sparse [spa:s] *adj.* spredt; sparsom
(*fx vegetation*); tynd (*fx beard*).
spartan ['spa:t(ə)n] *adj.* spartansk.
spasm [spæzm] *sb.* **1.** spasme, sam-
mentrækning (*fx a muscular* ~);
krampetrækning; krampe; **2.** (*fig.*)
pludseligt anfald (*fx of coughing*);
pludselig udladning (*fx of energy;
of anger*);
□ *a* ~ *of pain* et jag af smerte; *in
-s* rykvis; stødvis.
spasmodic [spæz'mɔdik] *adj.* ryk-
vis; stødvis; spredt (*fx fighting*).
spastic¹ ['spæstik] *sb.* spastiker.
spastic² ['spæstik] *adj.* spastisk;
spastisk lammet.
spat¹ [spæt] *sb.* (se også *spats*) **1.** T
uoverensstemmelse, kontrovers;
lille skænderi; **2.** (*zo.*) øster-
slarve(r); østersyngel.
spat² [spæt] *vb.* T mundhugges.
spat³ [spæt] *præt. & præt. ptc. af
spit.*
spate [speit] *sb.* oversvømmelse
[*især en flods efter regnskyl*];
□ *a* ~ *of* en række af, en stribe af
(*fx burglaries; scandals*); en strøm
af (*fx words*); *in (full)* ~ **a.** (*om
flod*) ved at gå over sine bredder;
b. (*om person*) godt i gang.
spatial ['speiʃ(ə)l] *adj.* rumlig;
rum-.
spats [spæts] *sb. pl.* (*glds.*) (korte)
gamacher.
spatter¹ ['spætə] *sb.* stænk; pla-
sken;
□ *a* ~ *of rain//applause* spredt
regn//bifald.
spatter² ['spætə] *vb.* **1.** overstænke,
oversprøjte (*fx* ~ *him//his trou-
sers with mud*); **2.** stænke, sprøjte
(*fx mud on him//his trousers*);
3. (*uden objekt*) plaske (*fx rain
-ed on the roof*).
spatula ['spætjulə] *sb.* **1.** (*køkken-
redskab*) paletkniv; **2.** (*læges,
kunstmalers*) spatel.
spavin ['spævin] *sb.* (*vet.*) spat [*en
hestesygdom*].
spawn¹ [spɔ:n] *sb.* **1.** rogn; æg; (se
også *frogspawn*); **2.** fiskeyngel;
3. (*litt. el. neds.*) yngel; **4.** (*bot.*)
mycelium.
spawn² [spɔ:n] *vb.* **1.** gyde; lægge
æg; **2.** (*fig.*) producere massevis af
(*fx books*); afføde, give anledning
til (*fx rumours*).

spawning ground *sb.* gydested;
yngleplads.
spay [spei] *vb.* sterilisere [*hundyr*].
speak [spi:k] *vb.* (*spoke, spoken*)
(se også *speaking*) **1.** tale; **2.** sige
(*fx the truth*);
□ *so to* ~ så at sige; (se også *ac-
tion*);
[*med præp.& adv.*] ~ *for* **a.** (*til
fordel for*) tale for; **b.** (*på vegne
af*) tale for, være talerør for (*fx the
whole group*); **c.** (*am.*) bede om; *it
-s for itself* det taler for sig selv; ~
for yourself! du kan kun tale for
dig selv! [ɔ: *jeg er af en anden me-
ning*]; ~ *well for* tale til fordel for;
it -s well for his taste (*også*) det
gør hans smag ære; (se også *vo-
lume*); ~ *of* **a.** tale om; nævne;
b. (*fig.*) vidne om; være vidnes-
byrd om; tyde på; *nothing to* ~ *of*
ikke noget der er værd at tale om/
nævne; ~ *well of* **a.** tale godt om;
b. se ovf.: ~ *well for*; (se også
highly); ~ *on* holde foredrag om
(*fx modern painting*); ~ *out* tale
åbent, tage bladet fra munden,
sige sin mening; ~ *to* **a.** tale til (*fx
never* ~ *to me again!*); **b.** tale med
(*fx could I* ~ *to the manager?*);
c. (*om irettesættelse*) tale med (*fx
you'll have to speak to the chil-
dren!*); give en opsang; **d.** (F: *emne*
tale om; ~ *up* **a.** tale højt; **b.** se
ovf.: ~ *out*; ~ *up!* (*til taler*) højere!
speakeasy ['spi:ki:zi] *sb.* (*am.*)
smugkro.
Speaker ['spi:kə] *sb.* (*parl.*) [*for-
mand i Underhuset*].
speaker ['spi:kə] *sb.* **1.** taler; **2.** (*til
radio, stereoanlæg etc.*) højttaler;
3. (*som taler et bestemt sprog*) -ta-
lende (*fx German -s in Denmark*);
□ *the* ~ (*også*) den talende.
speaking ['spi:kiŋ] *adj.* talende;
□ *Brown* ~ (*tlf.*) De taler med
Brown; Brown her; *who is it* ~?
hvem taler jeg med? ~ *of* apropo-
pos (*fx* ~ *of books, have you read
...*);
[*med adv.*] *generally* ~ i al almin-
delighed; generelt set, stort set;
seriously ~ alvorlig talt; *strictly* ~
strengt taget; *technically* ~ tek-
nisk set;
[*med sb.*] *the portrait is a* ~ *like-
ness* portrættet ligner slående/er
meget livagtigt; *a* ~ *look* et si-
gende blik; *be on* ~ *terms with*
være på talefod med.
spear¹ [spiə] *sb.* **1.** spyd; lanse;
2. (*til fiskeri*) lyster, ålejern; **3.** (*af
asparges, broccoli*) stængel.
spear² [spiə] *vb.* spidde; gennem-
bore.
spearhead¹ ['spiəhed] *sb.* **1.** for-

trop, stødtrop; **2.** (*enkeltperson*) frontfigur, anfører; **3.** (*mil.*) spydspids; angrebskile.
spearhead[2] ['spiəhed] *vb.* gå i spidsen for, anføre, lede (*fx a campaign*).
spearmint ['spiəmint] *sb.* (*bot.*) grøn mynte.
spear side *sb.*: the ~ (*i genealogi*) sværdsiden; mandssiden.
spearwort ['spiəwɔːt] *sb.* se *lesser spearwort, great spearwort*.
spec [spek] *sb.* T (*for maskine etc.*) specifikationer;
□ *on* ~ (*merk.*) på spekulation (*fx buy//sell sth on* ~); *do it on* ~ tage chancen, vove forsøget (*fx I don't know whether he is there, but I'll go there on* ~).
special[1] ['speʃ(ə)l] *sb.* **1.** (*radio., tv*) særlig udsendelse; specialprogram; **2.** (*jernb.*) ekstratog, særtog; **3.** (*merk., især am.*) tilbud; □ *-s* (*tekn.*) rørarmatur; *on* ~ (*am.*) på tilbud; *this week's* ~ ugens tilbud; *today's* ~ (*på restaurant*) dagens ret.
special[2] ['speʃ(ə)l] *adj.* **1.** særlig (*fx importance; occasion; permission; it was something*~); speciel; **2.** sær- (*fx edition; legislation; treatment*); ekstra- (*fx edition; flight*); **3.** (*til et særligt formål*) special- (*fx equipment; tools; knowledge*).
Special Branch *sb.* [politiets efterretningstjeneste].
special constable *sb.* (*omtr.*) reservebetjent.
special delivery *sb.* ekspresudbringning.
specialist[1] ['speʃ(ə)list] *sb.* specialist.
specialist[2] ['speʃ(ə)list] *adj.* specialist-; special-.
speciality [speʃi'æləti] *sb.* **1.** (*emne, færdighed*) speciale; **2.** (*produkt*) specialitet.
specialization [speʃ(ə)lai'zeiʃn] *sb.* specialisering.
specialize ['speʃ(ə)laiz] *vb.* specialisere sig.
special licence *sb.* kongebrev; □ *be married by* ~ blive gift på kongebrev.
special needs *sb. pl.* særlige behov; □ *children with* ~ [især: med handicap].
special pleading *sb.* ensidig argumentation//fremstilling; partsforklaring.
special school *sb.* specialskole.
specialty ['speʃ(ə)lti] *sb.* (*am.*) = *speciality*.
species ['spiːʃiːz] *sb.* (*pl. species*) **1.** (*biol. etc.*) art; **2.** (*spøg.*) art; race.

speciesism ['spiːʃiːzizm] *sb.* artshovmod.
specific [spə'sifik] *adj.* (se også *specifics*) **1.** specifik (*fx question*); speciel, særlig (*fx properties* egenskaber; *for a* ~ *purpose*); **2.** (*om beskrivelse, udtalelse*) præcis (*fx description; orders*); konkret (*fx details*); **3.** (*biol.*) artfast; □ *be* ~ *about* beskrive//angive nærmere, præcisere; ~ *to* **a.** særegen for (*fx the disease is* ~ *to certain types of plant*); **b.** som specielt vedrører.
specification [spesifi'keiʃn] *sb.* **1.** specificering; specifikation; **2.** beskrivelse (*fx patent* ~); **3.** (*ved byggeri*) forskrift, arbejdsbeskrivelse; □ *-s* specifikationer.
specific gravity *sb.* (*fys.*) massefylde; specifik vægt; (*glds.*) vægtfylde.
specific performance *sb.* (*jur.*) naturalopfyldelse.
specifics [spə'sifiks] *sb. pl.* nærmere enkeltheder/detaljer.
specify ['spesifai] *vb.* specificere; bestemme//beskrive//angive nærmere.
specimen ['spesimən] *sb.* **1.** (*af plante, dyr etc.*) eksemplar; **2.** (*af blod, urin*) prøve; **3.** (T, *spøg.: om person*) størrelse (*fx he is a queer* ~); eksemplar; **4.** (*i sms.*) prøve- (*fx copy; number; page*); □ *a* ~ *of his handwriting* en prøve/et eksempel på hans håndskrift.
specious ['spiːʃəs] *adj.* besnærende; bestikkende.
speck [spek] *sb.* **1.** plet; stænk (*fx of blood; of paint*); **2.** korn (*fx of sawdust*); fnug; □ ~ *of dust* støvgran.
speckle ['spekl] *sb.* lille plet.
speckled ['spekld] *adj.* spættet; broget.
specs *sb. pl.* **1.** (T: *fork. f. spectacles*) briller; **2.** *pl. af spec*.
spectacle ['spektəkl] *sb.* (se også *spectacles*) **1.** syn; skue; **2.** (*om forestilling*) udstyrsstykke; flot forestilling; **3.** (*i sms.*) brille- (*fx case* etui; *frame* stel); □ *make a* ~ *of oneself* gøre sig uheldigt bemærket; gøre sig til grin.
spectacles ['spektəklz] *sb. pl.* briller; (se også *rose-coloured*).
spectacular[1] [spek'tækjulə] *sb.* stort opsat fjernsynsshow//film *etc.*; udstyrsstykke.
spectacular[2] [spek'tækjulə] *adj.* imponerende; flot; iøjnefaldende; □ *a* ~ *play* et udstyrsstykke.

spectate [spek'teit] *vb.* være tilskuer (*at* til); se 'på.
spectator [spek'teitə, (*am. også*) 'spekteitər] *sb.* tilskuer.
spectral ['spektr(ə)l] *adj.* **1.** (jf. *spectre*) spøgelsesagtig; åndeagtig; **2.** (jf. *spectrum*) spektral- (*fx colour; type*); □ ~ *voice* hul røst.
spectre ['spektə] *sb.* (*litt.*) spøgelse; genfærd; □ *the* ~ *of war*//*unemployment* krigens//arbejdsløshedens spøgelse.
spectrum ['spektrəm] *sb.* (*pl. spectra* ['spektrə]) (*også fig.*) spektrum; □ *a wide* ~ *of* (*fig.*) en bred vifte af.
speculate ['spekjuleit] *vb.* **1.** spekulere (*about/on* over); **2.** (*merk.*) spekulere; □ ~ *for a fall*//*rise* (*merk.*) spekulere i baissen//haussen; ~ *that* spekulere over om; overveje den teori at.
speculation [spekju'leiʃn] *sb.* spekulation.
speculative ['spekjulətiv] *adj.* **1.** teoretisk, hypotetisk; som beror på spekulationer/gætterier; **2.** (*om ansigtsudtryk etc.*) spekulativ, eftertænksom (*fx glance*); **3.** (*merk. etc.*) spekulations-; spekulativ; spekulationspræget, usikker.
speculator ['spekjuleitə] *sb.* (*merk.*) spekulant.
sped [sped] *præt. & præt. ptc. af speed*.
speech [spiːtʃ] *sb.* **1.** tale (*fx a long and boring* ~); **2.** (*teat. etc.*) replik; **3.** (*handling*) tale (*fx his* ~ *was slurred*); **4.** (*evne*) taleevne (*fx the development of* ~); (se også *bereft*); □ *deliver/give/make a* ~ holde en tale; (se også *direct speech, indirect speech*); [*med præp.*] *in* ~ i talesprog (*fx the word is used more in* ~ *than in writing*); *in* ~ *and in writing* i tale og skrift; *freedom/liberty of* ~ talefrihed; ytringsfrihed; (se også *figure*[1] *(of speech), part*[1] *(of speech)*).
speech community *sb.* sprogsamfund.
speech day *sb.* (*i skole*) afslutningsfest; årsafslutning.
speechify ['spiːtʃifai] *vb.* holde (dårlige//lange og kedelige) taler.
speech impediment *sb.* talefejl.
speechless ['spiːtʃləs] *adj.* målløs; stum.
speech recognition *sb.* (*it*) talegenkendelse, stemmegenkendelse.
speech sound *sb.* sproglyd.

S *speech therapist*

speech therapist *sb.* talepædagog.
speech therapy *sb.* taleundervis-
ning.
speed[1] [spi:d] *sb.* **1.** hastighed, fart;
2. (*om maskine*) hastighed (*fx the
electric drill has two -s*); **3.** (*på cy-
kel & am. om bil*) gear (*fx the bi-
cycle has ten -s*); **4.** (*om film*) ha-
stighed, hurtighed; **5.** (T: *narko*)
amfetamin;
□ *gain/gather* ~ komme i fart; få
mere og mere fart på; ~ *of work-
ing* arbejdstempo;
[*med præp.*] *at (full)* ~ i fuld fart;
at a slower ~ i langsommere
tempo; *at a* ~ *of* med en hastig-
hed/fart af; *be up to* ~ **a.** være
oppe på maksimal ydelse; **b.** (*om
person el. firma*) yde sit bedste;
c. (*om person mht. viden*) være
fuldt informeret; *bring up to* ~
a. sætte i stand til at yde det mak-
simale//sit bedste; **b.** bringe ajour
(*on med*); *be brought up to* ~ *with
up to* ~ *with* **a.** blive bragt på
højde med; **b.** blive fuldt informe-
ret om; *with* ~ F hurtigt.
speed[2] [spi:d] *vb.* ((*1, 4*) *sped,
sped*; (*2, 3 & ~ up*) *-ed, -ed*)
1. fare (*fx away; past*); **2.** (*ulovligt*)
køre for hurtigt; overtræde hastig-
hedsbegrænsningen (*fx he was
caught -ing*); **3.** (*med objekt*) sætte
fart i, fremskynde (*fx his reco-
very*); speede op; **4.** (*person: et
sted hen*) bringe//køre ... i en fart
(*fx a guard sped her to the heli-
copter; an ambulance sped her to
hospital*);
□ *may God* ~ *you* (*glds.*) Gud give
dig held; ~ *him on his way* ønske
ham god rejse; ~ *up* **a.** sætte far-
ten op, speede op; få fart på, køre
hurtigere; **b.** (*med objekt*) sætte
fart i, speede op (*fx the process;
production*); fremskynde.
speedball ['spi:dbɔ:l] *sb.* S [*heroin
blandet med kokain*].
speedboat ['spi:dbəut] *sb.* speed-
båd.
speed bump *sb.* bump [*i vej, til
fartbegrænsning*].
speed camera *sb.* fotofartfælde.
speed cop *sb.* færdselsbetjent [*på
motorcykel*].
speed hump *sb.* = *speed bump.*
speeding ['spi:diŋ] *sb.* overtræ-
delse af hastighedsbegrænsningen
(*fx he was fined £50 for* ~).
speed limit *sb.* hastighedsbegræns-
ning; fartgrænse.
speedo ['spi:dəu] T = *speedometer.*
speedometer [spi'dɔmitə] *sb.* spee-
dometer.
speed reading *sb.* hurtiglæsning.
speed skating *sb.* hurtigløb [*på

skøjter*].
speed trap *sb.* fartfælde.
speedway ['spi:dwei] *sb.* **1.** (*sport*)
speedway; **2.** (*bane*) [*racerbane til
motorcykelløb*]; **3.** (*am.*) motorvej.
speedwell ['spi:dwel] *sb.* (*bot.*)
ærenpris.
speedy ['spi:di] *adj.* rask, hurtig;
omgående (*fx answer*).
speleologist [spi:li'ɔlədʒist] *sb.* hu-
leforsker.
speleology [spi:li'ɔlədʒi] *sb.* hule-
forskning.
spell[1] [spel] *sb.* **1.** (*ord*) tryllefor-
mular; **2.** (*virkning*) fortryllelse (*fx
he was waking from her* ~); for-
hekselse; **3.** (*om tid*) (*kort*) tid; pe-
riode (*fx a cold//dry//wet* ~; *an
unhappy* ~; *he had a brief* ~ *as a
teacher*); **4.** (*til at arbejde, især
am.*) tørn, tur (*fx take a* ~ *at the
oars*); **5.** (*om sygdom*) anfald (*fx
of coughing; a dizzy* ~ et svim-
melhedsanfald); **6.** (*austr.*) hvil,
pause;
□ *break the* ~ hæve fortryllelsen;
cast/put a ~ *on* **a.** fortrylle, for-
hekse (*fx the witch cast a* ~ *on
him*); **b.** (*fig.*) bjergtage, trylle-
binde (*fx the audience*); *for a* ~ et
lille stykke tid; en stund (*fx wait
for a* ~); *under a* ~ forhekset; *fall
under sby's* ~ blive tryllebundet/
bjergtaget af en.
spell[2] [spel] *vb.* (*spelt, spelt*; (*især
am.*) *-led, -led*) **1.** stave (*fx a
word*); **2.** (*noget ubehageligt*) be-
tyde (*fx that -s disaster//more
trouble for us*); **3.** (*am.: person*) af-
løse (*fx they -ed each other*);
4. (*uden objekt*) stave (*fx he can't
~*); **5.** (*austr.*) tage sig et hvil;
□ *h a t -s hat* h a t siger hat; ~ *as
one word* stave i ét ord;
~ *out* **a.** stave (*fx the name*);
b. (*om forklaring*) forklare detalje-
ret//tydeligt (*fx the correct proce-
dure*); T skære ud i pap.
spellbinder ['spelbaində] *sb.* [*per-
son//foretilling etc. der holder til-
skuernes opmærksomhed fangen*].
spellbinding ['spelbaindiŋ] *adj.*
fængslende; gribende.
spellbound ['spelbaund] *adj.* for-
tryllet; bjergtagen.
spellchecker ['speltʃekə] *sb.* (*it*)
stavekontrol.
spelling ['speliŋ] *sb.* **1.** stavning (*fx
he is not good at* ~); **2.** (*ords*) sta-
vemåde (*fx the American* ~ *of the
word*); **3.** (*sprogv.*) retskrivning (*fx
British and American* ~).
spelling bee *sb.* stavekonkurrence.
spelt[1] [spelt] *sb.* (*bot.*) spelt.
spelt[2] [spelt] *præt. & præt. ptc. af
spell*[2].

spelunker [spi'lʌŋkə] *sb.* (*am.*) hu-
leforsker.
spelunking [spi'lʌŋkiŋ] *sb.* (*am.*)
huleforskning.
spend[1] [spend] *sb.* T pengeforbrug.
spend[2] [spend] *vb.* (*spent, spent*)
(se også *spent*) **1.** (*tid*) bruge, ofre
(*on på, fx don't* ~ *more time on
that car*); (*bestemt periode*) til-
bringe (*fx a week in Paris*);
2. (*penge*) bruge, give ud (*on på/
til, fx she -s a lot of money on
clothes*); spendere, ofre (*on på*);
3. (*uden objekt*) give penge ud (*fx
you can't go on -ing like that*);
□ ~ *itself* fortage sig, dø ud (*fx in-
terest in the project had spent it-
self*); *the gale has spent itself//its
fury* stormen har raset ud; ~ *a lot*
bruge mange penge, give mange
penge ud; (se også *penny*).
spender ['spendə] *sb.* pengeforbru-
ger.
spending ['spendiŋ] *sb.* udgifter;
pengeforbrug.
spending money *sb.* lommepenge.
spending power *sb.* købekraft.
spendthrift[1] ['spen(d)θrift] *sb.* øde-
land.
spendthrift[2] ['spen(d)θrift] *adj.* ød-
sel.
spent[1] [spent] *præt. & præt. ptc. af
spend*[2].
spent[2] [spent] *adj.* **1.** brugt; op-
brugt; **2.** (*litt.*) udmattet;
□ *a* ~ *cartridge* et tomt patronhyl-
ster; *he//it is a* ~ *force* han//det
har udspillet sin rolle; *a* ~ *match*
en afbrændt tændstik.
sperm [spə:m] *sb.* **1.** sædcelle; **2.** T
sæd, sperma.
spermatic [spə:'mætik] *adj.:* ~
cord (*anat.*) sædstreng.
spermatozoon [spə:mətə'zəuɔn] *sb.*
(*pl. -zoa* [-'zəuə]) sædlegeme,
spermatozo.
sperm bank *sb.* sædbank.
sperm count *sb.* [*antal sædceller
per udtømning*]; sædkvalitet.
spermicidal [spə:mi'said(ə)l] *adj.*
sæddræbende.
spermicide ['spə:misaid] *sb.* sæd-
dræbende middel.
sperm whale *sb.* kaskelot.
spew ['spju:] *vb.* **1.** udspy; **2.** S
brække sig;
□ ~ *out* udspy; ~ *up* S kaste op.
SPF *fork. f. sun protection factor.*
sphere [sfiə] *sb.* **1.** kugle; klode;
2. (*fig.*) sfære (*fx the political* ~);
felt; **3.** (*personer*) kreds (*fx they
move in different cultural -s*);
4. (*hist. astr.*) sfære;
□ ~ *of activity* virkefelt; ~ *of in-
fluence* indflydelsessfære; ~ *of in-
terest* interessesfære.

spherical ['sferik(ə)l] *adj.* sfærisk; kugle-.

sphincter ['sfiŋ(k)tə] *sb.* (*anat.*) lukkemuskel.

sphinx [sfiŋks] *sb.* **1.** sfinks; **2.** (*am. zo.*) aftensværmer.

spic [spik] *sb.* (*am.* S, *neds.*) spanskamerikaner.

spice[1] [spais] *sb.* krydderi; □ *add* ~ *to* sætte krydderi på; peppe op; (se også *variety*).

spice[2] [spais] *vb.* krydre; □ ~ *up* sætte krydderi på; peppe op.

spick [spik] *sb.* = *spic.*

spick-and-span [spikən'spæn] *adj.* ren og pæn; pæn og velholdt; i fineste orden.

spicy ['spaisi] *adj.* **1.** krydret; **2.** (*fig.*) pikant, vovet.

spider ['spaidə] *sb.* (*zo.*) edderkop.

spider monkey *sb.* (*zo.*) klamreabe, edderkopabe.

spider plant *sb.* (*bot.*) væddeløber.

spiderwort ['spaidəwə:t] *sb.* (*bot.*) edderkopurt.

spidery ['spaidəri] *adj.* **1.** edderkoppeagtig; **2.** (*fig.*: *som ligner en edderkops ben*) lang og tynd; □ ~ *writing* (*om skrift*) flueben.

spiel[1] [spi:l] *sb.* T snak, tirade.

spiel[2] [spi:l] *vb.* T snakke, lade munden løbe, svada; □ ~ *off* rable af sig; lire af.

spiff [spif] *vb.*: ~ *up* (*am.* T) fikse op, piffe op.

spiffing ['spifiŋ] *adj.* (*glds.* T) glimrende, fortrinlig.

spiffy ['spifi] *adj.* (*am.* S) smart.

spiflicate ['spiflikeit] *vb.* S mase, knuse; gøre det af med.

spigot ['spigət] *sb.* **1.** (*i tønde*) tap; **2.** (*am.*) hane, vandhane.

spik [spik] *sb.* = *spic.*

spike[1] [spaik] *sb.* (se også *spikes*) **1.** spids; pig; **2.** (*til at sætte sedler, regninger etc. på*) spyd; **3.** (*stort søm*) spiger; nagle; **4.** (*på sko*) pig; **5.** T kanyle; **6.** (*bot.*) aks; □ *put sby's head on a* ~ sætte ens hoved på en stage.

spike[2] [spaik] *vb.* **1.** (*med noget spidst*) spidde; **2.** (*forehavende*) sætte en stopper for; forpurre (*fx his plans*); spolere (*fx his chances*); **3.** (*i volleyball*) smashe; **4.** (*sko etc.*) beslå med pigge; **5.** (*drik*) tilsætte alkohol; (*mad etc.*) tilsætte narko (*fx cigarettes*); □ ~ *a rumour* ramme en pæl gennem et rygte; (se også *gun*[1]); ~ *with* **a.** tilsætte (*fx* ~ *a drink with vodka//tranquillizers*); **b.** krydre med (*fx* ~ *a dish with pepper*; ~ *a description with humour*).

spike heel *sb.* stilethæl.

spikes [spaiks] *sb.* **1.** pigsko; **2.** (*am.*) stilethæle.

spiky ['spaiki] *adj.* **1.** spids; med spidser//pigge; **2.** (*om hår*) strittende; **3.** (T: *om person*) prikken; pirrelig.

spile [spail] *sb.* (*am.*) tap [*til at tappe saft af ahorntræ*].

spill[1] [spil] *sb.* **1.** (*af spildt væske*) sjat; **2.** (*større, fx af olie*) udslip; **3.** (*glds.* T) fald [*fra cykel, hest*]; **4.** (*glds.: til at tænde med*) fidibus; □ *have a* ~ (*jf.* 2, *også*) vælte.

spill[2] [spil] *vb.* (*spilt, spilt;* (*især am.*) *-ed, -ed*) **A. 1.** (*væske*) spilde (*fx wine on one's shirt*); **2.** (*andet*) tømme ud, lade vælte ud (*fx bags spilt their contents on the floor*); **3.** (T: *hemmelighed*) røbe; **4.** (*glds.* T: *rytter*) kaste af; **B.** (*uden objekt*) **1.** (*om væske*) blive spildt; løbe ud (*fx wine spilt all over the floor*); **2.** (*om andet*) falde ud, vælte ud (*fx papers spilt from his briefcase*); **3.** (*om beholder*) løbe over; **4.** (*glds.* T: *på cykel, med hest*) vælte; □ ~ *a sail* dæmpe et sejl; (se også *bean*[1], *blood*[1], *guts*); [*med adv.& præp.*] ~ *out* **a.** løbe ud (*fx oil spilt out of the pipeline; sugar spilt out of the bag*); vælte ud; **b.** (*om personer*) strømme ud, vælte ud; **c.** (*med objekt: følelse*) udøse (*fx one's anger//despair*); ~ *over* løbe over; ~ *over into* (*fig.*) brede sig til.

spillage ['spilidʒ] *sb.* udslip.

spillikins ['spilikinz] *sb. pl.* skrabnæsespil.

spillover ['spiləuvə] *sb.* **1.** overløb; **2.** (*fig.*) udbredelse (*fx the* ~ *of war into the neighbouring countries*); afsmittende virkning.

spilt [spilt] *præt. & præt. ptc. af spill;* □ ~ *milk* se *use*[1] (*no use*); *it is no use crying over* ~ *milk* det nytter ikke at græde over spildt mælk.

spin[1] [spin] *sb.* **1.** snurren (rundt); rotation; **2.** (*om vasketøj*) centrifugering; **3.** (*pol.*) synspunkt, vinkel; vinkling; **4.** (*glds.* T: *i bil, på cykel*) rask tur; □ *the* ~ *of a coin* plat og krone [*ved at lade mønten snurre rundt*]; [*med vb.+ præp.*] *go into a* (*flat*) ~ **a.** (*flyv.*) gå i spin; **b.** (T: *fig.*) blive helt rundt på gulvet; *put a* ~ *on the ball* give bolden spin; skrue bolden; *put a positive// negative* ~ *on sth* anlægge en positiv//negativ vinkel på noget; give noget en positiv//negativ drejning;

præsentere noget i et positivt//negativt lys; *throw sby into a* (*flat*) ~ T gøre én helt rundt på gulvet; tage pippet fra én.

spin[2] [spin] *vb.* (*spun, spun*) (se også *spun*[2]) **A.** (*uden objekt*) **1.** dreje rundt, snurre rundt, rotere; spinde; **2.** (*på rok & om edderkop etc.*) spinde; **3.** (*om bold*) skrue; **4.** (*i fiskeri*) fiske med spinner; **B.** (*med objekt*) **1.** dreje på, dreje rundt (*fx a dial*); få til at dreje// snurre rundt (*fx one's car*); **2.** (*garn, uld, silke, edderkoppespind etc.*) spinde; **3.** (*vasketøj*) centrifugere; **4.** (*bold*) skrue; **5.** (*pol.: nyheder*) vinkle; give en bestemt drejning; □ *my head was -ning* det snurrede rundt i hovedet på mig; ~ *a coin* slå plat og krone [*ved at lade en mønt snurre rundt*]; ~ *a story* opdigte//finde på en historie; ~ *a yarn* spinde en ende; (se også *bottle*[1]); [*med præp.& adv.*] ~ *off* give som biprodukt; ~ *out* trække ud (*fx the time*); trække i langdrag; få til at vare længere; (se også *grave*[1]).

spinach ['spinidʒ, (*også am.*) -nitʃ] *sb.* spinat.

spinal ['spain(ə)l] *adj.* spinal-; rygrads-.

spinal column *sb.* (*anat.*) rygsøjle, hvirvelsøjle, rygrad.

spinal cord *sb.* (*anat.*) rygmarv.

spinal fluid *sb.* (*fysiol.*) spinalvæske.

spin control *sb.* (*pol.*) [*kontrol af den måde noget bliver præsenteret på*].

spindle ['spindl] *sb.* **1.** (*tekn.*) tynd aksel; spindel; **2.** (*til spinding*) ten; **3.** (*biol.: ved celledeling*) kerneten; **4.** (*am.*) = *spindle file.*

spindle bush *sb.* (*bot.*) benved.

spindle file *sb.* (*am.*) spyd [*til at sætte regninger etc. på*].

spindle tree *sb.* (*bot.*) benved.

spindly ['spindli] *adj.* lang og tynd; ranglet.

spin doctor *sb.* (*pol.*) [*talsmand der har til opgave at fremstille tingene i det gunstigst mulige lys over for pressen*]; medierådgiver; spindoktor.

spindrift ['spindrift] *sb.* skumsprøjt; stænk.

spin-dry ['spindrai] *vb.* centrifugere [*tøj*].

spin-dryer ['spindraiə] *sb.* (tørre)centrifuge.

spine [spain] *sb.* **1.** rygrad, rygsøjle; (se også *shiver*[1]); **2.** (*zo.*) pig; pigstråle; **3.** (*bot.*) torn; **4.** (*på bog*)

ryg.
spine-chiller ['spaintʃilə] *sb.* gyser.
spine-chilling ['spaintʃiliŋ] *adj.*
som får det til at løbe koldt ned
ad ryggen; skrækindjagende.
spineless ['spainləs] *adj.* **1.** slap;
holdningsløs; **2.** (*zo.*) hvirvelløs;
3. (*bot.*) tornefri.
spinet [spi'net, (*især am.*) 'spinit]
sb. (*mus.*) spinet.
spinnaker ['spinəkə] *sb.* (*mar.*) spi-
ler.
spinner ['spinə] *sb.* **1.** (*person*)
spinder; spinderske; **2.** (*i kricket*)
[*spiller der er specialist i skrue-
bolde*]; (*bold*) skruebold; **3.** (*flyv.
& i fiskeri*) spinner; **4.** (*am.*) se
spin doctor.
spinneret ['spinəret] *sb.* (*zo.*) spin-
devorte.
spinney ['spini] *sb.* krat.
spinning mill *sb.* spinderi.
spinning wheel *sb.* (spinde)rok.
spin-off ['spinɔf] *sb.* biprodukt;
spinoff; sidegevinst.
spinster ['spinstə] *sb.* **1.** (*glds.* T)
pebermø; gammeljomfru; **2.** (*jur.*)
ugift kvinde.
spiny ['spaini] *adj.* **1.** tornet; med
pigstråler; **2.** (*fig.*) vanskelig (*fx
problem*).
spiny lobster *sb.* (*zo.*) langust, lan-
guster.
spiracle ['spaiərəkl] *sb.* (*zo.*) luft-
hul; åndehul.
spiral[1] ['spaiərəl] *sb.* spiral; (se også
vicious spiral).
spiral[2] ['spaiərəl] *adj.* spiralformet;
spiral- (*fx pattern*).
spiral[3] ['spaiərəl] *vb.* **1.** bevæge sig
i en spiral; sno sig (*fx smoke//
vines -led upwards*); **2.** (*om priser
etc.*) skrue sig i vejret; stige ha-
stigt;
□ ~ *downwards* (*jf. 2*) falde ha-
stigt.
spiral-bound [spaiərəl'baund] *adj.*
spiralhæftet.
spiral staircase *sb.* vindeltrappe.
spire [spaiə] *sb.* spir.
spirit[1] ['spirit] *sb.* **1.** ånd (*fx body
and* ~; *the* ~ *of the law//the
times*); **2.** (*person; væsen*) ånd (*fx
one of the leading -s of the party;
evil -s*); (se også *moving*); **3.** (*egen-
skab*) mod; livsmod; liv, livlighed;
kraft; **4.** (*væske, drik*) se ndf.: *-s b,
c*; (se også *surgical spirit, white
spirit*);
□ *-s a.* humør; **b.** (*væske*) sprit (*fx
a snake preserved in* ~); **c.** (*drik*)
spiritus, alkohol (*fx he never
drinks* ~);
when the ~ *moves him* når ånden
kommer over ham; *it raised my -s*
det satte mit humør i vejret; *the* ~

is willing but the flesh is weak (*bi-
belcitat*) ånden er redebon men
kødet er skrøbeligt;
[*med præp.*] *in* ~ **a.** i ånden (*fx I
am with you in* ~); **b.** af ånd (*fx
he is young in* ~); *in fighting* ~ i
kamphumør; *in high//low -s* i
godt//dårligt humør; *munter//ned-
slået; in the right* ~ i den rette
ånd; *go/enter into the* ~ *of it* del-
tage i det med liv og sjæl; gå op i
det; *with* ~ energisk; dristigt; liv-
ligt, begejstret.
spirit[2] ['spirit] *vb.*: ~ *away/off* få
til at forsvinde, trylle væk; skaffe
af vejen, smugle væk; bortføre.
spirited ['spiritid] *adj.* **1.** livlig (*fx
debate; lecture*); levende; ener-
gisk; dristig; **2.** (*om hest*) fyrig.
spiritless ['spiritləs] *adj.* **1.** forsagt,
modløs; **2.** sløv, apatisk.
spirit level *sb.* vaterpas.
spirit stove *sb.* spritapparat.
spiritual[1] ['spiritʃuəl] *sb.* se *Negro
spiritual.*
spiritual[2] ['spiritʃuəl] *adj.* åndelig
(*fx guidance; home; leader; va-
lues*); spirituel.
spiritualism ['spiritʃuəlizm] *sb.*
spiritisme.
spiritualist ['spiritʃuəlist] *sb.* spiri-
tist.
spirituality [spiritju'æləti] *sb.* ån-
delighed; religiøs forståelse.
spit[1] [spit] *sb.* **1.** (*væske*) spyt;
2. (*til stegning*) spid; **3.** (*geogr.*)
odde; (land)tange; **4.** (*ved grav-
ning*) spadestik (*fx two ~/-s
deep*);
□ *the (dead)* ~ *of, the* ~ *and im-
age of* som snydt ud af næsen på,
en tro kopi af (*fx one's father*).
spit[2] [spit] *vb.* (*spat, spat;* (*am.
også*) *spit, spit*) **1.** spytte; **2.** (*fx
fedt på stegepande*) sprutte;
sprøjte; **3.** (*om kat*) hvæse;
4. (*med objekt*) hvæse (*fx "Get
out!" she spat*); (*eder, forbandel-
ser*) udstøde;
□ *it is -ting* det småregner, det
støvregner, det stænker; *it is
within -ting distance* T det er lige
ved; du kan spytte derhen;
[*med præp.& adv.*] ~ *at* spytte ef-
ter; ~ *in sby's face* spytte en i an-
sigtet; ~ *out a.* (*mad*) spytte ud;
b. (*ytring*) hvæse; ~ *it out!* T spyt
ud! ud med sproget! ~ *with rage*
sprutte af raseri.
spit and polish *sb.* (*mil.*) (overdre-
ven) pudsning.
spitball ['spitbɔːl] *sb.* (*am.*) **1.** tyg-
get papirskugle [*brugt som kaste-
skyts*]; **2.** (*i baseball*) [*kast med
bold der er gjort fugtig for at få
den til at ændre bane*].

spite[1] [spait] *sb.* ondskab; ond-
skabsfuldhed; chikaneri;
□ *in* ~ *of* til trods for; *in* ~ *of one-
self* uvilkårligt; mod sin vilje; *out
of* ~ for at chikanere; i trods.
spite[2] [spait] *vb.* ægre; trodse; chi-
kanere.
spiteful ['spaitf(u)l] *adj.* onskabs-
fuld, hadefuld; ondsindet, hadsk.
spit-roast ['spitrəust] *vb.* spidstege.
spitting image *sb.* se *spit*[1] (*and
image*).
spittle ['spitl] *sb.* spyt.
spittoon [spi'tuːn] *sb.* spyttebakke.
spitz [spits] *sb.* dværgspids [*hun-
derace*].
spiv [spiv] *sb.* (*glds.* T) plattensla-
ger; fidusmager; sortbørshandler.
splash[1] [splæʃ] *sb.* **1.** (*lyd*) plask;
2. (*af væske*) stænk; skvæt;
□ *make a* ~ T vække opmærksom-
hed; vække sensation; *a* ~ *of col-
our* en farveplet; et kulørt indslag.
splash[2] [splæʃ] *vb.* **1.** (*om væske*)
plaske; sprøjte; **2.** (*med væske*)
oversprøjte; sjaske/pjaske/sprøjte
'til (*fx they -ed each other with
water*); **3.** (*væske*) sjaske (*fx paint
on the wall*); **4.** (*nyhed*) slå stort
op;
□ ~ *money about* T strø om sig
med penge; ~ *about in* plaske
rundt i; ~ *down* (*om rumskib*)
lande på havet; ~ *out* T slå om sig
med penge; ~ *out on* T øse penge
ud til (*fx books*).
splashboard ['splæʃbɔːd] *sb.*
stænkskærm.
splashdown ['splæʃdaun] *sb.* (*om
rumskib*) landing på havet.
splat [splæt] *sb.* plask.
splatter ['splætə] *vb.* **1.** stænke;
sprøjte; **2.** (*med objekt*) over-
sprøjte, overstænke; sprøjte til,
stænke til.
splay [splei] *vb.* sprede; brede ud.
splayfooted ['spleifutid] *adj.* [*med
flade udadvendte fødder*].
spleen [spliːn] *sb.* **1.** (*anat.*) milt;
2. (*følelse*) dårligt humør; vrede,
forbitrelse;
□ *vent one's* ~ *on* lade sit onde
lune gå ud over; udøse sin vrede/
galde over.
spleenwort ['spliːnwəːt] *sb.* (*bot.*)
radeløv.
splendid ['splendid] *adj.* **1.** storar-
tet, glimrende, herlig (*fx idea*);
2. (*om bygning, kunstværk*) pragt-
fuld, storslået.
splendiferous [splen'difərəs] *adj.*
(T: *spøg.*) storartet; gevaldig.
splendour ['splendə] *sb.* pragt;
glans.
splenetic [splə'netik] *adj.* irritabel,
vranten, gnaven.

splice[1] [splais] *sb.* splejsning.
splice[2] [splais] *vb.* splejse;
□ *get -d* (*glds.* T) blive splejset
sammen [ɔ: *gift*].
spliff [splif] *sb.* S marihuanaciga-
ret.
splint [splint] *sb.* **1.** (*med.: til at
støtte brækket arm etc.*) skinne;
2. (*om træstump*) splint; pind.
splinter[1] ['splintə] *sb.* **1.** splint; flis;
2. (*af bombe etc.*) sprængstykke.
splinter[2] ['splintə] *vb.* **1.** splintre;
kløve; **2.** (*uden objekt*) splintres.
splinter group *sb.* udbrydergruppe.
splinterproof ['splintəpru:f] *adj.*
1. sprængstyksikker; **2.** (*om glas*)
splintfri.
split[1] [split] *sb.* (se også *splits*)
1. revne; flænge; **2.** (*fig.*) splittelse
(*fx in the party*); **3.** (*når man de-
ler*) andel; **4.** (*am.*) se *splits*;
□ *a ~ **between** a.* en splittelse/
kløft mellem (*fx management and
workers*); **b.** T en forskel//afstand
mellem (*fx ideals and reality*); *~
with* brud med (*fx his ~ with his
wife*).
split[2] [split] *vb.* (*split, split*)
A. (*med objekt*) **1.** kløve, flække
(*fx wood; stone*); spalte (*fx an
atom*); flænge (*fx the wind ~ the
sail*); **2.** (*organisation*) fremkalde
splittelse i, splitte (*fx a party*);
3. (*i mindre dele/portioner*) dele
(*into* i, *fx ~ the children into
three groups*); dele op (*fx the ra-
tions; a cake*); dele (*noget man er
fælles om*) dele (lige) (*fx a bottle
of wine; the profits*); deles om (*fx
the bill; the cost*);
B. (*uden objekt*) **1.** revne (*fx the
ice ~*); flække; spalte sig; dele sig
(*into* i); **2.** (*organisation*) dele sig
(*over/on* på grund af, *fx the party
~ over/on the issue of abortion;
into* i, *fx factions*); revne; **3.** T
stikke af; **4.** (T: *om to*) gå hver til
sit, skilles (*fx let's ~*);
□ *a cry ~ the air* et skrig skar gen-
nem/flængede luften; *~ the cost*
se ndf.: *~ up*; *~ open* flække; (se
også *difference, hair, side*[1]);
[*med præp.& adv.*] *~ the profits
between them* dele udbyttet mel-
lem dem; *~ into a.* se: *A3*; **b.** se:
B1, 2; *~ off* afspalte; *~ on sby*
(*glds.* T) sladre om en, røbe en,
stikke en; (se også: *B2*); *~ up*
a. dele; opdele (*into* i); **b.** (*uden
objekt*) dele sig (*into* i, *fx groups*);
spalte sig (*into* i); **c.** (T: *om par*)
blive skilt; gå fra hinanden; *~ up
the cost* deles om udgiften; slå
halv skade; *~ up with* (*partner*)
slå op med, gå fra; *~ with* **a.** blive
uenig med; **b.** (*jf. A4*) dele med (*fx

I'll ~ the bottle with you).
split ends *sb. pl.* (*af hår*) spaltede
spidser.
split infinitive *sb.* (*gram.*) [*infinitiv
skilt fra "to" ved adv., fx to care-
fully perform*].
split-level [split'lev(ə)l] *adj.* (*arkit.*)
med forskudt etage; i forskudt
plan.
split peas *sb. pl.* flækkede ærter;
gule ærter.
split personality *sb.* personlig-
hedsspaltning.
split pin *sb.* split.
split ring *sb.* nøglering.
splits [splits] *sb. pl.: the ~* spagat;
do the ~ gå ned i spagat.
split screen *sb.* (*it*) delt skærm.
split second *sb.* brøkdelen af et se-
kund; splitsekund.
split-second timing [splitsekənd-
'taimiŋ] *sb.: with ~* med fantastisk
præcision.
split ticket *sb.* (*am.*) [*valg hvor
vælgeren stemmer på kandidater
fra forskellige partier*].
splitting ['splitiŋ] *adj.: a ~ head-
ache* en dundrende hovedpine.
splodge [splɔdʒ] *sb.* T plet; klat;
plamage.
splodged [splɔdʒd] *adj.: ~ with* T
med pletter//klatter af.
splosh[1] [splɔʃ] *sb.* plask.
splosh[2] [splɔʃ] *vb.* plaske.
splotch [splɔtʃ] *sb.* (*især am.*) =
splodge.
splurge[1] [splə:dʒ] *sb.* T ødslen;
indkøbsorgie.
splurge[2] [splə:dʒ] *vb.* T flotte sig;
slå om sig med penge;
□ *~ on* **a.** flotte sig med (*fx a
slap-up meal*); **b.** (*med objekt*) øse
ud til (*fx he -d most of his money
on clothes*).
splutter[1] ['splʌtə] *sb.* sprutten.
splutter[2] ['splʌtə] *vb.* sprutte.
spoil[1] [spɔil] *sb.* (*ved udgravning*)
udgravningsmateriale [*jord og
sten etc.*]; (se også *spoils*).
spoil[2] [spɔil] *vb.* (*spoilt, spoilt*;
(*især am.*) *-ed, -ed*) **1.** ødelægge;
spolere; **2.** (*især barn, dyr*) for-
kæle; **3.** (*mad*) ødelægge, for-
dærve; **4.** (*papir*) makulere; (*stem-
meseddel*) gøre ugyldig; **5.** (*uden
objekt: om mad*) blive dårlig/for-
dærvet;
□ *-ing for a fight* parat til slagsmål;
kamplysten; *they were -ing for a
fight* (*også*) det trak op til slags-
mål mellem dem; *he was -t for
choice* der var så meget at han
næsten ikke vidste hvad han
skulle vælge; *han havde alt for
meget at vælge imellem*; (se også
party[1]).

spoilage ['spɔilidʒ] *sb.* **1.** ødelæg-
gelse; fordærv; **2.** (*om papir*) ma-
kulatur.
spoiler ['spɔilə] *sb.* **1.** (*flyv. & på
bil*) spoiler; **2.** (*am. pol.*) splittel-
seskandidat.
spoils [spɔilz] *sb. pl.* **1.** bytte (*fx ~
of war*); rov; **2.** (*typ.*) makulatur.
spoilsman ['spɔilzmən] *sb.* (*pl.
-men* [-mən]) levebrødspolitiker.
spoilsport ['spɔilspɔ:t] *sb.* lyseslu-
ker [ɔ: *der ødelægger andres for-
nøjelse*].
spoils system *sb.* (*am.*) [*det at det
sejrende partis tilhængere be-
lønnes med embeder*].
spoilt [spɔilt] *præt. & præt. ptc. af
spoil*.
spoke[1] [spəuk] *sb.* **1.** (*i hjul*) ege;
2. (*i stige*) trin; **3.** (*i paraply*) sti-
ver; **4.** (*mar.: på rat*) knage;
□ *put a ~ in sby's wheel* krydse
ens planer; stikke en kæp i hjulet
for en.
spoke[2] [spəuk] *præt. af speak*.
spoken[1] ['spəuk(ə)n] *præt. ptc. af
speak*.
spoken[2] ['spəuk(ə)n] *adj.* **1.** mundt-
lig (*fx message*); talt; tale- (*fx
language*); **2.** (*i sms.*) -talende,
som taler (*fx soft-spoken* som ta-
ler blidt); med ... stemme (*fx
kind-spoken* med venlig stemme);
□ *~ for* T **a.** reserveret//købt;
b. (*glds. om person*) forlovet//gift.
spokeshave ['spəukʃeiv] *sb.* bugt-
høvl.
spokesman ['spəuksmən] *sb.* (*pl.
-men* [-mən]) talsmand; ordfører.
spokeswoman ['spəukswumən] *sb.*
(*pl. -women* [-wimin]) talskvinde;
ordfører.
spoliation [spəuli'eiʃn] *sb.* F
1. ødelæggelse; **2.** plyndring.
spondulicks [spon'dju:liks] *sb. pl.*
(T: *glds., spøg.*) moneter, stakater.
sponge[1] [spʌn(d)ʒ] *sb.* **1.** svamp;
2. (*med.*) serviet, kompres; **3.** (*zo.*)
havsvamp; **4.** (*kage*) se *sponge
cake*; **5.** (*person*) se *sponger*;
□ *give sth a ~* gnide//tørre//rense
noget med en svamp; *chuck up/
throw in the ~* opgive kampen;
opgive ævred.
sponge[2] [spʌn(d)ʒ] *vb.* **1.** vaske
(med svamp); tørre; **2.** T tilnasse
sig (*fx a dinner*); bumme (*fx can I
~ a cigarette?*); **3.** (T: *uden objekt*)
leve på nas;
□ *~ down = 1*; *~ off* **a.** tørre af
(med en svamp) (*fx ~ the wine off
the dress*); **b.** *= ~ on*; *~ on* snylte
på, nasse på; *~ out* viske ud; *~
up* tørre op; suge op [*med en
svamp*].
sponge bag *sb.* toilettaske; toilet-

pose.

sponge cake *sb.* sukkerbrødskage; formkage.

sponger ['spʌn(d)ʒə] *sb.* T nasser, snylter.

sponge rubber *sb.* svampegummi, poregummi.

spongy ['spʌn(d)ʒi] *adj.* svampeagtig; svampet; blød.

sponsor[1] ['spɔnsə] *sb.* **1.** sponsor; økonomisk støtte; **2.** (*parl. etc.*) forslagsstiller; **3.** (*rel.*) fadder; gudfader.

sponsor[2] ['spɔnsə] *vb.* **1.** være sponsor for, sponsorere, støtte økonomisk; **2.** (*forslag etc.*) støtte; **3.** (*forhandlinger*) bringe i stand, arrangere.

sponsorship ['spɔnsəʃip] *sb.* sponsorat; økonomisk støtte.

spontaneity [spɔntə'neiəti, -'ni:əti] *sb.* spontanitet; umiddelbarhed.

spontaneous [spɔn'teiniəs] *adj.* spontan, umiddelbar; pludselig.

spontaneous combustion *sb.* selvantændelse.

spoof[1] [spu:f] *sb.* parodi; snyderi.

spoof[2] [spu:f] *vb.* (*am.* T) lave grin med; narre.

spook[1] [spu:k] *sb.* **1.** T spøgelse; **2.** (*især am.*) spion.

spook[2] [spu:k] *vb.* (*især am.*) skræmme.

spooky ['spu:ki] *adj.* **1.** uhyggelig; spøgelsesagtig; **2.** (*am.*) forskræmt, nervøs.

spool[1] [spu:l] *sb.* spole; rulle; (*til garn også*) trisse.

spool[2] [spu:l] *vb.* spole; (*garn også*) vikle.

spoon[1] [spu:n] *sb.* **1.** ske; **2.** (*mængde*) skefuld; **3.** (*til fiskeri*) blink.

spoon[2] [spu:n] *vb.* **1.** spise med ske; **2.** øse//hælde (med ske) (*fx ~ sauce over the fish*); **3.** (*bold: i sport*) slå højt op i luften; □ *~ out* øse op; *~ up* tage op (med en ske).

spoon bait *sb.* (*til fiskeri*) blink.

spoonbill ['spu:nbil] *sb.* (*zo.*) skestork.

spoonerism ['spu:nərizm] *sb.* snakken bagvendt (*fx blushing crow = crushing blow*).

spoon-feed ['spu:nfi:d] *vb.* made med ske; □ *~ sby* (*fig.: gøre det for let*) servere det hele for en på et sølvfad; *~ sby sth* (*fig.: påtvinge*) stopfodre en med noget (*fx they were spoon-fed Marxism*).

spoor [spuə] *sb.* spor.

sporadic [spə'rædik] *adj.* sporadisk; spredt.

spore [spɔ:] *sb.* (*bot.*) spore.

sporran ['spɔrən] *sb.* (*skotsk*) bæltetaske [*som hører til højskotternes dragt*].

sport[1] [spɔ:t] *sb.* (*se også sports*) **1.** sport; idræt; **2.** (*glds.*) sjov; **3.** (*glds.* T *om person:*) (god) sportsmand; guttermand, flink fyr; **4.** (*austr.: i tiltale*) du der! makker! **5.** (*biol.*) sport [ɔ: *pludselig opstået afvigelse fra den normale type*]; □ *a good ~ = 3; be a ~!* (*glds.*) være nu rar! lad nu være med at være kedelig! *for ~* **a.** som en sport (*fx hunting for ~*); **b.** (*glds.*) for sjovs skyld; *make ~ of* (*glds.*) lave sjov med.

sport[2] [spɔ:t] *vb.* (*tøj etc.*) optræde med (*fx several earrings in either ear*); give den med//i (*fx a silk hat*); have anlagt, være prydet med (*fx a beard*).

sporting ['spɔ:tiŋ] *adj.* **1.** sports- (*fx centre; event*); idræts-; **2.** (*glds.: om optræden*) sportslig; fair; □ *be ~* (*jf. 2, også*) tage det med godt humør.

sporting chance *sb.* fair/rimelig chance.

sports [spɔ:ts] *sb. pl.* **1.** sportsgrene; sport (*fx winter ~*); (se også *blood sports, field sports*); **2.** idrætsstævne (*fx school ~*); **3.** (*i sms.*) sports- (*fx car; equipment; page; shirt*) [*se også ndf.*].

sports day *sb.* idrætsdag.

sportsman ['spɔ:tsmən] *sb.* (*pl. -men* [-mən]) sportsmand, idrætsudøver.

sportsmanlike ['spɔ:tsmənlaik] *adj.* sportslig.

sportsmanship ['spɔ:tsmənʃip] *sb.* sportsånd; sportsmæssig optræden.

sports medicine *sb.* idrætsmedicin, sportsmedicin.

sportswear ['spɔ:tsweə] *sb.* sportstøj.

sportswoman ['spɔ:tswumən] *sb.* (*pl. -women* [-wimin]) sportskvinde, kvindelig idrætsudøver.

sports writer *sb.* sportsjournalist.

sport utility vehicle *sb.* kraftig firhjulstrækker.

sporty ['spɔ:ti] *adj.* **1.** sportsinteresseret; god til sport; **2.** (*om udseende, tøj, bil*) sporty.

spot[1] [spɔt] *sb.* (se også *spots*) **1.** sted (*fx show me the exact ~ where it was*); plet; **2.** (*af afvigende farve el. skæmmende*) plet (*fx on a dress; on the sun; a bald ~; grease -s; the leopard's -s*); **3.** (*i mønster*) prik (*fx a blue tie with white -s*); **4.** (*på huden*) bums; filipens; knop; (*fx ved sygdom*) plet

(*fx red -s*); **5.** (*fig.*) plet (*fx on his name*); **6.** (*i konkurrence, på rangliste*) placering; **7.** (*i radio-, tv-program*) nummer; indslag; (*reklame*) spot; **8.** (*i film etc.*) = *spotlight*[1];

□ *have a soft ~ for* se *soft*; *hit the ~* T være lige hvad man trænger til; *knock -s off* T være mange gange bedre end; *they can knock -s off you* (*også*) der kan I slet ikke være med; (se også *hot spot, tender*);

a ~ of T **a.** en smule, lidt (*fx lunch*); **b.** (*væske*) en dråbe (*fx rain*); en sjat, en skvæt (*fx whisky; tea*); et stænk; *a ~ of bother* lidt vrøvl/besvær;

[*med præp.*] *in -s* pletvis; med mellemrum; *break/come out in -s* få udslæt; *be in a (tight) ~* T være i knibe/i klemme; *on the ~* på stedet [ɔ: *straks el. der hvor det foregår*]; *put sby on the ~* **a.** sætte en i forlegenhed/knibe; få skovlen under en; **b.** kræve en til regnskab.

spot[2] [spɔt] *vb.* **1.** få øje på, opdage, spotte; lægge mærke til (*fx I -ted him in the crowd*); (*også mil.*) observere, lokalisere; **2.** (*am.: en fordel*) give på forhånd (*fx ~ an opponent six points*); (*penge*) låne; **3.** (*uden objekt*) blive plettet; tage imod pletter (*fx this material -s easily*);

□ *be -ted* blive opdaget; *keep sby -ted* holde en under observation; *~ the winner* udpege vinderen [*på forhånd*]; *it was -ting (with rain)* det småregnede; det stænkede.

spot cash *sb.* (*merk.*) kontant ved levering.

spot check *sb.* stikprøve.

spot fine *sb.* [*bøde som udskrives på stedet*].

spot goods *sb. pl.* (*merk.*) locovarer.

spot kick *sb.* straffespark.

spotless ['spɔtləs] *adj.* **1.** fuldstændig ren (*fx her home is ~*); **2.** (*fig.*) pletfri (*fx reputation*).

spotlight[1] ['spɔtlait] *sb.* projektør, spotlight, spot; □ *in the ~* (*fig.*) i søgelyset.

spotlight[2] ['spɔtlait] *vb.* **1.** sætte projektør/spotlight på; **2.** (*fig.*) bringe i søgelyset.

spot-on ['spɔtɔn] *adj.* T lige i øjet; helt rigtig.

spot price *sb.* (*merk.*) pris ved kontant betaling; locopris.

spots [spɔts] *sb. pl.* (*merk.*) locovarer.

spotted ['spɔtid] *adj.* plettet; prik-

ket.
spotted dick *sb.* (*glds.*) [*budding
med korender og rosiner*].
spotted eagle *sb.* (*zo.*) stor skrige-
ørn.
spotted fever *sb.* (*med.: især*) plet-
tyfus.
spotted redshank *sb.* (*zo.*) sort-
klire.
spotted woodpecker *sb.* (*zo.*) flags-
pætte.
spotter ['spɔtə] *sb.* **1.** [*en der kigger
efter biler, tog, fly som hobby*]; (se
også *train spotter*); **2.** (*mil.*) obser-
vatør; **3.** (*am.* T) detektiv.
spotty ['spɔti] *adj.* **1.** plettet; spæt-
tet; **2.** (T: *om person*) fuld af fili-
penser; bumset; **3.** (*især am.: om
noget der ændrer sig*) uregelmæs-
sig, vekslende (*fx attendance*);
(*mht. kvalitet*) ujævn, uensartet.
spot welding *sb.* (*tekn.*) punkt-
svejsning.
spousal ['spauz(ə)l] *adj.* (*am.* F)
ægteskabelig.
spouse [spauz] *sb.* (*glds. el. jur.*)
ægtefælle.
spout[1] [spaut] *sb.* **1.** (*fx på kande*)
tud; **2.** (*til regnvand*) nedløbsrør;
(*vandret*) vandspyer, spygat; **3.** (*fx
til korn*) slisk; **4.** (*af væske*) stråle;
sprøjt; **5.** (*fra hval*) blåst; **6.** (*me-
teor.*) se *waterspout*;
□ *up the* ~ S **a.** spildt; **b.** ødelagt,
spoleret; **c.** (*om plan*) gået i va-
sken; **d.** (*om udregning*) helt ved
siden af; **e.** (*glds.*, *vulg.*) gravid.
spout[2] [spaut] *vb.* **1.** sprøjte; ud-
spy; **2.** (*neds. om ytring*) komme
med (*fx a load of nonsense*); fyre
af; lukke ud;
□ ~ *about* (*jf. 2*) ævle om; ~ *from*
(*jf. 1*) sprøjte ud af; ~ *off* = 2.
sprain[1] [sprein] *sb.* forstrækning;
forstuvning.
sprain[2] [sprein] *vb.* forstrække;
forstuve.
sprang [spræŋ] *præt. af spring*[2].
sprat [spræt] *sb.* (*zo.*) brisling.
sprawl[1] [sprɔ:l] *sb.* **1.** (*om person*)
henslængt stilling; **2.** (*om huse*)
uregelmæssig//tilfældig bebyg-
gelse; (se også *urban sprawl*).
sprawl[2] [sprɔ:l] *vb.* **1.** ligge hen-
slængt, ligge og flyde (*fx in a deck
chair*); **2.** stritte med arme og ben,
sprælle (*fx the blow sent him -ing
to the ground*); **3.** (*om bebyggelse,
område*) sprede sig; brede sig
[*uregelmæssigt*].
sprawled [sprɔ:ld] *adj.:* *be/lie* ~
ligge henslængt, ligge og flyde.
sprawling [sprɔ:liŋ] *adj.* (*om be-
byggelse*) som breder sig uregel-
mæssigt; spredt.
spray[1] [sprei] *sb.* **1.** (*af plante*)

kvist; (blomster)gren; dusk; **2.** (*af
blomster*) buket; **3.** (*af havvand*)
skumsprøjt; (*fx fra vandfald*) støv-
regn; sprøjt; **4.** (*lille mængde*)
stænk (*fx a* ~ *of perfume*); **5.** (*fig.*)
byge (*fx of bullets*); **6.** (*til skade-
dyr etc.*) sprøjtevæske; **7.** (*appa-
rat*) sprøjte; spray, forstøver;
spraydåse;
□ *give the roses a* ~ sprøjte ro-
serne.
spray[2] [sprei] *vb.* **1.** sprøjte (*fx an
apple tree*); spraye; oversprøjte,
overdænge, stænke til (*fx with
perfume*); **2.** (*fig.*) overdænge (*fx
with bullets*).
spray can *sb.* spraydåse.
sprayer ['spreiə] *sb.* sprøjte; forstø-
ver, spray; (*til parfume*) rafraichis-
seur.
spray gun *sb.* sprøjtepistol.
spray-paint ['spreipeint] *vb.*
1. sprøjtemale; **2.** skrive/male med
spraydåse.
spread[1] [spred] *sb.* **1.** spredning,
udbredelse (*fx the* ~ *of higher
education; the rapid* ~ *of the di-
sease*); fordeling (*fx the uneven* ~
of wealth); **2.** (*om variation*)
spredning (*fx the school's* ~ *of
ability; a wide* (stor) ~ *of opi-
nion*); **3.** (*om hvor bredt noget
spænder*) spændvidde (*fx the
antlers had a* ~ *of six feet*); (*om
fugl*) vingefang; **4.** (*i bog, blad*)
opslag; (se også *double-page
spread*); **5.** (*til at smøre på brød*)
smørepålæg; (se også *cheese
spread*); **6.** (*glds.* T: *om måltid*)
festmåltid; kæmpemåltid; stort
traktement; **7.** (*am.*) (bord-,
senge)tæppe; **8.** (*am.: om gård*)
(stor) ranch.
spread[2] [spred] *vb.* (*spread,
spread*) **1.** sprede (*fx infection;
terror; discontent; one's interests;
hay to dry; my family is* ~ *all
over the world*); **2.** (*rygter, løgne,
sladder*) sprede, udbrede, ud-
sprede; **3.** (*arbejde, ansvar etc.*)
fordele; **4.** (*smør, maling etc.*)
smøre; (se ndf.: ~ *with*); **5.** (*noget
sammenfoldet*) folde ud (*fx a
map*); brede ud; (se også ndf.: ~
out); **6.** (*uden objekt*) brede sig (*fx
the fire//the rain* ~ *rapidly; the
rumour//the panic* ~); (*over et
område*) strække sig (*fx a desert
-ing for miles*);
□ *the butter -s easily* smørret er let
at smøre ud; ~ *evenly* fordele
jævnt (*fx* ~ *the paint evenly; the
votes were* ~ *evenly between the
candidates*); ~ *oneself too thin*
sprede sig over for meget; have
for mange ting for; (se også *wild-*

fire, wing[1], *word*[1]);
[*med præp.& adv.*] ~ *on* se ndf.: ~
with; ~ *out* **a.** sprede (*fx straw on
a stable floor*); **b.** brede ud (*fx a
picnic rug on the ground*); folde
ud (*fx a map on the table*);
c. (*lemmer*) brede ud (*fx one's
arms*); sprede (*fx one's fingers;
one's legs*); **d.** (*uden objekt*)
sprede sig (*fx the group* ~ *out*);
e. (*over et område*) brede sig,
strække sig (*fx the suburbs* ~ *out
for miles*); ~ (*out*) *over* **a.** sprede
over (*fx manure over a field*);
b. fordele over (*fx the work over
the summer months; the payment
over three years*); **c.** (*uden objekt*)
brede sig over (*fx the water* ~
over the floor); **d.** (*tidsmæssigt*)
strække sig over (*fx a course -ing
over 3 months*); ~ *to* brede sig til
(*fx the disease may* ~ *to other
countries*); ~ *the table with a
cloth/*~ *a cloth on the table*
dække bordet med en dug, lægge
en dug på bordet; ~ *the rolls with
butter/spread butter on the rolls*
komme/smøre smør på rundstyk-
kerne.
spread eagle *sb.* flakt ørn [*som i
USA's våben*].
spread-eagled [spred'i:gld] *adj.* lig-
gende på ryggen med spredte
arme og ben.
spreader ['spredə] *sb.* **1.** spreder;
2. (*mar.*) salingshorn.
spreadsheet ['spredʃi:t] *sb.* (*it*) reg-
neark.
spree [spri:] *sb.* (*i sms.*) -orgie (*fx
drinking//shopping* ~); -tur.
sprig [sprig] *sb.* **1.** kvist (*fx of
holly*); dusk (*fx of parsley*);
2. (*søm*) stift [*uden hoved*].
sprigged [sprigd] *adj.* (små)blom-
stret.
sprightly ['spraitli] *adj.* (*om ældre*)
livlig; rask og rørig.
spring[1] [spriŋ] *sb.* **1.** (*årstid*) forår;
(*poet.*) vår; **2.** (*i madras, bil etc.*)
fjeder; **3.** (*egenskab*) elasticitet (*fx
the mattress has lost its* ~);
4. (*som giver vand*) kilde; **5.** (*be-
vægelse*) spring; **6.** (*i tømmer*)
revne;
□ *walk with a* ~ *in one's step* gå
med spændstige skridt.
spring[2] [spriŋ] *vb.* (*sprang, sprung*)
1. springe; **2.** (*om træ*) slå sig;
3. (*med objekt: fange*) befri;
□ ~ *a trap* lade en fælde smække
i; (se også *leak*[1]);
[*med præp.& adv.*] ~ *for* (*am.* T)
betale for; ~ *from* (*fig.*) komme af,
udspringe af (*fx it all -s from a
misunderstanding*); *where did
you* ~ *from?* T hvor i alverden er

du dukket op fra? ~ **into** *life* se ndf.: ~ *to life*; ~ *sth* **on** *sby* overraske en med noget (*fx he sprang the job//a new proposal on me*); ~ *a surprise on sby* overrumple en; komme bag på en; *the door sprang* **to** *døren smækkede i*; ~ *to sby's defence* ile en til undsætning; ~ *to life* **a.** pludselig gå i gang (*fx the machine sprang to life*); **b.** pludselig opstå (*fx new industries have sprung to life*); *he sprang to life* der kom pludselig liv i ham; *it -s to mind* det falder en ind; ~ *up* **a.** springe op (*fx he sprang up*); **b.** (*om noget der pludselig viser sig*) skyde op, vokse frem, opstå (*fx new industries sprang up*).

spring balance *sb.* fjedervægt.
spring binder *sb.* springbind.
springboard ['spriŋbɔːd] *sb.*
  1. (*gymn.*) springbræt; **2.** (*til udspring*) vippe; **3.** (*fig.*) springbræt.
springbok ['spriŋbɔk] *sb.* (*sydafr.*) springbuk [*art gazelle*].
spring chicken *sb.* ung høne;
  □ *she is no* ~ hun er ikke nogen årsunge/vårhare.
spring-clean[1] [spriŋ'kliːn] *sb.* se *spring-cleaning*.
spring-clean[2] [spriŋ'kliːn] *vb.* gøre hovedrent//forårsrent.
spring-cleaning [spriŋ'kliːniŋ] *sb.* forårsrengøring; hovedrengøring.
springe [sprin(d)ʒ] *sb.* snare; done.
spring fever *sb.* forårsfornemmelser.
spring greens *sb. pl.* forårskål.
springhouse ['spriŋhaus] *sb.* (*am.*) [*kølehus til madvarer, bygget over en kilde*].
spring lock *sb.* smæklås.
spring mattress *sb.* springmadras.
spring onion *sb.* forårsløg.
spring roll *sb.* forårsrulle.
spring tide *sb.* springflod.
springtime ['spriŋtaim] *sb.* forår; (*poet.*) vår.
springy ['spriŋi] *adj.* elastisk; fjedrende.
sprinkle[1] ['spriŋkl] *sb.* **1.** drys (*fx of pepper; of salt*); **2.** (*af væske*) stænk; **3.** (*am.*) støvregn.
sprinkle[2] ['spriŋkl] *vb.* **1.** strø; drysse; **2.** (*med væske*) stænke; **3.** (*am.*) småregne, støvregne, dryppe;
  □ *-d edge* (*bogb.*) sprængt snit; *-d with* **a.** drysset med (*fx pepper*); **b.** oversået med, overstrøet med (*fx flowers*); **c.** (*fig.*) krydret med, isprængt (*fx jokes; quotations*); fuld af (*fx errors*).
sprinkler ['spriŋklə] *sb.* **1.** (*til vanding*) spreder; **2.** (*til brandsluk-*

ning) sprinkler; **3.** (*til flaske*) stænkeprop.
sprinkling ['spriŋkliŋ] *sb.*: *a* ~ *of* **a.** et drys (*fx snow; parsley*); **b.** (*af væske, farve*) et stænk (*fx perfume; a* ~ *of grey in her hair*); **c.** (*fig.*) lille antal, islæt (*fx of women ministers among the men*); lille smule.
sprint[1] [sprint] *sb.* **1.** (*i sport*) sprint; kortdistanceløb; **2.** (*om hurtigt løb*) spurt;
  □ *break into a* ~ sætte i spurt; *put on a* ~ sætte ind med en spurt.
sprint[2] [sprint] *vb.* sprinte; løbe i fuld fart; spæne.
sprinter ['sprintə] *sb.* sprinter; hurtigløber.
sprite [sprait] *sb.* **1.** alf; fe; nisse; **2.** (*edb*) sprite [*fast grafisk figur der kan flyttes rundt*].
spritsail ['sprits(ə)l, -seil] *sb.* sprydsejl.
spritz[1] [sprits] *sb.* **1.** sprøjt; stænk; **2.** (*beholder*) spray; **3.** (*am.* S) (hvid) sodavand, danskvand.
spritz[2] [sprits] *vb.* sprøjte; stænke; spraye.
spritzer ['spritsə] *sb.* [*hvidvin med danskvand*].
sprocket ['sprɔkit] *sb.* **1.** tand [*på kædehjul, tandtromle*]; **2.** (*hjul*) kædehjul [*fx på cykel*]; **3.** (*til film*) tandtromle, tandtransportør.
sprocket holes *sb. pl.* (*i film*) perforering.
sprocket wheel *sb.* kædehjul.
sprog [sprɔg] *sb.* T **1.** lille unge; **2.** (*mil.*) rekrut.
sprout[1] [spraut] *sb.* **1.** spire; skud; (se også *bean sprouts*); **2.** (*grønsag*) rosenkål [= *Brussels sprout*].
sprout[2] [spraut] *vb.* **1.** (*om frø, kartofler etc.*) spire; skyde; **2.** (*om skud, blade, hår*) skyde frem; vokse frem; **3.** (*fig*) se ndf.: ~ *up*; **4.** (*med objekt*) producere (*fx leaves; stalks; the garden -ed weeds*); få (*fx a few grey hairs; horns*); **5.** (*frø etc.*) lade spire; sætte til spiring;
  □ ~ *up* (*fig.*) skyde frem/op (*fx new factories were -ing up everywhere*).
spruce[1] [spruːs] *sb.* (*bot.*) gran; (se også *Norway spruce*).
spruce[2] [spruːs] *adj.* net, pyntelig, fiks; flot.
spruce[3] [spruːs] *vb.*: ~ *up* pynte; fikse op; ~ *oneself up* (*også*) nette sig.
sprue [spruː] *sb.* **1.** (*ved støbning*) indløb; støbetap; **2.** (*med.*) sprue.
spruik [spruːik] *vb.* (*austr.* T) **1.** snakke for sine varer; være udråber; **2.** holde en lang tale; fyre

en masse gas af.
sprung[1] [sprʌŋ] *præt. ptc. af spring*[2].
sprung[2] [sprʌŋ] *adj.* affjedret (*fx the car is well* ~);
  □ ~ *bed* spiralseng.
spry [sprai] *adj.* (*om ældre*) livlig; rask og rørig.
spud[1] [spʌd] *sb.* **1.** T kartoffel; **2.** (*haveredskab*) tidseljern; lugejern.
spud[2] [spʌd] *vb.* luge; grave op.
spun[1] [spʌn] *præt. & præt. ptc. af spin*.
spun[2] [spʌn] *adj.* spundet.
spun gold *sb.* guldtråd; guldspind.
spunk [spʌŋk] *sb.* **1.** T mod; gåpåmod; **2.** (*vulg.* S) sæd.
spunky ['spʌŋki] *adj.* T modig; frisk, rask, gæv.
spun silk *sb.* schappe [ɔ: *affaldssilke*].
spun sugar *sb.* sukkervat.
spun yarn *sb.* skibmandsgarn.
spur[1] [spəː] *sb.* **1.** (*på ridestøvler; på hane*) spore; **2.** (*fig.*) spore; ansporing, incitament; **3.** (*af bjergkæde*) udløber; **4.** (*bot.*) spore; **5.** (*am. jernb.*) sidespor; stikbane;
  □ *gain/win one's -s* (*fig.*) tjene sine sporer [ɔ: *vise sit værd*]; *on the* ~ *of the moment* efter en pludselig indskydelse.
spur[2] [spəː] *vb.* **1.** anspore, tilskynde (*to* til//til at); **2.** (*proces*) fremskynde, sætte gang/fart i (*fx growth; sales*);
  □ ~ *on* = 1; ~ *on one's horse* give hesten sporerne; ride hurtigere.
spurge [spəːdʒ] *sb.* (*bot.*) vortemælk.
spurious ['spjuəriəs] *adj.* falsk; usand; urigtig.
spurn [spəːn] *vb.* afvise med foragt (*fx an offer*); vrage.
spurrey ['spʌri] *sb.* (*bot.*) spergel.
spurt[1] [spəːt] *sb.* **1.** (*af væske*) sprøjt, stråle; **2.** (*af energi*) kraftanstrengelse; udbrud; (*i løb*) spurt;
  □ *in -s* i stød (*fx the blood came out in -s*); i ryk; *put on a* ~ sætte ind med en spurt.
spurt[2] [spəːt] *vb.* **1.** (*om væske*) sprøjte (*fx blood -ed from the wound*); stråle; **2.** (*om ild*) slå op//ud (*fx flames -ed from the window*); **3.** (*mht. fart*) spurte; **4.** (*med objekt*) sprøjte (*fx blood all over him*); udsende, udspy.
sputter[1] ['spʌtə] *sb.* **1.** sprutten; **2.** (*om motor*) hakken, hosten; host.
sputter[2] ['spʌtə] *vb.* **1.** sprutte; **2.** (*om motor*) hakke, hoste; **3.** (*fig.*) slingre, dalre (*on* videre);

□ ~ *out* fuse ud.
sputum ['spju:təm] *sb.* spyt; op-
spyt.
spy¹ [spai] *sb.* spion.
spy² [spai] *vb.* **1.** spionere; drive
spionage; **2.** (*med objekt, litt.*) få
øje på, opdage (*fx a friend in the
crowd*);
□ ~ *on* udspionere, holde øje
med; ~ *out* **a.** finde frem til (*fx il-
legal activities*); **b.** T finde oplys-
ninger om; ~ *out the land* son-
dere terrænet.
spyglass ['spaigla:s] *sb.* (*især glds.*)
lille kikkert.
spyhole ['spaihəul] *sb.* kighul.
spymaster ['spaima:stə] *sb.* spion-
chef.
spy satellite *sb.* spionsatellit.
sq *fork. f. square.*
squab¹ [skwɔb] *sb.* **1.** dueunge; rå-
geunge; **2.** (*i stol, sofa*) tyk pude/
hynde; **3.** (*i bil*) sædehynde.
squab² [skwɔb] *adj.* lille og tyk;
kvabset.
squabble¹ ['skwɔbl] *sb.* skænderi;
□ *-s* (*også*) (småligt) kævl.
squabble² ['skwɔbl] *vb.* skændes,
mundhugges; kævles.
squab pie *sb.* [*postej af due- el. rå-
gekød*].
squad [skwɔd] *sb.* **1.** gruppe; hold;
(se også *death squad*); **2.** (*i poli-
tiet*) afdeling (*fx fraud* ~); (*min-
dre*) patrulje, hold; (se også *drugs
squad, flying squad, vice squad*);
3. (*i sport*) hold; (*hvoraf hold ud-
tages*) trup; **4.** (*am. mil.*) gruppe;
(*ved eksercits*) trop; (se også *firing
squad*).
squad car *sb.* (*am.*) patruljevogn.
squaddie ['skwɔdi] *sb.* S soldat.
squadron ['skwɔdrən] *sb.* **1.** (*mil.*)
eskadron; **2.** (*mar.*) eskadre;
3. (*flyv.*) eskadrille.
squadron leader *sb.* (*flyv.: svarer
til*) major.
squalid ['skwɔlid] *adj.* **1.** (*om sted*)
ussel, elendig, tarvelig; beskidt;
2. (*om handling*) tarvelig, frastø-
dende.
squall¹ [skwɔ:l] *sb.* **1.** (*vejr*) kaste-
vind, vindstød; byge; pludseligt
uvejr; **2.** (*lyd*) vræl, skrål.
squall² [skwɔ:l] *vb.* vræle, skråle.
squally ['skwɔ:li] *adj.* med kraftige
vindstød, storm-.
squalor ['skwɔlə] *sb.* snavs; elen-
dighed.
squander ['skwɔndə] *vb.* **1.** (*penge*)
ødsle væk; formøble; **2.** (*chance*)
forspilde.
square¹ [skwɛə] *sb.* **1.** firkant; kva-
drat; **2.** firkantet stykke (*fx of ma-
terial; of chocolate*); **3.** (*til be-
klædning*) (kvadratisk) tørklæde;

4. (*på spillebræt*) felt (*fx move
forward three -s*); (se også *square
one*); **5.** (*i by*) torv; plads; **6.** (*af
huse*) karré; **7.** (*redskab: til tegn-
ing, i snedkeri etc.*) vinkel, vinkel-
mål; **8.** (*mat.: værdi*) kvadrat (*of
på, fx the ~ of 5 is 25*); **9.** (*glds.* T)
[*gammeldags//borgerlig//konven-
tionel person*].
square² [skwɛə] *adj.* **1.** kvadratisk;
firkantet; **2.** (*ved mål*) kvadrat- (*fx
foot; metre; mile*); (*efterstillet*) i
kvadrat, på hver led (*fx the room
is six metres ~* (6 x 6 m)); **3.** (*mht.
vinkel*) retvinklet (*fx corner*);
4. (*om legemsbygning*) firskåren;
5. (*om handlemåde*) ærlig, redelig
(*fx he is ~ in all his dealings*);
6. (*mht. mellemværende*) kvit (*fx
we are ~ now*); **7.** (*glds.* T) gam-
meldags; borgerlig; konventionel;
□ *be all ~* **a.** være kvit; **b.** (*i kon-
kurrence*) stå lige; *be out of ~*
ikke være vinkelret (*to* på); *be ~
to* være//stå vinkelret på; *be ~
with* **a.** være parallel med (*fx the
shelf must be ~ with the floor*);
b. (*person*) være ærlig over for;
behandle regulært; *get it ~* få det
bragt i orden;
[*med sb.*; se også *på alfabetisk
plads*] *a ~ deal* **a.** en fair behand-
ling; **b.** en ærlig handel; *a ~ meal*
et ordentligt//solidt måltid; *he is a
~ peg in a round hole* han er
kommet på den forkerte hylde.
square³ [skwɛə] *vb.* **1.** gøre firkan-
tet; (se også *ndf.*: ~ *off a, b*);
2. (*mat.: tal*) opløfte til anden po-
tens; **3.** (*regnskab*) ordne, afgøre,
gøre op; **4.** (*regning*) betale, ordne;
5. (*kreditorer*) tilfredsstille; **6.** (T:
person) bestikke (*fx they said he
had been -d*);
□ *4 -d is 16* 4 i anden er 16; *try to
~ the circle* prøve at løse cirklens
kvadratur; ~ *one's elbows/shoul-
ders* stille sig i kampstilling; (se
også *account*¹);
[*med præp.& adv.*] ~ *away* (*am.*)
a. bringe i orden; gøre klar;
b. (*uden objekt*) rydde op; ~ *off*
a. gøre//tilhugge//tilskære firkan-
tet; rette//skære til; gøre retvink-
let; **b.** (*bræt*) kanthugge; **c.** (*papir*)
kvadrere; **d.** (*uden objekt: om per-
son, især am.*) stille sig i kam-
pstilling; ~ *up* **a.** stille sig i kam-
pstilling; **b.** T ordne regnskabet,
gøre op (*with* med); ~ *up to*
a. stille sig i kampstilling over
for; **b.** (*fig.*) se i øjnene (*fx prob-
lems; difficulties*); ~ *with*
a. stemme med (*fx his theories do
not ~ with his practice*); passe
med (*fx the facts*); **b.** (*med objekt*)

få til at stemme/passe med; bringe
i overensstemmelse med (*fx I
couldn't ~ it with my religious
beliefs*); **c.** (*person*) tjække med.
square⁴ [skwɛe] *adv.* se *squarely.*
square-bashing ['skwɛəbæʃiŋ] *sb.*
(*mil.* S) eksercits.
square bracket *sb.* kantet parentes.
square dance *sb.* (*am. folkedans,
omtr.*) kvadrille.
square knot *sb.* (*am.*) råbåndsknob.
squarely ['skwɛəli] *adv.* **1.** direkte;
lige; **2.** helt og holdent, helt klart
(*fx responsibility for the strike lies
~ on their shoulders*).
square number *sb.* kvadrattal.
square one *sb.: go back to ~* T be-
gynde forfra; *then we are back at
~* T så er vi tilbage hvor vi be-
gyndte; så er vi lige vidt.
square-rigged [skwɛə'rigd] *adj.*
(*mar.*) med råsejl.
square root *sb.* kvadratrod.
square sail *sb.* (*mar.*) råsejl.
square shooter *sb.* (*am.* T) regulær
fyr.
square-shouldered [skwɛə'ʃəuldəd]
adj. bredskuldret.
square-toed [skwɛə'təud] *adj.* (*om
sko, støvler*) brednæset.
squash¹ [skwɔʃ] *sb.* **1.** T trængsel;
masen; **2.** (*drik*) frugtsaft; saft (*fx
orange ~*); **3.** (*bot.*) courgette,
squash; **4.** (*boldspil, især am.*)
squash.
squash² [skwɔʃ] *vb.* **1.** presse sam-
men, mase flad (*fx a beer can*);
kvase (*fx strawberries*); **2.** (*et sted
hen*) presse/mase/klemme (*fx he
was -ed against the wall; you
couldn't ~ another person in*; ~
more clothes into the suitcase);
3. (*uro, oprør etc.*) undertrykke,
slå ned; kvæle (*fx a rumour*);
4. (*person*) skære ned; **5.** (*uden
objekt*) mase/presse/klemme sig
(*fx into the room; more people
tried to ~ in*).
squashy ['skwɔʃi] *adj.* blød.
squat¹ [skwɔt] *sb.* **1.** sammenkrø-
ben//hugsiddende stilling; **2.** T be-
sat hus;
□ *I don't know ~ about* T jeg ved
ikke et hak om.
squat² [skwɔt] *adj.* **1.** (*om person*)
kort og tyk; undersætsig; **2.** (*om
bygning*) lav og bred.
squat³ [skwɔt] *vb.* **1.** sidde på hug;
2. [*slå sig ned på jord el. ejendom
uden hjemmel*]; T være besætter;
bo ulovligt; **3.** (*med objekt*) be-
sætte (*fx land*).
squatter ['skwɔtə] *sb.* **1.** nybygger
[*især som tager land uden ret*];
2. [*person der uden hjemmel
tager ophold på anden mands*

S *squaw*

ejendom]; T besætter; boligakti-vist; **3.** (*austr.*) fåreavler.

squaw [skwɔ:] *sb.* (*glds.*, *neds.*) in-dianerkvinde.

squawk[1] [skwɔ:k] *sb.* **1.** (*fugls*) hæst skrig; skræppen; **2.** (T: *per-sons*) protestskrig.

squawk[2] [skwɔ:k] *vb.* **1.** (*om fugl*) give et hæst skrig; skræppe; **2.** (T: *om person*) skræppe (*fx "Stop it!" she -ed*); (*protesterende*) skrige op, skræppe op (*about* om).

squawk box *sb.* (*især am.* T) højtta-ler [*i samtaleanlæg*].

squeak[1] [skwi:k] *sb.* **1.** hvin; piben; (se også *narrow*[1]); **2.** (*ytring*) pip (*fx I didn't hear a ~ from him*).

squeak[2] [skwi:k] *vb.* **1.** pibe; hvine; **2.** T optræde som stikker, sladre; □ *~ by*, *~ through* lige slippe igennem; (se også *pip*[1]).

squeaker ['skwi:kər] *sb.* (*am.*) tæt løb.

squeaky ['skwi:ki] *adj.* **1.** pibende (*fx voice*); som piber (*fx door*; *hinge*); knirkende (*fx floorboards*); hvinende; **2.** (*am.: om sejr*) snæ-ver.

squeaky clean *adj.* T **1.** fuldstæn-dig ren; **2.** (*om person*) moralsk uangribelig; uskyldsren.

squeal[1] [skwi:l] *sb.* hvin; skrig.

squeal[2] [skwi:l] *vb.* **1.** hvine; skrige; **2.** (T: *i protest*) skrige op (*about* om); □ *~ on* S angive, stikke; (se også *halt*[1] (*to a halt*)).

squeamish ['skwi:miʃ] *adj.* **1.** som let får kvalme; utilpas (*fx feel ~*); **2.** (*fig.*) sart (*fx the film is not for the ~*); □ *be ~ about* få kvababbelse over.

squeegee ['skwi:dʒi:] *sb.* **1.** gummi-skraber; vinduesskraber; **2.** (*foto.*) gummirulle; **3.** (*typ.*) afstryger.

squeeze[1] [skwi:z] *sb.* **1.** pres; tryk; klem (*fx he gave her hand a ~*); **2.** (*med begge arme*) knus, kram, klem; **3.** (*af mange mennesker*) trængsel; masen; **4.** (*i voks etc.*) aftryk; **5.** (T: *fig.*) klemme (*fx we're in something of a ~*); (se også *tight*[1]); **6.** (*økon.*) (kre-dit)stramning; □ *her//his main ~* hendes//hans kæreste/elskede; *a ~ of lemon juice* et stænk citronsaft [ɔ: *som man presser ud*]; *a ~ on* (jf. 6) en begrænsning af, et loft over (*fx profits*; *spending*); *put the ~ on* lægge pres på; sætte en klemme på.

squeeze[2] [skwi:z] *vb.* **1.** presse (*fx a lemon*); trykke (*fx he -d my arm reassuringly*); klemme; (*stærkere*) knuge; **2.** (*person: ind til sig*)

knuse; **3.** (*fig.*) klemme (*fx small firms are being -d by higher taxa-tion*); **4.** (*for at opnå noget*) presse, lægge pres på; **5.** (*økon.*) stramme; **6.** (*uden objekt*) trykke, presse, klemme (*fx he -d with all his strength*); **7.** (*et sted hen*) presse/mase/klemme sig (*fx he managed to ~ in//out//through*; *he -d into the room//through the nar-row opening*); □ *~ one's eyes shut* knibe øjnene sammen; (se også *pip*[1]); [*med præp.& adv.*] *~ from* presse ud af (*fx juice from a lemon*; *more profit from the scheme*); *~ in* **a.** presse/klemme ind (*fx I think we can ~ in a quick visit*); **b.** se: 7; *~ into* **a.** presse/klemme/mase ind i//ned i (*fx can you ~ more into the back of the car//into the suitcase?*); **b.** se: 7; *~ off* T trykke af, fyre af (*fx a few shots*); *~ out* **a.** presse ud (*fx a few drops of juice*; *more money out of the tax-payers*; *workers out of their jobs*); **b.** (*gulvklud etc.*) vride op; **c.** se: 7; *~ up* (ɔ: *for at gøre plads*) rykke sammen.

squeeze bottle *sb.* blød plastikfla-ske.

squelch[1] [skwel(t)ʃ] *sb.* svuppen; slubren.

squelch[2] [skwel(t)ʃ] *vb.* **1.** svuppe; slubre; **2.** (T: *noget uønsket*) un-dertrykke, kvæle (*fx public pro-test*).

squib [skwib] *sb.* **1.** (*fyrværkeri*) sværmer; **2.** (*fig.*) (politisk) satire; udfald.

squid [skwid] *sb.* (*zo.*) tiarmet blæksprutte.

squidgy ['skwidʒi] *adj.* T smattet; blød.

squiffy ['skwifi] *adj.* (*glds.* T) be-dugget; lettere påvirket.

squiggle ['skwigl] *sb.* krusedulle (*fx he signed his letter with a ~*); snirkel.

squill [skwil] *sb.* (*bot.*) strandløg.

squillion ['skwiljən] *sb.*: *-s of* mil-lionvis af.

squinch [skwin(t)ʃ] *vb.* (*am.*) trække sammen.

squinny ['skwini] (*am.*) se *squint*.

squint[1] [skwint] *sb.* skelen; □ *have a ~* skele; *let me have a ~ at it* T lad mig kikke på det.

squint[2] [skwint] *vb.* **1.** knibe øj-nene sammen; **2.** (*om synsfejl*) skele; □ *~ at* **a.** skæve til; **b.** se på med sammenknebne øjne; **c.** T kikke på.

squire[1] [skwaiə] *sb.* **1.** (*glds.*) gods-ejer; **2.** (*glds.* T: *i tiltale*) makker;

3. (*hist.: for ridder*) væbner.

squire[2] [skwaiə] *vb.* ledsage; følge.

squirm[1] [skwə:m] *sb.* vridning; □ *give a ~* se *squirm*[2].

squirm[2] [skwə:m] *vb.* **1.** vride sig (*fx in pain*); sno sig, sprælle (*fx he -ed to get free*); **2.** (*af forlegen-hed*) krympe sig; vride sig.

squirrel[1] ['skwir(ə)l] *sb.* **1.** (*zo.*) egern; **2.** (*am.* T) skør rad.

squirrel[2] ['skwir(ə)l] *vb.*: *~ away* (*især am.*) gemme væk.

squirrelly ['sqwirəli] *adj.* **1.** egern-agtig; **2.** (*især am.* T) nervøs, rast-løs, omkringfarende; skør.

squirt[1] [skwə:t] *sb.* **1.** stråle; sprøjt; **2.** (*apparat*) sprøjte; **3.** (*person:* glds. T) lille vigtigprås; lus.

squirt[2] [skwə:t] *vb.* sprøjte; □ *~ with* oversprøjte med.

squirt gun *sb.* (*am.*) vandpistol.

squirting cucumber *sb.* (*bot.*) æselsagurk.

squish[1] [skwiʃ] *sb.* T plasken; svuppen.

squish[2] [skwiʃ] *vb.* T mase; kvase.

squishy ['skwiʃi] *adj.* T blød; smat-tet; splattet.

squit [skwit] *sb.* S dum skid; lille lort; □ *the -s* tyndskid.

squitters ['skwitəz] *sb. pl.*: *the ~* tyndskid.

Sr. *fork. f.* **1.** *senior*; **2.** (*kem.*) *strontium*.

Sri Lanka [sri'læŋkə] *sb.* Sri Lanka

Sri Lankan[1] [sri'læŋkən] *sb.* srilan-kaner.

Sri Lankan[2] [sri'læŋkən] *adj.* sri-lankansk.

SRN *fork. f.* *state-registered nurse.*

SRO *fork. f.* *standing room only* kun ståpladser ledige.

SS *fork. f.* *steamship.*

SSE *fork. f.* *south-southeast.*

SST *fork. f.* *supersonic transport* overlydsfly.

SSW *fork. f.* *south-southwest.*

St *fork. f.* **1.** *Saint* Skt.; **2.** *Street.*

st *fork. f.* (*om vægt*) *stone*; (se *stone*[1] 3).

stab[1] [stæb] *sb.* knivstik; □ *a ~ at* (*fig.: angreb*) et udfald mod; *make a ~ at* **a.** (*person*) stikke ud efter; **b.** T gøre et forsøg på; forsøge sig med; *a ~ in the back* (*fig.*) et dolkestød i ryggen; et bagholdsangreb; *a ~ in the dark* (*fig.*) et skud i tågen; *a ~ of* (*fig.*) et stik af (*fx envy*; *jealousy*).

stab[2] [stæb] *vb.* stikke; □ *~ the air* støde/stikke ud i luf-ten (*fx with one's finger*); [*med præp.*] *~ at* stikke efter; stikke til; *~ sby in the back* (*fig.*) falde en i ryggen; *~ sby to death* stikke en ihjel; dræbe en med knivstik.

stabbing[1] ['stæbiŋ] *sb.* knivstikkeri.

stabbing[2] ['stæbiŋ] *adj.* (*om smerte*) jagende, stikkende.

stability [stə'biləti] *sb.* stabilitet.

stabilization [steibilai'zeiʃn] *sb.* **1.** stabilisering; **2.** fiksering.

stabilize ['steibilaiz] *vb.* **1.** stabilisere (*fx the economy*); **2.** (*uden objekt*) stabilisere sig;
□ ~ *at* a. lægge fast på, fiksere på (*fx* ~ *the figure at 5 million*); **b.** (*uden objekt*) lægge sig fast på, stabilisere sig på.

stabilizer ['steibilaizə] *sb.* **1.** stabilisator; **2.** (*flyv.*) stabilisator, haleplan; **3.** (*på bil*) krængningsstabilisator; **4.** (*på barnecykel*) støttehjul.

stable[1] ['steibl] *sb.* **1.** (heste)stald; **2.** (*fig.: om personer*) stald.

stable[2] ['steibl] *adj.* stabil.

stable[3] ['steibl] *vb.* opstalde.

stable boy *sb.* se *stable lad*.

stable door *sb.* stalddør;
□ *it is too late to lock/shut the* ~ *when the horse has bolted/is stolen* (*svarer til*) det er for sent at kaste brønden til når barnet er druknet.

stable fly *sb.* (zo.) stikflue.

stable lad *sb.* stalddreng; staldknægt.

stabling ['steibliŋ] *sb.* opstaldning; staldrum.

stab wound *sb.* stiksår.

staccato [stə'ka:təu] *adj.* staccato.

stack[1] [stæk] *sb.* **1.** stabel, stak (*fx of papers*); **2.** (*på hus*) skorsten [*med flere piber*]; **3.** (*agr.: af halm, hø*) hæs; stak; **4.** (*it*) stak; staklager; **5.** (*mil.*) geværpyramide;
□ *-s* (*bibl.*) magasin; *-s of, a* ~ *of* (T: *fig.*) en mængde, masser af (*fx work*; *time*); *blow one's* ~ T ryge helt op i loftet; eksplodere af raseri.

stack[2] [stæk] *vb.* (se også *stacked*) **1.** stable; **2.** (*hylder i supermarked*) fylde op; **3.** ((*op*)*vaskemaskine*) fylde; **4.** (*fly*) [*lade kredse i bestemt højde før landing*]; **5.** (*spillekort: for at snyde*) pakke; **6.** (*am.: jury*) sammensætte partisk;
□ ~ *arms!* (*mil.*) sæt geværer sammen!
[*med præp.& adv.*] ~ *the cards/ deck/odds against them* (*fig.*) lægge dem alle mulige hindringer i vejen; ~ *up* **a.** stable op; **b.** (*am. fig.*) samle sammen (*fx points*); **c.** (*am.: uden objekt*) hobe sig op (*fx more and more problems are -ing up for them*); *how does he* ~

up (*am.*) hvordan er han, hvordan klarer han sig (*against* i sammenligning med); *it doesn't* ~ *up* (*am.*) det giver ikke mening.

stacked [stækt] *adj.* **1.** opstablet; **2.** (*om hylder*) fyldt op; **3.** (*om kort*) pakket;
□ *the cards/odds are//the deck is* ~ *against them* (*fig.*) der er alt for meget der står i vejen; de har ikke mange chancer; *she is well* ~ T hun er veludstyret; ~ *with* fyldt// proppet med.

stacked heel *sb.* mahognihæl.

stadium ['steidiəm] *sb.* stadion.

staff [sta:f] *sb.* **1.** medarbejderstab; personale (*fx we have a* ~ *of over 500*; *we are looking for* ~); ansatte (*fx hospital* ~); medarbejdere (*fx 10* ~); **2.** (*på undervisningssted*) lærerstab, lærere; **3.** (*mil.*) stab; **4.** (*glds. el.* F) stav; stok; stang; **5.** (*embedsmands*) embedsstav, kommandostav; **6.** (*mus., især am.*) = *stave*[1] 3;
□ *the* ~ *of life* det daglige brød; *on the* ~ blandt personalet.

staff college *sb.* (*mil.*) generalstabsskole.

staffed [sta:ft] *adj.* bemandet (*fx all units are fully* ~); besat;
□ ~ *by/with* bemandet med (*fx volunteers*); *the firm is* ~ *only by/ with women* firmaet har udelukkende kvindeligt personale; *the school is well* ~ skolen har gode lærere.

staff nurse *sb.* (sygepleje)assistent; sygeplejeske.

staff officer *sb.* (*mil.*) stabsofficer.

staffroom ['sta:fru(:)m] *sb.* lærerværelse.

staff sergeant *sb.* (*mil.*) oversergent.

stag[1] [stæg] *sb.* **1.** hjort; kronhjort; **2.** (*merk.*) børsspekulant [*der opkøber nyudstedte aktier for straks at sælge dem igen*];
□ *go* ~ (*til fest etc., især am.*) komme uden (kvindelig) ledsager; komme uden pige på.

stag[2] [stæg] *vb.* (*merk.*) [*opkøbe nyudstedte aktier for straks at sælge dem igen*].

stag beetle *sb.* (zo.) eghjort.

stage[1] [steidʒ] *sb.* **1.** stadium (*fx in the early//final -s*); trin (*fx do it in three -s*); fase (*fx the first* ~ *of their withdrawal*); **2.** (*af rejse*) etape; (se også *fare stage*); **3.** (*af raket*) trin; **4.** (*teat.*) scene; (se også *centre stage*, *stage left*, *stage right*); **5.** (*fig.*) skueplads (*of* for, *fx the town has been the* ~ *of violent riots*); scene, arena (*fx the political//international* ~); **6.** (*på mi-*

kroskop) bord;
□ *hold the* ~ (*fig.*) dominere billedet; være den der taler hele tiden; *a* ~ *on the way* (*fig.*) en station på vejen; *I have reached the* ~ *where* jeg har nået det punkt hvor (*fx I don't care*); *set the* ~ *for* **a.** (*teat.*) stille op til; **b.** (*fig.*) gøre alt parat til; berede vejen for; *the* ~ *was set for* (*også*) der var lagt op til; [*med præp.*] *at* an early//late ~ på et tidligt//sent stadium; *at a higher* ~ *of development* på et højere udviklingstrin; ~ *by* ~ trin for trin; *by easy -s* (*fig.*) i ro og mag; *by short -s* med korte dagsrejser; *in -s* et trin ad gangen; trinvis; *on* ~ på scenen (*fx be//go on* ~); *go on the* ~ gå til scenen; blive skuespiller; *go* **through** *a difficult* ~ gennemgå en vanskelig fase; *he is going through a* ~ han er i den vanskelige alder//puberteten.

stage[2] [steidʒ] *vb.* **1.** (*forestilling*) sætte op (*fx a play*; *a show*); iscenesætte; **2.** (*fig.*) arrangere (*fx a demonstration*; *the Winter Olympics*); iværksætte (*fx a strike*).

stagecoach ['steidʒkəutʃ] *sb.* (*hist.*) diligence; postvogn.

stagecraft ['steidʒkra:ft] *sb.* sceneteknik; erfaring i at skrive for scenen.

stage direction *sb.* sceneanvisning, regiebemærkning.

stage door *sb.* (*teat.*) personaleindgang.

stage fright *sb.* sceneskræk, lampefeber.

stagehand ['steidʒhænd] *sb.* scenearbejder, scenetekniker, scenefunktionær.

stage left *adv.* dameside [*højre side af scenen set fra publikum, venstre side set fra scenen*].

stage-manage ['steidʒmænidʒ] *vb.* **1.** (*teat.*) være scenemester for; **2.** (*fig.*) arrangere (omhyggeligt); iscenesætte.

stage manager *sb.* (*teat.*) scenemester; regissør.

stage name *sb.* kunstnernavn.

stage right *adv.* (*teat.*) kongeside [*venstre side af scenen set fra publikum, højre side set fra scenen*].

stage-struck ['steidʒstrʌk] *adj.* teatertosset.

stage whisper *sb.* teaterhvisken.

stagey *adj.* = *stagy*.

stagflation [stæg'fleiʃn] *sb.* [*kombination af stagnation og inflation*].

stagger[1] ['stægə] *sb.* (jf. *stagger*[2]) **1.** vaklen; **2.** raven; dinglen.

stagger[2] ['stægə] *vb.* (se også *staggered*, *staggering*) **1.** (*om gang & fig.*)

vakle (*fx under a heavy burden;
the company -ed from one crisis
to the next*); **2.** (*om en der er be-
ruset/omtåget*) rave, dingle;
3. (*med objekt*) forbløffe, chokere,
ryste (*fx he -ed them all by an-
nouncing that he was seriously
ill*); **4.** (*om placering*) anbringe
forskudt for hinanden; anbringe i
siksak; **5.** (*arbejdstid, ferie, arran-
gementer*) fordele over en længere
periode.

staggered ['stægəd] *adj.* **1.** forbløf-
fet, chokeret, rystet (*by///to over//
over at, fx by the news; to hear it*);
2. (*om placering*) forskudt.

staggering ['stægəriŋ] *adj.* **1.** for-
bløffende, chokerende, rystende;
2. (*om stort beløb*) svimlende (*fx
amount*).

staggers ['stægəz] *sb.* (*vet.*) **1.** (*hos
får*) drejesyge; **2.** (*hos hest*) kuller.

staging ['steidʒiŋ] *sb.* **1.** (*teat.*) op-
sætning; iscenesættelse; **2.** (*til at
stå på*) stillads.

staging area *sb.* (*mil.*) samlerum;
opstillingsområde.

staging post *sb.* mellemstation.

stagnancy ['stægnənsi] *sb.* stille-
ståen; stagneren.

stagnant ['stægnənt] *adj.* stillestå-
ende; stagnerende.

stagnate [stæg'neit, (*am. kun*)
'stægneit] *vb.* stagnere; gå i stå.

stagnation [stæg'neiʃn] *sb.* stagna-
tion; stilstand.

stag night *sb.* T polterabend.

stag party *sb.* T **1.** polterabend;
2. (*især am.*) mandfolkegilde; her-
reselskab.

stagy ['steidʒi] *adj.* teatralsk; op-
styltet.

staid [steid] *adj.* adstadig; kedelig;
(*om person også*) sat.

stain[1] [stein] *sb.* **1.** plet; **2.** (*fig.*)
(skam)plet; **3.** (*farvestof til træ*)
bejdse.

stain[2] [stein] *vb.* **1.** plette; **2.** (*fig.*)
sætte en plet på; **3.** (*uden objekt*)
blive plettet; **4.** (*behandle: træ*)
bejdse; (*andet, fx vævsprøve*)
farve;
□ *-ed glass* glasmaleri; *-ed paper*
kulørt papir.

stained glass [steind'glɑ:s] *sb.* glas-
maleri; glasmosaik.

stainless ['steinləs] *adj.* pletfri.

stainless steel *sb.* rustfrit stål.

stair [steə] *sb.* **1.** trappetrin (*fx the
top//bottom ~*); **2.** (*glds., fagl. el.
litt.*) trappe (*fx a wooden ~*);
□ *-s* trappe (*fx he came up the -s*);
above -s (*glds.*) oppe; i huset; hos
herskabet; *below -s* (*glds.*) nede; i
kælderen; blandt tjenestefolkene;
(se også *flight*).

stair carpet *sb.* trappeløber.

staircase ['steəkeis] *sb.* (indvendig)
trappe; trappegang; trappeopgang;
(se også *spiral staircase*).

stairway ['steəwei] *sb.* **1.** (udven-
dig) trappe; **2.** = *staircase.*

stairwell ['steəwel] *sb.* **1.** trappe-
skakt; **2.** opgang (*fx a ~ of six
flats*).

stake[1] [steik] *sb.* **1.** pæl; stage;
2. (*til blomst*) blomsterpind;
3. (*ved vædde mål*) indsats;
4. (*merk.*) (økonomisk) interesse;
andel, aktiepost (*fx hold a 30% ~
in the company*);
□ *have a ~ in* (*fig.*) **a.** have en an-
del i; **b.** have interesse i (*fx we
have a big ~ in the decisions
made by the management*); være
engageret i;
[*i pl.*] *-s* **a.** indsats; **b.** præmie; ud-
sat pris; **c.** hestevæddeløb [*hvor
hesteejerne udsætter præmien*];
d. (*fig.: i sms.*) *-kapløb* (*fx the
leadership ~*); *the -s are high*
(*fig.*) der står meget på spil; *pull
up -s* (*am., fig.*) rykke sine telt-
pæle op; *raise/up the -s* **a.** forhøje
indsatsen; **b.** (*fig.*) øge spændin-
gen; sætte trumf på;
[*med præp.*] *at ~* på spil; *the is-
sue at ~* det spørgsmål det drejer
sig om; *your honour is at ~* det
gælder din ære; *be burnt at the ~*
(*hist.*) blive brændt på bålet; *they
are playing for high -s* (*fig.*) der
står meget på spil for dem; *go to
the ~* (*hist.*) blive brændt på bå-
let; *he was prepared to go to the
~ for it* (*fig.*) han var parat til at
forsvare det med alle midler.

stake[2] [steik] *vb.* **1.** (*i spil*) satse;
2. (*fig.*) vove, risikere, sætte på
spil (*fx one's future*); sætte ind (*fx
one's reputation*); **3.** (*plante*)
binde op; støtte;
□ *~ a claim* se *claim*[1];
[*med præp.& adv.*] *~ off* skille fra
(*fx part of the garden*) [*o: med
pæle*]; *~ on* satse på, sætte på (*fx
£10,000 on number 13; all one's
money on a horse*); *I'd ~ my life
on it* det tør jeg lægge hovedet på
blokken for; *~ out* **a.** udstikke; af-
mærke; **b.** (*fig.*) reservere for sig
selv; lægge beslag på; **c.** (*am.* T)
overvåge; holde under opsyn;
holde øje med; *~ sby to sth* (*am.*)
købe noget til en (*fx a meal*); fi-
nansiere noget for en (*fx a trip to
Canada*); *~ up* = 3.

stake boat *sb.* (*mar.*) mærkebåd
[*ved kapsejlads*].

stakeholder ['steikhəuldə] *sb.* **1.** (*i
et selskab*) [*ejer af en interesse/
aktiepost*]; **2.** (*ved ejendomssalg*)

depositar [*hos hvem købesummen
er deponeret*].

stake-out ['steikaut] *sb.* (*især am.*
T) (politi)overvågning.

stakes [steiks] *sb. pl.* se *stake*[1].

stalactite ['stæləktait] *sb.* stalaktit;
drypsten [*som hænger ned fra lof-
tet*].

stalagmite ['stæləgmait] *sb.* stalag-
mit; drypsten [*som vokser op fra
gulvet*].

stale [steil] *adj.* **1.** (*om madvarer*)
gammel (*fx bread*); hengemt; mug-
gen; **2.** (*om øl etc.*) doven; **3.** (*om
luft, lugt*) tung, sur, dårlig; **4.** (*fig.*)
gammel (*fx news*); fortærsket, for-
slidt (*fx joke*); **5.** (*jur.*) forældet;
6. (*om person*) udbrændt, udslidt;
7. (*om sportsmand*) sur; overtræ-
net.

stalemate ['steilmeit] *sb.* **1.** (*i for-
handlinger etc.*) dødt punkt; død-
vande; **2.** (*i skak*) pat;
□ *break the ~* få parterne ud af
dødvandet; *reach a ~* gå i hård-
knude; køre fast.

stalk[1] [stɔ:k] *sb.* stilk; stængel;
□ *his eyes were out on -s* hans
øjne stod på stilke.

stalk[2] [stɔ:k] *vb.* **1.** (*bytte*) liste/
snige sig ind på; **2.** (*person*) følge
efter i det skjulte, snige sig efter;
forfølge; skygge; **3.** (*om gang*)
spankulere; skride; **4.** (*litt.*) skride
igennem, snige sig/liste igennem
(*fx fear -ed the streets*); hjemsøge
(*fx a tiger//famine -ed the region*);
□ *he -ed out of the room* (*jf. 3,
også*) han marcherede ud af væ-
relset.

stalker ['stɔ:kə] *sb.* **1.** pyrschjæger
[*som bag skjul sniger sig ind på
skudhold af byttet, især hjorte-
vildt*]; **2.** [*en der følger efter kvin-
der på gaden*]; **3.** [*en der forfølger
tidligere partner, kendt person
etc.*]; plageånd.

stalking horse *sb.* **1.** [*jægers skjul,
ofte formet som en hest*]; **2.** (*fig.*)
påskud; skalkeskjul; **3.** (*pol.: ved
formandsvalg*) skinkandidat [*der
opstilles på skrømt for at splitte
evt. opposition*].

stall[1] [stɔ:l] *sb.* (se også *stalls*) **1.** (*på
marked etc.*) bod; stade; stand;
2. (*i stald*) bås; **3.** (*i kirke*) korstol;
4. (*am.: del af rum*) bås, separat
afdeling; (se også *shower stall*);
5. (*am.: til bil*) parkeringsbås;
6. (*flyv.*) stalling; farttab; **7.** (*til fin-
ger*) fingertut; **8.** T afledningsma-
nøvre.

stall[2] [stɔ:l] *vb.* **A.** (*uden objekt*)
1. (*om bil, motor*) stoppe, gå i stå
(*fx the engine -ed*); (*om bil også*)
få motorstop; **2.** (*fig.*) gå i stå (*fx

his career had -ed); køre fast (fx
the peace process -ed); **3.** (om
person) søge at vinde tid, nøle;
vige udenom; **4.** (flyv.) stalle;
5. (am.: i sport) holde igen, holde
på bolden uden at skyde;
B. (med objekt) **1.** (motor etc.)
stoppe, få til at gå i stå; **2.** (fig.)
sætte i stå; **3.** (person) holde hen,
opholde, sinke; **4.** (kvæg) op-
stalde;
□ ~ for time søge at vinde tid; ~
sby off (am.) holde en hen.
stallholder ['stɔːlhəʊldə] sb. inde-
haver af//sælger i en bod; mar-
kedssælger; stadeholder.
stallion ['stæljən] sb. hingst.
stalls [stɔːlz] sb. pl. (teat.) parket;
gulvet.
stalwart[1] ['stɔːlwət] sb. trofast til-
hænger; fast støtte.
stalwart[2] ['stɔːlwət] adj. **1.** trofast
(fx supporter); loyal; **2.** (glds.)
kraftig; sværlemmet; drabelig.
stamen ['steimen] sb. (bot.) støv-
drager.
stamina ['stæminə] sb. udholden-
hed.
stammer ['stæmə] vb. stamme;
fremstamme.
stamp[1] [stæmp] sb. **1.** (til brev) fri-
mærke; **2.** (til betaling) værdi-
mærke; kupon; (på dokument)
stempelmærke; (se også food
stamp); **3.** (redskab) stempel;
4. (afsat mærke) stempel (fx in a
passport); (på mønt) præg; **5.** (fig.)
præg; **6.** (med foden) stampen,
trampen (fx of boots); stamp (fx
with an angry ~); tramp;
□ of that ~ af den karakter/slags
(fx a man of that ~); bear the ~
of (fig.) være præget af; bære præg
af; leave/put one's ~ on (fig.)
sætte sit præg på, præge; (se også
approval).
stamp[2] [stæmp] vb. (se også
stamped) **1.** stemple (fx a pass-
port); **2.** (fig.) præge (fx he was
-ed by his experiences in the war);
(se også ndf.: ~ as); **3.** (brev) sætte
frimærke på; frankere; (dokument,
svarer til) sætte stempelmærke på;
4. (tekn.) stanse; presse; **5.** (malm
etc.) knuse; **6.** (med foden)
stampe (fx he -ed with (af) rage);
trampe; **7.** (et sted hen) trampe,
marchere (fx off; out of the room;
upstairs);
□ ~ the floor stampe i gulvet; ~
one's foot stampe med foden;
[med præp.& adv.] ~ **as a.** kende-
tegne som (fx it -s him as one of
the most important modern
writers); **b.** (neds.) stemple som
(fx his actions ~ him as a cow-

ard); ~ **on a.** (jf. 1) stemple på (fx ~
the date on the letters); indpræge på
(fx ~ a number on the engine);
b. (med foden) trampe på; **c.** (fig.)
sætte en stopper for (fx inflation);
kvæle (fx a rumour); skyde ned (fx a
suggestion); ~ one's authority on
sætte sin autoritet igennem over for;
~ **out a.** (ild) træde ud, trampe ud;
b. (fig.) undertrykke, knuse (fx a
rebellion); udrydde (fx malaria;
terrorism); **c.** (tekn.: af metal-
plade) udstanse; **d.** (uden objekt)
se: 7.
stamp collecting sb. filateli, det at
samle på frimærker.
stamp collector sb. frimærkesam-
ler.
stamp duty sb. stempelafgift.
stamped [stæmpt] adj. **1.** stemplet;
2. (om brev) frankeret;
□ it remains indelibly ~ on my
memory det står uudsletteligt
præget i min erindring.
stamped addressed envelope sb.
frankeret svarkuvert.
stampede[1] [stæmˈpiːd] sb. **1.** (om
kvæg) bissen; **2.** (om mennesker:
ukontrolleret) panik; vild flugt;
3. (samlet bevægelse) massetil-
strømning (fx to the banks).
stampede[2] [stæmˈpiːd] vb. **1.** (om
kvæg) bisse; **2.** (om mennesker)
styrte af sted; flygte i vild panik/
uorden; **3.** (med objekt: kvæg) få
til at bisse; (mennesker) få til at
flygte i vild panik;
□ ~ sby into + -ing tvinge/drive/
skræmme en til at.
stamping ground sb. T tilholds-
sted; yndlingsområde.
stance [stæns] sb. **1.** stilling; fod-
stilling; **2.** (fig.) holdning; stand-
punkt; indstilling.
stanch [stɑːn(t)ʃ] vb. (am.) =
staunch[2].
stanchion ['stɑːn(t)ʃn] sb. **1.** støtte;
stiver; stolpe; **2.** (mar.: støtte for
ræling etc.) scepter.
stand[1] [stænd] sb. **1.** (til en sag)
standpunkt, holdning (on til);
2. (på marked, gade, udstilling)
stand; stade; (se også hot-dog
stand); **3.** (for taxier) holdeplads;
4. (ved jagt) post; **5.** (for orkester,
taler, tilskuere etc.) tribune; **6.** (til
at holde noget) stativ (fx micro-
phone ~; umbrella ~); **7.** (i bevæ-
gelse) standsning; holdt; **8.** (mil.)
kamp (fx his last ~); forsvar-
skamp; modstand; **9.** (teat. etc.:
ved turné, T) sted hvor der gives
forestilling; ophold; (se også
one-night stand); **10.** (jagthunds)
stand; **11.** (forst.) bevoksning;
□ the ~ (i retten) vidneskranken;

the -s (ved sportskamp) tilskuer-
tribunen; tilskuerpladserne;
[med vb.] **come to** a ~ **a.** gå i stå;
gøre holdt; **b.** (om jagthund) tage
stand; **make** a ~ tage kampen op
(for for; against mod); gøre mod-
stand (against mod); **take** one's ~
stille sig op, tage opstilling; ind-
tage sin plads; take a ~ se ovf.:
make a ~; take the ~ tage plads i
vidneskranken; **take** one's ~ **on**
(fig.) støtte sig til; henholde sig til.
stand[2] [stænd] vb. (stood, stood)
A. (uden objekt) **1.** stå; **2.** (mods.
sidde) stå op (fx I've been -ing all
afternoon); **3.** (om køretøj) holde;
holde stille; **4.** (om tilstand) være,
stå (fx ready; accused of murder;
the house stood empty); **5.** (om
højde af person etc.) være (fx he
-s six feet); **6.** (om hus el. bys po-
sition) ligge (fx the house -s on a
hill); **7.** (om aftale, bestemmelse
etc.) gælde, stå ved magt (fx the
contract//my decision//the offer
still -s); **8.** (ved valg) stille op;
lade sig opstille; **9.** (om jagthund)
tage stand; **10.** (mar., om fartøj: et
sted hen) stå (fx out of the har-
bour); holde;
B. (med objekt) **1.** stille, anbringe
(fx the lamp on the table; a ladder
against the wall); **2.** (T: mad,
drikke) give, traktere med (fx ~
sby a drink);
□ ~ alone se alone; leave it to ~
(om madvarer) lad det stå (og
hvile/trække); (se også bail[1], cor-
rect[2], deliver, pat[4]);
[med: can, will] **can//cannot** ~
a. (påvirkning) kan//kan ikke tåle,
kan//kan ikke holde til (fx criti-
cism; pain; cold; the boat can ~
very rough weather); **b.** (person)
kan (godt)//kan ikke holde ud (fx I
can ~ him, but I cannot ~ his
wife); **cannot** ~ (person også) kan
ikke udstå/fordrage; **will//will not**
~ (påvirkning) kan//kan ikke tåle/
holde til (fx will the tent ~ this
storm? your clothes will not ~ the
rain); **will not** ~ (handling) vil
ikke finde sig i (fx I won't ~ his
conduct);
[med præp.& adv.] ~ **again** stille
sig til genvalg; stille op igen;
~ **apart** stå udenfor; holde sig til-
bage; forholde sig reserveret; ~
apart from holde sig på afstand
af;
~ **aside a.** gå/træde til side;
b. (fig.) se ovf.: ~ apart;
~ **back a.** træde (lidt) tilbage (fx
to look at the painting); træde et
skridt tilbage; **b.** (om hus) ligge
tilbagetrukket; **c.** (fig.) holde sig

tilbage, forholde sig afventende; ~ **by** a. (*uvirksom*) forholde sig passiv; se passivt til; **b.** (*parat*) holde sig parat/klar; være i beredskab; **c.** (*med objekt*) hjælpe, stå bi, ikke svigte (*fx a friend who will ~ by you*); **d.** (*løfte etc.*) stå 'ved (*fx what one has said*); holde (*fx a promise; one's word*); ~ *loyally by him* stå trofast ved hans side;
~ **down** a. (*fra embede*) trække sig tilbage, træde tilbage; **b.** (*ved valg*) trække sig; **c.** (*jur.*) forlade vidneskranken; **d.** (*mil.*) afblæse beredskab; **e.** (*med objekt*) give fri; **f.** (*austr.: en ansat*) suspendere;
~ **for** a. (*om person*) støtte, holde på, gå ind for (*fx free trade*); **b.** (*om bogstaver*) stå for, være en forkortelse for (*fx BA -s for Bachelor of Arts*); **c.** (*om idé etc.*) betyde, symbolisere, repræsentere (*fx Nazism and all that it -s for*); **d.** (*ved valg*) stille sig som kandidat til; søge valg til (*fx ~ for Parliament*); *I won't ~ for* jeg vil ikke finde mig i/tillade/tolerere;
~ **in** a. være stedfortræder (*for* for); **b.** (*mar.*) holde indefter; ~ *in* **towards** (*mar.*) holde ind mod;
~ **off** a. (*person*) holde på afstand; holde hen; **b.** (*angreb*) holde stangen; holde fra livet; **c.** (*ansat*) afskedige midlertidigt; **d.** (*uden objekt*) holde sig på afstand; **e.** (*mar.*) holde sig på afstand af kysten;
~ **on** se *ceremony, dignity, foot[1], head[1]*; ~ *on the same course* (*mar.*) holde samme kurs; *I don't know how/where he -s on the issue* jeg ved ikke hvilken holdning han har til spørgsmålet;
~ **out** a. stikke ud/frem; **b.** (*tydeligt*) springe frem, være iøjnefaldende, ses tydeligt (*fx spelling mistakes will ~ out*); (se også *mile*); **c.** (*kvalitetsmæssigt*) skille sig ud (*fx two books ~ out among those recently published*); udmærke sig; ~ *out against* a. ses tydeligt på baggrund af; **b.** holde stand mod; trodse; ~ *out for* forsvare, stå fast på, holde på (*fx one's rights*); ~ *out from* skille sig ud fra (*fx the crowd*);
~ **over** a. stå hen; vente; **b.** (*med objekt: person*) overvåge;
~ **to** a. stå ved (*fx one's word*); **b.** (*mil.*) holde sig i beredskab; ~ *to lose//win* stå til at/have udsigt til at tabe//vinde; (se også *reason[1]*); ~ **up** a. rejse sig op; **b.** (*om påstand, bevis*) kunne holde; holde

stik; kunne stå for en nærmere prøvelse; **c.** (*med objekt*) stille op; rejse; (se også *count[2]*); ~ *sby up* T brænde en af; ~ *up for* gå i brechen for, forsvare; *the clothes I ~ up in* det tøj jeg går og står i; ~ *up* **to** a. (*person*) tage kampen op med; gøre front mod; trodse; **b.** (*påvirkning*) kunne tåle/klare/modstå; kunne stå for (*fx criticism*);
I don't know where I ~ with him jeg ved ikke hvad hans holdning til mig er; ~ *high//ill with* være vel//ilde anskrevet hos.

stand-alone ['stændəløun] *adj.* fritstående, enkeltstående; selvstændig, uafhængig.

stand-alone program *sb.* (*it*) enkeltstående/autonomt program.

standard[1] ['stændəd] *sb.* **1.** (*om kvalitet*) standard, niveau (*fx it is not of an acceptable ~*); **2.** (*som noget vurderes efter*) standard, norm, målestok; **3.** (*flag*) banner; (*især mil.*) fane; (*rytter- etc.*) standart; **4.** (*i gartneri*) højstammet træ; **5.** (*mus.*) evergreen; **6.** (*økon.*) møntfod; **7.** (*sydafr.: i skole*) klasse;
□ *-s* a. standard, niveau (*fx raise// lower the -s in schools*); **b.** normer; principper (*fx he has always had high moral -s*); (se også *double standards*); *below/not up to~* under niveau; ikke god nok; *by Danish -s* efter dansk målestok; efter danske normer; *by any -s* efter enhver betragtning; *by today's -s* efter nutidens målestok;
[*med: of*] *-s* **of** *behaviour* adfærdsnormer; ~ *of comparison* sammenligningsgrundlag; ~ *of health* (*et lands*) sundhedstilstand; ~ *of living* levefod, levestandard; ~ *of reference* sammenligningsgrundlag; norm.

standard[2] ['stændəd] *adj.* standard- (*fx equipment; practice; size*); normal-.

standard-bearer ['stændədbɛərə] *sb.* bannerfører.

standard English *sb.* engelsk standardsprog; normalengelsk; engelsk rigssprog.

standard gauge *sb.* (*jernb.*) normalsporvidde.

standardization [stændədai'zeiʃn] *sb.* standardisering.

standardize ['stændədaiz] *vb.* standardisere.

standard lamp *sb.* standerlampe.

standard of ... *sb.* se *standard[1]*.

standard rose *sb.* højstammet rose.

standard time *sb.* lokaltid; zonetid.

standby[1] ['stændbai] *sb.* hjælpe-

middel; reserve;
□ *be on ~* a. være i beredskab; være i venteposition; **b.** (*om læge*) have tilkaldevagt.

standby[2] ['stændbai] *adj.* reserve- (*fx engine*); indsatsklar (*fx personnel*).

standby ticket *sb.* chancebillet.

standee [stæn'di:] *sb.* (*især am.*) en der har ståplads; stående passager.

stand-in ['stændin] *sb.* **1.** stedfortræder; **2.** (*film.*) stand-in.

standing[1] ['stændiŋ] *sb.* **1.** status (*fx social ~*); rang; anseelse (*fx men of high ~*); **2.** stilling; position; **3.** (*i meningsmåling*) popularitet;
□ *a member of ten years' ~* en der har været medlem i ti år; *a quarrel of long ~* en gammel strid.

standing[2] ['stændiŋ] *adj.* **1.** stående, fast (*fx invitation; rule*); stadig (*fx menace*); **2.** (*om vand*) stillestående; **3.** (*om afgrøde, tømmer*) på roden.

standing committee *sb.* stående udvalg.

standing joke *sb.* stående vittighed.

standing jump *sb.* spring uden tilløb.

standing order *sb.* stående/fast ordre.

standing orders *sb. pl.* **1.** (*parl. etc.*) forretningsorden; **2.** (*mil.*) reglement.

standing ovation *sb.* stående bifald;
□ *he received a ~* (*også*) forsamlingen hyldede ham stående.

standing room *sb.* ståplads//ståpladser.

standoff ['stændɔf] *sb.* fastlåst stilling; dødvande;
□ *end in a ~* (*fig.*) køre fast; gå i hårdknude.

stand-offish [stænd'ɔfiʃ] *adj.* køligt afvisende, utilnærmelig; reserveret, forbeholden.

stand-out ['stændaut] *sb.* (*am.*) den//det mest fremragende.

standpat ['stæn(d)pæt] *adj.* (*am.*) reaktionær; konservativ; (jf. *pat[4]*: *stand pat*).

standpipe ['stæn(d)paip] *sb.* standrør; brandhane.

standpoint ['stæn(d)pɔint] *sb.* standpunkt; synspunkt.

St Andrew [*Skotlands skytshelgen*].

standstill ['stæn(d)stil] *sb.*: *be at a ~* holde//ligge//stå stille; stå i stampe; *bring to a ~* standse, sætte i stå; *come to a ~* standse, gå i stå.

stand-to ['stæn(d)tu:] *sb.* (*mil.*) kampberedskab.

stand-up ['stændʌp] *adj.* **1.** hvor man 'står op (*fx party*); stående (*fx supper, bar*); **2.** (*om uenighed*) regulær, voldsom (*fx argument; fight*); **3.** (*om underholdning*) stand-up; **4.** (*mods.: som ligger ned*) opstående (*fx collar*).

stand-up comedian *sb.* stand-up komiker [*der alene på scenen underholder med vittigheder*].

stank [stæŋk] *præt. af stink²*.

Stanley knife® ['stænlinaif] *sb.* hobbykniv [*med meget skarpt trekantet blad der skubbes ud af skaftet*].

stannic ['stænik] *adj.* tin-; (*kem.*) stanni-.

stannous ['stænəs] *adj.* tin-; (*kem.*) stanno-.

stanza ['stænzə] *sb.* vers, strofe.

staple¹ ['steipl] *sb.* **1.** (*til papir*) hæfteklamme; **2.** (*til træ*) krampe; **3.** (*merk.*) stabelvare, basisvare; hovedartikel; **4.** (*fig.*) fast bestanddel; væsentligt element; hovedbestanddel;
□ *-s* (*jf. 3, også*) daglige fornødenheder.

staple² ['steipl] *adj.* stabel-; vigtigst; fast;
□ *the ~ topic of conversation* det stående samtaleemne.

staple³ ['steipl] *vb.* (*om papir*) hæfte sammen.

staple diet *sb.* hovednæringsmiddel.

stapler ['steiplə] *sb.* hæftemaskine.

star¹ [sta:] *sb.* **1.** (*astr., figur, person etc.*) stjerne; **2.** (*på hest*) blis;
□ *thank one's lucky -s that* takke forsynet/skæbnen for at.

star² [sta:] *vb.* (*film, teat.*) **1.** (*om skuespiller*) spille en hovedrolle (*in* i); **2.** (*om film, stykke*) have i en hovedrolle (*fx a film -ring Hugh Grant*).

starboard¹ ['sta:bəd] *sb.* **1.** styrbord; **2.** (*i sms.*) styrbords- (*fx light; side*).

starboard² ['sta:bəd] *vb.:* ~ *the helm* lægge roret styrbord.

starch¹ [sta:tʃ] *sb.* **1.** stivelse; **2.** (*fig.*) stivhed; **3.** (*am. fig.*) kraft, energi.

starch² [sta:tʃ] *vb.* (*tøj*) stive.

Star Chamber *sb.* (*hist.*) [*en hemmelig domstol*].

starchy ['sta:tʃi] *adj.* **1.** (*om mad*) stivelsesholdig; **2.** (*om tøj*) stivet; **3.** (*fig.*) stiv; stramtandet.

star-crossed ['sta:krɔst] *adj.* (*om elskende par*) ulykkelig; som er ramt af en ulykkelig skæbne.

stardom ['sta:dəm] *sb.* stjernestatus.

stare¹ [stɛə] *sb.* blik; stirren.

stare² [stɛə] *vb.* stirre (*at* på); (*neds.*) glo;
□ *make people* ~ få folk til at gøre store øjne; ~ *sby in the face* nidstirre en; *it -s you in the face* (*fig.*) man kan ikke undgå at se det; det ligger snublende nær; *starvation -d them in the face* de stod ansigt til ansigt med sultedøden.

starfish ['sta:fiʃ] *sb.* (*zo.*) søstjerne.

stargazer ['sta:geizə] *sb.* **1.** (T, spøg.) stjernekigger; **2.** (*fig.*) fantast, drømmer.

stargazing ['sta:geiziŋ] *sb.* **1.** stjernekiggeri; **2.** (*fig.*) fantasteri, drømmeri.

stark [sta:k] *adj.* **1.** (*mht. bevoksning, udsmykning*) nøgen, bar (*fx landscape; room*); **2.** (*mht. virkning*) skarp (*fx contrast; reminder*); barsk, kras (*fx realism*); **3.** (*forstærkende*) ren og skær (*fx brutality; terror*); utilsløret;
□ ~ *lunacy* det rene vanvid.

starkers ['sta:kəz] *adj.* T splitternøgen.

star key *sb.* (*på tastatur*) stjernetast.

stark naked *adj.* splitternøgen.

stark raving mad, stark staring mad, *ab.* splitterravende skør/gal.

starless ['sta:ləs] *adj.* uden stjerner.

starlet ['sta:lət] *sb.* T ung//kommende (films)stjerne.

starlight¹ ['sta:lait] *sb.* stjerneskin; stjerneskær.

starlight² ['sta:lait] *adj.* stjerneklar.

starlike ['sta:laik] *adj.* stjernelignende; lysende som en stjerne.

starling ['sta:liŋ] *sb.* (*zo.*) stær.

starlit ['sta:lit] *adj.* stjerneklar (*fx night*).

star of Bethlehem *sb.* (*bot.*) fuglemælk.

starred [sta:d] *adj.* mærket med en stjerne.

starry ['sta:ri] *adj.* **1.** stjerneklar (*fx night*); **2.** lysende som en stjerne.

starry-eyed [sta:ri'aid] *adj.* blåøjet, naiv (*fx idealist*).

Stars and Stripes *sb.* [*USA's nationalflag*].

star shell *sb.* lysbombe, lyskugle.

star-spangled ['sta:spæŋgld] *adj.* stjernebesat;
□ *the ~ banner* stjernebanneret [*USA's nationalflag*].

start¹ [sta:t] *sb.* **1.** begyndelse (*of af//på//til, fx the ~ of the film; the ~ of something new*); start; **2.** (*om fordel, i væddeløb*) forspring (*fx give them a 50-metre ~*); **3.** (*af forskrækkelse*) sæt, ryk (*fx he woke up with a ~*); T spjæt;
□ *the ~* (*ved væddeløb*) startstedet;
[*med vb.*] *get the ~ of sby* få et forspring for en; komme en i forkøbet; *give sby a ~* **a.** (*jf. 2*) give en et forspring; **b.** (*jf. 3*) få en til at fare sammen; *he gave a ~* det gav et sæt/ryk/gib i ham; han for sammen; *give sby a ~ in life* hjælpe en i vej; *have a ~ on* have et forspring for; *make a good// bad ~* se ndf.: *get off to...; make an early ~* begynde/starte tidligt;
make a ~ on tage fat på;
[*med præp.*] *after several -s* efter flere forsøg; *at the ~* **a.** (*jf. 2*) i begyndelsen; i/ved starten; *for a ~* til en begyndelse, til at begynde med;
from the ~ fra begyndelsen/starten; *from ~ to finish* fra først til sidst; *get off to a good//bad ~* komme godt//dårligt fra start; begynde godt//dårligt.

start² [sta:t] *vb.* **A.** (*uden objekt*) **1.** begynde; gå i gang; starte; **2.** (*om køretøj*) sætte sig i gang, starte (*fx the train -ed*); **3.** (*på tur*) tage af sted; begive sig på vej (*for* til); **4.** (*ved forskrækkelse*) fare sammen//op//til side; fare (*fx back; forward*); **5.** (*tekn.: om maskindel etc.*) komme ud af stilling; forrykke sig; (*om søm*) løsne sig, gå løs;
B. (*med objekt*) **1.** begynde (*fx he -ed life in a slum*); begynde på (*fx a new job*); gå i gang med (*fx 2.* (*bil, motor etc.*) starte (*fx a car*); sætte i gang (*fx the engine*); **3.** (*væddeløb*) give startsignal til (*fx a race*); **4.** (*fig.*) foranledige; give stødet til; komme frem med (*fx an idea*); **5.** (*ved jagt: vildt*) jage op; **6.** (*tekn.: maskindel etc.*) bringe ud af stilling; forrykke; (*søm*) løsne;
□ *he -ed* (*jf. B4 også*) det gav et sæt/gib/spjæt i ham; ~ + *-ing* **a.** begynde at (*fx ~ talking*); gå i gang med at (*fx ~ reading*); **b.** (*med objekt*) få til at (*fx it -ed me coughing*); *get -ed* komme i gang; ~ *something* T lave rav i den;
[*med præp. & adv.*] ~ *afresh/ again* begynde forfra;
~ *back* **a.** fare (forskrækket//forfærdet) tilbage (*fx he -ed back as the car exploded*); **b.** begynde at gå//køre//tage tilbage (*fx it is time we -ed back*);
~ *by + -ing* begynde/starte med at (*fx he -ed by calling their names*); indlede med at;
~ *for* **a.** se ovf.: *A 3*; **b.** (begynde at) gå hen imod (*fx he -ed for the*

door);

the bus *-s from* the square bussen udgår fra torvet; *his eyes seemed to ~ from their sockets* se ndf.: *~ out of;*

~ in T tage fat; gå i gang; *~ sby in business* hjælpe en i gang/i vej; *~ off* a. begynde, indlede, lægge ud; b. (*med objekt: person*) sætte i gang (on med, *fx ~ the class off on German*); *~ sby off + -ing* sætte en i gang med at; *~ sby off in business* hjælpe en i gang/i vej; *~ on* begynde på, tage fat på; *~ on one's own* begynde for sig selv; *~ on about* begynde at brokke sig over; *~ on at* falde 'over, begynde at skælde ud på;

~ out a. tage af sted; b. gå i gang; c. begynde (sin løbebane); *his eyes were -ing out of his head* øjnene var ved at trille ud af hovedet på ham; *~ out to* sætte sig for at;

~ over (*am.*) begynde forfra; *~ up* a. se: *A 1,2;* b. (*jf. A 4*) fare op; c. (*med objekt*) sætte i gang; starte (*fx an engine*);

to ~ with a. til at begynde med; b. fra først af; c. for det første.

starter ['sta:tə] *vb.* 1. (*der starter hestevæddeløb*) starter; 2. (*der er med i væddeløb*) deltager; (*om hest*) deltagende hest (*fx there were ten -s*); 3. (*i bil*) startmotor, selvstarter; 4. (*del af måltid*) forret;

□ *be a slow ~* være langsom til at komme i gang; *for -s* T a. til en begyndelse; som indledning; b. (*i opremsning*) for det første.

starter motor *sb.* startmotor.

starting block *sb.* 1. (*ved løbskonkurrence*) startblok; 2. (*ved svømmekonkurrence*) startskammel.

starting gate *sb.* (*ved hestevæddeløb*) startmaskine.

starting point *sb.* (*også fig.*) udgangspunkt.

startle ['sta:tl] *vb.* 1. overraske, forskrække, forbløffe; 2. (*fugle*) jage op.

startled ['sta:tld] *adj.* overrasket, forskrækket, forbløffet (*to* over at).

start page *sb.* (*på internettet*) startside.

start-up[1] ['sta:tʌp] *adj.* 1. start-, påbegyndelse; 2. (*om virksomhed*) nystartet/nyetableret virksomhed; 3. (*af computer*) opstart.

start-up[2] ['sta:tʌp] *adj.* 1. (*om udgifter*) start-, etablerings- (*fx costs*); 2. (*om virksomhed*) nyetableret.

star turn *sb.* bravurnummer; glansnummer.

starvation [sta:'veiʃn] *sb.* sult; sultedød.

starvation diet *sb.* sultekost.

starve [sta:v] *vb.* (se *starved*) 1. sulte; lide nød; (*dø*) sulte ihjel; 2. (*med objekt*) lade sulte; udsulte; udhungre;

□ *I'm starving* T jeg er skrupsulten; jeg er ved at dø af sult.

starved *adj.* 1. forsulten; 2. (*fig.*) udsultet;

□ *be ~ of* være underforsynet med (*fx funds*).

stash[1] [stæʃ] *sb.* T (hemmeligt) lager; skjult forråd.

stash[2] [stæʃ] *vb.* T gemme væk; skjule;

□ *~ away* = *~*.

stasis ['steisis, (*am.* også) 'stæ-] *sb.* F stilstand, stagnation.

stat fork. f. *statistic.*

state[1] [steit] *sb.* 1. tilstand; 2. (*pol.*) stat; 3. (*am.*) delstat;

□ *the State* staten; det offentlige; statsmagten; *the States* De forenede Stater;

[*med præp.*] *in ~* med behørigt ceremoniel; med stor pragtudfoldelse (*fx the King travelled//was buried in ~*); *lie in ~* ligge på lit de parade; *receive him in ~* give ham en højtidelig/festlig modtagelse; *in a terrible ~* a. i en frygtelig forfatning; b. T ude af sig selv; *in an unfinished ~* i ufærdig stand; *get into a ~* T blive ophidset//nervøs;

[+ *of*] *the ~ of affairs* tingenes tilstand; forholdene; *that was the ~ of affairs* (T: også) sådan stod det til; *the ~ of the art* den nyeste udvikling; hvor langt man er nået; *~ of emergency* undtagelsestilstand; *~ of grace* (*rel.*) nådestand; *~ of mind* sindstilstand; *~ of nature* naturtilstand; *in a ~ nature* (også) splitternøgen; *the ~ of play* a. (*i kricketkamp*) hvad det står; (mål-, points)scoren; b. (*fig.*) hvor langt man er kommet; *~ of readiness* (*mil.*) beredskabsgrad; *~ of siege* belejringstilstand; *~ of war* krigstilstand.

state[2] [steit] *adj.* 1. stats- (*fx control*); offentlig; 2. stats- (*fx visit*); officiel (*fx occasion*); 3. galla- (*fx dress*).

state[3] [steit] *vb.* (se også *stated*) 1. meddele; oplyse, opgive, angive (*fx one's reasons; one's terms*); fremføre (*fx one's errand*); fremsætte (*fx one's opinion*); 2. (+ *sætning el. citat*) erklære, udtale (*fx the Minister -d that ...*); (*ved afhøring*) forklare (*fx the witness -d that ...*); 3. (*om længere forkla-*

ring) fremstille (*fx the facts of the case*); gøre rede for (*fx the problem; a hypothesis*);

□ *I am merely stating a fact* jeg fastslår/konstaterer bare en kendsgerning.

statecraft ['steitkra:ft] *sb.* statsmandskunst.

stated ['steitid] *adj.* angiven; fastsat; bestemt (*fx at a ~ time*).

State Department *sb.* (*am.*) udenrigsministeriet.

statehood ['steithud] *sb.* status som selvstændig stat.

statehouse ['steithaus] *sb.* (*am.*) regeringsbygning.

stateless ['steitləs] *adj.* statsløs.

stately ['steitli] *adj.* statelig; anselig; prægtig.

stately home *sb.* fornemt hus, herregård [*især: som turistattraktion*].

statement ['steitmənt] *sb.* (jf. *state*[3]) 1. meddelelse; opgivelse; angivelse; 2. erklæring; udtalelse; udsagn; (*ved afhøring*) forklaring; vidneforklaring; 3. fremstilling; redegørelse; 4. (*fig.: kunstnerisk el. som demonstration*) udsagn; erklæring; 5. (*merk.*) se ndf.: *~ of account*; 6. (*mus.*) (fremførelse af et) tema;

□ *~ of account* kontoudskrift, kontoudtog; kontoopgørelse; *~ of accounts* regnskabsopgørelse; [*med vb.*] *make a ~* a. fremkomme med en erklæring; fremsætte en udtalelse; b. (*ved afhøring*) afgive forklaring; c. (jf. *4*) fremsætte et udsagn/en erklæring; foretage en markering; *take a ~* (*om politiet*) optage forklaring/ rapport; *take -s from* (*om politiet*) afhøre.

state of ... *sb.* se *state*[1].

state-of-the-art [steitəvði'a:t] *adj.* nyeste nye; mest avanceret; hypermoderne.

State Registered Nurse *sb.* autoriseret sygeplejerske.

stateroom ['steitrum] *sb.* 1. (*på slot, i offentlig bygning*) repræsentationslokale; 2. (*glds. mar.*) privat kahyt, salon; 3. (*am.: jernb.*) privat kupé, salon.

state school *sb.* (*eng., svarer til*) kommuneskole.

stateside[1] ['steitsaid] *adj.* (*især am.* T) amerikansk, fra USA.

stateside[2] ['steitsaid] *adv.* (*især am.* T) i//til Amerika [ɔ: *USA*].

statesman ['steitsmən] *sb.* (*pl.* -men [-mən]) statsmand.

statesmanlike ['steitsmənlaik] *adj.* passende for en statsmand; en statsmand værdig.

statesmanship ['steitsmənʃip] *sb.*

statsmandskunst.

statewide ['steitwaid] *adj.* (*am.*: *om enkeltstat*) som omfatter hele staten; stats-.

static[1] ['stætik] *sb.* **1.** (*elek.*) statisk elektricitet; **2.** (*i radio, telefon etc.*) knitren; (*i radio, tv. også*) atmosfæriske forstyrrelser; **3.** (*am.* S) voldsom kritik//modstand; ballade.

static[2] ['stætik] *adj.* statisk; stillestående.

statics ['stætiks] *sb.* statik, ligevægtslære.

station[1] ['steiʃn] *sb.* **1.** (*radio., tv, radar, flåde- etc.*) station; **2.** (*jernb.*) station, banegård; **3.** (*for bus*) busstation; rutebilstation; **4.** (*persons*) plads; stilling; (*mar., mil. etc.*) post; **5.** (*austr.*) fårefarm;
□ *marry above one's* ~ (*glds.*) gifte sig over sin stand.

station[2] ['steiʃn] *vb.* udstationere; postere;
□ ~ *oneself* stille sig, placere sig.

stationary ['steiʃn(ə)ri] *adj.* **1.** stillestående; stationær; fast; **2.** (*om maskine etc.*) faststående; stationær; **3.** (*om køretøj*) holdende (*fx fx car*).

stationer ['steiʃnə] *sb.* papirhandler; forhandler af kontorartikler.

stationery ['steiʃn(ə)ri] *sb.* brevpapir (og konvolutter); (*merk. også*) papirvarer; kontorartikler.

Stationery Office *sb.*: Her//His Majesty's ~ (*kontor der udgiver officielle publikationer og leverer kontormateriel etc. til statskontorer*]; (*svarer delvis til*) statens trykningskontor.

stationmaster ['steiʃnma:stə] *sb.* stationsforstander.

station wagon *sb.* stationcar.

statism ['steitizm] *sb.* [*koncentration af al magt hos staten*].

statistic [stə'tistik] *sb.* tal i en statistik.

statistical [stə'tistik(ə)l] *adj.* statistisk.

statistician [stæti'stiʃn] *sb.* statistiker.

statistics [stə'tistiks] *sb.* statistik.

stats *fork. f.* statistics.

statuary ['stætʃuəri] *sb.* F skulpturer; statuer.

statue ['stætʃu:] *sb.* statue.

statuesque [stætʃu'esk, -tʃu-] *adj.* statelig; statuarisk.

statuette [stætʃu'et, -tʃu-] *sb.* statuette.

stature ['stætʃə] *sb.* **1.** (*legemlig*) statur; vækst (*fx tall of* ~); højde; **2.** (*fig.*) format; betydning; anseelse.

status ['steitəs, (*am. også*) 'stætəs] *sb.* stilling; position; status.

status bar *sb.* (*it*) statuslibje.

status symbol *sb.* statussymbol.

statute ['stætju:t, -tʃu:t] *sb.* vedtægt; statut; (se også *limitation*).

statute-barred ['stætju:tba:d] *adj.* (*jur.*) forældet (*fx the claim is* ~).

statute book *sb.* lovbog; lovsamling;
□ *the Bill was put on/reached the* ~ forslaget blev ophøjet til lov.

statute law *sb.* retsregler vedtaget ved lov [*mods. common law, case law*].

statutory ['stætjət(ə)ri, -tʃə-] *adj.* **1.** lovfæstet; lovbestemt, lovbefalet, lovpligtig; **2.** lovformelig.

statutory declaration *sb.* (*jur.*) bediget erklæring.

statutory instrument *sb.* (*jur.*; *omtr.=*) anordning, bekendtgørelse [*som en lov bemyndiger en minister til at udstede*].

statutory rape *sb.* (*am. jur.*) [*seksuel omgang med mindreårig*].

staunch[1] [stɔ:n(t)ʃ, (*am. også*) sta:n(t)ʃ] *adj.* **1.** (*om person*) pålidelig, solid (*fx Conservative*); standhaftig; trofast (*fx friend*); **2.** (*om holdning*) fast, urokkelig (*fx opposition; refusal*).

staunch[2] [stɔ:n(t)ʃ, (*am. også*) sta:n(t)ʃ] *vb.* F **1.** (*blødning*) standse; **2.** (*vand*) dæmme op for;
□ ~ *a wound* standse blødningen fra et sår.

stave[1] [steiv] *sb.* **1.** stav; stok; stang; **2.** (*til tønde*) stave; **3.** (*mus.*) nodesystem; **4.** (*i digt*) strofe.

stave[2] [steiv] *vb.*: ~ *in* slå ind (*fx a door*); ~ *off* (*noget ubehageligt*) afværge (*fx an attack*); holde på afstand, holde fra livet (*fx a crisis*); udskyde (*fx a decision*).

stay[1] [stei] *sb.* **1.** ophold (*fx make a long* ~); **2.** (*i korset, flip*) stiver; (se også *stays*); **3.** (*jur.*) opsættelse, udsættelse; **4.** (*mar.*) stag; bardun;
□ *miss -s* (*jf.* 4) nægte at vende; ~ *of execution* (*jf.* 3) udsættelse af fuldbyrdelse af dom.

stay[2] [stei] *vb.* **1.** (*på samme sted*) blive (*fx in bed; at home*); **2.** (*midlertidigt, fx som gæst*) bo (*fx at a hotel*); opholde sig (*fx in New York for two months*); **3.** (*i en tilstand*) forblive, blive ved at være (*fx calm; the same*); holde sig (*fx calm; in power*); **4.** (*med objekt: litt.*) standse, holde tilbage; **5.** (*jur.*) opsættte, udsætte; **6.** (*mar.*) støtte, stive af;
□ ~ *the night* blive natten over; ~ *put* blive hvor man er; blive sid-

dende//liggende//stående; (se også *course*[1], *hand*[1]);
[*med præp., adv.*] ~ *ahead of* holde sig foran (*fx one's competitors*); ~ *away* **a.** blive væk, holde sig væk; **b.** (*til selskab, møde*) udeblive, ikke komme; ~ *away from* **a.** holde sig væk fra (*fx the beaches*); **b.** holde sig fra (*fx alcohol; him*); *the only thing that will* ~ *down* (*om mad*) det eneste jeg// han etc. kan holde i sig; ~ *for* (*måltid*) blive til (*fx dinner*); ~ *in* **a.** blive inde; holde sig inden døre; **b.** (*i skole*) sidde efter; **c.** (*i kricket*) bevare gærdet; ~ *off* **a.** 'blive væk; **b.** (*med objekt*) holde sig fra (*fx whisky*); ~ *on* **a.** blive; fortsætte (*fx at school*); **b.** (*om lys*) (blive ved at) brænde; ~ *out* **a.** blive ude; ikke komme hjem; **b.** (*om arbejdere*) fortsætte strejken; ~ *out of* holde sig uden for (*fx reach; earshot; danger*); ~ *to* = ~ *for*; ~ *up* blive oppe; ~ *with* **a.** blive hos; **b.** bo hos.

stay-at-[1]**home** ['steiəthəum] *sb.* hjemmemenneske; hjemmefødning.

stay-at-[2]**home** ['steiəthəum] *adj.* hjemmegående.

stayer ['steiə] *sb.*: *be a* ~ være udholdende.

staying power *sb.* **1.** (*om person*) udholdenhed; **2.** (*om ting, idé*) holdbarhed.

stays [steiz] *sb. pl.* korset.

staysail ['steiseil, (*mar.*) -s(ə)l] *sb.* stagsejl.

STD *fork. f.* **1.** (*med.*) *sexually transmitted disease* seksuelt overført sygdom; **2.** (*tlf.*) *subscriber trunk dialling* selvvalg af udenbyssamtaler.

stead [sted] *sb.*: *in his* ~ i hans sted; *stand in good* ~ være til god hjælp; komme til god nytte.

steadfast ['stedfa:st, -fəst] *adj.* fast, standhaftig; urokkelig (*fx faith; resolution*).

steady[1] ['stedi] *sb.* T kæreste.

steady[2] ['stedi] *adj.* **1.** (*om proces: mods. svingende*) støt, konstant (*fx progress; improvement; growth*); stadig (*fx decline*); jævn (*fx speed*); **2.** (*mods. vaklende, usikker*) fast (*fx foundation; gaze; job; relationship; voice*); stabil (*fx prices*); rolig (*fx hand; gaze; voice*); **3.** (*om person*) stabil (*fx a* ~ *young man*); pålidelig; besindig;
□ *a* ~ *flow/stream* en jævn/lind/ stadig/uafbrudt strøm; *go* ~ (*glds.* T: *om par*) komme fast sammen; *go* ~ *on* spare på (*fx the whisky;*

S steady

the sugar); holde igen på; **hold** ~
a. holde sig stabil; holde sig i ro
(fx prices have held ~); **b.** (med
objekt) holde i ro (fx the camera);
stabilisere (fx the boat); ~ **on!** ro-
lig! ~ on one's legs sikker på be-
nene.
steady[3] ['stedi] vb. **1.** stabilisere (fx
a ladder); holde rolig (fx one's
voice); **2.** (uden objekt) blive rolig;
falde til ro; blive stabil (fx prices
steadied);
□ ~ oneself fatte sig, samle sig
sammen; it steadies your nerves
det beroliger nerverne.
steak [steik] sb. **1.** bøf; **2.** oksesmå-
kød, bøfkød (fx ~ and kidney
pie); **3.** hakket oksekød; **4.** (af
fisk) kotelet, bøf (fx salmon ~).
steak au poivre [steikəu'pwa:vr]
sb. peberbøf.
steal[1] [sti:l] sb.: a ~ (om billig
vare) et kup, et fund; it is a ~
(også) det er røverkøb.
steal[2] [sti:l] vb. (stole, stolen)
1. stjæle; **2.** (om bevægelse) liste;
snige sig;
□ ~ away liste sig//snige sig bort;
~ over (om følelse etc.) snige sig
ind over, gradvis gribe; ~ up on
a. liste/snige sig ind på; **b.** = ~
over; (se også glance[1], march[1],
scene, show[1], thunder[1]).
stealth [stelθ] sb. **1.** list (fx use ~);
2. (om bevægelse) listen, snigen;
□ by ~ hemmeligt, i smug; i al
stilhed.
stealthy ['stelθi] adj. listende (fx
footsteps); snigende; fordækt (fx
manner).
steam[1] [sti:m] sb. **1.** damp; em;
2. (på rude etc.) dug (fx windows
covered with ~);
□ full ~ ahead fuld kraft frem; un-
der her//his etc. own ~ for egen
kraft;
[med vb.+ adv.] **blow/let off** ~
a. slippe dampen ud; **b.** (T: fig.) få
afløb for sine følelser, afreagere;
give sine følelser luft; **get up** ~
a. (om skib) få dampen op; **b.** (fig.
om person) samle kræfter, samle
sig sammen; **pick up** ~ (fig.) få
fart på; **run out of** ~ (T: fig.) miste
pusten.
steam[2] [sti:m] vb. **1.** dampe; emme;
2. (mad) dampe, dampkoge; **3.** T
rase; **4.** (S: om ungdomsbande)
begå masserøveri;
□ ~ **off** dampe af; ~ the letter
open dampe brevet op; the win-
dows were -ed **over** vinduerne var
duggede; ~ **up** dugge til; (se også
steamed up).
steamboat ['sti:mbəut] sb. damp-
skib, damper.

steamed [sti:md] adj. T se steamed
up 2.
steamed up ['sti:mdʌp] adj. **1.** til-
dugget; **2.** T ophidset, rasende, gal
i hovedet.
steam engine sb. dampmaskine.
steamer ['sti:mə] sb. **1.** dampskib,
damper; **2.** (til madlavning)
dampkoger.
steamer chair sb. (am.) = deck-
chair.
steam iron sb. dampstrygejern.
steam radio sb. T dampradio.
steamroller[1] ['sti:mrəulə] sb.
damptromle.
steamroller[2] ['sti:mrəulə] vb. (T:
fig.) tromle ned (fx all opposi-
tion);
□ ~ sby into + -ing tvinge en til at;
~ through tromle/tvinge igennem
(fx a plan).
steamship ['sti:mʃip] sb. dampskib.
steam shovel sb. (am.) = excavator
1.
steam table sb. (am.) varmebord.
steamy ['sti:mi] adj. **1.** dampende;
dampfyldt; beklumret; **2.** (om
vejr) lummer; **3.** (om glas) dugget;
4. T stærkt erotisk, hed, svedig;
ophidsende.
steed [sti:d] sb. (poet.) ganger.
steel[1] [sti:l] sb. **1.** stål; **2.** (til at
slibe med) hvæssestål.
steel[2] [sti:l] vb.: ~ oneself mande
sig op, samle mod (to til at).
steel band sb. steelband [orkester
der benytter afstemte olietønder
som instrumenter].
steel engraving sb. stålstik.
steelhead ['sti:lhed] sb. (zo.) regn-
bueørred.
steel wool sb. ståluld.
steely ['sti:li] adj. **1.** stål- (fx grey);
2. (fig.) jernhård.
steelyard ['sti:(:)lja:d] sb. bismer
[slags vægt].
steep[1] [sti:p] sb. **1.** (poet.) stejl
skrænt; **2.** (i væske) bad; udblød-
ning.
steep[2] [sti:p] adj. **1.** stejl (fx hill);
brat, kraftig (fx rise; fall); **2.** T
skrap (fx a ~ demand; it's a bit
~!); pebret (fx price).
steep[3] [sti:p] vb. (i væske) lægge i
blød (fx a towel); udbløde (fx
dried fruit); (om mad også) mari-
nere (fx in olive oil);
□ be -ed in (fig.) være gennem-
trængt/gennemsyret af; emme af
(fx history); the tea is -ing teen
står og trækker.
steepen ['sti:p(ə)n] vb. (jf. steep[1])
1. blive stejlere; **2.** blive skrap-
pere; **3.** (med objekt) gøre stejlere.
steeple ['sti:pl] sb. **1.** spir [på kirke-
tårn]; **2.** kirketårn [med spir].

steeplechase ['sti:pltʃeis] sb.
steeplechase; terrænridt, forhin-
dringsløb.
steeplejack ['sti:pldʒæk] sb. [ar-
bejder der går til vejrs på tårn el.
høj skorsten]; fluemenneske.
steer[1] [stiə] sb. **1.** ung stud; **2.** T
råd, vink.
steer[2] [stiə] vb. styre;
□ ~ clear of styre klar af, styre
uden om; undgå.
steerage ['stiəridʒ] sb. (glds. mar.)
tredje klasse; dæksplads.
steerage way sb. (mar.) styrefart.
steering ['stiəriŋ] sb. **1.** (i bil) styre-
tøj; **2.** (i båd) styregrej; **3.** (hand-
ling) styring.
steering column sb. ratsøjle, rat-
stamme.
steering committee sb. (omtr.) sty-
ringsgruppe; forretningsudvalg.
steering wheel sb. rat.
steersman ['stiəzmən] sb. (pl. -men
[-mən]) (mar.) rorgænger.
stein [stain] sb. ølkrus; lågkrus.
stellar ['stelə] adj. **1.** stjerne-;
2. (fig.) stjerne-; top-; fremra-
gende.
stem[1] [stem] sb. **1.** (af blomst, blad,
frugt) stilk; (af blomst også) stæn-
gel; **2.** (af glas) stilk; **3.** (af pibe)
spids; **4.** (gram.: af ord) stamme;
5. (mar.: af skib, båd) forstavn,
stævn; **6.** (mus.: af node) hals;
7. (i skiløb) plov, stem;
□ from ~ to stern (jf. 5) fra for til
agter.
stem[2] [stem] vb. **1.** dæmme op for
(fx the water in a river); standse
(fx the bleeding; the attack); **2.** (i
skiløb) plove, stemme; **3.** (mar.:
om båd, skib) vinde frem mod, ar-
bejde sig/sejle op mod (fx the cur-
rent); **4.** (frugt etc.) afstilke;
□ ~ from stamme fra; komme af.
stem cell sb. (biol.) stamcelle.
stem-winder ['stemwaində] sb. T
fremragende tale; brandtale.
stench [sten(t)ʃ] sb. stank.
stencil[1] ['stens(ə)l] sb. skabelon.
stencil[2] ['stens(ə)l] vb. lave efter//
ved hjælp af skabelon.
steno ['stenou] sb. (am. T) steno-
graf.
stenographer [stə'nɔgrəfər, ste-]
(am.) stenograf.
stent [stent] sb. (med.: i forsnævret
åre) stent.
stentorian [sten'tɔ:riən] adj. F kraf-
tig; kraftfuld;
□ ~ voice stentorrøst.
step[1] [step] sb. **1.** skridt (fx he
walked a few -s; only a ~ from
here); **2.** (i dans) trin; **3.** (lyd)
skridt, fodtrin (fx I heard -s);
4. (fig.) skridt (fx a ~ in the right

direction; *what is the next* ~*?*);
5. (*om måde at gå på*) gang (*fx a light//heavy* ~); (se også *quicken, spring¹*); **6.** (*til at træde på*) trin (*fx stone//wooden -s*); trappetrin; **7.** (*foran dør*) trappesten; **8.** (*mus.& fig.: på skala*) trin; **9.** (*mar.: til mast*) spor;
□ *-s* **a.** trappe; **b.** trappestige; (se også *flight*);
[*med vb.*] *break* ~ **a.** komme ud af trit; **b.** (begynde at) marchere uden trit; *change* ~ træde om, skifte trit; *mind the* ~ pas på trinet; *take a few -s* gå et par skridt; *take the first* ~ gøre/tage det første skridt; *take -s against* tage forholdsregler imod; *take -s to* gøre skridt til at; *watch one's* ~ gå forsigtigt til værks; være forsigtig, passe på; (se også *retrace*);
[*med præp.*] ~ *by* ~ skridt for skridt; trin for trin; gradvis; *in* ~ **a.** i takt, i trit (*with* med); **b.** (*fig.*) på god fod (*with* med); *keep in* ~ *with* **a.** holde trit med; **b.** (*fig.*) holde sig på god fod med; *follow/tread in sby's -s* træde i ens fodspor; *fall into* ~ *with* **a.** falde i trit med; **b.** (*fig.*) rette sig ind efter; *out of* ~ ude af takt/trit (*with* med); *out of* ~ *with* (*fig.*) ude af trit med; *with* *every* ~ for hvert skridt.
step² [step] *vb.* **1.** træde; gå; **2.** (*med objekt*) gå (*fx three paces*); **3.** (*dansetrin*) udføre; **4.** (*afstand*) skridte af (*fx the length of a room*);
□ ~ *high* løfte fødderne højt når man går; ~ *short* tage et for kort skridt; ~ *a mast* (*mar.*) sætte en mast i sporet;
[*med præp.& adv.*] ~ *aside* **a.** gå/træde til side; **b.** (*fig.*) træde tilbage;
~ *back* **a.** gå tilbage (*fx in time*). **b.** (*overrasket, forfærdet*) vige tilbage; **c.** (*fig.: for at overveje etc.*) træde lidt/et skridt tilbage;
~ *down* **a.** (*fra embede*) træde tilbage, trække sig tilbage; **b.** (*ved valg*) trække sig; **c.** (*med objekt*) gradvis formindske, nedtrappe (*fx the production*); **d.** (*elek.*) nedtransformere;
~ *forward* træde frem; melde sig; ~ *in* **a.** træde ind, gå//komme ind/indenfor; **b.** (*fig.*) skride ind, gribe ind, tage affære;
~ *inside* se: ~ *in* a;
~ *into* træde ind i; (se også *breach¹ shoe¹*);
~ *off* **a.** træde ud af//ned fra (*fx the train*); **b.** (*afstand*) skridte af (*fx five metres*); **c.** (*mil.*) begynde

at marchere;
~ *on* (*også fig.*) træde på (*fx broken glass; his feelings*); ~ *on it/the gas* **T** træde på speederen, gi' den gas; sætte farten op; (se også *toe¹*);
~ *out* **a.** gå udenfor lidt; **b.** (*glds.*) skridte ud; tage længere skridt; **c.** (*am.*) gå ud og more sig; ~ *out of line* se *line¹*; ~ *out on sby* være én utro;
~ *up* **a.** gå/træde op; træde frem; **b.** (*mht. omfang*) forøge (*fx production; one's efforts*); sætte i vejret, optrappe (*fx the dose*); **c.** (*mht. intensitet*) optrappe, intensivere (*fx the campaign; the conflict*); **d.** (*mht. fart*) fremskynde, sætte fart i (*fx the investigation*); **e.** (*elek.*) optransformere; ~ *up a mast* sætte en mast i sporet.
stepbrother ['stepbrʌðə] *sb.* stedbroder.
step change *sb.* radikal forandring.
stepchild ['steptʃaild] *sb.* stedbarn.
stepdaughter ['stepdɔ:tə] *sb.* steddatter.
stepfather ['stepfɑ:ðə] *sb.* stedfar.
step-ins ['stepinz] *sb. pl.* [*tøj//sko der er lige til at stikke i*].
stepladder ['steplædə] *sb.* trappestige.
stepmother ['stepmʌðə] *sb.* stedmor.
step-on can ['stepɔnkæn] *sb.* pedalspand.
stepparent ['steppɛərənt] *sb.* stedfar//stedmor; stedforælder.
steppe [step] *sb.* steppe.
stepping stone *sb.* **1.** (*i vandløb*) trædesten, vadesten; **2.** (*fig.*) springbræt (*to* til).
stepsister ['stepsistə] *sb.* stedsøster.
stepson ['stepsʌn] *sb.* stedsøn.
stereo ['steriəu, 'stiə-] *sb.* **1.** stereo; stereoanlæg; **2.** (*typ.*) stereotypi.
stereophonic [steriə(u)'fɔnik, stiə-] *adj.* stereofonisk.
stereoscope ['steriəskəup, 'stiə-] *sb.* stereoskop.
stereoscopic [steriə(u)'skɔpik, stiə-] *sb.* stereoskopisk.
stereotype¹ ['steriə(u)taip, 'stiə-] *sb.* **1.** stereotyp opfattelse/forestilling; stereotypt billede; kliché; **2.** (*typ.*) stereotypi.
stereotype² ['steriə(u)taip, 'stiə-] *vb.* **1.** give et stereotypt billede af; sætte i bås; **2.** (*typ.*) stereotypere.
stereotyped ['steriə(u)taipt, 'stiə-] *adj.* se *stereotypical*.
stereotypical [steriə(u)'tipik(ə)l, stiə-] *adj.* stereotyp; klichéagtig; stivnet.
sterile ['sterail, (*am.*) -r(ə)l] *adj.*

1. (*mht. bakterier*) steril; **2.** (*mht. afkom*) steril, gold, ufrugtbar; **3.** (*fig.*) ufrugtbar (*fx controversies*); uproduktiv; åndløs.
sterility [stə'riləti] *sb.* (*jf. sterile*) **1.** sterilitet; **2.** sterilitet, goldhed, ufrugtbarhed; **3.** ufrugtbarhed; åndløshed.
sterilize ['ster(ə)laiz] *vb.* sterilisere.
sterling¹ ['stə:liŋ] *sb.* (*valuta*) sterling.
sterling² ['stə:liŋ] *adj.* **1.** sterling- (*fx silver*); sterlingsølv- (*fx cutlery*); **2.** (F: *fig.*) fremragende (*fx qualities; work*); eminent;
□ *a man of* ~ *worth* et prægtigt menneske.
stern¹ [stə:n] *sb.* (*mar.*) hæk, agterende, bagstavn.
stern² [stə:n] *adj.* streng, hård, barsk.
stern light *sb.* (*mar.*) agterlys.
sternpost ['stə:npəust] *sb.* (*mar.*) agterstævn.
sternum ['stə:nəm] *sb.* (*anat.*) brystben.
stern wave *sb.* (*mar.*) hækbølge.
steroid ['steroid] *sb.* steroid.
stertorous ['stə:tərəs] *adj.* snorkende.
stethoscope ['steθəskəup] *sb.* stetoskop.
Stetson® ['stets(ə)n] *sb.* (*am.*) stetsonhat, cowboyhat.
stew¹ [stju:] *sb.* **1.** (*mad*) sammenkogt ret; gryderet; **2.** (*til fisk*) fiskedam; (*til østers*) østersbassin; **3.** (T: *især am.*) stewardesse;
□ *in a* ~ **T a.** (*af vrede*) helt ude af flippen; **b.** (*af forvirring*) i vildrede.
stew² [stju:] *vb.* (se også *stewed*) **1.** (*om mad*) småkoge, snurre [*over en sagte ild*]; (*med objekt*) lade småkoge/snurre; **2.** (*om te*) trække for længe; **3.** (T, *om person: af vrede*) rase;
□ *let sby* ~, *leave sby to* ~ (ɔ: *af angst*) lade en svede; *let him* ~ *in his own juice* lade ham ligge som han har redet; lade ham sit i sit eget fedt [ɔ: *tage følgerne af sine dumheder*].
steward ['stjuəd] *sb.* **1.** (*flyv., mar.*) steward; **2.** (*som fører tilsyn*) opsyn; (*ved møde etc.*) ordensmarskal; **3.** (*på gods*) godsforvalter; **4.** (*på kollegium, i klub*) hovmester; **5.** (*ved væddeløb*) væddeløbsleder.
stewardess ['stjuədəs] *sb.* **1.** (*flyv.*) stewardesse; **2.** (*mar.*) kahytsjomfru, stewardesse.
stewardship ['stjuədʃip] *sb.* forvaltning; varetagelse; ledelse.
stewed [stju:d] *adj.* **1.** **T** ude af flip-

pen; ophidset; nervøs; **2.** T fuld, pløret; **3.** (*om te*) som har trukket for længe; bitter.

stewed beef *sb.* (*omtr.*) bankekød.

stewed fruit *sb.* kompot.

stewpan ['stju:pæn] *sb.* kasserolle; stegegryde.

stick¹ [stik] *sb.* **1.** (*af træ*) pind; **2.** (*til at slå el. gå med*) kæp; stok; (*se også drumstick 1*); **3.** (*i sport*) stav (*fx hockey ~*); kølle (*fx polo ~*); **4.** (*kort stykke af et bestemt materiale*) stang (*fx a ~ of cinnamon//dynamite//liquorice//sealing wax*); **5.** (*mus.*) taktstok; **6.** (*flyv.*) styrepind; **7.** (T: *om person*) stivstikker, dødbider, tørvetriller; fyr (*fx an odd ~*); **8.** T kritik; **9.** S joint [ɔ: *marihuanacigaret*]; □ *live in the -s* T bo ude på bøhlandet; bo ude hvor kragerne vender; *a ~ in the eye* (*fig.*) en torn i øjet; *a ~ of bombs* (*flyv.*) en stribe bomber; (*se også cleft stick, cross²*, *thick² (end), wrong² (end)*); [*med vb.*] **get ~ a.** blive skarpt kritiseret, få voldsom kritik; få en ordentlig omgang; **b.** blive til grin; **give** *sby ~* **a.** kritisere én skarpt; give én en ordentlig omgang; **b.** grine ad en; *more than you can* **shake** *a ~ at* (*glds.* T) en ordentlig masse; **take** *~ = get ~*; *take a ~ to him* banke ham med en kæp/stok; *use it as a ~ to beat them with* (*fig.*) bruge det til at slå dem i hovedet med.

stick² [stik] *vb.* (*stuck, stuck*) (se også *stuck*) A. (*med objekt*) **1.** T stikke, proppe (*fx the letter into one's pocket*); lægge, sætte (*fx ~ it on the shelf//in the corner*); **2.** (*så det sidder fast*) sætte fast, sætte op (*fx a notice on the door*); (*med lim*) klistre, klæbe (*fx a stamp on a letter*); **3.** (*noget spidst*) stikke (*fx a fork into a potato; a knife into his back; a needle into his arm*); **4.** (T: *noget ubehageligt*) holde ud; **5.** (*vulg.*) stikke skråt op (*fx he told me to ~ my protest*); B. (*uden objekt*) **1.** klæbe (fast), klistre (*fx the plastic stuck to my skin*); **2.** (*uden at kunne komme løs*) sidde fast (*fx the car/the wheels stuck in the mud*); hænge fast, blive hængende (*fx the meat stuck to the pan*); **3.** (*om dør, skuffe*) binde; **4.** (*fig.*) hænge 'ved, blive hængende (*fx the nickname stuck*); (*om anklage*) holde; **5.** T blive, holde sig (*fx ~ indoors*); □ *~ no bills* opklæbning forbudt; *you* **can** *~ it* (*vulg.*) det kan du stikke skråt op; *cannot ~ kan* ikke holde ud; (*person også*) kan

ikke udstå/fordrage; [*med præp., adv.*] *~* **around** T blive (*fx I'll ~ around a bit longer*); blive hængende; holde sig/blive i nærheden; *~ at* blive ved med; 'blive ved; *he -s at nothing* han viger ikke tilbage for noget; (*se også trifle¹*); *~ by* **a.** holde fast ved, fastholde (*fx a decision; what you have said*); **b.** (*person*) støtte; ikke svigte; *~ by sby* (*også*) stå ved ens side; *~* **down a.** klistre til; **b.** T skrive ned; kradse ned; *~ sby for* snyde/tage//slå en for (*fx £50*); *stuck* **in** se *mind¹, throat; ~* **out a.** stikke//rage ud/frem (*fx a nail stuck out*); **b.** (*fig.*) kunne ses tydeligt, være iøjnefaldende (*fx he was new to the job and it stuck out*); **c.** (*med objekt*) stikke frem//ud; (*se også mile, neck¹, tongue¹*); *his ears ~ out* han har udstående ører; *~ it out* T holde (pinen) ud; *it -s out like a sore thumb* det er meget afstikkende; det virker helt forkert; *~* **out for** stå fast på sit krav om (*fx they stuck out for higher wages*); *~ to* **a.** klæbe ved; **b.** holde sig til (*fx the roads you know; the facts; the rules; the point* sagen); **c.** holde fast ved (*fx one's purpose; the original plan*); (se også *~ by*); *~ to it!* hold ud! bliv ved! *~ it to them* (*am.* S) være grov ved dem; *~ to one's opinions* ikke lade sig rokke fra sin overbevisning; (se også *gun¹, last¹, rib¹*); *~* **together a.** klæbe sammen (*fx the pages stuck together*); **b.** (*om personer*) holde sammen (*fx we must ~ together*); *~* **up a.** stikke op; stritte i vejret; **b.** (S: *person*) holde op; **c.** (S: *sted*) lave et holdop i, begå røveri mod; *~ up a bank* begå bankrøveri; *~ 'em up!* hænderne op! *~* **up for** forsvare; gå i brechen for; *~* **with** T holde sig til (*fx him; the original plan*); *~ with it* holde ud.

stickability [stikə'biləti] *sb.* T udholdenhed, ihærdighed.

stickball ['stikbɔ:l] *sb.* (*am.*) [*primitiv form for baseball som spilles på gaden*].

sticker ['stikə] *sb.* sticker, klistermærke; □ *he is a ~* T han er ihærdig; han giver ikke op.

stick figure *sb.* tændstikfigur [ɔ: *primitiv tegning*].

sticking plaster *sb.* hæfteplaster.

sticking point *sb.* (*i forhandlinger*)

1. (*vanskeligt*) stridspunkt, knast; **2.** (*umuligt*) [*punkt hvorfra man ikke kan komme længere*].

stick insect *sb.* (*zo.*) vandrende pind.

stick-in-the-mud ['stikinðəmʌd] *sb.* T dødbider, tørvetriller; stivstikker.

stickleback ['stiklbæk] *sb.* (*zo.*) hundestejle.

stickler ['stiklə] *sb.* **1.** (*person*) pedant, pernittengryn; **2.** (*am.*) vanskeligt problem; □ *be a ~ for* lægge (for) meget vægt på; hænge sig i (*fx detail*); *be a ~ for accuracy* kræve//vise pinlig nøjagtighed; *be a ~ for etiquette* holde strengt på formerne.

stick-on ['stikɔn] *adj.* selvklæbende.

stickpin ['stikpin] *sb.* (*am.*) [*nål med stort hoved*]; slipsnål.

stick shift *sb.* gulvgear.

stickum ['stikəm] *sb.* (*am.* T) klister.

stick-up ['stikʌp] *sb.* holdop [ɔ: *røveri*].

sticky ['stiki] *adj.* **1.** klistret; klæbrig; **2.** (*om vejr*) fugtigvarm, trykkende; **3.** (*om situation, tid*) besværlig, kedelig, problematisk; (*som skaber uro, nervøsitet*) ubehagelig, pinlig, penibel; **4.** (*om person*) besværlig, kontrær, kværulantisk; □ *be ~ about + -ing* være svær at få til at; *be ~ about it* gøre mange ophævelser; *come to/meet a ~ end* T få et trist endeligt; dø en voldsom død; *have ~ fingers* være langfingret [ɔ: *tyvagtig*].

sticky-fingered [stiki'fiŋgəd] *adj.* T langfingret [ɔ: *tyvagtig*].

sticky tape *sb.* tape, klisterbånd.

sticky wicket *sb.* (T: *fig.*) vanskeligt problem; □ *be/bat on a ~* T være i vanskeligheder; være på den; få sin sag for.

stiff¹ [stif] *sb.* S **1.** lig, kadaver; **2.** (*am.*) fiasko, flop; **3.** (*am.: person*) arbejder; fyr (*fx a lucky ~*); (*neds.*) dødbider.

stiff² [stif] *adj.* **1.** stiv (*fx leg; paste*); **2.** (*om strøm, vind*) strid; (*om vind også*) stiv, stærk; **3.** (*om optræden*) tvungen, stiv, formel (*fx bow*); **4.** (*om opgave, straf etc.*) skrap (*fx examination; penalty*); hård (*fx test; criticism; punishment*); vanskelig (*fx task*); (*fysisk*) anstrengende (*fx climb; walk*); **5.** (*om handling*) hårdnakket (*fx resistance*); bestemt (*fx denial*); **6.** (*om drink*) stiv (*fx a ~ whisky*); **7.** (*om skuffe, dør, låg*) som binder; **8.** (*om pris*) ublu, skrap (*fx fee*);

□ *(as)* ~ *as a poker* så stiv som en pind; ~ *drink* opstrammer; *bored* ~ ved at kede sig ihjel; *scared* ~ hundeangst; *keep a* ~ *upper lip* ikke lade sig gå på; *bide tænderne sammen.

stiff³ [stif] *vb.* (*am.* T) **1.** snyde (*for for*); tage ved næsen; **2.** snyde for betaling; ikke give drikkepenge; **3.** = *stiff-arm*; **4.** have fiasko.

stiff-arm [ˈstifɑːrm] *vb.* (*am.*) **1.** (*i rugby etc.: modstander*) [*holde fra livet ved at holde armen udstrakt; skubbe til med strakt arm*]; **2.** (*fig.*) afvise, feje af; være grov over for.

stiffen [ˈstif(ə)n] *vb.* **1.** stivne; blive stiv; **2.** (*om modstand*) skærpes; **3.** (*med objekt*) gøre stiv; **4.** (*tøj*) stive; **5.** (*fig.*) stive af; **6.** (*holdning, bestemmelser etc.*) stramme (*fx their resolve; the rules*); skærpe.

stiffener [ˈstif(ə)nə] *sb.* **1.** stiver; **2.** (*drink*) opstrammer.

stiff-necked [ˈstifnekt] *adj.* stivnakket, stædig, halsstarrig.

stifle¹ [ˈstaifl] *sb.* (*på hest etc.*) knæled.

stifle² [ˈstaifl] *vb.* **1.** kvæle; **2.** (*fig.*) kvæle (*fx a yawn*); undertrykke (*fx a yawn; a revolt; one's curiosity*); **3.** (*lyd*) kvæle, overdøve (*fx their screams*); **4.** (*uden objekt*) kvæles.

stifled [ˈstaifld] *adj.* halvkvalt, undertrykt (*fx sob*).

stigma [ˈstigmə] *sb.* **1.** (*fig.*) stigma, skamplet, stempel; **2.** (*bot.*) støvfang; **3.** (*rel.*) stigma.

stigmata [ˈstigmətə] *sb. pl.* (*rel.*) stigmata [*sårmærker*].

stigmatize [ˈstigmətaiz] *vb.* brændemærke, stemple (*fx -d as a liar*); stigmatisere.

stile [stail] *sb.* **1.** (*ved hegn*) stente; **2.** (*i dør, vindue*) lodret ramtræ.

stiletto [stiˈletəu] *sb.* **1.** (*våben*) stilet [*lille dolk*]; **2.** (*redskab til at lave huller med*) pren; **3.** (*fodtøj*) sko med stilethæl, stiletsko; □ *-s* (*også*) stiletter.

stiletto heel *sb.* stilethæl.

still¹ [stil] *sb.* **1.** (*til fremstilling af spiritus*) destillationsapparat; **2.** (*film.*) still, stillbillede [*enkeltbillede*]; **3.** (*litt.*) stilhed.

still² [stil] *adj.* **1.** stille; rolig; **2.** (*om drik*) uden brus; ikke mousserende;

□ *the* ~ *small voice* samvittighedens røst; ~ *waters run deep* det stille vand har den dybe grund.

still³ [stil] *vb.* **1.** berolige (*fx a*

child); dæmpe, få til at falde til ro; bringe til tavshed; **2.** (*uden objekt*) stilne af; falde til ro.

still⁴ [stil] *adv.* **1.** (*om tid*) stadig, endnu; **2.** (*om modsætning*) stadig, dog (*fx even if he has done that, he is* ~ *your father*); **3.** (*indledende*) alligevel, men (*fx* ~, *I don't understand what made him do it*); **4.** (*+ komp.*) endnu (*fx* ~ *more; better* ~).

stillbirth [ˈstilbəːθ] *sb.* dødfødsel.

stillborn [stilˈbɔːn] *adj.* dødfødt.

still life *sb.* (*i kunst*) stilleben.

stilt [stilt] *sb.* (*se også stilts*) **1.** (*zo.*) stylteløber; **2.** (*ved brænding af keramik*) trefod.

stilted [ˈstiltid] *adj.* opstyltet.

stilts [stilts] *sb. pl.* **1.** (*til at gå på*) stylter; **2.** (*som hus er bygget på*) pæle.

stimulant [ˈstimjulənt] *sb.* stimulans; stmulerende middel.

stimulate [ˈstimjuleit] *vb.* **1.** stimulere; **2.** tilskynde til (*fx discussion*);

□ ~ *to* tilskynde til at, anspore til at (*fx think*).

stimulation [stimjuˈleiʃn] *sb.* **1.** stimulering; **2.** tilskyndelse.

stimulative [ˈstimjulətiv] *adj.* stimulerende.

stimulus [ˈstimjuləs] *sb.* (*pl. stimuli* [-lai]) stimulus; spore; incitament.

sting¹ [stiŋ] *sb.* **1.** (*insekts*) brod; **2.** (*på nælde, gople*) brændehår; **3.** (*sår*) stik (*fx a bee* ~); **4.** (*smerte*) stik, jag; svie; **5.** (*am.* S) stort svindelnummer; fælde [*hvor politi spiller forbrydere*];

□ *the air has a* ~ *in it* luften er skarp; (*om frost*) der er en snert i luften; *have a* ~ *in the tail* rumme en brod//en ubehagelig overraskelse; *take the* ~ *out of* tage brodden af.

sting² [stiŋ] *vb.* (*stung, stung*) **1.** (*om insekt etc.*) stikke; **2.** (*om nælde, gople*) brænde; **3.** (*om røg etc.*) svie; **4.** (*fig.: om ytring*) såre, ramme (*fx the criticism stung him*); **5.** S snyde;

□ *it stung my eyes, my eyes were -ing* det sved i øjnene; *it stung my throat* det sved i halsen;

[*med præp.*] *stung by* såret af, ramt af (*fx I felt stung by his remark*); ~ *for* (*penge*) **a.** (ɔ: *urimeligt*) afkræve, plyndre for (*fx capital gains tax*); **b.** (*som "lån"*) tage for, slå for; *they stung him for £50* (*også*) de fik £50 ud af ham; ~ *into* + *-ing* provokere til at (*fx losing one's temper*); ~ *him into action* vække ham til dåd.

stinger [ˈstiŋə] *sb.* **1.** brod; **2.** T sviende/svidende slag; **3.** (T: *ytring*) bidende replik/bemærkning; **4.** (*cocktail*) [*myntelikør og brandy*].

stinging nettle *sb.* (*bot.*) brændenælde.

sting operation *sb.* = *sting*¹ 5.

stingray [ˈstiŋrei] *sb.* (*zo.*) pilrokke, pigrokke.

stingy [ˈstin(d)ʒi] *adj.* T nærig, smålig, fedtet.

stink¹ [stiŋk] *sb.* stank;

□ *create/make/raise a* ~ T lave et farligt vrøvl; *cause a* ~ T give anledning til en farlig ballade.

stink² [stiŋk] *vb.* (*stank, stunk*) stinke;

□ *it -s* T det er rædselsfuldt; det er noget elendigt møg; ~ *out* fylde med stank; (*se også high*² (*heaven*)).

stinker [ˈstiŋkə] *sb.* T (*person*) skiderik;

□ *it was a* ~ **a.** den var rædselsfuld (*fx the job//my cold was a* ~); **b.** (*om opgave*) den var skrap/hundesvær; **c.** (*om brev*) det var skrapt.

stinkhorn [ˈstiŋkhɔːn] *sb.* (*bot.*) stinksvamp.

stinking [ˈstiŋkiŋ] *adj.* **1.** stinkende; **2.** T rædselsfuld (*fx job*).

stint¹ [stint] *sb.* **1.** (*med et bestemt arbejde*) periode (*fx a four-year* ~ *as a teacher*); **2.** (*zo.*) (*dværg*)ryle;

□ *one's daily* ~ dagens arbejde; *den daglige dont; without* ~ rigeligt; med rund hånd.

stint² [stint] *vb.* være sparsommelig med;

□ *he did not* ~ *on* han sparede ikke på; han var ikke karrig med (*fx champagne*); ~ *oneself* spare; holde sig tilbage.

stipend [ˈstaipend] *sb.* gage, vederlag.

stipendiary [staiˈpendiəri] *adj.* lønnet.

stipendiary magistrate *sb.* [*dommer i politiret*].

stipple [ˈstipl] *vb.* **1.** prikke, punktere; **2.** (*ved maling*) duppe.

stipulate [ˈstipjuleit] *vb.* **1.** bestemme, fastsætte (*fx the law -s that ...*); **2.** stille som betingelse; betinge sig; **3.** (*am.*) aftale;

□ ~ *for* betinge sig.

stipulation [stipjuˈleiʃn] *sb.* **1.** bestemmelse; **2.** betingelse; klausul.

stir¹ [stəː] *sb.* **1.** bevægelse, støj (*fx I listened for the faintest* ~); **2.** (*am.* S) fængsel;

□ *be in* ~ (*jf.* 2) sidde inde; *it caused/created a* ~ det vakte røre/opstandelse/postyr; *give sth*

817

S *stir*

a ~ røre i noget.

stir² [stə:] *vb.* **A. 1.** bevæge, sætte i bevægelse (*fx the wind -red the leaves*); **2.** (*væske*) røre i (*fx one's coffee//tea*); **3.** (*person*) bevæge, betage; ophidse;
B. (*uden objekt*) **1.** røre sig, bevæge sig (*fx not a leaf was -ring*; *something was -ring in the grass*); **2.** (*i væske*) røre rundt, røre om (*fx add hot water and ~ gently*); **3.** (*om person*) røre sig, bevæge sig, røre på sig (*fx he -red in his sleep*); (*om morgenen*) røre på sig, stå op; **4.** T lave rav i den;
□ ~ *his blood* begejstre ham; ophidse ham; (se også *stump*); [*med præp.& adv.*] ~ *from* **a.** bevæge sig væk fra, forlade (*fx he seldom -red from his house*); **b.** (*med objekt*) vække af (*fx a voice -red her from her reverie*); ~ *'in* røre 'i (*fx ~ in some sugar*); ~ *into* røre ud i (*fx ~ flour into milk*); ~ *sby to action* få en til at handle; vække en til dåd; ~ *up* **a.** hvirvle op (*fx dust; sand*); **b.** (*fig.*) fremkalde (*fx a crisis; racial tensions*); vække (*fx his anger; memories*); **c.** (*person*) ophidse; ~ *things up* lave rav i den; ~ *it with* water udrøre det med vand.

stirabout ['stə:rəbaut] *sb.* (*især irsk*) havregrød.

stir-crazy ['stə:rkreizi] *adj.* (*am.* S) skruptosset.

stir-fry ['stə:frai] *vb.* lynstege.

stirrer ['stə:rə] *sb.* **1.** rørepind; røreske; **2.** (T: *om person*) ballademager, urostifter [*der sætter ondt blod*].

stirring¹ ['stə:riŋ] *sb.*: *a ~ of* en spirende/vågnende (følelse af) (*fx envy; interest; pride*).

stirring² ['stə:riŋ] *adj.* (*fig.*) gribende, betagende.

stirrup ['stirəp] *sb.* stigbøjle.

stirrup leather *sb.* stigrem.

stitch¹ [stitʃ] *sb.* **1.** (*i syning & ved operation*) sting; **2.** (*i strikning, hækling*) maske; **3.** (*smerte*) sting i siden, sidesting;
□ *a ~ in time saves nine* et sting i tide sparer megen kvide; *a ~ in time!* [*lad os hellere gøre noget ved det inden det bliver værre*]; *in -es* ved at dø af grin; *without a ~ on* uden en trævl på kroppen; [*med vb.*] *drop a ~* tabe en maske; *I haven't a ~ to wear* jeg har ikke en stump tøj at tage på; *put a few -es into* sy nogle sting på (*fx a dress*); *put -es into a wound* sy et sår sammen; *take* the *-es out* (ɔ: *af sår*) tage trådene ud.

stitch² [stitʃ] *vb.* **1.** sy; **2.** (*bogb.*) hæfte;
□ ~ *together*, ~ *up* **a.** (*tøj*) sy//ri sammen; **b.** (T: *aftale*) få i stand; skrue sammen; ~ *sby up* T **a.** rette falsk anklage mod en; lave falske beviser mod en; **b.** snyde en, tage overpris af en.

stitch-up ['stitʃʌp] *sb.* aftalt spil.

stitchwort ['stitʃwə:t] *sb.* (*bot.*) fladstjerne.

St John's wort [s(ə)n'dʒɔnzwə:t] *sb.* (*bot.*) perikon.

St. Luke's summer [s(ə)n'lu:kssʌmə] *sb.* [*mild oktober*].

stoat [stəut] *sb.* (*zo.*) hermelin, lækat.

stock¹ [stɔk] *sb.* **1.** (*til at bruge af*) forråd (*fx food -s*); lager (*fx of ammunition; of weapons*); fond (*fx of anecdotes; of knowledge*); samling (*fx my ~ of CDs*); **2.** (*om samlet mængde*) beholdning; bestand; (se også *fish stock, housing stock, rolling stock*); **3.** (*merk.: af varer*) lager, lagerbeholdning; **4.** (*merk.: af kapital*) aktiekapital; **5.** (*værdipapir: am.*) aktie; (*udstedt af staten*) statsobligationer; (se også ndf.: *-s and shares*); **6.** (*om afstamning*) slægt; familie; **7.** (*agr.*) besætning; **8.** (*beklædning, glds.*) halsbind; **9.** (*bibl.*) se *book stock*; **10.** (*bot.*) levkøj; **11.** (*af træ*) stamme; **12.** (*film.*) råfilm; (*billeder*) arkivoptagelser; **13.** (*i gartneri*) se *rootstock* 2; **14.** (*på gevær*) skæfte; **15.** (*på værktøj etc.*) skaft (*fx of a whip*); **16.** (*i madlavning: til suppe*) fond; kraftsuppe; **17.** (*mar.: af anker*) stok; **18.** (*typ.*) papir;
□ *-s* **a.** (*mar.*) bedding; **b.** (*glds.*) gabestok; *-s and shares* fonds; *his ~ is high//low* (*fig. om anseelse*) hans aktier står højt//lavt; [*med vb.*] *put ~ in* (*fig.*) stole på; lægge vægt på; *his ~ is rising* (ɔ: *anseelse*) hans aktier stiger; *take ~* gøre status (*of* over, *fx one's life*); *take ~ of the situation* gøre stillingen op; [*med præp.*] *from ... ~* se ndf.: *of ... ~*; *in ~* på lager; *keep in ~* have på lager, føre; *of farming ~* af bondeslægt; *of working class ~* af arbejderfamilie; *be on the -s* (*fig.*) være på bedding; være under udarbejdelse; *out of* ~ ikke på lager; udgået; udsolgt.

stock² [stɔk] *adj.* **1.** (*merk.*) som haves på lager (*fx ~ articles*); **2.** (*om udtryk etc.*) stående (*fx remark; expression; argument*); fast, standard (*fx remark; excuse; charac-*

ter); **3.** (*film.*) arkiv- (*fx footage billeder; shot*).

stock³ [stɔk] *vb.* **1.** (*merk.*) føre (*fx we don't ~ that brand*); have på lager; **2.** (*hylde, køleskab*) fylde op; **3.** (*gevær*) skæfte; **4.** (*agr.: gård*) skaffe besætning til;
□ ~ *up* **a.** købe rigeligt ind (*with* af); forsyne sig (*with* med); **b.** (*med objekt*) fylde op; ~ *up with/on* (*mangelvare også*) hamstre; ~ *the river with* fish udsætte fisk i floden; (se også *well-stocked*).

stockade [stɔ'keid] *sb.* **1.** palisade; pæleværk; **2.** (*am. mil.*) fængsel.

stockbreeder ['stɔkbri:də] *sb.* kvægavler.

stockbroker ['stɔkbrəukə] *sb.* børsmægler; vekselerer.

stockbroker belt *sb.*: *the ~* de rige forstadskvarterer; (*svarer til*) whiskybæltet.

stock car *sb.* **1.** stockcar [*personbil med kraftig motor til væddeløb*]; **2.** (*am. jernb.*) kreaturvogn.

stock company *sb.* (*am.*) **1.** (*merk.*) aktieselskab; **2.** (*teat.*) teaterselskab [*fast knyttet til ét teater & af jævn kvalitet*].

stock control *sb.* (*merk.*) lagerstyring.

stock cube *sb.* bouillonterning, suppeterning.

stock dove *sb.* (*zo.*) huldue.

stock exchange *sb.* fondsbørs, børs.

stockholder ['stɔkhouldə] *sb.* (*am.*) aktionær.

stockinet ['stɔkinet] *sb.* trikot.

stocking ['stɔkiŋ] *sb.* **1.** strømpe; (se også *Christmas stocking*); **2.** (*på hest*) sok.

stocking cap *sb.* (*am.*) strikket hue med kvast.

stockinged ['stɔkiŋd] *adj.*: *in one's ~ feet* på strømpesokker, på strømpefødder.

stocking feet *sb. pl.* se *stockinged*.

stocking filler *sb.* lille julegave [*der kan være i en strømpe*]; (jf. *Christmas stocking*).

stocking mask *sb.*: *wearing a ~* med en strømpe trukket over hovedet [*som maskering*].

stocking stuffer *sb.* (*am.*) = *stocking filler*.

stock-in-trade [stɔkin'treid] *sb.* **1.** fast inventar; standardudstyr; **2.** (*om optrædende*) stående virkemiddel// virkemidler (*fx it belongs to the actor's ~*); (*teat.*) teaterklicheer.

stockist ['stɔkist] *sb.* forhandler.

stockjobber ['stɔkdʒɔbə] *sb.* se *jobber* 2.

stockman ['stɔkmən] *sb.* (*pl.* *-men*

[-mən]) (*am.*) **1.** lagerchef; **2.** (*agr.*) kvægavler.

stock market *sb.* aktiemarked; børs.

stockpile[1] ['stɔkpail] *sb.* forråd, lager; beredskabslager.

stockpile[2] ['stɔkpail] *vb.* **1.** oplagre; **2.** (*mangelvare*) hamstre.

stockroom ['stɔkru(:)m] *sb.* lagerlokale, lagerrum, lager.

stock-still [stɔk'stil] *adj.* bomstille.

stocktaking ['stɔkteikiŋ] *sb.* lageropgørelse; status.

stocky ['stɔki] *adj.* tætbygget; firskåren; lavstammet.

stockyard ['stɔkja:d] *sb.* kreaturindelukke.

stodge [stɔdʒ] *sb.* tung mad.

stodgy ['stɔdʒi] *adj.* **1.** (*om mad*) tung, ufordøjelig; **2.** (*om ting, bog*) kedelig, uinteressant; gammeldags; stiv.

stoep [stu:p] *sb.* (*sydafr.*) veranda [*foran huset*].

stogie, stogy ['stəugi] *sb.* (*am.*) billig cigar.

stoic[1] ['stəuik] *sb.* stoiker.

stoic[2] ['stəuik] *adj.* stoisk.

stoical ['stəuik(ə)l] *adj.* stoisk.

stoicism ['stəuisizm] *sb.* stoicisme.

stoke [stəuk] *vb.* komme brændsel på; passe (*fx the fire; the stove*); □ ~ **up a.** = *stoke;* **b.** (*fig.*) give næring til (*fx discontent; hostility*); opflamme yderligere; **c.** (*glds.* T) fylde sig (*on/with* med); spise rigeligt; ~ *the furnace* **with** *coal* komme kul på fyret.

stoked [stəukt] *adj.* (*am.* S) begejstret; højt oppe.

stoker ['stəukə] *sb.* **1.** (*person*) fyrbøder; **2.** (*apparat*) stoker.

STOL *fork. f. short take-off and landing.*

stole[1] [stəul] *sb.* stola; langsjal.

stole[2] [stəul] *præt. af steal*[2].

stolen[1] ['stəul(ə)n] *præt. ptc. af steal*[2].

stolen[2] ['steul(ə)n] *adj.* stjålen (*fx car*).

stolen goods *sb. pl.* stjålne genstande; tyvekoster; (se også *handle*[2], *handler, handling*).

stolid ['stɔlid] *adj.* **1.** upåvirkelig; sløv, tung; **2.** upåvirket, uanfægtet.

stomach[1] ['stʌmək] *sb.* mave; □ *it churned/turned my* ~ det fik det til at vende sig i mig; *have a strong* ~ ikke være sart; *have no* ~ *for* ikke have lyst til; ikke bryde sig om; *on an empty* ~ på tom mave; på fastende hjerte; *on a full* ~ lige efter et måltid.

stomach[2] ['stʌmək] *vb.:* cannot ~ kan ikke tåle/finde sig i (*fx criti-*

cism); kan ikke holde ud (*fx the thought of moving to London*); *find it difficult/hard to* ~ have svært ved at tåle/holde ud.

stomach ache *sb.* mavepine; ondt i maven.

stomach ulcer *sb.* mavesår.

stomach upset *sb.* mavetilfælde.

stomp [stɔmp] *vb.* **1.** T trampe, stampe; marchere; **2.** (*am.* S) falde 'over, angribe.

stomping ground *sb.* = *stamping ground.*

stone[1] [stəun] *sb.* **1.** (*også i frugt & med.*) sten; **2.** (*kostbar*) ædelsten, juvel; **3.** (*vægtenhed* (*pl. stone/-s*)) [*14 lbs., 6,35 kg*]; □ *carved/set in* ~ (*fig.*) hugget i sten; ikke til at lave om på; *leave no* ~ *unturned* (*fig.*) vende alle sten; ikke lade noget middel uforsøgt.

stone[2] [stəun] *vb.* **1.** kaste sten efter (*fx the police*); **2.** (*om henrettelse*) stene; **3.** (*frugt*) udstene; tage stenene ud af.

stone-broke [stoun'brouk] *adj.* (*am.*) = *stony-broke.*

stonechat ['stəuntʃæt] *sb.* (*zo.*) sortstrubet bynkefugl.

stone-cold [stəun'kəuld] *adj.* iskold; helt kold; □ ~ *sober* pinlig ædru.

stonecrop ['stəunkrɔp] *sb.* (*bot.*) stenurt.

stone curlew *sb.* (*zo.*) triel.

stoned [stəund] *adj.* **1.** (S: *af narko*) skæv, høj, stenet; **2.** (*om frugt*) udstenet.

stone-dead [stəun'ded] *adj.* stendød; □ *kill* ~ fuldstændigt tage livet af, slå helt ihjel.

stone-deaf [stəun'def] *adj.* stokdøv.

stonefly ['stəunflai] *sb.* (*zo.*) slørvinge.

stoneground [stəun'graund] *adj.* (*om mel*) stenmalet [*malet med møllesten*].

stoneless ['stəunləs] *adj.* stenfri.

stone marten *sb.* (*zo.*) husmår.

stonemason ['stəunmeis(ə)n] *sb.* stenhugger; murer.

stone pine *sb.* (*bot.*) pinje.

stone's throw [stəunz'θrəu] *sb.* stenkast [*om afstand*].

stonewall [stəun'wɔ:l] *vb.* **1.** lave obstruktion; (prøve at) trække tiden ud; snakke udenom; holde folk hen med snak; **2.** (*med objekt*) sinke; sylte (*fx questions*); **3.** (*parl.: debat*) forhale; trække i langdrag; **4.** (*i kricket: om gærdespiller*) spille forsigtigt; spille defensivt.

stoneware ['stəunwɛə] *sb.* stentøj.

stonewashed [stəun'wɔʃt] *adj.* (*om cowboytøj*) stenvasket [*så det får et slidt udseende*].

stonework ['stəunwə:k] *sb.* murværk [*af natursten*].

stonk[1] [stɔŋk] *sb.* (*mil.*) S voldsomt bombardement.

stonk[2] [stɔŋk] *vb.* (*mil.*) beskyde kraftigt.

stonkered ['stɔŋkəd] *adj.* S fuldstændig udmattet, mørbanket.

stony ['stəuni] *adj.* **1.** stenet (*fx beach; soil*); **2.** (*om materiale*) sten- (*fx steps*); **3.** (*fig.*) (sten)hård (*fx his face was* ~); iskold; ufølsom; □ *fall on* ~ *ground* (*fig.*) falde på stengrund; være uden virkning.

stony-broke [stəuni'brəuk] *adj.* T flad; på spanden [*o: uden penge*].

stood [stud] *præt. & præt. ptc. af stand*[2].

stooge [stu:dʒ] *sb.* **1.** (*neds.*) underordnet medhjælper; håndlanger, lejesvend, kreatur; **2.** (*am.*) stikker; **3.** (*i komisk nummer*) [*komikers medspiller som bliver gjort til grin*].

stook [stuk] *sb.* (*agr.: af neg*) trave.

stool[1] [stu:l] *sb.* (se også *stools*) **1.** taburet; skammel; (se også *bar stool, footstool, piano stool*); **2.** (*bot.*) træstub; rodknold; **3.** (*am.*) lokkefugl; □ *fall between two -s* (*fig.*) sætte sig mellem to stole.

stool[2] [stu:l] *vb.* (*bot.*) skyde rodskud.

stoolie ['stu:li] *sb.* (*am.* S) = *stool pigeon.*

stool pigeon *sb.* **1.** stikker; **2.** lokkedue.

stools [stu:lz] *sb. pl.* (*med.*) afføring.

stoop[1] [stu:p] *sb.* **1.** foroverbøjet holdning; luden; **2.** (*am.*) lille veranda [*ved indgangsdør*]; □ *with a* ~ se *stooping.*

stoop[2] [stu:p] *vb.* **1.** bøje sig, bukke sig; **2.** (*om holdning*) være rundrygget/duknakket, lude; □ ~ *down* = *1; he wouldn't* ~ *so low* (*fig.*) han ville ikke synke så dybt; ~ *to* (*fig.*) nedlade sig til; nedværdige sig til.

stoopball ['stu:pbɔ:l] *sb.* (*am.*) [*slags baseball spillet op mod veranda el. væg*].

stooping ['stu:piŋ] *adj.* foroverbøjet; ludende; rundrygget, duknakket.

stop[1] [stɔp] *sb.* **1.** standsning; ophold (*fx ten minutes'* ~); afbrydelse, pause; **2.** (*for bus etc.*) stoppested; **3.** (*foto.*) blænde; **4.** (*i orgel: sæt af piber*) register; (*greb*) registertræk, registerknap;

5. (*fon.*) lukkelyd;
□ *come to* a ~ standse; holde; gå i
stå; *make* a ~ standse, gøre op-
hold; *pull out* all the -s T sætte
alle sejl til; gøre alt hvad der står i
ens magt; *put* a ~ *to* sætte en
stopper for; standse.
stop[2] [stɔp] *vb.* **A.** (*uden objekt*)
1. stoppe (op), standse (*fx the car
-ped*); gå i stå (*fx the clock//his
heart -ped*); **2.** (*om aktivitet etc.*)
holde op (*fx once he starts drink-
ing, he can't ~*); høre op (*fx the
noise//the rain -ped*); **3.** (*på et
sted*) holde (*fx the train -s for five
minutes*); holde stille; **4.** T blive
(*fx I'll ~ here; ~ for tea*); **5.** (*på
tur, rejse*) gøre ophold (*fx at a
pub*);
B. (*med objekt*) **1.** stoppe; standse
(*fx a taxi; the noise*); **2.** (*leverance
etc.*) lukke for (*fx the water*); af-
bryde; afskære (*fx supplies*);
standse (*fx his pocket money*);
3. (*aktivitet etc.*) holde op med (*fx
work; ~ it! ~ that nonsense!*);
4. (*check*) spærre; **5.** (*hul*) stoppe
(*fx a leak*); tilstoppe; **6.** (*mus.*) ud-
føre greb på;
□ ~ + *-ing* holde op med at (*fx
drinking; seeing her*); ~ sby + *-ing*
se ndf.: ~ *sby from* + *-ing; he never
-s to think* han giver sig aldrig tid
til at tænke sig om; (se også
short[4]);
[*med sb.*] ~ *a blow* **a.** (*i boksning*)
stoppe et stød; **b.** T blive ramt af
et slag; ~ *the way* spærre vejen;
(se også *bullet, gap, mouth*[1]);
[*med præp., adv.*] ~ *around* (*am.*)
= ~ *by*; ~ *at* **a.** bo på (*fx I -ped for
a few days at a camping site*);
b. (*hotel*) bo på, tage ind på; ~ *at
nothing* ikke vige tilbage for no-
get; *he did not ~ at that* han nøje-
des ikke med det; ~ *away from*
blive væk fra; ~ *back* (*am.*)
komme tilbage, komme igen; ~
behind blive tilbage [ɔ: *når de
andre er gået*]; ~ *by* kigge inden-
for, se ind [ɔ: *komme på besøg*]; ~
down (*foto.*) bruge en mindre
blænde; ~ sby *from* + *-ing* forhin-
dre en i at (*fx travelling*); ~ *in* **a.** =
~ *by*; **b.** blive inde/inden døre;
c. (*i skole*) sidde efter; ~ *off* gøre
ophold; afbryde rejsen; ~ *out*
blive ude; *£50 was -ped out of his
wages* £50 blev indeholdt/tilbage-
holdt i hans løn; ~ *over* **a.** blive
natten over; **b.** (*på rejse*) gøre op-
hold; afbryde rejsen; **c.** (*på fly-
rejse*) mellemlande; ~ *up* **a.** til-
stoppe; **b.** blive oppe [ɔ: *ikke gå i
seng*].
stopcock ['stɔpkɔk] *sb.* stophane.

stopgap ['stɔpgæp] *sb.* midlertidig
løsning; nødhjælp;
□ *be invited as* a ~ blive inviteret
på afbud.
stop-go [stɔp'gəu] *adj.* **1.** (*om trafik*)
som bevæger sig frem i ryk;
2. (*om økon. politik*) som skiftevis
bremser og stimulerer den økono-
miske aktivitet; svingende.
stoplight ['stɔplait] *sb.* (*am.*) = *traf-
fic lights.*
stopover ['stɔpəuvə] *sb.* **1.** afbry-
delse [*af rejse*]; kortvarigt ophold;
2. (*på flyrejse*) mellemlanding.
stoppage ['stɔpidʒ] *sb.* **1.** afbry-
delse; standsning; **2.** (*i arbejde*)
arbejdsnedlæggelse, arbejds-
standsning; **3.** (*i løn*) afkortning;
4. (*mil.*: *af automatisk våben*)
funktioneringsfejl.
stoppage time *sb.* se *injury time.*
stopper[1] ['stɔpə] *sb.* prop.
stopper[2] ['stɔpə] *vb.* tilproppe.
stop press *sb.* sidste nyt.
stopwatch ['stɔpwɔtʃ] *sb.* stopur.
storage ['stɔːridʒ] *sb.* **1.** oplagring,
opbevaring, opmagasinering; (se
også *cold storage*); **2.** lagerrum;
3. (*it*) lager; **4.** (*betaling*) pakhus-
leje.
storage battery *sb.* akkumulator.
storage heater *sb.* akkumulerende
radiator.
storage space *sb.* opbevarings-
plads; lagerplads.
store[1] [stɔː] *sb.* **1.** lager (*fx of wine;
of anecdotes*); forråd (*fx of food;
of jokes*); **2.** (*sted til opbevaring*)
magasin; lager; depot; **3.** (*til ind-
køb, eng.*) stormagasin; varehus;
4. (*am.*) butik;
□ *set/put great ~ by* **a.** værdsætte;
sætte højt; sætte stor pris på;
b. lægge megen vægt på; *set/put
little ~ by* betragte som mindre
væsentligt; *be in* ~ **a.** være opma-
gasineret (*fx his furniture is in ~*);
b. (*fig.*) være i vente, forestå;
*there's a surprise in ~ for him,
he's got a surprise in ~* (*fig.*) der
venter ham en overraskelse.
store[2] [stɔː] *vb.* **1.** gemme, opbe-
vare; oplagre, opmagasinere;
2. (*it*) lagre;
□ ~ *away* gemme væk; ~ *up*
a. samle sammen; **b.** (*fig.*: *negativ
følelse*) gå og gemme på (*fx bitter-
ness; hatred*).
store card *sb.* kontokort.
storefront ['stɔːrfrʌnt] *sb.* (*am.*) bu-
tiksfacade.
storefront church *sb.* (*am.*) [*kirke
for mindre kirkesamfund, indret-
tet i tidligere butik*].
storehouse ['stɔːhaus] *sb.* **1.** maga-
sin; pakhus; **2.** (*fig.*) skatkammer;

rigdom (*fx of memories*);
□ a ~ *of information* en guldgrube
(*af oplysninger*).
storekeeper ['stɔːkiːpə] *sb.* **1.** pak-
husforvalter; lagerforvalter;
2. (*am.*) detailhandler, butiksinde-
haver, handlende.
storeroom ['stɔːruː(ː)m] *sb.* lager-
rum; magasin; opbevaringssted.
storey ['stɔːri] *sb.* **1.** etage; **2.** (*i
sms.*) -etages (*fx a two-~ house*);
(se også *top storey*).
storied ['stɔːrid] *adj.* **1.** (*litt.*) sagn-
omspunden; **2.** (*am.*: *i sms.*) -eta-
ges.
stork [stɔːk] *sb.* (*zo.*) stork.
storksbill ['stɔːksbil] *sb.* (*bot.*) tra-
nehals, hejrenæb.
storm[1] [stɔːm] *sb.* **1.** uvejr; **2.** (*vind-
styrke 10*) storm; **3.** (*fig.*) voldsomt
postyr, stor opstandelse (*fx the
book caused a ~*); (se også ndf.: *a
~ of*); **4.** (*mil.*) storm, storman-
greb;
□ *ride out/weather the ~* ride
stormen af; *take by ~* tage med
storm; *a ~ in a teacup* en storm i
et glas vand; *up a ~* (*am.*) forry-
gende; som en drøm (*fx he can
dance//play//write up a ~*); (se
også *calm*[1], *eye*[1], *port*[1]);
[*med: of*] *a ~ of* **a.** en regn af (*fx
arrows; bullets*); **b.** (*fig.*) en storm
af (*fx indignation* harme; *protest*);
c. et voldsomt anfald af (*fx weep-
ing*); *a ~ of anger* voldsom
vrede; *a ~ of applause* stormende
bifald.
storm[2] [stɔːm] *vb.* (se også *storm-
ing*) **1.** (*om person*) rase, larme;
2. (*om bevægelse*) storme, komme
stormende (*fx he -ed into//out of
the room*); **3.** T have forrygende
succes; **4.** (*mil.*) angribe, storme;
tage med storm.
stormbound ['stɔːmbaund] *adj.* op-
holdt af storm.
storm cloud *sb.* uvejrssky.
storm cone *sb.* stormsignal.
storming ['stɔːmiŋ] *adj.* T forry-
gende.
storm lantern *sb.* stormlygte, fla-
germuslygte.
storm petrel *sb.* (*zo.*) lille storm-
svale.
storm trooper *sb.* (*hist., i Tyskland
under nazismen*) S.A.-mand.
stormy ['stɔːmi] *adj.* **1.** urolig,
stormfuld (*fx weather*); **2.** (*om
hav*) oprørt; **3.** (*fig.*) stormfuld (*fx
debate; meeting*).
stormy petrel *sb.* **1.** (*om person*)
(et) stridens tegn; **2.** (*zo., glds.*) =
storm petrel.
story ['stɔːri] *sb.* **1.** historie; fortæl-
ling; beretning; (*kort*) anekdote;

2. (*i avis*) historie; **3.** (*i film, bog etc.*) se *storyline*; **4.** (T: *usand*) historie (*fx he made up some* ~); løgnehistorie; **5.** (*am.*) = *storey*; □ *to cut/make a long* ~ *short* kort sagt; *end of* ~! T så er den ikke længere! *the* ~ *goes that* der går det rygte at; det fortælles at; *it's the* ~ *of my life* T sådan går det mig altid; *it tells its own* ~ se *tale*.

storyboard ['stɔ:ribɔ:d] *sb.* storyboard [række af billeder der viser hovedpunkterne i en films handling].

storybook[1] ['stɔ:ribuk] *sb.* samling af fortællinger for børn; eventyrbog.

storybook[2] ['stɔ:ribuk] *adj.* som taget ud af et eventyr.

storyline ['stɔ:rilain] *sb.* (*i film, bog etc.*) handling; plot; intrige.

storyteller ['stɔ:ritelə] *sb.* historiefortæller; fortæller.

stout[1] [staut] *sb.* (*øl*) porter.

stout[2] [staut] *adj.* **1.** (*om person: udseende*) kraftig, korpulent, svær; **2.** (*egenskab*) tapper, modig; standhaftig; **3.** (*om ting*) solid (*fx boots; stick*); kraftig, robust.

stove [stəuv] *sb.* **1.** (*til opvarmning*) kakkelovn; **2.** (*til madlavning*) komfur; (se også *spirit stove*).

stovepipe ['stəuvpaip] *sb.* kakkelovnsrør; skorstensrør.

stow [stəu] *vb.* pakke//lægge ned; (*tæt*) stuve ned//sammen; □ ~ *away* **a.** lægge//gemme væk; **b.** (*uden objekt: om person*) rejse som blind passager.

stowage ['stəuidʒ] *sb.* **1.** (*handling*) stuvning; pakning; **2.** (*plads*) bagageplads.

stowaway ['stəuəwei] *sb.* blind passager.

straddle ['strædl] *vb.* **1.** skræve over; sidde overskrævs på (*fx a moped; a chair*); **2.** (*flod, vej, grænse etc.*) ligge på begge sider af (*fx the park -s the border*); strække sig over; **3.** (*fig.*) spænde over, forbinde (*fx two different styles; two periods*); □ ~ *the issue* (*især am., neds.*) ikke tage klart standpunkt; støtte begge parter//synspunkter; ~ *a target* (*mil.*) bringe et mål i gaffel; skyde sig ind på et mål.

strafe [stra:f, streif, (*am.*) streif] *vb.* angribe, beskyde [*fra luften*].

straggle ['strægl] *vb.* **1.** strejfe om; gå enkeltvis; gå i spredte grupper; **2.** (*om planter etc.*) brede sig; vokse vildt.

straggler ['stræglə] *sb.* (*soldat der er kommet væk fra sin afdeling*) omstrejfer; (*glds.*) marodør;

□ -*s* (*af gruppe*) folk der er sakket bagud//kommer traskende bagefter; efternølere.

straggly ['strægli] *adj.* (*om hår, skæg*) pjusket; strittende.

straight[1] [streit] *sb.* **1.** (*på væddeløbsbane*) lige strækning; opløb; (se også *straight*[2] (*the* ~)); **2.** (*person*) heteroseksuel.

straight[2] *adj.* **A. 1.** lige (*fx road; a* ~ *left*); **2.** (*om hår*) glat; **3.** (*om begivenhed, tid*) i træk (*fx his third* ~ *win; for ten hours* ~); **4.** (*moralsk*) ærlig (*with over for, fx be* ~ *with me; give me a* ~ *answer*);

B. (*om person*) **1.** ærlig, hæderlig, retlinet; **2.** (T: *mht. sex*) heteroseksuel; **3.** (T: *mht. misbrug*) som ikke drikker//tager stoffer; **4.** (T: *neds.*) konventionel, borgerlig; **5.** (*am.*) ortodoks; partitro;

C. (*uden tilsætning etc.*) **1.** (*om mad*) ren (*fx* ~ *pasta has no taste*); **2.** (*om spiritus*) ublandet (*fx I like vodka* ~); tør (*fx whisky*); **3.** (*fig.*) ren (*fx he got* ~ *A's*); ren og skær (*fx reporting*); enkel (*fx choice; there isn't a* ~ *answer*); ligefrem (*fx a* ~ *yes or no*);

□ ~ *as a die* **a.** snorlige; **b.** fuldstændig ærlig; bundhæderlig; (se også *ramrod*); *a* ~ *back* en ret/rank ryg; *keep a* ~ *face* bevare alvoren; holde masken; *with a* ~ *face* gravalvorligt; *uden at fortrække en mine*; ~ *line* lige/ret linje; (se også ndf.: *straight fight, straight part* (*etc. på alfabetisk plads*));

[*med: the*] *the* ~ sidste lige strækning af banen; opløbet; *the* ~ *and narrow (path)* den snævre vej; dydens vej; *out of the* ~ skæv; [*med vb.*] *be* ~ **a.** (*om billede etc.*) hænge lige (*fx is the mirror* ~?); **b.** (*om slips*) sidde lige; **c.** (*mht. penge*) være kvit; *get* ~ **a.** = *put* ~; **b.** få på det rene (*fx let me get this* ~); *put/set* ~ ordne, bringe i orden (*fx a room*); *set him* ~ forklare ham den rette sammenhæng; (se også *record*[1]).

straight[3] [streit] *adv.* **1.** lige (*fx look* ~ *at him; go* ~ *back to the hotel; go* ~ *to bed*); ret (*fx stand* ~); **2.** lige ud, uden omsvøb (*fx I told him* ~ - *it's not on*); ærligt og redeligt; **3.** klart (*fx he couldn't see//think* ~);

□ *go/keep* ~ (*om straffet person*) holde sig på den rette vej; holde sin sti ren.

straight-arm ['streita:rm] *vb.* se *stiff-arm*.

straight away, **straightaway**

[streitə'wei] *adv.* straks, med det samme, på stående fod.

straightedge ['streitedʒ] *sb.* (*am.*) lineal.

straighten ['streit(ə)n] *vb.* **1.** bringe i orden (*fx a room*); rette på (*fx one's tie*); **2.** (*noget bøjet*) rette ud (*fx one's legs*); **3.** (*uden objekt*) rette sig ud, blive lige (*fx the river//road -ed*); **4.** (*om person*) rette sig op, rette ryggen;

□ ~ *out* **a.** = 3; **b.** (*med objekt: problem, rod*) bringe i orden; få bragt i orden; rede ud; **c.** (*person: glds.* T) få skik på; ~ *up* **a.** = 1; **b.** = 3.

straight fight *sb.* [*valgkamp mellem to kandidater*].

straightforward [streit'fɔ:wəd] *adj.* **1.** (*om sag*) ligetil, enkel, klar; **2.** (*om person*) ligefrem, ligetil, ærlig, reel.

straight glass *sb.* almindeligt glas [ɔ: *uden hank*].

straightjacket *sb.* = *straitjacket*.

straight off *adv.* = *straight away*.

straight part *sb.* (*teat.*) karakterrolle.

straight ticket *sb.* (*am.*) [*valg hvor der kun stemmes på kandidater fra samme parti*].

straight tip *sb.* pålidelig oplysning; staldtip.

strain[1] [strein] *sb.* (se også *strains*) **1.** belastning (*fx the rope broke under the* ~); pres; tryk; **2.** (*fig.*) anspændelse, anstrengelse, belastning (*fx physical and mental* ~); pres, tryk; **3.** (*med.: af led etc.*) forstrækning; forvridning; **4.** (*i éns karakter*) træk, islæt, anstrøg (*of af, fx cruelty; insanity; selfishness*); **5.** (*i udtryksmåde*) antydning (*of af, fx there is a* ~ *of bitterness in his later work*); **6.** (*biol.*) sort (*fx of wheat*); type, art; stamme (*fx of bacteria*);

□ *put a* ~ *on* belaste; *be under* ~ være under pres; være udsat for belastning.

strain[2] [strein] *vb.* (se også *strained*) **1.** belaste (*fx it -ed his relations with the Prime Minister*); anstrenge, anspænde; **2.** (*for meget*) overbelaste (*fx the system; our resources*); misbruge, trække for store veksler på (*fx his generosity; her patience*); **3.** (*med.: led etc.*) forstrække (*fx a tendon*); forvride (*fx one's ankle*); **4.** (*væske*) si; filtrere; **5.** (*uden objekt*) anstrenge sig;

□ ~ *oneself* anstrenge sig voldsomt; gøre en kraftanstrengelse; [*med sb.*] ~ *one's ears* lytte anspændt; ~ *one's eyes* **a.** spejde anspændt; **b.** (ɔ: *for meget*) over-anstrenge øjnene (*fx by reading in poor light*); ~ *the truth* gøre vold på sandheden; (se også *nerve¹*, *point¹*);

[*med præp.* & *adv.*] ~ **after** *effects* jage efter effekt; ~ **against** kæmpe imod; ~ **at a.** hale i; (se også *leash¹*); **b.** (*fig.*) have betænkeligheder ved; ~ *at a gnat and swallow a camel* (*bibelsk*) si myggen fra og sluge kamelen; ~ **away/off** si fra.

strained [streind] *adj.* **1.** anspændt (*fx silence*); spændt, anstrengt (*fx relations* forhold); **2.** (*om person*) anspændt, stresset; **3.** (*om smil etc.*) anstrengt, forceret.

strainer ['streinə] *sb.* si; sigte; filter.

strains [streinz] *sb. pl.* (*litt.*) toner (*fx the* ~ *of the harp*).

strait [streit] *sb.* stræde (*fx the Bering Strait*); (se også *straits*).

straitjacket ['streitdʒækit] *sb.* spændetrøje.

strait-laced [streit'leist] *adj.* snerpet, sippet; bornert.

straits [streits] *sb. pl.* **1.** vanskeligheder (*fx financial* ~); forlegenhed; **2.** (*farvand*) stræde (*fx the Straits of Gibraltar*);
□ *in desperate* ~ i en fortvivlet situation; *in dire* ~ i store vanskeligheder; i en slem knibe; i svar nød.

strand [strænd] *sb.* **1.** langt tyndt stykke (*fx of pasta*); **2.** (*af tøj*) tråd; fiber; **3.** (*i snor, af ståltråd*) streng; (*i tov*) kordel; **4.** (*fig.*) element (*fx of a theory*); del; **5.** (*litt.*) strand;
□ *a* ~ *of hair* en hårtjavs, en hårlok.

stranded [strændid] *adj.* **1.** (*om skib*) strandet; **2.** (*fig.*) strandet, kørt fast (*fx in the snow*); fanget; hjælpeløs.

strange [strein(d)ʒ] *adj.* **1.** underlig, besynderlig, mærkelig; **2.** fremmed, ukendt;
□ ~ *to say* underligt nok; *he is* ~ *to the work* han er ukendt med arbejdet.

stranger ['strein(d)ʒə] *sb.* fremmed;
□ *we were -s* vi kendte ikke hinanden; *be a* ~ *to* ikke kende noget til; *be no* ~ *to* ikke være ukendt med.

strangle ['stræŋgl] *vb.* **1.** kvæle; kværke; strangulere; **2.** (*fig.*) kvæle (*fx initiative*); undertrykke (*fx a sob*; *a sigh*).

strangled ['stræŋgld] *adj.* se *strangulated*.

stranglehold ['stræŋglhəuld] *sb.* (*fig.*) jerngreb (*on* om); kvælertag.

strangulated ['stræŋgjuleitid] *adj.*

halvkvalt (*fx cry*).

strangulated hernia *sb.* (*med.*) indeklemt brok.

strangulation [stræŋgju'leiʃn] *sb.* kvælning; kværkning; strangulering.

strap¹ [stræp] *sb.* strop; rem.

strap² [stræp] *vb.* spænde fast [*med rem*]; spænde;
□ ~ *up* (*såret legemsdel*) komme bandage på; forbinde.

straphanger ['stræphæŋə] *sb.* passager der står op [*og holder fast i en strop*].

strapless ['stræpləs] *adj.* stropløs.

strapped [stræpt] *adj.*: *be* ~ (*for cash*) T være i pengetrang; være på panden; have lavvande i kassen.

strapping ['stræpiŋ] *adj.* stor og stærk.

strapwort ['stræpwɔ:t] *sb.* (*bot.*) skorem.

strata ['stra:tə] *pl. af* stratum.

stratagem ['strætədʒəm] *sb.* F krigslist; kneb; puds.

strategic [strə'ti:dʒik] *adj.* strategisk.

strategist ['strætidʒist] *sb.* strateg.

strategy ['strætidʒi] *sb.* strategi.

strath [stræθ] *sb.* (*skotsk*) floddal.

stratification [strætifi'keiʃən] *sb.* lagdeling.

stratified ['strætifaid] *adj.* lagdelt.

stratosphere ['strætəsfiə] *sb.* stratosfære.

stratum ['stra:təm, 'streitəm] *sb.* (*pl.* strata [-tə]) lag.

straw [strɔ:] *sb.* **1.** (*enkelt*) strå; halmstrå; **2.** (*til drik*) sugerør; **3.** (*generelt*) halm;
□ *the* ~ *that broke the camel's back, the last/final* ~ den dråbe der fik bægeret til at flyde over; *a* ~ *in the wind* (*fig.*) en strømpил; *clutch/grasp at -s* gribe efter et halmstrå; *man of* ~ **a.** (*person*) papfigur; nikkedukke; **b.** (*i diskussion*) skinargument; **c.** (*sag*) ubetydelighed; småting; (se også *brick*, *short²*).

strawberry ['strɔ:b(ə)ri] *sb.* (*bot.*) jordbær;
□ *wild* ~ skovjordbær.

strawberry blonde *sb.* rødblond pige.

strawberry mark *sb.* (*rødligt*) modermærke.

strawboard ['strɔ:bɔ:d] *sb.* halmpap.

straw-coloured ['strɔ:kʌləd] *adj.* strågul.

straw man *sb.* se *straw* (*man of straw*).

straw poll, straw vote *sb.* vejledende afstemning; prøvevalg.

stray¹ [strei] *sb.* bortløbent//herreløst dyr;
□ *-s* (*radio.*) atmosfæriske forstyrrelser.

stray² [strei] *adj.* **1.** spredt, tilfældig (*fx a few* ~ *instances*); løsreven (*fx sentences*); **2.** (*om dyr*) bortløben, herreløs (*fx dog*; *cat*);
□ ~ *bullets* vildfarende kugler; ~ *socks* umage sokker.

stray³ [strei] *vb.* **1.** strejfe/flakke om; forvilde sig (*fx into the wood*); komme bort; **2.** (*fig.*) komme då afveje;
□ ~ *too far from* komme for langt væk fra.

streak¹ [stri:k] *sb.* **1.** streg; stribe; **2.** antydning (*fx a* ~ *of cruelty in her character*); træk (*fx there is an aggressive* ~ *in him*); **3.** (*om tid*) periode (*fx his lucky* ~ *continued*);
□ *be on a lucky/winning* ~ være inde i en heldig periode; sidde i held; *be on a losing/an unlucky* ~ have en række/stribe uheld/fiaskoer/nederlag; sidde i uheld; ~ *of lightning* lynglimt; *like a* ~ *(of lightning)* med lynets fart.

streak² [stri:k] *vb.* **1.** fare, stryge; **2.** T løbe nøgenløb; **3.** (*med objekt*) gøre stribet; lave/danne striber på//i.

streaked [stri:kt] *adj.* stribet;
□ ~ *with dirt* med striber af snavs.

streaker ['stri:kə] *sb.* T nøgenløber.

streaky ['stri:ki] *adj.* stribet.

stream¹ [stri:m] *sb.* **1.** vandløb; å; bæk; strøm; **2.** (*fig.*) strøm (*fx of lava*; *of cars*; *of visitors*; *of curses*); **3.** (*i skole: inddeling efter dygtighed, omtr.*) linje;
□ ~ *of consciousness* bevidsthedsstrøm;
[*med præp.*] **against//with** *the* ~ med//mod strømmen; *be* **on** ~ (*om fabrik etc.*) være i gang; være i funktion; *come on* ~ gå i gang.

stream² [stri:m] *vb.* **1.** strømme; **2.** (*i vinden*) flagre, vifte; **3.** (*om næse, øjne*) løbe; **4.** (*i skole*) niveaudele;
□ *be -ing with sweat* drive af sved.

streamer ['stri:mə] *sb.* **1.** (*af papir*) serpentine; **2.** (*flag*) vimpel; **3.** (*am.: i avis*) kæmpeoverskrift, flerspaltet overskrift.

streamline ['stri:mlain] *vb.* **1.** gøre strømlinet; **2.** (*fig.*) gøre mere strømlinet, effektivisere, rationalisere.

streamlined ['stri:mlaind] *adj.* strømlinet.

street [stri:t] *sb.* gade;
□ *be -s ahead of* være langt foran;

være langt bedre end, stå himmelhøjt over; *walk the -s* **a.** (*om hjemløs*) stå på gaden; **b.** (*om prostitueret*) trække på gaden; [*med præp.*] *in the* ~ på gaden; *the man in the* ~ (*fig.*) manden på gaden; menigmand; den jævne mand; *not in the same* ~ *with/as* T slet ikke på højde med; *into the* ~ ud på gaden; *on the* ~ på gaden; *be/go on the -s* se ovf.: *walk the -s*; *it is right up my* ~ det er lige noget for mig; det er lige mig.
street ballad *sb.* gadevise.
streetcar ['stri:tka:r] *sb.* (*am.*) sporvogn.
street cred *sb.* T = street credibility.
street credibility *sb.:* *have* ~ [*være en del af byungdommens kultur; være accepteret blandt unge i byen*]; (*omtr.*) være in.
street dealings *sb. pl.* (*merk.*) efterbørs.
street furniture *sb.* gadeinventar.
street lamp, **street light** *sb.* gadelygte.
street prices *sb. pl.* noteringer på efterbørsen.
street-smart ['stri:tsma:rt] *adj.* (*am.* T) = streetwise.
street smarts *sb. pl.* (*am.*) [*evne til at begå sig i en storby*]; snøvs.
street theatre *sb.* gadeteater.
street urchin *sb.* (*glds.*) gadedreng.
street value *sb.* (*om narkotika*) værdi ved salg på gaden.
streetwalker ['stri:twɔ:kə] *sb.* luder.
streetwise ['stri:twaiz] *adj.* T [*som forstår at begå sig i en storby*]; gadevant.
strength [streŋθ] *sb.* **1.** styrke; **2.** (*fysisk, om person*) kræfter (*fx use your* ~); styrke; □ ~ *of character* karakterstyrke; *give me* ~! gud fader bevares! [*med præp.*] *at full* ~ **a.** oppe på fuld styrke/bemanding; fuldtallig; **b.** (*adv.*) for fuld kraft (*fx work at full* ~); *below* ~ underbemandet; *go from* ~ *to* ~ gå fra sejr til sejr; gå sin sejrsgang; *in* ~ i stort tal; talstærk, mandstærk; *on the* ~ *of* i kraft af; i tillid til; som følge af.
strengthen ['streŋθ(ə)n] *vb.*
1. styrke; **2.** (*forsvar, indtryk, følelse*) forstærke; befæste; (se også *hand¹*); **3.** (*lov, bestemmelse*) stramme; **4.** (*uden objekt*) blive stærk; blive stærkere; **5.** (*om vind, strøm*) tiltage; blive kraftigere.
strenuous ['strenjuəs] *adj.* **1.** (*om indsats*) ivrig (*fx campaigner*); ihærdig (*fx efforts*); **2.** (*om arbejde*) anstrengende.
strep [strep] *fork. f.* streptococcus.
strep throat *sb.* (slem) halsbetæn-

delse.
streptococcus [streptə'kɔkəs] *sb.* (*pl. -cocci* [-'kɔksai]) (*med.*) streptokok.
stress¹ [stres] *sb.* **1.** belastning; tryk; **2.** (*på person*) pres, belastning; (*med.*) stress; **3.** (*fon.: på stavelse*) tryk, accent (*fx the* ~ *is/ comes/falls* (ligger) *on the first syllable*); **4.** (*på sag*) eftertryk, betoning, vægt; **5.** (*tekn.: i materiale*) spænding; (*på materiale*) belastning; påvirkning; □ *lay* ~ *on* (*jf.* 4) se *stress²* 1; *under* ~ under pres; stresset.
stress² [stres] *vb.* (se også *stressed*) **1.** (*sag*) betone, lægge vægt på; understrege, fremhæve; **2.** (*fon.: stavelse*) betone, lægge tryk på, accentuere.
stress counseller *sb.* kriserådgiver.
stressed [strest] *adj.* **1.** (*om person*) stresset; **2.** (*om stavelse*) trykstærk, betonet; □ *the word is* ~ *on the second syllable* ordet har tryk på anden stavelse.
stressed-out ['strestaut] *adj.* ødelagt af stress.
stressful ['stresf(ə)l] *adj.* stressende.
stress test *sb.* (*med.: for hjertepatient*) arbejdsprøve.
stretch¹ [stretʃ] *sb.* **1.** (*af vej, kyst, flod*) strækning; **2.** (*af væddeløbsbane, især am.*) lige strækning; opløb; **3.** (*om tid*) tidsrum (*fx a* ~ *of ten years*); **4.** T fængselsstraf; **5.** (*i stof*) elasticitet (*fx it has lost its* ~); **6.** (*gymn.*) udspændingsøvelse, strækøvelse; □ *six hours at a* ~ ~ seks timer i træk; *at full* ~ helt udstrakt; *get a seven-year* ~ (*jf.* 4) få syv år; *have a* ~ strække sig; *be at full* ~ arbejde for fuld kraft; *this can by no/cannot by any* ~ *of imagination be described as* wise dette kan ikke med den bedste vilje kaldes klogt.
stretch² [stretʃ] *vb.* **1.** (*muskler etc.*) strække (*fx one's arms*); **2.** (*reb, teltdug etc.*) spænde (ud) (*fx a rope between two posts; canvas over a frame*); **3.** (*ressourcer, person*) stille store krav til; udnytte til det yderste; **4.** (*mht. fortolkning*) udvide, gøre vold på (*fx a definition*); (*regel etc.*) ikke tage det så nøje med; fortolke meget liberalt; **5.** (*sko, handsker*) udvide, blokke; **6.** (*uden objekt: i tid, rum*) strække sig; række; **7.** (*om noget elastisk*) give sig; strække sig; □ *be -ed* (*jf.* 3) blive udnyttet fuldt ud; være anspændt til det yderste; ~ *the truth* gøre vold på sandhe-

den; (se også *point¹, rule¹*); [*med præp.& adv.*] ~ *into* udvide til (*fx* ~ *the weekend into a holiday*); ~ *out* **a.** strække ud (*fx one's arms*); række ud/frem (*fx one's hand*); **b.** (*uden objekt*) strække sig ud; ~ *to* **a.** (*om penge etc.*) række til//til at, slå 'til til//til at (*fx his income did not* ~ *to a car//to buy a car*); **b.** (*om person*) strække sig til (*fx could you* ~ *to £50?*); ~ *to the limit* strække til de yderste.
stretcher ['stretʃə] *sb.* **1.** båre; **2.** (*til maleri*) blændramme, blindramme; **3.** (*i mur*) løber [*mursten der ligger på langs*].
stretcher-bearer ['stretʃebɛərə] *sb.* sygebærer.
stretchered ['stretʃəd] *vb.:* *be* ~ blive transporteret på en båre.
stretch marks *sb. pl.* strækmærker [*i huden, især efter graviditet*].
stretchy ['stretʃi] *adj.* elastisk.
strew [stru:] *vb.* (*-ed, -ed/strewn*) strø; bestrø; sprede.
strewn [stru:n] *præt. ptc. af* strew.
stria ['straiə] *sb.* (*pl. -e* ['straii:]) stribe; fure; (se også *glacial stria*).
striated ['strai'eitid] *adj.* stribet; furet.
stricken ['strik(ə)n] *adj.* **1.** ramt (*with* af, *fx paralysis; the* ~ *cities*); hjemsøgt; **2.** (*i sms.*) -slagen (*fx terror* ~ rædselsslagen); ramt af (*fx drought-*~; *famine-*~).
strict [strikt] *adj.* **1.** streng (*fx teacher; upbringing; discipline; rules; in the -est confidence*); striks (*fx teacher*); stram (*fx rule*); **2.** (*om ordre*) streng, nøje, udtrykkelig; □ *in the* ~ *sense of the word* i ordets snævre/strenge betydning.
strictures ['striktʃəz] *sb.* F **1.** skarp kritik (*on* af); voldsomt udfald (*on* mod); stærkt nedsættende bemærkninger (*on* om); **2.** begrænsninger, indskrænkninger (*on* af/i, *fx freedom of expression*); □ *pass* ~ *on* (også) kritisere skarpt.
stridden ['strid(ə)n] *præt. ptc. af* stride.
stride¹ [straid] *sb.* (langt) skridt; □ *without breaking (one's)* ~ uden at standse op; uden at lade sig afbryde; uden fremskridt; [*med præp.*] *take it in one's* ~ ikke lade sig anfægte af det, tage det i stiv arm; klare det med lethed; *get into one's* ~ komme rigtigt i gang, komme i sving; *put him off his* ~ bringe ham helt ud af det.
stride² [straid] *vb.* (*strode, stridden*) **1.** skride; gå med lange

skridt; skridte ud; **2.** (*med objekt*) marchere hen ad//omkring på med lange skridt (*fx the streets; the deck*).

strident ['straid(ə)nt] *adj.* **1.** (*om lyd, stemme*) skingrende, skinger; skærende, gennemtrængende; **2.** (*om person, ytring*) skarp, højrøstet (*fx criticism*).

strides [straidz] *sb. pl.* (*austr.* T) bukser.

strife [straif] *sb.* strid.

strike[1] [straik] *sb.* **1.** slag; **2.** (*om arbejdere*) strejke; **3.** (*mil.*) angreb; (se også *air strike, pre-emptive strike*); **4.** (*am.*) fund; oliefund, guldfund; (se også *lucky*); **5.** (*i baseball, bowling*) strike; **6.** (*geol.: om lag*) strygning;
□ *it has a ~ against it* (*am.* T) der er et minus ved det; *go on ~* gå i strejke; (se også *rent strike*).

strike[2] [straik] *vb.* (*struck, struck*)
A. (*med objekt*) **1.** F slå (*fx he struck me in the face*); 'slå i (*fx the table*); 'slå til; **2.** (*om mål for slag, ulykke etc.*) ramme (*fx the ball; he was struck by a car//a stone//illness; the earthquake// hurricane struck the town at dawn*); **3.** (*mar.*) støde på, løbe på (*fx the ship struck a rock*); **4.** (*efter søgning*) finde (*fx oil; the right road*); **5.** (*om tanke etc.*) falde ind (*fx it never struck me before*); slå; forekomme (*fx it -s me that ...*); **6.** (*medalje, mønt*) slå, præge; **7.** (*mar., flag/sejl: hejse ned*) stryge; **8.** (*om ur*) slå (*fx the clock struck twelve*);
B. (*uden objekt*) **1.** (*også om ur*) slå; **2.** (*om uventet angreb*) slå 'til (*fx the murderer struck again*); **3.** (*om slange*) hugge; **4.** (*om lyn*) slå ned; **5.** (*om plante*) slå rod; **6.** (*om arbejdere*) strejke, gå i strejke; **7.** (*i en anden retning*) gå (*fx they struck toward the town*);
□ *it -s me as impossible//strange* det forekommer mig umuligt// mærkeligt; *the idea -s me as good* (også) jeg synes ideen er god; *how does it ~ you?* hvad mener du om det? *the hour has struck* timen er kommen; *an idea -s me* jeg får en idé; (se også *attitude, balance*[1], *blow*[1], *bargain*[1] (*etc.*));
[*med adj., adv.*] *you could not have struck it better* du kunne ikke have truffet det bedre; *it struck me dumb* det gjorde mig målløs; *~ me dead/blind/pink if* jeg vil lade mig hænge hvis; *~ it lucky* være heldig; have heldet med sig; *~ it rich* blive meget rig;
[*med præp., adv.*] *~ against* F slå

imod, støde imod; *~ at* rette et slag imod; (søge at) ramme; (se også *root*[1]); *~ back* slå igen; gøre gengæld; hævne sig; *~ down* **a.** dræbe, myrde; **b.** (*om sygdom*) ramme; **c.** (*am.*) ophæve (*fx a law*); *be struck down with* blive ramt (og gjort hjælpeløs) af, blive slået ud af (*fx insanity; polio*); *~ his name from the list* (*litt.*) stryge hans navn af listen; *~ sparks from* slå gnister af; *~ home* se *home*[4]; *~ a knife into sby's heart* støde en kniv i ens hjerte; *~ fear// terror into sby* F indjage én frygt// skræk; *~ into the field* dreje ind på marken; *~ off* **a.** hugge af, slå af (*fx the head ofF a flower*); **b.** stryge (*fx a name off a list*); **c.** (*typ.*) trykke (*fx a hundred copies*); *be struck off* **a.** (*om advokat*) miste sin bestalling; **b.** (*om læge*) miste sin autorisation; *~ on* komme på, få (*fx an idea*); (se også *struck*[2]); *~ out* **a.** (*i tekst*) stryge (*fx a word*); **b.** (*med hånden etc.*) lange ud (*at* efter); **c.** (*om virksomhed*) begynde (*in a new direction* på noget nyt); **d.** (*på vandring, rejse*) drage ud, begive sig af sted; **e.** (*am.*) have fiasko; *~ out for* (*jf. d*) sætte kursen mod; *~ out in all directions* (*jf. b*) slå vildt om sig; *~ out on one's own* (*jf. c*) begynde for sig selv; *~ through* (*i tekst*) slå en streg over; *~ up* **a.** (*mus.*) begynde at spille; sætte 'i med; slå an til; **b.** se *conversation, friendship*.

strikebound ['straikbaund] *adj.* strejkeramt.

strikebreaker ['straikbreikə] *sb.* strejkebryder.

strike pay *sb.* strejkeunderstøttelse.

striker ['straikə] *sb.* **1.** strejkende; **2.** (*i fodbold*) angrebsspiller.

striking ['straikiŋ] *adj.* **1.** slående (*fx difference; similarity*); påfaldende; bemærkelsesværdig; **2.** (*om person*) meget smuk; uimodståelig;
□ *within ~ distance* inden for rækkevidde; *~ force* slagstyrke; *~ surface* (på tændstikæske) strygeflade.

strimmer® ['strimə] *sb.* græstrimmer.

strine [strain] *sb.* (*spøg.*) australsk engelsk.

string[1] [striŋ] *sb.* **1.** sejlgarn; snor; **2.** (*på trappe*) vange; **3.** (*beklædning*) minibikini; **4.** (*mus.*) streng; **5.** (*it*) streng;
□ *have him on a ~* have krammet på ham, have ham i sin hule

hånd; *have another/a second ~ to one's bow* se ndf.: *have two -s...*; [*med -s*] *the -s* (*i orkester*) strygerne; *there are no -s attached* T der er ikke knyttet nogen betingelser til; *pull -s* bruge sin indflydelse; trække i trådene; *have two -s to one's bow* (*fig.*) have flere strenge på sin bue; have flere talenter; have mere end én udvej; [*med: of*] *a ~ of* **a.** en række (*fx trees; houses*); en stribe; **b.** (*begivenheder*) en række/stribe/serie af (*fx burglaries; victories*); **c.** (*sat sammen*) en kæde//krans af (*fx fairy lights; onions*); *a ~ of pearls//beads* en perlekæde, en perlekrans.

string[2] [striŋ] *vb.* (*strung, strung*) **1.** (*perler, sten etc.*) trække på snor (*fx beads; onions*); **2.** (*til udsmykning etc.*) hænge op (*fx coloured lights in the garden*); spænde op/ud (*fx a banner across the road*); **3.** (*strengeinstrument*) sætte streng(e) på; **4.** (*ketsjer*) strenge op; **5.** (*bønner*) ribbe;
□ *~ along* T **a.** holde for nar; holde hen; **b.** (*uden objekt*) gå 'med, følge 'med; *~ along with* T slå følge med; *~ out* (*tidsmæssigt*) trække ud; (se også *strung out*); *~ up* **a.** (*jf. 2*) hænge op, spænde op//ud; **b.** (*person: henrette*) klynge op, hænge; (se også *strung up*).

string bag *sb.* indkøbsnet.

string bean *sb.* **1.** (*eng.*) = *runner bean*; **2.** (*am.*) = *French bean*.

string bikini *sb.* minibikini.

stringed [striŋd] *adj.*: *~ instrument* strengeinstrument.

stringency ['strin(d)ʒ(ə)nsi] *sb.* (*jf. stringent*) **1.** strenghed; **2.** stramhed.

stringent [strin(d)ʒ(ə)nt] *adj.* **1.** streng (*fx conditions; instructions; test*); **2.** (*mht. penge*) stram (*fx money market*).

stringer ['striŋə] *sb.* **1.** (*ved avis*) freelancejournalist; **2.** (*mar., flyv.*) stringer; **3.** (*i trappe*) vange.

string quartet *sb.* (*mus.*) strygekvartet.

string vest *sb.* netundertrøje.

stringy ['striŋi] *adj.* trævlet; senet; sej.

strip[1] [strip] *sb.* **1.** strimmel; (se også *magnetic strip*); **2.** (*af metal*) bånd; **3.** (*af jord*) strimmel, stribe; (se også *airstrip*); **4.** (*af tegninger*) tegneserie, stribe; **5.** (*tv*) fast program; **6.** (*am.*) (lang) gade; hovedstrøg; **7.** (T: *om fodboldhold*) farver; spilledragt;
□ *do a ~* strippe; *tear a ~ off sby,*

tear sby off a ~ S skælde en huden fuld; give en et møgfald//en skideballe.

strip² [strip] *vb.* **1.** fjerne (*fx paint*); tage af; (se også ndf.: ~ *away*, ~ *off*); **2.** (*person*) klæde af; **3.** (*hus; merk.: selskab*) tømme; **4.** (*overflade*) fjerne gammel maling fra; (*med syre*) afsyre; **5.** (*maskine etc.*) demontere, skille ad (*fx a car; a gun*); **6.** (*skrue*) skrue over gevind; **7.** (*uden objekt*) klæde sig af, tage tøjet af, smide tøjet; (*om striptease*) strippe;

☐ ~ *the beds* tage sengetøjet af; ~ *a cow* eftermalke en ko; malke en ko ren;

[*med præp.& adv.*] ~ *away* **a.** fjerne (*fx paint*); tage af (*fx wallpaper*); **b.** (*fig.*) fjerne, skrælle af (*fx the pretence*); skære igennem (*fx all the fine words*); ~ *down* **a.** = 5; **b.** (*uden objekt*) = 7; *he -ped down to his underpants* han tog alt tøjet af undtagen underbukserne; ~ *of* **a.** tømme for (*fx ~ the room of furniture*); ribbe for; **b.** (*person*) fratage (*fx he was -ped of his gold medal*); ~ *off* **a.** fjerne (*fx paint*); skrælle af (*fx bark*); **b.** (*tøj*) tage af, smide; **c.** (*uden objekt*) tage alt tøjet af, smide alt tøjet; *-ped to the waist* med nøgen overkrop.

strip cartoon *sb.* tegneserie.
strip club *sb.* T natklub med striptease.
stripe [straip] *sb.* **1.** stribe; **2.** (*am.*) type, slags, kategori; **3.** (*mil.*) ærmedistinktion; vinkel.
striped [straipt] *adj.* stribet.
strip joint *sb.* T = strip club.
strip light *sb.* lysstofrør.
strip lighting *sb.* oplysning med lysstofrør.
stripling ['striplin] *sb.* (*glds., spøg.*) ungt menneske; grønskolling.
strip mine *sb.* (*am.*) åben mine, åbent brud.
strip mining *sb.* (*am.*) se opencast (*mining*).
stripper ['stripə] *sb.* stripper, stripteasedanser; (se også *paint stripper, wallpaper stripper, wire stripper*).
strip-search¹ ['stripsə:tʃ] *sb.* kropsvisitation [*med aftagelse af alt tøjet*].
strip-search² ['stripsə:tʃ] *vb.* lade klæde sig af og kropsvisitere.
striptease ['stripti:z] *sb.* striptease.
strive [straiv] *vb.* (*strove/-d, striven/-d*) stræbe (*for* efter; *to* efter at); kæmpe (*against* imod/med; *for* for; *to* for at);

☐ ~ *to* (*også*) anstrenge sig for at;

bestræbe sig på at.
striven ['striv(ə)n] *præt. ptc. af* strive.
strobe light ['strəublait] *sb.* stroboskoplys.
strode [strəud] *præt. af* stride².
stroke¹ [strəuk] *sb.* **1.** slag; **2.** (*med økse, sværd*) hug; **3.** (*med pen, pensel; (mus.:) med bue*) strøg; **4.** (*med hånden*) strøg, strygning; klap (*fx give the horse a ~*); **5.** (*fig.: om noget man udfører*) træk (*fx it was a bold ~*); **6.** (*i sport, fx golf, tennis, kricket*) slag; **7.** (*i billard*) stød; **8.** (*i roning*) tag; (*fælles*) takt (*fx they sang to keep their ~*); (se også *stroke oar*); **9.** (*i svømning*) tag; (*om svømning*) svømmeart (*fx my favourite ~*); (se også *backstroke, breaststroke*); **10.** (*med.*) slagtilfælde; **11.** (*tekn.: af stempel*) slag; slaglængde; **12.** (*typ.*) skråstreg;

☐ *at a (single) ~, at one ~* med ét slag; på én gang; *different -s (for different folks)* T enhver sin smag; *put him off his ~* bringe ham ud af det;

[*med: of*] *a ~ of brilliance/genius* et genialt indfald//træk; en genistreg; *with a/the ~ of a pen* med et pennestrøg; *at/on the ~ of ten* på slaget ti; *præcis klokken ti; he has not done a ~ of work* han har ikke rørt en finger; (se også *lightning, luck*¹).

stroke² [strəuk] *vb.* **1.** stryge, kærtegne, klappe; **2.** (*person, am.* T) snakke godt for; **3.** (*bold*) slå; **4.** (*i roning*) ro tagåren for;

☐ ~ *out* slette; ~ *one's t's* sætte streg gennem t'erne; ~ *the wrong way* **a.** stryge mod hårene; **b.** (*fig.*) irritere.

stroke oar *sb.* **1.** tagåre [*den agterste åre i kaproningsbåd*]; **2.** (*person*) agterste roer.
stroll¹ [strəul] *sb.* tur; spadseretur, gåtur; slentretur.
stroll² [strəul] *vb.* spadsere; slentre; rejse om.
stroller ['strəulə] *sb.* **1.** spadserende, gående; **2.** (*am.*) klapvogn.
strong [strɔŋ] *adj.* **1.** stærk; **2.** (*om antal*) på ... (*fx an army 10,000 ~* en hær på 10,000 mand; *the club is 300 ~*);

☐ *be ~ on* være god til; *still going ~* stadig i fuld vigør;

[*med sb., se også på alfabetisk plads*] ~ *language* voldsomme udtryk; eder, kraftudtryk; *use ~ language* bruge stærke udtryk; føre et kraftigt sprog; ~ *meat* (*fig.*) kraftig kost; skrap kost; hård kost; *his ~ point* (*fig.*) hans stærke side,

hans force (*fx tact is not his ~ point*); ~ *suit* **a.** (*i kortspil*) stærk farve; **b.** (*am.*) = ~ *point*.
strong-arm¹ ['strɔŋa:m] *adj.* (*am.* T) voldelig; volds- (*fx methods; tactic*).
strong-arm² ['strɔŋa:m] *vb.* (*am.* T) bruge vold over for.
strongbox ['strɔŋbɔks] *sb.* boks; pengeskab.
strong breeze *sb.* (*vindstyrke 6*) hård vind.
strong gale *sb.* **1.** kraftig storm; **2.** (*vindstyrke 9*) stormende kuling.
stronghold ['strɔŋhəuld] *sb.* **1.** fæstning; **2.** (*fig.*) højborg; fast borg.
strongman ['strɔŋmæn] *sb.* (*pl. -men* [-men]) stærk mand.
strong-minded [strɔŋ'maindid] *adj.* viljestærk; karakterfast; resolut.
strong point *sb.* se strong.
strongpoint ['strɔŋpɔint] *sb.* (*mil.*) støttepunkt; befæstet stilling.
strongroom ['strɔŋru(:)m] *sb.* boks.
strong suit *sb.* se strong.
strong-willed [strɔŋ'wild] *adj.* viljestærk, viljefast.
strop [strɔp] *sb.* strygerem [*til at skærpe kniv med*];

☐ *be in a ~* T være sur.
stroppy ['strɔpi] *adj.* T genstridig; besværlig; obsternasig.
strove [strəuv] *præt. af* strive.
struck¹ [strʌk] *præt. & præt. ptc. af* strike; (se også *strike*² (*down, off*)).
struck² [strʌk] *adj.* (*am.*) strejkeramt;

☐ ~ *on* T varm på, betaget af.
structural ['strʌktʃ(ə)rəl] *adj.* **1.** strukturmæssig (*fx change*); strukturel (*fx linguistics*); **2.** (*mht. huse*) bygningsmæssig (*fx damage*); konstruktionsmæssig; bygnings- (*fx glass; steel*).
structuralism ['strʌktʃ(ə)rəlizm] *sb.* sktrukturalisme.
structure¹ ['strʌktʃə] *sb.* **1.** struktur, opbygning; bygningsmåde; **2.** (*som er bygget*) bygning; konstruktion.
structure² ['strʌktʃə] *vb.* strukturere, konstruere, opbygge; organisere.
struggle¹ ['strʌgl] *sb.* **1.** kamp (*fx against poverty; for independence; for power*); **2.** (*korporlig*) slagsmål.
struggle² ['strʌgl] *vb.* **1.** kæmpe (*against* med/mod, *fx an enemy; poverty; for* for, *fx survival; to* for at, *fx understand it; get free*); **2.** (*om to*) slås; **3.** (*for at komme løs*) kæmpe/stritte imod, sprælle (*fx she -d and screamed*); **4.** (*et sted hen*) kæmpe sig (*fx through*;

along the road);
□ ~ *to one's feet* rejse sig tungt og besværligt; ~ *with* **a.** slås med; **b.** (*noget tungt*) bakse med, ase med.

strum¹ [strʌm] *sb.* **1.** klimpren; **2.** (*i guitarspil*) spillemåde [*anslag*].

strum² [strʌm] *vb.* **1.** klimpre; **2.** (*med objekt*) klimpre på.

strumpet ['strʌmpit] *sb.* (*glds.*) tøjte; skøge.

strung [strʌŋ] *præt. & præt. ptc. af string²*; (se også *highly strung*).

strung out *adj.* (*am.* S) **1.** høj [*af stoffer*]; **2.** på stoffer; **3.** ødelagt af stofmisbrug;
□ *be* ~ (*også, om både, heste etc.*) danne en lang række.

strung up *adj.* overnervøs; overspændt.

strut¹ [strʌt] *sb.* skråstiver, støtte, stolpe.

strut² [strʌt] *vb.* **1.** spankulere; stoltsere; gå knejsende; **2.** (*med objekt*) skilte med; (se også *stuff¹*).

strychnine ['strikni:n] *sb.* stryknin.

stub¹ [stʌb] *sb.* **1.** stump (*fx of a pencil*); **2.** (*af cigaret*) skod; **3.** (*i checkhæfte etc.*) talon.

stub² [stʌb] *vb.:* ~ *one's toe* støde sin tå; ~ *out a cigarette* slukke/skodde en cigaret.

stubble ['stʌbl] *sb.* **1.** stubbe; kornstubbe; **2.** skægstubbe.

stubbly ['stʌbli] *adj.* ubarberet, langskægget.

stubborn ['stʌbən] *adj.* **1.** stædig; hårdnakket; **2.** (*om plet*) genstridig; **3.** (*om problem*) besværlig;
□ (*as*) ~ *as a mule* stædig som et æsel.

stubby ['stʌbi] *adj.* lille og tyk; stumpet.

stucco ['stʌkəu] *sb.* stuk.

stuck¹ [stʌk] *præt. & præt. ptc. af stick².*

stuck² [stʌk] *adj.:* *be* ~ **a.** sidde// hænge fast, blive hængende (*in* i); være gået i stå; **b.** være i knibe; *be* ~ *on* (*glds.* T) være varm på [ɔ: forelsket i]; *be* ~ *with* (T: *noget ubehageligt*) hænge på; *get* ~ **a.** blive hængende; gå i stå; køre fast; **b.** komme i knibe; *get* ~ *in* tage fat; køle 'på.

stuck-up [stʌk'ʌp] *adj.* hoven; vigtig; storsnudet.

stud [stʌd] *sb.* **1.** (*søm*) bredhovedet søm; dekorativt søm; **2.** (*på lædervare, fx bælte*) nitte; **3.** (*i vej*) færdselssøm; **4.** (*i øret*) ørestik; **5.** (*beslag, fx på støvle*) søm, knop, dup; **6.** (*til skjorte*) kraveknap; dobbeltknap; (se også *press stud*); **7.** (*i byggeri*) stolpe; **8.** (*tekn.*) tapskrue; pindbolt; **9.** (*i*

hesteavl) stutteri; (*dyr*) heste; (se også *stud horse*); **10.** (S: *om seksuelt aktiv mand*) tyr;
□ *put to* ~ (*jf. 9*) bruge til avl.

stud bolt *sb.* tapskrue.

stud book *sb.* (*i avl*) stambog.

studded ['stʌdid] *adj.* **1.** besat med søm; **2.** (*om lædervare*) med nitter (*fx a* ~ *leather belt*); **3.** (*om støvle*) sømbeslået;
□ ~ *with* **a.** oversået/besat med (*fx diamonds; stars*); **b.** fyldt med.

studding-sail ['stʌdiŋseil, (*mar.*) 'stʌns(ə)l] *sb.* læsejl [*ekstra sejl*].

student ['stju:d(ə)nt] *sb.* **1.** (*ved højere læreanstalt*) studerende; student; **2.** (*am.: i skole*) elev;
□ *be a* ~ *of* interessere sig meget for, studere (*fx human nature*).

student body *sb.* (*am.: ved læreanstalt*) samtlige studerende.

student council, student government *sb.* (*am.*) **1.** studenterråd; **2.** (*i skole*) elevråd.

student loan *sb.* studielån.

student nurse *sb.* sygeplejeelev.

studentship ['stju:dəntʃip] *sb.* stipendium.

student teacher *sb.* lærerstuderende.

student teaching *sb.* (*am.*) praktik.

student union *sb.* studenterforening.

stud farm *sb.* stutteri.

stud horse *sb.* avlshingst.

studied ['stʌdid] *adj.* bevidst, tilsigtet, tilstræbt (*fx insolence*); velovervejet.

studio ['stju:diəu] *sb.* **1.** atelier; **2.** (*radio., tv*) studie; **3.** (*film.*) filmselskab; **4.** (*mus.*) pladeselskab; **5.** = *studio flat*.

studio apartment *sb.* (*am.*) = *studio flat.*

studio flat *sb.* (*dyr*) etværelseslejlighed.

studious ['stju:diəs] *adj.* **1.** boglig; bogligt interesseret; læselysten; **2.** omhyggelig; opmærksom.

study¹ ['stʌdi] *sb.* **1.** studium; **2.** (*generelt*) studier (*fx a life devoted to* ~); **3.** (*videnskabelig*) undersøgelse (*of/into* af, *fx the incidence of leukaemia*); **4.** (*afhandling*) studie (*of* i, over, *fx Shakespeare's Hamlet*); **5.** (*i kunst*) studie, udkast (*of* til); **6.** (*mus.*) étude; **7.** (*værelse*) arbejdsværelse;
□ *his face was a* ~ T hans ansigt var et studium værd; *be a quick// slow* ~ (*teat.* S) være hurtig//langsom til at lære en rolle; *make a* ~ *of* foretage en undersøgelse af; undersøge; studere; (se også *brown study*).

study² ['stʌdi] *vb.* **1.** studere; (*fag*

også) læse (*fx law*); **2.** (*emne etc.*) studere, undersøge (*fx chimpanzee behaviour; a contract*); **3.** (*med blikket*) studere, betragte (*fx sby's face; a map*); **4.** (*teat.: rolle*) indstudere;
□ ~ *one's own comfort//interests* pleje sin magelighed//sine egne interesser.

stuff¹ [stʌf] *sb.* T ting, sager; (*især neds.*) stads (*fx what's that* ~ *you're drinking?*);
□ *and* ~ T og sådan; og alt det der; ~ *and nonsense* sludder og vrøvl; *that's the* ~! T sådan skal det være! *the* ~ *of* ... det som ... skabes af (*fx the* ~ *of dreams//legend*);
[*med vb.*] *do one's* ~ gøre sit arbejde, gøre hvad der ventes af en; vise hvad man duer til; *do your* ~! lad os så se hvad du kan! *that's the* ~ *to give them* T det er sådan de skal have det; *know one's* ~ kunne sit kram; *show one's* ~ = *do one's* ~ *strut one's* ~ T vise sig, blære sig.

stuff² [stʌf] *vb.* **1.** stoppe, proppe (*fx* ~ *sth into one's pocket*); **2.** (*pude etc.*) stoppe; **3.** (*dyr*) udstoppe; **4.** (*i madlavning: fjerkræ etc.*) fylde; farsere; **5.** (*i sport*) vinde stort over, jorde; **6.** (*vulg.*) knalde, kneppe; **7.** (*uden objekt*, T) fylde sig, proppe sig, guffe i sig (*fx he is always -ing*);
□ *get -ed!* (*vulg.*) rend mig i røven! ~ *it//him!* (*vulg.*) skide være med det//ham! ~ *up* tilstoppe; ~ *oneself with* T fylde/proppe sig med.

stuffed [stʌft] *adj.* **1.** udstoppet (*fx bird*); **2.** (*om person*) stopmæt; **3.** (*i madlavning*) fyldt (*fx peppers*); farseret;
□ ~ *animals,* ~ *toys* tøjdyr.

stuffed shirt *sb.* T opblæst nar.

stuffed-up [stʌft'ʌp] *adj.* tilstoppet i næsen.

stuffing ['stʌfiŋ] *sb.* **1.** (*i madlavning: til fjerkræ etc.*) fars; fyld; **2.** (*til puder etc.*) stopningsmateriale, fyld;
□ *knock the* ~ *out of* T **a.** tage pippet fra, pille ned; **b.** tæve sønder og sammen.

stuffy ['stʌfi] *adj.* **1.** (*om værelse etc.*) indelukket, beklumret, trykkende; **2.** (*om person, institution*) stiv, gammeldags, kedelig; støvet.

stultify ['stʌltifai] *vb.* hæmme, sløve;
□ ~ *oneself* gøre sig latterlig.

stultifying ['stʌltifaiiŋ] *adj.* sløvende; fordummende.

stumble¹ ['stʌmbl] *sb.* snublen.

stumble² ['stʌmbl] *vb.* snuble;

træde fejl;

□ ~ *about* tumle rundt; ~ *across* falde over; tilfældigt opdage; ~ *along* stolpre af sted; ~ *on* **a.** snuble over; **b.** (*fig.*) = ~ *across*; ~ *over* (*fig.*) snuble over (*fx the words*).

stumblebum ['stʌmblbʌm] *sb.* (*am.* S) bums, dagdriver; drukmås.

stumbling block *sb.* anstødssten; forhindring; vanskelighed.

stump[1] [stʌmp] *sb.* **1.** stump; **2.** (*af træ*) stub; **3.** (*til tegning*) tegnestup; **4.** (*i kricket*) gærdepind; □ *go on the* ~ (T, *især am.*) tage på valgturné; deltage i valgkampagne.

stump[2] [stʌmp] *vb.* **1.** stampe, trampe; **2.** (*i kricket*) stokke ud; **3.** T sætte til vægs; (se også *stumped*); □ ~ *the country* (T, *især am.*) rejse landet rundt og holde valgtaler; være på valgturné; *you've -ed me!* (*jf.* 3) der fik du mig! ~ *up* T **a.** punge ud, betale; **b.** (*med objekt*) punge/rykke ud med, ryste op med.

stumped [stʌmpt] *adj.*: *he was ~ by that* det kunne han ikke klare; *be ~ for* være i bekneb for (*fx an answer*).

stumpy ['stʌmpi] *adj.* stumpet; kort og tyk (*fx fingers*); (*om person også*) undersætsig.

stun [stʌn] *vb.* **1.** bedøve; slå bevidstløs; **2.** (*fig.*) overvælde, forbløffe; (*om noget negativt*) chokere, ryste; (se også *stunning*).

stung [stʌŋ] *præt.* & *præt. ptc. af sting*[2].

stunk [stʌŋk] *præt. ptc. af stink*[2].

stunner ['stʌnə] *sb.* (*glds.* T) **1.** fantastisk flot pige; **2.** pragteksemplar.

stunning ['stʌniŋ] *adj.* **1.** (*om udseende*) fantastisk, pragtfuld (*fx you look ~ in that dress!*); **2.** (*om noget uventet*) overvældende, forbløffende; **3.** (*om noget negativt*) chokerende, rystende (*fx news*).

stunt[1] [stʌnt] *sb.* **1.** trick; nummer; (se også *publicity stunt*); **2.** (*film.*) stunt.

stunt[2] [stʌnt] *vb.* hæmme i væksten//udviklingen; bremse.

stunted ['stʌntid] *adj.* hæmmet; forkrøblet.

stunt man *sb.* (*pl.* stunt men) stuntman [*der udfører særlig farlige tricks i film i stedet for skuespiller*].

stupefaction [stju:pi'fækʃn] *sb.* **1.** bedøvelse, lammelse; **2.** bestyrtelse.

stupefy ['stju:pifai] *vb.* **1.** bedøve;

lamme; **2.** overvælde; forbløffe.

stupendous [stju'pendəs] *adj.* vældig, formidabel; forbløffende, utrolig.

stupid ['stju:pid] *adj.* **1.** dum, tåbelig; **2.** sløv; **3.** (*i tiltale*) fjols (*fx don't do that, ~!*).

stupidity [stju'pidəti] *sb.* **1.** dumhed, tåbelighed; **2.** sløvhed.

stupor ['stju:pə] *sb.* bedøvelsestilstand;
□ *drink oneself into a* ~ drikke sig bevidstløs/fra sans og samling; *be in a drunken* ~ være halvt bevidstløs af druk.

sturdy ['stə:di] *adj.* **1.** robust, kraftig, solid; **2.** (*om egenskab*) djærv; beslutsom.

sturgeon ['stə:dʒ(ə)n] *sb.* (*zo.*) stør.

stutter[1] ['stʌtə] *sb.* stammen.

stutter[2] ['stʌtə] *vb.* **1.** stamme; **2.** (*om motor*) hakke.

sty [stai] *sb.* **1.** (*med.*) bygkorn [*på øjet*]; **2.** se *pigsty*.

stye [stai] *sb.* = *sty* 1.

style[1] [stail] *sb.* **1.** stil (*fx she has ~; her ~ of life; his ~ of management; it is not his ~*); **2.** (*i kunst*) stil; (*i kunsthistorie*) stilart, stilretning; **3.** (*mht. tøj*) mode; **4.** (*merk.: om firma*) firmanavn (*fx under the ~ of Smith & Brown*); **5.** (*om vare etc.*) type (*fx a new ~ of lampshade*); slags; **6.** (*bot.: i blomst*) griffel;
□ ~ *of address* tiltaleform; *in* ~ **a.** (*om tøj*) på mode; **b.** (*om optræden*) flot; med manér; *do things in* ~ (*også*) flotte sig; *live in* ~ føre et stort hus.

style[2] [stail] *vb.* **1.** (*vare etc.*) formgive, designe, udforme; **2.** (*hår*) sætte; formklippe, formskære; **3.** (*om titel, navn*) titulere; benævne, betegne.

stylish ['stailiʃ] *adj.* elegant, smart, moderigtig; stilfuld.

stylist ['stailist] *sb.* **1.** (*skribent*) stilist; **2.** (*stilrådgiver*) stylist; **3.** (*mht. hår*) stylist; frisør.

stylistic [stai'listik] *adj.* stilistisk.

stylized ['stailaizd] *adj.* stiliseret.

stylus ['stailəs] *sb.* **1.** (*til pickup*) pickupnål; diamantstift, diamant; **2.** (*it*) lyspen; **3.** (*hist.: skriveredskab*) stylus.

stymie ['staimi] *vb.* T hindre, vanskeliggøre, komme på tværs af.

Styria ['stiriə] (*geogr.*) Steiermark [*i Østrig*].

styrofoam® ['stairəfəum] *sb.* (*am.: svarer til*) flamingo®.

suave [swa:v] *adj.* slebent elskværdig; forekommende; facil.

suavity ['swa:vəti] *sb.* sleben elskværdighed; forekommenhed.

sub[1] [sʌb] *sb.* **1.** (*fork. f. submarine*) undervandsbåd; **2.** (*am.* T: *mad*) se *submarine*[1] 2; **3.** (*fork. f. subscription*) kontingent; **4.** (*fork. f. subeditor*) redaktionssekretær; **5.** (*fork. f. substitute*) vikar; (*i sport*) reserve, udskiftningsspiller; **6.** (*fork. f. subsistence allowance*) forskud.

sub[2] [sʌb] *vb.* **1.** T give forskud; **2.** (*avis*) være redaktionssekretær på;
□ ~ *for* vikariere for; træde i stedet for.

subaltern ['sʌb(ə)ltən, (*am.*) səb'ɔltərn] *sb.* [*officer under kaptajnsrang*].

subaqua [sʌb'ækwə] *adj.* undervands-;
□ ~ *team* svømmedykkerhold.

subatomic [sʌbə'tɔmik] *adj.* subatomar (*fx particles*) [ɔ: *som indgår i et atom*].

subcommittee ['sʌbkəmiti:] *sb.* underudvalg.

subconscious [sʌb'kɔnʃəs] *adj.* underbevidst.

subcontinent [sʌb'kɔntinənt] *sb.* subkontinent [*større landmasse; del af kontinent*].

subcontract[1] ['sʌbkɔntrækt, (*am.*) sʌb'kɔntrækt] *sb.* underentreprise.

subcontract[2] [sʌbkən'trækt, (*am.*) sʌb'kɔntrækt] *vb.* give i underentreprise.

subculture ['sʌbkʌltʃə] *sb.* subkultur.

subcutaneous [sʌbkju'teiniəs] *adj.* subkutan, under huden.

sub deb ['sʌbdeb] *sb.* = *subdebutante*.

subdebutante [sʌb'debjuta:nt] *sb.* (*am.*) [*ung pige der snart skal debutere i selskabslivet*].

subdirectory ['sʌbdirekt(ə)ri] *sb.* (*it*) underbibliotek.

subdivide [sʌbdi'vaid] *vb.* dele op igen [*i mindre dele*]; underinddele.

subdivision [sʌb'diviʒ(ə)n, 'sʌb-] *sb.* **1.** underafdeling; **2.** (*jf. subdivide*) underinddeling; **3.** (*af ejendom*) udstykning (*fx of a house into apartments*); **4.** (*am.*) se *housing estate*.

subdue [səb'dju:] *vb.* **1.** (*person*) overmande (*fx it took two police officers to ~ him*); **2.** (F: *folk*) undertvinge, underkue, holde nede; **3.** (*følelser*) undertrykke, holde nede; overvinde (*fx one's fear*); **4.** (*ild*) få bugt med; **5.** (*farve, lyd*) dæmpe.

subdued [səb'dju:d] *adj.* **1.** (*om person*) kuet, forknyt; nedtrykt; **2.** (*om lyd, lys, farve*) dæmpet;

S subedit

3. (*om aktivitet*) afdæmpet.
subedit [sʌb'edit] *vb.* **1.** (*blad*) være
redaktionssekretær ved; **2.** (*manu-
skript*) gøre trykfærdig.
subeditor [sʌb'editə] *sb.* redak-
tionssekretær.
subfusc ['sʌbfʌsk] *adj.* (*litt.*) mørk,
skummel; trist.
subgroup ['sʌbgruːp] *sb.* under-
gruppe.
subheading ['sʌbhedɪŋ] *sb.* (*i avis*)
underrubrik.
subhuman [sʌb'hjuːmən] *adj.*
1. (*om person*) laverestående;
næppe menneskelig; næsten dy-
risk; **2.** (*om forhold*) umenneske-
lig, ikke menneskeværdig.
subject[1] ['sʌbdʒikt, -dʒekt] *sb.*
1. (*for diskussion, bog etc.*) emne;
tema; **2.** (*i undervisning, studium*)
fag; **3.** (*i kunst, foto.*) motiv;
4. (*gram.: i sætning*) subjekt,
grundled; **5.** (*mus.: i sonateform*)
tema; **6.** (*ved forsøg*) forsøgsper-
son; **7.** (*i stat*) statsborger (*fx a
Danish* ~); (*i forhold til hersker*)
undersåt;
□ *be the* ~ *of* **a.** (*jf. 1*) være emnet
for (*fx a new biography*); **b.** (*for
behandling*) være genstand for,
være udsat for (*fx criticism; con-
demnation*); **c.** (*i forsøg*) være for-
søgsperson i (*fx a psychological
experiment*); *on the* ~ *of* angå-
ende, vedrørende; *while we are
on the* ~ *of* mens vi taler om.
subject[2] ['sʌbdʒikt] *adj.* undertvun-
gen (*fx peoples*);
□ ~ *to* **a.** (*regel etc.*) underlagt,
undergivet (*fx Danish law; other
regulations*); **b.** (*sygdom*) tilbøjelig
til at få (*fx headaches; fits of de-
pression*); **c.** (*behandling*) gen-
stand for, udsat for (*fx ridicule*);
d. (*om betingelse*) på betingelse
af; under forudsætning af (*fx your
approval*); ~ *to change* udsat for
at blive forandret; underkastet for-
andring; ~ *to VAT* momspligtig.
subject[3] [səb'dʒekt] *vb.* underkaste,
undertvinge (*fx a country*);
□ ~ *to* **a.** underkaste (*fx cross-exa-
mination*); **b.** gøre til genstand for,
udsætte for (*fx criticism*).
subject index *sb.* emneregister; sag-
register.
subjection [səb'dʒekʃn] *sb.* under-
kastelse, undertvingelse.
subjective [səb'dʒektiv] *adj.* **1.** sub-
jektiv; **2.** (*gram.*) subjekts-.
subjectivity [sʌbdʒik'tivəti, -dʒek-]
sb. subjektivitet.
subject matter ['sʌbdʒiktmætə] *sb.*
1. emne, tema, motiv; stof, ind-
hold; **2.** (*jur.*) genstand (*fx of the
action; of the contract*).

sub judice [sʌb'dʒuːdisi] *adj.* (*jur.:
om sag*) verserende; ikke afgjort.
subjugate ['sʌbdʒugeit] *vb.* F
1. (*folk, land*) undertvinge; under-
kue; **2.** (*ønsker, mening*) under-
trykke (*to* til fordel for).
subjugation [sʌbdʒu'geiʃn] *sb.*
1. undertvingelse; underkuelse;
2. undertrykkelse.
subjunctive [səb'dʒʌŋ(k)tiv] *sb.*
(*gram.*) konjunktiv.
sublet [sʌb'let] *vb.* fremleje.
sublieutenant [sʌblef'tenənt] *sb.*
søløjtnant af 2. grad; løjtnant.
sublimate ['sʌblimeit] *vb.* (*psyk.*)
sublimere.
sublimation [sʌbli'meiʃn] *sb.*
(*psyk.*) sublimering.
sublime [sə'blaim] *adj.* **1.** (*litt.*)
sublim, ophøjet, ædel; **2.** F mage-
løs, enestående.
subliminal [sʌb'limin(ə)l] *adj.* sub-
liminal, underbevidst; under be-
vidsthedstærskelen;
□ ~ *advertising* [reklame der
prøver at påvirke publikums un-
derbevidsthed,].
sublimity [sə'bliməti] *sb.* (*litt.*) op-
højethed, ædelhed.
submachine gun [sʌbmə'ʃiːngʌn]
sb. (*mil.*) maskinpistol.
submarine[1] [sʌbmə'riːn] *sb.*
1. (*mar.*) undervandsbåd; **2.** (*am.*)
[lang sandwichbolle med pålæg];
(*omtr.*) landgangsbrød.
submarine[2] [sʌbmə'riːn] *adj.* un-
dersøisk; undervands-.
submarine sandwich *sb.* se *subma-
rine*[1] *2.*
submerge [səb'məːdʒ] *vb.* **1.** (*om
undervandsbåd*) dykke; **2.** (*med
objekt*) sænke ned under vandet;
dyppe ned i vandet; **3.** (*sted*)
oversvømme; sætte under vand;
4. (*fig.*) gemme væk, glemme (*fx
one's differences*);
□ ~ *oneself in* (*fig.*) fordybe sig i;
begrave sig i; lade sig opsluge af.
submersible[1] [səb'məːsəbl] *sb.* un-
dervandsfartøj.
submersible[2] [səb'məːsəbl] *adj.*
som kan fungere under vand; un-
dervands-.
submersion [səb'məːʃn, (*am.*) -ʒn]
sb. (*jf. submerge*) **1.** neddykning;
2. nedsænkning; neddypning;
3. det at sætte under vand; over-
svømmelse.
submission [səb'miʃn] *sb.* **1.** (*cf.
submit*) underkastelse; underda-
nighed; lydighed; **2.** forelæggelse,
fremlæggelse; indsendelse, indgi-
velse, fremsendelse; **3.** (*det fore-
lagte*) teori; forslag; påstand.
submissive [səb'misiv] *adj.* under-
danig, ydmyg; føjelig, lydig.

submit [səb'mit] *vb.* **1.** (*uden
objekt*) underordne sig (*fx he
must learn to* ~); underkaste sig;
2. (*med objekt: sag, forslag etc.*)
forelægge, fremlægge (*to* for, *fx* ~
the plan to the manager; ~ *new
evidence*); indsende, indgive (*fx
an application*); fremsende (*to*
til); (se også *tender*[1]);
□ *I* ~ *that* (F: *især jur.*) jeg vil til-
lade mig at anføre/gøre gældende/
hævde at; ~ *to* **a.** underkaste sig
(*fx British rule; an operation*);
b. bøje sig for (*fx their demands*);
finde sig i; **c.** se ovf.: *2*; ~ *oneself
to* underkaste sig (*fx new rules*).
subnormal [sʌb'nɔːm(ə)l] *adj.*
1. som er under normalen (*fx tem-
perature*); **2.** (*intelligensmæssigt*)
svagt begavet, retarderet; psykisk
udviklingshæmmet;
□ *educationally* ~ = *2.*
subordinate[1] [sə'bɔːdinət] *sb.* un-
derordnet (*fx one of his -s*).
subordinate[2] [sə'bɔːdinət] *adj.*
1. (*om person*) underordnet (*fx of-
ficers*); **2.** (*om sag, stilling etc.*)
underordnet, sekundær (*fx role;
status*);
□ ~ *to* **a.** (*jf. 1*) underordnet (*fx he
is* ~ *to the head of department*);
b. (*jf. 2*) underordnet, sekundær i
forhold til.
subordinate[3] [sə'bɔːdineit] *vb.* un-
derordne.
subordinate clause *sb.* (*gram.*) bi-
sætning; ledsætning.
subordination [səbɔːdi'neiʃn] *sb.*
underordning.
subplot ['sʌbplɔt] *sb.* bihandling;
sidehandling.
subpoena[1] [səb'piːnə] *sb.* (*jur.*) ind-
kaldelse [for retten]; (*af vidne*)
vidneindkaldelse.
subpoena[2] [səb'piːnə] *vb.* (*jur.*) ind-
kalde [for retten].
subroutine ['sʌbruːtiːn] *sb.* (*it*) un-
derrutine, underprogram.
subscribe [səb'skraib] *vb.* **1.** (*penge,
til indsamling*) betale; tegne sig
for (*fx he -d £50*); **2.** (F: *doku-
ment*) underskrive, undertegne;
□ ~ *for* **a.** (*bogværk*) subskribere
på; **b.** (*aktier*) tegne; ~ *to* **a.** (*ind-
samling*) bidrage til, betale til,
støtte; **b.** (*avis, tidsskrift*) abon-
nere på, holde (*fx a newspaper*);
c. (*tjeneste*) abonnere på (*fx cable
television*); **d.** (*anskuelse, opfat-
telse*) skrive under på, tilslutte
sig, være enig i (*fx an opinion*); ~
£200 to the campaign (*jf. a*) bi-
drage med/betale £200 til kam-
pagnen, støtte kampagnen med
£200.
subscriber [səb'skraibə] *sb.* (*jf. sub-*

scribe (to)) **1.** (*til indsamling*) bidragyder; **2.** (*på avis, tidsskrift*) abonnent; **3.** (*på tjeneste, fx tlf., tv*) abonnent, kunde; **4.** (F: *på dokument*) underskriver.
subscriber trunk dialling *sb.* (*tlf.*) selvvalg af udenbyssamtaler.
subscript ['sʌbskript] *sb.* (*typ.*) hængende tegn [ɔ: *under linjen*].
subscription [səb'skripʃn] *sb.* **1.** (*på avis, tjeneste*) abonnement; **2.** (*af penge*) indsamling; **3.** (*af aktier*) tegning; **4.** (*det man betaler: for avis, tjeneste*) abonnementspris; abonnementsafgift; **5.** (*til indsamling: fra enkelt person*) bidrag; (*samlet*) indsamlet beløb; **6.** (*for medlemskab*) kontingent;
□ *open a* ~ (*jf. 2*) sætte en indsamling i gang; *take out a* ~ (*jf. 1*) tegne abonnement.
subsection ['sʌbsekʃn] *sb.* (*underafdeling af paragraf*) stykke (*fx* ~ *(1) of section six*).
subsequent ['sʌbsikwənt] *adj.* F følgende; efterfølgende; senere;
□ ~ *to* efter.
subsequently ['sʌbsikwəntli] *adv.* F siden, senere; derefter, dernæst.
subservience [səb'sə:viəns] *sb.*
1. underordning; **2.** underdanighed; servilitet.
subservient [səb'sə:viənt] *adj.* (*om person*) ydmyg, underdanig (*to* over for); servil, krybende;
□ *be* ~ (*on sag*) **a.** være underordnet/sekundær i forhold til (*fx your needs must be* ~ *to those of the group*); **b.** tjene, gavne (*fx policies that are* ~ *to the needs of the people*).
subset ['sʌbset] *sb.* (*mat.*) delmængde.
subside [səb'said] *vb.* **1.** (*om smerte etc.*) fortage sig; tage af (*fx the fever -d*); stilne af; falde til ro; **2.** (*om vind, kamp*) tage af (*fx the fighting//the storm -d*); lægge sig; **3.** (*om hævelse*) svinde; **4.** (*om vand, ved oversvømmelse*) synke (*fx the water began to* ~); falde; **5.** (*om bygning, jord*) synke; sætte sig (*fx the house//the ground -d*);
□ ~ *into an armchair* synke ned i en lænestol.
subsidence [səb'said(ə)ns, 'sʌbsid(ə)ns] *sb.* **1.** (cf. *subside 5*) nedsynkning, sammensynkning; **2.** (*geol.*) sænkning.
subsidiarity [səbsidi'ærəti] *sb.* subsidiaritet;
□ *the principle of* ~ nærhedsprincippet.
subsidiary[1] [səb'sidiəri] *sb.* (*merk.*) datterselskab.
subsidiary[2] [səb'sidiəri] *adj.* un-

derordnet;
□ ~ *motive* bihensigt.
subsidiary company *sb.* (*merk.*) datterselskab.
subsidize ['sʌbsidaiz] *vb.* støtte [*med pengemidler*]; give tilskud til; subsidiere;
□ -*d* (*også*) statsunderstøttet.
subsidy ['sʌbsidi] *sb.* **1.** pengehjælp, støtte, subsidier; **2.** (*fra staten*) statsstøtte, statstilskud.
subsist [səb'sist] *vb.* **1.** F klare sig, opretholde livet; **2.** (*jur.*) bestå, findes, eksistere;
□ ~ *on* leve af.
subsistence [səb'sist(ə)ns] *sb.* **1.** F udkomme, livsunderhold; **2.** eksistens, tilværelse.
subsistence allowance *sb.* **1.** (*på løn*) forskud; **2.** (*ved tjenesterejse*) dagpenge, diæter; **3.** (*mil.*) kostpenge, kostgodtgørelse.
subsistence farming *sb.* [*landbrug der kun giver udbytte til eget forbrug*].
subsistence level *sb.* eksistensminimum.
subsistence wage *sb.* [*løn som man kun lige kan leve af*].
subsoil[1] ['sʌbsɔil] *sb.* undergrund.
subsoil[2] ['sʌbsɔil] *vb.* grubbe; reolpløje.
subsonic [sʌb'sɔnik] *adj.* subsonisk, underlyds-; som er under lydens hastighed.
subspecies ['sʌbspi:ʃi:z] *sb.* underart.
substance ['sʌbst(ə)ns] *sb.* **1.** stof (*fx a chemical* ~; *a banned* ~); substans; masse (*fx a sticky* ~); **2.** (*om narko*) stof (*fx an addictive* ~; ~ *dependent*); **3.** (*fig.*) substans; (*virkeligt*) indhold (*fx the book is without* ~); gehalt;
□ *there was no* ~ *in* **a.** der var ikke noget indhold i (*fx his speech*); **b.** der var ingen realitet i (*fx the allegations*); der var ikke noget hold i (*fx the rumours*); *the* ~ *of* substansen i, hovedindholdet i (*fx his reply*);
[*med præp.*] *in* ~ i hovedsagen; i det væsentlige; *of* ~ af (reel) betydning (*fx nothing of* ~ *has been achieved*); *discussions of* ~ realitetsforhandlinger; *a man of* ~ (*litt.*) en velstående mand; *amendment on a point of* ~ saglig ændring [*mods. redaktionel*].
substance abuse *sb.* stofmisbrug.
substandard [sʌb'stændəd] *adj.*
1. ikke på højde med standarden; andenrangs; underlødig (*fx literature*); **2.** (*sprogv.*) ikke i overensstemmelse med anerkendt sprogbrug.

substantial [səb'stænʃ(ə)l] *adj.* F
1. betydelig, større (*fx sum*); væsentlig, vægtig (*fx reasons*); **2.** (*om udførelse & om måltid*) solid (*fx villa; mahogany desk; breakfast*); **3.** (*økon.*) velstående; **4.** (*mods. tænkt*) virkelig; legemlig;
□ *there was* ~ *agreement* der var i alt væsentligt/i hovedsagen enighed.
substantially [səb'stænʃ(ə)] *adv.* F
1. betydeligt, væsentligt (*fx improved*); **2.** (*om forbehold*) i alt væsentligt (*fx true*).
substantiate [səb'stænʃieit] *vb.* F bevise, godtgøre, dokumentere; underbygge (*fx a theory; an assertion with hard figures*).
substantiation [səbstænʃi'eiʃn] *sb.* F **1.** dokumentering, underbygning; **2.** dokumentation, bevis;
□ *in* ~ *of* som dokumentation for.
substantive [səb'stæntiv, 'sʌbstəntiv] *adj.* **1.** (*om forhandlinger*) reel, faktisk; realitets- (*fx discussions; negotiations*); **2.** (*om spørgsmål, emne*) væsentlig, vigtig; **3.** (*mil.*) fast (*fx appointment*); **4.** (*jur.*) materiel (*fx law*).
substation ['sʌbsteiʃn] *sb.* **1.** (*elek.*) transformeranlæg; **2.** (*politi-*) lokalstation; **3.** (*am.*) postekspeditionssted.
substitute[1] ['sʌbstitju:t] *sb.* **1.** surrogat; erstatningsprodukt; erstatning; **2.** (*person*) stedfortræder; afløser; erstatning (*fx a father* ~); **3.** (*i sport*) udskiftningsspiller; reserve; **4.** (*am.: i skole*) vikar;
□ *there is no* ~ *for* intet kan erstatte (*fx practical experience*).
substitute[2] ['sʌbstitju:t] *vb.* **1.** vikariere (*for* for); **2.** (*med objekt*) sætte i stedet; **3.** (*spiller*) udskifte (*fx the goalkeeper*);
□ ~ *for* **a.** se: *1*; **b.** (*i sport*) gå ind i stedet for, erstatte (*fx Smith -d for Brown just before half-time*); **c.** (*om ting*) træde i stedet for, erstatte (*fx natural gas -d for oil*); ~ *A for B* **a.** erstatte/udskifte B med A (*fx* ~ *natural gas for oil* erstatte olie med naturgas); **b.** (*person*) indsætte A i stedet for B; ~ *B with A* erstatte/udskifte B med A (*fx* ~ *oil with natural gas*).
substitution [sʌbsti'tju:ʃn] *sb.*
1. substitution; (anvendelse som) erstatning; **2.** (*i sport*) udskiftning.
substratum [sʌb'stra:təm, -'strei-] *sb.* F **1.** (*geol.*) underliggende lag; **2.** (*fig.*) dybere lag; basis; **3.** (*sprogv.*) substrat.
substructure ['sʌbstrʌktʃə] *sb.* grundlag; underbygning.
subsume [səb'sju:m] *vb.* indordne,

S subtenant

underordne (*into* under); indbe-
fatte (*into* i).
subtenant [sʌb'tenənt] *sb.* [*en der
er fremlejet til*].
subterfuge ['sʌbtəfjuːdʒ] *sb.* list (*fx
obtain information by* ~); påskud
(*for* for).
subterranean [sʌbtə'reiniən] *adj.*
underjordisk.
subtext ['sʌbtekst] *sb.* undertekst,
dybere mening.
subtitle ['sʌbtaitl] *sb.* (*i bog*) under-
titel; (se også *subtitles*).
subtitled ['sʌbtaitld] *adj.* 1. (*om
film*) tekstet, med undertekster;
2. (*om bog*) med undertitel;
□ ~: "*A True Story*" med undertit-
len: "En virkelig Historie".
subtitles ['sʌbtaitlz] *sb. pl.* (*til film*)
undertekster.
subtle ['sʌtl] *adj.* 1. (*om forskel,
forandring*) fin (*fx distinction*);
hårfin (*fx difference*); umærkelig
(*fx change*); 2. (*om smag, lugt,
farve*) svag, let (*fx taste of mint*;
scents; *shades of colour*); diskret,
raffinereret (*fx perfume*; *shade of
pink*); 3. (*om udtryksmåde*) dis-
kret (*fx hint*; *question*; *sugge-
stion*); subtil, fin (*fx irony*; *hint*);
underfundig (*fx humour*); 4. (*om
person, handlemåde*) snedig, ud-
spekuleret, raffineret (*fx method*;
plan); spidsfindig (*fx argument*);
5. (*mht. forståelse*) skarpsindig (*fx
mind*; *observer*).
subtlety ['sʌtlti] *sb.* (jf. *subtle*) 1. fin-
hed; umærkelighed; subtilitet;
(*konkret*) finesse, raffinement,
lille detalje (*fx the subtleties of
the music//of language*); 2. diskret
karakter; 3. subtilitet; underfun-
dighed; 4. snedighed; udspeku-
lerthed; spidsfindighed; 5. skarp-
sindighed.
subtly ['sʌtli] *adv.* (jf. *subtle*) 1. fint;
umærkeligt; 2. svagt; diskret;
3. diskret; subtilt; underfundigt;
4. snedigt; udspekuleret, raffine-
ret, spidsfindigt; 5. skarpsindigt.
subtopia [sʌb'təupiə] *sb.* (*neds.*)
[*planløs og hæslig forstadsbebyg-
gelse*].
subtotal ['sʌbtəut(ə)l] *sb.* subtotal,
mellemresultat.
subtract [səb'trækt] *vb.* subtrahere,
trække fra, fradrage.
subtraction [səb'trækʃn] *sb.* sub-
traktion; fratrækning.
subtropical [sʌb'trɔpik(ə)l] *adj.*
subtropisk.
suburb ['sʌbə(ː)b] *sb.* forstad.
suburban [sə'bəːbn] *adj.* 1. for-
stads-; 2. (*fig., neds.*) småborger-
lig;
□ ~ *traffic* nærtrafik.

suburbanite [sə'bəːbənait] *sb.* (*am.*)
forstadsbeboer.
suburbia [sə'bəːbiə] *sb.* 1. forstads-
kvarterer; forstæder; 2. forstadsbe-
boere; 3. småborgerlig forstads-
mentalitet.
subversion [səb'vəːʃn, (*am.*) -ʒn] *sb.*
samfundsnedbrydende/stats-
fjendtlig virksomhed.
subversive[1] [səb'vəːsiv] *sb.* [*en der
driver statsfjendtlig virksomhed*];
samfundsnedbryder.
subversive[2] [səb'vəːsiv] *adj.* stats-
fjendtlig, samfundsfjendtlig; sam-
fundsnedbrydende, undergra-
vende;
□ ~ *activities* statsfjendtlig/under-
gravende virksomhed; muldvarpe-
arbejde.
subvert [səb'vəːt] *vb.* nedbryde; un-
dergrave.
subway ['sʌbwei] *sb.* 1. fodgænger-
tunnel; 2. (*am.*) undergrundsbane.
sub-zero [sʌb'ziərəu] *adj.* (*om tem-
peratur*) under frysepunktet.
succeed [sək'siːd] *vb.* 1. lykkes (*fx
the plan -ed*); 2. (*om person*) have
held med sig (*fx he tried several
times and finally -ed*); 3. (*gene-
relt*) få/have success (*fx in the en-
tertainment industry*); blive til no-
get; komme frem i verden; 4. (*om
kunstner*) slå igennem; 5. (*med
objekt*) efterfølge, afløse;
□ *be -ed by* blive efterfulgt/afløst
af; *he -ed in* + -*ing* det lykkedes
ham at (*fx getting there in time*);
~ *to* arve (*fx an estate*; *the
throne*).
success [sək'ses] *sb.* succes;
□ *the* ~ *of the project* det heldige
udfald af foretagendet; *without* ~
uden held (*fx I tried to convince
him but without* ~);
[*med vb.*] *have* ~ *in* + -*ing* have
succes/held med at; *make a* ~ *of
it* få det til at lykkes; *nothing suc-
ceeds like* ~ succes avler succes.
successful [sək'sesf(u)l] *adj.* 1. (*om
foretagende*) vellykket, heldig,
succesrig; 2. (*om person, bog, film
etc.*) succesrig, succesfuld;
□ *be* ~ (*også*) have succes; *be* ~ *in
+ing* have held til at; have succes
med at.
succession [sək'seʃn] *sb.* 1. række
(*fx of disasters*); 2. (*jur.*) arvefølge;
tronfølge;
□ *in* ~ **a.** i træk (*fx three times in
~; for the third year in ~*); efter
hinanden; **b.** i rækkefølge (*fx in
quick/rapid ~*); *number the
sheets in* ~ forsyne arkene med
fortløbende numre, nummerere
arkene fortløbende; *war of* ~ arve-
følgekrig.

successive [sək'sesiv] *adj.* 1. suc-
cessiv; 2. i træk, efter hinanden
(*fx three* ~ *days*);
□ ~ *governments* skiftende rege-
ringer.
successively [sək'sesivli] *adv.* suc-
cessivt, successive; efterhånden.
successor [sək'sesə] *sb.* efterfølger.
succinct [sək'siŋ(k)t] *adj.* kortfattet,
koncis, fyndig.
succour[1] ['sʌkə] *sb.* (*litt.*) hjælp;
undsætning.
succour[2] ['sʌkə] *vb.* (*litt.*) bistå,
hjælpe; komme//ile til hjælp, und-
sætte.
succulence ['sʌkjuləns] *sb.* saftig-
hed.
succulent[1] ['sʌkjulənt] *sb.* (*bot.*)
sukkulent, saftplante.
succulent[2] ['sʌkjulənt] *adj.* saftig;
saftfuld;
□ ~ *plant = succulent*[1].
succumb [sə'kʌm] *vb.* F bukke un-
der; falde (*fx the town finally -ed*);
□ ~ *to* bukke under for (*fx temp-
tation*; *an illness*); give efter for
(*fx pressure*); falde for (*fx her
charms*).
such [sʌtʃ] *pron.* 1. (+ *sb.*) sådan
noget, den slags (*fx food*); F så-
dan//sådant, slig//sligt; (+ *pl.*) så-
dan nogle, den slags (*fx methods*);
F sådanne, slige; 2. (+ *adj.*) så (*fx
~ delicious food*; ~ *long days*);
□ ~ *a* sådan en//et (*fx* ~ *a car*);
and ~ (*glds.* T) og den slags, og
sådan noget; (se også
such-and-such); ~ *as* **a.** som (for
eksempel), såsom (*fx metals* ~ *as
gold and silver*); **b.** (+ *sætn.,*) af
den slags som (*fx disasters* ~ *as
occur in the US*); **c.** F de//dem
som (*fx help* ~ *as are poor*); ~ ...
as sådan ... som (*fx* ~ *a story as
this*); ~ *as it is* (*omtr.*) skønt den//
det ikke er meget bevendt.
such-and-such ['sʌtʃənsʌtʃ] *pron.*:
~ *a* den og den//det og det (*fx at
~ a time*); ~ *results will follow
from* ~ *causes* de og de resultater
følger af de og de årsager.
suchlike ['sʌtʃlaik] *pron.* deslige;
den slags.
suck[1] [sʌk] *sb.* 1. sugen; 2. (*enkelt*)
sug; T slik (*fx give me a* ~ *of your
lolly*);
□ *give* ~ give die; (se også *sucks*).
suck[2] [sʌk] *vb.* 1. suge; suge ud;
suge op; drikke (*fx lemonade
through a straw*); 2. (*bolsje, finger,
pibe etc.*) sutte på; 3. (*uden
objekt*) suge; sutte, patte; (*om
barn også*) die; 4. (*am.* T) være
noget skidt (*fx movies* ~ *these
days*); være helt umulig;
□ ~ *it and see* prøve det og se

hvordan det går; ~ *dry (fig.)* ud-suge; ~ *dry of (fig.)* tømme for; ~ *an egg* suge et æg ud; (se også *grandmother*);
[*med præp.& adv.*] ~ *at* sutte på; ~ *in* suge ind, indsuge; ~ *off (vulg.)* slikke af; ~ *on* = ~ *at*; ~ *under* suge ned; ~ *up* opsuge; ~ *up to* S fedte sig ind hos; fedte for.

sucker[1] ['sʌkə] *sb.* **1.** T godtroende fjols; **2.** (*bot.*) vildskud; (*fra rod*) rodskud, udløber; **3.** (*zo.: fisk*) su-gekarpe; **4.** (*organ*) sugeskive; su-gemund; **5.** (*til at sætte ting fast med*) sugekop; **6.** (*am.* T) slikke-pind; **7.** (*am.* T: *om ubestemt per-son el. ting*) fyr;
□ *be a* ~ *for* T ikke kunne stå for; være vild med (*fx chocolate; crime fiction*).

sucker[2] ['sʌkə] *vb.* **1.** (*bot.*) ud-sende vildskud//rodskud; **2.** (T: *især am.*) narre (*into* + *-ing* til at); snyde.

suckerfish ['sʌkəfiʃ] *sb.* (*zo.*) suge-fisk.

sucking disc *sb.* sugeskive.

sucking pig *sb.* pattegris.

suckle ['sʌkl] *vb.* F **1.** (*om moder-dyr*) give die; (*om moder også*) amme, give bryst; **2.** (*om dy-reunge, barn*) die.

suckling ['sʌkliŋ] *sb.* (*litt.*) spæd-barn.

suckling calf *sb.* diekalv.

suckling pig *sb.* pattegris.

sucks [sʌks] *interj.*: ~ *to you!* T æ bæh! øv bøv! ~ *to him!* T blæse være med ham!

sucrose ['su:krəus, -krəuz] *sb.* sak-karose [*hovedbestanddel af roe-sukker & rørsukker*].

suction[1] ['sʌkʃn] *sb.* **1.** sugning; su-gevirkning; **2.** (*om støvsuger*) su-geevne.

suction[2] ['sʌkʃn] *vb.* suge; opsuge.

suction pump *sb.* sugepumpe.

Sudanese[1] [su:də'ni:z] *sb.* sudaner, sudaneser.

Sudanese[2] [su:də'ni:z] *adj.* su-dansk, sudanesisk.

sudden ['sʌd(ə)n] *adj.* pludselig, uventet, brat;
□ *all of a* ~ T ganske pludselig; lige med et.

sudden death *sb.* (T: *i sport, efter uafgjort kamp*) [*omkamp indtil en af parterne scorer*].

suddenly ['sʌd(ə)nli] *adv.* pludse-lig; med et; i det samme.

suds [sʌdz] *sb. pl.* **1.** sæbeskum; **2.** (*am.*) skum; **3.** (*glds. am.* T) øl.

sudsy ['sʌdzi] *adj.* (*især am.*) fuld af (*sæbe*)skum.

sue [su:, sju:] *vb.* **1.** sagsøge; an-

lægge sag mod; stævne; **2.** (*uden objekt*) anlægge sag;
□ ~ *for* **a.** sagsøge for//for at få (*fx* ~ *them for libel//damages*); **b.** F bede om; ansøge om.

suede [sweid] *sb.* ruskind.

suet ['su:it, 'sju:it] *sb.* nyrefedt; talg, tælle.

suffer ['sʌfə] *vb.* **1.** lide (*fx loss; da-mage; a crushing defeat*); rammes af (*fx a blow*); få (*fx minor in-juries*); komme ud for (*fx a set-back*); **2.** (*uden objekt*) lide (*fx he has -ed a great deal*); **3.** (*om for-hold*) lide skade (*fx his marriage// his work will* ~);
□ *his marriage//his work -ed* (*jf. 3, også*) det gik ud over hans ægte-skab//hans arbejde; *those who will* ~ (*jf. 3*) dem det kommer til at gå ud over;
[*med præp.& adv.*] *you will* ~ *for this* det vil du komme til at und-gælde for; ~ *from* **a.** (*sygdom etc.*) lide af (*fx cancer*); være ramt af (*fx shock*); **b.** (*forhold*) lide un-der (*fx the heat; the conference -ed from bad planning*); ~ *them to* (*glds.*) tillade dem at; lade dem.

sufferance ['sʌf(ə)r(ə)ns] *sb.*: *he is here on* ~ han er kun tålt her.

sufferer ['sʌf(ə)rə] *sb.* (*i sms.*) -pati-ent (*fx cancer* ~); -ramt (*fx Aids* ~).

suffering ['sʌf(ə)riŋ] *sb.* lidelse.

suffice [sə'fais] *vb.* F være tilstræk-kelig; slå 'til;
□ ~ *it to say* lade det være nok at sige.

sufficiency [sə'fiʃnsi] *sb.* F tilstræk-kelighed; tilstrækkelig mængde.

sufficient [sə'fiʃnt] *adj.* tilstrække-lig.

suffix ['sʌfiks] *sb.* suffiks, endelse.

suffocate ['sʌfəkeit] *vb.* **1.** kvæle; **2.** (*uden objekt*) kvæles; blive kvalt;
□ *he was suffocating* han var ved at kvæles; *suffocating with rage* halvkvalt af raseri.

suffocation [sʌfə'keiʃn] *sb.* kvæl-ning.

suffrage ['sʌfridʒ] *sb.* valgret, stem-meret.

suffragette [sʌfrə'dʒet] *sb.* (*hist.*) suffragette, stemmeretskvinde.

suffuse [sə'fju:z] *vb.* F brede sig over (*fx a blush -d her cheeks*);
□ *be -d with* **a.** være gennem-trængt af; **b.** (*fig.*) være gennemsy-ret af (*fx humour*); *her eyes were -d with tears* hendes øjne var fyldt med tårer.

sug [sʌg] *vb.* S [*prøve at sælge un-der påskud af at udføre markeds-undersøgelse*].

sugar[1] ['ʃugə] *sb.* **1.** sukker; **2.** (*am.: i tiltale*) skat; **3.** S lsd;
□ *how many -s?* hvor mange styk-ker//skefulde sukker? *oh* ~*!* T pokkers også!

sugar[2] ['ʃugə] *vb.* komme sukker i (*fx the coffee; the tea*); søde; (se også *pill*[1]).

sugar beet *sb.* sukkerroe.

sugar beet harvester *sb.* roeopta-ger.

sugar candy *sb.* kandis.

sugar cane *sb.* sukkerrør.

sugar-coated [ʃugə'keutid] *adj.* **1.** overtrukket med sukker; **2.** (*fig.*) indsukret; idealiseret.

sugar cube *sb.* stykke sukker.

sugar daddy *sb.* S [*ældre mand som overøser en ung pige med gaver og penge*].

sugared ['ʃugəd] *adj.* overtrukket med sukker.

sugared almonds *sb. pl.* franske mandler.

sugar loaf *sb.* sukkertop.

sugar maple *sb.* (*bot.*) sukkerløn.

sugary ['ʃugəri] *adj.* **1.** sød; sukker-holdig; **2.** (*fig.*) alt for sød; sukker-sød.

suggest [sə'dʒest, (*am.* også) sʌg'dʒest] *vb.* **1.** (*idé, plan*) foreslå (*fx a plan; somebody to do it; where to go*); **2.** (*indirekte*) antyde (*fx a way out of the difficulty*); **3.** (*om ting, forhold*) tyde på (*fx the statistics* ~ *a rise in crime*); **4.** (*ved association*) lede tanken hen på, få en til at tænke på (*fx the music -s a spring morning*); minde om;
□ ~ *itself* melde sig (*fx a new problem -ed itself*); *does the name* ~ *anything to you?* siger navnet dig noget?
[+ *sætn.*] ~ *(that)* **a.** (*jf. 1*) foreslå at (*fx I* ~ *(that) you try again to-morrow*); henstille at (*fx I* ~ *(that) you stop smoking*); **b.** (*jf. 2*) an-tyde at (*fx are you -ing (that) it is a lie?*); (*stærkere*) påstå at (*fx I'm not -ing that you are lying, but it certainly sounds strange*); **c.** (*jf. 3*) lade ane at (*fx his looks -ed that all was not well*); tyde på at (*fx evidence -s that the chemical may cause cancer*); *I* ~ *that* (*jur.*) jeg tillader mig at påstå at (*fx I* ~ *that you were in the house at 9 o'clock*).

suggestion [sə'dʒestʃn] *sb.* (*jf. sug-gest*) **1.** forslag; henstilling; **2.** an-tydning; **3.** tegn; indikation; **4.** mindelse; **5.** (*psyk.*) suggestion;
□ *at his* ~ på hans tilskyndelse; *there is no* ~ *that* (*jf. 3, også*) der er intet der tyder på at; der er in-

gen grund til antage at (*fx a crime
has been committed*); *a ~ of* en
antydning af (*fx a smile; a Danish
accent*).

suggestive [sə'dʒestiv] *adj.* **1.** uan-
stændig, vovet; lummer; **2.** F tan-
kevækkende;
□ *be ~ of* lede tanken hen på;
fremkalde forestillinger om;
minde om.

suicidal [su:i'said(ə)l, sju:-] *adj.*
1. som har selvmordstanker, suici-
dal; selvmords- (*fx tendencies*);
2. (*fig.*) selvmorderisk; livsfarlig;
□ *it would be ~* (*jf. 2, også*) det
ville være det rene selvmord.

suicide ['su:isaid, 'sju:-] *sb.* selv-
mord.

suicide note *sb.* (efterladt) afskeds-
brev [*fra selvmorder*].

suit[1] [su:t] *sb.* **1.** (*til mand*)
sæt tøj; jakkesæt; **2.** (*til dame*)
dragt; spadseredragt; **3.** (*i sms.*)
-dragt (*fx bathing ~; diving ~; ski
~*); (*se også birthday suit, boiler
suit, wetsuit (etc.)*); **4.** (*i kortspil*)
farve; **5.** (S: *om person*) [*person
der betyder noget*]; jakkesæt;
6. (*jur.*) retssag; søgsmål;
□ *establish a ~* (*jf. 4*) gøre en farve
god; *follow ~* **a.** (*jf. 4*) bekende
kulør; **b.** (*fig.*) gøre ligeså; følge
eksemplet; følge trop; *a ~ of sails*
(*mar.*) et stel/sæt sejl; (*se også
clear*[2], *long suit*).

suit[2] [su:t, sju:t] *vb.* **1.** passe (*fx
when it -s you*); **2.** (*om påklæd-
ning*) klæde (*fx that skirt//colour
-s you*);
□ *~ oneself* gøre som det passer
en; *~ sth to* tilpasse/afpasse noget
efter (*fx ~ one's conversation to
the company*); (*se også ground*[1]); *~
the action to the word* lade hand-
ling følge på ord; *~ up* (*am.*)
klæde sig på [*til lejligheden*].

suitability [su:tə'biləti, sju:-] *sb.* eg-
nethed.

suitable ['su:təbl, 'sju:-] *adj.* pas-
sende;
□ *be ~ for/to* (*også*) passe for//til;
være egnet til (*fx a job*).

suitably ['su:təbli, 'sju:-] *adv.* pas-
sende; tilpas (*fx warm*).

suitcase ['su:tkeis, 'sju:t-] *sb.* kuf-
fert; håndkuffert.

suite [swi:t] *sb.* **1.** (*møbler*) møble-
ment (*fx a bedroom ~*); (*se også
bathroom suite, three-piece suite*);
2. (*værelser*) suite; **3.** (*personer*)
følge; **4.** (*mus.*) suite; **5.** (it: *af pro-
grammer; merk.: af varer*) gruppe.

suited ['su:tid, 'sju:tid] *adj.*: *~
for/to* egnet til.

suitor ['su:tə, 'sju:tə] *sb.* **1.** (*merk.*)
potentiel køber; **2.** (*glds.*) bejler,

frier.

sulfate, sulfide (*etc.*) (*am.*) = *sul-
phate, sulphide* (*etc.*).

sulk[1] [sʌlk] *sb.*: *go into a ~* blive
sur/tvær/mopset, surmule.

sulk[2] [sʌlk] *vb.* være sur/tvær/
mopset, surmule.

sulks [sʌlks] *sb. pl.*: *be in the -s* se
sulk[2].

sulky[1] ['sʌlki] *sb.* sulky [*let tohju-
let vogn brugt i travløb*].

sulky[2] ['sʌlki] *adj.* surmulende;
sur, tvær, mopset.

sullen ['sʌlən] *adj.* **1.** (*om person*)
mut, tvær, gnaven; **2.** (*litt.: om
vejr*) mørk, dyster.

sully ['sʌli] *vb.* F **1.** tilsmudse, til-
søle, besudle; **2.** (*fig.: ens rygte
etc.*) plette, tilsmudse.

sulphate ['sʌlfeit] *sb.* (*kem.*) sulfat.

sulphide ['sʌlfaid] *sb.* (*kem.*) sul-
fid.

sulphur ['sʌlfə] *sb.* svovl.

sulphuric [sʌl'fjuərik] *adj.*: *~ acid*
svovlsyre.

sulphurous ['sʌlfərəs] *adj.* **1.** svovl-
holdig; svovl-; **2.** (*om farve*) svovl-
gul.

sultan ['sʌlt(ə)n] *sb.* sultan.

sultana [sʌl'ta:nə] *sb.* sultana [*lille
stenfri rosin*].

sultry ['sʌltri] *adj.* **1.** (*om vejr*) lum-
mer, trykkende; **2.** (*om kvinde*)
sensuel, sanselig.

sum[1] [sʌm] *sb.* **1.** sum; beløb; **2.** (*i
skolen*) regnestykke;
□ *-s* (*jf. 2, også*) regning (*fx he is
good at -s*); *do -s* regne; *do one's
-s* (*fig., T*) regne efter; *do a ~*
regne et stykke; *get one's -s right//
wrong* regne rigtigt//forkert; *in ~*
(*glds.*) kort sagt; i korthed; *the ~
of* summen af; den samlede sum
af.

sum[2] [sʌm] *vb.*: *~ up* **a.** opsum-
mere; sammenfatte; resumere;
fremstille kortfattet; **b.** (*fig.*) vur-
dere (*fx you could ~ him up at a
glance*); karakterisere; **c.** (*om
dommer*) give retsbelæring.

summa cum laude
[sʌməkʌm'laudi, -'lɔ:di] *sb.* (*om
karakter, svarer til*) med udmær-
kelse.

summarily ['sʌmərili] *adv.* uden
videre, summarisk (*fx deal with a
case ~*).

summarize ['sʌməraiz] *vb.* opsum-
mere; sammenfatte; resumere.

summary[1] ['sʌməri] *sb.* resumé,
sammendrag, sammenfatning; re-
ferat;
□ *in ~* kort sagt.

summary[2] ['sʌməri] *adj.* (*jur.*) sum-
marisk (*fx execution*); hurtig.

summary dismissal *sb.* bortvis-

ning.

summary proceedings *sb.* (*jur.*)
hurtig retsforfølgning; summarisk
behandling.

summation [sʌ'meiʃn] *sb.* F se
summary[1].

summer[1] ['sʌmə] *sb.* sommer.

summer[2] ['sʌmə] *vb.* tilbringe som-
meren.

summerhouse ['sʌməhaus] *sb.*
1. lysthus; **2.** (*am.*) sommerhus.

summer lightning *sb.* kornmod.

summer school *sb.* sommerkursus.

summer time *sb.* sommertid;
□ *double ~ time* 2 timers sommer-
tid.

summertime ['sʌmətaim] *sb.* som-
mertid, sommersæson;
□ *in (the) ~* (*også*) om sommerren.

summery ['sʌməri] *adj.* sommerlig.

summing-up [sʌmiŋ'ʌp] *sb.* (*jur.*)
retsbelæring.

summit ['sʌmit] *sb.* **1.** (*af bjerg*)
top, tinde; **2.** (*fig.*) højdepunkt (*fx
of one's career*); **3.** (*om møde*)
topmøde.

summit meeting *sb.* topmøde.

summon ['sʌmən] *vb.* F **1.** kalde (*fx
he was -ed to the manager's of-
fice*); tilkalde; hidkalde; **2.** (*per-
soner, til møde*) indkalde, kalde
sammen, samle; **3.** (*et møde*) ind-
kalde til (*fx a conference; an
emergency meeting*); **4.** (*fig.*)
samle, opbyde (*fx all one's cou-
rage//strength*);
□ *~ up* **a.** = **4**; **b.** (*litt.: erindring,
tanke*) fremkalde, vække, kalde til
live.

summons[1] ['sʌmənz] *sb.* **1.** tilkal-
delse; indkaldelse; befaling [*til at
møde*]; **2.** (*jur.*) stævning;
□ *serve a ~ on sby, serve sby with
a ~* forkynde en stævning for en.

summons[2] ['sʌmənz] *vb.*
(ind)stævne, tilsige, indkalde (*fx
~ him as a witness*).

sump [sʌmp] *sb.* **1.** samlebrønd;
2. (*i bil*) bundkar; sump.

sumptuous ['sʌm(p)tjuəs] *adj.* kost-
bar, prægtig; overdådig.

sum total *sb.* samlet sum.

sun[1] [sʌn] *sb.* sol;
□ *the ~ was in her eyes* hun
havde solen i øjnene; *everything
under the ~* alverdens ting.

sun[2] [sʌn] *vb.*: *~ oneself* tage sol-
bad.

Sun. *fork. f.* Sunday.

sun-baked ['sʌnbeikt] *adj.* solsve-
den; udtørret.

sunbathe ['sʌnbeið] *vb.* tage sol-
bad.

sunbeam ['sʌnbi:m] *sb.* solstråle.

sunbed ['sʌnbed] *sb.* **1.** (*i have*)
drømmeseng; **2.** (*elektrisk*) sola-

rium.
sunbelt ['sʌnbelt] *sb.*: *the* ~ (*am.*) de sydlige stater.
sunbird ['sʌnbə:d] *sb.* (*zo.*) solfugl.
sunbittern ['sʌnbitən] *sb.* (*zo.*) solrikse.
sunblind ['sʌnblaind] *sb.* markise.
sun block *sb.* solbeskyttelsescreme; solfaktorcreme.
sunburn ['sʌnbə:n] *sb.* solskoldethed; soldkoldning.
sunburnt ['sʌnbə:nt] *adj.* solskoldet; forbrændt af solen.
sunburst ['sʌnbə:st] *sb.* **1.** pludseligt væld af sollys; solbrud; **2.** (*dekoration*) [*solen omgivet af stråler*].
sundae ['sʌndei] *sb.* [*flødeis med frugt, frugtsaft etc.*].
Sunday ['sʌndei, -di] *sb.* søndag;
□ *a month of -s* en evighed; *on* ~ **a.** i søndags (*fx he arrived on* ~); **b.** på søndag (*fx he'll be arriving on* ~); *-s* (*adv., am.*) = *on -s*; *on -s* om søndagen; *this* ~ nu på søndag; førstkommende søndag.
Sunday best *sb.* søndagstøj; fineste tøj.
Sunday school *sb.* søndagsskole.
sunder ['sʌndə] *vb.* (*litt.*) dele; adskille.
sundew ['sʌndju:] *sb.* (*bot.*) soldug.
sundial ['sʌndaiəl] *sb.* solur.
sundown ['sʌndaun] *sb.* (*især am.*) solnedgang.
sundowner ['sʌndaunə] *sb.* **1.** aftendrink; **2.** (*austr.*) vagabond [*der kommer om aftenen og foregiver at søge arbejde*].
sun-drenched ['sʌndren(t)ʃt] *adj.* solrig.
sundried ['sʌndraid] *adj.* soltørret.
sundries ['sʌndriz] *sb. pl.* diverse småting.
sundry ['sʌndri] *adj.* diverse; forskellige;
□ *all and* ~ alle og enhver.
sunfast ['sʌnfa:st] *adj.* solægte.
sunfish ['sʌnfiʃ] *sb.* (*zo.*) klumpfisk.
sunflower ['sʌnflauə] *sb.* (*bot.*) solsikke.
sung [sʌŋ] *præt. ptc. af* sing.
sunglasses ['sʌngla:siz] *sb. pl.* solbriller.
sungrebe ['sʌngri:b] *sb.* (*zo.*) amerikansk svømmerikse.
sunk[1] [sʌŋk] *præt. ptc. af* sink[2].
sunk[2] [sʌŋk] *adj.* (*am.* T) **1.** nedtrykt; **2.** færdig, fortabt;
□ *I am* ~ (*jf. 2, også*) det er sket med mig.
sunken ['sʌŋkən] *adj.* **1.** sunket (*fx ship*); sænket; **2.** (*om niveau*) forsænket (*fx garden; fence*); **3.** (*om ansigtstræk*) indsunken (*fx eyes*); indfalden (*fx cheeks*);

□ ~ *road* (*jf. 2*) hulvej.
sunlamp ['sʌnlæmp] *sb.* højfjeldssol [*ɔ: lampe*].
sunlight ['sʌnlait] *sb.* sollys.
sunlit ['sʌnlit] *adj.* solbeskinnet.
sun lounge *sb.* (*omtr.*) glasveranda.
sunlounger ['sʌnlaun(d)ʒə] *sb.* solvogn [*til at tage solbad i*].
sunny ['sʌni] *adj.* **1.** (*om sted*) solbeskinnet; sollys; **2.** (*om vejr*) strålende; **3.** (*om person, sind*) munter, glad; lys.
sunny side *sb.*: *the* ~ **a.** solsiden; **b.** (*fig.*) den lyse side.
sunny side up *adv.* (*am.*: om spejlæg) kun stegt på den ene side.
sunrise ['sʌnraiz] *sb.* solopgang.
sunrise industry *sb.* ny industri; vækstindustri.
sunroof ['sʌnru:f] *sb.* soltag.
sunscreen ['sʌnskri:n] *sb.* se *sun block*.
sunset ['sʌnset] *sb.* solnedgang.
sunset industry *sb.* [*traditionel, stillestående industri*].
sunshade ['sʌnʃeid] *sb.* **1.** solskærm; **2.** (*am.*) parasol; markise.
sunshine ['sʌnʃain] *sb.* **1.** solskin; sollys; **2.** (*fig.*) lykke; glæde; **3.** (*i tiltale*) kammerat.
sunspot ['sʌnspɔt] *sb.* solplet.
sunstroke ['sʌnstrəuk] *sb.* solstik; hedeslag.
suntan ['sʌntæn] *sb.* solbrændthed, solbrunhed;
□ *have a* ~ være solbrændt, være solbrun.
suntan lotion *sb.* solcreme.
suntanned ['sʌntænd] *adj.* solbrændt, solbrun.
suntrap ['sʌntræp] *sb.* solkrog.
sunup ['sʌnʌp] *sb.* (*am.*) solopgang.
sun visor *sb.* solskærm [*på bil*].
sup [sʌp] *sb.* slurk; mundfuld.
super[1] ['su:pə, 'sju:-] *sb.* **1.** (*teat.* S, *glds. el. am.*) statist; **2.** (*am.*: *bogb.*) gaze; **3.** (*fork. f.*) *superintendent; supervisor*; **4.** (*am.*: *for ejendom*) vicevært, inspektør.
super[2] ['su:pə, 'sju:-] *adj.* **1.** T super, mægtig fin, glimrende;
2. (*som forstavelse*) super-, over-, hyper-.
superabundance [su:p(ə)rə'bʌndəns, sju:-] *sb.* overflod; overflødighed.
superabundant [su:p(ə)rə'bʌndənt, sju:-] *adj.* som findes i overflod.
superannuated [su:pər'ænjueitid, sju:-] *adj.* (*spøg.*) **1.** forældet, udtjent, gammeldags; **2.** (*om person*) afdanket.
superannuation [su:pərænju'eiʃn, sju:-] *sb.* pensionsbidrag; pensionsopsparing.
superannuation scheme *sb.* pen-

sionsordning.
superb [su:'pə:b, sju:-] *adj.* fremragende, glimrende, superb.
Super Bowl *sb.* [*det amerikanske fodboldmesterskab*].
supercharged ['su:pətʃa:dʒd, 'sju:-] *adj.* **1.** (*om bilmotor*) forkomprimeret; **2.** (*fig.*) stærkt følelsesladet (*fx word*); overophedet, højspændt (*fx atmosphere*).
supercharger ['su:pətʃa:dʒə, 'sju:-] *sb.* (*i bilmotor*) kompressor.
supercilious [su:pə'siliəs, sju:-] *adj.* overlegen, vigtig, hoven.
superconductor ['su:pəkəndʌktə, 'sju:-] *sb.* (*fys.*) superleder.
supercooled ['su:pəku:ld] *adj.* underafkølet.
superduper [su:pə'du:pə, sju:-] *adj.* (*spøg.*) mægtig fin.
superego [su:pər'i:gəu, sju:-, -'egəu] *sb.* (*psyk.*) overjeg.
superficial [su:pə'fiʃ(ə)l, sju:-] *adj.* (*også fig.*) overfladisk (*fx wound; resemblance; knowledge*).
superficiality [su:pəfiʃi'æləti, sju:-] *sb.* overfladiskhed.
superficies [su:pə'fiʃi:z, sju:-] *sb.* overflade; øvre flade.
superfluity [su:pə'flu:əti, sju:-] *sb.* F overflod; overflødighed.
superfluous [su:'pə:fluəs, sju:-] *adj.* overflødig.
superglue® ['su:pəglu:, 'sju:-] *sb.* superlim.
supergrass ['su:pəgra:s, 'sju:-] *sb.* storstikker; superstikker.
superheated [su:pə'hi:tid, sju:-] *adj.* over(op)hedet.
superhighway [su:pər'haiwei, 'su:-] *sb.* (*am.*) motorvej.
superhuman [su:pə'hju:mən, sju:-] *adj.* overmenneskelig.
superimpose [su:p(ə)rim'pəuz, sju:-] *vb.*: ~ *on* **a.** anbringe// lægge//klistre//stemple oven på; **b.** (*foto.*) indkopiere på; sammenkopiere med; **c.** (*fig.*) presse ned over, påtvinge.
superimposed [su:p(ə)rim'pəuzd, sju:-] *adj.* **1.** (*geol.*) overlejret; **2.** (*fig.*) påklistret.
superintend [su:p(ə)rin'tend, sju:-] *vb.* føre tilsyn med; have overopsyn med; lede, forestå.
superintendent [su:p(ə)rin'tendənt, sju:-] *sb.* **1.** bestyrer, leder, forstander; tilsynsførende; inspektør;
2. (*inden for politiet*) politikommissær; (*se også chief superintendent*); **3.** (*am.: for ejendom*) vicevært, inspektør; **4.** (*am.: for skoler*) skoledirektør.
superior[1] [su:'piəriə, sju:-] *sb.*
1. overordnet (*fx he had to obey his -s*); foresat; **2.** (*mil.*) foranstå-

ende; **3.** (F: *om en der er dygtigere*) overmand;
□ *his social -s* de der står//stod over ham socialt.
superior[2] [su:ˈpiəriə, sju:-] *adj.*
1. bedre (*to* end); overlegen (*fx opponent; weapons*); **2.** (*i hierarki*) højere (*fx court* domstol); **3.** (*om rang*) overordnet; højerestående; (*mil.*) foranstående; **4.** (*om kvalitet*) meget fin, ekstra god; udsøgt (*fx quality; taste*); fremragende (*fx artist*); **5.** (*neds.*) overlegen (*fx air* mine); vigtig, hoven; **6.** (*typ.*) opadgående, løftet (*fx letter; figure*) [ɔ: *trykt over linjen*];
□ *be ~ to* **a.** stå over; være overordnet (*fx a genus is ~ to a species*); **b.** (*fig.*) være hævet over; **c.** (*mht. kvalitet*) være bedre end, stå over, overgå; *be ~ to sby* (*også*) være én overlegen.
superiority [su:piəriˈɔrəti, sju:-] *sb.*
1. (*i kvalitet*) overlegenhed; **2.** (*i styrke*) overlegenhed, overmagt; **3.** (*om egenskab*) overlegenhed, hovenhed.
superlative[1] [su:ˈpə:lətiv, sju:-] *sb.* superlativ (*fx he uses too many -s*);
□ *the ~* (*gram.*) superlativ, højeste grad.
superlative[2] [su:ˈpə:lətiv, sju:-] *adj.* fremragende, glimrende, ypperlig;
□ *the ~ form* (*gram.*) superlativ.
superloo [ˈsu:pəlu:, ˈsju:-] *sb.* [*toilet på jernbanestation, med vaskefaciliteter*].
superman [ˈsu:pəmæn, sju:-] *sb.* (*pl. -men* [-men]) overmenneske.
supermarket [ˈsu:pəma:kit, ˈsju:-] *sb.* (*merk.*) supermarked.
supernatural [su:pəˈnætʃ(ə)r(ə)l, sju:-] *adj.* overnaturlig.
supernumerary[1] [su:pəˈnju:m(ə)rəri, sju:-] *sb.* (*teat. etc.*) statist.
supernumerary[2] [su:pəˈnju:m(ə)rəri] *adj.* overtallig; reserve-; ekstra-.
superphosphate [su:pəˈfɔsfeit, sju:-] *sb.* superfosfat.
superposed [su:pəˈpəuzd, sju:-] *adj.* **1.** placeret ovenpå; **2.** (*geol.*) overlejret.
superpower [ˈsu:pəpauə, ˈsju:-] *sb.* supermagt.
supersaver [ˈsu:pəseivə, ˈsju:-] *vb.* **1.** ekstra nedsat vare; **2.** særlig billig billet.
superscript [ˈsu:pəskript, ˈsju:-] *sb.* (*typ.*) opadgående/løftet tegn [ɔ: *trykt over linjen*].
supersede [su:pəˈsi:d, sju:-] *vb.* fortrænge, erstatte; afløse (*fx buses have -d trams*).
supersonic [su:pəˈsɔnik, sju:-] *adj.* supersonisk, overlyds- (*fx aircraft*).
superstition [su:pəˈstiʃn, sju:-] *sb.* overtro.
superstitious [su:pəˈstiʃəs, sju:-] *adj.* overtroisk.
superstore [ˈsu:pəstɔ:, ˈsju:-] *sb.* stormarked.
superstructure [ˈsu:pəstrʌktʃə, ˈsju:-] *sb.* overbygning.
supertanker [ˈsu:pətæŋkə, ˈsju:-] *sb.* (*mar.*) supertankskib, supertanker.
supertitle [ˈsu:pətaitl, ˈsju:-] *sb.* (*am.*) = surtitle.
supervene [su:pəˈvi:n, sju:-] *vb.* F komme til, støde til, opstå (*fx complications -d*).
supervise [ˈsu:pəvaiz, ˈsju:-] *vb.* have opsyn med, føre tilsyn/kontrol med; tilse, kontrollere; (*især i uddannelse*) supervisere.
supervision [su:pəˈviʒ(ə)n, sju:-] *sb.* opsyn, tilsyn, kontrol; (*især i uddannelse*) supervision.
supervisor [ˈsu:pəvaizə, ˈsju:-] *sb.* tilsynsførende; inspektør; vejleder; (*især i uddannelse*) supervisor.
supervisory [su:pəˈvaiz(ə)ri, sju:-] *adj.* tilsynsførende; tilsyns-, kontrol-.
supine [su:ˈpain, sju:-] *adj.* **1.** liggende på ryggen; **2.** (F: *fig.*) svag, slap, passiv;
□ *~ position* (*med.*) rygleje.
supper [ˈsʌpə] *sb.* **1.** aftensmad; middag; (*sen, lettere*) natmad; (se også *sing*); **2.** (*rel.*) se *Last Supper*, *Lord's Supper*.
supplant [səˈplɑ:nt] *vb.* fortrænge, erstatte, afløse.
supple [ˈsʌpl] *adj.* **1.** bøjelig, smidig, spændstig; **2.** (*fx om hud*) smidig, blød.
supplement[1] [ˈsʌplimənt] *sb.*
1. supplement, tillæg (*to* til, *fx one's wages; a book*); **2.** (*til avis, blad; til pris*) tillæg (*fx a sports ~; pay a ~ for a single cabin*); **3.** (*til mad*) tilskud (*fx a vitamin ~*).
supplement[2] [ˈsʌpliment, sʌpliˈment] *vb.* supplere.
supplemental [sʌpliˈment(ə)l] *adj.* se *supplementary*[2].
supplementary[1] [sʌpliˈment(ə)ri] *sb.* (*parl.*) tillægsspørgsmål.
supplementary[2] [sʌpliˈment(ə)ri] *sb.* supplerende; ekstra; yderligere.
supplementary angles *sb. pl.* (*geom.*) supplementsvinkler.
supplicant [ˈsʌplikənt] *sb.* F supplikant; (ydmyg) ansøger.

supplicate [ˈsʌplikeit] *vb.* F **1.** bede ydmygt, bønfalde; **2.** (*med objekt*) bede ydmygt om, bønfalde om.
supplication [sʌpliˈkeiʃn] *sb.* ydmyg bøn, bønfaldelse.
supplier [səˈplaiə] *sb.* leverandør.
supply[1] [səˈplai] *sb.* **1.** (*som man har*) beholdning, forråd (*fx of drink; of food; of oil*); lager; **2.** (*som man får*) tilførsel (*fx a constant ~ of oxygen*); forsyning (*fx water ~*); levering, leverance (*fx of food*); **3.** (*merk., økon.*) udbud (*fx ~ and demand*);
□ *supplies* **a.** forråd; beholdning(er); **b.** (*af daglige fornødenheder, også mil. & på ekspedition*) forsyninger; **c.** (*penge fra staten*) bevillinger; *it is in plentiful ~* der er rigeligt af det; *it is in short ~* der er mangel på det; det er en mangelvare.
supply[2] [səˈplai] *vb.* **1.** levere (*fx arms to the rebels; electric power; the answer to the question*); skaffe (*fx information; proof*); **2.** (*om hvorfra noget kommer*) give (*fx the cow supplies milk; foods which ~ a significant amount of dietary fibre*); **3.** (*behov, krav*) tilfredsstille; **4.** (*mangel*) afhjælpe (*fx a deficiency; a want*); **5.** (*noget der mangler, fx i tekst*) indsætte (*fx the missing words*); **6.** (*tab*) erstatte;
□ *~ sby with sth* forsyne/udstyre en med noget; levere noget til en.
supply chain *sb.* (*merk.*) forsyningskæde.
supply line *sb.* forsyningslinje.
supply-side [səˈplaisaid] *adj.*: *~ economics* udbudsøkonomi.
supply teacher *sb.* vikar.
support[1] [səˈpɔ:t] *sb.* **1.** støtte (*fx military ~; financial ~; moral ~; you have been a great ~*); **2.** (*til at bære noget oppe*) understøttelse (*fx the roof needs extra ~*);
3. (*ting*) stativ (*fx for a camera*); fod; buk; **4.** (*med.*) støttebandage; støttebælte; (se også *arch support, support stockings*); **5.** (*it*) support;
□ *for ~* for at få støtte, for at holde sig oppe (*fx he leant against the table for ~*); *in ~ of* til støtte for; *lend ~ to* (*fig.*: *teori, synspunkt*) støtte, understøtte.
support[2] [səˈpɔ:t] *vb.* **1.** understøtte, bære (*fx pillars ~ the roof*); holde oppe; **2.** (*fig.*: *person, sag, synspunkt*) støtte (*fx a party; a plan; we all tried to ~ him when his wife died*); **3.** (*teori, påstand etc.*) støtte, underbygge (*fx an argument; -ed by facts*; *~ it with quotations*); (*sprogv.*: *med citater*

også) belægge; **4.** (*sportshold*)
være tilhænger/fan af, supporte;
holde med; **5.** (*med livsfornøden-
heder*) ernære, forsørge (*fx one's
family*); sørge for; **6.** (*med penge*)
finansiere (*fx he didn't make
enough money to* ~ *his addic-
tion*); **7.** (*it*) supporte, supportere,
støtte;
□ ~ *oneself* **a.** (*jf. 1*) holde sig
oppe; **b.** (*jf. 5*) forsørge sig selv;
[*med sb.*] ~ *life* **a.** (*om sted*) give
betingelser for liv; **b.** (*om person*)
opretholde livet; ~ *a role* **a.** ud-
fylde en rolle; **b.** (*teat.*) spille/ud-
føre en rolle;
[*med vb. + nægtelse,*] **cannot** ~ F
kan ikke holde ud (*fx he could* ~
it no longer); kan ikke tåle (*fx the
hot climate*); **will not** ~ F vil ikke
fine sig i (*fx that kind of beha-
viour*).
supportable [sə'pɔːtəbl] *adj.* F
1. (*om noget ubehageligt*) udhol-
delig; **2.** (*om teori etc.*) bevislig;
som kan forsvares.
supporter [sə'pɔːtə] *sb.* **1.** tilhæn-
ger; **2.** (*af sportshold*) tilhænger,
fan; **3.** (*her.*) skjoldholder.
supporting [sə'pɔːtiŋ] *adj.* **1.** støtte-
(*fx party*); **2.** (*i bygning*) bærende
(*fx beam; wall*); bære- (*fx column;
pillar; surface*); **3.** (*teat.*) bi- (*fx
role*);
□ ~ *actor* birolleindehaver; ~ *pro-
gramme* forfilm; ekstrafilm.
supportive [sə'pɔːtiv] *adj.* støt-
tende, forstående, opmuntrende;
□ *be* ~ *of* støtte.
support stockings *sb. pl.* støtte-
strømper.
suppose [sə'pəuz] *vb.* (se også *sup-
posed*) **1.** tro (*fx what time do you*
~ *he'll be here? do you* ~ *we
could ...*); regne med (*fx it was
more difficult than he had -d it
would be*); **2.** F antage, formode
(*fx I had always -d that he was
honest; I* ~ *you have been told*);
3. (F: *om betingelse*) forudsætte
(*fx the success of the plan -s suffi-
cient funding*); **4.** (*indledende en
sætn.: om antagelse*) sæt (at) (*fx* ~
he found out); hvad nu hvis (*fx* ~
you won £10,000); (*om opfor-
dring*) hvad om (*fx* ~ *we change
the subject*);
□ *I* ~ (*også,* T) velsagtens, vel (*fx I*
~ *I'd better tell him*); formodent-
lig (*fx I* ~ *not*); *I don't* ~ *you
could* (*i høflig anmodning*) du
kunne vel ikke (*fx lend me £10*); *I
don't* ~ *he will help us* (*tvivlende*)
han vil nok ikke hjælpe os; *I* ~ *so*
a. det kan jeg//du//han *etc.* vel
godt; **b.** det har du sikkert ret i.

supposed [sə'pəuzd] *adj.* formodet;
påstået;
□ *is* ~ *to* **a.** (*om antagelse*) anta-
ges/formodes at (*fx he is -d to
have emigrated in his youth*);
b. (*om den almindelige mening*)
anses for at, skal efter sigende (*fx
her new book is* ~ *to be very
good*); **c.** (*om forventning*) ventes
at (*fx the costs are* ~ *to fall*);
d. (*om forpligtelse, hensigt*) skal
(*fx you are* ~ *to be home by 10
o'clock; the plate is* ~ *to be un-
breakable*); *you are* ~ *to do it*
a. (*om forventning*) man regner
med/går ud fra/venter at du gør
det (*fx you are* ~ *to help him*);
b. (*om plan, hensigt*) det er me-
ningen at du skal gøre det (*fx you
are* ~ *to live on the first floor*);
you are not ~ *to* (*også,* T) du må
ikke (*fx smoke here*).
supposedly [sə'pəuzidli] *adv.* for-
modentlig; antagelig.
supposing [sə'pəuziŋ] *konj.* **1.** for-
udsat (at), hvis; **2.** se *suppose 4.*
supposition [sʌpə'ziʃn] *sb.* anta-
gelse; formodning.
suppository [sə'pɔzit(ə)ri] *sb.*
(*med.*) stikpille.
suppress [sə'pres] *vb.* **1.** holde
nede, bremse (*fx the growth of
cancer cells; inflation*); under-
trykke (*fx the immune system*);
2. (*fuldstændigt*) afskaffe, sætte en
stopper for (*fx piracy*); **3.** (*med
magt*) undertrykke (*fx an upri-
sing; student protest; all opposi-
tion*); slå ned; **4.** (*publikation*)
standse (*fx a book*); lukke (*fx a
newspaper*); **5.** (*oplysninger etc.*)
tilbageholde, hemmeligholde (*fx
information; evidence; docu-
ments*); fortie (*fx the truth*); **6.** (*i
tekst*) udelade; **7.** (*følelse*) holde
tilbage, beherske (*fx he could
hardly* ~ *his anger//delight*); un-
dertrykke (*fx a giggle; a smile; a
sneeze*); **8.** (*i psykoanalyse*) be-
vidst fortrænge.
suppression [sə'preʃn] *sb.* (jf. *sup-
press*) **1.** undertrykkelse; **2.** afskaf-
felse; **3.** undertrykkelse; **4.** stands-
ning; lukning; **5.** tilbageholdelse;
hemmeligholdelse; fortielse;
6. udeladelse; **7.** beherskelse; un-
dertrykkelse; **8.** (*i psykoanalyse*)
bevidst fortrængning.
suppressor [sə'presə] *sb.* **1.** under-
trykker; **2.** (*elek.*) støjspærre.
suppurating ['sʌpjureitiŋ] *adj.*
(*med.: om sår*) væskende; be-
tændt.
supranational [s(j)uːprə'næʃn(ə)l]
adj. overnational (*fx authority*);
overstatlig.

supremacist [s(j)uː'preməsist] *sb.*
[*en der tror på en bestemt befolk-
ningsgruppes overlegenhed*].
supremacy [s(j)u'preməsi] *sb.*
1. overlegenhed; førende stilling;
2. overherredømme; overhøjhed.
supreme [s(j)u'priːm] *adj.* højest;
øverst;
□ *reign* ~ herske suverænt; være
enerådende;
[*med sb.*] *the Supreme Being* det
højeste væsen [ɔ: *Gud*]; ~ *com-
mand* overkommando; ~ *com-
mander* øverstbefalende; *the Su-
preme Court (of Judicature)* [*de
højere og øverste retsinstanser*]; *a*
~ *effort* den yderste anstrengelse;
the ~ *good* det højeste gode; *a* ~
moment et storslået øjeblik; *make
the* ~ *sacrifice* betale den højeste
pris; ofre sit liv.
supremely [s(j)u'priːmli] *adv.* i høj-
este grad; suverænt.
supremo [su:'priːməu] *sb.* T første-
mand; leder; chef.
Supt *fork. f.* superintendent.
surcharge¹ ['sɜːtʃaːdʒ] *sb.* **1.** ek-
straafgift, tillægsafgift, tillægsge-
byr; tillæg; **2.** (*told*) særtold;
3. (*skat*) ekstraskat; **4.** (*for under-
frankeret brev*) strafporto; **5.** (*på
frimærke*) overtryk [*der ændrer
værdien*].
surcharge² ['sɜːtʃaːdʒ] *vb.* (jf. sur-
charge¹) **1.** lægge ekstraafgift//til-
lægsgebyr//særtold//ekstraskat på;
2. (*person*) afkræve ekstraaafgift//
tillægsgebyr//tillæg//strafporto;
3. (*frimærke*) overstemple.
surd¹ [sɜːd] *sb.* (*mat.*) irrational
størrelse.
surd² [sɜːd] *adj.* (*mat.*) irrational.
sure¹ [ʃuə] *adj.* sikker (*about, of*
på, *fx I'm not so* ~ *about that; he
is* ~ *of his facts//himself; a* ~
sign); (se også *sure²*);
□ *as* ~ *as eggs is eggs* T så sikkert
som to og to er fire; stensikkert; ~
enough **a.** ganske sikkert; **b.** vir-
kelig; ganske rigtigt (*fx I said he'd
come and* ~ *enough he did*);
*that's **for*** ~ det er givet; det er
helt sikkert;
[*med vb.*] *be* ~ *and tell him* sørg
endelig for at sige det til ham; *be*
~ *of sth* være sikker på noget; *he
is* ~ *of winning* han er sikker på
at han vinder; *be* ~ *to* husk at (*fx
lock the door*); glem ikke at; *he is*
~ *to win* det bliver bestemt ham
der vinder; *to be* ~ F ganske vist;
naturligvis; *I'm* ~ (*også*) vist (*fx
I'm* ~ *we've met somewhere*); *I
don't know, I'm* ~ det ved jeg så-
mænd ikke; *make* ~ **a.** skaffe sig
vished; **b.** sikre sig; *make* ~ *of*

a. forvisse sig om; **b.** sikre sig; *make ~ that* **a.** forvisse sig om at (*fx she is all right*); **b.** sikre sig at (*fx he made ~ that his daughter was properly cared for*).

sure² [ʃuə] *adv.* (*især am.* T) bestemt (*fx I ~ don't want to see him*);
□ *~!* **a.** (*svar på spørgsmål*) ja! ja fint! ja absolut! **b.** (*svar på tak*) jeg be'r! det er så lidt!

sure-fire [ˈʃuəfaiə] *adj.* T bombesikker, stensikker; som ikke kan slå fejl.

sure-footed [ʃuəˈfutid] *adj.* **1.** sikker på benene; **2.** (*fig.*) selvsikker.

surely [ˈʃuəli] *adv.* **1.** forhåbentlig, da vel (*fx ~ you don't mean that?*); da vist (*fx that ~ can't be a good idea*); **2.** (*glds. am.*) ja endelig (*fx "May I sit here?" "~!"*); ja absolut; **3.** (jf. *sure¹*) sikkert (*fx he works slowly but ~*); (*glds.*) helt sikkert, ganske utvivlsomt (*fx he will ~ come*);
□ *~ not!* det kan da ikke passe!

surety [ˈʃuəti] *sb.* (*jur.*) **1.** kaution; sikkerhed; **2.** (*person*) kautionist; selvskyldner;
□ *stand ~ for* kautionere for.

surf¹ [sə:f] *sb.* brænding.

surf² [sə:f] *vb.* **1.** surfe; **2.** S køre på taget af et tog;
□ *~ the net* (*it*) surfe på nettet; (se også *channel-surf*).

surface¹ [ˈsə:fis] *sb.* **1.** overflade (*fx the ~ of the water; the Earth's ~*); **2.** (*af ting*) overflade, flade (*fx a smooth//shiny ~*); **3.** (*fx af terning*) side; **4.** (*på bane*) overfladebelægning; overflade (*fx a hard ~*);
□ *they have only scratched the ~* (*fig.*) de er ikke kommet ned under overfladen;
[*med præp.*] *below/beneath the ~* under overfladen; *if you scratch beneath the ~* (*fig.*) hvis du kommer ned under overfladen; *on the ~* **a.** på overfladen (*fx floating on the ~*); **b.** (*fig.*) på overfladen, overfladisk set (*fx on the ~, it seems easy*); **c.** udvendig (*fx his kindness is only on the ~*); tilsyneladende; *bring **to** the ~* bringe op til overfladen.

surface² [ˈsə:fis] *vb.* **1.** (*om u-båd*) gå op til overfladen; dykke ud; **2.** (*om svømmer*) komme op til overfladen; **3.** (*fig.*) dukke op, komme frem (*fx doubts//rumours have -d*); **4.** (*fig., om person*) dukke op, vise sig; **5.** (*med objekt*) overfladebehandle.

surface³ [ˈsə:fis] *adj.* overflade- (*fx ship; temperature; tension*).

surface noise *sb.* nålestøj, pladestøj.

surface-to-air [sə:fistu'ɛə] *adj.* (*om raket*) jord-til-luft.

surface-to-surface [sə:fistə'sə:fis] *adj.* (*om raket*) jord-til-jord.

surfboard [ˈsə:fbɔ:d] *sb.* surfbræt.

surfeit [ˈsə:fit] *sb.*: *a ~ of* F en overflod af; mere end nok af.

surfing [ˈsə:fiŋ] *sb.* surfriding; (se også *channel-surfing, windsurfing*).

surge¹ [sə:dʒ] *sb.* **1.** stor bølge; brodsø; **2.** (*fig.*) pludselig//voldsom stigning (*fx in prices*); kraftigt opsving; **3.** (*af følelse*) bølge (*fx of remorse; of sympathy*); brus (*fx of anger*); **4.** (*af mennesker*) strøm; **5.** (*elek.*) vandrebølge; spændingsbølge.

surge² [sə:dʒ] *vb.* **1.** bruse (*fx the surging water*); stige, hæve sig (*fx waves -d 12 feet*); **2.** (*fig.*) stige (voldsomt) (*fx shares -d*); **3.** (*om bevægelse*) strømme, vælte (*fx the crowd -d forward//through the gates*); **4.** (*om følelse*) se ndf.: *~ up*; **5.** (*elek.: om spænding*) stige; **6.** (*mar.: om reb, kæde*) skrænse;
□ *~ through* (*om følelse*) strømme igennem (*fx panic -d through him*); *~ up* vælde op (*fx a feeling of love -d up within me*).

surgeon [ˈsə:dʒ(ə)n] *sb.* **1.** kirurg; **2.** (*mil.*) militærlæge.

surgeonfish [ˈsə:dʒ(ə)nfiʃ] *sb.* (*zo.*) kirurgfisk.

surgeon general *sb.* (*især am. mil.*) generallæge.

surgeon's knot *sb.* kirurgisk knude.

surgery [ˈsə:dʒ(ə)ri] *sb.* **1.** kirurgi (*fx brain ~; heart ~*); **2.** (*enkelt behandling*) operation (*fx he performs several surgeries a day*); **3.** (*læges: sted*) konsultationsstue, konsultation; (*tid*) konsultationstid; (*aktivitet*) konsultation (*fx the doctor has ~ in the morning*); **4.** (*tandlæges*) klinik; **5.** (*parlamentsmedlems: i valgdistrikt*) modtagelse; modtagelsestid;
□ *have/undergo ~* (jf. *2*) blive opereret (*on one's knee* i knæet); *hold ~* (jf. *5*) tage imod.

surgical [ˈsə:dʒik(ə)l] *adj.* **1.** kirurgisk; **2.** (*om fodtøj*) ortopædisk (*fx shoe*).

surgical spirit *sb.* hospitalssprit.

suricate [ˈs(j)uərikeit] *sb.* (*zo.*) surikat.

surly [ˈsə:li] *adj.* sur, tvær.

surmise¹ [ˈsə:maiz] *sb.* F **1.** formodning (*fx that is my ~*); **2.** gætteværk, gætterier (*fx it is all wild ~*).

surmise² [sə:ˈmaiz] *vb.* formode;

gætte; tænke sig til.

surmount [səˈmaunt] *vb.* F **1.** overvinde (*fx a difficulty*); klare (*fx a problem*); **2.** (*om placering*) være anbragt oven på (*fx a cross -s the steeple*); hæve sig op over;
□ *the column is -ed by a statue* en statue er anbragt oven på søjlen.

surname [ˈsə:neim] *sb.* efternavn; familienavn.

surpass [səˈpa:s] *vb.* F overgå.

surpassing [səˈpa:siŋ] *adj.* (*litt.*) overordentlig.

surplice [ˈsə:plis, -pləs] *sb.* (*rel.*) messeskjorte.

surplus¹ [ˈsə:pləs] *sb.* overskud.

surplus² [ˈsə:pləs] *adj.* overskydende; overskuds- (*fx production; stock*);
□ *a ~ card* et kort for meget; *~ to requirements* ud over hvad der er behov for.

surplus population *sb.* befolkningsoverskud.

surplus value *sb.* (*økon.*) merværdi.

surprise¹ [səˈpraiz] *sb.* **1.** overraskelse (*fx it was a complete ~*); **2.** (*følelse*) overraskelse, forbavselse, undren (*at over, fx he expressed ~ at the result*); **3.** (*om angreb etc.*) overrumpling;
□ *~ ~!* **a.** sikke en overraskelse! **b.** (*iron.*) underligt nok! *take sby by ~* overraske en, komme bag på en; overrumple en; *in/with ~* overrasket, forbavset (*fx he looked at her in/with ~*); undrende.

surprise² [səˈpraiz] *vb.* (se også *surprised*) **1.** overraske, forbavse, undre (*fx his behaviour -d me*); **2.** (*om angreb etc.*) overraske, komme bag på; overrumple (*fx the enemy*);
□ *~ sby into + -ing* (*ved overrumpling*) narre en til at.

surprised [səˈpraizd] *adj.* overrasket, forbavset, forundret (*at over; to//that over at*);
□ *I wouldn't be ~* det skulle ikke undre mig.

surreal [səˈriəl] *adj.* surrealistisk; bizar.

surrealism [səˈriəlizm] *sb.* surrealisme.

surrealist¹ [səˈriəlist] *sb.* surrealist.
surrealist² [səˈriəlist] *adj.* surrealistisk.

surrealistic [səriəˈlistik] *adj.* surrealistisk.

surrender¹ [səˈrendə] *sb.* **1.** udlevering; aflevering; **2.** (*af land*) afståelse; **3.** (*mil.*) overgivelse, kapitulation; **4.** (*assur.*) tilbagekøb.

surrender² [səˈrendə] *vb.* **1.** overgive sig; (*mil. også*) kapitulere;

2. (*med objekt: nødtvungent*) aflevere, udlevere (*fx one's watch to a robber; they were ordered to ~ their weapons*); **3.** (*rettighed*) opgive, give afkald på (*fx a privilege*); afgive (*fx sovereignty*); **4.** (*land, område*) afstå (*fx Denmark -ed Norway to Sweden*); **5.** (*mil.*) overgive (*fx the town to the enemy*); **6.** (F: *til myndighed etc.*) aflevere (*fx one's passport; one's ticket at the barrier*); indlevere;

□ *~ to* **a.** (*jf. 1*) overgive sig til; kapitulere til; **b.** (*fig.*) give efter for, bukke under for (*fx temptation*); blive grebet af (*fx jealousy; panic*).

surrender value *sb.* (*assur.*) tilbagekøbsværdi.

surreptitious [sʌrəp'tiʃəs] *adj.* hemmelig.

surrogacy ['sʌrəgəsi] *sb.* [*det at være rugemor*].

surrogate[1] ['sʌrəgət] *sb.* erstatning (*for* for).

surrogate[2] ['sʌrəgət] *adj.* erstatnings- (*fx child*); reserve- (*fx wife*).

surrogate father *sb.* fadererstatning.

surrogate mother *sb.* **1.** (*som føder barn for en anden*) rugemor; **2.** (*som passer barn*) reservemor (*fx the old-fashioned nanny welcomed the role of ~*).

surround[1] [sə'raund] *sb.* **1.** kantning, bort; indfatning, ramme; **2.** miljø, omgivelser;

□ *-s* omgivelser; (*af by etc. også*) omegn.

surround[2] [sə'raund] *vb.* **1.** omgive; **2.** (*med politi, militær*) omringe.

surroundings [sə'raundiŋz] *sb. pl.* omgivelser; miljø.

surround sound *sb.* [*lyd på fire sider*].

surtax ['sɔːtæks] *sb.* ekstraskat; topskat.

surtitle ['sɔːtaitl] *sb.* overtekst [*tekst til opera over scenen*].

surveillance [sə'veiləns] *sb.* overvågning (*fx electronic ~*); opsyn (*fx keep them under ~*).

survey[1] ['sɔːvei] *sb.* **1.** oversigt, overblik (*of* over); gennemgang (*of* af, *fx the political situation; the relevant literature*); **2.** (*statistisk, sociologisk, ved interviews*) undersøgelse (*fx of voters' attitude to the EU*); spørgeundersøgelse; analyse; **3.** (*af bygning*) besigtigelse; synsforretning; inspektion; **4.** (*af landområde*) opmåling; kortlægning.

survey[2] [sə'vei] *vb.* **1.** se ud over (*fx the scene*); betragte (*fx she -ed him coolly*); **2.** (*fig.*) tage et overblik over (*fx the options; the situation*); (*i negative forb.*) overskue (*fx it is difficult to ~ such a wide field*); **3.** (*ved beskrivelse*) give et overblik over, gennemgå (*fx the relevant literature; a book which -s the history of lexicography*); **4.** (*ved spørgeundersøgelse*) undersøge (*fx voters' attitude to the EU*); (*personer*) interviewe, udspørge (*fx 43% of those -ed were critical of the policy*); **5.** (*bygning*) syne, bese, besigtige, inspicere; **6.** (*landområde*) opmåle; kortlægge.

surveyor [sə'veiə] *sb.* **1.** (*til opmåling etc. af jord*) landinspektør; landmåler; **2.** (*ved byggeri*) bygningsinspektør; (*se også quantity surveyor*); **3.** (*ved syn*) besigtigelsesmand; **4.** (*mar.*) skibsinspektør; **5.** (*assur.: til forsikring*) vurderingsmand, ekspert; **6.** (*i toldvæsen*) toldkontrollør.

survival [sə'vaiv(ə)l] *sb.* overlevelse, overleven; fortsat eksistens, fortsat beståen (*fx the ~ of our planet*);

□ *fight for ~* kæmpe for at overleve; *a ~ from* et levn//rudiment fra (*fx earlier times*); *the ~ of the fittest* de bedst egnedes overlevelse/fortsatte beståen.

survivalist [sə'vaivəlist] *sb.* **1.** [*en der dyrker overlevelsesteknik som sport*]; **2.** (*am.*) [*en der vil sikre sin egen overlevelse*].

survive [sə'vaiv] *vb.* **1.** overleve; komme levende fra (*fx an accident*); **2.** (*uden objekt*) overleve; klare sig; leve videre; **3.** (*om ting*) være bevaret (*fx the house does not ~*); (*om skik også*) holde sig;

□ *he is -d by his wife and two children* han efterlader sig kone og to børn.

surviving [sə'vaiviŋ] *adj.* **1.** overlevende; **2.** (*ved dødsfald*) efterladt (*fx her three ~ children*); **3.** (*om ting, skik*) bevaret (*fx the only ~ house from that period*).

survivor [sə'vaivə] *sb.* **1.** (*efter ulykke etc.*) overlevende (*of* efter, *fx he was the sole ~ of the plane crash*); **2.** (*fig.: trods vanskeligheder*) overlever (*fx he is a born ~*); **3.** (*i forsikringsterminologi*) længstlevende (*fx ~'s benefits*); **4.** (*am.: efter dødsfald*) efterladt;

□ *be a ~ of* (*fig.*) have været igennem; have været udsat for (*fx sexual abuse*).

susceptibility [səsepti'biləti] *sb.*

1. modtagelighed; påvirkelighed; **2.** (*følelsesmæssig*) følsomhed; sårbarhed;

□ *offend sby's susceptibilities* krænke éns følelser.

susceptible [sə'septəbl] *adj.* **1.** modtagelig (*to* for, *fx flattery; infection*); påvirkelig (*to* af, *fx her wishes*); **2.** (*følelsesmæssigt*) følsom (*fx a ~ young girl*); sårbar;

□ *be ~ of change//control//proof* kunne ændres//kontrolleres//bevises; *be ~ of several interpretations* kunne fortolkes på flere måder; *~ to* se: *1*; *I am ~ to colds* jeg bliver let forkølet.

suspect[1] ['sʌspekt] *sb.* mistænkt.

suspect[2] ['sʌspekt] *adj.* mistænkelig; suspekt; tvivlsom.

suspect[3] [sə'spekt] *vb.* **1.** (*person*) mistænke (*of* for, *fx ~ him of murder; the police ~ her husband*); nære mistanke til; **2.** (*handling, begivenhed*) nære mistanke om (*fx foul play; a terrorist attack*); **3.** (+ *sætn.*) have en mistanke om, have på fornemmelsen (*fx that he has lost the address; that he is lying; that she is right*); ane; **4.** (*rigtigheden//berettigelsen af noget*) betvivle (*fx the authenticity of the document; his honesty*); nære mistillid til (*fx generalizations; his motives*);

□ *..., I ~, ...* har jeg på fornemmelsen, ... vil jeg tro (*fx it is, I ~, only temporary*); *I ~ you are right* (*jf. 3, også*) du har nok ret; *I ~ not* sikkert ikke.

suspend [sə'spend] *vb.* (se også *suspended*) **1.** afbryde, standse, stille i bero (*fx work on the bridge*); indstille//ophæve midlertidigt (*fx the ferry service//the constitution*); udsætte; (se også *judgement, payment*); **2.** (*person*) suspendere (*fx the two officials were -ed*); bortvise midlertidigt (*fx the boy was -ed from school*); (*fra sportshold*) udelukke midlertidigt; **3.** (*i snor, reb*) hænge op (*fx a hammock between two trees; a lamp over the table*).

suspended [sə'spendid] *adj.* **1.** (*jf. suspend 3*) ophængt (*from* i, *fx the ceiling*); **2.** (*kem.*) opslæmmet;

□ *be ~ in the air* svæve i luften; *a six-month jail sentence, ~ for two years* (*jur.*) seks måneders fængsel betinget, med to års prøvetid.

suspended animation *sb.* skindød.

suspended sentence *sb.* (*jur.*) betinget fom.

suspender [sə'spendə] *sb.* strømpeholder.

suspender belt *sb.* hofteholder.

suspenders [sə'spendəz] *sb. pl.* (*am.*) seler.

suspense [sə'spens] *sb.* spænding; □ *keep sby in* ~ holde en (hen) i uvished/spænding.

suspension [sə'spenʃn] *sb.* (jf. *suspend*) **1.** afbrydelse; standsning (*fx* ~ *of payments* betalings-standsning); indstilling (*fx of hostilities*); ophævelse; udsættelse; **2.** (*af person*) suspension; midlertidig bortvisning; midlertidig udelukkelse; **3.** (*i snor, reb*) ophængning; **4.** (*i bil*) ophæng; affjedring; **5.** (*mus.*) forudhold; **6.** (*kem.*) opslæmning.

suspension bridge *sb.* hængebro.

suspicion [sə'spiʃn] *sb.* **1.** mistanke (*of* om, *fx there is* ~ *of foul play; that* om at, *fx I had a* ~ *(that) he was lying*); **2.** (*om ubestemt følelse*) anelse (*of* om, *fx I hadn't the least* ~ *of it; that* om at, *fx I had a* ~ *that she was going to refuse; he confirmed my -s*); fornemmelse (*of* af; *that* af at, *fx I had a* ~ *(that) she was hurt*); **3.** (*mht. berettigelse//pålidelighed*) mistro, skepsis (*fx he was regarded with* ~); mistillid (*of* over for, *fx he has a profound* ~ *of persons in authority*); **4.** (F: *om kvantum*) anelse, antydning (*fx a* ~ *of pepper*); anstrøg (*fx a* ~ *of triumph in her voice*); □ *above* ~ hævet over enhver mistanke; *on* ~ *of* mistænkt for (*fx arrested on* ~ *of murder*).

suspicious [sə'spiʃəs] *adj.* **1.** (*om indstilling*) mistænksom, mistroisk (*of* over for//med hensyn til, *fx strangers//his motives*); skeptisk (*of* over for, *fx the committee's findings*); **2.** (*om udseende etc.*) mistænkelig (*fx circumstances; behaviour*); (*om person også*) fordægtig (*fx two* ~ *characters*).

suss[1] [sʌs] *adj.* (*austr.* T) mistænkelig.

suss[2] [sʌs] *vb.* T **1.** finde ud af, regne ud; **2.** gennemskue; □ ~ *out* = 1, 2.

sussed [sʌst] *adj.* T dygtig; velinformeret.

sustain [sə'stein] *vb.* (se også *sustained, sustaining*) **1.** (*proces etc., mods. afbryde*) holde i gang, holde gående (*fx a conversation; a campaign*); opretholde (*fx life; the attack; one's position*); fortsætte (*fx economic growth*); **2.** (*tone*) holde; **3.** (*vægt*) støtte; bære; **4.** (*person*) holde liv i (*fx a large population*); (*om mad*) styrke (*fx a good breakfast will* ~ *you all morning*); **5.** (F: *fig.*) holde oppe (*fx -ed by hope//one's faith*); støtte (*fx their love -ed me*); opmuntre; **6.** (F: *noget negativt*) lide (*fx damage; a defeat; a loss*); blive udsat for; pådrage sig, få (*fx severe injuries*); **7.** (*jur.*) anerkende, godkende (*fx a claim*); give medhold i, tage til følge (*fx an objection*); □ ~ *a part* (*teat.*) udføre/bære en rolle.

sustainable [sʌs'teinəbl] *adj.* **1.** (*om brug af ressourcer*) bæredygtig (*fx agriculture; development*); **2.** (*om proces etc.*) som kan opretholdes, stabil (*fx growth; transport system*); **3.** (*fig.*) holdbar, bæredygtig (*fx argument; definition; myth; plan*).

sustained [sə'steind] *adj.* vedvarende (*fx effort; growth*); vedholdende, langvarig (*fx applause*).

sustaining [sə'steiniŋ] *adj.* nærende (*fx food; meal*).

sustaining pedal *sb.* (*mus.*) dæmperpedal.

sustenance ['sʌstinəns] *sb.* F **1.** næring; **2.** underhold (*fx for the* ~ *of his family*); **3.** bevarelse (*fx of democracy*); □ *means of* ~ næringsmidler.

susurration [s(j)u:sə'reiʃn] *sb.* (*litt.*) susen; hvisken.

suture[1] ['su:tʃə] *sb.* **1.** (*med.: af sår*) sutur; sammensyning; **2.** (*anat.: i kraniet etc.*) sutur.

suture[2] ['su:tʃə] *vb.* (*med.: sår*) sy sammen.

SUV *fork. f. sport utility vehicle* (stor firhjulstrækker til fritidsbrug).

svelte [svelt] *adj.* slank; elegant.

SW *fork. f.* **1.** *southwest(ern)*; **2.** (*radio.*) *short wave*.

S/W *fork. f. software*.

swab[1] [swɔb] *sb.* **1.** (*med.*) serviet, tampon; **2.** (*med.: til podning, pensling*) vatpind; **3.** (*med.: prøve*) podning; **4.** (*mar.*) svaber.

swab[2] [swɔb] *vb.* **1.** (*med.: sår, hud*) rense; **2.** (*med vatpind*) pensle (*fx the throat*); **3.** (*dæk, gulv*) svabre; tørre over.

Swabia ['sweibiə] (*geogr.*) Schwaben.

Swabian[1] ['sweibiən] *sb.* **1.** (*person*) schwaber; **2.** (*dialekt*) schwabisk.

Swabian[2] ['sweibiən] *adj.* schwabisk.

swaddle ['swɔdl] *vb.* (*spædbarn, glds.*) svøbe.

swaddling clothes *sb. pl.* (*til spædbørn, glds.*) svøb, liste.

swag [swæg] *sb.* **1.** guirlande; **2.** draperi; draperet gardin; **3.** (*glds. austr.*) bylt [*med ejendele*]; **4.** (*glds.* S) bytte, rov; tyvekoster.

swagger[1] ['swægə] *sb.* vigtig mine; spankuleren, knejsen; □ *walk with a* ~ spankulere; gå knejsende.

swagger[2] ['swægə] *vb.* spankulere (*fx into the room*); gå//komme knejsende; □ ~ *about* spankulere omkring med en vigtig mine/med næsen i sky.

swagman ['swægmən] *sb.* (*pl.* -men [-mən]) (*austr.*) vagabond; bissekræmmer.

swain [swein] *sb.* (*poet.*) ungersvend; beundrer, tilbeder, bejler.

swale [sweil] *sb.* (*am.*) lavning.

swallow[1] ['swɔləu] *sb.* **1.** synken; slurk; **2.** (*zo.*) svale; **3.** (*mar.*) skivgat; □ *give a* ~ (jf. 1) gøre en synkebevægelse; synke en gang; *one* ~ *does not make a summer* (jf. 2) én svale gør ingen sommer.

swallow[2] ['swɔləu] *vb.* **1.** synke, nedsvælge, sluge; **2.** (*historie etc.: tro på*) sluge; (se også *hook*[1]); **3.** (*følelse etc.*) bide i sig (*fx one's anger; one's disappointment; an insult*); (se også *pride*[1]); **4.** (*uden objekt*) synke (*fx it hurts when I* ~); gøre en synkebevægelse; □ ~ *hard* synke en ekstra gang; ~ *up* opsluge; ~ *one's words* tage sine ord i sig igen.

swallow dive *sb.* (*udspring*) svanhop.

swallowtail ['swɔləuteil] *sb.* (*zo.: sommerfugl*) svalehale; □ *-s* (herre)kjole.

swam [swæm] *præt. af swim*[2].

swamp[1] [swɔmp] *sb.* mose; sump.

swamp[2] [swɔmp] *vb.* **1.** sætte under vand; fylde med vand; overskylle (*fx the boat was -ed by a huge wave*); **2.** (*fig.*) oversvømme, overfylde (*fx the labour market was -ed by foreign workers*); **3.** (*om følelse*) overvælde (*fx feelings of guilt -ed her*); □ *the new dress -ed her* hun druknede i den nye kjole.

swampy ['swɔmpi] *adj.* sumpet.

swan[1] [swɔn] *sb.* (*zo.*) svane.

swan[2] [swɔn] *vb.* T daske, drysse; slentre.

swan dive *sb.* (*am.: udspring*) svanhop.

swank[1] [swæŋk] *sb.* T praleri, pral, blær.

swank[2] [swæŋk] *adj.* (*især am.*) = *swanky*.

swank[3] [swæŋk] *vb.* prale, vise sig, blære sig.

swanky ['swæŋki] *adj.* S pralende, blæret; flot, smart.

swannery ['swɔnəri] *sb.* svanegård.

swansong ['swɔnsɔŋ] *sb.* svanesang.

swap[1] [swɔp] *sb.* T **1.** bytten; bytning; **2.** (*om samlerobjekt, fx frimærke*) dublet [*til bytning*]; □ *do a* ~ bytte.

swap[2] [swɔp] *vb.* T **1.** bytte (*fx shall we ~?*); **2.** (*med objekt*) bytte (*fx places; roles; stamps*); skifte (*fx places*); udveksle (*fx ideas; the computers* ~ *data; we -ped jokes*); (se også *horse*[1]); □ ~ *for* **a.** (*om modydelse*) bytte for (*fx a watch for a ring*); **b.** (*om erstatning*) bytte ud med (*fx a ham sandwich for a cheese and tomato*); *I'll ~ you my new bike for your moped* du får min nye cykel for din knallert; ~ *over/round* bytte om; ~ *with* bytte med (*fx* ~ *seats with him*); udveksle med (*fx* ~ *addresses with them*).

swap meet *sb.* (*am.*) bytte marked; loppemarked.

swarm[1] [swɔ:m] *sb.* **1.** sværm (*fx of bees*); **2.** (*af mennesker*) sværm, mylder, vrimmel.

swarm[2] [swɔ:m] *vb.* **1.** (*om insekter*) sværme; **2.** (*om mennesker*) sværme, myldre, vrimle; □ *be -ing* with myldre/vrimle med; være vrimlende fuld af.

swarthy ['swɔ:ði] *adj.* mørklødet, mørkhudet, mørk.

swashbuckler ['swɔʃbʌklə] *sb.* fandenivoldsk person.

swashbuckling ['swɔʃbʌkliŋ] *adj.* fandenivoldsk; forvoven.

swash letter ['swɔʃletə] *sb.* (*typ.*) pyntebogstav.

swastika ['swɔstikə] *sb.* hagekors, svastika.

SWAT [swɔt] *fork. f.* (*am.*) *special weapons and tactics.*

swat[1] [swɔt] *sb.* klask, smæk.

swat[2] [swɔt] *vb.* klaske, smække.

swatch [swɔtʃ] *sb.* stofprøve.

swath [swɔθ] *sb.* se *swathe*[1].

swathe[1] [sweið] *sb.* **1.** (*af græs, korn*) skår; **2.** (*af land*) bred stribe, stykke, område; **3.** (*fig.*) udsnit; område; **4.** (*af tøj*) strimmel, bånd; (*som vikles om*) svøb.

swathe[2] [sweið] *vb.* svøbe ind; □ *-d in* indsvøbt i (*fx silk*); indhyllet i (*fx bandages*).

SWAT team *sb.* (*am.*) [*antiterrorenhed*].

swatter ['swɔtə] *sb.* fluesmækker.

sway[1] [swei] *sb.* herredømme; magt; □ *hold* ~ have magten (*over* over);

under the ~ *of* behersket af; styret af.

sway[2] [swei] *vb.* **1.** svaje; svinge; gynge; **2.** (*med objekt*) påvirke, øve indflydelse på; omstemme (*fx* ~ *them in his favour*); □ *-ed by* **a.** påvirket af, overbevist af (*fx their arguments*); **b.** (jf. *sway*[1]) styret af, behersket af (*fx -ed by one's lower instincts*).

swear [swɛə] *vb.* (*swore, sworn*) (se også *sworn*) **1.** bande (*fx I've never heard him* ~); sværge; **2.** (*om edsaflæggelse, forsikring*) aflægge ed (*fx on the Bible*); sværge (*fx I didn't know, I ~!*); **3.** (*med objekt*) sværge på; bekræfte ved ed; **4.** (*person*) tage i ed; forpligte ved ed; □ ~ *that* sværge på at, aflægge ed på at; [*med præp.& adv.*] ~ *at* bande ad; ~ *by* **a.** sværge ved (*fx all that is holy/sacred*); **b.** T sværge til (*fx vitamin pills*); ~ *in* tage i ed; ~ *off* T droppe, sige farvel til (*fx drinking; smoking*); ~ *to* sværge på, aflægge ed på (*fx I couldn't* ~ *to it*); ~ *to having done it* sværge/aflægge ed på at man har gjort det; ~ *to do it* sværge/aflægge ed på at man vil gøre det; (se også *secrecy*).

swearing-in ['swɛəriŋin] *sb.* edsaflæggelse.

swear word *sb.* kraftudtryk, ed, bandeord.

sweat[1] [swet] *sb.* **1.** sved; **2.** svedetur (*fx night -s*); **3.** (*glds.* T) slid; (se også *sweats*); □ *no* ~! T det er ikke noget problem! det er ikke noget at tale om! [*med præp.*] *by the* ~ *of one's brow* i sit ansigts sved; *in a* ~ **a.** badet i sved; **b.** (*fig.*) rystende af spænding//angst; (se også *cold*[2]); *get into a* ~ *about* T blive helt ude af det over; (se også *break*[2] (*out in*)).

sweat[2] [swet] *vb.* **1.** (*også fig. om frygt, spænding*) svede; **2.** (T *om arbejde*) slide, slæbe; **3.** (*med objekt*) få til at svede (*fx the climb had -ed me*); **4.** (*om arbejdsgiver*) udbytte (*fx one's workers*); **5.** (*am.* T) bekymre sig om, tage sig af; □ ~ *bullets* (*især am.* T) **a.** svede voldsomt, svede tran; **b.** (*fig.*) være rystende nervøs; ~ *the small stuff* (jf. 5) hænge sig i småting; ~ *out* **a.** udsvede (*fx moisture*); **b.** (*komme af med*) svede ud (*fx a cold* en forkølelse); ~ *it out* **a.** træne så sveden driver af en; **b.** holde pinen ud; ~ *a confession out of* sby tvinge en tilståelse ud af en ved skrapt forhør.

sweatband ['swetbænd] *sb.* **1.** pandebånd; **2.** (*i hat*) svederem.

sweated ['swetid] *adj.* (*om arbejdere*) underbetalt.

sweater ['swetə] *sb.* (*tøj*) sweater.

sweat gland *sb.* svedkirtel.

sweatpants ['swetpænts] *sb. pl.* træningsbukser.

sweats [swets] *sb. pl.* træningstøj.

sweatshirt ['swetʃə:t] *sb.* sweatshirt.

sweatshop ['swetʃɔp] *sb.* [*fabrik der udbytter sine arbejdere*].

sweatsuit ['swetsu:t] *sb.* træningsdragt.

sweaty ['sweti] *adj.* **1.** svedig; svedt; **2.** (*om aktivitet*) som man bliver svedt af; møjsommelig (*fx climb*); **3.** (*om sted*) hvor man kommer til at svede; trykkende varm (*fx pub*).

Swede [swi:d] *sb.* svensker.

swede [swi:d] *sb.* kålroe, kålrabi.

Sweden [swi:d(ə)n] Sverige.

Swedish[1] ['swi:diʃ] *sb.* **1.** (*person*) svensker; **2.** (*sprog*) svensk.

Swedish[2] ['swi:diʃ] *adj.* svensk.

sweeny ['swi:ni] *sb.* muskelsvind [*hos heste*].

sweep[1] [swi:p] *sb.* **1.** (*med kost*) fejning; fejen; **2.** (*om bevægelse*) fejende bevægelse (*fx with a grandiose* ~ *of his hand*); sving(en) (*fx with a* ~ *of its tail*); svingende bevægelse; (*med pensel*) strøg; **3.** (*om angreb etc.*) strejftog; **4.** (*for at finde noget*) gennemsøgning; (*også om radar*) afsøgning; **5.** (*område*) (buet) strækning (*fx of sand; of a river*); **6.** (*fig.*) vifte; spektrum (*fx the whole* ~ *of the history of the USA*); **7.** T = *sweepstake*; (se også *chimney sweep, clean*[2]).

sweep[2] [swi:p] *vb.* (*swept, swept*) (se også *sweeping*) **A.** (*uden objekt*) **1.** (*med kost*) feje (*fx he began to* ~); **2.** (*om hurtig bevægelse*) fare (*fx a car swept past*); jage (*fx the wind swept across the lake*); feje (*fx her gaze swept rapidly around the room*); **3.** (*om ideer, smitte etc.*) brede sig/forplante sig hastigt (*fx the rebellion swept through the country*); **4.** (*om person*) sejle, skride (*fx she swept out of the room*); **5.** (*om vej, kystlinje etc.*) strække sig; krumme sig, gå i en bue;

B. (*med objekt*) **1.** (*med kost*) feje (*fx the floor; the dust into the dustpan*); **2.** (*om vind, bølger etc.& fig.*) feje/fare/jage/stryge/skylle hen over (*fx thunderstorms//a wave of nationalism swept the country*); **3.** (*om blik,*

839

lys) glide hastigt hen over (*fx her eyes swept the room*; *the search-light swept the facade*); **4.** (*for at finde noget*) gennemsøge; af-søge (*fx the detectives swept the room for fingerprints*); **5.** (*værelse etc., efter lytteudstyr*) undersøge for skjulte mikrofoner (*fx the agent swept the room*); **6.** (*far-vand: efter miner*) udføre mine-strygning i (*fx minesweepers were -ing the North Sea*); stryge (*fx ~ the sea for mines*); **7.** (*et sted hen*) føre (*fx the crowd swept them past the entrance; the tide swept the boat out to sea*); (*om vind, bølge, lavine også*) rive (*fx the wind swept his hat off his head; a landslide swept the cars into the river*); **8.** (*med hånden*) stryge (*fx the money off the table//into one's pocket*); **9.** (*valg & am.* T: *sports-konkurrence*) vinde uden besvær; **10.** (*mål: med kanon, maskinge-vær, mil.*) bestryge; dække;
□ *~ their faces with a hasty glance* lade blikket løbe hastigt hen over deres ansigter; *~ one's hand over one's face* stryge sig med hånden over ansigtet; (se også *board¹, poll¹*);
[*med præp., adv.*] *~ aside* feje til side (*fx their objections//criti-cism*); *~ away* **a.** feje væk;
b. føre/rive/skylle væk (*fx the house was swept away by the flood*); **c.** (*fig.*) afskaffe, fjerne, rydde væk (*fx the old system*); gøre en ende på (*fx a long period of corruption*); *be swept away* (*om person: af følelse*) blive overvæl-det; *~ back one's hair* **a.** (*med hånden*) stryge håret tilbage;
b. (*om frisure*) frisere//skrabe hå-ret tilbage; *~ in* **a.** (*i værelse*) komme skridende ind; **b.** (*fig.*) vinde stort; *be swept off one's feet* **a.** blive revet omkuld; **b.** (*fig.*) blive revet med; blive vildt begej-stret; (*om forelskelse*) falde med et brag; *~ out* **a.** (*sted*) feje;
b. (*snavs*) feje ud; *~ up* feje op; *he swept the child up in his arms* han tog barnet op i sine arme; han greb barnet; (se også *carpet¹*).
sweepback ['swi:pbæk] *sb.* (*flyv.: om vinge*) pilform.
sweeper ['swi:pə] *sb.* **1.** gadefejer; **2.** (*i fodbold*) sweeper; (se også *carpet sweeper*).
sweeping ['swi:piŋ] *adj.* **1.** (*om for-randring, reform*) radikal; gen-nemgribende, omfattende, vidtgå-ende; **2.** (*om sejr*) overvældende; **3.** (*om udsagn*) lovlig flot (*fx sta-tement*);

□ *a ~ generalization* en grov gene-ralisering.
sweepings ['swi:piŋz] *sb. pl.* opfej-ning; fejeskarn.
sweepstake ['swi:psteik] *sb.* sweepstake [*form for lotteri i for-bindelse med væddeløb*].
sweet¹ [swi:t] *sb.* **1.** (*i tiltale, glds.*) skat; elskede; **2.** (*mad*) dessert; □ *-s* **a.** slik; konfekt; bolsjer; **b.** (*litt.*) behageligheder (*fx the -s of office*); sødme (*fx the -s of vic-tory//of revenge*).
sweet² [swi:t] *adj.* **1.** sød; **2.** (*om duft*) sød, liflig; **3.** (*om lyd*) sød, blid; melodisk (*fx voice*); **4.** (*om person*) sød, rar; (*også om tempe-rament*) blid; **5.** (T: *om noget småt*) sød, nuttet; **6.** (*om vand, luft*) frisk;
□ *keep him ~* holde ham i godt humør; *be ~ on* (*glds.* T) være for-elsket i; være varm på; *~ nothings* se *nothing*; *at one's own ~ will* ef-ter forgodtbefindende.
sweet-and-sour [swi:tən'sauə] *adj.* sursød.
sweetbread ['swi:tbred] *sb.* brissel.
sweetbrier ['swi:tbraiə] *sb.* (*bot.*) æblerose.
sweet chestnut *sb.* (*bot.*) ægte ka-stanje.
sweet cicely *sb.* (*bot.*) sødskærm, spansk kørvel.
sweeten ['swi:t(ə)n] *vb.* **1.** komme sukker i (*fx one's tea*); søde (*fx one's tea with honey*); (se også *pill¹*); **2.** (*tilbud etc.*) pynte på; gøre mere attraktiv; **3.** (*udsagn*) mildne; **4.** (*person*) formilde; gøre venligere stemt; **5.** S bestikke; **6.** (*litt.*) mildne (*fx age had not -ed her*).
sweetener ['swi:t(ə)nə] *sb.* **1.** søde-middel; **2.** (T: *fig.*) lokkemad.
sweet gale *sb.* (*bot.*) pors.
sweetheart ['swi:tha:t] *sb.* **1.** (*i til-tale*) skat; elskede; **2.** (*især glds.*) kæreste;
□ *you're a ~!* du er en skat!
sweetheart agreement *sb.* [*privat aftale som giver begge parter no-get*].
sweetie ['swi:ti] *sb.* T **1.** kæreste; **2.** (*i tiltale*) skat; elskede;
□ *-s* slik; *you're a ~!* du er en skat!
sweetish ['swi:tiʃ] *adj.* sødlig.
sweetmeat ['swi:tmi:t] *sb.* (*glds.*) stykke konfekt; lækkerbisken;
□ *-s* slikkeri; konfekt; lækkerier.
sweetness ['swi:tnəs] *sb.* **1.** sødme; liflighed; **2.** blidhed;
□ *~ and light* (*spøg.*) fryd og gam-men (*fx it was not all ~ and light between them*); *he was all ~ and*

light (*spøg.*) han var rar og med-gørlig.
sweet pea *sb.* (*bot.*) lathyrus.
sweet pepper *sb.* (*bot.*) peberfrugt.
sweet potato *sb.* (*bot.*) batat.
sweet rocket *sb.* (*bot.*) aftenstjerne.
sweet shop *sb.* chokoladeforret-ning; slikbutik.
sweet talk *sb.* smiger.
sweet-talk ['swi:tɔ:k] *vb.* T smigre; snakke godt for; besnakke;
□ *~ him into* + *-ing* besnakke ham til at.
sweet tooth *sb.* sød tand;
□ *he has a ~* (*også*) han er en slik-mund.
sweet william *sb.* (*bot.*) studenter-nellike.
swell¹ [swel] *sb.* **1.** svulmen; **2.** (*fig.*) stigning (*fx in popularity*); **3.** (*mar.: i havet*) dønning; **4.** (*mus.: i orgel*) svelle; crescen-doværk.
swell² [swel] *adj.* **1.** (*glds.*) smart, flot; **2.** (*glds. am.* T) mægtig god.
swell³ [swel] *vb.* (*-ed, swollen/-ed*) (se også *swollen*) **1.** (*mht. størrelse & om lyd*) vokse, stige (*fx the pop-ulation of the town//his bank bal-ance has -ed; the murmur -ed into/to* (*til*) *a roar*); svulme (op); **2.** (*om legemsdel*) hæve, svulme op, hovne op (*fx the bruised knee began to ~* (*up*)); bulne ud (*fx his cheek -ed*); **3.** (*om terræn*) hæve sig; **4.** (*om sejl*) svulme, bugne; **5.** (*med objekt*) få til at stige (*fx the rain -ed the river*); få til at svulme/svulme op (*fx the sight -ed his heart*); **6.** (*omfang, antal*) øge; **7.** (*lyd*) forstærke;
□ *~ out* se: 4; *his heart -ed with pride* (*litt.*) hans hjerte svulmede af stolthed; *~ their ranks/num-bers* øge deres antal; *the wind -ed* (*out*) *the sails* vinden fyldte sej-lene; *he -ed with anger* (*litt.*) han blev fyldt af vrede.
swelled head *sb.* (*am.*) = *swollen head*.
swelling ['sweliŋ] *sb.* (*med.*) bule; hævelse.
swell organ *sb.* (*mus.: i orgel*) cre-scendoværk.
swelter ['sweltə] *vb.* være ved at gå 'til/smelte af varme.
swept *præt.* & *præt. ptc. af sweep²*.
sweptback ['sweptbæk] *adj.* (*flyv.: om vinge*) pilformet.
swerve¹ [swə:v] *sb.* drejning; sving.
swerve² [swə:v] *vb.* dreje til siden; vige ud; svinge;
□ *~ from* (*fig.*) afvige fra (*fx one's policy*).
swift¹ [swift] *sb.* (*zo.*) mursejler.
swift² [swift] *adj.* hurtig; rask.

swig[1] [swig] *sb.* T ordentlig slurk.
swig[2] [swig] *vb.* T hælde/tylle i sig; skylle ned; bælle.
swill[1] [swil] *sb.* **1.** T slurk; **2.** se *pigswill*.
swill[2] [swil] *vb.* (T: *drik*) hælde/tylle i sig; bælle;
□ ~ *down* skylle ned; ~ *out* skylle (*fx a mug; one's mouth*); ~ *round* (*cognac i glas*) svinge rundt.
swim[1] [swim] *sb.* svømmetur; bad;
□ *go for a* ~ tage en svømmetur, gå i vandet, bade; *be in the* ~ (*glds.*) være med hvor det foregår.
swim[2] [swim] *vb.* (*swam, swum*) **1.** svømme; **2.** (*på overfladen*) flyde (*fx bubbles swam on the surface*); **3.** (*fig.: ved svimmelhed*) køre rundt, sejle (*fx the room swam*); **4.** (*med objekt: sted*) svømme over (*fx the English Channel*);
□ *go -ming* tage en svømmetur, gå i vandet, bade; *my head is -ming* jeg er svimmel; det kører rundt for mig;
[*med præp.*] ~ *before* one's eyes køre rundt/sejle for ens øjne; *be -ming in* (*om mad*) svømme i, drukne i (*fx oil; sauce*); ~ *a race with* sby svømme om kap med en; *be -ming with* = *be -ming in*; (se også *tide*[1]).
swimming ['swimiŋ] *sb.* svømning; badning.
swimming bath *sb.* (F, *glds.*) **1.** svømmehal; badeanstalt; **2.** svømmebassin.
swimming cap *sb.* badehætte.
swimming costume *sb.* badedragt.
swimmingly ['swimiŋli] *adv.*: *it went* ~ T det gik glat/fint/strygende.
swimming pool *sb.* svømmebassin; (*spøg.*) svømmepøl.
swimming trunks *sb. pl.* badebukser.
swimsuit ['swims(j)u:t] *sb.* badedragt.
swimwear ['swimwɛə] *sb.* badetøj.
swindle[1] ['swindl] *sb.* svindel; bedrageri.
swindle[2] [swindl] *vb.* bedrage;
□ ~ *sby out of £20,000*, ~ *£20,000 from sby* bedrage en for £20.000; franarre en £20.000.
swine [swain] *sb.* **1.** ((*pl. d.s.*) *glds., fagl. el. am.*) svin; **2.** ((*pl. d.s./-s*) *glds.* skældsord) sjover; svin.
swing[1] [swiŋ] *sb.* **1.** (*bevægelse*) sving (*fx a* ~ *of the axe*); (*af pendul etc.*) udsving; (*i gynge*) gyngetur; **2.** (*i holdning, indstilling*) omsving, skift; **3.** (*legeapparat*) gynge; **4.** (*am.*) handlefrihed (*fx*

give him full ~); **5.** (*mus.*) swing-musik;
□ *take a* ~ *at* sby slå/lange ud efter en; *go on/take a* ~ *through* (*am.*) tage en rask tur gennem; [*med præp.*] *in full* ~ i fuld gang; i fuld sving; *get into the* ~ *of it/ things* komme rigtigt i gang; finde sig til rette; *what we lose* **on** *the -s we make up/gain on the round-abouts* vi tjener ind/vinder på karrusellerne hvad vi sætter til/taber på gyngerne; *it goes* **with** *a* ~ **a.** der er rytme i det; **b.** (*fig.*) det går glat/fint/strygende; *with a* ~ *to her hips* med en vuggende hofter.
swing[2] [swiŋ] *vb.* (*swung, swung*) **A.** (*uden objekt*) **1.** svinge; hænge, dingle (*from* i, *fx a rope*); **2.** (*i en gynge*) gynge; **3.** (*i armene*) svinge sig (*fx from branch to branch*); **4.** (*om holdning, indstilling*) svinge om, slå om (*fx opinion swung in his favour*); **5.** (*glds.* T) blive hængt (*fx he shall* ~ *for this*); dingle; **6.** (T: *om person*) swinge, være med på den; være seksuelt frigjort; **7.** (T: *om sted, begivenhed*) swinge, være livlig; **8.** (*mar.*) ligge for svaj; **9.** (*mus.*) swinge;
B. (*med objekt*) **1.** svinge, svinge med (*fx a club*); få til at svinge; **2.** (*holdning, indstilling*) fremkalde et omsving i (*fx* ~ *the elections in his favour*); **3.** (*am.* T) påvirke; **4.** (*am.* T) klare (*fx he couldn't* ~ *a new car on his income*); ordne (*fx a deal*);
□ ~ *the lead* se *lead*[2];
[*med præp.& adv.*] ~ *at* sby slå/lange ud efter en; ~ *by* sby (*am.* T) kigge indenfor hos en; ~ *it for him* T fikse det for ham; ~ *from* se: *A 1*; *-ing in the wind* se *wind*[1]; ~ *round* **a.** vende sig om (*to imod, fx she swung round to him*); **b.** (*om vind*) dreje om; **c.** (*om holdning*) svinge om; ~ *the door* **to** smække døren i.
swingboat ['swiŋbəut] *sb.* luftgynge.
swing bridge *sb.* svingbro; drejebro.
swing door *sb.* svingdør.
swingeing ['swindʒiŋ] *adj.* kraftig, voldsom (*fx attack; blow; cuts in public expenditure*); overvældende (*fx majority*); dundrende (*fx lie*).
swinger ['swiŋə] *sb.* (*glds.* T) svinger; en der er go i.
swinging ['swiŋiŋ] *adj.* (*glds.* T) swingende; som der er go i.
swinging door *sb.* (*am.*) svingdør.
swingletree ['swiŋgltri:] *sb.* ham-

mel [*på vogn*].
swingometer [swiŋ'ɔmitə] *sb.* valgbarometer.
swing shift *sb.* (*am.*) aftenskift [*især fra 16-24*].
swing voter *sb.* marginalvælger.
swipe[1] [swaip] *sb.* **1.** (*kraftigt*) slag; **2.** (*fig.*) udfald; hib;
□ *take a* ~ *at* (*også fig.*) lange ud efter; (se også *card swipe*).
swipe[2] [swaip] *vb.* **1.** slå (*hårdt*) (*fx he -d me across the cheek*); **2.** (*am.*) strejfe (*fx the car -d the garage door*); **3.** (*kreditkort etc.*) føre gennem en kortlæsningsmaskine; **4.** (T: *spøg.*) hugge, negle;
□ ~ *at* (*jf.* 1) slå/lange ud efter.
swipe card *sb.* plastickort med magnetstribe.
swirl[1] [swə:l] *sb.* **1.** hvirvel (*fx of dust*); **2.** hvirvlen (*fx of skirts*).
swirl[2] [swə:l] *vb.* **1.** hvirvle (*fx smoke was -ing around him*); **2.** (*med objekt*) svinge rundt (*fx* ~ *cognac around in one's glass*).
swish[1] [swiʃ] *sb.* **1.** (*lyd*) susen; hvislen; **2.** (*med hale*) slag; pisken; **3.** (*am.* S: *neds.*) feminin bøsse.
swish[2] [swiʃ] *adj.* **1.** (*glds.* T) flot; smart; fin; **2.** (*am.* S: *neds. om bøsse*) feminin.
swish[3] [swiʃ] *vb.* **1.** suse; hvisle; **2.** (*med objekt*) slå med (*fx the horse -ed its tail*); svippe med (*fx a cane*).
swishy ['swiʃi] *adj.* **1.** susende; hvislende; **2.** (*am.* S *neds.*) feminin.
Swiss[1] [swis] *sb.* (*pl. d.s.*) schweizer, svejtser.
Swiss[2] [swis] *adj.* schweizisk, svejtsisk.
Swiss cheese plant *sb.* (*bot.*) fingerfilodendron.
Swiss roll *sb.* roulade.
Swiss steak *sb.* (*am. omtr.*) engelsk bøf.
switch[1] [switʃ] *sb.* **1.** (*elek.*) kontakt; afbryder; **2.** (*jf. switch*[2]) omslag; (*pludselig*) forandring; skift; omstilling (*fx to peace production*); **3.** (*med noget andet*) udskiftning; **4.** (*indbyrdes*) bytning; ombytning; **5.** (*jernb., am.*) sporskifte; **6.** (*af hår*) (*løs*) fletning; **7.** (*af træ*) tynd kæp;
□ *throw the* ~ trykke på kontakten.
switch[2] [switʃ] *vb.* **1.** skifte (*to* til, *fx he had studied French but -ed to German; he -ed subjects//jobs*); **2.** (*sætte noget andet i stedet*) udskifte (*fx the light bulbs*); **3.** (*indbyrdes*) bytte (*fx they -ed roles*); bytte rundt (*fx our glasses seem to*

have been -ed); **4.** (*jernb. etc.,
am.*) rangere;
□ [*med præp., adv.*] ~ *around* se
ndf.: ~ *round;* ~ *for* indsætte i ste-
det for (*fx somebody must have
-ed the forgery for the original*); ~
from ... to skifte fra ... til; gå over
fra ... til (*fx the country -ed from
dictatorship to democracy*); ~ *off*
a. (*radio, tv*) lukke for, slukke for;
b. (*lys*) slukke; **c.** (*strøm*) afbryde;
d. (*uden objekt*) slukke (*fx don't
~ off yet*); **e.** (*fig.*) lukke af (*fx
when he starts complaining I just
~ off*); koble fra; ~ *on* **a.** (*radio,
tv*) lukke op for, tænde for; **b.** (*lys*)
tænde; **c.** (*strøm*) slutte; **d.** (*uden
objekt*) lukke op; tænde; (se også
charm[1]); **e.** (*på radio, tv*) skifte ka-
nal; ~ *over to* **a.** gå/skifte over til
(*fx natural gas; a new computer
system*); **b.** (*radio, tv*) stille om til,
slå over på (*fx BBC 1*); **c.** (*om sted,
tid*) flytte til (*fx ~ staff over to an-
other department*); ~ *round*
a. flytte rundt på (*fx the furniture;
the staff*); **b.** (*uden objekt*) bytte
(*fx you can try first and then we
~ round*); ~ *to* **a.** se ovf.: ~ *over
to*; **b.** flytte til (*fx ~ the meeting to
Tuesday;* ~); **c.** (*med kontakt*)
stille på (*fx ~ the heater to maxi-
mum*); ~ *one's attention to* flytte
sin opmærksomhed over på; ~
with bytte med.
switchback ['switʃbæk] *sb.* **1.** vej
med hårnålesving; **2.** bakket vej;
3. rutsjebane.
switchblade ['switʃbleid] *sb.* (*am.*)
springkniv.
switchboard ['switʃbɔːd] *sb.* **1.** (*tlf.*)
omstillingsbord; **2.** (*elek.*) strøm-
tavle.
switch-over ['switʃəuvə] *sb.* skift;
omstilling.
Switzerland ['switsələnd] Schweiz,
Svejts.
swivel ['swiv(ə)l] *vb.* dreje (rundt).
swivel chair *sb.* drejestol, kontor-
stol.
swivel gun *sb.* (*mil.*) svingbar ka-
non.
swivet ['swivət] *sb.: in a* ~ (*am.*)
ophidset, rasende; helt ude af det.
swiz [swiz] *sb.* skuffelse, afbræn-
der; snyd.
swizzle stick ['swizlstik] *sb.* røre-
pind [*til drink*].
swollen[1] ['swəul(ə)n] *præt. ptc. af
swell*[3].
swollen[2] ['swəul(ə)n] *adj.* **1.** (*om
legemsdel*) hævet; opsvulmet; op-
hovnet; (*især af betændelse*) bul-
len; **2.** (*om flod*) opsvulmet.
swollen head *sb.* T indbildskhed;
□ *have a* ~ være indbildsk; bilde

sig noget ind.
swoon[1] [swuːn] *sb.* afmagt; besvi-
melse;
□ *fall into a* ~ falde i afmagt;
dåne.
swoon[2] [swuːn] *vb.* (*glds.*) be-
svime; falde i afmagt;
□ ~ *over* (*fig.*) falde i svime over,
dåne over.
swoop[1] [swuːp] *sb.* **1.** (*rovfugls*)
nedslag; **2.** (*af politi etc.*) pludse-
ligt angreb; razzia;
□ *at/in one fell* ~ med ét hug/slag;
på én gang.
swoop[2] [swuːp] *vb.* (*om fugl & fly*)
styrtdykke;
□ ~ *down* (*om fugl*) styrtdykke;
slå ned (*on* på); ~ *down on* **a.** (*om
fly*) dykke ned over; **b.** (*om politi
etc.*) storme; ~ *up* T tage op [*med
en stor armbevægelse*]; gribe.
swoosh[1] [swuːʃ] *sb.* susen.
swoosh[2] [swuːʃ] *vb.* suse.
swop [swɔp] se *swap.*
sword [sɔːd] *sb.* **1.** sværd; **2.** (*enæg-
get*) sabel;
□ *cross -s with* krydse klinger med
[ɔ: *diskutere*]; *put to the* ~ hugge
ned; *put up one's* ~ stikke sær-
det i skeden; (se også *Damocles*).
swordfish ['sɔːdfiʃ] *sb.* (*zo.*) sværd-
fisk.
swordplay ['sɔːdplei] *sb.* **1.** fægt-
ning; **2.** (*fig.*) ordduel.
swordsman ['sɔːdzmən] *sb.* (*pl.*
-men [-mən]) fægter.
swordsmanship ['sɔːdzmənʃip] *sb.*
fægtekunst.
swordstick ['sɔːdstik] *sb.* kårde-
stok.
swordtail ['sɔːdteil] *sb.* (*zo.*) sværd-
drager.
swore [swɔː] *præt. af swear.*
sworn[1] [swɔːn] *præt. ptc. af swear.*
sworn[2] [swɔːn] *adj.* **1.** (*om erklæ-
ring*) edsvoren; **2.** (*om person*)
svoren (*fx enemy; friend*); inkar-
neret (*fx bachelor*).
swot[1] [swɔt] *sb.* (T, *neds., især i
skolesprog*) morakker.
swot[2] [swɔt] *vb.* (T, *især i skole-
sprog*) terpe; knokle; (*neds.*) mo-
rakke;
□ ~ *up* læse op (*fx til eksamen*).
swum [swʌm] *præt. ptc. af swim*[2].
swung [swʌŋ] *præt. & præt. ptc. af
swing*[2].
sybarite ['sibərait] *sb.* F sybarit [ɔ:
som lever for nydelse].
sybaritic [sibə'ritik] *adj.* sybaritisk;
overdådig.
sycamore ['sikəmɔː] *sb.* (*bot.*)
ahorn.
sycamore fig *sb.* (*bibelsk*) morbær-
figentræ.
syce [sais] *sb.* (*indisk*) staldkarl.

sycophancy ['sikəfənsi] *sb.* (F,
neds.) spytslikkeri, slesken.
sycophant ['sikəfænt] *sb.* (F, *neds.*)
spytslikker.
sycophantic [sikə'fæntik] *adj.* (F,
neds.) slesk.
syllabic [si'læbik] *adj.* **1.** stavelse-;
syllabisk; **2.** (*om konsonant*) sta-
velsedannende.
syllable ['siləbl] *sb.* stavelse.
syllabus ['siləbəs] *sb.* læseplan;
pensum; eksamenskrav.
syllogism ['silədʒizm] *sb.* (*i logik*)
syllogisme.
sylph [silf] *sb.* (*myt.*) sylfide.
sylvan ['silvən] *adj.* (*litt.*) skov-.
symbiosis [simbi'əusis] *sb.* (*biol.&
fig.*) symbiose.
symbiotic [simbai'ɔtik] *adj.* (*biol.&
fig.*) symbiotisk.
symbol ['simb(ə)l] *sb.* symbol; tegn.
symbolic [sim'bɔlik] *sb.* symbolsk.
symbolism ['simbəlizm] *sb.* **1.** sym-
bolik; **2.** (*kunstretning*) symbo-
lisme.
symbolize ['simbəlaiz] *vb.* symboli-
sere.
symmetrical [si'metrik(ə)l] *vb.*
symmetrisk.
symmetry ['simətri] *sb.* symmetri.
sympathetic [simpə'θetik] *adj.*
1. medfølende, deltagende; forstå-
ende; **2.** (*om indtryk*) sympatisk,
tiltalende;
□ ~ *to/towards* velvilligt indstillet
over for, sympatisk stemt over for,
lydhør over for.
sympathize ['simpəθaiz] *vb.:* ~
with **a.** (*person*) sympatisere med,
føle med; føle for, vise deltagelse
for; udtrykke sin forståelse for;
b. (*forslag, handling*) sympatisere
med, støtte.
sympathizer ['simpəθaizə] *sb.* sym-
patisør.
sympathy ['simpəθi] *sb.* **1.** (*for per-
son*) deltagelse; sympati, medfø-
lelse; forståelse (*for* for); **2.** (*for
synspunkt, holdning*) sympati,
forståelse (*with* for);
□ *his sympathies lie with* han støt-
ter (*fx the striking workers*); *offer
one's sympathies* udtrykke//vise
sin deltagelse;
[*med præp.*] *come out/strike in* ~
sympatistrejke; *be in* ~ *with* have
forståelse for; støtte; *letter of* ~
(*ved dødsfald*) kondolencebrev.
symphonic [sim'fɔnik] *adj.* symfo-
nisk.
symphony ['simfəni] *sb.* symfoni.
symposium [sim'pəuzjəm] *sb.*
1. symposium, konference;
2. [*samling afhandlinger om
samme emne af forskellige forfat-
tere*].

symptom ['sim(p)təm] *sb.* symptom, tegn (*of* på).
symptomatic [sim(p)tə'mætik] *adj.* F symptomatisk, betegnende (*of* for).
synagogue ['sinəgɔg] *sb.* (*rel.*) synagoge.
synapse ['sainæps] *sb.* (*anat.*) synapse.
sync[1] [siŋk] *sb.*: *in* ~ T synkron, i takt (*with* med); *out of* ~ T ikke synkroniseret, ude af takt/trit (*with* med).
sync[2] [siŋk] *vb.* synkronisere.
synch *sb.* = *sync.*
synchronization [siŋkrənai'zeiʃn] *sb.* synkronisering.
synchronize ['siŋkrənaiz] *vb.* 1. synkronisere; 2. (*uden objekt*) falde sammen i tid.
synchronized swimming *sb.* synkronsvømning.
syncopated ['siŋkəpeitid] *adj.* synkoperet.
syncopation [siŋkə'peiʃn] *sb.* synkopering.
syndicalism ['sindikəlizm] *sb.* (*pol.*) syndikalisme, fagforeningsstyre.
syndicate[1] ['sindikət] *sb.* 1. syndikat; konsortium; sammenslutning; 2. [*bureau som sælger stof til samtidig offentliggørelse i flere medier*].
syndicate[2] ['sindikeit] *vb.* syndikere [*offentliggøre samtidig i flere medier*].
syndrome ['sindrəum] *sb.* syndrom [*samling af symptomer*].
syne [sain] *adv.* se *auld lang syne.*
synergism ['sinədʒizm] *sb.* se *synergy.*
synergy ['sinədʒi] *adj.* synergi [*samlet og derved øget virkning// værdi*].
synode ['sinəud] *sb.* synode, kirkemøde.
synonym ['sinənim] *sb.* synonym [*ord med samme betydning*].
synonymous [si'nɔniməs] *adj.* synonym, ensbetydende (*with* med).
synonymy [si'nɔnimi] *sb.* synonymi, enstydighed.
synopsis [si'nɔpsis] *sb.* (*pl. synopses* [-siːz]) 1. indholdsoversigt, resumé, sammenfatning, synopsis; 2. (*film. etc.*) synopsis.
synovitis [sinə'vaitis] *sb.* (*med.*) senehindebetændelse.
syntactic [sin'tæktik] *adj.* (*gram.*) syntaktisk.
syntax ['sintæks] *sb.* 1. (*gram.*) syntaks, ordføjningslære; 2. (*it*) syntaks.
synth [sinθ] *sb.* T = *synthesizer.*
synthesis ['sinθəsis] *sb.* (*pl. syn-*

theses [-siːz]) 1. F syntese, forening, sammenfatning; 2. (*kem.*) syntese, fremstilling.
synthesize ['sinθəsaiz] *vb.* 1. skabe en syntese af, forene; 2. (*kem.*) syntetisere, fremstille.
synthesizer ['sinθəsaizə] *sb.* synthesizer [*elektronisk musikinstrument*].
synthetic [sin'θetik] *adj.* syntetisk; kunstig (*fx rubber*); kunst- (*fx fibres*).
syphilis ['sifilis] *sb.* (*med.*) syfilis.
syphon se *siphon.*
Syria ['siriə] Syrien.
Syrian[1] ['siriən] *sb.* syrer.
Syrian[2] ['siriən] *adj.* syrisk.
syringe[1] [si'rin(d)ʒ, 'sirin(d)ʒ] *sb.* sprøjte, injektionssprøjte; (*til at skylle øre*) øresprøjte.
syringe[2] ['sirin(d)ʒ, si'rindʒ] *vb.* 1. (*øre*) udskylle; 2. (*plante*) sprøjte.
syrup ['sirəp] *sb.* 1. (lys) sirup; 2. (*kogt af frugt*) saft; 3. (*medicin*) saft; (se også *cough syrup*).
syrupy ['sirəpi] *adj.* 1. sirupsagtig; klæbrig; 2. (*fig., neds.*) sukkersød, oversød, vammel; drivende sentimental.
system ['sistəm] *sb.* 1. system; 2. net (*fx railway* ~; *road* ~); □ *the* ~ **a.** systemet; samfundsordenen; **b.** (*persons*) organismen; *it is bad//good for the* ~ det er skadeligt//gavnligt for organismen; man har ikke godt//godt af det; *get it out of one's* ~ få det ud af systemet, komme fri af det, blive færdig med det.
systematic [sistə'mætik] *adj.* systematisk.
systematist ['sistəmətist] *sb.* systematiker.
systematize ['sistəmətaiz] *vb.* systematisere; sætte i system.
system operator *sb.* (*it*) systemoperatør.
systems analysis *sb.* (*it*) systemanalyse.
systems analyst *sb.* (*it*) systemanalytiker.

T

T [ti:]: *to a T* T på en prik; perfekt.
ta [ta:] *interj.* T tak.
tab [tæb] *sb.* (se også *tabs*) **1.** klap; flig; **2.** (*med oplysning*) mærkeseddel; etiket; skilt; (*især på tøj*) mærke; (*på kartotekskort*) fane; **3.** T tablet; S narkotikatablet, lsd-tablet; **4.** (*am.: på dåse*) ring [*til at åbne med*]; **5.** (*især am.* T) regning; **6.** (*am.* T: *om avis*) = *tabloid*; **7.** S cigaret, smøg; **8.** (*flyv.*) trimklap; **9.** (*mil.*) kravedistinktion; **10.** (*på skrivemaskine, tastatur*) tabulator; tabulatortast; □ *keep -s/a ~ on* T holde øje med; *pick up the ~* (*am.*) betale regningen.
tabard ['tæbəd] *sb.* (*hist.*) våbenkjortel.
tabby ['tæbi] *sb.* **1.** stribet kat; **2.** (*om stof*) moiré.
tabernacle ['tæbənækl] *sb.* (*rel.& mar.*) tabernakel.
tab key *sb.* tabulatortast.
table¹ ['teibl] *sb.* **1.** bord; **2.** (*i bog etc.*) tabel (*fx see ~ 3*); skema; **3.** (*i regning*) tabel (*fx the five times ~* femtabellen); □ *at ~* ved bordet; under måltidet; (se også *wait²*); *~ of contents* indholdsfortegnelse; [*med vb.*] *clear* the table tage ud af bordet; rydde væk; *lay the ~* dække bord; *lay on the ~* (*forslag etc.*) **a.** fremsætte; **b.** (*am.*) henlægge; *leave* the *~* rejse sig (fra bordet); *set* the *~* dække bord; *turn* the *-s on sby* få overtaget over en; *the -s are turned* rollerne er byttet om.
table² ['teibl] *vb.* (*forslag etc.*) **1.** fremsætte; **2.** (*am.*) henlægge.
tableau ['tæblɔu] *sb.* tableau.
tableau curtain *sb.* (*teat.*) mellemtæppe.
tablecloth ['teiblklɔθ] *sb.* borddug.
table cover *sb.* bordtæppe.
table d'hote [ta:bl'dəut] *sb.* fast menu.
tableland ['teibllænd] *sb.* højslette.
table linen *sb.* dækketøj.
table manners *sb. pl.* bordskik.
table mat *sb.* bordskåner.
tablespoon ['teiblspu:n] *sb.* **1.** spiseske; **2.** = *tablespoonful*.
tablespoonful ['teiblspu:nful] *sb.*

spiseskefuld [*mål i kogebog: 15 milliliter*].
tablet ['tæblət] *sb.* **1.** tavle; **2.** (*medicin*) tablet; pille; **3.** (*glds.: af sæbe*) stykke; **4.** (*it*) tegneplade, tablet; **5.** (*am.*) skriveblok.
table talk *sb.* bordkonversation.
tablet chair auditoriestol [*med skriveklap på armlænet*].
table tennis *sb.* bordtennis.
table top *sb.* bordplade.
table turning *sb.* borddans [*spiritistisk fænomen*].
tablet weaving *sb.* brikvævning.
tableware ['teiblwɛə] *sb.* F service og bestik.
tabloid ['tæblɔid] *sb.* tabloidavis; formiddagsblad; sensationsblad.
tabloid TV *sb.* (*især am.*) tv med sensationsunderholdning.
taboo¹ [tə'bu:] *sb.* tabu.
taboo² [tə'bu:] *vb.* erklære for tabu; tabuisere, tabuere.
tabs [tæbz] *sb. pl.* (*teat.*) fortæppe; □ *keep ~ on* se *tab*.
tabular ['tæbjulə] *adj.* tabellarisk; □ *in ~ form* i tabelform.
tabulate ['tæbjuleit] *vb.* opstille i tabelform; tabellere.
tabulation [tæbju'leiʃn] *sb.* opstilling i tabelform; tabellering.
tabulator ['tæbjuleitə] *sb.* tabulator.
tach [tæk] *sb.* (*am.* T) = *tachometer*.
tachograph ['tækəgra:f] *sb.* fartskriver.
tachometer [tæ'kɔmitə] *sb.* tachometer, omdrejningstæller.
tacit ['tæsit] *adj.* stiltiende (*fx agreement; consent*).
taciturn ['tæsitə:n] *adj.* fåmælt, ordknap; tavs af sig.
taciturnity [tæsi'tə:nəti] *sb.* fåmælthed.
tack¹ [tæk] *sb.* **1.** tæppesøm; stift; (se også *thumbtack*); **2.** (*i syning*) risting; **3.** (*i ridning*) rideudstyr; **4.** T ragelse; **5.** (*mar.: del af sejl*) hals; (*retning*) bov; (*ved krydsning*) slag; □ *change ~, try a different ~* (*fig.*) **a.** slå ind på en ny kurs; prøve en anden taktik; **b.** skifte emne; *on the port//starboard ~* (*mar.*) for bagbords//styrbords halse; *on a wrong ~* (*fig.*) på falsk spor.

tack² [tæk] *vb.* **1.** sømme fast; hæfte med stifter; sætte op med tegnestifter; sammenhæfte; **2.** (*i syning*) ri; **3.** (*mar.*) stagvende, gå over stag; krydse; □ *~ on* **a.** (*jf. 1*) ri på; **b.** (*fig.*) hæfte på; føje til.
tackle¹ ['tækl] *sb.* **1.** grejer (*fx fishing ~*); udstyr; **2.** (*i fodbold etc.*) tackling; **3.** (*til tov*) talje, hejseværk; **4.** (*mar.*) takkel.
tackle² ['tækl] *vb.* **1.** (*i fodbold*) tackle; **2.** (*problem, opgave*) tackle, tage fat på, give sig i kast med; **3.** (*person*) fare løs på, kaste sig over; □ *~ sby about sth* spørge en ligeud om noget; konfrontere en med noget.
tacky ['tæki] *adj.* **1.** (*om lim, maling*) klæbrig; tyktflydende; **2.** T billig, tarvelig, vulgær.
tact [tækt] *sb.* takt; taktfølelse.
tactful ['tæktf(ə)l] *adj.* taktfuld.
tactic ['tæktik] *sb.* taktisk manøvre; fremgangsmåde.
tactical ['tæktik(ə)l] *adj.* taktisk.
tactician [tæk'tiʃn] *sb.* taktiker.
tactics ['tæktiks] *sb.* taktik.
tactile ['tæktail, (*am.*) -tl] *adj.* **1.** føle-; berørings-; **2.** (F: *om person*) som gerne rører ved andre; kærlig; **3.** (*om ting*) som er behagelig at røre ved/'tage på; lækker.
tactless ['tæktləs] *adj.* taktløs.
tad [tæd] *sb.: a ~* en lille smule, en anelse (*fx better*).
tadger ['tædʒə] *sb.* S = *todger*.
tadpole ['tædpəul] *sb.* (*zo.*) haletudse.
taffeta ['tæfitə] *sb.* taft.
Taffy ['tæfi] *sb.* (T, *neds.*) waliser.
taffy ['tæfi] *sb.* (*am.*) karamel.
tag¹ [tæg] *sb.* **1.** (*med oplysning*) mærkeseddel; etiket; mærke; (se også *name tag, price tag*); **2.** se *electronic tag*; **3.** (*am.*) nummerplade; **4.** (*til person*) tilnavn, øgenavn; **5.** (*om noget man siger*) talemåde, fast udtryk; kliché, floskel; **6.** (*børneleg*) tagfat; **7.** (*på skobånd*) dup; **8.** (*af hale*) halespids; **9.** (*på får*) filtret uldtot; **10.** (*sprogv.*) = *tag question*; **11.** S [*graffitimalers signatur*].
tag² [tæg] *vb.* mærke; forsyne med

mærkeseddel//etiket;
□ ~ *as* (*person*) klassificere som;
stemple som; *get -ged* **a.** (*i tagfat*)
blive den; **b.** (*am.*) blive noteret
[*af politiet*];
[*med præp.& adv.*] ~ **along** følge
med; traske/hænge bagefter; ~
along with følge i hælene på; ~
on føje til, hæfte på; ~ *sby with a
label* (*fig.*) hæfte en benævnelse
på en.

tagalong ['tægəlɔŋ] *sb.* (*am.* T) en
der hænger på; en der hele tiden
følger bagefter; påhæng.

tag day *sb.* (*am.*) mærkedag [*hvor
der sælges mærker*].

tag end *sb.* (*især am.*) sidste ende.

tag line *sb.* (*især am.*) **1.** (*af vittig-
hed*) pointe; **2.** (*i reklame*) slogan.

tag question *sb.* (*sprogv.*) påhængs-
spørgsmål [ɔ: *don't you? hasn't
he?*].

tag sale *sb.* garagesalg; privat salg
af brugte ting [*med prismærke
på*].

tag team *sb.* **1.** (*om brydere*) hold
der afløser hinanden; **2.** (*am.* T) to
der arbejder sammen, to der „kø-
rer parløb".

tail[1] [teil] *sb.* (se også *tails*) **1.** hale;
2. ende (*fx of a convoy//proces-
sion//queue*); bageste del; ba-
gende; **3.** (*personer*) hale, bagtrop;
følge; **4.** (T: *om person der følger
efter*) skygge; **5.** (*af frakke, jakke*)
skøde; (*jf. coat-tails, shirttail,
tails*); **6.** (*af skjorte*) flig; **7.** (*bogb.*)
undersnit; **8.** (*am.* T) ende, bag-
del; **9.** (*vulg.*) kusse; (*sex*) fisse;
□ *on sby's* ~ lige efter en; i hæ-
lene på en; *turn* ~ give op; stikke
af (med halen mellem benene);
with one's ~ *between one's legs*
med halen mellem benene; *with
one's* ~ *up* T i højt humør; selv-
sikkert; (se også *sting*[1]).

tail[2] [teil] *vb.* **1.** (T: *person*) følge
efter; skygge; **2.** (*bær*) tage stilken
af, nippe (*fx gooseberries*);
□ ~ **along** følge efter; ~ **away** se
ndf.: ~ *off*; ~ **back** (*om biler*) køre
i//danne kø; ~ **in** indmure; ~ **off
a.** aftage, blive svagere (og sva-
gere) (*fx interest//the effect -ed
off*); falde (*fx membership -ed off*);
b. (*om lyd*) dø hen; **c.** (*mht. kvali-
tet*) blive ringere og ringere.

tailback ['teilbæk] *sb.* bilkø.

tailboard ['teilbɔːd] *sb.* bagsmæk.

tailcoat ['teilkəut] *sb.* herrekjole.

tail end *sb.* **1.** sidste ende;
2. (*bogb.*) undersnit.

tailgate[1] ['teilgeit] *sb.* (*am.*) **1.** bag-
smæk; **2.** (*på stationcar, hatch-
back*) bagklap.

tailgate[2] ['teilgeit] *adj.* (*am.:* om

---

måltid) [*serveret fra bagklappen
af en stationcar*].

tailgate[3] ['teilgeit] *vb.* (*am.*) køre
tæt bag efter.

tail lamp baglygte.

tail light *sb.* baglygte.

tail margin *sb.* (*typ.*) undermargen,
bundmargen.

tail-off ['teilɔf] *sb.* aftagen; gradvist
fald.

tailor[1] ['teilə] *sb.* skrædder.

tailor[2] ['teilə] *vb.* (*fig.*) skræddersy,
tilpasse (*to, for* til); indrette (*to,
for* efter).

tailorbird ['teiləbəːd] *sb.* (*zo.*)
skrædderfugl.

tailored ['teiləd] *adj.* skræddersyet.

tailoring ['teiləriŋ] *sb.* **1.** skrædder-
arbejde; **2.** (*om måde noget er syet
på*) snit.

tailor-made[1] [teilə'meid] *sb.*
1. skræddersyet dragt; **2.** fabriks-
rullet cigaret.

tailor-made[2] [teilə'meid] *adj.*
1. skræddersyet; **2.** (*fig.*) skræd-
dersyet, lavet specielt (*for* til);
3. (*om cigaret*) fabriksrullet;
□ *he is* ~ *for the job* han er den
helt rigtige til jobbet.

tailpiece ['teilpiːs] *sb.* **1.** bageste
del; sidste ende; **2.** (*typ.*) slut-
ningsvignet; **3.** (*på violin etc.*)
strengeholder.

tailpipe ['teilpaip] *sb.* (*am.*) ud-
stødningsrør.

tailplane ['teilplein] *sb.* (*flyv.*) ha-
leplan.

tails [teilz] *sb. pl.* **1.** (*herretøj*)
kjole; **2.** (*af mønt der kastes i vej-
ret*) plat; (jf. *heads*);
□ *white tie and* ~ kjole og hvidt.

tailspin ['teilspin] *sb.:* go into a ~
a. (*flyv.*) gå i spin; **b.** (*fig.*) gå i pa-
nik; bryde sammen.

tailwind ['teilwind] *sb.* medvind.

taint[1] [teint] *sb.* plet, skamplet; be-
smittelse;
□ *free from the* ~ *of* uplettet af;
ubesmittet af.

taint[2] [teint] *vb.* **1.** plette, skæmme;
2. (*mad etc.*) ødelægge; inficere;
forurene.

tainted ['teintid] *adj.* **1.** plettet,
skadet (*by* af, *fx a scandal*); be-
smudset; **2.** (*om mad etc.*) inficere-
ret; fordærvet; forurenet.

take[1] [teik] *sb.* **1.** (*især teat.*) ind-
tægt; **2.** (*film.*) optagelse;
□ *be on the* ~ T tage imod bestik-
kelse, være korrupt; *my* ~ *on this*
min opfattelse af det; den måde
jeg ser det på.

take[2] [teik] *vb.* (*took, taken*)
A. (*med objekt*) **1.** tage; **2.** (*mods.
afvise*) tage imod (*fx an offer; do
you* ~ *credit cards?*); (se også *ad-*

---

vice); **3.** (*elever, studerende*) op-
tage; **4.** (*mil.& fig.*) indtage; erobre
(*fx a fort; a town; the Liberals
took the seat from Labour*); vinde
(*fx a prize; a medal; an Oscar*); (*i
skak*) tage, slå; **5.** (*merk. etc.*) af-
tage, købe (*fx goods; tickets*); op-
tage (*fx orders*); **6.** (*indtægt*) ind-
tjene, få ind; **7.** (*bolig*) leje (*fx a
house; a flat*); **8.** (*tidsskrift etc.*)
abonnere på, holde; **9.** (*til et sted*)
bringe (*fx I took him a letter*); tage
med (*fx you'd better* ~ *your um-
brella*); **10.** (*om virkning*) virke på
(*fx it -s different people different
ways*); **11.** (*person*) ledsage, følge
(*fx* ~ *her home*); tage med (*fx* ~
one's daughter to the theatre);
føre (*fx* ~ *him to the manager*);
12. (*om slag, sygdom*) ramme (*fx
the blow took him on the nose; he
was -n with a fever*); **13.** (*tab*) lide
(*fx damage; heavy casualties*);
14. (*mad, drikke etc.*) spise;
drikke, nyde (*fx I often* ~ *a glass
of wine with him*); have (*fx will
you* ~ *a cup of tea?*); indtage (*fx a
strong dose of medicine*); **15.** (*om
behov, ønske*) bruge (*fx* ~ *size 10
shoes; do you* ~ *sugar in your
tea? the car -s unleaded petrol*);
16. (*forhindring*) tage, sætte over
(*fx the horse took the brook*);
17. (*om kapacitet*) have plads til
(*fx the car -s four people; the hall
-s 200 people*); **18.** (*noget sagt*)
forstå (*fx do you* ~ *me//my mean-
ing?*); opfatte (*fx* ~ *it the wrong
way*); (se også *point*[1]); **19.** (*gram.*)
forbindes med (*fx a transitive
verb -s an object in the accusa-
tive*); styre; (*om endelse*) få; **20.** T
snyde, fuppe, tage;
B. (*uden objekt*) **1.** virke, slå an
(*fx the vaccine did not* ~); gøre
lykke (*fx the play did not* ~);
fænge (*fx the debate did not* ~);
2. (*om plante*) slå rod; **3.** (*om fisk*)
bide;
□ *cannot* ~ kan ikke tage/for-
drage/holde ud;
[+ *inf.*] *it -s ... to* det kræver ... at
(*fx it -s courage//an expert to do
that*); der skal ... til for at (*fx it -s
two men to move that stone*); ~ *to
be* **a.** anse for at være (*fx I took
him to be intelligent*); **b.** antage
for at være (*fx I took it to be a
piece of wood*); *I took you to
mean that* jeg forstod på dig at (*fx
you would pay for everything*);
[*med pron.*] ~ *it* **a.** finde sig i det
(*fx he refused to* ~ *it any more*);
b. tage/klare det (*fx he can* ~ *it*);
(se også *lie*[2] (*down*)); ~ *it or leave
it* tag det eller lad være; *I* ~ *it*

T *takeaway*

that you will be there jeg går ud fra at du vil være til stede; *you may ~ it (from me) that* du kan trygt stole på at; du kan roligt regne med at; *he has got **what it** -s* han har hvad der skal til; han har gode evner;
[*med sb.*] *~ a rest* hvile; *~ a walk* gå en tur; (se også *breath, call[1], care[1], time[1] (etc.)*);
[*med adv.& præp.*] *-n **aback*** se *aback*;

*~ **after*** ligne, slægte på (*fx she -s after her father*);
*~ **against*** se sig gal på; F fatte uvilje mod;
*~ **along*** tage med;
*~ **apart*** a. skille ad; pille fra hinanden; b. (*fig.*) dissekere; c. (*modstander*) jorde fuldstændigt;
d. (*bog, præstation*) kritisere sønder og sammen, sable ned (*fx his new book was -n apart by the reviewers*);
*~ sby **aside*** trække en til side [ɔ: *for at tale privat*];
*~ **away*** a. tage væk, fjerne; tage med sig; b. (*person: til arrest, hospital*) føre//køre væk; c. (*tal, sum*) trække fra, fradrage; *it -s away my appetite* det ødelægger min appetit; *~ **away from*** a. forringe, gøre skår i (*fx it -s away from the enjoyment*); b. (*med objekt*) tage bort fra (*fx the job -s her away from her family*); c. (*tal*) trække fra (*fx ~ three away from five*); *he was -n away from us* (ɔ: *døde*) han blev revet bort;
*~ **back*** a. levere tilbage, aflevere (*fx a book*); b. (*person*) tage tilbage (*fx she won't ~ her husband back*); (*ansat*) genansætte (*fx the workers*); c. (*vare*) tage tilbage (*fx the shop will ~ the dress back*); d. (*noget sagt*) tage i sig igen (*fx one's words*); *~ **back to*** (ɔ: *i tankerne*) føre tilbage til (*fx the book took me back to my childhood*);
*~ her **by** the hand* tage hende i hånden; *he was much -n by her* han var meget betaget af hende; (se også *bull[1], surprise[1]*);
*~ **down*** a. tage ned; b. fjerne; rive ned (*fx a wall*); c. (*på skrift*) skrive ned; d. (*austr.*) narre, snyde; (se også *peg[1]*);
*~ **for*** a. anse for, regne for (*fx ~ him for a fool; what do you ~ me for?*); b. (*klasse, om lærer*) undervise i, have i (*fx the teacher who took us for history*); I took him for your brother jeg troede han var din broder;
*~ **from*** (F: *fig.*) formindske, nedsætte; svække;

*~ **in** a. (*kjole etc.*) sy ind, lægge ind, tage ind (*fx ~ the dress in at the waist*); b. (*i sit hjem*) modtage (*fx lodgers*); huse (*fx refugees*); (*mere permanent*) tage til sig (*fx she took him in when his parents died*); c. (*elev, studerende*) optage; (*patient*) modtage; d. (*mistænkt*) tage med på politistationen;
e. (*med blikket*) opfange (*fx he took in the scene at a glance*); lægge mærke til; betragte (*fx the view*); f. (*indhold*) opfatte (*fx he read the letter without taking it in*); begribe, forstå; g. (*næring*) indtage; (*luft*) indånde; h. (*for-uden noget andet*) omfatte, inkludere (*fx the tour -s in a visit to the castle*); i. T narre (*fx he is easy to ~ in*); snyde; j. (*am.: forestilling*) gå til, se (*fx a film; a show*);
k. (*am.: penge*) indtjene; *~ in sewing* sy for folk; *~ in washing* modtage tøj til vask; *be -n **in by*** (*jf. i*) a. lade sig narre af, hoppe på (*fx his excuse*); b. blive betaget/besnæret af (*fx his appearance*); *~ her **in to** dinner* føre hende til bords;
*~ **off** a. (*flyv.*) starte, lette, gå på vingerne; b. (*om plan*) få succes; c. (*om karriere*) komme i gang; d. (*om person: bort*) tage af sted; stikke af; e. (*med objekt*) tage af, fjerne; f. (*lem*) sætte af (*fx his leg had to be -n off*); g. (*tøj*) tage af, lægge; h. (*tal*) trække fra; i. (*vægt*) tabe; j. (*tid*) tage fri (*fx ~ a week off*); k. (*teat.*) tage af plakaten/programmet; l. (*person*) føre bort; m. (*om sygdom*) bortrive; n. T efterligne, imitere, parodiere; *~ oneself off* fjerne sig; stikke af; *~ a penny off the price* slå en penny af (på prisen); (se også *edge[1], eye[1] (etc.)*);
*~ **on** a. (*opgave*) påtage sig (*fx she -s on too much*); b. (*egenskab*) antage (*fx a new appearance*); få (*fx a new meaning*); c. (*arbejdskraft*) antage, ansætte, engagere (*fx more workers*); d. (*modstander*) prøve kræfter med, give sig i lag med; kæmpe mod (*fx the enemy*); (*i sport*) spille mod;
e. (*passagerer: om skib, fly*) tage om bord; (*om bus*) samle op; f. (*brændstof*) tanke; (*gods*) laste;
*~ **out** a. tage ud (*fx ~ the dog out for a walk*); b. (*ting*) tage frem (*fx one's handkerchief*); c. (ɔ: *væk*) tage ud; tage væk; fjerne (*fx a stain*); d. (*dokument, rettighed etc.*) tegne (*fx an insurance policy; a subscription*); skaffe sig, erhverve (*fx Danish citizenship*);

e. (*lån*) optage; f. (*person*) invitere ud (*for til, fx dinner*); g. (*person:* T) rydde af vejen; h. (*mil.*) sætte ud af spillet; *~ part of the amount **out in** goods* tage varer i stedet for en del af beløbet; *~ **out of** tage ud af (*fx ~ cups out of the cupboard*); *~ him out of himself* give ham noget andet at tænke på, få ham til at glemme; *it -s it out of me* det ta'r på mig; jeg bliver så træt af det; (se også *leaf[1], Mickey, rise[1]*); *~ it **out on** sby* lade det gå ud over en (*fx when he has had trouble at the office he -s it out on his wife*);
*~ **over** a. (*merk.: selskab*) overtage; b. (*uden objekt*) overtage styret/ledelsen; *~ **over from** sby* afløse en; *we now ~ you **over to** (i radio*) vi stiller nu om til;
*~ sby **through** sth* gennemgå noget for en;
*~ **to** a. (*person*) fatte sympati for (*fx we took to him straight away*); komme til at holde af; b. (*sted*) søge hen til, søge ud i; søge tilflugt i (*fx the woods*); c. (*handling*) slå sig på (*fx drink*); d. (*med objekt: et sted hen*) bringe (hen) til (*fx ~ a letter to the post*); tage med til (*fx ~ some chocolates to her*); e. (*fig.*) bringe til, føre til (*fx his ability will ~ him to the top*); f. (*problem*) forelægge for; *~ to + -ing* give sig til at (*fx reading books*); (se også *bed[1], cleaners, heart (etc.)*);
*~ **up** a. tage op; b. (*tid, plads*) optage, lægge beslag på; c. (*væske*) absorbere, optage; d. (*aktivitet*) begynde på (*fx gardening*); begynde at dyrke (*fx an outdoor sport*); slå sig på; e. (*person*) tage sig af [ɔ: *protegere*]; f. (*job*) gå i gang med; tiltræde; g. (*tilbud, udfordring*) tage imod; h. (*offentligt tilskud*) søge om; i. (*afbrudt fortælling/arbejde*) genoptage;
j. (*bukser, skørt*) lægge op; (se også *arm[1], position[1], slack[1]*); *~ him **up on** it* a. tage ham på ordet; b. udbede sig en forklaring på det; protestere mod det; *~ him up on the invitation* tage imod hans indbydelse; tage ham på ordet; *~ **up with** sby* søge ens selskab; søge sammen med en; *~ it up with him* drøfte det med ham; *taking one thing **with** another* alt taget i betragtning; alt i alt.
takeaway[1] ['teikəwei] *sb.* 1. [*forretning/restaurant der sælger færdigretter ud af huset*]; grillbar; 2. (*mad*) færdigret.
takeaway[2] ['teikəwei] *adj.*

ud-af-huset (*fx food; meal*); som sælges ud af huset.

take-home pay ['teikhəumpei] *sb.* nettoløn.

taken ['teik(ə)n] *præt. ptc. af take.*

take-off ['teikɔf] *sb.* **1.** start; **2.** startsted; **3.** (*ved spring*) afsæt; **4.** T imitation, parodi.

takeout ['teikaut] (*am.*) = *takeaway.*

takeover ['teikəuvə] *sb.* **1.** magtovertagelse (*fx a military ~*); **2.** (*merk.*) overtagelse, opkøb; virksomhedsovertagelse.

taker ['teikə] *sb.* aftager, køber (*fx there were no -s*); interesseret.

take-up ['teikʌp] *sb.* **1.** (*af noget løst*) stramning; **2.** (*til kursus*) tilmelding; **3.** (*mht. offentlig hjælp*) se *take-up rate.*

take-up rate *sb.* (*mht. offentlig hjælp*) [*procentvis antal af ansøgere i den gruppe som er berettiget*].

takings ['teikiŋz] *sb. pl.* indtægt(er).

takkie ['tæki] *sb.* (*sydafr.*) tennissko; løbesko.

talc [tælk] *sb.* talkum.

talcum powder ['tælkəmpaudə] *sb.* talkum.

tale [teil] *sb.* **1.** fortælling, beretning, historie; eventyr; **2.** løgnehistorie;
□ *thereby hangs a ~* (*omtr.*) det kunne der siges noget mere om; *tell -s* sladre, løbe med sladder; *live to tell the ~* slippe levende fra det; overleve; *it tells its own ~* (*fig.*) det taler sit tydelige sprog; det taler for sig selv.

talent ['tælənt] *sb.* **1.** talent, anlæg (*for* for); **2.** (*person*) talent; **3.** (T: *glds.*) [*mulig partner*].

talented ['tæləntid] *adj.* talentfuld, dygtig, begavet.

talent scout, talent spotter *sb.* talentspejder.

taleteller ['teiltelə] *sb.* **1.** fortæller; **2.** (*neds.*) sladderhank.

talisman ['tælizmən] *sb.* talisman; amulet.

talk¹ [tɔ:k] *sb.* (se også *talks*)
1. snak, snakken (*fx ~ won't get us anywhere*); **2.** samtale, snak (*fx we had a long ~ about it*); diskussion; **3.** snakken, sladder (*fx there was a lot of ~*); **4.** (*som man holder*) foredrag;
□ *it is the ~ of* der snakkes om det i (*fx the neighbourhood; the school*); *it is the ~ of the town* hele byen taler om det; *have a ~ with her about it* snakke/tage en snak med hende om det.

talk² [tɔ:k] *vb.* **1.** tale (*fx he -ed very quietly; the parrot can ~*); snakke; **2.** (*i foredrag*) tale (*about, on* om); **3.** (*om to el. flere*) tale sammen (*fx we needed to ~*); tale (*about* om, *fx let's ~ about it*); **4.** (*bag ens ryg*) sladre (*about* om, *fx everyone is -ing about him; the neighbours will ~*); **5.** (*om bestemt emne*) forhandle (*about* om); diskutere (*fx they always ~ politics*);
□ *you're a fine one to ~!, look who's -ing!* og det skal man høre fra dig! og det siger 'du! *now you're -ing* nu er du inde på noget af det rigtige; det lader sig høre; *it's the drink -ing* det er noget han siger fordi han er fuld; (se også *hind leg, nonsense, sense (etc.)*);
[*med adv.& præp.*] *~ about* **a.** tale om; snakke om; fortælle om; **b.** se ovf.: *2,3,4,5*; *~ about rudeness!* T det kan man vel nok kalde uforskammethed! *~ around* = *~ round*; *~ at sby* docere for en; *~ back* svare igen; *~ down* **a.** nedvurdere, forklejne; **b.** (*i forhandling*) forhandle ned; **c.** (*en der vil snaakke 'med*) overdøve med snak; forhindre i at få et ord indført; **d.** (T: *en der er ophidset*) berolige; **e.** (*flyv.*) tale ned; *~ down to sby into* sth overtale én til noget; *-ing of* apropos; mens vi taler om; *~ out* forhandle sig til rette om; snakke igennem; *~ sby out of* sth snakke én fra noget; *~ over* tale om; drøfte (igennem); *~ through* gennemdrøfte; *~ sby through sth* forklare noger for en; *~ round* **a.** (*person*) overtale; **b.** (*emne*) tale uden om; *~ to* **a.** tale til (*fx never ~ to me again!*); **b.** tale med, snakke med (*fx she had no one she could ~ to*); **c.** (*irettesætte*) tale med (*fx you'll have to ~ to the children*); give en opsang; *~ up* **a.** (*især am.*) gøre reklame for; gøre et stort nummer ud af; **b.** (*i forhandling*) forhandle op.

talkative ['tɔ:kətiv] *adj.* snaksom, snakkesalig.

talkback ['tɔ:kbæk] *sb.* **1.** (*tv etc.*) [*internt samtaleanlæg mellem kontrolrum og teknikere*]; **2.** (*radio., austr.*) telefonprogram.

talkback microphone *sb.* kommandomikrofon.

talker ['tɔ:kə] *sb.* taler;
□ *a fluent ~* en der taler flydende; *he is quite a ~* T han kan vel nok snakke.

talkie ['tɔ:ki] *sb.* (*glds.* T) talefilm.

talking book *sb.* lydbog [*for blinde*].

talking head *sb.* (*tv*) [*studievært// reporter som man kun ser hovedet af*].

talking point *sb.* diskussionsemne.

talking shop *sb.* (*neds.:* om møde) diskussionsklub.

talking-to ['tɔ:kiŋtu:] *sb.* irettesættelse; opsang.

talk plan *sb.* [*rabatordning med mobiltelefonselskab*].

talk radio *sb.* (*am.*) telefonprogram.

talks [tɔ:ks] *sb. pl.* drøftelser; forhandlinger;
□ *hold ~* føre forhandlinger.

talk show *sb.* talkshow; diskussionsprogram.

tall [tɔ:l] *adj.* høj; stor;
□ *a ~ order* et skrapt forlangende; *stand ~, walk ~* gå med hovedet højt hævet; stikke næsen i sky.

tallboy ['tɔ:lbɔi] *sb.* chiffoniere [*højt skuffemøbel*].

tall drink *sb.* [*blandingsdrik af spiritus med juice//sodavand etc.*].

tallow ['tæləu] *sb.* talg, tælle.

tall ship *sb.* stort sejlskib; (*omtr.*) fuldrigger.

tall story *sb.* T skrøne; røverhistorie.

tall tale *sb.* (*am.*) se *tall story.*

tally¹ ['tæli] *sb.* **1.** (*let glds.*) score; **2.** (*fx på plante*) mærke; mærkeseddel;
□ *keep a ~ of* holde regnskab med.

tally² ['tæli] *vb.* **1.** passe sammen; stemme overens; **2.** (*antal etc.*) føre regnskab med; tælle sammen; □ *~ up = 2; ~ with* stemme med.

tally-ho [tæli'həu] *interj.* [*en jægers råb til hundene når en ræv er observeret*].

talon ['tælən] *sb.* (*rovfugls*) klo.

talus ['teiləs] *sb.* **1.** (*geol.*) talus, ur [*løse blokke ved foden af en klippe*]; **2.** (*af brystværn*) skråning.

TAM *fork. f. television audience measurement.*

tamarind ['tæmərind] *sb.* (*bot.*) tamarinde.

tamarisk ['tæmərisk] *sb.* (*bot.*) tamarisk.

tambour¹ ['tæmbuə] *sb.* (*til broderi*) broderramme.

tambour² ['tæmbuə] *vb.* tamburere.

tambourine [tæmbə'ri:n] *sb.* (*mus.*) tamburin.

tame¹ [teim] *adj.* **1.** tam; **2.** (*fig.*) tam; mat.

tame² [teim] *vb.* **1.** tæmme; **2.** (*fig.*) tæmme; få kontrol over.

tameable ['teiməbl] *adj.* som kan tæmmes.

T *tam-o'-shanter*

tam-o'-shanter [tæmə'ʃæntə] *sb.* skotsk hue [*omtr. i baskerhuefacon*].

tamp [tæmp] *vb.* **1.** stampe; støde; stoppe; **2.** (*sprængladning*) fordæmme.

tamper ['tæmpə] *vb.:* ~ *with* **a.** pille ved (*fx a lock*); lave om på; fuske med (*fx the electric wiring*); **b.** (*noget skriftligt*) rette i, forvanske (*fx a report*); **c.** (*person*) forsøge at bestikke//påvirke (*fx a witness*).

tampion ['tæmpiən] *sb.* træprop [*til kanon*]; mundingshætte.

tampon ['tæmpɔn] *sb.* tampon.

tan¹ [tæn] *sb.* **1.** (*farve*) gyldenbrunt; gulbrunt; **2.** (*huds: af solen*) solbrændthed;
□ *have a* ~ (*jf. 2*) være solbrun/solbrændt.

tan² [tæn] *fork. f.* tangent.

tan³ [tæn] *adj.* gyldenbrun; gulbrun.

tan⁴ [tæn] *vb.* **1.** (*læder*) garve; (se også *hide¹*); **2.** (*hud, om solen*) gøre brun, brune; **3.** (*uden objekt*) blive brun/solbrændt.

tandem ['tændəm] *sb.* (*cykel*) tandem;
□ *in* ~ **a.** side om side; parallelt; **b.** den ene bag den anden; **c.** samtidig; *in* ~ *with* **a.** sammen med; parallelt med; i fællesskab med; **b.** samtidig med.

tang [tæŋ] *sb.* **1.** stærk//gennemtrængende smag [*men ikke ubehagelig*]; stærk//gennemtrængende lugt; **2.** (*på kniv etc.*) angel;
□ *a* ~ *of* (*fig.*) et anstrøg af.

tangent ['tæn(d)ʒənt] *sb.* **1.** (*linje*) tangent; **2.** (*til en vinkel*) tangens;
□ *go/fly off at a* ~ (*fig.*) fare/ryge ud ad tangenten.

tangential [tæn'dʒenʃ(ə)l] *adj.* **1.** tangential (*fx force*); tangerende; **2.** (*fig.*) tilfældig; uvæsentlig; som leder bort fra emnet.

tangerine¹ [tæn(d)ʒə'riːn, (*am. også*) 'tænd(d)ʒəriːn] *sb.* (*bot.: citrusfrugt*) tangerin.

tangerine² [tæn(d)ʒə'riːn, (*am. også*) 'tænd(d)ʒəriːn] *adj.* tangerinfarvet [*rødlig orange*].

tangible ['tæn(d)ʒəbl] *adj.* håndgribelig, konkret; følelig.

Tangier [tæn'dʒiə] (*geogr.*) Tanger.

tangle¹ ['tæŋgl] *sb.* **1.** sammenfiltret masse/klump (*fx of wires*); **2.** (*fig.*) rod, virvar; forvirring; **3.** T slagsmål; skænderi;
□ *in a* ~ **a.** (*jf. 1*) filtret sammen; **b.** (*jf. 2*) i ét rod.

tangle² ['tæŋgl] *vb.* **1.** filtre sammen; **2.** filtre sig sammen;
□ ~ *up* = ~; ~ *with* T komme i

---

klammeri med; komme op at slås//skændes med.

tangled ['tæŋgld] *adj.* **1.** sammenfiltret; **2.** (*fig.*) indviklet, kompliceret (*fx web*); speget; rodet;
□ ~ *up with* rodet/blandet/filtret ind i.

tango¹ ['tæŋgəu] *sb.* tango.

tango² ['tæŋgəu] *vb.* danse tango.

tangy ['tæŋi] *adj.* (*om lugt, smag*) skarp, gennemtrængende.

tank¹ [tæŋk] *sb.* **1.** beholder; tank; **2.** (*til fisk*) akvarium; **3.** (*til krybdyr*) terrarium; **4.** (*i bil*) benzintank; **5.** (*mil.*) tank, kampvogn; **6.** (*austr. etc.*) reservoir; **7.** (*am.* T) fangecelle.

tank² [tæŋk] *vb.* **1.** tanke op; **2.** (*især am.*) tabe med vilje; **3.** (*am., fx om salg*) gå tilbage;
□ ~ *up* tanke op; (se også *tanked up*).

tankard ['tæŋkəd] *sb.* ølkrus.

tanked up ['tæŋktʌp] *adj.* T kanonstiv, plakatfuld.

tanker ['tæŋkə] *sb.* **1.** tankskib, tanker; **2.** tankvogn.

tank top *sb.* **1.** ærmeløs top; soltop; **2.** (*strikket*) slipover.

tanned [tænd] *adj.* brun, solbrændt.

tanner ['tænə] *sb.* garver.

tannery ['tænəri] *sb.* garveri.

tannin ['tænin] *sb.* garvesyre.

Tannoy® ['tænɔi] *sb.* højttaleranlæg.

tansy ['tænzi] *sb.* (*bot.*) rejnfan.

tantalize ['tæntəlaiz] *vb.* friste, pirre; spænde på pinebænken [*ved at vække falske forhåbninger*].

tantalizing ['tæntəlaiziŋ] *adj.* forjættende [*men uopnåelig*]; fristende, lokkende.

tantalus ['tæntələs] *sb.* [*aflåselig opsats med vinkarafler*].

tantamount ['tæntəmaunt] *adj.:* ~ *to* ensbetydende med.

tantrum ['tæntrəm] *sb.* T raserianfald, hysterisk tilfælde (*fx he had/threw* (fik) *a* ~).

Tanzanian¹ [tænzə'niən] *sb.* tanzanier.

Tanzanian² [tænzə'niən] *adj.* tanzanisk.

Taoiseach ['tiːʃək] *sb.* (*irsk*) premierminister.

tap¹ [tæp] *sb.* (se også *taps*) **1.** let slag, dask (*fx he gave her a* ~); (*på skulderen også*) prik; (*også om lyd*) banken (*fx on the door*); **2.** (*på stepsko*) beslag; **3.** (*til vand, gas etc.*) hane; (*i tønde*) tap; **4.** (*på telefon*) aflytningsapparat; **5.** (*af telefonsamtaler*) aflytning; **6.** (*tekn.: til gevindskæring*) snit-

---

tap; **7.** (*elek.*) stikledning;
□ *beer on* ~ øl fra fad; *be on* ~ (*fig.*) være til rådighed når som helst; være ved hånden.

tap² [tæp] *vb.* **1.** banke/slå (let) på; berøre; **2.** (*på skrivemaskine, computer etc.*) taste; **3.** (*vand*) tappe; (*øl*) aftappe; **4.** (*fig.*) udnytte (*fx resources*); drage nytte af (*fx their skills*); **5.** (*am.* S) slå for penge; **6.** (*telefon*) aflytte; **7.** (*tekn.*) skære gevind i; **8.** (*uden objekt: om dans*) steppe;
□ ~ *one's toes* vippe med tæerne [*i takt til musikken*];
[*med præp.& adv.*] ~ *for* (*penge, glds.* T) slå for; ~ *in* indtaste; ~ *into* udnytte; ~ *one's fingers on the table* tromme i bordet; ~ *sby on the shoulder* (*jf. 1, også*) prikke en på skulderen; ~ *out* **a.** (*med fingrene*) tromme (*fx a rhythm*); **b.** (*på tastatur*) taste (*fx a number*); **c.** (*am.*) udmatte.

tap dance *sb.* stepdans.

tap-dance ['tæpdaːns] *vb.* steppe.

tape¹ [teip] *sb.* **1.** (*af stof*) bændel; bånd; **2.** (*af plastik: til optagelse*) bånd; (*til lyd også*) lydbånd; **3.** (T. *til måling*) målebånd; **4.** (*klæbende*) tape; klæbestrimmel, klisterbånd; (se også *insulating tape, masking tape*); **5.** (*til telegraf*) telegrafstrimmel; **6.** (*ved væddeløb*) målsnor;
□ *breast the* ~ bryde/sprænge målsnoren; vinde løbet.

tape² [teip] *vb.* **1.** optage/indspille på bånd, bånde; **2.** (*med klæbestrimmel*) sætte fast//op med tape (*fx* ~ *a note on the door*); (se også ndf.: ~ *up*);
□ *I have got him -d* T ham har jeg taget mål af; jeg ved hvad han er værd; *he has got it all -d out* T han har styr på det hele; ~ *up* **a.** tape til, lukke/klistre til med tape; **b.** (*skadet legemsdel, især am.*) forbinde.

tape deck *sb.* båndspiller [*del af stereoanlæg*].

tape measure *sb.* målebånd.

taper¹ ['teipə] *sb.* **1.** vokslys, kerte; **2.** (*til at holde en flamme*) tælleprås.

taper² ['teipə] *vb.* **1.** blive tyndere mod enden; blive smallere; spidse til, løbe ud i en spids; **2.** (*fig.*) aftage gradvist; svinde ind, blive mindre og mindre; **3.** (*med objekt, jf. 1*) gøre tyndere mod enden, spidse; (*jf. 2*) aftrappe, nedtrappe;
□ ~ *off* = ~.

tape-record ['teiprikɔːd] *vb.* optage på bånd.

tape recorder *sb.* båndoptager.

tape recording *sb.* båndoptagelse.
tapered ['teipəd] *adj.* tilspidset; se også *tapering*.
tapering ['teip(ə)riŋ] *adj.* **1.** som løber ud i en spids; spids; **2.** (*tekn.*) konisk; kegleformet.
tapestry ['tæpistri] *sb.* **1.** gobelin; vægtæppe; billedtæppe; **2.** (*fig.*, *litt.*) broget billede.
tapeworm ['teipwɔ:m] *sb.* (*zo.*) bændelorm.
tapioca [tæpi'əukə] *sb.* tapioka [*en slags sago*].
tapir ['teipə] *sb.* (*zo.*) tapir.
tappet ['tæpit] *sb.* (*tekn.*) medbringerknast; styreknast.
taproom ['tæpru:m] *sb.* skænkestue.
taproot ['tæpru:t] *sb.* (*bot.*) pælerod.
taps [tæps] *sb. pl.* (*am. mil.*) tappenstreg; retræte.
tapster ['tæpstə] *sb.* vintapper; øltapper.
tap water *sb.* postevand.
tar[1] [ta:] *sb.* tjære;
□ *beat the ~ out of* (*am.* T) banke sønder og sammen; *an old ~* (*glds.* T) en søulk.
tar[2] [ta:] *vb.* tjære;
□ *~ with the same brush* (*fig.*) skære over én kam; *~ with the same brush as* slå i hartkorn med; *~ and feather* dyppe i tjære og rulle i fjer.
tarantella [tærən'telə] *sb.* tarantel [*en dans*].
tarantula [tə'ræntjulə] *sb.* (*zo.*) tarantel [*edderkop*].
tar baby (*am., fig.*) morads [*som det er svært at komme fri af*].
tardiness ['ta:dines] *sb.* **1.** tilbøjelighed til at komme for sent; **2.** langsomhed; sendrægtighed; træghed.
tardy[1] ['ta:di] *sb.* (*am.: i skole*) [*gang man kommer for sent*].
tardy[2] ['ta:di] *adj.* F **1.** for sen; forsinket (*fx apology*); **2.** langsom; sendrægtig; træg.
tare [tɛə] *sb.* **1.** (*bot.*) vikke; (*i biblen*) klinte; **2.** (*merk.*) tara [*vægt af emballage*]; **3.** (*af lastbil*) egenvægt.
target[1] ['ta:git] *sb.* **1.** mål; **2.** (*ved skydekonkurrence*) skydeskive; mål;
□ *be the ~ of* **a.** være målet for (*fx the attack*); **b.** (*fig.*) være skive for, blive udsat for (*fx ridicule*); *be on ~* (*fig.*) være på rette vej.
target[2] ['ta:git] *vb.* **1.** (*for angreb*) vælge som mål (*fx civilians are often -ed by terrorists*); **2.** (*for reklame etc.*) være rettet imod, sigte

på (*fx adults; a specific section of the market*);
□ *~ at/on* sigte efter; rette mod; have som mål; *be -ed by* se *target*[1] (*be the target of*).
targetable ['ta:gitəbl] *adj.* som kan styres mod et mål.
target language *sb.* (*sprogv.*) målsprog [*som der oversættes til*].
target practice *sb.* (*mil.*) skydeøvelse; skiveskydning.
tariff ['tærif] *sb.* **1.** F tarif, takst; prisliste; **2.** (*ved indførsel*) told.
tarmac[1] ['ta:mæk] *sb.* **1.** tjærebeton, grov asfaltbelægning; **2.** asfalteret vej; **3.** (*flyv.*) forplads.
tarmac[2] ['ta:mæk] *vb.* asfaltere.
tarn [ta:n] *sb.* lille bjergsø.
tarnish ['ta:niʃ] *vb.* **1.** (*rygte*) plette, sætte en plet på; skade; **2.** (*metal*) gøre anløben, misfarve; **3.** (*uden objekt*) løbe an, misfarves.
tarnished ['ta:niʃt] *adj.* **1.** (*om metal*) anløbet, misfarvet; **2.** (*om rygte*) plettet, blakket.
tarot ['tærəu] *sb.* tarok, tarot [*spådomskort*].
tarp (T: *især am.*) = *tarpaulin* 1.
tarpaulin [ta:'pɔ:lin] *sb.* **1.** presenning; **2.** (*stof*) presenningsdug.
tarragon ['tærəgən] *sb.* (*bot.*) estragon.
tarry[1] ['ta:ri] *adj.* tjære-; tjæret.
tarry[2] ['tæri] *vb.* (*glds.*) blive; tøve; bie.
tart[1] [ta:t] *sb.* **1.** (*mad*) tærte; **2.** (T: *neds. om pige*) dulle, tøjte; **3.** (*glds.*) luder, gadetøs.
tart[2] [ta:t] *adj.* **1.** (*om smag*) syrlig, sur, skarp; **2.** (*fig.*) spids, skarp, hvas, bidende.
tart[3] [ta:t] *vb.: ~ up* (T, *neds.*)
a. (*person*) stadse op; maje ud;
b. (*ting*) piffe op, fikse op; (*for at skjule dårligdom*) pynte på, sminke.
tartan[1] ['ta:t(ə)n] *sb.* **1.** klanmønster, klantern; **2.** skotskternet stof.
tartan[2] ['ta:t(ə)n] *adj.* skotskternet.
tartar ['ta:tə] *sb.* **1.** tandsten; **2.** vinsten; **3.** (*glds. om person*) ren satan; skrap kælling.
tartare sauce *sb.* = *tartar sauce*.
tartaric [ta:'tærik] *adj.* vinstens-.
tartaric acid *sb.* vinsyre.
tartar sauce *sb.* (*omtr.*) remoulade.
tarty ['ta:ti] *adj.* (T *neds.: om pige, påklædning*) billig, tarvelig, vulgær.
tash [tæʃ] *sb.* T overskæg.
task[1] [ta:sk] *sb.* **1.** opgave; job, arbejde; hverv (*fx a thankless ~*); **2.** (*i skole*) lektie;
□ *take/bring/hold to ~* irettesætte strengt, tage i skole.
task[2] [ta:sk] *vb.* stille store krav til

(*fx one's diplomatic skill*); anstrenge (*fx one's brain*);
□ *be -ed with + -ing* få til opgave at.
task force *sb.* **1.** arbejdsgruppe [*med særlig opgave*]; ekspertgruppe; **2.** (*mil.*) kommandostyrke.
taskmaster ['ta:skma:stə] *sb.: a hard ~* **a.** en der kræver meget; **b.** hård arbejdsgiver; **c.** krævende lærer.
Tasmania [tæz'meiniə] (*geogr.*) Tasmanien.
tassel ['tæs(ə)l] *sb.* kvast; klunke.
tasseled ['tæs(ə)ld] *adj.* besat med kvaster//klunker.
taste[1] [teist] *sb.* **1.** smag; **2.** (*om mængde*) mundsmag (*fx just a ~ of cake for me*);
□ *bad taste* dårlig smag; (*se også acquired taste, bad*);
[*med: of*] *have a ~ of* a. smage på (*fx the wine*); få en mundsmag af; **b.** (*fig.*) få en smagsprøve//forsmag på; *give him a ~ of the whip* (*fig.*) lade ham smage pisken;
[*med præp.*] *in bad ~* smagløs; *in good ~* smagfuld; *to ~* efter behag (*fx add sugar to ~*); *add sugar to ~* (*også*) smage til med sukker; *to his ~* efter hans smag; *everyone to his ~* hver sin lyst.
taste[2] [teist] *vb.* **1.** smage; **2.** (*med objekt*) smage; **3.** (*en lille smule, som prøve*) smage på, prøve (*fx different types of wine*); **4.** (*fig.*) prøve, opleve (*fx luxury*).
taste buds *sb. pl.* smagsløg.
tasteful ['teistf(u)l] *adj.* smagfuld.
tasteless ['teistləs] *adj.* **1.** (*om mad, drikke*) uden smag; **2.** (*fig.*) smagløs.
taster ['teistə] *sb.* **1.** prøvesmager, tesmager//vinsmager; **2.** (*instrument*) ostesøger; **3.** (T: *af noget*) forsmag; smagsprøve.
tasty ['teisti] *adj.* **1.** velsmagende, lækker; som smager af noget; **2.** T lækker (*fx have you seen her ~ boyfriend?*).
tat[1] [tæt] *sb.* T bras, ragelse; tingeltangel; (*se også tit (for tat)*).
tat[2] [tæt] *vb.* (*om håndarbejde*) slå orkis; occere.
ta-ta [tə'ta:, tæ'ta:] *interj.* T farvel, hej.
tater ['teitə] *sb.* T kartoffel.
tatterdemalion [tætədə'meiljən] *sb.* lazaron.
tattered ['tætəd] *adj.* laset, pjaltet.
tatters ['tætəz] *sb. pl.* laser; pjalter;
□ *be in ~* **a.** hænge i laser; **b.** (*fig.*) være spoleret, være ved at falde sammen; ligge i ruiner.
tattie ['tæti] *sb.* T kartoffel.

T tatting

tatting ['tætiŋ] *sb.* (*håndarbejde*) orkis.

tattoo[1] [tə'tu:] *sb.* **1.** tatovering; **2.** (*mil.*) militær opvisning; **3.** (*signal*) tappenstreg; **4.** (*lyd*) trommen, banken.

tattoo[2] [tə'tu:] *vb.* tatovere.

tatty ['tæti] *adj.* tarvelig, snusket, nusset.

taught [tɔ:t] *præt.* & *præt. ptc. af* teach.

taunt[1] [tɔ:nt] *sb.* spydighed; hånlig bemærkning, hånligt tilråb; hån, spot.

taunt[2] [tɔ:nt] *vb.* håne, spotte; stikke til; råbe ad.

taupe [təup] *sb.* muldvarpegråt; brunligt gråt.

Taurus ['tɔ:rəs] *sb.* (*astr.*) Tyren; □ *I am a ~* jeg er tyr.

taut [tɔ:t] *adj.* **1.** stram; spændt; (*mar.*) tot; **2.** (*fig. om person*) anspændt; **3.** (*om stil*) stram.

tauten ['tɔ:t(ə)n] *vb.* **1.** stramme; **2.** (*uden objekt*) strammes.

tautological [tɔ:tə'lɔdʒikl] *adj.* tautologisk [*unødigt gentagende*].

tautology [tɔ:'tɔlədʒi] *sb.* tautologi [*overflødig gentagelse, dobbeltkonfekt*].

tavern ['tævən] *sb.* (*glds.*) værtshus; kro.

tawdry ['tɔ:dri] *adj.* **1.** (*om tøj, smykker etc.*) billig, tarvelig, smagløs; **2.** (*fig.*) vulgær, plat; snusket (*fx affair*).

tawny ['tɔ:ni] *adj.* gyldenbrun; gulbrun.

tawny eagle *sb.* (*zo.*) steppeørn.

tawny owl *sb.* (*zo.*) natugle.

tawny pipit *sb.* (*zo.*) markpiber.

tawse [tɔ:z] *sb.* (*skotsk*) læderrem [*til afstraffelse ved slag på håndfladen*].

tax[1] [tæks] *sb.* skat, afgift (*on* på); □ *a ~ on* (*fig.*) en belastning af (*fx our resources*); et stort krav til (*fx one's patience*).

tax[2] [tæks] *vb.* **1.** beskatte; lægge skat//afgift på; **2.** (*fig.*) belaste; stille store krav til; □ *~ sby with* **a.** bebrejde en; beskylde en for; **b.** konfrontere en med (*fx the proof*); foreholde en (*fx his conflicting statements*).

taxable ['tæksəbl] *adj.* skattepligtig; som kan beskattes.

tax assessment *sb.* skatteansættelse.

taxation [tæk'seiʃn] *sb.* beskatning; skat.

tax avoidance *sb.* lovligt skattesnyd; skattetænkning.

tax base *sb.* beskatningsgrundlag.

tax bracket *sb.* skalatrin.

tax break *sb.* skattelempelse.

tax burden *sb.* skattetryk; skattebyrde.

tax credit *sb.* fradrag i skatten.

tax-deductible [tæksdi'dʌktəbl] *adj.* fradragsberettiget.

tax disc *sb.* [*rund skive sat på bils forrude for at vise at skat er betalt*].

tax dodge *sb.* skattefidus.

tax evasion *sb.* skatteunddragelse, skattesnyderi.

tax-exempt [tæksig'zempt] *adj.* fritaget for skat; skattefri.

tax exile *sb.* skatteflygtning.

tax fiddle *sb.* skattefidus; skattesnyderi.

tax-free [tæks'fri:] *adj.* skattefri.

tax haven *sb.* skattely.

taxi[1] ['tæksi] *sb.* taxa, taxi.

taxi[2] ['tæksi] *vb.* **1.** køre i taxa/taxi; **2.** (*om flyvemaskine*) taxie; køre [*på jorden*].

taxicab ['tæksikæb] F = *taxi*[1].

taxidermist ['tæksidə:mist] *sb.* dyreudstopper; konservator.

taxidermy ['tæksidə:mi] *sb.* udstopning; præparering; konservering.

taxi driver taxachauffør.

taximeter ['tæksimi:tə] *sb.* taksameter.

tax incentive *sb.* skattelettelse.

taxing ['tæksiŋ] *adj.* krævende; anstrengende.

tax inspector *sb.* sagsbehandler i skatteforvaltning.

taxi rank *sb.* taxaholdeplads.

taxi stand *sb.* (*am.*) se *taxi rank*.

taxiway ['tæksiwei] *sb.* (*flyv.*) rullebane.

taxman ['tæksmæn] *sb.*: *the ~* T skattefar.

taxonomy [tæk'sɔnəmi] *sb.* taksonomi; klassifikationssystem.

taxpayer ['tækspeiə] *sb.* skatteyder.

tax relief *sb.* skattefradrag; skattelettelse.

tax return *sb.* selvangivelse.

tax shelter *sb.* skattefidus; skattebegunstiget ordning.

tax threshold *sb.* skattefri bundgrænse.

TB *fork. f.* **1.** torpedo boat; **2.** tuberculosis.

TBA, **t.b.a.** *fork. f. to be announced*.

tbsp. *fork. f. tablespoon(ful)*.

tchotchke ['tʃɔtʃkə] *sb.* (*am.*) nipsgenstand; tingeltangel.

TCP® [*middel til behandling af mindre infektioner*].

tea [ti:] *sb.* **1.** te; **2.** (*måltid*) aftensmad; **3.** T eftermiddagste; □ *not my cup of ~* ikke min kop te; ikke noget for mig.

tea bag *sb.* tebrev.

tea ball *sb.* teæg.

tea break *sb.* tepause.

tea caddy *sb.* tedåse.

teacake ['tiəkeik] *sb.* [*lille rund kage med rosiner*].

tea cart *sb.* (*am.*) tevogn; rullebord.

teach [ti:tʃ] *vb.* (*taught, taught*) **1.** undervise (*fx he -es*); **2.** (*med objekt*) lære (*fx she taught me in English//to swim*); **3.** (*fag*) undervise i (*fx he -es English*); **4.** (*elev*) undervise; □ *~ school* (*am.*) være skolelærer; *~ sth to sby* lære en noget (*fx ~ English to foreign students*); undervise en i noget; (*se også grandmother, lesson*).

teacher ['ti:tʃə] *sb.* lærer.

teacher aide *sb.* [*uudannet medhjælper for lærer*].

teachers college *sb.* (*am.*) lærerseminarium.

teacher's pet *sb.* T **1.** kæledægge; mønsterelev; **2.** fedteprins.

tea chest *sb.* tekasse [*som te forsendes i*].

teach-in ['ti:tʃin] *sb.* diskussionsmøde; høring; seminar.

teaching ['ti:tʃiŋ] *sb.* lærervirksomhed; undervisning; (*se også teachings*).

teaching aid *sb.* undervisningsmateriale.

teaching assistant *sb.* instruktor.

teaching practice *sb.* praktik.

teachings ['ti:tʃiŋz] *sb. pl.* lære (*fx the ~ of Christ//Buddha*).

tea cloth *sb.* viskestykke.

tea cosy *sb.* tevarmer, tehætte.

teacup ['ti:kʌp] *sb.* tekop; (*se også storm*[1]).

tea garden *sb.* **1.** restaurationshave; **2.** teplantage.

teak [ti:k] *sb.* teaktræ.

teal [ti:l] *sb.* **1.** (*zo.*) krikand; **2.** (*om farve*) grønblåt; petroleumsfarve.

tea leaf *sb.* (*pl. rea leaves*) **1.** teblad; **2.** (*glds.* S) tyv; □ *read the tea leaves* spå i tebladene.

team[1] [ti:m] *sb.* **1.** hold (*fx of legal experts*); gruppe; team; **2.** (*i sport*) hold; **3.** (*af trækdyr*) forspand (*fx a ~ of oxen*); spand; □ *make the ~* (*jf. 2*) komme på holdet.

team[2] [ti:m] *vb.* **1.** arbejde sammen; danne hold; **2.** (*mht. farve*) sætte sammen (*with* med); □ *~ up = 1; ~ up with* slutte/slå sig sammen med; samarbejde med.

team handball *sb.* håndbold.

teammate ['ti:mmeit] *sb.* holdkammerat.

team ministry *sb.* (*rel.*) [*gruppe af præster som betjener flere sogne i fællesskab*].

team player *sb.* holdspiller [*en der er god til at samarbejde*].

team spirit *sb.* holdmoral; sammenhold.

teamster ['ti:mstə] *sb.* (*am.*) lastbilchauffør.

team teaching *sb.* [*undervisning ved flere samarbejdende lærere*].

teamwork ['ti:mwə:k] *sb.* holdarbejde; samarbejde.

tea party *sb.* teselskab;
□ *it was no* ~ (*am., fig.*) det var ikke nogen skovtur.

teapot ['ti:pɔt] *sb.* tepotte.

tear[1] [tiə] *sb.* tåre;
□ -*s* (*også*) gråd (*fx burst into -s; on the verge of -s*); *in -s* grædende; opløst i gråd; *draw -s* kalde/lokke tårerne frem; *shed -s* fælde/udgyde tårer; (*se også reduce* (*to*)).

tear[2] [tɛə] *sb.* flænge, rift; revne;
□ *go on a* ~ (*am.* S) gå på druk.

tear[3] [tɛə] *vb.* (*tore, torn*) (*se også torn*) **1.** rive (*fx a hole in sth*; ~ *the letter open//out of his hand*); flå; **2.** (*så der bliver hul*) rive (*fx I tore my sleeve on a nail*); rive hul i; flænge; **3.** (*muskel etc.*) sprænge; **4.** (*uden objekt*) revne; **5.** (T: *om bevægelse*) ræse, fare (*fx down the street*);
□ ~ *one's hair* rive//flå sig i håret; *that's torn it* T nu er det hele sporet;
[*med adv.& præp.*] ~ *along* fare af sted; ~ *apart* **a.** rive//flå fra hinanden, rive//flå i stykker, splitte ad; **b.** (*person: psykisk*) virke oprivende på; gøre ulykkelig; **c.** (*præstation*) rakke ned, nedgøre, slagte; ~ *at* rive//flå i; ~ *away* rive//flå af; ~ *oneself away* rive sig løs; *torn* *between* splittet mellem (*fx family and career*); ~ *by* **a.** hærget af (*fx civil war*); **b.** (*litt.*) naget af (*fx guilt*); ~ *down* (*bygning etc.*) rive ned; bryde ned; ~ *from* rive//flå ud af (*fx a page from the book*); ~ *into* (*person*) **a.** fare løs på; **b.** (*verbalt*) overfuse, hegle igennem; ~ *off* **a.** rive//flå af; **b.** T lave//skrive i en fart (*fx a letter*); jaske af; (*se også strip*[1]); ~ *to* se *piece*[1], *ribbon*, *shred*[1]; ~ *up* **a.** rive op (*fx the floorboards*); **b.** (*tøj, papir*) rive i stykker (*fx a letter*); **c.** (*fig.: aftale*) kassere.

tear[4] [tiə] *vb.* (*om øjne*) fyldes med tårer;
□ *he* -*ed up* han fik tårer i øjnene.

tearaway ['tɛərəwei] *sb.* T bølle, bisse; vild knægt.

teardrop ['tiədrɔp] *sb.* tåre; dråbe.

tear duct ['tiədʌkt] *sb.* tårekanal.

tearful ['tiəf(u)l] *adj.* **1.** grådkvalt; grædende; **2.** tårevædet (*fx farewell*).

tear gas ['tiəgæs] *sb.* tåregas.

tear-gas ['tiəgæs] *vb.* bruge tåregas mod (*fx the demonstrators*).

tear-jerker ['tiədʒə:kə] *adj.* (T: *om sentimental bog, film etc.*) tåreperser.

tearoom ['ti:ru:m] *sb.* terestaurant; tesalon; konditori.

tea rose *sb.* (*bot.*) terose.

tear sheet ['tɛəʃi:t] *sb.* side til at rive ud.

tear-stained ['tiəsteind] *adj.* forgrædt; tårevædet.

tease[1] [ti:z] *sb.* **1.** drilleri; **2.** pikanteri; **3.** (*person*) drillepind; **4.** (*vulg.*) se *cock-tease*.

tease[2] [ti:z] *vb.* **1.** drille (*about med*); **2.** (*seksuelt*) flirte med; spille op til; **3.** (*am.: især om børn*) plage (*for om*); **4.** (*uld*) karte; **5.** (*hår*) toupere;
□ ~ *out* **a.** rede ud (*fx knots in sby's hair*); **b.** (*fig.*) finde frem til (*fx the truth*).

teasel ['ti:z(ə)l] *sb.* (*bot.*) kartebolle.

teaser ['ti:zə] *sb.* **1.** drillepind; plageånd; **2.** vanskeligt//drilagtigt spørgsmål; hård nød; **3.** (*vulg.*) se *cock-tease*; **4.** (*film.*) [*indledningsscene der kommer før personliste etc.*]; **5.** (*film.*) [*kort trailer med højdepunkter*].

tea service, tea set *sb.* testel.

tea shop *sb.* = *tearoom*.

teaspoon ['ti:spu:n] *sb.* **1.** teske; **2.** = *teaspoonful*.

teaspoonful ['ti:spu:nf(ə)l] *sb.* teskefuld [*mål i madlavning: 5 milliliter*].

tea strainer *sb.* tesi.

teat [ti:t] *sb.* **1.** dievorte; patte; **2.** (*på sutteflaske*) sut.

tea towel *sb.* viskestykke.

tea trolley *sb.* rullebord, tevogn.

tea urn *sb.* temaskine.

tea wagon *sb.* (*am.*) rullebord, tevogn.

tec [tek] *sb.* (*glds.* T) = *detective*.

tech [tek] *fork. f.* **1.** *technical college*; **2.** *technology*.

techie ['teki] *sb.* T computernørd.

technical ['teknik(ə)l] *adj.* **1.** teknisk; **2.** (*om sprog*) fag- (*fx language; term*); faglig; **3.** (*jur.*) teknisk, formel (*fx error*);
□ ~ *hitch/glitch/fault* teknisk uheld.

technical college *sb.* teknisk skole; teknisk højskole.

technicality [tekni'kæləti] *sb.* teknisk detalje;
□ *technicalities* (*også*) tekniske enkeltheder; tekniske finesser; *legal technicalities* (*også*) juridiske spidsfindigheder.

technically ['teknik(ə)li] *adv.* **1.** teknisk (*fx feasible*); **2.** teknisk set; formelt set; i teknisk forstand.

technician [tek'niʃn] *sb.* tekniker.

technikon ['teknikɔn] *sb.* (*sydafr.*) = *technical college*.

technique [tek'ni:k] *sb.* teknik, fremgangsmåde.

techno ['teknəu] *sb.* (*mus.*) techno.

technocracy [tek'nɔkrəsi] *sb.* teknokrati.

technocrat ['teknəkræt] *sb.* teknokrat.

technocratic [teknə'krætik] *adj.* teknokratisk.

technological [teknə'lɔdʒik(ə)l] *adj.* teknologisk.

technology [tek'nɔlədʒi] *sb.* teknologi.

technophobe ['teknə(u)fəub] *sb.* modstander af computerteknik.

tectonic [tek'tɔnik] *adj.* (*geol.*) tektonisk [ɔ: *vedrørende jordskorpens opbygning og bevægelser*].

tectonics [tek'tɔniks] *sb.* (*geol.*) tektonik.

Ted [ted] *fork. f.* **1.** *Edward*; **2.** *Theodore*; **3.** = *Teddy boy*.

ted [ted] *adj.* (*hø*) sprede; vende.

Teddy ['tedi] *fork. f.* **1.** *Edward*; **2.** *Theodore*.

teddy bear ['tedibɛə] *sb.* teddybjørn; bamse.

Teddy boy *sb.* (*glds.: i 50'erne*) anderumpe.

tedious ['ti:diəs] *adj.* kedelig; kedsommelig, trættende.

tedium ['ti:diəm] *sb.* kedsomhed; kedsommelighed.

tee[1] [ti:] *sb.* **1.** (*i golf: startsted*) teested; (*pind hvorpå bolden anbringes*) tee; **2.** (*i bowls etc.*) mål; **3.** (*i curling*) [*inderste cirkel i huset*]; **4.** (*am.* T) = *tee shirt*.

tee[2] [ti:] *vb.*: ~ *off* **a.** (*i golf*) starte spillet; **b.** T gå i gang; **c.** (*am.* T: *person*) irritere, gøre gal i hovedet; ~ *up* (*i golf*) lægge bolden klar til startslag.

teed-off [ti:d'ɔf] *adj.* (*am.* T) irriteret; gal i hovedet.

tee-hee[1] [ti:'hi:] *sb.* fnisen.

tee-hee[2] [ti:'hi:] *vb.* fnise.

teem [ti:m] *vb.*: ~ *down* øse ned; ~ *with* myldre med, vrimle af/med.

teeming ['ti:min] *adj.* myldrende fuld; myldrende;
□ *be* ~ *with* se *teem* (*with*).

teen [ti:n] T teenager.

teenage ['ti:neidʒ] *adj.* teenage- (*fx

T teenaged

clothes); halvvoksen (*fx children*).
teenaged ['ti:neidʒd] *adj.* halvvoksen (*fx children*).
teenager ['ti:neidʒə] *sb.* teenager [*mellem 13 og 19 år gammel*].
teens [ti:nz] *sb. pl.*: *in one's* ~ **a.** i teenagealderen (*fx he is in his* ~) [*mellem 13 og 19 år gammel*]; **b.** i teenageårene, som teenager (*fx I was very shy in my* ~).
teeny ['ti:ni] *adj.* T lillebitte.
teenybopper ['ti:nibɔpə] *sb.* (*glds.* S) popfan.
teeny-weeny [ti:ni'wi:ni] *adj.* lillebitte.
teepee ['ti:pi:] *sb.* = *tepee.*
tee shirt *sb.* T-shirt.
teeter ['ti:tə] *vb.* vippe; vakle; □ *be -ing on the brink/edge of* balancere på randen af (*fx war; hysteria*).
teeterboard ['ti:təbɔ:d] *sb.* **1.** vippe; **2.** (*i cirkus*) schleuderbrett.
teeter-totter ['ti:tərtɔtər] *sb.* (*am.*: *i børnesprog*) vippe.
teeth [ti:θ] *pl. af tooth.*
teething[1] ['ti:ðiŋ] *sb.* tandfrembrud.
teething[2] ['ti:ðiŋ] *vb.*: *be* ~ være ved at få tænder; have ondt for tænder.
teething problems *sb. pl.* = *teething troubles.*
teething ring *sb.* bidering.
teething troubles *sb. pl.* **1.** ondt for tænder; **2.** (*fig.*) begyndervanskeligheder; børnesygdomme.
teetotal [ti:'təut(ə)l] *adj.* **1.** totaltafholdende; **2.** (*am.* T) komplet, total.
teetotaller [ti:'təut(ə)lə] *sb.* afholdsmand.
teevee ['ti:vi:] *sb.* fjernsyn.
TEFL *fork. f. teaching English as a foreign language* undervisning i engelsk som fremmedsprog.
Teflon® ['teflɔn] *sb.* teflon [*belægning som intet hænger fast på*].
t.e.g. *fork. f. top edges gilt.*
tel. *fork. f. telephone.*
telecast[1] ['telikæst] *sb.* (*am.*) fjernsynsudsendelse; fjernsynsprogram.
telecast[2] ['telikæst] *vb.* (*am.*) udsende i fjernsyn.
telecommunications [telikəmju:ni-'keiʃnz] *sb. pl.* telekommunikation [*overføring af meddelelser pr. telefon, telegraf, radio, tv etc.*].
telecommuter [telikə'mju:tə] = *teleworker.*
telecommuting [telikə'mju:tiŋ] = *teleworking.*
telefilm ['telifilm] *sb.* (*am.*) fjernsynsfilm.
telegenic [teli'dʒenik] *adj.* som har fjernsynstække; som gør sig i tv.

telegram ['teligræm] *sb.* telegram.
telegraph[1] ['teləgra:f, -græf] *sb.* telegraf.
telegraph[2] ['teləgra:f, -græf] *vb.* **1.** telegrafere; **2.** (T: *fig.*) signalere.
telegraphese [teləgrə'fi:z] *sb.* telegramstil.
telegraphic [telə'græfik] *adj.* telegrafisk.
telegraph key *sb.* telegrafnøgle.
telegraph pole *sb.* telegrafpæl, telefonpæl.
telegraphy [ti'legrəfi] *sb.* telegrafi.
telemarketing [teli'ma:ketiŋ] *sb.* (*merk.*) telemarketing; telefonmarkedsføring, telefonsalg.
Telemessage® ['telimesidʒ] *sb.* brevtelegram.
telemetry [ti'lemitri] *sb.* telemetri, afstandsmåling.
teleological [teliə'lɔdʒik(ə)l] *adj.* teleologisk.
teleology [teli'ɔlədʒi] *sb.* teleologi [*læren om verdensordenens hensigtsmæssighed*].
telepathic [teli'pæθik] *adj.* telepatisk.
telepathy [ti'lepəθi] *sb.* telepati, tankeoverføring.
telephone[1] ['telifəun] *sb.* telefon; (se også *phone*[1]).
telephone[2] ['telifəun] *vb.* telefonere; (se også *phone*[2]).
telephone booth, telephone box *sb.* telefonboks.
telephone call *sb.* telefonopringning; telefonsamtale; □ *make a* ~ foretage en telefonopringning, ringe op, ringe.
telephone directory *sb.* telefonbog.
telephone exchange *sb.* telefoncentral.
telephone number *sb.* telefonnummer.
telephone operator *sb.* (*am.*) = *telephonist.*
telephonist [ti'lefənist] *sb.* telefonist; en der passer omstillingen; omstillingsdame.
telephony [ti'lefəni] *sb.* telefoni; telefonering.
telephoto [teli'fəutəu], **telephoto lens** *sb.* telelinse.
teleport ['telipɔ:t] *sb.* (*til telekommunikation*) satellitjordstation.
teleportation [telipɔ:'teiʃn] *sb.* teleportering.
teleprinter ['teliprintə] *sb.* fjernskriver.
Teleprompter® ['telipromptə] *sb.* (*am.*) teleprompter; tv-speakers rulletekst.
telesales ['teliseilz] *sb.* (*merk.*) telefonsalg, telefonmarkedsføring.
telescope[1] ['teliskəup] *sb.* kikkert, teleskop.

telescope[2] ['teliskəup] *vb.* **1.** skyde sammen; klemme sammen; **2.** (*fig.*) forkorte; trænge sammen; **3.** (*uden objekt*) kunne skydes sammen; blive trykket ind i hinanden.
telescopic [teli'skɔpik] *adj.* **1.** teleskopisk, kikkert- (*fx lens*); **2.** teleskopisk, sammenskydelig (*fx umbrella*).
Teletext® ['telitekst] *sb.* teletekst.
telethon ['teliθɔn] *sb.* (*tv*) [*maratonudsendelse til fordel for indsamling*].
teletypewriter [teli'taipraitər] *sb.* (*am.*) fjernskriver.
televangelist [teli'vændʒəlist] *sb.* vækkelsesprædikant på tv; netmissionær.
televiewer ['telivju:ə] *sb.* fjernsynsseer.
televise ['telivaiz] *vb.* sende i fjernsynet/tv; vise på fjernsynet/tv.
television ['televiʒ(ə)n, teli'viʒ(ə)n] *sb.* **1.** fjernsyn, tv; **2.** (*apparat*) fjernsynsapparat, fjernsyn, tv; □ *on* ~ i/på fjernsynet/tv (*fx show it on* ~); *appear on* ~ komme i fjernsynet/tv; optræde i/på fjernsyn(et)/tv.
television set *sb.* = *television 2.*
teleworker ['teliwə:kə] *sb.* fjernarbejder.
teleworking [teli'wə:kiŋ] *sb.* distancearbejde; fjernarbejde; telearbejde.
telex[1] ['teleks] *sb.* telex.
telex[2] ['teleks] *vb.* telexe.
tell [tel] *vb.* (*told, told*) (se også *telling*) **1.** fortælle (*fx a story; a joke;* ~ *me what is wrong*); **2.** (*besked*) fortælle, sige til (*fx* ~ *her that it is all over*); meddele; **3.** (*ordre*) give besked; (se også ndf.: ~ *sby to*); **4.** (*især med can//could: hvordan noget forholder sig*) afgøre (*fx I couldn't* ~ *which of them was the teacher; it is difficult to* ~ *how it is done*); bedømme (*fx as far as I can* ~); vide (*fx how can you* ~ *that he is German?*); se (*fx you can* ~ *they're in love*); **5.** (*fig.*) vise (*fx her face told her joy*); vidne om; **6.** (*uden objekt*) kunne mærkes//ses//spores (*fx his years// the pressure began to* ~); gøre sin virkning, gøre sig gældende; (se også ndf.: ~ *on*); **7.** T sladre (*fx please don't* ~ *!*);
□ *be told* få at vide, høre, erfare, få besked; (se også *twice*); *do as/what you are told!* gør hvad der bliver sagt! *be told to* få besked om at; blive bedt om at; *you never can* ~ man kan aldrig vide; ~ *the difference* kende forskel (*between* på);

~ *sby goodby* (*am.*) sige farvel til en; (se også *fortune, lie, tale, time¹, truth*);

[*med pron.*] **all** *told* alt iberegnet; ~ *me* **another** den må du længere ud på landet med; *you're -ing* **me!** (*ironisk*) det siger du ikke! *I ~* **you** jeg forsikrer dig; du kan tro; *I'm -ing you!* det er en ordre! *I told you so!*, **what** *did I ~ you!* hvad sagde jeg! det sagde jeg jo! sagde jeg det ikke nok! *I'll ~ you what* T hør engang; ved du hvad; nu skal du høre; ~ *him what to do* fortælle ham/sige til ham hvad han skal gøre;

[*med præp.& adv.*] ~ **about** a. fortælle om; **b.** (*fig.*) vidne om; ~ *me about it!* T det ved jeg alt om! ~ **against** tale imod (*fx this -s against choosing him*); ~ *them* **apart** skelne dem fra hinanden; skelne imellem dem; ~ **by** kende på (*fx I can ~ him by his voice*); ~ **from** a. skelne fra (*fx I can't ~ one from the other*); **b.** vide fra (*fx I can ~ it from his accent*); **c.** kende på (*fx you can ~ a blackbird from its song*); ~ **in fa- vour of** tale for (*fx this -s in fa- vour of choosing him*); ~ **of** (*litt.*) fortælle om (*fx he told of foreign lands*); *I was told of his death* jeg fik besked om hans død; ~ *sby* **off** skælde én ud; give én en balle/ opsang; ~ **on** a. virke på; tage på; kunne mærkes på (*fx his age is beginning to ~ on him*); **b.** (*især i børnesprog*) sladre om; ~ *sby* **to** sige til en at han//hun skal, give en besked om at, bede en om at (*fx ~ him to come at once*); ~ *him how//when to* fortælle ham/ sige til ham hvordan//hvornår han skal (*fx do it*); *he told it to them* han fortalte det til dem; han fortalte dem det; (se også *marine*).

teller ['telə] *sb.* **1.** fortæller (*fx of jokes*); **2.** (*parl.*) stemmeoptæller; **3.** (*især am.: i bank*) kasserer; bankassistent; **4.** (*am.: automat*) kontantautomat;
□ *a ~ of lies* en løgnhals; (se også *fortune teller*).

telling¹ ['teliŋ] *sb.* fortællen; fortæl- ling;
□ *that would be ~!* T det siger jeg ikke! *there is no ~* det er ikke til at sige/vide, man kan ikke vide (*fx if he'll come; what he'll do*); *the story lost nothing in the ~* hi- storien blev ikke kedeligere ved at blive genfortalt.

telling² ['teliŋ] *adj.* **1.** sigende (*fx look*); afslørende (*fx example*); **2.** (*om virkning*) virkningsfuld (*fx argument*); kraftig, følelig (*fx blow*);
□ *his most ~ weakness* hans mest fremtrædende svaghed.

telling-off [teliŋ'ɔf] *sb.* overhaling, balle, opsang.

telltale¹ ['telteil] *sb.* **1.** sladder- hank; **2.** (*tekn.*) kontrolapparat; registreringsapparat.

telltale² ['telteil] *adj.* afslørende.

telltale clock *sb.* kontrolur.

telltale compass *sb.* sladrekompas.

tellurian¹ [tel'juəriən] *sb.* (*litt.*) jordboer.

tellurian² [tel'juəriən] *adj.* (*litt.*) jordisk.

tellurium [tel'juəriəm] *sb.* tellur [*et grundstof*].

telly ['teli] *sb.* T fjernsyn;
□ *the ~* (*også*) fjerneren; *watch the ~* se fjernsyn.

temblor ['temblər, -blɔ:r] *sb.* (*am.*) jordskælv; jordrystelse.

temerity [ti'merəti] *sb.* (*F: neds.*) dristighed; skamløshed, frækhed.

temp¹ [temp] *sb.* T vikar; kontorvi- kar.

temp² [temp] *vb.* T arbejde som vi- kar/kontorvikar.

temp³ *fork. f. temperature.*

temp agency *sb.* vikarbureau.

temper¹ ['tempə] *sb.* **1.** (*persons*) natur, sind (*fx a difficult ~*); ge- myt (*fx an even* (roligt) *~*); **2.** (*voldsomt*) temperament (*fx he must learn to control his ~*); hid- sigt temperament; hidsighed; **3.** (*om metal*) hårdhed; hærd- ningsgrad;
□ *~, ~!* tag det roligt! ikke så hid- sig!; (se også *flare², frayed, short²*); [*med vb.*] *he has quite a ~* han har temperament; *keep one's ~* beherske sig, lægge bånd på sig; *lose one's ~* se ndf.: *get into a ~*; *recover one's ~* genvinde sindsli- gevægten;
[*med præp.*] *in a ~* i krigshumør, ophidset, rasende; *in a fit of ~* i hidsighed; *in a good//bad ~* i godt//dårligt humør; *get//fly* **into** *a ~* miste besindelsen; blive hidsig/ rasende; *be* **out of** *~* være vred; være gal i hovedet.

temper² ['tempə] *vb.* **1.** F mildne; dæmpe, moderere (*fx one's enthu- siasm*); **2.** (*metal*) hærde.

tempera ['tempərə] *sb.* tempera- farve.

temperament ['temp(ə)rəmənt] *sb.* **1.** temperament (*fx an artistic ~; a fiery ~*); gemyt (*fx a calm ~*); sind; **2.** (*mus.*) temperatur.

temperamental [temp(ə)rə'ment(ə)l] *adj.* **1.** tempe- ramentsfuld (*fx she is very ~*); **2.** F temperamentsbestemt (*fx dif- ferences*); **3.** (*spøg.: om ting*) lune- fuld, uberegnelig.

temperamentally [temp(ə)rə'ment(ə)li] *adv.* tempe- ramentsmæssigt; af temperament/ gemyt.

temperance ['temp(ə)rəns] *sb.* af- holdenhed; ædruelighed.

temperate ['temp(ə)rət] *sb.* **1.** (*om klima*) tempereret; **2.** (*F: om per- son*) behersket, moderat, måde- holden.

temperature ['temprətʃə] *sb.* tem- peratur;
□ *develop a ~* få feber; *run/have a ~* have feber.

tempest ['tempist] *sb.* **1.** (*litt.*) storm; uvejr; **2.** (*fig.*) storm, oprør, stor opstandelse.

tempestuous [tem'pestʃuəs] *adj.* (*litt.*) stormfuld; stormende; dra- matisk.

template ['templət] *sb.* **1.** skabelon; **2.** (*fig.*) mønster, skabelon (*for* for).

temple ['templ] *sb.* **1.** tempel; **2.** (*anat.*) tinding; **3.** (*am.*) brille- stang.

tempo ['tempəu] *sb.* (*pl. -s/tempi* ['tempi:]) tempo.

temporal ['temp(ə)r(ə)l] *adj.* **1.** tids- mæssig; tids-; **2.** (*rel.*) timelig, verdslig; **3.** (*anat.*) tindinge- (*fx bone*).

temporary ['temp(ə)r(ə)ri] *adj.* midlertidig; foreløbig; interimi- stisk.

temporize ['tempəraiz] *vb.* (*F: neds.*) søge at vinde tid, trække ti- den ud; nøle, tøve.

tempt [temt] *vb.* **1.** friste; **2.** lokke (*fx ~ him away//back*);
□ *~ fate/providence* udfordre skæbnen; *~ sby into + -ing* lokke en til at (*fx coming along; buying the computer*); *~ sby to* lokke en til at (*fx have another cake*); *I am -ed to* jeg fristes til at.

temptation [tem'teiʃn] *sb.* fristelse.

temptress ['temtrəs] *sb.* (*spøg.*) fri- sterinde.

ten¹ [ten] *sb.* **1.** tital; **2.** (*spillekort*) tier;
□ *the ~ of clubs//hearts etc.* klør// hjerter etc. ti.

ten² [ten] *talord* ti; (se også *penny*).

tenable ['tenəbl] *adj.* holdbar (*fx argument; theory*); logisk; som kan forsvares (*fx position*);
□ *be ~ for five years* (om embede etc.) kunne indehaves i fem år.

tenacious [tə'neiʃəs] *adj.* **1.** (*om person*) vedholdende, hårdnakket, ihærdig; **2.** (*om anskuelse etc.*) rodfæstet, indgroet; sejlivet (*fx a

T tenacity

~ *local legend*); □ *be ~ of* (*jf. 1*) holde ihærdigt/stædigt fast ved.

tenacity [ti'næsiti] *sb.* vedholdenhed, hårdnakkethed, ihærdighed; □ ~ *of life* sejlivethed; ~ *of purpose* målbevidsthed.

tenancy ['tenənsi] *sb.* **1.** leje; lejemål; **2.** (*af jord*) forpagtning.

tenant¹ ['tenənt] *sb.* **1.** lejer; beboer; **2.** (*af jord*) forpagter.

tenant² ['tenənt] *vb.* **1.** leje; bebo; **2.** (*jord*) forpagte.

tenant at will *sb.* [*lejer der kan opsiges uden varsel*].

tenant farmer *sb.* forpagter.

tenantry ['tenəntri] *sb.* (*glds.*) forpagtere.

tench [ten(t)ʃ] *sb.* (*zo.*) suder [*en ferskvandsfisk*].

tend [tend] *vb.* F passe (*fx the garden*); tage sig af (*fx the wounded*); pleje;
□ ~ *downwards* have en nedadgående retning; have en faldende tendens; ~ *to a.* have tilbøjelighed til (*fx his family ~ to overweight*); **b.** (*nogens behov; apparat, maskine*) passe, tage sig af (*fx the injured*; *the grill*); **c.** (+ *inf.*) have tilbøjelighed/en tendens til at, være tilbøjelig til at (*fx exaggerate*); **d.** gerne/oftest være (*fx the winters ~ to be cold*); *I ~ to* (*om holdning*) jeg er tilbøjelig til at (*fx agree with you*; *think that they are right*); ~ *towards* **a.** tendere mod, hælde til (*fx his taste -s towards the traditional*); **b.** (*ved valg*) hælde til, være tilbøjelig til at foretrække (*fx I ~ towards his plan rather than yours*); ~ *upwards* have en opadgående retning; have en stigende tendens.

tendency ['tendənsi] *sb.* tendens; tilbøjelighed.

tendentious [ten'denʃəs] *adj.* tendentiøs.

tender¹ ['tendə] *sb.* **1.** (*merk.*) licitationstilbud; tilbud; **2.** (*jernb.*) tender; **3.** (*mar.*) skibsjolle;
□ *invite -s for sth, put sth out for/to* ~ udbyde noget i licitation; *put in/submit -s for* afgive tilbud på; *win the ~* få tilkendt arbejdet//leverancen; (se også *legal tender*).

tender² ['tendə] *adj.* **1.** øm, kærlig (*fx feelings*; *glance*; *smile*); omsorgsfuld; **2.** (*fx om berøring, mods. hård*) blid, nænsom (*fx touch*); **3.** (*om plante*) sart; **4.** (*mht. alder*) spæd (*fx buds*; *leaves*); **5.** (*om del af kroppen*) øm (*fx gums*; *feet*); **6.** (*fig.*) ømtålelig (*fx subject*); **7.** (*om kød*) mør;

8. (*mar.: om båd*) rank [ɔ: *som let krænger*];
□ *at a ~ age* F i en ung alder; *of ~ age* F purung; ~ *loving care* (*spøg.*) kærlig omsorg; *a ~ conscience* en fintmærkende samvittighed; *a ~ spot* et ømt punkt; *their ~ years* F deres spæde alder; *of ~ years* F purung.

tender³ ['tendə] *vb.* F indgive (*fx a proposal*); fremføre (*fx one's thanks*); give (*fx the exact fare*); (se også *resignation*);
□ ~ *for* (*ved licitation*) give tilbud på; byde på.

tenderfoot ['tendəfut] *sb.* (*især am.*) nyankommen; begynder; novice.

tender-hearted [tendə'ha:tid] *adj.* F varmhjertet; hjertevarm; god.

tenderize ['tendəraiz] *vb.* (*kød*) gøre mørt, mørne.

tenderloin ['tendələin] *sb.* mørbrad; filet.

tendon ['tendən] *sb.* sene.

tendril ['tendril] *sb.* **1.** (*bot.*) slyngtråd, klatretråd; **2.** (*af hår*) lok; tjavs.

tenement ['tenəmənt] *sb.* **1.** udlejningsejendom, lejlighedskompleks; (*neds.*) lejekaserne; **2.** (*især am. el. skotsk*) lejlighed; **3.** (*jur.*) ejendom.

tenement house *sb.* se *tenement 1.*

tenet ['tenet] *sb.* grundprincip, grundregel; læresætning, maksime.

tenfold¹ ['tenfəuld] *adj.* tidobbelt; tifold.

tenfold² ['tenfəuld] *adv.* ti gange.

ten-gallon hat [tengælən'hæt] *sb.* (*am.*) [*stor bredskygget cowboyhat*].

Tenn. *fork. f. Tennessee.*

tenner ['tenə] *sb.* T **1.** tipundsseddel; **2.** (*am.*) tidollarseddel.

tennis ['tenis] *sb.* tennis.

tennis court *sb.* tennisbane.

tennis elbow *sb.* (*med.*) tennisalbue.

tenon ['tenən] *sb.* (*i snedkeri*) tap; sinketap.

tenon saw *sb.* listesav.

tenor ['tenə] *sb.* (*mus.*) tenor;
□ *the ~ of* F **a.** hovedindholdet i, det centrale i (*fx his speech*); **b.** tonen i, stemningen i (*fx the discussions*); *the even ~ of his life* hans livs rolige forløb/bane.

tenpin bowling [tenpin'bəuliŋ] *sb.* bowling.

tenrec ['tenrek] *sb.* (*zo.*) tanrek, børstesvin.

tense¹ [tens] *sb.* (*gram.*) tid, tempus.

tense² [tens] *adj.* **1.** (*om muskel,*

krop etc.) spændt; **2.** (*om person*) anspændt, nervøs; **3.** (*om situation, stemning*) spændt; anspændt.

tense³ [tens] *vb.* **1.** spænde (*fx one's muscles*); **2.** (*uden objekt*) spændes; (*om person*) blive anspændt;
□ ~ *up* = ~; *-d up* **a.** spændt; **b.** (*om person*) anspændt; nervøs.

tensile ['tensail, (*am.*) -sl] *adj.* **1.** strækbar; **2.** stræk- (*fx test*).

tensile strength *sb.* (*tekn.*) trækstyrke; trækbrudstyrke.

tension ['tenʃn] *sb.* **1.** (*følelse*) anspændthed, nervøsitet; spænding; **2.** (*politisk*) spændt forhold (*fx between two nations*); **3.** (*mellem forskellige tendenser*) spænding, konflikt (*fx between freedom and control*); **4.** (*om reb etc.*) spændthed, stramhed; spænding, stræk.

ten-speed bicycle [tenspi:d'baisikl] *sb.* tigearscykel.

tent [tent] *sb.* telt;
□ *put up/pitch/erect a ~* slå et telt op; rejse et telt; *strike a ~* tage et telt ned.

tentacle ['tentəkl] *sb.* **1.** tentakel, føletråd; (*fx hos blæksprutte*) fangarm; **2.** (*fig.*) fangarm.

tentative ['tentətiv] *adj.* **1.** tentativ, foreløbig (*fx plan*; *conclusion*); **2.** (*om handling*) prøvende (*fx steps*); forsigtig, tøvende (*fx attempt*; *smile*); forsøgsvis.

tenterhooks ['tentəhuks] *sb. pl.: on ~* (*fig.*) meget spændt; som på nåle.

tent flap *sb.* teltdør.

tenth¹ [tenθ] *sb.* tiendedel.

tenth² [tenθ] *adj.* tiende.

tent peg *sb.* teltpløk.

tenuous ['tenjuəs] *adj.* svag, spinkel (*fx connection*); tynd (*fx excuse*).

tenure ['tenj(u)ə] *sb.* **1.** (*jur.*) besiddelsesform; **2.** (*af embede*) indehavelse; **3.** (*tid*) embedsperiode; **4.** (*især am.: i universitetsstilling etc.*) fast ansættelse;
□ *security of ~* **a.** (*i embede*) ansættelsestryghed; **b.** (*om lejer*) uopsigelighed;
[*med vb., jf. 4*] *get ~* blive fastansat; *give sby ~* fastansætte en; *have ~* være fastansat.

tenured ['tenjuəd] *adj.* fastansat.

tenure-track ['tenjərtræk] *adj.* (*am.: om universitetsstilling*) [*som fører//kan føre til fast ansættelse*].

tepee ['ti:pi:] *sb.* tipi, indianertelt.

tepid ['tepid] *adj.* (*også fig.*) lunken.

tepidity [te'pidəti] *sb.* lunkenhed; lunken tilstand.

tequila [teˈkiːlə] *sb.* tequila.
tercentenary [təːsenˈtiːnəri, (*am.*)
tərˈsentəneri, tərsenˈtenəri] *sb.* tre-
hundredårsdag.
tercentennial [təːsenˈteniəl] *sb.*
(*især am.*) = *tercentenary.*
terebinth [ˈterəbinθ] *sb.* (*bot.*) ter-
pentintræ.
teredo [təˈriːdəu] *sb.* (*zo.*) pæleorm.
tergiversation [təːdʒivəːˈseiʃn] *sb.*
vaklen, vægelsindethed;
□ *-s* skiftende standpunkter; ud-
flugter.
term[1] [təːm] *sb.* **1.** periode (*fx
elected for a four-year* ~); tid (*fx
~ of office* embedstid); (se også
prison term); **2.** (*især merk.*) frist,
termin; (*om aftale etc.*) løbetid;
3. (F: *om graviditet*) termin; **4.** (*i
undervisning*) termin; semester;
5. (*sproglig*) fagudtryk, fagord,
term (*fx a legal* ~); (se også ndf.: *-s,
b*); **6.** (*mat.*) led;
□ *-s* **a.** betingelser (*fx we had to
accept their -s*); vilkår; (*merk.
også*) pris (*fx the -s are £20 a
day*); **b.** (*sprogligt*) udtryk, ven-
dinger (*fx flattering -s*); *-s of refer-
ence* **a.** (*for udvalg, undersøgelse*)
kommissorium; **b.** (*am.*) referen-
ceramme; *-s of trade* bytteforhold;
(se også *abuse*[1], *endearment*, *im-
prisonment*);
[*med præp.*] *in artistic*//*psycho-
logical -s* kunstnerisk//*psykolo-
gisk set; in flattering*//*strong -s* (*jf.
-s, b*) i smigrende//*stærke vendin-
ger;* (se også *contradiction*, gen-
eral[2], *real terms, uncertain*); *in
the long/medium/short* ~ se *long*[1],
medium[2], *short*[2]; *in -s of* **a.** ud-
trykt i, målt i (*fx money*); **b.** med
hensyn til, i henseende til (*fx sav-
ings in -s of time and money*); *in
-s of high praise* i meget rosende
vendinger; *be thinking in -s of +
-ing* overveje at (*fx retiring*); *on
good*//*familiar -s* på god//*fortrolig
fod; on equal/the same -s* på lige
fod; *on easy -s* på lempelige vil-
kår/betingelser; *on his -s* på hans
betingelser/præmisser; *bring sby
to -s* få en til at gå ind på betingel-
serne, få en til at falde til føje;
come to -s with **a.** (*person*)
komme til enighed med; **b.** (*for-
hold*) affinde sig med; lære at leve
med.
term[2] [təːm] *vb.* benævne; kalde.
termagant [ˈtəːməgənt] *sb.* arrig
kvinde, drage, furie.
terminable [ˈtəːminəbl] *adj.* opsige-
lig; som kan bringes til ophør;
som kan ophæves.
terminal[1] [ˈtəːmin(ə)l] *sb.* **1.** (*flyv.,
mar., it*) terminal; **2.** (*elek.*) pol,

tilslutning; klemskrue.
terminal[2] [ˈtəːmin(ə)l] *adj.* **1.** (*om
sygdom*) terminal, dødelig; **2.** (*om
patient*) døende; **3.** T ekstrem (*fx
boredom*); **4.** (*merk. & i under-
visning etc.*) termins- (*fx pay-
ments; report* vidnesbyrd);
5. (*bot.*) endestillet; ende- (*fx bud;
flower*)
□ *be in* ~ *decline* gå sin under-
gang i møde; synge på det sidste
vers.
terminal moraine *sb.* (*geol.*) rand-
moræne.
terminal velocity *sb.* (*fys.*) slutha-
stighed.
terminate [ˈtəːmineit] *vb.* F **1.** af-
slutte; bringe til ophør; **2.** (*aftale*)
ophæve; opsige; **3.** (*uden objekt*)
ophøre; udløbe;
□ ~ *a pregnancy* afbryde et svan-
gerskab; *the train will* ~ *at Strat-
ford* toget kører kun til Stratford.
termination [təːmiˈneiʃn] *sb.* **1.** af-
slutning; ophør; udløb; **2.** (*af af-
tale*) ophævelse; opsigelse; **3.** (*af
svangerskab*) afbrydelse.
terminology [təːmiˈnɔlədʒi] *sb.* ter-
minologi.
terminus [ˈtəːminəs] *sb.* (*pl. termini*
[-nai]) endestation.
termite [ˈtəːmait] *sb.* (*zo.*) termit.
term paper *sb.* (*am.*) semesterop-
gave; (*i skole også*) speciale.
terms *sb. pl.* se *term*[1].
tern [təːn] *sb.* (*zo.*) terne.
ternary [ˈtəːnəri] *adj.* **1.** tre-;
2. (*mat., it*) ternær.
terrace [ˈterəs] *sb.* **1.** terrasse;
2. [*række af rækkehuse*]; **3.** ræk-
kehus;
□ *-s* (*på fodboldstadion*) ståplad-
ser.
terraced [ˈterəst] *adj.* terrasseret;
inddelt i terrasser.
terraced house *sb.* rækkehus.
terracotta [terəˈkɔtə] *sb.* **1.** terra-
kotta; **2.** (*farve*) terrakottarødt.
terra firma [terəˈfəːmə] *sb.* fast
grund;
□ *get back on* ~ *again* få fast
grund under fødderne igen.
terrain [təˈrein] *sb.* terræn.
terrapin [ˈterəpin] *sb.* (*zo.*)
1. sumpskildpadde; **2.** (*am.*)
knopskildpadde.
terrestrial [təˈrestriəl] *adj.* **1.** ter-
restrisk; jordisk; jord-; **2.** (*om dyr*)
som lever på land; **3.** (*om plante*)
som vokser på land; **4.** (*tv*) ikke
satellittransmitteret.
terrestrial globe *sb.* globus.
terrible [ˈterəbl] *adj.* forfærdelig;
frygtelig.
terrier [ˈteriə] *sb.* (*zo.*) terrier.
terrific [təˈrifik] *adj.* T **1.** fantastisk

(*fx we had a* ~ *day*); vidunderlig;
2. (*om størrelse etc.*) fantastisk,
enorm (*fx height; speed*); mægtig.
terrifically [təˈrifikəli] *adv.* T fan-
tastisk, enormt.
terrified [ˈterifaid] *adj.* skræksla-
gen, rædselsslagen (*of* for; *that* for
at).
terrify [ˈterifai] *vb.* skræmme fra
vid og sans; forfærde.
terrifying [ˈterifaiiŋ] *adj.* skræm-
mende; frygtelig; forfærdende.
terrine [teˈriːn] *sb.* **1.** lågfad af ler;
2. (*ret*) terrine.
territorial[1] [teriˈtɔːriəl] *sb.* (*omtr.*)
medlem af hjemmeværnet; hjem-
meværnsmand.
territorial[2] [teriˈtɔːriəl] *adj.* **1.** terri-
torial, territorial-; **2.** (*om dyr*) som
vogter sit territorium.
Territorial Army *sb.: the* ~ (*omtr.*)
hjemmeværnet.
territorial waters *sb. pl.* territorial-
farvand.
territory [ˈterit(ə)ri] *sb.* **1.** område;
territorium; **2.** (*dyrs*) territorium;
3. (*fig.: fag*) område;
□ *it goes/comes with the* ~ det
følger med bestillingen; det er no-
get der følger med.
terror [ˈterə] *sb.* **1.** skræk, rædsel
(*of* for); **2.** (*pol.*) terror; (se også
holy terror, reign (*of terror*));
□ *-s* rædsler; *it has/holds no* ~ *for
me* det skræmmer mig ikke; *live
in* ~ *of one's life* leve i stadig
angst for sit liv.
terrorism [ˈterərizm] *sb.* terro-
risme; terror.
terrorist[1] [ˈterərist] *sb.* terrorist.
terrorist[2] [ˈterərist] *adj.* ter-
roristisk; terror- (*fx attack*).
terrorize [ˈterəraiz] *vb.* terrorisere.
terror-stricken [ˈterəstrik(ə)n] *adj.*
skrækslagen, rædselsslagen.
terry [ˈteri] *sb.* frotté.
terse [təːs] *adj.* kort; kortfattet, ord-
knap, abrupt.
tertiary [ˈtəːʃəri] *adj.* **1.** tertiær;
tredje; **2.** (*mht. betydning*) som
kommer i tredje række; **3.** (*om ud-
dannelse*) højere; videregående.
tertiary industry *sb.* serviceindu-
stri; serviceerhverv.
TESL *fork. f. teaching English as a
secondary language* undervisning
i engelsk som andetsprog.
TESOL *fork. f. teaching English to
speakers of other languages* un-
dervisning af fremmedsprogede i
engelsk.
TESSA *fork. f. Tax Exempt Special
Savings Account* skattebegunsti-
get opsparingskonto.
tessellated floor [tesəleitidˈflɔː] *sb.*
mosaikgulv.

T test

test[1] [test] sb. 1. prøve; test;
2. (med.) undersøgelse (fx blood//
eye//urine ~); analyse; 3. (psyk.)
test; 4. (T: i sport) landskamp;
□ it was a ~ of his courage det
satte hans mod på prøve; stand
the ~ bestå prøven; stand the ~
of time stå sin prøve [i tidens løb];
bevare sin popularitet; put to the
~ sætte på prøve.
test[2] [test] vb. 1. (apparat, maskine) afprøve, teste; 2. (person,
mht. kundskaber, evner) teste,
prøve; (se også ndf.: ~ on); 3. (mht.
udholdenhed, holdbarhed) sætte
på prøve (fx his power of endurance; their marriage); 4. (med.)
undersøge (for for, fx diabetes);
teste (for for);
□ ~ for se ovf.: 4; ~ it for accuracy//ripeness prøve om den er
præcis//moden; he -ed negative//
positive for HIV prøven for hiv
var negativ//positiv; ~ sby on
a. høre en i (fx chemical formulae); b. (jf. 2) prøve en i (fx British
history); ~ out prøve i praksis; (se
også water[1]).
testament ['testəmənt] sb. testamente;
□ be ~ to F bære vidnesbyrd om;
vidne om.
testamentary [testə'ment(ə)ri] adj.
testamentarisk.
test ban sb. atomprøvestop.
test bed sb. prøveanlæg; prøvestand.
test card sb. (tv) prøvebillede.
test case sb. (jur.) principiel sag;
prøvesag.
test drive sb. prøvekørsel.
test-drive ['testdraiv] vb. prøvekøre.
tester ['testə] sb. 1. prøveapparat,
tester; 2. (person) tester; kontrollant; 3. (over seng) baldakin, sengehimmel.
test flight sb. prøveflyvning.
testicle ['testikl] sb. testikel.
testicular [te'stikjulə] adj. testikel-.
testify ['testifai] vb. (i retten) vidne
(against imod; for for); afgive vidneforklaring/vidneudsagn;
□ ~ that a. (i retten) forklare at;
b. (om garanti) bevidne at, bekræfte at (fx he is reliable);
c. (fig.) være vidnesbyrd om at (fx
the open door testified that he
had left in a hurry); vidne om; ~
to F a. bevidne (fx his reliability);
b. (fig.) være vidnesbyrd om,
vidne om (fx the ruins ~ to the
existence of a prehistoric civilization).
testimonial [testi'məuniəl] sb. 1. erklæring; attest; 2. (glds.: til ar-

bejdsgiver) skudsmål; anbefaling;
3. (som anerkendelse) hædersgave; 4. (i fodbold etc.) [afskedskamp hvor entreindtægten går til
den afgående spiller].
testimonial dinner sb. æresbanket.
testimonial match sb. se testimonial 4.
testimony ['testiməni] sb. vidneudsagn, vidneforklaring; erklæring;
□ be a ~ of, be ~ to være vidnesbyrd om; bevidne.
testing ['testiŋ] adj. belastende,
krævende.
test match sb. landskamp.
test pattern sb. (tv, am.) prøvebillede.
test pilot sb. testpilot; indflyver.
test run sb. prøvekørsel.
test tube sb. reagensglas.
test-tube baby ['testtju:bbeibi] sb.
reagensglasbarn.
testudo [te'stju:dəu] sb. 1. (hist.)
skjoldtag; skjoldborg; 2. (zo.)
landskildpadde.
testy ['testi] adj. irritabel, opfarende.
tetanus ['tetənəs] sb. stivkrampe.
tetchy ['tetʃi] adj. (glds.) gnaven,
pirrelig.
tête-à-[1]tête [teitə'teit] sb.
tête-a-tête; samtale under fire
øjne.
tête-à-[2]tête [teitə'teit] adv. (F el.
spøg.) under fire øjne.
tether[1] ['teðə] sb. tøjr;
□ be at the end of one's ~ ikke
kunne (holde til) mere; have udtømt sine kræfter.
tether[2] ['teðə] vb. tøjre.
Teuton ['tju:tən] sb. 1. (hist.) teutoner; 2. (neds.) tysker.
Teutonic [tju:'tɔnik] adj. 1. teutonsk; 2. T germansk, tysk.
Tex. fork. f. Texas.
Texas ['teksəs].
Tex-Mex [teks'meks] adj. mexikansk-amerikansk [af: Texas +
Mexico].
text[1] [tekst] sb. 1. tekst; 2. (rel.)
skriftsted; 3. (fig.) emne; 4. (am.)
lærebog.
text[2] [tekst] vb. sende en SMS-besked.
textbook[1] ['tekstbuk] sb. lærebog.
textbook[2] ['tekstbuk] adj. klassisk;
typisk.
textbook example sb. skoleeksempel.
textile ['tekstail] sb. tekstil; stof.
texting ['tekstiŋ] sb. det at udveksle sms-beskeder.
text message sb. tekstbesked,
sms-besked.
text processing sb. (it) tekstbehandling.

textual ['tekstʃuəl] adj. tekst- (fx
analysis).
textural ['tekstʃərəl] adj. stoflig (fx
effect).
texture ['tekstʃə] sb. 1. (om stof,
substans) tekstur; struktur, konsistens; 2. (om tekstil) tekstur, vævning; 3. (i musik, litteratur) struktur, opbygning.
TGWU fork. f. Transport and General Workers' Union.
Thai[1] [tai] sb. 1. (person) thailænder; 2. (sprog) thai.
Thai[2] [tai] adj. thailandsk.
thalidomide [θə'lidəmaid] sb. thalidomid.
Thames [temz]: the ~ Themsen;
set the ~ on fire se fire[1].
than[1] [ðən, (betonet) ðæn] konj.
end (fx he showed more courage
~ was to be expected).
than[2] [ðən, (betonet) ðæn] præp.
end (fx we need go no farther ~
France); (se også other).
thane [θein] sb. (hist.) lensmand.
thank [θæŋk] vb. takke;
□ ~ God, ~ goodness/heavens
gud være lovet; gudskelov; ~ you
tak; (se også thank-you); no, ~ you
nej tak; ~ you very much
a. mange tak; b. (afvisende) ellers
mange tak; ~ you for nothing (ironisk) tak for hjælpen; I will ~ you
to (F: irriteret) vær så venlig at (fx
leave my affairs alone); have sby
to ~ for skylde en tak for; you
have only yourself to ~ det har
du kun dig selv at takke for; det
er din egen skyld.
thankful ['θæŋkf(u)l] adj. taknemlig.
thankfully ['θæŋkf(u)li] adv. 1. taknemligt; 2. (sætningsadv.) heldigvis, gudskelov (fx ~, I wasn't
hurt).
thankless ['θæŋkləs] adj. utaknemlig.
thanks [θæŋks] sb. pl. tak;
□ give ~ takke Gud; (se også return[2]); ~ a bunch/lot (ironisk) tak
for hjælpen; ~ very much T
mange tak; many ~ F mange tak;
no ~ nej tak; propose a vote of ~
holde en takketale (to for); ~ to
takket være (fx ~ to his help I
succeeded); we succeeded,
small//no ~ to him det var ikke
hans skyld at det lykkedes os; ~
be to God Gud være lovet; Gud
ske lov.
Thanksgiving, Thanksgiving Day
sb. (am.) [helligdag i USA, fjerde
torsdag i november].
thanksgiving ['θæŋksgiviŋ] sb. F
taksigelse.
thank-you ['θæŋkju:] sb. tak (fx a

big ~ to everybody for their help).

thank-you letter sb. takkebrev.

that¹ [(1) ðət, (2) ðæt] pron. **1.** (relativt) der, som (fx those ~ love us; the books ~ you lent me); (om tid) da (fx the year ~ his brother died; now ~ you are here); **2.** (påpegende (pl. those [ðəuz])) den// det; denne//dette;
□ [jf. 1] fool ~ he was nar som han var; in the manner ~ på den måde hvorpå;
[jf. 2] ~ is (forklarende) det vil sige; that's it se it; (well,) that's ~ så er den ikke længere; (se også dear¹); ~ which det som; hvad der; those who dem der (fx there are those who say ...); (se også all);
[med præp.] **at** ~ **a.** ved det, derved (fx let us leave it at ~); **b.** oven i købet (fx a grown-up, and a teacher at ~); **like** ~ se like⁶; **with** ~ **a.** med det, dermed; **b.** F derpå (fx and with ~ he turned round and went away).

that² [ðæt] adv. T så (fx ~ far; ~ much).

that³ [ðət] konj. **1.** at (fx I know ~ it is so); **2.** F så at, for at (fx he died ~ we may live).

thatch¹ [θætʃ] sb. **1.** (materiale) tækkemateriale; tækkehalm; **2.** (tag) stråtag; **3.** (T om hår) paryk, manke, høstak.

thatch² [θætʃ] vb. tække.

thatched [θætʃt] adj. (om bygning) stråtækt.

thatched roof sb. stråtag.

thaw¹ [θɔ:] sb. **1.** tø; tøvejr; **2.** (fig.) optøning/tøbrud.

thaw² [θɔ:] vb. **1.** tø; **2.** (fig. om person) tø op; **3.** (med objekt) tø op (fx frozen food);
□ ~ out tø op.

the [ðə, (foran vokal) ði, (betonet) ði:] art. **1.** den//det//de (fx ~ big boy; ~ boy who saw him; try to achieve ~ impossible; a home for ~ elderly); (efterhængt) -(e)n//-(e)t//-(e)ne (fx the boy); **2.** (foran komp.) jo (fx ~ more I hear about him, ~ less I like him); desto (fx so much ~ better); des; **3.** (foran efternavn i pl.) ægteparret//familien (fx ~ Johnsons; ~ Joneses); (se også Joneses);
□ is he 'the Dr Jones? er han den kendte Dr. Jones? it is 'the place to go to det er det helt rigtige sted at tage hen; he gave 'a reason but not 'the reason han angav en grund, men ikke den virkelige grund.

theatre¹ [ˈθiətə] sb. **1.** teater; **2.** (fig.) skueplads (fx the ~ of his early triumphs); **3.** (om litteratur) dra-

matiske værker (fx Goethe's ~); **4.** (med., T) operationsstue; **5.** (i undervisning) = lecture theatre; **6.** (am.) se movie theater; **7.** (mil.) område (fx the Pacific ~);
□ in ~ (jf. 4) på operationsstuen; (om patient) på operationsbordet; ~ of action (mil.) kampområde; ~ of operations (mil.) operationsområde; ~ of war krigsskueplads.

theatre² [ˈθiətə] adj. (mil.) taktisk (fx ~ nuclear weapons).

theatregoer [ˈθiətəgəuə] sb. teatergænger.

theatre-in-the-round [θiətərinðəˈraund] sb. arenateater.

theatre nurse sb. operationssygeplejerske.

theatre workshop sb. værkstedsteater.

theatrical [θiˈætrik(ə)l] adj. **1.** teater- (fx performance); **2.** (fig.) teateragtig, dramatisk (fx there was something ~ about the whole scene); **3.** (neds.) teatralsk.

theatricality [θiætriˈkæləti] sb. **1.** (om stykke) teatermæssig kvalitet; dramatisk kraft; **2.** (fig.) teateragtighed; **3.** (neds.) teatralskhed.

theatricals [θiˈætrik(ə)lz] sb. pl. **1.** (glds.) amatørteater; dilettantkomedie; **2.** (fig.) teater, drama (fx their love affair ended without ~).

theatrics [θiˈætriks] sb. pl. (fig.) teater, skuespil (for galleriet) (fx it is just ~).

thee [ði:] pron. (glds.) dig.

theft [θeft] sb. tyveri.

their [ðeə] pron. deres.

theirs [ðeəz] pron. deres.

them [ðəm, (betonet) ðem] pron. **1.** (bøjet form af they) dem; **2.** (dial.) de (fx take ~ books).

thematic [θiˈmætik] adj. tematisk.

theme [θi:m] sb. **1.** emne, tema; **2.** (kunstnerisk) tema, motiv; **3.** (mus.) tema; **4.** (am.: i skole) stil; opgave.

theme park sb. forlystelsespark [med bestemt samlet idé]; temapark.

theme party sb. temafest [med bestemt samlet idé].

themselves [ðəmˈselvz] pron. **1.** dem selv; selv; **2.** sig (fx they enjoyed//defended ~); sig selv (fx they were not ~);
□ by ~ **a.** for sig selv (fx sitting by ~); **b.** (uden hjælp) alene; på egen hånd; they had the whole house to ~ de havde hele huset for sig selv.

then¹ [ðen] adj. daværende (fx the ~ governor).

then² [ðen] adv. **1.** da, dengang; på den tid; **2.** (om noget efterføl-

gende) derefter, derpå, så; **3.** (begrundende) så (fx ~ we'll have to wait); i det tilfælde; altså (fx you're not angry with me, ~?);
□ (but) ~ again (men) på den anden side (fx but ~ again he may be right); (he had strange visitors,) but ~ of course, he had travelled a lot ... men han havde jo også rejst meget; there and ~, ~ and there på stående fod, på stedet, straks; (se også now, some²);
[med præp.] **before** ~ før det tidspunkt; **by** ~ da; på det tidspunkt; I shall be back by ~ jeg kommer tilbage inden den tid; **from** ~ onwards fra den tid af; **till** ~, **until** ~ indtil da.

thence [ðens] adv. (glds. el. F) **1.** (om sted) derfra; **2.** (om tid) fra den tid; **3.** (om følge) derpå;
□ from ~ derfra.

thenceforth [ðensˈfɔ:θ], **thenceforward** [ðensˈfɔ:wəd] adv. fra det tidspunkt.

theocracy [θiˈɔkrəsi] sb. teokrati, gudsstat.

theologian [θiəˈləudʒ(ə)n] sb. teolog.

theological [θiəˈlɔdʒikl] adj. teologisk.

theology [θiˈɔlədʒi] sb. teologi.

theorem [ˈθiərəm] sb. (mat., fys.) teorem, læresætning; sætning.

theoretical [θiəˈretik(ə)l] adj. teoretisk.

theorist [ˈθiərist] sb. teoretiker.

theorize [ˈθiəraiz] vb. teoretisere.

theory [ˈθiəri] sb. teori;
□ in ~ i teorien, teoretisk set.

therapeutic [θerəˈpju:tik] adj. terapeutisk.

therapist [ˈθerəpist] sb. terapeut; behandler; (se også psychotherapist, speech therapist).

therapy [ˈθerəpi] sb. terapi, behandling.

there¹ [ðeə] adv. **1.** der; **2.** (om mål) derhen (fx let's go ~ at once); dertil; **3.** (om punkt) deri, i det (fx ~ I disagree with you);
□ ~! **a.** se så! [nu er det overstået]; **b.** der kan du selv se! (fx ~, I told you it wouldn't work!); ~, ~! så så! ~ again på den anden side; ~ and back frem og tilbage; ~ now! se så!, så! (fx ~ now, does that feel better?); (se også all², so¹, then²);
[med vb.] **be** ~ **a.** være til stede, være til rådighed (fx if the money is ~); **b.** have klaret det (fx I'm nearly ~); ~ it is sådan er det (fx pretty ridiculous, but ~ it is); ~ you are **a.** værsgo! **b.** se så! så er den klaret; **c.** der kan du se hvad

T there

jeg sagde; *who would **be** ~ **for**
her?* hvem ville være der til at
hjælpe hende? ~ *is friendship for
you!* **a.** (*positivt*) det kan man vel
nok kalde venskab! **b.** (*ironisk*)
det er en køn form for venskab!
get ~ **a.** komme dertil; nå frem;
b. (*fig.*) komme frem; blive til no-
get; ~ *you* ***go!*** **a.** værsgo'; **b.** så-
dan er det; ~ *goes my holiday!*
der røg den ferie! ~ *he goes
again!* (*irriteret*) nu begynder han
igen! nu tager han fat igen! *he **left**
~ last night* han tog derfra i går
aftes.
there² [ðə] *pron.* der (*fx* ~ *is/
there's someone on the phone; ~
are/there's lives at stake*);
□ *(give me that book), there's a
good boy//girl ... så er du sød/rar!*;
(se også *dear*¹); *there's a knock* det
banker; *there's no ...* se *no*²; (se
også *and*).
thereabout [ðɛərə'baut], **there-
abouts** [ðɛərə'bauts] *adv.* der om-
kring.
thereafter [ðɛər'a:ftə] *adv.* F deref-
ter.
thereat [ðɛər'æt] *adv.* F derved.
thereby [ðɛə'bai] *adv.* F derved; (se
også *tale*).
therefore [ðɛə'fɔ:] *adv.* F derfor; føl-
gelig.
therein [ðɛə'rin] *adv.* F deri.
thereinafter [ðɛərin'a:ftə] *adv.* F i
det følgende.
thereof [ðɛər'ɔv] *adv.* F deraf.
thereupon [ðɛərə'pɔn] *adv.* F derpå.
therm [θə:m] *sb.* (*fys.*) therm [*var-
meenhed*].
thermal¹ ['θə:m(ə)l] *sb.* (*flyv.*) ter-
misk opvind;
□ *-s* **a.** (*flyv. også*) termik; **b.** T ter-
moundertøj.
thermal² ['θə:m(ə)l] *adj.* **1.** varme-
(*fx barrier* mur; *insulation*); ter-
misk; **2.** (*om vand i naturen*)
varm; **3.** (*om tøj*) termo- (*fx under-
wear*).
thermal spring *sb.* varm kilde.
thermodynamics [θə:mə(u)dai'næ-
miks] *sb.* (*fys.*) termodynamik,
varmelære.
thermometer [θə'mɔmitə] *sb.* ter-
mometer.
thermonuclear [θə:mə(u)'nju:kliə]
adj. termonuklear; atom-, kerne-.
thermoplastics [θə:mə(u)'plæstiks]
sb. pl. termoplast.
Thermos® ['θə:mɔs], **Thermos
flask**® *sb.* termokande; termofla-
ske.
thermostat ['θə:məstæt] *sb.* termo-
stat.
thermostatic [θə:mə'stætik] *adj.* ter-
mostatisk;

□ ~ *control* termostatstyring.
thesaurus [θi'sɔ:rəs] *sb.* (*pl. -es/the-
sauri* [-rai]) tesaurus, begrebsord-
bog.
these [ði:z] *pl. af this.*
thesis ['θi:sis] *sb.* (*pl. theses*
['θi:si:z]) **1.** (*som man skriver*) af-
handling; (*til doktorgrad*) dispu-
tats; **2.** (F: *som man fremsætter*)
tesis, tese.
thesp [θesp] *sb.* (T *el. neds.*) skue-
spiller.
thespian¹ ['θespiən] *sb.* (F *el.
spøg.*) skuespiller.
thespian² ['θespiən] *adj.* (F *el.
spøg.*) teater-; scene-; skuespiller-.
they [ðei] *pron.* **1.** de; **2.** (*i gene-
relle udsagn*) man, folk (*fx* ~ *say
that he is dead*).
they'd [ðeid] *fork. f.* **1.** they had;
2. they would.
they'll [ðeil] *fork. f.* they will//
shall.
they're ['ðeiə, ðɛə] *fork. f.* they are.
they've [ðeiv] *fork. f.* they have.
thick¹ [θik] *sb.: in the* ~ *of* midt i;
in the ~ *of the battle/fight* der
hvor kampen er/var hedest; *in the
~ of it* der hvor det foregår/fore-
gik.
thick² [θik] *adj.* **1.** tyk; **2.** (*mht. til
at se//trænge igennem*) tæt (*fx
cluster; darkness; fog; forest;
swarm*); **3.** (*om hårvækst*) kraftig
(*fx beard; hair*); **4.** (*om accent*)
kraftig, tydelig; **5.** (*om stemme*)
tyk, grødet; **6.** (T: *om person*)
dum, tykhovedet;
□ *he is (as)* ~ *as two short planks*
han er dum som et bræt/en dør;
they are (as) ~ *as thieves* (*neds.*)
de er sammenspist; de hænger
sammen som ærtehalm; *it's a bit
~ (glds.)* det er lige hårdt nok; det
er et stift stykke;
[*med sb.*] *give him a* ~ *ear* T give
ham en på skrinet; *he always gets
the* ~ *end of the stick* det er altid
ham det går ud over; *have a* ~
skin (*fig.*) være tykhudet;
[*med præp.*] *be* ~ **on** *the ground*
se *ground*¹; *be* ~ **with a.** (*om per-
son*) være meget gode venner
med; **b.** (*om mængde*) være fuld
af (*fx the place was* ~ *with police
officers*); *the air was* ~ *with
smoke* luften var tæt af røg; *the
air was* ~ *with rumours* luften
svirrede af rygter.
thicken ['θik(ə)n] *vb.* **1.** gøre tyk//
tæt; **2.** (*i madlavning*) jævne (*fx
the sauce*); **3.** (*uden objekt*) blive
tykkere (*fx the ice -ed*); blive tæt-
tere (*fx the fog -ed*);
□ *the plot -s* situationen bliver
mere og mere indviklet; mystik-

ken breder sig.
thickener ['θik(ə)nə], **thickening**
['θik(ə)niŋ] *sb.* **1.** fortykningsmid-
del; **2.** (*i madlavning*) jævning.
thicket ['θikit] *sb.* krat, (tæt) bu-
skads; skovtykning; vildnis.
thick-headed [θik'hedid] *adj.* tyk-
hovedet.
thickness ['θiknəs] *sb.* **1.** tykkelse;
2. tæthed; **3.** lag.
thicko ['θikəo] *sb.* T fjols; tåbe.
thickset ['θikset] *adj.* (*om person*)
firskåren; tætbygget.
thick-skinned [θik'skind] *adj.* tyk-
hudet.
thick-skulled [θik'skʌld] *adj.* tyk-
hovedet.
thief [θi:f] *sb.* (*pl. thieves* [θi:vz])
1. tyv; **2.** (*i biblen*) røver (*fx the
thieves upon the Cross*); (se også
*thick*²).
thievery ['θi:v(ə)ri] *sb.* F se *thie-
ving*¹.
thieving¹ ['θi:viŋ] *sb.* (*glds. el. litt.*)
tyveri; stjælen.
thieving² ['θi:viŋ] *adj.* (*spøg.*) tyv-
agtig; tyve-.
thievish ['θi:viʃ] *adj.* (*litt.*) tyvagtig.
thigh [θai] *sb.* lår.
thimble ['θimbl] *sb.* **1.** fingerbøl;
2. (*mar.*) kovs.
thimblerig ['θimblrig] *sb.* [*nummer,
hvor man skal gætte under hvilket
af tre fingerbøl som flyttes rundt,
en ting befinder sig*]; svindelnum-
mer; bondefangertrick.
thin¹ [θin] *adj.* **1.** tynd; **2.** (*om
krop*) tynd (*fx a tall* ~ *man*); ma-
ger (*fx* ~, *hungry dogs*); **3.** (*mods.
bred*) smal (*fx nose; stripe; wrist*);
4. (*om lyd*) spinkel (*fx voice*);
5. (*om publikum*) fåtallig; **6.** (*fig.*)
tynd, dårlig (*fx excuse*); let gen-
nemskuelig (*fx disguise*);
□ *(as)* ~ *as a lath/rake* tynd som
en streg; *their patience was wear-
ing* ~ deres tålmodighed var ved
at blive tyndslidt; ~ *on the
ground//on top* se *ground*¹, *top*¹;
[*med sb.*] *disappear/vanish into* ~
air **a.** forsvinde ud i den blå luft;
forsvinde sporløst; fordufte;
b. svinde ind til ingenting; *out of
~ air* ud af den blå luft; *skate on
~ ice* (*fig.*) komme på glatis; vove
sig lovlig langt ud; *have a* ~ *skin*
(*fig.*) være tyndhudet; være sårbar;
a ~ *smile* et spidst smil; *have a* ~
time (of it) T have det elendigt.
thin² [θin] *vb.* **1.** (*væske etc.*) for-
tynde; gøre tyndere (*fx the soup;
the ozone layer*); **2.** (*planter, per-
soner*) tynde ud i (*fx the trees; the
gunfire had -ned their ranks*); ud-
tynde; **3.** (*uden objekt*) blive tyn-
dere;

□ *his hair is -ning* han er ved at blive tyndhåret; ~ *down* **a.** = *1;* **b.** (T: *om person*) slanke sig; ~ *out* **a.** = *2;* **b.** = *3; the traffic will ~ out* trafikken vil tage af.

thine [ðain] *pron.* (*glds.*) din//dit// dine.

thing [θiŋ] *sb.* **1.** ting; **2.** (*foragteligt*) tingest (*fx what's that ~ on the floor? that ~ is useless*); **3.** (*om forhold*) ting (*fx there's a ~ I want to talk to you about*); sag (*fx that's another ~*); **4.** (*om person*) væsen (*fx poor ~; she is a clever little ~*); asen (*fx you lucky ~; what a lazy//stupid ~ you are*); □ *-s* **a.** (*generelt*) forholdene (*fx -s are getting worse and worse*); situationen (*fx the police got -s under control*); **b.** (*ubestemt*) ting (*fx a few -s like books and pencils*); **c.** (*om ejendele etc.*) ting (*fx clear the tea -s away; they lost all their -s in the fire*); sager; kluns (*fx he has left his -s all over the place*); tøj (*fx bring your swimming -s*); be *all -s to all men* prøve at være alle tilpas; (se også *considered*); *among other -s* blandt andet; *and -s* og den slags; *as -s stand* som forholdene er; *how's -s?* T hvordan går det? *the way -s are* som sagerne står; som landet ligger; *take -s easy* tage det roligt; (se også ndf.: *hear -s (etc.)*);

[*med: the*] *the ~ is* **a.** det gælder om (*fx the ~ is to say nothing*); **b.** sagen er den (*fx the ~ is: I can't stand him*); *that is just/quite the ~* det er det helt rigtige; det er lige sagen; det er højeste mode; *that's just the ~ for you* det er lige noget for dig; *the one ~* det eneste (*fx the one ~ they agreed on*);

[*med adj.*] *it's a difficult//funny// lucky//strange ~* det er svært// sjovt//heldigt//mærkeligt; *that's the chief/main ~* det er hovedsagen; *the same ~* det samme (*fx that's not the same ~*); *it comes to the same ~* det kommer ud på ét; (se også *big, close³, first², good², last²*); *she is a proud little ~* hun er en stolt lille en; *poor little ~* den lille stakkel; (se også: *4*);

[*med vb.*] *do one's own ~* T gøre det man selv har lyst til; *I don't* **feel** *quite the ~* jeg føler mig ikke helt vel; *have a ~ about* være skør med; *hear -s* høre noget der ikke er der; *you are* **imagining** *-s* det er noget du bilder dig ind; *know a ~ or two about* vide et og andet om [ɔ: *vide en hel masse*]; have lidt forstand på; *make a*

(*big*) ~ *of* gøre et stort nummer ud af; *see -s* se syner; *tell sby a ~ or two* give én besked [ɔ: *skælde ud*];

[*med præp.*] *for one ~* **a.** for det første; først og fremmest; **b.** for eksempel; *in all -s* i//under alle forhold; *of all -s!* nu har jeg aldrig! *that's just* **one** *of those -s* det er hvad der kan ske; det er en af livets fortrædeligheder; *what* **with** *one ~ and another* se *what*.

thingamabob ['θiŋəməbɒb], **thingamajig** ['θiŋəmədʒig], **thingamy** ['θiŋəmi], **thingummy** ['θiŋəmi], **thingy** ['θiŋi] *sb.* T tingest, dims, dippedut.

think¹ [θiŋk] *sb.: I'll have a ~ about it* jeg vil tænke over det; *then you have another ~ coming* så må du tro om igen.

think² [θiŋk] *vb.* (*thought, thought*) **1.** tænke; **2.** (*før man handler*) tænke sig om (*fx I must have time to ~; he did it without -ing*); **3.** (*om formodning*) tro (*fx he -s I don't like him*); mene (*fx he thought he had seen her before*); **4.** (*om mening*) synes (*fx I ~ it was a good film; I thought him a nice man* ((syntes at han var)); mene (*fx John -s we ought to stay*); **5.** (*om forestillingsevne: med can't//couldn't*) forestille sig, begribe (*fx I can't ~ what he means*);

□ *I ~* **not** jeg mener nej; *I should ~ not* **a.** det skulle bare mangle; **b.** nej Vorherre bevares; *it is thought that* man antager/mener at; *little did he ~ that* lidet anede han at; ~ *to* tænke på at (*fx did you ~ to ask him?*); *is//are thought to be* antages/menes at være (*fx up to 200 people are thought to have died*); *that's* **what** *'you ~* det er da noget du tror; *who does he ~ he is?* hvad bilder han sig ind?; (se også *twice*);

[*med præp., adv.*] ~ *about* **a.** tænke på (*fx old times*); **b.** (*grundigt*) tænke over; **c.** (*om mening*) synes om (*fx what do you ~ about that decision?*); (se også *twice*); ~ *of* **a.** tænke på; tænke over; **b.** tænke om (*fx I should not have thought it of him*); **c.** (*forslag etc.*) finde på, hitte på (*fx a solution*); **d.** (*om forestilling*) drømme om (*fx I wouldn't ~ of doing it*); **e.** (*om erindring*) komme i tanke om, huske (*fx I can't ~ of her name*); *don't even ~ of trying* T du skal ikke så meget som tænke på at prøve; ~ *much/highly of* have

store tanker om; ~ *the best//worst of* tro det bedste//værste om; (se også *better⁴, little², nothing²,* world); ~ *out* **a.** udtænke; **b.** gennemtænke; ~ *over* tænke over, gennemtænke, overveje; ~ *up* udtænke, hitte på.

thinker ['θiŋkə] *sb.* tænker.

thinking¹ ['θiŋkiŋ] *sb.* **1.** tænkning (*fx creative ~*); **2.** tanker (*on* om, *fx his ~ on democracy*); **3.** tankegang (*fx the ~ behind his proposal*); □ *do some ~* tænke sig grundigt om; *way of ~* tænkemåde; tankegang; *to my way of ~* sådan som jeg ser det; efter min mening.

thinking² ['θiŋkiŋ] *adj.* tænkende.

thinking cap *sb.: put on one's ~* lægge hovedet i blød.

think tank *sb.* tænketank; ekspertgruppe.

thinner ['θinə] *sb.* fortynder; fortyndingsmiddel.

thin-skinned [θin'skind] *adj.* tyndhudet; ømfindtlig.

third¹ [θə:d] *sb.* **1.** tredjedel; **2.** (*i rækkefølge*) nummer tre; **3.** (*i bil*) tredje gear; **4.** (*mus.*) terts; □ *get a ~* (*ved eksamen, omtr.*) få tredjekarakter.

third² [θə:d] *adj.* tredje; □ ~ *time lucky* den tredje gang er lykkens gang; *alle gode gange tre.*

third class *sb.* **1.** tredje klasse; **2.** (*ved eksamen, omtr.*) tredje karakter.

third-class [θə:d'kla:s] *adj.* tredjeklasses.

third degree *sb.: get the ~* blive udsat for tredjegradsforhør; *give sby the ~* underkaste én tredjegradsforhør.

third-degree [θə:ddi'gri:] *adj.: ~ burn* (*med.*) tredjegradsforbrænding; ~ *murder* (*am. jur.*) [mord i den laveste kategori af grovhed].

thirdly ['θə:dli] *adv.* for det tredje.

third party *sb.* tredjepart; tredjemand.

third-party [θə:d'pa:ti] *adj.* **1.** tredjeparts-; tredjemands-; **2.** (*am. pol.*) [fra et tredje parti].

third-party insurance *sb.* ansvarsforsikring.

third-rate [θə:d'reit] *adj.* tredjeklasses; tredjerangs.

thirst¹ [θə:st] *sb.* tørst (*for* efter).

thirst² [θə:st] *vb.: ~ after/for* (*litt.*) tørste efter.

thirsty ['θə:sti] *adj.* tørstig; □ *be ~ for* (*litt.*) tørste efter; *a ~ car* en benzinsluger; ~ *work* arbejde man bliver tørstig af.

thirteen [θə:'ti:n] *talord* tretten.

thirteenth¹ [θə:'ti:nθ] *sb.* trettende-

T thirteenth

del.

thirteenth[2] [θəˈtiːnθ] *adj.* trettende.

thirtieth[1] [ˈθəːtiəθ] *sb.* tredivtedel.

thirtieth[2] [ˈθəːtiəθ] *adj.* tredivte.

thirty [ˈθəːti] *talord* tredive; treti; □ *in the thirties* i trediverne.

this[1] [ðis] *pron.* (*pl. these*) 1. denne//dette; den her//det her; (*pl.*) disse, de her; 2. (*om netop afsluttet tidsrum*) den//det sidste (*fx ~ half-hour*); (*pl.*) de sidste (*fx these three days; these forty years*); (se også *evening, morning* (*etc.*)); □ *~ and that, ~ that and the other* det ene og det andet; alt muligt; T dit og dat; F dette og hint; *~ det er* det er (*fx this is John*); *~ is it* a. nu gælder det; b. ja det er rigtigt.

this[2] [ðis] *adv.* T så (*fx ~ far; ~ much*).

thistle [ˈθisl] *sb.* tidsel [*skotsk nationalsymbol*].

thistledown [ˈθisldaun] *sb.* tidselfnug.

thither [ˈðiðə] *adv.* (*glds. el. litt.*) did, derhen.

THNQ *fork. f. thank you.*

tho' *fork. f. though.*

thong [θɔŋ] *sb.* 1. læderrem, rem; lædersnor, snor; 2. (*undertøj*) g-streng; □ *-s* (*am.; austr.*) klip-klapper; japansandaler.

thoracic [θɔːˈræsik] *adj.* (*anat.*) bryst- (*fx cavity*); □ *~ vertebra* brysthvirvel.

thorax [ˈθɔːræks] *sb.* (*anat.*) brystkasse.

thorn [θɔːn] *sb.* 1. torn; 2. (*træ, busk*) tjørn; tjørnebusk; □ *a ~ in sbys's flesh/side* (*fig.*) en stadig kilde til ærgrelse/besvær; en torn i øjet.

thorn apple *sb.* (*bot.*) pigæble.

thorny [ˈθɔːni] *adj.* 1. tornebesat; tornet; 2. (*fig.*) meget vanskelig, ømtålelig (*fx issue; matter; problem*).

thorough [ˈθʌrə] *adj.* 1. (*om behandling etc.*) grundig, omhyggelig (*fx investigation*); indgående (*fx knowledge*); gennemgribende (*fx revision*); 2. (*om person*) grundig, omhyggelig; 3. (*understregende*) total, fuldstændig (*fx waste of time*).

thorough bass *sb.* generalbas; basso continuo.

thoroughbred[1] [ˈθʌrəbred] *sb.* 1. fuldblodshest; racehest; 2. T fornemt eksempel, pragteksemplar.

thoroughbred[2] [ˈθʌrəbred] *adj.*

---

1. (*om hest*) fuldblods; 2. (*om ting*) fornem; førsteklasses.

thoroughfare [ˈθʌrəfɛə] *sb.* færdselsåre; hovedgade; □ *no ~* gennemkørsel forbudt.

thoroughgoing [θʌrəˈgəuiŋ] *adj.* 1. fuldstændig (*fx change*); gennemgribende, tilbundsgående (*fx reform*); 2. omhyggelig (*fx investigation*); 3. (*om egenskab*) gennemført (*fx conservative*).

thoroughly [ˈθʌrəli] *adv.* (jf. *thorough*) 1. grundigt, omhyggeligt, indgående; gennemgribende; 2. (*understregende*) totalt; fuldstændig.

Thos. *fork. f. Thomas.*

those [ðəuz] *pron. pl. af that*[1] 2.

thou[1] [ðau] *sb.* T tusind.

thou[2] [ðau] *pron.* (*glds.*) du.

though[1] [ðəu] *adv.* (*sidst i en sætning*) 1. men (*fx it is more complicated, ~ men det er mere kompliceret*); 2. nu alligevel (*fx it is dangerous, ~ det er nu alligevel farligt*); □ *did she ~?* gjorde hun virkelig?; (se også *as, even*[4]).

though[2] [ðəu] *konj.* skønt, selv om.

thought[1] [θɔːt] *sb.* 1. tanke; 2. (*for andre*) omtanke (*fx full of ~ for him*); 3. (*om filosofi etc.*) tænkning (*fx Greek ~*); tænkemåde; (se også *school*[1]); 4. (*handling*) overvejelse (*fx after serious ~*); (se også *absorbed, lost*[2]); □ *a ~* (*glds.*) en lille smule, lidt (*fx a ~ too sweet*); *that's a ~* det er en idé; det er værd at overveje; *deep in ~* i dybe tanker; *without ~ for* uden tanke på, uden hensyn til (*fx his own safety*); [*med vb.*] *bend one's -s to it* koncentrere sig om det; *give it some ~* tænke lidt over/på det; *he did not give it a ~* han skænkede det ikke en tanke; *he had no ~ of doing it* det var overhovedet ikke hans mening/hensigt at gøre det; (se også *second thought*); *take ~ for* bekymre sig om.

thought[2] [θɔːt] *præt. & præt. ptc. af think*.

thoughtful [ˈθɔːtf(u)l] *adj.* 1. tankefuld; alvorlig, bekymret; 2. (*mht. andre*) betænksom, hensynsfuld, opmærksom; 3. (*om bog etc.*) tankevækkende; dybsindig (*fx discussion*).

thoughtless [ˈθɔːtləs] *adj.* tankeløs; ubetænksom.

thought-provoking [ˈθɔːtprəvəukiŋ] *adj.* tankevækkende.

thousand [ˈθauz(ə)nd] *talord* tusind; □ *per ~* pr. tusinde; promille.

---

thousandth[1] [ˈθauz(ə)nθ] *sb.* tusindedel.

thousandth[2] [ˈθauz(ə)n(d)θ] *adj.* (*ordenstal*) tusinde.

thrall [θrɔːl] *sb.* (*hist.*) træl, slave; □ *hold/have sby in ~* a. holde en fangen; b. (*fig.*) tryllebinde en; *in ~ to* a. slavebundet af; b. (*fig.*) tryllebundet af.

thrash[1] [θræʃ] *sb.* 1. banken; klapren; 2. T (*gevaldig*) fest, gilde; 3. (*mus.*) [*fortættet form for heavy metal*].

thrash[2] [θræʃ] *vb.* 1. slå, banke, prygle; (*hest*) piske; 2. (*fig.: om sejr*) slå, banke, tæske; □ *~ about/around* kaste sig omkring; slå om sig; *~ out* T a. (*problem*) drøfte til bunds; komme frem til en løsning på; b. (*aftale, plan*) arbejde sig/finde frem til (med møje og besvær).

thrasher [ˈθræʃə] *sb.* (*am. zo.*) spottedrossel; røddrossel.

thrashing [ˈθræʃiŋ] *sb.* T omgang tæsk; gennembankning.

thread[1] [θred] *sb.* 1. tråd; 2. (*fig.*) bånd (*fx a silvery ~ of water*); 3. (*tekn.*) gevind; skruegang; □ *-s* (*am.* T) tøj, kluns, klude; *a common/connecting ~* (*fig.*) en rød tråd; *lose the ~* (*fig.*) tabe tråden; *lose the ~ of* (*fig.*) ikke mere kunne følge gangen i (*fx the conversation*); *pick up/take up the -s of sth* (*fig.*) T genoptage noget; fortsætte noget hvor man slap; (se også *hang*[2] (*by*)).

thread[2] [θred] *vb.* (se også *threaded*) 1. (*nål*) træde; 2. (*perler etc.*) trække på snor; 3. (*film, lydbånd*) sætte i; □ *~ on a string = 2*; *~ through* trække/føre igennem (*fx a rope through the rings*); *~ one's way* bevæge sig med forsigtighed; manøvrere sig, sno sig frem (*fx between the carriages*).

threadbare [ˈθredbɛə] *adj.* 1. (*om tøj etc.*) luvslidt; 2. (*om sted, ting*) lurvet, nedslidt; 3. (*om udtryk*) forslidt, fortærsket.

threaded [ˈθredid] *adj.* gevindskåret; □ *~ with* (*fig.*) gennemtrukket af; *his hair was ~ with silver* han havde sølvstænk i håret.

threadworm [ˈθredwəːm] *sb.* trådorm.

threat [θret] *sb.* trussel (*to* mod, *fx our society*); □ *do it under ~* blive truet til at gøre det; *under ~ of* under trussel om.

threaten [ˈθret(ə)n] *vb.* 1. true; 2. (*handling*) true med (*fx re-*

860

venge; suicide);
□ ~ *to//that* true med at.
three [θri:] *sb.* **1.** tretal; **2.** (*spille-kort; slag i terningspil*) treer;
□ *the* ~ *of clubs//hearts etc.* klør// hjerter *etc.* tre.
three [θri:] *talord* tre.
three-cornered [θri:'kɔ:nəd] *adj.*
1. trekantet (*fx hat*); **2.** med tre deltagere, tresidet (*fx discussion*).
three-D [θri:'di:], **three-dimensional** [θri:dai'menʃnəl] *adj.* tredimensional.
three-decker [θri:'dekə] *sb.*
1. (*mar.*) tredækker; **2.** (*bog*) trebindsroman; **3.** (*sandwich*) sandwich med tre lag brød.
three-legged [θri:'legid] *adj.* trebenet.
three-legged race *sb.* [*kapløb mellem par som har to ben bundet sammen*].
three-line whip [θri:lain'wip] *sb.* (jf. *whip* 3) (*parl.*) [*kategorisk instruks (med tredobbelt understregning) om at stemme efter partilinjen*].
threepence ['θrepəns, 'θri-] *sb.* (*glds.*) tre pence.
three-piece [θri:'pi:s] *adj.* som består af tre dele.
three-piece suit *sb.* habit med vest.
three-piece suite *sb.* sofagruppe.
three-ply [θri:plai] *adj.* **1.** (*om garn*) treslået; **2.** (*om finér*) tredobbelt.
three-point [θri:'pɔint] *adj.* trepunkts- (*fx landing; turn vending*).
three-quarter [θri:'kwɔ:tə] *sb.* (*i rugby*) trekvartback.
three-quarter [θri:'kwɔ:tə] *adj.* trekvart (*fx sleeve*).
three-quarter length *adj.* trekvartlang.
three-quarters [θri:'kwɔ:təz] *sb. pl.* tre fjerdedele;
□ ~ *of* (*også*) trekvart (*fx* ~ *of a million/an hour*).
three-quarters [θri:'kwɔ:təz] *adv.* trekvart- (*fx full*).
three R's se *R*.
threescore ['θri:skɔ:] *talord* (*glds.*) tre snese, tres.
threesome ['θri:səm] *sb.* **1.** (*om gruppe*) trio, trekløver; **2.** [*spil med tre deltagere*].
three-star [θri:'sta:] *adj.* trestjernet.
three-way [θri:'wei] *adj.* **1.** trevejs-; tregangs- (*fx valve*); **2.** tremands-.
three-wheeler [θri:'wi:lə] *sb.* trehjulet køretøj.
thresh [θreʃ] *vb.* tærske.
thresher ['θreʃə] *sb.* **1.** (*person*) tærsker; **2.** (*maskine*) tærskeværk; **3.** (*zo.*) rævehaj.

threshing floor *sb.* logulv.
threshing machine *sb.* tærskeværk.
threshold ['θreʃəuld] *sb.* **1.** tærskel; **2.** (*fig.*) grænse; bundgrænse (*fx for VAT registration*); (se også *tax threshold*); **3.** (*psyk.*) påvirkningstærskel; (se også *pain threshold*);
□ *on the* ~ *of* (*fig.*) på tærsklen til.
threw [θru:] *præt. af throw*.
thrice [θrais] *adv.* (*glds.*) tre gange; trefold.
thrift [θrift] *sb.* **1.** sparsommelighed, økonomi; **2.** (*bot.*) engelskgræs; **3.** (*am.*) = *thrift institution*.
thrift institution *sb.* (*am.*) [*spare-el. lånekasse; opsparingsforening*].
thrift shop *sb.* (*am.*) genbrugsbutik.
thrifty ['θrifti] *adj.* **1.** sparsommelig; **2.** (*am.*) = *thriving*.
thrill [θril] *sb.* (velbehageligt) gys, gysen; frydefuld fornemmelse; spænding (*of* + -*ing* ved at);
□ -*s and spills* **T** gys, spænding.
thrill [θril] *vb.* give en frydefuld fornemmelse; begejstre; betage.
thrilled [θrild] *adj.* begejstret (*with, about* over); betaget (*with, about* af);
□ ~ *to death/bits/pieces* vildt begejstret/betaget.
thriller ['θrilə] *sb.* (*om bog, film etc.*) gyser.
thrilling ['θriliŋ] *adj.* spændende; gribende, betagende.
thrive [θraiv] *vb.* (-*d/throve, -d/thriven*) trives (*on* ved); blomstre.
thriven ['θriv(ə)n] (*glds. el. am.*) *præt. ptc. af thrive*.
thriving ['θraiviŋ] *adj.* **1.** blomstrende; **2.** (*om forretningsmand*) heldig; fulgt af held.
thro' *fork. f. through*.
throat [θrəut] *sb.* **1.** hals; strube; (*indvendig også*) svælg; **2.** (*mar.:* på sejl*) kværk;
□ *clear one's* ~ rømme sig; *cut sby's* ~ skære halsen over på en; [*med præp.*] *be at each other's -s* skændes ustandselig; ligge i evigt klammeri; *take/grab sby by the* ~ **a.** gribe en i struben; **b.** (*fig.*) holde en fast, holde en tryllebundet; *take/grab sth by the* ~ tage et fast greb om noget; *force it down his* ~ se ndf.*; ram it down his* ~; *jump down sby's* ~ **T** falde 'over en; *ram/shove it down his* ~ **T a.** stopfodre ham med det; **b.** (*plan, ordning etc.*) trække det ned over hovedet på ham; *it stuck in my* ~ **T a.** det sad fast i halsen; jeg kunne ikke få det ned; **b.** (*om ytring*) jeg kunne ikke få det frem; **c.** (*fig.*) det var mere end jeg kunne tage; det var for meget.

throatlatch ['θrəutlætʃ] *sb.* kæberem.
throaty ['θrəuti] *adj.* guttural; hæs, grødet (*fx voice*).
throb [θrɔb] *sb.* (jf. *throb*) **1.** banken; **2.** dunken; **3.** pulseren.
throb [θrɔb] *vb.* **1.** (*om puls, hjerte*) banke (hurtigt); **2.** (*om musik, maskine, smerte*) dunke; **3.** (*om lys etc.*) pulsere (*with* af, *fx the town -bed with life*);
□ *my head//leg -bed* det dunkede i mit hoved//ben.
throes [θrəuz] *sb. pl.* **F** kvaler;
□ *be in the -s of* (*fig.*) være midt i, lide under (*fx a conflict*); *be in the* ~ *of love* lide under kærlighedens kvaler; *in the* ~ *of passion* i en lidenskabelig omfavnelse; *the final/ last* ~ de sidste krampetrækninger; *be in the final* ~ *of* snart have overstået alt besværet med; (se også *death throes*).
thrombosis [θrɔm'bəusis] *sb.* trombose; blodprop.
throne [θrəun] *sb.* trone.
throng [θrɔŋ] *sb.* folkeskare; vrimmel.
throng [θrɔŋ] *vb.* **1.** stimle sammen, flokkes, trænges; **2.** (*med objekt*) trænges i/på, fylde (*fx the streets*).
thronged [θrɔŋd] *adj.* fyldt til trængsel.
throttle ['θrɔtl] *sb.* **1.** (*i bil*) gaspedal; speeder; **2.** (*på motorcykel*) gashåndtag; **3.** (*på maskine*) reguleringsspjæld;
□ *at full* ~ **a.** for fuld gas; **b.** (*fig.*) for fuldt kraft (*fx work at full* ~); for fuldt drøn, på højeste gear; *at half* ~ (*fig.*) for halv kraft.
throttle ['θrɔtl] *vb.* **1.** kvæle, kværke; **2.** (*fig.*) kvæle, undertrykke;
□ ~ *back/down* tage gassen/farten af.
through [θru:] *adj.* **1.** færdig (*with* med, *fx the work; I am* ~ *with you!*); **2.** (*jernb.*) gennemgående (*fx carriage; train*);
□ *no* ~ *road* lukket vej; ~ *traffic* gennemkørende trafik; *no* ~ *traffic* gennemkørsel forbudt.
through [θru:] *adv.* igennem;
□ ~ *and* ~ helt igennem (*fx he is dishonest* ~ *and* ~); (se også *all*, *wet; come*, *go*, *see* (*etc*)).
through [θru:] *præp.* **1.** igennem; **2.** (*om middel, grund*) ved (*fx* ~ *their influence*); på grund af (*fx* ~ *a mistake; he had a day off* ~ *illness*); **3.** (*am.*) til og med (*fx from Monday* ~ *Saturday*).
throughout [θru:'aut] *adv.* **1.** helt igennem (*fx the house has been*

T throughout

redecorated ~); hele vejen igennem; **2.** (*om tid*) hele tiden (*fx he had to stand* ~); hele vejen igennem.

throughout² [θru:'aut] *præp.* **1.** (*om tid*) gennem hele (*fx he slept ~ the performance*); hele ... igennem (*fx ~ the day*); **2.** (*om område*) over hele (*fx ~ the country; ~ Europe*).

throughput ['θru:put] *sb.* **1.** produktion; **2.** (*it*) gennemløb.

throughway ['θru:wei] *sb.* (*am.*) motorvej; hovedvej.

throve [θrəuv] (*glds. el. am.*) *præt. af* thrive.

throw¹ ['θrəu] *sb.* **1.** kast; **2.** [*let, dekorativt tæppe til at lægge over møbler*]; **3.** = *scatter rug;* **4.** (*tekn.*) slaglængde;
□ *a* ~ **T a.** pr. gang; pr. forsøg; **b.** pr. styk; (se også *stone's throw*).

throw² ['θrəu] *vb.* (threw, thrown) **1.** kaste; **2.** (T: *skødesløst*) smide (*fx she threw her books into the cupboard//on the floor*); **3.** (*kasteskyts*) kaste//smide med (*fx bottles; stones*); **4.** (*rytter*) kaste af (*fx a horse that -s its rider*); **5.** (*person, ved pludselig overraskelse*) bringe/hyle ud af det; **6.** (*i terningspil*) slå (*fx he threw 5*); **7.** (*i keramik*) dreje (*fx a bowl*); **8.** (*i sport,* T: *kamp*) tabe med vilje; **9.** (*afbryder, håndtag*) betjene;
□ *I was really -n* (*jf. 5*) jeg var helt ude af det; ~ (*wide*) *open* **a.** åbne (på vid gab), smække op (*fx a door*); **b.** åbne for publikum (*fx a park*); (se også *fit¹, party¹, tantrum, trust²*);
[*med præp., adv.*] ~ *one's arms* **about** fægte med armene; (se også *money, weight*);
~ *aside* afvise;
~ *at* **a.** kaste//smide på (*fx a stone at the window*); **b.** (*person*) kaste//smide efter/i hovedet på; ~ *oneself at* lægge kraftigt an på; (se også *book¹, glance¹, money*);
~ *away* **a.** smide væk; **b.** (*om penge*) rutte med; ødsle væk; **c.** (*om chance*) forspilde; **d.** (*om ytring*) henkaste; *she'll* ~ *herself away on him* hun er da for god til ham;
~ *back* **a.** kaste//smide tilbage; **b.** (*i tid*) sætte tilbage; **c.** (*lys, angreb*) kaste tilbage; **d.** (*drink*) hælde i sig; *he had it -n back at him* han fik det smidt i hovedet igen (*fx he had all his former mistakes -n back at him*); *be -n back on* være henvist til, være nødt til at falde tilbage på (*fx one's own resources*);

~ *down* kaste, nedlægge (*fx the soldiers threw down their weapons*); (se også *challenge¹*);
~ *in* **a.** (*ved handel*) give i tilgift, give oven i købet; **b.** (*bemærkning*) indskyde; **c.** (*kobling*) indrykke; (se også *hand¹, sponge¹, towel*);
~ *oneself* **into** the work kaste sig over/ud i arbejdet; (se også *confusion, relief, shade¹*);
~ *off* **a.** (*tøj*) smide; **b.** (*sengetøj*) kaste af sig; **c.** (*problem, sygdom*) blive af med; **d.** (*forfølger, følelse*) ryste af sig; **e.** (*digt, sang*) ryste ud af ærmet; **f.** (*lys, varme*) udsende, afgive; (se også *scent¹*);
~ *on* (*tøj*) stikke i (*fx a jacket*); (se også *cold² (water), doubt¹, mercy*);
~ *out* **a.** (*uønsket person//ting*) smide ud; **b.** (*forslag etc. som ubrugeligt*) forkaste, afvise; **c.** (*idé etc.: ytre*) fremsætte; fremkomme med (*fx a suggestion*); lade falde, henkaste (*fx a remark; a hint*); udslynge (*fx an assertion*); **d.** (*tilbygning*) bygge til (*fx a new wing en ny fløj*); **e.** (*skud: om plante*) udsende; **f.** (*varme, lys*) udsende; udstråle; **g.** (*person: i beskæftigelse*) forstyrre; bringe ud af det; **h.** (*beregning*) spolere; **i.** (*kobling*) udrykke; (se også *chest*);
~ *over* (*partner: glds.*) afskedige, give løbepas, slå hånden af; ~ *to the dogs* se *dog¹*;
~ *together* **a.** smække/rode/bikse sammen (*fx a meal*); **b.** (*personer*) bringe sammen (tilfældigt), føre sammen (*fx fate threw us together*);
~ *up* **a.** kaste op, kaste/sende i vejret (*fx a cloud of dust*); **b.** (*person, resultat etc.: uventet*) frembringe, skabe (*fx a new leader, interesting results*); **c.** (*bygning: i en fart*) smække op (*fx a block of flat*); **d.** (T: *stilling etc.*) opgive; **e.** (T: *mad*) kaste op, brække op; (*uden objekt*) kaste op, brække sig; ~ *up a window* smække et vindue op; ~ *up one's hands in horror* løfte sine hænder mod himlen i forfærdelse; (*svarer til*) korse sig.

throwaway¹ ['θrəuəwei] *sb.* engangsting; reklametryksag.

throwaway² ['θrəuəwei] *adj.* **1.** (*om ting*) til at kassere efter brugen; engangs- (*fx bottle; plate*); **2.** (*om bemærkning*) henkastet; nonchalant.

throwaway society *sb.* smide væk-samfund.

throwback ['θrəubæk] *sb.* **1.** [*individ hos hvem træk arvet fra en*

fjern forfader træder stærkt frem]; atavistisk individ; **2.** atavistisk træk;
□ *it is a ~ to* (*fig.*) det er en tilbagevenden til, det fører tilbage til.

throw-in ['θrəuin] *sb.* indkast.

thrown [θrəun] *præt. ptc. af* throw.

throw rug = *scatter rug.*

thru [θru:] (*am.*) = *through.*

thrum¹ [θrʌm] *sb.* **1.** trådende; garnende; **2.** (*lyd*) banken; trommen (*fx of the rain on the windows*);
□ *-s* garnrester.

thrum² [θrʌm] *vb.* **1.** tromme (med fingrene) (*fx ~ on the table*); **2.** (*instrument*) klimpre på.

thrush [θrʌʃ] *sb.* **1.** (*zo.*) drossel; **2.** (*med.*) trøske.

thrust¹ [θrʌst] *sb.* **1.** stød; puf; **2.** (*arkit.: af bue*) tryk; **3.** (*flyv.*) reaktionskraft, jetkraft; **4.** (*mil.*) fremstød; angreb;
□ *the main/general ~ of* hovedindholdet i; temaet i; (*fx mht. undersøgelse*) hovedsigtet med.

thrust² [θrʌst] *vb.* (thrust, thrust) **1.** stikke (*fx one's hands deep into one's pockets*); skubbe, puffe (*fx they ~ him into the car*); mase (*fx the cloth into the hole*); **2.** (*noget spidst*) støde (*fx a knife into him*); stikke, jage; bore; **3.** (*uden objekt*) mase sig (*fx through the hedge*);
□ ~ *at* støde/stikke efter; ~ *the letter at him* skubbe brevet hen til ham; stikke brevet i hånden på ham; ~ *forward* mase sig frem; ~ *it upon him* påtvinge/pånøde ham det; (se også *throat*).

thrust bearing *sb.* trykleje.

thruway *sb.* = *throughway.*

thud¹ [θʌd] *sb.* dump lyd; bump.

thud² [θʌd] *vb.* bumpe; dunke.

thug [θʌg] *sb.* bølle; bisse.

thuggery ['θʌgəri] *sb.* bølleoptræden; voldelighed; brutalitet.

thuggish ['θʌgiʃ] *adj.* T bølleagtig; voldelig; brutal.

thuja ['θu:jə] *sb.* (*bot.*) tuja.

thumb¹ [θʌm] *sb.* tommelfinger;
□ *he is all (fingers and) -s* han er for mange/ti tommelfingre; han er fummelfingret; *give sth the -s down//up* vende tommelfingeren nedad//opad; *-s up!* held og lykke! *be under sby's* ~ være (fuldstændig) i ens magt; *I've got him under my* ~ jeg har krammet på ham; (se også *stick² (out), twiddle²*).

thumb² [θʌm] *vb.:* ~ *it,* ~ *a lift,* ~ *one's way* T blaffe, tomle; køre på tommelfingeren, køre på stop; ~ *through* blade hurtigt igennem; *well-thumbed* som bærer præg af flittig brug; (se også *nose¹*).

thumb index *sb.* registerudskæ-

ring.
thumbnail ['θʌmneil] *sb.* tommel-
fingernegl.
thumbnail sketch *sb.* miniature-
portræt; kort beskrivelse.
thumb nut *sb.* fløjmøtrik.
thumbscrew ['θʌmskru:] *sb.* tom-
melskrue.
thumbs-down [θʌmz'saun],
  thumbs-up [θʌmz'ʌp] se *thumb[1]*.
thumbtack ['θʌmtæk] *sb.* (*am.*) teg-
nestift.
thump[1] [θʌmp] *sb.* (dumpt og
tungt) slag; dunk.
thump[2] [θʌmp] *vb.* **1.** slå, banke;
dunke; dundre; **2.** T banke; tæske;
3. (*om hjerte*) hamre;
  □ ~ *the piano* hamre i klaveret; ~
the table slå i bordet.
thumping[1] ['θʌmpiŋ] *adj.* T geval-
dig; kæmpe-.
thumping[2] ['θʌmpiŋ] *adv.* T geval-
digt; kæmpe- (*fx great*);
  □ *a* ~ *great lie* en dundrende
løgn.
thunder[1] ['θʌndə] *sb.* **1.** torden;
2. (*høj lyd*) tordnen, bulder, drøn;
  □ *look like* ~ se rasende ud; *steal
his* ~ (*fig.*) stjæle opmærksomhe-
den fra ham; stjæle hans ide(er);
tage ordet ud af munden på ham.
thunder[2] ['θʌndə] *vb.* (*også fig.*)
tordne.
thunderbolt ['θʌndəbəult] *sb.* **1.** tor-
denbrag; **2.** (T: *fig.*) tordenslag;
3. (*myt.*) tordenkile.
thunderclap ['θʌndəklæp] *sb.* tor-
denskrald.
thunderhead ['θʌndəhed] *sb.* tor-
densky.
thunderous ['θʌnd(ə)rəs] *adj.* tord-
nende (*fx applause*); dundrende.
thunderstorm ['θʌndəstɔ:m] *sb.* tor-
denvejr.
thunderstruck ['θʌndəstrʌk] *adj.*
som ramt af lynet; målløs; him-
melfalden.
thundery ['θʌndəri] *adj.* (*om vejr*)
lummer; trykkende.
Thuringia [θjuə'rindʒiə] (*geogr.*)
Thüringen.
Thurs. *fork. f. Thursday.*
Thursday ['θə:zdei, -di] *sb.* torsdag;
  □ *on* ~ **a.** i torsdags (*fx he arrived
on* ~); **b.** på torsdag (*fx he'll be
arriving on* ~); -*s* (*adv., am.*) = *on
-s; on -s* om torsdagen; *this* ~ nu
på torsdag; førstkommende tors-
dag.
thus [ðʌs] *adv.* F **1.** således, på
denne måde; **2.** (*om følge*) såle-
des, derfor, følgelig; så (*fx* ~
much).
thus far *adv.* F hidtil, indtil nu, fo-
reløbig.
thwack[1] [θwæk] *sb.* **1.** slag; **2.** (*lyd*)

knald, smæld.
thwack[2] [θwæk] *vb.* T slå; smække.
thwart[1] [θwɔ:t] *sb.* (*mar.: i båd*)
tofte.
thwart[2] [θwɔ:t] *vb.* F **1.** (*person*)
hindre; lægge sig i vejen for;
2. (*forehavende*) krydse (*fx his
plans*); forpurre (*fx their at-
tempts*).
thy [ðai] *pron.* (*glds.*) din//dit//
dine.
thyme [taim] *sb.* (*bot.*) timian.
thyroid ['θairɔid] *sb.* (*anat.*) skjold-
bruskkirtel.
thyroid gland *sb.* = *thyroid.*
thyself [ðai'self] *pron.* (*glds.*) **1.** du
selv; dig selv; **2.** (*refleksivt*) dig
selv; dig.
tiara [ti'a:rə] *sb.* tiara.
Tibetan[1] ['tibət(ə)n] *sb.* **1.** (*person*)
tibetaner; **2.** (*sprog*) tibetansk.
Tibetan[2] ['tibət(ə)n] *adj.* tibetansk.
tibia ['tibiə] *sb.* (*pl. -e* [tibi'i:]/*-s*)
(*anat.*) skinneben.
tic [tik] *sb.* tic, nervøs trækning.
tick[1] [tik] *sb.* **1.** (*urs lyd*) tikken;
2. (*ved afkrydsning*) hak; mærke;
3. (T: *om tid*) øjeblik; sekund;
4. (*til pude etc.*) bolster; **5.** (*zo.*)
skovflåt; (se også *sheep tick*); **6.** (S:
om person) dum skid;
  □ *half a* ~! et øjeblik! lige se-
kund! *in a* ~, *in two -s* om et øje-
blik; om to sekunder; *on* ~ (*glds.*
T) på klods, på kredit.
tick[2] [tik] *vb.* **1.** (*om ur*) tikke;
2. (*ved kontrol*) hakke af, krydse
af;
  □ *what makes him* ~? T hvordan
er han indrettet? hvorfor gør han
som han gør? *[med adv.]* ~ *away* **a.** (*om ur*) gå,
tikke løs; **b.** (*om tid*) gå hen, tikke
af sted; ~ *by* = ~ *away b*; ~ *off*
(*på liste etc.*) hakke af, krydse af;
~ *sby off* **a.** T skælde én ud, give
én en balle/opsang; **b.** (*am.* T)
gøre en rasende; (se også *ticked
off*); *be -ing over* **a.** (*om motor*) gå
i tomgang; **b.** (T: *fig.*) lige holde
den gående.
ticked off ['tiktɔf] *adj.* (*am.* T) ra-
sende.
ticker ['tikə] *sb.* **1.** (*am.*) børstele-
graf; **2.** T lommeur; **3.** (*glds.* T)
dikværk, hjerte.
ticker tape *sb.* telegrafstrimler.
ticker-tape parade ['tikeippəreid]
sb.: give sby a ~ (*am.*) *[hylde en
ved at lade telegrafstrimler etc.
flagre ud af vinduerne*].
ticket[1] ['tikit] *sb.* (se også *tickets*)
1. billet; **2.** (*på vare*) (mærke)sed-
del; **3.** (*til lotteri*) lotteriseddel;
4. (*straf til bilist*) bøde; **5.** (*ved
valg*) partiprogram; valgprogram;

6. (*am. også*) [*liste over et partis
kandidater*];
  □ *that's just the* ~ (*glds.* T) det er
noget af det rigtige; det er sagen;
sådan skal det være; *it's -s for him*
(*sydafr.* S) det er sket med ham; *a*
~ *to* (*fig.*) den direkte vej til (*fx
success*); *get one's* ~ (*mil.* S) blive
hjemsendt; få sin afsked; *write
one's own* ~ (*især am.* T) selv
diktere betingelserne.
ticket[2] ['tikit] *vb.: be -ed* **a.** få en
billet; **b.** få en bøde; **c.** (*om vare*)
blive mærket.
ticket collector *sb.* billetkontrollør.
tickets ['tikits] *sb.: it's* ~ (*sydafr.*)
så er det sket med ham//dem *etc.*
ticket tout *sb.* billethaj.
ticket window *sb.* billetluge; billet-
hul.
ticking ['tikiŋ] *sb.* (*til madras*) bol-
ster.
ticking-off [tikiŋ'ɔf] *sb.* T overha-
ling, balle, opsang.
tickle[1] ['tikl] *sb.* **1.** kildren; **2.** (*i
halsen*) kriller;
  □ *give him a* ~ kilde ham; (se også
slap[1]).
tickle[2] ['tikl] *vb.* **1.** kilde; **2.** (*fig.*)
fryde (*fx it -s me to see him put
down*); **3.** (T: *fig.*) more;
  □ *my nose is tickling* det kilder i
næsen; *my throat is tickling* det
kriller i halsen; *I was -d by his
stories* hans historier morede mig;
I was -d pink/to death T det var
mig en sand fryd;
  [med sb.] ~ *one's fancy* (*glds.* T)
appellere til en; tiltale en; ~ *his
feet* kilde ham under fødderne; ~
the palate kildre ganen; ~ *one's
vanity* smigre/pirre ens forfænge-
lighed; (se også *ivory*).
tickler ['tiklə] *sb.* **1.** problem, gåde;
2. (*am.*) huskekalender.
ticklish ['tikliʃ] *adj.* **1.** kilden (*fx
he is* ~); **2.** (T: *fig.*) kilden, peni-
bel (*fx question*).
tick-tack-toe [tiktæk'tou] *sb.* (*am.*)
= *noughts and crosses.*
ticktock ['tiktɔk] *sb.* (*urs lyd*)
tik-tak.
ticky-tacky[1] ['tikitæki] *sb.* (*am.*)
billigt/tarveligt materiale.
ticky-tacky[2] ['tikitæki] *adj.* (*am.*)
billig; tarvelig.
tidal ['taid(ə)l] *adj.* tidevands- (*fx
basin; port*).
tidal wave *sb.* flodbølge.
tidbit ['tidbit] *sb.* (*am.*) = *titbit.*
tiddler ['tidlə] *sb.* T **1.** lillebitte
fisk; hundestejle; **2.** lille unge;
lille pjevs.
tiddly ['tidli] *adj.* T **1.** (*glds.*) let be-
dugget; **2.** lillebitte;
  □ *be* ~ (*jf. 1, også*) have en lille én

på.

tiddly-pom ['tidlipɔm] *interj.* dada-dum.

tiddlywinks ['tidliwiŋks] *sb. pl.* loppespil.

tide[1] [taid] *sb.* 1. tidevand; 2. (*fig.*) strøm; retning; tendens; bevægelse;
□ *a ~ of* (*fig.*) en bølge af (*fx crime*); en strøm af; *the ~ of opinion* tendensen; *the ~ is in* det er flod/højvande; *the ~ is out* det er ebbe/lavvande; *drift/float/swim with the ~* (*fig.*) drive/flyde/lade sig glide med strømmen; *swim against the ~* (*fig.*) gå mod strømmen.

tide[2] [taid] *vb.*: ~ *sby over* hjælpe en igennem; ~ *sby over a difficulty* hjælpe en over en vanskelighed.

tide-rode [taid'rəud] *adj.* (*mar.*) strømret.

tideway ['taidwei] *sb.* tidevandskanal, strømløb.

tidings ['taidiŋz] *sb. pl.* (*poet.*; *litt.*) tidende; efterretninger.

tidy[1] ['taidi] *sb.* 1. (*til toiletsager etc.*) æske; 2. (*i vask: til skræller etc.*) vaskehjørne; 3. (*am.: på stol etc.*) antimakassar.

tidy[2] ['taidi] *adj.* 1. (*om sted*) ordentlig, velordnet, ryddelig; net, pæn; 2. (*om egenskab*) ordentlig; □ *a ~ sum* T en betragtelig/net sum penge.

tidy[3] ['taidi] *vb.* rydde op i; ordne; nette;
□ ~ *away* rydde væk; ~ *out* rydde op i, gøre orden i; ~ *up* **a.** rydde op; **b.** (*med objekt*) rydde op i, gøre orden i; ~ *oneself up* nette sig.

tie[1] [tai] *sb.* 1. (*til skjorte*) slips; (se også *black tie, white tie*); 2. (*til at binde med*) bånd; bindebånd; snor; 3. (*fig.*) bånd (*fx family -s*); tilknytning; forbindelse (*fx diplomatic -s*); 4. (*i nodeskrift*) bindebue; 5. (*i sport*) uafgjort kamp// stilling; (se også *cup tie*); 6. (*i tagkonstruktion*) hanebjælke; tagbjælke; 7. (*am. jernb.*) svelle.

tie[2] [tai] *vb.* (se også *tied*) 1. binde; 2. (*uden objekt*) bindes; fæstnes (*fx the dress -s at the back*); 3. (*i sport*) stå lige; spille uafgjort;
□ ~ *sby hand and foot* binde en på hænder og fødder; (se også *knot*[1]);
[*med præp.& adv.*] ~ *down* **a.** binde 'til; binde fast; **b.** (*fig.*) binde; forpligte; ~ *in with* **a.** passe til; passe sammen med; **b.** (*med objekt*) samordne med; ~ *one on* (*am.* T) drikke sig fuld, få

en kæp i øret; ~ *up* **a.** binde (*fx one's shoelaces*); **b.** (*sæk, taske etc.*) binde 'til; snøre sammen; **c.** (*person*) binde; **d.** (*dyr*) tøjre; **e.** (*sag, problem*) ordne; afslutte, gøre færdig; **f.** (*kapital*) binde; båndlægge; (se også *loose end*); **g.** (*om båd*) fortøje; ~ *up with* (*fig.*) **a.** forbinde med; knytte til; sætte i forbindelse med; **b.** (*uden objekt*) se ovf.: ~ *in with*.

tie-and-dye = *tie-dye*.

tie beam *sb.* hanebjælke.

tiebreak ['taibreik], **tiebreaker** ['taibreikə] *sb.* (*i tennis*) tie breaker [*konkurrence til at afgøre uafgjort sæt*].

tie clip *sb.* slipseholder.

tied [taid] *adj.* bundet; (se også *tied up*);
□ *my hands are ~* (*fig.*) jeg står ikke frit.

tied cottage *sb.* tjenestehus [*overladt en landarbejder af ejeren som en del af lønnen*].

tied house *sb.* 1. [*pub hvor der kun sælges øl fra et bestemt bryggeri*]; 2. se *tied cottage*.

tied up *adj.* 1. (*om person*) optaget (*fx I will be ~ all day*); 2. (*om kapital*) bundet (*fx his money is ~ in property*); 3. (*am.: om trafik*) gået i stå; gået i hårdknude;
□ *get ~* **a.** T blive gift; **b.** blive strejkeramt; *be ~ with* være nært/ nøje forbundet med; stå i nær forbindelse med; være knyttet til.

tie-dye ['taidai] *sb.* knyttebatik; viklebatik.

tie-dyed ['taidaid] *adj.* batikfarvet [*med knyttebatik*].

tie-in ['taiin] *sb.* 1. forbindelse (*to til*); sammenkobling (*to med*); 2. [*bog//plade//legetøj etc. der udsendes i tilknytning til tv-udsendelse//film*].

tie-in sale *sb.* betinget salg [ɔ: betinget af modydelser].

tiepin ['taipin] *sb.* slipsnål; slipsholder.

tier [tiə] *sb.* 1. (trinvis opstigende) række (*fx an auditorium with -s of seats*); etage; lag (*fx the wedding cake had three -s*); 2. (*i organisation*) niveau (*fx they have taken out one ~ of management*); etage, lag; 3. (*bibl.*) reolfag.

tiered [tiəd] *adj.* 1. i opadstigende rækker; 2. (*om system*) niveaudelt; lagdelt.

tie rod *sb.* (*i bil*) styrestang.

tie tack *sb.* (*am.*) slipsnål.

tie-up ['taiʌp] *sb.* 1. nær forbindelse (*between* mellem); 2. (*merk.*) sammenslutning, kompagniskab (*with* med); 3. (*am.*) ar-

bejdsstandsning; trafikstandsning.

tiff [tif] *sb.* T kurre på tråden; lille uenighed.

tiffin ['tifin] *sb.* (*anglo-indisk*) frokost; snack.

tig [tig] *sb.* tagfat.

tiger ['taigə] *sb.* tiger.

tiger beetle *sb.* (*zo.*) sandspringer.

tiger lily *sb.* (*bot.*) tigerlilje.

tiger moth *sb.* (*zo.*) bjørnespinder.

tight[1] [tait] *adj.* 1. (*mht. mellemrum, huller*) tæt (*fx group*; *formation*; *water-~*); 2. (*om greb etc.*: *mods. løs*) fast (*fx knot*; *take a ~ hold on his arm*; *the lid is on very ~*); 3. (*om reb etc.*: *mods. slap*) stram (*fx muscle*; *rope*; *skin*; *the screw is ~*); spændt (*fx muscle*; *rope*); (*mar. om reb*) tot; 4. (*fig.*) sammensnøret (*fx his chest// throat felt ~*); anspændt (*fx voice*); 5. (*mht. plads*) snæver (*fx parking spot*); 6. (*om tøj*) stram, tætsiddende; snæver; 7. (*om plan, bestemmelse*) stram (*fx budget*; *policy*; *rule*; *schedule*); (*om kontrol*) skarp (*fx security measures*); 8. (*i sport*) tæt (*fx race*; *match*); jævnbyrdig (*fx match*); 9. (T: *om egenskab*) nærig, fedtet; 10. (*glds.* T) fuld, drukken;
□ *the coat is ~ across the chest* frakken strammer over brystet; *money is ~* **a.** pengene er små; det kniber med pengene; **b.** (*merk.*) pengemarkedet er stramt; *time is ~* tiden er knap; det kniber med tiden; [*med sb.*] *a ~ bend* en skarp kurve; *a ~ corner* et skarpt hjørne; *in a ~ corner/place/spot* (*fig.*) i knibe; i klemme; *it was a ~ squeeze* **a.** (*på et sted*) der var tæt trængsel; **b.** (*fig.*) det gik lige akkurat; *in a ~ squeeze* se ovf.: *in a ~ corner etc.*

tight[2] [tait] *adv.* 1. tæt (*fx packed ~*); 2. fast (*fx she shut her eyes ~*); 3. stramt (*fx stretched ~*);
□ *hold ~* **a.** holde godt fast; **b.** holde sig tilbage, holde sig i ro; *sit ~* **a.** blive siddende; blive hvor man er; **b.** (*fig.*) holde fast; ikke give sig; *sleep ~!* sov godt!

tight-assed [tait'æst] *adj.* (*am.* T) stramtandet, snerpet.

tighten ['tait(ə)n] *vb.* 1. stramme (*fx a screw; a rope; guitar strings; one's grip*); spænde (*fx a screw; a spring; a muscle*); (se også *belt*[1], *net*[1]); 2. (*fig.*) skærpe (*fx border control; security measures*); stramme (*fx credit*); 3. (*uden objekt*) strammes; stramme 'til; 4. (*fig.*) snøre sig sammen (*fx her stomach -ed*);

□ ~ *up* **a.** stramme 'til (*fx a knot; a screw*); **b.** (*fig.*) stramme op (*fx the administration*); skærpe (*fx the control; the rules; security measures*); **c.** (*uden objekt*) stramme op (*fx we'll have to ~ up*).
tight-fisted [tait'fistid] *adj.* T nærig; fedtet; påholdende.
tight-fitting [tait'fitiŋ] *adj.* **1.** stram (*fx lid*); **2.** (*om tøj*) stramtsiddende; tætsiddende.
tight-knit [tait'nit] *adj.* (*om gruppe*) fast sammentømret.
tight-lipped [tait'lipt] *adj.* **1.** med sammenknebne læber; **2.** (*fig.*) sammenbidt; fåmælt, umeddelsom.
tightrope ['taitrəup] *sb.* (stram) line;
□ *walk the ~* gå på line; *walk/ tread a ~* (*fig.*) gå balancegang; *live on a ~* (*fig.*) leve livet farligt.
tightrope walker *sb.* linedanser.
tights [taits] *sb. pl.* **1.** strømpebukser; **2.** (*dansers el. om gymnastikdragt*) trikot.
tightwad ['taitwɔd] *sb.* (*am.* T) gnier, fedtsyl.
tigress ['taigrəs] *sb.* huntiger.
tike [taik] *sb.* se *tyke.*
tile¹ [tail] *sb.* **1.** flise (*fx carpet ~*); (*keramisk også*) kakkel; **2.** (*til gulv*) klinke; gulvflise; **3.** (*til tag*) tagsten; tegl;
□ *have a ~ loose* T have en skrue løs; *be out on the -s* T være ude at feste, være i byen.
tile² [tail] *vb.* **1.** (*gulv*) lægge fliser på; **2.** (*væg//rum*) sætte fliser op på//op i; **3.** (*tag*) tegltække, lægge tegl på; **4.** (*it*) arrangere side om side.
tiled [taild] *adj.* flisebelagt;
□ ~ *floor* flisegulv.
tiler ['tailə] *sb.* **1.** (*til gulv*) fliselægger; **2.** (*til væg*) fliseopsætter; **3.** (*til tag*) tegltækker.
tiling ['tailiŋ] *sb.* fliser.
till¹ [til] *sb.* kasseapparat; (*især glds.*) pengeskuffe;
□ *he was caught with his fingers/ hand in the ~* han blev grebet i at tage af kassen.
till² [til] *vb.* (*jord; glds.*) bearbejde, dyrke; opdyrke, bringe under plov.
till³ [til] *konj.* til, indtil (*fx wait ~ he is back*);
□ *not ~* ikke før, først når//da (*fx not ~ he is back; not ~ he arrived*).
till⁴ [til] *præp.* til, indtil (*fx wait ~ tomorrow*);
□ *not ~* ikke før, først (*fx not ~ tomorrow*); ~ *now* indtil nu, hidtil; ~ *then* til den tid, indtil da; ~

then! farvel så længe! på gensyn!
tillage ['tilidʒ] *sb.* (*glds.*) **1.** dyrkning; **2.** dyrket land.
tiller¹ ['tilə] *sb.* **1.** (*mar.*) rorpind; **2.** (*bot.*) rodskud; udløber.
tiller² ['tilə] *vb.* (*bot.*) skyde rodskud//udløbere.
tilt¹ [tilt] *sb.* **1.** hældning (*towards* mod); **2.** (*hist.*) ridderturnering; dystløb, dyst; **3.** T angreb (*at* på); udfald (*at* mod); **4.** (*foto.*) tilt;
□ *a ~ at* **a.** se: *3*; **b.** et forsøg på at opnå//vinde (*fx the world championship*); *at a ~* på skrå (*fx wear one's hat at a ~*); (*at*) *full ~* i fuld fart; for fuld kraft (*fx work full ~*).
tilt² [tilt] *vb.* **1.** hælde (*fx a cup*); stille skråt; vippe (*fx he -ed his chair backwards*); tippe; **2.** (*kamera*) tilte; **3.** (*fig.*) påvirke, rykke (*fx the balance of power*); (*se også balance¹, scale¹*); **4.** (*uden objekt*) hælde, skråne (*fx the floor -ed slightly*); stå skråt; tippe (*fx the boat started to ~*);
□ ~ *at* **a.** (*hist.*) kæmpe/dyste mod; **b.** (*fig.*) bekæmpe (*fx social evil*); F drage til felts mod; *his cap was -ed at an angle* kasketten sad på skrå/på sned; (*se også windmill*); ~ *one's head back* bøje hovedet bagover; lægge nakken tilbage; ~ *one's chair back* vippe sin stol bagover; ~ *one's head to one side* hælde hovedet til siden; lægge hovedet på skrå; *with her head -ed to one side* med hovedet på skrå; ~ *towards* (*fig.*) tendere imod; hælde imod.
tilt yard *sb.* (*hist.*) turneringsplads.
timber ['timbə] *sb.* **1.** træ, tømmer; (*mods. brænde*) gavntræ; **2.** (*fig.: især am.*) stof; **3.** (*i hus*) bjælke (*fx roof -s*); **4.** (*mar.*) spant;
□ *shiver my -s* splitte mine bramsejl [*litterær sømandsed*]; *he is not presidential ~* (*jf. 2*) der er ikke stof i ham til en præsident.
timbered ['timbəd] *adj.* **1.** bjælke-; (*se også half-timbered*); **2.** skovbevokset.
timberline ['timbəlain] *sb.* (*am.*) trægrænse.
timber yard *sb.* tømmerplads.
timbre [fr., 'tæmbə] *sb.* klangfarve.
time¹ [taim] *sb.* **1.** tid; **2.** (*generelt*) tiden (*fx as ~ passed*); **3.** (*om periode*) tidsrum, tid (*fx a long// short ~*); **4.** (*om punkt*) tidspunkt (*fx fix a ~ for the meeting*); tid (*fx at the ~*); **5.** (*ved gentagelse*) gang (*fx this ~ you are wrong; you've said it three -s; three -s four is twelve*); **6.** (*mus.*) takt;
□ ~ *!* stop!, slut! ~, *gentlemen,* ~ *!* så er det lukketid! *the ~ (when)*

he lived here dengang han boede her; ~ *was when I was strong enough* (*litt.*) engang var jeg stærk nok;
[*i pl.*] *-s* **a.** tid (*fx in prehistoric -s*); **b.** tider (*fx what terrible -s we live in!*); **c.** (*jf. 5*) gange (*fx many -s; five -s as much; ten -s better*); *nine -s out of ten* i ni af ti tilfælde;
[*med pron.*] *at all -s* hele tiden; altid; *for all ~* for altid; for evig; *of all ~* alle tiders (*fx the greatest singer of all ~*); (*at*) *any ~* når som helst; *not have much ~ for* ikke bryde sig særlig om; *at no ~* på intet tidspunkt; *have no ~ for* ikke bryde sig om; *in no ~* på et øjeblik; i løbet af 0,5; **b.** meget snart; *there is no ~ like the present* det er bedst at få det gjort med det samme; *some ~* **a.** (*jf. 3*) et stykke tid, i nogen tid (*fx I have been waiting some ~*); **b.** (*jf. 4*) engang (*fx come and see me some ~*); *this ~* denne gang; *this ~ round* i denne omgang; *at this ~* på dette tidspunkt; *by this ~* nu; allerede; *what ~ does it start?* hvad tid begynder det? *what ~ is it?, what's the ~?* hvad er klokken?
[*med adj.*] *have a bad ~ of it* **a.** have det hårdt; **b.** få en hård medfart; *keep bad ~* **a.** (*om ur*) gå upræcist; **b.** (*om person*) være upræcis; tit komme for sent; *the big ~* toppen; *be in the big ~* have succes; *make the big ~* få succes; komme til tops; *first ~* se *first²*; *work full ~* arbejde på heltid/fuld tid; *the score at full ~ was ...* ved kampens afslutning stod det ...; *a good ~* to do it et godt tidspunkt at gøre det på; *have a good ~* more sig; have det rart; *keep good ~* **a.** (*om ur*) gå præcist; **b.** (*om person*) være præcis/punktlig; altid komme til tiden; *make good ~* holde et godt tempo; komme hurtigt frem; *in good ~* **a.** i god tid; **b.** til rette tid; **c.** da den tid kom (*fx and in good ~ they were married*); *all in good ~* hver ting til sin tid; *come in good ~* komme i god tid; *give sby a hard ~* T gøre livet besværligt for en; være skrap mod en; *hard -s* svære tider; (*se også fall² (on)*); *high ~* se *high²*; *next ~* næste gang; *the next ~ round* i næste omgang; *talk about old -s* snakke om gamle dage; *for old -s' sake* for gammelt venskabs skyld; *in one's own ~* **a.** når man har fri; **b.** når det passer en; når det er belejligt;

T time

in one's own good ~ når det passer en; når det er belejligt; **small** ~ i lille format; i lille målestok; (se også *high²*, *short²*, *thin¹*, *third²*);

[*med vb.*] **beat** ~ slå takt; **buy** ~ vinde tid; **call** ~ (*i pub*) meddele at det er lukketid; *your* ~ *has* **come** din tid er kommet; F din time er slået; **do** ~ se ndf.: *serve* ~; **find** *the* ~ *to* få tid til at; **gain** ~ vinde tid; **have** *the* ~ *of one's life* more sig glimrende; have det dejligt; *it is* ~ *(that) we went* det er (snart) på tide vi kommer af sted; **keep** ~ **a.** holde takt; **b.** (*om ur*) gå rigtigt, gå præcist; **kill** ~ fordrive tiden, få tiden til at gå; *he* **lost** *no* ~ *in trying to* han prøvede øjeblikkelig at; **make** ~ **a.** holde den fastsatte fart; **b.** køre stærkt; **c.** få tid, afsætte tid (*fx you should try and make* ~ *to visit him*); **mark** ~ **a.** marchere på stedet; **b.** (*fig.*) stå i stampe; ikke komme af stedet; *help him* **pass** *the* ~ hjælpe ham med at få tiden til at gå; *pass the* ~ *of day* hilse på hinanden; sige goddag//godmorgen//godaften (til hinanden); **serve** ~ sidde inde, sidde i fængsel; *serve one's* ~ stå i lære; udstå sin læretid; **take** *your* ~*!* tag den med ro! giv dig bare god tid! *if you'd taken more* ~ *over it* hvis du havde brugt mere tid på det; (se også *time off, time out*); **tell** *the* ~ **a.** sige hvad klokken er; **b.** (*om barn*) kunne klokken; **watch** *one's* ~ afvente det rette tidspunkt; [*med præp., adv.*] **about** ~ *too!* det var også på tide/på høje tid! det er heller ikke for tidligt! ~ **after** ~, ~ *and* ~ **again** gang på gang; **against** ~ se *race¹*, *work²*; **at** *any//no//this* ~, *at all -s* se: *ovf.*; (se også *writing*); **ahead of** ~ **a.** før tiden, for tidligt; **b.** i god tid; på forhånd; *be ahead of one's* ~ være forud for sin tid; **at** *a* ~ ad gangen; *at -s* til tider; fra tid til anden; *at one* ~ **a.** engang (*fx I knew her at one* ~); i sin tid; **b.** samtidig; *at the* ~ dengang (*fx it seemed like a good idea at the* ~); *at the best of -s* i bedste fald; *at the same* ~ **a.** samtidig; på samme tid; **b.** på den anden side; og dog; alligevel; *at this* ~ *of day* på dette tidspunkt; efter alt hvad der er sket; *at my* ~ *of life* i min alder; *that was* **before** *my* ~ det var før min tid; *not before* ~*!* se ovf.: *and about* ~ *too!* se *before one's* ~ være forud for sin tid; *be* **behind** ~ være forsinket; komme

for sent; *be behind the -s* være bagud for sin tid; være gammeldags; **by** *the* ~ *you get this letter* når du får dette brev; *by this* ~ se: *ovf.*; **for** *a* ~ et stykke tid; en tid; *for all* ~ se: *ovf.*; (se også *being²*); **from** ~ *to* ~ fra tid til anden; *in* ~ **a.** i tide (*fx be there in* ~); **b.** med tiden (*fx you'll forget her in* ~); **c.** i takt; *in good//no* ~ se: *ovf.*; **on** ~ præcis; **over** ~ **a.** over tid; **b.** med tiden.

time² [taim] *vb.* **1.** vælge det rette tidspunkt for, time; afpasse tiden for; **2.** (*med stopur*) tage tid; □ *be -d* **for** være fastsat til (*fx the meeting was -d for 6 o'clock*); *be -d to* **a.** være fastsat sådan at det vil (*fx our trip was -d to coincide with their holiday*); **b.** (*om bombe*) være indstillet til at (*fx go off three hours later*); ~ *it* **well** vælge det rette tidspunkt for det.

time-and-motion study [taimən-'məuʃnstʌdi] *sb.* tidsstudie; arbejdsstudie.

time-barred [taim'ba:d] *adj.* (*jur.*) forældet.

time bomb *sb.* tidsindstillet bombe.

time card *sb.* kontrolkort [*til af-stempling*].

time clock *sb.* kontrolur.

time-consuming ['taimkənsju:miŋ] *adj.* tid(s)krævende; tid(s)rø-vende.

time exposure *sb.* (*foto.*) eksponering på tid.

time frame *sb.* F tidsramme; tidshorisont.

time-honoured ['taimhɔnəd] *adj.* hævdvunden; ærværdig.

timekeeper ['taimki:pə] *sb.* **1.** tidtager; **2.** ur; □ *be a good* ~ **a.** (*om ur*) gå præcist; **b.** (*om person*) være præcis/punktlig; altid komme til tiden; *be a bad* ~ **a.** (*om ur*) gå upræcist; **b.** (*om person*) være upræcis; tit komme for sent.

timekeeping ['taimki:piŋ] *sb.* **1.** tidtagning; **2.** (*egenskab*) præcision, punktlighed.

time lag *sb.* interval, tidsafstand; tidsforskydning; forsinkelse.

timeless ['taimləs] *adj.* tidløs.

time limit *sb.* tidsfrist; tidsbe-grænsning.

timely ['taimli] *adj.* betimelig; rettidig; belejlig.

time off *sb.* fritid; □ *take* ~ tage fri.

time out *sb.* **1.** pause; **2.** (*i sport*) timeout [*tid til taktisk rådslagning*]; □ *take* ~ tage sig en pause.

timepiece ['taimpi:s] *sb.* (*glds. el.*

F) ur; kronometer.

timer ['taimə] *sb.* **1.** køkkenur; (se også *egg timer*); **2.** (*på apparat etc.*) timer, tænd og sluk-ur, ur; **3.** (*person*) tidtager.

time-release capsule [taimri-'li:skæpsju:l] *sb.* depottablet.

times¹ [taimz] *sb. pl.* se *time¹*.

times² [taimz] *vb.* T gange.

timescale ['taimskeil] *sb.* tidsramme.

time-server ['taimsə:və] *sb.* **1.** (*som skifter mening*) opportunist; vendekåbe; **2.** (*som ikke arbejder energisk*) [*ansat der kun venter på sin pension*].

timeshare ['taimʃɛə] *sb.* **1.** se *time-sharing*; **2.** [*feriebolig som man har på timeshare*].

time-sharing ['taimʃɛəriŋ] *sb.* **1.** timeshare [*sameje af feriebolig hvor hver ejer har rådighed over et bestemt tidsrum*]; **2.** (*i edb*) tidsdeling; tidsdelt drift.

time sheet *sb.* arbejdsseddel; time-seddel.

time signal *sb.* tidssignal.

time signature *sb.* (*mus.*) taktangivelse.

time span *sb.* tidsrum; periode.

times sign *sb.* (*am.*) gangetegn.

times table *sb.* T gangetabel.

time switch *sb.* tænd og sluk-ur; ur; timer.

timetable¹ ['taimteibl] *sb.* **1.** tidsplan; **2.** (*i undervisning*) skema; **3.** (*for bus etc.*) køreplan; (*for tog også*) togplan; **4.** (*for færge etc.*) fartplan.

timetable² ['taimteibl] *vb.* **1.** lave en tidsplan for; **2.** (*i undervisning*) skemalægge; (*uden objekt*) lægge skema.

timetabled ['taimteibld] *adj.* skemalagt.

timetabling ['taimteibliŋ] *sb.* skemalægning.

time trial *sb.* (*i cykelløb etc.*) tidskørsel.

time trouble *sb.* (*i skak*) tidnød.

time warp *sb.* (*i science fiction*) tidsforskydning; tidslomme.

time-worn ['taimwɔ:n] *adj.* medtaget af tidens tand; slidt; fortærsket (*fx expression*); gammeldags (*fx technique*).

time zone *sb.* tidszone.

timid ['timid] *adj.* **1.** sky (*fx child*); genert, forsagt; **2.** (*mht. mod*) frygtsom, forskræmt; **3.** (*om holdning, handling*) forsagt, forsigtig (*fx smile*); svag (*fx policy*).

timidity [ti'midəti] *sb.* (*jf. timid*) **1.** skyhed, generthed, forsagthed; **2.** frygtsomhed, forskræmthed; **3.** forsagthed, forsigtighed.

timing ['taimiŋ] *sb.* (cf. *time²*) **1.** afpasning af tiden/tidspunktet; fastsættelse/valg af tidspunkt; timing; **2.** tidtagning; tidskontrol; **3.** (*tekn.*) indstilling; justering; □ *the* ~ *was excellent* tidspunktet var udmærket valgt; *with perfect* ~ på det helt rigtige tidspunkt.

timorous ['timərəs] *adj.* F frygtsom; ængstelig; (se også *timid*).

timothy ['timəθi] *sb.* (*bot.*) engrottehale; timoté.

timpani ['timpəni] *sb. pl.* (*mus.*) pauker.

timpanist ['timpənist] *sb.* paukeslager, paukist.

tin [tin] *sb.* **1.** tin; **2.** (*plader*) blik; **3.** (*beholder*) dåse; **4.** (*til bagning*) bageform; (se også *roasting pan*).

tin can *sb.* blikdåse.

tincture ['tiŋktʃə] *sb.* **1.** (*medicin, glds.*) tinktur; **2.** (*spøg.*) drink; **3.** (*litt.*) antydning, anstrøg (*fx there was a ~ of bitterness in her voice*).

tinder ['tində] *sb.* tønder, optændingsmateriale; fyrsvamp.

tinderbox ['tindəbɔks] *sb.* **1.** (*glds.*) fyrtøj; **2.** (*fig.*) krudttønde.

tinder-dry [tində'drai] *adj.* knastør.

tine [tain] *sb.* F **1.** (*på gaffel*) gren; **2.** (*på rive, harve*) tand; **3.** (*på gevir*) spids, ende, tak.

tin ear *sb.*: *have a* ~ (*am.* T) være fuldstændig umusikalsk; være tonedøv.

tinfoil ['tinfɔil] *sb.* stanniol, sølvpapir; alufolie.

ting¹ [tiŋ] *sb.* (*lyd*) ding; pling.

ting² [tiŋ] *vb.* sige ding/pling.

ting-a-ling [tiŋə'liŋ] *interj.* T dingeling.

tinge¹ [tin(d)ʒ] *sb.* **1.** (*af farve*) skær; tone; **2.** (*fig.*) anstrøg (*fx of sadness*); antydning.

tinge² [tin(d)ʒ] *vb.* farve; tone; □ *be -d with* (*fig.*) have et islæt/anstrøg/skær af; rumme en antydning af.

tingle¹ ['tiŋgl] *sb.* prikken; snurren; brændende fornemmelse; □ *a* ~ *of excitement* et gys af spænding.

tingle² ['tiŋgl] *vb.* **1.** prikke; snurre; brænde; **2.** (*om person*) dirre (*fx I -d all over when I saw her*); □ *my fingers are tingling* det prikker/snurrer i mine fingre (*with cold* af kulde); *his spine -d* det rislede ham ned ad ryggen; ~ *with* (*jf. 2*) dirre af (*fx excitement; fear*).

tin god *sb.*: *he is a little* ~ **a.** (ɔ: *tror han selv*) han er en hel lille vorherre; **b.** (ɔ: *tror andre*) folk tror han er noget særligt.

tin hat *sb.* T stålhjelm; □ *put the* ~ *on it* lægge låg på det; sætte punktum for det.

tinhorn ['tinhɔːn] *sb.* (*am.* T) pralhals, blære, storskryder.

tinker¹ ['tiŋkə] *sb.* **1.** (*glds.*) kedelflikker; **2.** (*især irsk, neds.*) vagabond; sigøjner; **3.** T uartig unge; □ *have a* ~ *with* se *tinker²* (*with*); *I don't care a -'s curse/cuss/damn* (*glds.* T) det rager mig en fjer; *not worth a -'s curse/cuss/damn* (*glds.* T) ikke en bønne værd.

tinker² ['tiŋkə] *vb.*: ~ *about/ around in the garden* rode lidt i haven; ~ *with* fuske/rode lidt med; pille ved.

tinkle¹ ['tiŋkl] *sb.* (jf. *tinkle²*) klirren; ringlen; rislen; ringen; □ *give him a* ~ (*glds.* T) ringe ham op; *go for a* ~ T tisse.

tinkle² ['tiŋkl] *vb.* **1.** klirre, ringle; (*om vand*) risle; (*om klokke*) ringe; **2.** (*børnesprog*) tisse; **3.** (*med objekt*) klirre//ringle med; ringle med.

tin Lizzie *sb.* (*glds. am.* T) gammel Ford.

tinned [tind] *adj.* dåse- (*fx food; tomatoes*); på dåse.

tinny ['tini] *adj.* **1.** blikagtig; **2.** (*om lyd*) metallisk; tynd; **3.** (*om mad*) som smager af dåse; **4.** (*austr.* T) heldig.

tin opener *sb.* dåseoplukker.

Tin Pan Alley T [*popkomponisternes kvarter i New York*].

tinplate ['tinpleit] *sb.* (hvid)blik.

tinplated ['tinpleitid] *adj.* fortinnet.

tinpot ['tinpɔt] *adj.* T snoldet; elendig, luset.

tinsel ['tins(ə)l] *sb.* **1.** flitter; flitterstads; **2.** (*til juletræ*) lametta.

Tinseltown ['tins(ə)ltaun] (*spøg.*) [*Hollywood*].

tinsmith ['tinsmiθ] *sb.* **1.** blikkenslager; **2.** blikvarefabrikant.

tinsnips ['tinsnips] *sb. pl.* bliksaks; □ *a pair of* ~ en bliksaks.

tint¹ [tint] *sb.* **1.** farvetone; nuance; skær; **2.** (*til hårfarvning*) skyllefarve; **3.** (*af hår*) toning; **4.** (*typ.*) tontryk.

tint² [tint] *vb.* **1.** farve; **2.** (*foto.*) farvelægge.

tinted ['tintid] *adj.* **1.** (*om hår, rude, brilleglas*) tonet; **2.** (*om papir, glas i glasmosaik*) farvet; □ ~ *with* (*fig.*) med et anstrøg af.

tintinnabulation [tintinæbju'leiʃn] *sb.* (*litt.*) ringen; ringlen.

tin whistle *sb.* blikfløjte.

tiny ['taini] *adj.* lillebitte.

tiny tot *sb.* stump; buksetrold; rolling.

tip¹ [tip] *sb.* **1.** spids; (se også *fingertip*); **2.** (*på stok*) dupsko; **3.** (*på cigaret*) mundstykke; **4.** (*til affald*) losseplads; **5.** (*uordentligt sted*) svinesti; **6.** (*betaling*) drikkepenge; **7.** (*oplysning*) vink, tip, fidus; **8.** (*gæt om resultat af konkurrence*) tip; □ *take a* ~ *from* ... lyt til et råd fra ...; *the* ~ *of the iceberg* (*fig.*) toppen af isbjerget; ~ *of the nose* næsetip; *I had it on the* ~ *of my tongue* (*fig.*) jeg havde det lige på tungen.

tip² [tip] *vb.* **1.** vippe; tippe; **2.** (*indhold, fx væske*) hælde (*fx* ~ *the water into//out of the bowl*); **3.** (*affald*) læsse af; **4.** (*tjener etc.*) give drikkepenge; **5.** (*med hånden*) berøre let, strejfe; slå let på; □ *he is -ped to win/as winner* han tippes som vinder; (se også *balance¹, hand¹, scale¹, wink¹*); [*med præp.& adv.*] ~ *one's head back* bøje hovedet bagover; lægge nakken tilbage; ~ *one's chair back* vippe sin stol bagover; *it was -ping down* det øsede ned; ~ *sby off* give en et vink; advare en; ~ *over* vælte; ~ *up* vippe op; vippe rundt; *an arrow -ped with poison* en pil der er dyppet i gift.

tip-off ['tipɔf] *sb.* vink; advarsel.

tipper ['tipə] *sb.*: *he is a good* ~ han giver gode drikkepenge.

tipper truck *sb.* lastvogn med vippelad.

tippet ['tipit] *sb.* skulderslag; skindkrave; pelscape.

Tipp-Ex® ['tipeks] *sb.* [*slags rettelak*].

tipple¹ ['tipl] *sb.* T spiritus; drink.

tipple² ['tipl] *vb.* T drikke; pimpe.

tippler ['tiplə] *sb.* T dranker.

tipster ['tipstə] *sb.* **1.** [*en der giver// sælger tips*]; **2.** [*en der røber fortrolige oplysninger*]; meddeler; angiver.

tipsy ['tipsi] *adj.* (lettere) beruset; bedugget; □ *be* ~ (*også*) have en lille en på.

tiptoe¹ ['tiptəu] *sb.* tåspids; □ *stand on* ~ stå på tæer; stå på tåspidserne; *walk on* ~ se *tiptoe²*.

tiptoe² ['tiptəu] *vb.* gå på tæer; gå på tåspidserne; liste.

tiptop ['tiptɔp] *adj.* T tiptop; førsteklasses.

tip-up seat ['tipʌpsiːt] *sb.* klapsæde.

tirade [tai'reid, -'rɑːd, ti-] *sb.* tirade; ordstrøm; salut.

tire¹ [taiə] *sb.* (*am.*) = *tyre*.

tire² [taiə] *vb.* **1.** trætte; **2.** (*uden objekt*) blive træt; □ ~ *of* blive træt af; blive ked af;

T *tired*

~ *out* udmatte.
tired ['taiəd] *adj.* **1.** træt; **2.** (*fig.*)
fortærsket (*fx excuses; ideas*);
slidt; alt for velkendt (*fx faces;
people*);
□ ~ *of* træt af; ked af; ~ *and emo-
tional* (*spøg.*) træt og uligevægtig
[ɔ: *beruset*].
tireless ['taiələs] *adj.* utrættelig.
tiresome ['taiəsəm] *adj.* **1.** træt-
tende; **2.** irriterende (*fx habit*).
'tis [tiz] *fork. f.* (*poet.*) *it is.*
tisane [ti'zæn] *sb.* urtete; blom-
sterte; tyndt afkog (*fx of pepper-
mint*).
tissue ['tiʃu:] *sb.* **1.** væv (*fx brain
~; plant ~*); **2.** (*papir*) silkepapir;
(se også *toilet tissue*); **3.** (*stykke*)
papirlommetørklæde; renseser-
viet; (se også *face tissue*).
□ *a* ~ *of lies* et væv af løgne.
tissue culture *sb.* vævskultur.
tissue paper *sb.* silkepapir.
tissue typing *sb.* vævsbestem-
melse.
tit [tit] *sb.* **1.** (*zo.*) mejse; (se også
blue tit, great tit); **2.** (*vulg.*) bryst;
3. S dum stodder, skvadderhoved;
□ *-s* bryster, patter, babser; ~ *for
tat* lige for lige; *give sby* ~ *for tat*
give én svar på tiltale; *get on sby's
-s* (*vulg.*) gå én på nerverne.
titan ['tait(ə)n] *sb.* titan, gigant.
titanic [tai'tænik] *adj.* titanisk, gi-
gantisk.
titbit ['titbit] *sb.* **1.** (*nyhed*) lækker-
bisken; pikant nyhed; **2.** (*mad*)
lækkerbisken, godbid.
titch [titʃ] *sb.* (T: *spøg.*) splejs; un-
dermåler.
titchy ['titʃi] *adj.* (T: *spøg.*) lille-
bitte, splejset.
titfer ['titfə] *sb.* T hat.
tit-for-¹tat [titfə'tæt] *sb.* gengæl-
delse.
tit-for-²tat [titfə'tæt] *adj.* gengæl-
delses- (*fx murder*).
tithe [taið] *sb.* tiende.
tithe barn *sb.* kirkelade.
titillate ['titileit] *vb.* pirre.
titillation [titi'leiʃn] *sb.* pirring.
titivate ['titiveit] *vb.* T **1.** pynte,
fikse op, stadse op; **2.** (*uden
objekt*) pynte sig, smukkesere sig,
stadse sig op;
□ ~ *oneself* = 2.
title¹ ['taitl] *sb.* **1.** titel; **2.** (*jur. etc.*)
ret, adkomst; ejendomsret.
title² [taitl] *vb.* give titel; titulere;
betitle; benævne.
title bar *sb.* (*it*) overskriftbjælke.
titled ['taitld] *adj.* **1.** (*om person*)
adelig (*fx officer*); **2.** (*om bog etc.*)
med en ... titel (*fx oddly ~ med
en underlig titel*).
title deed *sb.* adkomstdokument.

title-holder ['taitlhəuldə] *sb.* (*i
sport*) titelindehaver.
title page *sb.* titelblad.
title role *sb.* titelrolle.
title track *sb.* titelmelodi.
titlist ['taitlist] *sb.* (*am.*) titelinde-
haver.
titmouse ['titmaus] *sb.* (*pl. titmice*
['titmais]) mejse.
titter¹ ['titə] *sb.* fnis; fnisen.
titter² ['titə] *vb.* fnise.
tittle ['titl] *sb.* tøddel; se *jot¹*.
tittle-tattle ['titltætl] *sb.* (*glds.* T)
sladder.
tittup ['titəp] *vb.* svanse.
titty ['titi] = *tit 2*.
titular ['titjulə] *adj.* **1.** titulær; no-
minel, af navn; **2.** titel-.
tizzy ['tizi] *sb.*: *in a* ~ T helt ude af
flippen.
TLS *fork. f. Times Literary Supple-
ment.*
TNT *fork. f. trinitrotoluene* trotyl.
to¹ [tu:] *adv.* **1.** i (*fx the door
snapped to; pull the door to*); til;
2. (*efter bevidstløshed*) til sig selv,
til bevidsthed (*fx she came to;
bring her to*); **3.** (*mar.*) bi (*fx
heave to* dreje bi; *lie to*);
□ *to and fro* frem og tilbage.
to² [tə, (*foran vokal*) tu, (*betonet*)
tu:] *præp.* **1.** til; **2.** (*om retning*) til
(*fx to the right*); mod (*fx there
were clouds to the east*); **3.** (*foran
"hensynsled"*) for (*fx it was im-
portant//a surprise to them*); over
for (*fx you are responsible to him;
his kindness to me*); mod (*fx he
was kind to me; his duty//generos-
ity to them*); **4.** (*om sammenlig-
ning*) i forhold til, mod; (se også
nothing*); **5.** (*om overensstem-
melse*) efter (*fx to my taste; made
to measure*); **6.** (*om klokkeslæt*) i
(*fx a quarter to six*); **7.** (*om for-
hold*) på (*fx the car does 50 miles
to a gallon; the are a hundred
pence to a pound*); **8.** (*mat.: om
potens*) i (*fx 7 to the fourth
(power)*);
□ *that is all there is to it* det er det
hele; det er alt hvad der er at sige
om den ting; *there is nothing to it*
se *nothing; ten to one* ti mod en;
two to the king (*i kortspil*) kongen
anden; (se også *answer¹, party¹*
(*etc.*));
[*jf. 3; oversættes ikke i udtryk
som:*] *it occurred to me* det faldt
mig ind; *it seems to me* det fore-
kommer mig.
to³ [tə] (*foran inf.*) **1.** at (*fx to err is
human*); **2.** (*om hensigt*) for at (*fx
I have come to see you*); **3.** (*efter
enough, too*) til at (*fx he is old
enough to know; he is too young*

to drive a car);
□ *I awoke to find him standing by
my bed* jeg vågnede og opdagede
at han stod ved siden af min seng;
be to se *be¹* (*B2*); *have to* se *have²*
(*B1*);
[*stående sidst: uoversat*] *I would
love to* det ville jeg meget gerne;
*he did not come though he had
promised to* han kom ikke selv
om han havde lovet det.
toad [təud] *sb.* tudse; skrubtudse.
toadfish ['təudfiʃ] *sb.* (*zo.*) padde-
fisk.
toadflax ['təudflæks] *sb.* (*bot.*) tor-
skemund.
toad-in-the-hole [təudinðə'həul] *sb.*
indbagte pølser.
toadstool ['təudstu:l] *sb.* (*bot.*) gif-
tig//uspiselig svamp; paddehat.
toady¹ ['təudi] *sb.* spytslikker.
toady² ['təudi] *vb.*: ~ *to* sleske for,
krybe for.
toast¹ [təust] *sb.* **1.** ristet brød;
2. (*hyldest*) skål;
□ *warm as* ~ dejlig varm; *he is* ~
T det er sket med ham; *be the* ~
of the town (*glds.*) være populær i
hele byen; blive beundret/feteret
af hele byen; *drink//propose a* ~
to sby drikke//udbringe en skål for
en; *cheese//tomatoes* **on** ~ ristet
brød med ost//tomat; *have sby on*
~ T have krammet på én.
toast² [təust] *vb.* **1.** (*brød*) riste;
2. (*person*) udbringe en skål for;
□ *we -ed him with champagne* vi
drak hans skål i champagne.
toaster ['təustə] *sb.* brødrister.
toastie ['təusti] *sb.* ristet sandwich.
toasting fork *sb.* ristegaffel [*til at
riste brød på*].
toastmaster ['təus(t)ma:stə] *sb.*
toastmaster [*som dirigerer skålta-
lerne*]; magister bibendi.
toast rack *sb.* brødholder [*til ristet
brød*].
toasty ['tousti] *adj.* (*am.*) dejlig
varm.
tobacco [tə'bækəu] *sb.* **1.** tobak;
2. tobaksplante.
tobacconist [tə'bækənist] *sb.* to-
bakshandler.
tobacconist's [tə'bækənists] *sb.* (*pl.
tobacconists'* [tə'bækənists]) to-
baksforretning.
tobacco stopper *sb.* pibestopper.
to-be [tə'bi:] *adj.* vordende (*fx
father* ~ vordende far).
toboggan¹ [tə'bɔg(ə)n] *sb.* kælk.
toboggan² [tə'bɔg(ə)n] *vb.* **1.** kælke;
2. (*am.: fig.*) falde hurtigt; rasle
ned.
toby jug ['təubidʒʌg] *sb.* [ølkrus for-
met som en mand med trekantet
hat].

868

tocsin ['tɔksin] *sb.* (*litt.*) storm-
klokke; alarmsignal.
tod [tɔd] *sb.*: *on one's* ~ (*glds.* T)
alene.
today [tə'dei] *adv.* **1.** i dag; **2.** i vore
dage (*fx* ~, *young people have
much more money*);
□ ~ *is his birthday* det er hans
fødselsdag i dag; *the kids of* ~ nu-
tidens børn.
today's [tə'deiz] **1.** dagens (*fx new-
spaper*); (se også *special¹*); **2.** nuti-
dens (*fx technology*); vore dages.
toddle ['tɔdl] *vb.* gå usikkert [*som
et barn*]; stolpre;
□ ~ *along* tulle af sted.
toddler ['tɔdlə] *sb.* lille barn;
stump; rolling.
toddy ['tɔdi] *sb.* toddy.
todger ['tɔdʒə] *sb.* T tissemand.
to-do [tə'du:] *sb.* ståhej, ballade,
opstandelse.
toe¹ [təu] *sb.* tå;
□ *dig 'in one's -s se dig²; dip one's
-s into* (*fig.*) sondere (*fx the British
market*); *dip/put/stick one's -s in
the water* (*fig.*) gøre et forsigtigt
forsøg (og se hvordan det går);
sondere terrænet; *turn up one's -s*
T stille træskoene; kradse af;
[*med: on*] *be on one's -s* være på
stikkerne; *keep him on his -s*
holde ham oppe på mærkerne;
holde ham til ilden; *step/tread on
sby's -s* (*også fig.*) træde en over
tæerne.
toe² [təu] *vb.*: ~ *in//out* gå indad//
udad på fødderne; ~ *the line* (*fig.*)
makke ret, indordne sig; lystre pa-
rolen.
toecap ['təukæp] *sb.* skonæse, sko-
snude.
toe-curling ['təukə:liŋ] *adj.* som får
en til at krumme tæer.
toehold ['təuhəuld] *sb.* (spinkelt)
fodfæste;
□ *get a* ~ (*fig.*) få foden indenfor.
toe-in ['təuin] *sb.* (*forhjuls*) spids-
ning.
toenail ['təuneil] *sb.* tånegl.
toerag ['təuræg] *sb.* T dum stodder.
toff [tɔf] *sb.* (*glds.*) fin herre; bur-
gøjser.
toffee ['tɔfi] *sb.* toffee [*flødekara-
mel*];
□ *for* ~ se *nuts* (*for nuts*).
toffee-nosed ['tɔfinəuzd] *adj.* T ho-
ven, storsnudet; snobbet.
tog¹ [tɔg] *sb.* [*måleenhed for stofs
isolationsevne*]; (se også *togs*).
tog² [tɔg] *vb.*: ~ *out/up* T rigge ud,
klæde på.
together¹ [tə'geðə] *adj.* T velafba-
lanceret; tjekket;
□ *he is* ~ (*også*) han har styr på
tingene.

together² [tə'geðə] *adv.* **1.** sammen;
2. (*ved sammentælling*) tilsam-
men (*fx they earn over £20,000 a
year* ~); **3.** (*om tid*) samtidig (*fx
they all arrived* ~); **4.** (*om sam-
menhængende tid*) i træk (*fx for
ten days* ~);
□ *all* ~ *now!* alle sammen på en
gang! *they are back* ~ (*om par*) de
har fundet sammen igen; ~ *with*
sammen med; tillige med; i for-
ening med; (se også *get, go², put*
(*etc.*)).
togetherness [tə'geðənəs] *sb.* sam-
hørighed.
toggery ['tɔgəri] *sb.* T tøj, kluns,
klude.
toggle¹ ['tɔgl] *sb.* **1.** (*i frakke etc.*)
pind [*til pindelukke*]; **2.** (*mar.*)
ters; **3.** (*it*) [*tast hvormed man kan
skifte mellem to forskellige
skærmbilleder*].
toggle² ['tɔgl] *vb.* (*it*) skifte, flippe;
□ ~ *on//off* slå til//fra.
toggle switch *sb.* vippekontakt.
togs [tɔgz] *sb. pl.* T tøj, kluns,
klude.
toil¹ [tɔil] *sb.* (*litt.*) slid, hårdt ar-
bejde.
toil² [tɔil] *vb.* (*litt.*) **1.** slide i det;
arbejde hårdt; **2.** (*et sted hen*) ase,
slide sig (*fx up the hill*).
toilet ['tɔilət] *sb.* **1.** toilet, wc;
2. (*glds.*) toilette; påklædning.
toilet bag *sb.* toilettaske.
toilet paper *sb.* toiletpapir, wc-pa-
pir.
toiletries ['tɔilətriz] *sb. pl.* toiletar-
tikler.
toilet roll *sb.* rulle toiletpapir.
toilet set *sb.* toiletgarniture.
toilet tissue *sb.* toiletpapir.
toilet-training ['tɔiləttreiniŋ] *sb.* se
potty-training.
toils [tɔilz] *sb. pl.* snare [*som man
bliver fanget i*].
toing and froing [tu:iŋən(d)'frəuiŋ]
sb. **1.** rejsen//flytten frem og til-
bage; **2.** (*fig.*) diskuteren frem og
tilbage; tovtrækkeri (*fx legal
toings and froings*).
toke¹ [təuk] *sb.* T hiv, sug [*af hash-
pibe, joint*].
toke² [təuk] *vb.* T (*hash*) ryge;
□ ~ *at/on* ryge/suge på.
token¹ ['təuk(ə)n] *sb.* **1.** (*til betal-
ing, fx i automat*) polet; **2.** (*til
spil*) spillemønt; mærke; **3.** (*som
kan byttes til vare*) værdikupon;
(*som gave*) gavekort (*fx book* ~;
record ~); **4.** (*it*) stafet; **5.** F tegn
(*of på*); symbol (*of på, fx a* ~ *of
good fortune*);
□ *as a* ~ *of* (*om gave*) som tegn
på, som udtryk for (*fx our appre-
ciation//gratitude//thanks*); *by the*

same ~ på samme måde, ligele-
des; af samme grund; *in* ~ *of* som
tegn på, som udtryk for (*fx they
bowed their heads in* ~ *of re-
spect*).
token² ['təuk(ə)n] *adj.* **1.** symbolsk
(*fx payment; effort; force*); **2.** (*om
person*) som kun er med for et
syns skyld.
tokenism ['təukenizm] *sb.* (*neds.*)
symbolske anstrengelser; sym-
bolsk gestus.
told [təuld] *præt.* & *præt. ptc. af
tell*.
tolerable ['tɔlərəbl] *adj.* **1.** udholde-
lig; tålelig; **2.** (*om kvalitet*) nogen-
lunde; jævnt god.
tolerably ['tɔlərəbli] *adv.* nogen-
lunde; jævnt.
tolerance ['tɔlər(ə)ns] *sb.* **1.** tole-
rance (*of over for, fx different
views; errors; religious* ~);
2. (*med.: mht. lægemiddel*) tole-
rance (*to over for*); **3.** (*tekn.*) tole-
rance; tilladelig afvigelse;
□ ~ *of* (*også*) evne til at tåle (*fx
heat; pain*).
tolerance dose *sb.* (*med.*) tolerans-
dosis; maksimal tilladelig dosis.
tolerant ['tɔlər(ə)nt] *adj.* tolerant
(*of over for*);
□ *be* ~ *of* (*også*) kunne tåle.
tolerate ['tɔləreit] *vb.* tolerere; finde
sig i;
□ *can* ~ (*også*) kan tåle.
toleration [tɔlə'reiʃn] *sb.* tolerance
(*fx religious* ~).
toll¹ [təul] *sb.* **1.** afgift, gebyr (*fx
motorway -s*); bompenge; (*ved
bro*) broafgift, bropenge; **2.** (*fig.*:
om personer) ofre, tab; **3.** (*am. tlf.*)
gebyr [*for udenbys- el. udlands-
samtale*]; **4.** (*med kirkeklokke*)
langsom ringning; klemten;
□ *it has taken its* ~ **a.** det har haft
sine omkostninger (*on for*); **b.** (*o:
mennesker*) det har krævet
(mange) ofre; *take a heavy* ~
a. have store omkostninger;
b. kræve mange ofre (*fx Aids took
a heavy* ~); *take a heavy* ~ *of the
enemy* tilføje fjenden svære tab;
the ~ *of the roads* trafikofrene.
toll² [təul] *vb.* **1.** (*om klokke*) lyde;
ringe med langsomme slag [*især
ved dødsfald*]; **2.** (*med objekt*)
ringe med; klemte med.
tollbooth ['təulbu:ð] *sb.* **1.** [*bod
hvor afgift opkræves*]; **2.** (*ved bro,
vej*) betalingsanlæg; **3.** (*skotsk*) by-
fængsel.
toll call *sb.* (*tlf.*) udenbyssamtale;
udlandssamtale.
toll gate *sb.* bom.
Tom [tɔm] *sb.* (*am.* T) se *Uncle
Tom*;

□ ~, *Dick, and/or Harry* hvem som helst; alle og enhver; gud og hvermand.

tom [tɔm] *sb.* hankat.

tomahawk ['tɔməhɔːk] *sb.* tomahawk.

tomato [tə'maːtəu, (*am.*) tə'meitou] *sb.* (*pl. -es*) tomat.

tomb [tuːm] *sb.* grav; gravmæle; (*underjordisk*) gravkammer.

tombola [tɔm'bəulə] *sb.* tombola.

tomboy ['tɔmbɔi] *sb.* drengepige; vildkat.

tombstone ['tuːmstəun] *sb.* gravsten.

tomcat ['tɔmkæt] *sb.* hankat.

tome [təum] *sb.* (*spøg.*) digert bind; stor tung bog.

tomfoolery [tɔm'fuːləri] *sb.* tossestreger; fjolleri.

Tommy ['tɔmi] *sb.* T [*menig soldat*].

tommy gun *sb.* maskinpistol.

tommyrot ['tɔmirɔt] *sb.* (*glds.* T) sludder, ævl.

tomorrow[1] [tə'mɔrəu] *sb.* i morgen; F morgendagen;

□ (*on) the day after* ~ i overmorgen; ~ *is his birthday* det er hans fødselsdag i morgen; *like there's no* ~ T fuldstændig uhæmmet; ~ *is another day* (*omtr.*) tænk ikke mere på det [*det bliver bedre en anden gang*].

tomorrow[2] [tə'mɔrəu] *adv.* i morgen;

□ ~ *morning* i morgen tidlig; i morgen formiddag.

Tom Thumb Tommeliden.

Tom Tiddler's ground *sb.* slaraffenland.

tom-tom ['tɔmtɔm] *sb.* tromme; tamtam.

ton [tʌn] *sb.* ton [*1016 kg.; (am.) 907 kg.*];

□ *do a* ~ (*glds.* T) køre 100 (miles) i timen; *metric* ~ [*1000 kg*]; *come down on him like a* ~ *of bricks* **a.** give ham en ordentlig omgang; skælde ham hæder og ære fra; **b.** straffe ham så han kan mærke det; *he fell for her like a* ~ *of bricks* han faldt pladask for hende; -*s of* T tonsvis af.

tonal ['təun(ə)l] *adj.* tone-.

tonality [tə'næləti] *sb.* **1.** tonalitet; **2.** (*i maleri*) farver; kolorit.

tone[1] [təun] *sb.* **1.** (*mus., tlf., af tekst*) tone; **2.** (*af instrument, sangstemme*) klang (*fx improve the* ~ *of the piano*); **3.** (*af noget sagt*) tone, tonefald (*fx in an angry//a friendly* ~); **4.** (*om sprog*) tone; musikalsk accent; **5.** (*om farve*) farvetone, nuance; **6.** (*af krop, muskler, hud*) spændstig-

hed; sundhed;

□ *lower//raise the* ~ (*fig.*) sænke// højne niveauet; *set the* ~ (*fig.*) **a.** markere niveauet; **b.** give tonen an; præge stemningen.

tone[2] [təun] *vb.* **1.** (*kroppen*) se ndf.: ~ *up*; **2.** (*foto.*) tone; lægge i tonbad;

□ ~ *down* mildne, nedtone (*fx an expression; a colour*); ~ *in with* = ~ *with*; ~ *up* træne, styrke (*fx the muscles*); stramme op (*fx running -s up my thighs*); ~ *with* harmonere med; stå til.

tone-deaf [təun'def] *adj.* tonedøv.

toneless ['təunləs] *adj.* tonløs.

toner ['təunə] *sb.* **1.** (*til hud*) skintonic; toner; **2.** (*til printer*) toner.

tongs [tɔŋz] *sb. pl.* tang; (se også *curling tongs*);

□ *a pair of* ~ en tang.

tongue[1] [tʌŋ] *sb.* **1.** tunge; **2.** (*fig.*) tungemål, sprog; **3.** (*geogr.*) landtange, odde; **4.** (*på fodtøj*) pløs; **5.** (*i blæseinstrument, orgelpibe*) tunge; **6.** (*i klokke*) knebel; **7.** (*i spænde*) spændetorn; **8.** (*i bræt*) fjer;

□ *with one's* ~ *in one's cheek* se *tongue-*[2]*in-cheek*; ~ *and groove* (*jf.* 8) fjer og not; (se også *slip*[1]); [*med vb.*] *bite one's* ~ (*fig.*) bide sig i tungen [*for ikke at komme til at sige noget*]; tage sig i det; *I could have bitten my* ~ *off* (*fig.*) jeg kunne have bidt tungen af mig selv [o: når man har sagt noget uheldigt]; *click one's tongue* slå smæld med tungen; *find one's* ~ få mælet igen; få tungen på gled; *get one's* ~ *round* udtale (*fx I can't get my tongue round his name*); *give* ~ **a.** (*om hund*) give hals; **b.** (*om person*) bruge mund; *has the cat got your* ~? se ndf.: *have you lost your* ~? *hold one's* ~ (*litt.*) **a.** holde tand for tunge; **b.** (*glds.*) holde mund; *keep a civil* ~ *in your head!* ingen grovheder! *have you lost your* ~? har du tabt mælet? er du blevet mundlam? *mind your* ~*!* tal ordentligt! *put/stick out one's* ~ *at sby* række tunge ad en; *watch your* ~*!* tal ordentligt; (se også *wag*[2]).

tongue[2] [tʌŋ] *vb.* **1.** røre med tungen; **2.** (*mus.*) spille med tungestød;

□ -*d and grooved* (*om brædder*) høvlet og pløjet.

tongue-in-[1]**cheek** [tʌŋin'tʃiːk] *adj.* underfundig (*fx humour*); som man ikke mener alvorligt.

tongue-in-[2]**cheek** [tʌŋin'tʃiːk] *adv.* underfundigt; uden at mene det alvorligt; med et glimt i øjet.

tongue-lashing ['tʌŋlæʃiŋ] *sb.* T overhaling; udskældning.

tongue-tied ['tʌŋtaid] *adj.* tavs; stum [*af frygt, generthed*];

□ *be* ~ (*også*) have mistet mælet.

tongue twister *sb.* [*udtryk//sætning der er svær(t) at udtale*];

□ *it was a* ~ det var lige til at brække tungen på; det var en hel spiritusprøve.

tonic[1] ['tɔnik] *sb.* **1.** tonikum, styrkende middel; **2.** (*fig.*) opkvikker; stimulans; **3.** = *tonic water*; **4.** (*mus.*) grundtone, tonika; (se også *hair tonic, skin tonic*).

tonic[2] ['tɔnik] *adj.* **1.** stimulerende, styrkende, opkvikkende; **2.** tonika-.

tonic water *sb.* tonic, tonicvand.

tonight[1] [tə'nait] *sb.* **1.** i aften, denne aften (*fx* ~ *is the best opportunity*); **2.** i nat.

tonight[2] [tə'nait] *adj.* **1.** i aften; **2.** i nat.

tonite [tə'nait] (*am.*) = *tonight*.

tonnage ['tʌnidʒ] *sb.* **1.** vægt beregnet i tons; **2.** (*mar.*) tonnage; lasteevne.

tonne [tʌn] *sb.* ton [*1000 kg*].

tonsillitis [tɔnsi'laitis] *sb.* (*med.*) betændelse i mandlerne, halsbetændelse.

tonsils ['tɔns(ə)lz] *sb. pl.* (*anat.*) mandler.

tonsure ['tɔnʃə] *sb.* (*munks*) tonsur, kronragning.

tonsured ['tɔnʃəd] *adj.* kronraget.

ton-up ['tʌnʌp] *adj.* (*glds.* S) **1.** (*især om motorcykel*) som kan køre (over) 100 miles i timen; **2.** (*om person*) som elsker at køre stærkt; fartgal.

tony ['touni] *adj.* (*am.* T) fornem; eksklusiv.

too [tuː] *adv.* **1.** også; med (*fx he* ~); **2.** (*understregende, forarget*) tilmed, oven i købet (*fx such a skirt chaser, and a married man* ~*!*); **3.** (*om grad*) for, alt for (*fx big; small; much*); (se også *bad, clever*); **4.** T meget;

□ (*you are not going!*) *I am* ~*!* (*især am.*) ... vel gør jeg så! ... det kan du tro jeg gør! *all* ~ **a.** alt for (*fx it is all* ~ *much*); **b.** (*beklagende*) kun alt for (*fx I remember it all* ~ *well*); (se også *none*[2], *not, only*[2], *rather*).

took [tuk] *præt. af* take.

tool[1] [tuːl] *sb.* **1.** redskab; værktøj; **2.** (*til håndværk & tekn.*) værktøj; (se også *machine tool*); **3.** (*bogb.*) stempel [*til at dekorere bogbind med*]; **4.** (*fig.: om person*) (lydigt) redskab; kreatur; **5.** (*vulg.*) pik, jern;

☐ *a passive* ~ *in the hands of* (*fig.*) et viljeløst redskab for; *the -s of the trade* det værktøj der hører til faget; det nødvendige værktøj/udstyr.

tool[2] [tu:l] *vb.* **1.** bearbejde; **2.** (*bogb.: bogbind*) ciselere; **3.** (*fabrik*) udstyre med (nye) maskiner; ☐ ~ *about/around* (*især am.* T) køre rundt, trille rundt; ~ *up* = 3; (se også *tooled up*).

toolbar ['tu:lba:] *sb.* (*it*) værktøjsbjælke.

toolbox ['tu:lbɔks] *sb.* **1.** værktøjskasse; **2.** (*it*) programmørværktøjskasse.

tooled up ['tu:ld^p] *adj.* S bevæbnet.

tool kit *sb.* **1.** sæt værktøj; værktøjskasse; **2.** (*it*) programudviklingsværktøj.

tool shed *sb.* redskabsskur.

toot[1] [tu:t] *sb.* **1.** (*i blæseinstrument*) trut; **2.** (*med bilhorn*) dyt, trut; **3.** (*am.* T) druktur.

toot[2] [tu:t] *vb.* **1.** (*uden objekt: med bilhorn*) dytte, trutte; **2.** (*med objekt: person*) dytte ad, trutte ad (*fx a cyclist*); **3.** (*blæseinstrument*) trutte i; **4.** (*am.* T) sniffe kokain.

tooth [tu:θ] *sb.* (*pl.* teeth [ti:θ]) **1.** tand; **2.** (*på tandhjul, sav*) tand, tak; ☐ ~ *and nail* med hænder og fødder; med næb og kløer; (se også *set*[1] (*of teeth*), *skin*[1] (*by the skin of* ...)); [*med vb.*] *the dog* **bared** *its teeth* hunden viste tænder; *cut one's teeth* **a.** få tænder; **b.** (*fig.*) gøre sine første erfaringer; **do** *one's teeth* børste tænder; **draw** *his teeth* (*fig.*) gøre ham uskadelig; afvæbne ham; *get one's teeth* **into** (*fig.*) tage fat på; kaste sig over; **grind** *one's teeth* skære tænder; **pick** *one's teeth* stange tænder; (se også *edge*[1] (*set on edge*), gnash, grit[2], lie[2]); [*med: in*] *long in the* ~ T halvgammel; ude over sin første ungdom; *in the teeth of* på trods af; stik imod; *in the teeth of the wind* lige op mod vinden; (se også *fling*[2] (*in*), *kick*[1] (*in*)).

toothache ['tu:θeik] *sb.* tandpine.
toothbrush ['tu:θbrʌʃ] *sb.* tandbørste.
toothcomb ['tu:θkəum] *sb.* tættekam.
toothpaste ['tu:θpeist] *sb.* tandpasta.
toothpick ['tu:θpik] *sb.* tandstikker.
tooth powder *sb.* tandpulver.
toothsome ['tu:θsəm] *adj.* (*spøg.*) velsmagende; (*også fig.*) appetit-

lig.
toothwort ['tu:θwɔ:t] *sb.* (*bot.*) skælrod.
toothy ['tu:θi] *adj.*: ~ *smile* smil der viser alle fortænderne; tandsmil.
tootle ['tu:tl] *vb.* **1.** trisse, tulle; (*i bil*) trille; **2.** (*på instrument*) klimpre (*fx a tune on the piano*); (*på blæseinstrument*) trutte.
tootsie ['tutsi] *sb.* (*am.* S) **1.** pige, skat; **2.** luder.
tootsies ['tutsiz] *sb. pl.* (*i barnesprog*) fødder, fusser.
top[1] [tɔp] *sb.* **1.** top (*fx of a mountain//tree; from* ~ *to toe*); øverste del (*fx the* ~ *of the page*); **2.** (*af bord*) plade (*fx of a desk; a marble* ~); **3.** (*af beholder*) låg; (*fx af sæbepakke*) topstykke; (*af flaske*) kapsel; (*af tube, pen*) hætte; **4.** (*af gade, område etc.*) øverste ende (*fx the* ~ *of the street//garden*); **5.** (*tøj*) top, overdel; (*af pyjamas*) jakke; **6.** (*bogb.: af bog*) oversnit; **7.** (*i bil*) højeste gear; **8.** (*am.: af bil*) kaleche; tag (*fx hard* ~); **9.** (*legetøj*) snurretop; **10.** (*mar.*) mærs; ☐ [*i pl.*] **-s a.** kæmmet uld; **b.** maksimum (*fx a hundred is -s*); det højeste; **c.** (*adv.*) maksimalt, højest, max (*fx we can sell 500, -s*); **d.** (*adj., glds.* T) førsteklasses; i toppen (*fx that book is really (the) -s*); [*forskellige forb.*] *blow one's* ~ T ryge helt op i loftet; eksplodere af raseri; *be* ~ *of the form/class* være nr. et i klassen; *that is the* ~ *and bottom of it* T det er sagen i en nøddeskal; *the* ~ *of the head* issen; (se også ndf.: *off the* ~ *of...*, *at the* ~ *of*); *sleep like a* ~ sove som en sten; [*med præp.*] *at the* ~ *of* øverst på (*fx the page; the stairs; the list*); *at the* ~ *of the ladder//tree* **a.** øverst oppe på stigen//i træet; **b.** (*fig.*) i toppen; i en topstilling; *at the* ~ *of one's speed* så hurtigt man kan; *sit at the* ~ *of the table* sidde øverst ved bordet; *at the* ~ *of one's voice* så højt man kan; af sine lungers fulde kraft; **in** ~ i højeste gear; *in the* ~ *of* øverst i (*fx the oven*); *be off one's* ~ være skør; *go off one's* ~ = *blow one's* ~; *off the* ~ *of one's head* uden nærmere overvejelse; på stående fod; *I said it off the* ~ *of my head* det var noget der lige faldt mig ind; *on* ~ **a.** ovenpå; **b.** (*fig.*) desuden; *come out on* ~ sejre; bestå som nr. et; *thin on* ~ (*spøg.*) tyndhåret; *on* ~ *of* **a.** på; oven på (*fx*

put the book on ~ *of the cupboard*); **b.** (*fig.*) foruden; oven i (*fx on* ~ *of the problems we already had*); *on* ~ *of everything else* oven i købet; *on* ~ *of the world* T helt oppe i skyerne; i den syvende himmel; *be on* ~ *op* (*problem etc.*) have styr på; have (fuld) kontrol over; *get on* ~ *of* **a.** få overtaget over (*fx one's adversary*); få kontrol over, blive herre over (*fx the situation*); **b.** blive for meget for (*fx things were getting on* ~ *of me*); *don't let it get on* ~ *of you* tag det ikke så tungt; tab ikke modet af den grund; *be on the* ~ *of* (*fig.*) **a.** have magten over; **b.** være inde i; *over the* ~ overdrevet; langt ude; *it is over the* ~ (*også*) det er bare for meget; *go over the* ~ **a.** gå til angreb [*egentlig: fra skyttegravsstilling*]; **b.** (*fig.*) gå over gevind; gå for vidt; **c.** være dumdristig.
top[2] [tɔp] *adj.* **1.** øverst (*fx half; shelf; floor* etage; *the* ~ *10%*); (se også *top rung*); **2.** (*på en skala*) højest (*fx gear; price*); maksimums- (*fx price; speed*); top- (*fx price; speed*); **3.** (*om rang*) top- (*fx adviser, model; player*); **4.** (*om kvalitet*) bedst (*fx school; student*); top-; **5.** T prima (*fx she is a* ~ *girl*); ☐ *at* ~ *speed* for fuld fart; på højeste gear; (se også *priority*).
top[3] [tɔp] *vb.* **1.** (*om placering*) stå øverst på, toppe (*fx the list; the record -ped the charts* hitlisten); **2.** (*om mængde*) overstige (*fx losses are expected to* ~ *£3bn*); **3.** (*om kvalitet*) overgå (*fx one's previous performance*); slå; **4.** (*bær*) nippe, tage stilken af; **5.** (*planter*) aftoppe (*fx beets*); kappe toppen af (*fx a tree*); **6.** (*æg*) slå toppen af; **7.** (*cigaret*) skodde; **8.** (*litt.*) nå toppen af (*fx the hill*); ☐ *to* ~ *it all* oven i købet, ydermere; ~ *the bill* være hovedattraktion; ~ *a bid/an offer* byde over; ~ *oneself* S se også *bill*[1]; [*med præp.& adv.*] *he -s his brother* **by** *a head* han er et hoved højere end sin broder; ~ *off* **a.** afslutte; fuldende; **b.** (*am.*) = ~ *up a*); ~ *out* **a.** (*ved byggeri*) holde rejsegilde; **b.** (*især am.*) nå sit højdepunkt, kulminere; ~ **up** **a.** fylde op (*fx a glass; the teapot*); **b.** supplere (*fx one's earnings*); ~ *him up* fylde hans glas op; *be -ped* **with** blive//være dækket af.
topaz ['təupæz] *sb.* topas.
top billing *sb.* se *billing*.

T top boot

top boot *sb.* kravestøvle.

top brass *sb.* S øverste chefer; spidser; pinger.

topcoat ['tɔpkəut] *sb.* 1. (*maling*) sidste lag; 2. (*glds.*) = overcoat.

top dog *sb.: be ~ T* a. være den førende; være en af lederne/spidserne; b. (*i konkurrence*) have overtaget; sejre.

top-down [tɔp'daun] *adj.* 1. dirigeret fra oven; topstyret; 2. [*som begynder mewd de overordnede betragninger*].

top drawer *sb.* 1. øverste skuffe; 2. (*fig.*) overklasse; □ *come out of the* ~ høre til de fornemste kredse; *they are not out of the* ~ (*også*) de er meget jævne.

top-drawer [tɔp'drɔːə] *adj.* (T: *især spøg.*) førsteklasses, fornem (*fx performance*).

top dressing *sb.* overfladegødskning.

tope[1] [təup] *sb.* (*zo.*) gråhaj.

tope[2] [təup] *vb.* (*glds. el. litt.*) drikke, svire.

topee ['təupiː] *sb.* tropehjelm.

toper ['təupə] *sb.* (*glds. el. litt.*) svirebroder, drukkenbolt.

top-flight [tɔp'flait] *adj.* T prima; førsteklasses.

top hat *sb.* høj hat.

top-heavy [tɔp'hevi] *adj.* 1. for tung oventil; ustabil; 2. (*om virksomhed, organisation*) med for mange ledere; 3. (*økon.*) overkapitaliseret; 4. T barmsvær.

top-hole [tɔp'həul] *adj.* (*glds.* T) prima; førsteklasses.

topiary ['təupiəri] *sb.* 1. [*kunstfærdig klipning af træer//buske, fx i form som dyr*]; 2. skulpturtræ; planteskulptur.

topic ['tɔpik] *sb.* emne.

topical ['tɔpik(ə)l] *adj.* lokal; aktuel.

topical anaesthesia *sb.* (*med.*) lokalbedøvelse.

topicality [tɔpi'kæləti] *sb.* aktualitet.

topknot ['tɔpnɔt] *sb.* 1. (*frisure*) knold, knude [*i nakken*]; 2. (*glds.*) hårsløjfe.

topless ['tɔpləs] *adj.* 1. topløs; 2. (*litt.*) skyhøj.

top-level [tɔp'lev(ə)l] *adj.* på højeste niveau (*fx conference*).

topmast ['tɔpmaːst] *sb.* (*glds. mar.*) stang.

topmost ['tɔpməust] *adj.* øverst.

topnotch [tɔp'nɔtʃ] *adj.* T prima; førsteklasses.

topographer [tə'pɔgrəfə] *sb.* topograf.

topographical [tɔpə'græfik(ə)l] *adj.* topografisk, stedbeskrivende.

topography [tə'pɔgrəfi] *sb.* topografi, stedbeskrivelse.

topper ['tɔpə] *sb.* (*glds.* T) høj hat.

topping[1] ['tɔpiŋ] *sb.* 1. pynt [*på mad*]; 2. (*på pizza*) fyld.

topping[2] ['tɔpiŋ] *adj.* (*glds.* T) storartet, glimrende.

topping lift *sb.* (*mar.*) bomdirk; toplent, ophaler.

topping-out ceremony [tɔpiŋ'autseriməni] *sb.* rejsegilde.

topple ['tɔpl] *vb.* 1. (vakle og) få overbalance; vælte; styrte; 2. (*med objekt*) vælte (*fx a tree; a statue*); 3. (*fig.*) vælte (*fx a governmnt*); styrte, omstyrte, bringe til fald; □ ~ *over* = topple.

top-ranking [tɔp'ræŋkiŋ] *adj.* højtstående, topplaceret.

top-rated [tɔp'reitid] *adj.* meget populær (*fx TV show*).

top round *sb.* (*am.*) = topside[1] 1.

top rung *sb.* 1. øverste trin; 2. (*fig.*) topstilling.

tops [tɔps] se top[1].

topsail ['tɔpseil, (*mar.*) 'tɔps(ə)l] *sb.* topsejl.

top secret *adj.* 1. strengt fortrolig; topphemmelig; 2. (*mil.: klassifikationsgrad*) yderst hemmelig.

top sheet *sb.* overlagen.

topside[1] ['tɔpsaid] *sb.* 1. (*af oksekød*) inderlår; 2. (*mar.*) = topsides.

topside[2] ['tɔpsaid] *adv.* op//oppe på øverste dæk.

topsides ['tɔpsaidz] *sb.* (*mar.*) fribord [*del af skibssiden over vandlinjen*].

topsoil ['tɔpsɔil] *sb.* muldlag.

top storey *sb.* (*fig.*) øverste etage [ɔ: *hovedet*].

topsyturvidom [tɔpsi'təːvidəm] *sb.* den omvendte verden.

topsyturvy[1] [tɔpsi'təːvi] *adj.* 1. vendt på hovedet; 2. forvirret; rodet.

topsyturvy[2] [tɔpsi'təːvi] *adv.* på hovedet; op og ned; □ *turn* ~ vende på hovedet; vende op og ned på.

top-up ['tɔpʌp] *sb.* 1. påfyldning; efterfyldning; 2. (*af drink,* T) påtår.

top-up card *sb.* (*tlf.*) taletidskort.

top-up loan *sb.* supplerende lån.

toque [təuk] *sb.* toque [*slags damehat uden skygge*].

tor [tɔː] *sb.* høj klippe.

torc [tɔːk] (*arkæol.*) (snoet) halsring.

torch[1] [tɔːtʃ] *sb.* 1. lommelygte; stavlygte; 2. (*brændende*) fakkel; 3. (*især am.*) blæselampe; 4. (*am.* T) pyroman; □ *carry a* ~ *for* (*glds.*) være ulykkeligt forelsket i; *carry the* ~ *of*

(*fig.*) føre an i kampen for (*fx independence*); *pass on the* ~ *to them* (*fig.*) lade dem føre kampen videre; *put a* ~ *to, put to the* ~ = torch[2].

torch[2] [tɔːtʃ] *vb.* T sætte ild til; brænde af.

torchlight ['tɔːtʃlait] *sb.* fakkelskær, fakkellys.

torchlight procession *sb.* fakkeltog.

torch song *sb.* (*am.*) sentimental kærlighedssang [*der handler om ulykkelig kærlighed*].

tore [tɔː] *præt. af* tear.

torment[1] ['tɔːment] *sb.* kval; smerte, pine; □ *it was a* ~ *to him* det var en plage/pinsel for ham; det var ham en lidelse; *he was in* ~ han led frygtelige kvaler.

torment[2] [tɔː'ment] *vb.* pine; plage.

tormentor [tɔː'mentə] *sb.* 1. plageånd; bøddel; 2. (*teat.*) prosceniumssætstykke.

torn[1] [tɔːn] *præt. ptc. af* tear.

torn[2] [tɔːn] *adj.* 1. sønderrevet; hullet, laset (*fx clothes*); revnet; 2. (*fig.*) splittet; □ ~ *between* vaklende//splittet mellem; ~ *by* hærget af, splittet af (*fx a country* ~ *by civil war*).

tornado [tɔː'neidəu] *sb.* tornado, hvirvelstorm.

torpedo[1] [tɔː'piːdəu] *sb.* (*pl. -es*) 1. (*mil.*) torpedo; 2. (*zo.*) elektrisk rokke; 3. (*am.: mad*) se submarine[1] 2.

torpedo[2] [tɔː'piːdəu] *vb.* (*også fig.*) torpedere (*fx a ship; their efforts*).

torpedo tube *sb.* torpedoudskydningsrør.

torpid ['tɔːpid] *adj.* 1. F dvask, sløv, træg; 2. (*om dyr*) i dvale(tilstand).

torpor ['tɔːpə] *sb.* dvaskhed, sløvhed.

torque [tɔːk] *sb.* 1. (*tekn.*) drejningsmoment; vridningsmoment; 2. (*arkæol.*) = torc.

torrent ['tɔr(ə)nt] *sb.* 1. rivende strøm; 2. (*fig.*) flom, strøm (*fx of abuse; of protest*); □ *the rain came down in -s* det regnede i stride strømme.

torrential [tə'renʃl] *adj.* voldsom; □ ~ *rain* styrtregn.

torrid ['tɔrid] *adj.* 1. (*litt.*) brændende hed; 2. (*fig.*) stærkt følelsesbetonet (*fx topic*); betændt; 3. (*om kærlighed*) brændende; lidenskabelig, hed (*fx love affair*); □ *have a* ~ *time* have en hård/svær tid.

torsion ['tɔːʃn] *sb.* snoning; vridning; torsion.

torsk [tɔːsk] *sb.* (*zo.*) brosme.

872

torso ['tɔːsəu] *sb.* **1.** torso; krop [*uden lemmer*]; overkrop (*fx his bronzed* ~); **2.** (*fig.*: om ufuldendt værk) torso.

tort [tɔːt] *sb.* (*jur.*) erstatningsforpligtende//skadevoldende handling;
□ *law of -s* erstatningsret.

tortoise ['tɔːtəs] *sb.* (*zo.*) skildpadde, landskildpadde.

tortoise beetle *sb.* (*zo.*) skjoldbille.

tortoiseshell ['tɔːtəʃel] *sb.* **1.** skildpaddeskjold; **2.** = *tortoiseshell butterfly*; **3.** = *tortoiseshell cat.*

tortoiseshell butterfly *sb.*: *small* ~ nældens takvinge; *large* ~ stor ræv.

tortoiseshell cat *sb.* sort og gul (hun)kat.

tortuous ['tɔːtʃuəs] *adj.* **1.** snoet; bugtet; kroget; **2.** (*fig.*) yderst indviklet (*fx negotiations; process*).

torture[1] ['tɔːtʃə] *sb.* **1.** tortur; **2.** (*fig.*, T) tortur, pine;
□ *put sby to* ~ underkaste en tortur.

torture[2] ['tɔːtʃə] *vb.* **1.** torturere, tortere; **2.** (*fig.*) pine, plage.

torturer ['tɔːtʃərə] *sb.* bøddel; plageånd.

torturous ['tɔːtʃ(ə)rəs] *adj.* pinefuld (*fx beating; memories*).

Tory ['tɔːri] *sb.* tory, konservativ.

Toryism ['tɔːriizm] *sb.* konservatisme.

tosh [tɒʃ] *sb.* T sludder; ævl; bavl.

toss[1] [tɒs] *sb.* [*det at slå plat eller krones*]; kast [*med mønt*]; lodtrækning;
□ *a* ~ *of the head* et kast med hovedet; *he doesn't give/care a* ~ *about/for it* han er revnende ligeglad med det; *take a* ~ (*om rytter*) blive kastet af; *argue the* ~ diskutere noget der er ligegyldigt//'er afgjort; blive ved med at kværulere; *win the* ~ **a.** [*gætte rigtigt når der slås plat eller krone*]; **b.** (*ved sportskamp*) vinde lodtrækningen.

toss[2] [tɒs] *vb.* **1.** smide (*fx a few coins to a beggar; a ball into the air*); **2.** (*manke, hoved*) slå med (*fx the horse -ed its mane; she -ed her head angrily*); (*hår*) kaste (*fx she -ed her hair out of her face*); **3.** (*om vind, bølger*) kaste; (se ndf.: ~ *around, -ed by...*); **4.** (*om hest: rytter*) kaste 'af; **5.** (*om tyr*) stange og kaste op i luften; **6.** (*i madlavning*) vende (*fx carrots in butter, the salad*); (se også ndf.: ~ *a pancake*); **7.** (*am.* T) smide væk; **8.** (*uden objekt*) svinge (*fx the tops of the trees -ed and swayed*); blafre (*fx the clothes on the line*

-ed in the wind);
□ ~ *and turn* (*om sovende*) ligge uroligt, kaste sig frem og tilbage; [*med sb.*] ~ *a coin* slå plat og krone; ~ *hay* vende hø; ~ *one's head* (*jf. 2 også*) gøre et kast med hovedet; slå//knejse med nakken; ~ *the oars* rejse årerne; ~ *a pancake* vende en pandekage i luften; [*med præp., adv.*] ~ *around* smide rundt med; kaste rundt (*fx boats were -ed around on the waves like toys*); *be -ed around* (*om idé*) være oppe og vende; ~ *away* smide væk/ud; ~ *back* (*drik*) hælde i sig (*fx a glass of beer*); *she -ed her hair back* hun kastede håret tilbage; *-ed by the waves* (*om båd*) kastet hid og did af bølgerne; omtumlet af bølgerne; ~ *down* = ~ *back; I'll* ~ *you for it* lad os slå plat og krone om det; *let us* ~ *up for first choice* lad os slå plat og krone om hvem der skal vælge først; ~ *off* **a.** kaste af; **b.** (*drik, glds.*) = ~ *back;* **c.** (*fig.*) udslynge (*fx generalizations*); henkaste; ryste ud af ærmet (*fx a poem*); **d.** (*vulg.*) onanere, spille/rive den af; ~ *out* **a.** henkaste (*fx an idea*); **b.** (*am.* T) smide væk/ud; ~ *up* slå plat og krone.

tosser ['tɒsə] *sb.* T stodder, dum skid.

toss-up ['tɒsʌp] *sb.* [*det at slå plat og krone*];
□ *it is a* ~ (*fig.*) det er det rene lotteri; det er umuligt at vide.

tot[1] [tɒt] *sb.* **1.** drink, dram; **2.** (T: *om barn*) rolling, stump.

tot[2] [tɒt] *vb.*: ~ *up* T tælle/regne sammen.

total[1] ['təut(ə)l] *sb.* samlet sum; samlet antal;
□ *in* ~ i alt i alt.

total[2] ['təut(ə)l] *adj.* **1.** samlet (*fx the* ~ *amount*); sammenlagt; **2.** (*forstærkende*) total, komplet, fuldstændig (*fx failure*).

total[3] ['təut(ə)l] *vb.* **1.** (*resultat, facit*) udgøre, beløbe sig til (*fx £50,000*); **2.** (*beløb, antal*) lægge sammen; tælle sammen; **3.** (*især am.* T: *bil*) totalskade.

totalitarian [təutæli'tɛəriən] *adj.* totalitær.

totalitarianism [təutæli'tɛəriənizm] *sb.* totalitarisme; diktatur.

totality [tə(u)'tæləti] *sb.* F helhed; totalitet; samlet sum (*fx the* ~ *of his life*);
□ *in its* ~ i sin helhed; set under ét.

total loss *sb.* **1.** (*assur.*) totalskade; **2.** (*mar.*) totalforlis.

total recall *sb.* evne til fuldstændig

genkaldelse; evne til at huske alt.

tote[1] [təut] *sb.* totalisator.

tote[2] [təut] *vb.* T gå med; bære rundt på; slæbe på;
□ ~ *around* (*også*) slæbe//trække rundt med.

tote bag *sb.* (stor) indkøbstaske.

totem ['təutəm] *sb.* totem.

totemism ['təutəmizm] *sb.* totemisme.

totem pole *sb.* totempæl.

totter ['tɒtə] *vb.* **1.** vakle; dingle; stavre; **2.** (*fig.*) vakle.

tottery ['tɒt(ə)ri] *adj.* vaklende (*fx old man*); vakkelvorn (*fx chair*).

toucan ['tuːkən] *sb.* (*zo.*) tukan, peberfugl.

touch[1] [tʌtʃ] *sb.* **1.** berøring (*fx a light* ~ *on his shoulder*); **2.** (*fig.*) kontakt (*fx we are in daily* ~ *with them*); **3.** (*om mængde*) anelse (*fx a* ~ *of garlic in the salad*); stænk (*fx a* ~ *of vinegar//angostura// irony*); antydning (*fx a* ~ *of irony//bitterness*); anstrøg; (*om noget skarpt*) snert (*fx a* ~ *of frost/cold//malice*); **4.** (*om indslag*) træk (*fx the speech had several comic -es; the flowers in the room were a nice* ~); detalje; (se også *finishing touches, crowning*); **5.** (*om måde at gøre noget på*) præg (*fx a personal//feminine* ~); **6.** (*om evne*) håndelag (*fx his sure political* ~; *she has a* ~ *for French cooking*); greb; (se også *common touch*); **7.** (*på trykknap, tast*) (let) tryk; **8.** (*mus.*) anslag; **9.** (T: *en man slår for penge*) (let) offer; (se også *soft* (*touch*));
□ *a* ~ en smule, lidt (*fx easier, too hot*); en anelse (*fx a* ~ *more salt*); en antydning; *a* ~ *of a.* se: *3*; **b.** (T: *om sygdom*) et let anfald af (*fx fever; rheumatism*); *it was a* ~ *of genius* det var et genialt træk// indfald; *the* ~ *of a master* en mesters hånd; *at the* ~ *of a button* ved et (enkelt) tryk på en knap; [*med vb.*] *lose* ~ miste forbindelsen; *lose one's* ~ T miste grebet; miste sit håndelag; *he is losing his* ~ det går tilbage for ham; *put the* ~ *on sby* slå en for penge; [*med præp.*] *by* ~ ved hjælp af følesansen; ved berøring; *I'll be in* ~ jeg sætter mig i forbindelse med dig, jeg melder mig (*fx when I get back*); *get in* ~ tage kontakt; *keep in* ~ holde sig i kontakt (*with med*); holde forbindelsen ved lige; *in* ~ *with* i kontakt med; i berøring med; *sense of* ~ følesans; *a//the* ~ *of* se: *ovf.*; *be out of* ~ være ude af trit; *be out of* ~ *with* **a.** have mistet kontakten/for-

bindelsen med; **b.** (*emne, begivenheder etc.*) miste følingen med; ikke følge med i; *soft to the* ~ blød at føle på/røre ved.

touch[2] [tʌtʃ] *vb.* **1.** røre ved (*fx he -ed her arm; don't* ~ *the cactus*); røre (*fx don't* ~ *my papers; he did not* ~ *his lunch*); **2.** (*let*) berøre (*fx he -ed her fingers with his lips*); strejfe (*fx the wheel just -ed the kerb*); **3.** (*trykknap, tast*) trykke på; **4.** (*mus.*) anslå; **5.** (*om påvirkning*) berøre (*fx their interests -ed ours; it has -ed many people's lives*); **6.** (*følelsesmæssigt*) røre; berøre (*fx the report about the tragedy really -ed us*); (se også *touched 1, touching*[1]); **7.** (*geom.*) tangere; **8.** (*ved tal*) komme op//ned på (*fx the temperature -ed 40°*); tangere, nå; (*om indtægt*) få (*fx £50,000 a year*); **9.** (*om kvalitet: med nægtelse*) komme op på siden af, komme på højde med (*fx I can think of few plays to* ~ *this one; there is no one who can* ~ *him at tennis*); **10.** (*uden objekt*) berøre hinanden (*fx for a moment their fingers -ed*); □ ~ *and go* se *touch-and-go; there is nothing to* ~ *a hot bath* (*jf. 9, også*) der er ikke noget så godt som et varmt bad; *they -ed elbows//wheels* deres albuer//hjul rørte ved hinanden; *a smile -ed her lips* et smil gled over hendes læber; (se også *bottom*[1], *chord, glass*[1], *nerve*[1], *wood*);

[*med præp., adv.*] ~ *at* a port anløbe en havn; ~ *down* **a.** (*flyv.*) lande; **b.** (*i rugby*) [*score ved at røre jorden med bolden bag det andet holds mållinje*]; ~ *him for £50* T slå ham for £50; ~ *in* (*i maleri*) indføje [*med lette strøg*]; ~ *off* **a.** (*sprængladning*) bringe til at eksplodere; udløse; **b.** (*fig.*) udløse, sætte i gang (*fx riots; a revolution*); ~ *on* **a.** (*emne*) omtale, berøre; **b.** (*område*) tangere (*fx a self-confident manner -ing on the arrogant*); (se også *raw*[1]); *she -ed her napkin to her mouth* hun førte servietten op til munden; ~ *up* **a.** fikse op; pynte på (*fx a story*); **b.** (*foto.*) retouchere; **c.** (T: *person*) 'tage på, gramse på, befamle.

touch-and-go [tʌtʃən'gəu] *adj.* T risikabel, usikker (*fx situation*); □ *it was* ~ *det var lige på vippen;* det var på et hængende hår.

touchdown ['tʌtʃdaun] *sb.* **1.** (*flyv.*) landing; **2.** (*i rugby*) [*scoring ved at berøre jorden med bolden bag det andet holds mållinje*].

touché ['tuːʃei] *interj.* **1.** (*i fægtning*) touché; **2.** (*spøg.*) den sad!

touched [tʌtʃt] *adj.* **1.** bevæget, rørt (*that over at*); **2.** (*glds.* T) småtosset;
□ ~ *by self-interest* med et anstrøg af egoisme; ~ *with blue//grey* med blå//grå stænk.

touch hole *sb.* (*hist.*) fænghul.

touching[1] ['tʌtʃiŋ] *adj.* rørende, bevægende.

touching[2] ['tʌtʃiŋ] *præp.* angående.

touchline ['tʌtʃlain] *sb.* (*i fodbold*) sidelinje.

touch-me-not ['tʌtʃmiːnɔt] *sb.* (*bot.*) springbalsamin.

touchpaper ['tʌtʃpeipə] *sb.* salpeterpapir [*til fyrværkeri*];
□ *light the (blue)* ~ **a.** tænde lunten; **b.** (*fig.*) lave rav i den.

touch screen *sb.* (*it*) berøringsfølsom skærm, kontaktskærm.

touchstone ['tʌtʃstəun] *sb.* prøvesten.

touch-type ['tʌtʃtaip] *vb.* skrive blindskrift.

touch-typing ['tʌtʃtaipiŋ] *sb.* blindskrift.

touchy ['tʌtʃi] *adj.* **1.** (*om person*) nærtagende, sart, ømskindet; pirrelig; **2.** (*om emne*) ømtålelig, følsom.

touchy-feely [tʌtʃi'fiːli] *adj.* T overdrevent følelsesfuld.

tough[1] [tʌf] *sb.* bisse, bølle, skrap fyr.

tough[2] [tʌf] *adj.* **1.** (*om kød*) sej; **2.** (*om ting*) solid (*fx rucksack; toys*); stærk; **3.** (*om person*) sej, hårdfør, udholdende; barsk, hårdkogt; (se også ndf.: ~ *guy*); **4.** (*om opgave, problem*) svær (*fx decision*); drøj, hård (*fx climb; job*); **5.** (*om forhold, sted, behandling etc.*) hård, barsk (*fx neighbourhood; childhood*); skrap (*fx competition; control; criticism*);
□ *get* ~ *with* slå hårdt ned på; [*med sb.*] ~ *guy* skrap/hård/barsk fyr; hård banan; bisse; ~ *luck* se *hard: hard luck;* ~ *shit* (*vulg.*) skide være med ham//dem; (se også *cheese, cookie, nut*).

tough[3] *vb.:* ~ *out* ikke give efter for; ~ *it out* ikke give efter; stå fast; bide tænderne sammen.

toughen ['tʌf(ə)n] *vb.* **1.** gøre sej; **2.** (*person, glas*) hærde; **3.** (*bestemmelse, straf*) skærpe.

toughie ['tʌfi] *sb.* **1.** = *tough*[1]; **2.** skrapt spørgsmål//problem.

tough-minded [tʌf'maindid] *adj.* barsk, usentimental.

toupée ['tuːpei, (*am.*) tuː'pei] *sb.* toupé [ɔ: *lille paryk*].

tour[1] [tuə] *sb.* **1.** rundrejse; tur;

2. (*på museum etc.*) rundvisning, omvisning (*fx in a factory; in a castle*); (se også *guided tour*); **3.** (*teat. etc.*) turné; □ ~ *of duty* tjenesteperiode; tørn.

tour[2] [tuə] *vb.* **1.** rejse rundt i//til (*fx Europe; the capitals of Europe*); **2.** (*teat. etc.*) tage på turné i (*fx the provinces*); **3.** (*uden objekt*) rejse rundt//turnere (*fx in Scotland*).

tour de force [tuədə'fɔːs] *sb.* kraftpræstation.

tour guide *sb.* turistfører; guide.

touring ['tuəriŋ] *adj.* omrejsende.

touring car *sb.* turistvogn [ɔ: *åben biltype med kaleche*].

tourism ['tuərizm] *sb.* turisme.

tourist ['tuərist] *sb.* turist.

tourist agency *sb.* rejsebureau.

tourist class *sb.* turistklasse.

touristy ['tuəristi] *adj.* turistpræget, turistet.

tournament ['tuənəmənt] *sb.* turnering.

tourney ['tuəni] *sb.* ridderturnering.

tourniquet ['tuənikei, (*am.*) 'tɔːrnikit] *sb.* tourniquet, årepresse [*til at standse pulsåreblødning*].

tour operator *sb.* rejsearrangør.

tousled ['tauzld] *adj.* (*om hår*) pjusket, rodet, uglet.

tout[1] [taut] *sb.* **1.** billethaj; **2.** [*en der sælger væddeløbstips*].

tout[2] [taut] *vb.* reklamere for// prøve at sælge [*ved pågående metoder*]; agitere for;
□ ~ *for* prøve at kapre (*fx customers*); ~ *for tourists* prøve at lokke turister til; *be -ed for* blive lanceret som kandidat til (*fx an Oscar*); ~ *tickets* være billethaj.

tow[1] [təu] *sb.* **1.** (*om fartøj, køretøj*) se ndf.: *in* ~; **2.** (*tov*) se *tow rope*; **3.** (*til spinding*) blår;
□ *give sby a* ~ (*i bil*) tage en på slæb; *in* ~ **a.** (*om fartøj*) under bugsering; (*også om køretøj*) på slæb; **b.** (*om person*) på slæb (*fx with three children in* ~); på slæbetov; *take in* ~ tage på slæb; *on* ~ se ovf.: *in* ~ a).

tow[2] [təu] *vb.* bugsere; slæbe; □ ~ *away* (*bil*) slæbe væk.

toward[1] ['təuəd] *adj.* (*glds.*) forstående; i anmarch.

toward[2] [tə'wɔːd, (*am.*) 'təuərd, tə'wɔːrd] *præp.* (*især am.*) = towards.

towards [tə'wɔːdz] *præp.* **1.** (*om retning*) imod (*fx he pointed* ~ *the sky; the country was drifting* ~ *war*); hen imod (*fx she walked* ~ *me*); i retning af (*fx* ~ *the sea; progress* ~ *European unity*);

2. (*om placering*) nær ved, i nærheden af (*fx* ~ *the front of the queue;* ~ *the top of the hill*); **3.** (*om tid*) hen imod (*fx* ~ *the end of the year*); **4.** (*om holdning*) over for, imod (*fx his behaviour* ~ *me; he was friendly* ~ *me*); **5.** (*om bidrag*) som bidrag//hjælp til (*fx a grant* ~ *the tuition fee*).

towaway zone ['təuəweizəun] *sb.* [*område uden parkering, hvor ulovligt parkerede biler bliver slæbt væk*].

tow bar *sb.* trækstang.

tow car *sb.* kranvogn.

towel[1] ['tauəl] *sb.* håndklæde; □ *throw in the* ~ kaste/smide håndkladet i ringen; give op; (se også *sanitary towel*).

towel[2] ['tau(ə)l] *vb.* **1.** tørre; tørre af; **2.** (*især austr.* T) banke, tæske.

towelette [tauə'let] *sb.* (*især am.*) vådserviet.

towel horse *sb.* håndklædestativ.

towelling ['tauəliŋ] *sb.* **1.** håndklædestof, frotté; **2.** (*især austr.* T) omgang klø; bank.

towel rail *sb.* håndklædestativ.

tower[1] ['tauə] *sb.* tårn; □ *a* ~ *of strength* (*om person*) en solid støtte; et trygt værn.

tower[2] ['tauə] *vb.* hæve sig højt, rage op (*above/over* over); knejse.

tower block *sb.* højhus.

towering ['tauəriŋ] *adj.* **1.** tårnhøj (*fx walls*); knejsende; **2.** (*fig.*) imponerende (*fx performance*); kolossal; □ *a* ~ *rage* (*litt.*) et voldsomt/ ubændigt raseri.

towheaded ['təuhedid] *adj.* med hørhår; lyshåret.

towline ['təulain] *sb.* = *tow rope*.

town [taun] *sb.* by; købstad; □ *paint the* ~ *red* (*fig.*) male byen rød; [*med præp.*] *in* ~ i byen; *in this* ~ her i byen; *the talk of the* ~ se *talk*[1]; *on the* ~ i byen [ɔ: *ude at more sig*]; *have a night on the* ~ være ude at more sig; *go to* ~ **a.** tage til byen; **b.** (*fig.*) gøre meget ud af det; kaste sig ud i det helt vilde; tage den store tur; (se også *gown, man-about-town*).

town clerk *sb.* (*til 1974, omtr.*) kommunaldirektør.

town council *sb.* byråd.

town councillor *sb.* byrådsmedlem.

town crier *sb.* (*hist.*) udråber; bytrommeslager.

town hall *sb.* rådhus.

town house *sb.* **1.** rækkehus [*to el. treetages*]; **2.** (*mods. landsted*) hus i byen; byresidens.

townie ['tauni] *sb.* T bybo.

town planner *sb.* byplanlægger.

town planning *sb.* byplanlægning.

township ['taunʃip] *sb.* **1.** (*am., i nogle delstater: underinddeling af county*) bydistrikt; kommune; **2.** (*hist.: i Sydafrika*) [*byområde for sorte*].

townspeople ['taunzpi:pl] *sb. pl.* byboere; bymennesker; □ *the* ~ folkene i byen; byens indbyggere.

towpath ['təupa:θ] *sb.* trækvej [*ved flod el. kanal*].

tow rope *sb.* **1.** træktov; **2.** (*mar.*) bugserline, slæbeline.

tow truck *sb.* (*am.*) kranvogn.

toxaemia [tɔk'si:miə] *sb.* blodforgiftning.

toxic ['tɔksik] *adj.* giftig.

toxicity ['tɔk'sisəti] *sb.* giftighed.

toxicologist [tɔksi'kɔlədʒist] *sb.* toksikolog.

toxicology [tɔksi'kɔlədʒi] *sb.* toksikologi, læren om giftstoffer.

toxin ['tɔksin] *sb.* toksin, giftstof.

toy[1] [tɔi] *sb.* stykke legetøj; □ -s legetøj.

toy[2] [tɔi] *adj.* **1.** legetøjs- (*fx gun*); **2.** (*om hunderace*) dværg-.

toy[3] [tɔi] *vb.:* ~ *with* **a.** (*ting*) lege med, pille ved (*fx he* -ed *nervously with his tie*); (*mad også*) stikke til; **b.** (*tanke*) lege med, sysle med (*fx the idea of emigrating*); **c.** (*person, følelser*) lege med.

toy boy *sb.* T ung elsker.

toyshop ['tɔiʃɔp] *sb.* legetøjsbutik.

trace[1] [treis] *sb.* **1.** spor (*of* af, *fx* -s *of an ancient civilization;* -s *of blood; he left no* ~ *behind him*); **2.** (*fig.*) antydning (*of* af, *fx a* ~ *of a smile; without a* ~ *of irony*); **3.** (*elektronisk*) eftersporing; **4.** (*til hestevogn*) skagle; □ *put a* ~ *on* spore (*fx a telephone call*); *kick over the* -s (*fig.*) slå til skaglerne, skeje ud; *disappear/vanish without* ~ forsvinde sporløst.

trace[2] [treis] *vb.* **1.** spore (*fx telephone calls can be difficult to* ~); **2.** (*noget forsvundet*) opspore (*fx the stolen jewels*); **3.** (*oprindelse, udvikling*) efterspore (*fx one's family roots; he is trying to* ~ *the history of his old school*); **4.** (*vej, rute, linje*) følge (*fx I* -d *the path we had taken*); **5.** (*med finger etc.*) tegne (*fx he* -d *a pattern in the sand with his toe/a stick*); skrive; **6.** (*på gennemsigtigt papir*) kalkere; □ ~ *back to* føre tilbage til (*fx he can* ~ *his family back to the 16th*

century; *she* -d *her fear of dogs back to a childhood experience*); spore tilbage til; ~ *to* **a.** spore til (*fx the missing girl was* -d *to London; the telephone call was* -d *to a call box in Oxford*); **b.** spore tilbage til (*fx the cause of the fire was* -d *to an electrical fault*).

traceable ['treisəbl] *adj.: be* ~ kunne spores (*fx most telephone calls should be* ~); kunne efterspores; *be* ~ *to* kunne føres//spores tilbage til.

tracer ['treisə] *sb.* **1.** (*mil.*) sporprojektil; **2.** (*med. etc.*) mærket stof; indikator (*fx radioactive* ~).

tracer bullet *sb.* sporprojektil.

tracery ['treis(ə)ri] *sb.* **1.** slynget mønster; fletværk; **2.** (*arkit.: over vindue i gotisk kirke*) stavværk.

trachea [trə'ki:ə, (*am.*) 'treikiə] *sb.* (*pl.* -e [-ki:i:]/-s) **1.** (*anat.*) luftrør; **2.** (*hos insekter*) åndedrør.

trachoma [trə'kəumə] *sb.* (*med.*) ægyptisk øjensyge.

tracing ['treisiŋ] *sb.* kalkering; kalke.

tracing paper *sb.* mønsterpapir.

track[1] [træk] *sb.* **1.** (*som man går ad*) sti (*fx a muddy mountain* ~); (*som man kører ad*) hjulspor (*fx the road to the farm was little more than a* ~); vej; (se også *beaten*[2], *dirt track*); **2.** (*som noget følger*) bane (*fx of a comet; of a hurricane*); **3.** (*til væddeløb, i sport*) bane; (se også *fast track, inside track*); **4.** (*jernb.*) spor; bane; **5.** (*om bil*) sporvidde, hjulafstand; **6.** (*om sport, især am.*) atletik; **7.** (*am.: i skole*) se *stream*[1] 3; **8.** (*på lp*) skæring; (*på lydbånd*) spor; (*på cd*) nummer; **9.** (*til gardin etc.*) skinne; □ -s **a.** (*som man efterlader*) spor (*fx* -s *in the snow*); (*af fod*) fodspor; **b.** (*af vogn etc.*) hjulspor; **c.** (*jernb.*) spor, skinner; **d.** (*til bæltekøretøj*) bælter, larvefødder; [*med vb.*] *cover* one's -s skjule sine spor; *keep* ~ *of* holde sig ajour med; holde rede på; *leave the* -s løbe af sporet, blive afsporet; *lose* ~ *of* miste følingen med; ikke holde rede på; glemme; *make* -s T stikke af, smutte; *make* -s *for* løbe hen imod; [*med præp.*] *in* one's -s på stedet (*fx stop in one's* -s; *fall dead* (*falde død om*) *in one's* -s); *stop (dead) in one's* -s (*også*) blive stående som naglet til stedet; *put sby off the* ~ lede en på vildspor; *on* ~ på rette spor; på skinner; *on the right* ~ på rette spor; *on the wrong* ~ på vildspor; på afveje;

T track

(se også *wrong²*); *on sby's ~* på sporet af en; *on ~ to* på vej til at.
track² [træk] *vb.* **1.** spore; følge; **2.** (*film.*) køre [*med kameraet*]; **3.** (*am.*) lave fodspor på (*fx ~ the floor with muddy boots*); lave mærker af (*fx ~ mud on the floor*);
□ ~ *down* opspore.
track and field *sb.* (*am.*) atletik.
trackball ['trækbɔ:l] *sb.* (*it*) styrekugle.
tracker ['trækə] *sb.* tracker, sporer.
tracker dog *sb.* sporhund.
track events *sb. pl.* (*i sport*) løbekonkurrencer.
tracking *sb.* **1.** sporing; **2.** (*am.*) [*inddeling af elever i linjer efter dygtighed og interesser*]; niveaudeling.
tracking station *sb.* (*for rumfartøj*) sporestation.
trackman ['trækmən] *sb.* (*pl.* -men [-mən]) (*am.*) **1.** (*jernb.*) banearbejder; **2.** (*i sport*) løber.
track record *sb.* **1.** banerekord; **2.** hidtidige præstationer; resultatliste; papirer; fortid.
track shoe *sb.* løbesko, kondisko.
track suit *sb.* træningsdragt; joggingdragt.
tract [trækt] *sb.* **1.** egn; strækning (*fx vast -s of woodland*); område [*af ubestemt størrelse*]; **2.** (*am.*: afgrænset*) landområde (*fx a five-acre ~*); **3.** (*tekst*) pjece; brochure; **4.** (*rel.*) traktat; **5.** (*anat.*) kanal, gang;
□ *the biliary ~* galdevejene; *the digestive ~* fordøjelseskanalen; *the respiratory ~* luftvejene.
tractable ['træktəbl] *adj.* medgørlig, føjelig, villig.
tract house *sb.* (*am.*) typehus.
traction ['trækʃn] *sb.* **1.** træk; trækkraft; **2.** (*bils*) vejgreb; **3.** (*med.: til brækket ben*) stræk.
traction engine *sb.* (*glds.*) lokomobil.
tractor ['træktə] *sb.* traktor.
trade¹ [treid] *sb.* **1.** (*persons*) erhverv (*fx prostitutes who want to leave the ~*); bestilling; levevej; **2.** (*faglært arbejde*) fag (*fx learn a ~; he is a carpenter by* (af) ~); håndværk; **3.** (*gren af erhvervslivet*) erhverv (*fx the tourist ~*); branche; **4.** (*merk.*) handel (*in med, fx oil*); samhandel (*with med, fx their ~ with Europe*); **5.** (*om omfang*) omsætning, kunder (*fx many of the shops lost up to 50% of their ~*); **6.** (*am.*) bytte; **7.** (*mar.: i sms.*) -fart (*fx coasting ~* kystfart);
□ *the ~* **a.** de folk der arbejder in-

den for erhvervet (*fx the ~ can buy the products at a discount*); **b.** T spiritushandelen; *the -s* (*mar.*) passatvindene; *the -s and industries* håndværk og industri; erhvervene, erhvervslivet.
trade² [treid] *vb.* **1.** handle; **2.** (*om byttehandel*) bytte (væk), give i bytte (*for for, fx she -d her watch for a ring*); udveksle (*for med, fx the hostages were -d for arms*); **3.** (*indbyrdes: + pl.*) bytte (*fx seats* (plads) *with sby*); udveksle (*fx insults; they -d stories about their old teachers*); **4.** (*am.: spiller*) overflytte til en anden klub;
□ ~ *down* [*sælge for at købe noget der er billigere*]; ~ *for* skifte ud med (*fx she has -d her glasses for contact lenses*); ~ *in* cotton handle med bomuld; ~ *'in one's car for a new one* give sin vogn som delvis betaling for en ny; ~ *off* bytte væk (*against/for* til gengæld for); ~ *on sby's ignorance* benytte sig af/udnytte ens uvidenhed; ~ *up* [*sælge for at købe noget der er dyrere*].
trade cycle *sb.* (*merk.*) periodisk op- og nedgang i konjunkturerne; konjunktursvingninger.
trade deficit *sb.* underskud på handelsbalancen.
trade discount *sb.* forhandlerrabat.
trade disputes *sb. pl.* arbejdsstridigheder.
trade fair *sb.* messe.
trade figures *sb. pl.* handelstal.
trade gap *sb.* underskud på handelsbalancen.
trade-in ['treidin] *sb.* **1.** [*handel hvori brugt model indgår som delvis betaling*]; **2.** (*i sms.*) indbytnings-; bytte-.
trade journal *sb.* fagblad; fagtidsskrift.
trademark ['treidma:k] *sb.* varemærke.
trade name *sb.* varenavn; mærkenavn; varemærke.
trade-off ['treidɔf] *sb.* **1.** byttehandel; (*neds.*) studehandel; **2.** afvejning [*af modstridende hensyn*]; kompromis.
trade paper *sb.* fagblad.
trade price *sb.* engrospris.
trader ['treidə] *sb.* **1.** næringsdrivende; handlende; købmand; **2.** (*mar.*) handelsskib.
trade secret *sb.* forretningshemmelighed.
trade show *sb.* (*am.*) messe.
tradesman ['treidzmən] *sb.* (*pl.* -men [-mən]) næringsdrivende; handlende.
tradespeople ['treidzpi:pl] *sb. pl.*

næringsdrivende; handlende.
Trades Union Congress [*den faglige landsorganisation i England*].
trade surplus *sb.* overskud på handelsbalancen.
trade union *sb.* fagforening.
trade unionism *sb.* fagbevægelsen.
trade unionist *sb.* **1.** fagforeningsmedlem; **2.** tilhænger af fagbevægelsen.
trade wind *sb.* passatvind.
trading ['treidiŋ] *adj.* handels-; drifts-; industri-.
trading estate *sb.* se *industrial estate.*
trading floor *sb.* børssal; noteringslokale.
trading post *sb.* (*glds.*) handelsstation.
trading stamp *sb.* værdikupon; rabatmærke.
tradition [trə'diʃn] *sb.* tradition.
traditional [trə'diʃn(ə)l] *adj.* traditionel.
traduce [trə'dju:s] *vb.* F bagtale.
traffic¹ ['træfik] *sb.* **1.** trafik; færdsel; **2.** (*neds.*) (ulovlig) handel (*in med, fx drugs*).
traffic² ['træfik] *vb.* (*trafficked, trafficked*) (*neds.*) handle (ulovligt) (*in med*).
traffic calming *sb.* trafikdæmpning; trafiksanering.
traffic circle *sb.* (*am.*) rundkørsel.
traffic cone *sb.* kegle [*til afmærkning*].
traffic island *sb.* helle.
traffic jam *sb.* trafikprop.
traffic lights *sb. pl.* lyskurv; trafiklys; lyssignal;
□ *jump the ~* køre over for rødt; *set of ~* lyskryds.
traffic sign *sb.* færdselsskilt, færdselstavle.
traffic signal *sb.* se *traffic lights.*
traffic warden *sb.* parkeringskontrollør, parkeringsvagt.
tragedian [trə'dʒi:diən] *sb.* **1.** tragedieforfatter; **2.** tragisk skuespiller.
tragedy ['trædʒədi] *sb.* tragedie;
□ *the ~ of it* det tragiske ved det.
tragic ['trædʒik] *adj.* tragisk.
tragicomedy [trædʒi'kɔmədi] *sb.* tragikomedie.
tragicomic [trædʒi'kɔmik] *adj.* tragikomisk.
trail¹ [treil] *sb.* **1.** sti (*fx we followed the ~ through the forest*); **2.** (*tilrettelagt*) rute (*fx a tourist ~; a hiking ~*); sti (*fx a nature ~*); **3.** (*som er efterladt*) spor (*fx a ~ of blood; the dogs followed the ~ of the fox*); **4.** (*som følger bagefter*) hale (*fx a ~ of cars*); **5.** (*af ubehagelige begivenheder*) række

(fx a ~ of murders);
□ be on the ~ of være på sporet
af;
[med vb.] **blaze** a ~ **a.** afmærke
en sti; **b.** (fig.) være banebry-
dende; være foregangsmand;
blaze a ~ for (fig.) bane vejen for;
leave a ~ of efterlade en lang
række (fx he left a ~ of muddy
footprints//of broken hearts//of
unpaid bills); the thief had left no
-s tyven havde ikke efterladt sig
spor; the hurricane left a ~ of de-
struction orkanen efterlod en
stribe ødelæggelser.
trail² [treil] vb. **A.** 1. (vildt etc.)
spore; følge sporet af; 2. (person)
spore (fx the detectives -ed her to
a shop); følge sporet af, følge i
hælene på (fx they had been -ing
him for weeks); 3. (efter sig) slæbe
(fx he -ed the bag behind him);
trække (fx one's hand through the
water);
B. (uden objekt) 1. slæbe (fx her
robe -ed along the ground); 2. (om
person) traske (fx he -ed behind,
complaining loudly); slæbe sig af
sted; komme//hænge bagefter; 3. (i
konkurrence etc.) være bagefter;
sakke agterud; 4. (om plante)
slynge sig, vokse (fx creepers -ing
over the walls);
□ ~ arms! gevær i højre hånd! ~
away/off (om lyd) dø hen; (se også
coat¹).
trailblazer ['treilbleizə] sb. (fig.)
banebryder; pioner.
trailblazing ['treilbleiziŋ] adj. ba-
nebrydende.
trailer ['treilə] sb. 1. (til bil) på-
hængsvogn, anhænger, trailer;
2. (am.) campingvogn; 3. (film.)
trailer, forfilm [med klip fra kom-
mende film]; 4. (bot.) udløber;
slyngplante.
trailer park sb. (am.) camping-
plads.
trailing edge sb. (flyv.: af bære-
plan) bagkant.
trail shoe sb. (am.) kondisko; løbe-
sko.
train¹ [trein] sb. 1. (jernb.) tog;
2. (af køretøjer, dyr) optog, række
(fx of camels); 3. (sammenhæn-
gende) række, kæde (fx of events);
4. (fornem persons) følge (fx the
king's ~); 5. (på kjole etc.) slæb;
6. (mil.) træn; 7. (af krudt) lø-
beild;
□ bring in its ~ (fig.) føre med sig;
put/set in ~ sætte i gang; bringe
ind i den rigtige gænge; ~ of
thought tankerække; on the ~
i/på toget; (se også meet²).
train² [trein] vb. (se også trained)

1. (person) oplære, uddanne;
træne; 2. (dyr) afrette; (til be-
stemte færdigheder) dressere;
(hest) tilride; 3. (træ) binde op;
espaliere [ɔ: få til at vokse i en be-
stemt retning]; 4. (uden objekt)
træne;
□ ~ on (F: kikkert, skydevåben)
rette ind mod (fx ~ the guns on
the fort); ~ to be uddanne sig til.
train case sb. beautyboks.
trained [treind] adj. 1. uddannet;
faguddannet; faglært; 2. (om dyr)
dresseret (fx elephant);
□ to the ~ eye for det øvede blik/
øje.
trainee [trei'ni:] sb. 1. elev; 2. prak-
tikant; volontør; 3. (am.) rekrut.
trainer ['treinə] sb. 1. lærer; 2. (i
sport) træner; 3. (for dyr) dressør;
4. (flyv.) øvelsesflyvemaskine;
5. (sko) kondisko; løbesko.
train indicator sb. togtidstavle.
training ['treiniŋ] sb. 1. uddan-
nelse; oplæring; 2. (i sport etc.)
træning;
□ in ~ under træning.
training camp sb. træningslejr.
training college sb. seminarium.
training ground sb. øvelsesplads.
training ship sb. skoleskib.
train spotter sb. 1. [en der kigger
efter tog og skriver lokomoti-
vernes numre op]; 2. (fig., neds.)
nørd.
traipse [treips] vb. traske om; drive
om; daske rundt.
trait [trei, treit, (am.) treit] sb.
træk; karaktertræk.
traitor ['treitə] sb. forræder.
traitorous ['treit(ə)rəs] adj. F forræ-
derisk.
trajectory ['trædʒikt(ə)ri,
trə'dʒekt(ə)ri] sb. 1. (projektils el.
planets) bane; (rumskibs) kurs;
2. (F: fig.) forløb, bane.
tram [træm] sb. sporvogn.
tramlines ['træmlainz] sb. pl.
1. sporvognsskinner; 2. (T: på
bane til tennis, badminton) side-
linjer [der markerer banens af-
grænsning til single og double].
trammel ['træm(ə)l] sb. (se også
trammels) 1. (i fiskeri) posegarn;
2. (am.) kedelkrog.
trammelled ['træm(ə)ld] adj.: ~ by
hæmmet af.
trammel net (i fiskeri) posegarn.
trammels ['træm(ə)lz] sb. pl. læn-
ker, snærende bånd (fx the ~ of
convention).
tramp¹ [træmp] sb. 1. (glds. om
person) landstryger; vagabond;
2. (am. T: neds. om pige) taske;
luder; 3. (lyd) trampen, tramp;
4. (tur) lang vandretur.

tramp² [træmp] vb. 1. (om tung
gang) trampe (fx upstairs);
2. (med objekt) trampe/traske
rundt i (fx the streets of London).
trample ['træmpl] vb. 1. trampe (fx
several people were -d to death;
he -d on their rights); trampe
rundt (fx on the flowerbeds);
2. (med objekt) trampe ned (fx the
grass); (se også underfoot).
trampoline [træmpə'li:n] sb. tram-
polin.
trampolining [træmpə'li:niŋ] sb.
trampolinspring.
trampolinist [træmpə'li:nist] sb.
trampolinspringer.
tramway ['træmwei] sb. spor-
vognslinje.
trance [trɑ:ns] sb. trance;
□ go/fall into a ~ falde i trance.
tranche [trɑ:nʃ, trɔ:nʃ] sb. 1. (økon.)
tranche, portion; 2. (fig. F) por-
tion.
trank [træŋk] T = tranquillizer.
trannie ['træni] sb. S 1. transistor-
radio; 2. (person) transvestit.
tranquil ['træŋkwil] adj. F rolig;
stille.
tranquillity [træŋ'kwiləti] sb. F ro;
stilhed.
tranquillize ['træŋkwilaiz] vb. give
beroligende middel, bedøve.
tranquillizer ['træŋkwilaizə] sb.
beroligende middel.
transact [træn'zækt] vb. F udføre;
gøre (fx business).
transaction [træn'zækʃn] sb. trans-
aktion; forretning, handel;
□ -s (fra lærd selskab) meddelel-
ser; forhandlingsreferat.
transatlantic [trænzət'læntik] adj.
1. (over Atlanterhavet) transatlan-
tisk, atlanterhavs- (fx flight);
2. (fra//på den anden side af At-
lanterhavet) transatlantisk; (set
fra Storbritannien også) ameri-
kansk; (set fra USA også) europæ-
isk.
transcend [træn'send] vb. F
1. overskride (fx cultural barriers);
hæve sig over (fx party politics);
2. (mht. betydning) overgå.
transcendence [træn'sendəns] sb. F
1. transcendens; ophøjethed; 2. (jf.
transcend) overskridelse.
transcendent [træn'sendənt] adj. F
1. transcendent [ɔ: som ligger
uden for erfaringens grænser];
2. ophøjet; 3. som overgår andre.
transcendental [trænsen'dent(ə)l]
adj. 1. = transcendent 1; 2. (filos.)
transcendental.
transcendentalism [træn-
sen'dent(ə)lizm] sb. transcenden-
tal filosofi.
transcribe [træn'skraib] vb. F

T *transcript*

1. (*båndoptagelse*) skrive ud; **2.** (*stenogram*) renskrive; **3.** (*noget talt*) nedskrive; **4.** (*til andet tegnsystem; til lydskrift; mus.*) transskribere.

transcript ['trænskript] *sb.* (jf. *transcribe*) **1.** udskrift; **2.** renskrift; **3.** nedskrift; **4.** transskription; **5.** genpart; kopi; **6.** (*am.*) [*officiel udskrift af karakterprotokol*].

transcription [træn'skripʃn] *sb.* (jf. *transcribe*) **1.** udskrivning; **2.** renskrivning; **3.** nedskrivning; **4.** transskription; **5.** (*resultat*) se *transcript*; **6.** (*radio.*) båndoptagelse.

transect [træn'sekt] *vb.* gennemskære på tværs; skære på tværs.

transept ['trænsept] *sb.* (*arkit.: i kirke*) tværskib; korsarm.

transfer[1] ['trænsfə] *sb.* (cf. *transfer*[2]) **1.** flytning, overflytning; overføring; **2.** (*af person*) forflyttelse; overflytning; **3.** (*om fodboldspiller*) overflytning [*til en anden klub*]; klubskifte; (*person*) [*spiller som er overflyttet*]; **4.** (*fig.*) overføring; **5.** (*af penge*) overførsel; ompostering; (*til reserve*) henlæggelse; **6.** (*af rettighed etc.*) overdragelse; **7.** (*tlf.*) omstilling; **8.** (*billede*) overføringsbillede; **9.** (*til tøj*) påstrygningsmønster; **10.** (*am.*) omstigningsbillet.

transfer[2] [træns'fə:] *vb.* **A.** 1. flytte, overflytte (*to* til, *fx all the files to a new cabinet*); overføre (*to* til, *fx ~ information to a computer*); **2.** (*person*) forflytte, overflytte (*to* til, *fx ~ him to the London office*); **3.** (*fodboldspiller: til en anden klub*) overflytte, sælge; **4.** (*fig.*) overføre (*to* på, *fx I hope you will ~ your confidence to me*); **5.** (*penge*) overføre (*to* til, *fx ~ £600 to one's current account*); ompostere (*til reserver etc.*) henlægge (*fx to the reserve fond*); **6.** (*rettighed, ejendom, ansvar*) overdrage (*to* til, *fx one's rights to sby else*); **7.** (*tlf.: samtale*) stille om;
B. (*uden objekt*) **1.** (*om hverv*) overgå; **2.** (*om person*) blive forflyttet; **3.** (*om fodboldspiller*) gå over, skifte [*til en anden klub*]; **4.** (*om rejsende*) skifte, stige om.

transferable [træns'fə:rəbl] *adj.* som kan overføres//overdrages.

transference ['trænsf(ə)rəns] *sb.* F **1.** overføring; overdragelse; **2.** forflyttelse; overflytning.

transfer fee *sb.* overgangssum [*for fodboldspiller*].

transfiguration [trænsfigju'reiʃn] *sb.* (*litt.*) forklarelse [*især om Kri-*

stus].

transfigure [træns'figə] *vb.* (*litt.*) forvandle (*into* til);
□ *-d* forklaret (*with* af, *fx her face was -d with joy*).

transfix [træns'fiks] *vb.* (*litt.*) gennembore; spidde.

transfixed [træns'fikst] *adj.* (*litt.*) lammet, forstenet; lamslået.

transform [træns'fɔ:m] *vb.* omdanne, omskabe, forvandle (*into* til).

transformation [trænsfə'meiʃn] *sb.* **1.** omdannelse, omskabelse, forvandling; **2.** (*mat.*) transformation.

transformer [træns'fɔ:mə] *sb.* (*elek.*) transformator, transformer.

transfrontier [træns'frʌntiə] *adj.* grænseoverskridende (*fx television; police cooperation*).

transfusion [træns'fju:ʒ(ə)n] *sb.* **1.** overførelse; **2.** blodtransfusion.

transgenic [trænz'dʒenik] *adj.* transgen.

transgress [trænz'gres] *vb.* F **1.** (*bestemmelse, regel*) overtræde; bryde; **2.** (*uden objekt*) forsynde sig; forse sig; (*især rel.*) synde.

transgression [trænz'greʃn] *sb.* **1.** overtrædelse; forseelse; (*især rel.*) synd; **2.** (*geol.*) oversvømmelse; transgression.

transgressor [trænz'gresə] *sb.* lovovertræder; (*især rel.*) synder.

transience ['trænziəns] *sb.* flygtighed.

transient[1] ['trænziənt] *sb.* F **1.** [*person på midlertidigt ophold*]; **2.** midlertidig arbejdskraft; **3.** (*am.*) [*person på gennemrejse*].

transient[2] ['trænziənt] *adj.* F **1.** forbigående; flygtig; kortvarig; **2.** (*am.*) på gennemrejse.

transistor [træn'zistə] *sb.* **1.** transistor; **2.** transistorradio.

transistorized [træn'zistəraizd] *adj.* transistoriseret.

transit[1] ['trænsit] *sb.* **1.** transport, befordring; **2.** gennemrejse; **3.** (*am.*) [*transport med offentlige trafikmidler*]; (se også *mass transit*); **4.** (*astr.*) gennemgang, passage;
□ *in ~* **a.** under transporten (*fx goods damaged in ~*); undervejs; **b.** på gennemrejse.

transit[2] ['trænsit] *vb.* passere.

transit camp *sb.* transitlejr; gennemgangslejr.

transition [træn'ziʃn] *sb.* overgang; skift;
□ *in ~* under forvandling (*fx a society in ~*); *make the ~ to* skifte til.

transitional [træn'ziʃn(ə)l] *adj.*

overgangs- (*fx government*).

transitive ['trænsətiv] *adj.* transitiv.

transitory ['trænsit(ə)ri] se *transient*[2] 1.

transit visa *sb.* transitvisum; gennemrejsevisum.

translate [træns'leit, (*am. også*) 'trænsleit] *vb.* **A.** (*med objekt*) **1.** (*også it*) oversætte (*into* til); **2.** (*til anden form*) omsætte (*into* til, *fx words into deeds; ~ it into simpler language*); forvandle (*into* til, *fx the play into a ballet*); udmønte (*into* i, *fx the reforms into legislation; their ideas into practice*); **3.** (*person*) overføre; forflytte;
B. (*uden objekt*) **1.** oversætte (*fx I had to ~ for him*); **2.** (*om tekst*) kunne oversættes (*fx his poetry does not ~ well*); **3.** (*jf. A 2*) lade sig omsætte; lade sig overføre (*fx the methods did not ~ well to the world of business*);
□ *~ as* **a.** fortolke som (*fx he mumbled something which I -d as agreement*); **b.** (*uden objekt*) kunne oversættes til (*fx the word -s as "thank you"*); *be -d* (*rel.*) blive optaget i himlen.

translation [træns'leiʃn] *sb.* (jf. *translate*) **1.** oversættelse; **2.** forvandling; udmøntning; **3.** overførelse; forflyttelse; **4.** (*rel.*) optagelse i himlen.

translator [træns'leitə] *sb.* **1.** oversætter; **2.** (*it*) oversættelsesprogram.

transliterate [trænz'litəreit] *vb.* translitterere, omskrive i et andet alfabet.

translocation [trænzlə'keiʃn] *sb.* (*bot.*) transport.

translucency [trænz'lu:s(ə)nsi] *sb.* gennemskinnelighed; (halv)gennemsigtighed.

translucent [trænz'lu:s(ə)nt] *adj.* gennemskinnelig; (halv)gennemsigtig.

transmigration [trænzmai'greiʃn] *sb.* (*rel.*) sjælevandring.

transmission [trænz'miʃn] *sb.* (jf. *transmit*) **1.** overførelse; **2.** (*radio., tv*) transmission; udsendelse; **3.** (*elek. & af varme*) ledning; **4.** (*litt.*) formidling; videregivelse; overlevering; **5.** (*i bil*) gear; gearkasse.

transmit [trænz'mit] *vb.* **1.** F overføre (*fx diseases; sound waves; electronic signals*); **2.** (*radio., tv*) transmittere; udsende; **3.** (*elek., varme*) lede; **4.** (*litt.: følelse, budskab*) formidle (*fx one's own enjoyment to one's audience*); videregive (*fx one's values to one's*

children); **5.** (*til efterkommere*)
overlevere, videregive; lade gå i
arv (*fx character traits*);
□ *be -ted* (*jf. 5, også*) gå i arv.
transmitter [trænzˈmitə] *sb.* (*radio.,
tv*) sender.
transmogrification [trænzmɔgrifi-
ˈkeiʃn] *sb.* (*spøg.*) fuldstændig for-
vandling; metamorfose.
transmogrify [trænzˈmɔgrifai] *vb.*
(*spøg.*) forvandle fuldstændigt.
transmutation [trænzmjuˈteiʃn] *sb.*
F forvandling, omdannelse.
transmute [trænzˈmjuːt] *vb.* F
1. forvandle, omdanne (*to* til);
2. (*uden objekt*) blive forvandlet;
blive omdannet.
transnational [trænzˈnæʃn(ə)l] *adj.*
transnational; tværnational.
transom [ˈtrænsəm] *sb.* **1.** (*i vin-
due*) tværsprosse; **2.** (*over dør el.
vindue*) tværpost; tværbjælke;
3. (*am.: over dør*) halvrundt vin-
due; **4.** (*mar.*) agterspejl; (*bjælke*)
hækbjælke;
□ *over the ~* (*am.* T) uanmodet;
uden videre.
transonic [trænˈsɔnik] *adj.* om-
kring lydens hastighed (*fx ~
speed*).
transparency [trænˈspɛər(ə)nsi] *sb.*
1. gennemsigtighed; **2.** (*fig.*) gen-
nemskuelighed; **3.** (*foto.*) diaposi-
tiv, lysbillede; **4.** (*til overhead
projector*) transparent.
transparent [trænˈspɛər(ə)nt] *adj.*
1. gennemsigtig (*fx silk blouse*);
2. (*fig.*) klar (*fx rules*); gennem-
skuelig (*fx democratic system*);
3. (*neds.*) oplagt, åbenlys (*fx lie;
attempt at cheating*);
□ *I hoped the irony was not too ~*
jeg håber ikke ironien skinnede
for meget igennem.
transpiration [trænspiˈreiʃn] *sb.*
(*bot.*) transpiration.
transpire [trænˈspaiə] *vb.*
1. komme frem (*fx it -d that he
knew more than he had admit-
ted*); komme for dagen; vise sig
(*fx it may yet ~ that ...*); **2.** T ske
(*fx find out exactly what -d*);
3. (*bot.*) transpirere.
transplant[1] [ˈtrænsplɑːnt] *sb.*
(*med.*) **1.** (*operation*) transplanta-
tion; **2.** (*organ*) transplantat.
transplant[2] [trænsˈplɑːnt] *vb.*
1. (*plante*) omplante; udplante;
2. (*fig.*) flytte (*fx the club to an-
other location*); overflytte, over-
føre; **3.** (*med.*) transplantere.
transplantation [trænsplɑːnˈteiʃn]
sb. (jf. *transplant*[2]) **1.** omplantning;
2. overflytning; overførelse;
3. (*med.*) transplantation.
transponder [trænˈspɔndə] *sb.*

transponder, svarsender [*der
sender modtagne signaler videre*].
transport[1] [ˈtrænspɔːt] *sb.* **1.** trans-
port (*fx we will arrange ~ from
the airport; the ~ of live animals//
dangerous chemicals*); **2.** (*køretøj
etc.*) transportmiddel (*fx have you
got your own ~?*); (*generelt*) trans-
portmidler (*fx use public ~*);
3. (*mil.*) transportfly//transport-
skib;
□ *in a ~ of, in -s of* ude af sig selv
af (*fx joy; rage*).
transport[2] [trænˈspɔːt] *vb.* **1.** trans-
portere; **2.** (*fig.*) føre, bringe (*fx
the film -ed us back to Victorian
London*); **3.** (*hist.*) deportere;
□ *-ed with* ude af sig selv af (*fx
delight; grief*).
transportation [trænspɔːˈteiʃn] *sb.*
1. transport; **2.** (*am.*) = *transport*[1]
2; **3.** (*hist.*) deportation.
transporter [trænˈspɔːtə] *sb.* trans-
portvogn.
transpose [trænˈspəuz] *vb.* F
1. flytte (*fx the action of the play
to Victorian England*); **2.** (*to ting*)
bytte om på (*fx two digits of one's
PIN number*); **3.** (*mat.*) [*flytte om
på den anden side af ligheds-
tegn*]; **4.** (*mus.*) transponere.
transposition [trænspəˈziʃn] *sb.*
1. flytning; **2.** (*af to ting*) ombyt-
ning; **3.** (*mus.*) transponering.
transsexual [trænzˈseksʃuəl] *adj.*
transseksuel.
transship [træn(s)ˈʃip] *vb.* omlade;
omskibe.
transubstantiation [trænsəbstænʃi-
ˈeiʃn] *sb.* (*rel.*) forvandling [*af
nadverelementerne*].
transverse [ˈtrænzvəːs] *adj.* tvær-;
tværgående.
transvestism [trænzˈvestizm] *sb.*
transvestisme.
transvestite [trænzˈvestait] *sb.*
transvestit.
tranx [trænks] *fork. f.* S tranquil-
lizers.
trap[1] [træp] *sb.* (se også *traps*)
1. (*også fig.*) fælde; **2.** (*til fiskeri*)
ruse; **3.** se *trapdoor*; **4.** (*tekn.: i af-
løb*) vandlås; **5.** (*hestevogn*) gig;
6. (*ved flugtskydning*) kastema-
skine; **7.** (*i golf*) bunker;
□ *fall/walk into the ~* gå lige i
fælden; *fall into the ~ of* + *-ing*
lade sig lokke/forlede til at; *keep
your ~ shut* T hold munden luk-
ket [ɔ: og røb ikke noget]; *shut
your ~!* T hold mund! klap i!
trap[2] [træp] *vb.* (se også *trapped*)
1. fange [*i en fælde*]; **2.** (*varme,
vand, luft*) lukke inde; spærre
inde; holde tilbage; **3.** (*fig.*) fange i
en fælde;

□ *be -ped into* blive lokket til//ind
i (*fx an admission; marriage*); *be
-ped into* + *-ing* blive lokket/nar-
ret til at; *he had -ped his finger in
the hinge* hans finger sad fast i
hængslet.
trapdoor [ˈtræpdɔː] *sb.* **1.** (*i loft el.
gulv*) lem, luge; **2.** (*især teat.*)
faldlem.
trapeze [trəˈpiːz] *sb.* (*gymn. etc.*)
trapez.
trapezium [trəˈpiːziəm] *sb.* (*geom.*)
1. trapez; **2.** (*am.*) trapezoide.
trapezoid [ˈtræpəzɔid] *sb.* (*geom.*)
1. trapezoide; **2.** (*am.*) trapez.
trapped [træpt] *adj.* fanget; inde-
spærret;
□ *be ~* være fanget; være spærret
inde (*fx they were ~ in the burn-
ing building*); sidde fast (*fx his leg
was ~ under a fallen branch*).
trapper [ˈtræpə] *sb.* pelsjæger.
trappings [ˈtræpiŋz] *sb. pl.* **1.** staf-
fage; stads; ydre pragt; **2.** (*til hest*)
pynteligt ridetøj//dækken; skabe-
rak.
Trappist [ˈtræpist] *sb.* (*rel.: munk*)
trappist.
traps [træps] *sb. pl.* T sager, grejer,
kluns.
trap-shooting [ˈtræpʃuːtiŋ] *sb.* ler-
dueskydning.
trash[1] [træʃ] *sb.* **1.** (T: *især om bog,
film etc.*) bras, møg, lort; **2.** (*am.*)
affald; **3.** (*om personer, især am.*)
udskud; rak; (se også *white trash*);
□ *the ~* (*am.*) skraldebøtten.
trash[2] [træʃ] *vb.* T **1.** ødelægge,
smadre; **2.** (*især am.*) rakke ned
(på); **3.** (*am.*) kassere.
trash can *sb.* (*am.*) skraldespand.
trash fish *sb.* (*am.*) industrifisk;
skidtfisk.
trash talk *sb.* (*am.*) nedrakning af
modstander.
trashy [ˈtræʃi] *adj.* T elendig; vær-
diløs.
trauma [ˈtrɔːmə] *sb.* **1.** (*psyk.*)
traume, psykisk traume; **2.** (*med.*)
traume, læsion.
traumatic [trɔːˈmætik] *adj.* trauma-
tisk.
traumatize [ˈtrɔːmətaiz] *vb.* trauma-
tisere.
travail [ˈtræveil] *sb.* (*litt.*) slid og
slæb; møje; kvaler;
□ *be in ~* (*om kvinde*) have fød-
selsveer.
travel[1] [ˈtræv(ə)l] *sb.* **1.** (*generelt*)
rejsen (*fx my job involves a lot of
~*); rejser (*fx ~ was not easy in
those days; ~ in Europe*);
2. (*tekn.: maskindels*) vandring;
bevægelse;
□ *-s* rejser.
travel[2] [ˈtræv(ə)l] *vb.* (se også *trav-*

elled) 1. rejse; 2. (*om lyd, ild etc.*) bevæge sig; forplante sig; 3. (*om nyheder*) vandre; 4. (*om bil*) spadsere (*fx the car was -ling along at 90 miles an hour*); 5. (*med objekt*) berejse; gennemrejse (*fx the world*); 6. (*distance*) tilbagelægge (*fx 50 miles a day*);
□ *sounds ~ in this house* der er lydt her i huset; *I ~ to work by train* jeg kører med toget/tager toget til arbejde;
[*med adv.*] ~ *badly* (*om vare*) ikke kunne tåle transport; ~ *light* rejse let; rejse med så lidt bagage som muligt; ~ *well* a. (*om vare*) kunne tåle transport; b. (*om ideer etc.*) kunne omplantes//overføres.

travel agency sb. rejsebureau.

travel agent sb. 1. (*firma*) rejsebureau; 2. (*person*) rejsebureaumedarbejder.

travelator ['trævəleitə] sb. rullende fortov.

travelled ['træv(ə)ld] adj. 1. (*om person*) berejst; rejsevant; 2. (*om sted*) besøgt; 3. (*om rute*) benyttet (*fx a much//little-~ route*).

traveller ['træv(ə)lə] sb. 1. rejsende; 2. omrejsende person; sigøjner; 3. (*mar.*) skødeviser; løjbom.

traveller's cheque sb. rejsecheck.

traveller's joy sb. (*bot.*) skovranke.

traveller's tale sb. løgnehistorie, skipperløgn.

travelling ['træv(ə)liŋ] adj. rejsende; omrejsende (*fx circus; opera company*); rejse- (*fx expenses*).

travelling companion sb. medrejsende, rejsekammerat; (*let glds.*) rejsefælle.

travelling crane sb. løbekran.

travelling rug sb. rejseplaid.

travelling salesman sb. (*pl. -men*) (*glds.*) handelsrejsende.

travelogue ['trævələg] sb. rejsebeskrivelse; rejsefilm; rejseforedrag.

travel sickness sb. transportsyge; køresyge.

travel trailer sb. (*am.*) campingvogn.

traverse[1] ['trævəs, -vɔ:s] sb. 1. sidebevægelse; 2. (*i bjergklatring*) travers, vandret passage; 3. (*mil.*) travers; tværskanse; dækningsvold; 4. (*jur.*) bestridelse af påstand.

traverse[2] ['trævəs, -vɔ:s] adj. på tværs; tværgående; tvær-.

traverse[3] [trə've:lə] vb. F 1. krydse (*fx a field; a river*); gennemkrydse; gå//bevæge sig//køre på tværs af; rejse igennem (*fx a desert*); 2. (*fig.: emne*) gennemgå fra ende til anden; 3. (*jur.: påstand*) bestride; gøre indsigelse mod;

4. (*mil.: kanon*) dreje; 5. (*uden objekt: i skoleridning*) traversere.

travesty ['trævəsti] sb. 1. (*fig.*) parodi (*of på, fx a ~ of justice*); karikatur, vrængbillede (*of af*); 2. (*i litteratur*) travesti.

travolator® ['trævəleitə] sb. rullende fortov.

trawl[1] [trɔ:l] sb. 1. (*i fiskeri*) trawl; 2. (*fig.*) grundig eftersøgning (*for efter, fx information*); grundig gennemgang, gennemtrawling (*through af, fx the newspapers*).

trawl[2] [trɔ:l] vb. 1. (*i fiskeri*) trawle (*for efter*); 2. (*fig.*) gennemgå, gennemsøge, gennemtrawle (*for for at finde, fx we -ed the files for information*);
□ ~ *through* (*fig.*) gennemtrawle.

trawler ['trɔ:lə] sb. trawler.

tray [trei] sb. 1. bakke; 2. (*til breve, papirer*) brevbakke; 3. (*til planter*) bakke; kasse; 4. (*i kartotek*) kartoteksskuffe.

tray cloth sb. bakkeserviet.

treacherous ['tretʃ(ə)rəs] adj. 1. (*om person*) forræderisk; 2. (*om hukommelse*) upålidelig; 3. (*om terræn etc.*) lumsk (*fx current*); farlig (*fx roads*);
□ *be ~ to* forråde.

treachery ['tretʃ(ə)ri] sb. forræderi.

treacle ['tri:kl] sb. 1. mørk sirup, melasse; 2. = *golden syrup*.

treacly ['tri:kli] adj. 1. tyk og klæbrig (*fx varnish*); 2. (*om følelse etc.*) klistret (*fx sentimentality*); sukkersød (*fx smile*).

tread[1] [tred] sb. 1. skridt (*fx I heard someone's ~ on the stairs*); trin; 2. (*i trappe*) trin; 3. (*på bildæk*) slidbane; 4. (*på sko*) trædeflade.

tread[2] [tred] vb. (*trod, trodden*) 1. træde (*fx don't ~ in the oil*); gå (*fx heavily*); 2. (*om fuglehan*) parre sig med;
□ ~ *a dangerous path* (F: *fig.*) betræde/begive sig ud på en farlig vej; (se også *boards, line*[1], *water*[1]); [*med præp.& adv.*] ~ *carefully* (*også fig.*) træde forsigtigt; ~ *down* a. træde ned (*fx the grass*); b. (*jord*) trampe til; ~ *mud into the carpet* træde mudder ned i tæppet; ~ *on* (*også fig.*) træde på (*fx a thorn; her feelings*); (se også *air*[1], *heel*[1], *toe*[1]).

treadle ['tredl] sb. pedal; tråd, trædebræt; (*på håndvæv*) trampe.

treadmill ['tredmil] sb. 1. trædemølle; 2. (*til konditræning*) løbebånd.

treason ['tri:z(ə)n] sb. højforræderi; landsforræderi.

treasonable ['tri:z(ə)nəbl] adj. høj-

forræderisk, landsforræderisk.

treasure[1] ['treʒə] sb. 1. (*fx sørøvers*) skat (*fx there may be hidden ~ in the old house*); kostbarheder; 2. (*ting*) skat (*fx his greatest ~; the -s of the British Museum*); klenodie; 3. (T: *person*) perle (*fx the housekeeper is a ~*).

treasure[2] ['treʒə] vb. 1. gemme (*fx grandfather's old watch*); bevare; 2. (*om følelse*) sætte stor pris på (*fx I ~ the moments we spend together*); sætte højt;
□ *his most -d possession* hans kæreste eje.

treasurer ['treʒ(ə)rə] sb. 1. kasserer; 2. (*austr.*) finansminister.

treasure trove ['treʒətrəuv] sb. 1. guldgrube (*fx of information*); skatkiste; 2. (*jur.*) skattefund; funden skat.

Treasury ['treʒ(ə)ri] sb.: *the ~* finansministeriet.

treasury ['treʒ(ə)ri] sb. 1. (*hist.*) skatkammer; 2. (*fig.*) guldgrube; skatkiste.

Treasury bench sb. ministerbænk [*i Underhuset*].

treat[1] [tri:t] sb. 1. (lille) gave; overraskelse (*fx I took her to the restaurant as a ~*); 2. (*fig.*) nydelse (*fx it was a ~ to hear her*); fryd (*fx it was a ~ for the eyes*); fornøjelse;
□ *a ~* (*adv.*) T mægtig godt (*fx the new system is working a ~*); pragtfuldt (*fx the room looks a ~*); *you're in for a ~!* du kan godt glæde dig! *this is my ~* jeg giver; det er min omgang.

treat[2] [tri:t] vb. 1. (*person*) behandle (*as/like som, fx don't ~ me as/like a child; with med, fx he -ed her with contempt//respect*); (se også *dirt, royalty*); 2. (*patient, sygdom*) behandle (*for for; with med*); 3. (*sag etc.*) betragte (*as som, fx ~ it as unimportant//as a joke; with med, fx scepticism*); behandle (*as som; with med, fx ~ the information with caution*); 4. (*emne*) behandle; 5. (*stof, træ etc.*) behandle, præparere (*with med, fx chemicals; the material is -ed to make it waterproof*); 6. (*uden objekt*) forhandle (*for om; with med*);
□ ~ *sewage* rense spildevand; [*med præp.*] ~ *for* se: 2, 6; ~ *of* handle om; dreje sig om; ~ *sby to* a. give én ... som en særlig overraskelse//belønning (*fx the school was -ed to an extra half holiday*); b. (*mad, drikke*) traktere en med, byde en på (*fx a drink; ice*

cream); ~ *oneself to sth* spendere noget på sig selv.

treatable ['tri:təbl] *adj.* (*om sygdom*) som kan behandles.

treatise ['tri:tiz, -tis] *sb.* afhandling.

treatment ['tri:tmənt] *sb.* **1.** behandling (*fx he gets special* ~); (*neds.*) medfart (*fx they got some rough* ~ *by the police*); **2.** (*af patient, sygdom*) behandling; kur (*fx the* ~ *prescribed by his doctor*); **3.** (*af emne*) behandling; **4.** (*af spildevand*) rensning; □ *we got the full* ~ der blev ikke sparet på noget; de gav den hele armen.

treaty ['tri:ti] *sb.* traktat.

treble[1] ['trebl] *sb.* **1.** (*mus.*) diskant; **2.** (*sanger*) høj drengesopran; **3.** (*i sport*) [*tre sejre//mesterskaber i samme sæson*]; (*i fodbold*) [*det at vinde mesterskabet og begge pokalturneringer i samme sæson*].

treble[2] ['trebl] *adj.* tredobbelt; □ ~ *the price* den tredobbelte pris; det tredobbelte af prisen.

treble[3] ['trebl] *vb.* **1.** tredoble; **2.** (*uden objekt*) tredobles.

treble clef *sb.* (*mus.*) diskantnøgle.

tree[1] [tri:] *sb.* træ; (se også *family tree, shoe tree*); □ *be at the top of the* ~ se *top*[1]; *be up a* ~ (*fig.*) være i knibe; være i forlegenhed; *be barking up the wrong tree* være gået galt i byen; være galt på den; være på vildspor.

tree[2] [tri:] *vb.* (*am.*) **1.** (*jaget dyr*) jage op i et træ; **2.** (**T:** *person, fig.*) bringe i knibe.

treecreeper ['tri:kri:pə] *sb.* (*zo.*) træløber.

tree frog *sb.* (*zo.*) løvfrø.

tree house *sb.* (*til børn*) [*hule oppe i et træ*].

tree hugger *sb.* (*neds.*) miljøaktivist [*som omfavner træer for at forhindre at de bliver fældet*].

treeline ['tri:lain] *sb.* trægrænse.

tree-lined ['tri:laind] *adj.* (*om vej*) med træer langs med.

tree pipit *sb.* (*zo.*) skovpiber.

tree ring *sb.* årring.

tree sparrow *sb.* (*zo.*) skovspurv.

tree surgery *sb.* trækirurgi.

treetops ['tri:tɔps] *sb. pl.* trætoppe, trækroner.

tree trunk *sb.* træstamme.

trefoil ['trefɔil, 'tri:fɔil] *sb.* **1.** (*bot.*) kløver; **2.** (*ornament*) kløverblad.

trek[1] [trek] *sb.* **1.** trek; vandretur; **2.** **T** vandring; (lang og besværlig) rejse (*fx it was a* ~ *back to my flat*).

trek[2] [trek] *vb.* **1.** vandre, trekke;

2. **T** slæbe sig, traske.

trellis ['trelis] *sb.* (*til plante*) espalier.

tremble[1] ['trembl] *sb.* (jf. *tremble*[2]) rysten; skælven, bæven; dirren; □ *be all of a* ~ **T** ryste over hele kroppen.

tremble[2] ['trembl] *vb.* ryste (*with* af, *fx cold; fear; his hands//knees were trembling*); skælve, bæve (*with* af, *fx fear; her lips//voice* -*d*); dirre (*with* af, *fx rage; her lips//voice* -*d*).

tremendous [tri'mendəs] *adj.* **T** mægtig, kolossal, enorm; gevaldig.

tremolo ['trem(ə)ləu] *sb.* (*mus.*) tremolo.

tremor ['tremə] *sb.* **1.** jordrystelse; **2.** (*af stemmen*) skælven; rysten; (*i kroppen også*) rystelse; **3.** (*fig.*) gys, gysen (*fx the event sent a* ~ *through the markets*); rystelse.

tremulous ['tremjuləs] *adj.* (*litt.*) skælvende, dirrende (*fx voice; hand*); □ *a* ~ *smile* et usikkert smil.

trench [tren(t)ʃ] *sb.* **1.** grøft; rende; **2.** (*mil.*) skyttegrav; løbegrav; **3.** (*geogr.*) dybhavsgrav; □ *the Mariana Trench* (jf. *3*) Marianergraven.

trenchant ['tren(t)ʃənt] *adj.* **T** skarp (*fx criticism; wit*); indtrængende (*fx analysis*); slagkraftig (*fx argument*).

trencherman ['tren(t)ʃəmən] *sb.* (*pl.* -*men* [-mən]): *be a good* ~ (*spøg.*) have en god appetit; kunne tage 'fra.

trench mortar *sb.* (*mil.*) granatkaster.

trench warfare *sb.* (*mil.*) skyttegravskrig.

trend [trend] *sb.* **1.** tendens (*fx a downward* ~); retning; trend, udvikling (*away from* bort fra; *towards* hen imod); **2.** (*i stil*) trend, mode.

trendsetter ['trendsetə] *sb.* trendsætter, toneangivende.

trendy[1] ['trendi] *sb.* **1.** trendy/moderigtig person; en der er med på det sidste nye; **2.** (*neds.*) modefikseret person.

trendy[2] ['trendi] *adj.* **T** trendy, moderne; som er med på det sidste nye; tjekket.

trepidation [trepi'deiʃn] *sb.* **F** bæven, ængstelse.

trespass[1] ['trespəs] *sb.* **1.** (*jur.*) ulovlig indtrængen; ejendomskrænkelse; **2.** (*rel. el. litt.*) synd; forsyndelse; □ *forgive us our* -*es as we forgive them that* ~ *against us* (*i fader-*

vor) forlad os vor skyld som vi forlader vore skyldnere.

trespass[2] ['trespəs] *vb.* (*jur.*) færdes uden tilladelse på fremmed ejendom; □ *no* -*ing!* (*svarer til*) adgang forbudt for uvedkommende! privat! ~ *on a.* (*fremmed ejendom*) trænge ind på; **b.** (*fig.*) lægge beslag på (*fx sby's time; sby's hospitality*).

trespasser ['trespəsə] *sb.* [*person der ulovligt trænger ind*]; □ -*s will be prosecuted* (*svarer til*) adgang forbudt for uvedkommende.

tresses ['tresiz] *sb. pl.* (*poet.*) lokker.

trestle ['tresl] *sb.* buk.

trestle table *sb.* bord på bukke.

trews [tru:z] *sb. pl.* **1.** (*mil.*) skotsk-ternede uniformsbukser; **2.** (*spøg.*) bukser.

trey [trei] *sb.* (*i kortspil el. på terning*) treer.

triad ['traiəd] *sb.* **1.** trehed, treklang; **2.** (*mus.*) treklang; **3.** (*hemmeligt selskab*) triade.

triage ['tri:a:ʒ, 'traiidʒ] *sb.* **1.** [*sortering af patienter efter hvor alvorligt tilfældet er*]; visitation; **2.** (*mil.*) prioritering af sårede.

trial[1] ['traiəl] *sb.* (se også *trials*) **1.** prøve; prøvekørsel (*fx of a new car//plan*); forsøg (*fx do clinical* -*s on a new drug*); **2.** (*fig., neds.*) prøvelse (*fx that boy is a* ~; *comfort in the hour of* ~); **3.** (*jur.*) retslig behandling, domsforhandling; retssag, proces; □ ~ *by jury* nævningesag; *the* ~ *of John Smith* retssagen/processen mod John Smith; [*med vb.*] *give it a* ~ prøve det, gøre et forsøg med det; *give sby a* ~ ansætte på prøve; *he is having a six-month* ~ han er ansat på prøve for seks måneder; han har seks måneders prøvetid; *stand* ~ blive stillet for retten; *stand* ~ *for* stå anklaget for; [*med* (*vb.* +) *præp.*] *by* ~ *and error* ved forsøg-fejl metoden; ved at prøve sig frem; *on* ~ **a.** på prøve (*fx we had the vacuum cleaner on* ~ *for a week*); **b.** anklaget (*fx he is on* ~ *for murder*); *go on* ~ blive stillet for retten; *put on* ~ stille for retten; *bring* **to** ~ stille for retten; *come/go to* ~ (*om sag*) komme for retten; *put to* ~ prøve.

trial[2] ['traiəl] *adj.* prøve- (*fx trip; period* tid).

trial[3] ['traiəl] *vb.* prøve; prøvekøre (*fx they are* -*ling interactive television*).

trial balance *sb.* (*merk.*) råbalance.
trial balloon *sb.* (*fig.*: især *am.*)
prøveballon.
trial jury *sb.* (*am. jur.*) [*almindelig
jury på 12 medlemmer*].
trial run *sb.* prøvekørsel.
trials ['traiəlz] *sb. pl.* (*i sport*) udta-
gelsesstævne;
□ ~ *and tribulations* prøvelser og
besværligheder; (*glds.*) vidervær-
digheder.
triangle ['traiæŋgl] *sb.* **1.** trekant;
2. (*mus.*) triangel.
triangular [trai'æŋgjulə] *adj.* tre-
kantet.
triangulate [trai'æŋgjuleit] *vb.* (*ved
opmåling*) triangulere.
triangulation [traiæŋgju'leiʃn] *sb.*
(*ved opmåling*) triangulering.
triathlon [trai'æθlɔn] *sb.* (*i sport*)
triatlon.
tribal ['traib(ə)l] *adj.* stamme- (*fx
war*).
tribalism ['traib(ə)lizm] *sb.* stam-
mefællesskab; stammekultur.
tribe [traib] *sb.* **1.** stamme; **2.** (T:
spøg.) folkefærd; **3.** (*spøg. om fa-
milie*) slægt, stamme.
tribesman ['traibzmən] *sb.* (*pl.
-men* [-mən]) medlem af stamme.
tribulation [tribju'leiʃn] *sb.* træng-
sel, modgang, prøvelse.
tribunal [trai'bju:n(ə)l] *sb.* domstol;
ret; nævn; (se også *appeals tribu-
nal*, *rent tribunal*).
tributary ['tribjutəri] *sb.* biflod.
tribute ['tribju:t] *sb.* **1.** tribut, aner-
kendelse, hyldest; **2.** (*hist.*: *om be-
taling*) skat, tribut;
□ *pay ~ to* (*jf.* 1) hylde; rose.
trice [trais] *sb.*: *in a ~* (*glds.* T) i en
håndevending; i en fart.
trichologist [tri'kɔlədʒist] *sb.* speci-
alist i hårpleje.
trick¹ [trik] *sb.* **1.** trick; fidus (*fx he
knows all the -s*); fif (*fx ten -s to
speed up your reading*); kneb;
kunstgreb; **2.** (*som man optræder
med*) kunst (*fx card ~*); kunst-
stykke; behændighedskunst;
3. (*neds.: snedigt*) nummer, streg
(*fx a dirty ~*); **4.** (*i kortspil*) stik;
5. (*mar.*) (ror)tørn; **6.** (S: *luders*)
kunde; forretning;
□ *how's -s?* (*let glds.* T) hvordan
skær'en? *that is the oldest ~ in
the book* det er et ældgammelt/
verdens ældste trick/kneb; *a ~ of
the light* et synsbedrag; *the -s of
the trade* de særlige fiduser; *~ or
treat* (*siges af udklædte børn på
Halloween; svarer til*) hvis vi in-
gen boller får så laver vi ballade;
he is up to his old -s T han er i
gang med sine gamle/sine sæd-
vanlige numre; (se også *bag*¹ (*of*

tricks));
[*med vb.*] *that will **do** the ~* det er
lige det der skal til; det skal nok
klare sagen; **have** *a ~ **of** + -ing*
have en manér/vane/uvane med
at (*fx he has a ~ of repeating
himself*); *I **know** a ~ worth two of
that* jeg ved noget der er meget
bedre; *he never **misses** a ~* han
får det hele med; han lader aldrig
en chance gå fra sig; **play** *a ~ **on***
lave et nummer med; **try** *every ~
in the book* prøve alle mulige
kneb; **turn** *a ~* (S: *om luder*) have
en kunde; **use** *every ~ in the
book* bruge alle mulige kneb.
trick² [trik] *vb.* narre; snyde; be-
drage;
□ *~ or treat* se *trick*¹;
[*med præp.& adv.*] *~ sby **into** +
-ing* narre en til at; *~ **out*** pynte;
udstaffere; *~ him **out** of* his
money franarre ham hans penge.
trickery ['trikəri] *sb.* fup, fusk,
svindel.
trickle¹ ['trikl] *sb.* tynd strøm; pi-
blen.
trickle² ['trikl] *vb.* **1.** risle (*fx a
trickling brook*; *sand -d down the
slope*); (*om væske også*) pible,
sive (*fx blood -d from the wound*);
2. (*om tårer*) trille, dryppe;
3. (*fig.*) sive (*fx details began to ~
out*); **4.** (*om personer*) komme//gå
en efter en;
□ *~ **down** to* efterhånden for-
plante sig til.
trickle-down effect ['trikldaun-
ifekt] *sb.* [*det at forplante sig ne-
defter i systemet*]; afsmittende
virkning.
trick question *sb.* snydespørgsmål.
trickster ['trikstə] *sb.* fupmager;
svindler; (se også *confidence trick-
ster*).
tricksy ['triksi] *adj.* **1.** (*om ting*)
smart; **2.** (*om person*) løssluppen;
drilsk.
tricky ['triki] *adj.* **1.** indviklet, van-
skelig, kilden (*fx problem*); **2.** (*om
ting*) drilagtig (*fx lock*); **3.** (*om
person*) upålidelig, listig.
tricolour ['trikələ, (*især am.*)
'traikʌlə] *sb.* trikolore, trefarvet
flag.
tricycle ['traisikl] *sb.* trehjulet cy-
kel.
trident ['traid(ə)nt] *sb.* trefork.
tried¹ [traid] *præt. & præt. ptc. af*
try.
tried² [traid] *adj.* prøvet (*fx
friend*);
□ *~ and tested/trusted/true* som
er prøvet og fundet anvendelig;
gennemprøvet; *the ~ and true
method* (*også*) den gode gamle

metode.
triennial [trai'eniəl] *adj.* **1.** som
sker hvert tredje år; **2.** treårig.
trifle¹ ['traifl] *sb.* **1.** (*mad*) trifli;
2. F bagatel; ubetydelighed;
□ *a ~* en (lille) smule (*fx an-
noyed; disappointing*); en kende;
stick at -s hænge sig i småting/ba-
gateller.
trifle² ['traifl] *vb.*: *~ away time* F
spilde tiden, øde tiden bort; *~
with* F lege med (*fx her affec-
tions*); *not to ~ with*, not to to be
-d with ikke til at spøge med.
trifling ['traifliŋ] *adj.* ubetydelig.
trig [trig] *sb.* T trigonometri.
trigger¹ ['trigə] *sb.* **1.** (*på skydevå-
ben*) aftrækker; **2.** (*til bombe*) ud-
løser; **3.** (*fig.*) udløsende faktor;
□ *be a ~ for* (*fig.*) udløse, sætte i
gang, give stødet til (*fx further
violence*); *quick on the ~* hurtig
på aftrækkeren; *pull the ~* trykke
af.
trigger² ['trigə] *vb.*: *~ **off*** udløse,
sætte i gang (*fx a chain reaction*;
violence in the streets); give stø-
det til.
triggerfish ['trigəfiʃ] *sb.* (*zo.*) af-
trækkerfisk.
trigger guard *sb.* aftrækkerbøjle.
trigger-happy ['trigəhæpi] *adj.* sky-
degal; krigsliderlig.
triggerman ['trigəmən, -mæn] *sb.*
(*pl. -men* [-mən, -men]) (*am.*) pi-
stolmand.
trigonometry [trigə'nɔmətri] *sb.* tri-
gonometri.
trike [traik] *sb.* trehjulet (barne)cy-
kel.
trilateral [trai'læt(ə)rəl] *adj.* tresi-
det.
trilby ['trilbi], **trilby hat** *sb.* blød
filthat.
trilingual [trai'liŋgw(ə)l] *adj.* tre-
sproget.
trill¹ [tril] *sb.* trille.
trill² [tril] *vb.* **1.** slå triller; trille;
2. (*litt.: om kvinde*) kvidre.
trillion ['triljən] *sb.* billion [*en mil-
lion millioner*].
trilogy ['trilədʒi] *sb.* trilogi.
trim¹ [trim] *sb.* (se også *trims*)
1. pynt; besætning; **2.** (*af håret*)
klipning; studsning; **3.** (*flyv.*;
mar.) trim; trimning;
□ *in (good) ~* (*om person*) i form;
in fighting ~ klar til kamp; *out of
~* i uorden.
trim² [trim] *adj.* **1.** ordentlig; net,
sirlig; **2.** (*om person*) slank.
trim³ [trim] *vb.* A. (*ved at skære
overflødigt væk*) **1.** beskære (*fx a
hedge; the edges of a book*);
klippe (*fx a hedge; the grass with
shears*); (*græs også*) slå; (*bog også*)

renskære; **2.** (*kød, væge*) pudse;
3. (*hår, skæg*) klippe (*fx one's moustache*); studse; **4.** (*hund*) trimme; **5.** (*film.*) klippe fra;
6. (*fig.*) beskære, begrænse (*fx the costs; the workforce*); trimme (*fx the firm*);
B. (*andre betydninger*) **1.** (*om udsmykning*) besætte (*fx with fur*); pynte (*fx a hat*); **2.** (*flyv.; mar.*) trimme; **3.** (*fig.*) være opportunist; rette sine meninger ind efter omstændighederne;
□ ~ *one's sails (to the wind)* (*fig.*) rette sig ind efter forholdene;
[*med adv.*] ~ *away* skære væk, fjerne; ~ *down* **a.** (*om person*) tabe sig; **b.** (*med objekt*) se: A6; ~ *off* = ~ *away*.
trimaran ['traim(ə)ræn] *sb.* (*mar.*) trimaran.
trimmer ['trimə] *sb.* **1.** (*til hæk*) hæksaks; **2.** (*til græs*) kantklipper; **3.** (*til papir*) skæremaskine; **4.** (*bjælke*) veksel; **5.** (*neds. om pertson*) opportunist, vendekåbe.
trimmings ['triminz] *sb. pl.* **1.** afklippede//afskårne stykker; rester; afklip; **2.** (*på kjole etc.*) besætning; bort; **3.** (*til mad*) garnering; tilbehør (*fx a turkey with all the* ~); **4.** (*fig.*) pynt;
□ *with all the* ~ (*fig.*) med alt hvad der hører sig til.
trims [trimz] *sb. pl.* (*film.*) fraklip.
trinity ['trinəti] *sb.* treenighed;
□ *the (Holy) Trinity* Treenigheden, den Hellige Treenighed.
Trinity House [*institution i London som administrerer fyrvæsenet i Storbritannien*].
Trinity Sunday *sb.* trinitatis; første søndag efter pinse.
trinket ['triŋkit] *sb.* (*billigt*) smykke; lille ting; nipsgenstand.
trio ['triəu] *sb.* **1.** (*mus.*) trio; **2.** (*fig.*) trio, trekløver.
trip[1] [trip] *sb.* **1.** tur; rejse; (*kort, hurtig*) sviptur, smut; (*se også day trip, round trip*); **2.** (*kortere*) udflugt (*fx a school trip*); (*se også field trip*); **3.** (*når man går*) snublen; **4.** (*S: på narkotika & fig.*) trip (*fx an LSD* ~; *an ego* ~; *a nostalgia* ~); **5.** (*tekn.*) udløser.
trip[2] [trip] *vb.* **1.** snuble; **2.** (*litt.:* om måde at gå på) trippe (*fx she -ped across the street//out of the room*); **3.** S tage et trip; **4.** (*med objekt*) spænde ben for; **5.** (*tekn.*) udløse;
□ ~ *the light fantastic* (*spøg.*) danse, træde dansen;
[*med præp.& adv.*] *they were -ping over each other* de var ved at falde over hinanden; ~ *up*

a. snuble; **b.** (*fig.*) begå en fejl; fortale sig; ~ *sby up* **a.** spænde ben for en; **b.** (*fig.*) få en til at fortale sig (*fx a witness*); ~ *up the anchor* (*mar.*) lette ankeret af grunden; brække ankeret løs [*fra havbunden*].
tripartite [trai'pa:tait] *adj.* F **1.** tresidig (*fx agreement*); treparts- (*fx talks*); **2.** tredelt (*fx political system*).
tripe [traip] *sb.* **1.** (*af dyr*) kallun; **2.** T sludder, bavl, ævl; **3.** (*om litteratur etc.*) bras, møg.
triple[1] ['tripl] *adj.* tredobbelt;
□ ~ *the amount* det tredobbelte (beløb).
triple[2] ['tripl] *vb.* **1.** tredobles (*fx prices -d*); **2.** (*med objekt*) tredoble.
triple A *fork. f.* **1.** *AAA* (*merk.*) [*højeste kreditvurdering*];
2. *anti-aircraft artillery* (*mil.* S) luftværnsskyts.
triple-header [tripl'hedər] *sb.* (*am.*) [*tre kampe//konkurrencer lige efter hinanden*].
triple jump *sb.* (*i atletik*) trespring.
triplet ['triplət] *sb.* trilling.
triplicate ['triplikət] *sb.*: *in* ~ i tre eksemplarer.
tripod ['traipɔd] *sb.* trefod; trebenet (foto)stativ.
tripper ['tripə] *sb.* udflugtsrejsende; turist på kortvarigt besøg.
triptych ['triptik] *sb.* triptykon [*tredelt billede, især altertavle*]; fløjalter.
tripwire ['tripwaiə] *sb.* (*mil.*) snubletråd.
tripy ['traipi] *adj.* (*jf. tripe 3*) elendig; møg-.
trireme ['trairi:m] *sb.* (*hist.*) treradåret skib; trireme.
trisect [trai'sekt] *vb.* tredele.
trite [trait] *adj.* forslidt, fortærsket, banal.
triturate ['tritjureit] *vb.* (*tekn.*) findele, knuse, pulverisere.
triumph[1] ['traiəmf] *sb.* triumf; sejr.
triumph[2] ['traiəmf] *vb.* triumfere; sejre.
triumphal [trai'ʌmf(ə)l] *adj.* triumf- (*fx procession* tog); triumferende.
triumphal arch *sb.* triumfbue.
triumphalism [trai'ʌmfəlizm] *sb.* (*neds.*) triumferen.
triumphalist [trai'ʌmfəlist] *adj.* (*neds.*) triumferende.
triumphant [trai'ʌmfənt] *adj.* **1.** sejrende (*fx the* ~ *team*); sejrrig; **2.** (*om følelse*) triumferende (*fx smile; laugh*); triumf- (*fx yell*).
triumvirate [trai'ʌmvirət] *sb.* triumvirat.
trivet ['trivit] *sb.* **1.** trefod [*til at*

sætte over ild]; **2.** bordskåner [*på ben*];
□ *right as a* ~ fuldstændig i orden; frisk som en fisk.
trivia ['triviə] *sb. pl.* småting, bagateller; banaliteter, ligegyldige facts.
trivia game *sb.* quiz.
trivial ['triviəl] *adj.* ubetydelig; ligegyldig, triviel, banal.
triviality [trivi'æləti] *sb.* ubetydelighed; banalitet.
trivialize ['triviəlaiz] *vb.* banalisere; forfladige.
trod [trɔd] *præt. af tread*[2].
trodden ['trɔd(ə)n] *præt. ptc. af tread*[2].
trog [trɔg] *vb.* T traske.
troglodyte ['trɔglədait] *sb.* **1.** huleboer; **2.** (*skældsord*) fjog.
troika ['trɔikə] *sb.* trojka.
Trojan[1] ['trəudʒ(ə)n] *sb.* (*hist.*) trojaner.
Trojan[2] ['trəudʒ(ə)n] *adj.* (*hist.*) trojansk.
Trojan horse *sb.* trojansk hest.
troll[1] [trəul] *sb.* **1.** (*myt.*) trold;
2. (*fiskeri*) dørg [*line som slæbes efter båd*]; (*handling*) dørgning.
troll[2] [trəul] *vb.* **1.** T gå, drysse, traske; **2.** (*fiskeri*) dørge [*fiske med line som slæbes efter båd*]; **3.** (*om sang*) tralle; synge;
□ ~ *for* **a.** (*jf. 2*) dørge efter; **b.** T lede efter; være ude efter.
trolley ['trɔli] *sb.* **1.** trækvogn;
2. (*til kufferter*) bagagevogn; **3.** (*til indkøb*) indkøbsvogn; **4.** (*til servering*) rullebord; **5.** (*til patient*) hospitalsseng på hjul; **6.** se *trolleybus*; **7.** (*am.*) sporvogn; **8.** (*jernb.*) trolje; dræsine;
□ *off one's* ~ T tosset, skør.
trolleybus ['trɔlibʌs] *sb.* trolleyvogn.
trolley car *sb.* (*am.*) sporvogn.
trollop ['trɔləp] *sb.* (*glds.*) **1.** (*umoralsk*) tøjte; **2.** (*uordentlig*) sjuske.
trombone [trɔm'bəun, (*am.*) 'trɔmbəun] *sb.* trækbasun.
trombonist [trɔm'bəunist] *sb.* basunist.
troop[1] [tru:p] *sb.* **1.** (*spøg.*) flok, skare; **2.** (*af spejdere*) trop;
3. (*mil.: kampvogns- etc.*) deling; (*artilleri*) halvbatteri; (*am.: kampvogns-*) eskadron; (*se også troops*);
4. (*foran sb.*) troppe- (*fx movements; reductions*).
troop[2] [tru:p] *vb.* gå flokkevis; traske i en lang række; marchere;
□ ~ *the colour* (*mil.*) holde faneparade; føre fanen til fløjen.
troop carrier *sb.* (*mil.*) troppetransportfly.
trooper ['tru:pə] *sb.* **1.** kavalerist;

2. kavallerihest; **3.** troppetrans-
portskib; **4.** (am.) politibetjent;
□ *he is a real* ~ (am. T) han er
gæv; han giver ikke op; *swear like
a* ~ bande som en tyrk.

troops [tru:ps] *sb. pl.* (*mil.*) trop-
per.

troopship ['tru:pʃip] *sb.* troppe-
transportskib.

trophy ['trəufi] *sb.* **1.** (sports)præ-
mie; **2.** (*fx fra jagt*) trofæ; **3.** (*af
våben, sat op på væg*) våbendeko-
ration.

trophy art *sb.* [*kunst som man har
for prestigens skyld*].

trophy wife *sb.* T [*smart ung kone
betragtet som statussymbol*].

tropic ['trɔpik] *sb.* vendekreds; (se
også *Cancer, Capricorn*);
□ *the* -s troperne.

tropical ['trɔpik(ə)l] *adj.* tropisk;
trope- (*fx medicine*).

tropicbird ['trɔpikbə:d] *sb.* (*zo.*)
tropikfugl.

tropism ['trəupizm] *sb.* (*biol.*) tro-
pisme, orienteringsbevægelse.

Trot [trɔt] *sb.* T trotskist; en fra den
yderste venstrefløj.

trot[1] [trɔt] *sb.* (se også *trots*) **1.** (*om
dyr*) trav; **2.** (*om person*) lunte-
trav; **3.** (*am.*) snydeoversættelse;
□ *a good*//*bad* ~ (*austr.* T) en hel-
dig//uheldig periode; *on the* ~ T i
træk, i rap (*fx three weeks on the*
~); *be on the* ~ T være i gang,
være travlt beskæftiget (*fx I have
been on the* ~ *all day*).

trot[2] [trɔt] *vb.* **1.** (*om dyr*) trave;
2. (*med objekt*) lade trave; **3.** (*om
person*) trave, småløbe; lunte;
□ ~ *along* **a.** trave//lunte af sted;
b. stikke af; ~ *out* T **a.** komme
med, køre frem med (*fx all the old
excuses*); diske op med (*fx the
same arguments*); **b.** (*person*) hale
frem; ~ *through* the speech (*fig.*)
jappe talen af.

troth [trəuθ] *sb.* (*glds.*) **1.** troskab;
2. sandhed;
□ *plight/pledge one's* ~ (*glds. el.
spøg.: mht. ægteskab*) **a.** skænke
en sin tro (*fx he is finally plight-
ing/pledging his* ~); **b.** (*om to*)
love hinanden troskab.

trots [trɔts] *sb. pl.: the* ~ **a.** T tynd
mave, tyndskid; **b.** (*austr.*) trav-
løb.

trotter ['trɔtə] *sb.* (*om hest*) traver,
travhest;
□ (*pig's*) -s (*mad*) grisetæer.

troubadour ['tru:bəduə] *sb.* trouba-
dour.

trouble[1] ['trʌbl] *sb.* **1.** (*offentlig:
slagsmål etc.*) ballade (*fx I'll leave
at the first sign of* ~); uro (*fx po-
litical* ~); **2.** (*som man volder*//*gør*

sig) ulejlighed (*fx if it isn't too
much* ~; *that's what you get for
your* ~*!*); **3.** (*som man har*) be-
svær, mas (+ *-ing* med at, *fx I had
a good deal of* ~ *finding it*); **4.** (*le-
gemlig; mekanisk*) problemer (*fx
heart*//*back* ~; *engine* ~); vrøvl,
besvær; **5.** (*som volder spekula-
tion*) problem (*fx the* ~ *with him
is that he drinks too much*); pro-
blemer (*fx the* ~ *began when he
came to stay with us*); vrøvl (*fx
with the police*); bryderi(er); van-
skelighed(er); (se også ndf.: -*s b*));
□ *it is more* ~ *than it is worth* det
er ikke ulejligheden værd; *he is
more* ~ *than he is worth* han er
mest til besvær; *it is no* ~ *at all*
det er slet ikke nogen ulejlighed;
he is no ~ *at all* han er slet ikke
til besvær/ulejlighed; *there's* ~ *at
the mill* (*spøg.*) der er noget galt;
[*med pl.*] -*s* **a.** (*jf.* 1) uroligheder
(*fx labour* ~); **b.** (*jf.* 3) problemer,
bekymringer, sorger (*fx that is the
least of my* -*s*); **c.** (*som man ud-
sættes for*) trængsler (*fx his* -*s are
over*); genvordigheder;
[*med vb.* (+ *præp.*//*adv.*)] *give* ~
gøre ulejlighed; *have* ~ + *-ing* (*jf.*
3, *også*) have svært ved at (*fx get-
ting a visa; persuading him*); *have*
~ *with* **a.** (*jf.* 3) have besvær/mas
med (*fx a complicated job*); **b.** (*jf.*
4) have problemer/vrøvl med (*fx
one's right knee; I have had* ~
with the car again); *make* ~ **a.** (*jf.*
1) lave ballade; yppe kiv; **b.** (*jf.* 5)
volde vanskeligheder; *make* ~
for skabe problemer for; *stir up* ~
lave rav i den; (se også: *make* ~
a)); *take* ~ *to* gøre sig umage for
at/med at (*fx do it correctly*); *take
the* ~ *to answer* gøre sig den ulej-
lighed at svare; *take* ~ *with* gøre
sig umage med;
[*med* (*vb.* +) *præp.*] *be asking/
looking for* ~ være ude efter bal-
lade; udfordre skæbnen; selv være
ude om det; *be in* ~ have proble-
mer/vrøvl (*fx with the police*); T
have rodet sig ind/ud i noget;
land sby in ~ *with* skaffe en pro-
blemer/vrøvl med; *be in deep* ~
være i store/alvorlige vanskelig-
heder, have store problemer; T
være 'på den; *get into* ~ **a.** få pro-
blemer (*fx the horse got into* ~ *at
the first fence*); **b.** få ballade (*fx
for being late*); **c.** rode sig ind i
noget; **d.** (*om pige; glds.* T)
komme galt af sted [ɔ: *blive gra-
vid*]; *get sby into* ~ bringe en i
forlegenhed; *get a girl into* ~
(*glds.* T) gøre en pige gravid; *run
into* ~ få problemer; *keep/stay*

out of ~ holde sin sti ren; *go to a
lot of*/*great* ~ **a.** gøre sig stor ulej-
lighed (*fx to help sby*); **b.** gøre sig
stor umage (*fx to prove sth*); *go to
the* ~ *of* + *-ing* gøre sig den ulej-
lighed at; *put sby to a lot of* ~
gøre én en masse ulejlighed.

trouble[2] ['trʌbl] *vb.* (se også
troubled) **1.** F forstyrre, genere,
ulejlige, gøre ulejlighed (*fx I am
sorry to* ~ *you*); **2.** (*mentalt*) be-
kymre, gøre urolig (*fx it* -*s me that
I haven't heard from him*); pine
(*fx is something troubling you?*);
3. (*legemligt: om sygdom etc.*) ge-
nere, plage (*fx the stomach ulcer
has been troubling me for some
time*);
□ *his right shoulder is troubling
him* (*jf.* 3) han har vrøvl/proble-
mer med sin højre skulder; ~
oneself gøre sig ulejlighed; *sorry
to* ~ *you* (*jf.* 1, *også*) undskyld
ulejligheden;
[*med præp.*& *adv.*] ~ *about* være
bekymret over, bekymre sig om
(*fx there is nothing you need* ~
about); ~ *one's head about* bryde
sit hoved med; *can I* ~ *you for* F
må jeg ulejlige Dem med at give
mig (*fx a receipt? a lift home?*);
can I ~ *you for the bread?* F vil
du være venlig at række mig brø-
det? ~ *to* gøre sig den ulejlighed
at (*fx answer*); *don't* ~ *to* du be-
høver ikke at; du skal endelig
ikke (*fx see me out*); *can I* ~ *you
to pass the bread* F vil du være
venlig at række mig brødet? *I'll* ~
you to (*vredt*) må jeg bede dig
(*fx mind your own business*).

troubled ['trʌbld] *adj.* **1.** problem-
fyldt, urolig (*fx times; history*);
hårdt trængt, plaget (*fx company*);
problematisk (*fx relationship*);
2. (*om person*) bekymret, urolig
(*about* over);
□ ~ *by doubts* naget af tvivl; ~
waters se *fish*[2] (*in*), *oil*[1].

trouble-free [trʌbl'fri:] *adj.* trou-
blemfri.

troublemaker ['trʌblmeikə] *sb.* uro-
stifter; balladmager.

troubleshooter ['trʌblʃu:tə] *sb.*
1. problemløser; **2.** (*i konflikt*)
mægler; **3.** (*reparatør*) fejlfinder.

troublesome ['trʌblsəm] *adj.* **1.** ge-
nerende (*fx noise*); besværlig,
plagsom (*fx cough*); **2.** (*om per-
son*) besværlig, vanskelig (*fx
child*); **3.** (*om opgave, situation
etc.*) vanskelig, problematisk (*fx
job; issue*).

trouble spot *sb.* **1.** (*politisk*) uro-
center; **2.** (*på vej*) flaskehals.

trough [trɔf] *sb.* **1.** (*til vand, foder*)

trug; **2.** (*til blomster*) kumme;
3. (*mellem bølger*) bølgedal; **4.** (*i
udvikling etc.*) bølgedal; lavpunkt;
5. (*i konjunkturbevægelse*) nedre
vendepunkt; **6.** (*meteor.*) lavtryks-
trug; lavtryksudløber;
□ *get one's snout in the* ~ (*fig.*) få
snablen ned i pengekassen.
trounce [trauns] *vb.* T vinde stort
over; banke, jorde.
troupe [tru:p] *sb.* trup [*af skue-
spillere, dansere*].
trouper ['tru:pə] *sb.* **1.** medlem af
trup; **2.** (*spøg.*) [*en man kan stole
på*]; guttermand;
□ *good* ~ god kollega; *old* ~ gam-
mel rotte.
trouser[1] ['trauzə] *adj.* bukse- (*fx
leg; pocket*).
trouser[2] ['trauzə] *vb.* T stikke til
sig; stikke i lommen.
trousers ['trauzəz] *sb. pl.* bukser;
(*merk.*) benklæder;
□ *she wears the* ~ (*fig.*) det er
hende der har bukserne på.
trouser suit *sb.* buksedragt.
trousseau ['tru:səu] *sb.* brudeud-
styr.
trout [traut] *sb.* (*zo.*) ørred; forel.
trowel ['trau(ə)l] *sb.* **1.** planteske;
2. murske; (se også *lay*[3] (*on*)).
Troy [trɔi] (*hist.*) Troja.
troy weight [trɔi'weit] *sb.* apoteker-
vægt; guldvægt//sølvvægt.
truancy ['tru:ənsi] *sb.* fravær; pjæk-
keri; (*glds.*) skulkeri.
truant[1] ['tru:ənt] *sb.* pjækker;
(*glds.*) skulker;
□ *play* ~ = *truant*[3].
truant[2] ['tru:ənt] *adj.* **1.** pjækkende,
som pjækker; (*glds.*) skulkende;
2. (*om ægtefælle*) utro.
truant[3] ['tru:ənt] *vb.* pjække; (*glds.*)
skulke.
truanting ['tru:əntiŋ] *sb.* = *truancy*.
truce [tru:s] *sb.* **1.** våbenstilstand;
(se også *flag*[1] (*of truce*)); **2.** (*pol.*)
borgfred.
truck[1] [trʌk] *sb.* **1.** lastbil; **2.** (*flad:
til transport af tungt gods*) blo-
kvogn; **3.** (*jernb.*) åben godsvogn;
blokvogn; **4.** (*neds.*) småting; ra-
gelse; **5.** (*am.*) grønsager; **6.** (*mar.*:
på mast) fløjknap; masteknap;
□ *I will have no* ~ *with him* jeg vil
ikke have noget med ham at gøre.
truck[2] [trʌk] *vb.* (*især am.*) **1.** trans-
portere med lastbil; **2.** køre last-
bil; være lastbilchauffør; **3.** T tra-
ske.
truckage ['trʌkidʒ] *sb.* **1.** transport
med lastbil; **2.** (*betaling*) fragt.
trucker ['trʌkə] *sb.* (*am.*) lastbil-
chauffør; langturschauffør.
truck farm (*am.*) handelsgartneri.
trucking ['trʌkiŋ] *sb.* (*am.*) lastbil-

transport.
truckle ['trʌkl] *vb.*: ~ *to* (*glds.*)
krybe for.
truckle bed *sb.* udtræksseng [*lav
seng på ruller, til at skyde ind un-
der en større*].
truckload ['trʌkləud] *sb.* vognlæs.
truck stop *sb.* (*am.*) [*motorvejsres-
taurant med faciliteter for last-
vogne*].
truculence ['trʌkjuləns] *sb.* F strid-
barhed; ufordragelighed; skarp-
hed.
truculent ['trʌkjulənt] *adj.* F ag-
gressiv; stridbar, ufordragelig;
skarp, bidende.
trudge[1] [trʌdʒ] *sb.* travetur.
trudge[2] [trʌdʒ] *vb.* traske.
true[1] [tru:] *sb.*: *be out of* ~ **a.** være
forkert indstillet//anbragt; være
unøjagtig//skæv; **b.** være ude af
lod//vage; **c.** (*om hjul*) slå.
true[2] [tru:] *adj.* **1.** sand (*fx a* ~
story); **2.** (*om noget der har været
ukendt/skjult*) sand (*fx his* ~ *in-
tentions*); virkelig (*fx his* ~ *iden-
tity; the* ~ *extent of the damage*);
egentlig (*fx the* ~ *cost; she hides
her* ~ *feelings*); **3.** (*rosende: som
passer til beskrivelsen*) sand (*fx
he was a* ~ *friend*); ægte (*fx love;
he is a* ~ *genius*); rigtig; **4.** (*indle-
dende en indrømmelse*) se ndf.: *it
is* ~ *b*); **5.** (*mar.*) retvisende (*fx
course; north*); **6.** (*tekn. etc.*) nøj-
agtig; lige; i lod//i vage;
□ ~ *and fair* (*merk.*) retvisende;
(*as*) ~ *as steel* tro som guld;
[*med sb.*] *find a* ~ *bill* (*jur.*) finde
klagen berettiget; dekretere tiltale;
show one's ~ *colours* se *colours*;
a ~ *copy* en nøjagtig kopi; ~ *rate
of interest* effektiv rente [*af lån*];
~ *yield* effektiv rente [*af investe-
ring*];
[*med vb.*] *be* ~ (*jf. 1, 6, også*)
passe (*fx what he had said proved
to be* ~); *none of the drawers were
* ~); *come* ~ gå i opfyldelse (*fx her
dream came* ~); slå til; *it is* ~
a. (*jf. 1*) det er sandt; det passer;
b. (*indledende en indrømmelse*)
ganske vist (*fx it is* ~ *I saw him,
but I didn't speak to him*); (se også
breed[2]);
[+ *præp.*] *be* ~ *of* passe på, gælde
(*fx that is especially* ~ *of him*); ~
to tro mod (*fx one's principles//
word*); trofast mod; *be* ~ *to him*
(*også*) være ham tro; ~ *to form,
he refused* præcis som man kunne
vente sagde han nej; *he ran* ~ *to
form* han fornægtede sig ikke [ɔ:
*opførte sig som man kunne
vente*]; ~ *to life* virkelighedstro;
realistisk; ~ *to type* **a.** (*om dyr*)

raceren; **b.** (*om plante*) sortsægte;
c. se ovf.: ~ *to form*.
true[3] [tru:] *vb.*: ~ *up* **a.** tilpasse; af-
rette; **b.** (*bræt etc.*) høvle til;
c. (*hjul*) rette op.
true-blue [tru:'blu:] *adj.* **1.** ægte
konservativ; stokkonservativ;
2. (*am.*) vaskeægte (*fx American*);
urokkelig (*fx patriot*).
true bug *sb.* (*zo.*) næbmund.
true-love ['tru:lʌv] *sb.* (*litt.*) hjer-
tenskær.
truffle ['trʌfl] *sb.* (*svamp; choko-
lade-*) trøffel.
trug [trʌg] *sb.* flad kurv.
truism ['tru:izm] *sb.* selvindly-
sende sandhed; selvfølgelighed;
banalitet.
truly ['tru:li] *adv.* **1.** virkelig (*fx ap-
palling; beautiful; democratic;
someone who* ~ *understood her*);
2. i sandhed (*fx it is* ~ *a privilege
to be here; this is* ~ *a miracle*);
3. (*om følelse*) oprigtigt, virkelig
(*fx grateful; sorry*); **4.** (*om udsagn*)
sandfærdigt (*fx tell everything* ~
and simply);
□ *I can* ~ *say* jeg kan med sand-
hed sige; *Yours* ~ **a.** (*i brevun-
derskrift*) med venlig hilsen;
(*glds.*) ærbødigst; **b.** (*spøg.*) under-
tegnede [ɔ: jeg].
trump[1] [trʌmp] *sb.* (*i kortspil: kort*)
trumf;
□ *-s* (*farve*) trumf (*fx hearts are -s*);
no -s (*i bridge*) sans; *come/turn
up -s* (*fig.*) **a.** have held med sig;
klare det bedre end ventet;
b. redde situationen, komme til
undsætning.
trump[2] [trʌmp] *vb.* **1.** stikke med
trumf; **2.** (*fig.*) overtrumfe.
trump card *sb.* trumfkort, trumf;
□ *play one's* ~ (*fig.*) spille sin
trumf ud.
trumped-up ['trʌmtʌp] *adj.* opdig-
tet, falsk (*fx accusation*).
trumpet[1] ['trʌmpit] *sb.* **1.** trompet;
2. se *ear trumpet*;
□ *blow one's own* ~ rose sig selv i
høje toner; prale.
trumpet[2] ['trʌmpit] *vb.* **1.** forkynde,
udbasunere; **2.** (*om elefant*) trom-
petere.
trumpet creeper *sb.* (*bot.*) trompet-
blomst.
trumpeter ['trʌmpitə] *sb.* trompe-
tist; (*mil.*) trompeter.
truncate [trʌŋ'keit, (*am.*) 'trʌŋkeit]
vb. F afkorte; forkorte drastisk.
truncated ['trʌŋkeitid] *adj.* F stærkt
forkortet; beskåret.
truncated cone *sb.* keglestub.
truncheon ['trʌnʃn] *sb.* politistav,
knippel.
trundle ['trʌndl] *vb.* **1.** rulle, trille

(langsomt); **2.** (*om person*) trisse, traske (*fx he -d off to bed*); □ ~ *on* (*fig.*) slæbe sig af sted (*fx negotiations -d on*); ~ *out* (*fig.*) køre frem med (*fx the same arguments*); diske op med.

trundle bed *sb.* (*am.*) = *truckle bed.*

trunk [trʌŋk] *sb.* (se også *trunks*) **1.** træstamme, stamme; **2.** (*til tøj*) kuffert; **3.** (*elefants*) snabel; **4.** (*am.: i bil*) bagagerum; **5.** (F: *af person*) krop [*minus hoved, arme og ben*].

trunk line *sb.* **1.** (*jernb.*) hovedbane, hovedlinje; **2.** (*tlf.*) hovedlinje, hovedledning.

trunk road *sb.* hovedvej.

trunks [trʌŋks] *sb. pl.* **1.** badebukser; **2.** gymnastikbukser.

trunnion ['trʌnjən] *sb.* (*mil.*) omdrejningstap.

truss[1] [trʌs] *sb.* **1.** (*med.*) brokbind; **2.** (*arkit.: til tag*) spærfag; **3.** (*til bro*) gitterdrager; **4.** (*bot.*) klase.

truss[2] [trʌs] *vb.* **1.** (*person*) binde stramt [*med armene ind til kroppen*]; **2.** (*fjerkræ*) binde op; opsætte; □ ~ *up* = ~.

trust[1] [trʌst] *sb.* **1.** tillid; **2.** (*jur.*) trust; forvaltning [*af formue*]; **3.** (*pengemidler etc.*) betroet formue//bo; (*omtr.*) fond; **4.** (*personer; organisation*) bestyrelse; forvaltning; **5.** (*merk., især am.*) trust; sammenslutning; □ *betray sby's* ~ svigte ens tillid; *place/put* (*one's*) ~ *in sby* nære tillid til en; sætte sin lid til en; [*med præp.*] *hold in* ~ (*jur.: formue*) forvalte; *be held in* ~ (*om formue*) være båndlagt (*fx the money he inherited will be held in* ~ *until he is 21*); *put in* ~ (*formue*) båndlægge; *put sth in the* ~ *of sby* overgive noget i ens varetægt; *position of* ~ betroet stilling//hverv; tillidspost; *take sth on* ~ tro på noget uden at forlange//skaffe sig bevis; tage noget for gode varer.

trust[2] [trʌst] *vb.* **1.** stole på, have tillid til (*fx him; his judgment; what he says*); **2.** (+ sætn., F) håbe oprigtigt (*fx I* ~ *you are keeping well*); regne med (*fx we* ~ *that they are considering our suggestion*); □ *I don't* ~ *him an inch, I don't* ~ *him as far as I can throw him* T jeg tror ham ikke over en dørtærskel; [*med præp.& adv.*] ~ *in* stole på (*fx God*); have tillid til; ~ *to* sætte sin lid til; stole på (*fx luck*); *we must* ~ *to meeting someone* vi må

---

løbe an på at møde nogen; ~ *him to be late* (*ironisk*) hvor det ligner ham at komme for sent; han skal nok sørge for at komme for sent; *do you* ~ *him to do it?* **a.** stoler du på at han gør det? **b.** tør du lade ham gøre det? *you can't* ~ *the trains to run on time* du kan ikke stole på/regne med at togene går præcist; ~ *sby with sth* betro en noget; *is he to be -ed with it?* (*også*) kan man risikere at overlade ham det?

trust corporation *sb.* forvaltningsinstitut.

trustee [trʌ'sti:] *sb.* **1.** formueforvalter; **2.** (*af fallitbo*) kurator, bobestyrer, administrator; **3.** (*i institution*) bestyrelsesmedlem; □ (*board of*) *-s* bestyrelse; ~ *in bankruptcy* se: *2.*

trusteeship [trʌ'sti:ʃip] *sb.* **1.** stilling som formueforvalter; **2.** (*under FN*) formynderskab; (se også *trust territory*).

trustful ['trʌstf(u)l] *adj.* tillidsfuld.

trust fund *sb.* båndlagt kapital.

trusting ['trʌstiŋ] *adj.* tillidsfuld.

trust territory *sb.* (*under FN*) formynderskabsområde.

trustworthy ['trʌstwə:ði] *adj.* pålidelig.

trusty ['trʌsti] *adj.* (*spøg.*) trofast/god gammel (*fx he still uses his* ~ *typewriter*).

truth [tru:θ] *sb.* (pl. *-s* [tru:ðz]) sandhed; □ *in* ~ F i sandhed; sandelig; *tell the* ~ sige sandheden; *to tell the* ~, ~ *to tell* sandt at sige; hvis sandheden skal frem; ~ *in advertising* ærlig reklame.

truth drug *sb.* sandhedsserum.

truthful ['tru:θf(u)l] *adj.* sandfærdig.

try[1] [trai] *sb.* **1.** T forsøg; **2.** (*i rugby*) scoring [*ved at placere bolden med hænderne i modspillernes målområde*]; □ *give him a* ~! **a.** prøv med ham! **b.** lad ham prøve! *give sth a* ~ forsøge sig med noget; *come and have a* ~ kom og prøv; *have another* ~ prøv igen.

try[2] [trai] *vb.* (*tried, tried*) **1.** prøve; forsøge; **2.** (*om belastning*) sætte på prøve (*fx his patience was tried*); anstrenge (*fx it tries the eyes*); plage (*fx illness tries me*); (se også *saint*); **3.** (*jur.: sag*) behandle; **4.** (*jur.: person*) stille for retten; □ ~ *one's best* gøre sit bedste; ~ *the door* tage i døren; ~ *the window* prøve at åbne vinduet; [*med præp.& adv.*] ~ *sby by*

---

court-martial stille én for en krigsret; ~ *for* prøve at få (*fx a job in London; another baby*); prøve at opnå; *he was tried for murder* han var anklaget i en mordsag; (se også *size*[1]); ~ *on* prøve (*fx* ~ *a coat on*); ~ *it on* T prøve at lave numre (*with* med); ~ *out* afprøve (*fx a machine; an idea*); prøve i praksis; ~ *out for* (*am.*) aflægge prøve til; (se også *hard*[3], *want*[1]).

trying ['traiiŋ] *adj.* trættende, anstrengende (*fx day*); drøj, vanskelig; ubehagelig (*fx discussion*).

try-on ['traiɔn] *sb.* T forsøg på at lave et numre med en.

try-out ['traiaut] *sb.* T prøve.

trysail ['traiseil, (*mar.*) 'trais(ə)l] *sb.* stormsejl.

try square *sb.* (tømmer)vinkel.

tryst [trist] *sb.* (*glds.*) stævnemøde.

tsar [za:, tsa:] *sb.* **1.** (*hist.*) tsar; **2.** (*fig.*) boss.

tsetse fly ['tsetsiflai] *sb.* (*zo.*) tsetseflue.

T-shirt ['ti:ʃə:t] *sb.* T-shirt.

tsotsi ['tsɔtsi] *sb.* (*sydafr.*) ung sort bølle//gangster.

tsp *fork. f. teaspoonful.*

T square *sb.* hovedlineal.

tsunami [tsu'na:mi] *sb.* voldsom flodbølge [*fremkaldt af undersøisk jordskælv*].

TTYL *fork. f. talk to you later.*

TU *fork. f. Trade Union.*

tub[1] [tʌb] *sb.* **1.** bøtte; boks; (*til yoghurt etc.*) bæger; **2.** (*til vand, blomster etc.*) balje; **3.** (*især am.* T) badekar; **4.** (*spøg. om båd*) kasse; skude; **5.** (*am.* T *om person*) tyksak.

tub[2] [tʌb] *vb.* **1.** sætte i balje; **2.** (*glds.*) bade; vaske.

tuba ['tju:bə] *sb.* (*mus.*) tuba.

tubby ['tʌbi] *adj.* T tyk og rund; buttet.

tube [tju:b] *sb.* **1.** rør; slange (*fx he was fed through a* ~); (se også *test tube*); **2.** (*til tandpasta etc.*) tube; **3.** (*i dæk*) slange; **4.** (*anat., bot.*) rør (*fx pollen* ~); kanal; kar; (se også *Eustachian, Fallopian*); **5.** (*am.: i tv*) billedrør; **6.** (*austr.*) (øl)dåse; □ *by* ~ med undergrundsbanen; *-s* (T: *kvindes*) æggeledere; *the* ~ **a.** (*eng.* T) undergrundsbanen (*fx we caught the* ~ *home*); **b.** (*am.* T) fjernsynet, kassen; *on the* ~ **a.** med undergrundsbanen; **b.** (*am.* T) i fjernsynet; *go down the* ~/*-s* T blive ødelagt; gå i vasken; gå rabundus.

tubeless ['tju:bləs] *adj.*: ~ *tyre* slangeløst dæk.

tuber ['tju:bə] *sb.* (*bot.*) knold; rodknold.

tubercular [tjuːˈbəːkjulə] *adj.* (*med.*) tuberkuløs.

tuberculosis [tjubəːkjuˈləusis] *sb.* (*med.*) tuberkulose.

tuberous ['tjuːbərəs] *adj.* knoldet; knoldbærende; knold-.

tubing ['tjuːbiŋ] *sb.* **1.** rør; slange; **2.** ventilgummi.

tub-thumper ['tʌbθʌmpə] *sb.* en der holder brandtaler; svovlprædikant.

tub-thumping ['tʌbθʌmpiŋ] *adj.: a ~ speech* en brandtale.

tubular ['tjuːbjulə] *adj.* **1.** rørformet; **2.** S fantastisk; fed.

tubular bells *sb. pl.* (*mus.*) rørklokker.

tubular bone *sb.* rørknogle.

tubular steel furniture *sb.* stålmøbler.

TUC *fork. f. Trades Union Congress.*

tuck[1] [tʌk] *sb.* **1.** (*i tøj*) læg; **2.** (*plastikkirurgi*) fedtreduktion (*fx a tummy ~*); **3.** (*glds.* T) slik; guf.

tuck[2] [tʌk] *vb.* **1.** putte, stikke, stoppe (*in, into* ind i//ned i, *fx ~ your shirt in(to) your trousers; he -ed the letter into his pocket*); **2.** (*tøj*) sy læg i; **3.** (*med plastikkirurgi*) stramme ind;
□ *~ away* **a.** gemme væk;
b. (*penge*) gemme, stikke til side; **c.** (T: *mad*) guffe i sig; *~ in* **a.** se: *1*; **b.** trække ind (*fx ~ your chair in; ~ in your chin//stomach*); **c.** (*i seng*) stoppe sengetøjet ned om (*fx the nurse -ed in the patient*); (*barn*) putte; **d.** (T: *uden objekt, om mad*) guffe i sig; klø 'på (*fx ~ in!*); *~ into* **a.** se: *1*; **b.** (T: *mad*) tage for sig af, guffe i sig; *with his legs -ed under him* med benene trukket op under sig; *~ up* **a.** (*tøj*) kilte op; (*ærme*) smøge op; **b.** (*i seng*) se: *~ in b.*

tucker[1] ['tʌkə] *sb.* **1.** (*glds. austr.* T) mad; **2.** (*hist.*) chemisette; (se også *bib*[1]).

tucker[2] ['tʌkər] *vb.* (*am.* T) udmatte.

tuckerbag ['tʌkəbæg] *sb.* (*austr.* T) madpose; ransel.

tuckshop ['tʌkʃɔp] *sb.* (*glds.*) slikbutik.

Tudor ['tjuːdə] *adj.* Tudor [*fra perioden 1485-1603*].

Tues. *fork. f. Tuesday.*

Tuesday ['tjuːzdei, -di] *sb.* tirsdag;
□ *on ~* **a.** i tirsdags (*fx he arrived on ~*); **b.** på tirsdag (*fx he'll be arriving on ~*); *-s* (*adv., am.*) = *on -s; on -s* om tirsdagen; *this ~* nu på tirsdag; førstkommende tirsdag.

tufa ['tjuːfə] *sb.* (*geol.*) kalktuf; kil-

dekalk, frådsten.

tuff [tʌf] *sb.* (*geol.*) (vulkansk) tuf.

tuffet ['tʌfit] *sb.* (*litt.*) **1.** siddepude; **2.** tue.

tuft[1] [tʌft] *sb.* **1.** dusk; tot; **2.** (*til pynt, især på hue*) kvast.

tuft[2] [tʌft] *vb.* **1.** ordne i duske; **2.** (*madras*) tufte; knaphæfte.

tufted ['tʌftid] *adj.* **1.** dusket; som sidder i en dusk//i duske; **2.** (*om græs, hår*) som vokser i totter.

tufted duck *sb.* (*zo.*) troldand.

tufty ['tʌfti] *adj.* se *tufted.*

tug[1] [tʌg] *sb.* **1.** træk; ryk; **2.** (*mar.*) bugserbåd, slæbebåd; **3.** (*flyv.*) [*fly der trækker svævefly op*].

tug[2] [tʌg] *vb.* **1.** hale i, trække i, rykke i; **2.** (*mar.*) slæbe, bugsere;
□ *~ at* se: *1.*

tugboat ['tʌgbəut] *sb.* se *tug*[1] *2.*

tug-of-love [tʌgəv'lʌv] *sb.* [*strid om forældremyndighed*].

tug-of-war [tʌgəv'wɔː] *sb.* **1.** tovtrækning; **2.** (*fig.*) tovtrækkeri (*about om; between* mellem); styrkeprøve (*between* mellem).

tuition [tju'iʃn] *sb.* **1.** undervisning; **2.** (*især am.*) = *tuition fee.*

tuition fee *sb.* undervisningsgebyr; betaling.

tulip ['tjuːlip] *sb.* (*bot.*) tulipan.

tulip tree *sb.* (*bot.*) tulipantræ.

tulle [tjuːl] *sb.* tyl.

tum [tʌm] *sb.* se *tummy.*

tumble[1] ['tʌmbl] *sb.* **1.** fald; styrt; **2.** (*i værdi*) styrtdyk; **3.** (T: *om sex*) knald, tur i høet;
□ *a ~ of curls* (*om hår*) et virvar af krøller; *take a ~* **a.** falde, styrte; **b.** (*jf. 2*) rasle ned, styrtdykke.

tumble[2] ['tʌmbl] *vb.* **1.** vælte, falde omkuld, trimle om; **2.** (*et sted hen*) falde, trimle (*fx down the stairs*); **3.** (*i en forvirret hob*) tumle, vælte (*fx the children -d out of the car*); **4.** (*om vand*) styrte, plaske; **5.** (*om priser*) rasle ned, styrtdykke; **6.** (*om bygning*) styrte sammen; **7.** (*om sovende*) kaste sig frem og tilbage; **8.** (*gymnastisk øvelse*) slå kolbøtter; **9.** (*med objekt*) kaste, vælte; bringe i uorden, rode i; **10.** T tage en tur i høet med;
□ *~ down* (*om bygning*) styrte sammen; *~ over = 1; ~ to* (*glds.* T) pludselig forstå; få fat i.

tumblebug ['tʌmblbʌg] *sb.* (*am. zo.: især*) pillebille.

tumbledown ['tʌmbldaun] *adj.* faldefærdig; forfalden.

tumble dryer *sb.* tørretumbler.

tumbler ['tʌmblə] *sb.* **1.** ølglas, vandglas; **2.** se *coffee tumbler;* **3.** (*glds.*) akrobat; gøgler; **4.** (*legetøj*) tumling; **5.** (*i lås*) tilholder;

gæk; **6.** (*til tøj*) tørretumbler; **7.** (*zo.: duerace*) tumler.

tumbleweed ['tʌmblwiːd] *sb.* (*am. & austr. bot.*) vindheks, markløber.

tumbling barrel *sb.* rensetromle.

tumbrel ['tʌmbr(ə)l], **tumbril** ['tʌmbril] *sb.* (*hist.*) bøddelkarre.

tumescent [tjuːˈmes(ə)nt] *adj.* svulmende.

tumid ['tjuːmid] *adj.* **1.** opsvulmet; **2.** (*om stil*) svulstig.

tumidity [tjuːˈmidəti] *sb.* **1.** ophovnen; hævelse; **2.** (*om stil*) svulstighed.

tummy ['tʌmi] *sb.* T mave, mavse.

tummy button *sb.* T navle.

tumour ['tjuːmə] *sb.* (*med.*) svulst.

tumult ['tjuːmʌlt] *sb.* F **1.** stærk ophidselse; forvirring, oprør; **2.** (*støj*) tumult, tummel; forvirret larm.

tumultuous [tjuˈmʌltʃuəs] *adj.* **1.** forvirret, voldsom, tumultagtig (*fx events*); **2.** (*om støj*) stormende (*fx applause; welcome*); larmende.

tumulus ['tjuːmjuləs] *sb.* (*pl. tumuli* [-lai]) gravhøj.

tun [tʌn] *sb.* tønde; fad; [*mål for vin: 252 gallons*].

tuna ['tjuːnə] *sb.* **1.** (*zo.*) tunfisk; **2.** (*am. bot.*) figenkaktus.

tundra ['tʌndrə] *sb.* tundra.

tune[1] [tjuːn] *sb.* melodi;
□ *call the ~* (*fig.*) bestemme farten; (*se også piper*); *change one's ~* anslå en anden tone; stikke piben ind;
[*med præp.*] *be in ~* **a.** (*om instrument*) være stemt; **b.** (*om tone*) være ren; **c.** (*om person*) spille//synge rent; *be in ~ with* (*fig.*) **a.** harmonere med; stemme med (*fx our traditions*); **b.** (*person*) være på bølgelængde med; *out of ~* falsk; (*om klaver også*) forstemt; *be out of ~ with* (*fig.*) **a.** ikke harmonere/stemme med; **b.** (*person*) ikke være på bølgelængde med; *dance to sby's ~* danse efter ens pibe; *to the ~ of £80,000* til//for//med et beløb af ikke mindre end £80.000; i størrelsesordenen £80.000.

tune[2] [tjuːn] *vb.* **1.** (*instrument*) stemme; **2.** (*fig.*) træne, opøve (*fx one's ear to distinguish sounds*); **3.** (*motor*) tune; **4.** (*radio., tv*) indstille, stille ind;
□ *stay -d* (*jf. 4*) blive på programmet;
[*med præp.& adv.*] *~ in* **a.** = *4*; **b.** (*am.: med objekt*) stille ind på; *~ in to* **a.** (*jf. 4*) stille ind på; **b.** T indstille sig på (*fx new people*); gøre sig forståelig for; *~ out* (*am.*

887

T) a. lukke af for (*fx distractions*); lukke ude; ignorere (*fx him; his advice*); **b.** (*uden objekt*) lukke af; slå fra; ~ **up a.** (*med objekt*) = 1, 2; **b.** (*uden objekt*) stemme, stemme instrumenterne (*fx the orchestra was tuning up*); ~ **up for** (*fig.*) forberede sig til.

tuneful ['tju:nf(u)l] *adj.* velklingende, melodiøs.

tuneless ['tju:nləs] *adj.* uharmonisk; umusikalsk.

tuner ['tju:nə] *sb.* **1.** (*mus.*) klaverstemmer; **2.** (*radio., tv*) tuner; **3.** (*til stereoanlæg*) radioforsats; radio uden forstærker.

tune-up ['tju:nʌp] *sb.* **1.** (*af bil*) tuning; **2.** (*am.: i sport*) forberedelse, opvarmning.

tungsten ['tʌŋstən] *sb.* wolfram.

tungstic ['tʌŋstik] *adj.* wolfram- (*fx acid*).

tunic ['tju:nik] *sb.* **1.** bluse, tunika; **2.** (*gymn.*) gymnastikdragt (*til piger*); **3.** (*mil.*) uniformsjakke; **4.** (*hist.*) tunika; **5.** (*biol.*) hinde; **6.** (*bot.*) løgskal.

tuning fork *sb.* (*mus.*) stemmegaffel.

tuning peg *sb.* (*mus.*) stemmeskrue.

Tunisia [tju'niziə] (*geogr.*) Tunesien, Tunis.

Tunisian[1] [tju'niziən] *sb.* tuneser.

Tunisian[2] [tju'niziən] *adj.* tunesisk.

tunnel[1] ['tʌn(ə)l] *sb.* tunnel; (se også *light*[1]).

tunnel[2] ['tʌn(ə)l] *vb.* bygge//grave en tunnel (*fx under the river*); □ ~ *one's way out* grave sig ud.

tunnel vision *sb.* (*med.*) kikkertsyn; □ *have* ~ (*fig.*) have skyklapper på.

tunny ['tʌni] *sb.* (*zo.*) tunfisk.

tuppence ['tʌpəns] T = *twopence*.

tuque [tu:k] *sb.* (*can.*) strikket hue med kvast.

turban ['tə:bən] *sb.* turban.

turbaned ['tə:bənd] *adj.* turbanklædt; med turban.

turbary ['tə:bəri] *sb.* **1.** tørvemose; **2.** (*jur.*) ret til tørveskær.

turbid ['tə:bid] *adj.* (*litt. el. fagl.*) **1.** uklar, grumset; **2.** (*fig.*) forvirret.

turbidity [tə:'bidəti] *sb.* (*litt. el. fagl.*) uklarhed, grumsethed.

turbine ['tə:bain, -bin] *sb.* turbine.

turbocharged ['tə:bəutʃa:dʒd] *adj.* turbo-.

turbocharger ['tə:bəutʃa:dʒə] *sb.* turbolader.

turbojet ['tə:bəudʒet] *sb.* **1.** turbojetmotor; **2.** fly med turbojetmotor.

turboprop ['tə:bəuprɒp] *sb.* **1.** propelturbine, turboprop; **2.** fly med propelturbine/turboprop.

turbot ['tə:bət] *sb.* (*zo.*) pighvar.

turbulence ['tə:bjuləns] *sb.* **1.** turbulens, uro, røre; **2.** (*i luft, vand*) turbulens.

turbulent ['tə:bjulənt] *adj.* **1.** turbulent, urolig; **2.** (*om luft,*) turbulent; (*om hav*) oprørt.

turd [tə:d] *sb.* (*vulg.*, også om person) lort.

tureen [tə'ri:n, tju-] *sb.* terrin.

turf[1] [tə:f] *sb.* **1.** grønsvær; græsbevoksning; **2.** (*enkelt stykke*) græstørv; (*til brændsel*) tørv; **3.** (*am.* T) område, territorium; hjemmebane; □ *the* ~ **a.** væddeløbsbanen; **b.** hestevæddeløb.

turf[2] [tə:f] *vb.* dække med græstørv; □ ~ *sby out* T smide en ud.

turf accountant *sb.* F bookmaker.

turfy ['tə:fi] *adj.* **1.** græsklædt; **2.** tørveagtig.

turgid ['tə:dʒid] *adj.* **1.** opsvulmet; **2.** (*om stil*) svulstig.

turgidity [tə:'dʒidəti] *sb.* **1.** opsvulmethed; **2.** (*om stil*) svulstighed, svulst.

Turk [tə:k] *sb.* tyrk, tyrker.

Turkey ['tə:ki] (*geogr.*) Tyrkiet.

turkey ['tə:ki] *sb.* **1.** kalkun; **2.** (*am.* T) fiasko, flop; **3.** (*am.* T: *om person*) tåbe, skvadderhoved; klodrian; □ *talk* ~ (*am.* T) komme til sagen; snakke lige ud af posen.

turkey-cock ['tə:kikɒk] *sb.* kalkunsk hane.

Turkish[1] ['tə:kiʃ] *sb.* (*sprog*) tyrkisk.

Turkish[2] ['tə:kiʃ] *adj.* tyrkisk.

Turkish bath *sb.* tyrkisk bad.

Turkish delight *sb.* turkish delight [*slags konfekt*].

Turkish towel *sb.* frottéhåndklæde.

Turkoman ['tə:kəmən] *sb.* turkmener.

turmeric ['tə:mərik] *sb.* (*bot.*) gurkemeje.

turmoil ['tə:mɔil] *sb.* oprør (*fx the town was in (a)* ~); tummel; uro.

turn[1] [tə:n] *sb.* **1.** omdrejning (*fx give the screw another* ~); **2.** (*af reb etc.*) tørn; **3.** (*i kurs*) drejning; sving (*fx a left-hand* ~); **4.** (*i vej*) sving; (se også *turning 1*); **5.** (*i udvikling*) vending (*fx a* ~ *for the better*); omslag; **6.** (*til at gøre noget*) tur (*to* til at, *fx it is your* ~ *to wash up*); **7.** (*glds.: af sygdom*) anfald; ildebefindende; **8.** (*teat. etc.*) artistnummer; nummer (*fx an entertainment with several good -s*); **9.** (*mus.*) dobbeltslag; □ ~ *and* ~ *about* skiftevis; efter tur;

[*med adj.*] *bad* ~ dårlig tjeneste, bjørnetjeneste (*fx you did him a bad* ~); *good* ~ tjeneste (*fx you did him a good* ~); god gerning; *one good* ~ *deserves another* den ene tjeneste er den anden værd; *wrong* ~ se *wrong*[2];

[*med vb.*] *give sby a* ~ (*glds.*) give én en forskrækkelse; *make a left// right* ~ dreje til venstre//højre; *it will serve my* ~ det vil passe til mit formål; det vil passe i mit kram; *serve sby's* ~ (*også*) gøre sin nytte; *take -s at* + *-ing* skiftes til at; *take a* ~ *for the better// worse* (*jf. 5*) blive bedre//værre, vende/udvikle sig til det bedre// værre; *take a* ~ *in the garden* (*glds.*) tage en vending/gå en tur i haven; *take -s to* skiftes til at; *wait one's* ~ vente på at det bliver ens tur;

[*med: of*] *the* ~ *of the century* århundredskiftet; ~ *of events* vending, udvikling (*fx an unexpected* ~ *of events*); ~ *of mind* tænkemåde; tankegang; (se også ndf.: *an optimistic...*); ~ *of phrase* udtryksmåde; måde at formulere sig på; ~ *of speed* acceleration; ~ *of the tide* **a.** strømkæntring; **b.** (*fig.*) omsving; omslag; *the* ~ *of the year* årsskiftet;

[*med præp.*] *at every* ~ (*fig.*) hele tiden; hvert andet øjeblik; *by -s* skiftevis; efter tur; *in* ~ **a.** efter tur; **b.** på den anden side; til gengæld; igen; *and this in* ~ *will mean...* og det betyder så igen ..., og det betyder endvidere ...; *of an optimistic* ~ (*of mind*) optimistisk anlagt; *be on the* ~ være ved at vende (*fx the tide//my luck is on the* ~); *the milk is on the* ~ mælken er ved at blive sur; *speak out of* ~ tale i utide; sige noget man ikke burde sige; *done to a* ~ tilpas stegt//kogt.

turn[2] [tə:n] *vb.* **A.** (*med objekt*) **1.** vende; dreje; **2.** (*instrument, opmærksomhed etc. i en bestemt retning*) rette, vende (*on, towards* imod, *fx the hose on the fire; a gun towards sby; the telescope towards a star; one's attention// glance towards sth*); dreje (*fx she -ed her head towards me*); **3.** (*person*) sende, vise (*fx sby from one's door*); **4.** (*alder*) runde, passere (*fx he has -ed fifty*); **5.** (*om forandring*) gøre (*fx thunder -s milk sour; light -s potatoes green*); (se også ndf.: ~ *into*); **6.** (*udsagn*) formulere elegant; **7.** (*led*) forvride (*fx one's ankle*); **8.** (*om håndværk*) dreje; **9.** (*mil.*) omgå (*fx the*

enemy's flank);
B. *(uden objekt)* **1.** vende sig; dreje; **2.** *(om person)* vende sig om *(fx he -ed and looked at me);* **3.** *(undervejs)* vende om *(fx it is time to ~ now);* **4.** *(om forandring)* blive *(fx sour);* gå over til at være; (gå hen og) blive *(fx traitor);* **5.** *(mht. farve)* skifte farve *(fx the leaves are -ing);*
□ *it has just -ed 7* klokken er lidt over 7; *once he has made up his mind, nothing will ~ him* når først han har taget en beslutning, er der ingenting der kan få ham fra den;
[*med sb.*] *my head is -ing* det svimler for mig; *~ his head* fordreje hovedet på ham; gøre ham indbildsk; *~ heads* vække opmærksomhed; få folk til at kigge; *~ the leaves* få bladene til at skifte farve; *~ the milk* gøre mælken sur; *the milk has -ed* mælken er blevet sur; *~ a profit (am.)* give overskud; (se også *brain¹, cheek, corner¹, ear¹, hair (etc.)*);
[*med præp., adv.*] *~ about*
a. vende om/rundt; **b.** *(fig.)* skifte standpunkt; *about ~!* *(kommando)* omkring!;
~ against **a.** vende imod; ophidse imod; sætte op imod *(fx he has -ed my children against me);* **b.** *(uden objekt)* vende sig fjendtligt imod;
~ around **a.** = *~ about;* **b.** = *~ round;*
~ away **a.** bortvise; **b.** *(ikke hjælpe//give adgang)* afvise; **c.** *(uden objekt)* vende sig bort; *hundreds were -ed away (jf. b, også)* hundreder gik forgæves;
~ back **a.** vende om; **b.** *(med objekt: person)* sende tilbage, afvise *(fx the refugees were -ed back at the border);* **c.** *(kant)* bøje om;
~ down **a.** *(tøj etc.)* slå ned *(fx one's collar);* folde ned; **b.** *(papir)* bøje om *(fx the corner of the page);* **c.** *(lyd, lys, gas etc.)* skrue ned for *(fx the radio; the heat);* **d.** *(tilbud, forslag)* afvise; **e.** *(spillekort)* lægge med bagsiden opad; **f.** *(uden objekt)* gå ned, falde *(fx the divorce rate -ed down);* svækkes, gå tilbage *(fx the economy -ed down);*
~ in **a.** *(noget man har udarbejdet)* indsende *(fx a report);* indlevere *(fx an article); (fx skolearbejde)* aflevere *(fx an essay);* **b.** *(efter at have brugt det)* levere tilbage *(fx one's uniform);* **c.** *(person: til politiet, T)* melde; overgive til politiet *(fx they -ed him

in);* **d.** *(godt resultat)* præstere; yde; **e.** *(uden objekt, glds. T)* gå i seng, gå til køjs; *~ it in!* T hold så op! *~ in one's toes* vende tæerne indad; *he -s in his feet, his feet ~ in* han går indad på fødderne; *~ in on oneself* trække sig ind i sig selv;
~ inside out se *inside¹;*
~ into **a.** *(med objekt)* forvandle til *(fx ~ water into wine);* lave om til; **b.** *(uden objekt)* forvandle sig til;
~ off **a.** *(gas, vand etc.)* lukke for *(fx the music); (lys)* slukke; **b.** *(apparat)* slukke, slukke for *(fx the TV; the computer);* **c.** *(vej)* køre væk fra, forlade *(fx the motorway);* **d.** *(person)* få til at miste interessen//lysten *(fx his white tennis socks really -ed me off);* virke frastødende på; **e.** *(person: mht. emne, ting)* få til at miste interessen for//lysten til *(fx poetry; drink);* **f.** *(uden objekt)* dreje fra *(fx ~ off at the next exit);*
~ on **a.** *(gas, vand etc.)* lukke op for; *(lys)* tænde; (se også *charm¹);* **b.** *(apparat)* lukke op for, tænde for *(fx the TV; the computer);* **c.** *(person: negativt)* vende sig fjendtligt imod *(fx my friends have all -ed on me);* angribe; **d.** *(person: positivt, T)* begejstre; tænde *(fx just looking at him -s me on);* **e.** *(emne, i diskussion)* dreje sig om *(fx the conversation -ed mainly on the events of the day);* **f.** *(sag)* afhænge af, stå og falde med *(fx the result//decision -s on his acceptance); the play// question -s on this (jf. f, også)* dette er hovedpunktet i stykket// sagen; *anything that/whatever -s you on! (jf. d, ironisk)* hver sin lyst! *~ sby on to* gøre en interesseret i;
~ out **a.** *(person: fra et sted)* vise bort; jage væk; smide ud; **b.** *(produkt)* fremstille, producere; **c.** *(lys)* slukke; **d.** *(beholder)* tømme *(fx a drawer);* vende *(fx one's pockets);* **e.** *(indhold)* tømme ud, hælde ud *(fx the contents of a bag);* vende ud *(fx ~ the cake out on to a wire rack);* **f.** *(uden objekt: om person)* møde op *(fx 100,000 -ed out to vote);* **g.** *(om politi, brandvæsen)* rykke ud *(fx the police -ed out twice during the night);* **h.** *(om begivenheder, forhold)* udvikle sig *(fx he was disappointed at the way things had -ed out);* blive *(fx it will ~ out all right in the end); ~ out a room* (flytte møblerne ud for

at) gøre hovedrent i et værelse; *~ out one's toes* vende tæerne udad; *it -ed out that* det viste sig at; *~ out to be* vise sig at være *(fx he -ed out to be a liar); ~ out well* falde godt ud; *well -ed out* velklædt;
~ over **a.** vende *(fx the pages of a book);* vende om *(fx ~ him over on his back);* **b.** *(til nogen)* overdrage, overgive *(to* til); **c.** *(sted, for at finde noget)* gennemrode *(fx their flat had been -ed over);* **d.** *(motor, maskine)* starte; **e.** *(merk.)* have en omsætning på; **f.** *(uden objekt)* vende sig *(fx in bed);* **g.** *(på radio, tv)* skifte kanal; *~ it over (in one's mind)* overveje det; gruble over det; (se også *leaf¹);*
~ round **a.** dreje rundt; **b.** vende; vende rundt; vende sig om; **c.** (T: *mht. opfalttelse,)* skifte standpunkt; **d.** *(om udvikling)* vende, vende sig til det bedre, rette sig; **e.** *(med objekt)* vende *(fx a car);* vende om; vende rundt; **f.** *(firma etc)* vende udviklingen i; rette op; **g.** *(skib, fly)* ekspedere [ɔ: losse og/eller lade]; (se også *little finger);*
~ to **a.** *(person)* henvende sig til, ty til *(fx ~ to sby for help);* **b.** *(beskæftigelse etc.)* begynde på; tage fat på *(fx a task);* **c.** *(noget negativt)* forfalde til, blive forfalden til *(fx drink; drugs);* tumme ud i *(fx crime);* **d.** *(opmærksomhed, tanker)* vende mod; **e.** *(i bog etc.)* slå op på *(fx page 112);* **f.** se ovf.: *~ into; as if -ed to stone* som forstenet; *~ the conversation to* føre// lede samtalen hen på; (se også *account¹, advantage, blind², ear¹ (deaf ear), use¹);*
~ up **a.** *(om person)* arrivere, ankomme, møde op *(fx she -ed up an hour late);* dukke op; **b.** *(om ting)* dukke op *(fx the lost purse finally -ed up);* vise sig *(fx something will ~ up; an opportunity will ~ up);* **c.** *(merk.)* blive bedre, bedres *(fx the economy -ed up);* **d.** *(med objekt: lys, lyd, apparat)* skrue op for *(fx the gas; the TV);* **e.** *(ord, i ordbog)* slå op; **f.** *(noget der har være skjult)* afdække, grave frem *(fx Roman coins);* fremskaffe *(fx new evidence); (om plov)* vende op; **g.** *(tøj: gøre kortere)* lægge op *(fx a skirt);* **h.** *(ærme, bukser)* rulle op, smøge op; **i.** *(krave)* slå op; **j.** (T: *person)* vække væmmelse hos; give kvalme; *the sight -ed me up* jeg var ved at brække mig over synet; synet fik det til at vende sig i mig; (se også *nose¹, toe¹); ~ upside*

down se *upside down*.

turnabout ['tə:nəbaut] *sb.* kovending.

turnaround ['tə:nəraund] **1.** omslag (*fx in his fortune*); vending til det bedre; **2.** (*i holdning*) kovending; **3.** (*for skib, fly*) ekspeditionstid; **4.** (*am.*: *for bil*) vendeplads.

turnbuckle ['tə:nbʌkl] *sb.* **1.** (*mar.*) vantskrue; **2.** (*am.*) bardunstrammer; trådstrammer.

turncoat ['tə:nkəut] *sb.* vendekåbe.

turndown collar [tə:ndaun'kɔlə] *sb.* nedfaldsflip.

turner ['tə:nə] *sb.* drejer.

turnery ['tə:nəri] *sb.* **1.** drejerarbejde; **2.** drejerværksted.

turning ['tə:niŋ] *sb.* **1.** sidevej (*fx the first ~ on the left*); gadehjørne; **2.** (*på tøj*) sømmerum; □ *it is a long road/lane that has no ~* (*omtr.*) alting får en ende; *take the wrong ~* **a.** (*jf. 2*) gå forkert; **b.** (*fig.*) komme på afveje.

turning circle *sb.* (*for bil*) vendediameter.

turning point *sb.* vendepunkt.

turnip ['tə:nip] *sb.* **1.** (*grønsag*) majroe; **2.** (*foderplante*) se *swede*; **3.** (T *om lommeur*) krydder.

turnkey [1] ['tə:nki:] *sb.* (*glds.*) slutter, fangevogter.

turnkey [2] ['tə:nki:] *adj.* nøglefærdig.

turn-off ['tə:nɔf] *sb.* **1.** sidevej; **2.** (*fra motorvej*) frakørsel; □ *it was a ~ for me* T det fik mig til at miste interessen//lysten.

turn-on ['tə:nɔn] *sb.* noget//nogen man tænder på.

turn-out ['tə:naut] *sb.* **1.** fremmøde; antal tilskuere/tilhørere; mødeprocent; **2.** (*ved valg*) valgdeltagelse; stemmeprocent; **3.** (*af brandvæsen, politi*) udrykning; **4.** (*af bolig etc.*) rengøring; oprydning; **5.** (*fabriks etc.*) produktion; **6.** (*persons*) udstyr; påklædning; **7.** (*om hestevogn*) køretøj med forspand; **8.** (*am.*) vigeplads; sidevej.

turn-over ['tə:nəuvə] *sb.* **1.** (*merk.*) omsætning; **2.** (*mht. personale*) udskiftning; **3.** (*i madlavning*) [*slags pie*].

turnpike ['tə:npaik] *sb.* (*am.*) [*motorvej hvor man skal betale afgift*].

turnround ['tə:nraund] *sb.* se *turnaround*.

turn signal *sb.* (*am.*: *på bil*) retningsviser; blinklys.

turnstile ['tə:nstail] *sb.* korsbom; tælleapparat.

turnstone ['tə:nstəun] *sb.* (*zo.*) stenvender.

turntable ['tə:nteibl] *sb.* **1.** (*jernb.*) drejeskive; **2.** (*til grammofon*) pladetallerken.

turntable ladder *sb.* drejestige.

turn-up ['tə:nʌp] *sb.* overraskelse; □ *a ~ for the books* T en stor overraskelse.

turn-ups ['tə:nʌps] *sb. pl.* **1.** opslag [*på bukser*]; **2.** bukser med opslag.

turpentine ['tə:p(ə)ntain] *sb.* fransk terpentin.

turpitude ['tə:pitju:d] *sb.* T usselhed; nedrighed; fordærvelse.

turps [tə:ps] *sb.* T = *turpentine*.

turquoise [1] ['tə:kwa:z, -kwɔiz] *sb.* turkis.

turquoise [2] ['tə:kwa:z, -kwɔiz] *adj.* turkisfarvet.

turret ['tʌrit] *sb.* **1.** lille tårn; **2.** (*på kampvogn, krigsskib*) kanontårn; **3.** (*tekn.*) revolverhoved.

turreted ['tʌritid] *adj.* med tårne.

turret lathe *sb.* revolverdrejebænk.

turtle ['tə:tl] *sb.* (*zo.*) havskildpadde; □ *turn ~* kæntre; vende bunden i vejret; (*se også green turtle*).

turtle dove *sb.* turteldue.

turtleneck ['tə:tlnek] *sb.* **1.** turtleneck [*høj dobbelt halsrib*]; **2.** turtlenecksweater; **3.** (*am.*) rullekrave; **4.** (*am.*) rullekravessweater.

turtleshell ['tə:tlʃel] *sb.* skildpaddeskjold.

turtle soup *sb.* skildpaddesuppe.

Tuscan [1] ['tʌskən] *sb.* **1.** (*person*) toskaner; **2.** (*sprog*) toskansk.

Tuscan [2] ['tʌskən] *adj.* toskansk.

tush [1] [tuʃ] *sb.* **1.** (*hos hest*) hjørnetand; **2.** (*am.* T) bagdel, numse.

tush [2] [tʌʃ] *interj.* (*glds. el. spøg.*) pyt! snak!

tushery ['tʌʃəri] *sb.* (*litt.*) kunstigt gammeldags stil.

tusk [tʌsk] *sb.* stødtand.

tusker ['tʌskə] *sb.* voksen elefant// vildorne.

tussah ['tʌsə] *sb.* tussahsilke.

Tussaud's [tə'sɔ:dz] [*vokskabinet i London*].

tussle [1] ['tʌsl] *sb.* slagsmål; kamp.

tussle [2] ['tʌsl] *vb.* slås.

tussock ['tʌsək] *sb.* **1.** tue, græspude; tot; **2.** (*zo.*) = *tussock moth*.

tussock moth *sb.* (*zo.*) penselspinder; □ *pale ~* (*zo.*) bøgenonne.

tussore ['tʌsə, 'tʌsɔ:] *sb.* tussahsilke.

tut [1] [tʌt] *vb.* smække med tungen.

tut [2] [tʌt] *interj.* tsk [*lyd som udtrykker utålmodighed, foragt, bebrejdelse*]; (*omtr.*) nå nå; så så.

tutelage ['tju:tilidʒ] *sb.* **1.** formynderskab; **2.** undervisning, belæring; □ *under the ~ of* **a.** under ledelse af; **b.** undervist af.

tutor [1] ['tju:tə] *sb.* **1.** universitetslæ-

rer; vejleder; **2.** (*privat*) lærer; huslærer.

tutor [2] ['tju:tə] *vb.* F undervise.

tutorial [1] [tju'tɔ:riəl] *sb.* **1.** time hos ens *tutor*; undervisningstime for mindre hold; **2.** (*it*) læreprogram, øveprogram; vejledning.

tutorial [2] [tju'tɔ:riəl] *adj.* lærer-.

tutti frutti [tu:ti'fru:ti] *sb.* tutti frutti [*is med blandede frugter*].

tut-tut [tʌt'tʌt] *sb.* tsk-tsk; (*jf. tut*).

tutu ['tu:tu:] *sb.* balletskørt.

tu-whit tu-whoo [tuwittu'wu:] *interj.* uhu [*uglens tuden*].

tux [tʌks] *sb.* (*am.*T) = *tuxedo*.

tuxed [tʌkst] *adj.* (*am.*T) se *tuxedoed*.

tuxedo [tʌk'si:dou] *sb.* (*am.*) smoking.

tuxedoed [tʌk'si:doud] *adj.* (*am.*) smokingklædt.

TV *fork. f. television*.

TV dinner *sb.* færdigret.

twaddle [1] ['twɔdl] *sb.* vrøvl, ævl.

twaddle [2] ['twɔdl] *vb.* vrøvle, ævle.

twaddler ['twɔdlə] *sb.* vrøvlehoved.

twain [twein] *talord* (*poet.*) tvende.

twaite shad ['tweitʃæd] *sb.* (*zo.*) se *shad*.

twang [1] [twæŋ] *sb.* **1.** skarp lyd; syngen [*af en spændt streng*]; kling! **2.** (*om stemme*) nasal lyd; (*se også nasal twang*).

twang [2] [twæŋ] *vb.* **1.** (*strengeinstrument*) klimpre på; (*også om streng*) knipse på; **2.** (*uden objekt*: *om streng etc.*) lyde, synge; give lyd, sige kling (*fx the spring -ed*); **3.** (*om person*) snøvle; tale/synge med næselyd.

'twas [twɔz, twəz] *fork. f. it was*.

twat [twɔt] *sb.* (*vulg.*) **1.** skvat; fæ; **2.** (*am.*) kusse.

twayblade ['tweibleid] *sb.* (*bot.*) fliglæbe.

tweak [1] [twi:k] *sb.* **1.** kniben, nap; **2.** (*fx i tømme*) ryk; **3.** T tilpasning, finjustering.

tweak [2] [twi:k] *vb.* **1.** klemme; knibe; rykke i og vride om (*fx his ear//nose*); **2.** T ændre på; passe til.

twee [twi:] *adj.* T puttenuttet; sødladen.

tweed [twi:d] *sb.* tweed.

Tweedledum and Tweedledee [twi:dl'dʌməntwi:dl'di:] *sb.* hip som hap [*to personer som ikke er til at skelne fra hinanden; fra bogen Alice in Wonderland*].

tweedy ['twi:di] *adj.* **1.** tweedlignende; tweedagtig; **2.** T som går klædt i tweed; **3.** (*fig.*) traditionsbunden; med landadeligt præg; robust; sporty.

'tween [twi:n] *fork. f. between.*

'tween decks *sb.* (*mar.*) mellem-dæk.

tweeny ['twi:ni] *sb.* (*glds.* T) hjæl-pepige.

tweet¹ [twi:t] *sb.* kvidder.

tweet² [twi:t] *vb.* kvidre.

tweeter ['twi:tə] *sb.* diskanthøjtta-ler.

tweezers ['twi:zəz] *sb. pl.* pincet; □ *a pair of* ~ en pincet.

twelfth¹ [twelfθ] *sb.* tolvtedel.

twelfth² [twelfθ] *adj.* tolvte.

Twelfth Night *sb.* helligtrekongers-aften.

twelve¹ [twelv] *sb.* **1.** tolvtal; **2.** tol-ver.

twelve² [twelv] *talord* tolv.

twelvemonth ['twelvmʌnθ] *sb.* (*glds.*) år.

twelve-note [twelv'nəut], **twelve-tone** [twelv'təun] *adj.* tolv-tone-.

twentieth¹ ['twentiəθ] *sb.* tyvende-del.

twentieth² ['twentiəθ] *adj.* tyvende.

twenty ['twenti] *talord* tyve; □ *in the twenties* i tyverne; (se også *some³*).

twenty-first¹ [twenti'fə:st] *sb.* enog-tyveårsfødselsdag.

twenty-first² [twenti'fə:st] *adj.* enogtyvende.

twenty-four [twenti'fɔ:] *talord* fire-ogtyve; □ ~ *seven* (*24/7*) (*am.* T) hele ti-den [*fireogtyve timer i døgnet, syv dage om ugen*].

twerp [twə:p] *sb.* T skvat; dum skid.

twice [twais] *adv.* to gange; □ ~ *as much* dobbelt så meget; det dobbelte; ~ *two is/are four* to gange to er fire; *he is* ~ *her size* han er dobbelt så stor som hun er; ~ *the amount* dobbelt så meget; det dobbelte beløb; *he has* ~ *the strength* han er dobbelt så stærk; **think** ~ tænke sig om en ekstra gang; betænke sig; *not think* ~ *about* **a.** ikke tænke mere på; glemme; **b.** ikke betænke sig på (*fx I shouldn't think* ~ *about re-fusing his offer*); *I did not have/ wait to be* **told** ~ det lod jeg mig ikke sige to gange.

twiddle¹ ['twidl] *sb.* drejen; drej; □ *give sth a* ~ dreje på noget.

twiddle² ['twidl] *vb.* **1.** lege med, fingerere/pille ved; sno (*fx she -d a strand of her hair*); **2.** (*knap på apparat*) dreje, dreje på (*fx the knobs*); □ ~ *one's thumbs* trille tommel-fingre; ikke have noget at bestille; ~ *with* = *1.*

twig¹ [twig] *sb.* kvist.

twig² [twig] *vb.* T fatte; begribe.

twilight¹ ['twailait] *sb.* tusmørke; skumring; □ ~ *of the gods* (*myt.*) ragnarok.

twilight² ['twailait] *adj.* **1.** skum-rings- (*fx hour*); dunkel; halv-mørk; **2.** (*fig.*) tåget; dunkel; ned-gangs-; □ ~ *state* tågetilstand.

twilight sleep *sb.* (*med.*) tågesøvn [*let bedøvelse*].

twilight zone *sb.* **1.** (*fig.*) grænse-land; grænsezone; **2.** (*sociol.*) [*by-kvarter der er ved at blive til slum*].

twill¹ [twil] *sb.* (*om stof*) kiper; ki-pervævet stof.

twill² [twil] *vb.* (*om stof*) kipre; ki-pervæve.

'twill [twil] *fork. f. it will.*

twin¹ [twin] *sb.* **1.** tvilling; **2.** (*flyv.*) tomotorersfly.

twin² [twin] *adj.* **1.** tvillinge- (*fx brother*); **2.** (*fig.*) tæt sammenknyt-tet (*fx problems*).

twin³ [twin] *vb.* knytte//koble sam-men; □ *be -ned with* (*om by*) være ven-skabsby med.

twin-bedded [twin'bedid] *adj.* med to enkeltsenge.

twin beds *sb. pl.* to enkeltsenge [*mods. dobbeltseng*].

twine¹ [twain] *sb.* sejlgarn.

twine² [twain] *vb.* **1.** sno; flette; **2.** (*uden objekt*) slynge sig; sno sig.

twin-engined [twin'endʒind] *adj.* (*flyv.*) tomotorers.

twinge [twin(d)ʒ] *sb.* **1.** stik; stik-kende//jagende smerte; **2.** (*fig.*) stik (*fx of jealousy*); □ *a* ~ *of conscience* et anfald af samvittighedsnag.

twinkle¹ ['twiŋkl] *sb.* tindren; blin-ken; glimt; □ *in a* ~ på et øjeblik; *when you were no more than/just a* ~ *in your father's eye* før du blev til.

twinkle² ['twiŋkl] *vb.* blinke; tin-dre; stråle.

twinkling ['twiŋkliŋ] *sb.* **1.** blin-ken; **2.** (*om tid*) kort øjeblik; glimt; □ *in a* ~, *in the* ~ *of an eye* på et øjeblik; i en håndevending.

twinset ['twinset] *sb.* cardigansæt.

twin town *sb.* venskabsby.

twin tub *sb.* (*glds.*) [*vaskemaskine og centrifuge bygget sammen*].

twirl¹ [twə:l] *sb.* **1.** omdrejning; hvirvel; sving; **2.** (*i skrift*) kruse-dulle; snirkel; □ *do a* ~ hvirvle rundt.

twirl² [twə:l] *vb.* **1.** (*uden objekt*)

snurre rundt; hvirvle rundt; **2.** (*med objekt*) svinge med (*fx a wine glass*); hvirvle rundt; **3.** (*am.: stav*) kaste op i luften (*fx she -ed her baton high in the air*) [*så den snurrer rundt*]; □ ~ *one's moustache* sno sit over-skæg.

twirp [twə:p] *sb.* = *twerp.*

twist¹ [twist] *sb.* **1.** snoning; vik-ling; **2.** drejning; drej; vridning; vrid; **3.** (*af ansigt*) fordrejning; **4.** (*af led*) forvridning; **5.** (*af bold*) skruning; **6.** (*af udsagn etc.*) drej-ning; forvrængning; **7.** (*i forløb etc.*) uventet udvikling (*fx a new* ~ *to* (i) *the crisis*); drejning; krølle (*fx to* (på) *the story*); **8.** (*garn*) tvistgarn; **9.** (*tobak*) (lille) rulle; **10.** (*til bolsjer etc.*) kræmmerhus [*snoet sammen af et stykke pa-pir*]; **11.** (*hos person*) særhed; □ *-s and turns* **a.** (*i vej*) snoninger; **b.** (*fig.*) uventet forløb; forviklin-ger; [*med art.*] *in a* ~ forvirret; ude af det; (se også *knickers*); *give a* ~ *(to)* **a.** vride; **b.** sno; **c.** (*bold*) skrue; **d.** (*jf.* 6) give en drejning (*fx give a story a* ~); *by a* ~ *of fate* ved skæbnens lune; *a* ~ *of lemon peel* en citronrytter; *the* ~ (*dans*) twist; *drive/send sby round the* ~ (*glds.* T) gøre én skør i bol-den; *go round the* ~ (*glds.* T) blive skør i bolden.

twist² [twist] *vb.* (se også *twisted*) **A. 1.** (*rundt om noget*) sno, vikle (*around* (rundt) om, *fx a wire around the branch; she -ed a lock of hair around a finger*); (se også *little finger*); **2.** (*rundt*) dreje på (*fx the handle*); dreje; **3.** (*så det ændrer form*) vride (*fx she -ed her handkerchief into a knot*); **4.** (*an-sigtsudtryk*) fordreje (*fx one's face*); **5.** (*led, muskel*) forvride (*fx one's ankle*); **6.** (*bold*) skrue; **7.** (*udsagn etc.*) fordreje (*fx the facts*); forvrænge (*fx sby's words*); **8.** T snyde;

B. (*uden objekt*) **1.** sno sig (*fx the road -s through the valley*); **2.** (*om person*) vride sig, sno sig; **3.** (*i dans*) danse twist; **4.** (*om ansigt*) fortrække sig (*fx with pain af smerte*); □ ~ *and turn* **a.** (*om person*) vende og dreje sig, vride og vende sig; **b.** (*om vej*) sno sig ud og ind; ~ *oneself free* vride sig løs; (se også *arm¹, knot¹*); [*med præp.& adv.*] ~ *about* vende og dreje sig; ~ *around* **a.** se ovf.: *1*; **b.** dreje rundt (*fx one's body*); **c.** (*uden objekt*) sno sig rundt om (*fx a wire had -ed around the branch*); **d.** (*om person*) dreje rundt, vende sig om; *-ing* **in** the wind se **wind**[1]; ~ **off a.** vride af; **b.** skrue af (*fx a lid*); ~ **round** = ~ *around*; ~ **together** sno sammen; ~ **up** (*person*) få til at krølle sig sammen.

twist drill *sb.* spiralbor; sneglebor.

twisted [twistid] *adj.* **1.** snoet (*fx rope*); **2.** (*ud af form*) forvreden (*fx steel beams*); kroget (*fx branch*); vindskæv; **3.** (*om led*) forvreden (*fx ankle*); **4.** (*om ansigt*) fortrukket; **5.** (*om bold*) skruet; **6.** (*om udsagn*) fordrejet; forvrænget (*fx report*); **7.** (*om tankegang*) forskruet; skæv; **8.** (*om person,* T) sær; forkvaklet.

twister ['twistə] *sb.* **1.** T svindler, snyder; **2.** (*am.* T) tornado; hvirvelstorm; skypumpe; **3.** se *tongue twister.*

twist tie *sb.* poselukker.

twisty ['twisti] *adj.* **1.** (*om vej*) snoet; bugtet; **2.** (*om person*) uærlig; upålidelig.

twit[1] [twit] T skvat; fæ; □ *in a* ~ (*am.*) nervøs; helt ude af det.

twit[2] [twit] *vb.* (*glds.*) drille, ærte.

twitch[1] [twitʃ] *sb.* **1.** trækning; **2.** ryk; □ *give a* ~ **a.** fortrække sig; **b.** (*med objekt*) rykke i (*fx he gave her skirt a* ~).

twitch[2] [twitʃ] *vb.* **1.** fortrække sig (*fx his face -ed with pain*); **2.** rykke (*at* i, *fx his sleeve*); □ *the curtain -ed* gardinet bevægede sig lidt; *his eyelid -ed* det rykkede i/trak i hans øjelåg; han havde trækninger i øjelåget; *his leg -ed* det rykkede i/gav et spjæt i hans ben; ~ *one's mouth//nose* mimre.

twitch grass *sb.* (*bot.*) kvikgræs.

twitchy ['twitʃi] *adj.* nervøs; dirrende.

twite [twait] *sb.* (*zo.*) bjergirisk.

twitter[1] ['twitə] *sb.* **1.** kvidren; **2.** pludren; □ *be all of a* ~, *be in a* ~ dirre af nervøsitet.

twitter[2] ['twitə] *vb.* **1.** kvidre; **2.** pludre.

twittery ['twitəri] *adj.* **1.** kvidrende; **2.** pludrende.

twixt *præp.* (*glds.*) imellem.

two[1] [tu:] *sb.* **1.** total; **2.** (*spillekort; slag i terningspil*) toer; □ *the* ~ *of clubs//hearts etc.* klør// hjerter *etc.* to.

two[2] [tu:] *talord* to; □ *by -s* to og to; parvis; *in* ~ i to stykker; *that makes* ~ *of us* det

kender jeg også godt; *one or* ~ en eller to; et par stykker; to-tre; ~ *a penny* se *penny*; *put* ~ *and* ~ *together* (*fig.*) lægge to og to sammen; (se også *cent, penny, hoot*[1] (*etc.*)).

two-bit ['tu:bit] *adj.* (*am.* T) **1.** som koster en kvart dollar; **2.** (*fig.*) ussel, snoldet.

two-by-fours [tu:bai'fɔ:z] *sb. pl.* [*brædder der er* 2 × 4 *inches*].

two-cycle ['tu:saikl] *adj.* (*am.*) to-takts-.

two-dimensional [tu:di'menʃn(ə)l] *adj.* (*også fig.*) todimensional.

two-edged ['tu:edʒd] *adj.* tveægget.

two-faced ['tu:feist] *adj.* (*fig.*) falsk.

twofer ['tu:fə] *sb.* T tilbud om at betale for én og få to [ɔ: *two for the price of one*].

twofold ['tu:fəuld] *adj.* dobbelt.

two-handed [tu:'hændid] *adj.* to-hånds-; tomands-.

two-hander [tu:'hændə] *sb.* (*teat.*) stykke med to medvirkende.

twopence ['tʌpəns] *sb.* (*glds.*) to pence.

two-piece ['tu:pi:s] *adj.* i to dele; todelt (*fx swimming suit*).

two-ply ['tu:plai] *adj.* **1.** (*om garn*) toslået; **2.** (*om stof*) dobbeltvævet.

two-seater [tu:'si:tə] *sb.* topersonersbil.

two-sided [tu:'saidid] *adj.* **1.** tosidet; **2.** (*typ.*) trykt på begge sider.

twosome ['tu:səm] *sb.* **1.** spil hvori kun to personer deltager; **2.** T par.

twostep[1] ['tu:step] *sb.* twostep [*en dans*].

twostep[2] ['tu:step] *adj.* totrins-.

two-stroke ['tu:strəuk] *adj.* totakts-.

two-time ['tu:taim] *vb.* T bedrage; være utro.

two-timer ['tu:taimə] *sb.* T utro mand//kone//kæreste.

two-timing ['tu:taimiŋ] *adj.* T falsk; utro.

two-tone ['tu:təun] *adj.* **1.** totonet (*fx car alarm*); **2.** (*glds.*) tofarvet (*fx shoes*).

two-way [tu:'wei] *adj.* **1.** (*også om radio*) tovejs- (*fx communication*); **2.** (*om trafik*) i begge retninger; **3.** (*mellem personer*) gensidig (*fx guarantee*).

two-way cock *sb.* togangshane.

two-way mirror *sb.* envejsrude [*som er vindue på den ene side og spejl på den anden*].

two-way street *sb.* **1.** [*gade med trafik i begge retninger*]; **2.** (*fig.*) [*noget der er afhængigt af begge parter*].

two-way switch *sb.* (*elek.*) korrespondanceafbryder.

twp *fork. f.* (*am.*) *township.*

tycoon [tai'ku:n] *sb.* (*især am.*) magnat; finansfyrste; □ *industrial* ~ industribaron; *newspaper* ~ bladkonge.

tying ['taiiŋ] *præs. ptc. af* tie.

tyke [taik] *sb.* (T: *om barn*) lille trold; lille røver.

Tyne [tain]: *the* ~ Tynefloden.

Tyneside ['tainsaid] Tynedistriktet.

type[1] [taip] *sb.* **1.** type, art, slags; **2.** (*om person*) type (*fx he is the romantic* ~; *he is not my* ~); **3.** (*typ.: generelt*) skrift, typer (*fx in* (med) *large* ~); (*enkelt*) type; □ *in* ~ (*typ.*) sat op; *true to* ~ se *true*[2].

type[2] [taip] *vb.* **1.** skrive på maskine//computer; maskinskrive; **2.** (*med.*) typebestemme; □ ~ *in* (*it*) indtaste, taste ind; ~ *out* se: *1*; ~ *up* skrive rent på maskine//computer.

typecast ['taipka:st] *vb.* **1.** (*skuespiller*) altid give en bestemt slags roller; **2.** (*fig.*) kategorisere; sætte i bås; □ *be* ~ *as* altid få rollen som; ~ *him* (*også*) give ham en rolle der passer til hans type.

typeface ['taipfeis] *sb.* skriftsnit; font.

typescript ['taipskript] *sb.* maskinskrevet manuskript; □ *in* ~ maskinskrevet.

typesetter ['taipsetə] *sb.* **1.** sætter; **2.** sættemaskine.

type size *sb.* skriftgrad.

typewriter ['taipraitə] *sb.* skrivemaskine.

typewritten ['taiprit(ə)n] *adj.* maskinskrevet.

typhoid ['taifɔid], **typhoid fever** *sb.* (*med.*) tyfus.

typhoon [tai'fu:n] *sb.* tyfon.

typhus ['taifəs] *sb.* plettyfus.

typical ['tipik(ə)l] *adj.* typisk, karakteristisk (*of* for).

typify ['tipifai] *vb.* **1.** være et typisk eksempel på; **2.** være karakteristisk for; karakterisere; **3.** symbolisere (*fx the dove typifies peace*).

typing ['taipiŋ] *sb.* **1.** maskinskrivning; **2.** (*it*) indtastning.

typist ['taipist] *sb.* maskinskriver; kontordame.

typo ['taipəu] *sb.* T trykfejl; slåfejl.

typographer [tai'pɔgrəfə] *sb.* **1.** typografisk designer; **2.** typograf.

typographical [taipə'græfik(ə)l] *adj.* typografisk.

typographical error *sb.* trykfejl.

typography [tai'pɔgrəfi] *sb.* typografisk design, typografi.

tyrannical [ti'rænik(ə)l] *adj.* tyrannisk.

tyrannize ['tirənaiz] *vb.* tyranni-

sere;
□ ~ *over* tyrannisere.
tyranny [ˈtirəni] *sb.* tyranni.
tyrant [ˈtairənt] *sb.* tyran.
tyre [ˈtaiə] *sb.* (*til bil, cykel*) dæk;
(se også *flat tyre, let*[2] (*down*)).
tyre gauge *sb.* lufttrykmåler [*til
måling af dæktryk*].
tyre lever *sb.* dækjern.
tyro [ˈtairəu] *sb.* begynder; novice.
Tyrolese[1] [tirəˈli:z] *sb.* tyroler.
Tyrolese[2] [tirəˈli:z] *adj.* tyrolsk.

U

U[1] [ju:].

U[2] *fork. f.* **1.** *you* (*fx IOU; C U later*); **2.** (*am.*) *university;* **3.** (*i biografannonce: universal*) tilladt for børn; **4.** (*om sprog, glds.*) *upper-class.*

UAE *fork. f. United Arab Emirates.*

ubiquitous [ju:'bikwitəs] *adj.* allestedsnærværende.

ubiquity [ju:'bikwəti] *sb.* allestedsnærværelse.

U-boat ['ju:bəut] *sb.* (tysk) ubåd.

UCLA *fork. f. University of California Los Angeles.*

UDA *fork. f. Ulster Defence Association.*

udder ['ʌdə] *sb.* yver.

UEFA *fork. f. Union of European Football Associations.*

UFF *fork. f. Ulster Freedom Fighters.*

UFO [ju:ef'əu] *fork. f. unidentified flying object* ufo.

ufologist [ju:'fɔlədʒist] *sb.* ufolog.

ufology [ju:'fɔlədʒi] *sb.* ufologi, studiet af ufoer.

Ugandan[1] [ju:'gændən] *sb.* ugander.

Ugandan[2] [ju:'gændən] *adj.* ugandisk.

ugh [uχ, uh, ʌg] *interj.* uf.

ugly ['ʌgli] *adj.* **1.** (*mht. udseende*) grim; hæslig; **2.** (*om andet*) meget ubehagelig, hæslig (*fx there were ~ scenes*); modbydelig (*fx wound*);
□ (*as*) ~ *as sin* grim som arvesynden; *an ~ duckling* en grim ælling; *the ~ face of war* krigens hæslige ansigt/fjæs; (se også *rear*[3]).

UHF *fork. f. ultra-high frequency.*

uh-huh [ʌ'hʌ] *interj.* [*mumlelyd der udtrykker bifald*].

uh-oh [ʌ'əu] *interj.* av!, ups!

UHT [ju:eitʃ'ti:] *fork. f. ultra heat treated.*

UHT milk *sb.* langtidsholdbar mælk.

uh-uh [ʌ'ʌ] *interj.* (*am.*) [*mumlelyd der udtrykker afvisning*].

UK *fork. f. United Kingdom.*

Ukranian[1] [ju:'kreiniən] *sb.* **1.** (*person*) ukrainer; **2.** (*sprog*) ukrainsk.

Ukranian[2] [ju:'kreiniən] *adj.* ukrainsk.

ukulele [ju:kə'leili] *sb.* (*mus.*) ukulele.

ulcer ['ʌlsə] *sb.* åbent sår; kronisk sår; (*med.*) ulcus; (se også *stomach ulcer*);
□ *it gives me -s* (ɔ: bekymrer mig) det giver mig mavesår.

ulcerated ['ʌlsəreitid] *vb.* fuld af sår.

ulceration [ʌlsə'reiʃn] *sb.* sårdannelse.

ulcerous ['ʌlsərəs] *adj.* ulcerøs; med sår.

ullage ['ʌlidʒ] *sb.* svind; manko.

ulna ['ʌlnə] *sb.* (*pl. -e* [-ni:]) albueben; ulna.

ulterior motive [ʌltiəriə'məutiv] *sb.* skjult motiv; bagtanke;
□ *do sth from -s* gøre noget af beregning.

ultimate ['ʌltimət] *adj.* **1.** endelig (*fx decision; responsibility*); slut- (*fx result*); ende- (*fx aim; goal*); **2.** oprindelig (*fx cause; source*); grund- (*fx principles; truths*); **3.** (*om magt, myndighed*) højest; **4.** (*sammenlignet med andet af samme slags*) værst//bedst tænkelig; ultimativ (*fx weapon; humiliation; musical; luxury hotel*);
□ *the ~ in* den højeste grad af (*fx luxury; stupidity*); den//det mest avancerede (*fx computer technology*).

ultimately ['ʌltimətli] *adv.* til syvende og sidst; i sidste instans; i sidste ende.

ultimatum [ʌlti'meitəm] *sb.* ultimatum.

ultra- [ʌltrə] (*forstavelse*) **1.** hyper- (*fx smart; modern*); super- (*fx cautious*); **2.** (*fagl.*) ultra- (*fx short waves*).

ultramarine[1] [ʌltrəmə'ri:n] *sb.* ultramarin(blåt).

ultramarine[2] [ʌltrəmə'ri:n] *adj.* ultramarin(blå).

ultrasonic [ʌltrə'sɔnik] *adj.* supersonisk; ultralyds-.

ultrasound ['ʌltrəsaund] *sb.* **1.** ultralyd; **2.** (*undersøgelse*) ultralydscanning.

ultraviolet [ʌltrə'vaiələt] *adj.* ultraviolet.

ultra vires [ʌltrə'vaiəri:z] *adv.: act ~* overskride sine beføjelser/sin kompetence.

ululate ['ju:ljuleit] *vb.* hyle; tude.

ululation [ju:lju'leiʃn] *sb.* hylen; tuden.

um ['ʌm, əm] *interj.* mm; hm;
□ *um and ah* se *hum*[2] (*hum and haw*).

umbelliferous [ʌmbə'lifərəs] *adj.* (*bot.*) skærm-.

umber ['ʌmbə] *sb.* umbra, umbrafarve [*mørkebrun*].

umbilical cord [ʌmbilik(ə)l'kɔ:d] *sb.* navlestreng.

umbilicus [ʌm'bilikəs] *sb.* (*anat.*) navle.

umbrage ['ʌmbridʒ] *sb.: give ~* fornærme, krænke, støde; *take ~* blive fornærmet/krænket/stødt (*at over*); *take ~ at* (*også*) tage anstød af.

umbrella [ʌm'brelə] *sb.* **1.** paraply; **2.** (*fig.*) paraply; beskyttelse.

umbrella bird *sb.* (*zo.*) parasolfugl.

umbrella organization *sb.* paraplyorganisation.

umbrella stand *sb.* paraplystativ.

umbrella term *sb.* fællesbenævnelse; generel benævnelse.

umpire[1] ['ʌmpaiə] *sb.* **1.** (*i sport*) dommer; **2.** (*i uenighed*) opmand.

umpire[2] ['ʌmpaiə] *vb.* **1.** være dommer; dømme; **2.** (*i uenighed*) være opmand; mægle; **3.** (*med objekt*) være dommer i, dømme i (*fx a cricket match*).

umpteen [ʌmp'ti:n] *talord* (*om ubestemt stort antal*) masser af, hundrede og sytten (*fx times*).

umpteenth [ʌmp'ti:nθ] *adj.* (*om ubestemt stort antal*) hundrede og syttende (*fx time*).

UN *fork. f. United Nations* FN.

'un [ʌn] *fork. f. one.*

unabashed [ʌnə'bæʃt] *adj.* uforknyt; skamløs;
□ *~ by* uden at lade sig slå ud af.

unabated [ʌnə'beitid] *adj.* usvækket; med uformindsket styrke.

unable [ʌn'eibl] *adj.: ~ to* ude af stand til at.

unabridged [ʌnə'bridʒd] *adj.* uforkortet.

unaccented [ʌnæk'sentid] *adj.* ubetonet.

unacceptable [ʌnək'septəbl] *adj.* uacceptabel, uantagelig.

unaccompanied [ʌnə'kʌmpənid]

adj. **1.** uledsaget; **2.** (*om bagage*) indskrevet; **3.** (*mus.*) uden akkompagnement.

unaccomplished [ʌnəˈkɒmpliʃt] *adj.* **1.** ufuldendt; ufærdig; **2.** (*om person*) uden særlige talenter.

unaccountable [ʌnəˈkauntəbl] *adj.* **1.** uforklarlig (*fx for some ~ reason*); **2.** (*om person*) som ikke skal stå til ansvar (*to* over for).

unaccounted [ʌnəˈkauntid] *adj.*: ~ *for* **a.** (*om person*) savnet; **b.** (*om andet*) som der ikke er gjort rede for.

unaccustomed [ʌnəˈkʌstəmd] *adj.* usædvanlig;
□ ~ *to* ikke vant til; uvant med.

unacknowledged [ʌnəkˈnɒlidʒd] *adj.* **1.** (*om person, indsats, betydning*) ikke anerkendt; **2.** (*om følelse etc.*) uerkendt (*fx fears*).

unacquainted [ʌnəˈkweintid] *adj.*: ~ *with* F ukendt med.

unadopted [ʌnəˈdɒptid] *adj.* (*om vej*) privat.

unadorned [ʌnəˈdɔːnd] *adj.* F uudsmykket; prunkløs.

unadulterated [ʌnəˈdʌltəreitid] *adj.* **1.** (*om væske etc.*) ufortyndet, ublandet; uforfalsket; **2.** (*fig.*) ublandet, ægte (*fx pleasure*); uforfalsket, ren og skær (*fx nonsense*).

unadventurous [ʌnədˈventʃərəs] *adj.* som ikke tør vove noget//eksperimentere; kedelig (*fx cooking*).

unadvisedly [ʌnədˈvaizidli] *adv.* ubetænksomt.

unaffected [ʌnəˈfektid] *adj.* ukunstlet; naturlig; oprigtig;
□ ~ *by* upåvirket af.

unafraid [ʌnəˈfreid] *adj.* F frygtløs;
□ ~ *of* ikke bange for.

unaided [ʌnˈeidid] *adj.* uden hjælp.

unaligned [ʌnəˈlaind] *adj.* **1.** ikke anbragt på linje; **2.** (*om land*) ikke tilknyttet nogen blok; neutral; alliancefri.

unalloyed [ʌnəˈlɔid] *adj.* (*litt.*) ren, ublandet (*fx pleasure*).

unalterable [ʌnˈɔːltərəbl] *adj.* F som ikke kan ændres;
□ *an ~ fact* en uomstødelig kendsgerning.

unambiguous [ʌnæmˈbigjuəs] *adj.* utvetydig; entydig.

un-American [ʌnəˈmerikən] *adj.* uamerikansk (*fx activities* virksomhed).

unanimity [juːnəˈnimiti] *sb.* F enstemmighed; enighed.

unanimous [juˈnæniməs] *adj.* enstemmig; enig.

unannounced [ʌnəˈnaunst] *adj.* **1.** uanmeldt (*fx visit*); **2.** som ikke er meddelt.

unanswerable [ʌnˈɑːns(ə)rəbl] *adj.* **1.** F uigendrivelig (*fx argument*); uimodsigelig; **2.** (*om spørgsmål*) ubesvarlig, som ikke er til at svare på.

unanswered [ʌnˈɑːnsəd] *adj.* ubesvaret.

unappealable [ʌnəˈpiːləbl] *adj.* inappellabel.

unappealing [ʌnəˈpiːliŋ] *adj.* ikke særlig tiltrækkende//indbydende.

unappetizing [ʌnˈæpitaiziŋ] *adj.* uappetitlig.

unapproachable [ʌnəˈprəutʃəbl] *adj.* (*om person*) utilnærmelig.

unarguable [ʌnˈɑːgjuːəbl] *adj.* indiskutabel, uimodsigelig.

unarmed [ʌnˈɑːmd] *adj.* ubevæbnet.

unarmed combat *sb.* **1.** selvforsvarsteknik; **2.** (*mil.*) håndgemæng.

unashamed [ʌnəˈʃeimd] *adj.* uden skam; skamløs;
□ *be ~ of* ikke skamme sig over.

unasked [ʌnˈɑːskt] *adj.* **1.** uopfordret; **2.** (*om spørgsmål*) uudtalt;
□ ~ *for* som man ikke har bedt om (*fx advice*).

unassailable [ʌnəˈseiləbl] *adj.* uangribelig.

unassisted [ʌnəˈsistid] *adj.* uden hjælp.

unassuming [ʌnəˈsjuːmiŋ] *adj.* beskeden; fordringsløs.

unattached [ʌnəˈtætʃt] *adj.* **1.** ikke tilknyttet nogen organisation// gruppe *etc.*; uafhængig; **2.** (*om person*) ledig; ugift og uforlovet.

unattainable [ʌnəˈteinəbl] *adj.* uopnåelig.

unattended [ʌnəˈtendid] *adj.* uden opsyn;
□ *leave sby//sth ~* lade én//noget være uden opsyn.

unattractive [ʌnəˈtræktiv] *adj.* ikke særlig tiltrækkende/attraktiv//tiltalende.

unattributable [ʌnəˈtribjutəbl] *adj.* som ikke kan tilskrives nogen; uden kildeangivelse.

unavailable [ʌnəˈveiləbl] *adj.* **1.** (*om person*) ikke til rådighed; ikke tilgængelig; ikke til stede; **2.** (*om ting*) ikke til at få;
□ *he has not been ~ for comment* det har ikke været mulig at få en kommentar fra ham.

unavailing [ʌnəˈveiliŋ] *adj.* F frugtesløs; forgæves.

unavoidable [ʌnəˈvɔidəbl] *adj.* uundgåelig.

unavoidably [ʌnəˈvɔidəbli] *adv.* uundgåeligt;
□ *be ~ detained* være ude af stand til at komme.

unaware [ʌnəˈwɛə] *adj.*: *be ~ of//*

that ikke være klar over//over at; være uvidende om//om at; *blissfully ~* lykkeligt uvidende.

unawares [ʌnəˈwɛəz] *adv.*: *catch/take sby ~* overrumple en; komme bag på en; tage en på sengen.

unbacked [ʌnˈbækt] *adj.* **1.** uden støtte; **2.** (*om hest*) som ingen holder på [ved væddeløb].

unbalanced [ʌnˈbælənst] *adj.* **1.** (*om person*) uligevægtig; sindsforvirret; **2.** (*om beretning*) ikke afbalanceret, ensidig.

unbar [ʌnˈbɑː] *vb.* lukke op.

unbearable [ʌnˈbɛərəbl] *adj.* utålelig, uudholdelig, ubærlig.

unbeatable [ʌnˈbiːtəbl] *adj.* **1.** som ikke kan overgås; uovertruffen; **2.** (*i konkurrence*) uovervindelig.

unbeaten [ʌnˈbiːt(ə)n] *adj.* ubesejret.

unbecoming [ʌnbiˈkʌmiŋ] *adj.* **1.** F upassende; usømmelig; **2.** (*glds. om tøj*) uklædelig;
□ *conduct ~ (to/for) an officer* optræden som ikke sømmer sig for en officer.

unbeknown [ʌnbiˈnəun], **unbeknownst** [ʌnbiˈnəunst] *adj.*: ~ *to me* F uden mit vidende.

unbelief [ʌnbiˈliːf] *sb.* F mangel på tro; vantro.

unbelievable [ʌnbiˈliːvəbl] *adj.* utrolig.

unbeliever [ʌnbiˈliːvə] *sb.* F vantro; ikke-troende.

unbelieving [ʌnbiˈliːviŋ] *adj.* vantro; ikke-troende.

unbend [ʌnˈbend] *vb.* **1.** (*fx bøjet ben*) rette ud; **2.** (*mar.: sejl*) slå fra; (*trosse*) løse; **3.** (*uden objekt: om person*) slappe lidt af; blive mindre stiv; slå sig lidt løs.

unbending [ʌnˈbendiŋ] *adj.* F stiv, streng, ubøjelig.

unbiased, unbiassed [ʌnˈbaiəst] *adj.* uhildet, fordomsfri; upartisk.

unbidden [ʌnˈbid)ə(n] *adj.* **1.** spontan; af sig selv; **2.** uindbudt.

unbind [ʌnˈbaind] *vb.* løse, frigøre.

unbleached [ʌnˈbliːtʃt] *adj.* ubleget.

unblemished [ʌnˈblemiʃt] *adj.* pletfri.

unblinking [ʌnˈbliŋkiŋ] *adj.* (*litt.*) som ikke blinker (*fx eyes*); direkte, ufravendt (*fx stare*).

unblock [ʌnˈblɒk] *vb.* **1.** (*afløb, rør*) rense; **2.** (*fig.*) få i gang igen (*fx talks*).

unblushing [ʌnˈblʌʃiŋ] *adj.* uden at rødme; skamløs; fræk.

unbolt [ʌnˈbəult] *vb.* (*dør etc.*) åbne, skyde slåen fra.

unborn [ʌnˈbɔːn] *adj.* ufødt;
□ *as innocent as a babe ~* så

U *unbound*

uskyldig som barnet i moders liv.

unbound[1] [ʌn'baund] *præt. & præt. ptc. af unbind.*

unbound[2] [ʌn'baund] *adj.* **1.** ubunden; befriet, løst [*af bånd el. lænker*]; **2.** (*om bog*) uindbunden.

unbounded [ʌn'baundid] *adj.* ubegrænset; grænseløs.

unbowed [ʌn'baud] *adj.* F ukuet.

unbreakable [ʌn'breikəbl] *adj.* **1.** som ikke kan gå i stykker; (*fagl.*) brudsikker; **2.** (*om regel*) ubrydelig; **3.** (*om mod*) ukuelig.

unbridgeable [ʌn'bridʒəbl] *adj.* u-overstigelig.

unbridled [ʌn'braidld] *adj.* tøjlesløs.

unbroken [ʌn'brəuk(ə)n] *adj.* **1.** ubrudt; hel (*fx glass*); **2.** (*om forløb*) uafbrudt; **3.** (*om person*) ikke kuet; **4.** (*om hest*) utilreden; utilkørt; **5.** (*om jord*) uopdyrket; □ *an ~ record* en rekord som ikke er slået.

unbuckle [ʌn'bʌkl] *vb.* spænde op.

unbudgeable [ʌn'bʌdʒəbl] *adj.* urokkelig.

unbudging [ʌn'bʌdʒiŋ] *adj.* som ikke rokker sig.

unbundle [ʌn'bʌndl] *vb.* opsplitte; opløse; adskille.

unbundled [ʌn'bʌndld] *adj.* (*it: om program og maskinel*) solgt separat.

unbundling [ʌn'bʌndliŋ] *sb.* (*it*) [*det at sælge computere og programmer hver for sig*].

unburden [ʌn'bɜː'd(ə)n] *vb.*: ~ *oneself/one's heart* lette sit hjerte; ~ *oneself to* betro sig til.

unbutton [ʌn'bʌt(ə)n] *vb.* knappe op.

unbuttoned [ʌn'bʌtənd] *adj.* **1.** opknappet; **2.** (*fig.*) formløs; tvangfri.

uncalled [ʌn'kɔːld] *adj.* ukaldet.

uncalled-for [ʌn'kɔːldfɔː] *adj.* upåkrævet; malplaceret (*fx remark*).

uncanny [ʌn'kæni] *adj.* **1.** mystisk; uhyggelig (*fx feeling*); **2.** utrolig, forbløffende (*fx with ~ accuracy*).

uncared-for [ʌn'kɛədfɔː] *adj.* forsømt (*fx house; they felt ~*); uplejet (*fx nails*).

uncaring [ʌn'kɛəriŋ] *adj.* ligegyldig (*fx attitude*); udeltagende.

unceasing [ʌn'siːsiŋ] *adj.* F uophørlig.

unceremonious [ʌnseri'məuniəs] *adj.* **1.** (*om udtryk*) ligefrem (*fx refusal*); bramfri; **2.** (*om optræden*) formløs, utvungen, uhøjtidelig.

unceremoniously [ʌnseri'məuniəsli] *adv.* uden videre.

uncertain [ʌn'sɜː't(ə)n] *adj.* **1.** usikker (*fx our plans are still ~*); **2.** (*mht. fremtiden*) uvis (*fx future; it is ~ whether he will come*); **3.** (*om vejr*) upålidelig; **4.** (*om person*) usikker (*about/of* på); □ *of ~ age* af ubestemmelig alder; *in no ~ terms* i utvetydige vendinger; med rene ord.

uncertainty [ʌn'sɜː't(ə)nti] *sb.* usikkerhed; uvished.

unchallengeable [ʌn'tʃæləndʒəbl] *adj.* uimodsigelig; ubestridelig.

unchallenged [ʌn'tʃæləndʒd] *adj.* **1.** (*om udsagn*) uimodsagt; ubestridt; **2.** (*om leder*) ubestridt; **3.** (*når man færdes*) uden at blive standset; uantastet; □ *allow sth to go/pass ~* lade noget stå uimodsagt; lade noget gå upåtalt hen.

unchangeable [ʌn'tʃein(d)ʒəbl] *adj.* uforanderlig.

unchanged [ʌn'tʃein(d)ʒd] *adj.* uforandret, uændret.

unchanging [ʌn'tʃein(d)ʒiŋ] *adj.* uforanderlig.

uncharitable [ʌn'tʃæritəbl] *adj.* fordømmende; hård; □ *put an ~ interpretation on sth* udlægge noget i den værste mening.

uncharted [ʌn'tʃɑːtid] *adj.* ikke kortlagt; ukendt; uudforsket; □ *be in ~ territory/waters* (*fig.*) være på et ukendt/uudforsket område; være på herrens mark.

unchecked [ʌn'tʃekt] *adj.* uhindret; ukontrolleret.

uncivilized [ʌn'sivilaizd] *adj.* **1.** uciviliseret; **2.** (*om optræden*) ukultiveret.

unclaimed [ʌn'kleimd] *adj.* uafhentet.

unclasp [ʌn'klɑːsp] *vb.* spænde op; hægte op; åbne.

unclassified [ʌn'klæsifaid] *adj.* (*ikke hemmeligstemplet*) uklassificeret; almindeligt tilgængelig.

uncle ['ʌŋkl] *sb.* onkel; □ *cry/say ~* give fortabt.

unclear [ʌn'kliə] *adj.* uklar; □ ~ *about/as to* usikker på; i tvivl om.

Uncle Sam onkel Sam [ɔ: *USA*].

Uncle Tom *sb.* (*glds. am., neds.*) onkel Tom [*sort der var underdanig over for de hvide*].

unclosed [ʌn'kləuzd] *adj.* **1.** åben; **2.** (*om sag etc.*) uafgjort.

unclothed [ʌn'kləuðd] *adj.* upåklædt; nøgen.

unclouded [ʌn'klaudid] *adj.* skyfri, klar, lys; □ ~ *happiness* uforstyrret lykke.

uncluttered [ʌn'klʌtəd] *adj.* enkel; ikke overlæsset; ikke overfyldt.

unco[1] ['ʌŋkəu] *adj.* (*skotsk*) underlig, besynderlig.

unco[2] ['ʌŋkəu] *adv.* (*skotsk*) overordentlig; ovenud; □ *the ~ guid* (*neds.*) de hellige.

uncoil [ʌn'kɔil] *vb.* **1.** vikle ud; rulle ud; **2.** (*uden objekt*) rulle sig ud (*fx the rope -ed*); (*om person*) rette sig ud.

uncoloured [ʌn'kʌləd] *adj.* **1.** ikke farvet; **2.** (*om beretning*) ikke farvet; uden overdrivelser.

uncombed [ʌn'kəumd] *adj.* uredt.

un-come-at-able [ʌnkʌm'ætəbl] *adj.* T utilgængelig; utilnærmelig.

uncomfortable [ʌn'kʌmf(ə)təbl] *adj.* **1.** ubehagelig; **2.** (*om tøj, stilling*) ubekvem; **3.** (*om stol etc.*) umagelig; **4.** (*om værelse etc.*) uhyggelig; **5.** (*om person*) dårlig tilpas; forlegen; ilde til mode; □ *be ~* (*om person også*) have det dårligt (*about, with* med).

uncommitted [ʌnkə'mitid] *adj.* **1.** uforpligtet; som ikke har bestemt sig; som ikke har taget stilling (*on* til); **2.** (*om stat*) alliancefri, neutral.

uncommon [ʌn'kɔmən] *adj.* ualmindelig, usædvanlig.

uncommunicative [ʌnkə'mjuːnikətiv] *adj.* umeddelsom, fåmælt, tilknappet.

uncomplaining [ʌnkəm'pleiniŋ] *adj.* uden at klage; uden at beklage sig; tålmodig.

uncomplimentary [ʌnkɔmpli'mentəri] *adj.* lidet smigrende.

uncompromising [ʌn'kɔmprəmaiziŋ] *adj.* kompromisløs.

unconcern ['ʌnkənsɜːn] *sb.* ubekymrethed; ligegyldighed.

unconcerned [ʌnkən'sɜːnd] *adj.*: *be ~ about/by* være ligeglad med; ikke bekymre sig om; *be ~ in* ikke være indblandet i; *be ~ with* være uinteresseret i; ikke interessere sig for.

unconditional [ʌnkən'diʃn(ə)l] *adj.* betingelsesløs.

uncongenial [ʌnkən'dʒiːniəl] *adj.* usympatisk, utiltalende; ubehagelig (*fx an ~ task*).

unconnected [ʌnkə'nektid] *adj.* **1.** uden indbyrdes forbindelse (*fx ~ events*); **2.** (*om person*) uden nogen forbindelser [*som kan hjælpe*]; **3.** (*elek.*) ikke tilsluttet; □ *be ~ with* være uden forbindelse med.

unconscionable [ʌn'kɔnʃnəbl] *adj.* F urimelig (*fx it took an ~ time*).

unconscious [ʌn'kɔnʃəs] *adj.* **1.** bevidstløs (*fx knock him ~*); **2.** (*om følelse etc.*) ubevidst (*fx desire*); □ *be ~ of it* ikke være sig det be-

vidst; ikke mærke det; *the* ~
(*psyk.*) det ubevidste.

unconsecrated [ʌn'kɔnsikreitid]
adj. uindviet (*fx buried in* ~
ground).

unconsidered [ʌnkən'sidəd] *adj.* F
1. uoverlagt (*fx decision*); **2.** uænset.

unconstitutional
[ʌnkɔnsti'tjuːʃn(ə)l] *adj.* forfatningsstridig.

uncontested [ʌnkən'testid] *adj.*
uomtvistet, ubestridt;
□ ~ *election* fredsvalg.

uncontrollable [ʌnkən'trəuləbl] *adj.*
1. ukontrollabel; ustyrlig, ubændig (*fx anger*; *desire*); **2.** (*om person*) ustyrlig; uregerlig;
□ *become* ~ komme ud af kontrol.

uncontrolled [ʌnkən'trəuld] *adj.*
1. ukontrolleret (*fx growth of
cities*); **2.** (*om følelse etc.*) ustyrlig
(*fx rage*), ubehersket (*fx laughter*).

unconventional [ʌnkən'venʃn(ə)l]
adj. ukonventionel; uortodoks.

unconvinced [ʌnkən'vinst] *adj.*
ikke overbevist.

unconvincing [ʌnkən'vinsiŋ] *adj.*
ikke overbevisende; usandsynlig.

uncooked [ʌn'kukt] *adj.* ikke tilberedt; rå.

uncool [ʌn'kuːl] *adj.* T ikke tjekket;
ikke sej; ufed.

uncork [ʌn'kɔːk] *vb.* (*flaske*) trække
op.

uncountable [ʌn'kauntəbl] *adj.*
utællelig.

uncounted [ʌn'kauntid] *adj.* talløs,
utallig.

uncouple [ʌn'kʌpl] *vb.* **1.** løse
(*from* fra); **2.** (*hunde*) slippe løs;
3. (*tekn.*) frakoble.

uncouth [ʌn'kuːθ] *adj.* **1.** (*om person*) grov; ukultiveret; **2.** (*om optræden*) kejtet; klodset.

uncover [ʌn'kʌvə] *vb.* **1.** (*noget
skjult, tildækket*) afdække; fremdrage; **2.** (*noget hemmeligt*) afsløre; **3.** (*beholder*) tage låget af;
4. (*glds.*) tage hatten af.

uncovered [ʌn'kʌvəd] *adj.* utildækket;
□ *stand* ~ (*glds.*) stå med blottet
hoved.

uncritical [ʌn'kritik(ə)l] *adj.*
1. ukritisk; **2.** (*neds.*) kritikløs (*fx
acceptance of the results*).

uncrushable [ʌn'krʌʃəbl] *adj.* (*om
stof*) krølfri.

UNCTAD *fork. f. United Nations
Commission for Trade and
Development.*

unction ['ʌŋ(k)ʃn] *sb.* **1.** salvning;
(se også *extreme unction*); **2.** (*om
udtryksmåde*) salvelse.

unctuous ['ʌŋ(k)tʃuəs] *adj.* (F: *om*

udtryksmåde) slesk; salvelsesfuld.

uncultivated [ʌn'kʌltiveitid] *adj.*
1. (*om jord*) uopdyrket; **2.** (*om
person*) ukultiveret.

uncurl [ʌn'kəːl] *vb.* **1.** (*om blad*)
folde sig ud; **2.** (*med objekt*) folde
ud; rette ud.

uncut [ʌn'kʌt] *adj.* **1.** (*om hår, græs
etc.*) uklippet; **2.** (*om tekst, film
etc.*) uforkortet, ubeskåret; **3.** (*om
bog*) uopskåret; ubeskåret; **4.** (*om
smykkesten*) usleben.

undaunted [ʌn'dɔːntid] *adj.* uforfærdet; uforknyt;
□ *be* ~ *by* ikke lade sig skræmme/
overvælde af.

undeceive [ʌndi'siːv] *vb.* rive ud af
vildfarelsen.

undecided [ʌndi'saidid] *adj.* **1.** (*om
sag*) uafgjort; **2.** (*om person*) i
tvivl (*about/as to* om); som ikke
har bestemt sig.

undeclared [ʌndi'klɛəd] *adj.*
1. ikke bekendtgjort; **2.** (*om indtægt*) som ikke opgives til skattevæsenet; sort; **3.** (*om vare*) som
ikke deklareres for toldvæsnet.

undefeated [ʌndi'fiːtid] *adj.* ubesejret.

undefiled [ʌndi'faild] *adj.* ren; ubesudlet.

undelete [ʌndi'liːt] *vb.* (*it*) gendanne [*noget man har strøget*].

undemanding [ʌndi'maːndiŋ] *adj.*
1. (*om person*) ikke krævende; fordringsløs; **2.** (*om arbejde*) ikke
krævende.

undemonstrative [ʌndi'mɔnstrətiv]
adj. reserveret; tilbageholdende;
behersket.

undeniable [ʌndi'naiəbl] *adj.* ubestridelig.

undenominational
[ʌndinɔmi'neiʃn(ə)l] *adj.* [*som
ikke tilhører nogen bestemt kristelig sekt el. kirkelig retning*]; konfessionsløs.

undependable [ʌndi'pendəbl] *adj.*
upålidelig; ikke til at stole på.

under[1] ['ʌndə] *præp.* **1.** under;
2. ved foden af; neden for (*fx a
mountain*; *a wall*); **3.** (*bestemmelse, lov*) i henhold til, ifølge (*fx
the provisions of the law*); **4.** (*om
tid*) på mindre end (*fx you cannot
get there* ~ *two hours*); **5.** (*agr.*)
tilsået med (*fx barley*; *wheat*); beplantet med;
□ ~ *wheat* (*også*) udlagt som hvedemark; (se også *age*[1], *come*[1],
condition[1], *fall*[2], *impression*,
nose[1] (*etc.*)).

under[2] ['ʌndə] *adv.* **1.** (ɔ: *vand*) under vandet, nede (*fx he stayed* ~
for two minutes); **2.** (*om bedøvelse*) uden bevidsthed (*fx he was*

only ~ *for 20 minutes*); **3.** (*om tal*)
derunder (*fx aged 12 and* ~); (se
også *go*[2]).

underachieve [ʌndərə'tʃiːv] *vb.*
klare sig dårligere end forventet.

underachievement
[ʌndərə'tʃiːvmənt] *sb.* underpræstation.

underachiever [ʌndərə'tʃiːvə] *sb.*
underpræsterende elev.

underage [ʌndə'reidʒ] *adj.* (*jur.*)
mindreårig; umyndig.

underarm[1] [ʌndə'raːm] *sb.* armhule.

underarm[2] [ʌndə'raːm] *adj.* **1.** armhule- (*fx deodorant*); **2.** (*om kast*)
underarms-;
□ ~ *bowling* (*jf. 2*) underarmskastning.

underarm[3] [ʌndə'raːm] *adv.* **1.** i
armhulen (*fx shave* ~); **2.** med
underarmskast (*fx bowl* ~).

underbelly ['ʌndəbelly] *sb.* **1.** (*af
dyr*) bug (*fx the white* ~ *of a fish*);
2. (*af køretøj*) undervogn, underside; **3.** (*af fly*) mave, underside;
4. (*fig.*) underside;
□ *soft* ~ (*fig.*) sårbar underside;
svagt punkt.

underbid [ʌndə'bid] *vb.* underbyde.

underbred [ʌndə'bred] *adj.* halvdannet; uopdragen.

underbrush ['ʌndəbrʌʃ] *sb.* underskov.

undercarriage ['ʌndəkæridʒ] *sb.*
(*flyv.*) understel, landingsstel.

undercharge [ʌndə'tʃaːdʒ] *vb.* tage
for lav pris;
□ *he -d me by £15* han tog £15 for
lidt (af mig).

underclothes ['ʌndəkləuðz] *sb. pl.*
F undertøj.

undercoat ['ʌndəkəut] *sb.* **1.** (*af
maling*) mellemstrygning; **2.** (*maling*) mellemstrygningsmaling;
3. (*hos dyr*) underuld.

undercoating ['ʌndəkəutiŋ] *sb.*
(*am.*) (asfalt *etc.* til) undervognsbehandling.

undercover[1] [ʌndə'kʌvə] *adj.* hemmelig (*fx operation*);
□ ~ *agent* **a.** politispion; **b.** hemmelig agent.

undercover[2] [ʌndə'kʌvə] *adv.* hemmeligt (*fx work* ~).

undercurrent ['ʌndəkʌrənt] *sb.*
(*også fig.*) understrøm.

undercut[1] ['ʌndəkʌt] *sb.* **1.** (*i tennis*) underskruet slag; **2.** (*om oksekød, omtr.*) mørbrad; **3.** (*am.: i
træ*) underhugning.

undercut[2] [ʌndə'kʌt] *vb.* **1.** (*merk.*)
underbyde; **2.** (*klint*) undergrave;
3. (*fig.*) undergrave (*fx his authority*); tage grunden væk under;

svække; **4.** (*især am.*: *træ*) under-
hugge; underskære; **5.** (*i tennis*)
ramme med underskruet slag.

underdeveloped [ˌʌndədiˈveləpt]
adj. underudviklet; tilbagestå-
ende.

underdog [ˈʌndədɔg] *sb.*: *the* ~ den
svage part; den svageste; den un-
derlegne.

underdone [ˌʌndəˈdʌn] *adj.* kogt//
stegt for lidt; halvrå;
□ *it was* ~ (*også*) den havde fået
for lidt.

underdressed [ˌʌndəˈdrest] *adj.*: *be*
~ ikke være pænt nok klædt på.

underemployed [ˌʌndərimˈplɔid]
adj.: *be* ~ **a.** være overkvalificeret
til sit job; **b.** ikke have nok at be-
stille.

underestimate[1] [ˌʌndəˈrestiməmt] *sb.*
for lav vurdering; for lavt skøn.

underestimate[2] [ˌʌndəˈrestimeit] *vb.*
undervurdere.

underexposed [ˌʌndəriksˈpəuzd]
adj. (*foto.*) underbelyst.

underfed [ˌʌndəˈfed] *adj.* underer-
næret.

underfelt [ˈʌndəfelt] *sb.* tæppeun-
derlag.

underfloor heating [ˌʌndəflɔːˈhiːtiŋ]
sb. gulvopvarmning; gulvvarme.

underfoot [ˌʌndəˈfut] *adv.* **1.** under
fødderne; **2.** (*fig.*) om benene på
en (*fx have a child* ~) [ɔ: *som er i
vejen*];
□ *it is dry//wet* ~ det er tørt//vådt
føre; *trample* ~ **a.** trampe på;
b. (*fig.*) trampe på, træde under
fode (*fx their rights*).

underfunded [ˌʌndəˈfʌndid] *adj.*
som mangler penge; som ikke får
tilført tilstrækkelige midler//bevil-
linger; underfinansieret.

undergarments [ˈʌndəgaːmənts] *sb.
pl.* F undertøj.

undergo [ˌʌndəˈgəu] *vb.* (*underwent*
[ˌʌndəˈwent], *undergone*
[ˌʌndəˈgɔn]) gennemgå.

undergraduate [ˌʌndəˈgrædʒuət,
-djuət] *sb.* studerende [*ved et uni-
versitet*].

underground[1] [ˈʌndəgraund] *sb.*
1. (*jernb.*) undergrundsbane;
2. (*fig.*) undergrundsbevægelse.

underground[2] [ˈʌndəgraund] *adj.*
1. underjordisk; **2.** (*fig.*) under-
grunds- (*fx economy; movement*).

underground[3] [ˌʌndəˈgraund] *adv.*
under jorden.

underground[4] [ˌʌndəˈgraund] *adv.*
under jorden; under jordens over-
flade.

Underground Railroad *sb.*: *the* ~
(*am. hist.*) [*organisation som
hjalp slaver til flugt fra Sydsta-
terne*].

undergrowth [ˈʌndəgrəuθ] *sb.* un-
derskov.

underhand [ˌʌndəˈhænd] *adj.* **1.** un-
der hånden; underhånds-; hem-
melig; lumsk; **2.** (*am.*) se *under-
arm*[2] *2.*

underhanded [ˌʌndəˈhændid] *adj.*
se *underhand 1.*

underhung jaw [ˌʌndəhʌŋˈdʒɔː] *adj.*
underbid.

underlay[1] [ˈʌndəlei] *sb.* tæppeun-
derlag.

underlay[2] [ˌʌndəˈlei] *præt. af
underlie.*

underlie [ˌʌndəˈlai] *vb.* (*underlay*
[ˌʌndəˈlei], *underlain* [ˌʌndəˈlein])
ligge bag; ligge til grund for.

underline [ˌʌndəˈlain] *vb.* (*også fig.*)
understrege.

underling [ˈʌndəliŋ] *sb.* underord-
net; håndlanger.

undermanned [ˌʌndəˈmænd] *adj.*
underbemandet.

undermentioned [ˌʌndəˈmenʃnd]
adj. nedennævnt.

undermine [ˌʌndəˈmain] *vb.* **1.** un-
derminere; **2.** (*fig.*) undergrave (*fx
confidence*); nedbryde (*fx the
morale*).

underneath[1] [ˌʌndəˈniːθ] *sb.* under-
side.

underneath[2] [ˌʌndəˈniːθ] *adv.* **1.** ne-
denunder; **2.** (*fig.*) på bunden, in-
derst inde (*fx she is a darling* ~).

underneath[3] [ˌʌndəˈniːθ] *præp.* ne-
den under, under.

undernourished [ˌʌndəˈnʌriʃt] *adj.*
underernæret.

underpants [ˈʌndəpænts] *sb. pl.*
underbukser.

underpass [ˈʌndəpaːs] *sb.* **1.** under-
føring; viadukt; **2.** fodgængertun-
nel.

underpay [ˌʌndəˈpei] *vb.* betale for
lidt; underbetale.

underperform [ˌʌndəpəˈfɔːm] *vb.*
klare sig dårligere end ventet;
ikke leve op til forventningerne;
præstere for lidt.

underpin [ˌʌndəˈpin] *vb.* **1.** afstive;
understøtte; undermure; **2.** (*fig.*)
understøtte, underbygge (*fx an
argument*).

underpinning [ˌʌndəˈpiniŋ] *sb.*
1. afstivning; understøtning; un-
dermure; **2.** (*fig.*) underbygning.

underplay [ˌʌndəˈplei] *vb.* (*teat.*:
rolle) underspille.

underpopulated [ˌʌndəˈpɔpjuleitid]
adj. underbefolket.

underpowered [ˌʌndəˈpauəd] *adj.*
(*om bil*) med for svag motor.

underprice [ˌʌndəˈprais] *vb.* pris-
sætte for lavt.

underprivileged [ˌʌndəˈprivilidʒd]
adj. underprivilegeret; som ikke

har samme andel i sociale goder
som andre.

underrate [ˌʌndəˈreit] *vb.* undervur-
dere.

underresourced [ˌʌndəriˈsɔːst] *adj.*
uden tilstrækkelige ressourcer.

underscore [ˌʌndəˈskɔː] *vb.* under-
strege.

undersea [ˌʌndəˈsiː] *adj.* under-
vands-.

underseal[1] [ˈʌndəsiːl] *sb.* under-
vognsbeskyttelse.

underseal[2] [ˌʌndəˈsiːl] *vb.* under-
vognsbehandle.

undersecretary [ˌʌndəˈsekrət(ə)ri]
sb. **1.** se *Permanent Undersecre-
tary*; **2.** se *Parliamentary Under-
secretary.*

undersell [ˌʌndəˈsel] *vb.* **1.** (*merk.*)
sælge billigere end; **2.** (*fig.*) frem-
stille som ringere end det//end
man er.

underserved [ˌʌndəˈsəːvd] *adj.* (*især
am.*) som får for dårlig service;
som bliver for dårligt betjent.

underset[1] [ˈʌndəset] *sb.* under-
strøm.

underset[2] [ˌʌndəˈset] *vb.* under-
støtte (*fx a wall*).

undersexed [ˌʌndəˈsekst] *adj.* ikke
særlig interesseret i sex.

undershirt [ˈʌndəʃəːt] *sb.* (*am.*)
undertrøje.

undershoot [ˌʌndəˈʃuːt] *vb.* **1.** ikke
nå op på; **2.** (*flyv.*) skyde under
landingsbanen [ɔ: *gå ned foran
den*];
□ ~ *the runway* = *2.*

underside [ˈʌndəsaid] *sb.* **1.** under-
side; **2.** (*fig.*) bagside.

undersigned [ˌʌndəˈsaind] *adj.*: *the*
~ undertegnede.

undersized [ˌʌndəˈsaizd] *adj.* under
normal størrelse; undermåls- (*fx
fish*).

underslung [ˌʌndəˈslʌŋ] *adj.* **1.** un-
derhængende (*fx crane*); **2.** med
lavt tyngdepunkt.

underspend[1] [ˈʌndəspend] *sb.* un-
derforbrug.

underspend[2] [ˌʌndəˈspend] *vb.*
1. bruge mindre end forventet//
budgetteret//bevilget; **2.** (*med
objekt*) bruge mindre end.

understaffed [ˌʌndəˈstaːft] *adj.* un-
derbemandet.

understand [ˌʌndəˈstænd] *vb.*
(*understood, understood*) **1.** forstå;
2. (*fag, emne etc.*) have forstand
på, forstå sig på (*fx computers*);
□ ~ *about* = *2*; *I didn't* ~ jeg for-
stod det ikke; *I* ~ *that* **a.** jeg kan
forstå at, jeg er klar over at (*fx I
am not wanted here*); **b.** jeg har
bragt i erfaring at (*fx he will re-
sign*); *I* ~ *that he will* (*også*) efter

hvad der er oplyst vil han; *I was given to* ~ *that* F man lod mig forstå at, det blev betydet mig at; *I* ~ *it to mean that* jeg forstår/opfatter det sådan at; [*med vb.+ understood*] *be understood* (*også gram.*) være underforstået (*fx a condition which was either expressed or understood; the object of the verb is understood*); it was understood that (*også*) det var meningen at; *he gave* it to be understood that han lod sig forlyde med at; he can *make* himself understood in English han kan gøre sig forståelig på engelsk.

understandable [ʌndə'stændəbl] *adj.* forståelig.

understanding[1] [ʌndə'stændiŋ] *sb.* 1. forståelse; 2. (*af fag, emne etc.*) forstand (*of på, fx computers*); forståelse (*of af, fx what it takes to be a good manager*); 3. (*mellem to parter*) (stiltiende//uformel) aftale; forståelse (*between mellem, fx the gangsters and the police; they came to an* ~); 4. (*evne*) forstand (*fx a child with sufficient* ~); □ *my* ~ *is that we have ...* sådan som jeg forstår det har vi ...; *it passes all* ~ det overgår al forstand; *on the* ~ *that* under forudsætning af at; på betingelse af at.

understanding[2] [ʌndə'stændiŋ] *adj.* forstående.

understate [ʌndə'steit] *vb.* angive for lavt; udtrykke for svagt; underdrive (*fx the extent of the problem*).

understated [ʌndə'steitid] *adj.* underspillet (*fx humour*); nedtonet; diskret (*fx elegance*).

understatement ['ʌndəsteitmənt] *sb.* for lav angivelse; for svagt udtryk; underdrivelse.

understeered [ʌndə'stiəd] *adj.* understyret.

understudy[1] ['ʌndəstʌdi] *sb.* (*teat.*) dublant.

understudy[2] ['ʌndəstʌdi] *vb.* (*teat.*) dublere.

undertake [ʌndə'teik] *vb.* (*undertook* [ʌndə'tuk], *undertaken* [ʌndə'teik(ə)n]) 1. foretage (*fx a journey*); 2. (*pligt, opgave*) påtage sig (*fx a case; a duty*); □ ~ *that* stå inde for at; garantere at; ~ *to* F påtage sig at; forpligte sig til at.

undertaker ['ʌndəteikə] *sb.* bedemand; indehaver af begravelsesforretning.

undertaking [ʌndə'teikiŋ] *sb.* 1. foretagende; 2. (*som man giver,* F) løfte, tilsagn; 3. (jf. *undertaker,* F) begravelsesfaget.

under-the-counter [ʌndəðə'kauntə] *adj.* under disken; skjult.

underthings ['ʌndəθiŋz] *sb. pl.* undertøj.

undertip [ʌndə'tip] *vb.* give for få drikkepenge.

undertone ['ʌndətəun] *sb.* 1. dæmpet stemme; 2. undertone (*fx with an* ~ *of anger, sinister -s*); □ *in an* ~ (jf. 1, *også*) halvhøjt.

undertow ['ʌndətəu] *sb.* understrøm.

undertrick ['ʌndətrik] *sb.* (*i bridge*) undertræk.

underused [ʌndə'ju:zd] *vb.* som bliver brugt/udnyttet for lidt.

underutilized [ʌndə'ju:tilaizd] *adj.* F se *underused.*

undervalue [ʌndə'vælju:] *vb.* undervurdere.

underwater[1] [ʌndə'wɔːtə] *adj.* undervands; undersøisk.

underwater[2] [ʌndə'wɔːtə] *adv.* under vandet.

underway [ʌndə'wei] *adj.* 1. i gang; 2. undervejs.

underwear ['ʌndəwɛə] *sb.* undertøj.

underweight[1] ['ʌndəweit] *sb.* undervægt.

underweight[2] [ʌndə'weit] *adj.* undervægtig.

underwhelmed [ʌndə'welmd] *adj.*: *be* ~ *by* (*spøg.*) ikke være imponeret af.

underwired [ʌndə'waiəd] *adj.* (*om bh*) med metalbøjle.

underwood ['ʌndəwud] *sb.* underskov.

underworked [ʌndə'wɔːkt] *adj.*: *be* ~ ikke have nok at bestille.

underworld ['ʌndəwɔːld] *sb.* underverden.

underwrite ['ʌndərait] *vb.* 1. garantere; (*aktieemission også*) være tegningsgarant for; 2. (*aktier*) tegne sig for; 3. (*police: om assurandør*) tegne.

underwriter ['ʌndəraitə] *sb.* 1. assurandør; 2. søassurandør; 3. (*for aktieemission*) tegningsgarant.

undesirable[1] [ʌndi'zaiərəbl] *sb.* uønsket person.

undesirable[2] [ʌndi'zaiərəbl] *adj.* uønsket.

undeveloped [ʌndi'veləpt] *adj.* 1. uudviklet; uudnyttet; 2. (*om land*) underudviklet; 3. (*om jord*) ubebygget; uopdyrket.

undies ['ʌndiz] *sb. pl.* T undertøj.

undignified [ʌn'dignifaid] *adj.* uværdig.

undiluted [ʌndai'l(j)u:tid] *adj.* 1. (*om væske*) ufortyndet; 2. (*fig.*) ublandet, ubetinget (*fx pleasure*).

undisclosed [ʌndis'kləuzd] *adj.* ikke oplyst; hemmelig, skjult.

undisguised [ʌndis'gaizd] *adj.* utilsløret.

undismayed [ʌndis'meid] *adj.* F uforfærdet.

undisputed [ʌndis'pju:tid] *adj.* ubestridt.

undistinguished [ʌndi'stiŋgwiʃt] *adj.* ikke særlig bemærkelsesværdig; middelmådig.

undisturbed [ʌndi'stə:bd] *adj.* 1. uforstyrret; 2. (*om fund*) urørt (*fx it had lain there* ~ *for centuries*).

undo [ʌn'du:] *vb.* (*undid* [ʌn'did], *undone* [ʌn'dʌn]) 1. (*noget stramt*) løsne (*fx one's belt; a screw*); 2. (*noget bundet*) løse, binde op (*fx a knot*); 3. (*noget indpakket*) åbne, lukke op (*fx a parcel*); 4. (*knap*) knappe op; 5. (*strikketøj*) pille op; 6. (*resultat*) ødelægge, spolere (*fx the good impression*); 7. (*skade*) råde bod på; 8. (*it*) fortryde; 9. (*litt.: person*) bringe til fald.

undock [ʌn'dɔk] *vb.* 1. (*mar.*) hale ud af (tør)dok; 2. (*rumskibe*) koble fra hinanden; adskille.

undoing [ʌn'du:iŋ] *sb.* undergang, skæbne, ruin (*fx that was my* ~).

undone [ʌn'dʌn] *adj.* 1. (*om arbejde*) ugjort; 2. (*om noget der kan lukkes*) åben (*fx his zip was* ~); 3. (*om knap*) uknappet; 4. (*om person, spøg. el. litt.*) fortabt; □ *what's done cannot be* ~ gjort gerning står ikke til at ændre; *come* ~ gå op.

undoubted [ʌn'dautid] *adj.* utvivlsom; ubestridelig.

undreamed-of [ʌn'dri:mdɔv], **undreamt-of** [ʌn'dremtɔv] *adj.* som man ikke har drømt om; uanet.

undress[1] [ʌn'dres] *sb.* (*mil.*) daglig uniform; □ *in a state of* ~ (*spøg.*) upåklædt; *in various states of* ~ (*spøg.*) mere eller mindre påklædt.

undress[2] [ʌn'dres] *vb.* 1. klæde af; 2. (*sår*) tage forbinding af; 3. (*uden objekt*) klæde sig af.

undue [ʌn'dju:] *adj.* unødig (*fx delay; suffering*); utilbørlig; for stor (*fx haste; expense*); overdreven.

undue influence *sb.* 1. utilbørlig indflydelse (*over på*); 2. (*jur.*) udnyttelse (*af nogens uvidenhed eller afhængighed*); 3. (*ved valg*) valgtryk.

undulant fever [ʌndjulənt'fi:və] *sb.* (*med.*) kalvekastningsfeber.

undulate ['ʌndjuleit] *vb.* (*litt.*) bølge.

undulating ['ʌndjuleitiŋ] *adj.* bølgende; (*om terræn*) bakket.

undulation [ʌndju'leiʃn] *sb.* bølge-

U *unduly*

bevægelse; bølgen.

unduly [ʌn'dju:li] *adv.* urimeligt, overdrevent.

undying [ʌn'daiiŋ] *adj.* (*litt.*) evig, udødelig.

unearned [ʌn'ə:nd] *adj.* **1.** som man ikke har tjent ved arbejde; **2.** ufortjent.

unearned income *sb.* arbejdsfri indtægt.

unearth [ʌn'ə:θ] *vb.* **1.** grave op, grave frem, afdække; **2.** (*fig.*) grave frem, bringe for dagen (*fx new evidence*).

unearthly [ʌn'ə:θli] *adj.* **1.** overnaturlig, spøgelsesagtig; sælsom, uhyggelig; **2.** T ukristelig, skrækkelig;

□ *get up at an* ~ *hour* stå op før fanden får sko på.

unease [ʌn'i:z] *sb.* **1.** uro, ængstelse, bekymring; **2.** utilpashed, forlegenhed.

uneasy [ʌn'i:zi] *adj.* **1.** urolig, ængstelig, bekymret; **2.** utilpas, forlegen; **3.** (*om situation, forhold*) usikker (*fx calm; peace*).

uneconomic [ʌni:kə'nɔmik, ʌnek-], **uneconomical** [ʌni:kə'nɔmik(ə)l, ʌnek-] *adj.* uøkonomisk, urentabel.

unedifying [ʌn'edifaiiŋ] *adj.* F lidet opbyggelig.

unemotional [ʌni'məuʃn(ə)l] *adj.* ikke følelsesbetonet; nøgtern, saglig.

unemployable [ʌnim'plɔiəbl] *adj.* umulig at ansætte; uanvendelig.

unemployed [ʌnim'plɔid] *adj.* arbejdsløs, ledig.

unemployment [ʌnim'plɔimənt] *sb.* arbejdsløshed, ledighed.

unemployment benefit *sb.* arbejdsløshedsunderstøttelse.

unemployment compensation *sb.* (*am.*) arbejdsløshedsunderstøttelse.

unemployment rate *sb.* arbejdsløshedsprocent.

unencumbered [ʌnin'kʌmbəd] *adj.* **1.** uden at være hæmmet//tynget//besværet af noget; **2.** (*om ejendom*) ubehæftet; gældfri.

unending [ʌn'endiŋ] *adj.* endeløs, uendelig; (*neds.*) evindelig.

unenviable [ʌn'enviəbl] *adj.* lidet misundelsesværdig.

unequal [ʌn'i:kw(ə)l] *adj.* **1.** ulige (*fx distribution; struggle*); **2.** (*mht. kvalitet etc.*) ujævn, uensartet; □ *be* ~ *to* ikke kunne klare (*fx hard work*); *be* ~ *to the task* ikke være opgaven voksen.

unequalled [ʌn'i:kw(ə)ld] *adj.* uden sidestykke; uforlignelig.

unequivocal [ʌni'kwivək(ə)l] *adj.*

utvetydig; klar.

unerring [ʌn'ə:riŋ] *adj.* ufejlbarlig, sikker, usvigelig (*fx instinct*).

UNESCO, Unesco [ju:'neskəu] *fork.* f. *United Nations Educational, Scientific and Cultural Organisation.*

unethical [ʌn'eθik(ə)l] *adj.* uetisk; umoralsk.

uneven [ʌn'i:v(ə)n] *adj.* **1.** (*om overflade, bevægelse, rytme*) ujævn; **2.** (*om kvalitet, niveau*) uensartet, ujævn; **3.** (*om konkurrence*) ulige.

uneventful [ʌni'ventf(u)l] *adj.* begivenhedsløs.

unexceptionable [ʌnik'sepʃnəbl] *adj.* udadlelig; uangribelig.

unexceptional [ʌnik'sepʃn(ə)l] *adj.* som ikke er noget særligt; ikke særlig bemærkelsesværdig; ret almindelig.

unexciting [ʌnik'saitiŋ] *adj.* ikke særlig spændende; uspændende.

unexplained [ʌnik'spleind] *adj.* uforklaret; uforklarlig.

unfailing [ʌn'feiliŋ] *adj.* usvigelig; aldrig svigtende (*fx enthusiasm; support*);

□ ~ *good spirits* ukueligt humør.

unfair [ʌn'fɛə] *adj.* **1.** unfair, uretfærdig, urimelig (*fx treatment*); **2.** (*mht. moral*) ufin, uhæderlig, uærlig;

□ ~ *competition* illoyal konkurrence; ~ *dismissal* uberettiget afskedigelse.

unfaithful [ʌn'feiθf(u)l] *adj.*: *be* ~ *to* **a.** ikke være trofast over for (*fx their memory*); **b.** (*partner*) være utro (*fx he had been* ~ *to her*).

unfaltering [ʌn'fɔ:lt(ə)riŋ] *adj.* fast, sikker; uden vaklen.

unfamiliar [ʌnfə'miljə] *adj.* ukendt; uvant.

unfasten [ʌn'fa:s(ə)n] *vb.* løse// lukke//spænde//knappe op; åbne.

unfathomable [ʌn'fæðəməbl] *adj.* F uudgrundelig.

unfavourable [ʌn'feiv(ə)rəbl] *adj.* **1.** ugunstig, ufordelagtig (*fx conditions*); **2.** (*om reaktion*) negativ (*fx comments; reviews*); **3.** (*om vejr*) ugunstig.

unfazed [ʌn'feizd] *adj.* T uanfægtet;

□ *be* ~ *by* ikke lade sig gå 'på af.

unfeasible [ʌn'fi:zəbl] *adj.* uigennemførlig.

unfeeling [ʌn'fi:liŋ] *adj.* ufølsom, hårdhjertet.

unfeigned [ʌn'feind] *adj.* F uforstilt, uskrømtet.

unfettered [ʌn'fetəd] *adj.* F fri, uhindret; uhæmmet.

unfilled [ʌn'fild] *adj.* (*om stilling*)

ubesat.

unfinished [ʌn'finiʃt] *adj.* **1.** uafsluttet; ufuldendt; **2.** (*om overflade*) ikke færdigbehandlet; ikke afpudset.

unfit [ʌn'fit] *adj.* **1.** uegnet (*for* til; *to* til at); **2.** (*mht. arbejde*) uarbejdsdygtig på grund af sygdom; **3.** (*mht. kondi*) i dårlig form; ikke i form.

unflagging [ʌn'flægiŋ] *adj.* utrættelig; aldrig svigtende (*fx interest; support*); ukuelig (*fx enthusiasm; optimism*).

unflappable [ʌn'flæpəbl] *adj.* T uforstyrrelig; ligevægtig.

unfledged [ʌn'fledʒd] *adj.* **1.** ikke flyvefærdig; **2.** (*om person*) umoden; uerfaren.

unflinching [ʌn'flintʃiŋ] *adj.* uforfærdet; ubøjelig.

unfocused [ʌn'fəukəst] *adj.* **1.** (*om blik*) uden fokus; ufokuseret; **2.** (*fig.*) diffus.

unfold [ʌn'fəuld] *vb.* **1.** (*med objekt*) folde ud, brede ud (*fx a map*); (*møbel*) slå op, klappe op; **2.** (*fig.*) åbenbare, afsløre, udvikle, oprulle (*fx one's plans*); **3.** (*uden objekt*) folde sig ud (*fx the leaves were -ing*); brede sig ud; **4.** (*fig.*) åbenbares (*fx the scandal -ed*); oprulles; udvikle sig (*fx as events were -ing*).

unforeseeable [ʌnfɔ:'si:əbl] *adj.* som ikke er til at forudse.

unforgettable [ʌnfə'getəbl] *adj.* uforglemmelig.

unforgivable [ʌnfə'givəbl] *adj.* utilgivelig.

unforgiving [ʌnfə'giviŋ] *adj.* som ikke tilgiver; uforsonlig; hård.

unformed [ʌn'fɔ:md] *adj.* F uudviklet; umoden.

unfortunate [ʌn'fɔ:tʃnət] *adj.* **1.** uheldig (*fx John was just* ~; *it was* ~ *that he should find me there*); **2.** (*om situation*) ulykkelig (*fx we must help these* ~ *people*); **3.** (*om noget man beklager*) uheldig, ulykkelig (*fx circumstances; mistake; start*); **4.** (*om noget man tager afstand fra*) ulyksalig (*fx his* ~ *habit of getting drunk at parties*).

unfortunately [ʌn'fɔ:tʃnətli] *adv.* uheldigvis; desværre.

unfounded [ʌn'faundid] *adj.* ubegrundet, grundløs.

unfreeze [ʌn'fri:z] *vb.* **1.** tø op; **2.** (*indefrosne aktiver*) frigive.

unfrock [ʌn'frɔk] *vb.* = defrock.

unfulfilled [ʌnful'fild] *adj.* **1.** (*om ønske*) uopfyldt; **2.** (*om person*) utilfredsstillet.

unfurl [ʌn'fə:l] *vb.* **1.** folde ud;

2. (*uden objekt*) folde sig ud; **3.** (*litt.: om begivenheder etc.*) udfolde sig; udvikle sig.

unfurnished [ʌn'fə:niʃt] *adj.* umøbleret.

ungainly [ʌn'geinli] *adj.* klodset, kejtet; uskøn.

ungated [ʌn'geitid] *adj.*: ~ *level crossing* ubevogtet jernbaneoverskæring.

ungenerous [ʌn'dʒen(ə)rəs] *adj.* smålig.

un-get-at-able [ʌnget'ætəbl] *adj.* T **1.** utilgængelig; vanskelig at komme til; **2.** (*om person*) utilnærmelig.

unglued [ʌn'glu:d] *adj.*: *come* ~ (*am.* T, *fig.*) gå op i limningen.

ungodly [ʌn'gɔdli] *vb.* **1.** T ukristelig, skrækkelig; **2.** (*glds.*) ugudelig; □ *get up at at an* ~ *hour* stå op før fanden får sko på.

ungovernable [ʌn'gʌv(ə)nəbl] *adj.* **1.** (*om land, område*) uregerlig; **2.** (*om følelse*) ustyrlig, ubændig (*fx rage*).

ungraceful [ʌn'greisf(u)l] *adj.* uskøn; klodset.

ungracious [ʌn'greiʃəs] *adj.* vrangvillig; uelskværdig; unådig.

ungrudging [ʌn'grʌdʒiŋ] *adj.* villig; uforbeholden; storsindet.

unguarded [ʌn'ga:did] *adj.* **1.** (*om sted*) ubevogtet; **2.** (*om bemærkning*) uforsigtig, overilet; □ *in an* ~ *moment* i et ubevogtet øjeblik.

unguent ['ʌŋgwənt] *sb.* (*litt.*) salve.

unhampered [ʌn'hæmpəd] *adj.* uhæmmet, uhindret.

unhand [ʌn'hænd] *vb.* (*glds. el. spøg.*) slippe.

unhandy [ʌn'hændi] *adj.* uhåndterlig, klodset.

unhappy [ʌn'hæpi] *adj.* **1.** ulykkelig; **2.** (*om begivenhed*) uheldig (*fx coincidence*); □ *be* ~ *about//with* være ked af, være utilfreds med; have det dårligt med.

unharmed [ʌn'ha:md] *adj.* uskadt.

UNHCR *fork. f. United Nations High Commission for Refugees.*

unhealthy [ʌn'helθi] *adj.* usund.

unheard [ʌn'hə:d] *adj.* uden at blive hørt.

unheard-of [ʌn'hə:dɔv] *adj.* uhørt, eksempelløs.

unheeded [ʌn'hi:did] *adj.* upåagtet.

unhelpful [ʌn'helpf(u)l] *adj.* **1.** (*om person*) ikke særlig hjælpsom; uvillig; **2.** (*om handling*) ikke særlig gavnlig.

unheralded [ʌn'herəldid] *adj.* som ikke har fået meget omtale.

unhesitatingly [ʌn'heziteitiŋli] *adv.*

uden betænkning, uden tøven.

unhinged [ʌn'hin(d)ʒd] *adj.* ude af balance; sindsforvirret; □ *his mind became* ~ han mistede forstanden.

unhitch [ʌn'hitʃ] *vb.* frigøre, løsne, befri.

unholy [ʌn'həuli] *adj.* T ukristelig, rædselsfuld; □ *an* ~ *alliance* en uhellig alliance [*mellem to parter der ellers er fjender*]; *in an* ~ *alliance* (*også*) i uskøn forening; *get up at an* ~ *hour* stå op før fanden får sko på; *an* ~ *mess* et syndigt rod; *an* ~ *noise* et infernalsk spektakel; *an* ~ *row* et forrygende skænderi.

unhook [ʌn'huk] *vb.* **1.** tage af krogen; **2.** (*luge etc.*) tage krogen af; **3.** (*kjole etc.*) hægte op.

unhoped-for [ʌn'həuptfɔ:] *adj.* uventet; over (al) forventning.

unhurried [ʌn'hʌrid] *adj.* i ro og mag; uden at forhaste sig; rolig, sindig.

uni [ju:ni] *sb.* T universitet.

unicameral [ju:ni'kæm(ə)rəl] *adj.* (*parl.*) étkammer- (*fx system*).

UNICEF, Unicef ['ju:nisef] *fork. f. United Nations International Children's Fund.*

unicorn ['ju:nikɔ:n] *sb.* (*myt.*) enhjørning.

unidentifiable [ʌnaidenti'faiəbl] *adj.* uidentificerbar.

unidentified [ʌnai'dentifaid] *adj.* **1.** uidentificeret; **2.** ikke navngivet (*fx from an* ~ *source*).

unidiomatic [ʌnidiə'mætik] *adj.* uidiomatisk; ikke mundret.

unification [ju:nifi'keiʃn] *sb.* (jf. *unify*) **1.** forening; samling; **2.** ensretning.

uniform¹ ['ju:nifɔ:m] *sb.* **1.** uniform; **2.** T uniformeret betjent.

uniform² ['ju:nifɔ:m] *adj.* ensartet (*fx standard*); ens (*fx size*); uforandret; jævn (*fx speed*); □ ~ *price* enhedspris.

uniformed ['ju:nifɔ:md] *adj.* uniformeret.

uniformity [ju:ni'fɔ:məti] *sb.* **1.** ensartethed; enshed; **2.** ensretning.

uniformly ['ju:nifɔ:mli] *adv.* ensartet; jævnt; over hele linjen (*fx enthusiastic*).

unify ['ju:nifai] *vb.* **1.** forene, samle (*fx the party; the country*); **2.** tilvejebringe ensartethed i, gøre ens, ensrette (*fx their policies*); **3.** (*uden objekt*) forene sig.

unilateral [ju:ni'læt(ə)rəl] *adj.* ensidig.

unilateralism [ju:ni'læt(ə)r(ə)lizm] *sb.* ensidighed; unilateralisme [*den opfattelse at et land skal*

handle ensidigt, fx mht. atomnedrustning].

unimaginable [ʌni'mædʒinəbl] *adj.* som man umuligt kan forestille sig, ufattelig (*fx cruelty*).

unimaginative [ʌni'mædʒinətiv] *adj.* fantasiløs.

unimpaired [ʌnim'pɛəd] *adj.* F usvækket; uformindsket.

unimpeachable [ʌnim'pi:tʃəbl] *adj.* F uangribelig.

unimpeded [ʌnim'pi:did] *adj.* F uhindret.

unimportant [ʌnim'pɔ:t(ə)nt] *adj.* uden betydning; betydningsløs, uvæsentlig.

unimpressed [ʌnim'prest] *adj.* uimponeret.

unimpressive [ʌnim'presiv] *adj.* ikke imponerende.

uninformed [ʌnin'fɔ:md] *adj.* **1.** ikke underrettet (*about* om); **2.** (*generelt*) uvidende, udannet; **3.** (*om ytring*) ukvalificeret (*fx criticism; comment*).

uninhibited [ʌnin'hibitid] *adj.* uhæmmet; tvangfri.

uninitiated [ʌni'niʃieitid] *adj.* (*især spøg.*) uindviet; uerfaren.

uninjured [ʌn'indʒəd] *adj.* uskadt.

unintentional [ʌnin'tenʃn(ə)l] *adj.* utilsigtet.

uninterrupted [ʌnintə'rʌptid] *adj.* **1.** uafbrudt (*fx stream*); **2.** (*om udsigt*) fri.

uninviting [ʌnin'vaitiŋ] *adj.* ikke særlig indbydende; frastødende.

Union ['ju:njən] *sb.*: *the* ~ **a.** (*ved universitet*) [*studenterforening*]; **b.** (*hist.*) [*Englands og Skotlands forening til ét rige 1707*]; **c.** (*irsk hist.*) [*Irlands forening med Storbritannien 1801*]; **d.** (*am.*) unionen (*fx the President's message on the state of the Union*) [ɔ: *De forenede Stater*].

union¹ ['ju:njən] *sb.* **1.** forening (*fx students'* ~); sammenslutning; union; **2.** (*af stater*) union (*fx the European Union*); **3.** (*af arbejdere*) fagforening; **4.** (F: ægteskabelig) forbindelse; ægteskab (*fx a happy* ~); **5.** (*tilstand*) harmoni (*fx they lived in perfect* ~); enighed; **6.** (*til rør*) rørforskruning; **7.** (*mat.*) foreningsmængde; **8.** (*stof*) blandingsstof [*sammensat af to tekstiler*]; (*især*) halvlærred, halvlinned.

union² ['ju:njən] *adj.* **1.** unions-; forenings-; **2.** (*om arbejdskraft*) organiseret (*fx labour*); **3.** (*om stof*) [*sammensat af to tekstiler, fx uld og bomuld*].

union catalogue *sb.* (*bibl.*) fælleskatalog.

Unionism ['ju:njənizm] *sb.* [*den overbevisning at Nordirland skal være en del af Storbritannien*].

Unionist ['ju:jənist] *sb.* **1.** (*i Nordirland*) [*tilhænger af union med Storbritannien*]; **2.** (*am. hist.: under borgerkrigen 1861-5*) [*tilhænger af unionens bevarelse*].

unionist ['ju:njənist] *sb.* **1.** fagforeningsmedlem, organiseret arbejder; **2.** (*der går ind for fagforeninger*) fagforeningsmand.

unionization [ju:njənai'zeiʃn] *sb.* (*af arbejdere*) organiserering.

unionize ['ju:njənaiz] *vb.* (*arbejdere*) organisere.

Union Jack *sb.* [*det britiske nationalflag*].

union linen *sb.* halvlærred, halvlinned.

union shop *sb.* [*virksomhed der beskæftiger organiseret arbejdskraft*].

union suit *sb.* (*am.*) combination [*undertøj*].

unique [ju:'ni:k] *adj.* unik, enestående.

unisex ['ju:niseks] *adj.* unisex, for begge køn.

unisexual [ju:ni'sekʃuəl] *adj.* enkønnet.

unison ['ju:niz(ə)n] *sb.*: *in* ~ **a.** (*mus.*) unisont; **b.** (*fig.*) i enighed; samstemmigt; enstemmigt.

unit ['ju:nit] *sb.* **1.** enhed; **2.** (*af alkohol*) genstand (*fx five -s of alcohol a day*); **3.** (*af firma, hospital & mil.*) enhed; afdeling; **4.** (*af lejlighedskompleks*) lejlighed; **5.** (*i lærebog*) enhed, afsnit, kapitel; **6.** (*tekn.*) aggregat, enhed (*fx propulsion* ~); **7.** (*arkit.: til indbygning*) element (*fx kitchen* ~); **8.** (*mat.*) tallet 1; **9.** (*i investeringsforening*) andelsbevis.

Unitarian[1] [ju:ni'tɛəriən] *sb.* (*rel.*) unitar.

Unitarian[2] [ju:ni'tɛəriən] *adj.* (*rel.*) unitar-.

unitary ['ju:nit(ə)ri] *adj.* enheds-.

unite [ju:'nait] *vb.* **1.** forene, samle; **2.** (*uden objekt*) forene sig, samle sig.

united [ju:'naitid] *adj.* **1.** forenet (*fx a* ~ *Germany*); **2.** fælles, samlet (*fx effort; front*); **3.** enig (*fx we're* ~ *on that issue*).

United Kingdom: *the* ~ Det forenede Kongerige [*ɔ: Storbritannien og Nordirland*].

United Nations: *the* ~ De forenede Nationer.

United States: *the* ~ De forenede Stater.

unit furniture *sb.* byggemøbler.

unit price *sb.* pris pr. enhed; styk-

pris.

unit pricing *sb.* mærkning med pris pr. enhed.

unit trust *sb.* investeringsforening, investeringsselskab.

unity ['ju:nəti] *sb.* **1.** enhed; **2.** harmoni; enighed; **3.** (*mat.*) tallet 1.

universal[1] [ju:ni'və:s(ə)l] *sb.* universalbegreb.

universal[2] [ju:ni'və:s(ə)l] *adj.* **1.** almindelig; almen; universel; **2.** (*om værktøj etc.*) universal-.

universality [ju:nivə:'sæləti] *sb.* almindelighed; almengyldighed.

universal joint *sb.* (*tekn.*) universalled, kardanled.

universal language *sb.* verdenssprog.

universal suffrage *sb.* almindelig stemmeret.

universe ['ju:nivə:s] *sb.* univers; verden.

university [ju:ni'və:səti] *sb.* universitet.

university extension *sb.* [*universitetsundervisning uden for universitetet*].

unjust [ʌn'dʒʌst] *adj.* uretfærdig.

unjustifiable [ʌndʒʌsti'faiəbl] *adj.* som ikke kan retfærdiggøres; uberettiget.

unkempt [ʌn'kempt] *adj.* usoigneret; uredt.

unkind [ʌn'kaind] *adj.* uvenlig; ubehagelig.

unknit [ʌn'nit] *vb.* **1.** løse (*fx a knot*); adskille; **2.** (*strikketøj*) pille op; trævle op; **3.** (*pande*) glatte ud.

unknowable [ʌn'nəuəbl] *adj.* F som man ikke kan vide; ubekendt.

unknowing [ʌn'nəuiŋ] *adj.* (*litt.*) intetanende.

unknowingly [ʌn'nəuiŋli] *adv.* (*litt.*) uden at vide det; uafvidende.

unknown [ʌn'nəun] *adj.* ukendt; □ ~ *to him* uden at han vidste det (*fx* ~ *to him, his wife had sold it*); *he is* ~ *to me* han er mig ubekendt; jeg kender ham ikke.

unknown quantity *sb.* ukendt størrelse; ubekendt faktor.

Unknown Warrior *sb.*: *the* ~ den ukendte soldat.

unlace [ʌn'leis] *vb.* snøre op; løse.

unlawful [ʌn'lɔ:f(u)l] *adj.* F ulovlig; uretmæssig.

unleaded [ʌn'ledid] *adj.* (*om benzin*) blyfri.

unlearn [ʌn'lə:n] *vb.* få ud af hovedet igen; glemme; befri sig for.

unleash [ʌn'li:ʃ] *vb.* slippe løs.

unleavened [ʌn'lev(ə)nd] *adj.* usyret.

unless [ən'les] *konj.* medmindre;

hvis ikke.

unlettered [ʌn'letəd] *adj.* (*glds.*) **1.** ulærd; uoplyst; **2.** analfabetisk; som ikke kan læse og skrive.

unlicensed [ʌn'lais(ə)nst] *adj.* **1.** uautoriseret; som man ikke har tilladelse til (*fx weapon*); **2.** (*om restaurant*) uden spiritusbevilling.

unlike[1] [ʌn'laik] *adj.* (*litt.*) ulig; forskellig (*fx they are completely* ~).

unlike[2] [ʌn'laik] *præp.* i modsætning til (*fx* ~ *his brother he is very tall*); □ *it is* ~ *him* det ligner ham ikke; *it is not* ~ *the one I saw* den er ikke så forskellig fra den jeg så; den ligner den jeg så.

unlikely [ʌn'laikli] *adj.* **1.** usandsynlig; **2.** (*om par*) som man ikke ville tro kunne passe sammen; □ *in the* ~ *event that* hvis det usandsynlige skulle ske at; *it is* ~ *to happen* det er usandsynligt at det vil ske.

unlimited [ʌn'limitid] *adj.* ubegrænset.

unlisted [ʌn'listid] *adj.* **1.** ikke opført på listen//i kataloget; **2.** (*om bygning*) ikke fredet; **3.** (*merk.: om selskab, papirer*) unoteret.

unlisted number *sb.* (*am. tlf.*) udeladt nummer.

unlit [ʌn'lit] *adj.* **1.** mørk (*fx street*); uoplyst; **2.** utændt, som ikke er tændt (*fx cigarette*).

unload [ʌn'ləud] *vb.* **1.** læsse af; **2.** (*mar.*) losse; **3.** (*merk. T*) sælge ud; skaffe sig af med; **4.** (*skydevåben*) aflade; **5.** (*fig.: fortælle om*) □ ~ *a camera* tage filmen ud af et kamera; ~ *on to* (*ansvar, arbejde*) læsse/vælte over på.

unlock [ʌn'lɔk] *vb.* **1.** låse op; **2.** (*fig.*) lukke op for, åbne for (*fx opportunities*); **3.** (*litt.: mysterium, gåde*) opklare, løse.

unlooked-for [ʌn'luktfɔ:] *adj.* uventet.

unloose [ʌn'lu:s] *vb.* (*litt.*) **1.** frigøre; slippe løs; **2.** (*noget bundet*) løse; løsne.

unlovable [ʌn'lʌvəbl] *adj.* umulig at elske.

unlovely [ʌn'lʌvli] *adj.* (*spøg.*) ikke just køn.

unloving [ʌn'lʌviŋ] *adj.* ukærlig.

unlucky [ʌn'lʌki] *adj.* uheldig; □ *it is* ~ *to* det betyder uheld at (*fx walk under ladders*).

unmade [ʌn'meid] *adj.* **1.** (*om seng*) uredt; **2.** (*om vej*) uasfalteret.

unmake [ʌn'meik] *vb.* **1.** (*lov*) ophæve; **2.** (*rygte etc.*) spolere.

unmanageable [ʌn'mænidʒəbl] *adj.* uhåndterlig; uregerlig; ustyrlig.

unmanly [ʌn'mænli] *adj.* umandig.

unmanned [ʌn'mænd] *adj.* ubemandet (*fx space ship*).

unmannerly [ʌn'mænəli] *adj.* F uopdragen, ubehøvlet.

unmarked [ʌn'ma:kt] *adj.* **1.** umærket; umarkeret; **2.** (*i sport: om spiller*) ikke opdækket; umarkeret.

unmask [ʌn'ma:sk] *vb.* (*især litt.*) afsløre; rive masken af.

unmatched [ʌn'mætʃt] *adj.* (*litt.*) uforlignelig; uden sidestykke.

unmemorable [ʌn'mem(ə)rəbl] *adj.* ikke mindeværdig; ordinær.

unmentionable [ʌn'menʃnəbl] *adj.* unævnelig.

unmindful [ʌn'maindf(u)l] *adj.*: ~ *of* F uden tanke på; ligegyldig med.

unmissable [ʌn'misəbl] *adj.* (*om forestilling*) som man ikke må gå glip af; som man 'skal se.

unmistakable [ʌnmis'teikəbl] *adj.* umiskendelig.

unmitigated [ʌn'mitigeitid] *adj.* fuldstændig, komplet (*fx disaster*); ren og skær (*fx life there was ~ hell*); den//det rene (*fx nonsense*).

unmoved [ʌn'mu:vd] *adj.* ubevægelig; kold; uberørt.

unnamed [ʌn'neimd] *adj.* unavngivet; hvis navn ikke er oplyst.

unnatural [ʌn'nætʃr(ə)l] *adj.* unaturlig.

unnecessary [ʌn'nesəsri] *adj.* unødvendig.

unnerve [ʌn'nə:v] *vb.* gøre nervøs; tage modet fra.

unnerving [ʌn'nə:viŋ] *adj.* foruroligende; skræmmende.

unnoticed [ʌn'nəutist] *adj.* ubemærket.

unnumbered [ʌn'nʌmbəd] *adj.* **1.** unummereret; **2.** (*litt.*) utallig, talløs.

unobjectionable [ʌnəb'dʒekʃnəbl] *adj.* som der ikke kan indvendes noget imod; uangribelig.

unobtainable [ʌnəb'teinəbl] *adj.* **1.** som ikke kan fås; uopnåelig; **2.** (*om telefonnummer*) som man ikke kan få forbindelse med.

unobtrusive [ʌnəb'tru:siv] *adj.* F beskeden, stilfærdig, tilbageholdende.

unoccupied [ʌn'ɔkjupaid] *adj.* **1.** (*om hus, lejlighed*) ubeboet; **2.** (*om plads, stilling*) ubesat; **3.** (*om land, område*) ikke besat.

unoffending [ʌnə'fendiŋ] *adj.* uskyldig; uskadelig; skikkelig, harmløs.

unopened [ʌn'əupənd] *adj.* **1.** uåb-

net; **2.** (*om bog*) uopskåret.

unopposed [ʌnə'pəuzd] *adj.* (*ved valg*) uden modkandidat.

unorthodox [ʌn'ɔ:θədɔks] *adj.* uortodoks; ukonventionel, utraditionel.

unostentatious [ʌnɔsten'teiʃəs] *adj.* diskret (*fx elegance*); tilbageholdende; stilfærdig.

unpack [ʌn'pæk] *vb.* **1.** pakke ud; **2.** (*fig.*) klarlægge; forklare; **3.** (*it*) pakke ud.

unpaid [ʌn'peid] *adj.* ubetalt; ulønnet.

unpalatable [ʌn'pælətəbl] *adj.* F **1.** (*om mad*) uappetitlig; uspiselig; **2.** (*fig.*) ubehagelig (*fx fact; truth*); **3.** (*om forslag, idé*) uspiselig.

unparalleled [ʌn'pærəleld] *adj.* uden sidestykke.

unpardonable [ʌn'pa:d(ə)nəbl] *adj.* utilgivelig.

unparliamentary [ʌnpa:lə'ment(ə)ri] *adj.* uparlamentarisk.

unperson ['ʌnpə:s(ə)n] *sb.* (*pol.*) [*tidligere offentlig person der er stødt ud i mørket*].

unperturbed [ʌnpə'tə:bd] *adj.* uforstyrret; rolig.

unpick [ʌn'pik] *vb.* **1.** (*noget syet*) sprætte op; pille op; **2.** (*fig.*) pille fra hinanden.

unpickable [ʌn'pikəbl] *adj.* dirkefri.

unpitying [ʌn'pitiiŋ] *adj.* ubarmhjertig.

unplaced [ʌn'pleist] *adj.* (*i væddeløb, konkurrence*) uplaceret.

unplayable [ʌn'pleiəbl] *adj.* **1.** (*om bold*) som ikke kan returneres; **2.** (*om musikstykke*) umulig at spille; **3.** (*om bane*) umulig at spille på.

unpleasant [ʌn'plez(ə)nt] *adj.* ubehagelig.

unpleasantness [ʌn'plez(ə)ntnəs] *sb.* **1.** ubehagelighed; **2.** ubehageligt optrin, kedelig affære.

unplug [ʌn'plʌg] *vb.*: ~ *the fridge// phone etc.* trække stikket ud.

unplugged [ʌn'plʌgd] *adj.* (*om musik*) uden elektronisk forstærker.

unprecedented [ʌn'presidentid] *adj.* uden fortilfælde; enestående; eksempelløs.

unpredictable [ʌnpri'diktəbl] *adj.* uforudsigelig; uberegnelig.

unprejudiced [ʌn'predʒudist] *adj.* fordomsfri; upartisk; uhildet.

unpremeditated [ʌnpri:'mediteitid] *adj.* ikke planlagt; uoverlagt.

unprepossessing [ʌnpri:pə'zesiŋ] *adj.* F **1.** lidet tiltalende; temmelig usympatisk; **2.** (*om udseende*) uheldig, ufordelagtig.

unpretentious [ʌnpri'tenʃəs] *adj.* uprætentiøs; beskeden, fordringsløs; uhøjtidelig.

unprincipled [ʌn'prinsəpld] *adj.* principløs; samvittighedsløs; umoralsk.

unprintable [ʌn'printəbl] *adj.* som ikke lader sig gengive på tryk.

unproductive [ʌnprə'dʌktiv] *adj.* **1.** nytteløs; frugtesløs; **2.** (*om jord*) ufrugtbar.

unprofessional [ʌnprə'feʃn(ə)l] *adj.* uprofessionel;
□ ~ *conduct* optræden som strider mod standens etikette.

unprofitable [ʌn'prɔfitəbl] *adj.* **1.** (*merk.*) urentabel; **2.** (*fig.*) nytteløs; formålsløs.

unpromising [ʌn'prɔmisiŋ] *adj.* ikke særlig lovende.

unprompted [ʌn'prɔm(p)tid] *adj.* F uopfordret.

unpronounceable [ʌnprə'naunsəbl] *adj.* umulig at udtale.

unproven [ʌn'pru:v(ə)n] *adj.* **1.** som ikke er//var bevist (*fx allegations*); **2.** som ikke har//havde bevist sit værd//sin nytte (*fx treatment*).

unprovoked [ʌnprə'vəukt] *adj.* uprovokeret; umotiveret.

unputdownable [ʌnput'daunəbl] *adj.* (T: *om bog*) som man ikke kan lægge fra sig.

unqualified [ʌn'kwɔlifaid] *adj.* **1.** (*om person*) ukvalificeret; **2.** (*om udtalelse etc.*) uforbeholden (*fx praise*); ubetinget, ubegrænset (*fx support*); absolut (*fx success*).

unquenchable [ʌn'kwen(t)ʃəbl] *adj.* uslukkelig.

unquestionable [ʌn'kwestʃnəbl] *adj.* ubestridelig; indiskutabel.

unquestioned [ʌn'kwestʃnd] *adj.* ubestridt.

unquestioning [ʌn'kwestʃniŋ] *adj.* ubetinget, blind (*fx obedience*).

unquiet [ʌn'kwaiət] *adj.* urolig.

unquote [ʌn'kwəut] *imp.* **1.** (*i diktat*) anførselstegn slut; **2.** (*i tale etc.*) citat slut;
□ *quote ~* se *quote*[2].

unravel [ʌn'ræv(ə)l] *vb.* **1.** (*noget sammenfiltret, fx garn*) rede ud; **2.** (*strikketøj*) trævle op, pille op; **3.** (*knude*) løse op; **4.** (*indpakning*) vikle af; **5.** (*fig.*) rede ud; opklare, løse (*fx a mystery*); **6.** (*uden objekt*) trævles op (*fx the sweater started to ~*); **7.** (*fig. om plan etc.*) falde fra hinanden (*fx the peace process began to ~*); gå i opløsning.

unreadable [ʌn'ri:dəbl] *adj.* **1.** ulæselig; **2.** (*litt.: om ansigtsudtryk*)

U unreal

uigennemskuelig; uudgrundelig.

unreal [ʌn'riəl] *adj.* **1.** uvirkelig;
2. urealistisk (*fx expectations*);
3. T utrolig; fantastisk (*fx the film
was ~!*).

unreasonable [ʌn'ri:z(ə)nəbl] *adj.*
urimelig.

unreasoning [ʌn'ri:z(ə)niŋ] *adj.*
(*litt.*) ulogisk, absurd (*fx panic*).

unrecognized [ʌn'rekəgnaizd] *adj.*
ikke anerkendt.

unreconstructed [ʌnri:kən'strʌktid]
adj. uforbederlig.

unrecorded [ʌnri'kɔ:did] *adj.*
1. ikke nedskrevet, ikke optegnet;
2. ikke optaget.

unreel [ʌn'ri:l] *vb.* vikle af; rulle af.

unrefined [ʌnri'faind] *adj.* **1.** (*om
produkt*) uraffineret; **2.** (*om per-
son*) ukultiveret.

unreflecting [ʌnri'flektiŋ] *adj.* (*om
person*) tankeløs; kritikløs.

unregenerate [ʌnri'dʒenərət] *adj.* F
uforbederlig; fordærvet.

unrelated [ʌnri'leitid] *adj.* **1.** som
ikke er forbundet hermed, separat
(*fx incident; matter*); **2.** (*om flere
forhold*) som ikke står i forbin-
delse med hinanden (*fx inci-
dents*); **3.** (*om personer*) som ikke
er beslægtet;
□ ~ *to* **a.** som ikke står i forbin-
delse med; **b.** (*om person*) som
ikke er beslægtet/i familie med.

unrelenting [ʌnri'lentiŋ] *adj.* ubø-
jelig; ubønhørlig.

unreliable [ʌnri'laiəbl] *adj.* upåli-
delig.

unrelieved [ʌnri'li:vd] *adj.* (*litt.*)
uophørlig; ubønhørlig; uforander-
lig.

unremarkable [ʌnri'ma:kəbl] *adj.*
ikke særlig bemærkelsesværdig//
interessant; jævnt kedelig.

unremitting [ʌnri'mitiŋ] *adj.* (*litt.*)
uophørlig; utrættelig.

unrepeatable [ʌnri'pi:təbl] *adj.*
1. (*om ytring*) som ikke tåler gen-
tagelse; **2.** (*om handling*) som ikke
kan gentages (*fx experiment*).

unrepentant [ʌnri'pentənt] *adj.*
uden anger; forstokket;
□ *he was* ~ han fortrød intet.

unrequited [ʌnri'kwaitid] *adj.* (F
el. spøg.) ugengældt (*fx love*).

unreserved [ʌnri'zə:vd] *adj.* F ufor-
beholden (*fx apology*).

unreservedly [ʌnri'zə:vidli] *adv.* F
uforbeholdent.

unresisting [ʌnri'zistiŋ] *adj.* uden
modstand; modstandsløs; viljeløs.

unresolved [ʌnri'zɔlvd] *adj.* (F: *om
problem*) uløst.

unresponsive [ʌnri'spɔnsiv] *adj.*
(F: *om person*) afvisende;
□ *be* ~ *to* ikke reagere på.

unrest [ʌn'rest] *sb.* uro.

unrestrained [ʌnri'streind] *adj.*
hæmningsløs (*fx enthusiasm; criti-
cism*); ubehersket (*fx laughter*).

unrestricted [ʌnri'striktid] *adj.*
uindskrænket (*fx freedom*); ube-
grænset (*fx access*);
□ ~ *road* vej uden fartbegræns-
ning; *have an ~ view of* have fri
udsigt til.

unrewarding [ʌnri'wɔ:diŋ] *adj.*
som man ikke får meget ud af;
utaknemlig.

unrig [ʌn'rig] *vb.* (*mar.*) afrigge, af-
takle.

unrighteous [ʌn'raitʃəs] *adj.* F uret-
færdig; ond; syndig.

unrivalled [ʌn'raiv(ə)ld] *adj.* uden
lige; uforlignelig.

unroll [ʌn'rəul] *vb.* **1.** rulle ud;
2. (*uden objekt*) rulle sig ud.

UNRRA, Unrra ['ʌnrə] *fork. f.*
*United Nations Relief and Re-
habilitation Administration* De
forenede Nationers Nødhjælps- og
Genrejsningsadministration.

unruffled [ʌn'rʌfld] *adj.* **1.** uforstyr-
ret; rolig; uanfægtet; **2.** (*om hav*)
stille; glat.

unruly [ʌn'ru:li] *adj.* uregerlig.

unsafe [ʌn'seif] *adj.* usikker; farlig.

unsaid [ʌn'sed] *adj.*: *leave it ~*
lade være med/undlade at sige
det; lade det være usagt.

unsalaried [ʌn'sælərid] *adj.* uløn-
net.

unsaleable [ʌn'seiləbl] *adj.* usælge-
lig.

unsatisfied [ʌn'sætisfaid] *adj.*
1. utilfreds (*with* med); **2.** (*om be-
hov, krav*) uopfyldt; utilfredsstil-
let; **3.** (*om fordring*) ikke opfyldt;
ikke fyldestgjort;
□ *an ~ need* (*også*) et udækket be-
hov.

unsaturated [ʌn'sætʃəreitid] *adj.*
(*kem.*) umættet.

unsavoury [ʌn'seivəri] *adj.* usma-
gelig; modbydelig (*fx affair*); mis-
libig (*fx reputation*).

unscathed [ʌn'skeiðd] *adj.* uskadt;
□ *escape ~* (*også*) gå ram forbi.

unscheduled [ʌn'ʃedju:ld, (*am.*)
-'ske-] *adj.* ikke planlagt.

unschooled [ʌn'sku:ld] *adj.* (*litt.*)
uuddannet; uskolet.

unscramble [ʌn'skræmbl] *vb.*
1. (*tanker*) bringe orden i;
2. (*meddelelse*) udkode; bringe på
forståelig form.

unscrew [ʌn'skru:] *vb.* skrue af.

unscripted [ʌn'skriptid] *adj.* uden
manuskript; improviseret.

unscrupulous [ʌn'skru:pjuləs] *adj.*
skrupelløs; samvittighedsløs.

unseasonable [ʌn'si:z(ə)nəbl] *adj.*

som ikke passer til årstiden.

unseat [ʌn'si:t] *vb.* afsætte; vælte
(*fx a Government*); styrte (*fx a
tyrant*);
□ *be -ed* (*om rytter*) blive kastet af.

unsecured [ʌnsi'kjuəd] *adj.* **1.** ikke
sikret; **2.** (*om lån*) uden sikker-
hedsstillelse;
□ ~ *claim* simpel fordring; ~
credit blankokredit; ~ *creditor*
simpel kreditor.

unseeded [ʌn'si:did] *adj.* (*om ten-
nisspiller*) useedet; (jf. *seeded 4*).

unseeing [ʌn'si:iŋ] *adj.*: *with ~
eyes* (*litt.*) med øjne som intet
ser//så.

unseemly [ʌn'si:mli] *adj.* F usøm-
melig; upassende.

unseen[1] [ʌn'si:n] *sb.* ekstemporal-
tekst.

unseen[2] [ʌn'si:n] *adj.* uset; usynlig;
(se også *sight*[1]).

unselfish [ʌn'selfiʃ] *adj.* uegennyt-
tig, uselvisk.

unserviceable [ʌn'sə:visəbl] *adj.*
uanvendelig, ubrugelig.

unsettle [ʌn'setl] *vb.* (*person*) gøre
usikker//nervøs; forurolige.

unsettled [ʌn'setld] *adj.* **1.** (*om per-
son*) usikker, nervøs, urolig;
2. (*om forhold*) ustabil, usikker,
urolig; **3.** (*om vejr*) ustabil, usta-
dig, foranderlig; **4.** (*om problem*)
ikke afgjort; uløst; **5.** (*om regning*)
ubetalt; **6.** (*om område*) ubeboet.

unsettling [ʌn'setliŋ] *adj.* foruroli-
gende.

unshackle [ʌn'ʃækl] *vb.* løse [*af
lænke*]; frigøre.

unshakeable [ʌn'ʃeikəbl] *adj.* urok-
kelig.

unshaken [ʌn'ʃeik(ə)n] *adj.* urok-
ket.

unshaven [ʌn'ʃeiv(ə)n] *vb.* ubarbe-
ret.

unshod [ʌn'ʃɔd] *adj.* uden sko;
uskoet.

unshrinkable [ʌn'ʃriŋkəbl] *adj.* (*om
stof*) krympefri.

unshrinking [ʌn'ʃriŋkiŋ] *adj.* ufor-
færdet, uforsagt.

unsightly [ʌn'saitli] *adj.* uskøn;
grim.

unsinkable [ʌn'siŋkəbl] *adj.* synke-
fri.

unskilled [ʌn'skild] *adj.* ufaglært.

unslaked [ʌn'sleikt] *adj.* uslukket
(*fx thirst*);
□ ~ *lime* ulæsket kalk.

unsmiling [ʌn'smailiŋ] *adj.* uden at
smile; gravalvorlig; uden (antyd-
ning af) smil.

unsocial [ʌn'səuʃ(ə)l] *adj.* **1.** usel-
skabelig; **2.** usocial;
□ ~ *hours* ubekvem//forskudt ar-
bejdstid.

904

unsolicited [ʌnsə'lisitid] *adj.* uopfordret; som man ikke har bedt om.
unsolved [ʌn'sɔlvd] *adj.* **1.** uopklaret; **2.** (*om problem*) uløst.
unsophisticated [ʌnsə'fistikeitid] *adj.* **1.** (*om person*) ukunstlet, naturlig; naiv, umiddelbar; **2.** (*om ting, metode*) enkel, simpel.
unsound [ʌn'saund] *adj.* **1.** upålidelig; usund; **2.** (*om bygningsværk*) ustabil; usikker; **3.** (*økonomisk*) usolid; (*om investering*) usikker; **4.** (*om påstand etc.*) løs (*fx reasoning*); uholdbar (*fx conclusion*); upålidelig; □ *of ~ mind* (*jur.*) sindsforvirret; *while of ~ mind* (*jur.*) i sindsforvirring; *~ sleep* urolig søvn.
unsparing [ʌn'spɛəriŋ] *adj.* **1.** skånselsløs; ubarmhjertig; streng; **2.** (*om beskrivelse*) hensynsløst ærlig.
unspeakable [ʌn'spi:kəbl] *adj.* **1.** usigelig (*fx horror*); ubeskrivelig; **2.** (*om kvalitet*) under al kritik (*fx the hotels there are ~*).
unspecified [ʌn'spesifaid] *adj.* uspecificeret; ikke nærmere angivet.
unspoken [ʌn'spəuk(ə)n] *adj.* **1.** uudtalt (*fx doubt*); tavs; **2.** (*om noget der ikke har været drøftet*) stiltiende (*fx agreement*); underforstået.
unsporting [ʌn'spɔ:tiŋ] *adj.* usportslig.
unstable [ʌn'steibl] *adj.* **1.** ustabil; usikker; **2.** (*om regering*) vaklende; **3.** (*mht. rytme*) uregelmæssig (*fx heartbeat; pulse*); **4.** (*om person*) ustabil, labil; uligevægtig; **5.** (*kem.*) ustabil.
unstable equilibrium *sb.* (*fys.*) ustadig ligevægt.
unstamped [ʌn'stæmpt] *adj.* **1.** ustemplet; **2.** (*om brev*) ufrankeret.
unstated [ʌn'steitid] *adj.* uudtalt.
unsteady [ʌn'stedi] *adj.* **1.** vaklevorn; vaklende (*fx ladder*); usikker; **2.** (*om person*) usikker på benene (*fx he was still a bit ~ (on his legs) after his illness*); **3.** (*om person, mht. karakter*) usikker; upålidelig, uligevægtig; **4.** (*om noget man ikke kan beherske*) usikker, rystende (*fx voice; with an ~ hand*); **5.** (*mht. rytme*) uregelmæssig (*fx pulse*); ujævn.
unstinting [ʌn'stintiŋ] *adj.* F givet med rund hånd; uforbeholden (*fx praise; support*).
unstitch [ʌn'stitʃ] *vb.* sprætte op; pille op.
unstoppable [ʌn'stɔpəbl] *adj.* som

ikke kan standses.
unstressed [ʌn'strest] *adj.* (*fon.*) ubetonet; trykløs.
unstrung [ʌn'strʌŋ] *adj.* **1.** opreven, nervøs; **2.** (*om instrument*) med løse strenge; uden strenge.
unstuck [ʌn'stʌk] *adj.*: *come ~* **a.** (*om noget fastklæbet*) gå løs, løsne sig; gå op [*i limningen*]; **b.** (T: *om forehavende*) mislykkes, slå fejl; bryde sammen; *he came ~ T* det gik helt galt for ham.
unstudied [ʌn'stʌdid] *adj.* ukunstlet; naturlig.
unsubscribe [ʌnsəb'skraib] *vb.* (*it*) slette [*som modtager*].
unsubstantiated [ʌnsəb'stænʃieitid] *adj.* uunderbygget (*fx assertion*); ubekræftet, løs (*fx rumour*).
unsuccesful [ʌnsəks'sesf(u)l] *adj.* **1.** mislykket (*fx attempt; experiment*); resultatløs (*fx efforts*); **2.** (*om person*) som ikke har succes; som ikke har held med sig; □ *he was ~* (*også*) det mislykkedes for ham; *he was ~ in + -ing* han havde ikke held til at, det lykkedes ham ikke at (*fx stopping it*).
unsuccessfully [ʌnsek'sesf(u)li] *adv.* uden held.
unsuitable [ʌn'su:təbl, -'sju:-] *adj.* som ikke passer; uegnet (*for* til).
unsuited [ʌn'su:tid, -'sju:-] *adj.*: *~ to* uegnet til; *they are ~ to each other* de passer ikke sammen.
unsullied [ʌn'sʌlid] *adj.* ikke tilsmudset; □ *an ~ reputation* et uplettet rygte.
unsung [ʌn'sʌŋ] *adj.* ubesunget.
unsupported [ʌnsə'pɔ:tid] *adj.* **1.** uden støtte; **2.** (*fig.: om teori etc.*) uunderbygget; **3.** (*om person: med penge etc.*) uforsørget.
unsurpassed [ʌnsə'pa:st] *adj.* uovertruffet.
unsurprising [ʌnsə'praiziŋ] *adj.* ikke overraskende.
unsuspected [ʌnsə'spektid] *adj.* **1.** (*om person*) ikke mistænkt; **2.** (*om forhold*) uanet; som man ikke har haft mistanke om (*fx he displayed an ~ talent for comedy*).
unsuspecting [ʌnsə'spektiŋ] *adj.* intetanende.
unswerving [ʌn'swə:viŋ] *adj.* usvigelig; aldrig svigtende; urokkelig.
unsympathetic [ʌnsimpə'θetik] *adj.* **1.** usympatisk; **2.** (*over for andre*) udeltagende; hårdhjertet; □ *be ~ to* ikke have sympati for; være afvisende over for.
untangle [ʌn'tæŋgl] *vb.* **1.** (*noget sammenfiltret*) rede ud; vikle ud;

2. (*noget kompliceret*) få rede på, rede ud (*fx the legal complexities*).
untapped [ʌn'tæpt] *adj.* uudnyttet.
untenable [ʌn'tenəbl] *adj.* uholdbar.
unthinkable [ʌn'θiŋkəbl] *adj.* **1.** utænkelig (*fx war was ~*); **2.** (*om noget forfærdeligt*) ufattelig (*fx tragedy*).
unthinking [ʌn'θiŋkiŋ] *adj.* F **1.** tankeløs, ubetænksom (*fx remark*); **2.** kritikløs (*fx acceptance*).
untidy [ʌn'taidi] *adj.* **1.** uordentlig; rodet; **2.** (*om person*) uordentlig; usoigneret.
untie [ʌn'tai] *vb.* **1.** løse op, løse; binde op; snøre op; **2.** (*bundet dyr el. person*) frigøre, sætte fri.
until[1] [ən'til, ʌn'til] *konj.* indtil, til (*fx wait ~ he arrives*); □ *not ~* ikke før, først når//da (*fx not ~ he arrives//arrived*).
until[2] [ən'til, ʌn'til] *præp.* indtil, til (*fx the end of the week; five o'clock*); □ *not ~* ikke før, først (*fx five o'clock*).
untimely [ʌn'taimli] *adj.* F **1.** alt for tidlig (*fx his ~ death*); **2.** malplaceret (*fx joke*); uheldig (*fx at an ~ hour*).
untiring [ʌn'taiəriŋ] *adj.* utrættelig.
untitled [ʌn'taitld] *adj.* **1.** ubetitlet, uden titel (*fx poem*); **2.** (*om person*) som ikke har en titel; ikke-adelig.
unto ['ʌntu, 'ʌntə] *præp.* (*glds., især bibelsk*) til.
untold [ʌn'təuld] *adj.* **1.** (*om historie*) ikke fortalt (*fx tales*); **2.** (*om omfang*) usigelig (*fx suffering*); ubeskrivelig (*fx misery*); **3.** (*om antal*) utallig (*fx during ~ centuries*); talløs; □ *~ wealth* umådelige rigdomme.
untouchable[1] [ʌn'tʌtʃəbl] *sb.* paria.
untouchable[2] [ʌn'tʌtʃəbl] *adj.* **1.** urørlig; **2.** (*i Indien*) kasteløs.
untouched [ʌn'tʌtʃt] *adj.* **1.** uberørt (*by* af); **2.** (*om måltid*) urørt.
untoward [ʌntu'wɔ:d, ʌn'təuəd] *adj.* uheldig; upassende.
untraceable [ʌn'treisəbl] *adj.* der ikke lader sig spore/eftersore.
untrained [ʌn'treind] *adj.* **1.** uøvet; **2.** (*om stemme, intellekt*) uskolet; **3.** (*om dyr*) ikke dresseret; □ *to the ~ eye* for det uskolede øje; for en lægmand.
untrammelled [ʌn'træm(ə)ld] *adj.* F uhindret, ubesværet, uhæmmet.
untreated [ʌn'tri:tid] *adj.* **1.** ubehandlet; **2.** (*om spildevand*) urenset.

untried [ʌnˈtraid] *adj.* **1.** (*om metode etc.*) uprøvet; uforsøgt; **2.** (*om person*) uprøvet; uerfaren.

untroubled [ʌnˈtrʌbld] *adj.* **1.** ubekymret; uberørt, uanfægtet (*by af,* *fx he was* ~ *by the noise*); **2.** rolig (*fx sleep*).

untrue [ʌnˈtru:] *adj.* **1.** usand; falsk; urigtig; **2.** (*om person*) utro, falsk.

untruth [ʌnˈtru:θ] *sb.* usandhed.

untutored [ʌnˈtju:təd] *adj.* uskolet; uuddannet.

unused[1] [ʌnˈju:zd] *adj.* ubenyttet (*fx room*); ubrugt.

unused[2] [ʌnˈju:st] *adj.:* ~ *to* ikke vant til; uvant med.

unusual [ʌnˈju:ʒuəl] *adj.* ualmindelig; usædvanlig.

unutterable [ʌnˈʌt(ə)rəbl] *adj.* usigelig; ubeskrivelig.

unvaried [ʌnˈvɛərid] *adj.* uforanderlig; stadig; ensformig.

unvarnished [ʌnˈvɑːniʃt] *adj.* **1.** uferniseret; **2.** (*om udsagn*) usminket, ubesmykket (*fx truth*).

unveil [ʌnˈveil] *vb.* (*statue, planer etc.*) afsløre.

unvoiced [ʌnˈvɔist] *adj.* **1.** uudtalt, som ikke er kommet til udtryk (*fx criticism*); **2.** (*fon.*) ustemt.

unwaged [ʌnˈweidʒd] *adj.* **1.** (*om arbejde*) ulønnet **2.** (*om person*) som ikke oppebærer løn; arbejdsløs.

unwarranted [ʌnˈwɔr(ə)ntid] *adj.* uberettiget; ubeføjet (*fx interference*).

unwary [ʌnˈwɛəri] *adj.* F uforsigtig.

unwashed [ʌnˈwɔʃt] *adj.* uvasket; □ *the great* ~ (T: *spøg.*) den gemene hob; pøbelen.

unwavering [ʌnˈweiv(ə)riŋ] *adj.* uden vaklen; urokkelig; fast.

unwearied [ʌnˈwiərid] *adj.*, **unwearying** [ʌnˈwiəriiŋ] *adj.* utrættelig; ihærdig.

unwelcome [ʌnˈwelkəm] *adj.* **1.** som man helst er fri for, uvelkommen, uønsket; **2.** (*om gæst*) som ikke er velkommen.

unwelcoming [ʌnˈwelkəmiŋ] *adj.* **1.** (*om person*) ugæstfri, ikke imødekommende; **2.** (*om sted*) ugæstfri, ikke tillokkende.

unwell [ʌnˈwel] *adj.* ikke rask; utilpas, dårlig.

unwieldy [ʌnˈwiːldi] *adj.* besværlig; uhåndterlig, klodset.

unwilling [ʌnˈwiliŋ] *adj.* **1.** uvillig (*to* til at); **2.** modstræbende, modvillig.

unwillingly [ʌnˈwiliŋli] *adv.* **1.** uvilligt, modvilligt, modstræbende; **2.** ugerne, nødig.

unwind [ʌnˈwaind] *vb.* **1.** vikle af; rulle ud; **2.** (*uden objekt*) vikle sig

af; rulle sig ud; **3.** (*om person*) slappe af.

unwise [ʌnˈwaiz] *adj.* uklog.

unwitting [ʌnˈwitiŋ] *adj.* uvidende; som ikke ved//vidste noget om det; ubevidst.

unwittingly [ʌnˈwitiŋli] *adv.* uforvarende; uden at vide af det.

unwonted [ʌnˈwəuntid] *adj.* F uvant; usædvanlig.

unworkable [ʌnˈwə:kəbl] *adj.* **1.** uigennemførlig (*fx plan*); **2.** uanvendelig (*fx method*).

unworkmanlike [ʌnˈwə:kmənlaik] *adj.* ufagmæssig; dilettantisk.

unworldly [ʌnˈwə:ldli] *adj.* **1.** overjordisk (*fx beauty*); **2.** (*om person: over for andre*) naiv, verdensfjern; **3.** (*mht. jordisk gods*) idealistisk.

unwrap [ʌnˈræp] *vb.* pakke op; pakke ud.

unwritten [ʌnˈrit(ə)n] *adj.* uskrevet (*fx law*); ikke nedskrevet (*fx language*).

unyielding [ʌnˈjiːldiŋ] *adj.* ubøjelig; stejl; urokkelig.

unzip [ʌnˈzip] *vb.* **1.** åbne lynlåsen på, lyne op/ned; lyne af; **2.** (*it*) pakke ud; **3.** (*uden objekt*) kunne lynes op/ned//af.

unzipped [ʌnˈzipt] *adj.* (*am.*) uden postnummer.

up[1] [ʌp] *sb.* **1.** opgangsperiode; **2.** skråning opad; **3.** (*am.* S) opstemthed; □ *on the up* for opadgående; *on the up and up* se *up-and-up*; *ups and downs* medgang og modgang; omskiftelser.

up[2] [ʌp] *adj.* **1.** oppe (*fx they are not up yet*); henne; fremme; **2.** (*om begivenhed*) i gære, på færde; **3.** (*tidsmæssigt*) til ende; udløbet (*fx time is up*); **4.** (*om scoring*) foran (*fx we were one goal up*); **5.** (*om maskine*) i orden; oppe; **6.** (*om elevator etc.*) opadgående (*fx an up escalator*); **7.** (*om vej*) gravet op; under reparation; spærret; □ *be up* (*også: om priser etc.*) være steget (*fx burglaries were up 7 per cent; prices are up by* (med) *7 per cent*); (se også *blood*[1]); *be up against//before//for etc.* se *up*[4]; *be up and about* være i gang igen [*efter sygdom*]; *be up and doing* være i fuld aktivitet; *what's up* **a.** hvad er der på færde; **b.** hvad er der i vejen/galt (*with you* med dig).

up[3] [ʌp] *vb.* T **1.** løfte; **2.** (*beløb etc.*) hæve (*fx the price; taxes*); forøge (*fx the capacity*); (se også *ante*[1]); **3.** fare op (og) (*fx he -ped and left*); pludselig give sig til at;

□ *he -s and says* (*også*) så var han der jo straks og sagde; *up anchor* lette anker.

up[4] [ʌp] *adv.* **1.** op//oppe (*fx up to the top; stay up all night*); hen// henne (*fx I stepped up to a policeman to ask him the way; up at the school*); frem//fremme (*fx move up into the lead; be up in the lead*); **2.** (*forstærkende: fuldstændigt*) i (*fx button up; shut up*); til (*fx freeze up*); sammen (*fx fold up*); ind (*fx dry up; shrivel up*); op (*fx burn up; eat up; use up*); helt (*fx finish up* gøre helt færdig); i stykker, itu (*fx smash up; tear up a letter*);

□ ~ *and down* frem og tilbage (*fx walk up and down*); op og ned; (se også *look*[2]); *children of twelve and up* børn på tolv og derover; [*med præp.*] *be up against* stå over for; have at gøre med (*fx a formidable enemy*); *be up against it* T hænge på den; have fået sin sag for; *the case is up before* the court sagen er til behandling/for i retten; *be up for* se *auction, election, sale; he is up for* (*jur.*) han kan vente en dom//bøde for (*fx he is up for speeding again*); *be well up in* a. (*fig.*) være inde i; b. være dygtig til//i (*fx mathematics*); (se også *arm*[1]); *be up on* a. være foran (*fx the others*); b. (*handel etc.*) have tjent (*fx I was £100 up on the transaction*); c. (*sag, forhold*) være inde i; være velunderrettet om; d. (*om priser*) være steget i forhold til; *be well up on* = *be well up in; be up to* a. påhvile; T være op til (*fx it is up to me to do it*); b. (*mht. dygtighed, kvalitet*) kunne stå mål med; være på højde med (*fx he is not up to you as a man of science*); c. (*opgave*) magte; kunne klare (*fx he is not up to his job*); d. (*om formål*) være ude på; have for, have gang i (*fx what is he up to now?*); e. (*om beskæftigelse*) tage sig for; bedrive (*fx what have you been up to?*); *he is up to no good* han har ondt i sinde; *not up to much* ikke meget bevendt; *up to now* indtil nu; hidtil; *that's up to you* (*jf. a, også*) det afhænger af dig; det bestemmer du; *it is* ~ *to him to* (*også*) det er ham der skal (*fx make the next move*); *up to speed* se *speed*[1]; *it is all up with him* det er ude med ham.

up[5] [ʌp] *præp.* **1.** (*om bevægelse*) op ad (*fx walk up a mountain; run up the street; row up the river*); op i (*fx climb up a tree*);

ind i (*fx travel up (the) country*);
2. (*om forbliven*) oppe ad (*fx further up the street//river*); oppe i//på (*fx be up a tree//ladder*); inde i;

□ *he walked up and down the platform* han gik op og ned ad/ frem og tilbage på perronen; *up and down his body* over hele kroppen; *up yours!* (*vulg.*) skråt op!

up-and-coming [ʌpən'kʌmiŋ] *adj.* lovende; på vej op.

up-and-down [ʌpən'daun] *adj.* **1.** som går op og ned; **2.** (*am.*) lodret; stejl; (se også *up*[4]).

up-and-over door [ʌpən'əuvədɔ:] *sb.* garageport [*der går op under loftet*].

up-and-up [ʌpən'ʌp] *sb.*: *on the ~* **a.** (*am.*) regulært; ærligt; **b.** opadgående; i stadig fremgang; *be on the ~* (*også*) blive bedre og bedre.

upbeat[1] ['ʌpbi:t] *sb.* (*mus.*) opslag; optakt.

upbeat[2] [ʌp'bi:t] *adj.* T munter; optimistisk; positiv.

upbraid [ʌp'breid] *vb.* irettesætte; skælde ud;

□ *~ sby with/for sth* bebrejde en noget.

upbringing ['ʌpbriŋiŋ] *sb.* opdragelse.

upcoming ['ʌpkʌmiŋ] *adj.* (*især am.*) forestående; kommende.

up-country[1] [ʌp'kʌntri] *adj.* langt ind//inde i landet.

up-country[2] [ʌp'kʌntri] *adv.* langt ind//inde i landet.

update[1] ['ʌpdeit] *sb.* **1.** ajourføring, opdatering; **2.** ajourført udgave.

update[2] [ʌp'deit] *vb.* T ajourføre; opdatere.

upend [ʌp'end] *vb.* **1.** vende bunden i vejret på; vende op og ned på; **2.** stille//sætte på højkant; rejse op; **3.** (T: *modspiller, i fodbold*) vælte.

upfront [ʌp'frʌnt] *adj.* **1.** (*om person*) ligefrem; ærlig, åben; **2.** (*om penge*) på forskud.

upgrade[1] ['ʌpgreid] *sb.* **1.** forbedring; **2.** (*it*) opgradering; **3.** (*am.*) opadgående skråning;

□ *on the ~* stigende; for opadgående; ved at blive bedre.

upgrade[2] [ʌp'greid] *vb.* **1.** forbedre; **2.** (*it*) opgradere; **3.** (*person*) forfremme; **4.** (*stilling*) flytte op i en højere lønklasse; opnormere; **5.** (*kvæg*) forædle.

upheaval [ʌp'hi:v(ə)l] *sb.* omvæltning.

uphill[1] [ʌp'hil] *adj.* **1.** som går op ad bakke; opadgående; **2.** (*fig.*) (langsom og) besværlig; tung.

uphill[2] [ʌp'hil] *adv.* op ad bakke; opad.

uphold [ʌp'həuld] *vb.* (*upheld* [ʌp'held], *upheld* [ʌp'held]) **1.** F holde fast ved (*fx a tradition*); opretholde (*fx discipline*); hævde (*fx the honour of one's country*); **2.** (*jur.*: *afgørelse*) lade stå ved magt, stadfæste; (*part i sag*) give medhold;

□ *his claim was upheld by the court* retten tog hans påstand til følge.

upholster [ʌp'həulstə] *vb.* polstre; betrække.

upholsterer [ʌp'həulst(ə)rə] *sb.* møbelpolstrer.

upholstery [ʌp'həulst(ə)ri] *sb.* **1.** (*arbejde*) møbelpolstring; **2.** (*materiale*) betræk; polstring; (*i bil*) indtræk.

U pick ['ju:pik] *sb.* (*am.*) selvpluk.

upkeep ['ʌpki:p] *sb.* **1.** vedligeholdelse; **2.** (*for person*) underhold.

upland ['ʌplənd] *adj.* højlands-.

uplands ['ʌpləndz] *sb. pl.* højland.

uplift[1] ['ʌplift] *sb.* **1.** løft (*fx in the economy*); stigning (*fx in the value of shares*); **2.** (F: *kulturelt, moralsk*) højnelse, løftelse; opbyggelse (*fx moral ~*); **3.** (*følelse*) opløftelse; begejstring; **4.** (*geol.*) hævning.

uplift[2] [ʌp'lift] *vb.* F **1.** løfte; hæve; **2.** (*fig.*) virke opløftende på; **3.** (*moralsk, kulturelt*) højne; opbygge.

uplifted [ʌp'liftid] *adj.* F **1.** løftet, hævet (*fx with ~ arms*); opadvendt (*fx face*); **2.** (*om følelse*) opløftet.

uplifting [ʌp'liftiŋ] *adj.* F opløftende.

uplighter ['ʌplaitə] *sb.* opadvendt lyskilde.

upload ['ʌpləud] *vb.* (*it*) uploade, overføre til en central computer.

upmarket[1] [ʌp'ma:kit] *adj.* som appellerer til de mere velhavende; fin, dyr, eksklusiv.

upmarket[2] [ʌp'ma:kit] *adv.* mod den dyre ende af markedet.

upon [ə'pɒn] *præp.* F se *on*[2].

upper[1] ['ʌpə] *sb.* **1.** overlæder; **2.** T stimulerende middel, opkvikker; **3.** (*am.* T) overkøje;

□ *be on one's -s* (*glds.* T) være på knæene; være ludfattig.

upper[2] ['ʌpə] *adj.* **1.** øverst (*fx end*); over- (*fx limit*); højere (*fx regions*); højereliggende (*fx slopes*); **2.** (*om legemsdel*) over- (*fx arm; jaw; lip*); (se også *stiff*[2]); **3.** (*geogr.*) øvre;

□ *have/hold the ~ hand* have overtaget; *get/gain/take the ~*

hand få overtaget.

upper case *sb.* (*typ.*) store bogstaver.

upper-case letter [ʌpəkeis'letə] *sb.* stort bogstav.

upper circle *sb.* (*teat.*: svarer til) anden etage.

upper class *sb.* overklasse.

upperclassman [ʌpər'klæsmən] *sb.* (*pl.* -men [-mən]), **upperclasswoman** [-wumən] *sb.* (*pl.* -women [-wimin]) (*am.*) [*elev//studerende i de to sidste år*].

upper crust *sb.* T = *upper class*.

uppercut ['ʌpekʌt] *sb.* uppercut [boksestød].

upper hand *sb.* se *upper*[2].

upper house *sb.* (*parl.*) overhus; førstekammer.

uppermost[1] ['ʌpəməust] *adj.* øverst;

□ *it is ~ in our mind/thoughts* vi tænker meget på det; det ligger os stærkt på sinde.

uppermost[2] ['ʌpəməust] *adv.* øverst;

□ *whatever comes ~ in one's mind/thoughts* hvad der først falder en ind.

upper school *sb.* [de øverste klasser, for 14- til 18-årige].

upper works *sb. pl.* (*mar.*) overskib.

uppity ['ʌpiti] *adj.* (*glds.* T) kæphøj; storsnudet.

upraised [ʌp'reizd] *adj.* hævet, løftet.

upright[1] ['ʌprait] *sb.* **1.** stolpe; **2.** opretstående klaver.

upright[2] ['ʌprait] *adj.* **1.** opretstående (*fx piano; vacuum cleaner*); **2.** (*om person*) rank; **3.** (*mods. liggende*) oprejst; **4.** (*mht. moral*) retskaffen; redelig;

□ *~ chair* stiv stol; *~ freezer* skabsfryser; *~ position* opret/oprejst stilling; *~ size* (*typ.*) højformat.

upright[3] ['ʌprait] *adv.* opret, oprejst (*fx sit ~*);

□ *draw/pull oneself ~* rette sig op; rejse sig op; *sit bolt ~* sætte sig op; *stand bolt ~* rette sig op.

uprising ['ʌpraiziŋ] *sb.* opstand.

upriver [ʌp'rivə] *adv.* = *upstream*.

uproar ['ʌprɔ:] *sb.* tumult; larm, spektakel; råben og skrigen;

□ *the town was in ~* byen var i oprør.

uproarious [ʌp'rɔ:riəs] *adj.* **1.** larmende; højrøstet, stormende (*fx debate*); **2.** hylende morsom;

□ *~ laughter* skraldende latter.

uproot [ʌp'ru:t] *vb.* rykke op med rode; (*fig. også*) løsrive.

ups-a-daisy [ʌpsə'deizi] *interj.* (*til*

U *upscale*

barn) opsedasse!

upscale [ʌp'skeil] (*am.*) se *upmar-ket.*

upset[1] ['ʌpset] *sb.* **1.** uro, forstyr-relse; **2.** (*følelsesmæssig*) chok; **3.** (*i sport*) uventet nederlag; **4.** (*sygdom*) se *stomach upset.*

upset[2] [ʌp'set] *adj.* **1.** ude af ba-lance; bestyrtet, chokeret, rystet; **2.** nedtrykt, ulykkelig;
□ *an ~ stomach* se *stomach upset.*

upset[3] [ʌp'set] *vb.* (*upset, upset*) **1.** vælte (*fx a glass of wine*); **2.** (*tilstand, ordning*) bringe uor-den i, forstyrre; (*planer også*) vælte, kuldkaste; **3.** (*person*) bringe ud af ligevægt (*fx she is easily ~*); chokere; gøre bestyrtet, ryste; **4.** (*i sport*) slå;
□ *it -s my stomach* jeg kan ikke tåle det.

upset price *sb.* (*am.*) minimums-pris.

upshot ['ʌpʃɔt] *sb.* resultat; udfald.

upside ['ʌpsaid] *sb.*: *the ~ (of it) is* den gode side ved det er; det gode ved det er.

upside down [ʌpsaid'daun] *adv.* omvendt; på hovedet (*fx he held the book ~; the car landed ~ in the ditch*);
□ *turn ~* **a.** vende op og ned på; vende på hovedet; **b.** (*så det bliver rodet*) endevende (*fx they had turned his flat ~*).

upside-down [ʌpsaid'daun] *adj.* omvendt, som er vendt på hove-det (*fx an ~ painting*); bagvendt (*fx logic*).

upstage[1] [ʌp'steidʒ] *adj.* **1.** (*på scene*) i baggrunden; **2.** (*glds., om person*) vigtig, hoven.

upstage[2] [ʌp'steidʒ] *adv.* (*på scene*) i//hen imod baggrunden.

upstage[3] [ʌp'steidʒ] *vb.* stjæle bil-ledet fra; stille i skygge.

upstairs[1] [ʌp'stɛəz] *adj.* ovenpå (*fx an ~ room*);
□ *the ~* den øverste etage; over-etagen; de øvre etager.

upstairs[2] [ʌp'stɛəz] *adv.* op ad trappen; op; ovenpå (*fx go ~*).

upstanding [ʌp'stændiŋ] *adj.* F retskaffen, redelig; **2.** (*glds. om le-gemsform*) velbygget; rank;
□ *be ~!* F man bedes rejse sig!

upstart ['ʌpstaːt] *sb.* opkomling, parvenu.

upstate[1] [ʌp'steit] *sb.* [den del af en stat der ligger længst væk fra en storby el. længst mod nord].

upstate[2] [ʌp'steit] *adj.* (*am.*) [ved-rørende den del af en stat der ligger længst væk fra en storby el. længst mod nord].

upstream [ʌp'striːm] *adv.* **1.** mod

strømmen; op ad floden; **2.** oppe ad floden.

upsurge ['ʌpsəːdʒ] *sb.* voldsom// pludselig stigning.

upsy-daisy *interj.* = ups-a-daisy.

uptake ['ʌpteik] *sb.* **1.** (*af nærings-stoffer*) optagelse; **2.** (*til kursus*) tilgang;
□ *quick//slow on the ~* hurtig// langsom i opfattelsen/i vendin-gen; vaks//sløv.

uptight [ʌp'tait] *adj.* T **1.** (*om til-stand*) nervøs, anspændt (*about på grund af*); irritabel; gal i hove-det (*about over*); **2.** (*om adfærd*) konventionel, stiv, stram; hæm-met.

uptime ['ʌptaim] *sb.* (*it*) nyttetid.

up-to-date [ʌptə'deit] *adj.* se *date*[1].

up-to-the-minute [ʌptəðə'minit] *adj.* **1.** hypermoderne; nyeste; **2.** helt ajourført, helt opdateret, seneste.

uptown[1] ['ʌptaun] *adj.* (*am.*) for-stads-; i beboelseskvartererne; (*i New York*) nordlig.

uptown[2] ['ʌptaun] *adv.* (*am.*) i// imod udkanten af byen; i//imod beboelseskvartererne; (*i New York*) nordpå.

uptrend ['ʌptrend] *sb.* (*merk.*) op-adgående/stigende tendens; op-gang.

upturn ['ʌptəːn] *sb.* (*merk.*) op-sving, bedring (*fx in the econ-omy*).

upturned [ʌp'təːnd] *adj.* **1.** opad-vendt (*fx face*); **2.** (*om krave*) op-slået; **3.** (*så undersiden kommer opad*) omvendt (*fx bucket; boat*);
□ *~ nose* opadstræbende næse, opstoppernæse.

upward[1] ['ʌpwəd] *adj.* opadgå-ende.

upward[2] ['ʌpwəd] *adv.* (*især am.*) = *upwards.*

upwardly mobile [ʌpwədli'məu-bail] *adj.* opadstræbende; på vej op i samfundet.

upward mobility *sb.* [mulighed for//stræben efter social opstig-ning]; topstræb.

upwards ['ʌpwədz] *adv.* opad; op-efter;
□ *~ of* mere end, over (*fx ~ of three years*); *three years and ~* tre år og mere/og derover.

upwind [ʌp'wind] *adv.* (*mar.*) mod vinden; mod vindens retning.

Ural ['juər(ə)l]: *the ~ Mountains, the Urals* (*geogr.*) Uralbjergene.

uranium [juə'reiniəm] *sb.* uran.

urban ['əːb(ə)n] *adj.* by- (*fx popula-tion; guerilla*); bymæssig (*fx area*).

urbane [əː'bein] *adj.* urban, høflig, beleven; dannet.

urbanity [əː'bænəti] *sb.* høflighed, belevenhed; dannet væsen.

urbanized ['əːbənaizd] *adj.* urbani-seret, med bypræg.

urban renewal *sb.* byfornyelse.

urban sprawl *sb.* [tilfældig udbre-delse/uhæmmet vækst af bymæs-sig bebyggelse].

urchin ['əːtʃin] *sb.* **1.** (*glds.*) unge, knægt; (se også *street urchin*); **2.** (*zo.*) = *sea urchin.*

Urdu ['uədu:] *sb.* urdu [sprog i In-dien].

urea [juə'ri:ə, 'juəriə] *sb.* (*kem.*) urinstof.

urethra [juə'ri:θrə] *sb.* (*anat.*) urin-rør.

uretic[1] [juə'retik] *sb.* urindrivende middel.

uretic[2] [juə'retik] *adj.* urin-; urin-drivende.

urge[1] [əːdʒ] *sb.* (*voldsom*) trang (*to til at, fx fall asleep; steal; for til, fx revenge*); (*kraftig*) tilskyndelse; drift (*fx sexual ~*).

urge[2] [əːdʒ] *vb.* **1.** (*til handling*) til-skynde, anspore (*to til at, fx ~ him to do his best*); **2.** (*om an-modning*) bede indstændigt, an-mode indtrængende (*to om at, fx ~ him to take more care*); **3.** (*et sted hen*) drive (*fx he -d the horse forward*); presse, skubbe (*fx ~ him away*); **4.** (*betydningen af no-get*) fremhæve (*fx the need for re-form*); hævde; gøre kraftigt gæl-dende; **5.** (*handlemåde*) kraftigt tilråde (*fx restraint*);
□ *~ on* anspore; drive frem; *~ it on them* lægge dem det alvorligt på sinde; foreholde dem det ind-trængende; *~ caution on them* råde dem kraftigt til forsigtighed.

urgency ['əːdʒ(ə)nsi] *sb.* **1.** bydende nødvendighed (*fx the ~ of taking action*); **2.** presserende karakter (*fx the ~ of the situation*); **3.** (jf. *urgent 2*) indtrængende tone (*fx the ~ in his voice*);
□ *a matter of great ~* en meget presserende sag; en hastesag; *a sense of ~* en følelse af at det ha-ster.

urgent ['əːdʒ(ə)nt] *adj.* **1.** presse-rende (*fx need; problem*); by-dende nødvendig; påtrængende (*fx need; necessity*); **2.** (*om an-modning, tone*) indtrængende (*fx appeal; request; whisper; her voice was low and ~*); indstændig (*fx request*);
□ *it is ~* det haster; *~ call* eks-pressamtale; *~ matter* hastesag.

Uriah [juə'raiə] (*bibelsk*) Urias.

uric acid ['juərikæsid] *sb.* (*kem.*) urinsyre.

urinal [juə'rain(ə)l, 'juərin(ə)l] *sb.*
urinal; pissoir.
urinary ['juərinəri] *adj.* urin- (*fx
bladder*);
□ *the ~ system/tract* urinvejene.
urinate ['juərineit] *sb.* urinere, lade
vandet.
urine ['juərin] *sb.* urin;
□ *pass ~* lade vandet.
urn [ə:n] *sb.* **1.** urne; **2.** temaskine;
kaffemaskine.
US *fork. f. United States.*
us [əs, (*betonet*) ʌs] *pron.* **1.** (*bøjet
form af we*) os; **2.** T mig (*fx gi'e us
a kiss, duckie!*).
USA *fork. f. United States of
America.*
usable ['ju:zəbl] *adj.* brugbar, an-
vendelig.
usage ['ju:zidʒ] *sb.* **1.** brug; behand-
ling (*fx it can withstand hard ~*);
2. (*mht. sprog*) sprogbrug (*fx mod-
ern English ~*); (*om ord*) anven-
delse, brug (*fx this ~ is first re-
corded in the 1950's*); **3.** (*mht.
mængde*) forbrug (*fx water ~*);
4. (*mht. praksis*) sædvane; skik
(*fx an ancient ~*).
use¹ [ju:s] *sb.* **1.** (*handling*) brug;
benyttelse; anvendelse; **2.** (*om
måden noget bruges på*) anven-
delse (*fx it has a variety of -s; new
-s of a word*); anvendelsesmulig-
hed (*fx a tool with many -s*);
□ *it has its -s* T det kan være nyt-
tigt; det har sine fordele; *is there
any ~ in discussing it?* er det no-
gen nytte til at drøfte det? *what's
the ~?* hvad nytte er det til?
[*med: no*] *it is no ~* d : 7Z"ter
ikke; det nytter ikke noget; *it is no
~ + -ing* det nytter ikke at (*fx it is
no ~ trying to persuade him*); (*se
også spilt*); *I'm no ~ at* T jeg er
håbløs til; *it's no ~ to me* jeg har
ikke brug for det; *find a ~ for it*
finde en anvendelse for det; *have
no ~ for* **a.** ikke have brug for;
b. ikke bryde sig om; ikke ville
have noget at gøre med; foragte;
[+ *of*] *the ~ of* brugen af (*fx com-
puters; pesticides; he lost the ~ of
his legs*); *have the ~ of* have lov
til at bruge; have (fri) adgang til
(*fx the kitchen*); *what is the ~ of
+ -ing* hvad nytte er det til at;
make ~ of benytte (sig af) (*fx the
opportunity*); gøre brug af; ud-
nytte (*fx one's abilities*);
[*med præp.*] *for the ~ of* til brug
for; *in ~* i brug; *come into ~*
komme i brug; (*om ord også*)
blive almindelig; *of ~* til nytte; *go
out of ~* gå af brug; *put to ~* ud-
nytte, gøre brug af; *it can't be put
to that ~* den kan ikke bruges til

'det; *turn to good ~* gøre god brug
af.
use² [ju:z] *vb.* **1.** bruge; anvende,
benytte, gøre brug af; **2.** (*neds.*)
benytte sig af, udnytte (*fx one's
position*); **3.** (*om forbrug*) bruge
(*fx you have -d all the hot water*);
bruge op; **4.** (F: *person: på en be-
stemt måde*) behandle (*fx ~ him
well//ill*); **5.** (*neds.*) udnytte (*fx
other people; I felt -d*);
□ *how has the world been using
you?* hvordan har du haft det? *~
up* bruge op; *-d up* (*også*) udmat-
tet.
used¹ ['ju:zd] *adj.* brugt (*fx car;
towel*).
used² [ju:st] *adj.*: *be ~ to* være
vant til; *get ~ to* vænne sig til.
used³ [ju:st] *vb.*: *~ to* plejede at (*fx
he always ~ to come alone*); *he ~
to be a captain in the navy* han
var i sin tid kaptajn i flåden; *there
~ to be a house here* der har tidli-
gere/har engang ligget et hus her.
useful ['ju:sf(u)l] *adj.* **1.** nyttig; **2.** T
dygtig (*at* til);
□ *come 'in ~* komme til nytte; *it
has come to the end of its ~ life*
den er ikke til nogen nytte læn-
gere; den er slidt op.
usefulness ['ju:sf(u)lnəs] *sb.* nytte.
useless ['ju:sləs] *adj.* **1.** ubrugelig
(*fx tool; method; his right arm
was ~*); **2.** (*om handling*) unyttig
(*fx speculations*); forgæves; nyt-
tesløs (*fx it is ~ to protest*); **3.** (T:
om person) umulig, håbløs (*at +
-ing* til at, *fx cooking; don't ask
John, he is ~*);
□ *he felt ~* han følte sig ubrugelig/
overflødig; *worse than ~* fuld-
stændig umulig.
user ['ju:zə] *sb.* bruger.
user-friendly [ju:zə'frendli] *adj.*
brugervenlig.
user guide *sb.* (*it*) brugervejled-
ning.
user interface *sb.* (*it*) brugergræn-
seflade.
usher¹ ['ʌʃə] *sb.* **1.** [*en der anviser
folk deres pladser*]; **2.** (*i biograf,
teater, ved koncert etc.*) kontrol-
lør; **3.** (*i kirke*) kirketjener; **4.** (*i
retten*) retstjener.
usher² ['ʌʃə] *vb.* vise, føre (*fx ~
him into//out of the office*);
□ *~ in* (*fig.*) bebude; indvarsle (*fx
a new era*); indlede (*fx the New
Year*); *~ sby to a seat* anvise en
en plads.
usherette [ʌʃə'ret] *sb.* (*glds.*) kvin-
delig kontrollør [*i biograf etc.,
som sælger programmer & slik*].
USP *fork. f. unique selling propos-
ition* (*merk.*) særlig produktegen-

skab [*som et produkt skal sælges
på*].
usquebaugh ['ʌskwibɔ:] *sb.* (*irsk;
skotsk*) whisky.
USS *fork. f. United States Ship*
(*am.*) [*foran navnet på flådefar-
tøj*].
USSR *fork. f.* (*hist.*) *Union of
Soviet Socialist Republics.*
usual ['ju:ʒuəl] *adj.* sædvanlig; al-
mindelig;
□ *as ~* som sædvanlig; (*se også
business*).
usually ['ju:ʒuəli] *adv.* sædvanlig-
vis.
usurer ['ju:ʒ(ə)rə] *sb.* ågerkarl.
usurious [ju'ʒuəriəs] *adj.* F åger-.
usurp [ju'zə:p] *vb.* tilrane sig (*fx
the throne; his place*); tilrive sig,
usurpere.
usurper [ju'zə:pə] *sb.* usurpator;
tronraner.
usury ['ju:ʒ(ə)ri] *sb.* åger.
Ut. *fork. f. Utah.*
Utah ['ju:ta:].
Utd *fork. f. United.*
ute [ju:t] *sb.* (*austr.* T) = *utility
truck.*
utensil [ju'tens(ə)l] *sb.* redskab;
kar;
□ *domestic -s* husgeråd; *kitchen -s*
køkkentøj.
uterine ['ju:tərain] *adj.* **1.** (*anat.*)
livmoder-; **2.** (*om broder el. sø-
ster*) som har samme moder men
ikke samme fader.
uterus ['ju:tərəs] *sb.* (*pl. uteri*
['ju:tərai]/*-es*) livmoder.
utilitarian¹ [ju:tili'tɛəriən] *sb.* (*fi-
los.*) utilitarist, tilhænger af nytte-
moralen.
utilitarian² [ju:tili'tɛəriən] *adj.*
1. brugs- (*fx furniture*) (*ɔ: til brug
og ikke til pynt*); nytte-; **2.** (*filos.*)
utilitaristisk.
utilitarianism [ju:tili'tɛəriənizm]
sb. (*filos.*) utilitarisme, nyttemo-
ral.
utility [ju'tiləti] *sb.* **1.** F nytte; an-
vendelighed; **2.** (*it*) hjælpeprogram, hjælpeværktøj; **3.** (*austr.*) =
utility truck; (*se også public util-
ities*).
utility knife *sb.* hobbykniv.
utility program *sb.* = *utility 2.*
utility room *sb.* bryggers [*fyrrum,
vaskerum etc. i ét*].
utility truck *sb.* (*austr.*) pick-up.
utilizable ['ju:tilaizəbl] *adj.* anven-
delig; som kan udnyttes.
utilization [ju:tilai'zeiʃn] *sb.* an-
vendelse, benyttelse, udnyttelse.
utilize ['ju:tilaiz] *vb.* anvende, be-
nytte, udnytte.
utmost ['ʌtməust] *adj.* yderst;
□ *do one's ~* gøre sit bedste/yder-

ste; *make the* ~ *of* udnytte til det
yderste; *to the* ~ *of one's power* af
yderste evne.

utopia [juːˈtəupiə] *sb.* utopi.

utopian [juːˈtəupiən] *adj.* utopisk.

utter[1] [ˈʌtə] *adj.* fuldkommen, kom-
plet (*fx fool; confusion*).

utter[2] [ˈʌtə] *vb.* (*litt.*) **1.** udtale (*fx
without -ing a word*); ytre; ud-
trykke; **2.** (*lyd*) udstøde;
□ ~ *false coin* (*jur.*) sætte falske
penge i omløb.

utterance [ˈʌt(ə)rəns] *sb.* F **1.** udta-
lelse; ytring; **2.** udtale (*fx a pom-
pous style of* ~); foredrag;
□ *give* ~ *to* give udtryk for.

utterly [ˈʌtəli] *adv.* aldeles, fuld-
stændig, komplet (*fx hopeless*).

uttermost [ˈʌtəməust] *adj.* (*litt.*) =
utmost.

U-turn [ˈjuːtəːn] *sb.* **1.** svingning på
180 grader; **2.** (*fig.*) kovending;
□ *make a* ~ **a.** svinge 180 grader;
b. (*fig.*) foretage en kovending;
vende på en tallerken.

uvula [ˈjuːvjulə] *sb.* (*anat.*) drøbel.

uvular [ˈjuːvjulə] *adj.* (*anat.*) drø-
bel-.

uxorious [ʌkˈsɔːriəs] *adj.* stærkt
indtaget i sin kone; svag over for
sin kone.

V

V¹ [vi:].

V² *fork. f. Volt.*

v *fork. f.* **1.** *verb*; **2.** *verse*; **3.** (*især jur.*) *versus*.

VA *fork. f.* **1.** *(Royal Order of) Victoria and Albert*; **2.** *Vice Admiral.*

Va. *fork. f. Virginia.*

vac¹ [væk] *sb.* T **1.** ferie; **2.** støvsuger.

vac² [væk] *vb.* T støvsuge.

vacancy ['veik(ə)nsi] *sb.* **1.** (*stilling*) ledig stilling; **2.** (*bolig*) ledigt værelse; ledig lejlighed; **3.** (*på uddannelsesinstitution*) ledig plads; **4.** (*for aftale*) ledig tid (*fx the dentist has a ~ tomorrow*); **5.** (F: *fig.*) tomhjernethed; tanketomhed; □ *stare into ~* stirre ud i det tomme rum; stirre ud i luften.

vacant ['veik(ə)nt] *adj.* **1.** tom (*fx space*); **2.** (*til brug, til leje*) ledig (*fx seat; room*); ikke optaget, fri; **3.** (*om stilling*) ledig, ubesat; **4.** (*om udtryk*) tom, fraværende (*fx expression; smile*); tanketom.

vacant possession *sb.* (*jur.: om hus*) ledig til øjeblikkelig overtagelse.

vacate [və'keit, (*am.*) 'veikeit] *vb.* F **1.** (*bolig*) fraflytte (*fx a flat*); rømme; (*hotelværelse*) forlade; **2.** (*stilling*) fratræde; **3.** (*jur.*) ophæve; annullere.

vacation¹ [və'keiʃn, (*am.*) vei-, və-] *sb.* **1.** ferie; **2.** (*cf. vacate*) fraflytning; (*af stilling etc.*) fratrædelse.

vacation² [vei'keiʃn, və-] *vb.* (*am.*) feriere; holde ferie.

vacationer [vei'keiʃnər], **vacationist** [vei'keiʃnist] *sb.* (*am.*) feriegæst; ferierende; turist.

vaccinate ['væksineit] *vb.* vaccinere.

vaccination [væksi'neiʃn] *sb.* vaccination.

vaccine ['væksi:n] *sb.* vaccine.

vacillate ['væsileit] *vb.* F vakle; svinge (*between* mellem, *fx hope and fear*).

vacillation [væsi'leiʃn] *sb.* F vaklen; ubeslutsomhed.

vacuity [væ'kju:əti] *sb.* F tanketomhed; tomhjernethed; åndløshedhed; □ *vacuities* intetsigende//åndløse bemærkninger.

vacuous ['vækjuəs] *adj.* tom; åndløs; intetsigende.

vacuum¹ ['vækjuəm] *sb.* **1.** (*fys.*) vakuum; lufttomt rum; tomt rum; **2.** (*fig.*) tomrum (*fx his resignation has left a political ~*); **3.** T støvsuger.

vacuum² ['vækjuəm] *vb.* støvsuge.

vacuum brake *sb.* vakuumbremse.

vacuum cleaner *sb.* støvsuger.

vacuum flask *sb.* termoflaske; termokande.

vacuum-packed ['vækjuəmpækt] *adj.* vakuumpakket.

vacuum pump *sb.* vakuumpumpe.

vagabond ['vægəbɔnd] *sb.* (*glds.*) landstryger; vagabond.

vagabondage ['vægəbɔndidʒ] *sb.* vagabonderen; (*jur.*) løsgængeri.

vagaries ['veigəriz, və'gɛəriz] *sb.* luner (*fx the ~ of nature//of the weather*); omskiftelser.

vagina [və'dʒainə] *sb.* (*anat.*) vagina, skede.

vaginal [və'dʒain(ə)l] *adj.* (*anat.*) vaginal, skede-.

vagrancy ['veigr(ə)nsi] *sb.* vagabonderen; omstrejfen; (*jur.*) løsgængeri.

vagrant¹ ['veigr(ə)nt] *sb.* F vagabond; landstryger; (*jur.*) løsgænger.

vagrant² ['veigr(ə)nt] *adj.* F omstrejfende; omflakkende; vandrende.

vague [veig] *adj.* **1.** (*om person*) vag (*about* med hensyn til); uklar; **2.** (*om formulering, følelse, erindring*) vag, ubestemt (*fx promise; longing; I have a ~ memory of it*); uklar, tåget (*fx explanation*); svævende; **3.** (*om form*) utydelig, tåget (*fx outlines; shape*).

vain [vein] *adj.* **1.** (*om person*) forfængelig (*about* af); **2.** (*om handling*) forgæves (*fx attempt; effort*); frugtesløs; **3.** (*litt.: om udsagn*) tom (*fx boast; promise; threat*); □ *in ~* forgæves; *take his name in ~* tage hans navn forfængeligt; *in the ~ hope that* i det forfængelig håb at.

vainglorious [vein'glɔ:riəs] *adj.* (*litt.*) pralende; forfængelig; opblæst.

valance ['vælens] *sb.* **1.** (*om seng*) flæse; omhæng; **2.** (*på hylde*) hyldebort; **3.** (*am.: over gardin*) se *pelmet*; **4.** (*i bil*) beskyttelsesplade.

vale [veil] *sb.* (*poet.*) dal; □ *~ of tears* jammerdal.

valediction [vælə'dikʃn] *sb.* F **1.** afsked; farvel; **2.** afskedstale; afskedshilsen.

valedictorian [vælədik'tɔ:riən] *sb.* (*am.*) [*elev el. student der holder tale på afgangsholdets vegne ved afslutningsceremoni*].

valedictory¹ [vælə'dikt(ə)ri] *sb.* F **1.** afskedstale; **2.** (*am.*) [*tale ved afslutningsceremoni på college*].

valedictory² [vælə'dikt(ə)ri] *adj.* F afskeds-.

valence ['vælens] *sb.* **1.** = *valance*; **2.** (*am.*) = *valency*.

valency ['veilənsi] *sb.* (*kem.; gram.*) valens.

valentine ['vælentain] *sb.* **1.** kærestebrev [*der sendtes st. Valentins dag, 14. februar*]; valentinskort; **2.** kæreste [*valgt på st. Valentins dag*].

valerian [və'liəriən] *sb.* (*bot.*) baldrian.

valet¹ ['vælei, 'vælit, (*am.*) və'lei] *sb.* **1.** (*især glds.*) kammertjener; **2.** (*i hotel*) [*ansat der renser og ordner gæsternes tøj*]; **3.** (*i hotel el. restaurant*) [*ansat der parkerer//rengør gæsternes biler*].

valet² ['vælei, 'vælit, (*am.*) və'lei] *vb.* **1.** (*især glds.*) arbejde som kammertjener; **2.** (*med objekt*) varte op, betjene; □ *a car* rengøre en bil indvendigt.

valet parking *sb.* [*parkering af gæsternes biler*].

valet service *sb.* **1.** [*firma der rengør biler indvendigt*]; **2.** (*i hotel*) tøjrensning.

valetudinarian [vælətju:di'nɛəriən] *sb.* svagelig person; hypokonder.

valiant ['væliənt] *adj.* (*litt.*) tapper.

valid ['vælid] *adj.* **1.** gyldig (*fx argument; criticism; reason*); fornuftig; velbegrundet (*fx objection*); anerkendt (*fx evidence; research*); **2.** (*om dokument*) gyldig (*fx passport; ticket*); **3.** (*it*) gyldig, lovlig; **4.** (*jur.*) retsgyldig (*fx the marriage was not ~).

validate ['vælideit] *vb.* F **1.** bevise gyldigheden af, underbygge (*fx a claim*); **2.** (*om officiel instans*) godkende; **3.** (*jur.*) erklære for (rets)gyldig.

validation [væli'deiʃn] *sb.* **1.** underbyggelse; **2.** godkendelse.

validity [və'lidəti] *sb.* gyldighed; validitet.

valise [və'li:z, (*am.*) və'li:s] *sb.* rejsetaske; lille kuffert.

valley ['væli] *sb.* **1.** dal; **2.** (*på tag*) skotrende; kel.

valorous ['vælərəs] *adj.* (*litt.*) tapper, modig.

valour ['vælə] *sb.* (*litt.*) tapperhed, mod.

valuable ['væljuəbl] *adj.* værdifuld.

valuables ['væljuəblz] *sb. pl.* værdigenstande.

valuation [vælju'eiʃn] *sb.* vurdering; taksering; værdiansættelse.

value[1] ['vælju(:)] *sb.* **1.** (*også om node & fig.*) værdi; **2.** (*om farve & ord*) valør;
□ *get ~ for one's money* få noget/få valuta for pengene; *it is good ~* det er et godt køb; *man får noget for pengene*; *~ received* (*merk.*) valuta modtaget.

value[2] ['vælju(:)] *vb.* **1.** vurdere (*at* til); taksere (*at* til); **2.** (*fig.*) værdsætte, skatte; sætte pris på.

value added tax *sb.* merværdiafgift, moms.

value judgment *sb.* værdidom.

valuer ['væljuə] *sb.* vurderingsmand; taksator.

valve [vælv] *sb.* **1.** ventil; **2.** (*zo.: skaldyrs*) skal; **3.** (*anat., bot.*) klap; **4.** (*på blæseinstrument*) ventil.

vamoose [və'mu:s] *vb.* T stikke af, fordufte.

vamp[1] [væmp] *sb.* **1.** (*glds.* T: *om pige*) vamp; **2.** (*mus.*) improviseret akkompagnement; skomagerbas; **3.** (*på fodtøj*) overlæder.

vamp[2] [væmp] *vb.* **1.** (*glds.* T: *om pige*) lægge an på [*og blokke for penge*]; **2.** (*mus.*) improvisere et akkompagnement; lave skomagerbas; **3.** (*fodtøj*) reparere overlæderet på;
□ *~ up* T piffe op; få til at se ud som ny.

vampire ['væmpaiə] *sb.* vampyr.

vampirism ['væmpirizm] *sb.* blodsugeri.

vampish ['væmpiʃ] *adj.* (jf. *vamp*[1]) vampet.

van [væn] *sb.* **1.** lukket varevogn// lastvogn; flyttevogn; **2.** se *caravan* 1; **3.** (*jernb.*) lukket godsvogn;

4. (*mil.*) forspids;
□ *in the ~ of* se *vanguard.*

V and A [vi:ənd'ei] *fork. f. Victoria and Albert.*

vandal ['vænd(ə)l] *sb.* vandal.

vandalism ['vændəlizm] *sb.* vandalisme; hærværk.

vandalize ['vændəlaiz] *vb.* begå hærværk mod, vandalisere, hærge.

vane [vein] *sb.* **1.** (*på skrue, propel*) blad; **2.** (*på ventilator, på vejrmølle*) vinge; **3.** (*på turbine*) skovl; **4.** (*på bombe etc.*) styrefinne; **5.** (*på pil*) styrefjer; **6.** (*på fjer*) fane; **7.** se *weather vane.*

vanguard ['vænga:d] *sb.* **1.** (*mil.*) fortrop, forspids, tete; **2.** (*fig.*) fortrop; avantgarde;
□ *in the ~ of* forrest i; førende i.

vanilla[1] [və'nilə] *sb.* vanilje.

vanilla[2] [və'nilə] *adj.* **1.** vanilje-; **2.** (*am.* T, *især it*) ganske almindelig; ordinær.

vanish ['væniʃ] *vb.* forsvinde; (se også *thin*[1] (*air*)).

vanishing cream *sb.* let rense- og fugtighedscreme.

vanishing point *sb.* forsvindingspunkt [*i perspektiv*];
□ *cut down//shrink to the ~* (*fig.*) reducere//skrumpe ind til det rene ingenting.

vanishing trick *sb.* forsvindingsnummer.

Vanitory® ['vænit(ə)ri] *sb.* se *vanity unit.*

vanity ['vænəti] *sb.* **1.** forfængelighed; **2.** F forfængelighed, tomhed; **3.** (*am.*) toiletbord; (se også *vanity unit*); **4.** (*am.*) = *vanity case.*

vanity case *sb.* pudderpung; toilettaske; beautyboks.

vanity plate *sb.* (*am.*) ønskenummerplade, ønskeplade.

vanity press, vanity publisher *sb.* [*forlag der udgiver bøger på forfatterens egen regning og risiko*].

vanity unit *sb.* [*vaskekumme og toiletbord bygget sammen*].

vanquish ['væŋkwiʃ] *vb.* (*litt.*) besejre, overvinde.

vantage ['va:ntidʒ] *sb.* fordel [*i tennis*].

vantage point *sb.* sted hvorfra man har godt overblik; godt udsigtspunkt.

vapid ['væpid] *adj.* flov, fad, intetsigende, tom.

vapidity [væ'pidəti] *sb.* flovhed, fadhed, tomhed.

vaporization [veipərai'zeiʃn] *sb.* fordampning; forstøvning.

vaporize ['veipəraiz] *vb.* **1.** fordampe; **2.** (*med objekt*) få til at fordampe; forstøve.

vaporizer ['veipəraizə] *sb.* fordamper; forstøver.

vaporous ['veipərəs] *adj.* **1.** fuld af damp; tåget; **2.** (*fig.*) tåget, luftig, vag.

vapour ['veipə] *sb.* damp; dunst;
□ *the -s* (*glds. el. spøg.*) **a.** hypokondri; **b.** melankoli.

vapour trails *sb. pl.* (*flyv.*) kondensstriber.

vapourware ['veipəwɛə] *sb.* (*it* T) [*produkt som annonceres men aldrig bliver realiseret*].

variability [vɛəriə'biləti] *sb.* foranderlighed; omskiftelighed.

variable[1] ['vɛəriəbl] *sb.* variabel.

variable[2] ['vɛəriəbl] *adj.* **1.** variabel (*fx rate of interest*); **2.** foranderlig; vekslende; ustadig (*fx weather*); skiftende (*fx winds*).

variance ['vɛəriəns] *sb.* **1.** forandring; vekslen (*fx in temperature*); **2.** uoverensstemmelse (*between* mellem); **3.** (*am.*) dispensation;
□ *at ~ with* i modstrid med.

variant[1] ['vɛəriənt] *sb.* variant.

variant[2] ['vɛəriənt] *adj.* afvigende (*fx spelling*).

variation [vɛəri'eiʃn] *sb.* **1.** variation; afvigelse; forandring; **2.** forskel; **3.** (*mar.*) misvisning;
□ *-s on* variationer over.

varicose veins [vɛərikəus'veinz] *sb. pl.* (*med.*) åreknuder.

varied ['vɛərid] *adj.* varieret, afvekslende (*fx programme*); broget (*fx career, group; life*); forskelligartet.

variegated ['vɛərigeitid] *adj.* **1.** (*om blade, blomster*) broget; **2.** F forskelligartet; mangeartet.

variegation [vɛəri'geiʃn] *sb.* broget-hed; broget mønster.

varietal[1] [və'raiət(ə)l] *sb.* (*om vin*) [*vin mærket med navnet på druen*].

varietal[2] [və'raiət(ə)l] *adj.* varietets- (*fx name*).

variety [və'raiəti] *sb.* **1.** afveksling, variation (*in* i); **2.** (*af ting*) slags, sort; variant; **3.** (*biol.*) afart; varietet; **4.** (*teat.*) varieté;
□ *add/lend ~ to* bringe afveksling/variation i; *~ is the spice of life* forandring fryder; *a large ~* et stort udvalg; *a ~ of* en mangfoldighed af; mange forskellige (*fx people; for a ~ of reasons*).

variety show *sb.* varietéforestilling.

variety theatre *sb.* varieté.

various ['vɛəriəs] *adj.* **1.** forskellige (*fx problems; reasons*); flere forskellige (*fx available in ~ colours and sizes*); **2.** forskelligartet; varieret (*fx methods*).

variously ['vɛəriəsli] *adv.* på forskellig vis, forskelligt (*fx it can be*

~ *accounted for).*

varlet ['vɑːlət] *sb.* (*glds.*) slyngel.

varmint ['vɑːmint] *sb.* (*især am.* T) **1.** lille slubbert; laban; **2.** skadedyr.

varnish[1] ['vɑːniʃ] *sb.* **1.** fernis; lak; **2.** = *nail varnish*; **3.** (*fig.*) fernis (*fx an outward ~ of civilization*).

varnish[2] ['vɑːniʃ] *vb.* fernisere (*fx a floor*); lakere (*fx a floor; nails*).

varsity ['vɑːsəti] *sb.* **1.** T = *university*; **2.** (*am.*) førstehold.

Varsity Match *sb.* [årlig rugbykamp mellem universiteterne i Oxford og Cambridge].

vary ['vɛəri] *vb.* **1.** (*uden objekt*) veksle (*fx prices ~ from place to place; they ~ in size; with -ing success*); variere (*between* mellem, *fx ten and twenty*); skifte, forandre sig (*fx the temperature varies from hour to hour*); **2.** (*med objekt*) variere (*fx one's diet*); forandre;
□ ~ *as* variere med; ~ *from* afvige fra (*fx the normal practice*); ~ *from ten to twenty* variere mellem ti og tyve.

vascular ['væskjulə] *adj.* (*anat., bot.*) kar- (*fx bundle* streng; *disease*).

vase [vɑːz, (*am.*) veis, veiz] *sb.* vase.

vasectomy [və'sektəmi] *sb.* (*med.*) vasektomi [*overskæring af sædstreng*].

vaseline® ['væsəliːn] *sb.* vaseline.

vassal ['væs(ə)l] *sb.* **1.** (*hist.*) vasal; lensmand; **2.** F vassalstat.

vassal state *sb.* vassalstat.

vast [vɑːst] *adj.* uhyre, umådelig, enorm;
□ *a ~ majority* et langt overvejende flertal.

vastly ['vɑːstli] *adv.* **1.** uhyre, umådeligt, enormt; **2.** (*foran komp.*) langt (*fx ~ more competent*);
□ *be ~ superior to him* være ham langt overlegen; være langt bedre end ham.

VAT [viːeiˈtiː, væt] *sb.* (*fork. f. value added tax*) moms.

vat [væt] *sb.* **1.** stort kar; beholder; fad; **2.** (*til tøjfarvning*) kype; farvebad.

VATable ['vætəbl] *adj.* momsbelagt; momspligtig.

Vatican ['vætikən] *sb.: the ~* Vatikanet.

vaudeville ['vɔːdəvil] *sb.* (*især am.*) varietéforestilling.

vault[1] [vɔː(ː)lt] *sb.* **1.** (*i bank etc.*) boks; **2.** (*tag, loft*) hvælving; **3.** (*til begravelse*) gravhvælving; krypt; **4.** (*jf. vault*[2]) spring; (se også *pole vault*);

□ *the ~ of heaven* himmelhvælvet.

vault[2] [vɔː(ː)lt] *vb.* **1.** springe over (*fx he -ed the fence*) [ɔ: med støtte med hænderne]; **2.** (*i stangspring*) springe (*fx he -ed 6 m*);
□ ~ *over = 1.*

vaulted ['vɔː(ː)ltid] *adj.* hvælvet (*fx ceiling*).

vaulting ['vɔː(ː)ltiŋ] *sb.* hvælvinger.

vaulting horse *sb.* (*gymn.*) hest [ɔ: redskab].

vaunt [vɔːnt] *vb.* prale med, prale af (*fx one's skill*).

vaunted ['vɔːntid] *adj.* overdrevent rost, opreklameret.

VC *fork. f.* **1.** (*ved universitet*) vice-chancellor; **2.** (*mil.*) Victoria Cross Viktoriakors [*den højeste udmærkelse for tapperhed*];
□ *he is a ~* han har Viktoriakorset.

V-chip ['viːtʃip] *sb.* [chip der kan indsættes i tv-apparat og blokere for bestemte udsendelser].

VCR *fork. f.* video cassette recorder.

VD *fork. f.* venereal disease.

VDT *fork. f.* video display terminal (*am.*) dataskærm.

VDU *fork. f.* visual display unit dataskærm.

've *fork. f.* have.

veal [viːl] *sb.* kalvekød.

vector ['vektə] *sb.* **1.** (*mat., fys.*) vektor; **2.** (*med.*) vektor, smittebærende insekt.

V-E Day [dagen for sejren i Europa i 2. Verdenskrig, 8. maj 1945].

vee [viː] *sb.* (*bogstavet*) v.

veep [viːp] *sb.* (*am.* T) vicepræsident [*af: VP*].

veer [viə] *vb.* **1.** dreje [*pludseligt, skarpt*]; svinge; **2.** (*om vind*) slå om; dreje [*med solen*]; **3.** (*fig.*) svinge (*fx the party -ed to the right*); skifte standpunkt; (pludselig) ændre kurs;
□ ~ *off course* komme ud af kurs; ~ *round* **a.** vende sig; **b.** svinge over (*fx to his point of view*).

veg[1] [vedʒ] *sb.* (*pl. d. s./-s*) (T: fork. f. vegetable(s)*) grøntsag(er) (*fx my favourite ~; meat and two ~*).

veg[2] [vedʒ] *vb.:* ~ *out* T hænge, sløve, splatte ud (*fx in front of the TV*).

vegan ['viːgən] *sb.* veganer [ɔ: der kun spiser planteføde].

vegetable[1] ['vedʒ(i)təbl] *sb.*
1. grøntsag; køkkenurt; **2.** (T: om person) grøntsag.

vegetable[2] ['vedʒ(i)təbl] *adj.* F plante- (*fx fibre*); vegetarisk (*fx diet* kost); vegetabilsk (*fx oil*).

vegetable garden *sb.* køkkenhave.

vegetable kingdom *sb.: the ~* planteriget.

vegetable marrow *sb.* (*bot.*) mandelgræskar.

vegetarian [vedʒi'tɛəriən] *sb.* vegetar.

vegetate ['vedʒiteit] *vb.* vegetere; sløve.

vegetated ['vedʒiteitid] *adj.* F bevokset.

vegetation [vedʒi'teiʃn] *sb.* **1.** vegetation; plantevækst; planter; **2.** (jf. *vegetate*) vegeteren.

vegetative ['vedʒitətiv] *adj.* **1.** vegetativ; vækst-; **2.** (*med.*) vegetativ; komatøs.

veggie ['vedʒi] *sb.* T **1.** (*person*) vegetarianer; **2.** (*især am.*) grøntsag.

vehemence ['viːəməns] *sb.* heftighed, voldsomhed.

vehement ['viːəmənt] *adj.* heftig, voldsom; lidenskabelig.

vehicle ['viəkl, 'viːikl] *sb.* **1.** køretøj; vogn; befordringsmiddel; **2.** (*i rumfart*) rumfartøj; (se også *delivery vehicle*); **3.** (*til maling*) bindemiddel; **4.** (*med.: i lægemiddel*) hjælpestof, vehikel; (*i salve*) salvegrundlag; **5.** (*fig.*) udtryksmiddel; middel (*fx propaganda ~*);
□ *a ~ for him* (*om film, tv-show*) en lejlighed for ham til at vise sit talent.

vehicular [vi'hikjulə] *adj.* F vogn-; kørende (*fx traffic*).

veil[1] [veil] *sb.* slør;
□ *beyond the ~* bag dødens forhæng; *draw a ~ over* kaste et slør over; *take the ~* **a.** (*om kristen kvinde*) tage sløret; blive nonne; **b.** (*om islamisk kvinde*) begynde at bære slør.

veil[2] [veil] *vb.* tilsløre; skjule.

veiled [veild] *adj.* **1.** (*om kvinde*) tilsløret; **2.** (*fig.*) camoufleret (*fx criticism; threat*); sløret, halvskjult;
□ *thinly ~* slet skjult (*fx threat*).

veiltail ['veilteil], **veiltail goldfish** *sb.* (*zo.*) slørhale.

vein [vein] *sb.* **1.** (*anat.*) blodåre, åre; vene; **2.** (*i træ, marmor etc.*) åre; **3.** (*bot.: i blad*) bladstreng; **4.** (*zo.: i insektvinge*) ribbe; **5.** (*geol.*) åre (*fx of copper*); **6.** (*fig.*) tone (*fx a ~ of satire* en satirisk tone); stemning (*fx a ~ of nationalism*);
□ *tap (into) a ~ of nationalism* udnytte en nationalistisk stemning/strømning; *a poetic ~* en poetisk åre;
[*med: in*] *in a ... ~* i en ... tone/stil (*fx in a serious//similar ~*); *in the ~* i stemning, oplagt (*for* til); *other remarks in the same ~* an-

V velar

dre bemærkninger i samme retning/dur.
velar ['vi:lə] *adj.* (*fon.*) velar, ganevelar.
Velcro® ['velkrəu] *sb.* velcro; burrebånd.
veld [felt] *sb.* (*sydafr.*) græsslette.
veldskoen ['feltskun] *sb.* (*sydafr.*) kraftig sko; lav støvle.
veldt [felt] *sb.* = *veld.*
vellum ['veləm] *sb.* pergament.
velocipede [vi'lɔsipi:d] *sb.*
1. (*glds.*) velocipede; 2. (*am.*) trehjulet barnecykel; 3. (*jernb.*) dræsine.
velocity [vi'lɔsəti] *sb.* hastighed.
velodrome ['velədrəum] *sb.* cykelbane.
velour, velours [və'luə] *sb.* velour.
velskoen ['felskun] *sb.* = *veldskoen.*
velum ['vi:ləm] *sb.* 1. hinde;
2. (*anat.*) ganesejl.
velvet ['velvit] *sb.* 1. fløjl; 2. (*am.*) gevinst; profit;
□ *be on* ~ (*glds.* T) have det som blommen i et æg.
velveteen [velvi'ti:n] *sb.* bomuldsfløjl.
velvet scoter *sb.* (*zo.*) fløjlsand.
velvety ['velviti] *adj.* fløjlsagtig; fløjlsblød.
venal ['vi:n(ə)l] *adj.* F korrupt, bestikkelig.
venality [vi:'næləti, vi-] *sb.* F korruption, bestikkelighed.
vend [vend] *vb.* F falbyde, sælge; afsætte.
vendace ['vendeis] *sb.* (*zo.*) heltling [*en fisk*].
vender ['vendə] *sb.* F sælger.
vending ['vendiŋ] *sb.* F salg.
vending machine *sb.* automat, salgsautomat.
vendor ['vendɔ:] *sb.* F sælger.
veneer¹ [və'niə] *sb.* finer;
□ *a* ~ *of* (*fig.*) en tynd fernis af; et skin af (*fx of respectability*).
veneer² [və'niə] *vb.* 1. finere;
2. (*fig.*) dække; pynte på.
veneering [və'niəriŋ] *sb.* 1. (jf. *veneer²*) finering; 2. (*materiale*) finer.
venerable ['ven(ə)rəbl] *adj.* ærværdig.
venerate ['ven(ə)reit] *vb.* ære; højagte; nære ærbødighed for.
veneration [venə'reiʃn] *sb.* ærbødighed; højagtelse.
venereal disease [vi'niəriəldizi:z] *sb.* (*glds.*) kønssygdom.
Venetian¹ [vi'ni:ʃn] *sb.* venetianer.
Venetian² [vi'ni:ʃn] *adj.* venetiansk.
venetian blind *sb.* persienne; jalousi.
vengeance ['vendʒ(ə)ns] *sb.* hævn;

□ *take* ~ *on sby for sth* hævne sig på en for noget; *with a* ~ T så det forslår/batter/basker; gevaldigt.
vengeful ['ven(d)ʒf(u)l] *adj.* F hævngerrig.
venial ['vi:njəl] *adj.* F tilgivelig (*fx sin*); ubetydelig (*fx error*).
Venice ['venis] Venezia, Venedig.
venison ['venis(ə)n, -z(ə)n] *sb.* dyrekød, vildt.
vennel ['ven(ə)l] *sb.* (*skotsk*) gyde.
venom ['venəm] *sb.* 1. gift; 2. (*fig.*) giftighed, ondskabsfuldhed, ondskab.
venomous ['venəməs] *adj.* 1. giftig;
2. (*fig.*) giftig, ondskabsfuld, ond.
venous ['vi:nəs] *adj.* (*med.*) venøs; vene- (*fx blood*).
vent¹ [vent] *sb.* 1. aftræk; lufthul; udluftningsventil; udluftningsrist;
2. (*i tøj, fx frakke, skørt*) slids;
3. (*i vulkan*) skorsten; 4. (*mil., hist.*) fænghul; 5. (*zo.*) gatåbning; kloak;
□ *find a* ~ *for* (F: *fig.*) få afløb for; få luft for; *give* ~ *to* (F: *fig.*) give afløb for, give luft for (*fx one's anger*); *give* ~ *to one's anger* (*også*) lade sin vrede få frit løb, give sin vrede luft/frit løb; *give* ~ *to a sigh* (*litt.*) udstøde et suk.
vent² [vent] *vb.* 1. (*følelse*) give afløb for; give luft; 2. (*tekn.*) ventilere; aflufte;
□ ~ *one's anger on* udøse sin vrede over.
ventilate ['ventileit] *vb.* 1. ventilere; udlufte; 2. (F: *emne, tanke*) ventilere, bringe på bane; drøfte.
ventilation [venti'leiʃn] *sb.* ventilation.
ventilator ['ventileitə] *sb.* 1. ventilator; 2. (*til person*) respirator.
ventricle ['ventrikl] *sb.* (*anat.*) ventrikel; (*i hjertet*) kammer.
ventriloquism [ven'triləkwizm] *sb.* bugtalerkunst.
ventriloquist [ven'triləkwist] *sb.* bugtaler.
ventriloquist's dummy *sb.* bugtalerdukke.
venture¹ ['ventʃə] *sb.* 1. dristigt foretagende; vovestykke; 2. (*merk.*) projekt, foretagende; satsning.
venture² ['ventʃə] *vb.* 1. vove; sætte på spil (*fx one's life; all one's capital*); 2. (*udtalelse*) driste sig til at komme med, vove at fremsætte (*fx an opinion; a remark*); vove (*fx a guess*); (*foran direkte/indirekte tale*) driste sig til at sige;
3. (*uden objekt: et sted hen*) vove sig (*fx out; too near the edge*);
□ *nothing* -*d* (*nothing gained*) hvo intet vover intet vinder;
[*med præp.& adv.*] ~ *into* a. (*sted*)

vove sig ind i/ud i (*fx the forest*);
b. (*foretagende*) vove sig ud i (*fx an export business*); kaste sig ud i; ~ *on* a. vove sig ud på (*fx a stormy sea; a journey; a walk*);
b. vove sig i lag med (*fx an ambitious project*); ~ *to* driste sig til at, være så dristig at (*fx make a remark*).
venture capital *sb.* risikovillig kapital.
venture capitalist *sb.* investor med risikovillig kapital.
Venturer ['ventʃərə] *sb.* = *Venture Scout.*
Venture Scout *sb.* rover; seniorspejder.
venturesome ['ventʃəsəm] *adj.* F
1. (*om person*) dristig; 2. (*om foretagende*) risikabel.
venue ['venju:] *sb.* 1. sted [*hvor noget foregår*]; lokalitet; mødested;
2. (*jur.*) værneting [*den retskreds hvor retsforhandlingen foregår*].
veracity [və'ræsəti] *sb.* F sandfærdighed; sanddruhed.
veranda, verandah [və'rændə] *sb.* veranda.
verb [və:b] *sb.* verbum, udsagnsord.
verbal¹ ['və:b(ə)l] *sb.* (se også *verbals*) 1. S [*mundtlig tilståelse (angiveligt) fremsat over for politiet efter arrestation*]; 2. T skældsord;
3. (*gram.*) verbal.
verbal² ['və:b(ə)l] *adj.* 1. verbal; sproglig (*fx ability//aptitude* evne; *a purely* ~ *distinction*); 2. (*mods. nedskrevet*) verbal; mundtlig (*fx tradition; description; agreement*);
3. (*om person*) snakkende, talende (*fx he is very* ~); 4. (*gram.*) verbal(-);
□ ~ *abuse* udskældning; *subject sby to* ~ *abuse* skælde en ud; overfuse en.
verbal³ ['və:b(ə)l] *vb.*: ~ *sby* (S: *en mistænkt*) tillægge én et belastende udsagn.
verbal diarrhoea *sb.* munddiarré.
verbalize ['və:bəlaiz] *vb.* 1. udtrykke i ord; formulere; 2. (*gram.*) omdanne til verbum.
verbal noun *sb.* (*gram.*) verbalsubstantiv.
verbals ['və:b(ə)lz] *sb. pl.*
1. skældsord; 2. (*til sang*) sangtekst; 3. (*film.*) dialog.
verbatim [və:'beitim] *adv.* ordret.
verbena [və:'bi:nə] *sb.* (*bot.*) verbena, jernurt.
verbiage ['və:biidʒ] *sb.* F ordflom; ordskvalder; tomme ord, floskler.
verbose [və:'bəus] *adj.* F ordrig; vidtløftig.
verbosity [və:'bɔsəti] *adj.* F ord-

strøm; ordrigdom; vidtløftighed.
verdant ['vɔːd(ə)nt] *adj.* (*litt.*) grøn;
grønklædt; frodig.
verdict ['vɔːdikt] *sb.* **1.** (*jur.*: *næv-ningers*) kendelse; **2.** (*fig.*) dom,
afgørelse (*fx the* ~ *of the electors*);
□ *deliver/return a* ~ afgive en
kendelse; *the jury returned a* ~ *of
not guilty* nævningene afgav ken-delsen: ikke skyldig; *consider
their* ~ (*om nævninger*) votere.
verdigris ['vɔːdigris, -griː] *sb.* ir.
verdure ['vɔːdʒə] *sb.* (*litt.*) **1.** grøn-hed; friskhed; **2.** vegetation.
verge[1] [vɔːdʒ] *sb.* **1.** kant (*fx the* ~
of the lake); rand; **2.** (*ved vej*) ra-bat (*fx soft* ~); **3.** (*biskops*) stav;
embedsstav; **4.** (*arkit.*: *ved gavl*)
tagudhæng;
□ *on the* ~ *of* på randen af (*fx col-lapse*; *war*); *on the* ~ *of* + *-ing* på
nippet til at (*fx having a nervous
breakdown*); *on the* ~ *of tears*
grædefærdig; på grådens rand; *on
the* ~ *of forty* lige ved de fyrre.
verge[2] [vɔːdʒ] *vb.*: ~ *on* grænse til
(*fx the ridiculous*); nærme sig.
verger ['vɔːdʒə] *sb.* kirketjener.
veridical [vɔˈridik(ə)l] *adj.* F **1.** i
overensstemmelse med de fakti-ske forhold/med virkeligheden;
2. sandfærdig.
verifiable ['verifaiəbl, veriˈfai-] *adj.*
verificerbar; som kan efterprøves;
kontrollabel.
verification [verifiˈkeiʃn] *sb.* **1.** ve-rifikation, efterprøvning, kontrol;
2. bekræftelse.
verify ['verifai] *vb.* F **1.** verificere,
efterprøve, kontrollere (*fx his
claims*); **2.** bekræfte (*fx his story
has been verified by other witnes-ses*).
verily ['verili] *adv.* (*glds.*) sandelig.
verisimilitude [verisiˈmilitjuːd] *sb.*
F sandsynlighed.
veritable ['veritəbl] *adj.* F verita-bel; sand (*fx the garden was a* ~
jungle); formelig (*fx a* ~ *moun-tain of books*).
verity ['verəti] *sb.* sandhed (*fx eter-nal verities*).
vermicelli [vɔːmiˈtʃeli] *sb.* vermi-celli [*en type pasta*].
vermicide ['vɔːmisaid] *sb.* (*med.*)
ormemiddel.
vermifuge ['vɔːmifjuːdʒ] *sb.* (*med.*)
ormemiddel.
vermilion [vɔˈmiljən] *adj.* cinno-ber, cinnoberrød.
vermin ['vɔːmin] *sb.* skadedyr;
(*lus, lopper etc.*) utøj.
verminous ['vɔːminəs] *adj.* fuld af
utøj; utøjsbefængt.
vermouth ['vɔːməθ, vɔːˈmuːθ] *sb.*
vermouth.

vernacular[1] [vəˈnækjulə] *sb.* **1.** mo-dersmål; (*lands, egns*) eget sprog;
dialekt; folkesprog; **2.** fagsprog;
3. (*om plantenavn, dyrenavn*) tri-vialnavn.
vernacular[2] [vəˈnækjulə] *adj.*
1. (*om forfatter*) som skriver på sit
modersmål//på dialekt//på folke-sprog (*fx poet*); **2.** (*om litteratur*)
som er skrevet på modersmålet//
dialekt//folkesprog (*fx poetry*);
3. (*om stil*) dialekt-, folkelig (*fx
expression*; *style*); lokal; **4.** (*arkit.*)
folkelig; regional.
vernal ['vɔːn(ə)l] *adj.* F forårs-,
vår-; forårsagtig.
vernal equinox *sb.* forårsjævn-døgn.
vernalize ['vɔːnəlaiz] *vb.* vernali-sere [*forkorte tiden mellem såning
og blomstring ved nedkøling af
frø*].
veronal® ['verən(ə)l] *sb.* veronal
[*sovemiddel*].
veronica [viˈronikə] *sb.* **1.** (*bot.*)
ærenpris; **2.** (*rel.*) Veronikas sve-dedug; veronikabillede.
verruca [vəˈruːkə] *sb.* **1.** fodvorte;
2. vorte.
versatile ['vɔːsətail, (*am.*)
'vɔrsət(ə)l] *adj.* **1.** (*om person*) alsi-dig; **2.** (*om ting*) anvendelig; som
kan bruges til mange ting.
versatility [vɔːsəˈtiləti] *sb.* **1.** alsi-dighed; **2.** anvendelighed.
verse [vɔːs] *sb.* **1.** (*også bibelsk*)
vers (*fx the first* ~ *of the song*);
2. F poesi (*fx* ~ *and prose*);
□ *chapter and* ~ se *chapter*; *in* ~
på vers; *a volume of* ~ et bind
digte.
versed [vɔːst] *adj.*: *well* ~ *in* velbe-vandret i; kyndig i.
versification [vɔːsifiˈkeiʃn] *sb.*
1. verskunst; **2.** versbygning; **3.** (jf.
versify) versifikation.
versify ['vɔːsifai] *vb.* versificere,
sætte på vers.
version [vɔːʃn, (*am.*) 'vɔrʒn] *sb.*
1. (*om ting*) udgave, udformning,
version; **2.** (*om beskrivelse*) frem-stilling, gengivelse (*fx two differ-ent -s of the accident*); version;
3. (*fra andet sprog*) oversættelse.
versus ['vɔːsəs] *præp.* **1.** kontra,
over for (*fx organic* ~ *inorganic
produce*); **2.** (*jur. & i sport*) mod
(*fx the Smith* ~ *Brown case*; *Italy*
~ *Spain*).
vert [vɔːt] *sb.* (*her.*) grønt.
vertebra ['vɔːtibrə] *sb.* (*pl. -e* [-briː])
ryghvirvel.
vertebral ['vɔːtibr(ə)l] *adj.* hvirvel-;
ryghvirvel-.
vertebral column *sb.* = *spinal co-lumn*.

vertebrate[1] ['vɔːtibrət] *sb.* hvirvel-dyr.
vertebrate[2] ['vɔːtibrət] *adj.* hvir-vel-.
vertex ['vɔːteks] *sb.* (*pl. vertices*
['vɔːtisiːz]) **1.** F spids; top;
2. (*anat.*) isse; **3.** (*i trekant*) top-punkt.
vertical ['vɔːtik(ə)l] *adj.* lodret, ver-tikal.
vertical integration *sb.* (*merk.*) ver-tikal/lodret integration/fusion.
vertical union *sb.* (*am.*) industri-forbund.
vertiginous [vɔˈtidʒinəs] *adj.* F
1. svimlende høj (*fx mountain*);
svimlende; **2.** (*om person*) svim-mel.
vertigo ['vɔːtigəu] *sb.* svimmelhed.
vervain ['vɔːvein] *sb.* (*bot.*) ver-bena, jernurt.
verve [vɔːv] *sb.* verve; livfuldhed,
kraft, begejstring; liv.
Very ['vieri, 'veri]: ~ *light* ly-skugle; ~ *pistol* signalpistol.
very[1] ['veri] *adj.* (*glds.*) lutter, ren
og skær (*fx for* ~ *joy*); sand (*fx a*
~ *rogue*);
□ *his* ~ selv hans (*fx his* ~ *ene-mies had to admit it*; *his* ~ *life
was in danger*); *before his* ~ *eyes*
lige for øjnene af ham; *under his*
~ *nose* lige for næsen af ham;
[*om tid*] *that* ~ *day* netop den
dag; *this* ~ *day* **a.** netop på denne
dag; **b.** allerede i dag; *at this* ~ *in-stant/minute/moment* lige i dette
øjeblik; *till the* ~ *end of the day*
lige til dagen var forbi;
[*med: the*] *the* ~ **a.** netop den//det
(*fx the* ~ *question I wanted to
ask*; *he is the* ~ *man for the job*);
lige den//det; **b.** (*om det mest be-tydningsfulde*) selve den//det (*fx
the* ~ *air we breathe is polluted*;
the ~ *fact that he refused to talk
made us suspect him*); **c.** (*om pla-cering*) helt (*fx at the* ~ *back//bot-tom//top* helt bag i//nede på bun-den//oppe på toppen); *it is the* ~
thing we want det er netop hvad/
lige det vi ønsker; *the* ~ *thought
of it* bare tanken om det; (se også
act[1], *idea*, *opposite*[1], *outset*,
same).
very[2] ['veri] *adv.* **1.** (*foran adj.*,
adv.) meget (*fx hot*; *seriously*);
2. (*efter nægtelse*) særlig (*fx not* ~
good; *he has never been* ~ *inter-ested*; *there is nothing* ~ *interest-ing on TV*); **3.** (*foran sup.*) aller-
(*fx the* ~ *best*);
□ ~ *good* **a.** særdeles god, udmær-ket (*fx dinner*); **b.** (*som svar, glds.*)
meget vel; udmærket; ~ *much*
meget vel; ~ *much so* ja meget; ja i

V vesicle

høj grad; *the ~ next day* allerede den næste dag/dagen efter; *not ~* (*ogs*) ikke videre (*fx good*); *~ well* godt, all right, udmærket (*fx ~ well, then I'll do it*); (*How are you?*) *I am very ~* jeg har det udmærket; *it is all ~ well but* det kan alt sammen være meget godt men; *it is all ~ well for you to laugh* du kan sagtens le; *I couldn't ~ well deny it* jeg kunne ikke så godt nægte det; (se også *own¹, same*).

vesicle ['vesikl] *sb.* lille blære; hulhed.

vespers ['vespəz] *sb. pl.* aftensang.

vessel ['ves(ə)l] *sb.* **1.** F kar (*fx drinking ~*); beholder; **2.** (*mar.*, F) fartøj; skib; **3.** (*anat.*) se *blood vessel*; **4.** (*i biblen*) kar (*fx a weak ~* et skrøbeligt kar);
□ *the weaker ~* det svagere kar [*o: kvinden*].

vest¹ [vest] *sb.* **1.** undertrøje; **2.** ærmeløs trøje; (se også *bulletproof vest*); **3.** (*am.*) vest.

vest² [vest] *vb.* iføre sig ornat/messedragt; (se også *vested*).

vestal virgin [vest(ə)l'və:dʒin] *sb.* (*hist.*) vestalinde.

vested ['vestid] *adj.*: *be ~ in* være overdraget til, tilhøre (*fx authority is ~ in the people*); *be ~ with* være udstyret med; indehave.

vested interest *sb.* **1.** personlig// særlig interesse; **2.** (*jur.*) velerhvervet rettighed; tilsikret ret; **3.** (*merk.*) kapitalinteresse;
□ *-s* **a.** tilsikrede rettigheder; kapitalinteresser; grundejerinteresser; **b.** (*personer*) grundejerne; kapitalen; *have a ~ in a concern* (*jf. 2*) have kapital i et foretagende.

vestee [ve'sti:] *sb.* (*am.*) snydebluse.

vestibule ['vestibju:l] *sb.* F forhal; vestibule.

vestibule train *sb.* (*am. jernb.*) gennemgangstog.

vestige ['vestidʒ] *sb.* **1.** levn; spor; **2.** (*biol.*) rudiment;
□ *the last ~ of doubt* den sidste rest af tvivl; *not a ~ of* (*fig.*) ikke den mindste smule.

vestigial [və'stidʒiəl] *adj.* F **1.** som (kun) er et levn; sidste resterende; **2.** (*biol.*) rudimentær.

vestments ['vestmənts] *sb. pl.* F ornat; messedragt.

vestry ['vestri] *sb.* sakristi.

Vesuvius [vi'su:viəs] Vesuv.

vet¹ [vet] *sb.* **1.** (*fork. f. veterinary surgeon*) dyrlæge; **2.** (*am.* T: *fork. f. veteran*) veteran.

vet² [vet] *vb.* **1.** undersøge nøje; gennemgå kritisk; **2.** (*person*)

tjekke, undersøge; underkaste sikkerhedskontrol.

vetch [vetʃ] *sb.* (*bot.*) fodervikke.

veteran¹ ['vet(ə)rən] *sb.* veteran.

veteran² ['vet(ə)rən] *adj.* erfaren; prøvet.

veteran car *sb.* veteranbil [*fra før 1919, specielt før 1905*].

veterinarian [vet(ə)ri'nɛəriən] *sb.* (*am.*) dyrlæge.

veterinary ['vet(ə)rin(ə)ri] *adj.* dyrlæge-; veterinær-.

veterinary surgeon *sb.* dyrlæge.

veto¹ ['vi:təu] *sb.* (*pl. -es*) veto (*of mod*);
□ *have a ~ over, have the power of ~ over* have vetoret over; *put a ~ on* nedlægge veto mod.

veto² ['vi:təu] *vb.* (3. *pers. sg. præs. -es, -ed, -ed*) nedlægge veto imod.

vet's [vets] *sb.* (*pl. vets'*) dyrlægeklinik.

vetting ['vetiŋ] *sb.* **1.** undersøgelse; kritisk gennemgang; sikkerhedskontrol; **2.** (*am.: af nævninge*) udtagelse;
□ *positive ~* sikkerhedsgodkendelse.

vex [veks] *vb.* (se også *vexed*) (*glds.*) ærgre; irritere.

vexation [vek'seiʃn] *sb.* F ærgrelse; irritation; fortrædelighed.

vexatious [vek'seiʃəs] *adj.* (*glds.*) ærgerlig; irriterende; besværlig;
□ *~ suit* (*jur.*) unødig trætte.

vexed [vekst] *adj.* **1.** (*om sag*) besværlig (*fx problem*); problematisk; omstridt (*fx question*); **2.** (*om person, glds.*) ærgerlig, irriteret (*with* på); foruroliget.

VG, vg *fork. f. very good.*

VHF *fork. f. very high frequency* (30-300 MHz).

VI *fork. f. Virgin Islands.*

via ['vaiə] *præp.* via; over.

viability [vaiə'biləti] *sb.* (*jf. viable*) levedygtighed; bæredygtighed; gennemførlighed; anvendelighed.

viable ['vaiəbl] *adj.* **1.** levedygtig (*fx make the company ~*); bæredygtig, gennemførlig (*fx plan; idea*); anvendelig (*fx alternative*); **2.** (*biol.*) levedygtig.

viaduct ['vaiədʌkt] *sb.* viadukt.

vial ['vaiəl] *sb.* **1.** lille medicinflaske, pilleglas; **2.** parfumeflaske, flakon;
□ *pour out the -s of one's wrath* udgyde sin vredes skåler.

viands ['vaiəndz] *sb.* (*glds.*) levnedsmidler.

vibes [vaibz] *sb. pl.* T **1.** vibrationer; **2.** (*mus.*) vibrafon.

vibrant ['vaibr(ə)nt] *adj.* **1.** vibrerende; dirrende (*with* af, *fx emotion; excitement*); **2.** (*om stemme*)

klangfuld; **3.** (*om farve*) livlig, lysende; **4.** (*om person, sted*) aktiv; spillevende.

vibraphone ['vaibrəfəun] *sb.* (*mus.*) vibrafon.

vibrate [vai'breit, (*am.*) 'vaibreit] *vb.* **1.** vibrere, ryste, dirre; **2.** (*om streng*) vibrere, svinge; **3.** (*med objekt*) få til at vibrere; sætte i svingninger.

vibration [vai'breiʃn] *sb.* (*jf. vibrate*) **1.** vibration; rystelse; rysten, dirren; **2.** vibration; svingning (*fx the -s of the vocal cords*).

vibrator [vai'breitə] *sb.* vibrator; massageapparat.

viburnum [vai'bə:nəm] *sb.* (*bot.*) snebolle [*en busk*].

Vic. [vik] *fork. f. Victoria.*

vicar ['vikə] *sb.* sognepræst;
□ *the Vicar of Christ* Kristi stedfortræder [*o: paven*].

vicarage ['vikəridʒ] *sb.* præstebolig; præstegård.

vicar general *sb.* (*pl. vicars general*) (*rel.*) generalvikar [*biskops hjælper el. stedfortræder*].

vicarious [vai'kɛəriəs] *adj.* **1.** andenhånds-, indirekte (*fx pleasure*); gennem en anden//andre; **2.** som man har på en andens//andres vegne; stedfortrædende (*fx suffering*).

vice¹ [vais] *sb.* **1.** last; fejl; **2.** (*hos hest*) unode, uvane; **3.** (*mht. livsførelse*) umoralitet, moralsk fordærv; **4.** (*lovovertrædelse*) usædelighed; prostitution; **5.** (*tekn.*) skruestik;
□ *he had a grip like a ~* han holdt fast som en skruestik; han havde et jerngreb.

vice² [vais] (*forstavelse*) vice- (*fx admiral; consul*).

vice chancellor *sb.* (*ved universitet, svarer til*) rektor.

vicegerent [vais'dʒerənt, -'dʒiə-] *sb.* stedfortræder.

vice-like ['vaislaik] *adj.*: *a ~ grip* et greb som en skruestik; et jerngreb.

vice-president [vais'prezid(ə)nt] *sb.* **1.** vicepræsident; **2.** (*i forening*) næstformand; **3.** (*merk.*) vicedirektør.

viceregal [vais'ri:g(ə)l] *adj.* vicekongelig; hørende til vicekongen.

viceroy ['vaisrɔi] *sb.* vicekonge; statholder.

vice squad *sb.* [*politiafdeling der beskæftiger sig med sager vedrørende hasardspil, prostitution, narko etc.*]; (*svarer delvis til*) sædelighedspoliti.

vice versa [vaisi'və:sə] *adv.* vice versa; omvendt (*fx he dislikes me,* *and* ~).

vicinity [vi'sinəti] *sb.*: *in the* ~ i nærheden; i nabolaget; i omegnen; *in the* ~ *of* i nærheden af.

vicious ['viʃəs] *adj.* **1.** ondskabsfuld (*fx attack*; *kick*; *look*; *lies*; *remark*; *rumour*); ondartet, brutal (*fx attack*; *criminal*; *thug*); **2.** (*om dyr*) ondskabsfuld (*fx dog*; *horse*); arrig, bidsk (*fx dog*); **3.** (*om redskab, sygdom etc.*) modbydelig (*fx torture instrument*; *headache*; *wind*); ondartet (*fx flue bug*).

vicious circle *sb.* ond cirkel.

vicious spiral *sb.* ond cirkel; skrue uden ende.

vicissitudes [vi'sisitju:dz] *sb. pl.* F omskiftelser, tilskikkelser (*fx the* ~ *of life*).

victim ['viktim] *sb.* **1.** offer (*of* for); **2.** (*for sygdom: i sms.*) -ramt (*fx an AIDS* ~; *a polio* ~); □ *fall* ~ *to* blive offer for.

victimization [viktimai'zeiʃn] *sb.* forfølgelse; uretfærdig behandling.

victimize ['viktimaiz] *vb.* forfølge; behandle uretfærdigt; gøre til syndebuk, lade det gå ud over.

victor ['viktə] *sb.* F sejrherre; sejrende; vinder.

Victoria and Albert [viktɔ:riəənd-'ælbət]: *the* ~ [*museum i London for kunsthåndværk og kunst*].

Victoria Cross *sb.* viktoriakors; (se *VC 2*).

Victorian[1] [vik'tɔ:riən] *sb.* viktorianer [*fra dronning Victorias regeringstid 1837-1901*].

Victorian[2] [vik'tɔ:riən] *adj.* **1.** viktoriansk [*fra perioden 1837-1901*]; **2.** (*om indstilling*) viktoriansk, streng, snerpet.

victorious [vik'tɔ:riəs] *adj.* sejrrig; sejrende; sejrs-.

victory ['vikt(ə)ri] *sb.* sejr; (se også *jaws*).

victrola® [vik'troulə] *sb.* (*am., glds.*) grammofon.

victualler ['vit(ə)lə] *sb.* (*glds. el.* F) **1.** værtshusholder; beværter; **2.** proviantleverandør; **3.** proviantskib.

victuals ['vit(ə)lz] *sb. pl.* (*glds. el. spøg.*) forsyninger, proviant; fødevarer.

vid [vid] *sb.* T video.

vide ['vaidi] *imp.* (*lat.: i henvisning*) se.

video[1] ['vidiəu] *sb.* **1.** video [*film*; *apparat*]; **2.** (*am.*) fjernsyn.

video[2] ['vidiəu] *vb.* optage på video.

video arcade *sb.* (*am.*) spillehal med computerspil.

video cassette *sb.* videokassette,

videobånd.

video cassette recorder *sb.* videobåndoptager, video.

videoconferencing ['vidiəukɔnf(ə)rənsiŋ] *sb.* videokonference.

videodisk ['vidiəudisk] *sb.* videoplade.

videofit ['vidiəufit] *sb.* elektronisk fremstillet fantombillede; (jf. *identikit*).

video game *sb.* computerspil.

video nasty *sb.* T videovoldsfilm; voldsvideo.

videophone ['vidiəufəun] *sb.* videotelefon [*telefon med tv-skærm*].

video recorder *sb.* videobåndoptager, video.

videotape[1] ['vidiəuteip] *sb.* videobånd.

videotape[2] ['vidiəuteip] *vb.* optage på videobånd.

videotape recorder *sb.* videobåndoptager, video.

videotext ['vidiəutekst] *sb.* teledata.

vie [vai] *vb.* F kappes (*with* med).

Vienna [vi'enə] Wien.

Viennese[1] [viə'ni:z] *sb.* wiener.

Viennese[2] [viə'ni:z] *adj.* Wiener-; wiensk.

Vietnamese[1] [vjetnə'mi:z] *sb.* **1.** (*person*) vietnameser; **2.** (*sprog*) vietnamesisk.

Vietnamese[2] [vjetnə'mi:z] *adj.* vietnamesisk.

view[1] [vju:] *sb.* **1.** udsigt (*of, over* til, over, *fx the castle*); **2.** (*af noget der skal sælges*) eftersyn; besigtigelse; **3.** (*maleri,; foto.*) billede (*fx take some -s of the castle*); **4.** (*billedtitel*) parti (*of* fra, *fx* ~ *of Dartmoor*); **5.** (*mht. sag*) mening (*about/on* om, *fx do you have a* ~ *about/on what we should do now?*); anskuelse; synspunkt (*fx the official* ~); **6.** (*personlig, mht. bestemt emne*) opfattelse (*of* af, *fx the role of women*; *that* at at, *fx that it was a mistake*); syn (*of* på, *fx the role of women*);
□ *-s* **a.** (jf. 5) anskuelser; synspunkter (*fx express one's -s*; *an exchange of -s*); **b.** (jf. 6) meninger (*about/on* om, *fx they have different -s on politics*);
[*med vb.*] *have* other *-s* *for* have andre planer for (*fx I have other -s for my daughter*); *have a* ~ *of* **a.** (jf. 1) have udsigt til/over (*fx the park*); kunne se (*fx I had a better* ~ *of the blackboard from there*); **b.** (jf. 6) have en opfattelse af (*fx he has no clear* ~ *of what he wants*); *have a cheerful* ... ~ *of*

se ndf.: *take a cheerful* ... ~ *of*;
hold extreme *-s* have yderliggående synspunkter/anskuelser;
hold conservative//unconventional *-s* *about* have et konservativt//utraditionelt syn på; *hold/take the* ~ *that* være af/nære den anskuelse at; anlægge det synspunkt at; se sådan på det at; *take a long* ~ arbejde på langt sigt; være fremsynet; *take a cheerful// serious etc.* ~ *of* se lyst//alvorligt *etc.* på; *take a different* ~ *of* anlægge et andet syn på; *take a dim/ poor* ~ *of* T ikke bryde sig om; ikke have høje tanker om;
[*med præp.*] *disappear from* ~ forsvinde ud af syne; *in* ~ inden for synsvidde; *have in* ~ have for øje; huske på; tage i betragtning; *in my* ~ efter min mening/opfattelse; *in* ~ *of* i betragtning af; under hensyn til; med henblik på; *we came in* ~ *of the castle* vi kom til et sted hvorfra vi kunne se slottet//hvor man kunne se os fra slottet; *in full* ~ *of* for øjnene af; *come into* ~ komme til syne; *on* ~ udstillet; til eftersyn; *be on* ~ (*også*) kunne beses; *with a* ~ *to sth* med noget for øje; med henblik på noget.

view[2] [vju:] *vb.* **1.** se (*fx -ed from the air*); bese (*fx the public can* ~ *the famous hall*); **2.** (*med henblik på køb, leje*) besigtige; **3.** (*på computerskærm*) se, betragte; **4.** (*om mening*) se på (*fx how do you* ~ *your chances? we* ~ *the situation with concern*); betragte; **5.** (F: *fjernsyn, film*) se;
□ ~ *as* betragte som.

viewdata ['vju:deitə] *sb.* teledata.

viewer ['vju:(:)ə] *sb.* **1.** betragter (*fx the woman in the painting looks directly at the* ~); **2.** (*tv*) seer; **3.** (*foto.: til farvelysbilleder*) betragter.

viewfinder ['vju:faində] *sb.* (*foto. etc.*) søger.

view halloo [vju:hə'lu:] *interj.* [*udråb på parforcejagt når ræven er set*].

viewing ['vju:iŋ] *sb.* **1.** betragtning; besigtigelse; **2.** (*tv*) fjernsynskiggeri; **3.** (*af film*) gennemsyn (*fx after three -s*).

viewless ['vju:ləs] *adj.* **1.** som ikke byder på nogen udsigt; **2.** (*poet.*) usynlig; **3.** (*am.*) som ikke har nogen mening.

viewpoint ['vju:pɔint] *vb.* **1.** synspunkt; **2.** (*sted*) udsigtspunkt.

vigil ['vidʒil] *sb.* nattevågen; nattevagt;
□ *-s* (*rel.*) vigilie; nattegudstjene-

ste; *hold a ~* holde vagt, stille sig op [ɔ: *som politisk protest*]; *keep a ~* våge (*fx beside sby's bed*).

vigilance ['vidʒiləns] *sb.* F vagtsomhed; årvågenhed.

vigilance committee *sb.* (*am.*) selvbestaltet privat vagtværn [*til opretholdelse af lov og orden hvor man mener myndighederne ikke gør nok*].

vigilant ['vidʒilənt] *adj.* vagtsom; årvågen.

vigilante [vidʒi'lænti] *sb.* (*am.*) [*medlem af vigilance committee*]; selvbestaltet privat vagt.

vignette [vin'jet] *sb.* vignet.

vigorish ['vigəriʃ] *sb.* (*am.*) **1.** afgift til bookmaker//spillekasino; **2.** rente til pengeudlåner.

vigorous ['vigərəs] *adj.* **1.** (*om aktivitet*) energisk; som kræver kraftudfoldelse; **2.** (*om person*) energisk; livskraftig; robust.

vigour ['vigə] *sb.* **1.** kraft, energi; **2.** (*persons*) kraft, livskraft, vitalitet; **3.** (*plantes*) vækstkraft.

Viking ['vaikiŋ] *sb.* viking.

vile [vail] *adj.* **1.** modbydelig (*fx habit; climate; smell*); ækel, afskyelig; **2.** (T: *om kvalitet*) elendig, rædsom (*fx food; verses*); **3.** (F: *mht. moral*) nedrig, lav (*fx slander; suspicions*).

vilification [vilifi'keiʃn] *sb.* F bagvaskelse; nedrakning.

vilification campaign *sb.* smædekampagne.

vilify ['vilifai] *vb.* F bagvaske; rakke ned.

villa ['vilə] *vb.* (større) villa.

Village *sb.*: *the ~* (*am.*: *i New York*) *Greenwich Village*.

village ['vilidʒ] *sb.* landsby; (se også *fishing village*).

village green *sb.* (*omtr.*) fælled [*grønt område i landsby til fællesaktiviteter*].

village hall *sb.* forsamlingshus.

village idiot *sb.* landsbytosse.

village pond *sb.* gadekær.

villager ['vilidʒə] *sb.* landsbyboer.

villain ['vilən] *sb.* skurk; □ *he was the ~ of the piece* T det var ham der var skurken.

villainous ['vilənəs] *adj.* **1.** (*litt.*) skurkagtig; slyngelagtig; ond; **2.** T rædselsfuld (*fx smell*).

villainy ['viləni] *sb.* (*litt.*) **1.** skurkagtighed; ondskab; **2.** skurkestreg, slyngelstreg.

villein ['vilin] *sb.* (*hist.*) livegen; hovbonde.

vim [vim] *sb.* (*glds.* T) energi, kraft.

vinaigrette [vinei'gret] *sb.* **1.** olie-eddikedressing; **2.** (*hist.*) lugteflaske; lugtedåse.

vindaloo [vində'lu:] *sb.* [*stærkt krydret indisk karryret*].

vindicate ['vindikeit] *vb.* **1.** bekræfte (*fx his honesty//theory was -d*); **2.** (*handlemåde*) retfærdiggøre (*fx his decision; his policy*); **3.** (*mht. mistanke, skyld*) rense; □ *~ him* (*også*) vise/godtgøre at han havde ret.

vindication [vindi'keiʃn] *sb.* (jf. *vindicate*) **1.** bekræftelse; **2.** retfærdiggørelse; **3.** renselse; **4.** bevis for at en har//havde ret.

vindictive [vin'diktiv] *adj.* hævngerrig.

vine [vain] *sb.* **1.** vinranke; vinstok; **2.** (*om andre planter*) slyngplante, klatreplante; **3.** (*enkelt gren*) ranke; □ *tomatoes on the ~* tomater på stilk, stilktomater; *wither on the ~* visne bort; langsomt dø hen.

vine dresser *sb.* vingårdsgartner.

vinegar ['vinigə] *sb.* eddike.

vinegary ['vinigəri] *adj.* eddikesur.

vinery ['vainəri] *sb.* **1.** drivhus for vinstokke; **2.** vingård.

vineyard ['vinjəd] *sb.* vingård.

vino ['vi:nəu] *sb.* T vin.

vinous ['vainəs] *adj.* F vin- (*fx smell; taste*).

vintage[1] ['vintidʒ] *sb.* **1.** årgang (*fx 1982 was a good ~; what ~ is the wine?*); **2.** vin (*fx the 1982 ~*); **3.** vinhøst; **4.** (T: *fig.*) årgang.

vintage[2] ['vintidʒ] *adj.* **1.** af en fin årgang; årgangs- (*fx wine; champagne*); **2.** (*om ting*) gammel og fin, fra den klassiske periode (*fx comic book; television comedy; Sherlock Holmes story*); (*om fly, motorcykel*) veteran-; (se også *vintage car*); **3.** (*om andet*) klassisk (*fx it was ~ Frank Sinatra*); fremragende, udsøgt (*fx a ~ performance*).

vintage car *sb.* veteranbil [*fremstillet 1919-30*].

vintage year *sb.* særlig godt år.

vintner ['vintnə] *sb.* vinhandler.

vinyl ['vain(ə)l] *sb.* (også *om grammofonplader*) vinyl.

viol ['vaiəl] *sb.* (*mus.*) gambe.

viola [vi'əulə] *sb.* (*mus.*) bratsch.

violate ['vaiəleit] *vb.* F **1.** (*aftale, bestemmelse*) overtræde, krænke (*fx human rights; a law*); bryde (*fx an agreement; a contract; a law; an oath*); **2.** (*område, privatliv*) krænke (*fx a frontier; their neutrality; their privacy*); **3.** (*helligdom etc.*) skænde, vanhellige (*fx a temple; a tomb*); **4.** (*kvinde, glds.*) voldtage.

violation [vaiə'leiʃn] *sb.* (jf. *violate*) **1.** overtrædelse (*fx of international*

law); krænkelse (*fx of human rights*); brud (*fx of a treaty*); **2.** krænkelse (*fx of our territory// airspace; of privacy*); **3.** vanhelligelse (*fx of a temple*); **4.** (*mod kvinde, glds.*) voldtægt; □ *in ~ of* stik imod (*fx the rules*).

violence ['vaiələns] *sb.* **1.** vold (*fx an outbreak of ~; ~ against women*); **2.** voldsomhed (*fx the ~ of the storm*); □ *act of ~* voldshandling; *crimes of ~* voldsforbrydelser; *do ~ to* krænke.

violent ['vaiələnt] *adj.* **1.** voldelig (*fx demonstrations; he became ~*); volds- (*fx crime; incidents; methods*); **2.** (*om styrke*) voldsom, kraftig (*fx explosion; noise; wind*); stærk, heftig (*fx stomach pains; emotion*); **3.** (*om farve*) skrigende.

violent storm *sb.* **1.** voldsomt uvejr; **2.** (*vindstyrke 11*) stærk storm.

violet ['vaiələt] *sb.* **1.** (*bot.*) viol; **2.** (*farve*) violet.

violin [vaiə'lin] *sb.* (*mus.*) violin.

violinist [vaiə'linist] *sb.* violinist.

violoncello [vaiələn'tʃeləu] *sb.* (*mus.*, F) violoncel, cello.

VIP [vi:ai'pi:] *fork. f. Very Important Person* prominent person.

viper ['vaipə] *sb.* **1.** hugorm; **2.** (*fig., litt.*) giftsnog, slange; □ *cherish a ~ in one's bosom* nære en slange ved sin barm.

viperish ['vaipəriʃ] *adj.* **1.** slangeagtig; **2.** (*fig.*) ond; lumsk; giftig.

viperous ['vaipərəs] *adj.* slangeagtig.

viper's bugloss *sb.* (*bot.*) slangehoved.

virago [vi'ra:gəu, -'rei-] *sb.* (*glds.*) rappenskralde; havgasse.

viral ['vairəl] *adj.* (*med.*) virus- (*fx infection*).

Virgin ['vɔ:dʒin] *sb.*: *the ~* **a.** (*rel.*) jomfru Maria; **b.** (*astr.*) se *Virgo*.

virgin[1] ['vɔ:dʒin] *sb.* jomfru.

virgin[2] ['vɔ:dʒin] *adj.* **1.** jomfruelig; uberørt; **2.** (*om metal*) rent.

virginal ['vɔ:dʒin(ə)l] *adj.* **1.** jomfruelig; uskyldig; **2.** (*fig.*) jomfruelig; uberørt.

virginals ['vɔ:dʒin(ə)lz] *sb. pl.* (*mus.*) virginal [*slags spinet*].

virgin forest *sb.* naturskov; urskov.

Virginia creeper [vədʒinjə'kri:pə] *sb.* vildvin.

Virgin Islands *sb. pl.*: *the ~* Jomfruøerne [*det tidligere Dansk Vestindien*].

virginity [və'dʒinəti] *sb.* jomfruelighed; □ *lose one's ~* miste sin mødom/ jomfrudom/uskyld.

virgin soil *sb.* uopdyrket jord.
virgin territory *sb.* ukendt land.
virgin wool *sb.* ny uld.
Virgo ['vəːgəu] *sb.* (*astr.*) Jomfruen;
□ *I am a* ~ jeg er jomfru.
virile ['virail, (*am.*) 'viril] *adj.* viril,
mandig; (*fig. også*) kraftfuld.
virility [vi'riləti] *sb.* virilitet, mandighed; (*fig. også*) kraft, styrke (*fx
the country's economic* ~).
virology [vaiə'rɔlədʒi] *sb.* (*med.*) virologi [*læren om virus*].
virtu [vəː'tuː] *sb.* kunstsans, kunstforstand;
□ *articles of* ~ genstande af kunstnerisk værdi; rariteter.
virtual ['vəːtʃuəl] *adj.* **1.** faktisk,
reel, egentlig (*fx he was the* ~
ruler); **2.** (*fys.*) virtuel (*fx image;
source*) [*mods. virkelig*];
□ *it is a* ~ *certainty* det er så godt
som sikkert; *bring the country to
a* ~ *standstill* få landet til nærmest at gå i stå.
virtually ['vəːtʃuəli] *adv.* så godt
som, nærmest, praktisk talt (*fx
impossible*).
virtual memory *sb.* (*it*) virtuel hukommelse, virtuelt/simuleret lager.
virtual reality *sb.* [*computerskabt
kunstig virkelighed*].
virtue ['vəːtʃuː] *sb.* **1.** (*persons*) dyd
(*fx patience is not one of his -s*);
fortrin, god egenskab, positivt
træk (*fx that was his only* ~);
2. (*tings*) fortrin; fordel (*of ved, fx
the great* ~ *of the scheme*); **3.** (F,
også glds. om kvinde) dyd; (se
også *easy*);
□ *by/in* ~ *of* i kraft af; *make a* ~
of gøre en dyd af; ~ *was rewarded* dyden fik sin løn.
virtuosity [vəːtʃu'ɔsəti] *sb.* virtuositet.
virtuoso [vəːtʃu'əuzəu, (*am.*) -'ousou] *sb.* **1.** virtuos; **2.** kunstkender.
virtuous ['vəːtʃuəs] *adj.* retskaffen, anstændig (*fx lead a* ~ *life*);
2. (*neds.*) dydig; selvretfærdig (*fx
in a* ~ *tone*); **3.** (*glds. om kvinde*)
dydig, kysk.
virtuous circle *sb.* god cirkel.
virulence ['virulǝns] *sb.* **1.** F ondskab; bitterhed; **2.** (*med.: om sygdom*) ondartethed; (*i bakteriologi*)
virulens.
virulent ['virulǝnt] *sb.* **1.** ondskabsfuld (*fx attack*); bitter, indædt (*fx
anger*); **2.** (*med.: om sygdom*) ondartet (*fx form of malaria*); (*i bakteriologi*) virulent.
virus ['vaiǝrǝs] *sb.* virus.
visa ['viːzǝ] *sb.* visum.
visage ['vizidʒ] *sb.* (*litt.*) ansigt.
vis-à-¹vis [viːzaː'viː] *sb.* (*pl. d. s.*) F

1. person der sidder over for en;
2. (*fig.*) modstykke.
vis-à-²vis [viːzaː'viː] *præp.*
vis-a-vis, over for.
viscera ['visǝrǝ] *sb. pl.* indvolde.
visceral ['vis(ǝ)rǝl] *adj.* **1.** (*litt.*) instinktiv; dyb (*fx fear; hatred*); intuitiv; følelsesmæssig; **2.** (*anat.*)
indvolds-; tarm-.
viscid ['visid] *adj.* se *viscous.*
viscidity [vi'sidǝti] *sb.* klæbrighed.
viscose ['viskǝus] *sb.* viskose↲
viscosity [vis'kɔsǝti] *sb.* viskositet,
væsketykkelse, tyktflydenhed.
viscount ['vaikaunt] *sb.* [*næstlaveste engelsk adelsrang, under earl
og over baron*].
viscountcy ['vaikauntsi] *sb.* rang//
titel af *viscount.*
viscountess ['vaikauntǝs] *sb.* *viscount's* hustru.
viscous ['viskǝs] *adj.* sej, tyktflydende; klæbrig.
vise [vais] *sb.* (*am.*) skruestik.
visibility [vizi'bilǝti] *sb.* **1.** sigtbarhed (*fx* ~ *was down to two metres*); **2.** synlighed (*fx the* ~ *of the
police*).
visible ['vizǝbl] *adj.* synlig.
vision ['viʒ(ǝ)n] *sb.* **1.** (*sans*) syn (*fx
he had very little* ~ *in* (på) *his left
eye*); synsevne; **2.** (*egenskab*) klarsyn, vidsyn, fremsyn (*fx he lacks*
~); **3.** (*om det man kan se*) udsyn
(*fx it blocked my* ~); synsfelt (*fx
it was out of* ~); (se også *field¹,
range¹*); **4.** (*i drømme etc.*) syn (*fx
the idea came to him in a* ~);
5. (*om fremtiden*) vision, forestilling (*of om, fx a future society
with complete equality*); **6.** (*rel.*)
syn, åbenbaring (*fx they saw the
Virgin Mary in a* ~); **7.** (*om smuk
person, især spøg.*) åbenbaring (*fx
she was a* ~ *of beauty*); drømmesyn; **8.** (*tv*) billeder;
□ *have -s of* have visioner om.
visionary¹ ['viʒ(ǝ)n(ǝ)ri] *sb.* **1.** visionær person; **2.** (*neds.*) sværmer, fantast, drømmer.
visionary² ['viʒ(ǝ)n(ǝ)ri] *adj.* **1.** visionær; **2.** (*neds.*) sværmerisk;
fantastisk.
visit¹ ['vizit] *sb.* besøg.
□ *pay a* ~ aflægge besøg.
visit² ['vizit] *vb.* **1.** besøge; **2.** (*om
plage, ulykke*) hjemsøge; ramme;
3. (*uden objekt*) aflægge besøg;
komme på besøg; **4.** (*am.* T)
snakke; sludre;
□ ~ *on* (*glds. el.* F) bringe over (*fx
the devastation which warfare
had -ed on the country*); ~ *with*
(*am.*) besøge; snakke med, sludre
med; *be -ed with* (*jf. 2*) blive
hjemsøgt/ramt af.

visitation [vizi'teiʃn] *sb.* **1.** (F: *især
am.*) besøg; **2.** (*biskops*) visitats;
3. (*med sine børn: om fraskilt*)
samkvem, samvær; **4.** (*jf. visit² 2*)
hjemsøgelse; prøvelse.
visitation rights *sb. pl.* samkvemsret, samværsret.
visiting ['vizitiŋ] *adj.* besøgende;
gæste- (*fx speaker*).
visiting card *sb.* visitkort.
visiting hours *sb. pl.* besøgstid.
visiting professor *sb.* (*am.*) gæsteprofessor.
visiting rights *sb. pl.* samkvemsret;
samværsret.
visiting team *sb.* udehold.
visitor ['vizitǝ] *sb.* **1.** gæst; besøgende; **2.** (*zo.: om fugl*) gæst, trækgæst;
□ *the -s* (*i sportskamp*) udeholdet.
visitors' book *sb.* gæstebog.
visor ['vaizǝ] *sb.* **1.** (*på hjelm*) visir;
2. (*i bil*) solskærm; **3.** (*for øjnene*)
øjenskærm, solskærm; **4.** (*am.: på
kasket*) skygge; **5.** (*hist.*) maske.
vista ['vistǝ] *sb.* **1.** (*litt.*) udsigt,
vue; **2.** (*fig.*) perspektiv, udsigt (*fx
frightening -s*);
□ *open up new -s for* (*fig.*) åbne
nye perspektiver for.
Vistula ['vistjulǝ]: *the* ~ (*geogr.*)
Weichsel, Visla.
visual ['viʒuǝl] *adj.* **1.** syns- (*fx
handicap*); **2.** visuel; billed-; (se
også *visuals*).
visual aids *sb. pl.* visuelle hjælpemidler.
visual arts *sb. pl.* billedkunst.
visual display unit *sb.* dataskærm.
visualize ['viʒuǝlaiz] *vb.* visualisere, se for sig, forestille sig.
visuals ['viʒuǝlz] *sb. pl.* **1.** billeder;
visuelle fremstillinger; **2.** (*film.*)
billedside.
vita ['viːtǝ] *sb.* (*især am.*) [*redegørelse for ens kvalifikationer og tidligere beskæftigelse*]; CV.
vital ['vait(ǝ)l] *adj.* **1.** absolut nødvendig, afgørende (*to* for); livsvigtig; **2.** (*om person*) vital; livskraftig;
□ *of* ~ *importance* af vital/afgørende betydning.
vitality [vai'tælǝti] *sb.* **1.** vitalitet,
livlighed, liv; livskraft; **2.** levedygtighed.
vitalize ['vait(ǝ)laiz] *vb.* sætte liv i.
vital organs *sb. pl.* se *vitals.*
vitals ['vait(ǝ)lz] *sb. pl.* vitale organer.
vital signs *sb. pl.* [*puls, åndedræt,
temperatur, blodtryk*].
vital statistics *sb. pl.* **1.** befolkningsstatistik [*over fødsler, dødsfald etc.*]; **2.** (*fig.* T) mål [ɔ: buste-,
talje- og hofte-].

V vitamin

vitamin ['vitəmin, 'vai-] *sb.* vitamin;
□ ~ *A* A-vitamin.
vitiate ['viʃieit] *vb.* **1.** F ødelægge, svække; **2.** (*jur.*) gøre ugyldig.
vitiation [viʃi'eiʃn] *sb.* **1.** ødelæggelse; **2.** (*jur.*) ugyldiggørelse.
viticulture ['vitikʌltʃə] *sb.* vinavl.
vitreous ['vitriəs] *adj.* glas-; glasagtig.
vitreous body *sb.* glaslegeme [*i øjet*].
vitrifaction [vitri'fækʃn], **vitrification** [vitrifi'keiʃn] *sb.* **1.** forglasning; omdannelse til glas; **2.** (*om porcelæn*) sintring.
vitrify ['vitrifai] *vb.* **1.** omdanne til glas, forglasse; **2.** (*om porcelæn*) få til at sintre.
vitriol ['vitriəl] *sb.* (*litt.*) ætsende/bidende kritik; giftigheder.
vitriolic [vitri'ɔlik] *adj.* ætsende, bidende (*fx criticism*); meget skarp (*fx debate*).
vituperation [vitju:pə'reiʃn] *sb.* F smædeord; udskældning; fornærmelser.
vituperative [vi'tju:p(ə)rətiv] *adj.* skældende; smædende; fornærmende.
viva[1] ['vaivə] *sb.* (*ved universitet*) mundtlig eksamen.
viva[2] ['vi:və] *sb.* (*bifaldsråb*) leve.
vivacious [vi'veiʃəs, vai-] *adj.* livlig, levende.
vivacity [vi'væsəti, vai-] *sb.* liv; livlighed.
vivarium [vai'vɛəriəm] *sb.* terrarium.
viva voce [vaivə'vəusi, -tʃi] *sb.* mundtlig eksamen.
vivid ['vivid] *adj.* **1.** (*om erindring*) levende, klar; **2.** (*om skildring, drøm etc.*) levende, livagtig; **3.** (*om farve*) knald-, klar, intens (*fx blue; green; red*);
□ *a* ~ *imagination* en livlig fantasi.
viviparous [vi'vipərəs] *adj.* (*zo.*) som føder levende unger.
vivisection [vivi'sekʃn] *sb.* vivisektion [*eksperimenter med forsøgsdyr*].
vixen ['viks(ə)n] *sb.* **1.** (*zo.*) hunræv; **2.** (*glds. om kvinde*) rappenskralde; ondskabsfuld kælling.
vixenish ['viks(ə)niʃ] *adj.* skrap, galhovedet.
viz. [viz, 'neimli] F nemlig.
vizier [vi'ziə] *sb.* vesir.
V-J Day [vi:'dʒeidei] [*dagen for sejren over Japan i 2. Verdenskrig, 15. august 1945*].
vlei [flei] *sb.* (*sydafr.*) **1.** lavvandet sø; **2.** mose [*som er oversvømmet i regntiden*].

v-mail ['vi:meil] *sb.* = *voice mail*.
V-neck ['vi:nek] *sb.* **1.** V-udskæring; **2.** sweater med V-udskæring.
VO *fork. f. (Royal) Victorian Order.*
vocab ['vəukæb] *sb.* T ordforråd.
vocable ['vəukəbl] *sb.* (*sprogv.*) ord; glose.
vocabulary [və'kæbjuləri] *sb.*
1. (*persons, sprogs, fags*) ordforråd; **2.** (*i bog*) glossar, ordliste; **3.** (*fig.: i kunst*) formsprog.
vocal ['vəuk(ə)l] *adj.* (*se også vocals*) **1.** stemme- (*fx training*); sang-; **2.** (*mus.*) vokal- (*fx music*); **3.** (*om person*) højrøstet (*fx critic*); **4.** (*om udtryk*) højrøstet, højlydt (*fx criticism; support*);
□ *become* ~ **a.** komme til udtryk; **b.** (*om person*) tage til orde; **c.** (*om dyr*) give lyd fra sig.
vocal chords *sb. pl.* se *vocal cords.*
vocal cords *sb. pl.* (*anat.*) stemmebånd, stemmelæber.
vocalic [və'kælik] *adj.* vokal-; vokalisk.
vocalist ['vəuk(ə)list] *sb.* sanger.
vocalize ['vəuk(ə)laiz] *vb.* **1.** udtale; **2.** (*fon.*) vokalisere; udtale stemt; **3.** (*mus.*) synge på vokaler alene [*uden ord*].
vocal pitch *sb.* stemmeleje.
vocals ['vəuk(ə)lz] *sb. pl.* (*i popmusik*) sang.
vocation [və'keiʃn] *sb.* kald (*fx he regards his profession as a* ~, *not just a job*);
□ *find one's true* ~ finde sit sande kald; komme på den rette hylde; *have/feel a* ~ føle et kald (*fx for teaching; to become a priest*); *have no* ~ *for* ikke have anlæg/talent for.
vocational [və'keiʃn(ə)l] *adj.* erhvervs-; erhvervsrettet (*fx course*); faglig (*fx training; skills*); fag- (*fx school*).
vocational guidance *sb.* erhvervsvejledning.
vocative ['vɔkətiv] *sb.* (*gram.*) vokativ; tiltaleform.
vociferate [və'sifəreit] *vb.* skrige; råbe.
vociferation [vəsifə'reiʃn] *sb.* skrigen; råben.
vociferous [və'sif(ə)rəs] *adj.* højrøstet; larmende.
vodka ['vɔdkə] *sb.* vodka.
vogue [vəug] *sb.* **1.** mode; **2.** popularitet (*fx a writer who enjoyed (a) considerable* ~ *in this country*);
□ *a* ~ *for* + *-ing* (*neds.*) en mode/mani med at; *create a* ~ *for sth* bringe noget på mode; *be in* ~, *be the* ~ være på mode, være moderne; være populær; *be out of* ~ være umoderne.

voice[1] [vɔis] *sb.* **1.** stemme (*fx his master's* ~; *the* ~ *of conscience; an arrangement for four -s*);
2. (*gram.: om verber*) genus, form, diatese; (se også *active, passive*);
□ *be in good* ~ synge godt; *in a loud* ~ med høj stemme; *in a low* ~ med sagte stemme, sagte; *with one* ~ enstemmigt; *a* ~ *within him//me etc.* en indre stemme; (se også *top*[1] (*at the top of*));
[*med vb.*] *find one's* ~ **a.** genvinde talens brug; **b.** (*om forfatter*) finde sin egen udtryksform; *give* ~ *to* give udtryk for, udtrykke; *have a* ~ *in* have (med)indflydelse på; have noget at sige i; *raise one's* ~ hæve stemmen.
voice[2] [vɔis] *vb.* **1.** give udtryk for, udtrykke; **2.** (*fon.*) stemme.
voice-activated ['vɔisæktiveitid] *adj.* talestyret.
voice box *sb.* T strubehoved.
voiced [vɔist] *adj.* (*fon.*) stemt.
voiceless ['vɔisləs] *adj.* **1.** stum; **2.** uden stemme; **3.** (*fon.*) ustemt.
voice mail *sb.* talt besked [*fx på mobiltelefon*].
voice-over ['vɔisəuvə] *sb.* (*på film, tv*) kommentar.
voiceprint ['vɔisprint] *sb.* stemmeaftryk.
voice production *sb.* stemmedannelse.
voice vote *sb.* (*am. parl.*) mundtlig afstemning [*ved at lade medlemmerne råbe aye el. nay*].
void[1] [vɔid] *sb.* **1.** tomrum; **2.** (*følelse*) savn (*fx his death left a* ~);
□ *stare into the* ~ stirre ud i det tomme rum.
void[2] [vɔid] *adj.* **1.** (*jur.*) ugyldig (*fx declare the contract* ~); **2.** F tom; **3.** (*i kortspil*) renonce (*of* i, *fx of hearts*);
□ ~ *of* F blottet for, uden (*fx a life* ~ *of meaning*).
void[3] [vɔid] *vb.* **1.** (*jur., især am.*) gøre ugyldig; annullere; ophæve; **2.** (*med.*) udtømme (*fx excrement*).
voidable ['vɔidəbl] *adj.* (*jur.*) omstødelig.
voile [vɔil] *sb.* voile.
vol. *fork. f. volume.*
volatile ['vɔlətail] *adj.* **1.** ustabil; omskiftelig (*fx situation*); svingende (*fx prices*); **2.** (*om person*) lunefuld; letbevægelig (*fx temperament*); **3.** (*om væske & edb*) flygtig (*fx oil; memory*).
volatility [vɔlə'tiləti] *sb.* (jf. *volatile*) **1.** omskiftelighed; **2.** lunefuldhed; letbevægelighed; **3.** flygtighed.
volcanic [vɔl'kænik] *adj.* vulkansk.

volcano [vɔl'keinəu] *sb.* vulkan.

vole [vəul] *sb.* (*zo.*) studsmus; (se også *field vole*, *water vole*).

volition [və'liʃn] *sb.* F villen; vilje; □ *of one's own* ~ af egen fri vilje.

volitional [və'liʃn(ə)l] *adj.* viljes-; viljesbestemt (*fx actions*).

volley[1] ['vɔli] *sb.* **1.** (*af skældsord, spørgsmål*) strøm, byge; **2.** (*af skud*) salve; **3.** (*af kugler, pile*) byge; **4.** (*i boldspil*) flugtning.

volley[2] ['vɔli] *vb.* (*bold*) flugte.

volleyball ['vɔlibɔːl] *sb.* volleyball.

volplane[1] ['vɔlplein] *sb.* (*flyv.*) glideflugt.

volplane[2] ['vɔlplein] *vb.* (*flyv.*) gå ned i glideflugt.

vols *fork. f.* volumes bind.

volt [vəult] *sb.* (*elek.*) volt.

voltage ['vəultidʒ] *sb.* (*elek.*) spænding.

volte-face [vɔlt'faːs] *sb.* F kovending.

voltmeter ['vəultmiːtə] *sb.* (*elek.*) voltmeter.

volubility [vɔljuˈbiləti] *sb.* tungefærdighed.

voluble ['vɔljubl] *adj.* meget talende; veltalende; i besiddelse af stor tungefærdighed.

volume ['vɔljuːm, -jum] *sb.* **1.** omfang (*fx the* ~ *of foreign trade*); mængde; **2.** (*af stof*) masse (*fx of water, of air;* ~ *of wood* vedmasse); **3.** (*fys.*) rumfang, volumen; **4.** (*del af værk & F: bog*) bind (*fx his collected works in six -s; a slim* ~ *of poems*); **5.** (*af tidsskrift*) årgang; **6.** (*tv, radio.*) volumen, lydstyrke; □ *it speaks -s* det siger mere end mange ord; *it speaks -s for* det er et tydeligt vidnesbyrd om; ~ *of traffic* trafiktæthed.

volume control *sb.* volumenkontrol, lydstyrkeregulator.

voluminous [vəˈluːminəs, -ˈljuː-] *adj.* omfangsrig; voluminøs; diger.

voluntary[1] ['vɔlənt(ə)ri] *sb.* (*mus.*) **1.** [orgelsolo ved gudstjeneste]; **2.** (*især hist.*) improviseret musikstykke; indledende improvisation.

voluntary[2] ['vɔlənt(ə)ri] *adj.* **1.** frivillig (*fx contribution; work; helper*); **2.** (*om institution*) opretholdt ved frivillige bidrag (*fx hospital*); **3.** (*fysiol.*) viljestyret; bevidst (*fx movement*); **4.** (*jur.*) frivillig; uden modydelse.

voluntary organization *sb.* frivillig hjælpeorganisation.

volunteer[1] [vɔlənˈtiə] *sb.* frivillig.

volunteer[2] [vɔlənˈtiə] *vb.* **1.** melde sig frivilligt (*for* til; *to* til at); **2.** (*om arbejde*) arbejde som frivillig (*fx at a homeless shelter*);

3. (*med objekt: ytring*) fremsætte uopfordret; fremkomme uopfordret med (*fx information; a remark*); (+ *sætn.*) fortælle/sige uopfordret (*fx he -ed that they were getting divorced*); **4.** (*person*) tilmelde som frivillig (*fx my mother -ed me to help with the washing-up*) [ɔ: uden at spørge]; □ ~ *one's services as* melde sig frivilligt som (*fx a driver*); tilbyde uopfordret at være.

voluptuary [vəˈlʌptʃuəri] *sb.* (*litt.*) vellystning.

voluptuous [vəˈlʌptʃuəs] *adj.* **1.** (*om kvinde*) yppig, frodig; **2.** (*litt.*) vellystig; sanselig; sanseberusende.

volute [vəˈljuːt] *sb.* **1.** (*zo.*) foldesnegl; **2.** (*arkit.: på søjlehoved*) volut.

volvulus ['vɔlvjuləs] *sb.* (*med.*) tarmslyng.

vomit[1] ['vɔmit] *sb.* opkast; bræk.

vomit[2] ['vɔmit] *vb.* **1.** kaste op; brække sig; **2.** (*med objekt, fig.*) udspy (*fx the volcano -ed smoke*).

voodoo ['vuːduː] *sb.* voodoo [*magisk religion blandt sorte på Haiti*].

voracious [vəˈreiʃəs] *adj.* (*litt.*) grådig; glubende; □ *a* ~ *appetite for* en glubende appetit på.

voracity [vəˈræsəti] *sb.* grådighed.

vortex ['vɔːteks] *sb.* (*pl. -es/vortices* ['vɔːtisiːz]) **1.** hvirvel; hvirvelvind; **2.** (*om vand & fig.*) hvirvelstrøm, malstrøm.

Vosges [vəuʒ]: *the* ~ (*geogr.*) Vogeserne.

votary ['vəut(ə)ri] *sb.* tilbeder; dyrker; tilhænger.

vote[1] [vəut] *sb.* **1.** (*ved valg etc.*) stemme; **2.** (*handling*) afstemning; **3.** (*ret*) stemmeret (*fx women didn't have a* ~); **4.** (*resultat*) stemmetal (*fx they got/took 30% of the total* ~); □ ~ *by ...* se *ballot*[1], *show*[1] (*of hands*); ~ *of ...* se *censure, confidence, thanks*; [*med vb.*] *cast one's* ~ afgive sin stemme; stemme (*for* på); *give one's* ~ *to* stemme for; *hold/take a* ~ *on it*, *put it to the* ~ stemme om det; sætte det under afstemning.

vote[2] [vəut] *vb.* **1.** stemme (*for* på// for, *fx Mr Jones//a tax reduction; on* om, *fx a proposal; to* for at, *fx ban smoking*); **2.** (*med objekt*) stemme (på) (*fx he -d Labour*); **3.** (*penge*) bevilge; **4.** (*fig.: + omsagnsled*) erklære for (*fx they -d it a failure*); (*person*) vælge til (*fx*

they -d him Player of the Year); □ *I* ~ *that* T jeg stemmer for/foreslår at (*fx we go home now*); [*med præp.& adv.*] ~ *down* nedstemme, forkaste (*fx a proposal*); ~ *in* (*person, parti*) indvælge; ~ *in an election* stemme ved et valg; *he was -d out* han blev ikke genvalgt.

vote of ... *sb.* se *censure, confidence, thanks*.

voter ['vəutə] *sb.* vælger; stemmeberettiget.

voting ['vəutiŋ] *sb.* afstemning, stemmeafgivning.

voting booth *sb.* (*især am.*) stemmeboks, stemmerum.

voting machine *sb.* (*am.*) stemmeautomat.

voting paper *sb.* stemmeseddel.

votive ['vəutiv] *adj.* F votiv-; givet ifølge et løfte.

vouch [vautʃ] *vb.*: ~ *for* garantere for; stå inde for.

voucher ['vautʃə] *sb.* **1.** (*som giver ret til gratis ydelse*) værdikupon; **2.** (*til rabat*) rabatkupon; **3.** (*i kantine etc.*) spisebillet; **4.** (*til regnskab*) kvittering, (regnskabs)bilag, bon.

vouchsafe [vautʃˈseif] *vb.* F give, forunde (*fx -d me by heaven*); værdige (*fx he -d me no answer*); □ ~ *to* nedlade sig til at; *he -d the information that* han nedlod sig til at oplyse at.

voussoir ['vuːswaː] *sb.* (*arkit.*) hvælvingssten.

vow[1] [vau] *sb.* højtideligt løfte; □ *-s* **a.** ægteskabsløfte; **b.** klosterløfte; [*med vb.*] *exchange -s* (ɔ: *blive viet, omtr.*) love hinanden troskab; *make a* ~ love sig selv; *take a* ~ aflægge et løfte; *take -s* (*rel.*) aflægge klosterløfte.

vow[2] [vau] *vb.* F aflægge løfte om; love højtideligt; forsikre, sværge på.

vowel ['vauəl] *sb.* (*fon.*) vokal, selvlyd.

vox pop [vɔks'pɔp] *sb.* (*fork. f. vox populi: folkets røst; radio., tv*) gadeinterviews.

voyage[1] ['vɔiidʒ] *sb.* lang rejse [*til søs el. i rummet*].

voyage[2] ['vɔiidʒ] *vb.* (*glds. el. litt.*) rejse.

voyager ['vɔiidʒə] *sb.* (*litt.*) rejsende; søfarer.

voyeur [vwaːˈjəː, vɔiˈəː] *sb.* voyeur; lurer; vindueskigger.

voyeurism [vwaːˈjəːrizm, vɔiˈəː-] *sb.* voyeurisme; trang til at belure.

voyeuristic [vwaːjəːˈristək, vɔiəː-] *adj.* voyeuristisk; belurende.

V VP

VP *fork. f.* vice-president.
vroom [vru:m] *interj.* T brum [*lyd af bil*].
VS *fork. f.* veterinary surgeon.
vs *fork. f.* versus.
V-sign ['vi:sain] *sb.* **1.** V-tegn, sejrs-tegn; **2.** (*vulg.*) skråt op-tegn.
VSO *fork. f.* voluntary service over-seas (*omtr.*) frivilligt ulands-arbejde.
Vt. *fork. f.* Vermont.
VTOL *fork. f.* vertical take-off and landing (aircraft) fly med lodret start og landing.
vulcanite ['vʌlkənait] *sb.* ebonit; hærdet gummi.
vulcanized ['vʌlkənaizd] *adj.* vul-kaniseret.
vulgar ['vʌlgə] *adj.* vulgær; tarve-lig, simpel, plat;
□ *the* ~ *tongue* (*glds.*) folkespro-get.
vulgar fraction *sb.* almindelig brøk.
vulgarity [vʌl'gærəti] *sb.* vulgaritet; tarvelighed, simpelhed, plathed.
vulgarize ['vʌlgəraiz] *sb.* forsimple.
Vulgate ['vʌlgeit] *sb.*: *the* ~ Vulgata [*latinsk bibeludgave*].
vulnerability [vʌln(ə)rə'biləti] *sb.* sårbarhed; angribelighed.
vulnerable ['vʌln(ə)rəbl] *adj.* **1.** sår-bar; udsat; **2.** (*i bridge*) i farezo-nen;
□ ~ *to* sårbar over for; udsat for (*fx attack*; *criticism*; *infection*).
vulpine ['vʌlpain] *adj.* ræve-; ræve-agtig.
vulture ['vʌltʃə] *sb.* (*zo.*& *fig.*) grib.
vying ['vaiiŋ] *præs. ptc. af vie*.

W

W¹ [ˈdʌblju:].
W² fork. f. **1.** Watt(s); **2.** Wednesday; **3.** West; **4.** Western.
w fork. f. **1.** weight; **2.** with.
WA fork. f. Western Australia.
wabbit [ˈwæbit] adj. (skotsk) **1.** utilpas; **2.** træt.
WAC [dʌblju:eiˈsi:] fork. f. (am.) Women's Army Corps;
□ a Wac et medlem af WAC.
wack [wæk] sb. **1.** (am. T) original, skør rad; **2.** (dial.) kammerat, makker.
wacked-out [ˈwæktaut] adj. = whacked.
wacko¹ [ˈwækəu] sb. = wack 1.
wacko² [ˈwækəu] adj. = wacky.
wacky [ˈwæki] adj. S skør, tosset; sær.
wad¹ [wɔd] sb. **1.** klump (fx of chewing gum); **2.** (af stoppemateriale fx vat) plade; tot; **3.** (af papirer) (tæt) rulle; (af pengesedler) bundt; **4.** (i patron) (tætnings)skive; (glds. mil.) forladning.
wad² [wɔd] vb. **1.** presse sammen til en klump; **2.** (papirer) rulle sammen; **3.** (åbning) stoppe til; **4.** (til beskyttelse, til blødgøring) vattere; polstre; fore [med vat].
wadding [ˈwɔdiŋ] sb. **1.** vattering; polstring; **2.** (plade)vat; **3.** (glds. mil.) forladning.
waddle¹ [ˈwɔdl] sb. vralten.
waddle² [ˈwɔdl] vb. vralte.
waddy [ˈwɔdi, (am.) ˈwa:di] sb. (austr.) kølle.
wade [weid] vb. **1.** vade; **2.** (am.) soppe; **3.** (med objekt) vade over; vade igennem;
□ ~ in (fig., T) gribe ind; blande sig; ~ into (fig., T) falde 'over; kaste sig over; ~ through **a.** vade igennem (fx muddy water); **b.** (fig.) arbejde sig møjsommeligt igennem (fx a lot of data).
wader [ˈweidə] sb. (zo.) vadefugl;
□ -s vadebukser, waders.
wadi [ˈwɔdi, ˈwa:di] sb. wadi [flodleje som uden for regntiden er udtørret].
wading [ˈweidiŋ] sb. (am.) soppen.
wading bird sb. (am.) vadefugl.
wading pool sb. (am.) soppebassin.
wady sb. = wadi.

wafer [ˈweifə] sb. **1.** (på dokument, brev) (segl)oblat; **2.** (biscuit, især spist til is) vaffel; **3.** (rel.: alterbrød) oblat; hostie.
wafer biscuit sb. vaffel [som spises til is].
wafer-thin [weifəˈθin] adj. papirtynd.
waffle¹ [ˈwɔfl] sb. **1.** (kage) vaffel [bagt i vaffeljern]; **2.** T sludder, ævl; tågesnak.
waffle² [ˈwɔfl] vb. **1.** vrøvle, ævle; væve; **2.** (især am.) snakke udenom; træde vande.
waffle iron sb. vaffeljern.
waffling [ˈwɔfliŋ] adj. T tåget; vag; udflydende.
waft¹ [wa:ft, wɔft] sb. **1.** vift; pust; **2.** duft.
waft² [wa:ft, wɔft] vb. **1.** føre [gennem luften]; vifte; **2.** (uden objekt) svæve (fx the smell of bacon -ed out from the kitchen); bæres.
wag¹ [wæg] sb. **1.** (hunds) logren; **2.** (glds.) spilopmager; spøgefugl;
□ play the ~ from school (austr.) skulke fra skolen.
wag² [wæg] vb. **1.** (hale) logre med (fx the dog -ged its tail); **2.** (hovedet) virre med; vippe; ryste; **3.** (uden objekt: om hunds hale) logre;
□ ~ one's finger ryste fingeren advarende//truende; ~ one's finger at sby true ad en med fingeren; tongues are -ging sladderen går.
wage¹ [weidʒ] sb. løn;
□ -s løn; the -s of sin is death (bibelsk) syndens sold er døden.
wage² [weidʒ] vb.: ~ war//a campaign føre krig//en kampagne.
wage differential sb. lønforskel.
wage drift sb. lønglidning.
wage-earner [ˈweidʒə:nə] sb. lønmodtager; lønarbejder.
wage freeze sb. lønstop.
wage packet sb. lønningspose.
wager¹ [ˈweidʒə] sb. væddemål.
wager² [ˈweidʒə] vb. **1.** vædde; **2.** spille (on på); **3.** (med objekt: penge) sætte, satse (on på);
□ I'll ~ that (glds.) jeg tør vædde på at.
wage rate sb. lønsats.
wage restraint sb. løntilbageholdenhed.

waggish [ˈwægiʃ] adj. (glds. T) spøgefuld; munter.
waggle¹ [ˈwægl] sb. T **1.** vippen; vrikken; **2.** logren.
waggle² [ˈwægl] vb. T **1.** vrikke; vippe; **2.** (med objekt) vrikke med, vippe med (fx one's toes); **3.** (halen: om hund) logre med.
waggly [ˈwægli] adj. **1.** vrikkende, vippende; **2.** (om hale) logrende.
wagon [ˈwægən] sb. **1.** vogn; arbejdsvogn; (se også covered wagon, bandwagon); **2.** (jernb.) godsvogn; **3.** (til børn) legevogn;
□ be on the ~ T være på vandvognen [ɔ: ikke drikke spiritus]; fall off the ~ T falde 'i [ɔ: begynde at drikke igen]; hitch one's ~ to a star (fig.) sætte sig høje mål.
wagonette [wægəˈnet] sb. (glds.) charabanc.
wagon-lit [vægɔ:nˈli:, fr.] sb. sovevogn.
wagtail [ˈwægteil] sb. (zo.) vipstjert.
wahey [wəˈhei], **wahoo** [waˈhu:] interj. se yahoo².
waif [weif] sb. **1.** hjemløst barn; blegt og forsømt barn; **2.** herreløs hund//kat;
□ -s and strays hjemløse og omflakkende børn//dyr.
wail¹ [weil] sb. **1.** jammer; klageråb; hyl; **2.** (sirenes, vindens) hylen.
wail² [weil] vb. **1.** (om person) jamre sig; klage; hyle; **2.** (om sirene, vind) hyle;
□ the Wailing Wall grædemuren [i Jerusalem].
wainscot [ˈweinskət] sb. panel.
wainscoted [ˈweinskətid] adj. panelklædt.
wainscoting [ˈweinskətiŋ] sb. panel, paneler; panelering.
waist [weist] sb. **1.** (del af kroppen) liv (fx he put his arm round her ~); bæltested (fx stripped to the ~); talje (fx a slender//thick ~; he hasn't had a ~ for many years); **2.** (mål) se waistline 1; **3.** (del af kjole etc.) talje, liv; **4.** (am.: klædningsstykke) bluse; kjoleliv; **5.** (del af ting) midterparti; midterste del.
waistband [ˈweis(t)bænd] sb. lin-

923

ning.

waistcoat ['weis(t)kəut] *sb.* vest; trøje.

waist-deep [weis(t)'di:p], **waist-high** [weis(t)'hai] *adj.* som når til livet.

waistline ['weis(t)lain] *sb.* **1.** taljemål; livvidde; **2.** (*del af kjole etc.*) talje, liv.

wait¹ [weit] *sb.* (se også *waits*) venten; ventetid (*fx a long* ~); □ *lie in* ~ *for* ligge på lur efter.

wait² [weit] *vb.* **1.** vente; **2.** (*om køretøj*) holde (*fx the car was -ing at the door*); **3.** (*med objekt*) vente på (*fx one's chance*); afvente; (se også *turn¹*); □ *be -ing* (*jf. 1, også*) være/ligge parat (*fx the report was -ing when we came back*); [*med præp.& adv.*] ~ *about/around* sidde//stå og vente; ~ *at table(s)* F varte op; servere [*i en restaurant*]; ~ *behind* blive tilbage [*efter at de andre er gået*]; ~ *for* vente på; ~ *dinner//lunch for sby* vente på en med middagsmaden//frokosten//maden; ~ *for it!* T **a.** tag det roligt! vent nu lidt! **b.** (*som indledning til noget overraskende*) hold dig nu godt fast! ~ *for sby//sth* **to** vente på at en// noget skal (*fx* ~ *for him to make the first move*; ~ *for the weather to improve*); ~ *in* blive//sidde hjemme og lure; ~ *on* **a.** afvente (*fx the outcome*); **b.** (*gæster*) servere for; opvarte; **c.** (*am.*) vente på; **d.** (*am.: kunder*) betjene; ~ *on sby hand and foot* opvarte en i alle ender og kanter; ~ *on table(s)* (*am.*) se ovf.: ~ *at table(s)*; ~ *out sth* vente til noget er overstået/ forbi (*fx* ~ *out the storm*; ~ *out the afternoon*); ~ *to* vente på at (*fx get on the bus*); *-ing to happen* som ligger og lurer, som man kan vente hvert øjeblik (*fx there may be more riots -ing to happen*); *an accident//a catastrophe -ing to happen* (*også*) en tikkende bombe; ~ *up* sidde oppe og vente (*for sby* på en); ~ *up!* (*am.* T) vent lige lidt!

waiter ['weitə] *sb.* **1.** tjener; opvarter; **2.** præsenterbakke.

waiting ['weitiŋ] *sb.* **1.** venten; afventning; **2.** servering.

waiting game *sb.*: *play a* ~ **a.** forholde sig afventende; **b.** føre en henholdende politik.

waiting list *sb.* venteliste; ekspektanceliste.

waiting period *sb.* **1.** ventetid; **2.** (*assur.*) karenstid.

waiting room *sb.* **1.** venteværelse;

2. (*jernb.*) ventesal.

waiting staff *sb.* serveringspersonale.

waitress ['weitrəs] *sb.* servitrice, serveringsdame.

waits [weits] *sb. pl.* (*glds.*) **1.** bymusikanter; julemusikanter; **2.** julesangere.

waive [weiv] *vb.* F **1.** (*rettighed, betaling etc.*) frafalde, give afkald på, afstå fra (*fx all rights*; *VAT*; *tuition fees*); opgive (*fx they -d their objections*); **2.** (*bestemmelse*) se bort fra (*fx formalities*; *the time limit*).

waiver ['weivə] *sb.* (*jur.*) afkald; frafald.

wake¹ [weik] *sb.* (se også *wakes*) **1.** (*især irsk*) vågenat [*ved en død*]; gravøl; **2.** (*mar.& fig.*) kølvand; □ *in the* ~ *of* (*også fig.*) i kølvandet på; lige efter.

wake² [weik] *vb.* (*woke/-d, woken/-d*) **1.** vågne; vågne op; **2.** (*med objekt*) vække; **3.** (*glds.*) våge ved; □ *he woke me* **from/out** *of a bad dream* han vækkede mig af en ond drøm; ~ *up = 1, 2*; ~ *up to* **a.** vågne op til (*fx I woke up to a sunny day*); **b.** (*fig.*) blive klar over, indse (*fx reality*); få øjnene op for.

wakeboard ['weikbɔ:d] *sb.* wakeboard [*bræt der bruges lige som vandski*].

wakeful ['weikf(u)l] *adj.* vågen; søvnløs (*fx night*).

waken ['weik(ə)n] *vb.* F = *wake*.

wakes [weiks] *sb. pl.* (*i Nordengland*) industriferie; (*årligt*) forlystelsesmarked.

wake-up call ['weikʌpkɔ:l] *sb.* (*især am.*) **1.** (*på hotel*) vækning; **2.** (*fig.*) advarsel, varsko.

wakey-wakey [weiki'weiki] *interj.* T vågn op.

waking¹ ['weikiŋ] *sb.* vågen tilstand (*fx between sleep and* ~).

waking² ['weikiŋ] *adj.* vågen (*fx his* ~ *hours//moments*).

wale [weil] *sb.* (*især am.*) = *weal*.

Waler ['weilə] *sb.* hest fra New South Wales; australsk hest.

walk¹ [wɔ:k] *sb.* **1.** gåtur; spadseretur; tur; F vandring; **2.** (*om afstand*) gang, gåtur (*fx an hour's//a five-minute* ~; *a three-mile* ~); **3.** (*om hastighed*) gang (*fx a steady//slow* ~); tempo; **4.** (*hests*) skridtgang; **5.** (*om måde at gå på*) gang (*fx a funny/stately* ~; *I recognized his* ~); gangart (*fx silly -s*); **6.** (*sted*) sti, vej, rute; (se også *sheepwalk*); **7.** (*i have*) gang, sti; □ *from all -s of life* fra alle sam-

fundslag; *take a* ~ **a.** gå en tur; **b.** (*opfordring*) gå din vej! forsvind! *take sby for a* ~ gå en tur med en.

walk² [wɔ:k] *vb.* **A.** (*uden objekt*) **1.** gå (*fx go by car or* ~); spadsere; (*længere, mere* F *& bibelsk*) vandre; **2.** (*om hest*) gå i skridtgang; **3.** (*om spøgelse*) gå igen (*fx the ghost -s*); **4.** (T: *fra job*) gå sin vej; **5.** (T: *om ting*) forsvinde; blive hugget;

B. (*med objekt*) **1.** (*gade, vej*) gå på, gå (omkring) i (*fx the streets*); (se også *street*); **2.** (*område*) gennemvandre (*fx the country*); **3.** (*hest*) lade gå i skridtgang; **4.** (*cykel*) trække; **5.** (*hund*) gå tur med; **6.** (*person*) gå med (*fx* ~ *him to the bus stop*); følge (*fx he -ed her home*); **7.** (*med tvang*) slæbe, trække (*fx they -ed him out of the room*); trække rundt, trække rundt med (*fx* ~ *sby all over the town*); **8.** (T: *prøve etc.*) klare flot (*fx an exam*; *an interview*);

□ ~ *the boards//the plank* se *boards, plank¹*;

[*med præp., adv.*] ~ *away* **a.** gå væk (*fx he -ed away laughing*); **b.** (*om flugt*) gå sin vej, stikke af; **c.** (*i konkurrence*) sejre med lethed; ~ *away from* stikke af fra (*fx a problem*); ikke tage op (*fx a challenge*); ~ *away with* **a.** løbe af med (*fx the first prize*); **b.** vinde med lethed (*fx the election*); **c.** (*uretmæssigt: stjæle*) stikke af med (*fx his purse*);

~ *in* gå lige ind; ~ *in on* overraske, brase ind til;

~ *into* **a.** gå lige ind i (*fx a room*); **b.** (ɔ: *og slå sig*) løbe mod (*fx a lamppost*); **c.** (*fig.*) spadsere lige ind i (*fx a job*); (se også *trap¹*); **d.** (T: *mad*) gå om bord i (*fx a cutlet*); **e.** (T: *person*) overfuse; ~ *off* **a.** gå sin vej; **b.** (*med objekt*) 'gå væk (*fx a headache*; *a few kilos*); *he -ed me off* han trak af med mig; ~ *sby off his feet* gå en træt; ~ *off with* se ovf.: ~ *away with*; *he -ed off with the show* (*teat.*) han stjal billedet;

~ *on* **a.** gå videre; **b.** (*teat.*) være statist; (se også *air¹, egg¹*); ~ *out* **a.** gå sin vej; **b.** (*som demonstration*) udvandre; **c.** (T: *om arbejdere*) nedlægge arbejdet, gå i strejke; ~ *out of* udvandre fra (*fx the meeting*); ~ *out on* T lade i stikken; forlade, 'gå fra (*fx her husband -ed out on her*); *the students -ed out on the professor* studenterne udvandrede fra forelæsningen; *the young man she -s out with* (*glds.*) den unge mand hun går med;

~ *(all) over sby* (T: *fig.*) **a.** (*hensynsløst*) trampe på en; **b.** (*i konkurrence*) besejre en med lethed; jorde en;

~ *through* (*fig.*) gennemgå; ~ *sby through sth* gennemgå noget med en (*fx* ~ *him through the reasons for doing it*).

walkabout ['wɔːkəbaut] *sb.* uformel spadseretur;

□ *go* ~ **a.** (*om kongelig*) foretage en uformel spadseretur; gå rundt og snakke med folk; **b.** (*austr.: om aborigin*) vandre ud i bushen og søge sine rødder; **c.** (*i sport: om spiller*) miste koncentrationen, blive åndsfraværende; **d.** (T, *spøg.: om ting*) forsvinde, blive væk.

walkaway ['wɔːkəwei] *sb.* (*am.* T) let sejr.

walker ['wɔːkə] *sb.* **1.** (*person*) fodgænger; gående, spadserende; **2.** (*til gangbesværet, for barn*) gangstativ;

□ *I am not much of a* ~ **a.** jeg går ikke meget; **b.** jeg er ikke videre god til at gå.

walkies ['wɔːkiz] *sb. pl.* (*sagt til hund*) ud og gå tur!

□ *go* ~ T gå tur.

walkie-talkie [wɔːkiˈtɔːki] *sb.* transportabel radiotelefon.

walk-in ['wɔːkin] *adj.* **1.** så stor at man kan gå ind i den (*fx a* ~ *cupboard*); **2.** (*am.*) som man kan gå lige ind i fra gaden (*fx a* ~ *apartment*).

walking[1] ['wɔːkiŋ] *sb.* **1.** vandring; vandreture; **2.** se *race walking*.

walking[2] ['wɔːkiŋ] *adj.* **1.** vandre- (*fx boots; shoes*); **2.** omvandrende (*fx he is a* ~ *dictionary/encyclopedia//disaster*).

walking frame *sb.* gangstativ.

walking papers *sb. pl.* (*am.*) afskedigelse.

walking race *sb.* kapgang.

walking stick *sb.* spadserestok.

walking tour *sb.* fodtur; vandretur.

walk-on ['wɔːkɔn] *sb.* (*teat.*) statist.

walk-on part *sb.* statistrolle.

walkout ['wɔːkaut] *sb.* **1.** proteststrejke [*hvor man forlader arbejdspladsen*]; **2.** udvandring [*som demonstration*].

walkover ['wɔːkəuvə] *sb.* T **1.** let sejr; **2.** (*parl.*) valg uden modkandidat.

walk-up[1] ['wɔːkʌp] *sb.* (*am.* T) etageejendom uden elevator.

walk-up[2] ['wɔːkʌp] *adj.* (*am.* T) uden elevator.

walkway ['wɔːkwei] *sb.* overdækket gangbro.

wall[1] [wɔːl] *sb.* **1.** mur; **2.** (*i rum, værelse*) væg; **3.** (*i befæstning*) vold; **4.** (*mod havet*) se *sea wall*; **5.** (*af kasse*) side; **6.** (*anat.*) væg; **7.** (*fig.*) mur (*fx of silence*);

□ *the Wall* (*hist.*) Berlinmuren; (se også *Wall of Death*); *take the* ~ gå nærmest ved husene; (se også *climb*[2]);

[*med præp.*] *bang one's head against a* ~ se *brick wall*; *off the* ~ (*am.* T) **a.** se *off-the-wall*; **b.** rasende (*about* over, *fx he was off the* ~ *about the incident*); **c.** (*om beskyldning*) grundløs; hen i vejret; *have one's back to the* ~ (*fig.*) stå med ryggen mod muren; *go to the* ~ (T: *fig.*) **a.** blive skubbet til side; tabe; **b.** (*om forretning*) bukke under; gå rabundus; *push sby to the* ~ skubbe en til side; *drive sby up the* ~ T gøre en rasende; drive en til vanvid; *go up the* ~ T blive rasende; (se også *writing*).

wall[2] [wɔːl] *vb.*: ~ *in* **a.** mure inde; spærre inde; **b.** omgive med en mur (*fx a garden*); ~ *off* skille fra med en mur//væg; ~ *up* **a.** mure til (*fx a window*); **b.** (*person*) mure inde.

wallaby ['wɔləbi] *sb.* (*zo.*) wallaby, harekænguru [*art lille kænguru*].

wallah ['wɔlə] *sb.* T (*i sms.*) -mand//-dame (*fx the laundry* ~).

wall bar *sb.* ribbe [*til gymnastik*].

wallboard ['wɔːlbɔːd] *sb.* **1.** vægplade; **2.** gipsplade.

wallchart ['wɔːltʃɑːt] *sb.* vægplanche.

wallcovering ['wɔːlkʌv(ə)riŋ] *sb.* vægbeklædning.

wallcreeper ['wɔːlkriːpə] *sb.* (*zo.*) murløber.

walled [wɔːld] *adj.* omgivet af en mur.

wallet ['wɔlit] *sb.* tegnebog; seddelmappe.

walleyed ['wɔːlaid] *adj.* (*am.*) skeløjet; udadskelende.

wallflower ['wɔːlflauə] *sb.* **1.** (*bot.*) gyldenlak; **2.** (T: *om pige*) genert pige; bly viol; (*ved dans: der ikke bliver budt op*) bænkevarmer.

wall fruit *sb.* espalierfrugt.

wall hanging *sb.* vægtæppe.

Wall of Death *sb.* dødsdrom.

Walloon[1] [wɔˈluːn] *sb.* **1.** (*person*) vallon; **2.** (*sprog*) vallonsk.

Walloon[2] [wɔˈluːn] *adj.* vallonsk.

wallop[1] ['wɔləp] *sb.* T hårdt slag.

wallop[2] ['wɔləp] *vb.* T tæve, banke, klø; smække.

walloping[1] ['wɔləpiŋ] *sb.* T omgang

klø; bank.

walloping[2] ['wɔləpiŋ] *adj.* T mægtig; gevaldig.

wallow[1] ['wɔləu] *sb.* **1.** (jf. *wallow*[2]) vælten sig; svælgen; **2.** [*sted hvor dyr roder og vælter sig*]; mudderpøl.

wallow[2] ['wɔləu] *vb.* rulle sig; vælte sig (*in* i, *fx the mud*); ~ *in* (*fig.*) vælte sig i, svælge i (*fx self-pity; luxury*); *be -ing in money* svømme i penge.

wall painting *sb.* vægmaleri; freske.

wallpaper ['wɔːlpeipə] *sb.* tapet.

wallpaper stripper *sb.* tapetafdamper.

wall plate *sb.* (*arkit.*) murrem.

wall plug *sb.* (*elek.*) stikkontakt.

Wall Street [*gade i New York; det amerikanske finanscentrum*].

wall-to-wall [wɔːltəˈwɔːl] *adj.* **1.** væg til væg- (*fx carpet*); **2.** (*fig.*) massiv (*fx coverage of the event*); i lange baner (*fx parties*).

wall unit *sb.* vægskab.

wally ['wɔli] *sb.* T fjols, skvadderhoved.

walnut ['wɔːlnʌt] *sb.* **1.** valnød; **2.** valnøddetræ; **3.** (*materiale*) nøddetræ.

walrus ['wɔːlrəs] *sb.* (*zo.*) hvalros.

waltz[1] [wɔ(ː)ls] *sb.* vals.

waltz[2] [wɔ(ː)ls] *vb.* **1.** valse; danse vals; **2.** (T: *fig.*) valse (*fx in; past*); □ ~ *off with* T løbe/stikke af med; ~ *through* klare med lethed.

wan [wɔn] *adj.* **1.** bleg, gusten; **2.** mat, svag (*fx smile*).

wand [wɔnd] *sb.* **1.** tryllestav; **2.** (*it*) manuel optisk læser/stregkodeaflæser; **3.** (*mus.*: T) taktstok.

wander[1] ['wɔndə] *sb.* slentretur.

wander[2] ['wɔndə] *vb.* **1.** slentre (*fx through the streets*); vandre omkring; **2.** (*længere væk*) strejfe om, flakke om; **3.** (*om blik*) flakke; **4.** (*om sti, flod*) bugte sig; **5.** (*med objekt*) vandre omkring i (*fx he found her -ing the streets*); strejfe rundt i (*fx the countryside*);

□ *my attention -ed* jeg var lidt uopmærksom; *my thoughts/mind -ed* mine tanker kom på afveje/ gled over på andre ting; *his mind is beginning to* ~ (*om ældre*) han er begyndt at tale usammenhængende/blive uklar;

[*med præp.& adv.*] ~ *from* the point komme væk fra sagen; ~ *off* gå ud for sig selv; strejfe rundt; ~ *off the point* komme væk fra sagen; *his eyes/gaze -ed to the* TV hans blik gled hen på fjernsynet.

wanderer ['wɔndərə] *sb.* vandringsmand.

wandering ['wɔndəriŋ] *adj.* (jf. *wander²*) **1.** omvandrende; **2.** omstrejfende, omflakkende; **3.** (*om blik*) flakkende (*fx eyes*); **4.** (*om tale*) usammenhængende.

Wandering Jew *sb.*: the ~ den evige jøde.

wanderings ['wɔndəriŋz] *sb. pl.* (*litt.*) omvandren; omstrejfen; omflakken.

wanderlust ['wɔndəlʌst] *sb.* rejselyst.

wane¹ [wein] *sb.*: on the ~ i aftagende; dalende.

wane² [wein] *vb.* aftage; svinde; dale.

wangle¹ ['wæŋgl] *sb.* (*fig.*, T) kneb.

wangle² ['wæŋgl] *vb.* T skaffe sig [*især ved fiffighed*]; redde; fuppe sig til.

wank¹ [wæŋk] *sb.*: have a ~ = *wank²*.

wank² [wæŋk] *vb.* (*vulg.*) onanere, spille den af.

wanker ['wæŋkə] *sb.* (*vulg.*) onanist; skvat; vatpik.

wanky ['wæŋki] *adj.* (*vulg.*) idiotisk.

wanna ['wɔnə] T= *want to*.

wannabe ['wɔnəbi:] *sb.* T efteraber.

want¹ [wɔnt] *sb.* **1.** mangel (*fx supply* (afhjælpe) *a* ~); **2.** (*om følelse*) savn (*fx he felt a vague* ~; *a long-felt* ~); **3.** (*om livsforhold*) trange kår (*fx live in* ~); trang; nød (*fx freedom from* ~);
□ -s behov, fornødenheder (*fx my -s are few*);
[+ *of*] ~ *of* mangel på (*fx it revealed a* ~ *of skill*); for/from ~ *of* F af mangel på; *it was not for* ~ *of trying* det var ikke fordi de//han *etc.* ikke prøvede; *be in* ~ *of* **a.** trænge til (*fx a haircut*); **b.** mangle.

want² [wɔnt] *vb.* (se også *wanted*) **1.** have brug for, trænge til (*fx he -s someone to look after him; we desperately* ~ *rain*); mangle (*fx he does not* ~ *intelligence*); behøve (*fx have you got everything you* ~?); skulle have (*fx children* ~ *plenty of sleep*); **2.** (*om krav, ønske*) ville have (*fx I* ~ *an apology; he -s everything he sees; do you* ~ *a cup of coffee?*); ønske (*fx I* ~ *my breakfast now*); gerne ville have (*fx I* ~ *some socks, please*); **3.** (*gave*) ønske sig (*fx what do you* ~ *for your birthday? just what I have always -ed!*); **4.** (*person*) ville tale med (*fx mum -s you*); (*for sex*) have lyst til (*fx I have -ed you since I first saw you*); **5.** (T: *straf*) godt kunne trænge til, skulle have (*fx he -s a*

kick up the backside; *that child -s a slap*); **6.** (+ *inf.*) gerne ville (*fx I* ~ *to apologize; he -s to see the garden*); ville, ønske at (*fx the boss -s to see you*); **7.** (+ *inf.*: i henstilling, råd) skulle (*fx you don't* ~ *to be rude*); skulle tage og (*fx you* ~ *to be careful*); måtte (*fx one -s to be careful in handling a gun*); **8.** (*uden objekt*) ville (*fx you may go now if you* ~); **9.** lide nød (*fx we must not let them* ~);
□ ~ + -*ing* T trænge til at blive (*fx the house -s painting; his hair -ed cutting*); *what do you* ~? (*afvisende*) hvad vil du? *she has him* **where** *she -s him* hun har krammet på ham;
[*med præp.& adv.*] ~ *for* (*især glds. el.* F) mangle (*fx they* ~ *for nothing*); savne; *what does he* ~ *from me?* hvad vil han mig? hvad vil han have jeg skal gøre? ~ *in* (T: *især am.*) **a.** gerne ville ind; **b.** gerne ville være med; ~ *of* se ovf.: ~ *from; it -s a few minutes of two o'clock* klokken er et par minutter i to; *you are -ed* **on** *the phone* der er telefon til dig; ~ *out* (T: *især am.*) gerne ville ud; *I* ~ *him out of the house* (T: *især am.*) jeg vil have ham ud af huset; ~ *to* se ovf.: *5, 6; she -ed nothing more than to* hun havde ikke noget højere ønske end at (*fx be left alone*); ~ *sby to* ville have at en skal (*fx he -s you to help him*); *it -s two minutes to the hour* klokken er to minutter 'i/i hel; *what does he* ~ *with a new car?* T hvad skal han med en ny bil?

want ad *sb.* (*am.*) rubrikannonce.

wanted ['wɔntid] *adj.* (*af politiet*) eftersøgt (*fx one of the most* ~ *criminals*); efterlyst (*fx he is* ~ *in connection with the murder*);
□ *be* ~ (*om barn*) være ønsket; *feel* ~ føle at nogen har brug for en.

wanting ['wɔntiŋ] *adj.*: *be* ~ mangle (*fx there is a book* ~); *he is a little* ~ T han er lidt tilbage [ɔ: i *intelligens*]; *be* ~ *in* F være uden; mangle (*fx he is* ~ *in initiative*); *find it* ~ finde det mangelfuldt/utilstrækkeligt (*fx they found the government's policy* ~); *weighed and found* ~ (*bibelsk*) vejet og fundet for let.

wanton¹ ['wɔntən] *sb.* (*glds.*) tøjte.

wanton² ['wɔntən] *adj.* **1.** tankeløs, ansvarsløs (*fx destruction*); hensynsløs (*fx cruelty*); **2.** formålsløs, umotiveret (*fx attack*); **3.** (*glds. om kvinde*) letfærdig, letsindig, løs på tråden; **4.** (*litt. om person*)

lystig, kåd, overgiven; **5.** (*litt. om vegetation*) frodig.

wapiti [wɔ'piti] *sb.* (*am. zo.*) wapiti [*art hjort*].

war [wɔ:] *sb.* krig.
□ *declare* ~ *on Japan* erklære Japan krig; *declare* ~ *on* (*fig.*) erklære krig mod (*fx corruption; drugs*); *make/wage* ~ *on* føre krig mod; (se også *attrition, knife¹, nerves, word*);
[*med præp.*] *at* ~ i krig (*with* med); *at* ~ *with* (*fig.*) i strid med; *he has been in the -s* (*fig.*) han er slemt medtaget; *council of* ~ krigsråd; (se også *fortune*); *go to the -s* drage i krig.

warble¹ ['wɔ:bl] *sb.* **1.** trille; sang; **2.** (*på hest, kvæg*) verne, bremsebyld; **3.** (*zo.*) bremselarve.

warble² ['wɔ:bl] *vb.* **1.** (*om fugl*) slå triller; synge; **2.** (*spøg. om sanger(inde)*) kvidre, kvæde [*med bævrende stemme*].

warble fly *sb.* (*zo.*) oksebremse.

warbler ['wɔ:blə] *sb.* (*zo.*) sanger.

warbling ['wɔ:bliŋ] *sb.* triller; sang.

war chest *sb.* krigskasse.

war crime *sb.* krigsforbrydelse.

war criminal *sb.* krigsforbryder.

war cry *sb.* krigsråb, krigshyl, kampskrig.

ward¹ [wɔ:d] *sb.* **1.** (*i hospital*) stue [*især større*]; afsnit (*fx a maternity//psychiatric//surgical* ~); **2.** (*for kommunevalg*) bydistrikt; valgkreds; **3.** (*am.*: *i fængsel*) afdeling; **4.** (*jur.*) mindreårig under værgemål; (*glds.*) myndling;
□ ~ *of court* mindreårig under rettens værgemål.

ward² [wɔ:d] *vb.*: ~ *off* **a.** værge sig imod (*fx evil spirits; his unwelcome attentions*); (*angreb, sygdom også*) afværge; **b.** (*slag, stød*) afparere.

war dance *sb.* krigsdans.

warden ['wɔ:d(ə)n] *sb.* **1.** opsynsmand, betjent (*fx park* ~); vagt; (*i fængsel*) fængselsfunktionær, fængselsbetjent; (se også *churchwarden 1, game warden, traffic warden*); **2.** (*for institution*) forstander; (*på college også*) efor; (*på vandrehjem*) herbergsleder; **3.** (*am.*) fængselsinspektør.

warder ['wɔ:də] *sb.* fængselsfunktionær, fængselsbetjent.

ward heeler *sb.* (*am.* T, *neds.*) partisoldat.

wardrobe ['wɔ:drəub] *sb.* **1.** klædeskab, garderobeskab; **2.** (*tøj*) garderobe; **3.** (*teat.*) kostumeafdeling; skræddersal, systue; (*tøj*) kostumer.

wardrobe trunk *sb.* skabskuffert.

wardroom ['wɔːdrum] *sb.* (*mar.: på krigsskib*) officersmesse.
ward round *sb.* (*med.*) stuegang.
wardship ['wɔːdʃip] *sb.* værgemål.
ward sister *sb.* (*omtr.*) afdelingssygeplejerske.
ware [wɛə] *sb.* (se også *wares*)
1. vare; varer (*fx aluminium* ~);
2. fajance; lertøj.
war effort *sb.* krigsindsats.
warehouse[1] ['wɛəhaus] *sb.* 1. pakhus; lager; magasin; 2. (*fig., neds.*) opbevaringssted (*fx the place is just a* ~ *for old people*).
warehouse[2] ['wɛəhauz] *vb.* 1. oplagre; opmagasinere; 2. (*fig.*) opbevare.
warehouse charges *sb. pl.* pakhusleje.
warehouseman ['wɛəhausmən] *sb.* (*pl.* -*men* [-mən]) 1. ejer af pakhus; 2. lagerchef; 3. lagerarbejder.
warehousing ['wɛəhauziŋ] *sb.* oplagring; opmagasinering.
wares [wɛəz] *sb. pl.* varer (*fx a pedlar selling his* -*s*) [ɔ: *som falbydes på gaden el. på marked*].
warfare ['wɔːfɛə] *sb.* krigsførelse; krig.
war game *sb.* (*mil.*) krigsspil; T papirkrig.
warhead ['wɔːhed] *sb.* (*mil.*)
1. sprænghoved; sprængladning;
2. (*i torpedo*) krigsladningsrum.
warhorse ['wɔːhɔːs] *sb.* 1. veteran; gammel rotte; garvet politiker;
2. (*hist.*) krigshest.
warlike ['wɔːlaik] *adj.* krigerisk; krigs-.
warlock ['wɔːlɔk] *sb.* troldmand.
warlord ['wɔːlɔːd] *sb.* krigsherre.
warm[1] [wɔːm] *adj.* 1. varm; 2. (*om spor*) frisk; 3. (*om arbejde etc.*) som man bliver svedt af (*fx exercise*); 4. (*am.: om diskussion*) heftig;
□ *you are getting* ~ (*i børneleg & fig.*) tampen brænder; *make things* ~ *for sby* T gøre helvede hedt for en.
warm[2] [wɔːm] *vb.* 1. varme;
2. (*sted*) varme op;
□ *it* -*s the heart* det varmer en om hjertet; (se også *cockle*[1])
[*med præp.& adv.*] ~ *over* (*am.*)
a. (*mad*) varme, varme op; b. (*fig.*) lave et opkog af; ~ *to* a. blive interesseret i (*fx the idea; one's work*); b. (*person*) komme til at synes om; få sympati for; ~ *up*
a. varme op; b. (*mad*) varme, varme op; c. (*uden objekt*) blive varm; *the party began to* ~ *up* der begyndte at komme gang i festen; ~ *up to* = ~ *to.*
warm-blooded [wɔːm'blʌdid] *adj.*

1. (*om dyr*) varmblodet; 2. (*fig.*) varmblodig, lidenskabelig; temperamentsfuld.
warmed-over [wɔːmd'ouvər] *adj.* (*am.*) se *warmed-up* (*2, 3*).
warmed-up [wɔːmd'ʌp] *adj.* 1. (*om person, maskine*) varmet op;
2. (*om mad*) opvarmet; 3. (*fig.*) som er brugt før, gammel;
□ ~ *ideas* (*også*) et opkog af gamle ideer.
war memorial *sb.* krigsmindesmærke.
warm-hearted [wɔːm'haːtid] *adj.* varmhjertet; hjertevarm, hjertelig.
warming pan *sb.* (*glds.*) varmebækken.
warmonger ['wɔːmʌŋgə] *sb.* krigsmager; krigsophidser.
warmth [wɔːmθ] *sb.* 1. varme;
2. (*fig.*) varme; hjertelighed; begejstring.
warm-up ['wɔːmʌp] *sb.* opvarmning;
□ -*s* (*am.*) = *warm-up suit.*
warm-up suit *sb.* (*am.*) træningsdragt.
warn [wɔːn] *vb.* 1. (*mht. fare*) advare (*against//of* imod); 2. (*om meddelelse*) underrette, advare (*about, of* om); varsko;
□ *be* -*ed!* pas på! ~ *sby that* a. advare en om at, gøre en opmærksom på at (*fx it is getting late*);
b. underrette/varsko en om at (*fx there will be an extra person for dinner*);
[*med præp.& adv.*] ~ *sby away* se ndf.: ~ *off a;* ~ *sby away from* se ndf.: ~ *off b;* ~ *of* (*jf. 1, også*) gøre opmærksom på; ~ *sby not to* advare en mod at (*fx go there; eat the fish*); ~ *sby off* a. råde en til at holde sig væk; afvise en; b. (+ *objekt*) råde en til at holde sig væk fra; formene én adgang til (*fx one's land*); udvise//udelukke en fra; ~ *sby off* + -*ing* advare en mod at (*fx going there*); ~ *sby to* råde en til at (*fx* ~ *them to be on their guard*); formane en til at (*fx* ~ *the children to behave*).
warning[1] ['wɔːniŋ] *sb.* 1. advarsel (*against* imod; *of* om); 2. (*om forudgående meddelelse*) varsel (*of* om; *that* om at, *fx* they had no advance ~ *of the problems//that he would leave; shoot without* ~);
□ *take* ~ *from* tage ved lære af.
warning[2] ['wɔːniŋ] *adj.* advarsels- (*fx sign* skilt; *signal; triangle*).
war of ... *sb.* se *attrition, nerves, word.*
warp[1] [wɔːp] *sb.* 1. (*i vævning*) trend; (*i industrielt sprog*) kæde;
2. (*i træ*) kastning; 3. (*i persons*

karakter) skævhed; 4. (*mar.*) varp, trosse; (se også *time warp*).
warp[2] [wɔːp] *vb.* (se også *warped*)
1. (*om træ: blive skævt*) kaste sig, slå sig; 2. (*med objekt: træ*) få til at kaste sig/slå sig; 3. (*persons dømmekraft*) gøre skæv, forvride;
4. (*persons karakter*) forkvakle;
5. (*mar.*) varpe; 6. (*agr.: jord*) klæge, gøde med klæg.
war paint *sb.* krigsmaling.
warpath ['wɔːpaːθ] *sb.* krigssti.
warped [wɔːpt] *adj.* 1. (*om ting*) skæv; vreden; 2. (*fig.*) forvreden; syg.
warplane ['wɔːplein] *sb.* krigsfly, militærfly.
war profiteer *sb.* krigsspekulant.
warrant[1] ['wɔr(ə)nt] *sb.* 1. (*jur.*) retskendelse, retsbeslutning; (se også *arrest warrant, death warrant, extradition warrant, search warrant*); 2. (*dokument*) bevis; (*mht. varer*) lagerbevis, oplagsbevis; (*mht. betaling*) anvisning;
3. (*merk.: for værdipapirer*) tidsbestemt/opsat tegningsret;
4. (*mil.*) ansættelsesbrev, bestalling;
□ ~ *for a.* F berettigelse/hjemmel til; b. (*jur.*) kendelse om; *issue a* ~ *for the arrest of sby* udstede en arrestordre imod en; *there is no* ~ *for the assumption* F antagelsen er uberettiget; *without* ~ F uden berettigelse.
warrant[2] ['wɔr(ə)nt] *vb.* 1. berettige, retfærdiggøre (*fx nothing can* ~ *this interference*); 2. F indestå for, garantere for (*fx the accuracy of the report; that the standard is satisfactory*);
□ *I'll* ~ *that* (*glds.*) jeg er sikker på at.
warrant card *sb.* (*for politi*) legitimationskort.
warrant officer *sb.* (*mil.*) seniorsergent, chefsergent.
warranty ['wɔr(ə)nti] *sb.* garanti;
□ *under* ~ dækket af garantien.
warren ['wɔr(ə)n] *sb.* 1. se *rabbit warren*; 2. (*område*) labyrint (*fx a* ~ *of narrow streets*); 3. (*hus*) lejekaserne, rotterede; labyrint/virvar af korridorer og smårum.
warring ['wɔːriŋ] *adj.* krigsførende; stridende (*fx the* ~ *parties*).
warrior ['wɔriə] *sb.* kriger; (se også *Unknown Warrior*).
Warsaw ['wɔːsɔː] (*geogr.*) Warszawa.
warship ['wɔːʃip] *sb.* krigsskib.
wart [wɔːt] *sb.* vorte;
□ -*s and all* med alle hans//hendes fejl (*fx she loves him,* ~ *and all*); *paint him* -*s and all* give et bil-

lede af ham som han er; give et uretoucheret billede af ham.

warthog ['wɔ:thɔg] *sb.* (*zo.*) vorte-svin.

wartime ['wɔ:taim] *sb.* krigstid; □ *in* ~ i krigstid; under en krig.

warty ['wɔ:ti] *adj.* vortet; fuld af vorter.

wary ['wɛəri] *adj.* **1.** forsigtig (*about/of* + *-ing* med at, *fx telling him too much*); varsom; **2.** på vagt (*of* over for, *fx strangers; dogs*).

was [wɔz, (*betonet*) wɔz] *1. og 3. pers. sg. præt. af be[1].*

wash[1] [wɔʃ] *sb.* **1.** vask; **2.** (*tøj*) va-sketøj, vask (*fx hang out the* ~); **3.** (*i hav etc.*) bølgeslag; (*lyd*) bru-sen, plasken, skvulpen; **4.** (*efter skib*) kølvandsstribe; dønning; **5.** (*efter fly*) afløb af luftstrømning; **6.** (*til toiletbrug*) vand (*fx hair* ~); **7.** (*i kunst*) tyndt lag farve, lave-ring;
□ *give sth a* ~ vaske noget; *have a* ~ vaske sig; *a* ~ *of* **a.** en bølge af (*fx anger; warmth*); **b.** (*om lys, farve*) et skær af;
[*med præp.*] *be in the* ~ være i vask; *put in the* ~ lægge til vask; *it will come out in the* ~ **T a.** det skal nok ordne sig; **b.** det skal nok komme for en dag; *send clothes to the* ~ sende tøj til vask.

wash[2] [wɔʃ] *vb.* **A.** (*med objekt*) **1.** vaske (*fx one's hands*); **2.** (*med slange*) spule; **3.** (*om vand, hav*) skylle (*fx the sea had -ed the body ashore; a huge wave -ed him overboard*); **4.** (*fig.*) beskylle (*fx the sea -ed the cliffs*);
B. (*uden objekt*) **1.** (*tøj*) vaske (*fx we* ~ *once a week*); **2.** (*sig selv*) vaske sig (*fx he -ed and dressed*); **3.** (*om vand*) skylle, skvulpe (*fx the water -ed against the boat*); **4.** (*om stof, garn*) holde sig i vask (*fx a fabric that -es well*);
□ *does/will not* ~ **T** holder ikke stik, kan ikke stå for en nærmere prøvelse (*fx that theory won't* ~); går ikke (*fx such a careless atti-tude to safety won't* ~ *any more*); *that excuse won't* ~ *with him* **T** den undskyldning hopper han ikke på; (se også *hand[1], linen*) [*med præp.& adv.*] ~ *away* **a.** skylle væk (*fx the water -ed away the bridge*); **b.** (*fig.*) vaske af (*fx the guilt*); ~ *down* **a.** vaske af/ned (*fx the wall*); **b.** (*med slange*) spule ren (*fx the car; the deck*); **c.** (*med drik*) skylle ned (*fx* ~ *the pill down with a glass of water*); ~ *off* **a.** vaske af (*fx* ~ *the dirt off your hands*); **b.** (*uden objekt: om plet*) gå af i vask; ~ *out* **a.** skylle

(*fx the coffee cups; one's mouth*); vaske af [*indvendig*]; **b.** (*tøj*) skylle op; **c.** (*sportskamp: om regn*) spolere; drukne; **d.** (T: *per-son*) udmatte; **e.** (*am.*) kassere; **f.** (*uden objekt*) gå af i vask; **g.** (*am.* T) falde igennem; ikke være god nok; *be -ed out* (*jf. c*) drukne i regn; (se også *was-hed-out*); ~ *over* skylle hen//ind over (*fx the water -ed over her feet//the deck; a feeling of sadness -ed over him*); ~ *up* **a.** (*efter spis-ning*) vaske op; **b.** (*om vand*) skylle op (*fx his body was -ed up on the beach*); **c.** (*am.*) vaske hæn-der (*og ansigt*); vaske sig.

Wash. *fork. f. Washington.*

washable ['wɔʃəbl] *adj.* **1.** (*om stof*) vaskbar; **2.** (*om farve, blæk på stof*) afvaskelig.

wash-and-wear [wɔʃən'wɛər] *adj.* (*am.*) strygefri.

washbasin ['wɔʃbeis(ə)n] *sb.* vaske-kumme, håndvask, vask.

washboard ['wɔʃbɔ:d] *sb.* **1.** vaske-bræt; **2.** (*am.*) fodpanel; **3.** (*mar.*) skvætbord.

washbowl ['wɔʃbəul] *sb.* vandfad.

washcloth ['wɔʃklɔθ] *sb.* (*am.*) va-skeklud.

wash cycle *sb.* (*i vaskemaskine*) vaskeprogram.

wash drawing *sb.* lavering.

washed-out ['wɔʃtaut] *adj.* **1.** (*om tøj*) forvasket; bleg; **2.** (T: *om per-son*) udaset; udkørt.

washed-up ['wɔʃtʌp] *adj.* **T** færdig; sat ud af spillet.

washer ['wɔʃə] *sb.* **1.** spændeskive; **2.** (*person*) vasker; **3.** (T: *maskine*) vaskemaskine; **4.** (*austr.*) vaske-klud.

washer-dryer [wɔʃə'draiə] *sb.* [*sammenbygget vaskemaskine og tørretumbler*].

washerwoman ['wɔʃəwumən] *sb.* (*pl. -women* [-wimin]) vaskekone.

washeteria [wɔʃə'tiəriə] *sb.* mønt-vask.

washing ['wɔʃiŋ] *sb.* **1.** vask; **2.** va-sketøj; **3.** skyllevand (*fx tank* ~).

washing line *sb.* tøjsnor.

washing liquid *sb.* vaskemiddel.

washing machine *sb.* vaskema-skine.

washing-up [wɔʃiŋ'ʌp] *sb.* opvask.

washing-up liquid *sb.* opvaske-middel.

washout ['wɔʃaut] *sb.* **1.** **T** komplet fiasko; **2.** **T** begivenhed//sports-kamp der drukner i regn; **3.** bort-skylning af jord [*på grund af regn*].

washrag ['wɔʃræg] *sb.* (*am.*) vaske-klud.

washroom ['wɔʃrum, -ru:m] *sb.*

(*glds. am.*) toilet.

washstand ['wɔʃstænd] *sb.* (*glds.*) servante.

washtub ['wɔʃtʌb] *sb.* vaskebalje.

washy ['wɔʃi] *adj.* **1.** tynd; svag; **2.** (*om farve*) bleg.

WASP *fork. f.* (*am.*) *White An-glo-Saxon Protestant.*

wasp [wɔsp] *sb.* (*zo.*) hveps.

waspish ['wɔspiʃ] *adj.* skarp; hvas; giftig.

wasp waist *sb.* hvepsetalje.

wassail[1] ['wɔseil, 'wæ-, -s(ə)l] *sb.* (*glds.*) **1.** drikkelag; **2.** krydret øl//vin.

wassail[2] ['wɔseil, 'wæ-, -s(ə)l] *vb.* (*glds.*) **1.** drikke, svire; **2.** gå om-kring og synge ved dørene [*ved juletid*].

wast [wɔst] (*glds.*) *2. pers. sg. præt. af be[1].*

wastage ['weistidʒ] *sb.* **1.** svind; spild; **2.** (*i personale*) naturlig af-gang; **3.** (*i uddannelse*) frafald; **4.** (*med.*) henfald; nedbrydning.

waste[1] [weist] *sb.* (se også *wastes*) **1.** (*som går tabt*) spild (*of* af, *fx en-ergy; taxpayers' money*); **2.** (*som kasseres*) affald (*fx hospital* ~; *household* ~); (se også *cotton wa-ste*); **3.** se *waste pipe*; **4.** se *waste-water*; **5.** (*jur.*) forringelse;
□ *go to* ~ gå til spilde; *a* ~ *of space* **a.** spild af plads, plads-spild; **b.** (T: *fig. om person*) et hul i jorden; *a* ~ *of time* spild af tid, tidsspilde.

waste[2] [weist] *adj.* (*om jord, om-råde*) øde, uopdyrket, ubeboet; □ *lay* ~ lægge øde, hærge; øde-lægge; *lie* ~ henligge uopdyrket.

waste[3] [weist] *vb.* (se også *wasted*) **1.** spilde (*på on, fx don't* ~ *your energy//money//time on that*); bortødsle (*fx one's money*); lade gå til spilde (*fx good food*); **2.** (*mulighed etc.*) forspilde, lade gå til spilde (*fx a chance; an op-portunity; a life*); **3.** (*am.* T: *per-son*) gøre det af med; sætte ud af spillet; **4.** (*jur.: ejendom*) lade for-falde; forringe; **5.** (*litt.: område*) hærge (*fx a country -d with fire and sword*); lægge øde; **6.** (*uden objekt: om person*) se ndf.: ~ *away*; **7.** (*litt. om tid*) svinde;
□ ~ *away* sygne hen, svinde ind, hentæres; ~ *not, want not* (*omtr.*) den der spa'r, har.

wastebasket ['weis(t)bæskət] *sb.* (*am.*) papirkurv.

wasted ['weistid] *adj.* **1.** spildt (*fx day*); **2.** forspildt (*fx life*); **3.** (S: *om person*) helt ødelagt, døddruk-ken, kvæstet; **4.** (*om krop, legems-del*) udtæret;

□ *it is* ~ *on him* det er spildt på ham; det går hen over hovedet på ham.

waste disposal *sb.* **1.** bortskaffelse af affald; **2.** = *waste disposal unit.*

waste disposal site *sb.* affaldsplads; affaldsdepot.

waste disposal unit *sb.* affaldskværn.

wasteful ['weis(t)f(u)l] *adj.* ødsel; uøkonomisk;
□ *it is* ~ *of electricity* det er spild af elektricitet.

wasteland ['weis(t)lænd] *sb.*
1. uopdyrket/Ufrugtbart område;
2. (*fig.*) udørk (*fx a cultural* ~); ørken; ødemark.

waste paper *sb.* papiraffald; affaldspapir; makulatur.

wastepaper basket [weis(t) 'peipəba:skit] *sb.* papirkurv.

waste pipe *sb.* afløbsrør.

waste product *sb.* affaldsprodukt; spildprodukt.

waster ['weistə] *sb.* **1.** ødeland; **2.** T døgenigt.

wastes [weists] *sb. pl.* **1.** affaldsprodukter; **2.** (*område*) øde strækning; ødemark; ørken.

wastewater ['weis(t)wɔ:tə] *sb.* spildevand.

wastewater treatment *sb.* spildevandsrensning.

wastrel ['weistr(ə)l] *sb.* (*litt.*) døgenigt; ødeland.

watch[1] [wɔtʃ] *sb.* **1.** vagt; **2.** ur [*lomme- el. armbåndsur*];
□ *keep* ~ holde vagt; *keep a* ~ *out for* holde udkig efter; *keep a close* ~ *on* vogte/følge nøje med; holde omhyggeligt øje med; *be on the* ~ (*fig.*) være på vagt; holde udkig; *be on the* ~ *for* spejde efter; være på udkig efter; *under* ~ under opsyn.

watch[2] [wɔtʃ] *vb.* **1.** (*i tv etc.*) se (*fx TV; the news; a football match; videos*); **2.** (*noget der foregår*) 'se på (*fx what they are doing; people walking past*); se (*fx* ~ *him do the exercise*); iagttage (*fx I -ed him get on a bus*); **3.** (*noget man er meget interesseret i*) iagttage, se nøje på (*fx sby's face*); vogte på, holde øje med (*fx he -es everything I do*); **4.** (*hemmeligt*) udspionere (*fx I was being -ed*); holde øje med, holde under opsyn (*fx the house was being -ed*); **5.** (*nogen//noget man skal passe på*) holde øje med (*fx the kids; my bag while I am gone*); **6.** (*i advarsel*) passe på (*fx* ~ *the knife! you should* ~ *what you say*); (se også *back*[1], *mouth*, *step*[1]); **7.** (*uden objekt*) se 'til (*fx they were -ing helplessly//indiffer-*

ently *as the others were arrested*);
8. (*mods. sove*) våge (*fx* ~ *and pray*);
□ ~ *it!* pas nu hellere lidt på! *just* ~*!* vent bare! *a -ed pot never boils* [*ventetiden falder altid lang*]; (se også *clock*[1], *time*[1]);
[*med præp.& adv.*] ~ *for* spejde efter; ~ *out* være på vagt; passe på; ~ *out for a.* (*i advarsel*) passe på (*fx* ~ *out for snakes!*); **b.** (*for at finde*) holde udkig efter (*fx favourable offers*); **c.** (*noget interessant*) holde øje med (*fx* ~ *out for him, he is a big talent*); ~ *over* **a.** bevogte (*fx soldiers arrived to* ~ *over the city*); **b.** (*om kontrol*) holde øje med, overvåge (*fx the election*).

watchable ['wɔtʃəbl] *adj.* (T: *om tv-udsendelse*) underholdende.

watchdog ['wɔtʃdɔg] *sb.* **1.** vagthund; **2.** (*fig.*) kontrolorgan; ombudsmand (*fx consumer* ~).

watchfire ['wɔtʃfaiə] *sb.* vagtild, vagtblus.

watchful ['wɔtʃf(u)l] *adj.* årvågen, opmærksom;
□ *under the* ~ *eye of* nøje overvåget af; *keep a* ~ *eye on* holde et vågent øje med.

watch glass *sb.* urglas.

watchmaker ['wɔtʃmeikə] *sb.* urmager.

watchman ['wɔtʃmən] *sb.* (*pl. -men* [-mən]) vagt, vagtmand.

watchstrap ['wɔtʃstræp] *sb.* urrem.

watchtower ['wɔtʃtauə] *sb.* vagttårn; udkigstårn.

watchword ['wɔtʃwɔ:d] *sb.* **1.** nøgleord; slagord; parole; **2.** (*glds. mil.*) feltråb, løsen.

water[1] ['wɔ:tə] *sb.* vand;
□ *-s* **a.** vand (*fx the clear -s of the Adriatic Sea*); F vande; **b.** (*mar.*) farvand (*fx in international -s*);
c. (*fig.*) område (*fx unknown -s*); *there are turbulent -s ahead for us* (*fig.*) der venter os urolige tider; (se også *still*[2]);
[*forskellige forb.*] *it is (like)* ~ *off a duck's back* det er som at slå vand på en gås; *that's* ~ *under the bridge* (*fig.*) det er en gammel historie; det er fortid; *a lot of* ~ *has flown under the bridges since then* (*fig.*) der er løbet meget vand i stranden siden da;
[*med vb.*] *back* ~ skodde [*ɔ: ro baglæns*]; *the -s broke* (*ved fødsel*) vandet gik; *hold* ~ **a.** være vandtæt; **b.** (*fig.*) holde stik, være logisk uangribelig, kunne stå for en nærmere prøvelse; *make* ~
a. lade vandet; **b.** (*mar.: om skib*) lække; *pour cold* ~ *on* (*forslag*

etc.) dæmpe begejstringen for; affeje; affærdige; **shed** ~ se *shed*[2];
take the -s gennemgå en brøndkur; *test the* ~ prøve vandets temperatur (*fx with one's elbow*); *test the -(s)* (*fig.*) lodde stemningen; udsende en føler; **throw cold** ~ *on = pour cold* ~ *on*; **tread** ~ træde vande;
[*med præp.*] *above* ~ se *head*[1] (*keep one's head ...*); *by* ~ ad søvejen; *spend money like* ~ øse penge ud; slå om sig med penge; *in deep* ~/-s (*fig.*) i vanskeligheder; ude at svømme; *in hot* ~ se *hot water; in low* ~ se *low water; in smooth -s* i smult vande; *in//on troubled -s* se *fish*[2], *oil*[1]; *of the first* ~ af reneste vand.

water[2] ['wɔ:tə] *vb.* vande (*fx a garden; cattle*);
□ *his eyes -ed* hans øjne løb i vand; *it makes my mouth* ~ det får mine tænder til at løbe i vand; ~ *down* **a.** fortynde (*fx milk*); **b.** (*fig.*) udvande; afsvække; ~ *down the stock* (*merk.*) udvande aktiekapitalen.

waterbed ['wɔ:təbed] *sb.* vandseng.

waterbird ['wɔ:təbə:d] *sb.* (*zo.*) vandfugl.

water biscuit *sb.* [*sprød usødet biscuit*].

water boatman *sb.* (*zo.*) **1.** rygsvømmer; **2.** bugsvømmer.

waterborne ['wɔ:təbɔ:n] *adj.*
1. sendt ad søvejen; **2.** (*om sygdom*) vandbåren.

water bottle *sb.* vandflaske; feltflaske.

waterbrash ['wɔ:təbræʃ] *sb.* (*med.*) halsbrand.

waterbuck ['wɔ:təbʌk] *sb.* (*zo.*) vandbuk.

water buffalo *sb.* (*zo.*) vandbøffel.

water butt *sb.* regnvandsbeholder.

water cannon *sb.* vandkanon.

water carrier *sb.* vandbærer.

water chestnut *sb.* (*bot.*) hornnød.

water chute *sb.* vandrutsjebane.

water closet *sb.* (*glds.*) vandkloset; wc.

watercock ['wɔ:təkɔk] *sb.* vandhane.

watercolour ['wɔ:təkʌlə] *sb.*
1. vandfarve; **2.** (*billede*) akvarel.

water cooler *sb.* **1.** vandkøler [*fx i kontor*]; **2.** [*sted hvor snakken går*].

watercourse ['wɔ:təkɔ:s] *sb.* vandløb.

watercress ['wɔ:təkres] *sb.* (*bot.*) brøndkarse.

water diviner *sb.* vandviser.

watered ['wɔ:ted] *adj.* vatret (*fx silk*).

W *watered-down*

watered-down [wɔːtəd'daun] *adj.*
1. (*om drik*) fortyndet; **2.** (*fig.*) udvandet; nedtonet.

waterfall ['wɔːtəfɔːl] *sb.* vandfald.

water flea *sb.* (*zo.*) dafnie.

water fountain *sb.* drikkevandsfontæne.

waterfowl ['wɔːtəfaul] *sb. pl.* andefugle.

waterfront ['wɔːtəfrʌnt] *sb.* havnefront; strandpromenade.

water glass *sb.* **1.** (*stof*) vandglas; **2.** (*apparat*) vandkikkert.

water hammer *sb.* stød [*i vandrør*].

waterhole ['wɔːtəhəul] *sb.* vandhul.

watering can *sb.* vandkande [*til havebrug*].

watering hole *sb.* **1.** vandhul; **2.** (*spøg.*) pub, værtshus.

watering place *sb.* **1.** vandingssted; **2.** (*glds.*) kurbad; badested; brøndkuranstalt.

water jacket *sb.* vandkappe; kølevandskappe.

water jump *sb.* vandgrav [*i hestevæddeløb*].

water level *sb.* **1.** (*i sø, vandløb*) vandspejl; **2.** (*i beholder*) vandstand; **3.** (*værktøj*) vaterpas.

water lily *sb.* (*bot.*) åkande.

waterline ['wɔːtəlain] *sb.* vandlinje.

waterlogged ['wɔːtəlɔgd] *adj.*
1. fuld af vand; vandfyldt; **2.** (*om jord*) vandlidende; **3.** (*mar.*) bordfyldt.

water main *sb.* hovedvandledning.

waterman ['wɔːtəmən] *sb.* (*pl. -men* [-mən]) **1.** færgemand; **2.** erfaren roer.

watermark ['wɔːtəmaːk] *sb.* vandmærke.

watermelon ['wɔːtəmelən] *sb.* (*bot.*) vandmelon.

water meter *sb.* vandmåler.

water milfoil *sb.* (*bot.*) tusindblad.

watermill ['wɔːtəmil] *sb.* vandmølle.

water park *sb.* (*am.*) vandland.

water pipe *sb.* **1.** vandrør; **2.** vandpibe.

water pistol *sb.* vandpistol.

water polo *sb.* vandpolo.

water power *sb.* vandkraft.

waterproof¹ ['wɔːtəpruːf] *sb.* regnfrakke; regntæt vindjakke.

waterproof² ['wɔːtəpruːf] *adj.* vandtæt; imprægneret.

waterproof³ ['wɔːtəpruːf] *vb.* gøre vandtæt; imprægnere.

water rail *sb.* (*zo.*) vandrikse [*en fugl*].

water rates *sb. pl.* vandafgift.

water-repellant ['wɔːtəripelənt] *adj.* regntæt.

water-resistent ['wɔːtərizist(ə)nt] *adj.* (begrænset) vandtæt.

waters ['wɔːtəz] *sb. pl.* se *water¹*.

water scorpion *sb.* (*zo.*) skorpiontæge.

watershed ['wɔːtəʃed] *sb.* **1.** vandskel; **2.** (*fig.*) vendepunkt (*fx a ~ in the history of our country*); milepæl; **3.** (*tv*) [*tidspunkt om aftenen hvorefter der bringes udsendelser som er uegnet for børn*]; **4.** (*am.*) afvandingsområde.

water shoot *sb.* (*bot.*) vandskud, vandris.

water shrew *sb.* (*zo.*) vandspidsmus.

waterside ['wɔːtəsaid] *sb.* bred; kyst.

water-ski ['wɔːtəskiː] *vb.* stå på vandski.

water-skier ['wɔːtəskiːə] *sb.* vandskiløber.

water-skiing ['wɔːtəskiːiŋ] *sb.* vandskiløb.

waterslide ['wɔːtəslaid] *sb.* vandrutsjebane.

water softener *sb.* blødgøringsmiddel; afhærdningsmiddel.

water-soluble [wɔːtə'sɔljubl] *adj.* vandopløselig.

waterspout ['wɔːtəspaut] *sb.* skypumpe.

water strider *sb.* (*am. zo.*) damtæge.

water supply *sb.* vandforsyning.

water table *sb.* grundvandsspejl.

watertight ['wɔːtətait] *adj.* **1.** vandtæt; **2.** (*fig.*) vandtæt (*fx alibi; excuse*); uangribelig.

water tower *sb.* vandtårn.

water vapour *sb.* (*meteor.*) vanddamp [*i atmosfæren*].

water violet *sb.* (*bot.*) vandrøllike.

water vole *sb.* (*zo.*) vandrotte, mosegris.

waterway ['wɔːtəwei] *sb.* sejlbar kanal; sejlløb.

waterwheel ['wɔːtəwiːl] *sb.* vandhjul; møllehjul.

water wings *sb. pl.* (oppustelige) svømmevinger.

waterworks ['wɔːtəwəːks] *sb.* (*pl. d. s.*) **1.** vandværk; **2.** (*spøg.*) urinveje;
□ *turn on the ~* (*glds.* T) vande høns [ɔ: *græde*].

watery ['wɔːtəri] *adj.* **1.** (*om mad, drik*) vandet, tynd (*fx soup; coffee*); **2.** (*om lys etc.*) bleg, svag (*fx sunshine; smile*); **3.** (*om væske*) vandet, vandig;
□ *~ eyes* væskende/rindende øjne; *his ~ grave* (*litt.*) hans våde grav [ɔ: *druknedøden*].

watt [wɔt] *sb.* (*elek.*) watt.

wattage ['wɔtidʒ] *sb.* (*elek.*) wattforbrug.

wattle ['wɔtl] *sb.* **1.** (*til væg, hegn*) risfletning; **2.** (*på kalkun*) halslap; **3.** (*austr. bot.*) [*art akacie*].

wattle and daub *sb.* (*i byggeri*)
1. lerklining; **2.** (*foran sb*) lerklinet (*fx hut*).

waul [wɔːl] *vb.* mjave; vræle, skrige.

wave¹ [weiv] *sb.* **1.** bølge; **2.** (*fig.*) bølge (*of af, fx crime; panic*); **3.** (*med flag*) svingen, viften (*of med*); **4.** (*med hånden*) vink; vinken (*of med*);
□ *give sby a ~* vinke til en; *his hair has a natural ~* han har fald i håret; *make -s* forstyrre freden; skabe uro.

wave² [weiv] *vb.* **1.** bølge (*fx cornfields waving in the wind*); **2.** (*om flag etc.*) vifte; vaje; **3.** (*med hånden*) vinke (*fx she -d to me; he -d them away*); **4.** (*med objekt*) vifte med, svinge med (*fx a flag; a letter; a magic wand*); vinke med; **5.** (*hår*) ondulere;
□ *~ goodbye to* (*også fig.*) vinke farvel til; *~ one's hand* vinke (med hånden); *~ her a kiss* sende hende et fingerkys;
[*med adv.*] *he was waving a gun* **around** han stod og viftede med en pistol; *~* **aside** (*fig.*) afvise (*fx his protest*); feje af, feje til side, vifte af; *~ a car* **down** gøre tegn til en bil at den skal standse; *~ sby* **off a.** vinke/vifte en væk; **b.** (*ved afrejse*) vinke farvel til en; *~ sby* **on** vinke en frem.

wave band *sb.* bånd; bølgelængdeområde.

wavelength ['weivleŋθ] *sb.* bølgelængde;
□ *be on the same ~* (*fig.*) være på bølgelængde.

wavelet ['weivlət] *sb.* lille bølge.

wave power *sb.* bølgeenergi.

waver ['weivə] *vb.* **1.** (*om person*) være usikker; vakle (*between* mellem, *fx a house and a flat; from* i, *fx one's decision; his love for her never -ed*); **2.** (*om flamme, lys*) blafre; flakke; **3.** (*om andet*) dirre, skælve (*fx his voice -ed*).

waverer ['weiv(ə)rə] *sb.* vankelmodig person.

wavering ['weiv(ə)riŋ] *adj.* vaklende, vankelmodig.

wave train *sb.* (*fys.*) bølgetog.

wavy ['weivi] *adj.* bølgende; bølget.

wavy edge *sb.* (*på kniv*) bølgeskær.

wax¹ [wæks] *sb.* **1.** voks; **2.** (*skomagers*) (skomager)beg; (se også *sealing wax*).

wax² [wæks] *vb.* (se også *waxed*)
1. (*med voks*) vokse (*fx the car*); behandle/gnide med voks;

2. (*gulv*) bone; **3.** (*uden objekt: om månen*) tiltage; **4.** (*litt.*) vokse, stige; **5.** (*litt.:+ adj.*) blive (*fx lyrical; philosophical*);
□ have one's legs -ed få fjernet hår fra benene [*ved at påføre voks og rive det af*]; ~ and wane (*litt.*) tiltage og aftage; stige og falde.
waxbill ['wæksbil] *sb.* (*zo.*) pragtfinke; astrild.
waxed [wækst] *adj.* voksbehandlet; voks- (*fx paper*).
waxed jacket *sb.* voksdugsjakke.
waxen ['wæks(ə)n] *adj.* (*litt.*)
1. voks-; **2.** voksblød; **3.** (*om hud*) voksagtig; voksbleg.
wax museum *sb.* se *waxworks*.
wax paper *sb.* vokspapir.
wax polish *sb.* bonevoks.
waxwing ['wækswiŋ] *sb.* (*zo.*) silkehale.
waxwork ['wækswə:k] *sb.* voksfigur.
waxworks ['wækswə:ks] *sb.* (*pl. d.s.*) voksmuseum, vokskabinet.
waxy ['wæksi] *adj.* **1.** voksagtig; voksblød; **2.** (*om kartoffel*) fast; som ikke koger ud; **3.** (*glds.* S) hidsig; rasende.
way[1] [wei] *sb.* **1.** måde (*fx I did it my* ~ (på min måde)); **2.** (*om adfærd*) facon (*fx that is only his* ~); **3.** (*om rute; om retning*) vej (*fx is this the right* ~? *he went that* ~; *look both -s*); **4.** (*om strækning*) stykke, stykke vej (*fx we still have some* ~ *to go*); **5.** (*merk.:* F el. *skotsk*) fag; branche (*fx he is in the drapery* ~);
□ -s a. (*om person*) optræden, manerer; (*mere generelt*) skikke (*fx get accustomed to British -s*); (se også ndf.: *little -s*); **b.** (*mar.*) bedding; -s and means (veje og) midler; udveje (*of* + *-ing* til at, *fx of helping them*); *we have -s and means* vi har vore metoder; [*forskellige forb.*] as is the ~ with som det plejer at være med; ~ of + *-ing* **a.** måde at ... på (*fx a* ~ *of making new friends; there is no* ~ *of contacting him*); (se også ndf.: *have a* ~ *of*); **b.** (*mht. problem*) udvej til at (*fx I see no* ~ *of helping you*); (se også *thinking*); ~ out **a.** udgang; **b.** (*fig.*) udvej (*fx take the easy* ~ *out*); *on our* ~ *out* udvejen; på vejen ud; *it is on the* ~ *out* (*fig.*) det er ved at gå af brug/mode; *pay//talk one's* ~ out of *it* betale//snakke sig fra det; *it is not his* ~ to det ligger ikke til ham at; det ligner ham ikke at (*fx be generous*); the ~ to a. vejen til (*fx the station*); **b.** måden at ... på (*fx the* ~ *to do it*);

[*med pron.*] all the ~ **a.** hele vejen; helt (*fx all the* ~ *to Hull*); **b.** (*fig.*) fuldt ud (*fx support//trust him all the* ~); fuldt og helt; *go all the* ~ *with* (*fig.*) **a.** være helt enig med; **b.** gå i seng med; *it cuts* both -s a. det kan gå begge veje; det kan gå i begge retninger; det er både godt og skidt; **b.** det er et tveægget sværd; *bet on a horse both -s/each* ~ holde på en hest på plads og som vinder; *you can't have it both -s* du kan ikke få både i pose og sæk; du kan ikke både blæse og have mel i munden; *bet on a horse each* ~ se ovf.: *both -s; either* ~ **a.** hvad enten det går på den ene eller den anden måde; **b.** hvad enten det var det ene eller det andet; *every* ~ se *every*; *are you going my* ~? skal du samme vej som jeg? *it has never come my* ~ (*fig.*) **a.** det er aldrig hændt mig; det har jeg aldrig været ude for; **b.** det har jeg aldrig fået; (se også: *1*); *no* ~! T absolut ikke!, ikke tale om! *it is no* ~ der er ikke ret langt; *that is no* ~ *to do it* det er ikke en måde at gøre det på; *there's no* ~ *we can help you* det er helt umuligt for os at hjælpe dig; *there are no two -s about it* det er ikke til at komme udenom; *one* ~ *or another/the other* på en eller anden måde; *the* other ~ *round* omvendt; *that* ~ **a.** den vej (*fx he went that* ~); **b.** på den måde (*fx you can't do it that* ~);
[*med adj.*] *the money goes only a little* ~ der er ikke forslag i pengene; *he has his little -s* han har sine små særheder; *it is a long* ~ der er langt (*to* til); *better by a long* ~ langt bedre; *has* come a long ~ har gjort store fremskridt; er kommet langt; *go a long* ~ slå godt til; *go a long* ~ *towards* bidrage meget til; *we've still a long* ~ *to go* der er langt igen; *a little of him goes a long* ~ ham får man hurtigt nok af; *a long* ~ round en lang omvej; *the longest* ~ *round is the shortest* ~ *home* det betaler sig ofte at gå en omvej; *do it your* own ~ gør som du vil; *go/take one's own* ~ gå sine egne veje; følge sit eget hoved; *have/get one's own* ~ få sin vilje; *have it your own* ~! gør som du vil! ja ja da! *it pays its own* ~ det hviler i sig selv; (se også *bad, big, fair*[2], *small, wrong*[2]);
[*med vb.*] ask one's ~ spørge sig frem; spørge om vej; bar sby's ~ spærre vejen for en; change one's

-s forbedre sig; *a* ~ do it en måde at gøre det på; *do it that* ~ gøre det på den måde; *that's the* ~ *to do it!* sådan skal det være! find one's ~ finde vej; *find one's* home finde hjem; *find its* ~ *out of* komme ud af; *find its* ~ *to* finde vej til; ende i; get one's ~ få sin vilje; give ~ **a.** give efter (*fx at last the door gave* ~); gå løs (*fx the hook gave* ~); **b.** (*og briste, knække*) bryde sammen (*fx the bridge gave* ~); **c.** (*om person*) give efter, give sig, bøje sig; **d.** (*i trafikken*) holde tilbage, vige; *give* ~ to **a.** give efter for (*fx pressure*); **b.** blive afløst af (*fx his fear gave* ~ *to anger*); **c.** give sig hen i (*fx despair*); **d.** (*i trafikken*) holde tilbage for (*fx traffic from the right*); vige for; *give* ~ *to tears* lade tårerne få frit løb; go one's ~ drage bort; drage af sted; *go the* ~ *of all flesh* gå al kødets gang; ~ *to go!* (*am.* T) godt gået! *go a little//long* ~ se: *ovf.*; have one's ~ få sin vilje; have a ~ of + *-ing* have det med at, have for vane at; *he has a* ~ with *children* han forstår at tage børn (på den rigtige måde); han har børnetække; *he has a* ~ *with him* han har et vindende væsen; know the ~ kende vejen; *know one's* ~ *around* **a.** kunne finde rundt; **b.** (+ *objekt*) kunne finde rundt i; være godt inde i; lead the ~ gå foran, føre an, vise vejen; lose one's ~ **a.** fare vild; **b.** (*fig.*) ikke vide hvad man skal gøre; make ~ gøre plads, give plads (*for* for); make one's ~ arbejde sig frem; bane sig vej; *we must make our* ~ *home* vi må se at komme hjem; *he cannot make his* ~ *around the house* han kan ikke komme rundt i huset; make the best of one's ~ skynde sig så meget man kan; mend one's -s forbedre sig, blive et bedre menneske; open/pave the ~ for (*fig.*) bane vejen for; muliggøre; pay one's ~ betale selv; klare sig økonomisk; *it pays its own* ~ det hviler i sig selv; push one's ~ mase/ trænge sig frem; see one's ~ to se sig i stand til at; *I didn't know which* ~ *to* turn jeg anede ikke mine levende råd; (se også *pick*[2], *stop*[2], *thread*[2]);
[*med præp.& adv.*] across the ~ **a.** overfor; **b.** i nærheden; along the ~ undervejs; by the ~ **a.** undervejs; **b.** (*om eftertanke*) for resten; apropos; i forbigående (sagt); by ~ of a. som (*fx by* ~ *of apology, by* ~ *of illu-*

stration); **b.** for at (*fx by ~ of finding it out*); **c.** ved brug af; **d.** (*om rejserute*) via, over (*fx by ~ of Harwich*); *he is by ~ of being an expert on that* han er ved at være/han er noget af en ekspert på det område;
in a ~ på en måde; *once in a ~*
a. af og til; en gang imellem;
b. for en gangs skyld; *he is in a bad ~* det står dårligt/sløjt til med ham; det er galt fat med ham; *she is in a terrible ~* T hun er helt ude af det; (se også *big, every, fair², small*); *in his ~* **a.** på hans måde; **b.** i vejen for ham; *in that ~* på den måde; *be in the ~* være i vejen; (se også *family, ordinary*); *what have we got in the ~ of food?* hvad har vi i retning af mad? *put him in the ~ of* hjælpe ham til; give ham lejlighed til at få/opnå;
on the ~ på vejen; undervejs; *on the ~ out* se: *ovf.*;
out of the ~ **a.** afsides; **b.** af vejen; *nothing out of the ~* ikke noget særligt; *keep out of the ~* ikke gå i vejen; holde sig væk; *put sby out of the ~* rydde en af vejen; *put oneself out of the ~ to =* go out of one's *~ to*; *go **out of one's ~ to*** gøre sig ganske særlige anstrengelser/særlig umage for at; gøre alt hvad man kan for at;
under ~ **a.** i gang (*fx an investigation is under ~*); **b.** (*mar.*) i fart; *get under ~* **a.** komme i gang; **b.** (*mar.*) lette.
way² [wei] *adv.* **1.** langt (*fx he was ~ ahead of//behind the others; it is ~ better for you*); **2.** (*om tid*) længe (*fx ~ before you were born*);
□ *~ out beyond the town* langt ude på den anden side af byen; *~ too much* (*am.*) alt alt for meget.
waybill ['weibil] *sb.* passagerfortegnelse; fragtbrev.
wayfarer ['weifɛərə] *sb.* (*litt.*) vejfarende.
wayfaring ['weifɛəriŋ] *adj.* vejfarende; rejsende.
wayfaring tree *sb.* (*bot.*) pibekvalkved.
waylay ['weilei] *vb.* (-*laid* [-leid], -*laid* [-leid]) ligge på lur efter; passe op; overfalde fra baghold.
way of life *sb.* se *life*.
way out¹ *sb.* se *way¹*.
way out² *adv.* se *way²*.
way-out [wei'aut] *adj.* (*glds.* T) langt ude, outreret, vild.
wayside ['weisaid] *sb.* vejkant;
□ *fall by the ~* **a.** (*om person*) falde fra; ryge fra i svinget; **b.** (*om*

plan) gå i vasken.
wayside inn *sb.* landevejskro.
way station *sb.* (*am.*) mellemstation.
wayward ['weiwəd] *adj.* (*glds.*) egensindig; lunefuld; uberegnelig.
wazoo ['wæzu:] *sb.* (*am.* S) rumpe.
WC *fork. f.* **1.** (*postdistrikt i London*) *West Central*; **2.** *water closet*.
we [wi, (*betonet*) wi:] *pron.* vi.
WEA *fork. f. Workers' Educational Association.*
weak [wi:k] *adj.* **1.** svag; **2.** (*om person*) svag, kraftesløs (*fx he felt ~*); svagelig, skrøbelig (*fx a ~ old man*); **3.** (*fig.*) svag (*fx argument; attempt*); tam (*fx excuse; explanation*); mat (*fx voice; smile*); **4.** (*om drik*) tynd (*fx tea*); **5.** (*gram., fon.*) svag;
□ *be ~ at/in* være dårlig til (*fx languages*); *be ~ on* **a.** være dårlig til (*fx the writer is ~ on plot*);
b. (*emne*) være svagt funderet i (*fx the candidate was ~ on foreign policy*); *on ~ ground* på usikker grund; *the -er sex* det svage køn; (se også *knee¹*).
weaken ['wi:k(ə)n] *vb.* **1.** svække; afkræfte; **2.** (*uden objekt*) svækkes; blive svag; blive svagere.
weak-kneed [wi:k'ni:d] *adj.*
1. slap/svag i knæene; **2.** (*fig.*) svag, slap, vattet; blød i knæene.
weakling ['wi:kliŋ] *sb.* **1.** svækling; stakkel; skrog; **2.** (*mht. karakter*) skvat, pjok.
weakly¹ ['wi:kli] *adj.* svagelig.
weakly² ['wi:kli] *adv.* svagt; mat.
weak-minded [wi:k'maindid] *adj.* svaghovedet.
weak-willed [wi:k'wild] *adj.* viljesvag.
weal [wi:l] *sb.* **1.** (*efter slag*) (hævet) stribe; strime; **2.** (*litt.*) vel; velfærd;
□ *~ and woe* medgang og modgang; (se også *public weal*).
wealth [welθ] *sb.* **1.** rigdom; **2.** (F: *om stor mængde*) rigdom (*of* på, *fx oil; timber*); væld (*of* af, *fx details; impressions*).
wealthy ['welθi] *adj.* rig; velhavende.
wean¹ [wi:n] *sb.* (*skotsk*) barn; rolling.
wean² [wi:n] *vb.* (*baby*) vænne 'fra;
□ *~ sby from/off sth* vænne en fra/af med noget; *~ sby from/off + -ing* vænne en af med at (*fx eating snacks*); *be -ed on* være opfostret med (*fx classical music; the Bible*).
weapon ['wepən] *sb.* våben;
□ *~ of mass destruction* masseødelæggelsesvåben.

weaponry ['wepənri] *sb.* våben (*fx sale of new ~ to Haiti; nuclear ~*).
wear¹ [wɛə] *sb.* **1.** slid (*fx show signs of ~*); (se også *worse¹*);
2. brug (*fx the chairs can stand a lot more ~; for Sunday ~; for working ~*); **3.** (*især i sms.*) tøj (*fx beach ~; evening ~; leisure ~*); F beklædning;
□ *that shirt has a bit more ~ left in it* den skjorte kan godt holde lidt endnu; *I've had a lot of ~ out of those shoes* de sko har holdt godt.
wear² [wɛə] *vb.* (*wore, worn*) **1.** (*tøj etc.*) have på (*fx I have nothing to ~ to the party; he doesn't want to ~ a ring*); bære (*fx a uniform; a gas mask*); (*om hvd man plejer at bruge, også*) gå med (*fx jeans; glasses*); bruge (*fx glasses; make-up; a style which is much worn now*); have (*fx a beard; she wore her hair in a pony tail*);
2. (*ansigtsudtryk*) have (*fx a troubled look*); have på (*fx a satisfied smile*); **3.** (*ved brug*) slide (*fx worn clothes; ~ holes in one's socks*); slide på; **4.** (*glds.* T) finde sig i (*fx I won't ~ it*); **5.** (*uden objekt*) blive slidt (*fx his shoes were beginning to ~*); holde (*fx this material won't ~*); **6.** (*mar.*) kovende;
□ *~ thin* **a.** blive tyndslidt (*fx the carpet is -ing thin*); **b.** (*fig.*) blive tyndslidt (*fx his patience was -ing thin*); blive kedelig (*fx the TV series was -ing a bit thin*); *~ well* **a.** holde; være holdbar//solid;
b. (*om person*) holde sig godt; (se også *heart (wear one's heart on ...)* trousers);
[*med adv.*] *~ **away*** **a.** slide af;
b. (*uden objekt*) blive slidt af (*fx the inscription had worn away*);
c. (*om tid*) slæbe sig hen (*fx the long day wore away*); *~ **down*** **a.** slide ned; **b.** (*person*) udmatte, nedbryde; (*fx i forhandling*) gøre mør; **c.** (*uden objekt*) blive slidt ned (*fx your back tyre has worn down*); *~ **off*** **a.** slide af (*fx ~ the paint off*); (se også *novelty*);
b. (*uden objekt*) blive slidt af (*fx the gilt will ~ off*); **c.** (*om følelse*) fortage sig (*fx the tiredness soon wore off*); *~ **on*** slæbe sig hen (*fx the day//party wore on*); *~ **out*** **a.** slide op (*fx a pair of shoes*);
b. udmatte (*fx the excitement had worn him out*); **c.** (*uden objekt*) blive slidt op (*fx children's clothes ~ out quickly*); **d.** (*fig.*) slippe op (*fx his patience wore*

out); ~ *oneself out* slide sig op; (se også *welcome¹*, *worn-out*).

wearable ['wεərəbl] *adj.* (*om tøj*) til at have på; praktisk.

wear and tear *sb.* normalt slid; slitage.

wearer ['wεərə] *sb.*: *the* ~ den der har det//den på (*fx such a dress says a lot about the* ~); bæreren; brugeren.

wearines ['wiərines] *sb.* træthed; udmattelse.

wearing ['wεəriŋ] *adj.* trættende, opslidende (*fx task*).

wearing course *sb.* (*på vej*) slidbane, topbelægning.

wearing qualities *sb. pl.* holdbarhed.

wearing surface *sb.* slidflade; slidlag.

wearisome ['wiərisəm] *adj.* F trættende.

weary¹ ['wiəri] *adj.* **1.** (*om person*) (meget) træt; udmattet; **2.** (*om aktivitet*) trættende, kedsommelig (*fx journey*);
□ ~ *of* træt af; ked af; ~ *of life* livstræt.

weary² ['wiəri] *vb.* F **1.** trætte; kede; **2.** (*uden objekt*) blive træt;
□ ~ *of* blive træt af; blive ked af.

weasel¹ ['wi:z(ə)l] *sb.* (zo.) væsel, brud.

weasel² ['wi:z(ə)l] *vb.*: ~ *out of* (T, især *am.*) sno sig fra//ud af.

weasel words *sb. pl.* T tomme// dobbelttydige ord; tomme fraser [*som bruges for at krybe udenom el. vildlede*].

weather¹ ['weðə] *sb.* vejr;
□ *in all -s* i al slags vejr; ~ *permitting* hvis vejret tillader; *under the* ~ sløj, dårlig tilpas; uoplagt; (se også *heavy²* (*make heavy* ~ *of*)).

weather² ['weðə] *vb.* **1.** (*om sten*) forvitre; **2.** (*om ansigt*) blive vejrbidt; **3.** (*med objekt*) få til at forvitre//blive vejrbidt; **4.** (*vanskelighed*) komme godt igennem; klare sig igennem (*fx a crisis; he had -ed two scandals*); overstå; (se også *storm¹*).

weather-beaten ['weðəbi:t(ə)n] *adj.* **1.** medtaget af vejr og vind; forvitret; **2.** vejrbidt.

weatherboarding ['weðəbɔ:diŋ] *sb.* klinkbeklædning.

weatherbound ['weðəbaund] *adj.* opholdt af vejret; indeblæst.

weather chart *sb.* vejrkort.

weathercock ['weðəkɔk] *sb.* vejrhane.

weathered ['weðəd] *adj.* se *weather-beaten*.

weather eye *sb.*: *keep one's* ~ *open* være på vagt; passe på.

weather forecast *sb.* vejrudsigt.

weather forecaster *sb.* en der laver vejrudsigter, meteorolog.

weatherize ['weðəraiz] *vb.* (*am.*) isolere; tætne.

weatherman ['weðəmæn] *sb.* (*pl.* -men [-men]) T meteorolog.

weatherproof ['weðəpru:f] *adj.* regn- og vindtæt; vejrbestandig.

weather report *sb.* vejrberetning.

weather station *sb.* vejrstation.

weatherstrip¹ ['weðəstrip] *sb.* tætningsliste.

weatherstrip² ['weðəstrip] *vb.* sætte tætningslister på.

weatherstripping ['weðəstripiŋ] *sb.* tætningslister.

weather vane *sb.* vejrhane; vindfløj.

weather-worn ['weðəwɔ:n] *adj.* medtaget af vejr og vind.

weave¹ [wi:v] *sb.* vævning.

weave² [wi:v] *vb.* (*wove, woven*)
1. (*tøj etc.*) væve; **2.** (*kurv etc.*) flette (*fx baskets; a garland; a mat*); **3.** (*en fortælling*) konstruere; sammensætte;
□ ~ *into* **a.** (*jf. 1*) væve ind i; **b.** (*jf, 3*) flette sammen til (*fx a gripping narrative*); **c.** (*fig.*) indflette i; sammenvæve med; ~ *the flowers into a garland* flette en krans af blomsterne; ~ *together* flette sammen.

weave³ [wi:v] *vb.* (*-d, -d*) sno sig (*fx in and out of//through the traffic*);
□ *get weaving* (*glds.* T) **a.** komme i gang; **b.** få fart på; ~ *one's way* sno sig.

weaver ['wi:və] *sb.* **1.** væver; **2.** (zo.) væverfugl.

weaver bird *sb.* (zo.) væverfugl.

Web [web] *sb.*: *the* ~ (*it*) Nettet.

web [web] *sb.* **1.** (*edderkops etc.*) spind; **2.** (*svømmefugls etc.*) svømmehud; **3.** (*på fjer*) fane; **4.** (*typ.*) papirrulle; papirbane;
□ *a* ~ *of* (*fig.*) et net af (*fx companies; roads*); et væv af (*fx lies*); et spind af (*fx intrigue*).

webbed [webd] *adj.* med svømmehud.

webbed feet *sb. pl.* svømmefødder.

webbing ['webiŋ] *sb.* **1.** remme, bælter (*af kraftigt stof*); **2.** (*i polstret møbel*) gjorde; **3.** (*mil.*) remtøj; personlig udrustning.

webcam ['webkæm] *sb.* [*videokamera som er forbundet med en computer og sender billeder til en webside*].

web-footed ['webfutid] *adj.* med svømmefødder.

Weblish ['webliʃ] *sb.* (*it*) [*sprogform der bruges på Nettet*].

website ['websait] *sb.* webside.

web traffic *sb.* (*it*) [*antal opkald til webside*].

webzine ['webzi:n] *sb.* [*magasin der udgives på internettet*].

wed [wed] *vb.* (se også *wedded*)
1. (*glds. el. spøg.*) ægte; tage til ægte; gifte sig med; **2.** (*barn*) bortgifte (*to til, fx* ~ *one's daughter to a foreigner*); **3.** (*fig.*) forene, forbinde (*to* med); knytte (*to* til).

Wed. *fork. f. Wednesday.*

we'd [wi:d] *fork. f.* **1.** *we had;* **2.** *we would.*

wedded ['wedid] *adj.* gift; ægteskabelig;
□ ~ *bliss* ægteskabelig lykke; *her* ~ *life* hendes ægteskab; *be* ~ *to* (*fig.*) gå helt op i; ikke have tanke for andet end (*fx one's profession; a plan*).

wedding ['wediŋ] *sb.* bryllup.

wedding anniversary *sb.* bryllupsdag.

wedding band *sb.* (*især am.*) vielsesring.

wedding breakfast *sb.* (*svarer til*) bryllupsmiddag.

wedding cake *sb.* bryllupskage.

wedding day *sb.* bryllupsdag.

wedding dress *sb.* brudekjole.

wedding ring *sb.* vielsesring.

wedge¹ [wedʒ] *sb.* **1.** kile; **2.** (*kileformet*) stykke (*fx a* ~ *of cake*);
□ *drive a* ~ *between* drive en kile ind mellem; *it is the thin end of the* ~ (*fig.*) det er kun begyndelsen [ɔ: *der kommer mere, værre ting, bagefter*]; det er et skråplan at komme ind på.

wedge² [wedʒ] *vb.* **1.** fastkile (*fx the phone was -d under his chin; I was -d between two big men*);
2. kile/klemme ind (*fx* ~ *the plug into the hole*);
□ ~ *the window open* kile noget fast til at holde vinduet åbent.

Wedgwood ['wedʒwud] *sb.* [*fin fajance*].

wedlock ['wedlɔk] *sb.* (*glds.*) ægtestand; ægteskab;
□ *born in//out of* ~ født i//uden for ægteskab.

Wednesday ['wenzdei, -di] *sb.* onsdag;
□ *on* ~ **a.** i onsdags (*fx he arrived on* ~); **b.** på onsdag (*fx he'll be arriving on* ~); *-s* (*adv., am.*) = *on -s*; *on -s* om onsdagen; *this* ~ nu på onsdag; førstkommende onsdag.

wee¹ [wi:] *sb.* T tis;
□ *do a* ~ tisse.

wee² [wi:] *adj.* (T; *skotsk*) lille (*fx have a* ~ *drink; a* ~ *bit*); lille bitte.

wee³ [wi:] *vb.* T tisse.

weed¹ [wi:d] *sb.* **1.** ukrudtsplante;

W *weed*

2. (T: *om person*) splejs; **3.** S marihuana;
□ *-s* ukrudt; (se også *ill²*); *the ~* (*glds.* T) tobak.
weed² [wi:d] *vb.* luge;
□ *~ out* (*fig.*) luge ud; udrense; fjerne.
weeder ['wi:də] *sb.* **1.** luger; (*glds.*) lugekone; **2.** (*redskab*) lugejern; tidseljern.
weedkiller ['wi:dkilə] *sb.* ukrudtsmiddel.
weeds [wi:dz] *sb. pl.* **1.** se *weed¹*; **2.** se *widow's weeds*.
weedwacker® ['wi:dwækər] *sb.* (*am.*) græstrimmer.
weedy ['wi:di] *adj.* **1.** fuld af ukrudt; **2.** (T: *om person*) splejset.
wee hours *sb. pl.*: *the ~* de små timer.
week [wi:k] *sb.* uge;
□ *the ~* (*også*) hverdagene [*mods. søndag*]; *for -s* i ugevis; *Monday// Tuesday etc. ~, a ~ on Monday// Tuesday etc.* på mandag//tirsdag *etc.* om en uge; *a ~ last Monday// Tuesday etc.* i mandags//tirsdags *etc.* for en uge siden; *today ~, a ~ from today* i dag om en uge; i dag otte dage; *a ~ ago today* i dag for en uge/otte dage siden.
weekday ['wi:dei] *sb.* hverdag.
weekend¹ [wi:k'end, (*am.*) 'wi:kend] *sb.* weekend.
weekend² [wi:k'end, (*am.*) 'wi:kend] *vb.* holde weekend.
weekender [wi:k'endə] *sb.* weekendgæst.
weekly¹ ['wi:kli] *sb.* ugeblad; ugeavis.
weekly² ['wi:kli] *adj.* ugentlig (*fx event*); uge- (*fx newspaper, wage*).
weekly³ ['wi:kli] *adv.* en gang om ugen; ugentlig;
□ *~ paid* ugelønnet; *twice ~ to* gange om ugen.
weeknight ['wi:knait] *sb.* aften//nat i løbet af ugen [*ikke lørdag el. søndag*].
weenie ['wi:ni] *sb.* (*am.* T) **1.** bajersk pølse; hotdog; **2.** tissemand; **3.** (*person*) nørd (*fx computer ~*).
weeny ['wi:ni] *adj.* T lillebitte.
weep¹ [wi:p] *sb.*: *have a ~* have en grædetur.
weep² [wi:p] *vb.* (*wept, wept*) (se også *weeping²*) **1.** græde (*for over*); **2.** (*litt.*) græde over, begræde; **3.** (*fx om sten*) svede; **4.** (*om sår*) væske.
weeper ['wi:pə] *sb.* **1.** grædende; **2.** (*på tøj*) sørgebind; sørgeflor; **3.** (*hist.*) grædekone; **4.** (*am.*) = *weepie*.
weepie ['wi:pi] *sb.* (T, *især am.*: *om sentimental bog, film etc.*) tå-

reperser.
weeping¹ ['wi:piŋ] *sb.* gråd.
weeping² ['wi:piŋ] *adj.* **1.** grædende; **2.** (*om træ*) hænge- (*fx ash; beech; birch*).
weeping willow *sb.* grædepil.
weepy¹ ['wi:pi] *sb.* = *weepie*.
weepy² ['wi:pi] *adj.* tudevorn.
weever ['wi:və] *sb.* (*zo.*) fjæsing.
weevil ['wi:v(i)l] *sb.* snudebille.
wee-wee¹ ['wi:wi:] *sb.* T tis;
□ *do ~* tisse.
wee-wee² ['wi:wi:] *vb.* T tisse.
weft [weft] *sb.* islæt; (*i industrielt sprog*) skudgarn.
weigh¹ [wei] *sb.*: *under ~* (*mar.*) i fart; *get under ~* (*mar.*) lette.
weigh² [wei] *vb.* **1.** veje (*fx potatoes; he -s sixty kilos*); **2.** (*fig.*) afveje (*fx the pros and cons*); vurdere (*fx the facts*);
□ *~ one's words* veje sine ord; (se også *anchor¹*);
[*med præp.& adv.*] *~ against* (*fig.*) **a.** være til skade for (*fx her evidence will ~ against him*); tale imod (*fx the past events will ~ against his being re-elected*); **b.** (*om to ting der sammenlignes*) veje op imod (*fx ~ the costs against the likely gains*); *~ down* **a.** tynge ned (*fx the branches were -ed down with/by fruit*); **b.** (*fig.*) tynge (*fx -ed down with/by one's responsibities// with/by grief*); trykke; *~ in* (*om bokser, om jockey*) blive vejet ind; *~ in at* veje (*fx the boxer -ed in at 80 kilos*) [ɔ: *ved indvejningwn*]; *~ in on* påvirke, få indflydelse på (*fx the decision*); *~ in with* bidrage med, komme med (*fx offers of help; comments*); *~ (heavily) on* (*fig.*) hvile tungt på; tynge; trykke; *~ out* veje af; *~ up* **a.** vurdere (*fx the options*); afveje; **b.** (*person*) se an (*fx I could tell he was -ing me up*); *~ up against* (*to ting*) veje op mod (*fx the advantages against the disadvantages*); *~ with* (*fig.*) betyde noget for; gøre indtryk på (*fx that doesn't ~ with him*).
weighbridge ['weibridʒ] *sb.* vognvægt; brovægt.
weighin ['weiin] *sb.* indvejning.
weighing machine *sb.* vægt.
weight¹ [weit] *sb.* **1.** vægt; **2.** (*til vægtskål*) lod; **3.** (*fig.*) vægt, tyngde (*fx America's economic ~*); **4.** (*om problem, ansvar*) byrde (*fx collapse under the ~ of debt*);
□ *-s* (*til vægtløftning*) vægte; *-s and measures* mål og vægt; [*forskellige forb.*] *it was a ~ off my mind* se *mind¹*; *a heavy ~ no-*

get tungt (*fx be careful when lifting a heavy ~*); en tung byrde; *worth one's ~ in gold* sin vægt værd i guld;
[*med vb.*] *add ~ to* bestyrke (*fx the theory*); *attach ~ to* tillægge vægt/betydning (*fx they did not attach much ~ to the new evidence*); *carry one's ~* se ndf.: *pull one's ~*; *he is a ~ to carry* han er tung at bære på; *carry/have ~* (*fig.*) veje tungt; have vægt; have betydning; *gain ~* tage på (i vægt); *give ~ to* se ovf.: *attach ~ to*; *lose ~* tabe sig; *pull one's ~* gøre sin del af arbejdet; tage sin tørn; *put on ~* tage på (i vægt); *put one's ~ behind* se ndf.: *throw one's ~ behind*; *sell by ~* sælge efter vægt; *throw one's ~ about/ around* (*fig.*) spille stærk mand, optræde, blære sig; *throw one's ~ behind* lægge sin vægt bag; give sin fulde støtte.
weight² [weit] *vb.* **1.** tynge ned (*fx a fishing net; a curtain*); **2.** (*fig., fx i statistik*) vægte;
□ *~ down* **a.** tynge ned; **b.** holde nede (*fx put a stone on the stack of papers to ~ it down*).
weighted ['weitid] *adj.* **1.** vægtet (*fx average*); **2.** (*om tekstil*) betynget (*fx silk*);
□ *be ~ against* være til ugunst for; *be ~ in favour of* begunstige; *~ dice* forfalskede terninger.
weighting ['weitiŋ] *sb.* **1.** vægtning; **2.** (*mht. løn*) stedtillæg;
□ *give ~ to* vægte.
weightless ['weitləs] *adj.* vægtløs.
weightlifter ['weitliftə] *sb.* vægtløfter.
weightlifting ['weitliftiŋ] *sb.* vægtløftning.
weighty ['weiti] *adj.* **1.** (*litt.*) tung (*fx box*); **2.** (F: *fig.*) vægtig; tungtvejende (*fx reasons*); betydningsfuld (*fx question*).
weir [wiə] *sb.* **1.** dæmning; stemmeværk; **2.** fiskegård.
weird [wiəd] *adj.* **1.** spøgelseagtig, uhyggelig (*fx a ~ green light*); sælsom; **2.** T sær, mærkværdig, underlig; spøjs (*fx character; sense of humour*).
weirdo ['wiədəu] *sb.* T sær snegl, original, skør rad.
welch [welʃ] *vb.* = *welsh*.
welcome¹ ['welkəm] *sb.* velkomst; modtagelse (*fx an enthusiastic ~*);
□ *outstay/overstay/wear out one's ~* blive længere end man er velkommen; trække for store veksler på folks gæstfrihed.
welcome² ['welkəm] *adj.* **1.** velkommen (*fx a ~ guest; you are al-*

934

ways ~; ~ *to London!*); **2.** kærkommen (*fx gift; interruption; opportunity*);

□ *you are* ~ (*svar på tak*) åh, jeg be'r; det var så lidt; *make sby* ~ tage godt imod en; være glad for at se en; *it will be* ~ *to them* de vil hilse det velkommen (*fx the proposal will be* ~ *to the members*); *you are* ~ *to it* **a.** du må gerne have det; **b.** (*ironisk*) værsgo'! velbekomme! *you are* ~ *to your own opinion* for mig kan du mene hvad du vil; *you are* ~ *to try* du er velkommen til at prøve; du må meget gerne prøve.

welcome[3] ['welkəm] *vb.* **1.** (*person*) byde velkommen (*fx a guest*); modtage (*fx he -d them with open arms*); **2.** (*forslag, ændring etc.*) hilse velkommen (*fx the announcement; the new proposal*);
□ ~ *sby to join* invitere/opfordre en til at være med; *I* ~ *your help* jeg er glad for din hjælp.

welcoming ['welkəmiŋ] *adj.* hjertelig; gæstfri.

weld[1] [weld] *sb.* **1.** svejsning; **2.** (*sted*) svejsning, svejsesamling, svejsesøm, svejsefuge.

weld[2] [weld] *vb.* **1.** svejse; **2.** (*fig.*) samle (*fx* ~ *them into a team*);
□ ~ *together* **a.** svejse sammen; **b.** (*fig.*) samle (til et hele) (*fx* ~ *the party together*); sammenføje; *-ed joint* se *weld*[1] *2*.

welder ['weldə] *sb.* svejser.

welfare ['welfɛə] *sb.* **1.** velfærd; **2.** (*om sociale foranstaltninger*) forsorg (*fx child* ~); **3.** (*am.*) bistandshjælp; sociale ydelser.

welfare chiseller *sb.* T socialbedrager.

welfare officer *sb.* **1.** socialrådgiver; **2.** (*mil.*) velfærdsofficer.

welfare state *sb.* velfærdsstat.

welfare work *sb.* forsorgsarbejde; velfærdsarbejde.

welkin ['welkin] *sb.* (*glds.*) himmel; himmelhvælv.

well[1] [wel] *sb.* **1.** brønd; **2.** fordybning; (*se også* inkwell); **3.** (*i hus*) skakt; lysskakt; (*se også* lift well, stairwell); **4.** (*ved olieudvinding*) oliebrønd; borehul; **5.** (*i fiskerbåd*) dam; **6.** (*flyv.*) se *wheel well*; **7.** (*jur.: i retslokale*) advokatloge.

well[2] [wel] *adj.* rask (*fx feel* ~); (*se også* alone, very[2]).

well[3] [wel] *vb.* vælde; strømme;
□ ~ *up* vælde frem.

well[4] [wel] *adv.* (*se også well*[5])
1. godt (*fx sleep* ~; *treat sby* ~; *shake the bottle* ~); (*i sms.*) vel- (*fx a* ~-*situated house*) [*se også på alfabetisk plads*]; **2.** (*om af*

stand etc.*) langt (*fx* ~ *back*); et godt stykke (*fx* ~ *below the Equator*);

□ *that's all* ~ *and good!, that's all very* ~ det er alt sammen meget godt!; (*se også very*);

[*med : as*] *as* ~ **a.** også; desuden; **b.** lige så godt (*fx you may as* ~ *go and hang yourself*); *as* ~ *he// she//it might* hvad der ikke var noget mærkeligt ved; hvad der ikke var noget at sige til; som man kunne vente; *as* ~ *as* såvel som; tillige med; *it would be just as* ~ det ville være lige så godt; det ville være det bedste; *it was just as* ~ *that* det var godt/et held at; *it would be just as* ~ *for you to* du må nok hellere; *it is as* ~ *to* der er en god idé at;

[*med : do*] *do* ~ klare sig godt; *he is doing* ~ (*også*) det går ham godt; *do oneself* ~ leve godt; leve flot; *do sby* ~ beværte en godt; *they do one very well* man spiser godt hos dem; *it would do me very* ~ det ville passe mig udmærket; *do* ~ *by sby* T behandle en godt; *do* ~ *out of* have økonomisk fordel af; *he did well out of the war* han tjente store penge på krigen; *you would do* ~ *to* det ville være klogt/rigtigt af dig at; ~ *done!* bravo! flot klaret!

[*med adv.*] ~ *away* T **a.** godt i gang; **b.** (*sovende*) helt væk; **c.** (*fuld*) højt oppe; *he was* ~ *away on his favourite subject* han var godt i gang med sit yndlingsemne; *be* ~ *in with* være på meget god fod med; være pot og pande med; ~ *on in life* godt oppe i årene; *be* ~ *out of* it være sluppet godt fra det; *you are* ~ *out of it* du kan være glad for at du er ude af den historie; *be* ~ *up in* være dygtig til; være velorienteret i (*fx history*); ~ *up in the list* højt oppe på listen.

well[5] [wel] *interj.* **1.** nå (*fx* ~, *what next?*); **2.** (*afbrydende*) nå men (*fx* ~, *we'd better get on with it*; ~, *that can wait*); **3.** (*eftertænksomt, tøvende*) tja (*fx* ~, *I'll see what I can do*; ~ *I don't know*); **4.** (*forklarende*) jo ser du; altså (*fx* ~, *it was like this*); **5.** (*overrasket*) nå da (*fx* ~, *that was a surprise!*); jamen (*fx* ~, *if it isn't James!*);
□ *well, well* **a.** ja ja; **b.** (*overrasket*) nå dada! oh ~ skidt med det; ~ *now*, ~ *then* nå men (*fx* ~ *now, who is coming with me?*).

we'll [wi:l] *fork. f.* we will//shall.

well-adjusted [welə'dʒʌstid] *adj.* veltilpasset.

well-advised [weləd'vaizd] *adj.* klog; velbetænkt.

well-appointed [welə'pɔintid] *adj.* veludstyret; velindrettet (*fx house*).

well-balanced [wel'bælənst] *adj.* **1.** velafbalanceret; **2.** (*om kost*) balanceret; alsidig; **3.** (*om person*) ligevægtig; stabil; fornuftig.

well-behaved [welbi'heivd] *adj.* velopdragen; med pæne manerer.

well-being ['welbiiŋ] *sb.* velvære; trivsel.

well-born [wel'bɔ:n] *adj.* af god familie.

well box *sb.* hyttefad.

well-bred [wel'bred] *adj.* **1.** velopdragen; dannet; **2.** (*om dyr*) af god race.

well-brought-up [welbrɔ:t'ʌp] *adj.* velopdragen.

well-built [wel'bilt] *adj.* velbygget.

well-conducted [welkən'dʌktid] *adj.* (*om foretagende*) velledet.

well-connected [welkə'nektid] *adj.* med gode forbindelser.

well-cut [wel'kʌt] *adj.* (*om tøj*) velsiddende.

well deck *sb.* (*mar.*) welldæk; brønddæk.

well-defined [weldi'faind] *adj.* veldefineret; skarpt afgrænset.

well-disposed [weldis'pəuzd] *adj.* velvilligt/positivt indstillet.

well-done [wel'dʌn] *adj.* gennemstegt; (*se også well*[4] (*med: do*)).

well-earned [wel'ə:nd] *adj.* velfortjent.

well-endowed [welin'daud] *adj.* veludstyret; (*med penge*) velhavende.

well-favoured [wel'feivəd] *adj.* (*glds.*) køn.

well-fed [wel'fed] *adj.* **1.** velnæret; **2.** godt affodret.

well-found [wel'faund] *adj.* = *well-appointed*.

well-founded [wel'faundid] *adj.* velbegrundet; velfunderet.

well-groomed [wel'gru:md, -'grumd] *adj.* soigneret; velplejet.

well-grounded [wel'graundid] *adj.* **1.** velfunderet (*in i, fx physics*); **2.** (*om argument*) velunderbygget.

wellhead ['welhed] *sb.* **1.** kilde; **2.** overbygning over en brønd.

well-heeled [wel'hi:ld] *adj.* T velbeslået; velbjærget.

well-hung [wel'hʌŋ] *adj.* **1.** (*om kød*) velhængt; **2.** (T, *spøg.: om mand*) veludstyret.

wellie ['weli] *sb.* T gummistøvle;
□ *give it some* ~! tag ordentlig fat!

well-informed [welin'fɔ:md] *adj.* velunderrettet, velorienteret.

wellington ['weliŋtən], **wellington**

W well-intentioned

boot sb. gummistøvle.

well-intentioned [welin'tenʃənd] adj. 1. (om person) velmenende; 2. (om handling) velment.

well-kept [wel'kept] adj. velholdt (fx garden); □ a ~ secret en velbevaret hemmelighed.

well-knit [wel'nit] adj. tæt bygget; kraftigt bygget.

well-known [wel'nəun] adj. velkendt.

well-liked [wel'laikt] adj. vellidt; populær.

well-made [wel'meid] adj. 1. (om person) velskabt; 2. (om film etc.) dygtigt lavet.

well-mannered [wel'mænəd] adj. velopdragen; høflig.

well-matched [wel'mætʃt] adj. 1. som passer godt sammen; 2. (om sportshold) jævnbyrdig.

well-meaning [wel'mi:niŋ] adj. 1. (om person) velmenende; 2. (om handling) velment.

wellness ['welnəs] sb. (am.) sundhed.

well-nigh ['welnai] adv. næsten.

well-off [wel'ɔf] adj. 1. velhavende, velstående, velbjærget; 2. godt/heldigt stillet; □ he does not know when he is ~ han ved ikke hvor godt han har det; ~ for velforsynet med; be ~ for tea (også) have te nok.

well-oiled [wel'ɔild] adj. T 1. (om person) fuld, pløret; 2. (om organisation) velsmurt.

well-paid [wel'peid] adj. vellønnet.

well-preserved [welpri'zə:vd] adj. 1. velbevaret; 2. (T: om person) velkonserveret; som holder sig godt.

well-read [wel'red] adj. belæst.

well-regarded [welri'ga:did] adj. velanskrevet; populær.

well-rounded [wel'raundid] adj. 1. smukt afrundet; 2. (om person, uddannelse) alsidig; 3. (om persons udseende) i rundbuestil; godt i stand; 4. (om stil) velafrundet (fx sentences); fuldendt.

well-set [wel'set] adj. (om person) tæt/kraftigt bygget; velbygget.

well-spent [wel'spent] adj. (om tid, penge) velanvendt.

well-spoken [wel'spəuk(ə)n] adj. 1. (om person) som taler et kultiveret sprog; 2. (om ord) velvalgt; 3. (am.) som forstår at belægge sine ord; beleven.

wellspring ['welspriŋ] sb. (litt.) kilde.

well-stacked [wel'stækt] adj. (vulg., om pige) veludstyret.

well-stocked [wel'stɔkt] adj. velassorteret; velforsynet; righoldig (fx library).

well-thought-of [wel'θɔ:tɔv] adj. velanskreven.

well-thought-out [welθɔ:t'aut] adj. godt udtænkt.

well-thumbed [wel'θʌmd] adj. (om bog, blad) godt brugt, slidt.

well-timed [wel'taimd] adj. som sker på det rette tidspunkt; godt timet.

well-to-do [weltə'du:] adj. velhavende, velstillet.

well-travelled [wel'træv(ə)ld] adj. 1. (om person) berejst; 2. (om rute) meget brugt.

well-tried [wel'traid] adj. gennemprøvet.

well-trodden [wel'trɔd(ə)n] adj. 1. (om rute etc.) gennemtravet; nedtrådt (fx path); 2. (fig.) velkendt (fx ground).

well-turned [wel'tə:nd] adj. 1. (om ytring) velturneret (fx compliment); 2. (om ben) veldrejet.

well-turned-out [weltə:nd'aut] adj. velklædt.

well-versed [wel'və:st] adj.: ~ in velbevandret i, velfunderet i; godt hjemme i (fx French literature).

well-wisher ['welwiʃə] sb. sympatisør; gratulant.

well-worn [wel'wɔ:n] adj. 1. slidt (fx clothing); veltjent; 2. (fig.) fortærsket (fx excuse); forslidt.

welly ['weli] sb. = wellie.

Welsh[1] [welʃ] sb. (sprog) walisisk.

Welsh[2] [welʃ] adj. walisisk; □ the ~ waliserne.

welsh [welʃ] vb.: ~ on a. løbe fra (fx a debt; a promise); snyde for (fx payments); b. (person) snyde.

welsher ['welʃə] sb. bedrager.

Welshman ['welʃmən] sb. (pl. -men [-mən]) waliser.

Welsh rarebit sb. [ret af ristet brød og ost].

welt [welt] sb. 1. (på huden, efter slag) stribe; strime; 2. (på fodtøj) rand; 3. (på tøj) ribkant, snorkantning.

welter[1] ['weltə] sb. broget forvirring; virvar.

welter[2] ['weltə] vb.: ~ in (litt.) vælte sig i, svømme i (fx one's blood).

welterweight ['weltəweit] sb. (i boksning) 1. weltervægt; 2. (bokser) weltervægter.

wench [wen(t)ʃ] sb. (glds. el. spøg.) pige; tøs.

wend [wend] vb.: ~ one's way (glds.) begive sig, drage, vandre.

wendy house ['wendihaus] sb. legehus.

went [went] præt. af go[3].

wept [wept] præt. & præt. ptc. af weep.

were [wə:] præt. af be[1].

we're [wiə] fork. f. we are.

werewolf ['wɛəwulf, 'wiə-, 'wə:-] sb. (myt.) varulv.

wert [wə:t] (glds.) præt. af be[1].

West [west] sb.: the ~ a. Vesten; b. (am.) [den vestlige del af USA]; in the ~ of England i det vestlige England, i Vestengland.

west[1] [west] sb. vest; □ ~ by north vest til nord.

west[2] [west] adj. vestlig; vest-.

west[3] [west] adv. mod vest; vestpå; □ go ~ a. tage vestpå; b. T falde; blive dræbt; dø; c. (om ting) forsvinde; gå i stykker; ~ of vest for.

westbound ['westbaund] adj. vestgående; mod vest.

West Country sb.: the ~ Sydvestengland.

West End sb.: the ~ [den vestlige (rigere) del af London].

westering ['westəriŋ] adj. (litt.: om solen) dalende.

westerly ['westəli] adj. vestlig.

western[1] ['westən] sb. western, cowboyfilm.

western[2] ['westən] adj. 1. vestlig; 2. vesterlandsk.

Western Church sb.: the ~ den romersk-katolske kirke.

Western Empire sb.: the ~ (hist.) det vestromerske rige.

westerner ['westənə] sb. 1. vesterlænding; 2. vesteuropæer; 3. (am.) vestamerikaner.

westernize ['westənaiz] vb. indføre Vestens kultur i; europæisere.

West Indies [west'indiz] sb. pl.: the ~ Vestindien.

Westminster ['wes(t)minstə] 1. [del af London hvor Parlamentet ligger]; 2. [Parlamentet].

Westphalia [west'feiliə] Westfalen.

westward[1] ['westwəd] adj. vestlig.

westward[2] ['westwəd] adv. = westwards.

westwards ['westwədz] adv. vestpå, mod vest.

wet[1] [wet] sb. 1. væde; fugt; 2. (T: skældsord) skvat; tøsedreng; kedeligt drys; 3. (om politiker) slapper; 4. (am. hist.) forbudsmodstander; □ the ~ regnvejret (fx stand out in the ~).

wet[2] [wet] adj. 1. våd; fugtig; 2. (om vejr) våd, fugtig, regnfuld; 3. (T: neds. om person) skvattet; fej; kedelig; 4. (om politiker) moderat; 5. (om sted) ikke tørlagt; hvor der ikke er spiritusforbud; □ all ~ (am.) a. helt gal på den; b. helt forkert; ~ behind the ears

936

wheatear W

(fig.) ikke tør bag ørerne endnu; ~ through gennemblødt.

wet³ [wet] *vb. (wet/-ted, wet/-ted)* **1.** væde; fugte; **2.** gøre våd; tisse i *(fx one's bed; one's trousers/pants);*
□ ~ *oneself* tisse i bukserne; (se også *whistle¹).*

wetback ['wetbæk] *sb. (am. neds.)* [grænseoverløber fra Mexico].

wet blanket *sb. (om person)* lyseslukker.

wet dock *sb. (mar.)* våd dok; dokbassin; dokhavn.

wet dream *sb.* **1.** våd drøm; **2.** *(om person, ting)* hed drøm.

wet fish *sb.* frisk fisk [*mods. fx røget, frossen*].

wether ['weðə] *sb.* bede [*gildet vædder*].

wetlands ['wetlændz] *sb. pl.* vådområder.

wet nurse *sb.* amme.

wet-nurse ['wetnə:s] *vb.* amme; give bryst.

Wet Paint *(på skilt)* nymalet.

wetsuit ['wetsu:t, -sju:t] *sb.* våddragt.

wetting agent *sb.* fugtemiddel.

wetware ['wetwɛə] *sb. (it,* T) personnel [*mods. maskinel og programmel*].

we've [wi:v] *fork. f.* we have.

WFTU *fork. f.* the World Federation of Trade Unions.

whack¹ [wæk] *sb.* **1.** kraftigt slag, smæk; klask; **2.** T del *(fx do one's* ~); andel;
□ *the full* ~ T det fulde beløb; *have a* ~ *at* gøre et forsøg på; *take a* ~ *at* **a.** = have a ~ at; **b.** *(am.: kritisere)* lange ud efter; *out of* ~ T **a.** i uorden; **b.** *(om person)* sløj; be out of ~ *(også)* ikke stemme; ikke passe sammen (*with* med).

whack² [wæk] *vb.* **1.** slå, smække; hamre; klaske; **2.** *(i konkurrence)* banke;
□ ~ *off (vulg.)* rive den af.

whacked [wækt], **whacked-out** ['wæktaut] *adj.* **1.** *(glds.* T) udkørt, udkokset, flad; **2.** *(am.: af narko)* smækbedøvet *(on* af).

whacking ['wækiŋ] *adj.* T mægtig, kæmpe-, enorm.

whacky ['wæki] *adj.* se *wacky.*

whale¹ [weil] *sb. (zo.)* hval;
□ *a* ~ *of a (am.* T) en mægtig *(fx difference); have a* ~ *of a time* T have det mægtig sjovt.

whale² [weil] *vb. (am.* T) slå, banke, tæske;
□ ~ *into* tæske løs på.

whalebone ['weilbəun] *sb.* **1.** hvalbarde; **2.** *(i korset)* fiskeben.

whale oil *sb.* hvalolie.

whaler ['weilə] *sb. (skib, person)* hvalfanger.

whale shark *sb. (zo.)* hvalhaj.

whaling ['weiliŋ] *sb.* hvalfangst.

wham¹ [wæm] *vb.* T hamre.

wham² [wæm] *interj.* T bang.

wham-bam ['wæmbæm] *interj.* bang-tju; vupti.

whammy ['wæmi] *sb.* T ulykke;
□ *put the* ~ *on (am.* T) bringe/nedkalde ulykke over.

whang¹ [wæŋ] *sb.* klask; bang.

whang² [wæŋ] *vb.* **1.** hamre; dunke; **2.** ræse.

wharf [wɔ:f] *sb. (pl. wharves* [wɔ:vz]/-s) bolværk; kaj; lossebro.

wharfage ['wɔ:fidʒ] *sb.* **1.** kajplads; **2.** bolværksafgift.

wharfinger ['wɔ:fin(d)ʒə] *sb.* ejer af havneoplagsplads; bolværksejer.

what [wɔt] *pron.* **1.** *(spørgende)* hvad *(fx* ~ *is he?* ~ *did he say? he asked me* ~ *I wanted); (foran sb.)* hvad for en//et, hvilken//hvilket *(fx* ~ *size?); (pl.)* hvad for (nogle), hvilke *(fx* ~ *places did you visit?);* **2.** *(relativt)* hvad der; det der *(fx he took* ~ *was mine;* ~ *happened was quite an accident);* noget der *(fx he took* ~ *looked like a silver coin out of his pocket);* hvad *(fx I mean* ~ *I say);* **3.** *(om samlet mængde)* (alt) hvad *(fx he drank* ~ *was left of the whisky);* (alle) de *(fx he bought* ~ *paintings he could find; I gave him* ~ *money I had);* **4.** *(i udråb)* sikke noget *(fx* ~ *nonsense!);* sikken *(fx* ~ *a fine day!);*
□ *and* ~ *not, and* ~ *have you* og jeg ved ikke hvad; og meget andet af samme slags; ~ *if* **a.** hvad nu hvis *(fx* ~ *if he doesn't show up?);* **b.** *(om noget uvigtigt)* hvad gør det at *(fx* ~ *if he's young, as long as he is qualified?);* [*med: is*] *know what's* ~ være med; vide besked; *tell him what's* ~ give ham ren besked; ~*'s his name?,* ~*'s he called?* hvad er det nu han hedder? ~ *is he like?* **a.** hvordan er han? **b.** hvordan ser han ud? ~*'s more* hvad mere er; ~*'s yours?* se yours; (se også ndf.: ~*'s on (etc.));* [*med præp.& adv.*] ~ *about* hvad med *(fx* ~ *about a glass of whisky?* ~ *about you?);* ~ *about it?* **a.** hvad bliver der til? **b.** nå, og hvad så? hvad skal man gøre ved det? ~ *about that?* hvad siger du til det? hvad siger du 'så? ~ *for?* af hvad grund? ~ *... for* **a.** hvad ... til *(fx* ~ *are those tools for?);* **b.** hvad ... for, hvorfor *(fx* ~ *did you hit him for?);* ~*'s on?* hvad

foregår der? ~ *of it?* ja hvad så? hvad betyder det? ~*'s up?* hvad er der galt? hvad er der i vejen? *(with* med); ~*'s that to you?* T hvad kommer det dig ved? ~ *with one thing and (*~ *with) another* dels på grund af det ene, dels på grund af det andet; det ene med det andet; sådan som det nu gik.

whatchamacallit ['wɔtʃəməkɔ:lit] *sb.* hvad er det nu det hedder.

whatever¹ [wɔt'evə] *pron.* **1.** alt hvad *(fx* ~ *he did was for the best; give him* ~ *he wants);* lige meget hvad *(fx* ~ *he says); (mere* F) hvad end *(fx* ~ *happens);* **2.** *(foran sb.)* lige meget hvilken// hvilket//hvilke *(fx* ~ *time you get here;* ~ *orders he gives are obeyed);* hvilken//hvilket//hvilke ... end; **3.** (T: *i spørgsmål)* hvad i alverden; hvad ... dog *(fx* ~ *did he say?);*
□ ~*! (svar på forslag)* se ndf.: ~ *you say;* ~ *else* hvad der ellers kan være; *or* ~ T eller sådan noget; eller hvad det nu kan være; ~ *that* ... hvad ... se ... *(fx he had a "pre-emptive right",* ~ *that is// means);* ~ *the* ... hvad ... end er// bliver *(fx* ~ *the reason;* ~ *the outcome;* ~ *the weather);* ~ *turns you* on siden du synes 'det er morsomt; *don't,* ~ *you do, tell him* du må ikke under nogen omstændigheder sige det til ham; ~ *you say (svar på forslag etc.)* som du vil; det er mig det samme.

whatever² [wɔt'evə] *adv.: no ... ~, none* ~ slet ingen, overhovedet ingen, ingen som helst *(fx I have no interest* ~ *in that; any problems? none* ~); *nothing* ~ intet som helst.

what-for [wɔt'fɔ:] *sb.: give him* ~ *(glds.* T) give ham klø; give ham hvad han har godt af.

whatnot ['wɔtnɔt] *sb.* etagere;
□ *and* ~ T and alt sådan noget; og alt det der.

whatsername ['wɔtsəneim] *sb.* T hvad er det nu hun hedder.

whatsisname ['wɔtsizneim] *sb.* T hvad er det nu han hedder.

whatsit ['wɔtsit] *sb.* T hvad er det nu det hedder.

whatsoever [wɔtsəu'evə] *adv.* se *whatever².*

wheat [wi:t] *sb.* hvede;
□ *sort out/separate/sift the* ~ *from the chaff* skille klinten fra hveden.

wheatcake ['wi:tkeik] *sb. (am.)* pandekage [*af hvedemel*].

wheatear ['wi:tiə] *sb. (zo.)* stenpikker.

937

wheaten ['wi:t(ə)n] *adj.* hvede-; af
hvede.

wheatgerm ['wi:tdʒə:m] *sb.* hvede-
kim.

wheatmeal ['wi:tmi:l] *sb.* groft hve-
demel.

wheedle ['wi:dl] *vb.* lokke; smigre;
snakke godt for;
□ ~ *sby into doing sth* besnakke
en til at gøre noget; ~ *out of* lokke
ud af (*fx* ~ *more money out of
him*).

wheel[1] [wi:l] *sb.* **1.** hjul; (se også
*catherine wheel, potter's wheel,
spinning wheel*); **2.** (*til styring: i
bil & mar.*) rat;
□ **-s a.** T bil (*fx we've got -s now*);
b. (*fig.*) maskineri (*fx the -s of go-
vernment*); hjul; *the -s of justice*
retsmaskineriet; *keep the -s turn-
ing* holde hjulene i gang; (se også
meals on wheels, oil[2]);
[*forskellige forb.*] *I feel like a fifth/
third* ~ (*am.*) jeg føler mig som
femte hjul til en vogn/tredje hjul
til en gig; *the* ~ *of fortune* lyk-
kens hjul; *reinvent the* ~ (*svarer
til*) opfinde den dybe tallerken
igen; (se også *big wheel, spare
wheel*);
[*med præp.*] *be behind the* ~
sidde bag rattet; *a cog in a* ~ se
cog; *break upon the* ~ (*hist.*) rad-
brække; *there are -s within -s*
(*fig.*) det er en meget kompliceret
affære.

wheel[2] [wi:l] *vb.* **1.** køre (*fx* ~ *the
patient to the operating room*);
trille; **2.** (*cykel*) trække; **3.** (*barne-
vogn*) køre med; skubbe; **4.** (*uden
objekt, fx om fugle, litt.*) kredse;
cirkle;
□ ~ *and deal* **a.** være om sig;
bruge smarte metoder; **b.** optræde
hensynsløst; ~ *out* (*fig.*) køre frem
med (*fx the same arguments*);
stille op med; ~ *round* pludselig
vende sig om; snurre rundt.

wheel arch *sb.* hjulkasse.

wheelbarrow ['wi:lbærəu] *sb.* tril-
lebør.

wheelbase ['wi:lbeis] *sb.* akselaf-
stand.

wheelchair ['wi:ltʃɛə] *sb.* kørestol;
rullestol.

wheel clamp *sb.* (*på ulovligt par-
keret bil*) parkeringsklampe; hjul-
spærre.

wheeled [wi:ld] *adj.* **1.** med hjul;
2. på hjul; kørende (*fx* ~ *traffic*).

wheeler-dealer ['wi:lə'di:lə] *sb.* T
en der er om sig; en der forstår at
sno sig; smart forretningsmand;
(*især i politik*) dreven taktiker.

wheel horse *sb.* **1.** stanghest;
2. (*am.*) trofast partiarbejder.

wheelhouse ['wi:lhaus] *sb.* (*mar.*)
styrehus.

wheelie ['wi:li] *sb.* [*det at bal-
ancere på en cykels baghjul med
forhjulet hævet*].

wheelie bin *sb.* affaldsspand på
hjul.

wheel well *sb.* (*flyv.*) hjulbrønd.

wheelwright ['wi:lrait] *sb.* hjulma-
ger.

wheen [wi:n] *sb.* (*skotsk*) masse,
bunke (*fx a* ~ *of money*).

wheeze[1] [wi:z] *sb.* **1.** hiven efter
vejret; piben; hvæsen; **2.** (*glds.* T)
smart idé//plan; smart trick; skæg
idé//plan.

wheeze[2] [wi:z] *vb.* hive efter vejret;
pibe; hvæse.

wheezy ['wi:zi] *adj.* pibende; hvæ-
sende; astmatisk.

whelk [welk] *sb.* konk, trompets-
negl.

whelp[1] [welp] *sb.* (*glds.*) hvalp.

whelp[2] [welp] *vb.* få hvalpe.

when[1] [wen] *adv.* hvornår (*fx* ~
did you see him last?);
□ *say* ~*!* sig stop! *since* ~ siden
hvornår.

when[2] [wen] *konj.* **1.** (*om tid*) da
(*fx it was raining* ~ *we started*);
når (*fx I will see you* ~ *I return*);
2. (*relativt*) hvor (*fx there are
times* ~ *I think it was a mistake*);
på hvilket tidspunkt, ved hvilken
lejlighed, og så (*fx they will come
in June,* ~ *we will all be gathe-
red*); **3.** (*spørgende*) hvornår (*fx I
asked him* ~ *he would come*);
4. (*om modsætning*) når, på trods
af at (*fx how can you say it is fine*
~ *everything is in such a mess?*);
skønt, selvom (*fx he walks* ~ *he
might take a taxi*);
□ *since* ~ og siden da (*fx he left
on Monday, since* ~ *we have
heard nothing from him*).

whence [wens] *konj.* (*glds. el. litt.*)
1. (*om sted*) hvorfra; **2.** (*om
grund*) hvoraf;
□ *from* ~ hvorfra.

whenever[1] [we'nevə] *adv.* **1.** (*spør-
gende*) hvornår i alverden (*fx* ~
*will you understand that I don't
want it?*); **2.** (*T: svar på forslag*)
når som helst (*fx "Shall we meet
on Monday or Tuesday?" "When-
ever"*).

whenever[2] [we'nevə] *konj.* hver
gang (*fx* ~ *he saw some old
china, he wanted to buy it*); hvor-
når ... end; når som helst (*fx you
can come* ~ *you want*).

whensoever [wensəu'evə] *konj.*
(*litt. el. jur.*) se *whenever*[2].

where[1] [wɛə] *adv.* hvor (*fx* ~ *are
you?*).

where[2] [wɛə] *konj.* hvor (*fx the
town* ~ *he was born; a situation*
~ *you have to make a decision*);
□ *before you knew* ~ *you were* før
man vidste et ord af det; *near* ~
he was born nær det sted hvor
han blev født; (se også *at*).

whereabouts[1] ['wɛərəbauts] *sb.* op-
holdssted (*fx we don't know his*
~); tilholdssted;
□ *I don't know the* ~ *of your hat*
jeg ved ikke hvor din hat er blevet
af.

whereabouts[2] ['wɛərə'bauts] *adv.*
hvor; hvor omtrent.

whereas [wɛə'ræz] *konj.* **1.** hvor-
imod; medens derimod; **2.** (*jur.*)
såsom; eftersom.

whereat [wɛə'ræt] *konj.* F hvor-
over; hvorved.

whereby [wɛə'bai] *konj.* F hvorved.

wherefore [wɛə'fɔ:] *konj.* (*glds.*)
hvorfor;
□ *the whys and the -s* grundene.

wherein [wɛə'rin] *konj.* F hvori.

whereof [wɛə'rɔv] *konj.* F hvoraf;
hvorom; hvorfor.

whereon [wɛə'rɔn] *konj.* F hvorpå.

wheresoever [wɛəsəu'evə] *sb.* (*litt.*)
se *wherever*.

wherethrough [wɛə'θru:] *konj.* F
hvorigennem.

whereto [wɛə'tu:] *konj.* F hvortil.

whereupon [wɛərə'pɔn] *konj.* F
hvorpå; hvorefter.

wherever [wɛə'revə] *adv.* **1.** hvor
som helst; overalt hvor; (*mere* F)
hvor ... end; hvorhen ... end;
2. (*spørgende*) hvor i alverden;
□ *or* ~ T eller hvor som helst.

wherewithal ['wɛəwiðɔ:l] *sb.* F
midler; pengemidler.

wherry ['weri] *sb.* let robåd.

whet [wet] *vb.* slibe (*fx a knife*);
hvæsse, skærpe;
□ ~ *sby's appetite* skærpe ens ap-
petit; skærpe appetitten.

whether ['weðə] *konj.* **1.** om (*fx I
don't know* ~ *it is true; I don't
know* ~ *he is dead or alive*); F
hvorvidt; **2.** enten, hvad enten (*fx
you'll have to pay* ~ *you are com-
ing or not*);
□ *I'll go* ~ *or not* jeg går i alle til-
fælde/under alle omstændighe-
der; *tell me* ~ *or not* sig mig om
du vil//om det forholder sig sådan
eller ej; ~ *or not you like it*
(hvad)enten du synes om det eller
ej.

whetstone ['wetstəun] *sb.* slibe-
sten.

whew [fju:] *interj.* puh! puh ha!
pyh! pyh ha!

whey [wei] *sb.* valle.

whey-faced ['weifeist] *adj.* blegnæbbet.

which [witʃ] *pron.* **1.** (spørgende) hvem (*fx* ~ *of you is it?*); hvad for en//et (*fx* ~ *of the books is it?*); hvilken//hvilket//hvilke (*fx* ~ *book is it?* ~ *of the books is it?*); **2.** (relativt) som//der (*fx the house* ~ *you saw; the house* ~ *burnt*); **3.** (henvisende til sætn.) hvad der, hvilket (*fx he gave me nothing,* ~ *was a mistake*);

□ *of* ~ hvis (*fx an aeroplane the pilot of* ~ *was killed*).

whichever [witʃ'evə] *pron.* **1.** lige meget/uanset hvilken/hvilket/ hvilke (*fx* ~ *party gets in, the problem will remain*); hvilken// hvilket//hvilke ... end; **2.** hvilken// hvilket//hvilke som helst ... der (*fx choose* ~ *day is best for you*); **3.** (svar på spørgsmål) hvilken// hvilket//hvilke som helst (*fx Which wine would you prefer? Whichever*);

□ ~ *of us comes first* den af os der kommer først.

whiff [wif] *sb.* pust, duft (*fx I caught* (mærkede) *a* ~ *of cigarette smoke*);

□ *a* ~ *of* (fig.) en antydning af (*fx danger; scandal*).

whiffy ['wifi] *adj.* T ildelugtende.

Whig [wig] *sb.* whig [medlem af det parti, der i 19. årh. udviklede sig til det liberale parti].

Whiggish ['wigiʃ] *adj.* whig-.

while[1] [wail] *sb.:* (for) *a* ~ en tid; et stykke tid; *a* ~ *ago* for et stykke tid siden; *a little/short* ~ et lille stykke tid, lidt (*fx a little* ~ *ago; couldn't you stay just a little* ~ *longer?*); *in a little* ~ om kort tid; *once in a* ~ en gang imellem; af og til; *quite a* ~ et godt stykke tid; *the* ~ imedens; *all the* ~ hele tiden; (se også *worth*[2], *worthwhile*).

while[2] [wail] *vb.:* ~ *away the time* fordrive tiden; få tiden til at gå.

while[3] [wail] *konj.* **1.** (om tid) mens (*fx he called* ~ *you were out*); så længe (*fx* ~ *there is life there is hope*); **2.** (ved sammenligning) mens, hvorimod (*fx he is very extrovert* ~ *his wife is shy and reticent*); **3.** (F: om forbehold) selvom, skønt (*fx* ~ *he was not poor, he had not got much money*).

whilom ['wailəm] *adj.* (glds.) tidligere, fordum.

whilst [wailst] *konj.* F = *while*[2].

whim [wim] *sb.* grille, lune; indfald, påfund;

□ *at* ~ efter forgodtbefindende; *on a* ~ efter en pludselig indskydelse.

whimbrel ['wimbrəl] *sb.* (zo.) lille regnspove.

whimper[1] ['wimpə] *sb.* klynken.

whimper[2] ['wimpə] *vb.* klynke.

whimsical ['wimzik(ə)l] *adj.* **1.** lunefuld; **2.** snurrig, pudsig, spøjs.

whimsicality [wimzi'kæləti] *sb.* lunefuldhed; snurrighed.

whimsy ['wimzi] *sb.* **1.** lune, indfald; **2.** snurrighed, særhed; **3.** affekteret humor.

whin [win] *sb.* (bot., dial.) tornblad.

whinchat ['wintʃæt] *sb.* (zo.) bynkefugl.

whine[1] [wain] *sb.* **1.** klynken; jamren; **2.** (om hund) piben; ynkeligt hyl; **3.** (litt.: om støj) hvinen.

whine[2] [wain] *vb.* **1.** klynke; jamre; **2.** (om hund) pibe; hyle ynkeligt; **3.** (litt.: om støj) hvine.

whinge [win(d)ʒe] *vb.* T klage, jamre, pive.

whinny[1] ['wini] *sb.* vrinsken.

whinny[2] ['wini] *vb.* vrinske.

whip[1] [wip] *sb.* **1.** pisk; **2.** (parl.: person) indpisker [som samler partifæller til afstemning]; **3.** (parl.: instruks) [skriftlig meddelelse fra indpiskeren om at møde til afstemning]; (se også *three-line whip*);

□ *crack the* ~ **a.** slå smæld med/ knalde med/smælde med pisken; **b.** (fig.) svinge pisken, bruge sin magt; *crack the* ~ *over* herse med; *a fair crack of the* ~ en rimelig chance; *-s of* (austr.) masser af, bunker af.

whip[2] [wip] *vb.* **1.** piske (*fx a horse*); prygle; **2.** (mad) piske (*fx eggs; cream*); **3.** (T: modstander) slå, banke, jorde; **4.** (med en hurtig bevægelse) rive, flå (*fx he -ped the lid off the box//the film out of the camera; he -ped off his socks*); **5.** (glds. T: stjæle) snuppe, hugge; **6.** (mar.) takle; **7.** (i syning) kaste over (*fx a seam*); **8.** (uden objekt: et sted hen) fare, stikke, suse (*fx he -ped past me//upstairs//round the corner*); **9.** (litt.: om flag etc.) piske; smælde;

□ ~ *away* (jf. 4) snuppe (*fx he -ped away my plate before I had finished*); ~ *back* smække tilbage (*fx a branch -ped back and hit him in the face*); ~ *into* **a.** (person) hidse/gejle op til (*fx* ~ *the audience into hysteria*); **b.** (mad) piske op i (*fx* ~ *some brandy into the cream*); *the wind -ped the rain into my face* vinden piskede regnen ind i ansigtet på mig; ~ *sby into line* tvinge en til at makke ret; ~ *into shape* se *shape*[1]; ~ *off*

(jf. 4) rive/flå af; ~ *on* piske frem; ~ *out* rive op af lommen (*fx a credit card; one's handkerchief*); ~ *out a gun//knife* lynhurtigt trække en pistol//kniv; ~ *out an oath* udslynge en ed; ~ *through* fare/suse/ræse igennem; ~ *up* **a.** (om vinden: hav) piske op; (støv) hvirvle op; **b.** (i madlavning) piske (*fx cream*); piske sammen (*fx eggs and flour*); **c.** (stemning) oppiske (*fx anti-German feeling*); opflamme (*fx enthusiasm*); **d.** (hurtigt) få stablet på benene, få samlet i en fart (*fx some support*); (T: mad) rode sammen (*fx an omelette*); ~ *up the horse* piske løs på hesten; ~ *up into* = ~ *into a*).

whip aerial *sb.* stavantenne.

whipcord ['wipkɔːd] *sb.* **1.** piskesnor; **2.** (stof) whipcord.

whip hand *sb.:* *have/hold the* ~ have overtaget (over over).

whiplash ['wiplæʃ] *sb.* **1.** (læsion) piskesmæld; **2.** (med pisk) piskeslag; **3.** (på pisk) piskesnert.

whipped [wipt] *sb.* **1.** (om mad) pisket; **2.** (T: om person) nedslået; fortvivlet; **3.** S dødtræt.

whipped cream *sb.* flødeskum.

whipper-in [wipə'rin] *sb.* (ved jagt) pikør [som holder hundene sammen].

whippersnapper ['wipəsnæpə] *sb.* (T: glds. el. spøg.) vigtigprås; lille vigtigper.

whippet ['wipit] *sb.* whippet [lille engelsk mynde brugt til væddeløb].

whipping ['wipiŋ] *sb.* **1.** pisk; prygl; **2.** (i konkurrence) nederlag, afbankning; **3.** (mar.) takling.

whipping boy *sb.* syndebuk; prygelknabe.

whipping cream *sb.* piskefløde.

whippoorwill ['wipəwil] *sb.* (am. zo.) whippoorwillnatravn.

whippy ['wipi] *adj.* bøjelig; spændstig.

whipround ['wipraund] *sb.* T indsamling;

□ *have a* ~ lade hatten gå rundt.

whipsaw[1] ['wipsɔː] *sb.* langsav.

whipsaw[2] ['wipsɔː] *vb.* save [med langsav];

□ *be -ed* (am.) lide dobbelt tab; blive snydt to gange//på to måder.

whipstitch[1] ['wipstitʃ] *sb.* (især am.) **1.** kastesting; **2.** (bogb.) sidehæftning.

whipstitch[2] ['wipstitʃ] *vb.* (især am.) **1.** kaste over (*fx a seam*); **2.** (bogb.) sidehæfte.

whir [wəː] se *whirr*.

whirl[1] [wəːl] *sb.* **1.** hvirvlen; snurren; **2.** (fig.) virvar;

W whirl

□ *give it a* ~ T gøre et forsøg; give det en chance; *it set my head in a* ~ det fik det til at svimle/løbe rundt for mig; *live in a* ~ *of pleasures* leve i sus og dus; *in -s of snow* i fygende snevejr.

whirl[2] [wəːl] *vb*. **1.** hvirvle (*fx they -ed around on the dance floor*; *snow was -ing past the window*); **2.** snurre (*fx she -ed around and looked at me*); **3.** (*med objekt*) hvirvle; svinge (*fx he -ed her around*);
□ *his head//mind was -ing* det løb rundt for ham; han følte sig helt svimmel.

whirligig [ˈwəːligig] *sb*. **1.** (*legetøj*) snurretop; **2.** (*på legeplads*) karrusel; **3.** (*fig.*, *litt.*) hvirvel (*fx of parties*); **4.** (*zo.*: *insekt*) hvirvler.

whirlpool [ˈwəːluːl] *sb*. **1.** strømhvirvel; malstrøm; **2.** (*fig.*) virvar (*fx of emotions*); **3.** = *whirlpool bath*.

whirlpool bath *sb*. boblebad, spabad.

whirlwind [ˈwəːlwind] *sb*. **1.** hvirvelvind; **2.** (*fig.*: *i sms.*) lyn- (*fx tour*);
□ *sow the wind and reap the* ~ så vind og høste storm.

whirr[1] [wəː] *sb*. **1.** summen, snurren; **2.** vingesus, svirren.

whirr[2] [wəː] *vb*. **1.** summe, snurre; **2.** (*om vinger*) svirre, suse.

whisk[1] [wisk] *sb*. **1.** visk; dusk; **2.** (*køkkenredskab*) piskeris; pisker;
□ *a* ~ *of its tail* et slag/vift med halen.

whisk[2] [wisk] *vb*. **1.** føre hurtigt (*fx he -ed her across the dance floor*); **2.** (*i madlavning*) piske (*fx eggs*; *cream*; ~ *'in the milk*); **3.** (*uden objekt*) fare, suse (*fx through the country*);
□ *the horse -ed its tail* hesten viftede/slog med halen;
[*med præp.& adv.*] ~ *away*
a. vifte/feje væk (*fx he -ed the flies away from his food*); **b.** se: ~ *off*; ~ *off* **a.** fjerne med et snuptag; snuppe (*fx he -ed off my glass before I had finished*); **b.** forsvinde/fare af sted med (*fx the police -ed him off*); føre//køre i en fart (*fx the ambulance -ed him off to hospital*); *she -ed the plates off the table* hun snuppede tallerkenerne fra bordet; ~ *up* piske (*fx the whites of three eggs*).

whisker [ˈwiskə] *sb*. **1.** knurhår; (se også *whiskers*); **2.** (*fig.*) hårsbred;
□ *he beat me by a* ~ han besejrede mig lige akkurat//med et mulehår; *the stone missed me by a* ~ ste-

nen susede lige forbi mig; *within a* ~ *of death* T en hårsbred fra døden.

whiskered [ˈwiskəd] *adj*. med bakkenbarter; med kindskæg.

whiskers [ˈwiskəz] *sb*. *pl*. **1.** (*dyrs*) knurhår; **2.** (*mands*) bakkenbarter; kindskæg.

whiskey [ˈwiski] *sb*. (*især am. el. irsk*) whisky.

whisky [ˈwiski] *sb*. whisky.

whisky sour *sb*. [*whisky med citron el. lime*].

whisper[1] [ˈwispə] *sb*. **1.** hvisken; **2.** (*fig.*, *især litt.*) rygte.

whisper[2] [ˈwispə] *vb*. hviske; ymte om;
□ ~ *about//that* (*fig.*) hviske (i krogene) om//om at, sladre om//om at.

whispering campaign [ˈwispəriŋkæmpein] *sb*. hviskekampagne.

whist [wist] *sb*. whist.

whist drive *sb*. whistturnering; præmiewhist.

whistle[1] [ˈwisl] *sb*. **1.** (*lyd*: jf. *whistle*[2]) fløjten, fløjt; piften, pift; piben; hvislen; (se også *wolf whistle*); **2.** (*instrument*) fløjte;
□ *blow the* ~ råbe vagt i gevær; *blow the* ~ *on* afsløre; sladre om; *wet one's* ~ (*glds.* T) fugte ganen; drikke; (se også *clean*[2] (*as a ...*)).

whistle[2] [ˈwisl] *vb*. **1.** fløjte; **2.** (*udtryk for mishag, bifald etc.*) pifte; **3.** (*om vinden*) fløjte, pibe (*fx the wind was whistling down the chimney*); **4.** (*om hurtig bevægelse*) suse (*fx his shot -d past the goalpost*); (*om projektil*) hvisle (*fx bullets -d about his ears*);
□ ~ *at a girl* pifte efter en pige; *he may* ~ *for it* det kan han kigge i vejviseren efter; det kan han skyde en hvid pind efter; ~ *in the dark* T spille modig; prøve at holde modet oppe; ~ *in the wind* T gøre sig forgæves anstrengelser.

whistle-blower [ˈwislbləuə] *sb*. [*embedsmand//ansat der afslører uheldige forhold*].

whistle buoy *sb*. (*mar.*) fløjtetønde.

whistler [ˈwislə] *sb*. **1.** (*zo.*, *am.*) murmeldyr; **2.** (*om hest*) lungepiber.

whistle-stop [ˈwislstɔp] *sb*. **1.** (*am.*) lille station, trinbræt; lille by; **2.** kort ophold.

whistle-stop tour *sb*. **1.** rundtur med korte ophold; lynturné; **2.** (*am.*) [*valgturné med mange korte ophold i småbyer*].

whistling swan *sb*. (*zo.*) pibesvane.

whit [wit] *sb*.: *not a* ~ (*glds. el.* F) ikke en smule; ikke et gran; ikke det ringeste.

white[1] [wait] *sb*. **1.** (*farve*) hvidt (*fx dressed in* ~); **2.** (*person*) hvid; **3.** (*i æg*) hvide; **4.** (T: *vin*) hvidvin;
□ *-s* hvidt tøj; *a* ~ *of an egg* en æggehvide; *the* ~ *of the eye* det hvide i øjet.

white[2] [wait] *adj*. **1.** hvid; **2.** (*i ansigtet*) bleg, hvid; **3.** (*om kaffe*) med mælk//fløde; **4.** T reel, hæderlig, regulær;
□ (*as*) ~ *as a sheet* hvid som et lagen; ligbleg; *whiter than* ~ (jf. **4**) gennemhæderlig.

white[3] [wait] *vb*. (*glds.*) **1.** gøre hvid; **2.** male hvid; hvidte;
□ *a -d sepulchre* (*bibelsk*) en kalket grav; ~ *out* **a.** (*typ.: mellem linjer*) skyde; (*mellem bogstaver*) udligne; **b.** (*i tekst: fejl*) rette med hvid rettelak.

white ant *sb*. (*zo.*) termit.

whitebait [ˈwaitbeit] *sb*. småfisk [*som steges og spises hele; især sildeyngel, brisling*].

whitebeam [ˈwaitbiːm] *sb*. (*bot.*) akselrøn.

whiteboard [ˈwaitbɔːd] *sb*. hvid tavle.

white campion *sb*. (*bot.*) aftenpragtstjerne.

whitecaps [ˈwaitkæps] *sb*. *pl*. (*am.*) = *white horses*.

white coffee *sb*. kaffe med fløde// mælk.

white-collar [ˈwaitkɔlə] *adj*.: ~ *crime* økonomisk kriminalitet; ~ *workers* funktionærer; funktionærstanden.

white currant *sb*. (*bot.*) hvid ribs.

white elephant *sb*. (*fig.*) hvid elefant; [*kostbar men ubrugelig ting; bekosteligt og falleret projekt*].

white ensign *sb*. [*den britiske krigsflådes flag*].

white feather *sb*.: *show the* ~ (*glds.*) vise fejhed.

whitefish [ˈwaitfiʃ] *sb*. (*zo.: fisk*) helt.

white flag *sb*. **1.** hvidt flag [*tegn på overgivelse*]; **2.** parlamentærflag.

whitefly [ˈwaitflai] *sb*. (*zo.*) mellus.

white goods *sb*. *pl*. hårde hvidevarer.

Whitehall [ˈwaitɔːl] [*gade i London med ministerierne*]; (*fig.*) den engelske regering.

white-headed [waitˈhedid] *adj*. **1.** hvidhovedet; **2.** (*om person*) lyshåret.

white-headed boy *sb*. yndling; kæledægge.

white heat *sb*. hvidglødhede.

white hope *sb*.: *their* ~ deres store håb; den de ser hen til.

white horses *sb*. *pl*. skumklædte

bølger; skumtoppe.

white-hot [wait'hɔt] *adj.* hvidglødende.

White House: *the* ~ **a.** Det hvide Hus [*USA's præsidentbolig*]; **b.** (*fig.*) [*USA's præsident*].

white knight *sb.* redningsmand.

white-knuckled [wait'nʌkld] *adj.* [*som knuger hænderne så knoerne bliver hvide*]; skrækslagen.

white lead [wait'led] *sb.* blyhvidt.

white lie *sb.* hvid løgn; uskyldig løgn; nødløgn.

white meat *sb.* lyst kød [*især af kylling, svin, kalv; af kalkun etc.; brystkød*].

white metal *sb.* hvidmetal.

whiten ['wait(ə)n] *vb.* **1.** gøre hvid; blege; **2.** (*uden objekt*) blive hvid; blegne.

white night *sb.* **1.** søvnløs nat; **2.** lys nat.

whitening ['wait(ə)niŋ] *sb.* kridt [*til at kridte sko med*].

white noise *sb.* hvid støj.

white-out ['waitaut] *sb.* **1.** hvid retelak; **2.** [*det fænomen at alt bliver hvidt (af sne, tåge) så man intet kan se*].

White Pages *sb. pl.* (*am. tlf.*) navnebog.

White Paper *sb.* (mindre) hvidbog [*med konkrete planer til regeringsforanstaltninger*].

white pointer *sb.* (*zo.*) menneskehaj; store hvide haj.

white poplar *sb.* (*bot.*) sølvpoppel.

white sale *sb.* (*am.*) udsalg af hvidevarer.

white slavery *sb.* hvid slavehandel.

white spirit *sb.* mineralsk terpentin.

white-tailed eagle [waitteild'i:gl] *sb.* (*zo.*) havørn.

whitethroat ['waitθrəut] *sb.* (*zo.*) tornsanger;
□ *lesser* ~ gærdesanger.

white tie *sb.:* ~ *and tails* kjole og hvidt.

white trash *sb.* (*am.*) [*fattige hvide i Sydstaterne*].

whitewall ['waitwɔ:l] *sb.* dæk med hvid ring.

whitewash[1] ['waitwɔʃ] *sb.* **1.** hvidtekalk; **2.** (*fig.*) renvaskning; hvidvaskning; **3.** T [*nederlag hvor taberen ikke scorer*].

whitewash[2] ['waitwɔʃ] *vb.*
1. hvidte; **2.** (*fig.*) renvaske [ɔ: forsøge at rense en persons rygte]; **3.** T [*vinde uden at modstanderen når at score*].

white water *sb.* [*strækning af flod med stærk strøm*].

whitey ['waiti] *sb.* (*am.* S, *neds.*) **1.** (*person*) hvid; **2.** (*generelt*) de hvide; det hvide samfund.

whither ['wiðə] *adv.* (*glds.*) hvorhen.

whiting ['waitiŋ] *sb.* **1.** hvidtekalk; slæmmet kridt; **2.** (*zo.*) hvilling.

whitish ['waitiʃ] *adj.* hvidlig.

whitleather ['witleðə] *sb.* hvidgarvet læder.

whitlow ['witləu] *sb.* bullen finger; betændt neglerod.

Whitsun ['wits(ə)n] *sb.* pinse.

Whitsunday [wit'sʌndei, -di, wits(ə)n'dei] *sb.* pinsedag.

Whitsuntide ['wits(ə)ntaid] *sb.* pinse.

whittle ['witl] *vb.* snitte; skære;
□ ~ *away* a. snitte væk; **b.** (*fig.*) gradvis skære væk; ~ *away at* (*fig.*) gradvis skære ned på/reducere (*fx the number of jobs*); gøre indhug i; ~ *away at his lead* hale ind på ham; ~ *down* **a.** snitte mere og mere væk af; **b.** skære ned; reducere.

whizz[1] [wiz] *sb.* **1.** susen; **2.** (T: *om person*) (ren) troldmand, vidunder (*at* til, *fx card games; she is a* ~ *with a computer*).

whizz[2] [wiz] *vb.* T **1.** suse, fare; **2.** (*mad*) give en omgang i blenderen.

whizzbang ['wizbæŋ] *sb.* **1.** (*mil.* T: *i første verdenskrig*) granat [*som høres komme (omtrent) samtidig med at den eksploderer*]; **2.** (*am.*) knaldsucces; (*om person*) vidunder.

whizz kid *sb.* T **1.** vidunderbarn; **2.** (*om forretningsmand*) smart og succesrig ung fyr; gulddreng.

WHO *fork. f. World Health Organization.*

who [hu, (*betonet*) hu:] *pron.*
1. (*spørgende*) hvem; **2.** (*relativt*) som; der; hvem.

whoa [wəu] *interj.* prr! [*til hest*].

whodunnit [hu(:)'dʌnit] *sb.* T kriminalroman, krimi.

whoever [hu(:)'evə] *pron.* **1.** den der (*fx can I speak to* ~ *is in charge*); hvem der end (*fx* ~ *did this will be punished*); **2.** enhver der (*fx they will shoot at* ~ *leaves the building*); hvem ... end (*fx* ~ *they are*); **3.** (T: *i overrasket spørgsmål*) hvem i alverden (*fx* ~ *said that?*);
□ *or* ~ T eller hvem det nu kan være; eller en eller anden.

whole[1] [həul] *sb.* helhed; hele;
□ *as a* ~ som helhed; *the* ~ *of* hele (*fx the* ~ *of next week*); alle (*fx the* ~ *of the five years I was there*); *on the* ~ generelt, i almin-

delighed; i det store og hele.

whole[2] [həul] *adj.* hel (*fx a* ~ *glass*); (*glds. , bibelsk*) rask;
□ *a* ~ *lot* en hel masse; *the* ~ *amount* hele beløbet.

wholefood ['həulfu:d] *sb.* helsekost [*økologisk dyrket og ubehandlet*].

wholegrain ['həulgrein] *adj.* fuldkorns-.

wholehearted [heul'ha:tid] *adj.* helhjertet; uforbeholden.

whole hog *sb.* se *hog*[1].

whole-length ['həulleŋθ] *adj.* (*billede*) i hel figur.

wholemeal ['həulmi:l] *adj.* usigtet mel.

wholemeal bread *sb.* brød af usigtet mel.

whole milk *sb.* sødmælk.

whole note *sb.* (*am., mus.*) helnode.

whole number *sb.* helt tal.

wholesale[1] ['həulseil] *adj.*
1. (*merk.*) en gros- (*fx business; prices*); **2.** (*fig.*) i stor stil, omfattende (*fx changes; destruction*); masse- (*fx murder*); total (*fx surrender*).

wholesale[2] ['həulseil] *adv.*
1. (*merk.*) en gros (*fx sell* ~); **2.** (*fig.*) i stor stil, i stor målestok (*fx kill* ~).

wholesale dealer *sb.* = *wholesaler*.

wholesaler ['həulseilə] *sb.* grossist; grosserere.

wholesome ['həuls(ə)m] *adj.* sund; gavnlig.

who'll [hu:l] *fork. f. who will// shall.*

wholly ['həulli] *adv.* helt; fuldstændig; aldeles.

whom [hu:m] *pron.* (*bøjet form af who*) hvem; som.

whomp [wɔmp] *sb.* (*om lyd*) bums; bang.

whoop[1] [wu:p, hu:p] *sb.* **1.** råb; hujen; **2.** (*om kighostepatient*) hiven efter vejret.

whoop[2] [wu:p, hu:p] *vb.* **1.** råbe; huje; **2.** (*om kighostepatient*) hive efter vejret;
□ ~ *it up* T lave ballade; lave skæg; slå sig løs; ~ *up the price* (*am.* T) sætte prisen i vejret.

whoopee[1] ['wupi] *sb.:* make ~ **a.** (*spøg.*) bolle; **b.** (*glds.* T) lave fest og ballade.

whoopee[2] [wu'pi:] *interj.* juhu! hurra!

whoopee cushion ['wupikuʃn] *sb.* pruttepude.

whooper swan ['hu:pəswɔn, 'wu:-] *sb.* (*zo.*) sangsvane.

whooping cough ['hu:piŋkɔf, 'wu:-] *sb.* kighoste.

whoops [wups] *interj.* ups! hovsa!

whoosh[1] [wuʃ] *sb.* susen.
whoosh[2] [wuʃ] *vb.* suse.
whoosh[3] [wuʃ] *interj.* huhej!
whop [wɔp] *vb.* (*am.* T) **1.** slå; tæske; **2.** (*besejre*) banke.
whopper ['wɔpə] *sb.* (T: *spøg.*)
1. løgnehistorie, dundrende løgn;
2. stor tamp, moppedreng (*fx that fish was a* ~).
whopping[1] ['wɔpiŋ] *adj.* kæmpestor, enorm, gigantisk.
whopping[2] ['wɔpiŋ] *adv.*: ~ *great* = *whopping*[1].
whore[1] [hɔ:] *sb.* (*vulg.*) hore; luder; (*glds.*) skøge.
whore[2] [hɔ:] *vb.* (*am.*) hore.
who're ['hu:ə] *fork. f. who are.*
whorehouse ['hɔ:haus] *sb.* (*glds.*) horehus, bordel.
whorl [wə:l] *sb.* **1.** spiral; snoning;
2. (*zo.*, *af sneglehus*) vinding;
3. (*bot.*) krans; **4.** (*i fingeraftryk*) hvirvel.
whortleberry ['wə:tlberi] *sb.* (*bot.*) blåbær.
who's [hu:z] *fork. f. who is//has.*
whose [hu:z] *pron.* (*genitiv af who el. which*) hvis.
whosoever [hu:səu'evə] *pron.* (*glds.*) = *whoever*.
who's who [hu:z'hu:] *sb.* blå bog.
who've [hu:v] *fork. f. who have.*
why[1] [wai] *adv.* hvorfor;
□ *that was* ~ *he did it* det var derfor han gjorde det; ~ *is it that* hvordan/hvor kan det være at; (se også *reason*[1], *wherefore*).
why[2] [wai] *interj.* ih! åh! næh! jamen!
WI *fork. f.* **1.** *West Indies*;
2. *Women's Institute*; **3.** (*am.*) *Wisconsin.*
wick [wik] *sb.* væge;
□ *it gets on my* ~ S det går mig på nerverne.
wicked ['wikid] *adj.* **1.** ond (*fx stepmother*); ondsindet (*fx attack*); ondskabsfuld (*fx look*; *tongue*; *horse*); **2.** (*rel.*) syndig, ugudelig (*fx deed*); **3.** T forfærdelig (*fx waste*; *shame*); elendig, hæslig (*fx weather*); **4.** (T: *mindre neds.*) fræk (*fx grin*); slem (*fx a* ~ *little girl*); drilagtig (*fx smile*; *sense of humour*); syndig (*fx I felt very* ~ *eating those rich cakes*);
5. (T: *rosende*) fantastisk;
□ *no peace/rest for the* ~*!* (*spøg.*) man har aldrig fred!
wicker[1] ['wikə] *sb.* **1.** vidje; **2.** se *wickerwork 1.*
wicker[2] ['wikə] *adj.* kurve- (*fx chair*).
wickerwork ['wikəwə:k] *sb.* **1.** kurvefletning; kurvemagerarbejde;
2. ting lavet af kurvefletning; kur-

vemøbler.
wicket ['wikit] *sb.* **1.** (*i kricket*) gærde; (se også *sticky wicket*); **2.** se *wicket gate*; **3.** (*am.*, *fx ved billetkontor*) luge; **4.** (*am.*, *i kroket*) kroketbue.
wicket gate *sb.* låge; halvdør.
wicket keeper *sb.* (*i kricket*) keeper.
widdershins ['widəʃinz] *adv.* se *withershins.*
widdle ['widl] *vb.* T tisse.
wide[1] [waid] *sb.* (*i kricket*) forbier.
wide[2] [waid] *adj.* **1.** bred (*fx margin*; *river*; *road*; *two metres* ~); vid (*fx a* ~ *view*; *the* ~ *world*);
2. (*om tøj*) vid (*fx sleeves*; *the skirt is too* ~ *at the waist*); **3.** (*fig.*) omfattende (*fx knowledge*; *reading*); udstrakt (*fx experience*; *support*); vidtgående (*fx powers*);
□ ~ *of* helt ved siden af (*fx the target*); *be* ~ *of the mark* ramme helt ved siden af;
[*med sb.*] ~ *choice/selection* et stort/bredt udvalg; *a* ~ *difference* en stor forskel; ~ *eyes* vidt åbne øjne; opspilede øjne; *a* ~ *range of* en lang række, mange forskellige (*fx tasks*); et bredt udvalg af (*fx colours*); (se også *berth*[1]).
wide[3] [waid] *adv.* **1.** bredt; vidt; langt; (se også *far*[2]); **2.** forbi; ved siden af (*fx the shot went* ~);
□ ~ *apart* langt fra hinanden; ~ *awake* lysvågen; ~ *open* **a.** vidt åben; (*om dør, vindue også*) på vid gab; **b.** (*fig.*) udsat (*to for*, *fx atta k*); **c.** (*am.*) uden restriktioner; (*omtr.*) lovløs; *the game is* ~ *open* alle muligheder står åbne [o: det er usikkert hvem der vinder]; *the* ~ *open spaces* de store vidder; *open one's mouth* ~ åbne munden højt; lukke munden helt op.
wide-angle lens [waidæŋgl'lenz] *adj.* vidvinkelobjektiv.
wide awake *adj.* se *wide*[3].
wideawake ['waidəweik] *sb.* spejderhat.
wide ball *sb.* (*i kricket*) forbier.
wide boy *sb.* T småsvindler.
wide-eyed [waid'aid] *adj.* **1.** med store øjne; måbende; (*af skræk*) med opspilede øjne; **2.** (*om egenskab*) blåøjet, naiv.
widely ['waidli] *adv.* **1.** bredt (*fx smile* ~); **2.** (*fig.*) vidt (*fx different*); bredt (*fx he has published* ~); meget (*fx prices vary* ~; *she is* ~ *read* (belæst)); i vid udstrækning; **3.** (*om steder*) vidt og bredt (*fx he has travelled* ~); **4.** (*blandt folk*) i vide kredse, almindeligt (*fx* ~ *approved*; *it is* ~ *supposed that*

...).
widen ['waid(ə)n] *vb.* **1.** gøre bredere, udvide (*fx the road*; *the choice*); **2.** (*uden objekt*) blive bredere (*fx the road//the gap//his smile -ed*); udvide sig; vokse (*fx the difference -ed*);
□ *her eyes -ed* hun spærrede øjnene op.
wide open *adj.* se *wide*[3].
wide-ranging [waid'reindʒiŋ] *adj.* omfattende (*fx effects*); vidtspændende; som når langt omkring (*fx discussion*).
widespread ['waidspred] *adj.* udbredt (*fx belief*).
widgeon ['widʒən] *sb.* (*zo.*) pibeand.
widget ['widʒət] *sb.* T dims, dippedut, dingenot; indretning.
widow ['widəu] *sb.* **1.** enke;
2. (*typ.*) fransk horeunge.
widowed ['widəud] *adj.* som har mistet sin mand//kone; som er blevet enke//enkemand;
□ *be* ~ blive enke//enkemand; miste sin mand//kone.
widower ['widəuə] *sb.* enkemand.
widowhood ['widəuhud] *sb.* enkestand.
widow's cruse [widəuz'kru:z] *sb.* [*lille uudtømmeligt forråd*].
widow's peak *sb.* [*hår der går ned i en spids i panden*].
widow's walk *sb.* (*am.*) kikkenborg [*udkigsplatform på tag*].
widow's weeds *sb. pl.* [*enkes sørgedragt*].
width [widθ] *sb.* **1.** bredde (*fx the* ~ *is two metres*; *a* ~ *of* (på) *two metres*; *the material is available in several -s*); **2.** (*om mål & syet tøj*) vidde (*fx measure the* ~ *of the waist*); **3.** (*fig.*) omfang; **4.** (*i svømning*) banelængde (*fx swim several -s*).
wield [wi:ld] *vb.* **1.** (*litt.*) svinge med (*fx he was -ing a kitchen knife*); håndtere, bruge (*fx an axe*); **2.** (*fig.*) udøve (*fx power*).
wife [waif] *sb.* (*pl.* wives [waivz]) hustru; kone.
wig[1] [wig] *sb.* paryk; (se også *flip*[2]).
wig[2] [wig] *vb.* (*glds.* T) skælde ud.
wigeon ['widʒ(ə)n] *sb.* = *widgeon.*
wigging ['wigiŋ] *sb.* (*glds.* T) overhaling; balle.
wiggle[1] ['wigl] *sb.* **1.** vrikken;
2. krusedulle; snoning.
wiggle[2] ['wigl] *vb.* **1.** vrikke med (*fx one's foot*; *one's toes*); **2.** (*uden objekt*) vrikke; sno sig; sprælle.
wiggly ['wigli] *adj.* (T: *om linje*) snoet.
wiggy ['wigi] *adj.* (*am.* T) skør, tosset; sær.

wigwam ['wigwæm, (*am.*) 'wig-wa:m] *sb.* wigwam; indianerhytte.

wilco ['wilkəu] *interj.* (*i radio*) indforstået.

wild[1] [waild] *sb.* ødemark, vildmark;
□ *-s* ødemark, vildmark; *in the ~* (*om dyr*) i vild tilstand (*fx see elephants in the ~*); *live in the ~* (*om dyr*) leve vildt/frit.

wild[2] [waild] *adj.* **1.** vild (*fx animals*; *roses*); **2.** (*om område*) vild, uberørt, uopdyrket; ubeboet; **3.** (*om vejr*) urolig, voldsom; stormfuld (*fx a wet and ~ night*); **4.** (*fig.*) vild; afsindig (*fx laughter*); forrykt (*fx schemes*); larmende (*fx cheers*); **5.** (*mht. disciplin*) vild (*fx life*); løssluppen (*fx party*); hysterisk (*fx scenes*); **6.** (T: *om temperament*) helt vild, rasende (*fx it made me ~ to listen to such nonsense*);
□ *be ~* være vild med; *run ~* **a.** vokse vildt; forvildes; **b.** (*fig.*) løbe løbsk; gå amok; (se også *dream*[1]).

wild-ass ['waildæs] *adj.* (*am.* S) skør.

wild boar *sb.* (*zo.*) vildsvin.

wild card *sb.* **1.** (*i kortspil*) joker; kort med vilkårlig værdi; **2.** (*fig.*) uberegnelig faktor; **3.** (*i sport*) [*spiller//hold som kommer med efter at de kvalificerede er udtaget*]; **4.** (*it*) jokertegn, erstatningstegn.

wildcat[1] ['waildkæt] *sb.* **1.** (*zo.*) vildkat; **2.** (*i olieindustrien*) usikker prøveboring; forsøgsboring, chanceboring.

wildcat[2] ['waildkæt] *adj.* vovelig, hasarderet; usikker, upålidelig.

wildcat strike *sb.* vild strejke [ɔ: *som ikke er godkendt af fagforeningen*].

wildebeest ['wildəbi:st] *sb.* (*zo.*) gnu.

wilderness ['wildənəs] *sb.* **1.** ødemark; vildmark; ørken; **2.** (*om forsømt have*) vildnis, jungle;
□ *in the ~* (*fig.*) **a.** T ude i kulden; **b.** (*om politisk parti*) i opposition; *several years in the ~* (*jf. b*, *også*) flere års ørkenvandring; *a voice in the ~* en røst der råber i ørkenen [ɔ: *og ikke bliver hørt*].

wilderness area *sb.* (*am.*) naturområde [*hvor der ikke må bygges huse eller veje*].

wild-eyed ['waildaid] *adj.* med et vildt blik.

wildfire ['waildfaiə] *sb.* skovbrand [*som er ude af kontrol*];
□ *spread like ~* brede sig som en løbeild/steppebrand; brede sig

lynsnart.

wildfowl ['waildfaul] *sb.* fuglevildt; fjervildt.

wild-goose chase [waild'gu:stʃeis] *sb.* [*meningsløst el. håbløst foretagende*];
□ *go on a ~* (*omtr.*) gå på en vildmand; løbe med limstangen.

wilding ['waildiŋ] *sb.* **1.** vild vækst; vild frugt; **2.** (*am.* S) [*det at fare vildt hærgende gennem en by*].

wildlife ['waildlaif] *sb.* dyreliv.

wild oat *sb.* (*bot.*) flyvehavre.

wild oats *sb. pl.*: *sow one's ~* (*fig.*) rase ud; løbe hornene af sig.

wild service tree *sb.* se *service tree*.

wiles [wailz] *sb. pl.* F list; kneb.

wilful ['wilf(u)l] *adj.* **1.** (*om handling*) bevidst (*fx neglect*); (*især jur.*) forsætlig, overlagt (*fx murder*); **2.** (*om person*) egensindig, egenrådig; trodsig.

Will [wil] *fork. f. William*.

will[1] [wil] *sb.* **1.** vilje; **2.** (*dokument*) testamente;
□ *take the ~ for the deed* se på den gode vilje; *where there's a ~, there's a way* man kan hvad man vil; (se også *good will, ill will*); [*med præp.*] *at ~* efter behag; efter forgodtbefindende; som det passer en; (se også *tenant at will*); *at one's own sweet ~ = at ~*; *with a ~* af hjertens lyst; med fynd og klem.

will[2] [wil] *vb.* (*præt. would*) (se også *will*[3]) **1.** vil; [*om fremtid især uoversat:* ~ *he come tomorrow? kommer han i morgen?*]; **2.** (*om det sædvanemæssige*) plejer at; kan (*fx thus he ~ sit for hours*);
□ ~ *be* **a.** vil være, er (*fx we ~ be in Oxford at three*); **b.** bliver (*fx ~ you be here long? he ~ be six years old on Friday*); *he is a liar and always ~ be* han er og bliver en løgner; *that ~ be my father* det er nok/vist min far;
[*udtryk med: would*] **would a.** ville; **b.** plejede at; kunne (*fx thus he would sit for hours*); *you would! det kunne ligne dig! det tænkte jeg nok! you would, would you? nå så det tror du? det ku' du li', hva'? I would imagine that ...* jeg kunne forestille mig at ...; *I would not know* det skal jeg ikke kunne sige; *I would point out that ...* jeg tillader mig at gøre opmærksom på at ...; *would that ...* (*litt.*) jeg ville ønske at ..., gid ... (*fx would that he were here*).

will[3] [wil] *vb.* **1.** få til//gennemføre ved en viljeanstrengelse (*fx I -ed*

myself to turn and go back; *I -ed it*); **2.** (*ved testamente*) testamentere (*to* til, *fx she -ed all her money to her nephew*); **3.** (*litt.*) ville (*fx God -ed it*).

willie ['wili] *sb.* T tissemand.

willies ['wiliz] *sb. pl.*: *it gives me the ~* T det giver mig myrekryb; det går mig på nerverne.

willing ['wiliŋ] *adj.* villig;
□ *be ~ to* ville; være villig til at; *God ~* om Gud vil; *show ~* vise at man er villig, vise sin gode vilje.

willingly ['wiliŋli] *adv.* villigt; gerne; med glæde.

will-o'-the-wisp [wiləðə'wisp] *sb.* lygtemand.

willow ['wiləu] *sb.* (*bot.*) pil; piletræ.

willow grouse *sb.* (*pl. d.s.*) (*zo.*) dalrype.

willowherb ['wiləuhə:b] *sb.* (*bot.*) **1.** dueurt; **2.** se *rosebay willowherb*.

willow tit *sb.* (*zo.*) fyrremejse.

willow warbler *sb.* (*zo.*) løvsanger.

willowy ['wiləui] *adj.* **1.** pilebevokset; **2.** (*om person*) smidig og slank; smækker.

willpower ['wilpauə] *sb.* viljestyrke.

willy ['wili] *sb.* T tissemand; (se også *willies*).

willy-nilly [wili'nili] *adv.* **1.** enten man vil eller ej; **2.** (*om handling*) på må og få, i ét rod (*fx he threw his clothes ~ into a suitcase*).

wilt[1] [wilt] *vb.* **1.** (*om blomst etc.*) visne; (*begynde at*) hænge; **2.** (*om person*) sygne hen; miste modet.

wilt[2] [wilt] *vb.*: *thou ~* (*glds.*) du vil.

wily ['waili] *adj.* listig, snu, snedig.

wimp[1] [wimp] *sb.* T skvat, pjok.

wimp[2] [wimp] *vb.*: ~ *out* T blive bange og trække sig ud; få kolde fødder.

wimpish ['wimpiʃ] *adj.* T skvattet, pjokket.

wimple ['wimpl] *sb.* (*nonnes*) hovedlin.

win[1] [win] *sb.* sejr; gevinst.

win[2] [win] *vb.* (*won, won*) **1.** vinde; **2.** (*med objekt: om den sejrende*) vinde (*fx a race; a war; an election*); **3.** (*om det man får*) vinde, få (*fx a prize; a medal; friends; support; a contract*); skaffe sig (*fx friends; support*); **4.** (*med to objekter*) vinde ... for (*fx it won him the election*); skaffe (*fx it won him the first prize//many friends*); **5.** (*i minedrift*) udvinde;
□ *you ~!* (*også*) jeg giver fortabt!

jeg giver op! *you can't ~!* T det er
lige meget hvad man gør! [ɔ: *man
får alligevel ikke noget ud af det*];
you can't ~ them all man kan
ikke være heldig hver gang; (se
også *day, hand¹ (hands down)*);
[med *præp.& adv.*] ~ **around** = ~
over; ~ *sth* **from/off** *sby* vinde no-
get fra en; ~ **out** T vinde, sejre; ~
sby **over/round** få en over på sin
side; overtale en; ~ **through**
a. kæmpe sig igennem; **b.** = ~ *out*;
~ **through to** kæmpe sig frem til.
wince¹ [wins] *sb.* nervøst ryk;
trækning.
wince² [wins] *vb.* fare sammen;
krympe sig; fortrække ansigtet.
winch¹ [win(t)ʃ] *sb.* **1.** spil; losse-
spil; **2.** håndsving.
winch² [win(t)ʃ] *vb.* hejse ved
hjælp af et spil.
wind¹ [wind] *sb.* **1.** vind; blæst;
2. (*i lungerne*) luft (*fx the blow
knocked the ~ out of him*); vejr
(*fx lose one's ~; get one's ~
back*); (se også *second wind*);
3. (*fig.*) tomme ord; snak;
4. (*med.*) vind, luft [ɔ: *tarmluft*];
5. (*mus.*) blæsere;
□ *the four -s* de fire verdenshjør-
ner; *like the ~* som et lyn; *the ~
of change* (*fig.*) forandringens
vind; (se også *ill²*);
[med *vb.*] *break ~* slippe en vind;
prutte; *get ~ of* få nys om; *get the
~ up* T blive bange; *the ~ picks
up* se ndf.: *the ~ rises*; *put the ~
up sby* T skræmme en; jage én en
skræk i livet; *the ~ rises* det be-
gynder at blæse; vinden tager til;
take the ~ out of sby's sails (*fig.*)
tage vinden ud af éns sejl; tage
modet fra en; (se også *whirlwind*);
[med *præp.*] *there is something in
the ~* der er noget i gære/under
opsejling; (se også *sound²*); *leave
sby twisting/swinging in the ~*
ikke komme en til undsætning;
overlade en til sin skæbne; (se
også *straw*); *in the eye//teeth of
the ~* se *eye¹*, *tooth*; *sail close to
the ~* **a.** sejle tæt til vinden;
b. (*fig.*) være lige på grænsen;
cast/fling/throw to the ~/-s være
ligeglad med; lade hånt om; *cast/
fling/throw caution to the -s* sætte
sig ud over alle forsigtighedshen-
syn; *scattered to the four -s* spredt
for alle vinde.
wind² [waind] *sb.* snoning; bugt;
drejning.
wind³ [wind] *vb.* (se også *winded*)
1. få til at tabe vejret/pusten;
2. (*ved slag*) slå luften ud af (*fx
the fall//blow nearly -ed him*);
3. (*baby*) få til at bøvse; **4.** (*om

jagthund etc.*) få færten af (*fx the
hounds -ed the fox*); vejre.
wind⁴ [waind] *vb.* (*wound, wound*)
1. vikle (*fx a scarf round one's
neck*); sno (*fx the rope wound it-
self round the wheel*); (se også
little finger); **2.** (*garn*) vinde (*fx
the wool into a ball*); spole;
3. (*ledning etc., med tråd*) om-
vikle; bevikle (*fx with copper
wire*); **4.** (*lydbånd, film i kamera*)
spole; **5.** (*håndtag*) dreje; **6.** (*ur
etc.*) trække op; **7.** (*uden objekt:
om vej, flod etc.*) bugte sig, slynge
sig, sno sig; **8.** (*om film i kamera*)
kunne spoles;
□ ~ **back** spole tilbage; ~ **down**
a. (*vindue*) rulle ned; **b.** (*aktivitet*)
trappe ned; gradvis afvikle;
c. (*uden objekt: om ur*) løbe ud;
d. (T: *om person*) slappe af; ~ **on**
(*film i kamera, lydbånd*) spole
frem; ~ **up a.** (*ur etc.*) trække op;
b. (*fjeder*) spænde; **c.** (*vindue*)
rulle op [ɔ: *lukke*]; **d.** (*aktivitet*)
slutte, runde af (*fx the interview*;
the debate; *the visit*); **e.** (*forret-
ning etc.*) afvikle; **f.** (*uden objekt*)
slutte af; **g.** (T: *om person*) ende,
havne (*fx he will ~ up in prison*);
~ *up + -ing* T ende med at (*fx I
wound up having to do it all over
again*); ~ *sby up* **a.** lave sjov med
en; bilde en noget ind; **b.** irritere
en.
windage ['windidʒ] *sb.* **1.** (*projek-
tils*) afdrift [*på grund af vinden*];
2. (*for håndvåben*) korrektion i si-
den.
windbag ['win(d)bæg] *sb.* **1.** (*om
person*) snakkehoved; vindbøjtel;
2. (*til sækkepibe*) sæk, blæsesæk.
wind-blown ['win(d)bləun] *adj.*
1. som føres af sted med vinden;
2. (*om hår*) vindblæst, pjusket.
windbreak ['win(d)breik] *sb.* **1.** læ-
skærm; læsejl; **2.** (*af træer etc.*)
læbælte, læhegn.
windbreaker ['win(d)breikər] *sb.*
(*am.*) vindjakke.
windburn ['win(d)bə:n] *sb.* [*rød og
øm hud fremkaldt af skarp vind*].
windcheater ['win(d)tʃi:tə] *sb.*
vindjakke.
wind chill *sb.* (*meteor.*) [*det for-
hold at vinden får luften til at
føles koldere*].
wind chimes *sb. pl.* vindharpe.
wind cone *sb.* vindpose.
winded ['windid] *adj.*: *be ~*
a. have mistet pusten/vejret;
b. (*ved slag*) have fået luften slået
ud af sig; *get -ed* **a.** (*ved at gå*)
tabe vejret/pusten; **b.** (*ved slag*) få
luften slået ud af sig.
windfall ['win(d)fɔ:l] *sb.* **1.** ned-

faldsæble; nedfaldsfrugt; **2.** (*fig.*)
uventet held; uventet gevinst; (*om
penge*) uventet indtægt; **3.** (*am.*)
vindfælde [*træ der er blæst om*].
wind farm *sb.* vindmøllepark.
wind gauge *sb.* vindmåler.
windhover ['windhʌvə] *sb.* (*zo.:
dial.*) tårnfalk.
winding ['waindiŋ] *adj.* snoet; bug-
tet.
winding sheet *sb.* liglagen.
winding-up [waindiŋ'ʌp] *sb.* af-
slutning; afvikling; likvidation.
wind instrument *sb.* (*mus.*) blæse-
instrument.
windjammer ['win(d)dʒæmə] *sb.*
stort hurtigsejlende sejlskib.
windlass ['windləs] *sb.* spil [*med
vandret aksel*]; ankerspil.
windless ['win(d)ləs] *adj.* uden
vind; vindstille.
wind lever ['waindli:və] *sb.* (*foto.*)
optræk.
windmill ['win(d)mil] *sb.* **1.** vind-
mølle; **2.** (*legetøj:*) mølle [*af cellu-
loid etc., på en stang*];
□ *tilt against/at -s* kæmpe med/
mod vejrmøller.
window ['windəu] *sb.* **1.** (*også it*)
vindue; (se også *shop window*,
ticket window); **2.** (*i kuvert*) rude;
3. (*fig.*) chance; åbning; mulighed;
□ ~ *of opportunity* = 3; *go out of
the ~* (*fig.*) ryge ud af vinduet; *be
a ~ on//into* (*fig.*) give et indblik i
(*fx another culture*).
window box *sb.* blomsterkasse; al-
tankasse.
window cleaner *sb.* vinduespud-
ser; vinduespolerer.
window dressing *sb.* **1.** vindues-
pyntning; **2.** (*fig.*) (vindues)pynt;
staffage; camouflage.
window envelope *sb.* rudekuvert,
rudekonvolut.
window frame *sb.* vindueskarm
[*omkring vindue*]; vinduesramme.
window ladder *sb.* (*gymn.*) rude-
stige.
window ledge *sb.* vinduekarm.
window pane *sb.* rude.
window seat *sb.* **1.** bænk under
vindue; karnapbænk; **2.** (*i tog, fly*)
vinduesplads.
window shade *sb.* (*am.*) markise.
window-shop ['windəuʃɔp] *vb.* se
på butiksvinduer.
window-shopping ['windəuʃɔpiŋ]
sb. [*det at se på butiksvinduer*].
windowsill ['windəusil] *sb.* vin-
dueskarm.
windpipe ['win(d)paip] *sb.* (*anat.*)
luftrør.
windscreen ['win(d)skri:n] *sb.* (*i
bil*) forrude; frontrude.
windscreen washer *sb.* sprinkler.

windscreen wiper *sb.* vinduesvisker.

windshield ['wɪn(d)ʃiːld] *sb.* (*am.*) = *windscreen*.

windsock ['wɪn(d)sɔk] *sb.* vindpose.

Windsors ['wɪnzəz] *pl.*: *the* ~ huset Windsor; den engelske kongefamilie.

windsurfer ['wɪn(d)sə:fə] *sb.* **1.** brætsejler; **2.** (*am.*) se *sailboard.*

windsurfing ['wɪn(d)sə:fɪŋ] *sb.* brætsejlads.

windswept ['wɪn(d)swept] *adj.* forblæst; stormomsust.

wind tunnel *sb.* vindtunnel; vindkanal.

wind-up[1] ['waɪndʌp] *sb.* **1.** afslutning; afvikling; **2.** T (fup)nummer; spøg.

wind-up[2] ['waɪndʌp] *adj.* optrækkelig; til at trække op; mekanisk.

windward[1] ['wɪndwəd] *sb.* (*mar.*) vindside, luvart; □ *to* ~ mod vinden.

windward[2] ['wɪndwəd] *adj.* (*mar.*) på vindsiden, i luvart.

windy ['wɪndi] *adj.* **1.** blæsende (*fx night*); **2.** (*om sted*) forblæst (*fx beach*); **3.** (T: *mht. tarmluft*) som har//giver luft i maven; **4.** (T: *om person el. ytring*) ordrig; skvaldrende; tom; **5.** (T: *om person*) bange, nervøs.

wine[1] [waɪn] *sb.* vin; (se også *bush*[1]).

wine[2] [waɪn] *vb.*: ~ *and dine sby* traktere en godt; invitere en ud; give en fin middag for en.

winegrower ['waɪngrəuə] *sb.* vinavler.

wine gum *sb.* vingummi.

wine list *sb.* vinkort [*på restaurant*].

winery ['waɪnəri] *sb.* (*især am.*) vingård; vinfarm.

wing[1] [wɪŋ] *sb.* **1.** vinge; **2.** (*af hus, dør, hær*) fløj; **3.** (*af parti, organisation*) fløj (*fx he is on the right* ~ *of the party*); afdeling (*fx the youth* ~); **4.** (*på stol*) øreklap; **5.** (*på bil*) skærm; **6.** (*i sport: del af banen*) fløj (*fx the left*//*right* ~); (*spiller*) wing; **7.** (*flyv.*) vinge; bæreplan; **8.** (*mil.*) flyverafdeling; (*am.*) flyveregiment; □ *take* ~ (*litt.*) **a.** flyve bort; **b.** flygte; [*udtryk med pl.*] *-s* **a.** (*pilots*) flyvercertifikat (*fx get one's -s*); **b.** (*teat.*) sidescene; (side)kulisse; sidetæppe; (se også ndf.: *in the -s*); *clip the -s of sby* stække ens vinger; *spread its -s* (*om fugl*) folde/ brede vingerne ud; *spread/stretch one's -s* (*fig.*) få luft under vin-

gerne; folde sig ud; prøve noget nyt; (se også *dip*[2]); [*med præp.*] *in* the *-s* i kulissen; *be waiting in the -s* (*fig.*) stå parat; vente på at komme til; *be on the* ~ (*litt.*) være på vingerne; være i luften; *shoot a bird on the* ~ skyde en fugl i flugten; *on a* ~ *and a prayer* på et højst usikkert grundlag; med risiko for at det går galt; *take sby under one's* ~ (*fig.*) tage en under sine vinger/sin beskyttelse.

wing[2] [wɪŋ] *vb.* **1.** (*fugl*) vingeskyde; **2.** (*person*) såre i armen// skulderen; **3.** (*uden objekt*) flyve; □ ~ *it* T ekstemporere; improvisere; ~ *its way* flyve; komme flyvende.

wingbeat ['wɪŋbiːt] *sb.* vingeslag.

wing case *sb.* (*zo.*) dækvinge.

wing chair *sb.* øreklapstol.

wing collar *sb.* knækflip.

wing commander *sb.* (*flyv.*) oberstløjtnant.

winged [wɪŋd] *adj.* vinget, med vinger (*fx* ~ *insects*).

winger ['wɪŋə] *sb.* fløjspiller.

wing mirror *sb.* (*på bil*) sidespejl [*på forskærm*].

wing nut *sb.* fløjmøtrik.

wingspan ['wɪŋspæn] *sb.* vingefang.

wingspread ['wɪŋspred] *sb.* vingefang.

wingtip ['wɪŋtɪp] *sb.* **1.** vingespids; **2.** (*am.: på sko*) tåkappe.

wink[1] [wɪŋk] *sb.* blink; □ *in the* ~ *of an eye* lynhurtigt; på et øjeblik; (se også *forty winks, nod*[1], *quick*); [*med vb.*] *give sby a* ~ blinke til en; *I didn't sleep a* ~, *I didn't get a* ~ *of sleep* jeg lukkede ikke et øje; *tip sby the* ~ give en et vink.

wink[2] [wɪŋk] *vb.* **1.** blinke [*med ét øje*]; **2.** (*om lys*) glimte; funkle; □ ~ *at* **a.** blinke til; **b.** (*fig.*) lukke øjnene for; se gennem fingre med.

winkers ['wɪŋkəz] *sb. pl.* T blinklys [*på bil*].

winkle[1] ['wɪŋkl] *sb.* (*zo.*) strandsnegl.

winkle[2] ['wɪŋkl] *vb.*: ~ *out* **a.** (*frem*) pille ud; lirke ud; hale ud; **b.** (*væk*) smide ud; jage ud.

winklepickers ['wɪŋklpɪkəz] *sb. pl.* meget spidse sko.

winner ['wɪnə] *sb.* **1.** vinder; **2.** T succes (*fx his latest book was a* ~); **3.** (T: *i fodboldkamp*) sejrsmål; □ *be onto a* ~ T have fat i noget helt rigtigt; *pick a* ~ vælge rigtigt; gøre et heldigt valg.

Winnie ['wɪni] *fork. f.* **1.** *Winifred;*

2. *Winston (Churchill).*

Winnie the Pooh Peter Plys.

winning ['wɪnɪŋ] *adj.* **1.** vindende, sejrende, vinder- (*fx the* ~ *team*); **2.** sejrs- (*fx goal*); **3.** (*fig.*) vindende, indtagende (*fx smile*); tiltrækkende.

winningest ['wɪnɪŋist] *adj.* (*am.*) som har vundet flest konkurrencer.

winning post *sb.* (*i hestevæddeløb*) mål.

winnings ['wɪnɪŋz] *sb. pl.* gevinst.

winnow ['wɪnəu] *vb.* **1.** (*korn*) rense for avner; **2.** (*fig.*) = ~ *down*; □ ~ *down* (*fig.*) sortere, reducere [*så de bedste bliver tilbage*]; ~ *out* (*fig.: de bedste*) udskille, skille fra.

winnower ['wɪnəuə] *sb.* (*agr.: maskine*) renseblæser.

wino ['waɪnəu] *sb.* T drukmås, sut.

winsome ['wɪnsəm] *adj.* **1.** (*litt.*) vindende, indtagende, yndig; vakker; **2.** (*neds.*) overyndig, sukkersød.

winter[1] ['wɪntə] *sb.* vinter.

winter[2] ['wɪntə] *vb.* **1.** (*om person*) tilbringe vinteren; **2.** (*om dyr, plante*) overvintre; **3.** (*med objekt*) vinterfodre.

winter aconite *sb.* (*bot.*) erantis.

winter garden *sb.* vinterhave.

wintergreen ['wɪntəgriːn] *sb.* (*bot.*) vintergrøn.

winterize ['wɪntəraɪz] *vb.* (*am.*) gøre vinterklar.

winter quarters *sb. pl.* vinterkvarter.

winter sports *sb. pl.* vintersport.

wintertime ['wɪntətaɪm] *sb.* vintertid; vinter; □ *in* ~ om vinteren.

wintry ['wɪntri] *adj.* **1.** vinter-; vinterlig; **2.** (*fig.*) kølig; kold.

wipe[1] [waɪp] *sb.* **1.** aftørring; **2.** (*til at tørre af med*) vådserviet; fugtet engangsklud; **3.** (*film.*) wipe, maskeblænde.

wipe[2] [waɪp] *vb.* **1.** tørre (*fx one's eyes; the dishes*); tørre af (*fx the table; a glass; one's shoes on the mat*); tørre over; **2.** (*lydbånd, videobånd, computerdisk*) slette; **3.** (*uden objekt: ved opvask*) tørre af (*fx I'll* ~); □ ~ *one's face*//*bottom* tørre sig i ansigtet//enden; (se også *floor*[1], *slate*[1]); [*med adv.*] ~ *away* tørre af (*fx the spots*); tørre bort (*fx her tears*); ~ *down* tørre grundigt; tørre over (*fx the floor*); ~ *the sweat from one's forehead* tørre sveden af panden; ~ *it from one's memory/mind* slette det af sin erindring; (se også

945

map¹); ~ one's hands **on** a towel tørre sine hænder i et håndklæde; ~ **off a.** tørre af (fx ~ the sweat off one's forehead); **b.** fjerne; slette; (se også map¹); **c.** (på tavle) viske ud; **d.** (gæld, tab) afskrive; ~ the smile/grin off his face T få ham til at glemme at grine; ~ the data off the diskette slette dataene fra disketten; ~ **out a.** tørre indvendig (fx the fridge); **b.** viske ud (fx a mark); **c.** (it) slette (fx the power cut -d out my hard disk); **d.** (sted) udslette (fx the village was completely -d out); tilintetgøre; **e.** (person) udmatte totalt; slå helt ud; **f.** (i konkurrence) jorde fuldstændigt; **g.** (fig.) udrydde (fx crime; hunger); **h.** (uden objekt, T) vælte [med surfbræt, ski etc.]; **i.** (am.) miste kontrollen over bilen; ~ **up a.** tørre op; **b.** (ved opvask) tørre af.

wiped out ['waipt'aut] adj. **1.** T totalt udmattet; helt slået ud; **2.** (am. S) fuld; høj; (se også wipe² (out)).

wipe-out ['waipaut] sb. T **1.** ødelæggelse; tilintetgørelse; udsletelse; **2.** (med surfbræt) fald.

wiper ['waipə] sb. visker, vinduesvisker.

wire¹ ['waiə] sb. **1.** metaltråd, tråd (fx gold ~); **2.** ledningstråd, tråd; kabel (fx telephone -s); **3.** (især am. T) telegram; **4.** (skjult på person) aflytningsudstyr; □ get one's -s crossed **a.** (tlf.) få forkert nummer; **b.** (fig.) misforstå hinanden; pull -s (fig.) trække i trådene; [med: the] **the** ~ (omkring fangelejr) hegnet, pigtrådshegnet; (right) down to the ~ (am. T) til sidste sekund (fx work down to the ~); we are down to the ~ **a.** det er ved at være sidste øjeblik; **b.** (økonomisk) vi kører på pumperne; go down to the ~ fortsætte til sidste sekund; først blive afgjort i sidste sekund; under the ~ i sidste sekund.

wire² ['waiə] vb. (se også wired) **1.** binde sammen//op med ståltråd; **2.** forstærke med metaltråd; **3.** (elek.) forbinde (to med); tilslutte (to til); (apparat, sted) trække ledninger i; **4.** T telegrafere til; **5.** (T: penge) overføre elektronisk til (fx ~ him 2000 dollars); **6.** (dyr) fange i snare; **7.** (agent, spion etc.) skjule lytteudstyr på; □ ~ a house for electricy installere elektricitet i et hus; ~ a room for sound installere aflytningsud-

styr i et rum.
wire brush sb. stålbørste.
wire brush sb. stålbørste.
wire cutter sb. trådsaks; pigtrådssaks.
wired ['waiəd] adj. **1.** (it) med adgang til elektronisk post; koblet på internettet; **2.** (am. T) nervøs, anspændt; **3.** (af narko, spiritus) påvirket, høj; **4.** (om agent, spion etc.) med lytteudstyr skjult på sig; **5.** (om sted) hvor der er installeret lytteudstyr; □ he has got it ~ han har styr på det; det er sikret; be ~ on være afhængig af, være på (fx heroin).
wired glass sb. trådglas.
wire-drawing ['waiədrɔ:iŋ] sb. trådtrækning; metaltrådstrækning.
wired tyre sb. kanttrådsdæk.
wired-up [waiəd'ʌp] adj. se wired.
wire entanglement sb. (mil.) pigtrådsspærring.
wire gauge sb. trådmål; trådlære.
wire gauze sb. trådvæv.
wirehair ['waiərhɛər] sb. (am.) ruhåret terrier.
wire-haired ['waiəhɛəd] adj. ruhåret.
wireless¹ ['waiələs] sb. **1.** (system) trådløs telegrafi; radio; **2.** (apparat: glds.) radio.
wireless² ['waiələs] adj. trådløs.
wire netting sb. **1.** trådvæv; hønsetråd; **2.** ståltrådshegn.
wire pad sb. grydesvamp.
wire-puller ['waiərpulər] sb. (am. T) en der trækker i trådene.
wire rope sb. ståltov, wire.
wire service sb. telegrambureau.
wire stripper sb. afisoleringstang.
wiretap¹ ['waiətæp] sb. (enkelt) aflytning.
wiretap² ['waiətæp] vb. aflytte.
wiretapping ['waiətæpiŋ] sb. (telefon)aflytning.
wire wool sb. ståluld.
wireworm ['waiəwə:m] sb. (zo.) smælderlarve.
wiring ['waiəriŋ] sb. **1.** ledningsnet; ledninger; **2.** installation; ledningsinstallation.
wiry ['waiəri] adj. **1.** (om person) sej; senestærk; **2.** (om hår) strid, stiv, strittende.
Wis. fork. f. Wisconsin.
wisdom ['wizd(ə)m] sb. visdom; klogskab; □ the conventional/popular/received/traditional ~ den gængse/traditionelle opfattelse; I doubt the ~ of + -ing jeg tror ikke det er særlig klogt at; jeg tvivler på det fornuftige i at; in his ~ he decided ... (spøg.) i sin uransagelige visdom besluttede han ...; (se

også hindsight, pearl).
wisdom tooth sb. visdomstand.
wise¹ [waiz] sb.: in no ~ (glds.) på ingen måde.
wise² [waiz] adj. klog; forstandig; F vis; □ be ~ after the event være bagklog; you would be ~ to du ville gøre klogt i at; be//get ~ to sth være//blive klar over noget; get ~ to sby T gennemskue en; get ~ with sby (am.) være næsvis/fræk over for en.
wise³ [waiz] vb.: ~ up to (am. T) blive klar over.
wiseacre ['waizeikə] sb. (am.) = know-all.
wisecrack ['waizkræk] sb. T kvik/hurtig/smart bemærkning; smart vits.
wise guy sb. blærerøv; Karl Smart.
wish¹ [wiʃ] sb. ønske; □ with best -es (brevunderskrift) med venlig hilsen; your ~ is my command (spøg.) dit ønske er min lov; the ~ is father to the thought tanken fødes af ønsket; man tror det man gerne vil tro; [med vb.] grant sby's ~ opfylde ens ønske; the fairy granted her three -es feen gav hende tre ønsker; have one's ~ få sit ønske opfyldt; I have no ~ to jeg nærer ikke noget ønske om at; make a ~ ønske.
wish² [wiʃ] vb. **1.** ønske (fx close your eyes and ~; ~ him a happy birthday); **2.** (F: om forlangende) ønske (fx do you ~ breakfast served now, sir? I ~ to be alone); gerne ville; □ I ~ **a.** gid det var så vel! (fx "Haven't you lost weight?" "I ~!"); **b.** (+ sætn.) jeg ville ønske at, gid, bare (fx I ~ I had never met him); ~ that ville ønske at (fx he -ed that he had been more careful); I ~ that se ovf.: I ~, b); I don't ~ to be ungrateful, but ... det er ikke for at være utaknemlig, men ...; ~ him well **a.** ville ham det godt; **b.** ønske ham tillykke; you ~! det ville du nok gerne! [med præp.] ~ for ønske, ønske sig (fx everything one could ~ for); I wouldn't ~ that **on** my worst enemy det ville jeg ikke ønske for min værste fjende; I ~ **to** God/heaven Gud give.
wishbone ['wiʃbəun] sb. ønskeben [på fugl].
wishful thinking [wiʃf(ə)l'θiŋkiŋ] sb. ønsketænkning.
wishing well ['wiʃiŋwel] sb. ønskebrønd.

wish list *sb.* T ønskeseddel.

wishy-washy ['wiʃiwɔʃi] *adj.* T
1. (*om drik*) tynd (*fx tea*); **2.** (*fig.*)
tyndbenet; pjattet (*fx talk*); **3.** (*om
person*) skvattet, pjokket, veg.

wisp [wisp] *sb.* **1.** (*af hår etc.*)
tjavs; tot (*fx of grass; of hay*);
dusk; (*af halm*) visk; **2.** (*af røg*)
tynd stribe (*fx -s of cigarette
smoke*); spiral;
□ *a* ~ *of a girl* et lille splejset pi-
gebarn; *a* ~ *of smoke* (*også*) en
røgfane.

wispy ['wispi] *adj.* **1.** (*om hår*) tjav-
set; tyndt og pjusket; **2.** (*om
skyer*) tottet; **3.** (*om person*) tynd,
splejset.

wistaria [wi'stɛəriə] *sb.* (*bot.*) blå-
regn.

wistful ['wistf(u)l] *adj.* længsels-
fuld; vemodig.

wit [wit] *sb.* **1.** vid (*fx his sharp//
biting* ~); **2.** forstand; kløgt; (se
også *wits*); **3.** (*om person*) vittigt
hoved;
□ *have a ready* ~ være slagfærdig;
have the ~ *to* (*jf. 2*) have hoved
til at; *to* ~ (*litt.*) nemlig.

witch [witʃ] *sb.* **1.** heks; **2.** (*zo.:
fisk*) skærising.

witchcraft ['witʃkra:ft] *sb.* hekseri,
trolddom; heksekunster.

witch doctor *sb.* heksedoktor; me-
dicinmand.

witch hazel *sb.* (*bot.*) troldnød.

witch-hunt ['witʃhʌnt] *sb.* hekse-
jagt; hetz.

with [wið] *præp.* **1.** med; sammen
med; **2.** (*om opholdssted*) hos (*fx I
am staying* ~ *friends; he lives* ~
his grandmother); (se også *live*[2]);
3. (*om årsag*) af (*fx wet* ~ *dew;
dying* ~ *hunger; trembling* ~
anger//fear); **4.** (*om mål for fø-
lelse*) over (*fx be disappointed* ~
sby; be pleased ~ *the result*);
5. (*om mål for fjendtlig følelse*) på
(*fx be angry//annoyed//furious//
offended* ~ *sby*); **6.** (*om modsæt-
ning*) trods (*fx* ~ *all his wealth he
is unhappy*);
□ *be* ~ være ansat ved//i (*fx The
Times; another department*); *be* ~
it **a.** være vågen, være opmærk-
som (*fx I wasn't quite* ~ *it when
you phoned*); **b.** (*let glds.* T) være
vaks; være smart; være med på
noderne; *be* ~ *sby* **a.** forstå hvad
en siger; **b.** være enig med en; *are
you* ~ *me?* (*jf. a*) er du med? *I am
entirely* ~ *you in this* (*jf. b*) jeg
holder ganske med dig i denne
sag; *cars have been* ~ *us for over
a century* vi har haft biler i mere
end hundrede år; *he is no longer*
~ *us* han er ikke længere blandt

os/blandt de levendes tal; *get* ~
it! følg med tiden!

withal [wi'ðɔ:l] *adv.* (*glds.*) des-
uden; tillige.

withdraw [wið'drɔ:] *vb.* (se også
withdrawn) **1.** trække tilbage,
trække ud (*fx troops*); **2.** (*noget
man hidtil har stillet til rådighed,
ydet*) trække tilbage (*fx one's sup-
port; subsidies*); inddrage (*fx a
lightship; banknotes; a permis-
sion; a pension*); **3.** (*penge, i
bank*) hæve; **4.** (*noget man har
sagt*) tilbagekalde (*fx a promise*);
tage tilbage (*fx a remark*); trække
tilbage (*fx an accusation*); frafalde
(*fx a charge*); **5.** F tage frem//op
(*fx he opened the drawer and
withdrew a large envelope*);
6. (*uden objekt*) trække sig til-
bage; **7.** (*når man har sagt noget*)
tage sine ord tilbage (*fx he called
the man a traitor and refused to*
~);
□ *she withdrew her hand* hun trak
hånden til sig;
[*med præp.*] ~ *from* **a.** trække sig
ud af (*fx the troops withdrew
from the country; he withdrew
from the race*); **b.** (*organisation
etc.*) udtræde af (*fx the EU*);
c. (*med objekt*) trække tilbage
fra//ud af (*fx troops from the bor-
der//the country; a candidate
from an election; a product from
the market*); **d.** (F: *jf. 5*) tage frem
fra//op af (*fx he withdrew a book
from his pocket*); ~ *into* trække
sig ind i (*fx oneself; one's shell*);
we withdrew into his office vi trak
os tilbage til hans kontor.

withdrawal [wið'drɔ:əl] *sb.* (jf. *with-
draw*) **1.** tilbagetrækning (*from* fra,
fx the border region); **2.** tilbage-
trækning; inddragelse; **3.** (*i bank*)
hævning (*from an account* på en
konto); **4.** (*af noget sagt*) tilbage-
kaldelse; **5.** (*af organisation*) ud-
træden (*from* af, *fx NATO*); **6.** (*fra
konkurrence*) framelding (*from*
fra, *fx the championship*);
7. (*mht. narko*) abstinensperiode;
8. (*om persons adfærd*, jf. *with-
drawn*) indelukkethed; indad-
vendthed.

withdrawal symptoms *sb. pl.*
(*med.*) abstinenssymptomer.

withdrawn [wið'drɔ:n] *adj.* (*fig.*)
indadvendt; indesluttet; indeluk-
ket.

wither ['wiðə] *vb.* (se også *withered,
withering*) **1.** visne; **2.** (*fig.*) sygne
hen; visne bort;
□ ~ *away* = *2*; (se også *vine*).

withered ['wiðəd] *adj.* vissen.

withering ['wið(ə)riŋ] *adj.* knu-

sende, lammende; tilintetgørende;
dræbende (*fx look; criticism*).

withers ['wiðəz] *sb. pl.* (*på hest*)
rygkam.

withershins ['wiðəʃinz] *adv.* imod
solens retning; avet om.

withhold [wið'həuld] *vb.* **1.** holde
tilbage; **2.** (*godkendelse etc.*)
nægte (*fx he withheld his con-
sent*); **3.** (*oplysninger*) hemmelig-
holde (*from* for, *fx* ~ *evidence
from the police*);
□ ~ *sth from sby* (*også*) forholde
en noget (*fx* ~ *information from
him*); ~ *tax* indeholde skat [*i løn-
udbetaling*].

withholding tax [wið'həuldiŋtæks]
sb. (*især am.*) kildeskat.

within[1] [wi'ðin] *adv.* F indenfor (*fx
inquire* ~); indvendig (*fx* ~, *the
hotel is simple and friendly*);
□ *from* ~ indefra.

within[2] [wi'ðin] *præp.* **1.** inden i
(*fx the building*); inden for (*fx the
walls; the organization*); **2.** (*om
tid*) inden (udløbet af), inden for, i
løbet af (*fx two hours*);
□ ~ *this half-hour* **a.** for mindre
end en halv time siden; **b.** om
mindre end en halv time; ~ *three
kilometres of the hospital* mindre
end tre kilometer fra hospitalet; ~
a year of being infected mindre
end et år efter at man er smittet;
she came ~ *seconds of beating
the record* hun var sekunder fra at
slå rekorden; (se også *door, ear-
shot, hearing, inch*[1] (*etc.*)).

with-it ['wiðit] *adj.* (*let glds.* T)
vaks; smart; med på noderne.

without[1] [wi'ðaut] *adv.* **1.** uden (*fx
if we can't get any bread, we'll
have to manage* ~); (se også *do*[3],
go[3]); **2.** (*glds.*) udenfor (*fx he
stands* ~);
□ *from* ~ udefra.

without[2] [wi'ðaut] *præp.* uden (*fx*
~ *doubt*).

withstand [wið'stænd] *vb.* modstå.

witless ['witləs] *adj.* (*litt.*) tåbelig;
idiotisk;
□ *scare sby* ~ skrǣmme en fra vid
og sans.

witness[1] ['witnəs] *sb.* **1.** vidne;
2. (*mht. underskrifts ægthed*) vit-
terlighedsvidne; **3.** (*rel. & om
tegn*) vidnesbyrd (*to* om);
□ *be* ~ *to* F **a.** være vidne til; op-
leve; **b.** (*fig.*) vidne om; *bear* ~ *to*
F vidne om; *call -es* føre vidner;
in ~ *whereof* og til bekræftelse
heraf.

witness[2] ['witnəs] *vb.* **1.** være
vidne til; se; opleve; **2.** (*under-
skrift*) bevidne, bekræfte; **3.** (*fig.*)
bevidne; vidne om; **4.** (*indle-*

W *witness box*

dende et argument, omtr.) jævn-
før; se (blot) (*fx this is impossible,*
~ *the recent attempts*); **5.** (*uden
objekt, rel.*) vidne;
□ *the past few years have -ed ...* (ɔ:
om tidsperiode) i løbet af det sid-
ste par år har der været.../har man
oplevet ...; ~ *to* bevidne; be-
kræfte.
witness box *sb.* vidneskranke.
witness stand *sb.* (*am.*) = *witness
box.*
wits [wits] *sb. pl.* intelligens; for-
stand; kløgt;
□ *be at one's -'* end ikke vide sine
levende råd; *quick* ~ hurtig opfat-
telsesevne; (se også *battle¹ (of
wits*));
[*med vb.*] *collect/gather one's* ~
få orden på sine tanker; samle sig;
have/keep one's ~ *about one*
være vågen; *frighten/scare him
out of his* ~ skræmme ham fra
vid og sans; *live by one's* ~ lave
fiduser; leve af hvad der tilfældigt
byder sig; (se også *pit² (against*)).
witter ['witə] *vb.* T ævle.
witticism ['witisizm] *sb.* F vittig-
hed, vits; vittigt indfald.
wittingly ['witiŋli] *adv.* F bevidst;
med fuldt overlæg.
witty ['witi] *adj.* vittig; åndrig,
åndfuld.
wizard¹ ['wizəd] *sb.* **1.** (*i eventyr*)
troldmand; **2.** (*fig.*) troldmand,
heksemester, mirakelmager; geni
(*fx a chess* ~).
wizard² ['wizəd] *adj.* (*glds.* T) stor-
artet; mægtig fin.
wizardry ['wizədri] *sb.* **1.** (*i even-
tyr*) hekseri; trolddom; **2.** (*fig.*)
fremragende dygtighed; **3.** (*om
ting*) vidunder.
wizened ['wiz(ə)nd] *adj.* **1.** (*om
person*) rynket; mager; sammen-
skrumpet; vindtør; **2.** (*om æble*)
runken; indtørret.
WLTM *fork. f. would like to meet.*
wltm *fork. f. would like to meet.*
Wm *fork. f. William.*
WMD *fork. f. weapon of mass
destruction.*
WNW *fork. f. west north west.*
wo [wəu] *interj.* = *whoa.*
woad [wəud] *sb.* vajd [*plante; blåt
farvestof*].
wobble¹ ['wɔbl] *sb.* (jf. *wobble²*)
1. vaklen, rokken; **2.** bævren;
3. vaklen; slingren; **4.** vaklen,
usikkerhed; **5.** (*tekn.*) slør.
wobble² ['wɔbl] *vb.* **1.** (*om møbel
etc.*) vakle, rokke (*fx the table//
ladder -d*); **2.** (*som gelé & om
stemme*) bævre (*fx his fat thighs
-d; wobbling jelly; her voice -d on
the high notes*); **3.** (*om person*)

vakle (*fx* ~ *around on crutches*);
slingre (*fx* ~ *along on a bicycle*);
4. (*fig.*) vakle (*fx their resolve
began to* ~; *a wobbling economy*)
(*om værdipapir*) svinge; **5.** (*med
objekt, jf. 1*) rokke med (*fx* ~ *the
table*).
wobbler ['wɔblə] *sb.* **1.** vakkelvorn
person; **2.** (*til fiskeri*) wobbler;
3. se *wobbly¹.*
wobbly¹ ['wɔbli] *sb.*: *throw a* ~
blive rasende; få en prop.
wobbly² ['wɔbli] *adj.* usikker; vak-
kelvorn;
□ ~ *tooth* rokketand.
Woden ['wəud(ə)n] (*myt.*) Odin.
wodge [wɔdʒ] *sb.* T **1.** tykt stykke,
humpel (*fx of cake*); klump; **2.** tyk
bunke/stak (*fx of papers; of bank-
notes*).
woe [wəu] *sb.* (*litt.*) ve, smerte;
sorg, elendighed;
□ *-s* ulykker; lidelser; fortrædelig-
heder; *to add to his -s* for at gøre
ondt værre; ~ *is me* (*spøg.*) ve
mig; ak desværre; ~ *(be) to him,*
~ *betide him!* ve ham!
woebegone ['wəubigɔn] *adj.* sørg-
modig; bedrøvelig; fortvivlet,
ulykkelig.
woeful ['wəuf(u)l] *adj.* **1.** sørgelig
(*fx a* ~ *lack of funding*); tragisk;
elendig; **2.** (*litt.*) sørgmodig (*fx
face*); ulykkelig.
wog [wɔg] *sb.* (*vulg.: neds. beteg-
nelse for mørkhudet udlænding;*)
fejlfarve; perker.
woggle ['wɔgl] *sb.* tørklædering [*til
spejdertørklæde*].
wok [wɔk] *sb.* wok.
woke [wəuk], **woken** ['wəuk(ə)n]
præt. & præt. ptc. af wake.
wolds [wəuldz] *sb. pl.* [*udyrkede,
åbne og højtliggende landstræk-
ninger*].
wolf¹ [wulf] *sb.* (*pl. wolves*
[wulvz]) **1.** (*zo.*) ulv; **2.** (T: *om
skørtejæger*) buk;
□ *a* ~ *in sheep's clothing* en ulv i
fåreklæder;
[*med vb.*] *cry* ~ lave falsk alarm;
keep the ~ *from the door* holde
sulten fra døren; *throw sby to the
wolves* (*fig.*) kaste en for løverne.
wolf² [wulf] *vb.* hugge i sig; sluge
grådigt;
□ ~ *down* = ~.
wolffish ['wulffiʃ] *sb.* (*zo.*) havkat.
wolfhound ['wulfhaund] *sb.* ulve-
hund.
wolfish ['wulfiʃ] *adj.* ulveagtig;
ulve-.
wolfsbane ['wulfsbein] *sb.* (*bot.*)
stormhat.
wolf whistle *sb.* piften efter en
pige.

wolf-whistle ['wulfwisl] *vb.* pifte
(efter en pige).
wolverine ['wulvəriːn] *sb.* (*zo.*)
jærv.
wolves [wulvz] *pl. af wolf.*
woman ['wumən] *sb.* (*pl. women*
['wimin]) **1.** kvinde (*fx two
women and three men*); dame (*fx
he looked round at the women in
the theatre; a tall dark-eyed* ~);
(se også *old woman, honest*);
2. (*voksen*) voksen kvinde (*fx my
daughter will soon be a* ~); **3.** (*ge-
nerelt*) kvinden (*fx* ~ *in Greek
art*); **4.** (T: *om partner*) dame (*fx
have you met his new* ~*?*); **5.** (*i
uhøflig tiltale*) kone (*fx my good*
~; *shut up,* ~*!*); **6.** (*foran sb.*)
kvindelig (*fx doctor, novelist;
president; priest*);
□ *she is her own* ~ hun er sin
egen herre.
womanhood ['wumənhud] *sb.*
1. det at være kvinde; **2.** (*egen-
skab*) kvindelighed (*fx an ideal of*
~); **3.** (*generelt*) kvinder, kvinde-
kønnet (*fx it was an insult to* ~);
□ *grow into* ~ (*jf. 1*) blive en vok-
sen kvinde.
womanish ['wuməniʃ] *adj.* (*neds.
om mand*) kvindagtig.
womanizer ['wumənaizer] *vb.*
skørtejæger; kvindebedårer.
womanizing ['wumənaiziŋ] *sb.* det
at have mange affærer; pigesjov.
womankind ['wumənkaind] *sb.*
kvindekønnet; kvinderne.
womanly ['wumənli] *adj.* kvinde-
lig; feminin.
womb [wuːm] *sb.* livmoder; skød.
wombat ['wɔmbət] *sb.* (*zo.*) vombat
[*australsk pungbjørn*].
women ['wimin] *pl. af woman.*
womenfolk ['wiminfəuk] *sb.* (*glds.*)
kvindfolk;
□ *one's* ~ (*glds.*) de kvindelige
medlemmer af ens husstand//
familie.
women's ['wiminz] (*i sms.*)
kvinde- (*fx group; movement*);
dame- (*fx magazine*).
women's lib *sb.* (*glds.* T) kvindefri-
gørelsen, feminismen.
women's libber *sb.* (*glds.* T) femi-
nist, rødstrømpe.
won [wʌn] *præt. & præt. ptc. af
win.*
wonder¹ ['wʌndə] *sb.* **1.** vidunder
(*fx technological -s; he is a* ~);
undervÆrk (*fx the seven Wonders
of the World*); (se også *nine²*)
2. (*som man føler*) undren, forun-
dring (*fx it filled me with* ~);
3. (*som sker*) under; mirakel;
□ *signs and -s* tegn og underger-
ninger; *-s will never cease!* (*spøg.*)

miraklernes tid er ikke forbi! *in ~ forundret; it's a ~ that* det er underligt at *(fx anyone can read that scrawl of his); (it's) little/small/no ~ that* det er ikke så underligt/ sært at; det er intet under at *(fx he got angry); work/do -s* udrette mirakler; gøre underværker.
wonder² ['wʌndə] *vb.* **1.** spekulere på *(fx he -ed what had happened//how he could begin// where they were going);* tænke *(fx "How did they know?" he -ed);* **2.** *(uden objekt)* undre sig *(fx it made me ~);*
□ *I ~* **a.** jeg gad vide *(fx what has happened; why he did it);* **b.** *(i høflig forespørgsel etc.)* mon *(fx I ~ if//whether you could help me; I ~ if//whether it would be wise); I ~ if//whether she will come (også)* gad vidst om/mon hun kommer; *I shouldn't ~* det skulle ikke undre mig; sandsynligvis; *I ~ that* jeg undrer mig over at *(fx he refused);* [med præp. & adv.] *~ at* undre sig/forundres over *(fx his strange behaviour); ~* **about** spekulere over *(fx the best procedure);* tænke på/over *(fx the effect it would have); ~ out loud* tænke højt.
wonder drug *sb.* viundermiddel; mirakelmedicin.
wonderful ['wʌndəf(u)l] *adj.* vidunderlig; fantastisk.
wonderland ['wʌndəlænd] *sb.* eventyrland.
wonderment ['wʌndəmənt] *sb.* undren; forundring.
wonder-worker ['wʌndəwə:kə] *sb.* mirakelmager.
wondrous ['wʌndrəs] *adj.* *(litt.)* forunderlig; vidunderlig.
wonga ['wɔŋgə] *sb.* S penge.
wonk [wɔŋk] *sb.* *(am.* S) nørd; bogorm; morakker.
wonky ['wɔŋki] *adj.* T **1.** skæv *(fx nose);* **2.** *(om ting)* vakkelvorn; ustabil; usikker; **3.** *(om person)* mat i sokkerne; sløj.
wont¹ [wəunt] *sb.: as is his ~* F som han har for vane; som han plejer.
wont² [wəunt] *adj.: be ~ to* F have for vane at; pleje at.
won't [wəunt] *fork. f.* will not.
wonted ['wəuntid] *adj.* F sædvanlig; vant *(fx my ~ place).*
woo [wu:] *vb.* **1.** bejle til *(fx women voters);* prøve at vinde; **2.** *(glds.)* bejle til, gøre kur til.
wood [wud] *sb.* **1.** træ *(fx made of ~);* **2.** *(til bål, til at fyre med)* brænde *(fx gather ~);* **3.** *(område)* skov;

□ *-s* skov; *be out of the ~/-s (fig.)* have overstået vanskelighederne; være uden for fare; *beer from the ~* øl fra fad;
[med vb.] *chop ~* hugge brænde; *he cannot see the ~ for the trees* han kan ikke se skoven for bare træer; *touch ~!* *(svarer til)* syv-ni-tretten! bank under bordet!
wood alcohol *sb.* træsprit.
wood anemone *sb.* *(bot.)* hvid anemone.
wood ant *sb.* *(zo.)* skovmyre.
wood avens *sb.* *(bot.)* febernellikerod.
woodbine ['wudbain] *sb.* *(bot.)* **1.** kaprifolium; **2.** *(am.)* vildvin.
woodblock ['wudblɔk] *sb.* **1.** *(fx til gulv)* træblok; træklods; **2.** *(til tryk)* træplade; træblok; **3.** *(billede)* træsnit.
wood-burning stove [wudbə:niŋ- 'stəuv] *sb.* brændeovn.
woodcarver ['wudka:və] *sb.* billedskærer.
woodcarving ['wudka:viŋ] *sb.* **1.** billedskærerkunst, billedskæring; **2.** *(det udskårne)* billedskærerarbejde, udskåret arbejde, udskæring.
woodchat ['wudtʃæt] *sb.* *(zo.)* rødhovedet tornskade.
woodchat shrike *sb.* = woodchat.
woodchip ['wudtʃip] *sb.* træsplint, flis.
woodchuck ['wudtʃʌk] *sb.* *(am. zo.)* skovmurmeldyr.
woodcock ['wudkɔk] *sb.* *(zo.)* skovsneppe.
woodcraft ['wudkra:ft] *sb.* **1.** skovkyndighed; dygtighed til at færdes i skoven; **2.** dygtighed til træarbejde/træsnitteri.
woodcut ['wudkʌt] *sb.* træsnit.
woodcutter ['wudkʌtə] *sb.* **1.** brændehugger; **2.** *(kunstner)* træskærer.
wooded ['wudid] *adj.* skovbevokset; skovklædt; skovrig.
wooden ['wud(ə)n] *adj.* **1.** træ-; af træ; **2.** *(fig.)* stiv *(fx smile);* tør;
□ *a ~ stare* et stift/udtryksløst blik.
wooden-headed [wud(ə)n'hedid] *adj.* *(glds.* T) tykhovedet.
wooden spoon *sb.* grydeske af træ; □ *get/take the ~* blive nummer sidst.
wood ibis *sb.* *(am. zo.)* skovibis.
woodland ['wudlənd] *sb.* skovstrækning; skovområde.
woodlark ['wudla:k] *sb.* hedelærke.
woodlouse ['wudlaus] *sb.* *(pl. woodlice* ['wudlais]) *(zo.)* bænkebider.
woodpecker ['wudpekə] *sb.* *(zo.)* spætte.

wood pigeon *sb.* ringdue.
woodpile ['wudpail] *sb.* brændestabel.
wood pulp *sb.* *(til papirfabrikation)* træmasse.
woodruff ['wudrʌf] *sb.* *(bot.)* skovmærke.
wood sandpiper *sb.* *(zo.)* tinksmed.
woodshed¹ ['wudʃed] *sb.* brændeskur;
□ *take sby to the ~ (am.* T) give én en afklapsning.
woodshed² ['wudʃed] *vb.* *(am.* T) øve sig *[især: på musikinstrument].*
woodsman ['wudzmən] *sb.* *(pl. -men* [-mən]) skovarbejder; jæger.
wood sorrel *sb.* *(bot.)* skovsyre.
wood spirit *sb.* træsprit.
woodsy ['wudsi] *adj.* *(am.* T) skov-; skovagtig.
wood thrush *sb.* *(am. zo.)* skovdrossel.
wood warbler *sb.* *(zo.)* skovsanger.
wood wasp *sb.* *(zo.)* træhveps.
woodwind ['wudwind] *sb.* *(mus.)* træblæseinstrumenter; træblæsere.
woodwork ['wudwə:k] *sb.* **1.** træværk; **2.** *(fag)* træarbejde; sløjd;
□ *the ~ (i fodbold)* målstængerne; *come out of the ~* komme frem i lyset; dukke op.
woodworm ['wudwə:m] *sb.* *(pl. d.s.*) **1.** træorm; **2.** ormeangreb.
woody ['wudi] *adj.* **1.** skovrig; skovklædt; skov-; **2.** træagtig;
□ *~ plant* vedplante.
woodyard ['wudja:d] *sb.* tømmerplads.
woof¹ [wu:f] *sb.* **1.** vuf; vov; **2.** = *weft.*
woof² [wu:f] *vb.* gø.
woofer ['wu:fə] *sb.* bashøjttaler.
wool [wul] *sb.* **1.** uld; **2.** uldgarn;
□ *pull the ~ over sby's eyes* stikke en blår i øjnene; narre en; *(se også cry¹ (much cry ...)).*
wool clip *sb.* årsproduktion af uld.
woolen *adj.* *(am.)* = woollen.
wool-gathering ['wulgæðəriŋ] *sb.* adspredthed; åndsfraværelse; drømmerier.
wool grower *sb.* uldproducent.
woollen ['wulən] *adj.* uld-; ulden.
woollens ['wulənz] *sb. pl.* uldent tøj, uldtøj; uldvarer; uldne sweatere.
woolly¹ ['wuli] *sb.* *(glds.* T) ulden trøje;
□ *woollies* **a.** strikket tøj; uldent tøj; **b.** *(am.)* uldent undertøj.
woolly² ['wuli] *adj.* **1.** ulden; uld-; **2.** *(fig.)* ulden; uklar, tåget, upræcis.

W woolly bear

woolly bear *sb.* (*zo.*) [*larve af bjør-nespinder*].

woolly-headed [wuli'hedid] *adj.*
1. uldhåret; **2.** (*fig.*) forvirret.

woolsack ['wulsæk] *sb.* uldsæk; □ *the ~* [*lordkanslerens sæde i Overhuset*].

woopie ['wu:pi] *sb.* (*fork. f. well-off older person*) (*især am.* T) velhavende pensionist.

woozy ['wu:zi] *adj.* T let svimmel; omtåget; forvirret.

wop [wɔp] *sb.* (*stærkt neds.*) italiener, spaghetti.

word[1] [wə:d] *sb.* **1.** ord; **2.** besked (*fx there was ~ from the Ministry*);
□ *-s* (*også*) tekst (*fx the -s of a song*; *se også* ndf.: *have ~s*); [*forskellige forb.*] *a ~ to the wise!* lad mig give dig et råd! *a ~ with you!* åh, et øjeblik! *my ~!* se ndf.: *upon my ~*; *be as good as one's ~* holde (sit) ord; *the Word* (*rel.*) Guds ord; ordet; *the f-//s-~ etc.* det ord der begynder med f//s *etc.*; (*se også dirty[1], fair[2], last[2], parsnip*);
[*med vb.*] *break one's ~* bryde sit ord; *eat one's -s* tage/æde sine ord i sig igen; *get a ~ in* få et ord indført; *give the ~* se ndf.: *say the ~*; *give ~ to* give ordre til; *give sby one's ~ that* give en sit ord på at; *you have my ~ that* du har mit ord på at; *(the) ~ has it that* man siger at; *he never has a good ~ for me* jeg får aldrig et venligt ord fra ham; *have a ~ with* tale et par ord/lidt med; *have en snak md*; *have -s skændes* (*with med*); *(the) ~ is that* det forlyder at; *keep one's ~* holde (sit) ord; *leave ~ with* lægge besked hos; *mark my -s!* (*glds.*) mærk dig mine ord! *pass the ~* lade det gå videre; *put in a (good) ~ for sby* lægge et godt ord ind for en; *say the ~* **a.** give besked; sige 'til; **b.** give ordren; *nobody has a bad ~ to say about him* ingen har noget ondt at sige om ham; *say a good ~ for him* lægge et godt ord ind for ham; *send ~ that* sende besked om at; *spread the ~* **a.** få budskabet ud; **b.** lade beskeden gå videre; *~ of the accident spread quickly* nyheden om ulykken bredte sig hurtigt; *take his ~ for it* tro ham på ordet/hans ord; *I want a ~ with you* jeg vil gerne tale et pat ord/lidt med dig; (se også *breathe*, *mince[2]*, *mouth[1]* (*put into ..., take out of ...*)); [*med præp.*] *take him at his ~* tage ham på ordet; *by ~ of mouth*

mundtlig; *~ for ~* ord for ord; ordret; ord til andet; *hungry is just the ~ for it* sulten er netop ordet; *too bad for -s* ubeskrivelig dårlig; *from the ~ go* lige fra begyndelsen; *in a ~* kort og godt; kort sagt; *in other -s* med andre ord; *in one's own -s* med sine egne ord; *say in so many -s* sige kort og godt/rent ud/med rene ord; *a man of his ~*, *a woman of her ~* en man kan stole på; *war of -s* ordkrig; erklæringskrig; *upon my ~* (*glds.*) det må jeg nok sige! nu har jeg aldrig kendt så galt; (se også *play[1]*).

word[2] [wə:d] *vb.* formulere.

wording ['wə:diŋ] *sb.* udformning; formulering;
□ *the exact/precise/specific ~* den nøjagtige ordlyd.

wordless ['wə:dləs] *adj.* **1.** tavs; **2.** ordløs.

word order *sb.* (*gram.*) ordstilling.

word-perfect [wə:d'pə:fikt] *adj.*: *be ~ kunne sin rolle//lektie etc.* på fingrene/perfekt.

word picture *sb.* malende beskrivelse.

wordplay ['wə:dplei] *sb.* leg med ord; ordspil.

word processing *sb.* tekstbehandling.

word processor *sb.* tekstbehandlingsanlæg.

wordwrap ['wɛ:dræp] *sb.* automatisk linjeskift.

wordy ['wə:di] *adj.* ordrig; vidtløftig.

wore [wɔ:] *præt. af wear[2].*

work[1] [wə:k] *sb.* (se også *works*)
1. arbejde; **2.** (*produkt*) arbejde, værk (*fx an early ~ of Rembrandt*; *that chair is my ~*; *a ~ of literature* et litterært værk); **3.** (*om håndarbejde*) sytøj; strikketøj;
□ *a ~ of art* et kunstværk; *a ~ of literature* et litterært værk; *make short ~ of* se *short[2]*; (se også *close[3]*, *cut[2]*, *day*, *hard[2]*);
[*med præp.*] *at ~* **a.** på arbejde; **b.** i arbejde; i gang; **c.** (*fig.*) på færde (*fx sinister forces are at ~ here*); *a piece of ~* et stykke arbejde; (se også *nasty[2]*); *be out of ~* være arbejdsløs; *fall/get/set to ~* gå i gang; tage fat.

work[2] [wə:k] *vb.* **A.** (*uden objekt*)
1. arbejde (*fx ~ hard*; *~ in a factory*); **2.** (*et sted hen*) bane sig vej (*fx through the forest*); **3.** (*om apparat etc.*) fungere (*fx the bell//my brain is not -ing*; *the monarchy -ed well for centuries*); **4.** (*om metode, medicin etc.*) virke (*fx the strategy//the plan//the tablets*

seemed to be -ing); **5.** (*om muskler, ansigt*) fortrække sig; **6.** (*om vin, øl*) gære;
B. (*med objekt*) **1.** (*person*) lade arbejde, „køre" (*fx he -s them too hard*); **2.** (*virksomhed etc.*) drive (*fx a farm*; *a mine*); **3.** (*sted, område*) arbejde i (*fx he -s the provinces*); **4.** (*maskine*) betjene; få til at virke (*fx I don't know how to ~ this thing*); **5.** (*noget man får nytte af*) udnytte (*fx an invention*; *the system*; *the tides*); **6.** (*resultat*) bevirke (*fx changes*); udrette, gøre (*fx wonders*); (se også *miracle*);
7. (*om håndarbejde*) brodere (*fx one's initials on sth*); **8.** (*arbejdsstykke etc.*) bearbejde; forarbejde; **9.** (*dej, ler*) ælte;
□ *~ it* så that T ordne/arrangere/mingelere det sådan at; *I'll ~ it if I can* T jeg skal se om jeg kan klare den; *~ like a dog* slide som et bæst; *~ loose* arbejde sig løs; *a tooth loose* vrikke en tand løs; [*med sb.*] *~ a typewriter* skrive på maskine; *~ one's way forward//up* arbejde sig frem//op; *~ one's way through* arbejde sig igennem (*fx a huge amount of work*); *~ one's way through college//university* selv tjene pengene til sine studier; (se også *finger[1]*, *passage*);
[*med præp., adv.*] *~ against* modarbejde; *they -ed against time* de arbejdede forceret; det var et kapløb med tiden;
~ around komme uden om (*fx import restrictions*); *~ around to* arbejde sig/nå frem til (*fx he finally -ed around to what he wanted to say*);
~ at arbejde med (*fx a problem*); arbejde på (*fx an invention*);
~ away at arbejde ihærdigt med; *that -s for me* T det er jeg med på; *~ in* **a.** få puttet ind, få sat i (*fx a key*); **b.** (*i tekst etc.*) få anbragt; få indpasset; **c.** (*i huden*) gnide ind; *~ into* **a.** arbejde sig ind i; **b.** (*med objekt*) få lirket//maset ind i//ned i (*fx ~ the screwdriver into the crack*); **c.** (*i dej etc.*) få æltet ind i, røre ind i (*fx ~ the butter into the mixture*); **d.** (*i tekst etc*) få anbragt i; indarbejde i; *~ oneself into a rage* arbejde sig op til raseri;
~ off **a.** arbejde af (*fx a debt*; *a loan*); **b.** få brugt (*fx superfluous energy*); komme af med (*fx a few kilos*; *one's anger*); *~ off one's annoyance//irritation etc. on sby* afreagere på én; lade ens ærgrelse *etc.* gå ud over en; *~ one's butt// arse off* (*vulg.*) arbejde sin røv i la-

ser;
~ on a. arbejde på (*fx a novel*);
b. (*emne etc.*) arbejde med (*fx
British imperialism*); **c.** (T: *person*) prøve at overtale;
~ out a. beregne, udregne (*fx the
cost*); **b.** løse (*fx the problem*; *the
riddle*); **c.** finde ud af (*fx what
caused the accident*; *a date for
the meeting*); **d.** planlægge; udarbejde (*fx a programme*; *the details*); udvikle (*fx a theory*); **e.** (*om
ansat*) arbejde til udløbet af (*fx
one's notice period*); **f.** (*uden
objekt*) udvikle sig (*fx it -ed out
rather badly*); **g.** (*heldigt*) lykkes,
blive til noget; **h.** (*i sport*) træne;
it -s out at £100 det bliver £100; *I
have -ed it out at £100* jeg har
fået/beregnet det til £100;
~ over T gennembanke;
~ round se ovf.: ~ *around*;
~ through a. arbejde uden afbrydelse (*fx we -ed through to midnight*); **b.** (*om virkning*) slå igennem (*fx the price rises will take
two months to ~ through*);
c. (*med objekt*) arbejde sig igennem (*fx a huge amount of work//
food*); **d.** (*fig.*) komme over (*fx
one's guilt*);
~ to arbejde efter (*fx a budget*; *a
timetable*); (*se også rule²*);
~ up a. oparbejde (*fx a market*;
the retail side of the business; *a
reputation*); **b.** samle (*fx an appetite*; *support for sth*); skabe (*fx an
interest/enthusiasm for sth*);
c. (*skriftligt*) udarbejde (*fx a plan*;
proposals); **d.** (*person*) hidse op
lidt efter lidt (*fx he -ed the crowd
up into a fury*); ~ *up one's notes
into an article* bearbejde sine notater til en artikel; ~ *oneself up*
a. arbejde sig op (*fx he started
from the ranks and -ed himself
up*); **b.** (*psykisk*) tage sig sammen
til (*fx to the interview*); **c.** (*følelsesmæssigt*) hidse sig op (*fx into a
terrible state*).
workable ['wə:kəbl] *adj.* **1.** (*om
plan*, *løsning etc.*) brugbar; gennemførlig; holdbar; **2.** (*om materiale*) bearbejdelig; smidig (*fx
dough*); til at arbejde i (*fx ~
ground*).
workaday ['wə:kədei] *adj.* F hverdagsagtig; dagligdags;
□ *in this ~ world* i denne prosaiske verden.
workaholic [wə:kə'hɒlik] *sb.* arbejdsnarkoman.
workbasket ['wə:kbɑ:skit] *sb.* sy-
og stoppekurv.
workbench ['wə:kben(t)ʃ] *sb.* arbejdsbænk; høvlebænk.

workbook ['wə:kbuk] *sb.* **1.** arbejdsbog; øvehæfte; **2.** instruktionsbog.
workbox ['wə:kbɒks] *sb.* syæske.
workday ['wə:kdei] *sb.* (*især am.*)
arbejdsdag; hverdag.
worked up [wə:kt'ʌp] *adj.*: *get ~*
blive ophidset; blive ude af sig
selv.
worker ['wə:kə] *sb.* (*også om bi,
myre*) arbejder;
□ *he is a hard//slow ~* han arbejder hårdt//langsomt.
work ethic *sb.* [*opfattelse der lægger vægt på arbejdets moralske
betydning*]; arbejdsmoral.
work experience *sb.* **1.** arbejdserfaring; **2.** (*i skolen*) erhvervspraktik.
workforce ['wə:kfɔ:s] *sb.* **1.** (*generelt*) arbejdsstyrke; **2.** (*i firma*) personale.
workhouse ['wə:khaus] *sb.*
1. (*glds.*) fattighus; **2.** (*am.*) arbejdsanstalt.
working¹ ['wə:kiŋ] *sb.*: *the ~ of* se
workings 2.
working² ['wə:kiŋ] *adj.* **1.** arbejds-
(*fx clothes*; *conditions*; *drawing*;
hypothesis; *lunch*); (se også *working capital*, *working class* (*etc.* på
alfabetisk plads*)); **2.** (*om person*)
arbejdende (*fx the ~ population*);
som er i arbejde (*fx women*); (*om
husmor*) udearbejdende (*fx
mother*; *wife*); **3.** (*om virksomhed*)
fungerende (*fx a ~ watermill*);
4. (*om del i maskine*) bevægelig
(*fx the ~ components*); **5.** (*om
kundskab*) tilstrækkelig til at man
kan klare sig (*fx have a ~ knowledge of English//of finance*).
working capital *sb.* driftskapital.
working class *sb.* arbejderklasse.
working-class [wə:kiŋ'klɑ:s] *adj.* af
arbejderklassen; arbejder-.
working day *sb.* **1.** (*del af uge*) arbejdsdag; hverdag; **2.** (*mht.
længde*) arbejdsdag (*fx an
eight-hour ~*).
working expenses *sb. pl.* driftsudgifter.
working girl *sb.* **1.** ung pige som er
i arbejde; **2.** sexarbejder [ɔ: *prostitueret*].
working group *sb.* = *working party*.
working hours *sb. pl.* arbejdstid.
working instructions *sb. pl.* betjeningsforskrift.
working life *sb.* **1.** (*persons*) arbejdsliv; **2.** (*maskines etc.*) levetid.
working load *sb.* (*tekn.*) tilladelige
belastning.
working majority *sb.* arbejdsdygtigt flertal (*fx i parlament*).
working man *sb.* (*pl. working*

men) arbejder.
working memory *sb.* (*psyk.*) arbejdshukommelse.
working order *sb.*: *in ~* i (driftsmæssig/brugbar) stand.
working paper *sb.* arbejdspapir.
working papers *sb. pl.* (*am.*) [*officiel tilladelse til at ansætte person under 16 år*].
working party *sb.* arbejdsudvalg;
arbejdsgruppe.
working relationship *sb.* samarbejde.
workings ['wə:kiŋz] *sb. pl.* **1.** (*mat.*)
udregninger; mellemregninger;
2. (*om maskine etc.*) hvordan den
fungerer/arbejder, virkemåde (*fx
explain the ~ of a computer//of
the stock market*; *I don't understand the ~ of his mind*); **3.** (*i
mine*) minegange; udgravninger.
working week *sb.* arbejdsuge.
workless ['wə:kləs] *adj.* arbejdsledig, arbejdsløs.
workload ['wə:kləud] *sb.* arbejdsbyrde.
workman ['wə:kmən] *sb.* (*pl. -men
[-mən]*) arbejder.
workmanlike ['wə:kmənlaik] *adj.*
gedigen, solid; godt udført [*uden
at være fremragende*].
workmanship ['wə:kmənʃip] *sb.*
1. håndværksmæssig/faglig dygtighed; **2.** (håndværksmæssig/faglig) udførelse (*fx good//bad ~*).
workmate ['wə:kmeit] *sb.* arbejdskammerat.
workout ['wə:kaut] *sb.* træning.
workpiece ['wə:kpi:s] *sb.* arbejdsstykke.
workplace ['wə:kpleis] *sb.* arbejdssted;
□ *the ~* (*også: generelt*) de steder
hvor folk arbejder; arbejdsmarkedet.
work placement *sb.* praktikplads.
workroom ['wə:kru(:)m] *sb.* **1.** arbejdsrum; værksted; **2.** systue.
works [wə:ks] *sb. pl.* **1.** arbejde (*fx
building ~*; *repair ~*); **2.** gerninger (*fx good ~*; *the devil and all
his ~*); **3.** (*kunstners*) værker (*fx
the ~ of Byron//Mozart*); **4.** (*i ur
etc.*) værk; **5.** (*mil.*) forsvarsværker; befæstning; **6.** (S: *narkomans*) værktøj [ɔ: *sprøjte etc.*];
7. (*i sms.*) -fabrik (*fx car ~*); -værk
(*fx ironworks*); (se også *public
works*);
□ *the ~* T alt hvad der hører sig
til; det hele; hele molevitten; *get
the ~* **a.** blive mishandlet på alle
mulige måder; **b.** blive myrdet;
give him the ~ **a.** fortælle ham
det hele; **b.** gennemprygle ham;
mishandle ham på det groveste;

c. gøre det af med ham; skyde ham ned; *shoot the* ~ (*am.* T) bruge alt hvad man har; sætte alt på ét bræt; *be in the* ~ (*am.* T) være under forberedelse; være på trapperne; *have sth in the* ~ (*am.* T) hane noget på bedding; (se også *spanner*); *Ministry of Works* ministerium for offentlige arbejder.

works access *sb.* (*på skilt*) arbejdskørsel.

works council *sb.* bedriftsråd; virksomhedsnævn.

worksheet ['wə:kʃi:t] *sb.* **1.** opgaveark; **2.** (*it*) regneark.

workshop ['wə:kʃɔp] *sb.* **1.** seminar; gruppediskussion; workshop; diskusssionsgruppe; (se også *theatre workshop*); **2.** (*til reparation, produktion*) værksted.

workshy ['wə:kʃai] *adj.* arbejdssky.

works manager *sb.* driftsleder.

work station *sb.* **1.** arbejdsplads; **2.** (*it*) arbejdsstation.

work studies *sb. pl.* arbejdsstudier.

work surface *sb.* = *worktop.*

worktop ['wə:ktɔp] *sb.* køkkenbord; bordplade.

work-to-rule [wə:ktə'ru:l] *sb.* arbejd efter reglerne-aktion.

workweek ['wərkwi:k] *sb.* (*am.*) arbejdsuge.

world [wə:ld] *sb.* verden;
□ *they are -s apart* de er vidt forskellige; de er milevidt fra hinanden; der er en afgrund imellem dem; *there is a* ~ *of difference* der er himmelvid forskel; *it did him a* ~ *of good* han havde umådelig godt af det; (se også *apart, end¹* (*the end of the world; world without end*));
[*med: the*] *the* ~ verden (*fx he wanted to see the* ~); *what is the* ~ *coming to?* hvad er det dog der sker? *the* ~ *is his oyster* alle muligheder står ham åbne; *she is/ means the* ~ *to him* hun er hans et og alt; *set the* ~ *on fire* se *fire¹*; *she thinks the* ~ *of them* hun sætter dem umådelig højt;
[*med præp.*] *not for the* ~ ikke for alt i verden; *for all the* ~ fuldstændig (*fx he sounded for all the* ~ *as if ...*); *he looked for all the* ~ *like* (*også*) han lignede mest af alt ...; *in the* ~ i verden (*fx the best wine in the* ~); *all the riches in the* ~ alverdens rigdom; *how// what//where in the* ~ hvordan// hvad//hvor i alverden; (se også *come¹* (*down in*)); *bring into the* ~ sætte i verden; *come into the* ~ komme til verden; *make the best of both -s* forene to modstridende interesser; få det bedste ud af det;

a man of the ~ en mand der kender livet; en erfaren, praktisk mand; en verdensmand; *live out of the* ~ leve afsondret fra verden; *it was out of this* ~ T det var helt fantastisk; *dead to the* ~ se *dead¹*; *go up in the* ~ se *go³*.

world-beater ['wə:ldbi:tə] *sb.*: *be a* ~ være den bedste i verden.

world-class [wə:ld'kla:s] *adj.* som er i verdensklasse.

world-famous [wə:ld'feiməs] *adj.* verdensberømt.

worldling ['wə:ldliŋ] *sb.* verdensbarn.

worldly ['wə:ldli] *adj.* **1.** praktisk indstillet; verdenserfaren, livsklog; **2.** (*mods. åndelig*) verdslig; jordisk;
□ ~ *goods* jordisk gods.

worldly-wise [wə:ldli'waiz] *adj.* verdensklog; livserfaren; klog på denne verdens ting.

world power *sb.* verdensmagt.

World Series *sb.* (*am.*) [*de afgørende kampe i baseballturneringen*].

world view *sb.* verdensanskuelse.

world-weary [wə:ld'wiəri] *adj.* træt af verden; livstræt.

worldwide¹ [wə:ld'waid] *adj.* verdensomspændende, verdensomfattende; verdens- (*fx fame*).

worldwide² [wə:ld'waid] *adv.* over hele verden, verden over.

worm¹ [wə:m] *sb.* **1.** orm; **2.** (T: *skældsord*) kryb, orm; **3.** (*tekn.*) snekke; snegl; **4.** (*it*) [*form for virus*];
□ *even a* ~ *will turn* [*selv den sagtmodigste kan man plage så længe at han bider fra sig*]; (se også *can¹*).

worm² [wə:m] *vb.* **1.** (*dyr*) give ormekur; **2.** (*uden objekt: om person*) sno sig, møve sig;
□ ~ *oneself* mave sig (*fx under the fence*); ~ *sth out of sby* lokke/ lirke noget ud af en (*fx* ~ *the secret out of him*); ~ *one's way* **a.** sno sig, møve sig (*fx past the desk; through the door//the crowd*); mave sig (*fx along the ditch*); **b.** (*fig.*) lirke sig, liste sig, sno sig (*fx into her affections*); ~ *one's way out of + -ing* sno sig fra at.

wormcast ['wə:mka:st] *sb.* [*regnorms ekskrementer*].

worm-eaten ['wə:mi:t(ə)n] *adj.* **1.** ormædt; **2.** (*om træ*) fuld af ormehuller.

wormery ['wə:məri] *sb.* ormebeholder.

worm gear *sb.* (*tekn.*) snekkedrev; snekkehjul.

wormhole ['wə:mhəul] *sb.* ormehul.

wormseed ['wə:msi:d] *sb.* ormefrø.

worm's-eye view ['wə:mzaivju:] *sb.* frøperspektiv.

wormwheel ['wə:mwi:l] *sb.* snekkehjul.

wormwood ['wə:mwud] *sb.* (*bot.*) malurt.

wormy ['wə:mi] *adj.* ormebefængt; fuld af orm.

worn¹ [wɔ:n] *præt. ptc. af wear².*

worn² [wɔ:n] *adj.* slidt; træt.

worn-down [wɔ:n'daun] *adj.* **1.** slidt; afslidt; **2.** (*om person*) træt; udslidt.

worn-out [wɔ:n'aut] *adj.* **1.** nedslidt; udtjent; **2.** (*om person*) udmattet, nedslidt; **3.** (*om udtryk, idé*) fortærsket, forslidt.

worried ['wʌrid] *adj.* bekymret (*about for//over, fx the future//the situation; that for//over at*); ængstelig (*about for*).

worrier ['wʌriə] *sb.* sortseer;
□ *he is a* ~ han gør sig mange bekymringer.

worriment ['wʌrimənt] *sb.* (*am.: glds. el. spøg.*) bekymring.

worrisome ['wʌrisəm] *adj.* (*am. el. glds.*) bekymrende, foruroligende.

worry¹ ['wʌri] *sb.* bekymring (*about for, over*);
□ *no* ~! det skal du ikke spekulere over/bekymre dig om!

worry² ['wʌri] *vb.* **1.** gøre sig bekymringer, bekymre sig (*about over, om, fx don't* ~ *about me*); være ængstelig/urolig (*about for, fx the future*); spekulere (*about over*); **2.** (*med objekt*) bekymre; gøre ængstelig (*fx you worried your mother by being late*); volde bekymring; forurolige; **3.** (*så man ærgrer sig*) genere (*fx the noise doesn't* ~ *me*); **4.** (*dyr: om hund*) jage rundt med (og angribe) (*fx sheep*); (se også ndf.: ~ *at, b*);
□ *not to* ~! T bare rolig! *don't* ~ *so much!* du skal ikke gøre sig så mange bekymringer!
[*med præp.& adv.*] ~ *about* (*jf. 1, også*) være bekymret for (*fx he worries about his son*); ~ *at* **a.** (*om hund*) rive og ruske i med tænderne; **b.** (*om person*) sidde og pille/fingerere ved (*fx the papers on one's desk*); **c.** (*fig.: problem*) tumle med; hele tiden vende tilbage til; ~ *out the solution to a problem* tumle med et problem til man får det løst; ~ *over* = ~ *about;* ~ *through* kæmpe sig igennem; ~ *sby with* plage en med (*fx questions*).

worry beads *sb. pl.* [*perlekæde*

som man kan sidde og fingerere ved for at stresse af].

worryguts ['wʌrigʌts] *sb.* T sortseer; evigt bekymret person.

worrying ['wʌriiŋ] *adj.* bekymrende; foruroligende.

worrywart ['wʌriwɔ:t] *sb.* (*am.*) = *worryguts.*

worse[1] [wə:s] *adj.* (*komp. af bad, ill*) værre; dårligere;
□ ~ *was to come* det skulle blive værre endnu; *be* ~ *off* være værre stillet; *be £100* ~ *off* have £100 mindre; *you could do* ~ *than* T det er ikke det værste du kan gøre at; ~ *luck!* desværre!; (*se også bad (from bad...)*);
[*med: for*] *the* ~ *for drink* beruset; *the* ~ *for wear* **a.** slidt; medtaget; **b.** (*om person*) beruset; *he is none the* ~ *for it* han har ikke taget skade af det.

worse[2] [wə:s] *adv.* værre, dårligere (*fx they played* ~ *than ever*); □ *it hurt* ~ det gjorde mere ondt.

worsen ['wə:s(ə)n] *vb.* **1.** forværre; **2.** (*uden objekt*) blive værre, forværres.

worship[1] ['wə:ʃip] *sb.* **1.** (*rel.*) gudsdyrkelse; **2.** (*af bestemt gud*) dyrkelse (*fx* ~ *of the Mother Goddess*); tilbedelse; **3.** (*i kirke*) gudstjeneste (*fx attend* ~); andagt (*fx the church is open for* ~); **4.** (*fig.*) dyrkelse (*fx hero* ~; *money* ~; *the* ~ *of Stalin*);
□ *Your//His Worship* [*titel for visse øvrighedspersoner, fx His Worship the Mayor*]; (*se også act[1], place[1]*).

worship[2] ['wə:ʃip] *vb.* **1.** (*guddom*) dyrke; tilbede; **2.** (*person*) tilbede, forgude; **3.** (*uden objekt*) gå til gudstjeneste (*fx they* ~ *in the same mosque*); (*om kristen også*) gå i kirke;
□ ~ *at the altar/shrine of* (*fig.*) være tilhænger af.

worshipful ['wə:ʃipf(u)l] *adj.* **1.** ærbødig; tilbedende; **2.** (*i glds. titel*) ærværdig; æret.

worshipper ['wə:ʃipə] *sb.* **1.** troende (*fx the Pope addressed several thousand -s*); (*ved kirke*) kirkegænger; **2.** (*i sms.*) -tilbeder (*fx sun* ~); -dyrker.

worst[1] [wə:st] *adj.* (*sup. af bad, ill*) værst; dårligst;
□ *at (the)* ~ i værste fald; *if the* ~ *comes to the* ~ T om galt skal være; i værste fald; *do one's* ~ gøre al den skade man kan; *do your* ~! kom bare an! *get the* ~ *of it* trække det korteste strå.

worst[2] [wə:st] *vb.* besejre; overvinde.

worst[3] [wə:st] *adv.* værst (*fx they*

were ~ *hit*); dårligst.

worst-case ['wə:stkeis] *adj.* som vedrører det værst tænkelige tilfælde.

worst-case scenario *sb.:* *the* ~ skrækscenariet; det værst tænkelige tilfælde.

worsted[1] ['wustid] *sb.* kamgarn.

worsted[2] ['wustid] *adj.* kamgarns-.

wort [wə:t] *sb.* (*i ølproduktion etc.*) urt; maltafkog.

worth[1] [wə:θ] *sb.* **1.** værdi (*fx the houses were sold at prices below their true* ~); **2.** (F: *fig.*) værdi (*fx the alliance has proved its* ~); værd (*fx he knows his own* ~);
□ *a pound's* ~ *of sweets* bolsjer for et pund; *a week's* ~ *of food* mad til en uge; (*se også money*).

worth[2] [wə:θ] *adj.* værd (*fx what is it* ~?);
□ *be* ~ ... **a.** være ... værd (*fx it is* ~ *ten pounds*; *it was* ~ *the money*; *it is* ~ *the trouble//a try*); **b.** (*om formue*) eje (*fx he is* ~ *£10 million//a lot of money*); *he ran for all he was* ~ han løb af alle kræfter; *I tell you this for what it is* ~ (*omtr.*) jeg fortæller dig dette uden at indestå for rigtigheden af det; *it was* ~ *while* se *worthwhile*; *it was* ~ *his while* det var umagen værd for ham; det kunne betale sig for ham; *make it worth his* ~ betale ham for det; bestikke ham; (*se også job[1], weight[1]*).

worthies ['wə:ði] *sb.* betydningsfulde personer; (*nedladende:*) hædersmænd.

worthless ['wə:θləs] *adj.* **1.** værdiløs; ubrugelig; **2.** (*om person*) uduelig; karakterløs;
□ *a* ~ *fellow* en skidt fyr.

worthwhile [wə:θ'wail] *adj.* som er umagen værd; som er værd at have med at gøre; nyttig; værdifuld.

worthy ['wə:ði] *adj.* (*se også worthies*) **1.** værdig (*fx opponent; winner*); **2.** (*især ironisk, om person*) brav, agtværdig, fortræffelig; **3.** (*om ting*) agtværdig; respektabel [*men kedelig*];
□ *be* ~ *of* fortjene (*fx admiration; praise*); være værdig til (*fx support*); *a* ~ *cause* en god sag; *courage* ~ *of a better cause* et mod der var en bedre sag værdig.

wot [wɔt] *pron.* T = *what.*

wotcha ['wɔtʃə] *interj.* hej.

would [wəd], (*betonet*) wud] *præt. af will[2].*

would-be ['wudbi:] *adj.* som ønsker//gør forsøg på at være//blive; □ *a* ~ *poet* en der har digteriske aspirationer; en der bilder sig ind

at være digter.

wound[1] [wu:nd] *sb.* (*også fig.*) sår; (*se også reopen, salt[1]*).

wound[2] [wu:nd] *vb.* (*også fig.*) såre.

wound[3] [waund] *præt. & præt. ptc. af wind[4].*

wound up [waund'ʌp] *adj.* T anspændt, nervøs.

woundwort ['wu:ndwə:t] *sb.* (*bot.*) galtetand.

wove [wəuv] *præt. af weave[2].*

woven ['wəuv(ə)n] *præt. ptc. af weave[2].*

wove paper *sb.* velinpapir.

wow[1] [wau] *sb.* **1.** T kæmpesucces; **2.** (*lydfejl*) wow;
□ *a* ~ *of a* en fantastisk (*fx novel*).

wow[2] [wau] *vb.* T begejstre; (*publikum også*) lægge ned.

wow[3] [wau] *interj.* orv! nåda!

wowser ['wauzə] *sb.* (*austr.* T) lyseslukker; hellig rad; streng afholdsmand.

w.p. *fork. f. weather permitting.*

WPC *fork. f. Woman Police Constable* kvindelig politibetjent.

wpm *fork. f. words per minute.*

wrack [ræk] *sb.* **1.** drivende skyformation; **2.** (*bot.*) klørtang;
□ *go to* ~ *and ruin* gå til grunde.

wraith [reiθ] *sb.* (*litt.*) ånd, genfærd; dobbeltgænger [*som ses kort før eller efter en persons død*].

wrangle[1] ['ræŋgl] *sb.* skænderi; mundhuggeri; kævl.

wrangle[2] ['ræŋgl] *vb.* skændes; mundhugges; kævles.

wrangler ['ræŋglə] *sb.* **1.** kværulant; **2.** (*am.*) cowboy.

wrap[1] [ræp] *sb.* **1.** (*til indpakning*) plasticfilm; folie; indpakningspapir; indpakning; (*se også bubble wrap*); **2.** (*til at svøbe om sig*) stykke; sjal; tørklæde; rejsetæppe;
□ *it's a* ~! (*film.*) så er vi færdige! *keep the matter under -s* (*fig.*) hemmeligholde sagen; mørklægge sagen; *take the -s off it* afsløre det, lade det blive kendt.

wrap[2] [ræp] *vb.* **1.** (*ting*) pakke ind (*fx he -ped (up) the present*; ~ *it (up) in paper*); vikle ind (*fx* ~ *his leg (up) in a bandage*); **2.** (*person*) hylle ind, svøbe ind (*fx* ~ *the baby (up) in a blanket; she -ped herself (up) in a towel*); pakke ind, vikle ind (*fx -ped (up) in scarves and anoraks*);
□ ~ *around* vikle om (*fx he -ped a bandage around his leg*); (*se også little finger*); ~ *one's arms around* lægge/slå armene om; *-ped in* indhyllet i (*fx fog; mystery*); ~ *round* = ~ *around*; ~ *up* **a.** se: *1, 2*; **b.** (T: *fig.*) afslutte (*fx*

an agreement; *the game*); **c.** (*uden objekt*) pakke sig ind (*fx ~ up warm*); *~ (it) up!* klap i! *be -ped up in* (*fig.*) ikke have tanke for andet end; være helt opslugt af (*fx one's work*); (se også *cotton wool*); *-ped up in dreams* helt fortabt i drømmerier; *be -ped up in sby* være helt væk i en.

wraparound ['ræpəraund] *sb.*
1. slå-om kjole//nederdel; **2.** (*it*) automatisk linjeskift.

wraparound skirt *sb.* slå om-nederdel.

wrapper ['ræpə] *sb.* **1.** (*om karamel etc.*) papir (*fx sweet -s were lying everywhere*); **2.** (*om vare, forsendelse, fx blad*) omslag; indpakning; **3.** (*om bog*) omslag; **4.** (*om cigar, især am.*) omblad; **5.** (*tøj: især am. el. glds.*) kimono;
□ *in -s* (*om bog*) brocheret.

wrapping ['ræpiŋ] *sb.* emballage.

wrapping paper *sb.* gavepapir.

wrap-up ['ræpʌp] *sb.* (*am.*) sammendrag; nyhedsoversigt.

wrasse [ræs] *sb.* (*zo.*) læbefisk.

wrath [rɔθ, (*am.*) ræθ, ra:θ] *sb.* vrede; forbitrelse.

wrathful ['rɔθf(u)l, (*am.*) 'ræθ-, 'ra:θ-] *adj.* vred; opbragt.

wreak [ri:k] *vb.* F forvolde; anrette (*fx damage*);
□ *~ one's fury/rage on* udøse sin vrede over; *~ havoc on* **a.** hærge; rasere; ødelægge; **b.** (*fig.*) vende op og ned på; *~ revenge/vengeance on sby* hævne sig på en; lade sin hævn ramme en.

wreath [ri:θ] *sb.* (*pl. -s* [ri:ðz])
1. krans; **2.** (*af røg, tåge etc.*) spiral; hvirvel.

wreathe [ri:ð] *vb.* (*uden objekt; fx om røg*) hvirvle; sno sig;
□ *~ one's arms about sby* (*litt.*) lægge sine arme om en; *-d in*
a. omviklet af, ombundet af (*fx a column -d in flowers*); **b.** (*tåge etc.*) indhyllet i (*fx smoke; mist*); *-d in melancholy* hensunket i melankoli; *-d in smiles* lutter smil; *-d with* = *-d in, a*).

wreck¹ [rek] *sb.* **1.** (*om skib, fly, bil, person etc.*) vrag; **2.** (*om hus*) ruinhob; **3.** (*begivenhed: om skib*) forlis; skibbrud; **4.** (*fig.*) forlis (*fx the ~ of their marriage*); **5.** (*am.: om bil, tog*) ulykke; sammenstød.

wreck² [rek] *vb.* (se også *wrecked*)
1. (*hus, by*) lægge i ruiner; **2.** (*bil etc.*) ødelægge, knuse; **3.** (*fig.*) ødelægge (*fx his chances; his plans*); tilintetgøre (*fx his hopes*).

wreckage ['rekidʒ] *sb.* **1.** (*af bil, fly*) rester; stumper; **2.** (*af hus*) ruiner; **3.** (*mar.*) vragrester; vraggods;

strandingsgods; **4.** (jf. *wreck² 3*) ødelæggelse; tilintetgørelse.

wrecked [rekt] *adj.* **1.** (*om skib, ægteskab*) forlist; **2.** (*om hus, bil*) ødelagt; **3.** T fuld; skæv;
□ *be ~* **a.** (*om skib, søfolk*) forlise; lide skibbrud; **b.** (*om bil, tog*) forulykke.

wrecker ['rekə] *sb.* **1.** en der ødelægger (*fx a ~ of people's dreams*); (*i sms.*) -ødelægger (*fx a home ~*); **2.** (*am.: person*) nedrivningsentreprenør; (*af biler*) autoophugger; **3.** (*am.: bil*) kranvogn; **4.** (*hist.*) strandrøver; vragplyndrer.

wrecker's ball *sb.* = *wrecking ball*.

wrecking¹ ['rekiŋ] *sb.* **1.** (*hist.*) vragplyndring; **2.** (*am.*) nedrivning, nedbrydning; (*af biler*) ophugning.

wrecking² ['rekiŋ] *adj.* bjærgnings-; rednings- (*fx crew* mandskab).

wrecking ball *sb.* nedbrydningskugle [*tung kugle brugt ved nedrivning af huse*].

wrecking bar *sb.* brækjern, koben.

wren [ren] *sb.* (*zo.*) gærdesmutte.

wrench¹ [ren(t)ʃ] *sb.* **1.** ryk (*fx with a ~ he freed his arm*); vridning; **2.** (*ved afsked*) smerte; stik i hjertet; **3.** (*tekn.*) skruenøgle; (se også *monkey wrench, pipe wrench*);
□ *it was a ~* (jf. *2*) det gav et stik i hjertet; det skar mig//ham *etc.* i hjertet.

wrench² [ren(t)ʃ] *vb.* **1.** vride, rykke, vriste (*fx ~ sth loose*); **2.** (*legemsdel, led*) forvride (*fx one's shoulder*);
□ *~ from* **a.** vride/rykke/vriste ud af (*fx the pistol from his hand*); **b.** (*fig.*) rykke bort fra (*fx she was -ed from her family*).

wrest [rest] *vb.: ~ from* (*litt.*)
a. vriste ud af (*fx ~ the knife from his hand; ~ her arm from his hold*); **b.** (*fig.*) fravriste (*fx ~ power from them* fravriste dem magten).

wrestle¹ ['resl] *sb.* **1.** brydekamp; **2.** (*fig.*) kamp (*fx a lifelong ~ with depression*).

wrestle² ['resl] *vb.* **1.** brydes; **2.** (*om sport*) være bryder; **3.** (*et sted hen*) bakse (*fx him out of the room*); **4.** (*noget der sidder fast*) få vristet, vride (*fx the key out of the ignition*);
□ *~ him to the ground* få ham lagt ned efter en heftig kamp; *~ with*
a. (*person*) slås med, brydes med; **b.** (*fig.*) slås med, kæmpe med (*fx a problem; a decision*).

wrestler ['reslə] *sb.* bryder.

wrestling ['resliŋ] *sb.* brydning.

wrestling bout *sb.* brydekamp.

wretch [retʃ] *sb.* **1.** (*om ulykkeligt menneske*) stakkel, skind, skrog; **2.** (*spøg.*) skurk, skarn; **3.** (*skældsord, litt.*) usling, nidding.

wretched ['retʃid] *adj.* **1.** (F: *medlidende*) stakkels, ulykkelig (*fx those ~ people*); **2.** (F: *neds.*) elendig; ussel; ynkelig (*fx excuse*); **3.** (F: *om tilstand*) fortvivlet, ulykkelig (*fx the ~ look on her face*); **4.** (T: *irriteret*) nederdrægtig (*fx a ~ toothache*); elendig, forbandet;
□ *feel ~* have det elendigt; være elendig til mode.

wriggle¹ ['rigl] *sb.* vriden; vrikken.

wriggle² ['rigl] *vb.* **1.** sno sig, vride sig (*fx free; through a narrow opening*); sprælle (*fx the cat -d in my arms*); vrikke; **2.** (*med objekt*) vrikke med (*fx one's toes; one's hips*);
□ *~ out of* **a.** sno/vrikke sig ud af (*fx a sleeping bag*); **b.** (T: *fig.*) sno sig fra/uden om (*fx an agreement; the responsibility*).

wring¹ [riŋ] *sb.* vrid; vridning.

wring² [riŋ] *vb.* (*wrung, wrung*)
1. vride (*fx the water out of the swimsuit*); **2.** (*fig.*) vride, presse (*fx a confession out of sby*);
□ *~ out* vride (*fx clothes*); [*med sb.*] *~ one's hands* vride sine hænder; *~ sby's hand* knuge ens hånd; *it -s my heart* (*litt.*) det smerter mig dybt; (se også *neck¹*).

wringer ['riŋə] *sb.* vridemaskine;
□ *put through the ~* (*fig.*) tage igennem vridemaskinen; *he has gone/been put through the ~* (*også*) han har haft en hård tid.

wringing ['riŋiŋ] *adj.*, **wringing wet** *adj.* drivvåd; lige til at vride.

wrinkle¹ ['riŋkl] *sb.* **1.** (*i hud*) rynke; **2.** (*i stof*) (lille) fold, rynke; **3.** T kneb, fidus (*fx learn the -s from him*);
□ *iron out the -s* (*fig.*) rydde problemerne af vejen.

wrinkle² ['riŋkl] *vb.* **1.** (*om hud*) blive rynket; **2.** (*om stof*) rynke; slå folder; krølle;
□ *~ (up) one's forehead* rynke panden; *~ (up) one's nose* rynke på næsen; *with -d stockings* med ål i strømperne.

wrinkly¹ ['riŋkli] *sb.* T gamling, oldsag.

wrinkly² ['riŋkli] *adj.* **1.** (*om hud*) rynket; **2.** (*om stof*) rynket; krøllet.

wrist [rist] *sb.* håndled.

wristband ['ris(t)bænd] *sb.* **1.** armbånd [*af stof*]; **2.** (*på skjorte*) håndlinning; manchet.

wristlet ['ris(tlət] *sb.* armbånd;
□ woollen ~ muffedise.
wristwatch ['ris(t)wɔtʃ] *sb.* armbåndsur.
writ[1] [rit] *sb.* (*jur.: dokument med retslig kendelse*) tilsigelse; stævning; arrestordre;
□ where their ~ runs hvor de har magten; hvor de har indflydelse; hvor de har noget at sige; serve a ~ on sby, serve sby with a ~ forkynde en stævning for en; (se også Holy Writ).
writ[2] [rit] (*glds.*) *præt. & præt. ptc. af write*;
□ ~ large **a.** tydelig at se; **b.** i endnu større målestok; it was ~ large on her face det stod malet i hendes ansigt.
write [rait] *vb.* (*wrote, written*) (se også written[2]) **1.** skrive; **2.** (*med personsobjekt*) skrive til (fx ~ me tomorrow);
□ [med præp. & adv.] ~ **away for** skrive efter, bestille; ~ **down a.** skrive op/ned; **b.** (*merk.: værdi*) nedskrive; ~ **home** about se home[4]; ~ **in a.** skrive ind; **b.** (*i et felt, i tekst*) indføre (fx one's name); indføje (fx amendments); **c.** (*am.: navn på stemmeseddel*) tilføje; ~ in ink skrive med blæk; it is -ten **into** det er indskrevet i, det står i (fx his contract; the Constitution); ~ **off a.** (*merk. & fig.*) afskrive (fx bad debts; their friendship); **b.** (*plan, projekt*) opgive; ~ **off as** afskrive/afvise som (fx he can't just be -ten off as an eccentric); ~ **off for** = ~ away for; ~ **out a.** nedskrive (fx he wrote out all the instructions for me); **b.** (*dokument*) udfærdige (fx a cheque); **c.** (*redegørelse*) udarbejde (fx a statement; a confession); ~ out fair renskrive; ~ oneself out skrive sig tom; -ten out (om forfatter) udskrevet; ~ him **out of** the TV series skrive ham ud af tv-serien; ~ **up a.** udarbejde [på grundlag af notater]; **b.** (*teaterstykke etc.*) skrive en anmeldelse af; **c.** (*merk.: værdi*) opskrive; **d.** (*am.: trafiksynder*) notere.
write-off ['raitɔf] *sb.* (*af gæld*) afskrivning;
□ be a ~ **a.** (*om tid*) være fuldstændig spildt; **b.** (*om bil*) være totalskadet.
write-protected [raitprə'tektid] *adj.* (*it*) skrivebeskyttet.
writer ['raitə] *sb.* forfatter (of til, fx the ~ of the article); skribent; digter;
□ he is a ~ of children's stories

han skriver børnebøger; han er børnebogsforfatter.
writer's block *sb.* skriveblokering.
writer's cramp *sb.* skrivekrampe.
write-up ['raitʌp] *sb.* **1.** (*af bog, stykke etc.*) anmeldelse; omtale; **2.** (*am. merk.*) opskrivning.
writhe [raið] *vb.* **1.** (*af smerte*) vride sig; **2.** (*litt.: af ubehag*) krympe sig (fx with shame af skam);
□ ~ with anger (*litt.*) skælve af vrede.
writing ['raitiŋ] *sb.* **1.** noget skrevet (fx there was some ~ in the margins); **2.** skrift (fx I recognized the ~ on the envelope); håndskrift; **3.** skrifter, bøger (fx historical ~); litteratur (fx women's ~); **4.** (*handling*) skrivning; skriveri; forfattervirksomhed;
□ -s værker (fx Hans Andersen's -s); in ~ skriftligt; put in ~, commit to ~ skrive ned; at the time of ~ mens jeg skriver dette//disse linjer; F i skrivende stund; [med: on] all the ~ on the subject alt hvad der er skrevet om emnet; the ~ on the parcel man in German det der stod (skrevet) på pakken var tysk; they have read/seen the ~ on the wall de har læst/set skriften på væggen; the ~ is on the wall T man kan se skriften på væggen (ɔ: det er tydeligt hvad vej det går].
writing case *sb.* skrivemappe.
writing desk *sb.* skrivebord.
writing pad *sb.* skriveblok.
writing paper *sb.* skrivepapir; brevpapir.
written[1] ['rit(ə)n] *præt. ptc. af write*.
written[2] ['rit(ə)n] *adj.* skriftlig (fx reply; exam);
□ ~ all over his face se face[1]; ~ in capitals//in ink//in pencil skrevet emd store bogstaver//med blæk// med blyant; the ~ word det skrevne ord.
wrong[1] [rɔŋ] *sb.* uret;
□ do ~ forse sig; do sby ~ gøre én uret; he can do no ~ alt hvad han gør er rigtigt; be **in the** ~ **a.** have uret; **b.** have begået en fejl; put him in the ~ give det udseende af at han har uret; stille ham i et dårligt lys; vælte skylden over på ham; two -s don't make a right [man gør ikke en uret god igen ved at begå en ny]; (se også right[1]).
wrong[2] [rɔŋ] *adj.* forkert; gal; urigtig;
□ be ~ **a.** være forkert/gal/urigtig; **b.** have uret; tage fejl (fx you are ~); is anything ~? er der noget i

vejen? er der noget galt? be ~ about tage fejl med hensyn til; I was ~ in + -ing jeg tog fejl da jeg (fx I was ~ in thinking that he would agree); it was ~ of me det var forkert af mig; I was ~ to det var forkert af mig at (fx refuse his offer); there is something ~ with der er noget i vejen/galt med; what's ~ with that? (også) hvorfor ikke det?
[med sb.] have got hold of the ~ end of the stick (fig.) have fået galt fat på det; være galt afmarcheret; on the ~ foot se foot[1]; the ~ side (af stof) vrangen; on the ~ side of på den forkerte side af (fx 40, the law); on the wrong ~ of the tracks (am., fig.) i et slumkvarter; (se også bed[1] (get out of bed ...) blanket[1]); get on the ~ side of lægge sig ud med; komme på kant med; on the ~ track se track[1]; bark up the ~ tree se tree[1]; take a ~ turn (fig.) begå en fejl; komme på afveje; get sth down the ~ way få noget i den gale hals; (se også rub[2]); the ~ way round omvendt (fx she wore the blouse the ~ way round); the numbers are the ~ way round der er byttet om på tallene.
wrong[3] [rɔŋ] *vb.* **1.** begå uret mod; behandle uretfærdigt; forurette (fx he felt -ed); **2.** (*mht. ens motiver*) tænke for ringe om, gøre uret (fx perhaps I ~ him).
wrong[4] [rɔŋ] *adv.* forkert; galt (fx answer ~; guess ~);
□ **get** ~ T misforstå (fx you've got it ~; don't get me ~); **go** ~ **a.** (om apparat etc.) komme i uorden; **b.** (om mennesker) gå forkert; gå galt; **c.** (*fig.*) gøre det forkerte; komme på afveje; **d.** (om foretagende) mislykkes; gå i den gale retning (fx that was where the situation began to go ~); if you do that you can't/won't **go far** ~ hvis du går det er det ikke helt galt/rammer du ikke helt ved siden af.
wrongdoer ['rɔŋdu:ə] *sb.* F en der forser sig; lovbryder; synder.
wrongdoing ['rɔŋdu:iŋ] *sb.* F forseelse; forsyndelse; lovbrud, ulovlighed (fx he denied any ~).
wrong-foot [rɔŋ'fut] *vb.* **1.** (*i boldspil*) finte; fange på det forkerte ben; **2.** (*fig.*) komme bag på, overliste; overrumple.
wrongful ['rɔŋf(u)l] *adj.* urigtig; uretfærdig; uretmæssig;
□ ~ dismissal uberettiget afskedigelse.
wrong-headed [rɔŋ'hedid] *adj.* stæ-

dig; som stædigt holder fast ved
noget forkert.

wrong side *sb.* se *wrong²*.

wrote [rəut] *præt. af write.*

wroth [rəuθ] *adj.* (*glds.*) vred; gram
i hu.

wrought [rɔ:t] (*glds.*) *præt. & præt.
ptc. af work²;*
□ *carefully-~* omhyggeligt forar-
bejdet//udformet; *it has ~ a
change* det har bevirket/afsted-
kommet en forandring.

wrought iron *sb.* smedejern.

wrought-up [rɔ:t'ʌp] *adj.* nervøs;
eksalteret.

wrung [rʌŋ] *præt. & præt. ptc. af
wring².*

WRVS *fork. f. Women's Royal Vol-
untary Service.*

wry [rai] *adj.* ironisk; spids, spy-
dig;
□ *make a ~ face* skære en gri-
masse; *a ~ smile* et skævt smil.

wryly ['raili] *adv.* ironisk, spidst,
spydigt; med et skævt smil.

wryneck ['rainek] *sb.* (*zo.*) vende-
hals.

WSW *fork. f. west-south-west.*

wt *fork. f. weight.*

WTO *fork. f. World Trade Organ-
ization.*

wuss [wʌs] *sb.* T tøsedreng; skvat.

wussy ['wʌsi] *adj.* (*am.* S) skvattet.

W. Va. *fork. f. West Virginia.*

WWW *fork. f. World Wide Web.*

wych elm ['witʃelm] *sb.* (*bot.*) stor-
bladet elm.

wynd [waind] *sb.* (*skotsk*) stræde;
smøge.

Wyo. *fork. f. Wyoming.*

WYSIWYG ['wiziwig] *fork. f. what
you see is what you get.*

X

X¹.

X² [eks] **1.** (*tegn*) kryds; **2.** (*tegn for ukendt*) X; **3.** (T: *i brev etc.*) *kys*;
□ *X marks the spot* stedet er mærket med et kryds.

x¹ [eks] *sb.* se *X²*.

x² [krɔs] *vb.* krydse;
□ *x out* (*am.*) strege ud; (se også *xing*).

X-certificate [ekssə'tifikət] *adj.* se *x-rated*.

xd *fork. f. ex dividend* eksklusive dividende.

xenon ['ziːnɔn, 'ze-] *sb.* (*kem.*) xenon.

xenophobe ['zenəfəub] *sb.* fremmedhader.

xenophobia [zenə'fəubiə] *sb.* fremmedhad.

xenophobic [zenə'fəubik] *adj.* fremmedfjendsk.

xerophyte ['ziərə(u)fait] *sb.* (*bot.*) tørkeplante.

xerox®¹ ['ziərɔks] *sb.* **1.** (foto)kopimaskine; **2.** (foto)kopi.

xerox®² ['ziərɔks] *vb.* xeroxe; fotokopiere.

xing ['krɔsiŋ] (*am.*, *på vejskilt; skrivemåde for: crossing*) krydser (vejen) (*fx children xing*).

XL *fork. f. extra large*.

Xmas ['krisməs, 'eksməs] *fork. f. Christmas*.

x-rated ['eksreitid] *adj.* **1.** (*om film*) uegnet for børn [*under 18*]; **2.** T pornografisk; forbudt for børn.

X-ray¹ ['eksrei] *sb.* **1.** røntgenbillede; **2.** røntgenstråling;
□ *-s* røntgenstråler; *have an* ~ blive røntgenfotograferet.

X-ray² ['eksrei] *vb.* **1.** røntgenfotografere; **2.** røntgengennemlyse (*fx luggage*).

xylophone ['zailəfəun] *sb.* (*mus.*) xylofon.

Y

Y¹ [wai].

Y² [wai] *sb.: the Y* KFUM//KFUK.

yacht [jɔt] *sb.* lystbåd; lystyacht.

yacht club *sb.* sejlklub.

yachting ['jɔtiŋ] *sb.* sejlsport.

yacht race *sb.* kapsejlads.

yachtsman ['jɔtsmən] *sb.* (*pl.* -men [-mən]) sejlsportsmand; lystsejler.

yachtswoman ['jɔtswumən] *sb.* (*pl.* -women [-wimin]) sejlsportskvinde; lystsejler.

yack [jæk] *vb.* S snakke, pladre, skvadre.

yah [ja:] *interj.* **1.** ja; **2.** (*hånligt*) æv bæv.

yahoo¹ ['ja:hu:] *sb.* (*litt.*) **1.** Yahoo [*frastødende menneskelignende væsen i Gulliver's Travels*]; **2.** (*om person*) rod; grobrian.

yahoo² [jə'hu:, ja:'hu:] *interj.* juhu! jubi!

yak¹ [jæk] *sb.* (*zo.*) yakokse.

yak² [jæk] *vb.* se *yack.*

Yale [jeil] [*berømt universitet i USA*].

Yale lock® *sb.* yalelås.

yam [jæm] *sb.* **1.** (*bot.*) yamsrod; **2.** (*am.*) batat.

yammer ['jæmə] *vb.* **1.** snakke, ævle; **2.** jamre, klage; kværulere.

Yank [jæŋk] *fork. f. Yankee.*

yank¹ [jæŋk] *sb.* ryk.

yank² [jæŋk] *vb.* rykke; rive; trække med et ryk.

Yankee ['jæŋki] *sb.* **1.** (*neds.*) amerikaner; yankee; **2.** (*i USA*) person fra *New England*; nordstatsmand.

yap¹ [jæp] *sb.* **1.** bjæf; **2.** S flab, kæft.

yap² [jæp] *vb.* **1.** gø; bjæffe; galpe; **2.** (*om person*) snakke, kværne; kæfte op.

yapp [jæp] *sb.* (*bogb.*) posebind.

yard¹ [ja:d] *sb.* **1.** (*længdemål*) yard [= *3 feet, 0,914 m*]; **2.** (*til hus*) gård; gårdsplads; **3.** (*am.*) have; **4.** (*til opbevaring etc.*) oplagsplads; (*i sms.*) -plads (*fx timberyard*); (se også *marshalling yard, scrapyard, stockyard, boatyard, shipyard*); **5.** (*mar.*: *på skib*) rå; □ *the Yard = Scotland Yard.*

yard² [ja:d] *vb.* (*kvæg etc.*) drive sammen; indfange.

yardage ['ja:didʒ] *sb.* **1.** [*afstand målt i yards*]; **2.** [*areal målt i kva-* dratyards].

yardarm ['ja:da:m] *sb.* (*mar.*) rånok.

yardbird ['jardbərd] *sb.* (*am.* S) **1.** straffefange; **2.** (*mil.*) soldat i kvarterarrest.

Yardie ['ja:di] *sb.* [*forbryder fra Jamaica*].

yard sale *sb.* se *tag sale.*

yardstick ['ja:dstik] *sb.* målestok [*til yards*]; □ *apply the same ~ to* (*fig.*) anvende samme målestok over for; skære over én kam.

yarmulke ['ja:mulkə, 'jʌməlkə] *sb.* kalot [*som bruges af jødiske mænd*].

yarn [ja:n] *sb.* **1.** garn; **2.** T fortælling; spændende historie; □ *spin sby a ~* fortælle én en røverhistorie; binde én en historie på ærmet.

yarrow ['jærəu] *sb.* (*bot.*) røllike.

yashmak ['jæʃmæk] *sb.* slør [*som bruges af muslimske kvinder*].

yatter¹ ['jætə] *sb.* T knever.

yatter² ['jætə] *vb.* T knevre.

yaw¹ [jɔ:] *sb.* (*mar., flyv.*) giring, drejning, slingren.

yaw² [jɔ:] *vb.* (*mar., flyv.*) gire, dreje, slingre.

yawn¹ [jɔ:n] *sb.* **1.** gaben; gab; **2.** (*fig.*) gabende kedelig historie// affære (*fx the movie//party was a ~*).

yawn² [jɔ:n] *vb.* gabe.

yawp¹ [jɔ:p] *sb.* skræppen.

yawp² [jɔ:p] *vb.* skræppe; kæfte op.

yaws [jɔ:z] *sb. pl.* (*med.: tropesygdom*) guineakopper; framboesia.

yd *fork. f. yard, yards.*

ye¹ [ji:, ji] *pron.* (*glds. el. skotsk*) I (*fx ye gods!*); Eder.

ye² [ji:] *art.* (*pseudo glds. form for*) the (*fx Ye Olde Tea Shoppe*).

yea¹ [jei] *sb.* jastemme.

yea² [jei] *adv.* (*glds.*) ja.

yeah [jɛə] *interj.* T ja.

year [jə:, jiə] *sb.* **1.** år; **2.** (*om elever, studerende*) årgang (*fx the girls of my ~*); □ *the first- and second -s* første- og andenårselever//studerende; *last ~* i fjor; *the ~ before last* i forfjor; *this time last ~* i fjor på denne tid; *this ~* i år; (se også *donkey's years, dot¹*); [*med vb.*] *put -s on sby* (*fig.*) gøre en flere år ældre; *take -s off sby* gøre en flere år yngre; [*med præp.*] *old before one's -s* gammel før tiden; *wise beyond one's -s* klog af sin alder; klogere end man skulle vente efter alderen; ~ *by* ~ år for år; *for -s, in -s* årevis; *a man of his -s* en mand i hans alder; *over the -s* i årenes/tidens løb; *per* ~ per/pr. år; om året.

yearbook ['jiəbuk] *sb.* årbog.

yearling ['jiəliŋ] *sb.* årgammel unge//kalv, årgammelt føl//kid// lam.

yearlong ['jiələŋ] *adj.* årelang [ɔ: *som varer//har varet et år*].

yearly ['jiəli] *adj.* **1.** årlig (*fx a ~ festival*); **2.** (*for et år*) års- (*fx his ~ income*).

yearn [jə:n] *vb.* længes (inderligt) (*for efter*).

yearning ['jə:niŋ] *sb.* (dyb) længsel (*for efter*).

yearningly ['jə:niŋli] *adv.* længselsfuldt.

yeast [ji:st] *sb.* gær.

yeasty ['ji:sti] *adj.* gærende; gæragtig.

yegg [jeg] *sb.* (*am.* S) indbrudstyv; pengeskabstyv.

yell¹ [jel] *sb.* hyl, skrig.

yell² [jel] *vb.* hyle, skrige.

yellow¹ ['jeləu] *sb.* gult; gul farve.

yellow² ['jeləu] *adj.* **1.** gul; **2.** T fej; **3.** (*om avis*) sensationspræget; sensations- (*fx journalism*).

yellow³ ['jeləu] *vb.* gulne; blive gul.

yellow archangel *sb.* (*bot.*) guldnælde.

yellow bunting *sb.* (*zo.*) gulspurv.

yellow fever *sb.* (*med.*) gul feber.

yellowhammer ['jeləuhæmə] *sb.* (*zo.*) gulspurv.

yellowish ['jeləuiʃ] *adj.* gullig.

yellow jacket *sb.* (*am.*) hveps; gedehams.

yellowlegs ['jeləulegz] *sb.* (*zo.*) gulbenet klire.

yellow pages *sb. pl.* (*tlf.*) gule sider, fagbog.

yellow pimpernel *sb.* (*bot.*) lundfredløs.

yellow poplar *sb.* (*am. bot.*) tulipantræ.
yellow press *sb.* sensationspresse; boulevardpresse.
yellow rattle *sb.* (*bot.*) skjaller.
yellow ribbon *sb.* (*am.*) [*gult bånd der skal minde om og vise solidaritet med soldater i kamp*].
yellow spot *sb.* (*anat.*) gul plet [*i øjet*].
yellow-tail ['jeləuteil] *sb.* (*zo.*) 1. (*insekt*) guldhale; 2. (*fisk: sydafr. især*) ravfisk; (*am. især*) guldhalet snapper.
yellowy ['jeləui] *adj.* gullig.
yelp¹ [jelp] *sb.* bjæf; hyl (*fx a ~ of pain*).
yelp² [jelp] *vb.* bjæffe; hyle.
Yemeni¹ ['jemini] *sb.* yemenit.
Yemeni² ['jemini] *adj.* yemenitisk.
yen¹ [jen] *sb.* (*pl. yen*) 1. (*japansk mønt*) yen; 2. T voldsom trang// længsel (*for* efter).
yen² [jen] *vb.* længes (*for* efter).
YEO *fork. f. Youth Employment Officer.*
yeoman ['jəumən] *sb.* (*pl. yeomen* ['jeumən]) (*hist.*) selvejerbonde, fribonde;
□ *~ service* god hjælp.
yeomanry ['jəumənri] *sb.* (*hist.*) selvejerstand; bønder.
yep [jep] *interj.* T ja; jeps.
yer [jə] *pron.* T = *you.*
yes [jes] *adv.* ja; jo; såh; ja så; □ *yes?* **a.** ja? **b.** (*skeptisk*) nå? jaså? **c.** (*sagt af ekspedient*) De ønsker? *yes and no* både ja og nej.
yes-man ['jesmæn] *sb.* (*pl. yesmen* ['jesmen]) T jasiger; nikkedukke; eftersnakker.
yesterday¹ ['jestədei, -di] *sb.* dagen i går;
□ *the day before ~* i forgårs; *that is -'s news* det er en gammel nyhed; *-'s paper* avisen fra i går.
yesterday² ['jestədei, -di] *adv.* i går;
□ *~ morning* i går morges.
yesteryear ['jestə'jiə] *adv.* (*glds.*) i fjor; sidste år;
□ *the heroes of ~* fortidens helte; *the snows of ~* den sne der faldt i fjor.
yestreen [jes'tri:n] *adv.* (*skotsk*) i går aftes.
yet¹ [jet] *adv.* 1. endnu (*fx he is not here ~; ~ more beautiful; he may ~ succeed*); 2. (*efter sup.*) hidtil (*fx the best//worst ~*);
□ *~ again* endnu en gang, en gang til; *~ another* endnu en; *as ~* F endnu (*fx as ~ nothing has been decided*); hidtil (*fx as ~ unknown*); *he has ~ to do it* han mangler stadigvæk at gøre det;

han har endnu ikke gjort det; *nor ~ heller ikke; ~ others* atter andre; andre igen.
yet² [jet] *konj.* (*om modsætning*) dog; alligevel (*fx he is poor, ~ he is content*).
yeti ['jeti] *sb.* yeti; den afskyelige snemand.
yew [ju:] *sb.* (*bot.*) taks; takstræ.
YHA *fork. f. the Youth Hostel Association* [*vandrerlavet*].
yid [jid] *sb.* (*vulg.*) [*stærkt neds. ord for jøde*].
Yiddish¹ ['jidiʃ] *sb.* (*sprog*) jiddisch.
Yiddish² ['jidiʃ] *adj.* jiddisch.
yield¹ [ji:ld] *sb.* 1. (*produkt*) ydelse (*fx milk ~*); udbytte (*fx crop -s*); 2. (*af investering*) udbytte; renteafkast; forrentning;
□ *current/true ~* (*af obligation*) direkte rente; *~ to maturity* (*af obligation*) effektiv rente [*direkte rente + udtrækningsgevinst*].
yield² [ji:ld] *vb.* **A.** 1. give (*fx the same result; a solution to the problem*); 2. (*produkt*) yde (*fx the cow -s good milk*); give (*fx these trees will ~ good timber//fruit*); 3. (*udbytte*) give, afkaste (*fx investments -ing 15 p.c.*); 4. (*til en anden*) afgive (*to* til, *fx ~ control of the firm to him*); give fra sig (*fx responsibility*); (*jord*) afstå (*to* til); **B.** (*uden objekt*) 1. give; 2. (*om frugttræ etc.*) bære (*fx the apple trees ~ well*); 3. (*om person, F*) give efter (*to* for, *fx blackmail; pressure; temptation; their prayers*); vige (*to* for, *fx force*); give sig; 4. (*i trafikken*) holde tilbage (*to* for); 5. (*om ting*) give efter (*to* for, *fx the door -ed to their blows; his legs began to ~*);
□ *~ the point* give efter; give sig [*i en diskussion*];
[*med præp.& adv.*] *~ to* **a.** se ovf.: *A4, B3,4;* **b.** F blive afløst af; *~ to no one in* ikke stå tilbage for nogen med hensyn til; *~ up* **a.** = *A4;* **b.** (*til fjenden*) overgive (*fx the fortress; the town*); udlevere (*fx prisoners*); **c.** F give (*fx the seas -ed up a rich harvest of fish*); **d.** (*hemmelighed*) give fra sig; *~ up the ghost* opgive ånden.
yielding ['ji:ldiŋ] *adj.* (*om materiale*) 1. blød, bøjelig, elastisk; 2. (*pm person*) eftergivende; føjelig.
yield point *sb.* (*fys.*) flydegrænse.
yikes [jaiks] *interj.* (*glds.* T) uh!
yip¹ [jip] *sb.* hyl.
yip² [jip] *vb.* hyle.
yippie [ji'pi:] *interj.* jubi!
YMCA *fork. f. Young Men's Chris-*

tian Association K.F.U.M.
yo [jou] *interj.* (*især am.*) halløj!
yob [jɔb], **yobbo** ['jɔbəu] *sb.* T rod; bisse.
yodel ['jəud(ə)l] *vb.* jodle.
yoga ['jəugə] *sb.* yoga.
yogh [jɔg] *sb.* (*det middelengelske bogstav*) ʒ.
yoghourt ['jɔgət] *sb.* yoghurt.
yogi ['jəugi] *sb.* yogi [*udøver af yoga*].
yo-heave-ho [jəuhi:v'həu] *interj.* (*mar.*) hiv-ohøj.
yoicks [jɔiks] *interj.* [*tilråb til hundene ved rævejagt*].
yoke¹ [jəuk] *sb.* 1. åg; 2. (*på kjole*) bærestykke; 3. (*am. flyv.*) rat [*til højdekontrol*]; 4. (*mar.*) juk; □ *a ~ of oxen* et spand okser.
yoke² [jəuk] *vb.* 1. spænde i åg; 2. (*fig.*) forene; forbinde.
yokel ['jəuk(ə)l] *sb.* bondeknold.
yoke lines *sb. pl.* (*mar.*) jukliner; styreliner.
yolk [jəuk] *sb.* blomme [*af æg*].
yomp [jɔmp] *vb.* marchere med fuld oppakning; traske.
yon [jɔn] se *yonder.*
yonder¹ [jɔn] *pron.* (*glds.*) hin// hint//hine; den//det//de der.
yonder² [jɔndə] *adv.* (*glds.*) hist; derhenne.
yonks [jɔŋks] *sb. pl.*: *for ~* (*glds.* T) i evigheder (*fx we waited for ~*).
yoof [ju:f] *sb.* S ungdom, unge [ɔ: *youth*].
yoo hoo ['ju:hu] *interj.* hallo!
yore [jɔ:] *sb.*: *of ~* (*glds.*) fra/i fordums tid; *in days of ~* i fordums dage.
york [jɔ:k] *vb.* (*i kricket*) kaste en yorker.
yorker ['jɔ:kə] *sb.* (*i kricket*) [*kast hvor bolden rammer gærdet helt nede i bunden*].
Yorkshire ['jɔ:kʃə].
Yorkshire fog *sb.* (*bot.*) fløjlsgræs.
Yorkshire pudding *sb.* [*slags bagværk der serveres sammen med oksesteg*].
you [ju, jə, (*betonet*) ju:] *pron.* 1. du//dig, I//jer; De//Dem; 2. (*generelt*) man; en;
□ *~ fool!* dit fjols!
you'd *fork. f.* 1. *you had;* 2. *you would.*
you'll *fork. f. you will//shall.*
young¹ [jʌŋ] *sb. pl.* unger (*fx animals with their ~*);
□ *the ~* de unge; ungdommen; *with ~* drægtig; som skal have unger.
young² [jʌŋ] *adj.* ung;
□ *~ children* små børn; *a ~ one* en unge; *~ people* unge mennesker; ungdom.

youngish ['jʌŋiʃ] *adj.* yngre; temmelig ung.

young lady *sb.* **1.** ung dame; **2.** (*glds. el. spøg.*) kæreste.

young man *sb.* **1.** ung mand; **2.** (*glds. el. spøg.*) kæreste.

young marrieds *sb. pl.* (*am.*) nygifte.

young offender *sb.* ungdomskriminel.

young person *sb.* (*jur.*) [*ung mellem 14 og 17*].

youngster ['jʌŋstə] *sb.* ungt menneske; knægt (*fx a pert answer from a snotty* ~).

Young Turk *sb.* **1.** (*hist.*) ungtyrk; **2.** (*fig.*) ivrig reformtilhænger; ung oprører.

your [jɔ:, juə] *pron.* (jf. *you*) **1.** din// dit//dine; jeres; F eders; Deres; **2.** (*possessiv svarende til man*) ens; sin//sit//sine; **3.** (T *om typisk eksempel*) den velkendte/typiske; denne//dette//disse hersens.

you're [juə] *fork. f. you are.*

yours [jɔ:z, juəz] *pron.* (jf. *you*) din// dit//dine; jeres; F eders; Deres; □ *what's* ~? T hvad vil du have (at drikke)? *Yours faithfully//sincerely//truly* se *faithfully* (etc.); (se også *up*⁵).

yourself [jɔ:'self, juə'self] *pron.* **1.** du//dig// De//Dem selv; selv; **2.** (*refleksivt*) dig (*fx you must defend* ~); Dem; **3.** (*svarende til you i betydningen: man*) selv; (*refleksivt*) sig; □ *be* ~! (*am.* T) tag dig sammen.

yourselves [jɔ:'selvz, juə'selvz] *pron.* **1.** I//jer//De//Dem selv; selv; **2.** (*refleksivt*) jer; Dem.

youth [ju:θ] *sb.* **1.** ungdom (*fx in my* ~; *eternal* ~); **2.** (*personer*) ungdom; unge mennesker; unge; **3.** (*enkelt* (*pl. youths* [ju:ðz])) ung mand; ungt menneske; □ *a friend of my* ~ en ungdomsven af mig.

youth club *sb.* ungdomsklub.

youthful ['ju:θf(u)l] *adj.* ungdommelig.

youth hostel *sb.* vandrehjem.

youth worker *sb.* ungdomsrådgiver; fritidspædagog.

you've [ju:v] *fork. f. you have.*

yowl¹ [jaul] *sb.* ynkeligt hyl.

yowl² [jaul] *vb.* hyle ynkeligt.

yo-yo¹ ['jəujəu] *sb.* **1.** (*legetøj*) yoyo; **2.** (*am.* T *om person*) fjols, idiot.

yo-yo² ['jəujəu] *vb.* gå op og ned; svinge; □ ~ *sby around* koste rundt med en.

yucca ['jʌkə] *sb.* (*bot.*) yucca; palmelilje.

yuck *interj.* bvadr; ad; yrk.

yucky ['jʌki] *adj.* ulækker; kvalmende.

Yugoslav¹ ['ju:gəusla:v] *sb.* (*hist.*) jugoslav.

Yugoslav² ['ju:gəusla:v] *adj.* (*hist.*) jugoslavisk.

Yugoslavia [ju:gəu'sla:viə] (*hist.*) Jugoslavien.

yuk [jʌk] *interj.* = *yuck.*

Yule [ju:l] *sb.* (*glds.*) jul.

yule log *sb.* [*stor brændeknude som efter gammel skik lægges på ilden juleaften*].

Yuletide ['ju:ltaid] *sb.* juletid.

yum [jʌm] *interj.* uhm! mums!

yummy ['jʌmi] *adj.* T lækker.

yum-yum [jʌm'jʌm] *interj.* nam-nam; uhm; ah.

yuppie ['jʌpi] *sb.* yuppie [*fork. f. young urban professional* ɔ: *velhavende ung forstadsbeboer*].

YWCA *fork. f. Young Women's Christian Association* K.F.U.K.

Z

Z [zed, (*am.*) zi:]: *catch some Z's* (*am.* T) få sig en lur, få sig en på øjet.

zander ['zændə] *sb.* (*zo.*) sandart.

zany ['zeini] *adj.* T tosset, skrupskør; spøjs, snurrig.

zap[1] [zæp] *sb.* T **1.** fut; liv; **2.** pift.

zap[2] [zæp] *vb.* T **1.** eliminere, udslette (*fx the enemy's artillery*); ødelægge; **2.** sende lynhurtigt (*fx a message*); **3.** (*i mikrobølgeovn*) opvarme lynhurtigt; **4.** (*uden objekt*) fare, ræse (*fx into town*; *through one's homework*); □ ~ (*between*) *channels* (*på tv*) zappe.

zap[3] [zæp] *interj.* T zap.

zapper ['zæpə] *sb.* fjernbetjening.

zappy ['zæpi] *adj.* T rap.

zeal [zi:l] *sb.* F nidkærhed; iver; ildhu.

Zealand ['zi:lənd] Sjælland.

zealot ['zelət] *sb.* F fanatiker; fanatisk tilhænger.

zealotry ['zelətri] *sb.* F fanatisme.

zealous ['zeləs] *adj.* nidkær; ivrig; fanatisk.

zebra ['zi:brə] *sb.* (*zo.*) zebra.

zebra crossing *sb.* fodgængerovergang; fodgængerfelt.

zebu ['zi:bu:] *sb.* zebu [*indisk pukkelokse*].

zed [zed] *sb.* bogstavet z.

zee [zi:] *sb.* (*am.*) = zed.

zeitgeist ['tsaitgaist, 'zait-] *sb.* tidsånd.

Zen [zen] *sb.* = Zen Buddhism.

zenana [zi'na:nə] *sb.* (*i Indien*) kvindernes opholdsrum.

Zen Buddhism [zen 'budizm] *sb.* zen-buddhisme.

zenith ['zeniθ, (*am.*) 'zi:-] *sb.* **1.** toppunkt; højdepunkt; **2.** (*astr.*) zenit.

zephyr ['zefə] *sb.* **1.** (*litt.*) zefyr; mild vind; **2.** (*tekstil*) [*let bomuldsstof*].

zeppelin ['zepəlin] *sb.* (*glds.*) zeppeliner [*slags luftskib*].

zero[1] ['ziərəu] *sb.* **1.** nul; **2.** nulpunkt; frysepunkt.

zero[2] ['ziərəu] *adj.* nul (*fx ~ tolerance*); nul- (*fx growth*); □ *our chances are* ~ vores chancer er lig nul.

zero[3] ['ziərəu] *vb.* (*instrument*) nul-

stille (*fx the counter; the meter*); □ ~ *in* (*skyts*) indstille; rette ind; ~ *in on* **a.** (*skyts*) rette ind mod (*fx a target*); **b.** (*kikkert, kamera*) stille skarpt på; **c.** (*fig.*) fokusere på (*fx an opportunity*); koncentrere sig om (*fx the main question*).

zero gravity *sb.* vægtløshed.

zero hour *sb.* (*mil.*) [*tidspunkt for et angrebs begyndelse*].

zero option *sb.* nulløsning.

zero-rated [ziərəu'reitid] *adj.* momsfri.

zero-sum game [ziərəu'sʌmgeim] *sb.* nulsumsspil [*hvor man kun kan opnå hvad en anden mister*].

zest [zest] *sb.* **1.** (*om holdning*) lyst, iver; veloplagthed; appetit (*for på*); **2.** (*om kvalitet*) krydderi; liv (*fx invite them to add some ~ to the party*); **3.** (*i madlavning*) reven skal [*af citrusfrugt, brugt som krydderi*]; □ ~ *for life* livslyst; *add/give ~ to life* sætte krydderi på tilværelsen.

zester ['zestə] *sb.* (jf. *zest* 3) rivejern [*til citrusfrugt*].

zigzag[1] ['zigzæg] *sb.* siksaklinje.

zigzag[2] ['zigzæg] *adj.* siksak-; som går/løber i siksak (*fx road*).

zigzag[3] ['zigzæg] *vb.* gå/løbe i siksak; siksakke.

zilch [ziltʃ] *sb.* (*am.*) nul; ingenting.

zillion ['ziljən] *sb.* T fantastisk mængde.

Zimbabwean[1] [zim'ba:bwiən] *sb.* zimbabwer.

Zimbabwean[2] [zim'ba:bwiən] *adj.* zimbabwisk.

Zimmer frame® ['ziməfreim] *sb.* gangstativ.

zinc[1] [ziŋk] *sb.* zink.

zinc[2] [ziŋk] *vb.* overtrække med zink, forzinke.

zing[1] [ziŋ] *sb.* T fut, liv; pift (*fx add ~ to the sauce*).

zing[2] [ziŋ] *vb.* **1.** suse, pibe, fløjte (*fx the shot -ed past my head*); **2.** (*am.*) kritisere skarpt; spidde; □ ~ *with* sprudle af.

zinger ['ziŋgə] *sb.* (*især am.*) **1.** vits; kvik//skarp bemærkning; kvikt//skarpt svar; **2.** overraskelse.

zingy ['ziŋgi] *adj.* T spændende;

smart.

zinnia ['ziniə] *sb.* (*bot.*) zinnia.

Zionism ['zaiənizm] *sb.* zionisme.

Zionist ['zaiənist] *sb.* zionist.

zip[1] [zip] *sb.* **1.** lynlås; **2.** T fart; fut; liv; **3.** (*am.*) postnummer; **4.** (*am.* T) nul; ingenting.

zip[2] [zip] *vb.* **1.** åbne//lukke med lynlås; lyne op//i, til; **2.** (*et sted hen*) fare, suse; **3.** (*fx om geværkugle*) hvisle; fløjte; □ ~ *up* **a.** lyne i/til; **b.** (*uden objekt*) kunne lynes i/til (*fx it -s up at the back*).

zip code *sb.* (*am.*) postnummer.

zip drive *sb.* (*it*) zipdrev [*til backup af store datamængder*].

zip fastener *sb.* F lynlås.

Ziploc® ['ziplɔk] *sb.* [*plasticpose med "lynlås"*].

zipped [zipt] *adj.* **1.** med lynlås; **2.** (*am.*) med postnummer.

zipper ['zipə] *sb.* lynlås.

zit [zit] *sb.* T filipens; bums.

zither ['ziðə] *sb.* (*mus.*) citer.

zodiac ['zəudiæk] *sb.*: *the* ~ (*astr.*) dyrekredsen; *sign of the* ~ stjernetegn.

zodiacal [zəu'daiək(ə)l] *adj.* zodiakal-.

zombie ['zɔmbi] *sb.* **1.** (*i voodoo*) [*død som er gjort levende ved magi*]; **2.** T en der bevæger sig som i trance; robot; sløv padde.

zonal ['zəun(ə)l] *adj.* zone-.

zonation [zəu'neiʃn] *sb.* zoneinddeling.

zone[1] [zəun] *sb.* zone; bælte; område.

zone[2] [zəun] *vb.*: ~ *as* (*om jord*) udlægge som; ~ *for* (*om jord*) udlægge til; reservere til; ~ *out* (*am.* S) **a.** glemme; lukke af for; **b.** (*uden objekt*) glemme alt omkring sig.

zoned [zəund] *adj.* **1.** (*om område*) inddelt i zoner; **2.** (*am.* T) se *zonked*.

zoning ['zəuniŋ] *sb.* zoneinddeling.

zonked [zɔŋkt] *adj.* S smækbedøvet [*af narkotika*]; høj, skæv, stiv; udmattet.

zoo [zu:] *sb.* zoologisk have.

zoological [zəuə'lɔdʒik(ə)l] *adj.* zoologisk.

zoological gardens *sb. pl.* (*glds.* F)

zoologisk have.
zoologist [zəu'ɔlədʒist] *sb.* zoolog.
zoology [zəu'ɔlədʒi] *sb.* zoologi.
zoom[1] [zu:m] *sb.* (*foto.*) zoom.
zoom[2] [zu:m] *vb.* **1.** T suse, fare,
drøne; **2.** (*om pris etc.*) stige brat;
3. (*foto.*) zoome [ɔ: *hen imod el.*
bort fra motivet];
□ ~ *in on* **a.** (*foto.*) zoome ind på;
b. (*fig.*) fokusere på; slå ned på (*fx
the weakest part of the argument*).
zoom lens *sb.* (*foto.*) zoomlinse.
zoot suit ['zu:tsu:t] *sb.* (*hist.*) [*på-
klædning omtr. som swingpjatters,
med bredskuldret jakke og bukser
der spidser til*].
zounds [zaundz] *interj.* (*glds.*) død
og pine!
ZPG *fork. f. zero population
growth.*
Zulu ['zu:lu:] *sb.* (*person; sprog*)
zulu.

Uregelmæssige verber

Listen omfatter både sammensatte og usammensatte uregelmæssige verber, men ingen regelmæssige. Vær derfor opmærksom på oversættelsen, da enslydende verber kan have forskellig betydning og bøjning, fx *shine* der i betydningen 'skinne' er uregelmæssig, men i betydningen 'pudse' er regelmæssig. Formerne er: infinitiv, præteritum og perfektum participium, dog for modalverberne præsens og præteritum.

/   mellem to former betyder at begge bruges.
*   foran en bøjningsform betyder at den (kun eller især) bruges i amerikansk engelsk.

abide *(forblive)*	**abode/abided**	**abode/abided**
arise *(opstå)*	**arose**	**arisen**
awake *(vågne)*	**awoke**	**awoken**
babysit *(babysitte)*	**babysat**	**babysat**
backbite *(bagtale)*	**backbit**	**backbitten**
backslide *(få tilbagefald)*	**backslid**	**backslid**
be *(være)*	**was**/*pl.***were**	**been**
bear *(bære, føde)*	**bore**	**borne**
beat *(slå)*	**beat**	**beaten**
become *(blive)*	**became**	**become**
befall *(tilstøde)*	**befell**	**befallen**
beget *(avle)*	**begot/begat**	**begotten/begot**
begin *(begynde)*	**began**	**begun**
behold *(se)*	**beheld**	**beheld**
bend *(bøje)*	**bent**	**bent**
beseech *(bønfalde)*	**beseeched/besought**	**beseeched/besought**
beset *(omringe)*	**beset**	**beset**
bespeak *(bestille)*	**bespoke**	**bespoken**
bestride *(skræve over)*	**bestrode**	**bestridden**
bet *(vædde)*	**bet**	**bet**
betake *(begive sig, ty til)*	**betook**	**betaken**
bethink *(komme i tanker om)*	**bethought**	**bethought**
bid *(byde, befale)*	**bid/bade**	**bidden**
bid *(byde på auktion)*	**bid**	**bid**
bind *(binde)*	**bound**	**bound**
bite *(bide)*	**bit**	**bitten**
bleed *(bløde)*	**bled**	**bled**
bless *(velsigne)*	**blessed**	**blessed/blest**
bottlefeed *(give flaske)*	**bottlefed**	**bottlefed**
blow *(blæse)*	**blew**	**blown**
break *(brække)*	**broke**	**broken**

breastfeed *(amme)*	breastfed	breastfed
breed *(avle, opfostre)*	bred	bred
bring *(bringe)*	brought	brought
broadcast *(udsende)*	broadcast/broadcasted	broadcast/broadcasted
browbeat *(hundse med)*	browbeat	browbeaten
build *(bygge)*	built	built
burn *(brænde)*	burnt/burned	burnt/burned
burst *(briste)*	burst	burst
bust *(smadre)*	bust/busted	bust/busted
buy *(købe)*	bought	bought
can *(kan)*	could	
cast *(kaste, støbe)*	cast	cast
catch *(fange)*	caught	caught
chide *(irettesætte)*	chided/chid	chided/chidden
choose *(vælge)*	chose	chosen
cleave *(kløve)*	clove/cleft	cloven/cleft
cliffhang *(bryde af på et spændende sted)*	cliffhung	cliffhung
cling *(klynge sig)*	clung	clung
come *(komme)*	came	come
cost *(koste)*	cost	cost
creep *(krybe)*	crept	crept
crossbreed *(krydse)*	crossbred	crossbred
cut *(hugge, skære)*	cut	cut
deal *(handle)*	dealt	dealt
deep freeze *(dybfryse)*	deep froze	deep frozen
dig *(grave)*	dug	dug
dive *(dykke)*	dived/*dove	dived/*dove
do *(gøre)*	did	done
draw *(trække, tegne)*	drew	drawn
dream *(drømme)*	dreamed/dreamt	dreamed/dreamt
drink *(drikke)*	drank	drunk
drip-feed *(give næring vha. drop)*	drip-fed	drip-fed
drive *(drive, køre)*	drove	driven
dwell *(dvæle, bo)*	dwelt/dwelled	dwelt/dwelled
eat *(spise)*	ate	eaten
fall *(falde)*	fell	fallen
feed *(fodre)*	fed	fed
feel *(føle)*	felt	felt
fight *(kæmpe)*	fought	fought
find *(finde)*	found	found
fine-draw *(sy fint sammen)*	fine-drew	fine-drawn
fit *(gøre egnet)*	fitted/*fit	fitted/*fit
flee *(flygte)*	fled	fled
fling *(slænge)*	flung	flung
floodlight *(projektørbelyse)*	floodlit/*floodlighted	floodlit/*floodlighted

fly *(flyve)*	flew	flown
forbear *(undlade)*	forbore	forborne
forbid *(forbyde)*	forbade/forbad	forbidden
force-feed *(tvangsfodre)*	force-fed	force-fed
fordo *(ødelægge)*	fordid	fordone
forecast *(forudsige)*	forecast/forecasted	forecast/forecasted
foreknow *(vide forud)*	foreknew	foreknown
foresee *(forudse)*	foresaw	foreseen
foretell *(forudsige)*	foretold	foretold
forget *(glemme)*	forgot	forgot/*forgotten
forgive *(tilgive)*	forgave	forgiven
forgo *(opgive)*	forwent	forgone
forsake *(svigte)*	forsook	forsaken
forswear *(forsværge)*	forswore	forsworn
freeze *(fryse)*	froze	frozen
gainsay *(modsige)*	gainsaid	gainsaid
get *(få, blive, komme)*	got	got/*gotten
gild *(forgylde)*	gilded/gilt	gilded/gilt
gird *(omgive)*	girded/girt	girded/girt
give *(give)*	gave	given
go *(gå, rejse)*	went	gone
grind *(male, knuse)*	ground	ground
grow *(vokse, dyrke)*	grew	grown
hamstring *(skære haserne over på)*	hamstrung	hamstrung
handwrite *(skrive i hånden)*	handwrote	handwritten
hang *(hænge)*	hung	hung
hang *(hænge i galgen)*	hanged	hanged
have *(have)*	had	had
hear *(høre)*	heard	heard
heave to *(lægge bi)*	hove to	hove to
hew *(hugge)*	hewed	hewed/hewn
hide *(skjule)*	hid	hidden
hit *(ramme)*	hit	hit
hold *(holde, rumme)*	held	held
housesit *(passe hus)*	housesat	housesat
hurt *(gøre ondt)*	hurt	hurt
inbreed *(indavle)*	inbred	inbred
indwell *((be)bo)*	indwelled/indwelt	indwelled/indwelt
inlay *(indlægge)*	inlaid	inlaid
input *(indlæse)*	input/inputted	input/inputted
inset *(sætte ind)*	inset	inset
interbreed *(krydse)*	interbred	interbred
intercut *(sammenklippe)*	intercut	intercut
interwind *(sammensno)*	interwound	interwound
joyride *(køre en tur i en stjålet bil)*	joyrode	joyridden

965

keep *(beholde)*	kept	kept
kneel *(knæle)*	knelt/*kneeled	knelt/*kneeled
knit *(rynke panden, strikke)*	knitted/knit	knitted/knit
know *(vide, kende)*	knew	known
lay *(lægge)*	laid	laid
lead *(føre)*	led	led
lean *(læne)*	leant/leaned	leant/leaned
leap *(hoppe)*	leapt/leaped	leapt/leaped
learn *(lære)*	learnt/learned	learnt/learned
leave *(forlade, tage af sted)*	left	left
lend *(låne)*	lent	lent
let *(låne, udleje)*	let	let
lie *(ligge)*	lay	lain
light *(tænde)*	lit/*lighted	lit/*lighted
lose *(tabe, miste)*	lost	lost
make *(gøre, fremstille)*	made	made
may *(kan, må gerne)*	might	
mean *(mene, have i sinde)*	meant	meant
meet *(møde)*	met	met
misbecome *(misklæde)*	misbecame	misbecome
miscast *(besætte rolle forkert)*	miscast	miscast
misdeal *(give forkert)*	misdealt	misdealt
misfit *(passe dårligt)*	misfitted/*misfit	misfitted/*misfit
misgive *(få bange anelser)*	misgave	misgiven
mislay *(forlægge noget)*	mislaid	mislaid
mislead *(vildlede)*	misled	misled
misread *(læse forkert, misforstå)*	misread	misread
misspell *(stave forkert)*	misspelled/misspelt	misspelled/misspelt
misspend *(forøde, anvende dårligt)*	misspent	misspent
mistake *(tage fejl af, misforstå)*	mistook	mistaken
misunderstand *(misforstå)*	misunderstood	misunderstood
mow *(meje)*	mowed	mowed/mown
must *(må, skal)*	must	
offset *(erstatte, opveje)*	offset	offset
ought *(bør)*	ought	
outbid *(overbyde)*	outbid	outbid
outdo *(overgå)*	outdid	outdone
outdraw *(trække bedre end)*	outdrew	outdrawn
outgo *(overgå)*	outwent	outgone
output *(udlæse)*	output	output
outride *(ride fra)*	outrode	outridden
outrun *(løbe fra)*	outran	outrun
outsell *(sælge mere end)*	outsold	outsold
outshine *(overstråle)*	outshone	outshone
outsit *(sidde længere end)*	outsat	outsat
outwear *(vare længere end)*	outwore	outworn

overbear *(undertrykke)*	overbore	overborne
overbid *(melde over)*	overbid	overbid
overbuild *((be)bygge for tæt)*	overbuilt	overbuilt
overcome *(overvinde)*	came	come
overdo *(overdrive)*	overdid	overdone
overdraw *(overtrække)*	overdrew	overdrawn
overdrive *(overanstrenge)*	overdrove	overdriven
overeat *(forspise sig)*	overate	overeaten
overfeed *(fodre for stærkt)*	overfed	overfed
overhang *(hænge ud over)*	overhung	overhung
overlay *(belægge)*	overlaid	overlaid
overleap *(springe over)*	overleapt/overleaped	overleapt/overleaped
overlie *(ligge hen over)*	overlay	overlain
overpay *(betale for meget)*	overpaid	overpaid
override *(nedtrampe, tilsidesætte)*	overrode	overridden
overrun *(overgro, sprede sig over)*	overran	overrun
oversee *(tilse, efterse)*	oversaw	overseen
oversell *(sælge mere end man kan levere)*	oversold	oversold
oversew *(kaste over)*	oversewed	oversewn/*oversewed
overshoot *(skyde forbi)*	overshot	overshot
oversleep *(sove over sig)*	overslept	overslept
overspend *(bruge for meget)*	overspent	overspent
overspread *(brede sig over)*	overspread	overspread
overtake *(indhente)*	overtook	overtaken
overthrow *(kaste omkuld)*	overthrew	overthrown
overwind *(trække (et ur) for stærkt op)*	overwound	overwound
overwrite *(overskrive)*	overwrote	overwritten
partake *(deltage)*	partook	partaken
pay *(betale)*	paid	paid
pinch-hit *(vikariere)*	pinch-hit	pinch-hit
prepay *(forudbetale)*	prepaid	prepaid
preset *(forudindstille)*	preset	preset
proofread *(korrekturlæse)*	proofread	proofread
prove *(bevise)*	proved	proved/proven
put *(lægge, sætte)*	put	put
quick-freeze *(lynfryse)*	quick-froze	quick-frozen
quit *(forlade, holde op med)*	quit	quit
read *(læse)*	read	read
rebuild *(genopbygge)*	rebuilt	rebuilt
recast *(omstøbe, omarbejde)*	recast	recast
redraw *(lave nyt udkast)*	redrew	redrawn
re-lay *(omlægge)*	re-laid	re-laid
remake *(lave om)*	remade	remade
rend *(sønderrive)*	rent	rent
repay *(tilbagebetale)*	repaid	repaid
reread *(læse igen)*	reread	reread

rerun *(vise igen, genudsende)*	reran	rerun
resell *(sælge igen, videresælge)*	resold	resold
reset *(sætte op, sætte om)*	reset	reset
resit *(tage en eksamen om)*	resat	resat
retake *(tage tilbage)*	retook	retaken
retell *(genfortælle)*	retold	retold
rethink *(genoverveje)*	rethought	rethought
rewind *(spole tilbage)*	rewound	rewound
rewrite *(skrive om)*	rewrote	rewritten
rid *(befri)*	rid	rid
ride *(ride)*	rode	ridden
ring *(ringe)*	rang	rung
rise *(rejse sig, stige)*	rose	risen
roughcast *(berappe)*	roughcast	roughcast
run *(løbe)*	ran	run
saw *(save)*	sawed	sawn
say *(sige)*	said	said
see *(se)*	saw	seen
seek *(søge)*	sought	sought
sell *(sælge)*	sold	sold
send *(sende)*	sent	sent
set *(sætte, gå ned)*	set	set
sew *(sy)*	sewed	sewn/*sewed
shake *(ryste)*	shook	shaken
shall *(skal)*	should	
shear *(klippe)*	sheared	sheared/shorn
shed *(udgyde, tabe)*	shed	shed
shine *(skinne)*	shone	shone
shit *(skide)*	shit/shat	shit/shat
shoe *(sko)*	shod	shod
shoot *(skyde)*	shot	shot
show *(vise)*	showed	shown
shrink *(krympe, vige tilbage)*	shrank	shrunk
shut *(lukke)*	shut	shut
sing *(synge)*	sang	sung
sink *(synke)*	sank	sunk
simulcast *(sende samtidig)*	simulcast/simulcasted	simulcast/simulcasted
sit *(sidde)*	sat	sat
slay *(dræbe)*	slew	slain
sleep *(sove)*	slept	slept
slide *(glide)*	slid	slid
sling *(slynge)*	slung	slung
slink *(luske)*	slunk	slunk
slit *(skære op, flænge)*	slit	slit
smell *(lugte)*	smelt/smelled	smelt/smelled
smite *(slå)*	smote	smitten
sow *(så)*	sowed	sowed/sown

speak *(tale)*	spoke	spoken
speed *(ile)*	sped/speeded	sped/speeded
spell *(stave)*	spelt/spelled	spelt/spelled
spellbind *(fortrylle)*	spellbound	spellbound
spend *(give ud, tilbringe)*	spent	spent
spill *(spilde)*	spilt/spilled	spilt/spilled
spin *(spinde)*	spun	spun
spit *(spytte)*	spat/*spit	spat
split *(flække)*	split	split
spoil *(ødelægge)*	spoilt/spoiled	spoilt/spoiled
spoonfeed *(made med ske)*	spoonfed	spoonfed
spotlight *(sætte spotlight på)*	spotlit/*spotlighted	spotlit/*spotlighted
spread *(sprede, brede sig)*	spread	spread
spring *(springe)*	sprang	sprung
stall-feed *(staldfodre)*	stall-fed	stall-fed
stand *(stå, stille)*	stood	stood
stave *(forsyne med staver)*	staved/stove	staved/stove
straphang *(måtte stå op i tog)*	straphung	straphung
steal *(stjæle)*	stole	stolen
stick *(klæbe, stikke)*	stuck	stuck
sting *(stikke med brod)*	stung	stung
stink *(stinke)*	stank/stunk	stunk
strew *(strø)*	strewed	strewed/strewn
stride *(skride)*	strode	stridden
strike *(slå)*	struck	struck
string *(trække på snor)*	strung	strung
strive *(stræbe)*	strove/*strived	striven/*strived
sublet *(fremleje)*	sublet	sublet
swear *(sværge)*	swore	sworn
sweep *(feje)*	swept	swept
swell *(svulme)*	swelled	swollen
swim *(svømme)*	swam	swum
swing *(svinge)*	swung	swung
take *(tage)*	took	taken
teach *(lære, undervise)*	taught	taught
tear *(rive)*	tore	torn
telecast *(udsende i fjernsyn)*	telecast	telecast
tell *(fortælle)*	told	told
think *(tænke)*	thought	thought
thrive *(trives)*	thrived/*throve	thrived
throw *(kaste)*	threw	thrown
thrust *(støde)*	thrust	thrust
tread *(træde)*	trod	trodden
typecast *(tildele roller efter typer, kategorisere)*	typecast	typecast
typewrite *(skrive på maskine)*	typewrote	typewritten
unbend *(rette ud, løsne)*	unbent	unbent
unbind *(binde op)*	unbound	unbound

underbid *(underbyde)*	underbid	underbid
undercut *(underhugge, underskære)*	undercut	undercut
underdo *(stege for lidt)*	underdid	underdone
undergo *(gennemgå, udstå)*	underwent	undergone
underlay *(lægge neden under)*	underlaid	underlaid
underlet *(udleje under værdien)*	underlet	underlet
underlie *(ligge under, ligge til grund)*	underlay	underlain
underpay *(underbetale)*	underpaid	underpaid
undersell *(sælge billigere end)*	undersold	undersold
underset *(understøtte)*	underset	underset
undershoot *(skyde for lavt)*	undershot	undershot
underspend *(slippe billigt, bruge færre penge)*	underspent	underspent
understand *(forstå)*	understood	understood
undertake *(foretage, påtage sig)*	undertook	undertaken
underwrite *(skrive under)*	underwrote	underwritten
undo *(binde op, gøre om)*	undid	undone
unfreeze *(tø op)*	unfroze	unfrozen
unknit *(løse)*	unknit/unknitted	unknit/unknitted
unlearn *(vænne sig af med, glemme)*	learnt/learned	learnt/learned
unsay *(tage tilbage)*	unsaid	unsaid
unset *(fjerne fra indfatning)*	unset	unset
unstring *(tage strengene af)*	unstrung	unstrung
unswear *(afsværge)*	unswore	unsworn
unteach *(få til at glemme)*	untaught	untaught
unwind *(vikle af, slappe af)*	unwound	unwound
uphold *(holde oppe, hævde)*	upheld	upheld
upset *(vælte, forstyrre)*	upset	upset
wake *(vågne, vække)*	woke/*waked	woken/*waked
waylay *(ligge på lur efter)*	waylaid	waylaid
wear *(have på)*	wore	worn
weave *(væve)*	wove/*weaved	woven/*weaved
wed *(ægte)*	wed/wedded	wed/wedded
weep *(græde)*	wept	wept
wet *(væde)*	wet/wetted	wet/wetted
whipsaw *(save)*	sawed	sawn
will *(vil)*	would	
win *(vinde, opnå)*	won	won
wind *(vinde, sno)*	wound	wound
withdraw *(trække (sig) tilbage)*	withdrew	withdrawn
withhold *(holde tilbage, nægte)*	withheld	withheld
withstand *(modstå)*	withstood	withstood
wring *(vride)*	wrung	wrung
write *(skrive)*	wrote	written